er [~'te] (1a) **I** *v/t.* vermehren, rgrößern; ~ *le prix* den Preis er- hen; ~ *le savoir* das Wissen be- ichern; ~ *q.*: a) j-s Gehalt er- hen; b) j-s Miete steigern; **II** *v/i.* ch vermehren, wachsen, steigen, ziehen (*de prix* im Preise); *le cre augmente* der Zucker wird urer.

gu|re [o'gy:r] *m* **1.** Wahrsagerei *fig.* Vorbedeutung *f*; Vor-, An- ichen *n*; *de bon* ~ günstig; *de auvais* (*od. de sinistre*) ~ unheilver- ndend; *fig. oiseau m de mauvais* Unglücksprophet *m*; *prendre à bon* als gute Vorbedeutung ansehen; *antiq.* Augur *m*, Vogelschauer *m*; **er** [ogy're] *v/t. u. v/i.* (1a): mut- aßen, prophezeien (*de od. par* aus *t.*); ~ *qch.* etw. voraussagen; *j'en gure favorablement* es gilt mir als ites Zeichen.

guste [o'gyst] *adj.* erhaben.

jourd'hui [oʒur'dɥi] *adv.* heute, n heutigen Tage; heutzutage; ~ (F *nur*: ~) *en quinze* heute in erzehn Tagen; *il y a* ~ *huit jours* eute vor acht Tagen; *à partir d'*~ *l. dès* ~ von heute an; *jusqu'*~ bis eute; ~ *même* noch heute; *le urnal d'*~ die heutige Zeitung.

mô|ne [o'mo:n] *f* Almosen *n*; *emander l'*~ betteln; *donner* (*od. ire*) *l'*~ Almosen geben; *être duit à l'*~ an den Bettelstab ge- ten sein; **~nier** [omo'nje] *m* ilitär-, Anstalts-geistliche(r) *m*; chloßkaplan *m*; Feldprediger *m*.

nage [o'na:ʒ] *m* **1.** Messen *n* mit er Elle; **2.** Ellen-maß *n*, -zahl *f*.

naie [o'nɛ] *f* Erlen-gehölz *n*, usch *m*, -wäldchen *n*.

ne[1] [o:n] *f* Elle *f*; *à l'*~ ellen- eise; *faire une mine longue d'une* ~ n langes Gesicht machen; *mesurer s autres à son* ~ andere nach sich *d.* durch seine eigene Brille) be- teilen; *je sais ce qu'en vaut l'*~ h kann ein Liedchen davon singen.

ne[2] ♀ [~] *m* Erle *f*, Schwarzerle *f*.

|née [o'ne] *f* Ellenlänge *f*; **~ner**] *v/t.* (1a) *Stoff* abmessen.

paravant [opara'vɑ̃] *adv.* vorher; üher; *une heure* (*trois ans*) ~ eine tunde (drei Jahre) vorher, vor e-r tunde (drei Jahren).

près [o'prɛ] **I** *adv.* **1.** daneben, in er Nähe; *pour voir cela, il faut ue je sois* ~ um das zu sehen, muß h nahe daran sein; **II** ~ **de** *prp.* (nahe) bei, neben, an; *restez* ~ *e moi* bleiben Sie bei mir!; *se ré-*

Angabe des Konjugationsschemas beim französischen Verb (vgl. Anhang)

Römische Ziffern zur Unterscheidung der Verbkategorien bzw. der Wortarten

Nähere Bezugsangabe

Hinweise auf übertragene Bedeutungen

Präposition zum französischen Verb und deutsche Entsprechung mit Rektionsangabe

Anwendungsbeispiele und idiomatische Wendungen in Auszeichnungsschrift

Betonungsangabe in der Vollumschrift bei Akzentwechsel vom Hauptstichwort zum Tildewort

Verschiedene noch miteinander verwandte Bedeutungen, getrennt durch Strichpunkt (Semikolon)

Arabische Ziffern zur Bedeutungsdifferenzierung

Synonyme oder fast gleichbedeutende Übersetzungen, getrennt durch Komma

Übersetzungsvarianten für **eine** französische Redewendung

Exponenten für Stichwörter mit gleicher Schreibung

e

LANGENSCHEIDTS
Großes Schulwörterbuch
FRANZÖSISCH-DEUTSCH

Von

DR. ERNST ERWIN LANGE-KOWAL

unter Mitarbeit von

LOUIS BEAUCAIRE

LANGENSCHEIDT

BERLIN · MÜNCHEN · WIEN · ZÜRICH

Die Nennung von Waren erfolgt in diesem Werk, wie in Nachschlagewerken üblich, ohne Erwähnung etwa bestehender Patente, Gebrauchsmuster oder Warenzeichen. Das Fehlen eines solchen Hinweises begründet also nicht die Annahme, eine Ware sei frei.

Auflage: 5. 4. 3. 2. 1. | Letzte Zahlen
Jahr: 1981 80 79 78 77 | maßgeblich

Langenscheidts Großes Schulwörterbuch Französisch-Deutsch

Langenscheidts Handwörterbuch Französisch-Deutsch

Druck: C. H. Beck'sche Buchdruckerei, Nördlingen
Printed in Germany · ISBN 3-468-07151-5

Vorwort

Grundlage: Neubearbeitung des Handwörterbuchs

„Langenscheidts Großes Schulwörterbuch Französisch-Deutsch" beruht auf der im letzten Jahr erschienenen Neubearbeitung unseres französisch-deutschen Handwörterbuchs. Dies bedeutet vor allem zwei Vorteile:

Neuester Stand

Einmal wurde bei dieser grundlegenden Neubearbeitung jedes einzelne schon bisher verzeichnete Wort auf seinen heutigen Gebrauch hin überprüft und dem neuesten Sprachstand angepaßt.

Zahlreiche Neologismen

Zum andern gelang es dem Verfasser, durch konsequente Beobachtung der modernen französischen Sprache den sich auf zahlreichen Gebieten rasch erweiternden Wortschatz weitgehend zu erfassen. Aus der Fülle der neu eingearbeiteten Neologismen sei nur folgende Auswahl genannt: *aérospatial*, *tous azimuts*, *contestataire*, *interphone*, *musicassette*, *organigramme*, *pressuriser*, *turbotrain*.

Fachwortschatz

Entsprechend ihrer heutigen Bedeutung sind die sprachlichen Bereiche der Sozialwissenschaften, des Umweltschutzes, der Ökologie, Kybernetik, Informatik, Raumfahrt, des Drogenmißbrauchs, der Politik, der Wirtschaft, des Verkehrs und der Technik, des Rechtswesens und der Verwaltung besonders eingehend dargestellt. So wurden zum Beispiel auch die Gebiete der Atomphysik und Elektronik in einem dem Ganzen entsprechenden Rahmen aufgenommen. Ebenso erhielten die Naturwissenschaften einschließlich der Medizin und nicht zuletzt auch der Sport die ihnen zukommende Beachtung.

Umgangssprache

Die Umgangssprache, die in immer steigendem Maße auch in die Literatur, die Tagespresse und die Sendungen von Rund- und Fernsehfunk eindringt, wurde vom Verfasser besonders berücksichtigt. So wurden besonders zahlreich idiomatische Ausdrücke und Redewendungen aufgenommen, wobei in jedem Falle eine möglichst große Genauigkeit in der Abgrenzung der Sprachgebrauchsebene (F = familier, P = po-

Wahrung der Sprachebene

pulaire, V = vulgaire) angestrebt wurde. Man findet z. B. für den französischen Ausdruck *cinglé* die deutschen Entsprechungen „bekloppt, übergeschnappt", für *avoir la tête fêlée* die deutsche Bedeutung „einen Tick haben", oder für *savoir qch. sur le bout du doigt* die deutsche Entsprechung „etw. aus dem Effeff kennen". Aus diesem Grunde ist das vorliegende Wörterbuch auch für den französischen Benutzer von besonderem Interesse, findet er doch hier die deutsche Umgangssprache in einem bisher nicht üblichen Umfang vertreten.

Aktuelle Abkürzungen

Auch die beträchtlich erweiterte Abkürzungsliste zeugt von dem Bestreben, mit der neuesten Sprachentwicklung Schritt zu halten. Wir verweisen auf Beispiele wie *B.A.*, *Cedex*, *Ovni*, *P.-D.G.*, *S.M.I.C.*, *S.N.E.-Sup.*, *S.O.F.R.E.S.*

Das „Große Schulwörterbuch" ist im übrigen, wie sein Name schon sagt, auf die Bedürfnisse des Schülers, das heißt des Französisch Lernenden und Studierenden im weitesten Sinne, zugeschnitten.

Große Schrift

Dies zeigt bereits das äußere Erscheinungsbild. Durch eine größere Schrift wird die Freude am Nachschlagen gesteigert.

Übersichtlicher Aufbau

Die einzelnen Stichwortartikel sind durch vier verschiedene Schriftarten, durch römische und arabische Ziffern, durch Exponenten usw. übersichtlich gegliedert. Die Bedeutungen der französischen Wörter werden durch bildliche Zeichen sowie durch kursiv gedruckte zusätzliche Angaben und Erläuterungen klar herausgearbeitet.

Internationale Lautschrift

Jedem französischen Stichwort ist eine exakte Aussprachebezeichnung nach den Prinzipien der Association Phonétique Internationale beigegeben. Dadurch wird die heutige Bedeutung der gesprochenen Sprache neben der geschriebenen augenfällig unterstrichen.

Grammatikalische Hinweise

Hinweise zur Grammatik werden in reichem Maße gegeben. Besonders wurde der vielfältige Anwendungsbereich der Präpositionen berücksichtigt, und zwar nicht nur der in Verbindung mit Verben, sondern auch in Verbindung mit Substantiven, Adjektiven und Adverbien gebrauchten Präpositionen. Die Rektion der Verben wurde durch Beispiele erläutert, so daß der Benutzer des Wörterbuchs in jedem Falle Auskunft über den richtigen Kasus- und Präpositionsgebrauch erhält. Auch auf spezielle Schwierigkeiten wie unterschiedlichen Gebrauch der Hilfsverben im Französischen und Deutschen (*j'ai marché* „ich bin gelaufen") wird bei den einzelnen Stichwörtern hingewiesen.

Wörterbuch der goldenen Mitte

Wir hoffen, daß dieses „schülerfreundlich" gestaltete Wörterbuch eine gute Aufnahme finden wird. Unter den sieben Wörterbuchgrößen unseres Hauses ist es gleichsam ein Wörterbuch der goldenen Mitte. Es ist umfassend — doppelt so groß wie unser bekanntes Taschenwörterbuch — und doch handlich. In der Tradition stehend — es basiert auf dem bewährten Handwörterbuch — gibt es den neuesten Stand wieder.

VERFASSER UND VERLAG

Inhaltsverzeichnis

Hinweise für die Benutzung des Wörterbuches

I. Anordnung

Streng alphabetische Anordnung

1. **Die alphabetische Reihenfolge** der Stichwörter ist durchweg beachtet worden. Das gilt auch für die z. T. aufgenommenen Orts- und Ländernamen und deren adjektivische Ableitungen.

   Die gebräuchlichsten französischen Abkürzungen sind am Schluß des Bandes in einem besonderen Verzeichnis zusammengestellt.

2. **Das Stichwort**

   a) Zur Verdeutlichung der in einem Stichwortartikel enthaltenen Informationen werden vier verschiedene Schriftarten verwendet:

Vier verschiedene Schriftarten

Fettdruck für das französische Stichwort,

Gill-Schrift für die französischen Anwendungsbeispiele und Redensarten,

Grundschrift für die deutschen Übersetzungen,

Kursivdruck für alle erklärenden Zusätze.

Exponenten

b) Weist ein Stichwort grundsätzlich verschiedene Bedeutungen auf, so erfolgt Unterteilung durch Exponenten:

> **mine**[1] [min] *f* **1.** Miene *f*, Gesichtsausdruck *m*, Aussehen *n*; ...
>
> **mine**[2] [~] *f* **1.** ⚒ (Erz-, Kohlen-)Grube *f*, Bergwerk *n*, Zeche *f*, Mine *f* (*a.* ⚔); ... **2.** ~ *de plomb* Bleimine *f*; ~ *de rechange*, ~ *de réserve* Ersatzmine *f* (*e-s Drehbleistiftes*); ...

Exponenten werden nicht verwendet, wo sich die weiteren Bedeutungen aus der Hauptbedeutung des Grundwortes entwickelt haben.

Gliederung der Übersetzungen

c) Die Übersetzungen werden folgendermaßen untergliedert: römische Ziffern zur Unterscheidung der Wortarten (Adjektiv, Substantiv usw., sowie transitives, intransitives, reflexives Zeitwort), arabische

Ziffern zur Unterscheidung wichtiger Grundbedeutungen:

musicien [myzi'sjɛ̃] (7c) **I** *adj.* musikalisch (*nur v. Personen*!); **II** *su.* **1.** Musiker *m*; **2.** Komponist *m.*

Reihenfolge der Übersetzungen

d) Bei der Übersetzung wird meistens zuerst von der Grundbedeutung ausgegangen; darauf folgt die Bedeutung in übertragenem Sinne. Die Redewendungen und Anwendungsbeispiele sind nicht immer in alphabetischer Reihenfolge gegeben, um inhaltlich Zusammengehöriges nicht zu trennen.

Adverbangabe

e) Das Zeichen □ nach einem Adjektiv bedeutet, daß das Adverb regelmäßig, also durch Anhängung der Endung -ment an das Femininum des Adjektivs, gebildet wird und deshalb nicht eigens im Wörterbuch verzeichnet ist:

lamentable □ = *lamentablement*
légal □ = *légalement*
curieux □ = *curieusement*

Rektionsangaben

f) Die Rektion von deutschen Präpositionen wird jeweils angegeben:

faute ... ~ *de prp.* aus Mangel an (*dat.*), in Ermangelung von (*dat.*); ...
réfléchir ... **II** *v/i.* überlegen, nachdenken (*sur*, *auch à* über *acc.*); ...

Bei den Verben werden insbesondere dann Angaben zur Rektion gemacht, wenn ein im Französischen transitives Verb im Deutschen intransitiv übersetzt wird, oder wenn in beiden Sprachen mit Präpositionen konstruiert wird:

aider ... *v/t.* helfen (*dat.*), unterstützen (*acc.*), beistehen (*dat.*); ...
renoncer ... **1.** ~ *à qch.* auf etw. (*acc.*) verzichten, von etw. (*dat.*) absehen, sich lossagen von etw. (*dat.*); ...

Fette und einfache Tilde

II. Das Wiederholungszeichen oder die Tilde (~, 2, ~, 2)

Zusammengehörige oder verwandte Wörter sind häufig zum Zwecke der Raumersparnis durch die Tilde zu Gruppen vereinigt. Die fette Tilde vertritt dabei entweder das ganze Stichwort oder den vor dem Strich (|) stehenden Teil des Stichworts. Bei den in Gill-Schrift gesetzten Redewendungen vertritt die einfache Tilde (~) stets das unmittelbar vorhergehende Stichwort, das auch mit Hilfe der fetten Tilde gebildet sein kann:

dot ... **~al** (= **dotal**)
sign|e ... **~er** (= **signer**)
monter ... ~ *à cheval* (= *monter*)

Ändern sich die Anfangsbuchstaben (groß zu klein oder umgekehrt), stehen statt der Tilde die Zeichen 2 oder 2.

nouveau ... *le* 2 *Testament* (= *Nouveau*)

III. Bedeutungsunterschiede

Die Bedeutungsunterschiede sind gekennzeichnet:

Kursivzusätze

a) durch nachgesetzte Erklärungen in Kursivdruck:

parlant ... ausdrucksvoll (*Blick*); sprechend ähnlich (*Bild*).

Bildliche Zeichen

b) durch vorgesetzte bildliche Zeichen oder abgekürzte und kursiv gedruckte Sachgebietsangaben (s. Verzeichnis auf Seite 11 bis 14).

Semikolon und Komma

c) Das Semikolon zwischen deutschen Übersetzungen trennt zwei wesentlich voneinander verschiedene Bedeutungen, während das Komma zwischen annähernd synonymen Übersetzungen steht:

marcher ... **1.** (zu Fuß) gehen, laufen, schreiten; wandern; ⚔ marschieren; ...

IV. Angaben zur Grammatik

Angaben zur Konjugation, zur Bildung des Femininums und Plurals

Die in runden Klammern hinter jedem französischen Zeitwort sowie hinter den Adjektiven und Substantiven mit unregelmäßiger Bildung des Femininums oder Plurals stehenden Ziffern, z. B. (2f), verweisen auf die Tabellen am Schluß dieses Bandes (S. 1170), in denen ausführlich Aufschluß über die Formenbildung gegeben wird.

Erklärung der Zeichen und Abkürzungen

1. Bildliche Zeichen

~ ~ ° } s. Hinweise für die Benutzung II.

□ Adjektiv mit regelmäßigem Adverb, *adjectif formant adverbe régulier.*

F familiär, *familier.*

P populär, *populaire.*

V vulgär, *vulgaire.*

* Gaunersprache, *argot.*

selten, *rare, peu usité.*

† veraltet, *vieux.*

wissenschaftlich, *terme scientifique.*

Pflanzenkunde, *botanique.*

⊕ Technik, Handwerk, *terme technique.*

⚒ Bergbau, *mines.*

⚔ militärisch, *terme militaire.*

⚓ Marine, Schiffersprache, *langage des marins.*

Handel, *commerce.*

Eisenbahn, *chemin de fer.*

♪ Musik, *musique.*

Baukunst, *architecture.*

Elektrizität, *électricité.*

Rechtswissenschaft, *droit.*

Postwesen, *postes.*

Mathematik, *mathématiques.*

Landwirtschaft, Gartenbau, *agriculture, agronomie, horticulture.*

Chemie, *chimie.*

Medizin, *médecine.*

Wappenkunde, *blason.*

Flugwesen, *aéronautique.*

2. Abkürzungen

a. *aussi*, auch.
Abk. Abkürzung, *abréviation.*
Abltg. Ableitung(en), *dérivation(s).*
abr. *abréviation*, Abkürzung.
abs. *absolu*, absolut.
abus. *abusivement*, mißbräuchlich.
acc. *accusatif*, Akkusativ (4. Fall).
adj. *adjectif*, Adjektiv, Eigenschaftswort.
adjt. *adjectivement*, als Adjektiv.
adm. *administration*, Verwaltung.
adv. *adverbe*, Adverb, Umstandswort.
advt. *adverbialement*, als Adverb.
adj./f. *adjectif féminin*, weibliche Form des Eigenschaftswortes.
All. *Allemagne*, Deutschland.
allg. allgemein, *au sens général.*
alp. *alpinisme*, Bergsport.
adj./m. *adjectif masculin*, männliche Form des Eigenschaftswortes.
adj./n *adjectif numéral*, Zahlwort.
anat. *anatomie*, Anatomie.
adj./n.c. *adjectif numéral cardinal*, Grundzahl.
adj./n.o. *adjectif numéral ordinal*, Ordnungszahl.
a/n.c. s. *adj./n.c.*
a/n.o. s. *adj./n.o.*
ant. *antonyme*, entgegengesetzter Sinn.
antiq. *antiquité*, Altertum.
arab. *arabe*, arabisch.
arch. *archéologie*, Archäologie.
arith. *arithmétique*, Arithmetik, Rechenkunst.
arp. *arpentage*, Feldmeßkunst.
art. *article*, Artikel, Geschlechtswort.
artill. *artillerie*, Artillerie.
ast. *astronomie*, Sternkunde.
astrol. *astrologie*, Astrologie.
astron. *astronautique*, Raumfahrt.
at. *science atomique*, Atomwissenschaft.
Ausspr. Aussprache, *prononciation.*

barb. *barbarisme*, unschönes Fremdwort.
belg. *belge*, belgisch.
bét. *béton*, Beton.
bibl. *biblique*, biblisch.
bij. *bijouterie*, Juwelen.
bill. *billard*, Billard(spiel).
biol. *biologie*, Biologie.
bisw. bisweilen, *parfois*.
bsd. besonders, *surtout*.
bzw. beziehungsweise, *respectivement*.

cart. (*jeu de*) *cartes*, Kartenspiel.
cath. *catholique*, katholisch.
ch. *chasse*, Jagd.
charp. *charpenterie*, Zimmermannsausdruck.
chir. *chirurgie*, Chirurgie.
cin. *cinéma*, Kino.
cj. *conjonction*, Konjunktion, Bindewort.
cjt. *conjonctionnellement*, als Konjunktion.
cmpr. *comparatif*, Komparativ.
co. *comique*, komisch, scherzhaft.
coll. *terme collectif*, Sammelbezeichnung.
cond. *conditionnel*, Konditional, Bedingungsform.
cons. *consonne*, Mitlaut.
cord. *cordonnerie*, Schuhmacherei.
cout. *couture*, Schneidern.
cuis. *cuisine*, Kochkunst, Küche.
cyb. *cybernétique*, Kybernetik.
cycl. *cyclisme*, Radsport.

dat. *datif*, Dativ (3. Fall).
dépt. *département*, Bezirk, Abteilung.
dft. *défectif*, mangelhaft, nicht vollständig.
dial. *dialecte*, Dialekt.
did. *didactique*, didaktisch.
dipl. *diplomatie*, Diplomatie.
dir. *direct*, direkt.

ea. einander, *l'un l'autre*, *réciproquement*.
éc. *économie*, Wirtschaft.
écol. *école*, Schule.
e-e eine, *un*, *une*.
égl. *église*, Kirche.
ehm. ehemals, *autrefois*.
électron. *électronique*, Elektronik.
ell. *elliptiquement*, unvollständig.
e-m einem, *à un*, *à une*.
e-n einen, *un*, *une*.
enf. *langage des enfants*, Kindersprache.
engS. in engerem Sinne, *au sens restreint*.
ent. *entomologie*, Insektenkunde.
e-r einer, *à un*, *à une*; *d'un*, *d'une*.
e-s eines, *d'un*, *d'une*.
esc. *escrime*, Fechtkunst.
etc. *et cætera*, und so weiter.
etw. etwas, *quelque chose*.
euphém. *euphémisme*, Euphemismus.

f *féminin*, weiblich.
féod. *féodalité*, Lehnswesen.
fig. *figuré*, figürlich, bildlich.
fil. *filature*, Spinnerei.
fin. *finances*, Finanz.
for. *science forestière*, Forstwesen, Forstwissenschaft.
f/pl. *féminin pluriel*, weibliche Mehrzahl.
Fr. *France*, Frankreich.
fr. *français*, französisch.
franz., frz. französisch, *français*.
frt. *fortification*, Befestigungswesen.
fut. *futur*, Zukunft.

Gbd. Grundbedeutung, *sens primitif*.
gebr. gebräuchlich, *en usage*.
gén. *génitif*, Genitiv (2. Fall).
géogr. *géographie*, Erdkunde.
géol. *géologie*, Geologie.
géom. *géométrie*, Raumlehre.
geschr. geschrieben, *par écrit*.
gew. gewöhnlich, *habituellement*.
Ggs. Gegensatz, *contraire*.
gr. *grammaire*, Grammatik.
griech. griechisch, *grec*.
gym. *gymnastique*, Turnwesen.

hist. *histoire*, Geschichte.
hort. *horticulture*, Gartenbau.
H. S. Hauptsatz, *proposition principale*.
hydr. *hydrodynamique*, Wasserkraftlehre.

icht. *ichtyologie*, Fischkunde.
imp. *impersonnel*, unpersönlich.
impér. *impératif*, Befehlsform.
impf. *imparfait*, Mitvergangenheit.
ind. *indicatif*, Indikativ.
indir. *indirect*, indirekt.

inf. *infinitif*, Infinitiv.
inform. *informatique*, Informatik.
int. *interjection*, Empfindungswort, Ausruf.
intr. *intransitif*, intransitiv.
inv. *invariable*, unveränderlich.
iron. *ironiquement*, spöttisch.
irr. *irrégulier*, unregelmäßig.

j. jemand, *quelqu'un*.
Jh. Jahrhundert, *siècle*.
j-m jemand(em), *à quelqu'un*.
j-n jemand(en), *quelqu'un* (*acc.*).
journ. *journalisme*, Zeitungswesen.
j-s jemandes, *de quelqu'un*.

kl. klein-e, -er, -es, *petit*.

lat. *latin*, lateinisch.
ling. *linguistique*, Linguistik.
litt. *littérature*; *langue littéraire* Literatur(sprache).
loc. *locution*, Redensart.

m *masculin*, männlich.
mach. *machines*, Maschinenwesen.
man. *manège*, Reitkunst.
méc. *mécanique*, Mechanik.
men. *menuiserie*, Tischlerei.
mép. *méprisable*, verächtlich.
mét. *métrique*, Verslehre.
métall. *métallurgie*, Hüttenwesen.
météo. *météorologie*, Meteorologie.
min. *minéralogie*, Mineralogie.
Min., -min. Ministerium, *ministère*.
mot. *moteur*, Motor.
m/pl. *masculin pluriel*, männliche Mehrzahl.
mst. meistens, *le plus souvent*.
mv. p. *en mauvaise part*, im üblen *od.* schlimmen Sinne.
myth. *mythologie*, Mythologie.

n *neutre*, sächlich.
nég. *négation*, Verneinung.
néol. *néologisme*, sprachliche Neubildung.
nom. *nominatif*, Nominativ (1. Fall).
nordamer. nordamerikanisch, *nord-américain*.
n/pl. *neutre pluriel*, sächliche Mehrzahl.
npr. *nom propre*, Eigenname.
N. S. Nebensatz, *proposition subordonné*.
num. *numismatique*, Münzkunde.

od. oder, *ou*.
opt. *optique*, Optik, Lichtlehre.
orn. *ornithologie*, Vogelkunde.

P. Person, *personne*.
parl. *parlement*, Parlament.
part. *participe*, Mittelwort.
pât. *pâtisserie*, Backkunst.
péd. *pédagogie*, Pädagogik.
peint. *peinture*, Malerei.
péj. *péjoratif*, verächtlich.
pers. *personne*, Person.
phon. *phonétique*, phonetisch.
pfort *plus fort*, verstärkter Sinn.
phil. *philosophie*, Philosophie.
phm. *pharmaceutique*, Apothekerkunst.
phonét. *phonétique*, Phonetik, Lautlehre.
phot. *photographie*, Photographie.
phys. *physique*, Physik.
physiol. *physiologie*, Physiologie.
pl. *pluriel*, Mehrzahl.
plais. *par plaisanterie*, aus Spaß.
poét. *poétique*, dichterisch.
pol. *politique*, Politik.
p/p. *participe passé*, Partizip der Vergangenheit.
p/pr. *participe présent*, Partizip der Gegenwart.
pr. *pronom*, Fürwort.
pr/d. *pronom démonstratif*, hinweisendes Fürwort.
préf. *préfixe*, Präfix, Vorsilbe.
prés. *présent*, Präsens, Gegenwart.
pr/i. *pronom interrogatif*, fragendes Fürwort.
pr/ind. *pronom indéfini*, unbestimmtes Fürwort.
prot. *protestant*, protestantisch.
Prov. *Provence*.
prov. *proverbe*, Sprichwort.
provc. *provincialisme*, Provinzialismus.
prp. *préposition*, Präposition, Verhältniswort.
pr/p. *pronom personnel*, persönliches Fürwort.
pr/poss. *pronom possessif*, besitzanzeigendes Fürwort.
prpt. *prépositionnellement*, als Präposition.
pr/r. *pronom relatif*, bezügliches Fürwort.
p/s. *passé simple*, historisches Perfekt.
psych. *psychologie*, Psychologie.

q. *quelqu'un*, jemand.
qch. *quelque chose*, etwas.

rad. *radio*, Rundfunk.
Rév., Rev. Revolution, *révolution*.
rhét. *rhétorique*, Redekunst.
rl. *religion*, Religion.
röm. römisch, *romain*.

S. Seite, *page*.
S. Sache, *chose*.
s. siehe, man sehe, *voir*, *voyez*.
sc. nat. *sciences naturelles*, Naturwissenschaften.
sculp. *sculpture*, Bildhauerkunst.
s. d. siehe dort, *voir sous ce mot*.
s-e seine, *sa*, *son*, *ses*.
serr. *serrurerie*, Schlosserei.
sg. *singulier*, Einzahl.
s-m seinem, *à son*, *à sa*.
sn sein (*Verb*) *être*; (*pronom*) *son*.
s-n seinen, *son*, *sa* (*acc.*).
soc. *sociologie*, Soziologie.
spr. sprich, *prononcez*.
s-r seiner, *de son*, *de sa*, *de ses*.
s-s seines, *de son*, *de sa*.
stat. *statistique*, Statistik.
st.s. *style soutenu*, gehobener Stil.
su. *substantif*, Hauptwort.
subj. *subjonctif*, Konjunktiv.
sup. *superlatif*, Superlativ.
su/pl. *substantif pluriel*, Hauptwort in der Mehrzahl.
syn. *synonyme*, sinnverwandtes Wort.

télégr. *télégraphie*, Telegrafie.
téléph. *téléphonie*, Fernsprechwesen.
télév. *télévision*, Fernsehen.
text. *textiles*, Textilindustrie.
thé. *théâtre*, Theater.
théol. *théologie*, Theologie.
tiss. *tisseranderie*, Weberei.
tram. *tramway*, Straßenbahn.
tric. *tricotage*, Stricken.
typ. *typographie*, Buchdruck(erkunst).

u. und, *et*.
ungebr. ungebräuchlich, *inusité*.
univ. *université*, Universität.
usw. und so weiter, *et cætera*.

v., v. von, vom, *de*.
var. *variable*, veränderlich.
v/aux. *verbe auxiliaire*, Hilfszeitwort.
vb. *verbe*, Verb(um), Zeitwort.
v/dft. *verbe défectif*, unvollständiges Verb.
vél. *vélo*, Fahrrad.
vét. *art vétérinaire*, Tierheilkunde.
vgl. vergleiche, *comparez*.
v/i. *verbe intransitif*, intransitives Zeitwort.
v/impers. *verbe impersonnel*, unpersönliches Zeitwort.
vit. *viticulture*, Weinbau.
Vn. Vorname, *prénom*.
vo. *voyelle*, Vokal, Selbstlaut.
v/rfl. *verbe réfléchi*, reflexives Zeitwort.
v/t. *verbe transitif*, transitives Zeitwort.

weitS. im weiteren Sinne, *par extension*.

z.B. zum Beispiel, *par exemple*.
zeitl. zeitlos, *intemporel*.
zig. zigeunerisch, *langue tsigane*.
zo. *zoologie*, Zoologie, Tierkunde.
zsgs. zusammengesetzt, *composé*.
zs., Zs. zusammen, *com-*, *con-*, *ensemble*.
Zssg(*n*) Zusammensetzung(en), *mot*(*s*) *composé*(*s*).

Erläuterungen zur Lautschrift

Die Betonung der französischen Wörter wird durch das Zeichen [ˈ] vor der zu betonenden Silbe angegeben.

A. Vokale

Stütz-e: Bei Konsonantenverbindungen mit l oder r vor folgendem Stütz-e ist auf eine besonders straffe Aussprache zu achten: table [ˈtablə], und nicht [ˈtabəl]; sabre [ˈsɑːbrə], und nicht [ˈsɑːbər]; honorable [ɔnɔˈrablə], und nicht [ɔnɔˈrabəl]; couvercle [kuˈvɛrklə], und nicht [kuˈvɛrkəl]; paisible [pɛˈziblə], und nicht [pɛˈzibəl]. Auch das von Prof. Georges Gougenheim verfaßte *Dictionnaire fondamental, 1958*, bringt dieses Stütz-e [ə].

[a] dame [dam] *Dame* wie in Ratte.

[aː] courage [kuˈraːʒ] *Mut* wie in Straße

[ɑ] bas [bɑ] *niedrig* wie in Mantel

[ɑː] vase [vɑːz] *Vase* wie in Qual

[ɑ̃] sang [sɑ̃] *Blut* kurzes, nasaliertes a

[ɑ̃ː] danse [dɑ̃ːs] *Tanz* langes, nasaliertes a

[e] été [eˈte] *Sommer* wie in See

[ɛ] après [aˈprɛ] *nach* wie in jäh

[ɛː] mère [mɛːr] *Mutter* wie in gähnen

[ɛ̃] matin [maˈtɛ̃] *Morgen* kurzes, nasaliertes ä

[ɛ̃ː] prince [prɛ̃ːs] *Fürst* langes, nasaliertes ä

[ə] le [lə] *der* wie in rette

[i] ici [iˈsi] *hier* wie in vielleicht

[iː] dire [diːr] *sagen* wie in Dieb

[o] chaud [ʃo] *warm* wie in Advokat

[oː] autre [ˈoːtrə] *anderer* wie in Kohle

[ɔ] donner [dɔˈne] *geben* wie in Hort

[ɔː] fort [fɔːr] *stark* wie in morgen

[ɔ̃] son [sɔ̃] *sein* kurzes, nasaliertes o

[ɔ̃ː] montre [ˈmɔ̃ːtrə] *Uhr* langes, nasaliertes o

[ø] feu [fø] *Feuer* kurzes ö

[øː] chanteuse [ʃɑ̃ˈtøːz] *Sängerin* langes ö wie in schön

[œ] jeune [ʒœn] *jung* wie in öfter

[œː] fleur [flœːr] *Blume* langes, offenes ö

[œ̃] lundi [lœ̃ˈdi] *Montag* kurzes, nasaliertes ö

[u] goût [gu] *Geschmack* wie in Mut

[uː] tour [tuːr] *Turm* wie in Uhr

[y] sur [syr] *auf* wie in amüsieren

[yː] dur [dyːr] *hart* wie in Mühle

[ɑːj] bataille [baˈtɑːj] *Schlacht*

[aj] travail [traˈvaj] *Arbeit*

[ɛj] soleil [sɔlɛj] *Sonne*

[ij] famille [faˈmij] *Familie*

[œj] fauteuil [foˈtœj] *Sessel*

} Dieses [j] ist im Frz. als Halbvokal so zart wie möglich auszusprechen.

B. Konsonanten

[k] **qu**atre ['katrə] *vier* wie in **K**arte

[p] **p**artir [par'ti:r] *abreisen* wie in **p**latt

[s] **s**a [sa] *seine* wie in Stra**ß**e

[z] dé**s**irer [dezi're] *wünschen* wie in **s**ausen

[ʃ] **ch**at [ʃa] *Katze* wie in lau**sch**en

[ʒ] **j**ournal [ʒur'nal] *Zeitung* wie in **G**enie

[t] **t**able ['tablə] *Tisch* wie in **T**orf

[v] **v**in [vɛ̃] *Wein* wie in **W**inter

[ɲ] Allema**gn**e [al'maɲ] *Deutschland* ähnlich wie in Champa**gn**er, nur viel zarter!

[j] vo**y**age [vwa'ja:ʒ] *Reise* wie in **J**ahr, **j**a, **j**eder

[w] **ou**i [wi] *ja* kurzer Reibelaut, zwischen beiden Lippen gebildet

[ɥ] h**u**it [ɥit] *acht* kurzer Reibelaut, Zungenstellung wie beim deutschen ü

[ŋ] buildi**ng** [bil'diŋ] *Hochhaus* nasaler Verschlußlaut ohne Lösung des Kehlverschlusses. Es darf also nicht [ŋk] am Wortende gesprochen werden.

Die übrigen, hier nicht besonders aufgeführten Laute sind wie im Deutschen zu sprechen. Es ist jedoch darauf zu achten, daß [k], [p] und [t] straff artikuliert und ohne den nachfolgenden Hauch des jeweiligen deutschen Lautes gesprochen werden. Das [r] spricht man am besten als Kehlkopf-r aus.

Einiges über Bindung, Silbentrennung und Zeichensetzung im Französischen

Die Bindung

Dem Sinn nach zusammengehörige und in einem grammatischen Verhältnis zueinander stehende Wörter werden gebunden, indem der Endkonsonant eines Wortes mit dem vokalischen Anlaut des folgenden Wortes verschmolzen wird: *il‿avait, une‿amie* usw.; dabei werden auch stumme Endkonsonanten wieder hörbar: *ils‿ont, le petit‿atelier, un mauvais‿ami* usw., einige Konsonanten verändern hierbei ihren Laut: s, x, z lauten wie z (deux‿amis [døza'mi]), d wie t (grand‿homme [grɑ̃'tɔm]), g wie k (sang‿impur [sɑ̃kɛ̃'pyːr]) und f wie v in: neuf‿ans [nœ'vɑ̃] und neuf‿heures [nœ'vœːr].

Ein enges grammatisches Verhältnis besteht z. B. zwischen:

1. zusammengesetzten Ausdrücken: *peut‿être, mot‿à mot* usw.;
2. dem Substantiv und Artikel, Pronomen, Adjektiv, Numeralis, Präposition: *les‿usages, mon‿oncle, petit‿enfant, trois‿ampoules* usw.;
3. dem Adverb und dem folgenden Wort: *très‿aimable, tout‿autour, pas‿ici* usw.;
4. dem verbundenen Personalpronomen und dem (Hilfs-)Verb: *il‿a, nous‿avons, il‿ira, vous‿ouvrez* usw.
5. der Präposition und dem von ihr abhängigen Wort: *chez‿elle, sans‿argent, après‿avoir mangé* usw.

Von den Nasallauten werden im allgemeinen nur gebunden: *en, on, mon, ton, son, bien* als Adverb und *rien* vor dem Verb; *bien‿aimable, je n'ai rien‿entendu* usw.

Ausnahmen:

1. Jede Sprechpause oder Hervorhebung eines Wortes schließt die Bindung aus.
2. In den Wörtern auf rd und rt bleibt der Endkonsonant stumm; dafür bindet das r: *sourd et muet* [sure'mɥɛ], *nord-est* [nɔ'rɛst], *un fort alliage* [œ̃'fɔːral'jaːʒ] usw.
3. Substantive auf *and, end, ond* binden nie: *un marchand| |étranger* [œ̃mar'ʃɑ̃ etrɑ̃'ʒe].
4. Nicht gebunden werden Namen von Personen, Ländern, Städten und Flüssen; ebensowenig das t von *et*.

Vorgeschrieben ist jedoch nur die Bindung zwischen einem Wort ohne Akzent und einem Wort mit Akzent: *les‿ornements des‿églises gothiques.* In allen anderen Fällen ist die Bindung nicht zwingend. Der heutige Sprachgebrauch neigt dazu, die Bindung immer weniger anzuwenden.

Die Silbentrennung

ist von der Etymologie völlig unabhängig. Nach dem von der Académie befolgten Gebrauch gilt folgendes:

1. Mehrere aufeinanderfolgende Vokale bleiben ungetrennt: *la priè-re, la poé-sie, le cinquiè-me*; demnach sind untrennbar: *pays, tuer, bien* usw.
2. Ein einfacher Konsonant zwischen zwei Vokalen bildet den Anfang der folgenden Silbe; dabei gelten alle Konsonanten, die ein h nach sich haben, als einfach: *la rei-ne, le pa-ra-pluie, l'a-pos-tro-phe, la si-lhouet-te, Fai-dher-be* (jedoch: *mal-heur*).

3. x darf nur vor Konsonanten abgetrennt werden: *l'ex-pres-sion, une ex-cur-sion*; nicht trennbar: *le Saxon* usw.

4. Von zwei (auch Doppel-)Konsonanten zwischen zwei Vokalen bildet der zweite den Anfang der folgenden Silbe: *le dic-tion-nai-re, la vic-toi-re*; *al-ler, l'o-reil-le, des-cen-dre, jus-que.*

Ausnahmen: gn, ch, ph, th sowie l und r mit vorausgehendem Konsonanten bleiben stets ungetrennt: *bai-gner, monta-gnard, le peu-ple, le ta-bleau, qua-tre, ap-pli-quer, vi-vre.*

5. Stehen mehr als zwei Konsonanten zusammen, so kommt nur der letzte zur folgenden Silbe (auch hierbei gelten die Ausnahmen unter 4): *le sculp-teur, obs-cur*; aber: *le por-trait, mor-dre.*

Die Zeichensetzung

Der Gebrauch der Satzzeichen stimmt im Französischen mit dem im Deutschen weitgehend überein. Starke Abweichungen aber bestehen im Gebrauch des Kommas (*la virgule*), das im Französischen als Zeichen der Pause gebraucht wird. Daher steht nie ein Komma vor *que*-(daß-)Sätzen: *je sais qu'il part* ich weiß, daß er abreist. Auch vor Nebensätzen mit *si* steht kein Komma: *je ne sais s'il peut venir* ich weiß nicht, ob er kommen kann. Allgemein steht vor Konjunktionen selten ein Komma. Ferner wird kein Komma vor den Infinitiv gesetzt: *il me prie de le suivre* er bittet mich, ihm zu folgen. Vor Relativsätzen steht kein Komma, wenn sie determinativ, d.h. zum Verständnis des Hauptsatzes notwendig sind: *j'ai vu l'homme qui a perdu ce livre* ich habe den Mann gesehen, der dieses Buch verloren hat. Entsprechend darf auch zwischen *celui qui* „derjenige, welcher" nie ein Komma stehen.

Da aber, wo im Französischen adverbiale Bestimmungen einen Satz einleiten oder in einen Satz eingeschaltet sind, werden sie gern durch ein Komma, als Zeichen der Pause, abgetrennt: *Hier soir, je l'ai vu* gestern abend habe ich ihn gesehen.

Das französische Alphabet

Aa	Bb	Cc	Dd	Ee	Ff	Gg	Hh	Ii	Jj	Kk	Ll	Mm	Nn
a	be	se	de	e	ɛf	ʒe	aʃ	i	ʒi	ka	ɛl	ɛm	ɛn

Oo	Pp	Qq	Rr	Ss	Tt	Uu	Vv	Ww	Xx	Yy	Zz
o	pe	ky	ɛːr	ɛs	te	y	ve	dublə've	iks	i'grɛk	zɛd

Französische Hilfszeichen

Als Hilfszeichen verwendet das Französische drei Akzente, ferner die Cédille, den Apostroph und das Trema.

A. Akzente

[ˊ] **accent aigu** [ak'sãte'gy] nur auf e bedeutet geschlossene Aussprache, z. B. désirer [dezi're] *wünschen*.

[ˋ] **accent grave** [ak'sã'grɑːv] auf e bedeutet offene Aussprache, z. B. mère [mɛːr] *Mutter*, sowie auf a und u als orthographisches Unterscheidungsmerkmal, z. B. a *hat* und à *in, an, zu*, ou *oder* und où? *wo?, wohin?*

[^] **accent circonflexe** [ak'sã sirkõ'flɛks] auf allen Vokalen, meist zur Bezeichnung der Längung des Vokals, z. B. âme [ɑːm] *Seele*, être ['ɛːtrə] *sein*, île [iːl] *Insel*, pôle [poːl] *Pol*, piqûre [pi'kyːr] *Stich*.

B. Die Cédille

Unter **c** stehend bedeutet sie, daß c vor den dunklen Vokalen a, o und u nicht wie [k], sondern wie [s] zu sprechen ist, z. B. français [frã'sɛ] *französisch*, leçon [lə'sõ] *Lehrstunde*, reçu [rə'sy] *empfangen*.

C. Der Apostroph

Er deutet auf den Ausfall eines a oder e vor vokalisch anlautendem Wort, eines i vor i am Wortanfang, z. B. l'ombre ['lõːbrə] *f der Schatten*, j'aime [ʒɛm] *ich liebe*, s'il vient [sil'vjɛ̃] *ob* (*od.* falls) *er kommt*.

D. Das Trema

Über **i** stehend bedeutet es, daß zwei aufeinanderfolgende Vokale getrennt zu sprechen sind, z. B. haïr [a'iːr] *hassen*. Über **e** stehend deutet es auf selbständige Lautung eines vorhergehenden u, z. B. contiguë [kõti'gy] *angrenzend*.

A

A, a *m* (*pl.* a) A, a *n.*

à [a] *prép.* **1.** *örtlich*: a) *Richtung* (*wohin?*): nach (*dat.*), auf (*acc.*), in (*acc.*); *aller à Berlin* (*à la campagne, à l'église*) nach Berlin (auf das Land, in die Kirche) gehen; *s'asseoir à une terrasse* sich auf e-e Terrasse setzen; *se jeter à l'eau* sich ins Wasser stürzen; *jeter à la rue* auf die Straße werfen, hinauswerfen; b) (*wo?*): an, in, bei, zu, auf (*alle mit dat.*); *être à Berlin* (*à la campagne*) in Berlin (auf dem Lande) sein; *à Chypre, à Malte, à Cuba, à Madagascar* auf Zypern, Malta, Kuba, Madagaskar; *être à cheval* zu Pferde sitzen; *à la page* ... auf Seite ...; *ces articles ne figurent pas à notre programme de fabrication* diese Artikel stehen nicht auf unserem Fabrikationsprogramm; c) (*wie weit entfernt?*): *à cinquante kilomètres de Paris* fünfzig Kilometer von Paris; d) *feindliche Richtung*: gegen; *attentat m à nos droits* Eingriff *m* in unsere Rechte; *attentat aux mœurs* Vergehen *n* gegen die Sittlichkeit; *manifester de l'hostilité à q.* Feindschaft gegen j-n bekunden, j-n anfeinden; *prendre une attitude hostile à q.* e-e feindliche Haltung j-m gegenüber einnehmen; *s'opposer à qch.* e-r Sache entgegenarbeiten; sich e-r Sache widersetzen; Einspruch erheben gegen etw. (*acc.*); *rebelle à q.* gegen j-n aufsässig; *rebelle à qch.* gegen etw. eingestellt (*od.* sich auflehnend), im Widerspruch zu etw. (*dat.*), unvereinbar mit etw. (*dat.*); **2.** *zeitlich*: a) (*wann?*): *à midi vingt* um 12 Uhr 20; *à l'instant* im Augenblick; *à l'heure qu'il est* zur (gegenwärtigen) Stunde; *à Noël* zu Weihnachten; *à sa mort* bei s-m Tod; *à l'automne 1930* im Herbst 1930; b) (*bis wann?*): *à ce soir* bis heute abend (*Abschiedsgruß*); *ebenso*: *à un de ces jours* auf baldiges Wiedersehen!; *à demain* bis (*od.* auf) morgen; *porter à une température de 100 degrés* bis auf e-e Temperatur von 100 Grad bringen; *à ce jour* bis zum heutigen Tag; *vents m/pl. faibles à modérés* *Wetterbericht*: schwache bis mäßige Winde; *à vous, Paris! rad.* hallo, Paris!; c) *Zeitmaß*: *payer au mois* monatlich bezahlen; *travailler à la journée* im Tagelohn arbeiten; *Auto*: *rouler à 100 à l'heure* 100 km pro Stunde fahren; **3.** *Entfernung* (*örtlich und zeitlich*): *de la tête aux pieds* von Kopf bis Fuß; *du jour au lendemain* von einem Tag zum andern; *ungefähre Zahlenangabe*: *cinq à six jours* fünf bis sechs Tage; *la ville est aux trois quarts détruite* die Stadt ist zu drei Vierteln zerstört; **4.** *Verhältnis*: *quatre est à six comme six est à neuf* vier verhält sich zu sechs wie sechs zu neun; **5.** *Besitz, Zugehörigkeit*: *avoir une maison à soi* ein eigenes Haus haben; *une tante à moi* e-e Tante von mir; **6.** *Merkmal*: *canne f à sucre* Zuckerrohr *n*; *vache f à lait* Milchkuh *f*; **7.** *Form, Bau*: *chapeau m à large(s) bord(s)* Hut *m* mit breiter Krempe; *instrument m à cordes* Saiteninstrument *n*; **8.** *boîte f aux lettres* Briefkasten *m*; *chambre f à coucher* Schlafzimmer *n*; **9.** *Mittel*: *se sauver à la nage* sich durch Schwimmen retten; *à l'aiguille* mit der Nadel; *moulin m à vent* Windmühle *f*; *bateau m à vapeur* Dampfschiff *n*, kleinerer Dampfer *m*; *faire sauter à la dynamite* mit Dynamit sprengen; *à grands pas appliqués* mit Riesenschritten; **10.** *Art und Weise des Tuns, des Seins*: *à gorge déployée* aus vollem Halse; *à la mode* nach der Mode; *à pleines mains* mit vollen Händen; *à bon droit* mit Fug und Recht; *au pas!* Schritt (*od.* langsam) fahren!; **11.** *Maß, Gewicht, Anzahl*: *à la livre* pfundweise; *à la douzaine* dutzendweise; **12.** *Preis*: *déjeuner m à cinq cent francs par tête* Essen *n* zu 500 (alten) Franken pro Person; *à bas prix* billig; **13.** *geistige Verfassung*: *faire qch. à regret* etw. ungern tun; *à contre-cœur* widerwillig; *à dessein* absichtlich; **14.** *Ursache*: *se ruiner au jeu* sich durchs Spiel ruinieren; *se tuer à (force de) travailler* sich totarbeiten; **15.** *Wirkung*: *blesser à mort* tödlich verwunden; **16.** *Reihenfolge*: *se placer deux à deux* sich paarweise hinsetzen; *goutte à goutte* tropfenweise; *mot à mot* Wort für Wort; *suivre q. pas à pas* j-m auf Schritt und Tritt (*od.* Schritt für Schritt) folgen; *un à un* einer nach dem andern, einzeln; **17.** *à bei être und avoir*: *il est toujours à se plaindre* er beklagt sich dauernd; *il n'y a rien à dire* es läßt sich nichts dagegen sagen; **18.** *abs. à mit inf.* = *en mit part. prés.*: *à l'entendre on croirait* wenn man ihn hört, möchte man glauben; *à partir de ce jour* von diesem Tage an; *à vrai dire* offen gestanden; **19.** *à statt de quoi*: *il n'a rien à manger* er hat nichts zu essen; *verser à boire* einschenken; **20.** mit (*Beziehung*): *avoir affaire à* (*od.* *avec*) *q.* mit j-m zu tun haben; *parler à* (*od.* *avec*) *q.* mit j-m sprechen; **21.** *dat.*: *à mon détriment* zu meinem Schaden; *à d'autres!* das können Sie anderen erzählen!; *parallèlement à cette action* parallel mit dieser Tat; **22.** (*aus lat. a, ab*) von ... her: *ce serait très* (*od.* *bien*) *gentil à vous* das wäre sehr nett von Ihnen; *acheter le lait au laitier* die Milch beim (*od.* vom) Milchhändler kaufen; *demander qch. à q.* von j-m etw. erbitten, j-n um etw. (*acc.*) bitten; *emprunter qch. à q.* von j-m etw. leihen (*od.* sich borgen); *boire à la rivière* aus dem Fluß trinken; *boire à la source* (*au ruisseau*) aus der Quelle (aus dem Bach) trinken; *boire à même la bouteille* (gleich) aus der Flasche trinken; *puiser à la pompe un seau d'eau* aus der Pumpe e-n Eimer Wasser pumpen; *puiser de l'eau à une fontaine* Wasser aus e-m Brunnen schöpfen; *retâter à qch.* wieder von etw. kosten; ⚔ *être tué à l'ennemi* vor dem Feind fallen; *ne rien comprendre à qch.* nichts von etw. (*dat.*) verstehen; *daher auch*: *je n'y entends rien* ich verstehe nichts davon (*y ersetzt den mit à aus lat. a(b) und ad gebildeten Dativ!*); *faire faire qch. à q.* j-n (*acc.*) etw. machen lassen; *faire remarquer qch. à q.* j-n auf etw. (*acc.*) aufmerksam machen; *il laisse prendre trop d'autorité à ses subalternes* er läßt s-n Untergebenen zuviel Freiheit; *bei den Verben des Wahrnehmens und Erkennens*: *je ne lui connaissais pas d'autre nom* ich kannte ihn unter keinem anderen Namen; *on reconnaît les femmes à une phrase* man erkennt die Frauen an e-m Satz; *je le vis à ses yeux qui riaient* ich sah es an s-n Augen (ich entnahm es s-n Augen), die vor Freude strahlten; *tu lui verras subir la mort la plus terrible* du wirst ihn (sie) den schrecklichsten Tod sterben sehen; *manger à plusieurs râteliers* (*od.* *à plus d'un râtelier*) mehrere lohnende Pöstchen zugleich bekleiden; mehreren Herren dienen (*a. fig.*); *mangé aux vers* wurmstichig; *arracher q. à la mort* j-n vom Tode retten; *arracher q. à ses occupations* j-n aus s-r Tätigkeit herausreißen; *cueillir des fruits sur* (*od.* *à*) *l'arbre* Früchte vom Baum pflücken; **23.** *statt e-s Relativsatzes nach premier, dernier und seul*: *il fut le premier à venir, le dernier à s'en aller* er war der erste, der kam, und der letzte, der ging; *l'Eglise a longtemps été la seule à s'intéresser à l'enseignement* lange Zeit hindurch war die Kirche die einzige (Stelle), die sich für das Unterrichtswesen interessierte; *j'étais le seul à habiter sur place* ich war der einzige, der an Ort und Stelle wohnte.

abaissable [abɛ'sablə] *adj.* herablaßbar.

abaisse-langue [abɛs'lɑ̃:g] *m/inv.* Zungenspatel *m.*

abaissement [abɛs'mɑ̃] *m* **1.** Herablassen *n*; Abtragen *n e-r Mauer*; Herabsetzung *f*, Senkung *f des Preises, écol. e-r Klassenfrequenz*; Sinkenlassen *n der Stimme*; Fällen *n e-s Lotes*; ⚒ *Bruch*: Kürzen *n e-r Gleichung*; Sinken *n*, Fallen *n des Wassers*; Senkung *f des Bodens*; ~ *du coût de la vie* Senkung *f* der Lebenshaltungskosten; ~ *de prime(s)* Prämiensenkung *f* (*Versicherung*); **2.** *fig.* Verfall *m*, Sinken *n*, Abnahme *f*; Demütigung *f*, Erniedrigung *f*, Entwürdigung *f*; Niederzwingung *f*, Unterwerfung *f.*

abaisser [abɛ'se] (1b) **I** *v/t* **1.** herunter-, herab-lassen; niedriger machen *od.* stellen; *Augen* niederschlagen; *Mauer* abtragen; *Bild* niedriger hängen; *Preis* herabsetzen; *Instrument* heruntlerstimmen; *Stimme* sinken lassen; *Lot* fällen; ⚲ *Ziffer* herunterziehen; *Gleichung* kürzen; *Teig* dünn rollen; ~ *son front* sein Haupt neigen; **2.** *fig.* verkleinern; demütigen, ducken, erniedrigen; niederzwingen; *Verdienst* schmälern; **II** *v/rfl.* s'~ **3.** sich senken, niedriger werden; fallen *od.* sinken (*Nebel*); sich legen (*Wind*); **4.** sich demütigen, sich erniedrigen; *s'~ au niveau de q.* sich der Auffassungskraft j-s anpassen, sich zu j-m herablassen.

abajoue [aba'ʒu] *f* **1.** *zo.* Backentasche *f*; **2.** F *fig.* Hängebacke *f.*

abandon [abɑ̃'dɔ̃] *m* **1.** (*gänzliche*) Verlassenheit *f*; *livrer à l'~* ganz aufgeben; **2.** Vernachlässigung *f*, Versäumnis *n*; Preisgabe *f*; **3.** Abtretung *f*; Verzicht(leistung *f*) *m*; *Sport*: Aufgabe *f*, Zurückziehen *n*; *par ~* durch Aufgabe; **4.** *fig.* Ergebung *f*, Hingabe *f*; Ungezwungenheit *f*; Sichgehenlassen *n*; *laisser tout à l'~* alles drunter und drüber gehen lassen.

abandon|né [abɑ̃dɔ'ne] *adj. u. su.* hilflos, verlassen, verkommen, verwahrlost; zügellos; Hilfloser *m*, Verlassener *m*; **~ner** [~] (1a) **I** *v/t.* **1.** verlassen; räumen; zurücklassen; im Stich lassen; *Kind* aussetzen; *mes forces m'abandonnent* meine Kraft verläßt mich; *abandonné à soi-même* sich selbst überlassen; ⚒ ~ *une mine* e-e Grube auflassen; **2.** preisgeben; j-m *etw.* überlassen; verzichten auf (*acc.*); *Plan, Arbeit* aufgeben; *Zügel* schießen lassen; loslassen; *Boxkampf, Tennis usw.*: aufgeben; **II** *v/rfl.* *s'~ à q. od. à qch.* sich j-m *od.* e-r Sache ganz hingeben; *s'~ à un vice* e-m Laster frönen; *abs.* *s'~* sich gehenlassen; **~nique** *psych.* [~'nik] *adj.* lieblos erzogen.

abaque [a'bak] *m* **1.** ⛫ Säulendeckplatte *f*; **2.** ⛫ Fluchtlinientafel *f*; **3.** Rechentabelle *f*; graphische Darstellung *f.*

abasourdi [abazur'di] *p.p. u. adj.* verdutzt, verblüfft, niedergeschlagen; benommen, betäubt; *être ~* wie vom Schlag getroffen sein; **~r** [~'di:r] *v/t.* (2a) verblüffen, *fig.* betäuben, niederschlagen.

abats [a'ba] *m/pl.* Schlachtabfälle *m/pl.*

abâtard|ir [abɑtar'di:r] (2a) **I** *v/t.* verschlechtern, degenerieren; *fig.* schwächen (*Mut*); **II** *v/rfl.* s'~ entarten; **~issement** [~dis'mɑ̃] *m* Entartung *f.*

abat|-foin [aba'fwɛ̃] *m* (6c) Heuluke *f*; **~-jour** [~'ʒu:r] *m* (6c) **1.** Lampenschirm *m*; Augenschirm *m*; **2.** ⛫ Oberlicht *n*; Schrägfenster *n*; **~-son** ⛫ [~'sɔ̃] *m* Schallfenster *n* (*Glockenturm*).

abat|tage [aba'ta:ʒ] *m* **1.** Holzfällen *n*; Abhieb *m*; ⚒ Schrämen *n*; *engin m d'~* Schrämmaschine *f*; *~ à la mine* Sprengung *f* (*Straßenbau*); **2.** (Holz-)Hauerlohn *m*; **3.** Tötung *f*; Abschlachten *n*; *~ clandestin* Schwarzschlachten *n*; *droit m d'~* Schlachtsteuer *f*; **4.** *artill.* Verankerung *f*; ⚒ Abbau *m*; P Rüffel *m*; Strafpredigt *f*; * Schwung *m*, Schneid *m*; ⚒ *~ à la lance (d'eau)* Wasserstrahlgewinnung *f*; ⚒ *machine f d'~* Gewinnungsmaschine *f*; **5.** * *maison f d'~* billiges Absteigequartier *n* (*mv. p.*); **~tant** [~'tɑ̃] *m* Rolltür *f* (*Schreibschrank*); Tischklappe *f*; **~tée** [~'te] *f* **1.** ✈ *~ sur le nez* Kopfstand *m*; **2.** ⚓ Abfallen *n*; **~tement** [abat'mɑ̃] *m* Mattigkeit *f*; Mutlosigkeit *f*; Niedergeschlagenheit *f*; **~teur** [~'tœ:r] *m* Hauer *m*; Schlächter *m*; *~ de bois* Holzhacker *m*; **~tis** [aba'ti] *m* **1.** Fällen *n*; Abbrechen *n*; Schutt *m*; Späne *m/pl.*; **2.** Abgang *m* (*von geschlachtetem Vieh*); *~ d'oie* Gänseklein *n*; **3.** *frt.* Verhau *m*; **4.** *pl.* * Arme und Beine *pl.*; * *numéroter ses ~* s-e Knochen zählen (*od.* zusammensuchen); **~toir** [~'twa:r] *m* Schlachthaus *n*; *inspecteur m d'~* Fleischbeschauer *m.*

abattre [a'batrə] (4a) **I** *v/t.* **1.** ab-, herunter-schlagen; niederwerfen; *Baum* fällen; ✈, *ch.* abschießen; *Haus* abbrechen, abreißen; *Kegel* schieben, umwerfen; F niederschießen, runterknallen P, töten; *~ à coups de matraque (od. de gourdin)* niederknüppeln; ⚒ *~ du charbon à la main* Kohle von Hand gewinnen; **2.** *fig.* schwächen; *Schmerz* lindern, stillen; *Stolz* demütigen, brechen; entmutigen; **3.** *fig.* ersetzen; *~ la besogne de 1000 ouvriers* die Arbeit von 1000 Arbeitern ersetzen; **II** *v/rfl.* s'~ **4.** *Alpensport*: abstürzen; ✈ *s'~ en flammes* brennend abstürzen; **5.** einstürzen, zs.-brechen (*Dach*); sich legen (*Korn*); stürzen (*Pferd*); **6.** herabschießen (*v/i.*) (*Raubvogel*); sich niederlassen (*Vögel*); niedergehen (*Gewitter*); **7.** sich legen

(*Wind*); **8.** *fig.* (*a. se laisser ~*) mutlos werden; **9.** *fig.* sich ergießen: *une nuée de touristes s'abat sur une ville* ein Schwarm von Touristen ergießt sich auf e-e Stadt.

abattu [aba'ty] *adj. fig.* niedergeschlagen.

abatture *ch.* [aba'ty:r] *f*: *~s pl.* Hirschfährte *f*.

abat|-vent [aba'vɑ̃] *m* (6c) Wetterdach *n*; Windschirm *m*; Schornsteinkappe *f*; **~-voix** [~'vwa] *m* (6a) Schalldeckel *m*; Kanzeldeckel *m*.

abbaye [abe'i] *f* Abtei *f*.

abbé [a'be] *m* Abt *m*; Geistliche(r) *m*.

abc [abe'se] *m* **1.** Abc *n*, Alphabet *n*; **2.** Fibel *f*, Abc-Buch *n*; **3.** *fig.* Anfangsgründe *m/pl.*

abcéder [abse'de] *v/i.* (1f) zum Abszeß werden.

abcès ⚕ [ab'sɛ] *m* Geschwür *n*.

abdication [abdikɑ'sjɔ̃] *f* **1.** Abdankung *f*; (freiwillige) Niederlegung *f*; *~ (du trône)* Verzicht *m* auf den Thron, Thronentsagung *f*; **2.** ⚖ *~ d'un fils* Erbverzicht *m* e-s Sohnes.

abdiquer [abdi'ke] (1m) **I** *v/t.* verzichten auf (*acc.*); *Amt* niederlegen; *fig. ~ ses vices* s-n Lastern entsagen, s-e Laster aufgeben; **II** *v/i.* abdanken.

abdom|en [abdɔ'mɛn] *m anat.* Unterleib *m*; *ent.* Hinterleib *m*; **~inal** [~mi'nal] *adj.* (5c) Unterleibs...

abécédaire [abese'dɛ:r] **I** *m* Abc-Buch *n*, Fibel *f*; *fig. ~ d'une science* Elemente *n/pl.* e-r Wissenschaft; **II** *adj.* alphabetisch.

abecquer [abɛ'ke] *v/t.* (1m) *Vögel* füttern.

abeill|e [a'bɛj] *f* Biene *f*, Imme *f*; *~ neutre, ~ ouvrière* Arbeitsbiene *f*; *~ mâle* Drohne *f*; *~ nourricière* Futterbiene *f*.

aber|rant [abɛ'rɑ̃] *adj.* (7) abweichend; **~ration** [~rɑ'sjɔ̃] *f* **1.** *ast.* Abweichung *f* (*z.B. des Lichts der Sterne*); **2.** Abweichung *f* (*vom Rechten*); **3.** *fig.* Verirrung *f*; **~rer** [~'re] *v/i.* (1b) abirren, abweichen.

abet|ir [abɛ'ti:r] (2a) **I** *v/t.* dumm machen, verdummen; **II** *v/rfl. s'~* dumm werden, verdummen (*v/i.*), verblöden; **~issement** [~tis'mɑ̃] *m* Verdummung *f*.

abhorrer [abɔ're] *v/t.* (1a) verabscheuen, tief verachten.

abiét|inées ♀ [abjeti'ne] *f/pl.* Koniferenarten *f/pl.*; **~ite** [~'tit] *f* Tannennadelextrakt *m*.

abîme [a'bi:m] *m* Abgrund *m*, Kluft *f*, unendliche Tiefe *f*; Höllenschlund *m*; *fig.* Höchstgrad *m*; *fig. les ~s de l'âme humaine* die Abgründe der menschlichen Seele; *un ~ d'incertitude* ein Höchstmaß *n* an Unsicherheit; *être au bord de l'~* am Rande des Verderbens stehen.

abîmer [abi'me] (1a) **I** *v/t.* **1.** in e-n Abgrund stürzen; **2.** *fig.* vernichten, verderben, zugrunde richten; *abs. abîmé dans la dissipation* der Verschwendungssucht ergeben; *une voiture abîmée Auto*: ein kaputter Wagen; **II** *v/rfl. s'~* **3.** versinken (*Schiff*); **4.** sich demütigen; **5.** zugrunde gehen; **6.** *fig.* sich versenken *od.* vertiefen (*dans* in *acc.*); **7.** schlecht werden, verderben (*Obst*); **8.** sich *etw.* schmutzig machen; sich *etw.* verderben; *n'allez pas vous ~ l'habit neuf* machen Sie sich ja nicht den neuen Anzug schmutzig; *vous vous abîmerez les yeux* Sie werden sich die Augen verderben.

abject [ab'ʒɛkt] *adj.* (7) niederträchtig, verkommen, verworfen; verächtlich; gemein.

abjection [abʒɛk'sjɔ̃] *f* Niederträchtigkeit *f*, Verkommenheit *f*; Verworfenheit *f*; Niedrigkeit *f*, Gemeinheit *f*.

abjur|ation [abʒyrɑ'sjɔ̃] *f* Abschwörung *f*, feierliche Entsagung *f*; **~er** [~'re] *v/t.* (1a) entsagen (*dat.*); *~ sa foi* s-n Glauben abschwören *od.* verleugnen.

ablation [ablɑ'sjɔ̃] *f* **1.** ⚕ Ablation *f*, Entfernung *f*; **2.** *géogr.* Ablation *f*: a) Abtragung *f*; b) *~ (glaciaire)* Abschmelzung *f* (am Gletscher).

abl|e *icht.* ['ablə] *m* Weißfisch *m*; *~ de mer* Weißbarsch *m*; **~ette** *icht.* [a'blɛt] *f* Blicke *f*, Ukelei *m*.

ablution [ably'sjɔ̃] *f* Abwaschen *n*, Reinigung *f* (*bsd. rl.*).

abnégation [abnegɑ'sjɔ̃] *f* (Selbst-) Verleugnung *f*; Selbstüberwindung *f*; Entsagung *f*.

aboi [a'bwa] *m* **1.** Bellen *n*; **2.** *~s pl. ch.* Todeskampf *m* (*des Hirsches*); *fig. être aux ~s* a) *ch.* in den letzten Zügen liegen (*Jagdwild*); b) *allg.* in e-r verzweifelten Lage sein.

aboiement [abwa'mɑ̃] *m* (*mst. pl.*) Gebell *n*; *fig.* Geschrei *n*; *les ~s de la critique* das Gezeter der Kritik.

abolir [abɔ'li:r] (2a) **I** *v/t.* abschaffen, aufheben, außer Kraft setzen; ~ *l'administration* (*od. la gestion*) *forcée* die Zwangswirtschaft aufheben; **II** *v/rfl. s'*~ außer Gebrauch kommen; verjähren.

abolition [abɔli'sjɔ̃] *f* **1.** Abschaffung *f*, Aufhebung *f*, Abbau *m*; **2.** ⚕ Erlöschen *n*; Schwinden *n*, Fehlen *n*; ~ *de la mémoire* Gedächtnisschwund *m*; ~ *de l'ouïe* Taubwerden *n*; ~ *de la vue* Erblinden *n*; ~ *des réflexes* Fehlen *n* der Reflexe.

abolition|nisme [abɔlisjɔ'nism] *m bsd.* Lehre *f* von der Abschaffung der Sklaverei; **~niste** [~'nist] **I** *adj. die Todesstrafe usw.* ablehnend; **II** *m bsd.* Anhänger *m* der Abschaffung *der Sklaverei*, *der Todesstrafe usw.*

abomi|nable [abɔmi'nablə] *adj.* □ entsetzlich, widerlich, ekelhaft; **~nation** [~nɑ'sjɔ̃] *f* **1.** Abscheu *m*; Ekel *m*; *avoir en* ~ verabscheuen; **2.** *etwas* Entsetzliches *n*, Schandtat *f*, Scheußlichkeit *f*; **~ner** [~'ne] *v/t.* (1a) verabscheuen.

abon|dance [abɔ̃'dɑ̃:s] *f* **1.** Überfluß *m* (*de* an *dat.*); Wohlstand *m*; reichliche Menge *f*; *en* ~ reichlich, in Hülle u. Fülle; **2.** ~ *de paroles* Wortreichtum *m*, überströmende Beredsamkeit *f*; *péj.* Wortschwall *m*; *parler avec* ~ überschwenglich sprechen; *parler avec* ~ *de* beredt sprechen über (*acc.*); **3.** mit Wasser verdünnter Wein *m*; **~dant** [~'dɑ̃] *adj.* (7) (*adv. abondamment*) reich, fruchtbar; reichlich, im Überfluß; wortreich, ausdrucksvoll; ~ *en* reich an (*dat.*); **~der** [~'de] *v/i.* (1a) **1.** ~ *en* Überfluß haben an (*dat.*); **2.** im Überfluß vorhanden sein, reichlich (zu-) fließen; **3.** *fig.* ~ *dans le sens de q.* j-s Meinung beipflichten.

abon|né [abɔ'ne] *su.* Abonnent *m*; Zeitkarteninhaber *m*; ~ *au téléphone* Fernsprechteilnehmer *m*; **~nement** [~n'mɑ̃] *m* Abonnement *n*; *thé.*, *Sport*: Dauerkarte *f*; *Bus*: ~ (*mensuel*) Monatskarte *f*; ~ *au téléphone* Fernsprechanschluß *m*; ~ *pour un an*, ~ *valable pour une année* Jahresabonnement *n*; ✝ *payer* (*payable*) *à l'*~ in Raten zahlen (zahlbar); *par* (*od. à*) *l'*~ auf Abzahlung; ~ *postal* Postbezug *m* (*z.B. e-r Zeitung*); ~ *couplé* Zusatzabonnement *n*; ~ *au timbre* Firmenfreistempel *m*; ~ *d'essai* Probeabonnement *n*; *prendre un* ~ *à un journal* e-e Zeitung abonnieren; **~ner** [~'ne] (1a) **I** *v/t.* ~ *q. à qch.* für j-n etw. abonnieren; *être abonné à* abonniert sein bei, *Zeitung usw.* halten; **II** *v/rfl. s'*~ *à* sich auf etw. (*acc.*) abonnieren.

abonnir [abɔ'ni:r] (2a) **I** *v/t.* verbessern (*Wein*; *Erde*); **II** *v/i. u. v/rfl. s'*~ besser werden.

abord [a'bɔ:r] *m* **1.** Zugang *m*, Zutritt *m*, Auffahrt *f*; ⚓ Landungsmöglichkeit *f*; **2.** *fig. être d'un* ~ (*od. avoir l'*~) *facile* zugänglich (*od.* entgegenkommend) sein; **3.** (*tout*) *d'abord*, *au* (*od. du od. de*) *premier* ~ zuerst, anfangs; *de prime* ~ von vornherein, auf den ersten Blick; **4.** **~s** *pl.* nähere Umgebung *f*; *aux* **~s** *de* in der Nähe von (*dat.*); *les* **~s** *d'une ville* die nähere Umgebung e-r Stadt; *fig. aux* **~s** *du pouvoir* auf der Schwelle zur Macht.

abord|able [abɔr'dablə] *adj. fig.* zugänglich; ✝ *prix m* ~ annehmbarer (*od.* erschwinglicher) Preis *m*; **~age** ⚓ [~'da:ʒ] *m* Rammen *n*, Gegeneinanderprallen *n*, Zusammenstoß *m*; *hist.* Entern *n*; **~er** [~'de] (1a) **I** *v/t.* **1.** ansprechen; **2.** ⚓ *Küste* anlaufen; ✈ anfliegen; **3.** *fig. Problem* anpacken, *Frage* erörtern; ~ *qch.* auf etw. zu sprechen kommen; ~ *un travail* e-e Arbeit in Angriff nehmen (*od.* anfangen *od.* anpacken); ~ *le lyrisme* sich der Lyrik zuwenden; *thé.* ~ *Molière* sich an Molière wagen (*Schauspieler*); ~ *un sujet* ein Thema anschneiden; **4.** ⚓ *Schiff* entern; stoßen gegen; **II** *v/i.* (*avoir bzw. être*) **5.** landen, anlegen.

aborigène [abɔri'ʒɛn] **I** *adj.* eingeboren, einheimisch; Ur...; **II** *m* Ureinwohner *m*.

aborn|ement [abɔrnə'mɑ̃] *m* Vermarkung *f*; **~er** [~'ne] *v/t.* (1a) abstecken, vermarken.

abortif ⚕, *biol.* [abɔr'tif] **I** *adj.* zu früh geboren (*a. su.*); verkümmert; **II** *m* Abtreibungsmittel *n*.

abouchement [abuʃ'mɑ̃] *m* Einmünden *n* (*zweier Röhren*).

aboucher [abu'ʃe] (1a) **I** *v/t.* **1.** ⊕ ineinanderfügen; **2.** *fig.* in Kontakt bringen (*avec q.* mit j-m); **II** *v/rfl. s'*~ zs.-stoßen (*Röhren*); einmünden; *fig. mv. p.* Kontakt aufnehmen (*avec q.* zu j-m).

abouler P [abu'le] (1a) **I** *v/t.* herbringen, rausrücken; geben; zahlen; **II** P *v/rfl. s'*~ angetrudelt (*od.* angewalzt) kommen; *Auto usw.* anrollen.

aboul|ie *psych.* [abu'li] *f* Abulie *f*, Willensschwäche *f*, Entschlußlosigkeit *f*; **~ique** [~'lik] *adj.* □ willen-, entschluß-los.

about *charp.* [a'bu] *m* Balkenkopf *m*; 🚂 *~ du rail* Schienenende *n*; **~er** [-'te] *v/t.* (1a) mit den stumpfen Enden zs.-fügen; *~ la vigne* die Weinrebe vollständig beschneiden.

aboutir [abu'ti:r] *v/i.* (2a) (*avoir u. être*) **1.** *~ à* gehen (*od.* reichen) bis an (*acc.*), grenzen an (*acc.*); endigen in (*dat.*); münden, sich ergießen in (*acc.*) (*Fluß*); enden an (*dat.*) (*Weg*); *fig.* bezwecken, hinauslaufen auf (*acc.*), führen zu; *~ au centre* im Mittelpunkt zs.-treffen; ⊕ *~ contre* stoßen an (*dat.*); *~ en pointe* spitz zulaufen; **2.** ⚕ aufgehen (*Geschwür*); ⚘ Knospen treiben; **3.** *faire ~ Verhandlungen usw.* zum Ziel führen; zum Abschluß bringen.

aboutissant [abuti'sɑ̃] *adj.* (7) angrenzend; *connaître les tenants et les ~s* die näheren Umstände (*od.* das Drum u. Dran) kennenlernen.

aboutissement [abutis'mɑ̃] *m* **1.** Aufgehen *n e-s Geschwürs*; **2.** *fig.* Ergebnis *n*; **3.** ⊕ Widerlager *n*.

aboyer [abwa'je] *v/i.* (1h) bellen.

aboyeur [abwa'jœ:r] **I** *adj.* (7g) bellend; **II** *m* Kläffer *m*; *fig.* Schreier *m*, Schreihals *m*; (Zeitungs-)Ausrufer *m*; Querulant *m*, Krakeeler *m*; *ch.* Saufinder *m*.

abracadabrant F [abrakada'brɑ̃] *adj.* (7) seltsam, unverständlich.

abras|er *a.* ⚕ [abrɑ'ze] *v/t.* (1a) abschaben, auskratzen; **~if** [~'zif] **I** *adj.* (7e) (ab)schleifend; **II** *m*: *~ appliqué* Schmirgelpapier *n*; **~ion** *a.* ⚕ [~'zjɔ̃] *f* Abschaben *n*, Auskratzen *n*; oberflächliche Eiterbildung *f*; ⊕ Abrieb *m*, Abnutzung *f*, Verschleiß *m*; *géol.* Abrasion *f*.

abrégé [abre'ʒe] *m* Auszug *m*, Ab-, Ver-kürzung *f*; kurzer Abriß *m*; *faire* (*od. donner*) *un ~ de* den Inhalt kurz zs.-fassen (*od.* wieder-, angeben) von.

abréger [abre'ʒe] *v/t.* (1g) ab-, verkürzen; zs.-streichen (*Text*).

abreu|vage, ~vement [abrœ'va:ʒ, ~v'mɑ̃] *m* Tränken *n*; **~ver** [~'ve] (1a) **I** *v/t.* **1.** tränken; F (*Personen*) ordentlich (*od.* reichlich) zu trinken geben (*dat.*); **2.** benetzen, begießen, durchwässern; **3.** *fig.* *~ q. d'injures* j-n mit Beleidigungen überschütten; **4.** *peint.* grundieren; **II** *v/rfl.* s'~ a) saufen (*v. Tieren*); b) F reichlich trinken (*v. Menschen*); *s'~ d'excellent vin* ausgezeichneten Wein reichlich trinken; **~voir** [~'vwa:r] *m* **1.** Tränke *f*, Schwemme *f*; **2.** Trinknapf *m* (*Vögel*).

abrévia|teur [abrevja'tœ:r] (7f) **I** *su.* Abkürzer *m*; Verfertiger *m* e-s Auszuges; **II** *adj.* abkürzend; **~tif** [~'tif] *adj.* (7e) abkürzend; *signe m ~* Abkürzungszeichen *n*; **~tion** [~vjɑ'sjɔ̃] *f* Abkürzung(szeichen *n*) *f*; *~ sténographique* Kürzel *n*, Sigel *n*.

abri [a'bri] *m* Obdach *n*, (Schutz-)Hütte *f*; Wartehäuschen *n* (*Bus, Straßenbahn*); *fig.* Schutz *m*; ⚔ Deckung *f*, Unterstand *m*; Luftschutzkeller *m*; *~ à bicyclettes* Fahrradunterstand *m*; *~ bétonné* ⚔ Bunker *m*; *~ contre avions* Fliegerdeckung *f*; *~ contre les* (*od. à l'épreuve des*) *gaz* Gas-schutz-raum *m*, -keller *m*; *~ souterrain* Luftschutzkeller *m*; *~ de mécanicien* Führerstand *m* (*e-r Lokomotive*); *à l'~ de l'air* unter Luftabschluß; **~bus** [~'bys] *m* überdachte Bushaltestelle *f*.

abricot ⚘ [abri'ko] *m* Aprikose *f*; **~ier** ⚘ [~kɔ'tje] *m* Aprikosenbaum *m*; **~in** ⚘ [~'tɛ̃] *m* Aprikosenpflaume *f*.

abri-mangeoire [abrimɑ̃'ʒwa:r] *m* (6a): *~ pour oiseaux* Vogelfutterhäuschen *n*.

abriter [abri'te] *v/t.* (1a): *~ de* (*contre*) schützen vor; *abs.* unterbringen; *s'~ sich* schützen, sich unterstellen.

abrivent [abri'vɑ̃] *m* **1.** Wetterdach *n*, Schutzhütte *f für Wachposten*; **2.** Strohmatte *f für Pflanzen*.

abrogation [abrɔgɑ'sjɔ̃] *f* Aufhebung *f*, Abschaffung *f e-s Gesetzes, Gebrauchs usw.*

abroger [abrɔ'ʒe] (1l) **I** *v/t.* abschaffen, aufheben; ⚖ *être abrogé* außer Kraft treten; **II** *v/rfl.* s'~ außer Gebrauch kommen.

abrou|ti [abru'ti] *adj.* abgenagt; **~tissement** [~tis'mɑ̃] *m* Abnagen *n*.

abrupt [ab'rypt] *adj.* (7) schroff, abschüssig; *fig.* abgerissen, holperig, nicht abgerundet, nicht ausgefeilt, abgehackt (*Stil*); schroff (*Antwort*); primitiv, ungehobelt.

abru|ti [abry'ti] **I** *adj.* □ **1.** roh, gefühllos; dumm; **II** *m* **2.** Dummkopf *m*; **3.** *mv.p.* Idiot *m*, Ochse *m* P, Blödling *m*, Dummkopf *m*; **~tir** [~'ti:r] (2a) **I** *v/t.* verdummen; abstumpfen; **II** *v/rfl.* s'~ stumpfsinnig werden; **~tissant** [~ti'sɑ̃] *adj.* (7) geisttötend, abstumpfend; **~tisse-**

ment [~tis'mɑ̃] *m* Verdummung *f*, Verblödung *f*; Vertierung *f*; sittliche Haltlosigkeit *f*.

absciss|e *géom.* [ap'sis] *f* Abszisse *f*; **~ion** ⚕ [~'sjɔ̃] *f* Herausschneiden *n*.

absence [ap'sɑ̃:s] *f* **1.** Abwesenheit *f*; ⚖ *déclaration f d'~* Verschollenheitserklärung *f*; *liste f des ~s* Versäumnisliste *f*; *fig. ~ d'esprit* Zerstreutheit *f*; **2.** Mangel *m* (de an *dat.*); *~ de son* Klanglosigkeit *f*; **3.** ⚕ Bewußtseinstrübung *f*.

absent [ap'sɑ̃] *adj.* (7) abwesend; verreist; beurlaubt; *fig.* geistesabwesend, zerstreut.

absentéisme [apsɑ̃te'ism] *m* Abwesenheit *f* des Herrn (*od.* des Besitzers); *écol.*, *Arbeitsplatz*: Fehlen *n*, Fernbleiben *n*; Abwesenheitsprozentsatz *m* (*der Beschäftigten e-s Betriebes*); *allg. péj.* Abseitsstehen *n*, Drückebergerei *f*.

absenter [apsɑ̃'te] (1a): *v/rfl. s'~* sich wegbegeben, sich drücken F, abhauen P, verschwinden.

abside ⌂, *Zelt* [ap'sid] *f* Apsis *f*; *Zelt*: *~ arrière* Heckapsis *f*; *Zelt*: *~ avant* Vorderapsis *f*.

absinthe [ap'sɛ̃:t] *f* **1.** ⚘ Wermut *m*; **2.** Absinth *m*; **3.** *fig.* Bitternis *f*.

absinthisme ⚕ [apsɛ̃'tism] *m* Absinthvergiftung *f*.

absolu [apsɔ'ly] **I** *adj.* **1.** absolut; unabhängig; unbedingt; eigenmächtig, gebieterisch; *fig.* restlos; *pouvoir m ~* unumschränkte Gewalt *f*; **2.** *gr.* a) unabhängig; b) nicht regierend; *verbe m pris dans un sens ~* absolut gebrauchtes Verb *n*; Zeitwort *n* ohne Ergänzung; **3.** *alcool m ~* reiner Alkohol *m*; *zéro m ~* absoluter Nullpunkt *m* (—273,15°); **II** *m phil. l'~* das Absolute *n*.

absolu|ment [apsɔly'mɑ̃] *adv.* unumschränkt; eigenmächtig; durchaus, völlig, absolut; **~tion** [~'sjɔ̃] *f* Sündenvergebung *f*, Absolution *f*; ⚖ Freispruch *m*; **~tisme** [~'tism] *m* Absolutismus *m*, unumschränkte Regierungsform *f*; **~tiste** [~'tist] *su. u. adj.* Absolutist *m*, Anhänger *m* der absoluten (*od.* unumschränkten) Regierungsform; absolutistisch; **~toire** [~'twa:r] *adj.* freisprechend; ⚖ strafausschließend.

absor|bant [apsɔr'bɑ̃] *adj.* (7) *u. m* aufsaugend(es), säureverzehrend(es Mittel *n*); *fig.* in Anspruch nehmend, zeitraubend; aufreibend (*Arbeit*); *~ m de bruit* Schalldämpfer *m*; **~bement** [~bə'mɑ̃] *m* (geistiges) Insichversunkensein *n*; innere Versunkenheit *f*; **~ber** [~'be] (1a) **I** *v/t.* absorbieren, aufsaugen; aufzehren, schlucken; ⚚ aufnehmen (*Markt*); *phys.*, ⊕ aufnehmen (*Energie, Korpuskel, Stoß*); ⚗ dämpfen; *fig.* in Anspruch nehmen; *absorbé dans* vertieft (*od.* versunken) in (*dat.*); **II** *v/rfl. s'~* sich verzehren, aufgesogen werden; *fig. s'~ dans qch.* sich in etw. (*acc.*) vertiefen; **~ption** *physiol.* [apsɔrp'sjɔ̃] *f* Schlucken *n*, Genuß *m* (*v. Speisen od. Getränken*); Einsaugung *f*; Absorbierung *f*; ⚗ Dämpfung *f*, Aufsaugung *f*; *a. fig.* Verschwinden *n*; *~ de chaleur* Wärmeentzug *m*; **~ptivité** ⚗ [~tivi'te] *f* Absorptionskraft *f*.

absoudre [ap'su:drə] *v/t* (4b) **1.** für straflos erklären; *~ q. de qch.* j-n von etw. freisprechen; **2.** *a. abs. ~ (q.)* (j-m) die Sünden vergeben.

abstème ⚒ [aps'tɛ:m] *adj.* □ enthaltsam.

abstenir [apstə'ni:r] *v/rfl.* (2h): *s'~ de* sich enthalten (*gén.*), unterlassen (*acc.*); fernbleiben (*dat.*); *s'~ d'intermédiaire* (*od. d'agence[s]*) Vermittler verbeten.

abstention [apstɑ̃'sjɔ̃] *f* Verzichtleistung *f* (*de* auf *acc.*), Enthaltung *f*, *bsd.* Stimmenthaltung *f*; **~nisme** *pol.*, *allg.* [~sjɔ'nism] *m* Sichheraushalten *n*, Neutralität *f*; **~niste** *pol.* [~sjɔ'nist] *su.* Nichtwähler *m*.

absterg|ent ⚕ [apstɛr'ʒɑ̃] **I** *adj.* (7) reinigend; **II** *m* Reinigungsmittel *n* (*für Wunden*); **~er** ⚕ [~'ʒe] *v/t.* (1l) (*Wunde*) reinigen, auswaschen.

absters|if ⚕ [apstɛr'sif] *adj.* (7e) zum Reinigen von Wunden dienlich; **~ion** ⚕ [~'sjɔ̃] *f* Reinigen *n* (*od.* Auswaschen *n*) von Wunden.

abstinence [apsti'nɑ̃:s] *f* Enthaltsamkeit *f*; Enthaltung *f*; F ⚕ Diät *f*; *jour m d'~* Fasttag *m*; *faire ~* fasten.

abstinent [apsti'nɑ̃] **I** *adj.* (7) abstinent; **II** *m* Abstinenzler *m*.

abstrac|tif [apstrak'tif] *adj.* (7e) abstrakt; *terme m ~* abstrakter Ausdruck *m*; **~tion** [~'sjɔ̃] *f* **1.** Sonderung *f*, Absehen *n*; *phil.* Abstrahierung *f*, Abstraktion *f*; *faire ~ de* absehen von; **2.** *~s pl.* Reflektionen *f/pl.*, Phantastereien *f/pl.*, Träumereien *f/pl.*, Hirngespinste *n/pl.*; *être plongé dans des ~s* in träumerische Gedanken versunken sein.

abs|traire [aps'trɛ:r] (4s) **I** *v/t.* **1.** in Gedanken absondern, abstrahieren; **2.** *~ son esprit de* s-e Aufmerksamkeit ablenken von; **II** *v/rfl.*

s'~ vertieft sein; **~trait** [aps'trɛ] **I** *adj.* (7) **1.** abstrakt; **2.** *nom m* ~ Abstraktum *n*; *nombre m* ~ unbenannte Zahl *f*; **3.** schwerverständlich, abstrakt, dunkel; **4.** mit s-n Gedanken völlig abwesend; **II** *m das* Abstrakte *n*; *se prononcer dans l'~ pour qch.* theoretisch für etw. sein.

abstrus [aps'try] *adj.* (7) schwerverständlich, dunkel, verwickelt, unfaßbar; verschroben; abstrus, verworren.

absur|de [ap'syrd] **I** *adj.* □ absurd, geschmacklos, widersinnig, sinnlos, albern; **II** *m das* Widersinnige *n*, Unsinn *m*; *tomber dans l'~* sinnlos werden; **~diste** *litt.* [~'dist] *adj.* absurdhaft; **~dité** [~di'te] *f* Absurdität *f*, Unsinnigkeit *f*, Verdrehtheit *f*, Geschmacklosigkeit *f*, Sinnlosigkeit *f*; *des ~s pl.* Unsinn *m*, Blödsinn *m*, Quatsch *m*, Mumpitz *m* F, dummes Zeug *n*.

abus [a'by] *m* **1.** Mißbrauch *m*; Übergriff *m*; *les ~ pl.* die Mißstände *m/pl.*; *~ de confiance* Vertrauensbruch *m*; Unterschlagung *f*; *par ~* mißbräuchlich; F *il y a de l'~!* das geht zu weit!; **2.** *litt.* Irrtum *m*, Fehler *m*.

abuser [aby'ze] (1a) **I** *v/t.* täuschen, hintergehen; **II** *v/i. ~ de qch.* etw. mißbrauchen, etw. schlecht anwenden; *~ de la bonté de q.* j-s Güte über Gebühr in Anspruch nehmen; *le droit d'user et d'~* das volle Nutzungs- u. Verfügungsrecht *n*; *~ de q.* j-n verführen; **III** *v/rfl.* s'~ sich täuschen, sich irren, sich verrechnen.

abusif [aby'zif] *adj.* (7e) □ widerrechtlich, mißbräuchlich; übermäßig; *fig.* sprachwidrig.

abyss|al [abi'sal] *adj.* (5c): *flore f ~e* Tiefseeflora *f*; **~es** [a'bis] *m/pl.* Tiefsee *f*.

abyssin † [abi'sɛ̃] (7), **~ien** † [~si'njɛ̃] *adj.* (7c) *u.* ♀ *su.* abessinisch; Abessinier *m*.

Abyssinie † *géogr.* [abisi'ni] *f*: **l'~** Abessinien *n*; s. *Ethiopie*.

acabit [aka'bi] *m* **1.** ⚒ Sorte *f*; *pommes f/pl. d'un bon ~* Äpfel *m/pl.* von guter Sorte; **2.** *oft péj.* (*auf Personen bezogen*) *fig.* Schlag *m*, Kaliber *n*; *des gens du même ~* Leute *pl.* vom gleichen Kaliber (*od.* der gleichen Sorte); *des inventeurs de tout ~* Erfinder *m/pl.* jeder Art.

acacia ⚘ [aka'sja] *m* Akazie *f*.

acadé|micien [akademi'sjɛ̃] *su. u. adj.* (7c) Mitglied *n* der (französischen) Akademie; **~mie** [~'mi] *f* **1.** Akademie *f*; *antiq.* Philosophenschule *f*; *Fr.*: Unterrichtsverwaltungsbezirk *m*; ♀ *Française* französische Akademie *f*; ♀ *des Beaux-Arts* A. der Künste; **2.** Gesellschaft *f* v. Gelehrten *od.* Künstlern; **3.** *peint.* Akt-zeichnung *f*, -studie *f*; -skizze *f*; **~mique** [~'mik] *adj.* □ akademisch; *fig.* gezwungen, steif; **~misable** *Fr.* [~mi'zablə] *m* Anwärter *m* auf e-n Sitz in der Akademie; **~misme** *péj.* [~'mism] *m* Nachäfferei *f*.

acajou [aka'ʒu] *m* Mahagoni *n*.

acanthe [a'kɑ̃:t] *f* **1.** ⚘ Bärenklau *m od. f*; **2.** ⚠ Akanthus(blatt *n*) *m*.

acariâtre [akar'jɑ:trə] *adj.* zänkisch; mürrisch, griesgrämig.

acarpe ⚘ [a'karp] *adj.* fruchtlos.

acarus *ent.* [aka'rys] *m* Milbe *f*.

acatalectique *mét.* [akatalɛk'tik] *adj.* akatalektisch, vollzählig.

acca|blant [aka'blɑ̃] *adj.* (7) drükkend, erstickend, schwül; belastend; *Kritik*: vernichtend; *fig.* lästig; *il fait un temps ~* es ist drückend (schwül); **~blement** [~blə'mɑ̃] *m* **1.** Ermattung *f*; Niedergeschlagenheit *f*; **2.** *fig.* Belastung *f*; **~bler** [~'ble] *v/t.* (1a) **1.** zu Boden drücken, übermannen; *fig.* belasten; **2.** *~ de* überhäufen mit (*dat.*); **3.** *accablé de fatigue* von Müdigkeit übermannt (*od.* überwältigt).

accalmie [akal'mi] *f* ⚓ kurze Windstille *f*; Erschlaffung *f*; ⚔ Gefechtspause *f*; ✝ Flaute *f*.

accapa|rement [akapar'mɑ̃] *m* wucherischer Ankauf *m*; Hamstern *n*; Verschieben *n* (*v. Waren*); *~ des blés* Kornwucher *m*; **~rer** [~'re] *v/t.* (1a) wucherisch aufkaufen; hamstern; verschieben; *fig.* an sich reißen; völlig in Anspruch nehmen; *mes occupations de médecin m'accaparaient* meine Tätigkeit als Arzt nahm mich völlig in Anspruch; **~reur** [~'rœ:r] *su.* (7g) wucherischer Aufkäufer *m*, Wucherer *m*, Hamsterer *m*, Schieber *m*.

accastillage [akasti'jɑ:ʒ] *m* ⚓ Oberwerk *n*, Aufbau *m*; *weitS.* Ausrüstung *f für Wassersportler*.

accéder [akse'de] *v/i.* (1f): *~ à* gelangen zu, Zugang (*od.* Zutritt) haben zu (*dat.*), erlangen (*acc.*), beitreten (*dat.*); *fig.* zustimmen (*dat.*); gewähren (*Bitte*); ✝ *~ aux marchés* *étrangers* zu den ausländischen Märkten Zugang haben.

accéléra|teur [akselera'tœ:r] **I** *adj.* (7f) beschleunigend; **II** *m* **1.** *Auto*: Gashebel *m*, Gaspedal *n*; *at.* Beschleuniger *m*; *~ à cascade (de particules, linéaire) at.* Kaskaden- (Teilchen-, linearer) Beschleuniger *m*; *Auto*: *appuyer sur l'~* Gas geben; *lâcher l'~* Gas wegnehmen; **2.** *cin.* Zeitraffer *m*; **~tion** [~ra'sjɔ̃] *f* Beschleunigung *f*.

accélér|é *cin.* [aksele're] *m* Aufnahme *f* mit dem Zeitraffer; **~er** [~] (1f) **I** *v/t.* beschleunigen; *Auto*: Gas geben; *train m accéléré* beschleunigter Personenzug *m*; **II** *v/rfl. s'~* schneller werden (*a. fig.*).

accéléromètre [akselerɔ'mɛtrə] *m* Beschleunigungsmesser *m*.

accent [ak'sɑ̃] *m* **1.** Ton(zeichen *n*) *m*, Betonung *f*, Akzent *m*; *~ tonique od. syllabique* Wort-, Silben-akzent *m*; **2.** *fig.* Akzent *m*; *a. fig. mettre l'~ sur qch.* den Akzent auf etw. setzen; **3.** *fig. ~s pl. de douleur* Ausdruck *m* des Schmerzes.

accentuation [aksɑ̃tɥa'sjɔ̃] *f* **1.** Betonung *f*, Tonbezeichnung *f*; **2.** *peint. ~ de la lumière* Hervorhebung *f* des Lichts, scharfe Schlaglichter *n/pl.*

accentuer [aksɑ̃'tɥe] (1n) **I** *v/t.* **1.** betonen; hervorheben (*a. fig.*); **2.** mit (e-m) Tonzeichen versehen; **II** *v/rfl. s'~* betont werden; *fig.* sich verstärken, deutlich hervortreten, sich klar abzeichnen.

accep|table [aksɛp'tablə] *adj.* annehmbar, akzeptabel; **~tant** [~'tɑ̃] **I** *adj.* (7) annehmend; **II** *m* ⚕ Empfänger *m*, Wechselnehmer *m*; *~ d'une succession* Erbnehmer *m*; **~tation** [~tɑ'sjɔ̃] *f* **1.** Annahme *f*; Einwilligung *f*; *pol.* Anerkennung *f*; **2.** ⚕ Akzept *n* e-s Wechsels; *faute d'~* mangels Annahme; **~ter** [~'te] *v/t.* (1a) **1.** annehmen; anerkennen, akzeptieren; sich *etw.* gefallen (*od.* bieten) lassen; *~ de faire qch.* sich zumuten, etw. zu tun; *~ sa position* sich in s-e Stellung fügen; *~ le marché* auf den Handel eingehen, mit dem Handel einverstanden sein; **2.** *~ une lettre de change* e-n Wechsel akzeptieren; **~teur** [~'tœ:r] *m* Akzeptant *m*; **~tion** [~'sjɔ̃] *f* Aufnahme *f*, Beachtung *f*, Rücksicht *f*; *gr.* Bedeutung *f*, Sinn *m*; *dans toute l'~ du terme* im weitesten Sinn des Wortes; *faire ~ de q.* auf j-n Rücksicht nehmen; *sans ~ de personne* ohne Ansehen der Person.

accès [ak'sɛ] *m* **1.** Zutritt *m*, Zugang *m*; Zufahrt *f*; *pas encore ouvert à l'~ Gebiet*: noch unerschlossen; *être d'un ~ facile* leicht zugänglich sein; **2.** *fig. a.* ⚕ Anfall *m*, Anwandlung *f*; **3.** *biol.* Zutritt *m* (*von Keimen aus der Luft*).

acces|sibilité [aksɛsibili'te] *f* Zugänglichkeit *f*; Zutritt *m*; **~sible** [~'siblə] *adj.* erreichbar; *fig.* zugänglich (*à* für); *prix m ~* annehmbarer Preis *m*; **~sion** [~'sjɔ̃] *f* **1.** Gelangen *n*; *~ au pouvoir* Machtergreifung *f*; *~ au trône* Thronbesteigung *f*; *~ des diminués physiques au travail* Eingliederung *f* der Körperbehinderten in den Arbeitsprozeß; **2.** *fig.* Beitritt *m*, Zustimmung *f*; *~ à la propriété* Eigentumserwerb *m*.

accessit *écol.* [aksɛ'sit] *m* ehrenvolle Erwähnung *f bei Preisverteilungen*; *oft*: Trostpreis *m*; *les ~s de fin d'année* die namentlichen Würdigungen *f/pl.* am Ende des Schuljahrs.

accessoir|e [aksɛ'swa:r] **I** *adj.* **1.** nebensächlich, untergeordnet; Neben...; **II** *m* **2.** Nebensache *f*; **3.** *a.* ⊕ *~s pl.* Zubehör(teile *n/pl.*) *n*, Zusatzgeräte *n/pl.*, Einzelteile *n/pl.*; **4.** *thé. ~s pl.* Requisiten *n/pl.*; **~iser** *Mode* [~swari'ze] *v/t.* (1a) durch Accessoires variieren; **~iste** *thé.* [~'rist] *su.* Requisiteur *m*.

acciden|t [aksi'dɑ̃] *m* **1.** Unfall *m*, Unglück *n*; Vorfall *m*, unerwartetes Ereignis *n*; *~ de moteur* Motordefekt *m*; *fig. ~ de parcours* Fehlrechnung *f*; *~ professionnel* Berufsunfall *m*; *~ de la rue* Straßenunfall *m*; *~ d'automobile (d'aviation od. d'avion)* Auto- (Flugzeug-)unfall *m*; *biol. ~ du développement* Entwicklungsstörung *f*; *~ du (od. de) travail* Betriebsunfall *m*; **2.** Zufall *m*; *par ~* zufällig; **3.** Nebenumstand *m*, zufällige Erscheinung *f*; *phil.* Akzidenz *f*, unwesentliche Eigenschaft *f*; **4.** *~ de terrain* Boden-erhebung *f*, -senkung *f*, Unebenheit *f*; **5.** ♪ Vorzeichen *n*; **~té** [~'te] **I** *adj.* uneben, hügelig (*Boden*); *fig.* bewegt (*Leben*); F verunglückt; (*durch Unfall*) beschädigt; **II** *su.* Unfallverletzte(r) *m*; *~ du travail* bei der Arbeit Verunglückte(r) *m*, Arbeitsopfer *n*; **~tel** [~'tɛl] *adj.* (7c) unwesentlich; zufällig; **~ter** [~'te] *v/t.* (1a) uneben machen; *Stil*: wechseln; F *~ q.* j-n (*durch e-n Unfall*) schädigen; F *~*

qch. etw. (*durch Unfall*) beschädigen.

acclama|teur [aklama'tœ:r] *m* freiwilliger Beifallspender *m*; **~tif** [~'tif] *adj.* (7e) Beifalls...; **~tion** [~mɑ'sjɔ̃] *f* Beifallsruf *m*, Zujubeln *n*; *élire par ~* durch Zuruf wählen.

acclamer [akla'me] *v/t.* (1a): *~ q.* j-m Beifall klatschen, j-m zujubeln; j-n durch Zuruf wählen.

acclima|tation [aklimatɑ'sjɔ̃] *f* Akklimatisierung *f*, Eingewöhnung *f*, Gewöhnung *f* an das Klima; *jardin m d'~* zoologischer (u. botanischer) Garten *m*; **~tement** *biol.* [~mat'mɑ̃] *m* Akklimatisation *f*; spontane Anpassung *f* der Lebewesen an Klimaänderungen *od.* veränderte Umweltverhältnisse; **~ter** [~'te] *v/t. u. v/rfl. s'~* (1a) (sich) akklimatisieren; (sich) an das Klima gewöhnen; *fig. nur v/rfl.*: sich einbürgern, Boden fassen, sich einleben, heimisch werden.

accoint|ance *mv.p.* [akwɛ̃'tɑ̃:s] *f* Umgang *m*, Verkehr *m*, Beziehung *f*; *~ compromettante* kompromittierender (*od.* den Ruf gefährdender) Umgang *m* (*od.* Verkehr *m*); *avoir des ~s avec la police* bei der Polizei bekannt sein; **~er** [~'te] *v/rfl.* (1a): *s'~ avec q.* sich mit j-m einlassen, bei j-m ein- u. ausgehen.

accol|ade [akɔ'lad] *f* Umarmung *f*, Bruderkuß *m* (*heute nur noch bei der Verleihung e-s Grades der Ehrenlegion*); *hist.* Ritterschlag *m*; *typ.* geschweifte Klammer *f* (⏟); **~ader** [~la'de] *v/t.* (1a) *mehrere Zeilen* durch e-e geschweifte Klammer einklammern (*od.* zs.-fassen); **~age** [~'la:ʒ] *m* Festbinden *n v. Weinreben od. Zweigen an Rebenpfähle bzw. Spaliere*; **~er** [~'le] *v/t.* (1a) † umarmen; zs.-klammern; zs.-fügen (*Namen*); festbinden; **~ure** [~'ly:r] *f* **1.** Bindeband *n für Weinreben*; Weiden-, Stroh-band *n*; **2.** Schnur *f*, Heftschnur *f*, Verschnürung *f* (*Bucheinband*); **3.** Gesamtheit *f* der ersten mitea. verbundenen Baumstämme e-s Floßes.

accommo|dable [akɔmɔ'dablə] *adj.* (*nach dem su.*) was sich gütlich beilegen läßt; **~dage** *cuis.* [~'da:ʒ] *m* Zubereitung *f der Speisen*; **~dant** [~'dɑ̃] *adj* (7) umgänglich; **~dation** [~dɑ'sjɔ̃] *f* Anpassung *f*; Ausgleichung *f*; **~dement** [~d'mɑ̃] *m* Abkommen *n*; Vergleich *m*, Abfindung *f*; † *en venir à un ~* e-n Vergleich schließen.

accommoder [akɔmɔ'de] (1a) **I** *v/t.* **1.** passen, zusagen, gelegen kommen, behagen (*dat.*); **2.** in Ordnung bringen, zurechtmachen; *cuis.* zubereiten; versöhnen, schlichten; *phot. ~ sur l'infini* auf unendlich einstellen; **3.** *~ qch. à qch.* etw. nach etw. einrichten; etw. e-r Sache anpassen; *~ la religion avec les plaisirs* die Religion mit den Vergnügungen in Einklang bringen; **II** *v/rfl. s'~* sich anpassen; mit der Zeit mitgehen (*od.* fertig werden); *s'~ à la faiblesse des hommes* sich auf die Schwäche der Menschen einstellen; *s'~ avec ses créanciers* sich mit s-n Gläubigern verständigen (*od.* vergleichen *od.* einigen); *s'~ de qch.* sich mit etw. (*dat.*) abfinden (*od.* zufriedengeben), etw. mit in Kauf nehmen.

accompa|gnateur [akɔ̃paɲa'tœ:r] *su.* (7f) **1.** ♪ Begleiter *m*; **2.** Reisebegleiter *m*; **~gnement** [~ɲə'mɑ̃] *m* Begleitung *f* (*a. fig. u.* ♪); *feuille f d'~* Begleitbrief *m*; *~s pl.* Zubehör *n*; *cette chambre manque des ~s nécessaires* diesem Zimmer fehlt das nötige Zubehör; **~gner** [~'ɲe] (1a) **I** *v/t.* **1.** begleiten, geleiten (*st. s.*), mitgehen mit (*dat.*); **2.** begleiten (*à livre ouvert* vom Blatt); **3.** passen zu; **II** *v/rfl. s'~ de qch.* mit etw. (*dat.*) verbunden (*od.* gepaart) werden *od.* sein.

accom|pli [akɔ̃'pli] *adj.* **1.** vollendet; *fait m ~* vollendete Tatsache *f*; *vœu m ~* erfülltes Gelübde *n*; *vingt ans ~s* volle zwanzig Jahre *n/pl.*; **2.** vollkommen; *fig.* perfekt, vollendet; **~plir** [~'pli:r] *v/t.* (2a) vollenden, ausführen; verwirklichen, erfüllen; zustande bringen, leisten; *~ un désir* e-n Wunsch erfüllen; **~plissement** [~plis'mɑ̃] *m* Erfüllung *f*, Vollendung *f*, Verwirklichung *f*; *~ des formalités douanières* Zollabfertigung *f*.

accord [a'kɔ:r] *m* **1.** Übereinstimmung *f*, Eintracht *f*, Einklang *m*; *d'un commun ~* einstimmig; *en plein ~ avec* in vollem Einverständnis mit (*dat.*); *être d'~ avec q.* mit j-m einverstanden sein; mit j-m übereinstimmen; *être d'~ pour faire qch.* damit einverstanden sein, etw. zu tun; *a. pol. être en ~ complet avec* völlig übereinstimmen mit; *mettre d'~* in Einklang bringen; *tomber d'~ de* einig werden über (*acc.*); *d'~!* gut!, einverstanden!, ist gemacht! F; **2.** *gr.* Übereinstimmung *f*; **3.** ♪ Akkord *m*, Zusammenklang *m*; *rad.*

Einstellung *f*, Regulierung *f*; *être d'~* gestimmt sein; *rad. refaire l'~* wieder richtig einstellen; *tenir l'~* Stimmung halten; *~ de tierce* Terzakkord *m*; **4.** Abkommen *n*; Übereinkunft *f*, Übereinkommen *n*; ⚕ *~ tarifaire* Tarifvertrag *m*; *~ de compensation* Clearing-, Verrechnungsabkommen *n*; *~ sur l'établissement* (*od. la fixation*) *et le maintien des prix* Preisbindung *f*; *~ économique* Wirtschaftsvereinbarung *f*; *~ sur la durée du travail* Arbeitszeitabkommen *n*; *~ de sécurité* Sicherheitsabkommen *n*; *~ aérien* Luftabkommen *n*; *pol. l'~ sur Berlin* das Berlinabkommen; *~ commercial* Handelsabkommen *n*; *~ complémentaire* Zusatzabkommen *n*; *~ douanier* Zollabkommen *n*; *pol.*, ⚕ *~ suspensif*, *~ d'immobilisation*, *~ de prorogation*, *~ moratoire* Stillhalteabkommen *n*; *faire un ~* e-n Vergleich abschließen.

accor|dable [akɔr'dablə] *adj.* **1.** vereinbar; annehmbar; **2.** ♪ stimmbar; **~dage** [~'daːʒ] *m* Stimmen *n*; *rad.* Abstimmung *f*.

accor|déon [akɔrde'ɔ̃] *m* Akkordeon *n*, Schifferklavier F *n*; **~déoniste** [~deɔ'nist] *su.* Akkordeonspieler *m*.

accorder [akɔr'de] (1a) **I** *v/t.* **1.** vereinbaren, vergleichen, in Übereinstimmung bringen; ♪ stimmen; *rad.* einstellen, abstimmen, regulieren; *~ autrement* umstimmen; *~ un différend* e-n Streit schlichten; **2.** bewilligen, gewähren; ⚕ einräumen (*Kredit*); *~ un désir* e-n Wunsch erfüllen; *~ de la confiance à q.* j-m Vertrauen schenken; *~ sa main à q.* j-m sein Jawort geben (*Eheschließung*); **3.** zugeben, einräumen; **II** *v/rfl.* **4.** *s'~* sich vertragen; *s'~ avec q. sur qch.* mit j-m in etw. übereinstimmen; *s'~ pour penser que* ... sich einig sein in dem Gedanken, daß ...; *gr. le verbe s'accorde avec le sujet* das Zeitwort (Verb) richtet sich nach dem Subjekt; **5.** ♪ gestimmt werden.

accor|deur ♪ [akɔr'dœːr] *su.* (7g) Stimmer *m*; **~doir** ♪ [~'dwaːr] *m* Stimmschlüssel *m*.

accore ⚓ [a'kɔːr] **I** *m* Stütze *f* (*Schiffsbau*); **II** *adj.* steil abfallend.

accorte *litt.* [a'kɔrt] *nur adj./f* freundlich, einnehmend, graziös.

accos|table [akɔs'tablə] *adj.* zugänglich; ⚓ zum Anlegen geeignet; **~tage** ⚓ [~'taːʒ] *m* Landen *n*; **~ter** [~'te] *v/t.* (1a) **1.** *~ q.* auf j-n zugehen, j-n ansprechen; **2.** *~ un vaisseau* an e-m Schiff anlegen.

acco|tement [akɔt'mɑ̃] *m* erhöhter Fußsteig *m*, Straßenbankett *n*, Aufschüttung *f*; **~ter** [~'te] (1a) *v/t. u. v/rfl. s'~* (sich) anlehnen, stützen; **~toir** [~'twaːr] *m* Seitenlehne *f*; Kopfstütze *f*.

accou|chée [aku'ʃe] *f* Wöchnerin *f*; **~chement** [~ʃ'mɑ̃] *m* Entbindung *f*; *~ laborieux* schwere Geburt *f*; *~ indolore* schmerzlose Entbindung *f*; *~ par le siège* Steißgeburt *f*; **~cher** [~'ʃe] (1a) **I** *v/i.* **1.** (*mit avoir*) niederkommen (de mit); *fig.* F *~ d'un livre* ein Buch schreiben; **2.** F (*mit avoir*) *~ de qch.* mit etw. herausrücken; *~ d'un bon mot* e-n Witz vom Stapel lassen; *accouchez donc!* rücken Sie mit der Sprache heraus!; **II** *v/t.* entbinden; **~euse** [~'ʃøːz] *f* Hebamme *f*.

accou|dement [akud'mɑ̃] *m* **1.** Aufstützen *n*; **2.** ⚔ Tuchfühlung *f*; **~der** [~'de] (1a) *v/rfl. s'~* **1.** *s'~* (*à, sur, contre*) sich mit dem Ellenbogen stützen auf (*acc.*); **2.** ⚔ Tuchfühlung nehmen; **~doir** [~'dwaːr] *m* Armlehne *f*; Fensterbrett *n*.

accoupl|age, ~ement [aku'plaːʒ, ~plə'mɑ̃] *m* **1.** Paarung *f*; *~ sexuel* Beischlaf *m*; **2.** ⊕ Zusammenfügung *f*, Verbindung *f*, Kupplung *f* (*bes.* 🚂); ⚡ Schaltung *f*; *~ en série* Serien-, Reihen-schaltung *f*; *Auto*: *~ à griffe*(s) Klauenkupplung *f*; *~ de (la) magnéto* Magnetkupplung *f*; *~ à friction* Reibungs-, Friktionskupplung *f*; *~ fixe* feste Kupplung *f*; *~ à articulations* Gelenkkupplung *f*; **3.** *rad.* Kopplung *f*; *~ réactif* Rückkopplung *f*; *atténuer* (*od. affaiblir od. relâcher od. modérer*) *l'~* (*de*) auskoppeln.

accou|ple *ch.* [a'kuplə] *f* Hundekoppelriemen *m*; **~pler** [~'ple] **I** *v/t.* (1a) verbinden, verkuppeln (*bes.* 🚂); ⚡ (zs.-)schalten; ⊕ kuppeln; *rad.* koppeln; *~ moins fort* auskoppeln; **II** *v/rfl. s'~* sich paaren, sich vermischen; **~pleur** 🚂 [~'plœːr] *m* Ankoppler *m*; *rad.* Koppler *m*.

accour|cir [akur'siːr] *v/t.* (2a) verkürzen (*a. fig.*); **~cissement** [~sis'mɑ̃] *m* Verkürzung *f*.

accourir [aku'riːr] *v/i.* (*avoir bzw. être*) (2i) herbeieilen, angelaufen kommen.

accou|trement *iron.* [akutrə'mɑ̃] *m* Ausstaffierung *f*, Aufputz *m*; **~trer** [~'tre] (1a) *v/rfl.*: *s'~* sich aufdonnern.

accoutu|mance [akuty'mɑ̃:s] *f* Gewöhnung *f* (*bsd. die unfreiwillige, unbeabsichtigte*; *a. biol.*); ⚕ Sucht *f*; **~mer** [~'me] **I** *v/t.* ~ *q. à qch.* j-n an etw. (*acc.*) gewöhnen; *accoutumé* gewöhnt; *être accoutumé à* pflegen zu, vertraut sein mit; *à l'accoutumée* wie gewöhnlich, wie üblich; **II** *v/i.* (*nur in zs.-gesetzten Zeiten*) *avoir accoutumé de* ... sich angewöhnt haben zu ...; **III** *v/rfl.* *s'~ à* sich gewöhnen an; *s'~ au froid* sich an die Kälte gewöhnen.

accouv|age [aku'va:ʒ] *m* Brutanstalt *f*; **~er** [~'ve] *v/t.* (1a) zum Brüten setzen.

accréditation [akredita'sjɔ̃] *f* **1.** ✝ Eröffnung *f* e-s Kredits; **2.** *pol.* Akkreditierung *f*.

accrédité ✝ [akredi'te] *m* Inhaber *m* e-s Kreditbriefes.

accrédit|er [akredi'te] (1a) **I** *v/t.* Vertrauen einbringen; *sa loyauté l'a accrédité* durch sein rechtschaffenes Verhalten hat er sich Vertrauen erworben; ~ *q. auprès de q.* sich für j-n bei j-m einsetzen; *pol.* j-n bei j-m akkreditieren; *j-m* durch Fürsprache zu e-m Kredit verhelfen; ~ *un ambassadeur* e-n Botschafter akkreditieren; ~ *un bruit* ein Gerücht bestätigen; **II** *v/rfl.* *s'~* sich Ruf (*od.* Ansehen) erwerben; **~eur** [~'tœ:r] *m* Bürge *m*; Aussteller *m* e-s Kreditbriefes, Akkreditivstellender *m*; **~if** [~'tif] *m* Kreditbrief *m*, Akkreditiv *n*.

accrétion *ast.* [akre'sjɔ̃] *f* Anwachsen *n*.

accroc [a'kro] *m* **1.** Riß *m im Stoff*; ~ *à la peau* Rißwunde *f*; *fig.* ~ *à une amitié* Riß *m* in e-r Freundschaft; **2.** *fig.* Schwierigkeit *f*, *fig.* Haken *m*, Hindernis *n*; ~ *de santé* gesundheitlicher Zs.-bruch *m*; *sans* ~ reibungslos; **3.** *fig.* Flecken *m*, Makel *m*; *il a un* ~ *à sa réputation* s-m Ruf haftet ein Makel an; **4.** Verstoß *m*; ~ *à un contrat* Verstoß *m* gegen e-n Vertrag.

accrochage [akrɔ'ʃa:ʒ] *m* Anhaken *n*, Aufhängen *n*; *Auto*: Anfahren *n*; ⚔ unvorhergesehenes Patrouillengefecht *n*; Zusammenstoß *m* (*der Polizei mit Demonstranten*); ⊕ Sperrvorrichtung *f*; *Uhr*: Hemmung *f*; *Boxsport*: Umklammerung *f*; *fig.* unerwartete Schwierigkeit *f*, Haken *m*; Hindernis *n*; *fig.* F plötzlicher Krach *m*, plötzliche Streiterei *f*, *fig.* Zusammenstoß *m*.

accroché [akrɔ'ʃe] *adj.*: ~ *à* ... treu ergeben (*dat.*).

accroche-cœur [akrɔʃ'kœ:r] *m* (6c) Schmachtlocke *f*.

accrochement [akrɔʃ'mɑ̃] *m* **1.** Anhaken *n*; 🚂 Einkuppeln *n*; **2.** *fig.* Hindernis *n*.

accroche-œil [akrɔ'ʃœj] *m/inv.* Blickfang *m* (*Plakat*).

accro|cher [akrɔ'ʃe] (1a) **I** *v/t.* **1.** *a. téléph.* an-, auf-hängen; *weitS.* (fest)halten; *Auto*: anfahren; streifen, rammen (*beim Überholen*); ⚔ fesseln, binden; *fig.* mit List an sich ziehen; ergattern; *fig.* fesseln (*Zuschauer*); *a. abs.* Anklang finden; *demeurer accroché à* hängenbleiben an (*dat.*); ~ *une place* e-e Stellung ergattern; **2.** ⚓ entern; **3.** hemmen, ins Stocken bringen; **II** *v/rfl.* *s'~ à* sich anhängen, hängenbleiben, sich klammern an (*acc.*); belästigen; handgemein werden; *Boxsport*: sich umklammern; *fig.* sich wieder fangen; P *s'~ avec q.* mit j-m in die Wolle geraten; **~cheur** [~'ʃœ:r] (7d) **I** *m* **1.** ⚒ Anschläger *m*; **2.** tüchtiger Verkäufer *m*; **II** *adj.* **3.** F hartnäckig; **4.** auffallend (*Buchtitel*).

accroire [a'krwa:r] *v/t.* (4v) (*nur gbr. im inf.*) **1.** *en faire* ~ *à q.* j-m etw. weismachen, j-m etw. aufbinden; *il ne faut pas m'en faire* ~ das kann man mir doch nicht erzählen (*od.* weismachen)!; **2.** *le désir de ne pas laisser* ~ *sur ses mérites* der Wunsch, man möge ihn nicht zu hoch einschätzen.

accroissement [akrwas'mɑ̃] *m* Anwachsen *n*, Zuwachs *m*, Wachstum *n*, Steigen *n*; Ausbreitung *f*; Vermehrung *f*; Erhöhung *f*, Verlängerung *f*; ~ *de la population* Bevölkerungszunahme *f*.

accroître [a'krwa:trə] (4w) **I** *v/t.* vermehren; erweitern; vergrößern; steigern; **II** *v/i.* (*avoir u. être*) anwachsen; **III** *v/rfl.* *s'~* sich vermehren; zunehmen, wachsen, steigen; um sich greifen.

accroupir [akru'pi:r] (2a) *v/rfl.*: *s'~* niederhocken, sich zs.-kauern; *accroupi* in Hockstellung.

accru [a'kry] *m* Wurzelschößling *m*.

accrue [~] *f* Boden-, Land-gewinnung *f*, Land-, Wald-ausdehnung *f*.

accu F [a'ky] *m* Akku F *m*, Akkumulator *m*; ~ *auto* Autobatterie *f*.

accueil [a'kœj] *m* Empfang *m*, Aufnahme *f*; *faire bon* ~ *à q.* j-n freundlich empfangen (*od.* aufnehmen); *centre m d'~* Auffanglager *n*; ✝

faire (bon) ~ à une traite e-n Wechsel bezahlen *od.* honorieren.

accueil|lant [akœ'jɑ̃] *adj.* (7) freundlich, gastlich; *fig. être ~ à qch.* e-r Sache gegenüber aufgeschlossen sein; **~lir** [~'ji:r] *v/t.* (2c) empfangen, (gut) aufnehmen, bewillkommnen.

acculé [aky'le] *adj.*: *~ à la faim* dem Hunger preisgegeben.

acculer [~] (1a) **I** *v/t.* **1.** in die Enge treiben (*a. fig.*); zurückdrängen; **II** *v/rfl. s'~* **2.** sich anlehnen; *fig.*, ⚔ sich den Rücken decken; **3.** sich bäumen.

acculturation [akyltyrɑ'sjɔ̃] *f* Kulturaneignung *f.*

accumu|lateur [akymyla'tœ:r] **1.** *su.* (7f) Aufhäufer *m*; **2.** *m* ⚡ Akkumulator *m*, (Strom-)Sammler *m*; *~ de chauffage* Heizakkumulator *m*; *(re)charger (od. régénérer) l'~* den Akku(mulator) (auf)laden; **~lation** [~lɑ'sjɔ̃] *f* Anhäufung *f*; *~ de la neige* Schneeverwehung *f*; **~ler** [~'le] *v/t.* (1a) anhäufen (*a. fig.*), ansammeln; *fig. ~ les bévues* e-n Bock nach dem andern schießen.

accusa|ble [aky'zablə] *adj.* anklagbar; **~teur** [~'tœ:r] *su.* Ankläger *m*; ⚖ *~ par intervention* Nebenkläger *m*; **~tif** *gr.* [~'tif] *m* Akkusativ *m*; **~tion** [~zɑ'sjɔ̃] *f* Anklage *f*, Beschuldigung *f*; *~ capitale* Anklage *f* auf Leben und Tod; *chef m d'~* Anklagepunkt *m.*

accu|sé [aky'ze] **I** *su.* ⚖ Angeklagte(r) *m*; **II** *m* ⚕ *~ de paiement* Zahlungsbestätigung *f*; *~ de réception* Empfangs-anzeige *f*, -bestätigung *f*; Rückschein *m*; **~ser** [~'ze] (1a) **I** *v/t.* **1.** *~ q. de qch.* j-n wegen etw. anklagen; j-n e-r S. beschuldigen (*gén.*); **2.** anzeigen; gestehen; *fig.* verraten; *cela accuse la misère* das verrät das Elend, das läßt das Elend erkennen; ⚕ *~ réception* den Empfang bestätigen; **3.** deutlich hervorheben; *accusé* (*a. adj.*) ausgeprägt; **II** *v/rfl. s'~* sich anklagen; sich abheben (*von Farben*); *fig.* spürbar werden, hervortreten.

acéphale 🕮 [ase'fal] *adj.* ohne Kopf.

acérage ⊕ [ase'ra:ʒ] *m* Verstählung *f.*

acerbe [a'sɛrb] *adj.* herb; *fig.* scharf, schroff; *le ton ~ d'une lettre* der scharfe Ton e-s Briefes.

acérer ⊕ [ase're] *v/t.* (1f) (ver-)stählen; *fig.* schärfen.

acétate ⚗ [ase'tat] *m* essigsaures Salz *n*; *~ d'alumine* essigsaure Tonerde *f.*

acéteux [ase'tø] *adj.* (7d) essigsauer, Essig...

acétifier [aseti'fje] (1a): (*s'~*) (sich) in Essigsäure verwandeln.

acétone [ase'tɔn] *f* **1.** ⚗ Azeton *n*; **2.** Nagellackentferner *m.*

acétonémie 🕮 [asetɔne'mi] *f* Azetonämie *f*, Vorkommen *n* größerer Mengen von Azeton im Blut.

acétylène ⚗ [aseti'lɛn] *m* (*a. gaz m ~*) Azetylen(gas) *n.*

achalandé ⚕ [aʃalɑ̃'de] *adj.*: *magasin m bien ~* Geschäft *n* mit vielen Waren.

achar|né [aʃar'ne] *adj.* erbittert; hartnäckig; leidenschaftlich; wütend; **~nement** [~nə'mɑ̃] *m* Gier *f* (*v. Tier*); *fig.* Erbitterung *f*, Wut *f*; Verbissenheit *f*; *travailler avec ~* mit e-m Rieseneifer arbeiten.

acharner [aʃar'ne] (1a) **I** *v/t. ch.* blutgierig machen; *fig.* erbittern, aufhetzen; **II** *v/rfl. s'~ sur (od. contre) q.* sich auf j-n stürzen, j-n hartnäckig mit Feindschaft verfolgen; *s'~ contre* sich ereifern über; *s'~ à qch.* sich eifrig (*od.* leidenschaftlich) legen auf etw. (*acc.*), erpicht sein auf etw. (*acc.*).

achat [a'ʃa] *m* **1.** Kauf *m*, Einkauf *m*; *~ illicite* Schwarzhandelsgeschäft *n*; Schwarzkauf *m*; *~ d'or* Goldaufkauf *m*; *~ à forfait* Pauschalkauf *m*; *~ obligatoire* Zwangskauf *m*; *~ à tempérament* Abzahlungs-, Raten-kauf *m*; *bon m d'~* Bezugsschein *m*; *~ simulé* Scheinkauf *m*; *pouvoir m d'~* Kaufkraft *f*; *faire ~ de* einkaufen; **2.** *das* Gekaufte *n*; *livre m d'~s* Einkaufsbuch *n.*

ache ⚘ [aʃ] *f* Eppich *m.*

achemi|nement [aʃmin'mɑ̃] *m* Beförderung *f*; 📯 Postvermerk *m*; *fig.* Weg *m od.* Mittel *n* (vers zu); **~ner** [~'ne] (1a) **I** *v/t.* auf den Weg (*od.* in Gang) bringen, befördern; *Frieden* anbahnen; **II** *v/rfl. s'~* sich auf den Weg machen.

achetable [aʃ'tablə] *adj.* käuflich.

acheter [aʃ'te] (1e) **I** *v/t.* **1.** kaufen, *a.* sich kaufen, einkaufen, abnehmen, beziehen; *j'achète un livre* ich kaufe (mir) ein Buch; *~ qch. à (od. de od. chez) q.* j-m etw. abkaufen, etw. von (*od.* bei) j-m kaufen; *la femme voulut lui ~ un balai* die Frau wollte ihm e-n Besen abkaufen; *~ en sous-main* unter der Hand kaufen; *~ avec facilités de paiement od. à paie-*

ments échelonnés auf Abzahlung (*od.* Raten-, Teil-zahlung) *od.* auf Stottern P kaufen; *achetez des produits français!* kauft französische Waren!; ~ *au décrochez-moi-ça* von der Stange kaufen; ~ (*au*) *comptant* bar kaufen; ~ *cher* (*bon marché*) teuer (billig) kaufen; ~ *à crédit* auf Kredit (*od.* auf Rechnung) kaufen; ~ *en bloc* (*od. à forfait*) im ganzen aufkaufen; ~ *au poids de l'or* mit Gold aufwiegen; ~ *qch.* (*pour*) *mille francs* etw. für tausend Franken kaufen; ~ *chat en poche* die Katze im Sack kaufen; **2.** *fig.* ~ *q.* j-n kaufen, bestechen; **3.** P ~ *q.* j-n hochnehmen, sich über j-n lustig machen; **II** *v/rfl.* s'~ a) zu kaufen sein, käuflich sein; b) *bisw.* s'~ (*um den persönlichen Gebrauch des Gekauften hervorzuheben*): s'~ *qch.* für sich etw. kaufen; *si je gagne le gros lot je m'achèterai un joli collier* wenn ich das Große Los gewinne, werde ich mir ein hübsches Kollier kaufen; *fais comme tout le monde, achète-toi un bracelet-montre* mach es wie alle andern und kaufe dir e-e Armbanduhr; *je m'achèterai une villa* ich werde mir e-e Villa kaufen; *ils se sont acheté des machines modernes* sie haben sich moderne Maschinen gekauft; *allez donc vous* ~ *qch.!* gehen Sie sich also etw. kaufen! (*zu Armen*).

acheteur [aʃ'tœːr] *su.* (7g) Käufer *m*, Einkäufer *m*; ~ *à réméré* Rückkäufer *m*; ~*s pl. solvables* kaufkräftiges Publikum *n*.

achever [aʃ've] (1d) **I** *v/t.* **1.** beendigen, vollenden (*a. fig.*), beenden, zu Ende bringen, fertigstellen, -machen; *achevé* (*a. adj.*) vollkommen, Erz...; ur...; *fou achevé* Erzdussel *m*; **2.** *Brot* aufessen; *Wein* austrinken; *Pfeife* aufrauchen; töten; *j-n* erledigen, zugrunde richten; **II** *v/i.* **3.** ~ *de faire qch.* mit etw. zu Ende kommen; *j'ai achevé de lire* ich habe ausgelesen; *il a achevé de manger* er hat fertig gegessen, er ist mit dem Essen fertig; *il achève de me convaincre* er überzeugt mich schließlich davon; **III** *v/rfl.* s'~ **4.** zu Ende gehen, ablaufen; **5.** *fig.* sich zugrunde richten.

achillée ⚘ [aki'le] *f* Schafgarbe *f*.

achop|pement [aʃɔp'mɑ̃] *m* Hindernis *n*; *pierre f d'*~ Stein *m* des Anstoßes; **~per** [~'pe] *v/i. u. v/rfl.* s'~ (1a) anstoßen, Anstoß erregen; versagen, scheitern.

achroma|tique [akrɔma'tik] *adj.* farblos; **~tisation** [~tizɑ'sjɔ̃] *f* Achromatisierung *f*; **~tiser** [~ti'ze] *v/t.* (1a) achromatisieren; **~tisme** [~'tism] *m* Achromatismus *m*, Farblosigkeit *f*; **~topsie** [~tɔp'si] *f* Farbenblindheit *f*.

aciculaire ⚘ [asiky'lɛːr] *adj.* nadelförmig.

acide [a'sid] **I** *adj.* sauer, scharf; **II** *m* Säure *f*; ~ *carbonique* Kohlensäure *f*; ~ *formique* Ameisensäure *f*; ~ *gras* Fettsäure *f*; ~ *hydrochlorique* (*od. chlorhydrique*) Salzsäure *f*; ~ *prussique* Blausäure *f*; ~ *pyroligneux* Holzessig *m*; ~ *tartrique* Weinsäure *f*; ~ *tungstique* Wolframsäure *f*; ~ *urique* Harnsäure *f*.

acidi|fiant ⚗ [asidi'fjɑ̃] *adj.* (7) säurebildend; **~fication** [~fikɑ'sjɔ̃] *f* Säurebildung *f*; **~fier** [~'fje] (1a) **I** *v/t.* in Säure verwandeln; **II** *v/rfl.* s'~ zu Säure werden; **~mètre** [~'mɛtrə] *m* Säuremesser *m*; **~té** [~'te] *f* Säure-grad *m*, -gehalt *m*.

acido-résistant ⚗ [asidɔrezis'tɑ̃] *adj.* (7) säurefest.

acidu|lé [asidy'le] *adj.* säuerlich; *eaux f/pl.* ~*es* Sauerbrunnen *m*; *sel m* ~ übersaures Salz *n*; **~ler** [~'le] *v/t.* (1a) sauer machen, ansäuern.

acier ⊕ [a'sje] *m* **1.** Stahl *m* (*a. fig.*); ~ *raffiné* reiner Stahl *m*; ~ *pour brides de ressort* Federbandstahl *m*; ~ *carré* Vierkantstahl *m*; ~ *feuillard* Bandstahl *m*; ~ *à adoucir* Abziehstahl *m*; ~ *plat* Flachstahl *m*; ~ *rapide* Schnellstahl *m*; ~ *rond* Rundstahl *m*; ~ *de cémentation* Einsatz-, Brennzement-stahl *m*; ~ *brut* Rohstahl *m*; ~ *chromé* Chromstahl *m*; ~ *coulé*, ~ *fondu*, ~ *de fonte* Gußstahl *m*; ~ *laminé* Walzstahl *m*, gewalzter Stahl *m*; ~ *naturel* Rennstahl *m*; ~ *de bonne trempe* gut gehärteter Stahl *m*; ~ *phosphaté* Phosphorstahl *m*; ~ *tréfilé* gezogener Stahl *m*; *fil m d'*~ Stahldraht *m*; ~ *à ressorts* Federstahl *m*; ~ *au chrome-nickel* Chromnickelstahl *m*; ~ *au tungstène* Wolframstahl *m*; ~ *spécial* Edelstahl *m*; ~ (*à coupe*) *rapide* Schnell(dreh- *od.* -arbeits)stahl *m*; *travail m* (*od. façonnage m*) *de l'*~ Stahlverformung *f*; **2.** *d'*~ stählern; *fig. avoir un cœur d'*~ herzlos (*od.* unerbittlich) sein; *avoir des jarrets d'*~ kräftig (*od.* stämmig) sein; **3.** *poét.* Dolch *m*, Schwert *n*.

acié|rage ⊕ [asje'ra:ʒ] *m* Verstählung *f*; **~ration** [~rɑ'sjɔ̃] *f* Stahlbereitung *f*; **~rer** [~'re] *v/t.* (1f) (ver)stählen; **~reux** [~'rø] *adj.* (7d) stahlartig; **~rie** [~'ri] *f* Stahl-hütte *f*, -werk *n*.

aciforme ⚘ [asi'fɔrm] *adj.* nadelförmig.

acné ⚕ [ak'ne] *f* Akne *f*.

acolyte [akɔ'lit] *m* **1.** *rl.* Meßgehilfe *m*; **2.** Helfer *m*, Genosse *m*; *bsd. péj.* Helfershelfer *m*, Komplize *m*.

acompte [a'kɔ̃:t] *m* Abschlagszahlung *f*, Anzahlung *f*; *par ~s* in Raten, auf Abzahlung, *fig.* auf Stottern P; *à titre d'~* als Anzahlung.

aconit ⚘ [akɔ'nit] *m* Eisenhut *m*.

acoquiner [akɔki'ne] (1a) *v/rfl. mv.p. s'~* sich hingeben (*dat.*), verfallen sein (*dat.*); verkehren mit (*dat.*); *s'~ à une femme* sich an e-e Frau hängen, e-r Frau nachlaufen; *s'~ au jeu* dem Spiel verfallen sein; *s'~ à des fripons* sich mit Spitzbuben einlassen.

à-côté [ako'te] *m* (6g) **1.** sekundäre Frage *f*; **2.** Nebeneinnahme *f*; *~s pl.* Neben-ämter *n/pl.*, -einnahmen *f/pl.*

à-coup [a'ku] *m* (6g) Ruck *m*, Stoß *m*; plötzliche Bewegung *f*; Stockung *f* (*a.* ⚔ im Marsch); *~s pl. fig.* Rückschläge *m/pl.*; *par ~s* ruckweise; *sans ~s* reibungslos; *a.* ⊕ *des ~s* Stöße *m/pl.*; *marche f par ~s* unruhiger Gang *m e-r Maschine*; *il peut survenir des ~s* es können ganz plötzliche Rückschläge eintreten.

acousticien ⊕ [akusti'sjɛ̃] *m* Ingenieur *m* für Akustik, Akustiker *m*.

acoustique [akus'tik] **I** *adj.* akustisch, schalltechnisch, das Gehör *od.* den Schall betreffend; *cornet m ~* Hörrohr *n*; *nerf m ~* Gehörnerv *m*; **II** *f* Schallehre *f*, Akustik *f*.

acqué|reur [ake'rœ:r] *su.* (7g) Erwerber *m*, (An-)Käufer *m*, Abnehmer *m*; **~rir** [~'ri:r] (2l) **I** *v/t.* erwerben, anschaffen (kaufen); *~ des amis* Freunde gewinnen; *~ la certitude* Gewißheit erlangen; *~ de la gloire* Ruhm erlangen; *il est acquis que ..., c'est un fait acquis que ...* es steht fest, daß ...; *fig. ~ droit de cité* sich einführen, sich einbürgern (*z.B. e-e wissenschaftliche Methode*); **II** *v/i.* sich vervollkommnen; besser werden, an Güte zunehmen; **III** *v/rfl. s'~* sich erwerben, sich verschaffen.

acquets [a'kɛ] *m/pl.* in der Ehe erworbenes Gut *n*, Zugewinn *m*.

acquiescement [akjɛs'mɑ̃] *m* Zustimmung *f*.

acquiescer [akjɛ'se] *v/i.* (1k): *~ à qch.* e-r Sache zustimmen.

acquis [a'ki] *m/sg.* Fertigkeiten *f/pl.*, Fähigkeiten *f/pl.*, erworbene Kenntnisse *f/pl.*; *j-s* Einfluß *m*.

acquisition [akizi'sjɔ̃] *f* **1.** Erwerbung *f*, Ankauf *m*; *faire l'~ d'une terre* ein Landgut kaufen; **2.** erworbenes Gut *n od.* Vermögen *n*; **3.** *fig. ~s pl.* wissenschaftliche Ermittlungen *f/pl.*, Errungenschaften *f/pl.*

acquisivité *psych.* [akizivi'te] *f* Lerntrieb *m*.

acquit [a'ki] *m* **1.** ✝ Quittung *f*; Empfangsschein *m*; *pour ~* Betrag erhalten; **2.** *fig.* Beruhigung *f*; *par ~ de conscience, pour l'~ de ma conscience* um mein Gewissen zu beruhigen; damit ich mir nichts vorzuwerfen habe (*od.* brauche); um ein übriges zu tun; **3.** *jouer à l'~* darum spielen, wer bezahlen soll; **4.** *par manière d'~* interesselos u. nur dem Zwang gehorchend.

acquit-à-caution [akitako'sjɔ̃] *m* (6b) Zollbegleitschein *m*.

acquit|table [aki'tablə] *adj.* tilgbar, zahlbar; **~tement** [akit'mɑ̃] *m* Zahlung *f*, Tilgung *f*; ⚖ Freisprechung *f*; **~ter** [~'te] (1a) **I** *v/t.* **1.** *~ q.* de j-n frei machen (*od.* befreien von Schulden *usw.*); *~ sa conscience* sein Gewissen entlasten; **2.** ⚖ freisprechen; **3.** bezahlen; quittieren; *~ une dette* e-e Schuld abtragen (*od.* bezahlen); **II** *v/rfl. s'~* **4.** *s'~ de* sich freimachen von; *s'~ d'une charge* e-r Verpflichtung (*dat.*) nachkommen; *s'~ d'une dette* s-e Schuld begleichen (*od.* bezahlen); *s'~ de son devoir* s-e Pflicht tun, s-r Pflicht nachkommen; *bien s'~ de qch.* etw. gut erledigen, etw. fein machen F; **5.** *Spiel*: s-n Verlust wiedergewinnen.

âcre ['ɑ:krə] *adj.* scharf, herb; *fig.* beißend, bitter; **~té** [ɑkrə'te] *f* Schärfe *f*; *fig.* Bissigkeit *f*.

acridiens 🐛 *ent.* [akri'djɛ̃] *m/pl.* (*Gattung der*) Heuschrecken *f/pl.*

acrimo|nie [akrimɔ'ni] *f* **1.** Schärfe *f*; **2.** *fig.* Bissigkeit *f*; **~nieux** [~'njø] *adj.* (7d) □ *fig.* scharf; bissig.

acro|bate [akrɔ'bat] *su.* Akrobat *m*, Seiltänzer *m*; **~batie** [~ba'si] *f* Seiltanz *m*; ✈ Kunstflug *m*; *fig. tour m d'~* geschickter Ausweg *m*; **~batisme** [~ba'tism] *m* Seiltänzerkunst *f*; **~batique** [~ba'tik] *adj.* akrobatisch.

acroléine ⚗ [akrɔle'in] *f* Akrolein *n* (*Desinfektionsmittel*).

acrylique *text.* [akri'lik] *m* Akrylsynthetics *n/pl.*

acte [akt] *m* **1.** Handlung *f*, geschehene Tat *f*, Werk *n*; ~ *d'autorité* Machtspruch *m*; *faire* ~ *de bonne volonté* s-n guten Willen zeigen; ~ *charnel* Geschlechtsakt *m*; ~ *manqué* Fehlleistung *f*; ~ *de complaisance* Gefälligkeit *f*; ~ *d'hostilité* Feindseligkeit *f*; ~ *de possession* Besitzergreifung *f*; *faire* ~ *de présence* sich e-n Augenblick sehen lassen; sich zeigen; ~ *de vertu* edle Tat *f*; **2.** ⚖ amtliche Verhandlung *f*; ⚖ Handlung *f*; Rechtsgeschäft *n*; Urkunde *f*; Akte *f*; *fig.* Zeugnis *n*, Bescheinigung *f*; ~ *d'accusation* Anklageschrift; ~ *de baptême* Taufschein *m*; ~ *constitutif* Gründungsvertrag *m*; ~ *constitutif d'hypothèque* Hypothekenbestellungsurkunde *f*; ~ *de décès* Totenschein *m*, Sterbeurkunde *f*; ~ *de naissance* Geburtsurkunde *f*; ~ *de vente* Verkaufsurkunde *f*; Kaufbrief *m*; ~ *de disposition* letztwillige Verfügung *f*; ~ *déclaratoire de volonté* Willenserklärung *f*; ~ *double* doppelte Ausfertigung *f*; ~*s pl. de l'état civil* Standesamtsregister *n*; ⚖ ~ *en brevet* Urkunde *f*; ~*s pl. fonciers* Grundbuchakten *f/pl.*; ~ *d'exécution* Zwangsvollstreckung *f*; ~ *illicite*, ~ *incriminé*, ~ *punissable*, ~ *délictueux* strafbare Handlung *f*; ~ *gratuit* Mutwille *m*; *bisw. les compagnons m/pl. de l'*~ *gratuit* die Halbstarken *m/pl.*; ~ *judiciaire* gerichtliche Amtshandlung *f*; ~ *notarié* notarielle Urkunde *f*; *dresser* (*od. passer*) ~ (de) beurkunden; *passer un* ~ *par-devant notaire* e-n Vertrag vor dem Notar abschließen; ~ *sous seing privé* Privaturkunde *f*; ~ *valable* gültiger Vertrag *m*; *demander* ~ *de qch.* etw. beglaubigen lassen, sich etw. bescheinigen lassen; *prendre* ~ *de qch.* etw. zu Protokoll nehmen, etw. vermerken, von etw. Kenntnis (*od.* Vormerkung) nehmen, sich etw. für die Zukunft merken; ⚖ *dont* ~ zu Urkund dessen, urkundlich dessen; **3.** *thé.* Akt *m*, Aufzug *m*; **4.** ~*s pl.* Verhandlungsvorschriften *f/pl.*, Akten *f/pl.*, Protokolle *n/pl.*; ~*s pl. fonciers* Grundbuchakten *f/pl.*; ♀ *des Apôtres* Apostelgeschichte *f*.

acter *néol.* [ak'te] *v/t.* (1a) Kenntnis nehmen von; verzeichnen; *Urteil* fällen, *Entschluß* fassen, *Abkommen* bestätigen.

acteur [ak'tœ:r] *su.* (7f) handelnde Person *f*; Schauspieler *m*; *fig.* Teilnehmer *m*.

actif [ak'tif] **I** *adj.* (7e) □ **1.** aktiv, tätig, fleißig, rege, rührig; wirksam; lebhaft; *un remède* ~ ein wirksames Mittel *n*; *vie f active* tatenreiches Leben *n*; ✝ *dettes f/pl. actives* ausstehende Forderungen *f/pl.*; ⚔ *service m* ~ aktive Dienstzeit *f*; *gr. verbe m* ~ Verb *n* im Aktiv; *gr. voix f active* Aktiv *n*; *voix f active et passive* Recht *n* zu wählen u. gewählt zu werden; *prendre une part active dans* ... lebhaften Anteil nehmen an (*dat.*); *j'aime ces qualités actives* mir gefallen diese lebhaften Eigenschaften; ⚗ *principe m* ~ wirkender Grundstoff *m*; **II** *m* **2.** ✝ Aktivvermögen *n*, Aktiva *n/pl.*; ~ *de la faillite* Konkursmasse *f*; ~ *net* reine Aktiva *n/pl.*; ~ *social* Gesellschaftsvermögen *n*; *porter* (*od. passer*) *qch. à l'*~ *de q.* j-m etw. gutschreiben; **3.** *gr.* Aktiv *n*, Tätigkeitsform *f*.

actinie ⚘ [akti'ni] *f* Seerose *f*.

actinique [akti'nik] *adj.* **1.** ⚛ aktinisch, Strahlen...; **2.** *phot.* photographisch wirksam.

actino|mètre [aktinɔ'mɛtrə] *m* **1.** *phot.* Belichtungsmesser *m*; **2.** *opt.* Strahlenmesser *m*; **~thérapie** [~tera'pi] *f* Strahlen-therapie *f*, -behandlung *f*; **~tropisme** 🕮 [~trɔ'pism] *m* Neigung *f* der Pflanzen durch einseitige Bestrahlung, Phototropismus *m*.

action [ak'sjɔ̃] *f* **1.** Handlung *f* (*a. thé., litt.*), Tat *f*; ~ *de grâces* (kirchliche) Danksagung *f*; *bsd. pol.* ~ *d'épuration* Säuberungsaktion *f*; ~ *désagrégatrice* Zersetzungstätigkeit *f*; *l'*~ *d'une tragédie* (*d'un roman*) die Handlung e-r Tragödie (e-s Romans); **2.** Lebhaftigkeit *f*, Lebendigkeit *f*; Schwung *m*; Impuls *m*; *il met beaucoup d'*~ *dans ce qu'il fait* er geht mit großem Schwung (*od.* Eifer) an die Sache; *parler avec* ~ schwungvoll reden; ~ *oratoire* rhetorischer Impuls *m*; **3.** Tätigkeit *f*, Bewegung *f*; *les* ~*s naturelles* der Verdauungsprozeß; *mettre une machine en* ~ e-e Maschine in Gang setzen; *être en* ~ in Tätigkeit (*od.* im Gange) sein; *entrer en* ~ *fig.* eingreifen; in Tätigkeit treten; ⚔ zum

Einsatz kommen; **4.** ⚔ Gefecht *n*; Kampf *m*; *engager l'*~ den Kampf eröffnen; ~ *débordante* Umgehungsversuch *m*; **5.** Wirkung *f*; ~ *des vagues* Wellenschlag *m*; ⊕ ~ *du freinage* Bremswirkung *f*; ~ *à distance* Fernwirkung *f*; ~ *et réaction* Wirkung u. Gegenwirkung *f*; **6.** ⚖ Klage *f*; *intenter une* ~ *en justice* e-e gerichtliche Klage einreichen (*od.* anstrengen); ~ *civile*, ~ *au civil* Zivilklage *f*; ~ *contractuelle* Vertragsklage *f*; ~ *révocatrice* Anfechtungsklage *f*; ~ *récursoire* Regreßklage *f*; ~ *en responsabilité* Haftpflichtklage *f*; ~ *légale* Rechtshandlung *f*; ~ *en dommages-intérêts* Schadenersatzklage *f*; ~ *de partage* Erbteilungsklage *f*; **7.** ☤ Aktie *f*, Anteilschein *m*; ~ *de capital* Stammaktie *f*; ~ *de fondation* Gründungsaktie *f*; ~ *définitive* Definitivaktie *f*; ~ *primitive* (*od. ordinaire*), ~ *d'origine*, ~ *de première émission* Stammaktie *f*; ~ *de jouissance* zinstragende Aktie *f*; ~ *de mine* Bergwerks-, Montanaktie *f*; Kux *m*; ~ *privilégiée*, ~ *de priorité*, ~ *de préférence* Vorzugsaktie *f*; *détenteur m* (*od. porteur m*) *d'*~*s* Aktieninhaber *m*; *les* ~*s sont à ...* die Aktien stehen auf ... (*dat.*); **8.** ♀ *française hist.* Parteibewegung *f* für die Wiederherstellung des französischen Königtums (*1898 bis 1936*).

action|naire [aksjɔ'nɛːr] *su.* Aktionär *m*, Aktienbesitzer *m*; **~nariat** [~nar'ja] *m* Kapitalbeteiligung *f* der Arbeitnehmerschaft; **~nement** [~ksjɔn'mɑ̃] *m* Antrieb *m*; **~ner** [~'ne] (1a) **I** *v/t.* **1.** ⚖ gerichtlich belangen; einklagen; **2.** (an)treiben, in Gang bringen; *actionné* (*a. adj.*) geschäftig; **II** *v/rfl.* *s'*~ tätig sein *od.* werden.

acti|vateur ⊕ [aktiva'tœːr] *m* Haftanreger *m*; **~vation** [aktivɑ'sjɔ̃] *f* Aktivierung *f*, Belebung *f*; **~ver** [~'ve] (1a) **I** *v/t.* beschleunigen, aktivieren, beleben, fördern, mit Nachdruck betreiben; *Feuer* schüren; **II** *v/rfl.* *s'*~ sich beeilen; **~ves** [~'tiːv] *f/pl.* Aktiva *n/pl.*; **~viste** [~ti'vist] *adj. u. su.* aktivistisch; *pol. oft péj.* terroristisch; Aktivist *m*; *pol. oft péj.* Terrorist *m*; **~vité** [~vi'te] *f* Aktivität *f*, Betriebsamkeit *f*; Tätigkeit *f*, Wirksamkeit *f*; ~ *commerciale* Handelsgewerbe *n*; ~ *solaire* Sonnentätigkeit *f*; ☤ ~ *du compte* Kontobewegung *f*; *les entreprises sont classées par* ~ die Firmen sind nach Branchen geordnet; *sphère f d'*~ Wirkungskreis *m*, Aktionsbereich *m*; *en* ~ in Tätigkeit; in aktivem Dienst.

actrice [ak'tris] *f* Schauspielerin *f*.

actu|aire [ak'tɥɛːr] *m* Versicherungs-, Finanz-statistiker *m*; **~alisateur** *gr.* [~aliza'tœːr] *adj.* (7f) *u. m* aktualisierend; aktualisierendes Mittel *n*, *um in uns schlummerndes Wortgut in Sätzen gegenwärtig zu machen* (*Artikel, Zahlen, Pronomina*); **~alisation** *gr.* [~alizɑ'sjɔ̃] *f* Aktualisierung *f*; **~aliser** [~ali'ze] *v/t.* (1a) aktuell gestalten; **~alité** [~ali'te] *f* Aktualität *f*, Gegenwartsnähe *f*; Tagesereignis *n*; *cin. les* ~*s pl.* die Wochenschau *f/sg.*; *rad.* Neues *n* vom Tage, das Zeitgeschehen; *gravures f/pl. d'*~ zeitgeschichtliche Bilder *n/pl.*; *question f d'*~ aktuelle (*od.* brennende) Frage *f*; *d'une* ~ *immédiate* hochaktuell.

actuel [ak'tɥɛl] *adj.* (7c) □ aktuell, gegenwärtig, derzeitig, jetzig, zeitgemäß; **~lement** [~l'mɑ̃] *adv.* zur Zeit, augenblicklich, momentan.

actyphone *Fr.* [akti'fɔn] *m* Telefon *n* auf Computerbasis.

acuité [akɥi'te] *f* Schärfe *f*; *fig.* Heftigkeit *f*; ⚕ akuter *od.* schnell verlaufender Zustand *m*; ~ *visuelle* Sehschärfe *f*; *des problèmes d'une extrême* ~ Fragen *f/pl.* von äußerster Dringlichkeit.

acul [a'ky] *m* Meeresboden *m* e-r Austernbank.

acculturé [akylty're] *adj.* (7) kulturlos.

acup|oncture ⚕ [akypɔ̃k'tyːr], **~uncture** [~] *f* Akupunktur *f*.

acut|angle ∡ [aky'tɑ̃ːglə] *adj.* spitzwinklig; **~angulé** [~tɑ̃gy'le] *adj.* scharfkantig.

adage [a'daːʒ] *m* Sprichwort *n*, geflügeltes Wort *n*.

Adam [a'dɑ̃] *m* Adam *m*; *anat. pomme f d'*~ Adamsapfel *m*; *fig. dépouiller le vieil* ~ den alten Adam ausziehen.

adapt|able [adap'tablə] *adj.* anwendbar; **~ateur** [~ta'tœːr] *m* Bearbeiter *m* (*Film usw.*); **~atif** [~ta'tif] *adj.* (7e) anpassungsfähig; **~ation** [~tɑ'sjɔ̃] *f* Anpassung *f*; Zurechtmachung *f*; *thé., cin.* freie Bearbeitung *f*; Verfilmung *f*; **~er** [~'te] (1a) **I** *v/t.* anpassen; in Einklang bringen; ~ *un film* e-n Film frei *nach e-m Roman usw.* bearbeiten; **II** *v/rfl.* *s'*~ sich anpassen, sich umstellen (*à* auf *acc.*); sich (ein-)

fügen, sich einordnen; *fig.* passen (*à* zu *dat.*).

addenda [adɛ̃'da] *m/inv.* zusätzliche Schlußbemerkungen *f/pl.* (*e-s Buches*), Hinzufügungen *f/pl.*

additif [adi'tif] *m* **1.** ⚗ Zutat *f*; **2.** *fin.* Zusatz *m*; **3.** Hinzufügung *f.*

addition [adi'sjɔ̃] *f* Hinzufügung *f*; Zusatz *m*, Randbemerkung *f*, Zugabe *f*, Anhang *m*; Addition(saufgabe *f*) *f*; Rechnung *f* (*im Restaurant*); *garçon, l'~, s'il vous plaît!* Kellner, zahlen!; ⊕ *produit m d'~* Füllstoff *m* (*Bestandteil e-s Kunststoffes*); **~nel** [~sjɔ'nɛl] *adj.* (7c) zusätzlich, nachträglich; *centimes m/pl. ~s* Steuerzuschlag *m*; **~ner** [~'ne] *v/t.* (1a) zs.-zählen, addieren.

additionneuse [adisjɔ'nøːz] *f* Addiermaschine *f.*

adduc|teur *anat.* [adyk'tœːr] *m* (*a. adj.*: *muscle m ~*) Anziehmuskel *m*; **~tion** [~k'sjɔ̃] *f* **1.** *anat.* anziehende Muskelbewegung *f*; **2.** *hydr.* Zuleitung *f*; *~ d'eau* (*od. en eau*) Wasser-zuführung *f*, -versorgung *f.*

adelph|e ⚘ [a'dɛlf] *adj.* verwachsen; **~ie** [~'fi] *f* Verwachsen *n* der Staubfäden.

adénite ⚕ [ade'nit] *f* Drüsenentzündung *f.*

adent *charp.* [a'dɑ̃] *m* Verzahnung *f*, Verzapfung *f.*

adenter *charp.* [adɑ̃'te] *v/t.* (1a) verzahnen.

adepte [a'dɛpt] **1.** *su.* Anhänger (-in *f*) *m e-r Lehre od. Sekte*; Eingeweihte(r) *m*; **2.** † *m* Alchimist *m.*

adéquat [ade'kwa] *adj.* angemessen, entsprechend; zweckmäßig; übereinstimmend, adäquat.

adhé|rence [ade'rɑ̃ːs] *f* Anhaften *n*, An-, Zs.-hängen *n*, Verwachsensein *n*; *phys.* Adhäsion *f*; ⚕ Verwachsung *f*; *bét.* Haftfestigkeit *f*; ⊕ Haftfläche *f*; Flächen-, Schienenhaftung *f*; *fig.* Anhänglichkeit *f*; *~ à qch.* Festkleben *n* an etw.; ⚡ *~ électrique* elektrischer Reibungswiderstand *m*; **~rent** [~'rɑ̃] **I** *adj.* (7) (*à*) anhaftend, angewachsen, anklebend (an (*dat.*); ⚕ verwachsen (mit); **II** *m* Anhänger *m*; Mitglied *n*; **~rer** [~'re] *v/i.* (1f) (*à*) festhängen, festkleben, haften (an *dat.*); *bsd.* ⚕ verwachsen sein (mit); *fig.* festhalten (an *dat.*); *fig.* einverstanden sein (mit), zustimmen (*dat.*), beitreten (*dat.*); zu e-r Partei halten; *~ à q.* es mit j-m halten; **~risation** *Auto* [~rizɑ'sjɔ̃] *f* Aufrauhung *f* der Luftreifen; **~riser** *Auto* [~ri'ze] *v/t.* (1a) aufrauhen; **~sif** [~'zif] *adj.* (7e) fest anheftend, anklebend; griffig (*Autoreifen*); *fig.* zustimmend; ⚕ *emplâtre m ~* Heftpflaster *n*; **~sion** [~'zjɔ̃] *f* Festhängen *n*; *phys.* Adhäsion *f*; Bodenhaftung *f* (*Autoreifen*); ⊕ Haftfestigkeit *f*; *phys.* Oberflächenanziehungskraft *f*; *fig.* Zustimmung *f*, Beitritt *m*; *donner* (*refuser*) *son ~* s-n Beitritt erklären (ablehnen); *acte m d'~* Beitrittserklärung *f*; *les ~s pl.* die Zustimmung *f/sg.*; **~sivité** [~zivi'te] *f* **1.** Geselligkeitsinstinkt *m*; **2.** *phys.* Adhäsionskraft *f*, Haftvermögen *n*, *Auto*: Griffigkeit *f*; **3.** *allg.* Konzentrationsfähigkeit *f.*

ad-hocratie, adhocratie *néol. éc.* [adɔkra'si] *f* Zweckunternehmen *n* auf e-e beschränkte Zeit.

adiaphane [adja'fan] *adj.* undurchsichtig.

adieu [a'djø] **I** *int.* *~!* bleib (bleiben Sie) gesund!, leb (leben Sie) wohl! (*beim Abschied für immer od. auf e-e längere Zeit*); *Enttäuschung, Hoffnungslosigkeit*: laß fahren dahin!; alles zwecklos!; (alles) umsonst!; vergebens!; *fig. dire ~ à qch.* e-r Sache entsagen; **II** *m* Abschied(sgruß *m*) *m*, Lebewohl *n*; *faire* (*od. dire*) *ses ~x à q.* j-m Lebewohl sagen, von j-m Abschied nehmen.

adipeux [adi'pø] *adj.* (7d) *anat.* fettig, fetthaltig, Fett...

adipome ⚕ [adi'pɔm] *m* Fettgeschwulst *f.*

adipos|e, ~ité ⚕ [adi'poːz, ~pozi'te] *f* Fettsucht *f.*

adipsie ⚕ [adip'si] *f* Durstmangel *m.*

adition ⚖ [adi'sjɔ̃] *f*: *~ d'hérédité* Antritt *m* e-r Erbschaft.

adjacence ⩓ [adʒa'sɑ̃ːs] *f* Berührung *f* (*v. Winkeln*).

adjacent [adʒa'sɑ̃] *adj.* (7) anliegend, angrenzend; *rue f ~e* Nebenstraße *f*; ⩓ *angles m/pl. ~s* Nebenwinkel *m/pl.*

adjectif *gr.* [adʒɛk'tif] **I** *adj.* (7e) adjektivisch; **II** *m* Adjektiv *n.*

adjoindre [ad'ʒwɛ̃ːdrə] *v/t.* (4b) hinzu-fügen, -ziehen; *~ q.* j-n zuteilen, zu-, bei-gesellen.

adjoint [ad'ʒwɛ̃] (7) **I** *adj.* beigeordnet; *professeur m ~* Aushilfslehrkraft *f*; **II** *su.* Aushilfslehrkraft *f*; Stellvertreter *m*; Amtsgehilfe *m*, Beigeordnete(r) *m*; *~ au maire* stellvertretender Bürgermeister *m*; *juré m ~* Ersatzgeschworene(r) *m*; *Fr. ~ d'enseignement etwa*: Studienreferendar *m.*

adjonction [adʒɔ̃k'sjɔ̃] *f* Zuteilung *f*, Beiordnung *f* (*e-s Gehilfen*; *e-r zweiten Kraft*); Hinzufügung *f*, Bei-, Hinzufügen *n*; ♪ Beimischen *n*.

adjudant ⚔ [adʒy'dɑ̃] *m* Adjutant *m*, Feldwebel *m*, Wachtmeister *m*; ~-*chef* Oberfeldwebel *m*.

adjudica|taire [~dika'tɛ:r] *su.* Mindestfordernde(r) *m*, Auftragnehmer *m* (durch Zuschlag); Ersteigerer *m*, Ersteher *m*; **~teur** [~'tœ:r] *su.* (7f) Zuerkenner *m*, Zuerkennende(r) *m*; **~tif** [~'tif] *adj.* (7e) zuerkennend; **~tion** [~kɑ'sjɔ̃] *f* **1.** (gerichtliche) Zusprechung *f*, Versteigerung *f*; *vente f par* ~ gerichtlicher Verkauf *m*; **2.** Ausschreibung *f*, Submission *f*, Vergebung *f* (*od.* Vergabe *f*) an den Mindestfordernden; ~ *publique* öffentliche Ausschreibung *f*; *mettre en* ~ *au plus offrant* an den Meistbietenden vergeben.

adjuger [adʒy'ʒe] (1l) **I** *v/t.* ⚖ zuerkennen; den Zuschlag erteilen (*od.* liefern), zuschlagen; **II** *v/rfl.* *s'*~ *qch.* sich etw. aneignen.

adju|ration [~rɑ'sjɔ̃] *f* **1.** *rl.* Beschwörungsformel *f*; **2.** inständige Bitte *f*; **~rer** [~'re] *v/t.* (1a) **1.** *rl.* beschwören; **2.** inständig bitten.

adjuvant [adʒy'vɑ̃] *adj.* (7) *u. m* a) ⚕ zusätzlich(es), helfend(es Mittel *n*); b) *bét.* Zusatz(mittel *n*) *m*.

admettre [ad'mɛtrə] *v/t.* (4p) **1.** zulassen, *j-m* den Zugang gestatten; *faire* ~ *un livre dans une école* ein Buch in e-r Schule einführen; **2.** anerkennen, annehmen, gelten lassen, für richtig befinden, zugeben; ~ *un compte* eine Rechnung anerkennen (*od.* für richtig befinden); *généralement admis* allgemein anerkannt.

adminicule ⚖ [admini'kyl] *m* Nebenbeweis *m*.

administra|teur [administra'tœ:r] *su.* (7f) Verwalter *m*; ~ *fiduciaire* Treuhänder *m*; ~ *juridique* Rechtswalter *m*; **~tif** [~'tif] *adj.* (7e) zur Verwaltung gehörig, administrativ; *corps m* ~ Verwaltungspersonal *n*; **~tion** [~trɑ'sjɔ̃] *f* **1.** Verwaltung *f*; Verlag *m* (*e-r Zeitung*); *fig.* Wirtschaft *f*; *mauvaise* ~ Mißwirtschaft *f*; ~ *forcée* Zwangswirtschaft *f*; ~ *modèle* vorbildliche Verwaltung *f*; ~ *centrale* Hauptverwaltung *f*; ~ *coloniale* Kolonialverwaltung *f*; ⚖ ~ *de la succession* Nachlaßverwaltung *f*; ~ *forestière* Forstverwaltung *f*; *conseil m d'*~ Verwaltungsrat *m*; ⚔ *officier d'*~ höherer Militärbeamter *m*; **2.** Verwaltungsbehörde *f*; *thé.* Intendanz *f*; **3.** *rl.* Erteilung *f*, Spendung *f* der Sakramente; Eingeben *n* e-r Medizin; **4.** ⚖ ~ *de preuves* Beibringung *f* von Beweisstücken; ~ *de la preuve* Beweis-last *f*, -pflicht *f*; **~tivement** [~tiv'mɑ̃] *adv.* auf dem Verwaltungswege.

adminis|tré [~s'tre] *su.* (*mst. im pl.*) Bürger *m*; **~trer** [~] *v/t.* (1a) **1.** verwalten; **2.** ~ *la justice* die Rechtspflege handhaben; **3.** verabreichen, geben; *rl.* ~ *un malade* e-m Kranken die Letzte Ölung geben; ~ *les sacrements* die Sakramente spenden; ~ *une volée de bois vert* (*od. une tripotée magistrale*) *à q.* j-m e-e anständige (*od.* gehörige) Tracht Prügel verabreichen; j-n anständig versohlen P; **4.** ⚖ ~ *des preuves* Beweise beibringen (*od.* liefern).

admira|ble [admi'rablə] *adj.* □ bewunderungswürdig, bewundernswert, großartig, vortrefflich, meisterhaft, erstaunlich; **~teur** [~'tœ:r] *su.* (7f) Bewunderer *m*; **~tif** [~'tif] *adj.* (7e) voller Bewunderung, bewundernd; Bewunderung ausdrükkend; *point m* ~ Ausrufungszeichen *n*; *particule f admirative* Interjektion *f*, Ausruf *m*; **~tion** [~rɑ'sjɔ̃] *f* **1.** Bewunderung *f*; **2.** Gegenstand *m* der Bewunderung.

admirer [admi're] *v/t.* (1a) bewundern; *j'admire que* (*subj.*) ich wundere mich, daß ...

admis|sibilité [admisibili'te] *f* Zulässigkeit *f*, Gültigkeit *f*; Aufnahmefähigkeit *f*; *liste d'*~ Zulassungsliste *f*; **~sible** [~'siblə] *adj.* zulässig, statthaft, gültig; **~sion** [~'sjɔ̃] *f* Zulassung *f*; ~ *à une école* Aufnahme *f* in e-e Schule; ~ *à l'hôpital* Einweisung *f* ins Krankenhaus; ~ *d'air* Luftzufuhr *f* (*a.* ⚒).

admittance ⚡ [admi'tɑ̃:s] *f* Scheinleitwert *m*.

admixtion *phm.* [admiks'tjɔ̃] *f* Beimischung *f*.

admones|tation [admɔnɛstɑ'sjɔ̃] *f* Verwarnung *f*, Verweis *m*, Rüge *f*; **~ter** [~'te] *v/t.* (1a) *j-m* e-n Verweis erteilen, *j-n* verwarnen; *fin.* mahnen (*zur Zahlung*).

admoni|teur [admɔni'tœ:r] **1.** *su.* (7f) Warner *m*, Ratgeber *m*; **2.** *rl.* Aufseher *m im Jesuitenkloster*; **~tion** [~'sjɔ̃] *f* Warnung *f*; Rüge *f*.

adné ⚘ [ad'ne] *adj.* angewachsen.

adoles|cence [adɔlɛ'sɑ̃:s] *f* Jünglingsalter *n*, Jugend(zeit *f*) *f*; **~cent** [~'sɑ̃] (7) **I** *su.* Jüngling *m*, Jugend-

liche(r) *m*, Junge *m*; *mv.p.* unreifer Bursche *m*; ⁓e *f* junges Mädchen *n*, Backfisch *m*; **II** *adj.* noch heranwachsend, jung, jugendlich; *grâce f* ⁓e jugendliche Grazie *f*.
Adonis *myth.* [adɔ'nis] *m* Adonis *m*; *fig.* schöner Jüngling *m*.
adoniser † [adɔni'ze] **I** *v/t. j-n* ausputzen; **II** *v/rfl.* s'⁓ sich feinmachen (*od.* schick machen P).
adonner [adɔ'ne] (1a): *s'⁓ à qch.* sich e-r Sache (*dat.*) hingeben *od.* widmen.
adop|table [adɔp'tablə] *adj.* annehmbar; **⁓tant** [⁓'tɑ̃] *su.* (7) Pflegevater *m*; *les ⁓s* die Pflegeeltern *pl.*; **⁓té** [⁓'te] *su.* angenommenes Kind *n*; **⁓ter** [⁓] *v/t.* (1a) adoptieren, an Kindes Statt annehmen; sich aneignen, sich zu eigen machen, annehmen; *⁓ à l'unanimité* einstimmig annehmen; *⁓ une loi* ein Gesetz verabschieden; *⁓ une opinion* e-r Ansicht (*dat.*) beipflichten (*od.* zustimmen); **⁓tif** [⁓'tif] *adj.* (7e): *enfant su. ⁓* Adoptivkind *n*; *père m ⁓* Adoptivvater *m*, Pflegevater *m*; **⁓tion** [adɔp'sjɔ̃] *f* **1.** Annahme *f* an Kindes Statt, Adoption *f*; *fils m par ⁓* Adoptivsohn *m* (*vgl.* 3.); **2.** *fig.* Annahme *f*; Aufnahme *f* (*von Fremdwörtern*); Billigung *f*; ⚖ Verabschiedung *f* (*e-s Gesetzes*); *⁓ de l'étalon-or* Umstellung *f* auf Goldwährung; **3.** Wahl *f*, Vorliebe *f*; *fils m d'⁓* Lieblingssohn *m*.
adora|ble [adɔ'rablə] *adj.* □ anbetungswürdig; *fig.* reizend, goldig; entzückend; **⁓teur** [⁓'tœːr] *su.* (7f) Verehrer *m*, Anbeter *m*; **⁓tion** [⁓rɑ'sjɔ̃] *f* Anbetung *f*.
adorer [⁓'re] *v/t.* (1a) anbeten (*a. abs.*); leidenschaftlich lieben; verehren; F *⁓ faire qch.* etw. furchtbar gern tun.
ados ✓ [a'do] *m* schräg angelegtes Frühkulturbeet *n*.
ados|sement [ados'mɑ̃] *m* Anlehnung *f*; ▲ Schräge *f*, Abdachung *f*; **⁓ser** [⁓'se] *v/t. u.* s'⁓ (1a): (s')⁓ *contre od. à* (sich) anlehnen an (*acc.*); ▲ anbauen; böschen (*Straßenbau*); **⁓soir** [⁓'swaːr] *m* Strandliege(stuhl *m*) *f*.
adou|cir [⁓'siːr] *v/t.* (2a) versüßen; *fig.* mildern; zähmen; besänftigen; *Steuern* ermäßigen; *Schmerz* lindern; *Fell* geschmeidig machen; *Metall* polieren; *⁓ sa voix* s-e Stimme mäßigen; *eau f adoucie* enthärtetes Wasser *n*; **⁓cissage** [⁓si'saːʒ] *m* Glättung *f*; Pulver *n* zum Glätten; **⁓cissant** *phm.* [⁓si'sɑ̃] **1.** *adj.* mildernd; **2.** Milderungsmittel *n*; **⁓cissement** [⁓sis'mɑ̃] *m* Versüßung *f*; Enthärten *n* (*des Wassers*); *fig.* Linderung *f*; Trost *m*; Verschmelzung *f* (*v. Farben*); *gr.* Umlaut *m*.
adoué *a. ch.* [a'dwe] *adj.* gepaart.
adressage ✝ [adrɛ'saːʒ] *m* Versandsystem *n* der Briefpost *usw.* (*in e-m Großbetrieb*).
adresse[1] [a'drɛs] *f* Adresse *f*, Anschrift *f*; Aufschrift *f*; Bestimmung *f*; Bittschrift *f*; Denkschrift *f*; *livre m d'⁓s* Adreßbuch *n*; *⁓ télégraphique* Telegrammadresse *f*; *⁓ de félicitation(s)* Glückwunschadresse *f*; *mettre l'⁓ sur od. à* adressieren; *une lettre à mon ⁓* ein an mich gerichteter Brief *m*; *arriver à son ⁓* an s-n Bestimmungsort gelangen; *c'est à mon ⁓* das ist auf mich gemünzt; *savez-vous son ⁓?* wissen Sie s-e (ihre) Wohnung?
adresse[2] [⁓] *f* Geschicklichkeit *f*, Fertigkeit *f*, Gewandtheit *f*; *fig.* Feinheit *f*, List *f*, Kniff *m*; *⁓ de cavalier* reiterliches Geschick *n*; *tour m d'⁓* Kunststück *n*, Kunstgriff *m*, Taschenspielerstückchen *n*.
adresser [adrɛ'se] (1b) **I** *v/t.* schikken, richten, verweisen; *⁓ q. à q.* j-n an j-n verweisen; *⁓ une lettre à q.* e-n Brief an j-n richten *od.* senden; *⁓ la parole à q.* j-n ansprechen; *il l'adressait à elle* er schickte ihn zu ihr; *⁓ des commandes à q.* Bestellungen bei j-m machen; **II** *v/rfl.* s'⁓ *à* sich wenden an (*acc.*); *cela s'adresse à vous* das betrifft Sie.
adressographe [adrɛsɔ'graf] *m* Adressiermaschine *f*.
adroit [a'drwa] *adj.* (7) geschickt, gewandt; listig, pfiffig; *esprit m ⁓* heller Kopf *m*.
adula|teur [adyla'tœːr] *su. u. adj.* (7f) Schmeichler *m*, Speichellecker *m*; schmeichlerisch, kriecherisch; **⁓tion** [⁓lɑ'sjɔ̃] *f* niedrige Schmeichelei *f*, Lobhudelei *f*, Kriecherei *f*, Speichelleckerei *f*.
aduler [ady'le] *v/t.* (1a) *j-m* kriecherisch schmeicheln, *j-m* zu Munde reden.
adulte [a'dylt] **I** *adj.* erwachsen, mannbar; *l'âge ⁓* das Mannesalter; **II** *su.* Erwachsene(r) *m*; *cours m/pl. d'⁓s* Fortbildungsschule *f*.
adul|térateur [adyltera'tœːr] *su.* (7f) Fälscher *m*, Verfälscher *m*; **⁓tération** [⁓terɑ'sjɔ̃] *f* Fälschung *f*, Verfälschung *f*; **⁓tère** [⁓'tɛːr] **I** *m*

Ehebruch *m*; **II** *adj. u. su.* ehebrecherisch; Ehebrecher *m*; **~térer** [~te're] *v/t.* (1f) (ver)fälschen; **~térin** [~te'rɛ̃] *adj. u. su.* (7) im Ehebruch erzeugt, Ehebruch...

adustion ⚕ [adys'tjɔ̃] *f* Kauterisation *f.*

ad usum [ad y'zɔm] *advt.* für den Gebrauch; in hergebrachter Weise.

advenir [advə'ni:r] *v/i.* (2h) geschehen, sich ereignen; *quoi qu'il advienne* was auch geschehen mag; *advienne que pourra* komme, was wolle; *personne ne se préoccupe de ce qu'il advient de moi* niemand kümmert sich darum, was aus mir wird; *advenant son décès* im Falle s-s Ablebens.

adventice [advɑ̃'tis] *adj.* zufällig; von außen hinzukommend; ⚘ wildwachsend.

adventif [advɑ̃'tif] *adj.* (7e) **1.** ⚘ *racines f/pl. adventives* Luftwurzeln *f/pl.* (*Stockausschlag*); **2.** ⚖ *biens m/pl.* ~*s* durch Nebenerbschaft *od.* Schenkung erworbenes Gut *n/sg.*

adver|be [ad'vɛrb] *m* Adverb *n*, Umstandswort *n*; **~bial** [~'bjal] *adj.* (5c) *gr.* adverbial; **~bialité** [~bjali'te] *f* Adverbialität *f*, adverbialer Charakter *m.*

adver|saire [advɛr'sɛ:r] *su.* Gegner *m*, Widersacher *m*; ⚖ Gegenpartei *f*; **~satif** *gr.* [~sa'tif] *adj.* (7e) e-n Gegensatz bezeichnend, adversatif; **~se** [ad'vɛrs] *adj.* entgegenstehend, widrig; feindlich; *partie f* ~ Gegenpartei *f*; *fortune f* ~ Mißgeschick *n*; **~sité** [~si'te] *f* Widerwärtigkeit *f*; Unglück *n*; Mißgeschick *n*; Not *f*; Unfall *m.*

adyna|mie ⚕ [adina'mi] *f* Kraftlosigkeit *f*; **~mique** [~'mik] *adj.* schwach, kraftlos.

aérage [ae'ra:ʒ] *m* Lüftung *f*; Ventilation *f*; ⚒ Wetterwechsel *m*; *puits m d'*~ Wetter-, Luft-schacht *m.*

aéranalyseur *phys.* [aeranali'zœ:r] *m* Luftmesser *m.*

aération [aera'sjɔ̃] *f* Ventilation *f*, Lüftung *f*; Einwirkung *f* der Luft; ⚒ Bewetterung *f*, Wetterwechsel *m*; *bouche f d'*~ Be-, Ent-lüftungsöffnung *f.*

aérer [~] (1f) **I** *v/t.* frische Luft zuführen (*dat.*), lüften, entlüften, an die Luft stellen (*bzw.*) führen; **II** F *v/rfl. s'*~ nach Luft schnappen.

aérien [ae'rjɛ̃] *adj.* (7c) Luft...; luftförmig, luftig; ⚒ *conduit m* ~ Luftröhre *f*; *plantes f/pl.* ~*nes* Hängepflanzen *f/pl.*; *fig. taille f* ~*ne* zarte, ätherische Gestalt *f*; *voyage m* ~ Luftreise *f*; *compagnie f* ~*ne* Fluggesellschaft *f*; ⚔ *défense f* ~*ne* Flieger-, Luft-abwehr *f*; *démarche f* ~*ne* schwebender Gang *m*; *construction f* ~*ne* luftiger Bau *m*; *forces f/pl.* ~*nes* Luftstreitkräfte *f/pl.*; *ligne f* ~*ne* Luft(fahrt)linie *f*; *pont m* ~ Luftbrücke *f*; *voies f/pl.* ~*nes* Atemwege *m/pl.*

aérifère *anat.* [aeri'fɛ:r] *adj.* luftleitend; *voie f* (*tube m od. conduit m*) ~ Luftweg *m* (Luftröhre *f*).

aériforme [~'fɔrm] *adj.* luftförmig.

aérique ⚕ [ae'rik] *adj.*: *examen m* ~ *du cerveau* Luft-, Pneum-enzephalographie *f.*

aérium ⚕ [ae'rjɔm] *m* Luftkursanatorium *n.*

aéro|bus [aerɔ'bys] *m* Großraumflugzeug *n*; **~câble** [~'kɑ:blə] *m* Luftkabel *n*; **~chauffage** [~ʃo'fa:ʒ] *m* Luftheizung *f*; **~chir** F [~'ʃi:r] *m* Sanitätsflugzeug *n*; **~circulation** [~sirkylɑ'sjɔ̃] *f* Flug-, Luft-verkehr *m*; **~drome** [~'drɔm] *m* Flugplatz *m*, Landungsstelle *f*; **~dromique** [~drɔ'mik] *adj.*: *terrain m* ~ Fluggelände *n*; **~dynamicien** [~dinami'sjɛ̃] *m* Aerodynamiker *m*; **~dynamique** [~dina'mik] **I** *adj.* aerodynamisch, stromlinienförmig; **II** *f* Aerodynamik *f*, Luftströmungslehre *f*; **~dynamisme** [~dina'mism] *m* Luftwiderstand *m*; Stromlinienförmigkeit *f*; **~-embolisme** ⚕ [~ɑ̃bɔ'lism] *m* Luftembolie *f*; **~frein** [~'frɛ̃] *m* Druckluftbremse *f*; **~gare** [~'ga:r] *f* Flug-hafen *m*, -bahnhof *m*; **~glisseur** [~gli'sœ:r] *m* Luftkissenfahrzeug *n* (*zu Wasser u. zu Lande*), Schwebeschiff *n*; **~graphie** [~gra'fi] *f* Luftbeschreibung *f*; **~lithe** [~'lit] *m* Meteorstein *m*; **~logie** [~lɔ'ʒi] *f* Aerologie *f*, Wetterkunde *f* der höheren Luftschichten; **~logiste** [~lɔ'ʒist] *m* Aerologe *m*; **~mécanique** [~meka'nik] *f* Flugmechanik *f*; **~mètre** [~'mɛtrə] *m* Luftmesser *m*; **~métrie** [~me'tri] *f* Luftmessungslehre *f*; **~mobile** ⚔ [~mɔ'bil] *adj.* auf dem Luftweg beförderbar; **~modélisme** [~mɔde'lism] *m* Flugzeugmodellbau *m*; **~moteur** [~mɔ'tœ:r] *m* Wind-, Flug-motor *m*, Preßluftmotor *m*; **~naute** [~'not] *m* Luftfahrer *m*; ~ *interplanétaire* Weltraumreisende (-r) *m*; **~nautique** [~no'tik] **I** *adj.* aeronautisch; Luftfahrt..., Flieger..., Flug...; **II** *f* Luftfahrt *f*; Flugzeugindustrie *f*; **~naval** [~na-

'val] *adj.* (5c): *base f* ~*e* Seeflughafen *m*; **~navale** ⚔ [~] *f* Luft- u. Seeflotte *f*; **~navigation** [~naviga'sjõ] *f* Flug-, Luft-ortung *f*; Flugnavigation *f*; **~nef** [~'nɛf] *m allg.* Luftfahrzeug *n*; **~nomie** *phys.* [~nɔ'mi] *f* Aeronomie *f*, Physik *f* der hohen Atmosphäre; **~paquet** [~pa'kɛ] *m* Luftpostpaket *n*; **~phagie** ⚕ [~fa'ʒi] *f* Luftschlucken *n*; **~phare** [~'faːr] *m* Bodenscheinwerfer *m*; **~photogrammétrie** [~fɔtɔgrame'tri] *f* Luftbild-messung *f*, -auswertung *f*; **~port** ✈ [~'pɔːr] *m* Flughafen *m*; Landungsstelle *f*; **~porté** [~pɔr'te] *adj.*, *bsd.* ⚔ per (*od.* mit dem) Flugzeug transportiert; Luftlande...; **~portuaire** [~pɔr'tɥɛːr] *adj.* Flughafen...; **~postal** [~pɔs'tal] *adj.* (5c) Luftpost...; **~poste** [~'pɔst] *f* Luftpost *f*; **~sol** [~'sɔl] *m* **1.** künstlicher Nebel *m*, Dunstwolke *f* (*über e-r Großstadt* [*Klimatologie*]); **2.** ⚕ Aerosol *n* (*zum Einatmen*); **3.** *bisw.* Spray *m*; **~spatial** [~spa'sjal] (5c) **I** *adj.* für Luft- u. Raumfahrt; **II** *m* Luft- u. Raumfahrttechnik *f*; **~stat** [~'sta] *m* Luftballon *m*; **~station** *ehm.* [~sta'sjõ] *f* Ballon-, Luftschiff-bau *m*; Luftschiffahrts-, *bsd.* Ballonfahr-kunde *f*; **~statique** *phys.* [~sta'tik] **I** *adj.* aerostatisch, Flug..., Luft...; *ballon m* ~ Luftballon *m*; *section f* ~ Luftschifferabteilung *f*; **II** *f* Aerostatik *f*; **~stier** [~s'tje] *m* Luftschiffer *m*; **~technique** [~tɛk'nik] **I** *adj.* luft-, flugtechnisch; **II** *f* Luft-, Flug-, Luftfahrt-technik *f*; **~terrestre** *bsd.* ⚔ [~tɛ'rɛstrə] *adj.* zu Lande und in der Luft; **~thérapie** ⚕ [~tera'pi] *f* Lufttherapie *f*; **~torpille** ⚔ [~tɔr'pij] *f* Lufttorpedo *n*; **~train** 🚂 [~'trɛ̃] *m* Luftkissenzug *m*; **~transporté** ✈ [~trãspɔr'te] *adj.* auf dem Luftweg befördert.

affa|bilité [afabili'te] *f* Leutseligkeit *f*, Freundlichkeit *f*; Umgänglichkeit *f*; **~ble** [~'fablə] *adj.* □ ~ *avec* (*od.* *envers od. à*) *q.* leutselig gegenüber (*od.* freundlich zu) j-m.

affabulation [afabyla'sjõ] *f* Stoffsammlung *f* für e-n Roman.

affa|dir [afa'diːr] *v/t.* (2a) unschmackhaft machen; *fig.* die Würze nehmen; **~dissement** [~dis'mã] *m fig.* Verflachung *f*.

affai|blir [afɛ'bliːr] (2a) **I** *v/t.* (ab-) schwächen, entkräften; dünner machen; *phot.* abschwächen; verringern (*a. fig.*); dämpfen; ~ *q.* j-s Ansehen schwächen; **II** *v/rfl.* *s'*~ schwächer werden, nachlassen, sich verringern; **~blissement** [~blis'mã] *m* Schwächung *f*, Abnahme *f*, Entkräftung *f*, Abspannung *f*; *phot.* Abschwächung *f*; *fig.* Verminderung *f*, Nachlassen *n*; **~blisseur** *phot.* [~bli'sœːr] *m* Abschwächer *m*.

affaire [a'fɛːr] *f* **I** *sg. u. pl.* **1.** Geschäft *n*; Unternehmung *f*; ~ *de Bourse* Börsengeschäft *n*; *avoir* ~ *à q.* es mit j-m zu tun kriegen; *vous aurez* ~ *à moi* Sie werden es mit mir zu tun kriegen!; *avoir* ~ *à* (*od.* *avec*) *q.* mit j-m zu tun haben, mit j-m in Verbindung stehen; *je n'ai pas* ~ *à* (*od.* *avec*) *lui* ich habe mit ihm nichts zu tun (*od.* nichts zu schaffen *od.* nichts im Sinn); *je ne veux pas avoir* ~ *avec lui* ich will mit ihm nichts zu tun haben; *être en* ~*s avec q.* mit j-m in Geschäftsverbindung stehen; *faire* ~ *avec q.* mit j-m abschließen, mit j-m einig werden; *faire rapidement* ~ *à q.* mit j-m kurzen Prozeß machen; *ceci fait une bonne* ~ hierbei ist etw. zu verdienen; F *je ne t'attendrai pas, car j'ai* ~ ich werde nicht auf dich warten, denn ich habe zu tun; *c'est une* ~*!* es lohnt sich!; **2.** *a.* ⚖ Sache *f*, Angelegenheit *f*, Vorgang *m*, Verfahren *n*; ~ *contentieuse* Streitfrage *f*; ~*s pl. de curatelles* Pflegschaftssache *f*; ~*s pl. de tutelle od. de mineurs* Vormundschaftssache *f*; F *l'*~ *est cuite* die Sache ist gemacht (*od.* geritzt P); *ce n'est pas petite* ~ das ist keine Kleinigkeit; *la belle* ~*!* was ist das schon!; Kleinigkeit!; ~ *de rien* unbedeutende Sache *f*; *voici l'*~ so ist die Sache; *iron.* *avoir une mauvaise* ~ *sur les bras* sich was aufgehalst (*od.* aufgeladen) haben; *c'est l'*~ *de trois minutes* das ist in drei Minuten gemacht; *c'est* (*od.* *cela fera*) *mon* ~ das ist was für mich; *c'est son* ~ *od. c'est* ~ *à lui od. c'est de ses* ~*s* das ist s e i n e Sache; er kann selber sehen, wie er damit zu Rande kommt (*od.* fertig wird); *c'est une autre* ~ das ist etw. ganz anderes; *le bon de l'*~ *est* ... das Beste daran ist ...; *faire l'*~ genügen; das gesteckte Ziel erreichen; *cela ne fait rien à l'*~ das tut nichts zur Sache; *cela ne fait pas l'*~ damit ist es nicht getan; *il fait mon* ~ er ist mein Mann; F *cela, il en fait son* ~ das kann er; damit wird er schon fertig; *se tirer d'*~ sich aus der Klemme ziehen; **3.** Glück *n*; *faire son* ~ *od. ses* ~*s* sein Glück machen, sein

Schäfchen ins trockene bringen; Glück haben; **4.** wichtiger Vorfall *m*; **5.** Prozeß *m*; ⚔ Schlacht *f*, Kampf *m*, Gefecht *n*, Treffen *n*; *fig.* Streit *m*; *l'*~ S. der Fall S., der S.-Prozeß; ~ *d'amour* Liebesaffäre *f*; ~ *d'honneur* Zweikampf *m*; Duell *n*; *plaider une* ~ e-n Prozeß führen; **II** ~*s pl.* **6.** ⚕ Geschäfte *n/pl.*; *fig.* Angelegenheiten *f/pl.*; *quartier m des* ~*s* Geschäftsviertel *n*; ~*s compensatrices* Abrechnungsverkehr *m*; *faire ses* ~*s* s-e Geschäfte betreiben, s-n Geschäften nachgehen; *sans* ~*s* lustlos; *occupez-vous de vos* ~*s fig.* kümmern Sie sich um Ihre eigenen Angelegenheiten!; *être bien (mal) dans ses* ~*s* sich gut (schlecht) stehen; *ses* ~*s vont bien (mal)* es ist gut (schlecht) um ihn bestellt; *homme m d'*~*s* Geschäftsmann *m*; *agent m d'*~*s* Kommissionär *m*; ~*s spirituelles (temporelles)* geistliche (weltliche) Dinge *n/pl.*; *les* ~*s sont les* ~*s* Geschäft ist Geschäft; in Geldsachen hört die Gemütlichkeit auf; **7.** ~*s (d'État)* Staatsgeschäfte *n/pl.*; *pol.* ~*s gouvernementales* Regierungsgeschäfte *n/pl.*; *être à la tête des* ~*s* an der Spitze der Regierung stehen; ~*s publiques* öffentliche Angelegenheiten *f/pl.*; *aux* ♀*s Etrangères* im Ministerium für Auswärtige Angelegenheiten; *Deutschland*: im Auswärtigen Amt; *chargé d'*~*s* Geschäftsträger *m*; **8.** *toutes mes* ~*s* all meine Sachen, meine Siebensachen, mein ganzes Hab und Gut; *apporte tes* ~*s!* bring deine Sachen her!

affairé [afɛˈre] *adj. u. su.* geschäftig(er Mann *m*).

affairement [afɛrˈmɑ̃] *m* Geschäftigkeit *f*, Betriebsamkeit *f*, Emsigkeit *f*.

affairer *néol.* [afɛˈre]: *s'*~ sich beeilen.

affaissement [afɛsˈmɑ̃] *m* **1.** (Ein-) Sinken *n*; Senkung *f*; Fallen *n*; Einschrumpfen *n*; **2.** *fig. u.* ⚕ Erschlaffung *f*, Verfall *m*.

affaisser [afɛˈse] (1b) **I** *v/t.* niederdrücken; schwächen, entkräften; **II** *v/rfl. s'*~ sich senken (*Boden*); einstürzen; fallen (*Wasser*); *fig. u.* ⚕ (hin)sinken, verfallen, erschlaffen, zusammenbrechen, zu Boden stürzen.

affai|tage, ~tement [afɛˈtaːʒ, ~tˈmɑ̃] *m* **1.** *Falknerei*: Abrichtung *f*; **2.** ⊕ *Gerberei*: Zurichtung *f*; **~ter** [~ˈte] *v/t.* (1b) **1.** *Falken* abrichten; **2.** ⊕ Leder zurichten.

affalé [afaˈle] *adj.*: *être* ~ völlig kaputt F daliegen (*od.* dasitzen).

affalement [afalˈmɑ̃] *m* völlige Erschöpfung u. Verzagtheit *f*.

affaler [afaˈle] (1a) **I** ⚓ *v/t.* **1.** ~ *les voiles* die Segel niederlassen; **2.** P ausziehen (*Hose*); **II** *v/rfl. s'*~ sich am Tau herunterlassen; auf die Küste zutreiben; stranden; F zs.-sinken, sich fallen lassen; *s'*~ *sur son canapé* auf sein Sofa sinken.

affamé [afaˈme] *adj.* **1.** hungrig; **2.** *fig.* ~ *de* gierig nach (*dat.*); ~ *de gloire* ruhmsüchtig; ~ *de nouvelles* auf Neuigkeiten erpicht (*od.* auf Neuigkeiten aus F).

affamer [~] *v/t.* (1a) aushungern.

affec|tant [afɛkˈtɑ̃] *adj.* (7) rührend; *p/p.* betreffend; **~tation** [~tɑˈsjɔ̃] *f* **1.** Ziererei *f*; Verstellung *f*; Heuchelei *f*; Geschraubtheit *f*; ~ *de gentillesse* Geziertheit *f*; *il y a de l'*~ *dans ses paroles* er (sie) spricht affektiert; ~ *de modestie* erkünstelte Bescheidenheit *f*; **2.** Bestreben *n*, Sucht *f*; ~ *d'être vu* Bestreben *n* (*od.* Verlangen *n*), gesehen zu werden; **3.** Verwendung *f* (*e-r Summe, e-s Angestellten, e-s alten Bauwerks*); **4.** Bestimmung *f*; Anweisung *f*; Zweckbestimmung *f*; ~ *à un groupe d'études* Zuweisung *f* zu e-r Arbeitsgemeinschaft; **~té** [~ˈte] *adj.* erkünstelt, geziert, gespreizt, affektiert; ⚕ *von e-m Übel* betroffen *od.* befallen; **~ter** [~] (1a) **I** *v/t.* **1.** ~ *qch.* für etw. Vorliebe zeigen *od.* haben; ~ *une forme* e-e Form gern annehmen; ~ *la forme de qch.* in der Form von ... vorkommen; **2.** vortäuschen, erheucheln; ~ *la sagesse* Wissen vortäuschen; ~ *qch. de* (*mit inf.*) sich so stellen, als ob ...; ~ *des airs de réserve* sich zieren, sich haben F; **3.** begierig streben nach; **4.** ~ *une somme à qch.* e-e Summe für etw. bestimmen (*od.* verwenden *od.* überweisen); ⚕ ~ *à la réserve* dem Reservefonds zuführen; **5.** ~ *q. à ...* j-n ... (*dat.*) zuweisen (*dat.*); ⚔ ~ *q. à un corps de troupe* j-n e-m Truppenkorps zuteilen; **6.** *fig.* beeinflussen, beeinträchtigen, in Mitleidenschaft ziehen; rühren, bewegen; **II** *v/rfl. s'*~ sich *etw.* zu Herzen nehmen; sich aufregen; *il s'affecte aisément* er ist leicht reizbar; **~tif** [~ˈtif] *adj.* (7c) ergreifend, rührend; seelisch; Gemüts...; **~tion** [~kˈsjɔ̃] *f* **1.** Zuneigung *f*, Liebe *f*, Wohlwollen *n*; *porter de l'~ à q.*, *avoir de l'~ pour q.* j-n lieben, j-m gewogen (*od.* zugetan) sein; *être l'objet des ~s de q.* j-s Liebling sein; **2.** ⚕ gesundheitliche Schädigung *f*; krankhafter Zustand *m*, Leiden *n*, Beschwerde *f*; ~ *mentale* Geisteskrankheit *f*; ~ *cardiaque*, ~ *du cœur* Herzleiden *n*; ~ *cancéreuse* Krebsleiden *n*; ~ *nerveuse* Nervenleiden *n*; ~ *de la gorge* Halskrankheit *f*; ~ *pulmonaire* Lungenkrankheit *f*; Lungenleiden *n*; ~ *de l'estomac* Magenleiden *n*; ~ *vermineuse* (Band-)Wurmleiden *n*; **3.** *les ~s de l'âme* die seelischen Eindrücke *m/pl.*

affec|tionné [afɛksjɔ'ne] *adj.* □ **1.** geliebt, *fig.* zugetan; **2.** ergeben (*Briefschluß*); **~tionnément** [~ksjɔne'mɑ̃] *adv.* mit Liebe; **~tionner** [~'ne] (1a) **I** *v/t.* **1.** ~ *q.* j-m gewogen sein, j-n gern haben; ~ *qch.* etw. liebgewinnen, liebhaben, Neigung haben für etw.; etw. eifrig betreiben; **II** *v/rfl.* **2.** *s'~ à q.* (*à qch.*) j-m (e-r Sache) sehr ergeben sein, sich für j-n (etw.) interessieren; **3.** *s'~ q.* sich j-s Zuneigung gewinnen; **~tivité** [~ktivi'te] *f* Affektivität *f*, Gefühls-, Gemüts-erregbarkeit *f*; **~tivo-moteur** *psych.* [~ktivɔmɔ'tœːr] *adj.* der Affektbewegungen; **~tueux** [~k'tɥø] *adj.* (7d) □ liebevoll, zärtlich.

affenage [af'naːʒ] *m* Fütterung *f*.

affener [~'ne] (1d) *v/t.* füttern.

afférent [afe'rɑ̃] *adj.* (7) ⚖ zukommend, gebührend, zs.-hängend; *anat.*, ⚘ zuführend.

affer|mable [afɛr'mablə] *adj.* verpachtbar; **~mage** [~'maːʒ] *m* Verpachtung *f*; Pachtvertrag *m*; **~mer** [~'me] *v/t.* (1a) (ver)pachten.

affer|mir [~'miːr] *v/t.* (2a) befestigen, dauerhaft machen; *Börse*: festigen; *fig.* (be)stärken; **~missement** [~mis'mɑ̃] *m* Befestigung *f*; *fig.* Bestärkung *f*, Stärkung *f*; *Börse*: Festigung *f*.

afféterie *litt.* [afɛ'tri] *f* gekünsteltes Wesen *n*, Ziererei *f*, Affekthascherei *f*, Gehabe *n*, Gefallsucht *f*; ~ *du langage fig.* geschraubte Sprache *f*.

affi|chage [afi'ʃaːʒ] *m* Anschlagen *n von Zetteln*; Plakat-, Maueranschlag *m*; *fig.* Zurschautragen *n*; *panneau m d'~* Anschlagtafel *f*, Schwarzes Brett *n*; *par ~ public* durch (öffentlichen) Anschlag; ~ *du prix* Auspreisung *f*; *obligation f d'~ du prix* Auspreisungspflicht *f*; *défaut m d'~ du prix* Verstoß *m* gegen die Auspreisungspflicht; **~che** [a'fiʃ] *f* Anschlagzettel *m*, Plakat *n*, Maueranschlag *m*; ~ *de théâtre* Theaterzettel *m*; ~ *officielle* (öffentliche) Bekanntmachung *f*; ~ *aérienne* Himmelsschrift *f*; ~(*s pl.*) *murale*(*s*) Wandreklame *f*; ~ *lumineuse* Leuchtplakat *n*; **~cher** [afi'ʃe] (1a) **I** *v/t.* **1.** öffentlich anschlagen; *défense f d'~* Zettelankleben verboten!; **2.** *fig.* ausposaunen, anpreisen, zur Schau tragen; ins Gerede bringen; *mit etw.* prahlen; ~ *des airs prétentieux fig.* angeben, sich großtun; **II** *v/rfl.* *s'~ fig.* sich zur Schau stellen; sich ins Gerede bringen; *s'~ pour* sich ausgeben für; **~chette** [~'ʃɛt] *f* kleines Plakat *n*; **~cheur** [~'ʃœːr] *m* Zettelankleber *m*; **~chiste** [~'ʃist] *su.* Plakatentwerfer *m*.

affidavit [afida'vit] *m* (5a) eidliche Aussage *f*, eidesstattliche Versicherung *f*.

affidé [afi'de] **I** † *adj.* vertraut; **II** *su.* **1.** *mv.p.* Geheimagent *m*, Spitzel *m*, Helfershelfer *m*, Mitwisser *m*, Spießgeselle *m*; **2.** † Vertraute(r) *m*.

affi|lage [afi'laːʒ] *m* Wetzen *n*, Schleifen *n*, Schärfen *n*; **~lée** [~'le] *f*: *d'~ advt.* hintereinander; *pendant trois semaines d'~* ununterbrochen drei Wochen lang; **~ler** [~] *v/t.* (1a) **1.** schleifen, wetzen; **2.** *fig.* *avoir la langue bien affilée* e-e scharfe Zunge haben; **3.** ⊕ zu Draht ziehen; **4.** *blés m/pl. affilés* dünnhalmiges Getreide *n* (*od.* Korn *n*); **~leur** [~'lœːr] *su.* (7g) Schleifer *m*.

affi|liation [~ljɑ'sjɔ̃] *f* Aufnahme *f* (*in e-e Gesellschaft*); Verbindung *f*, Verbrüderung *f*; **~lié** [~'lje] *adj. u. su.* aufgenommen (*à* in *acc.*); angeschlossen; Mitglied *n*; Ordensbruder *m*; *carte f d'~* Mitgliedskarte *f*; **~lier** [~] **I** *v/t.* (1a) (*in e-e Gesellschaft*) aufnehmen; angliedern (*dat.*); **II** *v/rfl.* *s'~* sich verbrüdern; sich anschließen.

affiloir ⊕ [afi'lwaːr] *m* Wetzstein *m*, Schleifstein *m*; Wetzstahl *m*; Streichriemen *m*; Schleifmesser *n*.

affi|nage, ~nement ⊕ [~'naːʒ, ~n'mɑ̃] *m* Feinmachen *n*, Veredelung *f*; Feinspitzen *n*; Feinhecheln *n*; Ausscheren *n*; Dünnpressen *n*; Reinigung *f*; Läuterung *f*; **~ner** [~'ne] (1a) **I** *v/t.* ⊕ fein machen; veredeln; *Speisen* schmackhafter machen; anspitzen; reinigen, läutern; frischen; dünn pressen; fein hecheln; *Tuch* scheren; raffinieren (*Metall*); *fig.* ~

la langue die Sprache verfeinern; **II** *v/rfl.* s'~ sich reinigen; *fig.* sich verfeinern, sich läutern; **~nerie** ⊕ [~'nri] *f* Raffinerie *f*; Drahtzieherei *f*; **~neur** ⊕ [~'nœ:r] *su.* (7g) Flachshechler *m*; Drahtzieher *m*; Tuchscherer *m*.

affinité [~ni'te] *f* **1.** Verwandtschaft *f* (*durch Heirat*); *fig.* ~ *spirituelle* geistige Verwandtschaft *f*; *gr.* ~ *étymologique* etymologische Verwandtschaft *f*; **2.** ⚗ Affinität *f*; **3.** *fig.* Ähnlichkeit *f*, Gemeinschaft *f*, Anziehungskraft *f*.

affinoir ⊕ [~'nwa:r] *m* Feinhechel *f*.

affir|matif [afirma'tif] *adj.* (7e) bejahend; bekräftigend; bestimmt; *proposition f ~mative gr.* Aussagesatz *m*; **~mation** [~ma'sjɔ̃] *f* Behauptung *f*; Bekräftigung *f*; Versicherung *f*; Bejahung *f*; ⚖ eidliche Aussage *f od.* Erhärtung *f*; **~mative** [~ma'ti:v] *f* Bejahung *f*; *dans l'~* im Bejahungsfalle; **~mer** [~'me] *v/t.* (1a) behaupten; bekräftigen, bestätigen, versichern; bejahen; *abs.* ⚖ aussagen; ~ *par serment* an Eides Statt versichern, beschwören; *s'~ payant* sich bezahlt machen, sich rentieren.

affistoler P [afistɔ'le] *v/t.* (1a) geschmacklos ausputzen, aufdonnern P.

affleu|rement [aflœr'mɑ̃] *m* **1.** Ausgleichung *f*; **2.** ⚒ Auslaufen *n*, Zutagestreichen *n* (*e-r Erzader*); *géol.* ~*s m/pl. de bosses granitiques* Ausläufer *m/pl.* von Granitblöcken; **3.** Berührung *f*; **~rer** [~'re] (1a) **I** *v/t.* **1.** ausgleichen; **2.** *Fluß*: ~ *les bords* an die Ufer herantreten; **II** *v/i.* **3.** ⚒, *allg.* zutage treten; *allg.* spürbar werden, aufkommen.

afflic|tif [aflik'tif] *adj.* (7e) körperlich fühlbar; *peine f ~tive* Körper-, Leibes-strafe *f*; **~tion** *litt.* [~k'sjɔ̃] *f* schwerer Kummer *m*, tiefe Betrübnis *f*.

affligé [afli'ʒe] *adj. u. su.* betrübt, niedergeschlagen; heimgesucht, betroffen (*a. iron.*).

affligeant [afli'ʒɑ̃] *adj.* (7) betrübend; betrüblich, schmerzlich, traurig.

affliger [afli'ʒe] *v/t.* (1l) **1.** betrüben; *s'~ de qch.* sich grämen um etw.; *cela m'afflige* das tut mir sehr leid, das geht mir sehr nahe; **2.** *litt.* heimsuchen.

afflouer ⚓ [aflu'e] *v/t.* (1a) flottmachen.

afflu|ence [afly'ɑ̃:s] *f* Zuströmen *n*; Andrang *m*; Menschenstrom *m*, Gedränge *n*; Verkehrsandrang *m*; *les heures f/pl. de l'~* die Hauptgeschäftszeit; *grande* ~ Hochbetrieb *m*; *mv.p.* ~ *de paroles* Wortschwall *m*; **~ent** [afly'ɑ̃] **I** *adj.* (7) einmündend; zuströmend; *voie f ~e* Nebenstraße *f*; **II** *géogr. m* Nebenfluß *m*; **~er** [~'e] *v/i.* (1a) **1.** hinzufließen; **2.** zs.-strömen; **3.** *fig.* zufließen; im Überfluß vorhanden sein.

afflux [a'fly] *m* ⚕ Andrang *m* des Blutes; *fig.* Zustrom *m von Personen*; *fin.* (*Kapital-*, *Gold-*)Zufluß *m*.

affo|lant [afɔ'lɑ̃] *adj.* beunruhigend; **~lé** [afɔ'le] *adj.* verwirrt, bestürzt, kopflos; *être ~ de q.* in j-n verliebt (*od.* verknallt F) sein; **~lement** [~l'mɑ̃] *m* Betörung *f*, Verwirrung *f*, Kopflosigkeit *f*, Aufregung *f*; *avec* ~ wie närrisch; **~ler** [~'le] (1a) **I** *v/t.* betören, kopflos machen, verwirren; **II** *v/rfl.* s'~ völlig den Kopf verlieren; aus dem Konzept kommen; *s'~ de q.* sich in j-n verlieben.

afforestation [afɔrɛsta'sjɔ̃] *f* Aufforstung *f*.

affouage [a'fwa:ʒ] *m* Holzgerechtigkeit *f*.

affouager[1] [afwa'ʒe] *v/t.* (1l) die Brennholzberechtigten (*od.* die Stellen der Holzgerechtigkeit) bestimmen.

affouager[2] [~] **I** *adj.* (7b): *coupe f affouagère* Holzfällen *n* für die Brennholzberechtigten; *commune f affouagère* Gemeinde *f* mit Holzgerechtigkeit; *portion f affouagère* Holzanteil *m*; **II** *su.* Brennholzberechtigte(r) *m*.

affouagiste [afwa'ʒist] *su.* Brennholzberechtigte(r) *m*.

affouill|ement [afuj'mɑ̃] *m* Unterspülung *f*; **~er** [~'je] *v/t.* (1a) unterspülen, unterminieren.

affoura|gement [afuraʒ'mɑ̃] *m* Fütterung *f*; **~ger** [~'ʒe] *v/t.* (1l): ~ *les bestiaux* Vieh füttern.

affour|che ⚓ [a'furʃ] *f*: *ancre f d'~* Gabelanker *m*; **~cher** [~'ʃe] (1a) **1.** *v/t.* ⚓ vertäuen; **2.** ⊕ doppelt fügen; **3.** *fig.* rittlings setzen.

affranchi [afrɑ̃'ʃi] **I** *adj.* befreit; *non* ~ unfrankiert; **II** *su.* Freigelassene(r) *m* (*früherer Sklave*).

affran|chir [afrɑ̃'ʃi:r] (2a) **I** *v/t.* **1.** *Brief* freimachen; **2.** befreien; loslassen; **II** *v/rfl.* *s'~ de* sich befreien von (*dat.*); **~chissement** [~ʃis'mɑ̃] *m* Befreiung *f*, Erlösung *f*; Frankieren *n*, Freimachen *n e-s Briefs*;

frais m/pl. d'~ Portokosten *pl.*; **~chisseur** [~ʃi'sœːr] *m* Befreier *m.*
affres ['afrə] *f/pl.* Schrecken *m*, Angstgefühl *n*, Grauen *n.*
affrètement ⚓ [afrɛt'mɑ̃] *m* **1.** Befrachtung *f*; **2.** (*prix d'~*) Fracht *f.*
affréter ⚓ [afre'te] *v/t.* (1f) *ein Schiff* mieten, chartern, befrachten.
affreux [a'frø] *adj.* (7d) □ abscheulich, entsetzlich, fürchterlich, furchtbar, scheußlich.
affriander [afriɑ̃'de] *v/t.* (1a) anlocken.
affricher [afri'ʃe] *v/t.* (1a) brachliegen lassen.
affriolant [afriɔ'lɑ̃] *adj.* (7) **1.** sehr lecker, appetitlich; **2.** verlockend, verführerisch.
affront [a'frɔ̃] *m* Beschimpfung *f*; grobe Beleidigung *f*; Schande *f*; *sa mémoire lui fait ~* sein Gedächtnis läßt ihn im Stich; *essuyer un ~* e-e Ehrenkränkung erfahren; *avaler un ~* e-e Beleidigung hinnehmen (*od.* einstecken); *ce garçon fait ~ à ses parents* dieser Junge bereitet s-n Eltern Schande.
affrontement [afrɔ̃t'mɑ̃] *m* feindlicher Zusammenstoß *m.*
affronter [afrɔ̃'te] *v/t.* (1a) **1.** *~ q.* j-m die Stirn bieten; j-m kühn entgegentreten; *~ les dangers* den Gefahren Trotz bieten (*od.* entgegentreten); ▨ *lions m/pl. affrontés ea.* ansehende Löwen *m/pl.*; **2.** richten u. anea.-fügen; **3.** *~ son auditoire* vor die Zuhörerschaft treten; *~ q. sur scène* sich bei e-m Wettbewerb vor j-m auf der Bühne zur Beurteilung präsentieren.
affruiter [afrɥi'te] *v/rfl.* (1a) *s'~* Früchte ansetzen.
affu|blement [afyblə'mɑ̃] *m* lächerlicher, geschmackloser Anzug *m*; **~bler** [~'ble] *v/t. u. v/rfl. s'~* (sich) lächerlich ausstaffieren; (sich) lächerlich herausputzen.
affusion [afy'zjɔ̃] *f* Übergießen *n*, Aufguß *m.*
affût [a'fy] *m* **1.** Lafette *f*; a) ⚓, ⚔ *~ marin* Schiffslafette *f*; b) ⊕ Gestell *n* für e-e Maschine; *~ automoteur à chenille* Raupenkraftlafette *f*; *~ à fusées* Raketenlafette *f*; **2.** *ch. être à l'~* auf dem Anstand (*fig.* auf der Lauer) sein.
affû|tage [afy'taːʒ] *m* **1.** Aufsetzen *n*; **2.** ⊕ Schleifen *n*; Schäftung *f*; Aufstutzen *n*; **3.** Handwerkszeug *n* des Tischlers; **~ter** [~'te] (1a) **I** *v/t.* auf die Lafette setzen; ⊕ anpassen, schärfen, schleifen; zurechtmachen; schäften (*Gewehr*); **II** *v/rfl. s'~ ch.* auf Anstand gehen; **~teuse** ⊕ [~'tøːz] *f* (Werkzeug-)Schleifmaschine *f.*
affûtiaux [afy'tjo] *m/pl.* **1.** F Krempel *m*, Siebensachen *f/pl.*; **2.** P Werkzeug *n coll.*
afghan [af'gɑ̃] *adj.* (7) afghanisch; **ℒistan** [~ganis'tɑ̃]: **l'~** *m* Afghanistan *n.*
aficionado *Sport* [afisjɔna'do] *m* Stierkampfstammgast *m.*
afin [a'fɛ̃] *prp.*: *~ de* (*mit inf.*) um zu; *~ que* (*mit subj.*) damit.
afistoler P [afistɔ'le] *v/t.* (1a) = *affistoler.*
afnaf P [af'naf] (*engl. half and half*) *adv.* halb u. halb; ja u. nein.
a fortiori [afɔrtjɔ'ri] *adv.* um so mehr.
africain [afri'kɛ̃] *adj. u.* ℒ *su.* (7) afrikanisch; Afrikaner *m.*
africanis|me [afrika'nism] *m* **1.** Liebe *f* zu Afrika; **2.** Afrikanismus *m*, afrikanische Redensart *f* der lateinischen, in Afrika geborenen Schriftsteller; **~te** [~'nist] *su.* Afrika-reisender *m*, -forscher *m.*
Afrika(a)nder [~kɑ̃'dɛːr, ~kan'dɛːr] *su.* (7b) Afrika(a)nder *m.*
afrikaans [afri'kɑːns] *m das* Afrikaans *n.*
Afrique [a'frik] *f*: **l'~** Afrika *n.*
afro-asiatique [afrɔazja'tik] *adj.* afroasiatisch.
aga|çant [aga'sɑ̃] *adj.* (7) ärgerlich, lästig; aufreizend, herausfordernd, neckend, stichelnd, anzüglich; **~ce** *dial.* [a'gas] *f* Elster *f*; **~cement** [~s'mɑ̃] *m* Ärger *m*; (Auf-)Reizung *f*; **~cer** [~'se] *v/t.* (1k) aufreizen, belästigen, erregen; *Zähne* stumpf machen; *Nerven* angreifen; necken, hochnehmen F; **~ceries** [~s'ri] *f/pl.* Kokettiererei *f.*
agal|actie ⚕ [agalak'ti] *f*, **~xie** ⚕ [~lak'si] *f* Milchmangel *m.*
agapes *plais.* [a'gap] *f/pl.* Festschmaus *m.*
agasse *dial.* [a'gas] *f* Elster *f.*
agate [a'gat] *f* Achat *m.*
âge [ɑːʒ] *m* (Menschen-, Lebens-) Alter *n*; *poét.* Leben *n*; Zeitalter *n*; *~ avancé (décrépit)* hohes (hinfälliges) Alter *n*; *bas ~, premier ~* Kindesalter *n*; *~ ingrat, ~ des folies* Flegeljahre *n/pl.*; *~ critique, retour m d'~* Wechseljahre *n/pl.*; *l'~ moyen* mittleres Lebensalter *n* (des Menschen); *~ moyen de décès* mittleres Sterbealter *n*; *~ nubile* heiratsfähiges Alter *n*; *~ d'innocence*

Kindesalter *n*; ~ *scolaire* schulpflichtiges Alter *n*; ~ *viril* Mannesalter *n*; *quel* ~ *avez-vous?* wie alt sind Sie?; *quel* ~ *lui donneriez-vous?* für wie alt würden Sie ihn (*od.* sie) halten?; *il est de mon* ~ er ist in m-m Alter; *c'est de son* ~ das entspricht s-m Alter; *n'être pas encore en* ~ das (gehörige) Alter noch nicht haben, noch nicht alt genug sein; *atteindre l'*~ *de travailler* das arbeitsfähige Alter erreichen; *être d'*~ *à ...*, *od. être en* ~ *de ...* alt genug sein, um zu ...; *prendre de l'*~ alt werden, zu altern anfangen; *l'*~ *de la pierre* die Steinzeit; *poét. l'*~ *d'or* (*d'argent, d'airain, de fer*) das goldene (silberne, eherne, eiserne) Zeitalter; *le moyen* ~ das Mittelalter; *d'*~ *en* ~ von Geschlecht zu Geschlecht, von e-r Generation zur anderen; *notre* ~ unsere Zeit *f*.

âgé [a'ʒe] *adj.* alt; bejahrt; *il est* ~ *de 25 ans* er ist 25 Jahre alt.

agence [a'ʒɑ̃:s] *f* Agentur *f*, Büro *n*; Korrespondenzbüro *n*; ~ *de placement* Stellenvermittlungsbüro *n*; ~ *postale* Posthilfsstelle *f*; ~ *de publicité* Anzeigenannahmestelle *f*; Reklamebüro *n*; ~ *générale* (*exclusive, commerciale*) General- (Allein-, Handels-)Vertretung *f*; ~ *matrimoniale* Heiratsbüro *n*; ~ *télégraphique* Depeschen-agentur *f*, -büro *n*; ~ *d'informations* Nachrichtenagentur *f*; ~ *de tourisme*, ~ *de voyages* Reisebüro *n*.

agencement [aʒɑ̃s'mɑ̃] *m* Anordnung *f*, Einrichtung *f*; ⚠ Bauweise *f*; *l'*~ *des locaux* die Einrichtung (*od.* Anlage *od.* Gestaltung) der Räume; ~ *des plis* Faltenwurf *m*.

agencer [aʒɑ̃'se] (1k) **I** *v/t.* zurechtlegen, anordnen; einrichten; *litt.* ~ *une intrigue* e-e Intrige schaffen; **II** *v/rfl.* s'~ sich anea.-reihen (*z.B. Steine*).

agenda [aʒɛ̃'da] *m* Tagebuch *n*, Notizkalender *m*, Notizbuch *n*.

agénésie ⚕ [aʒene'zi] *f* Agenesie *f*, Defektbildung *f*.

agenouil|lement [aʒnuj'mɑ̃] *m* Niederknien *n*; **~ler** [~'je] *v/rfl.* (1a) s'~ niederknien; **~loir** [~'jwa:r] *m* Kniepolster *n*.

agent [a'ʒɑ̃] *m* **1.** *a. gr.* wirkende Kraft *f*, Agens *n*; *psych.* ~ *intermédiaire* Medium *n*; **2.** Agent *m*, Geschäftsführer *m*; Bevollmächtigte(r) *m*; ~ *fiduciaire* Treuhänder *m*; ~ *d'achat* Einkäufer *m*; ~ *d'assurances* Versicherungsagent *m*; ~ *de change* Kurs-, Effekten-, Wechselmakler *m*; ✝ ~ *de place* Platzvertreter *m*; ~ *principal* Hauptagent *m*; ~ *distributeur* Auslieferer *m* (*Buch- u. Zeitschriftenhandel*); ~ *comptable* Rechnungsführer *m*; ~ *de brevets* Patentanwalt *m*; ~ *de maisons* Häusermakler *m*; ~ *matrimonial* Heiratsvermittler *m*; ~ *technique* technischer Leiter *m*; **3.** *öffentlicher* Angestellte(r) *m od.* Beamte(r) *m*; ~ *de police* Polizeibeamte(r) *m*, Schupo F *m*; ~ *à poste fixe*, ~ (*du service*) *de la circulation* Verkehrspolizist *m*; ~ *criminel* Kriminalbeamte(r) *m*; ⚔ ~ *de liaison* Verbindungsmann *m*; ~ *de liaison d'une troupe* (*envoyé aux ordres*) Befehlsempfänger *m*; ~ *voyer* Wegeaufseher *m*; **4.** ~ *provocateur* Lockspitzel *m*; **5.** ⚗ Wirkstoff *m*, Mittel *n*; ⚕ Erreger *m*; ⚕ ~ *pathogène* Krankheitserreger *m*; *biol.* ~ *de stimulation* Reizstoff *m*; ~*s pl. chimiques* Chemikalien *pl.*; ~*s pl. thérapeutiques* Heilmittel *n/pl.*; ⚔ ~*s pl. de guerre chimique* Kampfstoffe *m/pl.*; *phys., at.* ~ *de bombardement* Geschoß *n* (*bei Atomzertrümmerung*).

agglomé|rat 🕮 [aglɔme'ra] *m* Trümmergestein *n*; Agglomerat *n*; **~ration** [~ra'sjɔ̃] *f* Anhäufung *f*, Menge *f*; Stadt(bild *n*) *f*, geschlossene Ortschaft *f*, Siedlung *f*; Ballungszentrum *n*, Großwohnbezirk *m*; ~ *ouvrière* Arbeitersiedlung *f*; *l'*~ *berlinoise* Groß-Berlin *n*; **~ré** [~'re] *m* Brikett *n*, Preßkohle *f*; ⚠ Preßstein *m*; ⚠ ~ *de ciment* Zement-block *m*, -stein *m*; **~rer** [~'re] *v/t.* (1f) zs.-drängen, -häufen.

aggluti|nant[1] (7), **~natif** (7e) [aglyti'nɑ̃, ~na'tif] *adj.* anhaftend, anklebend; zs.-heilend; *bandelette f* ~*native* Klebestreifen *m*; *gr. langue f* ~*nante* agglutinierende Sprache *f*; **~nant**[2] [~'nɑ̃] *m* Klebe-, Bindemittel *n*; **~nation** [~na'sjɔ̃] *f* Ankleben *n*; *gr.* Agglutination *f*, Ansetzen *n* von Vor- u. Nachsilben; ⚕ Anheilen *n*, Verwachsen *n*; **~ner** [~'ne] *v/t.* (1a) ankleben; ⚕ s'~ anheilen; *fig. une foule agglutinée sur le trottoir* e-e Menge, die wie angewachsen auf dem Bürgersteig stand (steht).

aggra|vant [agra'vɑ̃] *adj.* (7) erschwerend; **~vation** [~va'sjɔ̃] *f* Erschwerung *f*; Verschärfung *f* (*der Strafe*); Verschlimmerung *f*; **~ver** [agra've] (1a) **I** *v/t.* erschweren; *Strafe* verschärfen; *Fehler*, ⚕ verschlimmern; **II** *v/rfl. s'*~ schlimmer werden; *fig. ça s'aggrave* das ist ein erschwerender Umstand; das wird immer schlimmer.

agile [a'ʒil] *adj.* □ behende, flink, gewandt.

agilité [aʒili'te] *f* Behendigkeit *f*; Gelenkigkeit *f*; Gewandtheit *f*.

agio ✝ [a'ʒjo] *m* Aufgeld *n*, Zuschlag *m*; ~*s m/pl.* Bankprovision *f*; **~tage** ✝ [aʒjɔ'ta:ʒ] *m* Börsenspekulation *f*; **~ter** ✝ [aʒjɔ'te] *v/t.* (1a) Börsen-wucher, -spiel treiben; spekulieren; **~teur** ✝ [~ʒjɔ'tœ:r] *m* Börsen-, Aktien-spekulant *m*.

agir [a'ʒi:r] (2a) **I** *v/i.* **1.** tätig sein; handeln; ~ *sur q.* (*qch.*) auf j-n (etw.) wirken; ~ *d'office* von Amts wegen handeln; **2.** ~ *bien* (*mal*) *envers* (*od. avec*) *q.* sich gut (schlecht) gegen j-n verhalten; **3.** ⚖ ~ *contre q.* j-n strafrechtlich belangen; **4.** *faire* ~ *qch.* etw. wirken lassen, in Tätigkeit setzen; *faire* ~ *q.* j-n handeln lassen, j-n gebrauchen; **II** *v/rfl. s'*~ *de qch.* sich um etw. handeln *od.* drehen F; *il s'agit de lui* es handelt sich um ihn; *voilà de quoi il s'agit* es handelt sich um folgendes; *il s'agit de mon honneur* es geht um meine Ehre, m-e Ehre steht auf dem Spiel; *de quoi s'agit-il?* worum handelt es sich?, was ist los? F; *iron. il s'agit bien de cela!* als ob davon die Rede wäre!; als ob es darum ginge!

agissant [aʒi'sɑ̃] *adj.* (7) tätig; *fig.* wirksam.

agissements [aʒis'mɑ̃] *m/pl.* Tun u. Treiben *n*; Vorgehen *n*; *mv.p.* Umtriebe *m/pl.*, Machenschaften *f/pl.*

agita|nt [aʒi'tɑ̃] *adj.*: *paralysie f* ~*e* Schüttellähmung *f*; **~teur** [~ta'tœ:r] **1.** *su.* (7f) Hetzredner *m*, Aufwiegler *m*, Friedens-, Ruhestörer *m*; **2.** *m* ⚗ gläsernes Rührstäbchen *n*, Rührwerk *n*; ⊕ Rüttler *m*; **~tion** [~tɑ'sjɔ̃] *f* **1.** (heftige) Bewegung *f*; *mécanique f d'*~ Rührwerk *n*; *fig.* ~ *de l'esprit* Gemütsbewegung *f*; **2.** Unruhe *f*, Aufwieglung *f*; Agitation *f*, Hetze *f*; unstetes Leben *n*.

agiter [aʒi'te] (1a) **I** *v/t.* **1.** hin und her bewegen, schwenken; ~ *des mouchoirs* mit Taschentüchern winken; ~ *avant l'usage*, ~ *avant de s'en servir* vor Gebrauch schütteln; *la mer est agitée* das Meer ist stürmisch; **2.** lebhaft einwirken auf (*acc.*), aufhetzen, in Aufregung (*od.* Aufruhr) versetzen; *Blut* in Wallung bringen; *la colère l'agite* er ist außer sich vor Zorn; er kocht vor Wut F; *la nuit a été fort agitée pour le* (*la*) *malade* der (die) Kranke hat die Nacht sehr unruhig zugebracht; **3.** erörtern, verhandeln, besprechen, anregen; ~ *une question* e-e Frage erörtern (*od.* zur Sprache bringen); ~ *en soi-même* bei sich überlegen; **II** *v/rfl. s'*~ **4.** sich hin u. her bewegen; in Bewegung sein; schwanken; zappeln (*Arme u. Beine*); strampeln (*Füße*); *fig.* unruhig werden, in beständiger Aufregung sein, sich aufregen; *l'homme s'agite et Dieu le mène* der Mensch denkt und Gott lenkt; **5.** erörtert (*od.* zur Sprache gebracht) werden.

agnat ⚖ [ag'na] *m* Blutsverwandte(r) *m* väterlicherseits.

agneau [a'ɲo] *m* (5b) Lamm *n*; *fig. être doux comme un* ~ keinem Menschen etw. zuleide tun können, lammfromm sein, kein Wässerchen trüben können, niemandem ein Härchen krümmen können.

agneler [aɲə'le] *v/i.* (1d) lammen.

agnelet [aɲə'lɛ] *m* Lämmchen *n*.

agneline [~'lin] *f* Lammwolle *f*.

Agnès [a'ɲɛs] *f* Agnes (*Vn.*) *f*; *fig.* Unschuld *f* vom Lande; *faire l'*~ sich unschuldig stellen.

agnus-Dei *rl.* [ag'nys dɛ'i] *m* geweihtes Wachsbild *n*.

agonie [agɔ'ni] *f* **1.** Todeskampf *m*; *être à l'*~ in den letzten Zügen liegen; **2.** (*a. pl.*) *fig.* Todes-angst *f*, -qual *f*.

agonir [agɔ'ni:r] *v/t.* (2a): ~ *d'injures* mit Grobheiten überhäufen.

agoniser [agɔni'ze] *v/i.* (1a) im Sterben liegen.

agora [agɔ'ra] *f* modernes Stadtzentrum *n*; **~phobe** [~'fɔb] *adj.* **1.** ängstlich im Straßenverkehr; **2.** *fig.* menschenscheu; **~phobie** ⚕ [~fɔ'bi] *f* Platzangst *f*.

agrafe [a'graf] *f* **1.** Haken *m*; Spange *f*; ~ *à cheveux* Haarspange *f*; *la porte de l'*~ die Öse; **2.** *a. chir.* Klammer *f*; ~ (*à relier*) Heftklammer *f*; ~ *de courroie* Riemenschloß *n*.

agraf|er [agra'fe] *v/t.* (1a) ein-, zuhaken; P erwischen, packen, ergreifen, fassen, schnappen; **~euse** ⊕ [~'fø:z] *f* Falzmaschine *f*.

agraire [a'grɛ:r] *adj.* den Acker betreffend, Acker...; *loi f* ~ Agrargesetz *n*; *réforme f* ~ Bodenreform *f*.

agran|dir [agrɑ̃'di:r] *v/t.* (2a) vergrößern; erweitern, ausdehnen; *fig.*

erhöhen, heben, steigern; übertreiben; **⁓dissement** [⁓dis'mɑ̃] *m* Vergrößerung *f*, Steigerung *f*; *fig.* Zunahme *f*; △ Erweiterungsbau *m*; ⁓ *(photographique) phot.* Vergrößerung *f*; *phot.* ⁓ *reversible* Rückvergrößerung *f*; *appareil m d'*⁓ Vergrößerungsapparat *m*, Vergrößerer *m*; **⁓disseur** [⁓di'sœːr] *m phot.* Vergrößerungsapparat *m*.

agrarianisme [agrarja'nism] *m* System *n* der Bodenaufteiler.

agrarien *pol.* [agra'rjɛ̃] *adj.* (7c) *u. su.* Agrar...; Anhänger *m* e-r Agrarpartei.

agréable [agre'ablə] **I** *adj.* □ **1.** angenehm; *être* ⁓ *au goût* gut schmecken; ⁓ *à l'odorat* wohlriechend; **2.** freundlich, gefällig; **II** *m*: *faire l'*⁓ *auprès de q.* bei j-m den Liebenswürdigen spielen.

agréé [agre'e] *m* Verteidiger *m* an e-m Handelsgericht, Sachwalter *m*; *expert m* ⁓ *en matière* amtlich zugelassener Sachverständige(r) *m*.

agréer [⁓] (1a) **I** *v/t.* zulassen, annehmen, bewilligen; gütig an- *od.* aufnehmen; genehmigen, für gut befinden; ⁓ *des vœux* Bitten erhören; *agréez l'assurance de ma considération (très) distinguée* genehmigen Sie die Versicherung m-r ausgezeichneten Hochachtung; mit vorzüglicher Hochachtung (*Briefschluß*); **II** *v/i.* gefallen, angenehm sein; *qch. m'agrée* etw. sagt mir zu.

agrégat [agre'ga] *m a.* ⊕ Aggregat *n*; ⊕ Maschinensatz *m*; *allg.* Anhäufung *f*; *bét.* Zuschlagstoff *m*.

agréga|tif [agrega'tif] **I** *adj.* (7e) verbindend; **II** *m* Agregationsprüfungskandidat *m*; **⁓tion** [⁓gɑ'sjɔ̃] *f* **1.** Aufnahme *f* (*in e-e Gesellschaft*); **2.** *Fr.* (*a. concours m d'*⁓) a) Staatsprüfung *f zwecks Ernennung zum „professeur agrégé" an höheren Schulen*; b) Wettbewerb *m der Doktoren der Rechte od. der Medizin zwecks Erlangung e-r Professur an der Universität (und zwar an der juristischen, medizinischen od. pharmakologischen Fakultät)*; c) *Titel m e-s agrégé*; **3.** *phys.* Anhäufung *f*; Vereinigung *f*.

agré|gé [agre'ʒe] **I** *adj.* gehäuft; beigestellt; **II** *su. m Fr.* a) außerordentlicher Professor *m* (*an der juristischen, medizinischen od. pharmakologischen Fakultät*); ⁓ *de droit (de médécine)* Mitglied *n* e-r Fakultät für Rechtswissenschaft (Medizin); b) *Fr. écol.* Agrégé *m*; ⁓ *d'histoire* außerordentlicher Professor *m* (*od.* Agrégé *m*) für Geschichte; **⁓ger** [⁓] *v/t.* (1g) beigesellen; in e-e Körperschaft aufnehmen; anhäufen.

agrément [agre'mɑ̃] *m* **1.** Genehmigung *f*; Zustimmung *f*, Einwilligung *f*, Bewilligung *f* (*ohne pl.*); **2.** Annehmlichkeit *f*; **3.** Anmut *f*; Lieblichkeit *f*; *Auto*: ansprechende Form *f*, schnittiges Äußere *n*; **4.** Zerstreuung *f*, Vergnügen *n*; *film m d'*⁓ Spielfilm *m*; *plantes f/pl. d'*⁓ Zierpflanzen *f/pl.*; *voyage m d'*⁓ Vergnügungsreise *f*; **5.** *a.* ♪ Verzierung *f*.

agrémenter [agremɑ̃'te] *v/t.* (1a) verzieren, garnieren (*Kleid*); ausschmücken (*Bericht*).

agrès [a'grɛ] *m/pl.* **1.** ⚓ Takelwerk *n*; **2.** Turngeräte *n/pl.*

agres|sé ⚔ [agrɛ'se] *m* Angegriffene(r) *m*; **⁓ser** ⚘ [⁓] *v/t.* hoch beanspruchen; **⁓seur** *péj.*, *a.* ⚔ [⁓'sœːr] *m* Angreifer *m*; *adjt.* = **⁓sif** [⁓'sif] *adj.* (7e) angreifend, aggressiv, herausfordernd; **⁓sion** [⁓'sjɔ̃] *f* **1.** Überfall *m* (*v. Banditen*); **2.** ⚔ Angriff *m*; ⁓ *aérienne* Luftangriff *m*; *pacte m de non-*⁓ Nichtangriffspakt *m*; ⁓*-supercherie f* fingierter Angriff *m*; **⁓sivité** [⁓sivi'te] *f* Streitsucht *f*.

agreste [a'grɛst] *adj.* ländlich, wildwachsend; roh, ungeschliffen, bäurisch.

agri|cole [agri'kɔl] *adj.* landwirtschaftlich; ackerbautreibend; den Ackerbau betreffend; *ouvrier m* ⁓ Landarbeiter *m*; *produits m/pl.* ⁓*s* landwirtschaftliche Erzeugnisse *n/pl.*, Landwirtschaftsprodukte *n/pl.*; *machine f* ⁓ landwirtschaftliche Maschine *f*, Landmaschine *f*; *véhicule m* ⁓ Ackerwagen *m*; **⁓culteur** [⁓kyl'tœːr] **I** *m* Landwirt *m*; **II** *adj./m*: *peuple m* ⁓ Bauernvolk *n*; **⁓culture** [⁓kyl'tyːr] *f* Landwirtschaft *f*; *ministère m de l'*⁓ Landwirtschaftsministerium *n*.

agriffer ✎ [agri'fe] *v/rfl.* (1a): *s'*⁓ *à qch.* sich an etw. festkrallen *od.* anklammern.

agripper [⁓] *v/t.* (1a) gierig greifen nach (*dat.*); *s'*⁓ *à qch.* sich an etw. (*acc.*) festklammern.

agro|logie 🕮 [agrɔlɔ'ʒi] *f* Landwirtschaftskunde *f*; **⁓nome** [⁓'nɔm] *su.* Agronom *m*, wissenschaftlich vorgebildeter Landwirt *m*; **⁓nomie** [⁓nɔ'mi] *f* Landwirtschaftskunde *f*; **⁓nomique** [⁓nɔ'mik] *adj.* □ landwirtschaftlich.

agroville [agrɔ'vil] *f* moderne Stadt *f* für Landwirte (*UdSSR*).
agrumes [a'grym] *m/pl.* Zitrusfrüchte *f/pl.*
aguerri [agɛ'ri] *adj.* kriegstüchtig, kampferprobt; abgehärtet; erprobt, gewöhnt; ~ *à* gewöhnt an (*acc.*).
aguerrir [agɛ'ri:r] (2a) **I** *v/t.* **1.** abhärten (*durch Sport*); **2.** an den Krieg gewöhnen; **II** *v/rfl.* **3.** *s'*~ sich an den Krieg gewöhnen; **4.** *s'*~ *à od. contre* sich abhärten gegen (*acc.*).
aguerrissement [~ris'mɑ̃] *m* Abhärtung *f*; Kriegsgewöhnung *f.*
aguets [a'gɛ] *m/pl.* Hinterhalt *m*; *aux* ~ auf der Lauer.
agueusie ⚕ [agø'zi] *f* Ageusie *f*, Verlust *m* der Geschmacksempfindung.
aguicher F [agi'ʃe] *v/t.* anlocken; animieren.
ah [a] *int.* (*Freude, Schmerz, Bewunderung, Ungeduld*) ~*!* ach!, o!, ah!
ahaner [aa'ne] *v/i.* (1a) *fig.* brüten (*sur qch.* über etw. *dat.*).
ahurir [ay'ri:r] *v/t.* (2a) verblüffen, bestürzt machen; *ahuri* bestürzt, verblüfft, völlig sprachlos.
ahurissement [ayris'mɑ̃] *m* Bestürzung *f.*
aï [a'i] *m zo.* Faultier *n.*
aide [ɛd] **I** *f* **1.** Hilfe *f*, Beistand *m*, Unterstützung *f*; *à l'*~*!* zu Hilfe!; *à* (*od. avec*) *l'*~ *de* mittels *od.* mit Hilfe (*gén.*); ~ *à la construction* finanzielle Bauhilfe *f*; ~ *économique* Wirtschaftshilfe *f*; **2.** ~*s pl. man.* Hilfen *f/pl. beim Reiten*; **II** *su.* Gehilfe *m*; ⚔ ~ *de camp* Adjutant *m*; ~ *de cuisine* Unterkoch *m*; ⚓ Kochsmaat *m*; ~**-maçon** [~ma'sɔ̃] *m* (6a) Maurergehilfe *m*; ~**-maternelle** [~matɛr'nɛl] *f* (6a) Kinderschwester *f*; ~**-mémoire** [~me'mwa:r] *m* (6c) Merkblatt *n*; Aufzeichnung *f*; kurzer Abriß *m*; *bsd. pol.* Memorandum *n*; ~**-pilote** ✈ [~pi'lɔt] *m* Kopilot *m.*
aider [ɛ'de] (1b) **I** *v/t.* helfen (*dat.*), unterstützen (*acc.*), beistehen (*dat.*); *je l'aide* ich helfe ihm (ihr); *il les aide* er hilft ihnen; ~ *la mémoire* das Gedächtnis stützen; *Dieu aidant* mit Gottes Hilfe; ~ *q. à* (*mit inf.*) j-m beistehen in (*dat.*), j-m verhelfen zu (*dat.*); ~ *q. de* j-m aushelfen mit; **II** *v/i. nur noch fig.*: ~ *à qch.* e-r Sache dienlich sein, zu e-r Sache beitragen; ~ *à la digestion* die Verdauung fördern, zur Verdauung beitragen; **III** *v/rfl.* *s'*~ *de* sich bedienen (*gén.*); *prov. aide-toi, le ciel t'aidera* hilf dir selbst, so hilft dir Gott.
aide-soignante [ɛdswa'ɲɑ̃:t] *f* (6g) Hilfsschwester *f.*
aïe [a'i] *int.* au!, ach!, o weh!
aïeul [a'jœl] *m* **1.** (*pl.* ~*s*) Großvater *m*; ~*s pl.* Großeltern *pl.*; **2.** *pl. aïeux* [a'jø] Ahnen *m/pl.*, Vorfahren *m/pl.*
aïeule [a'jœl] *f* **1.** Großmutter *f*; **2.** Ahnfrau *f.*
aigle ['ɛ:glə] **I** *m* **1.** *orn.* Adler *m*, *poét.* Aar *m*; ~ *des Alpes* Lämmergeier *m*; ~ *brun*, ~ *commun*, ~ *royal* Königsadler *m*; ~ *doré*, ~ *impérial*, *grand* ~ Gold-, Stein-adler *m*; ~ *marin*, ~ *pêcheur* Seeadler *m*; *fig. avoir des yeux d'*~ Augen wie ein Luchs haben; **2.** F *fig.* geistvoller Kopf *m*; **II** *f* **3.** Adlerweibchen *n*; **4.** ⛉, ⚔ Adlerwappen *n*; Adler *m*, Feldzeichen *n.*
aiglefin *icht.* [ɛglə'fɛ̃] *m* (*a. aigrefin* 2) Schellfisch *m.*
aiglon *orn.* [ɛ'glɔ̃] *m* junger Adler *m.*
aigre ['ɛ:grə] **I** *adj.* □ sauer, herb (*Wein*); schneidend; scharf (*Wind*); kreischend, grell, schrill, gellend (*Stimme*); störrisch; mürrisch; brüchig, spröde (*Metall*); **II** *m* Säure *f*; *tourner à l'*~ sauer werden; *fig.* sich verschärfen; *la discussion tourna à l'*~ die Erörterung ging in e-n gereizten Ton über.
aigre-dou|x, ~**ce** [ɛgrə'du, ~'dus] *adj.* süßsauer (*a. fig.*).
aigrefin [ɛgrə'fɛ̃] *m* **1.** Schwindler *m*, Hochstapler *m*, Gauner *m*, Schieber *m*; Industrieritter *m*; **2.** Schellfisch *m*; *a. églefin.*
aigrette [ɛ'grɛt] *f* **1.** *orn.* Silberreiher *m*; **2.** Federbusch *m*, Reiherbusch *m*; Diamant-, Perlen-strauß *m*; Sprühfeuer *n*; ⚡ ~ *lumineuse* elektrisches Strahlenbüschel *n.*
aigretté ⚘ [ɛgrɛ'te] *adj.* gefiedert, haarig.
aigreur [ɛ'grœ:r] *f* Säure *f*; *fig.* Bitterkeit *f*, Verbitterung *f*, Groll *m*; ~*s pl.* Sodbrennen *n*, Magensäure *f*; ~*s pl.* unterfressene Stellen *f/pl. in geätzten Platten.*
aigrir [ɛ'gri:r] (2a) **I** *v/t.* sauer machen, säuern; *fig.* reizen, verbittern; **II** *v/rfl.* *s'*~ sauer werden.
aigrissement [ɛgris'mɑ̃] *m fig.* Verbitterung *f.*
aigu [e'gy] *adj.* (7a) **1.** scharf, spitz; *angle m* ~ spitzer Winkel *m*; **2.** *fig.* akut, heftig; schnell verlaufend

(*Krankheit*); hitzig, akut (*Fieber*); durchdringend, gellend (*Stimme*); *gr. accent m* ~ Akut *m.*
aiguade ⚓ [ɛ'gad] *f* Wasservorrat *m.*
aiguage [ɛ'ga:ʒ] *m* Wasserleitungsrecht *n.*
aiguail *dial.* [ɛ'gaj] *m* Morgentau *m.*
aiguayer [ɛgɛ'je] *v/t.* (1i) *Wäsche* spülen; *Pferd* schwemmen.
aigue-marine *min.* [ɛgma'rin] *f* (6a) Aquamarin *m.*
aiguière [ɛ'gjɛ:r] *f* Wasserkanne *f.*
aiguillage [egɥi'ja:ʒ] *m* 🚂 Weichenstellen *n*, -stellung *f*, -anlage *f*; ~ *de dépassement* Überholungsweiche *f*; ⚡ ~ *électrique* Wechselkontakt *m.*
aiguil|le [e'gɥij] *f* **1.** Nadel *f*, *bsd.* Nähnadel *f*; ~ *d'acuponcture* Punktiernadel *f*; ~ *aimantée* Magnetnadel *f*; ~ *à dentelle* Klöppelnadel *f*; ~ *d'emballeur* Packnadel *f*; ~ *de glace* Eiszapfen *m*; ~ *de graveur* Radiernadel *f*; ~ *à passer* Schnürnadel *f*; ~ *de phono(graphe) bzw.* ~ *de pick-up* Grammophon-nadel *f*, -stift *m*; ~ *d'enregistrement* Aufnahmestift *m*; ~ *de* (*od. du*) *voltmètre* Voltmeternadel *f*; ~ *à piquer* Steppnadel *f*; ~ *à repriser* Stopfnadel *f*; ~ *de relieur* Heftnadel *f*; ~ *à tapisserie*, ~ *à broder* Sticknadel *f*; ~ *à tricoter* Stricknadel *f*; *fusil m à* ~ Zündnadelgewehr *n*; *disputer sur la pointe d'une* ~ sich um Kleinigkeiten streiten; ~ *d'horloge* Uhrzeiger *m*; *petite* ~ Stundenzeiger *m*; *grande* ~, ~ *des minutes* Minutenzeiger *m*; ~ *des secondes* Sekundenzeiger *m*; ~ *de balance* Zünglein *n* an der Waage; *chercher une* ~ *dans une botte de foin* etw. Unauffindbares suchen; *fig. raconter qch. de fil en* ~ etw. haarklein erzählen; *de fil en* ~, *ils en vinrent jusqu'à se quereller* ein Wort ergab das andere, bis sie schließlich in Streit gerieten; **2.** Spitze *f* (*a. v. Kirchturm od. Obelisk*), Gipfel *m*; **3.** 🚂 Weiche *f*; ~ *à contrepoids* selbsttätige Weiche *f*; *faire une* ~ e-e Weiche stellen; **4.** ⚘ Tannennadel *f*; **5.** *icht.* ~ *de mer* Seenadel *f*, Nadelfisch *m*; **~lé** [egɥi'je] *adj.* nadelförmig, spitz.
aiguil|lée [egɥi'je] *f zum Nähen nötige* Fadenlänge *f*; Nähfaden *m*; **~ler** [~] *v/t.* (1a) 🚂 Weichen stellen (für); *fig.* lenken, entgegenführen; ~ *q. vers qch.* j-n auf etw. (*acc.*) hinweisen (*od.* hinlenken); ~ *q. sur un guichet* j-n an e-n Schalter verweisen; **~lerie** [egɥij'ri] *f* Nadelfabrik *f*, -handlung *f*; **~leter** [~'te] *v/t.* (1c) zuschnüren; ⚓ sorren; ~ *des lacets* Schnürsenkel mit Kuppen versehen; **~lette** [~'jɛt] *f* **1.** Schnürsenkel *m*; **2.** ⚓ Sorrtau *n*; **3.** ⚔ Achselschnur *f*; **~lettier** [~jɛ'tje] *m* Nestler *m*; **~leur** 🚂 [~'jœ:r] *m* Weichensteller *m*; F ✈ ~*s m/pl. du ciel* Fluglotsen *m/pl.*; **~lier** [~'je] *m* (7b) Nadelbüchse *f*; **~lon** [~'jɔ̃] *m* Stachel *m*, Dorn *m*; Treibstachel *m*; *fig.* Antrieb *m*, Ansporn *m*; **~lonné** [~jɔ'ne] *adj.* stachlig; **~lonner** [~] *v/t.* (1a) (*mit dem Stachel*) antreiben; *fig.* anspornen; **~lot** ⚓ [~'jo] *m* Ruderfingerling *m.*
aigui|sage [egi- *od.* egɥi'za:ʒ] *m*, **~sement** [~z'mɑ̃] *m* Schärfen *n*, Schleifen *n*; **~ser** [~'ze] *v/t.* (1a) **1.** schärfen, schleifen, wetzen; *fig.* ~ *ses couteaux* sich zum Kampfe rüsten; **2.** anspitzen; **3.** *fig.* ~ *l'appétit* den Appetit anregen; **~serie** [~z'ri] *f* Schleiferei *f*; **~seur** [~'zœ:r] *su.* (7g) Schleifer *m*; **~soir** ⊕ [~'zwa:r] *m* Wetzstahl *m.*
ail ⚘ [aj] *m* (*pl. als Speise aulx* [o], *als Pflanze ails*) Lauch *m*, Knoblauch *m.*
aile [ɛl] *f* Flügel *m* (*des Vogels, Gebäudes, Heeres, der Nase*); Tragfläche *f*; *Auto*: Kotflügel *m*; *poét.* Fittich *m*, Schwinge *f*; *fig.* Schutz *m*; ⊕ Radmantel *m* (*Karosserie*); ⊕ ~ *hélicoïdale*, ~ *d'hélice* Schraubenflügel *m*; ✈ ~ *en delta* Deltaflügel *m*; *monoplan m à* ~*s surbaissées* Tiefdecker *m*; *zo.* ~ *vestigiale* Flügelstummel *m*; *baisser ses* ~*s* den Mut sinken lassen, die Flügel hängen lassen; *battre de l'*~ in schlimmer Lage sein, übel dran sein; *fig.* hinken, flau gehen; *la peur lui donne des* ~*s* die Furcht beflügelt s-e Schritte; *rogner les* ~*s à q.* j-m die Flügel beschneiden, j-s Ansehen verkleinern; *voler de ses propres* ~*s* auf eigenen Füßen stehen.
ailé [ɛ'le] *adj.* geflügelt; gefiedert.
aileron [ɛl'rɔ̃] *m* kleiner Flügel *m*, Flügelspitze *f*; Floßfeder *f*; ⊕ Schaufel *f am Mühlenrad*; Kühlrippe *f* e-s MGs; Querruder *n.*
ailette △ [ɛ'lɛt] *f* kleiner Anbau *m*, Flügel *m*; *Auto*: Windflügel *m* des Motors; ~ *de refroidissement* Kühlerrippe *f*; ~ *hélicoïdale* Schraubenflügel *m*; ~*s f/pl.* Kühlrippen *f/pl.*; *tuyau m à* ~*s* Rippenrohr *n*; ~*s pl. hydrométriques* Strömungsmesser

m/sg.; ⚔ *torpille f à* ~*s* Flügelmine *f*.

ailier *Sport* [ɛlˈje] *m* Außenstürmer *m*.

aillade [aˈjad] *f* Knoblauchbrühe *f*.

ailleurs [aˈjœːr] *adv.* **1.** anderswo (-hin); *partout* ~ sonst überall; *nulle part* ~ sonst nirgends; **2. d'**~: a) anderswoher; b) außerdem, überdies; übrigens; sonst; **3. par** ~ a) sonst, außerdem; b) *abus.* andererseits.

ailloli [ajɔˈli] *m* Olivenöl *n* mit zerstoßenem Knoblauch.

aimable [ɛˈmablə] **I** *adj.* □ liebenswürdig; *peu* ~ unfreundlich; *c'est bien* ~ *à vous* das ist sehr freundlich von Ihnen; **II** *su. faire l'*~ freundlich (*od.* schön)tun; die (den) Liebenswürdige(n) spielen.

aimant[1] [ɛˈmɑ̃] *m* Magnet (*a. fig.*) *m*; ~ *naturel* Magnetstein *m*.

aimant[2] [~] *adj.* liebend, liebevoll, zärtlich, leutselig.

aimanter [ɛmɑ̃ˈte] (1a) **I** *v/t.* magnetisieren; **II** *v/rfl. s'*~ magnetisch werden.

aimer [ɛˈme] (1b) *v/t.* lieben; gern haben, gern tun, gern essen *od.* trinken *usw.*; Gefallen finden an (*dat.*); ~ *q. à la folie* in j-n restlos verliebt sein; *se faire* ~ *de q.* sich bei j-m beliebt machen; *il aime la chasse* er geht gern auf die Jagd; *nach* ~ *jetzt mst. der reine inf.*: *j'aime chanter* ich singe gern; *il aime être vu* er will gern gesehen werden; *il aime lire* er liest gern; *daneben jetzt auch wieder, wie früher, de + inf.*: *j'aime fort d'écouter comment les gens parlent* ich höre sehr gern zu, wie die Leute sprechen; *der inf. mit à ist st. s.*: *j'aime à chanter* ich singe gern; ~ *que* (*mit subj.*) gern sehen, daß ...; ~ *mieux* lieber haben *od.* mögen, lieber sehen, lieber wollen, lieber tun; *il aime mieux lire que de parler* er liest lieber, als daß er spricht; er will lieber lesen als sprechen; *j'aimerais* ich möchte; *j'aimerais aller au cinéma* ich möchte gern ins Kino gehen.

aine *anat.* [ɛn] *f* Leistengegend *f*.

aîné [ɛˈne] *adj. u. su.* erstgeboren, älter, ältest; Älteste(r) *m*; *je suis son* ~ *de deux ans* ich bin zwei Jahre älter als er (*od.* als sie); *c'est mon (fils)* ~ das ist mein ältester Sohn (*od.* mein Ältester).

aînesse [ɛˈnɛs] *f*: *droit m d'*~ Erstgeburtsrecht *n*.

ainsi [ɛ̃ˈsi] **I** *adv.* also, auf diese Art *od.* Weise, so; ~ *va le monde* so geht's in der Welt; *et* ~ *de suite* und so weiter; *pour* ~ *dire* sozusagen, gewissermaßen; ~ *soit-il!* Amen!, also geschehe es!; *s'il en est* ~ wenn dem so ist; *ell.* ~ *de Voltaire, de Diderot* so ist es bei Voltaire, bei Diderot; **II** *cj.* daher; folglich; ~ *que* (eben)so, wie.

air[1] [ɛːr] *m* Luft *f*; Wind *m*, Luftzug *m*; *il y a un courant d'*~ es zieht; *en plein* ~ in freier Luft, unter freiem Himmel; im Freien; *grand* ~ frische (*od.* freie) Luft *f*; *il y a qch. dans l'*~ es hängt etw. in der Luft, es kriselt; *l'avenir est dans les* ~*s* die Zukunft liegt im Luftverkehr; *à l'*~ an der (an die) Luft (= nach draußen); *en l'*~ in der (in die) Luft (= nach oben); *par mer, par terre et en l'air* zu Wasser, zu Lande u. in der Luft; *bâtir en l'*~ Luftschlösser bauen; *battre l'*~ sich vergeblich anstrengen, sich vergebliche Mühe machen; *avoir toujours un pied en l'*~ immer auf dem Sprung stehen *od.* in Aufregung sein; *mettre en l'*~ in Unruhe versetzen; *mettre tout en l'*~ alles in Unordnung bringen; *mettre à l'*~ lüften; *ce cigare prend* ~ diese Zigarre zieht nicht; *prendre l'*~ Luft schnappen, spazierengehen; ✈ aufsteigen; ✈ *ravitailler par* ~ aus der Luft versorgen; *coussin m à* ~ Luftkissen *n*; *contes m/pl. en l'*~ reine Phantasiegeschichten *f/pl.*, bloße Märchen *n/pl.*; *menaces f/pl. en l'*~ *fig.* leere Drohungen *f/pl.*; *paroles f/pl. en l'*~ leere Worte *n/pl.*; *projets m/pl. en l'*~ Luftschlösser *n/pl.*; *promesses f/pl. en l'*~ leere Versprechungen *f/pl.*; *les mains en l'*~! Hände hoch!; ~ *atmosphérique* Frischluft *f* (*bei Atmungsgeräten*); ~ *comprimé* Druckluft *f*; ~ *conditionné* Klimaanlage *f*; ~ *liquide* flüssige Luft *f*; ~ *raréfié* verdünnte Luft *f*; *s. a. plein-air.*

air[2] [~] *m* Miene *f*; Aussehen *n*; Äußere(s) *n*; Benehmen *n*, Haltung *f*, Wesen *n*; ~ *aisé* ungezwungenes Auftreten *n*; *d'un* ~ *de reproche* vorwurfsvoll; ~ *posé* gesetztes Wesen *n*; *avoir l'*~ *de* (*mit inf.*) scheinen (*od.* so aussehen) als ob ...; *avoir bon* ~ e-e stattliche Erscheinung sein; *avoir grand* ~, *avoir l'*~ *distingué* vornehm aussehen; *avoir mauvais* ~ ein unfeines Aussehen haben; *avoir l'*~ *bon* (*mauvais*) gutmütig (bösartig) aussehen; *il a un* ~ *de santé* er hat ein gesundes Aussehen, er sieht gut aus; *il en a (tout) l'*~ er sieht (ganz) danach aus; *ils n'ont* *pas l'~ contents* sie sehen nicht zufrieden aus; *cela n'a l'~ de rien* das sieht nach nichts aus; *prendre* (*od. se donner*) *des ~s fig.* angeben (*v/i.*), den großen Mann spielen (*od.* markieren), blasiert sein, vornehm tun, die Nase sehr hoch tragen; *se donner* (*od. prendre*) *des ~s de grandeur* sich aufs hohe Pferd setzen, den großen Herrn spielen; *se donner des ~s de savant* e-e gelehrte Miene aufsetzen; *un ~ de famille* e-e gewisse Familienähnlichkeit *f*; *avoir l'~ de q.* j-m ähnlich sehen; F *tu n'as pas l'~ dans ton assiette* du siehst so mitgenommen aus.

air[3] [~] *m* Melodie *f*, Arie *f*, Lied *n*, Weise *f*; *~ à boire* Trinklied *n*; *~ national* Nationallied *n*.

airain [ɛ'rɛ̃] *m* Erz *n*; *d'~* ehern; *fig.* hart, unerbittlich; *front m d'~* eherne Stirn *f*.

aire [ɛːr] *f* Dreschtenne *f*; freier Platz *m*; △ Fläche *f*; Fußboden *m*; ⚖ Flächeninhalt *m*; Horst *m*; ✈ Fliegerhorst *m*; *~ de lancement* Abschußgelände *n* (*Rakete*); *~ de service* Haltestelle *f* für Autoservice (*Autobahn*); *~ de transbordement des colis a.* 🚂 Gepäckumschlagstelle *f*; ✈ *~ d'atterrissage* Rollbahn *f*; *~ de haute* (*basse*) *pression* Hoch- (Tief-)druckgebiet *n* (*Wetterkunde*); ⚓ *~ du vent* Windstrich *m*; ⚕ *~ pariétale* (*occipitale*) parietale (okzipitale) Ableitungsstelle *f* (*bei elektroenzephalographischen Untersuchungen*).

airelle ⚘ [ɛ'rɛl] *f* Heidelbeere *f*; *~ myrtille* Blaubeere *f*; *~ rouge* Preiselbeere *f*.

airer [ɛ're] *v/i.* (1b) horsten, nisten.

airure ⚒ [ɛ'ryːr] *f* Ende *n* e-r Metall- *od.* Kohlenader.

ais † ⊕ [ɛ] *m* Brett *n*, Bohle *f*.

aisance [ɛ'zɑ̃ːs] *f* **1.** Leichtigkeit *f*; Zwanglosigkeit *f*, Gelassenheit *f*; Bequemlichkeit *f*; *avoir de l'~* sich frei bewegen; *avec son ~ habituelle* in seiner ungezwungenen Art; **2.** Wohlhabenheit *f*; être (*od. vivre*) *dans l'~* wohlhabend sein, ein schönes Leben haben; **3.** *cabinets m/pl.* (*od. lieux m/pl.*) *d'~s* Toilette *f*, WC *n*, Abort *m*.

aise [ɛːz] **I** *f* **1.** Freude *f*, Wohlbehagen *n*; *être transporté d'~* vor Entzücken außer sich sein; **2.** Bequemlichkeit *f*, Gemächlichkeit *f*; *les ~s de la vie* die Annehmlichkeiten *f/pl.* des Lebens; *à l'~* gemächlich, bequem, leicht; *être* (*od. se sentir*) *mal à l'~* sich unwohl fühlen; *se mettre à son ~ od. prendre ses ~s* es sich bequem machen; *prendre ses ~s a. péj.* s-e Ellenbogen benutzen, rücksichtslos handeln (*od.* vorgehen); *en prendre à son ~* ungeniert sein; *être à son ~ avec q.* mit j-m ungezwungen verkehren; *mettre q. à son ~* j-n ermuntern; *à votre ~!* wie Sie wollen!, nach Belieben!; *vous en parlez à votre ~* Sie haben gut reden!; **3.** Wohlstand *m*; *être* (*fort*) *à son ~* wohlhabend sein; **II** *adj.* froh, freudig; *être bien ~* sich freuen; *j'en suis bien ~* es ist mir sehr lieb.

aisé [ɛ'ze] *adj.* **1.** leicht, bequem; *fig. avoir l'esprit ~* leicht begreifen; *style m ~* flüssiger Stil *m*; **2.** ungezwungen; **3.** wohlhabend.

aisément [ɛze'mɑ̃] *adv.* leicht; auf bequeme Art.

aisseau [ɛ'so] *m* **1.** Dachsbeil *n*, Gartenaxt *f*; **2.** △ Schindel *f*.

aisselier [ɛsə'lje] *m* Tragband *n*.

aisselle [ɛ'sɛl] *f* Achselhöhle *f*; ⚘ Blattstielwinkel *m*; *~ d'un arc* △ Schenkel *m* e-s Bogens.

aissette [ɛ'sɛt] *f* kleine Axt *f*.

aîtres ['ɛːtrə] *m/pl.*: *connaître les ~ d'une maison* alle Winkel in e-m Hause kennen.

Aix-la-Chapelle [ɛkslaʃa'pɛl] *m* Aachen *n*.

ajaccien [aʒak'sjɛ̃] *adj.* (7c) aus Ajaccio.

ajiste [a'ʒist] *su.* (*aus AJ = auberge de jeunesse*) Jugendherbergsgast *m*, Wanderer *m*.

ajonc ⚘ [a'ʒɔ̃] *m* Stechginster *m*.

à jour [a'ʒuːr] *adj.* auf der Höhe, zeitgemäß; auf dem laufenden; ⊕ durchlöchert, durchbrochen (*z.B. e-e Wand, ein Zaun*); *mettre ~ les affaires de sa maison* die Angelegenheiten s-s Hauses in Ordnung bringen.

ajour [~] *m* Aussparung *f*; Durchlassen *n* des Tageslichts; Hohlsaum *m*.

ajouré [aʒu're] *adj.* durchbrochen.

ajour|nement [aʒurnə'mɑ̃] *m* **1.** ⚖ Vorladung *f*; *décret m d'~* Vorladungsbefehl *m*; **2.** ⚖ Vertagung *f*, Aufschieben *n*; **3.** ⚔ Zurückstellung *f*; **~ner** [~'ne] (1a) **I** *v/t.* vor Gericht laden; vertagen, aussetzen, aufschieben; être *ajourné*: a) Termin haben; b) ⚔ zurückgestellt sein; **II** *v/rfl.* s'~ aufgeschoben (*od.* vertagt) werden; sich vertagen.

ajou|tage ⚗ [aʒu'ta:ʒ] *m u.* **~té** [~'te] *m* Zusatz *m.*

ajouter [aʒu'te] **I** *v/t.* (1a) hinzusetzen, -fügen, -tun; zulegen, zuzahlen; beimengen; *fig. ajoutez (à cela) que ...* dazu kommt noch, daß ...; fügen Sie zu alledem noch hinzu, daß ...; *~ foi (à qch.* e-r Sache *dat.)* Glauben schenken; *en ajoutant* unter Beifügung; **II** *v/i.*: *~ à* steigern, erhöhen, vergrößern; *la modestie ajoute au mérite* die Bescheidenheit erhöht das Verdienst; **III** *v/rfl. s'~ fig.* hinzukommen, (zusätzlich) herantreten.

ajustable [aʒys'tablə] *adj.* verstellbar.

ajustage [aʒys'ta:ʒ] *m* **1.** ⊕ Montage *f*, Einpassen *n*, Nachregulierung *f*, Nachstellen *n*, Einstellen *n*; ⚔ *~ de la portée* Ermittlung *f* der Schußweite; **2.** ⊕ Einrichtung *f*, Aufstellung *f e-r Maschine*; **3.** Ausgleichen *n der Münzen*; **4.** † Stornierung *f.*

ajusté [aʒys'te] *adj.* passend.

ajustement [aʒystə'mɑ̃] *m* **1.** Richtigstellung *f*, Berichtigung *f*; Ausgleich *m*, Vergleich *m*; Anpassung *f*; Eichen *n*; **2.** Putz *m*, Schmuck *m.*

ajus|ter [aʒys'te] (1a) **I** *v/t.* **1.** richtig-, zurecht-machen, in Ordnung bringen, richtigstellen, berichtigen; ausrichten; nachstellen, nachregulieren; *Uhr* stellen; *Geld* ausgleichen; *Maße* eichen; *~ une machine* e-e Maschine montieren (*od.* aufstellen); **2.** *~ qch. à qch.* etw. an etw. anpassen; *~ son chapeau* s-n Hut zurechtsetzen; *~ un couvercle* e-n Deckel aufpassen; *fig. ~ une pièce au théâtre* ein Stück bühnengerecht machen; *vous voilà bien ajusté* Sie sind aber nett gekleidet!; **3.** zielen auf (*acc.*); *~ son coup* gut zielen (*a. fig.*); **4.** ankleiden, putzen; **5.** † stornieren; **II** *v/rfl.* s'~ **6.** passen; **7.** sich zurechtmachen, sich putzen; **~teur** [~'tœ:r] *m* Rohrleger *m*, Schlosser *m*, Monteur *m*; Ausgleicher *m*; **~toir** [~'twa:r] *m* Münz-, Justierwaage *f.*

ajutage, ajutoir ⊕ [aʒy'ta:ʒ, ~'twa:r] *m* (kleine) Verbindungsröhre *f*; Rohransatz *m*, Stutzen *m*; Düse *f.*

akinésie ⚕ [akine'zi] *f* Akinesie *f*, Bewegungshemmung *f.*

akyne [a'kin] *m* kirgisischer Folkloresänger *m.*

alabandine [alabɑ̃'din] *f* ⚗ Manganblende *f*; *min.* Karfunkelstein *m.*

alacrité [alakri'te] *f* Heiterkeit *f.*

alam|bic [alɑ̃'bik] *m* Destillierkolben *m*; *passer (od. tirer) par (od. à) l'~* destillieren; *fig.* gründlich prüfen; **~biqué** [~bi'ke] *adj.* gekünstelt, weit hergeholt; **~biquer** [~] *v/t.* (1m) destillieren; *fig.* geschraubt machen (*od.* zum Ausdruck bringen); *s'~ l'esprit sur qch.* sich den Kopf über etw. zerbrechen; **~biqueur** [~bi'kœ:r] *m* Wortedrechsler *m*, Phrasendrescher *m.*

alanguir [alɑ̃'gi:r] (2a) **I** *v/t.* schlaff machen, entkräften; **II** *v/rfl.* s'~ erschlaffen, s-e Kräfte verlieren.

alanguissement [~gis'mɑ̃] *m* Erschlaffung *f*, Entkräftung *f.*

alarmant [alar'mɑ̃] *adj.* beunruhigend.

alar|me [a'larm] *f* **1.** Alarm *m*, Alarmsignal *n*, Waffenruf *m*; Notschrei *m*; *installation f d'~* Alarmanlage *f*; **2.** Beunruhigung *f*, Aufregung *f*; *~s f/pl.* Schrecken *m*, Bestürzung *f*, Furcht *f*; *revenir de ses ~s* sich von s-m Schrecken erholen; *fausse ~* blinder Alarm *m*; **~mer** [~'me] (1a) **I** *v/t. u. v/i.* alarmieren, Lärm schlagen; *fig.* in Schrecken setzen, erschrecken, beunruhigen, beängstigen; **II** *v/rfl. s'~ de (od. pour) qch.* sich wegen etw. (*gen.*) ängstigen; *s'~ pour q.* wegen j-s erschrecken, sich wegen j-s beunruhigen; **~misme** [~'mism] *m* Alarmstimmung *f*; **~miste** [~'mist] **I** *adj.* alarmierend, beunruhigend; **II** *su.* Verbreiter *m* beunruhigender Nachrichten; Warner *m.*

albanais [alba'nɛ] (7) *adj. u.* **2** *su.* albanesisch; Albanese *m.*

Albanie [alba'ni] *f*: **l'~** Albanien *n.*

albâtre [al'bɑ:trə] *m* Alabaster *m.*

albène *text.* [al'bɛn] *m*: *crêpe m d'~* Albakrepp *m.*

albin|isme ⚕ [albi'nism] *m* Albinismus *m*; **~os** [~'no:s] *m* Albino *m.*

album [al'bɔm] *m* Album *n*, Stammbuch *n*; *~ d'images* Bilderbuch *n.*

albu|men [alby'mɛn] *m* Eiweiß *n*; **~mine** [~'min] *f* Eiweiß *n*, Eiweißstoff *m*; **~mineux** [~'nø] *adj.* (7d) eiweiß-haltig, -artig; schleimig; zähe; **~minoïde** [~minɔ'id] *adj.* Eiweiß...; **~minurie** ⚕ [~miny'ri] *f* Eiweißharnen *n.*

alca|lescence ⚗ [alkalɛ'sɑ̃:s] *f* Alkaleszenz *f*, alkalische Beschaffenheit *f*; **~lescent** ⚗ [~lɛ'sɑ̃] *adj.* (7) alkalisierend; **~li** [~'li] *m* ⚘ Salzkraut *n*; ⚗ Alkali *n*, Laugensalz *n*;

~ *minéral* Soda *f*; ~ *végétal* Pottasche *f*; ~ *volatil* Ammoniak *n*; Salmiakgeist *m*; **~lin** [~'lɛ̃] *adj*. (7) laugensalzartig, alkalisch; **~liser** [~li'ze] *v/t*. (1a) alkalisieren, alkalisch machen; auslaugen; **~loïde** [~lɔ'id] *m* Alkaloid *n*.

alcarazas [alkara'zas] *m* poröser Kühlkrug *m*.

alchi|mie [alʃi'mi] *f* Alchimie *f*; **~miste** [~'mist] *m* Alchimist *m*.

alcool [al'kɔl] *m* Alkohol *m*, Weingeist *m*; ~ *absolu* reiner Alkohol *m*; ~ *à brûler* Brennspiritus *m*; ~ *méthylique* Methylalkohol *m*; ~ *solidifié* Hartspiritus *m*; ~ *éthylique* Äthylalkohol *m*; ~ *carburant* Kraftspiritus *m*; *libre d'~*, *ne contenant pas d'~* alkoholfrei; *mauvais* ~ Fusel *m*.

alcoolémie ⚕ [alkɔle'mi] *f* Alkoholgehalt *m* im Blut.

alcoo|lique [alkɔ'lik] *adj*. *u*. *su*. alkoholisch, alkoholhaltig; dem Alkohol ergeben; *un* ~ ein Alkoholiker *od*. ein Trinker *m*; **~liser** [~li'ze] (1a) **I** *v/t*. Alkohol zusetzen (*dat*.); in Alkohol verwandeln; **II** *v/rfl*. *s'~* sich dem Trunke ergeben; **~lisme** [~'lism] *m* Alkoholvergiftung *f*; Alkoholismus *m*, Trunksucht *f*.

alcoomètre [alkɔ'mɛtrə] *m* Alkoholmesser *m*, -waage *f*.

alcootest *Auto* [~'tɛst] *m* Alkohol-[test *m*.]

alcôve [al'ko:v] *f* Alkoven *m*; Bettnische *f*; *fig*. *secrets m/pl*. *d'~* Ehegeheimnisse *n/pl*.

ale [ɛl] *f* Ale *n* (*spr*. [eil]; *engl*. *Bier*).

aléa [ale'a] *m* unsichere Sache *f*, Ungewißheit *f*, Risiko *n*; blinder Zufall *m*; *pl*.: *tout en ~s* noch ganz im ungewissen; **~toire** [~'twa:r] *adj*. □ ungewiß, zufallsveränderlich, auf bloßem Zufall beruhend; *les débouchés sont ~s* die Berufsaussichten sind zufallsbedingt.

Alençon [alɑ̃'sɔ̃]: *points m/pl*. *d'~* Alençonspitzen *f/pl*.

alène [a'lɛn] *f* Ahle *f*, Pfriem *m*.

alénois [ale'nwa] *adj*./*m*: *cresson m* ~ Gartenkresse *f*.

alentour [alɑ̃'tu:r] **I** *adv*. im Umkreis, ringsherum, rings umher; *d'~* umliegend; **II ~s** *m/pl*. Umgebung *f*; *fig*. *les ~ du Ier siècle* die Wende des 1. Jahrhunderts.

alépine [ale'pin] *f* Bombasin *m*, halbseidener Futterstoff *m*.

aler|te [a'lɛrt] **I** *adj*. wachsam, munter, flink; frisch, rege, behende; **II** *adv*. *u*. *int*. (*mst*. ⚔) Achtung!; **III** *f* Alarm *m*; Schrecken *m*; ~ *aérienne* (*od*. *aux avions*) Fliegeralarm *m*; ~ *aux blindés* Panzeralarm *m*; ~ *à la bombe* Bombenalarm *m*; ~ *aérienne aux gaz* Gasalarm *m*; *être en état d'~* sich in Alarmbereitschaft befinden; *fausse* ~ blinder Alarm *m*; *fin f d'~* (*od*. de *l'~*) Entwarnung *f*; *donner l'~* Lärm schlagen; Alarm blasen; **~té** [~'te] *adj*. alarmbereit, in Alarmbereitschaft; **~ter** [~'te] *v/t*. *u*. *v/i*. (1a) alarmieren; kampfbereit machen (*Truppen*); Lärm schlagen (*od*. blasen); ~ *Police-secours* das Überfallkommando holen.

alé|sage ⊕ [ale'za:ʒ] *m* Ausfräsen *n*; ~ *du* (*od*. *des*) *cylindre(s)* Zylinderbohrung *f*; ~ *de la broche* Spindelbohrung *f*; **~ser** [~'ze] *v/t*. aus-, hohl-, nach-fräsen, ausdrehen; **~seur** [~'zœ:r] *m* Fräser *m* (*Beruf*); **~seuse** [~'zø:z] *f* Fräsmaschine *f*; **~soir** ⊕ [~'zwa:r] *m* Reibahle *f*; Fräser *m*; Polierstahl *m*.

alester ⚓ [alɛs'te] (1a) *v/t*. (*durch Ballastabgabe*) erleichtern.

alésure ⊕ [ale'zy:r] *f* Bohrspäne *m/pl*.

alevin [al'vɛ̃] *m* Fischbrut *f*.

alevi|nage [alvi'na:ʒ] *m* Einsetzen *n* der Fischbrut; **~ner** [~'ne] *v/t*. (1a) mit Fischbrut besetzen; **~nier** [~'nje] *m* Brutteich *m*.

alexandrin [alɛksɑ̃'drɛ̃] *adj*. (7) alexandrinisch; *un* (*vers*) ~ ein Alexandriner *m* (*Vers*).

alexie *psych*. [alɛ'ksi] *f* Legasthenie *f*, Dyslexie *f*.

alezan [al'zɑ̃] *adj*. *u*. *su*. (7) fuchsrot (*Pferd*); (Rot-)Fuchs *m* (*Pferd*); ~ *brûlé* Brandfuchs *m*.

alèze [a'lɛ:z] *f* leinenes Untertuch *n* (*für ein Krankenbett*).

alfa ⚘ [al'fa] *m* Esparto *n*, Alfagras *n*.

algacé ⚘ [alga'se] *adj*. algenartig.

algalie *chir*. [alga'li] *f* Hohlsonde *f*.

algarade [alga'rad] *f* Ausfall *m* (*gegen j-n*), Wutausbruch *m*; Standpauke *f*; Auseinandersetzung *f*, Debatte *f*, Krach *m*.

algèbre [al'ʒɛ:brə] *f* Algebra *f*.

Alger [al'ʒe] *m* Algier *n* (*Stadt*).

Algérie [alʒe'ri] *f*: **l'~** Algerien *n* (*Land*).

algérien [alʒe'rjɛ̃] *adj*. *u*. ♀ *su*. (7c) algerisch; Algerier *m*.

algérois [alʒe'rwa] *adj*. *u*. ♀ *su*. (7) aus der Stadt Algier; Bewohner *m* *od*. Umgebung *f* der Stadt Algier.

algéro-tunisien [alʒerɔtyni'zjɛ̃] *adj*. algerisch-tunesisch.

algide ⚕ [al'ʒid] *adj*.: être ~ sich

eiskalt fühlen; *fièvre f* ~ kaltes Fieber *n*.

algol *cyb.* [al'gɔl] *m* Algol *n*, algorithmische, problemorientierte Sprache *f*.

algue ⚘ [alg] *f* Alge *f*; ~*s marines* Seegras *n*.

alias [al'jas] *adv.* sonst, auch, alias (*vor Pseudonymen*).

alibi [ali'bi] *m* **1.** ⚖ Alibi *n*, *weitS.* Unschuldsnachweis *m*; *établir* (*od. fournir*) *un* ~ sein Alibi nachweisen; **2.** *fig.* ~*s m/pl.* Ausflüchte *f/pl.*, Gründe *m/pl.* für e-e Nichtbeteiligung.

aliboron [alibɔ'rɔ̃] *m* **1.** *plais. maître* ~ Meister Langohr, Esel *m*; **2.** *fig.* Dummkopf *m*, Dussel *m*, Trottel *m*.

alidade [ali'dad] *f* Diopterlineal *n*.

aliéna|bilité [aljenabili'te] *f* Veräußerlichkeit *f*; **~ble** [~'nablə] *adj.* veräußerlich; **~taire** ⚖ [~'tɛːr] *su.* Erwerber *m*; **~teur** ⚖ [~'tœːr] *su.* (7g) Verkäufer *m*; **~tion** ⚖ [~nɑ'sjɔ̃] *f* Veräußerung *f*; *fig. éc.* ~ *économique* wirtschaftliche Verfremdung *f*; ~ *des esprits od. des cœurs* gegenseitige Abneigung *f od.* Entfremdung *f*; ~ *mentale* (*od. d'esprit*) Geisteskrankheit *f*, Geistesstörung *f*, geistige Umnachtung *f*, Wahnsinn *m*.

alié|né [alje'ne] *su.* Geisteskranke(r) *m*; *hospice m* (*od. maison f*) *d'*~*s* Irrenanstalt *f*; **~ner** [~] (1g) **I** *v/t.* veräußern; *fig.* entfremden; ~ *les esprits* die Menschen verfeinden; **II** *v/rfl.* *s'*~ veräußert werden; *fig. s'*~ *q.* j-s Gunst (*od.* Sympathie) verscherzen (*od.* verlieren); *s'*~ *les cœurs* sich die Sympathien verscherzen; *s'*~ *la sympathie de q.* es mit j-m verderben, j-s Sympathie verscherzen; **~nisme** 🕮 [~'nism] *m* Lehre *f* von den Geisteskrankheiten; **~niste** 🕮 [~'nist] *su.* Arzt *m* (Ärztin *f*) für Geisteskrankheiten.

aligné *pol.* [ali'ɲe] *adj.* linientreu.

alignement [aliɲ'mɑ̃] *m* **1.** ⚠ Abstecken *n*, Abmessen *n* nach der Schnur; Schnurlinie *f*, Fluchtlinie *f*; Bau-, Straßen-flucht *f*; Richtung *f*; (*à droite*) ~! (Augen rechts!) richt't euch!; **2.** Angleichung *f* (*an e-e andere Währung*); Anpassung *f*; *l'*~ *des salaires sur ceux de Paris* die Anpassung *f* (*od.* Angleichung) der Löhne an die Pariser Gehaltsstufe.

aligner [ali'ɲe] (1a) **I** *v/t.* ausrichten, abstecken nach der Schnur; ab-, ein-fluchten; angleichen; *rad. Empfangsgerät* abgleichen; *fig.* ~ *ses phrases* s-e Sätze abzirkeln; *rues f/pl. alignées* gerade Straßen *f/pl.*; *Sport*: ~ *une équipe* e-e Mannschaft aufstellen; ✝ ~ *un compte* e-e Rechnung abschließen; F ~ *de l'argent* Geld herausrücken; **II** *v/rfl.* *s'*~ sich in Reih und Glied aufstellen, sich ausrichten; F sich *j-m gegenüber* zu e-r Schlägerei aufpostieren; *s'*~ *sur* sich ausrichten nach; *alignez-vous* richt't euch!

aliment [ali'mɑ̃] *m* **1.** Nahrungsmittel *n*, Speise *f*, Nahrung *f*; ~ *pâteux* Weichfutter *n*; ~*s m/pl. infantiles* Kindernährmittel *n/pl.*; ~*s m/pl. carnés* Fleischnahrung *f/sg.*; **2.** ~*s pl.* Alimente *n/pl.*, Lebensunterhalt *m*; Unterhaltsbeiträge *m/pl.*

alimen|taire [alimɑ̃'tɛːr] *adj.* zum Unterhalt (*od.* zur Ernährung) gehörig; nahrhaft; Nähr...; *anat. canal m* ~ Verdauungskanal *m*; *débiteur m* ~ Unterhaltspflichtige(r) *m*; *entretien m* ~ Nahrung *f*, Beköstigung *f*; *frais m/pl.* ~*s* Kostgeld *n*; *loi f* ~ Verpflegungsgesetz *n*; *pension f* ~ Unterhaltsrente *f*; *produit m* ~ Nahrungsmittel *n*; *régime m* ~ Diät *f*; *situation f* ~ Ernährungslage *f*; ⊕ *tuyau m* ~ Speiseröhre *f* (*Dampfmaschine*); **~tation** [~tɑ'sjɔ̃] *f* Ernährung *f*, Beköstigung *f*, Verpflegung *f*, Speisung *f*; *Computer*: Fütterung *f*; ✝, ⚡ Zufuhr *f*, Versorgung *f*; ~ *enfantine* Kindernahrung *f*; ~ *crue* Rohkost *f*; ~ *naturiste* Reformkost *f*; ~ *en eau potable* Trinkwasserversorgung *f*; *rad.* ~ *des lampes* Stromversorgung *f* der Lampen; *Auto*: ~ *d'essence* Benzinzufuhr *f*; *rad.* ~ *par le secteur* Netzanschluß *m*; *carte d'*~ Lebensmittelkarte *f*; ⚡ ~ *en courant* Stromversorgung *f*; **~ter** [~'te] *v/t.* (1a) ernähren, beköstigen, verproviantieren; *Computer*: füttern; ⚖ unterhalten; *fig.* speisen, schüren, fördern; ~ *un marché* e-n Markt versorgen.

alinéa [aline'a] *m* Absatz *m im Text e-s Buches*; ~! neue Zeile!; Absatz!

alité [ali'te] *adj.* bettlägerig.

alitement [alit'mɑ̃] *m* **1.** Bettlägerigsein *n*; **2.** Zubettbringen *n*.

aliter [ali'te] (1a) **I** *v/t.* an das Bett fesseln; **II** *v/rfl.* *s'*~ sich (als Kranker) zu Bett legen; das Bett hüten.

alittérature [alitera'tyːr] *f* Aliteratur *f*.

alizé [ali'ze] *adj.*: *vents m/pl.* ~*s* Passatwinde *m/pl.*
allaise [a'lɛ:z] *f* Sandbank *f* (*Fluß*).
allai|tement [alɛt'mɑ̃] *m* Säugen *n*, Stillen *n*; **~ter** [~'te] *v/t.* (1b) säugen, stillen.
allant [a'lɑ̃] **I** *adj.* (7) munter, lebendig, rüstig, lebhaft; aufgekratzt P; **II** *m* Schneid *m*, Draufgängertum *n*, Schwung *m*; *avoir de l'*~ Schneid haben; *manquer d'*~ keinen Schneid besitzen.
allantiase ⚕ [alɑ̃'tjɑ:z] *f* Fleisch-, Wurst-vergiftung *f*.
alléchant [ale'ʃɑ̃] *adj.* verlockend, verführerisch.
allèchement [alɛʃ'mɑ̃] *m* Verlockung *f*.
allécher [ale'ʃe] *v/t.* (1f) anlocken, ködern; *fig.* verführen, verlocken.
allée [a'le] *f* **1.** Gehen *n*; Gang *m*; *bsd.* ~*s pl.* Schritte *m/pl.*; ~*s et venues f/pl.* Kommen u. Gehen *n*, Gelaufe *n*, Verkehr *m*, Hin- u. Herlaufen *n*; **2.** Allee *f*, Baumgang *m*; ~ *de tilleuls* Lindenallee *f*; **3.** enger Hausflur *m*; ~ *couverte* Laubengang *m*.
allégation [alegɑ'sjɔ̃] *f* **1.** Anführung *f e-r Schriftstelle*; **2.** angeführte Stelle *f*, Zitat *n*; **3.** *fig.* Behauptung *f*, Vorwand *m*; ~*s f/pl. mensongères* Vorspiegelung *f* falscher Tatsachen.
allège [a'lɛ:ʒ] *f* **1.** △ Fenster-vorsprung *m*, -konsole *f*, Brüstung *f*; Tragstein *m*; **2.** ⚓ Leichter(schiff *n*) *m*; **3.** 🚃 ~ *postale* Postwagen *m*.
allé|geance [ale'ʒɑ̃:s] **1.** *féod.* Huldigung *f*; *serment m d'*~ Huldigungseid *m*; **2.** † Trost *m*, Erleichterung *f*; **~gement** [alɛʒ'mɑ̃] *m* **1.** Erleichterung *f*, Lockerung *f*; Ermäßigung *f*; *fig.* Linderung *f*; ~ *fiscal* Steuererleichterung *f*; **2.** ⚓ Lichten *n*, Leichtern *n*; **3.** 🚃 *ligne f d'*~ Entlastungslinie *f*.
alléger [ale'ʒe] *v/t.* (1g) (j-s Last) erleichtern; vermindern, herabsetzen; *fig.* lindern; ⚓ ~ *un navire* ein Schiff leichtern *od.* löschen.
allégir [ale'ʒi:r] *v/t.* (2a) schmaler (*od.* dünner) machen, verkleinern; *men.* dünner hobeln.
allégo|rie [alegɔ'ri] *f* Allegorie *f*, Sinnbild *n*, Gleichnis *n*; **~rique** [~'rik] *adj.* □ allegorisch, sinnbildlich; *langage m* ~ Bildersprache *f*; **~riser** [~ri'ze] *v/t.* (1a) verblümt reden, bildlich auslegen *od.* darstellen; **~riste** [~'rist] *su.* Sinnbilddeuter *m*.
allègre [a'lɛ:grə] *adj.* (*adv. allégrement*) frisch, munter, lebhaft, lustig, rüstig.
allégresse [ale'grɛs] *f* laute Freude *f*, Jubel *m*; *cris m/pl. d'*~ Freudengeschrei *n*.
alléguer [ale'ge] *v/t.* (1f) anführen, vorbringen; sich berufen auf (*acc.*).
allèle *biol.* [a'lɛl] *m* Allele *f*.
alléluia [alelɥi'ja] *m* Halleluja *n*.
Allemagne [al'maɲ] *f*: **l'**~ Deutschland *n*; *l'*~ *Occidentale* (*od. de l'Ouest*) Westdeutschland *n*.
allemand [al'mɑ̃] **I** *adj. u.* 2 *su.* (7) deutsch; *l'*2 der Deutsche; 2 *de* (*od. établi à*) *l'étranger* Auslandsdeutsche(r) *m*; *fig. une querelle d'*2 ein Streit um des Kaisers Bart (*od.* um nichts), ein vom Zaun gebrochener Streit *m*; **II** *l'*~ *m* das Deutsch(e), die deutsche Sprache; *le haut* ~ das Hochdeutsche; *le bas* ~ das Platt-, Nieder-deutsche; *ancien haut* ~ althochdeutsch; *moyen haut* ~ mittelhochdeutsch.
aller [a'le] (1o) **I** *v/i.* **1.** gehen, sich (wohin) begeben, fahren; *aller et venir* auf und ab gehen; **a)** *mit prp.*: ~ **à** (**au,** *neben en, bei männlichen Ländernamen mit konsonantischem Anlaut*) gehen nach, fahren nach; ~ *à Paris, en France, en U.R.S.S., aux Etats-Unis, au Maroc, au* (*od.* en) *Portugal, au* (*od.* en) *Danemark* nach Paris, Frankreich, nach der U.d.S.S.R., nach den U.S.A., nach Marokko, nach Portugal, nach Dänemark fahren; ~ *à* (*od.* en) *bicyclette* mit dem Fahrrad fahren, radfahren; *le chemin va à* ... der Weg führt nach ...; ~ *à grands pas* mit großen Schritten gehen; ~ *à pied* zu Fuß gehen; ~ *à cheval* reiten; ~ *aux voix* zur Abstimmung schreiten; ~ **chez** *le médecin* (*chez le boucher*) zum Arzt (zum Fleischer) gehen; ~ **contre** *la fortune* gegen das Schicksal anstreben; sich gegen das Schicksal auflehnen; ~ **de**: *il va de soi que* ... (*mit ind.*) es versteht sich von selbst, daß ...; ~ **en** (*bei weiblichen Ländernamen, bei männlichen Ländernamen mit vokalischem Anlaut od. bei großen Inseln*) gehen (*od.* reisen) nach; ~ *vite en besogne* flink arbeiten, sich beeilen; ~ *en pente* abschüssig sein, sich abflachen; ~ *en pointe* in e-r Spitze auslaufen; spitz verlaufen; ~ *en voyage* auf Reisen gehen; ~ *en voiture* fahren; ~ *en France* (*en Iran*) nach Frankreich (nach dem Iran)

fahren (reisen); ~ *en avion* ✈ fliegen; ~ *en auto* (*en autobus, en bateau, en od. à bicyclette, en chemin de fer, en skis*) mit dem Auto (mit dem Bus, mit dem Schiff, [mit dem] Fahrrad *od.* rad-, mit der [Eisen-] Bahn, Ski) fahren; ~ **jusqu'à**: *on va jusqu'à dire que ...* man behauptet sogar, daß ...; *on alla jusqu'à prétendre que ...* man ging sogar soweit, zu behaupten, daß ...; man verstieg sich sogar zu der Behauptung, daß ...; *cela va* **par-dessus** *le marché* das gibt's (beim Kauf) dazu; *ne pas* ~ **sans ...** unzertrennlich sein von ...; *cela va sans dire* (das ist) selbstverständlich; ~ **selon** *le vent* sich nach dem Wind drehen; **b**) *mit gérondif*: ~ *en augmentant* allmählich (*od.* weiter) zunehmen; ~ (*en*) *boîtant* hinken; *l'intérêt va croissant* das Interesse steigt fortwährend; **c**) *mit inf.* (*hingehen, um etw. zu tun*): ~ *chercher q.* (*qch.*) j-n (etw.) holen (gehen); ~ *se coucher* zu Bett gehen; ~ *trouver q.* j-n aufsuchen; ~ *voir q.* j-n besuchen; *je m'en vais dîner* ich gehe essen; **d**) *im Begriff sein, etw. zu tun, die nähere Zukunft*; *oft statt des einfachen franz. futurs u. conditionnels* (*werden, wollen, sollen*): *j'allais dire* ich wollte sagen, ich hätte beinahe gesagt; *encore un détail que j'allais oublier* hier noch eine Einzelheit, die ich beinahe vergessen hätte; *c'est ce que j'allais dire* das wollte ich eben sagen; *je vais vous dire qch.* ich werde Ihnen gleich einmal etw. sagen; *il allait bientôt montrer de quoi il était capable* er sollte bald zeigen, wozu er fähig war; *son imprudence va le perdre* sein Leichtsinn wird ihn zugrunde richten; *tu vas être en retard* du wirst zu spät kommen; *il va être très malheureux* er wird sehr unglücklich sein; *ça va être dur!* das wird schwer sein!; *il savait que le travail allait être difficile* er wußte, daß die Arbeit schwer sein würde; *vous allez avoir bien froid* Sie werden schön frieren; **e**) *mit adverbialem acc.*: ~ *le trot* Trab gehen; ~ *bon train* schnell gehen (fahren *od.* reiten); *fig.* rasch vorwärtskommen; ~ *son train* seinen Gang gehen; **f**) *impér. als Aufmunterung usw.*: *vas-y!* (*allez-y!*) geh(t) hin!; los!, vorwärts!; *va!* tatsächlich!, wirklich!, wahrlich! (*zur Bekräftigung e-r folgenden Behauptung*); *va pour une autre tasse!* meinethalben noch e-e Tasse; *allons* a) los!, vorwärts!, wohlan!; b) *Erstaunen*: nanu?!; *allons donc! Beruhigung, Verwunderung, Zweifel*: na wenn schon!, ach was!, i wo!, was Sie nicht sagen!; ist doch nicht möglich!, na hör mal!, aber hören Sie mal!; stimmt das wirklich?; willst du (wollen Sie) das wirklich?; *allez!* lassen Sie (es) gut sein!; *abweisend*: ach, gehen Sie!; *bekräftigend*: ich sage Ihnen, ...!; *allez toujours!* nur zu!, reden Sie nur weiter!; *allez toujours votre train!* lassen Sie sich nicht irremachen!; **g**) *Spielausdrücke*: *va!* es gilt!; *va banque!* es gilt die ganze Bank!; *tout va!* jeder Satz wird angenommen!; *de combien* (*y*) *allez-vous?* wie hoch gehen Sie?; *rien ne va plus* kein Satz gilt mehr; **h**) **laisser** ~ *q.* (*od. qch.*) j-n (*od.* etw.) gehen lassen, einer Sache (*dat.*) ihren Lauf lassen; *laisser* ~ *q. jusqu'au bout* j-n ausreden lassen; *laissez-le* ~*!* lassen Sie ihn laufen!; *laisser tout* ~ fünf gerade sein lassen; *se laisser* ~ sich gehenlassen (*à des injures* sich zu Beleidigungen hinreißen lassen); **i**) *Wendungen mit* **y**: *il y va de bon cœur* er ist guten Mutes; *il y va de mon honneur* meine Ehre steht auf dem Spiel; F *on y va!* gleich!, sofort!, ich komme schon!; **2.** ~ *en voiture* (*od. en auto*) fahren, reisen; ~ *en luge* rodeln; ~ *à cheval* reiten; ~ *en bateau* zu Schiff fahren; ~ *par le train de 10 heures* mit dem 10-Uhr-Zug fahren; ~ *en chemin de fer* Eisenbahn fahren; ~ *au trot* traben; **3.** im Gange sein (*Maschine*); ~ *à tout vapeur* mit Volldampf fahren; *ma montre va bien* meine Uhr geht richtig; *le feu va* das Feuer brennt; *le pouls va* der Puls schlägt; **4.** dauern, bestehen; *mon complet n'ira pas jusqu'à l'hiver* mein Anzug wird nicht bis zum Winter halten; **5.** kleiden, stehen; passen; gefallen, zusagen; *comme cela m'irait!* das wäre etwas für mich; *la clef va* der Schlüssel paßt; *ça vous va-t-il?* paßt Ihnen das?, sagt Ihnen das zu?; **6.** sich befinden; *comment allez-vous? od.* F *comment ça va(-t-il)?* wie geht's?; *comment va-t-il?* wie geht es ihm?; *il va bien* es geht ihm gut; ~ *de mieux en mieux* sich von Tag zu Tag besser befinden; *le commerce va bien* der Handel blüht; **7.** sich handeln (*de* um *acc.*);

8. sich belaufen (*à* auf *acc.*); *à combien votre compte va-t-il?* wie hoch ist Ihre Rechnung?; **II s'en ~ 9.** weggehen, sich wegbegeben; *s'en ~ en voiture* (*à cheval*) wegfahren (-reiten); *va-t'en!* geh deiner Wege!; *allez-vous-en!* gehen Sie!; **10.** auslaufen; verdunsten, verfliegen; *s'en ~ en fumée* in Rauch aufgehen; **11.** *s'en ~ dans le feu* überkochen, überlaufen; **12.** vergehen, abnehmen; das Ansehen verlieren; schwach werden; sterben; **13.** sich abnutzen; *votre habit s'en va* Ihr Kleid hat bald ausgedient; **14.** *mit p/pr., andauerndes Fortschreiten*: *le fleuve s'en allait grossissant* der Fluß schwoll allmählich an; **15.** *~ de blanc au noir* von e-m Extrem ins andere fallen; *~ vite en besogne* sich bei der Arbeit beeilen, ordentlich zupacken; *ça ne va pas!* wirklich?, das ist doch nicht möglich!; **III** *m ~ et retour* Hin- und Rückreise *f*, -flug *m*; *à l'~* auf der Hinreise; *au pis ~* wenn alle Stränge reißen, im schlimmsten Fall, im Notfall.

allerg|ie ⚕ [alɛr'ʒi] *f* Allergie *f*; **~ique** ⚕, F *a. fig.* [~'ʒik] *adj.* allergisch (*à qch.* gegen etw.); **~ologue** ⚕ [~gɔ'lɔg] *su.* Spezialist *m* für Allergien.

alliable [al'jablə] *adj.*: *~ à* vereinbar mit; ⚗ legierbar mit.

alliage [al'ja:ʒ] *m* Verbindung *f*; ⚗ Legierung *f*; *~ d'aluminium* Aluminiumlegierung *f*; *~ léger* Leichtmetall *n*; Ɐ *règle f d'~* Mischungsrechnung *f*.

alliance [al'jɑ̃:s] *f* **1.** Verbindung *f a. fig.*, Bund *m*; Bündnis *n*; **2.** Verwandtschaft *f*, Verschwägerung *f*; **3.** Ehe-, Trau-ring *m*.

allié [al'je] **I** *adj.* verbündet; verwandt; **II** *su.* Verbündete(r) *m*; angeheiratete(r) Verwandte(r) *m*.

allier [~] *v/t. u.* **s'~** (1a) (sich) vermischen; legieren; (sich) vereinigen; (sich) verbinden, (sich) verheiraten; s'~ *auch*: sich verbünden; sich verheiraten; passen (*à* zu *dat.*).

allitéra|tif [~tera'tif] *adj.* (7e) alliterierend; **~tion** [~rɑ'sjɔ̃] *f* Stabreim *m*, Alliteration *f*.

allô! *u.* **allo!** [a'lo] *int. téléph.* hallo! wer dort?

allo|cataire [alɔka'tɛ:r] *su.* Unterstützungsempfänger(in *f*) *m*; **~cation** [~kɑ'sjɔ̃] *f* (*oft im pl.*) Geldbewilligung *f*; ausgesetzte Summe *f*, Zuschuß *m*, Beihilfe *f*, Unterstützung *f*, Zulage *f*; (*Gehalts-*)Zulage *f*; *~ au décès* Sterbegeld *n*; *~s de chômage* Arbeitslosenunterstützung *f*; *~s f/pl. d'entretien* Unterhaltsleistungen *f/pl.*; *~ (d'assistance)* Beihilfe *f*; *~ supplémentaire de vie chère* Teuerungs-zulage *f*, -zuschlag *m*; *~ spéciale* (*sociale*) Sonder- (Sozial-)zulage *f*; *~ de maladie* Krankengeld *n*; *~ journalière* (Kranken-)Tagegeld *n*; *~ de grève* Streik-geld *n*, -unterstützung *f*; *~s familiales* Familienbeihilfe *f*, Kinderzulage *f*; *~-logement* Wohnungszuschuß *m*; *~ scolaire* Schulgeldunterstützung *f*; *accorder une ~* e-e Summe *od.* (*Gehalts-*)Zulage bewilligen; *~ kilométrique* Kilometergeld *n*.

allocution [~ky'sjɔ̃] *f* kurze Ansprache *f*; *~ de réception* Begrüßungs-ansprache *f*, -rede *f*; *~ par T.S.F.* Rundfunkansprache *f*.

allonge [a'lɔ̃:ʒ] *f* Ansatzstück *n*; ✝ Allonge *f*, Anhangzettel *m* (*bei Wechseln*); Fleischhaken *m*.

allon|gé [alɔ̃'ʒe] *adj.* langgezogen; Ɐ länglich; *être ~* lang ausgestreckt daliegen; **~gement** [~ʒ'mɑ̃] *m* Verlängerung *f*.

allonger *a.* ⊕ [~'ʒe] (1l) **I** *v/t.* **1.** länger machen, verlängern, ansetzen; ausdehnen; in die Länge ziehen; *Vorräte* strecken; *Arm* ausstrecken; *Soße* verlängern, verdünnen, dünner machen; *Tisch* ausziehen; *Sport* auslegen; *ce qu'il allonge!* wie er auslegt!; ⚔ *~ le tir* das Feuer vorverlegen; *~ un procès* e-n Prozeß in die Länge ziehen; *~ le pas* lange Schritte machen, hurtig ausschreiten; **2.** F versetzen, verpassen; *~ une gifle à q.* j-m eine verpassen (*od.* eine runterhauen *od.* eine knallen *od.* eine feuern); *~ un coup de poing à q.* j-m e-n Schlag mit der Faust (e-n Faustschlag) versetzen; **II** *v/i.* **3.** länger werden, zunehmen; *les jours allongent* die Tage werden länger (*od.* nehmen zu); **4.** sich strecken (*vom Pferd beim Galopp*); **III** *v/rfl.* s'~ länger werden; *s'~ sur le canapé* sich auf dem Sofa ausstrecken, sich lang hinlegen.

allopathie ⚕ [alɔpa'ti] *f* Allopathie *f*.

allotypie *biol.* [alɔti'pi] *f* Allotypie *f*, Lehre *f* von der Bildung erbbedingter Antikörper.

allouable [a'lwablə] *adj.* zulässig, statthaft (*Geldzuwendung*).

allouer [a'lwe] *v/t.* (1a) bewilligen; anweisen; ~ *une somme à qch. od. à q.* e-n Betrag für etw. *od.* j-n auswerfen.
allumage [aly'ma:ʒ] *m* Anzündung *f*; *Auto*: Zündung *f*; *Auto*: ~ *à batterie* (*par magnéto*) Batterie-(Magnet-)zündung *f*; ~ *défectueux od. raté* (*retardé od. au ralenti*) Fehl- (Spät-)zündung *f*; ~ *avancé* (*od. prématuré*), *avance f à l'*~ Frühzündung *f*; ⊕ ~ *par unité électronique* Elektronenzündung *f*.
allumé [aly'me] *adj.* angezündet, brennend; ⚡ eingeschaltet (*Licht*); *fig.* puterrot, knallrot (*Gesicht*); P besoffen.
allume|-cigare [alymsi'ga:r] *m* (6d) Zigarrenanzünder *m*; **~-feu** *m* (6d) Kohlenanzünder *m*; **~-gaz** [~'gɑ:z] *m* (6c) Gasanzünder *m*.
allumelle [aly'mɛl] *f* Holzkohleofen *m*.
allu|mer [aly'me] (1a) **I** *v/t.* anzünden; ⚡ einschalten, Licht machen, anknipsen; *fig.* entzünden, *Leidenschaft* entflammen; *fig.* wachrufen; *Krieg* entfachen; *Gesicht* röten; **II** *v/rfl.* s'~ sich entzünden, Feuer fangen; *fig.* entbrennen, ausbrechen (*Krieg*); **~mette** [~'mɛt] *f* Streich-, Zünd-holz *n*; **~mette-bougie** [~bu'ʒi] *f* Wachsstreichholz *n*; **~mettier** [~mɛ'tje] *m* Streichholz-fabrikant *m*, -händler *m*; **~meur** [~'mœ:r] *m* **1.** Anzünder *m*; ~ *de réverbères* Laternenanzünder *m*; **2.** *Auto*: Zündeinrichtung *f*; ⚡ Zünder *m*, Zündvorrichtung *f*; **~meuse** [~'mø:z] *f* Animierdame *f*; **~moir** [~'mwa:r] *m*: ~ *électrique* elektrischer Anzünder *m*.
allural *péj.* [aly'ral] *adj.* (5c) allürenhaft.
allure [a'ly:r] *f* **1.** Gang *m*, Gangart *f*, Tempo *n*; ~ *de marche* Marschtempo *n*, -geschwindigkeit *f*; ~ *de tortue* Schneckentempo *n*; ~ *foudroyante*, ~ *vertigineuse* blitzartige Geschwindigkeit *f*; ~ *modérée* (*od. moyenne*) mäßige (*od.* mittlere) Geschwindigkeit *f*; *forcer l'*~ die Geschwindigkeit erhöhen (*od.* steigern); *Auto*: *la voiture a* (*pris*) *son* ~ *de régime* der Wagen ist auf Touren (gekommen); *filer* (*od. marcher*) *à une* ~ *normale* vorschriftsmäßig fahren, reiten *usw.*; **2.** ⚓ Kurs *m* zum Wind; **3.** Spur *f*, Fährte *f*; **4.** ⚒ Streichen *n* e-s Ganges; **5.** *fig.* Benehmen *n*; Verhalten *n*, Anstrich *m*; *avoir des* ~*s louches* ein undurchsichtiges Verhalten an den Tag legen; *j'ai reconnu ses* ~*s* ich bin hinter s-e Schliche gekommen; *donner une* ~ *nobiliaire* e-n Anstrich von Adel verleihen; **6.** *fig.* Gang *m*, Wendung *f*, Verlauf *m*; **7.** △, *peint.* Linienführung *f*; ~*s f/pl. du style* Ausdrucksweise *f*.
allu|sif [aly'zif] *adj.* (7e) anspielend; **~sion** [~'zjɔ̃] *f* Anspielung *f*, Allusion *f*; *faire* ~ *à* anspielen auf (*acc.*); *par* ~ andeutungsweise.
allu|vial (5c), **~vien** (7c) [aly'vjal, ~'vjɛ̃] *adj.* Alluvial...; angeschwemmt (*Land*); **~vion** [~'vjɔ̃] *f* Anschwemmung *f*; **~vionnement** [~vjɔn'mɑ̃] *m* a) Bildung *f* von Schwemmland; b) ⊕ Schlemmen *n*; ⚒ *procédé m par* ~ Schlemmverfahren *n*.
almanach [alma'nak] *m* Almanach *m*; Jahrbuch *n*; Kalender *m* (*in Buchform*); ~ (*du commerce* Handels-)Adreßbuch *n*.
aloès ⚘ [alɔ'ɛs] *m* Aloe(pflanze *f*) *f*; Aloesaft *m*.
aloi [a'lwa] *m* Feingehalt *m* (*z.B. der Münzen*); *fig.* Beschaffenheit *f*; *de bon* ~ gediegen (*auch fig.*); von gutem Gehalt; echt; von echtem Schrot und Korn; *une raquette de bon* ~ ein tadelloser Tennisschläger *m*; *une indignation de bon* ~ e-e echte Empörung *f*; *de bas* (*od. mauvais*) ~ geringhaltig; *fig.* schlecht, wertlos.
alopécie [alɔpe'si] *f* Haarausfall *m*.
alors [a'lɔ:r] **1.** *adv.* da (*Zeit*); dann, jetzt (*in der Vergangenheitserzählung*), hierauf, damals; in diesem Fall; *d'*~ damalig; *jusqu'*~ bis dahin; *ça* ~*!* na, so was!; *oh* ~*!* ach so!; **2.** ~ *que cj.* wo (*zeitlich*), wenn; während (*gegensätzlich*); ~ *que les économistes, eux, s'efforcent de suivre le mouvement de la psychologie* wo doch die Wirtschaftswissenschaftler bemüht sind, die Entwicklung der Psychologie zu verfolgen.
alouette *orn.* [a'lwɛt] *f* Lerche *f*.
alour|di [alur'di] *a. Preis*: *adj.* gedrückt; *Börse*: flau; **~dir** [~'di:r] *v/t.* (2a) schwerfällig machen; **~dissement** [~dis'mɑ̃] *m* Schwerfälligkeit *f*, Trägheit *f*.
aloy|age [alwa'ja:ʒ] *m* Legierung *f*, Metallmischung *f*; **~au** [~'jo] *m* Rückenstück *n*, Lendenbraten *m*; **~er** [~'je] *v/t.* (1h) legieren.
alpaga [alpa'ga] *f*, *m* **1.** *zo.* Alpaka *n*, Paco *m* (*Lamaart*); **2.** ⊕ Alpaka *n* (*Stoff*, *Neusilber*).
alpage [al'pa:ʒ] *m* Alm *f*; Weid-

recht *n*, Weiden *n* auf der Alm; *la vie à l'*~ das Leben auf der Alm.
alpargate [alpar'gat] *f* Hanfschuh *m*.
alpe [alp] *f* **1.** Alm *f*; **2. les** ♀**s** *pl.* die Alpen.
alpestre [al'pɛstrə] *a.* □ den Alpen angehörig *od.* eigentümlich; alpenartig; *passage m* ~ Alpenübergang *m*.
alpha [al'fa] *m* Alpha *n*.
alpha|bet [alfa'bɛ] *m* **1.** Alphabet *n*; *fig.* Anfangsgründe *pl.*; **2.** Abcbuch *n*; **~bète** [~'bɛt] *su.* e-r, der lesen u. schreiben kann; **~bétique** [~be'tik] *a.* □ alphabetisch; *ranger par ordre* ~ alphabetisch ordnen; **~bétisation** [~betizɑ'sjɔ̃] *f* Belehrung *f e-s Volkes od. e-r Gruppe v. Ausländern* im Lesen u. Schreiben; **~bétiser** [~beti'ze] *v/t. e-m Volk od. e-r Gruppe* das Alphabet beibringen.
alpin [al'pɛ̃] *adj.* (7) *u. m* in den Alpen vorkommend; Alpen...
alpi|nisme [alpi'nism] *m* Alpinismus *m*; Bergsport *m*; *faire de l'*~ Bergtouren machen; **~niste** [~'nist] *adj. u. su.* alpinistisch; Alpinist(in *f*) *m*, Hochtourist(in *f*) *m*, Bergsteiger *m*.
Alsace [al'zas] *f*: **l'~** das Elsaß.
alsacien [alza'sjɛ̃] *adj. u.* ♀ *su.* (7c) elsässisch; Elsässer *m*.
alsine ⚘ [al'sin] *f* Miere *f*.
alté|rabilité [alterabili'te] *f* Veränderlichkeit *f*; Verderblichkeit *f* (*z.B. von Gemüse*); **~rable** [~'rablə] *adj.* veränderlich; verderblich (*z.B. Gemüse*); ~ *à l'air* luftempfindlich; **~rant** [~'rɑ̃] *adj.* (7) *u. m* Durst erregend; ⚕ umstimmend(es Mittel); **~ration** [~rɑ'sjɔ̃] *f* Veränderung *f*; Verschlimmerung *f*, Verschlechterung *f*; Fälschung *f*; Zerrüttung *f der Gesundheit*; Verstümmelung *f eines Telegramms*; Erkalten *n der Freundschaft*.
altercation [altɛrkɑ'sjɔ̃] *f* lebhafte Auseinandersetzung *f*.
altéré [alte're] *adj.* **1.** durstig; *être* ~ Durst haben; *être* ~ *de qch.* nach etw. lechzen; **2.** verfälscht; *non* ~ unverfälscht.
altérer [alte're] (1f) **I** *v/t.* **1.** verderben, verschlechtern; entstellen; fälschen; **2.** durstig machen; **3.** oxydieren lassen; beunruhigen; **II** *v/rfl.* **s'~** schlecht(er) werden; verderben (*z.B. Wein, Gemüse*); umkommen (*z.B. Gemüse, Obst*); durstig werden; *fig.* sich ändern.
alter|nance [altɛr'nɑ̃:s] *f* Abwechs(e)lung *f*; ⚡ Polwechsel *m*; **~nat** [~'na] *m*: ⚒ ~ *des cultures* Wechselwirtschaft *f*; **~nateur** ⚡ [~na'tœ:r] *m* Wechselstrom-generator *m*, -maschine *f*; Umformer *m*; ~ (*de bicyclette*) Lichtmaschine *f*; **~natif** [~na'tif] *adj.* (7e) □ abwechselnd; (*adv. alternativement* wechselweise); *courant m* ~ Wechselstrom *m*; *tension f de 220 volts ~s* ⚡ Spannung *f* von 220 Volt Wechselstrom; **~native** [~na'ti:v] *f* **1.** Alternative *f*, Wahl *f zwischen zwei Möglichkeiten*; **2.** Abwechs(e)lung *f*, Wechselfolge *f*; **3.** *néol. die* andere Wahl.
alterne [al'tɛrn] *adj.* ⚘ wechselständig; ⟁ *angles m/pl. ~s* Wechselwinkel *m/pl.*
alterner [altɛr'ne] (1a) **I** *v/i.* regelmäßig (ab-)wechseln, sich ablösen; *in regelmäßigem Wechsel* aufea.-folgen; **II** *v/t.* ⚒ abwechselnd bebauen.
altesse [al'tɛs] *f* Hoheit *f*.
altier *nur im st.s. lobend; sonst mst. mv.p.* [al'tje] *adj.* (7b) □ stolz; hochmütig.
alti|mètre 🕮 [alti'mɛ:trə] *m* Höhenmesser *m*; **~métrie** 🕮 [~me'tri] *f* Höhenmeßkunde *f*.
altiste [al'tist] *su.* Bratschenspieler *m*; Altsänger *m*.
altitude [alti'tyd] *f* Höhe *f über dem Meeresspiegel*, Höhenlage *f*; ✈ *prendre de l'*~ aufsteigen.
alto ♪ [al'to] *m* **1.** Bratsche *f*, Viola *f*; **2.** Altstimme *f*.
altru|isme [altry'ism] *m* Altruismus *m*, Selbstlosigkeit *f*; **~iste** [~'ist] *adj. u. su.* altruistisch, selbstlos(er Mensch *m*).
alu [a'ly] *m* Aluminium *n*.
alu|minaire [~mi'nɛ:r] *adj.* alaunhaltig; **~mine** [~'min] *f* reine Tonerde *f*; *acétate m d'*~, ~ *acétique* essigsaure Tonerde; *sulfate m d'*~ Alaun *m*; **~minerie** [~min'ri] *f* Aluminiumfabrik *f*; **~mineux** [~mi'nø] *adj.* (7d) alaunhaltig.
aluminium [~min'jɔm] *m* Aluminium *n*; Leichtmetall *n*.
alumino|graphie ⊕ [~minɔgra'fi] *f* Aluminiumdruck *m*, Algraphie *f*; **~thermie** ⚗ [~tɛr'mi] *f* Aluminothermie *f*.
alun ⚗ [a'lœ̃] *m* Alaun *m*.
alunir [aly'ni:r] *v/i.* (2a) auf dem Mond landen.
alunissage *a. plais.* [alyni'sa:ʒ] *m*

Landung *f* auf dem Mond, Mondlandung *f*.

alvéol|aire *biol.* [alveɔ'lɛːr] *adj.* zellenförmig; **~e** [alve'ɔl] *m u. f* **1.** (Wachs-)Zelle *f*; **2.** *anat.* Alveole *f*, Zahnscheide *f*; ~ *d'une dent* Zahnhöhle *f*.

amabilité [amabili'te] *f* Liebenswürdigkeit *f*.

ama|dou [ama'du] *m* Lunte *f*, Zunder *m*; **~douer** [~'dwe] (1a) **I** *v/t.* schmeicheln, durch Schmeicheleien für sich gewinnen *od.* kirre machen *od.* kleinkriegen *od.* besänftigen, beruhigen; **II** *v/rfl.* s'~ sich durch Schmeicheleien gewinnen lassen; **~douvier** ⚘ [~du'vje] *m* Zunderschwamm *m*.

amai|grir [amɛ'griːr] (2a) **I** *v/t.* **1.** mager machen, auszehren, ausmergeln; *méthode f amaigrissante* Abmagerungskur *f*; **2.** ⊕ dünner machen; **II** *v/i.* abmagern, mager werden; **III** *v/rfl.* s'~ mager werden; **~grissement** [~gris'mɑ̃] *m* Abmagerung *f*; *cure d'~* Entfettungskur *f*.

amal|gamation [amalgamɑ'sjɔ̃] *f* Amalgierung *f*, Verquicken *n*; **~game** [~'gam] *m* Amalgam *n*, Verquickung *f*; Gemisch *n* (*a. fig.*); *fig.* Verschmelzung *f*; ⚒ Kohlenbrei *m* (*der Kohlenpipeline in Ohio*); **~gamer** [~ga'me] (1a) **I** *v/t.* verschmelzen, vermischen, verquikken; **II** *v/rfl.* s'~ sich verquicken; *fig.* sich verschmelzen.

aman [a'mɑ̃] *m im Orient*: Amnestie *f*, Begnadigung *f*.

aman|de [a'mɑ̃ːd] *f* **1.** Mandel *f*; *lait m d'~s* Mandelmilch *f*; ~ *pralinée* gebrannte Mandel *f*; **2.** Kern *m*; ~ *de cacao* Kakaobohne *f*; **~dé** [amɑ̃'de] *m* Mandelmilch *f*; **~dier** [~'dje] *m* Mandelbaum *m*; **~dine** [~'din] *f* Mandelseife *f*.

amant [a'mɑ̃] *su.* (7) (*poét. a. adj.*) Liebhaber *m*, Geliebte(r) *m*; *des ~s pl.* Verliebte *pl.*, Liebende *pl.*

amarante [ama'rɑ̃ːt] **I** *f* **1.** ⚘ Fuchsschwanz *m*; **2.** Amarantrot *n*; **II** *adj.* amarantfarben.

amari|nage ⚓ [~ri'naːʒ] *m* Bemannen *n* eines gekaperten Schiffes; **~ner** ⚓ [~'ne] (1a) *v/t.* **1.** (*ein gekapertes Schiff*) bemannen; **2.** (*u.* s'~ sich) an die See gewöhnen; *amariné* seefest.

amarrage [ama'raːʒ] *m* Ankern *n*, Festmachen *n*; Kopplung(smanöver *n*) *f* (*Raumfahrt*).

amarre [a'maːr] *f* (Anker-)Tau *n*, Verbindungstau *n*; ✈ Fangleine *f*, Landetau *n*; *être sur ses ~s* vor Anker liegen.

amarrer [ama're] (1a) **I** *v/t.* festmachen, verankern, sorren, zurren (*mit e-m Tau festbinden*); ✈ ~ *l'appareil* die Maschine verankern; **II** *v/rfl.* s'~ anlegen, vor Anker gehen.

amaryllis [~ri'lis] *f* Narzissenlilie *f*.

amas [a'mɑ] *m* **1.** Anhäufung *f*, Menge *f*; ~ *de neige* Schneewehe *f*; *ast.* ~ *stellaire* Sternhaufen *m*; **2.** Lager *n von Gestein*.

amas|ser [amɑ'se] (1a) **I** *v/t.* sammeln, zs.-bringen, anhäufen, um sich sammeln; **II** *v/i.* Schätze sammeln, *Geld* zusammenscharren; **III** *v/rfl.* s'~ sich versammeln, sich anhäufen; **~seur** [~'sœːr] *su.* (7g) Sammler *m*.

amateur [ama'tœːr] *su.* (7f) Amateur *m*, Liebhaber *m*, Freund *m* (*von Sachen*); ✝ Reflektant *m*; Kunstliebhaber *m*, Kunstfreund *m*; Bastler *m*; Freizeitsportler *m*; *péj.* Dilettant *m*; ~ *des sports d'hiver* Wintersportler *m*; ~ *de T.S.F.*, ~ *de radiophonie* Radioamateur *m*; F *travailler en ~* pfuschen; **~isme** [~tœ'rism] *m* Sport *m* als Liebhaberei; *péj.* Dilettantismus *m*.

amatir [ama'tiːr] *v/t.* (2a) matt (*od.* glanzlos) machen.

amau|rose ⚕ [amo'roːz] *f* schwarzer Star *m*; **~rotique** [~rɔ'tik] *adj. u. su.* starblind, Starblinde(r) *m*.

amazone [ama'zoːn; *als Fluß*: ~'zɔn] *f* **1.** Amazone (*a. adj.*) *f*; *fig.* Mannweib *n*; **2.** (*fleuve m des*) ♀(s) Amazonenstrom *m*; **3.** Dame *f* im Reitanzug; (*habit m d'~*) Reitkleid *n*; **4.** ⚔ Soldatin *f*; **5.** *Art* Papagei *m*.

ambages [ɑ̃'baːʒ] *f/pl.*: *sans ~* ohne Umschweife; *parler sans ~* freiheraus sprechen.

ambassa|de [ɑ̃ba'sad] *f* **1.** Botschafterposten *m*; *il est envoyé en ~ à Paris* er geht als Botschafter nach P.; **2.** Botschaft(sgebäude *n*) *f*, *a.* Botschaftspersonal *n*; **3.** F Auftrag *m*, Meldung *f*; **~deur** [~sa'dœːr] *m* (7f) Botschafter *m*; Übermittler *m* e-r Nachricht; **~drice** [~'dris] *f* Gemahlin *f* e-s Botschafters; Botschafterin *f*; Übermittlerin *f* e-r Botschaft.

ambe [ɑ̃ːb] *m* Ambe *f*, Doppeltreffer *m* (*Lotterie*).

ambiance [ɑ̃'bjɑ̃ːs] *f* Umgebung *f*, Milieu *n*, Umwelt *f*, Lebenskreis *m*, Atmosphäre *f fig.*; F Stimmung *f*, Schwung *m*.

ambiant [ɑ̃'bjɑ̃] *adj.* (7) (*nach su.*) umgebend; *le milieu* ~ das umgebende Milieu; *biol. conditions f/pl.* ~*es* Umweltbedingungen *f/pl.*; *à la température* ~*e* bei gewöhnlicher Temperatur; *à la pression* ~*e* unter normalen Druckverhältnissen.

ambi|dextre [ɑ̃bi'dɛkstrə] *adj.* (*nach su.*) *u. su.* rechts- u. linkshändig(e Person *f*), im Gebrauch der rechten u. linken Hand gleich geschickt(e Person); ~**gu** [ɑ̃bi'gy] **I** *adj.* (7a) zweideutig, doppelsinnig, ungewiß; **II** *m cuis.* kaltes Buffet *n*, kalte Platte *f*; F Mischmasch *m*, Allerlei *n*; ~**guïté** [~gɥi'te] *f* Zweideutigkeit *f*, Doppelsinnigkeit *f*; ~**gument** [~gy'mɑ̃] *adv.* auf zweideutige Art; ~**pare** [~'pa:r] *adj.* Blüten u. Blätter umschließend.

ambi|tieux [ɑ̃bi'sjø] (7d) **I** *adj.* □ **1.** ehrgeizig; *il est* ~, *mais il n'est pas un* ~ er ist sehr ehrgeizig, aber er ist kein Ehrgeizling; **2.** *fig.* gesucht (*Stil*), affektiert, hochtrabend; **II** *su.* Ehrgeizling *m*; ~**tion** [~'sjɔ̃] *f* **1.** Ehrgeiz *m*, Ruhmsucht *f*; Herrschbegierde *f*; **2.** Streben *n*, Eifer *m*; ~**tionner** [~sjɔ'ne] *v/t.* (1a) aus Ehrgeiz streben nach; sehnlichst wünschen; ~ *le pouvoir pol.* nach der Macht streben.

ambivalence *bsd. psych.* [~va'lɑ̃:s] *f* Ambivalenz *f*.

amble *man.* ['ɑ̃:blə] *m* Paßgang *m*.

ambler *man.* [ɑ̃'ble] *v/i.* (1a) Paßgang gehen.

am|bre ['ɑ̃:brə] *m* Ambra *m* (*n od. f*); ~ *jaune* Bernstein *m*; *fig. fin comme l'*~ schlau, gerissen, geschickt; ~**bré** [ɑ̃'bre] *adj.* ambraduftend, bernsteinartig; ~**brer** [~'bre] *v/t.* (1a) mit Amber räuchern; *allg.* parfümieren.

ambroïne [ɑ̃brɔ'in] *f* Kunstbernstein *m*.

ambroisie *myth.* [ɑ̃brwa'zi] *f* Götterspeise *f*, Ambrosia *f*; *fig.* herrliches Gericht (*od.* Essen) *n*.

ambrosiaque [ɑ̃bro'zjak] *adj.* ambrosisch.

ambu|lance [ɑ̃by'lɑ̃:s] *f* **1.** Kranken-wagen *m*, -auto *n*; **2.** Feldlazarett *n*; ~ *volante* fliegendes Lazarett *n*; *compagnie f d'*~ Krankenträgerkompanie *f*; *train m d'*~ Sanitätszug *m*; **3.** provisorische Unfallstation *f*; ~**lancier** [~lɑ̃'sje] *m* (7b) Krankenpfleger *m*, Feldlazarettgehilfe *m*; ~**lant** [~'lɑ̃] **I** *adj.* (7) **1.** umherziehend; 🚂 *bureau m* ~ Postbahnwagen *m*; *marchand m* ~ Hausierer *m*; *hôpital m* ~ Feldlazarett *n*; *profession f* ~*e* ambulantes Gewerbe *n*; **II** *m* **2.** Bahnpost *f*; Postbahnwagen *m*; **3.** Bahnpostbeamte(r) *m*; ~**latoire** [~la'twa:r] *adj.* ohne festen Sitz.

âme [ɑ:m] *f* **1.** Seele *f*, Geist *m*; Leben *n*; *rendre l'*~ den Geist aufgeben, sterben; **2.** *fig.* Herz *n*; *égalité f d'*~ Gleichmut *m*; *de toute mon* ~ von ganzer Seele; *corps m et* ~ (mit) Leib und Seele; **3.** Person *f*; Einwohner *m*; *bonne* ~ guter Kerl *m*; ~ *bien née* feinfühlender Mensch *m*; **4.** abgeschiedene Seele; *fête f des* ~*s* Allerseelentag *m*; ~ *damnée* Verdammte(r *m*) *f*; ~ *en peine* im Fegefeuer schmachtende Seele; *fig.* ratloser Mensch; **5.** Gewissen *n*; *la voix de l'*~ die Stimme des Gewissens; *en* (*od. sur*) *mon* ~ *et conscience* auf Ehre und Gewissen; **6.** Gefühl *n*; Ausdruck *m*; *plein d'*~ seelenvoll; *chanter avec* ~ mit Gefühl singen; **7.** *fig.* Hauptsache *f*, Grund *m*, Triebfeder *f*; *être l'*~ *d'une entreprise* die Seele e-s Unternehmens sein; **8.** ⊕ Steg *m* (*e-s Profileisens*); Bohrung *f*; *canon m à* ~ *lisse* glattes Kanonenrohr; *canon à* ~ *rayée* gezogene Kanone; ~ *d'un câble* Seele *f* (*od.* Ader *f*) e-s Kabels.

amélio|rable [ameljɔ'rablə] *adj.* verbesserungs-bedürftig, -fähig; ~**rateur** [~ra'tœ:r] (7f), *a.* ~**ratif** [~ra'tif] (7e) *adj.* verbessernd, veredelnd; ~**ration** [~rɑ'sjɔ̃] *f* Verbesserung *f*, Veredelung *f*, Verfeinerung *f*; Melioration *f*, Bodenverbesserung *f*; *industrie f d'*~ Veredelungsindustrie *f*; ~ *des cours* Kursbesserung *f*; ~**rer** [~'re] *v/t. u. v/rfl.* s'~ (1a) (sich) verbessern, (sich) verfeinern, veredelt werden.

amen [a-, ɑ'mɛn] *m* (5a) *u. adv.* Amen *n*; F *dire* ~ *à tout* zu allem ja und amen sagen.

amenage [am'na:ʒ] *m* Zufuhr *f*.

aména|gement [amenaʒ'mɑ̃] *m* Einrichtung *f*; Einbau *m* (*von Schränken usw. in ein Zimmer*); Nutzbarmachung *f*, Sanierung *f*; ~ *des loisirs* Freizeitgestaltung *f*; ~ *du territoire* Raum-planung *f*, -politik *f*; ~ *des vacances* Ferienregelung *f*; ~ *intérieur* Raumkunst *f*; Innenausstattung *f e-s Fahrzeugs*; *le nouvel* ~ *des gares* die Umgestaltung der Bahnhöfe; ~**ger** [~'ʒe] *v/t.* (1l) bewirtschaften; einrichten; ge-

stalten; einbauen (*Schränke*); *Gegend* sanieren; *Grünflächen* anlegen; (*Wald*) nutzen; **~geur** ⚠ [~'ʒœːr] *m* Raumplaner *m*.
amendable [amɑ̃'dablə] *adj.* verbesserungsfähig (*Boden*); ⚖ besserungsfähig; straffällig.
amende [a'mɑ̃ːd] *f* **1.** Geld-, Vertragsstrafe *f*; Strafbefehl *m*; *il est défendu sous peine d'~ ...* es ist bei Strafe verboten ...; **2.** F *faire ~ honorable* öffentlich um Verzeihung bitten, öffentliche Abbitte leisten.
amen|dement [amɑ̃d'mɑ̃] *m* **1.** Besserung *f*, Bodenverbesserung *f*; Düngemittel *n*; **2.** Abänderungs-, Zusatz-antrag *m*; *proposer un ~* e-n Zusatzantrag stellen; **~der** [~'de] (1a) **I** *v/t.* **1.** (ver)bessern; ✓ düngen; **2.** Gesetz abändern; **3.** zu e-r Geldstrafe verurteilen; **II** *v/rfl.* *s'~* sich bessern.
amène [a'mɛn] *adj.* angenehm, freundlich, liebenswürdig.
amenée ⊕ [am'ne] *f* Zuleitung *f*, Zuführung *f*; ⚡ *~ de fil* Kontaktstelle *f*; *route f d'~* Zufahrtstraße *f*.
amener [~] (1d) **I** *v/t.* **1.** herbeiführen, herbringen; zuleiten, zuführen (*Wasser usw.*); *~ une mode* e-e Mode einführen; **2.** vor Gericht führen; *mandat m d'~* Vorführungsbefehl *m*; P *amène ta viande!* komm her!; **3.** zur Folge haben, nach sich ziehen; verursachen; **4.** *~ des ennuis* Ärger verursachen; **5.** *~ qch. à* etw. treiben bis zu; *~ q. à* (mit *inf.*) j-n dahin bringen, daß; **6.** *~ gros jeu* viele Augen werfen (*beim Würfeln*); **7.** Flagge streichen; *~ son pavillon* (*od. ses couleurs*) ⚔ sich ergeben; **8.** ⚔ *~ l'avant-train* aufprotzen; **II** F *v/rfl.* *s'~* (heran)kommen.
aménité [ameni'te] *f* Anmut *f*, Charme *m*; *iron.* *~s pl.* Grobheiten *f/pl.*
aménorrhée ⚕ [amenɔ're] *f* Ausbleiben *n* der Menstruation.
amenuis|ement *éc.* [amənɥiz'mɑ̃] *m* Verringerung *f*, Nachlassen *n*, Rückgang *m*; **~er** [~'ze] *v/t.* (1a) abhobeln; *fig.* *s'~* sich verringern.
amer [a'mɛːr] **I** *adj.* (7b) (*adv. nur fig.*) **1.** bitter; **2.** *fig.* stechend; beißend, beleidigend; schmerzlich; *se plaindre amèrement* sich bitter beklagen; **II** *m* **3.** Galle *f* (*meist von Fischen*); **4.** *phm.* Bittermittel *n*; Bittere(r) *m*; *prendre un ~* einen Bittren trinken.
améri|cain [ameri'kɛ̃] (7) **I** *adj.* amerikanisch; P *avoir l'œil ~* ein scharfes Auge haben; **II** ♀ *su.* Amerikaner *m*; **~caine** [~'kɛn] *f* Kalesche *f*; **~canisation** [~kanizɑ'sjɔ̃] *f* Amerikanisierung *f*; **~caniser** [~kani'ze] (1a) **I** *v/t.* amerikanisieren; **II** *v/rfl.* *s'~* amerikanische Formen (*od.* Sitten) annehmen; **~canisme** [~ka'nism] *m* Amerikanismus *m*; **~caniste** [~ka'nist] *su.* Kenner *m* Amerikas; **~cano-soviétique** [~kanɔsɔvje'tik] *adj.* amerikanisch-sowjetisch.
amérindien [amerɛ̃'djɛ̃] *adj.* (7c) der Indios Amerikas.
Amérique [ame'rik] *f*: **l'~** Amerika *n*; *l'~ latine* Lateinamerika *n*.
Amerloque * [amɛr'lɔk] *su.* Amerikaner *m*.
amerrir ✈ [amɛ'riːr] aufs Wasser niedergehen, wassern.
amerrissage ✈ [~ri'saːʒ] *m* Wassern *n*; *~ forcé* Notwasserung *f*.
amertume [amɛr'tym] *f* **1.** Bitternis *f*, Verbitterung *f*; **2.** bitterer Geschmack *m*.
améthyste [ame'tist] *f* Amethyst *m*.
amétrop|e ⚕ [ame'trɔp] *adj.* kurz- *od.* weit-sichtig, fehlsichtig; **~ie** ⚕ [~'pi] *f* Kurz- *od.* Weit-sichtigkeit *f*.
ameu|blement [amœblə'mɑ̃] *m* Möbel *n/pl.*, Möblierung *f*, Innenausstattung *f*; *~ métallique* Stahlrohrmöbel *n/pl.*; *tissu m d'~* Möbel(bezugs)stoff *m*; **~blir** [~'bliːr] *v/t.* (2a) **1.** ⚖ mobiliarisieren; **2.** ✓ *Boden* lockern; **~blissement** [~blis'mɑ̃] *m* **1.** ⚖ Mobiliarisierung *f*; **2.** ✓ Lockerung *f des Bodens*.
ameu|tement [amøt'mɑ̃] *m* **1.** *ch.* Zs.-koppeln *n*; **2.** Zs.-rottung *f*, (*Volks-*)Auflauf *m*; **~ter** [~'te] (1a) **I** *v/t.* **1.** *ch.* zusammenkoppeln; **2.** zs.-rotten; aufwiegeln; **II** *v/rfl.* *s'~* sich zs.-rotten.
ami [a'mi] **I** *su.* **1.** Freund *m*; *~ de cœur* Busenfreund *m*; *~ de collège* Schulfreund; *~ d'enfance* Jugendfreund; *~ de tout le monde* Allerweltsfreund; *~ sportif* Sportfreund *m*; *chambre f d'~s* Fremdenzimmer *n*; **2.** Liebhaber *m*; *bon ~, bonne ~e* Geliebte(r), Schatz *m*; **II** *adj.* freundlich, freundschaftlich; befreundet, verbündet; *une nation ~e* e-e befreundete Nation; *couleurs f/pl. ~es* zs.-stimmende Farben *f/pl.*
amiable [am'jablə] *adj.* □ freund(schaft)lich; *s'arranger à l'~* sich gütlich einigen; *vendre à l'~* nach gemeinsamer Absprache verkaufen.
amiante [am'jɑ̃ːt] *m* Asbest *m*.
ami|cal [ami'kal] *adj.* (5c) □ freund-

schaftlich; **~cale** [~] *f* (*Sport- od. Berufs-*) Verein *m*, Vereinigung *f*; *pol.* Gesellschaft *f*.
amict *rl.* [a'mi] *m* Achseltuch *n*.
ami|don ⚗ [ami'dɔ̃] *m* Stärke *f*, Stärkemehl *n*; **~donnage** [~dɔ-'na:ʒ] *m* Stärken *n*; **~donner** [~'ne] (1a) *v/t.* *Wäsche* stärken.
amin|cir [amɛ̃'si:r] *v/t. u. v/rfl.* s'~ (2a) dünner (*od.* schlank) machen (*od.* werden), (sich) verjüngen, (sich) verschmälern; *aminci a. adj.* verdünnt; schmal, dünn; **~cissant** [~si'sɑ̃] *m* Schlankheitsmittel *n*; **~cissement** [~sis'mɑ̃] *m* Verschmälerung *f*, Verdünnung *f*, Verjüngung *f*.
amiral [ami'ral] (5c) *m* Admiral *m*; **~at** [~'la] *m* Admiralswürde *f*.
amirauté [amiro'te] *f* Admiralität *f*.
amissib|ilité ⚖ [amisibili'te] *f* Verlierbarkeit *f*; **~le** [~'siblə] *adj.* ⚖ verlierbar.
amission ⚖ [ami'sjɔ̃] *f* Verlust *m*.
amitié [ami'tje] *f* **1.** Freundschaft *f*; *par ~* aus Freundschaft; *par ~ pour moi* mir zuliebe; **2.** (*mst. pl.*) Gefälligkeit *f*; Grüße *m/pl.*; *faites-moi l'~ de ...* seien Sie so freundlich u. ...; *présentez-lui mes ~s* empfehlen Sie mich ihm; *mes ~s à ...* grüßen Sie ...; *dites-lui mille ~s de ma part* sagen Sie ihm viele Grüße von mir; *~s!* freundlichen Gruß!
ammo|niac [ammɔ'njak] *adj.* (7i): *sel ~* Salmiak *m*; **~niacal** [~nja'kal] (5c) *adj.* ammoniakhaltig; *sels m/pl. ammoniacaux* Ammoniaksalze *n/pl.*; **~niacé** [~nja'se] ammoniumhaltig; **~niaque** [~'njak] *f* Ammoniak *n*; Salmiakgeist *m*; **~nite** [~'nit] *géol. f* Ammonshorn *n*; **~nium** [~'njɔm] *m* Ammonium *n*.
amnésie ⚕ [amne'zi] *f* Gedächtnisschwäche *f*, -schwund *m*.
amnésique ⚕ [amne'zik] *adj. u. su.* an Gedächtnisschwund leidend(er Mensch).
amnis|tie [amnis'ti] *f* Amnestie *f*; **~tier** [~s'tje] *v/t.* (1a) begnadigen, amnestieren.
amoch|é P [amɔ'ʃe] *adj.*: *être ~* e-n Knacks bekommen haben, nicht mehr hoch können; **~er** P [~] *v/t.* (1a) zerschlagen, vertrimmen P; *s'~* sich verletzen.
amo|diataire [amɔdja'tɛ:r] *m* Pächter *m*; **~diateur** [~dja'tœ:r] *m* Verpächter *m*; **~diation** [~djɑ'sjɔ̃] *f* Verpachtung *f*; **~dier** [~'dje] *v/t.* (1a) verpachten.
amoin|drir [amwɛ̃'dri:r] *v/t.*, *v/i. u. v/rfl.* s'~ (2a) kleiner machen *od.* werden, (sich) verringern, (sich) vermindern; **~drissement** [~dris-'mɑ̃] *m* Verminderung *f*, Verringerung *f*, Abnahme *f*.
amol|lir [amɔ'li:r] **I** *v/t.* (2a) erweichen, aufweichen; *fig.* verweichlichen; **II** *v/rfl.* s'~ verweichlichen; (*Mut*) nachlassen, sinken; **~lissant** [~li'sɑ̃] *adj.* (7) verweichlichend; **~lissement** [~lismɑ̃] *m* Erweichung *f*; Verweichlichung *f*; (*Mut*) Sinken *n*.
amon|celer [amɔ̃s'le] *v/t.* (1c) aufhäufen, aufschichten; **~cellement** [~sɛl'mɑ̃] *m* Anhäufung *f*; *~ de neige* Schneewehe *f*.
amont [a'mɔ̃] **I** *adv.* stromaufwärts, gegen den Strom; *allg.* oberhalb; aufwärts; *pays m d'~* Oberland *n*; *vent m d'~* Land-, Ost-wind *m*; *voyage m d'~* Bergfahrt *f*; **II** *prp. en ~ de* oberhalb von; *en ~ de Grenoble* oberhalb von G.; *l'assemblage m fait en ~ de la chaîne* die am laufenden Band vorgenommene Montage (*od.* Zusammensetzung).
amo|ral [amɔ'ral] *adj.* (5c) außerhalb des Moralbegriffs befindlich, ohne Sittlichkeitsbegriff; **~ralité** [~rali'te] *f* Nichtvorhandensein *n* des Sittlichkeitsbegriffs.
amorçage [amɔr'sa:ʒ] *m* Ködern *n*; Erregen *n e-r Elektrisiermaschine*; ⊕ Anbohren *n*; ⚔ Aufsetzen *n* des Zündhütchens.
amorce [a'mɔrs] *f* **1.** Köder *m*; **2.** *fig.* Verlockung *f*; *se laisser prendre à l'~* darauf hereinfallen; **3.** Zündhütchen *n*, Zünder *m*; ⚔ *~ à retardement* Zeitzündung *f*; **4.** *fig.* Beginn *m*, Anfang *m*; Anfangsstück *n e-r Arbeit*; Anhaltspunkt *m*.
amor|cer [amɔr'se] (1k) **I.** *v/t.* **1.** ködern; *~ une ligne* e-n Köder an die Angel stecken; **2.** *fig.* ködern, anziehen, anlocken; **3.** mit Zündpulver versehen; scharf machen; **4.** (*Arbeit*) anfangen; in Gang bringen, einleiten; *auf etw.* einstellen, vorbereiten; ✈ *~ la descente en piqué* zum Sturzflug ansetzen; *~ une contre-propagande* e-e Gegenpropaganda ins Werk setzen; ⚗ *~ une réaction* e-e Reaktion einleiten; ⊕ *~ une pompe* e-e Pumpe zum Ansaugen bringen; *~ le forage* an-, vorbohren; *~ une rue* den Durchbruch einer (neuen) Straße vornehmen; **II** *v/rfl.* s'~ in Gang kommen, entstehen; *s'~ à* führen zu (*dat.*; *Straße, Rampe*); **~cette** [~'sɛt] *f* Zünd-

hütchentasche *f*; **~ceur** [~'sœːr] *su.* (7g): *les ~s du trafic* die Pioniere *m/pl.* des Handels; **~çoir** [~'swaːr] *m* **1.** Vorbohrer *m*; **2.** Zündhütchenkapsel *f*.

amorisation *phil.* [amɔrizɑ'sjɔ̃] *f* Entfachung *f* der Liebe.

amor|phe 🕮 [a'mɔrf] *adj.* gestaltlos; **~phisme** [~'fism] *m* Gestaltlosigkeit *f*.

amor|tir [amɔr'tiːr] (2a) **I** *v/t.* **1.** abschwächen (*a. fig.*), aufhalten, dämpfen; ⊕ durch Abfederung *vor Stößen* schützen; *Auto*: *~ les chocs* (*od. les cahots*) Stöße (ab)federn; ⚡ *~ une impulsion* e-n Impuls bremsen; **2.** *Leidenschaft*: ertöten; **3.** ⚕ *Schulden*: amortisieren, tilgen, abschreiben; **4.** abtragen (*Kleidung*); **5.** *~ la viande* Fleisch abbrühen, weich kochen; **II** *v/rfl.* s'~ sich legen, nachlassen, erlahmen, verlöschen; aufgefangen werden (*Stoß*); **~tissable** ⚕ [~ti'sablə] *adj.* tilgbar; **~tissement** [~tis'mɑ̃] *m* **1.** ⚕ Amortisation *f*, Abschreibung *f*, Tilgung *f*; *mot.*, *rad.* Dämpfung *f*; *Auto*: *~ des chocs od. des cahots* Abfederung *f*; **2.** △ Schlußbau *m*, Krönung *f*; **3.** Festsitzen *n e-s Schiffes*; **~tisseur** [~ti'sœːr] *m* Dämpfer *m*; Schwingungsdämpfer *m*; *bsd. Auto*: Steuerungsdämpfer *m*; ⊕ *~ de choc* Stoßfänger *m*, *bsd. Auto*: Stoßstange *f*; ⊕ *~ en caoutchouc* Gummipuffer *m*; *~ de bruits* Schalldämpfer *m*, Schallbekämpfungsmittel *n*, Schallverzehrer *m*; *~ hydraulique* Öldämpfer *m* (*Motorradfederung*).

amour [a'muːr] **I** *m* **1.** Liebe *f*; *~ de Dieu* Liebe *f* zu Gott; Liebe *f* Gottes; *pour l'~ de Dieu* völlig uneigennützig; *~ de soi (-même)* Eigenliebe *f*; *pour l'~ de nous* uns zuliebe; *~ maternel* Mutterliebe *f*; *~ filial* Kindesliebe *f*; **2.** *fig.* Sucht *f*; *~ de l'effet* Effekthascherei *f*; **3.** Geliebte(r) *m*, Liebling *m*; *mon ~* mein Schatz; **II** *~s f/pl.*, *jedoch heute oft m/pl.*: **4.** Leidenschaft *f* (*der Liebe*); *on revient toujours à ses premières ~s* alte Liebe rostet nicht; **5.** Liebschaften *f/pl.*, Zärtlichkeiten *f/pl.*; **6.** geliebter Gegenstand *m*; *fig.* Steckenpferd *n*, Liebhaberei *f*; **III** 2 *m* **7.** Amor *m*, Kupido *m*, Liebesgott *m*; *fig. un ~ d'enfant* ein allerliebstes Kind; **8.** Amorette *f*.

amour|acher [amura'ʃe] *v/t.* (1a) sehr verliebt machen; *être amouraché de ...* vernarrt sein in ... (*acc.*); s'~ sich verlieben (*de* in *acc.*); **~ette** [~'rɛt] *f* **1.** Liebelei *f*; Liebeshandel *m*; **2.** P Maiglöckchen *n*; Zittergras *n*; **~eux** [~'rø] (7d) **I** *adj.* **1.** (*de q.*) verliebt (in j-n); *message m ~* Liebesbrief *m*; *vie f amoureuse des animaux* Liebesleben *n* der Tiere; **2.** *~ (de qc.)* eingenommen (für etw.), versessen (auf etw.); *~ de la gloire* ruhmsüchtig; **3.** weich; *drap m ~* sich weich anfühlendes Tuch *n*; *papier m ~* saugfähiges Papier *n*; *pinceau m ~* weicher Pinsel *m*; **II** *su.* Verliebte(r) *m*; Liebhaber *m*.

amour-propre [amur'prɔprə] *m* Eigenstolz *m*, Selbstachtung *f*.

amo|vibilité [amɔvibili'te] *f* Absetzbarkeit *f* (*e-s Beamten*); **~vible** ⊕ [~'viblə] *adj.* abnehmbar; verstellbar; auswechselbar; einsteckbar; *Beamter*: absetzbar.

ampérage ⚡ [ɑ̃pe'raːʒ] *m* Stromstärke *f*, Amperezahl *f*.

ampère [ɑ̃'pɛːr] *m* Ampere *n*; **~-heure** [ɑ̃pɛ'rœːr] *m* (6a) Amperestunde *f*; **~-mètre** [~'mɛtrə] *m* Strommesser *m*; **~métrographe** [~mɛtrɔ'graf] *m* selbstschreibendes Amperemeter *n*.

amphi *abr.* [ɑ̃'fi] *m* Amphitheater *n*.

amphi|bie [ɑ̃fi'bi] **I** *adj.* (*nach su.*) doppellebig (*sowohl im Wasser als auf dem Lande*); *avion m ~* Amphibienflugzeug *n*; *opération f militaire ~* militärische Operation *f* zu Wasser u. zu Lande; **II** *m* Amphibie *f*; Amphibienflugzeug *n*; *fig.* Zwitterwesen *n*; *typ.* Schweizerdegen *m*; **~bien** [~'bjɛ̃] *adj.* (7c) amphibisch (*a. S.*); **~bole** *min.* [~'bɔl] *f* Hornblende *f*; **~bologie** [~bɔlɔ'ʒi] *f* Zweideutigkeit *f*; zweideutige Redensart *f*; **~bologique** [~bɔlɔ'ʒik] *adj.* zweideutig; **~gouri** [ɑ̃figu'ri] *m* Unsinn *m*; verworrenes Geschreibsel *n*; **~gourique** [~'rik] *adj.* □ verworren; schwülstig, unklar; **~théâtre** [~te'ɑːtrə] *m* Amphitheater *n*; Hörsal *m* (*Universität*).

amphitryon [~tri'ɔ̃] *m* Gastgeber *m*.

amphore [ɑ̃'fɔːr] *f* Amphore *f*, zweihenkliges Gefäß *n*.

ample ['ɑ̃ːplə] *adj.* weit, geräumig; *fig.* weitläufig, ausführlich; reichlich; umfassend; *de plus ~s renseignements m/pl.* weitere Auskünfte *f/pl*.

ampleur [ɑ̃'plœːr] *f* Weite *f*, Breite *f*; Größe *f*, Umfang *m*; Geräumigkeit *f*; *fig.* Weitläufigkeit *f*; *~ du son*, *~ du ton* Klangfülle *f*; *~ de vues* Weitsicht *f fig*.

ampli *rad.* [ɑ̃'pli] *m* Verstärker *m*.

amplia|tif [ɑ̃plia'tif] **I** *adj.* (7e) erweiternd; sinnverstärkend; **II** ⚖ *m* beglaubigte Abschrift *f*; **~tion** [~ɑ'sjɔ̃] ⚖ *f* **1.** Erweiterung *f*; **2.** ⚖ beglaubigte Abschrift *f*.

ampli|fiant [~'fjɑ̃] *adj.* (7) vergrößernd; **~ficateur** [~fika'tœːr] **I** *su. u. adj.* (7f) *m mv.p.* **1.** Übertreiber *m*, Aufschneider *m*; **II** *m* **2.** *phot.* Vergrößerungsapparat *m*; **3.** *rad.* Verstärker *m*; *lampe amplificatrice* Verstärkerröhre *f*; *~ à (deux) lampes* (Zwei-)Röhrenverstärker *m*; ⚡ *~ de haute (basse) fréquence* Hoch- (Nieder-)frequenzverstärker *m*; **~ficatif** [~'tif] *adj.* (7e) vergrößernd; **~fication** [~kɑ'sjɔ̃] *f* Erweiterung *f*; weitläufige Ausführung *f*, Übertreibung *f*; Vergrößerung *f*, *a. rad.* Verstärkung *f*; ⚕ *~ du foie* Leberanschwellung *f*; ⚡ *~ de (od. en) haute (basse) fréquence* Hoch- (Nieder-)frequenzverstärkung *f*; *~ par résistance(s)* Widerstandsverstärkung *f*; **~fier** [~'fje] *v/t.* (1a) erweitern, vergrößern; *Gedanken* ausspinnen; übertreiben, aufschneiden; *rad.* verstärken; **~tude** [ɑ̃pli'tyd] *f* Umfang *m*; Weite *f*; *a. rad.* Schwingungsweite *f*; Bogenweite *f e-s Geschosses*; *~ magnétique* Abweichungswinkel *m* der Magnetnadel; *télév. tourner au contrôle de l'~ de l'image* den Bildbreitenregler (*bzw.* Bildhöhenregler) nachstellen.

ampou|le [ɑ̃'pul] *f* **1.** Ampulle *f*, weitbauchiges Fläschchen *n*; **2.** elektrische Birne *f*; *~ à incandescence* Glühbirne *f*; **3.** *Auto*: Lampe *f*; *~ de stationnement* Positionslampe *f*; *~ de feu arrière* Rücklichtlampe *f*; **4.** ⚕ Ampulle *f*; Wasserblase *f*; ⚗ Ballon *m*, Röhre *f*, Blase *f*; *~ de verre* Glasbehälter *m*; *~ pour rayons* Röntgenröhre *f*; **5.** ⚕ Hitzblatter *f*, Wasserbläschen *n*; **~lé** [~'le] *adj.* blasenartig; *fig.* schwülstig (*Stil*); *une formule ~e* e-e bombastische *od.* hochtrabende Formulierung *f*.

ampu|tation ⚕ [ɑ̃pytɑ'sjɔ̃] *f* Abnahme *f* eines Gliedes, Amputation *f*; **~té** [~'te] *su.* Amputierte(r) *m*, Krüppel *m*; **~ter** [~'te] *v/t.* (1a) amputieren, abnehmen.

amulette [amy'lɛt] *f* Amulett *n*.

amu|re [a'myːr] *f* (*meist ~s pl.*) Halse *f*, (*pl.* Halsen [*Taue der Segel*]); **~rer** [~'re] *v/t.* (1a) die Halsen zusetzen (*die Segel vor den Wind stellen*).

amu|sable [amy'zablə] *adj.* leicht zu unterhalten, unterhaltbar; **~sant** [~'zɑ̃] *adj.* (7) unterhaltend; belustigend, lustig, drollig; **~sement** [~z'mɑ̃] *m* Unterhaltung *f*; Belustigung *f*; Zeitvertreib *m*; **~ser** [~'ze] (1a) **I** *v/t.* **1.** unterhalten, belustigen; *fig. ~ sa douleur* seinen Schmerz zu lindern suchen; *~ le tapis* reden um zu reden, leeres Stroh dreschen; **2.** aufhalten, ablenken; *~ l'ennemi* den Feind hinhalten; *~ q. par de belles paroles* j-n vertrösten; **II** *v/rfl.* *s'~* sich amüsieren, sich unterhalten; s-e Zeit vertrödeln; *s'~ de qch.* sich an et. (*dat.*) ergötzen; *s'~ à faire qch.* sich mit et. die Zeit vertreiben; *s'~ de q.* sich über j-n lustig machen; **~sette** [~'zɛt] *f* Zeitvertreib *m*; **~seur** [~'zœːr] *m* Spaßmacher *m*, Witzbold *m*.

amyg|dale [amig'dal] *f* (*meist ~s pl.*) *anat.* Halsdrüse *f*, Mandel *f*; **~dalite** ⚕ [~'lit] *f* Mandelentzündung *f*.

amylacé [amila'se] *adj.* stärkehaltig.

an [ɑ̃] *m* Jahr *n*; *avoir quatre ~s, être âgé de quatre ~s* vier Jahre alt sein; *il y a un ~* vor e-m Jahr; *par ~* jährlich; *tous les deux ~s* alle zwei Jahre; *l'~ dernier* voriges Jahr; *l'~ prochain* nächstes Jahr; *dans un ~* in e-m Jahr; *le jour de l'~, le nouvel ~* der Neujahrstag *m*, Neujahr *n*; *bon ~, mal ~* jahraus, jahrein, im Jahresdurchschnitt; *pour ses vieux ~s* für sein hohes Alter.

ana [a'na] *m* (*pl. ~*) Anekdotensammlung *f*, Aphorismen *m/pl.*

anabap|tisme [anaba'tism] *m rl.* Lehre *f* der Wiedertäufer; **~tiste** [~'tist] *su. rl.* Wiedertäufer.

anabolisant ⚕ [~bɔli'zɑ̃] *m* (*a. adj.*) Anabolicum *n* (*Dopingmittel*).

ana|chorète [~kɔ'rɛt] *su.* Einsiedler *m*; **~chronique** [~krɔ'nik] *adj.* anachronisch; **~chronisme** [~krɔ'nism] *m* Anachronismus *m*, Verstoß *m* gegen die Zeitrechnung; **~coluthe** *gr.* [~kɔ'lyt] *f* Satzverkürzung *f*.

ana|crouse ♪ [ana'kruːz] *f* Auftakt *m*; **~érobie** ❀, *zo.* [~erɔ'bi] *adj.* ohne Sauerstoff lebend; **~glyphe** *a. phot.* [~'glif] *m* Anaglyphe *f*, halberhabene Arbeit *f*, stereoskopisches Bild *n*; *cin.* plastische Wiedergabe *f*; **~gramme** [~'gram] *f* Anagramm *n*, Buchstabenspiel *n*.

anal 🕮 [a'nal] *adj.* (5c) Steiß...

analep|sie [~lɛp'si] *f* Erholung *f nach e-r Krankheit*; **~tique** [~'tik] *adj.* □ *u. m* stärkend(es Mittel *n*).
anal|gie [anal'ʒi] *f* Unempfindlichkeit *f*; **~gésique** *u.* **~gique** [~ʒe'zik, ~'ʒik] *adj. u. m* schmerzstillend(es Mittel *n*).
analo|gie [analɔ'ʒi] *f* Analogie *f*, Ähnlichkeit *f*, Übereinstimmung *f*; **~gique** [~'ʒik] *adj.* □ analogistisch; **~gisme** [~'ʒism] *m* Analogismus *m*, Ähnlichkeitsschluß *m*.
analogue [ana'lɔg] **I** *adj.* analog, ähnlich, entsprechend; **II** *m* Ähnliches *n*, Entsprechendes *n*.
analphabète [analfa'bɛt] *m* Analphabet *m*. [Analphabetentum *n*.]
analphabétisme [analfabe'tism] *m*
ana|lyse [ana'li:z] *f* **1.** Analyse *f*, Zerlegung *f*, Zergliederung *f*, Untersuchung *f*; *~ du sang* (*d'urine*) Blut- (Harn-)untersuchung *f*; *~ d'un* (*od. du od. des*) *texte(s)* Textanalyse *f*; ✝ *~ du* (*od. des*) *marché(s)* Markt-, Konjunktur-forschung *f*; *télév. ~ d'une image télévisée en éléments* Zerlegung *f* e-s Fernsehbildes in s-e Elemente; *télév. ~ simple* (*entrelacée*) einfache (verflochtene) Bildauflösung *f*; **2.** ⅄ Analysis *f*; **3.** *advt. en dernière ~* alles in allem genommen; letzten Endes; **~lyser** [~li'ze] *v/t.* (1a) analysieren, zergliedern; untersuchen; **~lyste** [~'list] *m* Analytiker *m*; *inform.*: Systemanalytiker *m*; **~lytique** [~li'tik] *adj.* □ analytisch, zergliedernd; *esprit m ~ fig.* kritischer Kopf.
anamorphose [~mɔr'fo:z] *f* Vexierbild *n*, künstliches Zerrbild *n*.
ananas ⚘ [~'na] *m* **1.** Ananas *f*; **2.** *fraise f ~* Ananaserdbeere *f*.
anar P [a'na:r] *m* Anarchist *m*.
anar|chie [anar'ʃi] *f* Anarchie *f*; **~chique** [~'ʃik] *adj.* anarchisch; **~chisme** [~'ʃism] *m* Anarchismus *m*; **~chiste** [~'ʃist] *adj. u. su.* anarchistisch; Anarchist *m*; **~cho** * [~'ʃo] *m* Anarchist *m*.
ana|stigmate, ~stigmatique ⚕ [anastig'mat, ~ma'tik] *adj.* anastigmatisch; **~strophe** [~'strɔf] *f* Wortversetzung *f*; **~thématiser** [~temati'ze] *v/t.* (1a) in den Kirchenbann tun; verfluchen; **~thème** [~'tɛm] **I** *m* Bannfluch *m*, Kirchenbann *m*; *fig.* Verwünschung *f*; **II** *su.* ein mit dem Kirchenbann Belegter; **~tidés** *zo.* [~ti'de] *m/pl.* Entenvögel *m/pl.*; **~tife** [~'tif] *m* Entenmuschel *f*.
anato|mie [~tɔ'mi] *f* Anatomie *f*; Zergliederung *f* eines Körpers; *fig.* sorgfältige Untersuchung *f*; *~ comparée* vergleichende Anatomie; *pièce f d'~* anatomisches Präparat *n*; *cabinet m d'~* anatomisches Museum *n*; **~mique** [~'mik] *adj.* □ anatomisch; **~miser** [~mi'ze] *v/t.* (1a) anatomieren; **~miste** [~'mist] *su.* Anatom *m*; **~xine** [~tɔk'sin] *f* immunisierendes Toxin *n*.
ancestral [ɑ̃sɛs'tral] *adj.* (5c) den Vorfahren angehörig, uralt.
ancetres [ɑ̃'sɛ:trə] *su./pl.* Ahnen *m/pl.*, Vorfahren *m/pl.*
anche [ɑ̃:ʃ] *f* Mundstück *n* (*bzw.* Zunge *f*) an Blasinstrumenten.
anchois [ɑ̃'ʃwa] *m* Anchovis *f*, Sardelle *f*.
ancien [ɑ̃'sjɛ̃] **I** *adj.* (7c) **1.** alt, vor langer Zeit bestehend; *dans l'~ Paris* in Alt-Paris; *les langues ~nes* die alten Sprachen; *l'♀ Testament* das Alte Testament; **2.** ehemalig; *~ne maison* vormals, frühere Firma *f*; **3.** *~nement adv.* vor alters, ehemals; **II** *m* **4.** der Alte; *les ~s*: die Alten, unsere Vorfahren; ⚔ die alten Mannschaften; die Kirchenältesten; **5.** *conseil m des ♀s* Rat *m* der Ältesten; **6.** Vordermann *m*, älterer Kollege *m*; *il est mon ~* er ist länger im Dienst als ich; *le plus ~ en grade* der Dienstälteste; **~neté** [~ɛn'te] *f* **1.** (hohes) Alter (*v. Gegenständen, Einrichtungen, abstrakten Begriffen, nicht von lebenden Wesen*) *n*; Altertum *n*; **2.** Dienst-, Amts-alter *n*.
ancolie ⚘ [ɑ̃kɔ'li] *f* Akelei *f*.
ancrage ⊕ [ɑ̃'kra:ʒ] *m* Spannen *n*; ⚓, ✈, *fig.* Verankerung *f*.
ancre ['ɑ̃:krə] *f* Anker *m*; *jeter l'~* vor Anker gehen; *être à l'~* vor Anker liegen; *lever l'~* den Anker lichten; *fig. ~ de salut* Rettungsanker *m*, letzte Hoffnung *f*.
ancrer [ɑ̃'kre] (1a) **I** *v/i.* ankern; **II** *v/t.* verankern; *fig.* befestigen; *~ q. à q.* (*od. à. qch.*) j-n an j-n (*od.* an etw.) binden; **III** *v/rfl. s'~* sich festankern, sich festsetzen.
andain [ɑ̃'dɛ̃] *m* Schwaden *m*, Sensenhieb *m*.
andouil|le [ɑ̃'duj] *f* **1.** Schlackwurst *f*; *~ fumée* Mettwurst *f*; *brouet m d'~* Wurstsuppe *f*; **2.** P schlapper Kerl *m*, Waschlappen *m* F, Schlappschwanz *m* F; Dummkopf *m*; *dépendeur m d'~* langer Laban *m*, Bohnenstange *f* (*fig.*); **~ler** [ɑ̃du'je] *m* Sprosse *f* am Hirschgeweih; **~lette** [~'jɛt] *f* kleine Wurst *f*.

andro|gyne [ɑ̃drɔ'ʒin] *adj. u. m* Zwitter(...); **~gynie** *f*, **~gynisme** *m* [~ʒi'ni, ~'nism] Zwitterbildung *f*; **~ïde** [ɑ̃drɔ'id] *m* Drahtpuppe *f*, Marionette *f*; **~lâtrie** [~lɑ'tri] *f* Vergötterung *f*; **~mane** [~'man] *adj.* mannstoll; **~manie** [~ma'ni] *f* Mannstollheit *f*; **~phobe** [~'fɔb] *adj.* männerscheu; **~phobie** [~fɔ'bi] *f* Männerscheu *f*.

âne [ɑ:n] *m* **1.** Esel *m*; *~ rayé* Zebra *n*; **2.** *fig.* Dummkopf *m*; *pont m aux ~s* Eselsbrücke *f*; *c'est le pont aux ~s* das ist kinderleicht; *coup m de pied de l'~* Eselsfußtritt *m*; **3.** *en dos d'~* scharf gewölbt; **4.** *Art* Schraubstock *m*; s. *coq-à-l'âne*.

anéan|tir [aneɑ̃'ti:r] (2a) **I** *v/t.* **1.** vernichten, zerstören, ausrotten; zunichte machen; endgültig beseitigen; ⚔ aufreiben, niederkämpfen; **2.** *fig.* bestürzt machen, entkräften; **II** *v/rfl.* *s'~* **3.** in das Nichts zurücksinken, sich verzehren, sich demütigen; **~tissement** [~tis'mɑ̃] *m* Vernichtung *f*, Ausrottung *f*, endgültige Beseitigung *f*, Zerstörung *f*; gänzlicher Verfall; Zerknirschung *f*; äußerste Entkräftung; ⚔ völlige Aufreibung *f*, Zerschlagen *n*.

anec|dote [anɛk'dɔt] *f* Anekdote *f*; **~dotier** [~dɔ'tje] (7b) *su.* Anekdotenerzähler *m*; **~dotique** [~dɔ'tik] *adj.* anekdotisch; **~dotiser** [~dɔti'ze] *v/i.* Anekdoten erzählen *od.* sammeln.

ânée [ɑ'ne] *f* Eselslast *f*.

ané|mie [ane'mi] *f* Anämie *f*, Blutarmut *f*; **~mier** [~'mje] *v/t.* (1a) blutarm machen; **~mique** [~'mik] *adj.* blutarm, anämisch.

anémomètre [anemɔ'mɛtrə] *m* Windmesser *m*.

anémone [ane'mɔn] *f* Anemone *f*.

anencéphalie ⚕ [anɑ̃sefa'li] *f* Anencephalitis *f*, Hirnmißbildung *f*.

ânerie [ɑn'ri] *f* Eselei *f*.

anéroïde [anerɔ'id] *adj.*: *baromètre m ~* Aneroidbarometer *n od. m*.

anervie [anɛr'vi] *f* Nervenschwäche *f*.

ânesse [ɑ'nɛs] *f* Eselin *f*.

anesthé|siant ⚕ [anɛste'zjɑ̃] *m* Betäubungsmittel *n*; **~sie** [~te'zi] *f* Anästhesie *f*, Narkose *f*, Unempfindlichkeit *f*; **~sier** ⚕ [~'zje] *v/t.* (1a) betäuben, unempfindlich machen; **~sique** ⚕ [~'zik] *adj. u. m* anästhesierend, gefühllos machend, betäubend(es Mittel).

anet(h) ⚘ [a'nɛt] *m* Dill *m*.

anévrisme [ane'vrism] *m* Pulsadergeschwulst *f*, Aneurisma *n*; *~ du cœur* Herzerweiterung *f*; *rupture f d'un ~* Herzschlag *m*.

anfrac|tueux [ɑ̃frak'tɥø] *adj.* (1d) uneben, holprig; **~tuosité** [~tɥozi'te] *f* **1.** Aushöhlung *f*, Vertiefung *f*, Unebenheit *f*; **2.** *anat.* Vertiefung *f*; *~s cérébrales* Gehirnfalten *f/pl.*

ange [ɑ̃:ʒ] *m* **1.** Engel *m*; *~ joufflu* Posaunenengel; *~ déchu* gefallener Engel; *~ exterminateur* Würgengel; *~ gardien od. tutélaire* Schutzengel; *~ du mal* böser Engel; **2.** *fig.* Engel *m* (*Person*); **3.** *fig. être aux ~s* im siebenten Himmel sein, selig sein; **4.** *icht.* *~ (de mer)* Meerengel *m*.

angé|lique [ɑ̃ʒe'lik] **I** *adj.* engelhaft, himmlisch; Engels...; **II** ⚘ *f* Engelwurz *f*; **~lolâtrie** [~lɔlɑ'tri] *f* Engelverehrung *f*.

angelot [ɑ̃ʒ'lo] *m* **1.** Engelchen *n*; **2.** *icht.* Meerengel *m*; **3.** Engelstaler *m*.

angélus [ɑ̃ʒe'lys] *m* **1.** Abendgeläut *n*; **2.** Engelsgruß *m* (*Gebet*).

angevin [ɑ̃ʒ'vɛ̃] *adj. u.* ♀ *su.* (7) (Einwohner) von Angers *od.* Anjou.

angine ⚕ [ɑ̃'ʒin] *f* Angina *f*; *~ de poitrine* Angina *f* pectoris.

angio|graphie ⚕ [ɑ̃ʒjɔgra'fi] *f* Arteriographie *f*; **~logie** 🕮 [ɑ̃ʒjɔlɔ'ʒi] *f* Lehre *f* von den Blutgefäßen.

angiome ⚕ [ɑ̃'ʒjo:m] *m* Angiom *n*, Gefäßgeschwulst *f*.

angiosperme ⚘ [ɑ̃ʒjɔ'spɛrm] *f* Pflanze mit abgesonderten Samenkapseln.

angite ⚕ [ɑ̃'ʒit] *f* Gefäßentzündung *f*.

anglais [ɑ̃'glɛ] (7) **I** *adj.* **1.** englisch; *métal ~* Britanniametall *n*; *advt. à l'~e* nach englischer Art; *filer à l'~e* sich heimlich davonmachen, sich drücken; **II** *su.* **2.** ♀ Engländer (*Einwohner*); **3.** *m* englische Sprache *f*; **~e** [ɑ̃'glɛz] *f* Anglaise *f* (*Tanz*); *~s pl.* Schmacht-, Schillerlocken *f/pl.*

anglaiser [ɑ̃glɛ'ze] *v/t.* (1b) englisieren, *den Pferdeschwanz* stutzen.

angle ['ɑ̃:glə] *m* Winkel *m*; *~s adjacents* Nebenwinkel *m/pl.*; *~ aigu* spitzer Winkel; *~s alternes* Wechselwinkel *m/pl.*; *~s complémentaires* Ergänzungswinkel *m/pl.*; *~s correspondants* Gegenwinkel *m/pl.*; *~ droit* rechter Winkel; *~s externes* Außenwinkel *m/pl.*; *~ inscrit* einbeschriebener Winkel; *~ interne* Innenwinkel; *~ obtus* stumpfer Winkel; *~s supplémentaires* Nebenwinkel *m/pl.*; ~ *visuel* Sehwinkel *m*; *Auto*: ~ *de braquage* Einschlagwinkel *m der Vorderräder*, Wendigkeit *f*; ⚔ ~ *de tir (de dérivation)* Schuß(abweichungs)winkel *m*.

angledozer ⊕ [ɑ̃glədɔ'zœ:r] *m* Winkelräumpflug *m*.

angler ⊕ [ɑ̃'gle] (1a) ab-, auswinkeln.

Angleterre [ɑ̃glə'tɛ:r] *f*: **l'~** England *n*.

angliche P [ɑ̃'gliʃ] *adj. u.* ♀ *su.* englisch; Tommy *m*, Engländer(in *f*) *m*.

angli|ciser [ɑ̃glisi'ze] (1a) **I** *v/t.* englisieren, e-e englische Wortform prägen aus, englisch kleiden *usw.*; **II** *v/rfl.* *s'~* sich anglisieren, englische Manieren annehmen; **~cisme** [~'sism] *m* Anglizismus *m*, englische Spracheigentümlichkeit *f*.

anglo|-arabe [ɑ̃glɔa'rab] **I** *adj.* englisch-arabisch; **II** *m* Vollblutpferd *n*; **~-français** [~frɑ̃'sɛ] *adj.* (7) englisch-französisch; **~mane** [~'man] *adj. u. su.* englisches Wesen nachäffend; verblendeter Bewunderer *m* Englands; **~manie** [~ma'ni] *f* übertriebene Vorliebe *f* für England, für die englische Sprache; **~-normand** [~nɔr'mɑ̃] *adj. u. su.* (7) anglo-normannisch; Anglonormanne; **~phile** [~'fil] *adj. u. su.* englandfreundlich; Engländerfreund *m*; **~philie** *mst. mv.p.* [~fi'li] *f* Anglomanie *f*; Vorliebe *f* für die Engländer u. für englisches Wesen; **~phobe** [~'fɔb] *adj. u. su.* englandfeindlich; Engländerfeind *m*; **~phobie** [~fɔ'bi] *f* Abneigung *f* gegen die Engländer; **~phone** [~'fo:n] *adj.* englisch sprechend; **~saxon** [~sak'sɔ̃] *adj. u.* ♀ *su.* (7c) angelsächsisch; Angelsachse *m*.

angois|se [ɑ̃'gwas] *f* **1.** (Herzens-)Angst *f*, Bangigkeit *f*; *se consumer en ~s* sich abängstigen; **2.** Todesqual *f*, -angst *f*, -pein *f*; **3.** *poire f d'~* herbe Birne; *fig.* Knebel *m*; *fig. avaler des poires d'~* manche bittere Pille schlucken müssen; **~ser** [ɑ̃gwa'se] *v/t.* (1a) ängstigen; *fig.* peinigen.

anguillade [ɑ̃gi'jad] *f* Peitsche *f* aus Aalhaut; Schlag *m* damit (*auch mit e-m zs.-gedrehten Taschentuch*).

anguille [ɑ̃'gij] *f* Aal *m*; ~ *de mer* Seeaal *m*; ~ *électrique od. trembleuse* Zitteraal *m*; ~ *fumée* Spickaal *m*; *fig. il y a ~ sous roche* hier ist etw. nicht geheuer, hier ist etw. im Gange, hier steckt etw. dahinter.

anguil|lière [ɑ̃gi'jɛ:r] *f* Aal-teich *m*, -kasten *m*, -wehr *n*; **~lule** *zo.* [~'jyl] *f* Fadenwurm *m*.

angu|laire [ɑ̃gy'lɛ:r] *adj.* □ eckig, wink(e)lig; *dents f/pl. ~s* Eckzähne *m/pl.*; *pierre f ~* Eckstein *m* (*a. fig.*); **~lé** [~'le] *adj.* wink(e)lig, kantig, eckig; **~leux** [~'lø] *adj.* (7d) eckig, wink(e)lig, kantig; *aux mouvements ~* mit schwerfälligen Bewegungen.

anhé|lation [anelɑ'sjɔ̃] *f* Keuchen *n*, Kurzatmigkeit *f*; **~ler** [~'le] (1f) **I** *v/i.* kurz atmen, keuchen; **II** *v/t.* *Glasbläserei*: das Feuer schüren; **~leux** [~'lø] *adj.* (7d) kurzatmig.

anhistorique [anistɔ'rik] *adj.* ahistorisch, ungeschichtlich.

anhydre ⚗ [a'nidrə] *adj.* wasserfrei.

anicroche F [ani'krɔʃ] *f* Hindernis *n*, Haken *m* F; *il y a une ~* die Sache hat e-n Haken; *sans ~* unverdrossen.

ânier [ɑ'nje] *su.* (7b) Eseltreiber.

anil [a'nil] *m* Indigopflanze *f*.

aniline [ani'lin] *f* Anilin *n*.

animadversion [animadvɛr'sjɔ̃] *f* Mißbilligung *f*, Tadel *m*.

animal [ani'mal] (5e) **I** *m* **1.** Tier *n*; ~ *domestique* Haustier *n*; ~ *à fourrure* Pelztier *n*; ~ *de trait* Zugtier *n*; ~ *de selle* Reittier *n*; *l'homme est un ~ raisonnable* der Mensch ist ein vernunftbegabtes Lebewesen; **2.** Lebewesen *n*; ~ *raisonnable* vernunftbegabtes Wesen *n*: **3.** *fig. péj.* Trampel *m*, Rindvieh *n*, Kamel *n*, Idiot *m*; (*quel*) *~! od. espèce d'~!* (ist das ein) Rindvieh!; *c'est un ~ qui me déplaît* das ist ein Trampel, den ich nicht leiden kann; **II** *adj.* tierisch; *nourriture ~e* Fleischnahrung *f*; *règne ~* Tierreich *n*; *fig. esprits m/pl. animaux* Lebensgeister *m/pl.*

animal|cule *zo.* [animal'kyl] *m* mikroskopisch kleines Tierchen *n*, Infusorie *f*; **~erie** [~l'ri] *f* Tiergehege *n* für Versuchstiere; **~ier** [~'lje] *m* Tier-maler *m*, -bildhauer *m* (*auch adj.*: *sculpteur ~*), -photograph *m* (*auch adj.*: *photographe m ~*); **~isation** [~liza'sjɔ̃] *f* Umwandlung *f* in tierischen Stoff, *fig.* Vertierung *f*; **~iser** [~'ze] *v/t. u.* **s'~** (1a) (sich) in tierischen Stoff umwandeln; *fig.* vertieren; **~ité** [~'te] *f* Tiernatur *f*, tierisches Wesen *n*.

anima|teur [anima'tœ:r] *adj., a. su.* (7f) belebend, beseelend; Lebenserreger *m*; *cin.* Zeichner *m* belebter Zwischenszenen; *allg.* Stimmungsmacher *m*, Conférencier *m*; Quizmaster *m*; treibende Kraft *f*, Initiator *m*, Förderer *m*, Seele *f fig.*; **~tion** [~mɑˈsjɔ̃] *f* Beseelung *f*; Belebung *f*; Aufmunterung *f*, Anregung *f*; *cin.* Herstellung *f* von Zeichentrickfilmen; *fig.* Lebhaftigkeit *f*; (starker) Straßenverkehr *m*, Betrieb *m*, Leben *n*.

animé [aniˈme] *adj.* belebt, lebendig; *fig.* lebhaft, belebt, rege, verkehrsreich; beweglich (*Spielzeug*); *être ~ d'une idée* von e-m Gedanken beseelt (*od.* erfüllt *od.* erfaßt) sein; *cin. dessins m/pl. ~s* Zeichenfilm *m/sg.*

animer [aniˈme] (1a) **I** *v/t.* **1.** Seele (*od.* Leben) einhauchen, beleben, beseelen; durchdringen; **2.** *j-s* Lebhaftigkeit erhöhen, *j-n* anfeuern, erregen; **3.** *fig. ~ la conversation* die Unterhaltung beleben; **II** *v/rfl. s'~* Leben bekommen, lebhaft werden.

animis|me *phil.* [aniˈmism] *m* Animismus *m*; **~te** [~ˈmist] *adj. u. su.* animistisch; Animist *m*.

animosité [animoziˈte] *f* Animosität *f*, Erregtheit *f*, Heftigkeit *f*; Gereiztheit *f*, Groll *m*, Haß *m*; Hader *m*, Zwist *m*, Feindseligkeit *f*.

anis [aˈni] *m* Anis *m*.

ani|ser [aniˈze] *v/t.* (1a) mit Anis würzen; **~sette** [~ˈzɛt] *f* Anislikör *m*.

anky|lose ⚕ [ɑ̃kiˈloːz] *f* Gelenkversteifung *f*; **~loser** [~loˈze] (1a) **I** *v/t. die Gelenke* steif machen; **II** *v/rfl. s'~* steif werden.

annal|es [anˈnal] *f/pl.* Jahrbuch *n*; Annalen *n/pl.*; **~iste** [~ˈlist] *su.* Jahrbuchschreiber *m*.

anneau [aˈno] *m* (5b) **1.** Ring *m*, Reif *m*; Fingerring *m*; *~ à cacheter* Siegelring *m*; *~ nuptial* (*od. de mariage*) Trauring *m*; *~ de clefs* Schlüsselring *m*; *~ du pêcheur* Fischerring *m*; **2.** *~ d'une chaîne* Ketten-glied *n*, -ring *m*; **3.** Ringellocke *f*; **4.** *Turnerei*: (Schaukel-) Ring *m*; **5.** ⊕ *~ métallique* Metalldichtungsring *m*; *~ de tolérance* Toleranzring *m*; *système m à ~x* Ringmechanik *f*.

année [aˈne] *f* **1.** Jahr *n* (*oft unter Betonung der Dauer od. des Ablaufs eines Jahres*); *~ bissextile* Schaltjahr *n*; *~ courante* laufendes Jahr; *~ civile* Kalenderjahr *n*; *ast. ~s-lumière f/pl.* Lichtjahre *n/pl.*; *~ scolaire* Schuljahr *n*; *~s pl. scolaires* Schulzeit *f*; *~ professionnelle* Berufsjahr *n*; *~ déficitaire* Defizit-, Verlust-jahr *n*; *~ financière* Rechnungsjahr *n*; *l'~ terrible*: 1870-71; *d'~ en ~* von Jahr zu Jahr; *au début des ~s trente* am Anfang der dreißiger Jahre; *dans les ~s 40* in den vierziger Jahren; *souhaiter la* (*od. une*) *bonne ~* ein gutes Jahr wünschen; **2.** Jahr *n*; Ernte *f*; *~ abondante* ergiebiger Jahrgang; *~ prospère* reichliche Ernte; **3.** jährliche Einkünfte *od.* Abgaben *pl.*, Jahreszins *m*, Pacht *f*; **4.** *~s pl.* Lebensjahre *n/pl.*; *chargé d'~s* hochbejahrt.

anne|ler [anˈle] *v/t.* (1c) ringeln, kräuseln; **~let** [~ˈlɛ] *m* kleiner Ring *m*.

annexation [anɛksɑˈsjɔ̃] *f* Einverleibung *f*.

annexe [aˈnɛks] **I** *f* **1.** ⚠ Anbau *m* (*od. n*); Nebengebäude *n*; **2.** Anhang *m*, Beilage *f*, Zusatz *m*, Nachtrag *m*, Beiblatt *n*; **3.** ✝ Filiale *f*; Filialkirche *f*; **II** *adj.* dazugehörig; *galerie f ~* angebaute Galerie *f*; *école f ~* Vorschule *f*; *les industries ~s* die verwandten Industrien.

annexer [anɛkˈse] *v/t.* (1a) anhängen (*à* an *acc.*), verbinden (*à* mit); *a. pol.* einverleiben, an-, eingliedern, annektieren.

annexion [~ˈsjɔ̃] *f* Beifügung *f*, Verbindung *f*, Anschluß *m*; *a. pol.* Einverleibung *f*, An-, Ein-gliederung *f*, Annexion *f*, Annektierung *f*.

annexio(n)niste [~sjɔˈnist] **I** *adj.* annexionistisch; **II** *su.* Anhänger *m* der Annexion.

annihi|lation [aniilɑˈsjɔ̃] *f* Ausrottung *f*, Vernichtung *f*; ⚖ Aufhebung *f*, Annullierung *f*, Nichtigkeitserklärung *f*; Vernichtung *f*; **~ler** [~ˈle] *v/t.* (1a) vernichten; ⚖ für nichtig erklären; *fig.* vereiteln, zunichte machen (*Hoffnungen*).

anniversaire [aniverˈsɛːr] **I** *adj.*: *fête f ~* Jahresfest *n*; *jour m ~* Jahrestag *m*; **II** *m* **1.** Jahres-feier *f*, -tag *m*, jährlich wiederkehrende Gedächtnisfeier *f*; *~* (*de la naissance*) Geburtstag *m*; **2.** (*alljährliche*) Seelenmesse *f* am Todestag.

annonce [aˈnɔ̃ːs] *f* öffentliche Ankündigung *f*, (*Zeitungs- usw.*) Annonce *f*, Anzeige *f*, Inserat *n*, Bekanntmachung *f*; *petites ~s* kleine Anzeigen *f/pl.*; *~s f/pl. encartées* Anzeigenbeilage *f*; *faire les ~s* (*de mariage*) das Aufgebot verkünden.

annon|cer [anɔ̃ˈse] (1k) **I** *v/t.* **1.** (öffentlich) bekanntmachen, ankündigen, verkünden *od.* anzeigen; annoncieren, inserieren; **2.** anmelden; *~ son départ* sich abmelden; *se faire ~* sich anmelden lassen; **3.** vorhersagen, deuten auf (*acc.*), schließen lassen auf (*acc.*); **II** *v/rfl. s'~* sich ankündigen; *cette affaire s'annonce bien (mal)* diese Sache läßt sich (nicht) gut an; **~ceur** [~'sœ:r] *m rad.* Ansager *m*; Annoncierer *m*, Inserent *m (Zeitung)*.

annonciateur [~sja'tœ:r] *su.* (7f) **1.** Ankündiger *m*, Verkünder *m*; **2.** *m téléph.* Vorsignal *n*; *téléph. ~ d'appel* Rufzeichen *n*.

Annonciation *rl.* [~sjɑ'sjɔ̃] *f* Mariä Verkündigung *f*.

annoncier [anɔ̃'sje] *su.* (7b) **1.** Leiter *m* des Annoncenteils, Anzeigenleiter *m*; **2.** *typ.* Anzeigen-drucker *m*, -setzer *m*.

annota|teur [anɔta'tœ:r] *su.* (7f) Kommentator *m*, Ausleger *m*, Erklärer *m*; **~tif** [~'tif] *adj.* (7e) erläuternd, erklärend; **~tion** [~tɑ'sjɔ̃] *f* Anmerkung *f*, Erläuterung *f*, Randbemerkung *f*, Fußnote *f*; Aufzeichnung *f*.

annoter [~'te] *v/t.* (1a) **1.** anmerken, mit Anmerkungen versehen; *annoté à l'usage des écoles* für den Schulgebrauch erläutert; **2.** aufzeichnen.

annuaire [a'nɥɛ:r] *m* **1.** Adreßbuch *n*; Jahrbuch *n*, Jahresübersicht *f*; **2.** Liste *f*, Verzeichnis *n*; *~ téléphonique, ~ du téléphone* (amtliches) Fernsprechbuch *n*, Telefonbuch *n*; *~ militaire* Rangliste *f* des Heeres.

annuel [a'nɥɛl] *adj.* (7c) *(nach su.)* jährlich; *a.* ⚘ einjährig.

annuité [anɥi'te] *f* Jahresrate *f*, jährliche Abschlagszahlung *f od.* Tilgungsrate; Jahresrente *f*; *pol.* Annuität *f*, Jahreszahlung *f*.

annul|abilité ⚖ [anylabili'te] *f* Anfechtbarkeit *f*; **~able** ⚖ [~'lablə] *adj.* umstoßbar, anfechtbar.

annulaire [~'lɛ:r] **I** *adj.* ringförmig; **II** *m* Ringfinger *m*.

annu|latif ⚖ [~la'tif] *adj.* (7e) aufhebend, annullierend; **~lation** [~lɑ'sjɔ̃] *f* Aufhebung *f*, Annullierung *f*, Rückgängigmachung *f*, Kraftloserklärung *f (e-s Dokuments)*; Niederschlagung *f von Kosten*; Nichtigkeitserklärung *f*; *~ d'un jugement* Aufhebung *f* e-s Urteils; *~ du permis de conduire* Entziehung *f* der Fahrerlaubnis; **~ler** [~'le] *v/t.* (1a) für ungültig *od.* nichtig erklären, widerrufen; *Urteil* aufheben, umstoßen, rückgängig machen; *Kosten* niederschlagen; für kraftlos erklären; *Vertrag* lösen.

ano|blir [anɔ'bli:r] *v/t.* (2a) adeln, in den Adelsstand erheben; **~blissement** [~blis'mɑ̃] *m* Erhebung *f* in den Adelsstand.

anode ⚡ [a'nɔd] *f* Anode *f*; *~ alimentée par le secteur* Netzanode *f*; *fiches f/pl. d'~s* Anodenstecker *m/pl.*; *rhéostat m d'~s* Anschlußdose *f*; *tension f des ~s* Anodenspannung *f*.

anodin [anɔ'dɛ̃] *adj.* (7) *u. m* schmerzstillend(es Mittel); *fig.* harmlos, unbedeutend, geringfügig, unverfänglich; schwach; *vers m/pl. ~s* kraftlose Verse *m/pl.*

anodontie [anɔdɔ̃'ti] *f* Zahnlosigkeit *f*.

anodynie ⚕ [anɔdi'ni] *f* schmerzloser Zustand *m*.

anomal 🕮 [anɔ'mal] *adj.* (5c) unregelmäßig, abweichend, anomal; abnorm, ungewöhnlich.

anoma|lie [~ma'li] *f* **1.** Regelwidrigkeit *f*, Unregelmäßigkeit *f*, Ausnahme *f*, Anomalie *f*, Abnormität *f*, Ungleichmäßigkeit *f*; **2.** *ast.* Abweichung(swinkel *m*) *f*; **3.** *pl.* ⚖ Unbilligkeiten *f/pl.*, Härten *f/pl.*; **~listique** *ast.* [~lis'tik] *adj.*: *année f ~* Umlaufszeit *f eines Planeten.*

ânon [ɑ'nɔ̃] *m* junger Esel *m*, Eselsfüllen *n*; *fig.* Schafskopf *m*.

ânon|nement [ɑnɔn'mɑ̃] *m fig.* stotterndes Hersagen *n od.* Lesen *n*; **~ner** [ɑnɔ'ne] (1a) *v/i.* stottern; *v/t. écol.* schwerfällig lesen *od.* wiedergeben.

anonymat [anɔni'ma] *m* Anonymität *f*, Namenlosigkeit *f*; *garder l'~* s-n Namen verschweigen, anonym bleiben.

anonyme [anɔ'nim] **I** *adj.* □ **1.** ungenannt, namenlos, anonym, ohne Namen(sunterschrift); *société f ~* Aktiengesellschaft *f*, deren Firma keinen Personennamen aufweist; **II** *m* **2.** ungenannter Verfasser *m*; **3.** Verschweigung *f* des Namens; *garder l'~* unbekannt bleiben; *sous le voile de l'~* unter dem Deckmantel der Anonymität; ohne s-n Namen zu nennen.

anophèle *ent.* [anɔ'fɛ:l] *m* A'nopheles *f*, Malariamücke *f*.

anophélisme ⚕ [anɔfe'lism] *m* A'nophelesfliegenkrankheit *f*, Malaria *f*.

anorak [anɔ'rak] *m* Anorak *m*.

anorchidie ⚕ [anɔrʃi'di] *f* angeborenes Fehlen *n* der Hoden, Anorchie *f*, Anorchidie *f*.

anordir ⚓ [anɔr'di:r] *v/i.* (2a) nach Norden drehen *(Wind)*.

anorganique [anɔrga'nik] *adj.* anorganisch.

anormal [anɔr'mal] *adj.* (5c) □ regelwidrig, unnormal, unprogrammäßig, programmwidrig; anormal, abnorm.
anorthose *min.* [anɔr'to:z] *f ein* Feldspat *m.*
anosmie [anɔs'mi] *f* Verlust *m* des Geruchsvermögens, Anosmie *f.*
anoxie ⚕ [anɔk'si] *f* Anoxie *f*, Sauerstoffmangel *m* in den Geweben.
Anschluß *pol.* [an'ʃlus] *m* (*nur sg.*) Anschluß *m* (*eines Landes od. Gebietes an ein anderes Land*).
anse [ɑ̃:s] *f* **1.** Griff *m*, Henkel *m*; *faire danser l'~ du panier* Schmu machen, das Geld für sich einstecken (*beim Einkauf der Hausangestellten*); **2.** kleine Bucht *f.*
ansé|rides 🕮 [ɑ̃se'rid] *m/pl.* Gattung *f* der Schwimmhäutler; **~rine** ⚘ [~'rin] *f* Gänsefuß *m.*
ansette [ɑ̃'sɛt] *f* kleine Öse *f.*
anspect [ɑ̃s'pɛk] *m* Hebebaum *m.*
antago|nique [ɑ̃tagɔ'nik] *adj.* feindlich; **~nisme** [~'nism] *m* Entgegenwirken *n*; Streit *m*, Meinungsverschiedenheit *f*, Gegensätzlichkeit *f*; Widerstand *m*; **~niste** [~'nist] *su. u. adj.* Gegner *m*; gegnerisch; entgegenwirkend.
antalgique [ɑ̃tal'ʒik] *adj.* (*u. m*) schmerzstillend(es Mittel *n*).
antan [ɑ̃'tɑ̃] *m nur noch in*: d'~ von einst, früher; *fig. où sont les neiges d'~?* wo sind die schönen Zeiten geblieben?
antarct|ide [ɑ̃tark'tid] *f* Antarktis *f*; **~ique** [~'tik] *adj.* antarktisch.
ante [ɑ̃:t] *f* **1.** vorspringender Pfeiler *m*; **2.** Griff *m e-s Pinsels.*
antébois [ɑ̃te'bwa] *m* Scheuerleiste *f.*
antécédent [ɑ̃tese'dɑ̃] **I** *adj.* (*nach su.*) **1.** vorhergehend, früher; **II** *m* **2.** früherer Fall *m*, Präzedenzfall *m*; *sans ~s* unerhört, beispiellos; **3.** *gr.* Beziehungswort *n*; Vorderglied *n*; **4.** *~s pl.* Vorleben *n*, Vergangenheit *f*; ⚖ *sans ~s judiciaires* unbescholten, nicht vorbestraft.
Antéchrist [ɑ̃te'krist] *m* Antichrist *m*, falscher Messias *m.*
antédiluvien [ɑ̃tedily'vjɛ̃] *adj.* (7c) vorsintflutlich (*auch fig.*).
antenne [ɑ̃'tɛn] *f* **1.** Fühlhorn *n*, Fühler *m*; *fig. bsd. pol. pousser des ~s en direction de ...* seine Fühler ausstrecken in Richtung ...; **2.** ⚓ Rahe *f*; ⚡ Antenne *f*; *rad.* ~ *auto-radio* Auto-Antenne *f*; ~ *aérienne* Hochantenne *f*; ~ *extérieure*, ~ *à l'extérieur* Hoch-, Außenantenne *f*; ~ *intérieure*, ~ *à l'intérieur* Innenantenne *f*; ~ *de chambre* Zimmerantenne *f*; ~ *d'émission* Sendeantenne *f*; ~ *(d'émission) dirigée* Richtstrahler *m*; ~ *de réception od. réceptrice* Empfangsantenne *f*; ~ *en cadre* Rahmenantenne *f*; ~ *en cage* Kasten-, Käfig-, Konus-antenne *f*; ~ *en cerceau* Reifenantenne *f*; ~ *tressée*, ~ *en ruban* Bandantenne *f*; ~ *en éventail* Fächerantenne *f*; ~ *en parapluie* Schirmantenne *f*; ~ *installée sur le toit* Dachantenne *f*; ~ *radiogoniométrique* Peilantenne *f*; ~ *suspendue* Hängeantenne *f*; ~ *unifilaire (bifilaire)* Ein- (Zwei-)drahtantenne *f*; **3.** *fig.* ~ *médicale* ärztlicher Außenposten *m.*
anténuptial [ɑ̃tenyp'sjal] *adj.* (5c) [vorehelich.]
antépénultième *gr.* [ɑ̃tepenyl'tjɛm] *adj.* (*u. f*) drittletzte (Silbe *f*).
antéphélique [~fe'lik] *adj.* Sommersprossen beseitigend.
antépos|er *gr.* [ɑ̃tepo'ze] *v/t.* (1a) vorstellen; **~ition** *gr.* [ɑ̃tepɔzi'sjɔ̃] *f* Vorsetzung *f.*
antérieur [ɑ̃te'rjœ:r] *adj.* **1.** vorhergehend, früher; *cet ouvrage est ~ à l'autre ...* dieses Werk ist früher erschienen als das andere; *~ement à ... adv.* früher als ..., vorher; **2.** *futur m ~* zweites Futur *n*; *passé m ~* zweites Plusquamperfekt *n*; **3.** vorn befindlich.
antériorité [ɑ̃terjɔri'te] *f* früheres Stattfinden *n*, Priorität *f*; *gr.* Vorzeitigkeit *f.*
anthélie [ɑ̃te'li] *f ast.* Gegen- *od.* Nebensonne *f.*
anthère ⚘ [ɑ̃'tɛ:r] *f* Staubbeutel *m.*
anthologie [ɑ̃tɔlɔ'ʒi] *f* Anthologie *f.*
anthracit|e [ɑ̃tra'sit] *m* Anthrazit *m*; *adjt.*: anthrazitfarben; **~eux** [~'tø] *adj.* (7) Anthrazit...
anthrax ⚕ [ɑ̃'traks] *m* Karbunkel *m.*
anthropo|ïde [ɑ̃trɔpɔ'id] *adj. u. m* menschenähnlich; Menschenaffe *m*; **~logie** [~lɔ'ʒi] *f* Anthropologie *f*; **~logique** [~lɔ'ʒik] *adj.* anthropologisch; **~logiste** *u.* **~logue** [lɔ'ʒist, ~'lɔg] *su.* Anthropologe *m*; **~métrie** [~me'tri] *f* Anthropometrie *f*, Körpermessung *f*; **~métrique** [~me'trik] *adj.* anthropometrisch; **~morphe** [~'mɔrf] *adj.* menschenähnlich, von menschlicher Gestalt; **~morphiser** [~mɔrfi'ze] *v/t.* (1a) vermenschlichen; **~morphisme** [~mɔr'fism] *m* Vermenschlichung *f* Gottes; **~nymie** *gr.* [~ni'mi] *f* Namenkunde *f*; **~nymiste** *gr.* [~ni'mist] *m* Namenforscher *m*; **~phage**

[~'fa:ʒ] *adj. u. su.* menschenfressend; Menschenfresser *m*; **~phagie** [~fa'ʒi] *f* Menschenfresserei *f*; **~phagique** [~'ʒik] *adj.* menschenfressend; **~phobe** [~'fɔb] *adj.* menschenscheu; **~phobie** [~fɔ'bi] *f* Menschenscheu *f*; **~sophe** [~'zɔf] *su.* Anthroposoph(in *f*) *m*; **~sophie** [~zɔ'fi] *f* Anthroposophie *f*; **~sophique** [~zɔfik] *adj.* anthroposophisch.

antiacide ⚗ [ɑ̃tia'sid] *adj.* säureneutralisierend.

antiaérien ⚔ [ɑ̃tiae'rjɛ̃] *adj.* (7c) Flugabwehr..., Flak..., Luftschutz...

antialcoo|lique [ɑ̃tialkɔ'lik] *adj. u. su.* den Alkoholgenuß bekämpfend; Antialkoholiker *m*; **~lisme** [~'lism] *m* Antialkoholismus *m*.

anti|algique ⚕ [ɑ̃tial'ʒik] *adj.* schmerzstillend; **~allemand** [~al'mɑ̃] *adj.* (7) deutschfeindlich; **~artistique** [~artis'tik] *adj.* kunstfeindlich; **~aveuglant** *Auto*: [~avœ'glɑ̃] *adj.* Blendschutz...

antiasthmatique *phm.* [~asma'tik] *adj. u. m* asthmaheilend(es Mittel *n*).

anti|biblique [~bib'lik] *adj.* bibelfeindlich; **~biotique** ⚕ [~bjɔ'tik] *m* Antibiotikum *n*; **~bois** [~'bwa] *m* Scheuerleiste *f*; **~brouillard** *Auto* [~bru'ja:r] *m* Nebelscheinwerfer *m*; **~bruit**(s) [~'brɥi] *adj./inv.* lärmbekämpfend; **~buée** *Auto* [~'bɥe] *adj./inv.*: *dispositif m* ~ Scheibenwärmer *m*; **~cancéreux** ⚕ [~kɑ̃se'rø] *adj.* (7d) zur Krebsbekämpfung; **~casseur** *pol.* [~ka'sœ:r] *adj./inv.* gegen das Rowdytum.

antichambre [~'ʃɑ̃:brə] *f* Vorzimmer *n*; *faire* ~ antichambrieren.

anti|char(s) ⚔ [~'ʃa:r] *adj.* Panzerabwehr..., Pak...; **~cholérique** [~kɔle'rik] *adj. u. m* gegen die Cholera wirkend(es Mittel); **~chrétien** [~kre'tjɛ̃] *adj. u. su.* (7c) un-, antichristlich; Feind *m* des Christentums; **~christianisme** [~kristja'nism] *m* Feindschaft *f* gegen das Christentum.

antici|pant [ɑ̃tisi'pɑ̃] *adj.* (7) vorgreifend; **~pation** [~pɑ'sjɔ̃] *f* **1.** Vorausnahme *f*, Vorempfang *m*; ~ *de paiement* Vorausbezahlung *f*, Vorschuß *m*; **2.** Vorgriff *m*, Verfrühung *f*; Vorahnung *f*; Zukunftstraum *m*, Utopie *f*; ⚖ Eingriff *m* (*in Rechte*); **3.** *par* ~ vorgreifend, im voraus; **4.** *rhét.* Widerlegung *f* der möglichen Einwürfe des Gegners; **5.** *ast.* Vorrücken *n*.

anticiper [ɑ̃tisi'pe] (1a) **I** *v/t.* **1.** voraus-nehmen, -empfangen, -leisten; vorausahnen; *anticipé a. adj.* vorzeitig, voreilig, verfrüht; **II** *v/i.* **2.** ~ *sur ses revenus* seine Einkünfte im voraus ausgeben; ~ *les événements* den Ereignissen vorgreifen; **3.** ~ *sur les droits de q.* e-n Eingriff in j-s Rechte tun; **4.** *ast.* vorrücken.

anti|civique [~si'vik] *adj.* unbürgerlich; **~civisme** [~si'vism] *m* unbürgerliche Einstellung *f* (*od.* Gesinnung *f od.* Haltung *f*); **~clérical** [~kleri'kal] *adj.* kirchenfeindlich; **~collision** [~kɔli'zjɔ̃] *adjt.*: ✈ *feux m/pl.* ~ Blink-, Warnlichter *n/pl.* (*e-s Flugzeugs*); **~communiste** [~kɔmy'nist] *adj. u. su.* antikommunistisch; Antikommunist *m*; **~conceptionnel** ⚕ [~kɔ̃sɛpsjɔ'nɛl] *adj.* (7c) empfängnisverhütend; **~constitutionnel** [~kɔ̃stitysjɔ'nɛl] *adj.* (7c) □ verfassungswidrig; **~contestataire** *univ., écol., pol.* [~kɔ̃tɛsta'tɛ:r] *su.* Gegenprotestler *m*; **~cor** *phm.* [~'kɔ:r] *m* Hühneraugenmittel *n*; **~corps** [~'kɔ:r] *m* Antikörper *m* (*Virusimpfung*), Schutzstoff *m*, Abwehrstoff *m*; **~critique** [~kri'tik] **1.** *f* Gegenkritik *f*; **2.** *m* Gegenkritiker *m*; **~culture** [~kyl'ty:r] *f* Kulturfeindlichkeit *f*; **~dartreux** [~dar'trø] *adj.* (haar)flechtenvertreibend; **~dater** [~da'te] *v/t.* (1a) nach-, rückdatieren; **~démocratique** [~demɔkra'tik] *adj.* undemokratisch; **~dérapant** [~dera'pɑ̃] *adj.* (7) *u. m autom.* rutschfest; Gleitschutz *m*; **~dote** [~'dɔt] *m* Gegengift *n*; *fig.* Schutzmittel *n* (*contre* gegen *acc.*); **~drogue** [~'drɔg] *adv./inv.* zur Rauschgiftbekämpfung; **~-éblouissant** [~eblui'sɑ̃] *adj.* (6d) *Auto*: blendungsfrei, Blendschutz...; **~écraseur** [~ekra'zœ:r] *m* Fangvorrichtung *f* vorn am Straßenbahnwagen *usw.*

antienne [ɑ̃'tjɛn] *f* kirchlicher Vor-, Wechsel-gesang *m*; *fig. chanter toujours la même* ~ *fig.* immer wieder das alte Lied singen, immer dasselbe wiederholen.

anti-étatique [ɑ̃tieta'tik] *adj.* staatsfeindlich.

anti-États-Unis *pol.* [~etazy'ni] *adj.*: *le courant* ~ die USA-feindliche Strömung.

anti|fébrile [ɑ̃tife'bril] *adj. u. m u.* **~fébrine** [~fe'brin] *f* (Mittel *n*) gegen das Fieber; **~ferment** [~fɛr'mɑ̃] *m* Gärung verhinderndes Mittel *n*; **~galeux** [~ga'lø] *adj.* (7d) *u. m* die Krätze heilend(es Mittel); **~gangster** [~gɑ̃'stɛ:r] *adj.*: *radio f*

~ Sender *m* zur Bekämpfung von Verbrechern; **~gaz** [~'gɑːz] *adj.* gegen Gase schützend; **~gel** [~'ʒɛl] **1.** *adj.* (7b) Frostschutz...; **2.** *m* Frostschutz(mittel *n*) *m*; **~gène** ⚕ [~'ʒɛːn] *m* Antigen *n*; **~génique** ⚕ [~ʒe'nik] *adj.* antigen (*Virusimpfung*); **~givrant** ✈ [~ʒi'vrɑ̃] *m* Enteisungsmittel *n*; **~gouvernemental** [~guvɛrnəmɑ̃'tal] *adj.* (5c) regierungsfeindlich; **~gréviste** [~gre'vist] *su.* Streikbrecher *m*; **~grisouteux** ⚒ [~grizu'tø] *adj.* (7d) schlagwetter-geschützt, -sicher; **~halo** *phot.* [~a'lo] *adj.* (6c) lichthoffrei; **~hygiénique** [~iʒje'nik] *adj.* gesundheitswidrig; **~juif** [~ʒɥif] *adj.* (7e) judenfeindlich.

antilope [ɑ̃ti'lɔp] *f* Antilope *f*.

antimilita|risme [~milita'rism] *m* Antimilitarismus *m*; **~riste** [~'rist] *adj. u. su.* antimilitaristisch; Antimilitarist *m*.

anti|missile ⚔ [~mi'sil] *adj.* Antiraketen...; **~mites** [~'mit] *adj.* (6c) mottentötend.

antimoine *min.* [~'mwan] *m* Antimon *n*.

antimonar|chique [~mɔnar'ʃik] *adj.* der Monarchie feindlich; **~chiste** [~'ʃist] *su.* Gegner *m* der Monarchie.

antinational [~nasjɔ'nal] *adj.* (5c) antinational.

antineutron *at.* [~nø'trɔ̃] *m* Antineutron *n*.

antinomie [~nɔ'mi] *f* (scheinbarer) Widerspruch *m*.

antinucléaire *at.* [~nykle'ɛːr] *adj.* Strahlenschutz...

anti|ouvrier [ɑ̃tiuvri'e] *adj.* (7b) arbeiterfeindlich; **~parasitage** *rad.* [~parazi'taːʒ] *m* Störungsbeseitigung *f*; **~parasite** *rad.* [~para'zit] *m* Störschutz *m*; **~parlementaire** [~parləmɑ̃'tɛːr] *adj. u. su.* unparlamentarisch; Gegner *m* der Parlamente.

antiparti [ɑ̃tipar'ti] *m* Gegenpartei *f*.

anti|pathie [~pa'ti] *f* Antipathie *f*; **~pathique** [~'tik] *adj.* zuwider, widerlich; unsympathisch; **~patriotique** [~patriɔ'tik] *adj.* unpatriotisch.

anti|périodique [~perjɔ'dik] *adj.* Wechselfieber heilend; **~péristaltique** *anat.* [~peristal'tik] *adj.* rückläufig; **~personnel** ⚔ [~pɛrsɔ'nɛl] *adj./inv.* von e-m Laserstrahl gesteuert (*Bomben*); **~pestilentiel** [~pɛstilɑ̃'sjɛl] *adj.* (7c) gegen die Pest (wirkend).

anti|phrase [~'frɑːz] *f* Antiphrase *f*; *par* ~ ironisch; **~phtisique** [~fti'zik] *adj. u. m* gegen die Schwindsucht wirkend(es Mittel); **~pode** [~'pɔd] *m u. adj.* Antipode *m*; absolutes Gegenteil *n*; auf der anderen Hälfte der Erdkugel wohnend; **~polio** (**-myélitique**) ⚕ [~pɔ'ljo(mjeli'tik)] *adj.*: *vaccin m* ~ Impfstoff *m* gegen die spinale Kinderlähmung; **~pollution** [~pɔly'sjɔ̃] *f* (*u. adjt.* zur) Verschmutzungsbekämpfung *f*; **~proportionnaliste** [~prɔpɔrsjɔna'list] *su.* Gegner *m* des Verhältniswahlverfahrens; **~protectionniste** [~prɔtɛksjɔ'nist] *adj. u. su.* gegen das Schutzzollsystem; Gegner *m* des Schutzzollsystems; **~proton** *at.* [~prɔ'tɔ̃] *m* Antiproton *n*; **~putride** [~py'trid] *adj.* fäulnishindernd; **~pyrine** [~pi'rin] *f* Antipyrin *n*.

anti|quaille F [ɑ̃ti'kɑːj] *f* alter Plunder *m*; **~quaire** [ɑ̃ti'kɛːr] *m* Antiquitäten-, Kunst-händler *m*.

antique [ɑ̃'tik] **I** *adj.* □ alt, uralt; antik; nach der Weise der Alten; altertümlich; F veraltet; **II** *m* antike Kunst *f*; **III** *f* Antiquität *f*, alter Kunstgegenstand *m*; **~s** *pl.* Altertümer *n/pl*.

antiquité [ɑ̃tiki'te] *f* **1.** Altertum *n*, Vorzeit *f*; *d'une haute* ~ sehr alt; *de toute* ~ von alters her; **2.** Antike *f*, alte Welt *f*; **3.** Kunstwerk *n* des Altertums, antikes Stück *n*, antiker Gegenstand *m*; **4.** Altertümlichkeit *f*; **~s** *pl.* alte Denkmäler *n/pl.*; Antiquitäten *f/pl*.

anti|rabique *vét.* [ɑ̃tira'bik] *adj.* die Tollwut bekämpfend; **~racisme** [~ra'sism] *m* Rassenbekämpfung *f*; **~radar** ⚔ [~ra'daːr] *adj./inv.* Antiradar...; **~raisonnable** [~rɛzɔ'nablə] *adj.* □ vernunftwidrig; **~réglementaire** [~regləmɑ̃'tɛːr] *adj.* □ satzungswidrig; **~religieux** [~rəli'ʒjø] *adj.* (7d) religionsfeindlich; **~républicain** [~repybli'kɛ̃] *adj.* (7) antirepublikanisch; **~révolutionnaire** [~revɔlysjɔ'nɛːr] *adj.* antirevolutionär; **~rouille** [~'ruj] *adj. u. m* rostsicher; Rostschutz *m*; **~roulis** ⊕ [~ru'li] *adj./inv.* die Schlingerbewegung verhindernd; **~sémite** [~se'mit] *adj. u. su.* antisemitisch; Antisemit *m*; **~sémitique** [~semi'tik] *adj.* antisemitisch; **~sémitisme** [~semi'tism] *m* Antisemitismus *m*; **~sepsie** [~sɛp'si] *f* Entkeimung *f*, Antisepsis *f*; **~septique** [~sɛp'tik] *adj. u. m* antiseptisch(es Mittel); **~sociable** [~sɔ-

'sjablə] *adj.* ungesellig; **~social** [~sɔ'sjal] *adj.* (5) antisozial; **~spasmodique** [spasmɔ'dik] *adj. u. m* krampfstillend(es Mittel); **~sportif** [~spɔr'tif] *adj.* (7e) sportfeindlich; unsportlich.

anti|strophe [ɑ̃ti'strɔf] *f* Gegengesang *m*; **~tétanique** ⚕ [~teta'nik] *adj.* gegen Starrkrampf wirkend; **~théâtre** *litt.* [~te'ɑːtrə] *m* Antitheater *n*; **~thermique** ⚕ [~tɛr'mik] *adj. u. m* fiebersenkend(es Mittel *n*); **~thèse** [~'tɛːz] *f* Antithese *f*; **~thétique** [~te'tik] *adj.* gegensätzlich; **~toxine** [~tɔk'sin] *f* Gegengift *n*; **~tuberculeux** [~tybɛrky'lø] *m* Tuberkuloseserum *n*; **~typhoïde** [~tifɔ'id] *adj.* Typhusbazillen abtötend; **~vénéneux** [~vene'nø] *adj.* (7d) Gegengift...; **~vol** *Auto* [~'vɔl] *m* Lenkradschloß *n*.

antony|me [ɑ̃tɔ'nim] *m* (*a. adj.*) entgegengesetzt(er Begriff *m*), Antonym *n*; **~mie** [~ni'mi] *f* Gegenüberstellung *f v. Worten entgegengesetzten Sinnes.*

antre ['ɑ̃ːtrə] *m* Höhle *f*; *fig.* Schlupfwinkel *m*, Spelunke *f*; *~ du lion* Höhle *f* des Löwen.

anurie [any'ri] *f* Harnzwang *m*.

anus ⚕ [a'nys] *m* After *m*.

Anvers [ɑ̃'vɛːr] *m* Antwerpen *n*.

anversois [ɑ̃vɛr'swa] *adj.* (*a.* ♀ *su.*) (7) aus Antwerpen.

anxiété [ɑ̃ksje'te] *f* Angst *f*, Bangen *n*, innere Unruhe *f*.

anxieux [ɑ̃'ksjø] *adj.* (7d) ängstlich.

aorte [a'ɔrt] *f* (*a. adj.*: *artère f ~*) Aorta *f* (*große Puls-*, *Schlag-ader*).

août [u, ut] *m* August *m*.

aoûter [(a)u'te] (1a) **1.** *v/t.* zum Reifen bringen; **2.** *v/rfl.* s'~ reifen.

aoûteron [(a)u'trɔ̃] *m* Schnitter *m als Tagelöhner*.

aoûtien [au'sjɛ̃] *su.* (7c) Urlauber *m* im August.

Apache [a'paʃ] *m* **1.** *les ~s* die Apachen (*Indianerstamm*); **2.** ♀ Messerheld *m*, Rowdy *m*, Strolch *m*.

apai|sement [apɛz'mɑ̃] *m* Beruhigung *f*, Besänftigung *f*, Beschwichtigung *f*; Befriedigung *f*; **~ser** [apɛ'ze] *v/t. u. v/rfl.* s'~ (1b) (sich) beruhigen, besänftigen, beschwichtigen, versöhnen, *j-s Sinn*, *Herz* befrieden; *Durst* stillen; *Schmerz* lindern; *Streit* schlichten; *le vent s'apaise* der Wind legt sich; **~seur** *oft péj.* [~'zœːr] *m* Versöhnler *m*.

apanage [apa'naːʒ] *m* **1.** *hist.* Leibgedinge *n*; **2.** *fig.* Erbe *n*; Alleinrecht *n*; Folgen *f/pl.*; Schicksal *n*.

aparté [apar'te] **I** *adv.*: *en ~* unter sich, beiseite; **II** *m thé.* Selbstgespräch *n*; *allg.* intimes Gespräch *n*.

apartheid *pol.* [aparte'id] *m* Apartheid *f*.

à partir de [a par'tiːr də] *prp.* (*zeitlich u. örtlich*) von ... ab; von ... an; *à partir de demain* von morgen ab; *à partir de là a. fig.* unter dieser (diesen) Voraussetzung(en).

apatrid|e [apa'trid] *adj.* staatenlos; **~ie** [~'di] *f* Staatenlosigkeit *f*.

apa|thie [apa'ti] *f* Apathie *f*, Leidenschafts-, Gefühl-losigkeit *f*; Unempfindlichkeit *f*; Gleichgültigkeit *f*; **~thique** [~'tik] *adj.* apathisch, unempfindlich, gefühllos, teilnahmslos, abgestumpft, gleichgültig.

apepsie [apɛp'si] *f* Verdauungsstörung *f*, Dyspepsie *f*.

apercep|tibilité [apɛrsɛptibili'te] *f* Apperzeptions-, Wahrnehmungsfähigkeit *f*; **~tible** [~'tiblə] *adj.* wahrnehmbar, faßlich, bemerkbar; **~tif** [~'tif] *adj.* (7e) wahrnehmungsfähig; **~tion** [~'sjɔ̃] *f* Wahrnehmung *f*.

apercevable [apɛrsə'vablə] *adj.* wahrnehmbar.

apercevoir [~'vwaːr] (3a) **I** *v/t.* (*sensorisch*, *unbewußt*, *flüchtig*) erblikken, wahrnehmen, bemerken, entdecken; ⚓, ✈ sichten; **II** *v/rfl.* s'~ (*rational*, *bewußt*, *plötzlich*) feststellen, gewahr werden, merken; *vgl. s'approcher* III.

aperçu [~'sy] *m* **1.** Übersicht *f*, kurzer Überblick *m*, kurzgefaßte Darstellung *f*; *~ des frais* Kostenüberschlag *m*; **2.** *~s pl.* Ideen *f/pl.*, Einfälle *m/pl.*, Bemerkungen *f/pl.*

apériteur [aperi'tœːr] *m* Hauptversicherungsträger *m*.

apéritif [aperi'tif] **I** *adj.* (7e) appetitanregend; **II** *m* Aperitif *m*.

apéro P [ape'ro] *m abr. für apéritif* (*s. dort*).

apesanteur *phys.* [apəzɑ̃'tœːr] *f* Schwerelosigkeit *f*.

apétale ♀ [ape'tal] *adj. u. f* blumenblattlos; (*fleurs f/pl.*) *~s* Kelchblumen *f/pl.*

apetisser [ap(ə)ti'se] *v/t.* kleiner machen, kleiner erscheinen lassen.

à-peu-près [a pø 'prɛ] **I** *advt.* beinahe, ungefähr; **II** *m/inv.* *l'à-peu-près* das Ungefähre, die halbe Sache; *répondre par des à-peu-*

-*près* nur halbe Antworten geben.
apeuré [apœ're] *adj.* eingeschüchtert, furchtsam.
aphasie ⚕ [afa'zi] *f* Verlust *m* der Sprache.
aphélie *ast.* [afe'li] *m* Sonnenferne *f.*
aphide *ent.* [a'fid] *m* Pflanzenlaus *f.*
apho|ne ⚕ [a'fɔn] *adj.* ohne Stimme, stimmlos, völlig heiser; **~nie** ⚕ [~'ni] *f* Stimmlosigkeit *f.*
aphoris|me [afɔ'rism] *m* Aphorismus *m*, Sinnspruch *m*; **~tique** [~ris'tik] *adj.* □ aphoristisch.
aphrodisiaque ⚕ [afrɔdi'zjak] *adj.* den Geschlechtstrieb erregend.
aphte [aft] *m* Mundfäule *f.*
aphteux [af'tø] *adj.* (7d) an Mundfäule leidend; *fièvre aphteuse* Maul- u. Klauenseuche *f.*
aphylle ♀ [a'fil] *adj.* blattlos.
apiaires *ent.* [a'pjɛ:r] *m/pl.* honigbereitende Insekten *n/pl.*
à-pic [a'pik] *m/inv.* Abschüssigkeit *f*, Steilheit *f.*
apical ♀ [api'kal] *adj.* (5c) gipfelständig.
apicole [~'kɔl] *adj.* Bienenzucht betreffend.
apicule ♀ [~'kyl] *m* Spitzchen *n.*
apicul|teur [apikyl'tœ:r] *m* Bienenzüchter *m*, Imker *m*; **~ture** [~'ty:r] *f* Bienenzucht *f.*
apiéceur [apje'sœ:r] *su.* (7g) Stückarbeiter *m* (*in der Schneiderei*).
apitoiement [apitwa'mɑ̃] *m* Bemitleiden *n*; ~ *sur soi-même* Selbstbemitleidung *f.*
apitoyer [apitwa'je] (1h) **I** *v/t.* zum Mitleid bewegen; **II s'~** *sur q.* j-n bemitleiden.
aplaner ⊕ [apla'ne] *v/t.* ab-, ausschlichten; glätten.
apla|nir [apla'ni:r] (2a) **I** *v/t.* ein-eb(e)nen, planieren; *fig.* schlichten, beseitigen, aus dem Weg räumen; **II** *v/rfl.* s'~ eben werden (*a. fig.*); **~nissement** [~nis'mɑ̃] *m* Einebnen *n*, Planierung *f*; *fig.* Schlichtung *f*, Beseitigung *f.*
apla|tir [apla'ti:r] (2a) **I** *v/t.* abplatten, platt schlagen, breit drükken; *fig.* F ducken, kleinkriegen; ~ *les cheveux* sich die Haare glattstreichen; **II** *v/rfl.* s'~ platt werden; sich ducken, *fig. vor j-m* kriechen; **~tissement** [~tis'mɑ̃] *m* **1.** Plattmachen *n*, -werden *n*; Abplattung *f der Erde*; **2.** *fig.* Erniedrigung *f*, Schwächung *f*; **~tisserie** ⊕ [~tis'ri] *f* Streckhammerwerk *n*; **~tissoir(e** *f*) *m* [~ti'swa:r] Streckhammer *m.*
aplomb [a'plɔ̃] *m* **1.** senkrechte Stellung *f*; Gleichgewicht *n*; *prendre l'~* (ab)loten; **2.** *fig.* Sicherheit *f im Auftreten*, Festigkeit *f*; Zuversicht *f*; Dreistigkeit *f*; *perdre l'~* kleinlaut werden; **3.** *advt.* être d'~ lotrecht sein, senkrecht stehen; *fig.* rüstig sein, auf dem Damm (*od.* auf der Höhe) sein; *mettre d'~* ins Gleichgewicht setzen.
apocalyptique [apɔkalip'tik] *adj.* apoka'lyptisch; *fig.* dunkel, geheimnisvoll, rätselhaft.
apocryphe [~'krif] **I** *adj.* unecht; unglaubwürdig; **II** *m* unechte Schrift *f*, *bsd. bibl.* ~*s pl.* Apokryphen *n/pl.*
apode [a'pɔd] *adj. zo.* fußlos; ♀ ungestielt.
apodictique [apɔdik'tik] *adj.* apodiktisch, unbestreitbar.
apogée [apɔ'ʒe] *m* (*auch adj.*) **1.** *ast.* Kulminationspunkt *m*, größte Erdferne *f*; *la lune est (à son) ~* der Mond ist in seiner größten Erdferne; **2.** *fig.* Höhepunkt *m*, Gipfel *m*; *il est à l'~ de la gloire* er steht auf dem Gipfel des Ruhmes.
apoli|tique [apɔli'tik] *adj.* unpolitisch, parteilos; **~tisme** [~'tism] *m* Parteilosigkeit *f.*
apolo|gétique [apɔlɔʒe'tik] **I** *adj.* □ rechtfertigend; **II** *f*: *l'~ chrétienne* Lehre *f* von der Verteidigung des Christentums; **~gie** [~'ʒi] *f* Verteidigungs-rede *f*, -schrift *f*, Apologie *f*; *faire son ~* sich verteidigen; **~gique** [~'ʒik] *adj.* rechtfertigend; **~giste** [~'ʒist] *su.* Verteidiger *m*, Apologet *m*; *fig.* Ehrenretter *m.*
apologue [apɔ'lɔg] *m* (Lehr-)Fabel *f.*
apolune [apɔ'lyn] *f* größter Abstand *m* des Mondes.
apophonie *ling.* [~fɔ'ni] *f* Ablaut *m.*
apophtegme 🕮 [apɔf'tɛgm] *m* Kernspruch *m*, Sentenz *f*; *ne parler que par ~s* nur Sinnsprüche im Munde führen.
apophyse *anat.* [apɔ'fi:z] *f* Knochenfortsatz *m*, Überbein *n.*
apo|plectique ⚕ [apɔplɛk'tik] *adj. u. su.* zum Schlaganfall neigend(e Person *f*); **~plexie** ⚕ [~plɛk'si] *f* Schlag(fluß *m*) *m*; *attaque f d'~* Schlaganfall *m*; *être frappé d'~* e-n Schlaganfall bekommen.
aposta|sie [apɔsta'zi] *f* Abtrünnigkeit *f*; **~sier** [~'zje] *v/i.* (1a) abtrünnig werden.
apostat *rl.* [apɔs'ta] **I** *adj.* abtrünnig; *fig.* verräterisch; **II** *m* Abtrünnige(r) *m.*

aposter *péj.* [apɔs'te] *v/t.* (1a) auf die Lauer stellen.

a posteriori [apɔsterjɔ'ri] *advt.* aus der Erfahrung geschöpft; *fig.* hinterdrein, hinterher.

apos|tille [apɔs'tij] *f* (*befürwortende*) Randbemerkung *f*; **~tiller** [~sti'je] *v/t.* (1a) *eine Bittschrift* durch einen Zusatz empfehlen; **~tolat** [~stɔ'la] *m* **1.** Apostelamt *n*; **2.** *fig.* Ausbreitung *f* einer Lehre; Sendung *f*; **~tolicité** [~stɔlisi'te] *f* Übereinstimmung *f* mit der Lehre der Apostel; **~tolique** [~stɔ'lik] *adj.* □ **1.** apostolisch, der Lehre der Apostel gemäß; **2.** *fig.* *vie f* ~ heiliges Leben *n*; *zèle m* ~ reger Eifer *m*; **3.** *siège m* ~ päpstlicher Stuhl *m*.

apostro|phe [apɔs'trɔf] *f* **1.** Apostroph *m*, Auslassungszeichen *n*; **2.** *fig.* plötzliche Anrede *f*, Verweis *m*; Anpfiff *m* P; **~pher** [~strɔ'fe] (1a) **I** *v/t.* **1.** sich in s-r Rede plötzlich *an j-n od. etw.* wenden; **2.** *j-n* hart anfahren F *od.* anschnauzen P; ~ *q. d'un soufflet* j-m eine Ohrfeige verabreichen; **3.** apostrophieren, mit einem Apostroph versehen; **II** *v/rfl.* *s'*~ sich beschimpfen.

apothéose [apɔte'o:z] *f* Vergötterung *f*; *fig.* große Ehrenbezeigungen *f/pl.*; *faire l'*~ *de q.* j-n bis in den Himmel erheben.

apothicaire [apɔti'kɛ:r] *m nur noch in*: *compte m d'*~ Apothekerrechnung *f*.

apôtre [a'po:trə] *m* **1.** Apostel *m*; *le symbole m des* ~*s* Apostolisches Glaubensbekenntnis *n*; **2.** *fig.* Verfechter *m od.* Verbreiter *m e-r Lehre.*

apparaître [apa'rɛ:trə] *v/i.* (4z) (*avoir bzw. être*) (*plötzlich u. unerwartet*) zum Vorschein kommen *od.* erscheinen, plötzlich sichtbar werden; sich zeigen, sich herausstellen; (*Krankheit*) auftreten.

appa|rat [apa'ra] *m* **1.** Pomp *m*, Prunk *m*; *discours m d'*~ pomphafte Rede *f*; *typ. lettres f/pl. d'*~ verzierte Initialen *pl.*; **2.** Prahlerei *f*; *faire grand* ~ de viel Aufhebens (*od.* Wesens) machen von; **3.** große Vorbereitung *f*; **~raux** [apa'ro] *m/pl.* Schiffs-, Turn-gerät *n*; **~reil** [~'rɛj] *m* **1.** Apparat *m*; Gerät *n*, Instrument *n*; Vorrichtung *f*; ✈ Flugzeug *n*; △ Mauerverband *m*; *phot.* ~ *box* Boxkamera *f*; ~ *de radio* (*od.* de *T.S.F.*) Rundfunkgerät *n*; Radioapparat *m*; ~ *de télévision* Fernsehgerät *n*; ~ *récepteur*, ~ *de réception rad.* Empfangsgerät *n*, Empfänger *m*; ~ *transmetteur*, ~ *de transmission* Sendegerät *n*, Sender *m*; ~ *à alimentation par le secteur* Netzanschlußgerät *n*; *phot.* ~ *miniature* Kleinbildkamera *f*; ~ *à miroir* Spiegelreflexkamera *f*; ~ *pliant* Klappkamera *f*; *cin.* ~ *de prise de vues* Aufnahmegerät *n*; ~ *déclencheur* Auslösevorrichtung *f*; ~ *enregistreur* Meßinstrument *n*; ~ *de radiothérapie* ⚡ ⚕ Höhensonne *f* (*zur Bestrahlung*); *phot.* ~ *grossissant pour la photographie* photographischer Vergrößerungsapparat *m*; ⚡ ~ *de tension anodique* Anodengleichrichter *m*; ~ *de haute* (*basse*) *fréquence* Hoch-(Nieder-)frequenzgerät *n*; ~ *déclencheur* Auslösevorrichtung *f*; ~ *à oxygène* Sauerstoffapparat *m*; ~ *à souder* Schweißapparat *m*, Lötkasten *m*; ~ *frigorifique*, ~ *à refroidir* Kühlapparat *m*; ~ *d'arrosage* (*pour gazons*) (Rasen-)Sprenger *m*; ~ *d'éclairage* Beleuchtungskörper *m*; ~ *d'enregistrement* Aufnahmeapparat *m* (*für Sprechmaschinen*); ~ *téléphonique système sélecteur* Selbstanschlußapparat *m*; ~ *respiratoire*, ~ *de respiration* Atmungsgerät *n*; ✈ ~ *d'essai* (*de guerre*) Versuchs- (Kriegs-)flugzeug *n*; ~ *de chasse* Jagdflugzeug *n*; ⚔ ~ *fumigène* Nebelgerät *n*; ~ *frappeur* Klopfgerät *n*; ~ *de lubrification* Schmiervorrichtung *f*; *phot.* ~ *à tirer les bleus* Lichtpausapparat *m*; *cin.* ~ *de projection cinématographique* (Kino-)Vorführungsapparat *m*; ⚡ ~ *d'électricité médicale* Heilgerät *n*; ~*-à-sous* [~rɛja'su] *m* (6b) Spielautomat *m*; ~ *à signaux* Signalapparat *m*; ~ *de sauvetage* Rettungsapparat *m*; ~ *d'arrêt* Abstellvorrichtung *f*; **2.** *anat.* ~ *circulatoire*, ~ *digestif* Gefäß-, Verdauungs-system *n*; ~ *respiratoire*, ~ *vocal* Atmungs-, Stimm-werkzeug *n*; **3.** ⚕ Verband *m*; ~ *plâtré* Gipsverband *m*; *mettre* (*lever*) *l'*~ den Verband anlegen (abnehmen); **4.** Schiffs-, Turngerät *n*; **5.** Vorbereitung *f* zu *e-m Fest usw.*; **6.** † Pomp *m*, Prunk *m*; Tracht *f*; **~reillage** [aparɛ'ja:ʒ] *m* ⚓ Segelfertigmachen *n*; ⚡ Zubehör *n*; ~ *électrique* Elektrogeräte *n/pl.*; ⊕ ~ *de roulement* Fahrantrieb *m* (*e-s Krans*); **~reillement** [~rɛj'mɑ̃] *m* Zusammenjochen *n*; Paaren *n*; **~reiller** [~rɛ'je] (1a) **I** *v/t.* **1.** paarweise zusammentun; **2.** zurichten, zubereiten; ~ *une ancre* e-n Anker zum Fallen klarmachen; **3.** sortieren, zusammenpassen; **4.** *physiol.* paaren; **II** *v/i.* sich segelfertig machen; **III** *v/rfl. s' ~ avec q.* sich mit j-m vereinigen; *physiol.* sich paaren; **~reilleur** [~rɛ'jœ:r] *m* Rohrleger *m*, Installateur *m*; ⚠ Steinmetz *m*.

appa|remment [apara'mɑ̃] *adv.* wahrscheinlich; offenbar, allem Anschein nach, anscheinend, scheinbar; **~rence** [~'rɑ̃:s] *f* **1.** äußerer Schein *m*, Anschein *m*; Äußere(s) *n*; *à en juger sur l'~* dem Ansehen nach zu urteilen; *selon les ~s* dem Anschein nach; *sauver les ~s* den Schein wahren; *ce chaos n'est qu'~* dieses Chaos ist nur äußerlich; *advt. en ~* scheinbar; **2.** Spur *f*; *pas l'~ de* keine Spur von; **3.** Wahrscheinlichkeit *f*; *contre les ~s* gegen alle Wahrscheinlichkeitsrechnung; **~rent** [~'rɑ̃] *adj.* (7) **1.** augenscheinlich, sichtbar, offensichtlich; **2.** ansehnlich, hervorstechend; angesehen, vornehm; ansehnlich; **3.** scheinbar; *mort f ~e* Scheintod *m*.

apparent|age [aparɑ̃'ta:ʒ] *m* Verschwägerung *f*; **~er** [~rɑ̃'te] (1a) **I** *v/t. j-n* durch Heirat in eine Familie bringen; *apparenté* verwandt, verschwägert; *ohne prp. gebraucht*: *nous sommes apparentés* er (sie) ist (sind) mit mir (uns) verwandt; *être bien apparenté* reiche *od.* angesehene Verwandte haben; *mit prp.*: *il est apparenté aux plus riches familles du pays* er ist mit den reichsten Familien des Landes verwandt; **II** *v/rfl. s'~* sich verschwägern; ein Wahlbündnis eingehen (*à* mit).

appar|iement [apari'mɑ̃] *m* Paarung *f*; *~s pl. d'écoles* Schulpatenschaften *f/pl.*; **~ier** [~r'je] *v/t.* (1a) paaren.

appari|teur [~ri'tœ:r] *m* Gerichtsdiener *m*; *Universität*: Pedell *m*, Hausmeister *m*; (Bibliotheks-)Gehilfe *m*; **~tion** [~ri'sjɔ̃] *f* **1.** Erscheinung *f*; Erscheinen *n*; Auftreten *n* (*Krankheit*); **2.** kurzer Aufenthalt *m*; **3.** Gespenst *n*, Spuk *m*.

appartement [apartə'mɑ̃] *m* Wohnung *f*; *~ en copropriété* Eigentumswohnung *f*.

apparte|nance [~'nɑ̃:s] *f* Zugehörigkeit *f*; Mitgliedschaft *f*; *pl.* *~s* ⚖ Zubehör *n*, Pertinenzien *f/pl.*; **~nant** [~'nɑ̃] *adj.* (7) zugehörig; **~nir** [~'ni:r] (2h) **I** *v/i.* (*à*) **1.** gehören (*dat.*); **2.** eigen sein, zukommen (*dat.*); **3.** angehören (*dat.*), verwandt sein mit; **II** *v/imp.* **4.** *il lui appartient de ...* es kommt ihm zu, zu ...; **5.** ⚖ *ainsi qu'il appartiendra* nach Form Rechtens; *à tous ceux qu'il appartiendra* allen, die es angeht; allen Beteiligten; **III** *v/rfl.* *s' ~* sein eigener Herr sein.

appas [a'pɑ] *m/pl.* weibliche Reize *m/pl.*; *fig.* Verlockung *f*; *les ~ de la gloire* die Verlockungen *f/pl.* des Ruhmes.

appât [~] *m* **1.** Lockspeise *f*, Köder *m* (*a. fig.*); *offrir un ~ à q.* j-m e-n Köder hinwerfen; **2.** *fig.* Verlockung *f*.

appâter [apa'te] *v/t.* (1a) **1.** anlocken; **2.** füttern, *Gänse* nudeln, stopfen; **3.** *fig.* verlocken.

appau|vrir [apo'vri:r] (2a) **I** *v/t.* arm machen; ↗ aussaugen; *Blut* wässerig machen; **II** *v/rfl. s'~* arm werden, verarmen; verelenden; **~vrissement** [~vris'mɑ̃] *m* Verarmung *f*, Verelendung *f*, Armmachen *n*, -werden *n*; *~ du sang* Blutarmut *f*.

appeau [a'po] *m* (5b) Lock-pfeife *f*, -vogel *m*.

appel [a'pɛl] *m* **1.** Anrufen *n*, Ruf *m*, Zuruf *m*; Signal *n*; *~ (téléphonique)* (Telefon-)Anruf *m*; *téléph. ~ urgent* Notruf *m*; ✝ *~ d'ordre* (*od. d'offre*) Ausschreibung *f*; staatlicher Auftrag *m*; *~ radio* Funkspruch *m*; *~ suprême* letzter Notschrei *m*; *faire ~ à q.* sich an j-n wenden; zurückgreifen auf j-n; *faire ~ à ses souvenirs* sich besinnen; **2.** Aufrufen *n*, Appell *m*; *faire l'~* die Namen verlesen; *faire l'~ des témoins* die Zeugen aufrufen; **3.** Signal *n*; *signal m d'~ rad.* Rufzeichen *n*; *battre* (*sonner*) *l'~* Appell schlagen (blasen); **4.** Aufforderung *f*; *~ du pied* indirekte Aufforderung *f*; ⚖ *~ en cause* Aufforderung *f* zur Teilnahme an e-m Prozeß; ⚔ Aufgebot *n*; *ordre m d'~* Einberufungsbefehl *m*; *~ aux armes* Aufruf *m* zu den Waffen; *~ au peuple* Aufruf an das Volk; *faire l'~ de la dernière classe* den letzten Jahrgang aufbieten; *répondre à l'~* sich stellen; **5.** ✝ *~ de fonds* Aufforderung *f* zur Einzahlung; **6.** ⚖ Berufung *f*; *cour f d'~* Appellationsgericht *n*; *demandeur m en ~* Berufungskläger *m*, Appellant *m*; *se pourvoir en ~ od. interjeter ~ contre od. faire ~ de* Berufung einlegen gegen (*acc.*);

7. ⊕ ~ *d'air* Luftzug *m*, Schornsteinzug *m* (*im Ofen*).

appelable ⚖ [a'plablə] *adj.* anfechtbar.

appelant (7) [a'plɑ̃] **I** *adj.* ⚖ appellierend; **II** *su.* ⚖ Appellant *m*; *se rendre* ~ (*od. se porter pour* ~) Berufung einlegen.

appelé [a'ple] *su.* **1.** Berufene(r) *m*, Befugte(r) *m*; Nacherbe *m*; **2.** einberufener Soldat *m*.

appeler [a'ple] (1c) **I** *v/t.* **1.** (herbei-) rufen; *téléph.*: ~ *q.* (*au téléphone*) j-n anrufen; ~ *les numéros* die Nummern ausrufen (*z.B. die der Pariser Busplatzkarten*); ~ *q. à son secours* j-n zu Hilfe rufen; ~ *l'attention de q. sur qch.* j-n auf etw. aufmerksam machen; **2.** nennen; ~ *les choses par leur nom od. appeler un chat un chat* das Kind bei seinem rechten Namen nennen, kein Blatt vor den Mund nehmen; **3.** *bsd.* ⚖ vorladen, zitieren; ⚔ einberufen; ~ *en justice* vor Gericht laden; ~ *q. en témoignage* j-n als Zeugen vorladen; **4.** (heraus)fordern; ~ *q. en duel* j-n zum Duell herausfordern; **5.** berufen; *être appelé à une chaire* einen Ruf als Professor erhalten; *se sentir appelé à qch.* sich zu etw. (*dat.*) berufen fühlen; *beaucoup d'appelés, peu d'élus* viele sind berufen, aber wenige sind auserwählt; **6.** erfordern, nach sich ziehen, in Anspruch nehmen; **II** *v/i.* **7.** ~ *au secours* um Hilfe rufen; ~ *à un grand rassemblement* zu e-r Großkundgebung aufrufen; **8.** ⚖ ~ *d'une décision* (*od. d'un jugement*) gegen e-e Entscheidung (*od.* gegen ein Urteil) appellieren, Berufung einlegen; *j'en appelle* dagegen verwahre ich mich; **9.** *en* ~ *à* ... appellieren an (*acc.*); sich berufen auf ...; *j'en appelle à votre générosité* ich appelliere an Ihre Freigebigkeit; *j'en appelle à votre témoignage* ich berufe mich auf Ihre Zeugenaussage; **III** *v/rfl.* *s'*~ heißen, sich nennen; *comment vous appelez-vous?* wie heißen Sie?; *je m'appelle* ... ich heiße ...

appella|tif [apɛla'tif] *adj.* (7e): *nom* ~ Gattungsname *m*; **~tion** [apɛlɑ'sjɔ̃] *f* **1.** Benennung *f*; ✝ Herkunftsbezeichnung *f*; *Wein*: ~ *contrôlée* Qualität *f* kontrolliert; **2.** ⚖ (*nur noch in erstarrten Redewendungen*) Berufung *f*, Appellation *f*.

appen|dant ⚘ [apɑ̃'dɑ̃] *adj.* (7) anhängend; **~dice** [apɛ̃'dis] *m* Anhang *m*; Nachtrag *m*; Ansatz *m*, Fortsatz *m*; ~ *vermiforme od. vermiculaire* Wurmfortsatz *m am Blinddarm*; F Blinddarm *m*; **~dicite** [apɛ̃di'sit] *f* Blinddarmentzündung *f*; **~diculaire** [apɛ̃diky'lɛːr] *adj.* ⚘ gelappt; ansatzähnlich; *crise f* ~ Anfall *m* von Blinddarmentzündung.

appentis [apɑ̃'ti] *m* Wetter-, Schutz-, Vor-dach *n*; angebauter Schuppen *m*.

appert [a'pɛːr] *v/i. nur noch* ⚖: *il* ~ *que* ... es geht (daraus) hervor, daß ...

appesan|tir [apəzɑ̃'tiːr] *v/t. u.* **s'~** (2a) schwer (*fig.* schwerfällig) machen *od.* werden; *s'*~ *sur* schwer lasten auf (*acc.*), lang und breit (*od.* endlos) reden über (*acc.*); *ses paupières commencent à s'*~ die Augen fallen ihm (ihr) zu; **~tissement** [~tis'mɑ̃] *m* Schwere *f*, Schwerfälligkeit *f*; *fig.* Trägheit *f*.

appé|tence [ape'tɑ̃ːs] *f* Naturtrieb *m*, Instinkt *m*, instinktmäßige Begierde *f*; *phys.* Streben *n*; **~ter** [~'te] *v/t.* (1f) instinktmäßig begehren, verlangen nach; **~tibilité** [~tibili'te] *f* Begehrlichkeit *f*; **~tible** [~'tiblə] *adj.* begehrenswert; **~tissant** [~ti'sɑ̃] *adj.* (7) appetitlich; **~tit** [~'ti] *m* **1.** Appetit *m*; *avoir de l'*~, *avoir bon* ~ Appetit haben; *ça met en* ~ das regt den Appetit an; *se sentir de l'*~ Appetit bekommen; *vous sentez-vous de l'*~? bekommen Sie Appetit?; *manger de bon* ~ mit großem Appetit essen; *bon* ~! guten Appetit!; **2.** Begierde *f*, Sucht *f*, Verlangen *n*; **~titif** *phil.* [~ti'tif] *adj.* (7e) begehrend, verlangend; **~tition** *phil.* [~ti'sjɔ̃] *f* Begehren *n*, Verlangen *n*.

applau|dir [aplo'diːr] (2a) **I** *v/i.* **1.** Beifall klatschen, Applaus spenden; **2.** ~ *à qch.* etw. gutheißen; e-r Sache zustimmen; ~ *à un projet* (*à une proposition*) e-m Plan (e-m Vorschlag) zustimmen; **II** *v/t.* **3.** ~ *q.* j-m (*dat.*) applaudieren, j-m (*dat.*) Beifall spenden; ~ *une pièce* e-m Stück Beifall spenden; **III** *v/rfl.* *s'*~ **4.** *s'*~ *de* sich freuen über, froh (*od.* stolz) sein (*etw. getan zu haben*); **~dissement** [~dis'mɑ̃] *mst. im pl. m* Applaus *m*, Beifallsklatschen *n*, -ruf *m*, Beifall *m*; **~disseur** [~di'sœːr] *m* Applaudierende(r) *m*.

applica|bilité [aplikabili'te] *f* Anwendbarkeit *f*; **~ble** [~'kablə] *adj.*: ~ *à* anwendbar auf (*acc.*), tauglich zu; ~ *en l'espèce* einschlägig; **~tion** [~ka'sjɔ̃] *f* **1.** Auflegen *n*, Auftragen *n*, Anbringung *f*, Aufdrücken *n e-s Siegels*; **2.** *Stickerei*: Applikation(sarbeit *f*) *f*, Besatz *m*; **3.** Anwendung *f*, Verwendung *f e-r Summe*; ⊕ Verwendungsmöglichkeit *f*; ⚖ *en ~ de* in Anwendung von; *par ~ de* gemäß (*dat.*); *pour l'~ du présent protocole* im Sinne dieses Protokolls; **4.** Fleiß *m*; Aufmerksamkeit *f*; *avoir de l'~ à l'étude* sehr fleißig studieren; **5.** *point m d'~* Angriffspunkt *m*, Kraftpunkt *m*; **6.** *pl.* *~s* angewandte Übungen *f/pl.*

applique [a'plik] *f* **1.** Einlegestück *n*, Einsatzplatte *f*; **2.** Arm-, Wandleuchter *m*.

appli|qué [apli'ke] *adj.* fleißig; ⚡, *gr. usw.* angewandt; *à grands pas ~s* mit emsigen Riesenschritten; *il dormait de ce sommeil ~ qui est l'indice d'une conscience pure* er hatte jenen festen Schlaf, der das Zeichen e-s reinen Gewissens ist; **~quer** [~] (1m) **I** *v/t.* **1.** auflegen, anlegen, anlehnen, heranbringen; ansetzen; auftragen; aufdrücken; ~ *le sceau* das Siegel aufdrücken; ~ *q. à la question* j-n auf die Folter spannen; **2.** F ~ *une gifle* (P *une taloche*) *à q.* j-m e-e Ohrfeige hauen, j-m eine runterhauen (*od.* schallern *od.* knallen *od.* kleben *od.* langen); **3.** anwenden; ~ *une loi* ein Gesetz anwenden; *mathématiques appliquées* angewandte Mathematik; **4.** *fig.* ~ *son esprit à qch.* sich e-r Sache befleißigen; **5.** anpassen, anbringen; **6.** ⚡ *in e-e Figur* eintragen; **II** *v/rfl.* *s'~* **7.** genau anliegen *od.* passen; **8.** sich anwenden lassen; **9.** *s'~ qch. à soi-même* etw. auf sich beziehen; **10.** *s'~ à qch.* sich e-r Sache (*dat.*) widmen *od.* hingeben; sich e-r Sache (*gén.*) befleißigen; *s'~ à faire qch.* es sich angelegen sein lassen *od.* sich befleißigen, etw. zu tun.

appoint [a'pwɛ̃] *m* **1.** ✝ Ergänzungssumme *f*, Zuschuß *m*, Rest *m*; *faire l'~* die Summe ergänzen *od.* vollmachen; das Geld abgezählt bereithalten; *monnaie d'~* kleines Wechselgeld *n*; **2.** ✝ Saldo *m*; *par ~* per Saldo; **3.** *fig.* Beitrag *m*, Hilfe *f*; **4.** ⊕ zusätzliche Förderleistung *f*.

appointage [apwɛ̃'ta:ʒ] *m* Spitzen *n*, Anspitzung *f*; ⊕ letzte Walke *f*.

appoin|té [~'te] **I** *p.p. u. adj.* **1.** besoldet; **2.** ⚖ *cause ~e* auf weiteren Bescheid ausgesetzte Angelegenheit; **II** *m* ⚔ Gefreiter *m*; **~tements** [~t'mɑ̃] *m/pl.* Gehalt *n*; ~ *des fonctionnaires* Beamtengehälter *n/pl.*; *toucher des ~* Gehalt beziehen; **~ter** [~'te] *v/t.* (1a) **1.** ⚖ Bescheid geben (*dat.*); **2.** besolden; **3.** ⊕ die letzte Walke geben (*dat.*); **4.** (*Bleistift*) anspitzen; **~tir** [~'ti:r] *v/t.* (2a) *Bleistift* spitzen F; *besser sagt man*: *appointer*.

appont|age ✈ [apɔ̃'ta:ʒ] *m* Landung *f* (*auf e-m Flugzeugträger*); *miroir m d'~* Landungsspiegel *m*; **~ement** ⚓ [~t'mɑ̃] *m* Landungsbrücke *f*; **~er** ✈ [~'te] *v/i.* (1a) auf e-m Flugzeugträger landen.

apport [a'pɔ:r] *m* **1.** ⚖ gerichtliche Hinterlegung *f*; *acte m d'~* Hinterlegungsschein *m*; **2.** Eingebrachtes *n* in die Ehe, Heiratsgut *n*; **3.** ✝ Einlage *f* (*in ein Geschäft*), Einschuß *m*, eingelegtes Vermögen *n*; **4.** *a.* ✝ Zufuhr *f*; ~ *de population* Bevölkerungszufuhr *f*; *géol.* ~ *d'alluvions* Anschwemmungsmasse *f*; **5.** *fig.* Beitrag *m*.

apporter [apɔr'te] *v/t.* (1a) **1.** (mit-, herbei-)bringen; zuführen, beibringen; Gründe anführen; **2.** ✝ zuschießen; **3.** *fig.* hervorrufen, veranlassen, verursachen, mit sich bringen; ~ *des facilités* erleichtern; ~ *des obstacles* Hindernisse in den Weg legen; **4.** anwenden; ~ *du soin à* Sorgfalt verwenden auf (*acc.*).

appo|ser [apo'ze] *v/t.* (1a) anfügen; *Stempel* aufdrücken; ~ *des affiches* Zettel ankleben (*od.* anschlagen); ~ *les scellés à qch.* etw. gerichtlich versiegeln; **~sitif** [~zi'tif] **I** *adj.* (7e) e-n Zusatz bildend; **II** *m gr.* Apposition *f*, Ergänzung *f*; **~sition** [~zi'sjɔ̃] *f* **1.** Anlegung *f*; Aufdrückung *f*; Ankleben *n*; Ansetzen *n*; **2.** *gr.* Apposition *f*, Zusatz *m*, Ergänzung *f*.

apprécia|bilité [apresjabili'te] *f* Berechenbarkeit *f*, Schätzbarkeit *f*; **~ble** [~'sjablə] *adj.* schätzbar, berechenbar; taxierbar; nennenswert, beachtlich; *fig.* nennenswert; **~teur** [~sja'tœ:r] *su.* (7f) Abschätzer *m*; **~tif** [~sja'tif] *adj.* (7e) schätzend; *état ~* Abschätzung *f*, Veranschlagung *f*; **~tion** [~sjɑ'sjɔ̃] *f* Abschätzung *f*, Wertung *f*; *fig.* Würdigung *f*.

apprécier [apre'sje] *v/t.* (2a) **1.** beurteilen, schätzen, werten; **2.** *fig.* zu würdigen wissen, bewerten.

appréhen|der [apreɑ̃'de] (1a) **I** *v/t.*

⚖ ergreifen, festnehmen; ~ *q. au corps* j-n verhaften; **II** *v/i. u. v/t.* (be)fürchten; **~sible** *phil.* [~'siblə] *adj.* erfaßbar; **~sif** [~'sif] *adj.* (7e) furchtsam; **~sion** [~'sjɔ̃] *f* **1.** Befürchtung *f*; **2.** Verhaftung *f*; **3.** *phil.* Erfassen *n.*
apprendre [a'prɑ̃:drə] (4q) **I** *v/t.* **1.** lernen; ~ *à lire* lesen lernen; ~ *par cœur* auswendig lernen; ~ *qch. à ses dépens* durch Schaden klug werden; **2.** erfahren, hören, vernehmen; **3.** ~ *qch. à q.* j-n in etw. unterrichten, j-m etw. beibringen, j-n etw. lehren; ~ *à lire à q.* j-n lesen lehren; **4.** ~ *qch. à q.* j-m etw. melden; **5.** *bien appris* wohlerzogen; *mal appris* ungezogen, *a. als su.*: *un mal appris* ein Flegel *m*; **II** *v/i.* (*vor inf. mit à*) beibringen, unterrichten, lehren; **III** *v/rfl. s'*~ gelernt werden.
apprenti [aprɑ̃'ti] *su.* **1.** Lehrling *m*; *f*: Lehrmädchen *n*; ~ *boulanger* Bäckerlehrling *m*; **2.** Anfänger *m*, Neuling *m*; ~ *marin* Seekadett *m.*
apprentissage [aprɑ̃ti'sa:ʒ] *m* **1.** Erlernen *n*; **2.** Lehre *f*; Lehrzeit *f*; *mettre en* ~ in die Lehre schicken (*od.* stecken P); *sortir d'*~ aus der Lehre kommen; **3.** *fig.* erster Versuch *m.*
apprêt [a'prɛ] *m* **1.** Vorbereitung *f*; *cuis.* Zubereitung *f*; **2.** *text.* Glanz *m*, Appretur *f*; **3.** *fig.* Affektiertheit *f*, Geschraubtheit *f*, Künstelei *f.*
apprê|tage *text.* [aprɛ'ta:ʒ] *m* Appretur *f*; **~ter** [~'te] **I** *v/t.* **1.** zubereiten, zurechtmachen; ~ *le dîner* das Mittagessen machen; *cartes apprêtées* falsche Karten; *fig. apprêté* affektiert, gekünstelt; *phrase ~tée* gesuchte Wendung *f*; **2.** *text.* appretieren; **II** *v/rfl.* s'~: s'~ *à* sich vorbereiten auf (*acc.*) *od.* zu *mit inf.*, sich gefaßt machen auf (*acc.*); *apprêtez-vous à partir* halten Sie sich zur Abreise bereit; **~teur** [~'tœ:r] *adj. u. su.* (7g) Arbeiter *m*, der Stoffe appretiert; Glasmaler *m*; **~teuse** [~'tø:z] *f* Garniererin *f* von Damenhüten, Hutformerin *f.*
apprivoi|sable [aprivwa'zablə] *adj.* zähmbar; **~sement** [~z'mɑ̃] *m* Zähmung *f*; **~ser** [~'ze] (1a) **I** *v/t.* zähmen; *fig.* geselliger machen; **II** *v/rfl. s'*~ zahm werden, *fig.* vertraut werden.
approba|teur [aprɔba'tœ:r] (7f) **I** *adj.* beifällig, zustimmend; *murmure m* ~ Beifallsgemurmel *n*; **II** *su.* Beifallsspender *m*; **~tif** [~'tif] *adj.* (7e) billigend, gutheißend; *geste m* ~ zustimmende Gebärde *f*; *silence m* ~ beifälliges Schweigen *n*; **~tion** [~bɑ'sjɔ̃] *f* Billigung *f*, Genehmigung *f*, Einwilligung *f*, Zustimmung *f*; günstige Aufnahme *f.*
appro|chable [aprɔ'ʃablə] *adj.* zugänglich; **~chant** [~'ʃɑ̃] **I** *adj.* (7): ~ *de* ähnlich (*dat.*); *rien d'*~ *de cela* nicht annähernd; *quelque chose d'*~ etw. Ähnliches; **II** *adv. u. prp.* ungefähr, beinahe; *il est huit heures (ou)* ~ acht Uhr oder so herum.
approche [a'prɔʃ] *f* **1.** *a. pol.* Annäherung *f*; ✈ (*vol m d'*)~ Anflug *m*; *à l'*~ *de l'ennemi* beim Herannahen des Feindes; *à l'*~ *de la nuit* beim Anbruch der Nacht; **2.** ⚔ Zugang *m* zu einer Festung, Außenwerke *n/pl.*; *de difficile* ~ schwer zugänglich; *~s pl.* Laufgräben *m/pl.*; *lignes f/pl. d'*~ Angriffslinien *f/pl.*; **3.** *opt. lunette f d'*~ Fernrohr *n.*
approcher [aprɔ'ʃe] (1a) **I** *v/t.* **1.** ~ *qch. de qch.* eine Sache einer andern nähern; etw. an etw. (*acc.*) näher heran-bringen, -rücken, -stellen; ~ *la table de la fenêtre* den Tisch ans Fenster rücken; ~ *les éperons* einem Pferde leicht die Sporen geben; **2.** *fig.* ~ *une personne* freien Zutritt zu e-r Person haben, in enger Verbindung mit j-m stehen; ~ *qch.* Zutritt zu etw. (*dat.*) haben; **II** *v/i.* **3.** heran-kommen, -nahen; anbrechen (*Nacht*); *approchez!* = *approchez-vous!* s. III; **4.** (*v/i. meist bei allgemeingültiger od. nüchterner, bloßer Feststellung des unbeabsichtigten Geschehens*) ~ *de q.* (*de qch.*) näher an j-n (an etw.) herankommen, sich j-m (e-r Sache) nähern; ⅍ *nombre approché* angenäherte Zahl; **III** (*v/rfl. meist bei hervorgehobener od. beabsichtigter Handlung*; *vgl. s'apercevoir*) *s'*~ *de q.* (*de qch.*) sich j-m (e-r Sache) nähern; *approchez-vous!* treten (*od.* kommen *od.* rücken) Sie näher!
approfon|dir [aprɔfɔ̃'di:r] (2a) **I** *v/t.* austiefen; *fig.* vertiefen, tief eindringen in (*acc.*), ergründen, genau untersuchen, gründlich erforschen; **II** *v/rfl. s'*~ *fig.* sich prüfen; **~dissement** [~dis'mɑ̃] *m* Vertiefung *f*; *fig.* Durchdenken *n*, Ergründung *f*, Untersuchung *f.*
approntement [aprɔ̃t'mɑ̃] *m* Fertigstellung *f.*
appropri|ation [aprɔpriɑ'sjɔ̃] *f* Anpassung *f*, Einrichtung *f*; Zueignung *f*, Aneignung *f*; Zweck-

dienlichkeit *f*; **~é** [~pri'e] *adj.* zweckdienlich; sachgemäß; passend, entsprechend, geeignet; **~er** [~pri'e] (1a) **I** *v/t.* **1.** ~ *qch. à* etwas anpassen, einrichten; **2.** zurechtmachen; aufputzen, reinigen; **II** *v/rfl.* s'~ **3.** sich zu eigen machen, sich aneignen; **4.** in sich aufnehmen.

approuver [apru've] (1a) **I** *v/t.* **1.** genehmigen, gutheißen, billigen; (*vu et*) *approuvé* genehmigt; **2.** loben; **II** *v/rfl.* s'~ Billigung finden.

approvision|nement [aprɔvizjɔn'mɑ̃] *m* **1.** Versorgung *f*, Belieferung *f*, Verproviantierung *f*, Bedarf *m*, Zufuhr *f*; ~ *en eau* Wasserversorgung *f*; ~ *de* (*od.* *en*) *gaz* Gasversorgung *f*; ~ *d'air* (*respirable*) Luftzufuhr *f*; *~s m/pl. en pétrole* Ölversorgung *f*; **2.** Proviant *m*; **~ner** [aprɔvizjɔ'ne] (1a) **I** *v/t. mit Waren, Wasser, Elektrizität usw.* versorgen, beliefern; **II** *v/rfl.* s'~ versorgen *od.* sich verproviantieren; ~ *en qch.* mit etw. versorgen (*od.* eindecken); s'~ *en essence* tanken; *approvisionné* versorgt, versehen (*bsd.* ✝); *fin.* gedeckt (*Scheck*); ausgestattet (de mit); **~neur** [~zjɔ'nœ:r] *m* Verproviantierer *m*, Proviantmeister *m*.

approxima|tif [aprɔksima'tif] *adj.* (7e) □ annähernd; **~tion** [~mɑ'sjɔ̃] *f* annähernde Berechnung *od.* Schätzung *f*, (wissenschaftliche) Vermutung *f*.

appui [a'pɥi] *m* **1.** Stütze *f*; *gym.* ~ *fléchi* Beugestütz *m*; **2.** *fig.* Unterstützung *f*, Hilfe *f*, Halt *m*, Rückendeckung *f*; *pièces f/pl. à l'*~ schriftliche Beweisstücke *n/pl.*; Belege *m/pl.*; **3.** ⚠ Fensterbrett *n*, Brüstung *f*; *à hauteur d'* ~ in Brusthöhe; **4.** *méc. point m d'*~ Stützpunkt *m*; *fig.* Anhaltspunkt *m*; **5.** Unterlage *f e-s Hebebaumes*; **6.** *gr. syllabe f d'*~ betonte Silbe *f*; **~-livres** [~'li:vrə] *m* (6a) Bücherstütze *f*; **~-main** [apɥi'mɛ̃] *m* (6b) Malstock *m*; **~-pieds** [~'pje] *m* (6c) Fußraste *f*; **~-tete** [~'tɛt] *m* (5b) Kopfstütze *f* (*a. Auto*).

appuyer [apɥi'je] (1h) **I** *v/t.* **1.** (unter)stützen; **2.** ~ *qch. contre qch.* etwas gegen etw. stellen; *il m'appuya le pistolet contre la poitrine* er setzte mir die Pistole auf die Brust; **3.** ~ *qch. sur qch.* etw. auf eine Sache (auf-)stützen, (-)lehnen *od.* (-)stemmen; **4.** ~ *l'éperon à un cheval* einem Pferde die Sporen hart einsetzen; **5.** *fig.* unterstützen; ~ *q. de son crédit* j-m mit seinem Kredit unter die Arme greifen; **6.** *fig.* Nachdruck verleihen (*dat.*) (*Lohnforderungen*); **II** *v/i.* **7.** ruhen; **8.** ~ *sur qch.* drücken auf etw. (*acc.*); ruhen auf (*dat.*); *fig.* etw. mit Nachdruck hervorheben; auf etw. (*dat.*) bestehen; *gr.* ~ *sur une syllabe* den Ton auf eine Silbe legen; ♪ ~ *sur une note* eine Note (aus)halten; ⚡ ~ *sur le bouton* auf den Knopf drücken; **9.** ⚔ ~ *sur la droite* nach rechts zusammenschließen; **III** *v/rfl.* s'~ **10.** s'~ *sur* sich stützen auf (*acc.*); s'~ *contre od. à* sich lehnen an (*acc.*); **11.** *fig.* s'~ *sur q.* sich auf j-n verlassen; s'~ *sur qch.* sich auf etw. (*acc.*) berufen; P s'~ aushalten.

âpre ['ɑ:prə] *adj.* **1.** rauh (*Obstschale*; *Klima*); **2.** scharf, herb (*Geschmack*); **3.** scharf (*Tadel*); grimmig (*Kälte*); **4.** barsch; streng; rauh (*Stimme*); **5.** ~ *à* gierig auf; ~ *à l'argent* geldgierig, aufs Geld erpicht; ~ *au gain* gewinnsüchtig.

après [a'prɛ] **I** *prp.* nach (*dat.*), hinter (*dat. od. acc.*); **1.** ~ *boire* nach dem Trinken; (*mit Beziehung auf das Subjekt im Hauptsatz*) ~ *avoir bu* nachdem ich *od.* du *od.* er, sie, es (wir *usw.*) getrunken hatte(n); ~ (*la naissance de*) *Jésus-Christ* nach Christi Geburt; ~ *des interventions houleuses* nach stürmischen Zwischenrufen; ~ *coup* hinterher, nachträglich; ~ *quoi* worauf, darauf; ~ *tout* nach alledem, schließlich; *l'un* ~ *l'autre* einer nach dem andern; **2.** F *attendre* ~ *q.* voller Ungeduld auf j-n warten; *être toujours* ~ *q.* immer hinter j-m her sein; *soupirer* ~ sich sehnen nach; **3.** trotz, ungeachtet; ~ *tant d'efforts* trotz so großer Anstrengung; **4.** *d'*~ nach, zufolge, gemäß; *d'*~ *moi* meiner Ansicht nach; *d'*~ *ce que vous dites* nach dem, was Sie sagen; *d'*~ *la loi* gesetzesgemäß; *d'*~ *nature* nach der Natur; **II** *adv.* **5.** nachher, darauf; *peu* ~, *peu de temps* ~ kurz danach, bald darauf; *une année* ~ ein Jahr später; *l'année d'*~ das Jahr darauf, im folgenden Jahr; (*eh bien!*) *et* ~? weiter?, und dann?; **6.** *ci-*~ weiter unten, in der Folge; **III** ~ *que cj.* (*mit dem ind. des 2. Plusquamperfekts* [*passé antérieur*], *wenn der Hauptsatz im passé simple steht*; *modern abus. mit subj.*) nachdem; ~ *nous eûmes fini le travail, nous sortîmes* nachdem wir die Arbeit beendet hatten, gingen wir hinaus; **~-bourse** ✝ [~'burs] *f* (6c) Nachbörse *f*; **~-demain** [~d'mɛ̃] **I** *adv.* übermorgen; **II** *m* (6c) der übermorgige Tag; **~-dîner** [~di'ne] **I** (6c) *m* Abend *m*; **II** *adv.* abends; **~-gaullisme** *pol.* [~go'lism] *m die* Zeit nach de Gaulle; **~-guerre** [~'gɛːr] *m* Nachkriegszeit *f*; *le deuxième ~* die Zeit nach dem 2. Weltkrieg; *les années f/pl. d'~* die Nachkriegsjahre *n/pl.*; *la situation f d'~* die Nachkriegsverhältnisse *n/pl.*; **~-midi** [~mi'di] *m* (6c) Nachmittag *m*; *cet ~* heute nachmittag; **~-ski** [~'ski] *m* Après-Ski *n* (*Mode*); **~-vente** ✝ [~'vɑ̃ːt] *adjt.*: *service m ~* Kundendienst *m*.

âpreté [ɑprə'te] *f* Rauheit *f*; *fig.* Strenge *f*; Schärfe *f der Kälte*; Rauheit *f der Stimme*; *~ au gain* Gewinnsucht *f*; *~ à l'argent* Geldgier *f*.

a priori [aprio'ri] **I** *adv.* von vornherein, aus Vernunftsgründen; **II** *m* reiner Vernunftsbeweis *m*.

à-propos [aprɔ'po] *m* rechter Augenblick *m*; Schlagfertigkeit *f*; *thé.* Gelegenheits-stück *n*, -gedicht *n*.

apside [ap'sid] *f ast.* Wendepunkt *m*.

apte [apt] *adj.* geschickt, fähig (*à* zu); *~ au service militaire* kriegsverwendungsfähig.

aptère [ap'tɛːr] *adj.* (*u. ~s m/pl.*) ungeflügelt(e Insekten *n/pl.*).

aptitude [apti'tyd] *f* **1.** Eignung *f*; Fähigkeit *f*; *certificat m d'~* Befähigungsnachweis *m*; *~ pédagogique* Lehrgeschick *n*; *~ visuelle* Sehvermögen *n*; *~s pl. à faire du cheval, a. ~s pl. de cavalier* reiterliches Geschick *n*, reiterliche Fähigkeit *f*; *~ à se mettre au diapason de q.* Einfühlungsvermögen *n*; **2.** ⚖ Fähigkeit *f*, Recht *n*.

apu|rement ✝ [apyr'mɑ̃] *m* Prüfung *f* und Bescheinigung *f einer Rechnung*, Rechnungsabschluß *m*; **~rer** [~'re] *v/t.* (1a): *~ un compte* eine Rechnung für richtig erkennen.

apyre [a'piːr] *adj.* feuerfest.

aqua|cole [akwa'kɔl] *adj.*: *ouvrier m ~* Seefischzüchter *m*; **~culture** [~kyl'tyːr] *f* Seefischzucht *f*; **~fortiste** [~fɔr'tist] *m* Radierer *m*; **~jet** [~'ʒɛ] *m* Regenrinne *f*, Seitenrille *f* (*e-s Autoreifens*); **~naute** [~'not] *m* Aqua-, Ozea-naut *m*, Tiefseeforscher *m*; **~plane** [~'plan] *m Sport* **1.** Wellenreitbrett *n*; **2.** Wellenreiten *n*; *faire de l'~* wellenreiten; **~planing** *Auto* [~pla'niŋ] *m* Aquaplaning *n*, Schleudern *n* durch Straßennässe; **~planiste** [~pla'nist] *su.* Wellenreiter(in *f*) *m*.

aquarel|le [akwa'rɛl] *f* Aquarell *n*, Wasserfarbengemälde *n*; **~liste** [~rɛ'list] *su.* Aquarellmaler *m*.

aqua|rium [akwa'rjɔm] *m* **1.** Aquarium *n*; **2.** ✈ Wassertank *m* für Druckbelastungsproben (*Flugzeugzelle*); **~tile** ⚘ [~'til] *adj.* im Wasser lebend.

aquatinte [~'tɛ̃ːt] *f* Tuschzeichnung *f*.

aquatique ⚘, *zo.* [akwa'tik] *adj.* im Wasser lebend; Wasser...; *oiseau m ~* Wasservogel *m*.

aqueduc [ak'dyk] *m hist.* Aquädukt *n*, *altrömische* Wasserleitung *f*.

aqueux (*a.* ⚕) [a'kø] *adj.* (7d) wässerig, wasserhaltig.

aqui|culture [akɥikyl'tyːr] *f* Wasserbewirtschaftung *f*, Aufzucht *f* von Wassertieren u. -pflanzen; **~fère** [~'fɛːr] *adj.* wasserhaltig, -leitend; *couche f ~* Wasserader *f*.

aquilin [aki'lɛ̃] *adj./m*: *nez ~* Adlernase *f*.

aquitanien *géol.* [akita'njɛ̃] *adj.* (7c) aquitanisch (*geologische Stufe*).

ara|be [a'rab] **I** *adj.* **1.** arabisch; **II** ♀ *su.* **2.** Araber *m*; **3.** (*cheval*) *~* Araber *m*; **~besque** [~'bɛsk] **I** *adj. u. m ~* arabisch(er Stil *m*); **II** *f* (*bsd. pl.*) Arabesken *f/pl.*; *~ de givre* Eisblume *f*.

Arabie [ara'bi] *f*: **l'~** Arabien *n*; *l'~ Saoudite* [~sau'dit] Saudi-Arabien *n*.

arabique [ara'bik] *adj.*: *désert m ~* Arabische Wüste *f*; *golfe m ~* Arabischer Golf *m* (*v. Oman*).

arabisant [arabi'zɑ̃] *m* Arabist *m*.

arable [a'rablə] *adj.* pflügbar.

arabophone [arabɔ'foːn] *adj.* arabisch sprechend.

arachide [ara'ʃid] *f* Erdnuß *f*.

arachnéen [arakne'ɛ̃] *adj.* (7c) spinnenwebartig; *fig.* hauchdünn.

arak [a'rak] *m* Arrak *m*.

araignée [arɛ'ɲe] *f* **1.** Spinne *f*; *~ porte-croix* Kreuzspinne *f*; (*toile f d'~*) *~* Spinngewebe *n*; *bas m ~* Florstrumpf *m*; F *avoir une ~ dans le plafond* im Oberstübchen nicht ganz richtig sein; F *fig.* spinnen; e-n Tick haben; **2.** *patte d'~* ⊕ Ölnut *f*; *pattes f/pl. d'~*: a) Spinnenfüße *m/pl.*, b) lange, dürre Finger *m/pl.*, c) lange, dünne Schrift *f*; **3.** Schöpfhaken *m* am Brunnen; **4.** ⚓ Hahnpoot *m*.

araire [a'rɛːr] *m* räderloser Pflug *m*.

araser [ara'ze] *v/t.* ⚠ ab-, ausgleichen; ⊕ auf Normal-länge, -stärke bringen.
aratoire [~'twa:r] *adj.* Acker..., Feld...; landwirtschaftlich.
arba|lète † [arba'lɛt] *f* Armbrust *f*; **~létrier** [~letri'e] *m* **1.** † Armbrustschütze *m*; **2.** *orn.* Mauerschwalbe *f*; **3.** ⚠ Stützbalken *m*.
arbi|trage [arbi'tra:ʒ] *m* **1.** Schiedsspruch *m*; *tribunal m d'~* Schiedsgericht *n*; *cour f d'~ de la Haye* Haager Schiedsgerichtshof *m*; *commission f d'~* Schlichtungsausschuß *m*; *exercer un ~ plus ferme sur qch.* bei etw. (*dat.*) stärker mitreden, auf etw. (*acc.*) größeren Einfluß ausüben; **2.** ⚕ Berechnung *f* verschiedener Wechselkurse; Effektenhandel *m*; **~tragiste** [~tra'ʒist] *m* Effektenmakler *m*; **~traire** [~'trɛ:r] **I** *adj.* □ willkürlich; unumschränkt, eigenmächtig; beliebig; **II** *m* Willkür *f*; **~tral** [~'tral] *adj.* (5c) □ schiedsrichterlich; *procédure f ~e* schiedsgerichtliches Verfahren *n*; **~tration** ⚖ [~trɑ'sjɔ̃] *f* Abschätzung *f*.
arbitre [ar'bi:trə] *m* **1.** *a. Sport:* Schieds-richter, -mann *m*; *Sport:* Spielleiter *m*; *~ (du ring)* Ringrichter *m*; Schlichter *m* (*in Tarifkämpfen*); *tiers ~* Oberschiedsrichter *m*, Obmann *m*; **2.** *~ de* unumschränkter Herr *m* über; **3.** *~ (sans parti pris)* Unparteiische(r) *m*; **4.** *libre ~ (franc ~)* freier Wille *m*.
arbitrer [arbi'tre] *v/t.* (1a) als Schiedsrichter entscheiden.
arbo|rer [arbɔ're] *v/t.* (1a) aufpflanzen, hissen; **~rescences** [~re'sɑ̃:s] *f/pl.* baumartige Formen *f/pl.*; Eisblumen *f/pl. am Fenster.*
arbori|cole [~ri'kɔl] *adj.* auf Bäumen lebend; **~culteur** [~kyl'tœ:r] *m* Baumzüchter *m*; **~culture** [~kyl'ty:r] *f* Baum-pflege *f*, -zucht *f*; *~ fruitière* Obstbaumzucht *f*; **~forme** [~'fɔrm] *adj.* baumartig; **~sation** [~zɑ'sjɔ̃] *f* **1.** Eisblumen *f/pl.* (*am Fenster*); **2.** *min.* Pflanzenabdruck *m*; **~ser** [~'ze] **I** *v/i.* Bäume ziehen; **II** *v/t.* mit Bäumen bepflanzen; *parc m arborisé* mit Bäumen bepflanzter Park.
arbre ['arbrə] *m* **1.** Baum *m*; *~ forestier*, *~ d'ornement* Wald-, Zier-baum *m*; *~ fruitier* Obstbaum *m*; *~s verts* immergrüne Bäume *m/pl.*, Nadelhölzer *n/pl.*; *~ de Noël* Weihnachtsbaum *m*; *couper l'~ pour avoir le fruit* sich die Zukunft wegen e-s Augenblickserfolges verscherzen; **2.** *l'~ de la science du bien et du mal* Baum der Erkenntnis; *rl. l'~ de la croix* der Kreuzesstamm; **3.** *~ généalogique* Stammbaum *m*; **4.** ⊕ Welle *f*, Achse *f*, Spindel *f*, Drehstift *m*; *~ principal* Hauptwelle *f e-r Maschine*; *~ de commande*, *~ de propulsion* Antriebswelle *f*; *~ de commande vertical (incliné)* senkrechte (geneigte) Lenksäule *f*; *~ à cardan* Kardan-achse *f*, -welle *f*; *~ à cames* (*désaxé* versetzte) Nockenwelle *f*; **5.** *gym. faire l'~ fourchu* sich auf den Kopf stellen und die Beine ausea.-spreizen; *~ droit sur les mains* Handstand *m*; **6.** ⚓ Mast(baum) *m*.
arbrisseau [arbri'so] *m* Bäumchen *n*; Strauch *m*.
arbus|te [ar'byst] *m* Staude *f*, Strauch *m*; *~ de décoration* Zierstrauch *m*; **~tif** [arbys'tif] *adj.* (7e) strauchartig.
arc [ark] *m* **1.** Bogen *m*; *bander* (*od. tendre*) *l'~* den Bogen spannen; *avoir plusieurs cordes à son ~ fig.* mehrere Eisen im Feuer haben; **2.** Kreisbogen *m*; gebogener Teil *m*; **3.** ⚡ *~ conducteur* Aus-, Entlader *m*; *lampe f à ~* Bogenlampe *f*; *~ voltaïque* Lichtbogen *m*; *éclairage m par ~* Bogenlichtbeleuchtung *f*; **4.** *~ de triomphe* Triumphbogen *m*; *~ en accolade*, *~ en talon* Eselsrücken *m*, Wellenbogen *m*; *~ plein cintre* Rundbogen *m*; *~ en ogive od. en tiers-point od. ~ gothique* Spitzbogen *m*; *~ d'un pont* Brückenbogen *m*.
arcade [ar'kad] *f* **1.** Arkade *f*, bogenförmige Öffnung *f*; Schwibbogen *m*, Bogenwölbung *f*; **2.** *anat.* Bogen *m*: *~ sourcilière* Augenbrauenbogen *m*.
arcane [ar'kan] *m* **1.** Geheimmittel *n*; **2.** *pl. fig.* Geheimnisse *n/pl.*
arcanne *charp.* [ar'kan] *f* Rötel *m*.
arcasse [ar'kas] *f* Schiffsheck *n*.
arc-bou|tant [arkbu'tɑ̃] *m* (6a) **1.** Strebe-, Gewölbe-pfeiler *m*; **2.** *fig.* Eckpfeiler *m*, Träger *m*, Hauptstütze *f*; **~ter** [arkbu'te] (1a) **I** *v/t.* (*mit Strebepfeilern od. Strebebogen*) stützen, absteifen; **II** *v/rfl.* *s'~ à qch.* sich an etw. stützen, sich gegen etw. stemmen.
arc-doubleau [arkdu'blo] *m* (6a) Pfeilerbogen *m*.

arceau [ar'so] *m* (5b) kleiner Bogen *m*, Krümmung *f*; Kleeblattzug *m*.
arc-en-ciel [arkɑ̃'sjɛl] *m* (6b) Regenbogen *m*.
archa|ïque [arka'ik] *adj.* □ altertümlich; archaisch; **~ïser** [~i'ze] *v/i.* archaisieren, sich altertümlich ausdrücken; **~ïsme** [~'ism] *m* **1.** veralteter Ausdruck *m od.* Stil *m*; **2.** Altertümelei *f*.
archal [ar'ʃal] *m*: *fil m d'~* Messingdraht *m*.
archange [ar'kɑ̃:ʒ] *m* Erzengel *m*.
arche [arʃ] *f* **1.** Brückenbogen *m*; **2.** ⊕ *~ de débardage* Hebearm *m* (*e-s Raupenschleppers*); **3.** *bibl. hist. rl. ~ de Noé* Arche Noah *f*; Zufluchtsort *m*; **4.** *fig. la colombe de l'~* die Friedenstaube; **5.** *l'~ d'alliance od. l'~ sainte* die Bundeslade.
archéolo|gie [arkeɔlɔ'ʒi] *f* Archäologie *f*, Altertumskunde *f*; **~gique** [~'ʒik] *adj.* □ archäologisch; **~gue** [~'lɔg] *m* Archäologe *m*, Altertumsforscher *m*, -kenner *m*.
archer [ar'ʃe] *m* Bogenschütze *m*; *péj.* Häscher *m*.
archet [ar'ʃɛ] *m* **1.** ♪ (Violin- *usw.*) Bogen *m*; *coup m d'~* Bogenstrich *m*; **2.** ⊕ Draht-, Bohr-bogen *m*; **3.** (Metall-)Bügel *m*.
archétype [arke'tip] *m* Muster *n*, Modell *n*, Vorlage *f*; Normalgewicht *n*, -maß *n*; *phil.* Urbild *n*.
arche|vêché [arʃəvɛ'ʃe] *m* **1.** Erzbistum *n*; **2.** Einkünfte *pl.* des Erzbischofs; **3.** erzbischöflicher Palast *m*; Sitz *m* des Erzbischofs; **4.** erzbischöfliche Würde *f*; **~vêque** [~'vɛk] *m* Erzbischof *m*.
archi|bon F [arʃi'bɔ̃] *adj.* (7c) herzensgut; **~bondé** F [arʃibɔ̃'de] *adj.* übervoll, proppenvoll F; **~camérier** *égl.* [~kamer'je] *m* Erzkämmerer *m*; **~comble** [~'kɔ̃:blə] *adj.* vollständig besetzt, überfüllt; **~diocésain** [~djɔse'zɛ̃] *adj.* (7) zu e-m Erzbistum gehörig; **~duc** [~'dyk] *m* Erzherzog *m*; **~duché** [~dy'ʃe] *m* Erzherzogtum *n*; **~duchesse** [~dy'ʃɛs] *f* Erzherzogin *f*; **~épiscopal** [arkiepiskɔ'pal] *adj.* (5c) erzbischöflich; **~millionnaire** [arʃimiljɔ'nɛ:r] *m* mehrfacher Millionär *m*.
archipel [arʃi'pɛl] *m* Inselmeer *n*.
archi|plein [arʃi'plɛ̃] *adj.* (7) überfüllt, übervoll, F proppenvoll; **~prêt** [~'prɛ] *adj.* (7) durchaus (*od.* völlig) bereit, fix und fertig; **~prêtre** [~'prɛ:trə] *m* Erzpriester *m*.
archi|tecte [arʃi'tɛkt] *m* Architekt *m*, Baumeister *m*; *~(-)paysagiste* Gartenarchitekt *m*; **~tectonique** [~tɛktɔ'nik] **I** *adj.* architektonisch; **II** *f* Baukunst *f*; **~tectural** [~ty'ral] *adj.* (5c) □ zur Baukunst gehörig; **~tecture** [~'ty:r] *f* Architektur *f*, Baukunst *f*; Bauart *f*; **~tecturer** *at.* [~ty're] *v/rfl.* (1a): *s'~* sich aufbauen; **~trave** [~'tra:v] *f* Hauptgebälk *n*; **~trituré** *géol.* [~trity're] *adj.* durch u. durch zerkleinert (*od.* zermalmt).
archi|ver [arʃi've] *v/t.* (7) archivieren, aufbewahren; **~ves** [ar'ʃi:v] *f/pl.* **1.** Archiv *n*; **2.** Archivgebäude *n*; **~viste** [arʃi'vist] *m* Archivar *m*.
archivolte [~'vɔlt] *f* Schwibbogenverzierung *f*.
arçon [ar'sɔ̃] *m* Sattelbogen *m*; *gym. cheval m d'~* Pferd *n*; *être ferme dans (od. sur) ses ~s* sattelfest sein; *fig.* fest auf s-r Meinung (*od.* in s-r Stellung) beharren; *vider les ~s* aus dem Sattel gehoben werden, vom Pferd fallen; *fig.* die Fassung verlieren.
arc-rampant △ [arkrɑ̃'pɑ̃] *m* (6a) steigender (*od.* einhüftiger) Bogen *m*.
arctique [ark'tik] *adj.* (*auch su.*) arktisch, nördlich.
arcuation ⚕ [arkɥa'sjɔ̃] *f* Knochenkrümmung *f*.
arcure [ar'ky:r] *f* Biegen *n* der Zweige.
ardemment [arda'mɑ̃] *adv. fig.* sehnsüchtig, inbrünstig.
ardent [ar'dɑ̃] *adj.* (7) (*fig. auch vor su.*) **1.** (*auch fig.*) brennend, feurig, glühend, heiß, hitzig, eifrig, sehnlich; pulsierend, schwungvoll, aktiv; *désir m ~* sehnlicher Wunsch *m*; *être ~ à l'étude* eifrig studieren; *chapelle ~e* Trauerkapelle *f*; *fig. être sur des charbons ~s* wie auf glühenden Kohlen sitzen; *la Cité ~e* die pulsierende Innenstadt *f*; *fournaise ~e* feuriger Ofen *m*; **2.** zündend; Brenn...; *miroir ~* Brennspiegel *m*; *verre ~* Brennglas *n*; **3.** (brennend) rot (*Haar*); *cheval m à poil ~* Brandfuchs *m*.
ardeur [ar'dœ:r] *f* **1.** Hitze *f*, Brand *m*, Glut *f*; *~s pl. de la canicule* Hundstagshitze *f*; *~ d'estomac* Sodbrennen *n*; **2.** *fig.* lebhafter Wunsch *m*, Begierde *f*, leidenschaftliches Streben *n*; Sehnsucht *f*; *~ au combat* Kampfeseifer *m*; *~ au travail* Arbeits-eifer *m*, -freudigkeit *f*; *avec ~* inbrünstig; excès

m d'~ blinder Eifer *m*; **3.** *poét.* Liebe *f.*

ardillon ⊕ [ardi'jõ] *m* Schnallendorn *m*, -spitze *f*; *typ.* Bogenhalter *m.*

ardoise [ar'dwa:z] *f* **1.** Schiefer *m*; *couvreur m en* ~ Schieferdecker *m*; **2.** Schiefertafel *f*; **3.** Schieferfarbe *f*; **4.** P (Trink-)Schulden *f/pl.*

ardoi|sé [ardwa'ze] *adj.* **1.** mit Schiefer gedeckt; **2.** schieferfarbig; **~seux** [~'zø] *adj.* (7d) schieferartig; **~sier** [~'zje] (7b) **I** *adj.* schieferartig; **II** *su.* Besitzer *m od.* Arbeiter *m* e-s Schieferbruches; **~sière** [~'zjɛ:r] *f* Schieferbruch *m.*

ardu [ar'dy] *adj.* **1.** steif, schroff, unzugänglich; **2.** *fig.* schwer zu lösen, schwierig; *travail m intellectuel* ~ schwere geistige Arbeit *f*; **~ité** [ardɥi'te] *f* Schwierigkeit *f.*

are [ɑ:r] *m* Ar *n u. m* (*Flächenmaß*).

aréage [are'a:ʒ] *m* Landvermessung *f* nach Aren.

aréfaction [arefak'sjõ] *f* Dörren *n.*

arénation ⚕ [~nɑ'sjõ] *f* Sandbad *n.*

arène [a'rɛ:n] *f* **1.** Arena *f*, Bahn *f*, Kampfplatz *m*; **2.** ~*s pl.* Amphitheater *n*; **3.** *poét.* Sand *m.*

arénicole [areni'kɔl] *adj.* im Sande lebend.

aréole [are'ɔl] *f* ⚕ Hof *m* um ein Geschwür; ⚘ bunter Kranz *m* um e-e Blütenkrone; *ast.* Hof *m* um den Mond; *anat.* ~ *du mamelon* Warzenhof *m.*

aréomètre [areɔ'mɛtrə] *m* Aräometer *n*, hydrostatische Senkwaage *f.*

arete [a'rɛt] *f* **1.** Gräte *f*; **2.** Granne *f*, Ährenspitze *f*, Bart *m*; **3.** Rückenhaar *n*; **4.** *charp.* First *m*, Grat *m*; (Felsen-)Kamm *m*, Berggrat *m*; Schärfe *f*, Schneide *f*, ⚠ Kante *f*; *voûte f d'*~*s* Kreuzgewölbe *n*; *à* ~*(s) vive(s)* scharfkantig; **5.** Verschlußstreifen *m e-r Milchtüte aus Kunststoff.*

aretier *charp.* [arɛ'tje] *m* Ecksparren *m.*

argent [ar'ʒɑ̃] *m* **1.** Silber *n*; ~ *allemand od. chinois* Neusilber *n*; ~ *fulminant* Knallsilber *n*; ~ *natif od. vierge* gediegenes Silber *n*; *vif-*~ Quecksilber *n*; ~ *en barres*, ~ *en lingots* Barrensilber *n*; *brocat m d'*~ Silberstoff *m*; *nitrate m d'*~ Höllenstein *m*; **2.** weiße Farbe *f*, Silberfarbe *f*; *poét. le voile d'*~ *de la lune* des Mondes Silberschleier; **3.** Geld *n*; (*étalon m d'*)~ Silberwährung *f*; ~ *blanc* Silbergeld *n*; ~ *en caisse* Kassenbestand *m*; ~ *remboursable* (*od. disponible*) *fin courant od. à la fin du mois*, ~ *réservé pour (les règlements de) la fin du mois* Ultimogeld *n*; ~ *comptant* bares Geld *n*; *payer en* ~ *comptant* bar bezahlen; ~ *immobilisé* fest angelegtes Geld *n*; ~ *mignon* Spar-, Heck-pfennig *m*; ~ *monnayé* gemünztes Geld *n*; ~ *mort* totes Kapital *n*; ~*-papier m* Papiergeld *n*; ~ *au jour le jour*, ~ *journalier* tägliches (*od.* täglich kündbares) Geld *n*; ~ *de poche* Taschengeld *n*; *être à court d'*~ nicht (*od.* knapp) bei Kasse sein, in Geldverlegenheit sein; *avoir de l'*~ *sur soi* Geld bei sich haben; *toucher de l'*~ Geld einnehmen; *faire* ~ *de tout* alles zu Geld machen; *j'en suis pour mon* ~ ich bin um mein Geld gekommen; *prendre qch. pour* ~ *comptant* etw. für bare Münze nehmen; *le temps c'est de l'*~ Zeit ist Geld; *il y a de l'*~ *à la pelle* das Geld liegt auf der Straße; *jeter l'*~ *par les fenêtres* das Geld zum Fenster hinauswerfen.

argen|tage [arʒɑ̃'ta:ʒ] *m* Versilberung *f*; **~tal** [~'tal] *adj.* (5c) silberhaltig; **~tan** [~'tɑ̃] *m* Argentan *n*, Neusilber *n*; **~ter** [~'te] (1a) **I** *v/t.* **1.** versilbern, übersilbern; *renard m argenté* Silberfuchs *m*; **2.** *fig.* glänzend machen, in Silberglanz hüllen; **II** *v/rfl. s'*~ versilbert werden, Silberglanz erhalten; *barbe f qui s'argente* grau werdender Bart *m*; **~terie** [~'tri] *f* Silber-zeug *n*, -geschirr *n*; **~teur** [~'tœ:r] *su.* (7g) Versilberer *m*; **~tier** [~'tje] *m* **1.** F *le grand* ~ der Finanzminister; **2.** Besteckschrank *m*; **~tière** [~'tjɛ:r] *f* Besteckschrank *m*; **~tifère** [~ti'fɛ:r] *adj.* silberhaltig; *production f* ~ Silberproduktion *f*; **~tin** [~'tɛ̃] **I** *adj.* (7) silber-haltig, -farben; wie Silber klingend; **II** *adj. u.* ♀ *su.* (7) argentinisch; Argentinier(in *f*) *m*; **~tine** [~'tin] *f* **1.** *min.* Schieferspat *m*; **2.** ⚘ Silberkraut *n*; **3.** *icht.* Silberfisch *m*; **4.** *l'*♀ *f* Argentinien *n*; **~ture** [~'ty:r] *f* Versilberung *f.*

argile [ar'ʒil] *f* Ton *m*, Ton-, Töpfer-erde *f*; Lehm *m*; *d'*~ tönern; ~ *expansive* ⚠ Blähton *m*; ~ *réfractaire* Schamotte *f*; ~ *graphique* Zimmermannskreide *f*; ~ *plastique*, ~ *à modeler* Knetgummi *m.*

argi|leux [arʒi'lø] *adj.* (7d) tonig,

ton-artig, -haltig; *couche argileuse* Tonlager *n*; **~lière** [arʒi'ljɛ:r] *f* Tongrube *f*; **~lifère** [~li'fɛ:r] *adj.* tonhaltig.

argon [ar'gɔ̃] *m* **1.** Dohne *f zum Vogelfang*; **2.** ⚗ Argon *n*.

argot [ar'go] *m* **1.** ~ (*du milieu*) Argot *m*, Slang *m*, Gauner-, Diebessprache *f*, Rotwelsch *n*; **2.** Sonder-, Fachsprache *f* von Berufen u. Gesellschaftsklassen; ~ *des casernes* Soldatensprache *f*; ~ *des chasseurs* Jägerlatein *n*; ~ *des coulisses* Theaterjargon *m*; ~ *des étudiants* Studentensprache *f*; ~ *scolaire* (*sportif*) Schüler- (Sport-)jargon *m*.

argo|ter [argɔ'te] (1a) *v/i.* Argot (*od.* Slang) sprechen; **~tique** [~'tik] *adj.* Argot..., Slang...; *des mots* ~*s* Argotwörter *n/pl.*

argougner * [argu'ɲe] *v/t.* (1a) erwischen.

argousier ⚘ [argu'zje] *m* Stechdorn *m*.

argue [arg] *f* Drahtziehbank *f*.

arguer[1] [ar'ge] *v/i.* (1a) Gold- *od.* Silber-grobdraht ziehen.

arguer[2] [ar'gɥe, argy'e] (1n) **I** *v/t.* ⚖ *nur gbr. in*: ~ *un acte de faux* e-e Urkunde als falsch anfechten; **II** *v/i.* folgern; *allg.* diskutieren.

argument [argy'mɑ̃] *m* **1.** Beweis (-führung *f*) *m*; Schluß(folgerung *f*) *m*; **2.** Vermutung *f*, Indizium *n*; **3.** ⅍, *phys.* veränderliche Größe *f*; Phasenwinkel *m*; Argument *n*; **4.** *thé.* Inhaltsangabe *f*.

argumen|taire [~'tɛ:r] **I** † *m* Liste *f* von Verkaufsargumenten; **II** *adj.*: *dossier m* ~ Sammlung *f* von Argumenten *für e-e Rede od. Diskussion*; **~tateur** [~ta'tœ:r] *su.* (7f) Wortkämpfer *m*; **~tation** [~tɑ'sjɔ̃] *f* Beweisführung *f*; Schlußfolgerung *f*; **~ter** [~'te] *v/i.* (1a) Schlüsse ziehen, Gründe anführen; ~ *de* folgern aus.

argutie [argy'si] *f* Spitzfindigkeit *f*.

aria[1] F [a'rja] *m* Ärger *m*, Schererei *f*; *faire bien de l'*~ sehr viel Ärger machen; *que d'*~*s!* wieviel Scherereien!

aria[2] ♪ [a'rja] *f* Arie *f*.

ari|de [a'rid] *adj.* dürr, ausgetrocknet; *fig.* unfruchtbar; trocken, gefühllos; **~dité** [~di'te] *f* Dürre *f*, Trockenheit *f*, Unfruchtbarkeit *f*; *fig.* *l'*~ *de l'esprit* die Geistesarmut.

ariette ♪ [ar'jɛt] *f* Liedchen *n*.

aristo F [aris'to] *m* feiner Pinkel *m*; *faire l'*~ den feinen Mann spielen.

aristo|crate [~tɔ'krat] *adj. u. su.* aristokratisch; Aristrokat *m*; **~cratie** [~kra'si] *f* Aristokratie *f*, Adelsherrschaft *f*; Adel *m*; **~cratiser** [~ti'ze] *v/t.* (1a) zum Aristokraten machen; aristokratische Formen geben.

arithmé|ticien [aritmeti'sjɛ̃] *su.* (7c) Arithmetiker *m*; Rechenkünstler *m*; **~tique** [~'tik] **I** *adj.* □ arithmetisch; **II** *f* (Lehrbuch *n* der) Arithmetik *f*, Rechenkunst *f*.

arle|quin [arlə'kɛ̃] *m* **1.** Harlekin *m*, Hanswurst *m*; F *fig.* Faselkopf *m*, wetterwendischer Mensch *m*; **2.** F Allerlei *n* aus Küchenresten, Mischgericht *n*; **3.** a) *ent.* Porzellanschnecke *f*; b) *orn.* Kolibri *m*; **~quinade** [~ki'nad] *f* Hanswurstkomödie *f*; F toller Streich *m*; lächerliches Geschreibsel *n*.

arma|teur [arma'tœ:r] *m* Reeder *m*; **~ture** [~'ty:r] *f* **1.** ⊕ Armatur *f*, Armierung *f*; *bét.* Bewehrung *f*; (Eisen-)Beschlag *m*; **2.** △ künstliche Verstärkung *e-s Balkens*; **3.** ♪ Vorzeichen *n*; **4.** Anker *m e-s Magneten*; **5.** *fig.* ~ *d'une société* Struktur *f* e-r Gesellschaft.

arme [arm] *f* **1.** Waffe *f*; Gewehr *n*; ~ *aérienne* Luftwaffe *f*; ~*s atomiques* atomare Waffen *f/pl.*; ~ *automatique* leichtes Maschinengewehr *n*, *abr.* l.MG; ~ *blanche* blanke Waffe *f*, Handwaffe *f*, Nahkampfwaffe *f*; ~ *tranchante* Hiebwaffe *f*; ~ *à feu* Schußwaffe *f*; ~ *à tir rapide* Schnellfeuerwaffe *f*; ~ (*à chargement*) *automatique* Selbstladewaffe *f*; ~*s pl. d'estoc* Stoßwaffen *f/pl.*; ~ *de jet od. de trait* Wurfwaffe *f*; ~ *réglementaire* Dienstwaffe *f*; *maître m d'*~ Fechtlehrer *m*; *passe f d'*~*s* Waffengang *m*; *place f d'*~*s* Exerzier-, Parade-, Waffen-platz *m*; *salle f d'*~*s*: a) Waffensaal *m*; b) Fechtboden *m*; *suspension f d'*~*s* kurzer Waffenstillstand *m*; *carrière f des* ~*s* militärische Laufbahn *f*; *avec* ~*s et bagages* mit Sack u. Pack; ⚔ *aux* ~*s!* an die Gewehre!, zu den Waffen!; *l'*~ *sur l'épaule droite!* Gewehr über!; *les* ~*s à la main* mit den Waffen in der Hand; *par la force des* ~*s* mit Waffengewalt; (*dé*)*poser* (*od. rendre*) *les* ~*s* die Waffen strecken; *faire des* ~*s zur Übung* fechten; *mettre bas les* ~*s* die Feindseligkeiten einstellen; *l'*~ *sur l'épaule!* Gewehr über!; *prendre les* ~ *s* zu den Waffen greifen; ans

Gewehr treten; *présenter les ~s* das Gewehr präsentieren; *présentez ~!* präsentiert das Gewehr!; *être sous les ~s, porter les ~s* unter den Waffen stehen; *reposez ~!* Gewehr ab!; *en venir aux ~s* den Krieg beginnen; **2.** Waffen-, Truppen-gattung *f*; *les ~s techniques* die technischen Waffen(gattungen) *f/pl.*; *troupes f/pl. de toutes ~s* Truppen *f/pl.* aller Waffengattungen; **3.** *~s f/pl.* Wappen *n.*

armé [ar'me] *adj.* **1.** bewaffnet; *non ~* unbewaffnet; *la nation ~e* das Volk in Waffen; *~ à la légère* (*od. légèrement*) leichtbewaffnet; *pesamment ~* schwerbewaffnet; *~ de pied en cap, ~ jusqu'aux dents, ~ de toutes pièces* bis an die Zähne bewaffnet; *~ à projectile* scharf geladen; **2.** ⊕ armiert, verstärkt; *bét. ~ en béton* betonbewehrt; *ciment od. béton ~* Eisenbeton *m.*

armée [ar'me] *f* **1.** Heer *n*, Armee *f*; *corps m d'~* Armeekorps *n*; *~ de l'Air* Luftwaffe *f*; *~ de choc* Stoßheer *n*; *hist. la Grande ~* Napoleons Heer *n im russischen Feldzug*; *~ de Mer* Kriegsmarine *f*; *~ permanente od. régulière* stehendes Heer *n*; *~ de métier* (*de milices*) Berufs- (Miliz-)heer *n*; *~ coloniale* Kolonial-, Farbigen-heer *n*; *~ du salut* Heilsarmee *f*; *~ de Terre* Landheer *n*; *~ territoriale* Landwehr *f*; *réserve f de l'~ territoriale* Landsturm *m*; *être à l'~* Soldat sein, im Heeresdienst sein; **2.** *fig.* große Menge *f.*

armeline [armə'lin] *f* Hermelinfell *n.*

armement [armə'mɑ̃] *m* **1.** Rüsten *n*, Bewaffnung *f*; **2.** die zur Ausrüstung nötigen Gegenstände *m/pl.*; Aus-, Kriegs-rüstung *f*; Waffenwesen *n*; *~ terrestre* (*naval, aérien*) Land- (See-, Luft-)rüstung *f*; **3.** ⚓ Bemannung *f*; *~ (maritime)* Reederei *f*; *mettre un navire en ~* ein Schiff in den Dienst stellen.

armer [ar'me] (1a) **I** *v/t.* **1.** (be-)waffnen, wehrhaft machen; ausrüsten; **2.** *den Hahn* spannen; entsichern; (*Kanone*) laden; **3.** *~ q. chevalier* j-n zum Ritter schlagen; **4.** *~ qch. de qch.* e-e Sache mit e-r andern verstärken; *~ une poutre de bandes de fer* einen Balken mit eisernen Bändern verstärken; ⊕ *~ un aimant* einen Magnet armieren; **5.** ♪ *~ la clé* die Tonart vorzeichnen; **II** *v/i.* zum Krieg rüsten; **III** *v/rfl. s'~* sich bewaffnen; *fig. s'~ de courage* Mut fassen; *s'~ de patience* sich mit Geduld wappnen.

arme-sœur ⚔ [arm'sœːr] *f* (6b) Schwesterwaffe *f.*

armilles ⩓ [ar'mij] *f/pl.* Ringe *m/pl.* am dorischen Kapitell.

armistice [armis'tis] *m* Waffenstillstand *m*, -ruhe *f.*

armoire [ar'mwaːr] *f* Schrank *m*; *~ frigorifique* Kühlschrank *m*; *~ à glace* Spiegelschrank *m*; *~ à glissière* (Akten-)Rollschrank *m*; *~ à vêtements* Kleiderschrank *m*; *~ vitrée* Glasschrank *m*; *~ à souliers* Schuhschrank *m*; *petite ~ à médicaments, petite ~-pharmacie* Arzneischränkchen *n*, Hausapotheke *f*; *~ porte-balais* Besenschrank *m*; *~ vestiaire* Flurgarderobe *f*, Garderobenschrank *m.*

armoiries [armwa'ri] *f/pl.* Wappen *n.*

armoise ⚘ [ar'mwaːz] *f* Beifuß *m.*

armoisin [armwa'zɛ̃] **I** *adj.* (7) taftartig; **II** *m* dünner Taft *m.*

armon [ar'mɔ̃] *m* Deichselarm *m.*

armorial ⛉ [armɔr'jal] (5c) **I** *adj.* heraldisch; **II** *m* Wappenbuch *n.*

armorier ⛉ [armɔ'rje] *v/t.* (1a) mit e-m Wappen versehen.

armoriste ⛉ [armɔ'rist] *m* Wappenkundige(r) *m*, Heraldiker *m.*

armure [ar'myːr] *f* **1.** (Ritter-)Rüstung *f*; Schiffspanzer *m*; **2.** *fig.* Schutz *m*, Schirm *m*; **3.** *~ de l'aimant* Armatur *f* des Magneten; **4.** Einfassung *f*, Beschlag *m*; **5.** Einfriedung *f um e-n Baum*, (*Baum-*)Schutz *m*; **6.** *text.* Schnürung *f*; **7.** ♪ Vorzeichen *n.*

armu|rerie [armyrə'ri] *f* **1.** Waffenschmiedekunst *f*; **2.** Waffen-fabrik *f*, -handlung *f*; **~rier** [~'rje] *m* **1.** Harnisch-, Büchsen-macher *m*, Waffenschmied *m*; **2.** Waffenhändler *m.*

arnica ⚘ [arni'ka] *m* Arnika *f*, Marienkraut *n*, Stichwurz *f.*

aromate [arɔ'mat] *m* wohlriechende pflanzliche Substanz *f.*

aroma|tique [~ma'tik] *adj.* □ aromatisch; gewürzig; *vin m ~* Kräuterwein *m*; **~tiser** [~ti'ze] *v/t.* (1a) würzen, aromatisieren.

arôme [a'roːm] *m* Aroma *n*; Wohlgeruch *m*; Duft *m*; Blumenduft *m*; Blume *f des Weins.*

aronde [a'rɔ̃ːd] *f nur noch in der Verbindung*: *à (od. en) queue d'~* schwalbenschwanzförmig; *charp., men. assemblage m à (od. en) queue d'~* Schwalbenschwanzverzapfung *f*, Zinkung *f*; *assembler à (od. en)* *queue d'*~ zinken.

arondelle [arɔ̃'dɛl] *f* **1.** Stecknetz *n*; **2.** leichtes Schiff *n*.

arpège, arpègement ♪ [ar'pɛ:ʒ, ~pɛʒ'mɑ̃] *m* Arpeggio *n*.

arpéger ♪ [arpe'ʒe] *v/i. u. v/t.* (1g) harfenartig spielen.

arpent † [ar'pɑ̃] *m* Morgen *m* (*Maß*).

arpen|tage [arpɑ̃'ta:ʒ] *m* **1.** Feldmessen *n*, Vermessung *f*; **2.** Feldmeßkunst *f*; **~ter** [~'te] *v/t.* (1a) vermessen, ausmessen, durchschreiten; *fig.* F durcheilen; ~ *une pièce* schnell durch ein Zimmer laufen; ~ *les rues* durch die Straßen eilen (*od.* F rasen); **~teur** [~'tœ:r] *m* Feldmesser *m*; **~teuse** *ent.* [~'tø:z] *f* Spannraupe *f*.

arqué [ar'ke] *adj.* bogenförmig, geschwungen; *avoir les jambes* ~*es* O-Beine haben; *Auto*: *essieu* ~ gestürzte Achse *f*.

arquer [ar'ke] *v/t.*, *v/i. u.* **s'~** (1m) (sich) krümmen *od.* biegen; krumm werden; P *v/i.* gehen, laufen.

arra|chage ⚒ [ara'ʃa:ʒ] *m* Ausgraben *n*; Ausreißen *n*; ~ *des betteraves* Rübenernte *f*; **~chement** [araʃ'mɑ̃] *m* **1.** Ausziehen *n*, Entreißung *f*; ~ *de la houille* Steinkohlenabbau *m*; **2.** ⚠ Verzahnung *f*.

arrache|-clous [araʃ'klu] *m* Nagelzieher *m*; **~-étais** ⚒ [~e'tɛ] *m* Stempelrauber *m*; **~-pied** [~'pje] *advt.*: *travailler d'*~ rastlos arbeiten.

arra|cher [ara'ʃe] (1a) **I** *v/t.* **1.** aus-, los-reißen; herausziehen; **2.** ~ *qch. à q.* j-m etw. entreißen; ~ *qch. des mains de q.* j-m etw. aus den Händen reißen; **3.** *fig.* abnötigen, erpressen, abzwingen; **II** *v/rfl.* **4.** *s'*~ *qch.* sich etw. ausreißen, ea. etw. entreißen; *s'*~ *les cheveux* sich die Haare raufen; **5.** *fig. s'*~ *les yeux* sich die Augen auskratzen; **~cheur** [~'ʃœ:r] *m*: ~ *de pommes de terre* Kartoffelroder *m*; *mentir comme un* ~ *de dents* wie gedruckt lügen; **~chis** [~'ʃi] *m* **1.** Ausreißen *n junger Bäume*; **2.** ausgerissener Schößling *m*; **~choir** [~'ʃwa:r] *m* Gerät *n* zum Wurzelausreißen.

arraisonn|ement ⚓ [arɛzɔn'mɑ̃] *m*: ~ *douanier* Zollkontrolle *f e-s Schiffes im Hafen*; **~er** ⚓ [~zɔ'ne] *v/t.* (*ein Schiff*) überprüfen.

arrangeage F [arɑ̃'ʒa:ʒ] *m* Dreh *m*; Betrügerei *f*, Mogelei *f*.

arrangement [arɑ̃ʒ'mɑ̃] *m* **1.** Ordnen *n*, (An-)Ordnung *f*; ~ *intérieur* Inneneinrichtung *f*; ~ *scénique* Inszenierung *f*; ⊕ ~ *de flux de matériaux* Materialflußgestaltung *f*; **2.** Vergleich *m*, Abkommen *n*, Übereinkunft *f* (*mit Gläubigern*); ~ *à l'amiable* gütlicher Vergleich *m*; ~ *obligatoire*, ~ *forcé* Zwangsvergleich *m*; **3.** Bearbeitung *f*.

arran|ger [arɑ̃'ʒe] (1l) **I** *v/t.* **1.** ordnen, einrichten; zurechtmachen; *fig.* ~ *ses affaires* seine Geschäfte in Ordnung bringen; **2.** vermitteln; *Streit* beilegen; **3.** *cela ne m'arrange pas* damit ist mir nicht gedient, das paßt mir nicht; **4.** *comme vous êtes arrangé!* Gott!, wie sehen Sie aus!; **5.** ♪, *thé.*, *litt.* bearbeiten; **6.** F ~ *q.* j-n anständig Maß nehmen, j-n fertigmachen, j-n übel zurichten; **II** *v/rfl.* *s'*~ **7.** sich einrichten; F *cela s'arrange* das geht in Ordnung!; F *ça s'arrangera* das wird schon gehen!; *cela s'arrange à merveille* das macht sich prächtig, das paßt ja herrlich; **8.** *s'*~ *de qch.* mit etw. vorliebnehmen, mit etw. fertig werden; *qu'il s'arrange* mag er zusehen, wie er fertig wird; **9.** sich verständigen, einig werden; *mit j-m* auskommen; † sich vergleichen; **~geur** [arɑ̃'ʒœ:r] *su.* (7g) Anordner *m*; ♪, *thé.*, *litt.* Bearbeiter *m*.

arré|rager *fin.* [arera'ʒe] *v/i.* (1l) in Rückstand geraten; **~rages** [~'ra:ʒ] *m/pl.* Rückstände *m/pl.*

arrestation [arɛsta'sjɔ̃] *f* Verhaftung *f*; *mettre q. en (état d')*~ j-n verhaften; ~ *préventive* Schutzhaft *f*.

arrêt [a'rɛ] *m* **1.** Aufhalten *n*, Stilllegung *f*, Stockung *f*, Sperre *f*, Stillstehen *n*; Aufenthalt *m*; ~ *des affaires* Geschäftsstelle *f*; ~ *de la circulation* Verkehrsstockung *f*; † ~ *des transferts (des émissions)* Transfer- (Emissions-)sperre *f*; ~ *de paiement* Zahlungssperre *f*; ~ *du service* Betriebsstörung *f*; **2.** Haltestelle *f*; **3.** *temps m d'*~ Ruhe-, Halte-punkt *m*, Pause *f*; Unterbrechung *f*, Aufschub *m*; ⚔ *u. Sport*: ~ *d'un combat* Abbruch *m* e-s Kampfes; ~ *du travail* Arbeitsruhe *f*; **4.** *chien m d'*~ Vorstehhund *m*; **5.** ⊕ Hemmung *f*, Sperrung *f*, Sperrfeder *f*; Abstellen *n e-s Motors*; Bruchhalter *m*; Öse *f an Kleidern*; ♪ *point m d'*~ Fermate *f*; *Auto*: *une voiture à l'*~ ein stillstehender Wagen; **6.** Beschlagnahme *f*; Verhaftung *f*; Zwangsgestellung *f durch die Polizei*; **7.** Urteil *n*, Urteilsspruch *m*; *fig.* Ratschluß *m*, Ausspruch *m*; *mandat* *m d'*~ Verhaftungsbefehl *m*; *mettre* ~ *sur* Beschlag legen auf (*acc.*); ~*s forcés od. de rigueur* strenger Arrest *m*; ~*s simples* leichter A.; *être aux* ~*s* A. haben; *il a été mis aux* ~*s* er hat A. bekommen; ~ *de mort* Todesurteil *n*; **8.** *Auto* ~ *buffet* Raststätte *f*.

arrêtage *horl.* [arɛ'ta:ʒ] *m* Hemmung *f*.

arrêté [arɛ'te] *m* Verfügung *f*, Anordnung *f*, Beschluß *m*, Erlaß *m*; ~ *de compte* Rechnungsabschluß *m*; ⚚ ~ *de courtier* Schlußnote *f*.

arrête-éclats ⚔ [arɛte'kla] *m/inv.* Splitterfänger *m*.

arrê|ter [arɛ'te] (1a) **I** *v/t.* **1.** aufhalten, absperren, hemmen; anhalten; *Maschine*: zum Stehen bringen; *rad.* abstellen; *Betrieb*: stillegen, außer Tätigkeit setzen, einstellen; *Auto*: stoppen; *Blut*: stillen; **2.** hindern, zurückhalten; **3.** befestigen; *fig.* ~ *l'attention* die Aufmerksamkeit fesseln; **4.** festsetzen, anordnen, verfügen, beschließen; *Rechnung*: abschließen; *Zahlung*: sperren; *Plan*: entwerfen; *le plan est arrêté* der Plan steht fest; ~ *le parcours* die Strecke festlegen; *c'est arrêté!* abgemacht!; **5.** festhalten, festnehmen; verhaften; *arrêtez-le!* haltet ihn!; **6.** sich *einer Sache* versichern; mieten; *Wagen* bestellen; **7.** unterbrechen; **II** *v/i.* **8.** anhalten, stillstehen, stehenbleiben; *nous arrêtâmes à cet endroit pour faire boire nos chevaux* wir machten an dieser Stelle halt, um unsere Pferde zu tränken; *arrêtez!* halt! nicht weiter!; **9.** aufhören; *elle n'arrête pas de tousser* sie hört nicht auf zu husten; *ils arrêtent de danser* sie hören auf zu tanzen; **III** *v/rfl.* *s'*~ **10.** stehenbleiben, stillstehen, anhalten; stocken, haltmachen, rasten, aufhören; *Auto*: stoppen; *ma montre s'est arrêtée* meine Uhr ist stehengeblieben; *ils s'arrêtent à danser* sie hören auf zu tanzen; **11.** *s'*~ *à* Rücksicht nehmen auf (*acc.*); *ne vous arrêtez pas à ce qu'il vous dit* kehren Sie sich nicht an das, was er Ihnen sagt; **~tiste** [~'tist] *m* Sammler *m*, Erklärer *m* von Rechtssprüchen; **~toir** [~'twa:r] *m* Halter *m*.

arrhes [a:r] *f/pl.* Anzahlung *f*.

arrière [ar'jɛ:r] **I** *adv.* **1.** *nur noch als int.* zurück!, weg!, hinweg!; **II** *adj.* **2.** hintere, Hinter..., Rück...; *vent m* ~ Rückenwind *m*; *roue f* ~ Hinterrad *n*; *Auto*: *fenêtre f* ~ Rückfenster *n*; *feu m* ~ Schlußlicht *n*; **III** *m* **3.** Hinterschiff *n*, Heck *n*; **4.** ⚔ Etappe *f*; *Sport*: Verteidiger *m*; **IV** *en* ~ *advt.* **5.** zurück, rückwärts; *être en* ~ im Rückstand sein (*pour* mit); *fig.* hinter den (gehegten) Erwartungen zurückbleiben; *revenir en* ~ wieder von vorn anfangen; **6.** hinten; **V** *en* ~ *de prp.* hinter; *en* ~ *de son siècle* hinter s-m Jahrhundert zurück.

arriéré [arje're] **I** *adj.* **1.** rückständig; *des pays* ~*s* Entwicklungsländer *n/pl.*; **2.** geistig zurück(geblieben); *péd. enfant m* ~ Spätentwickler *m*; **II** *m* Rückstand *m*.

arrière|-automne [arjɛro'tɔn] *m* Spätherbst *m*; **~-ban** [~'bɑ̃] *m* † Heerbann *m*; *noch gebr. als*: letztes Aufgebot *n*; Landsturm *m*; *le ban et l'*~ das erste u. zweite Aufgebot; *convoquer le ban et l'*~ Hinz u. Kunz (*od.* Krethi u. Plethi) zs.-trommeln; **~-bâtiment** [~bati'mɑ̃] *m* Hintergebäude *n*; **~-bec** [~'bɛk] *m* stromabwärts gerichteter (Brükken-)Eisbock *m*; **~-bouche** [~'buʃ] *f anat.* Schlund *m*; **~-boutique** [~bu'tik] *f* Hinterladen *m*; **~-bras** [~'brɑ] *m* (6c) Oberarm *m*; **~-caution** [~ko'sjɔ̃] *f* Rückbürgschaft *f*; Rückbürge *m*; **~-corps** [~'kɔ:r] *m* (6c) Hinterhaus *n*; **~-cour** [~'ku:r] *f* Hinterhof *m*; **~-dent** [~'dɑ̃] *f* hinterster Backenzahn *m*, Weisheitszahn *m*; **~-fleur** [~'flœ:r] *f* zweites Blühen *n*; **~-foin** [~'fwɛ̃] *m* Nachmahd *f*, Grum(me)t *n*; **~-garde** [~'gard] *f* Nachhut *f*; **~-goût** [~'gu] *m* Nachgeschmack *m*; **~-grand-mère** [~grɑ̃'mɛ:r] *f* (6f) Urgroßmutter *f*; **~-grand-père** [~grɑ̃'pɛ:r] *m* (6f) Urgroßvater *m*; **~-main** [~'mɛ̃] *f* a) Handrücken *m*; b) *jeu de paume*: Rückhandschlag *m*; *avoir l'*~ *belle* gut auf Rückhand spielen; c) *Pferd*: Hintergestell *n*; **~-neveu** [~nə'vø] *m* Großneffe *m*; **~-nièce** [~'njɛs] *f* Großnichte *f*; **~-pays** [~pe'i] *m* Hinterland *n*; **~-pensée** [~pɑ̃'se] *f* Hintergedanke *m*; **~-petite-fille** [~pətit'fij] *f* Urenkelin *f*; **~-petit-fils** [~pəti'fis] *m* (6f) Urenkel *m*; **~-plan** [~'plɑ̃] *m* Hintergrund *m*; **~-point** [~'pwɛ̃] *m* Steppstich *m*; **~-rang** ⚔ [~'rɑ̃] *m* Hinterglied *n*.

arrière|-saison [arjɛrsɛ'zɔ̃] *f* **1.** Spätherbst *m* (*a. fig.*); **2.** Nachsaison *f*, Saisonschluß *m*; **~-sens** [~'sɑ̃:s] *m* Hintergedanke *m*; **~-**

-**train** [~'trɛ̃] *m* Hinter-teil *n* (*v. Tier*), -gestell *n* (*v. Fahrzeug*).

arri|mage ⚓ [ari'ma:ʒ] *m* Stauen *n*; *Raumfahrt*: Kopplungsmanöver *n*; **~mer** [~'me] *v/t.* (1a) (ver)stauen; *Raumfahrt*: *s'~ l'un à l'autre* aneinandergekoppelt werden; **~meur** [~'mœ:r] *m* Stauer *m*.

arriser [ari'ze] *v/t.* (1a) *Segel* herablassen.

arri|vage [ari'va:ʒ] *m* **1.** ⚓ Anlegen *n*; **2.** Ankunft *f zu Wasser od. sonstwie* (*v. Waren*); **3.** *~s pl.* angekommene Schiffe *n/pl. od.* Waren *f/pl.*; **4.** Zuzug *m* (*v. Bevölkerung*); (angekommener) Transport *m* (*v. Menschen*); **~vant** [~'vɑ̃] *m* Ankömmling *m*; **~vée** [~'ve] *f* Ankunft *f*, Eintreffen *n*, Aufmarsch *m*; 🚂 *auf Fahrplänen*: an (*ant. départ*); *Sport*: *~ tête-à-tête* totes Rennen *n*; *gare f d'~* Ankunftsbahnhof *m*; *pol. ~ au pouvoir* Macht-, Regierungs-übernahme *f*.

arri|ver [ari've] (1a) (*nur mit être*) **I** *v/i.* **1.** ankommen, eintreffen; *fig.* vorwärts kommen; *~ bon premier* allen den Rang ablaufen; **2.** *~ à ses fins* zum Ziel kommen, seine Zwecke erreichen; *un homme arrivé* ein gemachter Mann; **3.** *~ jusqu'à ...* reichen bis ...; *le pantalon ne m'arrivait qu'aux genoux* die Hose reichte mir nur bis zu den Knien (*od.* ging mir nur bis an die Knie); **4.** F auskommen (*mit dem Geld*); **II** *v/imp.* sich zutragen, geschehen, sich ereignen; *qu'arrive-t-il?* was ist passiert?; *que cela ne vous arrive plus!* daß Ihnen das nicht wieder passiert!; *cela arrive bien pour toi* das geschieht dir recht!; F *il fallait que ça arrive* da haben wir die Bescherung! (*od.* den Salat!); *il était bien arrivé aux XVII*[e] *et XVIII*[e] *siècles que ...* (*subj.*) es war im 17. u. 18. Jh. sehr wohl vorgekommen, daß ...; *s'il vous arrive de mentir* wenn es dir einfallen sollte zu lügen; *quoi qu'il arrive* was auch geschehen mag; **~visme** [~'vism] *m* Strebertum *n*; **~viste** *mv.p.* [~'vist] *m* Streber *m*, Mantelträger *m*, Emporkömmling *m*.

arroche ⚘ [a'rɔʃ] *f* Melde *f*.

arro|gamment [arɔga'mɑ̃] *adv.* auf anmaßende Weise; **~gance** [~'gɑ̃:s] *f* Arroganz *f*, hochfahrendes Wesen *n*, Anmaßung *f*, Dünkel *m*, Spleen *m* F, Tick *m*; **~gant** [~'gɑ̃] *adj.* (7) arrogant, anmaßend, dünkelhaft, hochmütig, spleenig F; (*a. su.*); **~ger** [~'ʒe] (1l): *s'~ qch.* sich etw. anmaßen *od.* herausnehmen.

arron|dir [arɔ̃'di:r] (2a) **I** *v/t.* **1.** runden; abrunden; F *bourse bien arrondie* dickes Portemonnaie *n*; **2.** ⚓ im Bogen umsegeln, herumfahren um; **II** *v/rfl.* *s'~* **3.** sich (ab-)runden, sich erweitern; **4.** sein Besitztum erweitern, sein Vermögen vermehren; F *~ sa pelote* sein Geld auf die hohe Kante legen; **~dissage** [~di'sa:ʒ] *m* Abrunden *n*; **~dissement** [~dis'mɑ̃] *m* **1.** Abrunden *n*, Abrundung *f*; *fig.* Erweiterung *f*; **2.** a) Kreis *m*, Unterpräfektur *f*; *~ rural* Landkreis *m*; b) (Stadt-)Bezirk *m*.

arro|sable [aro'zablə] *adj.* bewässerbar; **~sage** [~'za:ʒ] *m* Bewässerung *f*, Besprengung *f*, Begießen *n*; *voiture f d'~* Sprengwagen *m*; **~sée** [~'ze] *f* Regenguß *m*; **~sement** [~z'mɑ̃] *m* = *arrosage*; **~ser** [~'ze] *v/t.* (1a) **1.** begießen, benetzen; besprengen; *~ des fleurs* Blumen gießen; ⚔ *~ de projectiles* mit Geschossen bestreuen; *~ la viande* das Fleisch begießen; *fig. ~ son pain de ses larmes* kummervoll leben; *~ un événement* ein Ereignis begießen; **2.** bespülen, durchfließen (*Fluß*); **3.** P spicken, Schmiergelder geben, bestechen; **~seur** [~'zœ:r] *su.* (7g) Straßenkehrer *m*; **~seuse** [~'zø:z] *f* **1.** Sprengwagen *m*; **2.** Rasensprenger *m*; **~seuse-balayeuse** ⊕ [~'zø:z-balɛ'jø:z] *f* (6a) Spreng- u. Kehr-maschine *f*; **~soir** [~'zwa:r] *m* Gießkanne *f*; *pomme f d'~* Brause *f*, Tülle *f*.

arsenal [arsə'nal] *m* (5c) Zeughaus *n*; Werkstätte *f* für den Bau u. die Reparatur von Kriegsschiffen; Waffenlager *n*.

arsenic ⚗ [arsə'nik] *m* Arsen(ik) *n*.

arsonvalisation ⚕ [arsɔ̃valiza'sjɔ̃] *f* Behandlung *f* mit Hochfrequenzstrom.

arsouille P [ar'suj] **1.** *m u. f* Straßenjunge *m*, Strolch *m*, übles (*od.* verkommenes) Subjekt *n*, Wüstling *m*, Schmutzfink *m*; **2.** *adj.* verkommen, liederlich.

art [a:r] *m* **1.** Kunst *f*; *~s et métiers* Kunsthandwerk *n*, Kunstgewerbe *n*; *~s m/pl. industriels* Kunstgewerbe *n*; *~ appliqué* angewandte Kunst *f*; *les beaux ~s* die schönen Künste; *~ brut* brutale Kunst *f*; *de l'~ décoratif* kunstgewerblich; *~ graphique od. du dessin* Graphik *f*, Grafik *f*; *~ de la propagande* Werbekunst *f*;

~ *populaire* Volkskunst *f*; ~ *théâtral* Bühnenkunst *f*; ~ *du décor intérieur* Raumkunst *f*; ~*s d'agrément* gesellige Künste *f/pl.*; *contraire aux règles de l'*~ kunstwidrig; **2.** Kunstfertigkeit *f*, Geschicklichkeit *f*; *péj.* Kunstgriff *m.*

Artaban [arta'bɑ̃]: *fier comme* ~ stolz wie ein Punier (*od.* Spanier).

artère [ar'tɛːr] *f* **1.** Arterie *f*, Schlag-, Puls-ader *f*; ~ *coronaire* Kranzader *f*; **2.** *fig.* Verkehrsader *f.*

artériel [arter'jɛl] *adj.* (7c) *anat.* Arterien...

artério|sclérose [arterjɔskle'roːz] *f* Arterien-, Adern-verkalkung *f*; **~tomie** [~tɔ'mi] *f* Schlagaderschnitt *m.*

artésien [arte'zjɛ̃] *adj.* (7c): *puits m* ~ artesischer Brunnen *m.*

arthri|te ⚕ [ar'trit] *f* Arthritis *f*; **~tique** [~'tik] *adj.* gichtisch; **~tisme** [~'tism] *m* allgemeine Gichtanlage *f.*

artichaut [arti'ʃo] *m* **1.** ⚘ Artischocke *f*; **2.** ⚠ Stachelkrone *f.*

article [ar'tiklə] *m* **1.** Abschnitt *m*, Punkt *m*, Artikel *m*; Paragraph *m*; Aufsatz *m*; ~ *de fond, de tête* Leitartikel *m*; ~ *documentaire* Tatsachenbericht *m*; ~ *de provocation*, ~ *violent*, ~ *incendiaire*, ~ *qui excite* (*à qch.*) Hetzartikel *m*; **2.** Stoff *m*, Gegenstand *m*; *c'est un* ~ *à part* das ist eine Sache für sich; **3.** ⚖ *interroger sur faits et* ~*s* über Tatsachen und Umstände befragen; **4.** ~ *de foi* Glaubensartikel *m/pl.*; *être à l'*~ *de la mort* im Sterben liegen; **5.** ✝ Artikel *m*, Ware *f*; ~ *choc* (6b) Verkaufsschlager *m*; ✝ ~ *factice* (*pour l'étalage*) Attrappe *f*; ~*s m/pl. d'enseignement* Lehrmittel *n/pl.*; *il ne tient pas cet* ~ er führt diesen Artikel nicht; ~ *à vil prix* Schleuderartikel *m*; ~ *de série* Serien-, Massen-artikel *m*; ~ *de marque* (*de fonds, de réclame, de ménage, de bureau*) Marken- (Verlags-, Reklame-, Haushalts-, Büro-[bedarfs-])artikel *m*; ~*s pl. de mercerie* Kurzwaren *f/pl.*; **6.** *gr.* Artikel *m*, Geschlechtswort *n*; ~ *(in)défini* (un)bestimmter Artikel *m*; ~ *partitif* Teilungsartikel *m*; ~ *partitif complet* voller (*od.* unverkürzter) Teilungsartikel *m.*

articu|laire [artiky'lɛːr] *adj.* Gelenk..., die Gelenke *des Körpers* betreffend; *rhumatisme m* ~ Gelenkrheumatismus *m*; **~lation** [~la'sjɔ̃] *f* **1.** Knochen-, Gelenk-fügung *f*; Gelenk *n*; **2.** ⚘ Knoten *m*; **3.** *phon.* Artikulieren *n*, deutliches Aussprechen *n*; **4.** ⚖ ~ *des faits* genaue Aufzählung *f* der Tatsachen; **5.** ⊕ Verbinden *n*, Paaren *n*, Gliedern *n*; ~ *à croisillon*, ~ *à cardan* Kreuzgelenk *n*; ~ *à rotule* Kugelgelenk *n*; **6.** ~ *du programme* Programmgestaltung *f*; **~lé** [~'le] **I** *adj.* gegliedert; *poupée* ~*e* Gliederpuppe *f*; *fig. paroles mal* ~*es* undeutlich gesprochene Worte *n/pl.*; *Auto*: *essieux m/pl.* ~*s* Gelenkachsen *f/pl.*; **II** ~*s m/pl. zo.* Gliedertiere *n/pl.*

articuler [~'le] (1a) **I** *v/t.* **1.** ineinanderfügen; **2.** *phon.* aussprechen, artikulieren; ♪ vortragen; **3.** ⚖ ~ *un fait* eine Tatsache mit Bestimmtheit behaupten, Punkt für Punkt vortragen; **4.** *peint.*, *sculp.* scharf (*od.* bestimmt) andeuten; **II** *v/rfl.* *s'*~ **5.** *anat.* sich ineinanderfügen; **6.** sich aussprechen lassen.

artifice [arti'fis] *m* **1.** Künstelei *f*, Künstlichkeit *f*; ~ *de toilette* Schönheitsmittel *n*; **2.** *fig.* Kunstgriff *m*, Kniff *m*, List *f*; Ränke *pl.*, Schliche *pl.*; ~ *littéraire* literarischer Kunstgriff *m*; *plein d'*~ ränkevoll, arglistig; *sans* ~ ohne Falsch; **3.** *tirer un feu d'*~ ein Feuerwerk abbrennen; *pièce f d'*~ Feuerwerkskörper *m.*

artifi|ciel [~'sjɛl] *adj.* (7c) □ künstlich, kunstmäßig; *mv.p.* erkünstelt; *soie f* ~*le* Kunstseide *f*; **~cier** [~'sje] *m* Feuerwerker *m*; Munitionsverwalter *m*; **~cieux** [~'sjø] *adj.* (7d) □ (hinter)listig.

artillerie [artij'ri] *f* **1.** Geschütz *n*; *grosse* ~, ~ *lourde*, ~ *de gros calibre* schweres Geschütz *n*; *parc m d'*~ Geschützpark *m*; *pièce f d'*~ Geschütz *n*; **2.** Artillerie *f*; ~ *d'accompagnement* Begleitartillerie *f*; ~ *d'accompagnement immédiat* Infanterieartillerie *f*; ~ *d'action d'ensemble* Schwerpunktartillerie *f*; ~ *antichars* Pakartillerie *f*; ~ *d'appui direct* Nahkampfartillerie *f*; ~ *d'assaut* Sturmartillerie *f*; ~ *légère od. volante* leichte Artillerie *f*; ~ *lourde* schwere Artillerie *f*; ~ *à cheval* reitende Artillerie *f*; ~ *à pied* Fußartillerie *f*; ~ *de campagne* Feldartillerie *f*; ~ *de côte* Küstenartillerie *f*; ~ *antiaérienne*, ~ *de défense contre avions* Flakartillerie *f*; ~ *de forteresse* Festungsartillerie *f*; ~ *sur voie ferrée* Eisenbahnartillerie *f*; ~ *de tir d'arrêt* Sperrfeuerartillerie *f*; **3.** Geschütz-,

Artillerie-wesen *n*; **4.** *fig.* grobes Geschütz *n*, Werkzeug *n*.
artilleur [~'jœ:r] *m* Artillerist *m*, Kanonier *m*; ~ *à pied* Fußartillerist *m*.
artimon ⚓ [~'mɔ̃] *m* Besanmast *m*.
arti|san [arti'zɑ̃] *m* **1.** Handwerker *m*; ~ *d'art* Kunsthandwerker *m*; **2.** Taxichauffeur *m* auf eigene Rechnung; **3.** *fig.* Begründer *m*; *mv.p.* Urheber *m*, Anstifter *m*; ~ *de discordes* Händelstifter *m*; *être l'~ de sa fortune* sein Glück sich selbst verdanken; *être l'~ de sa ruine* an s-m Unglück selber schuld sein; **~sanal** [~za'nal] *adj.* (5b) (kunst-) handwerklich; *droit m ~* Handwerksrecht *n*; *métiers m/pl. artisanaux* handwerkliche Berufe *m/pl.*; **~sanat** [~za'na] *m* Handwerkswesen *n*; Handwerk *n*; Gewerbe *n*; Kunsthandwerk *n*; Handwerkerschaft *f*, -stand *m*; ~ *d'art* Kunsthandwerk *n*.
artiste [ar'tist] **I** *su.* Künstler *m*; Artist *m*; *thé.* Darsteller *m*; ~ *(dramatique)* Schauspieler *m*; (~) *peintre* Maler *m*; ~ *de cinéma* Filmschauspieler(in *f*) *m*; ~ *du dessin* Graphiker(in *f*) *m*; ~ *publicitaire* Reklamekünstler *m*; **II** *adj.* □ kunstreich, künstlerisch, kunstgerecht; *~ment adv.* kunstvoll, mit Kunst.
artistique [artis'tik] *adj.* künstlerisch, zur Kunst gehörig; Kunst...
aryen [ar'jɛ̃] *(skr.) adj. u.* ♀ *su.* (7c) arisch; Arier *m*.
arythmique [arit'mik] *adj.* unrhythmisch.
as [ɑ:s] *m* **1.** *hist.* As *n* (*Münze, Gewicht*); P *être aux ~* Geld wie Heu haben; **2.** (*Spiel*) As *n*, Daus *n*; Eins *f auf Würfeln*; **3.** *fig.* tüchtiger Kerl *m*, Mords-, Pfunds-kerl *m* F, *fig. bsd. Sport*: Kanone *f*, Prominente(r) *m*; *Auto*: ~ *du volant* Meisterfahrer *m*, ausgezeichneter Fahrer *m*; *un ~ de (tout) premier ordre* eine (ganz) große Kanone *f*.
asbeste [az'bɛst] *m* **1.** *min.* Asbest *m*; **2.** Asbestleinwand *f*.
ascen|dance [asɑ̃'dɑ̃:s] *f* **1.** aufsteigende Verwandtschaftslinie *f*, Vorfahren *m/pl.*, Herkunft *f*, Abstammung *f*; **2.** Aufsteigen *n von Gestirnen*; **~dant** [~'dɑ̃] **I** *adj.* (7) **1.** aufsteigend, aufwärts steigend, im Steigen begriffen; aufgehend; ⚠ ansteigend; **II** *m* **2.** Aufgangspunkt *m e-s Gestirns*; **3.** *il avait Jupiter à l'~* er ist unter dem Zeichen des Jupiter geboren; **4.** *~s pl.* Blutsverwandte *pl.* in aufsteigender Linie, Ahnen *m/pl.*, Vorfahren *m/pl.*; **5.** Neigung *f*, Hang *m* (*nicht fig.!*); **6.** Einfluß *m*, Macht *f*, Überlegenheit *f*, Autorität *f*.
ascenseur [asɑ̃'sœ:r] *m* Fahrstuhl *m*, Aufzug *m*, Lift *m*; *garçon m d'~* Fahrstuhlführer *m*, Liftboy *m*.
ascen|sion [~'sjɔ̃] *f* **1.** Besteigung *f e-s Berges*; Hinaufsteigen *n*, Aufsteigen *n* (*Luftschiff*); *fig.* Aufstieg *m*; ~ *de Jésus-Christ* Christi Himmelfahrt *f*; **2.** ♀ Himmelfahrtstag *m*; **~sionnel** [~sjɔ'nɛl] *adj.* (7c) aufsteigend; *mouvement ~* fortschreitende Bewegung *f*; *force f ~le phys.* Aufstiegskraft *f*; *vitesse f ~le* Steiggeschwindigkeit *f*; **~sionniste** [~sjɔ'nist] *su.* Bergsteiger *m*.
ascète [a'sɛt] *su.* Büßer *m*, Asket *m*.
ascé|tique [ase'tik] *adj.* asketisch, beschaulich, erbaulich, streng fromm; **~tisme** [~'tism] *bsd. rl. m* entsagungsvolles Leben *n*, Askese *f*.
asep|sie ⚕ [asɛp'si] *f* Asepsis *f*, Fernhaltung *f* der Mikrobenkeime; **~tique** ⚕ 🕮 [~'tik] *adj. u. m* aseptisch(es Mittel *n*); keimfrei; **~tiser** ⚕ [~ti'ze] *v/t.* (1a) desinfizieren, keimfrei machen.
asexe, asexué, asexuel [a'sɛks, asɛk'sɥe, asɛk'sɥɛl] *adj.* geschlechtslos.
Asie [a'zi] *f*: **l'~** Asien *n*; *l'~ Mineure* Kleinasien *n*.
asile [a'zil] *m* Asyl *n*, Zufluchtsort *m*; *droit m d'~* Asylrecht *n*; ~ *de nuit* Asyl *n* für Obdachlose; ~ *politique* politisches Asyl *n*; ~ *d'aliénés* Irrenanstalt *f*.
asocial [asɔ'sjal] *adj.* (5c) asozial.
asparagi|culteur [asparaʒikyl'tœ:r] *m* Spargel-züchter *m*, -bauer *m*; **~culture** [~kyl'ty:r] *f* Spargelzucht *f*, -bau *m*.
aspe ⊕ [asp] *m* Haspel *m*, Weife *f*.
aspect [as'pɛ] *m* **1.** Anblick *m*, Ansicht *f*; *fig. à l'~ de* angesichts (*gén.*); **2.** Aussehen *n*, (*äußere*) Erscheinung *f*; *les ~s de l'économie française* die Merkmale *n/pl.* der französischen Wirtschaft; **3.** Aussicht *f*; *fig.* Bild *n*; *dans un bel ~* schön gelegen; **4.** Gesichtspunkt *m*, Seite(n *f/pl.* einer Sache) *f*; **5.** *astrol.* Stand *m* der Gestirne; ~ *bénin* guter Stand *m*.
asperge [as'pɛrʒ] *f* Spargel *m*; *pointes f/pl. d'~* Spargelköpfe *m/pl.*; *~s pl. entières, ~s pl. en branches* Stangenspargel *m/sg.*
asperger [aspɛr'ʒe] *v/t.* (1l) leicht bespritzen.

aspergerie [~ʒ'ri] *f* Spargelpflanzung *f*.

aspergès *rl.* [~'ʒɛs] *m* **1.** Weihwedel *m*; **2.** Besprengung *f* mit Weihwasser.

aspérité [asperi'te] *f* Rauheit *f* (*a. fig.*); Unebenheit *f*.

asper|sion [aspɛr'sjɔ̃] *f* Bespritzen *n* (*a. mit Weihwasser*); **~soir** [~'swa:r] *rl. m* Weihwedel *m*.

aspérule ⚘ [aspe'ryl] *f* Waldmeister *m*.

asphaltage [asfal'ta:ʒ] *m* Asphaltieren *n*.

asphalt|e [as'falt] *m* **1.** Asphalt *m*; **2.** Asphaltpflaster *n*; ~ *pilé* (*od. comprimé*) Stampfasphalt *m*; ~ *coulé*, ~ *mastic* Gußasphalt *m*; ~ *à froid* Kaltasphalt *m*; **~er** [asfal'te] *v/t.* (1a) asphaltieren.

asphyxiant [asfik'sjɑ̃] *adj.* (7) erstickend; ⚔ *gaz* ~ Giftgas *n*; ~*s* ⚔ *m/pl.* erstickende Kampfstoffe *m/pl.*

asphyxie [asfik'si] *f* Stockung *f* des Atmens; Ersticken *n*.

asphy|xié [asfik'sje] **I** *adj.* erstickt, scheintot; **II** *su.* Erstickte(r) *m*, Scheintote(r) *m*; **~xier** [~fik'sje] *v/t. u. v/rfl.* s'~ (1a) ersticken.

aspic [as'pik] *m* **1.** Natter *f*, Viper *f*; *fig.* (*langue f d'*)~ Lästermaul *n*; **2.** *cuis.* Aspik *m od. n*, Fleischgallert *n*; **3.** ⚘ Lavendel *m*.

aspirail [aspi'raj] *m* (5c) Zugloch *n*.

aspi|rant [aspi'rɑ̃] (7) **I** *adj.* einsaugend; *pompe* ~*e* Saugpumpe *f*; **II** *su.* Bewerber *m*, Aspirant *m*; ~ *de marine* Seekadett *m*; ~*-instituteur* Junglehrer *m*; ~*-officier* Offiziersanwärter *m*; ~*-pilote* Flugschüler *m*; ~*e au brevet élémentaire* (*supérieur*) Kandidatin *f* für die erste (zweite) Lehrerinnenprüfung; **~rateur** [~ra'tœ:r] (7f) **I** *adj.* einsaugend, -atmend; **II** *m* Staubsauger *m*; ⊕ Sauger *m*, Sauggerät *n*, Sauganlage *f*; Ventilator *m*, Windfang *m*; **~ratif** [~'tif] *adj.* (7e) *gr.* hauchend; *lettre aspirative* Hauchbuchstabe *m* (*z.B. h*); **~ration** [~rɑ'sjɔ̃] *f* **1.** Atemholen *n*, Einatmen *n*; **2.** (Ein-, An-)Saugen *n*; **3.** *gr.* Aspirieren *n*; **4.** *fig.* (*bsd. pl.*) Trachten *n*, Sehnen *n*; *pol.* ~ *à la puissance* Machtstreben *n*; ~ *à* (*représenter*) *la totalité* (*de l'Etat*) Totalitätsanspruch *m*; **~ratoire** [~ra'twa:r] *adj.* die Atmung betreffend, Atmungs...; **~ré** [~'re] *adj.* (*a. f*) *gr.*: (*lettre f*) ~*e* Hauchbuchstabe *m*; *h* ~ aspiriertes h.

aspirer [~'re] (1a) **I** *v/t.* **1.** *Luft* einatmen, *Wasser* auf-, ein-saugen; *Teppich* absaugen; **2.** *gr.* aspirieren, mit einem Hauch aussprechen (*in Paris u. Mittelfrankreich wurde das h germanischen Ursprungs bis zum 16. Jahrhundert gehaucht*); **II** *v/i.* ~ *à qch.*, ~ *à* (*mit inf.*) streben *od.* trachten nach *od.* zu, sich bewerben um etw.; ~ *au trône* nach dem Thron streben; *je n'aspire qu'à* ... ich wünsche nichts weiter als zu ...; **III** *v/rfl.* s'~ eingesogen werden.

aspirine *phm.* [~'rin] *f* Aspirin *n*.

assa|gir [asa'ʒi:r] (2a) **I** *v/t.* zur Vernunft bringen; **II** *v/rfl.* s'~ vernünftig werden; **~gissement** [~ʒis'mɑ̃] *m* **1.** Klug-, Weise-werden *n*; vernünftige Haltung *f*; **2.** Belehrung *f*.

assail|lant [asa'jɑ̃] **I** *adj.* angreifend; **II** *bsd.* ⚔ *m* Angreifer *m*; **~lir** [~'ji:r] *v/t.* (2c) angreifen, überfallen; ~ *de questions* mit Fragen bestürmen.

assai|nir [asɛ'ni:r] *v/t.* (2a) desinfizieren; sanieren (*éc.*, *fin.*); *Luft* reinigen, bessern; *Land* entwässern, trockenlegen; läutern; **~nissement** [~nis'mɑ̃] *m* Gesundung *f*, Gesundheitswesen *n*; Sanierung *f*; Besserung *f* (*a. fig.*); Trockenlegung *f*, Entwässerung *f*; ~ *financier* Sanierung *f* der Finanzen; ~ *économique* Gesundung *f* der Wirtschaft; ~ *urbain* städtebauliche Sanierung *f*.

assaison|nement [asɛzɔn'mɑ̃] *m* **1.** Würzen *n*; **2.** Würze *f* (*a. fig.*), Zutat *f*; **~ner** [~zɔ'ne] (1a) **I** *v/t.* **1.** würzen; schmackhaft machen; **2.** *fig.* angenehm machen, versüßen; **II** *v/rfl.* s'~ gewürzt werden.

assassin [asa'sɛ̃] **I** *nur m* Mörder(in *f*) *m*; *à l'~!* Mord!; **II** *adj.* (7) meuchelmörderisch; *fig.* bissig, giftig; unwiderstehlich (*Blick*).

assassi|nant F [asasi'nɑ̃] *adj.* (7) zum Sterben langweilig, unausstehlich; **~nat** [~'na] *m* Meuchelmord *m*; *fig.* Gewalttat *f*; **~ner** [~'ne] *v/t.* (1a) meuchlings morden; F *fig.* belästigen, auf die Nerven fallen (*dat.*) (*de* mit); P kaputtmachen.

assaut [a'so] *m* **1.** Angriff *m*, Sturm *m*, Ansturm *m* (*a. fig.*); *aller* (*od. monter*) *à l'~ de*, *donner l'~ à*, *livrer un ~ à* stürmen, berennen, Sturm laufen gegen (*acc.*); *emporter* (*od. enlever od. prendre*) *d'~* (*a. fig.*) im Sturm nehmen, erstürmen; *prêt à l'~* sturmreif;

2. dringende Bitte *f*, Bestürmung *f*; 3. *fig.* Wettstreit *m*; *faire* ~ *de politesses* sich in Höflichkeiten überbieten; 4. Gang *m beim Fechten.*

as|sèchement [asɛʃ'mɑ̃] *m* 1. Entwässerung *f*, Trockenlegung *f*; Austrocknen *n*; 2. Ausgetrocknetsein *n*; **~sécher** [~se'ʃe] (1f) I *v/t.* austrocknen, trockenlegen; II *v/rfl.* s'~ austrocknen.

assem|blage [asɑ̃'bla:ʒ] *m* 1. Zusammen-fügen *n*, -stellen *n*, -setzen *n*, -setzung *f*, Montage *f*; *atelier m d'*~ Montagehalle *f*; s. *chaîne*; 2. Ansammlung *f*, Vereinigung *f*; Gemisch *n*; 3. ⊕ Verband *m*, Fugenwerk *n*; ~ *de rails* Schienenstoß *m* (*Verbindungsstelle zweier Schienen*); **~blée** [~'ble] *f* 1. Versammlung *f*, Zusammenkunft *f*; *hist.* ♀ *constituante* verfassunggebende Versammlung *f*; ~ *générale ordinaire* ordentliche Generalversammlung *f*; ♀ *législative* gesetzgebende Versammlung *f*; ~ *nationale* Nationalversammlung *f*; ~ *plénière* Vollversammlung *f*; ~ *à titre de protestation* Protestversammlung *f*; ~ (*générale*) *du parti* Parteiversammlung *f*; 2. *fig. l'*~ *des fidèles* die Kirche (*Gemeinschaft der Gläubigen*); 3. Verein *m*, Gesellschaft *f*; 4. *ch.* Sammelplatz *m*; 5. ⚔ *battre* (*sonner*) *l'*~ zum Sammeln trommeln (blasen); **~blement** [~blə'mɑ̃] *m* Zusammenbringen *n*, Versammeln *n*.

assembl|er [asɑ̃'ble] (1a) I *v/t.* 1. zusammen-bringen, -stellen, -setzen; -legen, -fügen; 2. versammeln, zusammenberufen; *Truppen* zusammenziehen; II *v/rfl.* s'~ sich versammeln; **~eur** ⊕ *inform.* [~'blœ:r] *m* Assembler *m*.

assener [as(ə)'ne] *v/t.* (1d): ~ *un coup à q.* j-m e-n tüchtigen Schlag (*od.* eins) versetzen.

assentiment [asɑ̃ti'mɑ̃] *m*: ~ (*à*) Zustimmung *f* (zu), Einwilligung *f* (in *acc.*); Billigung *f*, Beifall *m*.

asseoir [a'swa:r] (3k) I *v/t.* 1. (hin-, nieder-)setzen; 2. legen, (auf-)stellen; 3. fest aufstellen, *auf festem Untergrund* errichten; ~ *une statue sur un piédestal* e-e Statue auf e-n Sockel stellen; ~ *un camp* ein Lager aufschlagen; ~ *la garde* den Posten aufstellen; 4. *fig.* ~ *son jugement sur* sein Urteil gründen (*od.* bauen) auf (*acc.*); 5. *fig.* festigen (*z.B. Regierung, Ruf*); ~ *son économie* s-e Wirtschaft festigen (*od.* stabilisieren); 6. P verblüffen, kleinkriegen, zum Schweigen bringen; überzeugen; II *v/rfl.* s'~ sich setzen; *asseyez-vous* setzen Sie sich!; *donnez-vous la peine de vous* ~!, *veuillez vous* ~! nehmen Sie bitte Platz!; *faire* ~ *q. à sa table* j-n bei sich mitessen lassen.

assermen|tation [asɛrmɑ̃tɑ'sjɔ̃] *f* Vereidigung *f*; **~ter** [~'te] *v/t.* (1a) be-, ver-eidigen.

assertion [asɛr'sjɔ̃] *f* 1. Behauptung *f*, Versicherung *f*; Beteuerung *f*; 2. ⚖ Aussage *f*.

asser|vir [asɛr'vi:r] *v/t.* (2a) unterdrücken, -werfen, -jochen; *fig.* zügeln, beherrschen (*Leidenschaften*); *cyb.* an ein Steuerungsgerät anschließen; **~vissant** [~vi'sɑ̃] *adj.* (7) (be)drückend, unterjochend; **~vissement** [~vis'mɑ̃] *m* Knechtung *f*; ⊕ Steuerung *f* (*Raumschiff*); **~visseur** [~vi'sœ:r] *m* 1. Bezwinger *m*; 2. ⊕ Steuerungsgerät *n*.

assesseur ⚖ [asɛ'sœ:r] *m* Beisitzer *m*; *a. adj./m* beisitzend.

assez [a'se] *adv.* 1. genug, hinlänglich, zur Genüge; ~ *d'argent* genug Geld; ~ *de temps* Zeit genug; *c'est* ~ das genügt; *encore* ~ noch u. noch, mehr als genügend, mehr als genug; *c'en est* ~!, *en voilà* ~!, *ell. assez!* genug davon!; *j'en ai* ~ ich habe genug davon, ich habe es satt; 2. ziemlich; ~ *bien*, ~ *joli*(*e*): a) gut genug, hübsch genug; b) ziemlich (*od.* ganz) gut, ziemlich (*od.* ganz) hübsch; ~ *souvent*: a) oft genug; b) ziemlich oft; 3. *voilà qui est* ~ *étrange* das ist doch sehr sonderbar.

assi|du [asi'dy] *adj.* 1. pünktlich; 2. fleißig, eifrig, betriebsam, emsig, beharrlich; diensteifrig; **~duité** [~dɥi'te] *f* 1. Pünktlichkeit *f*, Dienstbeflissenheit *f*; 2. Emsigkeit *f*, ausdauernder Fleiß *m*; 3. ~s *pl. mst. péj.*: Aufdringlichkeit *f*; **~dûment** [~dy'mɑ̃] *adv. von assidu* emsig, eifrig, fleißig, pünktlich.

assié|gé ⚔ [asje'ʒe] *su.* Belagerte(r) *m*; **~geant** [~'ʒɑ̃] *su.* (7) Belagerer *m*; **~ger** [~'ʒe] *v/t.* (1g) belagern; *fig.* belästigen; ~ *q. de questions* j-n mit Fragen bestürmen.

assiette [a'sjɛt] *f* 1. Lage *f*, Haltung *f*; Sitz *m zu Pferde*; *perdre son* ~ nicht mehr fest im Sattel sitzen; seinen Sitz verlieren; *manquer d'*~ schlecht im Sattel sitzen; 2. örtliche Lage *e-s Hauses*; 🚂 ~ *de la voie* Bahnkörper *m*; 3. *fig.*

seelisches Gleichgewicht *n*; ✈ Gleichgewichtslage *f*; *il n'est pas dans son* ~ er fühlt sich nicht wohl; er ist nicht gut aufgelegt; *sortir de son* ~ sein Gleichgewicht verlieren, außer Fassung geraten; **4.** ~ *de l'impôt* Veranlagung *f* der Steuern; **5.** Teller *m*; ~ *creuse* tiefer Teller *m*; ~ *plate* flacher Teller *m*; ~ *à dessert* Obstteller *m*; ~ *à l'anglaise cuis.* kalter Aufschnitt *m*; ~ *à soupe* Suppenteller *m*; *changer d'*~*s* die Teller wechseln; F *avoir l'*~ *au beurre* an der Futterkrippe sitzen.

assiettée [asjeˈte] *f* Tellervoll *m*.

assignable [asiˈɲablə] *adj.* **1.** bestimmbar, benennbar; **2.** ⚖ anweisbar.

assignation [asiɲɑˈsjɔ̃] *f* **1.** *fin.* Anweisung *f*; **2.** ⚖ Vorladung *f*.

assigner [asiˈɲe] *v/t.* (1a) **1.** *Summe* anweisen (*sur* auf *acc.*); **2.** ⚖ vorladen; **3.** bestimmen; ~ *une tâche à q.* j-m e-e Aufgabe übertragen.

assimi|lable [asimiˈlablə] *adj.* anpaßbar, assimilierbar, aufnahmefähig; *fig.* erlernbar; **~lateur** [~laˈtœːr] *adj.* (7f) *u.* **~latif** [~laˈtif] *adj.* (7e) angleichend, assimilierend; **~lation** [~lɑˈsjɔ̃] *f* Angleichung *f*, Assimilierung *f*, Assimilation *f* (*a. gr.*); Gleichmachung *f*; Aneignung *f*; Aufnahme *f*, Verarbeitung *f*, Umwandlung *f*, Stoffwechsel *m*.

assimilé [asimiˈle] **I** *m* Militärbeamte(r) *m*, Verwaltungsoffizier *m*; **II** *adj.* gleichgestellt (*à* mit *dat.*).

assimiler [~] (1a) **I** *v/t.* **1.** ähnlich machen, angleichen; **2.** vergleichen, gleichstellen; **3.** *fig.* a) geistig verarbeiten, in sich aufnehmen; b) *abus.* = *s'*~; ~ *une langue* (*wofür besser*: *s'*~ *une langue*) sich e-e Sprache aneignen; **II** *v/rfl.* *s'*~ **4.** einheimisch werden; *s'*~ *qch.* sich etwas aneignen, in sich aufnehmen; *s'*~ (*à qch.*) sich (einem Körper) einverleiben; **5.** *s'*~ *à q.* sich mit j-m vergleichen, sich j-m gleichstellen.

assis [aˈsi] (7) **I** *p.p.v. asseoir*; **II** *adj.* **1.** sitzend; *métier m* ~ sitzende Tätigkeit *f*; *restez* ~ (*od. nur*: ~!) bleiben Sie sitzen!; *je suis bien* (*mal*) ~ ich sitze gut (schlecht); **2.** *poét.* gelegen; **3.** *fig.* fest begründet; **III** *m voter par* ~ *et levé* durch Sitzenbleiben u. Aufstehen abstimmen.

assise [aˈsiːz] *f* **1.** Steinschicht *f*, Lage *f* (*auch fig.*); *fig.* Grundlage *f*; ⊕ ~ *asphaltique* Asphaltschicht *f*; *géol.* ~*s jurassiques* Juraschichten *f/pl.*; *fig. les* ~*s du raisonnement* die Grundlagen der Beweisführung; *pol. sentir ses* ~*s encore faibles* s-e noch schwachen Stellen fühlen; **2.** ~*s pl.*: a) ⚖ Hauptgerichtstag *m*; *cour f d'*~*s* Schwurgericht *n*; b) *weitS.* Versammlung *f*, Kongreß *m von Gelehrten*; *pol., égl.* Tagung *f*; *tenir ses* ~*s* tagen, s-e Sitzungen abhalten.

assis|tanat [asistaˈna] *m* Assistentenschaft *f*, -stand *m* (*z.B. e-r Universität*); **~tance** [asisˈtɑ̃ːs] *f* **1.** Anwesenheit *f*; **2.** *coll.* die Anwesenden *su/pl.*, Zuhörer *su/pl.*, Zuhörerschaft *f*; **3.** *rl.* Assistenten *m/pl.* des Ordengenerals; **4.** *rl.* Ordens-, Kloster-bezirk *m*; **5.** Beistand *m*; Mitwirkung *f*; Hilfe *f*; ~*-chômeurs f* Arbeitslosenfürsorge *f*; ~ *judiciaire* Armenrecht *n*; ~ *sanitaire* Gesundheits-wesen *n*, -fürsorge *f*; ~ *sociale* soziale Fürsorge *f*; Fürsorgewesen *n*; *prêter* ~ *à q.* j-m helfen; ~ (*sociale*) *aux enfants* Kinderfürsorge *f*; ~ *maternelle* Mütterfürsorge *f*; ~ *médicale* Krankenfürsorge *f*; ~ *aux survivants* (*aux prisonniers, aux nourrissons*) Hinterbliebenen- (Gefangenen-, Säuglings-)fürsorge *f*; ~ (*aux victimes*) *de* (*la*) *crise* Krisenfürsorge *f*; (*œuvre f d'*)~ *à la jeunesse* Jugendfürsorge(werk *n*) *f*, Jugendpflege *f*; **~-chômage** [~ʃoˈmaːʒ] *f* (6b) Arbeitslosenfürsorge *f*; **~tant** [~tɑ̃] **I** *adj.* (7) **1.** beistehend, helfend; *a. m*: (*prêtre*) ~ Hilfsgeistliche(r) *m*; **II** *su.* **2.** *les* ~*s* die Anwesenden *su/pl.*; **3.** Assistent *m* (*z.B. e-s Professors*), Beistand *m*, Gehilfe *m*, Stellvertreter *m*; ~*e f sociale* Fürsorgerin *f*; **~té** *Auto* [~ˈte] *adj.* mit Bremskraftverstärkung.

assister [asisˈte] **I** *v/i.* ~ *à qch.* e-r S. beiwohnen, zugegen sein bei etw.; **II** *v/t.* unterstützen (*acc.*), beistehen (*dat.*), behilflich sein (*dat.*), helfen (*dat.*).

asso|ciable [asɔˈsjablə] *adj.* vereinbar; zusammenstellbar; **~ciation** [~sjɑˈsjɔ̃] *f* **1.** Vereinigung *f*, Verbindung *f*, Verein *m*, (Handels-)Gesellschaft *f*; ~ *centrale* Zentral-, Spitzen-verband *m*; ~ *affiliée* Zweiggesellschaft *f*; ~ *corporative* Innung *f*; ~ *mutuelle d'assurances* Versicherungsverein *m* auf Gegenseitigkeit; ~ *syndicale* Gewerkschaftsbund *m*; ~ *subordonnée* Unterverband *m*; ~ *patronale*, ~ *des entrepreneurs*, ~ *des employeurs* Arbeitgeberverband *m*; ~ *professionnelle* Fach-, Berufs-verband *m*; ~ *économique* Wirtschaftsverein(igung *f*) *m*; ~ *tarifaire* Tarifgemeinschaft *f*; ⚒ ~ (*coopérative*) *des mineurs* Zechengemeinschaft *f*; ~ *protectrice* Schutz-verband *m*, -vereinigung *f von Schriftstellern usw.*; ~ *intercommunale* Gemeindeverband *m*; ~ *de jeunes gens* Jugendverband *m*; ~ *des victimes de la guerre* Kriegsopferverband *m*; ~ *de bienfaisance* Wohltätigkeitsvereinigung *f*; *traité m d'*~ Gesellschaftsvertrag *m*; **2.** ~ *d'idées* Ideenverbindung *f*; **~cié** [~'sje] **I** *adj.* **1.** *idées* ~*es* verkettete Begriffe *m/pl.*; **II** *su.* **2.** Gesellschafter *m*, Sozius *m*, Teilhaber *m*; ~ *tacite* stiller Teilhaber *m*; **3.** (*a. adj.*: *membre m* ~) auswärtiges (*od.* korrespondierendes) Mitglied *einer Gelehrtengesellschaft.*

associer [asɔ'sje] (1a) **I** *v/t.* **1.** zugesellen; ~ *q. à qch.* j-n teilnehmen lassen an etw. (*dat.*); **2.** *fig.* vereinigen, verbinden; **II** *v/rfl.* **3.** *s'*~ *à* sich anschließen, teilnehmen an (*dat.*); **4.** *s'*~ *avec q.* sich mit j-m (zu Geschäftszwecken) verbinden.

assoiffé [aswa'fe] *adj.* sehr durstig; *fig.* gierig; ~ *de sang* blutdürstig.

assolement ↗ [asɔl'mɑ̃] *m* Fruchtwechsel *m*, Koppelwirtschaft *f*; *culture f par* ~*s* Wechselwirtschaft *f.*

assoler ↗ [asɔ'le] *v/t.* (1a) Fruchtwechsel vornehmen auf (*dat.*).

assom|brir [asɔ̃'bri:r] (2a) **I** *v/t.* **1.** verdüstern, mißmutig machen; ~ *la chambre* das Zimmer (zum Schlafen) verdunkeln; **II** *v/rfl. s'*~ **2.** sich verfinstern; **3.** *fig.* mißmutig werden; **~brissement** [~bris'mɑ̃] *m* **1.** Verdunkelung *f*; **2.** Dunkelheit *f*; *fig.* Verdüsterung *f.*

assom|made [asɔ'mad] *f* Totschlagen *n*; Schlägerei *f*; **~mant** F [~'mɑ̃] *adj.* (7) *fig.* unerträglich, tödlich langweilig; zum Auswachsen, zum Davonlaufen F; **~mer** [~'me] (1a) **I** *v/t.* **1.** totschlagen; **2.** ganz gehörig schlagen; ~ *q. de coups* j-n grün und blau schlagen; **3.** *fig.* belästigen, *j-m* zusetzen, F *j-m* nicht von der Pelle rücken; **4.** *Hitze, Getränk*: betäuben, matt machen; **II** *v/rfl. s'*~ ea. (halb) totschlagen; **~meur** [~'mœ:r] *su.* (7g) Totschläger *m*; **~moir** [~'mwa:r] *m* **1.** Totschläger *m* (*Stock*); *coup m d'*~ fürchterlicher Schlag (*a. fig.*); **2.** F Schnapsbude *f*, Kneipe *f*, Destille *f*, Budike *f* P.

assomption [asɔ̃p'sjɔ̃] *f*: ♀ *de la Vierge* Mariä Himmelfahrt.

asso|nance [asɔ'nɑ̃:s] *f* Assonanz *f*, Halbreim *m*, vokalischer Gleichklang *m*; **~nant** [~'nɑ̃] *adj.* (7) assonierend, ähnlich lautend, anklingend.

assor|ti [asɔr'ti] *adj.* **1.** *mariage m bien* ~ passende Ehe *f*; *couleurs* ~*es* zusammenpassende Farben *f/pl.*; **2.** *magasin m bien* ~ wohlausgestatteter Laden; *être bien* ~ e-e große Auswahl haben; **~timent** [~ti'mɑ̃] *m* **1.** Vereinigung *f*, Zusammenstellung *f*, Sortierung *f*, *geschmackvolle* Auswahl *f*; **2.** Sammlung *f*; Vorrat *m*; Warenlager *n*; **3.** Sortiment *n*; *livres m/pl. d'*~ Sortimentsbücher *n/pl.*

assor|tir [asɔr'ti:r] (2a) **I** *v/t.* **1.** passend zusammenstellen, sortieren, auswählen; **2.** mit Waren versehen *od.* ausstatten; **II** *v/rfl.* **3.** *s'*~ *à qch.* zu etw. passen, gut zu etw. stehen (*a. fig.*); **4.** *s'*~ *de* sich versehen mit; **~tissant** [~ti'sɑ̃] *adj.* (7) passend; **~tisseur** [~ti'sœ:r] *su.* (7g) Händler *m* mit Stoffresten.

assou|pir [asu'pi:r] (2a) **I** *v/t.* einschläfern; *fig.* betäuben, lindern; vertuschen; *Aufstand* unterdrücken; schlichten; **II** *v/rfl. s'*~ einschlummern; *fig.* sich legen, nachlassen; **~pissant** [~pi'sɑ̃] *adj.* (7) einschläfernd; **~pissement** [~pis'mɑ̃] *m* **1.** Schlummer *m*, Schläfrigkeit *f*; **2.** Trägheit *f*, Sorglosigkeit *f*; **3.** Schlichtung *f*, Beilegung *f e-s Streites*, Unterdrückung *f e-s Aufstandes*; **4.** ⚕ Linderung *f.*

assou|plir [asu'pli:r] *v/t. u. v/rfl. s'*~ (2a) geschmeidig (*fig.* nachgiebig *od.* gefügig) machen *bzw.* werden; **~plissement** [~plis'mɑ̃] *m* Geschmeidigmachen *n.*

assour|dir [asur'di:r] (2a) **I** *v/t.* betäuben, taub machen; ♪ *u. peint.* dämpfen; **II** *v/rfl. s'*~ taub (*od.* unempfindlich) werden; **~dissant** [~di'sɑ̃] *adj.* (7) betäubend; **~dissement** [~dis'mɑ̃] *m* Betäubung *f.*

assou|vir [asu'vi:r] (2a) **I** *v/t.* **1.** sättigen; *Hunger* stillen; **2.** *fig.* befriedigen; ~ *sa vengeance* s-e Rache kühlen; **II** *v/rfl. s'*~ (*de*) sich sättigen (an *dat.*); **~vissement**

[~vis'mɑ̃] *m* **1.** Sättigung *f*; **2.** *fig.* Befriedigung *f*.

assuétude [asɥe'tyd] *f* Drogenabhängigkeit *f*.

assujetti [asyʒɛ'ti] *adj.*: ~ *à l'impôt sur le revenu* einkommensteuerpflichtig; ~ *à la taxe* (*à l'assurance*) abgabe- (versicherungs-)pflichtig.

assujet|tir [asyʒɛ'tiːr] (2a) **I** *v/t.* **1.** unterwerfen, unterjochen, bezwingen; **2.** ~ *q. à qch.* j-n zu etw. zwingen; **3.** festmachen, befestigen; **II** *v/rfl.* **4.** *s'*~ *à* sich richten nach, sich binden an (*acc.*); **5.** *s'*~ *qch.* sich etw. untertänig machen; **~tissant** [~ti'sɑ̃] *adj.* (7) *fig.* bindend; *fig.* mühselig, lästig; **~tissement** [~tis'mɑ̃] *m* Unterwerfung *f*; *fig.* Unterwürfigkeit *f*, Abhängigkeit *f*, Gebundenheit *f*; ~ *à l'étiquette* Formenzwang *m*.

assumer [asy'me] *v/t.* (1a): ~ *une grande responsabilité* eine große Verantwortung übernehmen; ~ *sa subsistance* für s-n Lebensunterhalt selbst aufkommen; ~ *sur soi des haines* sich Haß zuziehen.

assu|rable [asy'rablə] *adj.* versicherungsfähig; **~rance** [~'rɑ̃ːs] *f* **1.** Gewißheit *f*, Überzeugung *f*, sichere Hoffnung *f*; Zuversicht *f*; *en toute* ~ mit vollem Vertrauen; **2.** Ver-, Zusicherung *f*, Beteuerung *f*, (festes) Versprechen *n*; *Veuillez agréer l'*~ *de ma considération* (*très*) *distinguée* (*als Briefschluß*) Hochachtungsvoll; **3.** Selbstvertrauen *n*; **4.** Sicherheit *f*, Gefahrlosigkeit *f*; **5.** (Unter-)Pfand *n*, Bürgschaft *f*, Gewähr *f*; **6.** Versicherung *f*; *compagnie f d'*~ Versicherungsgesellschaft *f*; ~*-automobile f* Autoversicherung *f*; ~*-chômage* (6b) Arbeitslosenversicherung *f*; ~ *collective* Kollektiv-Versicherung *f*; ~ *contre les accidents*, ~ *contre les grèves*, ~ (*contre les risques*) *du transport* Unfall-, Sturmschaden-, Transport-versicherung *f*; ~ *contre la tempête*, ~ *contre le vol avec effraction* Sturmschaden-, Einbruchsdiebstahl-versicherung *f*; ~ *de capital différé* Versicherung *f* auf den Erlebensfall; ~ *de responsabilité* (*civile*) Haftpflichtversicherung *f*; ~ *de(s) bagages* (Reise-)Gepäckversicherung *f*; ~ *des employés, des survivants* Angestellten-, Hinterbliebenen-versicherung *f*; ~-*-invalidité* Invaliditätsversicherung *f*; ~ *immobilière, maritime* Gebäude-, See-versicherung *f*; ~*-maladie* (6b) Krankenversicherung *f*; ~ *mutuelle* (*abr.* A.M.) Versicherung *f* auf Gegenseitigkeit; ~ *ouvrière en cas d'accidents* Arbeiterunfallversicherung *f*; ~ *obligatoire* Zwangsversicherung *f*; ~ *périmée* erloschene Versicherung *f*; ~ *pluie-séjour* Regenversicherung *f* (*für Urlaubsreisen*); ~ *pour une somme inférieure* (*à la valeur effective*) Unterversicherung *f*; ~ *pour automobiles, des motocyclettes* Automobil-, Motorrad-versicherung *f*; ~*-retraite* Rentenversicherung *f*; ~ *sociale*, ~ *supplémentaire* Sozial-, Zusatz-versicherung *f*; ~ *tous risques* generelle Versicherung *f*; ~*-vie* Lebensversicherung *f*; ~-*-vieillesse* Altersversicherung *f*; *effectuer une* ~ eine Versicherung abschließen; **~ré** [~'re] **I** *adj.* **1.** ~ *contre* sicher vor (*dat.*), gesichert gegen (*acc.*); **2.** versichert; **3.** zuverlässig, gewiß; selbstsicher; **4.** unerschrocken; keck; **5.** ~*ment adv.* (ganz) sicher, sicherlich, wahrhaftig; **II** *su.* Versicherte(r) *m*, Versicherungsnehmer *m*; *les* ~*s sociaux* die Sozialversicherten *pl.*

assu|rer [asy're] (1a) **I** *v/t.* **1.** befestigen, festmachen, sichern (*Bergsport*); ~ *à la corde* anseilen; ✝ ~ *pour une somme inférieure* (*à la valeur effective*) unterversichern; *rad.* ~ *le casque sur ses oreilles* sich den Kopfhörer aufsetzen; ⚓ ~ *le service de la côte* den Küstendienst versehen; **2.** *fig.* sorgen (für *acc.*), Sicherheit *f* geben (*dat.*); fertigmachen; ~ *un reportage de nuit* e-e Nachtreportage fertig-machen, -stellen; **3.** *Vermögen usw. fig.* sicherstellen; **4.** *Haus usw.* versichern (*z.B. contre les dégâts produits par des ouragans* gegen Sturmschaden); **5.** mit Gewißheit behaupten, bezeugen, versichern; *je t'en assure!* das versichere ich dir!; **II** *v/rfl.* *s'*~ (*de*) **6.** sich vergewissern (*gén.*), sich überzeugen (von); *assurez-vous que* ... seien Sie versichert, daß ...; *s'*~ *des places* Plätze belegen; **7.** *s'*~ *dans* (*en od. sur*) *qch.* auf etw. (*acc.*) bauen; **8.** *s'*~ *de q.*: a) ⚖ j-n verhaften; b) sich des Beistandes j-s versichern; **9.** *s'*~ *contre q.* sich vor j-m sichern; **~reur** ✝ [~'rœːr] *m* Versicherungsträger *m*, Versicherer *m*; **~reur-expert** [~'rœːr ɛks'pɛːr] *m* Versicherungsfachmann *m*.

astatique *phys.* [asta'tik] *adj.* unbeständig.
aster ⚘ [as'tɛ:r] *m* Aster *f.*
astérisque [aste'risk] *m* Sternchen *n im Buch* (*).
astéroïde [asterɔ'id] *m* Asteroid *m*, kleiner Planet *m*; Sternschnuppe *f.*
asthé|nie [aste'ni] *f* Entkräftung *f*; **~nique** [~'nik] *adj.* kraftlos.
asthmatique [asma'tik] **I** *adj.* asthmatisch; **II** *su.* Asthmatiker *m.*
asthme [asm] *m* Asthma *n.*
asti|cot [asti'ko] *m* Made *f* (*als Köder*); **~coter** F [~kɔ'te] *v/t.* (1a) ärgern, schikanieren, necken, hochnehmen, auf die Palme bringen F, zusetzen (*dat.*), auf den Wecker fallen (*dat.*) F, *j-m* das Leben schwermachen.
astigmat|ique ⚕ [astigma'tik] *adj.* astigmatisch; brennpunktlos; **~isme** ⚕ [~'tism] *m* Astigmatismus *m*, verminderte Sehfähigkeit *f.*
astiqu|age *bsd.* ⚔ [asti'ka:ʒ] *m* Putzen *n*, Wichsen *n*; *allg.* Glätten *n*; **~er** [~'ke] (1m) *v/t.* putzen, glätten; F ärgern, schikanieren; *~ la grille* * durch den Kasernenzaun mit j-m plaudern; P *s'~* sich schlagen.
astragale [astra'gal] *m* **1.** △ Rundstab *m* am Säulenkapitell; **2.** *anat.* Fußknöchel *m*, Knöchel-, Sprungbein *n*; **3.** ⚘ Tragant *m.*
astrakan [astra'kɑ̃] *m* Lammpelz *m* aus Astrachan.
astre ['astrə] *m* Gestirn *n*, Stern *m* (*auch fig.*); *un ~ de beauté* eine strahlende Schönheit *f.*
astrein|dre [as'trɛ̃:drə] (4b) **I** *v/t.* *~ q. à* j-n zwingen (*od.* nötigen) zu, j-n verpflichten zu; *astreint au service* gestellungspflichtig; **II** *v/rfl.* *s'~ (à)* sich unterziehen (*dat.*); **~te** [as'trɛ̃:t] *f* ⚖ Zwangsmaßnahme *f.*
astric|tif ⚕ [astrik'tif] *adj.* (7e) *u. m* zusammenziehend(es Mittel *n*); **~tion** ⚕ [~'sjɔ̃] *f* Zs.-ziehung *f.*
astrin|gence [astrɛ̃'ʒɑ̃:s] *f* zusammenziehende Eigenschaft *f*; **~gent** [~'ʒɑ̃] *adj.* (7) *u. m* zusammenziehend(es Mittel *n*).
astro|géologie [astrɔʒeɔlɔ'ʒi] *f* Astrogeologie *f*; **~graphe** [~'graf] *m* Sternbeschreiber *m*; **~ïte** 🕮 [~'it] *f* Sternkoralle *f*; **~lâtre** [~'lɑ:trə] *adj. u. su.* sternanbetend; Sternanbeter *m*; **~lâtrie** [~lɑ'tri] *f* Sternanbetung *f*; **~logie** [astrɔlɔ'ʒi] *f* Astrologie *f*, Sterndeuterkunst *f*; **~logique** [~lɔ'ʒik] *adj.* □ astrologisch, sterndeuterisch; **~logue** [astrɔ'lɔg] *m* Astrologe *m*, Sterndeuter *m.*
astro|naute 🚀 [astrɔ'not] *m* Astronaut *m*; **~nautique** [astrɔno'tik] **I** *f* Astronautik *f*, Raumschiffahrt *f*; **II** *adj.* astronautisch; **~nef** 🚀 [~'nɛf] *m* Raumschiff *n*; **~nome** [~'nɔm] **I** *su.* Astronom *m*; *iron.* Sternseher *m*, -gucker *m*; **II** *adj.* sternkundig; **~nomie** [~nɔ'mi] *f* Astronomie *f*; **~nomique** [~'mik] *adj.* □ astronomisch; *fig. un prix ~* ein Phantasiepreis *m*; **~physique** [~fi'zik] *f* Astrophysik *f*; **~port** [~'pɔ:r] *m* Raumschiffhafen *m* (*in Zukunftsromanen*); **~sphère** [~'sfɛ:r] *f* Raumschiff *n* (*in Zukunftsromanen*).
astuce [as'tys] *f* List *f*, Schlauheit *f*, Verschlagenheit *f*, Arglist *f*; Witz *m*, Pointe *f.*
astucieux [asty'sjø] *adj.* (7d) □ durchtrieben, gerieben F, verschlagen, hinterlistig.
asymé|trie [asime'tri] *f* Asymmetrie *f*, Mangel *m* an Ebenmaß, Mißverhältnis *n*; **~trique** [~'trik] *adj.* asymmetrisch, ungleichförmig.
ataraxie [atarak'si] *f* Gemütsruhe *f.*
ata|vique [ata'vik] *adj.* erbbedingt, von den Vätern vererbt; **~visme** [~'vism] *m* Atavismus *m*, Erbbedingtheit *f*, Vererbung *f*; *péj.* erbliche Belastung.
ataxie ⚕ [atak'si] *f* Unregelmäßigkeit *f*, Ataxie *f*; *~ locomotrice (progressive)* Rückenmarksschwindsucht *f.*
atchoum [a'tʃum] *int.* hatschi! (*beim Niesen*).
atelier [atə'lje] *m* **1.** Werkstatt *f*, Werkstätte *f*; Betrieb *m*; *chef m d'~* Werkführer *m*; *~ de réparations* (Auto-)Reparaturwerkstatt *f*; *~ de départ* Scheideanstalt *f*; *~ de chemin de fer* Eisenbahnwerkstätte *f*; *~ de réparation (od. de construction) du matériel de guerre* Heereswerkstätte *f*; *~ de forge* Eisenhütte *f*; *~ d'héliographie* Lichtpausanstalt *f*; **2.** die in der Werkstatt beschäftigten Arbeiter; **~-école** [~e'kɔl] *m* (6d) Lehrwerkstätte *f.*
ater|moiement, ~moîment [atɛrmwa'mɑ̃] *m* Aufschub *m der Zahlungsfrist*, Stundung *f*, Moratorium *n*; *~s m/pl.* Ausflüchte *f/pl.*; **~moyer** [~mwa'je] (1h) **I** *v/t.* ver-, auf-schieben; ✝ prolongieren; **II** *v/i.* Ausflüchte machen, zögern; **III** *v/rfl.* *s'~ avec ses créanciers* von s-n Gläubigern Aufschub erlangen.

athée [a'te] **I** *adj.* atheistisch, gottesleugnerisch; **II** *su.* Atheist *m.*
athé|isme [ate'ism] *m* Atheismus *m*, Gottesleugnung *f*; **~iste** [~'ist], **~istique** [~is'tik] *adj.* atheistisch.
Athénée [ate'ne] *m* **1.** Athenäum *n*, Gelehrtengesellschaft *f*, Künstlervereinigung *f*; **2.** ♀ Lesesaal *m*, Vortragsinstitut *n*; **3.** ♀ *Belgien*: höhere Schule *f*.
Athènes [a'tɛn] *f* Athen *n.*
Athénien [ate'njɛ̃] *su.* (7c) Athener *m.*
ather|mane [atɛr'man] *u.* **~mique** [~'mik] *adj.* wärmeundurchlässig.
athlète [at'lɛt] *m* Athlet *m.*
athlé|tique [atle'tik] **I** *adj.* □ (leicht-) athletisch; **II** *f hist.* Ringkunst *f*; **~tisme** [~'tism] *m* (Leicht-)Athletik *f*; ~ *lourd* Schwerathletik *f.*
athrepsie ⚕ [atrɛp'si] *f* Pädatrophie *f*, Unterernährung *f* der Kleinkinder.
atlante ⚠ [at'lɑ̃:t] *m* Atlas *m*, Gebälkträger *m.*
Atlantide *hist.* [atlɑ̃'tid] *f* Atlantis *f.*
atlantique [atlɑ̃'tik] *adj. u. su.* atlantisch; *Océan m* ♀ (*auch* ♀ *m*) Atlantischer Ozean *m*; *pol. Charte f de l'*♀ Atlantikcharta *f*; *Pacte m de l'*♀ Nordatlantikpakt *m.*
atlantiste *pol.* [atlɑ̃'tist] **I** *adj.* natogebunden; **II** *su.* Anhänger *m* der Nato-Politik.
Atlas [at'las] *m* **1.** Atlasgebirge *n*; **2.** ♀: a) Atlas *m*; ♀ *portatif* Handatlas *m*; b) Atlas *m* (*Stoff*); c) *anat.* erstes Wirbelbein *n am Hals.*
atmo|sphère [atmɔs'fɛ:r] *f* **1.** Atmosphäre *f*, Luftraum *m*; *état m de l'*~ Witterungsverhältnisse *n/pl.*; **2.** Luft *f*; ~ *malsaine* ungesunde Luft *f*; **3.** *fig.* Umgebung *f*; Stimmung *f*; **~sphérique** [~fe'rik] *adj.* □ atmosphärisch; *machine f* ~ Heißluftmaschine *f*; *tube m* ~ Heißluftröhre *f*; *pression f* ~ Luftdruck *m.*
atoll [a'tɔl] *m* Atoll *n*, Korallen-insel *f.*
atome [a'to:m] *m* **1.** Atom *n* (*a. fig.*), Urstoffteilchen *n*; *fig. les hommes sont des* ~*s dans l'univers* die Menschen sind ganz kleine, winzige Wesen im Weltall; **2.** Sonnenstäubchen *n*; **~-médecin** [~med'sɛ̃] *m* (6g) Atomarzt *m.*
atom|icien [atɔmi'sjɛ̃] *m* Atomphysiker *m*; **~ique** ⚛ [~'mik] *adj.* Atom...; *fig.* F mitreißend, faszinierend; phantastisch, außerordentlich; *bombe f* ~ Atombombe *f*; *contrôle m (de l'énergie)* ~ Atom(energie)kontrolle *f*; *pile f* ~ Atommeiler *m*; *poids m* ~ Atomgewicht *n*; ⚔ *armes f/pl.* ~*s* Atomwaffen *f/pl.*; **~isé** [~mi'ze] *adj.* atomverseucht, radioaktiv verseucht; **~iser** [~] *v/t.* sprayen; **~iseur** [~mi'zœ:r] *m* Spray(dose *f*) *n*; **~isme** [~'mism] *m* Atomismus *m*; **~iste** [~'mist] *su.* Atomforscher *m*; **~istique** [~mis'tik] **I** *adj.* atomistisch; **II** *f* Atomistik *f*, Atomwissenschaft *f.*
atonal [atɔ'nal] *adj.* (5c): *musique f* ~*e* atonale Musik *f*; **~isme** [~'lism] *m*, **~ité** [~li'te] *f* Atonalismus *m.*
atone [a'tɔn] *adj.* **1.** starr, ausdruckslos; **2.** *gr.* tonlos, unbetont; **3.** abgespannt, erschlafft.
ato|nie [atɔ'ni] *f* Schlaffheit *f*, Abgespanntheit *f*, Schwäche *f*; **~nique** [~'nik] *adj.* erschlafft, kraftlos.
atours [a'tu:r] *m/pl.* weiblicher Putz *m*, Schmuck *m*, *fig.* Staat *m.*
atout [a'tu] *m* **1.** Trumpf *m*; *avoir tous les* ~*s en mains fig.* alle Trümpfe in der Hand haben; **2.** P Schicksalsschlag *m*, *fig.* Backpfeife *f* F, *fig.* Dämpfer *m.*
à travers [a tra'vɛ:r] *prp.* a) mitten (*od.* quer) durch; durch; ~ *la ville* quer durch die Stadt; *il voyageait* ~ *la France* er reiste quer durch Frankreich; *il marchait* ~ *ses ennemis* er marschierte mitten durch s-e Feinde; *s'enfuir* ~ *bois* (*ohne art.!*) durch den Wald fliehen; *passer* ~ *les bois* durch den Wald gehen; *il sourit* ~ *ses larmes* er weinte u. lächelte zugleich; *le chemin contournait le village* ~ *des prairies* der Weg zog sich um das Dorf quer durch Wiesen hindurch (*des prairies ist also partitiver Akkusativ!*); *foncer* ~ *tout* durch dick u. dünn gehen; b) quer über; *prendre* ~ *champ* querfeldein gehen; ✈ *notre vol* ~ *l'Alaska* unser Flug quer über Alaska; *les infiltrations d'hommes et d'armes* ~ *la frontière syrienne continuent* der Menschen- u. Waffenschmuggel über die syrische Grenze dauert an (*od.* geht weiter); *a. au travers de*; s. *dort.*
âtre ['ɑ:trə] *m* (Feuer-)Herd *m*, Kochherd *m.*
atroce [a'trɔs] *adj.* □ abscheulich, entsetzlich, furchtbar, grausam; *cruauté f* ~ fürchterliche (*od.* entsetzliche) Grausamkeit *f*; *vengeance f* ~ furchtbare Rache *f*; *douleur f* ~ entsetzlicher Schmerz *m*; *temps m* ~ furchtbares (*od.* entsetzliches, widerliches) Wetter *n.*
atrocité [atrɔsi'te] *f* Entsetzlichkeit

f; Grausamkeit *f*; *pol.* ~*s inventées f/pl.* Greuelmärchen *n/pl.*

atro|phie ⚕ [atrɔ'fi] *f* **1.** Atrophie *f*, ungenügende Ernährung *f*, Abzehrung *f*; ~ *musculaire* Muskelschwund *m*; **2.** *fig.* Schwächung *f*; ~**phier** ⚕ [~'fje] (1a) **I** *v/t.* schwächen; **II** *v/rfl.* s'~ absterben; *fig.* abnehmen; ~**phique** [~'fik] *adj.* schwindsüchtig, abzehrend.

attabler [ata'ble] (1a) *v/rfl.*: s'~ sich an den Tisch setzen; *être attablé avec q.* mit j-m am Tisch sitzen.

attachant [ata'ʃɑ̃] *adj.* (7) fesselnd, spannend; hinreißend.

attache [a'taʃ] *f* **1.** Band *n*, Riemen *m*, Schnur *f*, Seil *n*; ⊕ Verspannseil *n*; Klammer *f*, Krampe *f*; *chien m d'*~ Kettenhund *m*; *tenir q. à l'*~ *fig.* j-n an der Kandare haben; **2.** ~ *de diamants* Schleife *f* von Diamanten; **3.** *anat.* Gelenkfügung *f*; **4.** ~*s pl.* Schloß *n an e-m Armband*; **5.** *fig.* Hang *m*, Neigung *f*; Vorliebe *f*; *avoir des* ~*s avec ...* Beziehungen haben zu ...; † *des* ~*s financières* finanzielle Bindungen *f/pl.*; *avoir de l'*~ *au* (*od. pour le*) *jeu* dem Spiel ergeben sein; **6.** *port m d'*~ Heimathafen *m*.

attaché [ata'ʃe] *m* Gesandtschaftsattaché *m*; ~ *militaire* Militärbevollmächtigte(r) *m*, -attaché *m*; ~ *de presse* Pressechef *m* (*e-r Firma*); ~**-case** [~'kɛs] *m* Attaché-Koffer *m*.

attachement [ataʃ'mɑ̃] *m* **1.** Anhänglichkeit *f*; Zuneigung *f*; Verbundenheit *f*; ~ *au terroir* Schollenverbundenheit *f*; **2.** Eifer *m*, Hingabe *f*; **3.** Liebesverhältnis *n*; **4.** ~*s pl.* ⚠ Baukostenanschlag *m*.

attacher [ata'ʃe] (1a) **I** *v/t.* **1.** festmachen, befestigen, anknüpfen, ankleben, anspannen; ~ *qch. avec une chaîne* etw. anketten; ~ *avec un clou* annageln; ~ *avec une corde* festbinden; **2.** *fig.* ~ *ses yeux sur q.* (*qch.*) seine Blicke auf j-n (etw.) heften; **3.** *fig.* ~ *q. à soi* j-n an sich fesseln *od.* für sich gewinnen; j-n sich verpflichten; ~ *q. à ses intérêts* j-n für s-e Interessen gewinnen; ~ *q. à son service* j-n in Dienst nehmen; *la reconnaissance m'attache à lui* ich bin ihm zu Dank verpflichtet; **4.** *fig.* beimessen, beilegen; ~ *à* verknüpfen mit (*dat.*); ~ *de l'importance* (*od. du prix*) *à* Wert (*od.* Gewicht) legen auf (*acc.*); ~ *un sens à un mot* e-m Wort e-e Bedeutung beilegen; **5.** *fig.* anziehen, spannen, fesseln; **II** *v/rfl.* s'~ *à q. od. qch.* sich anhängen an (*acc.*), hängenbleiben an (*dat.*); *fig.* sich anschließen an (*acc.*), erpicht sein auf (*acc.*), festhalten an (*dat.*); *s'*~ *à remplir son devoir* bestrebt sein (sich bemühen, sich angelegen sein lassen), s-e Pflicht zu erfüllen; *s'*~ *à q.* sich j-n verbunden machen, ihn gewinnen; *s'*~ *à faire qch.* sich etw. angelegen sein lassen; *s'*~ *à une carrière* sich für e-n Beruf entscheiden.

atta|quable [ata'kablə] *adj.* anfechtbar; ~**quant** [~'kɑ̃] (7) **I** *adj.* angreifend; **II** *bsd. Sport m* (*bsd. pl.*) Angreifer *m*.

attaque [a'tak] *f* **1.** Angriff *m*; ⚔ ~ *aérienne*, ~ *par les avions* Luftangriff *m*; ~ *à main armée* Raubüberfall *m*; *fausse* ~, ~ *simulée* Scheinangriff *m*, Finte *f*; ~ *surprise* Überfall *m*, plötzlicher Angriff *m*; ~ *par les* (*od. aux*) *gaz*, ~ *à l'aide de gaz* Gasangriff *m*; ~ *rapprochée* Nahangriff *m*; *monter une* ~ e-n Angriff ansetzen; *remettre* (*od. renvoyer*) *une* ~ e-n Angriff abblasen; *se livrer à des* ~*s contre q.* gegen j-n ausfällig werden; **2.** ⚕ Anfall *m*; ~ *d'apoplexie* Schlaganfall *m*; **3.** ♪ Auftakt *m*; Anstimmen *n*; *chef d'*~ führender Chorsänger *m*; **4.** ⚗ Zerfressen *n*; **5.** Antrieb *m*; **6.** P *être d'*~ ein Draufgänger sein, ein ganzer Kerl sein.

atta|quer [ata'ke] (1m) **I** *v/t.* **1.** angreifen, anfallen; ~ *q. au défaut de la cuirasse* j-n an s-r schwächsten Stelle angreifen, j-s Achillesferse treffen; **2.** ~ *q. en justice* j-n gerichtlich belangen; ~ *un acte* e-e Urkunde anfechten; **3.** ⚕ befallen; *être attaqué de la poitrine* lungenkrank sein; **4.** ⚗ angreifen, korrodieren, zerfressen, zerstören; **5.** *Kuchen*: anschneiden, F *fig. Arbeit*: anfangen, in Angriff nehmen (*vgl.* II, 8.); *Musikstück*: anstimmen; *Thema* anschneiden; ⊕ antreiben; **II** *v/rfl.* **6.** *s'*~ *l'un l'autre* ea. angreifen; **7.** *s'*~ *à q.* gegen j-n aufzutreten wagen; **8.** *s'*~ *à qch.* F etw. in Angriff nehmen, beginnen (*vgl.* **I**, 5); **9.** *e-r Sache* entgegentreten; mit e-r Sache fertig zu werden versuchen; *e-r Sache* die Stirn bieten; *s'*~ *aux préjugés* (*aux abus*) den Vorurteilen (den Mißbräuchen) entgegentreten; *s'*~ *aux difficultés de l'existence* mit den Existenzschwierigkeiten fertig zu werden versuchen.

attar|dé ⚕ *physiol.* [atar'de] *adj. u. m* spätentwickelt, zurückgeblieben (*Kind*); *fig.* rückständig; Spätentwickler *m*; **~dement** [~də'mã] *m* Verspätung *f*; **~der** [~'de] (1a) **I** *v/t.* verzögern; **II** *v/rfl.* s'~ sich verspäten; *fig.* zurückbleiben; s'~ *à qch.* sich aufhalten mit etw.

atteindre [a'tɛ̃:drə] (4b) **I** *v/t.* **1.** treffen; *atteint de quatre balles* von vier Kugeln getroffen; **2.** befallen (*Krankheit*), ergreifen; **3.** einholen, erreichen (*a. téléph.*); ~ *son but* sein Ziel erreichen; ~ *q.* j-n ausfindig machen; **II** *v/i.* ~ *à* reichen bis (*acc.*), heranreichen an (*acc.*); *durch Anstrengung* erreichen; ~ *à son but* sein Ziel endlich erreichen; **III** *v/rfl.* s'~ erreicht werden.

atteinte [a'tɛ̃:t] *f* **1.** Schlag *m*, Stoß *m*; ~ *accidentelle* Zufallstreffer *m*; *hors d'*~ in Sicherheit, außer Schußweite; unerreichbar (*a. fig.*); **2.** Verletzung *f*, Streifwunde *f*; **3.** *fig.* Anfall *m*; Anwandlung *f*; ~ *de goutte* Gichtanfall *m*; **4.** Schädigung *f*, Verstoß *m*, Beeinträchtigung *f*; ~ *à l'intégrité du territoire national* Verbrechen *n* gegen die Sicherheit des Staates; *porter* ~ *à qch.* e-r Sache (*dat.*) Eintrag (*od.* Abbruch) tun, e-e S. beeinträchtigen; verstoßen gegen (*acc.*).

attela|ble [at'lablə] *adj.* anspannbar; **~ge** [at'la:ʒ] *m* **1.** Anspannen *n*; **2.** Gespann *n*; **3.** Raumschiffkombination *f*.

atteler [at'le] (1c) **I** *v/t.* **1.** anspannen, anschirren; bespannen; 🚂 anhängen; **II** *v/rfl.* **2.** angespannt werden; **3.** *fig.* s'~ *à une rude besogne* sich an e-e harte Arbeit machen; e-e harte Arbeit verrichten; *attelé à une tâche* mit e-r Aufgabe beschäftigt; être *attelé à un travail* hinter e-r Arbeit sitzen; **4.** s'~ *avec q.* sich mit j-m zusammentun.

attelle ⚕ [a'tɛl] *f* (Bein-)Schiene *f*; ~ *pour le bras* ⚕ Armschiene *f*.

attenant [at'nã] **I** *adj.* ~ *à* angrenzend an (*acc.*); Neben...; anstoßend; *la chambre* ~*e* das Nebenzimmer; *le terrain* ~ das anstoßende (*od.* angrenzende *od.* benachbarte *od.* Nachbar-)Grundstück; **II** † *prp.* ~ *de od. à* dicht neben (*dat.*).

attendant [atã'dã] **I** *advt. en* ~ in-, unter-dessen, inzwischen; **II** *en* ~ *que cj.* (*mit subj.*) solange, bis ...

attendre [a'tã:drə] (4a) **I** *v/t.* **1.** ~ *q.* auf j-n (*acc.*) warten, j-n erwarten; j-m bevorstehen; ~ *une réponse* e-r Antwort entgegensehen, e-e Antwort erwarten; *faire* ~ warten lassen; *se faire* ~ auf sich warten lassen; ~ *l'autobus* auf den Bus warten; ~ *la fin* das Ende abwarten; ~ *que* (*mit subj.*) warten bis ...; **2.** ~ *qch. de q.* von j-m etw. erwarten *od.* hoffen; **3.** *fig. un coup n'attendait pas l'autre* es ging Schlag auf Schlag; **II** *v/i.* **4.** F ~ *après q.* (*qch.*) warten auf (*acc.*); *vous ne perdrez rien pour* ~ a) es wird nicht Ihr Schade sein, wenn Sie warten; b) *iron.* warten Sie nur, man wird Sie schon kriegen; **5.** ~ *à l'affût* auf dem Anstand stehen; **III** *v/rfl.* s'~ **6.** *s'*~ *à qch.* etw. vermuten; sich auf etw. (*acc.*) gefaßt machen; auf etw. (*acc.*) hoffen; *je ne m'y serais pas attendu* das hätte ich nicht vermutet; **7.** *ne t'attends qu'à toi seul* selbst ist der Mann; **8.** *s'*~ *que* (*mit fut.*, *jedoch modern mit subj.*) [*s'*~ *à ce que* (*fast nur mit subj.*)] erwarten, damit rechnen, sich darauf gefaßt machen, daß ...

atten|drir [atã'dri:r] *v/t. u. v/rfl.* s'~ (2a) weich (*od.* mürbe) machen (werden); *fig.* erweichen, rühren; s'~ *sur* gerührt werden von (*dat.*); s'~ *pour* Mitleid empfinden für; **~drissant** [~dri'sã] *adj.* (7) rührend, ergreifend; **~drissement** [~dris'mã] *m fig.* Rührung *f*, Mitgefühl *n*; *psych.* Rührseligkeit *f*, Weichheit *f*.

attendu [atã'dy] **I** *part. inv. als prp.* angesichts (*gén.*), in Anbetracht (*gén.*), im Hinblick (mit Rücksicht) auf (*acc.*); wegen (*gén.*); *attendu les événements* im Hinblick auf die Ereignisse, angesichts der Ereignisse; ~ *l'état indigent* mit Rücksicht auf die Notlage, wegen der Notlage; *attendu leurs bonnes références* angesichts ihrer guten Referenzen; *attendu son infirmité* mit Rücksicht auf sein Leiden; **II** *cj.* ~ **que ...** in Erwägung der Tatsache, daß ...; **III** ⚖ *m/pl.* Begründung *f/sg.*; *dans ses* ~*s que ...* mit der Begründung, daß ...

atten|tat [atã'ta] *m* Attentat *n*; ~ *contre la vie* Mordanschlag *m*; ~ *à la bombe* Bombenattentat *n*; ~ *à nos droits* Eingriff *m* in unsere Rechte; **~tatoire** [~ta'twa:r] *adj.* frevelnd, verletzend.

attente [a'tã:t] *f* **1.** Warten *n*; Wartezeit *f*; Erwarten *n*; être *dans l'*~ *de* warten auf (*acc.*); *salle f d'*~ Wartesaal *m*; **2.** Hoffnung *f*, Erwartung *f*; *contre toute* ~ wider alles Erwarten; **3.** ⚕ *ligature f d'*~ vorläufiger Verband *m*; **4.** *peint. table f d'*~ leere

Platte *f*, leeres Fach *n od.* Feld *n*; *fig. ce n'est encore qu'une table d'*~ er ist noch ein unbeschriebenes Blatt; **5.** ⚠ *pierres f/pl.* d'~ stehende Verzahnung *f*.

attenter [atɑ̃'te] *v/i.* (1a) ~ *à* e-n Anschlag machen auf (*acc.*), ein Attentat verüben auf (*acc.*); sich vergreifen an (*dat.*); ~ *à la vie de q.* e-n Anschlag auf j-s Leben machen; ~ *aux jours de q.* j-m nach dem Leben trachten; ~ *à ses jours* e-n Selbstmordversuch machen.

atten|tif [atɑ̃'tif] *adj.* (7e) aufmerksam, achtsam, bedacht; **~tion** [~'sjɔ̃] *f* **1.** Achtsamkeit *f*, Aufmerksamkeit *f* (*à* auf *acc.*); ~! aufgepaßt!; Achtung!; ~ *à la marche!* Achtung, Stufe!; *faire* ~ aufpassen; *faites* ~ *que* ... (*bei e-r Tatsache mit ind.*) beachten Sie, daß ...; *je n'y fais pas* ~ ich kümmere mich nicht darum; **2.** *pl.* Aufmerksamkeiten *f/pl.*, Zuvorkommenheit *f*, Höflichkeit *f*, Gefälligkeit *f*; **~tionné** [atɑ̃sjɔ'ne] *adj.* zuvorkommend, aufmerksam; **~tisme** *pol.* [~'tism] *m* abwartende Haltung *f*; **~tiste** *pol.* [~'tist] *adj.* (*u. su.*) (Mann *m*) mit e-r abwartenden Haltung.

atténu|ant [ate'nɥɑ̃] *adj.* (7): *circonstances ~es* mildernde Umstände; **~ation** [~nɥɑ'sjɔ̃] *f* **1.** Verminderung *f*; **2.** ⚗ Verdünnung *f*; **3.** ⚖ Milderung *f*.

atténuer [~'nɥe] (1a) **I** *v/t.* **1.** vermindern, verringern, mäßigen, (ab)schwächen, entkräftigen; **2.** ⚖ mildern; **II** *v/rfl.* *s'*~ milder erscheinen; sich verringern.

atterr|age ⚓ [atɛ'ra:ʒ] *m* Landeplatz *m*, Landungsmöglichkeiten *f/pl.*; **~ement** [~'mɑ̃] *m* Niedergeschlagenheit *f*; **~er** [~'re] (1b) *v/t.* zu Boden werfen; *fig.* niederschmettern.

atter|rir ⚓ *u.* ✈ [atɛ'ri:r] (2a) *v/i.* landen; **~rissage** [~ri'sa:ʒ] *m* Landung *f*; ~ *facile* (*en douceur*) ✈ glatte (*Raumfahrt*: weiche) Landung *f*; ~ *forcé*, ~ *de fortune* Notlandung *f*; *faire un* ~ *forcé* notlanden; ~ *sans visibilité* Blindlandung *f*; ✈ *terrain m d'*~ Landungsplatz *m*; *train m d'*~ ✈ Fahrgestell *n*, -werk *n*; **~rissement** [~ris'mɑ̃] *m* Anschwemmung *f*, angespültes Land *n*; **~risseur** [~ri'sœ:r] *m* ✈ Fahr-gestell *n*, -werk *n*; ~ *escamotable* einziehbares Fahrgestell *n*.

attes|tation [atɛstɑ'sjɔ̃] *f* Bescheinigung *f*, Zeugnis *n*, Beglaubigung *f*; ~ *en bonne forme* vorschriftsmäßig abgefaßtes Zeugnis; ~ *de bonne conduite* Führungszeugnis *n*; **~ter** [~'te] *v/t.* (1a) **1.** bezeugen, beweisen, bescheinigen; Zeugnis ablegen von, beurkunden; ~ *avec serment* unter Eid aussagen; **2.** zum Zeugen anrufen.

attié|dir [atje'di:r] (2a) **I** *v/t.* temperieren; *Heißes* abkühlen, lau machen, *Kaltes* erwärmen; *fig.* abkühlen, erkalten lassen; **II** *v/rfl.* *s'*~ lau werden; *fig.* erkalten; abnehmen; **~dissement** [~dis'mɑ̃] *m* Lauwerden *n*; *fig.* Abkühlung *f*, Nachlassen *n*.

attife|ment *mv.p.*, F [atif'mɑ̃] *m* Herausputzen *n*; **~r** [~'fe] *mv.p.*, F *v/t.* (*u. s'*~) (1a) (sich) ausstaffieren, herausputzen, auftakeln (*de* mit *dat.*).

attique [a'tik] *adj.* □ attisch.

attirable [ati'rablə] *adj. durch den Magneten* anziehbar.

attirail F, *oft plais.* [~'raj] *m* **1.** *das* ganze Zeug *n*, Zubehör *n*, Utensilien *pl.*; ~ *m/sg. de voyage* Reiseutensilien *pl.*; **2.** F unnützes Gepäck *n*, Kram *m*, Plunder *m*; *fig.* übertriebener Putz *m*, übertriebene Aufmachung *f*; *en grand* ~ *iron.* in vollem Wichs; *fig. le vain* ~ *des décorations* der eitle Tand der Ehrenauszeichnungen, *iron.* F das Lametta; *le vain* ~ *des grandeurs* der eitle Prunk mit Ehrengraden u. Würdentiteln.

atti|rance [ati'rɑ̃:s] *f* Anziehungskraft *f*; *biol.* ~ *sexuelle* sexueller Reiz *m*; **~rant** [~'rɑ̃] *adj.* (7) anziehend; *fig.* reizend, verlockend.

attirer [ati're] (1a) **I** *v/t.* **1.** anziehen (*a. fig.*); anlocken; ~ *les regards* (*sur soi*) die Blicke auf sich ziehen; **II** *v/rfl.* *s'*~ **2.** *fig.* sich anziehen; *les extrêmes s'attirent* Gegensätze ziehen sich an; **3.** *s'*~ *qch.* sich etw. zuziehen; *s'*~ *des affaires* sich Händel auf den Hals laden; *s'*~ *l'affection de q.* sich j-s Zuneigung erwerben.

attis|ement [atiz'mɑ̃] *m* Schüren *n* (*auch fig.*); **~ée** [~'ze] *f* munter brennendes Feuer *n*; **~er** [~'ze] *v/t.* (1a): ~ *le feu* das Feuer schüren; *fig.* anstacheln, schüren, Öl ins Feuer gießen; **~oir** ⊕ [~'zwa:r] *m* Feuerhaken *m*.

atti|tré [ati'tre] bestallt; ständig; *client m* (*hôte m*) ~ Stammkunde *m* (-gast *m*); *fournisseur m* ~ *de la maison du roi* Hoflieferant *m*; *mar-*

chand m ~ Kaufmann, bei dem man ständig kauft; *médecin m* ~ Hausarzt *m*; **~trer** [~] *v/t.* (1a) Auftrag geben.

attitude [ati'tyd] *f* Haltung *f*; Verhalten *n*, Einstellung *f*.

attouchement [atuʃ'mɑ̃] *m* Anrühren *n*, Befühlen *n*, Berührung *f*.

attrac|tif (7e) [atrak'tif] *adj.* anziehend; *force f attractive* Anziehungskraft *f*; **~tion** [~'sjɔ̃] *f* **1.** Anziehung *f*; Anziehungskraft *f*; **2.** *fig.* Anziehungspunkt *m*; Sehenswürdigkeit *f*; *la grande* ~ *(du jour)* die Glanznummer.

attrait [a'trɛ] *m* **1.** Lockung *f*, Zauber *m*; **2.** Gefallen *n*, Neigung *f*; *il a de l'~ pour elle* er fühlt sich zu ihr hingezogen; **3.** *~s pl.* Reize *m/pl.*

attra|pade F [atra'pad] *f*, **~page** [~'pa:ʒ] F *m* Anschnauzer *m*, *fig.* Zigarre *f* F, Rüffel *m*.

attrape [a'trap] *f* **1.** Fopperei *f*, Aufzieherei *f*, Falle *f fig.*, *plais.*; **2.** Scherzgegenstand *m*; (*nicht*: *Attrappe!*; s. *article* 5).

attrape|-lourdaud [atraplur'do] F *m* (6d) *fig.* Bauernfang *m*, Schwindel *m*, grobe List *f*; **~-mouche**(s) [~'muʃ] *m* (6c) **1.** Fliegenfänger *m*; **2.** ♀ Fliegenfalle *f*; **~-niais** [~'njɛ] *m* (6c), **~-nigaud** [~ni'go] *m* (6d) *fig.* = *~-lourdaud.*

attra|per [atra'pe] (1a) **I** *v/t.* **1.** fangen; ertappen; erwischen; *j'ai attrapé mon train* ich habe meinen Zug erreicht; **2.** *im Laufen* einholen; erhaschen; **3.** *fig.* anführen, überlisten, täuschen, foppen; reinlegen F; **4.** sich *etw.* durch List verschaffen; **5.** ~ *froid* sich erkälten; ~ *une grippe* e-e Grippe bekommen; ~ *des coups* Prügel kriegen F; **6.** *fig. den Sinn* richtig auffassen und wiedergeben; nachahmen; *Ähnlichkeit* gut treffen (*z.B. Photographie*); F *avoir attrapé la manière* den Pfiff heraushaben; **7.** F abkanzeln F, herunterputzen, anbrüllen, anschnauzen V; **II** *v/rfl.* s'~ **8.** Greifzeck spielen, sich haschen; **9.** ⚕ sich anstecken; **10.** F sich zanken, sich anschnauzen; **~peur** [~'pœ:r] *su.* (7g) Betrüger *m*; ~ *de successions* Erbschleicher *m*; **~poire** [~'pwa:r] *f* Falle *f* (*a. fig.*), Fallstrick *m*.

attrayant [atrɛ'jɑ̃] *adj.* (7) anziehend, reizend; ansprechend; *un discours m* ~ e-e ansprechende Rede *f*.

attremper [atrɑ̃'pe] *v/t.* (1a) *Stahl* härten.

attri|buer [atri'bɥe] (1a) **I** *v/t.* a) zuteilen; b) beimessen; zurückführen (*à* auf *acc.*); **II** *v/rfl.* s'~: a) sich zuschreiben; b) sich anmaßen; **~but** [~'by] *m* **1.** Eigenschaft *f*, Eigentümlichkeit *f*; **2.** (Kenn-)Zeichen *n*, Merkmal *n*; **3.** *gr.* Prädikat(s-nomen, -adjektiv) *n*; **~butif** [~by'tif] *adj.* (7e) **1.** ⚖ beilegend; **2.** *gr.* attributivisch; **~bution** [~by'sjɔ̃] *f* **1.** Zuteilung *f*; ~ *des travaux* Arbeitsvergebung *f*; **2.** Befugnis *f*; *cela sort de mes ~s* das geht über meine Befugnisse; *pour ~s* zuständigkeitshalber; **3.** Geschäftskreis *m*, Wirkungsfeld *n*, Obliegenheiten *pl.*

attrister [atris'te] (1a) **I** *v/t.* betrüben; **II** *v/rfl.* s'~ *de* sich betrüben über (*acc.*).

attrition [atri'sjɔ̃] *f* **1.** *rl.* Zerknirschung *f*, tiefe Betrübnis *f*; **2.** ⚕ Wundwerden *n* der Haut.

attrou|pement [atrup'mɑ̃] *m* Auflauf *m*, Menschenansammlung *f*, Zusammenrottung *f*; **~per** [~'pe] *v/t. u. v/rfl.* s'~ (1a) (sich) zusammenrotten.

atypique *psych.* [ati'pik] *adj.* vom Normaltyp abweichend, untypisch.

aubade [o'bad] *f* **1.** (Morgen-)Ständchen *n*; *fig.* Standpauke *f* F, Anschnauzer *m*; Senge *f*; *donner une* ~ ein Ständchen bringen; *iron.* e-e Standpauke halten; **2.** öffentlicher Lärm *m*, Krach *m*; Ruhestörung *f*.

aubage ⊕ [o'ba:ʒ] *m* Schaufel *f e-r Wasserturbine.*

aubaine [o'bɛn] *f* **1.** *une (bonne)* ~ ein glücklicher Zufall *m*; ein unverhoffter Gewinn *m od.* Fund *m*, ein gefundenes Fressen *n* F; **2.** *hist. droit m d'*~ Heimfallsrecht *n*.

aube[1] [o:b] *f* **1.** Morgendämmerung *f*, Tagesanbruch *m*; *fig.* Anfang *m*; **2.** Chor-, Meß-hemd *n*; **3.** Radschaufel *f*; *roue f à ~s* Schaufelrad *n*, unterschlächtiges Mühlenrad *n*; *vapeur m à ~s* Raddampfer *m*.

aube[2] F [o:b] *f* = *auberge*; *père m* ~ Jugendherbergsvater *m*.

aubépine ♀ [obe'pin] *f* Weiß- (*od.* Hage-)dorn *m*.

aubère [o'bɛ:r] *adj. u. m* falb; (*a. cheval m* ~) Falbe *m*.

auberge [o'bɛrʒ] *f* Wirtshaus *n*, Speisehaus *n*, Herberge *f*; ~ *de jeunesse* Jugendherberge *f*.

aubergine ♀ [obɛr'ʒin] *f* **1.** Eierpflanze *f*; **2.** Eierapfel *m*.

aubergiste [obɛr'ʒist] *su.* Wirt *m.*
aubette *dial. Belgien, Elsaß* [o'bɛt] *f* Blumenstand *m*; Zeitungskiosk *m*; Wartehäuschen *n.*
aubier ⚘ [o'bje] *m* Splint *m*, Weißholz *n.*
aubifoin ⚘ [obi'fwɛ̃] *m* Kornblume *f.*
aucun [o'kœ̃] (7) **I** *adj.* □ **1.** (*in rhetorischen Fragen, d.h. in solchen, die die Antwort „nein" voraussetzen, ferner nach verneinten Sätzen des Glaubens usw., nach Verben des Zweifelns, nach Bedingungssätzen, nach sans od. sans que sowie nach Komparativen; vgl. personne und rien*) irgendein(e); *de tous ceux qui se disaient mes amis, ~ m'a-t-il secouru?* hat mir irgendeiner von all denen geholfen, die sich meine Freunde nannten?; *je ne crois pas (je doute) qu'~ homme soit pleinement heureux* ich glaube nicht (ich zweifele), daß irgendein Mensch völlig glücklich ist; *comme s'il y avait ~ doute* als wenn es irgendeinen Zweifel dabei gäbe; *sans ~e faute* ohne e-n Fehler; *il est plus grand qu'~ autre d'entre vous* er ist größer als irgendein anderer unter euch; *sans ~ doute* ohne jeden (*od.* irgendwelchen) Zweifel; *sans ~s frais* ohne irgendwelche Kosten; *sans responsabilité ~e* ohne jede Verantwortlichkeit; *un jour sans signification ~e pour lui* ein für ihn völlig bedeutungsloser Tag; *il parle mieux qu'~ orateur* er spricht besser als irgendein Redner (*vgl.* 6. *wegen der dort gleichfalls rein positiven Bedeutung!*); **2.** (*stets mit ne*) keine(r), nicht ein einziger, nicht eine einzige; *~ homme ne le surpasse* kein Mensch übertrifft ihn; *en ~ cas* keinesfalls; *en ~e manière* auf keinerlei Weise; **3.** (*stets mit ne*) *~ autre (~e autre) que* kein anderer (keine andere) als; **II** *pr./ind.* **4.** (*stets mit ne*) kein; nicht ein; *~ ne le surpasse* keiner übertrifft ihn; *je doute qu'~ de vous le fasse* ich zweifle daran, daß irgendeiner von euch es tut; *~ des deux* keiner von beiden; **5.** (*stets mit ne, vor Partizipien od. Adjektiven, mit möglichem partitiven de dahinter*) *il n'y en eut ~ (de) blessé* es wurde keiner verwundet; *que de pommes! mais je n'en trouve ~e (de) mûre* wieviel Äpfel!, aber ich finde darunter keinen reifen; **6.** F (*ohne ne usw.; der einst nur positive Wert von ~ ist hier erhalten!; vgl.* 1.) *d'~s m/pl.* einige; manche Leute; *d'~s ..., d'autres ...* einige (*od.* manche [Leute]) ..., andere ...; **7.** (*ohne ne, in verbloser Antwort*) keiner; *y avait-il là quelqu'un de vos amis? — Aucun.* War dort irgendeiner Ihrer Freunde? — Keiner!
aucunement [okyn'mɑ̃] *adv. mit ne bzw. alleinstehend:* keineswegs, durchaus nicht.
auda|ce [o'das] *f* Kühnheit *f*, Verwegenheit *f*; *mv.p.* Unverschämtheit *f*, Frechheit *f*, Dreistigkeit *f*; *payer d'~* sich kühn zu helfen wissen; **~cieux** [oda'sjø] (7d) **I** *adj.* kühn, vermessen; gewagt; *mv.p.* unverschämt, frech, dreist; **II** *su.* verwegener Mensch *m*, Wag(e)hals *m.*
au-deçà [od'sa] *adv.* diesseits; **~ de** *prp.* diesseits (*gén.*).
au-dedans [odə'dɑ̃] *adv.* drinnen, im Innern; **~ de** *prp.* innerhalb (*gén.*).
au-dehors [odə'ɔːr] *adv.* draußen; **~ de** *prp.* außerhalb (*gén.*).
au-delà [od(ə)'la] *adv.* jenseits; **~ de** *prp.* jenseits (*gén.*); *fig.* mehr als.
au-dessous [od'su] *adv.* unten; darunter; **~ de** *prp.* unterhalb, unter; *fig.*: *~ de soixante-dix ans* unter 70 Jahren; *c'est ~ de moi* das ist unter meiner Würde; *~ de la critique* unter aller Kritik.
au-dessus [od'sy] *adv.* oben; darüber; **~ de** *prp.* über, oberhalb; *fig.*: *cela est ~ de mes forces* das geht über meine Kräfte; *il est ~ de cela (~ des louanges)* er ist darüber (über alles Lob) erhaben; *se mettre ~ de tout* sich über alles hinwegsetzen.
au-devant [od'vɑ̃] *adv.* vor(aus), entgegen (*dat.*); **~ de** *prp.* entgegen; *aller ~ de q.* j-m entgegengehen; *aller ~ du mal* dem Übel zuvorkommen; *pousser un pays ~ d'une catastrophe* ein Land e-r Katastrophe entgegenführen.
audible [o'diblə] *adj.* hörbar.
audien|ce [o'djɑ̃ːs] *f* **1.** Anhören *n*, Gehör *n*; *fig.* Anklang *m*, Beliebtheit *f*; *pol. ne plus avoir la même ~ auprès de la population* nicht mehr so viel Anklang bei der Bevölkerung finden; **2.** Audienz *f*; **3.** ⚖ a) Gerichtssitzung *f*, Termin *m*; ⚖ *~ principale* Hauptverhandlung *f*; *~ publique* öffentliche Gerichtssitzung *f*; *~ à huis clos* Sitzung *f* unter Ausschluß der Öffentlichkeit; b) Gerichtssaal *m*; die versammelten

Richter *pl.*; die Zuhörerschaft; *rad.* Hörergruppe *f*; **~cier** [~'sje] *m* (*a. huissier* ~) Gerichtsdiener *m*.

audio ⊕ [o'djo] *m das* Hören *n*; **~-guide** ⊕ [odjɔ'gid] *m* (6g) akustischer Museumsführer *m*, tragbares Führungsgerät *n für Museen usw.*

audion *rad.* [od'jɔ̃] *m* Audionröhre *f*.

audio-visuel *cin., écol., télév.* [odjɔvi'zɥɛl] *adj.* (7c) audio-visuell.

audi|teur [odi'tœ:r] **I** *su.* (7f) **1.** Zuhörer *m*; *rad., Universität*: Hörer *m*; *rad.* ~ *clandestin* Schwarzhörer *m*; **~s** *m/pl.* Hörer-kreis *m*, -schaft *f*; *Universität*: ~ *libre* Gasthörer *m*; **II** *m* **2.** ⚖ Beisitzer *m*; *Fr.*: ~ *au Conseil d'Etat* Untersuchungsrichter *m* im Staatsrat; **3.** ~ *des comptes* Rechnungsrat *m*; ~ *du nonce* päpstlicher Gesandtschaftssekretär *m*; **~tif** [~'tif] **I** *adj.* (7e) das Gehör betreffend; Gehör...; *nerf m* ~ Gehörnerv *m*; *troubles m/pl.* ~*s* Hörstörungen *f/pl.*; **II** *m* Mensch *m* mit feinem Gehör; *téléph.* Hörmuschel *f*; **~tion** [~'sjɔ̃] *f* **1.** Hören *n*; *erreur f d'*~ Hörfehler *m*; ⚖ ~ *des preuves* Beweisaufnahme *f*; ⚖ ~ *des témoins* Zeugenvernehmung *f*; **2.** ~ *de compte* Rechnungsprüfung *f*; **3.** musikalische Aufführung *f*; *rad.* Empfang *m*; *ordre m* (*weitS. programme m*) *des* ~*s* Hörfolge *f*; ~ *en haut-parleur* Lautsprecherempfang *m*; *thé.* ~ *théâtrale* Hörspiel *n*; **4.** ♪, *thé.* Prüfung(sauftritt *m*) *f*; **~toire** [~'twa:r] *m* **1.** Hörsaal *m*; **2.** Gerichtssaal *m*; **3.** Zuhörerschaft *f*, Versammlung *f*; **~torat** ⚖ [~tɔ'ra] *m* Amt *n* e-s Rechnungsrats; Militärrichteramt *n*; **~torium** [~tɔ'rjɔm] *m* (*pl.* ~*s*) Saal *m*.

auge [o:ʒ] *f* **1.** Trog *m*; **2.** (Mörtel-) Kasten *m*, (Kalk-)Kübel *m*; **3.** ~ *de moulin* Mühlengerinne *n*; *roue f à* ~*s* oberschlächtiges Mühlenrad *n*.

augée [o'ʒe] *f* Trogvoll *m*.

auget [o'ʒɛ] *m* **1.** kleiner Trog *m*; **2.** Vogelnäpfchen *n*.

augmen|table [ogmɑ̃'tablə] *adj.* vermehrungs-, vergrößerungsfähig; **~tatif** [~ta'tif] *adj. u. m* (7e) *gr. den Ausdruck* verstärkend(es Wort *n*); **~tation** [~tɑ'sjɔ̃] *f* Vermehrung *f*, Vergrößerung *f*, Zusatz *m*; ~ *des salaires* Lohn-, Gehaltszulage *f*; ~ *de prix* Preiserhöhung *f*, Heraufschrauben *n*, -setzen *n* der Preise; ~ *du savoir* Wissensbereicherung *f*; ~ *du capital* Kapitalerhöhung *f*; ~ *du poids* Gewichtszunahme *f*; **~ter** [~'te] (1a) **I** *v/t.* vermehren, vergrößern; ~ *le prix* den Preis erhöhen; ~ *le savoir* das Wissen bereichern; ~ *q.*: a) j-s Gehalt erhöhen; b) j-s Miete steigern; **II** *v/i.* sich vermehren, wachsen, steigen, anziehen (*de prix* im Preise); *le sucre augmente* der Zucker wird teurer.

augu|re [o'gy:r] *m* **1.** Wahrsagerei *f*; *fig.* Vorbedeutung *f*; Vor-, Anzeichen *n*; *de bon* ~ günstig; *de mauvais* (*od.* de *sinistre*) ~ unheilverkündend; *fig. oiseau m de mauvais* ~ Unglücksprophet *m*; *prendre à bon* ~ als gute Vorbedeutung ansehen; **2.** *antiq.* Augur *m*, Vogelschauer *m*; **~rer** [ogy're] *v/t. u. v/i.* (1a): mutmaßen, prophezeien (*de od. par* aus *dat.*); ~ *qch.* etw. voraussagen; *j'en augure favorablement* es gilt mir als gutes Zeichen.

auguste [o'gyst] *adj.* erhaben.

aujourd'hui [oʒur'dɥi] *adv.* heute, am heutigen Tage; heutzutage; *d'* ~ (F *nur*: ~) *en quinze* heute in vierzehn Tagen; *il y a* ~ *huit jours* heute vor acht Tagen; *à partir d'*~ *od. dès* ~ von heute an; *jusqu'*~ bis heute; ~ *même* noch heute; *le journal d'*~ die heutige Zeitung.

aumô|ne [o'mo:n] *f* Almosen *n*; *demander l'*~ betteln; *donner* (*od. faire*) *l'*~ Almosen geben; *être réduit à l'*~ an den Bettelstab geraten sein; **~nier** [omo'nje] *m* Militär-, Anstalts-geistliche(r) *m*; Schloßkaplan *m*; Feldprediger *m*.

aunage [o'na:ʒ] *m* **1.** Messen *n* mit der Elle; **2.** Ellen-maß *n*, -zahl *f*.

aunaie [o'nɛ] *f* Erlen-gehölz *n*, -busch *m*, -wäldchen *n*.

aune[1] [o:n] *f* Elle *f*; *à l'*~ ellenweise; *faire une mine longue d'une* ~ ein langes Gesicht machen; *mesurer les autres à son* ~ andere nach sich (*od.* durch seine eigene Brille) beurteilen; *je sais ce qu'en vaut l'*~ ich kann ein Liedchen davon singen.

aune[2] ♣ [~] *m* Erle *f*, Schwarzerle *f*.

au|née [o'ne] *f* Ellenlänge *f*; **~ner** [~] *v/t.* (1a) *Stoff* abmessen.

auparavant [opara'vɑ̃] *adv.* vorher; früher; *une heure* (*trois ans*) ~ eine Stunde (drei Jahre) vorher, vor e-r Stunde (drei Jahren).

auprès [o'prɛ] **I** *adv.* **1.** daneben, in der Nähe; *pour voir cela, il faut que je sois* ~ um das zu sehen, muß ich nahe daran sein; **II ~ de** *prp.* **2.** (nahe) bei, neben, an; *restez* ~ *de moi* bleiben Sie bei mir!; *se ré-*

fugier ~ *de q.* bei j-m s-e Zuflucht suchen; *effectuer une enquête* ~ *de q.* bei j-m e-e gerichtliche Untersuchung vornehmen; *se renseigner sur q.* ~ *de q.* sich bei j-m über j-n erkundigen; *fig.* ~ *de qui prenez--vous des leçons?* bei wem haben Sie Unterricht?; *être bien* ~ *de q.* bei j-m gut angeschrieben sein; *s'excuser* ~ *de q.* sich bei j-m entschuldigen; **3.** im Vergleich zu; *votre mal n'est rien* ~ *du sien* Ihr Leiden ist gar nichts im Vergleich zu seinem.

auré|ole [ɔre'ɔl] *f* **1.** Heiligenschein *m*, Nimbus *m*; **2.** (die himmlische) Herrlichkeit; **3.** *ast.* Lichthülle *f*; Strahlenkrone *f*; **4.** *fig.* zurückgebliebener Rand *m* (*beim Fleckenreinigen*); **~oler** [~ɔ'le] *v/t.* (1a) mit e-m Heiligenschein umgeben; *fig.* verherrlichen.

auri|culaire [ɔriky'lɛ:r] *adj.* zum Ohr gehörig; *confession f* ~ Ohrenbeichte *f*; *doigt m* ~ *od. mst.*: ~ *m* kleiner Finger *m*; *témoin m* ~ Ohrenzeuge *m*; **~cule** [~'kyl] *f* **1.** äußeres Ohr *n*; **2.** ⚘ Aurikel *f*.

auri|fère [ɔri'fɛ:r] *adj.* goldhaltig; *terrain* (*od. gîte*) *m* ~ Goldlager *n*; **~fication** [~fikɑ'sjɔ̃] *f* Ausfüllen *n der Zähne* mit Gold; Goldplombe *f*; **~fier** [~'fje] *v/t.* (1a) *Zähne* mit Gold ausfüllen.

auriste [ɔ'rist] *m* Ohrenarzt *m*.

aurochs [ɔ'rɔks] *m* Auerochs *m*.

auroral [ɔrɔ'ral] *adj.* (5c) **1.** Morgenröten...; *lueur f* ~*e* Dämmern *n* der Morgenröte; **2.** *at.*: *particules f/pl.* (*radiations f/pl.*) ~*es* Teilchen *n/pl.* (Strahlungen *f/pl.*) der Corona (*od.* Korona).

aurore [ɔ'rɔ:r] **I** *f* **1.** Morgenröte *f*; *au lever de l'*~ beim Anbruch der Morgenröte, ums Morgenrot; **2.** Morgenstunde *f*; **3.** *poét.* Tag *m*; **4.** *fig.* Anfang *m*; Vorbote *m*; *l'*~ *de la liberté* das Erwachen *n* der Freiheit; **5.** *poét.* Osten *m*; **6.** *phys.* ~ *australe* Süd(polar)licht *n*; ~ *boréale* Nord(polar)licht *n*; **II** *adj.* morgenrot, hochorange, goldgelb.

auscul|tation ⚕ [oskyltɑ'sjɔ̃] *f* Abhorchen *n*; **~ter** ⚕, *allg.* [~'te] (1a) durch Abhorchen untersuchen, abhorchen; ~ *une ruine* e-e Ruine nach Überlebenden untersuchen.

auspice [os'pis] *m* **1.** *antiq.* a) Wahrsagung *f*; b) Wahrsager *m* aus dem Vogelflug; **2.** *fig.* Vorbedeutung *f*, Anzeichen *n*, Auspizium *n*; **3.** *fig.* (*mst. pl.*) Schutz *m*; Beistand *m*; Leitung *f*; Einfluß *m*; Gönnerschaft *f*; Empfehlung *f*; *sous vos* ~*s* unter Ihrem Schutz.

aussi [o'si] *adv. u. cj.* **1.** auch, ebenfalls, (eben)so; *les faits du langage ne sont pas* ~ *simples* die Tatbestände der Sprache sind nicht so einfach; *un homme* ~ *sage* ein so weiser Mann; **2.** überdies, obendrein; **3.** (*zu Anfang eines Satzes, meist mit dem Verbum in Fragestellung*) daher, deshalb, auch folglich; ~ *bien* ohnehin, zudem; **4.** ~ *sage que vaillant* ebenso weise wie tapfer; ~ *bien que* ebenso wie.

aussière ⚓ [o'sjɛ:r] *f*: ~ *d'atterrissage* Landetau *n* (*auf e-m Flugzeugmutterschiff*).

aussitôt [osi'to] **I** *adv.* sogleich, alsbald; ~ *dit*, ~ *fait* gesagt, getan; **II** ~ *que cj.* (*mit ind.*) sobald (als).

austère [os'tɛ:r] *adj.* (*mst. nach dem su.*) streng (*Sitten*; *Religion*); ernst; schmucklos; nüchtern.

austérité [osteri'te] *f* Strenge *f*, Ernst *m*, Härte *f*; Schmucklosigkeit *f*; ~*s f/pl.* Bußübungen *f/pl.*, Kasteiungen *f/pl.*

austral [os'tral] *adj.* (5c) südlich; *latitude* ~*e* südliche Breite *f*; *pôle* ~ Südpol *m*; *terres* ~*es* Südpolarländer *n/pl.*

Australie [ostra'li] *f*: **l'**~ Australien *n*.

austro-hongrois [ostrɔɔ̃'grwa] *adj.* (7) österreichisch-ungarisch.

autan [o'tɑ̃] *m* heftiger Südwind *m*.

autant [~] **I** *adv.* **1.** ebensosehr, (eben)soviel; *pour* ~ (*bei nég.*) deshalb; jedoch, dennoch; *c'est* ~ *d'argent perdu* das Geld ist so gut wie verloren; ~ *dire que* ... ebensogut könnte man sagen, daß ...; das heißt, ...; ... sozusagen ...; *c'est toujours* ~ das ist doch immer etwas; ~ ..., ~ ... ... ebenso ... wie ...; ~ *il l'aimait*, ~ *elle le détestait* so sehr er sie liebte, so sehr haßte sie ihn; *en faire* ~ dasselbe machen (*od.* tun); F ~ *comme* ~ in Hülle u. Fülle; ~ *en emporte le vent* alles ist in den Wind gesprochen; *als Ausruf*: alles leere Worte!; nichts als bloßes Gerede!; ~ *vaut mourir* lieber sterben; *faites-en* ~ machen Sie es ebenso; **2.** a) *vor reinem inf.*, *anstelle e-s Hauptsatzes*: bloß, nur, genauso wie (*entstanden aus*: ebensoviel wie); ~ *lire simplement le manuel de navigation polaire* man braucht bloß das Handbuch für Polarflüge zu lesen; ~ *essayer de persuader une* *tortue de se séparer de sa carapace* genau so, als wollte man versuchen, e-e Schildkröte zu überreden, sich von ihrem Schild zu trennen; b) ~ *être ici, j'ai ...* solange ich hier bin, habe ich ...; c) ~ *que* ebenso(viel), ebensosehr wie; ~ *que possible,* ~ *que faire se peut* soviel wie möglich; *d'~ plus que* um so mehr als; *d'~ moins que* um so weniger als; **II** ~ **que** *cj.* soweit, soviel; ~ *que je sache* soweit ich weiß; ~ *que j'en puisse juger* soweit ich es beurteilen kann; ~ *que je peux* soweit ich kann; ~ *qu'il est en moi od.* ~ *qu'il dépend de moi* soweit es in meinen Kräften liegt, soweit es an mir liegt; *pour* ~ *que* soweit; *pour* ~ *qu'on puisse établir la situation* soweit (sofern) man die Lage bestimmen kann; *d'~ que* zumal, da; *tout* ~ *que ...* genau so (sehr) wie ...

autar|cie *éc.* [otar'si] *f* (Wirtschafts-)Autarkie *f*, wirtschaftliche Unabhängigkeit *f*; **~cique** *éc.* [~'sik] *adj.* autark.

autel [o'tɛl] *m* Altar *m*; Tisch *m* des Herrn; *fig.* Gottesdienst *m*; *maître-~* Hochaltar *m*; ~ *portatif* Feldaltar *m*; *le (saint) sacrifice de l'~* die Messe; *nappe f d'~* Altartuch *n*; *s'approcher de l'~* an den Altar treten.

auteur [o'tœːr] **I** *m* **1.** Urheber *m*, Schöpfer *m*; Anstifter *m*, Schuldige(r) *m*; *l'~ d'une race* der Stammvater; *les ~s de nos jours* unsere Eltern; **2.** Erfinder *m*, Entdecker *m*; **3.** Autor *m*, Schriftsteller *m*, Verfasser *m*; *droits m/pl. d'~* Urheberrechte *n/pl.*; **4.** Gewährsmann *m*; **II** *femme f* ~ Schriftstellerin *f*, Autorin *f*; **~-compositeur** [~kɔ̃pozi'tœːr] *m* Chanson-dichter u. -komponist *m*; **~-éditeur** [~edi'tœːr] *m* Selbstverleger *m*.

authen|ticité [otɑ̃tisi'te] *f* Glaubwürdigkeit *f*, Echtheit *f*; **~tifier** [~ti'fje] *v/t.* (1a) beurkunden, beglaubigen; **~tique** [~'tik] *adj.* □ **1.** rechts-gültig, -kräftig, urkundlich; nachweislich, glaubwürdig; **~tiquer** [~ti'ke] *v/t.* (1m) beglaubigen.

auto [o'to] *f* Auto *n*, Kraftwagen *m*; *aller en ~ à...* mit dem Auto nach... fahren; *faire de l'~* Auto fahren; ~ *à huit cylindres* Achtzylinder(wagen *m*) *m*; ~ *aérodynamique* Stromlinienwagen *m*; ~ *de course* Rennwagen *m*; ~ *de police* Polizeiauto *n*; ~ *sanitaire* Kranken-wagen *m*, -auto *n*; ~ *tout-terrain* Geländewagen *m*; *monter (od. embarquer) en* ~ in den Wagen (*od.* ins Auto) steigen.

auto|-accusation [otɔakyzɑ'sjɔ̃] *f* Selbstanklage *f*; **~-adhésif** ⊕ [~ade'zif] *adj.* (7e) selbstklebend; **~-allumage** *Auto* [~aly'maːʒ] *m* Selbstzündung *f*; **~-ambulance** [~ɑ̃by'lɑ̃ːs] *f* Krankenwagen *m*; **~-approvisionnement** [~aprɔvizjɔn'mɑ̃] *m* (6d) Selbstversorgung *f*.

autobanque [otɔ'bɑ̃ːk] *f* Drive-in-Bank *f*.

autobiogra|phe [otɔbjɔ'graf] *m* Selbstbiograph *m*; **~phie** [~'fi] *f* Selbstbiographie *f*; **~phique** [~'fik] *adj.* selbstbiographisch.

auto|bus [otɔ'bys] *m* Bus *m*; ~ *postal* Postauto *n*; ~ *à impériale* Doppeldeckerbus *m*; **~canon** ⚔ [~ka'nɔ̃] *m* Autogeschütz *n*; **~car** [~'kaːr] *m* Reisebus *m*, Rundfahrtauto *n*; **~céphale** *rl.* [~se'fal] *adj.* eigenständig (*Kirche*); **~chenille** [~ʃ(ə)'nij] *f* Raupenschlepper *m*, Auto *n* mit Raupenketten.

autochtone [otɔk'tɔn] **I** *adj.* bodenständig, autochthon; **II** *su.* Ureinwohner *m*.

auto|citerne [otɔsi'tɛrn] *f* Tankwagen *m*, -auto *n*; **~clave** [~'klaːv] ⊕ *m* Druckkessel *m*, Sterilisationskasten *m*, Dampfkammer *f*; *cuis. marmite f* ~ Schnellkochtopf *m*; **~clavé** ⊕, *bét.* [~kla've] *adj.* dampfgehärtet.

auto|codeur *inform.* [otɔkɔ'dœːr] *m* Selbstcodierer *m*; **~collant** [~kɔ'lɑ̃] *adj.* (7) selbstklebend; **~commutateur** *inform.* [~kɔmyta'tœːr] *m* Modem *n*; **~copie** [otɔkɔ'pi] *f* Vervielfältigung *f*, Abzug *m von Schriftstücken*; **~copier** [~kɔ'pje] *v/t.* (1a) vervielfältigen; **~copiste** [~kɔ'pist] *su.* Vervielfältiger *m*.

auto|crate [otɔ'krat] *m* Autokrat *m*, Alleinherrscher *m*; *fig.* Herrschsüchtige(r) *m*; **~cratie** [~kra'si] *f* Autokratie *f*; **~cratique** [~kra'tik] *adj.* autokratisch; *allg.* selbstherrlich; **~cratisme** [~kra'tism] *m* autokratische Haltung *f*, Selbstherrlichkeit *f*; **~critique** [~kri'tik] *f* Selbstkritik *f*; **~crobe** *Auto* [~'krɔb] *m* Schmutzteilchen *n im Motor*; **~cuiseur** [~kɥi'zœːr] *m* (6d) Druckkochtopf *m*.

autodafé *hist.* [otɔda'fe] *m* Autodafé *n*; *fig.* Verbrennung *f*.

auto|déclencheur *phot.* [otɔdeklɑ̃'ʃœːr] *m* Selbstauslöser *m*; **~défense**

[~de'fɑ̃:s] *f* Selbstschutz *m*; **~démarrage** *Auto* [~dema'ra:ʒ] *m* automatische Anlaßvorrichtung *f*; **~détermination** *pol.* [~detɛrminɑ'sjɔ̃] *f* Selbstbestimmung *f*.

autodidacte [otɔdi'dakt] *adj. u. su.* autodidaktisch; Autodidakt *m*.

auto|drome [otɔ'drɔm] *m* Autorennbahn *f*; **~dynamique** [~dina'mik] *adj.* autodynamisch, durch eigene Kraft bewegt; **~-école** [~e'kɔl] *f* Fahrschule *f*; **~-épurateur** *biol.* [~epyra'tœ:r] *adj.* selbstreinigend; **~-express** [~ɛks'prɛs] *m* Schnellbus *m*; **~fécondation** ⚘ [~fekɔ̃dɑ'sjɔ̃] *f* Selbstbefruchtung *f*; **~financement** [~finɑ̃s'mɑ̃] *m* Selbstfinanzierung *f*; **~gène** ⊕ [~'ʒɛn] *adj.* autogen; *souder à l'~* autogen schweißen; **~géré** [~ʒe're] *adj.* selbstverwaltet; **~gestion** *éc.* [~ʒɛs'tjɔ̃] *f* Selbstverwaltung *f e-s Betriebs*; **~gire** ✈ [~'ʒi:r] *m* s. *gyrocoptère*; **~glorification** [~glɔrifikɑ'sjɔ̃] *f* Selbstbeweihräucherung *f*.

autogra|phe [otɔ'graf] **I** *adj.* eigenhändig geschrieben; urschriftlich; **II** *m* Autogramm *n*; **~phie** [~'fi] *f* Vervielfältigung *f* durch Steinabdruck; **~phier** [~'fje] *v/t.* (1a) durch Steindruck vervielfältigen; **~phique** [~'fik] *adj.*: *encre f ~* Vervielfältigungstinte *f*.

autogreffe ⚕ [otɔ'grɛf] *f* Autoplastik *f*, eigene Hautteile *m/pl.*

auto|-ignition [~igni'sjɔ̃] *f*, **~-inflammation** [~ɛ̃flamɑ'sjɔ̃] *f* Selbstzündung *f*.

automa|te ⊕ [otɔ'mat] *m* Automat *m*; **~ticité** [~tisi'te] *f* Selbsttätigkeit *f*; **~tion** [~'sjɔ̃] *f* Automation *f*, Automatisierung *f* (*seit 1956 hat man sich jedoch für automatisation entschieden*); **~tique** [~'tik] **I** *adj.* automatisch, selbsttätig; *fig.* automatisch, unbewußt; *distributeur m ~* (Waren-)Automat *m*; *pistolet m ~* Selbstladepistole *f*; **II** *m* **1.** *téléph.* Selbst-anschluß(telefon *n*) *m*, -wähler *m*; **2.** ⚔ automatische Schnellfeuer-, Maschinen-Kanone *f*; Trommelrevolver *m*; **III** *f* Automatisierungswissenschaft *f*; **~tisation** [~tizɑ'sjɔ̃] *f* Automatisierung *f*, Automation *f* (s. *a. automation*; *automatisme* 2.); **~tiser** [~ti'ze] *v/t.* (1a) automatisieren; **~tisme** [~'tism] **1.** *psych., physiol.* Automatismus *m*; **2.** ⊕ Automatik *f*, selbsttätiges Arbeiten *n*, Selbsttätigkeit *f*; *Auto*: automatische Steuerung *f*; s. *automation*; *gr. ~s m/pl.* alltägliche Redensarten *f/pl.*; **3.** kinetische Kunst *f*; **~tiste** [~'tist] *su.* Vertreter *m* der kinetischen Kunst.

automédication ⚕ [~medikɑ'sjɔ̃] *f* (laienhaftes) Selbstheilverfahren *n*.

automédon *plais.* [otɔme'dɔ̃] *m* Kutscher *m*.

automitrailleuse [otɔmitra'jø:z] *f* Panzerwagen *m* mit MG.

automnal [otɔm'nal] *adj.* (5c) herbstlich.

automne [o'tɔn] *m* Herbst *m*; *en ~, a. à l'~* im Herbst; *fig. l'~ de la vie* die Lebensneige.

automo|bile [otɔmɔ'bil] **I** *adj.* Automobil...; selbstfahrend; *industrie f ~* Autoindustrie *f*; *usine f ~* Automobilfabrik *f*; **II** *f* Auto *n*, Kraftfahrzeug *n*; **~bilisme** [~bi'lism] *m* Automobilbau *m*, Herstellung *f* von Kraftfahrzeugen; Autosport *m*; Kraftfahrwesen *n*, Automobilismus *m*; **~biliste** [~bi'list] *su.* Auto-, Kraft-fahrer *m*; **~teur** [~'tœ:r] **I** *adj.* (7f) selbsttätig, selbstfahrend; **II** *m* ⚓ Motorlastkahn *m*; **~trice** 🚃, *tram.* [~'tris] *f* Triebwagen *m*.

autoneige *Auto* [otɔ'nɛ:ʒ] *f* Schneebus *m*.

autonettoyant [~nɛtwa'jɑ̃] *adj.* (7) selbstreinigend.

autono|me [otɔ'nɔm] *adj.* autonom, selbständig, politisch unabhängig; **~mie** [~'mi] *f* Autonomie *f*, Selbständigkeit *f*, Selbstverwaltung *f*; *fig.* Eigengesetzlichkeit *f*; ✈ Aktionsradius *m*, Leistungsstärke *f*; *~ de vol* Flugdauer *f* (*als Leistung*); **~miste** [~'mist] *su.* Autonomist *m*.

autophobie [otɔfɔ'bi] *f* Angst *f* vor Autos.

autoplastie ⚕ [otɔplas'ti] *f* Autoplastik *f*, Ersetzung *f* e-s verlorenen Teiles aus dem Fleische *usw.* des beschädigten Körpers selbst.

auto|pompe *Auto* [~'pɔ̃:p] *f* Löschzug *m*; **~projecteur** *Auto* [~prɔʒɛk'tœ:r] *m* Scheinwerferauto *n*; **~-propulsé** [~prɔpyl'se] *adj.* mit Selbstantrieb; **~-propulsion** [~prɔpyl'sjɔ̃] *f* Selbstantrieb *m*; **~protection** [~prɔtɛk'sjɔ̃] *f* Selbstschutz *m*.

autop|sie [otɔp'si] *f* Leichenschau *f*, -öffnung *f*, Autopsie *f*, Obduktion *f*; *pratiquer une ~* e-e Leichenschau (*od.* Autopsie) vornehmen; **~sier** [~'sje] *v/t.* (1a) e-e Leichenschau (*od.* Autopsie) vornehmen (an).

autoradio [otɔra'djo] *m* Autoradio *n*.

autorail 🚃 [otɔ'rɑ:j] *m* (*m/pl.* ~s)

Schienenbus *m*; ~ (*rapide*) Leicht-, Schnell-triebwagen *m*.

autorégulation [~regylɑˈsjɔ̃] *f* Selbstregulierung *f*.

autori|sable [otɔriˈzablə] *adj.*: *legs m* ~ erlaubtes Vermächtnis *n*; **~sation** [~zɑˈsjɔ̃] *f* **1.** Bevollmächtigung *f*, Vollmacht *f*, Befugnis *f*; **2.** Genehmigung *f*, Bewilligung *f*; *soumis à une* ~ genehmigungspflichtig; **~ser** [~ˈze] (1a) **I** *v/t.* **1.** bevollmächtigen, ermächtigen (*à* zu); **2.** genehmigen, bewilligen, billigen, gutheißen; **3.** rechtfertigen; **II** *v/rfl.* *s'~ de qch.* (*de q.*) sich auf etw. (auf j-n) (*acc.*) berufen (*od.* stützen).

autori|taire [otɔriˈtɛːr] *adj.* □ autoritär, herrschsüchtig; eigenmächtig; herrisch; **~tarisme** [~taˈrism] *m* Autoritätsanspruch *m*, autoritäre Staatsform *f*.

autorité [otɔriˈte] *f* **1.** Autorität *f*, Ansehen *n*, *weitS.* Einfluß *m*, Gewicht *n*; Glaubwürdigkeit *f*; *faire* ~ als Norm gelten, Beachtung *f* (*od.* Anerkennung *f*) finden; als maßgebend angesehen werden (*Bücher, Werke*); ⚖ *acquérir l'~ de la chose jugée* rechtskräftig werden; **2.** (Amts-)Gewalt *f*, Machtvollkommenheit *f*; **3.** Behörde *f*; *les ~s municipales* die städtischen Behörden *f/pl.*; ~ (*chargée*) *de* (*la*) *liquidation de* ... Abwicklungs-behörde *f*, -stelle *f* für ...; ~ *occupante* Besatzungsmacht *f*; *par* ~ behördlich; **4.** *fig.* Gewährsmann *m*.

autorout|e [otɔˈrut] *f* Autobahn *f*; **~ier** [~ˈtje] *adj.* (7b): *nœud m* ~ Autobahnknotenpunkt *m*.

autostop [otɔˈstɔp] *m*: *faire de l'~* trampen, per Anhalter fahren F; **~pé** [~ˈpe] *m* von Trampern angehaltener Autofahrer *m*; **~peur** [~ˈpœːr] *su.* (7d) Tramper *m* per Anhalter.

autosuggestion [~sygʒɛsˈtjɔ̃] *f* Autosuggestion *f*.

auto-tamponneuse [~tɑ̃pɔˈnøːz] *f* Auto-Scooter *m* (*Rummelplatz*).

autotélique *litt.* [~teˈlik] *adj.* selbstzweckhaft, sich selbst genügend.

autotransformateur ⚡ [~trɑ̃sfɔrmaˈtœːr] *m* Auto-, Spar-transformator *m*.

autotrempant ⊕ [~trɑ̃ˈpɑ̃] *adj.* (7) naturhart (*Stahl*).

autotrophe ♀ [~ˈtrɔf] *adj.* autotroph, nur anorganische Stoffe zur Ernährung benötigend.

auto-tube [otɔˈtyb] *m* unterirdische Autostraße *f* (*Zukunftsplanung*).

autour[1] [oˈtuːr] **I** *adv.* herum; *tout* ~ ringsherum; *ici* ~ hier in der Nähe; **II ~ de** *prp.* um ... herum (*acc.*).

autour[2] *m* (Hühner-)Habicht *m*.

au travers de [otraˈvɛːr də] *prp.* **1.** quer durch (*od.* quer über); *au travers de la ville* = *à travers la ville* quer durch die Stadt; **2.** *mst. jedoch zum Ausdruck e-s zu überwindenden Widerstandes od. Hindernisses*: mitten (quer) durch; *ils se frayèrent un chemin au travers de l'ennemi* sie bahnten sich mitten durch die feindliche Linie e-n Weg.

autre [ˈoːtrə] **I** *adj.* □ anderer, andere, anderes; **1.** *quelqu'un d'~*, *st. litt. quelqu'un ~* jemand anders; *personne d'~* niemand anders; *il disait entre ~s* (*choses*) er sagte unter anderem; *nul ~* kein anderer; *qui d'~ od. quel ~* wer sonst?; *rien d'~* (*chose*) nichts anderes; *~ part* anderswo(hin); *d'~ part* andererseits; **2.** *un ~ César* ein zweiter Cäsar; *c'est un ~ moi-même* er ist mein zweites Ich; **3.** *une méthode ~ que celle-là* eine von jener verschiedene Methode; *il est ~ qu'il paraît* er ist anders, als er scheint; **4.** *l'~ jour* neulich, unlängst; *de temps à ~* von Zeit zu Zeit, dann und wann; **II** *su.* **5.** *un ~, une ~* ein anderer, eine andere; **6.** *nous ~s, vous ~s* wir, Sie; *nous* (*autres*) *Allemands* wir Deutsche; *nous* (*autres*) *juges* wir Richter; *l'un après l'~* hintereinander; *l'un vaut l'~* sie sind sich gleich; *l'un dans l'~* alles in allem (gerechnet); *l'un*(*e*) *et l'~* beide; *l'un*(*e*) *ou l'~* einer (eine) von beiden; *ni l'un*(*e*) *ni l'~* keiner (keine) von beiden; **7.** *sans ~!* nun kein Wort mehr!; *à d'~s!* das können Sie anderen erzählen!; Unsinn!; ist ja Quatsch!; *parler de choses et d'~s* von allerhand reden; *de part et d'~* auf beiden Seiten; *vous en verrez bien d'~s* es wird noch ganz anders kommen.

autre|fois [otrəˈfwa] *adv.* einst (-mals), ehemals, früher; **~ment** [~ˈmɑ̃] *adv.* **1.** anders, auf andere Art; *je ne puis faire ~ que de* ... ich kann nicht umhin zu ...; ich muß unbedingt ...; *~ dire* mit anderen Worten; **2.** in höherem Grade; *ceci est tout ~ important* dies ist viel wichtiger; **3.** sonst.

Autriche [oˈtriʃ] *f*: **l'~** Österreich *n*.

autruche [oˈtryʃ] *f orn.* Strauß *m*; *avoir un estomac d'~* P wie ein Scheunendrescher fressen, einen guten Magen haben; *politique f de l'~ fig.* Vogel-Strauß-Politik *f*; *faire l'~* Vogel-Strauß-Politik treiben; den Kopf in den Sand stecken; **~rie** [~'ri] *f* Straußenfarm *f*.

autrui [o'trɥi] *pr./ind.* (*selten als Subjekt gebraucht!*) anderer, andere; andere (Leute); *vivre aux dépens d'~* auf anderer Leute Kosten leben; *se mêler des affaires d'~* sich in fremde Angelegenheiten mischen; *le bien d'~* fremdes Gut *n*; *faire un tort à ~* irgendeinem anderen ein Unrecht antun.

auvent [o'vɑ̃] *m* **1.** Wetter-, Schutz-, Über-dach *n*; **2.** *Auto*: Luftschlitz *m* über der Motorhaube; **3.** ⚠. Dachuntersicht *f*.

auvernat [ovɛr'na] *m* dunkelroter Wein *m* (*aus der Auvergne*).

auxiliaire [oksi'ljɛ:r] **I** *adj.* □ helfend, mitwirkend; Hilfs...; *bureau m ~* Zweig-, Neben-büro *n*; **II** *su.* Helfer *m*, Hilfsarbeiter *m*; *les mères sont nos plus précieuses ~s* die Mütter sind unsere kostbarsten Helferinnen; **III** *m* Hilfsverb *n*; Stütze *f fig.*, Hilfsmittel *n*.

ava|chir [ava'ʃi:r]: *s'~* (2a) **1.** zu weich (*od.* zu weit) werden; *botte avachie* ausgetretener Stiefel *m*; **2.** *fig.* weich werden, s-e Energie verlieren; **3.** welk niederhängen (*Zweige*); **~chissement** [~ʃis'mɑ̃] *m* Schlaffwerden *n*; *fin. l'~ du dollar* die Schwächung des Dollars.

aval [a'val] **I** *adv.*: *en ~* stromabwärts, talabwärts; *pays m d'~* Unterland *n*; *en ~ de prp.* unterhalb von; *en ~ de Rouen* unterhalb von R.; **II** ✝ (*pl.* *~s*) *m* Wechselbürgschaft *f*; Garantieschein *m*; *pour ~* (gut) als Bürge; *garantir par un ~* mit (Wechsel-)Bürgschaft versehen.

ava|lage [ava'la:ʒ] *m* **1.** Talfahrt *f*; **2.** Einkellern *n* (*v. Weinfässern*); **~laison, ~lasse** [~lɛ'zɔ̃, ~'las] *f* Regenflut *f*; **~lanche** [~'lɑ̃:ʃ] *f* **1.** Lawine *f*, Schneesturz *m*; *~ de terre* Erdsturz *m*; **2.** *fig.* Menge *f*, Masse *f*; *une ~ d'injures* e-e Flut von Schimpfwörtern; **~lé** [~'le] *adj.*: *joues ~es* Hängebacken *f/pl.*; *ventre m ~* Hängebauch *m*; **~lement** [aval'mɑ̃] *m* **1.** Hinunterschlucken *n*; **2.** Hinunter-lassen *n*, -hängen *n*.

avaler [ava'le] (1a) **I** *v/t.* **1.** (hinunter)schlucken, verschlingen; F *Auto, Radsport*: *Kilometer* zurücklegen (*od.* schaffen *od.* fressen P); *~ un œuf* ein Ei ausschlürfen; *fig. ~ un affront* eine Beleidigung einstecken (*od.* hinnehmen, sich gefallen lassen); *~ des couleuvres* sich sehr viel gefallen lassen müssen; *~ des bourdes* alles für bare Münze nehmen; *~ sa langue* schweigen, kein Wort sagen; *~ un crapaud* (*od. la pilule*) in den sauren Apfel beißen (müssen); *~ la fumée* Lunge rauchen; *~ des yeux* gierig betrachten; *~ les mots* undeutlich sprechen; **2.** glauben; **II** *v/rfl.*: F *s'~* sich gegenseitig auffressen (*vor Wut*) *fig.*; stromabwärts fahren.

avale-tout P [aval'tu] *m* (6e) Vielfraß *m*.

avaleur F [ava'lœ:r] *su.* (7g) Fresser *m*.

ava|liser ✝ [avali'ze] *v/t.* (1a) *e-n Wechsel* mit Bürgschaft versehen; *allg.* verbürgen, anerkennen; **~liste** [~'list] *su.* Wechselbürge *m*.

avaloire [ava'lwa:r] *f Pferd*: Hintergeschirr *n*; F großes Maul *n*; Fresse *f* V.

avance [a'vɑ̃:s] *f* **1.** Vorbau *m*; Vorsprung *m*; *~ du travail* Arbeits-, Bau-fortschritt *m*; *être en ~* zu früh ankommen (*od.* sein); *être en ~ sur q.* j-m voraus (*od.* überlegen) sein; **2.** *Sport*: Vorsprung *m*; *Motor*: *~ à l'allumage* Früh-, Vor-zündung *f*; Zündverstellung *f*; **3.** *mst. pl.* entgegenkommende Schritte *m/pl.*, Annäherungsversuch *m*; *faire des ~s à q.* j-m freundlich entgegenkommen, j-m zuerst die Hand reichen; **4.** Vorschuß *m*, Darlehen *n*; *~(s) à découvert* Blankovorschuß *m*; *payer d'~* vorausbezahlen; *par ~* pränumerando; **5.** ⚔ Vorstoß *m*; **6.** *à l'~, d'~, en ~, par ~ adv.* im voraus; **7.** ⊕ Vorschub *m*.

avan|cé [avɑ̃'se] *adj.* **1.** vorgeschoben, vorspringend; *toit ~* vorspringendes Dach *n*; **2.** *fig.* fort-, vorgeschritten; fortschrittlich; halbverdorben, angegangen (*Fleisch*); frühreif, zu reif (*Obst*); *~ en âge* bejahrt; *nous n'en sommes pas plus ~s, od. nous voilà bien ~s* da sind wir genauso schlau wie vorher; **~cée** ⚔ [~] *f* vorgeschobener Posten *m*; Vormarsch *m*, Vorstoß *m*; **~cement** [~s'mɑ̃] *m* **1.** *a. fig.* Vorrücken *n*, Vorwärtskommen *n*, Aufstieg *m*; Fortschritt *m*; *phot. ~ du film* Filmtransport *m*; **2.** Beförderung *f*, Rangerhöhung *f*; **3.** Vorverlegung *f*; **4.** ⚖ Vorausbezahlung *f auf e-e Erbschaft*.

avancer [avɑ̃'se] (1k) **I** *v/t.* **1.** vor-

(wärts-)bringen, -stellen, -setzen, -rücken, -schieben; vor-, ausstrecken; ~ *un argument* ein Argument vorbringen; ~ *une hypothèse* e-e Vermutung anstellen; *faire* ~ *une voiture* e-n Wagen vorfahren lassen; **2.** *Arbeit*: fördern, beschleunigen; *Uhr*: vorstellen; (*zeitlich*) vorverlegen; **3.** befördern, weiterbringen; **4.** behaupten, vorbringen; ~ *en l'air* ins Blaue hinein behaupten; **5.** ✝ vorschießen, vorstrecken; **II** *v/i.* (*mit avoir*) **6.** vorwärts-gehen, -kommen; ⚔ vorrücken; vorgehen (*Uhr*); **7.** vorspringen (*Mauer*); vorstehen (*Dach*); **8.** befördert werden (*Offizier*); **9.** Fortschritte machen; ~ *en âge* älter (*od.* alt) werden; ~ *à qch.* zu etw. kommen (*a. fig.*); *cela n'avance à rien* das führt zu nichts; *je n'en suis* (*Zustand!*) *pas plus avancé* nun bin ich ebenso schlau; **III** *v/rfl.* *s'*~ vorrücken, vorgehen; hervortreten; sich nähern; *s'*~ *vers q.* auf j-n (*acc.*) zugehen; *s'*~ *trop* sich zu weit einlassen; *s'*~ *jusqu'à* ... so weit gehen zu ...

avanie [ava'ni] *f* öffentliche Beleidigung *f.*

avant [a'vɑ̃] **I** *prp. zeitlich vorausblickend u. Reihenfolge*: vor (*dat.*): **1.** ~ *peu* in kurzem; ~ *six mois* vor Ablauf von sechs Monaten; ~ *de mit inf.* (be)vor, ehe; *j'irai le voir* ~ *de partir* ... bevor ich abreise, werde ich ihn besuchen; **2.** ~ *tout* vor allem; ~ *toutes choses* vor allen Dingen; *le sujet se place* ~ *le verbe* das Subjekt steht vor dem Verb; **II** *adv.* **3.** a) *l'année d'*~ das vorhergehende Jahr; *roue f* ~ Vorderrad *n*; *bien* ~ *dans la nuit* spät in die Nacht hinein; b) *cette page et celle qui est* ~ diese Seite und die vorige; *être en* ~ *de q.* j-m voraus sein; *allez en* ~! vorwärts!; *aller de l'*~ bahnbrechend sein; *bien* ~ *dans la forêt* tief im Wald (in den Wald hinein); *mettre en* ~ vorbringen, *die Behauptung* aufstellen; *mettre q. en* ~ j-n vorschieben; *fig. être mêlé bien* ~ *dans* sich weit eingelassen haben in (*acc.*); *être en* ~ *de son siècle* s-m Jahrhundert voraus sein; **III** *cj.* **4.** ~ **que** *mit subj.* (*mit od. ohne ne*), ~ **de,** *auch noch ziemlich oft*: ~ *que de mit inf.* bevor; **IV** *m* **5.** Vorderteil *n*, Vordergestell *n*; *l'*~ *d'une voiture* der Vorderteil e-s Wagens; **6.** *Sport*: Stürmer *m*; **7.** ✈ Bug *m*; **8.** ⚓ Vorschiff *n.*

avan|tage [avɑ̃'ta:ʒ] *m* **1.** Vorteil *m*, Nutzen *m*; Gewinn *m*; *être habillé à son* ~ vorteilhaft gekleidet sein; **2.** Überlegenheit *f*; Sieg *m*; *avoir l'*~ *sur q.* j-m überlegen sein; *prendre l'*~ die Oberhand gewinnen; *faire des* ~*s à q.* j-n bevorzugen; **3.** Vorzug *m*; *je n'ai pas l'*~ *de vous connaître* ich habe nicht den Vorzug, Sie zu kennen; ✝ *avoir l'*~ sich beehren; **4.** *Spiel*: Vorhand *f*; Vorgeben *n*; **5.** ~*s pl.* körperliche Vorzüge *m/pl.*; ~**tager** [~ta'ʒe] (1l) *v/t.* ~ *q. de* j-n bevorzugen mit; ~**tageux** [~ta'ʒø] (7d) **I** *adj.* □ vorteilhaft, zuträglich; günstig; *péj.* hochmütig, eingebildet, blasiert, angeberisch, spleenig; **II** *su. péj.* Angeber *m*; *faire l'*~ *fig. péj.* angeben, sich großtun.

avant|-bec [avɑ̃'bɛk] *m* Pfeilervorkopf *m*, Eisbrecher *m vor e-r Brücke*; ~**-bras** [~'bra, ~'brɑ] *m* (6c) *anat.* Unterarm *m*; ~**-centre** [~'sɑ̃:trə] *m* (6a) *Sport*: Mittelstürmer *m*; ~**-clou** ⊕ [~'klu] *m* Vorbohrer *m*; ~**-cœur** [~'kœ:r] *m anat.* Herzgrube *f*; ~**-corps** [~'kɔ:r] *m* (6c) ⚠ Vorsprung *m*; Vordergebäude *n*; ~**-cour** [~'ku:r] *f* Vorhof *m*; ~**-coureur** [~ku'rœ:r] *m* Vorläufer *m*, Vorreiter *m*; *fig.* Vorbote *m*; ~ *de catastrophes* Vorbote *m* von Katastrophen; *a. adj.*: *signes m/pl.* ~*s* Vorzeichen *n/pl.*; ~**-dernier** [~dɛr'nje] (7b) *adj. u. su.* vorletzter; ~**-faire-droit** ⚖ [~fɛ:r'drwa] *m* vorläufige Erkenntnis *f*; ~**-fossé** ⚔ [~fɔ'se] *m* Außengraben *m*; ~**-garde** [~'gard] *f* **1.** Vortrab *m*, Vorhut *f*; *fig.* Spitze *f*; Wachtschiff *n*; **2.** *lignes f/pl. d'*~ ⚔ Vordertreffen *n*; *fig.* Vorkämpfer *m/pl.*; ~**-goût** [~'gu] *m* Vorgeschmack *m*; ~**-guerre** [~'gɛ:r] *m* Vorkriegszeit *f*; ~**-hier** [~'tjɛ:r] *adv.* vorgestern; *d'*~ vorgestrig; ~**-ligne** [~'liɲ] *f* Vordertreffen *n*; ~**-main** [~'mɛ̃] *m* **1.** flache Hand *f*; **2.** *Tennis*: Vorhand(schlag *m*) *f*; **3.** *Kartenspiel*: Vorhand *f*; ~**-plan** [~'plɑ̃]: *à l'*~ *adv.* im Vordergrund; ~**-port** ⚓ [~'pɔ:r] *m* Außenhafen *m*; ~**-poste** [~'pɔst] *m* Vorposten *m*; ~**-première** *thé., cin.* [~prə'mjɛ:r] *f* Voraufführung *f*; ~**-printemps** [~prɛ̃'tɑ̃] *m* (6d) Vorfrühling *m*; ~**-projet** [~prɔ'ʒɛ] *m* Entwurf *m*; ~**-propos** [~prɔ'po] *m* (6d) Vorrede *f*, Vorwort *n*, Einleitung *f*; ~**-saison** [~sɛ'zɔ̃] *f* Vorsaison *f*; ~**-scène** [~'sɛn] *f* **1.** Vorbühne *f*; **2.** *fig.* Vorspiel *n*; **3.** (*loge f* d')~ Orchesterloge *f*; **~-terrain** ⚔ [~tɛ'rɛ̃] *m* Vorgelände *n*; **~-toit** ⚠ [~'twa] *m* Vor-, Über-, Regendach *n*; **~-train** [~'trɛ̃] *m* **1.** ⚔ Vorder-wagen *m*, -gestell *n*; Protzwagen *m*; *amener l'~* aufprotzen; *ôter l'~* abprotzen; **2.** *zo.* Vorderteil *n e-s Pferdes*; **~-veille** [~'vɛ:j] *f* zweiter Tag vorher; *l'~ de ...* zwei Tage vor ..., der zweite Tag vor ...

avare [a'va:r] **I** *adj.* geizig, habsüchtig; *être ~ de* geizen mit; **II** *su.* Geizhals *m*.

avariable ⚓ [ava'rjablə] *adj. Lebensmittel*: empfindlich, der Havarie ausgesetzt.

avari|ce [ava'ris] *f* Geiz *m*, Habsucht *f*; **~cieux** [~'sjø] (7d) **I** *adj.* □ geizig, knauserig; **II** *su.* Knauser *m*, Knicker *m*.

ava|rie [ava'ri] *f* **1.** ⚓ Seeschaden *m*; Beschädigung *f*, Schaden *m*, Defekt *m*; *~ de machine* Maschinenschaden *m*, -defekt *m*; **2.** Hafengeld *n*; **3.** F ⚕ Syphilis *f*; **~rié** [ava'rje] **I** *adj.* **1.** (see)beschädigt, verdorben; **2.** F ⚕ syphilitisch; **II** *su.* Syphilitiker *m*; **~rier** [~] (1a) **I** *v/t.* (zur See) beschädigen, verderben; **II** *v/rfl.* s'~ verderben, schlecht werden; **~ro** P [~'ro] *m* Panne *f*.

avatar [ava'ta:r] *m* **1.** *a. pol.* Gesinnungsänderung *f*, Wandlung *f*; **2.** P Erlebnis *n*, Abenteuer *n*; *subir des ~s* manches durchmachen.

à vau-l'eau [avo'lo] *adv.* stromab (-wärts), zu Tal; *fig. aller ~ fig.* schiefgehen, nicht klappen.

avec [a'vɛk] **I** *prp.* **1.** mit, nebst; bei (*näherer Umstand*); *et ~ cela, monsieur?* soll's noch etw. sein, mein Herr?; *se fâcher ~ q.* sich mit j-m überwerfen; *être ~ q.* es mit j-m halten; *~ son orgueil* bei s-m Stolz; *~ ce temps-là* bei e-m solchen Wetter; ⚓ *~ ce suroît, ça ne sera pas commode de décoller* bei diesem Südwestwind wird ein Start nicht leicht sein; *~ un impératif négatif, le pronom personnel objet se place avant le verbe* bei e-m verneinten Imperativ steht das abhängige Personalpronomen vor dem Verb; **2.** trotz, ungeachtet; *~ tout cela* trotz alledem; **3.** *d'~* von; *distinguer qch. d'~ qch.* etw. von etw. unterscheiden; *divorcer (d')~ q.* sich von j-m scheiden lassen; **II** F *adv.* 'damit; mit; *il a pris mon manteau et s'en est allé ~* er hat meinen Mantel genommen u. ist damit losgezogen; *envoyer le mémoire ~!* Rechnung mit beilegen!

aveindre *dial.* [a'vɛ̃:drə] *v/t.* (4b) hervor-holen, -ziehen.

avenant [av'nɑ̃] (7) **I** *p/pr.*: ⚖ *le cas ~ od. ~ que ...* (*mit subj.*) gesetzt den Fall *od.* im Falle, daß ...; **II** *adj.* einnehmend, gefällig, freundlich; **III** *advt. à l'~* im Verhältnis, dementsprechend; **IV** ⚖ *m* Nachtrag *m* zu e-r Versicherungspolice; *les ~s* die Ergänzungen *f/pl*.

avènement [avɛn'mɑ̃] *m* Regierungsantritt *m*, Thronbesteigung *f*; *~ au pouvoir* Erlangung *f* der Staatsgewalt, Machtergreifung *f*.

avenir¹ [av'ni:r] *m* **1.** Zukunft *f*; *à* (*od. dans*) *l'~* in Zukunft *f*, künftig; **2.** *fig.* Nachwelt *f*.

avenir² ⚖ [~] *m* (6c) Vorladung *f e-s Anwalts e-m Gegenanwalt gegenüber*.

Avent *rl.* [a'vɑ̃] *m* Advent *m*.

aventure [avɑ̃'ty:r] *f* **1.** Abenteuer *n*, Erlebnis *n*; zufällige Begebenheit *f*; *~ amoureuse* Liebesabenteuer *n*; *homme m d'~* Abenteurer *m*; *dire la bonne ~* wahrsagen; **2.** Wagnis *n*, Irrfahrt *f*; *courir l'~* auf Abenteuer ausgehen; *tenter l'~* es wagen; **3.** *mettre qch. à l'~* etw. aufs Ungewisse anlegen *od.* einsetzen; **4.** *advt. à l'~* aufs Geratewohl, auf gut Glück, ins Blaue.

aventu|ré [avɑ̃ty're] *adj.* riskant, gewagt, gefährlich; **~rer** [~] (1a) **I** *v/t.* wagen, aufs Spiel setzen; **II** *v/rfl.* s'~ sich vorwagen; *s'~ à* sich der Gefahr aussetzen zu; *s'~ trop loin* sich zu weit hinauswagen; **~reux** [~'rø] (7d) *adj.* □ *u. su.* abenteuerlich, verwegen; Abenteurer; **~rier** [~'rje] (7b) *su.* **1.** Abenteurer *m*, Wagehals *m*; **2.** Industrie-, Glücks-ritter *m*; Hochstapler(in *f*) *m*; Intrigant(in *f*) *m*.

aventurine [~'rin] *f* Glimmerstein *m*, Aventurin *m*.

aventurisme [avɑ̃ty'rism] *m* Abenteurertum *n*.

avenu [av'ny]: *non ~* nichtig; *nul et non ~* null und nichtig.

avenue [~] *f* **1.** Zugang *m*, Anfahrt *f*; **2.** Avenue *f*, Allee *f*, Korso *m*, Prachtstraße *f*; Parkweg *m*; **3.** *fig. litt.*: *les ~s du pouvoir* die Wege zur Macht.

avérer [ave're] *v/t.* (1f): *~ qch.* (*u. s'~*) etw. (sich) als wahr erweisen; *s'~ impossible* sich als unmöglich erweisen; *fait m avéré* erwiesene Tatsache *f*.

avers [a'vɛ:r] *m* Vorderseite *f e-r Münze.*

averse [a'vɛrs] *f* Platzregen *m*, Regenguß *m*; ~ *de neige* Schneeschauer *m*.

aversion [avɛr'sjɔ̃] *f* Abneigung *f*, Aversion *f*, Widerwille *m*; *avoir* (*od. éprouver*) *de l'*~ *pour* Widerwillen haben gegen (*acc.*); *prendre q. en* ~ j-n zu hassen anfangen.

avertin *vét.* [avɛr'tɛ̃] *m* Drehkrankheit *f* der Schafe.

aver|tir [avɛr'ti:r] *v/t.* (2a) **1.** warnen (*de* vor *dat.*); *se tenir pour averti* sich etw. gesagt sein lassen, auf s-r Hut sein; **2.** ~ *q. de qch.* j-n über etw. benachrichtigen, j-n von etw. unterrichten; **3.** ankündigen; ansagen; *Auto*: ein Signal geben, hupen; **~tissement** [~tis'mɑ̃] *m* **1.** Warnung *f*, Verwarnung *f*; ~ *météorologique* Wetterwarnung *f*; **2.** Nachricht *f*; **3.** Hinweis *m*, Vorbericht *m*, Ankündigung *f*; Vorwort *n*; **4.** Steuermahnzettel *m*; **~tisseur** [~ti'sœ:r] *m* **1.** Warnvorrichtung *f*; ~ *d'incendie* Feuermelder *m*; **2.** ~ *électrique* Alarmsignal *n*; **3.** *Auto*: ~ *sonore* Hupe *f*, Signalgerät *n*; *Auto*: *faire hurler son* ~ hupen; **4.** *téléph.* Alarmwecker *m*, Rufer *m*.

aveu [a'vø] *m* (5b) **1.** Geständnis *n*, Bekenntnis *n*; Liebeserklärung *f*; **2.** Zeugnis *n*; *de l'*~ *de tout le monde* nach dem Urteil e-s jeden; **3.** Einwilligung *f*; *de son* ~ mit s-r Einwilligung; **4.** *fig. homme m sans* ~ dunkle (*od.* fragwürdige) Existenz *f*, Vagabund *m*, Stromer *m*, Landstreicher *m*, hergelaufener Kerl *m*; *gens m/pl. bzw. f/pl. sans* ~ hergelaufenes Volk *n*, Gesindel *n*.

aveugle [a'vœglə] **I** *adj.* **1.** blind; ~ *de naissance* blind geboren; **2.** *fig.* verblendet; *être* ~ *sur ses défauts* s-e (eigenen) Fehler übersehen wollen; *soumission f* ~ blinder Gehorsam *m*; **3.** unüberlegt, stur F; **4.** blind (*od.* sackförmig) endigend; **II** *su.* Blinde(r) *m*; ~ *de guerre* Kriegsblinde(r) *m*; **III** *advt.*: *à l'*~ ohne jede Überlegung, unüberlegt.

aveuglement [avœglə'mɑ̃] *m* **1.** Blindheit *f*; *fig.* Verblendung *f*, Sturheit *f* F; **2.** Blendung *f*.

aveuglément [avœgle'mɑ̃] *adv.* blindlings, ohne Überlegung.

aveugle-né [avœglə'ne] *adj. u. su.* (6a) blind geboren; Blindgeborene(r) *m*.

aveu|gler [avœ'gle] (1a) **I** *v/t.* **1.** blind machen, blenden; ⚔ ~ *à l'aide de la fumée* ver-, ein-nebeln; **2.** *fig.* verblenden; **3.** *Wasserloch, Leck*: zustopfen; **II** *v/rfl.* *s'*~ sich blind machen, blind werden; *fig.* *s'*~ *sur qch.* etw. nicht einsehen wollen, blind sein für; **~glette** [~'glɛt] *advt. fig. à l'*~ im dunkeln tappend; *fig.* auf gut Glück, drauflos F; *marcher à l'*~ im dunkeln tappen; *agir à l'*~ auf gut Glück handeln.

aveu|lir [avø'li:r] **I** *v/t.* matt u. willenlos machen, abstumpfen; **II** *v/rfl.* *s'*~ willenlos werden; **~lissement** [~lis'mɑ̃] *m* Erschlaffung *f*; Schlaffheit *f*, Willen-, Energielosigkeit *f*.

avia|bilité [avjabili'te] *f* Flugtüchtigkeit *f*; **~teur** [~'tœ:r] (7f) **I** *adj.* Flug...; *machine aviatrice* Flugmaschine *f*; **II** *su.* Flieger *m*; ~ *acrobatique* Kunstflieger *m*; ~ *en rase-mottes* Tiefflieger *m*; ~ *de nuit* Nachtflieger *m*; **~tion** [avjɑ'sjɔ̃] *f* Luftfahrt *f*, Flugwesen *n*; ⚔ Luftwaffe *f*; ~ *de ligne* Flugverkehr *m*; ⚔ ~ *de surveillance* Luftüberwachung *f*; *champ m* (*od. terrain m*) *d'*~ Flugplatz *m*; *semaine f d'*~ Flugwoche *f*; ~ *militaire* (*civile, commerciale*) Militär- (Zivil-, Handels-)luftfahrt *f*; **~trice** [~'tris] *f* Fliegerin *f*.

avicul|teur [avikyl'tœ:r] *m* Geflügel-, Vogel-züchter *m*; **~ture** [~'ty:r] *f* Geflügel-, Vogel-zucht *f*.

avi|de [a'vid] *adj.* □ gierig, gefräßig; habsüchtig; *fig.* (be)gierig (*de* auf *acc.*); ~ *de savoir* wißbegierig; ~ *de gloire* ruhmsüchtig; **~dité** [avidi'te] *f* **1.** Gier *f*, Gefräßigkeit *f*; **2.** (Hab-)Sucht *f*, Begierde *f*.

aviette [a'vjɛt] *f* Kleinflugzeug *n*.

avilir [avi'li:r] (2a) **I** *v/t.* **1.** erniedrigen, herabwürdigen, heruntermachen, verächtlich machen; ~ *son nom* s-n Namen in den Schmutz ziehen; **2.** entwerten, herabsetzen; *Preis*: herabdrücken; **II** *v/rfl.* *s'*~ **3.** sich erniedrigen; **4.** im Preis sinken.

avilissant [avili'sɑ̃] *adj.* (7) erniedrigend, würdelos.

avilissement [avilis'mɑ̃] *m* **1.** Herabwürdigung *f*, Entwürdigung *f*, Verachtung *f*; **2.** ✝ Entwertung *f*; Preissenkung *f*.

avi|nage [avi'na:ʒ] *m* Anfeuchten *n* mit Wein; **~né** [~'ne] *adj.* *Faß*: weingrün; betrunken, beschwipst, benebelt; **~ner** [~] (1a) **I** *v/t.* Weingeruch geben, mit Wein anfeuchten; **II** *v/rfl.* s'~ sich betrinken.

avion [a'vjɔ̃] *m* Flug-zeug *n*, -maschine *f*; ~ *affrété* Charterflugzeug *n*; ~ *à fusées* (*à catapulte*, *à skis*) Raketen-(Katapult-, Schi-)flugzeug *n*; ~ *ambulance* Lazarettflugzeug *n*; ~ *amphibie* Wasser-Land-Flugzeug *n*, Amphibienflugzeug *n*; ~ *à réaction* Düsenflugzeug *n*; ~ *bimoteur* Zweimotorenflugzeug *n*; ~ *biplace* Doppelsitzer *m*; ~ *commercial* (*limousine*) Passagier- (Kabinen-)flugzeug *n*; ~ *de bombardement* Bomber *m*, Bombenflugzeug *n*; ~ *de bombardement de jour* Tagbomber *m*; ~ *de charge* Fracht-, Last-flugzeug *n*; ~ *de chasse* Jagdflugzeug *n*; ✈ Jäger *m*; ⚔ ~ *de combat* Kampfflugzeug *n*; ~ *de ligne* Verkehrsflugzeug *n*; ~ *d'entraînement* Schul-, Lehr-, Übungs-flugzeug *n*; ~ *d'observation*, ~ *de* (*grande*) *reconnaissance* Beobachtungs-, (Fern-)Aufklärungsflugzeug *n*; ✈ Beobachter *m*; Aufklärer *m*; ~ *de sport* Sportflugzeug *n*; ~ *de grand sport* Halbrennflugzeug *n*, Hochleistungssportflugzeug *n*; ~ *de tourisme* Privat-, Sport-, Reise-flugzeug *n*; ~ *de transport* Transport-, Verkehrsflugzeug *n*; ~-*estafette* (6b) Meldeflugzeug *n*; ~ *géant* Groß-, Riesenflugzeug *n*; ~ *métallique* (*léger*) Metall- (Leicht-)flugzeug *n*; ~ *mixte* Wasser-Land-Flugzeug *n*; ~ *multimoteur*, ~ *polymoteur* mehrmotoriges Flugzeug *n*; ~ *sans moteur* (*monomoteur*) motorloses (einmotoriges) Flugzeug *n*; ~ *pneumatique* aufpumpbares Flugzeug *n*; ~ *postal* Postflugzeug *n*; ~ *sanitaire* Sanitätsflugzeug *n*; ~ *voilier* Segelflugzeug *n*; *par* ~ mit Luftpost; *prendre l'*~ *pour* ... abfliegen nach ...

avionner *néol.* ✈ [avjɔ'ne] *v/i.* (1a) dauernd fliegen.

avionnette [avjɔ'nɛt] *f* Kleinflugzeug *n*.

avionneur [avjɔ'nœːr] *m* Luftfahrtfachmann *m*.

avion-taxi [avjɔ̃tak'si] *m* Lufttaxi *n*.

avion-type [avjɔ̃'tip] *m* (6a) Modellflugzeug *n*.

aviron [avi'rɔ̃] *m* **1.** Ruder *n*, Riemen *m*; *à force d'*~*s* durch tüchtiges Rudern; *coup m d'*~ Ruderschlag *m*; **2.** Rudersport *m*.

avis [a'vi] *m* **1.** Meinung *f*, Ansicht *f*, Urteil *n*; *se ranger à l'*~ *de q.* j-s Ansicht beitreten; *à mon humble* ~ meiner unmaßgeblichen Ansicht nach; *je suis de votre* ~ ich bin Ihrer Meinung; **2.** Rat *m*, Vorschlag *m*; **3.** Gutachten *n*, Stellungnahme *f*; **4.** Benachrichtigung *f*, Meldung *f*; ⚕ ~ *d'expédition* Versandanzeige *f*; *sous* ~ unter Benachrichtigung; ~ *au public* öffentliche Warnung *f*; ~ *au lecteur* Vorwort *n*; ~ *officiel* amtliche Anzeige *f*; ~ *de décès* Todesanzeige *f*; *lettre f d'*~ Benachrichtigungsschreiben *n*; *suivant* ~ laut Bericht.

avisé [avi'ze] *adj.* umsichtig, klug, besonnen; *bien* ~ klug; *mal* ~ unklug.

aviser [~] (1a) **I** *v/t.* **1.** benachrichtigen, melden; **2.** warnen; raten; **3.** wahrnehmen; **II** *v/i.* ~ *à qch.* bedacht sein auf etw. (*acc.*); **III** *v/rfl.* s'~ (*de qch.*) auf den Gedanken (*od.* Einfall) kommen; *de quoi s'avise-t-il?* was fällt ihm ein?; sich etw. herausnehmen, sich unterstehen (zu); ersinnen; verfallen auf (*acc.*).

aviso ⚓ [avi'zo] *m* Aviso(schiff) *n*.

avitail|lement [avitaj'mɑ̃] *m* Versorgung *f* mit Lebensmitteln; **~ler** [~ta'je] *v/t. u. v/rfl.* s'~ (1a) (sich) verproviantieren.

avitaminose ⚕ [avitami'noːz] *f* Mangelkrankheit *f*, Avitaminose *f*.

aviver [avi've] *v/t.* (1a) **1.** lebhaft machen; auffrischen; beleben; *fig.* schüren, wieder aufleben lassen, neuen Auftrieb geben (*dat.*); **2.** ⚕ blutig ritzen.

avocas|ser [avoka'se] *v/i.* (1a) Winkeladvokat sein; **~serie** [~kas'ri] *f* Advokatenkniff *m*; **~sier** [~ka'sje] *m* Winkeladvokat *m*.

avocat [avɔ'ka] *su.* (7) **1.** Rechtsanwalt *m*; ~ *général* Oberstaatsanwalt *m*, öffentlicher Ankläger *m*; ~-*conseil* Rechtsbeistand *m*; ~ *plaidant* Verteidiger *m*; **2.** *fig.* Fürsprecher *m*, Beschützer *m*; *fig. se faire l'*~ *du diable* sich für e-e schlechte Sache einsetzen, e-e schlechte Sache vertreten, gegen s-e eigene Überzeugung sprechen; **~e** [~'kat] *f* Rechtsanwältin *f*.

avoine [a'vwan] *f* **1.** Hafer *m*; Haferkorn *n*; ~ *broyée*, *flocons m/pl. d'*~ Haferflocken *f/pl.*; *bouillie f d'*~ Haferbrei *m*; *gruau m d'*~ Hafergrütze *f*; *sac m à* ~ Hafersack *m*; *les* ~*s sont belles* der Hafer steht gut; **2.** *folle* ~ tauber Hafer *m*.

avoir [a'vwaːr] (1) **I** *v/t.* haben; besitzen; erleiden, empfinden; erhalten; erreichen, erwischen; sich verschaffen; ~ *pour but* beabsichtigen; ~ *le prix d'honneur* den Ehrenpreis erhalten; *j'ai à cœur* es liegt mir am Herzen; *j'ai à vous dire* ich habe Ihnen zu sagen, ich muß Ihnen sagen; *vous n'avez qu'à le dire* Sie brauchen es nur zu sagen; *vous avez beau dire* Sie haben gut reden; ~ *envie* Lust haben; ~ *qch. sous la main* etw. zur (*od.* bei der) Hand haben; *je n'aurais qu'à tomber malade* ich brauchte nur krank zu werden; ~ *du monde à dîner* Gäste zum Essen haben; *qu'avez-vous?* was fehlt Ihnen?; *contre qui en avez-vous?* auf wen sind Sie böse?; ~ *de quoi vivre* wohlhabend sein; ~ *sommeil* schläfrig sein; ~ *terminé* fertig haben, zu Ende sein mit; ~ *trois mètres de long* drei Meter lang sein; *j'ai vingt ans* ich bin zwanzig Jahre alt; ~ *le chapeau sur la tête* den Hut aufhaben; *j'ai eu mon train* ich habe den Zug erreicht; **II** *v/impers. il y a* es gibt; *il y a des gens* es gibt Leute; *als Antwort auf e-n Dank od. e-e Entschuldigung*: *il n'y a pas de quoi!* bitte sehr!; *als Antwort auf e-n Dank*: gern geschehen!; es hat nichts zu sagen!, keine Ursache!; *als Antwort auf e-e Entschuldigung*: *il n'y a pas de mal!* bitte (hat nichts zu sagen)!, macht nichts!, keine Ursache!; *qu'y a-t-il de nouveau?* was gibt es Neues?; *il y a lieu de croire* man hat Ursache zu glauben; *il y a tout à espérer* alles ist zu hoffen; *il n'y a rien à dire à cela* es ist nichts dagegen zu sagen; **III** a) *als Hilfsverb zur Bildung des passé composé usw.*: *je l'ai* (*l'avais*) *vu* ich habe (hatte) ihn gesehen, ich sah ihn; b) F *als Hilfsverb oftmals zur Bildung des passé surcomposé usw.*: *j'ai eu planté* ich habe gepflanzt, ich pflanzte; *quand il avait eu trié son équipage* ... nachdem er sich s-e Mannschaft ausgesucht hatte ...; **IV** *m* Habe *f*, Gut *n*; (Gut-)Haben *n*, Kredit *m*; *doit et* ~ Soll und Haben; ~ *en compte* Kontoguthaben *n*; *portez cette somme à mon ~!* schreiben Sie mir diese Summe gut!

avoisi|nant [avwazi'nɑ̃] *adj.* (7) benachbart, angrenzend, anstoßend; **~ner** [~'ne] (1a) **I** *v/t.* ~ *qch.* angrenzen an (*acc.*), sich erstrecken bis an (*acc.*); *fig. éc.* ungefähr erreichen (*e-n Prozentsatz*); *être bien avoisiné* gute Nachbarschaft haben; **II** *v/rfl.* *s'*~ sich nähern, sich berühren.

avor|tement [avɔrtə'mɑ̃] *m* **1.** ⚕ Fehlgeburt *f*, Abortus *m*; **2.** *fig.* Scheitern *n*; **~ter** [~'te] *v/i.* (1a) **1.** ⚕ fehlgebären; **2.** ⚘ verkümmern; **3.** *fig.* scheitern; **~teur** ⚕ [~'tœːr] *m* Abtreiber *m*; **~ton** [~'tɔ̃] *m* **1.** *péj.* Zwerg *m*, Krüppel *m*; **2.** zurückgebliebene Pflanze *f*.

avouable [a'vwablə] *adj.* dessen man sich nicht zu schämen braucht.

avou|é [a'vwe] *m* **1.** ⚖ Sachwalter *m*, Anwalt *m*; **2.** *hist.* Schutzherr *m*; **~er** [~] (1n) **I** *v/t.* **1.** bekennen, einräumen; zugeben; **2.** ~ *q. de qch.* j-s Handeln billigen, gutheißen; **II** *v/rfl.* *s'*~ sich bekennen.

avoyer *Schweiz* [avwa'je] *m* Kantonspräsident *m*.

avril [a'vril] *m* **1.** April *m*; **2.** *poisson m d'*~ Aprilscherz *m*.

avulsion [avyl'sjɔ̃] *f* **1.** ⚕ Ausreißen *n*, Ausziehen *n*; **2.** Abschwemmung *f* von Land.

axe [aks] *m* Achse *f*; *les grands ~s* die Hauptverbindungsstraßen *f/pl.*

axé [ak'se] *adj.*: ~ *sur* begründet (*od.* basierend) auf; *être ~ sur la voie Toulouse-Bordeaux* in der Linie T.-B. verlaufen.

axer [~] *v/t.* (1a) auf e-e Achse beziehen; *fig.* ~ *sur qch.* nach e-r S. ausrichten.

axiome [ak'sjoːm] *m* Grundsatz *m*, Axiom *n*.

axonge [ak'sɔ̃ːʒ] *f* Schmalz *n*, Fett *n*.

ayant [ɛ'jɑ̃] **I** *p.pr. von avoir*; **II** *m*: ~ *cause* (*pl. ~s cause*) Rechtsnachfolger *m*; ~ *droit* (*pl. ~s droit*) Berechtigte(r) *m*.

azalée ⚘ [aza'le] *f* Azalie *f*.

azimut [azi'myt] *m ast.* Scheitelkreis *m*, Azimut *m od. n*; *tous ~s adjt.* **1.** ⚔ umfassend; **2.** *pol.* weltweit, weitreichend; **3.** *Mode*: für alle.

azotate [azɔ'tat] **I** *m* salpetersaure Verbindung *f*; ~ *de potasse* salpetersaures Kali *n*; **II** *adj.* salpetersauer.

azote [a'zɔt] *m* Stickstoff *m*.

azo|té [azɔ'te] *adj.* stickstoffhaltig; Stickstoff...; *engrais m* ~ Stickstoffdünger *m*; **~ter** [~'te] *v/t.* (1a) mit Stickstoff sättigen; **~teux** [azɔ'tø] *adj.* (7d) stickstoffhaltig; **~tique** [~'tik] *adj.*: *acide m* ~ Salpetersäure *f*; Scheidewasser *n*; **~tite** [~'tit] *m* salpetersaures Salz *n*; **~ture** [~'tyːr] *m* Stickstoffverbindung *f*.

aztèque [az'tɛk]: 2 *su. hist.* Azteke *m*; P *fig.* Zwerg *m*, Krüppel *m*.

azur [a'zy:r] *m* **1.** Lasurstein *m*; **2.** echtes Ultramarin *n*; **3.** *fig.* Azurblau *n*, Lasurfarbe *f*; *d'~* (himmel-)blau; *un ciel d'~* ein heiterer Himmel; *Côte f d'*2 französische Riviera *f*; **~age** [azy'ra:ʒ] *m* Bläuen *n*; **~é** [~'re] *adj.* himmelblau; *papier m ~* *dünnes* blaues Postpapier *n*; **~er** [~] *v/t. u. v/rfl. s'~* (1a) (sich) himmelblau färben; **~éen** [~re'ɛ̃] *adj.* (7c) (an) der Côte d'Azur.

azyme [a'zim] *adj. u. m*: *pain m ~* ungesäuert(es Brot *n*); Matze *f*.

B

B, b [be] *m* B, b *n.*
baba [ba'ba] **I** F *adj. rester* ~ baff sein; **II** *m* Rosinenkuchen *m.*
Babel [ba'bɛl] *f* Babylon *n*, Babel *n*; (*tour f de*) ~ babylonischer Turm *m*; *fig.* Durcheinander *n.*
babélisme [babe'lism] *m* Sprachengewirr *n.*
babeurre [ba'bœ:r] *m* Buttermilch *f.*
babil [ba'bil] *m* Geschwätz *n*, Geplauder *n*; **~lard** [babi'ja:r] (7) **I** *adj.* geschwätzig, schwatzhaft; **II** *su.* Schwätzer *m*, Schwatzliese *f*; **~larde** P [~'jard] *f* Wisch *m* (*Brief*); **~ler** [~bi'je] *v/i.* (1a) plappern.
babine *zo.* [ba'bin] *f* **1.** Lefze *f*, Hängelippe *f* (*bei Tieren*); **2.** P *il s'en lèche les ~s* er leckt sich die Finger danach.
babiole [ba'bjɔl] *f* wertlose Sache *f.*
bâbord ⚓, ✈ [bɑ'bɔ:r] *m* Backbord *n*; *à* ~ links.
babouche [ba'buʃ] *f* Pantoffel *m* (*aus Leder*).
babouin [ba'bwɛ̃] *m* **1.** *zo.* Babuin *m* (*Pavian*); **2.** F (*auch* **~e** [ba'bwin] *f*) *Kind:* Wildfang *m.*
Babylone [babi'lɔn] *f* **1.** Babylon *n*; **2.** *fig.* sündhafter Ort *m.*
baby-parc [bebi'park] *m* (6g) Laufstall *m*, -gitter *n* (*für Kleinkinder*).
bac [bak] *m* **1.** Fähre *f*, Prahm *m*; *Auto:* Ladefläche *f* (*e-s Fahrzeugs*); **2.** Trog *m*, Waschfaß *n*; **3.** F = *baccalauréat* Abi *n* F; **4.** ~ *à fiches* Karteitrog *m* (*für Büros*); ~ *à légumes* Gemüseschale *f* (*Kühlschrank*); **5.** ~ *à sable* Buddel-, Sand-kiste *f.*
baccalauréat *écol.* [bakalore'a] *m* Reifeprüfung *f*, Abiturium *n.*
baccha|nal F [baka'nal] *m* Spektakel *m*, Höllenlärm *m*; *faire du* ~ großen Lärm machen; **~nale** F [~] *f* wüstes Gelage *n*, Orgie *f*; Bacchusfeste *n/pl.*
bacchante [ba'kɑ̃:t] *f* **1.** Priesterin *f* des Bacchus; **2.** P **~s** *pl.* Schnurrbart *m.*
bâche [bɑ:ʃ] *f* **1.** (Sonnen- u. Regen-)Markise *f*, Plane *f*, Wagendecke *f*; **2.** Wasserbehälter *m der Dampfmaschine*; **3.** ⚒ Frühbeet (-fenster) *n*; **4.** Schleppnetz *n.*
bacheli|er [baʃə'lje] *m*, **~ère** [baʃə'ljɛ:r] *f* Abiturient(in *f*) *m.*
bâcher [bɑ'ʃe] (1a) **I** *v/t.* mit e-r Plane bedecken; **II** P *v/rfl. se* ~ *fig.* in die Falle (*od.* ins Bett) gehen.
bachique [ba'ʃik] *adj.* bacchantisch; *chanson f* ~ Trinklied *n.*
bachot[1] F *écol.* [ba'ʃo] *m* Abitur *n*; *faire* (*od. passer*) *son* ~ sein Abiturientenexamen machen.
bachot[2] ⚓ [~] *m* kleine Fähre *f.*
bacho|tage F *écol.* [baʃɔ'ta:ʒ] *m* Pauken *n*; **~ter** [~'te] *v/i. für e-e Prüfung* pauken; **~teur** [~'tœ:r] *m* **1.** Fährmann *m*; **2.** F *écol.* Büffler *m*; *plais.* Abiturient *m.*
bachotière [~'tjɛ:r] *écol. f* Presse *f.*
bacillaire [basi'lɛ:r] *adj.* Bazillen...
bacille [ba'sil] *m* Bazillus *m*; ~ *virgule* Kommabazillus *m.*
bacilliforme [basili'fɔrm] *adj.* bazillenförmig.
backer [ba'ke] *v/i.* (1a) rückwärts fahren.
back-hand [ba'kand] *m* (6d) *Tennis:* Rückhand *f*, Rückhandschlag *m.*
bâclage F [bɑ'kla:ʒ] *m* Pfuscherei *f.*
bâcle ['bɑ:klə] *f* Holz-, Eisen-stück *n zum Verriegeln e-r Tür.*
bâc|ler F [bɑ'kle] *v/t.* (1a) schnell zusammenpfuschen; hastig beenden; **~leur** F [bɑ'klœ:r] *su.* (7g) Pfuscher *m.*
bactérie [bakte'ri] *f* Bakterie *f.*
bactério|logie [bakterjɔlɔ'ʒi] *f* Bakteriologie *f*; **~logique** ⚕ [~lɔ'ʒik] *adj.* bakteriologisch; **~logue, ~logiste** [~'lɔg, ~lɔ'ʒist] *m* Bakteriologe *m*, Bakterienforscher *m.*
bacul [ba'ky] *m* Hinterzeug *n am Pferde- usw. Geschirr.*
badaud [ba'do] *m* (7) Schaulustige(r) *m*; Gaffer *m*; *faire le* ~ = **~er** [~'de] *v/i.* gaffen; **~erie** [bado'dri] *f* Gafferei *f.*
badge [badʒ] *m* Abzeichen *n.*
badigeon △ [badi'ʒɔ̃] *m* Anstrichfarbe *f*, (weiße) Tünche *f*; **~nage** [~ʒɔ'na:ʒ] *m* **1.** △ Anstreichen *n e-r Mauer*, Anstrich *m*; **2.** ⚕ Bepinseln

n; **~ner** [~ʒɔ'ne] *v/t.* (1a) **1.** *mit Anstrichfarbe* anstreichen, übertünchen; **2.** ⚕ bepinseln; **~neur** ⚠ [~ʒɔ'nœːr] *m* Anstreicher *m*.

badin [ba'dɛ̃] **I** *adj.* (7) schäkernd, tändelnd; scherzhaft; **II** ✈ *m* Geschwindigkeitsmesser *m*; **~age** [~di'naːʒ] *m* Scherz *m*, Tändelei *f*; *trêve de ~!* Spaß beiseite!

badine [ba'din] *f* Spazierstöckchen *n*; Reitgerte *f*.

badi|ner [~di'ne] (1a) *v/i.* scherzen, tändeln, schäkern; **~nerie** [~din'ri] *f* Scherz *m*.

badminton [badmin'tɔn] *m* Federballspiel *n*.

baffe P [baf] *f* Backpfeife *f*.

bafouer [ba'fwe] *v/t.* (1a) verhöhnen, verunglimpfen.

bafouil|lage F [bafu'jaːʒ] *m* Gestammel *n*; **~ler** F [~'je] *v/i.* (1a) stammeln, sich verhaspeln; P *mot.* kotzen.

bâfre, bâfrée P ['baːfrə, bɑ'fre] *f* Fressen *n*, Freßgelage *n*.

bâ|frer P [bɑ'fre] (1a) *v/t. u. v/i.* gierig (fr)essen; **~freur** P [~'frœːr] *su.* (7g) Vielfraß *m*, Freßsack *m*.

bagag|e [ba'gaːʒ] *m* (*mst. pl.*) Gepäck *n*; *petits ~s, ~s à main* Handgepäck *n*; *gros ~s* schweres Gepäck *n*; *billet m de ~s, bulletin m de ~s* Gepäckschein *m*; *bureau m de ~s* Gepäckaufbewahrung *f*; *faire enregistrer ses ~s* sein Gepäck aufgeben; *réclamer ses ~s* sein G. abholen; *~s de l'armée, gros ~* Troß *m*; F *plier ~* sein Bündel schnüren, fliehen; sterben; *fig. ~ de connaissances* Wissensschatz *m*; **~iste** [~'ʒist] *su.* Gepäckaufseher *m*.

bagarre [ba'gaːr] *f* Krawall *m*.

bagarr|er [baga're] *v/rfl.*: F *se ~* sich raufen; P *fig.* sich abmühen; **~eur** [~'rœːr] *m* Schlägertyp *m*.

bagasse [ba'gas] *f* ausgepreßter Stengel *m* des Zuckerrohrs; Trester *pl.*

bagatelle [baga'tɛl] *f* Kleinigkeit *f*, Bagatelle *f*, Lappalie *f*.

bagnard *ehm.* [ba'ɲaːr] *su.* Zuchthäusler *m*.

bagne [baɲ] *m* **1.** *ehm.* Zuchthaus *n*; **2.** F Strafkolonie *f*.

bagnol|e P [ba'ɲɔl] *f* Karrete *f*, schlechter Wagen *m*, Klapperkasten *m*; *Auto péj.*: Karre *f*, Mühle *f*, Schlitten *m*; **~eux** P [~'lø] *su.* (7d) *Auto*: Fahrer *m* e-r Mühle.

bagoter * [bagɔ'te] *v/i.* (1a) (spazieren)gehen, kommen u. gehen; schwierige Dinge machen.

ba|gou, ~gout F [ba'gu] *m* gutes Mundwerk *n*, Redefluß *m*.

bague [bag] *f* (Finger-)Ring *m*; ⊕ *~ d'arrêt* Stellring *m*; ⊕ *~ de tube* Rohrring *m*; *~ de fiançailles* Verlobungsring *m*; *beim Ringspiel*: *courir la ~* nach dem Ring stechen.

baguenau|der F [bagno'de] *v/rfl. se ~* herumflanieren; **~dier** [~'dje] *m* ⚘ Blasenstrauch *m*.

baguer [ba'ge] *v/t.* (1m) **1.** beringen (*Zugvögel*); **2.** heften, mit langen Stichen annähen.

baguette [ba'gɛt] *f* **1.** dünner Stab *m*, Gerte *f*, Rute *f*; Taktstock *m*; *~ divinatoire, ~ de sourcier* Wünschelrute *f*; *ehm. ~ de fusil* Ladestock *m*; *~ de fusée volante* Raketenstab *m*; *~ de pain* Stangenbrot *n*; *~s pl. de tambour* Trommelstöcke *m/pl.*; *tout allait comme à la ~* alles ging wie am Schnürchen; *mener q. à la ~* j-n an der Kandare haben; *obéir à la ~* auf e-n Wink gehorchen; *~ magique* Zauberstab *m*; **2.** *~s pl.* Spießruten *pl.*; *passer par les ~s* Spießruten laufen; **3.** ⚠ (Profil-, Zier-)Leiste *f*; **4.** Malerstock *m*; **5.** Galon *m* (*Hose*).

baguier [ba'gje] *m* Ring-, Schmuckkästchen *n*.

bah [bɑ] *int.* pah!, ach was!, Unsinn!

bahut [ba'y] *m* **1.** a) Truhe *f*; b) Anrichte *f*; **2.** ⚠ Mulde *f*; **3.** P *écol.* Penne *f*, Kasten *m*; *plais.* Mühle *f*, Kasten *m* (= *Auto*); Taxe *f*; **~-lit** [~'li] *m* (6a) Schrankbett *n*; **~age** * *écol.* [~'taːʒ] *m* Lärm *m*; Hänselei *f*.

bai [bɛ] *adj. u. su.* braunrot; Braune(r) *m* (*Pferd*).

baie [bɛ] *f* **1.** Beere *f*; **2.** ⚠ Tür-, Fenster-öffnung *f*; **3.** Bucht *f*, Bai *f*.

baigna|de [bɛ'ɲad] *f* Baden *n*; Badestelle *f*; **~ge** [bɛ'ɲaːʒ] *m* Baden *n*; Wässern *n*; Wässerung *f*.

baign|er [bɛ'ɲe] (1b) **I** *v/t.* **1.** baden; *Pferd* in die Schwemme reiten; **2.** bespülen, vorbeifließen an (*dat.*); **3.** befeuchten; *~ de larmes* mit Tränen benetzen; **II** *v/i.* (ein)getaucht sein; *le carrelage de la cuisine baigne dans l'eau* der Fliesenfußboden der Küche steht unter Wasser; *baigné dans son sang* in seinem Blut schwimmend; **III** *v/rfl. se ~* (im Freien) baden (*Badeanstalt, Fluß, Meer*); *aller se ~* baden gehen (fahren); *s'est-il baigné?* hat er gebadet?; **~eur** [bɛ'ɲœːr] *su.* (7g) Badende(r) *m*; Badegast *m*; Zelluloidpuppe *f*; **~euse** [~'ɲøːʒ] *f* **1.** Badende *f*; **2.** Bademantel *m*; *Art* Haube *f*; **~oire** [bɛ'ɲwaːr] *f* **1.** Badewanne

f; **2.** Parkett-, Parterre-loge *f* (*a. Karte hierfür*); **3.** ⚓ Laufsteg *m*.
bail [baj] *m* (5c) Mietvertrag *m*; Pacht *f*, Verpachtung *f*; ~ *à colonage partiaire* Halb-, Teil-pacht *f*; *prendre à* ~ pachten; *donner à* ~ verpachten; ~ *à ferme* Pachtvertrag *m*.
baille ⚓ [bɑːj] *f* **1.** Balje *f*, Kufe *f*; **2.** * Meer *n*.
bailler [bɑˈje] *v/t.* (1a) **1.** ⚖ übergeben; ~ *à ferme* verpachten; ~ *par testament* vermachen; **2.** P *vous me la baillez belle od. bonne* Sie binden mir e-n schönen Bären auf; Sie nehmen mich aber ordentlich hoch; Sie wollen mir was weismachen.
bâiller [~] (1a) **I** *v/i.* **1.** gähnen; **2.** klaffen; nicht gut schließen, halb offenstehen; **II** *v/t.*: ~ *la vie* sich angeödet fühlen.
bailleresse ✝ [bajˈrɛs] *f*: ~ *de fonds* stille Gesellschafterin *f*.
bailleur ✝ [baˈjœːr] *su.* (7h) Verpächter *m*; ~ *de fonds* stiller Teilhaber.
bâilleur [bɑˈjœːr] *su.* (7g) Gähner *m*, *fig.* Schlafmütze *f*.
bâillon [bɑˈjɔ̃] *m* Knebel *m*.
bâillon|nement [bɑjɔnˈmɑ̃] *m* Knebeln *n*; **~ner** [bɑjɔˈne] *v/t.* (1a) knebeln; *fig.* mundtot machen.
bain [bɛ̃] *m* **1.** Bad *n*, Wannenbad *n*; Baden *n*; *prendre un* ~ sich (*in der Badewanne*) baden, ein Wannenbad nehmen; ~ *de mer* Seebad *n*; ~ *de pieds* Fußbad *n*; ~ *de siège* Sitzbad *n*; ~ *de vapeur*, ~ *turc* Dampfbad *n*; ~ *de boue* Moorbad *n*; ~ *à lames* Wellenbad *n*; ~ *d'air* (*de mer*, *de soleil*) Luft- (Meer-, Sonnen-)bad *n*; *phot.* ~ *de fixage* Fixierbad *n*; *slip m de* ~ Badehose *f*; *maillot m de* ~ Bade-anzug *m*, -hose *f*; *saison f des* ~*s* Badezeit *f*; *salle f de* ~*s* Badezimmer *n*; *se mettre dans le* (*od. au*) ~ ins Bad steigen; *mettre q. dans le* ~ j-n (*in e-n Betrieb usw.*) einführen; *sortir du* ~ aus dem Bad steigen; *fig.* F *être dans le* ~ in der Patsche sitzen; * den Dreh kennen; **2.** (Bade-) Wanne *f*; **3.** Badestube *f*; ~*s pl.* Badeanstalt *f*, Bad(eort *m*) *n*; **4.** *fig.* ~*s pl. de foule* riesige Menschenmengen *f/pl.*
bain-douche [bɛ̃ˈduʃ] *m* Brausebad *n*.
baïonnette ⚔ [bajɔˈnɛt] *f* Seitengewehr *n*, Bajonett *n*; *escrime f à la* ~ Bajonettfechten *n*; *croiser la* ~ das Bajonett fällen; *charger à la* ~ e-n Bajonettangriff machen; *la* ~ *au canon* mit aufgepflanztem Bajonett.
baise|main [bɛzˈmɛ̃] *m* Handkuß *m*; **~ment** *rl.* [~ˈmɑ̃] *m* Küssen *n*.
bais|er [bɛˈze] **I** (1b) **1.** küssen; *nur in Zusammensetzungen wie*: ~ *q. sur la bouche* (*sur le front*) j-n auf den Mund (auf die Stirn) küssen; ~ *la main, un crucifix usw.* die Hand, ein Kruzifix *usw.* küssen; *sonst*: *embrasser*; **2.** V vögeln; **II** *m* Kuß *m*; *dérober un* ~ e-n Kuß rauben; **~odrome** P *plais.* [bɛzɔˈdrɔm] *m* Lust-schuppen *m*, -lokal *n*; **~oter** F [bɛzɔˈte] *v/t. u. v/rfl. se* ~ (1c) (sich) abküssen, abknutschen.
baisse ✝ [bɛːs] *f* Fallen *n*, Sinken *n*; ✝ Baisse *f*; ~ *des prix* (*des tarifs*) Preis- (Zoll-)senkung *f*; ~ *de production* Produktionsrückgang *m*; ~ *de(s) salaires* Lohnsenkung *f*; ~ *des primes* Prämiensenkung *f*; ~ *de(s) traitements* (*od. appointements*) Gehaltssenkung *f*; *plais. mes fonds sont en* ~ in meiner Kasse (*od.* in meinem Portemonnaie) ist Ebbe; *fig. ses actions sont en* ~ s-e Aktien (*od.* Chancen) stehen schlecht; *être en* ~ *od. à la* ~ im Preis sinken; *jouer à la* ~ auf das Fallen der Kurse spekulieren; **~ment** [bɛsˈmɑ̃] *m* Sinken *n*, Verminderung *f*; ~ *de tête* Senken *n* des Kopfes.
baisser [bɛˈse] (1b) **I** *v/t.* **1.** senken, nieder-, herunter-lassen; *rad.*, *télév.* ~ *la musique* die Musik leiser stellen; *fig.* ~ *l'oreille od.* ~ *pavillon* die Ohren hängen lassen, den Mut sinken lassen, kleinlaut werden; ⚓ ~ *le pavillon* die Flagge streichen; ~ *la tête* den Kopf neigen, sich ducken; *fig.* sich drücken; *tête baissée* kopfüber; blindlings; ~ *les yeux* die Augen niederschlagen; *Auto*: ~ *les phares* abblenden; **2.** niedriger machen, erniedrigen; *rad.* leiser stellen; ~ *un instrument* ein Instrument tiefer stimmen; ~ *le prix* den Preis herabsetzen; ~ *le ton* den Ton (*fig.* seine Forderungen) herabstimmen; gelindere Saiten aufziehen; **II** *v/i.* **3.** niedriger werden, fallen, sinken; *le baromètre a baissé* das Barometer ist gefallen; *le jour baisse* der Tag neigt sich; **4.** schwächer (*od.* schlechter) werden; nachlassen; **5.** ♪ heruntergehen (*Ton*); **III** *v/rfl.* *se* ~ sich bücken; sich senken.
bais|sier ✝ [bɛsˈje] (7b) **I** *su.* Baissespekulant *m*, Flaumacher *m*; **II** *adj. fin.*: *tendance f baissière* fallende Tendenz; **~sière** [bɛsˈjɛːr] *f* **1.** Neige *f*, Bodensatz *m* (*v. Wein*); **2.** 🌾

Senkloch *n*; **~soir** ⊕ [bɛ'swa:r] *m* Solbehälter *m*.

bajoue [ba'ʒu] *f* Backe *f* (*bsd. vom Schwein und Kalb*); Hängebacke *f* (*v. Menschen*).

bakélite [bake'lit] *f* Bakelit *n*.

bal [bal] *m* Ball *m*, Tanzgesellschaft *f*; *courir les ~s* viel auf Bälle gehen; *~ champêtre* Ball im Freien; *~ masqué od. ~ travesti* Maskenball *m*; *~ de têtes* Ball *m* mit Gesichtsmasken; *~ paré* Ball im Galaanzug.

bala|de F [ba'lad] *f* Spaziergang *m*; Bummel *m*; *faire une ~* e-n Bummel machen; **~der** F [bala'de] **I** *v/t.* herumführen; mit sich herumschleppen; **II** *v/rfl. se ~* (1a) herumbummeln, spazierengehen; **~deur** F [~'dœ:r] *su.* (7g) Bummler *m*; **~deuse** [~'dø:z] *f* **1.** Karre *f* der Straßenhändler; **2.** Beiwagen *m od.* Anhänger *m der Straßenbahn*; **3.** ⚡ Ableuchtlampe *f*; **~din** [~'dɛ̃] *su.* (7) Possenreißer *m*; *péj.* Schmierenkomödiant *m*; **~dinage** [~di'na:ʒ] *m* schlechter Scherz *m*; Schwank *m*.

bala|fre [ba'lafrə] *f* Hiebwunde *f im Gesicht*; (Gesichts-)Narbe *f*, Schmiß *m*, Schmarre *f*; *fig.* Wunde *f*; **~frer** [~'fre]: *~ q.* j-m e-n Schmiß beibringen.

balai [ba'lɛ] *m* Besen *m*; *mot.* Bürste *f*; *~ mécanique* Teppichkehrmaschine *f*; *~ de W.C.* Klosettbürste *f*; *donner un coup de ~ à* auskehren, ausfegen; *rôtir le ~* ein liederliches Leben führen; *fig. coup m de ~* allgemeine Entlassung *f*, allgemeiner Rausschmiß *m* P (*des Personals*); *manche m à ~* Besenstiel *m*; ✈ Steuerknüppel *m*; *~ à laver* Schrubber *m*.

balance [ba'lɑ̃:s] *f* **1.** Waage *f*; Waagschale *f*; *~ automatique* Schnellwaage *f*; *~ à bascule* Brükkenwaage *f*; *~ pour nouveau-né* Säuglingswaage *f*; *~ à ressort* Federwaage *f*; *~ à trébuchet* Goldwaage *f*; *~ hydrostatique* Wasserwaage *f*; *~ romaine* Laufgewichtswaage *f*; *emporter* (*od. faire pencher*) *la ~* die Waagschale sinken machen; *fig.* den Ausschlag geben; *mettre dans* (*od. sur*) *la ~* auf die Waagschale legen; *fig.* die Gründe und Gegenstände von ... abwägen; *fig. tenir la ~ égale* unparteiisch sein; *mettre en ~* vergleichen; *entrer en ~* verglichen werden; **2.** *fig. ~ (des forces)* politisches Gleichgewicht *n*; **3.** *fig.* Schwebe *f*, Unentschlossenheit *f*; *être en ~* schwanken; **4.** ☤ (Konto-) Bilanz *f*; *~ de caisse* Kassenabschluß *m*; *~ commerciale* Handelsbilanz *f*; *~ d'entrée* Eröffnungsbilanz *f*; *~ de sortie*, *~ de clôture* (Ab-)Schlußbilanz *f*; *~ d'un compte* Saldo *m*; *~ des écritures* Geschäftsbilanz *f*; *~ des paiements* Zahlungsbilanz *f*; *faire la ~* abrechnen.

balan|cé [balɑ̃'se] **I** *m* Schwebeschritt *m*; **II** *adj.* unentschlossen; P *bien ~* stattlich; **~celle** [~'sɛl] *f* **1.** Hollywoodschaukel *f*; **2.** leichter Einmaster *m* (*Mittelmeer*); **~cement** [~s'mɑ̃] *m* **1.** Schwanken *n*, Wiegen *n*, Schaukeln *n*; *fig.* Unschlüssigkeit *f*; **2.** *peint.* Ebenmaß *n in der Verteilung*; **~cer** [~'se] (1k) **I** *v/t.* **1.** ins Gleichgewicht bringen; im Gleichgewicht halten; ☤ begleichen, abschließen; *~ un compte* die Bilanz ziehen; **2.** schaukeln, hin und her bewegen; **3.** *fig.* ab-, erwägen, überlegen, prüfen; vergleichen; ausgleichen, aufwiegen; **4.** F auf Knall u. Fall entlassen; sich *e-r S.* (*gén.*) entledigen; **II** *v/i.* schwanken; *fig.* ungewiß sein; **III** *v/rfl. se ~* sich hin und her neigen; sich wiegen, (sich) schaukeln; *fig.* sich das Gleichgewicht halten; F *envoyer q. se ~* j-n rausschmeißen; ☤ *se ~ par* abschließen mit *e-r Summe*; F *je m'en balance* es ist mir (völlig) piepe (*od.* egal); **~cier** [~'sje] *m* **1.** ⊕ Waagenmacher, -händler *m*; **2.** Balancierstange *f*; Abgleichbohle *f*; Waagebalken *m*; **3.** Pendel *m u. n*, Unruh *f e-r Taschenuhr*; Pumpenschwengel *m*; **~çoire** [~'swa:r] *f* Schaukel *f*; Wippe *f*; *fig.* F *~s pl.* Gefasel *n*; F *envoyer q. à la ~* j-n rausschmeißen.

balay|age [balɛ'ja:ʒ] *m* **1.** Auskehren *n*, Fegen *n*; **2.** *télév.* Abtastung *f*; Überstreichen *n*; **3.** Kehrerlohn *m*; **~er** [~'je] *v/t.* (1l) **1.** auskehren, (aus-, weg-)fegen; *fig.* beseitigen; sich hinwegsetzen (über *acc.*); **2.** ⚔ bestreichen; **3.** *télév.* abtasten; überstreichen; *~ le ciel* den Himmel absuchen (*mit Scheinwerfern*); **4.** *Auto: e-e Kurve durch e-n drehbaren Scheinwerfer* im voraus beleuchten; F *~ q.* j-n entlassen; **~ette** [~'jɛt] *f* Handfeger *m*; **~eur** [~'jœ:r] *su.* (7g) Straßenfeger *m*; **~euse** [~'jøz] *f* (Straßen-)Kehrmaschine *f*; **~ures** [~'jy:r] *f/pl.* Kehricht *m*, Müll *m*.

balbu|tiant F [balby'sjɑ̃] *adj.* (7): *être ~* noch in den Kinderschuhen (*od.* Anfängen) stecken; **~tie** ⚕

[~'si] *f* Stotterkrankheit *f*; **~tiement** [~si'mɑ̃] *m* Gestotter *n*; **~tier** [~'sje] *v/i. u. v/t.* (1a) **1.** stammeln, stottern, lallen; **2.** salbadern, verworren reden; **~tieur** [~'sjœːr] *m* (7g) Stammler *m*.

balbuzard *orn.* [balby'zaːr] *m* Seeadler *m*.

balcon [bal'kɔ̃] *m* **1.** Balkon *m*, unbedeckter Vorbau *m*; **2.** *thé.* Loge *f*.

baldaquin [balda'kɛ̃] *m* Baldachin *m*.

Bâle *géogr.* [bɑːl] *f* (*Stadt*) Basel *n*.

balei|ne [ba'lɛn] *f* **1.** *zo.* Wal(fisch) *m*; *blanc m de ~* Walrat *m u. n*; *huile f de ~* Walfischtran *m*; **2.** Walfischbarte *f*; Fischbein *n*; **~neau** *zo.* [balɛ'no] *m* junger Wal *m*; **~nier** [~'nje] *m* Walfischboot *n*; Walfischfänger *m*; Fischbeinhändler *m*.

baleinoptère *icht.* [balɛnɔp'tɛːr] *m* Finn-fisch *m*, -wal *m*; s. *rorqual*.

balèvre ⚠ [ba'lɛːvrə] *f* Vorsprung *m*.

balisage [bali'zaːʒ] *m* ⚓ Betonnung *f*, Balken-, Bojen-legen *n*; ✈ Bodenbeleuchtung *f*.

balise [ba'liːz] *f* **1.** ⚓ Bake *f*, Boje *f*; **2.** ✈ Bodenlicht *n*; **3.** *~ à triple bande* dreiteilige Bake *f* (*Verkehrszeichen*).

bali|sement [baliz'mɑ̃] *m* ⚓ Bojenlegen *n*; ✈ Bodenmarkierung *f* durch Scheinwerfer; **~ser** [~'ze] *v/t.* (1a) ⚓ betonnen, mit Baken bezeichnen; ✈ *den Boden* kennzeichnen, durch Scheinwerfer abgrenzen; **~seur** [~'zœːr] *m* ⚓ Bakenmeister *m*; Bojenschiff *n*.

balistique [balis'tik] **I** *f* Ballistik *f*; **II** *adj.* ballistisch.

baliveau [bali'vo] *m* 🌱 Laßreis *n*; junger unbeschnittener Baum *m*; Schlaghüter *m*; ⚠ Rüstbaum *m*.

balivern|e [bali'vɛrn] *f* (*mst. pl.*) Albernheit *f*, Quatsch *m*, kindischer Zeitvertreib *m*; **~er** [~'ne] *v/i.* (1a) Possen reißen, Quatsch machen.

balkan|ique [balka'nik] *adj.* balkanisch, Balken...; **~isation** [~nizɑ'sjɔ̃] *f bsd. pol.* Balkanisierung *f*; **~iser** [~ni'ze] *v/t.* (1a) balkanisieren.

Balkans *géogr.* [bal'kɑ̃] *m/pl.*: **les ~** der Balkan *m/sg.*

ballade [ba'lad] *f* Ballade *f*; *fig. c'est le refrain de la ~* das ist die alte Leier.

ballant [ba'lɑ̃] **I** *adj.* schlenkernd; *les bras ~s* tatenlos; **II** *m* Schwingen *n*; *avoir du ~* hin- u. herschwingen.

ballast [ba'last] *m* ⊕, ⚓ Ballast *m*; (*Stein-*)Schotter *m*; Bettung *f*, Bahndamm *m*; *bét.* Zuschlagstoff *m*; **~age** [~'taːʒ] *m* Beschotterung *f*, Schüttpacklage *f*, Schüttung *f*; **~er** [~'te] *v/t.* (1a) beschottern; ⚓ mit Ballast beladen; **~ière** [~'tjɛːr] *f* Kies-, Sand-grube *f*.

balle [bal] *f* **1.** (*Spiel-*) Ball *m*; *Tennis*: *~ coupée* Schnittball *m*; *~ (passée) au ras du filet* Flachball *m*; *~ basse* Tiefaufschlag *m*; *jouer à la ~* Ball spielen; *jouer à la ~ au chasseur* Jagdball spielen; *Sport*: *placer une ~* ein Tor schießen; *se passer la ~* sich den Ball zuspielen; *fig. avoir la ~ belle* e-e günstige Gelegenheit haben; *saisir la ~ au bond* die Gelegenheit beim Schopf ergreifen; *lancer la ~ à q.* j-m etw. zuschanzen; *rater sa ~* e-e günstige Gelegenheit verpassen; *c'est ma ~* laßt mich nur machen; **2.** Ballspiel *n*; **3.** Kugel *f*; *~ pointue (incendiaire)* Spitz-(Brand-)geschoß *n*; *~ de fusil* Gewehrkugel *f*; *chargé à ~* scharf geladen; *tirer à ~* scharf schießen; *~ conique* Spitzkugel *f*; *~ explosive* Sprengkugel *f*; *~ morte* Prellschuß *m*; *~ perdue* matte Kugel *f*; *~ à enveloppe d'acier* Stahlmantelgeschoß *n*; *~ perforante* Stahlkerngeschoß *n*; *~ d'essai* Probeschuß *m*; *~ lumineuse* Leuchtkugel *f*; **4.** ✝ (*Waren-*)Ballen *m*; *porter la ~* Hausierer sein; **5.** *fig. rimeur m de ~* Reimschmied *m*; **6.** Spreu *f*; **7.** P Frank(en) *m*; **8.** P Ballon(schädel *m*) *m*; *quelle drôle de ~!* was für ein ulkiger Ballon!; **9.** *enfant m de la ~* Artistenkind *n*, das von klein auf mitarbeitet.

ballerine [bal'rin] *f* Ballerina *f*.

ballet [ba'lɛ] *m* Ballett *n*; *~ rose* (*od. bleu*) obszöne Party *f*.

ballon [ba'lɔ̃] *m* **1.** Fußball *m*, großer Ball *m*; **2.** (Luft-)Ballon *m*; *~ d'observation* Beobachtungsballon *m*; *~ libre, stratosphérique* Frei-, Stratosphären-ballon *m*; *ramener un ~ à terre* e-n Ballon einholen; *lancer un ~* e-n Ballon steigen lassen; *~ captif* Fesselballon *m*; *~ d'essai a. fig.* Versuchsballon *m*; *fig.* Fühler *m* auf die öffentliche Meinung; *~ sonde* selbsttätiger Registrierballon *m*; **3.** Glas *n Rotwein*; **4.** ⚗ Glaskolben *m*.

ballon|nement [balɔn'mɑ̃] *m* Aufblähung *f*; **~ner** [~'ne] *v/t. u. v/rfl. se ~* (1a) (sich) mit Gas füllen, (sich) (auf)blähen; **~net** [~'nɛ] *m* kleiner Ballon *m*; Ballonett *n*, Gaszelle *f e-s lenkbaren Luftschiffs*.

ballot [ba'lo] *m* **1.** (kleiner) Ballen *m*; Güterballen *m*; *par ~s* ballenweise; **2.** F Blödkopf *m*; **3.** P *~ de pipe* Zigarette *f*.

ballot|tage [balɔ'taːʒ] *m* **1.** Kugelwahl *f*; **2.** Stichwahl *f*, engere Wahl *f*; **~tement** [balɔt'mɑ̃] *m* Hin- u. Her-schütteln *n*, -werfen *n*, -rollen *n*; **~ter** [balɔ'te] (1a) **I** *v/t.* **1.** hin u. her schütteln; ⚓ *être ballotté (par les flots)* auf den Wellen hin und her geworfen werden *od.* treiben; **2.** *fig.* in e-r Stichwahl wählen; *~ deux candidats* zwischen zwei Kandidaten in e-r engeren Wahl entscheiden; **II** *v/i.* hin u. her schwanken, laufen; sich bewegen; rukkeln, klappern (*Tür*).

bal(l)uchon F [baly'ʃɔ̃] *m* Bündel *n*; *faire son ~* sein Bündel schnüren; **~ner** * [~ʃɔ'ne] *v/i.* mit den gestohlenen Sachen das Weite suchen.

bal-musette [balmy'zɛt] *m* (6b) Volksball *m*; einfaches Tanzlokal *n*.

balnéaire [balne'ɛːr] *adj.*: *saison f ~* Badezeit *f*; *station f ~* Badeort *m*.

bâlois [ba'lwa] *adj.* (7) aus Basel.

balourd [ba'lur] **I** *adj.* schwerfällig, trottelig, schwer von Begriff, blöde, dumm, tölpelhaft; **II** *m* **1.** Trottel *m*, Blödling *m*, Dummkopf *m*, Tölpel *m*; **2.** ⊕, *Auto*: *~s m/pl.* Unwucht *f*, fehlende Balance (*bei sich drehenden Rädern usw.*); **~e** F [ba'lurd] *f* dumme Gans *f* F; **~ise** [~'diːz] *f* Trottelei *f*, Blödheit *f*, Dummheit *f*.

baltique [bal'tik] *adj.* baltisch, Ostsee...; *la* ♀ die Ostsee.

balus|trade [balys'trad] *f* Geländer *n*; **~tre** [ba'lystrə] *m* △ Docke *f*, Geländersäule *f*; ⚒ Stechzirkel *m*.

bal|zan [bal'zɑ̃] *adj. u. su.* (7) (*cheval m*) *~* schwarzes (*od.* rotbraunes) Pferd *n* mit weißgefleckten Füßen; **~zane** [~'zan] *f* weißes Abzeichen *n* am Pferdefuß.

bambin F [bɑ̃'bɛ̃] *m* kleiner Junge *m*, Steppke *m* F; **~e** F [bɑ̃'bin] *f* kleiner Krümel *m* (*a. für Mädchen*).

bambo|chade [bɑ̃bɔ'ʃad] *f* **1.** groteskes Gemälde *n*; **2.** F Bierreise *f*; **~che** F [bɑ̃'bɔʃ] *f* Saufgelage *n*; **~cher** F [bɑ̃bɔ'ʃe] *v/i.* (1a) herumsumpfen F, ein liederliches Leben führen.

bambou [~'bu] *m* **1.** Bambusrohr *n*; **2.** * Opiumpfeife *f*.

ban [bɑ̃] *m* **1.** (öffentliche) Verkündigung *f*, Bekanntmachung *f*; *~ de mariage* Aufgebot *n* e-s Brautpaares; *proclamer* (*od. publier*) *les ~s* (*de*) *Verlobte* aufbieten; **2.** Trommelwirbel *m*, Tusch *m*; *battre un ~* austrommeln; *fig.* im Rhythmus klatschen; **3.** *hist.* Aufgebot *n*, Aufruf *m* zur Heeresfolge; Heerzwang *m*; *convoquer le ~ et l'arrière-~* ein Massenaufgebot vornehmen; *fig.* den ganzen Troß zusammentrommeln; **4.** *hist.* Sprengel *m*, Bezirk *m*; Gerichtsbarkeit *f*; **5.** *hist.* Bann *m*, Verbannung *f*; Acht *f*.

banal [ba'nal] *adj.* (*m/pl. banals!*) banal, allgemein, gewöhnlich, abgedroschen, alltäglich; *amitié f ~e* Allerweltsfreundschaft *f*; *des compliments m/pl.* (*des propos m/pl.*) *banals* allgemeine Komplimente *n/pl.* (Worte *n/pl.*); *phrase f ~e* Gemeinplatz *m*, abgedroschene Redensart *f*; **~isation** [~liza'sjɔ̃] *f* **1.** 🚂 a) Verwendung *f* e-r betriebssicheren Lokomotive durch mehrere Arbeitstrupps; b) Pendelverkehr *m*; **2.** *fig.* Stellenabbau *m* im Arbeitskräfteplan; **3.** *néol.* Überlassung *f* zur öffentlichen Verwendung; **4.** *Polizeiauto*: Beseitigung *f* der polizeilichen Kennzeichen; **~iser** [~li'ze] *v/t.* (1a) *fig. etw.* herunter-reißen, -machen; *~ toute une région* e-e ganze Gegend verschandeln; **~ité** [~li'te] *f* Binsenweisheit *f*, Abgedroschenheit *f*, abgedroschenes Zeug *n*, Banalität *f*.

bana|ne [ba'nan] *f* ♀ Banane *f*; F ⚔ Auszeichnung *f*; *~s pl.* F ⚔ Lametta *n/sg.*; **~nier** ♀ [bana'nje] *m* **1.** Bananenbaum *m*; **2.** ⚓ Bananenschiff *n*, -transporter *m*.

banc [bɑ̃] *m* **1.** Bank *f* (*zum Sitzen*); *petit ~* Fußbank *f*; ⚖ *~ des accusés* Anklagebank *f*; *~ de la défense* Verteidigerbank *f*; ⚓ *~ de quart* Wachtbank *f*; **2.** ⊕ Tisch *m*, Bank *f*; Gestell *n*; Bett *n* (*e-r Drehbank*); *~ d'essai*, *~ d'épreuve* Prüfstand *m*; *~ en croix* Kreuzbett *n* (*e-s Fräswerks*); **3.** ⚓ Bank *f*, Untiefe *f*; *~ de sable* Sandbank *f*; **4.** *~ de harengs* Heringszug *m*; *~ d'huîtres* Austernbank *f*; **5.** Lager *n*, Schicht *f*; *~ de pierre* Steinschicht *f*; **6.** *~ de glace* schwimmende Eismasse *f*.

bancaire [bɑ̃'kɛːr] *adj.* Bank...

bancal [bɑ̃'kal] *adj.*, *pl.* *~s*, *u. su.* krummbeinig; wacklig; Krummbeinige(r) *m*.

banche [bɑ̃ːʃ] *f* **1.** *géol.* Tonmergelschicht *f*; **2.** △ Schalwand *f*, Holzverschalung *f*, Stampfbohle *f*.

banco *Spiel* [bɑ̃'ko] Einsatz *m* (*beim Spiel*); *fig.* Glücksversuch *m*; *faire ~* die Bank halten; *~!* * einverstanden!; alles in Ordnung!; ja!

bancroche F [bɑ̃'krɔʃ] *adj. u. su.* krummbeinig; Krummbeinige(r) *m*.

banda|ge [bɑ̃'daːʒ] *m* **1.** Verbinden

n; **2.** Verband(zeug *n*) *m*, Binde *f*; ~ *de fortune* Notverband *m*; ~ *herniaire* Bruchband *n*; **3.** ⊕ (Fahrrad-, Auto-)Reifen *m*, Bereifung *f*; *Fahrrad*: Mantel *m*; ~ *plein* Vollgummibereifung *f*; **~giste** [bɑ̃da'ʒist] **I** *m* Bandagen-verfertiger *m*, -verkäufer *m*; **II** *adj. chirurgien m* ~ Bruchartzt *m*.

bande [bɑ̃:d] *f* **1.** Binde *f*, Band *n*, Streif(en) *m*; *bill.* Bande *f*; *Film*: Film-, Bild-streifen *m*; ⚔ ~ *de mitrailleuse* MG-Patronengurt *m*; ~ (*hygiénique*) Damenbinde *f*; ~ *sonore* (*od. magnétique*) Tonband *n*; ~ *molletière* Wickelgamasche *f*; ~ *télégraphique* Morsestreifen *m*; ~ *de terrain* Geländestreifen *m*; ~ *gazonnée* Grünstreifen *m*; ~ *médiane* Mittelstreifen *m* (*Straßenbau*); ~ *collante od.* ~ *à coller* Klebestreifen *m*; ~ *dessinée* Comic-Streifen *m*; ☏ *sous* ~ unter Streif- (*a.* Kreuz-) band; **2.** ~ *de fer* eisernes Band *n*, eiserne Schiene *f*; ⊕ ~ *transbordeuse*, ~ *transporteuse* Gurtförderer *m*; Fließ-, Förder-band *n*, Bandförderer *m*; **3.** Rand *m*, Einfassung *f*; Leiste *f*; **4.** ⚓, ✈ (Schlag-)Seite *f*; *donner de la* ~ sich auf die Seite neigen, Schlagseite haben; **5.** a) Trupp *m*, Schar *f*, ~ *de loups* Rudel *n* Wölfe; ~ *d'oiseaux* Zug *m* (*od.* Flug *m*) Vögel; b) *mv.p.* Bande *f*, Rotte *f*; ~ *de brigands* Räuberbande *f*; *faire* ~ *à part* sich absondern; **6.** ~*s pl. de Jupiter* Streifen *m/pl.* auf dem Jupiter; **7.** ~ *côtière* Küstenstreifen *m*; ~ *de forêt* Waldstreifen *m*.

bande-adresse [bɑ̃da'drɛs] *f* (6a) Adressenbanderole *f* (*für Zeitschriften*).

bandeau [bɑ̃'do] *m* (5b) **1.** Binde *f*, Stirnband *n*; *le* ~ *royal* das königliche Diadem; **2.** Augenbinde *f*; *fig.* Schleier *m*; *avoir un* ~ *sur les yeux* ein Brett vorm Kopf haben P; *faire tomber le* ~ *des yeux de q.* j-m die Augen öffnen; **3.** △ Bandgesims *n*.

bandelette [bɑ̃'dlɛt] *f* **1.** kleine Binde *f*, Bändchen *n*; **2.** ~ (*agglutinative*) Streifchen *n* Heftpflaster; **3.** Mumienhülle *f*; **4.** *fer m de* ~ Bandeisen *n*; **5.** △ kleine Leiste *f*.

bander [bɑ̃'de] (1a) **I** *v/t.* **1.** zu-, ver-binden; **2.** *Bogen*, *Feder* spannen; *fig.* ~ *ses forces* s-e Kräfte anspannen; **3.** ~ *une balle* e-n Ball ins Garn schlagen; **4.** ▨ mit Streifen versehen; **5.** △ ~ *une voûte* ein Gewölbe schließen; **6.** *cuis.* ~ *une tarte* e-e Torte berändern; **II** V *v/i.* geil sein *od.* werden; **III** *v/rfl. se* ~ sich ein Band umbinden; sich spannen.

bande|reau [bɑ̃'dro] *m* Trompetenschnur *f*; **~rille** [~'drij] *f* Wurfpfeil *m der Stierkämpfer*; *allg.* Pfeil *m*; **~role** [~'drɔl] *f* **1.** ⚓ Wimpel *m*; Fähnlein *n*; **2.** Spruchband *n*, Transparent *n*; **3.** Patronentaschenriemen *m*; Wehrgehenk *n*.

ban|dit [bɑ̃'di] *m* Bandit *m*, Straßenräuber *m*; Landstreicher *m*; **~ditisme** [~di'tism] *m* Banditentum *n*.

bandothèque [bɑ̃dɔ'tɛk] *f* Bandarchiv *n* (*für ein Diktaphon*).

bandoulière [bɑ̃dul'jɛ:r] *f* Schulterriemen *m*; *advt.* en ~ quer über Schulter und Brust.

Bangla-Desh *géogr.* [bɑ̃gla'dɛʃ]: **le** ~ *m* Bangla Desh *n* (*seit 18. 12. 1971*).

banlieu|e [bɑ̃'ljø] *f* Vorortsgegend *f*, nähere Umgebung *f*; *ehm.* Bannmeile *f*; *localité f de la* ~ Vorort *m*; **~riser** *péj.* △ [~ri'ze] *v/t.* (1a) zersiedeln; **~sard** F [~'za:r] *su.* Vorstädter *m*.

banne [ban] *f* **1.** großer Korb *m*; **2.** Kohlen-karren *m*, -wagen *m*; ⚒ Hund *m*; **3.** grobe Leinwand *f*; Plane *f auf e-m Wagen*; **4.** ⚓ Sonnen-, Schutz-zelt *n*.

banneau [ba'no] *m* **1.** Kübel *m*, Bütte *f*; **2.** (kleiner) Korb *m*; **3.** Karren *m*.

banner [ba'ne] *v/t.* (1a) mit e-r Plane bedecken.

banneton [ban'tɔ̃] *m* **1.** Fischkasten *m*; **2.** Teigkorb *m*.

bannière [ba'njɛ:r] *f* **1.** Banner *n*, Panier *n*; **2.** (Kirchen-)Fahne *f*; **3.** ⚓ Flagge *f*; **4.** P Hemd *n*.

bannir [ba'ni:r] (2a) **I** *v/t.* **1.** (ver-)bannen, des Landes verweisen, ächten; **2.** ausschließen, entfernen; ~ *un mot* ein Wort ausmerzen *od.* verpönen; **3.** *Furcht* vertreiben; **4.** *Getränk* meiden; **II** *v/rfl. se* ~ sich fernhalten.

bannissement [banis'mɑ̃] *m* Verbannung *f*, Landesverweisung *f*.

banque [bɑ̃:k] *f* **1.** *fin.*, ⚕ Bank *f*, Bank-haus *n*, -geschäft *n*; ~ *du commerce extérieur* Außenhandelsbank *f*; ~ *coopérative* Genossenschaftsbank *f*; ~ *de crédit* Kreditbank *f*; ~ *de dépôt et de virement* Girobank *f*; ~ *de données cyb.* Datenbank *f*; ~ *d'émission* Notenbank *f*; ~ *d'em-*

prunt Darlehnskasse *f*; ~ *d'enregistrement* ✈ Flugscheinschalter *m*; ~ *d'escompte* Diskontobank *f*; ~ *foncière*, ~ *immobilière*, ~ *territoriale* Bodenkreditanstalt *f*; ~ *hypothécaire* Hypothekenbank *f*; ~ *nationale* Staats-, National-bank *f*; ♀ *des Règlements Internationaux* Bank *f* für internationalen Zahlungsausgleich; *billet m de* ~ Banknote *f*; *mouvements m/pl. de* ~ Bankverkehr *m*; **2.** (Spiel-)Bank *f*; *faire sauter la* ~ die Bank sprengen; **3.** ⚕ ~ *du sang* Blutbank *f*; **4.** * Zirkus-welt *f*, -kreise *m/pl.*

banquerou|te ✝ [bɑ̃'krut] *f* Bankrott *m*, Zahlungseinstellung *f*; Pleite *f* F; *faire* ~ Bankrott, Pleite machen F; bankrott gehen; *faire* ~ *à l'honneur* ehrlos handeln; **~tier** [~'tje] *su.* (7b) bankrotter Kaufmann *m*; Bankrotteur *m*.

banquet [bɑ̃'kɛ] *m* Bankett *n*.

banque|ter [bɑ̃k'te] *v/i.* (1c) schmausen, schlemmen; **~teur** [~'tœ:r] *m* Schmauser *m*, Zecher *m*.

banquette [bɑ̃'kɛt] *f* **1.** Bank *f* ohne Lehne; *Auto*: Sitz *m*; *Auto*: ~ *arrière* hintere Sitzbank *f*; *thé. jouer devant les* ~*s* vor leerem Haus spielen; **2.** erhöhter Seitenweg *m*; **3.** ⚠ Fensterbank *f*; **4.** 🚃, *tram.* Bank *f*; **5.** Schutzhecke *f*.

banquier [bɑ̃'kje] *su.* (7b) **1.** ✝ Bankier *m*; Bankinhaber(in *f*) *m*; **2.** *Spiel*: Bankhalter *m*.

banquise [bɑ̃'ki:z] *f* Packeis *n*.

baobab ♀ [baɔ'bab] *m* Affenbrotbaum *m*.

baptême [ba'tɛ:m] *m* Taufe *f*.

baptis|er [bati'ze] *v/t.* (1a) taufen; *Schiff* taufen, einweihen; ~ *du vin* Wein mit Wasser verdünnen; ~ *q.* j-m e-n Spitznamen geben; **~mal** [~tis'mal] *adj.* (5c) zur Taufe gehörig; Tauf...; *eau f* ~*e* Taufwasser *n*; *fonts m/pl. baptismaux* Taufbecken *n*; **~taire** [~tis'tɛ:r] *adj. u. m* Tauf...; (*registre m*) ~ *m* Taufbuch *n*; *extrait m* ~ Taufschein *m*.

baptistère [batis'tɛ:r] *m* Taufkapelle *f*.

baquet [ba'kɛ] *m* Kübel *m*; *Auto*: ~ *«silent ride»* Schalensitz *m*.

baque|tage [bak'ta:ʒ] *m* Wasserschöpfen *n*; **~ter** [~'te] *v/t.* (1c) ausschöpfen; **~tures** [~'ty:r] *f/pl.* Tropf-, Leck-wein *m*.

bar¹ *icht.* [ba:r] *m* Wolfsbarsch *m*, Barbe *f*.

bar² [~] *m* Bar *f*.

bar³ [~] Bar *n* (*Druckmaß*; *1 b* = 10^6 *dyn/cm*²).

bara|gouin [bara'gwɛ̃] *m*, *a.* **~gouinage** [~gwi'na:ʒ] *m* Kauderwelsch *n*; unverständliche Sprechweise *f*; Gewäsch *n*; **~gouiner** [~gwi'ne] *v/i. u. v/t.* (1a) kauderwelsch reden, schlecht aussprechen; vor sich herstammeln.

baraque [ba'rak] *f* **1.** Baracke *f*, Feld-, Lager-hütte *f*; **2.** *fig.* Baracke *f*, schlechtgebautes Haus *n*, (*a. Jahrmarkts-*) Bude *f*; **3.** *fig.* F *casser la* ~ e-n durchschlagenden Erfolg haben.

baraquement [barak'mɑ̃] *m* **1.** Barackenbau *m*; **2.** Barackenlager *n*; **3.** Unterbringen *n* im Barackenlager; Barackenleben *n*.

baraquer [bara'ke] (1m) **I** *v/i.* **1.** in Baracken leben; **2.** sich zusammenkauern, niederhocken (*Kamele*); **II** *v/t.* in Baracken unterbringen.

baraterie ⚓ [bara'tri] *f* Unterschleif *m* (*des Kapitäns*).

barathre *antiq.* [ba'ratrə] *m* Schindanger *m*.

baratin P [bara'tɛ̃] *m* Bluff *m*.

baratiner P [barati'ne] *v/t.* (1a) an der Nase herumführen, zum besten halten.

barat|te [ba'rat] *f* Buttermaschine *f*; ~*-malaxeuse* Butterknetmaschine *f*; **~ter** [bara'te] *v/t.* (1a) buttern; *Margarine*: kirnen; **~teuse** ⊕ [~'tø:z] *f* Buttermaschine *f*.

barbacane [barba'kan] *f* **1.** *ehm. frt.* Schießscharte *f*; **2.** ⚠ Abzugsloch *n*, (Wasser-)Abflußloch *n*; **3.** ⚠ enges Kirchenfenster *n*.

barbant P [bar'bɑ̃] *adj.* langweilig, öde.

barbaque P [bar'bak] *f* (schlechtes) Fleisch *n*.

barbar|e [bar'ba:r] **I** *adj.* **1.** barbarisch, grausam; **2.** ungesittet; **3.** *gr.* sprachwidrig; **4.** rauh klingend; **II** *m* Barbar *m*, Unmensch *m*, ungebildeter Mensch *m*; **~esque** [~'rɛsk] *adj.* berberisch.

barba|rie [barba'ri] *f* **1.** Barbarei *f*, Grausamkeit *f*; **2.** *fig.* Roheit *f*; Unkultur *f*; ~ *de langage* Sprachwidrigkeit *f*; **3.** ♪ *orgue f de* ~ Leierkasten *m*, Drehorgel *f*; **~risation** *hist.* [~rizɑ'sjɔ̃] *f* Ausbreitung *f* des Einflusses der Barbaren; **~riser** [~ri'ze] *v/t.* (1a) verrohen; **~risme** [~'rism] *m* Sprachwidrigkeit *f*.

barbe¹ [barb] *f* **1.** Bart *m*; ~ *à la Henri IV* Zwickelbart *m*; (~) *royale f* Bart *m* an der Unterlippe; (~ *de*) *bouc m* Bart *m* unter dem Kinn; *plat m à* ~ Rasierbecken *n*; *trousse f à* ~ Rasierzeug *n*; *ast.* ~ *d'une comète* Kometenbart *m*; *faire la* ~ (*à*) rasieren; *faire faire sa* ~ *od. se faire faire la* ~ sich rasieren lassen; *laisser pousser sa* ~ sich den Bart wachsen lassen; *rire à la* ~ *de q.* j-m ins Gesicht lachen; F ~ *de sapeur* stattlicher Vollbart *m*; *fig. faire qch. à la* ~ *de q.* etw. vor j-s Nase tun; **2.** F *fig. vieille* ~ alter Trottel *m*; ~ *grise* alter Mann *m*; *jeune* ~ grüner Junge *m*; **3.** unsaubere Stelle *f*, Schimmel-, Stock-fleck *m*; **4.** ⚘ Bart *m* Haar *n auf Blättern und Blüten*; ~*s pl.* Grannen *f/pl.*; ~ *de la clef* Schlüsselbart *m*; **5.** P (*c'est*) *la* ~! mir (uns) reicht's!; verdammt nochmal! (*als Antwort auf unangenehme Nachricht*); ist das öde! (*od.* langweilig!).

barbe[2] [~] *adj. u. m* (*cheval m*) ~ Berberpferd *n*.

barbeau [bar'bo] **I** *m* **1.** *icht.* Barbe *f*; **2.** ⚘ Kornblume *f*; **II** *adj. inv. bleu* ~ kornblumenblau.

barbecue [barbə'kju] *m* Gartengrill *m*.

barbelé [barbə'le] *adj.* mit Widerhaken; *fil m de fer* ~ Stacheldraht *m*; *les* ~*s m/pl.* der Drahtverhau.

barber F [bar'be] **I** *v/t.* langweilen; ~ *q.* j-m auf die Nerven fallen; **II** *v/rfl. se* ~ sich langweilen.

barbet [bar'bɛ] *m* langhaariger Spaniel *m*; Pudel *m*.

barbi|che [bar'biʃ] *f* kleiner Kinnbart *m*; ~**chet,** ~**chon** [barbi'ʃɛ, ~'ʃɔ̃] *m* kleiner Pudel *m*; ~**chette** [~'ʃɛt] *f* Kinnbärtchen *n*.

barbier [bar'bje] *m* Barbier *m*.

barbifier F [barbi'fje] *v/t.* (1a) barbieren, rasieren.

barbillon [barbi'jɔ̃] *m* **1.** *icht.* a) junge Barbe *f*; b) Bartfaden *m e-s Fisches*; **2.** Widerhäkchen *n*.

barbiturique *phm.* [~ty'rik] *m* Schlafmittel *n* mit Barbitursäure.

barbon *péj.* [bar'bɔ̃] *m* Graubart *m*, Hagestolz *m*, Eigenbrötler *m*; *fig. faire le* ~ altklug tun.

barbote *icht.* [bar'bɔt] *f* Aalquappe *f*.

barbo|tage [barbɔ'ta:ʒ] *m* Plätschern *n*; Kleietrank *m für Vieh*; P Stibitzen *n*, Klauen *n*; ~**tement** [~bɔt'mɑ̃] *m* Plätschern *n*; Gründeln *n* (*Ente*); ~**ter** [~bɔ'te] (1c) **I** *v/i.* **1.** plätschern; gründeln (*Ente*); **2.** im Schlamm waten; **II** *v/t.* **3.** undeutlich reden, faseln; P wegstibitzen, klauen; ~**teur** [~'tœ:r] *m* **1.** Hausente *f*; **2.** P Dieb *m*; ~**teuse** [~'tø:z] *f* **1.** Spielanzug *m*; **2.** Waschmaschine *f*; ~**tière** [~'tjɛ:r] *f* **1.** Entenpfuhl *m*; **2.** Tränkfaß *n*; ~**tine** [~'tin] *f* Töpferkitt *m*.

barbouil|lage [barbu'ja:ʒ] *m* **1.** Kleckserei *f*, Pinselei *f*, Sudelei *f*, Schmiererei *f*; **2.** *fig.* unverständliches Geschwätz *n*, Gefasel *n*; ~**ler** [~'je] (1a) **I** *v/t.* **1.** grob anstreichen; **2.** besudeln; **3.** F schlecht (aus-)sprechen *od.* erzählen (*a. abs.*); **4.** verpfuschen; hinschmieren, fehlerhaft schreiben; *j'en ai le cœur barbouillé* mir ist (*od.* wird) schlecht davon; **5.** bloßstellen, anschwärzen; **II** *v/rfl.* **6.** *se* ~ *de* sich beschmutzen mit; **7.** sich den Kopf vollpfropfen; **8.** sich verwirren (*in e-r Rede*); **9.** sich trüben (*Himmel*); ~**leur** [~'jœ:r] *su.* (7g) **1.** Anstreicher *m*; *iron.* Farben-, Tinten-kleckser *m*; Schreiberling *m*; F ~ *de rose* Optimist *m*; F ~ (*de papier*) schlechter Schriftsteller *m*; **2.** F *fig.* Schwätzer *m*; ~**lis** [~'ji] F *m* Geschmiere *n*; ~**lon** [~'jɔ̃] *su.* (7c) Pfuscher *m*.

barbouz|e P [bar'bu:z] *f* **1.** Bart *m*; **2.** Gorilla *m* (*Geheimpolizist*); ~**ien** [~'zjɛ̃] *adj.*: *politique f* ~*ne* Politik *f* mit Geheimpolizisten.

barbu [bar'by] **I** *adj.* **1.** bärtig; ~ *comme un sapeur* mit e-m stattlichen Vollbart; **II** *m* **2.** Bärtige(r) *m*; **3.** *orn.* Bartvogel *m*.

barbue *icht.* [bar'by] *f* Butte *f*.

barcarolle [barka'rɔl] *f* Barkarole *f*, Gondellied *n*.

barcasse ⚓ [bar'kas] *f* Barkasse *f*.

barcelonnette [barsəlɔ'nɛt] *f* Hängewiege *f* (*für Babys*).

bard △ [ba:r] *m* Trage *f der Maurer*; ~**a** F [bar'da] *m* Kram *m*, *a.* ⚔ Gepäck *n*, Sachen *f/pl.*; ~**age** [bar'da:ʒ] *m* Tragen *n* auf e-r Bahre.

bardane ⚘ [bar'dan] *f* Klette *f*.

barde [bard] *m ehm.* Barde *m*; *allg.* Dichter *m*, Sänger *m*.

bardeau [bar'do] *m* **1.** △ (Dach-)Schindel *f*; **2.** *zo.* kleiner Maulesel *m*; *fig.* Packesel *m*.

bardée [bar'de] *f* **1.** eine Trage-voll; **2.** Speckhülle *f eines Bratens*.

bardelle [bar'dɛl] *f* Reitkissen *n*.

barder [bar'de] **I** *v/t.* (1a) **1.** △ auf e-e Trage laden; **2.** a) ⊕ bewehren, panzern; b) *hist. e-m Pferd* den Harnisch anlegen (*dat.*); **3.** mit Speck(scheiben) umwickeln; **II** *v/i.* P gefährlich werden; scharf hergehen; P *ça va* ~! nun wird's dicke!; *ça barde ici* hier ist dicke Luft (*Ge-*

fahr; *Arbeit*); hier ist Hochdruck (*Arbeit*).

bardeur ⚠ [bar'dœ:r] *m* Steinträger *m*.

bardot [bar'do] *m* **1.** = *bardeau* 2; **2.** *fig.* Packesel *m*, Zielscheibe *f* des Spottes.

barème [ba'rɛm] *m* **1.** Rechentabelle *f*; *selon le* ~ nach Adam Riese; **2.** Tariftabelle *f*, Lohnskala *f*, Verrechnungsschlüssel *m*; **3.** Strafskala *f* (*des Militärgesetzes*).

barge [barʒ] *f* **1.** *orn.* Uferschnepfe *f*; **2.** Heuhaufen *m*; **3.** ⚓ Barke *f*; ~ *métallique* Ponton *m*, Schubteil *m*.

baril [ba'ri] *m* Faß *n*, kleine Tonne *f*.

barillet [bari'jɛ] *m* Fäßchen *n*; Federgehäuse *n* (*in Uhren*); *revolver m à* ~ Trommelrevolver *m*.

bario|lage [barjɔ'la:ʒ] *m* buntes Farbengemisch *n*; *fig.* geschmacklose Zs.-stellung *f*; **~lé** [~'le] *adj.* buntscheckig; **~ler** [~'le] *v/t.* (1a) bunt bemalen; *fig.* ~ *son style* geschmacklos schreiben; **~lure** [~'ly:r] *f* buntes Allerlei *n*.

barjot P [bar'ʒo] *m* junger Pariser Stromer *m*.

barlon|g, ~gue [bar'lɔ̃, ~'lɔ̃:g] *adj.* ⚠ ungleichmäßig viereckig; ungleich lang.

barlotière [barlɔ'tjɛ:r] *f* eiserne Quersprosse *f* (*Kirchenfenster*).

barmaid [bar'mɛd] *f* Bardame *f*.

barman [bar'man] *m* Barkeeper *m*.

barnache, barnacle *orn.* [bar'naʃ, ~'naklə] *f* Ringelgans *f*.

baromètre [barɔ'mɛ:trə] *m* Barometer *n*.

baron [ba'rɔ̃] *m* Freiherr *m*, Baron *m*; **~ne** [ba'rɔn] *f* Baronin *f*.

baroque [ba'rɔk] **I** *adj.* barock; wunderlich, eigenartig, sonderbar; **II** *m* Barock *n*; ~ *tardif* Spätbarock *n*.

baroud P [ba'ru] *m* Rauferei *f*, Streit *m*, Krach *m*, Auseinandersetzung *f*; ⚔ Kampf *m*; **~eur** P [~'dœ:r] *m* Raufbold *m*.

barouf|e P [ba'ruf] *m*, **~le** P [ba'ruflə] *m* Höllenlärm *m*, Klamauk *m*.

bar|que [bark] *f* Kahn *m*; *mener* (*od. conduire*) *la* ~ das Ruder führen; *fig.* die Sache leiten; die Hosen anhaben (*v. e-r Frau*); *poét.* ~ de (*od.* P *à*) *Caron* Charons (stygischer) Nachen *m*; *fig. passer dans la* ~ (*de Caron*) *od. dans la* ~ *fatale* sterben; **~quée** [bar'ke] *f* Ladung *f* e-r Barke; **~querolle** [~kə'rɔl] *f* Lagunenboot *n*; **~quette** [~'kɛt] *f* **1.** ⚓ kleine Barke *f*; **2.** *pât.* kleines Gebäck *n* in Gestalt eines Schiffchens.

barrage [ba'ra:ʒ] *m* **1.** Staudamm *m*, Wehr *n*, Talsperre *f*; ~-*voûte* ⊕ Bogengewichtsstaumauer *f*; **2.** Straßensperrung *f*; **3.** *hist.* Brücken-, Wege-geld *n*; **4.** *fort(in) m de* ~ Sperrfort *n*; *tir m de* ~ ⚔ Sperrfeuer *n*; ~ *aérien* ⚔ Luftsperre *f*; ~ *de feu*, ~ *d'artillerie* Feuervorhang *m*; ⚔ ~*s pl. des radars d'interception* Radarzaun *m*; ~ *roulant* Feuerwalze *f*.

barre [bɑ:r] *f* **1.** Stange *f*, Stab *m*; ⊕ Sperrstange *f*; ✈ Kufe *f e-s Landflugzeugs*; ⚡, 🚂 ~ *de traction* Leitschiene *f*; ~ *de guidage* Lenkstange *f*, Führungsstange *f*; *Auto*: ~ *de jonction* Verbindungsstange *f*; ~ *de chocolat* Schokoladen-stange *f*, -rippe *f*; Riegel *m* Schokolade; *at.* ~ *de contrôle* (*od. réglage*) Kontrollstab *m*; ~ *d'uranium* Uranstab *m*; **2.** (Metall-)Barren *m*; ⚡ Schiene *f*; ⚡ ~ *omnibus*, ~ *collectrice* Sammelschiene *f*; **3.** Balken *m*, Querholz *n*, Querstange *f*; Schlagbaum *m*; ~ *de rideau* Gardinenstange *f*; ~ *fixe od.* ~ *horizontale* Reck *n*; *gym.* ~*s parallèles* Barren *m/sg.*; ~ *d'écurie* Stallbaum *m*; ~ *d'appui* ⚠ Stützgeländer *n*, Brustlehne *f*; ♪ Baßbalken *m*; ~*s pl.* Schlittenkufen *f/pl.*; **4.** Federstrich *m*; *tirer la* ~ den Schlußstrich ziehen; **5.** ♪ ~ (*de mesure*) Taktstrich *m*; ~*s pl. de répétition* Wiederholungsstriche *m/pl.*; **6.** ⚓ a) ~ (*du gouvernail*) (Steuer-)Ruder *n*; b) ~ *d'eau* Barre *f*; Sandbank *f* (*an Flußmündungen*); **7.** ⚖ Schranke(n *pl.*) *f des Gerichtshofs*; *citer à la* ~ vor Gericht laden; **8.** *Sport*: *jeu m de* ~*s* Barlauf *m*; *jouer aux* ~*s* Barlauf spielen; *soulever la* ~ (*à boulets*) die Hantel stemmen; *toucher* ~*s* das Mal erreichen; *fig. avoir* ~ *sur q.* j-m etw. voraushaben; **9.** ⚠ Wohnblock *m*.

barreau [ba'ro] *m* (5b) **1.** Stange *f*, Querstab *m*; Gitterstange *f*; ~*x pl. de fenêtre* Fenstergitter *n*; **2.** ⚖ Anwaltsstand *m*, Advokatur *f*; *fréquenter le* ~ viel mit Rechtsanwälten umgehen; *quitter le* ~ den Anwaltsberuf aufgeben.

barrer [ba're] (1a) **I** *v/t.* **1.** ver-, zuschließen, verriegeln, vergittern; **2.** (ver)sperren; absperren; abdämmen; ~ *le chemin à q.* j-m den Weg versperren; *fig.* j-s Absichten durchkreuzen; *route f* (*od. rue f*) *barrée* gesperrte Straße; gesperrt!; **3.** ausstreichen; mit Querstrichen versehen; **4.** *barré adj.* versperrt, verriegelt; ✝ *chèque barré* gekreuzter

Scheck *m*; **II** *v/rfl.* se ~ P türmen, sich aus dem Staub machen.

barrés|ien *litt.* [bare'zjɛ̃] *su.* (7c), **~iste** [~'zist] *su.* Anhänger *m* von Maurice Barrès.

barrette [ba'rɛt] *f* **1.** Barett *n*; ~ (*rouge*) Kardinalshut *m*; **2.** Halter *m der Uhrkette*; **3.** Haarspange *f*; **4.** ⚒ Bergmannskappe *f*; **5.** ⊕ Stab *m*; *transporteur m à ~s* Holzgurtförderer *m*.

barreur ⚓ [ba'rœːr] *m* Steuermann *m*.

barrica|de [bari'kad] *f* Straßensperrung *f*, Barrikade *f*, Verhau *m*; **~der** [~ka'de] (1a) **I** *v/t.* verbarrikadieren; **II** *v/rfl.* se ~ sich verbarrikadieren; F *fig.* sich unzugänglich machen.

barrière [bar'jɛːr] *f* **1.** Schlagbaum *m*; 🚂 Schranke *f*; Schutzgatter *n*; ~ *antidérapage* Leitplanke *f* (*Autostraße*); ~ *douanière* Zollschranke *f*; ~ *mitoyenne* Grenzzaun *m*; **2.** *pl.* ~*s* Schranken *f/pl.*; Turnierplatz *m*; *fig.* Hindernis *n*; Grenze *f*; ~*s commerciales* Handelsschranken *f/pl.*

barrique [ba'rik] *f* Stückfaß *n*.

barrir [ba'riːr] *v/i.* (2a) *Elephant, Rhinozeros*: trompeten.

barrot [ba'ro] *m* kleines Anchovisfäßchen *n*.

barroter ⚓ [barɔ'te] *v/t.* (1a) vollstauen.

bartonien *géol.* [bartɔ'njɛ̃] *adj.* (7c): *étage m* ~ bartonische Stufe *f*.

baryt|e ⚗ [ba'rit] *f* Bariumoxyd *n*; **~é** ⚗ [~'te] *adj.*: *bouillie f ~e* Bariumbrei *m*.

baryton [bari'tɔ̃] *m* **1.** Bariton *m*; **2.** Baritonist *m*.

bas [bɑ] (7c) **I** *adj.* □ **1.** niedrig, nieder, klein; *marée ~se* Ebbe *f*; *pièce f ~se de plafond* niedriges Zimmer *n*; ⚡ *~se fréquence* Niederfrequenz *f*; **2.** tiefer (gelegen); *un ~ Breton* ein Niederbretone *m*; *chaussures f/pl. ~ses* Halbschuhe *m/pl.*; *le ~ Danube* die untere Donau; *poét.* ce ~ *monde* diese Welt hienieden; *pays ~* Tiefland *n*; *~ses terres* Niederungen *f/pl.*; *géogr. les Pays-*♀ *m/pl.* die Niederlande *n/pl.*; **3.** abwärts geneigt, gesenkt; *fig. faire main ~se sur qch.* etw. stehlen; F *fig. avoir l'oreille ~se* die Ohren hängen lassen, kleinlaut sein; *le jour est ~* der Tag neigt sich; *le temps est ~* das Wetter ist trübe; **4.** untergeordnet, niedrig; gering im Gehalt; *à ~ prix* zu niedrigem Preis, billig; *~ses cartes* niedrige Karten; *pol. chambre f ~se* Unterhaus *n*; *~ses classes* untere (*od.* niedere) Stände *m/pl.*; **5.** niedrig, gemein, schäbig, niederträchtig; *homme ~ et servile* niedrig denkender und knechtischer Mensch; *être de ~ étage* niedrig geboren *od.* minderwertig sein (*z. B. a. Literatur*); *sentiments m/pl.* ~ niedere (*od.* schäbige) Gesinnung *f*; *terme m ~* Ausdruck *m* der niedrigen Sprache; *au ~ mot* mindestens (*v. Preisen*); gelinde gesagt (*od.* ausgedrückt); **6.** *avoir la vue ~se* kurzsichtig sein; **7.** tief (*Ton*); leise (*Stimme*); *à voix ~se* leise, halblaut; *parler ~* leise sprechen; *fig. parler d'un ton plus ~* gelindere Seiten aufziehen; **8.** jugendlich; früh; *en ~ âge* in zartem Alter; *la ~se latinité* die Zeit des späten Vulgärlateins (*etwa 6.—8. Jh.*); **II** *adv.* **9.** niedrig, unten; *plus ~* weiter unten; ⚓ *couler ~* zugrunde gehen, versinken; *il est bien ~* er ist sehr heruntergekommen; *mettre ~* Junge bekommen, werfen, ferkeln, kalben; *mettre ~ les armes* die Waffen strecken; *mettre pavillon ~* die Flagge streichen; *fig.* nachgeben; *chapeau m ~* mit dem Hut in der Hand; *chapeau ~!* Hut ab!; *~ les pattes!* Hände weg!; **à ~ de** her-, hin-unter von; *sauter à ~ (od. en ~) de son lit* aus s-m Bett springen; *à ~ les députés!* nieder mit den Abgeordneten!; *en ~* hinunter, unten; *d'en ~* von unten; *de haut en ~* von oben bis unten; *fig. traiter q. de haut en ~* j-n hochmütig behandeln; *ici-bas* in dieser Welt, auf dieser Erde; *là-~* dort unten(hin); da draußen, dort; *hé là-~!* Sie da, aufgepaßt!; **III** *m* **10.** *das* Untere, Unterteil *n*, unteres Ende *n*; *au ~ (de la présente)* untenstehend (*im Brief*); **11.** *fig. das* Niedrige, Gemeine; **12.** langer Strumpf *m*; *~ de sport* Sport-, Knie-strumpf *m*; *~ araignée* Florstrumpf *m*; *~ de (od. en) caoutchouc, ~ à varices* Gummistrumpf *m*; *mettre (ôter) ses ~* die Strümpfe an- (aus-)ziehen; *~ de soie* seidener Strumpf *m*; *~-nylon, ~ de nylon (de sport)* (Sport-)Nylonstrumpf *m*.

basalte *géol.* [ba'zalt] *m* Basalt *m*.

basane ⊕ [ba'zan] *f* Schafleder *n*; *reliure f en ~ (reliure dos et coin ~* Halb-)Franzband *m*.

basa|né [baza'ne] *adj.* braungebrannt, sonnengebräunt; **~ner** [~] **I** *v/t.* (1a) *von der Sonne*: bräunen; **II** *v/rfl.* se ~ von der Sonne braun werden; **~nier** [~'nje] *su.* (7b) Schaflederhändler *m.*

bas-bleu F *péj.* [ba'blø] *m* (6g) Blaustrumpf *m.*

bascologue [baskɔ'lɔg] *m* Baskologe *m.*

bas-côté [bako'te] *m* **1.** Seitenschiff *n e-r Kirche*; **2.** ~ (*d'une route*) Straßenrand *m.*

bascu|laire [basky'lɛ:r] *adj.* schaukelnd; **~lant** [~'lɑ̃] *adj.* (7) kippend, kippbar; ⊕ *tambour m* ~ Kipptrog *m*; **~lateur** [~la'tœ:r] *m* ⊕ Kippvorrichtung *f*; *Auto*, *Waggon*: Kipper *m*; **~le** [bas'kyl] *f* **1.** Schaukel (-brett *n*) *f*; *chaise f à* ~ Schaukelstuhl *m*; *cheval m à* ~ Schaukelpferd *n*; *faire la* ~ umkippen, überschlagen; *jouer à la* ~ sich schaukeln; **2.** Schlag- *od.* Hebe-balken *m* (*e-r Ziehbrücke*); **3.** ~ *de puits* (Pumpen-) Schwengel *m*; **4.** Brücken-, Hebelwaage *f*; ~ *romaine* Zentesimalwaage *f*; **5.** Auslösung *f in Uhren*; **~ler** [~'le] **I** *v/i.* (1a) schaukeln, wippen, auf der Kippe stehen; ~ *dans le fossé* in den Graben kippen (*Auto*); **II** *v/t.* umkippen; **~leur** [~'lœ:r] *m* ⚡ Wippe *f*; ⊕ Kipper *m.*

bas-dessus ♪ [ba'dsy] *m* zweiter Sopran *m*, Diskant *m.*

base [ba:z] *f* **1.** Basis *f*; a) Grund *m*, Grund-lage *f*, -bestandteil *m*; *fig.* Grundsatz *m*; Hauptstütze *f*; *langue f de* ~ Kern-, Grund-, Elementarsprache *f*; ~ *d'entente* Verständigungsgrundlage *f*; b) *pol.* Basis (-gruppe) *f*; c) ⚘ Fruchtboden *m*; d) ⩚ Grund-linie *f*, -fläche *f*, -zahl *f*; **2.** ♪ Grundton *m*; **3.** ⚗ Base *f*; **4.** ⚔ Stützpunkt *m*; ~ *aéronavale* ✈ Seeflughafen *m*; ~ *maritime*, ~ *navale* Flottenstützpunkt *m*; ✈ ~ *expérimentale* Versuchsstützpunkt *m*; ~ *aérienne* Luftstützpunkt *m*; ~ *atomique* Atomstützpunkt *m*; ~ *de lancement* (*de fusées* Raketen-)Abschußbasis *f*; ~ *logistique* Nachschubbasis *f*; **5.** *éc.* ~ *du dollar* Dollarbasis *f.*

base-ball *Sport*: [bez'bo:l] *m* Baseball *m.*

base-or *éc.* [baz'ɔ:r] *f* Goldbasis *f.*

baser [bɑ'ze] *v/t.* (1a) **1.** gründen, stützen (*sur* auf *acc.*); **2.** *abus.* *se* ~ *sur* sich stützen auf, basieren auf.

base-vie [baz'vi] *f* (6b) Lebensbasis *f* (*v. Städten in unbewohnten Gegenden*).

bas-fond [ba'fɔ̃] *m* **1.** Niederung *f*; **2.** ⚓ Untiefe *f*; **3.** *fig.* *les* ~*s de la société* die untersten Schichten der Gesellschaft; die Hefe des Volkes, die Unterwelt.

basi|lic [bazi'lik] *m* **1.** ⚘ Basilienkraut *n*, Königskraut *n*; **2.** *zo.* Basilik *m*, Königseidechse *f*; *fig.* *yeux m/pl. de* ~ haßerfüllter Blick *m*; **~lique** [~] *f* **1.** *anat.* Haupt-, Königsader *f* am Arm; **2.** ⛪ Basilika *f.*

basin [ba'zɛ̃] *m* Barchent *m.*

basket-ball *Sport* [baskɛt'bo:l] *m* Korbballspiel *n*, Basketball *m.*

basketteur *Sport* [baskɛ'tœ:r] *su.* (7g) Basketballspieler *m.*

bas-latin [bala'tɛ̃] *adj.* spätvulgärlateinisch (s. *bas* I, 8).

baso|che *hist.* [ba'zɔʃ] *f* Basoche *f*; Gesamtheit *f* der Gerichtsleute; **~chien** *hist.* [bazɔ'ʃjɛ̃] (7c) *su.* Mitglied *n* der Basoche.

basquais [bas'kɛ] *adj. u.* ♀ *su.* baskisch; Baske *m.*

basque [bask] **I** *adj.* baskisch; **II** ♀ *su.* Baske *m*; *tambour m de* ♀ Schellentrommel *f*, Tamburin *n*; **III** *le* ~ die baskische Sprache; **IV** ~*s f/pl.* (Rock- *usw.*)Schoß *m*; *il est pendu à mes* ~*s* er hängt sich völlig an mich, er weicht mir nicht von der Pelle F.

bas-relief [barə'ljɛf] *m* Relief *n*, flacherhabene (Bildhauer-)Arbeit *f.*

basse [ba:s] *f* **1.** ♪ Baß *m*; ~ *continue* Generalbaß *m*; ~ *fondamentale* Grundbaß *m*; Baßstimme *f*; Baßgeige *f*, Bratsche *f*; Baßsaite *f*; Bassist *m*, Baßsänger *m*; **2.** ⚓ Untiefe *f*, Sandbank *f.*

basse|-contre [bas'kɔ̃:trə] *f* (6b) tiefer Baß *m*, Kontrabaß *m*, Kontrabassist *m*; **~-cour** [~'ku:r] *f* (6a) Hühner-, Vieh-hof *m*; Stall-, Wirtschafts-hof *m*; **~-courier** [~ku'rje] *su.* (7b *u.* 6g) Stallknecht *m*; Stallmagd *f*; **~-fosse** [~'fo:s] *f* (6a) Burgverlies *n*, tiefes Gefängnis *n*; **~-marée** [~ma're] *f* Ebbe *f.*

bassement [bas'mɑ̃] *adv.* zu *bas* niedrig, gemein, niederträchtig.

basses-eaux [bas'zo] *f/pl.* Ebbe *f*, niedriger Wasserstand *m.*

bassesse [ba'sɛs] *f* **1.** Niedrigkeit *f*; **2.** Niederträchtigkeit *f*, niedrige Handlung *f.*

basset [ba'sɛ] **I** *adj.* (7c) kurzbeinig; **II** *m* Dackel *m*, Teckel *m.*

basse|-taille [bas'ta:j] *f* (6a) ♪ tiefer Tenor *m*, erster Baß *m*, Baßbaritonstimme *f*; **~-tube** ♪ [~'tyb] *f* (6a) Bassetthorn *n*; **~-voile** [~'vwal] *f* (6a) Untersegel *n.*

bassin [ba'sɛ̃] **I** *m* **1.** Becken *n*, Schüssel *f*, Schale *f*; ~ *à barbe*

Rasierbecken *n*; **2.** ⚕ ~ (*de selle*) Stechbecken *n*; **3.** ~ (*de balance*) Waagschale *f*; **4.** Wasserbecken *n*; *géol.* Becken *n*; ~ *couvert* Hallenbad *n*; ~ *de la Loire* Stromgebiet *n* der Loire; ~ *de barrage*, ~ *de retenue* Stau-becken *n*, -see *m*; ⚒ ~ *houiller* Kohlenbecken *n*; *bét.* ~ *de dépôt* Schlammfang *m*, Klärbecken *n*; **5.** ⚓ Binnenhafen *m*; ~ (*de construction*) Dock *n*; ~ *flottant* Wasserflugzeugdock *n*; ⚓ *mettre en* ~ docken; ~ *à flot* Schwimmdock *n*; ~ *de radoub*, ~ *à sec* Trockendock *n*; **6.** *anat.* Becken *n*; **II** F *adj./inv.* langweilig.

bassinant F [basi'nɑ̃] *adj.* (7) langweilig.

bassine [ba'sin] *f* ⚗ Abdampfschale *f*; Blechwanne *f* (*a. für den Haushalt*); *chir.* kleines metallisches Becken *n*.

bassi|née [basi'ne] *f* Beckenvoll *n*; **~ner** [~] (1a) **I** *v/t.* **1.** (*das Bett*) mit der Wärmflasche erwärmen; **2.** ⚕ bähen; anfeuchten; ~ *une plaie* feuchte Umschläge auf e-e Wunde legen; **3.** *Pflanzen* angießen; **4.** F langweilen; **II** *v/rfl.* **5.** *se* ~ *les yeux* sich die Augen auswaschen; **~net** [~'nɛ] *m* **1.** Schälchen *n*; F *cracher au* ~ Geld herausrücken; **2.** *anat.* ~ (*du rein*) Nierenbecken *n*; **3.** *hist.* ⚔ Zündpfanne *f*; **4.** *hist.* ⚔ Sturmhaube *f*; Pickelhaube *f*; **~noire** [~'nwa:r] *f* **1.** kupferne Zierschale *f* (*zum Aufhängen an die Wand*); **2.** langweilige Person *f*.

bassiste ♪ [bɑ'sist] *m* Bassist *m*.

bas-slip [bɑ'slip] *m* Strumpfhose *f*.

basson ♪ [bɑ'sɔ̃] *m* **1.** Fagott *n*; **2.** *a.* **~iste** [bɑsɔ'nist] *m* Fagottist *m*.

baste [bast] *int.* genug!; hör bloß auf!

bastide [bas'tid] *f* Landhäuschen *n* (*in Südfrankreich*).

bastille *hist.* [bas'tij] *f* Zwingburg *f*; *la* ♀ die Bastille.

bastingage ⚓ [bastɛ̃'ga:ʒ] *m* Reling *f*, (Schiffs-)Verschanzung *f*.

bastion [bas'tjɔ̃] *m* Bollwerk *n*, Bastion *f*; **~ner** [bastjɔ'ne] *v/t.* (1a) mit Bastionen versehen.

bastonnade [bastɔ'nad] *f* Stockschläge *m/pl.*, Prügelstrafe *f*.

bastringue P [bas'trɛ̃:g] *m* einfaches Tanzlokal *n*; Radaumusik *f*; Spektakel *m*.

bas-ventre [bɑ'vɑ̃:trə] *m* Unterleib *m*.

bât [bɑ] *m* Packsattel *m*; *cheval m de* ~ Packpferd *n*; *fig.* Packesel *m*; *il sait où le* ~ *le blesse* er weiß, wo ihn der Schuh drückt.

bataclan F [bata'klɑ̃] *m* Kram *m*, Trödel *m*, Plunder *m*.

batail|le [ba'tɑ:j] *f* **1.** Schlacht *f*; *fig.* Streit *m*; Wortgefecht *n*; ~ *navale* Seeschlacht *f*; ~ *électorale* Wahlschlacht *f*; ~ *du travail*, *de la production* Arbeits-, Erzeugungsschlacht *f*; ⚔ ~ *offensive*, *défensive*, *décisive* Angriffs-, Verteidigungs-, Entscheidungs-schlacht *f*; ~ *de rupture*, *d'usure* Durchbruchs-, Dauerschlacht *f*; *livrer* ~ e-e Schlacht liefern; *champ m de* ~ Schlachtfeld *n*; *les* ~*s de la vie* der Kampf ums Dasein; **2.** *se ranger en* ~ sich in Schlachtordnung aufstellen; **3.** ~ *de fleurs* Blumenkorso *m*; **~ler** [bata'je] *v/i.* (1a) kämpfen; *fig.* sich streiten, sich herumzanken; ~ *pour la liberté de parole* für die Redefreiheit kämpfen; **~leur** [~'jœ:r] (7g) **I** *adj.* zank-, streit-süchtig; kampflustig; **II** *su.* Zänker *m*, Streithammel *m* F; **~lon** [~'jɔ̃] *m* Bataillon *n*, Schar *f*, Abteilung *f*; *chef m de* ~ Bataillonskommandeur *m*; ~ *d'instruction* Lehrbataillon *n*.

bâtard [bɑ'ta:r] **I** *adj.* (7) **1.** un-, außer-ehelich; Bastard...; **2.** unecht; After...; Zwitter...; falsch; **II** *m* uneheliches Kind *n*.

bâtarde [bɑ'tard] *f* Farinzucker *m*.

batardeau *hydr.* [batar'do] *m* Abdämmung *f*, Kasten(fang)-, Fang-, Koffer-damm *m*, Notdeich *m*.

bateau [ba'to] *m* (5b) **1.** (Fluß-) Schiff *n*, großes Boot *n*, Kahn *m*; ~ *à vapeur* Dampfschiff *n*; ~ *à voile* Segelboot *n*; ~ *porte-train* Eisenbahnfähre *f*; ~ *de sauvetage* Rettungsboot *n*; ~ *de course* Rennboot *n*; ~ (*à moteur*) *à hélice(s)* Propeller(motor)schiff *n*; ~ *pneumatique* Schlauchboot *n*; ~ *viking* Wikingerschiff *n*; *en* ~*-stop* als blinder Passagier; *fig. du dernier* ~ auf der Höhe; **2.** P Schwindel *m*; *monter un* ~ *à q.* j-m e-n Bären aufbinden; **~-automobile** [~otɔmɔ'bil] *m* Motorboot *n*; **~-bac** [~'bak] *m* (6a) Fährboot *n*; **~-citerne** [~si'tɛrn] *m* (6b) Tankschiff *n*; **~-drague**, **~-dragueur** [~'drag, ~dra'gœ:r] *m* Bagger-boot *n*, -schiff *n*; **~-excursion** [~ɛkskyr'sjɔ̃] *m* Ausflugsdampfer *m*; **~-express** [~ɛks'prɛs] *m* Schnelldampfer *m*; **~-feu** [~'fø] *m* (6b) Feuerschiff *n*; **~-hôpital** [~opi'tal] (*pl. bateaux-hôpitaux*) *m* Lazarettschiff *n*; **~-lavoir** [~la'vwa:r] *m* (6a) Waschschiff *n* (*zum Waschen der Wäsche auf Flüssen*); **~-lesteur** [~lɛs'tœ:r] *m* Ballastschute *f*; **~-mouche** [~'muʃ] *m* kleiner Ausflugsdampfer *m*; **~-phare** [~'fa:r] *m* (6b) Leuchtschiff *n*; **~-pilote** [~pi'lɔt] *m* Lotsenboot *n*; **~-pompe** ⚓ [~'pɔ̃:p] *m* Feuerlöschboot *n*; **~-remorqueur** [~rəmɔr'kœ:r] *m* Schleppdampfer *m*.

bate|lage [bat'la:ʒ] *m* **1.** Taschenspielerei *f*, Gaukelei *f*, Schwindel *m*; **2.** ⚓ Be-, Ab-laden *n e-s Schiffes durch Boote*; **3.** ⚓ Fähr-, Frachtgeld *n*; **~lée** [~'le] *f* Schiffsladung *f*; **~ler** [~] (1c) **I** *v/t.* auf e-m Schiff transportieren; **II** *v/i.* Kunststückchen vorführen; **~let** ⚓ [~'lɛ] *m* kleiner Ewer *m*; **~leur** [~'lœ:r] *su.* (7g) Gaukler *m*; **~lier** [batə'lje] *su.* (7b) (Fluß-)Schiffer *m*.

batellerie [batɛl'ri] *f* Fluß-, Kanalschiffahrt *f*.

bâter [bɑ'te] (1a) **I** *v/t. ein Packtier* satteln; **II** *v/i.* *bien ~* gelingen, F klappen; *mal ~* mißlingen, schiefgehen.

bat-flanc [ba'flɑ̃] *m* (6g) Trennbalken *m im Pferdestall*; hölzerne Trennwand *f in e-m Schlafsaal*.

bath P [bat] *int. u. adj./inv.* prima!, großartig!, fabelhaft!

batho|mètre [batɔ'mɛtrə] *m* Meertiefenmesser *m*; **~métrie** [~me'tri] *f* Tiefenmessung *f*.

bathyscaphe ⚓ [bati'skaf] *m* Tiefseetauchgerät *n*.

bâti ⊕ [bɑ'ti] *m* Rahmengestell *n*; ✈ Tragwerk *n*; ⊕ Gehäuse *n*; Untersatz *m*, Sockel *m*; Ständer *m e-r Maschine*; geheftetes Kleidungsstück *n*; Heftfaden *m*.

batifo|lage [batifɔ'la:ʒ] *m* Tändeln *n*; **~ler** [~'le] *v/i.* (1a) tändeln, schäkern, scherzen.

batik [ba'tik] *m* Batik-arbeit *f*, -muster *n*.

bâtiment [bɑti'mɑ̃] *m* **1.** Gebäude *n*, Bau *m*; *~ de brique* Backsteinbau *m*; 🚂 *~ d'alimentation* Wasserturm *m*; *~ (construit) en briques hollandaises* Klinkerbau *m*; *~ scolaire* Schulgebäude *n*; **2.** Bauhandwerk *n*, Baugewerbe *n*; *industrie f du ~* Bauindustrie *f*; *réalisation f de ~s* Bauausführung *f*; *fig. il est du ~* er ist vom Bau (*d. h.* ein *Kollege*); **3.** Schiff *n*, Fahrzeug *n*; *~-école m* Schulschiff *n*; *~ marchand* Handelsschiff *n*.

bâtir [bɑ'ti:r] (2a) *v/t.* **1.** bauen; *~ sur cave(s)* △ unterkellern; *~ un numéro de journal* e-e Zeitungsnummer zs.-stellen; *~ un plan* e-n Plan festlegen (*od.* fassen); *~ en l'air od. ~ des châteaux en Espagne* Luftschlösser bauen; **2.** *bien bâti* wohlgebaut, -gewachsen; *bâti à chaux et à sable* kerngesund; *voilà comme je suis bâti!* ich bin nun einmal so!; **3.** heften (*Schneiderei*).

bâtis|se [bɑ'tis] *f* **1.** Mauerarbeit *f*, Mauerwerk *n*; **2.** Haus *n*, Gebäude *n*; **~seur** [~'sœ:r] *m* (7g) Erbauer *m*, Gründer *m*; Baulustige(r) *m*; Bauhandwerker *m*; **~soir** ⊕ [~'swa:r] *m* Aufsetzreif *m e-s Böttchers*.

batiste ⊕ [ba'tist] *f* Batist *m*.

bat-neige *cuis.* [ba'nɛ:ʒ] *m* (6c) Schneeschläger *m*.

bâton [bɑ'tɔ̃] *m* **1.** Stock *m*, Stab *m*, Stecken *m*; Knüppel *m*; *~ de rouge (à lèvres)* Lippenstift *m*; *~ de ski* Schistock *m*; *~ ferré* mit Eisen beschlagener Stock; *~ de chaise* Stuhlbein *n*; *mettre des ~s dans les roues* Hindernisse in den Weg legen; *recevoir du ~* Prügel (*od.* Keile *od.* Wichse) bekommen; *fig. parler à ~s rompus* vom Hundertsten ins Tausendste kommen; **2.** Stab *m*; *~ de commandement (de maréchal)* Kommando-, (Marschalls-)stab *m*; *~ pastoral* bischöflicher Stab *m*, Hirten-, Krumm-stab *m*; *fig. ~ blanc* Friedensstab *m*; **3.** Stange *f*; *~ de perroquet* Leiterstock *m* für e-n Papagei; *bisw. fig.* Hühnerstiege *f*; *~ de cire (à cacheter)* Siegellackstange *f*; *~ de craie* Stück *n* Kreide; *~ de réglisse* Lakritzenstange *f*; *~ de savon* Riegel *m* Seife; *pommade f en ~* Stangenpomade *f*; **4.** △ Pfahl *m*; **5.** ♪ *~ (de mesure)*: a) Taktstock *m*; b) senkrecht stehendes Pausenzeichen *n*; **6.** *~s pl.* Striche *m/pl. bei Schreibübungen*.

bâtonnat [bɑtɔ'na] *m* **1.** Präsidentschaft *f* der Anwaltskammer; **2.** Dauer *f dieses Amtes*.

bâton|ner [bɑtɔ'ne] *v/t.* (1a) **1.** verprügeln; **2.** *papier bâtonné* lini(i)ertes Papier *n*; **3.** *fig.* ausstreichen; **~net** [~'nɛ] *m* **1.** Stäbchen *n*; Kantel *n*; **2.** Klipperspiel *n* für Kinder; **~nier** [~'nje] *m* **1.** *hist.* Bannerträger *m* (*der Zünfte bei Umzügen*); **2.** ⚖ Präsident *m od.* Vorsitzende(r) *m* der Anwaltskammer; *c'est la première fois qu'une femme est élue bâtonnier de l'Ordre* zum ersten Mal wird e-e Frau zur Präsidentin der Anwaltschaft gewählt; **~niste** [~'nist] *m* Stockfechter *m*.

bâton-paupière [batɔ̃po'pjɛ:r] *m* (6b) Wimpernstift *m*.

batoude *gym.* [ba'tud] *f federndes* Sprungbrett *n*, Trampolin *n*.

battage [ba'ta:ʒ] *m* **1.** Dreschen *n*; **2.** Drescherlohn *m*; **3.** Buttern *n*; **4.** P Schaumschlägerei *f*, Bluff *m*, Rummel *m*, Lärm *m*, übertriebene Reklame *f*, F Lüge *f*; **5.** ~ *de tapis* Teppichklopfen *n*.

battant [ba'tɑ̃] **I** *adj.* (7) **1.** schlagend; *tout* ~ *neuf* funkelnagelneu; *métier m* ~ im Gang befindlicher Webstuhl *m*; *pluie f* ~*e* Platzregen *m*; *porte f* ~*e* Klapptür *f*; **2.** ⚔ *tambour* ~ mit klingendem Spiel, unter Trommelschlag; *fig.* rücksichtslos; **II** *m* **3.** Glockenklöppel *m*; **4.** Türflügel *m*; *porte f à deux* ~*s* Flügeltür *f*; **5.** Fensterflügel *m*; **6.** ~*-l'œil ehm. m* (6c) Morgenhäubchen *n*; **7.** P Herz *n*.

batte [bat] *f* **1.** Schlägel *m*, Stampfe *f*; *Sport*: Kricketschläger *m* (*Schlagholz*); ~ *à beurre* Butterstößel *m*; **2.** Handramme *f*; **3.** ~ *de paume* Schlagbrett *n beim Ballspiel*; ~ *d'Arlequin* Harlekinpritsche *f*; **4.** kleine Waschbank *f*.

battée ⊕ [ba'te] *f* Tür-, Fensteranschlag *m*.

battellement ⌂ [batɛl'mɑ̃] *m* Traufziegelreihe *f*.

battement [bat'mɑ̃] *m* **1.** Schlagen *n*, Klopfen *n*; Schlag *m*; ~ *d'ailes* Flügelschlag *m*; ~ *de cœur* Herzklopfen *n*; ~ *de mains* Händeklatschen *n*; *fig.* Beifall *m*; ~ *du pouls* Pulsschlag *m*; **2.** ⌂ Schlagleiste *f*; **3.** ♪ Doppeltriller *m*, Wirbel *m*; **4.** ⚔ ~ *du projectile* Anschlag *m*; **5.** *laisser du* ~ Spielraum lassen.

batterie [ba'tri] *f* **1.** ⚔ a) Batterie *f*; ~ *de campagne*, ~ *de siège* Feld-, Belagerungs-batterie *f*; *poster (établir, ranger) une* ~ e-e Batterie auffahren; *dresser ses* ~*s fig.* s-e Maßregeln ergreifen *od.* treffen; *fig. masquer ses* ~*s* s-e Pläne geheimhalten; b) Standort *m* e-r Batterie; (Bedienungsmannschaft *f* e-r) Batterie; ~ *blindée* Panzerbatterie *f*; ~ *antiaérienne*, ~ *de D.C.A.* (*de défense contre avions*) Flakbatterie *f*; ~ *de fusées* (*od. de roquettes*) ⚔ Raketenstellung *f*; **2.** ⚡ ~ *électrique* elektrische Batterie *f*; ⊕ ~ *de chaudières* Kesselzeug *n*; *rad.* ~ *de chauffage* Heizbatterie *f*; ~ *d'accumulateurs* (*d'anodes*) Akkumulatoren- (Anoden-)batterie *f*; *rad.* ~ *de tension-grille* Gitterbatterie *f*; **3.** ~ *de cuisine* Küchengeschirr *n*; **4.** ⊕ ~ *de marteaux* Hammerwerk *n*, ⚒ Pochwerk *n*; **5.** ♪ Trommelschlag *m*; Arpeggiolauf *m*; ~ (*de jazz-band*) Schlagzeug *n*.

batteur [ba'tœ:r] *su.* (7g) **1.** ♪ Schlagzeuger *m*; ↗ Drescher *m*; ~ *de tapis* Teppichklopfer *m* (*Person*); **2.** ⊕ ~ *d'or* Goldschläger *m*; **3.** *cuis.* Mixapparat *m*, Mixer *m*; *cuis.* ~ *à œuf*(*s*) Schneeschläger *m*.

batteuse [ba'tø:z] *f* Dreschmaschine *f*.

battitures ⊕ [bati'ty:r] *f/pl.* Metallsplitter *m/pl.*, Hammerschlag *m*.

battoir [ba'twa:r] *m* **1.** Wäscheklopfer *m*, Schlegel *m*; **2.** Ballkelle *f*; Schläger *m*, Schlagholz *n*; **3.** *cuis.* Fleischklopfer *m*; **4.** ⊕ Klöpfel *m*; Klopfeisen *n*.

battre ['batrə] (4a) **I** *v/t.* **1.** schlagen, verprügeln; ~ *comme plâtre* windelweich schlagen; **2.** schlagen, besiegen; ~ *un record* e-n Rekord brechen; **3.** schlagend bearbeiten, klopfen, stampfen; verrühren; ~ *l'air* sich vergebliche Mühe machen; ~ *le blé* dreschen; ~ *le beurre* buttern; ~ *le fer*: a) das Eisen schmieden; b) fechten; ~ *les habits* die Kleider ausklopfen; ~ *monnaie* Münzen prägen; ~ *les œufs* die Eier rühren; ~ *son plein* auf dem Höhepunkt (*od.* in vollem Gange) sein (*Veranstaltung*, *Fest*, *Saison*); ~ *la semelle*: a) P zu Fuß reisen; b) mit den Füßen trampeln *um sich zu erwärmen*; ~ *la campagne* das Feld absuchen *od.* durchstreifen; *fig.* (*a.* ~ *la breloque od. berloque*) faseln, quatschen, unklares Zeug reden; **4.** ⚔, ♪ ~ *le tambour od.* F *la caisse* die Trommel schlagen, trommeln; ~ *la générale od. le rappel* Generalmarsch schlagen; ~ *la retraite* zum Rückzug trommeln, Zapfenstreich schlagen; *fig.* sich zurückziehen; ~ *un roulement* e-n Wirbel schlagen; **5.** ♪ ~ *la mesure* den Takt schlagen; **6.** beschießen; ~ *en brèche* Bresche schießen in; *a. fig.* heftig bekämpfen; ins Wanken bringen, entkräften, erschüttern; ~ *en ruine* in Trümmer schießen; **7.** ~ *pavillon français* die französische Flagge führen; **8.** ~ *un entrechat* e-n Luftsprung machen; **9.** ~ *les cartes* die Karten mischen; **10.** bespülen (*Wellen*); bestreichen (*Wind*); **11.** durch-stöbern, -wandern, -laufen; ~ *les buissons* auf den Busch klopfen; eifrig suchen; ~ *le pavé* umherschlendern, herumbummeln, sich auf der Suche nach Arbeit die Füße ablaufen; **II** *v/i.* **12.** schlagen, klopfen, klatschen; ~ *des ailes* flattern; ~ *de l'aile* müde (*od.* ganz kaputt) sein, sich schlapp fühlen; ~ *du flanc od. des flancs* keuchen; ~ *des mains* in die Hände klatschen; **13.** *Tür*: von selbst zuschlagen; ~ *contre qch.* gegen etw. klappen, lose sein; **14.** trommeln; **15.** in Bewegung sein, gehen; ticken (*Uhr*); **16.** ~ *froid à q.* j-m die kalte Schulter zeigen; **III** *v/rfl.* *se* ~ sich (*od.* einander) schlagen, (sich *od.* ea. be)kämpfen; sich balgen; ~ *les flancs* sich umsonst anstrengen.

battu [ba'ty] **I** *adj.* **1.** geschlagen; geschwächt; *avoir les yeux* ~*s* blaue Ränder um die Augen haben; *ne pas se tenir pour* ~ s-e Sache noch nicht verloren geben; **2.** *suivre les chemins* ~*s* auf dem gebahnten Weg bleiben; *fig.* am alten Schlendrian festhalten; **3.** *fer* ~ Eisenblech *n*; **4.** ⚔ bestrichen, gefährdet; **II** *m* Geschlagene(r) *m*.

battu|e [ba'ty] *f* **1.** Treibjagd *f*; ⚔ Razzia *f*; **2.** Pferde-getrappel *n*, -getrampel *n*; Hufschlag *m*; ~**re** ⊕ [~'ty:r] *f* Vergoldungs-grund *m*, -leim *m*.

bau ⚓ [bo] *m* (5b) Querbalken *m*.

bauder [bo'de] *v/i.* (1a) *ch.* bellen.

baudet [bo'dɛ] *m* Esel *m*; Zuchtesel *m*; *fig.* Dummkopf *m*; ⊕ Sägebock *m*.

baudrier [bodri'e] *m* Degengehänge *n*; Säbelkoppel *n*; Sturmriemen *m*.

baudruche [~'dryʃ] *f* **1.** Gummihaut *f*; **2.** (*ballon m en*) ~ großes aufgeblasenes Gummitier *n* (*bis zu 15m z.B. auf Jahrmärkten*); *fig.* *homme m en* ~ Blender *m*, Angeber *m*, Schaumschläger *m*.

bauge [bo:ʒ] *f* **1.** *ch.* Wildschweinlager *n*; **2.** P *fig.* schmutzige Wohnung *f*, schmuddeliges Bett *n*, P *fig.* Drecknest *n*; **3.** Strohlehm *m*.

baum|e [bo:m] *m* **1.** Balsam *m*; Heilsalbe *f*; *fig.* Trost *m*; **2.** ♀ ~ *des jardins* Balsamkraut *n*, Frauenminze *f*; ~**ier** ♀ [bo'mje] *m* Balsamstrauch *m*.

bavard [ba'va:r] (7) **I** *adj.* schwatzhaft, geschwätzig; *il est* ~ *comme une pie* (*od. un perroquet*) er redet wie ein Buch; **II** *su.* Schwätzer *m*.

bavar|dage [bavar'da:ʒ] *m* Gewäsch *n*, langweiliges Geschwätz *n*; ~**der** [~'de] *v/i.* (1a) schwatzen, plaudern; F ~ *avec q.* mit j-m reden.

bave [ba:v] *f* **1.** Geifer *m* (*a. fig.*); Speichel *m*; **2.** (Schnecken- *usw.*) Schleim *m*.

baver [ba've] *v/i.* (1a) **1.** Speichel absondern; sabbern (*Kinder*); **2.** langsam herab-fließen, -sickern (*Flüssigkeit*); **3.** *fig.* ~ *sur q.* über j-n herziehen, j-n runtermachen (*od.* schlechtmachen); **4.** F *en* ~ ganz paff (*od.* platt) sein (*Bewunderung*); *il en bavait d'apprendre cela* er konnte es kaum fassen, als er das erfuhr; *il en bavait des ronds de chapeaux* er sperrte Mund und Nase auf; *le temps mis par le coureur de Marathon lui en faisait* ~ *des ronds de chapeaux* die von dem Marathonläufer erzielte Zeit erfüllte ihn mit größter Bewunderung; **5.** P *en* ~ es schwer haben; schuften; leiden müssen; F *faire* ~ *q. od. en faire* ~ *à q.* j-n zwiebeln (*od.* schleifen), j-n Maß nehmen (*geistig od. körperlich*).

bavette [ba'vɛt] *f* **1.** (Sabber-)Lätzchen *n*; oberer Schürzenteil *m*; *Mode*: Brustlatz *m*; *être encore à la* ~ noch nicht trocken hinter den Ohren sein; **2.** F *tailler une* ~ *à q.* mit j-m gemütlich plaudern (*od.* klönen F), ein Plauderstündchen abhalten.

baveuse [ba'vø:z] *f* Schleimfisch *m*.

baveux [ba'vø] **I** *adj.* (7g) geifernd; *fig.* teigig (*Eierkuchen*); **II** *su.* Sabberer *m*.

Bavière [ba'vjɛ:r] *f*: **la** ~ Bayern *n*.

bavoir [ba'vwa:r] *m* (Sabber-)Lätzchen *n*.

bavolet [bavɔ'lɛ] *m* **1.** Haube *f*; **2.** Nackenschleier *m am Damenhut*; **3.** *Auto*: Spritzblech *n*.

bavure ⊕ [ba'vy:r] *f* Gußnaht *f*; feiner Grat *m*; *typ.* unsaubere Stelle *f*; *fig.* F *sans* ~*s* fehlerfrei, einwandfrei.

bayadère [baja'dɛ:r] *f* Bajadere *f*.

bayart ⚠ [ba'ja:r] *m* Trage *f*, Tuppe *f*.

bayer [bɑ-, bɛ'je] *v/i.* (1i): ~ *aux corneilles* gaffen.

bazar [ba'za:r] *m* Basar *m*: a) Marktplatz *m im Orient*; b) offene Verkaufshalle *f*; ~ *de charité* Wohltätigkeitsbasar *m*; c) Kaufhaus *n*; d) F *tout le* ~ *fig.* der ganze Kram (*od.* Krempel); *combien coûte tout le* ~? was kostet der ganze Kram?

bazarder P [bazar'de] *v/t.* (1a) verkloppen, verramschen, verschachern, verhökern; *verächtlich*: wegschmeißen P; *abus.* streichen (*z. B. ein Wort*).

bazooka ⚔ [bazu'ka] *m* Panzerfaust *f*.

béant [be'ɑ̃] *adj.* (7) (*nach su.*) klaffend, gähnend; *gouffre m* ~ klaffender Abgrund *m*; *plaie f* ~*e* klaffende Wunde *f*, Platzwunde *f*; *trou m* ~ klaffendes Loch *n*.

béat *iron.* [be'a] (7) **I** *adj.* (*a. vor su.*) **1.** still, ruhig, zufrieden; **2.** frömmelnd, scheinheilig; gleisnerisch; **II** *su.* Frömmler *m*, Betbruder *m*; **~e** [be'at] *f* Betschwester *f*.

béati|fication [beatifikɑ'sjɔ̃] *f* Seligsprechung *f*; **~fier** [~'fje] *v/t.* (1a) seligsprechen.

béatitude [~ti'tyd] *f* **1.** Glückseligkeit *f der Auserwählten*; **2.** Glück *n*.

beatnik [bit'nik] *m* Gammler *m*, Hippie *m*.

beau [bo] *m*; *vor den mit Vokal od. apostrophierendem h anfangenden Substantiven* (*nur sg.*): **bel** [bɛl] *m*; **belle** [bɛl] *f*; *pl.* **beaux** [bo], **belles** [bɛl] **I** *adj.* **1.** schön; wohlgestaltet, wohlgebildet; ~ *à ravir* hinreißend schön; ~ (*od. belle*) *comme le jour od. un astre* schön wie ein Engel; **2.** edel; schicklich, anständig; *mourir de sa belle mort* e-s natürlichen Todes sterben; *de belles paroles* schöne Worte *n/pl.*; *fig.* leere Redensarten *f/pl.*; **3.** geschickt; ~ *danseur* gewandter (*od.* guter) Tänzer; *bel esprit* (*oft mv.p.*): a) Schöngeist *m*; b) Schöngeisterei *f*; *femme f bel esprit* Blaustrumpf *m*; ~*parleur*, F ~ *diseur* Schönredner *m*; **4.** vornehm; *le* ~ *monde* die vornehme Gesellschaft; **5.** feingekleidet, geputzt; *se faire* ~ sich schönmachen, sich putzen; **6.** groß, beträchtlich; *un* ~ *revenu* ein großes Einkommen *n*; *il y a* ~ *temps que* ... es ist geraume Zeit her, daß ...; *une belle somme d'argent* eine große Summe Geldes; *déchirer q. à belles dents* j-n arg verunglimpfen; *de la belle manière, de la belle façon* tüchtig, ohne Schonung; **7.** günstig; glücklich; *une belle occasion* eine günstige Gelegenheit *f*; *la donner belle à q.* j-m günstige Gelegenheit bieten; *l'échapper belle* mit heiler Haut davonkommen; *la manquer belle* e-e günstige Gelegenheit verpassen; *j'en apprends de belles sur votre compte* da höre ich ja nette Geschichten über Sie; *vous avez* ~ *dire* Sie mögen sagen, was Sie wollen; *vous avez* ~ *rire* Sie haben gut lachen; *avoir* ~ *jeu* ein schönes (*fig.* gewonnenes) Spiel haben; **8.** heiter, hell; *à la belle étoile* unter freiem Himmel, bei Mutter Grün F; *les* ~*x jours* die schöne Jahreszeit; *fig.* Jugend *f*; *fig. présenter od. faire voir sous un* ~ *jour* in günstigem Licht darstellen; *un* ~ *matin* e-s schönen Morgens; *fig.* unerwartet; *il fait* ~ (*temps*) es ist schönes Wetter; **II** *adv.* schön; *bel et bien* lediglich; ganz einfach, mit einem Wort; schlechthin, schlankweg; mir nichts, dir nichts; gut und gern, rundweg, ohne Umstände; ~ *et bien vivant* völlig wohlbehalten; *tout cela est bel et bon, mais* ... alles recht schön, aber ...; *de plus* (~) *en plus* ~ immer besser *od.* schöner; *voir tout en* ~ alles durch e-e rosa Brille sehen; *il porte* ~ er trägt (*trotz s-s Unglücks*) den Kopf hoch; *il se mit à boire de plus belle* er fing von neuem an zu trinken; *tout* ~*!* sachte, immer langsam!; **III** *su.* Schöne(r *m*) *m/f*; Geck *m*, Stutzer *m*; *faire le* ~ (*la belle*) sich zieren; *fais le* ~*!* mach schön! (*zum Hund*); *la Belle au bois dormant* Dornröschen *n*; **IV** *le* ~ das Schöne; die gute Seite *e-r Sache*; ~ *fixe* Schönwetterperiode *f*; *le sentiment du* ~ das Schönheitsempfinden; *iron. c'est du* ~*!* das hat mir *od.* uns (gerade) noch gefehlt!

beaucoup [bo'ku] *adv.* **1.** viel(e); recht viel, sehr viel; *c'est* ~ *dire* das will viel sagen; *c'est* ~ *que* ... es ist schon viel, wenn ...; *j'aimerais* ~ *mieux qu'il se tût* es wäre mir viel (*od.* weit) lieber, wenn er schwiege; *ils étaient* ~ es waren ihrer viele; *il n'y avait pas* ~ *de monde* es waren nicht viel Leute da; ~ *trop* viel zuviel; *vous êtes plus savant de* ~ *od. vous êtes (de)* ~ *plus savant* Sie sind viel gelehrter; *il n'est pas, à* ~ *près, aussi riche qu'on le dit* er ist bei weitem nicht so reich, wie man sagt; *y être pour* ~ viel dazu beitragen; *il s'en faut (de)* ~ es fehlt viel daran; noch lange nicht ...; **2.** sehr (*bei Verben*); *admirer* ~ sehr bewundern; *estimer* ~ hochschätzen; *cette ville a* ~ *souffert* diese Stadt hat viel gelitten.

beau|-fils [bo'fis] *m* (6b) **1.** Stiefsohn *m*; **2.** Schwiegersohn *m*; **~-frère** [~'frɛːr] *m* (6a) **1.** Schwager *m*; **2.** Stiefbruder *m*; **~-père** [~'pɛːr] *m* (6a) **1.** Schwiegervater *m*; **2.** Stiefvater *m*; **~-petit-fils** [~p(ə)ti'fis] *m* (6a) Stiefenkel *m*.

beaupré ⚓ [bo'pre] *m* Bugspriet *n*.

beau-semblant [bosɑ̃'blɑ̃] *m* (6a) Verstellung *f*, List *f*.

beauté [bo'te] *f* **1.** Schönheit *f*; *fig.* Reiz *m*, Anmut *f*; **2.** Schönheit *f*, schöne Frau *f*.

beaux|-arts [bo'za:r] *m/pl.* schöne Künste *f/pl.*; **~-parents** [~pa'rɑ̃] *m/pl.* Schwiegereltern *pl.*

bébé [be'be] *m* **1.** Baby *n*, kleines Kind *n*; ~ *éléphant* Elefantenbaby *n*; **2.** Puppe *f*; ~ *articulé* Gliederpuppe *f*; **~-éprouvette** [~epru'vɛt] *m* (6b) Reagenzbaby *n* (*künstliche Befruchtung*); **~-lune** [~'lyn) *m* Sputnik *m* (*künstlicher Erdsatellit*).

bébête F [be'bɛ:t] *adj.* albern, doof.

bec [bɛk] *m* **1.** Schnabel *m*; *blanc* ~ Gelbschnabel *m*, Naseweis *m*; F *montrer à q. son ~ jaune* (*od. son béjaune*) j-m seine Unwissenheit zeigen; **2.** *fig.* Zunge *f*, Mundwerk *n*; *avoir bon ~, avoir le ~ bien affilé* eine scharfe Zunge (*od.* ein gutes Mundwerk) haben; *clouer* (*od. clore*) *le ~ à fig.* j-m den Mund stopfen, j-m gleich eins draufgeben; *ne pas avoir le ~ cloué* nicht auf den Mund gefallen sein; *se défendre du ~* sich mit Worten verteidigen; *avoir ~ et ongles fig.* Haare auf den Zähnen haben; sich zu verteidigen wissen; *donner du ~ et de l'aile* alles daransetzen; *prise f de ~* scharfer Wortwechsel *m*; F *claquer du ~* Kohldampf schieben, Hunger haben; *ne pas ouvrir le ~* (*od. taire od. clouer son ~*) nicht piep sagen, keinen Mucks sagen, ganz still sein; F *être le ~ dans l'eau* in der Patsche (*od.* Tunke) sitzen; F *se prendre de ~* sich in die Wolle (in die Haare) kriegen, sich kabbeln; F *caquet bon ~* Elster *f*; *fig.* Klatschbase *f*; **3.** Mund *m* (*bsd. von Kindern*); **4.** *pauvre petit ~* Liebchen *n*, Schnuckchen *n*; **5.** *zo.* schnabelartiges Mundwerkzeug *n*; *ent.* Rüssel *m*; **6.** ⚘ Schnabel *m*; **7.** ~ *de plume* Federspitze *f*; **8.** ~ (*de gaz*) Gasbrenner *m*, Gaslaterne *f*; ~ *économique* Sparbrenner *m*; **9.** ♪ Mundstück *n*; **10.** *géol.* Landspitze *f*, -zunge *f* (*am Zusammenfluß zweier Flüsse od. ins Meer hineinragend*); **11.** Vorsprung *m*; *fig.* F *tomber sur un ~* (*de gaz*) sich verrechnen, *fig.* plötzlich vor e-r Schwierigkeit stehen; **12.** Spitze *f*, Nase *f*.

bec-à-cuiller [bɛkakɥi'jɛ:r] *m* (6b) *orn.* Löffelreiher *m*.

bécane F [be'kan] *f* Drahtesel *m*, Mühle *f*, Fahrrad *n*; *faire de la ~* radeln.

bécarre ♪ [be'ka:r] *m* Auflösungszeichen *n*.

bécasse [be'kas] *f* **1.** (Wald-)Schnepfe *f*; **2.** F *fig.* dumme Gans *f*.

bécas|seau [~ka'so] *m* junge Schnepfe *f*; **~sine** [~'sin] *f* Sumpfschnepfe *f*.

bec|-croisé [bɛkkrwa'ze] *m* (6a) *orn.* Kreuzschnabel *m*; **~-d'âne** ⊕ [bɛk'dɑ:n], *a.* **bédane** [be'dan] *m* (6b) Locheisen *n*, Stemmeisen *n*; Kreuzmeißel *m*; **~-de-cane** [bɛkdə'kan] *m* (6b) **1.** ⊕ Hakennagel *m*; **2.** Türgriff *m*, -klinke *f*; **~-de-corbeau** ⊕ [bɛkdəkɔr'bo] *m* (6b) Drahtzange *f*; **~-de-corbin** [bɛkdəkɔr'bɛ̃] *m* (6b) Hohlmeißel *m*; **~-de-lièvre** [~'ljɛ:vrə] *m* (6b) Hasenscharte *f*.

bêchage [bɛ'ʃa:ʒ] *m* Umgraben *n*; F *fig.* scharfe Kritik *f*.

béchamel [beʃa'mɛl] *f*: *a. sauce* (*à la*) ♀ weiße Sahnensauce *f*.

bêche [bɛʃ] *f* Spaten *m*; **~ment** [bɛʃ'mɑ̃] *m* Umgraben *n*.

bêcher [bɛ'ʃe] *v/t.* (1a) **1.** (um-)graben; **2.** F *fig.* ~ *q.* (*qch.*) j-m (e-r Sache) Übles nachreden, über j-n (über etw.) lästern; j-n (etw.) runtermachen.

bêcheur [bɛ'ʃœ:r] *su.* (7g) Gräber *m*; F Lästermaul *n*.

bêchoir [bɛ'ʃwa:r] *m* Hacke *f*.

bécot F [be'ko] *m* Küßchen *n*; **~er** F [bekɔ'te] *v/t.* abküssen.

bec|quée [bɛ'ke] *f* Schnabelvoll *m*; **~queter** [bɛk'te] *v/t.* (1e) **1.** (be-)picken; hacken; **2.** P fressen, futtern.

bedaine F [bə'dɛn] *f* Dickbauch *m*.

bedeau [bə'do] *m* Küster *m*.

bédigue * *zo.* [be'di:g] *m* Schaf *n*.

bedon F [bə'dɔ̃] *m* Fettbauch *m*.

bedon|nant F [bədɔ'nɑ̃] *adj.* (7) dickbäuchig; **~ner** F [~'ne] *v/i.* (1a) Fett (*od.* e-n Schmerbauch) ansetzen.

bédouin [be'dwɛ̃] *adj. u.* ♀ *su.* (7) beduinisch; Beduine *m*.

bée [be] *adj./f*: *être* (*od. rester od. demeurer*) *bouche ~* Mund und Nase aufsperren.

beffroi † [bɛ'frwa] *m* **1.** Bergfried *m*, Turmwarte *f*; **2.** Glocken-stuhl *m*, -turm *m*; **3.** Sturm-, Feuer-glocke *f*; *sonner le ~* Sturm läuten.

bégaiement [begɛ'mɑ̃] *m* Lallen *n*, Stottern *n*.

bégayer [~gɛ'je] (1i) **I** *v/i.* **1.** lallen, stammeln, stottern; **2.** *fig.* zaghaft reden, undeutlich sprechen; **II** *v/t.* herstottern.

bégon|ia ⚘ [begɔn'ja] *m*, **~ie** [~'ni] *f* Begonie *f*.

bègue [bɛg] *adj. u. su.* stammelnd, stotternd; Stotterer *m.*
béguètement *zo.* [begɛt'mɑ̃] *m* Meckern *n* (*der Ziege*).
bégueter *zo.* [beg'te] *v/i.* (1e) meckern (*Ziege*).
bégueule F [be'gœl] **I** *f* prüde Frau; *faire la* ~ prüde sein; **II** *adj.* prüde.
béguin [be'gɛ̃] *m* **1.** Beguinen-, Nonnen-haube *f*; **2.** Kinderhäubchen *n*; **3.** *fig.* F Verliebtheit *f*; *avoir un* ~ *pour q.* in j-n verschossen (*od.* verknallt) sein, für j-n schwärmen; **4.** F Schwarm *m* (*Person*); **~age** [begi'na:ʒ] *m* Beguinen-kloster *n*, -gemeinde *f.*
béguine *rl.* [be'gin] *f* Beguine *m* (*Belgien*).
beige [bɛ:ʒ] *adj.* ungefärbt, beigefarben, gelbbraun; *laine f* ~ natürliche Wolle *f.*
beigne P [bɛɲ] *f* Ohrfeige *f.*
beignet [bɛ'ɲɛ] *m* Pfannkuchen *m.*
béjaune [be'ʒo:n] *m orn.* junger Vogel *m*; *fig.* Neuling *m*, F Grünschnabel *m.*
Bekés [bɛ'ke] *m/pl.*: *les* ~ die Weißen *m/pl.* (*auf den Antillen*).
bélandre [be'lɑ̃:drə] *f* flaches Lastschiff *n.*
bêlement [bɛl'mɑ̃] *m* Blöken *n.*
bélemnite *géol.* [belɛm'nit] *f* Donnerkeil *m.*
bêler [bɛ'le] *v/i.* (1a) blöken.
bel-esprit [bɛlɛs'pri] **I** *m* (6) Schöngeist *m*; **II** *adj.* schöngeistig.
belette [bə'lɛt] *f* Wiesel *n.*
Belfort [bɛl'fɔ:r, be'fɔ:r] *m fr. Stadt.*
belge [bɛlʒ] *adj. u.* ♀ *su.* belgisch; Belgier *m.*
Belgique [bɛl'ʒik] *f*: **la** ~ Belgien *n.*
belgisme [bɛl'ʒism] *m* belgischer Ausdruck *m.*
belgo-allemand [bɛlgɔal'mɑ̃] *adj.* belgisch-deutsch.
bélier [bel'je] *m* **1.** Widder *m*, Schafbock *m*; **2.** *pol.* Separatist *m* des Schweizer Juras; **3.** *hist.* ⚔ Mauerbrecher *m*, Sturmbock *m.*
bélière [be'ljɛ:r] *f* **1.** Widderglocke *f*; **2.** Uhrring *m*; **3.** ⚔ Degengehenk *n.*
bélino|gramme [belinɔ'gram] *m* Bildfunktelegramm *n*, Funk-, Fernbild *n*; **~graphe** [~'graf] *m* Bildfunksender *m*; **~graphie** [~gra'fi] *f* Bildfunk *m*, Bildübertragung *f.*
bélître * [be'litrə] *m* Dummkopf *m.*
belladone ⚘ [bɛla'dɔn] *f* Belladonna *f*, Tollkirsche *f.*
bellâtre [bɛ'lɑtrə] **I** *adj.* eitel, gekkenhaft; **II** *su.* eitler Geck *m.*
belle [bɛl] **I** *adj.* s. *beau*; **II** *f* a) *une* ~ e-e Schöne *f*; b) *Sport*: Entscheidungsspiel *n*; c) F Flucht *f.*
belle|-dame [bɛl'dam] *f* (6a) **1.** ⚘: a) Melde *f*; b) = *belladone*; **2.** *ent.* Distelfalter *m*; **~-de-jour** [~də'ʒu:r] *f* (6b) dreifarbige Winde *f*; **~-de-nuit** [~də'nɥi] *f* (6b) Wunderblume *f*; **~-d'un-jour** [~dœ̃'ʒu:r] *f* (6b) Taglilie *f*; **~-fille** [bɛl'fij] *f* (6a) **1.** Stieftochter *f*; **2.** Schwiegertochter *f.*
belle|-mère [bɛl'mɛ:r] *f* (6a) **1.** Stiefmutter *f*; **2.** Schwiegermutter *f*; **~-petite-fille** [bɛlp[ə]tit'fij] *f* (6a) Stiefenkelin *f.*
belle-sœur [bɛl'sœ:r] *f* (6a) **1.** Stiefschwester *f*; **2.** Schwägerin *f.*
belli|cisme [bɛli'sism] *m* Kriegshetze *f*, -treiberei *f*, kriegerische Haltung *f*; **~ciste** [bɛli'sist] **I** *m* Kriegs-treiber *m*, -hetzer *m*; **II** *adj.* kriegshetzerisch.
bellifontain [bɛlifɔ̃'tɛ̃] *adj.* (7) aus Fontainebleau.
belligène [bɛli'ʒɛ:n] *adj.* e-n Krieg verursachend, Kriegs...
belligé|rance [bɛliʒe'rɑ̃:s] *f* Kriegszustand *m*, Status *m* e-r kriegführenden Macht; **~rant** [~'rɑ̃] *adj. u. su.* (7) kriegführend; Kriegführende(r) *m.*
belliqueux [bɛli'kø] *adj.* (7d) kriegerisch, streitbar.
bellis ⚘ [bɛ'lis] Maßliebchen *n*, Gänseblümchen *n.*
bellissime F [bɛlis'sim] *adj.* sehr schön.
bellot [bɛ'lo] (7c) *adj.* niedlich; *ma petite* ~*te* meine kleine Süße.
belvédère [bɛlve'dɛ:r] *m* **1.** Aussichtsturm *m*; **2.** Lusthaus *n.*
bémol ♪ [be'mɔl] *m* Be *n.*
ben! P [bɛ̃] *int.* tja!, na ja!
bénard P [be'na:r] *m* Hose *f.*
bénarde ⊕ [be'nard] *f* (*u. adj.*: *serrure f* ~) Doppelschloß *n.*
bénédicité [benedisi'te] *m* Tischgebet *n vor dem Essen.*
bénédic|tin [benedik'tɛ̃] (7) *m* Benediktinermönch *m*; *travail m de* ~ Arbeit *f*, die Bienenfleiß verlangt; **~tine** [~'tin] *f* **1.** Benediktinernonne *f*; **2.** Benediktinerlikör *m.*
bénédiction [benedik'sjɔ̃] *f* **1.** Segnen *n*, Segnung *f*; ~ *des drapeaux* Fahnenweihe *f*; ~ *nuptiale* Trauung *f*; **2.** ~ *sacerdotale* priesterlicher Segen *m*; **3.** Segen *m*, Wohltat *f* des Himmels.
bénef P [be'nɛf] *m* Gewinn *m*, Vorteil *m.*
bénéfice [bene'fis] *m* **1.** Wohltat *f*;

Nutzen *m*; **2.** ⚖ Rechtswohltat *f*; **3.** ⚕ Gewinn *m*, Nutzen *m*, Vorteil *m*; ~ *net* Nettoeinnahme *f*, Reingewinn *m*; ~ *brut* Brutto-überschuß *m*, -gewinn *m*; *part f dans les* ~*s* Gewinnanteil *m*; *fusion de* ~ Gewinnverschmelzung *f*; ⚕ ~ *de cours* (*de placement*) Kurs- (Zins-)gewinn *m*; ~*s pl. excédents* (*de*) Mehrgewinn *sg.*; *sous* ~ *d'inventaire* unter dem Vorbehalt der Prüfung des Inventars; *tourner au* ~ *de q.* zu j-s Nutzen ausschlagen; **4.** *thé. représentation f à* ~ Benefizvorstellung *f*; **5.** Lehen *n*; **6.** Pfründe *f*; **7.** ⚕ ~ *de nature* Hilfe *f* der Natur.

bénéfi|ciable [benefi'sjablə] *adj.* einträglich; **~ciaire** [~fi'sjɛ:r] *su.* **1.** ⚖ (*a. adj.*: *héritier m* ~) Benefiziaterbe *m*; **2.** *thé.* Benefiziant *m*; **3.** ⚕ Bezugsberechtigte(r) *m*, Empfänger *m*; *le* ~ *d'assurance* der Versicherungsnehmer; ~ *d'allocation de chômage* Arbeitslosenunterstützungsempfänger *m*; ~ *d'une rente* Rentenempfänger *m*; ~ *d'émoluments* (*od. d'appointements*) *fixes* Festbesoldete(r) *m*; ~ *de privilèges d'ordre douanier* Zollbegünstigte(r) *m*; **~cial** [~fi'sjal] *adj.* (5c) die Pfründe betreffend.

bénéficier[1] [~'sje] *su.* (7b) Pfründenbesitzer *m*.

bénéficier[2] [~'sje] (1a) *v/i.* Vorteil ziehen; ~ *d'une rente* e-e Rente beziehen; ~ *d'une bonne éducation* eine gute Erziehung genießen.

bénéfique [bene'fik] günstig, angebracht, nützlich.

Bénélux [bene'lyks]: **le** ~ die Beneluxstaaten *m/pl.*

bénéluxien *pol.* [~'ksjɛ̃] *adj.* (7c) Benelux...

benêt [bə'nɛ] **I** *adj./m* einfältig; **II** *m* Dummkopf *m*, Einfaltspinsel *m*.

bénévole [bene'vɔl] *adj.* □ wohlwollend, geneigt; freiwillig; *à titre* ~, ~*ment adv.* ehrenamtlich.

bengalais [bɛ̃ga'lɛ] (7) *adj.*: *feu m* ~ bengalisches Feuer *n*.

bénignité [beniɲi'te] *f* **1.** Neigung *f* zum Wohltun, Herzensgüte *f*; **2.** ⚕ Gutartigkeit *f*.

bénin *m*, **bénigne** *f* [be'nɛ̃, be'niɲ] *adj.* □ **1.** gütig, freundlich; *iron.* zu gut; **2.** *fig.* günstig, förderlich; **3.** ⚕ gutartig; **4.** *phm. chir.* harmlos, leicht, *phm.* unschädlich, mild(e); **5.** *fig.* geringfügig (*Schaden*).

bénir [be'ni:r] *v/t.* (2a) (*das p/p. heißt nur béni, bisw. als reines adj. gebraucht*: *les terres bénies de la Bourgogne* die gesegneten Gegenden der Bourgogne; *bénit sollte nur als adj. gebraucht werden*: zu kirchlichen Zwecken geweiht) **1.** (ein-)segnen, (ein)weihen; ~ *un mariage* ein Brautpaar trauen; ~ *un abbé* e-n Abt in sein Amt einsetzen; *cierge m bénit* geweihte Kerze *f*; *de l'eau bénite* Weihwasser *n*; *fig.* leere Versprechungen *f/pl.*; *du pain bénit* geweihtes Brot *n*; *c'est pain bénit* das ist die gerechte Strafe; **2.** preisen, loben; **3.** Gedeihen geben (*dat.*).

bénitier [beni'tje] *m* **1.** Weihwasserkessel *m*; **2.** Riesenmuschel *f*.

benjamin [bɛ̃ʒa'mɛ̃] *su.* Nesthäkchen *n*; *écol.* ~ *de la classe* Jüngste(r) *m* der Klasse.

benjoin *phm.* [bɛ̃'ʒwɛ̃] *m* Benzoe *f*.

benne [bɛn] *f* **1.** Tragkorb *m*; Tragbütte *f*; **2.** Flechtwerk *n* (*zum Aufhalten der Fische*); **3.** ⚒ Kohlenkorb *m*; **4.** Müllauto *n*; ~ *basculante* Kippwagen *m*; *Auto*: Kipperaufbau *m* (*auf Lastwagen*); **5.** ⊕, ⚠ ~ *de chargement à grande vitesse* Schnellverlader *m*; ~ *preneuse* Steingreifer *m*; ~ *racleuse* Schrapper *m*, Schrappschaufel *f*; ~ *racleuse à chenilles* Schürfkübelraupe *f*; **6.** Seilbahnkabine *f*.

benoît [bə'nwa] **I** *adj.* (7) **1.** sanft-, gut-mütig; glücklich; **2.** F scheinheilig; **II** ♀ *m* Benedikt *m*.

benthos 🕮 [bɛ̃'tɔs] *m* Benthos *n*.

benzine [bɛ̃'zin] *f* Wasch-, Wundbenzin *n*; ⚗ Kohlenwasserstoff *m*; *Schweiz*: Benzin *n* (*als Treibstoff*); *vgl. essence.*

benzol [bɛ̃'zɔl] *m* Benzol *n*.

béotien [beɔ'sjɛ̃] *adj.* (7c) *fig.* plump, beschränkt, primitiv.

béotisme [~'tism] *m* Geschmacklosigkeit *f*, Unwissenheit *f*.

béqueter [bek'te] *v/t.* (1e) *Vögel*: picken; P fressen, F futtern; *a. bécqueter.*

béquillard [beki'ja:r] *adj. u. su.* (7) Krückengänger *m*, Greis *m*.

béquille [be'kij] *f* **1.** Krücke *f*; **2.** ✈ ~ (*arrière*) (Schwanz-)Sporn *m*; **3.** ⊕, ⚓ Stütze *f*; **4.** Türdrücker *m* (*zur Öffnung e-s Schlosses*).

béquiller [beki'je] (1a) *v/i.* an Krücken gehen.

béquillon [beki'jɔ̃] *m* Krückstock *m*.

ber [bɛ:r] *m* Ablaufschlitten *m beim Schiffsbau.*

berbère [bɛr'bɛ:r] *adj. u.* ♀ *su.* berberisch, Berber *m*.

bercail (*ohne pl.*) [bɛr'kaj] *m* Schafstall *m*; *fig.* Schoß *m der Kirche od. Familie*, Heimat *f*, Zuhause *n*.

berce ⚘ [bɛrs] *f* Bärenklau *m od. f.*

berceau [bɛr'so] *m* (5b) **1.** Wiege *f*; *fig.* Kindheit *f*; Ursprungsort *m*; Heimat *f*; Entstehung *f*, Anfang *m*; **2.** ⚠ Gewölbebogen *m*; Dachüberstand *m*; **3.** ~ (*de verdure*) Laube *f*; Laubengang *m*.

berce|lonette [bɛrsəlɔ'nɛt] *f* Hängewiege *f* (*für Babys*); **~ment** [bɛrsə'mɑ̃] *m* Wiegen *n*.

bercer [bɛr'se] (1k) **I** *v/t.* **1.** wiegen, schaukeln; *fig.* ~ *de promesses* mit Versprechungen hinhalten; **2.** *fig.* einschläfern; **II** *v/rfl.* *se* ~ sich schaukeln; *fig.* *se* ~ *d'espérances* sich falsche Hoffnungen machen.

berceur [bɛr'sœːr] *adj.* (7c) einlullend.

berceuse [bɛr'søːz] *f* **1.** ♪ Wiegenlied *n*; **2.** Schaukelstuhl *m*.

berdouille P [bɛr'duj] *f* Dreck *m*; Misere *f*.

béret [be'rɛ] *m* Baskenmütze *f*.

bergamote ⚘ [bɛrga'mɔt] *f* **1.** Bergamotbirne *f*; **2.** Bergamotte *f*.

berge [bɛrʒ] *f* **1.** Uferböschung *f*, steile Böschung *f*; steiles Ufer *n*; **2.** ⚓ Barke *f*; **3.** * Jahr *n*.

berger [bɛr'ʒe] *su.* (7b) **1.** Schäfer *m*; *a. fig.* Führer *m*; *étoile f du* ~ Abendstern *m*, Venus *f*; *zo.* ~ *allemand* deutscher Schäferhund *m*; **2.** *l'heure f du* ~ Schäferstunde *f*.

bergère [bɛr'ʒɛːr] *f* **1.** Schäferin *f*; **2.** gepolsterter Lehnsessel *m*.

bergerie [bɛrʒə'ri] *f* **1.** Schafstall *m*, Schäferei *f*; **2.** ~*s f/pl.* Schäfergedichte *n/pl.*

bergeronnette *orn.* [bɛrʒərɔ'nɛt] *f* Bachstelze *f*.

bergsonisme *phil.* [bɛrksɔ'nism] *m* Lehre *f* Bergsons.

berle ⚘ [bɛrl] *f* Berle *f*, Wassereppich *m*.

berline [bɛr'lin] *f* **1.** † Berline *f* (*Reisewagen*); Kutsche *f*; **2.** *Auto*: Limousine *f*; **3.** ⚒ Grubenwagen *m*, Hund *m*.

berlingot [bɛrlɛ̃'go] *m* **1.** † Halbberline *f*; **2.** F *Auto*: Rumpelkiste *f*; **3.** Lutschstange *f*; **4.** Getränkebehälter *m* aus Plastik; ~ *de lait* Milchtüte *f*.

berlinisme [bɛrli'nism] *m* Berliner Redensart *f*.

berlinois [bɛrli'nwa] *adj. u.* ~ *su.* (7) berlinisch; Berliner *m*.

berlue F [bɛr'ly] *f* Flimmern *n* vor den Augen; *avoir la* ~ *fig.* mit Blindheit geschlagen sein, (völlig) auf dem Holzweg sein *fig.*

berme ⚔ [bɛrm] *f* Grabenabsatz *m*.

bermuda [bɛrmu'da] *m* Bermuda-Shorts *pl.*

bernacle *orn.* [bɛr'naklə] *f* Nonnengans *f*; Entenmuschel *f*.

bernardin [~nar'dɛ̃] *rl. m* Bernhardinermönch *m*; **~e** [~'din] *f* Bernhardinernonne *f*.

bernard-l'(h)ermite *zo.* [bɛrnarlɛr'mit] *m* Einsiedlerkrebs *m*.

berne [bɛrn] *f*: *en* ~ halbmast; *mettre le drapeau en* ~ halbmast flaggen.

berner [bɛr'ne] *v/t.* (1a) *fig.* foppen, aufziehen, zum besten halten; sich lustig machen über (*acc.*); *fig.* übers Ohr hauen (*bei e-m Geschäft*).

bernique F [bɛr'nik]: ~*! int.* umsonst!, vergeblich!, weit gefehlt!, denkste!

bertillonnage ⚖ [bɛrtijɔ'naːʒ] *m* anthropometrische Messungen *f/pl.*

berzingue * [bɛr'zɛ̃ːg] *adv.*: *à tout* ~ in aller Eile.

besace [bə'zas] *f* **1.** Quer-, Bettelsack *m*; *fig.* Bettelstab *m*; F *fig.* *réduire* (*od.* *mettre*) *q. à la* ~ j-n an den Bettelstab bringen; **2.** *fig.* Last *f*, Kreuz *n*; *chacun a sa* ~ jeder hat sein Kreuz im Leben.

besaiguë ⊕ [bəzɛ'gy] *f* Glaserhammer *m*; *charp.* Band-, Quer-, Stich-axt *f*.

besant *hist.* [bə'zɑ̃] *m* **1.** Byzantiner *m* (*Münze*); **2.** ⚠ ~*s pl.* Kugelfries *m*.

bésef P [be'zɛf] *adv.* viel.

besicles *iron.* [bə'ziklə] *f/pl.* Brille *f*.

beso|gne *etwas* F [bə'zɔɲ] *f* (*zu leistende*) Arbeit *f*; ~ *mal faite* Stümperei *f*; *rude* ~ saure Arbeit *f*; *fig.* *tailler de la* ~ *à q.* j-m zu schaffen machen; *abattre de la* ~ viel (Arbeit) schaffen; *aller vite en* ~ rasch vorgehen, zu schnell handeln; *avoir de la* ~ zu tun haben; *donner de la* ~ *à q.* j-m viel zu schaffen machen; *s'endormir sur la* ~ langsam arbeiten; *iron.* *vous avez fait de la belle* ~*!* Sie haben ja etw. Schönes angerichtet!; *se mettre à la* ~ sich an die Arbeit machen; *faire plus de bruit que de* ~ mehr mit dem Mund arbeiten, mehr reden als leisten; *aimer la* ~ *faite* sich vor der Arbeit drücken, sich kein Bein ausreißen, die Arbeit scheuen; **~gner** [~'ɲe] *v/i.* (1a) (schwer) arbeiten; **~gneux** [bəzɔ'ɲø] *adj. u. su.* (7d) bedürftig(e Person *f*).

besoin [bə'zwɛ̃] *m* **1.** Not *f*, Armut *f*,

Bedürftigkeit *f*; *être dans le* ~ in Not sein; Not leiden; *être à l'abri du* ~ keine Not leiden; **2.** Bedürfnis *n*, Bedarf *m*, Erfordernis *n*; *avoir* ~ *de* (*od. que*) ... (es) nötig haben (, daß), brauchen; *selon les* ~*s* nach Bedarf; ~*s pl. énergétiques* (*od. d'énergie*) Energiebedarf *m*; *sans* ~*s* bedürfnislos; genügsam; *au* ~, *en cas de* ~, *si* ~ *est*, *s'il* (*en*) *est* ~ im Notfall, nötigenfalls, wenn es not tut; im Bedarfsfall; **3.** ~*s pl.* natürliches Bedürfnis; *faire ses* ~*s* s-e Notdurft verrichten; **4.** † (*adresse f au* ~) Notadresse *f* (*beim notleidenden Wechsel*).

bessemer ⚒ [bɛs'mɛ:r] *m* (*a. convertisseur* 9) Bessemerbirne *f*.

besson *dial.* [bɛ'sɔ̃] *su. u. adj.* (7c) Zwilling(s...) *m*.

bestiaire [bɛs'tjɛ:r] *m* **1.** Tierfechter *m*; **2.** Tierbuch *n*.

bestial [bɛs'tjal] *adj.* (5c) □ viehisch, roh.

bestiali|ser [bɛstjali'ze] (1a) **I** *v/t.* dem Vieh gleichstellen; **II** *v/rfl. se* ~ vertieren, verrohen; **~té** [~'te] *f* Roheit *f*, tierische Handlungsweise *f*, Bestialität *f*.

bestiaux [bɛs'tjo] *m/pl.* Rind-, Zugvieh *n*.

bestiole [bɛs'tjɔl] *f* Tierchen *n*.

bêta *m*, **bêtasse** *f* F [bɛ'ta, bɛ'tas] *su. u. adj.* Erzdummkopf *m*; dumm, urdoof P.

bétail [be'taj] *m* (*pl. bestiaux, s. dort*) Vieh *n*; *gros* ~ Großvieh *n*, Kühe u. Pferde *pl.*; *menu* ~, *petit* ~ Kleinvieh *n*.

bêtatron *at.* [bɛta'trɔ̃] *m* Betatron *n*, Elektronenschleuder *f*.

bête [bɛ:t] **I** *f* **1.** Tier *n*; ~*s pl. à cornes* Hornvieh *n*; ~*s pl. à poil* Schweine *n/pl. u.* Ziegen *f/pl.*; ~*s pl. de somme* Lasttiere *n/pl.*; ~*s pl. de trait* Zugvieh *n*; *fig. chercher la petite* ~ ein Haar in der Suppe suchen, alles bekritteln; *remonter sur sa* ~ wieder zu Ansehen kommen; *il est ma* ~ *noire od. ma* ~ *d'aversion* er ist mir absolut zuwider *od.* ein Greuel; ich hasse ihn wie die Pest; ich kann ihn nicht ausstehen; **2.** Hochwild *n*; ~*s pl. fauves* Rotwild *n*; ~*s pl. noires* Schwarzwild *n*; **3.** ~*s* (*féroces*) *pl.* wilde Tiere *n/pl.*; **4.** *ent.* ~ *à bon Dieu* Marienkäfer *m*; **5.** *fig.* dumme Person *f*; *c'est une bonne* ~ er ist ein gutmütiger Trottel; F *faire la* ~ sich dumm stellen; *n'allez pas faire la* ~*!* seien Sie doch kein Narr!; **6.** *Kartenspiel*: Strafeinsatz *m*; *tirer* (*od. gagner*) *la* ~ Bete machen; **II** *adj.* □ dumm, albern, einfältig; ~ *comme une oie*, ~ *comme un dindon*, ~ *comme ses pieds* saudumm P.

bêtement [bɛt'mɑ̃] *adv.* dummerweise; *tout* ~ gedankenlos, unbesonnen.

bêtifier [bɛti'fje] *v/t.*, *v/i.* verdummen.

bêtise [bɛ'ti:z, be'ti:z] *f* Dummheit *f*, Unverstand *m*; *fig.* Kleinigkeit *f*; Bagatelle *f*, Lappalie *f*; *par* ~ aus Dummheit; *dire des* ~*s* dummes Zeug reden; *lâcher une* ~ e-e Dummheit ungewollt aussprechen.

bêtiser [beti'ze] *v/i.* (1a) Dummheiten sagen *od.* machen.

béton [be'tɔ̃] *m* Beton *m*; ~ *armé* Eisenbeton *m*; ~ *à air occlus* Porenbeton *m*; ~ *à* (*od. au*) *gaz*, ~*-gaz* Gasbeton *m*; ~ *banché* Schüttbeton *m*; ~ *cellulaire* Zellenbeton *m*; ~ *centrifugé* Schleuderbeton *m*; ~ *confectionné in situ* Ortbeton *m*; ~ *coulé* Schleuder-, Schüttelbeton *m*; ~ *damé* Stampfbeton *m*; ~ *décoratif* Sichtbeton *m*; ~ *frais* Frischbeton *m*; ~ *de laitier* Schlackenbeton *m*; ~ *léger* (*lourd*) Leicht- (Schwer-)beton *m*; ~ *manufacturé* Betonstein *m*; ~ *monograin* Einkornbeton *m*; ~-*-mousse* Schaumbeton *m*; ~ *ocraté* Ocratbeton *m*; ~ *de pierre ponce* Bimsbeton *m*; ~ *poreux* Porenbeton *m*; ~ *précontraint* Spannbeton *m*; ~ *vibré* vibrierter Beton *m*; *Fußball*: *faire le* ~ mauern; **~nage** [~ɔ'na:ʒ] *m* Betonierung *f*; **~ner** [~ɔ'ne] *v/t.* (1a) betonieren; *Fußball*: mauern, (das Loch) dichtmachen; **~nière** [~ɔ'njɛ:r] *f* Betonmischmaschine *f*, Betonmischer *m*.

bette [bɛt] *f* Mangold *m*, Beete *f*.

bettera|ve [bɛ'tra:v] *f* **1.** ~ *fourragère* Runkel-, Futter-rübe *f*; ~ *à sucre*, ~ *sucrière* Zuckerrübe *f*; **2.** F *fig. nez m de* ~ Gurke *f*, Zinken *m* (*rote Nase*); **~verie** [~ra'vri] *f* Rübenzuckerfabrik *f*; **~vier** [~'vje] (7b) **I** *adj.*: *culture f betteravière* Rübenanbau *m*; **II** *m* Rübenbauer *m*.

beugl|ant P [bø'glɑ̃] *m* Tingeltangel *m*; **~er** [~'gle] *v/i.* brüllen (*Rindvieh, Mensch*); *rad.* in voller Lautstärke ertönen.

beurre [bœ:r] **I** *m* Butter *f*; ~ *de cuisine* (*à frire, végétal*) Koch- (Back-, Pflanzen-)butter *f*; ~ *artificiel*, *a.* ~ *végétal* Kunstbutter *f*; *lait m de* ~ Buttermilch *f*; ~ *noir* (*od. roux*) braune Butter *f*; *œil m au*

~ *noir* blaue(s) Auge *n*; ~ *rance* ranzige Butter *f*; *petit* ~ Butterkeks *m*; F *tenir l'assiette au* ~ an der Krippe sitzen; F *faire son* ~ *fig.* sein Schäfchen ins trockene bringen, auf s-e Kosten kommen; *on y entre comme dans du* ~ das läßt sich leicht schneiden; *c'est du* ~ *sur* (*od. dans*) *ses épinards* das bedeutet e-e zusätzliche Einnahme für ihn (für sie); *mettre du* ~ *dans les épinards* (*od. sur son pain*) die (s-e) pekuniäre Lage verbessern; *cela ne met pas de* ~ *dans les épinards fig.* das macht den Kohl nicht fett; **II** *adj.* hell-, butter-gelb.

beur|ré [bœ're] *m* Butterbirne *f*; **~rée** [~] *f* Butterbrot *n*; **~rer** [~] *v/t.* (1a) mit Butter bestreichen; **~rerie** [bœr'ri] *f* Butter-industrie *f*, -fabrik *f*; Meierei *f*; **~rier** [~'rje] **I** (7b) *adj.* Butter...; *centre m* ~ Haupt-ort *m*, -gegend *f* der Butterfabrikation; **II** *m* Butterdose *f*; **~rier-glacière** [~gla'sjɛ:r] *m* (6a) Butterkühler *m*; **~rière** [~'rjɛ:r] *f* Buttergefäß *n* (*auf dem Lande*).

beuverie [bœ'vri] *f* Sauferei *f*, Zecherei *f*.

bévatron *at.* [beva'trɔ̃] *m* Bevatron *n*, Protonenschleuder *f*.

bévue [be'vy] *f* Versehen *n*, Schnitzer *m*; Mißgriff *m*; *faire* (*od. commettre*) *une* ~ sich versehen, e-n Bock schießen.

bézef P [be'zɛf] *adv.* viel.

biais [bjɛ] **I** *adj.* (7) □ **1.** schräg; **II** *m* **2.** schräge Linie *f od.* Richtung *f*; schiefe Ebene *f*; **3.** ⚠ Schräge *f*; *men.* Gehrung *f*; *Mode*: schräge Garnierung *f*; schräger Stoffschnitt *m*; **4.** *fig.* Dreh F *m*, Ausweg *m*; *pol.* ~ *adroit* geschickter Schachzug *m*; *péj. par le* ~ *de* auf dem Umweg von; **5.** *prendre le bon* ~ *fig.* es richtig anpacken *od.* anfangen; *prendre q. de* ~ j-m auf geschickte Weise beikommen; **6.** *advt. en* ~, *de* ~ schief, schräg von der Seite; schräg durch (*schneiden*); auf Umwegen.

biais|ement [bjɛz'mɑ̃] *m* Abweichen *n* von der geraden Linie; Schrägverfahren *n*; **~er** [~'ze] *v/i.* (1b) schief (*od.* schräg) laufen, von der geraden Linie abweichen, schief sein; *fig.* Winkelzüge (*od.* Umschweife) machen; drum herumreden; ~ *avec qch.* mit etw. vorsichtig umgehen.

biannuel [bia'nɥɛl] *adj.* (7c) zweimal im Jahr erscheinend.

bib P ⚔ [bib] *m* Arzt *m* (s. *toubib*).

bibe|lot [bi'blo] *m* Kleinigkeit *f*, Nippsache *f*; **~loter** F [biblɔ'te] *v/i.* (1a) Nippsachen (ver)kaufen *od.* sammeln; *fig.* sich mit Kleinkram beschäftigen; **~loteur** F [~'tœ:r] *su.* (7g), **~lotier** [~lɔ'tje] *su.* (7b) Sammler *m* von Nippsachen.

biberon [bi'brɔ̃] (7c) **1.** *m* Saugflasche *f* (*für Kinder und Kranke*); *élever au* ~ mit der Flasche aufziehen; **2.** P *plais.* Säufer *m*; **~ner** P [bibrɔ'ne] *v/i. u. v/t.* saufen P, trinken.

bibi [bi'bi] *m* **1.** P ich; *chez* ~ bei mir; *c'est pour* ~ das ist für mich; *Verb in der 3. Pers./sg.*: ~ *aime le bon vin* ich trinke gern guten Wein; **2.** F Bibi *m* (*kleine Damenkappe*).

bibiche F [bi'biʃ] *adj./f* puppig, süß.

bibine P [bi'bin] *f* Gesöff *n*.

Bible ['biblə] *f* Bibel *f*; *papier m* ≗ Dünndruckpapier *n*.

biblio|bus [bibliɔ'bys] *m* fahrbare Bücherei *f*; **~graphe** [~'graf] *m* Bibliograph *m*, Bücherkenner *m*; **~graphie** [~gra'fi] *f* **1.** Bücherkunde *f*; **2.** Bibliographie *f*, Bücher-nachweis *m*, -verzeichnis *n*, Literatur *f* (*über etw.*); **~graphique** [~gra'fik] *adj.* □ bibliographisch; **~mane** [~'man] *su.* eifriger Sammler *m* von (*bsd. von seltenen*) Büchern; Büchernarr *m*; **~manie** [~ma'ni] *f* Bibliomanie *f*, Büchersucht *f*; **~phile** [~'fil] *su.* Bücherfreund *m*, -liebhaber *m*; **~philie** [~fi'li] *f* Bücherliebhaberei *f*; **~thécaire** [~te'kɛ:r] *su.* Bibliothekar *m*; **~théconomie** [~tekɔnɔ'mi] *f* Bibliothekswissenschaft *f*; **~thèque** [~'tɛk] *f* **1.** Bibliothek *f*, Bücherei *f*, Büchersammlung *f*; ~ *de prêt* Leihbücherei *f*, Leihbibliothek *f*, Buchverleih *m*; ~ *choisie* Handbibliothek *f*; ~ *circulante* (*od. ambulante*) fahrende Bücherei *f*; ~ *populaire* Volksbücherei *f*; ~ *de présence* Präsenzbibliothek *f*; ~ *scolaire* Schulbibliothek *f*; **2.** (*großer*) Bücherschrank *m*; **3.** Bibliothek(sgebäude *n*) *f*; **4.** Bibliotheks-saal *m*, -zimmer *n*; **5.** *fig. c'est une* ~ *vivante* er ist ein wandelndes Wörterbuch.

biblique [bi'blik] *adj.* biblisch.

biblisme [bi'blism] *m* **1.** biblischer Ausdruck *m*; **2.** biblische Orientierung *f*.

biblorhapte † [biblɔ'rapt] *m* Schnellhefter *m*.

bic [bik] *m Marke e-s französischen Kugelschreibers.*

bicamérisme *pol.* [bikame'rism] *m* Zweikammersystem *n*.

bicarbonate ⚗ [bikarbɔ'nat] *m*: ~ *de sodium* Bullrichsalz *n*, doppeltkohlensaures Natron *n*.
bicentenaire [bisɑ̃tə'nɛ:r] *m* zweihundertjähriges Jubiläum *n*.
bicéphale [bise'fal] *adj*. doppelköpfig; Doppel(kopf)...
biceps [bi'sɛps] *m anat*. Bizeps *m*; F *avoir du* (*od*. *des*) ~ kräftig, muskulös sein.
biche *ch*. [biʃ] *f* Hirschkuh *f*.
bicher F [bi'ʃe] *v/i*. (1a) gutgehen; *ça biche?* geht's gut?
bichette [bi'ʃɛt] *f* **1.** junge Hindin *f*; **2.** *ma* ~ mein kleiner, lieber Engel *m*.
bichon [bi'ʃɔ̃] *su*. (7c) Bologneserhündchen *n* (*langhaariger Schoßhund*); *fig*. F *mon* ~, *ma* ~*ne* [~'ʃɔn] mein Kleines.
bichonner [biʃɔ'ne] *v/t*. *u*. *se* ~ (1a) **1.** (sich) feinmachen *od*. putzen; **2.** Kind verhätscheln.
bichonnet * [biʃɔ'nɛ] *m* Kinn *n*.
bicolore [bikɔ'lɔ:r] *adj*. zweifarbig.
bicon|cave *opt*. [bikɔ̃'ka:v] *adj*. bikonkav, beiderseits hohl; ~**vexe** *opt*. [~'vɛks] *adj*. bikonvex, beiderseits erhaben.
bicoque *péj*. [bi'kɔk] *f* Bruchbude *f*, Schabracke *f*, armseliges (*od*. altmodisches) Haus *n*.
bicorne [bi'kɔrn] **I** *adj*. zweihörnig, mit zwei Spitzen; **II** *m* zweispitziger Hut *m*.
bicot [bi'ko] *m* **1.** F Zicklein *n*; **2.** *a*. *mv*.*p*. Araber *m*.
biculturalisme [bikyltyra'lism] *m* Nebeneinander *n* zweier Kulturen.
bicy|clette [bisi'klɛt] *f* Fahrrad *n*, Rad *n*; ~ *de course* Rennrad *n*; *aller à* (F *en*) ~ radfahren; ~ *aquatique*, ~ *nautique*, ~ *hydro-glisseur* Wasserfahrrad *n*; ~ *d'entraînement* Heimtrainer *m vél*.
bidasse * ⚔ *etw*. *iron*. [bi'das] *m* Soldat *m*; Landsertyp *m*.
bide P [bid] *m* Bauch *m*; *fig*. Mißerfolg *m*; *tomber sur le* ~ e-e Enttäuschung durchmachen; *ne rien avoir dans le* ~ mutlos sein, das Herz in der Hosentasche haben P; * *faire le* ~ e-e Niete sein.
bidet [bi'dɛ] *m* **1.** kleines Pferd *n*, Klepper *m*; **2.** Sitzbecken *n*, Bidet *n*.
bidoche P [bi'dɔʃ] *f* Fleisch *n*.
bidon [bi'dɔ̃] **I** *m* **1.** Kanne *f*, Kanister *m*; ~ *à pétrole* Petroleumkanne; ~ *à huile* Ölkanne *f*; ~ *de réserve*, ~ *de rechange* Reservetank *m*, -kanister *m*; ~ *à essence* Benzinbehälter *m*; **2.** ⚔ Feldflasche *f*; **3.** P Bauch *m*, Pansen *m* P; P *c'est du* ~! das ist Schwindel!; das ist ja Quatsch!; P *c'est pas du* ~ das ist mein voller Ernst; **II** *adj*./*m* gefälscht; ~**ner** P [bidɔ'ne] *v*/*rfl*..: *se* ~ P sich kringeln (*vor Lachen*).
bidonville [bidɔ̃'vil] *m* Elendsviertel *n*, Kanisterstadt *f*, Obdachlosensiedlung *f*.
bidule * [bi'dyl] *m* Dingsda *n*.
bief [bjɛf] *m* **1.** Mühlgerinne *n*; **2.** Staustrecke *f*.
bielle ⊕ [bjɛl] *f*, *a*. ~ *motrice* Pleuel-, Lenk-, Kurbel-stange *f*; *Auto*: ~ *d'accouplement* Kupplungsstange *f*; ~ *de direction* Lenkschenkel *m*.
bien [bjɛ̃] **I** *m* **1.** das Gute, Wohl *n*, Vorteil *m*, Gut *n*; *c'est pour votre* ~ das geschieht zu Ihrem Vorteil; *le souverain* ~ das höchste Gut; ~*s pl*. *spirituels* Geistesgüter *n*/*pl*.; ~*s pl*. *temporels od*. *terrestres od*. *de ce monde* irdische Güter *n*/*pl*.; *le* ~ *public* das Gemeinwohl; *le* ~ *général* das allgemeine Beste; *dire du* ~ *de* gut sprechen von (*dat*.); *faire le* ~ gut handeln; *faire du* ~ *à q*. j-m Gutes tun; *faire du* ~ *à qch*. e-r Sache nützen, etw. fördern; *cela vous fait du* ~ das tut e-m wohl (*od*. gut); *homme m*. *de* ~ anständiger, guter Mensch *m*; *gens pl*. *de* ~ anständige (*od*. gerechte) Menschen *m*/*pl*.; **2.** Vermögen *n*, Habe *f*; ~ *patrimonial* väterliches Erbteil *n*; *communauté f de* ~*s* Gütergemeinschaft *f*; ~*s pl*. *d'usage* Gebrauchsgüter *pl*.; *séparation f de* ~*s* Gütertrennung *f*; ~*s pl*. *meubles et immeubles* bewegliches u. unbewegliches Gut *n*; ~ *d'autrui* fremdes Gut *n*; *périr corps et* ~*s* mit Mann u. Maus untergehen; **3.** Landgut *n*, Gut *n*; **4.** *advt*. *à* ~ zum Guten; *en* ~ in günstigem Sinne; *mener une entreprise à* ~ ein Unternehmen zu e-m guten Ende bringen; *changement m en* ~ Besserung *f*, Umschwung *m* zum Besseren; **II** *adv*. **5.** gut, wohl, wohlauf; gemütlich; *on est* ~ *ici* hier ist's gemütlich; *aller* ~: a) gut sitzen, gut stehen; b) sich wohl befinden; c) gutgehen, glücklich ablaufen; ~ *élevé* wohlerzogen, gut erzogen; *être* ~: a) gut (*od*. bequem) sitzen, stehen *od*. liegen; b) *von e-m Kranken*: außer Gefahr sein, wohlauf sein, sich viel besser fühlen; c) sich in guten Verhältnissen befinden, es gut haben; d) ein ange-

nehmes Äußeres haben, hübsch sein; *être ~ avec q.* sich mit j-m gut stehen (*vgl. bon* 5.); *être ~ ensemble* einträchtig leben, befreundet sein; *c'est ~* schon gut; *~ fait* wohlgebaut, -gebildet; *vous avez ~ fait* Sie haben richtig gehandelt; *c'est ~ fait* es geschieht dir (Ihnen) recht; *comme ~ vous pensez* wie Sie wohl denken können; *il va ~, il se porte ~ od. il est ~ portant* es geht ihm gut, er ist wohlauf; *portez-vous ~!* leben Sie wohl!; *je ne me sens pas ~ od. je ne suis pas ~* ich fühle mich nicht wohl; ⚘ *venir ~* gut gedeihen; *nous verrons ~* wir werden schon sehen; *fort ~* sehr gut; *tant ~ que mal* so gut wie möglich, wohl oder übel, soso; *bel et ~* ganz einfach, schlechthin; *tout cela est bel et ~, mais ...* alles gut u. schön, aber ...; **6.** sehr, recht, wirklich, ganz; *~ malade* sehr krank; *je l'aime ~* ich habe ihn sehr lieb; *j'en suis ~ aise* das freut mich sehr; *je suis ~ heureux de te voir* ich bin sehr glücklich, dich zu sehen; *c'est ~ lui* er ist es in der Tat; das sieht ihm ähnlich!; *c'est ~ cela* das ist ganz richtig; *~ au contraire* ganz im Gegenteil; **7.** gern; *je voudrais ~ savoir* ich möchte gern wissen; **8.** ausdrücklich; *~ spécifier* ausdrücklich sagen; *il est ~ entendu que ...* es versteht sich von selbst, daß ...; **9.** allerdings, zwar, freilich; **10.** ungefähr, wohl, etwa; **11.** *mit de u. Artikel*: sehr viel; *~ de l'argent* (sehr) viel Geld; *~ de la peine* sehr viel Mühe; *il y avait ~ du monde* es waren allerhand Leute da; *aber*: *~ d'autres* noch viele (*od.* noch ganz) andere; **12.** *eh ~!* nun!; **13.** *~ autrement* ganz anders; *~ plus* (ja) noch mehr; *quand ~ même* selbst wenn; *ou ~* oder aber; **III** *adj./inv.* **14.** *un homme ~* ein anständiger Mensch; *les gens ~* die feinen Leute; **IV** *cj.* **15. bien que** obgleich, wenn ... auch, obwohl (*immer mit subj.*); **16.** *si bien que* so daß; **17.** *aussi bien que* ebenso wie.

bien|-aimé [bjɛ̃nɛ'me] *adj. u. su.* vielgeliebt; Liebling *m*; **~-dire** [bjɛ̃'diːr] *m* Redegewandtheit *f*; **~-etre** [~'nɛtrə] *m* **1.** Wohlbefinden *n*; **2.** Wohlstand *m*; **~-faire** [bjɛ̃-'fɛːr] *m* Wohltun *n*.

bienfai|sance [~fə'zɑ̃ːs] *f* Wohltätigkeit *f*; *buts m/pl. de ~* mildtätige Zwecke *m/pl.*; **~sant** [~fə'zɑ̃] *adj.* (7) **1.** wohltätig; **2.** erquickend, heilsam, wohltuend.

bien|fait [bjɛ̃'fɛ] *m* **1.** Wohltat *f*; **2.** Gefälligkeit *f*, Dienst *m*; **~faiteur** [~fɛ'tœːr] (7f) **I** *su.* Wohltäter *m*; **II** *adj.* wohltätig.

bien|-fondé ⚖ [~fɔ̃'de] *m*: *le ~ d'une réclamation* die Berechtigung (*od.* Notwendigkeit) e-r Beschwerde; **~-fonds** [~'fɔ̃] *m* (6b) Grundstück *n*; *pl. biens-fonds* Liegenschaften *f/pl.*

bienheureux [bjɛ̃nœ'rø] (7d) **I** *adj.* **1.** glücklich, glückselig; **2.** *rl.* selig (gesprochen); **II** *su. rl.* Selige(r) *m*; *fig. avoir l'air d'un ~* ein verklärtes Aussehen haben.

bien-intentionné [~nɛ̃tɑ̃sjɔ'ne] *adj.* wohlmeinend, wohlgemeint.

bien-jugé ⚖ [~ʒy'ʒe] *m* Recht-, Gesetzes-mäßigkeit *f*.

biennal [bjɛ'nal] *adj.* (5c) (*nach su.*) a) zweijährig, zwei Jahre dauernd; b) alle 2 Jahre stattfindend; **~e** (~) *f* Biennale *f*.

bien-pensant [bjɛ̃pɑ̃'sɑ̃] (*pl.* ~*s*) *adj. u. su.* spießbürgerlich; Spießer *m*.

bien|séance [bjɛ̃se'ɑ̃ːs] *f* Anstand *m*, Anständigkeit *f*, Schicklichkeit *f*; **~séant** [~se'ɑ̃] *adj.* (7) (*mst. nach su.*) schicklich.

bientôt [bjɛ̃'to] *adv.* bald, nächstens; *à ~!* auf baldiges Wiedersehen!; *c'est ~ dit* das ist leicht gesagt.

bienveil|lance [bjɛ̃vɛ'jɑ̃ːs] *f* Wohlwollen *n*, Gunst *f*; **~lant** [~'jɑ̃] *adj.* (7) wohlwollend; *peu ~* unfreundlich.

bienve|nu [bjɛ̃v(ə)'ny] *adj. u. su.* willkommen; *soyez le (la) ~(e)!* seien Sie (mir) willkommen!; **~nue** [~] *f* **1.** glückliche Ankunft *f*; **2.** Willkommen *n*, freundlicher Empfang *m*; *salut m de ~* freundliche Begrüßung *f*; *je vous souhaite la plus cordiale ~* ich heiße Sie herzlichst willkommen; **3.** Antrittsschmaus *m*; *payer sa ~* s-n Einstand geben.

bière[1] [bjɛːr] *f* Bier *n*; *~ blanche* Weißbier *n*; *~ blonde* helles Bier; *~ brune* dunkles Bier; *~ forte* Starkbier *n*; *~ de garde* Lagerbier *n*; *petite ~* Dünnbier *n*; F *ce n'est pas de la petite ~* das ist keine Kleinigkeit; F *se débarrasser d'une mauvaise ~* sich von etw. Wertlosem trennen.

bière[2] *fast* F [~] *f* Bahre *f*, Sarg *m*; *mettre en ~* aufbahren.

biffe * ⚔ [bif] *f* Infanterie *f*.

biffer [bi'fe] *v/t.* (1a) **1.** aus-, durch-

streichen; ~ *les mentions inutiles*, ~ *ce qui ne convient pas* Nichtzutreffendes zu durchstreichen; *vgl. rayer*; **2.** ⚖ für ungültig erklären.
biffin P [bi'fɛ̃] *su.* (7) **1.** Lumpensammler *m*; **2.** ⚔ Muschkote *m*, Infanterist *m*.
bifide ⚘ [bi'fid] *adj.* zweispaltig.
bifilaire ⚡ [bifi'lɛ:r] *adj.* Zweidraht...
biflore ⚘ [bi'flɔ:r] *adj.* zweiblumig.
bifocal *opt.* [~fɔ'kal] *adj.* (5c) bifokal.
bifolié ⚘ [bifɔ'lje] *adj.* zweiblättrig.
bifteck [bif'tɛk] *m* Beefsteak *n*; P *gagner son* ~ sein Brot verdienen.
bifur|cation [bifyrka'sjɔ̃] *f* Gabelung *f*, Abzweigung *f*; **~quer** [bifyr'ke] *v/i. u. se* ~ (1m) sich (gabelförmig) teilen; *fig.* sich spalten; 🚂 abzweigen.
bigam|e [bi'gam] **1.** *m* Bigamist *m*; **2.** *adj.* bigamisch; **~ie** [biga'mi] *f* Doppelehe *f*.
bigara|de ⚘ [biga'rad] *f* bittere Pomeranze *f*; **~dier** [~'dje] *m* bitterer Pomeranzenbaum *m*.
bigarré [biga're] *adj.* bunt(scheckig).
bigarreau [biga'ro] *m* (5b) Herzkirsche *f*.
bigar|rer [biga're] *v/t.* (1a) (*mst. mv.p.*) bunt(scheckig) machen *od.* anstreichen; **~rure** [~'ry:r] *f* Buntscheckiges *n*, buntes Allerlei *n*; *fig.* wirres Durcheinander *n*.
bigle ['bi:glə] *adj. u. su.* schielend; Schielende(r) *m*.
bigorne [bi'gɔrn] *f* Hornamboß *m*; * Argot *m*; *jaspiner* (*od. rouscailler*) * ~ Argot (*od.* Rotwelsch) sprechen.
bigorneau [bigɔr'no] *m* **1.** kleiner Amboß *m*; **2.** kleine, eßbare Muschel *f*; **3.** P ⚓ Kolonialmarineartillerist *m*.
bigorner [bigɔr'ne] *v/t.* (1a) ⊕ rund schlagen (*od.* schmieden); P kaputtmachen, beschädigen; ✈, ⚔ Flugzeug abschießen (*od.* runterholen); P drehen, fälschen; P *v/rfl.* se ~ sich prügeln.
bigot [bi'go] (7) **I** *adj.* frömmelnd; **II** *su.* Frömmler *m*.
bigoterie [bigɔ'tri] *f* Frömmelei *f*.
bigouden [bigu'dɛn] **I** *m* bretonische Frauenhaube *f*; **II** Bretonin *f* aus Pont-l'Abbé.
bigoudi [bigu'di] *m* Lockenwickel *m*.
bigre F ['bi:grə] *int.* verflucht!; Mensch!; Donnerwetter! (*Wut u. Verwunderung*); **~ment** F [bigrə'mɑ̃] *adv.* verflucht, riesig, sehr.
bigrille *rad.* [bi'grij] *f* Doppelgitterröhre *f*.
bigue [big] *f* **1.** ⚓ Bock *m zum Heben schwerer Lasten*; **2.** Ausbesserungsstütze *f*, Strebe *f*.
bihebdomadaire [biɛbdɔma'dɛ:r] *adj.* wöchentlich zweimal erscheinend, halbwöchentlich.
bijou [bi'ʒu] (5b) *m* Bijou *m od. n*.
bijou|terie [biʒu'tri] *f* **1.** Juwelier-, Galanterie-waren *f/pl.*; Juweliergeschäft *n*; Juwelierarbeit *f*; **2.** Schmuck *m*, Geschmeide *n st.s.*; **~tier** [~'tje] *su.* (7b) Juwelier *m*.
bikbachi *arab.* ⚔ [bikba'ʃi] *m* Oberst *m*.
bikini [biki'ni] *m* Bikini *m*.
bilabial *phonét.* [bila'bjal] *adj.* (5c) bilabial, doppellippig.
bilan [bi'lɑ̃] *m* Bilanz *f*, Schlußrechnung *f*, Abschluß *m*; *fig.* Endergebnis *n*; ~ (*de l'exercice*) Rechnungsabschluß *m*; ~ *bénéficiaire* (*déficitaire*) Gewinn- (Verlust-)bilanz *f*; ~ *intérimaire* Zwischenbilanz *f*; *pallier un* ~ e-e Bilanz verschleiern; *phys.* ~ *énergétique* Energiehaushalt *m*; *fin.* ~ *approximatif* Überschlags-, Roh-bilanz *f*; *dresser* (*od. établir*) *un* ~ e-e Bilanz aufstellen (*od.* ziehen); *déposer son* ~ die Bilanz beim Gericht niederlegen, sich für zahlungsunfähig erklären, Konkurs anmelden; *s. a. balance*; **~-or** [~'ɔ:r] *m* Goldbilanz *f*; **~taire** [~'tɛ:r] *adj.* Bilanz...
bilatéral [bilate'ral] *adj.* (5c) zwei-, wechsel-seitig; **~isme** [~'lism] *m a.* † Zweiseitigkeit *f*.
bilboquet [bilbɔ'kɛ] *m* **1.** Kugelfangspiel *n*; **2.** Stehaufmännchen *n*.
bil|e [bil] *f* Galle *f*; *fig.* üble Laune *f*, Zorn *m*; *échauffer la* ~ den Zorn erregen; *décharger* (*od. épancher*) *sa* ~ *sur q.* s-n Zorn an j-m auslassen; *se faire de la* ~ sich aufregen; **~er** F [bi'le] *v/rfl.* (1a): *se* ~ sich Sorgen machen; Sorgen haben; sich aufregen; *ne te bile pas!* reg dich nicht auf!, mach dir keine Sorgen!; **~eux** P [~'lø] *adj.* (7d) leicht aufgebracht; *il n'est pas* ~ er läßt sich keine grauen Haare wachsen.
bili|aire *anat.* [bil'jɛ:r] *adj.* gallig, Galle führend; *calculs m/pl.* ~*s* Gallensteine *m/pl.*; **~eux** [~l'jø] *adj.* (7d) **1.** ⚕ gallig; *colique f bilieuse, fièvre f bilieuse* Gallen-kolik *f*, -fieber *n*; **2.** *fig.* leicht erregbar (*od.* reizbar).
bilin|gue [bi'lɛ̃:g] **I** *adj.* **1.** *zo.* zweizüngig; **2.** zweisprachig; **II** *su.*

jemand, der zwei Sprachen spricht; **~guisme** [~'gism] *m* Zwei-, Doppel-sprachigkeit *f*.

billard [bi'ja:r] *m* **1.** Billard(spiel *n*) *n*; *jouer au ~* Billard spielen; *joueur m de ~* Billardspieler *m*; *queue f de ~* Billardstock *m*; (*table f de*) *~* Billardtisch *m*; *salle f de ~* Billardzimmer *n*; *bille f de ~* Billardkugel *f*; **2.** ⚕ F Operationstisch *m*; *passer* (*od. aller*) *sur le ~* sich operieren lassen; **3.** F ausgezeichnete, gerade Landstraße *f*; **4.** F *c'est du ~* das ist ganz einfach (*od.* kinderleicht), das geht ohne weiteres.

bille [bij] *f* **1.** Kugel *f*; Billard-kugel *f*, -ball *m*; Murmel *f*; *jouer aux ~s* (mit) Murmeln spielen; *roulement m à ~s* Kugellager *n*; *stylo m* (*à*) *~* Kugelschreiber *m*; *~ d'acier* Stahlkugel *f*; **2.** *~ de bois* Holzklotz *m*; *~ de soufre* Schwefelstange *f*; *une ~ de chocolat* ein Riegel *m* Schokolade; **3.** P *fig.* (Dumm-)Kopf *m*, Birne *f* P, Omme *f* P, Nüschel *m* P; Gesicht *n*, Fratze *f* P, Visage *f* P.

billebaude [bij'bo:d] *f* Durcheinander *n*; *à la ~* drunter und drüber.

billet [bi'jɛ] *m* **1.** Briefchen *n*; *~ doux* Liebesbrief *m*; *je vous en donne* (*od.* F *fiche*) *mon ~!* ich gebe es Ihnen schriftlich!; ganz bestimmt!; todsicher!; **2.** Ankündigungs-, Bekanntmachungs-schreiben *n*; Einladungskarte *f*; Zettel *m*; Stimmzettel *m*; *~ quotidien* Tagesglosse *f* (*in e-r Zeitung*); *~ de confession* Beichtzettel *m*; ⚔ *~ de logement* Quartierzettel *m*; *~ de faire-part allg.* Familienanzeige *f*; *Heirats-, Geburts-, Todes-* Anzeige *f*; **3.** Banknote *f*, Geldschein *m*; *~ de mille francs* Tausendfrankenschein *m*; **4.** ✝ Schuldschein *m*, Wechsel *m*; *~ à domicile* domizilierter eigener Wechsel *m*; *~ à ordre* eigener (*od.* trockener) Wechsel *m*, Order-, Sola-wechsel *m*; *~ au porteur* Wechsel *m* auf den Inhaber; *~ de complaisance* Gefälligkeitswechsel *m*; *~ à vue* Sichtwechsel *m*; **5.** Karte *f*; *~ d'entrée* Eintrittskarte *f*; *~ de faveur* Freikarte *f*; *plais. prendre un ~ de parterre* der Länge nach hinfallen; **6.** 🚂 Fahr-karte *f*, -schein *m*; *~ d'aller et retour*, *~ de retour* Rückfahrkarte *f*; *~ bon dimanche*, *~ (d'aller et retour) du dimanche* Sonntagsrückfahrkarte *f*; *~ de fin de semaine*, *~ de week-end* Wochenendkarte *f*; *~ circulaire* Rundreisefahrkarte *f*, -fahrschein *m*, -billet *n*; **7.** Los *n*; *~ de loterie* Lotterie-los *n*, -schein *m*; *~ gagnant* Treffer *m*; *~ perdant* (*od. non gagnant*) Niete *f*.

billet-matière [~ma'tjɛ:r] *m* (6b) Materialbezugsschein *m*.

billette [bi'jɛt] *f* **1.** gespaltenes Holzstück *n* zum Heizen; **2.** ⊕ (Stahl-) Knüppel *m*, *vorgewalzter* Stahlblock *m*; **3.** *ehm.* ⚠ Doppelzahnschnitt *m*, unterbrochene Rundstäbe *m/pl.*; **4.** ▨ Schindel *f*.

billevesée [bijvə'ze, bilvə'ze] *f* Hirngespinst *n*.

billion [bil'jɔ̃] *m* **1.** Billion *f* (10^{12}); **2.** *bis 1949*: Milliarde *f* (10^9).

billon [bi'jɔ̃] *m* **1.** Scheidemünze *f*; **2.** ⚒ hügelig bebautes Feld *n* für Frühkulturen; **~nage** [~jɔ'na:ʒ] *m* **1.** Handel *m* mit verbotenen Münzsorten; **2.** Beet-pflügen *n*, -kultur *f*; **~ner** [~'ne] *v/i.* (1a) hügeliges Frühkulturland umpflügen.

billot [bi'jo] *m* **1.** Hauklotz *m*, (Schlacht-, Richt-)Block *m*; **2.** ⚒ Halsknüppel *m* für Ochsen.

bimane [bi'man] **I** *adj.* zweihändig; **II** *m* Zweihänder *m* (*der Mensch*).

bimbe|loterie [bɛ̃blɔ'tri] *f* **1.** Spielwaren *f/pl.*; **2.** Spielwaren-fabrikation *f*, -handel *m*; **~lotier** [~blɔ'tje] *su.* (7b) Spielwaren-fabrikant *m*, -händler *m*.

bimensuel [bimɑ̃'sɥɛl] **I** *adj.* (7c) monatlich zweimal erscheinend; **II** *m* Halbmonatszeitschrift *f*.

bimestriel [bimɛstri'ɛl] *adj.* (7c) zweimonatlich.

bimétal|lisme [bimeta'lism] *m* Doppelwährung *f*; **~liste** [~'list] *su.* Anhänger *m* der Doppelwährung.

bimoteur [bimɔ'tœ:r] **I** *adj.* (7f) zweimotorig; **II** *m* ✈ Zweimotorenflugzeug *n*.

binage [bi'na:ʒ] *m* ⚒ Umhacken *n*.

binaire [bi'nɛ:r] *adj.* binar, aus zwei Einheiten (*od.* ⚗ Elementen) bestehend.

binard [bi'na:r] *m* Block-, Roll-wagen *m*.

biner [bi'ne] **I** *v/t.* ⚒ zum zweiten Mal hacken; **II** *v/i. rl.* an einem Tag zwei Messen lesen.

binette [bi'nɛt] *f* **1.** Gartenhacke *f*; **2.** P Fratze *f*, Gesicht *n*.

bing [bɛ̃] *int.* peng!, krach!, bums!

biniou [bin'ju] *m* bretonischer Dudelsack *m*.

binocle *opt.* [bi'nɔklə] *m* Kneifer *m*.

binoculaire [binɔky'lɛ:r] *adj.*: *téléscope m ~* Doppelfernrohr *n*.

binôme [bi'no:m] *m* **1.** Binom *n*, binomische Größe *f*; **2.** * *écol.* Stubenkamerad *m*.

bio|acoustique [bjɔakus'tik] *f* Bioakustik *f*; **~astronautique** [bjɔastrɔno'tik] *f* Bioastronautik *f*; **~chimie** [~ʃi'mi] *f* Biochemie *f*; **~chimique** [~ʃi'mik] *adj.* biochemisch; **~chimiste** [~ʃi'mist] *su.* Biochemiker(in *f*) *m*; **~dégradable** ⚗, *biol.* [~degra'dablə] *adj.* durch Mikroorganismen auflösbar; **~graphe** [~'graf] *m* Biograph *m*; **~graphie** [~gra'fi] *f* Lebensbeschreibung *f*, -geschichte *f*, Biographie *f*; ~ *romancée* biographischer Roman *m*, Lebensgeschichte *f* in Form e-s Romans; **~graphier** [~gra'fje] *v/t.* (1a): ~ *q.* j-s Leben beschreiben; **~graphique** [~gra'fik] *adj.* biographisch; **~logie** [~lɔ'ʒi] *f* Biologie *f*; **~logique** [~lɔ'ʒik] *adj.* biologisch; **~giste** [~'ʒist] *m häufiger als* **~logue** [~'lɔg] *m* Biologe *m*; **~mécanique** ⚙ [~meka'nik] *adj.* biomechanisch (*v. Test*); **~métrie** [~me'tri] *f* Messung *f* u. Feststellung *f* der körperlichen Eignung; **~métrique** [~me'trik] *adj.* biometrisch; **~nique** ⚙ [bjɔ'nik] *f* Bionik *f*.

biophysique [bjɔfi'zik] *adj.* biophysikalisch.

biosatellite [bjɔsatɛ'lit] *m* Biosatellit *m*.

biosphère [bjɔ'sfɛ:r] *f* Biosphäre *f*, Gesamtlebensraum *m* der Erde.

biosthé|ticien [bjɔsteti'sjɛ̃] *m* Bioästhetiker *m*; **~tique** [~'tik] *f* Bioästhetik *f*; Wissenschaft *f*, die sich mit den Bedingungen für den Haarwuchs u. Haarausfall beschäftigt.

biotope *biol.* [bjɔ'tɔp] *m* Biotop *m od. n*, biologische Lebensgemeinschaft *f*.

biparti *m*, **~e** *od.* **~te** *f* [bipar'ti, ~'tit] *adj.* a) zweiteilig; b) s. **~san**; **~san** *pol.* [~ti'zɑ̃] *adj.* (7) Zweiparteien...

bipède [bi'pɛd] *adj. u. su.* zweifüßig; Zweifüßler *m*.

biphasé ⚡ [bifa'ze] *adj.* zweiphasig.

biplace *Auto u.* ✈ [bi'plas] *m* Zweisitzer *m*.

biplan ✈ [bi'plɑ̃] *m* Doppeldecker *m*.

bipode ⚠ [bi'pɔd] *m* zweifüßiger Träger *m*.

bipolaire [bipɔ'lɛ:r] *adj.* zweipolig.

bipolarité [~lari'te] *f* Zweipoligkeit *f*.

bique F [bik] *f* Ziege *f*; alter Gaul *m*, Klepper *m*; *fig.* alte Ziege *f*, altes Weib *n*.

biquet [bi'kɛ] *m* (*a.* **~te** [bi'kɛt] *f*) Zicklein *n*.

biquotidien [bikɔti'djɛ̃] *adj.* zweimal täglich erscheinend *od.* stattfindend *usw.*

birbe P [birb] *m*: *un vieux* ~ ein alter Mann *m*.

biréacteur ✈ [bireak'tœ:r] *m* zweimotoriges Düsenflugzeug *n*.

birème *antiq.* [bi'rɛ:m] *f* Zweiruderer *m*.

biribi P ⚔ [biri'bi] *m* afrikanische Strafkompanie *f*.

birman [bir'mɑ̃] *adj.* (7) burmesisch.

Birmanie *géogr.* [birma'ni] *f*: **la** ~ Burma *n*, Birma *n*.

bis[1] [bis] **I** *m* **1.** Wiederholung *f*; *avoir les honneurs du* ~ zur Wiederholung aufgefordert werden; **2.** 𝄞 Strich *m*: *B'* [*be bis*]; **II** *int.* noch einmal!; ♪ da capo!; **III** *adv.* doppelt, zweimal (*in Zssgn*); *numéro 20* ~ Nummer 20 A (*bei Hausnummern*).

bis[2] [bi] *adj.* (7) graubraun; *pain m* ~ Schwarzbrot *n*.

bisage *text.* [bi'za:ʒ] *m* Umfärben *n*.

bisaïeul [biza'jœl] *m* Urgroßvater *m*; **~e** [~] *f* Urgroßmutter *f*.

bisaiguë *charp.* [bizɛ'gy] *f* Kreuz-, Zimmer-axt *f*.

bisannuel [biza'nɥɛl] *adj.* (7c) zweijährig.

bisbille F [biz'bij] *f* Zank *m*, kleine Zankerei *f*; *être en* ~ *avec q.* sich mit j-m zanken, mit j-m verkracht sein.

biscornu [biskɔr'ny] *adj.* unförmlich, seltsam; F *fig.* verschroben.

bis|cotin [biskɔ'tɛ̃] *m* Hartzwieback *m*; **~cotte** [~'kɔt] *f* Zwieback *m*; Biskotte *f* (*Eiweißschneegebäck*).

biscuit [bis'kɥi] *m* **1.** Biskuit *m*; Keks *m*; ~ *de mer* Schiffszwieback *m*; ~ *à la cuiller* Löffelbiskuit *m*; ~ *glacé* Gußzwieback *m*; *fig.* *s'embarquer sans* ~ sich *auf etw.* ohne genügende Vorbereitung einlassen; ~ *de chiens* Hundekuchen *m*; **2.** unglasiertes Porzellan *n*; *Keramik*: *foyer à* ~ Vorglühherd *m*.

biscuiter [biskɥi'te] *v/t.* (1a) *Ziegelsteine usw.* brennen, im Ofen härten.

bise [bi:z] *f* **1.** Nord(ost)wind *m*; **2.** *poét.* Winter *m*; **3.** F Kuß *m*.

biseau [bi'zo] *m* (5b) **1.** Schrägkante *f*; *en* ~ schrägkantig; **2.** Meißel *m*.

biseau|tage [bizo'ta:ʒ] *m* **1.** ⊕ Schrägschleifen *n*, Abschleifen *n*; **2.** *cart.* Schummeln *n*, Betrug *m* (*durch Markieren der Karten*); **~ter** [~'te] *v/t.* (1a) **1.** ⊕ abschleifen, abschrägen, schräg abschneiden; facettieren (*Diamant*); **2.** *Karten* markieren; schummeln, betrügen.

biser [bi'ze] (1a) **I** *v/t.* **1.** *text.* auf-, um-färben; **2.** P küssen; **II** *v/i.* schwarz werden (*Korn*).
biset *orn.* [bi'zɛ] *m* Felsentaube *f.*
bisette [bi'zɛt] *f* schmale Leinenspitze *f.*
bisexué [bisɛk'sɥe], **bisexuel** (7c) [~sɛk'sɥɛl] *adj.* zweigeschlechtig.
bismuth *min.* [bis'myt] *m* Wismut *n.*
bison *zo.* [bi'zɔ̃] *su.* (7c) Bison *m*, Wisent *m*, Büffel *m.*
bisonique ✈ [bisɔ'nik] *adj.* mit doppelter Schallgeschwindigkeit.
bisontin [bizɔ̃'tɛ̃] *adj.* (7) aus Besançon.
bisque [bisk] *f* **1.** Krebssuppe *f*; **2.** F Ärger *m.*
bisquer F [bis'ke] *v/i.* (1m) ärgerlich sein, sich ärgern, platzen.
bissac ⚒ [bi'sak] *m* Bettelsack *m.*
bissec|teur [bisɛk'tœ:r] *adj.* (7f) ⩕ halbierend; **~tion** [~sɛk'sjɔ̃] *f* ⩕ Zweiteilung *f*, Halbierung *f*; **~trice** ⩕ [~'tris] *f* Halbierungslinie *f.*
bisser [bi'se] *v/t.* (1a) da capo verlangen *od.* singen *od.* sagen; *abs. thé.* zum zweiten Mal spielen.
bissex|te [bi'sɛkst] *m* Schalttag *m*; **~tile** [~'til] *adj.*: *année f ~* Schaltjahr *n.*
bissexué *biol.* [bisɛk'sɥe] *adj.* (6c) zweigeschlechtig.
bistanclaque P [bistɑ̃'klak] *m* alter Handwebstuhl *m* aus Lyon.
bistingo * [bistɛ̃'go] *m* kleines Restaurant *n.*
bistouille P [bis'tuj] *f* Fusel *m*; *in Nordfrankreich*: Kaffee *m* mit Schnaps; s. *mic.*
bistouri ⚕ [bistu'ri] *m* Operationsmesser *n.*
bistourner [bistur'ne] *v/t.* (1a) verbiegen, verdrehen; *vét.* kastrieren.
bistre ['bistrə] *m* (*u. adj.*: *couleur f ~*) Rußschwarz *n*, Schokoladenbraun *n*; *des yeux m/pl. cerclés de ~* schwarzumringte Augen *n/pl.*
bistrer [bis'tre] *v/t.* (1a) bräunen.
bistro P [bis'tro] *m* Kneipe *f*; Kneipier *m* [knai'pje].
bistrot|e P [bis'trɔt] *f* Inhaberin *f* e-r Kneipe; *m*: P *~ier.*
bite V [bit] *f* männliches Glied *n.*
bitord ⚓ [bi'tɔ:r] *m* zweidrähtiges Garn *n.*
bitte ⚓ [bit] *f* Beting *f*; Poller *m.*
bitter [bi'tɛ:r] *m* Bitter *m* (*Schnaps*).
bitumage [bity'ma:ʒ] *m* Asphaltierung *f.*
bitum|e [bi'tym] *m* Bitumen *n*, Asphalt *m*; **~er** [~'me] *v/t.* (1a) asphaltieren; **~eur** [~'mœ:r] *m* Asphaltarbeiter *m*; **~(in)eux** [~m(i-'n)ø] *adj.* (7d) bituminös; **~inisation** [~miniza'sjɔ̃] *f* Asphaltieren *n.*
biture * [bi'ty:r] *f* Besoffenheit *f* P; *prendre une ~* sich vollsaufen P.
bivou|ac [bi'vwak] *m* Biwak *m*, Feldlager *n*; **~aquer** [bivwa'ke] *v/i.* (1m) biwakieren.
bizarre [bi'za:r] *adj.* □ seltsam, wunderlich, sonderbar, eigenartig, komisch, bizarr; *ne trouvez-vous pas ~ que ...?* (*mit subj.*) finden Sie es nicht komisch, daß ...?; **~rie** [bizar'ri] *f* Wunderlichkeit *f.*
bizness P [biz'nɛs] *m* Geschäft *n*, Laden *m*; *comment va le ~?* wie geht's Geschäft?
bizut(h) * *univ.* [bi'zy] *m* Fuchs *m fig.*; **~age** * [~'ta:ʒ] *m* studentisches Einführungszeremoniell *n.*
blabla P [bla'bla] *m*, **blablabla** P [~'bla] *m* Palaver *n*, Gerede *n*, Gefasel *n*, Gewäsch *n*; *faire du ~* Unsinn reden, Phrasen dreschen.
blablabliser P [~bli'ze] *v/i.* (1a) = *faire du blablabla.*
blackbouler [blakbu'le] *v/t.* (1a): *~ q.* j-n durchfallen lassen; j-n zurückweisen (*bei Prüfungen od. Wahlen*).
black-out [bla'kawt] *m* ⚔ Verdunkelung *f*; *fig. faire un ~ officiel sur qch.* etw. offiziell totschweigen.
blafard [bla'fa:r] *adj.* (7) fahl, bleich, matt.
blague [blag] *f* **1.** Tabaksbeutel *m*; **2.** F *fig.* Aufschneiderei *f*, Übertreibung *f*; Ulk *m*, Jokus *m*, Faxe *f*; Dummheit *f*; *faire une ~ à q.* j-m e-n Streich spielen; *sans ~* im Ernst!; Scherz beiseite!; wirklich (*auch als Frage*).
bla|guer [bla'ge] (1a) **I** *v/i.* aufschneiden; *tu blagues!* du spinnst ja!, nicht möglich!, das ist ja nicht wahr!; **II** *v/t.* *~ q.* j-n hochnehmen, sich über j-n lustig machen; **~gueur** [~'gœ:r] (7g) **I** *su.* **1.** Aufschneider *m*, Prahlhans *m*; **2.** Spaßvogel *m*; Spötter *m*; **II** *adj.* spöttelnd, spöttisch; *air ~* spöttische Miene *f.*
blair P [blɛ:r] *m* Zinken *m* P, Nase *f*; Visage *f* P, Gesicht *n.*
blaireau [blɛ'ro] *m* **1.** Dachs *m*; **2.** Rasierpinsel *m*; ⊕ Malerpinsel *m.*
blairer P [blɛ're] *v/t.* riechen *fig.*
blâmable [blɑ'mablə] *adj.* tadelnswert.
blâme [blɑ:m] *m* Tadel *m.*
blâmer [blɑ'me] *v/t.* (1a) tadeln.
blanc [blɑ̃] **I** *adj.* (7k) **1.** weiß; rein,

sauber; unbeschrieben, unausgefüllt, offen; blank; ~ *comme la neige* (*od. l'ivoire, un lis, un cygne*) blüten-, schnee-weiß; *armes blanches* blanke (Hieb- u. Stich-)Waffen *f/pl.*; *billet* ~ Niete *f* (*Lotterie*); *laisser une page en* ~ e-e Seite leer lassen; *coup à* ~ blinder Schuß, Warnschuß *m*; *donner carte blanche* freie Hand lassen; *choux* ~*s* Weißkohl *m*; *gelée blanche* (Rauh-)Reif *m*; *nuit blanche* schlaflose Nacht *f*; ⚕ *perte f blanche* Weißfluß *m*; *la population blanche* die weiße Bevölkerung; *d'une voix blanche* mit müder Stimme; *mét. vers* ~*s* reimlose Verse; *viande blanche* Kalbfleisch *n*, Geflügel *n*, Kaninchen *n*; **II** *m* **2.** *der* Weiße; *les* 2*s* die Weißen *pl.*, die weiße Bevölkerung; *hist. les* ~*s* Royalisten *m/pl.*, Legitimisten *m/pl.*; **3.** Weiß(e) *n*, weiße Farbe *f*; ~ *de chaux* Kaltwasser *n*; ~ *d'œuf* Eiweiß *n*; *le* ~ *de l'œil* das Weiße im Auge; *regarder q. dans le* ~ *des yeux* j-n fest ansehen; *rougir jusqu'au* ~ *des yeux* bis über die Ohren rot werden; *mets m au* ~ Gericht *n* mit weißer Sauce; *chauffé à* ~ weißglühend; *se saigner à* ~ *pour q.* sich für j-n vollständig verausgaben; *fig. saigner à* ~ völlig auspumpen *od.* erschöpfen *od.* aussaugen (*Land, Mensch usw.*); P *se marier en* ~ e-e Vernunftehe eingehen; **4.** weiße Schminke *f*; **5.** weiße Kreide *f*; **6.** ✝ Weißwaren *f/pl.*; *maison f de* ~ Weißwarengeschäft *n*; **7.** Weißwein *m*; **8.** ⚔ *das* Weiße in der Scheibe; **9.** *typ.* Durchschuß *m*, unbedruckte Stelle *f*; **10.** *Domino*: Null *f*; **11.** kleiner Weißfisch *m zum Ködern*; **12.** ✝, ⚖ Blankett *n*; *quittance f en* ~ unausgefüllte Quittung *f*; *en* ~ in blanko, Blanko...; **13.** *télév.* Ausfall *m* (*auf dem Bildschirm*); **14.** * Kokain *n*.

blanc-bec [blɑ̃'bɛk] *m* (6a) Grünschnabel *m*, grüner Junge *m*.

blanchâtre [blɑ̃'ʃɑːtrə] *adj.* weißlich.

blanche [blɑ̃ːʃ] *f* **1.** *die* Weiße, Europäerin *f*; **2.** ♩ halbe Note *f*; **3.** 2*-Neige* Schneewittchen *n*; **4.** * Kokain *n*.

blan|chet [blɑ̃'ʃɛ] *m* **1.** ⊕ Filzunterlage *f*, -deckel *m*; *Zuckersiederei*: Seihelappen *m*; **2.** ⚕ Mundfäule *f*, Soor *m*.

blancheur [blɑ̃'ʃœːr] *f* Weiße *n u. f*, weißer Fleck *m*.

blanchiment [blɑ̃ʃi'mɑ̃] *m* **1.** Bleichen *n*, Bleiche *f*; ~ *au pré* Rasen-, Sonnen-bleiche *f*; **2.** Weißen *n*, Tünchen *n*; **3.** ⊕ Weißsieden *n*.

blanchir [blɑ̃'ʃiːr] (2a) **I** *v/t.* **1.** weiß machen; weißen, tünchen; **2.** bleichen; **3.** weiß waschen, reinigen; *fig.* reinwaschen, rechtfertigen; **4.** polieren, glatthobeln, glattfeilen; *métall.* weißbrennen; **5.** *cuis.* abbrühen, abkochen; **II** *v/i.* **6.** weiß werden, bleichen; graue Haare bekommen; **7.** *le jour blanchit* der Morgen graut; **III** *v/rfl.* se ~ sich weiß machen; *fig.* sich reinwaschen.

blanchis|sage [blɑ̃ʃi'saːʒ] *m* **1.** Waschen *n*; **2.** Waschgeld *n*; ~**serie** [~ʃis'ri] *f* **1.** Waschanstalt *f*; **2.** Bleiche *f*; ~**seur** [~ʃi'sœːr] *m* Wäscher *m*; Bleicher *m*, Weißer *m*; ~**seuse** [~'søːz] *f* Waschfrau *f*; ~ *de fin* Feinwäscherin *f*.

blanchoyer [blɑ̃ʃwa'je] *v/i.* (1h) weiß schimmern.

blanc|-manger [blɑ̃mɑ̃'ʒe] *m* (6a) weißer Pudding *m* mit Mandeln; ~**-seing** [~'sɛ̃] *m* (6a) Blankounterschrift *f*.

blanquette [blɑ̃'kɛt] *f* **1.** moussierender Weißwein *m*; **2.** *cuis.* ~ *de veau* Kalbsragout *n*.

blasé [blɑ'ze] *adj.* gleichgültig, angewidert; blasiert; ~ *sur qch.* gegen etw. abgestumpft.

blaser [~] (1a) **I** *v/t.* abstumpfen, übersättigen (*sur od. de* gegen [*acc.*]); **II** se ~ überdrüssig werden.

blason [blɑ'zɔ̃] *m* **1.** Wappen(schild *m*) *n*; **2.** Wappenkunde *f*, Heraldik *f*.

blason|nement [~zɔn'mɑ̃] *m* Wappenerklärung *f*; ~**ner** [blɑzɔ'ne] (1a) *v/t. Wappen* malen *od.* erklären; ~**neur** [~'nœːr] *m* Wappenkundige(r) *m*.

blasphéma|teur [blasfema'tœːr] *su.* (7f) Gotteslästerer *m*; *weitS.* Lästerer *m*; ~**toire** [~'twaːr] *adj.* □ (gottes)lästerlich, lasterhaft.

blas|phème [blas'fɛːm] *m* Gotteslästerung *f*; Schmähung *f*; ~**phémer** [~fe'me] *v/t. u. v/i.* (1f) lästern; fluchen; schmähen.

blaste ⚘ [blast] *m* Keim *m*, Trieb *m*.

blatérer [blate're] *v/i.* (1f) blöken (*Schafsbock*); brüllen (*Kamel*).

blatte *ent.* [blat] *f* Sch(w)abe *f*.

blaude *dial.* [bloːd] *f* Bluse *f*; Fuhrmannskittel *m*.

blazer [bla'zœːr, -'zɛːr] *m* Blazer *m*, Klubjacke *f*.

blé ⚘ [ble] *m* **1.** Weizen *m*, Korn *n*, Getreide *n*; *les* ~*s sont beaux* das Korn steht schön; ~ *cornu od.* ergoté Mutterkorn *n*; ~ *dur* (*tendre*) Hart- (Weich-)Weizen *m*; ~ *égrugé* Schrot(korn *n*) *n*; ~ *noir*, ~ *rouge*, ~ *sarrasin* Buchweizen *m*; ~ *de Turquie* Mais *m*, türkischer Weizen *m*; *fig.* *manger son* ~ *en herbe od.* *en vert* seine Einkünfte im voraus verzehren; **2.** P Moneten *pl.*

bleausard *dial.* [blo'za:r] *m* Bergsteiger *m*.

bled [blɛd] *m* wildes Hinterland *n*, Binnenland *n* (*in Nordafrika*); *weitS.* (einsame) Gegend *f*, (ödes) Land *n*.

blédard [ble'da:r] *m* afrikanischer Hinterlandbewohner *m*.

blême [blɛ:m] *adj.* leichenblaß, fahl.

blêmir [blɛ'mi:r] *v/i.* (2a) erblassen.

blêmissement [blɛmis'mɑ̃] *m* Erblassen *n*.

blenn|ophtalmie ⚕ [blɛnɔftal'mi] *f* Bindehautentzündung *f*; **~orr(h)agie** ⚕ [~ɔra'ʒi] *f* Tripper *m*.

blésement [blez'mɑ̃] *m* fehlerhafte Aussprache *f* der Zischlaute.

blé|ser [ble'ze] (1f) *v/i.* die Zischlaute verwechseln; **~sité** [~zi'te] *f* Aussprachefehler *m* (*z.B.* *seval statt cheval*).

blessable [blɛ'sablə] *adj.* verwundbar.

blessé [blɛ'se] *m* Verwundete(r) *m*; ~ *de guerre* Kriegsverletzte(r) *m*; *grand* ~ *od.* ~ *grave* Schwerverletzte(r) *m*; ~ *léger* Leichtverletzte(r) *m*.

blesser [blɛ'se] (1b) **I** *v/t.* **1.** verwunden; **2.** wund reiben, (auf-) scheuern; drücken (*Schuhe*); **3.** *fig.* unangenehm berühren, verwunden, verletzen; ~ *au vif od.* *au cœur* auf das empfindlichste verletzen; ~ *la vue* das Auge beleidigen; **4.** *fig.* ~ *les intérêts* die Interessen schädigen; **II** *v/rfl.* *se* ~ sich weh tun, sich verletzen; *fig.* sich beleidigt fühlen.

blessure [blɛ'sy:r] *f* *äußere* Wunde *f*, Verwundung *f*, Verletzung *f*; *fig.* Beleidigung *f*, Kränkung *f*; ~ *à la tête* Kopfwunde *f*; ~ *par imprudence* fahrlässige Körperverletzung *f*.

blet [blɛ] *adj.* (7c) matschig (*Obst*).

blettir [blɛ'ti:r] *v/i.* (2a) matschig werden (*überreifes Obst*).

bleu [blø] **I** *adj.* **1.** blau; *conte m* ~ Märchen *n*; *cordon-*~ *fig.* tüchtige *od.* geschickte Köchin *f*; *filles f/pl.* ~*es* blaue Schwestern *f/pl.*; *renard m* ~ Blaufuchs *m*; *bas-*~ Blaustrumpf *m*; *vin* ~ schlechter Rotwein *m*; *avoir les yeux* ~*s* blaue Augen haben; ~ *clair* hellblau; ~ *mourant*, ~ *pâle* blaßblau; *robe f* ~ *clair* hellblaues Kleid *n*; *des vestes f/pl.* ~ *foncé* dunkelblaue Jacken *f/pl.*; *teindre en* ~ blau färben; F *en être* ~, *en demeurer* ~ verblüfft dastehen, *fig.* platt (*od.* sprachlos) vor Staunen sein; **2.** blau angelaufen, blau unterlaufen; **II** *m* **3.** Blau *n*; ~ *d'azur* Himmelblau *n*; ~ *d'outremer* Ultramarin *n*; ~ *de Prusse* Preußischblau *n*; *passer du linge au* ~ Wäsche bläuen; *fig.* *passer au* ~ stillschweigend übergehen; F *n'y voir que du* ~ gar nichts davon verstehen, wie die Kuh vorm neuen Tor dastehen; **4.** F blauer Fleck *m* (*am Arm usw.*); **5.** P schlechter Rotwein *m*; **6.** F *petit* ~ Rohrpost-brief *m*, -karte *f*; Telegramm *n*; leichter Wein *m*; **7.** ~ (*de travail*) Monteuranzug *m*; **8.** F Rekrut *m*; *fig.* *jouer comme un* ~ wie ein Anfänger spielen; **9.** *phot.* Blaupause *f*.

bleuâtre [~'ɑ:trə] *adj.* bläulich.

bleuet ⚘ [blø'ɛ] *m* Kornblume *f*.

bleu|ir [blø'i:r] (2a) **I** *v/t.* blau anlaufen lassen; bläuen; **II** *v/i.* blau werden; bläulich erscheinen; **~issage** [~i'sa:ʒ] *m* Bläuen *n*; **~issement** [~is'mɑ̃] *m* Blauwerden *n*; **~saille** * ⚔ [~'zɑ:j] *f* Rekrut *m*; **~té** [~'te] *adj.* leicht bläulich; **~ter** [~'te] *v/t.* (1a) leicht blau färben.

blin|dage [blɛ̃'da:ʒ] *m* **1.** ⚓, ⚔, *at.* Panzerung *f*; ⊕ Verkleidung *f*; ⚡ Abschirmung *f*, Entstörung *f*; *plaque f de* ~ Panzerplatte *f*; **2.** ⚒ ~ *d'un puits* Ringausbau *m*, Schachtzimmerung *f*; **~dé** [~'de] **I** *adj.* **1.** P sternhagelblau, total besoffen P; **2.** ⊕ *fermé* ~ gekapselt, vollständig abgeschlossen; **II** *m* Panzer(wagen *m*) *m*; **~der** [~] **I** *v/t.* (1a) **1.** ⚓, ⚔ bombenfest machen; panzern; ⚡ abschirmen; F *fig.* immun machen, festigen; *train m blindé* Panzerzug *m*; **2.** ⚒ ~ *un puits* e-n Schacht auszimmern; **II** P *v/rfl.* *se* ~ sich besaufen; **~des** *frt.* [blɛ̃:d] *f/pl.* Blendung *f*.

blitz ⚔ [blits] *m* Überfall *m*.

blizzard [bli'za:r] *m* Schneegestöber *n*.

bloc [blɔk] *m* **1.** Block *m*, Klotz *m*; ~ *à dessin* Zeichenblock *m*; ~ *sterling* Sterling-Block *m*; ⚠ ~ *creux* Hohlblockstein *m*; ~ *de bâtiments*, ~ *d'immeubles* Häuserblock *m*; ~ *de calendrier* Kalenderblock *m*; ~ *à sténogrammes* Stenogrammblock *m*; *Sport*: ~ *de départ* Startblock *m*; *Auto*: ~ *moteur* Motorblock *m*;

chir. ~ *opératoire* Operationstisch *m*; ⊕ *former* ~ *avec qch.* mit etw. verbunden sein; *vél. gonfler à* ~ prall (*od.* fest) aufpumpen; *pol.* ~ *d'or*, ~ *de l'or*, ~(-)*or* Goldblock *m* (*Block der Länder mit Goldwährung*); **2.** *pol.* Block *m*; ~ *oriental* Ostblock *m*; **3.** *fig.* Anhäufung *f*, Masse *f*; *vendre en* ~ en bloc (*od.* im ganzen, in Bausch u. Bogen) verkaufen; **4.** F Gefängnis *n*, Kittchen *n* P; *mettre* (*od. fourrer*) *q. au* ~ j-n einsperren; ⚔ *être au* ~ Kasernenarrest haben.

blocage [blɔ'ka:ʒ] *m* **1.** △ kleine Füllsteine *m/pl.*; **2.** 🚂 Blockieren *n*, Absperren *n*; **3.** ⚕ Sperrung *f*, Sperre *f*; ~ *des salaires* Lohnstopp *m*; **4.** *typ.* Blockieren *n*, Blockade *f*; **5.** *bsd. pol.* Blockpolitik *f*.

blocaille [blɔ'kɑ:j] *f* Füllsteine *m/pl.*

bloc-film [blɔk'film] *m* (6a) *phot.* Filmpack *m*.

blockhaus [blɔ'kos] *m* **1.** *frt.* Bunker *m*; **2.** ⚓ gepanzerter Befehlsstand *m*.

bloc|-moteur [blɔkmɔ'tœ:r] *m* (6a) Blockmotor *m*, Motorgetriebeblock *m*, Blockgehäuse *n*; **~-notes** [~'nɔt] *m* (6b) Notizblock *m*; **~-système** 🚂 [~sis'tɛm] *m* Blocksignalsystem *n*.

blocus *éc.* [blɔ'kys] *m* (Wirtschafts-)Blockade *f*; ~ *de la famine* (*od. de la faim*) Hungerblockade *f*; *hist.* ~ *continental* Kontinentalsperre *f*.

blond [blɔ̃] **I** *adj.* (7) **1.** blond, hell; **II** *m* **2.** blonde Farbe *f*; ~ *cendré* asch-, semmel-blond(e Farbe *f*); **3.** blonder Mann *m*.

blondasse *péj.* [blɔ̃'das] *adj.* (semmel)blond.

blonde [blɔ̃:d] *f* **1.** Blondine *f*, blonde Frau *f*; **2.** Seidenspitze *f*; **3.** F helles Bier *n*, Helle(s) *n*.

blondeur [blɔ̃'dœ:r] *f* Blondheit *f*.

blon|din [~'dɛ̃] **I** *m* (7) Blondhaarige(r) *m*; **II** ⊕ *m* Kabelkran *m*; **~dine** [~'din] *f* Blondine *f*; **~dinet** [~di'nɛ] *adj. u. su.* (7c) hellblond(e Person *f*); **~dir** [~'di:r] (2a) **I** *v/i.* blond (*od.* geblich) werden; **II** *v/t.* blond färben; **~dissant** [~di'sɑ̃] *adj.* (7) gelblich, golden.

bloom ⊕ [blum] *m* vorgewalzter Stahlblock *m*; **~ing** [~'miŋ] *m* Blockwalzwerk *n*.

bloquage [blɔ'ka:ʒ] *m* s. *blocage*.

bloquer [blɔ'ke] *v/t.* (1m) **1.** ⚓, ⚕, ⚔ sperren, ab-, ver-riegeln, blokkieren, verrammeln; einschließen; die Zufuhr (*gén.*) abschneiden; ⊕ verklemmen; (*Ware*) festhalten; F einsperren; *être bloqué* Arrest haben; 🚂 s-e Reise nicht fortsetzen können; 🚂 ~ *la voie* das Gleis blokkieren; ~ *les freins* stark bremsen; *fin. des crédits bloqués* eingefrorene Guthaben *n/pl.*; **2.** *fig.* absperren, hindern; *discussion f bloquée* festgefahrene Diskussion *f*; **3.** mit Bruchsteinen ausfüllen; **4.** *Fußball*: ~ *le ballon* den Ball auffangen, stoppen.

blottir [blɔ'ti:r] (2a) *v/rfl.* se ~ sich kauern, sich ducken *od.* niederhocken.

bloum * [blum] *m* Hut *m*, Deckel *m* P *iron.*

blousant [blu'zɑ̃] *adj.* (7) blusig.

blouse [blu:z] *f* Bluse *f*, Kittel *m*; **~-chemise** [~'ʃmi:z] *f* (6a) Hemdbluse *f*.

blouser F [blu'ze] (1a) **I** *v/t.* reinlegen, betrügen; **II** *v/rfl.* se ~ sich verrechnen, reinfallen.

blouson [blu'zɔ̃] *m* **1.** Joppe *f*; **2.** Jumper *m*, Wolljacke *f*, Strickbluse *f*; **3.** ~ *noir* Halbstarke(r) *m*; ~ *rose* Flittchen *n*.

blue-jean [blu'dʒin] *m*: *en* ~ in Blue jeans.

bluet [bly'ɛ] *m* Kornblume *f*.

bluff [blœf] *m* Bluff *m*, Täuschung *f*; **~er** [~'fe] *v/t. u. v/i.* bluffen, reichlich angeben; **~eur** [~'fœ:r] *su.* (7g) Bluffer(in *f*) *m*, Aufschneider(in *f*) *m*, Angeber(in *f*) *m*.

blu|tage [bly'ta:ʒ] *m* Beuteln *n des Mehls*; **~teau** [~'to] *m* (5b) Mehlbeutel *m*, -sieb *n*, -trommel *f*; **~ter** [~'te] *v/t.* (1a) beuteln, seihen, durchsieben (*Mehl*); **~toir** [~'twa:r] *m* **1.** Mehlkasten *m*; **2.** = *bluteau*.

boa [bɔ'a] **1.** *m* Riesenschlange *f*; ~ *constricteur* Königsschlange *f*; **2.** (Pelz-)Boa *f*.

bobard F [bɔ'ba:r] *m* Schwindel *m*, (Zeitungs-)Ente *f*; schlechter Scherz *m*; *oft im pl.*: ~*s* reiner Schwindel *m*, Quatsch *m*, pure Erfindung *f*, glattes Märchen *n*; *monter un* ~ *de toutes pièces* e-n (aufgelegten) Schwindel inszenieren.

bobèche [bɔ'bɛʃ] *f* Leuchter-einsatz *m*, -manschette *f*; P Kopf *m*.

bobeur *Sport* [bɔ'bœ:r] *m* Bobfahrer *m*.

bobi|nage [bɔbi'na:ʒ] *m* Wicklung *f*; (Auf-)Spulen *n*; **~ne** [~'bin] *f* **1.** Spule *f*; Rolle *f*; *rad.* ~ *de choc* Drosselspule *f*; ~ *à curseur* (*od. à coulisse*) Schiebespule *f*; ~ *d'antenne* Antennenspule *f*; ~ *en nid d'abeille(s)* Honigwabenspule *f*; ~ *de réactance*, ~ *de réaction* Drossel-, Rückkopplungs-spule *f*; ~ *de* (*od. en*) *carton* Pappspule *f*; ~ *primaire, secondaire od. induite* Primär-, Sekundär- *od.* Induktions-spule *f*; ~ *pour la réception à grande distance* Fernempfangsspule *f*; ~ *nue* Spulenkörper *m*; ~ *magnétique* Magnetspule *f*; ~ *isolante* Isolierkörper *m*; ~ *de câble* Kabelrolle *f*; *Auto*: ~ *d'allumage* Zündspule *f*; ~ *de résistance* Widerstandsspule *f*; ~ *de syntonisation* Abstimmspule *f*; ~ *d'accouplement* Kopplungsspule *f*; *cin. passer la* ~ *de qch.* Aufnahmen von etw. bringen; **2.** ~ *de papier* Papierrolle *f*; **3.** P *fig.* Kopf *m*, Omme *f* P, Nuß *f* P, Nüschel *m* P, Deetz *m* P; Gesicht *n*; **~ner** [~'ne] *v/t.* (1e) (auf)wickeln, (auf)spulen; **~nette** [~'nɛt] *f* **1.** kleine Spule *f*; **2.** Türriegel *m*; **~neur** [~'nœ:r] *su.* (7g) Spuler *m*; **~neuse** [~'nø:z] *f* **1.** Spulerin *f*; **2.** ⚡ Wickelmaschine *f*; **~noir** ⊕ [~'nwa:r] *m* Wickel-, Spul-maschine *f*; Spulrad *n* (*an der Nähmaschine*).

bobo *enf.* [bo'bo] *m* Wehweh *n*.

boborel *dial.* [bɔbɔ'rɛl] *m* buntgesticktes Mieder *n* der Auvergnatinnen.

bob(sleigh) [bɔb('slɛ)] *m* Bobschlitten *m*; ~ *à deux (quatre) places* Zweier-(Vierer-)bob(schlitten *m*) *m*.

bocage [bɔ'ka:ʒ] *m* Hain *m*, Gehölz *n*.

bocager [bɔka'ʒe] *adj.* (7b) **1.** in Hainen wohnend; **2.** buschreich.

bocal [bɔ'kal] *m* (5c) **1.** ~ (*à confitures*) Weckglas *n*, Einmachglas *n*; **2.** rundes (Porzellan-)Gefäß *n* (*in Apotheken*); **3.** ♪ Mundstück *n* an Blasinstrumenten; **4.** F Bude *f*; **5.** Brutglas *n für Fische.*

bocard [bɔ'ka:r] *m* Pochwerk *n*, Stampfmühle *f*.

bocarder [bɔkar'de] *v/t.* (1a) *Erze* pochen.

boch|e P *péj.* [bɔʃ] **I** *adj.* deutsch; **II** ♀ *m* Deutsche(r) *m* (*Schimpfwort*); ♀**esse** P *péj.* [~'ʃɛs] *f* Deutsche *f*.

Bochiman, Boschiman [bɔʃi'mɑ̃] *m* Buschmann *m*.

bock ⚒ [bɔk] *m* Bier(glas *n*) *n* (1/4 *Liter*); *häufiger*: *demi.*

body stocking [bɔdistɔ'kiŋ] *m* Trikotanzug *m*; Rock *m* über hot pants.

bœuf [bœf] *m* **I** *m* **1.** Ochse *m*, Rind *n*; ~ *de boucherie* Schlachtochse *m*; ~ *de labour* Pflugochse *m*; ~ *gras*: a) [bø'gra] Faschingsochse *m*; b) [bœf'gra] fetter Ochse *m*; *travailler comme un* ~ schuften, schwer arbeiten; **2.** Rindfleisch *n*; ~ *à la mode* Schmorfleisch *n*; ~ *nature* Suppenfleisch *n*; ~ *salé* [bøsa'le] Pökelrindfleisch *n*; **3.** *fig. mettre la charrue devant (od. avant) les* ~*s* am verkehrten Ende anfangen; *avoir un* ~ *sur la langue* mit der Sprache nicht herausrücken können; **II** P *adj.* gewaltig, riesig, kolossal, Riesen...; *avoir un toupet* ~ unerhört frech auftreten; *un succès* ~ ein Riesenerfolg *m*, ein Bombenerfolg *m*, ein kolossaler Erfolg *m*; *un effet m* ~ ein Rieseneffekt *m*; **~erie** P [bœ'fri] *f* Dummheit *f*, Blödsinn *m*.

B.O.F. F *plais.* [beo'ɛf] (*beurre, œufs, fromages*) *m* Milch-, Butter-, Eier-, Käse-händler *m*.

bogie [bɔ'ʒi] *m*, **boggie** [bɔg'ʒi] *m* Drehgestell *n*, bewegliche Vorderachse *f*; ~ *de translation* Rollengestell *n*.

Bohême *ehm.* [bɔ'ɛ:m] *f*: **la** ~ Böhmen *n*.

bohème [~] **I** *f fig.* leichtsinnige, liederliche Welt *f*; Künstlerwelt *f*; Lotterleben *n*, Bummelleben *n*; **II** *m* verbummeltes Genie *n*, Bohemien *m*, Lotterbruder *m*; *ménage m de* ~, *intérieur m de* ~ Lotterwirtschaft *f*; *vie f de* ~ liederliches Leben *n*; *vivre en* ~, *mener une vie de* ~ ein Lotterleben führen; **III** *adj.* liederlich, leichtsinnig, Bummel...

bohémien [bɔe'mjɛ̃] (7c) **I** *adj.* **1.** böhmisch; **2.** zigeunerisch; **II** *su.* **3.** ♀ Böhme *m*; **4.** Zigeuner *m*; Wahrsager *m*.

boire [bwa:r] (4u) **I** *v/t. u. v/i.* **1.** trinken, (*von Tieren*: saufen); schlukken; ~ *dans un verre* aus e-m Glas trinken; ~ *à même la bouteille* gleich aus der Flasche trinken; *chanson f à* ~ Trink-, Sauf-lied *n* P; *achever de* ~, ~ *tout* austrinken; *donner pour* ~ *à q.* j-m ein Trinkgeld geben; ~ *son soûl* nach Herzenslust trinken; ~ *à la santé de q.* auf j-s Gesundheit (*od.* Wohl) trinken, j-m zutrinken; *fig. il y a à* ~ *et à manger* das hat Vor- u. Nachteile; ~ *un coup (od. une gorgée)* einen heben P; *être bu* P besoffen P (*od.* blau F) sein; **2.** ~ *son héritage* s-e Erbschaft vertrinken; **3.** aufsaugen; *le papier boit* das Papier löscht *od.* schlägt durch; **II** *v/rfl.* se ~ sich trinken lassen, trinkbar sein; **III** *m* Trinken *n*; *en perdre le* ~ *et le manger* darüber das Essen u. Trinken vergessen.

bois [bwa] *m* **1.** Gehölz *n*, Wald *m*; **2.** Holz *n*; ~ *taillis* Schlagholz *n*; *pont m de* ~ Holzbrücke *f*; *provision* *f de* ~ Holzvorrat *m*; *ouvrier m en* ~ Holzarbeiter *m*; ~ *à bâtir*, ~ *de charpente*, ~ *de construction*, ~ *d'œuvre* Nutz-, Bau-holz *n*; ~ *à brûler*, ~ *de chauffage* Brennholz *n*; ~ *de bûche* Scheit-, Kloben-holz *n*; ~ *de cellulose* Faserholz *n*; ~ *contre-plaqué*, ~ *croisé* Sperrholz *n*; ~ *de cœur* Kernholz *n*; ~ *d'aubier* Splintholz *n*; *scier du* ~ Holz sägen; P *fig.* schnarchen; **3.** ~ *de lit* Bettgestell *n*, Bettstelle *f*; **4.** ⚘ ~ *gentil* Seidelbast *m*; **5.** *ch.* Geweih *n*.

boisage [bwa'za:ʒ] *m* Getäfel *n*; ⚒ Schachtholz *n*; ⚓ Holzverkleidung *f*.

boisé [bwa'ze] *adj.* bewaldet; gezimmert.

boisement [bwaz'mɑ̃] *m* Aufforstung *f*.

boiser [bwa'ze] *v/t.* (1a) **1.** ⊕ täfeln, mit Holz verkleiden; ⚒ auszimmern; **2.** *for.* aufforsten; *zone boisée* Waldzone *f*.

boiserie [bwaz'ri] *f* Getäfel *n*, Täfelwerk *n*; Holzverkleidung *f*.

boisettes [bwa'zɛt] *f/pl.* Abfallholz *n/sg.*, Reisig *n/sg.*

boiseur ⚒ [bwa'zœ:r] *m*: ~ (*de chantier*) Ausbauhauer *m* (*im Abbau*).

boisseau [bwa'so] *m* Scheffel *m*; *garder qch. sous le* ~ etw. verschweigen; *mettre la lumière sous le* ~ sein Licht unter den Scheffel stellen.

boisse|lée [bwas'le] *f* ein Scheffelvoll *m*; **~lier** [bwasəl'je] *su.* (7b) Fabrikant *m* von Holzwaren für den Haushalt; **~llerie** [~sɛl'ri] *f* Holzwaren *f/pl.* für den Haushalt.

boisson [bwa'sɔ̃] *f* Getränk *n*; *adonné à la* ~ dem Trunk ergeben; *pris de* ~ betrunken.

boîte [bwat] *f* **1.** Schachtel *f*, Büchse *f*, *a.* ⚡ Dose *f*, Packung *f*; Kasten *m*; *écol.* Penne *f*, Kasten *m*; kleines Theater *n*, Lokal *n usw.*; *écol.* ~ *à bachot* Presse *f*, Privat(ober)schule *f*; ~ *crânienne* ⚕ Schädel-decke *f*, -kapsel *f*; ~ *en carton* Papp-schachtel *f*; -karton *m*; ~ *de chocolat* Schokoladenpackung *f*; *tél.* ~ *à images* Fernseh-schrank *m*, -truhe *f*; ~ *à lait* Milchkanne *f* (~ *au lait* regelmäßig gebrauchte Milchkanne *f*); ~ *à manucure* Manikürkasten *m*; *rad.* ~ *à musique* Musik-schrank *m*, -truhe *f*; Spieldose *f*; ~ *à ordures* Mülleimer *m*; ~ *à poudre* Puderdose *f*; ~ *pliante*, ~ *pliable* Faltschachtel *f*; ⊕ ~ *de graissage*, ~ *à graisse*, *Maschine*: ~ *à huile* Schmierbüchse *f*; ~ *de prise de courant* (*pour radio* Funk-)Steckdose *f*; *Auto*: ~ *d'engrenage* Übersetzungsgetriebe *n*; ~ *de* (*changement de*) *vitesses* Getriebekasten *m*, Wechselgetriebe *n*; ~ *à trois* (*quatre*) *vitesses* Drei- (Vier-) ganggetriebe *n*; ~ *à soupapes* Ventilkammer *f*; ~*-cartothèque* Tischkartei *f*; ~ *de dérivation* Abzweigdose *f*; ~ *de compas* Reißzeug *n*; ~ *de construction* Baukasten *m*; ~ *de couleurs* Tuschkasten *m*; ~ *de fer-blanc* Konservendose *f*; ~ (*aux lettres*) Briefkasten *m*; ~ *de montre* Uhrgehäuse *n*; ~ *de nuit* Kabarett *n*, Nachtlokal *n*; ~ *à outils* Handwerkskasten *m*; ~ *à ouvrage* Handarbeitskästchen *n*; ~ *à pansements* Verbandskasten *m*; ~ *à poivre* Pfefferbüchse *f*; ~ *postale* Postschließfach *n*; **2.** ⊕ Kammer *f an Dampfmaschinen*; ⊕ ~ *à billes* Kugellager *n*; **3.** *anat.* Gelenkpfanne *f*; **4.** F ✈ Flugschreiber *m*, schwarzer Kasten *m*; **5.** ⚔ Arrestlokal *n*; **6.** P *péj.* Firma *f*; *fermer la* ~ die Bude (den Laden) zumachen.

boiter [bwa'te] *v/i.* (1a) hinken; ~ *tout bas* sehr stark hinken.

boiteux [bwa'tø] (7d) **I** *adj.* **1.** hinkend, lahm; *être* ~ hinken; **2.** *fig.* wacklig, schief; *paix f boiteuse* Frieden *m* auf tönernen Füßen; *phrase f boiteuse* unsymmetrischer Satz *m*; *union f boiteuse* ungleiches Bündnis *n*; *vers* ~ hinkender Vers *m* (*mit ungleichem Silbenmaß*); *table f boiteuse* wackliger Tisch *m*; **II** *su.* Hinkende(r) *m*.

boîtier [bwa'tje] *m* **1.** *chir.* Verbandkasten *m*; **2.** *Uhr*: Gehäuse *n*; *phot.* Gehäuse *n*; *Tonband*: Koffer *m*.

boitiller [bwati'je] *v/i.* (1a) leicht hinken.

boitte [bwat] *f* Köder *m* (*für Kabeljau- od. Makrelenfang*).

boit-tout [bwa'tu] *m* (6c) **1.** Tummler *m* (*Glas ohne Fuß*); **2.** P Säufer *m*.

bol [bɔl] *m* **1.** *min.* Fetton *m*, Siegelerde *f*; **2.** *phm.* große Pille *f*; **3.** Schale *f* (*ohne Henkel*), kleiner Napf *m*; ~ *de lait* Schälchen *n* Milch; * *cheveux m/pl. coupés au* ~ Einheits(haar)schnitt *m* (*Topfschnitt*); F *en avoir ras le* ~ die Nase voll haben F; **4.** Bowle *f*; ~ *à punch* Punschbowle *f*.

bolche|vique *hist.* [bɔlʃə'vik] *adj. u. su.* = *bolcheviste*; **~visation** *hist.* [~vizɑ'sjɔ̃] *f* Bolschewisierung *f*; **~viser** *hist.* [~vi'ze] *v/t.* (1a) bolschewisieren; **~visme** *hist.* [~'vism] *m* Bolschewismus *m*; **~viste** *hist.* [~'vist] *adj. u. su.* bolschewistisch; Bolschewist *m*.

boléro [bɔle'ro] *m* **1.** Bolero *m* (*Tanz*); **2.** Bolerojäckchen *n*.

bolet ⚘ [bɔ'lɛ] *m* Hutpilz *m*.

bolide [bɔ'lid] *m* **1.** Feuerkugel *f*, Meteorstein *m*; **2.** *Auto*: *~ de course* Renn-wagen *m*, -maschine *f*.

bombage [bɔ̃'baːʒ] *m* **1.** ⚠ *~ de la route* Straßenwölbung *f*; **2.** F große Aufmachung *f*.

bombagiste [bɔ̃ba'ʒist] *m* **1.** Glasbieger *m*; **2.** Hersteller *m* von Drahtkörben, Deckeln aus Drahtgewebe *usw*.

bombance F [bɔ̃'bɑ̃ːs] *f* Prasserei *f*; *faire ~* prassen, schwelgen, üppig leben, schlemmen.

bombard * [bɔ̃'baːr] *m* Rauchboje *f*.

bombar|dement [bɔ̃bardə'mɑ̃] *m* Bombardierung *f*, Bombenangriff *m*; **~der** [~'de] *v/t.* (1a) bombardieren; *fig.* ganz plötzlich ernennen; mit Worten angreifen; F *~ q. de demandes* j-n mit Fragen überschütten; **~dier** [~'dje] *m* **1.** ✈ Bombenflugzeug *n*, Bomber *m*; **2.** ⚔ Artillerist *m*; **3.** *ent.* Bombardierkäfer *m*.

bombardon ♪ [bɔ̃bar'dɔ̃] *m* Bombardon *n*, tiefe Tuba *f*.

bombe [bɔ̃ːb] *f* **1.** Bombe *f*; *~ anti-personnel* Splitterbombe *f*; *~ lumineuse* Leuchtb. *f*; *~ à retardement* Bombe mit Zeitzündung; *~ d'avion* Flieger-, Luft-bombe *f*; *~ à ailettes* Flügelb. *f*; *~ à billes* Schrapnellb. *f*; *~ au laser* v. e-m Laserstrahl geleitete Bombe *f*; *~ au plastic* Plastikb. *f*; *~ sous-marine* Unterwasserb. *f*; *~ fumigène* Nebelb. *f*; *~ extinctrice* Löschb. *f*; *~ à hydrogène*, *~-H* Wasserstoffb. *f*; *~ incendiaire* Brandb. *f*; *~ atomique*, *~-A* Atomb. *f*; **2.** *~ glacée* Eisbombe *f*; **3.** Ballon *m* (*große runde Glasflasche*); **4.** ⚓ *~ de signaux* Signalball *m*; **5.** P Schwelgerei *f*, Prasserei *f*; Schmauserei *f*; *faire la ~* prassen, schwelgen, zechen, flott leben, in Saus und Braus leben; **6.** F Jockey-, Jäger-mütze *f*.

bom|bement [bɔ̃b'mɑ̃] *m* Wölbung *f*, Schweifung *f* des Holzes; **~ber** [~'be] (1a) **I** *v/t.* wölben, schweifen; *verre m bombé* Glasglocke *f*; **II** *v/i.* im Bogen vorspringen, sich wölben.

bon [bɔ̃] **I** *adj.* (7c) *u. bisw. adv.* **1.** gut; gutherzig, gutmütig; wohlwollend; freundlich; *le ~ Dieu* der liebe Gott; *bonne femme f* gute Frau *f*; F Frau *f* gesetzten Alters, Mütterchen *n*; *c'est un ~ compagnon* (*od. ~ vivant*) er ist ein lustiger Kerl; *soyez assez ~ pour lui dire* seien Sie so gut u. sagen (Sie) ihm; *les danses modernes ont du ~* die modernen Tänze haben etwas für sich (*od.* ... haben e-n Vorteil); **2.** lieb; *mon ~ ami* mein guter (*od.* lieber) Freund; **3.** geschickt; fähig; *avoir la main bonne*: a) in Handarbeiten geschickt sein; b) (*a. avoir bonne main*) e-e glückliche Hand haben; *à ~ entendeur, salut!* wer Ohren hat zu hören, der höre!; *un ~ ouvrier* ein tüchtiger Arbeiter; *arriver ~ premier* weit vor den übrigen als erster ankommen; *arriver ~ dernier* als allerletzter ankommen; **4.** einfältig; leichtgläubig; *il est bien ~ de croire cela* der ist schön dumm, daß er das glaubt; **5.** gut; schön; gesund; *de ~ cœur* von Herzen, herzlich gern; *de bonne foi* aufrichtig; *de bonne grâce* bereitwillig, gern; *de son ~ gré* aus freiem Antrieb; *de bonne main od. de bonne source* aus guter Quelle; *le ~ sens* der gesunde Menschenverstand; *avoir une bonne tenue* sich gut halten; *être en ~s termes avec q.* mit j-m gut stehen (*vgl. bien 5.*); *à quoi ~?* wozu?; *c'est ~ à savoir* das wird man sich merken; *il fait ~* es ist gutes (*od.* mildes) Wetter; *il fait ~ ici* hier ist es schön (*od.* warm, angenehm); *comme ~ vous semblera od. selon votre ~ plaisir* nach Ihrem Gutdünken; *trouver ~ qch.* etw. für gut halten; **6.** günstig; einträglich; fruchtbar; glücklich; *bonne année* fruchtbares Jahr; *faire une bonne fin*: a) ein gutes Ende nehmen; b) selig sterben; *~ an, mal an* jahrein, jahraus; *de bonne heure* frühzeitig; *à la bonne heure!* so ist es recht!, das lasse ich mit gefallen!; meinetwegen!; *de ~ matin* sehr früh; *prendre en bonne part* günstig aufnehmen; *le ~ temps* die gute alte Zeit; *bonne année!* glückliches neues Jahr!; *~ voyage!* glückliche Reise!; **7.** echt, richtig; *le ~ chemin* der rechte Weg; *à ~ compte od. (à) ~ marché* billig (*Ware*); **8.** groß, stark; beträchtlich, erheblich; *une bonne lieue* e-e reichliche Meile; *depuis ~ nombre d'années* seit e-r ganzen Reihe von Jahren; *l'exclusion f de ~ nombre de militants* der Ausschluß e-r Reihe (*od.* beträchtlichen Zahl) von aktiven Parteigenossen; **9.** witzig, geistreich; ~ *mot* geistreicher Ausspruch *m*, Witz *m*; *en dire (od. raconter) de bonnes* lustige (*od.* ulkige) Dinge erzählen; **10.** ernst(lich) wahr; **11.** gültig; ~ *pour deux personnes* gültig für zwei Personen; *typ.* ~ *à tirer* gut (*od.* fertig) zum Druck; **II** *adv.* **12.** gut; schön; *sentir* ~ gut (*od.* schön) riechen; *tenir* ~ standhalten, sich tapfer halten, durchhalten, bei der Stange bleiben; *tout de* ~, *pour de* ~ allen Ernstes; im Ernst; endgültig; *enf.* richtig (*vgl. vrai* II, *Ende*); *mais il était resté des mécontents qui ne voulaient pas croire qu'Henri IV se fût converti pour de ~ au catholicisme* aber es waren Unzufriedene geblieben, die nicht wahrhaben wollten, daß sich Heinrich IV. allen Ernstes zum Katholizismus bekehrt hatte; ~*!* gut!, schön!; **III** *m* **13.** *der, das* Gute; *il a du* ~ er hat gute Seiten; **14.** Nutzen *m*, Vorteil *m*; **15.** † Scheck *m*, Anweisung *f*, Notgeldschein *m*, Schein *m*; ~ *de caisse* Kassenschein *m*; ~ *de commission* (*od. de commande*) Bestellschein *m*; ~ *de pain* Brotkarte *f*; ~ *de poste* Postanweisung *f*; † ~ *du Trésor* Schatzanweisung *f*, Staatsschuldschein *m*; ~ *d'achat* Bezugschein *m* (*für bewirtschaftete Waren*); ~ *du Trésor libellé en dollars* Dollarschatzanweisung *f*; ~ *de décharge*, ~ *à délivrer* Lieferschein *m*; **16.** Genehmigung *f*.

bonace ⚓ [bɔ'nas] *f* kurze Windstille *f*.

bonasse [~] *adj.* (zu) gutmütig.

bonbon [bɔ̃'bɔ̃] *m* Bonbon *m*; *des* ~*s* Zucker-, Nasch-werk *n*.

bonbon|ne [bɔ̃n'bɔn] *f* große Korbflasche *f*; ⊕ große Säureflasche *f*, Ballonflasche *f*; ~ *à gaz* Gasflasche *f*; **~neuse** [~'nø:z] *f* Bonbonarbeiterin *f*; **~nière** [~bɔ'njɛ:r] *f* **1.** Konfektschachtel *f*; **2.** *fig.* niedliche Wohnung *f*; kleineres Haus *n*.

bon-chrétien ♀ [bɔ̃kre'tjɛ̃] *m* (6a) Christbirne *f*.

bond [bɔ̃] *m* **1.** Auf-, Ab-sprung *m*, Zurückprallen *n*; *fig.* die Gelegenheit beim Schopf ergreifen; **2.** Sprung *m*, Satz *m*; *faire faux* ~ *à q. fig.* j-n versetzen, j-n im Stich lassen.

bonde [bɔ̃:d] *f* Abflußöffnung *f*; Spundloch *n*; Spund *m*, Zapfen *m*.

bondé [bɔ̃'de] ganz voll, vollbesetzt, vollgepfropft, gerammelt voll.

bonder [bɔ̃'de] *v/t.* (1a) vollstopfen; ⚓ vollstauen.

bondéris|ation ⊕ [bɔ̃deriza'sjɔ̃] *f* Bondern *n* (*rostschützendes Überzugsverfahren für Stahl und Zink*); **~er** ⊕ [~'ze] *v/t.* (1a) bondern, parkerisieren, phosphatieren; *installation f bondérisante* Bonderanlage *f*.

bondieu|sard F *péj.* [bɔ̃djø'za:r] *adj. u. su.* frömmelnd; Frömmler *m*, Betbruder *m*; **~serie** F *péj.* [~z'ri] *f* Frömmelei *f*; *pl.* ~*s* religiöser Kitsch *m*.

bondir [bɔ̃'di:r] *v/i.* (2a) **1.** auf-, zurück-prallen, hüpfen; **2.** aufspringen, e-n Satz machen; sich bäumen; *fig.* ~ *de joie* vor Freude deckenhoch springen; *cela me fait* ~ *le cœur* das erregt mir Ekel; **3.** *ch. faire* ~ aufscheuchen.

bondissant [bɔ̃di'sɑ̃] *adj.* (7) aufprallend, springend, hüpfend.

bondissement [~s'mɑ̃] *m* Aufspringen *n*, -prallen *n*.

bondon [bɔ̃'dɔ̃] *m* Spund *m*, Zapfen *m*; Pfropfen *m*; **~ner** [~dɔ'ne] *v/t.* (1a) zuspunden; **~nière** [~'njɛr] *f* Spundbohrer *m*.

bongarçonnisme F [bɔ̃garsɔ'nism] *m* offenherzige Freundlichkeit *f*.

bonheur [bɔ'nœ:r] *m* **1.** Glück *n*, Glückseligkeit *f*; Heil *n*, Segen *m*; **2.** glückliche Begebenheit *f*, glücklicher Erfolg *m* (*auch im pl.*); *avoir le* ~ *de* (*mit inf.*) so glücklich sein zu ...; *au petit* ~ auf gut Glück, aufs Geratewohl; *coup m de* ~ Glücksfall *m*; *par* ~ glücklicherweise, zum Glück.

bonheur-du-jour [bɔ'nœ:rdy'ʒu:r] *m* Vertiko *n*.

bonhomie [bɔnɔ'mi] *f* Gutmütigkeit *f*, Biederkeit *f*; *iron.* Einfalt *f*.

bonhomme *sg.* [bɔ'nɔm], **bonshommes** *pl.* [bɔ̃'zɔm], P **bonhommes** *pl.* [bɔ'nɔm] **I** *m* **1.** gutmütiger Mensch *m*, braver Mann *m*, guter Kerl *m*, Biedermann *m*; Trottel *m*; *aller son petit* ~ *de chemin* gemächlich s-n Weg gehen, F entlangtrotten; s-s Weges gehen (*od.* ziehen); **2.** *un vieux* ~ ein gutmütiger Alter; ~ *Noël der* Weihnachtsmann, Knecht Ruprecht *m*; **3.** F *petit* ~ Junge *m*, Knirps *m*; **4.** ⊕ Schwimmer *m* (*Zeiger am Manometer*); **II** *adj.* gutmütig, bieder.

boni † [bɔ'ni] *m* Überschuß *m*, Guthaben *n*; F Gewinn *m*, Überstundengeld *n*.

boniche P *oft péj.* [bɔ'niʃ] *f* Dienstmädchen *n*, -bolzen *m péj.*

boni|fication [bɔnifikɑ'sjɔ̃] *f* **1.** Verbesserung *f*; **2.** ⚕ Vergütung *f*, Entschädigung *f*; **~fier** [~'fje] (1a) **I** *v/t.* **1.** (ver)bessern; **2.** ⚕ vergüten, entschädigen; **II** *v/rfl.* se ~ besser werden; **~ment** [~'mɑ̃] *m* **1.** marktschreierische Reklame *f*; **2.** F Humbug *m*, Schwindel *m*; **~menter** [~mɑ̃'te] *v/t.* (1a) *prahlerisch od. übertrieben* anpreisen; **~menteur** [~'tœ:r] *m* Marktschreier *m*; F Faselhans *m*, Quatschkopf *m*.

bonjour [bɔ̃'ʒu:r] *m* guten Morgen!; guten Tag!; *oft a.* guten Abend!; *souhaiter le ~ à q.* j-m guten Tag wünschen.

bonne [bɔn] **I** *adj.* s. *bon* I; **II** *f* Kinder-, Haus-, Dienst-mädchen *n*, Kinderwärterin *f*; *~ à tout faire* Mädchen *n* für alles; *contes m/pl. de ~* Ammenmärchen *n/pl.*

bonne-dame ♀ [bɔn-dam] *f* (6a) Gartenmelde *f*.

Bonne-Espérance [bɔnɛspe'rɑ̃:s] *f*: *cap m de ~* Kap *n* der Guten Hoffnung.

bonne-main *dial. u. Schweiz* [bɔn-'mɛ̃] *f* Trinkgeld *n*.

bonne-maman *enf.* [bɔnma'mɑ̃] *f* Oma *f*.

bonnement [bɔn'mɑ̃] *adv.* redlich, aufrichtig; *parler ~ à q.* mit j-m ganz offen sprechen; *tout ~* ganz einfach, ohne weiteres, kurz gesagt; (ganz) kurz, bloß; *nous voulons tout ~ vous demander* wir wollen Sie bloß mal fragen.

bonnet [bɔ'nɛ] *m* (schirmlose) Mütze *f*, Haube *f*, Kappe *f*; Jakobinermütze *f*; *~ de nuit* Nachtmütze *f*; *~ de police* Feldmütze *f*; *~ à poil* Pelzmütze *f*; F *fig. les gros ~s* die oberen Zehntausend; *péj.* die Hauptmacher *pl.*, die Bosse *pl.*; *le gros ~ fig.* großes Tier *n*, bedeutende Persönlichkeit *f*; *prendre qch. sous son ~* etw. auf s-e Kappe nehmen; *c'est ~ blanc et blanc ~* das ist ein und dasselbe; das ist Jacke wie Hose; das ist gehopst wie gesprungen; *triste comme un ~ de nuit* miesepetrig; *avoir la tête près du ~* kurz angebunden sein, äußerst barsch sein; *opiner du ~* zu allem ja und amen sagen; *deux têtes dans un ~* ein Herz u. e-e Seele; *jeter son ~ par-dessus les moulins* sich über alles hinwegsetzen; sich selbst preisgeben; auf das Urteil s-r Umwelt pfeifen.

bonneterie [bɔn(ɛ)'tri] *f* **1.** Strumpfwirkerei *f*; **2.** Strumpf(wirker)-ware *f*; **3.** Trikotagen *f/pl.*, Mützen- u. Strumpfwaren-handel *m*.

bonnet|ier [bɔn'tje] *m* Mützen- u. Strumpf-wirker *m*, -händler *m*; **~ière** [~'tjɛ:r] *f* Wäscheschrank *m*.

bonnette [bɔ'nɛt] *f* **1.** *frt.* Kappe *f* (*Außenwerk*); **2.** ⚓ Beisegel *n*; **3.** Kinderhäubchen *n*; **4.** *phot.* Vorsatzlinse *f*; *~ écran jaune* Gelbfilter *m*.

bonnetter *text.* [bɔnɛ'te] *v/i.* (1a) Wirkwaren herstellen.

bonn|imenter P [~nimɑ̃'te] (1a), **~ir** * [~'ni:r] *v/t.* (2a) marktschreierisch ausrufen.

bon-papa *enf.* [bɔ̃pa'pa] *m* Opa *m*.

bon sens [bɔ̃'sɑ̃:s] *m* gesunder Menschenverstand *m*.

bonsoir *int.* [bɔ̃'swa:r] *m* guten Abend!; *oft a.* auf Wiedersehen!

bonté [bɔ̃'te] *f* **1.** gute Beschaffenheit *f*; **2.** Güte *f*, Gutherzigkeit *f*; *ayez la ~* seien Sie so gut; *~ divine!* du lieber Himmel!; **3.** *~s pl. durch Taten erwiesenes* Wohlwollen *n*, *erwiesene* Freundschaft *f*, Freundlichkeiten *f/pl.*

bonus ⚕ [bɔ'nys] *m* Extradividende *f*, Bonus *m*.

bonze [bɔ̃:z] *m* **1.** Bonze *m* (*Priester*); **2.** F *fig.* (*Partei- usw.*) Bonze *m*; **3.** P *vieux ~* alter Trottel *m*.

booking [bu'kiŋ] *m* Buchen *n* (*e-r Reise, e-s Flugs usw.*).

boom [bum] *m* **1.** ⚕ Boom *m*; **2.** Schulfest *n*.

boqueteau [bɔk'to] *m* Gehölz *n*.

borborygme [bɔrbɔ'rigm] *m* Knurren *n im Magen*, Blähungen *f/pl.*

bord [bɔ:r] *m* **1.** Rand *m vom Weg, Wald, Kelch usw.*; (*Feld-*)Rain *m*; (*Hut-*)Krempe *f*; *être au ~ de la faillite* vor dem Bankrott stehen; **2.** Ufer *n*, Küste *f*, Gestade *n*; **3.** ⚓ Schiffsbord *m*; Schiff *n*; Kurs *m*; *~ du vent* Windseite *f*, Luv *f*; *~ sous le vent* Lee(seite) *f*; *journal m de ~* Schiffstagebuch *n*; *jeter par-dessus ~* über Bord werfen (*a. fig.*); *aller* (*od. monter*) *à ~* an Bord gehen; *coucher à ~* an Bord schlafen; *à ~ d'une auto* am Steuer e-s Autos; in e-m Auto; **4.** *fig.* Seite *f*, Partei *f*; *pol.* Richtung *f*; *être du ~ de q.* auf j-s Seite sein, es mit j-m halten; *ils sont de notre ~* sie sind auf unserer Seite; *les journalistes de tous ~s* die Journalisten aller Richtungen; **5.** Saum *m*, Besatz *m*, Verbrämung *f*, Borte *f*, Tresse *f*; *mettre un ~ à une* *jupe* e-n Rock einfassen; **6.** ✈ Kante *f*; ✈ ~ *d'attaque* vordere Kante *f*, Leitkante *f*; ~ *de fuite*, ~ *de sortie* Hinterkante *f*.

bordage [bɔr'da:ʒ] *m* **1.** Einfassen *n*; **2.** ⚓ Schiffsplanke *f*.

bordé [bɔr'de] *m* Borte *f*, Tresse *f*; ⚓, ✈ Beplankung *f*.

bordeaux [bɔr'do] *m* Bordeaux (-wein *m*) *m*.

bordée [~'de] *f* **1.** ⚔ Lage *f* von Schüssen, Geschützsalve *f*; F *fig.* ~ *d'injures* Hagel *m* von Schimpfworten; ~ *de sifflements* Pfeifkonzert *n* (*als Protest*); **2.** ⚓ Breitseite *f*, Schlag *m*, Gang *m e-s lavierenden Schiffes*; *courir* (*od. faire*) *des* ~*s* lavieren; 🚂 *une locomotive en* ~ e-e Lokomotive in Querstellung; **3.** ⚓ Deckmannschaft *f*; **4.** F *tirer* (*od. faire od. courir*) *une* ~ *bsd.* ⚓ sich in Kneipen herumtreiben; *allg.* e-e volle Lage geben; *essuyer une* ~ mit e-r Lage begrüßt (*od.* empfangen) werden.

bordel P [bɔr'dɛl] *m* Bordell *n*; große Unordnung *f*.

bordelais [bordə'lɛ] *adj. u. su.* ♀ (7) (Einwohner *m*) aus Bordeaux.

bordement [bɔrdə'mɑ̃] *m* Einfassung *f*.

border [bɔr'de] *v/t.* (1a) **1.** einfassen, säumen, besetzen, verbrämen; ~ *un lit* Bettlaken und Decke einschlagen; *il est bien bordé dans son petit lit* er liegt schön eingemummelt in s-m kleinen Bett; **2.** ~ *le chemin* sich längs des Weges hinziehen; ⚔ ~ *la haie* Spalier bilden; **3.** ⚓ ~ *la côte* an der Küste entlangfahren; ~ *les voiles* die Segel beiholen.

bordereau [bɔrdə'ro] *m* **1.** Geldsortenzettel *m*; **2.** Verzeichnis *n*; (Konto-)Auszug *m*, Rechnungsauszug *m*; Begleit-schreiben *n*, -papier *n*, -zettel *m*; ~ *de caisse* Kassenzettel *m*; ~ *de commission* Provisionsberechnung *f*; ~ *d'envoi* (*od. d'expédition*) Begleitzettel *m*.

bord|erie *dial.* [bɔrdə'ri] *f* kleines Pachtgut *n*; **~ier** *dial.* [~'dje] *m* Halbpächter *m*.

bordigue ⚓ [bɔr'dig] *f* Buhne *f*.

bordj *arab.* [bɔrdʒ] *m* kl. Fort *n*.

bordure [bɔr'dy:r] *f* **1.** Borte *f*, Besatz *m*, Kante *f*, Tresse *f*, Saum *m*; ⚘ Rabatte *f*; ~ *de plate-bande* Beeteinfassung *f*; ~ *de* (*od. du*) *trottoir* Bord-schwelle *f*, -stein *m*; **2.** Rahmen *m*; **3.** *men.* Leiste *f*; **4.** *pol. Etat m de* ~ Randstaat *m*.

boréal [bɔre'al] *adj.* (5c) nördlich; Nord...; *aurore f* ~*e* Nordlicht *n*.

borgne [bɔrɲ] **I** *adj.* (*nach su.*) **1.** einäugig; **2.** *fig.* finster, dunkel; berüchtigt, verrufen; *cabaret m* ~ Spelunke *f*; *rue f* ~ Winkelgasse *f*; *chambre f* ~ dunkles Zimmer *n*; *hôtel m* ~ verrufenes (*od.* zweideutiges) Hotel *n*; **II** *su.* Einäugige(r) *m*.

borie *hist.* [bɔ'ri] *f* frühkeltische Steinhütte *f*.

borique ⚗ [bɔ'rik] *adj.*: *acide m* ~ Borsäure *f*.

boriqué *phm.* [bɔri'ke] *adj.*: *vaseline f* ~*e* Borsalbe *f*.

bornage [bɔr'na:ʒ] *m* **1.** Grenzsteinsetzung *f*; **2.** Küstenschifffahrt *f*.

borne [bɔrn] *f* **1.** Grenzstein *m* (*a.* ~*-frontière*); ~ *kilométrique* Kilometerstein *m*; ~ *milliaire* Meilenstein *m*; **2.** Prell-, Eck-stein *m*; **3.** *fig.* Grenze *f*, *fig.* Schranken *f/pl.*; *sans* ~*s* grenzenlos; *passer les* ~*s* zu weit gehen; *cela dépasse les* ~*s* das geht über die Hutschnur!, das ist ja der Gipfel (*od.* die Höhe)!; **4.** ⊕ Pol-, Draht-klemme *f*, -zwinge *f*; Federklemme *f*; ~ *de dérivation* Abzweigklemme *f*; ~ *de masse* ⚡ Erdanschluß *m*; ⚡, *rad.* ~ (*de raccordement*) Anschlußklemme *f*; ~ *de pôle*, ~ *polaire* Polklemme *f*; ~ *positive* (*négative*) Plus- (Minus-) klemme *f*; **5.** ⚡ Säule *f*: ~*-avertisseur f* (6a) Warnsäule *f* (*Verkehr*); ~ *lumineuse* Gartenleuchte *f* mit Metallsockel.

borné [bɔr'ne] *adj.* abge-, begrenzt; *fig.* beschränkt, dumm.

borner [bɔr'ne] (1a) **I** *v/t.* **1.** abgrenzen, mit Grenzsteinen bezeichnen; **2.** begrenzen; ~ *q.* an j-s Besitztum (*acc.*) grenzen; ~ *la vue* die Aussicht nehmen; **3.** *fig.* mäßigen, beschränken; **II** *v/rfl.* *se* ~ sich einschränken; *se* ~ *à* sich begnügen mit, sich beschränken auf (*acc.*); *se* ~ *à des menaces* es bei Drohungen bewenden lassen; *se* ~ *à* (*mit inf.*) sich darauf beschränken zu.

bornoyer [bɔrnwa'je] *v/t.* (1h) **1.** visieren; **2.** ⚠ fluchten, *mit Meßstäben* abstecken.

boscot P [bɔs'ko] *adj. u. su.* (7c) bucklig; Bucklige(r) *m*.

Bosphore [bɔs'fɔ:r] *m*: **le** ~ der Bosporus.

bosquet [bɔs'kɛ] *m* Wäldchen *n*; Baumgruppe *f*.

bossage [bɔ'sa:ʒ] *m* ⚠ Steinvorsprung *m*; Bogenrundung *f*; ~*s pl.* Kragsteine *m/pl.*
bosse [bɔs] *f* **1.** Buckel *m*, Höcker *m*; Beule *f*; **2.** Unebenheit *f*, Erhöhung *f*; *Ski*: Bodenwelle *f*; **3.** F Erhöhung *f am Schädel*; *fig.* Talent *n*, Neigung *f*, Ader *f*; *avoir la* ~ de Talent haben zu; *je n'ai pas la* ~ *des math* Mathematik liegt mir nicht; ~ *du vol* Neigung *f* zum Stehlen; **4.** Beule *f*, Anschwellung *f*; **5.** *ch.* Kolben *m des Hirsches*; **6.** *sculp.* erhabene Arbeit *f*; *ouvrage m de ronde* ~ (*de demi-*~) hoch (halb) erhabene Arbeit *f*; *ornements m/pl. en* ~ Verzierungen *f/pl.* von getriebener Arbeit; **7.** *serrure f à* ~ Kastenschloß *n.*
bosse|lage [bɔs'la:ʒ] *m* getriebene Arbeit *f*; **~ler** [~'le] (1c) *v/t.* **1.** ⊕ bosseln, erhabene Arbeit machen; **2.** *mv.p.* verbeulen, Beulen schlagen; **3.** *fig. bosselé de collines* hügelig; **~lure** [~'ly:r] *f* **1.** = *bosselage*; **2.** bucklige (*od.* höckerige) Beschaffenheit *f*.
bosser [bɔ'se] **I** *v/t.* ⚓ mit e-m Tauende befestigen; **II** P *v/i.* schuften.
bossette [bɔ'sɛt] *f vét.* (~*s du mors*) Buckel *m am Pferdegebiß.*
bossoir [bɔ'swa:r] *m* Kran-, Ankerbalken *m*, Davit *m*, Wippkran *m*.
bossu [bɔ'sy] **I** *adj.* **1.** bucklig, verwachsen; **2.** höckerig; **3.** hügelig; **II** *su.* Bucklige(r) *m*; *rire comme un* ~ sich schieflachen, sich bucklig lachen; **~er** [~'sɥe] (1a) **I** *v/t.* Beulen machen *od.* schlagen; **II** *v/rfl.* se ~ Beulen bekommen; **~re** [~'sy:r] *f* beulige Stelle *f*.
boston [bɔs'tõ] *m* Boston *m*, *Art* Walzer *m*; **~ner** [~tɔ'ne] *v/i.* (1a) Boston tanzen.
bot [bo] *adj.* (7): *pied m* ~ Klumpfuß *m*; *main f* ~*e* [bɔt] verwachsene Hand *f*.
bota|nique [bɔta'nik] **I** *adj.* □ botanisch; **II** *f* Botanik *f*; **~niser** [~ni'ze] *v/i.* (1a) botanisieren; **~niste** [~'nist] *su.* Botaniker *m.*
Botnie *géogr.* [bɔt'ni] *f*: *golfe m de* ~ Bottnischer Meerbusen *m*.
botte [bɔt] *f* **1.** Bund *n*, Bündel *n*; *mettre en* ~*s* bündeln; ~ *de foin* Bund *n* Heu; ~ *d'asperges* Bündel *n* Spargel; ~ *de paperasses* Haufen *m* alter Papiere; ~ *de fil de fer* Drahtrolle *f*; **2.** Stiefel *m*; *mettre* (*ôter*) *ses* ~*s* die Stiefel an- (aus-)ziehen; *coup m de* ~ Fußtritt *m*; *talon m de* ~ Stiefelabsatz *m*; ~*s pl. en caoutchouc* Gummistiefel *m/pl.*; ~*s pl. pour travaux dans l'eau*, ~*s pl. de mer* Kanal-, Wasser-stiefel *m/pl.*; ~*s fortes* Kanonenstiefel *m/pl.*; ~*s vernies* Lackstiefel *m/pl.*; ~*s à l'écuyère*, ~*s de chasse* Reitstiefel *m/pl.*; ~*s à revers* Stulp(en)stiefel *m/pl.*; ~*s de sept lieues* Siebenmeilenstiefel *m/pl.*; *il n'est pas plus haut que ma* ~ er ist kaum drei Käse hoch; **3.** *Fußball*: Schuß *m*; **4.** F Erd-, Schneeklumpen *m an den Stiefeln*; **5.** *serrer la* ~ die Beine fest andrücken; **6.** *esc.* Stoß *m*, Hieb *m*, Ausfall *m*; ~ *franche* guter Stoß *m*; ~ *secrète* Finte *f*; *fig. pousser* (*od. porter*) *une* ~ *à q.* j-m eins versetzen, j-m e-n Streich spielen, j-m e-e verfängliche Frage stellen, j-n durch e-e unverblümte Frage in Verlegenheit bringen; **7.** *fig. à propos de* ~*s* unter nichtigem Vorwand; ohne besondere Veranlassung; wie aus heiterem Himmel; F *avoir du foin dans ses* ~*s* Pinkepinke haben F (= reich sein); *graisser ses* ~*s* s-n Ranzen schnüren, sich reisefertig machen.
botte|lage [bɔt'la:ʒ] *m* Binden *n von Heu, Stroh usw.*; **~ler** [~'le] *v/t.* (1c) *od.* (1d) in Bündel zusammenbinden; **~lette** [~'lɛt] *f* Bündelchen *n*; **~leur** [~'lœ:r] *su.* (7g) (*Garben-*)Binder *m*.
botter [bɔ'te] (1a) **I** *v/t.* **1.** Stiefel machen; mit Schuhwerk versehen; Stiefel anziehen; *chat m botté* gestiefelter Kater *m*; *être bien botté* gute Stiefel anhaben; P *ça me botte* das paßt mir; **2.** ~ *q.* j-m e-n Fußtritt geben; P ~ *le cul* (*od. les fesses od. le derrière*) *à q.* j-m e-n Tritt in den Hintern geben; **II** *v/rfl.* se ~ sich Stiefel anziehen; Stiefel tragen.
bot|terie [bɔ'tri] *f* Stiefelmacherei *f*; **~teur** [~'tœ:r] *m* Torschütze *m* (*Fußball*); **~tier** [bɔ'tje] *m* Stiefelmacher *m*, feiner Maßschuhmacher *m*; **~tillon** [~ti'jõ] *m* Bündelchen *n*; Damenüberschuh *m*.
Bottin *Fr.* [bɔ'tɛ̃] *m* Firmenadreßbuch *n*.
bottine [~'tin] *f* Halb-, Damen-, (~ *lacée*) Schnür-stiefel *m*.
bottique [~'tik] *f* Geschäft *n* für Damenstiefel.
boubouler [bubu'le] *v/i.* (1a) schreien (*Eule*).
bouc [buk] *m* **1.** *zo.* (Ziegen-)Bock *m*; **2.** ~ *émissaire* Sündenbock *m*; *fig.* Prügelknabe *m*; **3.** Schlauch *m* vom Bocksfell; **4.** ⊕ Kettenwinde *f*;

5. F Kinn-, Ziegen-, Spitz-bart *m*.

boucage ⚘ [bu'ka:ʒ] *m* Pimpinelle *f*.

boucan [bu'kɑ̃] *m* **1.** Räucherrost *m* (*der Indianer*); **2.** ~ (*du diable*) Höllenlärm *m*, Radau *m*; *faire du* ~ randalieren.

bouca|nage [buka'na:ʒ] *m* Räuchern *n*; **~ner** [~'ne] (1a) **I** *v/t*. räuchern; **II** *v/i*. Büffel jagen; **~nier** [~'nje] *m* Büffeljäger *m*.

boucau [bu'ko] *m* Hafeneinfahrt *f*.

bouchage [bu'ʃa:ʒ] *m* **1.** Zustopfen *n*, Verkorken *n*; ⊕ (Ab-)Dichten *n*; **2.** Material *n* zum Zustopfen.

boucharde [bu'ʃard] *f* Zackenmeißel *m*; Spitzhammer *m*; Walze *f*.

boucharder △ [buʃar'de] *v/t*. (1a) *a*. *Beton* mit dem Spitzhammer körnen.

bouche [buʃ] *f* **1.** Mund *m*; ~ *bée* mit aufgesperrtem (*od*. offenem) Mund; *fig*. *fermer la* ~ *à q*. j-m das Maul stopfen; ~ *close! od*. ~ *cousue!* Mund halten!; (*ferme*) *ta* ~! halt's Maul! P; *rester* ~ *close* sprachlos dastehen; *avoir la* ~ *amère* e-n bitteren Geschmack im Mund haben; *avoir la* ~ *bien garnie* schöne Zähne haben; *bonne* ~ angenehmer (Nach-) Geschmack *m*; *rester* (*od*. *demeurer*) *sur la bonne* ~ aufhören, wenn es am besten schmeckt; *l'eau m'en vient à la bouche* das Wasser läuft mir (davon) im Munde zusammen; **2.** Maul *n*; Rachen *m*; **3.** Öffnung *f*, Loch *n*; ~ *d'un four* Ofenloch *n*; ~ *de métro* U-Bahn-Eingang *m*; ~ *d'un volcan* Schlund *m* e-s Vulkans; ~ *d'incendie* Hydrant *m*; **4.** (*mst. pl.*) (Fluß-)Mündung *f*; **5.** F Esser *m*; *fine* ~ Feinschmecker *m*; ~*s pl. inutiles* unnütze Esser *m/pl.*; *avoir dix* ~*s à nourrir* zehn Personen zu ernähren haben.

bouché [bu'ʃe] *adj*. **1.** verstopft; abgedichtet; **2.** *fig*. vernagelt, verbohrt, bekloppt P; unintelligent; *enfant m* ~ schwerfälliges Kind *n*; **3.** *temps m* ~ trübes Wetter *n*.

bouche-à-bouche ⚕ [buʃa'buʃ] *m* Mund-zu-Mund-Beatmung *f*.

bouche-bouteilles [buʃbu'tɛj] *m* Flaschenpfropfmaschine *f*.

bouchée [bu'ʃe] *f* **1.** Mundvoll *m*, Bissen *m*, Happen *m*; Maulvoll *n* P; **2.** Appetitbissen *m*; ~ *à la reine* Fleischpastetchen *n*.

bouchement [buʃ'mɑ̃] *m* Verstopfung *f*; Zumauern *n*.

boucher[1] [bu'ʃe] (1a) **I** *v/t*. **1.** zumachen, zu-, ver-stopfen; zumauern; ~ *un trou* ein Loch zustopfen; *fig*. e-e seiner vielen Schulden bezahlen; **2.** zupfropfen; verspunden; ~ *hermétiquement* völlig abdichten; ~ *avec du mastic* zukitten; ~ *avec du ciment* mit Zement verschmieren; ~ *le passage* den Durchgang versperren; ~ *la vue* die Sicht versperren (*od*. nehmen); P *en* ~ *un coin à q*. j-n kleinlaut machen, j-n kille kriegen P; *bouché a. adj*. blöde, doof, bekloppt P; **II** *v/rfl*. *se* ~ sich verstopfen; *se* ~ *les yeux* (*les oreilles*) nicht sehen (nicht hören) wollen.

boucher[2] [bu'ʃe] *m* **1.** Fleischer *m*; **2.** *fig*. grausamer Mensch *m*.

bou|chère [bu'ʃɛ:r] *f* Schlächtersfrau *f*; **~cherie** [buʃ'ri] *f* **1.** Fleischerei *f*; **2.** Fleischerhandwerk *n*; **3.** *fig*. Gemetzel *n*, Blutbad *n*; *fig*. *conduire des troupes à la* ~ Truppen zur Schlachtbank führen.

bouche-trou [buʃ'tru] *m* Lückenbüßer *m*.

bouchoir ⊕ [bu'ʃwa:r] *m* Verschlußschieber *m*.

bouchon [bu'ʃɔ̃] *m* **1.** Stöpsel *m*, Pfropfen *m*, Kork *m*; Spund *m*; Zapfen *m*; ~ *mécanique* Patentverschluß *m*; ~ *de radiateur* Kühlerverschluß *m*; ~ *de remplissage* Öleinfüllstutzen *m*; ⚔ ~ *de fusil usw*. Mündungsdeckel *m*; ~ *monté* mit Zierat versehener Flaschenstöpsel *m*; *faire sauter le* ~ den Pfropfen knallen lassen; **2.** (Verkehrs-)Stau *m*; **3.** ~ *de brume* dichte Nebeldecke *f*; **4.** F *mettre un* ~ *à q*. j-n zum Schweigen bringen; **~ner** [~ʃɔ'ne] (1a) *v/t*. (ein Pferd) mit e-m Strohwisch abreiben.

bouchot [bu'ʃo] *m* Austernbank *f*.

bouchure [bu'ʃy:r] *f* lebende Hecke *f*.

bouclage [bu'kla:ʒ] *m* **1.** Zu-, Anschnallen *n*; **2.** ⚡ Schließen *n* e-s Stromkreises; **3.** F ⚔ Karzer *m*; **4.** ⚔ Abriegelung *f*.

boucle ['buklə] *f* **1.** Ring *m*; Öse *f*; Auge *n in e-m Werkzeug*; (Tau-) Schlinge *f*; *des* ~*s d'or* goldene Ohrringe; **2.** Schnalle *f*; ~ *de ceinturon* Gurtschnalle *f*; **3.** ~ *de cheveux* Locke *f*; **4.** △ Ringverzierung *f*; **5.** ✈ Schleifenkurve *f*, Überschlag *m*, Looping *m*; ~ *sur le dos* Rückenüberschlag *m*.

boucl|é [bu'kle] *adj*. **1.** mit e-m Ring befestigt; **2.** Locken tragend; **3.** mit Schnallen besetzt; **4.** *icht*. *raie f* ~*e* Sternrochen *m*; **~er** [~] (1a) **I** *v/t*. **1.** anschnallen; zuschnallen; ~ *sa malle* s-n Koffer packen; P ~ *la ceinture od. se la* ~ *fig*. den

Riemen enger schnallen, sich einschränken; P *la* ~ den Mund halten; *boucle-la!* halt den Mund!; **2.** F ~ *des prisonniers* Gefangene einkasteln; ~ *la folie* die Torheit zähmen; **3.** ~ *q.* j-m Locken legen *od.* machen; **4.** F abschließen, beenden; P schließen (*Laden*); ⚔ abriegeln; **II** *v/i.* sich ringeln, sich locken; ✂ e-e Schleife ziehen; ⚠ sich bauchen (*Mauer*); **III** *v/rfl. se* ~ sich ringeln; zugeschnallt werden.

bouclette [bu'klɛt] *f* Löckchen *n.*

bouclier [bukli'e] **I** *m* **1.** Schild *m*; **2.** ⚠, ⊕ Vortriebsschild *m*; ~ *thermique* Wärmeschild *m* (*Raumkapsel*); **3.** *fig.* Schutz *m*; **4.** *zo.* Brust-, Kopf-schild *m*; **II** *adjt.* ⚕ *éléments m/pl.* ~*s contre* ... Abwehrstoffe *m/pl.* gegen ...

bou|der [bu'de] (1a) **I** *v/i.* **1.** schlechte Laune haben, schmollen, schlecht gelaunt sein; ~ *contre q.* auf j-n böse sein; ~ *à* (*od. contre*) *qch.* e-r Sache aus dem Wege gehen; ~ *au jeu* widerwillig spielen; *ne pas* ~ *à la besogne* ordentlich an die Arbeit rangehen, tüchtig zupacken F; **2.** *im Dominospiel*: passen; **3.** ⚘ nicht gedeihen, schlecht wachsen; **II** *v/t.* ~ *q.* auf j-n böse sein; ~ *qch.* e-r Sache aus dem Weg gehen; meiden; an etw. (*dat.*) nicht teilnehmen; wegen e-r Sache verärgert sein; *il ne boude pas la bonne chère* er ist kein Kostverächter; **III** *v/rfl. se* ~ miteinander schmollen; ~**derie** [bu'dri] *f* Schmollen *n*, üble Laune *f*; ~**deur** [bu'dœ:r] (7g) **I** *adj.* schmollend; verdrießlich; **II** *su.* Trotzkopf *m.*

boudin [bu'dɛ̃] *m* **1.** Blut-, Rotwurst *f*; ~ *blanc* Weißwurst *f*; *fig. s'en aller en eau de* ~ *fig.* ins Wasser fallen, scheitern; **2.** ~ *de cheveux* eingerollte Locke *f*; **3.** ⚒ Zündschnur *f*; **4.** P leichte Frau *f*; **5.** ⚠ Wulst *m*; **6.** *ressort à* ~ Spiral-, Spring-feder *f*; **7.** 🚂 Rad-, Spurkranz *m*; **8.** F Schmollen *n*; *faire du* ~ schmollen; *il y a du* ~ es herrscht schlechte Laune; der Haussegen hängt schief.

boudi|né [budi'ne] *adj. u. m* eingezwängt; wulstig (*Hände*); ~**ner** ⊕ [budi'ne] *v/t.* (1a) vorspinnen.

boudoir [bu'dwa:r] *m* kleiner, eleganter Damensalon *m.*

boue [bu] *f* **1.** Schlamm *m*; Schmutz *m*; Dreck *m* P; *traîner dans la* ~ in den Dreck ziehen, verunglimpfen; **2.** *bain m de* ~ Schlamm-, Moor-bad *n*; **3.** Bodensatz *m gewisser Mineralwasser.*

bouée [bu'e] *f* Boje *f*; ~ *de sauvetage* Rettungsring *m*; ~ *de virage* Wendeboje *f*; ~ *lumineuse* Leuchtboje *f.*

bou|eur [bu'œ:r] *m* Straßenfeger *m*; Müllfahrer *m*; ~**eux** [bu'ø] **I** *adj.* (7d) schlammig, schmutzig, drekkig P; **II** P *m* = *boueur.*

bouffant [bu'fɑ̃] **I** *adj.* (7) bauschig; *manches f/pl.* ~*es* Puffärmel *m/pl.*; *pantalons m/pl.* ~*s* Pluderhosen *f/pl.*; **II** *m* Bausch *m* am Ärmel.

bouffarde F [bu'fard] *f* große (Tabaks-)Pfeife *f.*

bouffe [buf] **I** *adj. thé.* komisch; **II** P *f* Essen *n*, Fressen *n* P.

bouf|fée [bu'fe] *f* **1.** Windstoß *m*; ⚕ Aufstoßen *n*; Zug *m des Rauchers*; ~*s* (*de fumée*) Qualm *m*; *fumer à grandes* ~*s* in großen Zügen paffen; **2.** *fig.* Anfall *m*, Anwandlung *f*; *par* ~*s* ruckweise; ~**fer** [~] *v/i. u. v/t.* (1a) **1.** sich bauschen; **2.** P gierig essen, fressen P; V ~ *q.* j-n fertigmachen; **3.** aufgehen (*Teig*); **4.** ⚠ sich nach außen wölben (*Mauer*); ~**fette** [~'fɛt] *f* Quaste *f*, Troddel *f*; Bandschleife *f.*

bouf|fir [bu'fi:r] *v/t. u. v/i.* (2a) anschwellen, auftreiben; *visage m bouffi* aufgedunsenes Gesicht *n*; ~**fissure** [~fi'sy:r] *f a.* ⚕ Aufgedunsenheit *f*; *fig.* Aufgeblasenheit *f*; Breitspurigkeit *f*, Schwulst *m.*

bouffon [bu'fɔ̃] (7c) **I** *adj.* **1.** possenhaft, drollig; **II** *su.* **2.** Possenreißer *m*, Clown *m*, *ehm.* Hofnarr *m*; *faire le* ~ Possen reißen; *servir de* ~ als Narr auftreten; **3.** Possenhafte(s) *n*; ~**ner** [~fɔ'ne] *v/i.* (1a) Possen reißen; ~**nerie** [~fɔn'ri] *f* Possenreißerei *f*; Posse *f.*

bougainvillée ⚘ [bugɛ̃vi'le] *f* Drillingsblume *f.*

bouge [bu:ʒ] *m* **1.** Schmutznest *n*; Spelunke *f*, elendes Loch *n*; **2.** Bauch *m e-s Fasses*, Vertiefung *f e-s Tellers.*

bougeoir [bu'ʒwa:r] *m* Handleuchter *m.*

bougeotte F [bu'ʒɔt] *f*: *avoir la* ~ ruhelos (*od.* rastlos) sein; unruhig sitzen; nicht seßhaft bleiben; vom Reisetrieb erfaßt sein.

bouger [bu'ʒe] (1l) **I** *v/i.* sich bewegen, sich rühren (*a. fig.*); **II** *v/t.* von der Stelle rücken, wegrücken; bewegen (*Arme, Beine usw.*).

bougie [bu'ʒi] *f* **1.** Wachs-licht *n*, -kerze *f*; *aux* ~*s* bei Kerzenlicht; **2.** ⚡ Kerze *f*; **3.** ⚕ Sonde *f*, Katheter *m*; **4.** *Auto*: ~ *d'allumage* Zündkerze *f*; ~ *encrassée* verölte Kerze *f*; *pointe f de* ~ Kerzenstift *m*.

bougnat P [bu'ɲa] *m* Kohlenhändler *m*.

bougnoul(e) * *mst. péj.* [bu'ɲul] *m* Einheimische(r) *m*.

bougon F [bu'gɔ̃] (7c) **I** *su. fig.* Nörgler *m*, Quengelkopf *m*; **II** *adj.* brummig, bärbeißig; **~ner** F [bugɔ'ne] *v/i.* (1a) herumnörgeln, brummen, murren.

bougran [bu'grɑ̃] *m* Steifleinwand *f*.

bougre P ['bu:grə] **I** *m* Kerl *m*; *bon* ~ guter Kerl *m*; *un pauvre* (*sale*) ~ ein armer (widerlicher) Kerl *m*; ~ *d'idiot* Riesenidiot *m*, großer Idiot *m*; **II** *int.* zum Teufel!; **~ment** P [~grə'mɑ̃] *adv.* verdammt, kolossal, riesig, sehr; *je me sens* ~ *mieux depuis que tu voles à côté de moi* ich fühle mich verdammt wohler, seitdem du neben mir fliegst.

bougresse P [bu'grɛs] *f* blödes *od.* niederträchtiges Weibsstück *n*.

boui-boui P [bwi'bwi] *m* (6a) kleines Volkstheater *n*, Tingeltangel *m*; Kaschemme *f*.

bouif * [bwif] *m* Schuster *m*.

bouillabaisse *cuis.* [buja'bɛs] *f* Fisch-suppe *f*, -gericht *n*.

bouillant [bu'jɑ̃] *adj.* **1.** kochend; *tout* ~ kochendheiß; **2.** *fig.* hitzig, aufbrausend.

bouillasse P [bu'jas] *f* feiner Nieselregen *m*.

bouille [buj] *f* **1.** *Fischerei*: Störstange *f* (*zum Aufjagen der Fische*); **2.** ⚒ Stück *n* Steinkohle; **3.** Kiepe *f der Winzer*; **4.** dickbauchiges Milchgefäß *n*; **5.** P Visage *f* P, Fratze *f* P, Gesicht *n*.

bouilleur [bu'jœ:r] *m* **1.** ⊕ Branntweinbrenner *m*; **2.** ⊕ Siede-, Dampf-kessel *m*; (*a. adj.*: *tube m* ~ Siederöhre *f*); **3.** ⚡ ~ *électrique* elektrischer Kocher *m*.

bouilli [bu'ji] *m* (Suppen-)Rindfleisch *n*.

bouillie [bu'ji] *f* **1.** Mus *n*, Brei *m*; *de la* ~ *pour les chats* verlorene Mühe *f*; etw. Unverdauliches *n*; etw. Unverständliches *n*; *réduire en* ~ zu Mus schlagen; **2.** ⊕ *Papierfabrik*: Lumpenbrei *m*.

bouillir [bu'ji:r] (2e) *v/i.* **1.** sieden, kochen (*a. fig.*); ~ *d'indignation* vor Empörung kochen; *l'eau bout* das Wasser kocht; ~ *à gros bouillons* stark kochen; **2.** *faire* ~: a) (ab-)kochen; *faire* ~ *de l'eau* Wasser abkochen; b) *fig.* in Wallung bringen; *faire* ~ *le pot* haushalten helfen; **3.** *fig.* pulsieren; **4.** *fig. la tête me bout* der Kopf möchte mir zerplatzen.

bouilloire [bu'jwa:r] *f* Tee-, Wasserkessel *m*.

bouillon [bu'jɔ̃] *m* **1.** Blase *f*; Welle *f*, Schaum *m*, Sprudel *m*; F Wasser *n*; *à gros* ~*s* sprudelnd; **2.** *fig.* Aufwallung *f*, Aufbrausen *n*; **3.** *cuis.* Bouillon *f* [*deutsch*: bul'jɔ̃], Fleischbrühe *f*; F billiges Restaurant *n*; ~ *à canard* Wassersuppe *f*; (*en*) *être* (*réduit*) *au* ~ nur Fleischbrühe genießen dürfen; *fig.* sehr leidend sein; F *boire* (*od. prendre*) *un* ~ sich verspekulieren, sich bei e-m Geschäft verkalkulieren; Wasser schlucken (*beim Baden*); **4.** F ~ *de onze* (*od.* P *d'onze*) *heures* Gifttrank *m*; **5.** ~ *de culture* Nährboden *m zur Reinkultur der Bakterien*; **6.** ~*s* F *m/pl.* Gesamtheit *f* der unverkauften Bücher *od.* Zeitungen, unverkaufte Exemplare *n/pl.*, Remittendenexemplare *n/pl.*; **7.** Falte *f*, Bausch *m*; **8.** ⚕ Bläschen *n*.

bouillon-blanc ⚘ [bujɔ̃'blɑ̃] *m* flockige Königskerze *f*.

bouillon|nant [bujɔ'nɑ̃] *adj.* (7) sprudelnd, wallend; *fig.* aufbrausend; **~né** [~'ne] *adj.* bauschig; **~nement** [~n'mɑ̃] *m* Sprudeln *n*, Aufwallen *n* (*a. fig.*); Schäumen *n*; Wallung *f* (*z.B. des Blutes*).

bouillonner [bujɔ'ne] (1a) **I** *v/i.* **1.** aufwallen, aufbrausen, aufschäumen; *fig.* ~ *de fureur* vor Wut kochen; **2.** stark gären (*Wein*); **3.** als unverkaufte Exemplare zurückgehen; s. *bouillon* 6; **II** *v/t.* bauschig machen, in Bauschen zusammennähen (*Kleid*).

bouillot|te [bu'jɔt] *f* **1.** Hasardspiel *n*; **2.** kleiner Wasserkessel *m*; **3.** (Bett-)Wärmflasche *f*; **4.** P Deetz *m* P, Birne *f* P, Kopf *m*; **~ter** [~'te] *v/i.* (1a) langsam kochen.

boulaie [bu'lɛ] *f* Birkenhain *m*.

boulanger[1] [bulɑ̃'ʒe] (7b) **I** *su.* Bäcker *m*; **II** *adj.*: *garçon m* ~ Bäkkergeselle *m*.

boulan|ger[2] [~] (1l) **I** *v/t. Mehl* verbacken; **II** *v/i.* backen (*Brot*); **~gerie** [~ʒ'ri] *f* Bäckerei *f*.

boule [bul] *f* **1.** Kugel *f*; P ⚔ ~ (*de son*) Kommißbrot *n*; ~ *camphrée* Mottenkugel *f*; ~ *de neige* Schneeball *m*; *fig. faire* ~ *de neige* sich immer weiter ausbreiten; **2.** Kugelstoßen *n*; *jeu m de* ~*s* Kugelspiel *n*;

3. (Ab-) Stimmkugel *f*; **4.** ~ (*de lampe*) runde Lampenglocke *f*; **5.** *arbre m en* ~ kugelförmig beschnittener Baum *m*; **6.** ⊕ Walze *f*, Rolle *f zur Fortbewegung schwerer Lasten*; **7.** F Kopf *m*, Birne *f* P, Kürbis *m* P, Bregen *m* P, Omme *f* P; *perdre la* ~ *fig.* kopflos werden, den Kopf verlieren; ganz aus dem Häuschen sein; *il a perdu la* ~ *fig.* er hat den Kopf verloren; er weiß nicht mehr ein noch aus; *se mettre en* ~ sich zur Abwehr ducken; in Wut geraten.

bouleau [bu'lo] *m* (5b) Birke *f*.

boule-de-neige ⚘ [buldə'nɛ:ʒ] *f* (6b) gemeiner Schneeball *m*.

bouledogue [~'dɔg] *m* Bulldogge *f*.

bouler [bu'le] (1a) **I** *v/i.* rollen, sich kugeln; P *envoyer* ~ *q.* j-n zum Teufel jagen, sich j-n vom Halse schaffen; **II** *v/t.* ⚠ Kalk, Mörtel umrühren.

boulet [bu'lɛ] *m* **1.** Kanonenkugel *f*; *Sport*: Kugel *f*; *fig.* Bürde *f*; *fig.* Hemmschuh *m*; F *fig. tirer à* ~*s rouges sur q.* gegen j-n schonungslos vorgehen; *traîner son* ~ sein Päckchen (*od.* Los) zu tragen haben; *traîner un* ~ j-n am Halse haben; *fig. se mettre un* ~ *au pied* sich etw. aufbürden; **2.** Eierbrikett *n*; **3.** *vét.* Köte *f*.

boulette [bu'lɛt] *f* **1.** Kügelchen *n*; ~ *de papier* Papierkügelchen *n*; **2.** Fleischklößchen *n*, Klops *m*, Bulette *f* P; **3.** *fig.* F *faire une* ~ e-n Bock schießen *fig.*

bouleux [bu'lø] *su. u. adj.* (7d): (*cheval m*) ~ stämmiges Arbeitspferd *n*.

boulevard [bul'va:r] *m* **1.** Boulevard *m*, breite Verkehrsstraße *f*; ~ *périphérique* Umgehungsstraße *f*; **2.** † *frt.* Wall *m*; *heute nur noch fig.* Bollwerk *n*, Schutz *m*; ~**er** [~'de] *v/i.* (1a) auf den Boulevards flanieren; ~**ier** [~'dje] (7b) **I** *su.* Flaneur *m*, Bummler *m*; **II** *adj.*: *en style* ~ *ling.* im Boulevardstil.

boulevers|ement [bulvɛrsə'mã] *m* Umsturz *m*, Umwälzung *f* (*a. fig.*); ~ *social* soziale Umschichtung *f*; ~**er** [~'se] (1a) *v/t.* **1.** umstürzen, umwälzen; **2.** in Unordnung bringen (*a. fig.*); außer Fassung bringen, niederschmettern; erschüttern, zerrütten; *bouleversé par la guerre* vom Krieg heimgesucht.

boulier [bul'je] *m* Rechenschieber *m* mit bunten Kugeln.

boulimie [buli'mi] *f* Heißhunger *m*.

boulin [bu'lɛ̃] *m* **1.** Taubenloch *n*; **2.** ⚠ Rüst-loch *n*, -balken *m*.

bouline ⚓ [bu'lin] *f* Bugleine *f*; *vent m de* ~ Querwind *m*.

boulingrin [bulɛ̃'grɛ̃] *m* Rasen-, Gras-platz *m*.

bouliste *Fr. Sport* [bu'list] *m* Kugelstoßer *m*, -spieler *m*.

boulisterie [bulis'tri] *f* interne Brief- u. Paketbeförderung *f* e-r Verwaltung.

boullé * [bu'le] *adj.* der Rauschsucht verfallen.

boulodrome [bulɔ'drɔm] *m* Kugelbahn *f* (*beim Pétanque-Spiel*).

bouloir ⚠ [bu'lwa:r] *m* Rührstange *f*.

boulon [bu'lɔ̃n] *m* Bolzen *m*; Schraube *f*; ~ *explosif* Sprengbolzen *m*; ~ *de carrosserie* (*de charrue*) Wagen- (Pflug-)schraube *f*.

boulonner ⊕ [bulɔ'ne] (1a) **I** *v/t.* mit e-m Bolzen befestigen, verbolzen; **II** *v/i.* P schuften; *écol.* ochsen, büffeln; ~**ie** [~lɔn'ri] *f* Bolzenfabrik *f*.

boulot [bu'lo] (7c) **I** *adj. u. su.* rundlich; klein u. dick; Dickerchen *n*; **II** *m* **1.** F Arbeit *f*; *c'est mon* ~ das ist meine Sache; **2.** Rundbrot *n*.

boulotter P [bulɔ'te] (1a) **I** *v/i.* langsam entlangrollen; *fig.* F ein geruhsames Leben führen, 'ne ruhige Tour schieben P; schlecht u. recht auskommen; sich durchwursteln P; *ça boulotte* es geht soso; man wurstelt sich so durch P; **II** *v/t.* futtern, fressen, *plais.* verputzen.

boum! [bum] *int.* bums!, bauz!

boumian * *dial. Prov.* [~'mjã] *m* Zigeuner *m*.

bouna [bu'na] *m* Buna *m* (*Gummi*).

bouquet [bu'kɛ] *m* **1.** (Blumen-) Strauß *m*, ⚘ Bukett *n*; **2.** Bund *n*, Büschel *m*, Busch *m*; ~ *de bois* Baumgruppe *f*; **3.** ~ (*d'artifice*) Büschelfeuerwerk *n*; **4.** Blume *f des Weins*; **5.** Fest-gedicht *n*, -geschenk *n*; galantes Gedicht *n*; **6.** *fig. oft iron.* F Höhe(punkt *m*) *f*, Krönung *f*; F *c'est le* ~ das ist ja die Höhe!, das ist ja ein starkes Stück!, das fehlte gerade noch!; **7.** *zo.* Seekrebs *m*; **8.** männlicher Hase *m*, Rammler *m*; **9.** *vét.* Räude *f*.

bouquetière [buk'tjɛ:r] *f* Blumenmädchen *n*.

bouquetin *zo.* [buk'tɛ̃] *m* Stein-bock *m*, -ziege *f*.

bouquin [bu'kɛ̃] *m* **1.** *zo.* alter Bock *m* (*a. fig.*); *cornet m à* ~ Alphorn *n*; **2.** männlicher Hase *m*, Rammler *m*;

3. F (altes) Buch *n*, Schmöker *m* P; **4.** Mundstück *n* (*Pfeife*).

bouqui|ner F [buki'ne] *v/i.* (1a) (alte) Bücher suchen *od.* kaufen; **~nerie** F [~kin'ri] *f* Antiquariatsbuchhandlung *f*; **~neur** F [~'nœ:r] *su.* (7g) Bücherwurm *m*; **~niste** F [~'nist] *m* Antiquar(iatsbuchhändler) *m*.

bour|be [burb] *f* Schlamm *m*, Morast *m*, Kot *m*; **~beux** [bur'bø] *adj.* (7d) schlammig; *zo.* im Schlamm lebend; **~bier** [bur'bje] *m* **1.** Morast-, Sumpf-loch *n*; *fig.* ~ *du péché*, ~ *du vice* Sündenpfuhl *m*; **2.** P üble Lage *f*; *être dans le* ~ in der Klemme sein, in der Patsche stecken, in der Tinte sitzen; **~billon** ⚕ [~bi'jɔ̃] *m* Eiterpfropf *m*.

Bourbon [bur'bɔ̃] *m* Bourbone *m*; *nez à la* ~ Adlernase *f*.

bourdaine [bur'dɛn] *f* **1.** Faulbaum *m*; **2.** Faulbaumrinde *f*.

bourde F [burd] *f* grober Schnitzer *m*.

bourdon [bur'dɔ̃] *m* **1.** Pilgerstab *m*; **2.** ♪ Schnarrwerk *n der Orgel*; ♪ *en faux-*~ eintönig; **3.** große Glocke *f*; **4.** *ent.* Hummel *f*; *faux* ~ Drohne *f*; **5.** P *avoir le* ~ deprimiert sein; **~nant** [~dɔ'nɑ̃] *adj.* (7) summend; *toupie* ~*e* Brummkreisel *m*; **~nement** [~dɔn'mɑ̃] *m* Summen *n*; dumpfer Lärm *m*, Gemurmel *n*; ⚕ ~ *d'oreilles* Ohrensausen *n*; **~ner** [~dɔ'ne] (1a) **I** *v/i.* summen; murmeln; sausen (*im Ohr*); **II** F *v/t.* leise singen, summen; **~neur** [~'nœ:r] (7g) *adj.* summend.

bourg [bu:r] *m* Marktflecken *m*.

bourgade [bur'gad] *f* kleiner Marktflecken *m*; *iron.* Nest *n*.

bour|geois [bur'ʒwa] (7) **I** *adj.* □ bürgerlich; *péj.* bourgeoishaft, spießig, spießerhaft, spießbürgerlich; *cuisine* ~*e* Hausmannskost *f*; *als Reklame*: bürgerlicher Mittags- u. Abendtisch *m*; *milice f* ~*e* Bürgerwehr *f*; *en* ~ in Zivil(kleidung); *maison f* ~*e* Privathaus *n*, Haus *n* ohne Luxus; **II** *su.* **1.** *soc.* Bürger *m*; **2.** *péj.* Bourgeois *m*; **3.** *iron.* Spießer *m*, Spießbürger *m*, Philister *m*; F *être du dernier* ~ mehr als spießig sein; P *ma* ~*e* meine Frau; **~geoisie** [~ʒwa'zi] *f* Bürgerstand *m*; *péj.* Bourgeoisie *f*, reiches Bürgertum *n*, die oberen Zehntausend *pl.*

bourgeon [bur'ʒɔ̃] *m* **1.** Knospe *f*, Auge *n am Weinstock*; **2.** ⚕ Mitesser *m*, Pustel *f im Gesicht*; **~nement** [~ʒɔn'mɑ̃] *m* Knospen *n*, Sprießen *n*, Treiben *n*, Ausschlagen *n*; **~ner** [~ʒɔ'ne] *v/i.* (1a) **1.** Knospen treiben; **2.** ⚕ Mitesser (*im Gesicht*) bekommen.

bourgeron [burʒə'rɔ̃] *m* Drillichjacke *f*; Arbeitskittel *m*.

bourgmestre [burg'mɛstrə] *m* Bürgermeister *m* (*in Belgien, Deutschland, der Schweiz, Holland etc.*; *Fr.*: *maire*).

Bourgogne [bur'gɔɲ] **I** *f*: **la** ~ die Bourgogne; *hist.* Burgund *n*; **II** ♀ *m* Burgunder(wein *m*) *m*.

bourguignon [~gi'ɲɔ̃] (7c) **I** *adj.* burgundisch; **II** ♀ Burgunder *m* (*Einwohner der Bourgogne*).

bourlinguer [burlɛ̃'ge] *v/i.* (1a) **1.** ⚓ gegen die Wellen kämpfen (*Schiff*); **2.** F hin- u. hergeworfen werden; viel reisen, viel in der Welt herumkommen.

bourrache ♀ [bu'raʃ] *f* Gurkenkraut *n*.

bour|rade [bu'rad] *f fig.* Rippenstoß *m*, Puff *m*; Seitenhieb *m mit Worten*; *ch.* Biß *m* (*des Jagdhundes*); **~rage** [~'ra:ʒ] *m* **1.** ⊕ Dichtung *f*, Füllung *f*; **2.** ~ *de crâne fig.* Eindrillen *n*, Einimpfen *n fig.*, nachhaltige tendenziöse Bearbeitung *f*, propagandistischer Drill *m*, politische Verdummung *f*, Gehirnwäsche *f*; *écol.* Einpaukerei *f*; **~rasque** [~'rask] *f* **1.** (jäher) Windstoß *m*; ~ *de neige* kurzer, plötzlicher Schneesturm *m*; ~ *de pluie* Regensturm *m*; **2.** *fig.* heftiger u. kurzer Anfall *m*, Zornausbruch *m*.

bourre [bu:r] *f* **1.** Füllhaar *n*; Wollhaar *n*; ~ *de laine od.* ~ *lanice* Flock-, Kratz-wolle *f*; ~ *de (matière) plastique* Plastikfüllung *f*; ~ *de soie* Seidenabfälle *m/pl.*, Flockseide *f*; * *se tirer la* ~ sich Konkurrenz machen; sich in die Wolle kriegen; **2.** ♀ (Knospen-)Flaum *m*; P *être en pleine* ~ *physique* körperlich völlig fit sein; **3.** *ehm.* ⚔ Vorladung *f* e-s Geschützes; **4.** F wertloses Zeug *n*.

bourreau [bu'ro] *m* (5b) **1.** Henker *m*; **2.** *fig.* Schinder *m*, Peiniger *m*, *fig.* ~ *de travail fig.* Arbeitspferd *n*; **3.** ~ *des cœurs fig.* Herzensbrecher *m*.

bourrée [bu're] *f* **1.** Reisigbündel *n*; **2.** *munterer* Tanz u. Melodie *dazu*.

bour|rèlement [burɛl'mɑ̃] *m* Marter *f*; *fig.* Seelenqual *f*; **~reler** [bur'le] *v/t.* (1d) martern, quälen (*nur fig.*); **~relet** [~'lɛ] *m* Wulst *m*, Dichtungsstreifen *m*.

bour|relier [burə'lje] *m* Geschirrmacher *m*, Sattler *m*; **~rellerie** [~rɛl'ri] *f* Sattlerei *f*.

bourrer [bu're] (1a) **I** *v/t.* **1.** vollstopfen, füllen (*Kissen, Pfeife*); ⚔ *~ un canon* Vorladung *f* einstoßen; **2.** F *~ q. de* j-n überfüttern mit (*a. fig.*); **3.** vollpfropfen; *~ q. de qch.* j-m etw. eintrichtern; *~ le crâne à q.* j-m blauen Dunst vormachen; **4.** *~ q. de coups* j-m Rippenstöße geben (*a. fig.*); **II** *v/rfl.* se ~ **5.** F se ~ *de qch.* sich mit etw. vollessen, etw. verschlingen; P sich vollsaufen; **6.** sich raufen.

bourrette [bu'rɛt] *f* rohe Seide *f*.

bourriche [~'riʃ] *f* länglicher Korb *m ohne Henkel.*

bourrichon P [~'ʃɔ̃] *m* Kopf *m*.

bourricot [~ri'ko] *m* Eselchen *n*; F *kif-kif ~* Jacke wie Hose P, genau dasselbe, ganz egal.

bourrin P [bu'rɛ̃] *m* Pferd *n*.

bourrine [bu'rin] *f* niedriges Lehmhaus *n* mit Strohdach (*Vendée, Camargue*).

bour|rique [bu'rik] *f* **1.** Eselin *f*; **2.** *fig.* Dumm-, Dick-, Starr-kopf *m*; **~riquet** [~ri'kɛ] *m* Eselchen *n*; ⛫ Mörtelhucke *f der Maurer*; ⚒ Schachthaspel *f*.

bourru [bu'ry] **I** *adj.* **1.** *Milch*: frisch gemolken; *Wein*: ungegoren; **2.** *fig.* barsch, schroff; mürrisch; **II** *m* Griesgram *m*.

bourse [burs] *f* **1.** (Geld-)Beutel *m*, Börse *f*, Säckel *m*; *Sport*: (Kampf-) Börse *f*; *de ma ~* aus eigener Tasche; *sans ~ délier* kostenlos; *la ~ ou la vie!* Geld oder Leben!; *avoir la ~ plate* einen schmalen Beutel haben; **2.** Stipendium *n*, Freistelle *f*, -tisch *m*; *écol. ~ d'entretien* Erziehungsbeihilfe *f*; *~ de voyage* Reisestipendium *n*; **3.** *~ (de quêteuse)* Klingelbeutel *m*; **4.** (*oft* ♀) Börse(ngebäude *n*) *f*; *bulletin m de la ~* Börsenbericht *m*; *~ des titres* Wertpapierbörse *f*; *coup m de ~* gelungene Börsenspekulation *f*; *cours m de la ~* Kurszettel *m*; *manœuvres f/pl. de ~* Börsen-manöver *n*, -schwindel *m*; *la ~ a monté (baissé)* die Kurse sind gestiegen (gefallen); **5.** *~ du travail* Gewerkschaftshaus *n*; **6.** V *~s f/pl.* Hodensack *m*.

bour|sette [~'sɛt] *f* **1.** ⊕ Ventilbeutel *m der Orgel*; **2.** ⚘ Hirtentäschchen *n*; **~sicaut, ~sicot** F [~si'ko] *m* **1.** Geldbeutelchen *n*; **2.** Spar-pfennig *m*, -groschen *m*.

boursico|tage [bursikɔ'ta:ʒ] *m* Börsenschwindel *m*; **~ter** [~'te] *v/i.* (1a) kleine Börsengeschäfte machen, an der Börse spekulieren; **~teur** (7g), **~tier** (7b) [~'tœ:r, ~'tje] *su.* kleiner Börsenspekulant *m*.

boursier [bur'sje] *su.* (7b) **1.** Freischüler *m*, Stipendiat *m*; **2.** Börsenspekulant *m*.

boursou|flage [bursu'fla:ʒ] *m* schwülstiger Stil *m*, Schwulst *m*, Bombast *m*; **~flé** [~'fle] **I** *adj.* aufgedunsen; *fig.* schwülstig; ⚘ blasig; **II** *m* Pausback *m*; **~fler** [~] (1a) **I** *v/t.* aufblasen, auftreiben; **II** *v/rfl.* se ~ blasig werden, sich aufblähen; **~flure** [~'fly:r] *f fig.* Aufgeblasenheit *f*; Schwulst *m*.

bouscu|lade [busky'lad] *f* Durcheinander *n*, Herumstoßen *n*; Hast *f*, Hetze *f*; *pl.*: *les ~s* das Gedrängele; **~ler** [~'le] *v/t.* (1a) **1.** durcheinanderwerfen; F antreiben, hetzen (*zur Arbeit*); **2.** (*auch* se ~ sich) drängeln, schubsen, anrempeln, herumstoßen; *être bousculé* Püffe bekommen; in Hast sein; nicht wissen, wo e-m der Kopf steht.

bouse [bu:z] *f* (Kuh-)Mist *m*; *~ de vache* Kuhfladen *m*.

bousier [bu'zje] *m* Mistkäfer *m*.

bousil|lage [buzi'ja:ʒ] *m* **1.** ⛫ Lehmwerk *n*; **2.** F Pfuscherei *f*; **~ler** [~'je] (1a) **I** *v/i.* ⛫ mit Strohlehm bauen; **II** *v/t.* F unsolide arbeiten, pfuschen; P beschädigen, kaputtmachen; kaltmachen P, töten, umbringen; **~leur** [~'jœ:r] *su.* (7g) Maurer *m* mit Strohlehm; Pfuscher *m*, Stümper *m*.

bousin [bu'zɛ̃] *m* **1.** Erdkruste *f auf Bruchsteinen*; **2.** P Spektakel *m*; **3.** P obskures Lokal *n*.

boussole [bu'sɔl] *f* **1.** Bussole *f*, Magnetnadel *f*, (Schiffs-)Kompaß *m*; **2.** *fig.* Leitstern *m*; F *perdre la ~* den Kopf verlieren.

boustifaill|e P [busti'fɑj] *f* Prasserei *f*, Schmaus *m*; Fraß *m*, Futter *n*; *plais.* Freßchen *n*; **~er** P [~fɑ'je] *v/t.* (1a) fressen.

bout [bu] *m* **1.** *in räumlichem Sinne*: Ende *n*, Spitze *f*; Ecke *f*, Zipfel *m*; *de ~ en ~, d'un ~ à l'autre* von Anfang bis Ende, von e-m Ende zum andern; *mettre ~ à ~* aneinanderfügen; *fig. au ~ du monde* sehr weit weg; *brûler la chandelle par les deux ~s fig.* sein Vermögen verschwenden; s-e Gesundheit ruinieren; *joindre les deux ~s* sein Auskommen haben, zurechtkommen; *à ~ portant* aus nächster Nähe; *tuer q. d'un coup de revolver à ~*

portant j-n mit dem Revolver aus nächster Nähe niederknallen (*od.* niederschießen); *au ~ du compte* schließlich, im Grunde genommen, alles in allem; übrigens; *le haut (le bas) ~ d'une table* das obere (untere) Tischende; *fig.* der erste (letzte) Platz bei Tisch; *rire du ~ des dents* (*od. des lèvres*) gezwungen lachen; *manger du ~ des dents* mit Widerwillen essen; *toucher qch. du ~ des doigts* etw. mit den Fingerspitzen (*fig.* leise) berühren; *fig. on y touche du ~ du doigt* wir sind ganz nahe daran; *connaître q. sur le ~ des doigts* j-n ganz genau kennen; *savoir qch. sur le ~ du doigt* etw. (*od.* e-e Frage) ganz genau (*od.* aus dem Effeff) kennen; *j'ai le mot sur le ~ de la langue* das Wort schwebt mir auf der Zunge; *~ du nez* Nasenspitze *f*; *il ne voit plus loin que le ~ de son nez* er ist engstirnig (*od.* beschränkt); er hat Scheuklappen auf; *~ du sein* Brustwarze *f*; *~ de l'oreille* Ohrläppchen *n*; *à tout ~ de champ* bei jeder Gelegenheit; *fig. montrer od. laisser passer le ~ de l'oreille* die Katze aus dem Sack lassen; durchblicken lassen, was man im Schilde führt; sich entpuppen; **2.** *in zeitlichem Sinne*: Ende *n*; Ablauf *m*; *au ~ d'un mois* nach Ablauf e-s Monats, nach Monatsfrist; *pousser q. à ~* j-n aufs äußerste reizen, j-n auf die Palme bringen F; *venir à ~ de* fertig werden mit (*dat*); *mener qch. à ~* etw. zustande bringen; mit etw. fertig werden; *ma patience est à ~* m-e Geduld ist zu Ende, mir reicht's F; *être à ~ de forces* mit s-n Kräften am Ende sein; *être à ~ de ressources* über keine Geldmittel mehr verfügen; *être au ~ de son rouleau* am Ende s-r Kunst (*fig.*) sein, nicht mehr ein noch aus wissen; *il n'en verra pas le ~*: a) er wird das Ende nicht erleben; b) er wird damit nie fertig werden; **3.** ⊕ Endstück *n*, Beschlag *m*; Mundstück *n* (*Pumpe*); Knopf *m* (*Stock*); Fleck *m*, Riester *m* (*Stiefel*); *~ de* (*od. en*) *liège* Korkmundstück *n*; *~ or* Goldmundstück *n* (*Zigarette*); **4.** Stückchen *n*, Endchen *n*; *~ de bougie* Lichtstumpf *m*; *~ de cigarette* Zigarettenstummel *m*; *un ~ de chemin* ein Stückchen Weges; *il y a un bon ~ de chemin* es ist ein ganzes Ende bis dahin; *un ~ d'homme* ein Kerlchen *n*, ein Knirps *m*; **5.** *~s pl. de queue* Schwanzfedern *f/pl.*; **6.** ⚓ Vorderteil *n*; *avoir vent de ~* widrigen Wind haben.

boutade [bu'tad] *f* Rappel *m*, Grille *f*, Laune *f*; *fig.* Ausfall *m gegen j-n*; *une heureuse ~* ein guter Einfall; *lancer une ~* e-n Witz zum besten geben.

boute [but] *f* (*Wein-*)Schlauch *m*.

boutée [bu'te] *f* Strebepfeiler *m*.

boute-en-train [butɑ̃'trɛ̃] *m* (6c) Stimmungs-, Spaß-macher *m*, Unterhalter *m*, Vereinsnudel *f*.

boutefeu [but'fø] *m* (5b) **1.** *ehm.* Lunte *f*; **2.** *fig.* Rädelsführer *m*.

bouteil|le [bu'tɛj] *f* Flasche *f*; *~ perdue* Einwegflasche *f*; *~ de plastique* Plastikflasche *f*; *col m* (*od. goulot m*) *de ~* Flaschenhals *m*; *cul m de ~* Flaschenboden *m*; *~ de grès* Steinkrug *m*; *bière f en ~s* Flaschenbier *n*; *aimer la ~ fig.* gern in die Flasche gucken; *mettre en ~s* auf Flaschen ziehen *od.* füllen; *ce vin a dix ans de ~* dieser Wein ist seit zehn Jahren auf Flaschen gezogen; P *prendre de la ~* altern; klapprig werden; *c'est la ~ à l'encre* das ist e-e verwickelte Geschichte, daraus wird man nicht schlau (*od.* klug); **~lerie** [~tɛj'ri] *f* Flaschen-fabrikation *f*, -handel *m*; **~lon** ⚔ [~tɛ'jɔ̃] *m* Feldkessel *m*; *fig.* P Gerücht *n*.

bouter [bu'te] *v/t.* (1a) *j-n* verjagen.

boute|rolle [but'rɔl] *f* Metallbeschlag *m an der Säbelscheide*; ⊕ Locher *m*; Döpper *m*, Schellkopf *m*; Schlüsselkerbe *f*; **~-roue** [~'ru] *f* Prellstein *m* (*bsd. an Häuserecken, Torwegen*).

boutif F *a. litt.* [bu'tif] *adj.* sprunghaft.

bouti|que [bu'tik] *f* **1.** (*Kauf-, Kram-*)Laden *m*; *péj.* Bude *f*; Boutique *f*; Modesalon *m*; *~ aquatique* Boutique *f* für Unterwassersport; *garçon m de ~* Ladendiener *m*; F *toute la ~* die ganze Wirtschaft, der ganze Kram; *ouvrir* (*une*) *~* e-n Laden aufmachen (*a.* eröffnen); *tenir ~* e-n Laden haben, ein offenes Geschäft betreiben; *fermer* (*od. plier*) *~* den Laden schließen; die Bude zumachen F; s-e Siebensachen packen, wegziehen; **2.** Werkstatt *f*; **3.** Handwerkszeug *n*; **4.** Fischkasten *m*; **~quier** [~'kje] (7b) *su.* Inhaber *m* e-r Boutique, e-s Modesalons *etc.*; *péj.* Krämer *m*; *fig.* Spießbürger *m*; *mv. p. peuple m de ~s, a. adj. peuple m ~* Volk *n* von Schacherern, Krä-

mervolk *n*; *mst. iron. gent f boutiquière* Krämerleute *pl.*
boutisse [bu'tis] *f* Binder(stein *m*) *m.*
boutoir [bu'twa:r] *m* Rüssel *m des Wildschweins*; *a. fig.* ⊕ Rüssel *m*, Arm *m von Maschinen*; *fig. coup m de* ~ verletzende Äußerung *f*.
bouton [bu'tɔ̃] *m* **1.** ⚘ Blüten-, Blatt-knospe *f*; ~ *d'or* Butterblume *f*; ~ *de rose* Rosenknospe *f*; **2.** *anat.* ~ *du sein* Brustwarze *f*; **3.** ⚕ Eiterbläschen *n*, Pickel *m*; **4.** Knopf *m*; *bottines f/pl. à* ~*s* Knöpfstiefel *m/pl.*; ~ *de chemise, de manchette, de pantalon, de guêtre* Hemden-, Manschetten-, Hosen-, Gamaschenknopf *m*; ~ *à queue* Knopf mit Öhr; ~*-pression*, ~ *à pression* Druckknopf *m* (*Schneiderei*); ⊕ ~*-poussoir* Druckknopf *m*; **5.** Türknopf *m*; ⚡ Schalter-, Klingel-knopf *m*; *rad.* Knopf *m*, Skalascheibe *f*; *rad.* ~ *d'arrêt* Stoptaste *f*; ⊕ ~ *de mise (à l'heure)* Stellknopf *m*; ~ *de commande* Antriebsknopf *m*; ~ *fileté* Gewindeknopf *m*; ⚡ ~ *isolant* Isolierknopf *m*; ~ *tournoyant de commande du chauffage* Drehgriff *m* für die Heizung; ⚡ *tourner le* ~ a) anknipsen, (das) Licht anmachen; b) sich die Tür aufmachen; c) *fig.* umschalten, e-n anderen Kurs einschlagen; *appuyer sur le* ~ *de la sonnerie* auf den (Klingel-) Knopf drücken, klingeln; **6.** ~ *de fleuret* Knopf *m* am Rapier; **7.** ~ *de mire* Korn *n* am Gewehr.
bouton|nant [butɔ'nɑ̃] *adj.* (7) zum Zuknöpfen; **~né** [~'ne] *adj.* **1.** zugeknöpft (*a. fig.*); **2.** ⚕ pickelig; **3.** ⚘ mit Blütenknospen; **~nement** [~n'mɑ̃] *m* Knospentreiben *n*; **~ner** [~'ne] (1a) **I** *v/i.* ⚘ knospen, Knospen treiben; ⚕ Pickel bekommen; zugeknöpft werden (*Kleid*); **II** *v/t.* zuknöpfen; **III** *v/rfl.* se ~ zugeknöpft werden (*a. fig.*); **~nerie** [~n'ri] *f* Knopfwaren *f/pl.*; Knopfhandel *m*, -macherei *f*; **~neux** [~'nø] *adj.* (7d) pickelig; **~nier** [~'nje] *m* Knopfmacher *m*; **~nière** [~'jɛ:r] *f* Knopfloch *n*; ⚕ Einschnitt *m*.
boutre ⚓ ['butrə] *m* Dau *f*, arabischer Zweimaster *m*.
bouts-rimés [buri'me] *m/pl.* Gedicht *n* mit gegebenen Endreimen.
boutur|age ⸗ [buty'ra:ʒ] *m* Vermehrung *f* durch Stecklinge; **~e** [~'ty:r] *f* Steckling *m*, Ableger *m*, Setzling *m*; **~er** [~ty're] (1a) **I** *v/i.* Ableger treiben; **II** *v/t.* durch Stecklinge vermehren.
bouveleur ⚒ [buv'lœ:r] *m* Gesteinshauer *m*.
bouvement ⚠ [buv'mɑ̃] *m* Hohlkehle *f*.
bouverie [buv'ri] *f* Ochsenstall *m*.
bouvet *men.* [bu'vɛ] *m* Leistenhobel *m*; ~ *mâle* Feder-, Spund-hobel *m*.
bouvier [bu'vje] (7) **I** *su.* Ochsentreiber *m*, -hirt *m*; **II** *adj. charrette f bouvière* Ochsenwagen *m*.
bouvreuil [bu'vrœj] *m orn.* gemeiner Gimpel *m*, Dompfaff *m*.
bouvril [bu'vril] *m* Verschlag *m für Rindvieh in Schlachthäusern.*
bouyer *dial. Provence* [bu'je] *m* Bauer *m*.
bouzouki ♪ [buzu'ki] *m* griechische Mandoline *f*.
bovidés *zo.* [bɔvi'de] *m/pl.* Rinder *n/pl.*
bovin [bɔ'vɛ̃] **I** *adj.* Rind(er)...; *bêtes f/pl.* ~*es* [bɔ'vin] Rinder *n/pl.*; *peste f* ~*e* Rinderpest *f*; **II** *m* Rind *n*.
bowette ⚒ [bo'vɛt] *f* Querschlag *m* (*Seitengang*).
bowetteur ⚒ [bovɛ'tœ:r] *m* Gesteinshauer *m*.
box [bɔks] *m* Stallverschlag *m*, Pferdestand *m*; *Auto*: Box *f*, Einzelgarage *f*; *Krankenhaus*: kleiner Isolierraum *m*; ⚖ ~ *d'accusé* Anklagebank *f*.
boxe [~] *f* Boxerei *f*, Boxen *n*, Boxsport *m*, Faustkampf *m*.
box|er [bɔk'se] **I** (1a) *v/i.* (*u.* se ~ sich) boxen; **II** [bɔk'sœ:r] *m* Boxer (-hund *m*) *m*; **~eur** [~'sœ:r] *su.* (7g) Boxer *m*; Faustkämpfer *m*.
boxon * [bɔk'sɔ̃] *m* Bordell *n*; **~ner** * [~ksɔ'ne] *v/i.* (1a) sich amüsieren.
boy [bɔi] *m* Boy *m*; eingeborener Diener *m*.
boyard *hist.* [bɔ'ja:r] *su.* (7) Bojar *m* (*ehm. russischer Würdenträger od. rumänischer Großgrundbesitzer*).
boyau [bwa'jo] *m* (5b) **1.** Darm *m*, ~*x pl.* Gedärme *n/pl.*; F Bauch *m*, Magen *m*; *corde f à* ~ Darmsaite *f*; *racleur m de* ~*x* Bierfiedler *m*; **2.** *vél.* dünner Fahrradschlauch *m* (*in genähtem Reifen*); **3.** (langer) Schlauch *m* der Feuerspritze; **4.** ⚔ *frt.* Laufgraben *m*; **5.** Laufgang *m* (*Raumschiff*).
boyauderie [bwajo'dri] *f* Därmeverarbeitungsindustrie *f*.
boycot|tage [bɔikɔ'ta:ʒ] *m* Boykott *m*; Boykottierung *f*; Auftrags-, Lieferungs-sperre *f*; **~ter** [~'te] *v/t.* (1a) boykottieren.
boy-scout [bɔi'skut] *m* Boyscout *m*, Pfadfinder *m*.

brabançon [brabɑ̃'sɔ̃] (7c) **I** *adj.* brabantisch; **II** *su.* Brabanter *m.*
bracelet [bras'lɛ] *m* Armband *n*; Armreif *m*; ~ *gourmette* Kettenarmband *n*; **~-montre** [~'mɔ̃:trə] *m* (6b) Uhrenarmband *n.*
brachial [bra'kjal] *adj.* (5c) Arm...
brachycéphale [brakise'fal] *adj.* kurz-, rund-schädelig.
bracon|nage [brakɔ'na:ʒ] *m* Wilddieberei *f*, Wildern *n*; **~ner** [~'ne] *v/i.* (1a) herumwildern; **~nier** [~'nje] *su.* (7b) Wilddieb *m* (*a. fig.*).
bradage *m* [bra'da:ʒ] *m* Verschleudern *n*, Verschleuderung *f.*
bradel [bra'dɛl]: *reliure f* ~ Halbfranzband *m.*
brader ✝ [bra'de] *v/t.* (1a) verschleudern.
braderie ✝ [bra'dri] *f* billiger Verkauf *m* auf der Straße.
bradeur *pol. péj.* [bra'dœ:r] *m* Landesverhökerer *m.*
bradype *zo.* [bra'dip] *m* Faultier *n.*
bradypepsie ⚕ [bradipɛp'si] *f* langsame u. schwierige Verdauung *f.*
braguette [bra'gɛt] *f* Hosenschlitz *m.*
brai ⚓ [brɛ] *m* Schiffsteer *m.*
braie [~] *f* **1.** *hist.* Hose *f* der Gallier; **2.** *les ~s berbères* die weiten (Pluder-)Hosen *f/pl.* der Berber.
braillard F [brɑ'ja:r] *adj. u. su.* (7) laut schreiend; Schreihals *m* (*v. e-m Kind*).
braille [brɑ:j] *m*: (*transcrit en*) ~ (in) Blindenschrift *f.*
brail|lement [brɑj'mɑ̃] *m* Gekreische *n*, Gekläff *n*; **~ler** [brɑ'je] *v/i.* (1a) **1.** laut schreien, kreischen, brüllen; jaulen (*Hund*); **2.** schlecht singen, grölen; **~leur** [~'jœ:r] (7g) **I** *adj.* kreischend; **II** *su.* Schreier *m* (*v. e-m Kind*).
brailles *dial. SO* [brɑ:j] *f/pl.* Hosen *f/pl.*
braiment [brɛ'mɑ̃] *m* Eselsgeschrei *n.*
braire [brɛ:r] *v/i.* (4s) wie ein Esel schreien, iahen; P brüllen.
braise [brɛ:z] *f* **1.** Kohlenglut *f*, glühende Kohlen *pl.*; Löschkohlen *pl.*; **2.** P Geld *n.*
brai|ser *cuis.* [brɛ'ze] *v/t.* (1b) schmoren; **~sière** [~'zjɛ:r] *f* Schmortopf *m.*
bramer [bra'me] *v/i.* (1a) *ch.* röhren, schreien (*Hirsch*); F grölen.
bran [brɑ̃] *m* **1.** ~ *de scie* Sägemehl *n*; **2.** P Kacke *f.*
brancard [brɑ̃'ka:r] *m* **1.** Bahre *f*, Tragbahre *f*, Krankentrage *f*; **2.** Gabel(deichsel *f*) *f*; *~s pl.* Trage-, Sattel-bäume *pl.*; F *ruer dans les ~s* bockig (*od.* aufsässig) werden; **3.** ⊕ Steintrage *f*; **~ier** [~kar'dje] *m* Krankenträger *m*, Sanitäter *m.*
branchage [brɑ̃'ʃa:ʒ] *m* Astwerk *n*, Reisig *n*, Astholz *n.*
branche [brɑ̃:ʃ] *f* **1.** Ast *m*; Zweig *m*; ~ *de laurier* Lorbeerzweig *m*; *fig. sauter de ~ en ~* von e-m Gegenstand auf den andern überspringen; F *ma vieille ~!* alter Junge!; **2.** *fig.* Zweig *m*, Abteilung *f*, Fach *n*; ~ *d'administration*, ~ *administrative* Verwaltungszweig *m*; ~ *de commerce*, ~ *commerciale*, ~ *d'industrie*, ~ *industrielle* Handels-, Erwerbszweig *m*; **3.** Arm *m e-s Flusses od. Leuchters*; **4.** ~ *aînée* (*cadette*) ältere (jüngere) Linie *f e-r Familie*; **5.** ⊕ Waagebalken *m*; Schaft *m*, Rohr *n*; Schenkel *m*; Stange *f*; **6.** ⚒ Nebengang *m e-r Mine*; **7.** Zacken *m des Hirschgeweihes.*
bran|chement [brɑ̃ʃ'mɑ̃] *m* (*a.* ⚡) Anschluß *m*; Abzweigung *f*; **~cher** [~'ʃe] (1a) **I** *v/t.* ⚡ *u.* ⊕ einschalten, anschließen; abzweigen; ~ *un appareil de télévision* ein Fernsehgerät anschalten; *être branché sur* angeschlossen werden (*od.* sein) an; umgeschaltet werden (*od.* sein) auf; ⚡ *u. rad.* ~ *un fil* (*sur*) an-, durchschalten (an); ~ *en parallèle* parallel (*od.* nebeneinander) schalten; ⚡ *u.* ⊕ anschließen; **II** *v/i.* auf Bäume fliegen, sich auf e-n Ast setzen; **~chette** [~'ʃɛt] *f* kleiner Ast *m.*
bran|chial [brɑ̃'ʃjal] *adj.* (5c) zu den Kiemen gehörig; Kiemen...; **~chié** *adj. u.* **~chiés** *m/pl.* [~'ʃje] durch Kiemen atmend(e Amphibien *f/pl.*); **~chies** [~'ʃi] *f/pl.* Kiemen *f/pl.*; **~chiopodes** *zo.* [~ʃjɔ'pɔd] *m/pl.* Kiemenfüßler *m/pl.*
branchu ⚘ [brɑ̃'ʃy] *adj.* vielästig, stark verzweigt.
brande [brɑ̃:d] *f* **1.** ⚘ Heidekraut *n*; **2.** Heide *f.*
Brandebourg [brɑ̃d'bu:r] *m* **1.** *le* ~ Brandenburg *n*; **2.** ♀ Uniform-, Rock-schnur *f*; **3.** ♀ Gartenlaube *f.*
brande|vin [brɑ̃d'vɛ̃] *m* Branntwein *m*, Schnaps *m*; **~vinier** [~vi'nje] *su.* (7b) Schnapshändler *m.*
brandil|lement [brɑ̃dij'mɑ̃] *m* Schlenkern *n*; **~ler** [~di'je] (1a) **I** *v/t.* ~ *les jambes* (*les bras*) mit den Füßen (Armen) schlenkern; **II** *v/i. u. se* ~ (sich) hin und her schwingen, schaukeln; **~loire** P [~di'jwa:r] *f* Schaukel *f aus Zweigen.*

brandir [brɑ̃'di:r] *v/t.* (2a) schwingen (*a. fig.*); ~ *l'épée* das Schwert zücken.

brandon [brɑ̃'dɔ̃] *m* **1.** Strohfackel *f*; *fig.* ~ *de discorde* Fackel *f* der Zwietracht; **2.** brennender Gegenstand *m*; **3.** Strohwisch *m* (*zum Zeichen der Pfändung der Früchte auf dem Halm*).

branlant [brɑ̃'lɑ̃] *adj.* (7) wackelig, unsicher, klapperig; *avoir la tête* ~*e* mit dem Kopf wackeln.

branle ['brɑ̃:lə] *m* **1.** Schwingung *f*, Schwung *m*; *sonner en* ~ aus allen Kräften läuten; **2.** *fig.* Anstoß *m*, Impuls *m*; *donner le* ~ Alarm schlagen, alles in Bewegung setzen; *mettre qch. en* ~ den ersten Anstoß zu etw. geben; e-e Sache in Gang bringen; **3.** ♪ Reigen *m*, Reihentanz *m*; *mener* (*od. ouvrir od. commencer*) *le* ~ den Reigen führen, das Beispiel geben; *se mettre en* ~ sich in Bewegung setzen.

branle-bas [brɑ̃l'bɑ] *m* (6c) **1.** ⚓ Vorbereitungen *f/pl.* zum Aufstehen u. Schlafengehen; **2.** ⚔ Klarmachen *n* zum Gefecht; ⚔ Aufregung *f*, Durcheinander *n*, Gewühl *n*; *bruit m de* ~ Lärm *m*; *sonner le* ~ klar zum Gefecht blasen; *fig.* Alarm geben.

branlement [~'mɑ̃] *m* Wackeln *n*, Schwanken *n*.

branlequeue F [~'kø] *m* Bachstelze *f*.

branler [brɑ̃'le] (1a) **I** *v/t.* schlenkern; schütteln; ~ *la tête* mit dem Kopf wackeln; **II** *v/i.* wackein, wanken; V onanieren; ~ *dans le* (*od. au*) *manche* nicht fest im Sattel sitzen, auf der Kippe stehen.

branloire [brɑ̃'lwa:r] *f* Schaukelbrett *n*.

branqu|e P [brɑ̃:k] *m*, **~ignol** P [brɑ̃ki'ɲɔl] Verrückte(r) *m*, Idiot *m*; **~ignolesque** P [~kiɲɔ'lɛsk] *adj.* verrückt, idiotisch.

braquage [bra'ka:ʒ] *m Auto*: Einschlag *m*; Wendigkeit *f*; *angle de* ~ Einschlagwinkel *m der Vorderräder.*

braque[1] F [brak] **I** *adj.* unbesonnen, bekloppt, etw. verdreht; **II** *m* Rappelkopf *m*.

braque[2] [~] *m* Hühnerhund *m*; ~ *allemand od. continental* Vorstehhund *m*.

braquemart [brak'ma:r] *m* **1.** *hist.* breites und kurzes Schwert *n*; **2.** V männliches Glied *n*.

bra|quement [~'mɑ̃] *m* Richten *n e-r Kanone*; **~quer** [bra'ke] **I** *v/t.* (1m) *e-e Kanone, ein Fernrohr* richten (*sur od. vers* gegen); einstellen; *Auto*, ✈ schräg einstellen; *fig.* ~ *ses yeux sur* s-e Augen fest richten auf (*acc.*); **II** *v/i. Auto*: wenden, drehen, e-e Wendung machen.

bras [bra, brɑ] *m* **1.** Arm *m*; Ärmel *m*; Oberarm *m*; *en* ~ *de chemise* in Hemdsärmeln; *les* ~ *retroussés* mit aufgekrempelten Ärmeln; *à* ~ *ouverts* mit offenen Armen; *à pleins* ~ beide Arme voll, überreichlich; ~ *dessus*, ~ *dessous* Arm in Arm, untergefaßt; *de la grosseur du* ~ armdick; *à tour de* ~ mit voller Wucht; *tomber sur q.* (F *dessus à q.*) *à* ~ *raccourcis* mit allen Kräften auf j-n einschlagen; *à* ~ *fléchis* (*tendus*) mit gebeugten (gestreckten) Armen; *couper* ~ *et jambes à q.* a) j-s Pläne vollständig durchkreuzen (*od.* zunichte machen); j-s Willen völlig lähmen; j-n restlos aus der Fassung bringen; b) j-n äußerst erschüttern; *les* ~ *m'en tombent* ich bin sprachlos (darüber), völlig fassungslos (*od.* restlos erschüttert); ich bin wie vom Schlag getroffen; *j'ai les* ~ *rompus* ich bin hundemüde (*od.* völlig fertig *od.* abgearbeitet); *demeurer les* ~ *croisés* die Hände in den Schoß legen; *avoir bien des affaires sur les* ~ die Hände voll zu tun haben; *j'ai qch.* (*od. q.*) *sur les* ~ ich habe etw. (*od.* j-n) auf dem Halse (*od.* zu erledigen); *tendre les* ~ *à q.* j-m unter die Arme greifen; *faire de grands* ~ mit den Armen hin und her fuchteln; *avoir q. sur les* ~ j-n auf dem Halse haben; *vivre de ses* ~ von s-r Hände Arbeit leben; **2.** *fig.* Arm *m* (*Sinnbild der Tätigkeit, Arbeit, Macht od. Gewalt*); ~ *séculier* weltliche Macht *f*; *avoir le* ~ *long* große Mittel (*od.* weitreichende Macht) besitzen, einflußreich sein; **3.** *zo. les* ~ die vorderen Gliedmaßen *pl.*; die Scheren *f/pl. des Krebses*; die Fangarme *m/pl. des Polypen*; Flossen *f/pl. des Walfisches*; **4.** *bsd.* ⊕ Arm *m*, armähnlicher Gegenstand *m*, Griff *m*, Schwengel *m*; *siège m à* ~ Armstuhl *m*; ~ *de levier* Hebel-, Dreharm *m*; ~ *oscillant*, ~ *de rotation* Pendel-, Schwenk-arm *m*; *chandelier m à* ~ Armleuchter *m*; **5.** ⚘ Ranke *f*; **6.** ~ *de mer* Meerenge *f*; **7.** ⚓ *les* ~ die Brassen *f/pl.*

bra|sage [brɑ'za:ʒ] *m*, **~sement** [brɑz'mɑ̃] *m* Hartlötung *f*; **~ser** [brɑ'ze] *v/t.* (1a) hartlöten; **~sero** [~ze'ro] *m* eiserner Kohlenofen *m* (*für Feuer im Freien*); ✈ Rauchofen *m zur Angabe der Windrichtung*; **~sier** [~'zje] *m* **1.** (Kohlen-)Glut *f*; Feuersbrunst *f*; **2.** *fig.* (Liebes-)Glut *f*.

brasil|lement [brazij'mã] *m* Leuchten *n*, Funkeln *n* des Meeres; **~ler** [~'je] (1a) **I** *v/t.* auf Kohlen rösten; **II** *v/i.* leuchten, funkeln, phosphoreszieren (*Meer*).

bras-le-corps [bral'kɔ:r]: *prendre un enfant à ~* ein Kind um den Leib herum fassen (*od.* anpacken).

bras-levier ⊕ [bralə'vje] *m* (6g) Ausleger *m*.

brasque [brask] *f* **1.** Kohlenstaub *m*; **2.** ⊕ (feuerfeste) Auskleidung *f v. Hüttenöfen*.

brassage [bra'sa:ʒ] *m* **1.** Bierbrauen *n*; **2.** Umrühren *n*; *fig. ~ de races* Rassenvermischung *f*; **3.** *fig.* Durcheinander *n*; **4.** ⚓ Brassen *n*.

brassard [bra'sa:r] *m* Armbinde *f der Krankenpfleger usw.*; *~ de deuil* Trauerflor *m*; *~ lumineux* (*od. réfléchissant*) Leuchtarmbinde *f*.

brasse [bras] *f* **1.** ⚓ Faden *m*; Klafter *m* (*Maß*); **2.** Schwimmstoß *m beim Brustschwimmen*; (*nage f à la*) *~* Brustschwimmen *n*.

brassée [bra'se] *f* **1.** *une ~ de* ein Armvoll von ...; *à ~s* mit vollen Armen; **2.** Armbewegung *f*, lang ausgehaltener Stoß *m* beim Brustschwimmen.

brasser[1] [~] *v/i.* (1a) brassen.

bras|ser[2] [~] (1a) **I** *v/t.* **1.** durcheinanderrühren, umrühren; aufwühlen (*mit den Händen*); *il brasse de l'argent* er macht große Geldgeschäfte, ihm fließt viel Geld durch die Finger; **2.** brauen; *~ du cidre* Apfelwein bereiten; *fig. ~ une trahison* e-n Verrat anzetteln; *~ des affaires* viele Gelegenheitsgeschäfte machen; **II** *v/rfl. se ~ fig.* angezettelt werden; **~serie** [bras'ri] *f* **1.** ⊕ Brauerei *f*; **2.** Bierhalle *f*, Restaurant *n*; **~seur** [~'sœ:r] *su.* (7g) **1.** ⊕ Bierbrauer *m*; *fig. ~ d'affaires* Geschäftemacher *m*; **2.** *Sport*: Brustschwimmer *m*.

bras|sière [bra'sjɛ:r] *f* **1.** Babyjäckchen *n*; Untertaille *f*, Leibchen *n*; **2.** modischer Büstenhalter *m*; **3.** Sackgurt *m*, Riemen *m e-r Hucke*; **~sin** ⊕ [~'sɛ̃] *m* **1.** Braupfanne *f*; **2.** Gebräu *n*; **~soir** ⊕ [~'swa:r] *m* Rühr-, Maisch-harke *f*, Malzkrücke *f*.

brasure [brɑ'zy:r] *f* **1.** Hartlöten *n*; **2.** Lötstelle *f*.

bravache [bra'vaʃ] **I** *m* Großmaul *n*, Prahler *m*; **II** *adj.* prahlerisch.

bravade [~'vad] *f* Herausforderung *f*, Prahlerei *f*; herausfordernde Handlung *f*; *faire ~ à q.* sich gegen j-n herausfordernd benehmen; *avec un air de ~* mit e-m herausfordernden Blick.

brave [bra:v] **I** *adj.* □ **1.** (*nach su.*) tapfer, mutig, beherzt; wacker; **2.** (*vor su.*) brav, anständig, ehrlich, rechtschaffen, bieder (*a. iron.*); *mon ~!* mein Bester!; **II** *m* tapferer Krieger *m*; Haudegen *m*; *a. allg.* ganzer Kerl *m*; **~ment** [brav'mã] *adv.* **1.** tapfer *usw.*; **2.** brav, gut, wacker, einsichtig.

braver [bra've] (1a) *v/t.*: *~ q.* j-m trotzen; j-m entgegentreten, die Stirn bieten; *fig. ~ les dangers* den Gefahren trotzen *od.* ins Auge sehen.

braverie [brav'ri] *f* **1.** Kühnheit *f*; **2.** Prahlerei *f*.

bravo [bra'vo] **I** *int.* **1.** bravo!, großartig!; *~ que* (*mit subj.*), *mais* ... alles gut u. schön, daß ..., aber ...; **II** *m* **2.** (*pl. bravi*) gedungener Mörder *m*, Meuchelmörder *m*; **3.** *des ~s* Beifallsrufe *m/pl.*

bravoure [bra'vu:r] *f* **1.** Schneid *m*, Tapferkeit *f*, Heldenmut *m*, Heldentat *f*; **2.** *~s pl.* Heldentaten *f/pl.*; **3.** *air m de ~* a) tapferes Aussehen *n*; b) Bravour-arie *f*, -stück *n*, Paradestück *n*.

brayer[1] ⚓ [brɛ'je] *v/t.* (1i) teeren.

brayer[2] [~] *m* **1.** ⚕ Bruchband *n*; **2.** Fahnengurt *m*; **3.** Speise-, Mörtel-aufzug *m*.

brayette [brɛ'jɛt] *f* Hosenschlitz *m*.

break *Auto* [brek] *m* Kombiwagen *m*.

brebis *zo.* [brə'bi] *f* **1.** (Mutter-)Schaf *n*; *~ galeuse* räudiges (*fig.* schwarzes) Schaf *n*; **2.** *fig. ~ pl.* Pfarrkinder *n/pl.*

brèche [brɛʃ] *f* **1.** Bruch *m*, Riß *m*, Scharte *f* (*an e-r Messerklinge*); **2.** Felsspalte *f*; *~ fluviale* Durchbruch *m* (e-s Flusses); **3.** ⚔ Bresche *f*; Einbruchsstelle *f*; *battre qch. en ~* Bresche in etw. schießen, *fig.* etw. schmälern, beeinträchtigen, erschüttern, heftig angreifen; *faire une ~* (*dans*) sturmreif schießen, einbrechen (in); *fig. battre en ~ une thèse* e-e These von Grund auf widerlegen *od.* völlig umwerfen; *sur la ~* äußerst aktiv; **4.** Öffnung *f*, Lücke *f* (*in e-r Hecke*); **5.** Zahnlücke *f*.

brèche-dent [brɛʃ'dɑ̃] *adj. u. su.* (6g) zahnlückig; Zahnlückige(r) *m.*
bréchet *orn.* [bre'ʃɛ] *m* Brustbein *n.*
bredouil|lage [brədu'ja:ʒ] *m* Gestammel *n*; **~le** [brə'duj] *adj.*: être ~ dumm dastehen, Pech (*od.* keinen Erfolg) gehabt haben; *fig.* (s'en) revenir ~, rentrer ~ unverrichteterdinge zurückkehren (*od.* abziehen), mit leeren Händen nach Hause kommen, leer ausgehen, in den Mond (*od.* in die Röhre F) gucken; *ch.* revenir ~ de la chasse nichts geschossen haben; *Fischfang*: revenir ~ de la pêche keinen Fisch gefangen haben; *ch.* chasseur *m* ~ Jäger, der nichts geschossen hat; **~lement** [~duj'mɑ̃] *m* Gestammel *n*, Gestotter *n*; **~ler** [~'je] (1a) **I** *v/i.* die Wörter verschlucken, undeutlich sprechen, stammeln; **II** *v/t.* herausstammeln; **~leur** [~'jœ:r] *m* Stotterer *m.*
breeder *at.* [bri'dɛ:r] *m* Brutreaktor *m.*
bref *m*, **brève** *f* [brɛf, brɛ:v] (*adv.* brièvement) **I** *adj.* **1.** kurz, kurzgefaßt; dans le plus ~ délai in kürzester Frist; ton *m* ~ herrischer Ton *m*, Befehlston *m*; être ~ sich kurz fassen; une brève statistique e-e kurze Statistik *f*; **2.** Pépin le ♀ Pipin der Kurze (*od.* der Kleine); **II** *adv.* **3.** kurz(um), kurz u. gut, mit e-m Wort; *vgl.* brièvement; **III** *m* **4.** ⚓ Schiffspaß *m*; **5.** *rl.* Breve *n*, päpstliches Schreiben *n*; **IV** *f gr.* kurze Silbe *f*, Kürze *f*; ♪ kurze Note *f.*
bréhaigne [bre'ɛɲ] *adj./f* steril, unfruchtbar (*v. Haustieren*).
breitschwanz ✝ [brɛt'ʃvans] *m* Breitschwanz *m* (*Art Astrachan*).
brelan [brə'lɑ̃] *m* **1.** drei gleiche Karten *f/pl.*; **2.** F Trio *n*, *fig.* Kleeblatt *n*; **3.** *mv.p.* Spielhaus *n.*
brelandier [brəlɑ̃'dje] (7b) *su.* **1.** Spielratte *f* (*im Kartenspiel*); **2.** Spielhausbesitzer *m.*
brêler s. *breller.*
brelle [brɛl] *f* Floßhölzer *n/pl.*
breller ⚓, ⚔ [brɛ'le] *v/t.* (1a) festbinden, -schnüren, -schnallen, anziehen, rödeln, befestigen.
breloque [brə'lɔk] *f* **1.** kleines Schmuckstück *n*, Anhängsel *n*, *bsd.* Uhrgehänge *n*; **2.** battre la ~ *fig.* etw. zs.-faseln, verworrenes Zeug reden, den Kopf verlieren; falsch gehen (*Uhr*).
brème *icht.* [brɛ:m] *f* Brasse *m.*
Brésil [bre'zil] *m* **1. le** ~ Brasilien *n*; au ~ in *od.* nach Brasilien; **2.** bois *m* de ~ *od. nur*: ♀ *m* Brasil-, Rot-holz *n.*
bressan [brɛ'sɑ̃] *adj. u.* ♀ *su.* (7) aus der Bresse (*Gegend von Bourg*).
Bretagne [brə'taɲ]: **la** ~ die Bretagne *f*; la Grande-~ Großbritannien *n.*
bretèche *ehm. frt.* [brə'tɛʃ] *f* Zinnenturm *m.*
bretelle [brə'tɛl] *f* **1.** Tragriemen *m*, Gurt *m*; Gewehrriemen *m*; mettre à la ~ (*Waffen*) umhängen; ⚔ position *f* en ~ Riegelstellung *f*; **2.** ~s *pl.* Hosenträger *m/pl.*; **3.** 🚂 Weichenkreuz *n*; Nebenlinie *f*; **4.** (Autobahn-)Verteiler *m.*
breton [brə'tɔ̃] **I** *adj. u.* ♀ *su.* (7c) bretonisch; Bretagner *m*, Bretone *m*; **II** *m* le (bas) ~ das (Nieder-)Bretonische *n* (*Dialekt*); **~nant** [~tɔ'nɑ̃] *adj.* bretonisch sprechend.
brette|ler [brɛt'le] *v/t.* (1c) ⊕ zähnen, zäckeln; △ schraffieren; *bét.* stocken, kröneln; abkratzen; △ enduit *m* brettelé Besenputz *m*, gestrippter Putz *m*; **~lure** [~'ly:r] *f* △ Schraffierung *f.*
bretzel [brɛt'zɛl] *m od. f* Brezel *f.*
breuvage [brœ'va:ʒ] *m bsd.* ⚕ Getränk *n*, Arzneitrank *m*; ~ délectable Labsal *n.*
brève [brɛ:v] *f* **I** *adj.* s. bref; **II** *f gr.* Kürze *f*, kurze Silbe *f*; ♪ kurze Note *f.*
brevet [brə'vɛ] *m* Diplom *n*, Bestallungsbrief *m*, Patent *n*, Urkunde *f*; ~ d'apprentissage Lehrvertrag *m*; ~ d'aptitude Befähigungsnachweis *m*; ~ de capacité Unterrichtserlaubnisschein *m*; ~ de capitaine Kapitänspatent *n*; ~ (d'enseignement) Lehrbefähigung *f*, Lehrerprüfung *f*; ~ d'invention Erfindungspatent *n*; ✈ ~ de pilote Flugzeugführerschein *m*; titulaire *m* d'un ~ Patentinhaber *m*; ~ étranger (additionnel) Auslands- (Zusatz-)patent *n*; acte *m* en ~ Notariatsurkunde *f*; ~ d'aviateur militaire Militärfliegerschein *m*; ~ en instance (als) Patent angemeldet; annoncer (accorder) un ~ ein Patent anmelden (erteilen); prendre (*od.* demander) un ~ (pour qch. etw.) patentieren lassen.
brevetable [brəv'tablə] *adj.* patentfähig, patentierbar.
breveté [brəv'te] **I** *adj.* geprüft, patentiert; ⚔ befähigt; **II** *m*: (inventeur *m*) ~ Patentinhaber *m*, Patentträger *m.*
breveter [~] *v/t.* (1c) patentieren.

bréviaire [bre'vjɛ:r] *m* Gebetbuch *n*, Brevier *n*.
brévité [brevi'te] *f* Kürze *f der Silben*.
briard [bri'a:r] **I** *adj. u.* ♀ *su.* (7) aus der Brie; Briarde *m*; **II** *Name e-s großen frz. Schäferhundes.*
bribe [brib] *f* **1.** ~s *pl.* Brocken *m/pl.* (*a. fig.*); **2.** *fig.* ~s *pl.* Überbleibsel *n/pl.* e-r Mahlzeit; **3.** *fig.* ~s *de latin* lateinische Brocken *m/pl.*; ~s *de conversation* Bruchstücke *n/pl.* der Unterhaltung.
bric [brik] *m*: *de* ~ *et de broc* auf allerlei Art; von hier und von dort; ohne Zusammenhang; kunterbunt.
bric-à-brac [brika'brak] *m* (6c) **1.** Trödel *m*, Trödelware *f*; *marchand m de* ~ Trödler *m*; **2.** Trödelladen *m*.
bricheton P [briʃ'tɔ̃] *m* Brot *n*; **~ner** P [~tɔ'ne] *v/t.* (1a) fressen P (= essen).
brick [brik] *m* Zweimaster *m*, Brigg *f*.
brick-école [brike'kɔl] *m* (6a) Segelschulschiff *n*.
bricolage [brikɔ'la:ʒ] *m* Basteln *n*, Bastelei *f*; *local m de* ~ Bastelraum *m*.
bricole [bri'kɔl] *f* **1.** *bill.* (*coup m de*) ~ Bandenstoß *m*; **2.** *Gepäckträger*: Tragriemen *m*; **3.** *Pferd*: Zuggurt *m*, Brustriemen *m*; **4.** Gelegenheits-arbeit *f*, -beschäftigung *f*; Kleinigkeit *f*; *péj.* wertloses Zeug *n*, Tand *m*; *c'est de la* ~ das ist nichts wert, das ist Dreck P; **5.** P kleiner Fehltritt *m*, Dummheit *f*.
brico|ler [brikɔ'le] (1a) **I** *v/t.* **1.** ~ *un cheval* e-m Pferd den Brustriemen anlegen; **2.** *etw.* provisorisch reparieren; **II** *v/i.* **3.** basteln; pfuschen; Gelegenheitsarbeiten machen; **~leur** [~'lœ:r] *su.* (7g) Bastler *m*; Pfuscher *m*.
bride [brid] *f* **1.** Zügel *m*, Zaum *m*; Zaumzeug *n*; *avoir la* ~ *sur le cou* sich selbst überlassen sein, nach Belieben schalten u. walten dürfen; *lâcher la* ~ *à ses passions* s-n Leidenschaften freien Lauf lassen; *rendre la* ~ *à l'émotion* s-n Gefühlen freien Lauf lassen; *tenir la* ~ *haute* streng sein; *tenir q. en* ~ j-n in Schach halten; *tourner* ~ umkehren; Reißaus nehmen; *fig.* umschwenken, s-e Meinung ändern; *à toute* ~, *à* ~ *abattue* in größter Eile (*od.* Hast); so schnell wie möglich; **2.** Bindeband *n*; Bändchen *n*; Schuhspange *f*; *soulier à* ~ *et à boucle* Bundschuh *m*; *corsage m à* ~s Mieder *n*; **3.** ⊕ Riegel *m*, Klammer *f*, Bügel *m*, Flansch *m*, Henkel *m*; ~s *pl. de ressort* Federbunde *n/pl.*; ~ *de liaison* Spannriegel *m*; **4.** ⚔ Achselklappe *f*.
brider [bri'de] *v/t.* (1a) **1.** (auf-)zäumen; *fig.* zügeln, in Schach halten; ~ *l'âne par la queue etw.* verkehrt anfangen; *yeux m/pl. bridés* Schlitzaugen *n/pl.*; **2.** drükken, zu eng sein (*Kleider*); **3.** abstecken (*Knopfloch*); ⊕ anflanschen, umbördeln; **4.** ~ *une poule* e-m Huhn Flügel u. Beine zs.-binden.
bridge [bridʒ] *m* **1.** Bridge *n* (*Kartenspiel*); **2.** ⚕ (Zahn-)Brücke *f*.
bridgeur [brid'ʒœ:r] *su.* (7g) Bridgespieler *m*.
bridon [bri'dɔ̃] *m* Trense *f*.
brie [bri] *m* Briekäse *m*.
briefing [bri'fiŋ] *m* **1.** Orientierung *f*; **2.** ⚔, ✈ Einsatzbesprechung *f*.
briève|ment [briɛv'mɑ̃] *adv.* kurz (u. bündig), in wenigen Worten; *il lui a* ~ *répondu que ..., il lui a répondu* ~ *que ...* er hat ihm kurz geantwortet, daß ...; **~té** [briɛv'te] *f* Kürze *f* (*im Ausdruck*), kurze Dauer *f*.
brif|er P [bri'fe] *v/t. u. v/i.* (1a) fressen (= essen); **~eton** P [brif'tɔ̃] *m* Brot *n*; **~eur** P [~'fœ:r] *m* Vielfraß *m*.
brigade [bri'gad] *f* **1.** Brigade *f*; *général m de* ~ Brigadegeneral *m*; **2.** Polizeiabteilung *f*; Truppe *f*; ~ *des mœurs* Sittenpolizei *f*; ~ *volante* bewegliche Einsatztruppe *f*; **3.** ~ *d'ouvriers* Arbeiterkolonne *f*.
briga|dier [briga'dje] *m* **1.** Vorarbeiter *m*, Rottenführer *m*; ~ *des armées* Brigadekommandeur *m*; **2.** ⚔ Gefreite(r) *m*; Unteroffizier *m der Gendarmerie*; ~*-chef* Obergefreite(r) *m*; ~*-général* Generalmajor *m*; P *iron. à vos ordres,* ~*!* zu Befehl!, jawohl!; **3.** ⚓ Vormann *m im Boot.*
brigand [bri'gɑ̃] *m* (Straßen-)Räuber *m*; *chef m de* ~s Räuberhauptmann *m*; **~age** [~'da:ʒ] *m* (Straßen-)Raub *m*; *fig.* Erpressung *f*; Mißhandlung *f*, unzartes Umgehen *n* (*mit*); **~er** [~'de] *v/i.* rauben; mißhandeln, unzart umgehen (*mit*).
brigan|tin [~'tɛ̃] *m* ⚓ Brigantine *f*; **~tine** ⚓ [~'tin] *f* **1.** kleine Brigantine *f*; **2.** Briggsegel *n*.
brigue *litt.* [brig] *f* Intrige *f*.
briguer [bri'ge] *v/t.* (1m): ~ *qch.* nach etw. (*dat.*) trachten; sich eifrig bewerben um etw.; *péj.* buhlen um

(*acc.*); etw. durch Intrigen zu erreichen suchen; ~ *q.* j-n zu gewinnen suchen.

brillance *télév.* [bri'jɑ̃:s] *f* Brillanz *f*, Bildschärfe *f*.

brillant [bri'jɑ̃] **I** *adj.* (7) **1.** glänzend, leuchtend, schimmernd, strahlend; **2.** *fig.* herrlich, prächtig, hervorstechend; ~ *de santé* vor Gesundheit strotzend; **II** *m* **3.** Schimmer *m*, Glanz *m*; **4.** *fig.* glänzende Eigenschaften *f/pl.*; **5.** Brillant *m*.

brillan|té [brijɑ̃'te] *m Art* Damen(kleider)stoff *m*; **~ter** [~] *v/t.* (1a) **1.** auf allen Seiten schleifen; **2.** *fig.* Glanz erteilen (*dat.*); (*den Stil*) verschönern; **~tine** *f* Haaröl *n*.

bril|ler [bri'je] *v/i.* (1a) glänzen, leuchten, schimmern, funkeln, strahlen; *fig.* hervorstechen; *faire* ~ blank putzen; **~lo(t)ter** [~jɔ'te] *v/i.* (1a) ein wenig glänzen.

brimade [bri'mad] *f* Hänselei *f* (*bsd. e-s neuen Rekruten od. Schülers*); Schikane *f*.

brimbale [brɛ̃'bal] *f* Pumpenschwengel *m*.

brimbal|ement [brɛ̃bal'mɑ̃] *m* Hin- u. Herschaukeln *n*, Gewackel *n* (*z.B. des Kopfes e-s Bewußtlosen od. Toten*); **~er** [~'le] *v/t. u. v/i.* (1a) (sich) hin und her bewegen *od.* schaukeln; (~ *les cloches*) ununterbrochen läuten; s. *bringuebaler*.

brimborion [brɛ̃bɔr'jɔ̃] *m* Kleinigkeit *f* von geringem Wert; *pl.* ~*s* Tand *m*.

brimer [bri'me] *v/t.* (1a) foppen, hänseln, hochnehmen, piesacken, veruzen, schikanieren; *écol.* zwiebeln, schleifen.

brin [brɛ̃] *m* **1.** Halm *m*, Hälmchen *n*; ~ *de paille, d'herbe* Stroh-, Gras-halm *m*; **2.** Sproß *m*, Sprößchen *n*; ⊕ Faser *f*, Litze *f*; ~ *de bouleau* Birkenreis *n*; ⊕ ~ *d'antenne* Antennenlitze *f*; ~ *de caoutchouc* Gummi-zug *m*, -schnur *f*; *un beau* ~ *de bois* ein langer, gerader Balken; *fig.* F *un beau* ~ *de fille* eine tolle Puppe *f*, ein rassiges (*od.* bildhübsches) Mädchen *n*; **3.** Stückchen *n*, Fädchen *n*; *fig. un* ~ *de ...* ein ganz klein bißchen ...; ein Kleiner, e-e Kleine *usw.*; *venez faire un* ~ *de causette* kommen Sie doch mal auf e-n Sprung zu mir (*od.* zu uns); **~dille** [~'dij] *f* kleines Reis *n*, kleiner Zweig *m*.

bringue P [brɛ̃:g] *f* **1.** lange Bohnenstange *f* (*Frau*); **2.** *quelle* ~*!* was für ein Stumpfsinn! (*od.* Salbader!); **3.** liederliches Leben *n*, Prasserei *f*; *faire la* ~ üppig leben, in Saus und Braus leben, prassen.

bringuebaler [brɛ̃gba'le], **brinquebaler** [brɛ̃kba'le] *v/t. u. v/i.* hin u. her schaukeln.

brio *bsd.* ♪ [bri'o] *m fig.* Feuer *n*, *fig.* Schwung *m*, Schmiß *m*, Energie *f*.

brioche [bri'ɔʃ] *f* **1.** Butterstolle *f*; Apostel-, Napf-kuchen *m*; P Birne *f*, Kopf *m*; P Bauch *m*; **2.** F *fig. faire des* ~*s* Böcke schießen, Fehler machen.

briqu|e [brik] *f* **1.** Back-, Ziegel-, Mauer-stein *m*; ~ *de béton* Betonstein *m*; ~ *creuse* Hohlziegel *m*; Hohlblockstein *m*; ~ *de revêtement* Verblender *m*; ~ *dure*, ~ *hollandaise* Klinker(stein *m*) *m*; ~ *réfractaire* feuerbeständiger Stein *m*; **2.** ~ *de savon* Seifenriegel *m*; **3.** *fig.* P *bouffer des* ~*s* Kohldampf schieben P, nichts zu beißen haben; **~er** F [~'ke] *v/t.* (1a) kräftig säubern.

briquet [bri'kɛ] *m* Feuerzeug *n*.

brique|tage [brik'ta:ʒ] *m* Backsteinuntermauerung *f*; **~té** [~'te] *adj.* aus Mauersteinen gemauert; mauersteinfarbig; **~ter** [~] *v/t.* (1c) nach Backsteinart bemalen; mit Ziegelsteinen pflastern *od.* umranden; **~terie** ⊕ [brik'tri] *f* Ziegelei *f*; **~teur** [~'tœ:r] *m* Backsteinmaurer *m*; **~tier** [~'tje] *m* Ziegelbrenner *m*, -händler *m*.

briquette [bri'kɛt] *f* Preßkohle *f*, Brikett *n*.

bris [bri] *m* **1.** ⚖ gewaltsames Aufbrechen *n*; ~ *de clôture* Einbruch *m*; *par simple* ~ *de la glace* durch einfaches Einschlagen der Glasscheibe; ~ *de scellé(s)* Siegelerbrechung *f*; ~ *de vitres* Fensterscheibenschaden *m*; **2.** ⚓ Schiffstrümmer *pl.*, Wrack *n*; *droit m de* ~ Strandrecht *n*.

bri|sable [bri'zablə] *adj.* zerbrechlich; **~sage** [~'za:ʒ] *m* Krempeln *n der Wolle*; **~sant** [~'zɑ̃] **I** *adj.* (7) **1.** *poudre f* ~*e* Zündmasse *f*; **II** ⚓ *m* **2.** Brandung *f*; **3.** ~*s pl.* blinde (verborgene) Klippen *f/pl.*, Felsenriffe *n/pl.*

brise [bri:z] *f* Brise *f*, sanfter Wind *m*; ~ *de terre* schwacher Landwind *m*; ~ *du large* schwacher Seewind *m*.

brise-béton ⊕ [brizbe'tɔ̃] *m* (6c) Betonbrecher *m*.

brise-bise [briz'bi:z] *m* (6c) Scheibengardine *f*; Fensterdichtung *f*.

brisées [bri'ze] *f/pl. for., ch.* Bruch *m*: *fig. aller sur les* ~ *de q.* j-m ins

Gehege kommen; *suivre les ~ de q.* in j-s Fußtapfen treten.

brise|-glace [briz'glas] *m* (6c) Eisbrecher *m*; **~-jet** [~'ʒɛ] *m* Wasserstrahl-dämpfer *m*, -regler *m*; **~-lames** [~'lam] *m* (6c) Wellenbrecher *m*; **~ment** [~'mɑ̃] *m* **1.** (Zer-)Brechen *n*, Wellenschlag *m*; **2.** *fig.* *~ de cœur* Zerknirschung *f*, tiefer Schmerz *m*, großer Kummer *m*.

briser [bri'ze] (1a) **I** *v/t.* **1.** zerbrechen, zerschlagen, zertrümmern, zerschmettern; Tür aufbrechen, einschlagen; ✈ *~ son train d'atterrissage* Bruch machen; *fig.* *~ ses chaînes od. ses fers* s-e Fesseln sprengen; *~ le cœur* das Herz brechen; **2.** *fig.* ermüden, erschöpfen; *être brisé de fatigue* wie zerschlagen (*od.* wie gerädert *od.* ganz kaputt) sein; **3.** *Zweig* einknicken; **4.** *~ un discours* ein Gespräch abbrechen; *abs. brisons là (-dessus)!* brechen wir hier ab!, genug davon!; **5.** *Wolle* krempeln; **II** *v/i.* **6.** sich brechen (*Welle*); *fig.* *~ avec q.* mit j-m brechen, die Freundschaft mit j-m brechen; **III** *v/rfl.* se ~ **7.** sich brechen, branden; zer-brechen, -platzen; **8.** scheitern (*a. fig.*), zerschellen; ⚔ zersplittern; ✈ Bruch machen; **9.** sich zusammenlegen lassen.

brise|-raison F [brizrɛ'zɔ̃] *m* (6c) alberner Schwätzer *m*; **~-soleil** △ [~sɔ'lɛj] *m* (6c) Sonnenblende *f*; **~-tout** [~'tu] *m* (6c) Tolpatsch *m*.

briseur [bri'zœːr] *su.* (7g) Zerbrecher *m*; *~ de grève(s)* Streikbrecher *m*; *hist. rl.* *~ d'images* Bilderstürmer *m*.

brise-vent [briz'vɑ̃] *m* (6c) Windschirm *m* (*zum Schutz von Pflanzen*).

brisis △ [bri'zi] *m* untere Dachfläche *f* des Mansardendaches.

brisoir ⚒ [bri'zwaːr] *m* Flachsbreche *f*.

brisque ⚔ [brisk] *f* Litze *f*, Tresse *f*; *fig.* *vieille ~* alter Soldat *m*.

bristol [bris'tɔl] *m* **1.** Bristolpapier *n*; **2.** Visitenkarte *f*; **3.** Briefkarte *f* (*aus Bristolpapier*).

brisure [bri'zyːr] *f* **1.** Bruch *m*, Sprung *m*; **2.** Biegung *f*, Knick *m*; **3.** ⊘ Beizeichen *n*.

britannique [brita'nik] *adj.* britisch; *les Iles* ♀*s* die Britischen Inseln *f/pl.*

broc [bro; brɔk *vor Vokal*] *m* Kanne *f*, Henkelkrug *m*.

brocaille [brɔ'kɑːj] *f* kleine Pflastersteine *m/pl.*; Schutt *m*.

brocan|tage [brɔkɑ̃'taːʒ] *m* Kunst-, Antiquitäten- u. Trödel-handel *m*; **~te** [brɔ'kɑ̃ːt] *f* Gelegenheits(ver)kauf *m*; **~ter** [~'te] (1a) *v/i.* mit Seltenheiten (*Antiquitäten, Kunstgegenständen od. Trödlerwaren*) handeln; **~teur** [~'tœːr] *su.* (7g) Kunst-, Antiquitäten-händler *m*, Trödler *m*.

brocard [brɔ'kaːr] *m* **1.** beißender Witz *m*, Stichelei *f*; **2.** *ch.* junger (Dam-)Hirsch *m*; **~er** [~kar'de] *v/t.* (1a) *j-n* hochnehmen F; *über etw.* herziehen; **~eur** [~'dœːr] *su.* (7g) Spötter *m*.

brocart [brɔ'kaːr] *m* Brokat *m*.

brocatelle [brɔka'tɛl] *f* **1.** Brokatell *n*, Brokatimitation *f*; **2.** buntfarbiger Marmor *m*.

brochage [brɔ'ʃaːʒ] *m* Broschieren *n*.

broche [brɔʃ] *f* **1.** (Brat-)Spieß *m*; **2.** Brosche *f*, Vorstecknadel *f*; **3.** *~ à tricoter* Stricknadel *f*; **4.** (Faß-)Zapfen *m*; Pflock *m*; Pfriem *m*; ⊕ Spindel *f*, Dorn *m*; *~ de tour* Drehbankspindel *f*.

broch|é [brɔ'ʃe] *adj.* broschiert, geheftet, ungebunden; **~er** [~] *v/t.* (1a) **1.** *mit Gold usw.* durchwirken; **2.** broschieren, heften; **3.** Nägel in das Hufeisen einschlagen; **4.** *fig.* F hinpfuschen, flüchtig machen, hinhauen F; *cet élève broche ses devoirs* dieser Schüler pfuscht (*od.* haut F) s-e Schularbeiten in Eile hin; **5.** ⊕ räumen (*Werkzeugmaschine*).

brochet *icht.* [brɔ'ʃɛ] *m* Hecht *m*.

brochette [brɔ'ʃɛt] *f* **1.** kleiner Bratspieß *m*; **2.** Futterhölzchen *n* für junge Vögel; *fig.* *élever un enfant à la ~* ein Kind verzärteln; **3.** Ordensschnalle *f*.

bro|cheur [brɔ'ʃœːr] *su.* (7g) Broschierer *m*, Bücherhefter *m*; **~cheuse** ⊕ [~'ʃøːz] *f* Heftmaschine *f*; **~choir** [~'ʃwaːr] *m* Niethammer *m*; **~chure** [~'ʃyːr] *f* **1.** Broschüre *f*, kleine Schrift *f*; *~ de propagande* Werbeschrift *f*; *~ provocatrice* Hetzschrift *f*; **2.** eingewebtes Muster *n*; **~churier** [~ʃy'rje] *su.* (7b) Broschürenschreiberling *m*.

brocoli ⚘ [brɔkɔ'li] *m* Spargelkohl *m*.

brodequin [brɔd'kɛ̃] *m* **1.** Jagd-, Schi-, Berg-, Schnür-stiefel *m*; **2.** *antiq.* Halbstiefel *m* für Schauspieler.

bro|der [brɔ'de] *v/t.* (1a) (*a. abs.*) **1.** sticken; *aiguille f à ~* Sticknadel *f*; *~ au crochet* häkeln; *~ au tambour* am Stickrahmen sticken; **2.** *fig.* ausmalen, ausschmücken;

3. * schwindeln, lügen; **~derie** [brɔ'dri] *f* **1.** Stickerei *f*; ~ *au crochet* Häkelei *f*; **2.** *fig.* Ausschmückung *f*; **3.** Randeinfassung *f* der Gartenbeete; **~deur** [~'dœ:r] *su.* (7g) Sticker(in *f*) *m*; *fig.* Aufschneider *m*; **~doir** ⊕ [~'dwa:r] *m* Bortenwirkerstuhl *m*.

broie ⚒ [brwa] *f* Hanf-, Flachsbreche *f*; **~ment** [~'mã] *m* Zermalmen *n*, Brechen *n* des Hanfes.

bromate ⚗ [brɔ'mat] *m* bromsaures Salz *n*.

brome [bro:m] *m* **1.** ⚗ Brom *n*; **2.** ⚘ Trespe *f*.

bromidrose [brɔmi'dro:z] *f* Körpergeruch *m*.

bronca F [brɔ̃'ka] *f* lärmender Protest *m* des Publikums.

bronche *anat.* [brɔ̃:ʃ] *f* Luftröhrenast *m*; **~s** *pl.* Bronchien *f/pl.*

broncher [brɔ̃'ʃe] *v/i.* (1a) **1.** straucheln, stolpern; **2.** *fig. ne pas* ~ nicht reagieren; *sans* ~ ohne steckenzubleiben; ohne Widerrede; ohne mit der Wimper zu zucken; **3.** sich rühren, sich von der Stelle bewegen; *elle ne bronchait pas, dans son coin, près du poêle* sie bewegte sich nicht in ihrer Ecke am Ofen; *ne bronchons pas d'ici!* bleiben wir ja hier!, weichen wir von hier nicht!

bronchite ⚕ [brɔ̃'ʃit] *f* Bronchitis *f*.

bronzage [brɔ̃'za:ʒ] *m* Bronzierung *f*; *Haut*: Bräunung *f*; Bräune *f*.

bronze [brɔ̃:z] *m* **1.** Bronze *f*; ~ *à cloches* Glockenmetall *n*; *fondeur m en* ~ Erzgießer *m*; *coulé en* ~ in Erz gegossen; *fig.* von ewiger Dauer; *fig. homme m de* ~ gefühlloser Mann *m*; *cœur m de* ~ Herz *n* aus Stein; *statue f de* ~ Bronzestatue *f*; **2.** antike Denkmünze *f*.

bron|zer [brɔ̃'ze] (1a) **I** *v/t.* **1.** bronzieren; **2.** bräunen (*von der Sonne*); **II** *v/i. u.* **III** *v/rfl. se* ~ braun werden; *se faire* ~ sich sonnen; **~zinoire** ⚡ [~zi'nwa:r] *f* Heimsonne *f*.

broquart [brɔ'ka:r] *m* s. *brocard* 2.

broque [brɔk] **I** *m* ⚘ Wirsingkohlschößling *m*; ⚘ Spargelkohl *m*; **II** *f* P *fig. pas une* ~ überhaupt nichts.

broquette [brɔ'kɛt] *f* Tapetennagel *m*.

brossage [brɔ'sa:ʒ] *m* Bürsten *n*; Zähneputzen *n*.

bros|se [brɔs] *f* **1.** Bürste *f*; ~ *à chapeaux, à cheveux, à dents, à habits, à ongles* Hut-, Haar-, Zahn-, Kleider-, Nagel-bürste *f*; ~ *d'acier* Stahlbürste *f*; ~ *en nylon* Nylonbürste *f*; *donner un coup de* ~ *à* abbürsten; *cheveux m/pl. en* ~ Meckifrisur *f*, Bürstenhaarschnitt *m*, Bürste *f*; **2.** Pinsel *m*; ~ *à barbe* Rasierpinsel *m*; **3.** *fig.* Malweise *f*; *d'une belle* ~ technisch einwandfrei u. sauber ausgeführt; **~sée** [brɔ'se] *f* Bürsten *n*; F *fig.* Tracht *f* Prügel; F Schlappe *f*.

bros|ser [brɔ'se] (1a) **I** *v/t.* **1.** (aus-, ab-)bürsten; frottieren; F ~ *q.* j-n versohlen F; **2.** grob (*od.* rasch) malen; *fig.* schnell entwerfen, hinwerfen (*Bild v. e-r Situation*); *thé.* ~ *des décors* Bühnenbilder schnell hinzaubern; **II** *v/rfl. se* ~ sich abbürsten; *se* ~ *les dents* sich die Zähne putzen; P *se* ~ (*le ventre*) mit leerem Magen abziehen; Kohldampf schieben P; das Nachsehen haben; leer ausgehen; **~serie** [brɔs'ri] *f* **1.** Bürstenbinderei *f*; **2.** Bürstenhandel *m*; **~seur** [brɔ'sœ:r] *m* Stiefelputzer *m*; *ehm.* Offiziersbursche *m*; **~sier** [~'sje] *m* Bürstenbinder *m*, -händler *m*.

brou [bru] *m* grüne Nuß- *od.* Mandel-schale *f*; Nußbranntwein *m*.

brouailles [bru'ɑ:j] *f/pl.* Eingeweide *n von Geflügel od. Fischen.*

brouet [bru'ɛ] *m* dünne Suppe *f*.

brouet|te [bru'ɛt] *f* Schubkarre *f*; *bisw. plais.* Bummelzug *m*; **~ter** [bruɛ'te] *v/t.* (1a) weg-fahren, -karren.

brouhaha [brua'a] *m* Geschrei *n*, Lärm *m*; Getöse *n*.

brouillage *rad.* [bru'ja:ʒ] *m* Störung *f*.

brouillamini [bru'jamini] *m fig.* Durcheinander *n*, Wirrwarr *m*, Unordnung *f*.

brouil|lard [bru'ja:r] **I** *m* **1.** Nebel *m*; ~ *matinal* Frühnebel *m*; ~ *sec* Höhenrauch *m*; *fig. un esprit plein de* **~s** ein sehr unklarer Kopf *m*; F *être dans les* **~s** benebelt sein, einen sitzen haben P; **2.** ✝ Kladde *f*; **II** *adj. papier m* ~ Löschpapier *n*; **~lasse** [~'jas] *f* feiner Nebel *m*; **~lasser** F [~ja'se] *v/imp.* (1a) fein regnen, nieseln.

brouille F [bruj] *f* Zwist *m*, Krach *m* F, Streit *m*; Zerwürfnis *n*; *être en* ~ *avec q.* mit j-m auf gespanntem Fuß leben, sich mit j-m entzweit (*od.* verkracht F) haben.

brouil|ler [bru'je] (1a) **I** *v/t.* **1.** (durcheinander)mischen, (ver-)mengen; *Wein* durch Rütteln trüben; *œufs m/pl. brouillés* Rührei *n*; *fig.* ~ *la vue* die Sicht trüben; ~ *les cartes* Verwirrung (*od.* Unfrieden) stiften; ~ *la cervelle* den Kopf verdrehen; ~ *les contours* die Umrisse verwischen; **2.** verderben; ~ *une serrure* ein Schloß verdrehen; ~ *du papier* Papier verschmieren; **3.** *fig.* Papiere durcheinanderbringen; *fig.* in Verwirrung bringen, verwirren; *abs.* F Verwirrung anstiften; **4.** entzweien, verfeinden; **II** *v/rfl.* se ~ **5.** trübe werden; *tout se brouille devant mes yeux* mir schwimmt alles vor den Augen; **6.** *fig.* sich verfeinden, sich überwerfen; sich verkrachen F; se ~ *avec la justice* es mit dem Gericht zu tun bekommen; *ne vouloir se ~ avec personne* es mit niemandem verderben wollen; **~lerie** [bruj'ri] *f* Zwist *m*, Zerwürfnis *n*; **~leur** [~'jœ:r] *adj./m*: *rad. émetteur m* ~ Störsender *m*; **~lon** [~'jɔ̃] (7c) **I** *adj.* (*nach su.*) **1.** streitsüchtig; **II** *su.* **2.** Stänker(er) *m* P; **3.** (*a. esprit* ~) Wirrkopf *m*; **III** *m* erster Entwurf *m*, Skizze *f*, Konzept *n*, Unreine(s) *n*, Kladde *f*; *écol.* ~ *od. cahier m de ~s* Schmierheft *n*; *écrire en* (*od. au*) ~ ins unreine schreiben; **~lonner** [~jɔ'ne] *v/t.* (1a) entwerfen, flüchtig hinschreiben.

brou|ir ⚘ [bru'i:r] *v/t.* (2a) *Saat, Pflanzen* versengen (*Sonne*); **~issure** [~i'sy:r] *f* Frostbrand *m* (*durch Sonne an jungen, angefrorenen Pflanzen*).

broussail|les [bru'sɑ:j] *f/pl.* Buschwerk *n*, Gestrüpp *n*, Dickicht *n*, Gesträuch *n*; *fig. barbe f en broussaille* struppiger Bart *m*; **~leux** [~sɑ'jø] *adj.* (7d) buschig.

brouss|ard F [bru'sa:r] *m* Buschmann *m*; Kenner *m* des afrikanischen Busches; Buschbewohner *m* (*v. Weißen!*); **~e** [brus] *f*: *la ~ africaine* der afrikanische Busch(wald).

broussin [bru'sɛ̃] *m* Knorren *m*, Auswuchs *m an Bäumen*.

brout [bru] *m* Trieb *m e-s jungen Baumes*.

brou|tement [brut'mɑ̃] *m* Abgrasen *n*; **~ter** [~'te] *v/t. u. v/i.* (1a) abweiden, abfressen, (ab)grasen; *prov. où la chèvre est attachée, il faut qu'elle broute* man muß sich nach der Decke strecken; **~tilie** [~'tij] *f* (*mst.* ~*s pl.*) Reisig *n*; *fig.* F Kram *m*, Krimskrams *m*; Lappalie *f*, Kleinigkeit *f*; *c'est de la* ~ das sind kleine Fische; **~ture** [~'ty:r] *f* abgenagter Zweig *m*.

browning [bru- *od.* bro'niŋ] *m* Browningpistole *f*.

broyage [brwa'ja:ʒ] *m* **1.** ⊕ Reiben *n der Farben*; Feinzerkleinerung *f*; **2.** ⚘ Flachsbrechen *n*.

broy|er [brwa'je] *v/t.* (1h) **1.** (zer-) reiben, (zer)stoßen, zerstampfen, zerquetschen; *fig.* vernichten; ~ *les aliments* die Speisen gut kauen; ~ *du poivre* Pfeffer stoßen; *fig.* ~ *du noir* alles schwarz sehen; niedergeschlagen sein; **2.** ⚘ ~ *du chanvre* Hanf brechen; **~eur** [~'jœ:r] *su.* (7g) **1.** Farbenreiber *m*; F ~ *de noir* Grillenfänger *m*; Schwarzseher *m*; **2.** ⊕ Farbenreibe-, Zerkleinerungsmaschine *f*; Mahlwerk *n*; ⚘ Flachs-, Hanf-brecher *m*; *bét.* ~ *à choc* Prallbrecher *m*.

brrr [brrr] *int.* huch! (*Angst- od. Kältegefühl*).

bru [bry] *f* Schwiegertochter *f*.

bruant *orn.* [bry'ɑ̃] *m* Goldammer *f*.

brucelles ⊕ [bry'sɛl] *f/pl.* Federzange *f*, feine Greifzange *f*, Pinzette *f*.

brucellose ⚕ [brysɛ'lo:z] *f* Maltafieber *n*.

bruche *ent.* [bryʃ] *m* Erbsenkäfer *m*.

Bruges *géogr.* [bry:ʒ] *f* Brügge *n*.

brugnon ⚘ [bry'ɲɔ̃] *m* Nektarine *f*, Mandelpfirsich *m*.

brui|ne [brɥ'in] *f* **1.** Sprühregen *m*; **2.** ⚘ Kornfäule *f*, Brand *m*; **~né** [~'ne] *adj.* brandig, durch kalten Staubregen beschädigt; **~nement** [~n'mɑ̃] *m* Nieseln *n*; **~ner** [~'ne] *v/imp.* (1a) nieseln, fein regnen; **~neux** [~'nø] *adj.* (7d) naßkalt, nieselnd.

bruire [brɥ'i:r] *v/i.* (*nur gebr. in*: *il bruit; ils bruissent; il bruissait, ils bruissaient; qu'ils bruissent*) brausen, rauschen, sausen (*Wind*); rascheln (*Stoff*); rollen (*Donner*).

bruis|sant [brɥi'sɑ̃] *adj.* (7) brausend, sausend, rauschend; raschelnd; rollend; **~sement** [~s'mɑ̃] *m* Brausen *n*, Rauschen *n*, Rascheln *n*; ~ *d'oreilles* Ohrensausen *n*; **~ser** [~'se] *v/i.* (1a) rascheln.

bruit [brɥi] *m* **1.** Geräusch *n*, Rauschen *n*, Krachen *n*, Dröhnen *n*, Getöse *n*; Knall *m*, Geknatter *n*; Rascheln *n*; Knirschen *n* (*des Schnees*); *rad. filtrer les ~s parasites* die Nebengeräusche abfangen *od.* beseitigen; *isolé contre le* ~ schalldicht; ~ *du canon* Kanonendonner *m*; ~ *du tambour* Trommelschlag *m*; ~ *des voitures* Gerassel *n* der (*Pferde-*)Wagen; *Auto*: Entlangrauschen *n* der Wagen; *vivre loin du* ~ in der Stille leben; *faire grand* ~ *de* viel Aufsehen machen von; *point de* ~!

Ruhe!; *sans* ~ geräuschlos, still; ~ *du moteur* Motorengeräusch *n*; **2.** Gerede *n*, Gerücht *n*; Aufsehen *n*; ~*s en l'air* grundlose (*od.* aus der Luft gegriffene) Gerüchte *n/pl.*; *semer des* ~*s* Gerüchte in Umlauf setzen; *le* ~ *court que* es geht das Gerücht, daß; *au* ~ *de sa mort* bei der Nachricht von s-m Tode; *faire du* ~ Aufsehen machen; *beaucoup de* ~ *pour rien od. tant de* ~ *pour une omelette* viel Lärm um nichts; **3.** Zank *m*, Streit *m*; **4.** Auflauf *m*, Tumult *m*, Krach *m*, Skandal *m*; *il y a du* ~ *dans la ville* in der Stadt herrscht Unruhe; **~age** *rad.* [~'ta:ʒ] *m* Störgeräusche *n/pl.*; *rad.* Geräuschkulisse *f*; **~eur** ⊕ [~'tœ:r] *m* Geräuscherzeuger *m*.

brû|lable [bry'lablə] *adj.* (ver-) brennbar; **~lage** [~'la:ʒ] *m* Verbrennen *n*; **~lant** [~'lɑ̃] *adj.* (7) **1.** brennend; stechend (*Sonne*); heiß; *un bon café* ~ ein guter, heißer Kaffee *m*; *fig. question f* ~*e* brennende (*od.* heikle) Frage *f*; **2.** *fig.* leidenschaftlich; *zèle m* ~ glühender Eifer *m*; **~lé** [~'le] **I** *adj.* angebrannt, verbrannt; durchgebrannt (*Lampe*); *fig.* abgebrannt, pleite; *pol.* entlarvt; *vin* ~ Glühwein *m*; *fig. cerveau m* ~ Hitzkopf *m*; **II** *m sentir le* ~, *avoir un goût de* ~ nach Rauch schmecken *od.* riechen.

brûle-bout [bryl'bu] *m* (6c) Kerzenhalter *m*.

brûle-gueule P [~'gœl] *m* (6c) (Tabaks-)Pfeife *f*, Knösel *m* P.

brûle|-parfums *antiq.*, *rl.* [~par'fœ̃] *m* (6c) Räucher-faß *n*, -pfanne *f*; **~-pourpoint** [~pur'pwɛ̃] *advt.*: *à* ~ ins Gesicht, geradeheraus, mit schonungsloser Offenheit, unverblümt; auf gut Glück, aufs Geratewohl; *dire qch. à q. à* ~ j-m etw. unverblümt ins Gesicht sagen (*od. fig.* schleudern); *y aller à* ~ aufs Ganze (*od.* drauflos)gehen; unverblümt s-e Meinung sagen; *prendre à* ~ *de graves décisions* aufs Geratewohl (*od.* auf gut Glück) schwerwiegende Entscheidungen fällen (*od.* treffen); *demander à q. à* ~ j-n mir nichts, dir nichts (*od.* ins Gesicht *od.* auf den Kopf zu) fragen.

brûler [bry'le] (1a) **I** *v/t.* **1.** verbrennen; anbrennen, in Brand stecken; *du bois à* ~ Brennholz *n*; ~ *la cervelle à q.* j-m e-e Kugel durch den Kopf schießen; ~ *de l'encens devant* (*od. à*) *q.* j-m Honig um den Bart schmieren F, j-n beweihräuchern, um j-s Gunst buhlen; *fig.* ~ *ses vaisseaux* alle Brücken hinter sich abbrechen; *fig. thé.* ~ *les planches* hinreißend spielen; *fig. vous brûlez* Sie treffen (*od.* erraten) fast das Richtige; *fig.* es brennt, es wird heiß; **2.** ~ *du café* Kaffee brennen; ~ *du pain* Brot rösten; ~ *du vin* (Branntwein aus) Wein brennen; **3.** zu stark erhitzen; versengen, verbrennen; *fig.* beschädigen, angreifen, zerfressen (*auch vom Frost*); ~ *sa santé* (*sa vie*) s-e Gesundheit (sein Leben) ruinieren; ~ *q.* j-n in Verruf bringen; **4.** auslassen; 🚂 ~ *la station* an der Station vorbeifahren, durchfahren; ~ *un signal* ein Signal überfahren; *fig.* ~ *toutes les étapes* Karriere machen; ~ *l'étape* ein Marschquartier überspringen; ~ *la politesse à q.* sich (bei j-m) dünnemachen, (bei j-m) sang- u. klanglos verschwinden, j-n auf Knall u. Fall stehenlassen, j-n plötzlich verlassen, j-m plötzlich den Rücken drehen; **5.** ⊕ ausbrennen, ausschmelzen; **6.** P entlarven, verraten, denunzieren; *il est brûlé* er ist entlarvt; es ist aus mit ihm; **II** *v/t.* **7.** (ver)brennen; heiß sein; anbrennen; ~ *sans flamme* schwelen; F *le torchon brûle* es gibt Krach in der Familie (im Haus); **8.** *fig.* verzehrt werden, heftig verlangen; ~ *d'amour* vor Liebe glühen (*od.* entbrennen); **III** *v/rfl. se* ~ sich verbrennen; verbrannt werden.

brûlerie [bryl'ri] *f* Branntweinbrennerei *f*.

brûle-tout [~'tu] *m* (6c) Kerzenhalter *m*.

brû|leur [bry'lœ:r] *m* **1.** Branntweinbrenner *m*; **2.** *thé.* ~ *de planches* hinreißend spielender Schauspieler *m*; **3.** Gasbrenner *m*; ⊕ ~ *de découpage autogène* Autogenschneidbrenner *m*; **~lis** [~'li] *m* **1.** abgebrannter Wald- *od.* Feldteil *m*; **2.** Abbrennen *n* des Feldes zu Rodungs- *od.* Düngungszwecken; **~loir** [~'lwa:r] *m* Kaffeebrenner *m*, Röste *f*; Kaffeeröstmaschine *f*; **~lot** [~'lo] *m* **1.** *ehm.* ⚓ Brandschiff *n*; **2.** Glühbranntwein *m* mit Zucker; **3.** F *fig.* Stänker(er) *m*; **~lure** [~'ly:r] *f* **1.** ⚕ Brennen *n*; Brandwunde *f*, -mal *n*; ~*s pl. d'estomac* Sodbrennen *n*; *onguent m pour (les)* ~*s* Brandsalbe *f*; **2.** ✓ Frostbrand *m*.

brum|al [bry'mal] *adj.* (5c) winterlich; Winter...; **~asse** [~'mas] *f* feiner Nebel *m*; **~asser** [~ma'se] *v/i.*

(1a) fein nebeln; **~e** [brym] *f* dichter Nebel *m*; **~er** [~'me] *v/imp.* (1a) nebeln; **~eux** [~'mø] *adj.* (7d) neb(e)lig; *fig.* unklar, verschwommen; **~isateur** [~miza'tœ:r] *m*, **~iseur** [~mi'zœ:r] *m* Spray(dose *f*) *n*; **~isation** [~miza'sjɔ̃] *f* Sprayen *n*; **~iser** [~mi'ze] *v/t.* (1a) sprayen.

brun [brœ̃] **I** *adj.* (7) braun; dunkel; **II** *m* braune Farbe *f*, Braun *n*; *être d'un beau ~* e-e schöne braune Farbe haben.

brunâtre [bry'nɑ:trə] *adj.* bräunlich.

bru|ne [bryn] *f* **1.** Brünette *f*; **2.** * Opium *n*; **~nette** [~'nɛt] *f* Brünette *f*; **~nir** [~'ni:r] (2a) **I** *v/t.* **1.** bräunen, braun färben *od.* malen; **2.** braun beizen; glänzend machen, polieren; **3.** *ch. ~ le bois* das Gehörn fegen; **II** *v/i. u.* **III** *v/rfl.* se ~ braun werden, sich bräunen.

brunis|sage [bryni'sa:ʒ] *m* **1.** Polieren *n*, Brünieren *n*; **2.** Glanz *m*, Politur *f*; **~sement** [~nis'mɑ̃] *m* Bräunen *n*; Braunwerden *n*; **~seur** [~'sœ:r] *su.* (7g) Glätter *m*, Polierer *m*; **~soir** [~'swa:r] *m* Brüniereisen *n*, Poliereisen *n*; **~sure** [~'sy:r] *f* Bräunung *f*; Glätte *f*, Politur *f*; Polierkunst *f*; (Kartoffel-)Krautfäule *f*; Weinstockfäule *f*.

brusque [brysk] *adj.* □ **1.** brüsk; unhöflich; **2.** plötzlich.

brus|quer [brys'ke] *v/t.* (1m) **1.** ~ *q.* j-n barsch (*od.* scharf) anfahren, brüskieren, rücksichtslos behandeln; **2.** *fig.* ~ *qch.* etw. rasch durchsetzen wollen; *ne brusquez rien!* überstürzen Sie nichts!; ~ *une affaire* e-e Sache schnell durchführen; ~ *l'aventure* (*od. la décision*) sich kurz entschließen, auf gut Glück wagen; ~ *les choses fig.* mit der Tür ins Haus fallen; ~ *la fortune* mit Gewalt reich werden wollen; ~ *la situation fig.* kurzen Prozeß machen; **~querie** [~'kri] *f* **1.** barsches Wesen *n*, Schroffheit *f*; **2.** Brüskierung *f*, kränkende Äußerung *f*; **~quet** [~'kɛ] *adj.* (7c), **~quin** [~'kɛ̃] *m nur noch prov.*: *à brusquin brusquet* wie's in den Wald hineinschallt, so schallt's auch wieder heraus; auf e-n groben Klotz gehört ein grober Keil.

brut *m*, **brute** *f* [*beide*: bryt] *adj.* **1.** roh, unbearbeitet; *fig.* ungehobelt; *diamant m ~* ungeschliffener Diamant *m*; *sucre m ~* Rohzucker *m*; **2.** *fig.* unentwickelt, ungebildet; *manières f/pl. ~es* ungesittetes Benehmen *n*; *une bête ~e* ein unvernünftiges Tier *n*; **3.** unorganisch (*auch le ~ m* das Unorganische *n*); *les corps m/pl. ~s* die unorganischen Körper *m/pl.*; **4.** *a. advt.* ✝ brutto; *poids m ~* Bruttogewicht *n*; *fin. bénéfice m ~* Rohgewinn *m*; *produit m ~* Bruttoertrag *m*.

brutal [bry'tal] *adj.* (5c) □ brutal, gemein, grob, roh; rücksichtslos, furchtbar, gewalttätig; zuhöchst ungebildet, unschicklich; plötzlich; kraß, unmißverständlich; schonungslos; scharf, eisig (*Wind*); *un vent ~ nous gifle* ein scharfer (eisiger) Wind pfeift (*od.* peitscht) uns ins Gesicht; *force f ~e* rohe Gewalt *f*; *les lumières f/pl. ~es* die grellen Lichter *n/pl.*; **~ement** [~l'mɑ̃] *adv.* **1.** s. *brutal*; **2.** *fig.* urplötzlich; *ils furent ~ surpris* sie fielen aus allen Wolken F.

brutali|ser [brytali'ze] *v/t.* (1a) mißhandeln, grob behandeln; **~té** [~'te] *f* Roheit *f*, Grobheit *f*, Rücksichtslosigkeit *f*, Ungeschliffenheit *f* des Benehmens; Gewalttätigkeit *f*; *~s pl.* harte Worte *n/pl.*

brute [bryt] *f* unvernünftiges (*od.* wildes) Tier *n*, Vieh *n*; *fig.* brutaler Mensch *m*, Rohling *m*, *fig.* Klotz *m*.

Bruxell|es *géogr.* [bry'sɛl] *m* Brüssel *n*; **~ois** [~'lwa] *su. u.* ♀ *adj.* Brüsseler *m*; aus Brüssel.

bruyamment [brɥija'mɑ̃] *adv.* mit lautem Krach, tobend, lärmend.

bruyance *bsd.* ⊕, ☏ [brɥi'jɑ̃:s] *f* Geräusch *n*.

bruyant [brɥi'jɑ̃] *adj.* laut, tobend, lärmend, brausend, rauschend, gellend, schmetternd; *assemblée f ~e* sehr laute Versammlung *f*; *hilarité f ~e* schallende Heiterkeit *f*.

bruyère [brɥi'jɛ:r] *f* **1.** ♀ Heidekraut *n*; *pipe f en ~* Bruyèrepfeife *f*; **2.** *orn. coq m de ~* Birk-, Auerhahn *m*; **3.** (*terre f de*) ~ Heide(land *n*) *f*.

bryologie 🕮 [briɔlɔ'ʒi] *f* Mooskunde *f*.

bu P [by] *adj.* benebelt.

buanderie [bɥɑ̃'dri] *f* Waschküche *f*; Waschhaus *n*.

bubale *zo.* [by'bal] *m* Hirschantilope *f*.

bube [byb] *f* Eiterblase *f*.

bubon [by'bɔ̃] *m* **1.** Drüsengeschwulst *f*; ~ *de la peste* Pestbeule *f*; **2.** ♀ Steineppich *m*; **~ique** ⚕ [~bɔ'nik] *adj.*: *peste f ~* Beulenpest *f*; **~ocèle** ⚕ [~nɔ'sɛl] *f* Leistenbruch *m*.

bucaille ♀ [by'kɑ:j] *f* Buchweizen *m*.

buccal [by'kal] *adj.* (5c) Mund...; *cavité f* ~*e* Mundhöhle *f*; *hygiène f* ~*e* Mund-hygiene *f*, -pflege *f*.

buccin [byk'sɛ̃] *m zo.* Trompetenschnecke *f*; **~ateur** [~na'tœːr] *m* **1.** Trompetenbläser *m bei den Römern*; **2.** *anat.* (*a. muscle m* ~) Kinnbackenmuskel *m*; **~ite** [~'nit] *f* versteinerte Trompetenschnecke *f*.

buccodentaire [bykɔdɑ̃'tɛːr] *adj.*: *hygiène f* ~ Mund- u. Zahnhygiene *f*.

bûche [byʃ] *f* **1.** Scheit *n*, Kloben *m* (*Holz*); **2.** F schwerer Sturz *m*; *fig. quelle* ~*!* was für ein Pech!; F *prendre* (*od. ramasser*) *une* ~ (hin-) fallen, stürzen.

bûcher[1] [by'ʃe] *m* Holz-stall *m*, -boden *m*, -schuppen *m*; Scheiterhaufen *m*; *sentir le* ~ ketzerisch sein.

bûcher[2] [~] (1a) **I** *v/t.* (grob) behauen F; *écol.* ~ *ses concours* (sich auf) s-e Wettbewerbsprüfungen vorbereiten; **II** F *v/i. écol.* pauken, büffeln, schwer arbeiten, schuften.

bûch|eron [byʃ'rɔ̃] *su.* (7c) Holzhauer *m*; **~ette** [~'ʃɛt] *f* Hölzchen *n*; Holzspan *m*; Strohhälmchen *n* zum Losen; **~eur** F *écol.* [~'ʃœːr] *su.* (7g) Büffler *m*, Streber *m*.

bucolique [bykɔ'lik] *adj.* hirtenmäßig, bukolisch; *poème m* ~ Schäfer-, Hirten-gedicht *n*.

budget [byd'ʒɛ] *m* **1.** Budget *n*, Staatshaushalt *m*, Etat *m*; Voranschlag *m*; *dresser le* ~ das Budget aufstellen; *projet m du* ~ Haushaltsvoranschlag *m*; **2.** Mittel *n/pl.*, *fig.* Brieftasche *f*.

budgétaire [bydʒe'tɛːr] *adj.* im Haushaltsplan vorgesehen, etatmäßig, das Budget betreffend; *année f* ~ Etats-, Haushalts-jahr *n*; *loi f* ~ Etatsgesetz *n*; *question f* ~ Budgetfrage *f*.

budgétivore *plais.* [bydʒeti'vɔːr] *adj. u. su.* auf Staatskosten lebend; Steuernutznießer *m*.

buée [bɥe] *f* Wrasen *m*, Wasserdampf *m*, Dunst *m*, Beschlagen *n der Fenster*; *ses yeux s'emplirent de* ~ s-e Augen wurden feucht.

buffet [by'fɛ] *m* **1.** Büfett *n*, Speise-, Silber-schrank *m*; **2.** Anrichte-, Schenk-tisch *m*; Tisch *m* mit Speisen u. Getränken; F *danser devant le* ~ nichts zu essen (beißen F) haben; **3.** 🚂 Erfrischungsraum *m*, Bahnhofswirtschaft *f*; Buffetwagen *m*; **4.** P Wanst *m*, Pansen *m*, Magen *m*; **5.** Orgelgehäuse *n*; **~ier** [byf'tje] *su.* (7b) Bahnhofswirt *m*.

buffl|e *zo.* ['byflə] *m* **1.** Büffel *m*; **2.** (*tête f de*) ~ grober (*od.* dummer) Mensch *m*; **3.** (*cuir m de*) ~ Büffelleder *n*; **~eterie** [byflɛ'tri] *f* **1.** Büffellederarbeit *f*; **2.** ⚔ Lederzeug *n der Soldaten*; **~etin** [byflə'tɛ̃] *m*, **~on** [by'flɔ̃] *su.* (7c) junger Büffel *m*, Büffelkalb *n*.

bugalet ⚓ [byga'lɛ] *m* kleines bretonisches Küstenschiff *n*.

bugle ['byglə] *m* **1.** ♪ Signalhorn *n*; **2.** ⚘ Günsel *m*.

building [bil'diŋ] *m* Hochhaus *n*, modernes Gebäude *n*, Geschäftshaus *n*.

buire [bɥiːr] *f* dickbauchige Schenkkanne *f*.

buis ⚘ [bɥi] *m* Buchsbaum *m*; **~saie**, **~sière** [bɥi'sɛ, ~'sjɛːr] *f* Buchsbaum-pflanzung *f*, -einfassung *f*.

buisson [bɥi'sɔ̃] *m* **1.** Busch *m*, Strauch *m*; **2.** Gebüsch *n*, Buschwerk *n*, Hain *m*; **~neux** [~sɔ'nø] *adj.* (7d) buschig, buschartig; mit Gebüsch bewachsen; **~nier** [~sɔ'nje] *adj.* (7b) **1.** in Büschen lebend; **2.** F *fig. faire l'école buissonnière* die Schule schwänzen.

bulbe ⚘ [bylb] *m* **1.** Blumenzwiebel *f*, Knolle *f*; **2.** ~ *dentaire, des pileux* Zahn-, Haar-wurzel *f*; **3.** ⚠ Zwiebeldach *n*.

Bulgarie [bylga'ri] *f*: **la** ~ Bulgarien *n*.

bulldozer ⊕ [buldo'zœːr] *m* **1.** Planierraupe *f*; **2.** Raupenbagger *m*; ~ *à benne* Baggerbulldozer *m*.

bulle [byl] **I** *f* **1.** Blase *f*; *bét.* ~ *d'air* Luftpore *f*; **2.** ⚕ Bläschen *n*; **3.** Siegel *n*; *rl.* (päpstliche) Bulle *f*; **4.** *Auto*: Kleinstauto *n* für zwei Personen; **II** *adj./inv. u. m* (*papier m*) ~ festes Packpapier *n*.

bulletin [byl'tɛ̃] *m* **1.** ~ (*de vote* Wahl-)Zettel *m*, Stimmzettel *m*; ~ *blanc*, ~ *nul* ungültiger Wahlzettel *m*; ~ *des changes* Wechselkurszettel *m*; ~ *de la cote* Kurszettel *m*; **2.** Bericht *m*; ~ *de neige*, ~ *d'enneigement(s)* Schneebericht *m*; ~ *météorologique* Wetterbericht *m*; ~ *financier* Börsenbericht *m*; ~ *spécial* (*od. de victoire*) Sondermeldung *f*; ~ *de santé*, ~ *médical* ärztliches Bulletin *n*, Krankenbericht *m*; **3.** ~ *scolaire* Schulzeugnis *n*; **4.** Schein *m*; ~ *de bagages* Gepäckschein *m*; ~ *de commande* Bestellschein *m*; ~ *d'expédition* Frachtbrief *m*; ~ *de garantie* Garantieschein *m*; **5.** 📯 ~ *de versement* Zahlkarte *f*; ~ *des lois* Gesetzblatt *n*.

bulleux [by'lø] *adj.* (7d) voller Blasen, blasig.

buraliste [byra'list] *su.* **1.** ✆ Schalterbeamter *m* für Zahlungen, Briefmarken *usw.*; **2.** Tabak-, Steuer- u. Brief-marken-verkäufer *m*; **3.** Beamter *m* zur Ausstellung v. Alkohollizenzen.
bure [by:r] *f* **1.** grober grauer Wollstoff *m*; Wollkleid *n*; **2.** ⚒ Schacht *m*.
bureau [by'ro] *m* (5b) **1.** Schreib-, Arbeits-, Zahl-tisch *m*; ~ *ministre* Diplomatenschreibtisch *m*; **2.** Büro *n*; Amtszimmer *n*; (Theater-)Kasse *f*; *thé. jouer à ~x fermés* vor ausverkauftem Haus spielen; *heures f/pl. de* ~ Geschäfts-, Dienst-stunden *f/pl.*; **3.** Amt *n*, Dienststelle *f*, Agentur *f*; ~ *de bagages* Gepäckaufgabe *f*; ~ *de poste* Postamt *n*; ~ *de recrutement* ⚔ Bezirkskommando *n*; ~ *de tabac* Tabakladen *m*; ~ *secondaire od. auxiliaire* Nebenpostamt *n*, Zweigstelle *f*; ~ *de poste-gare* Bahnpost *f*; ~ *de poste ambulant* Bahnpost *f* (*im Eisenbahnwagen*); ~ *de poste flottant* Seepost *f* (*auf e-m Dampfer*); ~ *de placement* (*gratuit* kostenlose) Arbeits-vermittlung *f*, -amt *n*; ~ *d'aide sociale* Fürsorgeamt *n*; ~ *de location Transport, cin., thé.* Vorverkaufsstelle *f*; ~ *de mécanographie od.* ~ *mécanographique* Lochkarten-, Hollerith-abteilung *f*; ~*-paysage od.* ~ *paysagé* großflächiges Büro *n*; ~ *d'annonces* Inseratenbüro *n*; ~ *de publicité, de traduction* Reklame-, Übersetzungs-büro *n*; ~ *de vote* Wahl-büro *n*, -lokal *n*; ~ *de paie*, ~ *d'encaissement* Lohn-, Inkasso-büro *n*; ~ *de triage* Umschlagstelle *f*; ~ *de douane* Zollabfertigung(sstelle *f*) *f*; ~ *de change* Wechselstube *f*; ~ *pour l'essai des matériaux* Materialprüfungsamt *n*; **4.** Büropersonal *n*; geschäftsführender Ausschuß *m*; Vorstand *m*; ~ *électoral* Wahlvorstand *m*; **5.** *parl.* Präsidium *n*; **~crate** *péj.* [~'krat] *m* Bürokrat *m*; **~cratie** [~kra'si] *f* Bürokratie *f*, Amtsschimmel *m*; **~cratique** [~kra'tik] *adj.* bürokratisch; pedantisch; **~cratiser** [~krati'ze] *v/t.* (1a) bürokratisch einrichten *od.* verwalten.
burette [by'rɛt] *f* Kännchen *n*, Fläschchen *n*; *rl.* Meßkännchen *n*; ⊕ Ölkännchen *n* für Maschinen.
burgau *zo.* [byr'go] *m* Perlmuttmuschel *f*; **~dine** [~'din] *f* Perlmutt *n*.
burin [by'rɛ̃] *m* Grabstichel *m*, Radiernadel *f*; (Schab-, Zahn-)Meißel *m*; *fait au* ~ gestochen.
burin|é [byri'ne] *adj.* (7) faltig, durchfurcht; **~er** [~] *v/t.* mit dem Grabstichel stechen; gravieren; meißeln; (*die Zähne* mit dem Meißel) abschaben *od.* reinigen.
burlesque [byr'lɛsk] **I** *adj.* □ possierlich, schnurrig, burlesk; **II** *m* (*das*) Burleske *n*.
burnous [byr'nu(s)] *m* **1.** Burnus *m*; **2.** Kindermantel *m* mit Kapuze.
buron [by'rɔ̃] *m* Sennhütte *f*.
bursite ⚕ [byr'sit] *f* Schleimbeutelentzündung *f*.
bus P [bys] *m* Bus *m* (= *autobus*).
busard *orn.* [by'za:r] *m* Feldweih *m*.
busc [bysk] *m* Korsett-stange *f*, -feder *f*; Krümmung *f* des Gewehrkolbens.
buse[1] *orn.* [by:z] *f* (Mäuse-)Bussard *m*, Waldgeier *m*; F Dummkopf *m*.
buse[2] [~] *f* **1.** ~ (*d'aérage*) Wetterschacht *m*; **2.** ⊕ Düse *f*.
busqué [bys'ke] *adj.*: *nez m* ~ Adlernase *f*.
busserole ♀, *phm.* [bys'rɔl] *f* Bärentraube *f*.
buste [byst] *m* **1.** Brust-bild *n*, -stück *n*, Büste *f*; **2.** Oberkörper *m*; **3.** Oberteil *m e-s Kleides*.
but [byt, by; *am Ende des Satzes nur* byt] *m* **1.** Ziel *n*; *fig.* Zweck *m*, Absicht *f*; *avoir pour* ~ zum Ziel haben, bezwecken; *viser* (*od. se proposer od. chercher à atteindre*) *un* ~ sich ein Ziel stecken; *viser au* ~ zielen; *passer le* ~ über das Ziel hinausgehen; *fig. aller droit au* ~ den Kernpunkt treffen, direkt auf das Ziel lossteuern; *dans quel ~?* in welcher Absicht?; *dans ce* ~ zu diesem Zweck; *~s pl. d'utilité publique* gemeinnützige Zwecke *m/pl.*; *de* ~ *en blanc* geradeheraus, ohne Überlegung; **2.** *Sport*: Tor *n*; *gardien m de* ~ Torwart *m*; ~ *de corner* Ecktor *n*; *marquer un* ~ ein Tor schießen.
butane [by'tan] *m* brennbares Butan(gas) *n*.
buté [by'te] *adj.* bockig, eigensinnig; *geistig* beschränkt, stur F.
butée [by'te] *f* **1.** ⚠ Eckpfeiler *m*; **2.** ⊕ Anschlag *m*; Widerlager *n*.
buter [by'te] (1a) **I** *v/i.* **1.** ~ *contre* sich stützen auf (*acc.*); **2.** stoßen, stolpern; **3.** 🚂 ~ *à* auffahren auf (*acc.*); *allg.* stoßen auf (*acc.*); **II** *v/t.* **4.** ~ *q.* j-n stoßen; **5.** P j-n kaltmachen; **6.** *j-n* ärgern; **7.** ⚠ *durch Strebepfeiler* stützen; **III** *v/rfl.* se ~

bockig sein (*Kind*); se ~ à bestehen auf (*dat.*).

buteur [by'tœ:r] *m* **1.** *Sport*: Torwart *m*; **2.** P Mörder *m*.

butin [by'tɛ̃] *m* **1.** (Kriegs-)Beute *f*; **2.** *fig.* Fund *m*, Ausbeute *f*; P Reichtum *m*, Hab und Gut *n*.

buti|ner [byti'ne] (1a) **I** *v/i.* Beute machen (*a. fig.*); *aller* ~ auf Beute ausgehen; **II** *v/t.* ~ *les fleurs* Honig aus den Blumen sammeln (*Bienen*); **~neur** [~'nœ:r] *adj.* (7g): *abeilles f/pl. butineuses* Honig sammelnde Bienen *f/pl.*

butoir [by'twa:r] *m* **1.** 🚂 Prellbock *m*; **2.** ⊕ Anschlag *m*; **3.** *fig.* Hemmschuh *m*.

butor [by'tɔ:r] *m* **1.** *orn.* Rohrdommel *f*; **2.** P *fig.* Flegel *m*; **~de** P [~'tɔrd] *f* dumme Frau *f*; **~derie** [~'dri] *f* Flegelei *f*.

buttage ⚒ [by'ta:ʒ] *m* Anhäufeln *n*.

butte [byt] *f* **1.** kleiner Erdhügel *m*; **2.** ⚔ Schießstand *m*, Kugelfang *m*; 🚂 Ablaufberg *m* (*Rangierbahnhof*); ✈ ~ *de tir* Abschußhügel *m*; **3.** *fig.* Zielscheibe *f*; être en ~ à ausgesetzt sein (*dat.*).

butter ⚒ [by'te] (1a) *v/t.* anhäufeln.

butteur *Fußball, Rugby* [by'tœ:r] *m* Torwart *m*.

buttoir [by'twa:r] *m* **1.** ⊕ Holzschnitzmesser *n*; **2.** ⚒ Häufelpflug *m*.

buty|rine [byti'rin] *f* Butterfett *n*; **~rique** [~'rik] *adj.*: *acide m* ~ Buttersäure *f*; **~romètre** [~rɔ'mɛtrə] *m* Butyrometer *n*.

bu|vable [by'vablə] *adj.* trinkbar; P erträglich, möglich, tragbar; **~vard** [~'va:r] **I** *m* Schreibunterlage *f aus Löschpapier*; Löscher *m*; **II** *a. adj.* (*papier m*) ~ Löschblatt *n*; **~verie** [~'vri] *f* Zecherei *f*; **~vetier** [~v'tje] *su.* (7b) Schankwirt *m*; **~vette** [~'vɛt] *f* Schenke *f*, Kneipe *f*; Erfrischungsraum *m* (*a. thé.*, 🚂); Imbißstube *f*; Trinkhalle *f* (*Bad*); Trunk *m*; **~veur** [~'vœ:r] *su.* (7g) Trinker *m*, Zecher *m*; **~voter** F [~vɔ'te] *v/i.* (1c) oft einen heben.

by ⊕ [bi] *m* Ablaßgraben *m* e-s Teiches.

by-pass [bai'pa:s] *m* (6c) Überströmkanal *m*; Umleitung *f*.

byzan|tin [bizɑ̃'tɛ̃] *adj.* (7) byzantinisch; *fig. dicussions f/pl.* ~*es* völlig sinnlose Diskussionen *f/pl.*; **~tinisme** [~ti'nism] *m* Byzantinismus *m*; **~tiniste** [~ti'nist] *su.* Byzantinist *m*.

C

C, c [se] *m* C, c *n.*

ça F [sa] dies, das; *ça alors!, ça par exemple!* **1.** nanu!; was Sie nicht sagen!; das ist ja allerlei!; **2.** so e-e Pleite!, auch das noch!, das hat (mir) noch gefehlt!; das mußte mir (uns) zustoßen!, verdammt nochmal!; *c'est (bien) ça* so ist es richtig, so stimmt's, so ist's; *rien que ça?, ce n'est que ça?* weiter nichts?, nichts weiter?; *comme ça* so (*erklärend; allein od. bsd. am Satzende*); *ça va?* geht's gut?, wie geht's?; *comme ci, comme ça* so lala, halbwegs, einigermaßen; *c'est ça* stimmt!, ganz recht!, richtig!; *ça y est!* jetzt stimmt die Sache!, da haben wir's!; jetzt ist's soweit!; *pas de ça!* das verbitte ich mir!

çà [sa] **I** *adv.* hier; *çà et là* hier und da, hin und her; **II** *int. oft nur noch iron.* los!; *çà! partons!* los, wollen wir gehen!; *ah çà alors!* nanu!; das ist ja allerlei!; was Sie nicht sagen!; *ah çà, venez-vous?* na los, kommen Sie?; *iron. or çà!* nun, darf ich bitten?

cab *a. Auto* [kab] *m* Kabriolett *n.*

caba|le [ka'bal] *f* **1.** ♁ Kabbala *f* (*jüdische Geheimlehre*); **2.** *fig.* Kabale *f*, Intrigen *f/pl.*, Ränke *pl.*, geheime Verbindung *f*, Clique *f*; *homme m de ~* Ränkeschmied *m*, Intrigant *m*; **~ler** [~'le] *v/i.* (1a) intrigieren, Ränke schmieden; **~leur** [~'lœ:r] *su.* (7g) Intrigant *m*, Ränkeschmied *m*; **~listique** [~lis'tik] *adj.* □ *fig.* geheimnisvoll.

caban [ka'bɑ̃] *m* **1.** ⚓ Regenmantel *m* (*mit Kapuze*); **2.** *sportlicher* Damenblazer *m.*

cabanage [kaba'na:ʒ] *m* Baudenleben *n.*

caba|ne [ka'ban] *f* Hütte *f*, Baude *f*; Häuschen *n*; Bude *f*; Koje *f*; Kaninchenstall *m*; P Gefängnis *n*; ✈ Spannturm *m*; **~ner** [~'ne] *v/i.* (1a) **1.** Hütten aufschlagen; *fig. cabané* gelagert; **2.** ⚓, ✈ umschlagen; ⚓ kentern; **3.** Zweige für die Seidenraupen auslegen; **~non** [kaba'nɔ̃] *m* **1.** kleine Hütte *f*; Schuppen *m* (*für Fahrräder usw.*); **2.** Wohnlaube *f*, Wochenendhäuschen *n* (*in der Provence*); **3.** Isolier-, Gummi-zelle *f* (*Gefängnis u. Irrenanstalt*).

cabaret [kaba'rɛ] *m* **1.** Schenke *f*, Wirtshaus *n*, *péj.* Kneipe *f*; Weinstube *f*, Nacht-lokal *n*, -klub *m*; *~ artistique* Kabarett *n*; F *pilier m de ~* Säufer *m*; **2.** Kaffee-, Tee-brett *n*; *~-service* Likörservice *n*; **3.** ♀ Haselwurz *f.*

cabaretier [kabar'tje] *su.* (7b) (Schenk-)Wirt *m.*

cabas [ka'bɑ] *m* **1.** Einhole-korb *m*, -tasche *f*; **2.** Stroh-, Binsen-korb *m.*

cabèche P [ka'bɛʃ] *f* Kopf *m*, Birne *f* P, Nuß *f* P, Deez *m* P.

cabernet ♀ [kabɛr'nɛ] *m südwestfranzösische Rebenart.*

cabestan [kabɛs'tɑ̃] *m* **1.** Windemaschine *f*; **2.** Göpel *m*; **3.** ⚓ Gangspill *n*, Schiffswinde *f*; **4.** ✈ Haspel *f*, Bockwinde *f.*

cabillaud [kabi'jo] *m* Kabeljau *m.*

cabillot [~] *m* Holz-, Eisen-pflock *m.*

cabine [ka'bin] *f* Kabine *f*, Kajüte *f*, Koje *f*; Badekabine *f*; Flugzeugkabine *f*, Sitzraum *m*, Führerstand *m*; *Auto*: Führerhaus *n*; *~ de commandement* (*od. de pilotage*) Kommandokapsel *f* (*Raumflug*); *~ particulière* Einzelkabine *f*; ⊕ *~ de distribution* Schaltwerk *n*; *~ téléphonique* Fernsprech-, Telefon-zelle *f*; *~-déshabilloir f* Umkleidekabine *f.*

cabinet [kabi'nɛ] *m* **1.** kleines Gemach *n*; *~(s) (d'aisances)* Abort *m*, WC *n*, Toilette *f*; *~ avec chasse d'eau* Toilette *f* mit Wasserspülung; *~ de débarras* Abstellraum *m*; *~ de lecture* Leseraum *m*; Leihbibliothek *f*; *~ de verdure* Gartenlaube *f*; **2.** Studier-, Arbeits-zimmer *n*; Geschäftszimmer *n*; *~ de consultations* Sprechzimmer *n*; *dans le silence du ~* im ruhigen Studierzimmer; *homme m de ~* Stubengelehrte(r) *m*; **3.** *~ (d'un avocat)* Anwaltsbüro *n*; Praxis *f*; **4.** Kabinett *n*, Regierung *f*;

Ministerium *n*; *conseil m de* ~ Kabinetts- *od.* Minister-rat *m*; **5.** Minister-, Staats-rat *m*; **6.** Sammlung *f*; ~ *d'histoire naturelle* Naturaliensammlung *f*, -kabinett *n*; **7.** Schränkchen *n*.

câblage ⚡ [kɑ'bla:ʒ] *m* Verseilung *f*.

câble ['kɑ:blə] *m* **1.** Kabel *n*; (dickes) Seil *n*, Tau *n*; ⚒ Förderseil *n*; ~ *métallique* Drahtseil *n*; ~ *armé* Panzerkabel *n*; ~ *d'atterrissage* Landungs-kabel *n*, -tau *n*; ~ *de gauchissement* Verwindungsseil *n*; ⚓ ~ *de halage* Schlepptau *n beim Treideln*; ~ *souterrain* Erdkabel *n*; ~ *d'allumage* Zündkabel *n*; ~ *d'amenée*, ~ *d'arrivée* Zuleitungskabel *n*; ~ (*télégraphique*) *intercontinental od. transatlantique* Übersee-, Tiefseekabel *n*; ~ *à haute tension* Hochspannungskabel *n*; ~ *de remorque* Schlepptau *n*, Schlepptrosse *f*; ~ *conducteur* Leitungsdraht *m*; ~ *télégraphique* Telegraphenkabel *n*; ~ *sous-marin* Unterseekabel *n*; ~ *en fil* (*de fer*) Drahtseil *n*; ~ *porteur* (*od. sustentateur*) Tragseil *n*; **2.** Kabeltelegramm *n*.

câblé [kɑ'ble] *m* dicke (Seil-) Schnur *f*.

câbleau [kɑ'blo] *m* Kabeltau *n*.

câbler [kɑ'ble] *v/t.* (1a) **1.** ⚡ verseilen; ⚓ *ein Kabel* schlagen; **2.** kabeln, drahten.

câblogramme [kɑblɔ'gram] *m* Kabeltelegramm *n*.

caboch|ard [kabɔ'ʃa:r] **I** *adj.* (7) dickköpfig; **II** *su.* Dickkopf *m*; **~e** [ka'bɔʃ] *f* **1.** Kuppnagel *m*, breitköpfiger Nagel *m*; **2.** F großer Kopf *m*, Birne *f* F *fig.*; **~on** [~'ʃɔ̃] *m* rundgeschliffener Edelstein *m*.

cabos|se [ka'bɔs] *f* **1.** Kakaoschote *f*; **2.** Quetschung *f*, Beule *f*; **3.** F = *caboche*; **~ser** [~'se] *v/t.* (1a) **1.** F ~ *q.* j-n verbleuen, j-n vertrimmen P; **2.** *Metall* ein-, ver-beulen *od.* eindrücken; *cabossé* verbeult (*Hut, Autokarosserie*); angeschlagen (*Partei*).

cabot [ka'bo] *m* **1.** *péj.* schlechter Komödiant *m*, Schmierenschauspieler *m*; **2.** Köter *m*, Töle *f*; **3.** P ⚔ Korporal *m*, Gefreite(r) *m*.

cabo|tage [kabɔ'ta:ʒ] *m* Küstenschiffahrt *f*; **~ter** [~'te] *v/i.* (1a) Küsten befahren; **~teur** ⚓ [~'tœ:r] *m* Küstenfahrzeug *n*; **~tin** F *péj.* [~'tɛ̃] *su. thé.* schlechter Schauspieler *m*, Schmierenschauspieler *m*, Wanderkomödiant *m*, Gaukler *m*; *fig.* Angeber *m*, Wichtigtuer *m*; **~tinage** F [~ti'na:ʒ] *m* Angeberei *f*, Wichtigtuerei *f*.

caboulot P [kabu'lo] *m* Kaschemme *f* P.

cabrer [ka'bre] (1a) **I** *v/t.* ~ *l'avion* das Flugzeug hochziehen; *abs.* Höhenrichtung geben (*dat.*), abfangen; **II** *v/rfl.* se ~ sich (auf-)bäumen; *fig.* sich auf die Hinterbeine stellen, sich auflehnen; *abs. faire* ~ *Pferd* zum (Auf-)Bäumen bringen.

cabri [ka'bri] *m* Zicklein *n*.

cabriol|e [kabri'ɔl] *f* Luftsprung *m*, Bocksprung *m*; Purzelbaum *m*; **~er** [~'le] *v/i.* (1a) Luftsprünge machen; **~et** [~'lɛ] *m* **1.** *Auto*: Kabriolett *n*; **2.** leichter Einspänner *m*, Halbkutsche *f*; **3.** Handschelle *f*.

cabus [ka'by] *adj.*: *chou m* ~ Kopfkohl *m*.

cabussière [kaby'sjɛ:r] *f* Netz *n* zum Einfangen von Wildenten.

caca *enf.* [ka'ka] *m* Kacke *f*; *faire* ~ Aa machen.

cacaber [kaka'be] *v/i.* (1a) schreien (*Rebhuhn*).

cacadou *orn.* [kaka'du] *m* Kakadu *m*.

cacahouète ⚘ [kaka'wɛt] *f* Erdnuß *f*.

cacao [kaka'o] *m* Kakao *m* (*nur als Pulver, nicht als Getränk*); s. *chocolat*; (*grain m de*) ~ Kakaobohne *f*; **~tier** [kakaɔ'tje] *m* Kakaobaum *m*; **~yer** [~ɔ'je] *m* **1.** Kakaobaum *m*; **2.** Kakaopflanzer *m*; **~tière, ~yère** [~ɔ'tjɛ:r, ~ɔ'jɛ:r] *f* Kakaopflanzung *f*.

cacarder [kakar'de] *v/i.* (1a) schnattern (*Gans*).

caca|toès, ~tois[1] *orn.* [~tɔ'ɛs, ~'twa] *m* Kakadu *m*.

cacatois[2] ⚓ [~'twa] *m* Oberbramstange *f*, -segel *n*.

cachalot *zo.* [kaʃa'lo] *m* Pottwal *m*.

cache [kaʃ] **I** *f* Versteck *n*, Schlupfwinkel *m*; **II** *m phot.* Schutzpapier *n*, Kopiermaske *f*; ⊕ Abdeckung *f* (*e-s Gerätekoffers*).

cache-cache [kaʃ'kaʃ] *m*: *jouer à* ~ Versteck spielen.

cache-col [~'kɔl] *m* (6c) Kragenschoner *m*.

cachectique ⚕ [kaʃɛk'tik] *adj. u. su.* kachektisch(e), ausgemergelt(e), siech(e Person *f*).

cache|-entrée ⊕ [kaʃɑ̃'tre] *m* Schlüssellochdeckel *m*; **~-maillots** [~ma'jo] *m* Strand-hänger *m*, -jacke *f* (*für Damen*); **~mire** [~'mi:r] *m* **1.** Kaschmirschal *m*; **2.** F Geschirrtuch *n*; **~-moyeu** *Auto etc.* [~mwa'jø] *m* (6g u. 5b) Radnabenkappe *f*; **~-nez** [~'ne] *m* (6c) (Woll-)Schal *m*, Halstuch *n*; **~-pot** [~'po] *m* (6c)

Blumentopf(papier)manschette *f*; **～-poussière** [～pu'sjɛ:r] *m* (6c) Staub-, Reise-mantel *m*.

cacher [ka'ʃe] (1a) **I** *v/t.* **1.** verbergen, verstecken; *～ son jeu od. ses desseins* sich nicht in die Karten sehen (*od.* gucken) lassen; *caché* verborgen, heimlich; *fig. esprit m caché* heimtückischer Mensch *m*, Leisetreter *m*; **2.** verhüllen, bedecken; *vous me cachez la lumière* Sie stehen mir im Licht; **3.** verschweigen, geheimhalten, verheimlichen; *je n'ai rien de ～ pour vous* ich habe kein Geheimnis vor Ihnen, ich habe vor Ihnen nichts zu verbergen; **II** *v/rfl. se ～* sich verstecken, sich verbergen, sich den Blicken entziehen; *se ～ de q. pour faire qch.* etw. ohne Wissen j-s tun; *je ne m'en cache pas* ich mache kein Hehl daraus, ich leugne es nicht.

cache-radiateur ⊕ [kaʃradia'tœ:r] *m* (6c) Heizkörperverkleidung *f*.

cache|rie [kaʃ'ri] *f* Heimlichtun *n*; **～ron** ⊕ [～'rɔ̃] *m* Bindfaden *m*.

cache-sexe [kaʃ'sɛks] *m* (6c) Slip *m*, Schlüpfer *m*, Höschen *n*.

cachet [ka'ʃɛ] *m* **1.** (Brief-)Stempel *m*; Petschaft *n*; **2.** Siegel *n*; *bague f à ～* Siegelring *m*; *apposer od. mettre son ～* sein Siegel aufdrücken; **3.** *hist. lettre f de ～* geheimer königlicher Haftbefehl *m od.* Steckbrief *m*; **4.** *fig.* Gepräge *n*, charakteristisches Merkmal *n*, Note *f*, Originalität *f*; *donner à qch. un ～ personnel* e-r Sache e-e persönliche Note geben; *cela a du ～* das sieht nach etw. aus; **5.** Blech-, Kontroll-, Speise-marke *f*; **6.** *thé.* Gage *f*, Spiel-, *allg.* Vortrags-honorar *n*; **7.** (Privat-) Stundengeld *n*; *combien le ～?* was kostet die Stunde?; *payer un maître au ～* e-n Lehrer stundenweise bezahlen; **8.** *phm.* Briefchen *n* mit Pulver, in Papier gefaltetes Pulver *n*, Oblate *f* in Gelatinehülle.

cache|tage [kaʃ'ta:ʒ] *m* Versiegeln *n*; **～ter** [～'te] *v/t.* (1c) (ver)siegeln.

cachette [ka'ʃɛt] *f* Schlupfwinkel *m*, Versteck *n*; *en ～* heimlich.

cachexie ⚕ [kaʃɛk'si] *f* Kachexie *f*, schlechter Ernährungs- u. Kräftezustand *m*.

cachot [ka'ʃo] *m* finsteres Gefängnis *n*; Karzer *m*; **～terie** [～'tri] *f* Geheimniskrämerei *f*; **～tier** [～'tje] *su.* (7b) Geheimniskrämer *m*.

cachou [ka'ʃu] **I** *m* **1.** Kaschu *n* (*als Masse*); **2.** *Art* Wybertpastille *f für Raucher u. gegen Husten*; **II** *adj./inv.* schwarzbraun.

cacique [ka'sik] *m* **1.** *hist.* Kazike *m*, indianischer Häuptling *m*; **2.** schlauer Fuchs *m*; **3.** *écol.* Primus *m* beim Concours der Ecole Normale Supérieure; Primus *m* bei irgendeinem Concours; **4.** alter Parteiführer *m*.

cacochyme *a.* ⚕ [kakɔ'ʃim] *adj.* schwächlich, siech, leidend; *fig.* mürrisch, launisch.

cacographie [kakɔgra'fi] *f* falsche Orthographie *f*; schlechter Stil *m*.

cacolet [kakɔ'lɛ] *m* Trag- *od.* Kranken-sitz *m* auf dem Maultier.

cacologie *gr.* [kakɔlɔ'ʒi] *f* fehlerhafte Sprechweise *f*.

cacophonie [kakɔfɔ'ni] *f gr.* unschöne Wort- u. Silben-folge *f*, Mißlautung *f*; ♪ Mißklang *m*.

cactier, cactus [kak'tje, ～'tys] *m* Kaktus *m*.

c.-à-d. *abr. für* **c'est-à-dire** [sɛta-'di:r] das heißt, nämlich.

cadas|trage *m*, **～tration** *f* [kadas-'tra:ʒ, ～trɑ'sjɔ̃] Katasteraufnahme *f*; **～tral** [～'tral] *adj.* (5c): *plan m ～* Kataster-, Grundbuch-plan *m*; **～tre** [～'dastrə] *m* Kataster *n od. m*, Grund-, Flur-buch *n*, Grundsteuerregister *n*; **～trer** [～'tre] *v/t.* (1a) ins Grundbuch eintragen.

cadavé|reux [kadave'rø] *adj.* (7d) leichenblaß; Leichen...; **～rique** [～'rik] *adj. anat.* Leichen...

cadavre [ka'da:vrə] *m* Leiche *f von Menschen*; Kadaver *m*, Aas *n von Tieren*; P ausgetrunkene Flasche *f*; *fig. un ～ ambulant* e-e wandelnde Leiche *f*; *sentir le cadavre fig.* den Braten riechen.

caddie *Sport* [ka'di] *m* Golfjunge *m*; *häufiger als cadet* 6.

cadeau [ka'do] *m* (5b) (kleines) Geschenk *n*; *～ de fiançailles, ～ de noces* Brautgeschenk *n*; *～ publicitaire* Werbegeschenk *n*; *faire ～ de qch. à q.* j-m etw. schenken; *prov. les petits ～x entretiennent l'amitié* kleine Geschenke erhalten die Freundschaft.

cadenas [kad'nɑ] *m* **1.** Vorhängeschloß *n*; **2.** *hist.* Kasten *m* für das königliche Silbergeschirr; **～ser** [～nɑ'se] *v/t.* (1a) mit e-m Vorhängeschloß verschließen.

caden|ce [ka'dɑ̃:s] *f* **1.** Takt *m*; Tempo *n*; ⚒ *～ journalière* tägliche Herstellung *f*, Tagesleistung *f*; *～ (de production)* Produktionsrhythmus *m*; *fig. suivre sa ～* s-m eigenen

(Lebens-)Rhythmus folgen; ~ *du pas* Gleichschritt *m*; *en* ~ im Takt; im Gleichschritt; *perdre la* ~ aus dem Takt kommen; ~ *de tir* Schußfolge *f*, Feuergeschwindigkeit *f*; *sans* ~! ohne Tritt!; **2.** Ruhepunkt *m* für die Stimme; Wohlklang *m*, kunstvolle Anordnung *f* der Sätze; *mét.* Rhythmus *m*; **3.** a) Kadenz *f*, Tonfall *m*; b) Triller *m*; **~cer** [~dã'se] *v/t.* (1k) **1.** nach dem Takt abmessen; ~ *le pas* Schritt halten; *cadencé* taktmäßig, rhythmisch; *au pas cadencé* im Gleichschritt; **2.** ♪ trillern.

cadet [ka'dɛ] **I** *adj. u. su.* (7c) **1.** zweitältest(es Kind); *branche f* ~*te* jüngere Linie *f*; **2.** jünger(er Sohn *od.* Tochter, Bruder *od.* Schwester); *il est mon* ~ *de quatre ans* er ist vier Jahre jünger als ich; **3.** letztgeboren(er), jüngste(r); Jüngste(r); *c'est le* ~ *de la maison* er ist der jüngste Sohn des Hauses; *fig. c'est le* ~ *de mes soucis* das ist meine geringste Sorge; **4.** *adm.*, *Heer*: jünger im Dienst als ich; *il est mon* ~ er ist jünger im Dienst; **II** *m* **5.** Kadett *m*; ⚓ Seekadett *m*; **6.** *un fier* ~ ein mutiger junger Mann *m*, ein ganzer Kerl *m*; **7.** *Sport*: a) Neuling *m*; b) Golfjunge *m*.

cadet|te [ka'dɛt] *f* kleiner Pflasterstein *m*; **~ter** [~dɛ'te] *v/t.* (1a) pflastern.

cadole *dial.* [ka'dɔl] *f Art* Türklinke *f* (*Provence*).

cadoujoler F [kaduʒɔ'le] *v/t.* verhätscheln.

cadrage [ka'dra:ʒ] *m* Bildformat *n*; Umrahmung *f*; *télév.*, *phot.* Bildeinstellung *f*.

cadran [ka'drã] *m* **1.** Zifferblatt *n*; ~ *solaire* Sonnenuhr *f*; ~ *lumineux* Leuchtzifferblatt *n*; **2.** *rad.* Skala *f*; *téléph.* Nummernscheibe *f*; *télév.* ~*-témoin m* Testscheibe *f*; ~ *gradué* Zifferblatt *n* mit Skala; ~ *démultiplicateur*, ~ *démultiplié*, ~ *à démultiplication*, ~ *micrométrique* Feineinstellskala *f*; **3.** ⚓ Quadrant *m*.

cadrat *typ.* [ka'dra] *m* Quadrat *n*; **~in** *typ.* [~'tɛ̃] *m* Geviert *n*.

cadrature [kadra'ty:r] *f* Zeiger-, Vorlege-werk *n an der Uhr*.

cadre ['ka:drə] *m* **1.** (viereckiger) Rahmen *m*, Türrahmen *m*, (Tür-) Einfassung *f*; *weitS.* ~ *rond* (*ovale*) runder (ovaler) Rahmen; *vél.* ~ *de bicyclette* Fahrradrahmen *m*; **2.** *fig.* Rahmen *m*, Zusammenhang *m*; Bereich *m*, Kreis *m*; Plan *m*, Anlage *f*, Ordnung *f*; *sortir du* ~ *de ses fonctions* s-e Befugnisse überschreiten; ~ *d'un ouvrage* Anlage *f* e-s Werkes; *dans le* ~ *du Conseil de Sécurité* im Rahmen des Sicherheitsrates; ~ *des traitements* Besoldungsordnung *f*; **3.** (höherer) Angestellter *m*; *pl.* ~*s* Kader *m*, Stamm *m e-s Truppenkörpers*, Verband *m*; Stammrolle *f*; ⊕ leitendes Personal *n*; Vorarbeiter *m/pl.*, Werkmeister *m/pl.*; *soc.* Schichten *f/pl.*; ~ *technique* technischer Stab *m* (*Meister u. Ingenieure*); ~*s supérieurs* (*moyens*) höhere (mittlere) Angestellte *m/pl.*; *petits* ~*s* kleine Angestellte *m/pl.*; **4.** *antenne-*~ *rad.* Rahmenantenne *f*; ~ *incorporé* eingebaute Antenne *f*; ~ *orienté* Richtantenne *f*; ~ *démontable*, ~ *pliable* zerlegbare Rahmenantenne *f*; **5.** P Bild *n*.

cadrer [ka'dre] *v/i.* (1a) passen, zutreffen; ~ *avec* übereinstimmen mit.

caduc [ka'dyk] *adj.* (7i) **1.** baufällig; *fig.* überlebt, morsch, brüchig; **2.** ⚕ gebrechlich; *mal m* ~ Fallsucht *f*; **3.** ⚖ verfallen, ungültig (geworden); **4.** ⚘ früh abfallend.

caducée [kady'se] *m* Äskulapstab *m*.

caducité [~si'te] *f* **1.** Baufälligkeit *f*; **2.** ⚕ Gebrechlichkeit *f*; **3.** ⚖ Ungültigkeit *f*, Verfallensein *n*; **4.** ⚘ frühes Abfallen *n*.

cæcal ⚕ [se'kal] *adj.* (5c) Blinddarm...

cæcum [se'kɔm] *m* Blinddarm *m*.

cafard [ka'fa:r] (7) **I** *adj.* heuchlerisch, scheinheilig; **II** *su.* **1.** Heuchler, Scheinheilige(r) *m*, Mucker *m*; **2.** Denunziant *m*; *bsd. écol.* Petzer *m*; **3.** (Küchen-)Sch(w)abe *f*; **4.** F trübe Gedanken *m/pl.*, moralischer Kater *m* F; *crise f de* ~ Katerstimmung *f*; *avoir le* ~ traurig (*od.* mutlos *od.* mißgestimmt) sein; deprimiert sein, schwarzsehen, die Flügel hängen lassen, Heimweh haben; *il a le* ~ ihm schwimmen sämtliche Felle weg, er ist vollkommen fertig; *faire du* ~ Trübsal blasen; *sombrer dans un* ~ *noir* in e-e düstere Stimmung verfallen; **~age** *écol.* [~'da:ʒ] *m* Petzerei *f*; **~er** [~'de] **I** *v/i.* (1a) den Scheinheiligen spielen; *écol.* petzen; miesepetrig sein; **II** *v/t.* heimlich verraten, denunzieren, verpfeifen F; *écol.* verpetzen; **~eux** F [~'dø] *adj.* (7d) mißgestimmt, trübsinnig; *avoir* *l'esprit* ~ ohne Lebensfreude sein; **~ise** F [~'di:z] *f* Heuchelei *f*, Scheinheiligkeit *f*, scheinheiliges Wesen *n*.

café [ka'fe] *m* **1.** Kaffee(pflanze *f*) *m*; **2.** (*grain m de*) ~ Kaffee(bohne *f*) *m*; ~ *en grains* ungemahlener Kaffee *m*; ~ *torréfié* gebrannter Kaffee *m*; ~ *de chicorée* Zichorie *f*; **3.** Kaffee *m* (*als Getränk*); ~ *au lait* (~ *crème*) Kaffee mit Milch (*od.* Sahne); ~ *au malt* Malzkaffee *m*; ~ *complet* Kaffeegedeck *n*; ~ *noir*, ~ *nature* schwarzer Kaffee *m*; ~ *soluble* löslicher Kaffee *m*; *faire le* ~ Kaffee kochen (*od.* machen F); *prendre le* (*od. du*) ~ Kaffee trinken; P *c'est un peu fort de* ~*!* das ist ja ein starkes Stück!; **4.** Café *n*; ~*-chantant*, ~*-concert m* Kabarett *n*; Tingeltangel *m od. n*; **5.** Kaffeezeit *f*; **6.** *a. adj.* kaffeebraun(e Farbe); **~ier** [kafe'je] *m* Kaffeebaum *m*; **~ière** [~'jɛ:r] *f* Kaffeepflanzung *f*; **~ine** [~'in] *f* Koffein *n*; **~isme** ⚕ [~'ism] *m* Kaffeesucht *f*.

cafetan [kaf'tɑ̃] *m* Kaftan *m*.

café-théâtre *bsd. Fr.* [ka'fete'ɑ:trə] *m* Theaterrestaurant *n*.

cafe|tier [kaf'tje] *m* Cafébesitzer *m*; **~tière** [~'tjɛ:r] *f* Kaffeekanne *f*; Kaffeemaschine *f*; ~ *express* Schnellkocher *m*.

caffût ⚔ [ka'fy] *m* Sprengstück *n*; **~er** [~'te] *v/t.* (1a) als unbrauchbar verwerfen.

cafouill|age P, **~is** [kafu'ja:ʒ, ~'ji] *m* Gefasel *n*, Gestammel *n*; Murks *m*; *mach.* Aussetzen *n* (*e-s Motors*); Gedrängel *n* (*Sport*); **~er** P [~'je] *v/i.* (1a) faseln; murksen; sich disziplinlos benehmen (*Sport*); *mach.* aussetzen.

cafre ['kafrə] **I** *adj.* Kaffern...; *hutte f* ~ Kaffernhütte *f*; **II** ♀ *su.* Kaffer *m*, Kaffernfrau *f*.

cage [ka:ʒ] *f* **1.** (Vogel-)Bauer *n*, Käfig *m*; *fig.* enges Haus *n*, die vier Wände *f/pl.*; P kleine Stube *f*, Hütte *f*, Loch *n*; **2.** F Gefängnis *n*; *mettre q. en* ~ j-n einsperren; **3.** ⚠ a) Mantel *m* von Holz- *od.* Mauerwerk; b) ~ *d'escalier* Treppenhaus *n*; c) Glockenstuhl *m*; d) ~ *d'une maison* Außenwände *f/pl.* e-s Hauses; e) ~ *d'ascenseur* Fahrstuhlschacht *m*; **4.** Drahtgitter *n* vor den Schaufenstern; **5.** (Web-)Stuhl *m*, Holzgestell *n*; Uhrkasten *m* **6.** ⚒ Förderkorb *m*; **7.** ⊕ ~ *de laminoir* Walzgerüst *n*.

cageot [ka'ʒo] *m* Hürde *f*, Hühner-, Frucht-korb *m*.

cag|erotte *f*, **~et** *m* [kaʒ'rɔt, ~'ʒɛ] *Käserei*: Tropfkorb *m*; **~ette** [ka'ʒɛt] *f* kleiner Käfig *m*; **~ibi** P *oft plais.* [~ʒi'bi] *m* Rumpelkammer *f*, *fig.* Loch *n* P, Verschlag *m*; kleines Zimmer *n*, Kabuff *n*, Bude *f* P; (Pförtner-)Loge *f*; **~ier** [~'ʒje] *su.* (7b) Vogelbauer-verfertiger *m*, -händler *m*.

cagna P [ka'ɲa] *m* **1.** ⚔ Unterstand *m*; **2.** *allg.* F Bude *f*; Wohnbunker *m*.

cagne F [kaɲ] *f* **1.** Tagedieb(-in *f*) *m*; **2.** *Fr. écol.* Klasse *f*, die sich auf den sprachlichen Zweig der Ecole Normale Supérieure vorbereitet.

cagner P [ka'ɲe] *v/i.* (1a) sich vor der Arbeit drücken.

cagneux [ka'ɲø] *adj. u. su.* (7d) **1.** X-beinig; **2.** *Fr. écol.* ♀ Schüler *m* e-r *cagne* (s. d. 2).

cagnot *icht.* [ka'ɲo] *m* Hundshai *m*.

cagnotte [ka'ɲɔt] *f* **1.** Spielkasse *f*; **2.** Spielgewinn *m*; **3.** * Geldversteck *n*.

cagot [ka'go] (7) **I** *adj.* heuchlerisch, scheinheilig; **II** *su.* Frömmler *m*; Betbruder *m*; Heuchler *m*; **~erie** [~gɔ'tri] *f* Heuchelei *f*, Frömmelei *f*; **~isme** [~gɔ'tism] *m* Scheinheiligkeit *f*, heuchlerisches Wesen *n*.

cagoulard P *péj.* [kagu'la:r] *m* Mantelträger *m*, Verschwörer *m*.

cagoule [ka'gul] *f* Mönchskutte *f*; *fréquenter la* ~ mit Mönchen verkehren.

cahier [ka'je] *m* **1.** (Schreib-)Heft *n*; ~ *de brouillon écol.* Schmierheft *n*; ~ *de compositions écol.* Klassenarbeitsheft *n*; ~ *de vocabulaire* Vokabelheft *n*; ~ *de textes* Aufgabenbuch *n*; *Fr.*: Klassenbuch *n* für Durchgenommenes u. Aufgegebenes; ~ *de cours* Kollegheft *n* (*Universität*); **2.** ~ *des charges* Lastenheft *n*, Ausschreibungs-, Submissions-bedingungen *f/pl.*; ~ *des frais* Kostenanschlag *m*.

cahin-caha F [ka'ɛ̃ka'a] *advt.* schlecht u. recht; mühsam; man gerade so F; soso F; nicht zum besten.

cahot [ka'o] *m* **1.** Wagenstoß *m*; **2.** holpriger Weg *m*; **3.** *fig.* Hindernis *n*, Widerwärtigkeit *f*; **~age** *m*, **~ement** [kaɔ'ta:ʒ, ~t'mɑ̃] *m* Rütteln *n*, Stoßen *n e-s Wagens*; Erschütterung *f e-s Autos*; **~er** [kaɔ'te] (1a) **I** *v/t.* stoßen, hin und her werfen, durchrütteln; **II** *v/i.* stoßen, holprig sein; rumpeln; **~eux** [kaɔ-'tø] *adj.* (7d) uneben, holprig.

cahute [ka'yt] *f* armselige Hütte *f.*

caïd [ka'id] *m* Kaid *m*, arabischer Statthalter *m*; P ⚔ Anführer *m*, Spieß *m péj.*; *a. allg.* (Banden-)Chef *m*, Gangsterboß *m*; **~at** [~'da] *m* Bandenführerschaft *f.*

caïeu ⚘ [ka'jø] *m* Brutzwiebel *f.*

caillage [ka'ja:ʒ] *m* Gerinnen *n.*

caillasse [ka'jas] *f* **1.** *géol.* kieselhaltiger Mergel *m*; **2.** Schotter *m.*

caille *orn.* [kɑj] *f* Wachtel *f.*

caillé [kɑ'je] *m* dicke Milch *f.*

caille|botis [kajbɔ'ti] *m* Lattenrost *m*; **~botte** [~'bɔt] *f* Quark *m*; **~botter** [~bɔ'te] (1a) **I** *v/t.* gerinnen machen; **II** *v/rfl.* se ~ gerinnen; **~-lait** ⚘ [~'lɛ] *m* (6c) Labkraut *n.*

cailler [kɑ'je] (1a) **I** *v/t.* gerinnen machen; *du lait caillé* dicke Milch *f*; **II** *v/rfl.* se ~ gerinnen.

caille|tage [kɑj'ta:ʒ] *m* Getratsche *n*, Gequatsche *n*; **~ter** † [~'te] *v/i.* (1c) tratschen, quatschen.

caillette [kɑ'jɛt] *f* Klatschweib *n*, Schwätzerin *f.*

caillot ⚕ [ka'jo] *m* Blutgerinnsel *n.*

caillou [ka'ju] *m* (5b) **1.** Kiesel (-stein *m*) *m*; *marquer la journée d'un ~ blanc fig.* e-n roten Strich auf dem Kalender machen; **~x** *pl. roulés* Geröll *n*; **2.** ~ *d'Egypte Art* Jaspis *m*; **3.** F Birne *f* (*Kopf*).

caillou|tage [kaju'ta:ʒ] *m* (*Straßen-*) Beschotterung *f*; Schotterbelag *m*; **~ter** [~'te] *v/t.* (1a) mit Kies beschütten, beschottern; **~teux** [~'tø] *adj.* (7d) kieselreich, steinig; **~tis** [~'ti] *m* Schotter *m*; *géol.* Geröll *n.*

caïman *zo.* [kai'mɑ̃] *m* Alligator *m.*

Caire [kɛ:r] *m*: **le ~** Kairo *n.*

cairn [kɛ:rn] *m* kleiner Erd- *od.* Steinhügel *m in keltischen Gegenden* (*als Grenz- od. Grabzeichen*).

caisse [kɛ:s] *f* **1.** Kiste *f*, Kasten *m*; *mettre en ~* einpacken; **2.** ⚒ (Baum-)Kübel *m*; ⚒ ~ *de couche* Frühbeetkasten *m*; **3.** ⚓ Tank *m*; ~ *à eau de lest* Ballasttank *m*; **4.** Kasse *f*, Geldkasten *m*; Kassenschrank *m*; Kasse(ngelder *n/pl.*) *f*; Kassenschalter *m*, Zahlstelle *f*; ~ *d'amortissement* Schuldentilgungskasse *f*; ~ *d'avances* Vorschußkasse *f*; ~ *centrale* Hauptkasse *f*; ~ *de contrôle* Kontrollkasse *f*; ~ *de conversion* Konversionskasse *f*; ~ *de Crédit municipal* Pfandstelle *f*; ~ *enregistreuse* Registrierkasse *f*; ~ *d'épargne* (*postale* Post-)Sparkasse *f*; ~ *d'escompte* Diskontokasse *f*; ~ *de port* Portokasse *f*; ~ *de prêts* Darlehnskasse *f*; ~ *de retraite* Pensionskasse *f*; ~ *noire* Geheimfonds *m*; ~ *de secours en cas de maladie, mst.* ~*-maladie* Krankenkasse *f*; *livre m de ~* Kassenbuch *n*; *faire sa ~* Kasse machen; *tenir la ~* die Kasse führen; **5.** Wagenkasten *m*; 🚃 ~*-poutre pour voiture* Eisenbahnwagenkasten *m*; **6.** ♪ Trommel *f*; *weitS.* Trommelschläger *m*; *grosse ~* große Trommel *f*, Pauke *f*; *battre la grosse ~ fig.* an die große Glocke hängen, stark Reklame machen; **7.** P ⚔ Karzer *m*, Kasten *m*, Bau *m*; P *fig.* Loch *n*, Kittchen *n* P; **8.** *anat.* ~ *du tympan* Trommelhöhle *f* des Ohres; **9.** *Auto*: Karosserie *f*; **10.** Uhrgehäuse *n.*

caisse|rie [kɛs'ri] *f* Kistenfabrikation *f*; **~tte** [kɛ'sɛt] *f* kleine Kiste *f*; Papierhülse *f* (*für kleines Gebäck*).

cais|sier [kɛ'sje] *su.* (7b) Kassenverwalter *m*, -führer *m*, Kassierer *m*; **~son** [kɛ'sɔ̃] *m* **1.** Kastenwagen *m*; 🚃 bedeckter Güterwagen *m*; ⚔ Munitions-, Proviant-wagen *m*; ~*-remorque m* Anhänger *m* für Munition; **2.** ⚓ Proviantkiste *f*; **3.** Wagenkasten *m*; Senkkasten *m bei Wasserbauten*; △ Fach *n* (*e-r Zimmerdecke*); **4.** F Birne *f* (*Kopf*).

cajo|ler [kaʒɔ'le] (1a) *v/t.* liebkosen, schmeicheln, F hätscheln; **~lerie** [kaʒɔl'ri] *f* Schmeichelei *f*, Liebkosung *f*; **~leur** [kaʒɔ'lœ:r] *adj. u. su.* (7g) schmeichelnd; Schmeichler *m*, F Schmeichelkätzchen *n.*

cake [kɛk] *m* Königskuchen *m.*

cal ⚕ [kal] *m* Schwiele *f.*

calage ⊕ [ka'la:ʒ] *m* Einstellung *f*; Verkeilung *f.*

calaison ⚓ [kalɛ'zɔ̃] *f* Tiefgang *m.*

calami|ne [kala'min] *f* Galmei *m*; Kieselzinkerz *n*, Zinkspat *m*; *mot.* Rußschicht *f an e-r Zylinderwand*; **~ner** [~'ne] *v/i.* oxydieren.

calamistré [~mis'tre] *adj.*: *cheveux m/pl.* **~s** lockiges Haar *n.*

calamite [~'mit] *f* **1.** Gummiharz *n*; **2.** *géol.* Kalamit *m.*

calami|té [kalami'te] *f* (schwere) Not *f*, (schweres) Unglück *n*, Elend *n*, Mißgeschick *n*; Landplage *f*; F Pech *n*; **~teux** [~'tø] *adj.* (7d) □ unheilvoll; F pechbringend.

calan|drage [kalɑ̃'dra:ʒ] *m* (Wäsche-)Mangeln *n*, Rollen *n*; Kalandern *n*; **~dre** ⊕ [ka'lɑ̃:drə] *f* (Wäsche-)Rolle *f*, Mangel *f*; Glättmaschine *f*; *Auto*: Motor-, Kühlerhaube *f*; ~ *à catir* Glanzpresse *f*;

~drer ⊕ [kalɑ̃'dre] (1a) **I** *v/t.* rollen, mangeln; **II** *v/rfl.* se ~ gerollt werden; **~dreur** [kalɑ̃'drœ:r] *su.* (7g) Roller *m*, Mangler *m*.
calanque ⚓ [ka'lɑ̃:k] *f* Schlupfhafen *m*, kleine Bucht *f*.
calcaire [kal'kɛ:r] **I** *adj.* kalk-artig, -haltig; **II** *m* Kalk(-stein *m*, -erde *f*).
calcanéum *anat.* [kalkane'ɔm] *m* Fersenbein *n*.
calcareux *min.* [kalka'rø] *adj.* (7d) kalk-reich, -haltig.
calcifi|cation ⚕ [kalsifikɑ'sjɔ̃] *f* Verkalkung *f*; **~er** [~'fje] *v/t.* (1a) verkalken.
calcin [kal'sɛ̃] *m* Kesselstein *m*; **~ation** ⚗ [kalsinɑ'sjɔ̃] *f* Verkalken *n*; Ausglühen *n*, Kalzinierung *f*; **~é** [~'ne] *adj.* ⚗ kaustisch gebrannt; *allg.* verkohlt; ausgebrannt; **~ner** ⚗ [~] *v/t. u. v/rfl.* se ~ (1a) (sich) verkalken; ausglühen; zu Pulver verbrennen (*Erde*, *Pflanzen*); verkohlen.
calcique [kal'sik] *adj.* Kalk...
calcium [kəl'sjɔm] *m* Kalzium *n*.
calcul [kal'kyl] *m* **1.** Rechnung(sart *f*) *f*, Rechnen *n*, Kalkulation (*a. fig.*) *f*; Errechnung *f*; ~ *différentiel* Differentialrechnung *f*; ~ *des probabilités* Wahrscheinlichkeitsrechnung *f*; ~ *matriciel* Matrizenrechnung *f*; ~ *opérationnel* Operationsrechnung *f*; ~ *tensoriel* Spannungsberechnung *f*; ~ *des annuités*, ~ *des frais* Renten-, Kosten-rechnung *f*; ~ *du prix de revient* Selbstkostenrechnung *f*; ~ *de l'impôt* Steuerberechnung *f*, -ermittlung *f*; ~ *échelonné* Staffelrechnung *f*; *par voie de* ~ rechnerisch; *faire à q. le* ~ *de qch.* j-m etw. vorrechnen; ~ *mental*, ~ *de tête* Kopfrechnen *n*; *erreur f de* ~ Rechenfehler *m*; *sauf erreur de* ~ Irrtum vorbehalten; *règle f à* ~ Rechenschieber *m*; **2.** Rechenkunst *f*, Arithmetik *f*; **3.** *fig.* Berechnung *f*, Projekt *n*, Plan *m*; *par* ~ aus Berechnung; *se tromper dans son* ~ sich verrechnen, die Rechnung ohne den Wirt machen; *in Briefen*: *d'après* ~ *établi* nach unserer Berechnung; **4.** ⚕ Stein *m*; ~ *biliaire* Gallenstein *m*; ~ *rénal* Nierenstein *m*; ~ *vésical* Blasenstein *m*; *petits* ~*s* Grieß *m*.
calcu|lable [kalky'lablə] *adj.* berechenbar, zählbar; **~lateur** [~la'tœ:r] *adj. u. su.* (7f) Rechner *m*, Berechner *m*; *cyb.* Rechner *m*, Rechen-anlage *f*, -automat *m*; **~lateur-prodige** [~prɔ'di:ʒ] *m* (6b) Rechenkünstler *m*; **~latrice** [~la'tris] *f* **1.** Rechnerin *f*; **2.** *einfache* Rechenmaschine *f*; **~ler** [~'le] (1a) **I** *v/t. u. v/i.* (aus)rechnen, prüfen, erwägen; *fig.* berechnen, kalkulieren; spekulieren; *machine f à* ~ Rechenmaschine *f*; ~ *en or* in Gold berechnen; ~ *de tête* im Kopf (aus-)rechnen; **II** *v/rfl.* se ~ berechnet werden; *fig.* bestimmt werden.
calculeux ⚕ [kalky'lø] *adj. u. su.* (7d) Nieren...; an Nierensteinbeschwerden leidend; Nierensteinkranke(r) *m*.
Calcutta [kalky'ta] *f* Kalkutta *n*.
cale [kal] *f* **1.** Unterlage *f*; ~ *de liège* Korkeinlage *f*; **2.** 🚗 Bremsschuh *m*; 🚂 Bremsklotz *m*; **3.** ⚓ ~ *de chargement* Laderampe *f*; **4.** ⚓ a) ~ *flottante* Schwimmdock *n*; ~ *sèche* Trockendock *n*; b) unterster (Schiffs-)Raum *m*, ⚓ Laderäume *m/pl.*; *être à fond de* ~ im unteren Schiffsraum sein; F *fig. à fond de* ~ völlig mittellos.
calé [ka'le] *adj.* **1.** F bewandert, beschlagen, schlau; *il est* ~ *en math(ématique)s* er weiß in der Mathematik gut Bescheid; *écol.* er kann gut Mathe; **2.** verkeilt, kaputt P; *le moteur est* ~ der Motor geht nicht (*od.* ist kaputt); **3.** F schwierig.
calebasse [kal'bas] *f* **1.** ⚘ Flaschenkürbis *m*; **2.** Kürbisflasche *f*; **3.** P Kopf *m*, *fig.* Kürbis *m* P.
calèche [ka'lɛʃ] *f* Kutsche *f*.
caleçon [kal'sɔ̃] *m* Unterhose *f*.
caléfac|teur *bsd.* ⚗ [kalefak'tœ:r] *m* Wärmpfanne *f*; **~tion** ⚗ [~fak'sjɔ̃] *f* Erwärmung *f*, Erhitzung *f*.
calem|bour [kalɑ̃'bu:r] *m* Kalauer *m*, Wortspiel *n*, fauler Witz *m*; P Beleidigung *f*; **~bredaine** [~brə'dɛn] *f* Albernheit *f* (*als Äußerung*), Flause *f*; faule Ausrede *f*; *débiter des* ~*s* Flausen machen; sich rausreden.
calendes [ka'lɑ̃:d] *f/pl.*: *renvoyer qch. aux* ~ *grecques* etw. auf die lange Bank schieben.
calendre ⚒ [ka'lɑ̃:drə] *f* Pumpwerk *n*.
calendrier [kalɑ̃dri'e] *m* **1.** Kalender *m*; ~*-bloc* Abreißkalender *m*; ~ *perpétuel* immerwährender Kalender *m*; F *ce n'est pas un saint de mon* ~ das ist kein Freund von mir; **2.** *bsd. pol.*: ~*s m/pl.* Termine *m/pl.*
cale-pied *vél.* [kal'pje] *m* (6b) Fußhalter *m*, Rennhaken *m* (*am Pedal*).
calepin [kal'pɛ̃] *m* (kleines) Notizbuch *n*.

caler [ka'le] (1a) **I** *v/t.* **1.** ⚓ *Segel* niederlassen; *fig.* ~ (*la voile*) nachgeben, gelindere Saiten aufziehen; **2.** stützen, e-n Keil unterlegen (unter), verkeilen, befestigen; P *se* ~ *les joues od. l'estomac* sich vollfressen P; **II** *v/i.* ⚓ Tiefgang haben, ins Wasser sinken; *fig.* P nachgeben, klein beigeben, kapitulieren, weichen; *mot.* plötzlich aussetzen; **III** *v/rfl. se* ~ *dans un fauteuil* sich in e-m Sessel niederlassen.

calfat ⚓ [kal'fa] *m* Kalfaterer *m*, Ausbesserer *m*; **~age** [~'ta:ʒ] *m* Kalfatern *n*; ⚠ Verkitten *n*, Verkittung *f*; **~er** ⚓ [~'te] *v/t.* (1a) kalfatern (*mit Werg verstopfen*); abdichten, mit Teer ausschmieren; ⚠ verkitten.

calfeu|trage [kalfø'tra:ʒ] *m* Abdichten *n von Fenstern usw.*; **~trer** [~'tre] (1a) *v/t. Ritzen* abdichten; luftdicht verschließen; *se* ~ *chez soi* bei sich herumhocken, nicht aus dem (*od.* s-m) Bau gehen, in der Stube hocken.

cali|brage [kali'bra:ʒ] *m* Kalibrieren *n*; **~bre** [~'li:brə] *m* **1.** Kaliber *n*; **2.** Kugelkaliber *n*; **3.** ⊕ *u.* ⚠ Durchmesser *m*, Stärke *f der Röhren, Säulen usw.*; Richtscheit *n*, Schablone *f*, Lehre *f*; Maßstock *m*; ~ *à coulisse* Schublehre *f*; ~ *à vis* Schraubenlehre *f*; ~ *de filetage* Gewindelehre *f*; *fig. gros* ~ großes Geschütz *n*; **4.** *fig.* Muster *n*, Beschaffenheit *f*; *être du même* ~ von gleichem Schlage sein; **~brer** [~'bre] *v/t.* (1a) kalibrieren, eichen, richten, gleichen Durchmesser, gleiche Stärke geben; *journ. Leserbriefe* zurechtstutzen.

calice [ka'lis] *m* **1.** (Abendmahls-) Kelch *m*; *boire le* ~ *jusqu'à la lie* den bitteren Kelch des Leidens bis auf die Neige leeren; **2.** (Blumen-) Kelch *m*.

calicot [kali'ko] *m* **1.** Kaliko *m*, Kattun *m*; **2.** P *péj.* Ladenschwengel *m e-s Modegeschäfts*; **3.** *pol.* Transparent *n*.

calife [ka'lif] *m* Kalif *m*.

califourchon [kalifur'ʃõ] **1.** *advt. à* ~ rittlings, zu Pferde; F *fig. être à* ~ *sur qch.* auf e-r Sache herumreiten, sich auf etw. (*dat.*) versteifen; etw. sehr gern haben; etw. gründlich beherrschen (*od.* kennen); *mettre à* ~ huckepack tragen; **2.** F Steckenpferd *n*, Lieblingsbeschäftigung *f*.

caligineux [kaliʒi'nø] *adj.* (7d) nebelartig.

câlin [kɑ'lɛ̃] (7) **I** *adj.* schmeichlerisch, einschmeichelnd, anschmiegsam, zärtlich; **II** *su.* Schmeichler *m*; *faire le* ~ sich einschmeicheln, sich lieb Kind machen; sich anschmiegen, herumschmusen F.

câli|ner [kɑli'ne] *v/t.* (1a): ~ *q.* j-m schmeicheln; j-n verhätscheln; **~nerie** [kalin'ri] *f* Schmeichelei *f*; **~no** F [~'no] *m* naiver, alberner Mensch *m*; **~notade** [~nɔ'tad] *f* naive Albernheit *f*.

caliorne ⚓ [kal'jɔrn] *f* schwere Zugwinde *f*.

calisson [kali'sõ] *m* Mandeltörtchen *n*.

calleux [ka'lø] *adj.* (7d) schwielig, rauh.

calligra|phe [kali'graf] *adj. u. m* kalligraphisch; Schönschreiber *m*; **~phie** [~'fi] *f* Schönschreibekunst *f*; **~phique** [~'fik] *adj.* □ kalligraphisch.

callosité [kalozi'te] *f* Hornhaut *f*, Schwiele *f*; Unempfindlichkeit *f*.

calmant [kal'mɑ̃] *adj.* (7) *u. m* schmerzlindernd(es Mittel *n*); Beruhigungsmittel *n*.

calmar *zo.* [kal'ma:r] *m* Tintenfisch *m*.

calme [kalm] **I** *adj.* **1.** ruhig, still; windstill; gelassen; ✝ flau; **II** *m* **2.** Wind-, Meeres-stille *f*; ~ *plat* völlige Windstille *f*; **3.** *fig.* Gemütsruhe *f*, Gelassenheit *f*, Gleichmut *m*; Ruhe *f*, Friede(n) *m*; *écol. du* ~! Ruhe!; ✝ ~ *des affaires* Geschäftsstille *f*, Flaute *f*.

calmer [kal'me] (1a) **I** *v/t.* beruhigen, zur Ruhe bringen, besänftigen; beschwichtigen; Schmerz lindern; **II** *v/rfl. se* ~ sich beruhigen, ruhig werden; *le vent se calme* der Wind legt sich; *la douleur se calme* der Schmerz läßt nach.

calmir ⚓ [kal'mi:r] *v/i.* (6a) ruhig werden; *la houle se calmit* die Drift (*od.* die Dünung) wird ruhig.

calomel ⚕, *phm.* [kalɔ'mɛl] *m* Quecksilberchlorid *n*; *phm.* Kalomel *n* (*Abführmittel*).

calom|niateur [kalɔmnja'tœ:r] *adj. u. su.* (7f) verleumderisch; Verleumder *m*; **~nie** [~'ni] *f* Verleumdung *f*, Anschwärzung *f*; **~nier** [~'nje] *v/t.* (1a) verleumden, fälschlich beschuldigen, anschwärzen; ~ *les intentions de q.* j-s Absichten falsch deuten; **~nieux** [~'njø] *adj.* (7d) □ verleumderisch.

calorescence *phys.* [kalɔrɛ'sɑ̃:s] *f*

Kaloreszenz *f*, Verwandlung *f* von Wärme in Licht.

caloricité [kalɔrisi'te] *f physiol.* Lebenswärme *f*.

calorie *phys.* [kalɔ'ri] *f* Kalorie *f*, Wärmeeinheit *f*; *petite ~* Grammkalorie *f*.

calori|fère [kalɔri'fɛ:r] **I** *adj.* Wärme (ent)haltend; **II** ⊕ *m* (Dampf-) Heizungsanlage *f*, Dampfheizung *f*; *~ à air chaud (à eau chaude, à vapeur)* Warmluft- (Warmwasser-, Dampf-)heizung *f*; **~fiant** [~'fjɑ̃] *adj.* (7) erwärmend; **~fication** [~fikɑ'sjɔ̃] *f* Wärmeerzeugung *f*; **~fier** [~'fje] *v/t.* (1a) wärmen; **~fique** [~'fik] *adj.* wärmeerzeugend, erwärmend, Wärme..., Heiz...; **~fuge** [~'fy:ʒ] *adj. u. m* wärmeisolierend; Wärmeschutzmittel *n*; **~fugé** [~fy'ʒe] *adj.* wärmeisoliert; **~fugeage** [~fy'ʒa:ʒ] *m* Wärmeschutz *m*; **~fuger** [~fy'ʒe] *v/t.* (1f) *Wärme* isolieren; **~mètre** [~'mɛtrə] *m* Hitze-, Wärme-messer *m*; **~métrie** *phys.* [~me'tri] *f* Wärmemessungslehre *f*; **~métrique** [~me'trik] *adj.* kalorimetrisch, Wärmemeß...; **~que** *phys.* [~'rik] **I** *m* Wärme *f*; *~ latent* gebundene Wärme *f*; *~ spécifique* spezifische Wärme *f*; **II** *f* Kalorik *f*, Wärmelehre *f*; **III** *adj.* Wärme..., Heiz...; **~sation** ⊕ [~zɑ'sjɔ̃] *f* Kalorisierung *f*; **~ser** ⊕ [~'ze] *v/t.* (1a) kalorisieren.

calot [ka'lo] *m* **1.** Schieferklumpen *m*; **2.** ⚔ Feldmütze *f*, Dienstmütze *f*, Käppi *n*; **3.** *~ chinois* Chinesenkappe *f* (*Damenmode*); **4.** * Auge *n*; s. *ribouler*; **5.** große Spielkugel *f*.

calotin *péj.* [kalɔ'tɛ̃] *m* Pfaffe(nkerl *m*) *m*.

calot|te [ka'lɔt] *f* **1.** Käppchen *n*; *~ à oreilles* Ohrenklappe *f*; **2.** Priestermütze *f*; P *péj.* Pfaffen-volk *n*, -gesindel *n*; *~ rouge de cardinal* Kardinalskäppchen *n*; *porter la ~* Priester sein; **3.** ⩓ Kugelabschnitt *m*; **4.** ⊕ Deckel *m*; *~ d'aspiration* Pumpenkappe *f*; **5.** F *~ des cieux* Himmelsgewölbe *n*; **6.** F Katzenkopf *m*, leichte Ohrfeige *f*; **7.** ⚕ *~ crânienne* Schädeldecke *f*; *~ d'une dent* Zahnkappe *f*; **8.** *géol.* *~ glacière* Eiskappe *f*, Inlandeis *n*; **~ter** [kalɔ'te] *v/t.* (1a) **1.** F leicht ohrfeigen; **2.** * klauen.

cal|quage [kal'ka:ʒ] *m* Durchzeichnen *n*, -pausen *n*, Durchpausung *f*; **~que** [kalk] *m phot.*, ⊕ Durch-zeichnung *f*, -pausung *f*, Pause *f*, Kopie *f*; *fig.* sklavische Nachahmung *f*; Konterfei *n*; *gr.* sprachliche Nachbildung *f*; *phot.* Blaupause *f*; *papier ~* Blaupapier *n*; **~quer** [kal'ke] (1m) **I** *v/t.* durchzeichnen, -pausen; *fig.* sklavisch nachbilden; **II** *v/rfl.*: *se ~ sur q.* j-n nachahmen; **~queur** [~'kœ:r] *su.* (7g) Durchzeichner *m*.

calumet [kaly'mɛ] *m* (indianische Friedens-)Pfeife *f*; *fig. fumer le ~ de la paix* die Friedenspfeife rauchen, sich wieder vertragen.

calus [ka'lys] *m* Schwiele *f*; *fig.* Kaltherzigkeit *f*.

calvados [kalva'do:s] *m* Apfel-schnaps *m*.

Calvaire [kal'vɛ:r] *m* **1.** *le ~* Golgatha *n*; **2.** *le* ♀ der Kalvarienberg; *Kunst*: die Passion; **3.** ♀ *fig.* dornenvoller Weg *m*.

calvinis|me [kalvi'nism] *m rl.* Kalvinismus *m*, Kalvins Lehre *f*; **~te** [~'nist] *rl. adj. u. su.* kalvinistisch, Kalvinist *m*.

calvitie [~'si] *f* Kahlköpfigkeit *f*.

camaïeu [kama'jø] *m* (5b) einfarbiges Gemälde *n*; *en ~* grau in grau.

camail [ka'maj] *m* (*nur im sg.*) **1.** Bischofspelerine *f* mit Kappe; **2.** *hist.* Hals- u. Schulterpanzerung *f* (*e-r Rüstung*), Helmdecke *f*; **3.** Hals- u. Rückengefieder *n* gewisser Vögel (*z.B. des Hahns*).

camarade [kama'rad] *su.* Kamerad *m*, *bsd. pol.* Genosse *m*; Mitschüler *m*; *~ de voyage* Reisegefährte *m*; *~ de jeu* Spiel-gefährte *m*, -gefährtin *f*; *~ de (od. du) travail* Arbeitskamerad *m*, -kameradin *f*; **~rie** [~ra'dri] *f* Kameradschaft *f*; *péj. les ~s pl.* die Cliquenwirtschaft *f/sg*.

camard [ka'ma:r] *adj.* (7) stupsnasig; *nez m ~* Stupsnase *f*.

camarde *litt.* [ka'mard] *f* Tod *m*, Freund *m* Hein P.

camarilla [kamari'lja] *f* Kamarilla *f*, Clique *f*.

camaro P [kama'ro] *m* = *camarade*.

camb|ial [kɑ̃'bjal] *adj.* (5c) auf Wechselgeschäfte bezüglich; **~iste** [~'bist] *m* Wechselmakler *m*.

Cambodg|e *géogr.* [kɑ̃'bɔdʒ]: *le ~* Kambodscha *n*; ♀**ien** [~'dʒjɛ̃] *adj.* (7c) kambodschanisch.

cambou|is [kɑ̃'bwi] *m* dickgewordene Wagenschmiere *f*; altes Schmieröl *n*; **~isé** [~bwi'ze] *adj.* schmierig.

cam|brage [kɑ̃'bra:ʒ] *m* Krümmung *f*; **~bré** [~'bre] *adj.* rundlich, geschweift; krummbeinig; *jambes f/pl. ~es* Säbelbeine *n/pl.*; *pied m ~* leicht gewölbter Fuß *m*; *taille f ~e* hohles Kreuz *n*; **⁓brement** [⁓brə'mɑ̃] *m* Krümmung *f*; **⁓brer** [⁓'bre] (1a) **I** *v/t.* krümmen; wölben; ⁓ *le torse* sich in die Brust werfen; ⁓ *la taille pour se donner un air martial* sich aufplustern, um sich ein kriegerisches Aussehen zu geben; **II** *v/rfl.* se ⁓ sich krümmen; *fig.* sich in die Brust werfen.

cambrien *géol.* [kɑ̃bri'ɛ̃] **I** *adj.* (7c) kambrisch; **II** *m* Kambrium *n.*

cambrio|lage [kɑ̃briɔ'la:ʒ] *m* Einbruch *m*; **⁓le** P [⁓bri'ɔl] *f* Einbrecherclique *f*; **⁓ler** [⁓'le] *v/t. u. v/i.* (1a) einbrechen; ⁓ *une villa* in e-e Villa einbrechen; *fig.* ⁓ *le cœur de q.* j-s Herz erobern; **⁓leur** [⁓'lœ:r] *su.* (7g) Einbrecher *m.*

cambrous|ard * [kɑ̃bru'za:r] *su. u. adj.* (7) Bauer *m*; Bäuerin *f*; vom Lande, bäuerisch; **⁓(s)e** P [kɑ̃'bru:z, ⁓'brus] *f* Feld *n.*

cambrure ⊕ [kɑ̃'bry:r] *f* Bogenkrümmung *f*, Schweifung *f*, Spann *m.*

cambu|se [kɑ̃'by:z] *f* **1.** ⚓ Proviantkammer *f*, Kombüse *f*; **2.** P Bruchbude *f*; **3.** Bauplatzkantine *f*; **4.** *péj.* Kaschemme *f*; **⁓sier** ⚓ [⁓by'zje] *m* Bottler *m*, Proviantmeister *m*, Kantinenwirt *m.*

came [kam] *f* **1.** ⊕ Nocken *m*; *arbre à ⁓s* Nockenwelle *f*; **2.** F = *⁓lote*; **3.** P Kokain *n*; Rauschgift *n.*

camé P [ka'me] *adj.* rauschgiftsüchtig.

camée [ka'me] *m* Kamee *f.*

caméléon [kamele'ɔ̃] *m* Chamäleon *n*; *fig. péj.* Mantelträger *m.*

camélia ⚘ [kame'lja] *m* Kamelie *f.*

camelot [kam'lo] *m* **1.** Zeitungsausrufer *m*; Markt-, Straßen-händler *m*, Trödler *m*; **2.** ⁓ *du roi pol.* Königstreue(r) *m*, Royalist *m*, Anhänger *m* der Action française; s. *dort.*

camelo|te F [kam'lɔt] *f* Ramsch *m*, Schleuderware *f*, Schund *m*; Pfuscherei *f*; Kram *m*; **⁓tier** [⁓lɔ'tje] *su.* (7b) Ramschhändler *m.*

caméra *cin.* [kame'ra] *f* Kamera *f*, Kinogerät *n*, Filmapparat *m*; ⁓ *pour film de 8 ou 16 mm* Schmalfilmkamera *f*; ⁓ *à plan-films* Planfilmkamera *f*; ⁓ *automatique* Kamera *f* mit Selbstauslöser; ⁓ *télescopique* Fernkamera *f.*

camé|rier [kame'rje] *m* päpstlicher Kammerherr *m*; **⁓rière** [⁓'rjɛ:r] *f*, **⁓riste** [⁓'rist] *f* **1.** *ehm.* Kammerfrau *f*, Zofe *f* (*bsd. in Spanien*); **2.** F Dienstmädchen *n.*

camerluche P [kamɛr'lyʃ] *m* = *camaro* = *camarade.*

camion [ka'mjɔ̃] *m* **1.** *Auto*: Lastauto *n*, Lastkraftwagen *m*, LKW *m*; ⁓ *basculant d'arrière* Hinterkipper-LKW *m*; ⁓ *à châssis surbaissé* Tieflader *m*; ⁓ *logis* Wohnwagen *m*; ⁓ *à benne basculante* Kipper *m*, LKW *m* mit Kippvorrichtung; ⁓ *dépanneur* Abschleppwagen *m*; *⁓-poubelle m* Müllauto *n*; **2.** Rollwagen *m*; **3.** Farbtopf *m der Anstreicher*; **⁓-grue** [⁓'gry] *m* (6a) Kranwagen *m*; **⁓nage** [⁓mjɔ'na:ʒ] *m* **1.** An- u. Abfuhr *f*; Transport *m*; **2.** Rollgeld *n*; Transportkosten *pl*; **⁓-navette** [kamjɔ̃na'vɛt] *m* **1.** *Auto*: Pendelwagen *m*; **2.** ⚒ Förderwagen *m*, Hund *m*, shuttle-car *m*; **⁓ner** [⁓mjɔ'ne] *v/t.* (1a) mit e-m Last(kraft)wagen befördern; abrollen; ab-, weg-fahren; **⁓nette** *Auto* [kamjɔ'nɛt] *f* Lieferwagen *m*; **⁓neur** [⁓'nœ:r] *m* Lastwagen-fahrer *m*, -besitzer *m*; Rollkutscher *m.*

camisole [kami'zɔl] *f*: ⁓ *de force* Zwangsjacke *f.*

camomille ⚘ [kamɔ'mij] *f* Kamille *f*; *infusion f de ⁓* Kamillentee *m.*

camoufl|age *bsd.* ⚔ [kamu'fla:ʒ] *m* Tarnung *f* (*a. fig.*); Einnebelung *f*, Verblendung *f*, Verdunkelung *f*; ⚔ *u. fig.* Verschleierung *f*; Verkleidung *f*, Schutzfarbe *f*; *fig.* Frisieren *n*; Verstellung *f*; ✝ ⁓ *d'un bilan* Bilanzverschleierung *f*; **⁓e** * [ka'muflə] *f* Kerze *f*; Lampe *f*; **⁓er** ⚔, *a. fig.* [⁓'fle] *v/t.* (1a) tarnen, verschleiern, verdecken, unkenntlich machen; *fig.* frisieren; ⁓ (*les lumières*) verdunkeln; *camouflé en blanc* weiß getarnt; **⁓et** [⁓'flɛ] *m* **1.** F schwere Kränkung *f*, verletzender Verweis *m*, Nasenstüber *m*; **2.** ⚔ Quetschmine *f.*

camp [kɑ̃] *m* **1.** (Feld-, Heer-, Zelt-)Lager *n*; ⁓ *de transit* Durchgangslager *n*; ⁓ *de travail* Arbeitslager *n*; ⁓ *de vacances* Ferienlager *n*; ⁓ *d'aviation* Militärflugplatz *m*; ⁓ *de concentration* Konzentrationslager *n*; KZ *n*; ⁓ *d'instruction*, ⁓ *de formation mst. pol.* Schulungslager *n*; ⁓ *d'instruction* Truppenübungsplatz *m*; ⁓ *retranché* Schanze *f*, Feldschanze *f*, befestigter Platz *m*; ⁓ *volant* a) kleines Streifkorps *n*; b) Nomaden-, Zigeunerlager *n*; *fig. vivre en ⁓ volant* ein Nomadenleben führen, keine feste Bleibe haben; *la garde du ⁓* die Leibwache; *lit m de ⁓* Feldbett *n*;

Pritsche *f*; *vie f des* ~*s* Soldatenleben *n*; *dresser un* ~ ein Lager aufschlagen; *lever le* ~ das Lager abbrechen; P *ficher* (*od.* *foutre*) *le* ~ sich aus dem Staub machen, das Weite suchen, verduften, sich davonmachen, abhauen P, türmen P, die Beine in die Hand nehmen; **2.** lagerndes Heer *n*; **3.** *pol.* Partei *f*, Lager *n*; *pol.* *le* ~ *socialiste* das sozialistische Lager; **4.** Campingplatz *m*.

campagnard [kɑ̃pa'ɲa:r] **I** *adj.* (7) **1.** auf dem Lande wohnend; Land...; **2.** ländlich; **3.** *péj.* bäurisch; **II** *m* Landmann *m*; *péj.* bäurischer Typ *m*, Bauernflegel *m*; ~**e** [~'ɲard] *f* Landfrau *f*; *péj.* Landpomeranze *f*.

campagne [kɑ̃'paɲ] *f* **1.** plattes Land *n*, Ebene *f*; (Acker-) Feld *n*; *poét.* Gefilde *n*; Flur *f*; *en pleine* ~ auf freiem Felde; *à la* ~ auf dem Lande; *la* ~ *est belle* die Felder stehen gut; *battre la* ~ die Gegend durchstreifen; *fig.* (herum-)faseln, phantasieren, abschweifen; **2.** Land *n* (*Gegensatz: Stadt*); *maison f de* ~ Landhaus *n*; *aller à la* ~ aufs Land gehen *od.* ziehen; *faire une partie de* ~ e-e Landpartie machen; **3.** ⚔ Feldzug *m*; *batterie f de* ~ Feldbatterie *f*; *pièce f de* ~ Feldgeschütz *n*; *service m en* ~ Felddienst *m*; *tenue f de* ~ Felduniform *f*; *en tenue de* ~ feld(marsch)mäßig; *faire une* ~ e-n Feldzug mitmachen; *entrer en* ~ ins Feld rücken; *fig.* *partir en* ~ *contre q.* gegen j-n vorgehen; *battre en rase* ~ in offener Feldschlacht schlagen (*od.* besiegen); **4.** ⚓ Seefahrt *f*; *vivres m/pl. de* ~ Schiffsproviant *m*; **5.** Arbeitssaison *f*; Jahr *n*; *une maison bâtie en deux* ~*s* ein in zwei Jahren erbautes Haus; **6.** *fig.* Hetzkampagne *f*; *fig.* Feldzug *m*; ~ *de mensonges*, ~ *mensongère* Lügen-kampagne *f*, -feldzug *m*; ~ *de propagande* Propagandafeldzug *m*; ~ *de publicité* Reklame-, Werbe-feldzug *m*.

campagnol *zo.* [kɑ̃pa'ɲɔl] *m* Feldmaus *f*.

campane [kɑ̃'pan] *f* **1.** ⌂ Kapitell *n*; **2.** *ehm.* Troddel *f*, Quaste *f*.

campanile ⌂ [kɑ̃pa'nil] *m* Kampanile *m*, einzeln stehender Glokkenturm *m*.

campa|nulacé [~nyla'se] *adj.* *u.* ~*es f/pl.* glockenförmig(e Blumen *f/pl.*); ~**nule** ⚘ [~'nyl] *f* Glockenblume *f*.

campé [kɑ̃'pe] *adj.* (7) **1.** ~ *sur* feststehend auf (*dat.*); **2.** *bien* ~ a) stattlich, robust; b) gutsituiert; c) *thé.* lebendig dargestellt; *Bericht*: gut aufgebaut.

campement [kɑ̃p'mɑ̃] *m* **1.** Lagern *n*; Zelten *n*; *matériel m et effets m/pl. de* ~ Lagergerät *n*; **2.** Lagerplatz *m*; **3.** ⚔ (Feld-)Lager *n*; **4.** Quartiermacherkommando *n*.

camper [kɑ̃'pe] **I** *v/i.* campen, zelten, im Zelt (*od.* in Zelten) schlafen; *fig.* vorübergehend wohnen; ~ *sauvage* wild campen; **II** *v/t.* lagern *od.* zelten lassen; *cin.*, *litt.*, *peint.* skizzieren; darstellen; F aufstülpen (*Hut*); F ~ *là q.* j-n sitzenlassen; ~ *qch. à q.* j-m etw. verpassen; *thé.* *fig.* *bien* ~ *un personnage* e-e Person gut u. lebendig darstellen; **III** *v/rfl.* *se* ~ sich hinpostieren; sich hinfläzen, sich hinlümmeln.

campeur [kɑ̃'pœ:r] (7g) **I** Campingfreund *m*, -ausflügler *m*, -reisende(r) *m*, Camper *m*; **II** *adj.* *nation f campeuse* Campingnation *f*.

camph|re ['kɑ̃:frə] *m* Kampfer (-stoff *m*) *m*; ~**rer** [kɑ̃'fre] *v/t.* (1a) Pelz mit Kampfer einmotten.

campine * [kɑ̃'pin] *m od. f* Zirkus-, Zigeuner-wagen *m*.

camping [kɑ̃'piŋ] *m* (*ohne pl.*) Camping *n*, Zelten *n*; ~ *pédestre* Zeltwandern *n*; *matériel m de* ~ Campingausrüstung *f*; *terrain m de* ~ Campingplatz *m*.

campisme [kɑ̃'pism] *m* Campen *n*.

campos F, *bsd. écol.* [kɑ̃'po] *m* Freizeit *f*; *allg.* Urlaub *m*; *avoir* ~ freihaben; *donner* ~ freigeben; *se donner* ~ blauen Montag machen.

campus ⌂ [kɑ̃'pys] *m* moderne Universitätsanlage *f*.

camus [ka'my] *adj.* (7) stups-, plattnasig; platt (*Gesicht*); *fig.* *en rester* ~ betroffen (*od.* F platt, sprachlos) sein.

canadienne [kana'djɛn] *f* Überzieher *m* (*oft mit Pelzkragen*).

canaille [ka'nɑ:j] **I** *f* **1.** Gesindel *n*, Lumpenpack *n*, Pöbel *m*; **2.** Lump *m*, Schuft *m*, Schurke *m*; *franche* ~ Schweinehund *m* P, Erzschuft *m*, durchtriebener Schurke *m*; *im Deutschen nur adj.*: *fig.* ausgekocht F; **3.** F *petite* ~ kleiner Schlingel *m*; *ces* ~*s de rats* diese verfluchten Ratten; **II** *adj./inv.* pöbelhaft, niederträchtig, gemein; ausgekocht; F schelmisch; *des propos* ~ gemeine Reden *f/pl.* (*od.* Äußerungen *f/pl.*); ~**rie** [kanɑj'ri] *f* Gemeinheit *f*,

Niederträchtigkeit *f*, Schurkerei *f*.

canal [ka'nal] *m* (5c) **1.** Kanal *m*; Wasserleitung *f*, Rinne *f*, Gosse *f*; *canaux m/pl. d'arrosage od. d'irrigation* Bewässerungskanäle *m/pl.*; *canaux m/pl. de desséchement* Entwässerungskanäle *m/pl.*; **2.** *fig.* Vermittlung *f*; *vous obtiendrez tout par le ~ de M. Lecomte* Sie werden alles durch (*od.* über) Herrn L. erreichen; **3.** Flußbett *n*; Meerenge *f*; **4.** ⊕, ♀ *u. anat.* Röhre *f*; Rinne *f*; Gang *m*; *~ intestinal* Darmkanal *m*.

canali|cule [kanali'kyl] *m* Röhrchen *n*; **~sable** [~'zablə] *adj.* kanalisierbar; **~sateur** [~za'tœ:r] **1.** *adj.* (7f) kanalisierend; **2.** *m* (7f) Kanalbauer *m*; **~sation** [~zɑ'sjɔ̃] *f* Kanalisation *f*, Kanalisierung *f*, Anlegung *f* von Kanälen; Kanalnetz *n*; *Auto*: *~ d'essence* Treibstoffsystem *n*; *~ électrique* Stromzuleitung *f*; *~ de graissage* Ölzuleitung *f*; **~ser** [~'ze] *v/t.* (1a) **1.** kanalisieren, mit Kanälen durchziehen; **2.** schiffbar machen; **3.** *fig.* vereinen, zs.-bringen, zs.-stellen.

canamelle ♀ [kana'mɛl] *f* Zuckerrohr *n*.

canapé [kana'pe] *m* **1.** Kanapee *n*, Sofa *n*; **2.** *cuis.* belegte, geröstete Brotschnitte *f*; **~-lit** [~'li] *m* (6a) Bettcouch *f*.

canard [ka'na:r] *m* **1.** Ente *f*; *~ (mâle)* Erpel *m*, Enterich *m*; *fig. trempé comme un ~* pudelnaß; *froid m de ~* Hunde-, Sau-kälte *f* F; **2.** F *fig.* Lügenmeldung *f*, Ammenmärchen *n*, (Zeitungs-)Ente *f*; P Käseblättchen *n*; **3.** ♩ Mißton *m*; *faire un ~* überschnappen (*Stimme*); **4.** F mit Rum *od.* Schnaps getränkter Zuckerwürfel *m*; **5.** P *péj.* Gaul *m*, Klepper *m*.

canar|deau [kanar'do] *m* junge Ente *f*; **~der** [~'de] **I** *v/t.* *~ q.* aus gedeckter Stellung auf j-n schießen; j-n bepfeffern F; **II** *v/i.* falsch singen *od.* spielen; mit der Stimme überschnappen; ⚓ vorn leck sein; vorn zu tief gehen (*Schiff*); **~dier** [~'dje] *m* **1.** Entenjäger *m*; **2.** * marktschreierischer Ansager *m*; **~dière** [~'djɛ:r] *f* **1.** Entenhütte *f*; **2.** Ententeich *m*; **3.** Entenanstand *m*; **4.** Entenflinte *f*.

canari [kana'ri] **1.** *m* Kanarienvogel *m*; **2.** *adj./inv.* grünlich-gelb.

Canaries [kana'ri]: *les îles ~ f/pl.* die Kanarischen Inseln *f/pl.*

cancan [kɑ̃'kɑ̃] *m* **1.** *oft im pl.* Klatscherei *f*, Gewäsch *n*, Tratsch *m* P, Klatsch *m*, Gerede *n*; **2.** Cancan *m* (*Tanz*); **~er** [~ka'ne] *v/i.* (1a) tratschen P; Cancan tanzen; **~ier** [~'nje] (7b) **I** *adj.* klatschsüchtig; **II** *su.* Klatschmaul *n*; Klatschbase *f*, Waschweib *n* P.

cancel|lariat [kɑ̃sɛla'rja] *m* Kanzlerwürde *f*; **~ler** [~'le] *v/t.* (1a) durchstreichen, ungültig machen.

cancer [kɑ̃'sɛ:r] *m* **1.** ⚕ Krebs *m*; *~ de l'estomac* Magenkrebs *m*; **2.** *fig.* Krebsschaden *m*; **3.** *ast.* ♋ Krebs *m*.

cancé|reux ⚕ [kɑ̃se'rø] *adj. u. su.* (7d) krebsartig; Krebs...; Krebskranke(r) *m*; **~ride** *zo.* [~'rid] *m* Krabbenart *f*; **~rigène** ⚕ [~ri'ʒɛn] *adj.* (7) krebserzeugend; **~risation** ⚕ [~riza'sjɔ̃] *f* Krebsbildung *f*; **~rologie** ⚕ [~rɔlɔ'ʒi] *f* Krebsforschung *f*; **~rologue** ⚕ [~rɔ'lɔg] *su.* Krebsforscher *m*.

cancre ['kɑ̃:krə] *m* **1.** Krabbe *f*; **2.** F armer Schlucker *m*; **3.** Halsabschneider *m*; **4.** *écol.* Faul-pelz *m*, -tier *n*, schlechter Schüler *m*; Dussel *m*.

cancrelac *ent.* [kɑ̃krə'lak] *m* Schabe *f*, Kakerlak *m*.

cancroïde ⚕ [kɑ̃krɔ'id] *m* Hautkrebs *m*.

candélabre [kɑ̃de'lɑ:brə] *m* Armleuchter *m*; Lampenständer *m*.

candeur [kɑ̃'dœ:r] *f* Arglosigkeit *f*, Aufrichtigkeit *f*, Treuherzigkeit *f*, Offenherzigkeit *f*, Unbefangenheit *f*, Reinheit *f*, Kindlichkeit *f*; *~ de mœurs* Sittenreinheit *f*; *avec ~, en toute ~* treuherzig.

candi [kɑ̃'di] **I** *adj./m* kandiert; **II** *m* (*auch adj.*: *sucre m ~*) Zuckerkand *m*, Kandiszucker *m*; (*fruits m/pl.*) *~s* kandierte Früchte *f/pl.*

candi|dat [kɑ̃di'da] *su.* (7) Kandidat *m*, Bewerber *m* um ein Amt; Prüfling *m*; *~en philosophie* Kandidat *m* der Philosophie; *se porter ~* als Kandidat auftreten (*bei Wahlen*); *être ~ à un emploi* sich um e-e Stellung bewerben; *~ au suicide* Selbstmordkandidat *m*; **~dature** [~da'ty:r] *f* Kandidatur *f*, Bewerbung *f*; *poser sa ~ à un emploi* sich um e-e Stelle bewerben.

candide [kɑ̃'did] *adj.* □ aufrichtig, offen-, treu-herzig, ohne Falsch, unbefangen, arglos, kindlich; *bisw. auch su.* offenherziger Mensch *m*.

candider F [kɑ̃di'de] *v/i.* (1a) kandidieren, sich um ein Amt bewerben; *dafür besser*: *poser sa candidature*.

candiote *géogr.* [kɑ̃'djɔt] *adj. u.* 2 *su.* kandiotisch; Kandiote *m* (= kretisch; Kreter).
cane [kan] *f* weibliche Ente *f*; *marcher comme une* ~ watscheln.
canepetière *orn.* [kanpə'tjɛ:r] *f* Zwergtrappe *f.*
caner P [ka'ne] **I** *v/i.* Angst haben, ausrücken, (aus)kneifen, sich verdrücken, -krümeln, weglaufen, sich verkriechen; **II** *v/t.* ~ *l'école* die Schule schwänzen.
caneton [kan'tɔ̃] *m* junge Ente *f.*
canette [ka'nɛt] *f* **1.** kleine Ente *f*, Knäk-, Kriech-ente *f*; **2.** Bierflasche *f*; Flasche *f* Bier; Kanne *f* Bier; **3.** ⊕ Spule *f.*
canevas [kan'vɑ] *m* **1.** Stickgaze *f*, Kanevas *m*, Gittergewebe *n*; Siebtuch *n*; Segeltuch *n*; **2.** *fig.* erster Entwurf *m*, Plan *m*; Disposition *f*, Gliederung *f* (*Aufsatz*); **3.** *a.* ⚔ (Karten-)Gitternetz *n*; **4.** ♪ Wortmaß *n* für den Begleittext; *weitS.* der (Arien-)Text selbst.
cange ⚓ [kɑ̃:ʒ] *f* leichtes Nilboot *n.*
caniche [ka'niʃ] *m* Pudel *m*; ~ *royal* Königspudel *m.*
caniculaire [kaniky'lɛ:r] *adj.* **1.** *ast.* zum Hundsstern gehörig; **2.** *jours m/pl.* ~*s* Hundstage *m/pl.*; *chaleur f* ~ drückende (*od.* wahnsinnige F) Hitze *f.*
Canicule [kani'kyl] *f* **1.** *ast.* Hundsstern *m*, Sirius *m*; **2.** 2 Hundstage *m/pl.*
canif [ka'nif] *m* Taschen-, Federmesser *n.*
canin [ka'nɛ̃] *adj.* (7) Hunde...; *exposition f* ~*e* Hundeausstellung *f*; *fig. faim f* ~*e* Heißhunger *m*, Bärenhunger *m.*
canine [ka'nin] *f* Augen-, Eck- [zahn *m.*]
canitie [kani'si] *f* Grauwerden *n*, Ergrauen *n* (*des Haares*).
caniveau [kani'vo] *m* Rinne *f*, Rinnstein *m*, Abflußrinne *f*; Gosse *f*; *téléph.* Kabelgraben *m*; ⚡ Leitungskanal *m.*
canna|bique [kana'bik] *adj.*: ⚕ *euphorie f* ~ Haschischrausch *m*; ~**bis** [~'bis] *m* Haschisch *n*; ~**bisme** ⚕ [~'bism] *m* Haschischgenuß *m.*
cannage [ka'na:ʒ] *m* Stuhlflechten *n*; Rohrgeflecht *n.*
canne [kan] *f* **1.** Rohr *n*, Schilf *n*; ~ *à sucre* Zuckerrohr *n*; **2.** Rohrstock *m*; ~ *à pêche* Angelrute *f*; **3.** Spazierstock *m*; **4.** ~ *de verrier* Blasrohr *n* (*e-s Glasbläsers*); ~ *à pompe* Pumpenzylinder *m.*
canneberge ⚘ [kan'bɛrʒ] *f* Moosbeere *f.*
canneler [kan'le] *v/t.* (1c) *od.* (1d) auskehlen, riffeln.
cannel|le [ka'nɛl] *f* **1.** Zimt *m*, Zimtrinde *f*; *bâton m de* ~ Zimtstange *f*; *poudre f de* ~ gestoßener Zimt *m*; **2.** (Faß-)Hahn *m*; ~**lé** [kanɛ'le] *adj.* zimtfarben.
cannelure [kan'ly:r] *f* △ Aushöhlung *f*; ⊕ *u.* ⚘ Furche *f*, Rinne *f.*
canne-parapluie [kanpara'plɥi] *m* (6b) Stockschirm *m.*
canner [ka'ne] *v/t.* (1a) mit Rohr flechten; *chaise f cannée* Rohrstuhl *m.*
cannette [ka'nɛt] *f* **1.** ⊕ Spulröhrchen *n*; Schützenspule *f*; **2.** (Faß-)Hahn *m.*
canniba|le [kani'bal] *m* Kannibale *m*, Menschenfresser *m*; *fig.* Unmensch *m*; ~**lisme** [~'lism] *m* Kannibalismus *m*, Menschenfresserei *f*; *fig.* Grausamkeit *f.*
cannois [ka'nwa] *adj.* (7) aus Cannes.
can|oë [kanɔ'ɛ, ka'nu] *m* Kanu *n*; Paddelboot *n*; *faire du* ~ Kanu fahren; paddeln; ~**oéisme** [~nɔe'ism] *m* Paddeln *n*; ~**oéiste** [~nɔe'ist] *su.* Kanu-fahrer *m*, -sportler *m*, Paddler *m.*
canon[1] [ka'nɔ̃] *m* **1.** Kanone *f*, Geschütz *n*; *coll.* Artillerie *f*; *feu m du* ~ Geschützfeuer *n*; *gros* ~ schweres Geschütz *n*; ~ *rayé* gezogene Kanone *f*; ~ *d'accompagnement*, ~ *d'infanterie* Begleit-, Infanterie-geschütz *n*; ~ *atomique* Atomgeschütz *n*; ✈ ~ *d'avion* Bord-geschütz *n*, -kanone *f*; ~ *de campagne*, ~ *de siège* Feld-, Belagerungs-geschütz *n*; ~ *automatique anti-aérien* Maschinenflak *f*; ~*contre-torpilleur* Torpedoabwehrgeschütz *n*; ~ *monté sur rails*, ~ *sur voie ferrée* Eisenbahngeschütz *n*; ~ *à tir rapide* Schnellfeuergeschütz *n*; ~ *sur plate-forme* Sockelgeschütz *n*; ~*-revolver* Revolverkanone *f*; ~ *long* Langrohrgeschütz *n*; ~ *de tranchée* Grabenkanone *f*; ~ *de défense rapprochée* Sturmabwehrgeschütz *n*; ~ *antiaérien*, ~ *de D.C.A.* Flak *f*, Fliegerabwehrgeschütz *n*; ~ *antichar* Pak *f*, Panzerabwehr-geschütz *n*, -kanone *f*; *coup m de* ~ Kanonenschuß *m*; *volée f de* ~ Geschützsalve *f*; *le bruit du* ~ der Kanonendonner; *à la portée du* ~ in Geschütznähe; *chair f à* ~ Kanonenfutter *n*; **2.** ~*-lance m* Wasserkanone *f*; **3.** Lauf *m*, Rohr *n*; ⊕ *rad.* Röhre *f*; **4.** ~ *d'une clef* Höh-

lung *f* e-s Schlüssels; Schlüsselrohr *n*; ~ *de pompe* Pumpen-stiefel *m*, -zylinder *m*; ~ *d'une seringue* Spritzenrohr *n*; ~ *de gouttière* Abfall-, Ausguß-rohr *n*; **5.** *zo.* Schienbein *n* des Pferdes; **6.** P *fig.* Glas *n* *od.* Flasche *f* Wein.

canon[2] [ka'nɔ̃] *m* **1.** Regel *f*, Muster *n*, (Kirchen-)Satzung *f*, (Glaubens-) Vorschrift *f*; (*auch adjt.*: *droit m* ~) Kirchenrecht *n*; **2.** ~ *des écritures* kanonische Bücher *n/pl.*; Verzeichnis *n* der Heiligen *od. a.* der Klassiker des Altertums; **3.** ~ *de la messe* Messekanon *m*; Meßgeräte *n/pl.*; **4.** ♪ Kanon *m*, Kreisfuge *f*, fortlaufende Fuge *f*.

canon|-culasse ⚔ [kanɔ̃ky'las] *m* (6b) Hinterlader *m*; **~-harpon** [~ar'pɔ̃] *m* (6b) Harpunierkanone *f*.

cano|nial [kanɔ'njal] *adj.* (5c) □ **1.** kanonisch, vorschriftsmäßig; *heures f/pl.* ~*es* Stundengebete *n/pl.*; **2.** domherrlich; *maison f* ~*e* Domstift *n*; **~nicat** [~ni'ka] *m* Domherrenpfründe *f*, Kanonikat *n*; **~nicité** *rl.* [~nisi'te] *f* kanonische Übereinstimmung *f*; **~nique** [~'nik] *adj.* □ kirchlich gültig; *droit m* ~ Kirchenrecht *n*, kanonisches Recht *n*; **~nisable** [~ni'zablə] *adj.* würdig, heiliggesprochen zu werden; **~nisation** [~niza'sjɔ̃] *f* Heiligsprechung *f*; **~niser** [~ni'ze] *v/t.* (1a) **1.** heiligsprechen; **2.** für kanonisch erklären; **~niste** [~'nist] *su.* Kirchenrechtler *m*.

canon-lance [kanɔ̃'lɑ̃:s] *m* Wasserkanone *f*.

canonna|de [kanɔ'nad] *f* Kanonade *f*, Kanonen-donner *m*, -feuer *n*; **~ge** *artill.* [~'na:ʒ] *m* **1.** Beschießung *f*; **2.** Kanonierkunst *f*.

canon|ner [kanɔ'ne] *v/t.* (1a) (mit Kanonen) beschießen; **~nier** [~'nje] *m* Artillerist *m*; ⚓ *maître m* ~ Feuerwerker *m*; **~nière** [~'njɛ:r] *f* **1.** Kanonenboot *n*; **2.** Schießscharte *f*.

canon|-obusier [kanɔ̃ɔby'zje] *m* (6a) Haubitzengeschütz *n*; **~-revolver** [~rəvɔl'vɛ:r] *m* (6a) Revolvergeschütz *n*.

canopie ✈, ⚓ [kanɔ'pi] *f* Bettkoje *f*.

canot [ka'no] *m* Boot *n*, Kahn *m*; ~ *à huit rameurs* Achter *m*; ~ *à voiles* Segelboot *n*; ~ *de course* Rennboot *n*; ~ *à grande vitesse* Schnellboot *n der Polizei usw.*; *faire du* ~ rudern; segeln; ~ *automobile* Motorboot *n*; ~ *de plaisance* Gondel *f*; ~ *pliant* Faltboot *n*; ~ *pneumatique* Schlauchboot *n*; ~ *de sauvetage* Rettungsboot *n*; *faire une partie de* ~ e-e Bootsfahrt machen.

cano|tage [kanɔ'ta:ʒ] *m* Rudersport *m*, Wassersport *m*, Rudern *n*, Stilrudern *n*; Kahnfahren *n*; ~ *à voile* Segelsport *m*; **~ter** [~'te] *v/i.* (1a) rudern; Kahn fahren; segeln; **~tier** [~'tje] *su.* (7b) **1.** Ruderer *m*; Kahnfahrer *m*; **2.** flacher Strohhut *m*, Kreissäge *f fig.*

cant [kɑ̃:t] *m* Scheinheiligkeit *f*.

cantabile ♪ [kɑ̃ta'bil] *m* Kantabile *n*.

cantaloup ⚘ [kɑ̃ta'lu] *m* Kantalupe *f*, Warzenmelone *f*.

canta|te ♪ [kɑ̃'tat] *f* Kantate *f*; **~trice** [~'tris] *f* Berufssängerin *f*; Sängerin *f* von Genrestücken; Opernsängerin *f*.

cantharide *ent.* [kɑ̃ta'rid] *f* Kantharide *f*, spanische Fliege *f*.

cantilène ♪ [kɑ̃ti'lɛn] *f* Kantilene *f*, eintöniger Gesang *m*.

canti|ne [kɑ̃'tin] *f* **1.** Kantine *f*; ~ *populaire* Volksküche *f*; **2.** ⚔ ~ *d'officier* Offizierskoffer *m*; **~nier** [~'nje] *su.* (7b) **1.** Kantinenwirt *m*; **2.** *ehm.* Marketender *m*.

cantique [kɑ̃'tik] *m* **1.** Lobgesang *m*; F Loblied *n*, Litanei *f*; *le* ♀ *des* ~*s* das Hohelied Salomonis; **2.** Kirchenlied *n*, Choral *m*; *livre m de* ~*s* Gesangbuch *n*.

canton [kɑ̃'tɔ̃] *m* Bezirk *m*, Kreis *m*; (Wald-)Revier *n*; *Straßen-*, 🚂 *Strecken*-Abschnitt *m*; (Schweizer) Kanton *m*.

cantonade *thé.* [kɑ̃tɔ'nad] *f* **1.** Raum *m* hinter den Kulissen; **2.** *a. fig.* *parler à la* ~ in die *od.* aus den Kulissen sprechen; *allg.* in den Wind reden, vor leeren Bänken reden; vor sich hin reden; *monologue m à la* ~ Kulissenmonolog *m*.

cantonal [kɑ̃tɔ'nal] *adj.* (5c) zum Kreis gehörend; Bezirks...; Kantonal...

canton|nement [kɑ̃tɔn'mɑ̃] *m* Quartier *n*; Einquartierung *f*; 🚂 Block-system *n*, -anlage *f*; abgegrenztes Fisch-, Jagd- *od.* Weidegebiet *n*; ~ *permanent* Standquartier *n*; *bombarder les* ~*s ennemis* die feindlichen Stellungen bombardieren; **~ner** [~'ne] (1a) **I** *v/t.* einquartieren, unterbringen; **II** *v/i.* Quartier haben, einquartiert sein; **III** *v/rfl.* *se* ~ *allg.* zusammenhocken; *fig.* sich verschanzen; **~nier** [~'nje] *m* Straßen-, Strecken-, Chaussee-, Bahn-wärter *m*, -arbeiter *m*; **~nière** [~'njɛ:r] *f* ⊕ Winkeleisen *n*.

canul|ant P [kany'lɑ̃] *adj.* (7) lästig, aufdringlich; ungenießbar; **~ar** F [~'la:r] *m* Ulk *m*, Jokus *m* F, Schabernack *m*, Streich *m*.

canu|le [ka'nyl] *f* **1.** Röhrchen *n*; Flaschenfüllrohr *n*; *chir.* Kanüle *f*; **2.** Hahn *m* (*am Faß*); **3.** P langweiliger, lästiger Mensch *m*; Nervensäge *f*; **~lé** *adj.* röhrchenförmig; **~ler** P *v/t.* auf die Nerven fallen (*dat.*).

canut [ka'ny] *m*, **canuse** [ka'ny:z] *f* Lyoner Seidenheimarbeiter(in*f*) *m*.

caoutchouc [kau'tʃu] *m* **1.** Gummi *n u. m*, Kautschuk *m*; ~ *crêpé* Kreppgummi *m*; ~ *cannelé* geriffelter Gummi *m*; ~ *durci* Hartgummi *m*; *bas m de* (*od.* *en*) ~ Gummistrumpf *m*; *gant m en* ~ Gummihandschuh *m*; **2.** Gummiüberschuh *m*; **3.** Regenmantel *m*; **4.** Gummiband *n*; **5.** *Auto*, *vél.* F Decke *f*, Mantel *m*, Reifen *m*; **~-mousse** [~'mus] *m* Schaumgummi *m*.

caoutchout|er [kautʃu'te] *v/t.* (1a) mit Kautschuk überziehen; **~ier** [~'tje] *m* Kautschukhersteller *m*.

cap [kap] *m* **1.** Kap *n*, Vorgebirge *n*; ⚓ *doubler un* ~ ein Vorgebirge umsegeln; *fig.* *franchir un* ~ e-e Schwierigkeit überwinden, e-e Klippe umschiffen; **2.** ✈, ⚓ Kurs *m*; **3.** ⚓ Schiffsschnabel *m*, Vorderteil *m* des Schiffes; **4.** *fig.* *de pied en* ~ vom Scheitel bis zur Sohle.

capable [ka'pablə] *adj.* fähig, tüchtig, geschickt, brauchbar, imstande, geeignet, tauglich, leistungsfähig; ~ *de porter les armes* waffenfähig; ~ *de qch.* *od.* *de* (*mit inf.*) zu etw. fähig (geeignet *od.* imstande); fähig zu; ~ *de tout* zu allem fähig; ⚖ ~ *de discerner* zurechnungsfähig; ~ *d'ester en justice* prozeßfähig.

capacitaire *Fr.* [kapasi'tɛ:r] *su.*: ~ *en droit* Absolvent *m* e-s zweijährigen Jurastudiums.

capacité [kapasi'te] *f* **1.** Inhalt *m*, Raum *m*; Rauminhalt *m*; *mesures f/pl. de* ~ Hohlmaße *n/pl.*; **2.** *fig.* Fähigkeit *f*, Befähigung *f*, Geschicklichkeit *f*, Tüchtigkeit *f*, Brauchbarkeit *f*; ☤ ~ *de concurrence* Konkurrenzfähigkeit *f*; ~ *de l'esprit* Fassungsgabe *f*; ~ *visuelle* Sehleistung *f*; *avoir beaucoup de* ~*s* sehr befähigt sein; *manquer de* ~ unfähig (*od.* nicht befähigt) sein; **3.** ⚖ ~ *juridique* Rechtsfähigkeit *f*; ~ *de contracter* Geschäftsfähigkeit *f*; ~ *de paiement* (*de prestation*) Zahlungs-(Leistungs-)fähigkeit *f*; ~ *restreinte* beschränkte Geschäftsfähigkeit *f*; ~ *d'être parti au procès* Parteifähigkeit *f*; *possédant la* ~ *juridique* rechtsfähig; **4.** *fig.* fähiger Kopf *m*, Kapazität *f*, führender Wissenschaftler *m*; **5.** Ladefähigkeit *f*; Fassungsvermögen *n*; Arbeitsleistung *f*, Leistungsfähigkeit *f*; *géom.* Flächeninhalt *m*; Kapazität *f*; Verkehrsleistungsfähigkeit *f*; *Auto*: ~ *de montée* Steigfähigkeit *f*; *rad.* ~ *propre* Eigenkapazität *f*; ⚡ ~ *d'induction* Induktions-kapazität *f*, -vermögen *n*.

caparaçon [kapara'sɔ̃] *m* Pferdedecke *f*; **~ner** [~sɔ'ne] *v/t.* (1a) *e-m Pferd* die Decke auflegen.

capcom [kap'kɔm] *m* Hauptcomputer *m in Houston.*

cape [kap] *f* **1.** *hist.* Rittermantel *m*; **2.** ~ *magique* Tarnkappe *f*; **3.** Umhang *m*, Cape [kep] *n*; *fig.* *rire sous* ~ sich ins Fäustchen lachen; **4.** Deckblatt *n e-r Zigarre.*

capelan [ka'plɑ̃] *m* **1.** *icht.* Zwergdorsch *m*; **2.** F *Südfrankreich*: Priester *m*.

capeler ⚓ [ka'ple] *v/t.* (1c) **1.** das Tauwerk anlegen; ~ *un mât* e-n Mast zutakeln; **2.** * anziehen (*Oberkörperkleidung*).

capeline [ka'plin] *f* **1.** Kopfschal *m*; großer Damenhut *m*; Kapuze *f*; **2.** ⚕ Haubenverband *m*.

Capésien *Fr.*, *écol.* [kape'sjɛ̃] *su.* (7c) Student *m*, der sich auf das C.A.P.E.S. vorbereitet.

capharnaüm F [kafarna'ɔm] *m* Rumpelkammer *f*.

capil|laire [kapi'lɛ:r] **I** *adj.* haarartig, -förmig, -fein; Haar...; **II** *m* ♀ Frauenhaar *n*; **~larité** [~lari'te] *f* **1.** Haarförmigkeit *f*; **2.** *phys.* Kapillarität *f*, Haarröhrchenanziehung *f*; **3.** Langhaarigkeit *f*.

capilotade F [kapilɔ'tad] *f*: *mettre* (*od.* *réduire*) *q.* *en* ~ j-n kurz u. klein (*od.* zu Mus) schlagen; *j'ai la jambe en* ~ mein Bein tut weh.

capiston * ⚔ [kapis'tɔ̃] *m* Hauptmann *m*.

capitaine [kapi'tɛn] *m* **1.** Hauptmann *m*; ~ *de cavalerie* Rittmeister *m*; ~ *adjudant-major* Hauptmann *m* beim Stab; ~ *aviateur* Flugkapitän *m*; ~ *de corvette* Korvettenkapitän *m*; ~ *de vaisseau* Schiffskapitän *m*, Kapitän *m* zur See; ~ *marchand* Handelskapitän *m*; ~ *en premier* (*en second*) Hauptmann *m* erster (zweiter) Klasse; ~ *de port* Hafenmeister *m*; ~ *trésorier* ⚔ Zahlmeister *m*; **2.** Heerführer *m*, Feldherr *m*, Kriegsheld *m*; *pol.* Volksführer *m*; **3.** Bandenführer *m*; ~ *de voleurs* Räuberhauptmann *m*; **4.** *ehm.* Schloßhauptmann *m*; **5.** *Sport*: Mannschaftsführer *m*; **6.** ~ *d'industrie* Industriemagnat *m*, Großindustrielle(r) *m*.

capital [kapi'tal] **I** *adj.* (5c) **1.** hauptsächlich, wesentlich, vornehmst, Haupt...; *point m* ~ Hauptpunkt *m*; (*lettre f*) ~*e* großer Anfangsbuchstabe *m*; **2.** Todes...; *accusation f* ~*e* Anklage *f* auf Verhängung der Todesstrafe; *peine f* ~*e* Todesstrafe *f*; *sentence f* ~*e* Todesurteil *n*; *péché m* ~ Todsünde *f*; **II** *m* **3.** Hauptsache *f*; *se bien conduire, voilà le* ~ sich gut aufführen, das ist die Hauptsache; **4.** Kapital *n*; Grundstock *m* e-s Vermögens, Substanz *f*; ~ *initial* Anfangs-, Stamm-kapital *n*; ~ *liquide* (*versé*) flüssiges (eingezahltes) Kapital *n*; ~ *immobilisé* (*od. immobilier*) stehendes Kapital *n*; ~ *autorisé par le statut* satzungsmäßiges (zulässiges *od.* begebbares) Kapital *n*; ~ *d'épargne* (*de fondation*) Spar- (Gründungs-)kapital *n*; *capitaux m/pl.* Kapitalien *n/pl.*; *capitaux-actions* Aktienkapital *n*; ~ *improductif* totes Kapital *n*; ~ *social*, ~ *en actions* Gesellschafts-, Aktien-kapital *n*; ~ *à fonds perdu* auf Leibrenten angelegtes Kapital *n*; ~ *d'exploitation* (*od. de roulement*) Betriebskapital *n*.

capitale [kapi'tal] *f* **1.** Hauptstadt *f*; **2.** großer Anfangsbuchstabe *m*.

capitali|sable [kapitali'zablə] *adj.* kapitalisierbar; rentabel; ~**sation** [~za'sjɔ̃] *f* Kapitalisierung *f*; *fig.* Ansammeln *n*; ~**ser** [~'ze] (1a) **I** *v/t.* kapitalisieren; **II** *v/i.* Kapitalien anhäufen; **III** *v/rfl.* se ~ sich verzinsen; ~**sme** [~'lism] *m* Kapitalismus *m*; ~**ste** [~'list] *su. u. adj.* Kapitalist *m*, Kapitalgeber *m*; kapitalistisch.

capitan *péj.* [kapi'tɑ̃] *m* Aufschneider *m*, Maulheld *m*.

capitation *hist.* [kapita'sjɔ̃] *f* Kopfsteuer *f* (*bis 1789*).

capiteux [kapi'tø] *adj.* (7d) berauschend, zu Kopf steigend; *fig.* hinreißend, packend.

capiton [kapi'tɔ̃] *m* **1.** Sitzpolster *n*; **2.** grobe Flockseide *f*; ~**ner** [~tɔ'ne] *v/t.* (1a) auspolstern.

capitu|laire [kapity'lɛ:r] *adj.* **1.** zu einem Stift (*od.* Kapitel) gehörig; Stifts...; **2.** *typ.* *lettre f* ~ Initiale *f*; ~**lard** F [~'la:r] *m* Feigling *m*, Drückeberger *m*; *pol.* Miesmacher *m*, Defätist *m*; ~**lation** [~la'sjɔ̃] *f* **1.** Kapitulation *f*, Übergabe *f*; **2.** *fig.* Zugeständnis *n*, Vergleich *m*; ~**le** *rl.* [~'tyl] *m* Schlußgebet *n*; ~**ler** [~ty'le] *v/i.* (1a) kapitulieren, die Waffen strecken, sich ergeben; *fig.* sich zu e-m Vergleich bereit erklären.

capon F [ka'pɔ̃] (7c) **I** *su.* Feigling *m*, Memme *f*, Hasenfuß *m*, Duckmäuser *m*, Drückeberger *m*; **II** *adj.* feige; ~**ner** [kapɔ'ne] (1a) **I** F *v/i.* sich drücken, P kneifen; **II** *v/t.* ⚓ ~ *l'ancre* den Anker aufkatten.

capo|ral [kapɔ'ral] *m* (5c) **1.** Korporal *m*, Gefreite(r) *m*; **2.** *hist.* F *le petit* ♀ Napoleon I.; **3.** F *du* ~ Knaster *m* F (*schlechter Tabak*); ~**raliser** [~rali'ze] *v/t.* dem Militärregime unterwerfen; ~**ralisme** [~ra'lism] *m* Kasernenhofgeist *m*, Militärdiktatur *f*; *allg.* Autoritätsfimmel *m*.

capot [ka'po] **I** *m* **1.** ⚓ Regenschutzdecke *f*; **2.** ✈ Nase *f*; ⚓, ⊕ ~ *de cheminée* Schornsteinkappe *f*; ~ *de protection* Schutzkappe *f* (*gegen Regen*); ⊕ Schutzhaube *f*; **3.** *Auto*, ✈ Motorhaube *f*; *Auto*: ~ *avant* vordere Haube *f*; **II** *adj./inv.* *beim Kartenspiel*: matsch; F verdutzt; ⚓, ✈ *faire* ~ umschlagen, kentern; *Kartenspiel*: être ~ matsch werden, keinen Stich gemacht haben.

capotage [kapɔ'ta:ʒ] *m* **1.** *Auto* Sich-Überschlagen *n*; **2.** ✈ Kopfstand *m*, Überschlag *m*; **3.** ⊕ Haube *f*, Verkleidung *f*.

capo|te [ka'pɔt] *f* **1.** Mantel *m* mit Kapuze; Regen-, Soldaten-mantel *m*; **2.** *a. Auto*: Wagenverdeck *n*; **3.** Kinderhäubchen *n*; **4.** Schornsteinhaube *f*; **5.** V ~ *anglaise* Präservativ *n*; ~**ter** [kapɔ'te] (1a) **I** *v/t.* verdecken; **II** *v/i.* ✈ *u. Auto* sich überschlagen; ✈ abstürzen.

câpre ♀ ['kɑ:prə] *f* Kaper *f*; *cuis.* *sauce aux* ~*s* Kapernsoße *f*.

capri|cant ⚕ [kapri'kɑ̃] *adj.* (7) unregelmäßig (*Puls*); ~**ce** [ka'pris] *m* **1.** Laune *f*, Grille *f*, launiger Einfall *m*; Eigensinn *m*, Willkür *f*; **2.** Veränderlichkeit *f*, Wunderlichkeit *f*; **3.** ♪ Capriccio *n*, Fantasie (-stück *n*) *f*; ~**cieux** [kapri'sjø] *adj. u. su.* (7d) launenhaft(er), eigensinnig(er Mensch *m*).

capricorne [kapri'kɔrn] *m* **1.** *ent.* Holzbock *m*; **2.** *ast.* ♀ Steinbock *m*.

capron ♀ [ka'prɔ̃] *m* Ananaserdbeere *f*.

capson [kap'sɔ̃] *m* Gerät *n* zur Ermittlung von Erdbeben.

capsu|laire [kapsy'lɛ:r] *adj.* kapselförmig, -tragend; *fruit m* ~ Kapselfrucht *f*; **~lateur** [~la'tœ:r] *m* Flaschenverkapselmaschine *f*.

capsu|le [kap'syl] *f* **1.** Kapsel *f*; Einsatz *m* (*Gasmaske*); **2.** Mutterschiff *n*, Raumkapsel *f* (*Mondrakete*); **3.** ⚘ Samengehäuse *n*; **4.** ⚗ Abdampfschale *f*; **5.** ⚕ ~ *surrénale* Nebenniere *f*; **~ler** [~'le] *v/t.* (1a) verkapseln.

captage [kap'ta:ʒ] *m* Quellwasserversorgung *f*.

capta|teur ⚖ [kapta'tœ:r] *su.* (7f) Er(b)schleicher *m*; **~tion** [~ta'sjɔ̃] *f* **1.** ⚖ Erbschleicherei *f*, Erschleichung *f*; **2.** *rad.* Empfangsstärke *f*; **~toire** ⚖ [~'twa:r] *adj.* Erschleichungs..., Schwindel..., erschlichen.

capter [kap'te] *v/t.* (1a) **1.** erschleichen, erschwindeln, ergaunern; ~ *la confiance de q.* sich in j-s Vertrauen schleichen; **2.** *e-e Quelle* fassen; **3.** *rad.* ~ *un poste* e-e Station heranholen; **4.** *téléph.* ~ *un message* e-e Mitteilung abfangen (*od.* abhören).

capteur *inform.* [kap'tœ:r] *m*: ~ *d'information* Meßwertgeber *m*; ~ *téléphonique* Telefonadapter *m*.

captieux [kap'sjø] *adj.* (7d) □ verfänglich, bestechend, hinterlistig, trügerisch, arglistig; *question f captieuse* verfängliche Frage *f*.

captif [kap'tif] *adj.* (7e) **1.** *litt.* kriegsgefangen; **2.** gefangen; *ballon m* ~ Fesselballon *m*.

capti|vant [kapti'vɑ̃] *adj.* (7) *fig.* fesselnd; gewinnend, bezaubernd; **~ver** [~'ve] *v/t.* (1a) *fig.* fesseln, in s-n Bann ziehen, faszinieren, für sich gewinnen; ~ *l'attention* die Aufmerksamkeit auf sich lenken; **~vité** [~vi'te] *f* Gefangenschaft *f*.

captodeur ⊕ [kaptɔ'dœ:r] *adj./inv.* aromaschützend (*Kühlschrank*).

captu|re [kap'ty:r] *f* **1.** Fang *m*; **2.** ⚖ Verhaftung *f*, Ergreifung *f*; ~ *d'un criminel* Verhaftung *f* e-s Verbrechers; **3.** Wegnahme *f* zollpflichtiger Waren; ⚓ Prise *f*, Kapern *n*; ~ *d'un navire* Aufbringung *f* e-s Schiffes; **4.** (Kriegs-)Beute *f*; **~rer** [~ty're] *v/t.* (1a) fangen; erbeuten; wegnehmen; aufbringen; verhaften, ergreifen; ⚔ gefangennehmen.

capuche [ka'pyʃ] *f* Kapuze *f für Kinder*.

capuchon [kapy'ʃɔ̃] *m* Kapuze *f*, Kappe *f*; Mönchskappe *f*; Hülse *f* (*e-s Füllfederhalters*); *prendre le* ~ Mönch werden; *phot.* ~ *pare-lumière m* Lichtschacht *m* (*bei Spiegelreflexkamera*); **~ner** [~ʃɔ'ne] *v/t.* (1a) mit e-r Kappe bedecken.

capucin [kapy'sɛ̃] *m* **1.** Kapuzinermönch *m*; *fig.* Frömmler *m*, Betbruder *m*; *barbe f de* ~ langer Bart *m*; **2.** *zo.* Kapuzineraffe *m*; **3.** *orn.* Kapuzinertaube *f*; **4.** P *ch.* alter Hase *m*; **~ade** F [~si'nad] *f* **1.** Kapuzinerpredigt *f*, Strafpredigt *f*; **2.** seichtes Gerede *n*, Plattheiten *f/pl.*

capuci|ne [kapy'sin] **I** *f* **1.** Kapuzinernonne *f*; F *fig.* Betschwester *f*; **2.** ⚘ Kapuzinerkresse *f*; **II** *adj.* **3.** *couleur f* ~ Kapuzinerblumenfarbe *f* (*dunkel orangefarbig*); **4.** ⚔ Gewehrring *m*; **III** *advt. à la* ~ nach Kapuzinerart; **~nière** [~'njɛ:r] *f a. péj.* Kapuzinerkloster *n*; *allg.* fromme Sippschaft *f*.

capulet [kapy'lɛ] *m* (Damen-)Kapuze *f*.

caquage [ka'ka:ʒ] *m* Eintonnen *n*.

caque [kak] *f* Heringstonne *f*; *fig. serrés comme harengs en* ~ wie die Heringe zusammengepfercht; *prov. la* ~ *sent toujours le hareng* Prolet bleibt Prolet; der Apfel fällt nicht weit vom Stamm.

caquer [ka'ke] *v/t.* (1m) **1.** Heringe einsalzen; **2.** P kacken.

caquet [ka'kɛ] *m* **1.** Gackern *n*; Quaken *n*, Schnattern *n*; Schwatzen *n*; **2.** *fig.* Geschwätz *n*; ~*s pl.* (boshafte) Klatscherei *f*, Klatsch *m*; F *avoir le* ~ *bien affilé* ein gutes Mundwerk haben; F *rabattre le* ~ *à q.* (*od. de q.*) j-m das Maul stopfen, j-n zum Schweigen bringen; **~age** [kak'ta:ʒ] *m* = *caquet*; **~er** [kak'te] *v/i.* (1c) gackern; quaken, schnattern; *orn.* balzen; *fig.* plappern, schwatzen; **~erie** F [kakɛ'tri] *f* Geschwätz *n*; **~eur** F [kak'tœ:r] (7g) **I** *su.* Schwätzer *m*; Klatschbase *f*; **II** *adj.* schwatzhaft.

caqueur [ka'kœ:r] *su.* (7g) Heringseinsalzer *m*.

car[1] [ka:r] *cj.* denn.

car[2] [~] *m* Rundfahrtauto *n*, Reiseomnibus *m*; *cin.* ~ *de régie* Regiewagen *m*.

carabe *ent.* [ka'rab] *m* Laufkäfer *m*.

carabin F [kara'bɛ̃] *m* Medizinstudent *m*.

carabi|ne ⚔ [kara'bin] *f* Karabiner *m*; ~ *à air comprimé* Luftgewehr *n*; **~né** F [~'ne] *adj.* heftig, sehr scharf, gehörig, tüchtig; sehr übel, ganz gemein F; *recevoir une réprimande* ~*e* e-n scharfen Verweis erhalten;

un rhume ~ e-e heftige (*od.* üble) Erkältung *f*; ⚓ *brise f* ~*e* heftiger Wind *m*; **~nier** [~'nje] *m Italien*: Polizist *m*; *Spanien*: Zollbeamte(r) *m*; F *arriver comme les* ~*s* zu spät ankommen.

caracal *zo.* [kara'kal] *m* (*pl.* ~*s*) Luchskatze *f*.

caraco [kara'ko] *m* Mieder *n*; Jäckchen *n*.

caraco|le [kara'kɔl] *f* **1.** *escalier m en* ~ Wendeltreppe *f*; **2.** *man.* Schwenkung *f e-s Pferdes*; **~ler** [~'le] *v/i.* (1a) **1.** *faire* ~ *son cheval* sein Pferd schnell wenden, sein Pferd tanzen lassen; **2.** sich tummeln (*Pferd*).

caractère [karak'tɛ:r] *m* **1.** Schriftzeichen *n*, Buchstabe *m*; *fondeur m de* ~*s* Schriftgießer *m*; ~*s pl. d'écriture* Schreibschrift *f*; ~*s pl. gras* Fettdruck *m*; ~*s pl. d'imprimerie* Druckschrift *f*; ~*s pl. allemands* Fraktur *f*; ~*s pl. italiques* Kursiv (-schrift *f*) *f*; ~*s pl. romains* Antiqua *f*; ~*s pl. à journaux* (*od. à labeurs*) Brot- *od.* Werk-schrift *f*; ~*s pl. de fantaisie* Zierschrift *f*; *écrire en petits* (*gros*) ~*s* klein (groß) schreiben; **2.** Eigentümlichkeit *f*, Charakter *m*, Hauptmerkmal *n*, Erkennungszeichen *n*; ~ *distinctif* Merkmal *n*; ✈ Unterscheidungszeichen *n*; ~ *obligatoire* Rechtsverbindlichkeit *f*; ~ *avantageux*, ~ *lucratif* Rentabilität *f*; ~ *problématique* Problematik *f*; ~ *ethnique* Volkscharakter *m*; ~*s pl. héréditaires* Erbanlagen *f/pl.*; ~ *générique* Gattungsmerkmal *n*; **3.** Charakter *m*, Gemüts-, Sinnes-art *f*; Charakterstärke *f*; *trait m de* ~ Charakterzug *m*; *manquer de* ~ gesinnungslos sein; **4.** charakterfester Mensch *m*, Charakter *m*; **5.** Stand *m*, Titel *m*, Würde *f*; ~ *sacré* geistliche Würde *f*; **6.** *litt.* Figur *f*; ~*s pl.* Charakterschilderungen *f/pl.*; **7.** ⚖ ~*s pl. spécifiques d'un crime* Tatbestand *m* e-s Verbrechens.

caracté|riel *psych.* [karakte'rjɛl] *adj.* (7c) schwierig; Charakter...; **~risation** [~riza'sjɔ̃] *f* Charakterisierung *f*; **~risé** [~ri'ze] *adj.* ausgesprochen, glatt *fig.*, typisch; **~riser** [~ri'ze] (1a) **I** *v/t.* charakterisieren, treffend bezeichnen, kennzeichnen; **II** *v/rfl.* se ~ deutlich hervortreten; sein wahres Wesen zeigen; **~ristique** [~ris'tik] **I** *adj.* charakteristisch, bezeichnend; *trait m* ~ Wesenszug *m*; **II** *f* Charakteristik *f*; *gr.* Kennbuchstabe *m*; ⚕ Kennziffer *f*; ⊕ Charakteristikum *n*; ~*s pl.* technische Daten *n/pl. od.* Eigenschaften *f/pl.*

carafe [ka'raf] *f* Karaffe *f*; ~ *à eau* Wasserflasche *f*.

carambo|lage [karɑ̃bɔ'la:ʒ] *m* **1.** *bsd. Auto*, 🚗 Zusammen-stoß *m*, -prall *m*; **2.** Rauferei *f*; **3.** *bill.* Karambolieren *n*; **~ler** [~'le] *v/i.* (1a) **1.** *bsd. Auto*, 🚗 zusammen-stoßen, -prallen; **2.** *bill.* karambolieren.

carambouill|e [karɑ̃'buj] *f* Schwindelgeschäft *n*; **~eur** [karɑ̃bu'jœ:r] *m* Schieber *m*, (Kredit-)Schwindler *m*.

cara|mel [kara'mɛl] *m* brauner Zuckerkandis *m*, Karamelle *f*, Husten-, Brust-bonbon *m*; **~méliser** [~meli'ze] *v/t.* (1a) *Zucker* bräunen.

carapace [kara'pas] *f* **1.** Rückenschild *n* der Schildkröten; **2.** *at.* ~ *de béton* Betonklotz *m*.

carapater P [karapa'te] *v/i.*, *a. v/rfl.* se ~ (1a) auskneifen F, sich dünnmachen P, verduften P, türmen P.

caraque * *dial. Provence* [ka'rak] *m* Zigeuner *m*.

carat [ka'ra] *m* Karat *n*.

carava|ne [kara'van] *f* **1.** Karawane *f*; *Auto*: Wohnwagenanhänger *m*; **2.** *hist.* ~*s pl.* Kreuzfahrten *f/pl.* der Malteserritter; **3.** (Reise-) Gesellschaft *f*; **~neau** ⚓ [~'no] *m* Wohnschiff *n* (*für 4 – 10 Touristen*); **~neige** *Auto* [~'nɛ:ʒ] *m* Befahren *n* verschneiter Strecken mit e-m Wohnwagen; **~nier** [~'nje] *m* Karawanen-, Kamel-führer *m*; *Auto* Wohnwagenbesitzer *m*; **~ning** *Auto* [~'niŋ] *m* Campen *n* im Wohnwagen; **~niste** [~'nist] *su.* Teilnehmer *m* an e-r Karawane.

caravansérail [~vɑ̃se'raj] *m* **1.** Karawanserei *f* (*Orient*); **2.** internationaler Treffpunkt *m*; internationales Hotel *n*.

caravelle ⚓ *hist.*, ✈ [kara'vɛl] *f* Karavelle *f*.

carbet [kar'bɛ] *m* Bootsschuppen *m*.

carbochimique [karbɔʃi'mik] *adj.* Anilinfarben...

carboglace [karbɔ'glas] *f* Trockeneis *n*.

carbolique ⚗ [karbɔ'lik] *adj.* karbolsauer.

carbona|te ⚗ [karbɔ'nat] *m* kohlensaures Salz *n*; ~ *de potasse* kohlensaures Kali *n*; ~ *de soude* kohlensaures Natron *n*; **~ter** ⚗ [~na'te] *v/t. u.* se ~ (1a) **1.** mit Kohlensäure sättigen; **2.** (sich) in kohlensaures Salz verwandeln.

carbo|ne [kar'bɔn] *m* **1.** ⚗ Kohlenstoff *m*; **2.** (*papier*) ~ Kohlepapier *n* (*für Schreibmaschinen*); **~né** [~'ne] *adj.*, **~nifère** [~ni'fɛ:r] *adj.* kohlenhaltig; **~nil** ⚗ [~'nil] *m* Karbonileum *n*; **~nique** [~'nik] *adj.* kohlensauer; *acide m* ~ Kohlensäure *f*; **~nisation** [~niza'sjɔ̃] *f* Verkohlung *f*; Verkokung *f*; Verbrennung *f*; **~niser** [~ni'ze] *v/t. u. se* ~ (1a) verkohlen; *v/t.* P schädigen; F *fig.* zu scharf braten.

carbonnade [~'nad] *f* Rostbraten *m*.

carbu|rant [karby'rɑ̃] *m* Treib-, Betriebs-, Brenn-stoff *m* (*z.B. Benzol*); **~rateur** ⊕ [~ra'tœ:r] *m* Vergaser *m*; ~ *à gicleur* Spritzvergaser *m*; **~ration** [~ra'sjɔ̃] *f* **1.** *métall.* Kohlung *f des Eisens*; **2.** Vergasung *f*; *chambre f de* ~ *Auto*: Explosionsraum *m*; **~re** ⚗ [kar'by:r] *m* Kohlenstoffverbindung *f*; ~ *de calcium* Karbid *n*; ~ *d'hydrogène* Leuchtgas *n*; **~ré** ⚗ [~by're] *adj.* kohlenstoffhaltig; *hydrogène m* ~ Kohlenwasserstoff *m*; **~rer** [~] *v/t.* (1a) vergasen.

carcailler [karka'je] *v/i.* (1a) schlagen (*von Wachteln*).

carcan [kar'kɑ̃] *m* **1.** *hist.* Halseisen *n*, Pranger *m*; **2.** *fig.* Zwang *m*; **3.** P Schindmähre *f*; **4.** langes u. böses Weib *n*; **5.** Halskette *f*.

carcasse [kar'kas] *f* **1.** Gerippe *n*; *fig.* (Auto- *usw.*) Wrack *n*; **2.** Gestell *n e-s Schirmes*, *Lampenschirms*; ✈ Tragwerk *n*; ⚓ Rumpf *m*; ⚠ Zimmerwerk *n*; **3.** *cuis.* Rumpf *m vom Geflügel*; **4.** F Körper *m*; F *fig.* sehr magere Person; *c'est une* ~ er (sie) ist nichts als Haut und Knochen, er (sie) ist nur noch ein Knochengerüst; F *iron. promener sa* ~ (einher-)wandeln.

carcéral [karse'ral] *adj.* (5c) Gefängnis...

carcino|mateux ⚕ [karsinɔma'tø] *adj.* (7d) krebsartig; Krebs...; **~me** ⚕ [~'nɔm] *m* Krebs *m*, Krebsgeschwür *n*; **~se** ⚕ [~no:z] *f* Karzinosis *f*, allgemeine Krebsdurchseuchung *f*; **~tron** *rad.* [~'trɔ̃] *m* Karzinotron *n* (*Elektronenvorrichtung für Hochfrequenzradaranlagen*).

cardage [kar'da:ʒ] *m* Aufkratzen *n*, Kämmen *n der Wolle*.

cardamine ♀ [karda'min] *f* Wiesenschaumkraut *n*.

cardan [kar'dɑ̃] *m* ⊕, *Auto*: Kreuz-, Kardan-gelenk *n*; *arbre m à* ~ Kardanwelle *f*.

carde [kard] *f* **1.** ♀ Rippe *f der Artischocke*; Kopf *m* der Kardendistel; **2.** ⊕ Wollkratze *f*, Tuchkamm *m*.

carder [kar'de] (1a) *v/t.* **1.** *Wollspinnerei*: aufkratzen, krempeln, kämmen (*kardätschen*); **2.** P ~ *le poil de q.* j-m das Fell gerben, j-n vertrimmen.

cardère ♀ [kar'dɛ:r] *f* Kardendistel *f*.

cardia *anat.* [kar'dja] *m* Mageneingang *m*.

cardi|algie ⚕ [kardjal'ʒi] *f* Herz- *od.* Magen-krampf *m*; **~aque** ⚕ [~'djak] **I** *adj.* **1.** zum Herzen (*od.* zum Magenmund) gehörig; *crise f* ~ Herzanfall *m*; *faiblesse f* ~ Herzschwäche *f*; *névrose f* ~ Herzneurose *f*; **2.** herzstärkend; **II** *su.* Herzleidende(r) *m*; **III** *m* Herzmittel *n*.

cardigan [kardi'gɑ̃] *m* Strickjacke *f*; [Wollweste *f*.]

cardinal [kardi'nal] **I** *adj.* (5c) hauptsächlich; Kardinal..., Haupt-...; *gr. nombre m* ~ Kardinal-, Grund-zahl *f*; *les quatre points cardinaux* die vier Himmelsrichtungen; **II** *m rl.* Kardinal *m* (*auch als Vogel*); **~at** [~'la] *m* Kardinalswürde *f*; **~ice** [~'lis] *adj.* zur Kardinalswürde gehörig; *barrette f* ~ Kardinalshut *m*; **~iser** [~li'ze] *v/t.* (1a) zum Kardinal machen.

cardio|gramme ⚕ [kardjɔ'gram] *m* Kardiogramm *n* (= KG *n*); **~graphe** ⚕ [kardjɔ'graf] *m* Kardiograph *m*; **~logue** [~'lɔg] *m* (*a. médecin* ~) Spezialist *m* für Herzkrankheiten; **~vasculaire** [~vasky'lɛ:r] *adj.*: *maladies f/pl.* **~s** Herz- u. Gefäßkrankheiten *f/pl.*

cardite ⚕ [kar'dit] *f* Herzentzündung *f*.

car|don ♀ [kar'dɔ̃] *m* wilde Artischocke *f*; **~duacées** ♀ [~dɥa'se] *f/pl.* Distelblumen *f/pl.*

carême [ka'rɛ:m] *m* Fastenzeit *f*, Fasten *pl.*; *faire* ~, *observer le* ~ Fasten halten; *rompre le* ~ während der Fastenzeit Fleisch essen; *face f* (*od. visage m*) *de* ~ bleiches Fastengesicht *n*; **~-prenant** [~prə'nɑ̃] *m* (6a) **1.** Fastnachtszeit *f*, Fasching *m*, *bsd.* Fastnachtsdienstag *m*; Fastnachtsbelustigungen *f/pl.*; **2.** *fig.* F Pfingstochse *m*.

carénage [kare'na:ʒ] *m* ⚓ Werft *f* zum Kielholen; Kielholen *n*; ⊕ Verkleidung *f*; ✈ Radarkuppel *f*; *Auto*, ✈ Stromlinienform *f*.

caren|ce [ka'rɑ̃:s] *f* 1. ⚖ Abwesenheit *f*; Nichtvorhandensein *n*, Zahlungsunfähigkeit *f*, Pfandmangel *m*; *procès-verbal m de* ~ Protokoll *n* über das Nichtvorhandensein e-s Nachlasses; 2. ⚕ Nährstoffmangel *m*; ~ *vitaminique* Vitaminmangel *m*; *maladies f/pl. par* ~ Mangelkrankheiten *f/pl.*; 3. *fig.*, *a. pol.* Versagen *n*; **~cer** [~rɑ̃'se] *v/t.* (1k) als abwesend feststellen.

carène [ka'rɛn] *f* 1. ⚓ (Schiffs-) Kiel *m*; *abattre en* ~ kielholen; 2. △ Mittelschiff *n* der Basilika; 3. ⚘ unteres Blumenblatt *n* der Schmetterlingsblumen.

caréner [kare'ne] *v/t.* (1f) ⚓ kielholen, ausbessern, reinigen; ⊕ verkleiden; *Auto*, ✈ e-e Stromlinienform geben (*dat.*).

cares|sant [karɛ'sɑ̃] *adj.* (7) einschmeichelnd, liebkosend, zärtlich, anschmiegsam; **~se** [ka'rɛs] *f* Liebkosung *f*; Streicheln *n*; Schmeichelwort *n*, -rede *f*; *faire des* ~*s à q.* j-n liebkosen *od.* streicheln, j-m schmeicheln; *les* ~*s de la fortune* die glücklichen Zufälle *m/pl.*

caresser [karɛ'se] *v/t.* (1b) 1. liebkosen; streicheln, hätscheln; 2. *fig.* ~ *une chimère* e-r fixen Idee nachgehen, e-e fixe Idee haben; ~ *un espoir* e-e Hoffnung hegen; F ~ *la bouteille* gern einen heben gehen, gern ins Glas gucken, gern einen bügeln P.

car-ferry ⚓ [ka:r'fɛri] *m* (*pl. car-ferries*) Autofähre *f*.

cargaison [kargɛ'zɔ̃] *f* Schiffsladung *f*.

cargo(-boat) [kar'go, ~'bot] *m* Frachtschiff *n*.

car|gue ⚓ [karg] *f* Geitau *n*; **~guer** ⚓ [~'ge] (1a) **I** *v/t.* aufgeien, einreffen; *les voiles carguées* mit gerefften Segeln; **II** *v/i.* sich auf e-e Seite neigen.

cariatide △ [karja'tid] *f* Karyatide *f*.

caricatu|re [karika'ty:r] *f* Karikatur *f*; **~rer** [~'re] (1a) **I** *v/t.* karikieren; **II** *v/i.* Karikaturen machen; **~riste** [karikaty'rist] *m* Karikaturenzeichner *m*.

carie [ka'ri] *f* 1. ⚕ Knochenfraß *m*, Karies *f*; ~ *des dents* Zahnfäule *f*, Hohlwerden *n* der Zähne; 2. ⚘ Brand *m* im Getreide, Kornfäule *f*; 3. Wurmstich *m*; 4. ~ *des mur(aille)s* Salpeterfraß *m*.

cari|er [ka'rje] (1a) **I** *v/t.* anfressen, aushöhlen; *dent f cariée* hohler Zahn *m*; **II** *v/rfl.* se ~ anfaulen; ⚘ brandig werden (*Getreide*); faulen (*Knochen*); **~eux** [~'rjø] *adj.* (7d) angefressen; kariös.

carillon [kari'jɔ̃] *m* 1. Glockenspiel *n*; *montre f à* ~ Spieluhr *f*; *boîte f à* ~ Spieldose *f*; 2. Glockenläuten *n*, Geläute *n*; F *fig.* Lärm *m*; *sonner le* ~ die Glocken läuten; **~nement** [~jɔn'mɑ̃] *m* Glockenläuten *n*; **~ner** [~jɔ'ne] (1a) **I** *v/t.* 1. einläuten; *fig.* ausposaunen, an die große Glocke hängen; ~ *une nouvelle* e-e Nachricht ausposaunen (*od.* an die große Glocke hängen); *fête f carillonnée* hohes (religiöses) Fest *n*, kirchlicher Feiertag *m*; ~ *un air* e-e Melodie mittels eines Glockenspiels ertönen lassen; **II** *v/i.* 2. mit den Glocken läuten, das Glockenspiel spielen; 3. F stark klingeln; **~neur** [karijɔ'nœ:r] *m* Glöckner *m*.

cariste [ka'rist] *su.* Fahrer *m e-s Gabelstaplers usw.*

carlin [kar'lɛ̃] *m* Mops *m* (*Hunderasse*).

carline ⚘ [kar'lin] *f* Eberwurz *f*.

carlingue [kar'lɛ̃:g] *f* 1. ✈ Kabine *f*, Führerstand *m*; Fluggast-, Sitzraum *m*, Flugzeugrumpf *m*; 2. ⚓ Kiel-balken *m*, -schwein *n*.

carme *rl.* [karm] *m* (*a. adj.*: *père m* ~) Karmeliter(mönch *m*) *m*; ~ *déchaussé* Barfüßermönch *m*.

carmélite [karme'lit] **I** *f* Karmeliternonne *f*; **II** *adj.* hellbraun.

carmin [kar'mɛ̃] **I** *m* Karmin(rot *n*) *n*; **II** *adj.* (*inv.*) karminrot.

carminatif ⚕ [karmina'tif] **I** *m* Blähungs-bekämpfung *f*, -mittel *n*; **II** *adj.* (7e) Blähungen verhindernd.

carmi|né [karmi'ne] *adj.* karminfarben; **~ner** [~] *v/t.* (1a) karminrot malen.

carnage [kar'na:ʒ] *m* 1. Blutbad *n*, Gemetzel *n*; 2. Fleisch *n getöteter Tiere*; Aas *n*.

carnas|sier [karna'sje] **I** *adj.* (7b) 1. fleischfressend, raubgierig; 2. F viel Fleisch essend; **II** ~*s m/pl. zo.* Fleischfresser *m/pl.*; *ent.* Raubkäfer *m/pl.*; **~sière** [~'sjɛ:r] *f* Jagdtasche *f*.

carnation [karnɑ'sjɔ̃] *f* 1. *peint.* Fleischdarstellung *f in e-m Gemälde*; 2. Haut-, Fleisch-farbe *f*.

carna|val [karna'val] *m*, *pl.* ~*s* 1. Fasching(szeit *f*) *m*, Fastnacht *f*, Karneval *m*; 2. lärmende Lustbarkeit *f*; 3. *fou m* (*od. personnage m*) *de* ~ Faschingsnarr *m*; **~valesque** [~va'lɛsk] *adj.* faschingsmäßig.

carne[1] [karn] *f* Kante *f*, Ecke *f*.

carne[2] P [~] *f* schlechtes *od.* zähes

Fleisch *n*; Gaul *m*, Klepper *m*, Schindmähre *f*; Schweinehund *m*, Lump *m*, Strolch *m*, schuftiger Kerl *m*; *bsd.*: niederträchtiges, ausschweifendes Weibsbild *n*.

carné [kar'ne] *adj.* **1.** fleischfarben; **2.** Fleisch...; *alimentation f ~e* Fleischkost *f*.

carnet [kar'nɛ] *m* Notizbuch *n*; *~ à souche* Scheck- *od.* Quittungsheft *n* mit Kontrollabschnitten; *~ de tickets* Fahrscheinheft *n*; *~ à calquer* Durchschreibeheft *n*; ⚔ *~ de message* Meldeblock *m*; ⚕ *~ de chèques* Scheckheft *n*; *écol. ~ de vocabulaire* Vokabelheft *n*.

carni|er [kar'nje] *m* Jagdtasche *f*; **~fier** [~ni'fje] *v/rfl.* (1a) se ~ zu Fleisch werden; **~forme** [~ni'fɔrm] *adj.* fleischartig; **~vore** [~ni'vɔ:r] *adj.* (*u.* *~s m/pl.*) **1.** fleischessend; *l'homme est ~, mais non pas carnassier* der Mensch ißt Fleisch, aber kein rohes; **2.** fleischfressend(e Tiere *n/pl.*).

carogne [ka'rɔɲ] *f* Aas *n* (P *a. fig.*).

caroncule [karɔ̃'kyl] *f* **1.** *anat.* Fleisch-warze *f*, -auswuchs *m*; **2.** ⚘ Anschwellung *f*.

carotide *anat.* [karɔ'tid] *adj. u. f* (*artère f*) ~ Kopfschlagader *f*.

carottage [karɔ'ta:ʒ] *m* **1.** ⚒, *géol.* Kernbohrung *f*; **2.** *fig.* F Gaunerei *f*, Schwindel *m*, Prellerei *f*.

carot|te [ka'rɔt] *f* **1.** Mohrrübe *f*, Möhre *f* (*oft st.s.*); *~ courte* Karotte *f*; **2.** *~ de tabac* Kautabaksrolle *f*; **3.** ⚒, *géol.* ausgebohrte Bodenprobe *f*; **4.** *fig.* F *tirer une ~ à q.* j-m etw. abschwindeln; **~ter** [~'te] *v/t.* (1a) **1.** P *~ q.* j-m das Geld aus der Tasche locken, j-n betrügen *od.* beschwindeln *od.* begaunern; *~ une consultation* e-e ärztliche Beratung umsonst haben wollen; **2.** * ⚔ *~ le service* sich vom Dienst drücken; **~teur** (7g), **~tier** (7b) [~'tœ:r, ~'tje] *su.* Schwindler *m*; Nassauer *m*; Drückeberger *m*.

carou|be ⚘ [ka'rub] *f* Johannisbrot *n*; **~bier** ⚘ [~'bje] *m* Johannisbrotbaum *m*.

car|pe [karp] **I** *f icht.* Karpfen *m*; *s'ennuyer comme une ~* sich schrecklich langweilen; *muet comme une ~* stumm wie ein Fisch; F *être ignorant comme une ~* von Tuten u. Blasen keine Ahnung haben F; **II** *m anat.* Handwurzel *f*; **~peau** *icht.* [~'po] *m* (5b) kleiner Setzkarpfen *m*; **~pette** [~'pɛt] *f* kleiner Teppich *m*, Läufer *m*, Brücke *f*, Bettvorleger *m*; **~pier** [~'pje] *su.* (7b) Karpfenteich *m*; **~pillon** *icht.* [~pi'jɔ̃] *m* ganz kleiner Karpfen *m*; **~quois** [~'kwa] *m* Köcher *m*.

carrare *min.* [ka'ra:r] *m* karrarischer Marmor *m*.

carre [kɑ:r] *f* **1.** Dicke *f e-s rechteckig geschnittenen Körpers*; **2.** Oberteil *m e-s Hutes*; Schulterstück *n e-s Rockes*; **3.** Schulterbreite *f*; **4.** breite Schuhspitze *f*.

carré [ka're, kɑ're] **I** *adj.* **1.** viereckig; *bsd.* ⅍ Quadrat..., Geviert...; F *fig.* offenherzig, ohne Falsch, geradezu, zuverlässig; *~ en affaires* zuverlässig in Geschäftsangelegenheiten; *~ des épaules* breitschultrig; *homme ~* ehrlicher Mensch ohne Falsch; (*kilo*)*mètre ~* Quadrat(kilo)meter *m*; *mesurer trois centimètres ~s* drei Zentimeter im Quadrat messen; ⅍ *nombre m ~* Quadratzahl *f*; ⅍ (*extraire la*) *racine ~e* (die) Quadratwurzel (ausziehen); *réponse f ~e* klare (*od.* sichere) Antwort *f*; *tête f ~e* eigensinniger Mensch *m*, Starrkopf *m*; Quadratschädel *m*; **II** *m* **2.** Quadrat *n*, gleichseitiges Rechteck *n*; *~ long* Rechteck *n*; ⚔ *~ du plan directeur* Planquadrat *n e-r Karte*; **3.** ✓ (viereckiges Garten-) Beet *n*; *un ~ de pommes de terre* ein Kartoffelfeld *n*; **4.** ⚔ Karree *n*; *former le ~* Karree formieren; *enfoncer un ~* ein Karree sprengen; **5.** ⅍ Quadrat *n e-r Zahl*; **6.** *~ de mouton* Hammelvorderviertel *n*; **7.** a) Treppenabsatz *m*; b) F Zimmer *n*; **8.** ⚓ *~ des officiers* Offiziersmesse *f*; **9.** (*papier m*) *~* Normalformat *n*.

carreau [kɑ'ro] *m* (5b) **1.** (kleines) Viereck *n*; *à petits ~x* gewürfelt; *étoffe f à ~x* kariertes Zeug *n*; **2.** viereckige Platte *f*; Fliese *f*; Kachel *f*; *~ de ciment* Beton-, Zement-platte *f*; **3.** (Erd-)Boden *m*; *mit Fliesen belegter* Fußboden *m*; Straßenpflaster *n*; *coucher sur le ~* auf dem Fußboden schlafen; *rester sur le ~* auf dem Platz (*od.* der Strecke) bleiben; *fig.* unterliegen; **4.** Fensterscheibe *f*, Scheibe *f*; **5.** Polster *n*, (Fuß-, Näh-)Kissen *n*; **6.** Plätt-, Bügel-eisen *n*; **7.** Bolzen *m*; *~x de la foudre* Donnerkeile *m/pl.*; **8.** *Kartenspiel*: Karo *n*, Schellen *f/pl.*; *valet m de ~* Schellenbube *m*; *se garder à ~* sich bei Karo verwahren; *fig.* sehr auf der Hut sein; **9.** ⚕ Unterleibsschwindsucht *f*.

carrée P [ka're] *f* Behausung *f* (=

Wohnung), Bude *f*, Loch *n*, Spelunke *f*; Karzer *m*.

carrefour [kar'fu:r] *m* (Wege-, Straßen-)Kreuzung *f*; *fig.* Völkerscheide *f*; Scheideweg *m*; Treffpunkt *m*; *anat.*, ⚕ Mündung *f*; *orateur m de* ~ Volks-, Gassenredner *m*.

carre|lage [kar'la:ʒ] *m* **1.** Pflastern *n*; **2.** Fliesenpflaster *n*; **3.** Pflasterlohn *m*; **~ler** [~'le] *v/t.* (1c) mit Fliesen pflastern; **~let** [~'lɛ] *m* **1.** Lineal *n*, Kantel *n*; **2.** *icht.* Goldbutte *f od.* gemeine Scholle *f*; **3.** Netz *n* zum Fangen kleiner Vögel; *Fischerei*: viereckiges Senknetz *n*; **4.** *phm.* Seiherahmen *m*; **5.** Packnadel *f*; **~lette** [~'lɛt] *f* Polierfeile *f*; **~leur** [~'lœ:r] *m* Fliesenleger *m*.

carrément [kare'mɑ̃] *adv.* im (*od.* ins) Quadrat, winkelrecht; *fig.* geradezu, rundweg; *dites-le* ~! sagen Sie es geradeheraus!

carrer [ka're] (1a) **I** *v/t.* **1.** viereckig machen, quadrieren; **2.** ⚔ im Karree aufstellen; **3.** & ins Quadrat erheben; in ein Quadrat verwandeln; **4.** P setzen, stellen, legen; **II** *v/rfl.* se ~ **5.** F *fig.* es sich bequem machen, sich breitmachen.

carrier [ka'rje] *m* Steinbrecher *m*; Eigentümer *m* e-s Steinbruchs.

carrière[1] [ka'rjɛ:r] *f* **1.** Karriere *f*, Laufbahn *f*; Beruf *m*; ~ *diplomatique* diplomatische Laufbahn *f*; *officier m de* ~ aktiver Offizier *m*; *embrasser* (*od. suivre*) *une* ~ e-n Beruf ergreifen; *faire* ~ Karriere machen; **2.** *donner* ~ *à sa fantaisie* s-r Phantasie freien Lauf geben.

carrière[2] [~] *f* Steinbruch *m*; ~ *de marbre*, ~ *d'ardoise* Marmor-, Schiefer-bruch *m*.

carriole F *péj.* [ka'rjɔl] *f* kleiner Bauernkarren *m*; *fig.* ~ *administrative* Amtsschimmel *m*; *fig. être attelé à la même* ~ *que q.* mit j-m am gleichen Strang ziehen.

carros|sable [karɔ'sablə] *adj.*: *route f* ~ befahrbare Straße *f*; **~se** [~'rɔs] *m* Kutsche *f*, Pracht-, Staats-wagen *m*; F *plais. Auto*: *rouler* ~ herumfahren, -juckeln F; **~ser** [~'se] *v/t.* (1a) *Auto*: mit e-r Karosserie versehen; **~serie** *Auto* [~s'ri] *f* Karosserie(bau *m*) *f*; ~ *aérodynamique* Stromlinienkarosserie *f*; **~sier** *Auto* [~'sje] *m* Karosseriefabrikant *m*.

carrousel [karu'zɛl] *m* **1.** Ringelstechen *n* (*Volksfestlichkeit*); **2.** Pulk *m* (*v. Flugzeugen usw. bei Vorführungen*).

carrure [ka'ry:r] *f* Schulterbreite *f*.

cartable [kar'tablə] *m* Schul-, Zeichen-, Schreib-mappe *f*.

carte [kart] *f* **1.** Karte *f*; ~ *postale* Postkarte *f*; ~ *postale illustrée* Ansichtskarte *f*; ~*-lettre* Kartenbrief *m*; ~ *pliante* Faltkarte *f*; ~ *pneumatique* Rohrpostkarte *f*; *adm.* ~ *perforée* Lochkarte *f*; ~ *de table* Tischkarte *f für den Gast*; **2.** (Spiel-)Karte *f*, Kartenblatt *n*; ~*s pl.* Kartenspiel *n*; *château m de* ~*s* Kartenhaus *n*; *fig.* Luftschloß *n*; *tireur m* (*tireuse f*) *de* ~*s* Kartenleger(in *f*) *m*; *tirer les* ~*s à q.* j-m die Karten legen; *tour m de* ~*s* Kartenkunststück *n*; *battre* (*od. mêler*) *les* ~*s* die Karten mischen; *à qui la* ~? wer spielt aus?; *jouer aux* ~*s* Karten spielen; **3.** (Ausweis-)Karte *f*; ~ *blanche* unbeschränkte Vollmacht *f*; *il me donne* ~ *blanche* er läßt mir freie Hand; *Auto*: ~ *grise* Kraftfahrzeugbrief *m*; ~ *d'échantillons* Musterkarte *f*; ~ *d'électeur* Wählerkarte *f*; ~ *d'entrée* Eintrittskarte *f*; ~ *d'identité* Personalausweis *m*, Kennkarte *f*; ~ *de travail*, ~ *de travailleur* Arbeitspaß *m*; ~ *de pain* Brotkarte *f*; *bsd.* ✈ ~ *de temps*, ~ *météorologique* Wetterkarte *f*; ~ *de sûreté* Sicherheitspaß *m*; ~ *de visite* Besuchskarte *f*; *déposer sa* ~ s-e Karte abgeben; **4.** Speise-karte *f*, -zettel *m*; ~ *des vins* Weinkarte *f*; *manger à la* ~ nach der Karte essen; **5.** (Land-)Karte *f*; ~ *routière* Touren-, Straßen-karte *f*; ~ *d'état-major* Generalstabskarte *f*; *fig. savoir la* ~ (*du pays*) mit den Gepflogenheiten e-s Landes vertraut sein; *fig.* gut Bescheid wissen; **6.** *fig.* F *perdre la* ~ sich verwirren (lassen), in Verwirrung geraten, s-e Fassung verlieren; F *ne pas perdre la* ~ auf s-n Vorteil bedacht sein, s-e Trümpfe nicht aus der Hand geben; *jouer sa dernière* ~ e-n letzten Versuch machen; *jouer* ~*s sur table* mit offenen Karten spielen.

cartel [kar'tɛl] *m* **1.** *ehm.* (schriftliche) Herausforderung *f* zu e-m Duell; **2.** provisorisches (Auslieferungs-)Abkommen *n* zwischen Staaten; **3.** ~ *du mur* Wanduhr *f*; **4.** Rahmenverzierung *f* (*Gemälde*, *Kamin*, *Uhr*); **5.** Kartell *n*, Konzern *m*; *pol.* Block *m*; *pol.* ~ *des gauches* Links-kartell *n*, -block *m*.

cartellisation ⚚ [kartɛliza'sjɔ̃] *f* Kartellierung *f*.

cartelliste [⁓'list] *m* Mitglied *n* e-s Kartells.

carter *Auto* [kar'tɛ:r] *m* Gehäuse *n*, Schutz-, Getriebe-kasten *m*; ⁓ *du moteur* Motor-gehäuse *n*, -hülle *f*; ⁓ *à chaîne(s)*, ⁓ *de la chaîne* Ketten-(schutz)kasten *m*; ⁓ *d'essieu* Achskasten *m*, -gehäuse *n*; ⁓ *du vilebrequin* Kurbelwellengehäuse *n*; ⁓ *de direction* Lenkgehäuse *n*; ⁓ *d'arbre à cames* (*désaxé* versetztes) Nokkenwellengehäuse *n*; ⁓ *à bain d'huile* Ölbadkasten *m*; *faux* ⁓ Ölwanne *f*; ⁓ *inférieur* Ölsumpf *m*; ⁓ *des manivelles* Kurbelgehäuse *n*.

carte-réponse [kartre'pɔ̃:s] *f* (6b) Postkarte *f* mit Rückantwort.

cartiérisme *Fr. éc., pol.* [kartje'rism] *m* Beschränkung *f* der Haushaltsmittel auf den nationalen Bedarf.

cartila|ge [karti'la:ʒ] *m* Knorpel *m*; **⁓gination** [⁓laʒina'sjɔ̃] *f* Verknorpelung *f*; **⁓gineux** [⁓ʒi'nø] *adj.* (7d) *u. m/pl. icht.* knorpelig; Knorpelfische *m/pl.*

cartogra|phe [kartɔ'graf] *m* Kartograph *m*; **⁓phie** [⁓'fi] *f* Kartographie *f*, Kartenzeichnen *n*; **⁓phique** [⁓'fik] *adj.* kartographisch.

cartoguide [⁓'gid] *m* Autokarte *f* u. Reiseführer *m* (*Broschüre*).

cartoman|cie [kartɔmɑ̃'si] *f* Kartenlegen *n*, Wahrsagerei *f*; **⁓cien** [⁓'sjɛ̃] *su.* (7c) Kartenleger *m*.

carton [kar'tɔ̃] *m* **1.** Pappe *f*, Pappdeckel *m*; ⚠ ⁓ *bitumé* Dachpappe *f*; ⁓ *ondulé* Wellpappe *f*; ⁓ *paraffiné* Isolierpappe *f*; **2.** Karton *m*, Pappschachtel *f*; ⁓ *à chapeau* Hutschachtel *f*; **3.** (Zeichen-)Mappe *f*; **4.** Musterkarte *f*; **5.** Karton *m* (*größerer Entwurf zu e-m Gemälde, bsd. zu e-r Wandmalerei*); **6.** *typ.* Andruck *m*, Modell *n*; **7.** ⚔ *faire des* ⁓*s sur les plafonds* Löcher in die Decken schießen; *faire des* ⁓*s sur les promeneurs* auf die Spaziergänger drauflosschießen; **8.** *Fußball*: *prendre un* ⁓ e-n Volltreffer machen; **⁓nage** [⁓tɔ'na:ʒ] *m* Kartonieren *n*; Papp-arbeit *f*, -band *m*; **⁓ner** [⁓'ne] *v/t.* (1a) kartonieren, in Pappe binden; **⁓nerie** [⁓n'ri] *f* Kartonagenfabrik *f*; Kartonwaren *f/pl.*; **⁓nier** [⁓'nje] (7b) **I** *su.* Pappenhändler *m*; Papparbeiter *m*; **II** *m* Aktenschrank *m* mit Pappschubfächern; **III** *adj.* (7b): *ouvrier m* ⁓ Papparbeiter *m*.

carton|-pâte [kar'tɔ̃'pɑ:t] *m* Papiermaché *n*; **⁓-pierre** [⁓'pjɛ:r] *m* Dachpappe *f*.

cartothèque [kartɔ'tɛk] *f* Landkartenraum *m*.

cartouche[1] [kar'tuʃ] *m* ⚠, *typ.* Zierrahmen *m*, -titel *m*, Schönleiste *f*; Kartusche *f* (*a. als Zierumrandung hieroglyphischer Inschriften altägyptischer Königsnamen*).

cartouch|e[2] [⁓] *f* Patrone *f*; ⚡ Schmelzsicherung *f*; *rad.* Röhrensicherung *f*; ⁓ *de parafoudre* Blitzschutzpatrone *f*; ⁓ *à blanc* Platzpatrone *f*; ⁓ *filtrante*, ⁓ *du masque à gaz* Atem-, Gasmasken-einsatz *m*; *bande f à* ⁓*s* Patronenstreifen *m*; ⁓ *à balle* scharfe Patrone *f*; *fig.* ⁓ *de cigarettes* Stange *f* Zigaretten; **⁓erie** [⁓tuʃ'ri] *f* Patronenfabrik *f*; **⁓ière** [⁓'ʃjɛ:r] *f* Patronentasche *f*.

cas [kɑ] *m* **1.** *fig.* Fall *m*; *un* ⁓ *limite* ein Grenzfall *m*; *par* ⁓ *imprévu* unvorhergesehenerweise; *posons le* ⁓ *qu'il en soit ainsi* gesetzt den Fall, es wäre so; ⁓ *de conscience* Gewissensfall *m*, -frage *f*; ⁓ *fortuit* Zufall *m*; *le* ⁓ *échéant* vorkommendenfalls; ⁓ *extrême* Grenzfall *m*; ⚖ ⁓ *de dommage* Schadenfall *m*; *en* ⁓ *de* ... im Falle von ...; *en* ⁓ *de besoin* (*od. de nécessité*) im Notfall, notfalls, nötigenfalls; *au* (*od. en*) ⁓ *que* ... (*mit subj.*), *au* ⁓ *où*, *dans le* ⁓ *où*, *pour le* ⁓ *où* ... (*mit cond.*) im Falle (daß) ..., falls ...; *au* ⁓ *où vous apprendriez du nouveau, faites-le-moi savoir* sollten Sie etw. Neues erfahren, teilen Sie es mir mit!; *en tout* ⁓, *dans tous les* ⁓ jedenfalls, in jedem Falle; *en tout* ⁓ auf alle Fälle, auf jeden Fall; *c'est bien le* ⁓ *de dire* ... hier kann man sagen ...; *c'est le* ⁓ *de parler* es ist an der Zeit, freiheraus zu sprechen; *c'est le* ⁓ *ou jamais* jetzt oder nie; *agir selon le* ⁓ je nach den Umständen handeln; **2.** Zustand *m*, Lage *f*; *il n'est pas dans le* ⁓ *de le faire* er ist nicht in der Lage, es zu tun; **3.** *gr.* (Deklinations-)Kasus *m*, Fall *m*; ⁓ *oblique* obliquer (*od.* abhängiger) Kasus *m* (*alle Fälle, außer dem Nominativ*); ⁓ *direct* Akkusativ *m*; ⁓ *indirect* Genitiv, Dativ u. Ablativ; **4.** ⚖ Rechtsfall *m*, *eng.S.* strafbare Tat *f*; **5.** Wert(schätzung *f*) *m*; *faire grand* ⁓ *de q.* (*qch.*) große Stücke auf j-n halten (auf etw. [*acc.*] großen Wert legen); *faire peu de* ⁓ *de qch.* sich wenig aus etw. (*dat.*) machen.

casanier [kaza'nje] (7b) **I** *adj.* zu Hause sitzend, seßhaft, häuslich;

II *su.* Stubenhocker *m*; häuslich eingestellter Mensch.

casa|que [ka'zak] *f* **1.** weitarmiger Damenmantel *m*; *tourner* ~ die Partei wechseln; s-e Meinung ändern, umschwenken; **2.** ~ (*de jockey*) Jockeyjacke *f*; **3.** Kittel(bluse *f*) *m* (*für Frauen*); **~quin** [~'kɛ̃] *m*: P *tomber sur le* ~ *à q.* j-n ordentlich versohlen (*od.* vertrimmen).

casbah [kaz'ba] *f* **1.** Zitadelle *f* u. Palast *m* (*Nordafrika*); arabisches Viertel *n*; **2.** * Haus *n*.

casca|dant [kaska'dɑ̃] *adj.* (7) in e-m Wasserfall herunterstürzend; **~de** [~'kad] *f* **1.** (kleiner) Wasserfall *m*; ~ *de feu* Feuerregen *m*; *fig.* toller Einfall *m*, sprudelnder Witz *m*; **2.** plötzlicher Übergang *m* in der Rede; *plein de* ~*s* unzusammenhängend; *de* ~ *en* ~, *par* ~*s* in Sprüngen; **3.** F Purzelbaum *m*; **4.** F ausgelassenes Leben *n*; **5.** ⚡ *montage m en* ~ Serienschaltung *f*; **~der** [~ka'de] *v/i.* (1a) **1.** in e-m Wasserfall herunterstürzen; **2.** Witze reißen; **3.** ein tolles (*od.* ausgelassenes) Leben führen; **~deur** F [~'dœ:r] (7g) **I** *su.* **1.** Lebemann *m*, leichtfertige Person *f*; **2.** unzuverlässiger Mensch *m*; **II** *adj.* leichtsinnig, -lebig.

cascatelle [~'tɛl] *f* kleiner Wasserfall *m*.

case [kɑ:z] *f* **1.** Häuschen *n*; (Neger-) Hütte *f*; Bungalow *m*; **2.** *Schach*: Feld *n*; **3.** Abteilung *f*, Fach *n in e-m Schrank*, *e-m Register*, *e-m Viehwagen usw.*; ~ *postale* Post(schließ)fach *n*, Schließfach *n*; **4.** Kästchen *n* (*Fragebogen*; *Antwortschein*); **5.** P *il lui manque une* ~ bei ihm fehlt 'ne Schraube (*od.* ist e-e Schraube locker), er hat nicht alle Tassen im Schrank, der hat 'n Tick.

casé|ation [kazea'sjɔ̃] *f* Käsebereitung *f*, Gerinnen *n* der Milch; **~eux** [kaze'ø] *adj.* (7d) käsig; **~ification** [~zeifika'sjɔ̃] *f* Käsebereitung *f*; **~ifier** [~zei'fje] *v/t.* (1a) verkäsen; **~ine** [kaze'in] *f* Kasein *n*, Käsestoff *m*.

casemate [kɑz'mat] *f frt.* Kasematte *f*, Bunker *m*, bombensicheres Gewölbe *n*.

casement [kɑz'mɑ̃] *m* Unterbringung *f*.

caser [kɑ'ze] (1a) **I** *v/t.* **1.** fachweise ordnen; *Gepäck usw.* verstauen; *fig. casez bien cela dans votre tête!* prägen Sie sich das gut ein!; **2.** F *j-m* e-e Stellung verschaffen, *j-n* unterbringen; F ~ *sa fille* s-e Tochter unter die Haube bringen; **II** *v/rfl. se* ~ sich einrichten; F untergebracht werden, unterkommen, e-e Stellung finden.

caser|ne [ka'zɛrn] *f* Kaserne *f*; Mietskaserne *f*; **~nement** [~nə'mɑ̃] *m* Kasernierung *f*; **~ner** [~'ne] (1a) **I** *v/t.* kasernieren; **II** *v/i.* in Kasernen liegen; **~nier** ⚔ [~'nje] *m* Materialverwalter *m*.

caséum [kɑze'ɔm] *m* Käsestoff *m*.

casier [kɑ'zje] *m* **1.** Fach *n*; Fachkasten *m*, -schrank *m*; Kartei *f*; Kartothek *f*; ~ *à bouteilles* Flaschenständer *m*; ~ *à lettres* Brieffach *n*; **2.** ⚖ ~ *judiciaire* (Auszug *m* aus dem) Strafregister *n*; **3.** Weidenkorb *m* (*od.* Reuse *f*) zum Fischen.

casino [kazi'no] *m* Kasino *n*, Kursaal *m*, -haus *n*; Gesellschaftshaus *n*.

cas-limite [kɑli'mit] *m* (6a) Grenzfall *m*.

cas|que [kask] *m* **1.** Helm *m*, Fliegerhaube *f*; *Auto*: Sturzhelm *m*; Kopfhörer *m*; ~ *d'acier* Stahlhelm *m*; ~*s pl. bleus* UNO-Truppen *f/pl.*; ~ *colonial* Tropenhelm *m*; ~ *de cuir* Lederhelm *m*; ~ *à pointe* Pickelhaube *f*; ~ *pour moto* (Motorrad-) Sturzhelm *m*; ~ *d'écoute*, ~ *téléphonique téléph.*, *rad.* Kopf(fern)hörer *m*; ~ *double*, ~ *à deux écouteurs* Doppelkopfhörer *m*; *Friseur*: ~-*-séchoir* Trockenhaube *f*; **2.** *zo.* hornartiger Auswuchs *m*; **~qué** [~'ke] *adj.* behelmt; **~quer** P [~] *v/t.* *u. abs.* bezahlen, blechen P; **~quette** [~'kɛt] *f* (Schirm-)Mütze *f*; ~ *d'aviateur* Fliegerkappe *f*; ~ *de scaphandrier* Taucherkappe *f*.

cassa|ble [kɑ'sablə] *adj.* (leicht) zerbrechlich; **~ge** [~'sa:ʒ] *m* Zerbrechen *n*.

cassant [kɑ'sɑ̃] *adj.* (7) **1.** zerbrechlich, brüchig, spröde; **2.** *fig.* unbeugsam, rechthaberisch, schroff, scharf, hochfahrend (*Ton*); *un ordre* ~ ein schroffer Befehl *m*; **3.** P *rien de* ~ nichts Besonderes.

cassation [kasɑ'sjɔ̃] *f* **1.** ⚖ Aufhebung *f*, Verwerfung *f*; *cour f de* ~ Kassationshof *m*; *Fr.*: oberster Gerichtshof *m*; *demande f* (*recours m*) *en* ~ Nichtigkeitsbeschwerde *f*; *se pourvoir* (P *rappeler*) *en* ~ Nichtigkeitsbeschwerde einlegen; **2.** ⚔ Degradierung *f*.

cassave ⚘ [ka'sa:v] *f* Jamswurzel *f*.

casse[1] [kɑ:s] *f typ.* Schrift-, Setzkasten *m*; *travailler à la ~* als Schriftsetzer arbeiten.

casse[2] ⊕ [~] *f* Schmelzpfanne *f*.

casse[3] ⚘ [~] *f* Kassia *f*.

casse[4] [~] *f* Zerbrechen *n*; zerbrochene Sachen *f/pl.*; Bruchschaden *m*; ✈ Bruch *m*; ⚔ *u. fig.* Verluste *m/pl.*; *fig.* Schlägerei *f*; *payer la ~* für den Schaden aufkommen; *il y aura de la ~* es wird zu e-r Schlägerei kommen; **~-cœur** F [kɑs'kœ:r] *m* Herzensbrecher *m*; **~-cou** [~'ku] *m/inv.* **1.** gefährlicher Ort *m*, Fallgrube *f*; **2.** *~! Warnungsruf beim Blindekuhspiel*: es brennt!; **3.** Wagehals *m*, Draufgänger *m*; **4.** *allg. crier ~ à q.* j-n warnen; **~-croûte** [~'krut] *m* Imbiß *m*; **~-fer** [~'fɛ:r] *m/inv.* Amboßloch *n*, Durchschlag *m*; **~-fil** [~'fil] *m/inv.* Fadenhaltbarkeitsmesser *m*; **~ment** [~'mɑ̃] *m* Zerbrechen *n*; *fig. ~ de tête* Kopfzerbrechen *n*; **~-noisette** [~nwa'zɛt] *m/inv.* Nußknacker *m*; F *fig. figure f en ~* Nußknackergesicht *n*; **~-noix** [~'nwa] *m/inv.* **1.** Nußknacker *m*; **2.** *orn.* Nußhäher *m*; **~-pieds** F [~'pje] *m* (6c) aufdringlicher Kerl *m*, Klette *f fig.*; **~-pierres** [~'pjɛ:r] *m* **1.** Steinbrech *m*; **2.** ⊕ Steinhaue *f*; **~-pipe**(s) F [~'pip] *m/inv.* **1.** Krieg *m*; **2.** Schießbude *f*.

casser [kɑ'se] (1a) **I** *v/t.* **1.** (zer-)brechen, entzweischlagen; kaputtmachen F; *~ le cou à q.* j-m den Hals (*od.* das Genick) brechen; *~ la croûte* e-n kleinen Imbiß nehmen; *~ une noix* e-e Nuß (auf-)knacken; F *ses études sont cassées* mit s-n Studien ist es aus; *il ne casse rien* er hat nichts zu sagen (*od.* zu melden); P *ça ne casse rien* das ist nichts Besonderes; *fig. il payera les pots cassés* er wird den Schaden bezahlen müssen; *fig. ~ les prix* die Preise drastisch senken; *~ les vitres* die Fensterscheiben zerschlagen; *fig.* mit der Tür ins Haus fallen; P *~ la figure* (*od. la gueule*) *à q.* j-m eine pellen, j-m eins in die Fresse schlagen (*od.* hauen); P *~ sa pipe* ins Gras beißen, verrecken, abnibbeln, die Radieschen von unten begucken, abkratzen; *~ du bois* Bruch (*od.* Kleinholz) machen; F *~ du sucre sur le dos de q.* über j-n herziehen; *~ bras et jambes* jeden Mut nehmen; P *~ les pieds à q.* j-m auf den Wekker fallen; P *~ les oreilles à q.* j-m die Ohren voll schreien; j-m in den Ohren liegen (*mit e-r Bitte*); *un vieillard cassé* ein gebrochener alter Mann *m*; *voix f cassée* verbrauchte Stimme *f*; **2.** ⚖ aufheben, ungültig erklären; **3.** ⚔ absetzen, entlassen, degradieren; *allg. ~ aux gages* entlassen; **4.** F *ça ne casse rien* das ist nichts Besonderes; **II** *v/i.* **5.** (zer-)brechen, (zer)reißen, (zer)springen; **III** *v/rfl.* se ~ **6.** zerbrechen, (zer-)reißen, entzweigehen, kaputtgehen F; *Auto*, ✈ Bruch machen; se *~ le nez* mit langer Nase (*od.* unverrichteterdinge) abziehen müssen, *j-n* nicht antreffen; sich die Finger verbrennen; **7.** schwach *od.* gebrechlich werden.

casserole [kas'rɔl] *f* **1.** Kochtopf *m*, Kasserolle *f*, Schmorpfanne *f*; *a.* ⚡ *~ (à) pression* Dampfkochtopf *m*; F *passer à la ~* geschlachtet werden, in den Kochtopf wandern (lassen); schlachten; *écol. j-n durch Abfragen* aufs Korn nehmen; *rester dans ses ~s* an den Kochtopf gehören; *~s f/pl. en fer-blanc* Blechgeschirr *n*; **2.** * Polizeispion *m*, Spitzel *m*, Denunziant *m*; **3.** F ⚔ Stahlhelm *m*; **4.** ♪ F schlechtes Klavier *n*, Klimperkasten *m*; **5.** *Auto*: Kasten *m*, Mühle *f*.

casse-tête [kɑs'tɛt] *m/inv.* Streitkeule *f der Wilden*; Totschläger *m*; *fig.* betäubender Lärm *m*; Kopfzerbrechen *n*; kopfzerbrechende Aufgabe *f*.

cassette [ka'sɛt] *f* (Gold- *od.* Juwelen-)Kästchen *n*, Schatulle *f*; Geldkassette *f*; *~ de bande magnétique* Tonbandkassette *f*; **~-magnétophone** [~maɲetɔ'fɔn] *f*, **~-recorder** [~rekɔr'dɛ:r] *f* Kassetten-recorder *m*, -(tonband)gerät *n*.

casseur [kɑ'sœ:r] *m* **1.** *~ de pierres* Steineklopfer *m*; **2.** *fig. pol.* Demonstrant u. Sachbeschädiger *m*; Randalierer *m*; * Einbrecher *m*; *~ d'assiettes*, *~ de vitres* streitsüchtiger Mensch *m*, Stänker *m* P; *péj. ~ de prix* Preisdrücker *m*.

cassine [ka'sin] *f* einsames (*oft* baufälliges) Häuschen *n*; F Bruchbude *f*.

cassis [ka'sis, kɑ'sis] **I** *m* **1.** ⚘ schwarze Johannisbeere *f*; P Kopf *m*; **2.** Johannisbeerlikör *m*; **3.** [~'si] Rinne *f* quer über e-e Straße, Querrinne *f*; **II** *adj./inv.* dunkelblau.

cassolette [kasɔ'lɛt] *f* Räucherpfanne *f*; Riech-büchse *f*, -dose *f*.

casson [ka'sɔ̃] *m* **1.** Zuckerbrocken *m*; **2.** *~s m/pl. de briques* Ziegel-

split *m*; **~ade** [kasɔ'nad] *f* Koch-, Farin-, Roh-zucker *m*.
cassoulet [kɑsu'lɛ] *m* Ragout *n* aus weißen Bohnen, Geflügel- und Schweinefleisch.
cassure [kɑ'syːr] *f* Bruch *m*, Riß *m*.
castagnette [kasta'ɲɛt] *f* Kastagnette *f*.
castapiane P ⚕ [kasta'pjan] *f* Tripper *m*.
caste [kast] *f* Kaste *f*; *esprit m de ~* Kastengeist *m*.
castel [kas'tɛl] *m* Schlößchen *n*.
castillan [kasti'jɑ̃] (7) **I** *adj.* kastilisch; **II** ♀ *su.* Kastilier *m*.
castor [kas'tɔːr] *m* **1.** *zo.* Biber *m*; **2.** Biber-haar *n*, -fell *n*; **3.** Veloursshut *m*; **4.** Bauherr *m*, der mit eigenen Händen baut *od.* mit anpackt; **~éum** *phm.* [~tɔre'ɔm] *m* russisches Bibergeil *n*; **~ine** [~'rin] *f* **1.** Bibergeilkampfer *m*; **2.** leichter Wollstoff *m*.
castramétation [kastrametɑ'sjɔ̃] *f* Absteckung *f* e-s Lagers.
castr|at [kas'tra] **I** *m* Kastrierte(r) *m*; **II** *adj.* (7) kastriert, entmannt; **~ation** [~trɑ'sjɔ̃] *f a. vét.* Kastrierung *f*; Entmannung *f*; **~atrice** *psych.* [~tra'tris] *adj./f*: *mère f ~* den Kastrationskomplex hervorrufende Mutter *f*; **~er** [~'tre] *v/t.* (1a) *a. vét.* kastrieren.
castriste *pol.* [kas'trist] **I** *adj.* Fidel Castros...; **II** *su.* Anhänger *m* Castros.
casual|isme *phil.* [kazɥa'lism] *m* Kasualismus *m*; **~ité** [~li'te] *f* Zufälligkeit *f*.
casu|el [ka'zɥɛl] **I** *adj.* (6c) **1.** zufällig, ungewiß; **2.** widerruflich; *charges f/pl. ~les* nicht erbliche Ämter *n/pl.*; *droits m/pl. ~s* zufällige Einnahmen *f/pl.*; **II** *m* Nebeneinkünfte *f/pl.*; **~iste** *rl.* [~'zɥist] *m* Kasuistiker *m*; **~istique** *rl.* [~zɥis'tik] *f* Kasuistik *f*.
cata|clase ⚕ [kata'klɑːz] *f* Bruch *m e-s Gliedes*; **~clysme** [~'klism] *m* Sintflut *f*, Erdumwälzung *f*; *fig.* Umsturz *m*, Katastrophe *f*, Umwälzung *f*; **~combes** [~'kɔ̃ːb] *f/pl.* Katakomben *f/pl.*; **~falque** [~'falk] *m* Katafalk *m*, Trauergerüst *n*.
cata|lepsie ⚕ [~lɛp'si] *f* Starrsucht *f*, Katalepsie *f*; **~leptique** ⚕ [~lɛp'tik] *adj. u. su.* kataleptisch; Kataleptiker *m*.
cata|logue [~'lɔg] *m* Katalog *m*, Verzeichnis *n*; **~loguement** [~lɔg'mɑ̃] *m* Katalogisierung *f*; **~loguer** [~lɔ'ge] *v/t.* (1m) katalogisieren.
cataly|se ⚗ [kata'liːz] *f* Katalyse *f*; **~seur** ⚗ [~li'zœːr] *m* Katalysator *m*.
cataphote *Auto, vél.* [kata'fɔt] *m* Rückstrahler *m*; *vél.* Katzenauge *n*.
cata|plasme ⚕ [~'plasm] *m* (Brei-) Umschlag *m*; *~ de farine de moutarde* Senfpflaster *n*; **~pulte** ⚔, ✈ [~'pylt] *f* **1.** *ehm.* Katapult *n*; **2.** *~ (lance-avion)* Katapult *n*, Flugzeugschleuder *f*; *~ à vapeur* Dampfkatapult *n*; **~pulter** ✈ [~pyl'te] *v/t.* (1a) **1.** katapultieren, *ein Flugzeug od. e-e Rakete* durch ein Katapult starten lassen (*od.* abschießen); **2.** *fig. être catapulté dans le monde* ins Leben hinausgestoßen werden; **~racte** [~'rakt] *f* **1.** Wasserfall *m*; *fig. ~s pl. du ciel* Wolkenbruch *m*; **2.** ⊕ Katarakt *m*, Gefälle *n* e-s Wassers *bei e-r Brücke*, breiter Wasserfall *m*; **3.** ⚕ grauer Star *m*; *opérer la ~* den grauen Star (weg)operieren; *opérer q. de la ~* j-n am Star operieren; **~racter** ⚕ [~rak'te] *v/rfl.* se ~ (1a) den grauen Star bekommen.
catar|rhe [ka'taːr] *m* Katarrh *m*, Schleimhautentzündung *f*, Schleimfluß *m*; *~ pulmonaire* Lungenkatarrh *m*; *~ de la vessie*, *~ vésical* Blasenkatarrh *m*; **~rheux** [~ta'rø] *adj.* (7d) zu Katarrh neigend.
catastroph|e [katas'trɔf] *f* Katastrophe *f* (*a. thé.*); Umwälzung *f*; schwerer Unglücksfall *m*; trauriges Ende *n*; **~é** F [~'fe] *adj.* niedergeschlagen, schwer enttäuscht; **~er** F [~] *v/t.* (1a): *ça me catastrophe* das geht mir auf die Nerven, das kann ich nicht vertragen; **~ique** [~'fik] *adj.* katastrophal, vernichtend.
catch [katʃ] *m* Freistilringen *n*; **~eur** [~'tʃœːr] *m* Freistilringer *m*.
caté|chèse [kate'ʃɛːz] *f* Katechismuslehre *f*; **~chétique** [~ʃe'tik] *adj. rl.* katechetisch; **~chisation** [~ʃizɑ'sjɔ̃] *f* Katechisierung *f*; **~chiser** [~ʃi'ze] *v/t.* (1a) **1.** den Katechismus lehren; **2.** F *fig. ~ q.* j-m Verhaltungsmaßregeln geben, j-n bevormunden, j-m e-e Gardinenpredigt halten, j-n abkanzeln; **~chisme** [~'ʃism] *m* Katechismus *m*; Religionsunterricht *m*; Konfirmandenunterricht *m*; **~chiste** [~'ʃist] *m* Katechet *m*; **~chumène** [~ky'mɛn] *m* Katechismusschüler *m*, Konfirmand *m*.
catégo|rie [~gɔ'ri] *f* Kategorie *f*, Gattung *f*, Klasse *f*, Art *f*, *fig.* Schlag *m*; **~riel** [~'rjɛl] *adj.* (7c) Lohneinstufungs...; **~rique** [~'rik] *adj.* kategorisch, bestimmt, ent-

schieden (*Ton*); **~riser** [~ri'ze] *v/t.* (1a) *a. phil.* in Kategorien einteilen.

caténaire [kate'nɛ:r] **I** *adj.*: ⚡ *suspension f ~* Aufhängung *f des Leitungskabels elektrischer Bahnen* in gleichen Abständen; Kettenaufhängung *f*; **II** ⚡ *m* Oberleitung(sdraht *m*) *f*, Fahrdraht *m*.

catène *cyb.* [ka'tɛ:n] *f* Signalkette *f*.

caterpillar ⊕ [katɛrpi'la:r] *m* Raupe(n-kette *f*, -schlepper *m*) *f*.

catharsis *psych.* [katar'sis] *f* seelische Entspannung *f*, Abreagieren *n*.

cathartique ⚕ [katar'tik] *adj. u. m* abführend(es Mittel *n*).

cathédrale [kate'dral] *f* Kathedrale *f*, Dom *m*, Münster *n* (*od. m*).

cathérétique ⚕ [katere'tik] *adj. u. m* ätzend(es Mittel *n*).

Catherine [ka'trin] *f* Katharina *f*; F *coiffer la sainte ~* e-e alte Jungfer werden (*od.* bleiben).

cathé|ter ⚕ [kate'tɛ:r] *m* Katheter *n*, Sonde *f*; **~tériser** ⚕ [~teri'ze] *v/t.* (1a) sondieren, mit dem Katheter untersuchen; **~térisme** ⚕ [~te'rism] *m* Katheterismus *m*, Einführung *f* des Katheters in die Blase; **~tomètre** [~tɔ'mɛtrə] *m* Kathetometer *n*.

catho|de ⚡ [ka'tɔd] *f* Kathode *f*; **~dique** ⚡ [~'dik] *adj.*: *rayons m/pl. ~s* Kathodenstrahlen *m/pl.*

catholi|cisant [katɔlisi'zɑ̃] *adj.* (7) zum Katholizismus neigend; **~cisme** [~'sism] *m* Katholizismus *m*; katholische Religion *f*; **~cité** [~si'te] *f* katholische Lehre *f*; katholische Christenheit *f od.* Welt *f*.

catholi|que [katɔ'lik] **I** *adj.* □ **1.** (römisch-)katholisch; F *fig. cela n'est pas bien ~* das ist verdächtig!; *~ment adv.* als guter Katholik; **2.** *phil.* universal; **II** *su.* Katholik *m*; **~sation** [~liza'sjɔ̃] *f* Bekehrung *f* zum Katholizismus.

cati ⊕ [ka'ti] *m*: *le ~ d'une étoffe* der Preßglanz e-s Stoffes.

catiche [ka'tiʃ] *f* Fischotterbau *m*.

catilinaire [katili'nɛ:r] *f* heftige Satire *f*; *les ~s* die katalinarischen Reden *f/pl.*

catimini F [katimi'ni]: *en ~ advt.* ganz heimlich, unbemerkt, verstohlen.

catin F [ka'tɛ̃] *f* Fose *f* V, Nutte *f*, Straßendirne *f*.

ca|tir ⊕ [ka'ti:r] *v/t.* (2a) *dem Tuch* die Glanzpresse geben; **~tissage** ⊕ [~ti'sa:ʒ] *m* Zeugpressen *n*; **~tisseur** ⊕ [~ti'sœ:r] *m* Zeugpresser *m*.

catonien [katɔ'njɛ̃] *adj.* (7c) katonisch; *fig.* streng tugendhaft.

catoptrique *phys.* [katɔp'trik] *f* Spiegel-, Licht-reflexionslehre *f*.

Caucase [ko'kɑ:z] *m*: **le ~** der Kaukasus.

cauchemar [koʃ'ma:r] *m* Alpdruck *m*, Alptraum *m*; *weitS.* quälender Traum *m*; *fig.* Schreckgespenst *n*; *~ d'anxiété* Angsttraum *m*; *donner le ~ à q.*, *être un ~ pour q.* j-m furchtbar auf die Nerven fallen; *j'ai le ~* ich habe e-n Alpdruck, ich fühle mich bedrückt; **~desque** [~mar'dɛsk] *adj.*, **~deux** [~'dø] *adj.* (7d) voller Alpträume; unheimlich.

caudal [ko'dal] *adj.* (5c) Schwanz...; **~e** [~] *f* Schwanzflosse *f*.

caudataire [koda'tɛ:r] *m* **1.** *rl.* Schleppenträger *m*; **2.** *péj.* Parteimann *m*; Speichellecker *m*.

cauli|cole [koli'kɔl] **I** ⚘ *adj.* auf Stengeln wachsend; **II** *~s f/pl.* △ Spiralen *f/pl.* am korinthischen Säulenknauf; **~cule** [koli'kyl] *f* kleiner Stengel *m*; **~fère** ⚘ [~'fɛr] *adj.* stengeltragend.

causal [ko'zal] *adj.* (5c) **1.** ursächlich; **2.** *gr.* kausal, den Grund angebend; **~ité** [kozali'te] *f* ursächlicher Zusammenhang *m*.

causant [ko'zɑ̃] *adj.* (7) **1.** als Ursache wirkend; **2.** F gesprächig.

causatif [koza'tif] *adj.* (7c) □ *gr.* kausal, den Grund angebend.

cause [ko:z] **I** *f* **1.** Ursache *f*; *~ finale* Endzweck *m*; *être (la) ~ de* schuld sein an (*dat.*); **2.** *petite ~, grands effets* kleine Ursache, große Wirkung; *~s pl. obscures, ~s pl. latentes fig.* Hintergründe *m/pl.*; (Beweg-)Grund *m*, Veranlassung *f*; F *ell. et pour ~* und das aus gutem Grund; **3.** ⚖ Rechtsgrund *m*; *avec ~*, *en connaissance de ~* in (*od.* bei) Kenntnis des Sachverhalts, mit Sachkenntnis; **4.** ⚖ Prozeß *m*, Rechtshandel *m*, Klage *f*; Sache *f*, Angelegenheit *f*; Partei *f*; *~ célèbre* aufsehenerregender Prozeß; Sensationsprozeß *m*; *plaider la ~ de q.* j-n verteidigen; *être en ~* in Frage kommen; betroffen sein; *imp.* sich handeln um (*acc.*); *être hors de ~ fig. an e-r Sache* unbeteiligt sein, über jeden Zweifel erhaben sein; *laisser hors de ~* aus dem Spiel lassen; *mettre q. (qch.) en ~* j-n in e-e Sache mit hineinziehen; etw. in Frage stellen; *obtenir gain de ~* Recht bekommen; *faire ~ commune avec q.* mit j-m gemeinschaftliche Sache machen; *prendre fait et ~ pour q.* für j-n Partei ergreifen; *en ~* fraglich; *en tout état de ~* auf jeden Fall, unter allen Umständen, überhaupt; *sans ~* grundlos; **II ayant ~** *m* (6b) (*meist im pl.*) Rechtsnachfolger *m*; **III à ~ de** *prp.* wegen, um ... willen; *à ~ de cela* deswegen; *à ~ de moi* meinetwegen, meinethalben.

causer[1] [ko'ze] *v/t.* (1a) veranlassen, verursachen; *~ un malheur* ein Unglück anrichten.

causer[2] [~] *v/i.* (1a) sich unterhalten, plaudern; *fig. ~ de la pluie et du beau temps* ein belangloses Gespräch führen, von diesem u. jenem sprechen (*od.* plaudern); *ell. ~ peinture* über Malerei reden; (*c'est*) *assez causé!* genug der Worte!; *on en cause* man hält sich darüber auf.

cau|serie [ko'zri] *f* Plauderei *f*, Unterhaltung *f*; Geschwätz *n*, Gerede *n*; **~sette** [~'zɛt] *f* Plauderstündchen *n*; **~seur** [~'zœːr] (7g) **I** *adj.* gesprächig, redselig; **II** *su.* Unterhalter *m*; *un charmant ~* ein angenehmer Erzähler *m*; **~seuse** [ko'zøːz] *f* kleines Kanapee (*od.* Sofa *n*) *n*.

causse [koːs] **I** *f min.* Mergel *m*; **II** *m* wasserlose Hochebene *f* (*der Cevennen im SW*).

causti|cité [kostisi'te] *f* **1.** ⚗ Ätz-, Beiz-kraft *f*; **2.** *fig.* Spottsucht *f*; bitterer Spott *m*; **~que** [~'tik] **I** *adj.* □ kaustisch, ätzend, beizend; *fig.* beißend; **II** *m* ⚕ Ätzmittel *n*; **III** *f phys.* Brennfläche *f*.

cau|tèle [ko'tɛl] *f* **1.** Verschmitztheit *f*, Verschlagenheit *f*; **2.** *rl.* Vorbehalt *m*; **~teleux** [kot'lø] *adj.* (7g) □ verschmitzt; verschlagen.

cau|tère ⚕ [ko'tɛːr] *m* **1.** Mittel *n* zum Ausbrennen *od.* Ätzen; *~ actuel* Brenneisen *n*; *~ potentiel* chemisches (*od.* schnellwirkendes) Ätzmittel *n*; *fig. c'est un ~ sur une jambe de bois* das ist ein Tropfen auf e-n heißen Stein; das ist verlor'ne Liebesmüh; das ist völlig zwecklos; **2.** Fontanelle *f*, künstliche Eiterung *f*, künstliche offene Wunde *f*; **~térétique** ⚕ [~tere'tik] *adj. u. m* ätzend(es Mittel *n*); **~térisation** ⚕ [koterizɑ'sjɔ̃] *f* Ausbrennen *n*; **~tériser** ⚕ [~'ze] *v/t.* (1a) **1.** (aus-) brennen, ätzen, wegbeizen; **2.** *fig.* abstumpfen, unempfindlich machen.

caution [ko'sjɔ̃] *f* **1.** Bürgschaft *f*, Sicherheit *f*, Kaution *f*; Bürge *m*; *~ solvable* Barkaution *f*; *fournir ~* Bürgschaft leisten; *se porter ~ de* bürgen für; *je vous en suis ~* ich bürge Ihnen dafür; **2.** *fig. sujet à ~* der Bestätigung bedürfend, unzuverlässig, verdächtig; **~naire** [~sjɔ'nɛːr] *adj.* zur Bürgschaft gehörig, als Bürgschaft gegeben; **~nement** [~sjɔn'mɑ̃] *m* **1.** Bürgschaftsleistung *f*, Übernahme *f* der Bürgschaft; **2.** Kaution(ssumme *f*) *f*; **3.** Bürgschein *m*; **~ner** [~sjɔ'ne] *v/t.* (1a) anerkennen, gutheißen, (sich ver)bürgen, gutsagen für, garantieren, schützen.

cavage [ka'vaːʒ] *m* Einkellern *n*; Lohn *m* für das Einkellern; Kellermiete *f*.

cavalca|de [kaval'kad] *f* (prächtiger) Aufzug *m* zu Pferde; Spazierritt *m mehrerer Personen*; **~der** [~ka'de] *v/i.* (1a) einen *auffallenden* Spazierritt machen.

cava|le *poét.* [ka'val] *f* **1.** *poét.* Stute *f*; **2.** P Flucht *f*; **~ler** P [kava'le] (1a) **I** *v/rfl. se ~* ausreißen, abhauen; auskneifen; **II** *v/t. ~ q.* j-m auf die Nerven fallen.

cavalerie [kaval'ri] *f* **1.** Kavallerie *f*, Reiterei *f*; motorisierte Truppe *f*; F *et toute la ~* und alle übrigen; F *grosse ~* grobe Arbeit *f*; **2.** Pferdebestand *m*.

caval|eur P [kava'lœːr] *m* Schürzenjäger *m*; **~euse** P [~'løːz] *f* Flittchen *n*.

cavalier [kava'lje] (7b) **I** *adj.* □ **1.** für Reiter bestimmt; *allée f cavalière* Reitweg *m*; **2.** ungezwungen; *péj.* rücksichtslos, hochfahrend; *à la cavalière* burschikos, leichtfertig; **3.** *perspective f cavalière* perspektivische Zeichnung *f*; **II** *m* **4.** Reiter *m*; Kavallerist *m*; *fig. faire ~ seul* im Alleingang gehen, den Alleingang wählen; *en faisant ~ seul* im Alleingang; *le ~ seul de la France* der Alleingang Frankreichs; **5.** Kavalier *m*; **6.** Herr *m*, Begleiter *m e-r Dame*; *ihr* Tänzer *m*; **7.** *Schachspiel*: Springer *m*; *saut m du ~* Rösselsprung *m*; **8.** ⚠ Erdaufschüttung *f an Kanälen*; ⊕ Drahtöse *f*; ⚡ Krampe *f*; **9.** ✝ *Art* Papier(format) *n*.

cavatine ♪ [kava'tin] *f* Kavatine *f*.

cave [kaːv] **I** *f* **1.** Keller *m*; Gruft *f*; *~ à charbon* Kohlenkeller *m*; *bâtir sur ~s* unterkellern; *construction f des ~s* Unterkellerung *f*; *fig. aller de la ~ au grenier* vom Hundertsten ins Tausendste kommen; **2.** *~ (à vin)* Weinkeller *m*; Weinvorrat *m*; Kellerlokal *n*; *avoir une ~ bien garnie* e-n gut gefüllten Weinkeller haben; **3.** ⚔ *~ à l'épreuve des bombes* Luftschutzkeller *m*; **4.** ~ *à liqueurs* Kästchen *n* für Flaschen; Likörbar *f* (*rollbar*); **5.** Spielgeld *n*; **6.** *rat m de* ~ a) Kellerratte *f*; b) P Steuerbeamte(r) *m* für Getränkesteuer; **II** * *m* nicht zur Unterwelt Gehörige(r) *m*; **III** *adj.* hohl, eingefallen (*Backe*); tiefliegend (*Augen*); *aux yeux* ~*s* hohläugig; *anat. veine f* ~ Herzblutader *f*; **~-abri** ⚔ [~a'bri] *f* Luftschutzkeller *m*.

caveau [ka'vo] *m* **1.** kleiner Nebenkeller *m*; **2.** Grabgewölbe *n*; **3.** Pariser (Chanson-)Keller *m*.

caveçon [kaf'sɔ̃] *m* Kappzaum *m*; *fig. avoir besoin de* ~ zu wild sein; *faire sentir le* ~ *à q.* j-n an die Kandare nehmen, j-n bändigen.

cavée [ka've] *f* Hohlweg *m*.

caver[1] [~] (1a) **I** *v/t.* aus-, unterhöhlen; **II** *v/rfl.* se ~ hohl werden.

caver[2] [~] (1a) *v/i. od. v/rfl.* **1.** *Spiel*: setzen; ~ *au plus fort* sehr hoch setzen; **2.** *esc.* kavieren.

caver|naire [kavɛr'nɛ:r] *adj.* in Höhlen lebend; Höhlen...; **~ne** [ka'vɛrn] *f* Höhle *f* (*a.* ⚕); Höhlung *f*; ~ (*de brigands*) Räuberhöhle *f*; **~neux** [~'nø] *adj.* (7d) **1.** voller Höhlen; **2.** ⚕ ausgehöhlt; **3.** *anat.* schwammig; **4.** *fig.* dumpf, hohlklingend; **~nicole** [~ni'kɔl] **I** *adj.* in Höhlen lebend; **II** *m* Höhlentier *n*; **~nosité** [~nozi'te] *f* Hohlsein *n*, löcherige Beschaffenheit *f*.

cavet ⚠ [ka'vɛ] *m* Hohlleiste *f*.

caviar [ka'vja:r] *m* Kaviar *m*; **~der** *typ.* [~vjar'de] *v/t. von der Zensur verbotene Textstellen* ausmerzen.

caviste [ka'vist] *m* Kellermeister *m*.

cavité [kavi'te] *f* Höhlung *f*, Höhle *f*.

ca(w)cher [ka'ʃɛ:r] *adj.* (7b) koscher, astrein F.

ce[1] [sə *vor cons.*], **cet** [sɛt *vor vo. u. stummem h*], *m/sg.*, **cette** [sɛt] *f/sg.*, **ces** [se, sɛ] *m/pl. u. f/pl. adj. démonstr.* **1.** dieser, diese, dieses, diese (*pl.*); *ce cheval* dieses Pferd *n*; *ce héros* dieser Held *m*; *cet enfant* dieses Kind *n* (*pl. ces enfants*); *cet homme* dieser Mensch *m*; *cette maison* dieses Haus *n* (*pl. ces maisons*); *ce matin* heute morgen; **2.** (*unmittelbar am Anfang von Erzählungen*) ein (gewisser); *cette vieille dame qui* ... e-e alte Dame, die ...; *ce Grec jouissait d'une solide réputation de flambeur* dieser Grieche genoß den unerschütterlichen Ruf eines routinierten Spielers.

ce[2] [sə] *pr/d. inv.*: *c'est selon* je nachdem, das kommt drauf an; *c'est moi* ich bin es; *c'est moi qui l'ai dit* ich habe es gesagt; *c'est lui* er ist es; *c'est nous* wir sind es; *mst. c'est* (*seltener*: *ce sont*) *eux od. elles* sie sind es; *c'est mon père* es ist mein Vater; *ce sont mes frères* es sind meine Brüder; *c'est à vous que je parle* Sie meine ich; *c'est moi qui l'ai fait* ich habe es getan; *c'est hier qu'il est arrivé* gestern ist er angekommen; *c'est que* ... nämlich, doch ...; *auch im erklärenden Nachsatz*: so kommt es daher, daß (*od.* weil) ...; *Pourquoi ne venez-vous pas avec nous?* — *C'est que je suis malade* Warum kommen Sie nicht mit uns mit? — Ich bin doch krank; *s'il s'est tu, c'est que* ... wenn er geschwiegen hat, so kommt das daher (*od.* so erklärt sich das dadurch), daß ...; *si ce n'est que* ... es sei denn ..., außer wenn ...; *ce n'est pas que* ... (*subj.*) nicht etwa, daß ..., nicht eben als ob ...; *c'est pourquoi* daher, deshalb; *c'est pourquoi je m'en vais* daher gehe ich weg; *ç'allait être gai* das sollte lustig werden; *pour ce faire* um das zu machen; *bisw. auch vor devoir, pouvoir, sembler*: *ce* (*me*) *semble* so scheint (mir) es; *ce qui* (*nom.*), *ce que* (*acc.*) was; *savez-vous ce qui se passe dans la rue?* wissen Sie, was auf der Straße vor sich geht?; *il sait ce qu'il veut* er weiß, was er will; *à ce que je vois* soviel ich sehe; *de ce que* darüber, daß (*mit ind. od. subj.*): *dégoûté de ce que les rôdeurs volaient la nuit les poules* darüber verärgert, daß die Herumstreicher des Nachts die Hühner stahlen; *il s'étonne de ce qu'il ne soit pas venu* er wundert sich darüber, daß er nicht gekommen ist; *pour ce qui est de votre frère* was Ihren Bruder betrifft; *cela provient de ce que* ... das kommt daher, daß ...; *il ne sait ce que c'est que de travailler* er weiß nicht, was Arbeit ist (*od.* was arbeiten heißt); *qui est-ce qui a parlé?* wer hat gesprochen?; *qu'est-ce qui est vrai?* was ist wahr?; *qu'est-ce que vous voulez?* was wollen Sie?; *qu'est-ce que c'est?* was ist das?; was ist los?, was gibt's?; *qu'est-ce que c'est que cela?* was ist das?; *sur ce* daraufhin; *depuis ce* seitdem; † *ce que* dies: *ce que voyant, il s'assit plein de tristesse* als er dies sah, setzte er sich ganz traurig hin; — *ce dont je me plains, c'est* ... worüber ich mich beklage, ist ...; ce *à quoi je m'intéresse, c'est* ... wofür ich mich interessiere, ist ...

ceci [sə'si] *pr/d.* dies; das; *que veut dire* ~? was soll das heißen?; ~ *et cela* dies und jenes.

cécité [sesi'te] *f* Blindheit *f*; ~ *nocturne* Nachtblindheit *f*; *écol.* ~ *verbale* Legasthenie *f*; *être frappé* (*od. atteint*) *de* ~ erblinden; *fig.* mit Blindheit geschlagen sein.

céco|gramme [sekɔ'gram] *m* Blindensendung *f*; **~graphique** [~gra'fik] *adj.*: *lettre f* ~ Brief *m* mit Blindenschrift.

cédant ⚖ [se'dɑ̃] (7) *su.* Überlasser *m.*

céder [se'de] (1f) **I** *v/t.* **1.** ab-, überlassen, abtreten, abgeben; zedieren; ~ *le passage à q.* j-m Vorfahrt geben, j-n vorfahren (*od.* überholen) lassen; *fig.* ~ *le pas à q.* j-m den Vorrang lassen; ~ *le terrain* (zurück)weichen; *le* (= „es") ~ *en qch. à q.* j-m in etw. nachstehen; **II** *v/i.* **2.** nachgeben, weichen; ~ *devant q.* vor j-m weichen; ~ *à qch.* sich in etw. schicken, sich mit etw. abfinden; ~ *à la force* der Gewalt weichen; ~ *au nombre* der Übermacht weichen; **3.** sich biegen, zusammenbrechen; sich vermindern; nachlassen.

cédétiste *Fr.* [sede'tist] *su.* Linksradikale(r) *m* (*Mitglied der C.D.T.*).

cédil|le [se'dij] *f gr.* Cedille *f* (*Häkchen unter dem ç*); **~ler** [~di'je] *v/t.* (1a) mit e-r Cedille versehen.

cédrat [se'dra] *m* **1.** wohlriechende Zitrone *f*; **2.** ⚘ Zedratbaum *m.*

cèdre ⚘ ['sɛdrə] *m* **1.** Zeder *f*; **2.** Zedernholz *n.*

cédrie [se'dri] *f* Zedernharz *n.*

cédrite [se'drit] *m* Zedernwein *m.*

cédu|laire [sedy'lɛ:r] *adj.*: *impôt m* ~ *Fr.* proportionelle Einkommensteuer *f*; **~le** [~'dyl] *f* **1.** † Schuldschein *m*; **2.** ⚖ ~ *de citation* Ladung *f* durch den Friedensrichter.

cégétiste *Fr.* [seʒe'tist] *su.* (französischer) Gewerkschaftler *m* (*Mitglied der C.G.T.*).

ceindre ['sɛ̃:drə] (4b) **I** *v/t.* **1.** ~ *qch. de* etwas umgeben mit; **2.** (um-)gürten, umschnallen; *fig.* ~ *ses reins* sich rüsten, sich auf große Anstrengungen vorbereiten; **3.** aufsetzen, um die Stirn binden; ~ *la tiare* Papst werden; **II** *v/rfl.* se ~ sich gürten; *se* ~ *de qc.* etw. um- *od.* anlegen.

ceinture [sɛ̃'ty:r] *f* **1.** Gürtel *m*, Gurt *m*; ~ *abdominale* Bauchbinde *f*; ~ *de flanelle* Flanellbinde *f*; ~ *hygiénique* Damenbinde *f*; ~ *de deuil od.* ~ *funèbre* Trauerdekoration *f bei Leichenfeiern*; ~ *de natation* Schwimmgürtel *m*; ✈, *Auto*: *mettre* (*od. attacher*) *sa* ~ sich anschnallen; ~ *de sauvetage* Rettungsring *m*; *Auto*: ~ *de sécurité* Sicherheitsgurt *m*; *fig. se mettre* (*od. se serrer*) *la* ~ F *fig.* den Riemen enger schnallen, Kohldampf schieben; *bsd.* ⚕ *se dévêtir jusqu'à la* ~ sich den Oberkörper frei machen; **2.** Einfassung *f*, Umwallung *f*; ~ *de muraille* Einfriedungsmauer *f*; 🚂 *trafic de* ~ Ringverkehr *m*; *chemin m de fer* (*od. ligne f*) *de* ~ Stadtbahn *f*; **3.** Lenden *pl.* (-gegend *f*); *ne pas aller à la* ~ *de q.* j-m nicht bis an den Gürtel (*fig.* j-m nicht das Wasser) reichen; **4.** Bund *m am Kleid*; **5.** △ Kranzgesims *n.*

ceintu|ré [sɛ̃ty're] *adj.* **1.** umgürtet; **2.** *zo.* gegürtelt; Gürtel...; **~rer** [~] (1a) **I** *v/t.* umgürten; ⚔ einkreisen; *Ringkampf*: umklammern; **II** *v/rfl.* se ~ e-n Gürtel anlegen; **~rier** [~'rje] *m* Gürtler *m*; **~ron** [~'rɔ̃] *m* Säbelkoppel *n*; Lederriemen *m.*

cela [sə'la, sla] *pr/d.* **1.** das da, jenes; **2.** dieses, das; *c'est* (*bien*) ~ richtig!, stimmt!, ganz recht!, so ist es!; *c'est* ~ *même!* stimmt ganz genau!, wirklich wahr!, ganz bestimmt!; *n'est-ce que* ~? weiter nichts?; *à* ~ *près* dies ausgenommen, abgesehen davon; *comme* ~: a) also, auf diese Weise; b) so so, so ziemlich; *c'est* (*il est*) *comme* ~ es (er) ist nun einmal so; *comment* ~? wieso?; *avec* (*tout*) ~ nichtsdestoweniger, trotzdem; *pas* (*od. point*) *de* ~! nichts davon!, das wäre (noch schöner)!; *il ne manque*(*rait*) *plus que* ~! das fehlt(e) gerade noch!; **3.** ~ *étant* da dem so ist; *pour* ~ hierfür; dazu; deswegen; deshalb; ~ *fait* damit, hierauf.

céladon [sela'dɔ̃] **I** *m* **1.** F *iron.* schmachtender Liebhaber *m*; **2.** Schirm *m* e-r Hängelampe; **II** *adj.* **3.** hellgrün.

célé|brable [sele'brablə] *adj.* rühmenswert; **~brant** [~'brɑ̃] *adj. u. m* die Messe lesend(er Priester *m*); **~bration** [~bra'sjɔ̃] *f* Feier *f*; *la* ~ *d'une fête* das Feiern e-s Festes.

célèbre [se'lɛbrə] *adj.* berühmt, gefeiert; bekannt.

célé|brer [sele'bre] (1f) **I** *v/t.* **1.** rühmen, preisen; **2.** feiern, festlich begehen; ~ *la messe* die Messe lesen, das Hochamt abhalten; ~ *un mariage* eine Trauung vornehmen; **II** *v/rfl.* se ~ gefeiert werden; **~brité** [~bri'te] *f* **1.** Berühmtheit *f*, (hoher) Ruhm *m*, Ruf *m*, Größe *f*; **2.** berühmte Persönlichkeit *f*.

celer [sə'le] (1f) **I** *v/t.* verhehlen, verbergen, verheimlichen, verschweigen; ~ *ses intentions* s-e Absichten verschweigen (*od.* verbergen); **II** *v/rfl.* se ~ sich verbergen, sich verstecken, verborgen werden; *se faire* ~ sich verleugnen lassen.

céleri ♀ [sel'ri] *m* Sellerie *m*.

célérité [seleri'te] *f* Schnelligkeit *f*.

céleste [se'lɛst] *adj.* □ himmlisch; göttlich; *bleu* ~ himmelblau; *corps m* ~ Himmelskörper *m*; *voix f* ~ Engelsstimme *f an der Orgel*.

célibat [seli'ba] *m* Zölibat *n*, Ehelosigkeit *f*; **~aire** [~'tɛ:r] **I** *adj.* unverheiratet, ledig; *vie f* ~ Junggesellenleben *n*; **II** *su.* Junggeselle *m*; Junggesellin *f*, unverheiratete Frau *f*.

cellépore *zo.* [sɛle'pɔ:r] *m* Moostierchen *n*, Zellenkoralle *f*.

cellérier [sele'rje] *su.* (7b) Kellermeister *m* in Klöstern.

cellier [se'lje] *m* Vorratskammer *f*, Wein-, Bier-keller *m* zu ebener Erde; Kelterei *f*.

cello [sɛ'lo] *f abr.* = **~phane** [sɛlɔ'fan] *f* Zellophan *n*.

celloderme [sɛlɔ'dɛrm] *m* abwaschbare (Bücher-)Schutzhülle *f*.

cellulaire [sɛly'lɛ:r] *adj.* Zell(en)...; *prison f* ~ Zellengefängnis *n*; *voiture f* ~ Zellenwagen *m* für Gefangene; *tissu m* ~ Zellengewebe *n*; *détention f* ~ Einzelhaft *f*.

cellu|lar ✝ [sely'la:r] *m* Netzgewebe *n*; *chemise f en* ~ Netzhemd *n*; **~le** [sɛ'lyl] *f a. anat.*, ♀, ⚡ Zelle *f*; ~ *germinale* Keimzelle *f*; ⚡ ~ *au sélène* Selenzelle *f*; *pol.* ~ *communiste* kommunistische Zelle *f*; ~ *dans une* (*od. d'une*) *entreprise*, ~ *dans un établissement industriel* Betriebszelle *f*; **~lé, ~leux** (7d) [~'le, ~'lø] *adj.* zellenförmig; Zellen...; **~lite** ⚕ [~'lit] *f* Zellulitis *f*.

celluloïd(e) [sɛlylɔ'id] *m* Zelluloid *n*.

cellulos|e [sɛly'lo:z] *f* Zellulose *f*; Zellstoff *m*; **~ique** [~lo'zik] *adj.* zellulose-, zellstoff-haltig.

celt|e, ~ique [sɛlt, ~'tik] *adj.* keltisch.

celtiser *ling.* [sɛlti'ze] *v/t.* (1a) keltisieren.

celui [sə'lɥi] *m/sg.*, **celle** [sɛl] *f/sg.*, **ceux** [sø] *m/pl.*, **celles** [sɛl] *f/pl.* *pr/d.* a) *nur vor de od. qui gebraucht*: der(jenige), die(jenige), das(jenige), *pl.* die(jenigen); b) *substantivisch gebraucht*: *celui-ci*, *celle-ci* dieser, diese, dieses (hier), letzterer, letztere(s); *celui-là*, *celle-là* jener, jene, jenes (dort), ersterer, erstere(s); *il ne s'attendait pas à celle-là* (*d. h. à cette nouvelle bzw. à cette sottise*) darauf war er nicht gefaßt.

cément [se'mɑ̃] *m* **1.** ⚗ Zementier-, Härte-, Einsatz-pulver *n*; Einsatz *m*; **2.** Außenschicht *f* (*der Zahnwurzel*); **~ation** ⚗, ⊕ [~tɑ'sjɔ̃] *f* Zementieren *n*, Einsatzhärten *n*.

cémen|ter ⚗, ⊕ [semɑ̃'te] *v/t.* (1a) Eisen zementieren, im Einsatz härten, (hart) einsetzen; **~teux** ⚗ [~'tø] *adj.* (7d) zementpulverartig.

cénacle [se'naklə] *m* Abendmahlssaal *m*; *fig.* Kreis *m* von Gleichgesinnten, geschlossener Kreis *m*, literarischer Verein *m*; *péj.* Clique *f*; *esprit m de* ~ Cliquen-, Kastengeist *m*.

cendre ['sɑ̃:drə] *f* Asche *f*; *les* ~*s f/pl. fig. u. poét.* die irdischen Überreste; geweihte Asche *f*; ~*s f/pl. volantes* Flugasche *f*; *reduire en* ~*s* einäschern; *fig. renaître de ses* ~*s* aus der Asche erstehen (*wieder aufblühen*); *faire tomber la* ~ *d'une cigarette* die Asche e-r Zigarette abstreifen; *le mercredi des* ~*s* Aschermittwoch *m*; *faire pénitence dans le sac et la* ~ in Sack u. Asche büßen.

cen|dré [sɑ̃'dre] *adj.* aschfarben; *blond* ~ *inv.* aschblond; **~drée** [~] *f* **1.** Vogel-dunst *m*, -schrot *m u. n*; **2.** *Sport*: Aschenbahn *f*; **~drer** [~] *v/t.* (1a) **1.** aschgrau malen; **2.** mit Asche bestreuen; **~dreux** [~'drø] *adj.* (7d) aschig, voll Asche; **~drier** [~dri'e] *m* **1.** Aschbecher *m*; **2.** Aschenkasten *m* (*im Ofen*); **~drière** [~dri'ɛ:r] *f* Torf *m*.

Cendrillon [sɑ̃dri'jɔ̃] *f* Aschenbrödel *n*.

cène [sɛn] *f rl.* Abendmahl *n*; *la sainte* ~ das heilige Abendmahl; *le jour de la* ~ der Gründonnerstag.

céno|bite [senɔ'bit] *m* Klostermönch *m*; **~taphe** [~'taf] *m* Ehrengrabmal *n*.

cens [sɑ̃:s] *m* **1.** *hist.* Zählung *f und* Vermögensabschätzung *f*; **2.** *hist.* Pachtzins *m*; **3.** ~ *électoral* Wahlzensus *m*.

cen|sé *a.* ⚖ [sɑ̃'se] *adj.* gehalten für; *vous êtes* ~ *l'avoir fait* Sie werden als der Täter angesehen; *nul n'est* ~ *ignorer la loi* Unkenntnis der Gesetze schützt vor Strafe nicht; *il est ~ avoir dit* er soll gesagt haben; **~sément** F [~se'mã] *adv.* angeblich, anscheinend; **~seur** [~'sœ:r] *m hist.* Zensor *m*; Beurteiler *m*, Kritiker *m*; *fig.* Sittenrichter *m*; *Fr. école.* Aufseher *m*.

censi|taire *hist.* [sãsi'tɛ:r] *m* **1.** (*a. adj.*: *électeur ~*) nach dem Klassensystem berechtigter Wähler; **2.** Zinspflichtige(r) *m*; **~ve** *hist.* [~'si:v] *f* **1.** Grundzins *m*; **2.** Zinsgut *n*.

censor|at [sãsɔ'ra] *m* Zensurverwaltung *f*; *écol.* Kontrolle *f* der Studien; **~esse** F *Fr. écol.* [~sɔ'rɛs] *f* Aufseherin *f*; **~ial** [~sɔ'rjal] *adj.* (5c) Zensur... [zins...

censuel [sã'sɥɛl] *adj.* (7c) Grund-}

censu|rable [sãsy'rablə] *adj.* tadelnswert; **~re** [sã'sy:r] *f* **1.** *hist.* Zensoramt *n*; **2.** Prüfstelle *f*, Zensurbehörde *f*; (Bücher-, Theater-, Film-) Zensur *f*, staatliche Kontrolle *f*; **3.** Urteil *n*; Tadel *m*, Rüge *f*; Verdammungsurteil *n über ein Buch*; **4.** Disziplinarkirchenstrafe *f*; **~rer** [~sy're] *v/t.* (1a) **1.** tadeln, rügen; **2.** für verwerflich erklären; **3.** disziplinarisch bestrafen.

cent [sã] **I** *adj.* (*der pl. nimmt, wenn kein anderes Zahlwort folgt, ein* s *an, z.B.*: *deux cents [francs]*; *cent ist inv., wenn es für centième steht, z.B.*: *l'an quinze cent, page quatre cent*) hundert; *faire les ~ pas* auf u. ab gehen; **II** *m* Hundert *f u. n* (*100 Stück*); *un ~ clous* hundert Stück Nägel; *trois ~s d'œufs* dreihundert Eier *n/pl.*; *trois pour ~* drei Prozent; *je vous le donne en ~* das erraten Sie nie!

centaine [sã'tɛ:n] *f* **1.** *das* Hundert; *par ~s* zu Hunderten; **2.** *une ~* etwa hundert.

centaure *myth.* [sã'tɔ:r] *m* Kentaur *m*, Zentaur *m*.

centaurée ♀ [sãtɔ're] *f* Kornblume *f*.

cente|naire [sãt'nɛ:r] **I** *adj.* hundertjährig; **II** *su.* Hundertjährige(r) *m*; **III** *m* Hundertjahrfeier *f*.

cen|tennal [~tɛ'nal] *adj.* (5c) alle hundert Jahre wiederkehrend; **~tésimal** [~tezi'mal] *adj.* (5c) hundertteilig, hundertstel; **~tésimo** [~tezi'mo] *adv.* hundertstens.

centiare [sã'tja:r] *m* Quadratmeter *m od. n* ($^1/_{100}$ Ar *n*).

centième [sã'tjɛm] **I** *adj.* hundertster; **II** *m* Hundertstel *n*.

centi|me *Fr.* [sã'tim] *m* Centime *m* (= $^1/_{100}$ *Franc*); **~mètre** [~'mɛtrə] *m* **1.** Zentimeter *n*; **2.** Zentimetermaß *n*; **~métrique** F [~me'trik] *adj.* winzig.

Cent-Jours *hist. Fr.* [sã'ʒu:r] *m/pl.*: *les ~* die hunderttägige Herrschaft Napoleons I. (*1815*).

centon *poét.*, ♪ [sã'tõ] *m* zusammengeflicktes Gedicht *n od.* Werk *n*.

cent-pieds F [sã'pje] *m* (6c) Tausendfüßler *m*.

centrafricain [sãtrafri'kɛ̃] *adj.* (7) zentralafrikanisch.

centrage ⊕ [sã'tra:ʒ] *m* Zentrieren *n*.

central [sã'tral] **I** *adj.* (5c) zentral; im Mittelpunkt gelegen, Mittel..., Zentral...; *chauffage m ~* Zentralheizung *f*; *point m ~* Mittelpunkt *m*; **II** *m* (5b) Telefonzentrale *f*; **~e** [~] *f* Zentrale *f*; *~ électrique* Elektrizitäts-, Kraft-werk *n*, Überlandzentrale *f*; *~ hydraulique*, *~ hydroélectrique* Wasserkraftwerk *n*; *~ nucléaire*, *~ d'énergie atomique* Atomkraftwerk *n*; *~ thermique* Wärme-kraftwerk *n*, -zentrale *f*; ⚕ *~ des devises* Devisenzentrale *f*; ⚡ *~ interurbaine* Überlandzentrale *f*; ⊕ *~ de commande* Befehlsstand *m*.

centralien [~'ljɛ̃] *m* Zentralleiter *m*.

centrali|sateur [sãtraliza'tœ:r] (7f) *adj.* zentralisierend, zusammenziehend; **~sation** [~za'sjõ] *f* Zentralisierung *f*, Gleichschaltung *f*, Vereinheitlichung *f*; **~ser** [~'ze] *v/t.* (1a) zentralisieren, gleichschalten, vereinheitlichen.

centre ['sã:trə] *m* **1.** Mittelpunkt *m*, Mitte *f*; Mittelstelle *f*; Zentrale *f*; Stelle *f*, Stätte *f*; *fig.* Schwerpunkt *m*; *phys.* Brennpunkt *m*; ⚕ *~ commercial* Einkaufszentrum *n*; ☎ *cyb. ~ de commutation de messages* Verteilerzentrale *f* für wichtige Flug- u. Wetternachrichten an mehrere Empfänger; *~ de transbordement* Umschlagstelle *f*; ⚔ *~ de renseignements* Meldesammelstelle *f*; *~ de rassemblement d'isolés (de réfugiés)* Versprengten- (Flüchtlings-)sammelstelle *f*; *~ d'études* Studienzentrale *f*; Kulturinstitut *n* (*a. im Ausland*); *~ d'informations* Auskunftsstelle *f*; *ing. ~ d'intérêt* Sinn-, Begriffs-einheit *f*; *~ de sports d'hiver* Wintersportplatz *m*; *~ de phtisiologie* Lungenheilstätte *f*; *~ de rotation* Drehpunkt *m*; *~ industriel* Industriezentrum *n*; *~ de synchronisation des signaux lumineux* Verkehrs(regelungs)zentrale *f*; *téléph. ~ de transit* Durchwahlzentrale *f*; *phys., allg. ~ d'équilibre od. de gravité*

Schwerpunkt *m*; **2.** *pol.* Zentrum *n*, Mittelpartei *f*; **3.** *Sport*: Mittelstürmer *m*.

centrer ⊕ [sɑ̃'tre] *v/t.* (1a) zentrieren; ~ *une roue* ein Rad spannen.

centri|fuge [sɑ̃tri'fyːʒ] **I** *adj.* zentrifugal; **II** *f* Zentrifuge *f*; **~fuger** ⊕ [~fy'ʒe] *v/t.* schleudern; **~fugeuse** [~fy'ʒøːz] *f* Zentrifuge *f*, Schleudermaschine *f*; Zentrifugalmaschine *f*; **~pète** [~'pɛt] *adj.* zentripetal; **~ste** *pol.* [sɑ̃'trist] *adj.* (*u. su.*) zur Mitte gehörig.

centu|ple [sɑ̃'typlə] **I** *adj.* hundertfach; **II** *m das* Hundertfache; **~pler** [~ty'ple] *v/t.* (1a) verhundertfachen.

cep [sɛp] *m* Rebstock *m*, Weinstock *m*; ~ *de vigne* Weinrebe *f*.

cépage [se'paːʒ] *m* Rebenart *f*.

cèpe [sɛp] *m* Steinpilz *m*.

cependant [s(ə)pɑ̃'dɑ̃] **I** *adv.* **1.** währenddessen, unterdessen, mittlerweile; **2.** jedoch; **II** *cj. litt.* ~ **que** während (*a. gegensätzlich!*).

céphal|algie ⚕ [sefalal'ʒi], **~ée** [sefa'le] *f* Kopfschmerz *m*; **~oïde** [~lɔ'id] *adj.* kopfförmig.

céracé [sera'se] *adj.* wachsartig.

cérami|que [sera'mik] **1.** *adj.* keramisch; **2.** *f* (*art m*) ~ Keramik *f*, Töpferkunst *f*; **~ste** [~'mist] *m* Keramiker *m*, Vasen-kenner *m*, -fabrikant *m*.

céraste *zo.* [se'rast] *m* ägyptische Hornviper *f*.

cérat *phm.* [se'ra] *m* Wachssalbe *f*.

cerbère [sɛr'bɛːr] *m* grober, strenger Wächter *m*, Zerberus *m*.

cerceau [sɛr'so] *m* (5b) **1.** Reif(en) *m e-s Fasses*; Trudelreifen *m zum Spielen*; *jouer au* ~ Reifen spielen; *jambes f/pl. en* ~ O-Beine *n/pl.*; **2.** *ch.* Sprenkel *m* (*e-s Raubvogels*); **3.** ⊕ Bügel *m*, bogenförmiges Gestell *n*.

cerclage [sɛr'klaːʒ] *m* **1.** Faßbinden *n*; **2.** ⊕ Umreifung *f*.

cercle ['sɛrklə] *m* **1.** ⩓ Kreisfläche *f*; Kreis(linie *f*) *m*; ⚔ ~ *de visée* Richtkreis *m* (*Artillerie*); *Hockey*: ~ *d'envoi* Schußkreis *m*; *décrire* (*od. tracer*) *un* ~ einen Kreis beschreiben; **2.** *fig.* Umfang *m*, Bereich *m*, Grenzen *f/pl.*; ~ *administratif* Verwaltungsbereich *m*; **3.** *fig.* Reihenfolge *f*, Zirkel *m*, Kreislauf *m*; **4.** Klub *m*, Kreis *m*, (geschlossene) Gesellschaft *f*; Kränzchen *n*; ~ *d'études* Arbeitsgemeinschaft *f*; ~ *des officiers* Offizierskasino *n*; **5.** Reif *m*, Ring *m*; ~ *à tonneau* Tonnen-, Faß-reif *m*; *vin m en* ~*s* Wein *m* im Faß (*od.* in Gebinden).

cercl|er [sɛr'kle] *v/t.* (1a) *ein Faß* bereifen; **~eur** [~'klœːr] *m* Faßbinder *m*.

cercopithèque *zo.* [sɛrkɔpi'tɛk] *m* Rhesusaffe *m*, Seidenäffchen *n*.

cercueil [sɛr'kœj] *m* Sarg *m*; *poét.* Grab *n*; Tod *m*.

céréal|e [sere'al] **I** *adj.* getreideartig; **II** *f* (*mst.* ~*s pl.*) Getreide(art *f*) *n*; **~ier** [~'lje] *adj.* (7b) Getreide...

céré|bral [sere'bral] (5c) **I** *adj.* **1.** Gehirn...; *commotion f* ~*e* Gehirnerschütterung *f*; *congestion f* ~*e* Blutandrang *m* nach dem Gehirn; *fièvre f* ~*e* Gehirnentzündung *f*; *hémorragie f* ~*e* Bluterguß *m* ins Gehirn; **2.** (*personnage m tout*) ~ *m* Verstandesmensch *m*; **II** *m* Kopf-, Geistes-arbeiter *m*.

cérébro-spinal ⚕, *anat.* [serebrɔspi'nal] *adj.* Hirn- u. Rückenmark...; zerebrospinal.

cérémo|nial [seremɔ'njal] *m* **1.** (*ohne pl.*) Zeremoniell *n*, Etikette *f*; Höflichkeitsformen *f/pl.*; *être fort sur le* ~: a) das Zeremoniell genau kennen; b) sehr viel auf Formen halten; **2.** (*pl.* ~*s*) *rl.* Zeremonienbuch *n*; **~nie** [~'ni] *f* **1.** Feierlichkeit *f*, festlicher Gebrauch (*bsd. rl.*) *m*, Zeremonie *f*; (*grand*) *maître des* ~*s* (Ober-)Zeremonienmeister *m*; *habit m de* ~ Galaanzug *m*; **2.** Förmlichkeit *f*, (*bsd.* übertriebene) Höflichkeit *f*; *visite f de* ~ Höflichkeitsbesuch *m*; *faire des* ~*s* Umstände machen; *sans* ~ ohne viel Umstände, ohne Förmlichkeit; **~nieux** [~'njø] *adj.* (7d) □ zeremoniös, förmlich, steif, manieriert, affektiert.

cerf [sɛːr] *m* **1.** Hirsch *m*; ~ *dix cors* Zehnender *m*; *courre le* ~ den Hirsch hetzen; **2.** = ~*-volant*.

cerfeuil ⚘ [sɛr'fœj] *m* Kerbel *m*.

cerf-volant [sɛrvɔ'lɑ̃] *m* (6a) **1.** *ent.* Hirschkäfer *m*; **2.** (*Papier*-)Drache *m*.

ceri|se [s(ə)'riːz] **I** *f* **1.** Kirsche *f*; *à la douce* ~*!* süße Kirschen!; **2.** ~ (*du café*) Kaffeeschote *f*; * *avoir la* ~ Pech haben; **3.** F *c'est pour les* ~*s* das ist völlig umsonst (*od.* vergeblich); **II** *adj. inv.* kirschrot; **~sette** [~ri'zɛt] *f* getrocknete Kirsche *f*; ⚘ Kirschpflaume *f*; Kirschsaft *m*; **~sier** [~'zje] *m* Kirschbaum(holz *n*) *m*.

cerne [sɛrn] *m for.* Jahresring *m im Holz*; ⚕ Ring *m um die Augen*;

blau angelaufener Kranz *m um e-e Wunde*; ringförmiger Fleck *m*.

cerneau [sɛr'no] *m* (5b) unreife Nuß *f*.

cernement [sɛrnə'mɑ̃] *m* Einschließung *f* (*a.* ⚔).

cerner [sɛr'ne] *v/t.* (1a) **1.** e-n Kreis schließen um (*acc.*), einkreisen, um-ringen, -zingeln; einschließen; ~ *une maison* ein Haus umstellen; *ch.* umstellen; *fig.* ~ *q.* j-n umgarnen; *avoir les yeux cernés* blaue Ringe um die Augen haben; **2.** *Nuß* auskernen.

céroplastique [serɔplas'tik] *f* Wachsbildnerei *f*.

certain [sɛr'tɛ̃] **I** *adj.* (7) **1.** (*nach su.*) sicher; absolut zuverlässig (*Nachricht*); *une nouvelle* ~*e* e-e sichere Nachricht; *il est* (*sûr et*) ~ *que* ... es steht (absolut) fest, daß ...; **2.** (*vor su.*) gewiß (*im unbestimmten Sinne*); *d'un* ~ *âge* im gewissen Alter; (de) ~*es gens* gewisse Leute, *a.* ~*s m/pl.*, ~*es f/pl.* (*a. nach prp.*) einige; (*un*) ~ *homme* ein gewisser Mensch; ⚖ *un* ~ *quidam* irgend jemand, ein Unbekannter; **3.** ~*ement adv.* sicherlich, gewiß, allerdings; **II** *m das* Gewisse.

certes [sɛrt] *adv.* wahrlich, ganz bestimmt; sicher (*einschränkend*).

certificat [sɛrtifi'ka] *m* Bescheinigung *f*, (schriftliches) Zeugnis *n*; Urkunde *f*; *écol.* ~ *de fin d'études* Abgangszeugnis *n*; ~ *d'aptitude* Befähigungsnachweis *m*; *Fr. écol.* ~ *d'aptitude au professorat de l'enseignement du* 2ᵉ *degré* Befähigungsnachweis *m* für das höhere Lehramt, Staatsexamenszeugnis *n*; ~ *de cession* Abtretungsurkunde *f*; ~ *de bonne conduite*, ~ *de bonne vie et mœurs* Führungs-, Leumunds-zeugnis *n*; ~ *de décès* Totenschein *m*; ~ *de navigabilité* Pilotenschein *m*; ~ *médical* ärztliche Bescheinigung *f*; ~ *de mariage* Trauschein *m*; ~ *d'origine* Ursprungsbescheinigung *f*; ~**eur** [~'tœ:r] *m* **1.** Bescheiniger *m*; **2.** ✝ Gewährsmann *m*; ~ *de caution* Rück-, Gegen-, Nach-bürge *m*.

certi|fier [sɛrti'fje] *v/t.* (1a) bescheinigen, beglaubigen, verbürgen, versichern; *copie f certifiée conforme à l'original* beglaubigte Abschrift *f*; *Fr. écol. professeur m certifié* Studienrat *m*; ~**tude** [~'tyd] *f* Zuverlässigkeit *f*, Gewißheit *f*, Überzeugung *f*, Zuversicht *f*.

céruléen [seryle'ɛ̃] *adj.* (7c) himmelblau.

cérumen ⚕ [sery'mɛn] *m* Ohrenschmalz *n*.

cérus|e *min.* [se'ry:z] *f*, ~**ite** *min.* [~ry'zit] *f* Weißbleierz *n*.

cerveau [sɛr'vo] *m* **1.** Gehirn *n*, Hirn *n* (*als Sitz des Wahrnehmungs- u. Denkvermögens*); ⚕ *ramollissement m du* ~ Gehirnerweichung *f*; *rhume m de* ~ Schnupfen *m*; ~ *électronique* Elektronengehirn *n*; **2.** *fig.* Kopf *m*, Verstand *m*; ~ *brûlé fig.* überspannter Typ *m*, Heißsporn *m*, Spintisierer *m*, Phantast *m*; ~ *débile* (*od. étroit*) Schwachkopf *m*; *se creuser* (*od.* F *se fatiguer*) *le* ~ sich den Kopf zerbrechen; *il a le* ~ *fêlé* bei ihm ist 'ne Schraube los, er hat nicht alle Tassen im Schrank P, er ist nicht ganz richtig im Kopf, bei dem tickt's P.

cervelas [sɛrvə'lɑ] *m* Zervelat-, Schlack-wurst *f*.

cervelet [sɛrvə'lɛ] *m* Kleinhirn *n*.

cervelle [sɛr'vɛl] *f* **1.** Gehirn *n*, Hirn *n* (*rein physiologisch als Gehirnmasse gesehen*); *se brûler* (*od. se faire sauter*) *la* ~ sich erschießen; **2.** *fig. nur mv.p.*: Kopf *m*; ~ *légère* (*évaporée*) leichtsinniger Mensch *m*; *fig. rompre la* ~ *à q.* j-m keine Ruhe lassen, j-n nicht in Ruhe lassen; ~ *de lièvre* schlechtes Gedächtnis *n*, Gedächtnis *n* wie ein Sieb; vergeßlicher Mensch *m*; *manquer de* ~ nichts als Stroh im Kopf haben; *avoir la* ~ *renversée fig.* verrückt (*od.* verdreht) sein; **3.** *cuis.* Bregen *m*; **4.** ~ *de palmier* Palmenmark *n*.

cervical *anat.* [sɛrvi'kal] *adj.* (5c) Nacken...

Cervin *géogr.* [sɛr'vɛ̃] *m*: *mont m* ~ Matterhorn *n*.

ces [*vor cons.* se, sɛ; *vor vo.* sez, sɛz] *pl. von* ce, cet, cette.

césar|ien [seza'rjɛ̃] *adj.* (7c) **1.** cäsarisch; **2.** ⚕ *opération f* ~*ne* Kaiserschnitt *m*; ~**isme** [~'rism] *m* Cäsarentum *n*, Cäsarenherrschaft *f*.

cess|ation [sɛsɑ'sjɔ̃] *f* Einstellen *n*, Aufhören *n*, Beendigung *f*, Stillstand *m*; ~ *des hostilités* Einstellen *n* der Feindseligkeiten; ~ *des paiements* Zahlungseinstellung *f*; ~ *de travail* Arbeitsniederlegung *f*; ~**e** [sɛs] *f* Aufhören *n*, Rast *f*; *sans* ~ unaufhörlich; *je n'ai* (*pas*) *eu de* ~ *que je ne danse* (*subj.*) *correctement* ich hatte nicht eher Ruhe (*od.* ich ließ nicht eher locker), bis ich richtig tanzen konnte; *n'avoir ni repos ni* ~ weder Ruh noch Rast haben; nicht e-n einzigen Moment Ruhe haben.

cesser [sɛ'se] (1b) **I** *v/i.* aufhören; ~ *d'être en vigueur* außer Kraft treten, unwirksam werden; *faire* ~ *qch.* e-r Sache ein Ende bereiten, etw. einstellen (*od.* beenden); *le temps n'a pas cessé de marcher* die Zeit ist weiter fortgeschritten; **II** *v/t.* einstellen; ~ *le travail* die Arbeit niederlegen; *cessez le feu!* das Feuer einstellen!; *cessez vos plaintes!* hören Sie mit Ihren Klagen auf!

cessez-le-feu [sɛselə'fø] *m/inv.* Feuereinstellung *f.*

cessi|bilité ⚖ [sɛsibili'te] *f* Abtretbarkeit *f*; **~ble** ⚖ [~'siblə] *adj.* übertragbar; abtretbar; **~on** [~'sjɔ̃] *f* Abtretung *f*, Zession *f*, Überlassung *f*; ~ *de licence* Lizenzabgabe *f*; **~onnaire** [~sjɔ'nɛ:r] *su.* Zessionär *m*, Abtretungsempfänger *m.*

c'est [sɛ] *wörtlich*: das ist; (~ *dient zur Hervorhebung*; *auch oft gebraucht, wenn das Verb im pl. od. in der Vergangenheit od. im fut. steht*; *bei nous u. vous muß* ~ *stehen!*); ~ *de lui que je parle* von ihm spreche ich; ~ *là que nous allons* dorthin gehen wir; ~ *moi qui l'ai fait* ich habe es gemacht; ~ *nous qui l'avons dit* wir haben es gesagt; ~ *vous qui l'avez fait* Sie haben es gemacht; ~ *jusqu'à 30 000 hommes qui travaillèrent à la construction du palais de Versailles* bis zu 30 000 Mann arbeiteten an der Errichtung des Versailler Palais; ~ *les Phéniciens de Carthage qui ont recueilli Enée* die Phönizier Karthagos haben Äneas aufgenommen; ~ *lui qui s'occupera de cette affaire* er wird sich mit dieser Angelegenheit befassen; ~ *eux* (*a. ce sont eux*) *qui le disent* sie sagen es.

c'est-à-dire [sɛta'di:r] das heißt, nämlich.

césure *mét.* [se'zy:r] *f* Zäsur *f.*

cet [sɛt] s. ce.

cétacés *zo.* [seta'se] *m/pl.* Wale *m/pl.*

cétérac ⚘ [sete'rak] *m* Milzfarn *m.*

cétoine *ent.* [se'twan] *f* Metallkäfer *m.*

cette [sɛt] *pr/d.*, *f von* ce.

ceux [sø] *m/pl. von celui* (s. *dort*).

cévenol [sev'nɔl] *adj.* Cevennen...

Ceylan *géogr.* [sɛ'lɑ̃] *m* Ceylon *n.*

chabanais P [ʃaba'nɛ] *m* Krach *m*, Radau *m*; Tohuwabohu *n.*

chabler [ʃa'ble] *v/t.* (1a) **1.** ⚓ *e-e Last* mit e-m Tau heben *od.* ziehen; ⊕ zu e-m Strick drehen; **2.** ~ *des noix* Nüsse abschlagen.

chablis *for.* [ʃa'bli] *m* Windbruch *m.*

chablot [ʃa'blo] *m* Tauwerk *n.*

chabot *icht.* [ʃa'bo] *m* Kaulkopf *m.*

chabraque P [ʃa'brak] *f* Fose *f.*

chacal [ʃa'kal] *m* (*pl. chacals*) **1.** *zo.* Schakal *m*; **2.** F *ehm.* Zuave *m*; **3.** *fig.* schlauer Fuchs *m.*

chachater [ʃaʃa'te] *v/i.* (1a) Cha-Cha-Cha tanzen.

chacun [ʃa'kœ̃] *pr. u. su.* (7) *ohne pl. u. ohne folgendes Substantiv*: jeder, jede, jedes; jedermann; ~ *de nous*, ~ *d'entre nous* jeder von uns; *à* ~ *le sien* jedem das Seine; ~ *à son goût* jeder nach s-m Geschmack; ~ *s'en retourne chez soi od. ils s'en retournent* ~ *chez eux* (*od. chez soi*) jeder kehrt von dort nach Hause zurück.

chadouf [ʃa'duf] *m Art* Ziehbrunnen *m* (*bsd. in Tunis u. Ägypten*).

chafouin [ʃa'fwɛ̃] *adj. u. su.* (7) schmächtig; durchtrieben, verschlagen, gerissen; gerissener Kerl *m*; Duckmäuser *m*; *air m* ~ verschlagener Gesichtsausdruck *m.*

chagrin [ʃa'grɛ̃] *m* **I 1.** Gram *m*, Kummer *m*, Ärger *m*, Verdruß *m*; *avoir du* ~ verdrießlich sein; Kummer (*od.* Ärger) haben; *à mon grand* ~ zu m-m großen Kummer; ~ *d'amour* Liebeskummer *m*; **2.** (*peau f de*) ~ Chagrin(leder) *n*; (*reliure f*) ~ *plein* Ganzfranzband *m*; **II** *adj.* (7) □ mißgestimmt, verstimmt, trübselig, kummervoll, vergrämt, bekümmert; **~ant** [~gri'nɑ̃] *adj.* (7) ärgerlich, kränkend; **~er** [~gri'ne] (1a) **I** *v/t.* **1.** ärgern, kränken, betrüben, verdrießen; **2.** chagrinartig zubereiten; Leder narben; **II** *v/rfl.* *se* ~ sich grämen (*de* über *acc.*).

chah [ʃa] *m* Schah *m* (*von Persien*).

chahut [ʃa'y] *m* **1.** *bsd. écol.* großer Lärm *m*, Radau *m*; *faire du* ~ = ~er I; **2.** *exzentrischer Tanz*; **~er** [ʃay'te] (1a) **I** *v/i.* randalieren; **II** *v/t.* auspfeifen; *écol.* den Unterricht j-s stören; ~ *le professeur* bei dem Lehrer randalieren; **~eur** *bsd. écol.* [~'tœ:r] *su.* (7g) Radaubruder *m.*

chai [ʃɛ] *m* oberirdischer Lagerraum *m* (*für Wein*).

chaînage ⚠ [ʃɛ'na:ʒ] *m* Verankerung *f*, Gurt *m*; ~*s m/pl. en béton armé* Stahlbetonriegel *m.*

chaîn|e [ʃɛn] *f* **1.** Kette *f*; ~ *antidérapante*, ~ *à neige Auto*: Kettengleitschutz *m*, Schnee(schutz)kette *f*; ~ *roulante* laufendes Band *n*; ~ *de montage* Montagefließband *n*; *l'assemblage fait en amont de la* ~ die am laufenden Band vorgenommene Zusammensetzung (*od.* Montage);

~ *à godets* Kübelaufzug *m*; ~ *d'arpenteur* Meßkette *f*; Meßleine *f*; ~ *de montre* Uhrkette *f*; ~ *de sûreté* Sicherheitskette *f*; Schlüsselkette *f*; *mettre à la* ~ anketten (*Hund*), an die Kette legen; *charger q. de* ~*s* j-n in Fesseln legen; **2.** † Galeerenstrafe *f*; **3.** *fig.* (Freundschafts- *usw.*) Bande *n/pl.*; Fesseln *pl.*; *briser ses* ~*s* s-e Ketten sprengen, sich frei machen; **4.** Verkettung *f*; **5.** Reihen-, Aufeinander-folge *f*; ~ *d'événements* Verkettung *f* von Ereignissen; *travail m à la* ~ Fließarbeit *f*; ~ *de montagnes* Gebirgskette *f*; ⚡ ~ *électrique* elektrische Kette *f*; *rad.* ~ *nationale de la Radiodiffusion française* französische Sendergruppe *f*; *faire la* ~ e-e Kette bilden; **6.** *Weberei*: Kette *f* (*od.* Zettel *m*); **7.** *rad.* Meterband *n*, Wellenlänge *f*; *émission f sur la* ~ *intérieure* Sendung *f* für internen Gebrauch; **8.** *télév.* Kanal *m*; *weitS.* Sendung *f*; ~ *stéréo* Stereomusikschrank *m* mit Plattenwechsler; **9.** ✝ Filialbetrieb *m*; ~**é** [ʃɛˈne] *adj.* kettenförmig; ~**er** [ʃɛˈne] *v/t.* (1b) mit der Kette messen; △ *Mauern* durch Eisenstangen verankern, absteifen; ~**etier** [ʃɛnˈtje] *m* Gürtler *m*; ~**ette** [~ˈnɛt] *f* **1.** Kettchen *n*; *point m de* ~ Kettenstich *m*; **2.** ~ *du mors* Schaumkette *f*; ~ *de timon* Deichselkette *f*; **3.** △ Kettengewölbe *n*; **4.** *arith.* Kettenlinie *f*; ~**ier** *m*, ~**iste** *m* [~ˈnje, ~ˈnist] Kettenschmied *m*; ~**on** [~ˈnɔ̃] *m* **1.** ⊕ Kettenglied *n*; **2.** ⚗ Molekülkette *f*; **3.** Hügelkette *f*.

chair [ʃɛːr] *f* **1.** Fleisch *n des menschlichen u. tierischen Körpers u. v. Früchten*; ~ *à saucisses* Wurstfleisch *n*; *excroissance f de* ~ wildes Fleisch *n*; *couleur* (*de*) ~ fleischfarben; ~ *à canon* Kanonenfutter *n*; *être ni* ~ *ni poisson fig.* nicht Fisch, nicht Fleisch sein; **2.** Fleisch *n des Obstes*; **3.** *bibl.* Fleischeslust *f*, Sinnlichkeit *f*; **4.** *fig.* Haut *f*; *fig. cela fait venir* (*od. avoir*) *la* ~ *de poule* dabei bekommt (*od.* F kriegt) man ja Gänsehaut; **5.** *peint.* ~*s pl.* Fleischpartie (-n) *f*; **6.** *Gerberei*: Fleischseite *f der Häute*.

chaire [ʃɛːr] *f* **1.** (bischöflicher Kirchen-)Stuhl *m*; ~ *apostolique od.* ~ *de saint Pierre* der Stuhl Petri, Papsttum *n*; **2.** Kanzel *f*; *éloquence f de la* ~ Kanzelberedsamkeit *f*; *monter en* ~ die Kanzel besteigen; *interdire la* ~ *à q.* j-m das Predigen untersagen; **3.** Lehrstuhl *m*, Katheder *m u. n*; *fig. obtenir une* ~ e-e Professur erhalten.

chai|se [ʃɛːz] *f* **1.** Stuhl *m*, Sessel *m*; ~ *à bras* Armstuhl *m*; ~ *de canne(s)* Rohrstuhl *m*; ~ *d'enfant* Kinderstuhl *m*; ~ *longue de jardin* Liegestuhl *m*; ⚖ ~ *électrique* elektrischer Stuhl *m*; ~ *pliante* Klappstuhl *m*; ~ *roulante* ⚕ Rollstuhl *m*; ~ *rembourrée* Polster-stuhl *m*, -sitz *m*; ~ *percée* Nachtstuhl *m* (*in Krankenhäusern usw.*); ~ *pivotante* Drehstuhl *m*; ~ *à bascule* Schaukelstuhl *m*; **2.** ~ *à porteurs* Tragsessel *m*, Sänfte *f*; *porteur m de* ~ Sänftenträger *m*; **3.** *ehm.* ~ *de poste* Postwagen *m*; **4.** ⊕ Gestell *n*; *mach.* Gestell *n* zum Tragen der Transmissionswellen; ~ *d'un clocher* Glockenstuhl *m*; **5.** ~ *marchepied* Stuhltrittleiter *f*; ~**se-longue** [~ˈlɔ̃ːg] *f* (6a) Liegestuhl *m*; ~**sier** [ʃɛˈzje] *su.* (7b) **1.** ⊕ Stuhlmacher *m*; **2.** Stuhlvermieter *m*.

chaland [ʃaˈlɑ̃] *m* flaches Transportschiff *n*, Lastkahn *m*.

chalaze [kaˈlɑːz] *f* **1.** Hahnentritt *m im Vogelei*; **2.** ⚘ innerer Nabel *m*; **3.** ⚕ Hagelkorn *n am Augenlid*.

chalcogra|phe [kalkɔˈgraf] *m* Kupferstecher *m*; ~**phie** [~graˈfi] *f* **1.** Kupferstecherkunst *f*; **2.** Kupferstichsammlung *f*; **3.** Kupferstecherkabinett *n*.

châle [ʃɑːl] *m* Schal *m*.

chalet [ʃaˈlɛ] *m* **1.** ~ (*suisse*) Sennhütte *f*; **2.** Schweizerhaus *n*.

chaleur [ʃaˈlœːr] *f* **1.** Hitze *f*, Wärme *f*; ⊕ ~ *blanche* (*rouge vif*) Weiß-(Rot-)glut *f*; **2.** *fig.* Eifer *m*, Glut *f*; **3.** *zo.* Brunst(zeit *f*) *f* der Weibchen; ~**eux** [~lœˈrø] *adj.* (7d) *fig.* warm, warmherzig, gefühlvoll, ergreifend; lebhaft (*Stil, Beifall*).

châlit [ʃɑˈli] *m* Bettgestell *n*; ⚔ Pritsche *f*.

challen|ge [ʃaˈlɑ̃ːʒ] *m Sport*: Wanderpreis *m*; ~**ger**[1] [tʃalɛnˈʒœːr] *m Sport*: Titelanwärter *m*; ~**ger**[2] [ʃalɑ̃ˈʒe] *v/i.* (11) *den Inhaber e-s Meistertitels od. Wanderpreises offiziell* herausfordern.

chaloir † [ʃaˈlwaːr] *v/i. nur gebr. in*: *peu me chaut ...* es kümmert mich wenig ...

chalon ⚓ [ʃaˈlɔ̃] *m* Schleppnetz *n*.

chaloupe ⚓ [ʃaˈlup] *f* Schaluppe *f*; ~ *de débarquement sur la Lune* Mondfähre *f*.

chaloupé [ʃaluˈpe] *adj.* schaukelnd, *fig.* schwankend.

chaloupe-pilote ⚓ [ʃaˈluppiˈlɔt] *f* (6b) Lotsenboot *n*.

chalouper *fig.* [ʃalu'pe] *v/i.* (1a) schaukelnd gehen (*od.* tanzen).

chalu|meau [ʃaly'mo] *m* (5b) **1.** Strohhalm *m*, Schilfrohr *n*; **2.** ♪ Schalmei *f*; Hirtenflöte *f*; **3.** ⊕ Lötrohr *n*; ~ *oxhydrique* Sauerstoffbrenner *m*; ~ *à souder* Schweißbrenner *m*; ~ *de découpage*, ~ *à découper* Schneidbrenner *m*.

chalut ⚓ [ʃa'ly] *m* Grundschleppnetz *n*; **~age** [~'ta:ʒ] *m* Sacknetzfischerei *f*; **~ier** ⚓ [~'tje] *m* (Sacknetz-)Fischdampfer *m*.

chamade [ʃa'mad] *f*: *battre la* ~ ganz aufgeregt sein.

chamail|ler F [ʃamɑ'je] *v/rfl.*: *se* ~ (1a) sich balgen, sich raufen; *fig.* sich herumzanken, sich in den Haaren liegen; **~lerie** F [~mɑj'ri] *f* Krakeel *m*, Zank *m*, Krach *m*, *fig.* Szene *f*; **~s** *pl.* Gezanke *n*.

chamar|ré *iron.* [ʃamɑ're] *adj.* von Orden u. Goldtressen strotzend, F voller Lametta, F mit Lametta behängt; **~rer** *mst. iron.* [~] *v/t.* (1a) verbrämen, ausstaffieren; *un général chamarré de décorations iron.* ein General voller Lametta; ~ *de citations* ⚔ mit Belobigungen im Tagesbefehl überhäufen; **~rure** *iron.* [~'ry:r] *f* kitschige Verzierung *f*, lächerliche Ausstaffierung *f*.

chambard F [ʃɑ̃'ba:r] *m* Spektakel *m*, Skandal *m*, Krach *m*, Klamauk *m* F, Krakeel *m* F, Radau *m*; F Kladderadatsch *m*, Umsturz *m*; **~ement** F [~də'mɑ̃] *m* Umsturz *m*, Durcheinander *n*, Umwälzung *f*; Sensation *f*; *mv.p.* Liquidierung *f*; s. *chambard*; **~er** F [~'de] **1.** *v/t.* über den Haufen werfen, umwerfen, umstoßen, zertrümmern; durcheinanderbringen, auf den Kopf stellen; *mv.p.* beseitigen, *mv.p.* fertigmachen P, *mv.p.* liquidieren (*a.* *Sachen*); **2.** *abs.* randalieren, krakeelen, Krach (*od.* Lärm) machen; **~eur** P [~'dœ:r] *m* Radaubruder *m*.

chambellan *bsd. hist.* [ʃɑ̃bɛ'lɑ̃] *m* Kammerherr *m*.

chambouler F [ʃɑ̃bu'le] *v/t.* (1a) durcheinanderschmeißen P.

chambranle [ʃɑ̃'brɑ̃:lə] *m* (*Tür-, Fenster- usw.*) Verkleidung *f*; Kaminsims *m*.

chambre ['ʃɑ̃:brə] *f* **1.** Zimmer *n*, Stube *f* F, Gemach *n st.s.*; ~ *en saillie* Erkerzimmer *n*; ~ *à coucher* Schlafzimmer *n*; ~ *d'amis* Fremdenzimmer *n*, Gastzimmer *n*; ~ *de domestiques* (Dienst-)Mädchenzimmer *n*; ~ *meublée* (*od. garnie*) möbliertes Zimmer *n*; *robe f de* ~ Schlafrock *m*; ⚘ ~ *forte* Panzergewölbe *n* (*e-r Bank*), Tresor *m*; ⚓ ~ *de chauffe* Heizraum *m*; ⚓ ~ *du capitaine* Kapitänskajüte *f*; *pommes f/pl. de terre en robe de* ~ Pellkartoffeln *f/pl.*; *valet m de* ~ Kammerdiener *m*; *faire la* ~ das Zimmer machen *od.* aufräumen; *garder la* ~ das Zimmer hüten; *ouvrier m en* ~ Heimarbeiter *m*; **2.** *pol.* Kammer *f*, gesetzgebende Körperschaft *f*; ~ *de commerce* Handelskammer *f*; ~ *de compensation*(*s*) Abrechnungs-, Verrechnungs-stelle *f*, Ausgleichsamt *n*, -kammer *f*, Clearinghaus *n*; ~ *des métiers* Handwerkskammer *f*; ♀ *des députés* Abgeordnetenhaus *n*; ~*s pl.* Parlament *n*; ♀ *des Communes*, ♀ *basse* Unterhaus *n* (*England*); ♀ *haute*, ♀ *des lords* Oberhaus *n* (*England*); *convoquer* (*dissoudre*) *la* ~ die Kammer einberufen (auflösen); *siéger à la* ~ in der Kammer sitzen; **3.** ⚖ Gerichtshof *m*, Gericht *n*, Abteilung *f* e-s Gerichts; ~ *d'appel* Berufungsgericht *n*; ~ *des vacations* Ferienstrafkammer *f* (*für dringliche Fälle*); **4.** *abs.* Gemach *n* der Fürsten; *hist. gentilhomme m de la* ~ Kammerjunker *m*; **5.** *musique f de* ~ Kammermusik *f*; **6.** *phot.* ~ *obscure* (*od. noire*) Dunkelkammer *f*; **7.** ⊕ Höhlung *f*, Kammer *f*; *Auto, vél.* ~ *à air* Schlauch *m*; ~ *d'écluse* Schleusenkammer *f*; ~ *frigorifique* Gefrierraum *m*; ~ *froide* Kühlraum *m*; ~ *de réfrigération* Gefrierkammer *f*; *Auto*: ~ *de mélange*, ~ *de compression* Vergasungs-, Kompressionsraum *m*; ~ *d'explosion*, ~ *de combustion* Verbrennungsraum *m*; *at.* ~ *des ions* (*à détente*) Ionen- (Nebel-)kammer *f*.

cham|bre-cuisine ['ʃɑ̃:brəkwi'zin] *f* (6a) Wohnküche *f*; **~brée** *bsd.* ⚔ [~'bre] *f* Mannschaftszimmer *n*, Stube *f*; Korporalschaft *f*; ⚔ *balayer la* ~ die Stube ausfegen; **~brer** [~'bre] (1a) **I** *v/i.* **1.** ~ *ensemble* in demselben Zimmer wohnen; **II** *v/t.* **2.** ~ *q.* j-n in e-m Zimmer eingeschlossen halten; **3.** temperieren, zimmerwarm machen (*z.B. Wein*); **4.** P ~ *q.* a) j-n einwickeln; b) j-n hochnehmen; **~brette** [~'brɛt] *f* Stübchen *n*, Kämmerchen *n*; **~brière** [~bri'ɛ:r] *f man.* Peitsche *f*.

chameau [ʃa'mo] *m* (5b) **1.** *zo.* Kamel *n*; ~ *à une bosse* einhöckeriges Kamel *n*, Dromedar *n*; ~ *à deux* *bosses* zweihöckeriges Kamel *n*; **2.** Kamelhaar *n*; **3.** ⚓ Kamel *n* (*Art Ponton*); **4.** *fig.* F boshafter Mensch *m*, widerlicher Kerl *m*.

chamel|ier [~mə'lje] *m* Kameltreiber *m*; **~le** *zo.* [~'mɛl] *f* Kamelstute *f*.

chamois [ʃa'mwa] *m* **1.** *zo.* Gemse *f*; **2.** (*peau f de* ~) Gemsleder *n*; **3.** (*auch adj.*: *couleur f* ~) Gemsfarbe *f*; **~er** [~'ze] *v/t.* (1a) sämisch gerben; **~erie** [~z'ri] *f* **1.** Sämischgerberei *f*; **2.** Sämischleder *n*.

champ [ʃɑ̃] *m* **1.** Feld *n*, freier Platz *m*, Fläche *f*, Stätte *f*; *en plein* ~ auf offenem (*od.* freiem) Feld; ~ *d'aviation* Flugfeld *n*; *Sport*: ~ *de courses* Rennbahn *f*; ~ *de ski* Schifeld *n*; ~ *de foire* Rummelplatz *m*; Marktplatz *m*; ✈ ~ *d'atterrissage* Landungs-feld *n*, -platz *m*, -stelle *f*; ⚔ ~ *d'entonnoirs* Trichterfeld *n*; ⚡ ~ *magnétique* Magnetfeld *n*; ~ *de bataille* Schlachtfeld *n*; ~ *de manœuvre od. de Mars* Exerzierplatz *m*; ~ *de repos* Friedhof *m*; ~ *de tir* Schießplatz *m*; Schußfeld *n*; *prendre du* ~ Anlauf nehmen; **2.** ⚒ Feld *n*, Acker *m*; ~ *labouré* gepflügtes Land *n od.* Feld *n*, Sturzacker *m*; ~ *en friche* Brachfeld *n*; **3.** ~*s pl.* Land *n*, Ländereien *f/pl.*; *das* Freie *n*; *poét.* Gefilde *n/pl.*, Fluren *f/pl.*; ~*s pl. d'épandage* ⚒ Rieselfelder *n/pl.*; *courir les* ~*s* auf den Feldern umherstreifen; *à travers* ~*s* querfeldein; *prendre la clef des* ~*s* das Weite suchen, sich aus dem Staub (*od.* auf die Beine) machen; **4.** ⚔ *battre* (*od. sonner*) *aux* ~*s* den Präsentiermarsch spielen; **5.** ~ *clos* Kampfplatz *m*, Schranken *f/pl. zum Zweikampf*; Turnierplatz *m*; **6.** *fig.* Gebiet *n*, Bereich *m* (*od. n*); ~ *d'activité* Arbeitsgebiet *n*, Wirkungsbereich *m*; ~ *d'application* Anwendungsbereich *m*; **7.** *fig. sur-le-*~ sofort, auf der Stelle, sogleich; F *à tout bout de* ~ alle Augenblicke, andauernd, bei jeder Gelegenheit; *avoir le* ~ *libre* freie Bahn (*od.* freien Spielraum *od.* freie Hand) haben, völlig ungebunden *od.* sein eigener Herr sein; **8.** *opt.* Sehweite *f e-s Fernrohrs*; ~ *visuel* Gesichtsfeld *n*, Sehweite *f*; **9.** ⚡ ~ *électrique* (*magnétique*) elektrisches (magnetisches) Feld *n*; **10.** *peint. usw.* Grund *m*; **11.** ⊕ Fläche *f*; schmale Seite *f*; *mettre* (*od. placer od. poser*) *de* (*od. sur*) ~ auf die hohe Kante stellen (*od.* legen).

champa|gne [ʃɑ̃'paɲ] *m* Champagner(wein *m*) *m*, Sekt *m*, Schaumwein *m*; *fine*(-~) *f* Weinbrand *m*; **~gniser** [~ɲi'ze] *v/t.* (1a) zu Sekt verarbeiten.

champart [ʃɑ̃'pa:r] *m* **1.** *féod.* Kehrzehent *m*; **2.** ⚒ Mischkorn *n*.

champêtre [ʃɑ̃'pɛ:trə] *adj.* ländlich, Land..., Feld...; *vie f* ~ Landleben *n*; *garde m* ~ Feldhüter *m*.

champignon [ʃɑ̃pi'ɲɔ̃] *m* **1.** Pilz *m*, *bsd.* Champignon *m*; *cuis.* ~*s pl. de Paris* Champignons *pl.*; *fig. pousser comme un* ~ zusehends wachsen (*von Kindern*); **2.** ⚘ Schwammgewächs *n*; **3.** Knopf *m* am Kleiderriegel; **4.** F *Auto*: Gashebel *m*; **~ner** [ʃɑ̃piɲɔ'ne] *v/i.* (1a) wie Pilze aus der Erde schießen (*Städte, Industrien*); **~nière** [~'njɛ:r] *f* Mistbeet *n* für Pilze; Pilzbeet *n*; Champignon-keller *m*, -gewölbe *n*; **~niste** [~ɲɔ'nist] *m* Champignonzüchter *m*.

champion [ʃɑ̃'pjɔ̃] *m* **1.** *Sport*: Champion *m*, Meister *m*, Sieger *m*; ~ *du monde* Weltmeister *m*; ~ *du monde de boxe* Boxweltmeister *m*; ~ *de bob(sleigh)* Bobmeister *m*; ~ *de* (*od. du*) *Derby* Derbysieger *m*; **2.** *fig.* Vorkämpfer *m*, Verfechter *m*; **3.** *féod.* Kämpe *m*; **~nat** [~pjɔ'na] *m* **1.** Meisterschaft *f*; ~ *du monde sur route* Weltmeisterschaft *f* im Straßenrennen; ~ *du monde* (*de tennis, d'échecs*) Welt-(Tennis-, Schach-)meisterschaft *f*; ~ *de bob(sleigh)* Bob(schlitten)meisterschaft *f*; ~ *de* (*demi-*)*fond* Lang-(Mittel-)streckenmeisterschaft *f*; **2.** Wettkampf *m* um die Meisterschaft; **~ne** [~'pjɔn] *f* **1.** Weltmeisterin *f*; **2.** *fig.* Hauptvertreterin *f*, Vorkämpferin *f*.

cham|plé ⚒ [ʃɑ̃'ple] *adj.* vom Frost beschädigt; **~plure** ⚒ [~'ply:r] *f* Frostschaden *m*.

champoreau [ʃɑ̃pɔ'ro] *m* warmes Mischgetränk *n* aus Wein u. Kaffee.

chançard P [ʃɑ̃'sa:r] *m* Glücks-kind *n*, -pilz *m*.

chance [ʃɑ̃:s] *f* Glück *n*, Chance *f*, Glücksfall *m*, gute Aussicht(en *f/pl.*) *f*; ~*s pl.* Möglichkeiten *f/pl.*, *fig.* Aussichten *f/pl.*, Wahrscheinlichkeiten *f/pl.*; *n'avoir pas de* ~ kein Glück haben; *il y a neuf* ~*s sur dix* man kann zehn gegen eins wetten; es ist so gut wie sicher (*od.* todsicher); *je veux tenter ma* ~ ich will es darauf ankommen lassen, ich will's riskieren; *se mettre à couvert de toute* ~ sich auf alles gefaßt machen, mit allem rechnen; *saisir sa ~ au vol* die Gelegenheit beim Schopf ergreifen; *bonne ~!* viel Glück!, guten Erfolg!, Glück zu!

chance|lant [ʃɑ̃s'lɑ̃] *adj.* wack(e)lig, verwittert, baufällig; **~ler** [~'le] *v/i.* (1c) (sch)wanken, straucheln; *fig.* wankelmütig sein.

chance|lier [ʃɑ̃sə'lje] *m* Kanzler *m*; *~ de l'Échiquier* Schatzkanzler *m* (*in England*); *All. ~ fédéral* Bundeskanzler *m*; **~lière** [~'ljɛ:r] *f* **1.** Frau *f* e-s Kanzlers; **2.** Fuß-sack *m*, -wärmer *m*; **~llement** [~sɛl'mɑ̃] *m* Wanken *n*; *fig.* Unbeständigkeit *f*; **~llerie** [~sɛl'ri] *f* Kanzlei *f*; Staatskanzlei *f*; Kanzleramt *n*; *Fr. bisw.*: Justizministerium *n*, *England*: oberster Gerichtshof *m*; *style m de ~* Kanzleistil *m*; *Fr. grande ~* Großkanzleramt *n der Ehrenlegion.*

chanceux [ʃɑ̃'sø] *adj.* (7d) **1.** glücklich; *un homme ~* ein Glückskind *n*; **2.** gewagt, riskant; *c'est une affaire chanceuse* das ist e-e riskante Sache *f*.

chan|ci [ʃɑ̃'si] *adj. u. m* schimmlig(er Mist *m*); **~cir** [~'si:r] *v/i.* (2a) schimmlig werden; **~cissure** [~si'sy:r] *f* Schimmel *m*.

chan|cre ['ʃɑ̃:krə] *m* ⚕ Geschwür *n*; *fig.* Krebsübel *n*; ♣ Baumkrebs *m*; **~creux** [ʃɑ̃'krø] *adj.* (7d) ⚕ krebsartig; ♣ brandig.

chandail [ʃɑ̃'daj] *m* (*pl.* ~*s*) Sporttrikot *n*, Pullover *m*, wollene Weste *f*.

Chandeleur *rl.* [ʃɑ̃də'lœ:r] *f* Lichtmeß *f*, Mariä Reinigung *f* (*2. Februar*).

chandel|ier [ʃɑ̃də'lje] *m* Leuchter *m*; *~ d'église* Kirchenleuchter *m*; *~ à plusieurs branches* Armleuchter *m*; *être (placé) sur le ~* ein hohes Amt bekleiden; **~le** [~'dɛl] *f* (Talg- *usw.*) Licht *n*, Kerze *f*; *~ de glace* Eiszapfen *m*; *~ romaine* Feuerwerksrakete *f*; *la ~ coule* die Kerze tropft; *faire des économies de bouts de ~* kleinlich sparen; *brûler la ~ par les deux bouts* mit s-r Gesundheit Raubbau treiben; mit s-m Vermögen aasen; *j'en ai vu trente-six ~s* mir wurde grün u. blau vor Augen, ich hörte die Engel im Himmel singen; *je lui dois une belle (od. fière) ~* ich kann ihm sehr dankbar sein; ich habe ihm sehr zu danken; *le jeu ne (od. n'en) vaut pas la ~* es lohnt sich nicht; *tenir la ~* Hehler- *od.* Kuppel-dienste leisten; **~lerie** [~dɛl'ri] *f* ⊕ Kerzen-fabrik *f*, -handel *m*.

chanfrein [ʃɑ̃'frɛ̃] *m* **1.** Vorderteil *m des Pferdekopfes*; *~ blanc* Blesse *f*; **2.** ⚠ Schrägkante *f*.

chanfreiner ⚠ [ʃɑ̃frɛ'ne] *v/t.* (1b) ein Stück Holz abschrägen.

change [ʃɑ̃:ʒ] *m* **1.** Tausch *m*, Wechsel *m*; *gagner au ~* beim Tausch gewinnen; *perdre au ~* weniger haben als zuvor, schlechter dran sein als zuvor; **2.** Bank-, Wechsel-geschäft *n*, Geld-, Wechsel-handel *m*; *agent m de ~* Börsen-, Wechsel-makler *m*; (*bureau m de*) *~* Wechselstube *f*; (*cours m du*) *~* Wechselkurs *m*; *~ à vue od. lettre f de ~ à vue* Sichtwechsel *m*; **3.** *ch.* falsche Spur *f*; *fig. prendre le ~* sich irreführen lassen; *donner le ~ (à)* irreführen; *donner le ~ sur le mobile du crime* e-n falschen Hinweis auf das Motiv des Verbrechens geben.

change|able [ʃɑ̃'ʒablə] *adj.* veränderlich; **~ant** [~'ʒɑ̃] *adj.* (7) **1.** veränderlich, launisch, unstet, wetterwendisch; **2.** schillernd; **~ment** [ʃɑ̃ʒ'mɑ̃] *m* (Ver-)Änderung *f*, Verwandlung *f*, Wechsel *m*; *pol.* Umschwung *m*; Versetzung *f* (*e-s Beamten*); *~ en bien* Verbesserung *f*; *~ en mal* Verschlechterung *f*; 🚂 *~ de train* Umsteigen *n*; *Auto*: *~ de vitesse* Gangschaltung *f*, Wechselgetriebe *n*, Kupplung *f*; *Auto*: *~ de vitesse automatique* Automatik *f*; *~ de domicile*, *~ de résidence*, *~ d'appartement* Umzug *m*, Wohnsitzverlegung *f*; *~ d'adresse* Anschriftenänderung *f*, Umadressierung *f*, ⚚ Geschäftsverlegung *f*; *~ de direction* Fahrtrichtungsänderung *f*; ⚓ *~ de marée* Flutwechsel *m*; *thé. ~ de la distribution des rôles* Neubesetzung *f*; ⚔ *~ de position* Stellungswechsel *m*; *~ du sens* Bedeutungswandel *m*; *~ du temps* Witterungsumschlag *m*.

changer [ʃɑ̃'ʒe] **I** *v/i.*: **1.** *~ de qch.* (*intransitiv mst. bei folgendem Sachobjekt, u. zwar im Falle e-r Änderung od. e-s Wechsels, die od. den eine Person, ein Tier od. e-e Blume, an, mit od. für sich selbst vollzieht od. vollziehen läßt; e-e Sache statt e-r anderen nehmen od. annehmen, etw. auswechseln; s-n eigenen [geistigen od. materiellen] Zustand ändern; Sichverändern des Subjekts!*) (um-, ver-)ändern, wechseln; *~ d'adresse* s-e (eigene) Anschrift ändern; *~ d'appartement* in e-e andere Wohnung ziehen, umziehen; *l'hôte change d'assiettes* der Gast nimmt andere Teller; *~ d'avis* s-e (eigene)

Meinung ändern; anderen Sinnes werden; ~ *de bas* andere Strümpfe anziehen; ~ *de bonne* ein anderes Dienstmädchen nehmen; ⚓ ~ *de cap* den Kurs ändern; ~ *de caractère* sich charakterlich ändern; ~ *de chemise* das Hemd wechseln; ein anderes Hemd anziehen; ~ *de chevaux* die Pferde wechseln; ~ *de conduite* sein Verhalten ändern, sich umstellen; ~ *de couleur* sich verfärben, *a. fig.* die Farbe wechseln; *la fleur change de couleur* die Blume wechselt ihre Farbe; ~ *de domicile* umziehen, s-e Wohnung wechseln; ~ *d'école* die Schule wechseln; ~ (*d'habits od. de vêtements*) sich umziehen; ✈ ~ *d'huile* das Öl wechseln; ~ *de linge* andere Unterwäsche anziehen; ~ *de logis* umziehen, s-e Wohnung wechseln; ~ *de note fig.* andere Saiten aufziehen, e-n schärferen (*od.* anderen) Ton anschlagen; ~ *de parti* das Mäntelchen nach dem Wind drehen; ~ *de place* den Platz wechseln; ~ *de religion* die Religion wechseln; ~ *de résidence* umziehen, s-e Wohnung (s-n Wohnort) wechseln; *elle a changé de robe* sie hat ihr Kleid gewechselt, sie hat ein anderes Kleid angezogen; 🚃 ~ (*de train*) umsteigen (*mit avoir!*); ~ *de vie* s-e Lebensweise ändern; ~ *de visage* (plötzlich) blaß (*od.* rot) werden, sich verfärben (*Gesicht*), die Fassung verlieren; *Auto*: ~ *de vitesse* (um-)schalten; e-n anderen Gang einschalten; **2.** *abs.* (*p.p. mit avoir im Falle e-r Handlung, mit être im Falle e-s Zustandes*) sich (ver-) ändern, anders werden; *elle a beaucoup changé* sie hat sich sehr verändert; *elle est beaucoup changée* sie ist ganz anders (*od.* völlig verwandelt); *cet homme est changé à ne pas le reconnaître* dieser Mensch ist so verändert, daß man ihn nicht wiedererkennt; *son visage a changé* sein (ihr) Gesichtsausdruck hat sich verändert; *combien les mœurs ont changé!* wie sehr haben sich doch die Sitten geändert!; *combien les temps sont changés!* wie sind jetzt die Zeiten doch anders!; *prov. les temps changent et nous changeons avec eux* die Zeiten ändern sich, und wir ändern uns mit ihnen; *ne pas* ~ gleichbleiben; *aimer* (*à*) ~ die Veränderung lieben; *le temps va* ~ es wird anderes Wetter geben (*od.* werden), wir bekommen anderes Wetter; *le vent a changé* der Wind hat sich gedreht; ~ *en bien*, ~ *à son avantage* sich bessern, sich vorteilhaft (zum Guten) entwickeln; ~ *en mal* sich verschlechtern; *je suis rentré chez moi pour* ~ ich bin nach Hause zurückgekehrt, um mich umzuziehen; ⊕ ~ *sur* übersetzen auf (*acc.*); **II** *v/t.* (*mst. bei Sachobjekt, das sich nicht auf die eigene Person od. auf das Subjekt e-s Tiers od. e-r Blume bezieht; Veränderung des Objekts!*) a) (ver-, um-)wandeln, umgestalten, ändern, auswechseln, wechseln (*bsd. Geld!*); *le garçon du restaurant changea les assiettes* der Kellner wechselte die Teller; *changez les assiettes!* wechseln Sie die Teller!, geben Sie mir andere Teller!; ~ *son caractère* s-n Charakter (*d. h. den e-s anderen*) ändern; ~ *les idées de q.* j-s Ideen (*od.* Gedanken *od.* Vorstellungen) ändern; ~ *les idées à q.* j-n (*acc.*) auf andere Gedanken bringen; ~ *sa manière de vivre* s-e Lebensweise (*d. h. die e-s anderen*) ändern; ~ *la misère* dem Elend ein Ende bereiten; ~ *les draps d'un lit* ein Bett neu beziehen; *Auto*: ~ *les pneus* die Reifen (Mäntel) auswechseln; ☤ ~ *l'étiquette* das Preisschild ändern; ~ *le papier d'une chambre* die Tapete wechseln; ~ *l'adresse d'une lettre* e-n Brief umadressieren; *cela change les affaires* das ändert die Sachlage; *Auto*, ⚓ *usw.*: ~ *la marche* e-e andere Richtung einschlagen (*od.* nehmen), die Richtung ändern; *thé.* ~ *la distribution des rôles* die Rollenverteilung ändern; ~ *l'ordre* den Befehl ändern; *il a changé toute sa maison* er hat sein ganzes Haus umgebaut (*od.* anders eingerichtet); ~ *une pièce d'argent* (*un billet*) ein Geldstück (e-n Geldschein) wechseln; *rien ne peut* ~ *les lois de la nature* nichts kann die Gesetze der Natur ändern (*od.* umstoßen); ⚓ ~ *la barre* das (Steuer-)Ruder umlegen; ~ *qch. de place* etw. anderswohin stellen, setzen, legen; *fig.* ~ *ses batteries*, ~ *son fusil d'épaule* (*aber auch*: ~ *de batterie*) *fig.* s-n Kurs ändern, andere Wege einschlagen, andere Mittel versuchen, sich umstellen; ~ *son fusil d'épaule a. pol.* sein Mäntelchen nach dem Wind drehen; zu e-r anderen Partei überspringen; *Luther a changé la religion dans une partie de l'Allemagne* Luther hat die Religion in e-m Teil Deutschlands verändert; *les alchimistes préten-*

daient pouvoir ~ *toutes sortes de métaux en or* die Alchimisten behaupteten, jede Art von Metallen in Gold verwandeln zu können; *cela ne change rien à mon dessein* das ändert nichts in m-r Absicht; *il n'y a rien à* ~ *à cela* daran läßt sich nichts ändern; ~ *la victoire en déroute* den Sieg in e-e völlige Auflösung verwandeln; *rl.* ~ *l'eau en vin* das Wasser in Wein verwandeln; ~ *les soupçons de q. en certitude* j-s Verdachtsmomente in Gewißheit verwandeln; *oft steht transitives changer, wo intransitives* ~ *de wegen der Subjektsbezogenheit* (*vgl.* I, 1.) *klarer wäre*: *on change ses habitudes* man ändert s-e Gewohnheiten; *un peuple changeait son culte* ein Volk wechselte mit s-m Kultus; *elle ne changea pas beaucoup sa manière de vivre* sie änderte ihre Lebensweise nicht sehr; b) ~ *qch. pour* (*od. contre*) *qch.* etw. ein- *od.* aus- *od.* umtauschen gegen *od.* ersetzen durch etw.; *prov.* ~ *son cheval borgne contre un aveugle* aus dem Regen in die Traufe kommen; ~ *un violon contre un accordéon* e-e Geige gegen ein Akkordeon tauschen; *elle a changé sa vaisselle vieille pour de la neuve* sie hat ihr altes Geschirr gegen neues eingetauscht; c) *mit persönlichem Objekt nur in der Bedeutung*: ~ *un enfant* (*un bébé*) ein Kind (ein Baby) trockenlegen; ~ *un malade* e-m Kranken reine Wäsche geben; **III** *v/rfl.* se ~ sich umziehen; se ~ *en qch.* sich in etw. (*acc.*) verwandeln, zu etw. (*dat.*) werden; se ~ *en vinaigre* zu Essig werden; *l'eau se change en vapeur* das Wasser verwandelt sich in Dampf (*od.* verdampft); *la victoire se changea en déroute* der Sieg verwandelte sich in e-e völlige Niederlage; *la joie s'est changée en douleur* die Freude hat sich in Schmerz verwandelt.

changeur [ʃɑ̃'ʒœ:r] *su.* (7g) (Geld-) Wechsler *m*; ⊕ Plattenwechsler *m*.

chanoi|ne [ʃa'nwan] *m* Stifts-, Dom-herr *m*, Kanoniker *m*; *avoir une mine de* ~ ein blühendes Aussehen haben; **~nesse** [~nwa'nɛs] *f* Domfrau *f*, Stiftsdame *f*, Kanonissin *f*.

chanson [ʃɑ̃'sɔ̃] *f* **1.** (heiteres, geselliges) Lied *n*, Gesang *m*; ~ *de route* Marschlied *n*; ~ *populaire* Volkslied *n*; **2.** episches Gedicht *n*; ~ *de geste* altfranzösisches Heldengedicht *n*; **3.** F *fig.* ~*s pl.* Unsinn *m*, Gefasel *n*, Quatsch *m*, leeres Geschwätz *n*; ~*s* (*que tout cela*)! nichts als leeres Gerede!; **~ner** [~sɔ'ne] *v/t.* (1a) *auf j-n* ein Spottlied machen; **~nette** [~sɔ'nɛt] *f* Liedchen *n*; **~nier** [~sɔ'nje] (7b) **I** *su.* Liederdichter, -sänger *m*, Coupletsänger *m*; **II** *m* Liederbuch *n*.

chant [ʃɑ̃] *m* **1.** Gesang *m*; (ernstes) Lied *n*, *poét.* Ode *f*; Hymne *f*; *leçon f de* ~ Gesangsstunde *f*; *professeur m de* ~ Gesanglehrer *m*; ~ *d'église od.* ~ *grégorien od. plain-*~ einstimmiger Kirchengesang *m*; *société f de* ~ Gesangverein *m*, Liedertafel *f*; ~ *national* Nationalhymne *f*; ~ *nuptial* Hochzeitslied *n*; **2.** Melodie *f*, Weise *f*; **3.** Gesang *m* der Vögel; Krähen *n*; Zirpen *n*; *dès le* ~ *du coq* mit dem ersten Hahnenschrei; ~ *du rossignol* Schlagen *n* der Nachtigall; **4.** ⊕ Schmalseite *f*.

chantable [ʃɑ̃'tablə] *adj.* singbar.

chantage [ʃɑ̃'ta:ʒ] *m* Erpressung *f*.

chantant [ʃɑ̃'tɑ̃] *adj.* (7) singend; melodisch; mit Gesang, mit Musik; *café m* ~ Kabarett *n*, Tingeltangel *m*.

chanteau [ʃɑ̃'to] *m* **1.** großes Stück *n* Brot; **2.** Stück *n* Stoff; Zwickel *m*.

chantepleure [ʃɑ̃tə'plœ:r] *f* **1.** Seihtrichter *m*; **2.** (Wasser-)Abzugsloch *n*; **3.** Stichhahn *m e-s Fasses*; **4.** ✓ Gießkanne *f*.

chanter [ʃɑ̃'te] (1a) **I** *v/i.* **1.** singen; ~ *faux* (*juste*) unrein (rein) *od.* falsch (richtig) singen; ~ *à première vue,* ~ *à livre ouvert* vom Blatt (ab)singen; ~ *trop haut* (*trop bas*) zu hoch (zu tief) singen; *la chanteuse que j'ai entendue* ~ ... die Sängerin, die ich habe singen hören, ...; *la chanson que j'ai entendu* ~ ... das Lied, das ich habe singen hören, ...; ~ *en chœur* im Chor singen; **2.** in singendem Ton lesen *od.* vortragen; **3.** zwitschern (*Vögel*); schlagen (*Nachtigall*); krähen (*Hahn*); zirpen (*Grille*); **4.** F *chacun fabrique ce qui lui chante* jeder bastelt das, wozu er gerade Lust hat; *au moment où ça leur chante* in dem Augenblick, wo ihnen das zusagt (*od.* wo sie dazu aufgelegt sind); F *si ça vous chante* wenn das Ihnen paßt (*od.* zusagt); **5.** *faire* ~ *q.* j-n erpressen, von j-m Geld erpressen; **II** *v/t.* **6.** singen; besingen, preisen; ~ *misère* dauernd über sein Leid klagen; ~ *pouille*(*s*) *à q.* j-n ausschimpfen; ~ *victoire* frohlocken; **7.** F sagen, vorbringen; *qu'est-ce qu'il me chante là?* was schwatzt er mir da vor?; **III** *v/rfl.* se ~ gesungen werden.

chan|terelle [ʃɑ̃'trɛl] *f* **1.** E-Seite *f*; Quinte *f*; *fig. baisser la* ~ klein beigeben; *appuyer sur la* ~ auf den springenden Punkt zu sprechen kommen; **2.** *ch.* Lockvogel *m*; **3.** ⚘ Pfifferling *m*; **~teur** [~'tœ:r] (7g) **I** *su.* Sänger *m*; ~ *des rues* Bänkelsänger *m*; **II** *adj.* singend; *maître m* ~ a) *hist.* Meistersänger *m*; b) Erpresser *m*; *oiseaux m/pl.* ~*s* Singvögel *m/pl.*; **~teuse** [~'tø:z] *f* Sängerin *f jeder Art*; ~ *de music-hall* Varietésängerin *f*; ~ *d'opéra* Opernsängerin *f* (*dafür a.*: *cantatrice*).

chantier [ʃɑ̃'tje] *m* Bau(hof *m*) *m*; Baustelle *f*; Arbeitsstelle *f*; Lagerplatz *m*, Lager *n*; ~ *naval* Schiffswerft *f*; △ *chef m de* ~ Polier *m*; *mettre qch. en* ~ △ *e-n Bau* beginnen; *fig.* etw. inszenieren, einleiten, in Gang bringen, in die Wege leiten.

chantignole △ [ʃɑ̃ti'ɲɔl] *f* **1.** mittelstarker Ziegelstein *m* für Kaminbauten; **2.** *charp.* Knagge *f*.

chanton|nement [ʃɑ̃tɔn'mɑ̃] *m* halblautes Singen *n*; **~ner** [~tɔ'ne] *v/t. u. v/i.* (1a) (*etw.*) halblaut vor sich hersingen.

chantour|nage [ʃɑ̃tur'na:ʒ] *m*, **~nement** [~nə'mɑ̃] *m men.* Ausschneiden *n*, Auskehlung *f*; Laubsägen *n*; **~ner** [~'ne] *v/t.* (1a) ausschneiden *od.* -kehlen; laubsägen; *scie f à* ~ Laubsäge *f*.

chantre ['ʃɑ̃:trə] *m* **1.** Chorsänger *m* in e-r Kirche; Kantor *m*; *premier* ~ Vorsänger *m*; **2.** *poét.* ~ *des bois* Sänger *m* (*od.* Dichter *m*) des Waldes.

chan|vre ['ʃɑ̃:vrə] *m* Hanf *m*; **~vrier** [ʃɑ̃vri'e] (7b) **I** *su.* Hanfbrecher *m*, -händler *m*; **II** *adj. industrie f chanvrière* Hanfindustrie *f*.

chaos [ka'o] *m* Chaos *n*, Durcheinander *n*, Wirrwarr *m*.

chaotique [kaɔ'tik] *adj.* chaotisch.

chaouch *arab.* [ʃa'uʃ] *m* (*pl.* ~*es*) Polizeidiener *m*.

chapar|dage F [ʃapar'da:ʒ] *m* Mausen *n*, Stibitzen *n*, Klauen *n*, Klauerei *f*; **~der** F [~'de] *v/i.* (1a) mausen, klauen, stibitzen; **~deur** F [~'dœ:r] *su.* (7g) Dieb *m*, Spitzbube *m*.

chape [ʃap] *f* **1.** Chor-mantel *m*, -rock *m*; Kardinalsrock *m*; *en* ~ *et en mitre* im vollen Ornat; **2.** ⊕ Deckel *m*, Kappe *f*, Überzug *m*, Schutzmantel *m*; ⚗ Helm *m des Destillierkolbens*; △ Fußbodenbelag *m*, Schlußschicht *f*, Porenschluß *m*, Überzug *m*; △ ~ *molle* weiche (Fußboden-)Unterlage *f*; ~ *de plastique spatulée* Spachtelbelag *m*; ~ *de la boussole* Kompaßhütchen *n*; ~ *d'une poulie* Rollenbügel *m*; ~ *tournante* Drehhaube *f*, Schornsteinaufsatz *m*.

chapeau [ʃa'po] *m* (5b) **1.** Hut *m*; ~ *d'homme* Herrenhut *m*; ~ *de femme* Damenhut *m*; ~ *claque* Chapeau claque *m*, Klappzylinderhut *m*; ~ *haut de forme* Zylinder(hut *m*) *m*; ~ *melon* Glocke *f*, Melone *f*, runder, steifer Hut *m*; ~ *à trois cornes* dreieckiger Hut *m*, Dreispitz *m*; ~ *de feutre*, ~ *de paille* Filz-, Stroh-hut *m*; *avoir son* ~ *sur la tête* e-n Hut aufhaben; *enfoncer* (*od. poser*) *le* ~ *sur ses yeux* s-n Hut tief ins Gesicht ziehen; *mettre son* ~ sich e-n Hut aufsetzen; *ôter son* ~, *mettre* ~ *bas* den Hut abnehmen (*od.* ziehen); *donner un coup de* ~ *à q.* vor j-m den Hut ziehen; *coup m de* ~ *à qch.!* Hut ab vor etw.!; *rad.* wir begrüßen *die Melodie* ... (*als Ansage*); ~ *bas!* (man nehme den) Hut ab!; P *il travaille du* ~ bei ihm ist 'ne Schraube locker, bei ihm tickt's, er ist plemplem; er hat nicht alle Tassen im Schrank!; ~*! int.* herrlich!, prima!, ganz groß!; **2.** ♪ ~ *chinois* Schellenbaum *m*; **3.** *fin.* ~ *de titre* Aktienmantel *m*; **4.** ⚘ Hut *m der Pilze*; **5.** ⚕ Kopfausschlag *m* der Kinder; **6.** ⊕ Deckel *m*, Kapsel *f*, Klappe *f*; **7.** Kopfnote *f*, kurze Einführung *f oberhalb e-s Zeitungsartikels*; **8.** ⚓ Transportvergütung *f*.

chapeaut|é F [ʃapɔ'te] *adj.*: *être bien* (*mal*) ~ e-n schönen (schlechten) Hut aufhaben; **~er** F [~] *v/t.* (1a) leiten.

chapelain [ʃa'plɛ̃] *m* Kaplan *m*.

chapelet [ʃa'plɛ] *m* **1.** Rosenkranz *m*; *dire son* ~ den Rosenkranz beten; *fig. défiler son* ~ sein Herz ausschütten; **2.** *fig.* Reihe *f*, Kette *f*, Serie *f*; ~ *d'injures* (*de jurons*) Flut *f* von Beleidigungen (von Flüchen); ~ *de bombes* ganze Kette *f* (*od.* Serie *f*) von Bomben; **3.** ⊕ Becherwerk *n*.

chapelier [ʃapə'lje] *su.* (*a. adj.*) (7b) Hut-macher *m*, -händler *m*.

chapelière [ʃapə'ljɛ:r] *f* Hutkoffer *m*.

chapelle [ʃa'pɛl] *f* **1.** *rl.* Kapelle *f*, Kirchlein *n*, Bethaus *n*; Leichenhalle *f*, -haus *n*; *maître m de* ~ Kantor *m*; **2.** (Silber-)Gerät *n* e-r Kapelle; **3.** *fig.* Ideen-, Interessengemeinschaft *f*; *mv.p.* Clique *f*;

une ~ *littéraire* ein literarischer Zirkel *m* (*od.* Club *m*).

chapellerie [ʃapɛl'ri] *f* Hut-fabrik *f*, -geschäft *n*, -waren *f/pl.*

chapelure [ʃa'plyːr] *f cuis.* abgeriebene Brotkruste *f*.

chaperon [ʃa'prɔ̃] *m* **1.** Käppchen *n*; *le petit* ~ *rouge* das Rotkäppchen; **2.** *fig.* Anstandsdame *f*; **3.** Haube *f*, Mauerkappe *f*; **~ner** [~rɔ'ne] *v/t.* **1.** △ *e-e Mauer* verkappen; **2.** *fig.* als Anstandsdame ein junges Mädchen begleiten.

chapiteau [ʃapi'to] *m* **1.** △ (Säulen-)Knauf *m*, Kapitell *n*; **2.** ⚗ Brennkolbendeckel *m*; **3.** Aufsatz *m auf Schränken usw.*; **4.** Zirkuszelt *n*; **5.** P Hut *m*, P Deckel *m*.

chapi|tre [ʃa'piːtrə] *m* **1.** Abschnitt *m*, Kapitel *n*; **2.** *fig.* Gegenstand *m e-s Gesprächs usw.*; *on en était sur votre* ~ man sprach soeben von Ihnen; *en voilà assez sur ce* ~! genug davon!; **3.** *rl.* (Dom-) Kapitel *n*, Stift *n*; *avoir voix au* ~ Sitz und Stimme im Kapitel haben; *fig.* ein Wort mitzureden haben; **4.** Stiftsversammlung *f*; **~trer** [~'tre] *v/t.* (1a): ~ *q.* j-n abkanzeln, j-m die Leviten lesen.

chapon [ʃa'pɔ̃] *m* **1.** Kapaun *m*; **2.** *cuis.* mit Knoblauch geriebene Brotkruste im Salat; **~neau** [ʃapɔ'no] *m* (5b) junger Kapaun *m*; **~ner** [ʃapɔ'ne] *v/t.* kapaunen, verschneiden.

chaptaliser [ʃaptali'ze] *v/t.* (1a) *Wein* zuckern.

chaque [ʃak] *adj.* jeder, jede, jedes (*einzelne*); *à* ~ *instant* jeden Augenblick.

char [ʃaːr] *m* **1.** Wagen *m*; ~ *à bancs* Kremser *m*; ⚔ ~ *blindé*, ~ *d'assaut* Panzerwagen *m*, Tank *m*; ⚔ ~ *de combat* Sturm-, Kampf-wagen *m*; ~ *monoplace* Einmann-Kampfwagen *m*; ~ *rampant m* Kriechtank *m*; ~ (*de combat*) *fumigène* (*pontonnier*, *amphibie*) Nebel- (Brücken-, Schwimm-)Kampf-wagen *m*; ~ *funèbre* Leichenwagen *m*; **2.** *antiq.* *zweirädriger* Wagen *m*; ~ *de triomphe* Triumphwagen *m*.

charabia [ʃara'bja] *m* Kauderwelsch *n*.

charade [ʃa'rad] *f* Silbenrätsel *n*.

charançon [ʃarɑ̃'sɔ̃] *m* Rüsselkäfer *m*, Kornwurm *m*.

charasse [ʃa'ras] *f* Lattenkiste *f*.

charbon [ʃar'bɔ̃] *m* **1.** Kohle *f*; ~ *animal*, ~ *d'os* Tier-, Knochenkohle *f*, ~ *de bois* Holzkohle *f*; ~ *brut* Förder-, Roh-kohle *f*; ~ *de terre*, ~ *minéral* Steinkohle *f*; ~ *végétal* Braunkohle *f*; ~ *gras* Fettkohle *f*; ~ *d'extraction* Förderkohle *f*; ~ *pulvérisé* Kohlenstaub *m*; *brûler du* ~ mit Kohlen feuern *od.* heizen; ~ *domestique* Hausbrandkohle *f*; *fig.* *être sur des* ~*s* (*ardents*) wie auf Kohlen sitzen, in tausend Ängsten schweben; **2.** ✓ Getreidebrand *m*; **3.** *vét.* Räude *f der Schafe*; **4.** ⚕ Karbunkel *m*; Milzbrand *m*; **~nage** [~bɔ'naːʒ] *m* (Stein-)Kohlenbergwerk *n*, Zeche *f*; **~né** [~bɔ'ne] *adj.* **1.** verkohlt; ✓ brandig; **2.** kohlschwarz; **~née** [~] *f* **1.** *cuis.* Rostbraten *m*; **2.** ⊕ Kohlenschicht *f*; **3.** *peint.* Kohlezeichnung *f*; **~ner** [~] (1a) **I** *v/t.* **1.** verkohlen, in Kohle verwandeln; **2.** schwarz machen; **3.** *peint.* mit Kohle zeichnen; **II** *v/i.* blaken (*Lampe*); **~nerie** [ʃarbɔn'ri] *f* Kohlenhandlung *f*; **~neux** [~bɔ'nø] *adj.* (7d) brandig; karbunkelartig; **~nier** [~bɔ'nje] *m* **1.** Köhler *m*, Kohlenbrenner *m*; **2.** Kohlenhändler *m*; **3.** Kohlenkeller *m*; **4.** ⚓ Kohlenschiff *n*; **~nière** [~'njɛːr] *f* **1.** Kohlenmeiler *m*; **2.** *orn.* Kohlmeise *f*.

charbucle ✓ [ʃar'byklə] *f* Mehltau *m*.

charcu|ter [ʃarky'te] (1a) *v/t.* Fleisch ungeschickt zerhacken; P beim Operieren übel zurichten; **~terie** [~'tri] *f* (Schweine-)Fleischwaren(handlung *f*) *f/pl.*; Wurstwaren *f/pl.*; **~tier** [~'tje] *m* Fleischer *m*.

chardon [ʃar'dɔ̃] *m* **1.** ⚘ Distel *f*; ~ *bénit* Bitterdistel *f*; ~ *Roland* Männertreu *f*; ~ *étoilé* Sterndistel *f*; ~ *sauvage* Wegedistel *f*; *fig.* *aimable* (*od.* *hérissé*) *comme un* ~ kratzbürstig; **2.** *icht.* Stachelrochen *m*; **3.** △ ~*s pl.* auf e-r Mauer eingelassene Eisenspitzen *f/pl.*; **~ner** *text.* [~dɔ'ne] *v/t.* (1a) *Tuch* rauhen, krempeln; **~neret** [~dɔn'rɛ] *m* Distelfink *m*, Stieglitz *m*.

charge [ʃarʒ] *f* **1.** Last *f*, *fig.* Bürde *f*; *fig.* Beschwerlichkeit *f*; Sorge *f*; *fin.* Abgabe *f*, Auflage *f*; *la vie lui est à* ~ das Leben ist ihm zur Last; *être à* ~ *à q.* j-m zur Last fallen; *être à la* ~ *de q.* von j-m erhalten werden; *fin.* zu j-s Lasten gehen; *mettre une somme à la* ~ *de q.* j-n mit e-m Betrag belasten; *à sa* ~ auf seine (ihre) Kosten, zu seinen (ihren) Lasten; *les* ~*s publiques* die öffentlichen Abgaben *f/pl.*; ~*s f/pl. sociales* Sozialabgaben *f/pl.*, -leistungen *f/pl.*; ~ *d'un legs* Beschwerung *f* mit e-m Vermächtnis; ~ *relative à l'église* Kirchenbaulast *f*; ~ *spéciale* Sonderbelastung *f* (*geldlich, durch Arbeit usw.*); ~ *fiscale* Steuer-last *f*, -druck *m*; **2.** Belastung *f*; Fuhre *f*; Ladung *f*, Fracht *f*; *capacité f de* ~ Ladefähigkeit *f*, Fassungsvermögen *n*; ⊕ ~ *de rupture* Bruchlast *f*; 🚂 *usw.* ~ *maxima* Höchstbelastung *f*; ~ *utile* Ladegewicht *n*, Nutzlast *f*; **3.** Auftrag *m*, Verpflichtung *f*, Obliegenheiten *f/pl.*; *avoir la* ~ *de q.* j-n betreuen; ~ *d'âmes* Seelsorge *f*; *femme f de* ~ Haushälterin *f*; *à* ~ *de ...* (*mit inf.*) unter der Bedingung, zu ... *od.* daß ...; **4.** Amt *n*, Dienst *m*, Posten *m*; Stelle *f*; *se démettre de sa* ~ sein Amt niederlegen; *en vertu de sa* ~ kraft s-s (ihres) Amtes; **5.** *fig.* Übertreibung *f*, Zerrbild *n*, Karikatur *f*; Karikierung *f*; *thé.* improvisierter Zusatz *m*; **6.** ⚖ Beschwerde *f*, Anklage(punkt *m*) *f*, erschwerender Umstand *m*; *témoin m à* ~ Belastungszeuge *m*; **7.** ⚔ (heftiger) Angriff *m*; *au pas de* ~ im Sturmschritt; ~ *à la baïonnette* Bajonettangriff *m*; *battre (sonner) la* ~ zum Angriff trommeln (blasen); *revenir à la* ~ den Angriff erneuern; *fig.* e-n neuen Vorstoß unternehmen; **8.** a) ⚡, ⚔ Ladung *f*; ⚡ ~ *de base* Grundlastenenergie *f*; ⚡ ~ *de pointe* Spitzenlastenenergie *f*; *tension f de* ~ Ladespannung *f*; ~ *de poudre* Pulverladung *f*; ~ *concentrée*, ~ *en sachet* geballte Ladung *f*; *at.* ~ *du noyau* Kernladung *f*; b) Laden *n*, Füllung *f e-s Ofens*.

char|gé [ʃarˈʒe] **I** *p/p. v. charger u. adj.* **1.** be-, ge-laden; bepackt; *avoir l'estomac* ~ e-n zu vollen Magen haben; *phot. la caméra n'est pas* ~*e* die Kamera ist nicht geladen, es ist kein Film in die Kamera eingelegt; *lettre f* ~*e* Wertbrief *m*; *l'arme* ~*e* mit geladenem Gewehr; **2.** *fig.* belastet; bedeckt; ~ *de dettes* mit Schulden belastet, verschuldet; ~ *d'enfants* (*auch*: *de famille*) mit Kindern gesegnet; ~ *de malédictions* fluchbeladen; *ciel m* ~ bedeckter Himmel *m*; *une journée* ~*e* ein arbeitsreicher Tag *m*; **3.** ⚕ *avoir la langue* ~*e* (*les yeux* ~*s*) e-e belegte Zunge (geschwollene Augen) haben; *vin* ~ trüber Wein *m*; **4.** P besoffen; **II** *m* ~ *d'affaires pol.* Geschäftsträger *m*, Beauftragte(r) *m*; ~ *de cours* Lehrbeauftragte(r) *m*; *Fr.* Privatdozent *m*; ~ *de procuration* Prokurist *m*; ~**gement** [ʃarʒəˈmɑ̃] *m* **1.** Ver-, Be-ladung *f*, Belastung *f*, Verschiffung *f*; ~ *maximum* Höchstbelastung *f*; **2.** (Schiffs-)Ladung *f*, Fracht *f*; **3.** ✉ Wertbrief *m*; **4.** ⚔ Laden *n*.

charg|er [ʃarˈʒe] (1l) **I** *v/t.* **1.** beladen, bepacken; befrachten (*de* mit); ~ *une lettre* e-n Brief als Wertbrief aufgeben; **2.** aufpacken *od.* aufladen (*sur* auf *acc.*); ~ *sur une autre voiture* umladen; **3.** beschweren, belasten, überladen; *fin.* ~ *un compte* ein Konto belasten; **4.** ⚔ heftig angreifen; ~ *à la baïonnette* mit dem Bajonett angreifen; **5.** ⚖ ~ *q. de qch.* j-m etw. zur Last legen; ~ *q. d'un crime* j-n e-s Verbrechens anklagen; **6.** ~ *q. de qch.*, ~ *q. de faire qch.* j-n mit etw. beauftragen; **7.** übertreiben, *das Maß* überschreiten; **8.** ins Lächerliche ziehen, karikieren; **9.** *Färberei*: ~ *la cuve* die Küpe ansetzen; *Gießerei*: ~ *le four(neau)* den Ofen füllen (*od.* beschicken); ⚔ ~ *une arme* ein Gewehr laden; ~ (*avec une cartouche*) *à balle* (*à blanc*) scharf (blind) laden; ~ *une caméra* e-e Kamera laden; ~ *une pellicule* e-n (neuen) Film einlegen; ~ *un accumulateur* e-n Akku(mulator) laden; **II** *v/rfl. se* ~ **10.** sich bepacken *od.* beladen; *se* ~ *l'estomac* sich den Magen volladen; **11.** *se* ~ *de q.* sich j-s annehmen; *je m'en charge* das übernehme ich; das lassen Sie meine Sorge sein; **12.** sich bedecken, sich bewölken, trübe werden; **13.** ⚕ sich belegen (*Zunge*); **14.** P sich besaufen, tanken, ordentlich einen bügeln; ~**eur** [~ˈʒœːr] **I** *m* Auflader *m*; ⚓ Befrachter *m*; Spediteur *m*; Patronenlager *n*, Magazin *n* (*e-s Revolvers*); *commissionnaire m* ~ Schiffsmakler *m*; **II** *adj.* (7g): *plateforme f chargeuse* Ladebrükke *f*.

chariot [ʃarˈjo] *m* **1.** Fuhrwerk *n*, Roll-, Acker-wagen *m*; ~ *à bâche* Planwagen *m*; ~ *à bière* Bierwagen *m*; ~ *à caisse* Kastenwagen *m*; ~ *à ridelles* Leiterwagen *m*; ~ *de transport* Transportwagen *m*; **2.** Spezialwagen *m*; ⊕ Lore *f*, Karren *m*; Schlitten *m*; Laufkatze *f*; ~ *de l'appareil photographique* Schlitten *m* am Photoapparat; ~ *cavalier* ⊕ Portalhubwagen *m* (*für den Transport schwerer Baumstämme*); ~ *d'écoute* Abhörwagen *m*; ~ *électrique* a) Elektrowagen *m*; b) Elektrolaufkatze *f*; ~ *élévateur à bras* Handhubwagen *m*; ~ *à fourches* (*od. à lames*) Gabelstapler *m*; ~ *à grue* Kranwagen *m*; ~ *de la machine à écrire* Schlitten *m* der Schreibmaschine; ~ *de la machine à tricoter* Schlitten *m* der Strickmaschine; ~ *métallique* (kleiner) Metallschiebewagen *m* (*Selbstbedienungsgeschäft*); *bét.* ~ *à mortier* Mörtelschlitten *m*; ~ *de prises de vue* Kamerawagen *m*; ~ *de roulement od. du pont roulant* Kran(lauf)katze *f*; ~ *à roulettes* fahrbare Krankenbahre *f*; ~ *du tour* Schlitten *m* der Drehbank; ~ *transbordeur* a) 🚂 Schiebebühne *f*; Fahrbühne *f*; b) ⊕ Kran(lauf)katze *f*; ~ *à tuyaux* Schlauchwagen *m*; **3.** *ast. le* ♀ (*de David*) der Große Bär; **~-tour** [~'tuːr] *m* (6a) Drehbank-, Werkzeug-schlitten *m*.

charism|atique *fig.* [karisma'tik] *adj.* mit großem Prestige; **~e** *rl.* [ka'rism] *m* Charisma *n*.

chari|table [ʃari'tablə] *adj.* □ **1.** barmherzig, mild(tätig); *don m* ~ milde Gabe *f*; *esprit m* ~ Milde *f*; *fondation f* ~ wohltätige Stiftung *f*; *service m* ~ Liebesdienst *m*; **2.** wohlwollend; *avis m* ~ wohlgemeinter Rat *m*; **~té** [~'te] *f* **1.** (christliche) Nächstenliebe *f*, Barmherzigkeit *f*, Mild-, Wohltätigkeit *f*; **2.** Gefälligkeit *f*; **3.** milde Gabe *f*, Almosen *n*; *œuvre f de* ~ Liebeswerk *n*; *frères m/pl.* (*sœurs f/pl.*) *de la* ♀ barmherzige Brüder *m/pl.* (Schwestern *f/pl.*); *établissement m de* ~ Armenhaus *n*; ⚕ *hôpital m de la* ♀ Charité *f*; *demander la* ~ betteln, um ein Almosen bitten; *la* ~, *s'il vous plaît!* bitte um eine kleine Gabe; *prov.* ~ *bien ordonnée commence par soi-même* jeder ist sich selbst der Nächste.

charivari [ʃariva'ri] *m* Katzenmusik *f*; Spektakel *m*, Poltern *n*, Gepolter *n*, Lärm *m*.

charlatan [ʃarla'tɑ̃] (7) *m* Scharlatan *m*, Quacksalber *m*, Kurpfuscher *m*, Wunderdoktor *m*; Angeber *m*, Bluffer *m*, Großtuer *m*, Schaumschläger *m*; **~esque** [~ta'nɛsk] *adj.* scharlatanenhaft; großtuerisch, angeberisch; **~isme** [~ta'nism] *m* Scharlatanismus *m*.

Charlemagne [ʃarlə'maɲ] *m* Karl der Große; *faire* ~ mit seinem Gewinn abziehen; aufhören zu spielen, wenn man gewonnen hat.

Charles [ʃarl] *npr. m* Karl *m*; P *seul le grand* ~ *nous peut sortir de là!* nur noch ein Wunder kann uns retten!

charlotte [ʃar'lɔt] *f* **1.** Damenhut *m* mit Volants; **2.** *cuis.* Apfelbrei *m* mit gerösteten Brotschnitten; ♀ *russe* Schlagsahne *f* mit Keks.

charmant [ʃar'mɑ̃] *adj.* (7) scharmant, gewinnend, entzückend, reizend, bezaubernd, anmutig, hübsch, nett; F allerliebst; *le Prince* ♀ der Märchenprinz; *caractère m* ~ einnehmendes Wesen *n*.

charme[1] [ʃarm] *m* **1.** Zauber(werk *n*, -mittel *n*) *m*, Zauberei *f*; *chanson f de* ~ schmalziges Lied *n*; *chanteur m de* ~ Schnulzensänger *m*; *lever* (*od. rompre*) *le* ~ den Zauber lösen; *user de* ~*s* Zauberei treiben; **2.** *fig.* Reiz *m*, Zauber *m*, Anmut *f*, Anziehungskraft *f*; *avoir du* ~ Scharm besitzen, durch sein Wesen sehr gewinnen.

charme[2] [~] *m* ⚘ gemeine Hage-, Weiß-buche *f*; Weißbuchenholz *n*; *se porter comme un* ~ sich bester Gesundheit erfreuen; s. *chêne*; F *ils se portent comme des* ~*s* sie haben e-e Bärennatur.

charm|er [ʃar'me] *v/t.* (1a) **1.** behexen, bezaubern, besprechen; **2.** wegzaubern; auf angenehme Art verkürzen; **3.** entzücken; *charmé!* hocherfreut!; *j'en suis charmé* das freut mich sehr; **~eur** [~'mœːr] (7g, *bisw. noch* 7h) **I** *su.* **1.** Zauberer *m*; *f*: Charmeuse *f* (*Kunstseide*); ~ *de serpents* Schlangenbeschwörer *m*; **2.** Mann *m* (*bzw.* Frau *f*) mit e-m einnehmenden Wesen; **II** *adj.*: *grâce f charmeuse* zauberische Anmut *f*; *voix f charmeresse* bezaubernde Stimme *f*.

charmille [ʃar'mij] *f* **1.** ⚘ Hagebuchenschößling *m*; **2.** Hagebuchenlaube *f*, Laubengang *m*.

charn|el [ʃar'nɛl] *adj.* (7c) □ fleischlich, sinnlich; *l'amour m* ~ die sinnliche Liebe; **~ier** [~n'je] *m* **1.** Beinhaus *n*; **2.** Leichen-grube *f*, -feld *n*.

charn|ière [ʃarn'jɛːr] *f* **1.** Scharnier *n*; **2.** ⊕ Hohlmeißel *m*; **3.** *anat.* Winkelgelenk *n*; **4.** Klebefalz *m*; **5.** *zo.* Schloß *n e-r Muschel.*

charnu *bsd. anat.* [ʃar'ny] *adj.* fleischig (*a. z.B. vom Pfirsich*); Fleisch..., fleisch...; **~re** [~'nyːr] *f* Fleischbildung *f*.

charogn|ard *orn.* [ʃarɔ'ɲaːr] *m* Aasgeier *m*; **~e** [ʃa'rɔɲ] *f* Tierleiche *f*, Kadaver *m*, Aas *n*; P Mistvieh *n*.

charpen|te [ʃar'pɑ̃ːt] *f* **1.** Zimmerwerk *n*, Gebälk *n*; *bois m de* ~ Bau-, Nutz-holz *n*; ~ *métallique*, ~ *en fer*

Eisengerüst *n*; ~ *du corps*, ~ *osseuse* Knochengerüst *n*; *belle* ~ stattlicher Körperbau *m*; **2.** *fig. litt.* Plan *m*; Grundriß *m*, Entwurf *m*, Aufbau *m*, Grundzüge *m/pl.*; **~ter** [~pɑ̃'te] *v/t.* (1a) zimmern; *fig.* anlegen, den Plan entwerfen; *solidement* (*od. bien*) *charpenté physiol.* kräftig gebaut, vierschrötig; **~terie** [~pɑ̃'tri] *f* **1.** Zimmerhandwerk *n*; **2.** Zimmerarbeit *f*; **3.** Lagerplatz *m für Bauholz*; **~tier** [~'tje] *m* Zimmermann *m* (*pl.* Zimmerleute); *a. adj.*: *maître m* ~ Zimmermeister *m*; *compagnon m* ~ Zimmergeselle *m*; *apprenti m* ~ Zimmerlehrling *m*; ~ *de vaisseau od. de navire* Schiffszimmermann *m*.

charpie [ʃar'pi] *f* **1.** ⚕ ✎ zerzupfte Leinwand *f*; Scharpie *f*; *dafür besser*: *gaze*; **2.** *fig. viande f en* ~ zerkochtes Fleisch *n*.

charrée ⊕ [ʃa're] *f* ausgelaugte Asche *f*, Laugenasche *f*.

charre|tée [ʃar'te] *f* Ladung *f*, Fuhre *f*; **~tier** [~'tje] (7b) **I** *su.* Kärrner *m*, Fuhrmann *m*; **II** *adj.*: *chemin m* ~ Fahrweg *m*; *porte f charretière* Torweg *m*.

charrette [ʃa'rɛt] *f* zweirädriger Pferdekarren *m*; ~ *à bras* zwei- *od.* vierrädriger Handwagen *m*.

charri|age [ʃar'ja:ʒ] *m* **1.** Anfuhr *f*; **2.** Fuhrlohn *m*; **~er** [ʃar'je] (1a) **I** *v/t.* **1.** an-, ab-fahren; **2.** mit sich führen, wegtreiben, wegspülen (*Flüsse*); *le fleuve charrie du sable* der Fluß führt Sand mit sich; **3.** P *j-n* hochnehmen, verutzen, veräppeln, zum besten haben; **II** *v/i.* **4.** mit Eis gehen, Eis treiben; **5.** *fig.* ~ *droit* den geraden Weg gehen; **6.** P es zu bunt treiben; Unsinn reden; **III** *m* Aschen-, Laugen-tuch *n*; **~eur** [~r'jœ:r] *su.* (7g) Fuhrmann *m*.

charroi [ʃa'rwa] *m* **1.** Fuhrwesen *n*; Fuhre *f*; *par* ~ durch Fuhrwerk; **2.** Fuhrlohn *m*.

charron [ʃa'rɔ̃] *m* Stellmacher *m*; **~nage** [~rɔ'na:ʒ] *m* Stellmacherei *f*; **~nerie** [~rɔn'ri] *f* Wagenbau *m*.

charroy|er [ʃarwa'je] *v/t.* (1h) auf Pferdewagen an- *od.* wegfahren; **~eur** [~'jœ:r] *m* **1.** Fuhrmann *m*; **2.** *géol.* Ausläufer *m*, Apophyse *f*.

charrue [ʃa'ry] *f* **1.** Pflug *m*; ~*-buttoir* Häufelpflug *m*; ~ *à pelle* Schaufelpflug *m*; **2.** Hufe *f* (*Stück Ackerland*).

charruer *bét.* [ʃa'rɥe] *v/t.* (1a) scharrieren.

charte [ʃart] *f* (Verfassungs-)Urkunde *f*, Charta *f*; ♀ *Internationale du Travail* Internationales Arbeitsabkommen *n*; ♀ *des Nations Unies pol.* Charta *f* der Vereinten Nationen (*seit 1944*); **~-partie** [~par'ti] *f* Befrachtungsvertrag *m*.

charter ✈ [ʃar'tɛ:r] *m* Charterflugzeug *n*.

chartes [ʃart] *f/pl.* Chartergebühren *f/pl.*

chartiste [ʃar'tist] *m* ehemaliger Schüler *m der Ecole des chartes*.

chartreu|se [ʃar'trø:z] *f* **1.** *rl.* Kartäuserin *f*; **2.** Kartäuserkloster *n*, Kartause *f*; **3.** einsames Landhäuschen *n*; **4.** Kartäuserlikör *m*; **~x** [~'trø] *m* **1.** *rl.* Kartäuser *m*; **2.** *zo.* Kartäuserkatze *f*.

chartrier [ʃartri'e] *m* **1.** Archiv *n e-s Klosters*, Aufbewahrungsort *m für Urkunden*; **2.** Urkundensammlung *f*; **3.** Archivar *m*.

chas [ʃɑ] *m* **1.** Nadelöhr *n*; **2.** ⚠ Bleilot *n*.

chasse [ʃas] *f* **1.** Jagd *f*, Weidwerk *n*, Jägerei *f*, Jagdwesen *n*; *aller à la* ~ auf die Jagd gehen; *partie f de* ~ Jagdpartie *f*; ~ *au(x) client(s)* Kundenjagd *f*; *permis m de* ~ Jagdschein *m*; ~ *à courre* Hetzjagd *f*; ~ *du renard* Fuchsjagd *f*; *donner la* ~ *à* Jagd machen auf (*acc.*); *fig.* verfolgen; *zo. se faire la* ~ einander beschleichen; **2.** *terrain m de* ~ Jagd-bezirk *m*, -revier *n*; **3.** *équipage m de la* ~ Jagdzug *m*; **4.** Jagdbeute *f*; **5.** *cabinet m à* ~ *d'eau* Spülklosett *n*; **6.** ✈ *avion m de* ~ Jagdflugzeug *n*; **7.** ⊕ Spielraum *m*, Toleranz *f*.

châsse [ʃɑ:s] *f* **1.** Reliquienkästchen *n*; **2.** ~ *de lunettes* Brilleneinfassung *f*.

chassé [ʃa'se] *m* Seitenschritt *m* (*beim Tanz*).

chasse|-clous [ʃas'klu] *m* (6c) Eintreibeisen *n* für Nägel; **~-corps** [~'kɔ:r] *m* (6c) Schienenräumer *m*.

chassé-croisé [ʃasekrwa'ze] *m Tanzkunst*: Chassé-croisé *n*, Bewegung *f* der Tanzpartner in entgegengesetzter Richtung; *fig. allg.* Platzwechsel *m* zwischen zwei Personen; Kreuzen *n* (*v. Briefen*); Hin u. Her *n*.

chasse-goupille ⊕ [ʃasgu'pij] *m* (6c) Splintauszieher *m*.

chasselas ♀ [ʃas'lɑ] *m* Gutedel *m*.

chasse|-marée [ʃasma're] *m* (6c) kleines Küstenschiff *n* an der bretonischen Küste; Fisch-wagen *m*, -karren *m*; **~-mouches** [~'muʃ] *m* (6c) Fliegen-wedel *m*, -netz *n*; **~-neige** [~'nɛ:ʒ] *m* (6c) Schneepflug *m*; **~-pierres** [~'pjɛ:r] *m* (6c) Schienenräumer *m*.

chasser [ʃa'se] (1a) **I** *v/t.* **1.** jagen, Jagd machen (auf), hetzen; **2.** vor sich herjagen, vorwärts treiben; *Nagel* einschlagen; **3.** wegjagen, verjagen, vertreiben, verscheuchen; *~ q. de chez soi* j-n aus dem Haus jagen, j-n hinauswerfen; *~ l'ennemi de ses positions* den Feind aus s-n Stellungen verdrängen; **4.** ⚗ verdrängen; **II** *v/i.* **5.** jagen, auf die Jagd gehen; *~ sur les terres d'autrui* j-m ins Gehege (*od.* in die Quere) kommen; **6.** *Wolken, Schnee*: treiben; **7.** *Auto*: *~ sur les roues* rutschen, schleudern; **8.** ⚓ *~ sur ses ancres* vor Anker treiben; *~ à la côte* auf die Küste zutreiben; **9.** ⚒ *exploitation f chassante* streichender Abbau *m*; **III** *v/rfl.* se *~* einander vertreiben.

chasse-roue(s) [ʃas'ru] *m* (6d) Prell-, Eck-stein *m*.

chasseur [ʃa'sœ:r] *su.* (7g) **1.** Jäger *m*, Weidmann *m*; *~ alpin* Alpenjäger *m*; *~ amateur* Sonntagsjäger *m*; *~ parasites* Kammerjäger *m*; *argot m de ~s* Jägersprache *f*, Jägerlatein *n*; **2.** Schütze *m*, Jäger *m*, Kampfwagenschütze *m*; ✈ Jagdflieger *m*; Jagdflugzeug *n*; *~ à réaction* Düsenjäger *m*; ⚓ *~ de sous-marin(s)* U-Boot-Jäger *m*; *vaisseau m ~* verfolgendes Schiff *n*; **3.** Pikkolo *m*, Hoteldiener *m*, Laufbursche *m*; **4.** *poét.* (7h) *Diane f chasseresse* Diana *f*, *die* Göttin der Jagd.

chasseur-bombardier ⚔ [~bɔ̃bar'dje] *m* (6a) Jagdbomber *m*.

chassie ⚕ [ʃa'si] *f* Augendrüsenschleim *m*.

chassieux [ʃa'sjø] *adj.* (7d) triefäugig (*a. su.*), triefend.

châssis [ʃɑ'si] *m* **1.** Einfassung *f*, (Fenster-)Rahmen *m*; ⚒ Grubenholz *n*, Rahmen *m*; *~ pliant* Rahmen *m* zum Zusammenschlagen; **2.** *~ de fenêtre* Fenster-rahmen *m*, -umrahmung *f*; *~ dormant* Fensterfutter *n*; *~ double* Doppelfenster *n*; *~ à coulisse* Schiebefenster *n*; *~ de couche* Frühbeetfenster *n*; **3.** ⊕ Gestell *n*; *métall. ~ de moulage*, *typ. ~ d'imprimerie* Formkasten *m*, Rahmen *m*; **4.** *Auto*: Chassis *n*, Untergestell *n*; ✈ *~ d'atterrissage* Fahrgestell *n*; **5.** *peint.* Gitter *n*, Blendrahmen *m*; **6.** *phot.* Kassette *f*; *~-presse* Kopierrahmen *m*.

chassoir ⊕ [ʃa'swa:r] *m* Triebel *m* (*Böttcherhammer*).

chaste [ʃast] *adj.* □ keusch, züchtig, ehrbar, sittsam; **~té** [ʃastə'te] *f* Keuschheit *f*, Sittsamkeit *f*.

chasuble [ʃa'zyblə] *f* **1.** Meßgewand *n*; **2.** Chasuble *n* (*Mode*).

chat [ʃa] *m* (7c) *ohne Hinweis auf das Geschlecht*: Katze *f*; *mit Geschlechtshinweis*: Kater *m*; *fig. pas un ~* keine Menschenseele; *appeler un ~ un ~* das Kind beim Namen nennen; *prov. ~ échaudé craint l'eau froide* gebranntes Kind scheut das Feuer; *à bon ~, bon rat* wie du mir, so ich dir; Wurst wider Wurst; *plais. avoir un ~ dans la gorge* einen Frosch im Hals haben, heiser sein; *vivre comme chien et ~* wie Hund u. Katze leben; *le ~ parti, les souris dansent* wenn die Katze nicht zu Haus ist, tanzen die Mäuse; *acheter ~ en poche* die Katze im Sack kaufen.

châtai|gne ⚘ [ʃɑ'tɛɲ] **I** *f* Kastanie *f*; *~ de chaval* Roßkastanie *f*; **II** *adj./inv.* kastanienbraun; **~gnier** [~'ɲe] *m* (echter) Kastanienbaum *m*.

châtain [ʃɑ'tɛ̃] *adj.* (7) dunkelblond.

chat-cervier *zo.* [ʃasɛr'vje] *m* (6a) Luchs *m*.

château [ʃɑ'to] *m* (5b) **1.** Schloß *n*, Rittersitz *m*, Herrenhaus *n*; Weingut *n*; *~ fort* Burg *f*, Kastell *n*; Zitadelle *f*; *bâtir* (*od. faire*) *des ~x en Espagne* Luftschlösser bauen; **2.** *fig.* Hof *m* e-s Fürsten; **3.** *~ d'eau* Wasserturm *m*; 🚂 Wasserstation *f auf Bahnhöfen*.

chateaubriand *cuis.* [ʃatobri'ɑ̃] *m* Rinderfilet *n* mit Bratkartoffeln.

châtelain [ʃɑt'lɛ̃] *m* **1.** *féod.* Burgherr *m*, Burgvogt *m*, Kastellan *m*; Burgrichter *m*; **2.** *modern*: Schloßherr *m*; Mieter *m* e-s Schlosses; **~e** [~'lɛn] *f* **1.** *féod.* Burgfrau *f*, Burgfräulein *n*; **2.** *modern*: Besitzerin *f* e-s Schlosses; **3.** Gürtelkette *f* (*für Frauen*).

châtelet [ʃɑt'lɛ] *m* Schlößchen *n*; kleine Burg *f*.

chat-huant *orn.* [ʃa'ɥɑ̃] *m* (6a) Waldkauz *m*.

châtier [ʃɑ'tje] (1a) **I** *v/t.* **1.** bestrafen, züchtigen; *~ son corps* sich kasteien; **2.** *fig. ~ son style* s-n Stil ausfeilen; *un langage élégant et châtié* e-e elegante u. gepflegte Sprache *f*; **II** *v/rfl.* se *~* sich kasteien, sich züchtigen.

chatière [ʃa'tjɛ:r] *f* Katzenloch *n an der Tür*; Katzenfalle *f*; *fig.* Schleichweg *m*; ⊕ Abzugsloch *n im Dachstuhl*.

châtiment [ʃɑti'mɑ̃] *m* Züchtigung *f*.

chatoiement [ʃatwa'mɑ̃] *m* Schillern *n*.

chaton [ʃa'tɔ̃] *m* **1.** Kätzchen *n* (*a.* ⚘); **2.** gefaßter Edelstein *m*, Ringfassung *f*; **3.** F Staubflocke *f*, Maus *f*; **~ner** *f* [~tɔ'ne] *v/t.* (1a) einfassen.

chatouil|lant [ʃatu'jɑ̃] *adj.* (7) kitzelnd; *fig.* schmeichelhaft; **~lement** [~tuj'mɑ̃] *m* **1.** Kitzeln *n*; **2.** *fig.* Verlockung *f*; **~ler** [~tu'je] *v/t.* (1a) kitzeln; *fig.* schmeicheln; angenehm berühren; **~leux** [ʃatu'jø] *adj.* (7d) **1.** kitz(e)lig; **2.** *fig.* empfindlich; *question f chatouilleuse* heikle (*od.* F kitzelige) Frage *f*.

chatoy|ant [ʃatwa'jɑ̃] *adj.* (7) schillernd; **~er** [~'je] *v/i.* (1i) schillern (*wie ein Katzenauge*).

chat-pard *zo.* [ʃa'pa:r] *m* (6a) Pardelkatze *f*.

châtrer [ʃɑ'tre] *v/t.* (1a) **1.** *a. vét.* kastrieren, (ver)schneiden; entmannen; **2.** ✐ ausranken; **3.** ~ *des ruches* Bienenstöcke ausnehmen; **4.** zs.-streichen (*Buch*).

chat|te [ʃat] **I** *f weibliche* Katze *f*; *fig.* Schmeichelkatze *f*; **~temite** F [ʃat'mit] *f* Schleicher(in *f*) *m*, Scheinheilige(r) *m*, falsche Katze *f*; **~terie** [ʃa'tri] *f* **1.** Schmeichelei *f*; Katzenfreundlichkeit *f*; **2.** Naschhaftigkeit *f*; **3.** Naschwerk *n*.

chatterton ⚡ [ʃatɛr'tɔ̃] *m* Isolierband *n*.

chat-tigre *zo.* [ʃa'tigrə] (6a) *m* Tigerkatze *f*.

chaud [ʃo] **I** *adj.* (7) *u. adv.* **1.** warm; *j'ai* ~ mir ist warm; *il fait* ~ (*très* ~) es ist warm (heiß); ~ *aux pieds* fußwarm; *manger* ~ warm essen; *tenir* ~ warm halten (*Kleidung*); *tenir (au)* ~ *etw.*, *j-n* warm halten; *cuis.* warm stellen; *fig.* heiß; *pleurer à* ~*es larmes* heiße Tränen vergießen; **2.** *fig.* brühwarm; *je vous apporte la nouvelle toute* ~*e* ich bringe Ihnen die Nachricht brühwarm; **3.** heißblütig, hitzig, lebhaft, heftig; *une tête* ~*e* ein Hitzkopf; *l'affaire fut* ~*e* es ging heiß zu; **4.** *peint. coloris m* ~, *ton m* ~ lebhafte Färbung *f*; **5.** *ne pas être très* ~ *pour faire qch.* keinen gesteigerten Wert darauf legen, etw. zu tun; **II** *m* **6.** Wärme *f*, Hitze *f*; ⚕ *opérer à* ~ im Fieberzustand operieren; *craindre le* ~ sich vor der Hitze fürchten; wärmeempfindlich sein (*Sache*); **7.** F *un* ~ *et froid* e-e plötzliche Erkältung *f*.

chaude [ʃo:d] *f* Glutfeuer *n*.

chaudeau [ʃo'do] *m* heiße Milch *f* mit Ei.

chaud-froid [ʃo'frwa] *m* (6a) *cuis.* Geflügel *n* in Gelee.

chaude-pisse P ⚕ [ʃod'pis] *f* Tripper *m*.

chaudière [ʃo'djɛ:r] *f* (Dampf-)Kessel *m*, (Gieß-)Pfanne *f*; Dampf(heizungs)kessel *m*, (Warmwasser-)Heizkessel *m*; ~ *à haute pression* Hochdruckkessel *m*; ~ *à grande puissance* Hochleistungskessel *m*.

chaudron [ʃo'drɔ̃] *m* **1.** Kochkessel *m*; **2.** F *fig.* alter Klimperkasten *m* (*altes Klavier*); **~née** [~drɔ'ne] *f* Kesselvoll *m*; **~nerie** ⊕ [~drɔn'ri] *f* **1.** Kupferschmiedehandwerk *n*; **2.** Kupfergeschirr *n*; **3.** Kesselschmiede *f*; **~nier** [~drɔ'nje] **I** *adj.* **1.** *apprenti m* ~ Kupferschmiedelehrling *m*; **II** *su.* (7b) **2.** Kupferschmied *m*; **3.** Kupferwarenhändler *m*.

chauff|able [ʃo'fablə] *adj.* heizbar; **~age** [ʃo'fa:ʒ] *m* Heizen *n*; Feuerung *f*, Heizung *f*; *bois m de* ~ Brennholz *n*; ~ *au mazout* Ölheizung *f*; *courant m de* ~ Heizstrom *m*; ~ *central urbain*, ~ *interurbain*, ~ *à distance* Fernheizung *f*; ~ *par le plafond* Deckenheizung *f*; ~ *par le sol* Bodenheizung *f*; ~ *à la vapeur*, ~ *au gaz*, ~ *à air chaud*, ~ *à eau chaude*, ~ *central* Dampf-, Gas-, Warmluft-, Warmwasser-, Zentralheizung *f*; **~agiste** [~fa'ʒist] *m* (Zentral-)Heizungsmonteur *m*; **~ant** [ʃo'fɑ̃] *adj.* (7) Heiz...; ⚡ *tapis m* ~ *électrique* elektrischer Heizteppich *m*; ⚡ *résistance f* ~*e* Heizwiderstand *m*; **~ard** [~'fa:r] *m Auto*: Verkehrssünder *m*.

chauffe [ʃo:f] *f* **1.** ⊕ Heizen *n*, Feuerung *f*; *commencer la* ~ anheizen; *surface f de* ~ Heizfläche *f*; **2.** Feuerraum *m e-s Schmelzofens*; Schürloch *n*; **3.** *écol.* Eintrichtern *n* (*zur Prüfung*).

chauffe|-bain [ʃof'bɛ̃] *m* Badeofen *m*; ⚡, *Gas*: Warmwasserspeicher *m*, Boiler *m*; **~-eau** [~'o] *m* ⚡, *Gas*: kleinerer (Küchen-)Warmwasserspeicher *m*; **~-liquide** ⚡ [~li'kid] *m* Tauchsieder *m*; **~-lit** ⚡ [~'li] *m* (6d) Heizkissen *n*; **~-pieds** [~'pje] *m* (6c) *a.* ⚡ Fußwärmer *m*; **~-plats** *a.* ⚡ [~'pla] *m* (6c) Schüsselwärmer *m*.

chauffer [ʃo'fe] (1a) **I** *v/t. u. abs.* **1.** (er)wärmen, heizen; warm machen; *local m chauffé par le sol* Raum *m* mit Fußbodenheizung; ~ *à blanc* (*à rouge*) weiß(rot) glühend machen; **2.** P wegnehmen, klauen, stehlen; *se faire* ~ sich erwischen lassen; **3.** *fig.* ~ *q.* j-n antreiben; *écol.* ~ *q. pour un examen* j-n auf e-e Prüfung (auf ein Examen) hin einpauken; *fig.* ~ *une affaire* e-e Sache ins Rollen bringen; **II** *v/i.* warm werden; *mot.* sich heißlaufen; *le bain chauffe* das Bad wird warm; *fig. ça chauffe!* die Sache wird ernst!; F *ça va* ~ es wird Krach geben; F *ça chauffe là-bas* dort geht's heiß her; **III** *v/rfl. se* ~ sich (am Feuer) wärmen; F wütend werden; **~ette** [~'frɛt] *f* **1.** ⚡ ~ *électrique* Heizplatte *f*; **2.** Kohlentopf *m* als Fußwärmer, Kieke *f*; **~ie** [~'fri] *f* **1.** Schmiedeesse *f*; **2.** ⊕ Kesselhaus *n*, Dampfkessel-, Feuerungs-anlage *f*; Heiz-raum *m*, -zentrale *f*; **3.** ⚓ Feuerungsraum *m*.

chauff|eur [ʃo'fœ:r] *su.* (7g) **1.** *allg.*, 🚂, ⊕ Heizer *m*; **2.** *Auto*: Fahrer *m*, Kraftfahrer *m*, Autofahrer *m*, Chauffeur *m*; ~ *du dimanche* Sonntagsfahrer *m*; ~ *de poids lourds* Fernlastfahrer *m*; ~*-livreur m* (Waren-) Ausfahrer *m*; ~*-amateur m* Herrenfahrer *m*; ~ *routier m* Fern(last-) fahrer *m*.

chaufour [ʃo'fu:r] *m* Kalkofen *m*; **~nier** [~'nje] *m* Kalkbrenner *m*.

chau|ler [ʃo'le] *v/t.* (1a) **1.** 🌾 mit Kalk düngen; **2.** mit flüssigem Kalk bespritzen *od.* bestreichen; **~leur** [~'lœ:r] *m* Kalker *m*; Tüncher *m*.

chaum|age 🌾 [ʃo'ma:ʒ] *m* Abstoppeln *n*; **~e** [ʃo:m] *m* **1.** Halm *m*; **2.** 🌾 Stoppel *f*, Stoppelfeld *n*; **3.** Stroh *n*, Dachstroh *n*; (*toit m de*) ~ Strohdach *n*; **~er** [ʃo'me] *v/t. u. v/i.* (1a) abstoppeln, die Stoppeln ausreißen; **~ière** [~'mjɛ:r] *f* Strohhütte *f*.

chaussant [ʃo'sɑ̃] *adj.* (7) leicht anzuziehen, gut sitzend (*v. Schuhen*).

chausse [ʃo:s] *f* **1.** *Fr.* (seidener) Schulterstreifen *m* des franz. Professorenornats; **2.** Filtrierbeutel *m*; **3.** *ehm.* ~*s pl.* enganliegende Hosen *f/pl.*, Beinkleider *n/pl.* (*e-r Amtstracht*); *fig. porter les* ~*s* Hosen anhaben (*v. e-r herrischen Frau*), das Regiment im Haus führen; *être après les* ~*s de q.* j-n verfolgen; *tirer ses* ~*s* sich davonmachen, entwischen.

chaussée [ʃo'se] *f* **1.** Damm *m*, Deich *m*; **2.** Straßen-, Fahr-damm *m*, Damm *m*, Fahrbahn *f*, Chaussee *f*; *sur la* ~ auf dem Fahr-damm; *ponts et* ~*s* Brücken- u. Wege-bau *m*; ~ *de rondins* Knüppeldamm *m*; **3.** ⚓ langgezogene Klippe *f*.

chausse-pied [ʃos'pje] *m* Schuhanzieher *m*.

chaus|ser [ʃo'se] (1a) **I** *v/t.* **1.** *Schuhe* anziehen; ~ *ses bottes* sich s-e Stiefel anziehen; ~ *ses lunettes* sich die Brille aufsetzen; ~ *les étriers* den Fuß zu weit in den Bügel stecken; *fig.* ~ *le cothurne* Tragödien (*od.* Trauerspiele) schreiben; schwülstig sprechen; **2.** ~ *q.* j-m die Schuhe anziehen; als Schuhmacher für j-n arbeiten; *abs. ce cordonnier chausse bien* dieser Schuhmacher arbeitet gut; *je suis chaussé trop juste* m-e Stiefel (Schuhe) sind zu eng; **II** *v/i.* ~ *bien* gut sitzen *od.* anliegen (*von Schuhen und Strümpfen*); *il chausse du 40* er hat Schuhgröße 40; *cela me chausse* das paßt mir; **III** *v/rfl. se* ~ sich Schuhe u. Strümpfe anziehen.

chausse-trape [ʃos'trap] *f* (6g) Fußangel *f*; Fuchseisen *n*.

chaus|sette [~'sɛt] *f* Kniestrumpf *m*; Herrensocke *f*; *jus m de* ~ Kaffee *m*; ~ *russe* Fußlappen *m*; **~seur** [~'sœ:r] *m* Schuh-fabrikant *m*, -warenhändler *m*; **~son** [~'sɔ̃] *m* **1.** Filz-, Haus-, Ballett-schuh *m*; Fußling *m*; Babysocke *f*; **2.** *Boxsport*: Beinschlagen *n*; **3.** ~ *aux pommes* (Apfel-)Strudel *m*; **~sure** [~'sy:r] *f* Fußbekleidung *f*, Schuhwerk *n*; ~*s pl.* Schuhe *m/pl.* (*jeder Art*).

chauve [ʃo:v] *adj.* kahl(köpfig); **~-souris** [ʃovsu'ri] *f* (6b) Fledermaus *f*.

chauvin [ʃo'vɛ̃] **I** *m* Chauvinist *m*; Hurrapatriot *m*; **II** *adj.* von übertriebenem Nationalstolz beseelt, chauvinistisch; **~isme** [~vi'nism] *m* Chauvinismus *m*, Hurrapatriotismus *m*; **~iste** [~vi'nist] *adj. u. su.* chauvinistisch; Chauvinist(in *f*) *m*.

chauvir [ʃo'vi:r] *v/i.* (2): ~ *des oreilles* die Ohren spitzen (*v. Pferd, Esel u. Maulesel*).

chaux [ʃo] *f* **1.** Kalk *m* (*a.* ⚗ = *calcium*); Kalkerde *f*; 🌾 ~ *azotée* Kalkdünger *m*; ~ *éteinte* gelöschter Kalk *m*; ~ *vive* ungelöschter Kalk; ~ *hydraulique* hydraulischer Kalk; *eau f de* ~ Kalkwasser *n*; *enduit m de* ~ Kalkanwurf *m*; *four m à* ~ Kalkofen *m*; *lait* (*od. blanc*) *m de* ~ Kalkmilch *f*; *pierre f à* ~ Kalkstein *m*; **2.** ⚒ ~ *caustique* (*vive od. calcinée*) Ätzkalk *m*, Kalziumoxyd *n*.

chavi|rement ⚓ [ʃavir'mɑ̃] *m* Umschlagen *n*; **~rer** [~'re] (1a) **I** *v/i.*

(*mit avoir!*) ⚓ kentern; *a. Auto*: sich überschlagen, umkippen; *fig.* scheitern; **II** *v/t.* umkippen; *fig.* bestürzen.

chéchia ⚔ [ʃeˈʃja] *f* rote Mütze *f* (*gewisser Truppen Afrikas*).

check-up ⚕ [tʃɛkˈœp] *m* klinische Gesamtuntersuchung *f.*

chef [ʃɛf] *m* **1.** Oberhaupt *n*, Anführer(in *f*) *m*; Chef(in *f*) *m*, Vorgesetzte(r) *m*, Vorgesetzte *f*; Vorsteher(in *f*) *m*; *in Zssgn*: Haupt...; ~ *d'atelier* Werkmeister *m*; ~ *de bataillon* Bataillonskommandeur *m*; ~ *de bureau* Bürovorsteher *m*; ⚔ ~ *de chambrée* Stubenälteste(r) *m*; *cuisinier m* ~ Küchenmeister *m*, Chefkoch *m*; ~ *de division*: a) ⚔ Divisionskommandeur *m*; b) *a.*: ~ *de service* Abteilungsleiter *m* in e-m Ministerium; *nature f de* ~ Führernatur *f*; ~ *de cellule d'entreprise* Betriebszellenleiter *m*; ~ *d'entreprise* Betriebs-leiter *m*, -führer *m*; ~ *d'association* Verbandsführer *m*; ~ *de la presse* Pressechef *m*; ~ *de pompe* Spritzenmeister *m*; *il y a du* ~ *en lui* er ist e-e Führernatur; 🚂 ~ *d'inspection de SES* (= *service électrique et de signalisation*) *U-Bahn usw.*: Stellwerksbahnmeister *m*; ~ *de l'Eglise* Oberhaupt *n* der Kirche; ~ *d'équipe* Vorarbeiter *m*, Polier *m*, Mannschafts-, Kolonnen-führer *m*; ⚔ ~ *d'escadron* Schwadronschef *m*; ~ *d'exploitation* Betriebsleiter *m*; ~ *d'Etat* Staatsoberhaupt *n*; ~ *de famille* Familienoberhaupt *n*; ~ *de file* ⚔ Flügel-, Vorder-mann *m*; *pol.* Wortführer *m*; ⚓ vorderstes Schiff *n*, *fig.* Rädelsführer *m*; ~ *scout* Scoutführer *m*; 🚂 ~ *de gare* Bahnhofsvorsteher *m*; ♪ ~ *d'orchestre* Kapellmeister *m*, Dirigent *m*; ~ *de parti* Partei-führer *m*, -chef *m*; ⚔ ~ *de peloton* (*od. de section*) Zugführer *m*; ⚔ ~ *de pièce* Geschützführer *m*; 🚂 ~ *de train* Zugführer *m*; ~ *de tribu* (Stammes-)Häuptling *m*; ~ *chargeur*, ~ *du chargement* Lademeister *m*; ⚖ ~ *du jury* Geschworenenobmann *m*; *commander en* ~ den Oberbefehl haben (über); ⚔ *caporal-*~ Obergefreiter *m* (*Infanterie*); *brigadier-*~ Obergefreiter *m* (*Kavallerie, Artillerie, Panzertruppe*); *général en* ~ kommandierender General *m*; *médecin m en* ~ Generalarzt *m*; *pharmacien m en* ~ Oberstabsapotheker *m*; *sergent-*~ Unterfeldwebel *m*; *pol.* ~ *d'îlot* Blockwart *m*; **2.** (Haupt-)Punkt *m*: ~ *d'accusation* Hauptanklagepunkt *m*; *en* (*od. au*) *premier* ~ in erster Linie; im höchsten Grade; *au dernier* ~ in letzter Linie; aufs höchste; *mener qch. à* ~ etw. bewerkstelligen, möglich machen, zu gutem Ende führen; **3.** *de son* ~, *de propre* ~ von sich aus, aus freien Stücken, von seiner Seite, eigenmächtig; *faire qch. de son propre* ~ etw. auf eigene Faust tun; **4.** (erstes, inneres, Kopf-) Ende *n*, Anstoß *m* am Stoff.

chef|-d'œuvre [ʃɛˈdœːvrə] *m* (6b) Meister-stück *n*, -werk *n*; **~esse** F [ʃeˈfɛs] *f s. cheffesse*; **~ferie** ⚔ [ʃɛˈfri] *f* Pionierkommando *n*; **~fesse** F [ʃɛˈfɛs] *f* Chefin *f*; **~-lieu** [ʃɛfˈljø] *m* (6a) Hauptort *m*, (Bezirks-, Kreis-, Departements-)Hauptstadt *f.*

cheftaine [ʃɛfˈtɛn] *f* Scoutführerin *f*; Jugendführerin *f.*

cheik [ʃɛk] *m* Scheich *m.*

chemin [ʃ(ə)ˈmɛ̃] *m* **1.** Weg *m*, Straße *f*; Zugang *m*; *fig.* Mittel *n*; ~ *couvert* bedeckter Gang *m*; ~ *creux* Hohlweg *m*; *grand* ~ Landstraße *f*, Fuhrweg *m*; *mauvais* ~ falscher Weg *m*; *fig.* Weg *m* der Sünde; ~ *rural* Feldweg *m*; ~ *de grande communication* große Verkehrsstraße *f*, Hauptstraße *f*; ~ *de la Croix* Kreuzesweg *m* (Christi); ~ *pour piétons* Fußweg *m*; ~ *côtier* Strandweg *m*; ~ *d'approche* Anmarschweg *m*; ~ *d'accès* (*od. de desserte od. d'exploitation*) Zufahrtstraße *f*; *fig. faux* ~ Irr-gang *m*, -weg *m*; ~ *de halage* Leinpfad *m*, Treidelweg *m*; *ehm.* ~ *des Indes* Seeweg *m* nach Ostindien; *fig.* ~ *de la vertu* Pfad *m* der Tugend; *à mi-*~ auf halbem Wege; *tout le long du* ~ auf dem ganzen Weg; *faire du* ~ e-e Strecke zurücklegen; *fig.* im Leben vorwärtskommen; ~ *faisant* unterwegs; *fig.* beim Weiterarbeiten; *l'affaire est en bon* ~ die Sache läuft; *aller son petit bonhomme de* ~ s-n Weg entlangtrotten, s-s Wegs dahinziehen; *se mettre en* ~ sich auf den Weg machen; *rester en* ~ unterwegs bleiben; *fig.* unerledigt bleiben; *suivre* (*od. prendre*) *un* ~ e-n Weg einschlagen; *suivre les* ~*s battus* sich in s-n Reden u. Handlungen nach s-r Umwelt richten; nichts Originelles schaffen; keinerlei eigene Ideen haben; *par ce* ~ auf diesem Wege (*a. fig.*); *il vint par ce* ~ er kam auf diesem Weg entlang; *fig. faire son* ~ sein Glück machen, sich durchsetzen, vorwärtskommen;

passez votre ~! geht eures Weges!; *fig. le* ~ *des écoliers* der längste Weg; *s'écarter du droit* ~ auf Abwege geraten; *ne pas y aller par quatre* ~*s* offenherzig sprechen; entschieden handeln; *suivre le droit* (*od. le bon*) ~ sich gut benehmen; **2.** 🚂 ~ *de fer* Eisenbahn *f*; *prendre le* ~ *de fer od. aller en* ~ *de fer, voyager par* (*od. en*) ~ *de fer* mit der (Eisen-)Bahn fahren; ~ *à rails* Schienenweg *m*; ~ *de fer à une voie* (*à deux voies*) ein-(zwei-)gleisige Eisenbahnstrecke *f*; ~ *de fer de campagne* Feldbahn *f*; ~ *de fer de ceinture* Ringbahn *f*; ~ *de fer à crémaillère* Zahnradbahn *f*; ~ *de fer local* Kleinbahn *f*; ~ *de fer à hélice(s)* Propellereisenbahn *f*; ~ *de fer à voie étroite* (*normale*) Schmal-(Voll-)spurbahn *f*; ~ *de fer surélevé* Hochbahn *f*; ⊕ ~ *de roulement* Kranbahn *f*; **3.** ~ *de table* Tischläufer *m*; **4.** *ast.* ~ *de Saint-Jacques* Milchstraße *f*.

chemi|neau [ʃ(ə)mi'no] *m* (5b) Landstreicher *m*, Vagabund *m*; **~née** [~'ne] *f* **1.** Kamin *m*; ~ *prussienne* tragbarer, in e-m Kamin aufstellbarer Ofen *m*; **2.** Schornstein *m*, Rauchfang *m*, Schlot *m*, Esse *f*; **3.** Lampenzylinder *m*; **4.** ⚔ Zündkanal *m der Feuerwaffen*; **5.** Kamin *m* (*schmale Bergschlucht*); **~nement** ⚔ [~n'mɑ̃] *m* **1.** *frt.* Annäherungsgräben *m/pl.*; **2.** (planmäßiges) Vorrücken *n*; Vorstoß *m*; **3.** *fig.* (vorbereitender) Anmarsch *m*, Weg *m*, Anlauf *m*; **~ner** [~'ne] *v/i.* (1a) **1.** wandern; **2.** *frt.* sich feindlichen Stellungen durch getarnte Laufgräben nähern; **~not** [~'no] *m*, **~note** [~'nɔt] *f* Eisenbahner(in *f*) *m*.

chemise [ʃ(ə)'mi:z] *f* **1.** Hemd *n*; ~ *de jour* Taghemd *n*; ~ *en cellule* Netzhemd *n*; ~*-culotte f* Hemdhose *f*; ~*-veste f* Freizeithemd *n*; *changer de* ~ sich ein sauberes Hemd anziehen; *être en bras* (*od. manches*) *de* ~ in Hemdsärmeln sein; **2.** Papierumschlag *m*, Hemdchen *n*; ~ *d'un dossier* Aktendeckel *m*; **3.** ⚔ Futterrohr *n*; Geschoßmantel *m*; **4.** *Auto*: ~ *à eau* (*od. d'eau*) *amovible* abnehmbarer Kühlmantel *m*; **5.** ⊕ Futter *n*, Ausfütterung *f*, Verkleidung *f*, Umhüllung *f*; ~ *de vapeur* Dampfmantel *m*; ~ *en bois* Holzfutter *n*.

chemi|ser [ʃ(ə)mi'ze] *v/t.* mit e-m Überzug versehen; **~serie** [~z'ri] *f* Hemden-fabrik *f*, -geschäft *n*; **~sette** [~'zɛt] *f* **1.** Polo-, Sport-hemd *n*; Hemdbluse *f*; **2.** Vorhemd *n*, Chemisett *n*; **3.** Bluse *f*, Mieder *n* (*für Frauen*); **~sier** [~'zje] *su.* (7b) Hemden-fabrikant *m*, -händler *m*; *m*: Damenhemdbluse *f*.

chênaie [ʃɛ'nɛ] *f* Eichenwald *m*.

chenal [ʃ(ə)'nal] *m* (5c) **1.** ⚓ (enges) Fahrwasser *n*, Fahrrinne *f*; **2.** Mühlbach *m*, Rinnsal *n*; **3.** ~ *d'écoulement* Abflußrinne *f* (*im Wasserbauwesen*).

chenapan [ʃ(ə)na'pɑ̃] *m* Strolch *m*, Halunke *m*.

chêne [ʃɛn] *m* **1.** ♀ Eiche *f*; *couronne f de feuilles de* ~ Eichenkranz *m*; ~ *vert* immergrüne Eiche *f*; Steineiche *f*; ~ *liège* Korkeiche *f*; *pomme f de* ~ Gallapfel *m*; *se porter comme un* ~ sich bester Gesundheit erfreuen; s. *charme*; **2.** (*bois m de*) ~ Eichenholz *n*; ~ *des Indes* Teakholz *n*.

chéneau [ʃe'no] *m* (5b) Dachrinne *f*.

chêneau ♀ [ʃɛ'no] *m* (5b) junge Eiche *f*.

chêne-liège ♀ [ʃɛn'ljɛ:ʒ] *m* (6b) Korkeiche *f*.

chenet [ʃ(ə)'nɛ] *m* Feuerbock *m*.

chène|vière [ʃɛn'vjɛ:r] *f* Hanf-acker *m*, -feld *n*; **~vis** [~'vi] *m* Hanfsamen *m*; *huile f de* ~ Hanföl *n*; **~votte** [~'vɔt] *f* Hanfstengel *m*.

chenil [ʃ(ə)'ni] *m* Hunde-stall *m*, -hütte *f*, -zwinger *m*, -loch *n* (*a. fig. mv.p.*); Hundehandlung *f*.

chenil|le [ʃ(ə)'nij] *f* **1.** *ent.* Raupe *f*; **2.** *Auto*: Raupenkette *f*; *tracteur m à* ~ Raupenschlepper *m*; **3.** *fig.* widerlicher Kerl *m*, Ekel *n*; schreckliches Weibsbild *n*; **~lette** [~ni'jɛt] *f* kleines Militärlastauto *n* mit Raupenketten; kleines Raupenfahrzeug *n*.

chenu [ʃ(ə)'ny] *adj.* **1.** schneeweiß (⚘ *vom Haar*); *arbre m* ~ kahler Baum *m*; **2.** P erstklassig; *du vin* ~ Wein *m* von der besten Sorte; *c'est du* ~! das ist etwas Feines!

cheptel [ʃɛp'tɛl] *m* Viehpacht *f*; Viehbestand *m*; ~ *mort* landwirtschaftliches Pachtinventar *n*; **~ier** [ʃɛptəl'je] *su.* (7b) Viehpächter *m*.

chéquard F [ʃe'ka:r] *m* bestechlicher Beamter *m*.

chèque [ʃɛk] *m* Scheck *m*, Bankanweisung *f*; ~ *bancaire* Bankscheck *m*; ~ *postal* Postscheck *m*; ~ *en blanc* Blankoscheck *m*; ~ *payable au comptant* Barscheck *m*; ~ *de virement* Überweisungsscheck *m*; ~ *barré*, ~ *de compensation*, ~ *à porter en compte* Verrechnungsscheck *m*;

~ *à ordre* Orderscheck *m*; ~ *créditeur* Kredit-scheck *m*, -wechsel *m*; ~ *débiteur*, ~ *rectificatif de débit* Debet-scheck *m*, -wechsel *m*; ~ *de voyage* Reise-, Traveller-scheck *m*; *carnet m de* ~*s* Scheckheft *n*; *mouvement m* (*od. service m*) *de(s)* ~*s*, *opérations f/pl.* (*od. transactions f/pl.*) *par* ~*s* Scheckverkehr *m*; *centre m* (*office m*) *de* ~*s postaux* Postscheckamt *n*.

chéquier [ʃe'kje] *m* Scheckheft *n*.

cher [ʃɛ:r] **I** *adj.* (7b) □ **1.** lieb, *fig.* teuer; ♀ *Monsieur*, Mein lieber Herr X! (*vertraulicher Briefanfang*); *mon* ~! mein Lieber!; **2.** teuer, kostspielig; *fig.* kostbar; *vie f chère* Teuerung *f*; *vin m* ~ teurer Wein *m*; *marchandise f chère* teure Ware *f*; *moments m/pl.* ~*s* kostbare Augenblicke *m/pl.*; **II** *advt. coûter* ~ viel kosten (*a. fig.*); *revenir* ~ teuer zu stehen kommen (*a. fig.*); *acheter* (*vendre, payer*) ~ *qch.* etw. teuer kaufen (verkaufen, bezahlen); *il fait* ~ *vivre à Paris* das Leben in Paris ist teuer; **III** *chèrement adv.*: *chèrement aimé* heißgeliebt; *vendre chèrement sa vie* (*od.* F *sa peau*) sein Leben (*od.* F s-e Haut) teuer verkaufen.

cherche-fuite [ʃɛrʃ'fɥit] *m* Werkzeug *n* zum Aufsuchen undichter Stellen in Gasleitungen.

cherch|er [ʃɛr'ʃe] (1a) **I** *v/t.* **1.** (auf-) suchen, forschen *od.* streben nach (*dat.*), (sich) zu verschaffen suchen; ~ *q.* (*qch.*) *des yeux* sich nach j-m (etw.) umsehen; ~ *fortune* sein Glück zu machen suchen; *l'aiguille aimantée cherche le nord* die Magnetnadel zeigt nach Norden; ~ *la petite bête* Haarspaltereien treiben, ein Haar in der Suppe suchen; ~ *querelle* (*od. chicane od.* F *noise*) *à q.* mit j-m Streit anfangen; ~ *les buissons* die Gebüsche durch-, absuchen; F *en* ~ *long* lange fackeln; *abs.* F *ça va* ~ *dans les 30 francs* (*od.* P *balles*) das kostet ungefähr 30 Francs; **2.** *fig.* ~ *qch.* etw. zu finden (*od.* zu erforschen) suchen, etw. untersuchen; **3.** *aller* ~ *qch.* etw. holen (*od.* besorgen); *il envoya* ~ *le médecin* er schickte nach dem Arzt *od.* er ließ den Arzt holen; **4.** *venir* ~ *q. od. qch.* j-n *od.* etw. (auf-) suchen *od.* (ab)holen; **5.** ~ *à* (*mit inf.*) versuchen, wollen, sich bemühen zu ...; ~ *à obtenir qch.* nach etw. streben; **~eur** [~'ʃœ:r] (7g) **I** *oft mv.p. su.* Sucher *m*; Forscher *m*; *in Zssgn*: ...jäger *m*; ~ *d'aventures* Abenteurer *m*; ~ *d'or* Goldgräber *m*; ~ *de trésors* Schatzgräber *m*; **II** *adj.* suchend, forschend; *esprit m* ~ Forschergeist *m*.

chère [ʃɛ:r] *f* Kost *f*, Küche *f*; *aimer la bonne* ~ gern gut essen u. trinken; *faire bonne* ~ gut essen u. trinken; s-e Gäste gut bewirten; *faire mauvaise* (*od. pauvre, petite, maigre*) ~ schlecht essen, mit dem Essen knausern.

chergui [ʃɛr'gi] *m* sehr trockener Sandwind *m* (*Sahara*).

chéri [ʃe'ri] **I** *adj.* (zärtlich) geliebt, *fig.* süß, goldig; **II** *su. mon* (*ma*) ~*(e)!* mein Liebling!, mein Geliebter! meine Geliebte!

chérif [ʃe'rif] *m* Scherif *m*; **~at** [~'fa] *m* Scherifswürde *f*; Statthalterschaft *f* e-s Scherifs.

chér|ir [ʃe'ri:r] (2a) *v/t.* zärtlich lieben; ~ *q.* (*qch.*) an j-m (an e-r Sache) hängen; ~ *un espoir* e-e Hoffnung hegen; **~ot** P [ʃe'ro] *adj. inv.* (ein bißchen) teuer, recht *od.* ziemlich teuer.

cherté [ʃɛr'te] *f* Teuerung *f*; hoher Preis *m*; Kostspieligkeit *f*.

chérubin [ʃery'bɛ̃] *m* Cherub *m*; *fig.* Engelsköpfchen *n*, niedliches Kind *n*; *fig. face f* (*od. figure f*) *de* ~ pausbäckiges Gesicht *n*.

ché|tif [ʃe'tif] *adj.* (7e) **1.** schwächlich, schmächtig; *enfants m/pl.* (*moutons m/pl.*) ~*s* schwächliche Kinder *n/pl.* (Schafe *n/pl.*); *avoir mine chétive* elend aussehen; **2.** *fig.*, *a. vorangestellt*: erbärmlich, kümmerlich, dürftig, armselig; *traitement m* ~ kümmerliches Gehalt *n*; *chétive récolte f* magere Ernte *f*; *chétives habitations* armselige Behausungen *f/pl.*; *un* ~ *bec de gaz* e-e dürftige Gaslampe *f*; **~tiveté** [~tiv'te] *f* Schwächlichkeit *f*; Armseligkeit *f*; **~tivisme** ⚕ [~ti'vism] *m* angeborene Schwächlichkeit *f*.

chétodon [ketɔ'dɔ̃] *m* Klippfisch *m*.

cheval [ʃ(ə)'val] *m* (5c) **1.** Pferd *n*, Roß *n*; ~ *hongre* Wallach *m*; ~ *de race*, ~ *pur sang* Vollblutpferd *n*; ~ *blanc* Schimmel *m*; ~ *noir* Rappe *m*; ~ *d'attelage* (*od. de trait*) Zugpferd *n*; ~ *de bât* Packpferd *n*; *fig.* Packesel *m*; ~ *de bataille* Streitroß *n*; *fig.* Hauptanliegen *n*; ~ *de course* Rennpferd *n*; ~ *entier* Hengst *m*; ~ *de selle* Reitpferd *n*; ~ *à bascule* Schaukelpferd *n*; *aimer le* ~ gern reiten; *être à* ~ rittlings sitzen; *monter à* ~ aufs Pferd steigen, aufsitzen; *descendre de* ~ vom Pferd steigen;

absitzen; *aller à* ~, *faire du* ~, *être à* ~ reiten; *monter un* ~ ein Pferd reiten; *fig. être à* ~ *sur qch.* auf e-r Sache herumreiten; *être à* ~ *sur les principes* ein Prinzipienreiter sein; ⚔ *être à* ~ *sur une route* (*sur un fleuve*) beide Seiten e-r Straße (e-s Flusses) besetzen; (*é*)*changer son* ~ *borgne contre un aveugle* aus dem Regen in die Traufe kommen; *prov. à* ~ *donné on ne regarde pas à la dent* (*od. à la bride*) e-m geschenkten Gaul sieht man nicht ins Maul; *fig. monter sur ses grands chevaux* sich aufs hohe Pferd setzen; *écrire à q. une lettre à* ~ j-m e-n groben (*od.* gepfefferten *od.* geharnischten) Brief schreiben; *c'est un* ~ *à l'ouvrage* er (sie) schuftet wie ein Pferd, er (sie) ist ein reines (*od.* wahres) Arbeitstier; ~ *de retour* rückfälliger Rechtsbrecher *m*; **2.** *gym.* ~ *d'arçon* Pferd *n*; ~ *de bois* Bock *m*; (*manège m de*) *chevaux m/pl. de bois* Karussell *n*; **3.** ⚔ *frt.* ~ *de frise* spanischer Reiter *m* (*Drahtverhau*); **4.** ⊕ ~-*vapeur* Pferdekraft *f*; **5.** ~ *de Troie* a) *myth.* Trojanisches Pferd *n*; b) *fig.* Danaergeschenk *n*.

cheva|lement [ʃval'mɑ̃] *m* **1.** △ Balken- u. Bohlen-stützung *f*; **2.** ⚒ Schachtgerüst *n*; **~ler** [ʃva'le] *v/t.* (1a) △ mit Strebebalken u. Bohlen abstützen (*od.* absteifen).

chevale|resque [ʃval'rɛsk] *adj.* □ ritterlich; **~rie** [~'ri] *f* **1.** Rittertum *n* (*a. fig.*); *roman m de* ~ Ritterroman *m*; **2.** *hist.* Ritter-, Adelsstand *m od.* -würde *f*, Adel *m*; *ordre m de* ~ Ritterorden *m*; **3.** *hist.* Ritterschaft *f*.

cheva|let [ʃva'lɛ] *m* **1.** *hist.* Folter *f*, Folterbank *f*; *mettre sur le* ~ auf die Folter spannen; **2.** ⊕ (Arbeits-, Rüst-, Säge-)Bock *m*, Gerüst *n*; Gestell *n*; *fil.* (Flachs-)Breche *f*; *peint.* Staffelei *f*; *bét.* ~ *vibrant* Rüttelbock *m*; ~ *élévateur* Hubgestell *n*; **3.** ♪ Steg *m an Saiteninstrumenten*; **~lier** [ʃ(ə)va'lje] *m* **1.** (Ordens-)Ritter *m*; ~ *errant* fahrender Ritter *m*; ~ *de la Légion d'honneur* Ritter *m* der Ehrenlegion; *péj.* ~ *d'industrie* Hochstapler *m*, Gauner *m*, Betrüger *m*; Schwindler *m*; ~ *pillard* Raubritter *m*; **2.** *orn.* Strandläufer *m*; **~lière** [~'ljɛ:r] *f* Siegelring *m*.

chevalin [ʃva'lɛ̃] *adj.* (7) Pferde...

cheval(-vapeur) [~va'pœ:r] *m* (6c u. 6b) Pferdestärke *f*, PS; *machine f de 400 chevaux(-vapeur)* (*abr. C.V.*) Maschine *f* von 400 PS.

chevau|chée [ʃ(ə)vo'ʃe] *f* **1.** Reitergesellschaft *f*; **2.** (Spazier-)Ritt *m*; **3.** Wegstrecke *f* (*zu Pferde*); **~chement** [~ʃ'mɑ̃] *fig. m* Überschneidung *f* (*v. Arbeiten od. Regeln*); Überorganisation *f*; **~cher** [~'ʃe] *v/i. u. v/t.* (1a) **1.** reiten; *Auto*: (*gewisse Straßenabschnitte*) zurücklegen; **2.** *chir.* überea.-stehen (*Zähne*); überea.-liegen, -greifen (*Ziegel*); *typ.* abfallen (*Zeilen*); *fig. un incident chevauche une frontière* ein Zwischenfall dehnt sich über e-e Grenze aus.

chevaux-heures *mot.* [ʃvo'zœ:r] *m/pl.* Stunden-PS *pl.*

chevêche *orn.* [ʃə'vɛʃ] *f* Kauz *m*.

chevelu [ʃə'vly] **I** *adj.* **1.** langhaarig; **2.** behaart, haarig; *hist. la Gaule* ~*e* Gallia comata *f*; **II** *m* **3.** Langhaarige(r) *m*, Gammler *m*; **4.** *le* ~ (*d'une racine*) die Saugwurzeln *f/pl.*

chevelure [ʃə'vly:r] *f* **1.** *coll.* (Menschen-)Haar *n*, Haarwuchs *m*; ~ *flottante* offenes Haar *n*; **2.** Skalp *m*; **3.** *ast.* Schweif *m e-s Kometen*; **4.** ⚘ Blätterbüschel *m u. n*, Schopf *m der Ananas usw.*

chevet [ʃ(ə)'vɛ] *m* **1.** Kopfende *n* am Bett; *weitS.* Kranken-, Sterbe-bett *n*; *lampe f de* ~ Nachttischlampe *f*; *livre m de* ~ *fig.* Lieblingsbuch *n*; **2.** Kopfkissen *n*; **3.** △ Chorhaube *f hinter dem Hochaltar*.

chevêtre [ʃ(ə)'vɛ:trə] *m* **1.** Halfter (-binde *f*) *n*; **2.** △ Stichbalken *m*.

cheveu [ʃvø] *m* (5b) (Kopf-)Haar *n des Menschen*; *coupe f* (*od. taille f*) *des* ~*x* Haarschneiden *n*; ~*x courts*, ~*x coupés à la garçonne* Bubikopf *m*; ~*x* (*coupés*) *à la Jeanne d'Arc* Pagenkopf *m*; *touffe f de* ~*x* Haarbüschel *n*; *brosse f* (*épingle f*) *à* ~*x* Haar-bürste *f* (-nadel *f*); *fig. avoir mal aux* ~*x fig.* e-n Kater haben; *ne tenir qu'à un* ~ *fig.* am seidenen Faden hängen; *se faire des* ~*x* sich abquälen, *fig.* sich graue Haare wachsen lassen; *se prendre aux* ~*x* sich in die Haare (*od.* in die Wolle) geraten (*od.* F kriegen); *trouver un* ~ *dans la soupe od. à qch. fig.* ein Haar in der Suppe, in etw. (*dat.*) finden; *c'est à vous faire dresser les* ~*x sur la tête* das ist ja haarsträubend!; *il y a un* ~ (*dans la soupe*) die Sache hat e-n Haken; *couper les* ~*x en quatre* Haarspalterei treiben.

chevil|le [ʃvij] *f* **1.** Pflock *m*, Dübel *m*, Bolzen *m*, Zapfen *m*; *cord.* Holznagel *m*, Stift *m*; ⊕ ~ *d'acier* Stahlbolzen *m*; *fig.* ~ *ouvrière* Hauptperson *f*, *fig.* Haupttriebfeder *f*, *fig.* Seele *f*; Kernfrage *f*, Kernpunkt *m*; *il est la ~ ouvrière de cette entreprise* er ist die treibende Kraft dieses Unternehmens; **2.** *vente f à la ~* Schlachtfleischverkauf *m*; **3.** *atteler un cheval en ~* ein Pferd vor das Gabelpferd spannen; **4.** ♪ Wirbel *m an Saiteninstrumenten*; **5.** ~ *(du pied)* Knöchel *m*; *fig. il ne lui va pas à la ~* er reicht nicht an ihn heran, er reicht ihm nicht das Wasser; **6.** *mét.* Flickwort *n*; **~ler** [ʃvi'je] *v/t.* (1a) anholzen, anpflöcken, annageln; einzapfen; *avoir l'âme chevillée au corps* e-e unverwüstliche Gesundheit haben; **~lette** ⊕ [~'jɛt] *f* Häkchen *n*; Stift *m*; **~lon** ⊕ [~'jɔ̃] *m* Docke *f*, Zapfen *m*.

cheviot [ʃə'vjo] *m englisches* Cheviotschaf *n*; **~te** [~'vjɔt] *f* **1.** Cheviotstoff *m*; **2.** Lammwolle *f*.

chèvre *zo.* ['ʃɛːvrə] *f* **1.** Ziege *f*, Geiß *f*; **2.** ~ *angora* Kamelziege *f*; **3.** ⊕ Hebebock *m*, Dreibein *n*, Winde *f*; *pied-de-~ m od. nur ~ f* Sägebock *m*.

chevreau [ʃə'vro] *m* (5b) **1.** junge Ziege *f*, Zicklein *n*; **2.** Ziegenleder *n*; *gants m/pl.* de ~ Glacéhandschuhe *m/pl.*

chèvrefeuille [ʃɛvrə'fœj] *m* Geißblatt *n*.

chevr|ette [ʃə'vrɛt] *f* **1.** kleine Ziege *f*; Rehziege *f*, Ricke *f*; Meerkrebs *m*; **2.** ⊕ kleiner Feuerbock *m*; **3.** P ⚘ Pfifferling *m*; **~euil** [~'vrœj] *m* Reh *n*, Rehbock *m*; **~ier** [~vri'e] *su.* (7b) Ziegenhirt *m*; **~illard** [~vri'jaːr] *m* Rehkalb *n*.

chevron [ʃə'vrɔ̃] *m* **1.** (Dach-)Sparren *m*; **2.** ⚔ Dienstabzeichen *n*, Tressenwinkel *m am Ärmel*; **~nage** △ [~vrɔ'naːʒ] *m* Sparrenlegen *n*; Gebälk *n*; **~né** ⚔ [~vrɔ'ne] *adj.* diensterfahren; *allg.* routiniert, ausgekocht; erprobt; *des truands ~s* ausgekochte Landstreicher *m/pl.*; *être ~* etw. weghaben, beschlagen sein.

chevro|tement [ʃəvrɔt'mɑ̃] *m* Meckern *n*; Zittern *n (Stimme)*; Bockstriller *m*; **~ter** [~'te] *v/i.* (1a) ♪ mit der Stimme zittern, tremulieren; **~tin** [~'tɛ̃] *m* **1.** gegerbte Ziegenhaut *f*; **2.** Ziegenkäse *m*; **3.** *zo.* Moschustier *n*; **~tine** *ch.* [~'tin] *f* grober Schrot *m*.

chez [ʃe] **I** *prp.* bei, zu; *devant ~ moi* vor m-m Haus (*od.* vor m-r Wohnung); *être ~ soi* zu Hause sein; *Mme Blanchon est-elle ~ elle?* ist Frau B. zu Hause?; *je vais ~ lui* (*~ le médecin*, *~ le boulanger*) ich gehe zu ihm (zum Arzt, zum Bäcker); *j'irai ~ moi* ich werde nach Hause gehen; *écrire ~ soi* nach Hause schreiben; *il ne bouge pas de ~ lui* er kommt nie aus dem Haus; *près de ~ nous* nahe bei uns; *c'est tout comme ~ nous* das ist alles ganz wie bei uns; *je viens de ~ vous* ich komme von Ihnen *od.* aus Ihrer Wohnung; *faites comme ~ vous* tun Sie, als ob Sie zu Hause wären; *~ Molière* bei Molière, in Molières Werken; **II** *m avoir un ~-soi* e-n eigenen Herd (*od.* e-e eigene Wohnung) haben; *le ~-moi* (*~-soi*, *~-nous usw.*) das Zuhause; *il a maintenant un ~-lui* er hat nun e-e eigene Wohnung.

chiad|e * *écol.* [ʃjad] *f* Büffeln *n*; **~é** * [~'de] *adj.* schwierig; **~er** * [~] *v/t. u. abs. écol.* büffeln *od.* pauken (*für*); *allg.* arbeiten.

chial|er * [ʃja'le] *v/i.* (1a) flennen, plärren, heulen; **~eur** [~'lœːr] *su.* (7g) *m*: Heulbaby *n*; *f*: Heulsuse *f*.

chiant * [ʃjɑ̃] *adj.* (7) langweilig.

chiard P [ʃjaːr] *m* Hosenschieter *m* P.

chiasse [ʃjas] *f* **1.** Kot *m (bsd. v. Insekten u. Würmern)*; **2.** ⊕ Metallschaum *m*; Glas-, Eisen-schlacke *f*; **3.** P Durchfall *m*, Dünnschiß *m* V; **4.** V Angst *f*, Schiß *m* V; *avoir la ~* Schiß haben.

chic [ʃik] **I** *m* **1.** Schick *m*, Geschmack *m*; *ce tailleur a du ~* dieses Kostüm hat Schick, ist schick; **2.** Geschicklichkeit *f*; *avoir du (od. le) ~ pour faire qch.* die nötige Fertigkeit (den nötigen Schmiß P) zu etw. haben; *manquer de ~* keinerlei Fertigkeit besitzen; *faire qch. de ~* etw. aus dem Stegreif (aus sich heraus, nach der Phantasie) machen; den Bogen raus haben P; **II** *adj.* (*f inv.*) **3.** *nachgestellt*: schick, hochelegant, tipptopp; fesch (*nur v. Frauen*); *jeune femme f ~* schicke (*od.* fesche) junge Frau *f*; *une toilette f ~* e-e schicke (*od.* hochelegante) Toilette *f*; *des gens ~s* schicke (*od.* feine) Leute *pl.*; **4.** *vorangestellt*: schick, nett, sympathisch, hochanständig, hilfsbereit; *un ~ type* ein schicker (*od.* netter) Kerl *m*, ein Prachtkerl *m*; **III** *adj. inv.* prima F, fabelhaft, Klasse F; *est-ce que ce n'est pas ~?* ist das nicht fabelhaft?; **IV** *int.* F *~ alors!* fabelhaft!, ganz groß!

chica|ne [ʃi'kan] *f* **1.** Spitzfindigkeit *f*, Rechts-verdrehung *f*, -kniff *m*;

2. Streit *m* um nichts; Krakeel *m*, Händel *pl.*; Schikane *f*; Krittelei *f*; *~s f/pl. a. pol.* Quertreibereien *f/pl.*; *chercher ~ à q.* mit j-m Krakeel anfangen, mit j-m Händel suchen, sich mit j-m krachen wollen; **3.** *frt.* Zickzackdurchgang *m*; **4.** ⊕ Leit-, Verteilungs-, Stoß-, Fang-wand *f*, Prallfläche *f*, Stoßplatte *f*, Abdrosselungsklappe *f* (*am Kamin*); *a. allg.* Hindernis *n*; *garniture f ~* Labyrinthdichtung *f*; **~neau** F [~'no] *m* = *~neur*; **~ner** [~'ne] (1a) **I** *v/i.* **1.** Rechtskniffe anwenden; **2.** sich herumstreiten, krakeelen, unnötige Schwierigkeiten machen; meckern F; **II** *v/t. ~ q.* j-n zu Unrecht anklagen (*sur qch.* wegen etw.); ärgern, schurigeln, schikanieren, triezen; an j-m herummeckern F; j-m wegen reiner Lappalien etw. am Zeug flicken; *~ qch. à q.* j-m etw. streitig machen; *vous nous chicanez sur des mots* Sie flicken uns wegen einzelner Wörter etwas am Zeug; **~nerie** [~'ri] *f* Schikanieren *n*, Schurigeln *n*; **~neur** [~'nœ:r] **I** *su.* (7g) Rechtsverdreher *m*; zänkischer Mensch *m*, Krakeeler *m*, Schikaneur *m*, Schurigler *m*, Krittler *m*, Meckerer *m* F, Triezer *m*; **II** *adj.* (7g) zänkisch, streitsüchtig, schikanös, boshaft, gemein, niederträchtig, triezerisch (veranlagt); **~nier** [~'nje] *adj. u. su.* (7b) = *~neur*.

chicard P [ʃi'ka:r] **I** *adj.* (7) schick; **II** *m* Faschingskostüm *n*.

chiche[1] ⚘ [ʃiʃ] *adj.*: *pois m ~* Kichererbse *f*.

chiche[2] [~] *adj.* □ knickerig, knauserig; knapp, kärglich, spärlich.

chiche[3] [~] *int.* wollen wir wetten?!; von wegen!; ätsch! (*herausfordernd*).

chichi F [ʃi'ʃi] *m* **1.** Getue *n*, Gehabe *n*; *~s pl.* Umstände *m/pl.*; *faire du ~* Aufhebens machen; j-m etw. weismachen wollen; *faire des ~s autour de qch.* e-n großen Sums von (*od.* um) etw. *od.* viel Wind um etw. machen, sich wegen e-r Sache haben; **2.** *~s pl.* falsche Haarlocken *f/pl.*; **~teux** F [~'tø] (7) *adj. u. su.* querköpfig, halsstarrig; Querkopf *m*.

chicorée ⚘ [ʃikɔ're] *f* Zichorie *f*.

chicot [ʃi'ko] *m* **1.** Strunk *m*, Stumpf *m* (*e-r Zahn- od. Baumwurzel*); F Stück *n*; **2.** * Zahnarzt *m*.

chicotin ⚗ [ʃiko'tɛ̃] *m* Bitterstoff *m*; *amer comme ~* bitter wie Galle.

chien [ʃjɛ̃] *m* (7c) **1.** Hund *m*; F Sex-Appeal *m*, Scharm *m*, Schwung *m*, Begeisterung *f*, Originalität *f*; *fig. iron. u. péj.* Packesel *m*, Faktotum *n*, *der* Dumme; Geizkragen *m*; *avoir du ~* Sex-Appeal haben; ein Teufelskerl sein; *~ d'arrêt* Vorstehhund *m*, Hühnerhund *m*; *~ d'attache* Kettenhund *m*, Hofhund *m*; *~ d'avalanche* Lawinenhund *m*; *~ d'aveugle* Blinden(führer)hund *m*; *~ de boucher* Fleischerhund *m*; *~ de chasse* Jagdhund *m*; *~ couchant* Hühnerhund *m*; *fig.* Speichellecker *m*; *~ courant* Spürhund *m*; *~ enragé* toller Hund *m*; *~ policier*, *~ de police* Polizeihund *m*; *~ du St-Bernard* Bernhardinerhund *m*; ⚔ *~ sanitaire* Sanitäts-(Such-)hund *m*; *~ secret od. furet* Spürhund *m*; *~ de Terre-Neuve* Neufundländer *m*; *fig.*: *entre ~ et loup* im Zwielicht, in der Dämmerung; *mener une vie de ~* ein Hundeleben führen; *prov. bon ~ chasse de race* der Apfel fällt nicht weit vom Stamm; *vivre comme ~ et chat* wie Hund u. Katze leben, sich nicht vertragen können; *quel ~ de métier!* was für e-e Hundearbeit!; *quel temps de ~!* was für ein Hundewetter!; **2.** *~ marin od. ~ de mer* Seehund *m*, Robbe *f*; **3.** ⚔ *bei Gewehren, Revolvern*: Hahn *m*; ⚔ *~ de transmission* Meldehund *m*; *allg. être couché en ~ de fusil* mit angezogenen Beinen liegen; **4.** ⚒ Förderhund *m*, Laufkarren *m*; **5.** ⊕ Hemmschuh *m*.

chien|dent ⚘ [ʃjɛ̃'dɑ̃] *m* Quecke *f*; **~-estafette** [~ɛsta'fɛt] *m* (6b) Meldehund *m*; **~lit** [ʃjɑ̃'li] *m* Maskerade *f*; F *péj.* Pöbelherrschaft *f*; **~-loup** [ʃjɛ̃'lu] *m* (6a) Wolfsspitz *m*; **~ne** [ʃjɛn] *f* Hündin *f*; **~nerie** [ʃjɛn'ri] *f* **1.** Knickrigkeit *f*; **2.** Gemeinheit *f*; Schweinerei *f*.

chier V [ʃje] (1a) *v/i.* scheißen V.

chiffe [ʃif] *f* Papierlumpen *m*; dünnes Zeug *n*; *fig.* (*homme mou comme une*) *~ fig.* Waschlappen *m*, schlapper Kerl *m*.

chiffon [ʃi'fɔ̃] *m* **1.** Lappen *m*; Stück *n* altes Zeug, Lumpen *m*; **2.** Chiffon *m*, dünner Seidenstoff *m*; **3.** *~ de papier* Papierfetzen *m*; *fig.* bloßer Fetzen *m*, Papier *n*, Wisch *m*, Geschreibsel *n*; **4.** *~s pl.* Putzsachen *f/pl. e-r Frau*; **~nage** [ʃifɔ'na:ʒ] *m* **1.** Zerknittern *n*; Lumpensammeln *n*; **2.** zerknitterte Stoffe *m/pl.*; **3.** F *etw.* Ärgerliches *n*; **~né** [~'ne] *adj.* zerknittert; *fig. il a l'air tout ~* er sieht völlig übernächtigt (*od.* mitgenommen) aus; **~ner** [~] (1a) **I** *v/t.* **1.** zerknittern, zerknüllen; **2.** F ärgern, beunruhigen, betrüben, verstimmen; *ça me chiffonne* das geht mir gegen den Strich; **3.** ~ *une robe* ein Kleid anfertigen; **II** *v/i.* **4.** Lumpen sammeln; **5.** sich mit der (weiblichen) Toilette befassen, schneidern; *elle aime* ~ sie schneidert gern; **~nier** [~fɔ'nje] *su.* (7b) **1.** Lumpensammler *m*; **2.** *m* Nähtischchen *n*.

chiffrage [ʃi'fra:ʒ] *m* **1.** Berechnen *n*; **2.** Chiffrieren *n*.

chiffre ['ʃifrə] *m* **1.** Ziffer *f*, Zahl *f*, Zahlzeichen *n*; *en* ~ *rond* rund gerechnet; ~ *record* Rekord-ziffer *f*, -zahl *f*; ~ *prescrit*, ~ *de rigueur* Stichzahl *f*; ~ *lumineux* Leuchtzahl *f* (*der Uhr*); **2.** ⚕ ~ *d'affaires* (*brut*) (Brutto-)Umsatz *m*; **3.** Chiffre *f*, Geheim-schrift *f*, -zeichen *n*; *écrire en ~s* mit Geheimschrift schreiben; *message m en* ~ Chiffretelegramm *n*; **4.** (Namens-)Zeichen *n*; (verzierte) Anfangsbuchstaben *m/pl.*; **5.** ⚕ Warenzeichen *n*; Preisnotierung *f*; **~-indice** [~ɛ̃'dis] *m* (6b) Meß-, Richt-, Index-ziffer *f*; **~-limite** [~li'mit] *m* (6b) Stichzahl *f*.

chiffr|er [ʃi'fre] (1a) **I** *v/i.* **1.** rechnen; **2.** F e-n ganz schönen Betrag erreichen, ins Geld gehen; **3.** ~ *od.* *se* ~ *à* (*od. par*) sich belaufen auf; **II** *v/t.* **4.** chiffrieren, verziffern, verschlüsseln, mit Geheimschrift schreiben; **5.** beziffern, numerieren; **6.** ♩ *die Noten* in Ziffern angeben; *basse f chiffrée* bezifferter Baß *m*; **7.** kalkulieren, aus-, be-, er-rechnen, schätzen; *à combien chiffrez-vous votre dépense?* wie hoch schätzen Sie Ihre Ausgabe?; **~eur** [~'frœ:r] *m* **1.** guter Rechner *m*; **2.** Chiffreur *m*, Verzifferer *m*; **~ier-balance** [~fri'eba'lɑ̃:s] *m* (6b) Bilanzkontrollregister *n*.

chigner F [ʃi'ɲe] *v/i.* (1a) plärren, flennen; nörgeln.

chignole [ʃi'ɲɔl] *f* **1.** ⊕ Handbohrer *m*; Handbohrmaschine *f*; **2.** F *a. Auto*: (alter) Kasten *m*, altes Vehikel *n*, Klapperkasten *m*, Mühle *f*; * Zirkuswagen *m*.

chignon [ʃi'ɲɔ̃] *m* Haarknoten *m*.

Chili [ʃi'li] *m*: **le** ~ Chile *n*.

chimère [ʃi'mɛ:r] *f* Hirngespinst *n*, Trugbild *n*, Wahngebilde *n*, Schimäre *f*; *se forger des ~s* Grillen fangen.

chimérique [ʃime'rik] *adj.* □ **1.** wunderlich, eigenartig, komisch, grillenhaft, verstiegen, verschroben; **2.** phantastisch, utopisch, träumerisch; *esprit m* ~ Träumer *m*, Phantast *m*; *espoir m* ~ Wahn *m*; eitle Hoffnung *f*; Wahnvorstellung *f*; *crainte f* ~ grundlose Befürchtung *f*; *monde m* ~ Traumwelt *f*; **3.** undurchführbar.

chim|ie [ʃi'mi] *f* Chemie *f*; ~ *organique* organische Chemie *f*; ~ *inorganique od. minérale* anorganische Chemie *f*; ~ *analytique* analytische Chemie *f*; ~ *biologique* Biochemie *f*; ~ *industrielle od. technologique od. manufacturière* technische Chemie *f*; **~iothérapie** [~mjɔtera'pi] *f* Chemotherapie *f*, Behandlung *f* mit chemischen Mitteln; **~ique** [~'mik] *adj.* □ chemisch; *produits m/pl. ~s* Chemikalien *f/pl.*; **~isme** *biol.* [~'mism] *m* Chemismus *m*; **~iste** [~'mist] *su.* Chemiker(in *f*) *m*; Laborant(in *f*) *m*.

chimpanzé [ʃɛ̃pɑ̃'ze] *m* Schimpanse *m*.

china *phm.* [ʃi'na] *m* Chinarinde *f*.

chinage *text.* [ʃi'na:ʒ] *m* **1.** ⊕ Buntweben *n*; Buntfärben *n*; **2.** F Krittelei *f*, Stichelei *f*; **3.** P Hausieren *n*.

chinchilla [ʃɛ̃ʃi'la] *m* **1.** *zo.* Chinchilla *f*, Hasenmaus *f*; **2.** Chinchillapelz *m*.

Chine [ʃin] **I** *f*: **1. la** ~ China *n*; **2.** P Hausieren *n*; Suche *f* nach Antiquitäten; P *aller à la* ♀ hausieren; **II** ♀ *m* China-, Reis-papier *n*.

chiner [ʃi'ne] *v/t.* (1a) **1.** ein buntes Muster einweben (in), bunt weben, flammen, schinieren; **2.** F hochnehmen, necken; **3.** P *um Geld* betteln; nach Antiquitäten suchen.

chineur [ʃi'nœ:r] *su.* (7g) **1.** F Spötter *m*; **2.** * Trödler *m*, Hausierer *m*.

chinois [ʃi'nwa] (7) **I** *adj.* chinesisch; kleinlich, pedantisch; **II** *su.* ♀ Chinese *m*; *pol.* Maoist *m*; **~erie** [~nwaz'ri] *f* **1.** *fig.* *~s f/pl.* Formalitätenkram *m*, Spitzfindigkeiten *f/pl.*, Wortklauberei *f*, Schikane *f*, Kleinlichkeit *f*, Schererei *f*; *~s pl. administratives* Amtsschimmel *m*; **2.** *~s pl.* chinesische Kunstgegenstände *m/pl.*

chintz *text.* [ʃins] *m*: *rideau m de* ~ Vorhang *m* aus Chintz.

chinure *text.* [ʃi'ny:r] *f* bunte Zeichnung *f e-s Stoffes*, Schinierung *f*, Flammierung *f*.

chiot [ʃjo] *m* Hündchen *n*, *bsd.* junger Jagdhund *m*; **~tes** V [ʃjɔt] *f/pl.* Scheißhaus *n* V, Lokus *m* F.

chiourme [ʃjurm] *f* Zuchthausinsassen *m/pl.*

chiper P [ʃi'pe] *v/t.* (1a) klauen, stemmen, stibitzen, mausen, klemmen; *se faire* ~ sich erwischen lassen; *être chipé* verknallt (*od.* verliebt) sein.

chipette F [ʃi'pɛt] *f*: *ça ne vaut pas* ~ das ist keinen Groschen wert.

chipeur F [ʃi'pœ:r] *su.* (7g) Klauer *m*, Stibitzer *m*, Dieb *m*.

chipie P [ʃi'pi] *f* Xanthippe *f*, zänkische Frau *f*, altes Reff *n*, hochnäsiges (*od.* schnippisches) Frauenzimmer *n*.

chipolata [ʃipɔla'ta] *f* Knoblauchwürstchen *n*.

chipo|tage F [ʃipɔ'ta:ʒ] *m* Nörgelei *f*, Meckerei *f*; Trödelei *f*, Umstandskrämerei *f*; Feilscherei *f*; **~ter** F [~'te] *v/i.* (1a) nörgeln, an allem herummeckern, sich an Kleinigkeiten stoßen; herumdrucksen, murksen, trödeln, herumduseln; feilschen, herunterhandeln; mäkelig essen; **~teur** F [~'tœ:r] *su.* (7g), **~tier** F [~'tje] *su.* (7b) Nörgeler *m*, Meckerer *m*; Umstandskrämer *m*, Trödler *m*; Feilscher *m*, Knauser *m*.

chique[1] *ent.* [ʃik] *f* Sandfloh *m*.

chique[2] [~] *f* **1.** Stück *n* Kautabak, Priem *m*; P *avaler sa* ~ abnibbeln P, sterben; P *ça lui coupe la* ~ da bleibt ihm die Spucke weg P; **2.** *provc.* Murmel *f*.

chiqué P [ʃi'ke] *m* Verstellung *f*, Heuchelei *f*, Getue *n*, Gehabe *n*; *c'est du* ~ das ist nicht echt (*od.* ehrlich); *faire du* ~ sich verstellen, heucheln, so tun als ob; sich haben, flunkern, angeben, bluffen.

chiquenaude [ʃik'no:d] *f* Knipsen *n* (*mit dem Mittelfinger*); Klaps *m*.

chiquer [ʃi'ke] (1m) **I** *v/i.* **1.** Tabak kauen, priemen; *tabac m à* ~ Kautabak *m*; **2.** P fressen P, tüchtig essen; *fig. n'avoir rien à* ~ nichts zu beißen (*od.* zu fressen P) haben; **3.** P kolossal angeben; sich verstellen, so tun als ob; **4.** P *rien à* ~ nichts zu wollen (*od.* zu machen).

chiqueteur *text.* [ʃik'tœ:r] *su.* (7g) Wollreißer *m*.

chiragre ⚕ [ki'ra:grə] **I** *f* Handgicht *f*, Chiragra *n*; **II** *su.* an Handgicht Leidende(r).

chirognomonie 🕮 [kirɔgnɔmɔ'ni] *f* Chirognomik *f*, Handlesekunst *f*.

chiro|mancie [kirɔmɑ̃'si] *f* Wahrsagen *n* aus der Hand, Chiromantie *f*; **~mancien** [~mɑ̃'sjɛ̃] *su.* (7c) Handwahrsager *m*, Chiromant *m*.

chiropracteur ⚕ [kirɔprak'tœ:r] *m* Chiropraktiker *m*.

chiroptère *zo.* [kirɔp'tɛ:r] *m* Flatterfüßler *m*.

chirur|gical [ʃiryrʒi'kal] *adj.* (5c) □ chirurgisch; **~gie** [~'ʒi] *f* Chirurgie *f*; ~ *plastique* Plastikchirurgie *f*; **~gien** [~'ʒjɛ̃] *su.* (7c) Chirurg *m*; ~ *cosmétique* (*podologue*) kosmetischer (Fuß-)Chirurg *m*; **~gique** [~'ʒik] *adj.* chirurgisch.

chitine *biol.* [ki'tin] *f* Chitin *n*.

chiure [ʃjy:r] *f* Fliegenschmutz *m*.

chleuh * *péj.* [ʃlø] *m* Deutscher *m*.

chlinguer P [ʃlɛ̃'ge] *v/i.* (1a) stinken; s. *a. schlinguer*.

chlorate ⚗ [klɔ'rat] *m* Chlorat *n*; ~ *de potasse* chlorsaures Kali *n*.

chlor|e ⚗ [klɔ:r] *m* Chlor *n*; **~hydrique** ⚗ [klɔri'drik] *adj.*: *acide m* ~ Salzsäure *f*.

chloro|-anémie ⚕ [klɔrɔane'mi] *f* Bleichsucht *f*, Chlorose *f*; **~forme** ⚗ [~'fɔrm] *m* Chloroform *n*; **~former** ⚕ [~fɔr'me] *v/t.* (1a) chloroformieren, mit Chloroform betäuben; **~formisation** ⚕ [~fɔrmizɑ'sjɔ̃] *f* Chloroformieren *n*, Betäubung *f* durch Chloroform; **~phylle** ⚗ [~'fil] *f* Blattgrün *n*, Chlorophyll *n*; **~picrine** ⚗ [~pi'krin] *f* Chlorpikrin *n* (*chemischer Kampfstoff*; *Schädlingsbekämpfungsmittel*).

chloro|se ⚕ [klɔ'ro:z] *f* Bleichsucht *f*, Chlorose *f*; **~tique** [~rɔ'tik] *adj.* bleichsüchtig (*a. su.*).

chlorure ⚗ [klɔ'ry:r] *m* Chlorid *n*, Chlorür *n*; ~ *d'ammonium* Salmiak *m*; ~ *de potasse*, ~ *de potassium* Kaliumchlorid *n*, Chlorkalium *n*.

chnouff * *phm.* [ʃnuf] *f* Kokain *n*.

choc [ʃɔk] *m* **1.** Stoß *m*, Anprall *m*, Zusammenstoßen *n*; **2.** *fig.* Schock *m*, Erschütterung *f*, (Schicksals-)Schlag *m*; **3.** *physiol.* Stoß *m*; Schock *m*; ~ *nerveux* Nervenschock *m*; ~ *du cœur* Herzstoß *m*; **4.** ⊕ ~ *en retour* Rückstoß *m*; *amortisseur m de* ~*s* Stoßdämpfer *m*; **5.** ⚔ Zusammenstoß *m*; *troupe f de* ~ Stoßtrupp *m*.

chocolat [ʃɔkɔ'la] **I** *m* Schokolade *f*; Kakao *m* (*als Getränk*); ~*s pl.* Konfekt *n*, Pralinen *f/pl.*; ~ *au lait* Milchschokolade *f*; *tablette f de* ~ Schokoladentafel *f*; **II** *adj./inv.* schokoladenbraun; F (*en*) *être* (*od. rester*) ~ *fig.* reingefallen (*od.* angeschmiert *od.* lackiert) sein; **~erie** [~la'tri] *f* Schokoladenfabrik *f*; **~ier** [~'tje] (7b) **I** *su.* Schokoladen-fabrikant *m*, -händler *m*; **II** *adj.* Schokoladen...; **~ière** [~'tjɛ:r] *f* Kakaokanne *f*.

chocottes ⋆ [ʃɔ'kɔt] *f/pl.* Zähne *m/pl.*; *avoir les* ~ Schiß V (*od.* Angst) haben.

chœur [kœ:r] *m* **1.** *thé.* Chor *m*; **2.** (Sänger-, Musik-)Chor *m*; ~ *parlé* Sprechchor *m*; **3.** Chor(gesang *m*) *m*; *chanter en* ~ im Chor singen; **4.** △ Chor *m od. n.*

choir † [ʃwa:r] *v/i.* (3l) (*nur noch im inf. nach faire od. laisser*) fallen; *se laisser* ~ hinfallen, hinsinken; *fig.* sich gehenlassen (*od.* kleinkriegen lassen) (*im Leben*); *se laisser* ~ *sur une chaise* sich auf e-n Stuhl fallen lassen; P *laisser* ~ im Stich lassen; *on lui donna un coup qui le fit* ~ man versetzte ihm e-n Schlag, der ihn zu Fall brachte; *st.s. il laissa soudain* ~ *le vase* er ließ die Vase plötzlich fallen.

choisir [ʃwa'zi:r] (2a) *v/t.* **1.** (aus-) wählen, aussuchen; auslesen; ~ *q. pour ami* j-n zum Freund wählen; *expression f choisie* gewählter Ausdruck *m*; *morceaux m/pl. choisis* ausgewählte Stücke *n/pl.*; *société f choisie* auserlesene Gesellschaft *f*; *c'est du choisi* das ist etwas Auserlesenes (*od.* ganz Feines); **2.** *abs.* wählen, e-e Wahl treffen; *avoir de quoi* ~ Auswahl haben; *donner à* ~ zur Wahl stellen; *pour* ~ zur Ansicht; *vous n'avez qu'à* ~ Sie brauchen nur zu wählen; *il n'y a point à* ~ es bleibt keine Wahl (übrig).

choix [ʃwa] *m* **1.** Wahl *f* (*nicht pol.!*), Auswahl *f*, (Aus-)Wählen *n*; *avoir le* ~ die (freie) Wahl haben; *faire son* ~ s-e Wahl treffen; *c'est au* ~ man kann sich aussuchen; **2.** Auswahl *f*, Beste *n*; *de (premier)* ~ auserlesen, auserwählt; *épicerie f de* ~ Delikatessenhandlung *f*; *travail m de* ~ Qualitätsarbeit *f*.

cholé|cystite ⚕ [kɔlesis'tit] *f* Gallenblasenentzündung *f*; **~doque** ⚕ [~'dɔk] *adj.*: *canal m* ~ Gallengang *m*.

cholér|a [kɔle'ra] *m* **1.** ⚕ Cholera *f*; **2.** *fig.* widerlicher Kerl *m*; fatale Sache *f*; **~ine** ⚕ [~'rin] *f* Brechdurchfall *m*; **~rique** [~'rik] **I** *adj.* cholerisch; **II** *su.* **1.** Cholera-, Ruhrkranke(r) *m*; **2.** *psych.* Choleriker *m*.

cholestérol ⚕ [kɔlɛste'rɔl] *m* Cholesterin *n*.

chôma|ble [ʃo'mablə] *adj.*: *fête f* ~, *jour m* ~ Feiertag *m*; **~ge** [~'ma:ʒ] *m* **1.** Feiern *n*; Ruhezeit *f*; ⊕ Stillstand *m*, Stillstehen *n*; Stillegung *f*; ⚡ Ruhezustand *m*; Arbeitslosigkeit *f*; ~ *partiel* Kurzarbeit *f*; *en* ~ arbeitslos; F *être au* ~ Arbeitslosenunterstützung bekommen (*od.* beziehen); **2.** ↗ Brachliegen *n*.

chôm'du P [ʃom'dy] *m*: *être au* ~ arbeitslos sein.

chôm|er [ʃo'me] (1a) **I** *v/i.* **1.** feiern; nicht arbeiten; arbeitslos sein; unbeschäftigt sein; die Arbeit einstellen; **2.** ↗ brachliegen; ruhen (*Geschäfte*); ⊕ stillstehen; **II** *v/t.* feiern, festlich begehen; **~eur** [~'mœ:r] *m* Arbeits-, Erwerbslose(r) *m*; ~ *partiel* Kurzarbeiter *m*.

chope [ʃɔp] *f* Schoppen *m*, Bierseidel *n*.

choper P [ʃɔ'pe] *v/t.* (1a) erwischen; klauen, mopsen; P ~ *un rhume* sich erkälten, e-n Schnupfen kriegen; ~ *une maladie* sich e-e Krankheit holen (*od.* zuziehen).

chopin P [ʃɔ'pɛ̃] *m* Gewinn *m*, Rebbach *m*, Treffer *m*; guter Fang *m*; Eroberung *f* (*in der Liebe*).

chopi|ne [ʃɔ'pin] *f* Schoppen *m*, Halbliter-flasche *f*, -glas *n*; **~ner** P [~'ne] *v/i.* (1a) picheln, saufen, kneipen, zechen; **~nette** F [~'nɛt] *f* Schöppchen *n* Wein.

chopper [ʃɔ'pe] *v/i.* (1a) stolpern, *fig.* sich irren.

cho|quant [ʃɔ'kɑ̃] *adj.* (7) anstößig, beleidigend, unfein; auffällig; schockierend; *des contrastes* ~*s* krasse Gegensätze; **~quer** [ʃɔ'ke] (1a) **I** *v/t.* **1.** (an)stoßen an, e-n Stoß geben; ~ *les verres avec q.* mit j-m anstoßen; **2.** ⚕ e-n Schock geben; *fig.* verletzen, schockieren, mißfallen; ~ *l'oreille (la vue)* das Ohr (Auge) beleidigen; *cela choque la bienséance* das verletzt (*od.* verstößt gegen) den Anstand; *il ne faut* ~ *personne* man soll keinen vor den Kopf stoßen; *être choqué de* Anstoß nehmen an (*dat.*); ⚕ e-n Schock erlitten haben; **II** *v/rfl.* *se* ~ **3.** aneinander-stoßen *od.* -fahren; e-n Hiatus bilden; ⚔ mitea. in ein Gefecht geraten, aneinandergeraten; **4.** *se* ~ *de* Anstoß nehmen an (*dat.*).

choral ♪ [kɔ'ral] **I** *adj.* zum Chor gehörig; *société f* ~*e* (*od. nur* ~*e f*) Liedertafel *f*, Gesangverein *m*; ~*e f* Chor *m* (*Schule, Kirche*); **II** *m* (*pl.* ~*s*) Choral *m*.

choré|graphie [kɔregra'fi] *f* **1.** Choreographie *f*, Tanzschrift *f*; **2.** Ballett-, Tanz-kunst *f*; **~graphique** [kɔregra'fik] *adj.*: *artiste m* ~ Ballett-, Tanz-künstler *m*.

choriste [kɔ'rist] *su.* Chorsänger *m*.

chorographie [kɔrɔgra'fi] *f* Landesbeschreibung *f.*

chorus [kɔ'rys] *m*: *faire* ~ zusammensingen, im Chor einfallen; *fig.* (*avec q.* j-m) beistimmen.

chose [ʃo:z] **I** *f* **1.** Sache *f*, Ding *n*, Gegenstand *m*; *les* ~*s les plus nécessaires* das Notwendigste; *autre* ~ etwas anderes; *avant* (*od. sur*) *toutes* ~*s* vor allen Dingen; *en toutes* ~*s* in allem, in allen Dingen; *entre autres* ~*s* unter anderm; *on parla de* ~*s et d'autres* man sprach von diesem und jenem; *dites-lui bien des* ~*s* (*de ma part*) grüßen Sie ihn herzlich (*od.* vielmals) von mir; *de deux* ~*s l'une* eins von beiden; entweder das eine oder das andere; ~ *étrange!* seltsam!, sonderbar!; ~ *en question* bewußte Sache *f* (*od.* Angelegenheit *f*); *aller au fond des* ~*s* allen Dingen (*od.* der Sache) auf den Grund gehen; *ce n'est pas grand-*~ das ist nicht viel wert; es ist nicht viel los damit!; *c'est la même* ~ das ist dasselbe *od.* einerlei; *un* (*une*) *pas-grand-*~ eine Null *f* (*Person*); *la* ~ *publique* das Gemeinwesen, der Staat; *bien des* ~*s* viele Grüße *m/pl.*; *toutes sortes f/pl. de bonnes* ~*s* alles Gute *n*; **2.** ⚖ (Rechts-)Sache *f*; **3.** Habe *f*, Besitz *m*, Eigentum *n*, Sachen *pl.*; **4.** Tatsache *f*; Begebenheit *f*, Ereignis *n*; *les* ~*s de la Chine* die chinesischen Verhältnisse; **II** *m* **5.** *quelque* ~ (*de bon, de nouveau*) etwas (Gutes, Neues); *quelque* ~ (*peu de* ~; *autre* ~) *a été fait* etwas (wenig; etwas anderes) ist getan worden; *grand-*~ viel; *ce quelque* ~ dieses gewisse Etwas; **6.** F *monsieur* ~ Herr Soundso; *à* ~ in Dingskirchen; *le petit* ♀ der Knirps, der kleine Dingsda; F *avoir l'air tout* ~ eigenartig aussehen; *je me sens tout* ~ ich fühle mich ganz eigenartig (*od.* komisch); ich habe ein komisches Gefühl, mir ist ganz eigenartig (*od.* komisch) zumute.

chosif|ication *phil.* [ʃozifika'sjɔ̃] *f* Objektivation *f*; ~**ier** *phil.* [~'fje] *v/t.* (1a) objektivieren.

chosisme *phil.* [ʃo'zism] *m* sachbeschreibende Philosophie *f.*

chott [ʃɔt] *m* ausgetrockneter Salzsee *m*, Schott *m* (*Nordafrika*).

chou [ʃu] *m* (5b) **1.** Kohl *m*; ~ *blanc* Weißkohl *m*; ~ *de Bruxelles* Rosenkohl *m*; ~ *colza* Garten-, Feld-kohl *m*; ~ *rouge* Rotkohl *m*; ~ *frisé* Wirsingkohl *m*; ~*-fleur* Blumenkohl *m*; ~ *vert* Grünkohl *m*; *c'est* ~ *vert et vert* ~ das läuft aufs selbe hinaus, das ist Jacke wie Hose; das ist gehopst wie gesprungen; *bête comme un* ~ erzdußlig, saublöde P; *tête f de* ~ Kohlkopf *m*; *fig.* Dummkopf *m*; *soupe f aux* ~*x* Kohlsuppe *f*; *aller planter ses* ~*x* sich aufs Land zurückziehen; *faire* ~ *blanc, être dans les* ~*x fig.* leer ausgehen, reingefallen sein; **2.** F *mon* (*petit*) ~*!* mein Goldfink!, mein Süßerchen!, mein Liebling!; **3.** *pât.* ~ *à la crème* Sahnebaiser *n*, Windbeutel *m* mit Schlagsahne; **4.** *fig. feuille f de* ~ *péj.* Käseblättchen *n*, Wurschtblatt *n* F.

choucas *orn.* [ʃu'kɑ] *m* Dohle *f.*

chouchement [ʃuʃ'mɑ̃] *m* Eulengeschrei *n.*

chou-chou [ʃu'ʃu] *m fig.* Goldfink *m*, Liebling *m*; *écol.* Lieblingsschüler *m.*

chouchouter [ʃuʃu'te] *v/t.* (1a) (ver)hätscheln, verwöhnen.

choucroute [ʃu'krut] *f* Sauerkraut *n*; ~ *garnie* Sauerkraut *n* mit Speck und Würstchen.

chouette [ʃwɛt] **I** *f* Schleiereule *f*; **II** P *adj.* prima, fabelhaft, schau; **III** *int.* ~*!* prima!, schau!, fabelhaft!, großartig!, wundervoll!, herrlich!, phantastisch!

chou-fleur [ʃu'flœ:r] *m* (6a) Blumenkohl *m.*

chouingomme F [ʃwɛ̃'gɔm] *f* Kaugummi *m.*

chou|-navet [ʃuna'vɛ] *m* (6a) Kohl-, Steck-rübe *f*; ~**-palmiste** [~pal'mist] *m* (6a) Palmkohl *m*; ~**-rave** [~'ra:v] *m* (6a) Kohlrabi *m.*

chouraver * [ʃura've] *v/t.* (1a) klauen.

chouri|ner * [ʃuri'ne] *v/t.* (1a) erstechen, kaltmachen; ~**neur** * [~'nœ:r] *m* Messerheld *m*, Mörder *m.*

chou-rouge [ʃu'ru:ʒ] *m* (6a) Rotkohl *m.*

chouter * [ʃu'te] *v/rfl.* (1a): *se* ~ sich *Drogen* einspritzen.

choyer [ʃwa'je] (1h) sorgsam (*od.* zärtlich) pflegen, verhätscheln.

chrême *rl.* [krɛm] *m* (*saint*) ~ Salböl *n.*

chrémeau *rl.* [kre'mo] *m* (5b) Taufmützchen *n.*

chrestomathie 📖 [krɛstɔma'si] *f* Lesebuch *n*, Chrestomathie *f.*

chrétien [kre'tjɛ̃] (7c) **I** *adj.* □ christlich; *peu* ~ unchristlich; **II** *su.* Christ *m*; ~**té** [~tjɛ̃'te] *f* Christenheit *f.*

chrisme *rl.* [krism] *m* Christusmonogramm *n*.
Christ [krist; *aber* **Jésus-~** ʒezy'kri] *m*: *le* ~ der Gesalbte *m* des Herrn, Christus *m*; *dater d'avant le* ~ aus vorchristlicher Zeit stammen; *un* ♀ *en ivoire* ein elfenbeinernes Christusbild *n*.
christiania *Sport* [kristja'nja] *m* Kristiania *m*.
christiani|ser [kristjani'ze] *v/t*. (1a) christianisieren; **~sme** [~'nism] *m* Christentum *n*, Christenlehre *f*; ~ *primitif* Urchristentum *n*.
chromage ⊕ [kro'ma:ʒ] *m* Verchromung *f*.
chromate ⚗ [kro'mat] *m* chromsaures Salz *n*, Chromat *n*.
chroma|tique [kroma'tik] **I** *adj*. □ ♪ chromatisch, in halben Tönen auf- *od*. ab-steigend; *phys*. farbig; **II** *f* ♪ Chromatik *f*; Farbenmischung *f*; **~tisme** *phys*. [~'tism] *m* Färbung *f*.
chrom|e ⚗ [kro:m] *m* Chrom *n*; **~é** [kro'me] *adj*.: *acier m* ~ Chromstahl *m*; **~er** ⊕ [~] *v/t*. (1a) verchromen; **~ique** ⚗ [~'mik] *adj*.: *acide m* ~ Chromsäure *f*.
chromo [krɔ'mo] **I** *péj*. *m* schlechtes Farbbild *n*; **II** F *f* Farbdruck *m*.
chromo|lithographie [krɔmɔlitɔgra'fi] *f* Farbdruck *m*; **~plastie** [~plas'ti] *f* Metallfärbung *f*; **~some** *biol*. [~'zɔm] *m* Chromosom *n*, Kernschleife *f* (*des Zellkerns*); **~sphère** *ast*. [~'sfɛ:r] *f* Chromosphäre *f*; **~typ(ograph)ie** [~tipɔgra'fi, ~ti'pi] *f* Farben-, Buntdruck *m*.
chroni|cité ⚕ [krɔnisi'te] *f* chronischer Zustand *m*; **~que** [~'nik] **I** *adj*. □ ⚕ chronisch, langwierig; **II** *f* **1.** Chronik *f*, Zeit-geschichte *f*, -bericht *m*, Rundschau *f*, Tagesbericht *m*; ~ *de la semaine* Wochenschau *f* (*in Zeitungen*); ~ *scandaleuse* Klatsch *m*, Gerede *n*; böse Nachrede *f*; **2.** *bibl*. ♀*s pl*. Bücher *n/pl*. der Chronika; **~queur** [~'kœ:r] *su*. (7g) Chronist *m*, Berichterstatter *m*.
chrono [krɔ'no] *m* **1.** Stoppuhr *f*; **2.** Zeitrekord *m*.
chronographe [krɔnɔ'graf] *m* ✈ Geschwindigkeits-, Flugzeit-messer *m*.
chronolo|gie [krɔnɔlɔ'ʒi] *f* Chronologie *f*, Zeit-bestimmung *f*, -berechnung *f*, zeitliche Aufeinanderfolge *f*; **~gique** [~'ʒik] *adj*. chronologisch; **~giste** [~'ʒist] *m* Chronologe *m*.
chrono|métrage [~me'tra:ʒ] *m* Zeitabnehmen *n*, Zeitmessung *f*; **~mètre** [~'mɛ:trə] *m* Chronometer *n*, Zeitmesser *m*; *Sport*: Stoppuhr *f*; **~métrer** *Sport* [~me'tre] *v/t*. (1f): ~ *une auto* (*od*. *une course*) die Zeit e-r (Auto-)Fahrt (*od*. e-s Rennens) stoppen *od*. abnehmen; **~métreur** *Sport* [~me'trœ:r] *m* Zeitabnehmer *m*; **~métrie** [~me'tri] *f* Zeitmessung *f*; **~-timbre** [~'tɛ̃:brə] *m* Zeitstempel *m in Fabriken*.
chrysalide *ent*. [kriza'lid] *f* (Schmetterlings-)Puppe *f*; *se changer en* ~ sich verpuppen.
chrysanthème ♀ [krizɑ̃'tɛm] *m* Chrysantheme *f*.
chryso|cale, ~calque [krizɔ'kal, ~'kalk] *m* unechtes Gold *n*.
chucheter [ʃyʃ'te] *v/i*. (1c) zwitschern, piepen (*Vögel*).
chucho|tage [ʃyʃɔ'ta:ʒ] *m* Flüsterdolmetschen *n* (*leises Sprechen*); **~tement** [~ʃɔt'mɑ̃] *m* Geflüster *n*; **~ter** [~ʃɔ'te] *v/i*. *u*. *v/t*. flüstern, lispeln (= leise sprechen); *écol*. vorsagen; säuseln (*Wind*); **~terie** [~'tri] *f* Flüstern *n*, Lispeln *n*, Geheimniskrämerei *f*; **~teur** [~'tœ:r] *su*. (7g) Flüsterer *m*, Lispeler *m*, Geheimniskrämer *m*; **~tis** F [~'ti] *m* Getuschel *n* F.
chuin|tant [ʃɥɛ̃'tɑ̃] *adj*. (7) *gr*.: *consonne f* ~*e* Zischlaut *m*; **~tante** *gr*. [~'tɑ̃:t] *f* Zischlaut *m*; **~tement** [~t'mɑ̃] *m* Zische(l)n *n*; **~ter** [ʃɥɛ̃'te] *v/i*. (1a) schreien (*Eule*); zischen (*Dampf*); zischeln (*bei der Aussprache von franz. j und ch*).
chut [ʃyt] *int*. ~! pst!, st!, still!
chute [ʃyt] **1.** Fallen *n*, Fall *m*; Einsturz *m*, Einfallen *n*; ✈ Absturz *m*; ~ *de roches de pierre* Steinrutsch *m*; **2.** ⚕ ~ *des cheveux* Haarausfall *m*; **3.** *fig*. Sturz *m*; *pol*. Umsturz *m*; Durchfallen *n* (*Theaterstück*); ~ *du premier homme* Sündenfall *m*; **4.** *litt*. *rhét*., ♪ Ausklang *m*; **5.** ~ *du jour* Sinken *n* des Tages; **6.** ✝ ~ *des prix* Preissturz *m*; **7.** Abhang *m* (*e-s Daches*); Gefälle *n*; ~ *d'eau* Wasserfall *m*; ~*s pl*. *du Niagara* Niagarafälle *m/pl*.
chuter [ʃy'te] (1a) **I** *v/i*. *thé*. durchfallen; *cart*. zu wenig Stiche machen; F fallen (*a*. *Wertpapiere*); ✈ abstürzen; **II** F *v/t*. auszischen; *a*. *abs*. zischen.
chyle *physiol*. [ʃil] *m* Chylus *m*, Darmlymphe *f*, Milchsaft *m*.

chylification *physiol.* [ʃilifikɑˈsjɔ̃] *f* Umwandlung *f* des Speisebreis in Milchsaft.

chyme *physiol.* [ʃim] *m* Chymus *m*, Speisebrei *m*.

Chypre [ˈʃyprə] **I** *f*: **la ~** Zypern *n*; *à ~* auf (nach) Zypern; **II** ♀ *m* Zypernwein *m*.

chypriote [ʃipriˈɔt] (7) **I** *adj.* zypriotisch, zyprisch; **II** ♀ Zypriot *m*.

ci [si] *adv. in Zssg(n)*: hier; *celui-~* dieser; *cet homme-~* dieser Mensch hier; *~-gît ...* hier ruht ... (*Grabinschrift*); *par-~, par-là* hier und da, hin und her; ab und zu, dann und wann; *comme ~, comme ça* soso, lala.

ci|-annexé [sianɛkˈse] *adj.* als Anlage, anbei; **~-après** [~aˈprɛ] *adv.* im folgenden, weiter unten; *le tableau ~* die nachstehende Übersicht.

cibiche P [siˈbiʃ] *f* Glimmstengel *m* P, Zigarette *f*.

cible [ˈsiblə] *f* **1.** (Schieß-, Ziel-) Scheibe *f*; *tir m à la ~* Scheibenschießen *n*; **2.** *fig.* Zielscheibe *f*, Ziel *n*.

ciblot P [siˈblo] *m* Zivilperson *f*.

ciboulette [sibuˈlɛt] *f* Schnittlauch *m*.

ciboulot F [sibuˈlo] *m* Kopf *m*, Deez *m* P, Birne *f* F, Omme *f* P, Kürbis *m* F; *elle s'écriait qu'elle avait mal au ~* sie schrie, daß sie Kopfschmerzen hatte; *c'est pas la peine de se fatiguer le ~ à penser à aut'chose* es lohnt sich nicht, s-n Gehirnkasten mit Gedanken an andere Dinge zu zerbrechen (*od.* zu verkeilen P); *il est parti du ~* er ist übergeschnappt.

cicatri|ce [sikaˈtris] *f* Narbe *f*, *bibl.* Wundmal *n*; Schmarre *f*; **~sable** [~ˈzablə] *adj.* vernarbbar; **~sation** [~zɑˈsjɔ̃] *f* Vernarbung *f*; **~ser** [~ˈze] (1a) **I** *v/t.* **1.** zum Vernarben bringen, vernarben; *fig.* lindern, heilen *od.* vergessen machen; **2.** mit Narben bedecken; **II** *v/rfl. se ~* zuheilen, vernarben.

cicérone [siseˈroːn] *m* (*pl. cicérones*) Fremdenführer *m*.

ci-contre [siˈkɔ̃ːtrə] *adv.* nebenstehend; umseitig.

ci|-dessous [siˈdsu] *adv.* untenstehend; **~-dessus** [~ˈdsy] *adv.* weiter oben, obig; *la signature ~* die obige Unterschrift; **~-devant** [~ˈdvɑ̃] **I** *adv.* **1.** vorstehend; **2.** ehemals, früher; vormals (*bei Firmen*); **II** *m pol., péj.* Gestrige(r) *m*, Reaktionär *m*.

cidre [ˈsidrə] *m* Apfel-, Obst-wein *m*; *~ mousseux* Apfelschaumwein *m*.

ciel [sjɛl] *m*; *pl. in* 1, 2 *u.* 4: **cieux** [sjø]; *in* 3, 5, 6 *u.* 7: **ciels**; **1.** Himmel *m*, Weltenraum *m*; Firmament *n*; *voûte f du ~ od. des cieux* Himmelszelt *n*; *les cieux* die Himmelsfärbungen *f/pl.*; *il est au septième ~* er ist im siebenten Himmel, er ist überglücklich; *remuer ~ et terre* alles aufbieten, Himmel und Hölle in Bewegung setzen; ⚒ *à ~ ouvert* im Übertagebau; *l'immensité f des cieux* der unermeßliche Himmel; ✈ F *prendre le chemin du ~* e-e Reise auf dem Luftweg antreten; **2.** Himmelsstrich *m*; **3.** Klima *n*; *les ~s brûlants des tropiques* das heiße Tropenklima; *~ d'airain* regenloser Himmel *m*, Dürre *f*; *~ de plomb* schwüles Wetter *n*; **4.** *rl.* Himmel *m*, Wohnsitz *m* der Seligen; *le chemin du ~* der Weg zum Himmel; *royaume m des cieux* Himmelreich *n*; *gagner le ~* in den Himmel kommen; **5.** *peint.* Himmel *m*, Luft *f auf Gemälden*; **6.** *~ (de lit* Bett-) Thronhimmel *m*; **7.** *mach.* Decke *f*; *~ de foyer* Feuerungskappe *f*.

cierge [sjɛrʒ] *m* **1.** (Wachs-)Kerze *f*, Licht *n*; *droit comme un ~* kerzengerade; *~ merveilleux* Wunderkerze *f*; *~ pour le culte* Altarkerze *f*; *~ pascal* Osterkerze *f*; *je lui dois un beau ~* ich bin ihm zu großem Dank verpflichtet; **2.** ♀ *~ du Pérou* peruanische Fackeldistel *f*.

cig F [sig] *f* Zigarette *f*.

cigale *ent.* [siˈgal] *f* Grille *f*, Zikade *f*.

ciga|re [siˈgaːr] *m* Zigarre *f*; *~-déchet* Fehlfarbe *f*; **~rette** [~gaˈrɛt] *f* Zigarette *f*; **~rier** [~gaˈrje] *su.* (7b) Zigarrenmacher *m*; **~rillo** [~riˈlo] *m* Zigarillo *n*.

cigo|gne *orn.* [siˈgɔɲ] *f* Storch *m*; *contes m/pl. de la ~* Altweibermärchen *n/pl.*; **~gneau** *orn.* [~gɔˈɲo] *m* (5b) junger Storch *m*.

ciguë [siˈgy] *f* **1.** ♀ Schierling *m*; **2.** *antiq.* Schierlingstrank *m*, Giftbecher *m*.

ci|-inclus [siɛ̃ˈkly] *adj.* (7), **~-joint** [~ˈʒwɛ̃] *adj.* (7) anbei, beiliegend, als Anlage; *~ (la) copie* Abschrift anbei.

cil [sil] *m* Wimper *f*, Wimperhaar *n*.

cilice *rl.* [siˈlis] *m* Büßerhemd *n*.

cilié [siˈlje] *zo.*, ♀ *adj.* mit feinen Härchen versehen.

cil|lement [sijˈmɑ̃] *m* Blinzeln *n*; **~ler** [siˈje] (1a) **I** *v/t.* *~ les yeux* mit den Augen blinzeln; **II** *v/i.* mucksen; *l'élève n'a pas osé* ~ der Schüler hat nicht gewagt zu mucksen.

cimaise [si'mɛːz] *f* **1.** ⚠ Hohl-kehle *f*, -leiste *f*; Gesims *n*, Karnies *n* (*od.* *m*); Tapetenleiste *f*; **2.** bester Platz *m* zum Aufhängen der Bilder in e-m Ausstellungsraum; erhöhte Plattform *f für Ausstellungsbilder*; *peint. à la* ~ am Ehrenplatz.

cimbrique *hist.* [sɛ̃'brik] *adj.* kimbrisch.

cime [sim] *f* Gipfel *m* (*e-s Berges*), Wipfel *m*, Spitze *f*, First *m*.

cimenfer ⚠ [simɑ̃'fɛːr] *m* Eisenzement *m*.

ciment [si'mɑ̃] *m* **1.** Zement *m*; ~ *armé* Eisenbeton *m*; ~ *hydraulique* Bindemittel *n*; **2.** *fig.* einigendes Band *n*; **~aire** [~'tɛːr] *adj.* zu Kitt tauglich; *terre f* ~ Kitterde *f*; **~er** [~'te] (1a) **I** *v/t.* zementieren; *fig.* festigen, besiegeln; **II** *v/rfl.* *se* ~ sich festigen, fest werden; **~ier** [~'tje] *m* Zementarbeiter *m*.

cimetière [sim'tjɛːr] *m* Friedhof *m*; *~s pl. de guerre od. de front* Soldaten-, Kriegs-gräber *n/pl.*

cimier [si'mje] *m* **1.** Helmschmuck *m*; **2.** *cuis.* Lendenstück *n* (*vom Rind od. vom Hirsch*).

cinabre [si'nabrə] *m* Zinnober *m*.

ciné F [si'ne] *m* Kino *n*.

cinéaste [sine'ast] *m* **1.** Regisseur *m*, Kameramann *m*, Kinofachmann *m*; *amateur m* ~ Filmamateur *m*; **2.** Film-schriftsteller *m*, -verfasser *m*.

ciné|bus [sine'bys] *m* Wanderkino *n*; **~-club** [sine'klœb] *m* Filmklub *m*.

cinéfaction [sinefak'sjɔ̃] *f* Verwandlung *f* in Asche; s. *cinération*.

cinégraphique [~gra'fik] *adj.* Film...

cinéma [sine'ma] *m* Kino *n*; ~ *scolaire* Schulkino *n*; ~ *ambulant* (*od. nomade*) Wanderkino *n*; ~ *permanent* Tageskino *n*; *faire du* ~ im Film auftreten; filmen; **~scope** [~'skɔp] *m*: *film m en* ~ Breitwandfilm *m*; **~thèque** [~'tɛk] *f* **1.** Filmarchiv *n*, -museum *n*; **2.** Kino *n*, das alte Filme zeigt; **~tique** *phys.* [~'tik] *f* Kinematik *f*, Bewegungs-, Zwanglauf-lehre *f*; **~tographie** [~gra'fi] *f* Filmkunst *f*; **~tographier** [~gra'fje] *v/t.* (1a) verfilmen; **~tographique** [~gra'fik] *adj.* Film...; *appareil m* ~ Filmkamera *f*.

cinénavémathèque F *iron.* [sinenavema'tɛk] *f* Sammlung *f* wertloser, kitschiger Filme.

cinéologue [sineɔ'lɔg] *m* Filmschriftsteller *m*, Textbuchverfasser *m*.

cinéphile [~'fil] *m* Filmfreund *m*.

cinéraire [sine'rɛːr] **I** *adj.*: *urne f* ~ Graburne *f*; Aschenkrug *m*; **II** *f* ⚘ Aschenpflanze *f*, Zinerarie *f*.

cinérama *cin.* [sinera'ma] *m* Cinerama *n* (*Plastische Vorführungsart mit drei kombinierten Kameras auf gewölbter Bildwand*).

cinération [sinerɑ'sjɔ̃] *f* Veraschung *f*.

ciné-roman *cin.* [~rɔ'mɑ̃] *m* (6g) Filmroman *m*.

cinétique *phys.* [sine'tik] *adj.* kinetisch.

cinétisme [sine'tism] *m* kinetische Kunst *f*.

cingalais [sɛ̃ga'lɛ] *adj. u.* ♀ *su.* (7) ceylonesisch; Ceylonese *m*.

cinglant [sɛ̃'glɑ̃] *adj.* (7) (*a. fig.*) scharf, beißend, schneidend.

cinglé F [sɛ̃'gle] *adj.* verrückt, bekloppt, übergeschnappt.

cingler[1] ⚓ [~] *v/i.* (1a) segeln, e-n Kurs steuern.

cingler[2] [~] *v/t.* (1a) **1.** geißeln, mit e-r Peitsche hauen, antreiben; peitschen (*Regen usw.*); *a. abs. le vent cingle* (*le visage*) der Wind ist schneidend; **2.** *serr.* zängen, ausschroten; *charp.* abschnüren.

cingoli ⚔ [sɛ̃gɔ'li] *m*: (*plateau m*) ~ Radgürtel *m* (*als Radunterlage für schwere Geschütze usw.*).

cinnamome [sina'mɔm] *m* Zimt *m*, Kaneel *m*.

cinq [1. *alleinstehend od. vor einem grammatikalisch nicht zugehörigen Wort u. vor Vokalen* sɛ̃ːk, 2. *vor einem Konsonanten od. h aspiré* sɛ̃, *aber heute häufig a.* sɛ̃k] **I** *a/n.c.* fünf; *à* ~ *pour cent* zu fünf Prozent; *le* ~ [sɛ̃ːk] *mars* den (der) 5. März; *Louis* (*Charles*) ~ [sɛ̃ːk] Ludwig (Karl) V. (*Könige von Frankreich*); F, *Sport*: *en* ~ *sec* im Nu; im Handumdrehen; eins, zwei, drei; mir nichts, dir nichts; **II** *m* (*im pl. ohne* s) *die* Fünf, *der* Fünfer.

cinqcentiste(s) [sɛ̃sɑ̃'tist] *m* (*pl.*) Cinquecentist(en) *m* (*pl.*).

cinquan|taine [sɛ̃kɑ̃'tɛn] *f* **1.** (Zahl *f* von) etwa fünfzig; **2.** fünfzigstes Jahr *n*; **~te** [~'kɑ̃ːt] **I** *a/n.c.* fünfzig; **II** *m* (*Zahl*) Fünfzig *f*; **~tenaire** [~kɑ̃t'nɛːr] *m* fünfzigjähriges Jubiläum *n*; ~ *du mariage* goldene Hochzeit *f*; **~tième** [~kɑ̃'tjɛm] **I** *a/n.o.* der (die, das) fünfzigste; **II** *m* Fünfzigstel *n*.

cinquième [sɛ̃'kjɛm] **I** *a/n.o.* **1.** fünfter, fünfte, fünftes; **II** *m* **2.** Fünfter *m*; **3.** Fünftel *n*; **4.** fünftes Stockwerk *n*; **5.** Schüler *m* der 5. Klasse;

III *f* fünfte Klasse *f*; **IV** ~*ment adv.* fünftens.

cintr|age ⊕ [sɛ̃'traːʒ] *m* Runden *n*, Biegen *n*, Wölben *n*; **~e** ['sɛ̃ːntrə] *m* **1.** △ Bogen *m*, Gewölbe *n*; *en* ~ abgerundet; *plein* ~ Rundbogen *m*; **2.** *charp.* Bogengerüst *n*; **3.** *thé.* (Schnür-)Boden *m über der Bühne*; *loges f/pl. du* ~ letzter Logenrang *m*; **4.** Kleiderbügel *m*; ⊕ ~ *d'écouteur* Hörgabel *f*; **~é** [sɛ̃'tre] *adj.* gewölbt, bogenförmig; **~er** [~] *v/t.* (1a) (über)wölben, biegen.

cippe [sip] *m* **1.** △ Halbsäule *f*; **2.** Gedenkstein *m*.

cirage [si'raːʒ] *m* **1.** Wichsen *n*, Überziehen *n* mit Wachs; Bohnern *n*; **2.** Polier-, Bohner-wachs *n*; Schuhkrem *f*; **3.** ⚔ Lack *m für Lederzeug*; **4.** F Dämmerzustand *m*; *être en plein* ~ *fig.* völlig blau (*a.* benommen) sein.

circaète *orn.* [sirka'ɛt] *m* Schlangenadler *m*.

circarama *cin.* [~ra'ma] *m* Rundkino *n*.

circassien [sirka'sjɛ̃] *adj. u.* ♀ *su.* (7c) tscherkessisch; Tscherkesse *m*.

circompolaire *ast.* [sirkɔ̃pɔ'lɛːr] *adj.* zirkumpolar.

circonci|re *rl.* [sirkɔ̃'siːr] *v/t.* (4t) beschneiden; **~sion** [~si'zjɔ̃] *f* Beschneidung *f*.

circonférence ⩚ [~fe'rɑ̃ːs] *f* Umkreis *m*, Peripherie *f*; Umfang *m*.

circonflexe [~'flɛks] **I** *adj.* umgebogen; *un i* ~ ein i mit dem Zirkumflex (î); **II** *m* (*a. adj.*: *accent m* ~) *gr.* Zirkumflex (ˆ) *m*.

circonlocution [~lɔky'sjɔ̃] *f rhét.* Umschreibung *f*; Umschweif *m*.

circonscri|ption [~skrip'sjɔ̃] *f* **1.** Um-, Be-grenzung *f*, Absonderung *f*, Abmarkung *f*; **2.** ⩚ Umschreibung *f e-r Figur*; **3.** (Regierungs-) Bezirk *m*; ~ *électorale* Wahl-bezirk *m*, -kreis *m*; ~ *militaire* Wehrkreis *m*; ~ *municipale* Gemeindebezirk *m*; 📯 ~ *postale* Bestellbezirk *m*; **~re** [~'skriːr] (4f) *v/t.* **1.** umgrenzen, einschließen, beschränken; ~ *un incendie* e-e Feuersbrunst eindämmen; **2.** ⩚ umschreiben; ~ *une figure à un cercle* e-e Figur um e-n Kreis beschreiben; **II** *v/rfl.* se ~ umschrieben werden.

circonspect [sirkɔ̃'spɛ, ~'spɛk *od.* ~'spɛkt] *adj.* (7) □ vorsichtig, behutsam, bedächtig, umsichtig; **~ion** [~spɛk'sjɔ̃] *f* Vorsicht *f*, Umsicht *f*.

circonstan|ce [~'stɑ̃ːs] *f* Umstand *m*, Bewandtnis *f*; ~*s pl.* Verhältnisse *n/pl.*; Lage *f/sg.*; ✝ *profiter des* ~*s* die Konjunktur ausnutzen; ⚖ ~*s pl. aggravantes* (*atténuantes*) erschwerende (mildernde) Umstände *m/pl.*; *pol.* (*état m de*) ~*s pl. exceptionnelles* Ausnahmezustand *m/sg.*; ~*s et dépendances f/pl.* gesamtes Zubehör *n/sg.*; *selon les* ~*s* nach Lage der Dinge, je nachdem; *poésie f de* ~ Gelegenheitsgedicht *n*; *ce n'est pas de* ~ das paßt nicht hierher; *en toutes* ~*s* bei jeder Gelegenheit; *pour la* ~ zu dieser Gelegenheit; *sourire m de* ~ Augenblickslächeln *n*; **~cié** [~stɑ̃'sje] *adj.* umständlich, weitläufig; eingehend, ausführlich; *un rapport* ~ ein ausführlicher Bericht *m*; *des détails m/pl.* ~*s* kleinste Einzelheiten *f/pl.*; **~ciel** [~stɑ̃'sjɛl] *adj.* (7c) **1.** *gr.* Umstands...; *complément m* ~ adverbiale Bestimmung *f*; **2.** von den Umständen abhängig, zufällig.

circonvallation *frt.* [~valɑ'sjɔ̃] *f* Umschanzung *f*, Umwallung *f*.

circon|venir [~'vniːr] *v/t.* (2h) umgarnen, überlisten, hintergehen; **~vention** [~vɑ̃'sjɔ̃] *f* Überlistung *f*, Beeinflussung *f*.

circonvoisin [~vwa'zɛ̃] *adj.* (7) umliegend, benachbart.

circonvolution [~vɔly'sjɔ̃] *f anat.* Windung *f*.

circuit [sir'kɥi] *m* **1.** Umfang *m*, Umkreis *m*; Kreisbahn *f*; *Auto*: Rennstrecke *f*; **2.** Rundfahrt *f*; *Sport*: Rundrennen *n*; ✈ ~ *aérien* Rundflug *m*; **3.** ⚡ Stromkreis *m*; ⚡, *téléph.* Leitung *f*; *coupe-*~ Schalter *m*; *court* ~ Kurzschluß *m*; *télév. en* ~ *fermé* in Rundschaltung; *mettre en* ~ einschalten; *mettre hors* ~ ausschalten; ~ *d'éclairage* Lichtleitung *f*; ~ *de basse* (*haute*) *fréquence* Nieder- (Hoch-)frequenz-kreis *m*, -stufe *f*; *rad.* ~ *inducteur* Erregerkreis *m*; ~ *primaire* Primärkreis *m*; ~ *secondaire*, ~ *induit*, ~ *excité* Sekundärkreis *m*; ~(-)*filtre*, ~ *filtreur* Sperr-, Sieb-kreis *m*; *hydr.* ~*s pl. à séquences* Folgesteuerkreise *m/pl.*; ~ *hydraulique* Kreislauf *m*; **4.** *fig.* Umweg *m*, Abschweifung *f*; *grand* (*od. long*) ~ *de paroles* weitläufiges Gerede *n*; **5.** ⚖ ~ *d'actions* Regreßverfahren *n*.

circu|laire [sirky'lɛːr] **I** *adj.* □ kreisförmig; Kreis..., Zirkel..., Rund...; *billet m* ~ Rundreisekarte *f*; *voyage m* ~ Rundreise *f*; **II** *f* Rundschreiben *n*, Rund-erlaß *m*, -verfügung *f*; **~lant** [~'lɑ̃] *adj.* (7)

umlaufend, im Umlauf befindlich; **~larisation** [~lariza'sjõ] *f* Verlegung *f* in e-e Kreisbahn (*Satellit*); **~lation** [~la'sjõ] *f* Kreis-, Um-lauf *m*; (Straßen-, Waren-)Verkehr *m*, Verkehrsabwicklung *f*; ✝ Umsatz *m*; ~ *contraire* Gegenverkehr *m*; ~ *de transit* Transit-, Durchgangsverkehr *m*; *Auto*: ~ *d'eau*, ~ *de l'eau* Kühler-, Wasser-umlauf *m*; ~ *d'huile* Ölumlauf *m*; ~ *intense* Hochbetrieb *m* (*in den Straßen*); ~ *principale* Hauptverkehr *m*; ~ *monétaire*, ~ *fiduciaire* Münz-, Banknoten-, Papiergeld-umlauf *m*; ~ *des signes monétaires* Geld-umlauf *m*, -verkehr *m*; ~ *du sang* Blut-kreislauf *m*, -zirkulation *f*; ~ *des marchandises* Güterverkehr *m*; *mettre en* ~ verbreiten, in Verkehr bringen; **~latoire** [~la'twa:r] *adj.* den Kreislauf betreffend; Kreis...; **~ler** [~'le] *v/i.* (1a) **1.** umlaufen, kreisen, rollen; **2.** hin und her fahren, fliegen, reiten; sich bewegen; 🚗, *Bus etc.* verkehren; *circulez!* weitergehen!, nicht stehenbleiben!; ~ *à droite* rechts fahren; ~ *à la file* hintereinander fahren; **3.** *fig.* strömen, sich erneuern (*Luft*); **4.** *fig.* in Umlauf sein, (*a. fig.*) kursieren, umgehen, zirkulieren; *faire* ~ *une nouvelle* e-e Nachricht verbreiten.

circum|duction [sirkɔmdyk'sjõ] *f* Umdrehung *f*; Kreisbewegung *f*; ~ *des jambes Sport*: Beinkreisen *n*; **~navigateur** [~naviga'tœ:r] *m* Weltumsegler *m*; **~navigation** [~naviga'sjõ] *f* Weltumsegelung *f*; **~naviguer** [~navi'ge] *v/t.* (1m) umsegeln; **~terrestre** [~tɛ'rɛstrə] *adj.* die Erde umschließend.

cire [si:r] *f* **1.** Wachs *n*; ~ *brute* rohes Wachs *n*; ~ *à cacheter* Siegellack *m*; ~ *à parquets* Bohnerwachs *n*; **2.** *anat.* Ohrenschmalz *n*; **3.** *fig.* ~ *molle* weicher Charakter *m*.

cir|é [si're] **I** *m* **1.** Regenhaut *f*; **2.** Knautschlack(-jacke *f*, -mantel *m*) *m*; *jupe f en* ~ Knautschlackrock *m*; **II** P *adj.* bekloppt P, verrückt; **~ement** [sir'mã] *m* Einwachsen *n*; Wichsen *n*; Bohnern *n*; **~er** [~'re] (1a) **I** *v/t.* **1.** mit Wachs bestreichen; *toile f cirée* Wachstuch *n*; **2.** bohnern; (*Schuhe*) putzen, wichsen; ~ *ses chaussures* sich die Schuhe putzen; **3.** *écol.* zwiebeln, schleifen; **II** *v/rfl.* *se* ~ sich bohnern (*bzw.* wichsen) lassen; sich die Schuhe putzen; **~eur** [~'rœ:r] *m* Schuh-, Stiefelputzer *m*; **~euse** [~'rø:z] *f*: ~ *de parquet* Bohnerbesen *m*; ~ (*mécanique*) Bohnermaschine *f*; **~eux** [~'rø] *adj.* (7) wachsartig.

ciron [si'rõ] *m ent.* Made *f*; F *fig.* *mv.p.* Null *f* (*Mensch*).

cirque [sirk] *m* Zirkus *m*; Reitbahn *f*; Talkessel *m*; F Radau *m*; ~ *errant*, ~ *ambulant* Wanderzirkus *m*.

cirr(h)e [sir] *m* **1.** ♀ Wickelranke *f*; **2.** *zo.* Bartfaser *f*; Franse *f*.

cirrhose ⚕ [si'ro:z] *f*: ~ *du foie* Leberschrumpfung *f*.

cirure [si'ry:r] *f* Wachsüberzug *m*.

cisaille [si'zɑ:j] *f* Metallabschnitzel *n/pl.* (*Abfälle bei der Münzprägung*); **~-guillotine** ⊕ [~gijɔ'tin] *f* (6a) Tafel(blech)-, Guillotine-schere *f*, Schneide-maschine *f*.

cisail|lement ⊕ [sizɑj'mã] *m* Trennung *f* (*Straßenverkehr*); *bét.* *essai m de* ~ Scherversuch *m*; **~ler** [~'je] *v/t.* mit der Schere zerschneiden; **~les** [si'zɑ:] *f/pl.* Blech-, Buchbinder-schere *f*; ~ *à volailles* Geflügelschere *f*; **~leur** [~ɑ'jœ:r] *m* Blechschneider *m*.

ciseau [si'zo] *m* (5b) **1.** ~*x pl.*, F *a.* ~ *m/sg.* Schere *f*; *une paire f de* ~*x* e-e Schere *f*; ~*x à (couper le) papier* Papierschere *f*; ~*x pl. de jardinier* Garten-, Hecken-, Baum-schere *f*; ~*x à ongles* Nagelschere *f*; *faire un livre à coups de* ~*x* ein Buch aus anderen Werken zusammenstoppeln; **2.** Meißel *m*; **3.** *Sport*: (Sprung-) Schere *f* (*Ringkampf*).

cise|lage [siz'la:ʒ] *m* Ziselieren *n*; Meißeln *n*; **~ler** [~'le] (1c) *v/t.* **1.** ziselieren, (aus)meißeln; *de l'argenterie ciselée* getriebenes Silber *n*; **2.** ~ *le velours* den Sam(me)t schneiden; **3.** *fig.* ausfeilen (*Stil*); **~let** [~'lɛ] *m* Grabmeißel *m*, kleiner Meißel *m*; **~leur** [~'lœ:r] *m* Ziseleur *m*; Metallstecher *m*; **~lure** [~'ly:r] *f* gestochene (*od.* getriebene) Arbeit *f*.

Cisjordanie *géogr.* [sisʒɔrda'ni] *f*: **la** ~ Zisjordanien *n*.

cisoires ⊕ [si'zwa:r] *f/pl.* Metallschere *f*.

cisrhénan [sisre'nã] *adj.* (7) diesseits des Rheins (gelegen).

cistercien *rl.* [sistɛr'sjɛ̃] *adj. u. su.* (7c) zisterziensisch; Zisterzienser *m*.

cistude *zo.* [sis'tyd] *f* Süßwasserschildkröte *f*.

citable [si'tablə] *adj.* anführbar.

cita|delle [sita'dɛl] *f frt.* Zitadelle *f*; *fig.* Hauptsitz *m*, Hochburg *f*; *Genève*, ~ *calviniste* Genf, der Hauptsitz des Calvinismus; **~din** [~'dɛ̃]

(7) **I** *adj.* städtisch, Stadt...; **II** *su.* Städter *m.*

cita|teur [sita'tœːr] *m* Zitierer *m*; **~tion** [~tɑ'sjɔ̃] *f* **1.** Zitat *n*; **2.** ⚖ Vorladung *f*; **3.** ⚔ lobende Erwähnung *f im Frontbericht od. Tagesbefehl, militärische* Belobigung *f.*

cité [si'te] *f* **1.** Stadt *f*; (moderne Stadt-)Siedlung *f*; neue Großstadt *f*; *~-dortoir f* Schlafstadt *f*; *~-jardin f* Gartenstadt *f*; Stadtrandsiedlung *f*; *~ ouvrière* Arbeitersiedlung *f*; *~ résidentielle* städtischer Siedlungskomplex *m*; *~ satellite* Trabantenstadt *f*; *~ universitaire* Universitätsviertel *n*; *~ du Vatican* Vatikanstadt *f*; *~ sainte* Jerusalem *n*; **2.** Altstadt *f*; **3.** *hist. ~s lacustres* Pfahlbauten *m/pl.*; **4.** ⚖ *droit m de ~* Bürgerrecht *n*; *antiq. droit m de ~ romaine* römisches Bürgerrecht *n.*

citer [si'te] *v/t.* (1a) **1.** anführen, zitieren; **2.** angeben, nennen; *fig.* ⚔ öffentlich loben, lobend erwähnen; **3.** ⚖ gerichtlich vorladen.

citérieur [site'rjœːr] *adj.* diesseitig; Vor(der)...

citer|ne [si'tɛrn] *f* Zisterne *f*, Wasserbehälter *m*; Regenfang *m*; Tank *m*; *camion m ~* Benzin-, Tank-auto *n*; *wagon m ~* Kesselwagen *m*; **~neau** [~'no] *m* (5b) kleiner Wasserbehälter *m.*

citha|re ♪ [si'taːr] *f* Zither *f*; **~riste** [~ta'rist] *m* Zitherspieler *m.*

citoyen [sitwa'jɛ̃] (7c) **I** *su.* (Staats-)Bürger *m*, Mitbürger *m*; *~ du monde* Weltbürger *m*; *droits m/pl. de ~* Bürgerrecht *n*; *un drôle m de ~* ein komischer Kauz *m*; **II** *adj.* bürgerlich; Bürger...; **~ne** [~'jɛn] *f* (Staats-)Bürgerin *f*; *~ du monde* Weltbürgerin *f*; **~neté** [~jɛn'te] *f* Staatsangehörigkeit *f.*

citrate ⚗ [si'trat] *m* Zitrat *n.*

citr|ine [si'trin] *f* Zitronenöl *n*; **~ique** [si'trik] *adj.*: *acide m ~* Zitronensäure *f.*

citron [si'trɔ̃] **I** *m* **1.** Zitrone *f*; *écorce f de ~* Zitronenschale *f*; *jus m de ~* Zitronensaft *m*; **2.** *(couleur f [de]) ~* Zitronenfarbe *f*; **3.** P Schädel *m*, Birne *f*, Omme *f*, Nuß *f*, Kürbis *m*; **II** *adj./inv.* zitronenfarbig; **~nade** [~'nad] *f* Zitronen-limonade *f*, -wasser *n*, -saft *m*; **~nate** [~'nat] *m* eingemachte Zitronen *f/pl.*, Zitronat *n*; **~né** [~'ne] *adj.* mit Zitronensaft; **~nelle** [~'nɛl] *f* **1.** Zitronenkraut *n*; **2.** Zitronenlikör *m*; **~ner** [~'ne] *v/t.* (1a) mit Zitronensaft vermischen; **~nier** [~'nje] *m* Zitronenbaum *m.*

citrouille ♀ [si'truj] *f* Kürbis *m*; P *fig.* Birne *f* P, Kopf *m*, Kürbis *m* P.

civadière ⚓ [siva'djɛːr] *f* Bugsprietsegel *n.*

cive ♀ [siːv] *f* Schnittlauch *m.*

civet *cuis.* [si'vɛ] *m*: *~ de lièvre* Hasen-pfeffer *m*, -klein *n*; **~te** [si'vɛt] *f* **1.** ♀ Schnittlauch *m*; **2.** *zo.* Bisam-, Zibet-katze *f.*

civière [si'vjɛːr] *f* Tragbahre *f.*

civil [si'vil] **I** *adj.* □ **1.** bürgerlich; Bürger..., Zivil...; *état m ~* Personalien *pl.*; *actes m/pl. de l'état ~* Standesamtsregister *n*; *bureau m (officier m) de l'état ~* Standesamt *n* (Standesbeamter *m*); *mariage m ~* standesamtliche Trauung *f*; *guerre f ~e* Bürgerkrieg *m*; *société f ~e* bürgerliche Gesellschaft *f*; en *(tenue) ~(e)* in Zivil; **2.** ⚖ zivilrechtlich; *action f ~e* Zivilklage *f*; *Code m ~* Bürgerliches Gesetzbuch *n*; *droit m ~* bürgerliches Recht *n*, Zivilrecht *n*; *partie f ~e* Privatkläger *m*, Kläger *m* in e-r Privatsache; *se porter (od. se constituer) partie ~e* als Privatkläger auftreten; *personnalité f ~e* juristische Person *f*; *procédure f ~e, procès m ~* Zivilprozeß *m*; *responsabilité f ~e* Haftpflicht *f*; **3.** höflich, anständig; *paraître ~* e-n anständigen Eindruck machen; **II** *m* Zivilist *m*, Zivilperson *f*; *le ~ od. les ~s* der Zivilstand; *dans le ~* im Zivilleben.

civilement [sivil'mɑ̃] *adv.* **1.** nach bürgerlichem Recht, zivilrechtlich; *ne se marier que ~* sich nur standesamtlich trauen lassen; *poursuivre ~* zivilrechtlich verfolgen; *~ responsable* haftpflichtig; **2.** höflich.

civili|sable [sivili'zablə] *adj.* zivilisierbar, zivilisationsfähig, bildungsfähig; **~sateur** [~za'tœːr] *adj. u. su.* (7f) zivilisierend; Förderer *m* der Kultur, Kulturträger *m*, Bildungsförderer *m*; **~sation** [~zɑ'sjɔ̃] *f* Zivilisation *f*; Kultur *f*, Gesittung *f*; Zivilisierung *f*; **~sé** [~'ze] **I** *adj.* zivilisiert, gesittet; *homme m ~* Kulturmensch *m*; *peuple m ~* Kulturvolk *n*; **II** *su.* Kulturmensch *m*; **~ser** [~'ze] (1a) **I** *v/t.* zivilisieren, gesittet machen, verfeinern; **II** *v/rfl.* se ~ zivilisiert werden, sich verfeinern, feinere Sitten annehmen; *fig.* sich abschleifen; **~ste** [~'list] *m* Zivilrechtler *m*, -rechtslehrer *m*, -rechtsgelehrter *m*, -rechtstudierender *m*; **~té** [~li'te] *f* **1.** Höflichkeit *f*, Lebensart *f*, Anstand *m*, Umgangsformen *f/pl.*; **2.** ~*s pl.* Höflichkeitsbezeigungen *f/pl.*, Empfehlungen *f/pl.*; *faire des ~s à q.* j-m Höflichkeiten erweisen; *je vous présente mes ~s* ich empfehle mich Ihnen; *mes ~s à ...* empfehlen Sie mich ... (*dat.*).

civilo|phile [sivilɔ'fil] *adj.* bürgerfreundlich; **~phobe** [~'fɔb] *adj.* bürgerfeindlich.

civi|que [si'vik] *adj.* staatsbürgerlich; Bürger...; *courage m ~* Zivilcourage *f*; *obligations f/pl. ~s* Bürgerpflichten *f/pl.*; *instruction f ~* Staatsbürgerkunde *f*; *la responsabilité ~* die staatsbürgerliche Verantwortung *f*; *sens m ~* Gemeinschaftssinn *m*; *interdiction f* (*od. perte f*) *des droits ~s* Verlust *m* (*od.* Aberkennung *f*) der bürgerlichen Ehrenrechte; **~sme** [~'vism] *m* staatsbürgerliches Pflichtgefühl *n*, Staatsgesinnung *f*; bürgerliche Herkunft *f*.

clabaud *ch.* [kla'bo] *m* Kläffer *m*; **~age** [~'da:ʒ] *m* Gekläffe *n*, Kläffen *n*; *fig.* Gekeife *n*; **~er** [~'de] *v/i.* (1a) kläffen, bellen; *fig.* keifen; **~eur** [~'dœ:r] *su.* (7g) *fig.* Kläffer *m*, Schreihals *m*.

clac [klak] *int.*: *~!* klapp!; *faire ~* klappe(r)n; *clic, ~* klipp, klapp; P *ses clics et ses ~s* s-e Siebensachen *pl.*

clafouti(s) [klafu'ti] *m* Kirschkuchen *m*.

claie [klɛ] *f* **1.** Gittersieb *n*, Weidengeflecht *n*; *~ à passer la terre* Wurfsieb *n* zum Durchsieben von Erde; *~ à trier le sable* Wurfsieb *n* zum Durchsieben von Sand; **2.** *fig. traîner q. sur la ~* j-n öffentlich beleidigen; **3.** hölzernes Gitterwerk *n*; Flechtwerk *n*; Trockengestell *n für Früchte*, Obsthürde *f*.

claine ⚒ [klɛn] *f* Schlackensand *m*.

clair [klɛ:r] **I** *adj.* □ **1.** hell, hellleuchtend, glänzend; blank; erleuchtet; *il fait ~* es ist (heller) Tag, es ist hell; *blond ~* hellblond; *brun ~* hellbraun; **2.** durchsichtig; klar; heiter (*Wetter*); **3.** rein, hellklingend (*Stimme*); **4.** leichtverständlich, deutlich, klar, faßlich; *esprit ~* klarer Kopf *m*; *style ~* deutliche Ausdrucksweise *f*; **5.** augenscheinlich, offenbar; *c'est ~ comme le jour* das ist sonnenklar, es liegt auf der Hand; **6.** dünn(flüssig); dünngesät; **II** *adv.* **7.** deutlich, klar; *voir ~* deutlich (*od.* scharf) sehen; *fig. voir ~ dans qch.* in e-r Sache klarsehen, etw. durchschauen; *je n'y vois pas ~* mir ist ganz dumm im Kopf, ich bin ganz benommen; *parler ~* deutlich sprechen; *fig. parler ~ et net* (*od. haut et ~*) klipp u. klar *etw.* sagen, ganz offen *etw.* aussprechen, *fig.* klaren Wein einschenken; *semer ~* dünn säen; **III** *m* **8.** Helle *f*, Schein *m*; *~ de* (*la*) *lune* Mondschein *m*; *il fait* (*grand*) *~ de lune* es ist (heller) Mondschein; *passer le plus ~ de son temps à s'amuser* den hellerlichten Tag mit Nichtstun verbringen; **9.** *mettre sabre au ~* den Säbel aus der Scheide ziehen; *en ~* in gewöhnlicher Sprache, nicht chiffriert; *traduction f en ~* Klarübersetzung *f*, Übersetzung *f e-s Chiffriertextes* in die gewöhnliche Sprache; *tirer au ~* klarstellen, klären; *tirer du vin au ~* Wein abziehen; **10.** *~s pl. peint.* Lichter *n/pl. e-s Bildes*; helle Farben *f/pl.*

clair|çage [klɛr'sa:ʒ] *m* Klären *n des Zuckers*; **~ce** ⊕ [klɛrs] *f Zuckersiederei*: Klärsel *n*; **~cer** ⊕ [~'se] *v/t.* (1k) *Zucker* klären.

claire [klɛ:r] *f* Austernpark *m*.

clair|ement [klɛr'mɑ̃] *adv.* deutlich, klar; **~et** [~'rɛ] *m* heller Rotwein *m*, Bleicher *m*; **~ette** [~'rɛt] *f* **1.** blaue Weintraube *f*; *leichter* Weißwein *m*; **2.** ♀ Rapunzel *f*.

claire-voie [klɛr'vwa] *f* (6a) **1.** leichtvergitterte Öffnung *f*; Durchsicht *f*; Oberlicht *n*; Deckfenster *n*; Balkenlücke *f*, Gitter *n*: **2.** *à ~ advt.* mit durchsichtigem Gitter; weit geflochten, lose gewebt; *clôture f à ~* Lattenzaun *m*; *toile f à ~* durchsichtige Leinwand *f*; ✓ *semer à ~* dünn säen.

clairière [klɛ'rjɛ:r] *f* Lichtung *f*.

clair-obscur [klɛrɔps'ky:r] *m* (6a) Helldunkel *n*; Schattenlicht *n*; *un dessin au ~* e-e Helldunkelzeichnung *f*.

clairon [klɛ'rɔ̃] *m* **1.** ♪ Zinke *f*, Signalhorn *n*, Trompete *f*; **2.** ♪ (*jeu m de*) *~* Zinkenregister *n* (*Orgel*); **3.** Hornist *m*; **~ner** [~rɔ'ne] **I** *v/i.* mit der Trompete blasen; F brüllen, laut sprechen; **II** *v/t. fig.* hinausschmettern, ausposaunen, laut bekanntmachen.

clairsem|é [klɛrsə'me] *adj.* dünngesät, dünn, spärlich; *bois m ~* heller (*od.* lichter) Wald *m*.

clairvoy|ance [~vwa'jɑ̃:s] *f* Scharfblick *m*, Klarsicht *f*; **~ant** [~'jɑ̃]

I *adj.* klarsehend, mit klarem Blick, weitblickend; **II** *su.* heller Kopf *m*, Mensch *m* mit Weitblick.

clam|eau *charp.* [kla'mo] *m* Eisenklammer *f*; ⊕ Kloben *m*; **~ecer** P [klam'se] *v/i.* (1k) s. *clampser*; **~er** [~'me] *v/t.* (1a) brüllend (*od.* schreiend) äußern, ausschreien; **~eur** [~'mœ:r] *f* (*oft im pl.*) Geschrei *n*, Lärm *m*, Gejohle *n*, Schmähung *f*; Heulen *n* (*z.B. Wind*); ~ *publique* allgemeine Entrüstung *f*, öffentlicher Tadel *m*.

clampe [klɑ̃:p] *f* Eisenklammer *f*.

clampin [klɑ̃'pɛ̃] (7) **I** *adj.* hinkend; **II** *su.* Nachzügler *m*; F Faulenzer *m*.

clampser P [klɑ̃p'se] *v/i.* (1a) ins Gras beißen, abnibbeln P, verrecken P, krepieren.

clan [klɑ̃] *m* Stamm *m*, Clan *m*; F *péj.* Klüngel *m*, Sippschaft *f*, *a. pol.* Clique *f*; *Autosport*: Mannschaft *f*, Gruppe *f*.

clandestin [klɑ̃dɛs'tɛ̃] *adj.* (7) □ heimlich, unerlaubt; verborgen; *automobiliste m* (*od. chauffeur m*) ~ *Auto*: Schwarzfahrer *m*; *passager m* ~ blinder Passagier *m*; *mouvement m* ~ Geheim-, Untergrundbewegung *f*; **~ité** [~tini'te] *f* Heimlichkeit *f*; Verborgenheit *f*.

clapet ⊕ [kla'pɛ] *m* Klappenventil *n*; ~ *d'arrêt* Absperrklappe *f*.

cla|pier [kla'pje] *m* Kaninchen-bau *m*, -stall *m*; *lapin m de* ~ Hauskaninchen *n*; **~pir** [~'pir] (2a) **I** *v/i.* schreien (*Kaninchen*); **II** *v/rfl.* se ~ sich verkriechen (*bsd. Kaninchen*).

clapo|tage, ~tement [klapɔ'ta:ʒ, ~t'mɑ̃] *m* Plätschern *n der See*; **~ter** [~'te] *v/i.* (1a) plätschern, aufschlagen (*Wellen*); **~teux** [~'tø] *adj.* (7d) leicht bewegt (*See*); **~tis** [~'ti] *m* **1.** s. *~tage*; **2.** *Fr.* modernes Ferienlandhaus *n* mit Dachterrasse *am Mittelmeer.*

clappement [klap'mɑ̃] *m* Schnalzen *n* (*mit der Zunge*).

clapper [kla'pe] *v/i.* (1a) mit der Zunge schnalzen.

claquage [kla'ka:ʒ] *m* **1.** Überanstrengung *f*; ~ *musculaire* Muskelzerrung *f*; **2.** ⚡ Durchschlag *m*; *tension f de* ~ Durchschlagsspannung *f*.

claquant F [kla'kɑ̃] *adj.* zu anstrengend.

claque [klak] **I** *f* **1.** Klaps *m*, Ohrfeige *f*, Katzenkopf *m* F, Schlag *m* mit der flachen Hand; F *figure f à ~s* Backpfeifengesicht *n*; **2.** *thé.* Claque *f*, bezahlte Beifallsklatscher *m/pl.*; **3.** Oberleder *n vom Schuh*; *Art* Damenüberschuh *m*; **4.** * Bordell *n*, Puff *m*; **5.** P *en avoir sa* ~ hundemüde sein; die Nase voll haben; **II** *m* (*chapeau m*) ~ Chapeau claque *m*, Klappzylinderhut *m*; s. *clique* 3.

claqué [kla'ke] *adj.* **1.** mit Lederrand; **2.** F hundemüde, völlig kaputt, ganz herunter.

claque|dent [klak'dɑ̃] *m* **1.** armer Schlucker *m*; **2.** P Bordell *n*, Puff *m*; **~faim** [~'fɛ̃] *m* Hungerleider *m*; **~ment** [~k'mɑ̃] *m* Schnalzen *n usw.*; *téléph.* Knacken *n*; ~ *des dents* Zähneklappern *n*; ~ *de fouet* Knallen *n* mit der Peitsche; ~ *des doigts* Knipsen *n* mit den Fingern; ~ *des mains* Händeklatschen *n*; ~ *de mitrailleuse* Maschinengewehr-, MG-Geknatter *n*; **~murer** [~my're] (1a) **I** *v/t.* einsperren; **II** *v/rfl.* se ~ sich einschließen, zu Hause hocken, sich verkriechen, sich nirgends sehen lassen.

claquer [kla'ke] (1m) **I** *v/i.* **1.** klatschen; klappern, knallen; schnalzen; ~ *des mains* in die Hände klatschen; ~ *des dents* mit den Zähnen klappern; *écol.* ~ *des doigts* mit den Fingern (*beim Melden*) knipsen; ⚔ ~ *des talons* die Hacken zs.-schlagen; *la porte claqua* die Tür knallte zu; **2.** P krepieren, verrecken, abnibbeln; P ~ *du bec* nichts zu beißen haben, Kohldampf schieben; F *faire* ~ *son fouet* sich wichtig tun, angeben; P *cette affaire a claqué* diese Sache ist schiefgegangen; **3.** P *abs.* e-n fertigmachen *od.* müde machen; ermüdend sein; **II** *v/t.* **4.** ~ *q.* j-m e-n Klaps geben, j-n ohrfeigen *od.* durchhauen; **5.** beklatschen; **6.** P ~ *sa galette* s-e Moneten durchbringen (*od.* verpulvern *od.* verjuxen); **7.** F überanstrengen; *Sport*: *Muskel* verzerren; ~ *son cheval* sein Pferd überanstrengen; **III** *v/rfl.* sich überanstrengen; *se* ~ *au travail* sich abschinden, sich abrackern.

claquet [kla'kɛ] *m* (Mühl-)Klapper *f*; F *la langue lui va comme un* ~ *de moulin* er plappert wie ein Mühlrad.

claqueter [klak'te] *v/i.* (1c) gackern (*Huhn*); klappern (*Storch*).

claquette [kla'kɛt] *f* Kinderklapper *f*, Knarre *f*.

claqueur [kla'kœ:r] *m* (7g) *thé.* Claqueur *m*, (bezahlter) Klatscher *m*.

clarifiant [klari'fjɑ̃] **I** *adj.* (7) klärend; **II** *m* Klärmittel *n*.

clarification [klarifika'sjɔ̃] *f* Klärung *f* von Flüssigkeiten; *installation f de* ~ Kläranlage *f*.

clarifier [klari'fje] *v/t.* (1a) (ab-)klären, läutern (*Flüssigkeiten*); *réservoir m à* ~ Klärbecken *n*; *fig.* ~ *la situation* die Lage klären.

clarine [kla'rin] *f* Kuhglocke *f*.

clarinette ♪ [klari'nɛt] *f* **1.** Klarinette *f*; **2.** (*a. clarinettiste su.*) Klarinettist *m*.

clarté [klar'te] *f* **1.** Helle *f*; ~ *du jour* Tageslicht *n*; **2.** *fig.* Klarheit *f*, Deutlichkeit *f*, Verständlichkeit *f*, Faßlichkeit *f*; *avoir de la* ~ *dans les idées* e-n klaren Kopf haben.

clartéiste *litt.* [klarte'ist] *m* franz. Schriftsteller *m*, der sich um die Klarheit der Sprache bemüht.

classe [klɑ:s] *f* **1.** Klasse *f*, Abteilung *f*, Ordnung *f*, Art *f*; *de première* ~ erstklassig, ersten Ranges; ~ *spéciale, hors* ~ Sonderklasse *f*; **2.** ⚔ Jahrgang *m*; ~ *creuse* rekrutenarmer Jahrgang *m*; **3.** Stand *m*; Rang *m*; ~ *moyenne* Mittelstand *m*; *lutte f de(s)* ~*s* Klassenkampf *m*; *pol. société f sans* ~ klassenlose Gesellschaft *f*; **4.** *écol.* Klasse *f*; Schule *f*; Klassenraum *m*; Unterrichtsstunde *f*; Schulunterricht *m*; ~ *élémentaire* (*od. primaire*) Grundschulklasse *f*; ~ *de géographie* Erdkundestunde *f*; *sauter une* ~ e-e Klasse überspringen; *aller en* ~, *faire ses* ~*s* zur Schule gehen; *il ne peut pas venir en* ~ er kann nicht zur Schule kommen; *la* ~ *commence à huit heures* die Schule fängt um acht Uhr an; *faire la* ~ unterrichten, Unterricht geben (*od.* erteilen); *avoir fait toutes ses* ~*s* die Schule ganz durchlaufen (*od.* absolviert) haben; *qui a fait ses* ~*s* schulentlassen; *rentrée f des* ~*s* Wiederbeginn *m* der Schule (*nach den Ferien*); *nombre m d'heures de* ~ Stundenzahl *f* (*des Lehrers*); **5.** *Sport*: Klasse *f*; ~ *d'Europe* Europaklasse *f*; **~ment** [klɑs'mɑ̃] *m* Einteilen *n*; Einteilung *f* nach Klassen; Einordnen *n*, Sortieren *n*, Klassifizierung *f*; Registratur *f*, Archiv *n*; *Sport*: Klasse *f*, Rangliste *f*; ~ *général*, ~ *définitif* Gesamtergebnis *n*; ~ *d'Europe* Europaklasse *f*.

clas|ser [klɑ'se] (1a) **I** *v/t.* **1.** einordnen, einsortieren; im Büro ablegen; zu den Akten legen; **2.** *Sport*: klassifizieren; **II** *v/rfl. se* ~ klassifiziert werden; abgeschätzt werden; abgelegt (*od.* eingeordnet) werden; *Sport*: sich placieren; **~seur** [~'sœ:r] *m* Aktenschrank *m*, Kartei *f*, Karthothek *f*; Kollegheft *n*; ~ (*de lettres*) Briefordner *m*; ~*-relieur m*, ~ *rapide* Schnellhefter *m*; ~ *plat* Aktenhefter *m*; ~ *auxiliaire* Vorordner *m*; ~ *vertical* Vertikalschrank *m* (*für Büros*).

classi|cisant *litt.* [klasisi'zɑ̃] *adj.* (7) sich an die Klassik anlehnend; **~cisme** *litt.* [~'sism] *m* Klassik *f*; **~ficateur** [~fika'tœ:r] *su.* (7f) Einordner *m*, Systematiker *m* (*Person*); **~fication** [~fika'sjɔ̃] *f* Klassifizierung *f*; **~fier** [~'fje] *v/t.* (1a) klassifizieren, einteilen.

classique [kla'sik] **I** *adj.* **1.** klassisch; mustergültig, von erstem Rang; üblich; *l'antiquité* ~ das klassische Altertum; *armes f/pl.* ~*s* konventionelle Waffen *f/pl.*; *auteur m* ~ Klassiker *m*, klassischer Schriftsteller *m*; **2.** Schul...; *livres m/pl.* ~*s* Schulbücher *n/pl.*; **II** *m* **3.** Klassiker *m*, klassischer Schriftsteller *m*; **4.** *le* ~ das Klassische; **5.** *écol. le* ~ der altsprachliche Zweig; **6.** *fig.* klassisches (*od.* epochemachendes) Stück *n*, Meisterstück *n*, Meisterwerk *n*; *fig.* Schlager *m*; *un* ~ *du cinéma* (*du jazz*) ein Filmschlager *m* (ein Jazzschlager *m*).

clastique [klas'tik] *adj.* **1.** *géogr.* Trümmer...; **2.** *anat.* zerlegbar.

clatir [kla'ti:r] *v/i.* (2a) wiederholt anschlagen (*Jagdhund*).

claudi|cant *litt.* [klodi'kɑ̃] *adj.* (7) hinkend; **~cation** *litt.* [~ka'sjɔ̃] *f* Hinken *n*; **~quer** *litt.*, *plais.* [~'ke] *v/i.* hinken.

clause ⚖ [klo:z] *f* Klausel *f*, Vorbehalt *m*; *garantir par des* ~*s* verklausulieren; ~ *bénéficiaire*, ~ *de faveur* Vergünstigungsklausel *f*; *pol.* ~ *facultative*, ~ *d'arbitrage* Fakultativ-, Schiedsgerichts-klausel *f*; ~ *de la nation la plus favorisée* Meistbegünstigungsklausel *f*; ⚚ ~ *du dollar* Dollarklausel *f*; ~ *de non-concurrence* Konkurrenzklausel *f*; **~-or** [~'ɔ:r] *f* (6b) Goldklausel *f* (*a. pol.*).

claustr|al [klos'tral] *adj.* (5c) klösterlich; *discipline f* ~*e* Klosterregel *f*; **~ation** [~trɑ'sjɔ̃] *f* Klosterleben *n*; *allg.* Zurückgezogenheit *f*; *pol.* Abriegelung *f*; **~er** [~'tre] *v/t.* (1a) einsperren, einschließen; **~ophobie** [~trɔfɔ'bi] *f* Angst *f* vor dem Eingeschlossensein.

claveau[1] [kla'vo] *m* Wölbstein *m*.

claveau[2] *vét.* [~] *m/sg.* Schafpocken *f/pl.*; *syn. v. clavelée.*

clavecin [klav'sɛ̃, klaf'sɛ̃] *m* Cem-

balo *n*; **~iste** [~si'nist] *m* Cembalospieler *m*.
clave|lé, ~leux *vét.* [klav'le, ~'lø] *adj.* pockig; **~lée** *vét.* [klav'le] *f/sg.* Schafpocken *f/pl.*
clavet|er [klav'te] *v/t.* (1c) festkeilen; **~te** [kla'vɛt] *f* ⊕, *Auto*: Schlüssel *m*; Zugkeil *m*; Keil *m*, Splint *m*, Bolzen *m*; Heftklammer *f* (*Buchbinderei*).
clavicule [klavi'kyl] *f* Schlüsselbein *n*; *fig.* *ne pas se démettre la ~* sich kein Bein ausreißen.
clavier [kla'vje] *m* ♪ Klaviatur *f*; Tastatur *f* (*a. Schreibmaschine*).
clayère [klɛ'jɛːr] *f* Austernpark *m*.
clayette [klɛ'jɛt] *f* Kühlschrankrost *m* (*herausnehmbarer Zwischenboden*).
clayon [klɛ'jɔ̃] *m* Flechtwerk *n*; Käsehürde *f*; (Schaf-)Hürde *f*; **~nage** [~jɔ'naːʒ] *m* Strauch-, Hürden-geflecht *n*; **~ner** [~jɔ'ne] *v/t.* (1a) *Hürden* flechten.
clé [kle] *f* s. *clef*.
clearing *fin.* [kli'riŋ] *m* Clearing *n*, Verrechnungs-verfahren *n*, -verkehr *m*.
clebs * [klɛps] *m* Köter *m* F.
clef *od. mst.* **clé** [kle] *f* **1.** Schlüssel *m*; *fig.* Verschluß *m*, Verwahrung *f*; *~ de la maison* Hausschlüssel *m*; *~s en main* schlüsselfertig; *~ forée* Hohlschlüssel *m*; *fausse ~*, *seconde ~*, *~ en double* Nachschlüssel *m*, Dietrich *m*; *~ faussée* verbogener Schlüssel *m*; *Auto*: *~ de contact* Zündschlüssel *m*; *trousseau m de ~s* Schlüsselbund *n*; *fig.* *~ de voûte* Eckpfeiler *m*; *fig.* *avoir la ~ des champs* hingehen können, wohin man will; völlige Bewegungsfreiheit haben; *donner la ~ des champs (à)* freilassen; *prendre la ~ des champs* türmen, auskneifen, durchbrennen, das Weite suchen, sich aus dem Staub machen; *la ~ est à (od. sur) la porte* der Schlüssel steckt in der Tür; *la ~ est à (od. sur, bisw. dans) la serrure* der Schlüssel steckt im Schloß; *donner un (deux) tour(s) de ~* den Schlüssel ein- (zwei-)mal 'rumdrehen; *fermer qch. à ~* etw. verschließen; *garder sous ~* verschlossen halten; *mettre la ~ sous la porte* Haus u. Hof im Stich lassen, durchbrennen; *vin m à la ~* Wein vom Faß; **2.** *fig.* Aufschluß *m*, Sinn *m*; *fig.* Lösung *f*; Verständnis *n*; *être la ~ de qch.* Aufschluß über etw. (*acc.*) geben; *roman m à ~* Schlüsselroman *m*; **3.** ♪ *~ de fa* F-, Baß-schlüssel *m*; *~ d'ut* C-, Altschlüssel *m*; *~ de piano* Stimmschlüssel *m*; **4.** *ch.* *~ de meute* Leithund *m*; **5.** *~ à vis* Schraubenschlüssel *m*; ⊕ *~ anglaise* Engländer *m*; Universalschraubenschlüssel *m*; *~ d'arrêt* Kupplungshebel *m*; *~ de montre* Uhrschlüssel *m*; **6.** Klappe *f*; *~ papillon* Aufziehkurbel *f*; **7.** ⚠ Balkenband *n*, Band *n*, Stichbrett *n*; *~ de voûte* Schlußstein *m* e-s Gewölbes; **8.** *~ d'un télégramme chiffré* Schlüssel *m* zu e-m chiffrierten (*od.* verschlüsselten) Telegramm; **9.** P *à la ~* bestimmt, totsicher (*bekräftigend*); *il y a qch. à la ~* es gibt bestimmt etw.; *fut.*: es steht etw. in Aussicht; *il y a eu des embêtements à la ~* es hat bestimmt Ärger gegeben; *je suis prêt à faire ce que tu m'as demandé pourvu qu'il y ait du pèse à la ~* ich bin bereit zu tun, worum du mich gebeten hast, vorausgesetzt, daß dabei bestimmt etwas für mich abfällt.
clématite ⚘ [klema'tit] *f* Klematis *f*, Waldrebe *f*.
clémence [kle'mɑ̃ːs] *f* Milde *f*, Huld *f*, Gnade *f*; *prendre une mesure de ~*, *user de ~* Gnade für Recht ergehen lassen.
clément [kle'mɑ̃] *adj.* (7) gnädig, gütig, mild (*a. von der Witterung*); *ciel m ~* mildes Wetter *n*.
clenche [klɑ̃ːʃ] *f* Klinke *f*.
cleptoman|e [klɛptɔ'man] *su.* Kleptomane *m*; **~ie** [~'ni] *f* Kleptomanie *f*.
clerc [klɛːr] *m* **1.** Geistliche(r) *m*; **2.** *ehm.* Gelehrte(r) *m*; *il ne faut pas être grand ~ pour le faire* das ist keine Kunst; **3.** Schreiber *m*; Anwaltsgehilfe *m*; *maître m ~* Bürovorsteher *m*; *faire un pas de ~* e-e Dummheit machen, sich blamieren, e-n Bock schießen.
clerg|é [klɛr'ʒe] *m* Geistlichkeit *f*, Klerus *m*, Priesterschaft *f*; *haut (bas) ~* höhere (niedere) Geistlichkeit *f*; *~ régulier* Ordensgeistlichkeit *f*; *~ séculier* Weltgeistlichkeit *f*; **~eon** *rl.* [~'ʒɔ̃] *m* Chorknabe *m*.
clérical [kleri'kal] (5c) **I** *adj.* geistlich, priesterlich, klerikal, Priester...; kirchenfreundlich; **II** *m* Klerikale(r) *m*, Ultramontane(r) *m*; **~isme** *pol.* [~'lism] *m* Klerikalismus *m*.
clic *ling.* [klik] *m* Schnalzlaut *m*.
clic! clac! [klik'klak] *int.* klipp, klapp!, klatsch!, knack!
clich|age [kli'ʃaːʒ] *m* Abklatschen *n*, Klischieren *n*; **~é** [~'ʃe] *m* **1.** Abklatsch *m*, Klischee *n*, (Stereotyp-)

Platte *f*; *phot.* Negativ *n*; **2.** *fig.* abgedroschene Redensart *f*, Gemeinplatz *m*, Banalität *f*; *toujours le même* ~ immer dasselbe Bild; **~e** P [kliʃ] *f* Dünnschiß *m* V, Durchfall *m*; **~er** [~] (1a) *v/t.* klischieren, stereotypieren; *locutions f/pl. clichées* feststehende (*od.* stereotype) Redensarten *f/pl.*; **~erie** ⊕ [~ʃ'ri] *f* Klischieranstalt *f*; **~eur** [~'ʃœ:r] *m* Plattengießer *m*, Stereotypeur *m*.

client [kli'ɑ̃] *su.* (7) ⚕ Kunde *m*; ⚖ Klient *m*; ⚕ Patient *m*; **~èle** [~'tɛl] *f* Kundschaft *f*; Praxis *f* e-s Rechtsanwalts *od.* Arztes; *die* Kunden *m/pl.*, *die* Patienten *m/pl.*; *fig.* Freundeskreis *m*, Anhängerschaft *f*; ~ *d'habitués* Stammkundschaft *f*.

clign|ement [kliɲ'mɑ̃] *m* Blinzeln *n*; **~e-musette** [kliɲmy'zɛt] *f* Versteckspiel *n*; **~er** [kli'ɲe] (1a) **I** *v/t.*: ~ *l'œil* (*les yeux*) mit dem Auge (mit den Augen) blinzeln; **II** *v/i.*: ~ *de l'œil* blinzeln, mit dem Auge e-n Wink geben; **~otant** [~ɲɔ'tɑ̃] **I** *adj.* blinzelnd; *feux m/pl.* ~*s* Blinkfeuer *n/sg.*; **II** *m Auto*: Blinker *m*, Blinklicht *n*; *mettre* (*od. faire marcher*) *le* ~ Fahrtrichtung durch Blinken (an-)geben; **~otement** [~ɲɔt'mɑ̃] *m* Blinzeln *n*; Blinken *n*; **~oter** [~ɲɔ'te] *v/i.* (1a) blinzeln; blinken, flakkern; **~oteur** [~ɲɔ'tœ:r] *m Auto*: Blinker *m*; *mettre le* ~ die Fahrtrichtung durch Blinken kennzeichnen.

climat [kli'ma] *m* **1.** Klima *n*; **2.** Gegend *f*; **3.** *fig.* Atmosphäre *f*, Stimmung *f*; **4.** *soc.* ~ *social* Betriebsklima *n*.

clima|térique [klimate'rik] *adj.* **1.** kritisch (*Jahr, Zeit*); *période f* ~ kritische Periode *f* (*im Lebensalter*); *années f/pl.* ~*s* Wechseljahre *n/pl.*; **2.** *abus.* klimatisch; *station f* ~ Luftkurort *m*; **~tique** [~'tik] *adj.* klimatisch; *station f* ~ Luftkurort *m*; **~tisation** [~tiza'sjɔ̃] *f* Klimaanlage *f*, Frischluftregulierung *f*; **~tiser** [~ti'ze] *v/t.* (1a) mit e-r Klimaanlage versehen; **~tiseur** ⊕ [~ti'zœ:r] *m* Klimagerät *n*; **~tologie** [~tɔlɔ'ʒi] *f* Klimatologie *f*; **~tologique** [~tɔlɔ'ʒik] *adj.* klimatologisch; **~tothérapie** [~tɔtera'pi] *f* Luftkur *f*.

clin [klɛ̃] *m*: ~ *d'œil* Blick *m*, Augenblick *m*; *faire un* ~ *d'œil à q.* j-m zublinzeln; *en un* ~ *d'œil* im Nu.

clinfoc ⚓ [klɛ̃'fɔk] *m* Außenklüver *m*.

clini|cien [klini'sjɛ̃] *m* Kliniker *m*; **~que** [~'nik] **I** *adj.* klinisch; **II** *f* **1.** Klinik *f*; **2.** ~ (*dispensaire*) *Fr.* kostenlose *od.* billige ärztliche Beratungsstelle *f*, Gesundheitsfürsorgestelle *f*.

clinomètre [klinɔ'mɛtrə] *m* Neigungsmesser *m*.

clinquant [klɛ̃'kɑ̃] *m* **1.** Flitter-, Rausch-gold *n*; ~ *blanc* Rauschsilber *n*; **2.** *fig.* falscher Glanz *m*.

clip [klip] *m* Klammer *f*, Klemmer *m am Füllfederhalter, Kleid usw.*, Klipp *m*.

clipper [kli'pœ:r] *m* **1.** ⚓ Klipper *m*, Schnellsegler *m*; **2.** ✈ Klipper *m*, Großverkehrsflugzeug *n*.

clique [klik] *f* **1.** F Clique *f*, Sippschaft *f*, Gesindel *n*, Klüngel *m*, Gelichter *n*; *il est de la* ~ er gehört zur Sippschaft; **2.** P ⚔ Musikzug *m*; **3.** ~*s f/pl.*: *prendre ses* ~*s et ses claques* s-e Siebensachen packen u. losziehen, mit Sack u. Pack abziehen.

cliquet [kli'kɛ] *m* Sperr-, Schaltklinke *f*, Sperrhaken *m*, Schlagfeder *f*; Bohrwinde *f*; **~er** [klik'te] *v/i.* (1c) klirren, klappern, rasseln; **~is** [klik'ti] *m* Geklirr *n*, Rasseln *n*, Klappern *n*; *mot.* Klopfen *n*; *le* ~ *des armes* das Waffengeklirr; *fig.* ~ *de mots* Wortgeklingel *n*.

clis|sage [kli'sa:ʒ] *m* Umflechten *n*; ⚕ Umschienen *n*; **~se** [klis] *f* **1.** Käsehürde *f* (*zum Abtropfen*); **2.** Korbgeflecht *n um e-e Flasche*; **3.** (Arm-, Bein-)Schiene *f*; **~ser** [~'se] *v/t.* (1a) **1.** einflechten; *bouteille f clissée* Korbflasche *f*; **2.** ⚕ schienen.

clitoris ⚕ [klitɔ'ris] *m* Kitzler *m*.

cli|vage *min.* [kli'va:ʒ] *m* **1.** Spalten *n*; **2.** Spaltfläche *f*; **3.** *fig. pol.* Spaltung *f*; *allg.* Unterschiedlichkeit *f*; *ligne f de* ~ Trennungsstrich *m*; **~ver** [~'ve] *v/t.* (1a) *Diamanten* spalten.

cloaque [klɔ'ak] *m* Kloake *f*; Senkgrube *f*; *bsd. orn.* Mastdarmende *n*; *weitS.* unsauberer Ort *m*, Schweinestall *m*.

clochard F [~'ʃa:r] *m* Pennbruder *m*, Penner *m*, Stromer *m*, Vagabund *m*, Herumtreiber *m*, Bettler *m*; **~isation** [~ʃardiza'sjɔ̃] *f* Degradierung *f* zum Bettlertum; **~iser** [~di'ze] *v/t.* zum Bettler machen; *se* ~ zum Bettler werden.

cloche [klɔʃ] *f* **1.** Glocke *f* (*a. Damenhut*); ~ *du beffroi* Sturmglocke *f*; *au son des* ~*s* unter Glockengeläut; *au coup de* ~ beim Glockenschlag; **2.** Glasglocke *f*; ~ *à fromage* Käseglocke *f*; ~ *à plongeur* Taucherglocke *f*; **3.** ⚕ Wasserblase *f*; **4.** *déménager à la* ~ *de bois* sang- u.

klanglos abziehen, sich ohne Bezahlung der Miete verdrücken; *sonner les ~s à q.* j-n gehörig (*od.* tüchtig) abkanzeln, j-m e-e dicke Zigarre verpassen; P *se taper la ~* sich ordentlich vollfressen P.

clochement ⊕ [klɔʃ'mɑ̃] *m* Fehler *m*.

cloche-pied [klɔʃ'pje] *m* (6c) *advt.*: *sauter à ~* (auf e-m Bein) hüpfen.

clocher[1] [klɔ'ʃe] *m* Glocken-, Kirchturm *m*; *l'esprit m de ~* der Lokalpatriotismus, die Kleinstädterei, das kleinstädtische Wesen, die kleinliche Gesinnung; *querelles f/pl. de ~* lokale Streitigkeiten *f/pl.*

clocher[2] [~] **I** *v/t.* (1a) mit e-r Glocke bedecken; **II** *v/i.* wie e-e Glocke klingen.

clocher[3] [~] *v/i.* (1a) **1.** † hinken; **2.** *fig. il y a qch. qui cloche* etw. ist nicht in Ordnung, etw. klappt nicht; *cette comparaison cloche* dieser Vergleich hinkt.

cloche|ton [klɔʃ'tɔ̃] *m* kleiner Glockenturm *m*; **~tte** [~'ʃɛt] *f* Glöckchen *n*, Schelle *f*; **2.** *~s pl.* ♪ Glockenspiel *n*; **3.** ⚘ Glockenblume *f*; **4.** *~s pl.* △ glockenähnliche Verzierungen *f/pl.*

clodo * [klɔ'do] *m* Clochard *m*.

cloison [klwa'zɔ̃] *f* **1.** Verschlag *m*, Scheidewand *f*; **2.** ⚓ Schott *n*; **~nage** [~zɔ'na:ʒ] *m* Bretter-wand *f*, -verschlag *m*; **~né** *peint.* [~'ne] *m* (*émail m*) *~* Zellenschmelz *m*, Cloisonné *m*; **~ner** [~] *v/t.* (1a) durch eine Scheidewand trennen; △ abgrenzen; ⚒, ⚓ abschotten; *allg.* aufgliedern (*Fächer*).

cloîtr|e ['klwɑ:trə] *m* **1.** Kreuz-, Kloster-gang *m*; **2.** Kloster *n*; *fig.* Klosterleben *n*; **~er** [klwɑ'tre] (1a) **I** *v/t.* in ein Kloster sperren; *fig.* einsperren; **II** *v/rfl. se ~* ins Kloster gehen; *fig.* sich einschließen; zurückgezogen leben.

clope F [klɔp] *m* Kippe *f* P, (Zigaretten-)Stummel *m*.

clopin-clopant [klɔpɛ̃klɔ'pɑ̃] *advt.* hinkend; *aller ~* hinken, humpeln; *s'en aller ~* forthumpeln.

clopiner [klɔpi'ne] *v/i.* (1a) humpeln.

cloporte [klɔ'pɔrt] *m* **1.** *ent.* Kellerassel *f*; **2.** P Portier *m*.

cloque [klɔk] *f* **1.** ⚕ Brand-blase *f*, -beule *f*; **2.** ⚘ Kräuselkrankheit *f*.

clore [klɔ:r] (4k) **I** *v/t.* **1.** (ver-, zu-) schließen; **2.** einschließen, umgeben; **3.** *fig.* abschließen, beenden; **II** *v/i.* schließen, zugehen.

clos [klo] **I** *p/p.* (7) □ **1.** verschlossen, versperrt, zugemacht; versiegelt; *bouche ~e!* Mund halten!; *à huis ~* hinter verschlossenen Türen; **2.** eingeschlossen; *champ m ~* eingezäuntes Feld *n*; *fig.* Schranken *f/pl.*, Kampfplatz *m*; **3.** *fig.* abgeschlossen, erledigt; **II** *m* Einfriedung *f*, Gehege *n*; Weideplatz *m*; Gehöft *n*; *~ (de vigne)* eingezäunter Weinberg *m*.

clo|seau [klo'zo] *m* (5b), **~serie** [kloz'ri] *f* kleine Meierei *f*; Gehöft *n*; Gärtchen *n*; **~sier** *m* Pächter *m* e-r Meierei, Kleinbauer *m*.

clôtur|e [klo'ty:r] *f* **1.** Zaun *m*, Umzäunung *f*, Einfriedung *f*, Gehege *n*; **2.** Schließen *n*; Ende *n*, Schließung *f*, letzte Vorstellung *f*; *~ des bureaux* Büroschluß *m*; *heure f de ~* Polizeistunde *f*; ⚚ *~ de l'exercice* Jahresabschluß *m*; *Sport*: *~ des inscriptions* Meldeschluß *m*; *demander la ~ des débats* den Schluß der Debatten beantragen; *la ~!* Schluß!; **3.** ⚚ Abschluß *m*; *cours m de ~* Schlußkurse *m/pl.*; **4.** *vœu m de ~* Gelübde *n* des Klosterzwanges; **~er** [kloty're] *v/t.* (1a) einfrieden, einzäunen; *fig.*, *a.* ⚚ abschließen (*a. Sitzung*).

clou [klu] *m* **1.** Nagel *m*, ⚓ Spieker *m*; *chasser (cogner, enfoncer, faire entrer, ficher) un ~* e-n Nagel einschlagen; *arracher un ~* e-n Nagel (her)ausziehen; **2.** F a) Leihhaus *n*; *mettre au ~* versetzen; b) Gefängnis *n*; **3.** *~ de girofle* Gewürznelke *f*; **4.** F *fig.* Clou *m*, Glanzstück *n*, Hauptattraktion *f*; *thé.* Höhepunkt *m*; **5.** F alter Wagen *m*, altes Flugzeug *n*, alter Kasten *m*, alte Klamotte *f*; *un vieux ~* ein altes Rad *n*, alter Motorroller *m usw.*; **6.** F ⚕ Furunkel *m*; **~age** [klu'a:ʒ] *m* Nageln *n*; **~er** [klu'e] (1a) *v/t.* (an-, auf-) nageln; anschlagen; zunageln; *fig.* fesseln; *cloué au lit* ans Bett gefesselt; *il est toujours cloué sur ses livres* er hockt immer über (*od.* er sitzt immer hinter) seinen Büchern; *rester cloué sur place* wie versteinert dastehen; F *~ (le bec à) q. od. river son ~ à q.* j-m das Maul stopfen, j-n mundtot machen; **~ière** [~'jɛ:r] *f* *s. cloutière*; **~ter** [klu'te] *v/t.* (1a) mit Nägeln beschlagen; *passage m clouté* benagelter Fußgängerübergang *m*; **~terie** [~'tri] *f* Nagelschmiede *f*, -handel *m*; **~tier** [~'tje] *m* Nagel-schmied *m*, -händler *m*; **~tière** [~'tjɛ:r] *f* Nagel(sortier)-kasten *m*; Nageleisen *n*.

clovisse [klo'vis] *f* eßbare Muschel *f*.

clown [klun] *m* Clown *m*; **~erie**

[klun'ri] *f* Posse *f*, Possenreißerei *f*; **~esque** [~'nɛsk] *adj.* clownartig, Clown...; **~esse** [~'nɛs] *f* weiblicher Clown *m*.

cloyère [klwa'jɛ:r] *f* Austernkorb *m*.

club [klœb, *a.* klyb] *m* Klub *m*; ~ *alpin* Alpenverein *m*; ~ *littéraire* literarische Gesellschaft *f*; **~ien** [kly'bjɛ̃] *su.* (7d) organisierter Tourist *m od.* Sommerfrischler *m*; **~man** [klœb'man], *pl.* ~*men* [~'men] *m* Klubmitglied *n*.

cluse [kly:z] *f* enge Schlucht *f*.

coabonné *journ.* [kɔabɔ'ne] *su.* Mitabonnent *m*; Mitleser *m*.

coaccusé [kɔaky'ze] *su.* Mitangeklagte(r) *m*.

coach *Auto* [kotʃ] *m*: ~ *de sport* Sportwagen *m*.

coacqu|éreur ⚖ [kɔake'rœ:r] *m* Miterwerber *m*; **~isition** [~kizi'sjɔ̃] *f* Miterwerbung *f*.

coactif [kɔak'tif] *adj.* (7e) zwingend.

coaction [kɔak'sjɔ̃] *f* Zwang *m*.

coadju|teur [kɔadʒy'tœ:r] *m* **1.** *rl.* Koadjutor *m*, Weihbischof *m*; **2.** *allg.* Amtsgehilfe *m*; **~vant** [~'vɑ̃] *adj.* behilflich.

coagu|lation [kɔagyla'sjɔ̃] *f* Gerinnen *n*, Erstarren *n*; Geronnensein *n*; **~ler** [~'le] (1a) **I** *v/t.* zum Gerinnen bringen; **II** *v/rfl.* se ~ gerinnen; **~lum** [~'lɔm] *m* Gerinnungsmittel *n*; Gerinnsel *n*.

coalescent [kɔalɛ'sɑ̃] *adj.* (7) verwachsen.

coali|sé [kɔali'ze] **I** *adj.* (7) verbündet; **II** *m* Verbündete(r) *m*; **~ser** [~] (1a) **I** *v/t.* vereinigen, verbünden; **II** *v/rfl.* *se* ~ sich verbünden; **~tion** [~li'sjɔ̃] *f* Bündnis *n*; *pol.* Koalition *f*.

coaltar ⚒ [kol'ta:r] *m* Steinkohlenteer *m*; **~er** [~ta're] *v/t.* (1a) (aus-) teeren; **~isation** [~riza'sjɔ̃] *f* Austeeren *n*; **~iser** [~ri'ze] *v/t.* (1a) austeeren.

coarctation ⚕ [kɔarkta'sjɔ̃] *f* Verengung *f*.

coarmateur ⚓ [kɔarma'tœ:r] *m* Schiffspartner *m*, Mitreeder *m*.

coas|sement [kɔas'mɑ̃] *m* Quaken *n*; Gequake *n*; **~ser** [kɔa'se] *v/i.* (1a) quaken.

coassocié [kɔasɔ'sje] **I** *adj.* mitassoziiert; **II** *m* Mitteilhaber *m*.

coaster ⚓ [kos'tɛ:r] *m* Küstenmotorschiff *n*.

coauteur [kɔo'tœ:r] *m* Mitverfasser *m*; ⚖ Mittäter *m*.

coax|é ⊕ [kɔak'se], **~ial** ⊕ [~'sjal] *adj.* gleichachsig.

cobalt *min.* [kɔ'balt] *m* Kobalt *m*.

cobaye *zo.* [kɔ'baj] *m* Meerschweinchen *n*.

cobelligérant ⚔ [kobɛli̇ʒe'rɑ̃] **I** *m* mitkämpfendes Land *n*; **II** *adj.* (7) mitkämpfend.

Coblence [kɔ'blɑ̃:s] *f* Koblenz *n*.

cobra *zo.* [kɔ'bra] *m* Kobra *f*.

coca ⚘ [kɔ'ka] *f od. m* Koka *f*.

cocagne [kɔ'kaɲ] *f*: *pays m de* ♀ Schlaraffenland *n*; *mât m de* ~ Klettermast *m* (*Volksspiel*).

cocaï|ne ⚗ [kɔka'in] *f* Kokain *n*; **~nisation** [~niza'sjɔ̃] *f* Kokaineinspritzung *f*; **~nisme** [~'nism] *m* Kokainvergiftung *f*; **~nomane** [~nɔ'man] **I** *adj.* kokainsüchtig; **II** *su.* Kokainsüchtige(r) *m*; **~nomanie** [~nɔma'ni] *f* Kokainsucht *f*.

cocar|de [kɔ'kard] *f* **1.** ⚔ Kokarde *f*, Abzeichen *n*; **2.** P Deetz *m*; P *avoir sa* ~ besoffen sein; *taper sur la* ~ zu Kopf steigen; **3.** Band-, Hutschleife *f*; **~dier** [~'dje] **I** *adj.* (7b): *patriotisme m* ~ Hurrapatriotismus *m*; **II** *m* Hurrapatriot *m*.

cocasse [kɔ'kas] *adj.* drollig, putzig, ulkig, spaßig; schnurrig, lächerlich, komisch; **~rie** [~s'ri] *f* Ulkerei *f*; Drolligkeit *f*.

coccinelle *ent.* [kɔksi'nɛl] *f* Marienkäfer *m*.

coccyx *anat.* [kɔk'sis] *m* Steißbein *n*.

coche[1] [kɔʃ] *m ehm.* (Land-, Post-) Kutsche *f*; *fig. manquer* (*od. rater*) *le* ~ e-e günstige Gelegenheit vorübergehen lassen, *fig.* den Anschluß verpassen; *faire la mouche du* ~ sich wichtig tun.

coche[2] [~] *f* **1.** Kerbe *f*, Einschnitt *m*; **2.** ✎ *zo.*, *noch*: P *fig.* Sau *f*.

cochenil|le [kɔʃ'nij] **I** *f* **1.** Schildlaus *f*; **2.** Koschenillenfarbstoff *m*; **II** *adj. inv.* koschenillenrot; **~ler** [~'je] *v/t.* (1a) mit Koschenille färben.

cocher[1] [kɔ'ʃe] *m* **1.** Kutscher *m*; **2.** ♀ *ast.* Fuhrmann *m* (*Sternbild*).

cocher[2] [~] *v/t.* (1a) (ein)kerben; *fig.* vermerken, ankreuzen.

côcher *zo.* [ko'ʃe] *v/t.* (1a) treten (*Hahn*).

cochère [kɔ'ʃɛ:r] *adj./f*: *porte f* ~ Torweg *m*, Einfahrt *f*.

cochet [kɔ'ʃɛ] *m* Hähnchen *n*.

cochevis [kɔʃ'vi] *m* Haubenlerche *f*.

cochlé|aire [kɔkle'ɛ:r] *adj.* schneckenförmig (gedreht); **~aria** [~ar'ja] *m* Löffelkraut *n*; **~e** *anat.* [kɔk'le] *f* (Ohr-)Schnecke *f*.

cochon [kɔ'ʃɔ̃] **I** *m* **1.** Schwein *n*; ~ *de lait* Spanferkel *n*; P *être amis comme* ~*s* dicke Freunde sein; **2.** *fig.*

Dreckfink *m*; Schweinehund *m*, Saukerl *m*; **3.** Schweinefleisch *n*; **4.** *zo.* ~ *de mer* Meerschwein *n*; ~ *d'Inde* Meerschweinchen *n*; **5.** ⊕ Sau *f* (*Gemisch von Metall u. Schlakken*); **II** *adj.* schweinisch, unsauber, eklig; **~naille** F [~'nɑ:j] *f* Schweinefleisch(waren *f/pl.*) *n*; **~ne** [~'ʃɔn] *f fig.* Sau *f*, Dreckschwein *n*; **~né** [~'ne] *adj.* schweinisch; **~née** [~] *f* Wurf *m* Ferkel; **~ner** [~] (1a) **I** *v/i.* ferkeln (*Sau*); **II** P *v/t.* hinsudeln, versauen, verpatzen, verpfuschen; **~nerie** [~ʃɔn'ri] *f* F Unsauberkeit *f*; P Schweinerei *f*, Zote *f*; Pfuscharbeit *f*; Schund *m*, schlechte Ware *f*.

cochonnet [kɔʃɔ'nɛ] *m* **1.** *zo.* Schweinchen *n*; **2.** Doppelwürfel *m*; Zielkugel *f* (*Spiel*).

cochylis *ent.* [kɔki'lis] *m Art* Schuppenflügler *m* (*Weinschädling*).

cockpit ✈ [kɔk'pit] *m* Flugzeugkanzel *f*.

cocktail [kɔk'tel] *m* **1.** Cocktail *m*; **2. ~-partie** [~par'ti] *f* Cocktailparty *f*.

coco [kɔ'ko] **I** *m* **1.** (*noix f de*) ~ Kokosnuß *f*; *enf.* Schuh *m*; *enf.* Ei *n*; **2.** Lakritzenwasser *n*; **3.** F *péj. od. kosend*: *drôle m de* ~, *fameux* ~ sonderbarer Kauz *m*; (*joli*) ~ (nettes) Früchtchen *n*; Goldhase *m*; *vilain* ~ ekelhafter Kerl *m*, Schuft *m*; *mon* ~*!* mein Liebling!; **4.** *c'est* ~*!* das ist ja Kitsch!; **5.** P Deetz *m*, Birne *f*; Bauch *m*; **II** * *f* Kokain *n*.

cocon [kɔ'kɔ̃] *m ent.* Puppe *f*, Seidenraupengespinst *n*; *fig.* *s'enfermer dans son* ~ sich völlig absondern, sich ganz zurückziehen; **~nage** [~kɔ'na:ʒ] *m* Kokonbildung *f*; **~ner** ['ne] *v/i.* (1a) sich verpuppen; **~nière** [~'njɛ:r] *f* Seidenpuppenhaus *n*.

cocorico [kɔkɔri'ko] *m* Kikeriki *n*.

cocose [kɔ'ko:z] *f* Kokosfett *n*.

cocoter P [kɔkɔ'te] *v/i.* (1c) stinken; *ça cocotte* das stinkt.

cocotier [kɔkɔ'tje] *m* Kokospalme *f*.

cocotte [kɔ'kɔt] *f* **1.** Kasserolle *f*, gußeiserner Topf *m*; **2.** *enf.* Henne *f*, Putput *n*, Huhn *n*; F *ma* ~*!* mein Putchen!, mein kleiner Liebling!; *enf.* ~ (*en papier*) (Papier-)Schiffchen *n*; **3.** Kokotte *f*, Halbweltdame *f*; **4.** ⚕ Augenlidentzündung *f*; P Tripper *m*; *vét.* Maul- u. Klauenseuche *f*; **5.** F Pferd *n*; **6.** ♪ Fioritur *f* (*Gesang*).

coction [kɔk'sjɔ̃] *f* **1.** ⚗ (Ab-)Kochen *n*; **2.** ⚕ Verdauung *f*.

cocu F [kɔ'ky] *m* Hahnrei *m*, betrogener Ehemann *m*; *péj.* Schafskopf *m*; **~fier** P [~'fje] *v/t.* (1a): ~ *q.* j-m Hörner aufsetzen.

codage *électron.* [kɔ'da:ʒ] *m* Codieren *n*.

code [kɔd] *m* **1.** Gesetzbuch *n*; ♀ *civil* Bürgerliches Gesetzbuch *n*; ~ *de commerce* Handelsgesetzbuch *n*; ~ *industriel*, ~ *des arts et des métiers* Gewerbeordnung *f*; ~ *d'instruction criminelle* Strafprozeßordnung *f*; ~ *militaire* Militärgesetzbuch *n*; Kriegsrecht *n*; ~ *minier* Bergrecht *n*; ~ *pénal* Strafgesetzbuch *n*; ~ *pharmaceutique* Arznei-, Apotheker-buch *n*; ~ *de procédure civile* Zivilprozeßordnung *f*; ~ *de la route* Verkehrsordnung *f*, -gesetz *n*; *fig.* ~ *de (la) morale* Sittenlehre *f*; *Auto*: *être en* ~ abgeblendet haben; *se mettre en* ~ abblenden; ⚖ ♀ *de Justinien* Codex *m* Justinianus; ~ *des eaux* Wasserrecht *n*; ~ *forestier* Forstrecht *n*; ~ *rural* Flurrecht *n*; ~ *chiffré* Chiffrierkode *m*; ~ *maritime* Seerecht *n*; Seegesetzbuch *n*; **2.** ~ *télégraphique* Telegrammschlüssel *m*; ~ *de signaux* Signalbuch *n*; *pol.*, ⚔ ~ *de chiffrement* Verzifferungskode *m*, Verschlüsselungstafel *f*; **3.** *Auto*: Nebelscheinwerfer *m*, Sucher *m* (= *phare* ~).

co|débiteur [kodebi'tœ:r] *su.* (7f) Mitschuldner *m*; **~demandeur** [~d(ə)mɑ̃'dœ:r] *su.* (7h) Mitkläger *m*; **~détenteur** [~detɑ̃'tœ:r] *su.* (7f) Mitbesitzer *m*, Mitinhaber *m*; **~détenu** [~det'ny] *su.* Mitgefangene(r) *m*.

codéine *phm.* [kɔde'in] *f* Kodein *n*.

coder [kɔ'de] *v/t.* verschlüsseln.

codex [kɔ'dɛks] *m* Arzneibuch *n*.

codicille ⚖ [kɔdi'sil] *m* Testamentsnachtrag *m*.

codifi|cation ⚖ [kɔdifikɑ'sjɔ̃] *f* Kodifizierung *f*, Zusammenstellung *f* (*od.* Aufstellung *f*) der Gesetze; **~er** [~'fje] *v/t.* (1a) kodifizieren, zu e-m Gesetzbuch vereinigen; ~ *les règles* die Regeln zusammenstellen.

codirect|eur [kodirɛk'tœ:r] *m* Mitdirektor *m*; **~ion** [~rɛk'sjɔ̃] *f* Mitleitung *f*, Mitdirektion *f*.

codonataire ⚖ [kodɔna'tɛ:r] *su.* Mitbeschenkte(r) *m*.

coéducation [koedykɑ'sjɔ̃] *f* Koedukation *f*.

coefficient [koɛfi'sjɑ̃] *adj. u. m* mitwirkend; Koeffizient *m*; *allg.* Richtwert *m*; Ziffer *f*, Faktor *m*; ~ *de majoration* Teuerungszuschlag *m*; ~ *de difficulté* Schwierigkeitsziffer *f*;

Auto: ~ *d'accélération* Anzugsmoment *n*; *phys.* ~ *de conductibilité* Leitkoeffizient *m*.

cœlomètre ✈ [selɔ'mɛ:trə] *m* Wolkenmeßgerät *n*.

coemption ⚖ [koɑ̃p'sjɔ̃] *f* wechselseitiger (*od.* Rück-)Kauf *m*.

co-entrepreneur [koɑ̃trəprə'nœ:r] *m* Mitunternehmer *m*.

coéquation *fin.* [koekwa'sjɔ̃] *f* Steuerverteilung *f*.

coéquipier [koeki'pje] *m Sport*: Mit-spieler *m*, -fahrer *m*; ✈ Besatzungsmitglied *n*; F Kollege *m*.

coerci|bilité *phys.* [koɛrsibili'te] *f* Komprimierbarkeit *f*; **~ble** [~'siblə] *adj.* komprimierbar.

coerci|tif [koɛrsi'tif] *adj.* (7e) zwingend; Zwangs...; **~tion** [~si'sjɔ̃] *f* Zwang *m*.

cœur [kœ:r] *m* **1.** Herz *n*; Herzgegend *f*, Brust *f*; *affection f* (*od. défaut m od. vice m*) *du* ~ Herzleiden *n*, -fehler *m*; *battements m/pl. de* ~ Herzklopfen *n*; ~ *graisseux* Fettherz *n*; *inflammation f du* ~ Herzentzündung *f*; *serrement m* (*od. oppression f*) *de* ~ Herzbeklemmung *f*; *j'ai un point* (*od. des battements od. picotements*) *au* ~ ich habe Herz-schmerzen, -stiche; *presser* (*od. serrer*) *q. sur son* ~ j-n an die Brust drücken; **2.** *fig.* Gefühl *n*, Gemüt *n*; Liebe *f*; Zuneigung *f*; Gewissen *n*; *affaire f de* ~ Herzensangelegenheit *f*; *de bon* (*od. grand od. tout*) ~ von Herzen (*od.* herzlich) gern, bereitwillig; *de tout mon* ~ bereitwilligst; von ganzem Herzen; *un homme sans* ~, *un sans-*~ ein herzloser Mensch; *auch*: ein Feigling *m*; *aller au* ~ zu Herzen gehen; *avoir bon* (*mauvais*) ~ ein gutes (kein) Herz haben; *avoir mauvaise tête et bon* ~ heftig (*od.* hitzig), aber im Grunde gutmütig sein; F *s'en donner à* ~ *joie* quietschvergnügt sein; *il a le* ~ *gros* es ist ihm schwer ums Herz; *je veux en avoir le* ~ *net* ich will mir darüber Gewißheit (*od.* Klarheit) verschaffen; *j'ai cela à* ~, *cela me tient au* ~ das liegt mir am Herzen; *avoir qch. sur le* ~ etw. auf dem Herzen haben; *décharger son* ~ sein Herz ausschütten; *parler à* ~ *ouvert* offenherzig sprechen; *prendre qch. à* ~ sich etw. zu Herzen nehmen; *cela le touche* (*od. lui va*) *au* ~ das geht ihm nahe; *avoir le* ~ *sur la main* offenherzig *od.* freigebig sein; *j'en ai le* ~ *navré* das tut mir in der Seele weh; **3.** *fig.* Mut *m*; *homme m de* ~ mutiger Mensch *m*; ~ *de lion* Löwenmut *m*; ~ *de poule*, ~ *de lièvre* Hasenherz *n*; *il a le* ~ *bien placé* er hat das Herz auf dem rechten Fleck; *le* ~ *lui manqua* der Mut verließ ihn; *perdre* ~ den Mut verlieren; *un sans-*~ ein Feigling *m*; *avoir du* ~ Mut haben; *manquer de* ~, *n'avoir pas de* ~ keinen Mut haben, zaghaft sein; *plein de* ~ beherzt, mutig, unverzagt; *je n'ai pas le* ~ *de ...*, *le* ~ *me manque pour...* ich bringe nicht den Mut auf zu ...; **4.** *par* ~ auswendig, aus dem Kopf; *savoir un homme par* ~ e-n Menschen in- u. auswendig kennen; *dîner par* ~ nichts zu essen bekommen, unfreiwillig fasten, e-n leeren Magen haben; **5.** *abus.* Magen *m*; *avoir le* ~ *sur les lèvres* Übelkeit empfinden; *j'ai mal au* ~ *od. cela me lève le* ~ mir wird übel, das ekelt (*od.* widert) mich an; *fig. donner mal au* ~ weh tun, nahegehen, treffen; *j'en ai le* ~ *barbouillé* mir ist (*od.* wird) schlecht davon; *faire mal au* ~ Übelkeit verursachen; *fig.* anwidern, anekeln; *cela me pèse sur le* ~ das liegt mir wie Blei im Magen; *fig.* das widert mich an; **6.** *fig.* Mitte *f*, Mittelpunkt *m*, Innere(s) *n*, Kern *m*; ~ *du bois* Kernholz *n*; ~ *d'un chou* Herzblätter *n/pl.* e-s Kohlkopfes; *au* ~ *de l'hiver* mitten im Winter; **7.** Cœur *n*, Herz *n der Spielkarten*.

Cœur-de-Lion [kœrdə'ljɔ̃] *m hist.*: *Richard* ~ Richard Löwenherz.

coexis|tant [koɛgzis'tɑ̃] *adj.* (7) koexistierend (*a. pol.*), gleichzeitig bestehend; **~tence** [~'tɑ̃:s] *f* Koexistenz *f* (*a. pol.*), gleichzeitiges Bestehen *n*, Nebeneinanderbestehen *n* (*a. pol.*), Zusammenleben *n* (*a. pol.*); **~ter** [~'te] *v/i.* (1a) koexistieren (*a. pol.*), nebeneinander bestehen (*a. pol.*), gleichzeitig vorhanden sein, miteinander leben.

coffin [kɔ'fɛ̃] *m* Wetzsteinbüchse *f*.

coffiot * [kɔ'fjo] *m* Geldschrank *m*.

coffrage [kɔ'fra:ʒ] *m* △, ⚒ Verschalung *f*, Verkleidung *f*; ⊕ Maschinengehäuse *n*; *bét.* Schalung *f*.

coffre ['kɔfrə] *m* **1.** Kasten *m*; Lade *f*; Truhe *f*; großer Reisekoffer *m*; *Auto*: ~ (*à bagages*) Gepäck-, Koffer-raum *m*; Koffer *m e-s Fallschirms*; ~ *à l'avione* Haferkasten *m*; ~ *à bombes* Bombenmagazin *n*; ~ *de bord*, ~ *de marin* Seekiste *f*; ⚚ ~ *à échantillons* Musterkoffer *m*; ~ *au linge* Wäschekiste *f*; ⚔ ~ *à munitions* Munitionskasten *m*; ~ *de mé-*

dicaments Medizinkasten *m*; ~ *d'outils* Werkzeugkasten *m*; **2.** *les* ~*s de l'Etat* der Staatsschatz; **3.** F Brustkasten *m*; *avoir du* ~, *avoir le* ~ *solide* kräftig gebaut sein; F *rire comme un* ~ aus vollem Hals lachen; **4.** *icht.* Kofferfisch *m*; **5.** ⚓ Mooringsboje *f*; **~-armoire** [~ar'mwa:r] *m* (6a) Schrankkoffer *m*; **~-fort** [~'fɔ:r] *m* (6a) Geldschrank *m*, Safe *m*.

coffr|er [kɔ'fre] *v/t.* (1a) **1.** ⚠ verschalen; **2.** F ins Kittchen bringen, hinter Schloß u. Riegel stecken, einsperren; *se faire* ~ ins Kittchen kommen; **~et** [~'frɛ] *m* Kästchen *n*; Koffer *m* (*Plattenspieler, Tonbandgerät*); **~eur** ⚠ [~'frœ:r] *m* Einschaler *m*.

cofidéjusseur ⚖ [kofideʒy'sœ:r] *m* Mitbürge *m*.

cogérance [koʒe'rɑ̃:s] *f* gemeinsame Geschäftsführung *f*.

cogestion [koʒɛs'tjɔ̃] *f* Mit-bestimmung *f*, -verwaltung *f*; *droit m de* ~ Mitbestimmungsrecht *n*.

cogit|ation *phil.* [kɔʒitɑ'sjɔ̃] *f* Denken *n*, Überlegen *n*; **~er** *iron.* [~'te] *v/i.* sein Köpfchen anstrengen.

cognac [kɔ'ɲak] *m* Kognak *m*.

cognage [kɔ'ɲa:ʒ] *m* **1.** *Auto*: Klopfen *n des Motors*; **2.** Schlägerei *f*, Prügelei *f*.

cognasse ⚘ [kɔ'ɲas] *f* wilde Quitte *f*.

cognat [kɔg'na] *m* mütterlicher Anverwandter *m*.

cogne P [kɔɲ] *m* Bulle *m fig.*

cognée [kɔ'ɲe] *f* Axt *f*; *jeter le manche après la* ~ die Flinte ins Korn werfen, alle Hoffnung aufgeben, den Mut verlieren.

cogner [~] (1a) **I** *v/t.* **1.** *Nagel* einschlagen; *fig.* einbleuen, einhämmern; **2.** ~ (*sur*) *q.* auf j-n loshauen, j-n verprügeln; ~ *q.* j-n schubsen, anstoßen, anrempeln; **II** *v/i.* klopfen (*a. mot.*), pochen, schlagen; hämmern; * stinken; ~ *à la porte* an die Tür klopfen; ~ *contre q.* j-n anrempeln; **III** *v/rfl.* *se* ~ F sich schlagen; *fig. se* ~ *la tête contre le mur* mit dem Kopf durch die Wand rennen; *fig.* sich die Haare ausreißen; *se* ~ *le pied contre une pierre* mit dem Fuß an e-n Stein stoßen; **~ie** F [~ɲə'ri] *f* Schlägerei *f*.

cogneur *péj.* [kɔ'ɲœ:r] *m* Schläger (-typ *m*) *m*.

cognition *phil.* [kɔɲi'sjɔ̃] *f* Erkenntnis(vermögen *n*) *f*.

cohabi|tant [koabi'tɑ̃] *su.* (7) Mitbewohner *m*; **~tation** [~tɑ'sjɔ̃] *f* (eheliches) Zusammen-leben *n*, -wohnen *n*; Beischlaf *m*; **~ter** [~'te] *v/i.* (1a) zusammen wohnen, (ehelich) zusammen leben; *fig.* sich (in einer Person) vereinen; *allg.* ~ *avec un régime* unter e-m Regime leben.

cohé|rence [koe'rɑ̃:s] *f* **1.** Zusammenhang *m*; **2.** ⚘ Verwachsensein *n*; **3.** *phys.* Kohärenz *f*; **4.** ⚡ Frittung *f*; **~rent** [~'rɑ̃] *adj.* (7) zusammenhängend, eng verbunden, kohärent; ⚘ angewachsen; **~reur** ⚡ [~'rœ:r] *m* Fritter *m*, Kohärer *m*.

cohéritier ⚖ [koeri'tje] *su.* (7b) Miterbe *m*.

cohés|if *phys.*, ⚗ [koe'zif] *adj.* (7e) kohäsiv, verbindend, zusammenhaltend; **~ion** [~'zjɔ̃] *f fig.* Zusammenhalt *m*; *phys.*, ⚗ Kohäsion *f*, Zusammenhang *m*, gegenseitige Anziehungskraft *f*; ⚡ Frittung *f*.

cohibition 🕮 [koibi'sjɔ̃] *f* Verbot *n* (*Didaktik*).

cohober ⚗ [kɔɔ'be] *v/t.* (1a) wiederholt destillieren.

cohorte F [kɔ'ɔrt] *f* Haufen *m* Leute.

cohue [kɔ'y] *f* lärmende Menschenmenge *f*; Durcheinander *n*, Tumult *m*.

coi [kwa] *m*, **~te** [kwat] *f adj.* *nur noch in*: *rester* (*od. demeurer*) ~ still bleiben; *se tenir* ~ sich ruhig verhalten.

coiffe [kwaf] *f* **1.** Haube *f*; ~ *à dentelle* Spitzenhaube *f*; ~ *de chapeau* Hutfutter *n*; **2.** *anat.* Helm *m des neugeborenen Kindes*, Kopfhaube *f*; **3.** ⚘ Samendecke *f* der Moose; **4.** ⊕ Haube *f*, Kappe *f*.

coif|fer [kwa'fe] (1a) **I** *v/t.* **1.** den Kopf bedecken; *coiffé d'un chapeau mou gris* mit e-m weichen, grauen Hut bedeckt; **2.** ~ *q.* j-m das Haar machen, j-n frisieren *od.* kämmen; ~ *q. de fleurs* j-m Blumen in die Haare flechten; *ce chapeau vous coiffe* dieser Hut steht Ihnen gut; *être bien coiffé* schön frisierte Haare haben; **3.** *un chien bien coiffé* ein Hund mit schönem Behang; **4.** ⚘ *coiffé* bemützt, behaubt, mit e-r (Samen-)Hülle versehen; **5.** ~ *une bouteille* e-e Flasche kapseln; **6.** *fig. être né coiffé* unter e-m günstigen Stern geboren sein; ein Glücks- *od.* Sonntags-kind sein; ~ *sainte Catherine* bis zum 25. Lebensjahr unverheiratet bleiben (*Mädchen*); *être coiffé de q.* für j-n eingenommen sein; *être coiffé d'une jeune fille* in ein Mädchen verknallt sein, für ein Mädchen schwärmen; F ~ *q.* j-n decken (*Untergebenen*); *Sport*: ~ *sur le poteau* um e-e Nasenlänge schlagen; F *chèvre f coiffé* alte Ziege *f fig.*; F *chien m coiffé* häßlicher (*od.* widerlicher) Kerl *m*, Ekel *n*; **7.** F leiten; **II** *v/rfl. se* ~ **8.** sich e-n Hut aufsetzen; **9.** sich das Haar machen, sich frisieren; **10.** *se* ~ *de q.* sich von j-m einnehmen lassen, für j-n eingenommen sein; **~feur** [~'fœ:r] *su.* (7g) Friseur *m*, Haarschneider *m*; **~feuse** [~'fø:z] *f* Frisiertischchen *n*; **~fure** [~'fy:r] *f* **1.** Kopfbedeckung *f*; **2.** Frisur *f*, Haartracht *f*; ~ *à la garçonne* Bubikopf(frisur *f*) *m*.

coin [kwɛ̃] *m* **1.** Ecke *f*; Winkel *m*; Ecksitz *m*; Zipfel *m*; *Sport*: Ecke *f*, Eckstoß *m*; ⩓ ~ *à manger* Eßplatz *m*; *le marchand du* ~ der Kaufmann an der Ecke; *de tous les* ~*s du monde* aus aller Herren Länder; *mourir au* ~ *d'une haie* hilflos u. verlassen sterben; *fig. au* ~ *du feu* am Kamin, im engsten (Familien-)Kreis, unter Freunden; ~ *de la bouche* Mundwinkel *m*; *regarder q. du* ~ *de l'œil* j-n von der Seite (*od.* schief) ansehen; *faire signe à q. du* ~ *de l'œil* j-m zublinzeln; *tourner le* ~ um die Ecke biegen; F *il la connaît dans les* ~*s* er kennt den Dreh, er läßt sich nicht so leicht übers Ohr hauen (*od.* behumpsen F); **2.** *fig. un* ~ *de terre* ein Stückchen Land; *rester dans son* ~ völlig für sich bleiben (*od.* leben), ein zurückgezogenes Dasein führen; **3.** *Fußball*: *coup m de* ~ Eckstoß *m*; **4.** ⊕, ⩓, *text.* Keil *m*; **5.** Stempel *m* auf Münzen; *fig.* Gepräge *n*, Art *f*; *au* ~ *de Berlin* in Berlin geprägt; *fig. être marqué* (*od.* *frappé*) *au* ~ *de la vérité* den Stempel der Wahrheit tragen; *il est marqué au bon* ~ er ist vom guten alten Schlag; **6.** F *le petit* ~ das Örtchen F, der Lokus P.

coin|çage ⊕ [kwɛ̃'sa:ʒ] *m* Verkeilen *n*; **~cement** [kwɛ̃s'mɑ̃] *m* Klemmen *n*; **~cer** [~'se] (1k) **I** *v/t.* **1.** ⊕ verkeilen, festklemmen, Keile einschlagen; **2.** F *fig.* ~ *q.* j-n festnehmen, verhaften; in die Enge treiben; *fig.* auf die Folter setzen; **II** *v/i.*: *la porte coince* die Tür klemmt.

coïnci|dence [koɛ̃si'dɑ̃:s] *f* **1.** *fig.* Zusammentreffen *n*, Gleichzeitigkeit *f*, Zusammenfall *m*, Koinzidenz *f*; **2.** Å Kongruenz *f*; **~dent** [~'dɑ̃] *adj.* (7) **1.** (zeitlich) zusammenfallend, gleichzeitig; ⚕ zugleich eintretend; **2.** Å kongruent; **~der** [~'de] *v/i.* (1a) **1.** (zeitlich) zusammen-fallen, -treffen, gleichzeitig geschehen; **2.** Å kongruent sein; **3.** *fig.* sich decken, übereinstimmen.

coin-cuisine [kwɛ̃kɥi'zin] *m* (6a) Kochnische *f*.

coïnculpé ⚖ [koɛ̃kyl'pe] *su.* Mitbeschuldigte(r) *m*, -angeklagte(r) *m*.

coin-fenêtre [kwɛ̃f(ə)'nɛ:trə] *m* (6b) 🚃 *usw.* Fensterplatz *m*.

coing ♀ [kwɛ̃] *m große* Quitte *f*.

coin-repas [kwɛ̃rə'pɑ] *m* (6b) Eßecke *f*.

coïntéressé [koɛ̃terɛ'se] *adj. u. su.* mitbeteiligt(e Person *f*).

coït [ko'it] *m* Koitus *m*, Zeugungsakt *m*.

coitte [kwat] *f* Federbett *n* (*Garnitur*).

co-jouissance ⚖ [koʒwi'sɑ̃:s] *f* Mitbenutzung *f*.

coke [kɔk] *m* Koks *m*; ~ *d'usine à gaz* Gaskoks *m*; ~ *métallurgique*, ~ *de mine* Zechenkoks *m*; ⚗ *appareil m de chauffage du* ~ Koksverbrennungsanlage *f für Cracking*.

coké|faction ⚒ [kɔkefak'sjɔ̃] *f* Verkokung *f*; **~fiable** [~'fjablə] *adj.* verkokbar; **~fier** [~'fje] *v/t.* (1a) verkoken.

cokerie ⚒ [kɔ'kri] *f* Kokerei *f*.

col [kɔl] *m* **1.** ~ *de chemise* fester (Hemd-)Kragen *m*; *faux* ~ (loser) Kragen *m*; ~ *dur* steifer Kragen *m*; ~ *cassé*, ~ *à coins cassés* Eckenkragen *m*; ~ *à pointe* spitzer Kragen *m*; ~ *Danton* Schillerkragen *m*; ~ *de fourrure* Pelzkragen *m*; ~ *droit* Stehkragen *m*; ~ *droit-rabattu* Stehumlegekragen *m*; ~ *marin* Matrosenkragen *m*; ~ *mou* (*demi-souple*) weicher (halbsteifer) Kragen *m*; ~ *rabattu* Umlegekragen *m*; ~ *rond* Bubikragen *m*; ~ *roulé* Rollkragen *m*; **2.** Hals *m*, *nur noch in*: ~ *de cygne* Schwanenhals *m*; F *se hausser* (*od.* *se pousser*) *du* ~ sich dicketun, sich aufplustern, sich brüsten; s. *cou*; **3.** ⊕ ~ *d'une bouteille* Flaschenhals *m*; **4.** *anat.* Verengerung *f*, Eingang *m*; **5.** ~ *de montagne* Gebirgspaß *m*, Schlucht *f*; **6.** P ~*-blanc* (6a) mittlerer Angestellte(r) *m*; F ~*-bleu* (6a) a) Arbeiter *m*; b) Matrose *m*.

cola [kɔ'la] *m* Kolabaum *m*; (*noix f de*) ~ Kolanuß *f*.

colat|eur [kɔla'tœ:r] *m* Abzugsgraben *m*, Auslaßschleuse *f*; **~ure** *phm.* [~'ty:r] *f* Durchseihen *n*; Durchgeseihte(s) *n*.

colback [kɔl'bak] *m* Husarenpelzmütze *f*.

colbertisme 📖 [kɔlbɛr'tism] *m* Colbertismus *m*, merkantilistische

Staatsdoktrin *f* Jean-Baptiste Colberts (*1619—1683*).

colchique ⚘ [kɔl'ʃik] *m* Herbstzeitlose *f*.

colcotar ⚗ [kɔlkɔ'taːr] *m* Eisenmennige *f*.

cold-cream [kold'krim] *m* Hautkrem *m od. f*.

colégataire ⚖ [kolega'tɛːr] *su.* Miterbe *m*.

coléoptère [kɔleɔp'tɛːr] *m* **1.** vierflügliger Käfer *m*, Hartflügler *m*; **2.** *Fr.* ✈ Ringflügelflugzeug *n*, Koleopter *m* (*senkrecht startendes u. landendes Flugzeugmodell*).

colère [kɔ'lɛːr] **I** *f* Zorn *m*, Wut *f*, Groll *m*; *se mettre en* ~, F *piquer* (*od. prendre*) *une* ~ *contre q.* über j-n wütend werden, in Wut geraten; *être en* ~ wütend (*od.* zornig) sein; **II** *adjt.* jähzornig, aufbrausend, hitzig, aufgebracht; *humeur f* ~ Jähzorn *m*; *personne f* ~ Choleriker *m*.

colér|eux [kɔle'rø] *adj.* (7d), **~ique** [~'rik] **I** *adj.* □ jähzornig, cholerisch; *tempérament m colérique* Jähzorn *m*; **II** *m* Choleriker *m*.

colibacille ⚕ [kɔliba'sil] *m* Kolibazillus *m*.

colibri *orn.* [kɔli'bri] *m* Kolibri *m*.

colifichet [kɔlifi'ʃɛ] *m* **1.** kleines Schmuckstück *n*, niedliche Kleinigkeit *f*; **2.** *~s pl.* Flitterkram *m*, Firlefanz *m*, Tand *m*; **3.** Backwerk *n für Vögel*.

colimaçon *zo.* [kɔlima'sɔ̃] *m* Schnecke *f*; *escalier m en* ~ Wendeltreppe *f*.

colin [kɔ'lɛ̃] *m* **1.** *orn.* Baumwachtel *f*; **2.** *icht.* Kohlfisch *m*.

colin-maillard [kɔlɛ̃ma'jaːr] *m* Blindekuh(spiel *n*) *f*.

colin-tampon *m*: *il s'en soucie comme de* ~ er kümmert sich gar nicht darum.

colique ⚕ [kɔ'lik] *f* Kolik *f*; *fig.* F *avoir la* ~ die Hosen gestrichen voll haben P, Schiß haben P; F *donner la* ~ *à q.* j-m auf die Nerven fallen.

colis [kɔ'li] *m* Paket *n*, Frachtstück *n*.

colistier [kɔlis'tje] *m* Parteifreund *m*; Wahllistenpartner *m*, Mitkandidat *m*.

colite ⚕ [kɔ'lit] *f* Dickdarmentzündung *f*.

collabo *pol. mv.p.* [kɔla'bo] *m s.* ~*rationniste*; **~rateur** [kɔlabɔra'tœːr] *su.* (7f) Mitarbeiter *m*; *pol. oft mv.p.* Kollaborateur *m*, Landesverräter *m*; **~ration** [~ra'sjɔ̃] *f* Mitarbeit *f* (*a. pol. mv.p.*); Zs.-arbeit *f* mit dem Feind; **~rationniste** *pol. mv.p.* [~rasjɔ'nist] *m* Anhänger *m* der politischen Zs.-arbeit (*bsd. während der deutschen Besetzung 1940—1944*), Quisling *m*; **~rer** [~'re] *v/i.* (1a) mitarbeiten (*a. pol. mv.p.*).

col|lage [kɔ'laːʒ] *m* **1.** Leimen *n*; Ankleben *n*; **2.** Klären *n* des Weins; **3.** F wilde Ehe *f*; Liebesverhältnis *n*; **~lant** [~'lɑ̃] **I** *adj.* (7) **1.** kleberig, klebend; **2.** enganliegend (*Kleidung*); **3.** F aufdringlich; **II** *m* enganliegende Hose *f*; *a.* ~*s m/pl.* Strumpfhose *f*.

collaps|ible *Auto* [kɔlap'siblə] *adj.* mit Knautschzone (*Lenksäule*); **~us** ⚕ [kɔlap'sys] *m* Kollaps *m*.

collatéral [kɔlate'ral] (5c) **I** *adj.* □ Seiten...; Neben...; **II 1.** *su.* Seitenverwandte(r) *m*; **2.** *m* ⚠ Seitenschiff *n*.

colla|tion [kɔlɑ'sjɔ̃] *f* **1.** Verleihung(srecht *n*) *f*, Übertragung *f* (*e-s Titels, e-r Würde*); **2.** Vergleichung *f*, Kollationieren *n* (*v. Abschriften*); *faire la* ~ *de* (*od. avec od. sur*) *l'original* e-e Abschrift mit dem Original vergleichen; **3.** (*Nachmittags- od. Abend-*)Imbiß *m*; **~tionnement** [kɔlasjɔn'mɑ̃] *m* Vergleichen *n*, Kollationieren *n*; **~tionner** [~sjɔ'ne] (1a) **I** *v/t. e-e Abschrift* mit dem Original vergleichen, kollationieren; **II** *v/i.* e-n Imbiß nehmen, vespern.

colle [kɔl] *f* **1.** ~ (*de pâte*) Kleister *m*; Klebstoff *m*; ~ *d'amidon* Stärkemehlkleister *m*; ~ *forte* Leim *m*; ~ *de poisson* Fischleim *m*, Hausenblase *f*; **2.** P Flause *f*, kleine Lüge *f*; *conter une* ~ *à q.* j-m e-n Bären aufbinden; **3.** * *écol.* knifflige Frage *f*; Vorprüfung *f*; Nachsitzen *n*; ~*s pl.* Zusatzunterricht *m*; *faire passer une* ~ *à q.* j-n durchfallen lassen; *poser une* ~ *à q.* j-m e-e knifflige (*od.* verzwickte) Frage stellen.

collec|te [kɔ'lɛkt] *f* (Geld-)Sammlung *f*; *rl.* Kollekte *f*; *centre m de* ~ *du lait* Milchsammelstelle *f*; *faire une* ~ e-e Kollekte veranstalten; **~ter** [~'te] *v/t.* (1a) (öffentlich) sammeln (*Geld, Altpapier usw.*); **~teur** [~'tœːr] **I** *m* **1.** Einsammler *m*; Sammler *m*; **2.** ⚡ ~ *d'électricité* Sammler *m*, Stromwender *m*, Kollektor *m*; **3.** *rad.* ~ *d'ondes* Wellenfänger *m*, Antenne *f*; **II** *adj./m* sammelnd; *égout m* ~ Hauptkanal *m*; **~tif** [~'tif] **I** *adj.* (7e) □ **1.** gesamt, gemeinsam, gemeinschaftlich, kollektiv; *société f collective, société f à nom* ~ Offene Handelsgesellschaft *f*; *voyage m* ~ Gesellschaftsreise *f*;

2. zs.-fassend; Sammel...; *gr. nom m* ~ Sammelwort *n*; *opt. verre m* ~ Sammellinse *f*; **II** *m das* Ganze, Gesamtheit *f*; Kollektiv *n*; **~tion** [~k'sjɔ̃] *f* **1.** Sammlung *f*; *bsd.* ⚕ Kollektion *f*; Sammeln *n*; ~ *numismatique* Münzsammlung *f*; **2.** ⚕ Ansammlung *f ungesunder Säfte*; **~tionnage** [~ksjɔ'na:ʒ] *m* Sammelwut *f*; **~tionner** [~ksjɔ'ne] (1a) **I** *v/t.* sammeln; **II** *v/i.* e-e Sammlung anlegen; **~tionneur** [~ksjɔ'nœ:r] *su.* (7g) Sammler *m*; **~tivisation** *éc.* [~ktivizα'sjɔ̃] *f* Kollektivierung *f*; Kollektivisierung *f*; ⚒ Umwandlung *f* in Kolchosenwirtschaften; **~tiviser** *éc.* [~ktivi'ze] *v/t.* (1a) kollektivieren; **~tivisme** [~kti'vism] *m* Kollektivismus *m*; **~tiviste** *éc.* [~kti'vist] *adj. u. su.* kollektivistisch; Kollektivist *m*; **~tivité** [~ktivi'te] *f* Gesamtheit *f*, Gemeinschaft *f*; Volksgruppe *f*; Gemeinschaftlichkeit *f*; Kollektivausstellung *f*; ~ *de droit public* öffentlich-rechtliche Körperschaft *f*.

collège [kɔ'lɛ:ʒ] *m* **1.** *rl.* Kollegium *n*; *sacré* ~ Kardinalskollegium *n*; **2.** ~ *électoral* Wahlversammlung *f*; *au* ~ *unique* einstimmig; **3.** *Fr. écol.* ~ *d'enseignement général* (= C.E.G.) *etwa*: Realschule *f*; *univ.* ♀ *de France Name e-r Pariser Universität ohne Prüfungen.*

collé|gial *rl.* [kɔle'ʒjal] *adj.* (5c), *a. f*: (*église f*) ~*e* Stiftskirche *f*; **~gialité** *égl.* [~ʒjali'te] *f* kollegiale Leitung *f*; **~gien** [~'ʒjɛ̃] (7c) **I** *su.* Realschüler *m*; **II** *adj.* schülerhaft, Schüler...

collègue [kɔ'lɛg] *su.* Kollege *m*; P Kamerad *m*.

collement [kɔl'mɑ̃] *m* Verkleben *n*.

coller [kɔ'le] (1a) **I** *v/t.* **1.** (zusammen-, an-, auf-)kleben *od.* (-)leimen, bekleben; *Auto*: ~ *la voiture à la route* dem Wagen e-e gute Straßenlage geben; **2.** mit Leim(wasser) überziehen *od.* tränken, planieren (*Buchbinderei*); ~ *du vin* Wein klären; **3.** *fig.* heften, (dicht) anlegen, anschmiegen; ~ *ses yeux sur qch.* etw. starr anblicken; *être collé sur son cheval* fest auf dem Pferd sitzen; F *il est toujours collé sur ses bouquins* er sitzt beständig über s-n Schmökern; **4.** *ch. chien collé à la voie* guter Spürhund *m*; **5.** *écol. bei e-r Prüfung* durchfallen lassen; ~ *un écolier*: a) e-n Schüler durch Fragen reinlegen; b) e-m Schüler e-e Strafarbeit geben *od.* ihn nachsitzen lassen; **6.** P *l'agent* (P *le flic*) *colle un pègre* der Polizist (P der Grüne) erwischt e-n Spitzbuben; **7.** F a) zum Schweigen bringen; b) verpassen, verabreichen (*Backpfeife, Schlag*); **II** *v/i.* **8.** zs.-kleben, -halten; F *fig.* ~ *à qch.* sich anpassen, mit etw. Hand in Hand gehen; *Auto*: ~ *derrière une voiture* dicht hinter e-m Wagen herfahren; ~ *avec qch.* mit etw. zs.-passen; **9.** eng anliegen (*Kleidung*); **10.** P *fig. ça colle* das klappt (gut); recht so!, einverstanden!; *ils collent bien ensemble* sie passen gut zueinander; **11.** *bsd. écol.* ~ *de travail* vor Arbeit schwitzen; **III** *v/rfl. se* ~ **12.** *se* ~ *contre q.* sich an j-n (*acc.*) anschmiegen; **13.** *se* ~ *avec q.* mit j-m in wilder Ehe leben.

collerette [kɔl'rɛt] *f* **1.** Halskrause *f*; **2.** ⚘ Blumenhülle *f der Doldengewächse*; **3.** ⊕ Rand *m*, Flansch *m*; Krone *f am Dampfkolben.*

collet [kɔ'lɛ] *m* **1.** (Hals-)Kragen *m*; ~ *monté* F Formenmensch *m*, steifer Mensch *m*, affektierter Typ *m*; ~ *d'habit*, ~ *de manteau* Rock-, Mantel-kragen *m*; ~ *montant* steifer Militärkragen *m*; *prendre* (*od. saisir od. empoigner*) *q. au* ~ *od. mettre la main sur le* ~ (*od. au* ~) *de q.* j-n beim Kragen (*od.* am Schlafittchen) kriegen; **2.** Cape *n*, kurzer Umhang *m*, Pelzkragen *m*; **3.** *ch.* Schlinge *f*, Dohne *f*; *tendre des* ~*s* Schlingen legen, Dohnen stellen; **4.** *anat.* Zahnhals *m*; **5.** ⚘ Wurzelhals *m*; **6.** *cuis.* Halsstück *n*; ~ (*de bœuf*) Kammstück *n*; **7.** ⊕ Rand *m*, Flansch *m*; **~er** [kɔl'te] (1c) **I** *v/t.* (beim Kragen) packen, fassen; **II** *v/i. ch.* Schlingen legen; **III** *v/rfl. se* ~ sich raufen, F sich in die Haare (*od.* in die Wolle) kriegen; **~eur** [kɔl'tœ:r] *m* Schlingenleger *m*.

colleur [kɔ'lœ:r] *su.* (7g) **1.** ⊕ Leimer *m*; ~ *de tapisseries* Tapezierer *m*; ~ *d'affiches* Plakatankleber *m*; **2.** *écol.* gefürchteter Prüfer *m*; **3.** F Angeber *m*, Dicktuer *m*.

collier [kɔ'lje] *m* **1.** Hals-band *n*, -kette *f*; ~ *d'un ordre* Ordenskette *f*; ~ *de perles* Perlenschnur *f*; ~ (*de chien*) (Hunde-)Halsband *n*; ~ *de force* Halsband *n* mit eisernen Stacheln; **2.** ~ *de cheval* Kummet *n*, Joch *n*; *fig.* ~ *de misère* schwere Arbeit *f*, Plackerei *f*; *reprendre le* ~ die Arbeit wiederaufnehmen; *donner un coup de* ~ sich große Mühe geben; sich e-n Ruck geben; e-e besondere Anstrengung machen; *homme m franc du* ~ aufrichtiger, gerader (*od.* tatkräftiger *od.* tüchtiger *od.* wackerer) Mann *m*; *ne pas être franc du* ~ nicht offen (-herzig) sein, verstockt (*od.* verschlossen) sein; **3.** ⚘ Reif *m*, Ring *m von Staubfäden*; **4.** *orn.* (Hals-)Ring *m*; Federkragen *m*; *merle m à* ~ Ringamsel *f*; *pigeon m à* ~ Ringeltaube *f*; **5.** *zo. vipère f à* ~ Halsbandnatter *f*; **6.** Halsstück *n beim Ochsen*; **7.** ⊕ Reifen *m*, Schelle *f*, Flansche *f*, Scheibe *f*, Rand *m*, Kragen *m*; **8.** △ Perlstab *m*.

colliger [kɔli'ʒe] *v/i.* (1n) *aus Büchern* sammeln, Auszüge *aus Büchern* machen.

collima|teur *opt.* [kɔlima'tœːr] *m* Fernrohraufsatz *m*; *lunette f de* ~ Zielfernrohr *n*; **~tion** *opt.* [~ma'sjɔ̃] *f* Visieren *n*; *ligne f de* ~ Sehlinie *f*.

collinaire [kɔli'nɛːr] *adj.* Hügel..., auf e-m Hügel, auf Hügeln.

colline [kɔ'lin] *f* Hügel *m*.

collision [kɔli'zjɔ̃] *f* **1.** Zusammenstoß *m*, Anprall *m*; *entrer en* ~ zusammen-stoßen, -fahren; *fig.* sich reiben; **2.** *fig.* Reibung *f*, Zusammenstoß *m*, Kollision *f*; **~ner** [~zjɔ'ne] *v/t.* (1a): ~ *un autre véhicule* mit e-m anderen Fahrzeug zusammenstoßen.

collocation ⚖ [kɔlɔka'sjɔ̃] *f* **1.** Ranganweisung *f* (*der Gläubiger bei der Teilung der Konkursmasse*); **2.** Reihenfolge *f* (*der Gläubiger*); **3.** Anteilssumme *f* (*des Gläubigers*).

collodion ⚗ [kɔlɔ'djɔ̃] *m* Kollodium *n*.

collo|que [kɔ'lɔk] *m pol.*, *rl.* Gespräch *n*, Unterredung *f*; ~ *en public* Podiumsgespräch *n*; **~quer** [~'ke] *v/t.* (1m) **1.** die Rangordnung *der Gläubiger* feststellen; **2.** F *mv.p.* ~ *q. à un endroit* j-n irgendwohin placieren (*od.* hinstecken *od.* hinsetzen); **3.** F ~ *qch. à q.* j-m etw. überlassen *od.* verkaufen, um es loszuwerden, j-m etw. andrehen P (*od.* anschmieren P); **4.** F versetzen (*Hieb*); **~typie** *typ.* [~ti'pi] *f* Lichtdruck *m*.

collu|der ⚖ [kɔly'de] *v/i.* (1a) unter e-r Decke stecken, in heimlichem Einverständnis stehen; **~sion** [~'zjɔ̃] *f* (heimliches) Einverständnis *n*; **~soire** [~'zwaːr] *adj.* □ heimlich verabredet, abgekartet.

collutoire *phm.* [kɔly'twaːr] *m* Mundwasser *n*.

collyre *phm.* [kɔ'liːr] *m* Augenmittel *n*; ~ *liquide* Augentropfen *m/pl.*

colmat|age [kɔlma'taːʒ] *m* Erhöhung *f* niedrigen Bodens; Abriegelung *f* e-r Einbruchstelle; **~er** [~'te] *v/t.* **1.** *den Boden* durch Flußablagerungen erhöhen *od.* düngen; **2.** *abus.* zukitten; verstopfen (*Loch*); **3.** *a.* ⚔ ~ *une brèche* e-e Einbruchstelle wieder abriegeln.

colocataire [kɔlɔka'tɛːr] *m* Mitmieter *m*.

Cologne [kɔ'lɔɲ] *f* Köln *n*.

Colomb [kɔ'lɔ̃] *m* Kolumbus *m*.

colombage △ [kɔlɔ̃'baːʒ] *m* Fachwerk *n*.

colombe [kɔ'lɔ̃ːb] *f* **1.** *st.s.*, *poét.* Taube *f*; *fig.* unschuldiges Mädchen *n*; *plais.* lockeres Frauenzimmer *n*; *pol.* ~ *de Picasso* Friedenstaube *f*; F *ma* ~*!* mein Täubchen!, mein Liebling!; **2.** ⊕ ~ *à joindre* Fügebank *f* (*Böttcherei*).

colom|bier [kɔlɔ̃'bje] *m* Taubenschlag *m*; **~bin** [~'bɛ̃] **I** *adj.* (7) taubenartig; Tauben...; **II** **~s** *m/pl.* Taubenvögel *m/pl.*; **~bine** [~'bin] *f* **1.** Taubenmist *m*, *weitS.* Geflügeldünger *m*; **2.** *min.* Bleierz *n*; **~bophile** [~bɔ'fil] *m* (Brief-)Taubenzüchter *m*; **~bophilie** [~bɔfi'li] *f* (Brief-)Taubenzucht *f*.

colon [kɔ'lɔ̃] *m* **1.** Kolonist *m*; *a.* Ferienkolonist *m* (*Jugendlicher*); Ansiedler *m*, Pflanzer *m*, Bauer *m*, Landwirt *m*, Pächter *m*; **2.** P ⚔ Oberst *m*; **3.** P Kamerad *m*, Kumpel *m*.

côlon *anat.* [ko'lɔ̃] *m* Grimmdarm *m*.

colonage [kɔlɔ'naːʒ] *m* **1.** ✓ Anbau *m* durch e-n Siedler; **2.** Teilpacht *f*.

colonat [kɔlɔ'na] *m* Siedler-, Kolonisten-stand *m*.

colonel [kɔlɔ'nɛl] *m* Oberst *m*; **~le** [~] *f* Frau *f* e-s Obersten.

colo|nial [kɔlɔ'njal] (5c) **I** *adj.* kolonial; *casque m* ~ Tropenhelm *m*; *denrées f/pl.* ~*es* Kolonialwaren *f/pl.*; *politique f* ~*e* Kolonialpolitik *f*; *ville f* ~*e* Pflanzstadt *f*; **II** *m* Kolonialsoldat *m*; Siedler *m*; **III** F *f* Kolonialinfanterie *f*; **~nialisme** [~nja'lism] *m* Kolonialpolitik *f*; **~nialiste** [~nja'list] *adj.*: *exploitation f* ~ koloniale Ausbeutung *f*; **~nie** [~'ni] *f* Kolonie *f*; Ansiedlung *f*, Niederlassung *f*; ~ *pénitentiaire* Strafkolonie *f*; ~ *de vacances* Ferienkolonie *f*; ~ *d'habitations à bon marché* Stadtrandsiedlung *f*, soziale Wohnsiedlung *f*.

coloni|sateur [kɔlɔniza'tœːr] (7f) **I** *su.* Kolonisator *m*; **II** *adj.* kolonisierend; **~sation** [~za'sjɔ̃] *f* Kolonisierung *f*, Gründung *f* einer Kolonie; Ansiedlung *f*; **~ser** [~'ze] (1a) **I** *v/t.* kolonisieren; *fig.* ✝ *son marché était colonisé par de nombreux produits industriels étrangers* sein Markt wurde von zahlreichen ausländischen Industriewaren überschwemmt; **II** *v/rfl. se ~* besiedelt werden.

colonnade ⚠ [~'nad] *f* Säulengang *m*, Kolonnade *f*.

colonne [kɔ'lɔn] *f* **1.** ⚠ Säule *f*; Pfeiler *m*; Pfosten *m*; *fig.* (Haupt-) Stütze *f*; *base f d'une ~* Säulenfuß *m*; *~ ionique* (*corinthienne, dorique*) ionische (korinthische, dorische) Säule *f*; *~ monumentale* Gedenksäule *f*; *~ triomphale* Siegessäule *f*; *~ itinéraire* Wegweiser *m*; *~ milliaire* Meilenstein *m*; *~ d'affiches, ~ Morris* Anschlag-, Litfaß-säule *f*; *~ de lit* Bettpfosten *m*; *lit m à ~s* Himmelbett *n*; *meubles m/pl. à ~s* mit (kleinen) Säulen verzierte Möbel *n/pl.*; **2.** *Auto*: *~ de direction* Lenksäule *f*; *s. a. direction*; **3.** (senkrechte) Reihe *f*, Kolonne *f*; Spalte *f*; *arith.* (Zahlen-)Stelle *f*; *à trois ~s* dreispaltig; *par ~s* spaltenweise; *~ des unités* (*des dizaines, des centaines*) Reihe *f* der Einer (Zehner, Hunderter); **4.** *phys.* *~ d'air* Luftsäule *f*; *~ d'eau* Wassersäule *f*; Wasserstrahl *m*; *~ de mercure* Quecksilbersäule *f*; **5.** ⚔ Kolonne *f*; *~ mobile, ~ volante* Streifkolonne *f*, Streifkommando *n*, fliegendes Korps *n*; *~ serrée* Regimentskolonne *f*; *~ de route* Marschkolonne *f*; *pol. cinquième* (5ᵉ) *~* Fünfte (5.) Kolonne *f*; **6.** *anat.* *~ vertébrale* Wirbelsäule *f*; **~-affiches** [kɔlɔna'fiʃ] *f* (6b) Anschlagsäule *f*, Litfaßsäule *f*.

colonnette [~'nɛt] *f* **1.** kleine Säule *f*; **2.** ⊕ Hubseiltragvorrichtung *f*, Kabelkranreiter *m*, Seilreiter *m*.

colophane [kɔlɔ'fan] *f* Kolophonium *n*, Geigenharz *n*.

coloquinte [~'kɛ̃:t] *f* **1.** ⚘ Koloquinte *f*, Purgiergurke *f*; **2.** P Kopf *m*, Kürbis *n* P, Birne *f* P.

colorado *ent.* [~ra'do] *m* Kartoffel-, Kolorado-käfer *m*.

colo|rant [kɔlɔ'rɑ̃] **I** *adj.* (7) färbend; **II** *m* Farbstoff *m*; **~ration** [~rɑ'sjɔ̃] *f* Färbung *f*; **~rer** [kɔlɔ're] (1a) **I** *v/t.* **1.** färben; *~ de pourpre* purpurrot färben; *vin coloré* dunkelroter Wein; *avoir le teint coloré* eine gesunde Gesichtsfarbe haben; *style coloré* farbenreicher Stil; **2.** *fig.* ausschmücken, verschönern; beschönigen; **II** *v/rfl. se ~* sich färben, Farbe bekommen; **~riage** [~'rja:ʒ] *m* Kolorieren *n*, Austuschen *n*; **~rier** *peint.* [kɔlɔ'rje] *v/t.* (1a) kolorieren, austuschen, ausmalen, Farben auftragen; **~ris** [~'ri] *m* Kolorit *n*, Farben-gebung *f*, -mischung *f*; (lebhafte) Färbung *f*; *fig.* Farbenreichtum *m*; **~risation** [~rizɑ'sjɔ̃] *f* Färbung *f*, Färben *n*; **~riste** [~'rist] *su.* **1.** Kolorist *m*; **2.** Haarfärber *m*; **3.** *fig.* glänzender Stilist *m*.

colos|sal [kɔlɔ'sal] *adj.* (5c) □ kolossal, übergroß; Riesen...; **~se** [~'lɔs] **I** *m* Riesenbildsäule *f*, *fig.* Riese *m*, Koloß *m*; **II** *adjt.*: *femme f ~* Riesenweib *n*.

colostrum ⚕ [kɔlɔ'strɔm] *m* Colostrum *n*, Vormilch *f*.

colpor|tage [kɔlpɔr'ta:ʒ] *m* Hausieren *n*; Hausierhandel *m*; *fig.* eifriges Verbreiten *n* von Nachrichten, Kolportage *f*; *littérature f de ~* Schundliteratur *f*; **~ter** [~'te] *v/t.* (1a): *~ des marchandises* mit Waren hausieren gehen; *fig. ~ une nouvelle* e-e Nachricht verbreiten (*od.* ausplaudern); *Gerücht* kolportieren (*od.* weitergeben); **~teur** [~'tœ:r] *su.* (7g) Hausierer *m*; *fig. ~ de nouvelles* Kolporteur *m*, Gerüchtemacher *m*, Neuigkeitskrämer *m*.

colposcopie ⚕ [kɔlpɔskɔ'pi] *f* Kolposkopie *f*, Besichtigung *f* von Scheide u. Portio.

colt [kɔlt] *m* Revolver *m*, Colt *m*.

coltin [kɔl'tɛ̃] *m* **1.** Lederhut *m* (*der Lastträger*); **2.** P Arbeit *f*; **~age** [~ti'na:ʒ] *m* Lastentragen *n*; **~er** [~'ne] *v/t. u. abs.* (1a) (Lasten) tragen; buckeln P; P *se ~* sich prügeln; *~ le mortier sur une échelle* den Mörtel auf e-r Leiter hinauftragen; *~ d'étage en étage* sich von e-r Etage zur anderen buckeln; **~eur** [~ti'nœ:r] *m* Lastenträger *m*.

colum|baire [kɔlɔ̃'bɛ:r] *m*, **~barium** [~bar'jɔm] *m* Urnenhalle *f*.

colza ⚘ [kɔl'za] *m* Raps *m*; *huile f de ~* Rüböl *n*.

coma ⚕ [kɔ'ma] *m* Koma *n*, bewußtloser, schlafähnlicher Zustand *m*, Schlafsucht *f*; *être dans le ~* in den letzten Zügen liegen; **~teux** ⚕ [~'tø] *adj.* (7d) schlafsüchtig; *fièvre f ~euse e-e Art* perniziöses Malariafieber *n*.

combat [kɔ̃'ba] *m* **1.** Kampf *m*; ⚔ Treffen *n*, Gefecht *n*; *Sport*: Kampfspiel *n*, *a. fig.* Wettkampf *m*; *fig.* Streit *m*; *~ à coups de poing*

Schlägerei *f*; ✈ ~ *aérien* Luftkampf *m*; ~ *corps à corps* Nahkampf *m*; ~ *général* Hauptschlacht *f*; ~ *isolé* Einzelkampf *m*; ~ *d'arrière-garde* (*d'avant-garde*) Nachhut- (Vorhut-) gefecht *n*; ~ *contre les tanks* Tankbekämpfung *f*; ~ *naval* Seegefecht *n*; ~ *à outrance* Kampf *m* auf Leben u. Tod; ~ *rapproché* Nahkampf *m*; ~ *de rues* Straßenkampf *m*; ~ *singulier* Zweikampf *m*, Duell *n*; *au* (*plus*) *fort du* ~ in der Hitze des Gefechts (*a. fig.*); *ardent au* ~ kampflustig; *livrer un* ~ ein Gefecht liefern; *mettre hors de* ~ kampfunfähig machen; *soutenir un* ~ e-n Kampf bestehen; ⚔ *char m de* ~ Panzer (-wagen *m*) *m*, Tank *m*; ~ *de taureaux* Stierkampf *m*; **2.** *poét.* ~*s pl.* Krieg *m*; *Dieu m des* ~*s* Kriegsgott *m*; **~if** [~'tif] *adj. u. su.* (7e) kampflustig, kämpferisch, kriegerisch; streitsüchtig(er Mensch *m*); **~ivité** [~tivi'te] *f* Streitsucht *f*; Kampflust *f*; ⚔ Kampfkraft *f*.

combattant [kɔ̃ba'tɑ̃] *m* **1.** Frontkämpfer *m*, Frontsoldat *m*; Duellant *m*; *ancien* ~ alter Kämpfer *m*; ehemaliger Kriegsteilnehmer *m*; ~ *sur un char* Panzerschütze *m*, *antiq.* Wagenkämpfer *m*; **2.** *orn.* Kampf-läufer *m*, -hahn *m*; **3.** *icht.* Kampffisch *m*.

combattre [kɔ̃'batrə] (4a) **I** *v/t.* **1.** ~ *q.* j-n bekämpfen, mit j-m kämpfen (*od.* fechten); **2.** *fig.* ~ *qch.* etw. bekämpfen; ~ *une maladie* (*un incendie*) e-e Krankheit (e-e Feuersbrunst) bekämpfen; **II** *v/i.* **3.** kämpfen, fechten, streiten, ein Gefecht liefern; ~ *à outrance* auf Tod u. Leben kämpfen; ~ *corps à corps* Mann gegen Mann kämpfen; **4.** *fig.* ~ *contre qch.* gegen etw. ankämpfen; **5.** ~ *de générosité avec q.* j-n an Freigebigkeit überbieten wollen.

combe *géol.* [kɔ̃:b] *f* Bodeneinschnitt *m*, Bergschlucht *f*.

combien [kɔ̃'bjɛ̃] **I** *adv.* **1.** wieviel?; ~ *cela?* wie teuer ist das?; ~ *de fois?* wie oft?; *en* ~ *de temps?* in (*od.* innerhalb) welcher Zeit?; ~ *de fois est-il venu?* wie oft ist er gekommen?; ~ *de temps n'a-t-il pas fallu!* wieviel Zeit ist doch erforderlich gewesen!; *folgt auf* ~ *ein Akkusativobjekt od. ein unpersönliches Verb, so kann der Teilungsartikel u. das su. hinter dem Verb stehen*: ~ *y a-t-il de personnes?* wieviel Personen sind es?; ~ *faut-il de temps?* wieviel Zeit ist erforderlich?; ~ *avez-vous d'argent?* wieviel Geld haben Sie?; ~ *avez-vous mis de temps od.* ~ *de temps avez-vous mis pour faire ce chemin?* wie lange sind Sie unterwegs gewesen?; wie lange haben Sie für diesen Weg gebraucht?; **2.** wie (sehr), in wie hohem Grade; ~ *peu* wie wenig; ~ *multiples sont les ...!* wie vielseitig sind die ...!; ~ *il est terrible!* wie schrecklich ist es!; *il savait* ~ *terrible était la vie* er wußte, wie schrecklich das Leben war; **3.** äußerst; *des objets* ~ *fascinants* äußerst faszinierende Gegenstände; **II** *m/inv. das* Wieviel; *der* Wievielte; F *le* ~ *est-ce aujourd'hui? od.* F *le* ~ *sommes-nous?* der wievielte ist heute?; den wievielten haben wir heute?; P *tous les* ~ *passe l'autobus? od. l'autobus passe tous les* ~*?* in welchem Minutenabstand (*od.* wie oft F) fährt der Bus hier vorbei?

combi|nable [kɔ̃bi'nablə] *adj.* zusammenstellbar, vereinbar; **~naison** [~nɛ'zɔ̃] *f* **1.** *a.* ⚗ Zusammensetzung *f*, -stellung *f*, Verbindung *f*; ~ *ministérielle* Zusammensetzung *f* e-s Ministeriums; ~ *de circonstances* Verkettung *f* von Umständen; **2.** *fig.* Kombination *f*, Berechnung *f*; **3.** *Sport*: Zusammenspiel *n*; **4.** Unter-rock *m*, -kleid *n*; Strampelhöschen *n*, Kriechanzug *m*; *ehm.* Hemdhose *f*; **5.** Monteuranzug *m*, Kombination *f*; **6.** ⊕ Kombinationsschloß *n*, Buchstabenschloß *n*, Schließanlage *f*; *la* ~ *d'un coffre-fort* die Schließanlage *f* e-s Geldschranks; **~nard** P [~'na:r] *m* gerissener (*od.* geriebener) Kerl *m*; **~nat** *éc.* [~'na] *m* Kombinat *n*, Vereinigung *f* mehrerer Industriebetriebe e-s Gebiets (*UdSSR*); **~nateur** [~na'tœ:r] (7f) **I** *su.* **1.** Zusammensetzer *m*; Berechner *m*; **2.** ⚡, *rad.* Stufen-, Wellen-schalter *m*; **II** *adj.* kombinierend; **~natoire** [~na'twa:r] *adj.* kombinatorisch; **~ne** P [kɔ̃'bin] *f* Dreh *m*, Kniff *m*, Trick *m*, Masche *f* P; Idee *f*, guter Einfall *m*; **~né** [~'ne] *m* **1.** ⚗ chemische Verbindung *f*; **2.** *téléph.* ⊕ Hörer *m* (*Gerät*); *rad.* Rundfunkempfänger *m* mit Plattenspieler; **3.** *Auto*: Instrumentbeleuchtung *f*; *Sport*: kombinierter Wettkampf *m*; ~ *en ski* Kombinationslauf *m*; **~ner** [~'ne] (1a) **I** *v/t.* **1.** zs.-stellen, vereinigen; **2.** *fig.* kombinieren, erwägen, berechnen; **3.** ⚗ verbinden, mischen, zs.-setzen *od.* -stellen; **II** *v/rfl.* se ~ sich verbinden; ⚓ sich zs.-stellen lassen.

comble ['kɔ̃:blə] **I** *m* **1.** Zugabe *f*, Übermaß *n*; **2.** ⚠ Dachstuhl *m*, First *m*, Giebel *m*, Dach *n*; ~ *brisé* Mansardendach *n*; ~ *à deux pentes* Satteldach *n*; ~ *en dôme* Kuppeldach *n*; *les* ~*s pl.* das Dachstockwerk; *être logé sous les* ~*s* unter dem Dach wohnen; **3.** *fig.* Gipfel *m*, höchste Stufe *f*, Höhe *f*; *c'est le* ~*!* das ist ja die Höhe!, das ist ja toll! (*od.* unerhört!), das schlägt dem Faß den Boden aus!, da geht einem ja der Hut hoch!, da platzt einem ja der Kragen!, da hört doch alles auf!; *mettre le* ~ *à qch.* e-r Sache die Krone aufsetzen; *advt. de fond en* ~ ganz und gar, gänzlich, von Grund auf; *être au* ~ *de ses vœux* am Ziel s-r Wünsche (angelangt) sein; *l'irritation des esprits était au* ~ die Erregung der Gemüter war aufs höchste gestiegen; *parvenir au* ~ *des honneurs* die höchste Stufe der Ehren erreichen; **II** *adj.* **4.** bis zum Rand aufgehäuft, (über)voll; überfüllt; *fig. la mesure est* ~*!* das Maß ist voll!; **5.** *thé.* gedrängt voll, besetzt; *faire salle* ~ ein volles Haus machen; ~**ment** [kɔ̃blə'mɑ̃] *m* **1.** An-, Aus-füllung *f*, Zuschütten *n*; **2.** Deckung *f* e-s Fehlbetrages.

comblé [kɔ̃'ble] *adj.*: ~ (*de joie*) überglücklich, heilfroh, selig, zuhöchst beglückt, äußerst glücklich.

combler [~] (1a) **I** *v/t.* **1.** (an)füllen; überfüllen; *fig.* ~ *ses vœux* s-e Wünsche voll erfüllen; ~ *la mesure* das Maß vollmachen; **2.** ausfüllen, zuschütten; **3.** ~ *un déficit* e-n Fehlbetrag decken; ein Defizit ausgleichen (*Staatshaushalt*); ~ *un retard* ein Versäumnis wieder aufholen (*od.* wiedergutmachen); **4.** ~ *q. de* j-n überhäufen mit; *vous me comblez de joie* Sie machen mich überglücklich!; **II** *v/rfl. se* ~ ausgefüllt (*od.* zugeschüttet) werden.

combuger [kɔ̃by'ʒe] *v/t.* (1l) wässern (*Fässer*).

comburant [kɔ̃by'rɑ̃] **I** *adj.* verbrennend, verbrennungserregend; **II** *m* Sauerstoffträger *m*, Verbrennungserreger *m*, verbrennungserregendes Element *n*.

combus|tibilité *phys.* [kɔ̃bystibili'te] *f* Brennbarkeit *f*; ~**tible** [~'tiblə] **I** *adj.* **1.** (ver)brennbar, entzündlich; **II** *m* **2.** brennbarer Stoff *m* ; Brenn-, Treib-stoff *m*; *bsd.* ~*s pl.* Heizmaterial *n*; *at.* ~(*s*) *nucléaire*(*s*) Kernbrennstoffe *m/pl.*, Brennelemente *n/pl.*; ~**tion** [~bys'tjɔ̃] *f* Verbrennung *f*, Verbrennen *n*; ~ *spontanée* Selbstentzündung *f*.

comé|die [kɔme'di] *f* **1.** Komödie *f*, Lustspiel *n*; ~*-ballet* Lustspiel *n* mit Ballett; ~ *de caractère* Charakterkomödie *f*; ~ *larmoyante* weinerliches Lustspiel *n*, Rührstück *n*; ~ *de mœurs* Sittenkomödie *f*; ~ *pastorale* Schäferspiel *n*; ~*-vaudeville* Singspiel *n*; **2.** *jouer bien la* ~ sich gut zu verstellen wissen; *la* ~ *de la vie* die lächerliche Seite des Lebens, das Komische im Leben; *c'est le secret de la* ~ das ist ein öffentliches Geheimnis, das Geheimnis kennt jedes Kind; **3.** Schauspielhaus *n*, Theater *n*; ~**dien** [~'djɛ̃] (7c) **I** *su.* Komödiant *m*, Schauspieler *m* (*a. fig.*); *fig.* Heuchler *m*; **II** *adj.* schauspielermäßig; komödienhaft.

comédon ⚕ [kɔme'dɔ̃] *m* Mitesser *m*.

comestib|ilité [kɔmɛstibili'te] *f* Eßbarkeit *f*; ~**le** [~'tiblə] **I** *adj.* eßbar; **II** *m* Nahrungsmittel *n*; ~*s pl.* Eßwaren *f/pl.*; ~*s* (*de choix*), ~*s* (*fins*) Delikatessen *f/pl.*; *magasin m de* ~*s* Lebensmittel-, Feinkost-geschäft *n*.

cométaire [kɔme'tɛ:r] *adj. ast.* kometenartig, Kometen...

comète [~'mɛt] *f* **1.** *ast.* Komet *m*, Schweifstern *m*; **2.** schmales Band *n*; **3.** kleine, überdeckte Bahre *f für Kleinkindersärge*; **4.** ⊕ Kapitäl *n* (*angeleimter Streifen am Buchrükken*); **5.** *fig.* F: *tirer des plans sur la* ~ sich den Kopf zerbrechen; Zukunftspläne schmieden.

comice [kɔ'mis] *m*: ~ *agricole* landwirtschaftlicher Interessenverband *m*.

comique [kɔ'mik] **I** *adj.* □ **1.** komisch; Lustspiel...; **2.** spaßig, drollig, ulkig; **II** *m* **3.** *le* ~ das Komische *od.* Spaßhafte; *le bas* ~ das Possenhafte; *le haut* ~ die höhere Komik; **4.** Komiker *m*, Schauspieler *m*; *allg.* Spaßmacher *m*, Witzbold *m*; **5.** Lustspieldichter *m*, Komödienschreiber *m*.

comitard F [kɔmi'ta:r] *su.* Ausschußmitglied *n*.

comité [kɔmi'te] *m* Komitee *n*, Ausschuß *m*; ~ *d'arbitrage* Schlichtungsausschuß *m*; Schiedsgericht *n* (*a. Sport*); ~ *d'administration* Verwaltungs-ausschuß *m*, -rat *m*; Vorstand *m*; ~ *de surveillance* Aufsichtsrat *m*; ~ *des houillères* Steinkohlensyndikat *n*; ~ *de lecture* Prüfungsausschuß *m beim Theater*; ~ *de salut* *public* Wohlfahrtsausschuß *m*; ~ *consultatif* beratender Ausschuß *m*; ~ *exécutif* Vollzugsausschuß *m*; ~ *directeur* Vorstand *m*; ~ *électoral* Wahl-ausschuß *m*, -vorstand *m*; ~ *secret* geheime Ausschußsitzung *f*; F *fig. en petit* ~ in engerem Kreise; *nous serons en petit* ~ wir werden ganz unter uns sein.

command ⚖ [kɔ'mɑ̃] *m* Auftraggeber *m* (*für e-n Ankauf*).

commandant [kɔmɑ̃'dɑ̃] *m* Kommandant *m*, Befehlshaber *m*; Major *m*; ~ *de compagnie* Kompaniechef *m*; ~ *de corps d'armée* kommandierender General *m*; ~ *d'un vaisseau* Schiffskommandant *m*; ~ *en chef* Oberbefehlshaber *m*; **~e** [~'dɑ̃:t] *f* Frau *f* des Kommandanten, des Majors.

command-car ⚔ [kɔ'mɑ̃:d'ka:r] *m* (6g) Befehlswagen *m*.

commande [kɔ'mɑ̃:d] *f* **1.** Bestellung *f*, Auftrag *m*; *forte* ~ großer Auftrag *m*; ~ *d'essai* Probeauftrag *m*; ~ *d'État* Staatsauftrag *m*; *bulletin m de* ~ Bestellzettel *m*, Ablieferungsschein *m*; *livre m de* ~*s* Bestellbuch *n*; *travailler sur* ~ auf Bestellung arbeiten; *faire des* ~*s* bestellen; *révoquer* (*od. annuler*) *la* ~ de abbestellen; **2.** *de* ~ bestellt; befohlen; erheuchelt; F *joie f de* ~ erkünstelte (*od.* geheuchelte) Freude *f*; *pleurs f/pl. de* ~ Krokodilstränen *f/pl.*; **3.** ⊕, *mach.* (Arbeits-)Antrieb *m*, Steuerung *f*; ~ *mécanique*, ~ *à* (*la*) *vapeur* Maschinen-, Dampf-antrieb *m*; ~ *par vis sans fin*, ~ *par vis tangente* Schneckenantrieb *m*; ~ *par* (*od. sur*) *roue(s) arrière* Hinterrad-, Heck-antrieb *m*; ~ *par* (*od. sur*) *roue(s) avant* Vorderrad-, Frontantrieb *m*; ✈ ~ (*dynamique*) *du gouvernail de profondeur* (*de direction*) Tiefen- *od.* Höhen- (Seiten-)steuerung *f*; *Auto*: ~ *du contact et du démarreur* Zünd-, Anlaß-schloß *n*; ~ *par chaîne* Kettenantrieb *m*; ~ *électrique des aiguilles* elektrische Weichenstellung *f*; *télév.* ~ *de sonorisation* Tonschaltung *f*; **~ment** [~mɑ̃d'mɑ̃] *m* **1.** Befehl *m*, Gebot *n*; *les dix* ~*s de Dieu* die Zehn Gebote Gottes; ~*s pl. de l'Eglise* kirchliche Vorschriften *f/pl.* **2.** ⚔ Führung *f*, Befehl *m*, Kommando *n*, Gewalt *f*, Herrschaft *f*; Beherrschung *f*; *avoir le* ~ *des* (*od. sur les*) *troupes* das Kommando über die Truppen haben; *être sous le* ~ *de q.* unter j-s Befehl stehen; *le haut* ~ das Oberkommando, die Heeresleitung; *poste m de* ~ Gefechtsstand *m*; ~ *d'étapes* Kommandantur *f*; **3.** ⚖ Zahlungsbefehl *m*.

comman|der [kɔmɑ̃'de] (1a) **I** *v/t.* **1.** ~ *qch. à q.* j-m etw. befehlen; ~ *l'admiration* Bewunderung hervorrufen; *les circonstances commandent ces mesures* die Umstände verlangen solche Maßregeln; **2.** *fig.* ~ *q.* j-n beherrschen; **3.** ~ *qch. à q.* bei j-m etw. bestellen, j-m für etw. e-n Auftrag geben (*od.* erteilen); **4.** ⚔ kommandieren, befehligen, (an)führen, das Kommando führen über (*acc.*); ~ *en chef* den Oberbefehl über ... (*acc.*) haben; **5.** durch die höhere Lage beherrschen; *weitS.* überragen, höher gelegen sein als; **6.** ⊕ (an)treiben, betätigen, in Bewegung setzen; **II** *v/i.* **7.** kommandieren, gebieten *st.s.*; **8.** herrschen; *fig.* ~ *à ses passions* s-e Leidenschaften beherrschen *od.* zügeln; ~ *à soi-même* sich selbst beherrschen (*od.* in der Gewalt haben); sich bezähmen; **III** *v/rfl. se* ~: *la gaieté ne se commande pas* Heiterkeit läßt sich nicht erzwingen; **~deur** [~'dœ:r] *m* **1.** *hist.* Komtur *m*, Ordensritter *m*; **2.** Kommandeur *m e-r Ordensklasse* (*Ordenstitel*); *Fr.* ~ *de la Légion d'honneur* Kommandeur *m* der Ehrenlegion.

commandi|taire ✝ [kɔmɑ̃di'tɛ:r] *adj. u. su.*: (*associé m*) ~ stiller Gesellschafter *m od.* Teilhaber *m*, Kommanditär *m*, Kommanditist *m*; *allg.* Geldgeber *m*; **~te** [~'dit] *f* **1.** (*société f en*) ~ Kommanditgesellschaft *f*; **2.** Anteilsumme *f* e-s Kommanditärs; **~té** [~di'te] *m* verantwortlicher Teilhaber *m* e-r Kommanditgesellschaft, Komplementär *m*; **~ter** [~] *v/t.* (1a) *Geld* in ein Geschäft geben, *Geld* in ein Unternehmen stecken, *ein Unternehmen* finanzieren (*als stiller Teilhaber*); *allg.* geldlich unterstützen.

commando [~'do] *m* (*Gefangenen-*, ⚔) Trupp *m*; Gruppe *f* (*v. Demonstranten*); Stoßtrupp *m*; ~ *de chasse* Jäger-kommando *n*, -einheit *f*.

comme [kɔm] **I** *adv.* **1.** wie, so wie, als; *froid* ~ *glace* eiskalt; *un homme* ~ *lui* ein Mann wie er; ~ *pas un* wie keiner; *il est* ~ *ça od.* ~ *cela* er ist nun einmal so; ~ *il faut* ordentlich, wie sich's gehört; ~ *tout* überaus; *bête* (*malin*) ~ *tout* überaus dumm (schlau); F *c'est tout* ~ (*ça*) das ist ganz dasselbe; F ~ *ci*, ~ *ça* so lala, soso; **2.** gleichsam, wie; *il était* ~ *pétrifié* er stand wie versteinert da; *l'affaire est* ~ *arrangée* die Sache ist so gut wie abgemacht; F *c'est tout* ~ so gut wie; fast; **3.** als, wie, nach Art von ...; ~ *roi, il pouvait l'exiger* als König konnte er es verlangen; *considérer* ~, *regarder* ~ ansehen als, halten für; **4.** wie (*bisw. noch anstelle von comment in indir. Frage*) *voici* ~ *l'affaire se passa* die Sache verhält sich folgendermaßen; F ~ *quoi* wieso: *il faut que je vous établisse* ~ *quoi je suis M. La Brige* ich soll Ihnen nachweisen, wieso ich La Brige bin; **5.** wie (sehr), bis zu welchem Grade; ~ *il est changé!* wie er sich verändert hat!; ~ *le temps passe!* wie schnell vergeht die Zeit!; ~ *c'est beau!* ist das schön!; **6.** (ebenso) wie; ~ *si* (gleich) wie wenn, als wenn, als ob; ~ *si la question pouvait se résoudre par oui ou par non!* als ob die Frage durch ein einfaches Ja oder Nein gelöst werden könnte!; *faites* ~ *si de rien n'était* tun Sie so, als ob nichts geschehen wäre; *faites* ~ *moi* machen Sie es wie ich; *il parle* ~ *s'il était le maître* er spricht, als ob er Herr im Hause wäre; ~ *vous dites* wie Sie sagen; Sie haben (ganz) recht; F ~ *qui dirait* e-e Art (von); *il portait sur sa tête* ~ *qui dirait un turban* er trug auf s-m Kopf e-e Art Turban; **II** *cj.* **7.** als (*mst. mit impf.*); **8.** da (ja); ~ *l'heure est avancée, ne l'attendez plus* da es schon spät ist, warten Sie auf ihn nicht mehr; *faible* ~ *il (l')est*, ... schwach, wie er nun einmal ist ...

commémo|raison *rl.* [kɔmemɔrɛ'zɔ̃] *f kirchliche* Erwähnung *f* e-s Heiligen; **~ratif** [~ra'tif] *adj.* (7e) Gedenk...; *fête f commémorative* Gedächtnisfeier *f*; **~ration** [~ra'sjɔ̃] *f* **1.** Gedächtnisfeier *f*; ~ *des morts* Totenfeier *f*; **2.** Andenken *n*; *en* ~ *de* zum Andenken an (*acc.*); **~rer** [~'re] *v/t.* (1a) wieder ins Gedächtnis rufen.

commen|çant [kɔmɑ̃'sɑ̃] *su.* (7) Anfänger *m*; *écol.* Schulanfänger *m*, Abc-Schütze *m*; **~cement** [~s'mɑ̃] *m* **1.** Anfang *m*, Beginn *m*; Ursprung *m*, erste Ursache *f*; *dès le* ~ gleich von Anfang an; *au* ~ *de l'été* zu Beginn des Sommers; *au* ~ *était le verbe* am Anfang war das Wort; *Dieu est le* ~ *de toutes choses* Gott ist der Urheber *od.* der Urquell aller Dinge; *prov. il y a* ~ *à tout od. le plus difficile, c'est le* ~ aller Anfang ist schwer; **2.** *Golf*: Abschlag *m*; **3.** ~*s pl.* erster Unterricht *m*; Anfangsgründe *m/pl.*

commencer [kɔmɑ̃'se] (1k) **I** *v/t.* **1.** anfangen, beginnen; eröffnen; *j'ai dit en commençant* ich habe im Anfang gesagt; **2.** ~ *un enfant* e-m Kind den ersten Unterricht erteilen; **3.** entwerfen, andeuten; **II** *v/i.* anfangen, beginnen, einsetzen; a) *unterschiedslos mit à od. de + inf.*: ~ *à fleurir* aufblühen; *un enfant commence à parler* ein Kind beginnt zu sprechen; ~ *à travailler à qch.* etw. in Arbeit nehmen; *il commence d'écrire* er fängt zu schreiben an; *un orateur commence de parler* ein Redner fängt zu sprechen an; b) ~ *par (faire) qch.* mit etw. den Anfang machen; *il commença par écrire* zuerst schrieb er; *par où commencerai-je?* womit soll ich den Anfang machen?; *je commence par vous dire* ich muß Ihnen vorerst sagen; *prov. charité bien ordonnée commence par soi--même* jeder ist sich selbst der Nächste, *od.*: selber essen macht fett; **III** *v/imp. il commence à* ... es fängt an zu ...; **IV** *v/rfl. se* ~ angefangen werden, beginnen.

commen|dataire *rl.* [kɔmɑ̃da'tɛ:r] *m* Pfründeninhaber *m*, weltlicher Abt *m*; **~de** *rl.* [kɔ'mɑ̃:d] *f* Ordenspfründe *f*.

commen|sal [kɔmɑ̃'sal] *su.* (5c) **1.** Tischgenosse *m*; *Victor Hugo conserva toujours un appétit qui faisait l'étonnement de ses commensaux* V. Hugo behielt stets e-n Appetit, der s-e Tischgenossen in Erstaunen zu setzen pflegte; **2.** Tafelgast *m bei Hofe*; **~salité** [~sali'te] *f* **1.** Tischgenossenschaft *f*; **2.** (Recht *n* zur) freie(n) Tafel *f bei Hofe*.

comment [kɔ'mɑ̃] **I** *adv.* **1.** *dir. u. indir. Frage*: wie (bitte)?; wie kommt es, daß ...?; ~ *allez-vous od.* ~ *va votre santé?*, F ~ *ça va(-t-il)?* wie geht's?; ~ *cela?* wieso?; ~ *faire?* was ist hier zu tun?; *je ne sais* ~ *l'exprimer* ich weiß nicht, wie ich es ausdrücken soll; **2.** *Ausruf*: wie!; ~ *donc!* was denken Sie!; **II** *m das* Wie, *die* Art und Weise.

commen|taire [kɔmɑ̃'tɛ:r] *m* **1.** Kommentar *m*, Auslegung *f*, Erklärung *f*, erklärende Anmerkungen *f/pl.*; F *point de* ~! kein Wort weiter!; **2.** ~*s pl.* F *fig.* boshafte Auslegung *f*, Klatscherei *f*; **3.** ₂s *pl.* Denkwürdigkeiten *f/pl.*; *les* ₂s *de César* Cäsars Kommentare *m/pl.*; **~tateur** [~ta'tœ:r] *su.* (7f) Kommentator *m*, Ausleger *m*, Erklärer *m*; **~ter** [~'te] (1a) **I** *v/t.* kommentieren, auslegen, erläutern, erklären, besprechen; **II** *v/i.* (boshafte) Anmerkungen machen (*sur* zu *dat.*), s-e Glossen machen (*sur* über *acc.*).

commérage F [kɔme'ra:ʒ] *m* Klatsch *m*, Tratsch *m*, Gewäsch *n*, Geschwätz *n*, Gerede *n*, Altweibergeschwätz *n*, Klatscherei *f*.

commerçant [kɔmɛr'sɑ̃] (7) **I** *adj.* handeltreibend; Handels...; **II** *su.* Geschäftsmann *m*, Kaufmann *m*; *~ en gros* Großkaufmann *m*, Grossist *m*.

commer|ce [kɔ'mɛrs] *m* **1.** Handel *m*; Geschäft *n*, Gewerbe *n*; *~ ambulant* Hausier-, Straßen-handel *m*; *article m de ~* Handelsware *f*; *chambre f de ~* Handelskammer *f*; *code m de ~* Handelsgesetzbuch *n*; *fonds m/pl. de ~* Anlagekapital *n*, Geschäft *n*; *école f de ~* Handelsschule *f*; *maison f de ~* Handelshaus *n*, Firma *f*; *ministère m du ~* Handelsministerium *n*; *~ pour son propre compte* Eigenhandel *m*; *~ local* Platz-handel *m*, -geschäft *n*; *~ par substitution d'intermédiaires* Kettenhandel *m*; *Börse*: *~ des devises, ~ du* (*od.* *des*) *change(s)* Devisenhandel *m*; *~ en devises* Devisenverkehr *m*; *~ des valeurs mobilières* Wertpapierhandel *m*; *registre m du ~* Handelsregister *n*; *traité m de ~* Handelsvertrag *m*; *tribunal m de ~* Handelsgericht *n*; *usages m/pl. du ~* Handelsbrauch *m*; *~ de* (*od.* *en*) *détail* Kleinhandel *m*; *~ d'échange, ~ de troc* Tauschhandel *m*; *~ en gros* Großhandel *m*; *~ général* Gesamthandel *m*; *~ intérieur, ~ extérieur* Binnen-, Außen-handel *m*; *~ illicite, ~ interlope* Schleichhandel *m*, Schwarzhandel *m*, Schiebung *f*; *~ intégré* integrierter Handel *m* (= *Zs.-schluß mehrerer Unternehmen*); *~ libre* Freihandel *m*; *~ maritime* Seehandel *m*; *~ d'outremer* Überseehandel *m*; *être dans le ~* Kaufmann sein; *faire le ~ des bestiaux* mit Vieh handeln; *inscrire au registre du ~* ins Handelsregister eintragen; **2.** Handelsstand *m*, Kaufmannschaft *f*; *le haut ~* die hohe Handelswelt; **3.** *fig.* Verkehr *m*, Umgang *m*; Gemeinschaft *f*; Gesellschaft *f*; *le ~ intime des auteurs de l'antiquité* der vertraute Umgang mit den antiken Schriftstellern; *homme m d'un bon ~ od. d'un ~ agréable* angenehmer Gesellschafter *m*; *homme d'un ~ sûr* zuverlässiger Mensch *m*; *avoir* (*od.* *entretenir*) *~ avec q.* mit j-m Verkehr pflegen (*od.* verkehren *od.* Umgang haben *od.* in Verbindung stehen); *rompre tout ~ avec q.* jeden Verkehr mit j-m abbrechen; **~cer** [~mɛr'se] *v/i.* (1k) **1.** Handel treiben; **2.** *fig.* *~ avec q.* mit j-m verkehren; **~cial** [~'sjal] *adj.* (5c) □ a) zum Handel gehörig, geschäftlich, kaufmännisch, Handels...; *échanges m/pl. commerciaux* Handelsverkehr *m*; *mandataire m ~* Handelsbevollmächtigte(r) *m*; *société f ~e* Handelsgesellschaft *f*; b) Verkehrs...; *vitesse f ~e* Verkehrsgeschwindigkeit *f*; **~cialisation** [~sjaliza'sjɔ̃] *f* Kommerzialisierung *f*; Kaufstand *m*, Vermarktung *f*, Marketing *n*; **~cialiser** [~sjali'ze] *v/t.* (1a) kommerzialisieren; verkaufen, unterbringen; **~cialité** [~sjali'te] *f* Handels-fähigkeit *f*, -stand *m*; *la ~ d'une dette* die handelsmäßige Bedingtheit (*od.* Grundlage) e-r Schuld.

commère F [kɔ'mɛ:r] *f* Klatschweib *n*.

commérer F [kɔme're] *v/i.* (1f) klatschen, tratschen.

commettage ⚓ [kɔmɛ'ta:ʒ] *m* Zusammendrehen *n* von Taulitzen.

commet|tant [kɔmɛ'tɑ̃] *m* **1.** Auftraggeber *m*; **2.** ⚖ Mandant *m* (*Bevollmächtigter*); **~tre** [kɔ'mɛtrə] (4p) **I** *v/t.* **1.** (*Verbrechen, Fehler*) begehen, sich zuschulden kommen lassen; *~ des indiscrétions fig.* aus der Schule plaudern, *etw.* ausplaudern; **2.** † *~ qch. à q.* j-m etw. auftragen *od.* anvertrauen; **3.** ernennen; ⚖ *~ un rapporteur* e-n Referenten ernennen; **4.** *st.s.* bloßstellen, aufs Spiel setzen (*Ruf, Ansehen*); *~ sa réputation* s-n Ruf bloßstellen; **5.** ⚓ *~ un cordage au tiers ferme* ein Tau zur vollen Härte drehen (*od.* schlagen); **II** *v/rfl.* *se ~* **6.** begangen werden; *il se commet ici beaucoup de crimes* es werden hier viele Verbrechen begangen; **7.** † *se ~ à q.* sich j-m anvertrauen; *se ~ avec q.* sich mit j-m einlassen; **8.** † sich aussetzen (*à dat.*); **9.** *st.s.* sich kompromittieren (*v. hohen Persönlichkeiten*).

comminatoire [kɔmina'twa:r] ⚖ *adj.* androhend; *arrêt m ~* Beschlagnahmedrohung *f*; *peine f* ~ Strafandrohung *f*; *serment m* ~ Racheschwur *m*.

commis [kɔ'mi] *su.* (7) Handlungsgehilfe *m*, Angestellte(r) *m*, Verkäufer *m*; Agent *m*; Gehilfe *m*; ~ *de culture* Landwirtschaftsgehilfe *m*, Knecht *m*; *Fr.*: ~ *principal* Obersekretär *m* (*im Ministerium*); ~ *expéditionnaire* Expedient *m*; ~ *placier*, ~ *sédentaire* Stadtreisende(r) *m*; ~ *voyageur* Handlungsreisende(r) *m*.

commise F [kɔ'mi:z] *f* Verkäuferin *f*.

commisération [kɔmizerɑ'sjɔ̃] *f* Mitleid *n*, Erbarmen *n*.

commissaire [kɔmi'sɛ:r] *m* **1.** Kommissar *m*, Bevollmächtigte(r) *m*; *Haut-*~ Hoher Kommissar *m*; ~ *de police* Polizeikommissar *m*; *bureau m du* ~ Kommissariat *n*; *bureau m du* ~ *de police* Polizeibüro *n*; ⚓ ~ *de marine* Zahlmeister *m*; ~ *d'une fête* Festordner *m*; ⚔ ~ *de la comptabilité* Zahlmeister *m*; ~ *à la colonisation* (*aux prix*, *d'épargne*) Siedlungs- (Preis-, Spar-)kommissar *m*; ⚚ ~ *des* (*od.* *aux*) *comptes* Wirtschafts-, Rechnungs-prüfer *m*; ~ *adjoint* Beigeordnete(r) *m*; ⚔ ~ *aux vivres* Proviantmeister *m*; **2.** Mitglied *n* e-r Kommission; **~-expéditeur** [~ɛkspedi'tœ:r] *m* (6a) Spediteur *m*; **~-priseur** [~pri'zœ:r] *m* (6a) Auktionator *m*, Versteigerer *m*, Taxator *m*.

commis|sariat [kɔmisa'rja] *m* **1.** Kommissariat *n*, Amt *n* (Dienstzeit *f*) e-s Kommissars; **2.** Polizeirevier *n*; **3.** ⚓ Marineverwaltung *f*; **~sion** [~'sjɔ̃] *f* **1.** Kommission *f*, Ausschuß *m*; ~ *d'armistice* Waffenstillstandskommission *f*; ~ *de l'éducation publique* Bildungsausschuß *m*; ~ *d'études*, ~ *d'enquête* Studienkommission *f*; ~ *d'enquête* Untersuchungsausschuß *m*; ~ *d'examen* Prüfungsausschuß *m*; ~ *d'arbitrage* Schlichtungsausschuß *m*; *parl.* ~ *du budget* Haushaltsausschuß *m*; *pol.* ~ *des réparations* Reparations-ausschuß *m*, -kommission *f*; ⚚ ~ *du* (*od.* *de*) *contrôle des changes* Devisenkontrollkommission *f*; **2.** Bestellung *f*; Einkauf *m*, Besorgung *f*, Auftrag *m*; *avoir reçu* ~ *de faire qch.* beauftragt sein, etw. zu tun; *faire* (*od.* *s'acquitter d'*)*une* ~ e-n Auftrag ausrichten *od.* besorgen; *faire des* ~*s*, *aller en* ~ Einkäufe *m/pl.* (*od.* Besorgungen *f/pl.*) machen, einholen gehen; *faire la* ~ etw. ausrichten *od.* bestellen; *j'en ai fait la* ~ ich habe es ausgerichtet; **3.** ⚚ Kommissions-, Vermittlungs-geschäft *n*; (*droit m de*) ~ Kommissionsgebühr *f*, Vergütung *f*, Provision *f*; *commerce m de* ~ Kommissionsgeschäft *n*; *maison f de* ~ *et d'expédition* Speditionsgeschäft *n*; ~ *d'acquisition*, ~ *de production* Abschlußprovision *f*; ~ *de banque* Wechselprovision *f*; *faire la* ~ ein Kommissionsgeschäft haben; **4.** ⚖ ~ *rogatoire* Rechtshilfeersuchen *n*; **5.** ⚓ Kaperbrief *m*; **6.** *librairie f en* ~ Sortimentsbuchhandlung *f*; **~sionnaire** [~sjɔ'nɛ:r] **I** *m* **1.** Kommissionär *m*, Beauftragte(r) *m*; ~ *expéditeur*, ~ *de roulage* Spediteur *m zu Lande*; ~ *chargeur* Spediteur *m zu Wasser*; **2.** Bote *m*, Dienstmann *m*, Gepäckträger *m*, Laufbursche *m*; **3.** ~ *en librairie* Sortimentsbuchhändler *m*; **II** *f* Botenfrau *f*; **~sionné** [~sjɔ'ne] **I** *adj.* beauftragt; **II** *m* Beauftragte(r) *m*; **~sionner** [~sjɔ'ne] *v/t.* (1a) bevollmächtigen; ⚚ Auftrag (⚓ Kaperbrief) erteilen (*dat.*); **~soire** ⚖ [~'swa:r] *adj.*: *clause f* ~ Verfallklausel *f*.

commissure [kɔmi'sy:r] *f* **1.** *anat.* Verbindungsstelle *f*; ~ *des lèvres* Mundwinkel *m*; **2.** ⚘ *u.* ⚠ Fuge *f*.

commo|de [kɔ'mɔd] **I** *adj.* **1.** bequem, gemächlich; F leicht; **2.** *nur noch verneint*: umgänglich; *il n'est pas* ~ mit ihm ist nicht zu spaßen; **II** *f* Kommode *f*; *une* ~ *Louis XIV* e-e Kommode im Stil Ludwigs XIV.; **~dément** [kɔmɔde'mɑ̃] *adv.* bequem; **~dité** [~di'te] *f* **1.** Bequemlichkeit *f*; Wohnlichkeit *f*, Behaglichkeit *f*; Annehmlichkeit *f*; *pour plus de* ~ zu größerer Bequemlichkeit; *prendre ses* ~*s* sich's bequem machen; **2.** † ~*s pl.* Toilette *f*, Abort *m*, Klosett *n*.

commodore ⚓ [~'dɔ:r] *m* Kommodore *m*.

commotion [kɔmo'sjɔ̃] *f* **1.** Erschütterung *f*; ⚕ ~ *cérébrale* Gehirnerschütterung *f*; ~ *électrique* elektrischer Schlag *m*; ~ *de la terre* Erderschütterung *f*; **2.** *fig.* Erregung *f*, heftige Gemütsbewegung *f*; *subir une* ~ erschüttert werden.

commu|abilité ⚖ [kɔmɥabili'te] *f* Verwandelbarkeit *f*, Abänderlichkeit *f*; **~able** ⚖ [~'mɥablə] *adj.* abänderlich; *peine f* ~ *in ein milderes Strafmaß* verwandelbare Strafe *f*; **~er** [~'mɥe] *v/t.* (1a): ⚖ ~ *une peine* e-e Strafe *in e-e mildere* verwandeln, e-e Strafe mildern.

commun [kɔ'mœ̃] **I** *adj.* (7) **1.** gemeinsam, gemeinschaftlich; ⅍ *dénominateur m* ~ Hauptnenner *m*; *époux m/pl.* ~*s en biens* in Gütergemeinschaft lebende Gatten *m/pl.*; *vie f* ~*e* Zusammenleben *n*; *à frais* ~*s* auf gemeinschaftliche Kosten; *il n'y a rien de* ~ *entre nous* wir haben nichts mit-ea. gemein; *faire cause* ~*e* gemeinschaftliche Sache machen; *mettre en* ~ zusammenlegen; *posséder en* ~ gemeinsam besitzen; **2.** allgemein, öffentlich; *d'un* ~ *accord* einmütig; *droit m* ~ gemeines Recht *n*, Landrecht *n*; *l'intérêt m* ~ das Gemeinwohl; *maison f* ~*e* Gemeindehaus *n*, Rathaus *n*; *d'une* ~*e voix* einstimmig; *la voix* ~*e* die öffentliche Meinung; **3.** alltäglich, gebräuchlich, gewöhnlich, üblich; *lieux m/pl.* ~*s fig.* Gemeinplätze *m/pl.*, Plattheiten *f/pl.*, bekannte Dinge *n/pl.*; *lieux* ~*s de la conversation* Alltagsgeschwätz *n*; *sens m* ~ gesunder Menschenverstand *m*; **4.** gering, mittelmäßig; **5.** gewöhnlich, vulgär, ordinär; **II** *m* **6.** Gemeinschaft *f*; *en* ~ (*avec*) gemeinsam (mit); *vivre sur le* ~ auf gemeinschaftliche Kosten leben; **7.** *le* ~ das Alltägliche, das Gewöhnliche; *cette chose est du* ~ das hat keinen besonderen Wert; **8.** *le* ~ die große Mehrheit; die breite Masse; *le* ~ *des hommes od. des mortels* die meisten Menschen *m/pl.*; der Durchschnittsmensch; *le* ~ *des lecteurs* die meisten Leser *m/pl.*, der größte Teil der Leserschaft; *un homme m du* ~ ein Mann *m* der breiten Masse, ein Mann *m* aus dem Volke (*od.* von der Straße); **9.** ~*s pl.* Neben-, Wirtschafts-gebäude *n/pl.*, Gesindewohnung *f*.

commu|nal [kɔmy'nal] (5c) **I** *adj.* □ Gemeinde..., kommunal...; **II** *communaux m/pl.* Gemeinde-ländereien *f/pl.*, -weide *f*; ~**nale** [~] *f* Verwaltungsbezirk *m*; ~**nalisation** [~naliza'sjɔ̃] *f* Eingemeindung *f*; ~**naliser** [~nali'ze] *v/t.* (1a) eingemeinden; ~**naliste** [~na'list] **I** *adj.* kommunalistisch; **II** *su.* Anhänger *m* der Selbstverwaltung der Gemeinden; ~**nard 1.** *hist.* [~'na:r] *adj. u. su.* (7) der *Pariser* Kommune (*1871*) anhängend; Anhänger *m* (*od.* Mitglied *n*) der Pariser Kommune von 1871; **2.** *petit* ~ Kinderladenkind *n*; ~**naucratique** [~nokra'tik] *adj.* von der (Stammes-)Gemeinschaft beherrscht; ~**nautaire** [~no'tɛ:r] *adj.* Gemeinschafts...; *pol.* EWG...; *pol. la fin* ~ das Ziel der Gemeinschaft; ~**nauté** [~no'te] *f* **1.** Gemeinsamkeit *f*, Gemeinschaft *f* (*a. fig.*); ~ *économique* Wirtschaftsgemeinschaft *f*; ♀ *Européenne de l'Energie Atomique* Europäische Atomgemeinschaft *f* (*Euratom*); *écol.* (*libre*) ~ *scolaire* (freie) Schulgemeinde *f*; ~ *d'intérêts* Interessengemeinschaft *f*; ⚖ ~ *de biens* Gütergemeinschaft *f*; **2.** Gemeinwesen *n*; Staat *m*; ♀ *Fr. pol.* (französische) Interessengemeinschaft *f*; **3.** Verbindung *f von Personen*; Innung *f*, Zunft *f*; **4.** *religiöse* Brüderschaft *f*; **5.** ~ *urbaine* Kinderladen *m*.

commune [kɔ'myn] *f* **1.** Gemeinde *f*; ~ *urbaine* Stadtgemeinde *f*; **2.** *hist. la* ♀ *de Paris* a) der Pariser Magistrat (*1791—1794*); b) die Pariser Kommune (*1871*); **3.** *les* ♀*s*, *la Chambre des* ♀*s* das britische Unterhaus; ~**-dortoir** ⚠ [~dɔr'twa:r] *f* (6c) Schlafstadt *f*.

commu|nément [kɔmyne'mɑ̃] *adv.* allgemein, gemeinhin, (für) gewöhnlich; ~**niant** *rl.* [~'njɑ̃] *su.* (7) Kommunikant *m*; *premier* ~ Erstkommunikant *m*.

communi|cable [kɔmyni'kablə] *adj.* mitteilbar; ~**cant** [~'kɑ̃] *adj.* (7) in Verbindung stehend, (sich) verbindend; *phys.* kommunizierend; ~**catif** [~ka'tif] *adj.* (7e) □ **1.** mitteilsam; **2.** ansteckend (*Lachen*); ~**cation** [~kɑ'sjɔ̃] *f* **1.** Mitteilung *f*, Bekanntgabe *f*; ~ *au parquet* Mitteilung *f* an den Staatsanwalt; ~ *des idées* Gedankenaustausch *m*; ~ *officielle* amtliche Zuschrift *f* (*od.* Verlautbarung *f*); *avoir reçu* ~ *de* Kenntnis erhalten haben von (*dat.*); *j'ai une* ~ *à vous faire* ich habe Ihnen etw. mitzuteilen; *envoyer des livres en* ~ Bücher zur Ansicht schicken; *il a reçu* ~ *des pièces* die Akten sind ihm zur Einsichtnahme zugestellt worden; **2.** Verbindung *f*, Verbindungsweg *m*; Verkehr *m*; ~*s pl. terrestres* (*maritimes, aériennes*) Land-(See-, Luft-)verbindungen *f/pl.*, -verkehr *m/sg.*; *rad.* ~ *radiophonique* Funkverbindung *f*; *escalier m de* ~ Verbindungstreppe *f*; *lignes f/pl. de* ~ Verkehrslinien *f/pl.*; ⚔ Verbindungs-wege *m/pl.*, -gräben *m/pl.*; *moyen m de* ~ Verkehrsmittel *n*; *voie f de* ~ Verkehrsweg *m*; **3.** *téléph.* Anschluß *m*, Verbindung *f*; Gespräch *n*; ~ *téléphonique interurbaine bzw. internationale* (*urgente drin-*

gendes) Fern- *bzw.* Auslandsgespräch *n*; ~ *téléphonique urbaine* Stadtgespräch *n*; ~ *avec avis d'appel* Ferngespräch *n* mit Herbeirufen des Teilnehmers, XP-Gespräch *n*; ~ *avec préavis* V-Gespräch *n* (*mit Voranmeldung*); ~ *payable à l'arrivée* R-Gespräch *n* (*zu Lasten des Angerufenen*); *mettre en* ~ verbinden; *donnez-moi la* ~ *avec* ... verbinden Sie mich mit ...; *il y a erreur* (*de* ~) falsch verbunden; *donner une mauvaise* ~ (*à*) falsch verbinden; *rad. nous vous mettons en* ~ *avec Bruxelles* wir schalten auf Brüssel um; **4.** Verbindung *f*, Beziehung *f*; *avoir* ~ (*od. entretenir des* ~*s*) *avec q.* Beziehungen zu j-m unterhalten; *entrer en* ~ *avec q.* mit j-m in Verbindung treten.

communi|er [kɔmy'nje] (1a) **I** *v/i.* zum Abendmahl gehen; kommunizieren; *fig.* in Verbindung stehen; **II** *v/t.* ~ *q.* j-m das Abendmahl reichen; **~on** [~'njɔ̃] *f* **1.** *rl.* (Glaubens-, Kirchen-)Gemeinde *f od.* Gemeinschaft *f*; *allg.* Übereinstimmung *f*; ~ *des fidèles* (*des saints*) Gemeinschaft *f* der Gläubigen (der Heiligen); *être en* ~ *d'idées avec q.* die gleichen Anschauungen mit j-m teilen; **2.** Abendmahl *n*, Kommunion *f*; *faire sa première* ~ zur ersten Kommunion gehen; ~ *sous les deux espèces* Abendmahl *n* in beiderlei Gestalt.

communi|qué *pol.* [kɔmyni'ke] *m* Kommuniqué *n*, amtlicher Bericht *m*; amtliche Veröffentlichung *f*, amtliche Mitteilung *f* (*a. in Zeitungen*); ~ *de guerre* Heeres-, Wehrmachts-bericht *m*; **~quer** [~] (1a) **I** *v/t.* **1.** mitteilen; Krankheit übertragen; **2.** ~ *qch. à q.* j-m etw. eröffnen, j-n in Kenntnis setzen von etw. (*dat.*); **II** *v/i.* ~ *avec q.* mit j-m verkehren, in Verbindung stehen; ~ *avec* (*od. à*) *qch.* mit etw. in örtlicher Verbindung stehen, stoßen an etw. (*acc.*); **III** *abs.* sich verständlich machen; *écol.* von-ea. abschreiben; **IV** *v/rfl.* se ~ sich gegenseitig mitteilen; mitgeteilt werden; mit-ea. in örtlicher Verbindung stehen; ⚕ ansteckend sein, sich übertragen; ⚡ sich fortpflanzen; um sich greifen (*Feuer*).

commu|nisme [~'nism] *m* Kommunismus *m*; **~niste** [~'nist] *adj. u. su.* kommunistisch; Kommunist *m*.

commuta|ble [kɔmy'tablə] *adj.* umwandelbar; umschaltbar; **~teur** [~'tœ:r] *m* Schalter *m*; Serien-, Wechsel-schalter *m* (*ant. interrupteur* einfacher Schalter); ~ *multiple* Parallelschalter *m*; ~ *principal* (*bipolaire, rotatif*) Haupt- (Doppelum-, Dreh-)schalter *m*; *rad.* ~ *de gammes* Wellenschalter *m*; ~ *automatique* selbsttätiger Schalterapparat *m*; ~ *à bascule* Kippschalter *m*; ~ *de pôles* Stromwender *m*; *tourner le* ~ Licht machen (*od. seltener*: einschalten); **~tif** [~'tif] *adj.* (7e) zu beiderseitigen gleichen Leistungen verpflichtend; **~tion** [~ta'sjɔ̃] *f* **1.** Vertauschung *f*; **2.** ⚖ ~ *de peine* Strafmilderung *f*; **3.** ⚡ (Um-)Schaltung *f*; **4.** ⊕ Überblenden *n* (*Tonband*); **~trice** ⊕ [~'tris] *f* Einankerumformer *m*.

commuter ⚡ [kɔmy'te] *v/t.* (1a) (um)schalten.

compacité [kɔ̃pasi'te] *f* Dichtigkeit *f*, Festigkeit *f*; *bét.* Dichte *f*.

compact [kɔ̃'pakt] *adj.* kompakt, dicht, fest, zusammengedrängt (*a. fig.*); *pain m* ~ festes Brot *n*; *une foule* ~*e* e-e dichte Menschenmenge *f*; **~age** ⊕, *bét.* [kɔ̃pak'ta:ʒ] *m* Verdichtung *f*; ⚠ Boden-verdichtung *f*, -verfestigung *f*; **~er** ⚠ [~k'te] *v/t.* (1a) *den Boden* verdichten.

compa|gne [kɔ̃'paɲ] *f* **1.** Begleiterin *f*, Kameradin *f*, Gefährtin *f*; Gespielin *f*; ~ *de classe* Schulfreundin *f*, Mitschülerin *f*; **2.** Lebensgefährtin *f*; **~gnie** [~'ɲi] *f* **1.** Gesellschaft *f*, Verein *m*, Versammlung *f*; *dame f de* ~ Gesellschafts-, Haus-dame *f*, Gesellschafterin *f*; *voyager de* ~ *avec q.* in Gesellschaft mit j-m reisen; *en* ~ *de* ... in Begleitung von ...; *avec la seule* ~ *de* nur in Begleitung (*gén.*); *être de bonne* ~ zur guten Gesellschaft gehören; ein guter Gesellschafter sein, feine Manieren haben; *tenir* (*a. faire*) ~ *à q.* j-m Gesellschaft leisten; F *fausser* ~ sich (aus der Gesellschaft) verduften F, sich verdrücken P; F *fausser* ~ *à q.* j-n stehenlassen; *j'aime bien votre* ~ ich bin sehr gern in Ihrer Gesellschaft, ich bin sehr gern mit Ihnen zusammen; **2.** gelehrte (*od.* religiöse) Gesellschaft *f*, Körperschaft *f*; ~ *de Jésus* Gesellschaft Jesu (*die Jesuiten*); ~ *de magistrats* Richterkollegium *n*; **3.** ✝ Handelsgesellschaft *f*; ~ *aérienne* Luftverkehrsgesellschaft *f*; ~ *affiliée*, ~ *associée* Zweig- *od.* Tochter-gesellschaft *f*; ~ *maritime* Schiffahrtsgesellschaft *f*;

~ *d'assurance sur la vie* Lebensversicherungsgesellschaft *f*; ~ *de réassurances* Rückversicherungsgesellschaft *f*; **4.** *bsd.* ⚔ Kompanie *f*; ~ *de discipline* Strafkompanie *f*; ~ *motocycliste* Kr(aftr)adschützenkompanie *f*; *chef m de* ~ Kompaniechef *m*, -führer *m*; ~ *de mitrailleuses* MG-Kompanie *f*; ~ *de grand-garde od. d'avant-garde* Vorpostenkompanie *f*; ~ *de cantonniers* Straßenbaukompanie *f*; **5.** *ch.* Kette *f*, Rudel *n*; ~ *de perdrix* Kette *f* Rebhühner; **~gnon** [~'ɲɔ̃] *m* **1.** Gefährte *m*, Lebensgefährte *m*, Kumpan *m* (*a. fig.*), Kamerad *m* (*pol.* „Genosse" *jedoch*: *camarade*); *bsd.* ⚒ Kumpel *m* P; ~ *d'armes* Waffenbruder *m*; ~ *de combat* Front-, Kriegs-kamerad *m*; ~ *de voyage* Mitreisende(r) *m*, Reisegefährte *m*; *il est un bon* ~ er ist ein guter Kamerad; **2.** Begleiter *m*; Kumpan *m*, *fig.* Bruder *m*, Bursche *m*; *joyeux* ~ lustiger Bruder *m*; *un dangereux* ~ ein gefährlicher Bruder (*od.* Bursche) *m*; *un hardi* ~ ein Draufgänger *m*; **3.** (Handwerks-)Geselle *m*; Gehilfe *m*; ~ *boulanger* (*cordonnier, tailleur*) Bäcker-(Schuster-, Schneider-)geselle *m*; **~gnonnage** [~ɲɔ'na:ʒ] *m* **1.** Kameradschaft *f*; *années f/pl. de* ~ Gesellenzeit *f*; **2.** *biol.* Zusammenleben *n* (*Tiere*).

compara|bilité [kɔ̃parabili'te] *f* Vergleichbarkeit *f*; **~ble** [~'rablə] *adj.* ▢ vergleichbar (*à*, *auch avec* [s. *comparer* 1] mit [*dat.*]).

comparaison [kɔ̃parɛ'zɔ̃] *f* **1.** Vergleich *m*, Vergleichung *f*; Gleichnis *n*; *entrer en* ~ zu vergleichen sein; *ne pas soutenir la* ~ gar nicht zu vergleichen sein; *en* ~ *de* im Vergleich zu (*dat.*); *advt. sans* ~ unvergleichlich, ohne Vergleich; **2.** ⚖ ~ *d'écritures* Handschriftenvergleichung *f*; *pièce f de* ~ kollationierte Urkunde *f*; **3.** *gr.* Komparation *f*, Steigerung *f*.

compa|raître [kɔ̃pa'rɛ:trə] *v/i.* (4z): (~ *en justice od. devant le tribunal od. à la barre* vor Gericht) erscheinen; ~ *par avoué* sich durch einen Sachwalter vertreten lassen; **~rant** ⚖ [~'rɑ̃] (7) **I** *adj.* vor Gericht erscheinend; **II** *su.* Erschienene(r) *m*, Erscheinende(r) *m*; **~rateur** *phys.* [~ra'tœ:r] *m* Komparator *m*, Vergleichsgerät *n*; **~ratif** [~ra'tif] **I** *adj.* (7e) ▢ **1.** vergleichend; *tableau m* ~ vergleichende Übersicht *f*; **2.** *gr.* gesteigert; **II** *m gr.* Komparativ *m*; **III** *comparativement adv.* vergleichsweise; *comparativement à* im Vergleich mit *od.* zu (*dat.*); **~ratiste** [~ra'tist] *m* vergleichender Sprach- *od.* Literaturwissenschaftler *m*; **~ré** [~'re] *adj.* vergleichend; *philologie f* ~*e* vergleichende Sprachwissenschaft *f*, Sprachvergleichung *f*; *grammaire f* ~*e* vergleichende Grammatik *f*; **~rer** [~'re] (1a) **I** *v/t.* **1.** vergleichen (*à* mit [*dat.*]); ~ *avec qch.* mit etw. (*dat.*) genau vergleichen; **2.** ~ *à* gleichstellen (*dat.*); **II** *v/rfl.* *se* ~ *à* ... sich vergleichen mit ...; verglichen werden mit ...

comparse [kɔ̃'pars] *su. thé.* Statist *m*, Figurant *m*; *weitS.* Nebenperson *f*; unbedeutende Person *f*.

compartiment [kɔ̃parti'mɑ̃] *m* **1.** ⊕ Fach *n*, Feld *n* (*z.B. e-r Zimmerdecke*); **2.** 🚂 Abteil *n*; **3.** *Raumschiff*: ~ *machine* (*od. moteur*) Antriebsteil *m*, Gerätekammer *f*; ~ *orbital* Umlaufkammer *f*; **~age** [~'ta:ʒ] *m*: *éc.* ~ *des marchés* Marktaufteilung *f*; **~er** [~'te] *v/t.* (1a) auf-, ab-, ein-teilen.

comparution ⚖ [kɔ̃pary'sjɔ̃] *f* Erscheinen *n* vor Gericht.

compas [kɔ̃'pɑ] *m* **1.** Zirkel *m*; *boîte f à* ~ Reißzeug *n*; *mesurer au* ~ mit dem Zirkel abmessen; F *avoir le* ~ *dans l'œil* richtiges Augenmaß haben; **2.** ⚓, ✈ Kompaß *m*; ~ *de relèvement* Peilkompaß *m*; **3.** P Beine *n/pl.*; *allonger* (*od. ouvrir*) *le* ~ schnell machen, die Beine in die Hand nehmen; **~sé** [~pɑ'se] *adj. fig.* steif, abgezirkelt, abgemessen; **~sement** [~pɑs'mɑ̃] *m* Abstecken *n*; *fig.* Abzirkeln *n*; Steifheit *f*; übertriebene Genauigkeit *f*; **~er** [~pɑ'se] *v/t.* (1a) abstecken; *fig.* genau überlegen, einrichten.

compassion [kɔ̃pɑ'sjɔ̃] *f* Bei-, Mitleid *n*; *être touché* (*od. ému*) *de* ~ zum Mitleid gerührt werden; *exciter la* ~ Mitleid erregen.

compati|bilité [kɔ̃patibili'te] *f* **1.** Vereinbarkeit *f*; **2.** Verträglichkeit *f*, Harmonieren *n*, Übereinstimmung *f*; **~ble** [~'tiblə] *adj.* **1.** vereinbar; **2.** verträglich.

compa|tir [kɔ̃pa'ti:r] *v/i.* (2a) ~ *à qch.* etw. mitfühlen, Anteil an etw. (*dat.*) nehmen, mitleidsvolles Verständnis für etw. (*acc.*) aufbringen; **~tissant** [~ti'sɑ̃] *adj.* (7) mitfühlend, mitleidsvoll.

compatriote [kɔ̃patri'ɔt] *su.* Landsmann (*f*: -männin) *m*; ~*s pl.* Landsleute *pl.*

compen|dieusement [kɔ̃pɑ̃djøz'mɑ̃] *adv.* abgekürzt, gedrängt, kurz; **～dium** [～pɛ̃'djɔm] *m* (5a) Kompendium *n*, Abriß *m*.

compen|sable [kɔ̃pɑ̃'sablə] *adj.* ersetzbar, ausgleichbar; **～sateur** [～sa'tœ:r] (7f) **I** *adj.* ausgleichend; *physiol. mouvement m* ～ Rückgang *m*; *phys. pendule m* ～ Kompensationspendel *m od. n*; **II** *m* ⚡, ⊕ Kompensator *m*, Ausgleicher *m*; **～sation** [～sa'sjɔ̃] *f* **1.** Kompensierung *f*, Ausgleich *m*, Ersatz *m*, Vergütung *f*; ～*s f/pl. en devises* Devisenausgleich *m*; ～ *des charges* Lastenausgleich *m*; *il y a* ～ das gleicht sich aus; *en* ～ *de* ... als Ausgleich für ... (*acc.*); **2.** ✝ gegenseitige Abrechnung *f*; *chèque m de* ～ Verrechnungsscheck *m*; *par* ～ durch Aufrechnung; *accord m de* ～ Clearingabkommen *n*; **～satoire** [～sa'twa:r] *adj.* kompensatorisch, ausgleichend, Ersatz...; **～ser** [～'se] *v/t.* (1a) **1.** kompensieren, ausgleichen, ersetzen, vergüten; **2.** aufwiegen, aufheben, das Gleichgewicht halten (*dat.*); **3.** ⚖ ～ *les dépens* die Kosten zu gleichen Teilen auflegen; **4.** ✝ verrechnen, kompensieren.

compérage [kɔ̃pe'ra:ʒ] *m* **1.** Patenverhältnis *n*; **2.** *fig.* geheimes Einverständnis *n*, geheime Abmachung *f*.

compère [kɔ̃'pɛ:r] *m* **1.** Pate *m*; **2.** F Kerl *m*, Bursche *m*; *bon* (*od. joyeux*) ～ lustiger Bruder *m*; *fin* (*od. rusé*) ～ schlauer Fuchs *m*; F ～*-compagnon m* treuer Kamerad *m*; **3.** *péj.* Helfershelfer *m*; **～-loriot** P [kɔ̃pɛrlɔ'rjo] *m* (6a) ⚕ Gerstenkorn *n am Auge*.

compé|tence [kɔ̃pe'tɑ̃:s] *f* **1.** ⚖ Kompetenz *f*, (Rechts-)Zuständigkeit *f*, Befugnis *f*, Amtsbereich *m*; **2.** Fachmann *m*, Kompetenz *f*; **3.** Sachkunde *f*; Fähigkeit *f* zu entscheiden; **～tent** [～'tɑ̃] *adj.* (7) **1.** ⚖ zustehend, gebührend; *portion f* ～*e* Pflichtteil *m od. n*; **2.** gehörig, erforderlich; *l'âge m* ～ das erforderliche Alter; **3.** befugt, berechtigt; *autorité f* ～*e* zuständige Behörde *f*; *juge m* ～ befugter Richter *m*; **4.** sachkundig, sachverständig; **～ter** ⚖ [～'te] *v/i.* (1f) rechtmäßig gebühren *od.* zustehen.

compéti|teur [kɔ̃peti'tœ:r] *su.* (7f) Mitbewerber *m*, Konkurrent *m*; Nebenbuhler *m*; **～tif** ✝ [～'tif] *adj.* (7e) konkurrenzfähig; **～tion** [～'sjɔ̃] *f* (Mit-)Wett-Bewerbung *f*, Konkurrenz *f*; Nebenbuhlerschaft *f*; *Sport*: Wettkampf *m*; **～tivité** ✝ [～tivi'te] *f* Wettbewerbsfähigkeit *f*.

compi|lateur [kɔ̃pila'tœ:r] *su.* (7f) Sammler *m*; Zusammenschreiber *m*; **～lation** [～la'sjɔ̃] *f* **1.** Zusammentragen *n*; F Zusammenstoppeln *n*; **2.** Sammelwerk *n*; **～ler** [～'le] *v/t.* (1a) **1.** *aus Schriften* zusammentragen, F -stoppeln, -schreiben; **2.** *Computer*: übersetzen.

complainte [kɔ̃'plɛ̃:t] *f* **1.** ⚖ Klage *f* wegen Besitzstörung; **2.** Klage(lied *n*) *f*; **3.** ～*s f/pl.* Wehklagen *n*.

complaire [kɔ̃'plɛ:r] (4a) **I** *v/i.*: ～ *à q.* j-m entgegenkommen, j-m gegenüber gefällig sein; **II** *v/rfl. se* ～ *à* (*mit inf.*) Gefallen daran finden zu ...; *se* ～ *dans qch.* Gefallen finden an etw. (*dat.*).

complai|samment [kɔ̃plɛza'mɑ̃] *adv.* bereitwillig; **～sance** [～'zɑ̃:s] *f* **1.** Gefälligkeit *f*, Entgegenkommen *n*, Bereitwilligkeit *f*, Nachgiebigkeit *f*, Nachsicht *f*; *par* ～ aus Gefälligkeit; *acte m de* ～ Liebesdienst *m*; *basse* ～ Kriechertum *n*; **2.** Wohlgefallen *n*, *bsd.* Selbstgefälligkeit *f*; *se regarder avec* ～ sich wohlgefällig betrachten; **～sant** [～'zɑ̃] (7) **I** *adj.* **1.** gefällig, entgegenkommend, nachgiebig; *mv.p.*: *il a une femme* ～*e* er hat e-e nicht sehr treue, leichtlebige Frau; **2.** selbstgefällig; **II** *péj. su.* Kriecher *m*, Schöntuer *m*, Augendiener *m*; *faire le* ～ scharwenzeln, katzbuckeln, kriechen, schöntun.

complément [kɔ̃ple'mɑ̃] *m* **1.** Ergänzung *f*, Vervollständigung *f*; **2.** ⩓ Komplement *n*; **3.** *gr.* nähere Bestimmung *f*, Ergänzung *f*; ～ *direct* näheres Objekt *n* (*Akkusativ*); ～ *indirect* entfernteres Objekt *n* (*mit prp. wie* de, *à*, *par*, *pour usw.*); **～aire** [～mɑ̃'tɛ:r] *adj.* ergänzend; Ergänzungs...; *cours m* ～ Fortbildungskursus *m*; *être* ～ sich ergänzen; **～arité** [～tari'te] *f* gegenseitige Ergänzung *f*.

complet [kɔ̃'plɛ] **I** *adj.* (7b) □ **1.** vollständig, vollzählig; *œuvres f/pl. complètes de Voltaire* Voltaires sämtliche Werke *n/pl.*; **2.** vollkommen; *iron. c'est* ～*!* das fehlte (gerade) noch!; **3.** ganz ausgefüllt; ～*!* besetzt! (*v. Wagen*); **4.** F *être* ～ total blau (*od.* besoffen) sein; **II** *m* **5.** Vollzähligkeit *f*, Vollständigkeit *f*; *être au* (*grand*) ～ in Vollständigkeit beisammen sein, vollständig besetzt sein, vollzählig sein; **6.** Herrenanzug *m*; ～ *sombre* dunkler Anzug *m*; ~ *(fait) sur mesure* Maßanzug *m*; ~ *veston* Straßen-, Sakkoanzug *m*.

complètement [kõplɛt'mɑ̃] **I** *m* Ergänzung *f*, Vervollständigung *f*; **II** *adv. zu complet* völlig.

complé|ter [kõple'te] *v/t.* (1f) ergänzen, vervollständigen, vollzählig machen; **~tif** [~'tif] *adj.* (7e) *gr.* ergänzend.

com|plexe [kõ'plɛks] **I** *adj.* komplex, vielseitig, zusammengesetzt, verwickelt; *gr.* erweitert; **II** *m* a) *psych.* Komplex *m*; ~ *de refoulement* Verdrängungskomplex *m*; b) *fig.* Mischung *f*; *un* ~ *de crainte et d'espoir* e-e Mischung *f* von Furcht u. Hoffnung; c) *cin.* Szenerie *f e-s Gesamtbildes*; d) ⊕ (Industrie-)Komplex *m*, Anlagen *f/pl.*; **~plexé** *psych.* [~plɛk'se] *adj.* komplexbehaftet; **~plexifier** *néol.* [~plɛksi'fje] *v/t.* (1a) komplex machen; **~plexion** [~plɛk'sjõ] *f* **1.** ⚕ Körperbau *m*; **2.** Gemütsanlage *f*, Naturell *n*; Veranlagung *f*; **~plexité** [~plɛksi'te] *f* Komplexität *f*.

complication [kõplikɑ'sjõ] *f* Kompliziertheit *f*, Verwicklung *f*; ⚕ Komplikation *f*, Verschlimmerung *f*; Verquickung *f*, *fig.* Zusammentreffen *n*, Anhäufung *f*.

compli|ce [kõ'plis] *adj. u. su.* mitschuldig; belastend, verdächtig (*Lächeln*); Komplize *m*, Mitschuldige(r) *m*, Helfershelfer *m*; *mv.p.* Teilnehmer *m* (*de* an *dat.*); **~cité** [~si'te] *f* Mitschuld *f*; Begünstigung *f*; ~ *par assistance* Mittäterschaft *f*, Beihilfe *f*; *sourire m de* ~ verdächtiges Lächeln *n*; *être de* ~ unter einer Decke stecken.

compliment [kõpli'mɑ̃] *m* Kompliment *n*, Lob *n*, Schmeichelei *f*, verbindliche Redensart *f*, Höflichkeit *f*, Ehren- *od.* Höflichkeitsbezeigung *f*; Glückwunsch *m*; Gruß *m*, Empfehlung *f*; Geburtstags-gedicht *n*, -rede *f*; feierliche Ansprache *f* (*an e-n Vorgesetzten*); *tous mes ~s!* ich gratuliere bestens!; *faire ses ~s à q.* j-n grüßen; *faire* (*od. échanger*) *des ~s* Komplimente machen; *transmettre les ~s de q.* Grüße von j-m bestellen (*od.* übermitteln *od.* ausrichten); *adresser des ~s à q. au sujet de qch. od. faire ~ à q. de od. sur qch.* j-n zu etw. (*dat.*) beglückwünschen; *mes ~s à Monsieur votre père* grüßen Sie Ihren Herrn Vater von mir; *faites-lui bien des ~s de ma part* grüßen Sie ihn vielmals von mir; *bien des ~s de ma part à ...* viele Grüße an ...; *sans* ~ freiheraus; ~ *de félicitation* Glückwunsch *m*; *~s m/pl. de condoléance* Beileidsbezeigungen *f/pl.*; *faire ses ~s de condoléance à q.* j-m e-n Beileidsbesuch abstatten; F *iron. je vous en fais mon ~!* da haben Sie was Schönes angerichtet!; *je ne vous en fais pas mes ~s* das war nicht besonders gut!, das war nichts Besonderes!; *apprendre un ~ par cœur* ein Glückwunschgedicht auswendig lernen; ~ *de nouvel an* Neujahrsgedicht *n* (*e-s Kindes*); *un enfant fait un ~ à son père pour sa fête* ein Kind verfaßt für s-n Vater ein Geburtstagsgedicht (*od.* hält ... e-e Geburtstagsrede); *adresser un ~ au roi* e-e feierliche Ansprache an den König halten; *point de ~s! od. trève de ~s!* ist schon gut!; gern geschehen!; **~er** [~'te] *v/t.* (1a) beglückwünschen (*pour od. sur* zu *dat.*, wegen *gén.*); *abs.* Komplimente machen; ~ *un élève pour ses succès* e-n Schüler zu s-n Erfolgen beglückwünschen; ~ *q. à l'occasion de son anniversaire* j-m zum Geburtstag gratulieren; **~eur** [~'tœ:r] *adj. u. su.* (7g) Komplimentemacher *m*, Schmeichler *m*, *mv.p.* Lobhudler *m*.

compliqu|é [kõpli'ke] *adj.* kompliziert, verwickelt, schwierig; F umständlich, verworren, langatmig; **~er** [~] (1m) **I** *v/t.* komplizieren, erschweren, verwickeln, verwirren; **II** *v/rfl.* se ~ sich verschlimmern.

complot [kõ'plo] *m* Komplott *n*, Verschwörung *f*, Anschlag *m*; *former* (*od. monter od. tramer*) *un* ~ ein Komplott schmieden, e-e Verschwörung anzetteln; *être de ~ avec q.* mit j-m unter einer Decke stekken; **~er** [~plɔ'te] *v/t. u. v/i.* (1a) heimlich *etw.* verabreden; sich verschwören, ein Komplott machen; ~ *la perte de q.* es auf das Verderben (*od.* auf den Untergang) j-s abgesehen haben.

compo *écol.* [kõ'po] *f* = *composition.*

componction *rl.* [kõpõk'sjõ] *f* Zerknirschung *f*, Reue *f*.

comport|e *vit.* [kõ'pɔrt] *f* Bottich *m* (*od.* Zuber *m*) zur Beförderung der Weintraubenernte; **~ement** [~pɔrtə'mɑ̃] *m* Verhalten *n*, Benehmen *n*, Betragen *n*; **~er** [~'te] (1a) **I** *v/t.* **1.** vertragen, dulden, zulassen, gestatten; aufweisen, enthalten; **II** *v/rfl.* se ~ **2.** sich verhalten, sich betragen, sich aufführen, sich benehmen; **3.** ⚖: *ainsi qu'il se com-*

porte in dem Zustand, in dem er (*z.B. der Garten*) sich befindet.

compo|sant [kõpo'zã] **I** *adj.* (7) zusammensetzend, bildend; *partie f* ~*e* Bestandteil *m*; **II** *m a.* ⚗ Bestandteil *m*; *bét.* ~*s pl. du mélange* Gemengteile *m/pl.*; **~sante** ⚡, *méc.*, *fig.* [~'zã:t] *f* Komponente *f*; **~sé** [~'ze] **I** *adj.* **1.** zusammengesetzt; Gesamt...; **2.** *fig.* gesetzt; *maintien m* ~, *allure f* ~*e* gesetztes Wesen *n*; **II** *m* Zusammensetzung *f*, Mischung *f* (*a. fig.*); *a.* ⚗ Verbindung *f*; *gr.* zusammengesetztes Wort *n*; **III** ⚘ ~*es f/pl. od. composacées f/pl.* Korbblütler *m/pl.*

compo|ser [kõpo'ze] (1a) **I** *v/t.* **1.** zusammen-setzen, -stellen, bilden; *téléph.* wählen; 🚂 ~ *un train* e-n Zug zusammenstellen; *nombres m/pl. composés entre eux* unter sich teilbare Zahlen *f/pl.*; **2.** ausarbeiten, verfertigen, verfassen; ♪ komponieren, vertonen; ~ *des vers* dichten; **3.** *typ.* setzen; **4.** *fig.* ~ *sa contenance* (*od. son visage*) *sur celle* (*bzw. celui*) *de q.* sich in s-r Haltung (*od.* s-m Mienenspiel) j-m anpassen *od.* nach j-m richten, sich j-m gegenüber äußerlich zusammennehmen; **II** *v/i.* **5.** ~ *avec q.* sich mit j-m vergleichen, sich mit j-m abfinden, mit j-m e-e vergleichsweise Regelung treffen; ~ *avec ses créanciers* sich mit s-n Gläubigern vergleichen; *composons à l'amiable* vergleichen (*od.* einigen) wir uns gütlich (*od.* auf gütlichem Wege); ~ *avec sa conscience* sich mit s-m Gewissen abfinden; **6.** *écol.* e-e (*Fr.* Trimester-)Prüfungs- *od.* Klassenarbeit schreiben; **III** *v/rfl.* *se* ~ **7.** sich nach u. nach anschaffen, sich anlegen; **8.** *se* ~ *de* zusammengesetzt sein (*od.* bestehen) aus (*dat.*); **9.** ⚒ *fig.* sich zusammen-nehmen, -reißen, sich beherrschen.

composi|te [kõpo'zit] **I** *adj.* zusammengesetzt; buntscheckig; **II** *m* römische Säulenordnung *f*; **~teur** [~'tœ:r] *su.* (7f) **1.** ♪ Komponist *m*, Tondichter *m*; **2.** *typ.* (Schrift-)Setzer *m*; **3.** ⚖ *amiable* ~ Vermittler *m*, Schlichter *m*; **~tion** [~'sjõ] *f* **1.** Zusammensetzung *f*, Mischung *f*, Bau *m*; ⚔ (Truppen-)Gliederung *f*; **2.** Ausarbeitung *f*, Verfertigung *f*; **3.** ♪ Musikstück *n*, Komposition *f*, Werk *n*, Vertonung *f*; Kompositionslehre *f*, Tonsetzkunst *f*; **4.** △ Entwerfen *n* des Bauplans; **5.** *écol.* (schriftliche) (*Fr.* Trimester-)Prüfungs-, Klassen-arbeit *f*; Aufsatz *m*; Niederschrift *f*, Schilderung *f*; Gedanken-gliederung *f*, -ordnung *f*; mündliche Probeleistung *f*; *a.* ~ *de gymnastique* Turnprüfung *f*; *Fr. chaque trimestre, les élèves sont appelés à faire dans toutes les matières une* ~ in jedem Vierteljahr müssen die Schüler in allen Fächern eine schriftliche Prüfungsarbeit anfertigen; *faire une* ~ e-e Klassenarbeit (*od.* e-n Aufsatz) schreiben; ~ *de rédaction* Klassenaufsatz *m*; **6.** Vergleich *m*, gütliche Übereinkunft *f*; *venir à une* ~ zu einem Vergleich kommen; **7.** ⚗ Verbindung *f*; Mischung *f*, Bereitung *f*, Mixtur *f*; ~ *de métal* Legierung *f*, Mischmetall *n*; **8.** *typ.* Satz *m*; *apprendre la* ~ setzen lernen.

compost 🌱 [kõ'pɔst] *m* Kompost (-erde *f*) *m*; **~age** [~'ta:ʒ] *m* Abstemp(e)lung *f*; **~er** [~'te] *v/t.* (1a) **1.** 🌱 mit Komposterde düngen; **2.** (*mit e-r Stempelmaschine*) abstempeln; (*mit e-m Numerierungsapparat*) numerieren.

composteur [kõpɔs'tœ:r] *m* **1.** *typ.* Winkelhaken *m*; **2.** verstellbarer Datumsstempel *m*, Stempelmaschine *f*; Numerierungsapparat *m*.

compo|te [kõ'pɔt] *f* **1.** Kompott *n*, Einge-wecktes *n*, -machtes *n*; ~ *de pommes* Apfelmus *n*; **2.** *pigeons m/pl. en* ~ *od.* ~ *de pigeons* gedämpfte Tauben *f/pl.*; *viande f en* ~ zerkochtes Fleisch *n*, Ragout *n*; *fig. visage m* (*od. figure f*) *en* ~ übel zugerichtetes (*od.* arg zerschlagenes) Gesicht *n*; **~tier** [~'tje] *m* Obstschale *f*, Kompottschüssel *f*.

compound [kõ'pund] **I** *adj. u. f*: **1.** ⊕ (*machine*) ~ *f* Verbundmaschine *f* (*Expansionsmaschine*); **2.** ⚡ *enroulement m* ~ gemischte Wicklung *f* (*Serien- u. Nebenwicklung*), Doppel-, Compound-wicklung *f*; *génératrice f* (*od. dynamo f*) ~ Compounddynamo *m*, Doppelschlußerzeuger *m*; **3.** *huile f* ~ gemischtes Öl *n* (*Mineral- u. Pflanzenöl*); **II** *m* Füll-, Verguß-masse *f*, Compound *n*.

compréhen|sibilité [kõpreãsibili'te] *f* Faßlichkeit *f*, Verständlichkeit *f*; **~sible** [~'siblə] *adj.* begreiflich, faßbar, verständlich; **~sif** [~'sif] *adj.* (7e) **1.** umfassend; **2.** verständig, einsichtig; **~sion** [kõpreã'sjõ] *f* **1.** Aufnahmefähigkeit *f*, Fassungs-, Begriffs-vermögen *n*; *être de dure* ~ schwer begreifen; **2.** Einsicht *f*; *pol.* Verständigung *f*; *plein de* ~ verständnisvoll; **3.** Inhalt *m e-s Begriffs.*

comprendre [kõ'prɑ̃:drə] (4q) **I** *v/t.* **1.** enthalten, in sich schließen, mit einschließen, umfassen; mit erwähnen; *service m compris* Bedienung *f* eingerechnet; *cela y est compris* das ist darunter mit verstanden; **2.** *fig.* verstehen, begreifen, (auf-, er-)fassen; *il a mal compris* er hat falsch verstanden; *faire* ~ darlegen, verständlich machen; *se faire* ~ sich verständlich machen; *ne rien* ~ *à* nicht klug werden aus (*dat.*); *si je comprends!* ich verstehe!, na und ob!; **II** *v/rfl. se* ~ einander *od.* sich selbst verstehen; verstanden werden; *cela se comprend* das läßt sich denken; das ist wohl begreiflich.

compren|aille P [kõprə'nɑ:j] *f*, **~ette** P [~'nɛt] *f*, **~otte** P [~'nɔt] *f* Kapieren *n* F, Verstehste *f* P; *avoir la* ~ *facile* schlau sein.

compres|se *chir.* [kõ'prɛs] *f* Kompresse *f*, Umschlag *m*; **~seur** [~prɛ'sœ:r] *m chir.* Arterienkompressionsinstrument *n*; ⊕, *Auto*: Kompressor *m*; *rouleau m* ~ Dampfwalze *f*; **~sibilité** [~prɛsibili'te] *f* Zusammendrückbarkeit *f*, Preßbarkeit *f*; **~sible** [~prɛ'siblə] *adj.* zusammendrückbar, preßbar; **~sif** [~prɛ'sif] *adj.* (7e) **1.** *chir.* zusammendrückend; *bandage m* ~ Preßverband *m*; **2.** *pol. régime m* ~ Unterdrückungssystem *n*; **~sion** [~prɛ'sjõ] *f* **1.** Druck *m*, Zusammen-drükkung *f*, -drängung *f*; ⊕ Kompression *f*, Verdichtung *f*; *résistance f à la* ~ Druckfestigkeit *f*; ⊕, *Auto*: *à haute* ~ hochkomprimiert; **2.** *fig.* Unterdrückung *f*; Einschränkung *f*; ✝ ~ *des prix* Preis-drücken *n*, -drükkerei *f*; ~*s pl. budgétaires*, ~*s pl. du budget* Einsparungen *f/pl.* im Haushalt; ~ *de dépenses* Einsparung *f*; Einstreichung *f* von Ausgaben; ~ *de personnel* Personaleinsparungen *f/pl.*; **3.** ⚕ Einschnürung *f*.

compri|mable [kõpri'mablə] *adj.* (zusammen)preßbar; **~mant** [~'mɑ̃] *adj.* (7) zusammendrückend; **~mé** *phm.* [~'me] *m* Tablette *f*; **~mer** [~] (1a) **I** *v/t.* **1.** zusammen-drücken, -pressen; ⊕ komprimieren; ⊕ *air comprimé* Druckluft *f*, Preßluft *f*; *perforatrice f à air comprimé* Preßluftbohrer *m*; *verre m comprimé* Preßglas *n*; **2.** *fig.* unterdrücken, verhindern; im Zaum halten; **3.** einschnüren; **II** *v/rfl. se* ~ sich zusammendrücken lassen; *fig.* sich unterdrücken lassen.

compris [kõ'pri] *p/p. v. comprendre*: verstanden; *y* ~ mit einbegriffen; einschließlich (*gén.*); *y* ~ *la maison* (*od. la maison y* ~*e*) mit dem Haus zusammen; *service m y* ~ einschließlich Bedienung.

compromet|tant [kõprɔmɛ'tɑ̃] *adj.* (7) bloßstellend, kompromittierend; **~tre** [~'mɛtrə] (4p) **I** *v/t.* **1.** bloßstellen, belasten, kompromittieren, blamieren, gefährden, aufs Spiel setzen; **2.** in Verlegenheiten bringen; **II** *v/rfl. se* ~ sich kompromittieren, sich blamieren, sich Unannehmlichkeiten aussetzen, sich etw. vergeben.

compromis [kõprɔ'mi] *m* Kompromiß *m*, Vergleich *m*; ~ *fiscal* Finanzausgleich *m*; *établir un* ~ e-n Kompromiß schließen; **~sion** [~'sjõ] *f* Bloßstellung *f*; **~soire** [~'swa:r] *adj.* schiedsrichterlich.

comptabilis|ation ✝ [kõtabiliza'sjõ] *f* Buchung *f*, Verbuchung *f*; **~er** [~'ze] *v/t.* (1a) ✝ verbuchen, in den Büchern führen; *allg.* genau vermerken, registrieren.

compta|bilité ✝ [kõtabili'te] *f* Buch-führung *f*, -haltung *f*, Rechnungs-führung *f*, -wesen *n*; ~ *en partie simple* (*double*) einfache (doppelte) Buchführung *f*; ~ *par décalque* Durchschreibebuchführung *f*; *pièce f justificative pour la* ~ Buchungsbeleg *m*; *consulter la* ~ Einsicht in die Bücher nehmen; **~ble** [~'tablə] **I** *adj.* **1.** Buchungs...; *quittance f* ~ Belegquittung *f*; *machine f* ~ Buchungsmaschine *f*; **2.** *fig.* verantwortlich (*envers q.* j-m gegenüber); *emploi m* ~ verantwortlicher Posten *m*; **II** *m* Buchhalter *m*; Rechnungsbeamter *m*; *expert-*~ Bücherrevisor *m*; **~ge** [~'ta:ʒ] *m* Rechnen *n*, Nachzählen *n*.

comptant [kõ'tɑ̃] **I** *adj./m* bar; *fig. être de l'argent* ~ so gut wie bares Geld sein; *fig. prendre pour argent* ~ für bare Münze halten (*od.* nehmen); **II** *m* Bargeld *n*, Barschaft *f*; *au* ~ gegen bar, gegen Kasse; **III** *advt. payer* ~ bar bezahlen; *fig.* heimzahlen, mit gleicher Münze bezahlen, sich nichts gefallen lassen.

compte [kõ:t] *m* **1.** Zählen *n*, Rechnen *n*; Rechnung *f*, Berechnung *f*; Betrag *m*; *at.* ~ *à rebours* Countdown *m od. n*; *le* ~ *y est* die Rechnung stimmt; *le* ~ *y est-il?* stimmt die Rechnung?; *de* ~ *à demi* auf halbe Rechnung; zu gleichen Hälften; halbe — halbe F; *payer à ~ sur une dette* auf e-e Schuld *etw.* anzahlen (*od.* e-e Anzahlung leisten); *donner son ~ à un domestique* e-n Hausangestellten auszahlen (*d. h. nach der Zahlung entlassen*); *être établi à son ~* selbständig arbeiten; *s'installer à son ~* sich selbständig machen; *il établit une imprimerie pour son propre ~* er machte e-e Druckerei auf eigene Rechnung auf; *~ rendu annuel* Jahres(rechenschafts)bericht *m*; *~ rendu d'exécution* Vollzugsmeldung *f*; *~ rendu de la caisse* Kassenbericht *m*; *au bout du ~, en fin de ~, tout ~ fait* schließlich, letzten Endes; **2.** *à bon ~* für wenig Geld; **3.** Rechnung *f*; *cour f des ~s* Rechnungshof *m*; *mettre (porter, inscrire) à son ~* ihm (ihr) in Rechnung stellen, ihm (ihr) anschreiben; *pour mon ~* für meine Rechnung; *fig.* was mich betrifft; *il en a pour son ~* er hat seinen Teil (abbekommen); *trouver son ~ à qch.* Vorteil aus etw. (*dat.*) ziehen; *il n'y a rien à dire sur son ~* man kann ihm nichts (Schlechtes) nachsagen; *je suis rassuré sur leur ~* ich bin ihretwegen unbesorgt; *cela fait bien mon ~* dabei komme ich gut auf meine Rechnung; *garder une commande pour ~* für den Schaden e-s *nicht rechtzeitig ausgeführten* Auftrages aufkommen; *prendre* (*od. mettre*) *sur son ~* auf seine Rechnung nehmen; *fig.* die Verantwortung auf sich nehmen; *régler ses ~s avec q.* mit j-m abrechnen; *être loin de ~* sich schwer verrechnen; weitab vom Ziel sein; *fig. rester pour ~ fig.* sitzenbleiben, keinen Mann finden; **4.** ✝ Konto *n*; *ayant m ~* Kontoinhaber *m*; *à ~ de notre avoir* auf das Konto (*od.* a conto) unseres Guthabens; *~ administratif* Verwaltungskonto *n*; *~ bloqué* Sperr-, Register-konto *n*; *~ courant* laufende Rechnung *f*, laufendes Konto *n*; Kontokorrent *n*; *~-dollars* Dollarkonto *n*; *~ de virement, ~ de dépôt* Giro-, Depositen-konto *n*; *~ d'ajustement* Ausgleichskonto *n*, Spitzenverrechnung *f*; *~ d'épargne* Sparkonto *n*; *~s pl. (clos)* Rechnungsabschlüsse *m/pl.*; *~s pl. clos (od. vérifiés) en date du* ... Abschlußrechnung *f/sg.* vom ...; *~ de chèques, ~ à vue* Scheckkonto *n*; *~ de chèques postaux* Postscheckkonto *n*; *~ ouvert* laufende Rechnung *f*; *~ d'exploitation* Betriebsabrechnung *f*; *~ des profits et pertes* Gewinn- u. Verlustkonto *n*; *avoir un ~ en banque* Geld auf der Bank haben; **5.** Berücksichtigung *f*; *tenir ~ de qch.* e-r Sache (*dat.*) Rechnung tragen, etw. berücksichtigen, etw. in Betracht ziehen; *~ tenu de* ... im Hinblick auf (*acc.*); *il n'en fait pas grand ~* er macht sich nicht viel daraus; *mettre en ligne de ~* mit in Betracht ziehen; *à ce ~* demnach, unter diesem Gesichtspunkt; *entrer en ligne de ~* in Frage kommen; **6.** Rechenschaft *f*; Bericht *m*; ⚖ Rechnungsbericht *m*; *demander des ~s à q. de qch.* von j-m Rechenschaft über etw. (*acc.*) verlangen; *rendre ~ de* Bericht erstatten über (*acc.*); *rendre ses ~s de qch.* Rechenschaft über etw. (*acc.*) ablegen; *se rendre ~ de qch.* sich über etw. (*acc.*) klarwerden, sich über etw. im klaren sein.

compte|-gouttes [kɔ̃t'gut] *m* (6c) Tropfenzähler *m*; **~-pas** [~'pɑ] *m* (6c) Schrittzähler *m*.

compter [kɔ̃'te] (1a) **I** *v/t.* **1.** zählen; ausrechnen, berechnen; *écol. ~ une faute pour qch.* etw. als Fehler anrechnen; **2.** mit-, zu-zählen *od.* -rechnen; **3.** schätzen, halten, ansehen; *tout compté* alles wohlerwogen (*od.* in Betracht gezogen); **4.** be-, aus-zahlen; **II** *v/i.* **5.** rechnen, zählen; F *ne pas ~* von der Hand in den Mund leben; *Sport*: *~ out* [ut] auszählen; **6.** ♪ den Takt zählen; **7.** *~ avec q.* mit j-m abrechnen; *fig.* mit j-m rechnen, auf j-n Rücksicht nehmen; **8.** mitzählen, in Anschlag kommen, zählen, wichtig sein, von Bedeutung sein; *cela ne compte pas* das zählt nicht, das ist unwesentlich; **9.** *~ sur* rechnen mit (*dat.*), sich verlassen auf (*acc.*); *j'y compte* ich verlasse mich darauf; *iron. tu peux y ~* darauf kannst du dich verlassen; *il ne faut ~ que sur soi* selbst ist der Mann; **10.** *~ de* datieren von (*dat.*); **11.** *~ (mit bloßem inf.)* beabsichtigen; *il compte partir demain* er gedenkt morgen abzureisen; **III** *v/rfl.* se *~* **12.** gezählt werden, sich zählen lassen; **13.** se *~ pour perdu* sich für verloren halten.

compte rendu [kɔ̃trɑ̃'dy] *m* (6a) Rechenschaftsbericht *m*; ⚔ Meldung *f*; *écol.* Nacherzählung *f*; 🕮 Referat *n*, Besprechung *f*, Rezension *f*.

compte-tours ⊕ [kɔ̃t'tu:r] *m* (6c) Touren-, Umdrehungs-zähler *m*.
compteur [kɔ̃'tœ:r] **I** *su.* (7g) Zähler *m* (*Person*); **II** *m* Zähler *m*, Zählapparat *m*; *at.* ~ *Geiger* Geigersches Zählrohr *n*, Geigerzähler *m*; ~ *à gaz* Gasuhr *f*, Gaszähler *m*; ~ *électrique*, ~ *d'électricité* elektrischer Zähler *m*; ~ *d'eau* Wasser-uhr *f*, -zähler *m*; ~ *à niveau rad.* Pegelanzeigeinstrument *n*; *Auto*: ~ *de stationnement* Parkzeitkontrollautomat *m*; ~ *de taxi* Fahrpreisanzeiger *m*, Taxameter *m*, Zähluhr *f*; ~ *de tours* Tourenzähler *m*; ~ *de vitesse* Geschwindigkeitsmesser *m*.
compteur-témoin ⊕ [~te'mwɛ̃] *m* (6a) Kontroll-, Registrier-zähler *m*.
comptine [kɔ̃'tin] *f* Abzählreim *m*.
comptoir [kɔ̃'twa:r] *m* **1.** Zahl-, Laden-tisch *m*; Theke *f*, Schanktisch *m*; **2.** ~ *de vente* Verkaufsbüro *n*; **3.** ⚕ Zweiggeschäft *n*, Nebenstelle *f*, Vertriebsstelle *f*; Abteilung *f* (*Kaufhaus*); Handelsniederlassung *f in Übersee*.
compul|ser *a.* ⚖ [kɔ̃pyl'se] *v/t.* (1a) nach-schlagen, -sehen, einsehen (*Akten, Bücher*); **~sif** [~'sif] *adj.* (7e) zwingend; **~sion** ⚖ [~'sjɔ̃] *f* (gerichtlicher) Zwang *m*; **~soire** [~'swa:r] *m* Akteneinsicht *f*.
comput [kɔ̃'pyt] *m* Kalenderberechnung *f*; **~er**[1] [~'te] *v/t.* (1a) berechnen.
comput|er[2] [kɔmpju'tɛ:r] *m*, **~eur** [kɔ̃py'tœ:r] *phot. m* Blitzlichtautomat *m*.
comtal [kɔ̃'tal] *adj.* (5c) gräflich.
comte [kɔ̃:t] *m* Graf *m*.
comté [kɔ̃'te] *m* (*früher f, daher*: *Franche-Comté*) Grafschaft *f*.
comtesse [kɔ̃'tɛs] *f* Gräfin *f*.
con P [kɔ̃] **1.** *adj./inv. u. m* F doof, dumm, P bekloppt; F Doofkop(f) *m*, Dussel *m*; **2.** V Fotze *f* V.
concass|age ⊕ [kɔ̃ka'sa:ʒ] *m* Zerstoßen *n*, Zerkleinerung *f*, Zerkleinern *n*, Brechen *n*; **~er** [~'se] *v/t.* (1a) zerkleinern, zerstückeln, zerschlagen, brechen, zerstampfen; *Pfeffer* zerstoßen; **~eur** ⊕ [~'sœ:r] *m* Zerkleinerungsmaschine *f*, Vorbrecher *m*; Quetschwalze *f*; Stampfwerk *n*; ~ *de grains* Schrotmühle *f*; *bét.* ~*-granulateur* Einschwingenbrecher *m*.
conca|ve [kɔ̃'ka:v] *adj.* konkav, hohl (geschliffen); **~vité** [~kavi'te] *f* Hohlfläche *f*, Konkavität *f*.
concéder [kɔ̃se'de] *v/t.* (1f) bewilligen, verleihen, zugestehen, konzedieren, konzessionieren; *fig.* zugeben, einräumen.
concen|tration [kɔ̃sɑ̃trɑ'sjɔ̃] *f* **1.** Konzentration *f* (*a. fig.*), Vereinigung *f*, Sammlung *f*, Zusammenziehung *f*; ~ *démographique* Bevölkerungsanhäufung *f*; *camp m de* ~ *pol.* Konzentrationslager *n*; *zivil*: Sammellager *n*; *politique f de* ~ Sammlungspolitik *f*; **2.** Konzentration *f*, Aufmerksamkeit *f*, innere Sammlung *f*; **3.** ⚗ Verdichtung *f*, Konzentrierung *f*; **4.** ⚔ Aufmarsch *m*; ⚗ *Kampfstoff*-gehalt *m*, -dichte *f*; **5.** *télév. agir sur la* ~ die Bildschärfe nachstellen; **~trationnaire** [~trasjɔ'nɛ:r] **I** *adj.* **1.** Konzentrationslager...; **2.** ⚠ konzentriert, zs.-geballt; **II** *su.* KZ-Häftling *m*; **~trer** [~'tre] (1a) **I** *v/t.* **1.** zusammendrängen, -ziehen, vereinigen, sammeln, *a.* ⚔ konzentrieren; **2.** *Schmerz, Haß* in sich aufspeichern; *homme m concentré en lui-même* verschlossener Mensch *m*; **3.** ⚗ verdichten; *bouillon m concentré* Kraftbrühe *f*; *lait m concentré* Büchsenmilch *f*; **II** *v/rfl. se* ~ *phys.* sich (in e-m Brennpunkt) ansammeln; *fig. se* ~ *sur* sich konzentrieren auf (*acc.*), sich vertiefen in (*acc.*); **~trique** [~'trik] *adj.* □ konzentrisch.
concept [kɔ̃'sɛpt] *m* Begriff *m*, Vorstellung *f*, Gedanke *m*, Idee *f*; **~acle** ⚘ [~'taklə] *m* Fruchtbehälter *m*; **~eur** ⚕ [~'tœ:r] *m* Mann *m* mit neuen Ideen; **~ible** *phil.* [~'tiblə] *adj.* (er)faßbar; **~if** [~'tif] *adj.* (7e): *faculté f conceptive* (geistiges) Fassungsvermögen *n*; **~ion** [~p'sjɔ̃] *f* **1.** *phil.* Auffassungsvermögen *n*, Fassungskraft *f*; Vorstellung *f*; ~ *du monde od. de l'univers* Weltanschauung *f*, Weltbild *n*; *avoir la* ~ *facile* (*dure*) leicht (schwer) von Begriff sein, leicht (schwer) begreifen *od.* auffassen; **2.** Geistesschöpfung *f*, Einfall *m*, Gedanke *m*; Planung *f*, Bauart *f*, Entwurf *m*, Gestaltung *f*; Baustil *m*; *la* ~ *d'une revue* die Zielsetzung e-r Zeitschrift; **3.** *physiol.* Empfängnis *f*; *rl. l'immaculée* ~ die Unbefleckte Empfängnis; **~ologie** [~tɔlɔ'ʒi] *f* Beherrschung *f* der Alltagslogik; klare Gedankenführung *f*; **~ualisation** *psych.* [~tɥalizɑ'sjɔ̃] *f* Erfassung *f*; **~ualiser** [~tɥali'ze] *v/t.* (1a) erfassen, sich vorstellen; **~ualisme** *phil.* [~tɥa'lism] *m* Konzep-

tualismus *m*; **~uel** [~'tɥɛl] *adj.* (7c) begrifflich.

concer|nant [kɔ̃sɛr'nɑ̃] *prp.* betreffend (*acc.*), hinsichtlich (*gén.*), bezüglich (*gén.*); **~ner** [~'ne] *v/t.* (1a) betreffen, anlangen, angehen, sich beziehen auf (*acc.*); *en ce qui concerne* ... was ... betrifft.

concert [kɔ̃'sɛːr] *m* **1.** ♪ Konzert *n*; ~ *d'instruments*, ~ *de voix* Instrumental-, Vokal-konzert *n*; *rad.* ~ *de musique enregistrée* Schallplattenkonzert *n*; ~ *spirituel* Kirchenkonzert *n*; **2.** Einverständnis *n*; *de* ~ auf Verabredung; *de* ~ *avec q.* im Einvernehmen mit j-m; *agir de* ~ *avec q.* mit j-m gemeinsam handeln; **3.** Zusammenklang *m*; ~ *de louanges* einstimmiges Lob *n*; *dans le* ~ *des nations* im Konzert der (*od.* unter den) Nationen; **~ation** *pol.*, *éc.* [~sɛrtɑ'sjɔ̃] *f* Konzertierung *f*, gemeinsame Aktion *f*, Verständigung *f*, Einigung *f*, Dialog *m* zwischen den Sozialpartnern; **~er** [~sɛr'te] (1a) **I** *v/t.* verabreden, aufeinander abstimmen; *mv.p.* abkarten; gemeinsam vorbereiten; *action f concertée* konzertierte Aktion *f*; **II** *v/rfl.* se ~ sich miteinander verabreden; sich verständigen; **~ina** [~ti'na] *f*, *abus. m* Bandonion *n*; **~iste** [~'tist] *su.* Konzertmusiker *m*; **~o** [~'to] *m* Konzertstück *n*.

concess|ible [kɔ̃sɛ'siblə] *adj.* verleihbar, abtretbar; **~if** *gr.* [~'sif] *adj.* (7e) konzessiv, Einräumungs...; **~ion** [~'sjɔ̃] *f* **1.** Bewilligung *f*, Verleihung *f*, verliehenes Recht *n*, Konzession *f*, Überlassung *f*, Abtretung *f von Grund und Boden*; (Familien-) Begräbnisplatz *m*; ~ *à perpétuité* Erbbegräbnis *n*; **2.** Zugeständnis *n*, Einräumung *f*; ⚕ Preisermäßigung *f*; **~ionnaire** [~sjɔ'nɛːr] *m* Konzessionär *m*, Konzessionsinhaber *m*, Lizenzinhaber *m*, Alleinvertreter *m*.

concetti [kɔ̃tʃɛ'ti] *m/pl.* witzige Einfälle *m/pl.*

conce|vable [kɔ̃s(ə)'vablə] *adj.* begreiflich; vorstellbar; **~voir** [~'vwaːr] (3a) **I** *v/t.* **1.** *physiol.* empfangen, schwanger werden mit (*dat.*), konzipieren; **2.** empfinden, hegen, *fig.* schöpfen, fassen; ~ *des soupçons* (*de l'espérance*) Argwohn (Hoffnung) schöpfen; ~ *de l'aversion contre q.* Abneigung gegen j-n fassen; **3.** (aus-, er-)denken, sich vorstellen; ersinnen, entwerfen; ab-, ver-fassen; **4.** begreifen, begreiflich finden, fassen, verstehen; **II** *v/rfl.* se ~ sich denken lassen; *cela se conçoit* das läßt sich denken, das ist begreiflich.

conche *dial.* [kɔ̃ːʃ] *f* kleine Bucht *f*, Strand *m*.

conchis ⛏ [kɔ̃'ki] *m* Kiesschicht *f*.

conchite 🐚 [kɔ̃'kit] *f* versteinerte Muschel *f*.

concierge [kɔ̃'sjɛrʒ] *su.* Portier *m*, Pförtner *m*, Hausmeister *m*; Schulhausmeister *m*; **~rie** [~sjɛrʒə'ri] *f* Portier-stelle *f*, -wohnung *f*.

concile *rl.* [kɔ̃'sil] *m* Konzil *n*.

concilia|ble [kɔ̃si'ljablə] *adj.* vereinbar; **~bule** [~lja'byl] *m* **1.** ketzerische Kirchenversammlung *f*; **2.** geheime Zusammenkunft *f*; **~nt** [~'ljɑ̃] *adj.* (7) verträglich, versöhnlich; **~teur** [~lja'tœːr] (7f) **I** *adj.* vermittelnd, versöhnend; **II** *su.* Vermittler *m*; Schlichter *m* (*in Tarifkämpfen*); **~tion** [~ljɑ'sjɔ̃] *f* Versöhnung *f*, Vermittlung *f*, Einigung *f*, Vergleich *m*; *par voie de* ~ auf gütlichem Wege; ⚖ *appeler* (*od.* *citer*) *en* ~ zum Sühneversuch vorladen; *démarches f/pl. de* ~ vermittelnde Schritte *m/pl.*; *entrer en* ~ sich vergleichen; *procédure f en* ~ Sühneverfahren *n*; **~toire** [~lja'twaːr] *adj.* vermittelnd.

concilier [kɔ̃si'lje] (1a) **I** *v/t.* **1.** versöhnen, ausgleichen, zum Vergleich bewegen; in Übereinstimmung bringen; **2.** ~ *qch. à q.* j-m etw. einbringen *od.* verschaffen; *ses actes lui ont concilié la faveur* s-e Taten haben ihn beliebt gemacht; **II** *v/rfl.* se ~ **3.** sich versöhnen; **4.** se ~ *qch.* sich etw. verschaffen; se ~ *l'attention* die Aufmerksamkeit auf sich lenken.

concis [kɔ̃'si] *adj.* (7) kurz(gefaßt), bündig, knapp, konzis, prägnant; **~ion** [kɔ̃si'zjɔ̃] *f* Prägnanz *f*.

concitoyen [kɔ̃sitwa'jɛ̃] *su.* (7c) Mitbürger *m*.

concluant [kɔ̃kly'ɑ̃] *adj.* (7) treffend, beweiskräftig, überzeugend.

conclu|re [kɔ̃'klyːr] (4l) **I** *v/t. u. abs.* **1.** (ab)schließen, zu Ende bringen; ~ *le marché* handelseinig werden; ~ *un contrat* e-n Vertrag schließen; **2.** ~ *de* folgern *od.* schließen aus (*dat.*); **II** *v/i.* **3.** zutreffen, ein Beweis sein; *cela conclut en ma faveur* das ist ein Beweis zu m-n Gunsten; **4.** ~ *de* (*mit inf.*) beschließen zu ...; ⚖ ~ *à* erkennen auf (*acc.*), beantragen; **III** *v/rfl.* se ~ be- *od.* ge-schlossen werden; **~sif** [kɔ̃kly'zif] *adj.* (7e) *gr.* folgernd; **~sion**

[~'zjõ] *f* **1.** Schluß(folgerung *f*) *m*, Konklusion *f*; **2.** Abschluß *m*; *il faut en venir à la ~* wir müssen zum Schluß kommen; **3.** ⚖ *~s pl.* (Schluß-)Antrag *m*; *prendre ses ~s* s-n Antrag stellen.

concoct|er *plais.* [kõkɔk'te] *v/t.* (1a) vorbereiten, ausbrüten *fig.*; **~eur** ⚕ [~kɔk'tœːr] *adj.* (7f) die Verdauung fördernd.

concolore [kõkɔ'lɔːr] *su.* Mitmensch *m* gleicher Hautfarbe.

concombre ⚘ [kõ'kõːbrə] *m* Gurke *f*.

concomitan|ce [kõkɔmi'tɑ̃ːs] *f* gleichzeitiges Bestehen *n*, Zusammenwirken *n*; *advt. par ~* begleitungsweise; **~t** [~'tɑ̃] *adj.* (7) gleichzeitig, begleitend, mitwirkend; *phénomène m ~* Begleiterscheinung *f*.

concor|dance [kõkɔr'dɑ̃ːs] *f* **1.** Übereinstimmung *f*, Konkordanz *f*; *gr. ~ des temps* Zeitenfolge *f*; *~ d'événements* Zusammentreffen *n* von Umständen; **2.** *~ de la Bible* alphabetisches Wort- u. Sachregister *n* (Konkordanz *f*) der Bibel; **3.** *rl.* Übereinstimmung *f*; *~ des Evangiles* Evangelienkonkordanz *f*; **~dant** [~'dɑ̃] *adj.* (7) übereinstimmend; *être ~* übereinstimmen; **~dat** [~'da] *m* **1.** *rl.* Konkordat *n*; **2.** ⚖ (Zwangs-) Vergleich *m*; **~dataire** ⚖ [~da'tɛːr] *adj.* Vergleich...; **~de** [kõ'kɔrd] *f* Eintracht *f*; **~der** [~'de] *v/i.* (1a) übereinstimmen; *faire ~* in Übereinstimmung bringen.

concourir [kõku'riːr] *v/i.* (2i) **1.** *in e-m Punkt* zusammenlaufen; **2.** beitragen, mitwirken (*à* an *dat.*); **3.** sich gemeinschaftlich bewerben (*pour* um *acc.*); ⚚ konkurrieren; sich um den Preis bewerben; *être admis à ~* zum Mitbewerb zugelassen werden; **4.** gleiche Ansprüche haben (*pour* auf *acc.*).

concours [kõ'kuːr] *m* **1.** Zusammenlauf *m*; **2.** ⚚ *~ des créanciers* Zusammentreten *n* der Gläubiger; **3.** *fig.* Zusammentreffen *n* (*v. Umständen*); **4.** ⅍ Zusammenlaufen *n in e-m Punkt*; *at.* Zusammenstoßen *n der Atome*; **5.** Wettbewerb *m*, *bsd.* Schülerwettbewerb *m*, Mitwirkung *f*, Wettstreit *m*, Konkurrenz *f*; *Sport*: Wettkampf *m*; *Fr. écol. ~ (d'admission)* Aufnahme-, Ausleseprüfung *f*; *a. Sport*: *hors ~* außer Konkurrenz; *mettre une place (un travail) au ~* e-e Stelle (e-e Arbeit) ausschreiben; *~ d'avions* Wettflug *m*; *~ d'étalages (od. de vitrine)* Schaufensterwettbewerb *m*; *~ de tir* Preisschießen *n*, Schützenfest *n*; *~ vélocipédique* Radrennen *n*; *~ de beauté*, *weitS.* *~ d'élégance* Schönheitswettbewerb *m*; *Auto*: *~ de démarrage* Startprüfung *f*; ✈ *~ de modèles réduits* (Flug-)Modellwettbewerb *m*; *~ hippique* Reit- u. Fahrturnier *n*; **6.** Beihilfe *f*, Mithilfe *f*; *prêter son ~* mitwirken, mithelfen, Beistand leisten.

concréfier ⚗ [kõkre'fje] (1a) *v/rfl.* *se ~* fest werden.

concret [kõ'krɛ] **I** *adj.* **1.** konkret, körperlich, sinnlich; greifbar, anschaulich; **2.** ⅍ *nombre m ~* benannte Zahl *f*; **3.** ⚗ fest; **II** *m das* Konkrete *n*, *das* Anschauliche *n*.

concré|ter [kõkre'te] *v/rfl.* *se ~* (1f) fest (dick, hart) werden; gerinnen; **~tion** [~'sjõ] *f* **1.** Dickwerden *n*; Gerinnen *n*; **2.** Zusammenwachsen *n*; **3.** Verhärtung *f*; Versteinerung *f*; ⚕ Knotenbildung *f*, Ablagerung *f*, Stein *m*; ⚕ *~ arthritique* Gichtknoten *m*; **~tionner** *min.* [~sjɔ'ne] *v/rfl.*: *se ~* zusammenwachsen; **~tiser** [~ti'ze] *v/t.* (1a) veranschaulichen; formulieren.

concubi|nage [kõkybi'naːʒ] *m u.* **~nat** [~'na] *m* Konkubinat *n*; **~ne** [~'bin] *f* Konkubine *f*.

concupis|cence [kõkypi'sɑ̃ːs] *f* Sinnenlust *f*, Lüsternheit *f*; **~cent** [~'sɑ̃] *adj.* (7) lüstern; begierig.

concur|remment [kõkyra'mɑ̃] *adv.* gemeinschaftlich, gemeinsam, zusammenwirkend; wetteifernd; ⚚ konkurrierend; **~rence** [~'rɑ̃ːs] *f* **1.** Wettbewerb *m*, Wettstreit *m*, Mitbewerbung *f*; **2.** ⚚ Konkurrenz *f*; *~ déloyale* unlauterer Wettbewerb *m*; **3.** *jusqu'à ~ de ...* bis zum Betrage von ...; **4.** ⚖ Gleichberechtigung *f*; *en ~* zu gleichen Teilen *od.* Rechten; **~rencer** [~rɑ̃'se] *v/t.* (1k): *~ q. (qch.)* mit j-m in Konkurrenz treten; (e-r Sache) Konkurrenz machen; **~rent** [~'rɑ̃] **I** *su.* Mitbewerber *m*; Wettkämpfer *m*; Preisbewerber *m*; *mv.p.* Rivale *m*, Nebenbuhler *m*; *a.* Konkurrent *m*; **II** *adj.* (7) zusammenwirkend; **~rentiel** ⚚ [~rɑ̃'sjɛl] *adj.* (7c) konkurrenzfähig.

concussion [kõky'sjõ] *f* Veruntreuung *f*; **~naire** [~sjɔ'nɛːr] *m* (*a. adj.*) Veruntreuer *m*.

condam|nable [kõda'nablə] *adj.* verwerflich, verabscheuenswert; strafbar, sträflich; **~nation** [~nɑ'sjõ] *f* **1.** Verurteilung *f*, Straferkenntnis *n*; *~ avec sursis*, *~ avec* *application de la loi de sursis od. de la loi Bérenger* Verurteilung *f* mit Bewährungsfrist; **2.** Mißbilligung *f*, Verwerfung *f*, Verabscheuung *f*, Verdammung *f*; **3.** ⚖ Strafe *f*; ~ *antérieure* Vorbestrafung *f*, Vorstrafe *f*; *subir sa* ~ s-e Strafe verbüßen.

condamner [kɔ̃da'ne] *v/t.* (1a) **1.** verurteilen, verdammen; *être condamné aux dépens (à quinze jours de prison, aux travaux forcés)* kostenpflichtig (zu 14 Tagen Gefängnis, zu Zuchthaus) verurteilt werden; *fig. être condamné au repos* zur Ruhe gezwungen sein; *être condamné à faire qch.* gezwungen sein, etw. zu tun; etw. tun müssen; ~ *à la peine de mort* zum Tode verurteilen; *fig. être condamné à mort* sterben müssen; **2.** mißbilligen, tadeln, verdammen, verabscheuen; **3.** ~ *un malade* e-n Kranken für unheilbar erklären *od.* aufgeben; **4.** ⚠ *Fenster usw.* vernageln, vermauern, verrammeln; *fig.* ~ *sa porte* für niemanden zu sprechen sein; **5.** ⚓ ~ *un vaisseau* ein Schiff für untauglich erklären (*od.* einziehen).

condensa|ble [kɔ̃dɑ̃'sable] *adj.* verdichtbar, kondensierbar; **~teur** [~'tœ:r] *m* Kondensator *m*; ~ *variable* (*od. réglable od. rotatif od. tournant od. à disque*) Drehkondensator *m*; ~ *électrique* elektrischer Kondensator *m*; *rad. u.* ⚡ ~ *fixe* Blockkondensator *m*; ~ *relié à* (*od. branché sur*) *l'antenne* Antennenkondensator *m*; ~ *d'accord*, ~ *de résonnance* Abstimmkondensator *m*; ~ *de réaction* Kopplungskondensator *m*; ~ *pour ondes courtes* Kurzwellenkondensator *m*; **~tion** [~sa'sjɔ̃] *f* Kondensation *f*, Kondensierung *f*, Verdichtung *f*; ~ *atmosphérique* Niederschlag *m*.

conden|sé 📖 [kɔ̃dɑ̃'se] *m* Zusammenfassung *f*; **~ser** [~] *v/t.* (1a) **1.** verdichten, kondensieren; *lait m condensé* kondensierte Milch *f*; **2.** *fig.* bündig ausdrücken, zusammenfassen, kürzen (*Buch*); **~seur** [~'sœ:r] *m* **1.** *Dampfmaschinen u.* ⚗: Kondensator *m*; Kühlgefäß *n*; **2.** *opt.* Kondensor *m*.

condescen|dance [kɔ̃desɑ̃'dɑ̃:s] *f fig.* Herablassung *f*; **~dant** [~'dɑ̃] *adj.* (7) herablassend; **~dre** [~'sɑ̃:drə] *v/i.* (4a): ~ *à* sich herablassen zu (*dat.*), sich bequemen zu (*dat.*), sich verstehen zu (*dat.*); *abs.* sich entgegenkommend zeigen.

condiment [kɔ̃di'mɑ̃] *m* Gewürz *n*; *fig.* Würze *f*, besonderer Reiz *m*.

condisciple [kɔ̃di'siplə] *m* Mitschüler *m*, Schulfreund *m*.

condition [kɔ̃di'sjɔ̃] *f* **1.** Zustand *m*, Beschaffenheit *f*, Eigenschaft *f*, Lage *f*; Rang *m*, Stand *m*, Herkunft *f*, Stellung *f*; vornehmer Stand *m*; *personne f de* ~ Standesperson *f*; **2.** Stellung *f* (*Hausangestellte*); *chercher* ~ Stellung suchen; *entrer* (*od. se mettre*) *en* ~ in Stellung gehen; **3.** (Vor-)Bedingung *f*; ~ *préalable* Vorbedingung *f*; *faire ses* (*od. des*) *~s* Bedingungen stellen; *à une* ~ unter e-r Bedingung; *à n'importe quelle* ~ unter jeder Bedingung; *à* ~ *mit* (*od.* unter) Vorbehalt; *envoyer à* ~ zur Ansicht schicken; *sous* ~ bedingungsweise; *baptiser sous* ~ mit Vorbehalt taufen; *à* (*la*) ~ *que ..., sous* ~ *que* (*mit fut., cond. od. subj.*), *à* ~ *de ...* (*mit inf.*) unter der Bedingung (*od.* vorausgesetzt), daß ...; *sous* ~ *de ...* (*mit inf.*) mit dem Vorbehalt zu ...; **4.** *~s pl.* Verhältnisse *n/pl.*; *dans ces ~s* unter diesen Verhältnissen; **~né** [~sjɔ̃'ne] *adj.* (7) **1.** *être* ~ *par qch.* durch etw. bedingt sein; **2.** *bien* ~ gut beschaffen, in gutem Zustand; ⚕ gesund, unbeschädigt; *mal* ~ in schlechtem Zustand; **3.** ⚕ mit e-r Schutzpackung versehen; ~ *à la cellophane* in Zellophan verpackt; **4.** durch Klimaanlage reguliert (*Luft*); *avec air* ~ mit Klima(tisierungs)anlage, mit Belüftungsanlage; *à l'air* ~ bei einer konstant regulierten (*od.* bei klimatisierter) Belüftung; **~nel** [~sjɔ'nɛl] **I** *adj.* (7c) **1.** bedingt; **2.** *gr.* konditional, bedingend; *proposition f ~le* Konditional-, Bedingungs-satz *m*; **II** *~lement adv.* bedingungsweise; **III** *m gr.* Konditionalis *m*, Bedingungsform *f*; **~nement** [~sjɔn'mɑ̃] *m* **1.** Klimatisierung *f*; ~ *d'air* Klimaanlage *f*; **2.** ⚕ Schutzverpackung *f*; Aufmachung *f* (*e-r Ware*); *a.* ⊕ Zustand *m* (*e-r Maschine*); ⊕ *en bon état de* ~ in gutem Zustand; *faire du* ~ Ware verpacken; **3.** ⚔ Feststellung *f* der Verwendungsmöglichkeiten *von Militärdienstpflichtigen*; **4.** *text.* Konditionieren *n* (*od.* Trocknen *n*) *der Rohseide*; **5.** ⚒ ~ *des gîtes* Lagerung *f*, Lagerverhältnisse *n/pl.*; **6.** *bét.* Kornabstufung *f*; **7.** *psych.* Beeinflussung *f*; **~ner** [~sjɔ'ne] *v/t.* (1a) **1.** die erforderliche Beschaffenheit (*od.* Güte) geben (*dat.*); *fig.*

entscheidend beeinflussen, beherrschen; *fig.* bedingen, ermöglichen; **2.** klimatisieren, durch Klimaanlage regulieren (*Luft in e-m Raum*); **3.** *text.* trocknen (*Rohseide*); **4.** ⚖ verklausulieren.

condoléance (*oft im pl.*) [kɔ̃dɔle'ɑ̃:s] *f* Beileid *n*; *~s pl.* Beileidsbezeigungen *f/pl.*, Kondolenz *f*; *compliment m de ~* Beileidsbezeigung *f*; *lettre f de ~* Beileidsschreiben *n*, Kondolenzbrief *m*; *faire une visite de ~* e-n Beileidsbesuch machen; *faire ses compliments de ~ à q., adresser* (*od. exprimer, faire, offrir, présenter*) *ses ~s à q., rendre les devoirs de ~ à q.* j-m sein Beileid bezeigen, j-m kondolieren; *exprimer ses ~s attristées* sein herzlichstes Beileid ausdrücken.

condominium *pol.* [kɔ̃dɔmi'njɔm] *m* Kondominium *n*, gemeinsame Herrschaft *f*.

condor *orn.* [kɔ̃'dɔ:r] *m* Kondor *m*.

conduc|tance ⚡ [kɔ̃dyk'tɑ̃:s] *f* Leitwert *m*, Konduktanz *f*; **~teur** [~'tœ:r] (7f) **I** *su.* Leiter *m*, Führer *m*, Aufseher *m*; *Auto*: Kraftfahrer *m*; ⊕ Bedienungsmann *m*; ⊕ Kranführer *m*; *tram.* *~ du tramway* Fahrer *m*, Wagenführer *m*; *~ du train* Zugführer *m*; *~ d'un véhicule automobile* Kraftfahrzeugführer *m*; *Fr.* *~ des ponts et chaussées* Ingenieur *m* des Straßenbauamtes; *~ des travaux* Bauführer *m*; ⚔ *canonnier m ~* Geschütz-führer *m*, -fahrer *m*; *~ de derrière* Steckenpferdreiter *m* (*Kinderspiel*); **II** *m phys. bon* (*mauvais*) *~* guter (schlechter) Leiter *m*; ⚡ *~ de terre* Erdleitung *f*; *~ à haute* (*basse*) *tension* Hoch-(Nieder-)spannungsleitung *f*; *non-~* Nichtleiter *m*; **III** *adj.* leitend; leitungsfähig; *fil m ~* Leitungsdraht *m*; *fig.* roter Faden *m*; *balai m ~* Stromabnehmer *m*; **~tibilité** *phys.* [~tibili'te] *f* Leitungsfähigkeit *f*; *~ calorifique* Wärmeleitung *f*, Leitvermögen *n*; **~tible** *phys.* [~'tiblə] *adj.* leitungsfähig; **~tion** [~k'sjɔ̃] *f* ⚡ Stromführung *f*; **~trice** [~'tris] *f* Chauffeurin *f*; Fahrerin *f*.

conduire [kɔ̃'dɥi:r] (4c) **I** *v/t.* **1.** führen, *a.* ⚡ leiten, lenken, fahren, *Auto*: steuern; ⊕ bedienen; *Auto*: *~ une voiture* e-n Wagen steuern (*od.* lenken *od.* chauffieren); *~ des bestiaux au pâturage* Vieh zur Weide treiben; *~ par la main* (*par la bride*) an der Hand (am Zaum) führen; *~ q. à la ville* j-n zur Stadt fahren; *savoir ~* (*une voiture* [*od. une auto*]) (Auto) fahren können; *Auto*: *permis m de ~* Führerschein *m*; *fig.* *on est conduit à penser que ...* man wird zu der Auffassung gebracht, daß ...; **2.** begleiten, zur Deckung dienen (*dat.*); **3.** anordnen, durchführen; *peint.* *~ la lumière* das Licht verteilen; **4.** anführen, befehligen; regieren; beaufsichtigen, verwalten, leiten, lenken; *~ une chose à son terme* etw. zum Abschluß bringen; *~ qch. à sa perfection* etw. zur Vollendung führen; *bien ~ sa barque* es im Leben richtig machen; **5.** ⚠ *~ un mur* e-e Mauer ziehen; ⩘ *~ une ligne par deux points donnés* e-e Linie durch zwei gegebene Punkte ziehen; **II** *v/i.* **6.** *~ à* (hin)führen nach *od.* zu (*dat.*); **III** *v/rfl.* *se ~* **8.** geführt werden, s-n Weg finden; **9.** sich führen, sich benehmen, sich betragen.

conduit [kɔ̃'dɥi] *m* **1.** Röhre *f*, Rohrleitung *f*; Leitungsrohr *n*; Rinne *f*; ⚠ *~ d'aération* Luftkanal *m*; ⚡ *~ isolé* Isolierrohr *n*; *Auto*: *~ de remorque* Anhängerkabel *n*; *~ de la cheminée* Schornsteinrohr *n*; **2.** *anat.* Kanal *m*, Gang *m*; *~ auditif* Gehörgang *m*; *~s pl. de respiration* Atmungskanäle *m/pl.*

conduite [kɔ̃'dɥit] *f* **1.** Führung *f*, Leitung *f*; *Auto*: Fahrpraxis *f*; Steuerung *f*; *~ à distance* Fernsteuerung *f*; *~ intérieure* Innensteuerung *f*; Limousine *f*; **2.** Bedienung *f*; Behandlung *f*; *instructions f/pl. pour la ~* Bedienungsvorschriften *f/pl.*; **3.** Leitung *f*, Lenkung *f*, Aufsicht *f*, Verwaltung *f*, Befehl *m* (de über *acc.*); **4.** Begleitung *f*, Geleit *n*; *faire la ~ à q.* j-m das Geleit geben; *faire un bout de ~ à q.* j-n ein Stückchen begleiten; **5.** *fig.* Verhalten *n*, Benehmen *n*, Führung *f*; *bonne ~* gute Führung *f*; *certificat m de bonne ~* Führungszeugnis *n*; *ligne f de ~* Richtschnur *f*; *manquer de ~* sich schlecht benehmen; **6.** Plan *m*, Anlage *f*; *~ d'un poème* Anlage *f* e-s Gedichts; **7.** Röhrenwerk *n*; *~ d'eau* Wasserleitung *f*; ⊕ *~ forcée* Druckleitung *f* (*Wasser*); *~ d'eau chaude* Warmwasserleitung *f*; ⚡ *~ de terre* Erdleitung *f*; *Auto*: *~ d'échappement* Auspuffleitung *f*; *~ de pétrole* Ölleitung *f*; *tuyau m de ~* Wasserleitungsröhre *f*; *~ de gaz* Gasrohr *n*; **8.** F *faire une ~ de Grenoble à q.* j-m heimleuchten, j-n zum Teufel jagen, j-m den Garaus bereiten (*od.* machen).

cône [ko:n] *m* **1.** ⚔ Kegel *m*; *en forme de* ~ kegelförmig; ~ *droit* gerader Kegel *m*; ~ *tronqué od. tronc m de* ~ Kegelstumpf *m*; ~ *lumineux* Lichtkegel *m*; ~ *d'ombre* Schattenkegel *m*; **2.** ♀ zapfenförmige Frucht *f*, *bsd.* Tannenzapfen *m*; ~ *de houblon* Hopfen(frucht)zapfen *m*; **3.** *zo.* Kegelschnecke *f*; **4.** *Fahrrad*: Konus *m*; **5.** ~ *(de feutre) pour chapeaux* Hutstumpen *m*.

confection [kɔ̃fɛk'sjɔ̃] *f* **1.** Ausführung *f*, Herstellung *f*, Anfertigung *f*; Anlegung *f von Listen*; **2.** ⚕: a) Konfektion *f*, fabrikmäßige Anfertigung *f von Kleidungsstücken*; b) Konfektionsware *f (fertige Damen- u. Herren-kleidung)*; c) Konfektionsgeschäft *n*, Bekleidungsgeschäft *n*; **~ner** [~sjɔ'ne] *v/t.* (1a) an-, ver-fertigen, machen; ~ *un résumé* ein Resümee anfertigen; *se* ~ *une boisson chaude* sich ein warmes Getränk machen; **~neur** [~'nœ:r] *su.* (7g) Konfektionsschneider *m*.

confédéra|tif [kɔ̃federa'tif] *adj.* (7e) eidgenössisch; Bundes...; **~tion** [kɔ̃federɑ'sjɔ̃] *f* Bündnis *n*, Bund *m*, Konföderation *f*; ~ *d'Etats* Staatenbund *m*.

confédé|ré [kɔ̃fede're] *su.* **1.** Bundes-, Eid-genosse *m*; **2.** *hist.* ♀ Konföderierte(r) *m*, Anhänger *m* der Südstaaten von Nordamerika; **~rer** [~] (1f) **I** *v/t.* durch e-n Bund vereinigen; **II** *v/rfl.* se ~ sich verbünden.

conféren|ce [kɔ̃fe'rɑ̃:s] *f* **1.** Zusammenkunft *f*, Besprechung *f*, Rücksprache *f*, Konferenz *f*; (Geschäfts-) Verhandlung *f*; *entrer en* ~ *avec q.* mit j-m in Unterhandlung treten; ~ *de la paix* Friedenskonferenz *f*; ~ *du (od. de) désarmement* Abrüstungskonferenz *f*; *pol.* ~ *au sommet* Gipfelkonferenz *f*; *salle f des* ~*s* Konferenzsaal *m*; **2.** *öffentliche* Vorlesung *f*, Vortrag *m*; *faire des* ~*s* Vorträge halten; *maître m de* ~*s* Privatdozent *m*; außerordentlicher Professor *m*; ~ *avec projections (lumineuses)* Lichtbildervortrag *m*; *salle f de* ~*s* Hörsaal *m*; **~cier** [kɔ̃ferɑ̃'sje] *su.* (7b) Vortragende(r) *m*, Redner *m*, Sprecher *m*; **~cite** [~'sit] *péj. f* Konferenzsucht *f*; **~citeux** *péj.* [~si'tø] *adj.* (7d) konferenzsüchtig.

conférer [kɔ̃fe're] (1f) **I** *v/t.* **1.** vergleichen, gegeneinanderhalten; ~ *des textes* Texte vergleichen; **2.** erteilen, verleihen, gewähren, übertragen; **II** *v/i.* ~ *avec q.* sich mit j-m besprechen, Rücksprache mit j-m nehmen, mit j-m e-e Unterredung haben, konferieren (de über *acc.*).

confesse [kɔ̃'fɛs] *f* (*nur noch nach à od. de*) Beichte *f*; *aller à* ~ zur Beichte gehen.

confes|ser [kɔ̃fɛ'se] (1b) **I** *v/t.* **1.** beichten; **2.** ~ *q.* j-m die Beichte abnehmen; F j-n ins Gebet nehmen, j-n aushorchen; ⚖ j-n zum Geständnis bringen; **3.** bekennen, (ein-, zu-)gestehen; ~ *une dette* e-e Schuld anerkennen; **4.** ~ *la foi chrétienne* sich zum christlichen Glauben bekennen; **II** *v/rfl.* **5.** se ~ *de qch.* etw. beichten; se ~ *(à q.* bei j-m) beichten; *vous en êtes-vous confessé?* haben Sie es gebeichtet?; **6.** *se* ~ *coupable* sich (als) schuldig bekennen; **~seur** [~'sœ:r] *m* **1.** Beichtvater *m*; **2.** Glaubenszeuge *m*, Bekenner *m*; **~sion** [~'sjɔ̃] *f* **1.** *rl.* Konfession *f*, Religion *f*, Glaube *m*, Religionsbekenntnis *n*, Bekenntnis *n*; ⚖ Geständnis *n*; *par sa propre* ~ aus s-m eigenen Geständnis; **2.** Beichte *f*; *faire sa* ~ die Beichte ablegen; **3.** ♀*s pl.* Bekenntnisse *n/pl.*; **~sionnal** [~sjɔ'nal] *m* (5c) Beichtstuhl *m*; **~sionnel** *rl.* [~sjɔ'nɛl] *adj.* (7c) konfessionell.

confettis [kɔ̃fɛ'ti] *m/pl.* Konfetti *pl.*

confiance [kɔ̃'fjɑ̃:s] *f* **1.** Vertrauen *n*, Zutrauen *n*; *abus m de* ~ Vertrauensmißbrauch *m*, Veruntreuung *f*, Unterschleif *m*; *homme m de* ~ zuverlässiger Mann *m*, Vertrauensperson *f*, Vertraute(r) *m*; *plein de* ~ vertrauensvoll; *avoir pleine* ~ *en q. od. faire entièrement* ~ *à q.* ganz auf j-n vertrauen; *avoir* ~ *dans l'avenir* Vertrauen in die Zukunft haben; *acheter qch. de* ~ etw. in gutem Glauben kaufen; *mettre sa* ~ *en Dieu* auf Gott vertrauen; **2.** Zuversicht *f*, Unbefangenheit *f*, Selbstvertrauen *n*; Zutraulichkeit *f*; *avec* ~ mit Zuversicht, getrost, freimütig; ~ *en soi(-même)* Selbstvertrauen *n*.

confi|ant [kɔ̃'fjɑ̃] *adj.* (7) arglos, zutraulich, vertrauensvoll, mitteilsam, vertrauensselig; **~demment** [kɔ̃fida'mɑ̃] *adv.* im Vertrauen, vertraulich; **~dence** [~'dɑ̃:s] *f* vertrauliche Mitteilung *f*; *en* ~ im Vertrauen, unter dem Siegel der Verschwiegenheit; *faire des* ~*s à q.* j-m vertrauliche Mitteilungen machen; *être dans la* ~ *d'un complot* Mitwisser *m* e-s Anschlags sein; **~dent** *a. thé.* [~'dɑ̃] (7) *su.* Vertraute(r) *m*; **~dentiel** [~dɑ̃'sjɛl] *adj.* (7c) □ vertraulich; **~er** [kɔ̃'fje] (1a) **I** *v/t.* **1.** ~ *qch. à q.* j-m etw. (an)vertrauen; ~ *ses peines à q.* j-m sein Leid klagen; **II** *v/rfl.* **2.** se ~ *à q.* sich j-m anvertrauen, j-m Vertrauen schenken; **3.** *se* ~ *en* (*od. dans*) sich verlassen auf (*acc.*); se ~ *en Dieu* auf Gott vertrauen; se ~ *en* (*od. dans*) *ses forces* sich auf s-e Kräfte verlassen.

configu|ration [kɔ̃figyrɑ'sjɔ̃] *f* **1.** (äußere) Bildung *f*, Gestalt *f*, Gestaltung *f*; **2.** *ast.* Konfiguration *f*, Stand *m der Planeten*; **~rer** [~'re] *v/t.* (1a) bilden, gestalten.

confi|nement [kɔ̃fin'mɑ̃] *m* Einsperrung *f*; Verbannung *f*; Einzelhaft *f*; **~ner** [~'ne] (1a) **I** *v/t.* einsperren, verbannen; **II** *v/i.* ~ *à* (an-) grenzen an (*acc.*); *air m confiné* Stubenluft *f*, verbrauchte (*od.* stickige) Luft *f*; **III** *v/rfl.* se ~ sich *in die Einsamkeit* zurückziehen; *fig.* se ~ *dans* sich beschränken (*od.* spezialisieren) auf.

confins [kɔ̃'fɛ̃] *m/pl.* **1.** Grenzen *f/pl.*; **2.** *weitS. fig.* äußerstes Ende *n*; *aux* ~ *de la terre* am Ende der Welt.

confire [kɔ̃'fi:r] (4o) **I** *v/t.* **1.** *cuis.* einkochen, einwecken, einmachen, einlegen; ~ *au sucre* in Zucker einmachen; ~ *au vinaigre* in Essig einlegen; **2.** *Felle* beizen; **II** *v/rfl.* se ~ eingemacht werden.

confirmand *rl.* [kɔ̃fir'mɑ̃] *su.* Konfirmand *m.*

confirma|tif [kɔ̃firma'tif] *adj.* (7e) bestätigend, bekräftigend; **~tion** [~mɑ'sjɔ̃] *f* **1.** Bestätigung *f*, Bekräftigung *f*; *ce bruit mérite* ~ dieses Gerücht bedarf der Bestätigung; ~ *de commande* Auftragsbestätigung *f*; *lettre f de* ~ Bestätigungs-brief *m*, -schreiben *n*; *donner* ~ (de) bestätigen; **2.** *rl.* Einsegnung *f*, Konfirmation *f*; **~toire** [~'twa:r] *adj.* bestätigend.

confirmé [kɔ̃fir'me] *adj. fig.* ausgesprochen, eingefleischt; ✝ versiert.

confirmer (1a) **I** *v/t.* **1.** bestärken, befestigen; ✝ ~ *une transaction* ein Geschäft festmachen; **2.** bekräftigen, bestätigen; ⚖ ~ *par des documents* (*od. par des titres*) beurkunden; **3.** *rl.* einsegnen, konfirmieren; **II** *v/rfl.* se ~ **4.** fester werden; **5.** sich bestätigen, sich bewahrheiten; sich bewähren.

confis|cable [kɔ̃fis'kablə] *adj.* konfiszierbar; **~cation** [~kɑ'sjɔ̃] *f* Konfiszierung *f*.

confi|serie [kɔ̃fiz'ri] *f* **1.** Konditorei *f*; Süßwarenhandlung *f*; **2.** Herstellung *f* von Konditorwaren u. Konfekt; Zuckerwarenfabrik(ation *f*) *f*; **3.** (*oft* ~*s pl.*) Konditorware *f*, Konfekt *n*; **4.** Fabrik *f* für Sardinenkonserven; **~seur** [~'zœ:r] *su.* (7g) Konditor *m*; Süßwaren-fabrikant *m*, -händler *m*.

confisquer [kɔ̃fis'ke] *v/t.* (1m) konfiszieren, beschlagnahmen.

confit [kɔ̃'fi] **I** *adj.* (7) **1.** eingekocht, eingeweckt, eingemacht; **2.** *fig.* ~ *en dévotion* sehr fromm, in Andacht versunken; *elle est toute* ~*e en malice* sie steckt voller Tücke; **II** *m* Beize *f*.

confiture [kɔ̃fi'ty:r] *f* **1.** Konfitüre *f*; **2.** * rauchfertiges Opium *n*; **~rie** [~tyr'ri] *f* Konfitüren-fabrik(ation *f*) *f*, -lager *n*.

confiturier [~ty'rje] **I** *su.* (7b) Konfitürenfabrikant *m*; **II** *m* Konfitürenglas *n*, Marmeladendose *f*.

conflagration [kɔ̃flagrɑ'sjɔ̃] *f* **1.** *pol.* Weltbrand *m*, allgemeiner Brandherd *m*; **2.** *fig.* Umwälzung *f*.

conflictuel *psych.* [kɔ̃flik'tɥɛl] *adj.* (7c) Konflikt...

conflit [kɔ̃'fli] *m* Konflikt *m*; Streit *m*; Auseinandersetzung *f*; Krieg *m*; *fig.* Reibung *f*; ⚖ ~ *d'attribution*, ~ *de compétence* Kompetenzstreit *m*; ⚖ ~ *de juridiction* Zuständigkeitsstreit *m zwischen zwei Gerichten.*

conflu|ence ⚕ [kɔ̃fly'ɑ̃:s] *f* Zusammenfluß *m*, Konfluenz *f*; **~ent** [~'ɑ̃] **I** *adj.* (7) **1.** ⚕ zusammenfließend (*von Geschwüren*); **2.** ⚘ scheinbar verwachsen; **II** *m* **3.** *anat.* Vereinigung *f von Adern*; **4.** Zusammenfluß *m von Flüssen usw.*; **~er** [~'e] *v/i.* (1a) zusammenfließen, sich vereinigen.

confondre [kɔ̃'fɔ̃:drə] (4a) **I** *v/t.* **1.** vermengen, vermischen, vereinigen (*a. fig.*); **2.** verwechseln; **3.** beschämen, verblüffen, in Verwirrung bringen, verwirren, bestürzt machen; **4.** zuschanden machen, vereiteln, vernichten; **II** *v/rfl.* se ~ **5.** sich vermischen; **6.** sich verwirren, irre werden; **7.** se ~ *en excuses* sich in Entschuldigungen förmlich überschlagen; sich tausendmal entschuldigen.

confor|mateur [kɔ̃fɔrma'tœ:r] *m* Hutform *f*; Streckleisten *m* (*Schuh*); **~mation** [~mɑ'sjɔ̃] *f* Bildung *f*, Gestaltung *f*, Beschaffenheit *f*; ~

vicieuse Mißbildung *f*; *vice m de* ~ Geburts-, Körper-fehler *m*; **~me** [~'fɔrm] *adj.* **1.** gleich-förmig, -lautend, übereinstimmend; *copie f* ~ *à l'original* mit der Urschrift gleichlautende Abschrift *f*; *pour copie* ~ die Übereinstimmung vorliegender Abschrift wird bescheinigt (*od.* beglaubigt); für die Richtigkeit der Abschrift; *être* ~ *à* übereinstimmen mit (*dat.*); entsprechen (*dat.*); **2.** ~ *à* gemäß (*dat.*), entsprechend (*dat.*), *im Deutschen nachgestellt*: zufolge (*dat.*); *abs.* angemessen; ~ *au contrat* vertragsgemäß; *peu* ~ *aux faits* unsachlich; ~ *aux usages locaux* ortsüblich; *mener une vie* ~ *à sa profession* standesgemäß leben; **3.** ⩓ sich deckend (*Figuren*); **~mément** [~me'mɑ̃] *adv.* entsprechend; ~ *à* gemäß (*dat.*), nach (*dat.*), laut (*dat.*); ~ *à l'instruction* laut Anweisung; ~ *à vos ordres* Ihren Weisungen (*od.* Aufträgen) zufolge, nach Ihren Befehlen, gemäß Ihren Anweisungen; **~mer** [~'me] (1a) **I** *v/t.* **1.** Gestalt geben (*dat.*), bilden, gestalten; **2.** ~ *qch. à* etw. anpassen (*dat.*); ~ *sa vie à ses maximes* s-n Grundsätzen gemäß leben; ✝ ~ *les écritures* e-e gleiche Buchung vornehmen; **II** *v/rfl. se* ~ *à* sich richten nach (*dat.*); Folge leisten; sich fügen; **~misme** [~'mism] *m* **1.** vorbehaltloses (*od.* kritikloses) Sichanpassen *n*; Begeisterungslosigkeit *f*; Jasagerei *f* (*à qch.* zu etwas); *pol.* ~ *étroit* engherzige Befolgung *f e-r politischen Doktrin*; **2.** *rl. England*: *a. litt.* Konformismus *m*; **~miste** [~'mist] **I** *su.* **1.** Jasager *m*, Nachbeter *m*; Gleichgültige(r) *m*, Mitläufer *m*; **2.** *rl. England*: *a. litt.* Konformist *m*; **II** *adj.* übertrieben anpassungsbereit; begeisterungslos, gleichgültig; **~mité** [~mi'te] *f* Gleichförmigkeit *f*, Übereinstimmung *f*; *il agit en* ~ *des ordres* er handelt gemäß den Befehlen.

confort [kɔ̃'fɔːr] *m* Behaglichkeit *f*, Gemütlichkeit *f*, Wohnlichkeit *f*, Komfort *m*; *vél.*, *Auto*: *pneu m* ~ Ballonreifen *m*; **~able** [~'tablə] **I** *adj.* □ gemütlich, bequem, komfortabel, behaglich; **II** *m* Bequemlichkeit *f*, Gemütlichkeit *f*.

confrater|nel [kɔ̃fratɛr'nɛl] *adj.* (7c) kollegial; **~nité** [~ni'te] *f* Kollegialität *f*.

confrère [kɔ̃'frɛːr] *m* **1.** Amts-, Mit-, Ordens-bruder *m*; **2.** Kollege *m*; **3.** Sportkamerad *m*.

confrérie [kɔ̃fre'ri] *f* (Ordens-) Bruderschaft *f*; *iron. belle* ~! schöne Sippschaft!

confron|tation [kɔ̃frɔ̃tɑ'sjɔ̃] *f* **1.** ⚖ Gegenüberstellung *f*; **2.** Gegeneinanderhalten *n*, Vergleichung *f*, Konfrontierung *f*; **3.** *bsd. pol.* Begegnung *f*, Gespräch *n*; **~ter** [~'te] *v/t.* (1a) **1.** ⚖ gegenüberstellen; **2.** vergleichen, konfrontieren (*à*, *avec* mit).

confus [kɔ̃'fy] *adj.* (7) **1.** ungeordnet, verwirrt, verworren, konfus; *esprit m* ~ verworrener Kopf *m*; *tenir un langage* ~ verworren sprechen; **2.** unbestimmt; *bruit m* ~ dunkles Gerücht *n*; *souvenir m* ~ dunkle Erinnerung *f*; **3.** beschämt, bestürzt, verwirrt; *je suis* ~ *de vos bontés* Ihre Güte beschämt mich; **~ément** [kɔ̃fyze'mɑ̃] *adv.* verworren, durcheinander, dunkel, undeutlich, konfus; **~ion** [kɔ̃fy'zjɔ̃] *f* **1.** Unordnung *f*, Verwirrung *f*, Verworrenheit *f*, Konfusion *f*; *la* ~ *se mit dans les rangs* die Reihen gerieten in Unordnung; *tout est en* ~ alles ist durcheinander; ~ *des langues* babylonische Sprachverwirrung *f*; **2.** Irrtum *m*, Verwechslung *f*; ~ *de noms* Namenverwechslung *f*; *il y a* ~ es findet eine Verwechslung statt; **3.** Bestürzung *f*, Beschämung *f*; *à ma* ~ zu meiner Schande.

congé [kɔ̃'ʒe] *m* **1.** Erlaubnis *f* (*sich zu entfernen*), Urlaub(szeit *f*) *m*; *soldat m en* ~ Beurlaubte(r) *m*; ~ *(il)limité* Urlaub *m* auf (un)bestimmte Zeit; ~ *de détente* Erholungsurlaub *m*; ~ *de huit jours* Urlaub *m* auf acht Tage; *demander un* ~ um Urlaub bitten; *être en* ~ auf Urlaub (*od.* beurlaubt) sein; *être en* ~ *de maladie* krank geschrieben sein; **2.** schulfreie Zeit *f*; *avoir* ~ *od. être en* ~ frei haben; *jours m/pl. de* ~ schulfreie Tage *m/pl.*; **3.** Entlassung *f*, Abschied *m*, Verabschiedung *f*; *audience f de* ~ Abschiedsaudienz *f*; *donner* ~ *à q.* j-m kündigen, j-n entlassen; *prendre son* ~ in den Ruhestand treten, seinen Dienst aufgeben; **4.** Abschied *m*, Lebewohl *n*; *prendre* ~ *de q.* sich von j-m verabschieden; **5.** (Auf-) Kündigung *f der Miete, Pacht usw.*; *donner* ~ *de sa chambre* sein Zimmer kündigen; *j'ai reçu mon* (*od. le*) ~ mir ist gekündigt worden; **6.** ✝ Zollschein *m*, Passierschein *m für Waren*; ⚓ Seepaß *m*; **7.** ⩓ Fensterkehle *f*; Hohlkehle *f*.

congéable ⚖ [kõʒe'ablə] *adj.* auf Kündigung verpachtet.

congédi|able [kõʒe'djablə] *adj.* zu beurlauben(d); **~ement** [~di'mɑ̃] *m* Entlassung *f*; Kündigung *f*; **~er** [~'dje] *v/t.* (1a) **1.** *j-n* entlassen, abbauen, *j-m* kündigen; **2.** abweisen, rauswerfen F.

congé-formation [kõ'ʒefɔrma'sjõ] *f* Bildungsurlaub *m.*

congelable [kõʒ'lablə] *adj.* gefrierbar.

congéla|teur [kõʒela'tœ:r] *m* Tiefkühltruhe *f*; **~tion** [~la'sjõ] *f* **1.** Gefrieren *n*; Erfrieren *n*; *point m de ~* Gefrierpunkt *m*; **2.** *min.* Tropfsteinbildung *f.*

congeler [kõʒ(ə)'le] (1d) **I** *v/t.* **1.** zum Gefrieren bringen; *viande f congelée* Gefrierfleisch *n*; **2.** gerinnen machen; **II** *v/rfl.* se ~ gefrieren, erstarren, gerinnen.

congénère [kõʒe'nɛ:r] *adj. u. su.* gleichartig; *mes ~s* die mit mir Gleichgestellten.

congéni|al [kõʒe'njal] *adj.* (5c) geistesverwandt (*à* mit *dat.*); **~alité** [~njali'te] *f* Geistesverwandtschaft *f*; **~tal** [~ni'tal] *adj.* (5c) angeboren; *infirmes m/pl. congénitaux* von Geburt Gebrechliche *m/pl.*

congère [kõ'ʒɛ:r] *f* Schneewehe *f.*

conges|tif [kõʒɛs'tif] *adj.* (7e) Blutandrang erzeugend; **~tion** [~'tjõ] *f* **1.** ⚕ Blutandrang *m*; **2.** *fig.* (Verkehrs-)Stau *m*; **~tionner** [~tjɔ'ne] *v/t.* (1a) **1.** ⚕ Blutandrang verursachen (in); *figure f congestionnée* hochgerötetes Gesicht *n*; **2.** *fig.* blockieren (*Straße*).

conglo|bation [kõglɔbɑ'sjõ] *f* Anhäufung *f*, Zusammenballen *n*; *rhét.* Häufung *f von Beweisen*; **~ber** [~'be] *v/t.* (1a) zusammenballen.

conglomé|rat [kõglɔme'ra] *m* **1.** *géol.* Konglomerat *n*, Trümmergestein *n*; **2.** *éc.* Zs.-schluß *m* von Unternehmen ganz verschiedener Produktionszweige; **~ration** [~ra'sjõ] *f* Zusammen-, An-häufung *f*; **~rer** [~'re] (1f) **I** *v/t.* zs.-häufen; **II** *v/rfl.* se ~ sich zs.-ballen.

congluti|ner ⚕ [kõglyti'ne] (1a) **I** *v/t.* verdicken; verheilen lassen; **II** *v/rfl.* se ~ klebrig werden; *chir.* verheilen; **~neux** [~'nø] *adj.* (7d) klebrig, zäh.

congolais [kõgɔ'lɛ] *adj. u.* 2 *su.* (7) kongolesisch; Kongolese *m.*

congratul|ateur [kõgratyla'tœ:r] *su.* (7f) Gratulant *m*; **~ation** [~la'sjõ] *f* Glückwunsch *m*, Gratulation *f*; **~er** F *iron.* [~'le] *v/t.* (1a): ~ *q. sur qch.* *j-m* alles Gute zu etw. (*dat.*) wünschen.

congre *icht.* ['kõ:grə] *m* Seeaal *m.*

congréga|niste [kõgrega'nist] **I** *su.* Ordens-bruder *m*, -schwester *f*; **II** *adj. école f* ~ Klosterschule *f*; **~tion** *rl.* [~gɑ'sjõ] *f* Kongregation *f.*

congrès [kõ'grɛ] *m* Kongreß *m*, Tagung *f*, Zusammenkunft *f.*

congressiste [kõgrɛ'sist] *m* Kongreßteilnehmer *m.*

congru [kõ'gry] *adj.* genau, gebührend; passend, richtig; ⩕ kongruent; *être réduit à la portion ~ë* nur das Allernötigste zum Leben haben, ein kärgliches Dasein führen; **~ence** [~gry'ɑ̃:s] *f* Übereinstimmung *f*; ⩕ Kongruenz *f*; **~ent** [~gry'ɑ̃] *adj.* (7) treffend, passend; **~ité** [~gryi'te] *f* Übereinstimmung *f.*

congrûment [kõgry'mɑ̃] *adv.* gebührend, geziemend; passend, richtig; *vivre ~* regelmäßig leben.

conicité [kɔnisi'te] *f* Kegelform *f.*

coni|fère ⚘ [kɔni'fɛ:r] **I** *adj.* zapfentragend; **II** *~s m/pl.* Nadelhölzer *n/pl.*, Koniferen *f/pl.*; **~que** [kɔ'nik] *adj.* kegelförmig, konisch, Kegel...; ⩕ *a. (sections) ~s f/pl.* Kegelschnitte *m/pl.*; **~rostres** *orn.* [kɔni'rɔstrə] *m/pl.* Kegelschnäbler *m/pl.*

conjectu|ral [kõʒɛkty'ral] *adj.* (5c) □ mutmaßlich; **~re** [~'ty:r] *f* Mutmaßung *f*, Vermutung *f*; **~rer** [~ty're] *v/t.* (1a) vermuten.

con|joindre [kõ'ʒwɛ̃:drə] *v/t.* (4b) (ehelich) verbinden; zusammenfügen; **~joint** [~'ʒwɛ̃] **I** *adj.* (7) □ verbunden; *gr. pronom m ~ mit dem Zeitwort* verbundenes Fürwort *n*; ⚖ *signature f ~e* beigefügte Unterschrift *f*; *arith. règle f ~e* Kettensatz *m*; **II** *mst. nur m* Ehe-gatte *m*, -frau *f*; *les ~s pl.* die Eheleute *pl.*; **~jointement** [kõʒwɛ̃t'mɑ̃] *adv.* gemeinschaftlich; *~ avec ...* in Verbindung mit ...

conjonc|teur ⚡ [kõʒõk'tœ:r] *m* Schalter *m*; *~-disjoncteur* Sicherheitsschalter *m*; **~tif** [~'tif] *adj.* (7e) □ (ver)bindend; Binde...; *gr. particule f conjonctive* Bindewort *n*; *anat. tissu m ~* Bindegewebe *n*; **~tion** [kõʒõk'sjõ] *f* Verbindung *f*, Vereinigung *f*; *gr., ast.* Konjunktion *f*; *gr.* Bindewort *n*; **~tive** [~'ti:v] *f anat.* Bindehaut *f des Auges*; **~tivite** ⚕ [~ti'vit] *f* Bindehautentzündung *f*, Konjunktivitis *f*; **~ture** [~'ty:r] *f* **1.** Zusammentreffen *n*, Verbindung *f* von Umständen; Stand *m*, Lage *f der Dinge*, *bsd.* politische Lage *f*; *fig.* Aussicht *f*; *en cette* ~ unter solchen Umständen; **2.** ~*s pl.* Zeitumstände *m/pl.*; **3.** ✝ Konjunktur *f*; **~turiste** [~ty'rist] *m* Konjunkturforscher *m*.

conju|gable *gr.* [kɔ̃ʒy'gablə] *adj.* konjugierbar; **~gaison** [kɔ̃ʒygɛ'zɔ̃] *f gr.* Konjugation *f*; **~gal** [~'gal] *adj.* (5c) □ ehelich; Ehe..., Gatten...; **~gué** *anat.*, ♀ [~'ge] gepaart; ⚔ zs.-gehörig; *allg. les efforts* ~*s du président des Etats-Unis et des gouverneurs sudistes* die vereinten Anstrengungen des Präsidenten der USA u. der Gouverneure der Südstaaten; **~guer** [~'ge] (1m) **I** *v/t.* **1.** *gr.* konjugieren, abwandeln; **2.** *fig.* ~ *ses efforts avec q.* sich mit j-m zs.-tun; **II** *v/rfl. se* ~ konjugiert werden; *se* ~ *avec q.* sich mit j-m zs.-tun.

conjungo F [kɔ̃ʒɔ̃'go] *m* Ehestand *m*.

conjura|teur [kɔ̃ʒyra'tœ:r] *m* Verschwörer *m*; (Geister-)Beschwörer *m*; **~tion** [~rɑ'sjɔ̃] *f* **1.** Verschwörung *f*; **2.** *meist* ~*s pl.* (Geister-)Beschwörung *f*; **3.** ~*s pl.* dringende (*od.* inständige) Bitte *f*.

conjur|é [kɔ̃ʒy're] *su.* Verschworene(r) *m*; **~er** [~] (1a) **I** *v/t.* **1.** ~ *q.* j-n inständig bitten, beschwören; **2.** beschwören, abwenden, bannen; ~ *un fléau* e-r Plage Einhalt gebieten; **3.** ~ *qch.* sich zu etw. (*dat.*) verschwören; **II** *v/rfl. se* ~ *avec q. contre q.* sich mit j-m gegen j-n verschwören.

connais|sable [kɔnɛ'sablə] *adj.* erkennbar, kenntlich; **~sance** [~'sɑ̃:s] *f* **1.** Kenntnis *f*, Erkenntnis *f*, Kunde *f*; ~ *des affaires*, ~ *des hommes* Geschäfts-, Menschenkenntnis *f*; ~ *professionnelle* Fachkenntnis *f*; *porter à la* ~ *du public* an die Öffentlichkeit bringen; *en* ~ *de cause* mit Sachkenntnis; *avoir* ~ *de* Kenntnis haben von (*dat.*), wissen von (*dat.*); *à ma* ~ meines Wissens; *en âge de* ~ im zurechnungsfähigen Alter; **2.** physisches Bewußtsein *n*; *perdre* ~ bewußtlos werden; *sans* ~ bewußtlos, ohnmächtig; *reprendre* ~ wieder zu sich kommen; **3.** ~*s pl.* Kenntnisse *f/pl.*, Wissen *n*; *posséder beaucoup de* ~*s*, *avoir des* ~*s étendues* ein umfassendes Wissen besitzen; **4.** Bekanntschaft *f*; Bekannte(r) *m*; *gens pl. de* ~ Bekannte *m/pl.*; *vieille* ~ alter Bekannter *m*; *avoir beaucoup de* ~*s* viele Bekannte haben; *être en pays de* ~ unter Bekannten sein, wie zu Hause sein; *faire la* ~ *de q. od. faire* ~ *avec q.* j-s (*od.* mit j-m) Bekanntschaft machen, mit j-m bekannt werden; *mst. mv.p. faire* ~ *avec qch.* etw. kennenlernen, *iron.* etw. genießen; *une de mes* ~*s od. une personne de ma* ~ ein Bekannter (*od.* eine Bekannte) von mir; **5.** *ch.* Fährte *f des großen Wildes*; Erkennungszeichen *n*; **6.** ⚓ a) Sicht *f*; *avoir* ~ *d'un navire* ein Schiff in Sicht bekommen; b) ~ *des temps* Zeitberechnung *f* (*a. ast.*), Witterungskalender *m*; **7.** *phil.* ~ *immédiate* Anschauung *f*.

connais|sement ✝ [kɔnɛs'mɑ̃] *m* (See-)Frachtbrief *m*, Konnossement *n*; **~seur** [~'sœ:r] *su.* (7g) (Sach-)Kenner *m*, (Sach-)Kundige(r) *m*; *a. adj.*: œil *m* ~ Kennerblick *m*.

connaître [kɔ'nɛ:trə] (4z) **I** *v/t.* **1.** kennen, bekannt sein mit; wissen; kennenlernen, Bekanntschaft machen mit; ~ *q. de nom* (*de vue*) j-n dem Namen nach (vom Sehen) kennen; F *je connais mon monde* ich kenne meine Leute; *nous lui connaissons ce défaut* wir kennen diesen Fehler an ihm (ihr); *je vous le ferai* ~ ich werde Sie mit ihm bekannt machen; *faire* ~ mitteilen (*Briefstil*); **2.** verstehen, ein Kenner sein; F *il la connaît* er ist ganz gerissen, er ist mit allen Hunden gehetzt, er ist genauestens im Bilde, er weiß Bescheid, er kennt den Rummel; *ça me connaît* ich kenne so etw. (*od.* ich verstehe mich darauf); **3.** (er)kennen, unterscheiden; **4.** anerkennen; F *je ne connais que cela* mir ist nur das bekannt; *fig.* das ist das einzige, was ich für richtig halte!; dabei bleibt's!; **5.** *fig.* erleben, erfahren: *cette pièce connut un succès prodigieux* dieses Stück erlebte e-n großartigen Erfolg; **II** *v/i.* **6.** ⚖ ~ *de qch.* über etw. (*acc.*) *als Richter* erkennen; urteilen; **III** *v/rfl. se* ~ **7.** ea. kennen(lernen); **8.** sich (selbst) kennen, sich erkennen; *connais-toi-même* erkenne dich selbst!; **9.** *se* ~ *à, en od. dans* sich verstehen auf (*acc.*); *ne pas s'y* ~ von etw. nichts verstehen; **10.** erkannt werden; *l'arbre se connaît à ses fruits fig.* den Baum erkennt man an s-n Früchten.

conneau P [kɔ'no] *adj./inv. u. m* blöd, doof, dumm, dämlich, dußlig; Blödling *m*, Doof-, Dumm-kopf *m*.

connect|er ⚡, ⊕, *téléph.* [kɔnɛk'te] *v/t.* (1a) verbinden, kuppeln, anschließen, ein-, an-schalten; ~ *avec qch.* an etw. (*acc.*) anschließen; ~ *en* *parallèle* parallel *od.* nebeneinander schalten; **~eur** [~'tœ:r] *m* **1.** ⚡ Verbinder *m*; *électron.* ~ *rond* Rundsteckverbinder *m*; **2.** *téléph.* Leitungswähler *m*; **~if** [~'tif] (7e) **I** *adj.*: *tissu m* ~ Bindegewebe *n*; **II** ⚘ *m* Staubfädenverlängerung *f*.

connerie P [kɔn'ri] *f* Blödsinn *m*, Stuß *m*, Quatsch *m*, Dußligkeit *f*.

connexe [kɔ'nɛks] *adj.* verbunden, verknüpft, zusammenhängend; *fig.* verwandt; *industries f/pl.* ~*s* verwandte Industrie-gruppen *f/pl.*, -zweige *m/pl.* (*od.* Industrien *f/pl.*).

connexi|on [kɔnɛk'sjõ] *f* Verbindung *f*, Verknüpfung *f*, Zusammenhang *m*; ⚡ *u.* ⊕ Anschluß *m*; Anschließen *n*, Schaltung *f*; ~ (*en*) *parallèle* Parallel- (*od.* Nebeneinander-)schaltung *f*; **~té** [~ksi'te] *f* Zusammengehörigkeit *f*, Zusammenhang *m*, Verbindung *f*; *fig.* Verwandtschaft *f*.

conni|vence [kɔni'vɑ̃:s] *f* (strafbares) Einverständnis *n*; être (*od.* *agir*) *de* ~ stillschweigend geschehen lassen, ein Auge zudrücken (*à qch.* bei etw.); unter e-r Decke stecken (*avec q.* mit j-m); **~vent** ⚘, *anat.* [~'vɑ̃] *adj.* (7) gegeneinander geneigt.

connotation [kɔnɔtɑ'sjõ] *f* Nebenbedeutung *f*.

connu [kɔ'ny] **I** *p/p. von connaître*; **II** *m*: *le* ~ das Bekannte, die bekannten Dinge *n/pl.*

conoïde 🕮 [kɔnɔ'id] **I** *adj.* kegelförmig; **II** ⩓ *m* Konoid *n*.

conque [kõ:k] *f* **1.** *zo.* Hohlmuschel *f*; **2.** Muschelschale *f*; **3.** *anat.* ~ *de l'oreille* Ohrmuschel *f*.

conqué|rant [kõke'rɑ̃] (7) **I** *adj.* eroberungslustig; *esprit m* ~ Eroberungssucht *f*; *air m* ~ siegesgewisse Miene *f*; **II** *su.* Eroberer *m*; **~rir** [~'ri:r] *v/t.* (2l) erobern; gewinnen, erwerben (*Freundschaft*); *fig.* ~ *q.* j-n für sich einnehmen, begeistern, fesseln.

conquêt ⚖ [kõ'kɛ] *m*: ~*s pl.* in der Ehe erworbenes gemeinsames Gut *n*; **~e** [kõ'kɛt] *f* Eroberung *f*; *fig.* Errungenschaft *f*; *faire la* ~ *de q.* j-n für sich einnehmen, j-n in s-n Bann ziehen.

consa|crant *rl.* [kõsa'krɑ̃] *m* Weihbischof *m*; **~cré** [~'kre] *adj.* geweiht, geheiligt; *lieu m* ~ geweihte Stätte *f*; *fig. terme m* ~ feststehender Ausdruck *m*; *les dépenses f/pl.* ~*es à l'habillement* die Ausgaben *f/pl.* für Kleidung; **~crer** [~] (1a) **I** *v/t.* **1.** (ein)weihen, segnen, heiligen; *auch abs.* die Hostie weihen; **2.** *fig.* widmen; **3.** bestätigen (*durch den Gebrauch*); einführen; ~ *par* verankern in (*dat.*); **4.** ~ *le souvenir de qch.* die Erinnerung an etw. (*acc.*) heilig-, wach-halten; **II** *v/rfl.* *se* ~ **5.** geweiht werden; **6.** *se* ~ *à* sich hingeben (*dat.*), sich widmen (*dat.*).

consanguin [kõsɑ̃'gɛ̃] **I** *adj.* (7) von demselben Vater abstammend; *frère m* ~ Stief-, Halb-bruder *m*; **II** ~*s m/pl.* Halbgeschwister *pl.* (*von väterlicher Seite*); **~ité** [~g(ɥ)ini'te] *f* Verwandtschaft *f* von väterlicher Seite.

conscien|ce [kõ'sjɑ̃:s] *f* **1.** Gewissen (-haftigkeit *f*) *n*; *cri m* (*od. voix f*) *de la* ~ Stimme *f* des Gewissens; *liberté f de* ~ Gewissensfreiheit *f*; *homme m de* (*sans*) ~ gewissenhafter (gewissenloser) Mensch *m*; *avoir de la* ~ gewissenhaft sein; *avoir la* ~ *large* ein weites Gewissen haben; *il n'a pas la* ~ *nette* er hat kein reines Gewissen; *avoir qch. sur la* ~ etw. auf dem Gewissen haben; *parler contre sa* ~ wider besseres Wissen sprechen; *prendre* ~ *que* ... sich darüber klarwerden, daß ...; *en bonne* ~ gewissenhaft, nach bestem Wissen u. Gewissen; *sur mon honneur et ma* ~ auf Ehre u. Gewissen; *cas m de* ~ Gewissensfrage *f*; *la main sur la* ~! Hand aufs Herz!; *par acquit de* ~ zu s-r eigenen Beruhigung; **2.** (Selbst- *od.* seelisches) Bewußtsein *n*; inneres Gefühl *n*; *avoir* ~ *de qch.* sich einer Sache (*gén.*) bewußt sein; ~ *de soi* Selbstbewußtsein *n*; **~cieux** [~'sjø] *adj.* (7d) □ gewissenhaft.

conscient [kõ'sjɑ̃] *adj.* (7) bewußt; ~ *de* ... in dem Bewußtsein, eingedenk, in Anerkennung, in der Erkenntnis (*gén.*).

conscientisation *soc.* [kõsjɑ̃tizɑ'sjõ] *f* Bewußtwerden *n der Gesellschaft über ihre Widersprüchlichkeiten u. Forderungen.*

conscrip|tible [kõskrip'tiblə] *adj.* militärdienstpflichtig; **~tion** [~'sjõ] *f* Aushebung *f*, Wehrpflicht *f*, Militärdienst *m*.

conscrit [kõ'skri] *m* **1.** ⚔ Rekrut *m*; **2.** F *allg.*, *écol.* Neuling *m*.

consécra|teur [kõsekra'tœ:r] *m* = *consacrant*; **~tion** [~ɑ'sjõ] *f* **1.** *rl.* Weihe *f*, Einweihung *f*, Segnung *f*, Ordinierung *f*; *pol.-rl.* ~ *de la jeunesse* Jugendweihe *f*; **2.** *allg. fig.* Bestätigung *f*; ~ *du temps* Bestätigung *f* durch die Länge der Zeit; ~ *d'un* *talent* Bestätigung *f* e-s Talents; ~ *par ... fig.* Verankerung *f* in (*dat.*).

consécu|tif [kõseky'tif] *adj.* (7e) □ **1.** *nur im pl.*: aufeinanderfolgend; *cinq jours* ~*s* fünf Tage hintereinander; **2.** nachfolgend, daraufhin eintretend; *gr.* konsekutiv; *infirmité f consécutive à une blessure* durch e-e Verwundung hervorgerufenes Leiden *n*; *phénomènes m/pl.* ~*s à une maladie* Folgeerscheinungen *f/pl.* e-r Krankheit; **~tion** [~'sjõ] *f* Reihenfolge *f*, Verkettung *f*; Folgeerscheinung *f*; *ast.* Zeit *f* zwischen zwei Neumonden.

conseil [kõ'sɛj] *m* **1.** Rat *m* (*pl. Ratschläge*), Ratschlag *m*; Tip *m* F; *demander* ~ *à q.* j-n um Rat fragen; *prendre* ~ *de q.* j-n zu Rate ziehen; *si j'ai un* ~ *à vous donner* wenn ich Ihnen raten darf; *sur mon* ~ auf meinen Rat; *prov. la nuit porte* ~ guter Rat kommt über Nacht; **2.** *rl.* ~*s de Dieu* Gottes Ratschlüsse *m/pl.*; **3.** Entschluß *m*; *je ne sais quel* ~ *prendre* ich weiß nicht, wozu ich mich entschließen soll; *le* ~ *en est pris* die Sache ist beschlossen; **4.** Rat *m* (*pl. Räte*; *Person!*), Ratgeber *m*, Rechtsbeistand *m*; ~ *judiciaire* Kurator *m*, Rechtsbeistand *m*; Vormund *m* e-s Entmündigten; *donner un* ~ *judiciaire à q.* j-n unter Kuratel stellen; *avoir un* ~ *judiciaire* unter Kuratel stehen; *adjt. ingénieur-*~ beratender Ingenieur *m*; **5.** Ratsversammlung *f*, Rat *m*, Ratssitzung *f*; Vorstand *m*; ~ *académique* Schulbehörde *f*; ~ *administratif*, ~ *d'administration* Verwaltungsrat *m*; ~ *d'arrondissement* Bezirksrat *m*; ~ *du barreau* Anwaltskammer *f*; ~ *de cabinet* Kabinettsrat *m*; *écol.* ~ *de classe* Zensurenkonferenz *f*; Klassenkonferenz *f*; ~ *consultatif* Beirat *m*; *rl.* ~ *ecclésiastique* Konsistorium *n*; ~ *d'Etat* Staatsrat *m*; ~ *d'entreprise* Betriebsrat *m* (*Organisation*); *membre m du* ~ *d'entreprise* Betriebsratsmitglied *n*; ~ *d'employés* Angestelltenrat *m* (*Organisation*); *président m du* ~ Ministerpräsident *m*; ~ *exécutif* Vollzugsrat *m*; *pol.* ♀ *de l'Europe* Europarat *m*; *Fr.*: *conseils m/pl. curiaux* Kirchenräte *m/pl.*; ~ *fédéral* Bundesrat *m*; ~ *général* Land-, *Fr.* Departementsrat *m*; ~ *de guerre*: a) Kriegsrat *m*; b) Kriegsgericht *n*; *passer en* ~ *de guerre* vors Kriegsgericht kommen; ~ *des ministres* Ministerrat *m*; ~ *municipal* Gemeinderat *m*, Stadtverordnetenversammlung *f*; Magistrat *m*; ~ *national économique* Staatswirtschaftsrat *m*; ~ *d'ouvriers* Arbeiterrat *m*; *écol.* ~ *des parents* Elternbeirat *m*; ⚓ ~ *des prises* Prisengericht *n*; ~ *de prud'hommes* Arbeitsschiedsgericht *n*; *pol.* ♀ *de sécurité* Sicherheitsrat *m* (*UNO*); ~ *de surveillance* Aufsichtsrat *m*; *être membre du* ~ im Rat sitzen, Ratsmitglied sein; *tenir* ~ Rat halten.

conseiller[1] [kõsɛ'je] *v/t.* (1a) raten (*dat.*), Rat geben (*dat.*); ~ *qch. à q.* j-m etw. raten; ~ *q.* j-n beraten; ~ *la paix* zum Frieden raten; ~ *bien* guten Rat erteilen; *il lui conseille de ne rien dire* er rät ihm, nichts zu sagen.

conseiller[2] [~] *su.* (7b) **1.** Ratgeber *m*; ~ *en déclarations d'impôts* (*en testaments*) Steuer-(Testaments-)berater *m*; **2.** Rat *m* (*Person*); ~ *à la cour d'appel* Appellationsrat *m*; ~ *d'ambassade* Botschaftsrat *m*; ~ *d'Etat* Staatsrat *m*; ~ *général Fr.* Departementsrat *m*; ~ *du gouvernement* Regierungsrat *m*; ~ *de légation* Legationsrat *m*; ~ *ministériel* Ministerialrat *m*; ~ *municipal* Stadtverordnete(r) *m*; ~ *de surveillance* Aufsichtsrat *m* (*Person*); ~ *d'orientation professionnelle* Berufsberater *m*; ~ *économique* Wirtschaftsberater *m*; ~ *juridique* Rechtsberater *m*.

conseillère [kõsɛ'jɛ:r] *f* Rätin *f*; Ratgeberin *f*; Frau *f* Rat.

conseilleur [kõsɛ'jœ:r] *su.* (7g) Ratgeber *m*.

consens|uel ⚖ [kõsɑ̃'sɥɛl] *adj.* (7c): *contrat m* ~ durch bloße Zustimmung gültiger Vertrag *m*; **~us** [kõsɛ̃'sys] *m* Übereinstimmung *f*.

consen|tement [kõsɑ̃t'mɑ̃] *m* **1.** Übereinstimmung *f*; *du* ~ *de tous* nach der übereinstimmenden Meinung aller; **2.** Zustimmung *f*, Einwilligung *f*, Genehmigung *f*; *de mon* ~ mit meiner Einwilligung; *donner son* ~ *à qch.* etw. bewilligen, genehmigen; **~tir** [~'ti:r] (2b) **I** *v/i.* **1.** ~ *à* zustimmen (*dat.*), einwilligen in (*acc.*), genehmigen (*acc.*); ~ *à tout* mit allem einverstanden sein, zu allem ja sagen; **2.** ⚓ sich biegen, nachgeben (*v. Masten*); **II** † ⚖ *v/t.* genehmigen *od.* bewilligen.

consé|quemment [kõseka'mɑ̃] *adv.* folgerichtig; folglich; **~quence** [~'kɑ̃:s] *f* **1.** Folgerichtigkeit *f*; Folge *f*, Konsequenz *f*; Folgerung *f*, Schluß *m*; *avoir pour* ~ zur Folge haben; *en* ~ folglich, infolgedessen, daher; dementsprechend; *en ~ de vos ordres* Ihren Befehlen gemäß; *tirer la ~ (les ~s) de qch.* die Folgerung(en) aus etw. ziehen; **2.** Wichtigkeit *f*, Bedeutung *f*; *de la dernière ~* von äußerster Wichtigkeit; *homme m sans ~* unbedeutender Mensch *m*; *une affaire de ~* eine wichtige Angelegenheit *f*; **~quent** [~'kɑ̃] **I** *adj.* (7) **1.** folgerichtig, konsequent; *être ~ à soi-même* sich selbst gleich- (*od.* treu) bleiben; **2.** *barb.* wichtig: *une affaire ~e* e-e wichtige Angelegenheit *f* (*dafür besser: une affaire de conséquence*); **II** *m gr., phil.* Folgesatz *m*; **III** *advt. par ~* infolgedessen, daher.

conserva|bilité [kɔ̃sɛrvabili'te] *f* Haltbarkeit *f*; **~teur** [~'tœːr] (7f) **I** *su.* **1.** Erhalter *m*, Bewahrer *m*; **2.** Aufseher *m*, Aufsichtsbeamte(r) *m*, Verwalter *m*, Kurator *m*; *~ d'une bibliothèque* Bibliothekar *m*; *Fr. ~ des eaux et forêts* Oberforstmeister *m*; *~ des hypothèques, ~ des droits réels* Grundbuchführer *m*; **3.** *pol.* Konservative(r) *m*; **II** *adj.* erhaltend; *pol.* konservativ; **~tif** [~'tif] *adj.* (7e) konservativ, am Hergebrachten festhaltend, zur Erhaltung dienend; **~tion** [kɔ̃sɛrvɑ'sjɔ̃] *f* **1.** Erhaltung *f*, Bewahrung *f*, Konservierung *f*; Haltbarkeit *f*; *en bon état de ~* gut erhalten; *instinct m de ~* Selbsterhaltungstrieb *m*; *phys. ~ des forces vives* Beharrungsvermögen *n*; **2.** Aufsichtsamt *n*; *~ des forêts* Forstverwaltung *f*; *bureau m de la ~ des hypothèques* Hypotheken-, Grundbuch-amt *n*; **~toire** [~va'twaːr] **I** *adj.* **1.** zur Erhaltung dienend; **2.** ⚖ verwahrend; **II** *m* Konservatorium *n*; *♀ des arts et métiers* Kunst- und Gewerbe-akademie *f*; *♀ de musique* Konservatorium *n*, Musikhochschule *f*.

conser|ve [kɔ̃'sɛrv] *f* **1.** Eingemachte(s) *n*; Konserve *f*; *boîte f de ~* Konserven-büchse *f*, -dose *f*; *viande f de ~* Büchsenfleisch *n*; **2.** ⚓ Geleitschiff *n*; *marcher de ~* in Gesellschaft segeln; *fig.* gemeinsame Sache machen; *aller de ~ au théâtre* gemeinsam ins Theater gehen; **3.** *~s pl.* Schutzbrille *f*; **4.** * *thé.* Repertoirestück *n*; **~ver** [kɔ̃sɛr've] (1a) **I** *v/t.* **1.** erhalten, aufbewahren; konservieren, frisch halten, einmachen, einwecken; *~ le teint* die Gesichtsfarbe frisch erhalten; *bien conservé* gut erhalten; *conservez-moi votre confiance (votre amitié)!* bewahren Sie mir Ihr Vertrauen (Ihre Freundschaft)!; **2.** (bei-, zurück-)behalten; *~ son calme* die Ruhe bewahren; *~ la mémoire de qch.* (*de q.*) etw. (j-n) im Gedächtnis behalten; **II** *v/rfl. se ~* sich (gut) halten, sich aufbewahren lassen; sich (gesund) erhalten; sich erhalten, fortdauern; **~verie** [~'vri] *f* Konservenfabrik *f*.

considé|rable [kɔ̃side'rablə] *adj.* □ beachtlich, beträchtlich, erheblich, namhaft; bedeutend, angesehen; **~rant** [~'rɑ̃] **I** *cj. ~ que* in Erwägung (*od.* in Anbetracht), daß (*an der Spitze e-s Urteils*); **II** *m* Beweggrund *m*, Motiv *n*, Rechtsgrund *m*; **~ration** [~rɑ'sjɔ̃] *f* **1.** Betrachtung *f*, Überlegung *f*, Erwägung *f*; Berücksichtigung *f*, Rücksicht *f*; *prendre qch. en ~* etw. in Erwägung ziehen, auf etw. (*acc.*) Rücksicht nehmen; *en ~ de* mit Rücksicht auf (*acc.*); *en ~ de ses mérites* in Anbetracht s-r Verdienste; *sans ~* unüberlegt, ohne Überlegung; **2.** Beweggrund *m*, Anlaß *m*; **3.** Achtung *f*, Ansehen *n*, Bedeutung *f*; *s'attirer beaucoup de ~* es zu hohem Ansehen bringen; *Briefschluß*: *recevez* (*od. höflicher*: *agréez od. je vous prie d'agréer od. veuillez agréer*), *Monsieur, l'expression* (*l'assurance*) *de ma ~ distinguée od. de ma haute* (*od. parfaite*) *~* genehmigen Sie den Ausdruck meiner vorzüglich(st)en Hochachtung.

considé|ré [kɔ̃side're] *adj.*: *tout bien ~* alles wohlüberlegt; *des gens pl. ~s* angesehene Leute *pl.*; **~rer** [~] (1f) **I** *v/t.* **1.** ansehen (*comme* als), (aufmerksam) betrachten; **2.** erwägen, reiflich überlegen, bedenken; **3.** berücksichtigen; *ne pas ~ les personnes* keine Rücksicht auf die Personen nehmen; **4.** hochachten, schätzen; **II** *v/rfl. se ~* **5.** sich betrachten; **6.** sich achten; **7.** *se ~ comme* sich für *etw.* ansehen *od.* halten; **8.** betrachtet (*od.* bedacht) werden.

consigna|taire [kɔ̃siɲa'tɛːr] *m* **1.** Verwahrer *m*; **2.** (Waren-, Ladungs-)Empfänger *m*; **~teur** ✝ [~'tœːr] *m* Wareneinsender *m*; ⚖ Hinterleger *m*; **~tion** [~ɲa'sjɔ̃] *f* **1.** gerichtliche Hinterlegung *f*; **2.** hinterlegte Sache *f*, Depositum *n*; ✝ *caisse f des dépôts et ~s* Depositenkasse *f*; *marchandise f en ~* Kommissionsware *f*; *maison f de ~* Kommissionsgeschäft *n*; *stock m en ~* Verfügungslager *n*.

consigne [kɔ̃'siɲ] *f* **1.** ⚔ strenger Befehl *m*, Anweisung *f*, Instruktion *f* (*für die Wache*); *~s f/pl. de sécurité* Sicherheitsvorschriften *f/pl.*; *obéir aveuglément à la ~* dem Befehl blindlings Folge leisten; F *manger la ~* eine Anweisung nicht beachten; *forcer la ~* den Eingang erzwingen; **2.** 🚂 ~ Gepäckaufbewahrung *f*; Gepäckannahme *f*; *donner en ~* zur Aufbewahrung geben (*a. in der Badeanstalt*); **3.** Pfand *n*; **4.** ⚔ *écol.* Kasernen-, Stuben-arrest *m*.

consigné [kɔ̃si'ɲe] *p/p. u. m, bsd.* ⚔ Arrestant *m*; *être ~ chez soi* Hausarrest haben.

consigner [~] *v/t.* (1a) **1.** gerichtlich hinterlegen; 🚂 *~ ses bagages* sein Handgepäck aufgeben; **2.** verzeichnen, anführen, eintragen; *~ une déclaration dans un procès-verbal* e-e Erklärung zu Protokoll geben; **3.** das Ausgehen (*bzw.* den Zugang) verbieten (*dat.*), (Stuben-)Arrest geben (*dat.*); ⚔ *~ (les troupes dans les casernes)* (die Truppen in den Kasernen) konsignieren *od.* marschbereit halten; *~ q. à la porte, ~ sa porte* Befehl geben, niemand hereinzulassen, niemanden zu sich lassen, sich verleugnen lassen; **4.** ⚕ zur Betrachtung übergeben; *Waren* in Kommission geben.

consis|tance [kɔ̃sis'tɑ̃:s] *f* **1.** Dichtigkeit *f e-r Flüssigkeit*; **2.** Festigkeit *f e-s Körpers*, Haltbarkeit *f*; **3.** *fig.* Beständigkeit *f*, Dauerhaftigkeit *f*; Charakterfestigkeit *f*; *sans ~* ohne Bedeutung, haltlos, unverbürgt; *prendre de la ~* sich erhärten, sich bestätigen (*Gerüchte*); **~tant** [~'tɑ̃] *adj.* (7) **1.** dickflüssig, verdickt; **2.** *fig.* Bestand habend, fest, hart, steif, haltbar; charakterfest; **~ter** [~'te] *v/i.* (1a) **1.** Bestand haben; **2.** *~ en od. dans* bestehen in (*dat.*) *od.* aus (*dat.*); *~ en* (*nur!*) sich zs.-setzen aus; *~ à* (*mit inf.*) darin bestehen, darauf beruhen, daß ...; *le tout consiste à savoir ...* alles kommt darauf an zu wissen ...; **~toire** [~'twa:r] *m* Konsistorium *n*; Kirchenrat *m*.

consœur [kɔ̃'sœ:r] *f rl.* Mitschwester *f*; *allg.* Kollegin *f*.

conso|lable [kɔ̃sɔ'lablə] *adj.* tröstbar; *ne pas être ~* untröstlich sein; **~lant** [~'lɑ̃] *adj.* (7) tröstend, tröstlich, trostbringend, trostreich; **~lateur** [~la'tœ:r] (7f) **I** *su.* Tröster *m*, Trostbringer *m*; *rl.* (*esprit*) *~* Heiliger Geist *m*; **II** *adj.* tröstend, trostreich, tröstlich; **~lation** [~la'sjɔ̃] *f* Trost *m*; Tröstung *f*.

console [kɔ̃'sɔl] *f* **1.** △ Krag-, Tragstein *m*, Konsole *f*; **2.** Spiegel-, Pfeiler-, Wand-tischchen *n*, Wandbrett *n*; **3.** *Computer*: Konsole *f*, Steuerpult *n*.

consoler [kɔ̃sɔ'le] (1a) **I** *v/t.* trösten; **II** *v/rfl. se ~ à la pensée* (*od. en pensant*) *que ...* sich mit dem Gedanken trösten, daß ...

consoli|dation [kɔ̃sɔlida'sjɔ̃] *f* **1.** Befestigen *n*, Stützen *n* (*a. fig.*); **2.** Zusammenheilung *f*, Vernarbung *f*; **3.** Sicherung *f*, Fundierung *f*, Konsolidierung *f e-r Staatsschuld*; ⚕ Festigung *f e-r Währung*; Zusammenlegung *f v. Aktien*; **~dé** [~'de] *adj. Preise*: solide; *Wertpapiere*: *non ~* nicht fundiert; **~der** [~] (1a) **I** *v/t.* **1.** befestigen, *a.* ⊕ sichern, begründen (*a. fig.*); **2.** *Schuld* fundieren, konsolidieren, deren Zinszahlung sichern, *Aktien* zs.-legen; *Währung* festigen; **3.** ⚕ zu-, zusammenheilen; **II** *v/rfl. se ~* fest werden, sich befestigen; (zu)heilen.

consolidés *fin.* [kɔ̃sɔli'de] *m/pl.* konsolidierte Anleihen *f/pl.*

consomma|ble [kɔ̃sɔ'mablə] *adj.* verzehrbar; **~teur** [~'tœ:r] **I** *su.* (7f) Verbraucher *m*, Verzehrer *m*, Konsument *m*; Gast *m* (*im Restaurant od. Café*; *zu „Gast" gibt es im Deutschen kein Femininum!*); ⚕ Abnehmer *m*; *l'ensemble m des ~s* die Verbraucherschaft; **II** *adj.* (7f): *classes f/pl. consommatrices* Verbraucher-schichten *f/pl.*, -klassen *f/pl.*; **~tion** [~ma'sjɔ̃] *f* **1.** Verbrauch *m*, Konsum *m*, Absatz *m*; *~ de courant* Stromverbrauch *m*; *~ d'essence* Benzin-, Brennstoff-verbrauch *m*; *~ en grand, ~ en masse(s)* Massenverbrauch *m*; *~ de munitions* Munitionsverbrauch *m*; *~ de lubrifiant* Schmierölverbrauch *m*; *faire une grande ~ de coke* viel Koks verbrauchen; *société f de ~* Konsumverein *m*; *impôts m/pl.* (*od. taxes f/pl.*) *de ~* (*od. sur la ~*) Verbrauchssteuern *f/pl.*; **2.** Zeche *f*, Getränk *n*, *a.* Speise *f*; *payer la ~* die Zeche (*od.* die Rechnung im Restaurant) bezahlen; **3.** *~ d'un crime* Begehung *f* e-s Verbrechens; *~ d'un droit* Ausübung *f* e-s Rechts; **4.** *a. rl.* Vollendung *f*, Erfüllung *f*; *la ~ des temps* das Ende der Welt; *~ du mariage* Erfüllung *f* der Ehe (*Geschlechtsverkehr*).

consom|mé [kɔ̃sɔ'me] **I** *m* Kraft-,

Fleisch-brühe *f*, Bouillon *f*; **II** *adj.* **1.** verzehrt, aufgebraucht (*Lebensmittel*, *Wein*); verbraucht (*Holz*, *Koks*); **2.** erfahren, meisterhaft; *avec un art* ~ vollendet schön, meisterhaft; *tacticien m* ~ erfahrener Taktiker *m*; *mv.p. un filou* ~ ein ganz Gehängter P (*od.* Ausgekochter P) *m*, ein abgefeimter Schurke *m*; **~mer** [~] (1a) **I** *v/t.* **1.** *nützlich* verbrauchen, auf-, verzehren (*a. fig.*), aufessen; trinken; konsumieren; **2.** *a. rl.* vollenden, vollbringen, vollziehen, begehen, ausüben; ~ *un crime* ein Verbrechen begehen; ~ *son droit* sein Recht ausüben; **3.** vervollkommnen, zur höchsten Vollendung bringen; (*Ehe*) vollziehen; **II** *v/rfl.* se ~ verbraucht werden.

consomp|tible [kɔ̃sɔ̃p'tiblə] *adj.* verzehrbar, Verbrauchs...; **~tion** [~p'sjɔ̃] *f* **1.** Schwindsucht *f*; **2.** ⚕ ~ *des capitaux* Kapitalschwund *m*.

conso|nance [kɔ̃sɔ'nɑ̃:s] *f* **1.** ♪ Gleich-, Zs.-klang *m*, Wohlklang *m*, Harmonie *f*; **2.** *gr.* Gleichlaut *m der Endsilben mehrerer Wörter*; **~nant** [~'nɑ̃] *adj.* (7) gleichklingend, zusammenstimmend; **~nantique** *gr.* [~nɑ̃'tik] *adj.* konsonantisch; **~nne** [~'sɔn] *f gr.* Konsonant *m*, Mitlaut *m*; ~ *d'appui* Stützkonsonant *m*; **~n(n)er** [~'ne] *v/i.* (1a) gleich lauten; harmonieren.

consort [kɔ̃'sɔ:r] *m* **1.** *prince m* ~ Prinzgemahl *m*; **2.** *mst. péj.* Konsorte *m*.

consortium ⚕ [kɔ̃sɔr'sjɔm] *m* Konzern *m*, Konsortium *n*.

conspi|rateur [kɔ̃spira'tœ:r] *su.* (7f) Verschwörer *m*, Verschworene(r) *m*; **~ration** [~ra'sjɔ̃] *f* Verschwörung *f*.

conspirer [kɔ̃spi're] (1a) **I** *v/i.* **1.** e-e Verschwörung anstiften; **2.** *fig.* ~ *à* mitwirken bei (*dat.*), sich vereinigen zu, sich verschworen haben zu; verhelfen zu, beitragen zu (*dat.*); **II** *v/t.* sich verschwören zu (*dat.*); ~ *la perte de q.* an j-s Untergang arbeiten.

conspuer [kɔ̃'spɥe] *v/t.* (1a) *fig.* öffentlich verunglimpfen, verhöhnen, auspfeifen.

const|amment [kɔ̃sta'mɑ̃] *adv. von constant* beständig; **~ance** [~'stɑ̃:s] *f* **1.** Standhaftigkeit *f*, Ausdauer *f*, Beharrlichkeit *f*, Beständigkeit *f*; **2.** *géogr.* ♀ *f* Konstanz *n*; *lac m de* ♀ Bodensee *m*; **~ant** [~'stɑ̃] *adj.* (7) **1.** standhaft, fest; **2.** ausdauernd, beharrlich; **3.** unzweifelhaft, sicher, feststehend; **4.** beständig; treu; **5.** *a. f*: (*quantité f*) ~*e* konstante (*od.* unveränderliche) Größe *f*, Festwert *m*; ⊕ ~*es f/pl.* Daten *n/pl.*

Constantinois *géogr.* [kɔ̃stɑ̃ti'nwa] *m*: *le* ~ der Raum v. Constantine.

constat [kɔ̃'sta] *m* ⚖ amtliches Protokoll *n*; *allg.* Feststellung *f*; *Auto etc.*: ~ *amiable* Protokoll *n e-s Verkehrsunfalls* auf gütlichem Wege.

consta|tation [kɔ̃stata'sjɔ̃] *f* Feststellung *f*; festgestellte Tatsache *f*, Befund *m*, Bestätigung *f*; ⚖ *procès-verbal m de* ~ Tatbestandsaufnahme *f*; **~ter** [~'te] *v/t.* (1a) feststellen, konstatieren, bestätigen.

constel|lation [kɔ̃stɛla'sjɔ̃] *f* Gestirn *n*, Sternbild *n*; Konstellation *f* (*a. fig.*), Stellung *f od.* Stand *m* der Gestirne; *les* ~*s zodiacales* die (zwölf) Sternbilder *n/pl.*; **~lé** [~'le] *adj.* **1.** gestirnt, sternbesät; **2.** *fig.* ~ *de* übersät, reichlich behangen mit (*dat.*); **~ler** (~) *v/t.* (1a) **1.** mit Sternen bedecken; **2.** *fig.* übersäen.

conster|nation [kɔ̃stɛrna'sjɔ̃] *f* größte Bestürzung *f*, Erschütterung *f*; Fassungslosigkeit *f*; Verblüffung *f*; völlige Niedergeschlagenheit *f*; **~né** [~'ne] *adj.* äußerst bestürzt, verblüfft, sprachlos, fassungslos; niedergeschlagen; **~ner** [~] *v/t.* (1a) in größte Bestürzung versetzen, verblüffen; *fig.* niederschlagen, erschüttern.

consti|pant ⚕ [kɔ̃sti'pɑ̃] *adj.* (7) verstopfend; **~pation** ⚕ [~pa'sjɔ̃] *f* Verstopfung *f*, Konstipation *f*, Hartleibigkeit *f*; **~pé** [~'pe] *adj. u. su.* an Verstopfung leidend(e Person *f*); **~per** [~] (1a) **I** *v/t.* verstopfen; **II** *v/rfl. se* ~ Verstopfung bekommen.

constitu|ant [kɔ̃sti'tɥɑ̃] (7) **I** *adj.* **1.** *phys.* Bestandteile *e-s Körpers* ausmachend; bildend; Ur...; *partie f* ~*e* (Haupt-)Bestandteil *m*; **2.** *pol.* konstituierend, begründend, verfassungebend; *assemblée f* ~*e* verfassunggebende Versammlung *f*; **II** *m* **3.** *phys.* Bestandteil *m*; ~ *de base* Grundbestandteil *m*; **III** *su.* **4.** Bearbeiter *m* e-r Verfassung; *pol.* Mitglied *n* e-r konstituierenden Versammlung; **5.** ⚖ Mandant *m*, Vollmachtgeber *m*; **6.** ⚖ Aussetzer *m* e-r Rente; ♀**ante** *hist.* [kɔ̃sti'tɥɑ̃:t] *f* verfassunggebende Versammlung *f*, Konstituante *f*; **~er** [~'tɥe] (1a) **I** *v/t.* **1.** (ein Ganzes) ausmachen; bilden; *bien constitué* *physiol.* gut gebaut, gesund, normal entwickelt (*Kind*); *être constitué de* bestehen aus (*dat.*); **2.** das Wesen *e-r Sache* ausmachen; **3.** gründen, errichten; schaffen, aufbauen; *~ une association* e-e Vereinigung (e-n Verein) gründen; **4.** aussetzen, auswerfen, anweisen, stiften; *~ une pension à q.* j-m ein Ruhegehalt aussetzen; *rente f constituée* Leibrente *f*; **5.** ernennen, bestallen; *qui vous a constitué juge?* wer hat Sie zum Richter bestallt?; **II** *v/rfl.* se ~ **6.** sich zu etw. machen, sich als etw. hinstellen; *se ~ prisonnier* sich (freiwillig) der Polizei stellen; *se ~ partie civile* als Privatkläger auftreten; **7.** *se ~ en frais* sich in Unkosten stürzen; **~tif** [~ty'tif] *adj.* (7e) grundlegend, festsetzend; wesentlich; *titre m ~* Rechtstitel *m*; *loi f constitutive* Grundgesetz *n*; *éléments m/pl. ~s* wesentliche Bestandteile *m/pl.*; **~tion** [~ty'sjɔ̃] *f* **1.** Anordnung *f*, Einrichtung *f*, Bildung *f*; *~ du capital, ~ des capitaux* Kapitalbildung *f*; **2.** Beschaffenheit *f*, Zustand *m*; *~ du corps* körperlicher Zustand *m*; *~ de l'air od. ~ atmosphérique* Beschaffenheit *f* der Luft; **3.** *pol.* (Staats-)Verfassung *f*; *~ municipale* Städteordnung *f*; **4.** Stiftung *f*, Aussetzung *f e-r Rente*; **5.** ⚖ *~ d'avoué* Bestallung *f* e-s Sachwalters; **~tionnaliser** [~sjɔnali'ze] *v/t.* (1a): *~ un pays* e-m Land e-e Verfassung geben; **~tionnalisme** [~sjɔna'lism] *m* konstitutionelles System *n*; **~tionnalité** [~sjɔnali'te] *f* Verfassungsmäßigkeit *f*; **~tionnel** [~sjɔ'nɛl] *adj.* (7c) □ **1.** verfassungsmäßig; *Etat m ~* Rechtsstaat *m*; *parti m ~* Verfassungspartei *f*; **2.** ⚕ angeboren.

constric|teur [kɔ̃strik'tœ:r] *m u. adj./m* **1.** *anat.* zu(sammen)schnürend; (*muscle*) *~* Schließmuskel *m*; **2.** *zo. boa m ~* Boa *f* constrictor; **~tif** [~'tif] *adj.* (7e) *anat.* zu(sammen)schnürend; **~tion** [kɔ̃strik'sjɔ̃] *f anat.* Zu(sammen)schnürung *f*.

constringent ⚕ [kɔ̃strɛ̃'ʒɑ̃] *adj.* (7) zusammenziehend.

construc|teur [kɔ̃stryk'tœ:r] *m* Erbauer *m*, ⊕ Hersteller *m*, Konstrukteur *m*; *mécanicien ~* Maschinenbauer *m*; *adjt. animal ~* e-n Unterschlupf bauendes Tier; **~tibilité** ⚠ *péj.* [~tibili'te] *f* mißbräuchliche Erfassung *f* zu Bauzwecken; **~tif** [~'tif] *adj.* (7e) konstruktiv, *fig.* aufbauend; **~tion** [~stryk'sjɔ̃] *f* **1.** Konstruktion *f*, Erbauung *f*, Bau(en *n*) *m*; *~ de machines (de ponts)* Maschinen- (Brükken-)bau *m*; *chantier m de ~* Schiffswerft *f*; *bois m de ~* Bauholz *n*; *en ~* im Bau (begriffen); *~ en béton* Betonbau *m*; *haute et basse ~* Hoch- u. Tiefbau *m*; *a. ~s pl. souterraines* ⚠ Tiefbau *m/sg.*; *~s pl. en élévation* ⚠ Hochbau *m/sg.*; ⚠ *~ par avancement en porte-à-faux* Freivorbau *m*; *~ en ossature* Skelettbau *m*; *~ métallique* Metallkonstruktion *f*; **2.** Bauwerk *n*; *~ nouvelle* Neubau *m*; **3.** Anordnung *f*, Bau(art *f*) *m*; **4.** *gr.* Konstruktion *f*, Satz(auf)bau *m*, Wortfügung *f*, Satzbildung *f*; *~ inverse* Inversion *f*, umgekehrte Wortfolge *f*; **5.** *peint.* Aufriß *m*, Vorzeichnung *f*; **6.** ⚓ Konstruktion *f*.

construire [kɔ̃'strɥi:r] *v/t.* (4c) **1.** (auf)bauen, errichten, anlegen; **2.** anordnen, entwerfen, zusammensetzen; *gr.* konstruieren, ordnen; *~ une phrase* e-n Satz bilden; **3.** *peint.* aufreißen, (vor)zeichnen; **4.** *mv.p.* erfinden, sich zurechtlegen.

consubstantialité *rl.* [kɔ̃sypstɑ̃sjali'te] *f* Wesenseinheit *f*.

consul [kɔ̃'syl] *m* Konsul *m* (*a. antiq.*); *~ de carrière* Berufskonsul *m*; *~ général* Generalkonsul *m*; *~ honoraire* Honorar-, Wahl-konsul *m*; **~aire** [~'lɛ:r] *adj.* konsularisch; **~at** [~'la] *m* Konsulat *n*; ♀ *de France* Französisches Konsulat *n*; **~tant** [~'tɑ̃] (7) **I** *adj.* beratend, ratgebend; *avocat m ~* Rechtsberater *m*; *médecin m ~* beratender Arzt *m*; **II** *su.* ⚕, ⚖ Ratsuchende(r) *m*, Konsultierende(r) *m*; **~tatif** [~ta'tif] *adj.* (7e) beratend; konsultativ; *comité m ~* beratender Ausschuß *m*; *conseil m ~* Beirat *m*; *avoir voix consultative* beratende Stimme haben; **~tation** [~ta'sjɔ̃] *f* **1.** Beratung *f*; ⚕, ⚖ (*en*) *~* (in der) Sprechstunde *f*; *~ médicale (~ d'avocat)* ärztliche (juristische) Beratung *f*; *heures f/pl. de ~* Sprechstunden *f/pl.*; *cabinet m de ~* Sprechzimmer *n*; *~ de nourrissons* Mütterberatung *f*; **2.** ⚕, ⚖ schriftliches Gutachten *n*; **~ter** [~te] (1a) **I** *v/t.* um Rat fragen, zu Rate ziehen, befragen; *~ un ouvrage* in e-m Buch (*od.* Werk) nachschlagen; *~ le dictionnaire* im Wörterbuch nachsehen; *~ sa montre* nach der Uhr sehen; sehen, wie spät es ist; **II** *v/i.* beratschlagen; **III** *v/rfl.* se ~

bei sich überlegen, sich *über etw.* Gedanken machen; ea. befragen.

consumer [kõsy'me] (1a) **I** *v/t.* (*bis zur Vernichtung*) aufzehren, verzehren, vergeuden, aufbrauchen, vernichten; verprassen; *le feu consuma tout un village* das Feuer vernichtete ein ganzes Dorf; *~ ses forces* s-e Kräfte vergeuden; *fig. ~ q.* an j-m nagen; **II** *v/rfl.* se ~ de (*dans od. en*) sich aufreiben durch (*acc.*) *od.* mit (*dat.*), sich verzehren in (*dat.*); *abs.* se ~ dahin-siechen, -welken.

contact [kõ'takt] *m* Berührung *f*, Fühlung *f*, Kontakt *m* (*a.* ⚡); *mettre en ~* a) (miteinander) in Verbindung bringen; b) ein-, an-schalten; *mettre q. au ~ de q. d'autre* j-n mit j-m anders in Verbindung bringen; *entrer en ~, prendre ~ avec q.* mit j-m in Fühlung treten; *rester en ~, garder le ~ avec q.* mit j-m in Verbindung (*od.* in Fühlung) bleiben, den Kontakt mit j-m aufrechterhalten, mit j-m in Kontakt bleiben; ⚡ *~ à fiches* Steckkontakt *m*; *rad. établir le ~ avec le sol* erden; *~ à spirale* Spiralkontakt *m*; *fig.* (*entrée f en*) ~ Fühlungnahme *f*; ⚔ *~ en marche* Marsch-, Tuch-fühlung *f*; *a. allg. chercher le ~* vorfühlen; *~ par frottement* Schleifkontakt *m*; *mauvais ~* Wackelkontakt *m*; **~er** [~tak'te] *v/t.* (1a): *~ q.* j-n kennenlernen, mit j-m in Berührung kommen; **~eur** ⚡ [~'tœ:r] *m* Schütz *n*, Schalter *m*; *~ de piste* Spurschalter *m* (*Tonbandgerät*); **~o** *Auto* [~'to] *m* Kommandogerät *n*.

conta|ge ⚕ [kõ'ta:ʒ] *m* Ansteckungsstoff *m*; **~gieux** [~'ʒjø] *adj.* (7d) ansteckend; **~gion** [~'ʒjõ] *f* **1.** Ansteckung *f* (*a. fig.*), Fortpflanzung *f e-r Krankheit*; **2.** Verseuchung *f* (*a. fig.*); *fig.* Seuche *f*; **~gionner** [~ʒjɔ'ne] *v/t.* (1a) anstecken; **~giosité** [~ʒjozi'te] *f* Ansteckungsgefahr *f*.

container ⊕ [kõtɛ'nœ:r] *m* Großbehälter *m*, Container *m*, Versandbehälter *m*.

contami|nable [kõtami'nablə] *adj.* infizierbar; *at.* verseuchbar; **~nation** [~na'sjõ] *f* Verunreinigung *f*; ⚕, *at.* Verseuchung *f*, Ansteckung *f*, Infektion *f*; *ling.* Kontamination *f*; *~ nucléaire* Atomverseuchung *f*; **~ner** [~'ne] *v/t.* (1a) verunreinigen; ⚕, *at.* verseuchen, infizieren; *fig.* verderben.

conte [kõ:t] *m* erdichtete Erzählung *f*, Märchen *n*; Geschichte *f*, Schwank *m*, Schnurre *f* P; *~ à dormir debout, ~ bleu, ~ de nourrice, ~ de bonne femme* Ammenmärchen *n*; *~ de bord* Matrosenmärchen *n*; *~ de fées* Feenmärchen *n*; *~ gras* Zote *f*.

contempla|teur [kõtɑ̃pla'tœ:r] *su.* (7f) Betrachter *m*, Denker *m*, Beschauer *m*; **~tif** [~'tif] (7e) **I** *adj.* □ beschaulich, nachdenklich, versunken, meditativ; **II** *su.* Beschaulicher *m*; **~tion** [~pla'sjõ] *f* **1.** Betrachtung *f*, Anschauung *f*; **2.** Beschaulichkeit *f*; Nachsinnen *n*, innere Hingabe *f*, Selbstaufgabe *f*, Wesensschau *f*; *~ mystique* mystische Versenkung *f*.

contempler [kõtɑ̃'ple] (1a) **I** *v/t.* betrachten, beschauen; *fig.* nachdenken über (*acc.*); **II** *v/i.* nachsinnen, Betrachtungen anstellen.

contempor|ain [kõtɑ̃pɔ'rɛ̃] (7) **I** *adj.* zeitgenössisch; *être ~ de q.* zu gleicher Zeit mit j-m leben; *historien m ~* zeitgenössischer Geschichtsschreiber *m*; **II** *su.* Zeitgenosse *m*; **~anéité** [~ranei'te] *f* Gleichzeitigkeit *f*.

contemp|teur [kõtɑ̃p'tœ:r] *su. u. adj.* (7f) Verächter *m*, verachtungsvoll; **~tible** [~'tiblə] *adj.* verachtenswert.

conte|nance [kõt'nɑ̃:s] *f* **1.** Inhalt *m*, Ladungsfähigkeit *f*, Fassungsvermögen *n*; Flächeninhalt *m*, Ausdehnung *f*, Größe *f*; **2.** Anstand *m*, Haltung *f*; *il n'a pas de ~* er hat keine Haltung; **3.** Fassung *f*, Gemütsruhe *f*; *faire bonne ~* sich tapfer halten, die Fassung behalten, entschlossen sein; *perdre ~* aus der Fassung kommen; **~nant** [~'nɑ̃] **I** *adj.* (7) enthaltend; **II** *m* Behälter *m*.

contendant [kõtɑ̃'dɑ̃] *su. u. adj.* (7) Mitbewerber *m*; streitend.

conteneur 🚂 [kõt'nœ:r] *m* Container *m*, Groß-, Versand-behälter *m*.

contenir [kõt'ni:r] (2h) **I** *v/t.* **1.** (ent)halten, (um)fassen, in sich schließen; **2.** zurückhalten; *fig.* im Zaum (*od.* in Schranken) halten, eindämmen; **II** *v/rfl.* se ~ sich zs.-nehmen, sich mäßigen, sich beherrschen.

content [kõ'tɑ̃] **I** *adj.* (7) **1.** zufrieden (*de* mit *dat.*); **2.** froh, erfreut; *il sera ~ de vous voir* er wird sich freuen, Sie zu sehen; **II** *m* Genüge *f*; *avoir son ~ de* genug haben an (*dat.*); *dormir* (*tout à*) *son ~* sich ausschlafen; *manger son ~* sich satt essen; **~ement** [kõtɑ̃t'mɑ̃] *m* Zufriedenheit *f*, Genügsamkeit *f*,

Freude *f*, Vergnügen *n*; Befriedigung *f*: ~ *de soi* Selbstzufriedenheit *f*; *prov.* ~ *passe richesse* Zufriedenheit geht über Reichtum; **~er** [~'te] (1a) **I** *v/t.* befriedigen, zufriedenstellen, genügen (*dat.*); **II** *v/rfl.* se ~ de vorliebnehmen (*od.* sich begnügen) mit (*dat.*).

conten|tieux [kɔ̃tɑ̃'sjø] **I** *adj.* (7d) □ ⚖ strittig, Streit...; *affaire f contentieuse* Streitsache *f*; **II** *m* Prozeßangelegenheiten *f/pl.*, Streitsachen *f/pl.* (mit) der Verwaltung; Rechtsabteilung *f*; ~ *administratif* Verwaltungsgerichtsbarkeit *f*; *section f du* ~ Streitsachenabteilung *f*; **~tion** [~'sjɔ̃] *f* **1.** Anstrengung *f*; ~ *d'esprit* Anspannung *f* der geistigen Kräfte; **2.** † Streit *m.*

contenu [kɔ̃t'ny] *m* Inhalt *m.*

conter [kɔ̃'te] *v/t.* (1a) (*häufiger ist raconter!*) erzählen; F *en* ~ (*od.* ~ *des sornettes*) *à q.* j-m etw. weismachen *od.* vorschwindeln; *ne vous en laissez pas* ~*!* lassen Sie sich nichts vormachen!; *en* ~ *de belles* (*de fortes*) tüchtig aufschneiden, das Blaue vom Himmel erzählen; ~ *des blagues* flunkern; ~ *des balivernes* Unsinn (*od.* dummes Zeug) reden, faseln; ~ *fleurette à une jeune fille* mit e-m Mädchen flirten; ~ *monts et merveilles à q.* j-m goldene Berge versprechen.

contes|tabilité [kɔ̃tɛstabili'te] *f* Bestreitbarkeit *f*, Anfechtbarkeit *f*; **~table** [~'tablə] *adj.* □ strittig, bestreitbar; **~tant** [~'tɑ̃] *adj. u. su.* (7) (be)streitend(e Partei *f*); **~tataire** *pol.* [~ta'tɛ:r] *su.* Protestler(in *f*) *m*; **~tation** [~tɑ'sjɔ̃] *f* Bestreiten *n*, Streit(igkeit *f*) *m*; Beanstandung *f*; *pol.* Protest *m*; *mettre en* ~ in Zweifel ziehen, bestreiten; **~te** [kɔ̃'tɛst] *f nur noch in*: *sans* ~ unbestritten.

contester [kɔ̃tɛs'te] (1a) **I** *v/t.* streitig machen, in Abrede stellen; sich auflehnen gegen (*acc.*); **II** *v/i.* streiten (*sur* über).

conteur [kɔ̃'tœ:r] (7g) *su.* **1.** Erzähler *m*; **2.** Märchen-, Novellendichter *m*; **3.** Schwätzer *m.*

contex|te [kɔ̃'tɛkst] *m* Zusammenhang *m*, Kontext *m*; *soc.* Umgebung *f*, Rahmen *m*; *pol. le* ~ die Verhältnisse *n/pl.*; *pol.* der Staatenblock, der Raum; ⚖ Inhalt *m*, Text *m*; **~ture** [kɔ̃tɛks'ty:r] *f* Gewebe *n*; Verbindung *f*; ~ *des os* Knochenbau *m*; *fig. la* ~ *d'un discours* der innere Zusammenhang (*od.* der Aufbau) e-r Rede; **~turer** *néol.* [~ty're] *v/t.* erklärend erläutern (*Zeichnungen in e-m Buch*).

contigu [kɔ̃ti'gy] *adj.* (7a) angrenzend, benachbart, anstoßend, sich berührend; ⩘ *angle m* ~ Nebenwinkel *m*; **~ïté** [kɔ̃tigɥi'te] *f* Nebeneinanderliegen *n*, Angrenzen *n.*

conti|nence [kɔ̃ti'nɑ̃:s] *f* Enthaltsamkeit *f*, Enthaltung *f*, Keuschheit *f*; **~nent** [~'nɑ̃] **I** *adj.* (7) **1.** enthaltsam, keusch; *fig.* sparsam; **2.** ⚕ gleichbleibend (*Fieber*); **II** *m* Kontinent *m*; **~nental** [~nɑ̃'tal] *adj.* (5c) kontinental; *guerre f* ~*e* Landkrieg *m*; *eaux f/pl.* ~*es* Binnengewässer *n/pl.*

contin|gence [kɔ̃tɛ̃'ʒɑ̃:s] *f* Zufälligkeit *f*, Eventualität *f*; ⩘ Berührung *f*; **~gent** [~'ʒɑ̃] **I** *adj.* (7) **1.** zufällig, ungewiß; **2.** ⚖ *portion f* ~*e* rechtmäßiger Anteil *m*; **II** *m* **3.** Anteil *m*, Kontingent *n*, Quote *f*; *pour son* ~ auf sein(en) Teil; **4.** ⚔ (Truppen-) Kontingent *n*; **~gentement** [~ʒɑ̃t'mɑ̃] *m* (Zwangs-)Bewirtschaftung *f*, Kontingentierung *f*, Rationierung *f*, Zuteilung *f*; **~genter** [~ʒɑ̃'te] *v/t.* (zwangs)bewirtschaften, kontingentieren, rationieren.

continu [kɔ̃ti'ny] **I** *adj.* **1.** aneinanderhängend, stetig; ⩘ *fractions f/pl.* ~*es* Kettenbrüche *m/pl.*; **2.** fortlaufend, beständig, ununterbrochen; ⊕ durchgehend; ⚡ *courant m* ~ Gleichstrom *m*; *travail m* ~ Fließarbeit *f*; ⚠ *mode m de construction en ordre* ~ geschlossene Bauweise *f*; **3.** ♪ *basse f* ~*e* begleitender Generalbaß *m*; **II** *m* Fließband(arbeit *f*) *n*; **~ation** [kɔ̃tinɥa'sjɔ̃] *f* Fortsetzung *f*; Verlängerung *f*; Fortdauer *f*; Wiederaufnahme *f*; ~ *d'emploi* (*od. de travail*) Weiterbeschäftigung *f*; **~el** [~'nɥɛl] *adj.* (7c) □ fortdauernd, fortwährend.

continu|er [kɔ̃ti'nɥe] (1a) **I** *v/t.* **1.** fortsetzen, weiterführen; verlängern; ~ *un mur* e-e Mauer weiterziehen; **2.** erhalten, beibehalten; ~ *la confiance* das Vertrauen bewahren; **II** *v/i.* **3.** fortdauern, anhalten; fortfahren; *la pluie continue* der Regen hält an; **4.** *mit à od. de*: *continuez à* (*od. de*) *lire!* lesen Sie weiter!; *les campagnes continueront de se vider* die Landgegenden werden weiter entvölkert werden; *les troupes continuaient à marcher* die Truppen marschierten weiter; *il continue à* (*od. de*) *pleuvoir* es regnet weiter (*od.* immer noch); ✈ ~ *à* *voler* weiterfliegen; **III** *v/rfl.* se ~ fortgesetzt werden, sich fortsetzen, sich erstrecken; **~ité** [~nɥi'te] *f* Zusammenhang *m*; Einheit *f*; ununterbrochene Fortdauer *f*, Kontinuität *f*; *cin.* Rohdrehbuch *n*; *thé.* ~ *d'action* Einheit *f* der Handlung; *phil. loi f de* ~ Stetigkeitsgesetz *n*; *solution f de* ~ Unterbrechung *f*.

continûment [kɔ̃tiny'mɑ̃] *adv.* ununterbrochen.

contondant [kɔ̃tɔ̃'dɑ̃] *adj.* stumpf; *instrument m* ~ Schlaginstrument *n* (*Waffe*), stumpfe Hiebwaffe *f*.

contorsion [kɔ̃tɔr'sjɔ̃] *f* Verdrehung *f*, Verrenkung *f*, Verzerrung *f*; **~ner** [~sjɔ'ne]: *v/rfl.* se ~ (1a) sich verzerren; sich drehen und winden; *des positions contorsionnées* verkrampfte Körperhaltungen *f/pl.*

contour [kɔ̃'tu:r] *m* Umriß *m*, Außenlinie *f*, Umkreis *m*, Kontur *f*, Rand *m*; **~né** *adj.* verschroben, gewunden, geschraubt, schnörkelhaft; krumm; **~ner** [~tur'ne] (1a) **I** *v/t.* **1.** im Umriß entwerfen; **2.** umgehen; sich winden um; herumgehen, -fahren, -fließen um; ⚡ überspringen; 🚗 ~ *la Suisse* die Schweiz umfahren; ~ *la Lune* den Mond umkreisen; **3.** verdrehen, verbiegen; **II** *v/rfl.* se ~ sich verbiegen; sich werfen (*Holz*).

contraceptif ⚕ [kɔ̃trasɛp'tif] *m u. adj.* (7e): (*produit m*) ~ Verhütungsmittel *n*.

contrac|tant [kɔ̃trak'tɑ̃] **I** *adj.* (7) vertragschließend; **II** *m* Vertragspartner *m*, Kontrahent *m*; **~ter** [~'te] (1a) **I** *v/t.* **1.** zs.-ziehen; verzerren; *a.* ⌒ verkürzen; **2.** *Vertrag* schließen, abschließen; ~ *des dettes envers q.* j-m gegenüber Schulden machen; ~ *une assurance* e-n Versicherungsvertrag abschließen; ~ *un emprunt* e-e Anleihe aufnehmen; ~ *une obligation* e-e Verpflichtung eingehen; *il n'est pas encore en âge de* ~ er ist noch nicht geschäftsfähig; **3.** annehmen, sich zuziehen; ~ *une habitude* e-e Gewohnheit annehmen; ~ *une maladie* sich e-e Krankheit zuziehen; **II** *v/rfl.* se ~ **4.** (ab-)geschlossen werden; **5.** sich zs.-ziehen; **~tif** [~'tif] *adj.* (7e) zs.-ziehend; **~tile** *anat.* [~'til] *adj.* zs.-ziehbar; **~tilité** *anat.* [~tili'te] *f* Zs.-ziehbarkeit *f*; **~tion** [kɔ̃trak'sjɔ̃] *f* Zs.-ziehung *f*; Verzerrung *f* (*der Gesichtszüge*); Verdichtung *f*; Verengerung *f*; *gr.* Kontraktion *f*; ⌒ Verkürzung *f*; **~tuel** [~'tɥɛl] **I** *adj.* (7c) vertraglich, vertragsgemäß; **II** *su.* nichtbeamteter Behördenangestellter *m*; **~ture** [~'ty:r] *f* **1.** ⚠ Verjüngung *f* (*Säulenschaft*); **2.** ⚕ (Muskel-)Steifigkeit *f*; **~turer** [~ty're] *v/t.* (1a) **1.** ⚠ *Säule* verjüngen; **2.** ⚕ *Muskel* steif machen, lähmen.

contradic|teur [kɔ̃tradik'tœ:r] *m bsd.* ⚖ Widersprecher *m*, Gegner *m*; *allg.* Widerspruchsgeist *m* (*Person*); Gegenreferent *m*; *pol.* Oppositionsredner *m*; **~tion** [~k'sjɔ̃] *f* **1.** Widerspruch *m*; *être en* ~ *avec qch.* zu etw. im Widerspruch stehen; **2.** Gegensatz *m*, Unvereinbarkeit *f*, Diskrepanz *f*; **~toire** [~k'twa:r] *adj.* □ (ea.) widersprechend.

contraignable ⚖ [kɔ̃trɛ'ɲablə] *adj.*: ~ *par corps* persönlich haftbar.

contraindre [kɔ̃'trɛ̃:drə] (4b) **I** *v/t.* zwingen, nötigen; ~ *ses goûts* s-e Neigungen (F s-e Gelüste) beherrschen (*od.* bezähmen); ~ *q. à* (*od. de*) *faire qch.* j-n zwingen, etw. zu tun; **II** *v/rfl.* se ~ sich Gewalt (*od.* Zwang) antun; *vgl. obliger 4.*

contraint [kɔ̃'trɛ̃] *adj.* (7) er-, gezwungen, erkünstelt, unnatürlich; **~e** [kɔ̃'trɛ̃:t] *f* **1.** Zwang *m*; *fig.* Be-, Ein-schränkung *f*; *par* ~ gezwungen; *sans* ~ ungezwungen, zwanglos; *vivre sous la* ~ unter Zwang leben; *user de* ~ *envers q.* j-m Zwang antun; **2.** ⚖ (gerichtliches) Zwangsmittel *n*; ~ *par corps* Schuldhaft *f*; ~ *personnelle* Schutzhaft *f*; *porteur m de* ~*s* Vollstreckungsbeamter *m*; **3.** ⊕ Beanspruchung *f*; **4.** *fig.* Gezwungenheit *f*, Gebundenheit *f*.

contraire [kɔ̃'trɛ:r] **I** *adj.* **1.** entgegengesetzt, gegenteilig; Gegen...; widersprechend; *dans le cas* ~, *en cas* ~ widrigen-, andern-falls; *en sens* ~ in entgegengesetzter Richtung; ~ *à la raison* vernunftwidrig; **2.** ~ *à* nachteilig, schädlich (*dat.*); **II** **~ment** *à ... adv.* im Gegensatz zu ... (*dat.*); **III** *m* Gegenteil *n*; *je ne dis pas le* ~ ich leugne es nicht; *advt. au* ~ im Gegenteil; umgekehrt.

contralto ♪ [kɔ̃tral'to] *m* (5a) tiefe Altstimme *f*.

contrapontiste ♪ [~pɔ̃'tist] *m* Kontrapunktist *m*.

contrari|ant [kɔ̃tra'rjɑ̃] *adj.* **1.** unangenehm, widerwärtig; **2.** streitsüchtig; **~er** [~'rje] (1a) **I** *v/t. u. v/i.* **1.** ~ *q.* j-m widersprechen, j-m entgegentreten; **2.** hindern; ~ *les desseins de q.* j-s Pläne durchkreuzen; **3.** ärgern, verstimmen, verdrießen; **4.** in Gegensatz zueinander bringen; **II** *v/rfl.* se ~ sich widersprechen; sich hindern; sich ärgern; **~été** [~rje'te] *f* **1.** Widerspruch *m*, Widerstreit *m*, Unverträglichkeit *f*; **2.** Hindernis *n*, Widerwärtigkeit *f*; Unannehmlichkeit *f*, Ärger *m*.

contras|tant [kɔ̃tras'tɑ̃] *adj.* (7) kontrastierend; **~te** [kɔ̃'trast] *m* Gegensatz *m*, Kontrast *m*; *être en ~, faire ~ avec* sich abheben von (*dat.*), im Gegensatz stehen zu (*dat.*); **~ter** [kɔ̃tras'te] (1a) **I** *v/t. peint.* hervortreten lassen, in Gegensatz bringen; **II** *v/i. ~ avec* sich abheben von (*dat.*), im Gegensatz stehen zu (*dat.*).

contrat ⚖ [kɔ̃'tra] *m* Vertrag *m*, Kontrakt *m*, Übereinkunft *f*; *~ d'achat* Kaufvertrag *m*; *~ de louage* Mietvertrag *m*; *~ de mariage* Heiratsvertrag *m*; *~ de travail* Arbeitsvertrag *m*; *passer un ~* e-n Vertrag abschließen; *dresser* (*od. rédiger*) *un ~* e-n Vertrag ausfertigen; *~ social* Gesellschafts-vertrag *m*, -ordnung *f*; *~ d'assurance* (*sur la vie* Lebens-) Versicherungsvertrag *m*; *~ de bail à ferme, ~ d'amodiation* Pachtvertrag *m*; *~ d'affrètement* Schiffsvertrag *m*; *contraire au ~, incompatible avec le ~* vertragswidrig; **~-type** [~'tip] *m* (6b) Mustervertrag *m*.

contravention [kɔ̃travɑ̃'sjɔ̃] *f* Übertretung *f*; Strafmandat *n*, *~ de* (*simple*) *police* Polizeivergehen *n*; *~ à un contrat* Vertragsverletzung *f*; *~ en matière d'impôt* Steuervergehen *n*; **~nel** ⚖ [~sjɔ'nɛl] *adj.* (7c): *affaire f ~e* Polizeistrafsache *f*.

contre ['kɔ̃:trə] **I** *prp.* gegen (*acc.*), wider (*acc.*); (*tout*) *~* (dicht) neben (*dat. u. acc.*), an (*dat. u. acc.*); *appuyer une échelle ~ le mur* e-e Leiter an die Wand stellen; *la moto était garée ~ le trottoir* das Motorrad war am Bürgersteig (*od.* Gehweg) abgestellt; *heurter ~ une pierre* an e-n Stein stoßen; *j'étais assis ~ la porte* ich saß an der Tür (*od.* an die Tür gelehnt); *~ toute attente* ganz wider Erwarten; *se battre ~ q.* sich mit j-m schlagen; *être fâché ~ q.* auf j-n böse sein; **II** *adv.* dagegen; *n'avoir rien à dire* (*là*) *~* nichts dagegen einzuwenden haben; *parler pour et ~* dafür und dagegen sprechen; *voter ~* dagegen stimmen; *ci-~* neben-, um-stehend; *là ~* dagegen; *par ~* andererseits, dagegen; **III** *m* **1.** Gegenteil *n*: *le pour et le ~* das Für und Wider; **2.** *esc.* Gegen-hieb *m*, -stoß *m*; **3.** *Spiel*: Rückstoß *m*.

contre|-accusation [kɔ̃trakyzɑ'sjɔ̃] *f* Gegenklage *f*; **~-action** [~trak'sjɔ̃] *f* Gegenaktion *f*; **~-allée** [~tra'le] *f* Neben-, Seiten-allee *f*; Seitenweg *m*; **~-amiral** [~trami'ral] *m* (5c) Konteradmiral *m*; **~-appel** [~tra'pɛl] *m* Nachappell *m*; **~-approches** ⚔ [~tra'prɔʃ] *f/pl.* Gegenlaufgräben *m/pl.*; **~-arbre** ⊕ [~'trarbrə] *m* Gegenwelle *f*; **~-assurance** [~trasy'rɑ̃:s] *f* Rückversicherung *f*; **~-attaque** [~tra'tak] *f* Gegenangriff *m*; **~-aveu** [~tra'vø] *m* Widerruf *m*; **~-avis** [~tra'vi] *m* Gegenansicht *f*; ☤ Abbestellung *f*; Gegenorder *f*; **~balance** [~trəba'lɑ̃:s] *f* Gegengewicht *n*; **~balancer** [~balɑ̃'se] (1k) **I** *v/t.* das Gleichgewicht halten (*mit e-r Sache*); *fig.* aufwiegen (*acc.*); **II** *v/rfl.* se ~ einander das Gleichgewicht halten; *fig.* sich aufheben.

contreban|de [kɔ̃trə'bɑ̃:d] *f* Schmuggel *m*, Konterbande *f*, Schleichhandel *m*; (*marchandise f de*) *~* Schmuggelware *f*; *de ~* (ein)geschmuggelt; *faire entrer* (*od. introduire*) *en ~* einschmuggeln; *passer en ~* durchschmuggeln; **~dier** [~'dje] *su.* (7b) Schmuggler *m*.

contrebas [kɔ̃trə'bɑ] **I** *adv.*: *en ~* von oben nach unten; abwärts; tief (*od.* ganz) unten; *être en ~* tief liegen; **II** *prp.*: *en ~ de* ... unterhalb von ...

contrebass|e [~'bɑ:s] *f* **1.** Kontrabaß *m*; **2.** tiefer Baß *m*; **3.** Bassist *m*; **~iste** [~bɑ'sist] *m* Bassist *m*; **~on** [~'sɔ̃] *m* Doppelfagott *n*.

contrebatt|erie [kɔ̃trəba'tri] *f* **1.** ⚔ Gegenbatterie *f*; Artilleriebekämpfung *f*; **2.** *fig.* Gegenschlag *m*; **~re** [~'batrə] *v/t.* (4a) **1.** ⚔ *ein Bombardement* erwidern; e-e Gegenbatterie errichten; **2.** *allg.* zurückschlagen, bekämpfen; *~ l'influence de q.* j-s Einfluß bekämpfen.

contre|-biais [kɔ̃trə'bjɛ]: *advt. à ~* gegen den Strich; **~-billet** ☤ [~bi'jɛ] *m* Gegenwechsel *m*; **~-blocus** [~blɔ'kys] *m* Gegenblockade *f*; **~-boutant** [~bu'tɑ̃] *m* Gegenpfeiler *m*; **~-bouter** [~bu'te] *v/t.* (1a) (mit Strebepfeilern) stützen; **~-butée** ⊕ [~by'te] *f* (6g) Gegenanschlag *m*; **~-calquer** [~kal'ke] *v/t.* (1a) e-n Gegenabdruck machen (von); **~-carrer** [~ka're] *v/t.* (1a) auftreten gegen (*acc.*), entgegenarbeiten (*dat.*), durchkreuzen (*acc.*), vereiteln (*acc.*); **~-caution** [~ko'sjõ] *f* Gegenbürgschaft *f*, Sicherheitspfand *n*; **~-cœur** [~'kœ:r] *m* (6d) **1.** ⊕ Rückwand *f* (e-s Kamins), (Kamin-)Platte *f*; **2.** *advt. à* ~ mit Unlust, widerwillig; **~coup** [~'ku] *m* **1.** Gegen-schlag *m*, -stoß *m*; Rück-, Nach-wirkung *f*, Folge *f*; **2.** *advt. par* ~ indirekt; **~-courant** [~ku'rɑ̃] *m* Gegenströmung *f*; ⚡ Gegenstrom *m*; *marcher à* ~ *fig.* gegen den Strom schwimmen; **~-culture** [~kyl'ty:r] *f* kulturelle Gegenströmung *f*; **~danse** [~'dɑ̃:s] *f* Gegentanz *m*; P Geldstrafe *f*; **~-déclaration** [~deklarɑ'sjõ] *f* Gegenerklärung *f*; **~-dénonciation** ⚖ [~denõsjɑ'sjõ] *f* Kündigungs-, Pfändungs-anzeige *f* an den Drittschuldner.

contre|-digue [kõtrə'dig] *f* Nebendeich *m*; **~dire** [~'di:r] **I** *v/t.* (4m) (*aber: vous contredisez*): ~ *q.* j-m widersprechen, Einwendungen machen, entgegnen, widerlegen; **II** *v/i.* ~ *à* widersprechen; einwenden; ⚖ Gegenrede erheben; **~dit** [~'di] *m*: *advt. sans* ~ unbestritten, zweifellos; **~-échange** [kõtre'ʃɑ̃:ʒ] *m* Gegentausch *m*; **~-écrou** ⊕ [~tre'kru] *m* Sicherungsmutter *f*.

contrée [kõ'tre] *f* Gegend *f*, Landschaft *f*.

contre|-enquête ⚖ [kõtrɑ̃'kɛt] *f* (6g) Gegenuntersuchung *f*; **~-épreuve** [~tre'prœ:v] *f* (6g) Gegenprobe *f bei Abstimmungen* (*a.* ⊕); **~-espionnage** [~trɛspjɔ'na:ʒ] *m* Gegenspionage *f*; Abwehr *f*; **~-essai** [~tre'sɛ] *m* (6g) Gegenversuch *m*, Gegenprobe *f*; **~-expertise** [~trɛkspɛr'ti:z] *f* (6g) nochmalige Besichtigung *f od.* Untersuchung *f*; Gegengutachten *n*.

contre|façon [kõtrəfa'sõ] *f* Nachdruck *m*, betrügerische Nachahmung *f*; **~facteur** [~fak'tœ:r] *m* betrügerischer Nachahmer *m*, Fälscher *m*, Nachdrucker *m*; **~faction** [~fak'sjõ] *f* Fälschung *f*; **~faire** [~'fɛ:r] *v/t.* (4n) **1.** ~ *q.* j-n nachmachen *od.* -ahmen, *iron.* nachäffen; **2.** ~ *qch.* etw. in betrügerischer Absicht nach-ahmen *od.* -drucken, fälschen; **3.** *Stimme*, *Schrift*: verstellen, nachmachen; **~faiseur** [~fə'zœ:r] *su.* (7g) Nach-ahmer *m*, -äffer *m*; **~fait** [~'fɛ] *adj.* (7) nachgemacht, gefälscht, unecht; mißgestaltet; verwachsen.

contre|-fenêtre [~f(ə)'nɛ:trə] *f* (6g) Vor-, Doppel-fenster *n*; **~-fiche** △ [~'fiʃ] *f* (6g) Strebeband *n*, (Stütz-)Strebe *f*; **~-fil** [~'fil] *advt.*: *à* ~ gegen den Strich.

contrefort [kõtrə'fɔ:r] *m* **1.** △ Strebe-mauer *f*, -bogen *m*, -pfeiler *m*; **2.** Ausläufer *m e-s Gebirges*; ~**s** *m/pl. des Alpes* Voralpen *pl.*; **3.** hintere Schuhkappe *f*.

contre|-fugue ♪ [~'fyg] *f* (6g) Kontrafuge *f*; **~-gage** [~'ga:ʒ] *m* (6g) Gegenpfand *n*; **~-garde** ⚔ *frt.* [~'gard] *f* (6g) Vorwall *m*; **~-gouvernement** [~guvɛrnə'mɑ̃] *m* (6g) Gegenregierung *f*; **~-haut** [kõtrə'o] **I** *advt.*: *en* ~ von unten nach oben; **II** *prp.*: *être en* ~ *de* höher liegen als; **~-indiqué** [kõtrɛ̃di'ke] *adj.*: *bsd.* ⚕ unangebracht; *il est* ~ *de* ... es ist nicht ratsam, zu ...; **~-interroger** ⚖ [kõtrɛ̃tɛrɔ'ʒe] *v/t.* (1l) Gegenfragen stellen (*dat.*); **~-jour** [kõtrə'ʒu:r] *m* Gegenlicht *n*; *advt.*: *à* ~ gegen das Licht; *être à* ~ das Licht im Rücken haben; *photographie f à* ~ Gegenlichtaufnahme *f*; **~-lettre** [~'lɛtrə] *f* (6g) geheime Gegenversicherung *f*, Nebenabrede *f*; Geheimvertrag *m*.

contremaître [kõtrə'mɛ:trə] *m* Werk-führer *m*, -meister *m*, Aufseher *m*, Vorarbeiter *m*; △ Polier *m*.

contre|-mandat [~mɑ̃'da] *m* (6g) Gegen-auftrag *m*, -befehl *m*; **~-mander** [~mɑ̃'de] *v/t.* (1a) Gegenbefehl geben; abbestellen; absagen; **~-manifestant** [~manifɛs'tɑ̃] *m* (6g) Gegendemonstrant *m*; **~-manifestation** [~manifɛstɑ'sjõ] *f* (6g) Gegenkundgebung *f*; **~-marée** [~ma're] *f* Gegenflut *f*.

contremar|que [kõtrə'mark] *f* **1.** ✝ Gegenzeichen *n*; Buchungsnummer *f*; **2.** *thé.* Wiedereintritts-marke *f*, -karte *f*; **3.** 🚌 *usw.* Einzelausweiskarte *f für Teilnehmer an Gruppenfahrten*; **~quer** [~mar'ke] *v/t.* (1m) mit e-m Gegenzeichen versehen.

contre|-mine [kõtrə'min] *f* (6g) **1.** ⚔ Gegenmine *f*; **2.** *fig.* Gegenschlag *m*; **~-miner** [~mi'ne] *v/t.* (1a) mit Gegenminen arbeiten (gegen) (*a. fig.*); **~-mur** [~'my:r] *m* (6g) Stützmauer *f*; **~-opération** [kõtrɔperɑ'sjõ] *f* (6g) *fig.* Gegenoperation *f*; Gegenschlag *m*; **~-opposition** [~trɔpozi'sjõ] *f* Gegenopposition *f*; **~-ordre** [~'trɔrdrə] *m* Gegenbefehl *m*; **~partie** [~par'ti] *f* (6g) **1.** Gegen-buch *n*, -register *n*; Gegenposten *m*; Gegenleistung *f*; *compte m de* ~ Gegenrechnung *f*; **2.** *fig.*

entgegengesetzte Meinung *f*; *fig.* Gegenstück *n*; *faire la* ~ die Gegenmeinung vertreten; **3.** ♪ Gegenstimme *f*, zweite Stimme *f*, Alt *m*; **4.** *Spiel*: Gegenpartie *f*, Revanche *f*; **~-partiste** ✝ [~par'tist] *m* Gegenkontrahent *m*; **~-pas** ⚔ [~'pa] *m* (6c) Trittwechsel *m*; **~-passation** ✝ [~pasa'sjɔ̃] *f*, **~-passement** ✝ [~pas'mɑ̃] *m* Gegen-, Rückbuchung *f*; **~-passer** [~pa'se] *v/t.* ✝ rückbuchen, stornieren; **~-peser** [~pə'ze] *v/t.* (1d) aufwiegen; *fig.* das Gleichgewicht halten (*dat.*).

contre|plaqué *men.* [kɔ̃trəpla'ke] *m* Sperrholz *n*; **~plaquer** *men.* [~] *v/t.* gegenfurnieren.

contrepoids [~'pwa] *m* Gegengewicht *n* (*an Uhren u. fig.*); Balancierstange *f des Seiltänzers.*

contre-poil [~'pwal] *m* Gegenstrich *m* des Haares; *advt. à* ~ gegen den Strich; verkehrt; *prendre une affaire à* ~ e-e Sache verkehrt anpacken (*od.* anfangen); *prendre q. à* ~ j-n vor den Kopf stoßen.

contrepoint ♪ [~'pwɛ̃] *m* Kontrapunkt *m*.

contre-poin|te [~'pwɛ̃:t] *f* **1.** Rückkenschärfe *f e-r Degenspitze*; **2.** *esc.* (Säbel-)Fechten *n* auf Hieb und Stoß zugleich; **~ter** [~pwɛ̃'te] *v/t.* (1a) **1.** *cout.* steppen; **2.** ⚔ ~ *un canon* ein Geschütz gegen das feindliche aufstellen.

contre|poison [~pwa'zɔ̃] *m* Gegengift *n*; **~-porte** [~'pɔrt] *f* Doppeltür *f*; **~-poussée** [~pu'se] *f* Gegenangriff *m*; **~-préparation** ⚔ [~prepara'sjɔ̃] *f* Vernichtungsfeuer *n*; **~-pression** [~prɛ'sjɔ̃] *f* Gegendruck *m*; **~-prestation** [~prɛsta'sjɔ̃] *f* Gegenleistung *f*; **~-proposition** [~prɔpozi'sjɔ̃] *f* Gegen-antrag *m*, -vorschlag *m*; **~-publicité** ✝ [pyblisi'te] *f* Gegenpropaganda *f*.

contrer [kɔ̃'tre] *v/t.* (1a) *Boxsport*: kontern; *Kartenspiel*: Kontra spielen *od.* ansagen; ⚔ ~ *l'ennemi* dem Feind entgegentreten.

contre|-rail 🚂 [~'ra:j] *m* Leitschiene *f*; ♀-**Réforme** *hist. rl.* [~re'fɔrm] *f* Gegenreformation *f*; **~-révolution** [~revɔly'sjɔ̃] *f* Gegenrevolution *f*.

contrescarpe ⚔ *frt.* [kɔ̃trɛs'karp] *f* Außenböschung *f*.

contre|-scel, ~-sceau [kɔ̃trə'sɛl, ~'so] *m* Gegen-, Bei-siegel *n*; **~-sceller** [~sɛ'le] *v/t.* (1a) ein Gegensiegel aufdrücken (*dat.*).

contreseing [~'sɛ̃] *m* Gegenzeichnung *f*, Mitunterschrift *f*; *avoir le* ~ (*d'un ministre*) (die Vollmacht haben) (für e-n Minister) (zu) unterzeichnen; Prokura haben.

contresens [~'sɑ̃:s] *m* entgegengesetzter (*od.* verkehrter) Sinn *m*; Unsinn *m*; *prendre le* ~ *des paroles de q.* j-s Worte verkehrt auslegen; *advt. à* ~ sinnwidrig, verkehrt.

contre|signataire [~siɲa'tɛ:r] *adj. u. su.* gegen(unter)zeichnend; Gegenzeichner *m*; **~signer** [~si'ɲe] *v/t.* (1a) gegenzeichnen; **~-tailler** [~ta'je] *v/t.* (1a) *Zeichenkunst*: gegenschraffieren.

contretemps [~'tɑ̃] *m* **1.** widerwärtiger (*od.* leidiger) Zufall *m*, Mißgeschick *n*, Widerwärtigkeit *f*, Hindernis *n*; *advt. à* ~ zur Unzeit, ungelegen, unerwünscht; **2.** ♪ Kontratempo *n*.

contre|-timbre [~'tɛ̃:brə] *m* Überdruck *m* (*auf Briefmarken*); **~-torpilleur** ⚔, ⚓ [~tɔrpi'jœ:r] *m* (Torpedoboot-)Zerstörer *m*; **~-tranchée** ⚔ [~trɑ̃'ʃe] *f* Gegenlaufgraben *m*; **~-valeur** [~va'lœ:r] *f* Gegenwert *m*; **~-vapeur** ⊕ [~va'pœ:r] *f* (6c) Gegendampf *m*.

contreve|nant ⚖ [~v'nɑ̃] *adj. u. su.* (7) übertretend; Übertreter *m*, Zuwiderhandelnde(r) *m*; **~nir** [~v'ni:r] *v/i.* (2h): ~ *à* übertreten (*acc.*), zuwiderhandeln (*dat.*).

contrevent [kɔ̃trə'vɑ̃] *m* **1.** Klappladen *m*, äußerer Fensterladen *m*; **2.** ⚠ Windstütze *f*; **~ement** [~vɑ̃t'mɑ̃] *m* ⚠ Windversteifung *f*; ✈ Querverspannung *f*.

contre|vérité [~veri'te] *f ironische* Behauptung *f* des Gegenteils; *spöttische* Entstellung *f* der Tatsachen; **~-visite** [~vi'zit] *f* Nach-, Kontroll-untersuchung *f*; **~-voie** [~'vwa] *f* Nebengleis *n*; *advt. à* ~ auf falschem Gleis; in entgegengesetzter Richtung.

contribu|able [kɔ̃tri'bɥablə] *adj. u. su.* steuerpflichtig; Steuerzahler *m*; Steuerpflichtige(r) *m*; **~er** [~'bɥe] *v/i.* (1a): ~ *à* beisteuern, beitragen, mithelfen zu (*dat.*); eingesetzt werden für (*acc.*; *e-n Arbeitszweig*); ~ *à faire qch.* dazu beitragen, etw. zu tun; **~tif** [by'tif] *adj.* (7e) Steuer...; auf Beiträgen beruhend; **~tion** [~by'sjɔ̃] *f* **1.** Beitrag *m*, Anteil *m*; **2.** Steuer *f*; ~ *foncière* Grundsteuer *f*; ~ *mobiliaire* Mobiliarsteuer *f*; ~ *personnelle* Kopfsteuer *f*; *bureau m des* ~*s* Steueramt *n*; *receveur m des* ~*s* Steuereinzieher *m*; **3.** *mettre à* ~

zu Zahlungen heranziehen; *fig.* benutzen, sich dienstbar machen, *j-n* mit heranziehen *od.* in Anspruch nehmen; *mettre sa cervelle à* ~ scharf nachdenken.

contrister [kɔ̃tris'te] (1a) **I** *v/t.* betrüben; Kummer verursachen (*dat.*); **II** *v/rfl.* se ~ traurig werden.

contrit [kɔ̃'tri] *adj.* (7) zerknirscht, reumütig; **~ion** [~tri'sjɔ̃] *f* Zerknirschung *f*, Reue *f*.

contrô|lable [kɔ̃tro'lablə] *adj.* kontrollierbar; **~le** [~'tro:l] *m* **1.** Kontrolle *f*, Nachprüfung *f*; Überwachung *f*, Beaufsichtigung *f*, Aufsicht *f*; *fig.* Kritik *f*; ~ *des logements* Wohnungszwangswirtschaft *f*; ~ *des naissances* Geburtenkontrolle *f*; ⚔ ~ *des armements* Rüstungskontrolle *f*; ✝ ~ *des prix* Preisüberwachung *f*; ~ *des devises* Devisenk. *f*; ~ *douanier*, ~ *de douane* Zollk. *f*; *pol.* ~ *international des airs* internationale Luftk. *f*; ~ *atomique* Atomk. *f*; ~ *des changes* Währungsk. *f*; *rad.* ~ *de volume* Lautstärkeregler *m*; **2.** Kontrollbüro *n*; **3.** ⚔ *~s pl.* Namensverzeichnis *n*; **4.** Stempel *m auf Gold- u. Silberarbeit usw.*; **~ler** [~tro'le] *v/t.* (1a) **1.** kontrollieren, nachprüfen; nachrechnen; beaufsichtigen, überwachen; ablesen (⚡ *Zähler*); ⚔, *éc.* ~ *la mer du Nord* die Nordsee beherrschen; **2.** *fig.* kritisieren, bekritteln; **3.** *Silbergeschirr usw.* stempeln; **4.** *rad.* mithören; **~leur** [~'lœ:r] *su.* (7g) **1.** Kontrolleur *m*, Aufseher *m*; ✈ ~ *de la circulation aérienne* Fluglotse *m*; **2.** *fig.* Tadler *m*, Krittler *m*; **3.** Kontrollgerät *n*.

contrordre [kɔ̃'trɔrdrə] *m* Gegenbefehl *m*; Abbestellung *f*.

controuver [kɔ̃tru've] *v/t.* (1a) erlügen, *Unwahres* erfinden, erdichten, frei erfinden, aus der Luft greifen; *cette explication est controuvée en tout point* diese Erklärung ist völlig aus der Luft gegriffen.

controver|sable [kɔ̃trɔver'sablə] *adj.* bestreitbar, fragwürdig; **~se** [~'vɛrs] *f* (Meinungs-, Glaubens-) Streit *m*, Kontroverse *f*; *mettre qch. en* ~ etw. bestreiten; *hors de* ~ unbestritten; *sujet à* ~ strittig; *traiter un point de* ~ e-e Streitfrage behandeln; **~ser** [~'se] *v/t.* (1a) streiten über (*acc.*), bestreiten; *question f controversée* umstrittene Frage *f*.

contumace ⚖ [kɔ̃ty'mas] **I** *f* Nichterscheinen *n*; *condamner par* ~ in Abwesenheit verurteilen; **II** *m* (*a. contumax* [~'maks]) ⚖ (vor Gericht) Nichterscheinende(r) *m*; in Abwesenheit Verurteilte(r) *m*.

contus [kɔ̃'ty] *adj.* (7) gequetscht; *plaie f* ~*e* Quetschwunde *f*; **~ion** [kɔ̃ty'zjɔ̃] *f* ⚕ Prellung *f*; **~ionner** [~zjɔ'ne] *v/t.* (1a) ⚕ quetschen.

conurbation [kɔnyrbɑ'sjɔ̃] *f* Gruppe *f* zusammengewachsener Städte.

convain|cant [kɔ̃vɛ̃'kɑ̃] *adj.* (7) überzeugend, schlagend; **~cre** [kɔ̃-'vɛ̃:krə] *v/t.* (4i): ~ *q. de* j-n überzeugen von (*dat.*); ~ *q. d'un crime* j-n eines Verbrechens überführen; ~ *q. de mensonge* j-n bei e-r Lüge ertappen.

convales|cence [kɔ̃valɛ'sɑ̃:s] *f* Genesung *f*, Rekonvaleszenz *f*; *être* (*od. entrer*) *en* ~ auf dem Wege der Genesung sein; *souhaiter une prompte* ~ *à q.* j-m recht bald gute Besserung wünschen; **~cent** [~'sɑ̃] *adj. u. su.* (7) genesend; Genesende(r) *m*, Rekonvaleszent *m*.

convalo P ⚔ [kɔ̃va'lo] *f* Genesungsurlaub *m*.

convection ⚡ [kɔ̃vɛk'sjɔ̃] *f* Konvektion *f*.

conve|nable [kɔ̃v'nablə] **I** *adj.* □ **1.** ~ *à* angemessen (*dat.*); **2.** passend, gebührend, zuträglich, zweckdienlich, ratsam; schicklich; **II** *m le* ~ das Passende; **~nablement** [~vnablə'mɑ̃] *adv.* ordentlich, anständig, sauber, passend; *s'en tirer* ~ glimpflich davonkommen; **~nance** [~v'nɑ̃:s] *f* **1.** Übereinstimmung *f*, Harmonie *f*, Angemessenheit *f*; *mariage m de* ~ Heirat *f* aus Standes- *od.* Vermögens-rücksichten; **2.** *oft ~s pl.* Anstand *m*; *observer* (*od. respecter*) *les ~s* den Anstand beobachten; *blesser* (*od. violer*) *les ~s* gegen den Anstand verstoßen; *rappeler aux ~s* zurechtweisen; *raison f de* ~ Schicklichkeitsgrund *m*; *par* ~ anstandshalber; **3.** Bequemlichkeit *f*, Annehmlichkeit *f*; *à votre* ~ ganz nach Ihrem Belieben; **~nant** [~v'nɑ̃] *adj.* (7) passend, angemessen; schicklich.

convenir [kɔ̃v'ni:r] (2h) **I** *v/i.* a) *mst. mit être* (*jedoch in der modernen Sprache häufig auch mit avoir*) **1.** ~ *de* übereinkommen über (*acc.*), vereinbaren, verabreden, abmachen; *ils sont convenus du prix* sie sind über den Preis einig geworden; *les gouvernements sont convenus de ce qui suit* die Regierungen sind wie folgt übereingekommen; *comme nous en étions convenus* wie wir es verabredet hatten; *comme convenu* wie verabredet; *c'est* (*od. voilà qui est*) *convenu* abgemacht; es bleibt dabei; ~ *d'un arbitre* sich über die Wahl eines Schiedsrichters verständigen; *ils avaient convenu de se retrouver à Rome* sie hatten vereinbart, sich in Rom wieder einzufinden; **2.** ~ *de* zugeben, einräumen, zugestehen; *j'en conviens* ich gebe es zu; **3.** ~ *sur* übereinstimmen über (*acc.*), sich einig sein über (*acc.*); b) *mit avoir*: **4.** ~ *à* entsprechen (*dat.*), übereinstimmen mit (*dat.*); *cela convient à ce que vous disiez* das stimmt mit dem überein, was Sie sagten; **5.** ~ *à q.* für j-n passen, j-m gefallen, j-m recht sein; **6.** ~ *à q.* j-m gebühren *od.* geziemen; **II** *v/imp. il convient de ...* es ist ratsam, es schickt sich zu; **III** *v/rfl.* se ~ zuea. passen.

conventicule [kõvãti'kyl] *m* heimliche Zs.-kunft *f*.

convention [kõvã'sjõ] *f* **1.** Abkommen *n*, Konvention *f*, Vertrag *m*, Übereinkunft *f*, Vereinbarung *f*; ~ *collective* Tarifvertrag *m*; ~ *économique* Wirtschaftsabkommen *n*; ~ *industrielle* Industrieabkommen *n*; ~ *sur la durée du travail* Arbeitszeitabkommen *n*; ~ *commerciale* Handelsabkommen *n*; *de* ~ vertragsmäßig, verabredet, vereinbarungsgemäß; **2.** ~*s pl.* Vertragsbestimmungen *f/pl.*; ~*s matrimoniales* Bestimmungen *f/pl.* e-s Ehevertrages; **3.** ~*s pl.* Konventionen *f/pl.*, konventionelle Formen *f/pl.*; ⚖ Klauseln *f/pl.*; **4.** *de* ~ angenommen, hergebracht, konventionell; **5.** Parteikonvent *m*; *hist. Fr. la* ♀ (*nationale*) der Nationalkonvent *m* (*1792 bis 1795*); **~alisme** [~sjɔna'lism] *m* Konventionalismus *m*, Formengebundenheit *f*; **~nel** [~'nɛl] **I** *adj.* (7c) □ **1.** auf e-m Vertrag (*od.* auf e-r Übereinkunft) beruhend, vereinbarungs-, vertrags-gemäß; **2.** konventionell, üblich; althergebracht; **3.** *hist. Fr.* zum Konvent gehörig; **II** *hist. m* Konventsmitglied *n*; **~-type** [kõvã'sjõ'tip] *f* (6b) Rahmenabkommen *n*.

conventu|alité *rl.* [kõvãtɥali'te] *f* Klosterleben *n*; **~el** [~'tɥɛl] **I** *adj.* (7c) □ klösterlich, Kloster...; **II** *m* Klostermönch *m*.

conver|gence [kõvɛr'ʒɑ̃:s] *f* **1.** ⩘ Konvergenz *f*; *phys.* Zs.-strömen *n* zweier Strahlen; ~ *d'une série* Konvergenz *f* e-r *unendlichen* Reihe; **2.** *a. phil.* gegenseitige Annäherung *f*; *fig.* ~ *des efforts* Ausrichtung *f* der Anstrengungen auf ein gemeinsames Ziel; ~ *d'opinions* Übereinstimmung *f* von Ansichten; **~gent** [~'ʒɑ̃] *adj.* (7) konvergent; **~ger** [~'ʒe] *v/i.* (1l) sich nähern, konvergieren, in e-m Punkt zs.-laufen; *faire* ~ vereinen.

convers *rl.* [kõ'vɛ:r] *adj.* (7): *frère* ~, *sœur* ~*e* Laien-bruder *m*, -schwester *f*.

conver|sation [kõvɛrsa'sjõ] *f* **1.** Unterhaltung *f*, Gespräch *n*, Rücksprache *f*, Konversation *f*; ~ (*téléphonique*) *locale od. urbaine* Ortsgespräch *n*; ~ *interurbaine* Ferngespräch *n*; *entrer en* ~ ins Gespräch kommen; *lier* ~ *avec q.* ein Gespräch mit j-m anknüpfen; *se mêler à une* ~ sich in ein Gespräch mischen; **2.** Gesprächsart *f*; **3.** ~ *criminelle* sträflicher Umgang *m*; **~ser** [~'se] *v/i.* (1a): ~ *avec q.* sich mit j-m unterhalten; **~sion** [~'sjõ] *f* **1.** Veränderung *f*, Verwandlung *f*, *a. fin.* Umstellung *f*; *fin.* Umtausch *m*, Umwandlung *f* (*der Renten*), Konvertierung *f*; Umschuldung *f*; ~ *monétaire* Währungsumstellung *f*; **2.** *fig.* Umschwung *m*; **3.** *rl.* Bekehrung *f*, *bsd.* Glaubensveränderung *f*; **4.** ⚔ Schwenkung *f*, Wendung *f*.

converti [kõvɛr'ti] **I** *adj.* umgewandelt; *rl.* bekehrt; **II** *su.* Konvertit *m*, Bekehrte(r) *m*; **~bilité** *fin.* [~bili'te] *f* Umsetzbarkeit *f*, Einlösbarkeit *f*, Konvertierbarkeit *f*; **~ble** [~'tiblə] *adj.* **1.** *phil.* umkehrbar; **2.** *fin.* ⊕ umwandelbar, umtauschbar; konvertierbar, einlösbar.

convertir [kõvɛr'ti:r] (2a) **I** *v/t.* **1.** verwandeln, umwandeln; umformen; ~ *en pain* verbacken; **2.** *fin.* konvertieren, umrechnen, *in Geld* umsetzen; **3.** bekehren, überzeugen, anderen Sinnes machen; **II** *v/rfl.* se ~ **4.** sich verwandeln (*en* in *acc.*); sich umkehren lassen; **5.** *fig.* sich bekehren lassen (*à* zu *dat.*).

convertis|sable *fin.*, ⊕, ⚒ [kõvɛrti'sablə] *adj.* umwandelbar, konvertierbar; **~sage** *métall.* [~'sa:ʒ] *m* Konvertern *n*; **~sement** [~s'mɑ̃] *m* Verwandlung *f* (*en* in *acc.*); *fin.* Konvertierung *f*; **~seur** [~'sœ:r] *su.* (7g) **1.** *bsd. rl.* Bekehrer *m*; **2.** *métall.* Bessemerbirne *f*, Konverter *m*, Umformer *m*; ⚡ ~ *de courant* Stromumformer *m*; **3.** *Müllerei*: Ausmahlmaschine *f*.

convexe [kõ'vɛks] *adj.* konvex.

convexité [kɔ̃vɛksi'te] *f* Wölbung *f.*

conviction [kɔ̃vik'sjɔ̃] *f* **1.** Überzeugung *f*; *par* ~ aus Überzeugung; ~*s pl.* Ansichten *f/pl.*, Anschauungen *f/pl.*; **2.** ⚖ überzeugender Beweis *m*; *pièces f/pl. de* (*od. à*) ~ Beweis-, Überführungs-stücke *n/pl.*

convi|er [kɔ̃'vje] *v/t.* (1a) einladen; veranlassen (*à* zu *dat.*); *fig.* locken, reizen; **~ve** [~'vi:v] *su.* Tischgast *m.*

convoca|ble [kɔ̃vɔ'kablə] *adj.* einberufbar; **~teur** [~'tœ:r] *su.* (7f) Einberufer *m*; **~tion** [~kɑ'sjɔ̃] *f* Einberufung *f* (*a.* ⚔); Vorladung *f.*

convoi [kɔ̃'vwa] *m* **1.** Autokolonne *f*, Konvoi *m*, Transport *m*, Sammeltransport *m*; ~ *de vivres* Proviantkolonne *f*; **2.** ⚓, ✈, *Auto*: Geleit *n*, Geleitzug *m*, Konvoi *m*; ~ *de gros bagages* Troß *m*; ⚓ ~ *remorqué* Schleppzug *m*; **3.** Trauergeleit *n*; ~ *funèbre* Leichenzug *m*; **4.** 🚂 Eisenbahnzug *m*; ~ *de marchandises*, ~ *de voyageurs* Güter-, Personen-zug *m*; **~ement** [~vwa'mɑ̃] *m* Eskortierung *f v. Schiffen, Flugzeugen, Autos*; Schiffs-, Flugzeugbegleitung *f.*

convoi|table [kɔ̃vwa'tablə] *adj.* begehrenswert; **~ter** [~'te] *v/t.* (1a) begehren, Lust bekommen *od.* trachten nach (*dat.*); **~tise** [~'ti:z] *f* Begierde *f*, Lüsternheit *f.*

convoler *iron.* [kɔ̃vɔ'le] *v/i.* (1a) sich verheiraten; ~ *en justes noces* in den Hafen der Ehe einlaufen.

convoluté ⚘ [kɔ̃vɔly'te] *adj.* zusammengerollt.

convolvulus ⚘ [kɔ̃vɔlvy'lys] *m* } [Winde *f.*

convoquer [kɔ̃vɔ'ke] *v/t.* (1m) zs.-, ein-berufen (*a.* ⚔); *a.* ⚖ vorladen.

convoy|age ✈, ⚓ [kɔ̃vwa'ja:ʒ] *m* Geleit *n*; ✈ Geleitflug *m*; **~er** ✈, ⚓, *Autos* [~'je] *v/t.* (1h) begleiten, eskortieren; **~eur** ✈, ⚓, *Auto* [~'jœ:r] *adj. u. m* **1.** Geleit-schiff *n*, -flugzeug *n*; **2.** Begleitperson *f*; Beifahrer *m*; ~ *de drogue* Rauschgiftschmuggler *m*; ~ *de fonds* Geldtransporteur *m*; **3.** ⊕ Förderband *n*, laufendes Band *n*, Förderer *m*; ~ *à raclettes* Kratzbandförderer *m.*

convul|ser ⚕ [kɔ̃vyl'se] (1a) *v/t. u.* (*se*) ~ (sich) krampfhaft verzerren; **~sible** [~'siblə] *adj.* krampfhaft, zu Krämpfen neigend; **~sif** [~'sif] *adj.* (7e) zuckend, krampfhaft; *toux f convulsive* Keuchhusten *m*; **~sion** [~'sjɔ̃] *f* Zucken *n*, Krampf *m.*

coobligé [kɔɔbli'ʒe] *m* Mitverpflichtete(r) *m*, Mitschuldner *m.*

coolie [ku'li] *m* Kuli *m.*

coop F [kɔ'ɔp] *f* ˈKonsum(verein *m*) *m.*

coopérant [kɔɔpe'rɑ̃] *su.* Entwicklungshelfer(in *f*) *m.*

coopéra|teur [kɔɔpera'tœ:r] (7f) **I** *adj.* mitwirkend; **II** *su.* **1.** Mitarbeiter *m*; **2.** Genossenschaftsmitglied *n*; **~tif** [~'tif] *adj.* (7e) kooperativ, mitwirkend; Genossenschafts...; (*société f*) *coopérative* Genossenschaft *f*; **~tion** [~rɑ'sjɔ̃] *f* Zusammenarbeit *f*, Mithilfe *f*; **~tisme** [~'tism] *m*, **~tivisme** F [~ti'vism] *m* Genossenschaftswesen *n*; **~tive** [~'tiv] *f* Genossenschaft *f*; ~ *de production* (*de consommation, de crédit, agricole*) Produktions- (Konsum-, Kredit-, landwirtschaftliche) Genossenschaft *f*; ~ *des artisans du bâtiment* Baugenossenschaft *f*; ~ *d'achat(s)* (*a. nur* ~) Konsumverein *m*, Einkaufsgenossenschaft *f*; ~ *d'entreprise* Werkkantine *f*; ~ *de vente* Absatzgenossenschaft *f.*

coopérer [kɔɔpe're] *v/i.* (1f): ~ *à* mit-wirken, -helfen bei (*dat.*), beitragen zu (*dat.*).

coop|tation [kɔɔptɑ'sjɔ̃] *f* Ergänzungswahl *f*; **~ter** [~'te] *v/t.* (1a) hinzuwählen.

coordinateur *a. Fr. école.* [kɔɔrdina'tœ:r] *su.* Koordinator *m.*

coordination [kɔɔrdinɑ'sjɔ̃] *f* Bei-, Zu-ordnung *f*, Koordination *f* (*a. gr.*), Gleichstellung *f*, Gleichschaltung *f*; *cin.* Zusammenstellung *f.*

coordon|nant [kɔɔrdɔ'nɑ̃] *adj.* (7) koordinierend, beiordnend; **~né** *Mode* [~'ne] *m* kombinierbares Kleidungsstück *n*; **~nées** 𝔄 [~'ne] *f/pl.* Koordinaten *f/pl.*; **~ner** [~] *v/t.* (1a) bei-, gleich-ordnen, koordinieren; einheitlich leiten; gleichschalten; ~ *les efforts* die Bemühungen vereinigen.

copahu *phm.* [kɔpa'y] *m*: *baume m de* ~ Kopaivabalsam *m.*

copain F [kɔ'pɛ̃] *m* (*f*: *copine* [kɔ'pin]) Kamerad *m*, (Schul-, Studien-)Freund *m*; *nous sommes très* ~*s* wir verstehen uns wundervoll.

copal [kɔ'pal] *m* Kopal(harz *n*) *m.*

copartageant [kɔparta'ʒɑ̃] *adj. u. su.* (7) teilhabend; Teilhaber *m.*

copeau [kɔ'po] *m* (Hobel-)Span *m.*

copiage [kɔ'pja:ʒ] *m* **1.** *écol.* Abschreiben *n*; **2.** ⊕ ~ (*d'après gabarit*) Schablone *f*; *travaillant par* ~ *d'après gabarit* nach Schablone (arbeitend).

copie [kɔ'pi] *f* **1.** Abschrift *f*, Kopie

f, Duplikat *n*, Reinschrift *f*; *prendre ~ de* e-e Abschrift machen von (*dat.*); *~ au net* Reinschrift *f*; *pour ~ conforme* für die Übereinstimmung mit dem Original; *~ légalisée* beglaubigte Abschrift *f*; *~ (faite à la) machine* Durchschlag *m*; *~ de certificat* Zeugnisabschrift *f*; *~ héliographique* Lichtpause *f*; *~ de traite* Wechselkopie *f*; *papier m ~* Durchschlagpapier *n*; **2.** Nachbildung *f* e-s Kunstwerks, Kopie *f*; Abdruck *m*; **3.** *écol.* Reinschrift *f*; **4.** *fig.* Abbild *n*, Gegenbild *n* (*Person*); Nachahmung *f*; F *plais. original m sans ~* Sonderling *m* ohnegleichen; **~-lettres** [~'lɛtrə] *m* Kopierbuch *n*.

copier [kɔ'pje] (1a) **I** *v/t.* **1.** abschreiben; kopieren; abtippen; ins reine schreiben; nachbilden; *écol. ~ sur un voisin* von e-m Nachbarn abschreiben; **2.** *fig. ~ q.* j-n nachmachen, j-n nachäffen; **II** *v/rfl. se ~* **3.** ea. nachahmen; *écol.* (*a. ~ l'un sur l'autre*) voneinander abschreiben; **4.** *peint.* sich wiederholen; **5.** sich kopieren lassen.

copieux [kɔ'pjø] *adj.* (7d) □ reichlich (*Mahlzeit*).

copilote [kɔpi'lɔt] *m* **1.** ✈ zweiter Pilot *m*, Kopilot *m*; **2.** *Auto*: Beifahrer *m*.

copinage F [kɔpi'na:ʒ] *m* Freundschaft *f* mit Jugendlichen.

copine P [kɔ'pin] *f* Kameradin *f*, Freundin *f*.

copion F *écol.* [kɔ'pjɔ̃] *m* Schummelzettel *m*.

copiste [kɔ'pist] *su.* **1.** Abschreiber *m*; *~ de musique* Notenschreiber *m*; **2.** *péj.* Nachahmer *m*, Nachäffer *m*.

coposs|éder ⚖ [kopɔse'de] *v/t.* (1g) mitbesitzen; **~esseur** ⚖ [~sɛ'sœ:r] *su.* (7g) Mitbesitzer *m*; **~ession** ⚖ [~sɛ'sjɔ̃] *f* Mitbesitz *m*.

copra(h) *biol.* [kɔ'pra] *m* Kopra *f*.

copreneur ⚖ [koprə'nœ:r] *m* Mitpächter *m*.

coproduction [koprɔdyk'sjɔ̃] *f* Gemeinschaftsproduktion *f*.

copro|lithe *géol.* [kɔprɔ'lit] *m* Koprolith *m*; **~phage** *ent.* [~'fa:ʒ] *m u. adj.* Aaskäfer *m*; kotfressend.

copropriétaire [koprɔprie'tɛ:r] *su.* Miteigentümer *m*; **~té** [~'te] *f* Miteigentum *n*.

copter [kɔp'te] *v/t.* (1a) e-e Glocke *mit e-m Klöppel* anschlagen.

copu|latif [kɔpyla'tif] *adj.* (7e) *gr.* □ kopulativ, verbindend; **~lation** [~lɑ'sjɔ̃] *f* Beischlaf *m*, Begattung *f*; **~lative** *gr.* [~la'ti:v] *f* Bindewort *n*; **~le** *gr.* [kɔ'pyl] *f* Kopula *f*; Verbindungswort *n*; **~ler** *gr.* [kɔpy'le] *v/t.* (1a) verbinden; paaren.

coq[1] [kɔk] *m* **1.** *orn.* Hahn *m*; *~ à la broche* Brathähnchen *n*; *plume f de ~* Hahnenfeder *f*; *le ~ chante* der Hahn kräht; **2.** *orn. ~ de bruyère* (*a. ~ de bois*) Auerhahn *m*, Waldhuhn *n*; *~ de bouleau, petit ~ de bruyère* Birkhahn *m*; *~ d'Inde* [ko'dɛ̃:d] Truthahn *m*, Puter *m*; *rouge comme un ~* puterrot; **3.** *~ (d'un clocher)* Wetterhahn *m*; **4.** *~ gaulois* gallischer Hahn *m*; **5.** *fig. vivre comme un ~ en pâte* wie der Herrgott in Frankreich leben; wie die Made im Speck leben; *être le ~ du village* Hahn im Korb sein; die erste Geige spielen.

coq[2] ⚓ [~] *m* Schiffskoch *m*.

coq-à-l'âne [kɔka'lɑ:n] *m* (6c) ungereimtes Zeug *n*, Gefasel *n*, Unsinn *m*, Gedankensprung *m*; *faire des ~* vom Hundertsten ins Tausendste kommen.

coquard [kɔ'ka:r] *m* **1.** alter, böser Hahn *m*; **2.** * *fig.* blaues Auge *n*.

coque [kɔk] *f* **1.** (Eier-)Schale *f*; *œufs m/pl. à la ~* weichgekochte Eier *n/pl.*; **2.** ⚘ (Frucht-)Schale *f*; *~ de noix* Nußschale *f*; *fruits m/pl. à ~s* Schal(en)obst *n*; **3.** Gehäuse *n* *e-r Raupe usw.*; **4.** *~s pl. de perles* Halbperlen *f/pl.*; **5.** ⚓, ✈ Rumpf *m*; *~ d'un navire* Schiffsrumpf *m*; *~ d'un sous-marin atomique* Rumpf *m* e-s Atom-U-Boots; **6.** Haarschleife *f*; ⊕ Schleife *f im Draht*; **7.** Eßmuschel *f*.

coquebin [kɔk'bɛ̃] *m* Grünschnabel *m*.

coque|licot ⚘ [kɔkli'ko] *m* Klatschmohn *m*; **~lourde** ⚘ [~'lurd] *f* Windröschen *n*; Samtnelke *f*; **~luche** [~'lyʃ] *f* **1.** Keuchhusten *m*; **2.** *fig.* Liebling *m*; être *la ~ de q.* j-s Liebling sein, bei j-m gut angeschrieben sein, bei j-m e-n Stein im Brett haben; *il est la ~ des femmes* er ist der Schwarm der Frauen; **~mar** [~'ma:r] *m* Wasserkochkessel *m*; **~rico** [kɔkri'ko] *m* Kikeriki *n*; **~rie** ⚓ [kɔ'kri] *f* Bord-, Hafen-küche *f*.

coquet [kɔ'kɛ] *adj.* (7c) □ kokett, eitel; niedlich, nett, hübsch, zierlich; *une pièce ~te* ein hübsch eingerichtetes Zimmer *n*; *une somme ~te* ein hübsches Sümmchen; **~er** [kɔk'te] *v/i.* (1c) kokettieren; **~ier** [kɔk'tje] *m* (7b) **1.** Eier-, Geflügelhändler *m*; **2.** Eierbecher *m*; **~te**

[kɔ'kɛt] *f* kokette Frau *f*, schicke Puppe *f* P *plais.*; **~terie** [kɔkɛ'tri] *f* Koketterie *f*, Putzsucht *f*; Eitelkeit *f*, Geziertheit *f*.

coquil|lage [kɔki'ja:ʒ] *m* **1.** *zo.* Muschel *f* (*Tier u. Schale*); **2.** *~s pl.* Muschelarbeit *f*; **~lard** * [~'ja:r] *m* Auge *m*; **~lart** *géol.* [~] *m* Muschelkalk *m*; **~le** [kɔ'kij] *f* **1.** Muschel (-schale *f*) *f*; *~ (de limaçon)* Schneckengehäuse *n*; *fig. il ne donne pas ses ~s* er gibt nichts umsonst, er verschenkt nichts; *rentrer dans sa ~* die Hörner einziehen; *fig.* sich in s-e Haut zurückziehen; abtreten; sich verkriechen; den Mund halten; ganz kleinlaut werden; **2.** *~ (d'œuf)* Eierschale *f*; *fig. il ne fait que sortir de la ~* er ist noch nicht trocken hinter den Ohren; **3.** *~ de noix* Nußschale *f*; **4.** ⚠ Muschelzierat *m*; *~ d'escalier* Treppenmuschel *f*; **5.** *esc.* Stichblatt *n e-s Säbels*; **6.** *métall.* gußeiserne Form *f*, Gußschale *f*; **7.** *typ.* Druckfehler *m*; **~lier** [~'je] *m* Muschelsammlung *f*.

coquin [kɔ'kɛ̃] (7) **I** *su.* **1.** Schuft *m*, Schurke *m*, Halunke *m*; **2.** *plais. petit ~* kleiner Schelm *m*, Schlingel *m*; **II** *adj.* a) schurkisch, nichtswürdig, gemein, niederträchtig; *maître ~* ausgemachter Schurke *m*; b) schelmisch, schalkhaft; **~erie** F [kɔkin'ri] *f* Schurkerei *f*; dummer Jungenstreich *m*.

cor [kɔr] *m* **1.** ♪ (Blas-)Horn *n*, Waldhorn *n*; *~ de chasse* Jagdhorn *n*; *~ à pistons* Klapphorn *n*; *à ~ et à cri* unter Hörnerschall; *fig.* mit aller Gewalt; *annoncer qch. à ~ et à cri* etw. ausposaunen, an die große Glocke hängen; *réclamer qch. à ~ et à cri* etw. mit größter Hartnäckigkeit fordern; *donner du ~* ins Horn stoßen; **2.** Hornbläser *m*, Hornist *m*; **3.** *zo. ~ de mer* Hornschnecke *f*; **4.** *ch. un dix-~s* ein Zehnender *m*; **5.** ⚕ Hühnerauge *n*; *l'ablation f des ~s* die Beseitigung der Hühneraugen.

corail [kɔ'raj] *m* (5c) Koralle *f*; *fig. bouche f de ~* Korallen-, Rosenmund *m*.

corailleur [kɔra'jœ:r] *m* Korallenfischer *m*.

coral|lien [kɔra'ljɛ̃] *adj.* (7c) Korallen...; **~lifère** [kɔrali'fɛ:r] *adj.*, **~ligère** [~li'ʒɛ:r] *adj.* Korallen..., korallentragend; *de formation ~* aus Korallen; **~ligène** [~li'ʒɛn] *adj.* korallen-bildend, -förmig; *polypes m/pl. ~s* Korallentiere *n/pl.*; **~lin** [~'lɛ̃] *adj.* (7) korallenrot; **~loïde** [~lɔ'id] *adj.* korallenartig.

corbeau [kɔr'bo] *m* **1.** *orn.* Rabe *m*; *noir comme un ~* rabenschwarz; **2.** ⚠ vorragender Kragstein *m*, Konsole *f*; **3.** *antiq.* ⚓ Enterhaken *m*; **4.** *fig.* Shylocknatur *f*, Halsabschneider *m*, skrupelloser Geschäftsmann *m*; **5.** P *péj.* Pfaffe *m*.

corbeille [kɔr'bɛj] *f* **1.** Korb *m*; *~ à ouvrage* Nähkorb *m*; *~ couverte* Deckelkorb *m*; *~ à détritus* öffentlicher Papierkorb *m*; *~ de mariage* Brautgeschenk *n*; **2.** ✐ Rondell *n*, rundes *od.* ovales Blumenbeet *n*; **3.** ✐ Frucht-, Geschenk-, Blumenkorb *m*; **4.** Maklerraum *m* (*Börse*); **5.** ⚠ Balkon *m* (*über dem Orchester*).

corbeillée [kɔrbɛ'je] *f* Korbvoll *m*.

corbillard [kɔrbi'ja:r] *m* Leichenwagen *m*.

corbillat *orn.* [kɔrbi'ja] *m* junger Rabe *m*.

corbillon [kɔrbi'jɔ̃] *m* Körbchen *n*.

corbleu! [kɔr'blø] *int.* Himmelkreuz!, zum Donnerwetter!

cordage [kɔr'da:ʒ] *m* **1.** ⚓ Seil *n*, Tau *n*; **2.** Messen *n des Holzes nach Klaftern.*

cordat [kɔr'da] *m* Packleinwand *f*.

corde [kɔrd] *f* **1.** Strick *m*, Strang *m*, Seil *n*, Leine *f*, Schnur *f*; ⚡ Kabel *n*; ⚓ Tau *n*, Reep *n*; *échelle f de ~* Strickleiter *f*; *~ à linge* Wäscheleine *f*; *~ lisse gym.* Klettertau *n*; *~ métallique* (dünnes) Drahtseil *n*; *étendre du linge sur une ~* Wäsche auf die Leine hängen; Wäsche aufhängen; ✈ *~ de déchirure* Reißleine *f*; *fig. si la ~ ne rompt* wenn alles gutgeht; *danser sur la ~* auf dem Seil tanzen; *fig.* aufs Glatteis gehen; *avoir plus d'une ~ (od. plusieurs ~s) à son arc* mehrere Eisen im Feuer haben; *homme m de sac et de ~* Galgenstrick *m*, Gauner *m*; *Sport*: *lutte f à la ~* Tauziehen *n*; *sauter à la ~* Seilspringen *n*; *tabac m en ~* Rollentabak *m*; *tirer sur la même ~* (*a. fig.*) am selben Strang ziehen; **2.** *Sport*: Innenseite *f* (*Rennbahn*); *tenir la ~* anderen voraus sein, den Vorteil auf s-r Seite haben; **3.** Faden *m e-s Gewebes*; *montrer la ~ text.* abgetragen sein; *fig.* ruiniert sein; *usé jusqu'à la ~* abgetragen, abgewetzt F; *fig.* abgedroschen, längst bekannt; **4.** ♪ Saite *f*; *instrument m à ~s* Saiteninstrument *n*; *~ à boyau* Darmsaite *f*; *~ filée* übersponnene Saite *f*; *~ métallique* Drahtsaite *f*; **5.** *~ (d'un arc)* (Bogen-)Sehne *f*; **6.** Klafter *m od. n*; **7.** ✝ *sous ~ advt.* ballenweise; **8.** *anat. ~s pl. vocales* Stimmbänder *n/pl.*; **9.** *~s pl.* Gewichtsschnüre *f/pl. e-r Uhr*; **10.** *~ à feu* Lunte *f*.

cordé [kɔr'de] *adj.* streifig (*Glas*); stark ausgeprägt (*Muskel*); ♀, *zo.* ledern; herzförmig.

cordeau [kɔr'do] *m* **1.** Schnur *f*, Leine *f*, *bsd.* Meßband *n*; *tiré au ~* schnurgerade; *~ à tracer*, *~ d'alignement* Absteckleine *f*; **2.** ⚔ *~ Bickford* Zündschnur *f*.

cordée *f* **1.** *~ de bois* Klafter *m* Holz; **2.** Seilschaft *f*; Anseilen *n*; *faire une ~* e-e Seilschaft bilden; mehrere Bergsteiger anseilen; **3.** *fig.* Gemeinschaft *f* auf Gedeih u. Verderb.

corde|ler [kɔrdə'le] *v/t.* (1c) (zu e-m Strick) drehen, flechten; **~lette** [~'lɛt] *f* Schnürchen *n*; **~lier** [~'lje] *m* Franziskaner(mönch) *m*; **~lière** [~'ljɛ:r] *f* **1.** Franziskanernonne *f*; **2.** Knotenstrick *m der Franziskaner*; **3.** ⚠ Schnurleiste *f*, *typ.* gedrehte Einfassung *f*; **4.** dicke, gedrehte Schnur *f von Seide, Silber od. Gold*, Raupe *f fig.*; **~lle** ⚓ [kɔr'dɛl] *f* Schleppseil *n*.

corder [kɔr'de] (1a) **I** *v/t.* **1.** drehen, spinnen, zwirnen; **2.** nach Klaftern messen; **3.** mit e-m Strick zs.-schnüren; **II** *v/rfl.* se ~ sich anseilen (*Bergsport*); **~ie** [kɔr'dri] *f* Seilerbahn *f*, -handwerk *n*, -waren *f/pl.*

cordial [kɔr'djal] **I** *adj.* (5c) □ **1.** herzlich, freundlich, treuherzig, gemütvoll; *~ement adv.* mit herzlichem Gruß (*Briefschluß*); **2.** *phm.* herzstärkend; **II** *phm. m* herzstärkendes Mittel *n*; *fig.* Labsal *n*; **~ité** [~djali'te] *f* Herzlichkeit *f*, Gemüt *n*.

cordier [kɔr'dje] *m* **1.** Seiler *m*; **2.** ♪ Saitenhalter *m*.

cordieu [kɔr'djø] *int.* Himmelkreuz!, zum Donnerwetter!

cordillère [kɔrdi'jɛ:r] *f* Kettengebirge *n*.

cordon [kɔr'dɔ̃] *m* **1.** Schnur *f*, Litze *f*, Strähne *f*; *rl.* Leibstrick *m*; *~ de soulier* Schnürsenkel *m*; *~ bleu* geschulte (*od.* perfekte) Köchin *f*; *le ~, s'il vous plaît!* bitte, ziehen!; **2.** ⚡ *~ de sonnette* Klingelschnur *f*; ⚡ *~ (de contact od. de prise de courant)* Kontaktschnur *f*; *~ de raccordement* Verbindungsschnur *f*; *rad. ~ de (od. du) haut-parleur* Lautsprecherschnur *f*; *~ de (od. du) casque* Kopfhörerschnur *f*; **3.** *breites* (Ordens-)Band *n*; *grand ~ de la Légion d'honneur* Großkordon *m* der Ehrenlegion; **4.** *~ de chapeau* Hutschnur *f*; **5.** *~ de gazon* Rasenstreifen *m*; **6.** Reihe *f*; Kette *f* (*a.* ✈); **7.** ⚔ Absperr-, Posten-kette *f*, Kordon *m*; *~ de police* Absperrkette *f*, Kordon *m*; *pol. ~ sanitaire* Sperrgürtel *m an der Grenze* (*gegen Einschleppung von Krankheiten*); **8.** ⚠ Mauer-band *n*, -kranz *m*; *waagerechtes* steinernes Gesims *n*; **9.** *~ ombilical* Nabelschnur *f*; *~ nerveux* Nervenstrang *m*; **10.** Rand *m e-r Münze*; **~ner** [kɔrdɔ'ne] *v/t.* (1a) zusammendrehen; beranden, berändern (*v. e-r Münze*); **~nerie** [~dɔn'ri] *f* Schuhmacher-handwerk *n*, -werkstatt *f*; Schuhgeschäft *n*; **~net** [~dɔ'nɛ] *m* **1.** Bändchen *n*; **2.** Münzrand *m*; **3.** grobe Nähseide *f*; **~nier** [~dɔ'nje] *su.* (7b) Schuhmacher *m*, Schuster *m*; *maître ~* Schuhmachermeister *m*.

Corée [kɔ're] *f*: **la ~** Korea *n*.

coreligionnaire [kɔrəliʒjɔ'nɛ:r] *su.* Glaubensgenosse *m*; *fig.* Gesinnungsgenosse *m*.

coréoplastie [kɔreɔplas'ti] *f* Lederpresserei *f*.

coresponsable [kɔrɛspɔ̃'sablə] *adj.* mitverantwortlich.

corfiote [kɔr'fjɔt] *adj. u.* 2 *su.* korfiotisch, aus Korfu; Korfiot *m*.

coriace [kɔ'rjas] *adj.* zäh (*a. v. Personen*); *type m ~* zäher Typ *m*.

coricide [kɔri'sid] *m* Hühneraugenpflaster *n*, -mittel *n*.

Corin|the *npr.* [kɔ'rɛ̃:t] *f* Korinth *n*; *raisin m de ~* Korinthe *f*; **2thien** [~rɛ̃'tjɛ̃] *m* korinthische Säulenordnung *f*.

corme ♀ [kɔrm] *f* Vogelbeere *f*.

cormier ♀ [kɔr'mje] *m* Eberesche *f*.

cormoran *orn.* [kɔrmɔ'rɑ̃] *m* Seerabe *m*.

cornac [kɔr'nak] *m* Elefantenführer *m*; *allg.* Tier-führer u. -pfleger *m wilder Tiere*; *fig.* F Reiseführer *m*; Bevormunder *m*; Anpreiser *m*, Lobredner *m*.

cornage *vét.* [kɔr'na:ʒ] *m* Keuchen *n*, Pfeifen *n*.

cornaline *min.* [kɔrna'lin] *f* Karneol *m*.

corne [kɔrn] *f* **1.** Horn *n*; *~ à chaussure* Schuhanzieher *m*; *coll. bêtes f/pl. à ~s* Hornvieh *n*; *donner des coups de ~s (à)* mit den Hörnern stoßen; *montrer les ~s* die Hörner zeigen; *fig. prendre le taureau par les ~s etw.* am schwierigsten Ende anpacken, mit dem Schwierigsten beginnen; **2.** Hornsubstanz *f*; *de* ~, *en* ~ hörnern, aus Horn; ~ *de cerf* Hirschhorn *n*; **3.** *pât. petite* ~ Hörnchen *n*; **4.** Ecke *f*, Eselsohr *n in e-m Buch*; *chapeau m à trois* ~*s* Dreispitz *m*; **5.** ~ *d'abondance* Füllhorn *n*; **6.** Kuhhorn *n der Hirten*; *Auto*: Hupe *f*; **7.** *vét.* Hornwand *f*, Huf *m*; **8.** ⚘ Sporn *m mancher Blumen*; **9.** ⩓ ~ *de bélier* Schnecke *f am ionischen Kapitell*; **10.** ~*s pl. de la charrue* Sterz *m* (*od.* Schwanz *m*) am Pflug; **11.** ⚓ *vergue f à* ~ Gaffel *f*; **12.** Stielauge *n* (*Schnecke*).

corné [kɔr'ne] *adj.* hornartig.

cornée *anat.* [~] *f* Hornhaut *f des Auges.*

corneille *orn.* [kɔr'nɛj] *f* Krähe *f*; ~ *bleue* Mandelkrähe *f*; ~ *d'église* Dohle *f*; ~ *emmantelée* Nebelkrähe *f*; *fig. bayer aux* ~*s* herumdösen, Löcher in die Luft gucken, gaffen, Maulaffen feilhalten.

cornélien *litt.* [kɔrne'ljɛ̃] *adj.* (7c) in der Art von Corneille.

cornement ⚕ [kɔrnə'mɑ̃] *m* Ohrensausen *n*.

cornemu|se [~'myːz] *f* ♪ Dudelsack *m*; *fig. pantalon m en* ~ Keilhose *f*; ~**seur** [~my'zœːr] *m* Dudelsackpfeifer *m*.

corner[1] [kɔr'ne] (1a) **I** *v/t.* **1.** ~ *à tous les échos* ausposaunen, unter die Leute bringen; **2.** ~ *une carte de visite* die Ecke e-r Visitenkarte anknifffen; **II** *v/i.* **3.** ins Horn stoßen, tuten; *Auto*: hupen; **4.** sausen (*von den Ohren*); *les oreilles ont dû vous* ~ die Ohren haben Ihnen klingen müssen; **5.** *vét.* keuchen.

corner[2] *Fußball* [kɔr'nɛːr] *m* Eckball *m*.

cornet [kɔr'nɛ] *m* **1.** ♪ (kleines) Horn *n*; ~ *avertisseur* Hupe *f*; ~ *à bouquin* Alp(en)horn *n*; ~ *de chasse* Jagdhorn *n*; ~ *à pistons* Kornett *n*; *ehm.* ~ *de postillon* Posthorn *n*; **2.** ~ (*acoustique*) Hörrohr *n*, Hörapparat *m*, Schallfänger *m* (*für Schwerhörige*); **3.** (*Papier-*, *Waffel-*) Tüte *f*; **4.** *pât.* Hörnchen *n*; **5.** (Würfel-) Becher *m*; **6.** *chir.* ~ *à ventouse* Schröpfkopf *m*; **7.** *ehm.* Löschhütchen *n*; **8.** P Kehle *f*, Schlund *m*; Bauch *m*, Pansen *m* P; *se mettre qch. dans le* ~ etw. zu sich nehmen, etw. essen.

cornett|e [kɔr'nɛt] **I** *f* **1.** *rl.* (Schwestern-)Haube *f*; **2.** ⚓ Doppelstander *m* (*lange Flagge mit zwei Spitzen*); **3.** F betrogene Ehefrau *f*; **4.** *hist.* Standarte *f*; **II** *hist. m* ⚔ Kornett *m*, Fahnenjunker *m*, Standartenträger *m*; ~**iste** [~nɛ'tist] *m* Hornbläser *m*.

corneur [~'nœːr] **I** *su.* (7g) Bläser *m*; **II** *adj. u. m* (*cheval m*) ~ keuchend(es Pferd *n*).

corniche [~'niʃ] *f* **1.** ⩓ Kranz (-gesims *n*, -leiste *f*) *m*; Karnies *n*; Dachfuß *m*; **2.** Gebirgskammweg *m*, Felswandstraße *f*; *route f en* ~ (felsige) Uferstraße *f*; **3.** * *écol.* Vorbereitungsklasse *f* für die Militärschule von Saint-Cyr.

cornichon [kɔrni'ʃɔ̃] *m* **1.** kleine Gurke *f*, Cornichon *n*; ~ *au vinaigre* saure Gurke *f*, Essiggurke *f*; **2.** P *fig.* Schafskopf *m*, Hornochse *m* P, Idiot *m*.

cornier [~'nje] **I** *adj.* (7b) an e-r Ecke stehend; **II** ⩓ *m* Eckpfeiler *m*.

cornière ⊕ [~'njɛːr] *f* Winkeleisen *n*.

corniste [kɔr'nist] *m* Hornbläser *m*.

cornouil|le ⚘ [kɔr'nuj] *f* Kornelkirsche *f*; ~**ler** ⚘ [~nu'je] *m* Kornelbaum *m*.

cornu [kɔr'ny] *adj.* gehörnt; zackig; *fig.* ungereimt, albern; F betrogen (*Ehemann*).

cornue ⚗ [~] *f* Retorte *f*, Kolben *m*.

corollaire [kɔrɔ'lɛːr] *m a.* ⚖ Folge (-satz *m*) *f*; *avoir pour* ~ *qch.* etw. zur Folge haben, etw. nach sich ziehen.

corolle ⚘ [kɔ'rɔl] *f* Blütenkrone *f*.

coron [kɔ'rɔ̃] *m* Wohnsiedlung *f* für Bergarbeiter.

coronaire *anat.* [kɔrɔ'nɛːr] *adj.* kranzförmig.

coronal [kɔrɔ'nal] *adj. u. su.* (5c) **1.** *anat.* (*os m*) ~ Stirnbein *n*; **2.** Kranz...

corporal [kɔrpɔ'ral] *m* (5c) *rl.* geweihtes Meßtuch *n* für die Hostie.

corpora|tif [kɔrpɔra'tif] *adj.* (7e) körperschaftlich; ständisch; *association f corporative* Innung *f*; *ehm. régime m* ~ Zunftwesen *n*; ~**tion** [~rɑ'sjɔ̃] *f* Körperschaft *f*, Korporation *f*, Innung *f*, Fachschaft *f*; Stand *m*; *ehm.* Zunft *f od.* Gilde *f*; ~ *professionnelle* Berufsgenossenschaft *f*; Fachverband *m*, Fachschaft *f*; ~**tisme** [~'tism] *m* Körperschafts-, Innungs-wesen *n*.

corpo|rel [kɔrpɔ'rɛl] *adj.* (7c) □ körperlich, leiblich; *peine f* (*od. punition f*) ~*le* Prügelstrafe *f*; *développement m* ~ körperliche Entwicklung *f*; *exercice m* ~ Körperschulung *f*; Bewegung *f*; *soins m/pl.* ~*s* Körperpflege *f*.

corps [kɔːr] *m* **1.** Körper *m*, Gegenstand *m*; ~ *solide* (*liquide, gazeux*) fester (flüssiger, gasförmiger) Körper *m*; ~ *céleste* Himmelskörper *m*; ⚕ ~ *étranger* Fremdkörper *m*; ⚡ ~ *incandescent* Glühkörper *m*; ⚔ ~ *de shrapnel(l)* Schrapnellhülse *f*; ⚗ ~ *simple* Element *n*, Grundstoff *m*; **2.** Körper *m*, Leib *m*; *partie f du* ~ Körperteil *m*; *exercices m/pl. du* ~ Leibesübungen *f/pl.*; ⚖ *à son* (*mon, ton usw.*) ~ *défendant* aus Notwehr; *allg.* höchst ungern, widerwillig; *avoir le* ~ *bien fait* e-n schönen Körper haben; *prendre du* ~ dick werden, ansetzen; *fig. l'idée a pris* ~ der Gedanke hat Gestalt angenommen; *faire* ~ *avec qch.* mit etw. innig verbunden (*od.* verwachsen) sein; *saisi au* ~ verhaftet; *s'obliger* ~ *et biens* mit Person und Vermögen haften; ⚓ *périr* ~ *et biens* mit Mann und Maus untergehen; *advt.* ~ *à* ~ Mann gegen Mann (*a. m:* ~ *à* ~ Nahkampf *m*, Handgemenge *n*); *se jeter dans le travail à* ~ *perdu* sich blindlings auf die Arbeit stürzen; *se donner* ~ *et âme à une entreprise* sich mit Leib u. Seele e-m Unternehmen widmen; **3.** F Mensch *m*, Person *f*; *drôle m de* ~ drolliger Kauz *m*; **4.** ~ (*mort*) menschlicher Leichnam *m*, Leiche *f*; *rl.* ~ *glorieux* verklärter Leib *m*; *fig.* Heilige(r) *m*; *rl.* ♀ *de Notre-Seigneur* Leib *m* des Herrn; **5.** Rumpf *m*; *fig.* Hauptsache *f*, Hauptbestandteil *m*; ~ *de doctrine grammaticale* grammatisches Lehrgebäude *n*; ~ *d'une lettre* wesentlicher Inhalt *m* e-s Briefes; *typ.* Schriftkegel *m e-s Buchstabens*; Letternkörper *m*; *dans le* ~ *d'une phrase* mitten in e-m Satz; ~ *de logis* Wohnhaus *n*, Hauptgebäude *n*, abgesondertes Gebäude *n*; ⚓ ~ *d'un navire* Schiffsrumpf *m*; ~ *de pompe* Pumpengehäuse *n*; ✈ ~ *de l'avion* Flugzeugrumpf *m*; ~ *d'un violon* Bauch *m* e-r Geige; **6.** *coll.* Körper(schaft *f*) *m*, Personal *n*; ~ *de ballet* Balletttruppe *f*; ~ *des fonctionnaires de carrière* Berufsbeamtenschaft *f*; *les grands* ~ *de l'Etat, les* ~ *constitués* die obersten Behörden *f/pl. od.* Staatsorgane *n/pl.*, die Vertreter der Verwaltungs- u. Gerichtsbehörden; ~ *diplomatique* diplomatisches Korps *n*; ~ *des fonctionnaires,* ~ *des employés* Beamtenkörper *m*; ~ *médical* Ärzteschaft *f*; ~ *enseignant,* ~ *professoral,* ~ *des professeurs* Lehrkörper *m*; Lehrerkollegium *n*; Kollegium *n*; ~ *de la magistrature* Richterstand *m*; ~ *de métier* Gewerbe-, Handwerksstand *m*; *esprit m de* ~ Korpsgeist *m*, Standesbewußtsein *n*; *advt. en* ~ allesamt, insgesamt, in corpore; **7.** Sammlung *f* von Schriften; Fragenkomplex *m*, Gesamtbild *n*; ~ *de droit civil* bürgerliches Gesetzbuch *n*; **8.** ⚖ ~ *de délit* Korpus delikti *n*, Beweisstück *n*; ~ *héréditaire* Erb(schafts)masse *f*; **9.** ⚔ Korps *n*; Truppenkörper *m*, ~ *d'armée* Armeekorps *n*; ~ *aérien* Flieger-, Luftkorps *n*; ~ *blindé* Panzerkorps *n*; ~ *de réserve* Reservekorps *n*; ~ *de débarquement* Landungskorps *n*; ~ *de garde* Wache *f*, Wachposten *m*, Wachstube *f*, Wachthaus *n*; *la garde du* ~ die Leibwache; *le garde du* ~ der Leibwächter; ~ *sanitaire* Sanitätskorps *n*; ~ *des pompiers* Feuerwehr *f*; Löschmannschaft *f*; ~ *franc* Freikorps *n*; ~ *volant* fliegendes Korps *n*; **10.** ⊕ Gehäuse *n*, Körper *m*; ~ *de moyeu* Nabengehäuse *n*; ~ *de palier* Lagergehäuse *n*; ~ *de pompe* Pumpen-körper *m*, -gehäuse *n*; ~ *de soupape* Ventil-körper *m*, -einsatz *m*; *le* ~ *d'une pioche* das Blatt (*od.* der Körper) e-r Kreuzhacke; **11.** ⚓ ~ *mort* Dalbe *f*, Anlegepfahl *m*, Uferpflock *m*.

corpu|lence [kɔrpy'lɑ̃:s] *f* Korpulenz *f*, Beleibtheit *f*; **~lent** [~'lɑ̃] *adj.* (7) korpulent, dick, stark, beleibt.

corpuscul|aire [kɔrpysky'lɛ:r] *adj.* Korpuskular..., aus kleinsten Körperchen bestehend; **~e** [~'kyl] *m* Korpuskel *n*, kleinstes Materieteilchen *n*.

correct [kɔ'rɛkt] *adj.* □ fehlerfrei, richtig, korrekt; kunstgerecht; mustergültig; anständig; *écol.* ausreichend (*Arbeit*); *Sport:* fair; **~eur** [~'tœ:r] *m* Prüfer *m*; *peint.* Kunstrichter *m*; *typ.* Korrekturleser *m*; **~if** [~'tif] **I** *adj.* (7e) verbessernd, mildernd; **II** *m* Milderungs-, Linderungs-mittel *n*, Korrektiv *n*; *fig.* mildernder Ausdruck *m*.

correction [kɔrɛk'sjɔ̃] *f* **1.** (*nicht als Überschrift in Schulheften! Dafür corrigé!*) (*selbständige Einzel-*)Verbesserung *f*, Berichtigung *f*, Korrektur *f*; *faire des ~s sur un livre* Berichtigungen in e-m Buch vornehmen; *la* ~ *de tel critique sur tel passage de Pline* die Korrektur e-s Kritikers an e-r Stelle bei Plinius; *cette copie était pleine de ~s* diese Abschrift war voller Korrekturen;

recevoir une pièce de théâtre à ~ ein Theaterstück vorbehaltlich einiger Veränderungen annehmen; ~ *des comptes* Revision *f* der Rechnungen; *typ.* ~ *des épreuves* Korrekturlesen *n*; ~ *d'une rue* Begradigung *f* e-r Straße; *advt. sauf* ~ unter Vorbehalt (der nötigen Verbesserungen); **2.** Verweis *m*, Verwarnung *f*, Rüge *f*, Strafe *f*, Züchtigung *f*; *maison f de* ~ Erziehungsanstalt *f*; *recevoir une bonne* (*od. sérieuse*) ~ e-e anständige Tracht Prügel bekommen; **3.** Korrektheit *f*; Anstand *m*, allgemeine Höflichkeit *f*; sprachliche Reinheit *f*; *parler* (*s'exprimer*; *écrire*) *avec une grande* ~ mit großer Korrektheit sprechen (sich ausdrücken; schreiben); *conduite f d'une parfaite* ~ völlig korrektes *od.* tadelloses Verhalten *n*; **~naliser** ⚖ [~sjɔnali'ze] *v/t.* (1a) *ein Verbrechen* in ein Vergehen umwandeln; **~nel** [~'nɛl] *adj.* (7c) □ Straf..., strafpolizeilich; *délit m* ~ Polizeivergehen *n*; *peine f* ~*le* Polizeistrafe *f*; *chambre f* ~*le* Strafkammer *f*; **~nelle** ⚖ [~'nɛl] *f* Strafkammer *f*.

corréla|tif [kɔrela'tif] **I** *adj.* (7e) □ in Wechselbeziehung stehend, korrelativ; **II** *m* Korrelat *n*; **~tion** [~la'sjɔ̃] *f* Wechselbeziehung *f*, Korrelation *f*.

correspon|dance [kɔrɛspɔ̃'dɑ̃:s] *f* **1.** Entsprechen *n*, Übereinstimmung *f*; ~ *d'idées* (*de sentiments*) Übereinstimmung *f* von Gedanken (von Gefühlen); **2.** schriftlicher Verkehr *m*, Briefwechsel *m*, Korrespondenz *f*; Post *f*; ~ *commerciale* Handelskorrespondenz *f*; *écol.* ~ *scolaire* Schülerbriefwechsel *m*; *cours m par* ~ Fernkurs *m*; *rompre toute* ~ alle Verbindungen abbrechen; *être en* ~ *avec q.* mit j-m in Briefwechsel stehen, mit j-m korrespondieren; *faire la* ~ die Korrespondenz führen *od.* besorgen; *faire sa* ~ Briefe schreiben; *par* ~ brieflich; **3.** *Fr. écol.* Beurteilungsheft *n*; **4.** ✈, 🚂 Anschluß *m*; **5.** Umsteigekarte *f*, Umsteiger *m*; *prendre une* (*od. la*) ~ umsteigen; **~dancier** [~dɑ̃'sje] *m* (7b) (Handels-)Korrespondent *m*; **~dant** [~'dɑ̃] **I** *adj.* (7) **1.** entsprechend; **2.** △ gleichnamig; *angles m/pl.* ~*s* Gegenwinkel *m/pl.*; **3.** *membre m* ~ korrespondierendes (*od.* auswärtiges) Mitglied *n*; **II** *m* **4.** Geschäftsfreund *m*; Briefschreiber *m*, Korrespondent *m*; *téléph.* Teilnehmer *m*; Zeitungskorrespondent *m*; ~ *permanent*, ~ *attitré* ständiger Korrespondent *m*; ~ *exportateur* Auslandskorrespondent *m*.

correspondre [kɔrɛs'pɔ̃:drə] *v/i.* (4a) **1.** ~ *à* entsprechen (*dat.*), übereinstimmen mit (*dat.*); zueinander passen; *les chaussures f/pl. de cette paire ne correspondent pas* die Schuhe dieses Paars passen nicht zusammen; **2.** ~ *à od. avec* verbunden sein (*od.* in Verbindung stehen) mit (*dat.*); *abs.* ea. berühren, ineinander übergehen, aneinander anstoßen; *salles f/pl. qui correspondent* Säle *m/pl.*, die ineinander übergehen; **3.** ~ *avec q.* mit j-m korrespondieren *od.* in Briefwechsel stehen.

corrida [kɔri'da] *f* **1.** Stierkampf *m*; **2.** *plais.* Ringkampf *m*; **3.** *ernst: fig.* Todeskampf *m*.

corridor [kɔri'dɔ:r] *m* Flur *m*, Korridor *m*.

corri|gé *écol.* [kɔri'ʒe] *m* (*als Überschrift in Schulheften*) Verbesserung *f*, Berichtigung *f*, korrigierte Arbeit *f*, Korrektur *f*; ~ *supplémentaire* Nachverbesserung *f*; **~ger** [~] (1l) **I** *v/t.* **1.** verbessern, korrigieren, berichtigen, richtigstellen; wiedergutmachen; ~ *q. de qch.* j-m etw. abgewöhnen; *typ.* ~ *les épreuves* (die) Korrektur(en) lesen; ~ *la fortune* s-m Glück (durch kleine Betrügereien) nachhelfen; **2.** den Geschmack mildern; ~ *avec du sucre l'amertume d'une boisson* den bitteren Geschmack e-s Getränks mit Zucker mildern; **3.** körperlich bestrafen, züchtigen; **II** *v/rfl.* se ~ sich bessern; *se* ~ *d'un défaut* e-n Fehler ablegen; **~gible** [kɔri'ʒiblə] *adj.* besserungsfähig.

corrobo|rant, ~ratif ⚕ [kɔrɔbɔ'rɑ̃, ~ra'tif] *adj.* (7), (7e) *u. m* stärkend(es Mittel *n*); **~ration** [~ra'sjɔ̃] *f* Stärkung *f*; Bestätigung *f*; **~rer** [~'re] *v/t.* (1a) (*a. v/i.*) stärken; *fig.* bekräftigen, erhärten.

corrod|ant [kɔrɔ'dɑ̃] *adj.* (7) *u. m* ätzend; ⚗ Ätzmittel *n*; **~er** [~rɔ'de] *v/t.* (1a) an-, durch-, zer-fressen, korrodieren, wegätzen.

corroi [kɔ'rwa] *m* Gerben *n*; lehmhaltiges Verschmiermittel *n*, Dichtungsmittel *n* (*für Kanäle, Becken usw.*); ⚓ Bodenanstrich *m*, Schiffsteer *m*; **~erie** [~'ri] *f* Gerberei *f*.

corrompre [kɔ'rɔ̃:prə] (4a) **I** *v/t.* **1.** verderben, verschlechtern; ~ *l'air* die Luft verpesten; ~ *l'eau* das Wasser verunreinigen; **2.** *fig.*

(ver)fälschen; **3.** *fig. sittlich* verderben; bestechen; verführen; **4.** *Gerberei*: ~ *le cuir* das Leder krispeln; *métall.* ~ *le fer* das Eisen ausschweißen; **II** *v/rfl.* *se* ~ **5.** verderben, in Fäulnis übergehen; **6.** *fig.* schlecht werden, in Verfall geraten.

corrompu [kɔrɔ̃'py] *adj. u. p.p.* verdorben (*a. fig.*), faulig, verpestet; korrupt, bestochen.

corro|sif ⚕, ⚗ [kɔro'zif] **I** *adj.* (7e) ätzend, fressend; *fig.* zersetzend; **II** *m* Ätzmittel *n*; **~sion** [~'zjɔ̃] *f* Ätzen *n*, An-, Zer-fressen *n*, Korrosion *f*, Rostschaden *m*.

corroy|age [kɔrwa'ja:ʒ] *m* **1.** Gerben *n*, Lederbereitung *f*; **2.** *métall.* Aus-, An-schweißen *n*; Raffinieren *n* (*des Stahls*); **~er** [~'je] *v/t.* (1h) **1.** *Leder*: gerben, zurichten; **2.** *Ton*: kneten, bearbeiten; einrühren; **3.** *Eisen*: aus-, an-schweißen; *Stahl*: raffinieren; *Holz*: rauh behobeln; **~eur** [~'jœ:r] *m* Gerber *m*; *métall.* ~ *de fer* Schweißer *m*.

corrup|teur [kɔryp'tœ:r] (7f) **I** *su.* **1.** Verderber *m*; ~ *du langage* Sprachverderber *m*; **2.** Bestecher *m*; Fälscher *m*; **II** *adj.* von verderblichem Einfluß; verführerisch; **~tibilité** [~tibili'te] *f* Verderblichkeit *f*, Vergänglichkeit *f*; *fig.* Bestechlichkeit *f*; **~tible** [~'tiblə] *adj.* zerstörbar; verweslich; *fig.* bestechlich; **~tion** [kɔryp'sjɔ̃] *f* **1.** Verderb *m*, Verderben *n*, Verderblichkeit *f*; Verwesung *f*, Zersetzung *f*; ~ *de l'air* Verpestung *f* der Luft; ~ *du langage* Entartung *f* der Sprache; **2.** *fig.* Verderbtheit *f*; ~ *des mœurs* Sittenverderbnis *f*; **3.** Korruption *f*, Bestechung *f*; Bestechlichkeit *f*; **4.** Verfälschung *f*.

cors *ch.* [kɔ:r] *m/pl.* Enden *n/pl. am Hirschgeweih*.

corsage [kɔr'sa:ʒ] *m* (Damen-)Bluse *f*; Oberteil *n* (*vom Kleid*); Mieder *n*.

corsaire [kɔr'sɛ:r] *m* **1.** (*a. adj.*: *navire* ~) Seeräuber-, Kaper-schiff *n*; **2.** Seeräuber *m*; **3.** dreiviertellange Hose *f*; **4.** ~*s de la finance* Vampire *m/pl.* der Finanz, Wucherer *m/pl.*

Corse [kɔrs] **I** *f*: **la** ~ Korsika *n*; **II** ♀ *adj.* korsisch; **III** *su.* Korse *m*.

cor|sé [kɔr'se] *adj.* stark, schwer, kräftig; *fig.* pikant, saftig; gepfeffert; *cheval m* ~ stark gebautes Pferd *n*; *drap m* ~ schweres Tuch *n*; *repas m* ~ reichliches Essen *n*; *vin m* ~ kräftiger Wein *m*; *roman m* ~ pikanter Roman *m*; *histoire f* ~*e* saftige Geschichte *f*; *plaisanterie f* ~*e* pikanter Scherz *m*; P *addition f* ~*e* gepfefferte Rechnung *f*; **~selet** [~sə'lɛ] *m* **1.** *ent.* Brustschild *m*; **2.** Mieder *n*; **~ser** [~'se] (1a) **I** *v/t.* **1.** verstärken; **2.** *fig.* ausschmücken, interessant gestalten, würzen, pikant machen; **II** *v/rfl.* *se* ~ kräftig (*od. fig.* anziehend, pikant, spannend) werden; **~set** [~'sɛ] *m* Korsett *n*; **~seté** [~sə'te] *adj.* eingeschnürt; **~seter** [~] (1e) **I** *v/t. j-m* ein Korsett anziehen; **II** *v/rfl.* *se* ~ ein Korsett tragen; **~setier** [~sə'tje] *su.* (7b) Korsettmacher *m*.

cortège [kɔr'tɛ:ʒ] *m* **1.** Gefolge *n*, Zug *m*, *Auto*: Wagengeleitzug *m*, (Ehren-)Geleit *n*; *faire* ~ *à q.* j-m das Geleit geben; ~ *funèbre* Trauerzug *m*; ~ *de manifestants* Demonstrationszug *m*; **2.** *fig. bsd.* ⚕ Begleiterscheinung *f*.

cortical [kɔrti'kal] *adj.* (5c) ♀ rindenartig; *anat.* kortikal.

cortisone *phm.* [~'zɔn] *f* Cortison *n*.

coruscation *ast.* [kɔryska'sjɔ̃] *f* Aufleuchten *n*.

corvé|able *hist.* [kɔrve'ablə] **I** *adj.* fronpflichtig; **II** *m* Fronbauer *m*; **~e** [kɔr've] *f* **1.** *hist.* Frondienst *m*; *faire la* ~ *od. travailler à la* ~ Frondienste tun; **2.** *bsd.* ⚔ Arbeitsdienst *m*; ~ *de vivres* (*d'eau*) Essens- (Wasser-)dienst *m*; ~ *supplémentaire* Strafdienst *m*; ~ *de propreté* Stubendienst *m*; **3.** Innendienst *m* (*im Ferienlagerleben*); **4.** Plage *f*, Last *f*, Bürde *f*, undankbare Aufgabe *f*; ~*s pl.* Strapazen *f/pl.*, Schinderei *f/sg.*, Plackerei *f/sg.*, mühselige Arbeit *f/sg.*, Plack *m* P; (*en*) *avoir fait une* ~ sich e-e vergebliche Mühe gemacht haben.

corvette ⚓ [kɔr'vɛt] *f* Korvette *f*.

corvidés *orn.* [kɔrvi'de] *m/pl.* Rabenvögel *m/pl.*

corydon F *péj.* [kɔri'dɔ̃] *m* Liebhaber *m*.

corymbe ♀ [kɔ'rɛ̃:b] *m* Doldentraube *f*.

coryphée [kɔri'fe] *m* **1.** *thé.* Chor-, Ballett-leiter *m*; **2.** Parteiführer *m*; Führer *m* e-r Sekte; **3.** *fig.* Koryphäe *f*, *fig.* Größe *f*, Kapazität *f*, Geistesgröße *f*, Hauptvertreter *m*, führender Kopf *m*.

coryza ⚕ [kɔri'za] *m* Schnupfen *m*; ~ *sec* Stockschnupfen *m*.

cosignataire [kosiɲa'tɛ:r] *su.* Mitunterzeichner *m*.

cosinus ⩓ [kɔsi'nys] *m* Kosinus *m*.

cosmét|ique [kɔsme'tik] **I** *adj.* kosmetisch; **II** *m* Kosmetikum *n*;

Haarpomade *f*; Schminke *f*; **III** *f* Kosmetik *f*, Schönheitspflege *f*; **~ologie** [~tɔlɔ'ʒi] *f* Kosmetikkunde *f*.

cosmique [kɔs'mik] *adj.* kosmisch; *musique f* ~ Sphärenmusik *f*; *rayons m/pl.* ~*s* kosmische Strahlen *m/pl.*

cosmo|gonie [kɔsmɔgɔ'ni] *f* Schöpfungsmythus *m*, Kosmogonie *f*; **~graphe** [~'graf] *m* Kosmograph *m*, Weltbeschreiber *m*; **~graphie** [~gra'fi] *f* Kosmographie *f*; **~naute** [~'not] *m* Kosmonaut *m*; **~polite** [~pɔ'lit] **I** *adj.* kosmopolitisch; *fig.* gemischt; **II** *su.* Kosmopolit *m*; **~politisation** [~pɔlitizɑ'sjɔ̃] *f* Kosmopolitisierung *f*; **~politisme** [~pɔli'tism] *m* Kosmopolitismus *m*.

cosmos [kɔs'mɔs] *m* Kosmos *m*.

cosociétaire [kosɔsje'tɛ:r] *m* Mitinhaber *m*, Teilhaber *m*.

cossard F [kɔ'sa:r] **I** *adj.* faul; **II** *m* Faulpelz *m*.

cosse [kɔs] *f* **1.** ♀ Schote *f*, Hülse *f*; *pois m/pl. en* ~ Schotenerbsen *f/pl.*; **2.** ⚡ Klemmenpaar *n*; ~ *de câble* Kabelschuh *m*; ~ *polaire* Polschuh *m*; **3.** P Faul-heit *f*, -pelzerei *f*; *avoir la* ~ faulpelzen, keine Lust zum Arbeiten haben.

cosser [kɔ'se] *v/i.* (1a) sich mit den Hörnern stoßen (*Widder*); *fig.* kämpfen.

cosson *ent.* [kɔ'sɔ̃] *m* Rüsselkäfer *m*, Kornwurm *m*.

cossu [kɔ'sy] *adj.* reich, begütert, gut bei Kasse F; *être* ~ Zaster P (Moos P, Geld, Pinke-Pinke P) haben.

costal [kɔs'tal] *adj.* (5c) Rippen...; **~gie** ⚕ [~tal'ʒi] *f* interkostale Neuralgie *f*, Rippenschmerz *m*.

costaud P [kɔs'to] **I** *adj.* stämmig, kräftig; **II** *su.* stämmiger (kräftiger) Kerl *m*; ~e *f* stämmige Frau *f*.

costu|me [kɔs'tym] *m* (Herren-) Anzug *m*; (Damen-)Kostüm *n*; Tracht *f*, Kleidung *f*; ~ *de bain* Badeanzug *m*; ~ *de bal* Ballkleid *n*; ~ *de cheval* Reitanzug *m*; ~ *national* Volkstracht *f*; ~ *officiel* Amtstracht *f*; ~ *de carnaval* Karnevals-, Faschings-kostüm *n*; ~ *de plage* Strandanzug *m*; ~ *de ville* Straßenanzug *m*; ~ *tailleur* Schneiderkostüm *n*; ~ *de pays*, ~ *régional* Heimattracht *f*; **~mer** [~'me] *v/t.* (1a) kostümieren; *bal m costumé* Kostüm-ball *m*, -fest *n*; **~mier** [~'mje] *su.* (7b) **1.** Theater-, Kostüm-schneider *m*; **2.** Kostümverleiher *m*.

cotation [kɔtɑ'sjɔ̃] *f* Kurs-, Preisnotierung *f*.

cote [kɔt] *f* **1.** Zeichen *n*, Aktenzeichen *n*, (Kenn-)Ziffer *f*, Nummer *f*, Buchstabe *m*, Maßbezeichnung *f*; ~ *mobile* fortlaufende Nummer *f*; **2.** Beitragsanteil *m*, Quote *f*; ~ *personnelle* Kopfsteuer *f*; ~ *mobilière* Mietsteuer *f*; **3.** Notierung *f*, Preis-, Marktbericht *m*; ~ *des cours* Kurs-zettel *m*, -notierung *f*; ~ *de clôture* Schlußnotierung *f*; ~ *mal taillée* summarische Berechnung *f*; *fig.* Kompromiß *m*; **4.** *fig.* Bewertung *f*; *avoir la* ~ (*od. une bonne* ~) *auprès de q.* bei j-m gut angeschrieben sein, bei j-m e-e gute Nummer haben; ~ *d'amour* Sonderbewertung *f od.* Extranote *f* (*für die allg. u. sittliche Reife e-s Wettbewerbskandidaten*); *écol.* zu gute Zensur *f*; **5.** Wasserstand *m* (*v. Flüssen*); Höhe *f* (*auf e-r Karte od. Zeichnung*); *la* ~ *306* die Höhe 306; ~ *d'altitude* Höhenstand *m*; **6.** *Sport*: Stand *m*.

côte [ko:t] *f* **1.** *anat.* Rippe *f* (*auch von e-m Schiff*); *cuis.* Kotelett *n*; *fracture f des* ~*s* Rippenbruch *m*; *physiol. vraies* ~*s od.* ~*s sternales* wahre Rippen *f/pl.*; *physiol. fausses* ~*s od.* ~*s flottantes* falsche Rippen *f/pl.*; *on lui compterait les* ~*s* er sieht aus wie ein Skelett (*od.* wie's heulende Elend), F dem kann man durch die Backen pusten; *rire à s'en tenir les* ~*s* sich vor Lachen den Bauch halten; *advt.* ~ *à* ~ Schulter an Schulter, (dicht) nebeneinander; **2.** ♀ Rippe *f v. Blättern od. Melonen*; *à* ~*s* gerippt; **3.** Abhang *m*, Hügel *m*, Steigung *f*; ~ *escarpée* Steilhang *m*; *Auto*: (en) ~ bergauf, mitten in der Steigung; ~ *plantée de vignes* Rebhügel *m*; *advt. à mi-*~ auf der Mitte der Anhöhe; **4.** Küste *f*, Strand *m*, Küstenstrich *m*, Gestade *n*; *sur la* ~ an der Küste; *être jeté à la* ~, *aller à la* ~, *faire* ~ *vor dem Ufer* stranden, auf Grund gehen (*od.* laufen *od.* kommen); *fig.* P *être à la* ~ vor e-m Nichts (*od.* vor dem Ruin) stehen, am Ende s-r Mittel sein, ruiniert sein.

côté [ko'te] **I** *m* **1.** Seite *f der Menschen, Tiere, e-r Sache*; Gegend *f*, Richtung *f*; *point m de* ~ Seitenstechen *n*; 🚂 ~ *d'arrivée* (*du départ*) Ankunfts- (Abfahrts-)seite *f*; ☤ ~ *de crédit* Kreditseite *f*; ~ *du midi* Sonnen-, Mittagsseite *f*; *bas* ~ *d'une église* Seitenschiff *n* e-r Kirche; re-

gard m de ~ Seitenblick *m*; *à* ~ *de* ..., *au(x)* ~*(s) de* ... neben ... (*dat.*); *fig. à* ~ *de* im Vergleich zu; *il est à* ~ *de lui* er ist neben ihm; *il s'assit à* ~ *de moi* (*od. à mon* ~) er setzte sich neben mich; *se mettre à* ~ *de q.* sich neben j-n stellen; *photographié au* ~ *de sa mère* an der Seite s-r Mutter aufgenommen; *se ranger à* (*od. du*) ~ *de q.* auf j-s Seite treten; *ils se rangent de notre* ~ (*od. à nos* ~*s*) sie treten auf unsere Seite; *jeter* (*od. mettre*) *q. sur le* ~ j-n niederwerfen *od.* zu Boden strecken; *mettre qch. sur le* ~ etw. schräg (*od.* auf die Seite) stellen; *se mettre les mains sur les* ~*s* die Hände in die Hüften stemmen; ~ (*de l'*)*endroit od. bon* ~ richtige Seite *f*; ~ (*de l'*)*envers od. mauvais* ~ verkehrte Seite *f*; *fig. prendre les choses par leur bon* ~ die Dinge von der guten Seite sehen; *prendre tout du bon* ~ alles von der guten Seite nehmen; *être à* ~ *de la question* an der eigentlichen Frage vorbeigehen, auf dem Holzweg sein; *passer à* ~ *d'une difficulté* e-r Schwierigkeit ausweichen; *demeurer à* ~ nebenan wohnen; *la maison d'à* ~ das Nebenhaus; *du* ~ *de* a) von (*dat.*) ... her; b) nach (*dat.*) ... hin; *du* ~ *du sud* vom Süden her; nach Süden hin; *de ce* ~ auf dieser Seite, nach dieser Seite hin; *il ne sait de quel* ~ *pencher od. se tourner* er weiß nicht, was er anfangen soll; *de tout* ~ *od. de tous* (*les*) ~*s* von (auf *od.* nach) allen Seiten; *regarder qch. de tous* ~*s* etw. von (*od.* nach) allen Seiten betrachten; *de l'autre* ~ auf der anderen Seite; andererseits; *d'un* ~ ..., *de l'autre* ~ ... einerseits ..., andererseits ...; *passez de l'autre* ~ gehen Sie auf die andere Seite!; *de* ~ *et d'autre* beiderseits, beiderseitig, hierhin und dorthin; *moi, de mon* ~ ich für mein(en) Teil; *de* ~ auf die Seite, schief, schräg; beiseite; *laisser de* ~ beiseite lassen; *mettre qch. de* ~ etw. beiseite legen, *Geld* zurücklegen; etw. aussortieren, etw. unberücksichtigt lassen; *avoir* (*mettre*) *les rieurs de son* ~ die Lacher auf seiner Seite haben (auf seine Seite bringen); *attirer q. de son* ~ j-n auf seine Seite ziehen; *être du* ~ *gauche* zur Linken gehören; *être du* ~ *de q.* auf j-s Seite sein; *être au(x) côté(s) de q.* sich neben j-m befinden; *fig.* j-m zur Seite stehen, j-m beistehen; *mon oncle du* ~ *maternel* mein Onkel mütterlicherseits; **2.** *cuis. haut* ~ (*de mouton*) Hammelbrust *f*; **3.** ⩘ ~ *d'un triangle* Seite *f* eines Dreiecks; ~ *d'un angle* Schenkel *m* e-s Winkels; **II** *prpt.* ~ *presse* seitens der Presse.

coteau [kɔ'to] *m* (5b) **1.** Abhang *m*; Hügel *m*; **2.** Weinberg *m*.

côtelé [kot'le] *adj.* gerippt (*Stoff, Pelz*).

côtelette [kot-, kɔt'lɛt] *f* **1.** *cuis.* Rippchen *n*, Kotelett *n*, Karbonade *f*; ~ *panée* paniertes Kotelett *n*; ~ *nature* ohne Zutat gebratenes Kotelett *n*; **2.** F ~*s pl.* Koteletten *pl.*

coter [kɔ'te] *v/t.* (1a) **1.** mit Buchstaben (*od.* Ziffern) bezeichnen; **2.** ⚕ die Börsenkurse notieren; e-n Preis ansetzen (für); ~ *trop bas* (*trop haut*) unter- (über-)schätzen; ~ *une action* e-e Aktie bewerten; *la livre cote ... marks* das Pfund notiert ... Mark; *non coté* unnotiert; **3.** hochschätzen; *il est très coté* er wird sehr geschätzt; **4.** *écol.* zensieren, bewerten.

coterie [kɔt'ri] *f* Clique *f*.

cothurne *antiq.* [kɔ'tyrn] *m* Kothurn *m*; *chausser le* ~ *litt.* den Kothurn anlegen, Tragödien schreiben.

côtier [ko'tje] **I** *adj.* (7b) an der Küste; Küsten...; **II** *m* a) Küstenfahrzeug *n*; b) Vorspannpferd *n*.

cotignac [kɔti'ɲak] *m* eingemachte Quitte *f*.

cotillon [kɔti'jɔ̃] *m* **1.** † Unterrock *m* der Bäuerinnen; *noch gebr. in*: *il court* (*od. aime*) *le* ~ er ist ein Schürzenjäger; **2.** Kotillon *m* (*Tanz*).

cotir *dial.* [kɔ'tiːr] *v/t.* (2a) *Obst* matschig machen, beschädigen, quetschen.

coti|sant [kɔti'zɑ̃] *su.* (7) förderndes Mitglied *n*, Beitragszahler *m*; **~sation** [~zɑ'sjɔ̃] *f* (Mitglieds-, Steuer-)Beitrag *m*; Anteil *m*; **~ser** [~'ze] (1a) **I** *v/t. e-n Beitrag* zahlen, entrichten; **II** *v/rfl.* se ~ *fin.* e-n Beitrag geben; Geld zusammenlegen.

cotissure *dial.* [~'syːr] *f* Druckstelle *f* am Obst.

coton [kɔ'tɔ̃] *m* **1.** Baumwolle *f*; Baumwollstoff *m*; ~ *brut* Rohbaumwolle *f*; *filature f de* ~ Baumwollspinnerei *f*; ~ *à tricoter* Strickbaumwolle *f*; *fil m de* ~, ~ *filé* Baumwollgarn *n*, Twist *m*; ~ *à repriser* Stopfgarn *n*; ~ *à broder* Stickgarn *n*; **2.** ~ *hydrophile* Watte *f*;

se mettre du ~ dans les oreilles sich Watte in die Ohren tun; *avoir du ~ dans les oreilles* Watte in den Ohren haben; *fig.* nicht hören wollen; *fig. élever un enfant dans du ~* ein Kind in Watte packen, ein Kind verhätscheln; **3.** P Schwierigkeit *f*; *fig. il file un mauvais ~* es steht schlecht mit s-r Gesundheit (mit s-m Geschäft); *il filait un assez mauvais ~* es ging ihm ziemlich schlecht; *a.* ⚔ *il y aura du ~* es wird dicke Luft (*od.* Kattun) geben; P *c'est ~* das ist verdammt schwer!; das klappt nicht!; **4.** Flaum *m* (*v. Obst, Bart usw.*).

coton|nade [kɔtɔˈnad] *f* Baumwollstoff *m*, Kattun *m*; **~né** [~ˈne] *adj.* baumwollartig, wollig, kraus; **~ner** [~] (1a) **I** mit Baumwolle füttern; **II** *v/rfl.* se ~ wollig (flaumig, flockig) werden (*Stoff*); matschig werden (*Obst*); **~nerie** [~tɔnˈri] *f* Baumwoll-anbau *m*, -pflanzung *f*; **~neux** [~ˈnø] *adj.* (7d) **1.** wollig, flaumig, flockig; Woll... (*Stoff*); **2.** weich, schwammig, pelzig (*Obst*); **3.** P schwierig, kompliziert, nicht leicht zu deichseln (*od.* zu machen); **~nier** [~ˈnje] (7b) **I** *adj.*: *industrie f cotonnière* Baumwollindustrie *f*; **II** *su.* Baumwollarbeiter *m*; **III** ♀ *m* Baumwoll-pflanze *f*, -staude *f*.

coton-poudre [kɔtɔ̃ˈpudrə] *m* Schießbaumwolle *f*.

côtoyer [kotwaˈje] (1h) **I** *v/t.* **1.** ~ *la rivière* am Fluß entlang-gehen *od.* -fahren; **2.** *fig.* grenzen an (*acc.*), sehr nahe sein (*dat.*); ~ *la misère* dem Elend nahe sein; ~ *le danger* unmittelbar vor der Gefahr stehen; **3.** *fig.* Verkehr pflegen mit; **II** *v/rfl.* se ~ nebeneinander hergehen; sich in engem Kontakt mitea. befinden; *écol.* se ~ *sur les mêmes bancs* dieselbe Schulbank drücken.

cotre ⚓ [ˈkɔtrə] *m* Kutter *m*.

cotret [kɔˈtrɛ] *m* Reisigbündel *n*.

cottage [kɔˈtaːʒ] *m* (*a.* ~ *campagnard*) Landhäuschen *n*.

cotte [kɔt] *f* **1.** bäuerlicher kurzer Frauenrock *m* ohne Taille; **2.** *hist.* ~ *de mailles* Panzerhemd *n*; **3.** blaue Leinenhose *f für Monteure*; **~-pantalon** [~pɑ̃taˈlɔ̃] *f* (6a) Montageanzug *m*.

cotuteur ⚖ [kotyˈtœːr] *su.* (7f) Mitvormund *m*.

cotyle *anat.* [kɔˈtil] *f* Gelenkpfanne *f*.

cotylédon ♀ [kɔtileˈdɔ̃] *m* Keimblatt *n*.

cou [ku] *m a.* ⊕ Hals *m*; Nacken *m*, Genick *n*; Flaschenhals *m*; ~ *de cygne* Schwanenhals *m*; ~ *de taureau* Stiernacken *m*; *fig.* ~ *de grue* langer, dünner Hals *m*; *allonger le* ~ einen langen Hals machen; *avoir du travail jusqu'au* ~ vor Arbeit nicht aus den Augen gucken können; sich vor Arbeit nicht retten können (*od.* nicht ein noch aus wissen); *se casser le ~, se rompre le* ~ sich den Hals brechen; *rompre le ~ à un projet* ein Vorhaben vereiteln, e-m Vorhaben die Spitze abbrechen; *prendre ses jambes à son* ~ die Beine in die Hand nehmen, Hals über Kopf davonlaufen; *sauter au ~ de q.* j-m um den Hals fallen; *tendre le* ~ seinen Kopf hinhalten, sich e-r Gefahr aussetzen; *tordre le ~ à q.* j-m den Hals umdrehen; *couper le* ~ den Hals abschneiden.

couac [kwak] **I** *m* falscher Ton *m*; falsche Note *f*; *faire des ~s* sich (*auf e-m Instrument*) vergreifen, mit der Stimme überschnappen; *rad.* Mißtöne von sich geben; **II** *int.* ~! quiek!

couard [kwaːr] (7) **I** *adj.* □ feige; **II** *su.* Feigling *m*, Duckmäuser *m*; **~ise** [kwarˈdiːz] *f* Feigheit *f*, Duckmäuserei *f*, Drückebergerei *f*.

couch|age [kuˈʃaːʒ] *m* **1.** Übernachten *n*; *sac m de* ~ Schlafsack *m*; **2.** Schlafgeld *n*; **3.** Bettwäsche *f*; **~ant** [~ˈʃɑ̃] **I** *adj.* (7): *chien m* ~ Hühnerhund *m*; *fig.* Kriecher *m*; *faire le chien ~ devant q. fig.* vor j-m kriechen; *soleil m* ~ untergehende Sonne *f*; *fig.* verlöschendes Gestirn *n*; **II** *m* Westen *m*; *fig.* Abend *m*, Lebensneige *f*.

couche [kuʃ] *f* **1.** Bettstelle *f*, Bett *n*, Lager *n*, Schlafstelle *f*; ~ *nuptiale* Ehebett *n*; *fig.* Ehe *f*; ~ *funèbre* Totenbett *n*; **2.** *mst.* ~*s pl.* Kindbett *n*, Wochen *pl.*, Entbindung *f*, Niederkunft *f*; *fausse* ~ Fehlgeburt *f*, ⚕ Abortus *m*; *femme f en ~s* Wöchnerin *f*; **3.** Windel *f*; *changer un enfant de ~s* e-m Kinde frische Windeln geben; **4.** *a.* ⊕, *géol.* Lage *f*, Schicht *f*; *min.* Flöz *n*; *peint.* Anstrich *m*; *fig. les ~s sociales* die sozialen Schichten *f/pl.*; *première ~, ~ de fond* Grundierschicht *f*; ~ *protectrice* Schutzschicht *f*; ⚔ ~ *de camouflage* Schutz-, Tarnungs-anstrich *m*; *bét.* ~ *collante* Haftschicht *f*; ~ *isolante*

Isolierschicht *f*; *advt.* en (*od.* par) ~s lagenweise; P *en avoir une* ~ dumm (*od.* doof *od.* bekloppt P) sein, 'ne Mattscheibe haben P, ein Schafskopf sein; **5.** ~ *ligneuse* Jahresring *m im Baumstamm*; **6.** Mistbeet *n*.

couché [ku'ʃe] *p/p.* **1.** *papier m* ~ Glanzpapier *n*; **2.** *écriture f* ~e schräge Schrift *f*.

coucher [ku'ʃe] (1a) **I** *v/t.* **1.** zu Bett bringen, ins Bett legen, hinlegen, schlafen legen; ein Nachtlager bereiten (*dat.*); **2.** nieder-, hin-legen; ~ *à plat* glatt *od.* flach hinlegen; ~ *par terre od. sur le carreau* zu Boden strecken, niederstrecken; **3.** neigen, nieder-drücken,-bürsten,-kämmen; umknicken (*bsd. Pflanzen*); P ~ *le poil à q.* j-m um den Bart schmieren, j-m zu Munde reden, j-m schmeicheln; **4.** Farbe auftragen; **5.** F ~ *par écrit* (*od. sur papier*) zu Papier bringen; **6.** buchen, eintragen; **7.** ~ *q. od. qch. en joue* auf j-n anlegen, auf j-n *od.* auf etw. zielen, F *fig.* j-n aufs Korn nehmen; **8.** ⊕ ~ *les feuilles de papier* das Papier gautschen; **II** *v/i.* **9.** schlafen, übernachten; *chambre f à* ~ Schlafzimmer *n*; *donner à* ~ *à q.* j-m e-e Schlafstelle anbieten, j-n zur Nacht aufnehmen; F ~ *à la belle étoile od. à l'enseigne de la lune* die Nacht unter freiem Himmel zubringen, bei Mutter Grün schlafen P; ~ *sur la dure* auf dem nackten Erdboden schlafen; *il est couché* er liegt im Bett, er schläft; *avant soleil couché* vor Sonnenuntergang; **III** *v/rfl.* se ~ **10.** sich hinlegen; ⚔ *couchez-vous!* hinlegen!; **11.** schlafen (*od.* zu Bett) gehen, sich schlafen legen; **12.** *ast.* untergehen; *le soleil s'est couché* die Sonne ist untergegangen; **IV** *m* **13.** Schlafen-, Zubett-gehen *n*; *hist.* (*petit*) ~ (*du roi*) königliche Abendaudienz *f*; **14.** Nachtlager *n*; **15.** *ast.* Untergang *m*; *au* ~ *du soleil* bei Sonnenuntergang.

couche-tôt [kuʃ'to] *m/inv.* e-r, der früh zu Bett geht.

couch|ette [ku'ʃɛt] *f* Bettchen *n*; Bettstelle *f*, Pritsche *f*, Schlafstelle *f*; ⚓ Bett *n*, Liegeplatz *m*; Bettkarte *f*; **~eur** [~'ʃœ:r] *su.* (7g) Schlafkamerad *m*; F *fig. ne fais pas le mauvais* ~ sei kein Spielverderber; *c'est un mauvais* ~ das ist ein unverträglicher Mensch *m* (*od.* ein Streithammel *m*, ein Stänker *m* P); **~is** [~'ʃi] *m* **1.** (Erd-, Sand-, Kies- *usw.*) Schicht *f*; **2.** *charp.* Untergebälk *n*.

couci-couci, couci-couça F [ku'siku'si, ~ku'sa] *advt.* soso lala; nicht gerade besonders; es geht.

coucou [ku'ku] *m* **1.** *orn.* Kuckuck *m*; **2.** Kuckucksuhr *f*; Schwarzwälder Uhr *f*; **3.** F Rangierlokomotive *f*; *ehm.* alte, zweiräderige Droschke *f*; *ehm.* Flugzeug *n* (*im 1. Weltkrieg*); **4.** *faire* (*od. jouer à*) ~ Versteck spielen; **5.** ⚘ Primel *f*; Narzisse *f*; **~(l)er** [kuku'le, ~'kwe] *v/i.* (1a) wie ein Kuckuck rufen.

coude [kud] *m* **1.** Ellenbogen *m*; *advt.* ~ *à* ~ Schulter an Schulter; F *jouer des* ~s sich durchdrängeln; die Ellenbogen gebrauchen; *lever* (*od. hausser*) *le* ~ einen heben, zu tief ins Glas gucken; *sentir les* ~s sich nahe beieinander fühlen; Tuchfühlung haben (*bsd.* ⚔); *le* (*contact*) ~ *à* ~ die Tuchfühlung (*a. fig.*); *le* ~ *à* ~ die enge Zs.-arbeit; *serrer les* ~s gemeinsam mit anpacken; **2.** plötzliche (Fluß-) Krümmung *f od.* Biegung *f*; **3.** ⊕ Knie *n*; Kniestück *n*; ~s *m/pl. de tuyaux pour poêles* Ofenknie *n/pl.*

coudé [ku'de] *adj.* gekrümmt, krumm, gebogen, bogenförmig.

coudée [~] *f* **1.** Elle *f*; **2.** *fig. avoir les* ~s *franches* freie Hand haben.

cou-de-pied [kud'pje] *m* (6b) Spann *m am Fuß*, Rist *m*.

couder [ku'de] *v/t.* (1a) knieförmig (um)biegen; *mach.* kröpfen.

coudeuse ⊕ [ku'dø:z] *f* Rohrbiegemaschine *f*.

coudière [ku'djɛ:r] *f Hockey*: Ellenbogenschützer *m des Tormanns*.

coudoiement [kudwa'mɑ̃] *m* (An-) Stoßen *n* mit dem Ellenbogen; *fig.* Umgang *m*.

coudoir [ku'dwa:r] *m* Arm-, Seitenlehne *f* = *accoudoir*.

coudoyer [kudwa'je] *v/t.* (1h) mit den Ellbogen stoßen; *fig.* in Berührung kommen (*q.* mit j-m).

coudraie ⚘ [ku'drɛ] *f* Haselgebüsch *n*.

coudre ['ku:drə] *v/t.* (4d) (an-, zusammen-)nähen, heften; *machine f à* ~ Nähmaschine *f*; *abs.* ~ *en linge* Weißzeug nähen; F *malice f cousue de fil blanc fig.* Bauernfang *m*, klarer Schwindel *m*; s. *cousu*.

coudrier ⚘ [kudri'e] *m* Haselnußstrauch *m*.

couenne [kwan] **I** *f* **1.** Schwarte *f*; *

Haut *f*; **2.** P Dummkopf *m*, Schafskopf *m*, Schlafmütze *f*, Trottel *m*; **II** *adj.* P dusselig, doof, blöde, bekloppt.

couette [kwɛt] *f* **1.** *dial.* Federbett *n*; **2.** Schwänzchen *n* (*z.B. vom Kaninchen*); **3.** ~*s pl. Schiffsbau*: Schlittenkufen *f/pl.*; **4.** ⊕ Drehpfanne *f aus Metall.*

couffe [kuf] *f*, **couffin** [ku'fɛ̃] *m* Gemüsekorb *m*.

cougouar *zo.* [ku'gwa:r] *m* Puma *m*, Silberlöwe *m*.

couic [kwik] *int.* knack!; P *faire* ~ abnibbeln P, sterben.

couille V [kuj] *f* Hode *f*; Sack *m* V.

couillon P [ku'jɔ̃] *m* (7c) feiger (*od.* blöder) Kerl *m*, Feigling *m*; Idiot *m*; **~nade, ~nerie** P [~jɔ'nad, ~n'ri] *f* Albernheit *f*, Blödsinn *m*; dummer Scherz *m*; **~ner** P [~jɔ'ne] (1a) *v/t.* ~ *q.*: sich lustig machen über j-n.

couin-couin [kwɛ̃'kwɛ̃] *m* Schnattern *n* (*Ente*); *faire* ~ schnattern (*Ente*).

couinard P [kwi'na:r] *m* Quasselstrippe *f* P, Telephon *n*.

couin|ement [kwin'mɑ̃] *m* Quieken *n* (*z.B. v. Kaninchen*); **~er** [kwi'ne] *v/i.* (1a) quieken.

coul|age [ku'la:ʒ] *m* **1.** Gießen *n*, Guß *m*; **2.** Leckwerden *n*, Auslaufen *n v. Flüssigkeiten*; **3.** *fig.* Vergeudung *f*; Schmu *m* P, Verlust *m* durch Veruntreuung; **~ant** [~'lɑ̃] **I** *adj.* (7) fließend, flüssig; *fig. Stil*: leicht, gewandt, geläufig; *bsd.* ✝ kulant, entgegenkommend; beweglich (*a. fig.*), lose; *caractère m* ~ beweglicher (*od.* anpassungsfähiger) Charakter *m*; *nœud m* ~ Schlinge *f*; **II** *m* **1.** ⊕ Schiebering *m*, Hülse *f*; **2.** ⚘ Erdbeerranke *f*.

coule [kul] *f* **1.** *rl.* Kutte *f*; **2.** P *être à la* ~ genauestens Bescheid wissen, den Dreh (*od.* den Bogen) raushaben, den Rummel (*od.* den Kram) verstehen, sich auskennen, sich nicht ins Bockshorn jagen lassen.

coulé [ku'le] *m* **1.** Schleifstrich *m*; **2.** Schleifer *m* (*Tanzschritt*); **3.** ♪ Bindung *f*; **4.** *bill. faire un* ~ e-n Nachläufer machen.

coulée [~] *f* **1.** Fließen *n*, Ausströmen *n*; (fließender) Strom *m* (*Lava*; *geschmolzenes Metall*); ⊕ Guß *m*; Abflußrinne *f*; *d'une seule* ~ aus einem Guß; **2.** *géol.* Durchsetzung *f*, Lagerung *f*; **3.** Schreibschrift *f*.

coulement [kul'mɑ̃] *m* Fließen *n*.

couler [ku'le] (1a) **I** *v/t.* **1.** a) (durch-) seihen, filtrieren; ~ *la lessive* die Wäsche einweichen; b) ✝ P (*schlechte Waren*) abstoßen, umsetzen, verschleudern; (*Falschgeld*) in Umlauf bringen; **2.** ⚓ ~ (*à pic, bas od. à fond*) in den Grund bohren, versenken; *fig.* F ~ *q.* j-n aus dem Sattel heben, j-n zugrunde richten *od.* ruinieren, j-n kleinkriegen (*od.* fertigmachen); *il est coulé fig.* er ist unten durch, er ist ganz heruntergekommen; *fig.* F ~ *qch.* etw. ruinieren, kaputtmachen; **3.** ver-, zubringen (*Zeit*); ~ *d'heureux jours* (*une retraite paisible*) glückliche Tage (e-e geruhsame Pensionszeit) verbringen; F *se la* ~ *douce* ein bequemes Leben führen; **4.** gleiten (*od.* einfließen) lassen; hineinschieben; *il coula la main dans ma poche* er steckte heimlich die Hand in meine Tasche; F ~ (*à l'oreille*) zuflüstern; **5.** ♪ verschleifen, binden; **6.** in Formen gießen; **II** *v/i.* **7.** (dahin)fließen, laufen, strömen, tropfen, rinnen; *le sang a coulé* es ist Blut geflossen; *faire* ~ *des flots de sang* Blut in Strömen vergießen; **8.** entspringen, (her)kommen; **9.** (leicht) fließen (*Stil*); vergehen (*Zeit*); **10.** flüssig sein; **11.** (auslaufen, lecken; *ce tonneau coule* dieses Faß ist leck; *le nez lui coule* die Nase läuft ihm; **12.** (aus-, ab-) gleiten *od.* rutschen; herunterrollen; *ce rasoir coule bien* dieser Rasierapparat schneidet gut; *fig.* ~ *sur qch.* leicht über etw. (*acc.*) hinweggehen; **13.** abfallen (*Blume*); *la vigne a coulé* die Trauben sind unreif abgefallen; **14.** ⚓ ~ (*à pic, bas od. à fond*) sinken, untergehen, auf Grund laufen; **III** *v/rfl.* **15.** *se* ~ *dans qch.* sich in etw. (*acc.*) einschleichen; *fig. se* ~ *dans la foule* in der Menge untertauchen; **16.** *se* ~ (*à fond*) sich zugrunde richten; **17.** F *se* ~ pleite gehen, Bankrott machen.

couleur[1] [ku'lœ:r] **I** *f* **1.** Farbe *f*; ~ *bois* Holzfarbe *f*, holzfarben; ~ *de fond* Grundfarbe *f*; *sans* ~ farblos; *fig.* nichtssagend; *il en a vu de toutes les* ~*s* er ist ganz gerissen, er ist mit allen Wassern gewaschen, er hat viel hinter sich (*od.* durchgemacht); P *elle lui en faisait voir de toutes les* ~*s* sie machte ihm anständig (*od.* reichlich) zu schaffen; **2.** ~*s pl.* Färbung *f*; *à trois* ~*s* dreifarbig; **3.** ~*s pl.* Fahne *f*; ~*s* *nationales* Landesfarben *f/pl.*; *les trois ~s* die französische Trikolore; **4.** *fig.* (politische) Färbung *f od.* Einstellung *f*; *la ~ d'un journal* die politische Richtung e-r Zeitung; **5.** (Haut-)Farbe *f*; Gesichtsfarbe *f*; *les Martiniquais de ~* die farbigen Bewohner *m/pl.* von La Martinique; *les employés de l'Etat sont, en majorité, de ~* die Staatsbeamten *m/pl.* sind in der Mehrzahl Farbige; *femme f (homme m) de ~* Farbige(r *m*) *f*; *avoir des ~s* Farbe haben, gesund aussehen; *avoir de belles ~s* e-e gesunde (*od.* frische) Gesichtsfarbe haben; *changer de ~* plötzlich blaß *od.* rot werden; *prendre ~* Farbe (*od.* rote Backen) bekommen, braun werden; **6.** Anstrich *m*, Schein *m*; Vorwand *m*, Ausrede *f*; *sous ~ d'amitié* unter dem Deckmantel (*od.* Vorwand) der Freundschaft; F *conter des ~s* flunkern; **7.** P ⚕ *pâles ~s pl.* Bleichsucht *f*; **8.** Farbe *f*, Farbstoff *m*; *~s pl. à huile* Ölfarben *f/pl.*; *~ d'apprêt, ~ primaire, ~ principale* Grundfarbe *f*; *~ à l'eau, ~ d'* (*od. en*) *aquarelle* Wasserfarbe *f*; *~ opaque, ~ couvrante, ~ à la gouache* Deckfarbe *f*; *~ transparente* Lasurfarbe *f*; **II** *adj. inv. des bas m/pl. ~ (de) chair* fleischfarbene Strümpfe *m/pl.*; *des souliers m/pl. ~ d'orange* orangegelbe Schuhe *m/pl.*

couleur[2] ⊕, *bét.* [ku'lœːr] *m* Gießer *m.*

couleuvre *zo.* [ku'lœːvrə] *f* Natter *f*; *~ à collier* Ringelnatter *f*; *fig. avaler des ~s* s-n Ärger runterschlucken; Beleidigungen einstecken müssen.

coulis [ku'li] **I** *m* **1.** durchgeseihte Kraftbrühe *f*; *~ d'écrevisses* Krebssuppe *f*; **2.** △ *~ de ciment* dünner Mörtel *m*; **II** *adj./m vent m ~* Zugluft *f*.

coulis|se [ku'lis] *f* **1.** Falz *m*, Rinne *f*, Führung *f*, Fuge *f*; **2.** Schnürbund *n*; **3.** *fenêtre f* (*od. châssis m*) *à ~* Schiebefenster *n*; *porte f à ~* Schiebetür *f*; **4.** *thé.* Kulisse *f*, Bühnen-, Schiebe-wand *f*, Seitengang *m*; **5.** ✝ Freiverkehr *m* (*Börse*), Vorbörse *f*, Winkelbörse *f*; (Nebenbörse *f* der) Pfuschmakler *m/pl.*; **6.** *pol. dans la ~, derrière* (*od. dans*) *les ~s* hinter den Kulissen; **~sé** [~'se] *p/p.* gefalzt; **~seau** ⊕ [~'so] *m* Führung(sstück *n*) *f*; Stößel *m* (*e-r Stoßmaschine*); **~ser** [~'se] (1a) **I** *v/t.* mit e-m Falz versehen; **II** *v/i. Tür*: sich schieben lassen, auf e-r Führung gleiten; **~sier** ✝ [~sje] *m* Aktienspekulant *m*, nicht vereidigter Makler *m*.

couloir [ku'lwaːr] *m* **1.** *enger, längerer* Gang *m*, Flur *m*, Korridor *m*; (kleiner) Verbindungsgang *m*; △ Innenstraße *f*; *thé. u. parl.* Wandelgang *m*; 🚃 Gang *m in den durchgehenden Wagen*; *wagon m à ~* D-Zug-Wagen *m*; *fig. intrigue f de ~s* Hintertreppenintrige *f*; **2.** ⊕ Rinne *f*, Rutsche *f*, Kanal *m*; **3.** ✈ *~ aérien* Luftkorridor *m*; *~ (télescopique orientable)* (schwenkbarer u. einziehbarer) Flugsteig *m*; **~e** [~] *f*: P *être à la ~* alle Schliche kennen.

coulomb ⚡ [ku'lɔ̃] *m* Coulomb *n*.

coulure ⚘ [ku'lyːr] *f* Abfallen *n* der Blüten.

coup [ku] *m* **1.** Schlag *m*, Hieb *m*, Stich *m*, Stoß *m*, Tritt *m*, Streich *m*; Schmiß *m* (*im Gesicht*); *~s pl. de bâton* Stockschläge *m/pl.*; *~ de bêche* Spatenstich *m*; *~ de couteau* (*d'épée, de poignard*) Messer- (Degen-, Dolch-)stich *m*; *~ de dent* Biß *m*; *~ du destin* Schicksalsschlag *m*; *~ de foudre* Blitzschlag *m*; *fig.* Liebe *f* auf den ersten Blick; *~ de tonnerre* Donnerschlag *m*; *Fußball*: *~ de pied de coin* Eckstoß *m*; *Fußball*: *~ d'envoi* Anstoß *m*, Anpfiff *m*; *donner le ~ d'envoi* das Spiel anpfeifen; *Fußball, Rugby*: *~ franc* Freistoß *m*; *Boxsport*: *~ bas* Tiefschlag *m*; *~ de haut en bas* Aufwärtshaken *m*; *~ balancé* Schwinger *m*; *pol. ~ de barre à droite* (*gauche*) Ruck *m* nach rechts (links); *~ de grâce* Gnaden-, Todesstoß *m*, Fangschuß *m*; *~ de Jarnac* entscheidender und unerwarteter Gegenschlag *m*; *~ de pied* Fußtritt *m*; *~ de chaleur* Hitzschlag *m*; ⋆ *se faire un ~ de chaleur* aus der Fahrbahn rausschleudern (P, *intr.*); *~ de téléphone*, F *~ de fil téléph.* Anruf *m*; *fig. ~ de pied de l'âne* Fußtritt *m*, feige Rache *f*; *~ de pierre* Steinwurf *m*; *fig. faire d'une pierre deux ~s* zwei Fliegen mit einer Klappe schlagen; *~ de poing américain* Schlagring *m*, Totschläger *m*; *~ de sonnette* Klingelzeichen *n*, (einmaliges) Klingeln *n*; *au premier ~ de tambour od. de baguette* beim ersten Trommelschlag; *~ de vent* Windstoß *m*; *en ~ de vent* in Windeseile, im Nu; *tenir le ~* etw. aushalten (können); *le ~ a porté* der Hieb sitzt; *son observation a porté* ~ seine Bemerkung hat gesessen (*od.* Eindruck gemacht); **2.** ~*s pl.* Kampf *m*; *en venir aux* ~*s* handgemein werden; *sans* ~ *férir* ohne Widerstand, ohne Schwertstreich; **3.** Wunde *f*, Verletzung *f*; ~ *de feu* Schußwunde *f*; **4.** Schuß *m*, Knall *m*; ~ *d'avertissement* Warnschuß *m*; ~ *au but* Volltreffer *m*; ~ *de canon* Kanonenschuß *m*; ⚓ ~ *de détresse* Notsignal *n*; ~ *d'envoi* Startschuß *m*; ~ *de feu* Schuß *m*; *fig.* Gewimmel *n*, Betrieb *m*; ~*s pl. de feu* Schießen *n*, Geschieße *n*; F ~ *de fusil* gepfefferte Rechnung *f*; Wucherpreis *m*; **5.** *fig.* Handlung *f*, Streich *m*, F Stückchen *n*, P Ding *n*, Sache *f*; ~ *d'audace* Wagestück *n*; ~ *d'autorité* Gewaltstreich *m*; Machtspruch *m*; ~ *d'éclat* aufsehenerregendes Ereignis *n*; ~ *d'essai* erster Versuch *m*; ~ *d'Etat* Staatsstreich *m*; ~ *de force* Putsch *m*, Gewaltstreich *m*; *fig.* Gewaltkur *f*; ~ *de main* Handstreich *m*, kühne Unternehmung *f*, Überfall *m*, Überrumpelung *f*; F *fig.* Dreh *m*; ~ *de maître* hervorragende Leistung *f*, Meisterstück *n*; ~ *monté* wohlüberlegte Tat *f*, vorbereitetes Spiel *n*, abgekartete Sache *f*; *monter le* ~ *à q.* j-m e-n Bären aufbinden, j-n beschwindeln; *sale* ~ Gemeinheit *f*; ~ *de tête* unüberlegte Handlung *f*; F ~ *de chien* Gewaltakt *m*, Krawall *m*; F ~ *dur* harter (*od.* schwerer) Schlag *m*, eklige Sache *f*; F *il a (reçu) le* ~ *de bambou* er hat 'nen leichten Tick; F *faire les 400* ~*s* ein tolles Leben führen; *je connais le* ~ ich kenne den Rummel; *faire le* ~ ein Ding drehen; *être dans le* ~ unter e-r Decke stecken, eingeweiht sein; *valoir le* ~ sich lohnen, der Mühe wert sein; **6.** Ton *m*, Glockenschlag *m*; *sur le* ~ *de midi* Punkt zwölf Uhr (Mittag); **7.** schnelle Bewegung *f* e-s Körperteils *od.* e-s Instruments; ♪ ~ *d'archet* Bogenstrich *m*; ~ *de chapeau* Abnehmen *n od.* Ziehen *n* des Hutes (*zum Grüßen*); Gruß *m*; ~ *de pinceau* Pinselstrich *m*; *fig.* kurze Beschreibung *f*; *donner un* ~ *de balai à la chambre* das Zimmer flüchtig ausfegen; *donner un* ~ *de brosse (à)* abbürsten; *donner un* ~ *de fer (à)* aufbügeln; *donner un* ~ *de neuf à qch.* e-r S. neuen Glanz verschaffen; ~ *de filet* Netzzug *m*; *fig.* Fang *m*; ~ *de pelle* Spatenstich *m*; ~ *de sonde* Stichprobe *f*; *donner un* ~ *de main* (*od. d'épaule*) *à q.* j-m unter die Arme greifen, j-m helfen *od.* behilflich sein; *à* ~*s de millions* mit e-m Aufwand von Millionen; ~ *d'œil* Blick *m*, *fig.* Überblick *m*; *donner un* ~ *d'œil à qch.* etw. flüchtig an- *od.* durch-sehen; *jeter un* ~ *d'œil dans les journaux* e-n Blick in die Zeitungen werfen; **8.** ⚕ ~ *de sang* Schlaganfall *m*; ~ *de soleil* Sonnenstich *m*; *weit.S.* Gletscherbrand *m*; ~ *de chaleur* Hitzschlag *m*; **9.** plötzliche, kurze u. heftige Wirkung *f*; ~ *de théâtre* a) Theatereffekt *m*; b) *fig.* plötzliche, unerwartete Wendung *f*; plötzlicher Umschwung *m*, Knalleffekt *m*; **10.** Fall *m*, Fügung *f*; ~ *d'aventure* (seltsames) Abenteuer *n*; ~ *de chance* Glücksfall *m*; ~ *de malheur* Unglücksfall *m*; *ce fut un rude* ~ *pour lui* das war für ihn ein harter Schlag; *être aux cent* ~*s* nicht ein noch aus wissen; **11.** Mal *n*; *deux* ~*s* zweimal; *d'un (seul)* ~ auf einmal; plötzlich; *du même* ~ gleichzeitig; *du* ~ darauf; infolgedessen; *du premier* ~ auf den ersten Schlag; *pour le* ~ diesmal; *advt. tout à* ~ plötzlich; *tout d'un* ~ auf einmal, plötzlich; *à* ~ *sûr* todsicher, mit tödlicher (*od.* hundertprozentiger) Sicherheit; *à* ~ *perdu* aufs Geratewohl; *à tout* ~ jedesmal; *sur le* ~ sofort, auf der Stelle; ~ *sur* ~ Schlag auf Schlag; *après* ~ hinterher, nachträglich; *entrer en* ~ *de vent* hereingestürmt kommen; **12.** Schluck *m*, Trunk *m*; *d'un seul* ~ mit einem Zug; *boire un* ~ e-n Schluck nehmen, e-n zu sich nehmen P; e-n heben P; ~ *de l'étrier* Abschiedstrunk *m*; **13.** Zug *m*, Wurf *m*, Ausspielen *n e-r Karte*; *bill.* Stoß *m*; *Sport*: *tous les* ~*s sont bons* alle Mittel sind recht; **14.** *esc.* ~ *fourré* Doppelstoß *m*; **15.** ⚓ ~ *de gouvernail* Ruck *m* mit dem Steuerruder; ~ *du fond* Grundsee *f*; ~ *de mer* Wellenschlag *m*; *bien tenir le* ~ Wind und Wetter aushalten; **16.** *fig. traduire à* ~*s de dictionnaire* mit Hilfe des Wörterbuchs mühselig übersetzen; **17.** *thé. Fr. frapper les trois* ~*s* dreimal *vor dem Vorhang auf den Boden* klopfen.

coupable [ku'pablə] **I** *adj.* □ **1.** schuldig; **2.** *action f* ~ strafbare Handlung *f*; *être dans le* ~ an dem Verbrechen beteiligt sein, darin verwickelt sein; **II** *su.* Schuldige(r) *m*, Täter *m*.

coupage [ku'paːʒ] *m* **1.** ⊕ Zerteilen *n*, (Zu-)Schneiden *n*; ~ *à l'autogène* ⊕ Brennschneiden *n*; **2.** (Wein-)Verschnitt *m*.

coupant [ku'pɑ̃] **I** *adj.* (7) schneidend, scharf; **II** *m* Schneide *f e-s Messers usw.*

coup-de-poing [kud'pwɛ̃] *m* (6b) **1.** Schlagring *m*; **2.** Taschenpistole *f*.

coupe[1] [kup] *f* **1.** Schneiden *n*; Fällen *n*; ⊕ Schlag *m* (*e-s Lufthammers*); ~ *de cheveux* Haarschnitt *m*; Haarschneiden *n*; **2.** *mét.* Verseinschnitt *m*, Zäsur *f*; **3.** *for.* ~ (*de bois*) Holzschlag *m*; ~ *sombre* a) *for.* Dunkelschlag *m*; b) *fig. pol.* Säuberung *f*, Ausmerzung *f*; **4.** *fig. être sous la* ~ *de q.* von j-m völlig abhängen; *tomber sous la* ~ *de q.* in j-s Hände (*od.* unter j-s Einfluß) geraten; **5.** Schnitt (-fläche *f*) *m*, An-, Durch-schnitt *m*; **6.** Schnitt *m*, Zuschneiden *n* (*beim Schneider*); *fig.* Anlage *f*, Anordnung *f*, Bau *m*, Einteilung *f*; **7.** Behauen *n*; **8.** *Kartenspiel*: Abheben *n*; **9.** Stoßschwimmen *n* (*auf der Seite*), Arm-über-Arm-Schwimmen *n*.

coupe[2] [~] *f* (Trink-)Becher *m*, Schale *f*, Pokal *m*; *la* ~ *est pleine* das Maß ist voll.

coupé [ku'pe] *m* **1.** Halbkutsche *f* (*zweisitzig*); **2.** *Auto*: Kupee *n*; **3.** Biegeschritt *m* (*beim Tanzen*).

coupe|-asperges ✓ [kupas'pɛrʒ] *m* (6c) Spargelstecher *m*; **~-cercle** [~'sɛrklə] *m* (6d) **1.** *mach.* Schneidezirkel *m*; **2.** *men.* Zentrum-, Windel-bohrer *m*; **~-choux** F [~'ʃu] *m* (6c) *rl.* Laienbruder *m* für niedrige Dienstleistungen; **~-cigare** [~si'gaːr] *m* (6c) Zigarren(spitzen)-abschneider *m*; **~-circuit** ⚡ [~sir'kɥi] *m* (6c) Sicherung *f*; Sicherheitsschalter *m*; **~-cors** [~'kɔːr] *m* (6c) Hühneraugenmesser *n*; **~-coupe** [~'kup] *m* (6c) Buschmesser *n*, Machete *f*.

coupée ⚓, ✈ [ku'pe] *f* Fallreep *n*.

coupe|-fil [kup'fil] *m* (6c) Drahtzange *f*; **~-file** [~] *m* (6c) Passierschein *m bei Paraden usw.*; **~-gorge** [~'gɔrʒ] *m* (6c) Räuberhöhle *f*, Mördergrube *f*; **~-jarret** [~ʒa'rɛ] *m* (6c) Meuchelmörder *m*; *fig.* Halsabschneider *m*; Lump *m*, Strolch *m*, gemeiner Kerl *m*; **~-légumes** [~le'gym] *m* (6c) Wiegemesser *n*.

coupel|lation *métall.* [kupɛla'sjɔ̃] *f* Scheidung *f*; **~le** ⊕ [~'pɛl] *f* Treibherd *m*; Probiertiegel *m*.

coupement [kup'mɑ̃] *m* **1.** ⊕, *charp.* Zersägen *n*; **2.** 🚂 Kreuzung *f*.

coupe|-ongles [ku'pɔ̃ːglə] *m* (6c) Nagelschere *f*; **~-papier** [~pa'pje] *m* (6c) **1.** Papiermesser *n*; *Büro*: Papierschneider *m*; **2.** Falzbein *n*; **~-pâte** [~'pɑːt] *m* (6c) *Bäckerei*: Teig-rädchen *n*, -messer *n*.

couper [ku'pe] (1a) **I** *v/t.* **1.** (auf-, ab-, be-, zer-, durch-)schneiden; *cin.* wegfallen lassen (*Drehbuch*); ⚘ kupieren; ~ (*avec les dents*) durch-, ab-beißen; ~ (*avec une scie*) durch-, ab-sägen; ~ *du bois* Holz fällen; ~ *en deux* entzweischneiden; ~ *qch. en* (*od. par*) *morceaux* (*en* [*od. par*] *tranches*) etw. in Stücke (in Scheiben) schneiden; ~ *par le milieu* mittendurch schneiden; *se faire* ~ *les cheveux* sich die Haare schneiden lassen; ~ *la gorge à q.* j-m den Hals abschneiden; ~ *à la pince* abzwicken; ⚓ ~ *un mât* e-n Mast kappen; *ça te la coupe, hein!* da staunst'de!, da bleibt e-m die Spucke weg!; **2.** *Stoff* zuschneiden; **3.** hemmen, abschneiden, unterbrechen; ~ *l'appétit* den Appetit nehmen; ~ *l'appétit à q.* auf j-n abstoßend wirken; ~ (*le*) *chemin à q.* j-m den Weg abschneiden, *fig.* j-m zuvorkommen; *fig.* ~ *chemin à qch.* etw. zum Stillstand bringen; ~ *la fièvre* das Fieber senken (*od.* reduzieren); ~ *la parole à q.* j-m ins Wort fallen; *fig.* ~ *le sifflet à q.* j-m den Mund stopfen; ~ *une route* e-n Weg versperren; ~ *les vivres* die Lebensmittelzufuhr unterbinden; **4.** durch-schneiden, -brechen, -queren; **5.** *Tennis*: ~ *la balle* schneiden; *Spiel*: ~ *une carte* e-e Karte stechen; ~ *du roi* mit dem König stechen; **6.** rissig machen; *le froid m'a coupé les lèvres* die Lippen sind mir vor Kälte aufgesprungen; *ce vent coupe le visage* dieser Wind schneidet e-m ins Gesicht; **7.** *e-e Flüssigkeit* mischen; ~ *le lait avec de l'eau* Wasser in die Milch tun; ~ *du vin* Wein verdünnen; ~ *le vin* den Wein (ver)schneiden; **8.** ~ *les sons* die Töne kurz abstoßen; *style m coupé* Schreibart *f* in kurzen, abgerissenen Sätzen; **9.** ~ *court ein Gesprächsthema usw.* abbrechen; ~ *court à q.* mit j-m kurzen Prozeß machen; ~ *court à qch.* etw. vereiteln; **10.** ⚡ ~ *le courant* (*od. le contact*) den Strom unterbrechen, ausschalten; *Auto*: ~ *le(s) gaz* das Gas wegnehmen, (ab)drosseln; *Auto*: ~ *l'allumage* die Zündung abstellen; **II** *v/i*. **11.** scharf sein, schneiden; *ne pas* ~ stumpf sein; ~ *dans le vif* ins Fleisch schneiden; *fig*. einschneidende Maßnahmen ergreifen; **12.** abheben (*im Spiel*); **13.** *téléph*. trennen; *vous avez coupé trop tôt* Sie haben zu früh getrennt; **14.** *Tanzkunst*: den Biegeschritt machen; **15.** P ~ *dans le pont*, ~ *là-dedans* auf den Leim gehen, reinfallen, sich beschwindeln lassen; *mais Jean et moi n'y couperons pas* aber Jean und ich werden darauf nicht reinfallen; **16.** P ~ *à qch*. von etw. verschont werden, e-r Sache entgehen, sich e-r Sache entziehen, sich vor etw. drücken; *il n'y couperait pas si ...* es bliebe ihm nicht erspart, wenn ...; *il ne coupera pas à la visite* er wird die Untersuchung nicht vermeiden können; **17.** ~ *à travers champs* querfeldein laufen; **III** *v/rfl*. *se* ~ **18.** sich schneiden; *se* ~ *au doigt* sich in den Finger schneiden; *se* ~ *le doigt* sich den Finger abschneiden; **19.** sich kreuzen; **20.** F sich widersprechen; F *se* ~ *en parlant* sich verschnappen F.

coupe-racines ⚒ [kupra'sin] *m* Rübenschneider *m*.

couperet [ku'prɛ] *m* Hackmesser *n*; ⊕ Drahtzange *f*; Fallbeil *n*.

couperose ⚕ [ku'pro:z] *f* Kupferausschlag *m*.

coupe|-tête P [kup'tɛt] *m* (6c) Henker *m*; **~-tuyau** ⊕ [~tɥi'jo] *m* (6c) Rohrabschneider *m*.

coupeu|r [ku'pœ:r] *su*. (7g) **1.** *su*. Zuschneider *m* (*Konfektion*); **2.** ~ *de bourse* Taschendieb *m*; ~ *d'oreilles* Schläger(typ) *m*, Raufbold *m*; **~se** ⊕ [~'pø:z] *f* Beschneidemaschine *f*; ~ *de papier* Papierschneidemaschine *f*.

coupe-vent [kup'vɑ̃] *m* (6c) **1.** 🚂 Windleitblech *n e-r Lokomotive*; **2.** 🚗, *Auto*: Windschutzscheibe *f*; **3.** *porte f* ~ Drehtür *f*, Windfangtür *f*.

coup|lage ⊕, *rad*. [ku'pla:ʒ] *m* Kuppelung *f*, Schaltung *f*; **~le** ['kuplə] **I** *m* **1.** Paar *n lebender Wesen*, Pärchen *n*; ~ *d'amis* (*d'amoureux*) Freundes-(Liebes-)paar *n*; ~ *de pigeons* Taubenpaar *n*; **2.** ⚡ Element *n* **3.** ⊕ ~ *de forces* Kräftepaar *n*; **4.** △, ⚓ Spant *n*; **II** *f* **5.** Paar *n zufällig vereinter Dinge*; *une* ~ *d'œufs* zwei Eier *n/pl*.; **6.** *ch*. Koppelriemen *m*; **~ler** [~'ple] *v/t*. (1a) **1.** paarweise zs.-tun; *ch. Hunde* koppeln; **2.** ⊕ aneinander befestigen, kuppeln, anhängen; ⚡ zs.-schalten; **~let** [~'plɛ] *m* **1.** *thé*. Tirade *f*, längere Stelle *f* in e-m Schauspiel; **2.** *mét*. Strophe *f*, Vers *m*; **3.** ~*s pl*. Lied(chen *n*) *n*, Couplet *n*.

coupleur [ku'plœ:r] *m* **1.** 🚂 Kuppler *m*; **2.** ⚡ Schalter *m*; ~ *série-parallèle* Serienparallelschalter *m*.

coupoir ⊕ [ku'pwa:r] *m* **1.** Blechschere *f*; **2.** Schneidbrenner *m*; **3.** Schneidemesser *n*.

coupole [ku'pɔl] *f* **1.** Kuppel *f*; ~ *blindée* Panzerkuppel *f*; **2.** Dom *m*; **3.** F *la* ♀ die Académie Française.

coupon [ku'pɔ̃] *m* **1.** Stoffrest *m*; **2.** ✝ Zinsschein *m*, Coupon *m*; ~ *de bénéfice*, ~ *de dividende* Gewinnanteilschein *m*; ~ *d'intérêt* Zins-bogen *m*, -abschnitt *m*; ✆ *un* ~ *réponse international* ein internationaler Rückantwortschein *m*; **3.** *allg*. Abschnitt *m*.

coupure [ku'py:r] *f* **1.** Einschnitt *m*; Schnitt(wunde *f*) *m*; *se faire une* ~ *à la main* sich in die Hand schneiden; **2.** Zeitungsausschnitt *m*; Blatt *n* (*Landkarte*); **3.** Unterbrechung *f*; ⚡ ~ *du courant* Stromsperre *f*, -unterbrechung *f*; **4.** *télév*. Bildstörung *f*; **5.** ✝ kleinerer Geldschein *m*; **6.** Kürzung *f e-s Textes od. Musikstückes*; **7.** *géol*. ~ *transversale* Querverwerfung *f*, Verschiebung *f*.

cour [ku:r] *f* **1.** Hof *m*; ~ *d'entrée* Vorhof *m*; *dans la* ~ auf dem (*bzw*. den) Hof; ~ *intérieure* Innenhof *m*, Lichtschacht *m*; **2.** Hof(haltung *f*) *m*, Hofstaat *m*, Regierung *f*; *à la* ~ bei Hofe; *gens m/pl*. (*od. cercles m/pl*.) *de la* ~ Hofkreise *m/pl*.; *homme m de* ~ Höfling *m*; ~ *plénière* große Hofgesellschaft *f*; *faire la* (*od. sa*) ~ *à q*. j-m s-e Aufwartung (*od.* den Hof) machen; mit j-m anbändeln (*od.* poussieren F); *j'ai bien fait votre* ~ *au roi* ich habe Sie bestens beim König empfohlen; **3.** ⚖ Gericht(shof *m*) *n*; ~ *d'appel* Berufungs-, Appellations-gericht *n*; ~ *d'assises* Schwurgericht *n*; ♀ *de cassation* Kassationshof *m*, Revisionsgericht *n*; *Haute* ♀ *de Justice* Staatsgerichtshof *m*; ♀ *permanente internationale d'Arbitrage* Ständiger internationaler Schiedshof *m im Haag*; ~ *martiale* Kriegs-, Stand-gericht *n*; ♀ *des comptes* Rechnungshof *m*;

~ *des échevins* Schöffenkammer *f*; *mettre hors de* ~ abweisen; *prononcer un hors de* ~ ein Verfahren einstellen.

coura|ge [ku'ra:ʒ] *m* **1.** Mut *m*, Kühnheit *f*; Entschlossenheit *f*; Eifer *m*; *sans* ~ mutlos; *manque m de* ~ Mutlosigkeit *f*; *avoir du* ~ Mut haben; *avoir bon* ~ getrosten (*od.* guten) Mutes sein; *manquer de* ~ keinen Mut haben; *perdre* ~ den Mut sinken lassen; *prendre* ~ Mut fassen; *prendre son* ~ *à deux mains* sich ein Herz fassen; **2.** Kaltherzigkeit *f*; **~geux** [kura'ʒø] *adj. u. su.* (7d) □ mutig, beherzt, kühn, wacker; *der* Mutige *m usw.*

courailler P [kurɑ'je] *v/i.* (1a) sich rumtreiben; liederlich leben.

couramment [kura'mɑ̃] *adv.* fließend, geläufig, mit Leichtigkeit; gewöhnlich.

courant [ku'rɑ̃] **I** *adj.* (7) **1.** laufend; fließend; *le cinq* ~ (*abr.* ct.) am fünften dieses Monats; *ch. chien* ~ Jagdhund *m*; ✝ *compte m* ~ laufende Rechnung *f*; ✝ *main f* ~*e* Kladde *f*; ⚓ *manœuvres f/pl.* ~*es* laufendes Tauwerk *n*; *prix m* ~: a) Marktpreis *m*; b) Preisliste *f*; *terme m* ~ fällige (Zins- *usw.*) Zahlung *f*; **2.** gebräuchlich, üblich, gewöhnlich, gangbar; *argent m* ~, *monnaie f* ~*e* kursierendes, gültiges Geld *n*; **3.** geläufig, flott (*Handschrift*); **II** *advt.* **4.** *tout* ~ in aller Eile, eiligst; **III** *m* **5.** Lauf *m*, Strom *m* (*auch fig. u.* ⚡); (⚓, *fig.*) Strömung *f*; *Auto*: ~ *opposé* Gegenverkehr *m*; *fig. lutter contre le* ~ gegen den Strom schwimmen; *suivre le* ~ mit dem Strom schwimmen; *les grands* ~*s de l'opinion* die Hauptströmungen *f/pl.* der öffentlichen Meinung; ~ *d'air* Luftzug *m*; *faire un* ~ *d'air* e-n Durchzug machen; *il y a un* ~ *d'air* es zieht; ~ *d'eau* Bach *m*, Flüßchen *n*; *rad. modèle m pour tous* ~*s* Allstromgerät *n*; ⚡ ~ *alternatif* Wechselstrom *m*; ~ *continu* Gleichstrom *m*; ⚡ ~ *à basse* (*à haute*) *tension* Schwach- (Stark-)strom *m*; ⚡ ~*s m/pl. HF* Hochfrequenzstrom *m*; ⚡ ~ *primaire* (*secondaire*) Primär- (Sekundär-)strom *m*; **6.** laufende Zeit *f*, Verlauf *m*; laufender Monat *m*; ✝ *fin* ~ Ende laufenden Monats, Ultimo *m*; *dans le* ~ *du mois* im Laufe des Monats; **7.** Gang *m*, *fig.* Rummel *m* F; ~ *des affaires* Geschäftsgang *m*; *être au* ~ (*des affaires*) mit dem Geschäftsgang vertraut sein; *abs. être au* ~ auf dem laufenden sein, Bescheid wissen; ✝ keine Rückstände haben; *mettre q. au* ~ *de* j-n genau unterrichten von (*dat.*); *se mettre au* ~ (*de*) sich vertraut machen (mit *dat.*); *se tenir au* ~ sich auf dem laufenden halten; ✝ *les livres m/pl. ne sont pas au* ~ die Posten *m/pl.* sind nicht bis auf den heutigen Tag eingetragen; **8.** ~ *du marché* heutiger Marktpreis *m*; **9.** ⚓ ~ *de manœuvre* laufender Teil *m eines Tauwerks.*

courante [ku'rɑ̃:t] *f* **1.** Kurrentschrift *f*; **2.** P Durchfall *m*.

cour|bage [kur'ba:ʒ] *m* Krümmen *n*; **~bant** [~'bɑ̃] *adj.* (7) biegsam.

courbatu [kurba'ty] *adj. vét.* steif, herzschlägig (*von Pferden*); *fig.* wie zerschlagen, wie gerädert, ganz kaputt F; **~re** [~'ty:r] *f* Steifheit *f*, Herzschlägigkeit *f* (*v. Pferden*); *fig. oft im pl.*: ~*s* allgemeine Erschöpfung *f od.* Mattigkeit *f*, Muskelkater *m*; **~ré** [~ty're] *adj.* gliedersteif, wie gerädert; **~rer** [~] *v/t.* (1a) völlig erschöpfen.

courb|e [kurb] **I** *adj.* **1.** krumm, gebogen; **II** *f* **2.** Kurve *f*; Bogenlinie *f*; ✝ ~ *des prix* Preiswelle *f*; ~ *économique*, ~ *de l'économie* Wirtschaftskurve *f*; ~ *de vente* Verkaufskurve *f*; ⚕ ~ *de température* Temperaturkurve *f*; **3.** Bucht *f*, Krümmung *f*, (Fluß-)Bogen *m*; **~ement** [kurbə'mɑ̃] *m* Krümmen *n*.

courber [kur'be] (1a) **I** *v/t.* krümmen, biegen, beugen; ~ *le front* (*od. le dos*) sich demütig verneigen; *courbé de vieillesse* altersgebeugt; **II** *v/rfl. se* ~ krumm werden; sich beugen, sich bücken; *se* ~ *devant q.* vor j-m kriechen.

courbette [kur'bɛt] *f* **1.** *man.* Bogensprung *m*; **2.** F *péj.* tiefe Verbeugung *f*, *fig.* tiefer Bückling *m* (*iron.*).

courbure [kur'by:r] *f* Krümmung *f*, Biegung *f*, Bogen *m*, Abrundung *f*, Wölbung *f*; ✈ ~ *de l'extrados* Oberflächenwölbung *f*.

courcail|ler [kurkɑ'je] *v/i.* (1a) schlagen (*Wachtel*); **~let** [~'jɛ] *m* Wachtel-schlag *m*, -pfeife *f*.

courçon ⚘ [kur'sɔ̃] *m vit.* Schoßrebe *f*; kleiner Nebenzweig *m*.

courette [ku'rɛt] *f* kleiner Innenhof *m*.

coureur [ku'rœ:r] *m* **1.** *Sport*: Läufer *m*; Rennfahrer *m*, Dauerfahrer *m*; Rennreiter *m*; Rennpferd *n*; ~ (*automobil*[*ist*]*e*, *cycliste usw.*) Rennfahrer *m*; ~ *individuel* Einzelfahrer *m*; ~ *suppléant*, ~ *remplaçant* Ersatzfahrer *m*; ~ *de fond* Langstrecken-fahrer *m*, -läufer *m*; ~ *de demi-fond* Mittelstrecken-fahrer *m*, -läufer *m*; ~ *de vitesse sur faible parcours od. distance* Kurzstreckenläufer *m*; ~ *à longue* (*courte*) *distance* Lang-(Kurz-)streckenfahrer *m*; *femme f coureur Sport*: Läuferin *f*; **2.** *péj.* Rumtreiber *m*; häufiger Besucher *m*; F ~ *de bals* j., der auf alle Bälle geht; ~ (*de femmes*, ~ *de filles*, ~ *de jupons*) Schürzenjäger *m*; ~ *de nuit* Nachtschwärmer *m*; ~ *de places* Stellenjäger *m*; **3.** ⚔ Meldeläufer *m*; **4.** ~*s pl.* Laufvögel *m/pl.*

coureuse *péj.* [ku'rø:z] *f* Straßendirne *f*, Hure *f* V, Fose *f* V.

courge ♀ [kurʒ] *f* Kürbis *m*.

courir [ku'ri:r] (2i) (*mit avoir!*) **I** *v/i.* **1.** rennen, (schnell) laufen; P = *aller* gehen; ~ *aux armes* zu den Waffen eilen; *fig.* ~ *à sa perte* ins Verderben rennen; ~ *après l'argent* dem Gelde nachlaufen; ~ *à toutes jambes* die Beine in die Hand nehmen, wetzen P, flitzen P, rasen; *arriver en courant* herbeigelaufen kommen; *passer en courant* vorbeilaufen, vorübereilen; *vous pouvez* (*toujours*) ~*!* da ist doch nichts zu machen!; das kriegen (*od.* schaffen) Sie nie!; *sortir en courant* herausgerannt kommen, hinauseilen; **2.** umher-, herum-laufen *od.* -streifen, herumschwärmen; ~ *toujours* immer noch frei herumlaufen; **3.** e-n Wettlauf machen; rennen (*im Wettrennen*); **4.** im Umlauf sein, umlaufen, verbreitet sein (*Gerücht*); ⚕ grassieren; *il court un bruit* es geht ein Gerücht; *faire* ~ *un bruit* ein Gerücht verbreiten; **5.** fließen; ~ *à la mer* sich in das Meer ergießen; **6.** verlaufen, verstreichen; *l'année qui court* das laufende Jahr; *par les temps qui courent* bei den heutigen Zeiten; **7.** *fig.* ~ *à sa fin* zu Ende gehen, bald am Ziel sein; **8.** † fällig sein, laufen (*von Zinsen usw.*); **9.** ⚓ Fahrt machen; ~ *au nord* nordwärts segeln, nach Norden steuern; ~ *devant le vent* lenzen, *bei schwerem Sturm mit gerafften Segeln vor dem Wind* laufen; ~ *sur la terre* landwärts segeln; **II** *v/t.* **10.** durch-laufen, -streifen; ~ *les magasins* von e-m Geschäft ins andere laufen; ~ *le monde* (*le pays*) in der Welt (im Lande) umher-ziehen *od.* -reisen; F ~ *les rues* stadtbekannt (*od.* alltäglich) sein; **11.** häufig besuchen; ~ *les bals* viel auf Bälle gehen; **12.** jagen, nachjagen (*dat.*), verfolgen; *fig.* nachlaufen (*dat.*), suchen; ~ *l'aventure* auf Abenteuer ausgehen; ~ *les honneurs* auf Auszeichnungen erpicht sein; *c'est une chance à* ~ man muß (*od.* kann) es wagen; *être fort couru* sehr gesucht sein, großen Zulauf haben; ~ *deux lièvres à la fois fig.* zwei Fliegen mit einer Klappe schlagen wollen; F *péj.* ~ *la pretantaine* rumbummeln; ~ *les filles* (*od. le jupon*) den Mädchen hinterherlaufen, ein Schürzenjäger sein; P *il me court* er fällt mir auf die Nerven (*od.* auf den Wecker P); **13.** ~ *un danger* sich e-r Gefahr aussetzen; ~ *le risque de* (*inf.*) Gefahr laufen zu ...; ~ *risque de la vie* sein Leben aufs Spiel setzen; **14.** F ~ *la poste en faisant qch.* etw. überhastet tun; **15.** ~ *un prix* um e-n Preis rennen; **16.** ⚔ durchstreifen, Streifzüge machen durch (*acc.*); **17.** ⚓ ~ *des bordées* lavieren; **III** *v/rfl. Autorennen*: *se* ~ *à tout va* sich mit dem Aufgebot aller Kräfte jagen.

cour|lis [kur'li], **~lieu** *orn.* [~'ljø] (6b) *m* Brachvogel *m*.

couronne [ku'rɔn] *f* **1.** Krone *f*; Kranz *m*; *fig.* Preis *m*; ~ *de fleurs* (*de laurier*) Blumen- (Lorbeer-) kranz *m*; ~ *d'épines* Dornenkrone *f*; ~ *d'épis* (*et de fleurs*) Erntekranz *m*; ~ *de fer* eiserne Krone *f*; ~ *funéraire* Totenkranz *m*; ~ *du martyre* Märtyrerkrone *f*; ~ *mortuaire* Totenkranz *m*; **2.** Königs-, Kaiserwürde *f*; König-, Kaiser-reich *n*; Fürst *m*; *abdiquer la* ~ die Krone niederlegen; *avènement m à la* ~ Thronbesteigung *f*; *discours m de la* ~ Thronrede *f*; *héritier m de la* ~ Thronerbe *m*; *prétendant m à la* ~ Kronprätendent *m*; **3.** *rl.* kleiner Rosenkranz *m*; Tonsur *f*; **4.** △ Kranzleiste *f*; **5.** *horl.* Aufziehknopf *m*; ⊕ ~ *d'une roue* Felgen-, Radkranz *m*; ~ *dentée* Zahnkranz *m*; ~ *de frein* Bremskranz *m*; **6.** *anat.* (Zahn-)Krone *f*; **7.** *ast.* ~ *solaire* (Sonnen-)Korona *f*; **8.** † Krone *f*.

couron|nement [kurɔn'mɑ̃] *m* **1.** Krönung *f*, Krönungsfeierlichkeit *f*; *fig.* Vollendung *f*; **2.** △ Krone *f*; kronenförmiger Zierat *m*; Mauerkranz *m*; ~ *d'une digue*

Deich-kappe *f*, -krone *f*; **~ner** [kurɔ'ne] (1a) **I** *v/t.* **1.** krönen; bekränzen; *fig.* prämiieren; *couronné* preisgekrönt; *couronné de succès* erfolgreich; **2.** *~ les vœux de q.* j-s Wünsche erfüllen; **3.** umkränzen, einfassen; **4.** *ch.* *tête f couronnée* Kron(en)gehörn *n*; **II** *v/rfl.* *se ~* sich krönen; sich bekränzen, sich bedecken (*de* mit *dat.*); *fig.* sich zum Herrscher machen.

cou-rouge F *orn.* [ku'ru:ʒ] *m* (6a) Rotkehlchen *n*.

courre [ku:r] *nur im inf. gbr.* **I** *v/t.* *ch.* *~ le cerf* den Hirsch jagen; **II** *v/i.* *ch.* *laisser ~ (les chiens)* die Hunde loskoppeln; *chasse f à ~* Parforcejagd *f*, Hetzjagd *f*.

courrier [ku'rje] *m* **1.** Eilbote *m*, Kurier *m*, reitender Bote *m*; Postauto *n*, -wagen *m*, -schiff *n*; ✈ Verkehrsflugzeug *n*; *fig.* *~ de malheur* Unglücksbote *m*; **2.** ✎ ☉ Postkutsche *f*; **3.** Korrespondenz *f*, Postsachen *f/pl.*, eingegangene (*od.* abgeschickte) Briefe *m/pl.*; ✝ *par retour du ~* postwendend; *par le premier (prochain) ~* mit der ersten (nächsten) Post; *faire son ~* s-e Briefe schreiben, s-e Post erledigen; *expédier son ~* s-e Briefe absenden; *lire son ~* die eingegangenen Briefe lesen; **4.** *~ des théâtres* Theaterbericht *m*, -chronik *f*.

courriériste *journ.* [kurje'rist] *m* Chronist *m*.

courroie [ku'rwa] *f* Riemen *m*; ⊕ *~ de monte-charges* Lade-(Hebe-)band *n*; *~ de sac* Tornisterriemen *m*; ⊕ *~ de commande* Antriebsriemen *m*; *~ de transmission* Treibriemen *m*; ⊕ *~ transporteuse* Förderband *n*.

cour|roucer [kuru'se] (1k) *v/t.* (heftig) erzürnen, in Harnisch bringen; **~roux** *poét., st.s.* [ku'ru] *m* **1.** Zorn *m*, Grimm *m*; *entrer en ~* zornig werden; **2.** *fig.* Toben *n des Meeres.*

cours [ku:r] *m* **1.** Strömung *f*; *~ d'eau* Wasserlauf *m*, Bach *m*, Rinnsal *n*; *donner ~ à l'eau* dem Wasser e-n Lauf (*od.* Abfluß) geben; *~ rapide* reißende Strömung *f*; **2.** Strecke *f*, Lauf *m*; **3.** Lauf *m der Gestirne*; *~ orbital* Kreislauf *m*; **4.** *fig.* Gang *m*, Fortschritt *m*, Verlauf *m*; Dauer *f*; ⊕ *~ de la fabrication* Arbeitsgang *m*; *l'affaire f suit son ~* die Sache geht ihren Gang; *les négociations f/pl. en ~* die zur Zeit laufenden Verhandlungen *f/pl.*; *bâtiment m de (capitaine m au) long ~* Schiff *n* (Kapitän *m*) für überseeische Fahrten; *dans le (od. au) ~ du mois* im Laufe des Monats; *fig.* *en ~ de route* während der Schulzeit (*od.* des Studiums); *gr.* *dans le ~ de la phrase* innerhalb des Satzes; **5.** Umlauf *m*; Geltung *f*, Gültigkeit *f*, Gangbarkeit *f*, Gebräuchlichkeit *f*; Gebrauch *m*; *cette monnaie n'a plus ~* diese Münze ist nicht mehr im Kurs; *prendre ~* Mode werden, aufkommen; **6.** ✝ Kurs *m*, Gang *m*, Notierung *f*; *~ de la bourse* Börsenkurs *m*; Kurszettel *m*; *~ forcé* Zwangskurs *m*; *~ du marché* Marktbericht *m*, -preis *m*; ✝ *premier ~* Anfangskurs *m*; *~ des devises*, *~ du change* Devisenkurs *m*; *~ pl. libres* Freiverkehrskurse *m/pl.*, nachbörsliche Preise *m/pl.*; *avoir ~* Kurs haben, gangbar sein; Gültigkeit haben; **7.** Länge *f e-s Flusses*; *la Seine a 800 kilomètres de ~* die Seine hat e-e Länge von 800 km; **8.** *wissenschaftliche* Vorlesung *f*, Lehrgang *m*, Kursus *m*; Kolleg *n*; *~ de philosophie* philosophisches Kolleg *n*; *~ d'instruction (de perfectionnement)* Ausbildungs- (Fortbildungs-)lehrgang *m*; *~ préparatoire* Einführungslehrgang *m*; *~ de formation* Schulungslehrgang *m*; *~ de ski sur écorce* Schi-Trockenkursus *m*; *~ de publicité* Werbeunterricht *m*; *~ par correspondance* Fernunterricht(skursus *m*) *m*; *faire des ~* Vorlesungen halten; *faire un ~ (de logique)* ein Kolleg (über Logik) halten; *faire son ~ de droit* die Rechte studieren; *s'inscrire pour un ~* ein Kolleg belegen; *suivre un ~* e-e Vorlesung besuchen *od.* hören; **9.** Lehrbuch *n*; *~ de langue anglaise* Lehrgang *m* der englischen Sprache; **10.** *rl.* *~ ecclésiastique* Stundengebete *n/pl.*; **11.** Korso *m*, Baumpromenade *f*; **12.** ⚠ *~ d'assise* ununterbrochene Steinreihe *f*; *~ de pannes* Dachstuhlpfetten *f/pl.*

course [kurs] *f* **1.** Laufen *n*, Rennen *n*; *(au) pas m de ~* (im) Laufschritt *m*; *à la ~* im Laufe(n); *poét.* Lauf *m*: *la ~ du soleil* die Sonnenbahn; **2.** Wettlauf *m*, Wettrennen *n*; Gang *m*, (Turnier-)Rennen *n*; ⚔ *~ aux armements* Rüstungswettlauf *m*, Wettrüsten *n*; ⚓ *~ d'essai* Probefahrt *f*; *Sport*: *~ d'essai* Vorlauf *m*; *~ de repêchage* Zwischenlauf *m*; *~ de (demi-)fond* Lang-(Mittel-)streckenlauf *m*; *~ de vitesse sur* *faible parcours od. distance* Kurzstreckenlauf *m*; ~ *(de) relais* Stafetten-, Staffel-lauf *m*; ~ *de patrouille(s) (militaire[s]* Militär-) Patrouillenlauf *m*; ~ *à pied* Lauf-, Renn-sport *m*; ~ *plate*, ~ *de plaine* Flachrennen *n*; ~ *par pelotons* Mannschaftsrennen *n*; ~ *sur route (sur piste)* Straßen- (Bahn-)rennen *n*; *Auto*: ~ *de côte(s)* Bergrennen *n*; Bergprüfungsfahrt *f*; *Radsport*: ~ *(cycliste) de(s) six jours* Sechstagerennen *n*; *Schi*: ~ *de descente* Abfahrtslauf *m*; ~ *de ski (grand) fond* Schi-dauerlauf *m*, -langlauf *m*; ⚓ ~ *de(s) juniors (seniors)* Junioren- (Senioren-)rennen *n*; ~ *de quatre (de huit)* Vierer- (Achter-)rennen *n*; ~ *de lévriers* Windhundrennen *n*; ✈ ~ *aérienne* Luftrennen *n*; *champ m de* ~*s* Renn-bahn *f*, -platz *m*; *cheval m de* ~ Rennpferd *n*; ~ *cycliste* Radrennen *n*; ~ *de championnat* Meisterschafts-lauf *m*, -rennen *n*; ~ *de haies*, ~ *d'obstacles* Hindernisrennen *n*, Hürdenlauf *m*; ~ *motocycliste (od. de motos)* Motorradrennen *n*; **3.** Gang *m*, Fahrt *f*; Ausflug *m*, Abstecher *m*; *écol.* ~ *d'école* Klassenfahrt *f*; *garçon m de* ~ Botenjunge *m*; *prix m de la* ~ Fahrpreis *m (Taxi)*; *être en* ~*(s)* weggegangen sein; *faire de grandes* ~*s* Wanderungen *(od.* Ausflüge) machen, wandern; *j'ai quelques* ~*s à faire* ich habe einige Besorgungen zu erledigen; **4.** ⊕, *mach.* ~ *du tiroir* Schubfachführung *f*; ~ *du piston* Hub *m* des Kolbens; **5.** ⚓ Kaperei *f*; *aller en* ~ auf Kaperei fahren; *vaisseau m armé en* ~ zur Kaperei ausgerüstetes Schiff *n*; *armement m en* ~ Ausrüsten *n* von Kaperschiffen; *guerre f de la* ~ Seeräuberei *f*.

courser P [kur'se] *v/t.* (1a) *j-n* jagen, hetzen.

course-record *Sport* [kursrə'kɔ:r] *m* (6b) Rekordlauf *m*.

coursier [kur'sje] **I** *m* a) Streitroß *n*; b) Mühlbach *m*; **II** *su.* (7b) Laufjunge *m*, -mädchen *n*.

coursive ⚓, △ [kur'si:v] *f* Laufgang *m*.

courson ✓ [kur'sɔ̃] *m* = *courçon*.

court[1] [ku:r] **I** *adj.* (7) □ kurz; *fig.* beschränkt, nicht weitreichend, unzureichend; *avoir l'haleine* ~*e* einen kurzen Atem haben, engbrüstig sein; *être* ~ *de mémoire* ein kurzes Gedächtnis haben; *avoir la vue* ~*e* kurzsichtig sein; *fig. avoir des vues* ~*es* beschränkte Ansichten haben; *être* ~ sich kurz fassen, es kurz machen; **II** *m das* Kurze; *savoir le* ~ *et le long d'une affaire* alle Einzelheiten einer Sache kennen; von e-r S. alles haarklein wissen; *le plus* ~ der kürzeste Weg; *être à* ~ *de qch.* etw. entbehren; *être à* ~ *(d'argent)* nicht viel Geld haben, knapp bei Kasse sein; *n'être jamais à* ~ *d'expédients* sich immer Rat *(od.* zu helfen) wissen, nie verlegen sein; *être à* ~ *d'idées* ohne Einfälle sein, sich nicht zu helfen wissen; *ne pas être à* ~ *de ressources* nicht um Hilfsmittel verlegen sein; **III** *adv.* kurz; plötzlich; *arrêter* ~ Einhalt tun *(dat.)*; *s'arrêter* ~ plötzlich innehalten, stutzen; 🚗 *usw.* plötzlich halten; *couper* ~ *à q.* j-n unterbrechen, j-n kurz abfertigen; *couper* ~ *à qch.* etw. sofort abbrechen, mit e-r Sache sofort Schluß machen, F *fig.* mit e-r Sache kurzen Prozeß machen; *Vorschläge* kurzerhand abschlagen; *Gerüchten usw.* kurz entschlossen entgegentreten, Einhalt tun, das Handwerk legen; *(en) demeurer (od. rester)* ~ in der Rede steckenbleiben, nicht weiterkönnen, sich festreden, nichts mehr zu sagen wissen, platt *(od.* baff) sein F; *être pris de* ~ in Verlegenheit gebracht werden; *tourner* ~ *beim Reden* plötzlich abbrechen; *Krankheit, Verhandlung usw.*: ein plötzliches Ende nehmen.

court[2] [ku:r *od.* kɔrt] *m* Tennisplatz *m*; ~ *couvert* (Tennis-)Halle *f*.

courtage ✝ [kur'ta:ʒ] *m* Maklergeschäft *n*, -gebühr *f*; Kundenwerbung *f*.

courtaud [kur'to] (7) **I** *adj.* untersetzt, kurz u. stämmig; *Hund, Pferd*: kupiert, abgestutzt; **II** *su.* kurzer, stämmiger Mensch *m*; ~**er** [~to'de] *v/t.* (1a) *e-m Hund od. Pferd* Schwanz und Ohren stutzen.

court|-bouillon [kurbu'jɔ̃] *m* (6a) *cuis.* Fischbrühe *f*; ~**-circuit** ⚡ [~sir'kɥi] *m* (6a) Kurzschluß *m*; ~**-circuiter** [~sirkɥi'te] *v/t.* **1.** ⚡ kurzschließen; **2.** *fig.* vereiteln.

Courte-paille *Fr.* [kurt'pɑ:j] *f* Imbißstätte *f im Landstil (Autobahn)*.

courtepointe [kurt'pwɛ̃:t] *f* Steppdecke *f*.

courtier ✝ [kur'tje] *m* Makler *m*, Aktienhändler *m*, Vermittler *m*, Agent *m*, Unterhändler *m (a. fig.)*; Kundenwerber *m*; ~ *d'annonces* Akquisiteur *m*; ~ *électoral* Wahlagent *m*; ~ *marron* Winkelmakler *m*, freier Makler *m*; ~ *maritime* Schiffsmakler *m*; ~ *de transport* Speditionsmakler *m*.

courtilière *ent.* [kurti'ljɛ:r] *f* Maulwurfsgrille *f*.

courtine ⚠ [kur'tin] *f* Zwischenfassade *f*.

courti|san [kurti'zɑ̃] *m* Höfling *m*; *fig.* Schmeichler *m*; **~sane** [~'zan] *f* Kurtisane *f*; **~sanerie** [~zan'ri] *f fig.* Speichelleckerei *f*; **~ser** [~'ze] *v/t.* (1a): ~ *q.* j-n umschmeicheln; j-m den Hof machen, F mit j-m poussieren.

courtois [kur'twa] *adj.* (7) □ liebenswürdig, verbindlich, höflich; höfisch, ritterlich; **~ie** [~twa'zi] *f* Liebenswürdigkeit *f*, Verbindlichkeit *f*, Höflichkeit *f*; Ritterlichkeit *f*.

couru [ku'ry] *adj. ch.* gejagt, verfolgt; *fig.* großen Zulauf habend, gesucht; besucht; F *c'est* ~ das ist ganz sicher, das steht fest, das ist klar.

couscous *cuis.* [kus'kus] *m* Kuskus *n* (*arabisches Gericht*).

cousette F [ku'zɛt] *f* kleine Schneiderin *f* (*oft als Kosewort*).

couseuse [ku'zø:z] *f* **1.** Näherin *f*; Broschürenhefterin *f*; **2.** ~ *mécanique* Heftmaschine *f*.

cousin [ku'zɛ̃] *m* **1.** Vetter *m*, Cousin *m*; *~s germains* Geschwisterkinder *n/pl.*; *~s issus de germains* Vettern *m/pl.* zweiten Grades; **2.** F guter Freund *m*; Gevatter *m*; **3.** *ent.* (Stech-)Mücke *f*.

cousi|nage [kuzi'na:ʒ] *m* Vetterschaft *f*; **~ne** [ku'zin] *f* Kusine *f* (*od.* Cousine *f*), Base *f*; ~ *germaine* leibliche Kusine *f*; **~ner** [kuzi'ne] **I** *v/t.* **1.** ~ *q.* j-n Vetter nennen, j-n wie seinen Vetter (*od.* s-e Cousine) behandeln; **II** *v/i.* (1a) **2.** F *bei Verwandten* nassauern; herumschmarotzen; **3.** sich vertragen, miteinander auskommen; *ils ne cousinent pas ensemble* sie vertragen sich nicht; **~nière** [~'njɛ:r] *f* Mükkennetz *n*.

coussin [ku'sɛ̃] *m* Kissen *n*; ~ *électrique* Heizkissen *n*; ~ *dorsal*, ~ *de dossier* Rückenkissen *n*; ~ *de feutre* Filzunterlage *f*; ~ *pneumatique* Luftkissen *n*; ~ *de protection* Schutzpolster *n*; ~ *de siège* Sitzkissen *n*; **~age** ⊕ [~si'na:ʒ] *m*: ~ *en butée double* Wechsellagerung *f*; **~et** [~'nɛ] *m* **1.** kleines Kissen *n*; ~ *pneumatique* Luftkissen *n*; **2.** ⊕ Lager *n*, Lagerschale *f*, Zapfenlager *n*, Lagerbüchse *f*, Auflager *n*, 🚂 Schienen-stuhl *m*, -lager *n*, Lagerschwelle *f*; ~ *à billes* Kugellager *n*; ~ *de boîte de vitesses* Getriebelager *n*; ~ *de tête de bielle* Pleuel-, Kolbenstangen-lager *n*; ~ *usé* ausgelaufenes Lager *n*; ~ *de support* Stützlager *n*; **3.** ⚠ ~ (*de chapiteau*) Wulst *m* (*am Kapitell*).

cousu [ku'zy] *p/p. v. coudre*; *fig. être* ~ *d'or* Geld wie Heu haben; *garder* (*od. rester*) *bouche ~e* kein Sterbenswörtchen sagen, völlig dichthalten, kein Wort über die Lippen bringen; F *fig.* ~ *de fil blanc* erlogen, aus der Luft gegriffen.

coût [ku] *m* (Un-)Kosten *pl.*; *le* ~ *de la vie* die Lebenshaltungskosten *pl.*; ~ *total* Gesamtkosten *pl.*; ⚖ ~ *de l'acte* (*de protêt*) Protestkosten *pl.*

coûtant [ku'tɑ̃] *adj./m. nur in*: *prix m* ~ Einkaufs-, Fabrik-, Selbstkosten-, Großhandels-preis *m*.

couteau [ku'to] *m* (5b) Messer *n*; ✂ *boîte f* (*od. écrin m*) *à ~x* Messerbesteck *n*; *coup m de* ~ Messerstich *m*; *lame f de* ~ Messerklinge *f*; ~ *à bascule* Messer *n* mit doppelter Klinge; ~ *à découper* Vorschneidemesser *n*; ~ *à dessert* Nachtischmesser *n*; ~ *à papier* Papiermesser *n*; ~ *à deux tranchants* zweischneidiges Messer *n*; *fig.* Achselträger *m*; ~ *à éplucher* Schälmesser *n*; ~ *à fruits* Obstmesser *n*; ~ *à gâteaux* Kuchenmesser *n*; ~ *de boucher* Fleischermesser *n*; ~ *de chasse* Weidmesser *n*; Hirschfänger *m*; ~ *de cuisine* (*od. de cuisinière*) Küchenmesser *n*; ~ *de poche* Taschenmesser *n*; ~ *de table* Tafelmesser *n*; 🌱 *~-greffoir m* Kopuliermesser *n*; *~-poignard m* Dolchmesser *n*; *fig.* ~ *de faisan* Fasanen(hut)feder *f*; *être à ~x tirés avec q.* mit j-m auf Kriegsfuß stehen, j-m spinnefeind sein.

coute|las [kut'lɑ] *m* Hirschfänger *m*; großes Küchenmesser *n*; **~llerie** [kutɛl'ri] *f* Messer-, Stahl-waren *pl.*

coûter [ku'te] *v/i.* (1a) kosten; Ausgaben (*od. fig.* Mühe) verursachen; ~ *cher*, ~ *beaucoup d'argent* viel (Geld) kosten; *cela m'en coûtera* das wird mir schwerfallen; *coûte que coûte!*, *quoi qu'il en coûte!* koste es, was es wolle!, um jeden Preis!; *cela me coûte à dire* es kostet mich viel Überwindung (*od.* es fällt mir schwer), das zu sagen.

coûteux [ku'tø] *adj.* (7d) kostspielig.
coutil *text.* [ku'ti] *m* Drillich *m.*
coutre ⚒ ['ku:trə] *m* Pflugeisen *n.*
coutu|me [ku'tym] *f* **1.** Gewohnheit *f*, Gebrauch *m*, Sitte *f*; *avoir ~ de faire qch.* etw. zu tun pflegen; *tourner en ~* zur Gewohnheit werden (lassen); *venir* (*od. passer*) *en ~* zur Gewohnheit werden; *advt. par ~* aus Gewohnheit, gewohnheitsmäßig; *comme de ~* wie immer, wie gewöhnlich; *prov. une fois n'est pas ~* einmal ist keinmal; **2.** Gewohnheitsrecht *n*; **~mier** [kuty'mje] *adj.* (7b) üblich, gewöhnlich, gewohnheitsmäßig, herkömmlich, gebräuchlich; *droit m ~, loi f coutumière* Gewohnheitsrecht *n.*
couture [ku'ty:r] *f* **1.** Nähen *n*; Näherei *f*, Schneiderei *f*; *apprendre la ~* schneidern lernen; **2.** Naht *f*; *~ lacée* Kettelnaht *f*; *~ piquée* Steppnaht *f*; *~ en surjet* überwendliche Naht *f*; *salon m de Haute-♀* Modesalon *m*; F *battre q. à plate ~* j-n verbleuen F, j-n fertigmachen P, j-n windelweich schlagen, j-n verplätten P; *fig. examiner sur toutes les ~s* auf Herz u. Nieren prüfen; **3.** Schmiß *m*, Narbe *f*; **4.** ⚓, ⊕ Naht *f.*
coutu|ré [kuty're] *p/p.* narbig, mit Narben bedeckt; verschrammt; **~rier** [~'rje] *m* **1.** Damenschneider *m*; *grand-~* Modeschöpfer *m*; **2.** *anat.* Schneidermuskel *m*; **~rière** [~'rjɛ:r] *f* Schneiderin *f*, Modistin *f*, Näherin *f*; Kleidermacherin *f*; *~ en linge* Weißnäherin *f*; *~ travaillant sur mesure* Maßschneiderin *f.*
couvage [ku'va:ʒ] *m* Brutzeit *f.*
couv|ain [ku'vɛ̃] *m* Brut *f der Bienen usw.*; **~aison** [kuvɛ'zɔ̃] *f* Brüten *n*; Brutzeit *f.*
couvée [ku've] *f* Nest *n* voll Eier; junge Brut *f*, (*die*) Junge(n) *pl.*
couvent [ku'vɑ̃] *m* **1.** Kloster *n*; *entrer au ~* ins Kloster gehen; *fig. défendre son ~* sich für seine Pläne (für seine Idee, für seinen Standpunkt) einsetzen; **2.** von Nonnen geleitetes Mädchenpensionat *n.*
couver [ku've] (1a) **I** *v/t.* **1.** (be-, aus-)brüten; **2.** *fig.* aushecken; *~ de mauvais desseins* Böses aussinnen; *~ une maladie* den Keim zu einer Krankheit in sich tragen; **3.** *fig. ~ des yeux* mit den Augen verschlingen, nicht aus den Augen lassen, zärtlich anblicken; **II** *v/i.* brüten; *fig.* im verborgenen reifen (*od.* gären), schwelen, im Werden (*od.* im Entstehen) sein; *~ sous la cendre* unter der Asche glimmen.
couvercle [ku'vɛrklə] *m* Deckel *m*, Stürze *f*; Schutzdeckel *m.*
couvert [ku'vɛ:r] **I** (7) *p/p. von couvrir*; *~ de qch.* mit etw. bedeckt; *temps m ~* trübes Wetter *n*; **II** *m* **1.** Tischzeug *n*; *mettre* (*ôter*) *le ~* den Tisch (ab)decken; *avoir toujours son ~ mis chez q.* bei j-m stets gastfreundschaftlich aufgenommen werden, bei j-m wie zu Hause sein; **2.** Gedeck(preis *m*) *n*; Besteck *n*; *une table de douze ~s* ein für zwölf Personen gedeckter Tisch *m*; **3.** Unterkunft *f* (*stets mit art., nur noch in einigen Wendungen*); *avoir le vivre et le ~* freie Kost und Wohnung (*od.* freie Station) haben; *donner le ~ à q.* j-m Unterkunft gewähren; *advt. à ~* geschützt (de durch *acc.*), unter Dach und Fach, im Trocknen; *mettre à ~* sichern, sicherstellen (de vor *dat.*); ⚔ *se mettre à ~ de* Deckung suchen vor (*dat.*); **4.** Unterschlupf *m*, Versteck *n des Wildes*; *fig. sous le ~ de l'amitié* unter dem Deckmantel der Freundschaft; *envoyer une lettre à q. sous le ~ d'un autre* j-m e-n Brief unter e-r Deckadresse (*od.* unter e-m Decknamen) schicken.
couver|te [ku'vɛrt] *f* **1.** *Töpferei*: Glasur *f des Porzellans*; **2.** ⚔ wollene Bettdecke *f*; **~ture** [kuvɛr'ty:r] *f* **1.** Decke *f*, Überzug *m*; Bettdecke *f*, Deckbett *n*; *~ camouflante* Tarndecke *f*; *~ de cheval* Pferdedecke *f*; *~ de voyage* Reisedecke *f*; *~ en poil de chameau* Kamelhaardecke *f*; *faire la ~* das Deckbett aufschlagen, das Bett abdecken; **2.** Umschlag (-deckel *m*) *m*, Buchdeckel *m*; *~ en plastique* Plastikeinband *m*; **3.** *fig.* Deckmantel *m*, Vorwand *m*, *nur noch in*: *sous ~ de …* unter dem Vorwand (*gén.*) …; **4.** △ Bedachung *f*; *~ en ardoise* Schieferdach *n*; **5.** ✝ Deckung *f*, Sicherheit *f*; *~ métallique, ~ en métal* Metalldeckung *f*; *~ en or* Golddeckung *f*; **6.** ⚔ Dekkung *f*; *troupes f/pl. de ~* Deckungs-, Sicherungs-, Grenzschutz-truppen *f/pl.*; *~ de l'arrière* Rückendeckung *f des Heeres*; **7.** ⊕ Glasur *f*; **~ture-or** ✝ [~'ɔ:r] *f* (6b) Golddeckung *f.*
couvet [ku'vɛ] *m* Kohlentopf *m* als Fußwärmer, Kieke *f.*
couveuse [ku'vø:z] *f* (*a. adj.*: *poule f ~*) **1.** *orn.* Bruthenne *f*, Glucke *f*; **2.** Brutapparat *m.*

couvi [ku'vi] *adj./m*: *œuf m* ~ angebrütetes, verdorbenes Ei *n*.
couvoir [ku'vwa:r] *m* **1.** Brutkorb *m*; **2.** ⚡ Brutapparat *m*.
couvre|-bouche ⚔ [kuvrə'buʃ] *m* Mündungskappe *f am Geschütz*; **~-cafetière** [~kaf'tjɛ:r] *m* Kaffeemütze *f*, -wärmer *m*; **~-casque** ⚔ [~'kask] *m* Helmüberzug *m*; **~-chaussures** [~ʃo'sy:r] *m/pl*. Überschuhe *m/pl*.; **~-chef** *iron*. F [~'ʃɛf] *m* (6c) Deckel *m* F, Kopfbedeckung *f*, Hut *m*; **~-culasse** ⚔ [~ky'las] *m* Verschlußüberzug *m*; **~-engrenage** ⊕ [kuvrãgrə'na:ʒ] *m* (6g) Getriebe-, Räder-schutzkasten *m*; **~-feu** [~'fø] *m* **1.** (6c) *ehm*. Glutdeckel *m*; **2.** (6g) Abendgeläut *n*; **3.** (6g) ⚔ Sperrstunde *f*, Ausgehverbot *n*; **4.** Zapfenstreich *m* (*im Ferienlagerleben*); **~-hausse** ⚔ [kuvrə'o:s] *m* (6g) Visierkappe *f*; **~-joint** [kuvrə'ʒwɛ̃] *m* (6g) ⚠ Lasche *f*, Stoßplatte *f*, Laschenblech *n*; *men*. Deck-, Fugenleiste *f*; ~ *cloué* Nagelleiste *f*; **~-lit** [kuvrə'li] *m* (6g) Tagesbettdecke *f*; **~-nuque** [~'nyk] *m* Nackenschirm *m am Helm*; **~-oreilles** [kuvrɔ'rɛj] *m* (6c) Ohrenklappe *f*; **~-pied**(s) [kuvrə'pje] *m* **1.** Plumeau *n*, Fußdecke *f*; **2.** (Parade-)Bettdecke *f*; **~-plat** [~'pla] *m* (6g) Schüsseldeckel *m*; **~-radiateur** [~radja'tœ:r] *m* *Auto*: Kühlerhaube *f*; **~-théière** [~te'jɛ:r] *m* Tee-mütze *f*, -wärmer *m*.
couvreur [ku'vrœ:r] *su*. (7g) Dachdecker(meister *m*) *m*.
couvrir [ku'vri:r] (2f) **I** *v/t*. **1.** dekken, bedecken, zudecken, einhüllen; *journ*. berichten über; *fig*. ~ *q. de louanges* j-n mit Lobpreisungen überschütten; ~ *q. de ridicule* j-n blamieren; *pays m couvert* waldiges Land *n*; *temps m couvert* trübes Wetter *n*; *Sport*, ⚡: ~ *mille kilomètres* tausend Kilometer zurücklegen; **2.** (be)kleiden; *être bien* (*od*. *chaudement*) *couvert* gut (*od*. warm) angezogen sein; **3.** verdecken, verhüllen; geheimhalten, verbergen; ~ *ses projets* s-e Pläne geheimhalten; *parler à mots couverts* durch die Blume reden; **4.** *fig*. bemänteln, beschönigen, entschuldigen; ~ *du manteau de la charité* etw. mit dem Mäntelchen christlicher Nächstenliebe umhüllen; ~ *une faute* e-n Fehler beschönigen; **5.** ~ *un bruit* ein Geräusch übertönen, ersticken; ~ *la voix de q*. j-n überschreien; **6.** ✝ ~ *q*. j-m eine Deckung (*od*. Sicherheit) geben; ~ *les frais* die Kosten decken; ~ *q. de ses frais* j-n für seine Kosten entschädigen; **7.** ~ *une enchère j-n* in der Auktion überbieten, ein höheres Angebot machen; **8.** (be)schützen, decken, (be)schirmen; ~ *un subordonné* e-n Untergebenen decken; ~ *la retraite* den Rückzug decken; ⚓ *le pavillon couvre la marchandise* die (*neutrale*) Flagge deckt das (*feindliche*) Gut; **9.** ⚖ ~ *la prescription* sich gegen Verjährung decken; ~ *le temple* die Loge decken, s-n Austritt aus der Loge erklären; **10.** ✓ ~ *de terre* einschlagen; **11.** *peint*. decken (*von Farben usw*.); *bleu m trop couvert* zu dunkles Blau *n*; *vin m couvert* dunkelroter Wein *m*; **12.** ⊕ belegen, besetzen, überziehen, bekleiden; ~ *d'ardoise* mit Schiefer decken; ~ *le pavé de gravier* das Pflaster mit Kies bestreuen; **13.** *vét*. decken; **II** *v/rfl*. *se* ~ **14.** sich bedecken, sich bekleiden (*de* mit *dat*.); den Hut aufsetzen; **15.** sich bewölken, sich beziehen, trübe werden; **16.** sich decken *od*. schützen (*de* vor *dat*.); sich verbergen (*de* hinter *dat*.); *se* ~ *d'un prétexte* etw. vorschützen.
covector [kovɛk'tɔ:r] *m* kugelförmiges Weltraumschiff *n* (*in Zukunftsromanen*).
coxal *anat*. [kɔk'sal] *adj*. (5c) Hüft...; *os m* ~ Hüftknochen *m*; **~gie** ⚕ [~'ʒi] *f* Hüft-schmerz *m*, -gelenkentzündung *f*.
crabe *zo*. [krab] *m* Krabbe *f*.
crac [krak] **I** *int*. krach!; knacks!; bums!; plumps!; **II** *m* **1.** Krach(en *n*) *m*; **2.** *fin*. Bankkrach *m*, Finanzskandal *m*; **3.** *Baron de* ♀ *Art* Freiherr von Münchhausen.
crach|at [kra'ʃa] *m* **1.** *oft im pl*.: Spucke *f*, Auswurf *m*, Speichel *m*; **2.** F Ordensstern *m*; **~s** *pl*. *péj*. Lametta *n* P (*Auszeichnungen*); **~ement** [kraʃ'mɑ̃] *m* **1.** Ausspucken *n*; ~ *de sang* Blutspucken *n*; **2.** ⊕ Spritzen *n e-r Maschine*; ⚡ Funkenbildung *f*; ⚡ Geknatter *n*; ⚡ ~ *périphérique* Rundfeuer *n*; ⚔ ~ *de flammes à la bouche* Mündungsfeuer *n*; **~er** [~'ʃe] *v/t*. *u*. *v/i*. (1a) **1.** (aus-)spucken; ~ *du grec* mit griechischen Brocken um sich werfen; F *cet enfant est son père tout craché* dieses Kind ist s-m Vater wie aus dem Gesicht geschnitten; ~ *sur qch. od. q*. j-n *od*. etw. verachten; **2.** *Schreibfeder*: spritzen (*a*. ⚡); ⚡ funken; sprühen; **3.** *Geld* herausrücken, blechen F; **~eur** [~'ʃœ:r] *su*. (7g)

Spucker *m*; **~in** [~'ʃɛ̃] *m* Sprühregen *m*; **~oir** [~'ʃwa:r] *m* Spucknapf *m*; Speibecken *n*; P *tenir le ~* dauernd selber quasseln; *tenir le ~ à q.* mit j-m quasseln (*od.* quatschen); **~oter** [~ʃɔ'te] *v/i.* (1a) **1.** oft, aber wenig ausspucken; **2.** *téléph.* knacken; **~otis** *néol.* [~ʃɔ'ti] *m* Knackgeräusch *n*.

crack *Sport, fig.* [krak] *m* Kanone *f*, Favorit *m*; As *n*, Meister *m*.

cracking ⊕ [kra'kiŋ] *m* Cracking (-verfahren *n*) *n*, Umwandlung *f* von Schwerölen in Benzin, Kracken *n*, Krack-, Spalt-verfahren *n*, Spalten *n*, Druck-, Wärme-spaltung *f von Schwerölen* (*auch*: *craquage*).

craie [krɛ] *f* Kreide *f*; *bâton m de ~* Stück *n* Kreide.

crailler [krɑ'je] *v/i.* (1a) krächzen [(*Krähe*).]

craindre ['krɛ̃:drə] *v/t. u. v/i.* (4b) **1.** (be)fürchten; sich fürchten; *~ q.* (*qch.*) j-n (etw.) *od.* sich vor j-m (vor etw.) fürchten; *~ que ...* fürchten, daß ... (*stets mit subj.*); *nach den Regeln der Grammatik*: *je crains qu'il ne vienne*, *heute jedoch oft ohne ne*: *je crains qu'il vienne* (*der subj. bleibt erhalten!*) ich fürchte, daß er kommt; *je crains qu'il ne vienne pas* ich fürchte, er kommt nicht; *je ne crains pas qu'il vienne* ich fürchte nicht, daß er kommt; *crains-tu qu'il vienne?* fürchtest du, daß er kommt?; *si je craignais qu'il vînt, je serais très inquiet* wenn ich befürchtete, daß er käme, wäre ich sehr unruhig; **2.** Ehrfurcht haben vor (*dat.*); *craignant Dieu* gottesfürchtig; **3.** nicht vertragen können, scheuen; *~ l'eau* wasserscheu sein; *cette couleur craint le soleil* diese Farbe kann das Sonnenlicht nicht vertragen; *craint l'humidité* vor Nässe zu schützen!; **4.** *~ de* (*mit inf.*; *diese Konstruktion bei nur einem Subjekt im ganzen Satz!*) befürchten zu ...; sich scheuen zu ...; *elle craint de le dire* sie scheut sich, es zu sagen; *~ pour q.* für j-n fürchten, um j-n (*od.* wegen j-s) in Sorge sein; *ils craignent pour leur vie* sie bangen um (*od.* fürchten für) ihr Leben; **5.** *prov. chat échaudé craint l'eau froide* gebranntes Kind scheut das Feuer.

crainte [krɛ̃:t] *f* (*nach avoir ungebr.!*) Furcht *f*, Scheu *f*, Angst *f*, Bangen *n*; *~s pl.* Besorgnisse *f/pl.*, Befürchtungen *f/pl.*; *~ de Dieu* Gottesfurcht *f*; *~ de la mort* Furcht *f* vor dem Tod; *sans ~* furchtlos; *dans la ~ de* (*od. par*) *~ de* (*mit inf.*, *bei nur einem Subjekt im ganzen Satz!*), *que* (*bei verschiedenem Subjekt mit ne u. subj.*; *vgl. craindre* 1.) aus Furcht zu ... *od.* daß ...; *~ de* (*so nur vor su.!*) aus Furcht vor (*dat.*); *il se retira, ~ de pis* er zog sich aus Furcht vor Schlimmerem zurück.

craintif [krɛ̃'tif] *adj.* (7e) □ furchtsam, ängstlich.

cramer* [kra'me] *v/t.* (1a) verbrennen.

cramoisi [kramwa'zi] **I** *adj.* karmesin-, dunkel-rot, purpurrot; F puterrot; **II** *m* Karmesinrot *n*.

crampe [krɑ̃:p] *f* **1.** ⚕ Krampf *m*, *bsd.* Wadenkrampf *m*; *~ des écrivains* Schreibkrampf *m*; **2.** ⚓ Krampe *f*, Klammer *f*.

crampon [krɑ̃'pɔ̃] *m* **1.** Krampe *f*, Kramme *f*, (metallene) Klammer *f*; Haspe *f*, Kloben *m*; ⚡ *~ pour câbles* Kabelhalter *m*; 🚂 *~ de voie* Schwellenschraube *f*; **2.** Bergschuhnagel *m*; *~ à glace* Steigeisen *n*, Eiskrampe *f der Bergsteiger*; **3.** F aufdringliche Person *f*, Klette *f*; **4.** *~ (de fer à cheval)* Stollen *m* (am Hufeisen); **~nage** [krɑ̃pɔ'na:ʒ] *m* Anklammern *n*; **~ner** [~'ne] **I** *v/t.* (1a) **1.** anklammern, mit Krammen befestigen; *~ un cheval* ein Pferd scharf beschlagen; **2.** P *~ q.* sich wie e-e Klette an j-n hängen, j-m nicht mehr von der Pelle rücken F, j-n belästigen; **II** *v/rfl.*: *se ~ à q.* (*qch.*) sich an j-m (e-r Sache) festklammern; *fig.* j-m nicht mehr von der Pelle rücken F.

crampser P [krɑ̃p'se] *v/i.* krepieren.

cran [krɑ̃] *m* **1.** Einschnitt *f*, Kerbe *f*; Türschlitz *m*; *couteau m à ~ d'arrêt* Messer *n* mit feststehender Klinge; F *baisser* (*monter*) *d'un ~* eine Stufe niedriger (höher) steigen; **2.** ⚔ *~ d'arrêt*, *~ de sûreté* Sperrfeder *f*, Rast *f*; *mettre le chien au ~ du départ* den Hahn spannen; *mettre le chien au ~ de sûreté* den Hahn in Ruhe setzen; *être à ~* sich in Alarmbereitschaft befinden; F *fig.* kochen, außer sich vor Wut sein, vor Wut platzen, auf 100 (*od.* 99) sein F; *~ de mire*: a) Kimme *f am Visier*; b) Visier *n am Geschützrohr*; **3.** F *fig.* Schneid *m*, Mut *m*; *avoir du ~* Schneid (*od.* Mumm) haben.

crâne [krɑ:n] **I** *m* **1.** *anat.* Hirnschale *f*, Schädel *m*; *mets-toi bien ceci dans le ~!* merk dir das ein für alle Mal!; **2.** F *fig.* Grips *m*, Köpfchen *n*; Angeber *m*; Draufgänger *m*; *faire le* ~ sich großtun, renommieren, angeben, bluffen; **II** *adjt.* □ mutig, entschlossen, verwegen, tollkühn; prahlerisch; *il a l'air* ~ er sieht verwegen aus; **~ment** [kran'mã] *adv.* mutig; toll; famos; *se battre* ~ sich tapfer schlagen; *boire* ~ viel trinken; *un coup* ~ *monté* ein tollkühner Streich *m.*

crân|er [kra'ne] *v/i.* (1a) renommieren, protzen, angeben, den feinen Mann markieren (*od.* spielen), prahlen; **~erie** [kran'ri] *f* **1.** Tapferkeit *f*, Verwegenheit *f*; **2.** Prahlerei *f*, Angabe *f*, Angeberei *f*; Bluff *m*; **~eur** [kra'nœ:r] *su.* (7g) Renommist *m*, Angeber *m*, Bluffer *m*; **~ien** *anat.* [kra'njɛ̃] *adj.* Schädel...

craniologie [kranjɔlɔ'ʒi] *f* Schädellehre *f.*

cranter [krã'te] *v/t.* (1a) tief ausschneiden (*a. Mode*).

crapaud [kra'po] *m* **1.** *zo.* Kröte *f*; F *fig. vilain* ~! Scheusal!, Kröte!; *petit* ~ Schlingel *m*, Knirps *m*, Krabbe *f* (*Kind*); *fig. avaler un* ~ in den sauren Apfel beißen; **2.** *orn.* ~ *volant* Nachtschwalbe *f*, Ziegenmelker *m*; **3.** *vét.* Fesselgeschwulst *f e-s Pferdes*; **4.** niedriger Lehnstuhl *m*; **5.** ⚔ Mörserlafette *f*; **6.** *Feuerwerk*: Frosch *m*; **7.** Diamantenfehler *m*; **8.** F ♪ Stutzflügel *m*; **9.** ⊕ Klemmplatte *f.*

crapau|daille F [krapo'da:j] *f* Gesindel *n*; **~dière** [~'djɛ:r] *f* Krötenloch *n*; *allg.* Dreckloch *n*; **~dine** [~'din] *f* **1.** *min.* Krötenstein *m*; **2.** ⊕ Klappe *f*, Abflußventil *n*; Türangelpfanne *f*; Drehzapfen-, Spur-, Stütz-lager *n*; ~ *à billes* Kugeldrucklager *n*; **3.** *typ.* Frosch *m*, Einstellvorrichtung *f* für die Zeilenlänge; **4.** *à la* ~ auf dem Rost gebraten; **5.** *gym.* Rolle *f.*

crapouillot ⚔ [~pu'jo] *m* Minenwerfer *m.*

crapoussin P [krapu'sɛ̃] *su.* (7) Knirps *m.*

crapu|le [kra'pyl] *f* **1.** Schwelgerei *f*, Völlerei *f*; **2.** Lump *m*, Schurke *m*, Kanaille *f*; Lumpenpack *n*, Pack *n*, Gesindel *n*, Pöbel *m*, Gesocks *n*; **~leux** [~'lø] *adj.* (7d) (*auch su.*) □ ausschweifend, verkommen; scheußlich; *crime m* ~ Raubmord *m.*

craquage ⊕ [kra'ka:ʒ] *m* s. *cracking.*

craque P [krak] *f* Aufschneiderei *f*, kleine Lüge *f*, Angabe *f*; *conter une* ~ (*od. des* ~*s*) schwindeln; *fig.* aufschneiden, angeben.

craque|lage [krak'la:ʒ] *m* Herstellung *f* von Töpferwaren mit rissiger Glasur; **~lé** [~'le] **I** *m* Töpferware *f* mit rissiger Glasur; **II** *adj.* (7) rissig; **~ler** [~] *v/t.* (1c) dem Porzellan e-e gerissene Glasur geben; **~lin** [~'lɛ̃] *m* **1.** Kringel *m*; Brezel *f*; **2.** F Angeber *m*; Knirps *m*; **3.** ⚓ leichtes Schiff *n*; **~lure** [~'ly:r] *f* Abplatzen *n* des Lacks *od.* der Farbe, Riß *m*; **~ment** [krak'mã] *m* Knarren *n*, Krachen *n*; ~ *de dents* Zähneknirschen *n.*

craquer [kra'ke] (1m) **I** *v/i.* **1.** knakken, krachen, knarren, knirschen; *être plein à* ~ knackend voll sein; *faire* ~ *ses doigts* mit den Fingern knipsen; *Auto*: *faire* ~ *les vitesses* plötzlich halten; **2.** *fig.* in die Brüche gehen, scheitern, auffliegen; *fig.* seelisch zs.-brechen; **II** *v/t.*: ~ *une allumette* ein Streichholz anzünden; **~ie** F [krak'ri] *f fig.* Angabe *f.*

craquètement [krakɛt'mã] *m* **1.** Zähne-knirschen *n*, -klappern *n*; **2.** Knistern *n*, Prasseln *n*; **3.** Klappern *n* (*des Storches*).

craqueter [krak'te] *v/i.* (1d) **1.** knakken, knistern, prasseln; knallen; **2.** klappern (*Storch*).

craqueur F [kra'kœ:r] *su.* (7g) Prahler *m*, Angeber *m.*

crassane ♀ [kra'san] *f* langgestielte Herbstbirne *f.*

cras|se [kras] **I** *f* **1.** Schmutz *m*, Dreck *m* P, Unrat *m*; Dreckwetter *n* F; **2.** niedrige Herkunft *f*, Armut *f*; **3.** *fig.* schmutziger Geiz *m*; **4.** P übler (*od.* gemeiner) Streich *m*; **5.** ⊕ (Metall-)Schlacke *f*, Metallabfälle *m/pl.*; ~ *d'étain* Zinnkrätze *f*, Zinnasche *f*; **6.** ⚔ Pulverrückstand *m in Geschützen*; **II** *adj./f fig.*: *ignorance f* ~ grobe (*od.* krasse) Unwissenheit *f*; *superstition f* ~ finsterer Aberglaube *m*; **~ser** [kra'se] (1a) **I** *v/t.* verschmutzen; **II** *v/rfl. se* ~ schmutzig werden; **~seux** [~'sø] (7d) **I** *adj.* **1.** schmutzig, schmierig; **2.** F geizig, filzig; **II** *su.* **3.** Schmutzfink *m*; **4.** schmutziger Geizhals *m.*

crassier ⚒ [kra'sje] *m* (Schutt-)Halde *f.*

crassule ♀ [kra'syl] *f* Dickblatt *n.*

cratère [kra'tɛ:r] *m* Krater *m*; ⊕ Öffnung *f e-s Glasofens*; ~ *éteint* Maar *n.*

cravach|e [kra'vaʃ] *f* Reitpeitsche *f*; **~er** [krava'ʃe] (1a) **I** *v/t.* mit der Reitpeitsche schlagen; **II** F *v/i.* schnell gehen; schuften.

crava|te [kra'vat] *f* **1.** Schlips *m*, Krawatte *f* (*a. beim Ringkampf*), Binder *m*; F ~ *de chanvre* Galgenstrick *m*; ~ *de commandeur* (*de la Légion d'honneur*) (Ehren-)Abzeichen *n* als Kommandeur (der Ehrenlegion); F *s'en jeter un* (*coup*) *derrière la* ~ einen hinter die Binde gießen; **2.** ~ *de drapeau* Fahnenband *n*; **3.** ⚓ Tauring *m*; **~ter** [krava'te] (1a) **I** *v/t.* **1.** ~ *q.* j-m e-n Schlips umbinden; *cravaté de blanc* mit weißer Krawatte; *drapeau m cravaté de crêpe* (*od. de deuil*) Fahne *f* mit Trauerschleife; **2.** P *j-n* reinlegen; beklauen; verhaften, schnappen P; **II** *v/i.* stark übertreiben (*od.* aufschneiden F); **~tier** [~'tje] *m* Krawatten-fabrikant *m*, -händler *m*.

crawl *Sport* [kro:l] *m*: *nager* (*od.* F *faire*) *le* ~ kraulen.

crayeux [krɛ'jø] *adj.* (7d) kreidig, kreidehaltig; kreidebleich; *paysage m* ~ Kreidelandschaft *f*.

crayon [krɛ'jɔ̃] *m* **1.** (Blei-, Farb-, Zeichen-)Stift *m*; ~ *à encre* (*od. à copier*) Tinten-, Kopier-stift *m*; ~ *d'ardoise* Schieferstift *m*, Griffel *m*; ~ *blanc* weiße Schreibkreide *f*; ~ *bleu* Blaustift *m*; ~ *de charbon* Reißkohle *f*; ~ *à coulisse* (*od. en métal*) Drehbleistift *m*; ~ *de couleur* Buntstift *m*; ~ *à dessin* Zeichenstift *m*; ~ *de menthol* Mentholstift *m*; ~ *feutre* Filzstift *m*; ~ *noir* (*pour les yeux*) Augenbrauenstift *m*; ~ *pastel* Pastellstift *m*; ~ *rouge* Rotstift *m*; ~ *de rouge à lèvres* Lippenstift *m*; *dessin m au* ~ Bleistiftzeichnung *f*; *écrire au* ~ mit dem Bleistift schreiben; **2.** Art *f* zu zeichnen, Manier *f*; *d'un* ~ *facile od. aisé* (*large*) leicht (kräftig) gezeichnet; **3.** Bleistift-, Kreide-zeichnung *f*; **4.** Abriß *m*, Skizze *f*.

crayon|nage [krɛjɔ'na:ʒ] *m* Bleistift-, Kreide-zeichnung *f*; **~ner** [~'ne] *v/t.* (1a) mit dem Stift (*od.* mit Kreide) zeichnen; *fig.* flüchtig entwerfen, skizzieren; **~neur** [~'nœ:r] *su.* (7g) schlechter Zeichner *m*.

cré [kre] (*v. sacré*) *int.*: ~ *nom d'un chien!* Himmelkreuz!, verflucht nochmal!, verdammt!

créan|ce [kre'ɑ̃:s] *f* **1.** Glaube(n) *m*; *donner* ~ *à qch.*: a) e-e Sache glaubhaft machen; b) e-r Sache (*dat.*) Glauben schenken; *il n'y ajoute pas* ~ er gibt nichts darauf; *hors de* ~ unglaubwürdig; **2.** *pol. lettre f de* ~ Beglaubigungsschreiben *n*, Akkreditiv *n*; **3.** ✝, ⚖ Schuldforderung *f*, Außenstände *m/pl.*, Aktivforderungen *f/pl.*; *recouvrer des* ~*s* Außenstände eintreiben; ~*s pl. recevables* (*payables*) Debitoren-(Kreditoren-)konten *n/pl.*; ~ *non garantie*, ~ *chirographaire* ungedeckte Schuld *f*; ~ *gelée* eingefrorene Forderung *f*; ~ *hypothécaire* Hypothekenforderung *f*; ~ *incessible* nicht übertragbare Forderung *f*; ~ *en marchandises* Warenforderung *f*; *se désister d'une* ~ von e-r Forderung Abstand nehmen (*od.* absehen); **~cier** [kreɑ̃'sje] *su.* (7b) Gläubiger *m*.

créa|teur [krea'tœ:r] (7f) **I** *su.* Schöpfer *m*, Erfinder *m*; Gründer *m*, Stifter *m*; Modeschöpfer *m*; *abs. le* ♀ der Schöpfer, Gott *m*; *thé. le* ~ *d'un rôle* der erste Darsteller e-r Rolle; **II** *adj.* schöpferisch; erfinderisch; **~tif** *psych.* [~'tif] *adj.* (7e) schöpferisch; **~tion** [~ɑ'sjɔ̃] *f* **1.** Schöpfung *f*, Erschaffung *f*; *l'histoire f de la* ~ Schöpfungsgeschichte *f*; **2.** Hervorbringung *f*, Erfindung *f*, Bildung *f*; Herstellung *f* (*v. Waren*); (Mode-)Entwurf *m*; 🖨 Einlegen *n*; *thé.* Uraufführung *f*; ~ *de capitaux liquides* Schaffung *f* flüssiger Kapitalien; ~ *d'une lettre de change* ✝ Wechselausstellung *f*; *mot m de* ~ *nouvelle* (*od. de* ~ *récente*) neugebildetes Wort *n*; *thé.* ~ *d'un rôle* erste Darstellung *f* e-r Rolle; *cout. dernière* ~ neueste Mode *f*; **3.** Gründung *f*; Errichtung *f*; Stiftung *f*; ~ *d'un service* Errichtung *f* e-r Dienststelle; ~ *de jardins* Gartengestaltung *f*; **4.** Ernennung *f*; **5.** Kunstwerk *n*; **~tique** *péd.* [~a'tik] *f* Lehre *f* v. der Weckung individueller, schöpferischer Kräfte; **~tivité** [~tivi'te] *f* schöpferischer Sinn *m*; **~ture** [~'ty:r] *f* **1.** Geschöpf *n*, Kreatur *f*, Wesen *n*; **2.** *péj.* (*bsd. v. Frauen*) Kreatur *f*, Person *f*, Type *f*; Frauenzimmer *n*, Weibsbild *n*; **3.** *fig. mst. péj.* Günstling *m*.

crécelle [kre'sɛl] *f* **1.** Klapper *f*; Kinderklapper *f*, Knarre *f*, Schnarre *f*; **2.** *fig.* Schwätzer *m*; *voix f de* ~ kreischende Stimme *f*.

crécerelle *orn.* [krɛs'rɛl] *f* Turmfalke *m*.

crèche [krɛʃ] *f* **1.** Krippe *f*; (Weihnachts-)Krippenspiel *n*; **2.** Kleinkinder-heim *n*, -tagesstätte *f*; **3.** P Loch *n*, Bude *f*.

crédence [kre'dɑ̃:s] *f* Kredenz *f*, Anrichte *f*; (Altar-)Seitentischchen *n*.

crédibilité [kredibili'te] *f* Glaubwürdigkeit *f*.

crédible [kre'diblə] *adj.* glaubwürdig.

crédit [kre'di] *m* **1.** ✝ Kredit *m*; Darlehen *n*; *à* ~ auf Kredit; ~ *commercial* Handels-, Waren-kredit *m*; ~ *de construction* Baukredit *m*; ~ *sans garanties* offener Kredit *m*; ~*s pl. bloqués* eingefrorene Kredite *m/pl.*; ~ *transitoire* Zwischenkredit *m*; ~ *étranger* Auslandskredit *m*; ~ *gratuit* Zahlungserleichterung *f* ohne Preisaufschlag; *lettre f de* ~ Kreditbrief *m*; ~ *municipal* Pfandleihe *f*, Leihhaus *n*; *faire* ~ *à q.* j-m vertrauen; j-n auf Kredit aufnehmen (*od.* beherbergen); j-m verzeihen; ✝ j-m Kredit einräumen; *ouvrir un* ~ *à q.* j-m e-n Kredit eröffnen; **2.** ✝ Guthaben *n*, Haben *n*; *passer* (*od. porter*) *une somme au* ~ *de q.* j-m e-e Summe gutschreiben; **3.** Kreditbank *f*; ~ *foncier* Bodenkreditanstalt *f*; **4.** *fig.* Ansehen *n*, Einfluß *m*; *avoir du* ~ *sur* (*l'esprit de*) *q.* auf j-n großen Einfluß haben (*od.* ausüben); *avoir du* ~, *être en* ~ *auprès de q.* bei j-m in Ansehen stehen, bei j-m gut angeschrieben sein F, bei j-m Kredit genießen; *mettre qch. en* ~ e-r Sache Glauben schenken; **~-bail** ✝ [~'baj] *m* (6a) Leasing *n*.

crédi|té [kredi'te] *m* Kreditnehmer *m*; **~ter** [~] *v/t.* (1a) **1.** ~ *q. de qch.* j-m etw. gutschreiben; ~ *q. d'une somme* j-n für eine Summe erkennen, j-m e-n Betrag gutschreiben *od.* anrechnen; **2.** *être crédité sur une place* Kreditbriefe auf e-n Platz haben; **~teur** [~'tœ:r] *m* (7f) Kreditgeber *m*.

credo [kre'do] *m* (5a) *rl., pol. usw.* Glaubensbekenntnis *n*.

crédu|le [kre'dyl] **I** *adj.* □ leichtgläubig; **II** *su.* Leichtgläubige(r) *m*; **~lité** [~li'te] *f* Leichtgläubigkeit *f*.

créer [kre'e] *v/t.* (1a) **1.** (er)schaffen; **2.** *fig.* erfinden, ersinnen; entwerfen (*Mode*); errichten, herstellen, ins Leben rufen, gründen, stiften; ~ *des actions* Aktien ausgeben; ~ *une lettre de change* ✝ e-n Wechsel ausstellen; ~ *des mots* neue Wörter bilden (*od.* prägen); ~ *des ressources* Hilfsquellen erschließen; *thé.* ~ *un rôle* e-e Rolle zum ersten Mal darstellen; ~ *q. cardinal* j-n zum Kardinal ernennen; ~ *des difficultés à q.* j-m Schwierigkeiten machen.

crémaillère [kremɑ'jɛ:r] *f* **1.** Kesselhaken *m*; F *pendre la* ~ *fig.* e-n Einzugsschmaus geben; **2.** ⊕, *men.* Zahn-eisen *n*, -stange *f*, -leiste *f*; *chemin m de fer à* ~ Zahnradbahn *f*; *fauteuil m à* ~ verstellbarer Lehnstuhl *m*; ~ *de pupitre* Stellholz *n* am Pult.

crémant [kre'mɑ̃] *m* leicht moussierender Champagner(wein) *m*.

créma|tion [kremɑ'sjɔ̃] *f* Feuerbestattung *f*; **~toire** [krema'twa:r] *m* Krematorium *n*.

crème [krɛ:m] **I** *f* **1.** Sahne *f*; (Milch-)Rahm *m*; *fromage m à la* ~ Sahnekäse *m*; ~ *fouettée* Schlagsahne *f*; ~ *glacée* Speiseeis *n*; **2.** *fig. das* Erlesenste *n*, Elite *f*; *c'est une* ~ *d'homme* er gehört zu den besten Menschen; *la* ~ *de la société* die oberen Zehntausend; **3.** *cuis.* Krem *f*, Sahnespeise *f*; ~ *à la vanille* Vanillenkrem *f*; **4.** dünner Brei *m*; Seim *m*; ~ *d'avoine* Haferschleim *m*; ~ *d'orge* Gerstenschleim *m*; **5.** Krem *f od. m*; Creme *f*, feine Seife *f*; ~ *pour la peau* Hautkrem *f od. m*; ~ *d'amandes* Mandelseife *f*; ~ *de beauté* (*à raser*) Schönheits- (Rasier-)krem *f*; **6.** feiner Likör *m*; **II** *m*: **un** (**grand**) **~!** e-e (große) Tasse Kaffee mit Sahne; **III** *adj.*: (*couleur f*) ~ mattgelb, cremefarben.

crém|er [kre'me] (1f) **I** *v/i.* sahnig werden, Rahm ansetzen; **II** *v/t.* a) *Stoff* mattgelb färben; b) *néol.* einäschern; **~erie** [krɛm'ri] *f* **1.** Milchgeschäft *n*; **2.** Milchbar *f*; **~eux** [kre'mø] *adj.* (7d) sahnig, sahnehaltig; **~ier** [krem'je] *su.* (7b) Milchhändler *m*; Milch- u. Eierhändler *m*; Sahnekännchen *n*; ~-*glacier* Eiskonditor *m*.

cré|neau [kre'no] *m* (5b) ⚔ *frt. ehm.* Zinne *f*; *jetzt*: Schießscharte *f*; Parklücke *f*; Abstand *m zwischen zwei fahrenden Autos od. zwei Marschkolonnen*; *éc.* Ausmaß *n*; **~neler** [krɛn'le] *v/t.* (1c) **1.** ⚔ *frt.* mit Zinnen (*od.* Schießscharten) versehen; **2.** ⚘, ▨ auszacken, auskerben; **3.** *Münzen* rändern; **~nelure** [krɛn'ly:r] *f* **1.** ⊕ Verzahnung *f*; (aus)gezackte Arbeit *f*; **2.** ⚘ Kerbung *f*.

crénothérapie ⚕ [krenɔtera'pi] *f* Bäderheilverfahren *n*.

créole [kre'ɔl] **I** *adj.* kreolisch; **II** *su.* Kreole *m*.

créosoter [kreɔzɔ'te] *v/t.* (1a) mit Kreosot (*od.* Teeröl) durchtränken.

crê|page [krɛ'pa:ʒ] *m* Kreppen *n*, Kräuseln *n*; P *fig.* ~ *de chignons*

Rauferei *f* (*unter Frauen*); **~pe** [krɛp] **I** *m* **1.** ✝ Flor *m*, Krepp *m* (*auch adj.* Krepp...); ~ *de Chine* Chinakrepp *m*, Crêpe *m* de Chine, Florseide *f*; **2.** Trauerflor *m*; **3.** ~ (*de latex*) Schaumgummi *m*; **II** *f* Eierkuchen *m*; ~ *aux pommes de terre* Kartoffelpuffer *m*; **~pelé, ~pelu** [~'ple, ~'ply] *adj.* gekräuselt; **~pelure** [~'ply:r] *f* gekräuseltes Haar *n*; **~per** [~'pe] (1a) **I** *v/t.* kräuseln, kreppen; F *se ~ le chignon* sich raufen, sich in die Haare kriegen (*Frauen*); **II** *v/rfl.* *se ~* kraus werden, sich kräuseln; **~perie** [krɛp'ri] *f* Gaststätte *f* für den Verzehr von Eierkuchen.

crépi ⚠ [kre'pi] *m* Putz *m*, Bewurf *m*; ~ *en béton* Spritzbeton *m*; ~ *de plâtre* Gipsputz *m*.

Crépin [kre'pɛ̃] *m*: *fig. porter tout son Saint ~* alle s-e Habseligkeiten bei sich tragen; *prendre la voiture de Saint-~* auf Schusters Rappen reiten, zu Fuß gehen.

crépi|ne [kre'pin] *f* Franse *f*; ⊕ Sieb *n*, Seiher *m*; **~nette** [~'nɛt] *f Art* Mettwurst *f*.

crépins [kre'pɛ̃] *m/pl.* Schusterhandwerkszeug *n*.

cré|pir ⚠ [kre'pi:r] *v/t.* (2a) verputzen (*Mauer*); **~pissage** ⚠ [~pi'sa:ʒ] *m* Verputzen *n*, Berappen *n*; **~pissure** [~pi'sy:r] *f* = *crépi*.

crépi|tant [~pi'tɑ̃] *adj.* (7) (p)rasselnd, knisternd; **~tation** *f*, **~tement** *m* [~tɑ'sjɔ̃, ~t'mɑ̃] **1.** Prasseln *n*, Knattern *n*, Geknatter *n*, Knistern *n e-r Flamme usw.*; **2.** ⚕ Knistergeräusch *n* (*z.B. in den Lungen*); **3.** *téléph.* Knacken *n*; **~ter** *a.* ⚕ [~'te] *v/i.* (1a) (p)rasseln, knattern, knistern.

crépon *m*, **creps** *m* [kre'pɔ̃, krɛps] Krepon *m*, Kreps *m* (*Krepparten*).

cré|pu [kre'py] *adj.* kraus; **~pure** [~'py:r] *f* Kräuseln *n*.

crépuscu|laire [krepysky'lɛ:r] *adj.* dämmerig, schummerig; *lumière f ~* Dämmerlicht *n*; **~le** [~'kyl] *m* (Abend- *od.* ⚘ Morgen-)Dämmerung *f*; *fig.* Neige *f*, Niedergang *m*, Ende *n*; *on est au ~* es dämmert.

crescendo [kreʃɛ̃'do] **I** *adv.* **1.** crescendo, anschwellend; **2.** *allg. aller ~* zunehmen; sich verschlimmern; **II** *m* Crescendo *n*.

cresson [krɛ'sɔ̃] *m* **1.** ⚘ Kresse *f*; ~ *alénois* Gartenkresse *f*; ~ *de fontaine* Brunnenkresse *f*; ~ *frisé* krause Kresse *f*; ~ *d'Inde* Kapuzinerkresse *f*; **2.** P Haare *n/pl.*; *ne pas avoir de ~ sur la fontaine* (*od. sur la cafetière*) keine Haare auf dem Kopf haben, e-e Glatze haben.

Crésus [kre'zys] *npr. m* Krösus *m*; *riche comme ~* steinreich.

crétacé *géol.* [kreta'se] **I** *adj.* kreidig; **II** *m* Kreidezeit *f*.

Crète [krɛt] *f*: **la ~** Kreta *n*.

crête [~] *f* **1.** (Hahnen-)Haube *f*, Schopf *m*, *zo.* Krone *f*, Federbusch *m*; *fig. il lève la ~* ihm schwillt der Kamm; *baisser la ~ fig.* die Flügel hängen lassen; *rabaisser la ~ à q., lui donner sur la ~ fig.* j-m eins drauf geben, ihn kleinkriegen; **2.** Helmkamm *m*; Verzierung *f*; **3.** ⚠ First *m*; Kappe *f e-r Mauer*; **4.** Grat *m*, Rücken *m*, Gipfel *m*, Bergkamm *m*; ~ *militaire* ⚔ Höhenlinie *f* (*Artillerie*); ~ *d'une vague* Kamm *m* e-r Welle; **5.** Aufwurf *m e-s Grabens*, Damm *m*; ~ *du remblai* 🚂 Dammkrone *f*; ⚔ *frt.* Bekrönung *f*; **6.** gezackte Borte *f*; **7.** ⚕ kantige Knochenhervorragung *f*.

crêté [krɛ'te] *adj.* mit e-m Kamm versehen, kammförmig; Kamm...

crête-de-coq ⚘ [krɛtdə'kɔk] *f* (6b) Hahnenkamm *m*.

crételle ⚘ [kre'tɛl] *f* Kammgras *n*.

crétin [kre'tɛ̃] (7) **I** *adj.* blöd-, schwach-sinnig; **II** *su.* Schwachsinnige(r) *m*, Trottel *m*, Kretin *m*, Blödling *m*, Idiot *m*; **~iser** [~tini'ze] *v/t.* (1a) verdummen; **~isme** [~'nism] *m* Kretinismus *m*, angeborene Idiotie *f*; *allg.* Blödheit *f*; Verblödung *f*, Stockdummheit *f*.

crétois [kre'twa] *adj.* (7) kretisch.

cretonne ✝ [krə'tɔn] *f* Kretonne *f*, mittelkräftiger Baumwollstoff *m*.

cretons *cuis.* [krə'tɔ̃] *m/pl.* Grieben *f/pl.*

creus|age, ~ement [krø'za:ʒ, krøz'mɑ̃] *m* Ausgraben *n*, Ausschachtung *f*, Ausbaggerung *f*; Aushöhlen *n*, Ziehen *n e-s Grabens*.

creuser [krø'ze] (1a) **I** *v/t.* **1.** (aus-) graben, ausheben, ausschachten, ausbaggern; aushöhlen; ⚒ abteufen; ~ *un fossé* e-n Graben ziehen; *fig. ~ l'estomac* hungrig machen; **2.** *fig.* ergründen, erforschen; nachgrübeln über (*acc.*); **II** *v/rfl.* se ~ hohl werden; ⚓ hohl gehen (*vom Meer*); *fig.* se ~ *le cerveau* (*od. l'esprit, la tête,* F *les méninges*) sich den Kopf zerbrechen.

creuset ⊕ [krø'zɛ] *m* (Schmelz-) Tiegel *m*; *métall.* Gestell *n des Hochofens*; *fig.* Feuerprobe *f*; ~ *d'essai* Probetiegel *m*; *le ~ de l'ex-*

périence die Versuchsprobe; ~ *de haut fourneau* Schmelzherd *m*; *acier m fondu au* ~ Gußstahl *m*.

creux [krø] **I** *adj.* (7d) **1.** hohl; *chemin m* ~ Hohlweg *m*, ausgefahrener Weg *m*; *avoir le nez* ~ den richtigen Riecher haben; **2.** tief; *assiette f creuse* tiefer (*od.* Suppen-) Teller *m*; **3.** abgemagert, hohl, tiefliegend; *joues f/pl. creuses* eingefallene Backen *f/pl.*; *yeux m/pl.* ~ hohle Augen *n/pl.*; **4.** leer; *avoir le ventre* ~ e-n leeren Magen haben; *toux f creuse* trockener Husten *m*; *fig. heure f creuse* Stunde *f* des geringsten Licht- *od.* Energie-verbrauchs in e-m Betrieb; verkehrsarme *od. allg.* ruhige Stunde *f*; *écol. leçon f creuse* Spring-, Freistunde *f*; **5.** *fig.* leer, inhaltlos, kraft-, gehalt-los; *Börse*: unlustig, lustlos; **6.** *fig.* eitel, leer, träumerisch, unsinnig; *cervelle f creuse, esprit m* ~ Hohlkopf *m*, Träumer *m*; **II** *adv.* **7.** hohl; *sonner* ~ hohl klingen; *songer* ~ sich Phantastereien hingeben, *fig.* spinnen F; **III** *m* **8.** (Aus-)Höhlung *f*, Vertiefung *f*; ~ *de l'aisselle* Achselhöhle *f*; ~ *de l'estomac* Herzgrube *f*; ~ *épigastrique* Magengrube *f*; ~ *d'une lame* Wellental *n*; *boire dans le* ~ *de la main* aus der hohlen Hand trinken; **9.** *fig.* Leerheit *f*, Leere *f*; *avoir un* ~ *dans l'estomac* Kohldampf schieben F; **10.** ♪ Tiefe *f der Stimme*; *avoir du* ~ *od. un beau* ~ e-n schönen Baß haben; **11.** ⚓ Hohl *n*, Holl *n*, Tiefe *f e-s Schiffes*.

crevaison [krəvɛ'zɔ̃] *f* Platzen *n*, Bersten *n*; *Auto, vél.* Reifen-panne *f*, -schaden *m*; P Überanstrengung *f*; Tod *m*, *péj.* Krepieren *n* P; P Leiden *n*.

crevant P [krə'vɑ̃] *adj.* (7) sehr ulkig, zum Schießen P; höchst langweilig; sehr anstrengend.

crevard P [krə'va:r] *m* Todeskandidat *m*; Hungerleider *m*.

crevas|se [krə'vas] *f* Riß *m*, enger Spalt *m*, Gletscherspalte *f*; Sprung *m*; Kluft *f*; Schlucht *f*; ~*s pl. aux lèvres* aufgesprungene Lippen *f/pl.*; **~ser** [krəva'se] (1a) **I** *v/t.* aufreißen; Risse machen in (*acc.*); *crevassé* rissig; spaltenreich; zerklüftet; aufgesprungen; **II** *v/i. u. se* ~ aufspringen, bersten, Risse bekommen.

crevé [krə've] **I** *m* **1.** P Schlappschwanz *m*; **2.** Schlitz *m* (*an Ärmeln*); **II** *adj.* ganz kaputt, hundemüde.

crève P [krɛ:v] *f* Krankheit *f*; Not *f*, Elend *n*, Hunger *m*, Kälte *f*; Tod *m*; *j'ai la* ~ ich bin todkrank, ich pfeife auf dem letzten Loch.

crève-cœur *f* [krɛv'kœ:r] *m* (6c) schwerer Kummer *m*, Herzeleid *n*.

crève-la-faim P [krɛvla'fɛ̃] *m* (6c) Hungerleider *m*.

crever [krə've] (1d) **I** *v/t.* **1.** zum Platzen *od.* Bersten bringen, zersprengen; *Deich* durchbrechen; *Geschwür* auf-stechen, -drücken; *il tira, crevant un pneu* er schoß u. brachte e-n Reifen zum Platzen; ~ *un cheval* ein Pferd zu Tode reiten; P ~ *q. au travail* j-n mit Arbeit fertigmachen (*od.* kleinkriegen), j-n bei der Arbeit schikanieren; * ~ *q.* j-n töten, um die Ecke bringen P; ~ *les yeux*: a) die Augen ausstechen; b) *fig.* in die Augen springen (*od.* fallen), sonnenklar sein; *fig.* ~ *le cœur* herzzerreißend sein, das Herz zerreißen; **II** *v/i.* **2.** (auf)platzen, bersten, (auf-, zer-)springen; sich entladen, aus der Haut fahren wollen; *la veine crève* die Ader platzt; ~ *de rire* (*de dépit*) vor Lachen (vor Ärger) platzen; ~ *de santé* (*d'embonpoint*) vor Gesundheit (vor Fett) strotzen; **3.** umkommen, verrecken, krepieren (*v. Tieren u. v. Menschen* P); F ~ *de faim* (*de soif*) vor Hunger (vor Durst) umkommen; ~ *de faim* Kohldampf schieben P; **4.** *Auto, vél.* Panne haben; *vous avez crevé* Sie stehen auf Latschen; Sie haben Plattfuß; **III** *v/rfl. se* ~ *de travail* sich abrackern, sich abschinden, sich zu Tode schuften.

crevette *zo.* [krə'vɛt] *f* Garnele *f*.

cri [kri] *m* **1.** Ruf *m*, Schrei *m*, Schreien *n*, Geschrei *n*; ~ *d'alarme*, ~ *de détresse* Angst-, Not-ruf *m*; ~ *d'armes*, ~ *de guerre* Kriegsgeschrei *n*; ~ *d'allégresse*, ~ *de joie* Jubel-, Freuden-geschrei *n*; *jeter od. pousser un* ~ (*les hauts* ~*s*) e-n Schrei ausstoßen (sich laut beschweren, Krach schlagen); **2.** ~ *de douleur* Wehklagen *n*; **3.** ~ *public* öffentliche Meinung *f*; **4.** innere Stimme *f*; *le* ~ *de la conscience* die Stimme des Gewissens; **5.** *le dernier* ~ der Dernier cri, der letzte Schrei, die neueste Mode, das Allerneueste; **6.** ~*s pl. des chiens* Hundegebell *n*; **7.** ~ *d'une lime*

Quietschen *n* e-r Feile; ~ *d'une plume* Kritzeln *n* e-r Feder; **8.** *demander qch. à cor et à* ~ um etw. dringlich bitten.

criail|ler [kriɑ'je] *v/i.* (1a) immerzu schreien; keifen; quaken, plärren, knarrig sein (*v. Kindern*); **~lerie** [~ɑj'ri] *f* (*oft* ~*s pl.*) Geschimpfe *n/sg.*, fortwährendes Geschrei *n*, Gekeife *n*, Gezänk *n*; Geplärre *n*, Gequake *n* (*v. Kindern*); **~leur** [~ɑ'jœːr] *su.* (7g) Schreier *m*, Schreihals *m*, Keifer *m*.

criant [kri'ɑ̃] *adj.* (7) himmelschreiend; *injustice f* ~*e* himmelschreiendes Unrecht *n*; *cela est* ~ das schreit zum Himmel, das ist himmelschreiend.

criard [kri'aːr] (7) **I** *adj.* schreiend, keifend; ✝ marktschreierisch; *dettes f/pl.* ~*es* drückende Schulden *f/pl.*; *enfant m* ~ kleiner Schreihals *m*; *voix f* ~*e* gellende Stimme *f*; *couleurs f/pl.* ~*es* schreiende (*od.* grelle) Farben *f/pl.*; **II** *su.* Schreier *m*, Schreihals *m*, Keifer *m*, Stänker *m* P.

cribl|age [kri'blaːʒ] *m* Sieben *n*; **~e** ['kriblə] *m* Sieb *n*; ⊕ ~ *rotatif* Trommel *f*; *passer au* ~ durchsieben; *fig.* genau durchprüfen; **~er** [~'ble] *v/t.* (1a) **1.** (durch)sieben, sichten; *fig.* das Beste auswählen; **2.** *fig.* durchlöchern; *criblé de blessures* voller Wunden; *être criblé de dettes* bis über die Ohren in Schulden stecken; *criblé de fautes* voller Fehler; **~eur** [~'blœːr] **I** *su.* (7g) Sieber *m*, Sichter *m*; **II** ⊕ *m* Siebmaschine *f*; Schüttelsieb *n*; **~eux** [~'blø] *adj.* (7d) durchlöchert; Sieb...; **~ier** [~bli'e] *m* Siebmacher *m*; **~ure** [~'blyːr] *f* Aussiebsel *n*.

cric[1] [kri(k)] *m* (Hebe-)Winde *f*, Wagenheber *m*; * Schnaps *m*.

cric[2] [krik] *int.* ~! krach!; ~ *crac!* ritsch, ratsch!

cricket [kri'kɛ] *m* Kricket(spiel) *n*.

cricri *ent.* [kri'kri] *m* (6c) Heimchen *n*.

criée [kri'e] *f* (*vente f à la*) ~ öffentliche (*bzw.* gerichtliche) Versteigerung *f*, Auktion *f*.

crier [kri'e] (1a) **I** *v/i.* **1.** schreien; ~ *au feu*, ~ *au secours*, ~ *au voleur* „Feuer!", „Hilfe!", „Diebe!" schreien *od.* rufen; ~ *au meurtre*, ~ *à l'assassin* Zeter und Mordio schreien; ~ *à tue-tête* aus Leibeskräften (*od.* aus vollem Halse) schreien; **2.** ~ *à qch.* sich über etwas empören; ~ *à l'injustice* sich gegen die Ungerechtigkeit auflehnen; ~ *au surmenage* sich über die Überarbeitung empören; **3.** rufen; P ~ *à q. de sortir* j-n herausrufen; ~ *après q.* j-n herbeirufen (*od.* herbeiwünschen); **4.** schimpfen auf (*acc.*), schelten, hinterherbrüllen; ~ *après* (*contre*) *q.* gegen (*od.* über) j-n losziehen; ~ *contre q.* (*qch.*) j-n (etw.) laut tadeln; **5.** *la porte crie* die Tür knarrt; *la plume crie* die Feder kritzelt; *le sable crie* der Sand knirscht; P *ses boyaux* (*lui*) *crient* s-e Gedärme knurren; **II** *v/t.* **6.** ~ *qch. à q.* j-m etw. zurufen; **7.** ~ *qch.* nach etw. (*dat.*) schreien; ~ *famine* nach Brot (*od.* vor Hunger) schreien; ~ *haro sur q. fig.* sich unter lauten Flüchen über j-n empören; ~ *misère* über große Not jammern; ~ *vengeance* nach Rache schreien; **8.** (öffentlich) *zum Verkauf* ausrufen *bzw.* versteigern; ~ *des journaux* Zeitungen ausrufen; ~ *une vente* e-n Verkauf veröffentlichen; ⚔ ~ *qui vive* (*à*) anrufen; *fig.* ~ *qch. sur les toits* etw. an die große Glocke hängen, etw. ausposaunen.

crieur [kri'œːr] *su.* (7g) Straßenverkäufer *m*; ~ *public* öffentlicher Ausrufer *m*.

crime [krim] *m* Verbrechen *n*; *rl.* Todsünde *f*; Missetat *f*; strafbare Handlung *f*, Frevel *m*; ~ *capital* Kapitalverbrechen *n*; ~ *crapuleux* Raubmord *m*; ~ *contre nature* widernatürliches Verbrechen *n*; ~ *d'État* Staatsverbrechen *n*; ~ *de guerre* Kriegsverbrechen *n*; ~ *de lèse-majesté* Majestätsverbrechen *n*.

Crimée [kri'me] *f*: **la** ~ die Krim.

criminali|sable [kriminali'zablə] *adj.* strafrechtlich verfolgbar; **~ser** [~'ze] *v/t.* (*se* ~) (1a) zur Kriminalsache machen (werden); **~ste** [~'list] *m* Strafrechtler *m*, Kriminalist *m*, Strafrechts-kundige(r) *m*, -lehrer *m*; **~té** [~li'te] *f* Straffälligkeit *f*, Kriminalität *f*, Strafbarkeit *f*, Verbrechen *n/pl.*; *das* Verbrecherische; ~ *juvénile* Jugendkriminalität *f*.

criminel [krimi'nɛl] **I** *adj.* (7c) □ **1.** verbrecherisch, kriminell, e-s Verbrechens schuldig; sündhaft; strafbar; **2.** ⚖ strafrechtlich; *affaire f* ~*le* Strafsache *f*; *code m d'instruction* ~*le* Strafprozeßordnung *f*; *juger q.* ~*lement* j-n vor ein Strafgericht ziehen; *procédure f* ~*le* Strafverfahren *n*; **II** *su.* Verbrecher *m*; **III** *m* ⚖ Strafgerichtsbarkeit *f*; *friser le* ~ hart am Strafgesetzbuch vorbeigehen; ans Verbrecherische grenzen.

criminelle F [krimi'nɛl] *f* Kriminalpolizei *f*, Kripo *f*.

criminog|ène [kriminɔ'ʒɛn] *adj.* die Verbrechen fördernd; **~enèse** [~ʒə'nɛ:z] *f* Verbrechensforschung *f*.

criminolog|ie [kriminɔlɔ'ʒi] *f* Strafrechtslehre *f*, Kriminalwissenschaft *f*; **~iste** [~'ʒist] *m*, **~ue** [~'lɔg] *m* Strafrechtler *m*.

crin [krɛ̃] *m* **1.** Hals-, Mähnen-haar *n* (*der Tiere*); Roßhaar *n*; *~s pl.* Mähne *f*; *matelas m de ~* Roßhaarmatratze *f*; **2.** *péj.* P Kopfhaar *n des Menschen*; P *se prendre aux ~s* sich in die Wolle (*od.* Haare) kriegen P; *fig. être comme un ~* sehr leicht reizbar sein; *à tous ~s* leidenschaftlich, hundertprozentig, überzeugt; *un aristocrate à tous ~s* ein Aristokrat vom Scheitel bis zur Sohle; *un wagnérien à tous ~s* ein leidenschaftlicher (*od.* hundertprozentiger) Wagnerianer *m*; **3.** *~s pl. d'archet* Geigenbogenhaare *n/pl.*; **4.** ♀ Faser *f*; *~ végétal* Pflanzenfaser *f*; Seegras *n*.

crincrin F [krɛ̃'krɛ̃] *m* schlechte Geige *f*, Kratzgeige *f*.

crinière [kri'njɛ:r] *f* **1.** Mähne *f*; *~ d'un casque* Helmbusch *m*; F (*la*) *~ au vent* mit wehender Mähne (*v. Menschen*); **2.** *fig.* Kometenschweif *m*; *~ des flots* Schaumkamm *m* der Wellen.

crinoline [krinɔ'lin] *f ehm.* Krinoline *f*, Reifrock *m*.

crique [krik] *f* **1.** ⚓ Schlupfhafen *m*, kleine Bucht *f*; **2.** ⊕ Riß *m*.

criquet [kri'kɛ] *m* **1.** *ent.* Wanderheuschrecke *f*; **2.** F Klappergaul *m*, Klepper *m*; **3.** F schwächlicher Mensch *m*, Elendswicht *m*, Heimchen *n*; *iron.* Knirps *m*, Präpel *m* P; **4.** P schlechter Wein *m*, Krätzer *m*.

crise [kri:z] *f* **1.** ⚕ Krise *f*, Entscheidungs- *od.* Wende-punkt *m e-r Krankheit*; *~ nerveuse* Nervenkrise *f*; *cela me donne une ~ de nerfs* das macht mich nervlich fertig; *~ de larmes, ~ de sanglots* Weinkrampf *m*; *~ magnétique* Trance *f* (*hypnotischer Schlaf*); **2.** *allg.* Krise *f*, Not *f*, Entscheidung *f*, Wendepunkt *m*; *~ du bâtiment* Krise *f* auf dem Baumarkt; *~ charbonnière* Kohlenkrise *f*; *~ commerciale* Handelskrise *f*; *~ économique mondiale* Weltwirtschaftskrise *f*; *~ financière* Finanz-, Geld-krise *f*; *~ du logement* Wohnungsnot *f*; *~ ministérielle* Regierungs-, Minister-, Kabinetts-krise *f*; *~ monétaire* Währungskrise *f*; *à l'abri de la ~* krisenfest; *faire, subir od. traverser une ~* e-e Krise durchmachen; *une ~ se prépare* es kriselt.

crisis|me *pol.*, *phil.*, *litt.* [kri'zism] *m* Krisen-theorie *f*, -bewußtsein *n*; **~te** [~'zist] *su.* Anhänger *m* der Krisentheorie.

crisp|ation [krispɑ'sjɔ̃] *f* **1.** Kräuseln *n*, Zusammenschrumpfen *n*; **2.** ⚕ *~ de nerfs* Nervenkrampf *m*; *causer des ~s* Zuckungen verursachen; *donner des ~s* nervös zucken; **3.** innere Unruhe *f*; *causer une ~* (*à*) ärgern, auf die Palme bringen F; **~er** [~'pe] (1a) **I** *v/t.* **1.** kräuseln, kraus machen; (krampfhaft) zusammenziehen; *~ le visage* das Gesicht verzerren; **2.** F ärgern, in Unruhe versetzen, heftig aufregen; **II** *v/rfl. se ~* sich kräuseln, zusammenschrumpfen; *son visage se crispe* sein Gesicht verzerrt sich.

crispin [kris'pɛ̃] *m* **1.** *thé.* Diener (-rolle *f*) *m*; *allg.* Spaßvogel *m*; Witzbold *m*; **2.** *gant m à ~* Stulpenhandschuh *m*.

cris|sement [kris'mɑ̃] *m* Knirschen *n*; Kritzeln *n* (*e-r Schreibfeder*); ⊕ Rattern *n*, Lärm *m*; *Auto*: *~ des pneus* Rauschen *n* (*od.* Vorbeizischen *n*) der Reifen; **~ser** [~'se] *v/i.* (1a) knirschen; kritzeln.

cristal [kris'tal] *m* (5c) **1.** *géol.* Kristall *m*; *~ naturel, ~ de roche* (Berg-)Kristall *m*; **2.** ✝ Kristall *n*. Kristallglas *n*; *cristaux m/pl.* Kristalle *n/pl.*, geschliffene Glassachen *f/pl.*; **~lerie** [~tal'ri] *f* Kristallfabrik(ation *f*) *f*; Kristallwaren *f/pl.*; **~lier** [~tal'je] *m* Kristallschleifer *m*, -schneider *m*; **~lière** [~tal'jɛ:r] *f* **1.** ⚒ Kristallgrube *f*; **2.** ⊕ Kristallbearbeitungsmaschine *f*; **~lin** [~'lɛ̃] **I** *adj.* (7) kristallen, kristallklar; kristallinisch; ⚕ *cataracte f ~e* Linsenstar *m*; *anat. lentille f ~e* Kristallinlinse *f*; *humeur f ~e* Kristallfeuchtigkeit *f des Auges*; **II** *m* Kristallinse *f des Auges*; **~lisable** [~li'zablə] *adj.* kristallisierbar; **~lisant** [~li'zɑ̃] *adj.* (7) kristallisierend; **~lisation** [~lizɑ'sjɔ̃] *f* Kristallisierung *f*; **~liser** [~li'ze] *v/t.* (*u. v/i. u. v/rfl. se ~*) (1a) (sich heraus-)kristallisieren; **~lisoir** [~li'zwa:r] *m* Kristallisiergefäß *n*.

cristallo|génie [kristalɔʒe'ni] *f* Kristallbildungslehre *f*; **~graphie** [~gra'fi] *f* Kristallographie *f*; **~ïde** [~lɔ'id] *adj.* kristallähnlich.

cristau P [kris'to] *m* Soda *n od. f*.

cristi [kris'ti] *int.* verdammt nochmal!, verflixt!

critère, critérium [kri'tɛːr, krite'rjɔm] *m* Kriterium *n*, Wertmesser *m*, Prüfstein *m*; *critère m de besoin* (*od. de ressources*) Bedürftigkeitsprüfung *f*; *critérium m Sport*: Ausscheidungskampf *m*.

criti|caillerie [kritikɑj'ri] *f* Nörgelei *f*, Meckerei *f* F; **~cisme** *phil.* [~'sism] *m* Kritizismus *m*; **~quable** [~'kablə] *adj.* der Kritik unterworfen; tadelnswert, angreifbar, kritisierbar, fragwürdig; **~que** [~'tik] **I** *adj.* **1.** kritisch, beurteilend, kunstrichterlich, prüfend; zur Kritik neigend, tadelsüchtig; **2.** *fig.* kritisch, gefährlich, bedenklich, mißlich; **3.** kritisch, entscheidend; *fig. moment m ~* entscheidender Augenblick *m*; **II** *su.* **4.** Kunstrichter *m*, Kritiker *m*; *~ littéraire* Literarkritiker *m*, Rezensent *m*; *~ hargneux, ~ pédant, ~ médiocre* Kritikaster *m*, Kritteler *m*, Nörgler *m*; **III** *f* **5.** Kritik *f*, Rezension *f*; Urteilsfähigkeit *f*; wissenschaftliche Prüfung *f*, Kunstprüfung *f*; *~ surannée, ~ superflue, ~ trop tardive* überholte Kritik *f*; *~ de soi* Selbstkritik *f*; *~ des textes* Textkritik *f*; *faire la ~ de qch.* etw. kritisch beurteilen; *péj.* etwas heruntermachen; **6.** Tadel *m*, Tadelsucht *f*, Krittelei *f*; **7.** Gesamtheit *f* der Kritiker, Kritik *f*; **~quer** [~'ke] *v/t.* (1m) kritisieren; streng beurteilen; tadeln, bekritteln, heruntermachen; *~ tout* an allem mäkeln, über alles meckern F; **~queur** [~'kœːr] *m* Kritiker *m*; Kritikaster *m*, Kritteler *m*, Nörgler *m*.

croas|sement [krɔas'mɑ̃] *m* Krächzen *n*; **~ser** [krɔa'se] *v/i.* (1a) krächzen.

croc [kro] *m* **1.** Haken *m*; F *faire un ~* e-e Schuld machen; *mettre* (*od. pendre*) *qch. au ~* etw. an den Nagel hängen, *fig.* etw. aufgeben; *~ à incendie* Feuerlöschhaken *m*; *moustaches f/pl. en ~* nach oben gedrehter Schnurrbart *m*; **2.** Hakenstock *m*; ⚓ Bootshaken *m*; **3.** *~s pl.* Hakenzähne *m/pl.* (*bsd. v. Hunden*); Hauer *m/pl.* (*v. Wildschweinen*); Krebsscheren *f/pl.*; P Zähne *m/pl.*; P *avoir les ~s* Kohldampf schieben P, einen leeren Magen haben, hungrig sein.

croc-en-jambe [krɔkɑ̃'ʒɑ̃ːb] *m* (6b) Beinstellen *n*; *donner* (*od. faire*) *un ~ à q.* j-m ein Bein stellen.

croche [krɔʃ] **I** † *adj.* krumm; **II** ♪ *f* Achtelnote *f*; *double ~* Sechzehntelnote *f*.

crocher [krɔ'ʃe] *v/t.* (1a) **1.** umbiegen; **2.** ⚓ mit Haken anholen; **3.** *Unebenheiten* (*Schleifen*) *beim Stricken* ausgleichen; **4.** ♪ (*Noten*) schwänzen; F *Auto*: *~ la route* sich auf der Straße festbeißen.

crochet [krɔ'ʃɛ] *m* **1.** (kleiner) Haken *m*, Häkchen *n*; ⊕ Klammer *f*; *faire du ~* häkeln; *~* (*à broder*) Häkelnadel *f*; (*ouvrage m au*) *~* Häkelarbeit *f*; *~ à bottines* Schuhknöpfer *m*; *~ de serrurier* Dietrich *m*; **2.** *Boxsport*: Haken *m*; *~* (*porté*) *au foie* Leberhaken *m*; **3.** *~s pl.* Tragerɔff *n*, Rückentrage *f*; *vivre aux ~s de q. fig.* j-m auf der Tasche liegen; **4.** *fig. faire un ~* plötzlich *vor j-m* ausbiegen, e-n Haken schlagen; e-n Umweg machen; **5.** ♪ Notenschwanz *m*; **6.** *~s pl.* Schmachtlocken *f/pl.*; **7.** *vét.* *~s pl.* Haken-, Eck-, Fangzähne *m/pl.* (*bsd. bei Hunden*); **8.** *~s pl.* Giftzähne *m/pl. bei Schlangen*; **9.** *~s pl. typ.* eckige Klammern *f/pl.*; **10.** *~s pl.* Schnörkel *m/pl.* (*Schrift*); **~able** [krɔʃ'tablə] *adj.* mit e-m Dietrich zu öffnen; **~age** [~'taːʒ] *m* Öffnen *n* mit e-m Dietrich; **~er** [~'te] *v/t.* (1e) mit e-m Dietrich öffnen *od.* aufbrechen; **~eur** [~'tœːr] *m* **1.** ⚒ Reff-, Last-träger *m*; *santé f de ~* robuste Gesundheit *f*; **2.** Grobian *m*; **3.** *~ de serrures, ~ de portes* Einbrecher *m*.

crochu [krɔ'ʃy] *adj.* krumm; hakenförmig; Haken...; *fig. avoir les mains ~es* lange Finger machen, stibitzen F, klauen F.

crocodile [krɔkɔ'dil] *m* **1.** *zo.* Krokodil *n*; **2.** 🚂 Läutesignal *n*.

crocodiler P [krɔkɔdi'le] *v/t.* (1a): *~ q.* j-m (e-m jungen Mann) schöne Augen machen.

crocus ⚘ [~'kys] *m* Krokus *m*, Safran *m*.

croire [krwɑːr] (4v) **I** *v/t.* **1.** glauben; *~ q.* j-m glauben *od.* Glauben schenken *od.* (ver)trauen; *~ qch.* etw. glauben; *je le crois*: a) ich glaube es; b) ich glaube ihm; *je vous crois* ich glaube (es) Ihnen (*od.* euch) (*Person und Sache können in dieser Bedeutung nicht gleichzeitig im acc. zusammenstehen!*); *je l'en crois* ich glaube es ihm; *croyez-vous cet homme-là?* glauben Sie jenem Menschen?; *croyez-moi*: a) glauben Sie mir!; b) folgen Sie meinem Rat!; *croyez-m'en!* glauben Sie (es) mir!; *~ q. sur parole* j-m aufs Wort glauben; *je n'en crois rien* ich glaube nichts davon; *en ~ à peine ses yeux* kaum seinen Augen trauen; *à l'en ~* nach seinen (ihren) Reden zu urteilen; wenn man es ihm (ihr) glauben soll; *on croit ce qu'on désire* man glaubt, was man wünscht; *faire ~ qch. à q.* j-m etw. einreden; *les tracts sont crus* man glaubt den Propagandazetteln; **2.** (sich) denken, sich einbilden, annehmen; *je le croyais parti* ich glaubte, er sei weg; *je crois que oui* ich glaube ja; *~ bien faire* es gut zu machen glauben; *~ de son intérêt de ...* es für s-n Vorteil halten zu ...; *à ce que je crois* meiner Meinung nach; *je (le) crois bien* das glaube ich schon; **3.** *~ q. homme d'honneur* j-n für e-n Ehrenmann halten; **II** *v/i.* glauben (an) (*acc.*), Vertrauen haben (zu) (*dat.*); *abs.* Glauben haben, gläubig sein; *~ à (auch en) q. (à qch.)* an j-n (an etw.) glauben; *je ne crois pas aux médecins* ich glaube nicht an die Ärzte; ich habe zu den Ärzten kein Vertrauen; *~ aux revenants (au diable, aux miracles)* an Gespenster (an den Teufel, an Wunder) glauben; *il y crut* er glaubte daran; *~ en Dieu* an Gott glauben; *je crois en lui* ich glaube an ihn; *~ en soi* an sich selbst glauben, Selbstvertrauen haben; *aber auch*: *~ en qch. in*: *~ en l'avenir* an die Zukunft glauben; **III** *v/rfl. se ~ qch.* sich für etw. halten; P *il s'en croit* er gibt an, er ist blasiert (*od.* eingebildet); *il se croit le premier moutardier du pape* er bildet sich reichlich viel ein.

croisade [krwaˈzad] *f a. fig.* Kreuzzug *m.*

croisé[1] [krwaˈze] *m* Kreuzfahrer *m.*

croisé[2] [~] *m* Köper *m* (*Stoffart*).

croisé[3] *Sport* [~] *m* Schere *f* (*am Barren*).

croisé[4] [~] **I** *p/p. v. croiser*; **II** *adj.* gekreuzt, in Kreuzform, über Kreuz liegend, Kreuz...; *chemin m ~* Kreuzweg *m*; *étoffe f ~e* Köper *m* (*Stoffart*); *feu ~ fig.* Kreuzfeuer *n*; *mots m/pl. ~s* Kreuzworträtsel *n*; *rimes f/pl. ~es* gekreuzte (*od.* abwechselnd männliche u. weibliche) Reime *m/pl.*

croisée [~] *f* **1.** Fenster-kreuz *n*, -rahmen *m*; Fenster *n*; **2.** Kreuzung *f*; Kreuzweg *m*; Wegkreuzung *f*; *à la ~ des chemins* am Scheideweg; **3.** △ Querschiff *n e-r Kirche*; **4.** *~s pl.* gekreuzte (*od.* abwechselnde) Reime *m/pl.*

croisement [krwazˈmɑ̃] *m* **1.** 🚂 Kreuzung *f*, Schienenkreuzung *f*; Kreuzungsweiche *f*; *allg.* Straßenkreuzung *f*; Schnittpunkt *m*; *fig. être au ~ des routes* am Scheideweg stehen; **2.** *Auto*, ✈ *usw.* das Sichkreuzen *n*; **3.** *biol.* Kreuzung *f*, Vermischung *f*; *~ d'animaux apparentés* Inzucht *f*; **4.** *esc. ~ du fer* Kreuzen *n* der Klingen.

crois|er [krwaˈze] (1a) **I** *v/t.* **1.** kreuzen, kreuzweise legen, setzen *od.* stellen; durchkreuzen; *(se) ~ les bras* die Arme verschränken; *fig.* die Hände in den Schoß legen; *~ les jambes* die Beine übereinanderschlagen; *~ q.* j-m über den Weg laufen; **2.** *esc. ~ le fer* die Klinge kreuzen, sich schlagen; **3.** *fig. ~ (les desseins de) q.* j-m in die Quere kommen, j-s Absichten durchkreuzen; **4.** *biol.*, *Rassen usw.* kreuzen; **5.** ⊕ köpern, ins Kreuz weben; **II** *v/i.* **6.** übereinander-gehen *od.* -liegen, -schlagen (*Rock*); **7.** ⚓ *~ (sur une côte* an e-r Küste) kreuzen; ✈ *~ au-dessus d'une côte* e-e Küste abfliegen; **III** *v/rfl. se ~* **8.** sich kreuzen; *nos lettres se croisèrent* unsere Briefe kreuzten sich; *fig. se ~ avec q.* auf j-n (*acc.*) stoßen, j-n zufällig treffen; **9.** *hist.* das Kreuz nehmen; *weitS.* sich zu e-m Kreuzzug verbinden; **10.** *biol.* sich vermischen.

croisette [krwaˈzɛt] *f* Kreuzchen *n.*

crois|eur [krwaˈzœːr] *m* **1.** ⚓ Kreuzer *m*; *~-école m* Schulkreuzer *m*; *~ porte-avions m* Flugzeugträgerkreuzer *m*; **2.** ✈ *~ aérien* Luft-, Flugzeug-kreuzer *m*; **~ière** [~ˈzjɛːr] *f* **1.** a) ⚓ Kreuzfahrt *f*; b) ✈ Flug *m*; *~ de chasse* Jagdflug *m*; c) Erkundungsfahrt *f* (*Wasser, Land*); **2.** ausgedehnte Reise *f*; ⚓, ✈ *vitesse f de ~* Reisegeschwindigkeit *f*; **3.** 🚂 Kreuzungsstelle *f* zweier Gleise; **4.** *éc. régime m de ~* Durchschnittsleistung *f*; **~illon** [~ziˈjɔ̃] *m* Querholz *n* e-s (Fenster-)Kreuzes; △ Querschiff *n e-r Kirche*; Warnkreuz *n* (*vor Bahnübergängen*); ✈ Querarm *m*; ✈ *~ de roue* Radarm *m*, Radspeiche *f*; ⊕ *~ à cardan* Kardangelenk *n*; *~s pl.* (Fenster-)Sprossen *f/pl.*; **~illonnage** ✈ [~zijɔˈnaːʒ] *m* Verspannung *f*, Auskreuzung *f*; △ Raster *m*; **~illonné** [~zijɔˈne] *adj.* querverbunden; ✈ ausgekreuzt, verspannt; **~illonnement** ✈ [~zijɔnˈmɑ̃] *m* = *croisillonnage*; **~illonner** ✈ [~zijɔˈne] *v/t.* (1a) verspannen.

crois|sance [krwaˈsɑ̃ːs] *f* Wachsen

n, Wachstum *n*; *fig.* Anwachsen *n*; Vermehrung *f*; *n'avoir pas encore toute sa* ~ noch nicht ausgewachsen sein; **~sant** [~'sɑ̃] **I** *adj.* (7) **1.** wachsend, zunehmend; **II** *m* **2.** Mondsichel *f*, Halbmond *m*; **3.** *pât.* Hörnchen *n*.

croisure [krwɑ'zy:r] *f* ✝ Köper *m* (*Stoff*).

croît [krwɑ] *m* Nachwuchs *m* (*e-r Herde*).

croître ['krwɑ:trə] *v/i.* (4w) wachsen, sich vermehren, zunehmen, größer (höher *od.* stärker) werden; sich entwickeln, gedeihen; steigen (*Fluß*); *les jours m/pl. croissent* (*de cinq minutes*) die Tage *m/pl.* nehmen (um fünf Minuten) zu; *aller* (*en*) *croissant* dauernd wachsen, zunehmen, steigen.

croix [krwɑ] *f* **1.** Kreuz *n*; Kruzifix *n*; *attacher à* (*od. sur*) *la* ~, *mettre en* ~ ans Kreuz schlagen, kreuzigen; *mourir sur la* ~ (*od. en* ~) den Kreuzestod erleiden; *supplice m de la* ~ Kreuzestod *m*; *descente f de la* ~ Kreuzabnahme *f*; *chemin m de la* ~ Leidensweg *m*; ♀*-Rouge f* Rotes Kreuz *n*; *Fr.* ~ *de la Libération* Befreiungskreuz *n* (*ein am 7. 1. 1944 in Algier geschaffener Orden*); *Fr.* ~ *de guerre* Kriegsverdienstkreuz *n*; ⚕ *u.* ⚔ ~ *verte* Grünkreuz *n*; ~ *gammée* Hakenkreuz *n*; *advt. en* ~ kreuz-förmig, -weise; *mettre les jambes en* ~ die Beine übereinanderschlagen; **2.** Zeichen *n* des Kreuzes; *faire le signe de la* ~ sich bekreuzigen; *faire le signe de la* ~ *sur q.* j-n segnen; *faire la* ~ *sur une créance* e-e Forderung in den Rauch schreiben, auf e-e Forderung verzichten; *faire une* ~ *sur le passé* e-n Strich unter die Vergangenheit ziehen (*od.* setzen); *mettre une* ~ *à qch.* etw. ankreuzen; **3.** Christentum *n*; **4.** *fig.* Kummer *m*, Sorgen *f/pl.*; *chacun porte sa* ~ *dans ce monde* in dieser Welt hat jeder sein Päckchen zu tragen; **5.** ~ *d'un ordre* Ordenskreuz *n*; *la* ~ (*de la Légion d'honneur*) das Kreuz der Ehrenlegion; ~ *de fer* eisernes Kreuz *n*; **6.** ~ *de l'épée* Parierstange *f* des Degens; **7.** Bild-, Vorder-seite *f e-r Münze*; *jouer à* ~ *ou pile* Kopf oder Schrift spielen; **8.** *ast.* ♀ *australe* (*od. du Sud*) Kreuz *n* des Südens.

cromlech *antiq.* [krɔm'lɛk] *m* Kromlech *n* (*keltischer Steinbau*).

crône ⚓ [kro:n] *m* Kran *m*.

croquade [krɔ'kad] *f* flüchtige Skizze *f*.

croquant [krɔ'kɑ̃] **I** *adj.* (7) knusprig; **II** *m* **1.** *péj.* armer Schlucker *m*; Bauernlümmel *m*; Habenichts *m*; **2.** P Knorpel *m*, Knoten *m* im Fleisch; **3.** = *croquante*.

croquante *pât.* [krɔ'kɑ̃:t] *f* Kuchen *m* mit gerösteten Mandeln.

croque-au-sel [krɔko'sɛl] *advt.*: *à la* ~ ungekocht u. nur mit Salz.

croqu|embouche *pât.* [krɔkɑ̃'buʃ] *m od. f* jede Art knusprigen Gebäcks, Krokant *m*; **~ement** [krɔk'mɑ̃] *m* Knabbern *n*, Knacken *n*.

croque|-madame, ~-monsieur [krɔkma'dam ~məs'jø] *m* warmes, geröstetes Käsesandwich *n*.

croque|-mitaine [~mi'tɛn] *m* Schreckgespenst *n*, *der* schwarze Mann *m*; **~-mort** P [~'mɔ:r] *m* (6g) Leichenträger *m*; **~-noisette, ~-noix** *zo.* [~nwa'zɛt, ~'nwa] *m* (6c) Haselmaus *f*; **~not** P [~'no] *m* Treter *m* P, Schuh *m*; *vieux* ~*s* alte Treter *m/pl.* P (*Schuhe*); **~-note** F [~'nɔt] *m* schlechter Musiker *m*.

croquer [krɔ'ke] (1m) **I** *v/t.* **1.** knabbern, knuppern, knacken; verschlingen; verprassen; * verführen; *elle est jolie à* ~ sie ist zum Anbeißen hübsch; **2.** ~ *le marmot* lange warten (müssen); **3.** *peint.* skizzieren; **4.** ~ *des notes* Noten auslassen *od.* unter den Tisch fallen lassen; ~ *un passage* e-e Stelle auslassen; **II** *v/i.* ~ *sous la dent* unter den Zähnen knacken; * *en* ~ *bei der Polizei* die Leute verpfeifen.

croquet [krɔ'kɛ] *m* **1.** harter Pfefferkuchen *m*; **2.** Krocket *n* (*Spiel*); **~te** [~'kɛt] *f* **1.** *cuis.* Kloß *m*, Klops *m*; **2.** Schokoladenplätzchen *n*.

croquignole [krɔki'ɲɔl] *f* **1.** *pât.* kleines, knuspriges Gebäck *n*; **2.** Nasenstüber *m*; *a. fig.* Beleidigung *f*.

croquis [krɔ'ki] *m* erster Entwurf *m*, Skizze *f*; *allg.*, ⚔ Lageplan *m*.

crosne ⚘ [kro:n] *m* Knollenziest *m*.

cross-country *Sport* [krɔskœn (*od.* ~kun)'tre *od.* ~'tri] *m* Gelände-, Querfeldein-, Wald-lauf *m*.

crosse [krɔs] *f* **1.** Bischofs-, Krummstab *m*; Stockkrücke *f*; Henkel *m* (*Kanne*); ⊕ Kreuzkopf *m*; **2.** (Gewehr-)Kolben *m*; *mettre la* ~ *en l'air* das Gewehr umkehren (*Zeichen der Ergebung*); *à coups de* ~ mit Kolbenhieben; *artill.* ~ *d'affût* Lafettenschwanz *m*; **3.** Golf-, Hockeyschläger *m*; **4.** *anat.* ~ *de l'aorte* Aortenbogen *m*.

crosser [krɔ'se] (1a) **I** *v/t.* mit dem

Kolben (*od.* Golf-, Hockey-schläger) schlagen; *fig.* ~ *q.* j-n grob behandeln, runtermachen, abkanzeln; *c'est un homme à* ~ er verdient Fußtritte; **II** *v/i.* angeben, prahlen; **III** *v/rfl.* se ~ sich raufen.

crossette [krɔ'sɛt] *f* **1.** Schößling *m* (*bsd. des Weinstocks*); **2.** Verkröpfung *f* (*an Türen usw.*).

crosseur [krɔ'sœ:r] *m* **1.** Raufbold *m*; **2.** Angeber *m*.

crotale *zo.* [krɔ'tal] *m* Klapperschlange *f*.

crotte [krɔt] **I** *f* **1.** (Straßen-)Kot *m*, Dreck *m* P; P *fig. tomber dans la* ~ in tiefes Elend geraten; **2.** Kot *m der Ziegen, Mäuse usw.*; ~*s pl. de mouches* Fliegenschmutz *m*; ~ *de poule* Hühnermist *m*; ~ *de brebis* Schafsmist *m*; **3.** P ~ *de bique* Trödelkram *m*, Zeug *n*; **4.** ~*s pl. de chocolat* Schokoladenbonbons *m/pl.*; **II** P *int.* ~! verflucht!; P *c'est de la* ~! so ein Dreck! P.

crotter [krɔ'te] (1a) **I** *v/t.* schmutzig machen, beschmutzen, (mit Kot *od.* Dreck) bewerfen; P *fig. crotté* dreckig; *fig.* elend, zerlumpt; *être crotté comme un barbet* bis über die Ohren verdreckt sein; **II** *v/rfl.* se ~ sich schmutzig (*od.* dreckig P) machen, sich mit Kot beschmutzen; *fig.* sich beschmutzen.

crottin [krɔ'tɛ̃] *m* Pferde-apfel *m* (*mst. jedoch* -appel *m* P), -mist *m*.

crou|lant [kru'lɑ̃] **I** *adj.* (7) baufällig; *fig.* dem Untergang geweiht, zs.-brechend; **II** P *m* Tattergreis *m*; P ~*s m/pl.* morsche Figuren *f/pl.* P; **~lement** [krul'mɑ̃] *m* Einsturz *m*; **~ler** [~'le] *v/i.* (1a) einfallen, zs.-stürzen, einsinken.

croup ⚕ [krup] *m* Angina *f*, Kehlkopfdiphtherie *f*, Krupp *m*.

croupade *man.* [kru'pad] *f* Hochsprung *m*.

croupal ⚕ [kru'pal] *adj.* (5c) kruppartig; *voix f* ~*e* heisere Stimme *f*.

croupe [krup] *f* **1.** Kruppe *f*, Hinterteil *m* (*a. n*), Kreuz *n* (*bsd. des Pferdes*); *monter en* ~ hinten aufsitzen (*a. fig.*); **2.** Bergrücken *m*, Koppe *f*.

croupetons [krup'tɔ̃] *advt.*: *à* ~ zusammengekauert, hockend.

croupeux ⚕ [kru'pø] *adj.* (7d) kruppartig; mit Krupp behaftet.

croupi [kru'pi] *p.p.* stagnierend, stehend; *eau f* ~*e* Moderwasser *n*.

croupier [kru'pje] *m* **1.** *Spiel*: Croupier *m*, Gehilfe *m* des Bankhalters; **2.** ⚘ stiller Teilhaber *m*.

croupière [kru'pjɛ:r] *f* Schwanzriemen *m*, Hinterzeug *n*; *fig. tailler des* ~*s à q.* j-m Knüppel zwischen die Beine werfen.

croupion [kru'pjɔ̃] **I** *m anat.* F Steiß *m*, Steißbein *n*; *orn.* Bürzel *m* (*Vogelsteiß*); **II** *adjt. hist. Parlement m* ~ Rumpfparlament *n* (*Cromwell*); *péj. pol. alliance f* ~ Rumpfbündnis *n*.

croup|ir [kru'pi:r] *v/i.* (2a) **1.** faulig werden, modern, stillstehen, stagnieren (*Wasser*); **2.** versumpfen, verkommen; **~issant** [~pi'sɑ̃] *adj.* (7) modernd; *eau f* ~*e* Jauche *f*.

croupon [kru'pɔ̃] *m* Kernstück *n* (*Rinderhaut*).

croust|ade [krus'tad] *f* warme Pastete *f* mit knuspriger Rinde; **~ifier** ⚠ [~ti'fje] *v/t.* (1a): ~ *le terrain* den Boden härten; **~illant** [~ti'jɑ̃] *adj.* knusprig; *fig.* schlüpfrig, pikant (*v. Geschichten*); **~ille** [~'tij] *f* **1.** (Brot-)Krüstchen *n*; **2.** F kleine Mahlzeit *f*, Imbiß *m*; **3.** dünne Pommes-frites-Scheiben *f/pl.*; **~iller** P [~ti'je] *v/t. u. v/i.* fressen P, futtern P (= essen); **~illeux** *nur fig.* [~ti'jø] *adj.* (7d) = ~*illant*.

croûte [krut] *f* **1.** Kruste *f*, Rinde *f*; *cuis.* Blindpastete *f*; Essen *n*, Fressen *n* P, Fraß *m* P; P Lebensunterhalt *m*; *allg.* oberste Schicht *f*; ~ *au pot* Kraftbrühe *f* mit gerösteten Brotscheiben; *casser la* ~ e-n kleinen Imbiß nehmen; essen; *vendre qch. pour une* ~ *de pain* etw. für e-n Pappenstiel verkaufen; **2.** ~ *terrestre* Erdrinde *f*; **3.** ⚕ Schorf *m der Haut*; **4.** F *peint.* schlechtes Bild *n*; Pinselei *f*; **5.** P Dussel *m*, Dummkopf *m*.

croûter P [kru'te] *v/t. u. v/i.* (1a) essen, futtern P, fressen P.

croûton [kru'tɔ̃] *m* **1.** Brotkanten *m*; **2.** gerösteter Brotbrocken *m*; **3.** F *fig.* verkalkter u. blasierter Typ *m*.

croy|able [krwa'jablə] **I** *adj.* glaubhaft, glaubwürdig; **II** *m das* Glaubhafte; **~ance** [~'jɑ̃:s] *f* **1.** Glaube(n) *m*; Vertrauen *n*; Zutrauen *n*; *avoir* ~ *en q.* in j-n Vertrauen setzen, j-m glauben; *renoncer à sa* ~ s-n Glauben aufgeben; **2.** Ansicht *f*; Anschauung *f*; **~ant** [~'jɑ̃] (7) **I** *adj.* gläubig, religiös; **II** *su.* Gläubige(r) *m*; *vrai* ~ Rechtgläubige(r) *m*.

cru[1] [kry] *adj.* **1.** roh, ungekocht; ungebrannt (*Ziegel*); **2.** unbearbeitet; Roh...; ungefärbt; ungegerbt; **3.** unverdaulich; **4.** *de l'eau f* ~*e* hartes Wasser *n*; **5.** derb, grob, hart, anstößig; *simplicité f* ~*e* Urwüchsigkeit *f*; *vérité f* ~*e* nackte Wahrheit *f*; **6.** *peint.*, *opt.* grell; **7.** *à cru advt.*:

tomber à ~ grell hineinkommen (*Licht*); *monter à ~* ohne Sattel reiten.

cru[2] [~] *m* Wuchs *m*, Trieb *m*; Gewächs *n*, Erzeugnis *n*; Jahrgang *m*; Lage *f* (*bsd. v. Wein*); *vin m de mon ~* eigenes Gewächs *n*; *vin m du ~* Landwein *m*; *grand ~* Wein *m* bester Sorte; *bois m de moyen ~* Mittelholz *n*; *fig. de son ~* auf s-m eigenen Mist gewachsen F; von ihm stammend; von s-m Standpunkt.

cruauté [kryo'te] *f* Grausamkeit *f*; Mordlust *f*; *fig.* ungerechte (*od.* grausame) Handlung *f*; Unerbittlichkeit *f*; Unmenschlichkeit *f*; *~ du sort* Härte *f* des Schicksals.

cruch|e [kryʃ] *f* **1.** Krug *m*, Wasserkrug *m*; Kruke *f*; *prov. tant va la ~ à l'eau qu'à la fin elle se brise* der Krug geht so lange zum Brunnen, bis er bricht; **2.** F Dumm-, Stroh-kopf *m*; dumme Gans *f*; **~ée** [~'ʃe] *f* Krugvoll *m*; **~erie** F [kryʃ'ri] *f* große Dummheit *f*; **~ette** [~'ʃɛt] *f* Krüglein *n*; **~on** [~'ʃɔ̃] *m* kleiner Krug *m*, kleiner Bierkrug *m*; Wärmflasche *f*.

cruci|al [kry'sjal] *adj.* (5c) **1.** kreuzförmig; *incision f ~e* Kreuzschnitt *m*; **2.** *fig.* entscheidend, äußerst wichtig; **~fère** [~si'fɛːr] *adj.* kreuztragend; Kreuz...; *colonne f ~* Martersäule *f*; ⚘ *plantes f/pl. ~s* Kreuzblütler *m/pl.*; **~fié** [~'fje] *m der* Gekreuzigte; *le* ♀ Christus *m*; **~fiement** [~fi'mɑ̃] *m* **1.** Kreuzigung *f*, Kreuzestod *m*; *engS.* ♀ Kreuzigung *f* Christi (*Gemälde*); **2.** *fig. rl.* Kasteiung *f*, Abtötung *f*; **~fier** [~'fje] *v/t.* (1a) **1.** kreuzigen; *fig.* quälen; **2.** *fig. ~ la chair* sich kasteien; **~fix** [~'fi] *m* Kruzifix *n*; Bildnis *n* des Gekreuzigten; **~fixion** [~fik'sjɔ̃] *f a. peint.* Kreuzigung *f*; **~forme** [~'fɔrm] *adj. anat.* kreuzförmig; Kreuz...; **~rostre** *orn.* [~'rɔstrə] *adj.* kreuzschnäbelig; **~verbiste** *su.* [~vɛr'bist] Freund *m* v. Kreuzworträtseln.

crudiste [kry'dist] *m* Rohköstler *m*.

crudité [krydi'te] *f* **1.** roher Zustand *m*; **2.** *~s pl.* Rohkost *f*, rohe (ungekochte) Nahrungsmittel *n/pl.*; **3.** ⚕ Unverdaulichkeit *f*; **4.** Härte *f des Wassers*; **5.** Derbheit *f*, Kraßheit *f*, Unanständigkeit *f* (*des Ausdrucks*); *~s pl.* unanständige Reden *f/pl.*; **6.** *peint.* Grellheit *f der Farben*.

crue [kry] *f* **1.** Hochwasser *n*, Steigen *n des Wassers*; *être en ~* steigen (*Wasser*); **2.** Wachstum *n*, Wuchs *m*; *vêtement m à la ~* auf das Wachsen berechnetes Kleidungsstück *n*.

cruel [kry'ɛl] **I** *adj.* (7c) □ **1.** grausam, unmenschlich; blutgierig; **2.** *fig.* unerbittlich, hart (*Schicksal*); **3.** *von Sachen*: schmerzlich, qualvoll, empfindlich; grell; unausstehlich, höchst langweilig; **II** *~lement adv.* F äußerst, furchtbar, sehr; **III** *su.* Grausame(r) *m*.

cruiser [kru'zœːr] *m* Luxusyacht *f*.

crûment [kry'mɑ̃] *adv.* unverblümt, ungeschminkt, schonungslos, geradeheraus, unumwunden.

crural [~'ral] *adj.* (5c) *anat.* Schenkel...

crustacés [krysta'se] *m/pl.* Krebstiere *n/pl.*

cryogénie ⚗ [kriɔʒe'ni] *f* Kryogenik *f*.

cryogénisation [kriɔʒenizɑ'sjɔ̃] *f* Einfrierung *f* v. Leichen zwecks späterer Wiederbelebung.

cryomètre ⚒ [kriɔ'mɛtrə] *m* Kältemesser *m*.

crypte [kript] *f* Totengruft *f*; unterirdische Kapelle *f*, Krypta *f*.

crypto|communiste *pol.* [kriptɔkɔmy'nist] *m* verkappter Kommunist *m*; **~game** ⚘ [~'gam] **I** *adj.* kryptogam, bedecktsamig; **II** *f* Kryptogame *f*, Blütenlose *f*, Sporenpflanze *f*; **~gramme** [~'gram] *m* Schreiben *n* in Geheimschrift; **~graphe** [~'graf] *m* Chiffreschreiber *m*, Chiffreur *m*; **~graphie** [~gra'fi] *f* Geheimschreibe-, Chiffrier-kunst *f*; **~graphique** [~gra'fik] *adj.* Geheim..., Chiffrier...; *langage m ~* Geheimsprache *f*; **~nyme** [~'nim] *m* Pseudonym *n* als Anagramm.

Cuba *géogr.* [ky'ba] *f* Kuba *n*.

cubage [ky'baːʒ] *m* Kubikinhalt(smessung *f*) *m*, Kubikberechnung *f*, Würfelinhalt *m*.

cubain [~'bɛ̃] *adj. u.* ♀ *su.* (7) kubanisch; Kubaner *m*.

cube [kyb] **I** *adj.* Kubik..., kubisch; *mètre m ~* Kubik-, Raum-meter *m*; *pied m ~* Kubikfuß *m*; **II** *m* **1.** ⚟ Kubus *m*, Würfel *m*; dritte Potenz *f*; *~ d'un nombre* Kubikzahl *f*; *élever un nombre au ~* e-e Zahl zur dritten Potenz erheben; **2.** *cuis. ~ (de consommé), ~ à potage* Brüh-, Suppen-würfel *m*; **3.** Bauklotz *m* (*Baukasten*); **4.** F *gros ~* schwere Maschine *f* (*Motorrad*).

cuber ⚟ [ky'be] (1a) **I** *v/t.* **1.** den Rauminhalt *e-s Körpers* ausmessen; **2.** *~ un nombre* e-e Zahl in die dritte Potenz erheben; **II** *v/i. ~ vingt mè-*

tres zwanzig Kubikmeter Rauminhalt haben.

cubilot *métall.* [kybi'lo] *m* Kupol-, Kuppel-ofen *m.*

cubique ⚹ [ky'bik] *adj.* würf(e)lig, kubisch; *forme f* ~ Würfelform *f*; *racine f* ~ Kubikwurzel *f*; *équation f* ~ Gleichung *f* dritten Grades.

cub|isme *peint.* [ky'bism] *m* Kubismus *m*; **~iste** *peint.* [~'bist] *adj. u. su.* kubistisch; Kubist *m.*

cubi|tal [kybi'tal] *adj.* (5c) *anat.* Ellbogen...; **~tus** *anat.* [~'tys] *m* Ellbogenknochen *m.*

cucu P [ky'ky] *adj.* blöde.

cucurbi|tacé ⚘ [kykyrbita'se] *adj. u.* *~es f/pl.* kürbisartig(e Pflanzen *f/pl.*); **~tain** [~'tɛ̃] s. *~tin*; **~te** ⚗ [~'bit] *f* Destillier-kolben *m*, -gefäß *n*; **~tin** ⚕ [~'tɛ̃] *m* Bandwurmglied *n.*

cueillage [kœ'ja:ʒ] *m* **1.** F Erwischen *n*, Festnahme *f*; **2.** Pflücken *n des Obstes*; **3.** Zeit *f* der Obsternte.

cueillaison, cueille [kœjɛ'zɔ̃, kœj] *f* Pflücken *n* des Obstes; Zeit *f* der Obsternte.

cueille|-fleurs [kœj'flœ:r] *m* (6c) Blumenschere *f*; **~-fruits** ⚒ [~'frɥi] *m* (6c) Obstpflücker *m* (*Gerät*).

cueil|lement [kœj'mɑ̃] *m*, **~lette** [kœ'jɛt] *f* Obsternte *f*, Pflücken *n*, Erntezeit *f*; *fig.* ~ *scolaire* Schulbusverkehr *m*; **~leur** [~'jœ:r] *su.* (7g) Pflücker *m* (*Person*).

cueil|lir [kœ'ji:r] *v/t.* (2c) *Obst, Blumen usw.* pflücken, ernten; (ein)sammeln, lesen; ~ *un bouquet* Blumen zu e-m Strauß pflücken, e-n Strauß binden; F aufgreifen, erwischen, festnehmen; ~ *une pomme sur* (*od.* *à*) *un pommier* e-n Apfel v. e-m Apfelbaum pflücken; F ~ *un voleur* e-n Dieb schnappen (*od.* erwischen); *fig.* ~ *des lauriers*, ~ *des palmes* Lorbeeren ernten, Siege erringen; **~loir** [~'jwa:r] *m* **1.** Obstpflückkorb *m*; **2.** ⚒ Obstpflücker *m* (*Gerät*).

cuffat *dial.* ⚒ [ky'fa] *m* Förder-korb *m.*

cuiller, cuillère [kɥi'jɛ:r] *f* **1.** Löffel *m*; ~ *à café, petite* ~ Kaffeelöffel *m*; ~ *à dessert, petite* ~ Dessert-, Kompott-löffel *m*; ~ *à moutarde* Mostrich-, Senf-löffel *m*; ~ *à pot* Suppenkelle *f*; ~ *à soupe*, ~ *à bouche*, ~ *de table* Suppen-, Eßlöffel *m*; ~ *à thé, petite* ~ Teelöffel *m*; **2.** ⊕ Näpfchen *n*; ~ *à huile* Ölnäpfchen *n*; **3.** ⚘ *feuilles f/pl. en* ~ löffelförmige Blätter *n/pl.*; **4.** *orn.* (*a. adj.*: *héron m* ~) Löffelreiher *m*; *zo. Art* Muschel *f*; **5.** P Hand *f*, Flosse *f* P; **6.** Blinker *m* (*Angelgerät*).

cuir [kɥi:r] *m* **1.** Fell *n*, (Tier-)Haut *f*; *le* ~ *de l'éléphant* die Elefantenhaut; *anat.* ~ *chevelu* Kopfhaut *f*; **2.** Leder *n*; *reliure f en* ~ Ledereinband *m*; ~ *de cheval* Roßleder *n*; ~ *de Russie* Juchtenleder *n*; ~ *fripé* Knautschlackleder *n*; ~ *grainé imprimé* genarbtes Glanzleder *n*; ~ *à semelle* Sohlenleder *n*; ~ *verni* Lackleder *n*; **3.** ~ *de rasoir* Streichriemen *m*, -leder *n* (*für das Rasiermesser*); **4.** *fig. faire des* ~*s* Bindungsfehler beim Sprechen machen (*z.B. r und s, od. s und t in der Bindung verwechseln*); *vgl. pataquès*; *faire des* ~*s et des velours* falsch aussprechen, Stimmhaftigkeit und Stimmlosigkeit mitea. verwechseln.

cuiras|se [kɥi'ras] *f* a) Panzer *m*; b) (Brust-)Harnisch *m*; *fig. le défaut de la* ~ *fig.* der wunde Punkt, die schwache Seite, der Haken, die Achillesferse; **~sé** [~ra'se] **I** *adj.* **1.** gepanzert; **2.** *fig.* gefeit, gewappnet; abgestumpft; ~ *contre les affronts* Beschimpfungen gegenüber gefeit; ~ *contre le remords* abgestumpft gegenüber der Stimme des Gewissens; abgebrüht; hartgesotten F; **II** ⚓ *m* Panzer-schiff *n*, -kreuzer *m*; **~sement** [~ras'mɑ̃] *m* Panzerung *f e-s Schiffes*; *plaque f de* ~ Panzerplatte *f*; **~ser** [~ra'se] *v/t.* (1a) panzern; *fig.* wappnen.

cuire [kɥi:r] (4c) **I** *v/t.* **1.** kochen, sieden; braten; backen; ~ *à l'étuvée* schmoren, dämpfen; *pomme f cuite* Bratapfel *m*; *fig. un dur à cuire* ein hartgesottener Mensch *m*; **2.** zur Reife (zum Reifen) bringen; **3.** ⊕ auskochen; ausglühen; ~ *des briques* Ziegel brennen; *de la terre cuite* Terrakotta *f*; ~ *le verre* Farben ins Glas einbrennen; **II** *v/i.* **4.** kochen; braten (*a. fig.* = *in der Sonne*); backen; *faire* (*od.* *mettre à*) ~ kochen *usw.* lassen; **5.** weh tun, brennen; *les yeux me cuisent* die Augen brennen mir; **III** *v/impers. il t'en cuira* dafür sollst du büßen!, das wirst du noch bereuen!; *ne le fais plus, sinon il pourrait t'en* ~ mach das nicht mehr, das könnte dir übel bekommen.

cuisage ⊕ [kɥi'za:ʒ] *m* Holz-verkohlung *f.*

cuisant [kɥi'zɑ̃] *adj.* (7) leicht zu kochen; *fig.* heftig schmerzend; *douleur f* ~*e* stechender Schmerz *m*; *une réalité f* ~*e* e-e bittere Tatsache *f.*

cuiseur [kɥi'zœ:r] *m* **1.** (Ziegel-, Wein-)Brenner *m*; **2.** *cuis.* großer Kochtopf *m od.* Kessel *m.*

cuisine [kɥi'zin] *f* **1.** Küche *f*; Kost *f*; ~ *fonctionnelle* Anbauküche *f*; *batterie f de* ~ Küchengeschirr *n*; ~ *bourgeoise* Hausmannskost *f*; ~ *française* französische Küche *f*; ~ *roulante* Feldküche *f*; *écol.* ~ *scolaire* Schul-küche *f*, -speisung *f*; *chef m de* ~ Oberkoch *m*; *apprendre la* ~ kochen lernen; *faire la* ~, *s'occuper de la* ~ das Essen machen, *abs.* kochen; *faire de la bonne* ~ *od. faire bien la* ~ gut kochen; **2.** (*a. art m de la* ~) Kochkunst *f*, Kochen *n*; *livre m de* ~ Kochbuch *n*; **3.** Küchenpersonal *n*; **4.** ⚓ ~ *de bord* Bordküche *f*, Kombüse *f*; **5.** F Machenschaften *f/pl.*, Kuhhandel *m*; ~ *électorale* Wahlintrigen *f/pl.*; **6.** * Polizeipräfektur *f*; **~-poêle** [~-'pwa:l] *f* (6a) Kochherd *m*, (tragbare) Kochmaschine *f*.

cuisi|ner [kɥizi'ne] (1a) **I** *v/i.* die Küche besorgen; kochen; *apprendre à* ~ kochen lernen; **II** *v/t.* **1.** kochen, zubereiten; zurechtmachen, zs.-brauen F *plais.*; *des plats m/pl. bien cuisinés* gut zubereitete Gerichte *n/pl.*; **2.** P *fig.* mit Intrigen vorbereiten, schaukeln *fig.*; *pol.* ~ *une élection* e-e Wahl in Szene setzen *od.* inszenieren; **3.** F *fig.* geschickt ausfragen; ~ *q.* j-n ins Gebet nehmen, j-n ausquetschen P, j-n vornehmen; **~ne-séjour** [kɥi'zinse'ʒu:r] *m* Wohnküche *f*; **~nier** [~'nje] *m* Koch *m*; * Denunziant *m*; * Kriminalist *m*; * Rechtsanwalt *m*; **~nière** [~'njɛ:r] *f* **1.** Köchin *f*; **2.** Kochherd *m.*

cuissard ⚔ *ehm.* [kɥi'sa:r] *m* Beinschiene *f*; **~e** [~'sard] *f* hoher Damenstiefel *m* (*über die Knie*).

cuis|se [kɥis] *f* **1.** *anat.* (Ober-) Schenkel *m*; *fig.* F *se croire sorti de la* ~ *de Jupiter* sich wer weiß was einbilden; **2.** *cuis.* Keule *f*; **~seau** [~'so] *m* Kalbskeule *f*.

cuisson [kɥi'sɔ̃] *f* **1.** Kochen *n*, Sieden *n*; Backen *n*; ⊕ Brennen *n*; ~ *du pain* Brotbacken *n*; *plaque f de* ~ Kochplatte *f*; **2.** Garsein *n*; **3.** ⚕ Brennen *n*, Schmerzen *n e-r Wunde.*

cuissot [kɥi'so] *m* Keule *f v. Wild.*

cuist|ance * ⚔ [kɥis'tɑ̃:s] *f* Küche *f*; **~ancier** * ⚔ [~tɑ̃'sje] *m*, **~ot** * ⚔ [kɥis'to] *m* Koch *m.*

cuistre ['kɥistrə] *m* Pedant *m*; **~rie** [~'ri] *f* lächerliche Pedanterie *f*.

cuit [kɥi] *p.p.* **1.** gekocht, gebacken, gebraten *usw.*; s. *cuire*; *bien* ~ gar; F *c'est du tout* ~ das ist o.k., das geht *od.* ist prima F; **2.** F besoffen P; verloren, fertig, erledigt, erwischt (*v. Personen*).

cuit|e [kɥit] *f* **1.** ⊕ Brennen *n*; Brand *m* (*Töpferei usw.*); **2.** *cuis.* Sirupkochen *n*; **3.** ⚗ Abgedampfte(s) *n*; **4.** P Besoffenheit *f* P; *légère* ~ Schwips *m* F; *prendre une* ~ = **~er** P [~'te] (1a) *v/rfl.* *se* ~ sich besaufen P.

cuivrage [kɥi'vra:ʒ] *m* Verkupferung *f*.

cuivre ['kɥi:vrə] *m* **1.** *min.* Kupfer *n*; Kupfergeschirr *n*; Kupfergeld *n*; gravierte Kupferplatte *f*, Kupferstich *m*; ~ *battu* Kupferblech *n*; ~ *jaune* Messing *n*; ~ (*jaune*) *poli* Messingbronze *f*; ~ *laminé* Kupferplatten *f/pl.*; ~ *rouge* Rotkupfer *n*, reines Kupfer *n*; *de* ~ kupfern; *fil m de* ~ Kupferdraht *m*; *tôle f de* ~ Kupferblech *n*; *fondeur m en* ~ Kupfergießer *m*; *ouvrier m en* ~: a) Kupferschmied *m*; b) Messingschläger *m*; *capsule f en* ~ Zündhütchen *n*; **2.** ♪ Blechinstrument *n*.

cuivr|é [kɥi'vre] *adj.* **1.** kupferfarben, -rot; Kupfer...; **2.** *voix f* **~e** klangvolle Stimme *f*; **~er** [~] *v/t.* (1a) verkupfern; falsch vergolden; **~erie** [~vrə'ri] *f* Kupferwaren *f/pl.*; **~eux** (7d) [~vrø], **~ique** [~'vrik] *adj.* kupferhaltig; Kupfer...

cul [ky] *m* **1.** V Arsch *m* V (*mst.* [ʊʃ] *gesprochen!*); **2.** Boden *m*, Unterteil *m*; *mettre un tonneau sur* ~ ein Faß aufrecht stellen; ~ *de bouteille* Flaschenboden *m*; ~ *d'artichaud* Artischockenboden *m*; *tomber* ~ *par-dessus tête* kopfüber hinfallen; **3.** V *fig.* Scheißkerl *m*, Idiot *m*, gemeiner Hund *m*, Mistvieh *n*.

culard F [ky'la:r] *m* gutgenährtes Stück *n* Rindvieh.

culasse [ky'las] *f* **1.** ⚔ *artill.* Bodenstück *n*, Stoß(boden *m*) *m*, Verschlußstück *n*, (Gewehr-)Verschlußgehäuse *n*; *fusil m* (*od. canon m*) *se chargeant par la* ~ Hinterlader *m*; **2.** *mot.* Zylinderkopf *m*; **3.** ⚡ Joch *n*.

culbu|table [kylby'tablə] *adj.* umwerfbar; **~tage** [~'ta:ʒ] *m* Ausstürzen *n*, Kippen *n*; **~te** [~'byt] *f* Purzelbaum *m*; *fig.* Sturz *m*, Ruin *m*, Pleite *f*; *faire une* ~ e-n Purzelbaum schießen; *faire la* ~ *fig.* zugrunde gehen, scheitern, straucheln, jählings von s-r Höhe herabstürzen; *prov. au bout du fossé la* ~ das dicke

Ende kommt nach; **~ter** [~'te] (1a) **I** *v/t.* Hals über Kopf herunterwerfen; *fig.* zugrunde richten, stürzen; ⚔ überrennen, über den Haufen werfen; ⊕ (um)kippen, kanten; **II** *v/i.* stürzen; purzeln; ✈ sich überschlagen, umkippen; *fig.* zugrunde gehen; Bankrott machen; **~teur** ⊕ [~'tœ:r] *m* Kipp-, Schwing-, Ventil-hebel *m*, Kipper *m*, Schwinge *f*; ⚒ Wipper *m*, Kipper *m*; ~ *en tête* Überkopflader *m*; **~tis** [~'ti] *m* Gewirr *n*, Durcheinander *n*.

cu(l)cul *enf.* [ky'ky] *m* Popo *m*.

cul-de|-basse-fosse [kyd(ə)bɑs'fo:s] *m* (6b) Kerker *m*, (Burg-)Verlies *n*; **~-jatte** [~'ʒat] *m* (6b) Krüppel *m* ohne Beine; **~-lampe** [~'lɑ̃:p] *m* (6b) Deckenzierat *m*; *typ.* Schlußvignette *f*; **~-sac** [~'sak] *m* (6b) **1.** Sackgasse *f* (*a. fig.*); *fig.* Engpaß *m*; *fig.* Klemme *f* P; **2.** *fig.* Stellung *f* ohne Aussicht auf Verbesserung, aussichtsloser Posten *m*.

culée [ky'le] *f Brückenbau*: Widerlager *n*; ~ *d'arc-boutant* Gewölbepfeiler *m*; ~ *d'un pont* Brückenpfeiler *m*; ⚓ Rücklauf *m*.

culer *a.* ⚓ [~] *v/i.* (1a) rückwärts gehen (*od.* fahren).

culière [ky'ljɛ:r] *f* Schwanzriemen *m*.

culinaire [kyli'nɛ:r] *adj.* kulinarisch, Küchen...; *art m* ~ Kochkunst *f*.

culmen *géol.* [kyl'mɛn] *m* Gipfel *m e-s Bergmassivs.*

culmi|nance [kylmi'nɑ̃:s] *f* höchster Gipfelpunkt *m*; **~nant** [~'nɑ̃] *adj.* (7) kulminierend; *point m* ~: a) Gipfelpunkt *m*, höchster Punkt *m*; b) *fig.* Höhepunkt *m*; **~nation** [~na'sjɔ̃] *f* **1.** *ast.* Kulmination *f*, Durchgang *m e-s Sterns* durch den Mittagskreis; **2.** *fig.* Höhepunkt *m*; **~ner** [~'ne] *v/i.* (1a) kulminieren, durch den Mittagskreis gehen; *fig.* den Höhepunkt erreichen.

culot [ky'lo] *m* **1.** F Nesthäkchen *n*; **2.** ~ *d'une pipe* Tabakskruste *f* im Pfeifenkopf; **3.** ⊕ Unterteil *m*; Tiegeluntersatz *m*; metallischer Bodensatz *m*; ⚔ Hülsenboden *m*; ⚡ Lampensockel *m*; *Auto*: Schaft *m*; **4.** P Frechheit *f*, Dreistigkeit *f*; *quel* ~! was für e-e Unverfrorenheit! (*od.* Unverschämtheit!); *avoir du* ~ sich durch nichts abschrecken lassen, ein freches Auftreten haben; die nötige Frechheit besitzen; frech sein; **~tage** [kylɔ'ta:ʒ] *m* Anrauchen *n e-s Pfeifenkopfes.*

culot|te [ky'lɔt] *f* **1.** (*a.* ~*s pl. u. une paire de* ~*s*) kurze Hose(n *pl.*) *f*; Schlüpfer *m* (*Frauenunterkleidung*); ~ *d'athlétisme* (*de football*) Sprinter- (Fußball-)Hose *f*; ~ *de golfe*, ~ *knickerbocker* Golfhose *f*, Knickerbocker *pl.*; ~ *hygiénique* Schutzhöschen *n*; ~ *de cuir* (*od. de peau*) kurze Lederhosen *f/pl.*; ~ *de peau* P ⚔ alter Soldat *m od.* Landser *m*; F *fig. porter la* ~ die Hosen anhaben, das Regiment im Hause führen (*von Frauen*); **2.** *Schlächterei*: Schwanzstück *n*; **3.** ⊕ Gabelrohr *n*; **4.** großer Verlust *m beim Spiel*; *prendre une* ~ verlieren; sich besaufen P; **~té** [~'te] *p.p.* angeraucht (*Pfeife*); P dreist, frech, unverschämt, pampig; abgenutzt, abgeschabt; **~ter** [~] (1a) *v/t.* **1.** ~ *un enfant* e-m Kind die Hosen anziehen; **2.** ~ *une pipe* e-e Pfeife anrauchen; **~tier** [~'tje] *su.* (7b) (Leder-)Hosenschneider *m*.

culpabili|sation [kylpabiliza'sjɔ̃] *f* Erzeugung *f* e-s Schuldgefühls; **~ser** [~'ze] *v/t.* (1a) für schuldig erklären; **~té** [~'te] *f* Strafbarkeit *f*, Straffälligkeit *f*, Schuld *f*.

culte [kylt] *m* Gottesverehrung *f*, Kultus *m*; Religion(sausübung *f*) *f*; Kult *m*; Kirchenwesen *n*; gottesdienstliche Gebräuche *m/pl.*; *fig.* Verehrung *f*; ~ *des idoles* Götzendienst *m*; *liberté f des* ~*s* Glaubensfreiheit *f*.

cul-terreux F *iron.* [kytɛ'rø] *m* (6b) Kuhbauer *m*, Kossäte *m*.

cultiva|ble [kylti'vablə] *adj.* anbaufähig; **~teur** [~va'tœ:r] (7f) **I** *su.* Landwirt *m*; ⊕ Kultivator *m* (*Gerät*); **II** *adj.* ackerbautreibend; Ackerbau...

cultiver [~ti've] *v/t.* (1a) **1.** (an-, be-)bauen, bearbeiten, bestellen; anpflanzen; *plante f cultivée* Kulturpflanze *f*; **2.** *fig.* betreiben, pflegen, kultivieren; ~ *les arts* die Künste betreiben *od.* pflegen; ~ *les sciences* sich wissenschaftlich bilden; F ~ *la pipe* gern Pfeife rauchen; ~ *son esprit* s-n Geist bilden; ~ *la mémoire* das Gedächtnis üben; *esprit m cultivé* gebildeter Mensch *m*; ~ *l'amitié de q.* mit j-m Freundschaft pflegen, sich j-n warmhalten.

cultuel [kyl'tɥɛl] *adj.* (7c) kultisch.

cultural ↗ [kylty'rɑl] *adj.* (5c) anbaumäßig, Anbau..., Kultur...

culture [kyl'ty:r] *f* **1.** ↗, *biol.* (An-, Be-)Bauen *n*, Bestellung *f*, Kultur *f* des Bodens; Anbaufläche *f*; künstliche Zucht *f v. Bakterien usw.*;

(*milieu m de*) ~ bakteriologischer Nährboden *m*; ~ *hâtive* Frühkultur *f*; ~ *alternée* Wechselwirtschaft *f*; *pays m de grande* (*petite*) ~ schweres (leichtes) Ackerland *n*; ~ *des champs* Ackerbau *m*; ~ *des arbres* (*des fleurs*) Baum- (Blumen-)zucht *f*; ~ *du seigle* Roggenbau *m*; ~ *de la vigne* Weinbau *m*; *les* ~*s* die Kulturpflanzen *f/pl.*; **2.** ~ *physique* Körperkultur *f*; ~ *du corps* Körperpflege *f*; *le matin, je fais de la* ~ *physique* morgens treibe ich Gymnastik *od.* mache ich körperliche (*od.* Atem-) Übungen; **3.** (geistige) Kultur *f*, Bildung *f*; ~ *des arts et des sciences* Pflege *f* der Künste u. Wissenschaften; ~ *de l'esprit* Geistesbildung *f*; ~ *générale* Allgemeinbildung *f*.

cultur|el [kylty'rɛl] *adj.* (5c) kulturell, bildungsmäßig, Kultur...; **~isme** [~'rism] *m* Freikörperkultur *f*; **~iste** [~'rist] *su.* Anhänger *m* der Freikörperkultur.

cumin ⚘ [ky'mɛ̃] *m* Kümmel *m*; ~ *des prés* Gartenkümmel *m*; *fromage m au* ~ Kümmelkäse *m*; *pain m au* ~ Kümmelbrot *n*.

cumul [ky'myl] *m* **1.** gleichzeitiger Besitz *m mehrerer Ämter usw.*; Kumulierung *f*; F Doppelverdienertum *n*; **2.** ⚖ ~ *de peines* Strafenhäufung *f*; **~ard** F [~'la:r] *m* Beamter *m* mit mehreren Posten, Doppelverdiener *m*.

cumulatif [kymyla'tif] *adj.* (7e) zusätzlich.

cumu|ler [kymy'le] *v/t.* (1a) (an-) häufen, vereinigen; *mehrere Ämter* gleichzeitig bekleiden (*od.* innehaben); **~lo-nimbus** [~lɔnɛ̃'bys] *m* (6c) dichte Regenwolke *f*; *bisw. nimbo-cumulus*; **~lus** [~'lys] *m* Haufenwolke *f*, Kumuluswolke *f*.

cunéiforme [kynei'fɔrm] *adj.* keilförmig; *écriture f* ~ Keilschrift *f*.

cunette [ky'nɛt] *f* **1.** unterirdischer Abflußgraben *m*; **2.** kleiner Kanal *m in e-m Festungsgraben*.

cuniculiculture, cuniculture [kynikylikyl'ty:r, kynikyl'ty:r] *f* Kaninchenzucht *f*.

cupi|de [ky'pid] **I** *adj.* geldgierig, habsüchtig; **II** *su.* Habsüchtige(r) *m*, Geldgierige(r) *m*; **~dité** [~di'te] *f* Geld-gier *f*, -hunger *m*, Habsucht *f*.

cupri|fère [kypri'fɛ:r] *adj.* kupferhaltig; **~que** [ky'prik] *adj.* kupferartig.

cupule ⚘ [ky'pyl] *f* Becher *m*.

cura|bilité [kyrabili'te] *f* Heilbarkeit *f*; **~ble** [~'rablə] *adj.* heilbar.

curaçao [kyra'so] *m* Curaçao *m*.

curage [ky'ra:ʒ] *m* Reinigen *n*, Säubern *n*, Spülen *n*; ⚓ (Aus-)Baggern *n*; *tube m de* ~ Spülrohr *n*.

curare [ky'ra:r] *m* Kurare *n*, Urari *n* (*Pflanzengift für Indianerpfeile*).

cura|telle ⚖ [kyra'tɛl] *f* Pflegschaft *f*, Vormundschaft *f*; ~ *à la succession* Nachlaßpflegschaft *f*; **~teur** ⚖ [~'tœ:r] *su.* (7f) Pfleger *m*, Vormund *m*; **~tif** [~'tif] *adj.* (7e) heilend; *onguent m* ~ Heilsalbe *f*.

cure [ky:r] *f* **1.** Heilung *f*, Heilverfahren *n*, Kur *f*; ⚕ Pflege *f*; ~ *d'air* Luftkur *f*; ~ *d'eau minérale* Trinkkur *f*, Brunnenkur *f*; ~ *de petit-lait* Molkenkur *f*; ⚕ ~ *de raisins* Traubenkur *f*; ~ *de jouvence*, ~ *de rajeunissement* Verjüngungskur *f*; *faire une* ~ *d'eau minérale* eine Trinkkur machen; ~ *de désintoxication* Entziehungskur *f*; ~ *de repos* Liegekur *f*; ~ *de santé* Gesundheitspflege *f*; ~ *secondaire* Nachkur *f*; **2.** Pfarre *f*, Pfarrei *f*, Pfarrstelle *f*; Pfarrhaus *n*; **3.** *il n'en a* ~ er kümmert sich nicht darum, er macht sich nichts daraus.

curé [ky're] *m* (katholischer) Pfarrer *m*, Geistliche(r) *m*.

cure-dent(s) [kyr'dɑ̃] *m* Zahnstocher *m*.

curée *ch.* [ky're] *f* Jägerrecht *n* der Hunde (*die den Hunden gegebenen Teile des Wildes*); Schmaus *m für die Hunde*; *sonner la* ~ zum Jägerrecht blasen; *âpre à la* ~ beutegierig; *fig.* ~ *des places* Postenjägerei *f*.

curement [kyr'mɑ̃] *m* Reinigen *n von Gräben usw.*

cure|-môle ⚓ [kyr'mo:l] *m* Bagger *m*; **~-ongles** [~'ɔ̃:glə] *m* (7g) Nagelfeile *f*; **~-oreille** [~ɔ'rɛj] *m* Ohrenreiniger *m*; **~-pipe** [~'pip] *m* Pfeifenreiniger *m*.

curer [ky're] (1a) **I** *v/t.* **1.** reinigen, säubern; ~ *ses souliers* sich die Füße *am Kratzeisen* abstreichen; ~ *une vigne en pied* e-n Weinstock von unnützem Holz befreien; **2.** (aus)baggern; **II** *v/rfl.*: *se* ~ *les dents* sich die Zähne reinigen.

curet|age ⚕ [kyr'ta:ʒ] *m* Auskratzen *n*; **~te** *chir.* [ky'rɛt] *f* Kürette *f*, Instrument *n* zum Ausschaben, scharfer Löffel *m*.

cureur [ky'rœ:r] *m* Brunnen- *od.* Graben-reiniger *m*, Kloakenfeger *m*.

curial [ky'rjal] *adj.* (5c) zur Pfarre gehörig; Pfarr...; Kurial...

curie [ky'ri] **I** *f rl.*, *antiq.* Kurie *f*;

II ⚗ *m* Curie *n*; **~thérapie** ⚕ [~tera'pi:] *f* Radiumtherapie *f*.

curi|eux [ky'rjø] (7d) **I** *adj.* □ **1.** neugierig; wißbegierig; vorwitzig; **2.** merkwürdig, sehenswert, wunderlich; seltsam, eigenartig, komisch, kurios; **II** *su.* **3.** Schaulustige(r) *m*; Wißbegierige(r) *m*; Neugierige(r) *m*; **4.** Liebhaber *m*, Raritätensammler *m*; **5.** * Untersuchungsrichter *m*; **III** *m le ~ de l'affaire* das Merkwürdige an der Sache; **~osité** [kyrjozi'te] *f* **1.** Neugier(de) *f*; Wißbegier(de) *f*; *par ~* aus Neugier; *pour la ~ du fait* der Seltenheit wegen; **2.** *sotte ~* Vorwitz *m*; **3.** Liebhaberei *f an seltenen Gegenständen usw.*; **4.** Seltenheit *f*, Kuriosität *f*; *bsd. pl.*: *~s d'une ville* Sehenswürdigkeiten *f/pl.* einer Stadt.

curiste [ky'rist] *su.* Kurgast *nur*: *m*.

curium ⚗ [ky'riɔm] *m* Curium *n*.

curriculum vitae [kyrikylɔmvi'tɛ] *m* (schriftlicher) Lebenslauf *m*.

curseur [kyr'sœ:r] *m* **1.** ⊕ Schieb-, Stell-, Schraub-ring *m*, Läufer *m*, Gleitschiene *f*; *télév.* Schieberegler *m*; **2.** ⚡ Gleitkontakt *m*.

cursif [kyr'sif] *adj.* (7e) fließend (*Schrift*); schnell (*Lektüre*); *fig.* flüssig (*Stil*).

cursus *univ.* [kyr'sys] *m* Staffelung *f*, Aufgliederung *f*.

curure [ky'ry:r] *f* Unrat *m*, Baggergut *n*, Schlamm *m aus Gräben usw.*

curvi|ligne [kyrvi'liɲ] *adj.* krummlinig; **~mètre** ⊕ [~'mɛtrə] *m* Kurven-, Krümmungs-messer *m*.

cuscute ⚘ [kys'kyt] *f* Flachsseide *f*.

cuspid|é ⚘ [kyspi'de] *adj.* stachelspitzig; **~e** ⚘ [kys'pid] *f* Stachelspitze *f*.

custode [kys'tɔd] *f* **1.** Altarvorhang *m*; **2.** Hostienschachtel *f*; **3.** *Auto*: hintere Seitenwand *f e-r geschlossenen Karosserie*, rückwärtige Scheibe *f*.

cutané *anat.* [kyta'ne] *adj.* Haut...

cuticule *anat.* [kyti'kyl] *f* Häutchen *n*.

cuti-réaction ⚕ [kytireak'sjɔ̃] *f* Hautreaktion *f*.

cutter ⚓ [kœ'tœ:r] *m* Kutter *m*.

cuv|age [ky'va:ʒ] *m*, **~aison** [~vɛ'zɔ̃] *f* **1.** Gärenlassen *n des Weines*; **2.** Gärzeit *f*; Gärraum *m*.

cuve [ky:v] *f* **1.** Faß *n*, Bottich *m*, Trog *m*, Wanne *f*, Zuber *m*; *Brauerei*: *~ guilloire* Gär(ungs)bottich *m*; *~ matière* Maischbottich *m*; ✈ *~ du compas* Kompaßgehäuse *n*; *~ à dégeler* Auftaugefäß *n*; *~ à flotteur*, *~ à niveau constant* Schwimmergehäuse *n*; *~ d'huile* Ölwanne *f*; *~ du moteur* Motorwanne *f*; *~ à mazout* Öltank *m*; **2.** (*Hochofen-*)Schacht *m*; **3.** *papier m à la ~* Büttenpapier *n*.

cu|veau [ky'vo] *m* kleine Wanne *f*, Bütte *f*; **~vée** [ky've] *f* **1.** Wannevoll *f*, Büttevoll *f*; Weinmenge *f* aus derselben (Kelter-)Bütte; *première (seconde) ~* erste (zweite) Bütte *f*; *weitS. vin m de première (deuxième) ~* Wein *m* bester (zweiter) Sorte; **2.** F *fig.* Art *f*; *de la même ~* von gleicher Beschaffenheit.

cuve|lage ⚒ [kyv'la:ʒ] *m*, **~llement** [kyvɛl'mɑ̃] *m* Schacht-, Grubenverschalung *f*; ⚠, *bét.* Verschalung *f*; **~ler** ⚒, *bét.* [kyv'le] *v/t.* (1c) verschalen.

cuver [ky've] (1a) **I** *v/i.* in der Bütte gären (*Wein*); **II** *v/t.* F *fig.* *~ son vin* s-n Rausch ausschlafen; *~ sa rage* s-e Wut verrauchen lassen.

cuvette [ky'vɛt] *f* **1.** (Spül-)Becken *n*, Waschbecken *n*, Napf *m*, *a. phot.* Schale *f*; (Blumen-)Untersatz *m*; ⊕ *~ à huile* (*od. d'égouttage*) Öltropfschale *f*; *~ de W.-C.* Klosettbecken *n*; *rad. ~ pour (la) galène* Kristallnäpfchen *n*; **2.** (Quecksilber-)Kapsel *f* (*Barometer*); **3.** ⚕ flache Schale *f*; Näpfchen *n an Instrumenten*; **4.** *vél.* Kugellager *n*; **5.** *horl.* innerer Staubdeckel *m*; **6.** ⚔ Zündglocke *f*; *~ de tir* Zündhütchen *n*; **7.** Mulde *f im Gelände.*

cuvier [ky'vje] *m* Laugen-, Waschfaß *n*.

CV [se've] *abr. für cheval-vapeur m* Pferdekraft *f*, PS *n abr.*

cyan|hydrique ⚗ [sjani'drik] *adj.*: *acide m ~* Zyan-, Blau-säure *f*; **~ose** ⚕ [~'no:z] *f* Blausucht *f*, Zyanose *f*; **~ure** ⚗ [~'ny:r] *f* Zyanid *n*, Blausäureverbindung *f*; *~ de potassium* Zyankali *n*.

cybernét|icien [sibɛrneti'sjɛ̃] *m* Kybernetiker *m*; **~ique** [~'tik] *f* Kybernetik *f*; Steuerungs- u. Reglungslehre *f*.

cyclable [si'klablə] *adj.*: *route f (chemin m od. piste f) ~* Radfahrweg *m*.

cyclamen ⚘ [sikla'mɛn] *m* Alpenveilchen *n*.

cycle ['siklə] *m* **1.** *ast.* Zyklus *m*, Zeitkreis *m*, Periode *f*; *~ pascal* Osterzyklus *m* (*532 Jahre*); *~ solaire* Sonnenzyklus *m* (*v. 28 Jahren*); **2.** Sagenkreis *m*; **3.** *écol.* Ausbildungsabschnitt *m* an französischen höheren Schulen; *le premier ~* der erste Unterrichtsabschnitt, die Mittelstufe (*classe de sixième à troisième*); *le deuxième* (*od. second*)

~ (~ *du second od. deuxième degré*) der zweite Unterrichtsabschnitt, die Oberstufe (*classe de deuxième, classe de première et classe terminale* = Abschlußklasse); **4.** ⊕ Arbeitsgang *m*; **5.** *biol.* Kreislauf *m*; biologischer Rhythmus *m*; ⚕ Periode *f*; **6.** ~*s pl. allg. Ausdruck für*: Fahr-, Motor-räder *n/pl.*, (Motor-) Roller *m/pl.*, Mopeds *n/pl.*

cyclecar *Auto* [siklə'ka:r] *m* Kleinauto *n*, Kabinenroller *m*.

cycli|que [si'klik] *adj.* **1.** *ast.* zyklisch; ⚗ ringförmig; **2.** *poème m* ~ Sagenkreis *m*; **~sme** [~'klism] *m* Radsport *m*, Radfahren *n*, Radeln *n*; **~ste** [~'klist] *adj. u. su.* radfahrend; Rad...; Radfahrer(in *f*) *m*, Radler(in *f*) *m*.

cyclo-cross *Radsport* [siklɔ'krɔs] *m* Querfeldeinradfahrt *f*. [Radlinie *f*.]

cycloïde ⚹ [siklɔ'id] *f* Zykloide *f*,

cyclo|moteur [~mɔ'tœ:r] *m* Moped *n*; **~motoriste** [~mɔtɔ'rist] *su.* Mopedfahrer *m*.

cyclone [si'klo:n] *m* Wirbelsturm *m*, *a.* ⊕ Zyklon *m*.

cyclonette *Auto* [siklɔ'nɛt] *f* Dreiradwagen *m* mit Frontantrieb.

cyclo|pe *myth.* [si'klɔp] *m* Zyklop *m*; **~péen** [~pe'ɛ̃] *adj.* (7) zyklopisch, gigantisch, kolossal; **~-rameur** [siklɔra'mœ:r] *m* (6g) Rudertretrad *n für Kinder*; **~thymique** *psych.* [~ti'mik] *adj.* (*u. su.*) zyklothym(er Mensch *m*); **~tourisme** [~tu'rism] *m* Radfahrtouristik *f*, Radwandersport *m*; **~-touriste** [~tu'rist] *su.* Fahrrad-ausflügler(in *f*) *m*, -tourist (-in *f*) *m*; **~tron** *phys.* [~'trɔ̃] *m* Elektronenschleuder *f*, Zyklotron *n*.

cygne [siɲ] *m orn.* Schwan *m*.

cylindrage ⊕ [silɛ̃'dra:ʒ] *m* Walzen *n*, Walzarbeit *f*.

cylindre [si'lɛ̃:drə] *m* Zylinder *m*, Spindel *f*, Welle *f*, Walze *f*; ⊕ Trommel *f*, Rolle *f*; en ~ zylinderförmig; *passer au* ~ walzen; ~ *à vapeur* Dampfzylinder *m*; *moteur m à deux* ~*s* Zweizylindermotor *m*; ~ *calibré* (*od. cannelé*) Kaliberwalze *f*; ~ *de pompe* Pumpen-stiefel *m*, -zylinder *m*; ~ *à cames* Nockentrommel *f*; ~ (*compresseur od. écraseur*) Straßenwalze *f*; ~ *enrouleur* Seiltrommel *f*; ♪ ~ *noté* Walze *f einer Drehorgel*; ~ *d'un phonographe* Phonographenwalze *f*, Schallwalze *f*.

cylin|drée *Auto* [silɛ̃'dre] *f* Zylinderinhalt *m*, -volumen *n*, Hub-raum *m*, -volumen *n*; **~drer** [~] (1a) **I** *v/t.* rollen, walzen; zylindrische Form geben; *text.* kalandern; *métall.* strecken; **II** *v/rfl.* se ~ zylindrische Form annehmen; **~drique** [~'drik] *adj.* □ walzenförmig, zylindrisch.

cymba|le ♪ [sɛ̃'bal] *f* Zimbel *f*, Schallbecken *n*; ~*s pl.* Becken *n/pl.*; **~lier** ♪ [~ba'lje] *m* Beckenschläger *m*. [Jagd...; **II** *f* Jagd *f*; Jägerei *f*.]

cynégétique [sineʒe'tik] **I** *adj.*

cynips *ent.* [si'nips] *m* Gallwespe *f*.

cyni|que [si'nik] **I** *adj.* □ zynisch; **II** *m a. phil.* Zyniker *m*; **~sme** [~'nism] *m* Zynismus *m*.

cyno|céphale *zo.* [sinɔse'fal] *m* Pavian *m*; **~glosse** ⚘ [~'glɔs] *f* Hundskraut *n*.

cypr|ès ⚘ [si'prɛ] *m* Zypresse *f*; ~ *funèbre* Trauerzypresse *f*; **~ière** [~pri'ɛ:r] *f* Zypressenhain *m*.

cyprin *icht.* [si'prɛ̃] *m* (Gold-)Karpfen *m*; Goldfisch *m*.

cypriote [sipri'ɔt] *adj. u.* ♀ *su.* zypriotisch, zyprisch; Zypriot *m*.

cyrillique [siri'lik] *adj.* kyrillisch, altslawisch. [entzündung *f*.]

cystite ⚕ [sis'tit] *f* Zystitis *f*, Blasen-

cystotomie *chir.* [sistɔtɔ'mi] *f* Blasenschnitt *m*.

cytise ⚘ [si'ti:z] *m* Goldregen *m*.

cytoplastique ⚕ [sitɔpla'stik] zellenbildend. [Zellvergiftung *f*.]

cyto-toxicité ⚕ [sitɔtɔksisi'te] *f*

czar [tsa:r] *m usw.* = *tsar usw.*

D

D, d [de] *m* D, d *n*; s. *système*.
dab|(e) * [dab] *m* **1.** *mon* ~ mein alter Herr *m*, mein Alter *m* (= *Vater*); **2.** *le* ~ der Alte (= *Chef*); **~esse** * [~'bɛs] *f*: *ma* ~ m-e alte Dame *f*, m-e Alte *f* (= *Mutter*).
d'abord [da'bɔːr] *adv*. zuerst.
d'accord [da'kɔːr] *adv*. einverstanden; *~!* einverstanden!; o. k.! F.
dace *antiq*. [das] *adj*. *u*. ♀ *su*. dakisch, dazisch; Daker(in*f*) *m*, Dazier(in*f*) *m*.
Dacie *antiq*. [da'si] *f*: **la ~** Dakien *n*, Dazien *n*.
daco-roman *ling*. [dakorɔ'mɑ̃] *adj*. (7) dakoromanisch.
dacty|le [dak'til] *m* **1.** *mét*. Daktylus *m* (*Versfuß*); **2.** ⚘ Knäuelgras *n*; **3.** *zo*. Dattelschnecke *f*; **~lé** [~'le] *adj*. fingerartig, gefingert.
dactylo [dakti'lo] *f* **1.** Stenotypistin *f*; **2.** Maschineschreiben *n*; **~graphie** [~gra'fi] *f* Maschineschreiben *n*; **~graphier** [~gra'fje] *v/t*. (1a) mit der Schreibmaschine schreiben; **~scopie** [~skɔ'pi] *f* Fingerabdruckverfahren *n*.
dada [da'da] *m* **1.** *enf*. Pferdchen *n*; *aller à* ~ reiten; **2.** F *fig*. Steckenpferd *n*; *enfourcher son* ~, *être sur son* ~ auf s-m Steckenpferd herumreiten.
dadais [da'dɛ] *m* Blödkopf *m*.
dagorne [da'gɔrn] *f* Kuh *f*, die ein Horn verloren hat.
dague [dag] *f* **1.** Stoßdegen *m*; **2.** *ch*. *~s pl*. Spieße *m/pl*. *des Hirsches*; Hauer *m/pl*. *des Ebers*.
daguet *ch*. [da'gɛ] *m* Spießer *m* (*Hirsch*).
dahlia ⚘ [da'lja] *m* Dahlie *f*.
daigner [dɛ'ɲe] *v/i*. (1b) geruhen, die Güte haben; *il n'a pas daigné lui répondre* er hat ihn keiner Antwort gewürdigt.
d'ailleurs [da'jœːr] *adv*. **1.** übrigens, sonst; **2.** anderswoher; *vgl*. *de* I 1.
daim [dɛ̃] *m* **1.** *zo*. Damhirsch *m*; **2.** Wildleder *n*, Damhirschleder *n*.
daine *zo*. [dɛn] *f* Damhirschkuh *f*.
dais [dɛ] *m* (Thron-, Altar- *usw*.) Himmel *m*, Baldachin *m*.
dal|lage ⊕ [da'laːʒ] *m* Legen *n* v. Fliesen *od*. Mosaik *od*. Steinplatten; Pflastern *n* v. Gehwegen; △ (Decken-)Plattenbelag *m*; Bodenbelag *m*; △ *sol m en* ~ Plattenfußboden *m*; **~le** [dal] *f* Fliese *f*, (Stein-, Beton-)Platte *f*; *~s f/pl*. *de construction légères* Leichtbauplatten *f/pl*.; * *se rincer la* ~ einen heben P; * *je n'y pige que* ~ ich kapiere nichts; **~ler** [~'le] *v/t*. (1a) mit Fliesen *od*. (Stein-)Platten belegen; **~leur** ⊕ [~'lœːr] *m* Fliesenleger *m*.
dalmate [dal'mat] *adj*. dalmatinisch; *le* ♀ der Dalmatiner.
dalmatien *zo*. [dalma'sjɛ̃] *su*. (7c) Dalmatiner(hund *m*) *m*.
dalot ⚓ [da'lo] *m* Speigatt *n*.
dalton|ien ⚕ [daltɔ'njɛ̃] *adj*. (7c) farbenblind; **~isme** ⚕ [~'nism] *m* Farbenblindheit *f*.
dam † [dɑ̃] *m* Schaden *m*; *nur noch in*: *au grand* ~ *de q*. sehr zum Nachteil j-s; *à son* ~ zu s-m Schaden.
damage ⊕ [da'maːʒ] *m* Feststampfen *n*, Planieren *n*; *bét*. (Ein-)Stampfen *n*.
daman *zo*. [da'mɑ̃] *m* Klippschliefer *m*.
Damas I [da'mɑːs] *m* **1.** Damaskus *n* (*Hauptstadt Syriens*); *trouver son chemin de* ~ sich bekehren; sich auf sich selbst besinnen; **II** ♀ [da'mɑ] *m* **2.** Damast *m* (*Seidenstoff*); **3.** *lame f de* ~ Damaszenerklinge *f*; **4.** *prune f de* ~ Damaspflaume *f*; *raisin m de* ~ Damastraube *f*.
damasquin|er [damaski'ne] *v/t*. (1a) mit Gold *od*. Silber auslegen, damaszieren; **~erie** [~n'ri] *f* Damaszenerarbeit *f*.
damas|sé [dama'se] *adj*. *u*. *m* damastartig; Damastleinwand *f*; **~ser** [~] *v/t*. (1a) **1.** auf Damastart weben; **2.** Stahl damaszieren.
dame [dam] *f* **1.** Dame *f*; *ehm*. Edelfrau *f*; ~ *de compagnie* Gesellschafterin *f*; ~ *d'honneur* Hofdame

f; ~ *de la maison* Frau *f* des Hauses, Herrin *f*; *faire la grande* ~ die vornehme (*od.* große) Dame spielen; P *votre* ~ Ihre (*Ehe-*)Frau *f* (*gewollt höflich*); **2.** *Spiel*: Dame *f*; (Karten-, Schach-)Königin *f*; *Kegelspiel*: König *m*; **3.** ⚓ Rudergabel *f*; **4.** ⊕ Ramme *f*; **5.** *int.* ~! allerdings!, in der Tat!, doch!, na sicher!; ~! *c'est juste!* aber das stimmt doch!; ~ *oui!* aber ja!, ja doch!; ~ *non!* a) aber nein!, nicht doch!; b) na und?!, verflixt! (*Zögern, Verlegenheit, Verblüfftsein*).

dame-jeanne [dam'ʒɑːn] *f* (6a) große Korbflasche *f*; Ballon *m*.

damer [da'me] *v/t.* (1a) **1.** *Damespiel, Schach*: zur Dame *od.* Königin machen; *fig.* ~ *le pion à q.* j-m den Rang ablaufen; **2.** ⊕ feststampfen, planieren; einrammen.

damier [da'mje] *m* **1.** Damebrett *n*; **2.** △ Schachbrettfries *m*.

damna|ble [dɑ'nablə] *adj.* verwerflich; **~tion** [~ɑ'sjɔ̃] *f* Verdammung *f*; *rl.* Verdammnis *f*; *als int.*: *mort et* ~! Tod und Teufel!

dam|né [dɑ'ne] *su.* Verdammte(r) *m*; **~ner** [~] (1a) **I** *v/t.* verdammen; F *faire* ~ *q.* j-n in Wut bringen; **II** *v/rfl.* se ~ sich ins Verderben stürzen.

Damoclès [damɔk'lɛs] *npr.* Damokles *m*; *fig.* *épée f de* ~ Damoklesschwert *n* (*ständige Gefahr*).

damoi|seau [damwa'zo] *m ehm.* Edelknappe *m*; *jetzt*: F Stutzer *m*; **~selle** [~'zɛl] *f ehm.* Edelfräulein *n*.

dancing [dɑ̃'siŋ] *m* Tanzdiele *f*.

dandin F [dɑ̃'dɛ̃] *su.* (7) Dummkopf *m*, Einfaltspinsel *m*, Laffe *m*; **~ement** [dɑ̃din'mɑ̃] *m* Schlenkern *n*; **~er** [~di'ne] (1a) *v/rfl.* se ~ lässig u. linkisch schlenkern; wackeln, watscheln, beim Gehen hin u. her schaukeln, latschig gehen, sich in den Hüften wiegen.

dandy, *pl. a.* **dandies** [dɑ̃'di] *m* Geck *m*, Modeheld *m*.

dandysme [dɑ̃'dism] *m* Dandytum *n*, Geckenhaftigkeit *f*, Afferei *f*.

Danemark *géogr.* [dan'mark] *m*: **le** ~ Dänemark *n*; *au* (*od. en*) ~ in *od.* nach Dänemark.

danger [dɑ̃'ʒe] *m* **1.** Gefahr *f*; *courir le* ~ *de* (*inf.*) Gefahr laufen zu ...; *se mettre en* ~ sich in Gefahr begeben; *il n'y a pas de* ~! nur keine Angst!; ~ *de mort* Lebensgefahr *f*; *il n'est pas encore hors de* ~ er hat die Gefahr noch nicht überwunden, er ist noch nicht außer Gefahr; ⚖ ~ *de collusion*, ~ *d'obscurcissement* (*d'une procédure judiciaire*) Verdunkelungsgefahr *f*; *absence f de* ~ Gefahrlosigkeit *f*; *sans* ~ gefahrlos, ungefährlich, ungefährdet; **2.** ~*s* (*naturels*) gefährliche Klippen *f/pl.*; Untiefen *f/pl.*; **~eux** [dɑ̃'ʒrø] *adj.* (7d) gefährlich; schädlich; nachteilig; *il est* ~ *de résister* Widerstand bringt Gefahr.

danois [da'nwa] (7) **I** *adj.* dänisch; **II** ♀ *su.* Däne *m*.

dans [dɑ̃] *prp.* **1.** *örtlich, zuständlich* (s. *auch unter* 3) a) *auf die Frage „wo?", „wohin?"* = innerhalb (*gén.*), in (*dat. bzw. acc.*), an (*dat. bzw. acc.*), auf (*dat. bzw. acc.*), hinter (*dat. bzw. acc.*): ~ *la ville* innerhalb der Stadt; ~ *Paris* in (innerhalb von) Paris; ~ *la cour* auf dem (*bzw.* den) Hof; *entrer* ~ *la cour* auf den Hof fahren; *faire un petit tour* ~ *la Lune* e-n Abstecher auf den Mond machen; ~ *la rue* auf der (*bzw.* die) Straße; *jeter un objet* ~ *la rue* e-n Gegenstand auf die Straße werfen; *j'habite* ~ (*od. sur*) *l'avenue de l'Opéra* ich wohne in der Avenue de l'Opéra; ~ *cet endroit* an diesem Ort; *que voyez-vous* ~ *ce tableau?* was sehen Sie auf diesem Bild?; ~ *son champ* auf s-m Feld; ~ *un pré* auf e-r Wiese; ~ *une île* auf e-r Insel; *les fleuves s'en vont* ~ *l'Océan* die Flüsse ergießen sich in den Ozean; ~ *cet immense pays* in diesem riesigen Land; *bei näherer Bestimmung, bsd. auch wenn Ländernamen durch ein Adjektiv oder einen Genitiv erweitert sind*: ~ *notre jardin* in unserem (*bzw.* in unseren) Garten; ~ *le jardin* (*a. au jardin*) im Garten, in den Garten; ~ *la France méridionale* in (nach) Südfrankreich; *nous entrons* ~ *la France* wir betreten französischen Boden; wir fahren nach Frankreich hinein; ~ *la od. en Grande-Bretagne* in (*od.* nach) Großbritannien; ~ *l'Angleterre d'Elisabeth* in dem England Elisabeths; ~ *l'Inde, älter*: ~ *les Indes* (*od. aux Indes*) in *bzw.* nach Indien; ~ *l'Amérique du Nord* in *bzw.* nach Nordamerika; ~ *les Pays-Bas* (*od. aux Pays-Bas*) in den Niederlanden, in die Niederlande; ~ *l'Union Soviétique* (*od. en U.R.S.S.*) in der *bzw.* in die U.d.S.S.R.; *vor Namen von Schriftstellern*: bei; ~ *Racine* bei Racine; *descendre* ~

le puits ⚒ in die Grube fahren; *prendre q.* ~ *ses bras* j-n in die Arme nehmen (*od.* schließen); *monter* ~ *la chaire* auf die Kanzel steigen; ~ *l'escalier* auf der Treppe; *s'élancer* ~ *l'escalier* die Treppe hinauf- *od.* hinunter-stürzen; ~ *les airs* in der Luft; *le soleil* ~ *le ciel* die Sonne am Himmel; *jeter q.* ~ *l'étonnement* j-n in Erstaunen setzen; *se jeter* ~ *l'eau* ins Wasser springen (*um zu schwimmen*; s. *eau*); *persévérer* ~ *son silence* in s-r Schweigsamkeit verharren; *persister* ~ *son opinion* auf s-r Meinung verharren, bei s-r Meinung bleiben; ~ *l'école* in den Schulräumen; *être* ~ *la maison* im Hause sein; *assis* ~ *le comptoir* hinter dem Ladentisch sitzend; *tu es* ~ *mon jour* du bist mir im Licht; *se glisser* ~ *l'église* ganz leise in die Kirche hineingehen; sich in die Kirche einschleichen; ~ *les coulisses* hinter den (*bzw.* die) Kulissen; ~ *la colère où il est* bei s-m Zorn; *être* ~ *le commerce* im Handel tätig sein, Kaufmann sein; ~ *le domaine des sports* auf dem Gebiet des Sports; ~ *le journal* in der Zeitung; ~ *la phrase ci-dessus* im obigen Satz; ~ *le monde entier* auf der ganzen Welt; ~ *le nord de la France* im Norden Frankreichs; ~ *cette plaine* in dieser Ebene; ~ *l'Etat d'Ohio* im Staate Ohio; ~ *tout le nord* im ganzen Norden; *absorbé* ~ *un jeu* in ein Spiel vertieft; *écrivez la date* ~ *la marge!* schreiben Sie (schreibt) das Datum auf den Rand!; *se mettre qch.* ~ *la tête* sich etw. in den Kopf setzen; *frapper* ~ *les mains* klatschen; *tenir qch.* ~ *sa main* (~ *ses mains*) etw. in s-r Hand (in s-n Händen) halten; *la tête* ~ *les mains* den Kopf in die Hände gestützt; *c'est* ~ *les choses possibles* das liegt im Bereich der Möglichkeit; *il est* ~ *son caractère de* (*mit inf.*) es liegt in s-m Charakter, zu ...; *être* ~ *ses meubles* s-e eigenen Möbel haben; *weitS.* e-e eigene Wohnung haben; *avoir q.* ~ *sa manche* e-e bedeutende Person hinter sich stehen haben; *avoir foi* ~ *l'avenir* Vertrauen in die Zukunft haben, auf die Zukunft vertrauen; *la confiance* ~ *l'avenir* das Vertrauen auf die Zukunft; b) *Auswahl bzw. Entnahme, auf die Frage „wo heraus?“, „woraus?“*: aus, in; *qui a bu* ~ *mon verre?* wer hat aus meinem Glas getrunken?; *choisissez* ~ *la classe trois bons élèves* wählen Sie aus der Klasse drei gute Schüler aus; *son travail consiste* ~ *le nettoyage des chambres* s-e Arbeit besteht in der Reinigung der Zimmer; *j'ai pris ça* ~ *le journal* ich habe es aus der Zeitung; *découper* ~ *le journal* aus der Zeitung ausschneiden; *quelqu'un a fumé* ~ *ma pipe* jemand hat aus meiner Pfeife geraucht; *lire* ~ *un livre* aus e-m Buch vorlesen, in e-m Buch lesen; *manger* ~ *la main* aus der Hand fressen; *fig. mit j-m* zu familiär werden; *prendre un livre* ~ *une armoire* ein Buch aus e-m Schrank nehmen; *il prend une lettre* ~ *le tiroir* er nimmt e-n Brief aus dem Schubfach; *puiser* ~ *une rivière* aus e-m Fluß schöpfen; **2.** *zeitlich, auf die Frage „wann?“, „innerhalb“ od.* (*zukünftiger Zeitpunkt!*) *„nach welcher Zeit?“*: während (*gén.*), innerhalb (*gén.*), in (*dat.*); ~ *la vie privée* im (in das) Privatleben; ~ *deux jours* in (*od.* nach) zwei Tagen; *revenir* ~ *une heure* in (*od.* nach *od.* binnen) einer Stunde zurückkommen; *il reviendra* ~ *quinze jours* er wird nach (*od.* binnen) zwei Wochen zurückkommen; ~ *les vingt-quatre heures* innerhalb von 24 Stunden; ~ *l'espace de cinq jours* in e-m Zeitraum von 5 Tagen; ~ *sa fuite* auf s-r Flucht; ~ *le voyage* auf der Reise; ~ (*od. en*) *peu de temps* in kurzem, in kurzer Zeit; ~ *peu de jours* in wenigen Tagen; ~ *le principe* im Anfang; *j'ai beaucoup travaillé* ~ *le temps* früher habe ich viel gearbeitet; ~ *les temps* vor Zeiten, einstmals; ~ *le courant du XIX*[e] *siècle* im Laufe des 19. Jahrhunderts; ~ *l'absence* während der Abwesenheit; ~ *le délai d'un an* in Jahresfrist; **3.** *Art und Weise, auf die Frage „wie?“ „wann?“ „wo?“*: in (*dat.*), auf (*acc.*), unter (*dat.*), gemäß (*dat.*), nach (*dat.*); ~ *un triste état* in e-m traurigen Zustand; ~ *ces conditions* (*od. circonstances*) unter diesen Umständen; ~ *une chasse* auf e-r Jagd; *vivre* ~ *la misère* (~ *l'espérance*) im Elend (in der Hoffnung) leben; *être* ~ *la peine* (*od. en peine*) in Not sein; *il fait cela* ~ *le dessein* (*od.* ~ *l'intention*) *de s'établir* er tut dies in der Absicht, sich niederzulassen; ~ *les règles* nach den

Regeln, regelrecht; *le voyage aérien peut s'achever* ~ *la mort* die Luftreise kann mit dem Tod enden; ~ *la perfection* vortrefflich; *als Briefschluß*: ~ *l'attente* (~ *l'espoir*) *de recevoir vos ordres* in Erwartung Ihrer Aufträge; ~ *tous les cas* (*od.* *en tout cas*) auf alle Fälle; ~ *une large mesure* in bedeutendem Maße, größtenteils; **4.** F etwa, ungefähr *adv.*; *avoir* ~ *les cinquante ans* in den Fünfzigern sein; *coûter* ~ *les mille francs* etwa tausend Franc kosten.

dansant [dɑ̃'sɑ̃] *adj.* (7) **1.** tanzend; **2.** Tanz...; *soirée f* ~*e* Abendgesellschaft *f* mit Tanz; Ball-, Tanz-gesellschaft *f*.

danse [dɑ:s] *f* **1.** Tanz *m*, Tanzen *n*; *professeur m de* ~ Tanz-lehrer *m*, -meister *m*; *prendre des leçons de* ~ zur Tanzstunde gehen; ~ *macabre od.* ~ *des morts* Totentanz *m*; *musique f de* ~ Tanzmusik *f*; ~ *sur la corde* Seiltanzen *n*; **2.** Tanzart *f*; **3.** ⚕ ~ *de Saint-Guy* Veitstanz *m*; **4.** P Tracht *f* Prügel.

dans|er [dɑ̃'se] (1a) **I** *v/i.* tanzen; *il fait bon* ~ *ici* hier kann man gut tanzen, es tanzt sich gut hier; P *fig. faire* ~ *q.* j-n verprügeln, j-n fertigmachen P; *faire* ~ *l'anse du panier* in die eigene Tasche wirtschaften; *ne* (*pas*) *savoir sur quel pied* ~ sich nicht entscheiden können; nicht ein noch aus wissen; *faire* ~ *les écus* die Taler springen lassen, mit dem Geld nur so um sich werfen F, tief in die Tasche greifen; **II** *v/t.*: ~ *une valse* e-n Walzer tanzen; **III** *v/rfl.* *se* ~ getanzt werden; sich (gut *bzw.* schlecht) tanzen lassen; ~**eur** [~'sœ:r] *su.* (7g) Tänzer *m*; ~ *de corde* Seiltänzer *m*; ~ *professionnel* Ein-, Berufs-tänzer *m*; *danseuse f de la glace* Eistänzerin *f*; ~**otter** F [~sɔ'te] *v/i.* (1a) scherbeln F, ein Tänzchen machen, hopsen.

Danube [da'nyb] *m*: **le** ~ die Donau.

daphné ⚘ [daf'ne] *m* Seidelbast *m*.

daphnie *ent.* [daf'ni] *f* Wasserfloh *m*.

d'après [da'prɛ] *prp.* gemäß, nach (*läßt e-n Zweifel zu*); ~ *lui ils seraient perdus* s-r Ansicht nach sollen sie verloren sein.

daraise [da'rɛ:z] *f* Abzugsrinne *f e-s Teichs*.

dard [da:r] *m* **1.** Wurfspieß *m*; Dolch *m*; ⚓ Harpune *f*; **2.** *fig.* Spitze *f*; *le* ~ *de la satire* die Spitze *f* der Satire; **3.** (*Bienen-, Skorpion-*)Stachel *m*; Schlangenzunge(nspitze *f*) *f*; **4.** ⚘ Stempel *m*; **5.** △ wurfspießförmige Verzierung *f*; **6.** ~ *de chalumeau* Stichflamme *f* e-s Lötbrenners; **7.** *icht.* Lauben *m*.

darder [dar'de] *v/t.* (1a) **1.** ~ *q.* j-n mit e-m Wurfspieß *usw.* treffen; ~ *une baleine* e-n Walfisch harpunieren; **2.** ~ *un javelot* e-n Wurfspieß schleudern; ~ *l'aiguillon* (*la langue*) den Stachel (die Zunge) hervorstrecken *od.* herausschnellen; **3.** *fig.* senden; werfen (*Blick*); *le soleil dardait ses rayons sur* ... die Sonne sandte ihre glühenden Strahlen auf ... (*acc.*) herab.

dare-dare F [dar'da:r] *advt.* schleunigst, in aller Eile.

dariole *pât.* [da'rjɔl] *f* Cremetörtchen *n*.

darne [darn] *f* (Fisch-)Scheibe *f*.

d'arrache-pied [daraʃ'pje] *adv.* pausenlos, unablässig.

darse, darce ⚓ [dars] *f* Binnenhafen *m* (*bsd. am Mittelmeer*).

darsonvalisation ⚕ [darsɔ̃valiza'sjɔ̃] *f* Behandlung *f* mit Hochfrequenz.

dartre ⚕ ['dartrə] *f* Flechte *f*; ~ *du cuir chevelu* Haarflechte *f*.

dash-pot *méc.* [daʃ'po] *m* Dämpfzylinder *m*.

datation [data'sjɔ̃] *f* Datierung *f*.

datcha [da'tʃa] *f* Datscha *f*, russisches Landhaus *n*.

daté [da'te] *adj. a. fig.* veraltet, überholt.

date [dat] *f* **1.** Datum *n*, Zeitangabe *f*, Zeitpunkt *m*, Jahreszahl *f*; *mettre la* ~ datieren; *prendre* ~ sich verabreden; *faire* ~ Epoche machen; *faire* ~ *dans les annales de l'aviation* in die Geschichte der Fliegerei eingehen; *à longue* ~ auf lange (*od.* weite) Sicht; *de vieille* ~ langjährig, seit langem; *être le premier en* ~ die ältesten Ansprüche haben; **2.** ⚖ Tag *m* der Eintragung, Ausstellungstag *m*; ~**-limite** [~li'mit] *f* (6a) End-, Schluß-termin *m*.

dater [da'te] (1a) **I** *v/t.* **1.** datieren, mit dem Datum versehen; **II** *v/i.* **2.** ~ *de* ... von ... (*dat.*) datieren, von ... an rechnen *od.* zählen, von ... herstammen; ~ *d'avant le Christ* aus vorchristlicher Zeit stammen; *à* ~ *de ce jour* von diesem Tag an; *cela date de loin* das ist e-e uralte Geschichte; **3.** Epoche machen; **4.** *péj.* veralten.

dateur [da'tœːr] *adj.* (7g): *tampon m* ~ Datumsstempel *m*.

datif *gr.* [da'tif] *m* Dativ *m*, Wemfall *m*.

dation ⚖ [da'sjɔ̃] *f* Übergabe *f*, Übertragung *f*; ⚖ ~ *en paiement* Überweisung *f* an Zahlungs Statt.

datte ⚘ [dat] *f* Dattel *f*.

daube *cuis.* [doːb] *f* 1. Dämpfen *n*, Schmoren *n*; *advt.* (*mis*) *à la* (*od. en*) ~ geschmort; *gigot m en* ~ geschmorte Hammelkeule *f*; **2.** Schmorfleisch *n*.

dau|ber [do'be] *v/t.* (1a) schmoren, dämpfen; **~bière** [~'bjɛːr] *f* Schmortopf *m*.

dauphin [do'fɛ̃] **I** *m icht.* Delphin *m*, Tümmler *m*; **II** ♀ *su.* (7) *hist. Fr.* Dauphin *m*, (französischer) Kronprinz *m*.

dauphinelle ⚘ [dofi'nɛl] *f* Rittersporn *m*.

daurade *icht.* [do'rad] *f* Goldbrassen *m*.

d'autant [do'tɑ̃] *adv.*: ~ *plus que ...* um so mehr als ...

d'avant [da'vɑ̃] *prp. nach Verben od. su.*: vor; *dater* ~ *le Christ* aus vorchristlicher Zeit stammen; *en revenir à l'usage* ~ *la Révolution* auf den Gebrauch vor der (Französischen) Revolution zurückkommen.

davantage [davɑ̃'taːʒ] *adv.* **1.** (noch) mehr; *je n'en dirai pas* ~ ich will nichts weiter sagen; **2.** länger, weiter; *ne restez pas* ~ bleiben Sie nicht länger; *sans tarder* ~ ohne noch länger zu zögern; **3.** *bisw. heute noch mit de*: ~ *d'Esquimaux et d'animaux* mehr Eskimos und Tiere; *ce sont des plats avec lesquels on mange* ~ *de pain* das sind Gerichte, bei denen man mehr Brot ißt; **4.** *heute wieder häufig mit que*: *rien ne dérange une vie* ~ *que l'amour* nichts bringt in ein Leben mehr Verwirrung als die Liebe.

davier [da'vje] *m* **1.** *chir.* Zahnzange *f*; **2.** ⊕ Bandhaken *m*, Reifzange *f*; **3.** ⚓ (Boots-)Davit *m*.

D.C.A. ✈, ⚔ [dese'a] *f abr.* = *Défense contre Avions* Luft-abwehr *f*, -schutz *m*, Flak *f*.

de [də] **I** *prp.* von (*dat.*); **1.** *Ausgangspunkt, Herkunft, Richtung, auf die Frage „woher?"*: von, aus (*dat.*); *venir de l'église* aus der Kirche kommen; *se séparer de* sich trennen von; *venir de lire* soeben gelesen haben; *il vient d'ailleurs* (*od. d'un autre endroit*) er kommt anderswoher; *se mouvoir de haut en bas* sich von oben nach unten bewegen; *le train de Lyon* der von Lyon kommende (*aber a.* nach Lyon fahrende!) Zug; *vent m du nord* Nordwind *m*; **2.** *Abstammung, Ursprung*: *né de parents obscurs* von armen Eltern geboren; **3.** *Seite*: von, nach (*dat.*), auf (*dat. u. acc.*); *de ce côté* von (auf) dieser Seite (*wo?*); nach dieser Seite hin, auf diese Seite (*wohin?*); *aller de l'avant* vorwärtsgehen, -kommen, sich nicht abhalten lassen; *d'une et d'autre part* auf beiden Seiten; *paralysé d'un bras* an e-m Arm gelähmt; **4.** *Zeit*: *du matin au soir* von morgens bis abends; *de mémoire d'homme* seit Menschengedenken; *de jour* bei Tage; *de nuit* bei Nacht, des Nachts, nachts; *ne pas fermer l'œil de la nuit* nachts kein Auge zumachen; *de toute la journée* den ganzen Tag; *de nos jours* heutzutage, in unseren Tagen; *le lendemain des noces* am Tage nach der Hochzeit; *la veille de Noël* Heiligabend, am (der) Abend vor Weihnachten; **5.** *Teil* (*partitiv*): a) *beaucoup* (*assez*, [*ne* ...] *pas*, *peu*, *plus*, *moins*, *tant*, *trop*) *d'argent* viel (genug, kein, wenig, mehr, weniger, soviel, zuviel) Geld; *beaucoup d'amis* viele Freunde; *combien de livres avez-vous? od. combien avez-vous de livres?* (*vgl. combien*) wieviel Bücher haben Sie?; *rien de nouveau* nichts Neues; *qu'y a-t-il de nouveau?* was gibt's Neues?; *quelque chose de bon* etw. Gutes; *moins de un sur cent* weniger als einer von hundert; *il n'a jamais pris de notes* er hat sich nie Notizen gemacht; *elle ne pouvait plus avoir d'estime pour soi-même* sie konnte keine Achtung mehr vor sich selbst haben; *on fait 100 de moyenne* man hat e-e Durchschnittsgeschwindigkeit von 100 km; *écol. avec 10 de moyenne on passe dans la classe supérieure* mit e-r Durchschnittsleistung von 10 Punkten wird man (in die nächste Klasse) versetzt; *bisw. auch ohne pas*: *je ne ferai de reproche à personne* ich werde niemandem e-n Vorwurf machen; b) *du pain* Brot *n*; *de l'argent* Geld *n*; *de la farine* Mehl *n*; *des pains* Brote *n/pl.*; *boire de la bière* (*du vin*)

Bier (Wein) trinken; *il n'a rien que des livres* er hat nichts weiter als Bücher, er hat nur Bücher; c) *im sg. bei vorangehendem adj. nur noch de + Artikel*: *du bon camembert* guter Camembert(käse *m*) *m*; *du bon drap* gutes Tuch *n*; *c'est du très bon travail* das ist sehr gute Arbeit; *de la bonne farine* gutes Mehl *n*; d) *im pl. bei vorangehendem Artikel mst. noch* de (F des): *de* (F *des*) *bons fruits* gutes Obst *n*, gute Früchte *f/pl.*; *de beaux tableaux* schöne Bilder *n/pl.*; e) *bilden adj. u. su. e-n einzigen Begriff, so steht* de + *Artikel*: *il a du bon sens* er besitzt Takt; er hat e-n gesunden Menschenverstand; *des grands seigneurs* vornehme Herren *m/pl.*; *des jeunes filles* Mädchen *f/pl.*; *des jeunes gens* junge Leute *pl.*; *des petits-enfants* Enkel(kinder *n/pl.*) *pl.*; *des rouges-gorges* Rotkehlchen *n/pl.*; *des sages-femmes* Hebammen *f/pl.*; f) *nach bien und la plupart steht* de + *Artikel*: *bien du monde, bien des gens* sehr viel Menschen (*od.* Leute); *la plupart des ouvriers chôment* die meisten Arbeiter sind arbeitslos; g) *nach sans + inf. steht* de: *il parle sans faire de fautes* er spricht, ohne Fehler zu machen; *vous êtes parti sans attendre de réponse* Sie sind weggegangen, ohne e-e Antwort abzuwarten; *ce sont des libertés ou l'on s'abandonne sans y penser de mal* das sind Freiheiten, denen man sich hingibt, ohne sich dabei etw. Schlechtes zu denken; *sans avoir assiégé de villes ni bombardé de ports il peut cependant être qualifié de grand roi* ohne Städte belagert und Häfen bombardiert zu haben, kann er dennoch als ein großer König angesehen werden; h) *allgemeine Teilvorstellungen*: *le seul de mes amis* der einzige meiner Freunde; *il y eut trois hommes de tués* es wurden dabei drei Mann getötet, es kamen dabei drei Menschen ums Leben; *un verre de vin* ein Glas Wein; *un tas de pierres* ein Haufen Steine; *une paire de bas nylon* ein Paar Nylonstrümpfe; *il est de mon devoir* es ist meine Pflicht; *nous avons nombre d'amis* wir haben zahlreiche Freunde; *cela n'est plus de mode* das ist nicht mehr Mode; *cela n'est pas du jeu* das ist gegen die Spielregel; *être de la fête* am Fest teilnehmen; *si j'étais de vos amis* wenn ich zu Ihren Freunden zählte; *serez-vous des nôtres?* werdet ihr mit uns mitmachen?; **6.** *Stoff, Beschaffenheit*: *bâtir de* (*od.* en) *bois* aus Holz bauen; *lit m de plume* Federbett *n*; *in gewissen Ausrufen erhält das* de *der Beschaffenheit e-e verstärkende Kraft*: *c'est d'une légèreté!* ist das ein Leichtsinn!; *et d'une!* war das eine! (*z.B. Detonation*); **7.** *Ursache od. Grund; Beziehung*: über, für (*acc.*), wegen (*gén.*), vor, an, zu, von (*dat.*) (*bei bestimmten Verben im Passiv, mehr als Ausdruck des Zustandes, des Gewohnheitsmäßigen als der eigentlichen besonderen Handlung, des Außergewöhnlichen*; de *bsd. in abgeschwächtem, figürlichem Sinn; oft auch ohne Sinnveränderung durch par ersetzbar*); *mourir de faim* vor Hunger sterben; *accuser q. d'un crime* j-n e-s Verbrechens beschuldigen; *être atteint d'une maladie* an e-r Krankheit leiden; *s'ennuyer de q.* (*de qch.*) sich nach j-m (nach etw. *dat.*) sehnen; *s'étonner de q.* (*de qch.*) sich über j-n (über etw. *acc.*) wundern; *se plaindre de* sich beklagen über (*acc.*); *se réjouir de qch.* sich über etw. (*acc.*) freuen; *content de* zufrieden mit (*dat.*); *remercier q. de* (*wofür heute häufig pour*) *qch.* j-m für etw. danken; *souffrir de qch.* an etw. (*dat.*) (unter etw. *dat.*) leiden; *c'est de ma faute* die Schuld liegt bei mir, das ist meine Schuld; *estimé de tout le monde* von jedermann geachtet; *être aimé* (*haï*) *de q.* von j-m geliebt (gehaßt) werden; *cet homme est aimé* (*estimé, honoré*) *de tous ceux qui le connaissent, de tout le monde; cet autre est aimé par ses voisins, par ses collègues, il est estimé même par ses adversaires* dieser Mensch wird von all denen, die ihn kennen, von jedermann geliebt (geschätzt, geehrt); der andere wird von s-n Nachbarn, von s-n Kollegen geliebt, ja, er wird sogar von s-n Gegnern geschätzt; *l'indépendance acquise de sa patrie* die Unabhängigkeit, die sein (ihr) Vaterland erworben hat; *être touché de* (*od.* *par*) *qch.* über etw. gerührt sein; *il était accablé de honte* er war vor Beschämung niedergeschlagen; *dagegen*: *il était accablé par la charge* er wurde von der Last zu

Boden gedrückt; *être accompagné de q.* (*dagegen* ♪: *par q.*) von j-m begleitet werden; *souvent, les parents ne sont plus compris de leurs enfants* oft werden die Eltern von ihren Kindern nicht mehr verstanden; *je ne suis pas connu de vous* ich werde von Ihnen nicht verstanden; *il est suivi (précédé) de* (*manchmal auch*: *par*) *q.* ihm folgt jemand (ihm geht jemand voraus); *être orné (vêtu) de* geschmückt (bekleidet) sein mit (*dat.*); *être craint* (*od. redouté*) *de* gefürchtet werden von; *je suis ravi d'elle* ich bin von ihr entzückt; *respecté de* geachtet von; *méprisé de* mißachtet von; *entouré de* umgeben von; *un visage éclairé d'un sourire* ein Gesicht, über das ein Lächeln ging; *dagegen*: *une chambre éclairée par une lampe* ein Zimmer, das von e-r Lampe erleuchtet wird; *surpris de la promptitude de l'attaque* über die Schnelligkeit des Angriffs überrascht; *dagegen*: *surpris par la promptitude de l'attaque* von der Schnelligkeit des Angriffs überrascht; *le malade a été abandonné des médecins* der Kranke war von den Ärzten aufgegeben; *dagegen*: *elle a été abandonnée par son mari* sie ist von ihrem Mann verlassen worden; **8.** *Beziehung*: in bezug auf (*bleibt im Deutschen oft unübersetzt*), über, von, an; *changer de qch.* etw. auswechseln; *changer de vêtements* (*od. d'habits*) sich umziehen; *changer de train* umsteigen; *changer de route* e-n anderen Weg einschlagen; *douter de qch.* an etw. zweifeln; *manquer d'argent (de tact)* kein Geld (keinen Takt) haben (*od.* besitzen); *parler de qch.* von etw. (über etw.) sprechen; *redoubler d'efforts* s-e Anstrengungen verdoppeln; *se tromper de clé* e-n falschen Schlüssel nehmen; *se tromper de porte* sich in der Tür irren; *pour ce qui est de lui* was ihn betrifft; **9.** *Gemäßheit*: zufolge (*gén.*), nach (*dat.*); *de l'aveu de tout le monde* nach der Ansicht aller; *être d'accord avec q. sur qch.* mit j-m in etw. übereinstimmen; *cela est de rigueur* das ist vorgeschrieben *od.* durchaus nötig; **10.** *Werkzeug, Mittel*: *combler q. de bienfaits* j-n mit Wohltaten überhäufen; *couvrir de qch.* mit etw. bedecken; *enveloppé de cellophane* mit Zellophanpapier eingewickelt; *interroger q. du regard* j-n fragend ansehen; *jouer du piano* Klavier spielen; *orner de fleurs* mit Blumen schmücken; *saluer q. de la main* j-m zuwinken; *vêtu de noir* schwarz gekleidet; *de vive voix* mündlich; *que fais-tu de ton argent?* was machst du mit deinem Geld?; *le chat joua de la patte avec le coin de mon oreiller* die Katze spielte mit ihrer Pfote an dem Zipfel meines Kopfkissens herum; *pousser q. du coude* j-n mit dem Ellenbogen anstoßen; **11.** *nähere Bestimmung*: *la ville de Berlin* die Stadt Berlin; *rue de Rivoli* Rivolistraße *f*; *le nom de Charles* der Name Karl; *le mois de mai* der Monat Mai; *cette sorte de vin* diese Weinsorte; *le titre de général* der Generalstitel; *le consul d'Allemagne* der deutsche Konsul; *hist. la guerre de Trente ans* der Dreißigjährige Krieg; *des vins m/pl. d'Espagne* spanische Weine *m/pl.*; *homme m d'esprit* Mann *m* von Geist, geistvoller (*od.* geistreicher) Mann *m*; *la pensée de la mort* der Gedanke an den Tod; *livres m/pl. d'enfants* Kinderbücher *n/pl.*; *hist. le roi de France* der König von Frankreich; *hist. la bataille de Leipzig* die Schlacht bei Leipzig; *le voyage de Paris* die Reise nach Paris; *humble de cœur* demütigen Herzens; *capable de tout* zu allem fähig; *avide d'argent* geldgierig; **12.** *Art u. Weise*: *de cette manière* (*od. façon*) auf diese Weise; *d'un seul coup* mit e i n e m Schlag, auf einmal; *d'un bond* mit e i n e m Sprung (*od.* Satz); *vider le verre d'un seul trait* das Glas mit e i n e m Zug austrinken; *marcher d'un pas ferme* festen Schrittes einhergehen; *de force* mit Gewalt; *de bonne foi* in gutem Glauben; ehrlich; *de son mieux* so gut er (sie) kann; *de plus en plus* immer mehr; *qualifier q. de bon roi* j-n als e-n guten König bezeichnen (*od.* ansehen); *servir de modèle* als Muster dienen; *traiter q. de fou* j-n als Dummkopf behandeln; **13.** *Maß*: *il est de beaucoup plus grand que moi* er ist viel größer als ich; *large d'un mètre od. d'un mètre de largeur* ein Meter breit; *âgé de dix ans* zehn Jahre alt; *la hauteur est de six mètres* die Höhe beträgt sechs Meter; *plus (moins) de ...* (*vor Zahlen*; s. *a. unter* 5a) mehr (weniger) als ...; *plus de la moitié* über (*od.* mehr als) die Hälfte; *il y a quelqu'un de trop* es ist jemand zuviel hier, jemand ist überzählig; *une fois de plus* wieder einmal; *écol. monter d'une classe* versetzt werden; **14.** *genitivus obiectivus (d. h. 2. Fall, der zum Akkusativobjekt wird, wenn das vorstehende Substantiv verbalisiert wird)*: *l'amour m de la patrie* die Vaterlandsliebe, die Liebe zur Heimat (*verbal: aimer la patrie*); *pour l'amour de vous* aus Liebe zu euch; *la crainte de la mort* die Furcht vor dem Tod (*verbal: craindre la mort*); *de crainte d'accident* aus Furcht vor e-m Unglück; *le goût de la paix* der Genuß des Friedens (*verbal: goûter la paix*); *la haine du voisinage* der Haß der Nachbarschaft gegenüber (*verbal: haïr le voisinage*); *le mépris de Dieu* die Gottesverachtung (*verbal: mépriser Dieu*); *désir m de la gloire* Ruhmsucht *f*; *estime f de soi(-même)* Selbstachtung *f*; *fomenter la haine de q. (d'un pays)* den Haß gegen j-n (gegen ein Land) schüren; *l'entretien m des vêtements* die Kleiderpflege; **15.** *vor dem Infinitiv*: *je m'efforce de le convaincre* ich bemühe mich, ihn zu überzeugen; *il est bon de dire la vérité* es ist gut, die Wahrheit zu sagen; *statt eines Hauptsatzes*: *Et les chiens de courir* Und nun fingen die Hunde zu laufen an; *Et lui de conclure* Und da folgerte er (s. et); **16.** *in Verbindung mit e-r Präposition*: *qui d'entre vous?* wer von euch (von Ihnen)?; *il a disparu d'au milieu d'eux* er ist aus ihrer Mitte verschwunden; *la séparation d'avec l'Inde* die Trennung von Indien; *je viens de chez lui* ich komme aus seiner Wohnung; *il sentait qu'il était bien de chez nous* er fühlte, daß er ganz zu uns gehörte; **II** *m* F Adelszeichen *n*; *avoir un de devant son nom* ein „von" vor seinem Namen haben.

dé[1] [de] *m* **1.** (Spiel-)Würfel *m*; (*jeu m de*) *dés* Würfelspiel *n*; *jouer aux dés* würfeln, Würfel spielen; *tout risquer sur un coup de dés* alles auf eine Karte setzen; *le ~ en est jeté* der Würfel ist gefallen; **2.** Dominostein *m*; **3.** △ *~ de pierre* steinerner Untersatz *m*.

dé[2] [~] *m* Fingerhut *m*.

dead-heat *Sport* [dɛd'it] *m* totes Rennen *n*; *faire ~* ein totes Rennen laufen.

déambul|ations [deɑ̃bylɑ'sjɔ̃] *f/pl.* Hin- und Herlaufen *n/sg.*; **~atoire** △ [~la'twa:r] *m* Chorumgang *m*; **~er** [~'le] *v/i.* (1a) umhergehen, herumlaufen, umhertollen, e-n Spaziergang machen.

débâcher [debɑ'ʃe] *v/t.* (1a) die Plane abnehmen (von).

débâc|le [de'bɑ:klə] *f* **1.** Eisgang *m*; **2.** *fig.* Auflösung *f*, Verwirrung *f*, Umsturz *m*, Zusammenbruch *m*; *~ financière* Börsenkrach *m*; **~ler** [~bɑ'kle] (1a) **I** *v/t.* ⚓ *~ un port* e-n Hafen von leeren Schiffen räumen; **II** *v/i.* brechen (*vom Eis*).

débagouler F [debagu'le] *v/t.* (1a) *fig.*: *~ des injures* Schimpfkanonaden vom Stapel lassen.

débal|lage [deba'la:ʒ] *m* Auspacken *n der Waren*; Wanderausstellung *f* (*zum Verkauf von Waren*); Ramschware *f*; Straßenhandel *m*; F *fig.* Auspacken *n*; *faire un ~ de nouvelles* mit Nachrichten auspacken; **~lé** P [~'le] *adj.* ängstlich, bedrückt, mißmutig; **~ler** [~] (1a) **I** *v/t.* auspacken (*a. fig.*); zum Verkauf ausstellen; **II** P *v/i.* sein Herz ausschütten; V s-e Notdurft verrichten; **III** V *v/rfl.* se ~ sich auspellen P; den Mut verlieren; **~leur** [~'lœ:r] *m* Auspacker *m*; Partiewarenhändler *m*, fliegender Händler *m*; **~lonné*** [~lɔ'ne] *m* Feigling *m*; **~lonner*** [~]: se ~ beichten; sich drücken.

déban|dade *a.* ⚔ [debɑ̃'dad] *f* Auflösung *f*, Auseinanderlaufen *n*, wilde Unordnung *f*, wüstes Durcheinander *n*; *à la ~* drunter und drüber; **~der** [~'de] (1a) **I** *v/t.* **1.** *~ un arc* e-n Bogen entspannen; **2.** *a.* ⚕ *~ q.* j-m den Verband *od.* die Binde abnehmen; **II** *v/rfl.* se ~ ⚔ sich planlos auflösen, auseinanderlaufen, Hals über Kopf türmen P.

débanquer [debɑ̃'ke] (1a) **I** *v/t.* **1.** *Spiel*: *Bank* sprengen; **2.** *aus e-m Boot* die Bänke herausnehmen; **II** *v/i. nach e-m Fischfang* die Fischbank verlassen.

débaptiser [debati'ze] *v/t.* (1a) umtaufen; umbennenen.

débarbouill|age [debarbu'ja:ʒ] *m* Waschen *n*; **~er** [~'je] (1a) **I** *v/t.* (das Gesicht) waschen; F aus der Patsche helfen (*dat.*); P auseinandertüfteln; **II** *v/rfl.* se ~ sich das Gesicht waschen; F *fig.* aus der Klemme (*od.* Patsche) kommen; * sich aufklären (*Wetter*).

débar|cadère [debarka'dɛ:r] *m* **1.** ⚓ Landungsbrücke *f*; **2.** 🚂 Verladerampe *f*; **~dage** [~'da:ʒ] *m* **1.** ⚓ Ausladen *n*, Löschen *n von*

Waren; **2.** Wegschaffen *n des geschlagenen Holzes*; *arche f* de ~ Hebearm *m* (*e-s Raupenschleppers*); **~der** [~'de] *v/t.* (1a) **1.** ab-, ausladen, löschen; **2.** *Holz, Steine* wegschaffen; **~deur** [~'dœ:r] *m* Transport-, Dock-arbeiter *m*; *Mode*: Sonnenpulli *m*; ärmelloser Pulli *m*; **~quement** [~kə'mɑ̃] *m* Ausschiffung *f*, Ausladen *n*, Löschen *n*; Landung *f*, *a.* 🚂 Aussteigen *n*; *allg.* Ankunft *f*; ⚓, 🚂 Landungs-, Verlade-platz *m*, -stelle *f*; *fig.* Ausbootung *f*, Abschiebung *f* (*e-s Kollegen*); ~ *de marchandises* Warenumschlag *m*; ⚔ *troupes f/pl. de* ~ Landungstruppen *f/pl.*

débarquer ⚓ [debar'ke] (1m) **I** *v/t.* an Land setzen, landen; ausladen, löschen; F *fig.* ~ *q.* j-n ausbooten (*od.* abschieben), j-n entlassen, j-n aufs tote Gleis schieben; **II** *v/i.* landen, aussteigen; *allg.* ankommen; ~ *du train* aus dem Zug aussteigen; **III** *m*: *au* ~ beim Landen; beim Aussteigen; bei der Ankunft.

débarras [deba'rɑ] *m* **1.** F Befreiung *f von e-r Last*, Erlösung *f*; **2.** (*cabinet m de*) ~ Rumpelkammer *f*, Abstellraum *m*; **~ser** [~ra'se] (1a) **I** *v/t.* von e-r Last befreien; aufräumen; freilegen, frei machen; ~ *les combles des immeubles de fatras* die Böden der Häuser entrümpeln; *fig.* ~ *q. d'un souci* j-n e-r Sorge (*gén.*) entheben; **II** *v/rfl.* *se* ~ *de q.* sich j-n vom Halse schaffen; *se* ~ *de qch.* sich von etw. Lästigem befreien; *se* ~ *d'un défaut* sich e-n Fehler abgewöhnen, e-n Fehler ablegen; *se* ~ *de ses vêtements* s-e Sachen ausziehen; *débarrassez-vous* legen Sie ab!

débat [de'ba] *m* **1.** Debatte *f*, Wortstreit *m*, lebhafte Besprechung *f*; *télév.* ~ *télévisé* Podiumsgespräch *n*; **2.** *fig.* ~ *intérieur* innerer Kampf *m*.

débâter [debɑ'te] *v/t.* (1a) absatteln.

débâtir [debɑ'ti:r] *v/t.* (2a): ~ *une robe* ein Kleid auftrennen.

débattement *Auto* [debat'mɑ̃] *m* Federungsspiel *n* der Radachsen.

débattre [de'batrə] (4a) **I** *v/t.* diskutieren, be-, durch-sprechen; **II** *v/rfl.* *se* ~ zappeln, sich sträuben, sich gebärden; sich wehren; sich winden; verhandelt (*od.* erörtert) werden; *se* ~ *entre la vie et la mort* zwischen Leben u. Tod schweben, in höchster Lebensgefahr sein; *se* ~ *avec q.* sich mit j-m abquälen.

débau|chage [debo'ʃa:ʒ] *m* Entlassung *f*, Abbau *m*; Abwerben *n* (*von der Arbeit, von e-m Posten*); **~che** [~'bo:ʃ] *f* **1.** Übermaß *n* im Essen u. Trinken, Prasserei *f*, Schlemmerei *f*; *vivre dans la* ~ prassen; *faire une petite* ~ sich etw. gönnen; **2.** Ausschweifung *f*, Wollust *f*, Lasterhaftigkeit *f*; *homme m perdu de* ~*s* durch Ausschweifungen zerrütteter Mensch *m*; *fig.* ~ *d'imagination* Schwärmerei *f*, zügellose Phantasie *f*; *abus.* ~ *d'esprit* Geistesverschwendung *f*; *mener une vie de* ~ ein lasterhaftes (*od.* liederliches) Leben führen; **~ché** [~bo'ʃe] **I** *adj.* ausschweifend; **II** *su.* Prasser *m*, Schlemmer *m*; Wüstling *m*, verkommener Mensch *m*; **~cher** [~] *v/t.* (1a) **1.** ~ *un ouvrier* e-n Arbeiter abwerben; † ~ *la clientèle* die Kundschaft wegnehmen (*od.* abspenstig machen); **2.** *fig.* abbauen (*Personal*); **3.** F *j-n von s-r Arbeit od. von s-m Hobby* abbringen; **~cheur** F [~'ʃœ:r] *su.* (7g) Verführer *m* (*im Sinne von débaucher* 3).

débecqueter P [debɛk'te] *v/i.* (1d) sich übergeben, kotzen V.

débenzoler ⚗ [debɛ̃zɔ'le] *v/t.* (1a) das Benzol entziehen (*dat.*).

débet [de'bɛ] *m* Debet *n*, Rückstand *m*.

débi|le [de'bil] *adj.* **1.** kraftlos, schlaff, schwach (*a. fig.*); ⚕ schwachsinnig; **2.** ⚘ mit zu dünnem Stengel; **~litant** [~li'tɑ̃] *adj.* entkräftend; *fig.* demoralisierend; **~lité** [~li'te] *f* Schwäche *f*, Kraftlosigkeit *f*; **~liter** ⚕ [~] *v/t.* (1a) schwächen, entkräften (*a. fig.*).

débin|age F [debi'na:ʒ] *m* Klatscherei *f*, Anschwärzen *n*; **~e** P [de'bin] *f* Geldnot *f*, Klemme *f*; Misere *f*; **~er** F [~'ne] (1a) **I** *v/t.* **1.** ~ *q.* j-n anschwärzen; **2.** ~ *le truc* den Trick verraten; **II** *v/rfl.* *se* ~ sich drücken, türmen F, sich aus dem Staub machen; **~eur** F [~'nœ:r] *su.* Anschwärzer *m*.

débirentier [debirɑ̃'tje] *su.* (7b) Rentenschuldner *m*.

débit [de'bi] *m* **1.** Absatz *m von Waren*, Verkauf *m*; *de bon* ~ *od. d'un* ~ *facile* gängig, gutgehend, leicht verkäuflich; **2.** ~ *de boissons* Ausschank *m*; ~ *de tabac* Tabakladen *m*; **3.** Verkaufsrecht *n* (*monopolisierter Waren*); **4.** Sprechweise *f*, Vortragsart *f* (*a.* ♪); **5.** Soll *n*, Debet *n*; *porter qch. au* ~ *de q.* j-s Konto mit etw. belasten;

6. ⊕ Zurechtsägen *n des Holzes*; *hydr.* Durchfluß *m* (*e-r Pumpe*); 7. ⚡ Stromabgabe *f*; ⊕ Leistung *f*; ⚡ ~ *horaire* Stundenleistung *f*.

débit|age [debi'ta:ʒ] *m* Zurechtsägen *n*, -schneiden *n*, Kleinhacken *n des Holzes*; ⚕ Kleinverkauf *m*; **~ant** [~'tã] *su.* (7) Schenkwirt *m*; Verkäufer *m bsd. von Getränken u. Tabak*; **~er** [~'te] (1a) **I** *v/t.* **1.** im kleinen *od.* im einzelnen verkaufen; ausschenken; **2.** vortragen, hersagen; ~ *machinalement* runterleiern F, runterschnurren F; **3.** *Lügen* aussäen, verbreiten; ~ *des histoires à q.* j-m etw. vorschwindeln; **4.** *hydr. u.* ⚡ liefern; *cette fontaine débite mille litres par jour* diese Quelle liefert täglich tausend Liter; **5.** ⚕ in das Soll eintragen; ~ *q. de* j-n belasten (*od.* debitieren) mit (*dat.*); **6.** ~ *le bois* das Holz zurechtsägen, kleinhacken; **II** *v/rfl.* se ~ **7.** sich verkaufen, Absatz finden; **8.** verbreitet werden (*Lügen*); **9.** zurechtgeschnitten (*od.* kleingehackt) werden; **~eur** [~'tœ:r] **I** *su.* (7g) a) Verbreiter *m* von falschen Nachrichten; ~ *de nouvelles* Neuigkeitskrämer *m*; b) ⊕ Zuteiler *m* (*Arbeiter*); **II** *su.* (7f) Schuldner *m*; **~s** *solidaires* Gesamtschuldner *m/pl.*; **III** *adj.* (7f) *compte m* ~ Debetkonto *n*; **~euse** [~'tø:z] *f* Klatschbase *f*.

déblai [de'blɛ] *m* **1.** Freilegung *f*, Abräumen *n e-s Platzes usw.*; Erdarbeiten *f/pl.*; *chemin de fer m en* ~ Eisenbahn *f* in e-m freigelegten Gelände; **2.** **~s** *pl.* abgetragene Erde *f*, Schutt *m*; **~ement** [~blɛ'mã] *m* Freilegen *n*, Abtragen *n v. Erde*, Wegräumen *n v. Schutt usw.*, Aushebung *f e-s Schützengrabens*.

déblatérer [deblate're] *v/i.* (1f): ~ *contre* wettern gegen (*acc.*), herziehen über (*acc.*).

déblay|age [deblɛ'ja:ʒ] *m* s. *déblaiement*; **~er** [~'je] *v/t.* (1i) auf-, aus-, ab-räumen, freilegen (*a. bei Ausgrabungen*), *Schutt* wegschaffen; ~ *la neige* Schnee schippen.

déblocage [deblɔ'ka:ʒ] *m* ⚕, *fin.* Freigabe *f*; 🚂 ~ *des signaux* Freigabe *f e-r Strecke* durch Signale.

déblo|quement ⚔ [deblɔk'mã] *m* Aufhebung *f* e-r Blockade, Entsatz *m*; **~quer** [~'ke] (1m) **I** *v/t.* **1.** von der Blockade befreien; **2.** ⚕, *fin.*, *Verkehr* freigeben; **3.** ⊕ wieder in Gang setzen; *bsd. Auto*: ~ *les freins* die Bremsen lösen; **4.** *typ.* deblokkieren; **II** P *v/i.* albernes Zeug reden.

déboire [de'bwa:r] *m*: *bsd.* **~s** *pl.* Kummer *m*, Verdruß *m*, Enttäuschung *f*.

déboiser [debwa'ze] *v/t.* (1a) abholzen, entwalden, ausroden.

déboît|ement [debwat'mã] *m* Verrenkung *f*; *Auto* Spurwechsel *m*; **~er** [~'te] (1a) **I** *v/t.* ⚕ verrenken; ⊕ aus den Fugen bringen; **II** *v/i.* *Auto* die Fahrspur wechseln; **III** *v/rfl.* se ~ sich ausrenken; ⊕ aus den Fugen springen.

débonder [debɔ̃'de] (1a) **I** *v/t.* aufspünden, den Zapfen herausziehen aus (*dat.*); ~ *un étang* e-n Teich ablassen; *fig.* ~ *son cœur* sein Herz ausschütten; **II** *v/rfl.* se ~ ausfließen.

débondonner [debɔ̃dɔ'ne] *v/t.* (1a) aufspünden.

débonnaire [debɔ'nɛ:r] *adj.* zu gutmütig; **~té** [~nɛr'te] *f* zu große Gutmütigkeit *f*.

débord|ant [debɔr'dã] *adj.* (7) überlaufend; *fig.* überreich; übermäßig, überschwenglich; *d'une joie* **~e** mit überschwenglicher Freude; **~é** [~'de] *adj.* **1.** ⚔ überschritten; *allg.* überrumpelt; **2.** überlastet; über'laufen (*z.B. Arzt*); überfordert (*z.B. die Polizei*); **~ement** [~də'mã] *m* **1.** Überflutung *f*, Überschwemmung *f*; ⚕ Ergießung *f*; ⚔ Einfall *m*; *a. fig.* Überflügelung *f*; **2.** *fig.* ~ *d'injures* Flut *f* von Schmähungen; **3.** *fig.* Ausgelassenheit *f*, Zügellosigkeit *f*; ~ *des passions* Ausbruch *m* der Leidenschaften; **~er** [~'de] (1a) **I** *v/t.* **1.** den Rand *e-s Kleidungsstückes* abtrennen; **2.** hinausragen über (*acc.*); *fig.* übergreifen auf (*acc.*); **3.** ⚔, *a. fig.* überflügeln; übertreffen, *a.* ⚔ überrennen; *den Feind* umgehen; *allg.* überwältigen; *un homme d'Etat débordé par les événements* ein von den Ereignissen überwältigter Staatsmann *m*; **II** *v/i.* **4.** über die Ufer treten; *fig.* übersprudeln; *weitS.* über die Grenzen treten; ⚔ in ein Land einfallen; ⚕ sich ergießen; **5.** überlaufen, überkochen; *am Rande e-r Sache* hervorstehen; **6.** ⚠ vorspringen; **7.** ⚓ *vom Bord e-s Schiffes, vom Ufer usw.* abstechen; **III** *v/rfl.* se ~ **8.** sich von Bord losmachen, von e-m Schiff abstoßen; **9.** *fig.* se ~ *en injures* (*en imprécations*) Flüche

(Verwünschungen) ausstoßen; **~oir** ⊕ [~'dwa:r] *m* Beschneidemesser *n*.

débosseler ⊕ [debɔs'le] *v/t.* (1c) ausbeulen.

débosser ⚓ [debɔ'se] *v/t.* (1a) vom Ankertau losmachen.

débott|é, ~er [debɔ'te] *m*: *au* ~ gleich bei der Ankunft; *fig.* unversehens, unverhofft, Knall u. Fall (P); mir nichts, dir nichts (F); **~er** [~] *v/t. u. v/rfl.* se ~ *j-m bzw.* sich die Stiefel ausziehen.

débouch|age [debu'ʃa:ʒ] *m* Öffnen *n*, Entkorken *n*; **~é** [~'ʃe] *m* **1.** Ausgang *m*, Öffnung *f e-r Schlucht*; *fig.* Ausweg *m*; *le* ~ *d'une rue* die Mündung e-r Straße; **2.** ✝ Absatzmöglichkeit *f*, -gebiet *n*, -quelle *f*, Markt *m für e-e Ware*, Handelsweg *m*; **3.** *fig.* Aussicht *f*, Anwartschaft *f*; *les* ~*s pl.* a) die Absatzmöglichkeiten *f/pl.*; b) die Berufsaussichten *f/pl.*; **~ement** [~ʃ'mɑ̃] *m* **1.** Öffnen *n*, Aufmachen *n*, Entkorken *n*; ~ *d'un canal* Ausräumung *f* e-s Kanals; **2.** ✝ Absatzweg *m*, Absatzmöglichkeit *f*; **3.** ⚔ Hervorrücken *n aus e-m Hohlweg*; **4.** *allg.* Hervorkommen *n*; **~er** [~'ʃe] (1a) **I** *v/t.* **1.** ~ *une bouteille* e-e Flasche entkorken; ~ *un chemin* e-n Weg freimachen; **II** *v/i.* **2.** ⚔ los-, hervorbrechen; *a. allg.* herauskommen; **3.** münden (*Fluß, Straße*); ~ *sur* führen auf (*acc.*; *Tor, Straße*); **III** *v/rfl.* se ~ sich entkorken lassen; frei werden; **~oir** ⊕ [~'ʃwa:r] *m*: ~ *à ventouse* (*Leitungs-*)Absauger *m*.

déboucl|é [debu'kle] *adj.* zerzaust; **~er** [~] (1a) **I** *v/t.* **1.** ab-, auf-, losschnallen; **2.** ~ *les cheveux* die Lockennadeln herausnehmen; **3.** F j-n freilassen; **II** *v/rfl.* se ~ sich losschnallen; aufgehen; in Unordnung geraten (*Haare*).

déboul|é [debu'le] *m* **1.** *ch.* plötzliches Wegrennen *n*; **2.** *Sport*: plötzlicher, schneller Lauf *m* (*Fußball*); **3.** *Art* Spitzentanz *m mit schnellen Kehrtwendungen*; **~er** [~] *v/i.* (1a) **1.** unversehens auf u. davon rennen; ausreißen; **2.** F *a. v/t.* ~ (*dans*) *l'escalier* die Treppe herunterkugeln.

déboulonn|age ⊕ [debulɔ'na:ʒ] *m*, **~ement** [~lɔn'mɑ̃] *m* Abbolzen *n*; **~er** [~'ne] *v/t.* (1a) losschrauben, abbolzen; lösen, losmachen, abnehmen; *allg.* niederreißen, (um-)stürzen; ~ *une statue* ein Denkmal umstürzen; *fig.* ~ *la réputation de q.* j-s Ruf herunterreißen, j-n in Mißkredit bringen; ~ *q.* j-n rausekeln.

débouqu|ement ⚓ [debuk'mɑ̃] *m* Ausfahrt *f*; Durchfahrtsstraße *f*, Meerenge *f*; **~er** ⚓ [~'ke] *v/i.* (1m) *aus e-m Kanal* herausfahren; *ein enges Fahrwasser* passieren.

débourb|age ⚒ [debur'ba:ʒ] *m* Ausschlämmen *n*; **~er** [~'be] (1a) **I** *v/t.* **1.** aus-, ab-schlämmen, vom Schlamm reinigen; **2.** ~ *une voiture* e-n Wagen aus dem Schlamm herausholen; *fig.* ~ *q.* j-m aus der Patsche (*od.* Klemme) helfen; **II** *v/rfl.* se ~ aus dem Schlamm (*fig.* aus der Verlegenheit) herauskommen.

débourr|age ⊕ [debu'ra:ʒ] *m* Reinigen *n*, Putzen *n*, Abstreifen *n*, Lösen *n*; *appareil m de* ~ Ausstoßvorrichtung *f*; **~er** [~'re] (1a) **I** *v/t.* den Pfropfen herausziehen aus (*dat.*); ~ *une pipe* e-e verstopfte Pfeife reinigen; F *fig.* ~ *un jeune homme* e-m jungen Mann die Anfangsgründe *e-s Gebietes* beibringen; **II** *v/i.* aufbrechen (*v. Knospen des Weinstocks*); P s-e Notdurft verrichten.

débours [de'bu:r] *m* (*mst. pl.*) ausgelegtes Geld *n*, Auslagen *f/pl.*

débourser [debur'se] *v/t.* (1a) (*Geld*) aufwenden, vor-schießen, -strecken.

déboussolé [debusɔ'le] *adj.*: *ce monde* ~ diese aus den Fugen geratene Welt.

debout [də'bu] **I** *adv.* **1.** aufrecht (-stehend), auf den Beinen; *être* ~ stehen; auf (den Beinen) sein; *écrire* ~ im Stehen schreiben; *travailler* ~ stehend arbeiten; *être encore* ~ noch am Leben sein; *rester* ~ stehen bleiben; erhalten bleiben; *fig.* sich aufrechterhalten; *tenir* ~ standhalten; *cela ne tient pas* ~ das läßt sich nicht halten, das ist glatter Unsinn; *ne plus tenir* ~ nicht mehr stehen können; *se tenir* ~ sich aufrecht halten; *dormir* ~ im Stehen schlafen; *place f* ~ Stehplatz *m*; **2.** ✝ *passer* ~ durchgehen (*Waren*), zollfrei passieren; **3.** *ch. mettre un animal* ~ ein Tier aufjagen; **4.** ⚕ *station f* ~ stehende Haltung *f*; **5.** *a.* ⚓ *avoir vent* ~ Gegenwind haben; *aller* ~ *au courant* gegen die Strömung segeln; ~ *à la lame* quer durch die Wellen; **II** *int.* ~! *a.* ⚔ auf!, aufstehen!, aufgestanden!

débou|té ⚖ [debu'te] *m* **1.** Abweisen *n e-r Klage*; **2.** Kläger *m*, dessen Klage abgewiesen worden ist; **~tement** ⚖ [~t'mɑ̃] *m* Klageabweisung *f*; **~ter** ⚖ [~'te] *v/t.* (1a) abweisen; *être débouté de sa demande* mit s-r Klage abgewiesen werden.

déboutonner [~tɔ'ne] (1a) **I** *v/t.* aufknöpfen; F *fig. rire à ventre déboutonné* sich ausschütten vor Lachen; *manger à ventre déboutonné* sich vollfressen P; **II** *v/rfl. se ~* sich aufknöpfen; aufgehen (*Kleidungsstücke*); *fig.* sich anvertrauen.

débraill|é [debrɑ'je] **I** *adj.* schamlos *od.* zu frei gekleidet, schlampig, salopp, verwahrlost; *fig.* ohne Anstandsgefühl; **II** *m* Schlampige(s) *n*, Ungepflegtheit *f in der Kleidung*, zerlumpter Zustand *m*; *fig. le ~ du style* der ungepflegte Stil; **~er** [~] *v/rfl.* (1a) *se ~* sich schamlos (*od.* schlampig) kleiden; *allg.* unfein werden (*Unterhaltung*).

débraiser P [debrɛ'ze] (1a) *v/rfl. se ~* wieder nüchtern werden.

débrancher [debrɑ̃'ʃe] *v/t.* (1a) **1.** ⚡, *rad.* umstecken; *e-n Zweig* abschalten; **2.** 🚂 ausrangieren.

débray|age [debrɛ'ja:ʒ] *m* **1.** ⊕ Ausschalten *n*; Aus-, Los-, Entkupplung *f*; *double ~ Auto*: Zwischengasgeben *n*; **2.** *fig.* Arbeitseinteilung *f*, Niederlegung *f* der Arbeit; Kurzstreik *m*; *a. désembrayage*; **~er** [~brɛ'je] *v/t.* (1i) **1.** entkuppeln, die Kupplung lösen; **2.** P *fig.* die Arbeit niederlegen.

débri|dement [debrid'mɑ̃] *m* **1.** Abzäumen *n*; **2.** ⚕ Durchschneiden *n*, Erweitern *n*; **~der** [~'de] *v/t.* (1a) **1.** abzäumen; haltmachen; *fig.* lösen (*Zunge*); *langue f débridée* lose Zunge *f*; *sans ~* in einem fort, ununterbrochen; **2.** *chir.* einschneiden; *~ une plaie* e-e Wunde erweitern.

débris [de'bri] *m* (*mst. pl.*) Trümmer *pl.*; Scherben *f/pl.*; Wrack *n*; Überbleibsel *n/pl.*, Überreste *m/pl.*; *les ~ d'un repas* die Reste *m/pl.* e-r Mahlzeit; *fig. les ~ d'un empire* die Überreste *m/pl.* e-s Reichs; *géol. ~ pl. d'alluvion* Anschwemmungen *f/pl.*

débrouil|lage [debru'ja:ʒ] *m* Pfiffigkeit *f*; **~lard** [~'ja:r] **I** F *adj. u. su.* (7) pfiffig, schlau; Schlauberger *m*, Schlaukopf *m*; **II** *m* ⚠ Enttrümmerer *m*; **~lardise** [~brujar'di:z] *f*, **~le** [~'bruj] *f* Pfiffigkeit *f*, Gerissenheit *f*; **~lement** [~bruj'mɑ̃] *m* Entwirrung *f*; **~ler** [~'je] (1a) **I** *v/t.* entwirren, in Ordnung bringen; (auf)klären; *~ une écriture* e-e Schrift entziffern; **II** *v/rfl. se ~* entwirrt werden; sich entwirren; in Ordnung kommen; (auf)geklärt werden; klar u. verständlich werden; sich *im Leben* durchschlagen; *savoir se ~* sich zu helfen wissen, sich aus der Affäre zu ziehen wissen.

débroussailler [debrusɑ'je] *v/t.* (1a) Gestrüpp entfernen aus (*dat.*).

débrutir ⊕ [debry'ti:r] *v/t.* (2a) die erste Politur geben (*dat.*), abschleifen.

débucher [deby'ʃe] (1a) *ch.* **I** *v/t.* *Wild* aufjagen; **II** *v/i.* sein Lager (*od.* s-n Stand) verlassen (*Wild*).

débudgétiser [debydʒeti'ze] *v/t.* (1a) im Haushaltsplan streichen.

débureaucratiser [debyrokrati'ze] *v/t.* (1a) (*u. v/rfl. se ~* sich) entbürokratisieren.

débusqu|ement ⚔ [debyskə'mɑ̃] *m* Aufstöbern *n*, Verjagen *n*; **~er** [~'ke] *v/t.* (1m) *a.* ⚔ aufstöbern; verjagen; *allg.* aufscheuchen; *fig.* *j-n* von s-m Posten verdrängen, *j-n* rausdrängeln F (*od.* rausekeln P); *ch. ~ le cerf* den Hirsch aufjagen.

début [de'by] *m* **1.** *Spiel*: erster Schlag *m od.* Stoß *m usw.*; *faire un beau ~* günstig anspielen; *fig.* gut anfangen; **2.** *fig.* Anfang *m*, erster Versuch *m*; Eingangsformel *f*; *pol. ~ oratoire* Antrittsrede *f*; *au ~* im Anfang, zu Anfang, anfangs; *au ~ de* bei Beginn (*gén.*); *en ~ de l'après-midi* zu Anfang des Nachmittags; *dès le ~* von Anfang an, gleich zu Beginn; **3.** *thé.* erstes Auftreten *n*, Debüt *n*, Erstlingsrolle *f*; **4.** *~ dans le monde* Eintritt *m* in die Welt; *en être à ses ~s* erst ein Anfänger sein (*beruflich*); **~ant** [~'tɑ̃] *su.* (7) Debütant *m*, erstmalig Auftretende(r) *m*, Anfänger(in *f*) *m*, Neuling *m*; *~ de ski* Schianfänger *m*; **~er** [~'te] *v/i.* (1a) debütieren, erstmalig auftreten, anfangen (*par* mit *dat.*); s-n Dienst antreten; *Spiel*: anwerfen, anspielen; *thé.* zum ersten Mal auftreten, debütieren; *allg.* anfangen; *par où ~?* womit soll ich (man) anfangen?, was soll ich (man) zuerst sagen (*od.* schreiben)?

deçà [də'sa] **I** *adv.*: *aller ~ et delà* hin- und hergehen (*Weberschiffchen*); **II** *prp. en ~ de* diesseits (*gén.*); *en ~ de la rivière* diesseits des Flusses; *rester en ~ de la vérité* flunkern, nicht ganz bei der Wahrheit bleiben.

décacheter [dekaʃ'te] (1c) *v/t.* entsiegeln.

décad|aire [deka'dɛ:r] *adj.* zehntägig, Dekaden...; **~e** [de'kad] *f* **1.** zehn Stück; **2.** Dekade *f*, Zeitraum *m* von zehn Tagen (*od. a.* Jahren); **3.** *litt.* Dekade *f*, Werk *n* in zehn Büchern.

décadenasser [dekadna'se] *v/t.* (1a) das Vorhängeschloß abnehmen.

décad|ence [deka'dɑ̃:s] *f* Dekadenz *f* (*a. litt.*), Verfall *m*; **~ent** [~'dɑ̃] **I** *adj.* (7) dekadent, entartet, heruntergekommen (*a. su.*); **II** *m litt.* Dekadente(r) *m*; **~isme** *Fr. litt.* [~'dism] *m* = *décadence*.

décaèdre [deka'ɛdrə] *m* Dekaeder *n*.

décaféiner [dekafei'ne] *v/t.* (1a) den Kaffee koffeinfrei machen.

décagement ⚒ [dekaʒ'mɑ̃] *m* Abziehen *n* aus dem Förderkorb.

décagone [deka'gɔn] *m* Zehneck *n*.

décaiss|ement ✓ [dekɛs'mɑ̃] *m* Verpflanzung *f* aus e-m Kasten; **~er** [~'se] *v/t.* (1a) **1.** *fin.* auszahlen; **2.** ✓ aus e-m Kasten verpflanzen; **3.** auspacken.

décalage [deka'la:ʒ] *m* **1.** Wegnehmen *n* der Keile, der Unterlage; **2.** *artill.* Entriegeln *n*; **3.** ⚡, *méc.* Verschieben *n*, Verschiebung *f*; **4.** *fig.* Abstand *m*, Verschiebung *f* (*räumlich od. zeitlich*), Abweichung *f*; ⚠ versetzte Gruppierung *f*; ⊕ Versatz *m*; *le ~ des classes supprime les inconvénients des longs corridors* durch die versetzte Gruppierung der Klassenräume werden die Mißstände der langen Korridore vermieden.

décalamin|age *Auto* [dekalami'na:ʒ] *m* Entfernung *f* von Rückständen *im Motor*; **~er** *Auto*, ⊕ [~'ne] *v/t.* (1a) ent-rußen,-zundern.

décalcifier ⚕ [dekalsi'fje] *v/t.* (1a) entkalken.

décalcomanie [dekalkɔma'ni] *f* Abziehbild *n*.

décaler [deka'le] *v/t.* (1a) **1.** e-n Keil wegnehmen (von); (*Löschzug*) flottmachen; **2.** *artill.* entriegeln; **3.** ⚡, *méc.*, *allg.* verschieben; *~ le diagramme théorique* die Sollkurve verschieben; **4.** *fig.*, *a. pol.* verlagern.

décalescence *métall.* [dekale'sɑ̃:s] *f* Abschreckung *f*.

décalogue [deka'lɔg] *m die* Zehn Gebote *n/pl*.

décalotter [dekalɔ'te] *v/t.* (1a) die Kappe (die Kuppe) abnehmen.

décalqu|age [dekal'ka:ʒ] *m* Durchpausen *n*; Abziehen *n*; **~e** [de'kalk] *m* Gegenabzug *m*; Lichtpause *f*, Pause *f*; *fig.* Nachahmung *f*, Abklatsch *m*; *fig.* Abbild *n*; *ling.* sprachliche Nachbildung *f e-s Fremdwortes*; **~er** [~'ke] *v/t.* (1m) durchpausen; ein Bild abziehen; *fig.* nachahmen; *image f à ~* Abziehbild *n*; *papier m à ~* Pauspapier *n*.

décamètre [deka'mɛtrə] *m* Dekameter *n*.

décamouflage [~mu'fla:ʒ] *m* Enthüllung *f*.

décamper [dekɑ̃'pe] *v/i.* (1a) das Weite suchen, plötzlich abhauen F.

décanat [deka'na] *m* Dekanat *n*.

décaniller F [dekani'je] *v/i.* (1a) abhauen F, sich auf- und davonmachen.

décant|age [dekɑ̃'ta:ʒ] *m*, **~ation** [~tɑ'sjɔ̃] *f* Abziehen *n*, Abgießen *n*, Abklären *n*, Dekantieren *n*; *bassin m de ~* Klärbecken *n*; **~er** [~'te] *v/t.* (1a) abklären, abgießen, abziehen, dekantieren; *fig.* läutern; **~eur** [~'tœ:r] *m* Klärapparat *m*.

décap|age [deka'pa:ʒ] *m* Beizen *n*, Abbeizen *n*, Entrosten *n*, Blankmachen *n*, Scheuern *n*; **~er** [~'pe] *v/t.* (1a) *Gold* abbeizen; entrosten; *Metall* scheuern, blank putzen; *~ mat* matt brennen; **~euse** ⊕ [~'pø:z] *f* Schürfkübelbagger *m*.

décapit|ation [dekapitɑ'sjɔ̃] *f* Enthauptung *f*; **~er** [~'te] *v/t.* (1a) enthaupten; *fig.* zerschlagen.

décapot|able *Auto* [dekapɔ'tablə] **I** *adj.* mit herunterklappbarem Verdeck; **II** *f* Kabriolett *n*; **~er** *Auto* [~'te] *v/t.* (1a) das Verdeck aufklappen.

décapsuleur [dekapsy'lœ:r] *m* Flaschenöffner *m*.

décapuchonner [dekapyʃɔ'ne] *v/t.* (1a) die Kapuze abnehmen; *Füllhalter* aufschrauben *usw.*

décarburer ⚒, *métall.* [dekarby're] *v/t.* (1a) entkohlen.

décarcasser F [dekarka'se] *v/rfl.* (1a) *se ~* sich abrackern, sich abquälen.

décarêmer [dekarɛ'me] *v/rfl.* (1a) *se ~* sich nach dem Fasten am Fleischgenuß gütlich tun; *allg.* sich für e-e Entbehrung schadlos halten.

décarreler [dekar'le] *v/t.* (1c) die Steinplatten *aus e-m Fußboden* herausnehmen.

décartellis|ation ✝ [dekartɛliza'sjɔ̃] *f* Entflechtung *f*; **~er** ✝ [~'ze] *v/t.* (1a) entflechten.

décasyllab|e, ~ique [dekasi'lab, ~'bik] *adj.* zehnsilbig.

décathlon *Sport* [dekat'lɔ̃] *m* Zehnkampf *m*.

décatholiciser [dekatɔlisi'ze] *v/t.* (1a) entkatholisieren.
décati *fig.* F [deka'ti] *adj.* (7) verblaßt, kraftlos.
décatir [deka'tiːr] (2a) **I** *v/t. text.* krumpen, aufkratzen, glanzlos machen, dekatieren; **II** P *v/rfl.* se ~ sich aufreiben, klapprig werden.
decauville 🚂 [dəko'vil] *m* Feldbahn *f*.
déca|vé F [deka've] *adj.* (7) einer, der alles beim Spiel verloren hat; *fig.* völlig blank, *fig.* ausgezogen, ruiniert, erledigt; **~ver** [~] (1a) **I** *v/t.* ~ *q.* j-n um sein ganzes Vermögen bringen; *fig.* j-n ausziehen, ruinieren; **II** *v/rfl.* se ~ s-n Einsatz *beim Spiel* verlieren.
décédé [dese'de] *su.* Verstorbene(r) *m*.
décéder [~] *v/i.* (1f) sterben.
décelable [des'lablə] *adj.* nachweisbar; ⚔ aufspürbar, *a.* ⚗ feststellbar.
décèlement [desel'mɑ̃] *m* **1.** Entdeckung *f*, Verrat *m*; ⚔ Aufspüren *n*; **2.** ⚗ Nachweisen *n*.
déceler [des'le] *v/t.* (1d) **1.** entdecken, verraten; enträtseln; herauslesen; **2.** ⚗ nachweisen.
décélér|ation [deselerɑ'sjɔ̃] *f* **1.** ⊕ Verlangsamung *f*, Drosselung *f*; **2.** *éc.* Wachstumsrückgang *m*; **~er** [~'re] *v/t.* (1f) verlangsamen, drosseln.
déceleur ⊕ [des'lœːr] *m* Spürgerät *n*.
décembre [de'sɑ̃ːbrə] *m* Dezember *m*.
décemment [desa'mɑ̃] *adv.* auf anständige Art, gebührend, korrekt.
décence [de'sɑ̃ːs] *f* Anstand *m*.
décennie [desɛ'ni] *f* Jahrzehnt *n*.
décent [de'sɑ̃] **I** *adj.* (7) anständig, schicklich, geziemend, dezent, sittsam, ehrbar; **II** *m das* Anständige, *das* Schickliche.
décentrable *phot.* [desɑ̃'trablə] *adj.* verstellbar.
décentrali|sation [desɑ̃traliza'sjɔ̃] *f* Dezentralisierung *f*; **~ser** [~'ze] *v/t.* (1a) dezentralisieren; **~sme** [~'lism] *m* (System *n* der) Dezentralisation *f*.
décentr|ement *phot.* [desɑ̃trə'mɑ̃] *m* Dezentrieren *n*, Verstellbarkeit *f*; **~er** *phot.* [~'tre] *v/t.* (1a) dezentrieren, verstellen.
déception [desɛp'sjɔ̃] *f* Enttäuschung *f*; *éprouver des ~s* enttäuscht werden.
décercler ⊕ [desɛr'kle] *v/t.* (1a) die Reifen abnehmen von (*dat.*).
décern|ement ⚖ [desɛrnə'mɑ̃] *m* gerichtliche Entscheidung *f*; **~er** [~'ne] *v/t.* (1a) **1.** ⚖ ~ *qch.* etw. beschließen; ~ *un mandat d'arrêt* e-n Haftbefehl (*od.* Steckbrief) erlassen; ~ *une peine* e-e Strafe verfügen; **2.** *e-n Preis usw.* zuerkennen, erteilen; *Orden* verleihen.
décès [de'sɛ] *m* Tod *m*, Ableben *n*; Heimgang *m st.s.*; *acte m de ~* Sterbeurkunde *f*, Totenschein *m*.
déce|vable [des'vablə] *adj.* leicht zu hintergehen; **~vant** [~'vɑ̃] *adj.* (7) (be)trügerisch; (ent)täuschend; **~voir** [~'vwaːr] *v/t.* (3a) (ent)täuschen; hintergehen; *son espoir fut vite déçu* er sah sich schnell in s-r Hoffnung getäuscht.
déchaî|nement [deʃɛn'mɑ̃] *m* Entfesselung *f*; Toben *n*; *fig.* Ausbruch *m von Leidenschaften*, leidenschaftliche Angriffe *m/pl.*, Wut *f*, Entrüstung *f*; **~ner** [~'ne] (1b) **I** *v/t.* **1.** losketten; **2.** *fig.* loslassen, entfesseln, entfachen; F *le diable est déchaîné* der Teufel ist los; **II** *v/rfl.* se ~ losbrechen, toben, tosen; se ~ *contre q.* auf j-n losgehen; *fig.* zu Felde ziehen.
déchalasser ✓ [deʃala'se] *v/t.* (1a): ~ *une vigne* die Reben abpfählen.
déchaler [deʃa'le] *v/i.* (1a) zurückweichen (*Flut*); außer Wasser liegen (*Strand*).
déchanter F [deʃɑ̃'te] *v/i.* (1a) den Ton mildern, seine Hoffnungen sinken lassen, seine Ansprüche herabschrauben; *fig.* gelindere Saiten aufziehen.
déchaperonner [deʃaprɔ'ne] *v/t.* (1a) **1.** *ch.* abkappen; **2.** ⚠ die Mauerkappe wegnehmen.
décharg|e [de'ʃarʒ] *f* **1.** *fig. materielle od. moralische* Erleichterung *f*; **2.** ⚖ Entlastung *f*; *obtenir ~* ein freisprechendes Urteil auswirken; *témoin m à ~* Entlastungszeuge *m*; **3.** Rumpelkammer *f*; Schuttwinkel *m*; ~ *publique* Deponie *f*, Müllkippe *f*, Schuttabladestelle *f*; **4.** Ab-, Aus-fluß *m*; Abzugs-becken *n*, -graben *m*; *tuyau m de ~* Abflußröhre *f*; **5.** ✝, *fin.* Quittung *f*; Lieferschein *m*; Empfangsbescheinigung *f*; Steuerbefreiung *f*; ~ *de service* Dienstbefreiung *f*; *donner ~ à q.* j-m Entlastung erteilen; ~ *de livraison faite* Auslieferungsschein *m*; *porter une somme en ~* e-n Betrag abschreiben, e-e Summe als empfangen buchen; *pour ~* zur Entlastung; **6.** ⚠ Entlastungsbogen *m*; **7.** ⚡ Entladung *f*, Schlag *m*; **8.** ⚔ Abfeuern *n*, Salve *f*, Schuß *m*;

Ausrücken *n*; ⚡ Auslösung *f*; *phot.* ~ *au doigt, à la poire* Finger-, Ball-auslösung *f*; **3.** ⚔ ~ *d'une attaque* Beginn *m* e-s Angriffs; **~cher** [~klɑ̃'ʃe] *v/t.* (1a) **1.** aufklinken; *häufig fig.*: ~ *qch.* etw. auslösen; ~ *l'alerte* Alarm geben; ~ *une grève* e-n Streik eröffnen; ✝ ~ *la reprise économique* die Wirtschaft wieder ankurbeln; **2.** *Dampfmaschine*: ausrücken; ⚡, *téléph.*, *phot.* auslösen; *phot.* knipsen; **3.** ⚔ ~ *l'attaque* den Angriff beginnen, zum Angriff übergehen; **~cheur** [~'ʃœːr] *m phot.* Auslöser *m*; *phot.* ~ *flexible* Drahtauslöser *m*; *a. adj.*: ⊕ *appareil m* ~ Auslösevorrichtung *f*.

déclergéifier *néol.* [deklɛrʒei'fje] *v/t.* (1a) entklerikalisieren.

déclic [de'klik] *m* **1.** Sperrklinke *f*; Auslöse-, Aushebe-vorrichtung *f*; Druckfeder *f*; *montre f à* ~ Stoppuhr *f*; **2.** *phot. appuyer sur le* ~ auf den Auslöser drücken; *faire entendre* (*od. faire marcher*) *le* ~ am Auslöser knipsen.

déclimater [deklima'te] *v/t.* (1a) *Tiere, Pflanzen usw.* e-s Klimas (*od.* von e-m Klima) entwöhnen, in e-r anderen Gegend heimisch machen.

déclin [de'klɛ̃] *m* Untergang *m*, Niedergang *m*, Abnehmen *n*, Verfall *m*; Ende *n*; ~ *de la vie* Lebensabend *m*; *être à* (*od. sur*) *son* ~ auf die Neige gehen, untergehen; *au* ~ *du jour* gegen Abend.

déclin|abilité *gr.* [deklinabili'te] *f* Deklinierbarkeit *f*; **~able** *gr.* [dekli'nablə] *adj.* deklinierbar; **~aison** [~nɛ'zɔ̃] *f gr.* Deklination *f*; *phys.* Abweichung *f*; **~ant** [~'nɑ̃] *adj.* abweichend; *fig.* abnehmend, verfallend, auf die Neige *od.* zur Neige gehend; **~ateur** *phys.* [~na'tœːr] *m* Abweichungskompaß *m*, Deklinationsbussole *f*.

déclinatoire [deklina'twaːr] **I** *adj.* ⚖ ablehnend; **II** *m* **1.** ⚖ Ablehnungserklärung *f*; **2.** ✈ Ortungsbussole *f*.

décliné [dekli'ne] *adj.* niedergebogen, abwärts geneigt.

décli|ner [~] (1a) **I** *v/i.* **1.** abnehmen, zu Ende gehen, verfallen; *sa santé déclinait* s-e (ihre) Gesundheit wurde schlechter, es ging mit s-r (ihrer) Gesundheit bergab; **2.** *ast.*, *phys.* abweichen; **II** *v/t.* **3.** *gr.* deklinieren; **4.** ⚖ ablehnen (*a. fig.*); ~ *la responsabilité* die Verantwortung ablehnen; **5.** angeben (*Namen, Beruf*); **III** *v/rfl.* se ~ **6.** *gr.* dekliniert werden; **7.** ⚖ abgelehnt werden; **~nomètre** *phys.*, ⊕ [~nɔ'mɛtrə] *m* Ablenkungsmesser *m*.

décliqueter ⊕ [deklik'te] *v/t.* (1c) die Sperrung ausklinken *od.* auslösen, die Hemmung losmachen.

décli|ve [de'kliːv] *adj.* abschüssig; **~vité** [~klivi'te] *f* Senkung *f*, Abschüssigkeit *f*.

déclochardisation *pol.* [deklɔʃardizɑ'sjɔ̃] *f* Beseitigung *f* der Arbeitslosigkeit.

déclouer [deklu'e] *v/t.* (1a) durch Herausziehen der Nägel öffnen.

décoaguler [dekɔagy'le] *v/t.* (1a) wieder flüssig machen.

déco|chement [dekɔʃ'mɑ̃] *m* Abschießen *n* e-s Pfeiles (*a. fig.*); **~cher** [~'ʃe] *v/t.* (1a) abschießen; *fig.* loslassen, abfeuern; vom Stapel lassen; versetzen (*j-m e-n Schlag*); ~ *une œillade à q.* j-n mit Blicken bombardieren.

décoction ⚗ [dekɔk'sjɔ̃] *f* Absud *m*; Abkochung *f*; ⚗ *faire une* ~ (*de*) abkochen.

décoder [dekɔ'de] *v/t.* (1a) entschlüsseln.

décoffr|age ▲ [dekɔ'fraːʒ] *m* Ausschalen *n*; **~er** ▲ [~'fre] *v/t.* (1a) ausschalen.

décohéreur [dekɔe'rœːr] *m rad.* Entfritter *m*; *télégr.* Klopfer *m*.

décohésion *rad.* [dekɔe'zjɔ̃] *f* Entfrittung *f*.

décoiffer [dekwa'fe] *v/t.* (1a) **1.** das Haar in Unordnung bringen; **2.** ~ *une bouteille* e-e Flasche entkapseln.

décoincer ⊕ [dekwɛ̃'se] *v/t.* (1k): ~ *des rails* Schienen loskeilen.

décolérer [dekɔle're] *v/i.* (1f): *ne pas* ~ nicht aufhören zu toben.

décollage [dekɔ'laːʒ] *m* **1.** ✈ Abflug *m*, Start *m*; Abwassern *n*; ⊕ Anlauf *m*; ~ *vent arrière* Start *m* mit Rückenwind; ~ *vent debout* Start *m* gegen den Wind; ~ *vent de côté* Start *m* mit Seitenwind; **2.** Los-machen *n*, -gehen *n des Geleimten*, Ablösen *n*.

décollement [dekɔl'mɑ̃] *m* Abreißen *n*; Losgehen *n des Leims*; ⚕ ~ *de la rétine* Netzhautablösung *f*.

décoller [dekɔ'le] (1a) **I** *v/t.* ~ *qch.* etw. *An- od. Zu-geklebtes* ab-, los- *od.* auf-machen, ablösen; **II** *v/i.* a) F losziehen; *a. Sport*: sich trennen; *ne pas* ~ *d'un endroit* nicht von e-r Stelle weichen; b) ✈ starten (*a.* ⚓), aufsteigen, abheben; ✈ *auf dem Wasser*: abwassern; c) *fig.* F den Boden unter den Füßen verlieren; d) F ⚕ altern; ce *qu'il a décollé!* wie klapprig ist er geworden!; **III** *v/rfl.* se ~ losgehen, aus dem Leim gehen.

décolle|tage [dekɔl'ta:ʒ] *m* Ausschnitt *m* am Kleid; ⊕ Abstech-, Dreh-, Automaten-arbeit *f*; *pièces f/pl. de* ~ Fassondrehteile *m/pl.*; **~té** [~'te] **I** *adj.* ausgeschnitten, dekolletiert; **II** *m* (Hals-)Ausschnitt *m*; **~tée** [~] *adj./f u. f* (*robe f*) ~ ausgeschnittenes Kleid *n*; **~ter** [~] *v/t.* (1c) e-n Ausschnitt *an e-m Kleid* machen, dekolletieren.

décolonis|ation [dekɔlɔniza'sjɔ̃] *f* Abschaffung *f* (*od.* Beseitigung *f*) der Kolonialherrschaft; **~er** [~'ze] (1a) **I** *v/t.* entkolonisieren; befreien; **II** *v/rfl.* se ~ die Kolonialherrschaft abschütteln.

décolo|rant ⚗ [dekɔlɔ'rɑ̃] *m* Bleichmittel *n*, Entfärbungsmittel *n*; **~ration** [~rɑ'sjɔ̃] *f* Entfärbung *f*; *fig.* ~ *du style* Farblosigkeit *f* des Stils; **~rer** [~'re] (1a) **I** *v/t.* entfärben; blaß machen; *décoloré* farblos, verwaschen, blaß; **II** *v/rfl.* se ~ sich entfärben; verbleichen.

décom|brement [dekɔ̃brə'mɑ̃] *m* Beseitigung *f* des Schutts, Enttrümmerung *f*, Schuttbeseitigung *f*; **~brer** [~'bre] *v/t.* (1a) von Schutt reinigen, enttrümmern; **~bres** [~'kɔ̃:brə] *m/pl.* (Bau-)Schutt *m*, Trümmer *n/pl.* (*a. fig.*).

décommander [dekɔmɑ̃'de] *v/t.* (1a) abbestellen, absagen; ⚔ verbieten, abblasen F.

décommettre [dekɔ'mɛtrə] *v/t.* (4p) (*ein Tau*) aufdrehen.

décompléter [dekɔ̃ple'te] *v/t.* (1f) unvollständig machen.

décomplexer *psych.* [dekɔ̃plɛk'se] *v/t.* (1a) die Komplexe nehmen (*dat.*).

décompo|sable *a.* ⚗ [dekɔ̃po'zablə] *adj.* zerlegbar; **~sé** [~'ze] *adj.* **1.** zersetzt, in Zersetzung geraten; **2.** *fig.* *un visage* ~ *par la douleur* ein durch den Schmerz entstelltes Gesicht *n*; **~ser** [~] (1a) **I** *v/t.* auflösen, zersetzen, zerteilen, zerlegen; *phys.* trennen, spalten; *allg.* zergliedern; ~ *une machine* e-e Maschine auseinandernehmen; 🚂 ~ *les trains* die Züge ausrangieren; ~ *le visage* das Gesicht entstellen *od.* verzerren; **II** *v/rfl.* se ~ sich zersetzen, sich auflösen; in Fäulnis geraten; verwesen; *fig.* sich verzerren; **~sition** [~zi'sjɔ̃] *f* **1.** Zersetzung *f*, Auflösung *f*, Zerlegung *f*, Zergliederung *f*; *phys.* Spaltung *f*; ~ *automatique* Selbstzersetzung *f*; *fig.* F *tomber en* ~ die Haltung verlieren; *produit m de* ~ Abbauprodukt *n*; **2.** Faulen *n*, Verwesung *f*; *en* ~ verdorben; **3.** *fig.* Verfall *m*, Zerfall *m*; Verzerrung *f*.

décompress|er [~prɛ'se] *v/t.* (1a) entlasten; **~eur** ⊕ [~prɛ'sœ:r] *m* Dekompressionsvorrichtung *f*; **~ion** ⊕ [~'sjɔ̃] *f* Dekompression *f*, Druckminderung *f*, Verdichtungsminderung *f*.

décomprimer ⊕ [dekɔ̃pri'me] *v/t.* (1a) den Druck vermindern (*gén.*).

décompt|able ✝ [dekɔ̃'tablə] *adj.* abzugsfähig; **~e** [de'kɔ̃:t] *m* Abzug *m*, Abrechnung *f*, Verrechnung *f*, Gegenrechnung *f*; *fig.* Enttäuschung *f*; **~er** [dekɔ̃'te] *v/t.* (1a) abziehen, ab-, ver-rechnen, abschreiben; *abus.* = *compter* zählen.

déconcentr|ation ✝, *allg.* [dekɔ̃sɑ̃trɑ'sjɔ̃] *f* Entflechtung *f*, Auflockerung *f*; *psych.* Abkehr *f* vom eigenen Ich; **~er** [~'tre] *v/t.* (1a) *a.* △ auflockern.

déconcer|tant [dekɔ̃sɛr'tɑ̃] *adj.* (7) verwirrend; seltsam, eigenartig; unberechenbar; wunderlich, merkwürdig; **~ter** [~'te] (1a) **I** *v/t.* **1.** *fig.* ~ *q.* j-n außer Fassung bringen, bestürzt *od.* verwirrt machen; **2.** *fig.* stören, vereiteln; ~ *les projets de q.* j-s Pläne durchkreuzen; **II** *v/rfl.* se ~ *fig.* aus der Fassung kommen; in Unordnung geraten.

déconditionner [dekɔ̃disjɔ'ne] *v/t.* (1a) den Boden unter den Füßen nehmen; ernüchtern *fig.*; entwöhnen.

déconfit [dekɔ̃'fi] *adj. fig.* fassungslos, ganz geschlagen, kleinlaut; **~ure** F [~'ty:r] *f* **1.** völliges Versagen *n* (*e-r Partei*); **2.** finanzieller Ruin *m*.

décong|élation *cuis.* [dekɔ̃ʒelɑ'sjɔ̃] *f* Auftauen *n* (*v. Gefrierfleisch usw.*); **~eler** *cuis.* [~ʒ'le] *v/t.* (1d) auftauen.

décongestion ⚕ [dekɔ̃ʒɛs'tjɔ̃] *f* Blutmangel *m* (*e-s Körperteils*); Entzündungsbehebung *f*; Blutableitung *f*; **~nement** [~tjɔn'mɑ̃] Auflockerung *f*, Entlastung *f*; **~ner** [~tjɔ'ne] *v/t.* (1a) **1.** ⚕ zum Abschwellen bringen; den Blutandrang senken in (*dat.*); **2.** *fig.* entlasten; △ auflockern; ~ *la circulation* den Verkehr entlasten.

1. Deklamation *f*, Vortragskunst *f*; 2. *péj.* Wortgepränge *n*, Wortgeklingel *n*, Wortschwall *m*, Schwulst *m*; **~toire** [~ma'twa:r] *adj.* 1. deklamatorisch; *art m ~* Redekunst *f*; 2. *péj.* hochtrabend, pomphaft.

déclamer [dekla'me] (1a) **I** *v/t.* deklamieren, vortragen; **II** *v/i.* schwülstig reden; *~ contre qch. od. contre q.* gegen etw. *od.* gegen j-n wettern.

déclara|tif [deklara'tif] *adj.* (7e) erklärend; **~tion** [~ra'sjɔ̃] *f* 1. Erklärung *f*, Bekanntmachung *f*, Anzeige *f*, Angabe *f*, Anmeldung *f*, Verkündigung *f*, Aussage *f*; *~ d'accident* Unfallanzeige *f*; *~ de guerre* Kriegserklärung *f*; *~ de décès (de naissance)* Todes- (Geburts-)anzeige *f bei der Behörde*; *~ de déchéance* Verlustigkeitserklärung *f*; *~ de faillite* Konkurserklärung *f*; *~ de fortune* Vermögenserklärung *f*; *~ des revenus* Einkommenserklärung *f*; *~ de résidence (od. de séjour)* polizeiliche Anmeldung *f*; *bureau m des ~s de résidence* Meldeamt *n*, Anmeldestelle *f*; *faire sa ~ de séjour (od. de résidence)* sich polizeilich anmelden; *sujet à la ~* anmeldepflichtig; *terme m de ~* Meldefrist *f*, Anmeldefrist *f*; *~ d'honneur* Ehrenerklärung *f*; *pol., parl. ~ ministérielle* Regierungserklärung *f*; *fin. ~ fiscale* Steuererklärung *f*; *~ obligatoire* Anmeldepflicht *f*; *sur la ~ de deux témoins* auf die Aussage zweier Zeugen hin; *faire la ~ de qch.* etw. angeben; *faire une ~ par serment* e-e eidesstattliche Erklärung abgeben; 2. *~ (d'amour)* Liebeserklärung *f*; 3. ✝ Aufzählung *f*, Verzeichnis *n*; *~ d'entrée (de sortie)* Angabe *f* über eingehende (ausgehende) Waren; *~ en douane* Zollinhaltserklärung *f*; *~ d'expédition* Frachtbrief *m*; *~ de port payé* Frankierungsvermerk *m*; *~ de valeur* Wertangabe *f*; *~ de versement* Einlieferungs-, Aufgabeschein *m*; *~ provisoire* vorläufige Zollangabe *f*; 4. ⚖ *~ d'absence* Verschollenheits-, Todes-erklärung *f*; *~ du jury* Verdikt *n* der Geschworenen; 5. ⚓ Verklarung *f*; gerichtliche Feststellung *f* e-s Schiffsunfalls; **~toire** [~ra'twa:r] *adj.* deklaratorisch, feststellend; *acte m ~* förmliche Erklärung *f*.

déclarer [dekla're] (1a) **I** *v/t.* 1. erklären, anzeigen, bekanntmachen; *~ à l'abandon* als niemandem gehörig erklären; ⚖ *~ l'appel mal fondé au fond* die Berufung sachlich für unbegründet erklären; *~ nul* für nichtig (*od.* ungültig) erklären; *il fut déclaré coupable* er wurde für schuldig erklärt; *~ la naissance d'un enfant* die Geburt e-s Kindes beim Standesamt anzeigen; *ennemi m déclaré* offener Feind *m*; 2. ✝ deklarieren; *~ des marchandises à la douane* Waren beim Zollamt angeben; *(n'avez-vous) rien à ~?* (haben Sie) nichts zu verzollen?; **II** *v/rfl. se ~* 3. sich erklären, sich äußern; *se ~ pour q.* sich für j-n erklären; *se ~ l'auteur d'un livre* sich als Verfasser e-s Buches nennen; *se ~ en faillite* Konkurs anmelden; 4. erkennbar werden, zum Ausbruch kommen; *la maladie se déclare* die Krankheit kommt zum Ausbruch; 5. sich (*d. h. s-e Liebe*) erklären.

déclas|sé [dekla'se] *adj. u. m* verkommen(er) *od.* heruntergekommen(er Mensch *m*); ausgestoßen; *fig. a.* ⚓ *u. frt.* gestrichen; *être un ~* s-e gesellschaftliche Stellung verloren haben, zu den Parias gehören; **~sement** [~klas'mɑ̃] *m* Herabsetzung *f* in e-e niedrigere Kategorie *od.* Klasse, Klassenverschiebung *f*; 🚃 Überwechseln *n* von e-r Klasse in die andere; Vermengung *f* der Stände *od.* der sozialen Schichten, Aufhören *n* der Standesunterschiede; *fig.* Streichung *f*; *le ~ des fortifications de Paris* die Aufgabe (*od.* Streichung) der Befestigungswerke von Paris; **~ser** [~'se] (1a) **I** *v/t.* 1. in e-e andere Kategorie *od.* Klasse einordnen; *a.* ⚔ von der Liste der betreffenden Klasse streichen; *allg.* aussortieren; 2. *~ q.* j-n aus s-r gesellschaftlichen Stellung bringen; 3. ⚔ *forteresse f déclassée* aufgegebene Festung *f*; 4. ⚓ aus der Marineliste streichen; **II** *v/rfl. se ~* aus e-r Kategorie *od.* Klasse austreten; 🚃 aus e-r Wagenklasse in die andere übergehen; sozial sinken.

déclaveter ⊕ [deklav'te] *v/t.* (1c) loskeilen.

déclen|che ⊕ [de'klɑ̃:ʃ] *f* Trenngerät *n*; **~chement** [deklɑ̃ʃ'mɑ̃] *m* 1. Aufklinken *n*; *häufig fig.*: Auftakt *m*, Beginn *m*; Ausbruch *m*, Auslösung *f* (*Krieg*; *Heiterkeit*); ⚔ Losgehen *n* (*Gewehr*); ✝ Ankurbelung *f*; 2. *Dampfmaschine*:

seitig) zerfleischen; **~ture** ⊕ [~'ty:r] *f* zackiger Ausschnitt *m*.

déchir|age [deʃi'ra:ʒ] *m* Zerschlagen *n e-s Holzfloßes usw.*; ⚓ Abwracken *n*; (*bois m de*) ~ altes Bauholz *n*; **~ant** [~'rɑ̃] *adj.* (7) herzzerreißend; *fig.* einschneidend; **~ement** [~r'mɑ̃] *m* **1.** Zerreißen *n*; Riß *m*; ⚕ ~ *d'entrailles* Leibschneiden *n*, Wühlen *n* in den Därmen; *fig.* ~ *de cœur* seelische Erschütterung *f*; **2.** ~*s pl.* (innere) Spaltungen *f/pl.*; Streit *m*; Erschütterungen *f/pl.*

déchir|er [deʃi're] (1a) **I** *v/t.* **1.** auf-, zer-reißen, zerfetzen; ein Loch reißen in (*acc.*); ~ *de part en part* durchreißen; ~ *en deux* entzweireißen; *déchiré* abgerissen, zerlumpt, zerfetzt, entzwei; ♀, *zo.* mit zackigem Rand; **2.** *fig.* zerrütten, zerreißen; *déchiré de factions* durch Parteiungen zerrüttet; **3.** *fig.* peinigen, *abs.* weh tun; **4.** *fig.* anschwärzen, schlechtmachen; ~ *q. à belles dents* j-n auf das übelste verunglimpfen; **5.** ~ *un tonneau* ein Faß zusammenschlagen; ~ *un bateau* ein Schiff abwracken; **II** *v/rfl. se* ~ **6.** (sich) zerreißen; Risse bekommen; *fig.* (auf-) brechen, bluten; **7.** sich gegenseitig zerfleischen; *fig.* sich herunterreißen; **~ure** [~'ry:r] *f* Riß *m*; ⚕ ~ *musculaire* Muskelriß *m*.

déchoir [de'ʃwa:r] *v/i.* (3l) **1.** verfallen, in Verfall geraten; schwächer werden; abnehmen, sinken, scheitern, straucheln, verkommen, auf den Hund kommen F; **2.** *fig.* fehlgehen, e-n falschen Weg beschreiten; **3.** ~ *de qch.* e-r Sache (*gén.*) verlustig werden, etw. verlieren; *déclarer q. déchu de tous ses droits* j-n aller Rechte für verlustig erklären; *être déchu de ses droits* s-r Rechte verlustig gehen; *abs. ange m déchu* gefallener Engel *m*; *l'homme m déchu* der sündige Mensch; *roi m déchu* abgesetzter König *m*.

déchristianiser [dekristjani'ze] *v/t.* (1a) dem Christentum entfremden.

déchu [de'ʃy] *adj. u. su. pol.* abgesetzt; *fig.* heruntergekommen.

décibel *phys.* [desi'bɛl] *m* Dezibel *n*; **~mètre** [~'mɛtrə] *m* Lautstärkemesser *m*.

décidé [desi'de] *adj.* **1.** entschieden, ausgemacht; *c'est une affaire* ~*e* die Sache ist fest beschlossen; **2.** entschlossen (*à* zu *dat.*).

de-ci, de-là [də'si, də'la] *adv.* hier u. dort; hin u. her, hierhin u. dorthin.

décidément [deside'mɑ̃] *adv.* entschieden, ganz bestimmt.

décid|er [desi'de] (1a) **I** *v/t.* **1.** entscheiden, ausmachen, beschließen, anordnen; *fig.* den Ausschlag geben (für); ~ *une querelle* e-m Streit ein Ende machen; **2.** ~ *q. à* (*mit inf.*) j-n bestimmen zu; *être décidé à* (*inf.*) entschlossen sein zu; **II** *v/i.* **3.** ~ *de* (*inf.*) sich entscheiden zu, beschließen zu; *il décida de partir* er entschloß sich abzufahren; **4.** entscheiden, urteilen (*de* über *acc.*); *la suite en décidera* die Folge wird es lehren; ~ *sur od. de* sich ein Urteil anmaßen über (*acc.*); **5.** ausschlaggebend sein, den Ausschlag geben; **III** *v/rfl. se* ~ entschieden werden, sich entscheiden; *se* ~ *à* (*mit inf.*) = 3; *se* ~ *à parler* mit der Sprache herausrücken; *se* ~ *pour* sich entscheiden für, sich entschließen zu; **~eur** [~'dœ:r] *m* Entscheider *m* (*im Namen der Regierung*).

déci|gramme [desi'gram] *m* Dezigramm *n*, Zehntelgramm *n*; **~litre** [~'litrə] *m* Deziliter *n*, Zehntelliter *n*.

déci|mal [desi'mal] *adj.* (5c) 𝔄 dezimal; *calcul m* ~ Dezimalrechnung *f*; *fraction f* ~*e* Dezimalbruch *m*; **~male** [~'mal] *f* Dezimalbruch *m*; **~mation** [~mɑ'sjɔ̃] *f* Dezimierung *f*; **~mer** [desi'me] *v/t.* (1a) dezimieren, aufreiben; fast völlig vernichten; **~mo** [~'mo] zehntens.

décin|trage, ~trement ⚠ [desɛ̃'tra:ʒ, ~trə'mɑ̃] *m* Wegnehmen *n* des Bogengerüstes, Abrüsten *n*; **~trer** ⚠ [~'tre] *v/t.* (1a) das Bogengerüst wegnehmen.

déci|sif [desi'zif] *adj.* (7e) □ entscheidend; entschieden; *ton m* ~ bestimmter Ton *m*; **~sion** [~'zjɔ̃] *f* **1.** Entscheidung *f*, Bescheid *m*, Beschluß *m*, (richterliches) Erkenntnis *n*, Rechtsspruch *m*; Verordnung *f*; *prendre une* ~ e-e Entscheidung treffen; ~ *défectueuse*, ~ *entachée d'erreurs* Fehlentscheidung *f*; *sans* ~ unentschieden; **2.** Entschlossenheit *f*, Bestimmtheit *f*; **~soire** ⚖ [~'zwa:r] *adj.*: *serment m* ~ Entscheidungseid *m*.

déclama|teur [deklama'tœ:r] (7d) **I** *su.* Vortragskünstler *m*; *péj.* schwülstiger Redner *m*, Phrasendrescher *m*; **II** *adj.* hochtrabend, schwülstig; **~tion** [~mɑ'sjɔ̃] *f* *faire une* ~ e-e Salve abgeben; **~ée** ⊕ [~'ʒe] *f* Entladen *n*; **~ement** [deʃarʒə'mɑ̃] *m* **1.** Ausladen *n*, Abladen *n*; ⚓ Löschen *n*; **2.** ⚔ Entladen *n*; Abfeuern *n*; **3.** *métall.* Auskratzen *n* (*e-s Hochofens*).

déchargeoir ⊕ [deʃar'ʒwa:r] *m* Abflußrohr *n*; *text.* Webspule *f*.

décharger [deʃar'ʒe] (1l) **I** *v/t.* **1.** ab-, aus-laden; ⚓ löschen; **2.** von e-r Last befreien; entlasten, erleichtern; *fig.* ~ *le cerveau* den Kopf freimachen; ~ *son cœur* sein Herz ausschütten; ~ *sa bile sur* s-n Ärger auslassen an (*dat.*), Gift und Galle spucken auf (*acc.*); *fig. j'en décharge ma conscience* ich wasche meine Hände in Unschuld; **3.** ~ *q. d'une obligation* (*d'un soin*) j-n von e-r Verpflichtung entbinden (j-n e-r Sorge [*gén.*] entheben); ~ *q. d'une dette* j-s Schuld quittieren; ~ *un compte* ein Konto entlasten; **4.** ⚖ *j-n* entlasten; ~ *q. d'accusation* j-n freisprechen; **5.** ⚔ ab-, losschießen; ~ *un coup de fusil* e-n Schuß abfeuern; **6.** ~ (*un fusil* ein Gewehr) entladen; ⚡ entladen; **7.** ⚘ ~ *un arbre* e-n Baum ausschneiden; **8.** ⊕ *charp. e-n Balken* entlasten; *métall. den Hochofen* auskratzen; **9.** ⚓ ~ *les voiles* abbrassen; ~ *une chaloupe* ein Boot klarmachen; **II** *v/i.* **10.** auslaufen (*von der Tinte, von e-r Farbe usw.*); sich verfärben (*Stoff*); **III** *v/rfl.* **11.** se ~ de sich *e-r Last od. Bürde* (*gén.*) entledigen; se ~ *de qch. sur q.* etw. auf j-n abwälzen; se ~ *de la responsabilité* die Verantwortung von sich abwälzen, die Haftpflicht abwälzen; **12.** ⚔ sich entladen, (von selbst) losgehen; **13.** sich ergießen.

déchargeur [deʃar'ʒœ:r] *m* **1.** Ab-, Aus-lader *m*; ⚓ Löscher *m*; **2.** ⚡ Entlader *m*.

déchar|né [deʃar'ne] *adj.* hager, abgezehrt, ausgemergelt; *os m* ~ Knochen *m* ohne Fleisch; *il est tout* ~ er ist nichts als Haut u. Knochen; *fig. style m* ~ farbloser (*od.* trockener) Stil *m*; **~ner** [~] (1a) *v/t.* auszehren, mager machen; *sa maladie l'a décharné* die Krankheit hat ihn völlig ausgezehrt.

déchau|mage ⚘ [deʃo'ma:ʒ] *m* Umpflügen *n* (*od.* Umbrechen *n*) *e-s Stoppelfeldes*; **~mer** ⚘ [~'me] *v/t.* (1a) *e-n Stoppelacker* umpflügen *od.* umbrechen; **~meuse** ⚘ [~'mø:z] *f* leichter Pflug *m*.

déchaus|sement [deʃos'mɑ̃] *m* **1.** ⚘ Aufhacken *n*; Aufgraben *n*; **2.** ⚕ Bloßl(i)egen *n der Zahnwurzel*; **3.** ⚠ Unterwaschung *f e-s Fundaments*; **4.** Ausziehen *n* der Schuhe; **~ser** [~'se] (1a) **I** *v/t.* **1.** ~ *q.* j-m Schuhe (und Strümpfe) ausziehen; **2.** ⚘ ~ *des arbres* Bäumen durch Aufhacken um die Wurzeln Luft machen; **3.** *chir.* ~ *les dents* die Zähne bloßlegen; **4.** ⚠ ~ *un mur* e-e Mauer unten bloßlegen *od.* unterspülen; ~ *les pierres d'un trottoir* die Pflastersteine aus dem Bürgersteig herausreißen; **II** *v/rfl.* se ~ **5.** sich die Schuhe (*od.* Stiefel) ausziehen; **6.** ⚕ völlig locker werden (*Zähne*).

déchaux *rl.* [de'ʃo] *adj./m* barfüßig.

dèche P [dɛʃ] *f*: *être dans la* (*od. en*) ~, *battre la* ~ in Geldverlegenheit (*od.* in der Klemme) sein, auf den Hund gekommen sein.

déch|éance [deʃe'ɑ̃:s] *f* **1.** Verfall *m*, Verkommenheit *f*; **2.** Erniedrigung *f*, Degradierung *f*, Abdankung *f*; **3.** *allg.* Verlust *m*; ⚖ Erlöschen *n*, Verfall *m*; ~ *de droit* Rechtsverlust *m*; ~ *juridique* Rechtsnachteil *m*; ~ *de la nationalité* Verlust *m* der Staatsangehörigkeit; *délai m de* ~ Ausschlußfrist *f*; ~ *de poids* Gewichtsverlust *m*; **~et** [~'ʃɛ] *m* Verlust *m* (*sur* an *dat.*); **~s** *pl.* Abfälle *m/pl.*, Überbleibsel *n/pl.*, Schutt *m*, Unrat *m*; (Menschen-) Wracks *n/pl.*; **~s** *de cuisine* Küchenabfälle *m/pl.*; *at.* **~s** *m/pl. radio-actifs* Atommüll *m*; *fig. il y a beaucoup de* ~ es geht viel dabei verloren, es ist viel Abgang dabei.

déchevelé [deʃə'vle] *adj.* mit zerzaustem Haar.

déchiffonner [deʃifɔ'ne] *v/t.* (1a) wieder glattstreichen.

déchiffr|able [deʃi'frablə] *adj.* entzifferbar, leserlich; **~age** [~'fra:ʒ] *m* ♪, *allg.* Lesen *n*; **~ement** [~frə'mɑ̃] *m* Entzifferung *f*; **~er** [~'fre] (1a) **I** *v/t.* **1.** entziffern; dechiffrieren (*mit dem bekannten Schlüssel*); *vgl. décrypter*; *fig.* erraten, enträtseln; *j-n* durchschauen; **2.** ♪ vom Blatt spielen *od.* singen; **II** *v/rfl.* se ~ sich entziffern lassen, entziffert werden; **~eur** [~'frœ:r] *m* (7g) Entzifferer *m*; ♪ Notenleser *m*.

déchique|ter [deʃik'te] (1c) **I** *v/t.* zerstückeln, zerschneiden, zerfetzen, zerreißen (*z. B. durch e-e Bombe*), zerfleischen; auszacken; ⚘ *feuille f déchiquetée* ausgezacktes Blatt *n*; **II** *v/rfl.* se ~ sich (gegen-

déconnecter ⚡ [dekɔnɛk'te] *v/t.* (1a) abschalten.
déconner V [~kɔ'ne] *v/i.* (1a) Blödheiten sagen.
déconseill|é [dekɔ̃sɛ'je] *adj.* unerwünscht; **~er** [~] *v/t.* (1a): ~ *qch. à q.* j-m von etw. abraten.
déconsidé|ration *litt.* [dekɔ̃sidera'sjɔ̃] *f* Verruf *m*; **~rer** [~'re] (1f) **I** *v/t.* ~ *q.* j-n in Verruf bringen; **II** *v/rfl.* se ~ in Verruf kommen.
déconsommation *éc.* [dekɔ̃sɔma'sjɔ̃] *f* Rückgang *m* des Verbrauchs.
décontamin|ation ⚗ [dekɔ̃tamina'sjɔ̃] *f* Entseuchung *f*; Entstrahlung(smaßnahmen *f/pl.*) *f* (*bei Vorhandensein radioaktiver Stoffe*); **~er** ⚗ [~'ne] *v/t.* (1a) entseuchen.
décontenan|cement [~nɑ̃s'mɑ̃] *m* Schockiertheit *f*; **~cer** [~nɑ̃'se] (1k) **I** *v/t.* aus der Fassung bringen, verblüffen; **II** *v/rfl.* se ~ die Fassung verlieren.
décontract|é F [dekɔ̃trak'te] *adj.* entspannt, unbekümmert; *Anzug*: bequem (sitzend); **~er** [~] (1a) *v/t.* (*u. v/rfl.* sich) entspannen.
déconvenue [dekɔ̃'vny] *f* Enttäuschung *f*.
décor [de'kɔ:r] *m* **1.** ⚠ Verzierung *f*, Zierat *m*; **2.** *thé.* Dekoration *f*, Szenerie *f*, Bühnenbild *n*; *cin.*, *thé.* Hintergrund *m*; ~*s pl.* Ausstattung *f e-s Stückes*; **3.** *Autosport*: Umrandung *f von Rennstrecken mit Strohballen.*
décora|teur [dekɔra'tœ:r] **I** *m* Dekorateur *m*; **II** *adj.*: *peintre m* ~ Dekorationsmaler *m*; **~tif** [~'tif] *adj.* (7e) dekorativ, verzierend; Dekorations...; *fig.* stattlich; **~tion** [~ra'sjɔ̃] *f* **1.** Verzierung *f*, Schmuck *m* (*a. fig.*); Dekoration *f*; ~ *d'intérieurs* Innenarchitektur *f*, Raumkunst *f*; ~ *d'arbre(s) de Noël* Christbaumschmuck *m*; ~ *d'étalage* Schaufensterdekoration *f*; **2.** Ehrenzeichen *n*, Orden(sverleihung *f*) *m*; **3.** ⊕ Veredeln *n*, Veredelung *f* (*v. Metallen*).
déco|ré [dekɔ're] **I** *adj.* verziert; geschmückt (*de* mit); **II** *su.* Ordensträger *m*; **~rer** [~] (1a) **I** *v/t.* **1.** (ver)zieren, (aus)schmücken; auszeichnen; ~ *q. d'un titre* j-m e-n Titel verleihen; **2.** ein Ordenszeichen *od.* e-e Auszeichnung verleihen *od.* überreichen (*dat.*); **II** *v/rfl. se* ~ sich schmücken (*de* mit *dat.*).
décorner [dekɔr'ne] *v/t.* (1a) **1.** der Hörner berauben; **2.** *die Eselsohren in Büchern* glätten.
décorti|cation *f*, **~cage** *m* [dekɔrtika'sjɔ̃, ~'ka:ʒ] Abschälen *n*, Abrinden *n*; **~quer** [~'ke] *v/t.* (1m) die Rinde abschälen von (*dat.*), entrinden; **~queur** ⊕ [~'kœ:r] *su.* (7g) Abschälmaschine *f*; ~ *de riz* Reisschälmaschine *f*.
décorum [dekɔ'rɔm] *m* Etikette *f*.
découcher [deku'ʃe] *v/i.* (1a) auswärts *od.* außer dem Hause schlafen.
découdre [de'ku:drə] (4d) **I** *v/t.* ab-, auf-trennen; *fig. décousu* unzusammenhängend, abgerissen; **II** F *v/i. en* ~ handgreiflich werden, sich raufen; **III** *v/rfl. se* ~ aufgehen, aufreißen (*Naht*); auseinandergehen (*Freundschaft*).
découenner [dekwa'ne] *v/t.* (1a) die Schwarte lostrennen (von).
décou|lant [deku'lɑ̃] *adj.* (7) überschäumend (*de* von); *terre f* ~*e de lait et de miel* Land *n*, wo Milch u. Honig fließt; **~lement** [~l'mɑ̃] *m* Abfluß *m*, Abtröpfeln *n*; **~ler** [~'le] *v/i.* (1a) *fig.* ~ *de* sich ergeben aus (*dat.*).
décou|page [deku'pa:ʒ] *m* Zer-, Aus-schneiden *n*; Ausstückeln *n*, Ausschlagen *n*; *cuis.* Zerlegen *n*, Vorschneiden *n*; ⊕ Laubsägerei *f*; Schnitz-, Stanz-arbeit *f*; *cin.* Schnitt *m*; Filmtext *m*; **~pé** [~'pe] *adj.* gezackt; **~per** [~] (1a) **I** *v/t.* **1.** aus-, zer-schneiden; *Braten* vorschneiden, zerlegen; kunstvoll ausschneiden; **2.** *Kleid* zuschneiden; **3.** ⊕ durch-, aus-schlagen; zuschneiden; **4.** ♪ *péj.* abgehackt hervorbringen; **II** *v/rfl. se* ~ sich zerschneiden (lassen); ausgeschnitten werden; sich abheben (*sur* von); **~peur** [~'pœ:r] *su.* (7g) Zuschneider *m*; **~peuse** [~'pø:z] *f* Zuschneidemaschine *f*.
découplage *rad.* [deku'pla:ʒ] *m* Entkopplung *f*.
découplé [deku'ple] *adj.*: *gaillard m bien* ~ stattlicher (*od.* ansehnlicher) Mann *m*.
découpler [deku'ple] *v/t.* (1a) **1.** *rad.* entkoppeln; **2.** *ch.* Hunde loskoppeln.
décou|poir ⊕ [deku'pwa:r] *m* Abschneideschere *f*; Ausschlageisen *n*; Lochmaschine *f*; **~pure** [~'py:r] *f* **1.** Aus-, Zu-schneiden *n*; Ausschnitzen *n*; **2.** Ausschnitt *m*, *das Ausgeschnittene*; ~ *de journal* Zeitungsausschnitt *m*; **3.** ⚘ zackiger Rand *m*; **4.** *géol.* Einkerbung *f*.

découra|gé [dekura'ʒe] *adj.* mutlos, verzagt, mißmutig, niedergeschlagen; **~geant** [~'ʒɑ̃] *adj.* (7) entmutigend; **~gement** [~raʒ'mɑ̃] *m* Mutlosigkeit *f*, Verzagtheit *f*, Niedergeschlagenheit *f*.

décourager [dekura'ʒe] (1l) **I** *v/t.* **1.** entmutigen, mutlos machen; **2.** ~ *q. de qch.* j-m die Lust zu etw. (*dat.*) nehmen; **II** *v/rfl.* *se* ~ sich entmutigen lassen, den Mut sinken lassen (*od.* verlieren).

découronner [dekurɔ'ne] *v/t.* (1a) **1.** entthronen; **2.** ~ *un arbre* e-n Baum oben kappen.

décours [de'ku:r] *m* **1.** Abnehmen *n des Mondes*; **2.** Nachlassen *n od.* Abflauen *n e-r Krankheit.*

décousu [deku'zy] **I** *p.p.* s. *découdre*; zusammenhanglos; **II** *m* Zusammenhanglosigkeit *f*; Unzusammenhängende(s) *n*, Zerfahrenheit *f*, Mangel *m* an Einheit; Abgerissenheit *f* (*des Stils*); *le* ~ *de sa vie* die Planlosigkeit s-s Lebens.

découvert [deku'vɛ:r] **I** *adj.* (7) **1.** unbedeckt, bloß; *aller tête ~e* ohne Hut gehen; *pays m* ~ waldarme Gegend *f*; *wagon m* ~ offener Güterwagen *m*; *fig. agir à (visage)* ~ offen handeln; **2.** *ent.* deckenlos (*Insektenflügel*); **3.** ungedeckt; **II** *m* (Konto-)Überziehung *f*; Blankokredit *m*; *il n'y a pas de ~s* es ist alles gedeckt; **III** *à* ~ *advt.* blanko, ohne Deckung (*a.*).

découverte [deku'vɛ:rt] *f* Entdeckung *f*, Auffindung *f*; *a.* *aller à la* ~ auf Entdeckung ausgehen, auskundschaften.

découvrir [deku'vri:r] (2f) **I** *v/t.* **1.** auf-, ab-decken; ~ *une maison* ein Haus abdecken; **2.** entdecken; sichten; enthüllen, offenbaren, verraten; ~ *son jeu* sein Spiel aufdecken; F ~ *le pot aux roses* hinter das Geheimnis kommen, den Braten riechen; **3.** zu Gesicht bekommen, erblicken; **4.** ohne Deckung lassen, dem Feuer aussetzen; **II** *v/i.* **5.** *rocher m qui découvre à la basse mer* bei Ebbe herausragende Klippe *f*; **III** *v/rfl.* *se* ~ **6.** den Hut (*od. allg.* die Kopfbedeckung) abnehmen; **7.** *fig.* sich zu erkennen geben; *se* ~ *à q.* j-m sein Herz öffnen über (*acc.*); **8.** sich aufklären (*Wetter*); **9.** sichtbar werden; *esc., fig.* sich eine Blöße geben; *fig.* ans Licht kommen.

décrass|er [dekra'se] (1a) **I** *v/t.* säubern, reinigen; abbaden; abschlacken (*Herd*); *fig.* ~ *q.* j-m Grundkenntnisse *od.* Bildung (*od.* Manieren) beibringen, j-n gewitzt machen, j-m aus dem Gröbsten heraushelfen; **II** *v/rfl.* *se* ~ sich säubern; *fig.* sich Bildung *od.* die nötigen Grundkenntnisse aneignen; feine Manieren annehmen; **~oir** [~'swa:r] *m* Staubkamm *m*.

décréation *litt., peint., thé.* [dekrea'sjɔ̃] *f* Bruch *m* mit der Tradition.

décré|pir [dekre'pi:r] (2a) **I** *v/t.* den Putz abkratzen; **II** *v/rfl.* *se* ~ den Putz verlieren; **~pissage** [~pi'sa:ʒ] *m* Abklopfen *n* des Putzes; **~pit** [~'pi] *adj.* (7) gebrechlich, altersschwach; **~pitation** [~pita'sjɔ̃] *f* Knistern *n*; **~piter** [~pi'te] *v/i.* (1a) knistern; **~pitude** [~pi'tyd] *f fig.* völliger Verfall *m*.

décret [de'krɛ] *m* Verordnung *f*, Verfügung *f*, Erlaß *m*, Beschluß *m*; *rendre un* ~ eine Verordnung erlassen; ~ *d'application* Durchführungsbestimmungen *f/pl.*

décréter [dekre'te] *v/t.* (1f) verordnen, verfügen, beschließen.

décret-loi [de'krɛ 'lwa] *m* (6a) Notverordnung *f*.

décri [de'kri] *m* Verruf *m nur noch in*: *tomber dans le* ~ *public* in öffentlichen Verruf kommen.

décrié [dekri'e] *adj.* verrufen, verschrien, übel beleumdet; *être* ~ in Verruf stehen.

décrier *litt.* [dekri'e] *v/t.* (1a) in Verruf bringen, verunglimpfen.

décrire [de'kri:r] *v/t.* (4f) **1.** beschreiben, schildern, darstellen; **2.** ~ *une courbe* e-e krumme Linie ziehen; ~ *un cercle* e-n Kreis beschreiben *od.* ziehen.

décroch|ement [dekrɔʃ'mɑ̃] *m* **1.** Loshaken *n*; **2.** stufenweises Zurücknehmen *n* der Wände; **3.** Abzweigung *f* (*Autobahn*); **~er** [~'ʃe] (1a) **I** *v/t.* **1.** loshaken; loskuppeln; *téléph.* ~ *le téléphone* (*le récepteur*) den Hörer abnehmen; **2.** F *fig.* erlangen, erwerben; F *la permission sera dure à* ~ es wird schwer sein, die Erlaubnis zu bekommen; F ~ *des diplômes* Diplome einheimsen (*od.* ergattern); **3.** *Sport*: ~ *q.* e-n Vorsprung vor j-m gewinnen; **II** *abs., télév.* abstellen; **III** *v/i.* sich absetzen; F sich zur Ruhe setzen; **IV** *v/rfl.* *se* ~ sich aushaken.

décrochez-moi-ça [dekrɔʃemwa'sa] *m/inv.* **1.** gebrauchter Anzug *m*,

gebrauchtes Kleidungsstück *n*; **2.** Laden *m* für gebrauchte Kleidung *od.* Monatsgarderobe.
décrochoir ⊕ [dekrɔ'ʃwa:r] *m* Aushaker *m* (*Werkzeug zum Loshaken*).
décroiser [dekrwa'ze] *v/t.* (1a): ~ *les jambes* die Beine aus gekreuzter Stellung bringen.
décrois|sance [dekrwa'sɑ̃:s] *f* Abnehmen *n*, Abnahme *f*; *être en* ~ abnehmen, im Schwinden sein; **~sant** [~'sɑ̃] *adj.* (7) abnehmend; *aller* ~ immer mehr abnehmen; **~sement** [~s'mɑ̃] *m* Abnehmen *n*.
décroît *ast.* [de'krwa] *m* Abnehmen *n des Mondes*; **~re** [~'krwɑ:trə] *v/i.* (4w) abnehmen, sich vermindern, fallen, sinken, schwinden; kürzer werden (*Tage*).
décrot|tage [dekrɔ'ta:ʒ] *m* Reinigen *n*, Abputzen *n*; **~ter** [~'te] *v/t.* (1a) (ab)putzen, von Schmutz säubern; ⚠ *Steine* von Mörtel reinigen, *Steine* abklopfen; F *fig.* ~ *q.* j-m den nötigen Schliff beibringen; **~teur** [~'tœ:r] *su.* (7g) Schuhputzer *m*; **~toir** [~'twa:r] *m* Kratzeisen *n vor der Tür*; Fußabtreter *m aus Metall*; **~toire** [~], **~teuse** [~'tø:z] *f* (Schuh-)Bürste *f*; Schmutzbürste *f*.
décrouir ⊕ [dekru'i:r] *v/t.* (2a) ausglühen.
décroûter *men.* [dekru'te] *v/t.* (1a) grob behobeln.
décru|e [de'kry] *f* Abnahme *f a. fig.*, Sinken *n*, Fallen *n des Wassers*; **~(s)er** *text.* [~kry'(z)e] *v/t.* (1a) ab-laugen, -kochen; ansieden.
décryptage [dekrip'ta:ʒ] *m* Entzifferung *f*.
décrypter [dekrip'te] *v/t.* (1a) (*e-n Telegrammcode*) entschlüsseln; *fig.* der Vergessenheit entreißen; *vgl.* *déchiffrer*.
déçu [de'sy] *adj.* enttäuscht.
décubitus ⚕ [dekybi'tys] *m* Horizontallagerung *f*.
décuirasser [dekɥira'se] *v/t.* (1a): ⚓ ~ *un navire* e-m Schiff die Panzerung abnehmen.
de cujus ⚖ [deky'ʒys] *m* Erblasser *m*.
déculotter F [dekylɔ'te] (1a) **I** *v/t.*: ~ *q.* j-m (*dat.*) die Hose ausziehen; **II** *v/rfl.* se ~ (sich) die Hose ausziehen.
décupl|e [de'kyplə] *adj.* zehnfach; **~er** [~'ple] *v/t.* (1a) verzehnfachen; *allg.* sehr verstärken.
décuscuteuse ⚒ [dekysky'tø:z] *f* Sortiermaschine *f* zur Trennung von Flachseidensamen u. Saatgut.
décuver [deky've] *v/t.* (1a) *Wein* ablassen (*od.* abfüllen).
dédai|gnable [dedɛ'ɲablə] *adj.* verachtungswürdig; **~gner** [~'ɲe] (1b) **I** *v/t.* ver-, miß-achten, verschmähen, nicht würdigen; **II** *v/i.* ~ *de* ... (*inf.*) es nicht der Mühe (*od.* für) wert halten zu ..., es unter s-r Würde halten zu ...; **~gneux** [~'ɲø] *adj.* (7d) verächtlich, mißachtend, nicht achtend, hochmütig; geringschätzig, herablassend; *faire le* ~ vornehm tun, angeben.
dédain [de'dɛ̃] *m* Verachtung *f*.
dédale [de'dal] *m a. fig.* Labyrinth *n*; *fig.* Wirrwarr *m*, Gewirr *n*, Durcheinander *n*.
dedans [də'dɑ̃] **I** *adv.* darin, hinein, innen, inwendig, in uns, in unserem Innern; *en* ~, *au-*~ innen; ⚓ *mettre les voiles* ~ die Segel bergen; *sortez de là-*~*!* kommen Sie von da heraus!; *donner* (*mettre*, F *ficher*, P *foutre*) ~ rein-fallen (-legen); **II** *prp.* *au* ~ *de* innerhalb (*gén.*); *il passa par-*~ *la ville* er zog mitten durch die Stadt; **III** *m* Innere(s) *n*, innerer Raum *m*; *text. die* Innenseite; *fig. das* Innere (*der Seele*); ⚓ ~ *d'une voile* innere Seite *f* e-s Segels.
dédica|ce [dedi'kas] *f* **1.** Widmung *f*, Dedikation *f*; **2.** *rl.* Weihe *f*; **~cer** [~'se] *v/t.* (1k) widmen; **~toire** [~'twa:r] *adj.* Widmungs...
dédier [de'dje] *v/t.* (1a) widmen.
dédire [de'di:r] *v/rfl.* (4m) *se* ~ *de qch.* s-e Worte verleugnen, etw. widerrufen; von etw. zurücktreten, etw. (*ein Versprechen*) zurückziehen.
dédit ⚖ [de'di] *m* Absage *f*; Konventionalstrafe *f*; Abstandszahlung *f*.
dédomma|gement [dedɔmaʒ'mɑ̃] *m* Entschädigung *f*, Entgelt *n*, Schadenersatz *m*, Schadloshaltung *f*, Vergütung *f*; **~ger** [~'ʒe] (1l) **I** *v/t.*: ~ *q. de qch.* j-n für etw. (*acc.*) entschädigen; **II** *v/rfl.* *se* ~ *de qch.* sich an etw. (*dat.*) schadlos halten.
dédorer [dedɔ're] *v/t.* (1a) die Vergoldung entfernen.
dédouan|age, ~ement [dedwa'na:ʒ, ~dwan'mɑ̃] *m* Zollabfertigung *f*, Verzollung *f*; **~er** [~'ne] (1a) **I** *v/t.* (zollamtlich) abfertigen, verzollen; F *pol. j-n* rehabilitieren; **II** *v/rfl.* F *se* ~ sich reinwaschen.
dédoubl|age ⚗ [dedu'bla:ʒ] *m* Verdünnung *f* v. Alkohol; **~ement**

[~blə'mɑ̃] *m* Verdoppelung *f*, Trennung *f* in zwei Teile; *a.* ⚗, *psych.* Spaltung *f*; *allg.* zweifache Betrachtungsart *f* (*ein u. derselben Frage*); 🚂, *Auto* ~ *de la voie* Anlage *f* e-s (e-r) zweiten Gleises (Fahrbahn).

dédoubler [dedu'ble] (1a) **I** *v/t.* **1.** verdoppeln; 🚂, *Auto* ~ *la voie* ein zweites Gleis (e-e zweite Fahrbahn) anlegen; ~ *un train* e-n zweiten Zug *wegen zu starken Andranges v. Reisenden* einsetzen; **2.** ~ *un habit* das Futter e-s Anzugs heraustrennen; **3.** in zwei (Teile) teilen; halbieren; *écol.* ~ *les classes* die Klassen teilen; ~ *un régiment* aus e-m Regiment zwei (Regimenter) machen; **4.** ⚔ ~ *les rangs* aus zwei Gliedern eins machen; **5.** ⚗ zerlegen, trennen, abspalten; **6.** *Sport*: überrunden; **II** *v/rfl. psych. se* ~ sich spalten.

dédramatiser [dedramati'ze] *v/t.* (1a) entdramatisieren.

déduc|tible ✝ [dedyk'tiblə] abziehbar; **~tif** [~'tif] *adj.* (7e) *phil.* deduktiv; **~tion** [~dyk'sjɔ̃] *f* **1.** *arith.* Abzug *m*; **2.** *phil.* Deduktion *f*, Rückschluß *m*, Ableitung *f*.

dédui|re [de'dɥi:r] *v/t.* (4c) **1.** abziehen, abrechnen; *frais m/pl. déduits* nach Abzug der Kosten; *il faut en* ~ man muß davon nicht alles glauben; **2.** folgern; *on peut en* ~ *que* ... man kann daraus folgern (*od.* schließen), daß ...; **~sible** ✝ [~dɥi'ziblə] *adj.* abzugsfähig.

déesse [de'ɛs] *f* Göttin *f*.

défâcher F [defɑ'ʃe] *v/rfl.* (1a) *se* ~ nicht mehr böse sein.

défail|lance [defa'jɑ̃:s] *f* **1.** Ohnmacht *f*; (Körper-)Schwäche *f*; plötzliches Versagen *n*; ~ *de mémoire* Versagen *n* des Gedächtnisses, Vergeßlichkeit *f*; *il a ses* ~*s* er hat s-e schwachen Seiten (*od.* s-e Schwächen); *avoir une* ~ *fig.* (plötzlich) versagen; ~ *d'une race* Aussterben *n* e-s Geschlechts; ⊕ *fonctionner sans* ~ einwandfrei arbeiten (*Maschine*); **2.** ⚖ Nichterfüllen *n* e-r Vertragsbedingung; **~lant** [~'jɑ̃] *adj.* (7) **1.** erlöschend; *ligne f* ~*e* aussterbende Linie *f*; **2.** ⚕ ohnmächtig, (alters)schwach, nachlassend; **3.** ⚖ nicht erscheinend(e Partei *f*); **~lir** [~'ji:r] *v/i.* (2c) (*dieses Verb wird heute nur noch in affektierter Sprache nach* [2n] *konjugiert*) **1.** in Ohnmacht fallen; *je me sens* ~ mir wird übel (*od.* schwindlig); **2.** ⚕ *a. fig.* nachlassen, schwächer werden.

défaire [de'fɛ:r] (4n) **I** *v/t.* **1.** ab-, los-, auf-machen, auseinandernehmen, auflösen; auspacken; ~ *une couture* e-e Naht (wieder) auftrennen; ~ *sa malle* s-n Koffer auspacken; *fig.* ~ *un marché* ein Geschäft rückgängig machen; ~ *un nœud* e-n Knoten lösen (*od.* aufmachen F); ~ *les vis* losschrauben; **2.** vernichten, zerstören; schwächen; *fig.* mitnehmen; ~ *l'ennemi* den Feind in die Flucht schlagen; ~ *la santé de q.* j-s Gesundheit angreifen; *la maladie l'a défait* die Krankheit hat ihn mitgenommen (*od.* geschwächt); **3.** ~ *q. de qch.* (*de q.*) j-n von etw. (von j-m) befreien; ~ *q. d'une habitude* j-m etw. abgewöhnen; **II** *v/rfl. se* ~ a) *abs.* **4.** aufgehen, sich auflösen; *le nœud s'est défait* der Knoten ist aufgegangen; b) *mit de*: **5.** *se* ~ *de qch.* etw. ablegen, sich etw. abgewöhnen; sich von e-r Sache trennen; etw. veräußern; *se* ~ *de qch. à bas prix* etw. billig losschlagen (*od.* abstoßen); *il veut se* ~ *de sa maison* er will sein Haus loswerden *od.* verkaufen; *je ne puis me* ~ *de cette pensée* ich kann diesen Gedanken nicht loswerden; *se* ~ *d'une charge* ein Amt niederlegen *od.* aufgeben; *se* ~ *de q.* sich j-n vom Halse schaffen.

défait [de'fɛ] *adj.* **1.** abgezehrt, mitgenommen, angegriffen; *il a une mine* ~*e* er sieht ganz mitgenommen aus; **2.** unordentlich (*Bett*, *Haare*).

défai|te [de'fɛt] *f* Niederlage *f*, Schlappe *f*; *essuyer* (*od. subir*) *une* ~ e-e Niederlage erleiden; ~ *électorale* Wahlniederlage *f*; **~tisme** *pol.* [~'tism] *m* Miesmacherei *f*, Defätismus *m*; **~tiste** [~'tist] *m u. adj.* Miesmacher *m*, Defätist *m*; defätistisch.

défal|cation ✝ [defalkɑ'sjɔ̃] *f* Abzug *m*; **~quer** ✝ [~'ke] *v/t.* (1m) abrechnen, abziehen (*de od. sur* von *dat.*).

défarder [defar'de] *v/t. u. v/rfl.* (*se*) ~ (sich) abschminken.

défaufiler [defofi'le] *v/t.* (1a) die Heftfäden ausziehen.

défausser [defo'se] (1a) *v/rfl. se* ~ *Kartenspiel*: Fehlkarten abwerfen.

défaut [de'fo] *m* **1.** Mangel *m*, Fehlen *n* (*de* an *dat.*); *à* ~ *de* in Ermangelung (*gén.*), anstelle (*gén.*); *le travail fait* ~ es fehlt an Arbeit;

les vivres commencent à faire ~ die Lebensmittel beginnen knapp zu werden; **2.** körperlicher *od.* moralischer Fehler *m*, Gebrechen *n*, Unvollkommenheit *f*, Untugend *f*; Mangel *m*, Mißstand *m*; materieller Fehler *m*, Defekt *m*; ~ *visuel* Augenfehler *m*; ~ *de la parole* Sprachfehler *m*; *faire* ~ *à ses engagements* s-n Verpflichtungen nicht nachkommen; *faire* ~ *à q.* j-n im Stich lassen; ⊕ *faire* ~ versagen; *avoir des* ~*s* defekt sein, fehlerhafte Stellen haben; ⚖ ~ *de forme* Formfehler *m*; *fig.* ~ *de la cuirasse* schwache Seite *f*, wunde Stelle *f*, wunder Punkt *m*, Achillesferse *f*; *sans* ~ fehler-los, -frei, einwandfrei, ohne Fehl; **3.** *être en* ~ fehlgehen, die Spur verloren haben; auf dem Holzweg sein; die Schuld haben; *mettre qcn. en* ~ etw. vereiteln; **4.** ⚖ unentschuldigtes Nichterscheinen vor Gericht; *faire* ~ nicht erscheinen; *jugement m par* ~ Versäumungsurteil *n*.

défaveur [defa'vœ:r] *f* Ungunst *f*.

défavorable [defavɔ'rablə] *adj.* □ **1.** ungünstig, nachteilig; ~ *à* abgeneigt (*dat.*); **2.** ablehnend.

défavoris|é [defavɔri'ze] *p.p.* benachteiligt, im Nachteil; *être* ~ zu kurz kommen, im Nachteil sein; **~er** [~] *v/t.* (1a) benachteiligen.

défécation [defeka'sjɔ̃] *f* **1.** ⚗ Klärung *f*; ~ *des eaux d'égout* Abwasserklärung *f*; **2.** ⚕ Stuhl *m*.

défec|tibilité [defɛktibili'te] *f* Unvollkommenheit *f*; *la* ~ *de la nature humaine* die Unvollkommenheit des Menschen; **~tible** [~'tiblə] *adj.* □ unvollkommen, unvollständig, mangelhaft; **~tif** [~'tif] *adj.* (7e) *bsd. gr.* defektiv, mangelhaft; unvollständig; **~tion** [defɛk'sjɔ̃] *f* Abfall *m*, ⚔ Übergehen *n zum Feinde* (*a. pol.*); Ausbleiben *n*, Wegfall *m*; *Sport*: Absage *f*; *faire* ~ von e-r Partei abfallen, abspringen; ⚔ abtrünnig werden; *fig. zu e-r Verabredung* nicht erscheinen; **~tivité** *gr.* [~tivi'te] *f* Unvollständigkeit *f e-s Wortes*; **~tueux** [~'tɥø] *adj.* (7d) □ mangelhaft, defekt, entzwei, unvollständig; schadhaft; unfachgemäß; beanstandet; **~tuosité** [~tɥozi'te] *f* Mangel(haftigkeit *f*) *m*; Unvollkommenheit *f*; Lückenhaftigkeit *f*; ⊕ Schaden *m*; Fehler *m*, Gebrechen *n*; *remédier aux* ~*s* Mängel beheben.

défen|dable [defɑ̃'dablə] *adj.* **1.** *a.* ⚖ haltbar, vertretbar, zu rechtfertigen; **2.** ⚔ zu verteidigen; **~dant** [~'dɑ̃] *advt.*: *à son corps* ~ *fig.* widerwillig; **~deur** ⚖ [~'dœ:r] *su.* (7h) Be-, Ver-klagte(r) *m*.

défendre [de'fɑ̃:drə] (4a) **I** *v/t.* **1.** verteidigen; ~ *sa peau* sich s-r Haut wehren; ums nackte Leben kämpfen; **2.** (be)schützen, schirmen, bewahren; **3.** untersagen, verbieten; ~ *le vin à un malade* e-m Kranken das Trinken von Wein verbieten; *je lui défends de faire telle chose; je lui défends qu'il fasse telle chose* ich verbiete ihm, so etwas zu machen; ~ *sa porte à q.* j-m das Haus verbieten; **4.** *abs.* ⚖ Verteidiger sein; **II** *v/rfl.* *se* ~ **5.** sich verteidigen, sich wehren; *cela se défend* das läßt sich hören; **6.** *se* ~ *qch.* sich etw. versagen; **7.** *se* ~ *de*: a) sich schützen vor (*dat.*), sich erwehren (*gén.*), nicht umhinkönnen zu; *je ne puis me* ~ *de faire cela* ich kann nicht umhin, dies zu tun; ich muß dies unbedingt machen; *je ne pouvais me* ~ *de pleurer* ich konnte mich der Tränen nicht enthalten; b) ablehnen, leugnen, sich verbitten, sich verwahren gegen (*acc.*); **8.** F *se* ~ sich halten (*im Alter*); **9.** P sich durchschlagen.

défen(d)s [de'fɑ̃] *m for.*: *bois m en* ~ Schonung *f*.

défenestr|ation *hist.* [defənɛstra'sjɔ̃] *f* Fenstersturz *m*; **~er** [~'tre] *v/rfl.* *se* ~ sich aus dem Fenster stürzen.

défense [de'fɑ̃:s] *f* **1.** Verteidigung *f*, Gegenwehr *f*, Abwehr *f*, Schutz *m*; *légitime* ~ Notwehr *f*; *propre* ~, ~ *personnelle* Selbstverteidigung *f*; *se mettre en* ~ sich zur Wehr setzen, sich wehren; ~*s pl.*: *ch.* Fangzähne *m/pl.*, Hauer *m/pl.*; Stoßzähne *m/pl.*; eiserne Spitzen *f/pl. an e-m Drahtgitter*; ⚔ *frt.* Verteidigungswerke *n/pl.*; ⚔ ~ *antiaérienne od.* ~ *contre avions* Luftschutz *m*, Flugabwehr *f*, Flak *f*; ⚔ ~ *sous-marine* Mine *f*; ~ *côtière* Küstenschutz *m*; ⊕ ~ *automatique* Schutzvorrichtung *f*; **2.** Verbot *n*; ~ *d'afficher* Zettelankleben verboten!; ~ *de fumer* Rauchen verboten!; ~ *de déposer des ordures* Schuttabladen verboten!; *il est fait* ~ *expresse* es ist ausdrücklich verboten; **3.** ⚖ Verteidigung *f*; Verteidigungs-mittel *n*, -rede *f*;

Gegenschrift *f*; ⁓*s pl.* Verteidigungsschrift *f*.

défen|seur [defɑ̃'sœːr] *m* Verteidiger *m*, Beschützer *m*; Verfechter *m*; ⚖ ⁓ *en justice* Rechtsbeistand *m*; **⁓sif** [⁓'sif] *adj.* (7e) ☐ zur Verteidigung dienend; *armes f/pl. défensives* Verteidigungswaffen *f/pl.*; *système m* ⁓ Verteidigungssystem *n*; **⁓sive** [⁓'siːv] *f* Defensive *f*; *être* (*od. se tenir*) *sur la* ⁓ in der Defensive bleiben.

déféquer [defe'ke] *v/t.* (1f, 1m) **1.** ⚗ klären, reinigen; **2.** s-n Kot ausscheiden.

défé|rence [defe'rɑ̃ːs] *f* achtungsvolle Ehrerbietung *f*, Rücksicht *f*, Willfährigkeit *f*; *faire acte de* ⁓ *envers q.* j-m gegenüber nachgeben; **⁓rent** [⁓'rɑ̃] *adj.* (7) **1.** nachgiebig, willfährig; **2.** ⊕ abführend; *canal m* ⁓ Abzugskanal *m*; **⁓rer** [defe're] (1f) **I** *v/t.* **1.** ⁓ *qch. à q.* j-m etw. übertragen, zuerkennen, erweisen *od.* zuteil werden lassen; **2.** ⚖ ⁓ *q. en* (*od. à la*) *justice* j-n bei der Behörde anzeigen, j-n gerichtlich belangen; ⁓ *une cause à une cour* e-e Rechtssache vor Gericht bringen; **II** *v/i.* nachgeben, (aus Achtung) zustimmen; sich fügen (*dat.*); *je défère à son jugement* ich unterwerfe mich (*od.* füge mich) s-m Urteil, ich pflichte s-m Urteil bei; ⁓ *au désir de q.* dem Wunsch j-s nachkommen *od.* entsprechen; ⁓ *à un ordre* e-m Befehl nachkommen.

déferl|age ⚓ [defɛr'laːʒ] *m* Setzen *n* (*Segel*); **⁓ement** [⁓lə'mɑ̃] *m* Brandung *f* (*See*); Überflutungskatastrophe *f*; *fig.* ⁓ *des passions* Entfesselung *f* der Leidenschaften; *fig.* ⁓ *verbal* Wortschwall *m*; **⁓er** [⁓'le] (1a) **I** *v/t.* ⁓ *les voiles* die Segel setzen; **II** *v/i.* branden, auf-, an-schlagen an (*dat.*); *fig.* hageln, niederprasseln; sich ergießen.

déferr|age, ⁓rement [defɛ'raːʒ, ⁓r'mɑ̃] *m* Abnehmen *n* des Hufeisens; **⁓rer** [⁓'re] (1b) *v/t.* den Eisenbeschlag (die Ketten) abnehmen von (*dat.*); ⁓ *un cheval* e-m Pferd die (Huf-)Eisen abreißen; ⁓ *une caisse* (*une roue*) den Eisenbeschlag von e-r Kiste (von e-m Rad) abnehmen.

défervescence [defɛrve'sɑ̃ːs] *f* **1.** ⚗ Nichtaufwallen *n*; **2.** ⚕ plötzliches Absinken *n* des Fiebers.

défeuill|aison ⚘ [defœjɛ'zɔ̃] *f* Abfallen *n* der Blätter; **⁓er** *litt.* [⁓'je] (1a) **I** *v/t.* entblättern, die Blätter abrupfen (von); **II** *v/rfl.* se ⁓ die Blätter (das Laub) verlieren.

défi [de'fi] *m* Herausforderung *f*; *d'un air de* ⁓ mit herausfordernder Miene; *accepter un* ⁓ e-e Herausforderung annehmen; *lancer* (*od. porter*) ⁓ *à q.* j-n herausfordern; *mettre q. au* ⁓ *de* ... j-m ... nicht zutrauen, an *j-s Vorhaben* zweifeln; wetten, daß j. nicht ...

défiance [de'fjɑ̃ːs] *f* Mißtrauen *n* (*de* in *acc.*), Argwohn *m*; *concevoir de la* ⁓ Argwohn schöpfen; ⁓ *de soi-même* Mangel *m* an Selbstvertrauen; *pol. vote m de* ⁓ Mißtrauens-antrag *m*, -votum *n*.

défibr|age [defi'braːʒ] *m* Entfaserung *f* (*z.B. v. Zuckerrohr*); **⁓er** [⁓'bre] *v/t.* (1a) entfasern; **⁓eur** ⊕ *m*, **⁓euse** ⊕ *f* [⁓'brœːr, ⁓'brøːz] Entfaserungsmaschine *f*; **⁓illateur** ⊕ [⁓brila'tœːr] *m* Entflimmerer *m*, Defibrillator *m*; **⁓illation** ⚕ [⁓brila'sjɔ̃] *f* (Herz-)Entflimmerung *f*.

défi|cience ⚕ [defi'sjɑ̃ːs] *f* Insuffizienz *f*, Schwäche *f*; **⁓cient** [⁓'sjɑ̃] *adj.* (7) ungenügend entwickelt, schwächlich.

déficit [defi'sit] *m* Defizit *n*, Fehlbetrag *m*; ⚕ Mangel *m* (*en* an); *fin.* ⁓ *des recouvrements fiscaux* Steuerausfall *m*; **⁓aire** [⁓'tɛːr] *adj.* e-n Fehlbetrag aufweisend.

défier [de'fje] (1a) **I** *v/t.* **1.** herausfordern (*à* zu); ⁓ *la comparaison* dem Vergleich standhalten, unvergleichlich sein; **2.** *je vous défie de le faire*: a) ich wette, daß Sie es nicht können; b) ich würde Ihnen nicht raten, es zu tun; *je vous en défie* das lassen Sie lieber bleiben; **3.** ⁓ *qch.* e-r Sache Trotz bieten (*od.* trotzen); ⁓ *q.* es mit j-m aufnehmen, j-m die Stirn bieten, j-m entgegentreten; **II** *litt. v/rfl.* se ⁓ *de* **4.** mißtrauen (*dat.*); *se* ⁓ *de tout le monde* niemandem trauen; *se* ⁓ *de soi-même* kein Selbstvertrauen haben; **5.** sich gegenseitig herausfordern.

défigur|ation [defigyra'sjɔ̃] *f* Entstellung *f*, Verunstaltung *f*; **⁓er** [defigy're] (1a) *v/t.* entstellen; verunstalten; *fig.* ⁓ *la vérité* die Wahrheit entstellen; *qui défigure le sens* sinnentstellend.

défi|lade [defi'lad] *f* ⚔ Vorbeimarsch *m*; ⚓ Vorbeisegeln *n*; **⁓lé** [⁓'le] *m* **1.** Engpaß *m*, Gebirgspaß *m*; **2.** Parademarsch *m*, Defilieren *n*; ⁓ *aérien* Luftparade *f*; **3.** lange Reihe *f von Personen od. Wagen*;

Umzug *m*; **4.** *Papierfabrikation*: Lumpenbrei *m*, Halb-zeug *n*, -stoff *m*; **~lement** [~l'mɑ̃] *m* ⚔ Gedecktsein *n*, Sicherstellung *f*; ⊕ Ablaufen *n* (*e-s Tonbands*).

défiler[1] [defi'le] (1a) **I** *v/i.* ⚔ vorbeimarschieren, defilieren; ⚓ (nacheinander) vorbeisegeln; **II** *v/t.* ⚔ gegen Sicht decken; *position f défilée* gedeckte Stellung *f*; **III** *v/rfl.* se ~ entfliehen; sich heimlich davonschleichen, sich drücken F, sich dünnemachen F, auskneifen; ⚔ in Deckung gehen.

défiler[2] [~] (1a) **I** *v/t.* ~ *qch.* abfädeln; ⊕ *altes Wollzeug* zerreißen; ~ *son chapelet* den Rosenkranz herunterbeten; *fig.* alles wie am Schnürchen wissen, etw. herleiern; **II** *v/i. Tonband*: (ab)laufen; **III** *v/rfl.* se ~ auseinanderfallen, -gehen, -reißen (*Kollier*); *le chapelet se défile fig.* das einigende Band löst sich auf.

défi|ni [defi'ni] **I** *adj.* **1.** bestimmt, entschieden; **2.** *gr. article m* ~ bestimmter Artikel *m*; **II** *m phil. das* Bestimmte; **~nir** [~'ni:r] (2a) **I** *v/t.* **1.** definieren, näher bestimmen; erklären ~ *un mot* ein Wort näher bestimmen; **2.** schildern, genau beschreiben; **II** *v/rfl.* se ~ bestimmt werden; *cela se définit de soi-même* das erklärt sich von selbst; **~nissable** [~ni'sablə] *adj.* definierbar, bestimmbar; **~nitif** [~ni'tif] *adj.* (7e) □ definitiv, entscheidend, endgültig; *en définitive* zu guter Letzt, schließlich, alles in allem genommen; *jugement m* ~ Endurteil *n*; **~nition** [~ni'sjɔ̃] *f* Definition *f*, Begriffsbestimmung *f*, Erklärung *f*; *télév.* Zeilenzahl *f*.

déflagr|ateur *phys.* [deflagra'tœ:r] *m* elektrischer Zünder *m*, Deflagrator *m*; **~ation** ⚗ [~gra'sjɔ̃] *f* Aufflackern *n*, Verpuffen *n*; (schnelle) explosionsartige Verbrennung *f*, Abbrennen *n* (*v. Sprengstoff*), Deflagration *f*; *fig.* Ausbruch *m*.

déflation [defla'sjɔ̃] *f* **1.** *fin.* Deflation *f*, Verminderung *f* des Zahlungsmittelumlaufs; **2.** *géol.* Abtragung *f durch Wind*, Deflation *f*.

défléchir [defle'ʃi:r] (2a) **I** *v/t. phys.* ablenken; *tige f défléchie* niedergebogener Stengel *m*; **II** *v/i.* von der Richtung abkommen *od.* abweichen; *phys.* abgelenkt werden (*Lichtstrahlen*); *gr.* ablauten.

déflecteur ⊕ [deflɛk'tœ:r] *m* Schornsteinaufsatz *m*, Rauchkappe *f*; Führungs-, Leit-blech *n*; Ablenkplatte *f*; *Auto*: Drehfenster *n*.

déflexion [deflɛk'sjɔ̃] *f phys.* Ablenkung *f*; *gr.* Ablaut *m*.

déflo|raison ⚘ [deflɔrɛ'zɔ̃] *f* Ab-, Ver-blühen *n*; **~ration** *physiol.* [~ra'sjɔ̃] *f* Entjungferung *f*, Schändung *f*; **~rer** [~'re] *v/t.* (1a) e-e Jungfrau schänden, entehren; *fig.* ~ *une matière* e-m Gegenstand den Reiz der Neuheit nehmen; ⚘ *défloré* abgeblüht; *être défloré fig.* den Reiz der Neuheit verlieren (*bzw.* verloren haben).

défoliant ⚔, ⚗ [defɔ'ljɑ̃] *m* Entlaubungsmittel *n*.

défoliation ⚘ [defɔlja'sjɔ̃] *f* Laubfall *m*.

défon|çage *m*, **~cement** *m* [defɔ̃'sa:ʒ, ~s'mɑ̃] **1.** ⚒ Abteufen *n*; stark fallende Strecke *f*; **2.** ⊕ *Böttcherei*: Einschlagen *n des Faßbodens*; **3.** ↗ tiefes Umgraben *n*, Rigolen *n*; **~cer** [~'se] (1k) **I** *v/t.* **1.** ~ *un tonneau* e-m Faß den Boden einschlagen; *Auto*: ~ *un mur* e-e Mauer eindrücken; **2.** völlig ausfahren (*Weg*); **3.** ↗ ~ *le terrain* das Land tief umgraben, rigolen; **4.** ⚔ ~ *une colonne* e-e Kolonne durchbrechen; **II** *v/rfl.* P *se* ~ Rauschmittel nehmen; **~ceuse** ⊕ [~'sø:z] *f* Aufreißer *m*, Rigolpflug *m*.

défor|mation *bsd. anat.*, ⚘ [defɔrma'sjɔ̃] *f* Formveränderung *f*; Mißbildung *f*; Verunstaltung *f*, Entstellung *f*; ~ *de la route* Unebenheit *f* der Straße; ⊕ ~ *des métaux à froid* Kaltverformung *f* der Metalle; *cin.* ~*s apportées au scénario* endgültige Formen *f/pl.* der Filmszene; ~ *professionnelle* berufsbedingte, falsche Beurteilung *f*, berufliche Einseitigkeit *f*; *fig.* Berufskrankheit *f*; **~mer** [~'me] (1a) **I** *v/t.* aus der Form bringen, verunstalten; verbilden; *Schuhe* schief treten; ⊕ aus der Form nehmen; 🚂 ausrangieren; **II** *v/rfl.* se ~ s-e Gestalt verlieren, sich verbiegen; *Schuhe*: sich austreten; *déformé* verwachsen, mißgestaltet, entstellt; verbogen, schief.

défoul|ement *psych.* [deful'mɑ̃] *m* Abreaktion *f*; **~er** *psych.* [~'le] *v/rfl.* (1a): se ~ sich abreagieren.

défourner [defur'ne] *v/t.* (1a) aus dem (Back-)Ofen (heraus-)nehmen.

défraîch|i [defrɛ'ʃi] nicht mehr neu; abgetragen; verblaßt (*Farbe*); **~ir** [~'ʃi:r] (2a) *v/rfl.* se ~ s-n Glanz

verlieren, sich abtragen; verbleichen. [entfranzösieren.}
défranciser [defrɑ̃si'ze] *v/t.* (1a)}
défrayer [defrɛ'je] *v/t.* (1i) **1.** ~ *q.* j-n freihalten, j-s Unterhalt bestreiten; *être défrayé de tout* alles frei haben, freie Station haben; **2.** F *fig.* ~ *la société de bons mots* die Gesellschaft mit Witzen (*od.* Späßen) unterhalten (*od.* belustigen); ~ *la conversation* das Wort allein führen; den Gegenstand der Unterhaltung bilden; ~ *les journaux* durch die Zeitungen gehen (*von e-m Thema, e-r Frage*).
défrettage ⊕ [defrɛ'ta:ʒ] *m* Zerbrechen *n* des Schutzringes.
défri|chage [defri'ʃa:ʒ] *m* Urbarmachen *n*; **~chement** [~ʃ'mɑ̃] *m* **1.** = *défrichage*; **2.** urbar gemachtes Land *n*; **~cher** [~'ʃe] *v/t.* (1a) (*a. abs.*) **1.** urbar machen, umbrechen, anbauen; ~ *un terrain vierge* Neuland erschließen; **2.** *fig.* klären, verständlich *od.* zugänglich machen.
défrimousser F [defrimu'se] *v/t.* (1a) anglotzen.
défringuer P [defrɛ̃'ge] (1m) *v/rfl.* se ~ sich auspellen.
défriser [defri'ze] *v/t.* (1a) **1.** ~ *q.* j-m die Frisur verderben; ~ *les cheveux* die Haare zerzausen; **2.** F *fig.* j-n enttäuschen; j-m e-n Strich durch die Rechnung machen.
défron|cement [defrɔ̃s'mɑ̃] *m* Glättung *f der Stirnfalten*; F *fig.* Heiterwerden *n*; **~cer** [~'se] *v/t.* (1k) **1.** *e-n Stoff* glattstreichen; **2.** ~ *les sourcils* die Stirn glätten; *fig.* wieder ein heiteres Aussehen annehmen.
défro|que [de'frɔk] *f* abgelegte (*od.* alte) Kleidungsstücke *n/pl.*; **~qué** [~'ke] *m* ehemaliger Mönch *m od.* Priester *m*; **~quer** [~] (1a) **I** *v/t.* *j-n* zum Austritt aus dem Kloster bewegen; **II** *v/rfl.* se ~ das Ordenskleid ablegen.
défruiter [defrɥi'te] *v/t.* (1a) **1.** ⚒ die Früchte abpflücken (von); **2.** ~ *de l'huile d'olive* Olivenöl auspressen.
défrusquer P [defrys'ke] *v/t.* *u.* *v/rfl.* (1a): (se) ~ (sich) ausziehen, (sich) auspellen P.
défunt [de'fœ̃] (7) **I** *adj.* verstorben; **II** *su.* Verstorbene(r) *m*; Erblasser *m.*
dégagé [dega'ʒe] *adj.* frei; wolkenlos, klar; *fig.* ungezwungen, unbefangen; munter, flott (*Schritt, Gang*); schlank; ▲ *le caractère* ~ *d'une maison* der großzügige Charakter e-s Hauses.
dégagement [degaʒ'mɑ̃] *m* **1.** Aus-, Ein-lösung *f e-s Pfandes*; Erfüllung *f e-s Versprechens*; Entlastung *f a. fig.*, Freilegung *f*; **2.** *fig.* Ungezwungenheit *f*, Unbefangenheit *f*, Zwanglosigkeit *f*; **3.** *esc.* Losmachen *n* (der Klinge) *von der des Gegners*; **4.** ⚗ Freiwerden *n von Gasen*; ⊕ *tube m de* ~ Ableitrohr *n*; *mach.* ~ *de vapeur* Entweichen *n* von Dampf; **5.** ⅍ Bringen *n der unbekannten Größe* auf eine Seite der Gleichung; **6.** *a.* ⚕ Erleichterung *f*; **7.** ▲ Nebenausgang *m*; *escalier m de* ~ Hintertreppe *f*, Notausgang *m*; **8.** *écol.* Unterrichtsausfall *m*; **9.** ✈ **~s** *m/pl.* Nebenrollbahnen *f/pl.*, Ausweichmöglichkeiten *f/pl.*
dégager [dega'ʒe] (1l) **I** *v/t.* **1.** auslösen, einlösen; frei-, los-machen, befreien, *a.* ⚔ Luft schaffen; *Sport: s-e Spielhälfte* befreien; *fig.* die Lehre ziehen; ~ *ses terres* s-e Güter von Hypotheken freimachen; ~ *sa promesse* sein Versprechen einlösen; ~ *sa parole* sein Wort zurücknehmen; ~ *q. de sa parole* j-n s-s Wortes entbinden; ~ *q. du secret professionnel* j-n vom Berufsgeheimnis entbinden; ~ *une place* e-e Festung entsetzen; ~ *un port* e-n Hafen freilegen; ~ *les sorties des grandes villes* die Ausfallstraßen der großen Städte entlasten; ~ *la voie publique* die (versperrte) Straße frei machen; ~ *q. de dessous sa voiture* j-n unter s-m Wagen hervorziehen; *Auto:* ~ *l'accouplement* auskuppeln; ~ *son esprit de toute préoccupation* sich innerlich von allen Sorgen frei machen; *physiol.* ~ *la poitrine* die Brust erleichtern; *physiol.* ~ *la tête* den Kopf freimachen; *dégagé de tout souci* frei von allen Sorgen; *fig. d'un air dégagé* voller Unbefangenheit; ungezwungen; *avoir des airs dégagés* sich ungezwungen geben; **2.** Ungezwungenheit vermitteln (*dat.*), *j-n* innerlich auflockern *od.* frei machen; **3.** hervorheben; **4.** *esc.* ~ (*le fer*) (die Klinge) *von der des Gegners* losbinden; **5.** ⚗ frei machen, ausströmen lassen, ausscheiden; ~ *une odeur* e-n Geruch von sich geben; **6.** ⅍ ~ *l'inconnue* die unbekannte Größe allein auf eine Seite der Gleichung bringen; **7.** ~

un appartement in e-r Wohnung e-n Nebenausgang schaffen; *chambre f dégagée* Zimmer *n* mit e-r Nebentür; *escalier m dégagé* Hintertreppe *f*; **8.** ⚔ ~ *le cylindre* die Kammer (*aus dem Gewehr*) herausnehmen; ~ *la sûreté* (de) entsichern; **9.** ⚓ ~ *le cordage* das Tauwerk klarmachen; **10.** *fig.* ~ *des conclusions de* Schlüsse ziehen aus (*dat.*); *fig.* ~ *l'essentiel* das Hauptsächliche aufzeigen (*od.* darlegen); *fig.* ~ *des notions précises* genaue Vorstellungen *über etw.* herausarbeiten (*od.* entwickeln); *fig.* ~ *le char(iot) embourbé* die Karre aus dem Dreck ziehen; **II** *v/rfl.* **11.** *se* ~ *de* sich befreien *od.* losmachen von; sich herausarbeiten aus; *fig.* sich ergeben aus; **12.** *se* ~ ⚗ sich entwickeln, frei werden, entweichen; ⚔ sich heraushauen; sich aufklären (*Himmel*); *le terrain se dégage* das Gelände ist offen.

dégai|ne F [de'gɛn] *f* lächerliche Haltung *f*, komisches Benehmen *n*; *il a une drôle de* ~ er sieht lächerlich aus; **~ner** [~gɛ'ne] (1b) **I** *v/t.* aus der Scheide ziehen; **II** *v/i.* nach dem Schwert *bzw.* nach der Pistole greifen.

déganter [degɑ̃'te] (1a) **I** *v/t.* ~ *la main* den Handschuh ausziehen; **II** *v/rfl.* *se* ~ sich die Handschuhe ausziehen.

dégar|ni [degar'ni] *adj.* ausgeräumt, leer; *Baum, Kopf*: kahl; **~nir** [~'ni:r] (2a) **I** *v/t.* **1.** ab-, wegnehmen; ausräumen; *den Besatz e-s Kleides usw.* abnehmen, vom Schmuck entblößen; *den Bettbezug* abnehmen (von); ~ *un appartement* e-e Wohnung ausräumen; ~ *un arbre* e-n Baum ausschneiden (*od.* lichten); *bouche f dégarnie* zahnloser Mund *m*; *cave f dégarnie* leerer (Wein-)Keller *m*; **2.** ⚔ ~ *la frontière* Truppen von der Grenze abziehen; ~ *une place* Truppenteile aus e-r Festung herausziehen (*Verteidigung*); **3.** ⚓ ~ *un vaisseau* ein Schiff abtakeln; **II** *v/rfl.* *se* ~ **4.** leer werden, kahl werden; *la salle se dégarnit* der Saal wird leer; *sa tête se dégarnit* (*de cheveux*) die Haare fallen ihm (ihr) aus; **5.** *se* ~ (*de ses vêtements d'hiver*) sich leichter kleiden; **~nissement** [~nis'mɑ̃] *m* Entblößung *f*; Herausziehung *f* v. Truppenteilen.

dégât [de'gɑ] *m* Schaden *m*, Verheerung *f*, Verwüstung *f*; ~*s pl. causés par le gel* Frostschäden *m/pl.*

dégau|chir [dego'ʃi:r] (2a) **I** *v/t.* gerade richten, behauen, bearbeiten; F *fig.* *j-n* zurechtstutzen, *j-m* den nötigen Schliff geben; P finden; **II** *v/rfl.* *se* ~ F *fig.* manierlicher werden.

dégazer ⚗, ⚔ [degɑ'ze] *v/t.* (1a) entgasen, entgiften.

dégazolinage ⊕ [degɑzɔli'na:ʒ] *m* Entölen *n*.

dégazonn|ement [degazɔn'mɑ̃] *m* Wegnahme *f* des Rasens; **~er** [~'ne] *v/t.* (1a) den Rasen wegnehmen (von).

dégel [de'ʒɛl] *m* **1.** (Auf-)Tauen *n*; *a. pol.* Tauwetter *n*; *le temps est au* ~ es ist Tauwetter; **2.** *fin.* *le* ~ *d'un dépôt* die Freigabe e-s Guthabens.

dégelée [deʒ'le] *f* Tracht *f* Prügel.

dégeler [deʒ'le] (1d) **I** *v/t.* ~ *qch.* etw. auftauen; freigeben (*Kapitalien*); F *fig.* ~ *q.* j-n ermuntern (*od.* aufmöbeln P); **II** *v/i.* (auf)tauen (*a. fig.*); V sterben; **III** *v/imp.* *il dégèle* es taut; **IV** *v/rfl.* *se* ~ *a. fig.* auftauen.

dégéné|ration [deʒenerɑ'sjɔ̃] *f* Degenerierung *f*, Entartung *f*, Ausarten *n*; *fig.* Abnahme *f*, Verfall *m*; ⚕ ~ *grasseuse du cœur* Herzverfettung *f*; **~rer** [~'re] *v/i.* (1f) entarten, degenerieren, ausarten; *fig.* aus der Art schlagen, sich mit der Zeit verschlechtern; *la dispute dégénéra en rixe* der Wortstreit artete in e-e Schlägerei aus; *il a dégénéré* er ist degeneriert (*als Handlung*); *il est dégénéré* er ist degeneriert (*als Zustand*); **~rescence** [~re'sɑ̃:s] *f* Entartung *f*; ⚕ ~ *graisseuse* Verfettung *f*; **~rescent** [~re'sɑ̃] *adj.* (7) aus-, ent-artend.

dégermanis|ation [deʒɛrmanizɑ'sjɔ̃] *f* **1.** Entdeutschung *f*; **2.** Preisgabe *f od.* Aufgabe *f* (*od.* Verlust *m*) des Deutschtums; **~er** [~'ze] (1a) **I** *v/t.* entdeutschen; **II** *v/rfl.* *se* ~ das Deutschtum aufgeben (*od.* verlieren).

dégermer [deʒɛr'me] *v/t.* (1a) entkeimen.

dégingan|dé F [deʒɛ̃gɑ̃'de] *adj.* schlaksig; **~dement** F [~d'mɑ̃] *m* schlaksiger Gang *m*; **~der** F [~'de] (1a) **I** *v/t.* schlaksig machen, ein lässiges Aussehen geben; **II** *v/rfl.* *se* ~ schlaksig werden *od.* gehen.

dégîter *ch.* [deʒi'te] (1a) **I** *v/t.* aus dem Lager aufjagen (*od.* aufscheuchen); **II** *v/rfl.* *se* ~ das Lager verlassen.

dégivr|age ✈, *Auto* [deʒi'vra:ʒ] *m*

Enteisung *f*, Entfrostung *f*; **~er** [~'vre] *v/t.* (1a) enteisen, entfrosten; **~eur** [~'vrœ:r] *m a. Auto* Enteiser *m*, Entfroster *m*; ✈ ~ *pneumatique* Druckluftenteiser *m*.

dégla|çage, ~cement [degla'sa:ʒ, ~s'mɑ̃] *m* **1.** Beseitigung *f* des Eises (*v. den Straßen*); **2.** ⊕ Glanzlosmachung *f* (*des Papiers*); **~cer** [~'se] (1k) *v/t.* **1.** das Eis *von der Straße* beseitigen (*od.* entfernen); **2.** ⊕ *dem Papier* den Glanz nehmen.

déglinguer F [deglɛ̃'ge] (1m) **I** *v/t.* kaputtmachen; **II** *v/rfl.* se ~ kaputtgehen.

déglobuliser ⚕ [deglɔbyli'ze] *v/t.* (1a) an roten Blutkörperchen ärmer machen.

déglu|er [degly'e] *v/t.* (1a) von der Leimrute (*od. allg.* vom Leim) losmachen; **~tination** *ling.* [~tina'sjɔ̃] *f* Deglutination *f*, falsche Abtrennung *f*.

déglu|tir [degly'ti:r] *v/t.* (2a) (ver-) schlucken, (ver)schlingen; **~tition** [~ti'sjɔ̃] *f* Verschlingen *n*.

dégobil|lage P [degɔbi'ja:ʒ] *m* Kotzen *n* P; **~ler** P [~'je] *v/i. u. v/t.* (1a) kotzen P; auskotzen P.

dégoi|sement F [degwaz'mɑ̃] *m* Geschwätz *n*; **~ser** F [~'ze] (1a) **I** *v/t.* ausplaudern; ausstoßen (*Beleidigungen*); **II** *v/i.* quatschen F, palavern F, reden.

dégomm|age [degɔ'ma:ʒ] *m* Degummierung *f*; **~er** ⊕ [~'me] *v/t.* (1a) Seide vom Gummi befreien, degummieren; F j-n kaltstellen, absägen, abhalftern, an die Wand drängen, absetzen, verdrängen, ausbooten, ausstechen.

dégonder [degɔ̃'de] *v/t.* (1a) aus den Angeln heben.

dégon|flard P [degɔ̃'fla:r] *m* Drückeberger *m*, Angsthase *m*; **~flé** [~'fle] *adj.* ohne Luft, luftleer (*Auto-, Fahrrad-reifen, Ballon*); P feige; *rouler* ~ auf der Felge (auf Latschen F) fahren; **~flement** [~flə'mɑ̃] *m* Entleerung *f e-s Auto-, Fahrrad--reifens usw.*; Luftabfuhr *f*; **~fler** [~'fle] (1a) **I** *v/t.* die Luft rauslassen; ⚕ e-e Schwellung beseitigen; ~ *un ballon* e-n Ballon entleeren; *fig.* ~ *une polémique* e-e Polemik entkräften, e-r Polemik die Spitze abbrechen; *fig.* ~ *son cœur* s-m Herzen Luft machen; **II** *v/rfl.* se ~ sich entleeren, zusammenfallen; P gestehen; kneifen P, Schiß haben V; klein beigeben F.

dégor|gement [degɔrʒə'mɑ̃] *m* **1.** Ausleerung *f*, Ausbrechen *n*; Aus-räumen *n*, -schlämmen *n*; Auswaschen *n*, Spülen *n*; **2.** ⚕ Entleerung *f der Galle usw.*; **~geoir** [~'ʒwa:r] *m* ⚠ Ablaufrinne *f*; *tiss.* Wasch-, Spül-maschine *f*; **~ger** [~'ʒe] (1l) **I** *v/t.* **1.** ausbrechen, ausspeien, herausbringen F; **2.** ausschlämmen, spülen, ausräumen; **3.** ⊕ *Häute, Wolle* ausspülen, abschwemmen, reinigen; ~ *du poisson* Fische in reines Wasser setzen; **4.** F herausrücken; *faire* ~ *de l'argent à q.* von j-m Geld erpressen; **II** *v/i.* **5.** abfließen; **III** *v/rfl.* se ~ **6.** sich entleeren; abfließen, sich ergießen (*a. fig.*); sich abspülen; **7.** ⚕ abnehmen (*Geschwulst*), dünner werden.

dégot(t)er [degɔ'te] (1a) **I** *v/t.* F ergattern; **II** *v/i.* P ~ *bien* (*mal*) e-n guten (schlechten) Eindruck machen.

dégouliner [deguli'ne] *v/i.* (1a) langsam entlangfließen, sickern, rinnen; herabtröpfeln.

dégoupillé ⚔ [~pi'je] *adj.* entsichert.

dégour|dir [degur'di:r] (2a) **I** *v/t.* **1.** die Erstarrung nehmen (*dat.*), wieder gelenkig machen; ⊕ wieder beweglich machen; (*faire*) ~ *Wasser usw.* lau(warm) werden lassen; **2.** *fig.* ~ *q.* j-n manierlicher machen, j-m sein ungelenkes Wesen abgewöhnen; j-n gewitzt machen; *dégourdi* aufgeweckt, verschlagen, *auch als su.*: schlauer Kopf *m*; **II** *v/rfl.* se ~ sich *durch Erwärmung* beleben; *fig.* das ungelenke Wesen ablegen; lau (-warm) werden; se ~ *les jambes* sich Bewegung verschaffen, sich die Beine vertreten; **~dissement** [~dis'mɑ̃] *m* **1.** Wiederbelebung *f*; F *fig.* Auftauen *n*; **2.** mäßige Erwärmung *f e-r Flüssigkeit*.

dégoût [de'gu] *m* Ekel *m*, Abscheu *m*; *avoir du* ~ *pour* Ekel haben vor (*dat.*); *j'ai cela en* ~ es ekelt mich davor, das widert mich an; *fig. le* ~ *de la vie* der Lebensüberdruß.

dégoû|tant [degu'tɑ̃] *adj.* (7) ekelerregend, ekelhaft, widerlich; abstoßend; unappetitlich; **~té** [~'te] *adj.* ~ *de* überdrüssig (*gén.*); übersättigt; **~ter** [~] (1a) **I** *v/t.* **1.** den Appetit verderben; **2.** *fig.* anwidern, abstoßen, anekeln; mit Widerwillen erfüllen; ~ *q. de qch.* j-m etw. verleiden *od.* verekeln; **3.** *fig.* langweilen; **II** *v/rfl.* se ~ *de* Ekel bekommen vor (*dat.*); *fig.* überdrüssig werden (*gén.*), satt kriegen (*acc.*).

dégoutter [degu'te] *v/i.* (1a) **1.** (herab)tropfen (*a. fig.*); *le toit dégoutte* das Wasser tropft vom Dach; **2.** triefen (*de sueur* von Schweiß).

dégra|dant [degra'dɑ̃] *adj.* (7) erniedrigend, entehrend, degradierend, entwürdigend; **~dateur** *phot.* [~da'tœːr] *m* Abtönvignette *f*, Abschattierer *m*; **~dation** [~dɑ'sjɔ̃] *f* **1.** Degradierung *f*; ~ *civique* Aberkennung *f* der bürgerlichen Ehrenrechte; **2.** Beschädigung *f*, Schaden *m*, Verwitterung *f*; Schändung *f* (*e-s Denkmals*); ⚒ Abbau *m*; *géol.* Abtragung *f*; **3.** *peint.* Abtönung *f*, Abschattierung *f der Farben, des Lichts*; **~dé** [degra'de] *adj.* degradiert; heruntergekommen, verkommen; schadhaft, beschädigt, verdorben; abschattiert; **~der** [~] (1a) **I** *v/t.* **1.** degradieren, den Rang aberkennen (*dat.*), absetzen; erniedrigen; aus dem Militärstand ausstoßen; *fig.* ganz herunterbringen; *ehm.* ~ *q. de noblesse* j-m den Adel entziehen; **2.** *fig.* herab-, entwürdigen; **3.** beschädigen; verderben; verwüsten; *ein Haus* unterwaschen; **4.** *peint.* tönen, abschattieren; **II** *v/rfl.* se ~ sich herabwürdigen, verkommen, *fig.* ganz herunterkommen; schlechter (*od.* schadhaft) werden; verfallen, verwittern (*Haus*); *peint.* sich abschattieren.

dégrafer [degra'fe] *v/t.* (1a) los-, auf-haken.

dégrais|sage [degrɛ'saːʒ] *m* chemische Reinigung *f*; *Auto*: Abschmieren *n*; **~sant** ⚒ [~'sɑ̃] *m* Fleckenreiniger *m*; **~ser** [~'se] (1b) **I** *v/t.* **1.** (*das*) Fett abschöpfen *bzw.* abschneiden; F *fig.* ~ *q.* die Korpulenz j-s verringern; **2.** entfetten, vom Fett reinigen; *Wäsche*, *Kleidung* chemisch reinigen; *Flecke* entfernen; (aus)waschen; *Auto*: abschmieren; *savon m d'*~ Fleckseife *f*; *donner à* ~ *Wäsche usw.* zur Reinigung geben; **II** *v/rfl.* se ~ vom Fett gereinigt werden; F schlanker werden; chemisch gereinigt werden; **~seur** [~'sœːr] *su.* (7g) **1.** Fleckenreiniger *m* (*Person*); **2.** Reinigungsanstalt *f*.

dégras [de'grɑ] *m* Gerberfett *n*.

dégra|voiement [degravwa'mɑ̃] *m* Unterspülung *f*; **~voyer** [~vwa'je] *v/t.* (1h) *Mauer* unterspülen; ausbaggern (*Fluß*).

degré [də'gre] *m* **1.** *litt.* (Treppen-) Stufe *f*; *fig. de* ~ *en* ~, *par* ~*s* von Stufe zu Stufe, stufenweise, allmählich; **2.** *fig.* (Rang-)Stufe *f*, Grad *m*; ~ *d'instruction* Bildungsgrad *m*; ~ *d'occupation* Beschäftigungsgrad *m*; **3.** *fig.* a) Grad *m*, Höhe(punkt *m*) *f*; ~ *intermédiaire* Zwischenstufe *f*; *écol. enseignement m du second* ~ Oberschulunterricht *m* (*Fr.*: *Klasse 6 bis zur classe terminale*; s. *cycle* 3); *au dernier* (*au plus haut od. au suprême*) ~ im höchsten Grade; b) Verwandtschaftsgrad *m*; *être parents au premier* (*second*) ~ im ersten (zweiten) Grad verwandt sein; c) 𝔄 *équation f du premier* ~ Gleichung *f* ersten Grades; d) ⚖ ~ *de juridiction* Instanz *f*; e) *gr.* ~*s pl. de comparaison* Vergleichsgrade *m/pl.*; **4.** (Einteilungs-)Grad *m am Thermometer usw.*; ~ *de congélation* Gefrierpunkt *m*; ~ *de longitude* Längengrad *m*; ~ *de latitude* Breitengrad *m*.

dégréer ⚓ [degre'e] *v/t.* (1a) abtakeln.

dégress|if [degrɛ'sif] *adj.* (7e) abnehmend, degressiv; **~ion** [~'sjɔ̃] *f* fallende Staffelung *f*.

dégrèvement [degrɛv'mɑ̃] *m* Steuererlaß *m*, Steuererleichterung *f*; Gebühren-erlaß *m*, -streichung *f*.

dégrever [degrə've] *v/t.* (1d) von e-r Steuer entlasten, e-e Steuer herabsetzen; ⚖ ~ *un immeuble* ein Grundstück von den Hypotheken entlasten.

dégringo|lade [degrɛ̃gɔ'lad] *f* Herunterpurzeln *n*; *fig.* Fall *m*, Sturz *m*; **~ler** [~'le] *v/i.* (1a) **1.** hinab-, herunter-stürzen; ~ (*dans*) *l'escalier* (*also a. v/t.*) die Treppe herunterpurzeln; **2.** *fig.* ✝ schnell herunterkommen, zs.-brechen.

dégris|ement [degriz'mɑ̃] *m* Ernüchterung *f*; **~er** [~'ze] (1a) **I** *v/t.* nüchtern machen; *fig.* ~ *q.* j-m die Augen öffnen; **II** *v/rfl.* se ~ nüchtern werden, wieder zu sich kommen.

dégrosser ⊕ [degro'se] *v/t.* (1a) Draht ziehen *od.* strecken.

dégros|sir [degro'siːr] *v/t.* (2a) **1.** ⊕ aus dem gröbsten herausarbeiten, grob bearbeiten; **2.** *charp.* (grob) behauen; **3.** *fig.* ~ *q.* j-m den nötigen Schliff geben; *être mal dégrossi* in den Flegeljahren stecken (*od.* sein); ein Flegel sein; **~sissage** ⊕ [~si'saːʒ] *m* Grobschliff *m*, Vorschleifen *n*; **~sisseur** ⊕ [~si'sœːr] *m* Vorwalzwerk *n*.

dégrouiller F *Schülersprache* [degru'je] (1a) *v/rfl.*: se ~ sich beeilen.
déguenillé [degni'je] *adj.* zerlumpt.
déguerpir [degɛr'pi:r] *v/i.* (2a) sich aus dem Staub machen, ausreißen, türmen F; *déguerpissez! od. allez vous ~!* machen Sie, daß Sie wegkommen!; schert euch weg!; macht, daß ihr wegkommt!
dégueul|as(se) V [degœ'la, ~'las] *adj. u. m* zum Kotzen V, widerlich, ekelhaft; ekliger Kerl *m*, Ekel *n*; **~asser** V [~la'se], **~er** V [~'le] *v/t. u. v/i.* (aus-)kotzen P.
dégui|sé [degi'ze] *su.* Verkleidete(r) *m*; **~sement** [~giz'mɑ̃] *m* Verkleidung *f*; **~ser** [~'ze] (1a) **I** *v/t.* verkleiden; *fig.* verstellen; verbergen, bemänteln; *pol.* ~ *sa cocarde* mit den Wölfen heulen; ~ *son écriture* (*sa voix*) s-e Handschrift (s-e Stimme) verstellen; ~ *son nom* e-n falschen Namen annehmen; *sans rien* ~ unverhohlen; **II** *v/rfl.* *se* ~ sich verkleiden (*en* als).
dégusta|teur [degysta'tœ:r] *su.* (7f) Weinprüfer *m*; Abschmecker *m*; **~tion** [~tɑ'sjɔ̃] *f* Kosten *n v. Getränken u. Speisen*, Probieren *n*.
déguster [degys'te] *v/t.* (1a) kosten, abschmecken, probieren; *allg.* genießen; P *fig.* erleiden.
déhaler ⚓ [dea'le] *v/t.* (1a) verholen, an e-e andere Stelle bringen.
déhâler [dea'le] *v/t.* (1a): ~ *le teint* den Sonnenbrand vertreiben.
déhan|ché [deɑ̃'ʃe] *adj.* hüftlahm; watschelnd F; **~chement** [~ɑ̃ʃ'mɑ̃] *m* Ausrenken *n* der Hüften; *fig.* nachlässiger Gang *m*; **~cher** [~'ʃe] (1a) *v/rfl.*: se ~ sich die Hüfte verrenken; mit wiegendem Gang gehen.
déharnacher [dearna'ʃe] *v/t.* (1a) losschirren; F auspellen.
déhiscen|ce ⚘ [dei'sɑ̃:s] *f* Aufspringen *n*; **~t** [~'sɑ̃] *adj.* aufspringend.
dehors [də'ɔ:r] **I** *adv.* draußen, hinaus; *de* ~ von draußen; *venir de* ~ von draußen kommen; *mettre* (*od.* F *flanquer*) *q.* ~ j-n an die Luft setzen; *toutes* (*les*) *voiles* ~ mit gespannten Segeln; *jeter qch.* ~ etw. über Bord werfen; *au* ~ draußen; *fig.* äußerlich; *s'ouvrir en* ~ sich nach außen öffnen; *ne pas se pencher en* ~! nicht hinauslehnen!; *porter la pointe du pied en* ~ die Fußspitzen auswärts kehren; **II** *prp.* **1.** *en* ~ *de* außerhalb (*gén.*); außer (*dat.*), abgesehen von (*dat.*); *cela est en* ~ *de la question* das gehört nicht zur Sache; *en* ~ *du service* außer Dienst; **2.** *par* ~ außen, von außen, außen an (*dat.*); **III** *m* Äußere(s) *n* (*a. fig.*), Außenseite *f*; *fig. sauver les* ~ den äußeren Schein wahren.
déhouill|ement ⚒ [deuj'mɑ̃] *m* Abbau *m* (*v. Steinkohle*); **~er** ⚒ [deu'je] *v/t.* (1a) abbauen.
déifi|cation [deifikɑ'sjɔ̃] *f* Vergötterung *f* (*a. fig.*); **~er** [~'fje] *v/t.* (1a) in die Zahl der Götter aufnehmen; *fig.* vergöttern.
déisme [de'ism] *m* Deismus *m*.
déiste [de'ist] *su. u. adj.* Deist *m*; deistisch.
déité *litt.* [dei'te] *f* Gottheit *f*.
déjà [de'ʒa] *adv.* schon, bereits.
déjection [deʒɛk'sjɔ̃] *f* **1.** ⚕ Ausleerung *f*, Stuhlgang *m*; ~*s pl.* Exkremente *n/pl.*; **2.** *géol.* ~*s* (*volcaniques*) Auswurf *m* e-s Vulkans.
déjeter [deʒ'te, deʃ'te] *v/rfl.* (1c): se ~ sich werfen, sich verziehen (*Holz*); *anat.* sich krümmen.
déjeuner [deʒø'ne] **I** *v/i.* (1a) **1.** frühstücken; **2.** (zu) Mittag essen; *aller* ~ zu Tisch gehen; **II** *m* **3.** Mittagessen *n*; *provc.*, *Schweiz*: Frühstück *n*; *petit* ~ Frühstück *n*; *heure f du* ~ Mittagsstunde *f*; *inviter à* ~ zu Tisch einladen; ~ *à la fourchette* Gabelfrühstück *n*; *prendre son* ~ zu Mittag essen; *provc.*, *Schweiz*: frühstücken; *prendre son petit* ~ frühstücken; **4.** Frühstücksservice *n*; **5.** *fig.* ~ *de soleil* vergängliche Sache *f*; **6.** ~*-débat m* Arbeitsessen *n*.
déjouer [de'ʒwe] *v/t.* (1a): ~ *un projet* e-n Plan vereiteln, hintertreiben.
déjucher [deʒy'ʃe] (1a) **I** *v/t.* *Hühner* (*Vögel*) von der Stange scheuchen, aufjagen; **II** *v/i.* von der Stange wegfliegen (*Hühner*, *Vögel*).
déjuger [~'ʒe] (1l) *v/rfl.*: se ~ s-e Meinung ändern.
delà [de'la] **I** *prp.* jenseits (*gén.*); *au-*~ (*od. en* ~) *du Rhin* jenseits des Rheins; *par-*~ *les montagnes* jenseits der Berge; *de* ~ *les montagnes* von jenseits der Berge; *fig. au-*~ *de toutes mes espérances* über alle meine Erwartungen; **II** *adv.* jenseits; *deçà et* ~ hin und her, hinüber und herüber; *au-*~, *par-*~ *fig.* noch mehr, darüber hinaus; *il a réussi, et au-*~ er hatte Erfolg, und zwar e-n größeren, als er erwartet hatte; *en* ~ drüben, weiter(hin).
déla|bré [dela'bre] *adj.* schadhaft,

baufällig; zerrüttet, schwach (*Organismus, Gesundheit*); *il a l'estomac* ~ er hat e-n gründlich verdorbenen Magen; **~brement** [~brə'mɑ̃] *m* Verfall *m*, Baufälligkeit *f*; Zerrüttung *f*; **~brer** [~'bre] (1a) **I** *v/t.* ruinieren, baufällig machen, schwer beschädigen, verderben; *fig.* zerrütten, zugrunde richten; **II** *v/rfl.* se ~ in Verfall geraten, verfallen; verderben, zugrunde gehen.

délacer [dela'se] (1k) **I** *v/t.* aufschnüren; **II** *v/rfl.* se ~ los-, aufgehen (*Kleid, Schuhe usw.*).

délai [de'lɛ] *m* **1.** Aufschub *m*, Verzug *m*; *sans* ~ unverzüglich; *à bref* ~ kurzfristig; *demander un* ~ um Aufschub bitten; **2.** Frist *f*; Bedenkzeit *f*; ~ *de livraison* Liefer-frist *f*, -zeit *f*; ~ *de paiement* Zahlungsfrist *f*; Stundung *f*; ~ *de grâce* Gnadenfrist *f*; ~ *de rigueur* äußerster Termin *m*; ~ *de vérification* Bewährungsfrist *f*; ~ *de protection* Schutzfrist *f für literarische usw. Werke*; ~ *de garantie* Garantiefrist *f*; **~-congé** [~kɔ̃'ʒe] *m* (6b) Kündigungsfrist *f* (*für Angestellte*).

délaissé [delɛ'se] *adj.* verlassen, verwahrlost, hilflos.

délaissement [delɛs'mɑ̃] *m* **1.** Verlassen *n*, Sitzenlassen *n*; **2.** Verlassenheit *f*, Hilflosigkeit *f*; **3.** ✝, ⚖ Überlassung *f*; Verzicht *m*, Aufgabe *f od.* Preisgabe *f* (*e-s Rechts*), Abtretung *f*.

délaisser [delɛ'se] *v/t.* (1b) **1.** im Stich lassen, aufgeben, verlassen, in hilflosem Zustand lassen; **2.** ⚖ auf-, preis-geben, abtreten.

délait|age, ⚒ **~ement** [delɛ'ta:ʒ, ~lɛt'mɑ̃] *m* Scheidung *f* der Butter von den Molken; **~er** ⚒ [~'te] *v/t.* (1b): ~ *le beurre* die Butter auskneten.

délarder [delar'de] *v/t.* (1a) **1.** *cuis.* den Speck ausschneiden aus (*dat.*); **2.** ⊕, *charp.* abkanten, abschrägen, abrunden; △ mit dem Spitzhammer behauen.

délas|sant [dela'sɑ̃] *adj.* (7) Erholung gewährend, entspannend, erquickend, stärkend; **~sement** [~s'mɑ̃] *m* Erholung *f*, Entspannung *f*; **~ser** [~'se] (1a) **I** *v/t.* ~ *q.* j-m Erholung gewähren, j-n entspannen; ~ *l'esprit* sich geistig entspannen; **II** *v/rfl.* se ~ sich erholen, sich entspannen.

déla|teur [dela'tœ:r] *su.* (7f) Denunziant *m*; **~tion** [~la'sjɔ̃] *f* Denunziation *f*, Anzeige *f*.

délatter [~'te] *v/t.* (1a) *ein Dach* ablatten.

déla|vage [~'va:ʒ] *m* Verwaschen *n* (*der Farbe*); **~ver** [~'ve] *v/t.* (1a) **1.** verwaschen; *délavé* blaß, bleich, verwaschen (*Farbe*); **2.** *Wege* aufweichen (*vom Regen*).

délay|age [delɛ'ja:ʒ] *m* Verdünnung *f*; *fig.* Weitschweifigkeit *f*; **~ant** [~'jɑ̃] *adj.* (7) *u. m* verdünnend(es Mittel *n*); **~er** [~'je] *v/t.* (1i) verdünnen, auflösen, *mit Wasser* anrühren; *fig.* verwässern, weitläufig ausführen, breittreten.

delco *Auto* [dɛl'ko] *m* Zündverteiler *m*.

délébile [dele'bil] *adj.* auslöschbar (*Tinte*).

délec|table *litt.* [delɛk'tablə] *adj.* □ köstlich; sehr angenehm; **~tation** [~ta'sjɔ̃] *f* Ergötzung *f*, Lust *f*, Wohlbehagen *n*; ~ *morose* Gefühl *n* der Befriedigung, etw. Verbotenes getan zu haben; **~ter** [~'te] (1a) **I** *v/t.* ergötzen; **II** *v/rfl.* se ~ *à* sich ergötzen an (*dat.*).

déléga|taire ⚖ [delega'tɛ:r] *m* Beauftragte(r) *m*; **~teur** ⚖ [~'tœ:r] *su.* (7f) Auftraggeber *m*; **~tion** [~ga'sjɔ̃] *f* **1.** Delegation *f*, Abordnung *f*, Ausschuß *m*, Vertretung *f*; **2.** (Amts-)Auftrag *m*; Vollmacht *f*; **3.** ⚖ ~ *de pouvoirs* Übertragung *f* von Vollmachten; Vollmacht *f*; **4.** Anweisung *f* (*sur* auf *acc.*); *recevoir* ~ ermächtigt werden; **~toire** [~'twa:r] *adj.* Auftrag..., delegatorisch.

délé|gué [dele'ge] *su.* Delegierte(r) *m*, Abgeordnete(r) *m*, Vertreter *m*; ~ *municipal* Stadtverordnete(r) *m*; **~guer** [~] *v/t.* (1f) *u.* (1m) **1.** ~ *son autorité* s-e Amtsgewalt auf einen anderen übertragen; **2.** ~ *q.* j-n abordnen, delegieren; beauftragen; **3.** ⚖ ~ *une somme* e-e Summe anweisen.

déles|tage [delɛs'ta:ʒ] *m* **1.** ⚓, ✈ Abwerfen *n* des Ballastes; Ausladen *n*; Entlasten *n*; *Auto* Umleitung *f*, Ausweichroute *f*; *itinéraire m de* ~ Entlastungsstrecke *f*; **2.** ⚡ Stromunterbrechung *f*; **~ter** [~'te] *v/t.* (1a) **1.** ⚓, ✈ Ballast ausladen *od.* abwerfen; ~ *un chariot* e-n Wagen entlasten *od.* erleichtern; *iron.* ~ *q. d'une somme* j-n um e-n Betrag erleichtern; *délesté fig.* erleichtert; **2.** ⚡ den Strom unterbrechen.

délétère [dele'tɛ:r] *adj.* tödlich; *fig.* schädlich; *gaz m* ~ Giftgas *n*.

déliaison [deljɛ'zɔ̃] *f* lückenhafte

Verbindung *f* von Mauersteinen *od.* e-r Schiffsbekleidung.

délibé|rant [delibeˈrɑ̃] (7) **I** *adj.* beratend; **II** *su.* Beratende(r) *m*; Stimmberechtigte(r) *m*; **~ratif** [~raˈtif] *adj.* (7e) beratend; beschließend (*Stimme*); *qui a voix délibérative* stimmberechtigt; **~ration** [~raˈsjɔ̃] *f* **1.** Beratung *f*; *mettre qch. en ~* etw. zur Sprache bringen; *être mis en ~* zur Sprache kommen; **2.** Überlegung *f*; *agir sans ~* unüberlegt handeln; **3.** Beschluß *m*; *prendre une ~* e-n Beschluß fassen; **~ratoire** ⚖ [~raˈtwaːr] *adj.* beratend; **~ré** [~ˈre] **1.** *adj.* fest entschlossen, reiflich überlegt; fest, bestimmt; *c'est une chose ~e* das ist e-e abgemachte (*od.* beschlossene) Sache; *de propos ~* mit Vorbedacht, vorsätzlich; *d'un pas ~* festen Schrittes, mit festem Schritt; *avoir un air ~* e-n Ausdruck fester Entschlossenheit haben; **2.** *m* ⚖ Beratung *f*; **~rément** [~reˈmɑ̃] *adv.* fest entschlossen; absichtlich; mit festem Schritt; **~rer** [~ˈre] *v/i.* (1f) **1.** *litt. ~ sur* beraten, zu Rate gehen *od.* sitzen über (*acc.*), *etw.* überlegen; **2.** *~ de faire qch.* sich entschließen, etw. zu tun.

délicat [deliˈka] (7) **I** *adj.* □ **1.** köstlich, lecker, wohlschmeckend; *morceau m ~* Delikatesse *f*; **2.** fein, zart; *avoir la peau ~e* eine zarte Haut haben; *fig. cet ouvrier a la main ~e* dieser Arbeiter hat eine leichte (*od.* geschickte) Hand; *avoir le sommeil ~* e-n leichten Schlaf haben; **3.** schwächlich, zart; anfällig; *enfant m ~* schwächliches (*od.* zartes) Kind *n*; *être d'une santé ~e* anfällig (*od.* schwächlich) sein, e-e zarte Gesundheit haben; **4.** fein, sinnvoll; *travail m ~* feine Arbeit *f*; **5.** zartfühlend, taktvoll, feinsinnig, empfindlich, empfindsam; gewissenhaft, ängstlich; *avoir la conscience ~e* ein peinliches Gewissen haben; *goût m ~* feiner Geschmack *m*; *~ sur le point d'honneur* im Punkte der Ehre empfindlich; *la probité la plus ~e* die peinlichste Redlichkeit; **6.** schwer zu befriedigen; *bouche f ~e* Leckermaul *n*; **7.** mißlich, bedenklich, heikel, kitzlig F, delikat; *c'est une affaire ~e* das ist e-e heikle Sache; **II** *su.* **8.** Feinschmecker *m*, Leckermaul *n*; **9.** Zartgesinnter *m*; Verwöhnter *m*, Weichling *m*; *faire le ~* sich haben F, sich zieren, den Empfindsamen spielen; **~esse** [~ˈtɛs] *f* **1.** Feinheit *f*, Zartheit *f*; *fig.* Subtilität *f*; Heikelkeit *f*; *la ~ des traits* die feinen Züge *m/pl.*; *~ de sentiment* Feingefühl *n*; Zartgefühl *n*; *la ~ du goût* der feine Geschmack; *péj.* die Mäkelei; *la ~ d'une pensée* die Subtilität e-s Gedankens; *sans ~* unfein; *la ~ d'une question* die Heikelkeit e-r Frage; *être en ~ avec q.* mit j-m auf gespanntem Fuß leben; **2.** *psych.* Takt *m*, Feinempfinden *n*, Feinfühligkeit *f*, Zartgefühl *n*; Fingerspitzengefühl *n*; Aufmerksamkeit *f*; Zuvorkommenheit *f*; *bisw. pl.*: *~s* Rücksichtnahme *f*; *~ de conscience* Gewissenhaftigkeit *f*; *traiter une affaire avec toute la ~ qu'elle demande* e-e Angelegenheit mit dem ganzen erforderlichen Fingerspitzengefühl behandeln; *manque m de ~* Taktlosigkeit *f*; *traiter q. avec ~* j-n zuvorkommend behandeln; **3.** ⚕ Schwäche *f*, Empfindlichkeit *f*; *~ d'estomac* Magenschwäche *f*; **4.** *cuis.* Köstlichkeit *f*; köstlicher (*od.* feiner) Geschmack *m*; *la ~ des mets* die köstlichen Speisen *f/pl.*; *la ~ d'un plat* die Köstlichkeit e-r Platte; *la ~ d'un vin* der köstliche Geschmack e-s Weins; *bisw. les ~s de la table* Leckerbissen *m/pl.*, herrliche Speisen *f/pl.* (*od.* Sachen *f/pl.* F).

déli|ce [deˈlis] **I** *m* Lust *f*, Wonne *f*, Vergnügen *n*; hoher Genuß *m*; **II** *~s f/pl.* Genüsse *m/pl.*, Freuden *f/pl.*; *faire ses ~s de* s-e höchste Freude haben an (*dat.*); *les ~s des sens* die sinnlichen Vergnügungen *f/pl.*; *les ~s de Capoue* die höchsten sinnlichen Genüsse *m/pl.*; **~cieux** [~ˈsjø] *adj.* (7d) □ köstlich, lecker (*Geschmack*); *allg.* herrlich, großartig, fabelhaft; *parfum m ~* herrliches Parfum *n*; *bal m ~* wundervoller (*od.* sehr schöner) Ball *m*; *musique f délicieuse* liebliche (*od.* sehr angenehme) Musik *f*; *entretien m ~* sehr angenehme Unterhaltung *f*.

délictueux ⚖ [delikˈtɥø] *adj.* (7d) strafbar.

délié [delˈje] **I** *adj.* dünn, fein, schlank; *fig.* gewandt, geschickt, schlau, verschmitzt; *esprit m ~* heller Kopf *m*; **II** *m* Auf-, Haarstrich *m* (*e-s Buchstabens*).

délier [~] (1a) **I** *v/t.* **1.** aufbinden; *fig. ~ la langue à q.* j-m die Zunge lösen; *il a la langue bien déliée* er besitzt e-e große Zungenfertigkeit; **2.** *~ q. d'une obligation* j-n e-r Verpflichtung entbinden; **3.** *rl.* von Sünden freisprechen; **II** *v/rfl.* se ~ sich losmachen (*de* von *dat.*), sich lösen.

délimi|tation [delimita'sjõ] *f* Abgrenzung *f*, Grenzberichtigung *f*; **~ter** [~'te] *v/t.* (1a) abgrenzen, abstecken; *fig.* bestimmen.

déliné|ament [delinea'mã] *m* Umriß *m*; **~er** [~ne'e] *v/t.* (1a) Umrisse zeichnen, umreißen.

délin|quance ⚖ [delɛ̃'kã:s] *f* Straffälligkeit *f*; ~ *juvénile* Jugendkriminalität *f*; **~quant** ⚖ [~'kã] *su.* (7) Delinquent *m*, Belastete(r) *m*.

déliquescen|ce [delike'sã:s] *f* **1.** ⚗ Deliqueszenz *f*, Zerfließbarkeit *f*, Zerfließlichkeit *f*; **2.** F *fig.* Verfall *m*, Auflösung *f*; **~t** [~'sã] *adj.* (7) zerfließend, zerfallend; *fig.* dekadent; verkalkt.

déli|rant [deli'rã] *adj.* (7) **1.** ⚕ im Fieberwahn befangen, phantasierend; *imagination f* ~e Wahnvorstellung *f*; **2.** *fig.* rasend, wahnsinnig, taumelhaft; *joie f* ~e übermäßige (*od.* riesige) Freude *f*; **~re** [~'li:r] *m* a) ⚕ Delirium *n*, Fieberwahn *m*, Irrereden *n*; ~ *alcoolique* Delirium tremens *n*, Säuferwahnsinn *m*; b) *fig.* Taumel *m*; Begeisterung *f*; **~rer** [~'re] *v/i.* (1a) irrereden, delirieren; *fig.* ~ *de joie* außer sich vor Freude sein.

délisser [deli'se] *v/t.* (1a) **1.** ~ *les cheveux* die Haare in Unordnung bringen; **2.** ⊕ *Papierfabrikation*: *Lumpen* sortieren und zurichten.

délit[1] ⚖ [de'li] *m* Delikt *n*, Vergehen *n*, Frevel *m*; strafbare Handlung *f*, Straftat *f*; *corps m du* ~ Corpus *n* delicti; ~ *forestier* Baum-, Wald-, Forst-frevel *m*; ~ *rural* Feldfrevel *m*; ~ *politique* politisches Vergehen *n*; ~ *de contrebande* Zollvergehen *n*; ~ *de fuite* Fahrerflucht *f*; ~ *contre la propriété* Vermögensdelikt *n*; ~ *de presse* Pressevergehen *n*; *prendre q. en* ~ *flagrant* j-n in flagranti (*od.* auf frischer Tat) ertappen.

délit[2] [~] *m* **1.** *géol.* Schichtung *f* des Gesteins; **2.** ⚠ Fleckenseite *f*.

déliter ⚠ [deli'te] (1a) **I** *v/t.* a) ~ *une pierre* e-n Stein falsch setzen (*anders, als er im Bruch gelegen hat, so daß er sich leicht spaltet*); b) e-n Stein nach der Schichtfuge spalten; ~ *la chaux vive* den gebrannten Kalk durch Besprengen mit Wasser zum Zerfallen bringen; **II** *v/rfl.* se ~ *géol.* verwittern.

délitescence [delite'sã:s] *f* **1.** ⚗ Zerfallen *n*, Verwittern *n*; **2.** ⚕ plötzliches Verschwinden *n* e-s Tumors.

déli|vrance [deli'vrã:s] *f* **1.** Befreiung *f*, Erlösung *f*, Errettung *f*; **2.** ⚕ Entbindung *f*; **3.** Aushändigung *f*, Auslieferung *f*; ~ *des billets* Fahrkartenausgabe *f*; **4.** Ausfertigung *f*, Ausstellung *f*; ~ *d'un certificat* Ausstellung *f* e-r Bescheinigung, e-s Zeugnisses; ~ *de copies certifiées conformes* Ausfertigung *f* von beglaubigten Abschriften; **~vre** ⚕ [~'li:vrə] *m* Nachgeburt *f*; **~vrer** [~li'vre] (1a) **I** *v/t.* **1.** in Freiheit setzen, befreien, erlösen; ⚔ ~ *une ville* e-e Stadt entsetzen (*od.* befreien); ~ *q. de la misère* j-n aus dem Elend erretten; **2.** ⚕ entbinden; **3.** (aus)liefern, aushändigen, überliefern, übergeben; ausstellen (*Paß*); ~ *les billets* die Fahrkarten ausgeben; ~ *un passeport* e-n Paß ausstellen; ~ *un visa* ein Visum erteilen; *délivrez à M. ...* zu liefern an Herrn ...; **II** *v/rfl.* se ~ *de* **4.** sich befreien von (*dat.*); **5.** ⚕ entbunden werden.

délo|gement [delɔʒ'mã] *m* Umzug *m*; Abmarsch *m*, Aufbruch *m*; ~ *des ennemis* Vertreibung *f* der Feinde aus ihrer Stellung; **~ger** [~'ʒe] (1l) **I** *v/i.* ausziehen, umziehen; F abziehen; ⚔ aufbrechen, abmarschieren; *faire* ~ *q.* j-n ausquartieren; ~ *sans tambour ni trompette* sich heimlich auf u. davon machen, sang- u. klanglos abziehen; s. *déménager*; **II** *v/t.* *a.* ⚔ vertreiben.

déloy|al [delwa'jal] *adj.* (5c) □ unehrlich, unredlich, unlauter, pflichtvergessen, gewissenlos, hinterlistig, falsch, treulos; *concurrence f* ~e unlauterer Wettbewerb *m*; **~auté** [~jo'te] *f* Unredlichkeit *f*, Untreue *f*.

delta [dɛl'ta] *m* Delta *n*; **~ïque** [dɛlta'ik] *adj.* Delta..., deltamäßig.

déluge [de'ly:ʒ] *m* **1.** Riesenüberschwemmung *f*, Überflutung *f*; ~ (*universel*) Sintflut *f*; F *remonter au* ~ bis auf Adam u. Eva ausholen (*od.* zurückgehen); *prov. après nous le* ~ nach uns die Sintflut; **2.** *fig.* Flut *f*; ~ *d'injures* Hagel *m* von Schimpfworten.

déluré [dely're] *adj.* munter, aufgeweckt; *péj.* keß, frühreif, frech, herausfordernd.

délurer [~] *v/t.* (1a) gewitzt machen; *péj. j-n* aufhetzen.

délustrer *text.* [delys'tre] *v/t.* (1a) dekatieren.

démagnétis|ation [demaɲetizɑ'sjɔ̃] *f* Entmagnetisierung *f*; **~er** [~'ze] *v/t.* (1a) entmagnetisieren.

démago|gie [demagɔ'ʒi] *f* Demagogie *f*; Volksherrschaft *f*; **~gique** [~'ʒik] *adj.* demagogisch; **~gue** [~'gɔg] *m* Demagoge *m*, Volksführer *m*; *mv.p.* Volksaufhetzer *m*.

démaigrir ⊕ [demɛ'griːr] *v/t.* (2a) dünner machen.

démailler [dema'je] *v/t.* (1a) die Maschen auftrennen; *son bas s'est démaillé* ihr Strumpf hat e-e Laufmasche.

démailloter [demajɔ'te] (1a) *v/t.* *Säugling* auswickeln.

demain [də'mɛ̃] *adv.* morgen; ~ *matin* morgen früh; ~ *à midi* morgen mittag; ~ *soir* morgen abend; (de) ~ *en quinze* morgen in vierzehn Tagen; *à* ~ bis morgen (*bei der Verabschiedung*); *jusqu'à* ~ *od.* *d'ici* ~ bis morgen (*als bloße Zeitangabe*); *à partir de* ~ von morgen ab (*od.* an); *dès* ~ gleich morgen; von morgen ab; *remettre à* ~ auf morgen verschieben.

démajori|sation ⚖ [demaʒɔrizɑ'sjɔ̃] *f* Entmündigung *f*; **~ser** ⚖ [~'ze] *v/t.* (1a) entmündigen.

déman|chement [demɑ̃ʃ'mɑ̃] *m* Abmachen *n* des Stieles; *fig.* Spaltung *f*, Entzweiung *f*; **~cher** [~'ʃe] (1a) **I** *v/t.* **1.** den Stiel (*od.* das Heft *od.* den Griff) losmachen; **2.** *fig.* in Unordnung bringen; verunreinigen; *démanché* stiellos, ohne Stiel; **3.** F ⚕ verrenken; **II** ♪ *v/i.* übergreifen; **III** *v/rfl.* se ~ sich *für j-n* halb umbringen *fig.*

demande [d(ə)'mɑ̃ːd] *f* **1.** Bitte *f*, Anliegen *n*, Gesuch *n*, Eingabe *f*, Bittschrift *f*, Antrag *m*, Verlangen *n*, Begehren *n*, Forderung *f*; ~ *d'emploi* Stellengesuch *n*; ~ *en mariage* Heiratsantrag *m*; *faire une* ~ ein Gesuch einreichen; *sur ma* ~ auf meine Bitte; *à la* ~ *générale* auf allgemeines Verlangen; ~ *en dommages-intérêts* Schadenersatzforderung *f*; ~ *d'assurance* (*d'admission od. d'inscription*) Versicherungs-(Zulassungs-)antrag *m*; ~ *de salaire* Lohnforderung *f*; ~ *de brevet* Patent-antrag *m*, -anmeldung *f*; ~ *de retraite* Rücktrittsgesuch *n*; ~ *d'urgence* Dringlichkeitsantrag *m*; *Sport*: ~ *d'inscription*, ~ *d'engagement* Nennung *f*; *pol.* ~ *de plébiscite* Volksbegehren *n*; **2.** ✝ Nachfrage *f*; Bestellung *f*; *marchandises f/pl. de* ~ gesuchte Waren *f/pl.*; *l'offre et la* ~ Angebot und Nachfrage; **3.** ⚖ Klage *f*; ~ *d'assistance judiciaire* Armenrechtsgesuch *n*; ~ *en divorce* Scheidungsbegehren *n*; *former une* ~ *en divorce* die Scheidung beantragen; **4.** Frage *f*; *par* ~*s et par réponses* in Fragen und Antworten; *par* ~*s* durch Fragen; F, *a. iron. belle* ~*!* aber selbstverständlich!; na klar!; so eine Frage!

demander [d(ə)mɑ̃'de] (1a) **I** *v/t.* *u. abs.* **1.** ~ *qch. à q.* (*à q.* = *lat. ab aliquo*; *wörtlich*: *von j-m etw. erbitten*; *vgl. faire* 18) j-n um etw. (*acc.*) bitten, etw. von j-m verlangen, wünschen, begehren, erbitten; j-n nach etw. fragen; *on lui a demandé son nom* man hat ihn nach s-m Namen gefragt; ~ *grâce* um Gnade bitten; *je vous demande pardon* ich bitte Sie um Verzeihung, entschuldigen Sie bitte!; *je demande la parole* ich bitte ums Wort; *je vous demande un service* ich bitte Sie um e-e Gefälligkeit; *il lui demande des renseignements* er bittet ihn (sie) um Auskunft; ~ *du temps* um Aufschub bitten; *cela demande du temps* das verlangt (*od.* kostet) Zeit; *je ne demande pas mieux que* ... ich wünsche nichts sehnlicher als ..., sehr gern möchte ich ...; *abs. je ne demande pas mieux* furchtbar gern, mit dem größten Vergnügen; nichts, was ich lieber täte; *il demande à lui parler* er wünscht ihn (sie *sg.*) zu sprechen; *aber*: *il lui demande de parler* er bittet ihn (sie *sg.*) zu sprechen (*od.* zu reden); F *je demande à voir* ich behalte mir die Entscheidung vor; na, woll'n wir mal sehen F; **2.** fordern; erfordern, verlangen; *cela demande explication* das verlangt eine Erklärung; **3.** ⚖ beantragen; **4.** ~ *q.* j-n suchen, nach j-m fragen *od.* verlangen; j-n heiraten wollen; j-n zu sprechen wünschen; ~ *qch.* nach etw. fragen, sich nach etw. erkundigen; *qui demandez-vous?* wen wünschen Sie (zu sprechen)?, nach wem fragen Sie?; *il demande de vos nouvelles* er läßt fragen, wie es Ihnen geht; **5.** ✝ nachfragen, suchen; *le cuivre était assez demandé* Kupfer war ziemlich stark gefragt; **II** *v/rfl.* se ~ **6.** sich (selbst) fragen, sich Rechenschaft zu geben suchen; gefragt werden; *c'est ce que je me demande* das möchte ich selber wissen, das frage ich mich auch; *je suis encore à me* ~ ich frage mich noch; *cela ne se demande pas* das versteht sich, das beantwortet sich von selbst, das ist (doch) völlig klar; **7.** sich gegenseitig nach etw. fragen; **8.** verlangt werden.

demanderesse ⚖ [d(ə)mɑ̃'drɛs] *f* Klägerin *f*. [(7g) Kläger *m*.}

demandeur ⚖ [d(ə)mɑ̃'dœ:r] *su*.}

démangeaison [demɑ̃ʒɛ'zɔ̃] *f* Jucken *n*, Juckreiz *m*; F *fig*. unbändiges Verlangen *n* (*de* nach *dat*.); **~ger** [~'ʒe] *v/i*. (1l) jucken, kitzeln; *fig*. reizen (*mit de + inf*.); *le dos lui démange* ihm juckt das Fell (*nach Schlägen*); *la langue lui démange* er hat große Lust zu reden; er möchte platzen F.

démantèlement [demɑ̃tɛl'mɑ̃] *m* Schleifen *n v. Fabrikanlagen usw*.; **~teler** [~'tle] *v/t*. (1d) ⚔ *e-e Festung od. Fabrikanlagen* schleifen; ⚔ vernichten; ⚔ unschädlich machen; ⊕ abmontieren.

démantibuler F [demɑ̃tiby'le] (1a) **I** *v/t*. kaputtmachen; *peint*. zerschlagen, auflösen; **II** *crier à se ~ la mâchoire* sich die Lunge aus dem Hals schreien.

démaquiller [demaki'je] (1a) **I** *v/t*. von der Schminke reinigen; **II** *v/rfl*. se ~ sich abschminken.

démarcatif [demarka'tif] *adj*. (7e) abgrenzend; **~cation** [~ka'sjɔ̃] *f* **1.** Abgrenzung *f*, Scheidegrenze *f*; *ligne f de ~* Grenz-, Demarkationslinie *f*; **2.** *fig*. Trennung *f*.

démarchage [demar'ʃa:ʒ] *m* Kundenwerbung *f*; *~ à domicile* Detailreisehandel *m*.

démarche [de'marʃ] *f* **1.** Haltung *f* beim Gehen; Gang *m*; **2.** *fig*. Schritt *m*, Maßnahme *f*; Verfahren *n*.

démarcheur [demar'ʃœ:r] *m* Kundenwerber *m*.

démarier ✓ [demar'je] *v/t*. (1a): *~ des plantes* Pflanzen auslichten.

démarquer [demar'ke] (1m) **I** *v/t*. **1.** *~ un livre* (*le linge*) die Zeichen aus e-m Buch (aus der Wäsche) entfernen; **2.** nachmachen, mit geringen Veränderungen abschreiben (*od*. abzeichnen); **3.** entschlüsseln (*Geheimschrift*); **4.** *Sport*: aus der Deckung des Gegners befreien; **II** *v/rfl*. se ~ *Sport*: sich freispielen.

démarrage [dema'ra:ʒ] *m* **1.** ⚓ a) Losmachen *n vom Land*; b) Sichlosreißen *n von den Ankern*; **2.** ⚓, *Auto*, 🚂, *vél*. Start *m*; ⊕ Anlauf *m*; *Sport*: *il a eu* (*od. fait*) *un ~ sec* er ist gut vom Start abgekommen, er hat e-n guten Start gehabt; **~rer** [~'re] (1a) **I** *v/t*. **1.** ⚓ (von den Tauen) losmachen; **2.** F *ein Geschäft* starten, *e-e Arbeit* anfangen; **II** *v/i*. (*mit avoir*) **4.** anlaufen, in Gang kommen; ⚓ absegeln; *a*. = III; 🚂 abfahren, *Auto*: anfahren, *a*. ⊕ starten, anspringen; starten, aufsteigen (*von Raketengeschossen*); *fig*. anlaufen; *cette affaire a du mal à ~* diese Angelegenheit läuft schwer an; **5.** *Sport*: plötzlich losrennen (*Läufer*); **III** *v/rfl*. se ~ ⚓ sich von den Ankertauen losreißen; **~reur** [~'rœ:r] *m* ⚡ Anlasser *m*; *Auto*: Starter *m*, Anlasser *m*.

démasclage ⊕ [~mas'kla:ʒ] *m* Korkabschälung *f*.

démasquer [demas'ke] (1m) **I** *v/t*. **1.** *~ q*. j-m die Maske abreißen, j-n entlarven, bloßstellen; **2.** ⚔ *~ une batterie* e-e Batterie demaskieren *od*. frei spielen lassen; *fig*. sich offen zeigen; *fig*. *~ ses batteries* s-e Absichten offen zur Schau tragen, *fig*. mit offenen Karten spielen; **II** *v/rfl*. se ~ die Maske abnehmen *od*. fallen lassen; *fig*. sein wahres Gesicht zeigen.

démastiquer [demasti'ke] *v/t*. (1a) den Kitt losmachen von (*dat*.).

démâter ⚓ [dema'te] (1a) **I** *v/t*. entmasten; **II** *v/i*. s-e Masten verlieren.

dématérialiser [dematerjali'ze] *v/t*. (1a) entmaterialisieren, entkörpern, vergeistigen; *fig*. veredeln.

démêlage [demɛ'la:ʒ] *m* **1.** *Brauerei*: Einmaischen *n*; **2.** Entwirren *n*; **~lé** [~'le] *m* (*bsd. im pl*.) Streit *m*, Zank *m*, Krach *m*, Konflikt *m*, Zwistigkeiten *f/pl*.; *avoir toujours des ~s avec la justice* dauernd mit dem Gericht zu tun haben; **~lement** [~l'mɑ̃] *m* Entwirrung *f*; **~ler** [~'le] (1a) **I** *v/t*. **1.** ab-, aus-sondern, entwirren, ordnen; *~ avec un peigne* durchkämmen (*Haar*); **2.** *fig*. klären, klarstellen; *~ une affaire* (*une difficulté*) e-e Sache (e-e Schwierigkeit) aufklären; **3.** *~ q. dans la foule* j-n in der Menge erkennen (*od*. herausfinden); **4.** unterscheiden; *~ le vrai du faux* das Wahre vom Falschen unterscheiden; **5.** durchschauen, erraten; **6.** *avoir qch. à ~ avec q*. mit j-m ein Hühnchen zu rupfen haben; **7.** *Brauerei*: einmaischen; **II** *v/rfl*. se ~ **8.** sich entwirren; *fig*. sich aufklären; **9.** *se ~ de* a) sich unterscheiden von (*dat*.); b) sich heraushelfen aus (*dat*.); **~loir** [~'lwa:r] *m* **1.** grober Kamm *m*; **2.** *Spinnerei*: Haspel *f*; **~lures** [~'ly:r] *f/pl.* ausgekämmte Haare *n/pl.*

démem|brement [demɑ̃brə'mɑ̃] *m* Teilung *f* (*e-s Landes od. Grundstücks*); Zerstückelung *f*; **~brer** [~'bre] *v/t.* (1a) zergliedern, zerstückeln, zerreißen; (auf-, zer-) teilen.

déména|gement [demenaʒ'mɑ̃] *m* Ausziehen *n*, Umzug *m*; ~ *de meubles* Wegschaffen *n* von Möbeln; *voiture f de* ~ Möbelwagen *m*; *frais m/pl. de* ~ Umzugskosten *pl.*; *entreprise f de* ~ Möbeltransportgeschäft *n*; **~ger** [~'ʒe] (1l) **I** *v/t.* ausräumen, weg-, fort-schaffen (*Möbel*); **II** *v/i.* **1.** aus-, um-ziehen; ~ *à la cloche de bois* sich heimlich aus dem Staub machen; s. *déloger*; *nous avons déménagé* wir sind ausgezogen (*Handlung*); *nous sommes déménagés* wir sind ausgezogen (*Zustand*); **2.** F *faire* ~ *q.* j-n rausschmeißen F; **3.** F nicht ganz richtig im Kopf sein, e-n Tick haben F; Unsinn quatschen F; *sa tête déménage* er redet Unsinn, er faselt; **~geur** [~'ʒœ:r] *su.* (7g) Möbelträger *m*, Packer *m*; Möbeltransportgeschäft *n*.

démence ⚕ [de'mɑ̃:s] *f* Wahnsinn *m*, Verrücktheit *f*, Schizophrenie *f*.

démener F [dem'ne] (1d) *v/rfl.*: *se* ~ mit Händen und Füßen um sich schlagen, sich gebärden, zappeln; *fig. se* ~ *pour une affaire* sich wegen e-s Geschäftes abquälen (*od.* sich abrackern F *od.* die Beine ablaufen).

dément ⚕ [de'mɑ̃] *adj.* (7) *u. su.* wahnsinnig; Wahnsinnige(r) *m*.

démen|ti [demɑ̃'ti] *m* **1.** Lügenstrafen *n*; **2.** *bsd. pol.* Dementi *n*, Gegenerklärung *f*; Ableugnung *f*; **3.** *litt. fig.* Enttäuschung *f*; *il en aura le* ~ er wird darüber enttäuscht sein; **~tiel** [~'sjɛl] *adj.* (7c) wahnsinnig; (völlig) abwegig (*Plan*); **~tir** [~'ti:r] (2b) **I** *v/t.* **1.** ~ *q. de qch.* j-n in bezug auf etwas Lügen strafen; **2.** ableugnen, in Abrede stellen, dementieren; für falsch erklären; ~ *des faits* Tatsachen in Abrede stellen; **3.** ~ *une crainte* e-e Befürchtung widerlegen; **4.** widersprechen, nicht entsprechen; **II** *v/rfl. se* ~ sich widersprechen; sich verleugnen; sich als falsch (*od.* unwahr) erweisen; *ne se* ~ *jamais* sich stets gleichbleiben.

démerder V [demɛr'de]: *se* ~ sich durchwurschteln P.

démérir ✈ [deme'ri:r] *v/i.* (2a) abwassern.

déméri|te *litt.* [deme'rit] *m* Verschulden *n*; **~ter** [~ri'te] *v/i.* (1a): ~ *auprès de q.* (*od. aux yeux de q.*) j-s Achtung (*od.* Wohlwollen) verlieren, bei j-m verspielen; **~toire** [~ri'twa:r] *adj.* tadelhaft.

démerrir ✈ [demɛ'ri:r] *v/i.* (2a) abwassern.

démesure [dem(ə)'zy:r] *f* Übermaß *n*, Unmaß *n*; Maßlosigkeit *f*.

démesuré [dem(ə)zy're] *adj.* maßlos.

démettre [de'mɛtrə] (4p) **I** *v/t.* **1.** ausrenken, verrenken; **2.** ~ *q. d'un emploi* j-n e-s Amtes entsetzen; **3.** ⚖ abweisen; **II** *v/rfl. se* ~ sich verrenken; *fig. se* ~ *de* verzichten auf (*acc.*); *se* ~ *d'une fonction* ein Amt niederlegen, zurücktreten; ⚖ *se* ~ *d'une chose* sich e-r Sache begeben.

démeu|blement [demœblə'mɑ̃] *m* **1.** Ausräumen *n* der Möbel; **2.** Leerstehen *n e-r Wohnung*; **~bler** [~'ble] *v/t.* (1a) die Möbel wegschaffen; ausräumen; F *bouche démeublée* zahnloser Mund *m*.

demeu|rant [d(ə)mœ'rɑ̃] (7) **I** *adj.* wohnhaft; **II** *su. litt.* Überlebende(r) *m*; ⚖ Ansässige(r) *m*; **III** *litt. advt. au* ~ übrigens; alles in allem, im Grunde; **~re** [d(ə)'mœ:r] *f* **1.** Wohnsitz *m*, ständiger Aufenthalt *m*; *établir sa* ~ s-n Aufenthalt in e-m Ort nehmen; ~ *fixe* bleibender Wohnort *m*; **2.** Aufenthalt(szeit *f*) *m*, Dauer *f*; *advt. à* ~ auf die Dauer; *à perpétuelle* ~ für ewige Zeiten; **3.** *a.* ⚖ *mise f en* ~ ultimative Aufforderung *f*; *mettre q. en* ~ *de* … j-n auffordern zu …; *fig. se mettre en* ~ *de* … daran gehen zu …

demeurer [d(ə)mœ're] *v/i.* (1a) **1.** (*mit avoir*) wohnen, sich aufhalten; ~ *à la campagne* (*à la ville*) auf dem Land (in der Stadt) wohnen; *aller* ~ *à la campagne* aufs Land ziehen; **2.** (*mit avoir*) sich *mit od. bei etw.* aufhalten, *Zeit* brauchen; *il n'a demeuré qu'une heure à faire cela* er hat dafür nur e-e Stunde gebraucht; ~ *longtemps à venir* lange auf sich warten lassen; ~ *court* (in der Rede) steckenbleiben; **3.** (*mit être*) bleiben; zurück-, übrig-bleiben; ~ *dans* verharren in (*dat.*); ~ *en arrière* zurückbleiben; ~ *en reste avec q.* j-m etw. schuldig bleiben; *elle ne peut pas* ~ *en place* (*od. en repos*) sie kann nicht ruhig bleiben; ~ *en chemin* unterwegs bleiben; ⚔ ~ *sur la place* auf der Strecke bleiben (*umkommen*); *où en êtes-vous demeuré(s)?* wo sind Sie stehengeblieben?; ~ *confus* beschämt dastehen; *je suis demeuré court* ich bin sprachlos gewesen; ~ *hésitant* zögern, noch im Zweifel sein; **4.** *en* ~ *là* (*de qch.*) es bei etw. (*dat.*) bewenden (bleiben) lassen; *l'affaire n'en demeurera pas là* die Sache wird weitere Folgen haben; *le travail en demeura là* die Arbeit blieb liegen; *l'histoire en demeura là* damit hatte die Geschichte ein Ende.

demi [d(ə)'mi] **I** *adj.* halb; *un* ~*-litre* ein halber Liter; *il est une heure et* ~*e* es ist halb zwei (Uhr); *midi et* ~ halb eins (*am Tage*); *minuet et* ~ halb eins (*in der Nacht*); **II** *m Sport*: Läufer *m*; *un* ~ ein Halbes *n*, ein Seidel *n*, e-e Molle P; **III** *adv.* halb; *advt. à* ~ zur Hälfte; halb; *weitS.* unvollkommen, unvollständig; *faire tout à* ~ alles nur halb machen; *plus d'à* (*od. qu'à*) ~ mehr als zur Hälfte.

demi|-bas [d(ə)mi'ba] *m* (6c) Kniestrumpf *m*; **~-botte** [~'bɔt] *f* (6g) Halbstiefel *m*; **~-centre** *Fußball usw.* [~'sã:trə] *m* (6g) Mittelläufer *m*; **~-cercle** [~'sɛrklə] *m* (6g) Halbkreis *m*; **~-cultivé** [~kylti've] *adj.* (6g) halbgebildet; **~-deuil** [~'dœj] *m* (6g) Halbtrauer(kleidung *f*) *f*; **~-diamètre** *géom.* [~dja'mɛtrə] *m* Halbmesser *m*, Radius *m*; **~-dieu** *myth., fig.* [~'djø] *m* (6g) Halbgott *m*.

demie [d(ə)'mi] *f* halbe Stunde *f*; *la* ~ *sonne* es schlägt halb; *sonner les heures et les* ~*s* voll und halb schlagen (*Uhr*).

démieller ⊕ [demjɛ'le] *v/t.* (1a) den Honig *aus dem Wachs* auspressen.

demi|-fin [d(ə)mi'fɛ̃] *adj.* (7) halbfein; halb Gold, halb Silber; **~-finale** *Sport* [~fi'nal] *f* (6g) Zwischenrunde *f*; **~-fini** [~fi'ni] *adj.* halbfertig; **~-fluide** [~fly'id] *adj.* halbflüssig; **~-fond** *Sport* [~'fɔ̃] *m*: *coureur m de* ~ Mittelstrecken-läufer *m*, -fahrer *m*; **~-frère** [~'frɛ:r] *m* (6g) Halb-, Stief-bruder *m*; **~-gros** [~'gro] *m* Zwischenhandel *m*; *commerçant m en* ~ Zwischenhändler *m*; **~-guêtre** [~'gɛ:trə] *f* (6g) kurze Gamasche *f*; **~-heure** [~'œ:r] *f* (6g) halbe Stunde *f*; **~-image** *télév.* [~i'ma:ʒ] *f* Halbbild *n*; **~-jour** [~'ʒu:r] *m* Halbdunkel *n*, Zwielicht *n*.

démilitaris|ation [demilitariza'sjɔ̃] *f* Entmilitarisierung *f*; **~er** [~'ze] *v/t.* (1a) entmilitarisieren.

demi|-londrès [d(ə)milɔ̃'drɛs] *m* halbe Londres(habana-)zigarre *f*; **~-long** [~'lɔ̃] *adj.* (7i) halblang; **~-lune** [~'lyn] *f* (6g) Halbmond *m*; **~-mal** F [~'mal] *adv.*: *ce n'est que* ~, *il n'y a que* ~ das ist halb so schlimm; das ist nicht so gefährlich; nur keine Aufregung!; **~-mondaine** [~mɔ̃'dɛn] *f* (6g) Halbweltdame *f*; **~-monde** *péj.* [~'mɔ̃:d] *m fig. mv.p.* Halbwelt *f*, Lebewelt *f*; **~-mort** [~'mɔ:r] *adj.* (7) halbtot; **~-mot** [~'mo] *advt.*: *comprendre à* ~ auf e-e bloße Andeutung hin verstehen.

démin|age [demi'na:ʒ] *m* Entminung *f*; **~er** [~'ne] *v/t.* (1a) entminen.

déminéralis|ation [demineraliza'sjɔ̃] *f* Salzverarmung *f*; **~er** [~'ze] *v/t.* (1a) Mineralsalze entziehen.

demi|-page [d(ə)mi'pa:ʒ] *f* (6g) halbe Seite *f*; **~-pause** ♪ [~'po:z] *f* (6g) halbe Pause *f*; **~-pension** [~pã'sjɔ̃] *f* Halbpension *f*; **~-pensionnaire** [~pãsjɔ'nɛ:r] *m* (6g) Halbpensionär *m*; **~-pièce** [~'pjɛs] *f* (6g) halbes Stück *n* (*Stoff*); Halbfaß *n* (*Wein*); **~-place** [~'plas] *f*: *payer* ~ die Hälfte (*des Sitzplatzes*) bezahlen; **~-portion** [~pɔr'sjɔ̃] *f* (6g) halbe Portion *f*; *fig. péj.* Null *f* (*Mensch*); **~-produit** [~prɔ'dɥi] *m* (6g) Halbfertigfabrikat *n*; **~-quart** [~'ka:r] *m* (6g) Achtel *n*; **~-ration** [~ra'sjɔ̃] *f* (6g) halbe Ration *f*; **~-reliure** [~rə'ljy:r] *f* (6g) Halbfranzband *m*; **~-saison** [~sɛ'zɔ̃] *f* Übergangszeit *f* (*Frühling od. Herbst*); *vêtements m/pl. de* ~ Übergangsbekleidung *f*; **~-sang** [~'sã] *m* Halbblut *n* (*Pferdezucht*); **~-savoir** [~sa'vwa:r] *m* Halbwissen *n*; **~-sel** [~'sɛl] *m inv.* wenig gesalzener Fettkäse *m*; **~-sœur** *f* (6g) Halb-, Stiefschwester *f*; **~-solde** *hist.* ⚔ [~'sɔld] **I** *f* (6g) Wartegeld *n*; *mettre en* ~ auf Wartegeld setzen; **II** *m inv.* Offizier *m* auf Wartegeld; **~-sommeil** [~sɔ'mɛj] *m* Halbschlaf *m*, Dösen *n*; **~-soupir** ♪ [~su'pi:r] *m* (6g) Achtelpause *f*.

démission [demi'sjɔ̃] *f* Abdankung *f*, Rücktritt *m*, Niederlegung *f e-s Amtes*; *donner sa* ~ s-e Entlassung einreichen (*od.* beantragen), aus dem Dienst ausscheiden; **~naire** [~sjɔ'nɛ:r] *adj. u. su.* zurückgetreten(e[r] Beamte[r] *m*); *être* ~ zurückgetreten sein; **~ner** [~'ne] (1a) **I** *v/i.* sein Amt niederlegen; aus dem Dienst ausscheiden, zurücktreten; F *fig.* (es) aufgeben, verzichten; **II** F *iron.* *v/t.* ~ *q.* j-n an die Luft setzen.

demi|-tasse [d(ə)mi'tɑ:s] *f* (6g) Mokkatasse *f*; **~-teinte** [~'tɛ̃:t] *f* (6g) *peint.* Mittelfarbe *f*; Halbschatten *m*; ♪ abgeschwächte (*od.* gedämpfte) Schallfülle *f*; **~-ton** ♪ [~'tõ] *m* (6g) halber Ton *m*; **~-tour** [~'tu:r] *m* (6g) Kehrtwendung *f*; ~, *droite!* rechtsum!; *faire* ~ kehrtmachen.

démiurge *phil.* [demi'yrʒ] *m* Demiurg *m*, Weltordner *m*.

demi-voix [d(ə)mi'vwa] *adv.*: *à* ~ halblaut.

démobilis|ation [demɔbiliza'sjõ] *f* Demobilisierung *f*, Entlassung *f* aus dem Militärdienst; **~er** [~'ze] *v/t.* (1a) demobilisieren, aus dem Militärdienst entlassen.

démocra|te [demɔ'krat] **I** *m* Demokrat *m*; **II** *adj.* demokratisch (*nur v. Personen u. Parteien*); **~tie** [demɔkra'si] *f* Demokratie *f*; **~tique** [~'tik] *adj.* demokratisch (*nur v. Einrichtungen*); **~tisation** *pol.* [~tiza'sjõ] *f* Demokratisierung *f*; **~tiser** [~ti'ze] (1a) **I** *v/t.* a) demokratisieren; b) *fig.* ~ *la science* die Wissenschaft allgemeinverständlich machen; **II** *v/rfl.* se ~ a) demokratisch werden; b) allgemeinverständlich werden.

démoder [demɔ'de] (1a) **I** *v/t.* aus der Mode bringen; *démodé* unmodern; **II** *v/rfl.* se ~ aus der Mode kommen, unmodern werden, veralten.

démograph|e [demɔ'graf] *m* Demograph *m*, Bevölkerungsstatistiker *m*; **~ie** [~'fi] *f* Demographie *f*, Bevölkerungsstatistik *f*; **~ique** [~'fik] *adj.* bevölkerungs-mäßig, -politisch, -statistisch; Bevölkerungs...

demoiselle [d(ə)mwa'zɛl] *f* **1.** Fräulein *n* (*nicht in der Anrede*), Mädchen *n*; P Tochter *f*; ~ *de magasin* Verkäuferin *f*; ~ *d'honneur* Brautjungfer *f*; ~ *du téléphone* Telephonistin *f*; *elle est encore* ~ sie ist noch ledig; *rester* ~ ledig bleiben; **2.** *ent.* Libelle *f*; **3.** ⊕ Handramme *f*; **4.** ⊕ Handschuhweiter *m*.

démo|lir [demɔ'li:r] *v/t.* (2a) **1.** ein-, ab-, nieder-reißen, abtragen; *fig.* umstürzen; ~ *des fortifications* Festungswerke schleifen; ~ *un navire* ein Schiff abtakeln (*od.* verschrotten); ~ *à coups de canon* zusammenschießen; **2.** *fig.* ~ *q.* die Gesundheit j-s zerrütten; j-s guten Ruf zugrunde richten; F j-n zs.-schlagen; **~lisseur** [~li'sœ:r] *su.* (7g) **1.** Abbruch-arbeiter *m*, -unternehmer *m*; **2.** *fig.* (politischer) Umstürzler *m*; **3.** *fig.* Kritikaster *m*; **~lition** [~li'sjõ] *f* **1.** Abbruch *m*, Einreißen *n*, Niederreißen *n*, Abbrechen *n*, Zerstörung *f*, Schleifen *n* *v. Festungswerken*; *travaux m/pl. de* ~ Abbrucharbeiten *f/pl.*; **2.** ~*s pl.* Trümmer *pl.*

démon [de'mõ] *m* **1.** *myth.* Dämon *m*, höheres Wesen *n*, (Schutz-) Geist *m*; *le* ~ *familier* die innere Stimme *f*; **2.** böser Geist *m*, Teufel *m*; **3.** Plagegeist *m*, Quälgeist *m*; **4.** *fig.* ~ (*intérieur*) innerer Trieb *m*; ~ *du jeu* Spielteufel *m*.

démonéti|sation [demɔnetiza'sjõ] *f* Entwertung *f des Geldes*, Außerkurssetzung *f*; **~ser** [~'ze] *v/t.* (1a) den Wert *des Geldes* herabsetzen; entwerten, außer Kurs setzen.

démoniaque [demɔ'njak] *adj. u. su.* besessen, teuflisch, satanisch, dämonisch; Besessene(r) *m*; Dämonische(s) *n* (*Zustand*).

démonstra|teur [demõstra'tœ:r] *m* Erklärer *m*, Vorführer *m*; **~tif** [~'tif] *adj.* (7e) □ **1.** schlagend, überzeugend; **2.** *gr.*: *adjectif m* ~ Demonstrativpronomen *n*; **3.** ausdrucksvoll, warmherzig; **~tion** [~strɑ'sjõ] *f* **1.** Beweisführung *f*, Beweis *m*; Kundgebung *f*, Demonstration *f*; Äußerung *f od.* Bekundung *f*; **2.** Vortrag *m* mit praktischen Vorführungen; **3.** ⚔ Scheinmanöver *n*.

démon|table [demõ'tablə] *adj.* auseinander-, ab-nehmbar, ausziehbar, zerlegbar; **~tage** [~'ta:ʒ] *m* Demontage *f*, Demontieren *n*, Auseinandernehmen *n*; ⚠ Abrüsten *n*; ⚓ Abwracken *n*.

démonte-pneu *Auto* [de'mõtə'pnø] *m* (6c) Reifenmontierhebel *m*.

démonter [demõ'te] (1a) **I** *v/t.* **1.** ~ *q.* j-n aus dem Sattel heben, j-n abwerfen; *fig.* j-n absetzen, kaltstellen; **2.** ~ *la cavalerie* die Reiter abwerfen; **3.** ⊕ *Maschine* demontieren, auseinandernehmen, zerlegen; *Gerüst* abbrechen; ⚓ abwracken; *Edelstein* aus der Fassung herausnehmen; **4.** *fig.* aus der Fassung bringen, verwirren; ⚔ außer Gefecht setzen; **5.** ⚓ *mer f démontée* stürmische See *f*; **II** *v/rfl.* se ~ **6.** sich auseinandernehmen lassen; **7.** auseinandergehen; **8.** *fig.* die Fassung verlieren, stocken, außer sich geraten, explodieren; *fig. la machine commence à se* ~ a) die Geschichte fängt an, faul zu werden; b) es fängt an, mit der Gesundheit zu hapern.

démontrer [~'tre] (1a) **I** *v/t.* **1.** beweisen, zeigen, darlegen, demonstrieren; **2.** (durch Vorzeigen) erklären, anschaulich erläutern, praktisch vorführen; **II** *v/rfl.* se ~ sich beweisen lassen.

démorali|sant [demɔrali'zɑ̃] *adj.* (7) demoralisierend, entmutigend, entsittlichend; *allg.* c'est ~ das macht e-n fertig; **~sateur** [~za'tœ:r] (7f) **I** *adj.* demoralisierend; **II** *su.* Sittenverderber *m*; **~sation** [~zɑ'sjɔ̃] *f* **1.** Demoralisierung *f*, Sittenverderbnis *f*, Verkommenheit *f*, Entsittlichung *f*; **2.** Mutlosigkeit *f*; **~ser** [~'ze] (1a) **I** *v/t.* **1.** demoralisieren, entsittlichen, sittlich verderben; **2.** mutlos machen, entmutigen, das Selbstvertrauen nehmen (*dat.*); **II** *v/rfl.* se ~ moralisch sinken, sittlich verkommen; mutlos werden, das Selbstvertrauen verlieren.

démordre [de'mɔrdrə] *v/i.* (4a) *fig.* ne pas en ~ de nicht lockerlassen, nicht ablassen von (*dat.*), sich verbeißen in (*acc.*); *abs.* (ohne de) auf s-m Kopf bestehen.

démoul|age [demu'la:ʒ] *m* Herausnehmen *n* aus der Form; **~ler** [~'le] *v/t.* (1a) aus der Form nehmen.

démultiplicat|eur ⊕ [demyltiplika'tœ:r] *m* Untersetzungs-, Reduzier-getriebe *n*; *rad.* (bouton *m*) ~ Fein(ein)steller *m*; **~ion** [~kɑ'sjɔ̃] *f* ⊕ Untersetzung *f*; *rad.* Fein(ein)-stellung *f*.

démultiplier ⊕, △ [demyltipli'e] *v/t.* (1a) reduzieren, verkleinern.

démuni [demy'ni] *adj. u. su.* bedürftig; Bedürftige(r) *m*; **~r** [~'ni:r] *v/t.* (2a) entblößen, berauben; complètement démuni völlig mittellos; se ~ de qch. etw. auf-, preis-geben, auf etw. verzichten.

démunicipalisation [demynisipalizɑ'sjɔ̃] *f* Rückgabe *f* der Gemeindeverwaltung an den Staat.

démurer △ [demy're] *v/t.* (1a) *e-e zugemauerte Maueröffnung* wieder aufbrechen.

démuseler [demyz'le] *v/t.* (1c) den Maulkorb abnehmen; *fig.* ~ les passions die Leidenschaften entfesseln.

démythologisation *rl. prot.* [demitɔlɔʒizɑ'sjɔ̃] *f* Entmythologisierung *f*.

dénantir [denɑ̃'ti:r] (2a) *v/rfl.*: se ~ de qch. etw. preisgeben.

dénatalité [denatali'te] *f* Geburtenrückgang *m*.

dénationalis|ation [denasjɔnalizɑ'sjɔ̃] *f* Entnationalisierung *f*; **~er** *éc.* [~'ze] *v/t.* (1a) reprivatisieren.

dénatter [dena'te] (1a) **I** *v/t. Haare* aufflechten; **II** *v/rfl.* se ~ aufgehen (*Zopf*).

dénaturalis|ation [denatyralizɑ'sjɔ̃] *f* Verlust *m* des Heimatrechts, Ausbürgerung *f*; **~er** [~'ze] *v/t.* (1a) ausbürgern, entnaturalisieren.

dénatu|ration [denatyrɑ'sjɔ̃] *f* **1.** Entstellung *f*; **2.** ⚕ Denaturierung *f des Spiritus*; **~ré** [~'re] *adj.* entstellt; unnatürlich; entartet, unmenschlich, entmenscht; herzlos; mère *f* dénaturée Rabenmutter *f*; **~rer** [~] (1a) **I** *v/t.* **1.** die Natur *e-s Dinges* verändern; ~ un fait e-e Tatsache entstellen; **2.** ⚕ denaturieren, vergällen; alcool *m* dénaturé denaturierter Spiritus *m*; **II** *v/rfl.* se ~ sich verändern, entarten.

dénazi|fication *pol.* [denazifikɑ'sjɔ̃] *f* Entnazifizierung *f*; **~fier** *pol.* [~'fje] *v/t.* (1a) entnazifizieren.

denché ▨ [dɑ̃'ʃe] *adj.* gezähnt; gezackt.

dendr|ite [dɑ̃'drit] *f* **1.** *min.* Stein *m* mit pflanzenähnlicher Zeichnung; **2.** *géol.* fossiler Baum *m*; **3.** *anat.* verzweigter Protoplasmafortsatz *m* der Nervenzellen; **~olithe** [~drɔ'lit] *m* versteinerter Baum *m*; **~ologie** [~drɔlɔ'ʒi] *f* Baum-kunde *f*, -zuchtlehre *f*; **~ophage** [~drɔ'fa:ʒ] *adj.* holzfressend.

dénébul|ateur ✈, *Ski* [denebyla'tœ:r] *m* Nebelzerstreuer *m*; **~er** ✈, *Ski* [~'le] *v/t.* (1a) den Nebel zerstreuen, entnebeln.

dénéga|tion *bsd.* ⚖ [denegɑ'sjɔ̃] *f* Leugnen *n*, Bestreiten *n*.

déneigement [denɛʒ'mɑ̃] *m* Schneebeseitigung *f*.

déni ⚖ [de'ni] *m* Versagung *f*; ~ de justice Rechtsverweigerung *f*.

déniai|sé [denjɛ'ze] *adj.* durchtrieben, schlau; gewitzt; **~ser** F [~'ze] *v/t.* (1b) *sexuell* aufklären.

dénich|er [deni'ʃe] *v/t.* (1a) **1.** aus dem Nest (*od.* der Nische) nehmen; **2.** *fig.* ausfindig machen, herauskriegen, entdecken, hervor-kramen, -buddeln, auftreiben, aufstöbern; **~eur** [~'ʃœ:r] *su.* (7g) Nestausnehmer *m*; *fig.* Aufstöberer *m*; ~ de curiosités (*od.* d'objets rares) Raritätenjäger *m*.

dénicotinis|ation [denikɔtinizɑ'sjɔ̃] *f* Entnikotinisierung *f*; **~é** [~'ze] *adj.*

nikotinfrei; **~er** [~] *v/t.* (1a) nikotinfrei machen.

denier [də'nje] *m* **1.** Heller *m*; *fig.* Scherflein *n*; *cath.* jährliche Abgabe *f*; (*bsd.* *~s pl.*) Geld *n*; *~s comptants* bares Geld *n*; *~s publics* Staatsgelder *n/pl.*; *~s pupillaires* Mündelgeld *n*; *un ~ assez coquet* ein recht beachtliches Sümmchen *n*; *payer jusqu'au dernier ~* auf Heller und Pfennig bezahlen; **2.** Denier *m* (*Fadenstärke der Garne od. Fasern, z. B. beim Damenstrumpf*).

dénier [de'nje] *v/t.* (1a) leugnen, abstreiten, ablehnen; *~ qch. à q.* j-m etw. verweigern *od.* abschlagen.

déni|grement [denigrə'mɑ̃] *m* Verleumdung *f*; Anschwärzung *f*, Verunglimpfung *f*; **~grer** [~'gre] *v/t.* (1a) (*auch abs.*) anschwärzen, verleumden, verunglimpfen; **~greur** [~'grœ:r] *su.* (7g) Verleumder *m*, Verunglimpfer *m*, Lästerzunge *f*.

dénitrification [denitrifikɑ'sjɔ̃] *f* Stickstoffentziehung *f*.

dénivel|er [deni'vle] *v/t.* (1c) den Boden uneben machen; **~lation** [denivɛlɑ'sjɔ̃] *f* Unebenheit *f*, Bodensenkung *f*; ⚚ Preisunterschied *m*; *fig.* *~s pl. de culture* Bildungsunterschiede *m/pl.*

dénom|brement [denɔ̃brə'mɑ̃] *m* Zählung *f*, Aufzählung *f*; (namentliche) Abzählung *f* (*e-r Gruppe*); **~brer** [~'bre] *v/t.* (1a) (auf)zählen; namentlich abzählen (*e-e Gruppe*).

dénomina|teur ⚹ [denɔmina'tœ:r] *m* Nenner *m*; **~tif** [~'tif] *adj.* (7e) benennend; **~tion** [~nɑ'sjɔ̃] *f* Benennung *f*, Namhaftmachung *f*.

dénommer [denɔ'me] *v/t.* (1a) benennen, namhaft machen, namentlich aufführen.

dénon|çable [denɔ̃'sablə] *adj.* kündbar (*Vertrag*); **~cer** [~'se] *v/t.* (1k) **1.** *~ un traité* e-n Vertrag (auf)kündigen; **2.** *~ q.* j-n anzeigen, denunzieren, angeben, anprangern; *écol.* *j'espère que le coupable se dénoncera* der Schuldige wird sich hoffentlich melden; **3.** *fig.* verraten, erkennen lassen; **~ciateur** [~sja'tœ:r] **I** *adj.* gebend; **II** *m* Denunziant *m*; *fig.* Verräter *m*; **~ciation** [~sjɑ'sjɔ̃] *f* **1.** Kündigung *f* (*e-s Vertrages*); **2.** Anzeige *f*, Denunziation *f*.

déno|tation [denɔtɑ'sjɔ̃] *f* Bezeichnung *f*; **~ter** [~'te] *v/t.* (1a) bezeichnen, andeuten, *auf etw.* (*acc.*) schließen lassen, kennzeichnen.

dénou|able [de'nwablə] *adj.* auflösbar; **~ement** [~nu'mɑ̃] *m a. litt.* Lösung *f e-s Konflikts*, Ausgang *m e-r Sache*, Entscheidung *f*; **~er** [~'nwe] (1a) **I** *v/t.* aufknüpfen, *den Knoten* lösen; *fig.* klären; **II** *v/rfl.* *se ~* sich auflösen, aufgehen; sich entwickeln, verlaufen, ausgehen.

dénoyautage [denwajo'ta:ʒ] *m* **1.** Entkernung *f*; **2.** ⚠ Auflockerung *f*.

denrée [dɑ̃'re] *f* **1.** Eßware *f*: *~s pl. alimentaires* Lebensmittel *n/pl.*; *usine f de ~s alimentaires* Lebensmittelfabrik *f*; *~s coloniales* Kolonialwaren *f/pl.*; **2.** *fig.* Sache *f*: *~ rare* Seltenheit *f*.

dens|e [dɑ̃:s] *adj.* **1.** dicht; **2.** *phys.* spezifisch schwer; **~ification** [dɑ̃sifikɑ'sjɔ̃] *f* Verdichtung *f*; **~imètre** *phys.* [~si'mɛtrə] *m* Dichtigkeitsmesser *m*; **~ité** [~si'te] *f* **1.** Dichtigkeit *f*; *~ de la population* Bevölkerungsdichte *f*; *à forte ~ de population* dichtbevölkert; *fig.* *~ de la vie* Lebensfülle *f*; **2.** spezifisches Gewicht *n*.

dent [dɑ̃] *f* **1.** Zahn *m*; *~ de l'œil*, *~ canine* Augenzahn *m*; *~s pl. angulaires* Eckzähne *m/pl.*; *grosse ~*, *~ molaire* Backenzahn *m*; *~s de dessous od. ~s d'en bas* (*~s de dessus od. ~s d'en haut*) untere (obere) Zähne *m/pl.*; *~ de devant* Vorderzahn *m*; *fausses ~s* falsche Zähne *m/pl.*; *~s incisives* Schneidezähne *m/pl.*; *~s de lait* Milchzähne *m/pl.*; *~ à pivot* Stiftzahn *m*; *~ de sagesse* Weisheitszahn *m*; *~s artificielles* Zahnersatz *m*, künstliche Zähne *m/pl.*; *brosse f à ~s* Zahnbürste *f*; ⚕ *carie f des ~s* Zahnfäule *f*; *mal m de ~s* Zahnschmerzen *m/pl.*; *se faire arracher od. extraire une ~* sich e-n Zahn ziehen lassen; P *avoir la ~* Hunger haben; *avoir les ~s (bien) longues* (*od. aiguisées*): a) e-n Riesen-, Heiß-hunger haben; Kohldampf schieben P; b) profitgierig *od.* gewinnsüchtig *od.* sehr ehrgeizig sein; *avoir* (*od. conserver od. garder*) *une ~ contre q.* e-n Pik auf j-n haben, s-e Wut auf j-n aufspeichern; *ne pas desserrer les ~s fig.* den Mund nicht aufmachen, hartnäckig schweigen; *faire ses ~s* Zähne bekommen; zahnen; F *je n'avais rien à me mettre sous la ~* ich hatte nichts zu beißen; *n'avoir pas de quoi se mettre sous la ~* nichts zu beißen haben, Kohldampf schieben P; s. *dîner*: *mordre à belles ~s* tüchtig zulangen, ordentlich reinhauen (*beim Essen*); *montrer les ~s à q.* j-m die Zähne zeigen, j-m drohen; *être armé jusqu'aux ~s* bis an die Zähne bewaffnet sein; F *être savant jusqu'aux ~s* äußerst beschlagen sein F, gut Bescheid wissen; F *être sur les ~s* vor Arbeit nicht ein und aus wissen; ganz aufgeregt sein; hundemüde sein; *prendre le mors aux ~s* durchgehen (*Pferd*); F *fig.* wütend werden, aufbrausen, sich plötzlich ereifern; *parler entre ses ~s* undeutlich sprechen, nuscheln P; *rire du bout des ~s* gezwungen lachen; **2.** Scharte *f e-s Messers*; **3.** Horn *n*, Bergkegel *m*; **4.** ⊕ Zahn *m an Rädern usw.*, Zacken *m*, Zinke *f an Gerätschaften*; **5.** *Näherei*: *~s pl. de loup* Randzacken *m/pl.*

den|tage ⊕ [dɑ̃'ta:ʒ] *m* Verzahnung *f*; **~taire** [~'tɛ:r] **I** *adj. anat.* Zahn...; *chirurgie f ~* Zahnheilkunde *f*; *nerf m ~* Zahnnerv *m*; **II** *f* ⚘ Zahnwurz *f*; **~tale** [~'tal] *f* **1.** *gr.* Dental(laut *m*) *m*; **2.** *zo.* Zahnschnecke *f.*

dent-de|-chien [dɑ̃də'ʃjɛ̃] *f* (6b) **1.** ⚘ gemeiner Hundszahn *m*; **2.** Bildhauermeißel *m*; **~-lion** ⚘ [~'ljɔ̃] *f* (6b) Löwenzahn *m*, Butterblume *f*; **~-loup** ⊕ [~'lu] *f* (6b) Zapfennagel *m*; Sperrklinke *f.*

denté [dɑ̃'te] *adj.* gezahnt; gezackt; *roue f ~e* Zahnrad *n*; *feuille f ~e* gezacktes Blatt *n.*

dentée [~] *f* **1.** *ch.* Biß *m* des Hundes am Wild; **2.** Stoß *m* der Hauer e-s Wildschweins.

dente|lé [dɑ̃'tle] **I** *adj.* gezähnt, zackig; **II** *m anat. grand ~* Sägemuskel *m*; **~ler** ⊕ [~] *v/t.* (1c) (aus)zacken, zähneln.

dentel|le [dɑ̃'tɛl] *f* **1.** Spitze *f* (*feines Gewebe*); *~s pl.* Spitzen *f/pl.*; *faire de la ~* (Spitzen) klöppeln; *faiseuse f de ~* Spitzenklöpplerin *f*; *aiguille f à ~* Klöppelnadel *f*; *garniture f de ~(s)* Spitzenbesatz *m*; *~ à l'aiguille*, *~ de point* genähte Spitze *f*; *~ anglaise* Baumwollspitze *f*; *~ aux fuseaux* geklöppelte Spitze *f*, Klöppelarbeit *f*; *~ de soie* Seidenspitze *f*, Blonde *f*; **2.** * *de la ~* Geldscheine *m/pl.*; **~lerie** [~tɛl'ri] *f* Spitzenfabrikation *f*, -handel *m*; **~lier** [~tɛl'je] **I** *su.* (7b) Spitzen-fabrikant *m*, -klöppler *m*, -händler *m*; **II** *adj. industrie f dentellière* Spitzenindustrie *f.*

dentelure [dɑ̃'tly:r] *f* ⊕ Auszackung *f*, Zahnschnitt *m*; △ Sägezahnverzierung *f.*

denter ⊕ [dɑ̃'te] *v/t.* (1a) verzahnen, mit Zähnen versehen.

denti|cule [dɑ̃ti'kyl] *m* Zähnchen *n*; △ *~s pl.* Zahnschnitt *m*; **~culé** △ [~ky'le] *adj.* mit e-m Zahnschnitt versehen; **~er** [~'tje] *m* künstliches Gebiß *n*, (Zahn-)Prothese *f*; **~fication** [~tifikɑ'sjɔ̃] *f* Zahnbildung *f*; **~frice** [~'fris] **I** *adj.* zahnreinigend; *pâte f ~* Zahnkrem *f*; **II** *m* Zahnpaste *f*; **~ne** *anat.* [dɑ̃'tin] *f* Zahnbein *n*; **~rostre** *orn.* [~'rɔstrə] *m* Zahnschnäbler *m*; **~ste** [~'tist] **I** *su.* Zahnarzt *m*; **II** *adj.*: *chirurgien m ~* Zahnchirurg *m*; *mécanicien m ~* Zahntechniker *m*; **~tion** [~ti'sjɔ̃] *f* **1.** Zahnen *n*; **2.** *natürliches* Gebiß *n*, Zähne *m/pl.*

denture [dɑ̃'ty:r] *f* **1.** natürliches Gebiß *n*; **2.** ⊕ Zähne *m/pl.* im Uhrwerk; Zahnung *f.*

dénucléarisation [denyklearizɑ'sjɔ̃] *f* Schaffung *f* e-r atom(waffen)-freien Zone.

dénu|dation [denydɑ'sjɔ̃] *f* Kahlheit *f*; Entblößung *f*; *chir.* Freilegung *f*; Bloßlegen *n*; *géol.* Denudation *f*; **~dé** [~'de] *adj.* entblößt; blätterlos; kahl; *fig.* bloß, beraubt; *~ de tout secours* völlig hilflos, ohne jede Hilfe; *~ d'argent* völlig mittellos; *~ de sens* ohne jeden Sinn; *~ de tout* völlig verarmt; **~der** [~] (1a) **I** *v/t.* entblößen, bloßlegen; nackt ausziehen; *Baum* entblättern, abrinden; abisolieren; *chir.* freilegen; *géol.* die Vegetation vernichten; **II** *v/rfl.* se *~* kahl werden; **~ement** [deny'mɑ̃] *m* bitterste Not *f*, Mittellosigkeit *f*, Elend *n*, Armut *f*; *être dans un ~ complet* völlig mittellos dastehen; **~er** [de'nɥe] (1a) **I** *v/t.* berauben; *dénué de fondement* grund-, halt-los; **II** *v/rfl.* se *~ de tout* auf alles verzichten.

déodorant [deɔdɔ'rɑ̃] *m* Deodorant *n.*

déontologie [deɔ̃tɔlɔ'ʒi] *f* Berufspflicht *f.*

dépann|age *rad., Auto,* ⊕ [depa'na:ʒ] *m* Reparatur *f*; Abschleppen *n*; **~er** *rad., Auto,* ⊕ [~'ne] *v/t.* (1a) reparieren, e-e Panne beseitigen an, wieder flottmachen, wieder in Gang bringen; *Auto* abschleppen; F *~ q.* j-m aus der Klemme (*od.* Panne) helfen; **~eur** [~'nœ:r] *m* **1.** Reparateur *m*; Autoschlosser *m*; **2.** Aushelfer *m*; **3.** *Auto*: Abschleppwagen *m*; **~euse** *Auto* [~'nø:z] *f* Abschleppwagen *m.*

dépaqueter [depak'te] *v/t.* (1c) auspacken.

de par [də'pa:r] *prp.* **1.** *nur noch gebr. in*: *de par le monde* irgendwo in der Welt; **2.** *abus.* wegen, auf Grund (*gén.*); *de par sa situation* auf Grund s-r Stellung; *de par la tradition* traditionsgemäß.

déparasitage ⚡ [deparazi'ta:ʒ] *m* Entstörung *f*.

dépareiller [deparɛ'je] (1a) **I** *v/t.* Zusammengehöriges trennen, unvollständig machen; *dépareillé* nicht zusammenpassend; einzeln, unvollständig; **II** *v/rfl.* se ~ unvollständig (*od.* ungleich) werden.

déparer [depa're] *v/t.* (1a) *fig.* verunstalten, entstellen, verunzieren.

déparler F [depar'le] *v/i.* (1a): *il ne déparle point* er muß dauernd reden, er kann nie still sein.

déparquer [~'ke] *v/t.* (1m) aus dem Pferch lassen (*Schafe*); ~ *des huîtres* Austern aus dem Park nehmen.

départ [de'pa:r] *m* **1.** Abfahrt *f*; Abreise *f*; Weggang *m*; Fortzug *m*; Aufbruch *m*; Ausscheiden *n*, Abtreten *n*; ⚔ Abmarsch *m*; ⚓ Absegeln *n*; ✈ Abflug *m*, Start *m*; *Sport*: Start *m*; *prendre le* ~ starten; *être sur son* ~ im Begriff sein abzureisen (*od.* abzufahren *od.* zu starten); *bureau m de* ~ (*des* ~*s*) Aufgabeamt *n*, Abfertigungsstelle *f*; *heure f de* ~ Abfahrtszeit *f*; *fig. point m de* ~ Ausgangspunkt *m*; *annoncer son* ~ *à la police* sich polizeilich abmelden; *déclaration f de* ~ Abmeldung *f*; **2.** ⚔ Abschuß *m e-r Waffe*; **3.** ⚗ Trennung *f*, Ausscheidung *f*, Sonderung *f*.

dépar|tager [departa'ʒe] *v/t.* (1l) **1.** ~ *les voix* bei Stimmengleichheit den Ausschlag geben; **2.** *Sport, Wahl*: e-e Rangliste aufstellen; **~tement** [~tə'mɑ̃] *m* **1.** Departement *n*, Regierungs-, Verwaltungsbezirk *m*; **2.** Geschäftsbereich *m*; Verwaltungs-, Ministerial-abteilung *f*; *néol. allg.* Abteilung *f*; *fig. cela n'est pas* (de) *son* ~ das schlägt nicht in sein Fach, das ist nicht sein Gebiet; **~temental** [~təmɑ̃'tal] *adj.* (5c) Departements...; *route f* ~*e* Straße *f* erster Ordnung.

départir [depar'ti:r] (2b), *jedoch oft abus.* (2a) **I** *v/t.* aus-, ver-teilen, zuerteilen; **II** *v/rfl.* se ~ *de* ablassen von (*dat.*); se ~ *de son devoir* von s-r Pflicht abweichen; *ne pas se* ~ *de son sang-froid* sich nicht aus der Ruhe bringen lassen.

dépassement [depɑs'mɑ̃] *m* **1.** Überholen *n* (*im Verkehr*); Überschreitung *f* (*Kredit*); ~ *interdit* Überholverbot *n*; **2.** *psych.* Selbstüberwindung *f*.

dépasser [depɑ'se] *v/t.* (1a) **1.** ~ *q.* (*qch.*) j-n (etw.) an Schnelligkeit überholen *od.* hinter sich lassen; ~ *le but* das Ziel überschreiten; **2.** ~ *q. en latin* j-n im Lateinischen übertreffen; ~ *qch.* höher hinaufreichen als etw., sich höher belaufen als etw.; etw. überschreiten; über etw. hinausgehen; e-e Anleihe überzeichnen; körperlich überragen, größer sein; *il me dépasse* er ist größer als ich, er ist mir über den Kopf gewachsen; ~ *ses pouvoirs* s-e Machtbefugnis überschreiten; *cela dépasse mes forces* das geht über meine Kräfte; *cela le dépasse* er ist dem nicht gewachsen, das geht über s-n Horizont F; F *cela me dépasse* da bin ich doch erstaunt; ✝ ~ *la souscription* (*od. l'émission*) überzeichnen.

dépa|vage [depa'va:ʒ] *m* Aufreißen *n* des Pflasters; **~ver** [~'ve] *v/t.* (1a): ~ *une rue* das Pflaster e-r Straße aufreißen.

dépays|ement [depeiz'mɑ̃] *m* Veränderung *f* des Ortes, Abstecher *m*, Fahrt *f*; Entfremdung *f*, Gefühl *n* der Verlorenheit; Hang *m* zum Ausland (*od.* zur Fremde); Loslösung *f* vom Alltäglichen; *soc.* Hilflosigkeit *f*; **~er** [~'ze] *v/t.* (1a) **1.** in die Fremde schicken; **2.** *fig.* irreführen; *fig.* auf ein fremdes Gebiet bringen; *écol. Ausländer* mit der franz. Sprache u. Kultur vertraut machen; *se trouver dépaysé* sich fremd fühlen; **3.** vom täglichen Einerlei befreien.

dé|peçage, ~pècement [depə'sa:ʒ, ~pɛs'mɑ̃] *m* Zerstückelung *f*; **~pecer** [depə'se] *v/t.* (1d) *u.* (1k) zerschneiden; in Stücke reißen; zerstückeln.

dépê|che [de'pɛʃ] *f*: ~ (*diplomatique pol.*) Depesche *f*; **~che-mandat** [~mɑ̃'da] *f* (6a) telegraphische Geldüberweisung *f*; **~cher** [~'ʃe] (1a) **I** *v/t.* **1.** beschleunigen, schnell erledigen (*od.* absenden); *fig.* ~ *q. dans l'autre monde* j-n ins Jenseits befördern; *dépêchez!, dépêchons!* los, schnell!; **2.** ~ *un courrier* e-n Eilboten abschicken; **II** *v/rfl.* se ~ sich beeilen; *dépêche-toi!* beeil dich!; *dépêchez-vous de partir!* macht, daß ihr wegkommt!

dépeigné [depɛ'ɲe] *adj.* ungekämmt.

dépeindre [de'pɛ̃:drə] *v/t.* (4b) schildern, darstellen, beschreiben, *fig.* ausmalen, charakterisieren.
dépenaillé F [depnɑ'je] *adj.* zerlumpt.
dépen|dance [depɑ̃'dɑ̃:s] *f* **1.** Abhängigkeit *f*; *a.* Abhängigkeitsgebiet *n*; **2.** enge Verbindung *f*, Zugehörigkeit *f*; **3.** ☤ Nebenbetrieb *m*, Filiale *f*; ⚠ Trakt *m*; ~*s pl.* Nebengebäude *n/pl.*; Zubehör *n*; **~dant** [~'dɑ̃] *adj.* (7) abhängig, zugehörig; *mv.p.* unselbständig; **~deur** P [~'dœ:r] *m*: ~ *d'andouilles* baumlanger Kerl *m*; **~dre** [~'pɑ̃:drə] *v/i.* (4a) (*a. v/imp.*) ~ *de q.* von j-m abhängig sein *od.* abhängen (*v/i.*); ~ *de qch.* von etw. herrühren; *cela dépend de lui* das hängt von ihm ab, das liegt an ihm, das steht in s-r Macht; *beaucoup de choses en dépendent* es hängt viel davon ab; *cela dépend* es kommt d(a)rauf an, je nachdem; *l'effet dépend de la cause* die Wirkung rührt von der Ursache her.
dépens [de'pɑ̃] *m/pl.* **1.** Kosten *pl.*: *aux* ~ *de q.* auf j-s Kosten; zu j-s Nachteil; *à mes* ~ auf meine Kosten; *aux* ~ *de sa santé* auf Kosten s-r Gesundheit; *rire aux* ~ *de q.* sich über j-n lustig machen; F *je l'ai appris à mes* ~ ich bin durch Schaden klug geworden; **2.** ⚖ Gerichtskosten *pl.*
dépen|se [de'pɑ̃:s] *f* **1.** Ausgabe *f*, Auslage *f*, Kosten *pl.*; *fig.* Aufwand *m*; ~ *estimée* Sollausgabe *f*; ~ *effective*, ~ *réelle* Istausgabe *f*; ~*s pl. matérielles* Sachausgaben *f/pl.*; ~ *de forces* Kräfteverschleiß *m*; Kraftaufwand *m*; *menues* ~*s* kleine Ausgaben *f/pl.*; *grandes* ~*s* großer Aufwand *m*; *faire des* ~*s*, *se mettre en* ~ sich in Unkosten stürzen; ⊕ ~ *de main-d'œuvre* Arbeitsaufwand *m*; ~ *de temps* Zeitvergeudung *f*, Zeitaufwand *m*; ~ *de bouche* Zehrgeld *n*, Ausgaben *f/pl.* für Essen u. Trinken; ~*s pl. d'entretien* Unterhaltungskosten *pl.*; ~*s pl. d'exercice* Betriebskosten *pl.*; ~*s pl. du ménage* Haushaltungskosten *pl.*; **2.** ~*s pl. de l'Etat*, ~*s pl. gouvernementales* (*od. nationales*) Staatsausgaben *f/pl.*; **~ser** [~pɑ̃'se] (1a) **I** *v/t.* **1.** ausgeben, aufwenden; verbrauchen, fressen F (*z.B. Strom*); *aimer (à)* ~ gern Geld ausgeben; **II** *v/rfl.* se ~ **2.** ausgegeben werden, draufgehen F; **3.** *fig.* se ~ *pour q.* (*pour qch.*) sich voll u. ganz für j-n (für etw.) (*acc.*) einsetzen; *se* ~ *sans compter* s-e Kräfte vergeuden, sich verausgaben; **~sier** [~'sje] *adj. u. su.* (7b) verschwenderisch; großzügig, spendabel F; Verschwender *m*; Essenausgeber *m*.
déperdition [deperdi'sjɔ̃] *f* ⊕, ☤ Abgang *m*, Abfall *m*, Schwund *m*, Verlust *m*; *allg.* Schwächung *f*.
dépé|rir [depe'ri:r] *v/i.* (2a) **1.** schwächer werden, abnehmen, zugrunde gehen, ab-, hin-sterben, dahinsiechen, verkümmern, verkommen; *cet enfant dépérit* dieses Kind siecht dahin; *cet arbre dépérit* dieser Baum stirbt ab; **2.** nachlassen (*Gesundheit*; *Kraft*); **~rissement** [~ris'mɑ̃] *m* **1.** Abnehmen *n*, Verkümmern *n*, Dahinsiechen *n*; Absterben *n*; **2.** Niedergang *m*, Verfall *m*; **3.** Wertminderung *f*; **4.** ⚖ ~ *des preuves* Entkräftung *f* der Beweismittel.
dépersonnali|sation [depersɔnalizɑ'sjɔ̃] *f* Entpersönlichung *f*; ⚕ Persönlichkeitsverlust *m*; **~ser** [~'ze] *v/t.* (1a) entpersönlichen.
dépêtrer [depe'tre] (1a) **I** *v/t.* heraushelfen; **II** *v/rfl.* se ~ sich heraushelfen, sich durchwinden.
dépeup|lement [depœplə'mɑ̃] *m* Entvölkerung *f*; **~ler** [~'ple] (1a) **I** *v/t.* entvölkern; *Teich* ausfischen; *Waldgebiet* ausjagen; **II** *v/rfl.* se ~ entvölkert werden, aussterben, veröden.
déphas|age [defa'za:ʒ] *m* ⚡ Phasen-, *fig.* Lohn- u. Preis-verschiebung *f*; *fig.* Gefälle *n*; **~é** F [~'ze] *adj.* völlig durcheinander *fig.*; **~er** ⚡ [~] *v/t.* (1a) verschieben.
déphosphoration ⚗ [defɔsfɔrɑ'sjɔ̃] *f* Phosphorentziehung *f*.
dépiauter F [depjo'te] (1a) **I** *v/t.* die Haut (die Schale) abziehen; *fig.* ~ *q.* j-n auspellen P, j-n ausziehen; **II** *v/rfl.* P se ~ sich auspellen P, sich ausziehen.
dépi|lage [depi'la:ʒ] *m* = ~*lation*; **~latif** [~la'tif] *adj.* (7e) enthaarend; Enthaarungs...; **~lation** [~lɑ'sjɔ̃] *f* **1.** Enthaaren *n*; **2.** Ausfallen *n* der Haare; **~latoire** [~la'twa:r] *adj. u. m* Enthaarungs... (-mittel *n*); **~ler** [~'le] (1a) **I** *v/t.* **1.** enthaaren; **2.** ⚒ die Stützen wegnehmen; **II** *v/rfl.* se ~ haaren (*von Tieren*).
dépiquer[1] 🌾 [depi'ke] *v/t.* (1m) entkörnen.
dépiquer[2] [~] *v/t.* (1m): ~ *une étoffe* gesteppte Arbeit auftrennen.
dépistage [depis'ta:ʒ] *m* **1.** Auf-

spüren *n*; **2.** ⚕ Feststellung *f*; Reihenuntersuchung *f*.

dépister [depis'te] *v/t.* (1a) **1.** *ch.* aufspüren; auf die Spur kommen (*dat.*); *allg.* ausfindig machen, ergründen; **2.** *fig.* von der Spur abbringen, irreführen.

dépit [de'pi] *m* Ärger *m*, Unwille *m*, Verdruß *m*; *en ~ de* trotz (*gén.*); *en ~ du bon sens* gegen alle Vernunft (*od.* bessere Einsicht), völlig verfehlt; *faire qch. en ~ de q.* j-m etw. zum Trotz tun; *sécher* (*od. crever*) *de ~* vor Ärger (*od.* vor Neid) platzen (*od.* vergehen).

dépiter [depi'te] (1a) **I** *v/t.* verärgern; *dépité* ärgerlich, unwillig, ungehalten; **II** *v/rfl. se ~ de qch.* (*se ~ contre q.*) über etw. (über j-n) ärgerlich werden.

dépla|çable [depla'sablə] *adj.* versetzbar, umlegbar, verschiebbar; **~cé** [~'se] *adj.* nicht an s-m Platz; heimatlos, vertrieben; *pol.* verschleppt; unangebracht, unpassend, deplaciert; **~cement** [~s'mã] *m* **1.** Umstellung *f*, Verschiebung *f*, Verlagerung *f*, Verlegung *f*; *~ d'air* Luftstoß *m* (*bei Luftangriffen*); *~ d'une route* Verlegung *f* e-r Straße; **2.** Ortsveränderung *f*, Reise *f*; Versetzung *f* (*e-s Beamten*); *~ disciplinaire* Strafversetzung *f*; *~ d'office* Amtsenthebung *f*; *frais m/pl. de ~* Trennungsentschädigung *f*, Reisekosten *pl.*; **3.** ⚓ Wasserverdrängung *f e-s Schiffes*; **4.** ⊕ *~ du piston* Hubraum *m*; *~ à vide* toter Gang *m*; **~cer** [~'se] *v/t.* (1k) **1.** *~ qch.* etw. von s-m Platz wegnehmen, um-, ver-stellen; etw. wegrücken *od.* verschieben; *fig.* verlagern; *fig. ~ la question* die Frage auf ein anderes Gleis schieben; **2.** *~ q.* j-n absetzen, versetzen; **3.** ⚓ *an Tonnen* verdrängen (*Schiffe*).

déplaire [de'plɛ:r] (4aa) **I** *v/i.* mißfallen; *il a qch. en lui qui déplaît* er hat etwas Unangenehmes an sich; *~ à q.* j-m mißfallen, zuwider sein; **II** *v/imp. il lui déplaît fort de ...* es ist ihm höchst unangenehm zu ...; *iron. ne vous en déplaise!* lassen Sie sich das gesagt sein!; wenn Sie nichts dagegen haben!; **III** *v/rfl. se ~* nicht gern irgendwo sein; nicht gedeihen (*Pflanze*).

déplai|sant [deplɛ'zã] *adj.* (7) unangenehm; verdrießlich; **~sir** [~'zi:r] *m* Mißfallen *n*, Unzufriedenheit *f*; *à mon grand ~* zu meinem großen Leidwesen.

déplan|tage *m*, **~tation** *f* [deplã'ta:ʒ, ~tɑ'sjõ] Verpflanzung *f*; **~ter** [~'te] *v/t.* (1a) verpflanzen, versetzen; *~ un terrain* ein Stück Land von Pflanzen säubern; **~toir** ✓ [~'twa:r] *m* Pflanzschippchen *n*.

déplâtrer *chir.* [deplɑ'tre] *v/t.* (1a) den Gips entfernen von etw. (*dat.*).

déplé|tif ⚕ [deple'tif] *m* Entleerungsmittel *n*; **~tion** [~'sjõ] *f* Flüssigkeitsentzug *m*.

dépliant [depli'ã] *m* Faltprospekt *m*.

déplier [depli'e] (1a) **I** *v/t.* auseinanderfalten; **II** ⚘ *v/rfl. se ~* sich öffnen (*Blatt*).

déplisser [depli'se] *v/t.* (1a) *Stoff* glätten.

déploiement [deplwa'mã] *m* **1.** Auseinanderfalten *n*, Entfalten *n* (*a. fig.*); *fig.* Aufwand *m*; ✈ *~ du parachute* Entfaltung *f* des Fallschirms; *~ d'énergie*, *~ de forces* Kraftaufwand *m*; **2.** ⚔ Aufmarsch *m*, Ausschwärmen *n*; *~ par file* Rottenaufmarsch *m*; *~ de forces* Aufmarsch *m* (*od.* Entfaltung *f*) von Streitkräften; militärische Demonstration *f*.

déplomber [deplõ'be] *v/t.* (1a) entplomben; *~ une dent* e-e Zahnfüllung (*od.* e-e Plombe) herausnehmen.

déplo|rable [deplɔ'rablə] *adj.* □ sehr bedauerlich, beklagenswert; erbärmlich; unheilvoll, schlimm (*v. der Zeit*); **~rer** [~'re] *v/t.* (1a) sehr bedauern, beklagen.

déployer [deplwa'je] (1h) **I** *v/t.* **1.** ausbreiten, entfalten, aufspannen; *Segel* setzen; *enseignes déployées* mit fliegenden Fahnen; F *rire à gorge déployée* aus vollem Hals lachen; *fig. ~ toute son éloquence* (*toutes ses forces*) s-e ganze Beredsamkeit (alle s-e Kräfte) aufbieten; *~ un grand luxe* großen Aufwand treiben; **2.** ⚔ aufmarschieren (*od.* ausschwärmen) lassen; **II** *v/rfl. se ~* sich ausbreiten, sich entfalten (*a. fig.*); ⚔ *se ~ en tirailleurs* (*od. en éclaireurs*) ausschwärmen.

déplumer [deply'me] (1a) **I** *v/t.* rupfen: *fig. avoir l'air déplumé* ganz heruntergekommen aussehen; *fig.* F *~ un gogo* e-m Schafskopf das Geld aus der Tasche ziehen; **II** *v/rfl. se ~* mausern; F e-e Glatze bekommen.

dépoétiser [depɔeti'ze] *v/t.* (1a) den poetischen Zauber nehmen.

dépoint|age ⚔ [depwɛ̃'ta:ʒ] *m* Richtfehler *m* (*artill.*); **~er** [~'te] (1a) **I** *v/t.* aufschneiden (*Stoff*);

II *v/rfl.* ⚔: se ~ aus der Richtung geraten (*artill.*).
dépoitraillé F [depwatra'je] *adj.* mit halbentblößter Brust.
dépolaris|ant ⚡ [depɔlari'zɑ̃] *m* Depolarisator *m*; **~er** ⚡ [~'ze] *v/t.* (1a) depolarisieren.
dépolir [depɔ'liːr] (2a) **I** *v/t.* abpolieren, matt schleifen, mattieren; glanzlos machen; *verre m dépoli* Milchglas *n*; *phot.* Mattscheibe *f*; **II** *v/rfl.* se ~ matt werden.
dépolissage [depɔli'saːʒ] *m* Mattierung *f*.
dépolitis|ation [depɔlitizɑ'sjɔ̃] *f* Entpolitisierung *f*; **~er** [~'ze] *v/t.* (1a) entpolitisieren.
dépollueur [depɔ'lɥœːr] *adj.* (7g): *navire m* ~ Schiff *n* zur Sanierung verschmutzter Gewässer.
déponent *gr.* [depɔ'nɑ̃] *m* (*a. verbe m* ~) Deponens *n*.
dépopu|lariser [depɔpylari'ze] *v/t.* (1a) um die Gunst des Volkes bringen; **~lation** [~lɑ'sjɔ̃] *f* Entvölkerung *f*.
dépor|tation [depɔrtɑ'sjɔ̃] *f* Deportation *f*, Deportierung *f*, Zwangsverschleppung *f*, Strafverschickung *f*; **~té** [~'te] *su.* Deportierte(r) *m*; KZ-Häftling *m*, KZler *m* F; **~tement** [~tə'mɑ̃] *m*: ~*s pl.* schlechter Lebenswandel *m*; **~ter** [~'te] (1a) **I** *v/t.* deportieren, zwangsverschleppen; ⚓, ✈ abtreiben; **II** *v/rfl.* *Auto*: se ~ *sur la gauche* auf die linke Fahrbahn geraten.
dépo|sant [depo'zɑ̃] (7) **I** *adj.* **1.** ⚖ Zeugnis ablegend; **II** *su.* **2.** ⚖ aussagender Zeuge *m*; **3.** Einzahler *m*, Deponent *m*; **~ser** [~'ze] (1a) **I** *v/t.* **1.** nieder-, hin-, weg-setzen *od.* -legen; *Auto usw.*: ~ *q.* j-n absetzen; ~ *un corps* eine Leiche beisetzen; ~ *sa canne* s-n Stock hinstellen; ~ *son manteau* den Mantel ablegen; ~ *les armes* die Waffen strecken; *défense de* ~ *des ordures* Schuttabladen verboten!; **2.** hinterlegen, in Verwahrung geben, deponieren, abgeben, einreichen; ~ *sa carte chez q.* s-e Karte bei j-m abgeben (*od.* hinterlassen); ~ *une somme* e-n Betrag hinterlegen (*od.* einzahlen); ~ *une demande* ein Gesuch einreichen; ⚚ ~ *son bilan* Konkurs anmelden, sich für zahlungsunfähig (*od.* insolvent) erklären; *marque f déposée* eingetragenes Warenzeichen *n*; ~ *un projet de loi* e-n Gesetzentwurf einbringen; **3.** absetzen; ~ *q. de sa charge* j-n s-s Amtes entheben; ~ *sa charge* sein Amt niederlegen; **4.** ⚗ *Bodensatz* absetzen; *abs.* e-n Niederschlag *od.* Bodensatz bilden; **II** *v/i.* ⚖ *gerichtlich* aussagen; **III** *v/rfl.* se ~ sich legen, sich setzen; (sich) niederschlagen; **~sitaire** [~zi'tɛːr] *su.* **1.** Verwahrer *m*; Aufbewahrer *m*; *fig.* ~ *d'un secret* Mitwisser *m* e-s Geheimnisses; *les* ~*s de l'autorité* (*od. du pouvoir*) die Machthaber *m/pl.*; **2.** ⚖ Treuhänder *m*; **~sition** [~zi'sjɔ̃] *f* **1.** Absetzung *f*, Entsetzung *f*; **2.** ⚖ (Zeugen-)Aussage *f*; *faire sa* ~ sein Zeugnis ablegen; **3.** *peint.* ~ *de croix* Kreuzabnahme *f* Christi; **4.** *adm. délai m de* ~ Einreichungsfrist *f*.
dépos|séder [depɔse'de] *v/t.* (1f): ~ *q. de qch.* j-n e-r S. berauben; ~ *q.* (*de ses biens*) j-n enteignen; **~session** [~sɛ'sjɔ̃] *f* Enteignung *f*.
dépôt [de'po] *m* **1.** Hinterlegung *f*, Aufbewahrung *f*, Deponierung *f*; ⚖ ~ *de statuts* Satzungshinterlegung *f*; *faire le* ~ *d'une somme* e-e Summe hinterlegen; ~ *d'un projet de loi* Einbringung *f* eines Gesetzentwurfs; ~ *d'un brevet d'invention* Einreichung *f* e-s Erfindungspatents; **2.** anvertrautes Gut *n*; hinterlegter Betrag *m*, Einlage *f* (*bei e-r Bank*), Depot *n*, Wertpapiere *n/pl.*; *caisse f des* ~*s et consignations* Depositenkasse *f*; **3.** Verwahrungsort *m*, Depot *n*, Abstellraum *m*; Kleiderabgabe *f* (*Badeanstalt*); ⚚ Lager *n*, Magazin *n*; (Straßenbahn-, Bus-)Depot *n*; ~ *central* Sammelstelle *f*; ~ *frigorifique* Kühlhaus *n*; ~ *de charbon* Kohlenstation *f*; 🚂 ~ *des locomotives* Lokomotivschuppen *m*; ⚔ ~ *de munitions* Munitionslager *n*; en ~: a) ⚚ in Kommission; b) 🚂 bahnlagernd; **4.** polizeilicher Gewahrsam *m*; *mandat m de* ~ Haftbefehl *m*; **5.** Niederschlag *m*, Bodensatz *m*; ⚕ Ansammlung *f von Eiter*; *géol.*, ⚕ Ablagerung *f*.
dépo|tage [depɔ'taːʒ] *m* **1.** ✐ Umtopfen *n*; **2.** *Wein*: Umfüllen *n*; **~ter** [~'te] *v/t.* (1a) **1.** ✐ umtopfen; **2.** *Wein*: umfüllen; **~toir** [~'twaːr] *m* Schuttabladeplatz *m*.
dépoudrer [depu'dre] *v/t.* (1a) abstauben; entpudern.
dépouil|le [de'puj] *f* **1.** Balg *m*, abgezogenes Fell *n*; **2.** *fig. la* ~ (*mortelle*) die sterbliche Hülle; **3.** Beute *f*; **~lé** [~pu'je] *adj.* kahl, laublos; unbekleidet, nackt; *Wein*: abgeklärt; *Stil*: nüchtern, sachlich; *architecture f* ~*e* schlichte Bauweise

f; **~lement** [~puj'mɑ̃] *m* **1.** Beraubung *f*; Entäußerung *f*; **2.** *fig.* Dürftigkeit *f*; *fig.* Entsagung *f*, Verzicht *m*; *fig.* Schlichtheit *f*, Sachlichkeit *f*; **3.** ⚚ ~ *d'un compte* Prüfung *f* e-s Kontos; **4.** Auswertung *f*; ~ *du scrutin* Stimmenzählung *f* (*bei e-r Wahl*); **~ler** [~pu'je] (1a) **I** *v/t.* **1.** abbalgen, das Fell abziehen (*dat.*); entblößen, bloßlegen; ⚕ abstreifen, abschuppen; **2.** ~ *q. de qch.* j-m etw. abnehmen, j-n e-r Sache berauben; ~ *q. de ses habits* j-m die Sachen vom Leibe reißen; **3.** ⚘ entblättern, der Früchte berauben, *e-n Baum* plündern, abernten; **4.** *fig.* ~ *le vieil homme* den alten Adam ausziehen, ein anderer Mensch werden; ~ *toute pudeur* alle Scham ablegen; **5.** ⚚ *Rechnungen usw.* prüfen; ~ *le courrier* die Briefe (*od.* die Post) durchlesen (*od.* durchsehen); ~ *des enquêtes* Untersuchungen auswerten; ~ *le scrutin* die Stimmzettel auszählen; **II** *v/rfl. se* ~ sich häuten; die Blätter verlieren; *se* ~ *de sa chemise pour q.* sein Hemd für j-n hergeben; *se* ~ *de ses habits* sich ausziehen; s-e Sachen ausziehen; *fig. se* ~ *de* sich enthalten (*gén.*), sich freimachen von (*dat.*).

dépour|voir [depur'vwa:r] *v/t.* (3b) entblößen; **~vu** [~'vy] *adj.*: ~ *de* nicht versehen mit (*dat.*), ohne (*acc.*); ~ *de bon sens* ohne Sinn u. Verstand; taktlos; ~ *d'eau* wasserarm; ~ *d'esprit* geistlos; *advt. au* ~ unversehens; *prendre q. au* ~ j-n völlig unvorbereitet treffen, j-n sehr überraschen.

dépoussiér|age [depusje'ra:ʒ] *m* Entstaubung *f*, Entstauben *n*; **~er** [~'re] *v/t.* (1f) entstauben; **~eur** ⊕ [~'rœ:r] *m* Entstauber *m*, Filter-, Entstaubungs-anlage *f*.

dépra|vateur [deprava'tœ:r] *adj. u. su.* (7f) (sittlich) verderblich; Verführer *m*; **~vation** [~va'sjɔ̃] *f* Geschmacksverirrung *f*; ⚕ *la* ~ *du sang* die Verschlechterung des Blutes; **~ver** [~'ve] (1a) **I** *v/t.* verderben; verschlechtern, verschlimmern; **II** *v/rfl. se* ~ ⚕ sich verschlechtern; verfallen (*Sitten*).

déprécation [depreka'sjɔ̃] *f* inständige Bitte *f*; Abbitte *f*.

dépréci|ation [depresja'sjɔ̃] *f* Entwertung *f*, Wertminderung *f*, Sinken *n* des Preises; *Börse*: Rückgang *m*; **~er** [~'sje] (1a) **I** *v/t.* entwerten; herabsetzen; schmälern, heruntermachen (*den Preis, den Wert*); **II** *v/rfl. se* ~ den Wert verlieren, entwertet werden; *im Preis, im Wert* sinken.

dépré|dateur [depreda'tœ:r] (7f) **I** *su.* Plünderer *m*; Veruntreuer *m*; **II** *adj.* der Veruntreuung (*od.* der Unterschlagung) schuldig; **~dation** [~da'sjɔ̃] *f* Plünderung *f*, Raub *m*; Veruntreuung *f*, Unterschlagung *f*.

déprendre [de'prɑ̃:drə] (4q) *v/rfl. se* ~ sich los-, frei-machen (de von); *se* ~ auftauen (*Fluß*).

dépres|sif [deprɛ'sif] *adj.* (7e) niederdrückend; **~sion** [~'sjɔ̃] *f* **1.** Senkung *f*, Vertiefung *f*; ~ *barométrique* Wettersturz *m*, niedriger Barometerstand *m*, Tief *n*; *géol.* ~ *de terrain* Bodensenkung *f*, Senke *f*, Mulde *f*; **2.** ⚚, *Börse*: Flaute *f*, Sinken *n* der Preise; ~ *économique* Wirtschaftsdepression *f*; ~ *du commerce* Darniederliegen *n* des Handels; **3.** *psych.*, ⚕ Depression *f*, Niedergeschlagenheit *f*; Demütigung *f*; *fig.* Tiefstand *m*; Abnahme *f* der Kräfte; ~ *nerveuse* Nervenzusammenbruch *m*; **4.** ⚡ Sog *m*, Unterdruck *m*; **~surisation** ⚡ [~syriza'sjɔ̃] *f* Druckabfall *m*; **~surisé** ⚡ [~'ze] *adj.* bei fallendem Druck.

déprim|ant [depri'mɑ̃] *adj.* (nieder)drückend; **~é** [~'me] *adj.* niedergeschlagen, deprimiert, gedrückt; matt; *cicatrice f* ~*e* eingezogene Narbe *f*; *Fr. l'Ouest m* ~ der wirtschaftlich benachteiligte Westen; **~er** [~] *v/t.* (1a) **1.** ein-, nieder-drücken; **2.** *fig.* j-n deprimieren.

de profundis *rl.* [deprɔfɔ̃'dis] *m* Fürbitte *f* für Tote.

déprovincialiser [deprɔvɛ̃sjali'ze] *v/rfl.* (1a): *se* ~ die Kleinstadtmanieren ablegen.

dépuceler [depys'le] *v/t.* (1c) **1.** V entjungfern; **2.** zum ersten Mal öffnen, entkorken.

depuis [də'pɥi] **I** *prp.* seit (*dat.*), von (*dat.*) ... an; ~ *toujours* schon immer; *a. örtlich*: ~ *Paris jusqu'à Lyon* von Paris bis Lyon; *on vend ici des articles* ~ *cent francs* man verkauft hier Artikel von hundert Franken ab; ~ *lors* seitdem; **II** *adv. le budget a été réduit* ~ das Budget ist seitdem eingeschränkt worden; **III** ~ **que** *cj.* seitdem, seit; ~ *que je ne l'ai vu* seit(dem) ich ihn gesehen habe.

dépu|ratif ⚕ [depyra'tif] *adj. u. m* (7e) blutreinigend(es Mittel *n*); **~ration** ⚕ [~ra'sjɔ̃] *f* Blutreinigung *f*; **~rer** ⚕ [~'re] *v/t.* (1a) reinigen.

dépu|tation [depyta'sjõ] *f* Abordnung *f*, Deputation *f*; Würde *f e-s Abgeordneten*; *aspirer à la* ~ Abgeordneter werden wollen; **~té** [~'te] *m* Abgeordnete(r) *m*; *Mme X*, ~ (F ~e) Frau X, Abgeordnete *f*; **~ter** [~] *v/t.* (1a) ab-ordnen, -senden.

déqualifier [dekali'fje] *v/t.* (1a) j-n degradieren.

déraci|né [derasi'ne] *adj. a. fig.* entwurzelt; **~ner** [~] *v/t.* (1a) mit den Wurzeln herausreißen, entwurzeln; *fig. j-n* aus s-m heimatlichen Milieu herausreißen; *fig.* ausrotten, beseitigen.

dérader ⚓ [dera'de] *v/i.* (1a) von der Reede abgetrieben werden.

dérager [dera'ʒe] *v/i.* (1l): *ne pas* ~ in einem fort toben, sich vor Wut nicht beruhigen können.

déraidir [derɛ'di:r] (2a) **I** *v/t.* gelenkig machen; **II** *v/rfl. se* ~ gelenkig (*fig.* wendig, anpassungsfähig) werden, sich ungezwungener geben.

dérail|lement 🚂 [deraj'mã] *m* Entgleisung *f*; **~ler** [~'je] *v/i.* (1a) 🚂 entgleisen (*a. fig.*); F *fig.* den Faden verlieren, phantasieren; faseln, unvernünftiges Zeug reden; **~leur** [~'jœ:r] *m* **1.** 🚂 *usw.* Weiche *f*; **2.** *vél.* Gangschaltung *f*.

déraison [derɛ'zõ] *f* Unvernunft *f*, Unverstand *m*; **~nable** [~zɔ'nablə] *adj.* □ unvernünftig, unverständig, vernunftwidrig; **~nement** [~zɔn'mã] *m* Gefasel *n*, unsinniges Gerede *n*; **~ner** [~zɔ'ne] *v/i.* (1a) dummes Zeug reden, faseln.

déran|gement [derãʒ'mã] *m* **1.** Verwirrung *f*, Störung *f*; Verstellen *n*, Verschieben *n*; *téléph.*, ⚡, *méc.* Störung *f*, Unterbrechung *f*; *rad.* ~ *d'émission* Sendestörung *f*; *causer du* ~ *à q.* j-n stören; **2.** Unordnung *f*; Verwirrung *f*, Zerrüttung *f*; ~ *d'esprit* Geistesverwirrung *f*; ~ *de la santé* Unpäßlichkeit *f*; **~ger** [~'ʒe] (1l) **I** *v/t.* **1.** in Unordnung bringen, verwirren; stören; zerrütten; ~ *le cerveau* den Kopf verdrehen; *il a l'esprit dérangé* er ist nicht ganz richtig im Kopf; ~ *des meubles* Möbel verrücken; *cela dérange nos projets* das macht uns einen Strich durch die Rechnung; **2.** ⚕ verderben (*Magen*); *estomac m dérangé* verdorbener Magen *m*; *être dérangé* Durchfall haben; **II** *v/rfl. se* ~ **3.** in Unordnung geraten, gestört werden; **4.** sich bemühen; *ne vous dérangez pas* lassen Sie sich nicht stören!; bemühen Sie sich nicht!

dérap|age [dera'pa:ʒ] *m Auto usw.* Schleudern *n*; *fig.* ~ *des prix* Preisrutsch *m*; **~er** [~'pe] (1a) **I** *v/t.* ⚓ ~ *l'ancre* den Anker lichten; **II** (*mit avoir*) *v/i. Auto*: schleudern, ins Schleudern kommen (*od.* geraten); *vél.* rutschen; ✈ ab-rutschen, -schmieren F; ⚓ sich losreißen (*Anker*).

déraser △ [dera'ze] *v/t.* (1a) abflachen.

dératé [dera'te] *su.*: *courir comme un* ~ wie ein Wiesel rennen (*od.* rasen).

dératis|ation [deratiza'sjõ] *f* Rattenvertilgung *f*; **~er** [~'ze] *v/t.* (1a) von Ratten befreien.

dérayer [derɛ'je] *v/t.* (1i) ✓ eine Grenzfurche ziehen; *fig.* Einhalt gebieten.

derby [dɛr'bi] *m* (*pl.* ~s) Derby *n*.

déréalis|ation *thé.*, *litt.* [derealiza'sjõ] *f* Entrealisierung *f*; **~er** [~'ze] *v/t.* (1a) entrealisieren.

derechef *litt.* [dərə'ʃɛf] *adv.* erneut.

déréglé [dere'gle] *adj.* unregelmäßig; unordentlich, liederlich; zügellos; ⊕ gestört, in Unordnung; *ma montre est* ~*e* meine Uhr geht falsch.

dérèglement [derɛglə'mã] *m* **1.** Unregelmäßigkeit *f*, Unordnung *f*; ⊕ unrichtiger Gang *m*; **2.** Sittenlosigkeit *f*, Ausschweifung *f*; Liederlichkeit *f*; *vivre dans le* ~ ein ausschweifendes Leben führen.

dérégler [dere'gle] (1f) **I** *v/t.* **1.** in Unordnung bringen; stören; *avoir le pouls déréglé* einen unregelmäßigen Puls haben; **2.** liederlich (*od.* unordentlich) machen; **II** *v/rfl. se* ~ in Unordnung geraten; unbeständig werden (*Wetter*); liederlich werden; nicht richtig gehen (*Uhr*).

dérider [deri'de] *v/t.* (1a) (*Haut*) glätten; *fig.* ~ *q.* j-n aufheitern.

déri|sion [deri'zjõ] *f* Spott *m*, Verhöhnung *f*; **~soire** [~'zwa:r] *adj.* □ höhnisch, spöttisch; lächerlich.

dériva|ble [deri'vablə] *adj.* ableitbar; **~tif** [~'tif] *adj. u. m* (7e) ⚕ ableitend(es Mittel *n*); *fig.* Ablenkungsmittel *n*; **~tion** [deriva'sjõ] *f* **1.** ⚕ Ableitung *f*; **2.** *gr.* Herleitung *f*; **3.** ⊕ Umleitung *f des Wassers*; **4.** ⚡ Abzweigung *f*, Nebenschluß *m*, Zweigleitung *f*; ~ *à la terre* Erdschluß *m*; *boîte f de* ~ Abzweigdose *f*; **5.** ⚓, ✈ Abtrift *f*; **6.** ⚔ Abweichung *f* (*Geschoß*).

déri|ve [de'ri:v] *f* **1.** ⚓, ✈ Abtrift *f*; *Auto:* seitliches Wegdrücken *n*; *aller à la* ~ abgetrieben werden, treiben (*v/i.*); *fig.* willenlos umhergetrieben werden; sich selbst überlassen sein; *fig.* auf Abwege geraten; ✝ bergab gehen; **2.** ✈ Seitenflosse *f*; **3.** *artill.* Seitenverschiebung *f*; **~vé** [deri've] *adj. u. m* **1.** *gr.* (*mot m*) ~ abgeleitet(es Wort *n*); *langue f* ~*e* Tochtersprache *f*; **2.** ⚗ Nebenprodukt *n*, Derivat *n*; **~vée** [~'ve] *f* Differentialquotient *m*, abgeleitete Funktion *f*.

dériver[1] [deri've] (1a) **I** *v/i.* **1.** ⚓ (*vom Ufer*) (ab)treiben; ✈ *vom Kurs* abgetrieben werden; **2.** *gr.* abgeleitet werden, abstammen; *fig.* herkommen, herrühren; **II** *v/t.* **3.** ~ *de l'eau* Wasser ableiten; **4.** *fig.*, *gr.* herleiten.

dériver[2] ⊕ [~] (1a) *v/t. u. v/rfl.* (*se* ~ sich) losnieten.

dériveur ⚓ [deri'vœ:r] *m* **1.** Sturmsegel *n*; **2.** Schwertjacht *f*.

dérivomètre ⚓, ✈ [derivɔ'mɛtrə] *m* Abweichungsmesser *m*.

dermatolog|ie ⚕ [dɛrmatɔlɔ'ʒi] *f* Dermatologie *f*; **~iste** [~'ʒist] *m* Hautarzt *m*, Dermatologe *m*.

dermatose ⚕ [dɛrma'to:z] *f* Hautkrankheit *f*.

dermophile [dɛrmɔ'fil] *adj.* hautsympathisch (*Kosmetik*).

dernier [dɛr'nje] (7b) **I** *adj.* **1.** letzter, letzte, letztes; *le* ~ *cri* die letzte Neuheit, die neueste Mode, das Allerneuste; *arriver bon* ~ zu allerletzt ankommen; *pour la dernière fois* zum letztenmal; *en* ~ *lieu* zu allerletzt, an letzter Stelle, schließlich; *mettre la dernière main à qch.* e-r Sache den letzten Schliff geben; *rendre le* ~ *soupir* den Geist aufgeben; *dernières volontés f/pl.* letzter Wille *m*; *brûler sa dernière cartouche fig.* auf dem letzten Loch pfeifen, nicht mehr ein noch aus wissen; **2.** *rein zeitlich, nachgestellt:* vergangen, letzter, vorig, verflossen; *l'année f dernière*, *l'an m* ~ im vergangenen (im letzten, im vorigen, im verflossenen) Jahr *od.* vergangenes, letztes, voriges Jahr; *dimanche m* ~ (am) letzten Sonntag; *jugement m* ~ Jüngstes Gericht *n*; **3.** entferntest; *la dernière postérité* die fernsten Geschlechter *n/pl.*; **4.** unterst, niedrigst; **5.** gemeinst; *c'est la dernière des créatures* sie (*od.* er) ist das verworfenste Geschöpf auf Erden; **6.** höchst, äußerst; F *il est à la dernière extrémité* es ist mit ihm Matthäi am letzten; *en venir aux dernières extrémités* zum Äußersten kommen; *quel est votre* ~ *prix?* was ist Ihr äußerster Preis?; *c'est du* ~ *ridicule* das ist äußerst lächerlich; *il est du* ~ *bien avec elle* er steht sich mit ihr sehr gut; er hat ein sehr enges Verhältnis mit ihr; **II** *su.* **7.** *der, die, das* Letzte; **8.** Niedrigste(r) *m*, Gemeinste(r) *m*.

dernièrement [dɛrnjɛr'mɑ̃] *adv.* neulich, vor kurzem.

dernier-né [dɛrnje'ne] *m* (6a) [Jüngste(r) *m*.]

déro|bade [derɔ'bad] *f fig.* Flucht *f*; Kneifen *n* F; ~ *devant la vie* Flucht *f* vor dem Leben; **~bée** [~'be] *f*: *à la* ~ heimlich; verstohlen, von der Seite.

dérober [~] (1a) **I** *v/t.* **1.** *litt.* ~ *qch. à q.* j-m etw. entwenden *od.* stehlen *od.* entreißen; **2.** ~ *un secret à q.* j-m ein Geheimnis entlocken; **3.** geheimhalten; *escalier m dérobé* Geheimtreppe *f*; *porte f dérobée* Geheimtür *f*; **II** *v/rfl.* *se* ~ **4.** verschwinden, sich entziehen; sich wegschleichen, sich drücken, kneifen F; **5.** sich verbergen; versteckt sein; **6.** nachgeben, zs.-brechen; *Erdboden:* einsinken; *ses genoux se dérobent sous lui* er sinkt in die Knie.

dérocher [derɔ'ʃe] (1a) **I** *v/t.* **1.** ⊕ abbeizen, abbrennen; **2.** die Felsblöcke entfernen von; **II** *v/i.* **3.** *alp.* abstürzen.

déroder [derɔ'de] *v/t.* (1a) ausroden.

déroga|tion ⚖ [derɔga'sjɔ̃] *f* Ausnahme *f*, Abweichung *f*, Verstoß *m*, Beeinträchtigung *f*; *par* ~ *à* abweichend von (*dat.*); **~toire** ⚖ [~ga'twa:r] *adj.* abweichend.

déroger ⚖ [derɔ'ʒe] *v/i.* (1l) **1.** ~ *à un traité* e-m Vertrag zuwiderhandeln; ~ *à l'usage* gegen die Sitte verstoßen; **2.** ~ *à un droit* ein Recht beeinträchtigen; **3.** *abs.*, *bsd. iron.* sich erniedrigen, sich herablassen.

dérosond|age *phys.* [derɔsɔ̃'da:ʒ] *m* Echolotung *f* (*bei Tiefseemessungen*); **~e** *phys.* [~'sɔ̃:d] *f* Echolot *n*.

dérougir [deru'ʒi:r] (2a) **I** *v/t.* die rote Farbe entfernen von; **II** *v/i.* die Röte verlieren.

dérouill|age [deru'ja:ʒ] *m* Entrostung *f*; **~er** [~'je] (1a) **I** *v/t.* entrosten, vom Rost reinigen; wieder in Gang bringen; *fig.* auffrischen; gelenkig machen; P verprügeln; **II** *v/i.* P (*avoir!*) verprügelt werden;

III *v/rfl.* se ~ wieder in Gang kommen; wieder gelenkig werden.

dérou|lement [derul'mɑ̃] *m* Entrollen *n*, Abwicklung *f*; *fig.* Entwicklung *f*; **~ler** [~'le] (1a) **I** *v/t.* **1.** ab-, auseinander-rollen *od.* -wickeln; ~ *le fil* das Garn abhaspeln; **2.** ausbreiten; entfalten, entwickeln; **II** *v/rfl.* se ~ stattfinden, sich abspielen, sich entfalten; sich zeigen, sich enthüllen; *un combat se déroule* ein Kampf findet statt (*od.* wird ausgetragen); *le paysage se déroule sous nos yeux* die Landschaft breitet sich vor unseren Augen aus.

dérou|tant [deru'tɑ̃] *adj.* irreführend; **~te** [~'rut] *f* **1.** ⚔ wilde Flucht *f*, Auflösung *f*; *mettre en* ~ in die Flucht schlagen, zersprengen; *en pleine* ~ in voller Flucht; *fig.* in völliger Verwirrung; **2.** *fig.* gänzlicher Niedergang *m*; Zusammenbruch *m*; *cela a mis la* ~ *dans ses affaires* das hat s-e Geschäfte (gänzlich) zerrüttet; **~té** [~'te] *adj.*: *être tout* ~ *fig.* völlig sprachlos (*od.* ganz verwirrt) sein; **~ter** [~] (1a) **I** *v/t.* **1.** vom Weg abbringen, irreführen; ✈, ⚓ den Kurs ändern; **2.** *fig.* ~ *q.* j-n in Verwirrung bringen; **II** *v/rfl.* se ~ irregehen; *fig.* verwirrt werden.

derrick ⊕ [dɛ'rik] *m* Bohrturm *m*.

derrière [dɛr'jɛ:r] **I** *adv.* **1.** hinten; *là* ~ dahinter; dahinten; *par-*~ (von) hinten, hinterrücks; **II** *prp.* **2.** hinter (*dat. u. acc.*); *l'un* ~ *l'autre* hintereinander; **III** *m* **3.** Rückseite *f*, Hinterseite *f*; *porte f de* ~ Hintertür *f* (*a. fig.*); *loger sur le* ~ nach hinten raus wohnen; **4.** Hintern *m*, Gesäß *n*, Podex *m* (*plais.*); **5.** *peint.* (Hinter-)Grund *m*; **6.** ⚔ *les* ~*s d'une armée* die Nachhut e-s Heeres.

des [de, *bsd. thé.* dɛ] *art. gén. pl.* der, zu den, aus den, von den, über den ...; *voilà qui va des mieux* das geht ja bestens (*od.* sehr gut); *a. Teilungsartikel*: *des livres m/pl.* Bücher *n/pl.*; *des jeunes filles f/pl.* Mädchen *n/pl.*

dès [dɛ] **I** *prp.* **1.** *zeitlich*: seit (*dat.*), von (*dat.*) an, bereits (gleich mit), noch; *dès à présent, dès maintenant, dès ce moment* von jetzt ab (*gegenwartsbezogen*); *dès aujourd'hui* noch heute; *dès avant 1914* schon (*od.* bereits) vor 1914; *dès l'aube* mit Tagesanbruch; *dès hier* seit gestern; *dès lors, dès ce moment-là* seitdem, von da ab, (*vergangenheitsbezogen*); *dès demain* gleich morgen; ~ *lors auch*: infolgedessen; *dès en entrant* gleich beim Eintreten; *l'action doit commencer dès le mois de février 1976* die Aktion soll bereits im Februar 1976 beginnen (*od.* starten); **2.** *örtlich*: von ... aus; bereits an ...; *il cria dès la porte: Bonjour!* von der Tür aus rief er: Guten Tag!; **II dès (lors) que** *cj.* sobald; *dès (lors) qu'il parut* sobald er erschien; *dès (lors) qu'il sera ici* sobald er hier sein wird.

désabonn|ement [dezabɔn'mɑ̃] *m* Abbestellung *f* e-s Abonnements; **~er** [~'ne] *v/rfl.*: se ~ ein Abonnement abbestellen (*od.* aufgeben).

désabus|é [dezaby'ze] *adj.* enttäuscht, skeptisch, hoffnungslos; **~ement** *litt.* [~byz'mɑ̃] *m* Enttäuschung *f*, Hoffnungslosigkeit *f*, Skepsis *f*; **~er** *litt.* [~'ze] *v/t.* (1a): ~ *q. de qch.* j-m die Augen über etw. (*acc.*) öffnen; j-n enttäuschen in etw. (*dat.*).

désaccord [deza'kɔ:r] *m* **1.** ♪ Mißklang *m*; **2.** *fig.* Uneinigkeit *f*; **~er** [~kɔr'de] (1a) **I** *v/t.* **1.** ♪ verstimmen; **2.** *fig.* verunreinigen; stören; **II** *v/rfl.* se ~ **3.** ♪ die Stimmung verlieren; **4.** *fig.* uneinig werden.

désaccoupl|age ⊕ [dezaku'pla:ʒ] *m* Entriegelung *f*; **~er** [~'ple] *v/t.* (1a) *a.* ⊕, ⚡ voneinander trennen; *ch. Hunde* loskoppeln.

désaccoutum|ant *phm.* [dezakuty-'mɑ̃] *m* Entwöhnungsmittel *n*; **~er** [~'me] (1a) **I** *v/t.* ~ *q. de qch.* j-m etw. (*acc.*) abgewöhnen; **II** *v/rfl.* se ~ *de qch.* sich etw. abgewöhnen.

désacidifier ⚗ [dezasidi'fje] *v/t.* (1a) entsäuern.

désaciérer ⊕ [dezasje're] *v/t.* (1a) entstählen.

désadaptation *psych.* [~dapta'sjɔ̃] *f* Außenseitertum *n*, Gesellschaftsfeindlichkeit *f*, mangelnde Anpassungsfähigkeit *f*.

désaération ⊕ [dezaera'sjɔ̃] *f* Entlüftung *f*.

désaffect|ation [dezafɛkta'sjɔ̃] *f* Zweckentfremdung *f*; Nichtbenutzung *f*; **~é** [~'te] *adj.* außer Betrieb, verlassen, aufgegeben; **~er** [~'te] *v/t.* (1a) anders (*od.* für andere Zwecke) verwenden.

désaffection [dezafɛk'sjɔ̃] *f* Erkaltung *f* der Liebe; Abneigung *f*.

désaffilier [dezafi'lje] *v/rfl.*: se ~ *d'un parti* aus e-r Partei austreten.

désagréable [dezagre'ablə] *adj.* unangenehm, unerfreulich, mißlich, unliebsam, störend.

désagré|gateur [dezagrega'tœ:r] *adj.* (7f) zersetzend; **~gation** [~ga'sjɔ̃] *f* Trennung *f* der Bestandteile, Zerfallen *n*; Zersetzung *f*, Verwitterung *f*; **~geant** [~'ʒɑ̃] *adj.* (7) auflösend, zersetzend; **~ger** [~'ʒe] (1g) **I** *v/t.* zersetzen, auflösen, trennen; **II** *v/rfl.* se ~ sich zersetzen, sich auflösen, *a. at.* zerfallen.

désagrément [dezagre'mɑ̃] *m* Unannehmlichkeit *f*, Widerwärtigkeit *f*.

désaimanter *phys.* [dezɛmɑ̃'te] *v/t.* (1a) entmagnetisieren.

désajus|tement [dezaʒystə'mɑ̃] *m* Störung *f* im Gang e-r Maschine; **~ter** [~'te] *v/t.* (1a) in Unordnung (*od.* aus dem Gang) bringen.

désalcoolisé [dezalkɔli'ze] *adj.* alkoholfrei.

désaliénation [dezaljenɑ'sjɔ̃] *f* innere Befreiung *f*.

désaligner [dezali'ɲe] (1a) **I** *v/t.* aus der geraden Linie bringen; **II** *v/rfl.* se ~ die Richtung verlieren.

désallier [deza'lje] *v/t.* (1a) entzweien.

désaltér|ant [dezalte'rɑ̃] *adj.* (7) durstlöschend, erfrischend; **~er** [~'re] (1f) **I** *v/t.* **1.** den Durst löschen, *j-m* zu trinken geben; *Pflanze* benetzen (*Regen*); **2.** *fig.* erleichtern; **II** *v/rfl.* se ~ s-n Durst löschen.

désamarrer ⚓ [dezama're] *v/t.* (1a) das Tauwerk losmachen.

désamor|çage [dezamɔr'sa:ʒ] *m* **1.** Aussetzen *n* der Magnetisierung *od.* der Stromzufuhr e-r Dynamomaschine; **2.** Leerung *f* e-s Pumpenrohrs; **3.** ⚔ Entschärfung *f* (*Waffe*); **4.** *pol.* ~ *des crises* Krisendämpfung *f*; **~cer** [~'se] (1k) **I** *v/t.* **1.** ~ *une pompe* e-e Pumpe vor dem Frost leeren; **2.** ⚔ entschärfen (*Waffe*); **II** *v/rfl.* ⚡ se ~ stromlos werden.

désannexer *pol.* [dezanɛk'se] *v/t.* (1a) die Einverleibung wieder aufheben.

désapparier *biol.* [dezapa'rje] *v/t.* (1a) ein Pärchen (Vögel) trennen.

désappoin|tement [dezapwɛ̃t'mɑ̃] *m* Enttäuschung *f*, getäuschte Hoffnung *f* (*od.* Erwartung *f*), Verdruß *m*; **~ter** [~'te] *v/t.* (1a) *fig.* ~ *q.* j-n enttäuschen, j-n in s-n Erwartungen täuschen, j-m e-n Strich durch die Rechnung machen.

désappren|dre [deza'prɑ̃:drə] (4q) **I** *v/t. litt.* verlernen; ~ *à chanter* das Singen verlernen; **II** *v/i.* umlernen; **~ti** [~prɑ̃'ti] *m* Umlernling *m*, Umlerner *m*.

désapproba|teur [dezaprɔba'tœ:r] (7f) **I** *adj.* mißbilligend, tadelnd; **II** *su.* Tadler *m*; **~tion** [~bɑ'sjɔ̃] *f* Mißbilligung *f*, Mißfallen *n*.

désapprouver [dezapru've] *v/t.* (1a) mißbilligen, tadeln.

désapprovision|nement [dezaprɔvizjɔn'mɑ̃] *m* Schwinden *n* des Vorrats; **~ner** [~zjɔ'ne] *v/t.* (1a) den Vorrat zu stark beanspruchen, die Reserven (*en* an) angreifen; ⚔ *e-e Waffe* entladen.

désarçonner [dezarsɔ'ne] *v/t.* (1a) aus dem Sattel heben, abwerfen; *fig.* zum Schweigen (*od.* aus der Fassung) bringen.

désargent|é F [dezarʒɑ̃'te] *adj. fig.* abgebrannt, ohne Geld; blank F; **~er** [~] (1a) **I** *v/t.* die Versilberung entfernen; **II** *v/rfl.* se ~ die Versilberung verlieren.

désar|mement [dezarmə'mɑ̃] *m* **1.** Entwaffnung *f*; **2.** Abrüstung *f*; **3.** ⚓ Abtakeln *n*; **4.** *éc.* ~ *douanier* Zollsenkung *f*; **~mer** [~'me] (1a) **I** *v/t.* **1.** die Waffen abnehmen (*dat.*); entwaffnen (*acc.*); *esc.* die Waffe aus der Hand schlagen; **2.** ~ *un fusil* ein Gewehr sichern; ~ *une bombe* e-e Bombe entschärfen; **3.** ~ *un navire* ein Schiff abtakeln; **II** *v/i.* ⚔ abrüsten; *fig.* erlöschen (*Haß*).

désarrimer ⚓ [dezari'me] *v/t.* (1a) umstauen.

désarroi [deza'rwa] *m* Ratlosigkeit *f*, Bestürzung *f*; *être en plein* ~ völlig ratlos sein.

désarticuler [dezartiky'le] *v/t.* (1a) *chir.* aus den Gelenken lösen; *désarticulé fig.* gelenkig, geschmeidig; *fig.* ~ *une manœuvre criminelle* ein verbrecherisches Unternehmen vereiteln *od.* unschädlich machen.

désassembler ⊕ [dezasɑ̃'ble] (1a) **I** *v/t.* auseinandernehmen; **II** *v/rfl.* se ~ auseinandergehen.

désassimiler *physiol.* [dezasimi'le] *v/t.* (1a) ausscheiden.

désasso|ciation [dezasɔsjɑ'sjɔ̃] *f* Auflösung *f e-r Vereinigung*; **~cier** [~sɔ'sje] (1a) **I** *v/t. e-e Vereinigung* auflösen; **II** *v/rfl.* se ~ *aus e-r Vereinigung* austreten; sich trennen.

désassortir [dezasɔr'ti:r] *v/t.* (2a) trennen; räumen (*Laden*).

désas|tre [de'zastrə] *m* **1.** Unheil *n*, schweres Unglück *n*, schweres Mißgeschick *n*, schwere Niederlage *f*, Katastrophe *f*; **2.** ✝ völliger Bankrott *m*; **~treux** [~'trø] *adj.* (7d) □ unheilvoll, fatal, un(glück)selig.

désavanta|ge [dezavɑ̃'ta:ʒ] *m* Nachteil *m*, Schaden *m*; *avoir le* ~ den kürzeren ziehen; **~ger** [~ta'ʒe] *v/t.* (1l): ~ *q.* j-n benachteiligen; **~geux** [~'ʒø] *adj.* (7d) □ ungünstig, nachteilig, unvorteilhaft.

désaveu [deza'vø] *m* (5b) Ableugnung *f*; Nichtanerkennung *f*; Widerruf *m*, Gegenerklärung *f*; Rückzieher *m*; Mißbilligung *f*; *bsd. pol.* Desavouierung *f*.

désaveugler [dezavœ'gle] (1a) *v/t. fig.*: ~ *q.* j-m die Augen öffnen.

désavouer [deza'vwe] *v/t.* (1a) **1.** ~ *qch.* etw. in Abrede stellen, leugnen; widerrufen; **2.** nicht anerkennen (*pour* als); *bsd. pol.* desavouieren; **3.** ~ *q.* j-n im Stich lassen, j-s Handlungen mißbilligen, tadeln, verwerfen, verdammen; *fig.* ~ *son propre cœur* gegen s-e bessere Überzeugung handeln.

désaxé [dezak'se] *adj.* ⊕ versetzt; *fig.* haltlos, labil; *peint.* verzerrt.

descel|lement [desɛl'mɑ̃] *m* **1.** ⚖ Abnehmen *n* des Siegels, Entsiegeln *n*; **2.** ⚠ Losreißen *n vom Putz*; **~ler** [desɛ'le] *v/t.* (1a) **1.** das Siegel abnehmen von (*dat.*), entsiegeln; **2.** ⚠ *vom Putz* losreißen.

descen|dance [desɑ̃'dɑ̃:s] *f* Ab-, Her-kunft *f*; Nachkommenschaft *f*; ~ *contaminée* erbkranker Nachwuchs *m*; **~dant** [~'dɑ̃] (7) **I** *adj.* abnehmend, absteigend; 🚂 *train m* ~ zurückfahrender Zug *m*; ⚔ *garde f* ~*e* abziehende Wache *f*; ⚓ *marée f* ~*e* abnehmende Flut *f*; *Auto*: *glaces f/pl.* ~*es* herunterdrehbare Wagenfenster *n/pl.*; **II** *su.* Nachkomme *m*.

descen|dre [de'sɑ̃:drə] (4a) **I** (*mit être*) *v/i.* **1.** herab-steigen *od.* -gehen; aussteigen; herabfliegen; ✈ tiefer gehen, nieder-, herunter-gehen; F ~ *au tombeau* sterben; ~ *de cheval* vom Pferd (ab)steigen; *fig.* vom Sockel heruntersteigen, sich herablassen; ~ *de (sa) voiture* aus dem Wagen steigen; ✈ ~ *précipitamment* abstürzen; ✈ ~ *à plat* durch-, ab-sacken; ✈ ~ *en parachute* abspringen; *Auto*: ~ *à première vitesse* auf den ersten Gang herunterschalten; *faire* ~ *q.* j-n herunterkommen lassen, j-n (herab)stürzen *od.* herunterholen; **2.** ~ (*à terre*) ans Land steigen, *a.* ✈ landen; ~ *en von den Bergen herunter* einfallen in *ein Land*; **3.** ~ *chez q.* bei j-m einkehren *od.* absteigen; **4.** ⚖ ~ *chez q.* bei j-m e-e Haussuchung *od.* Razzia vornehmen; **5.** sich (herab)senken, sich niederlassen; fallen; zu Boden sinken; bergab gehen *od.* fließen; abschüssig sein; *le thermomètre a descendu* das Thermometer ist gefallen; **6.** *fig.* sich herablassen, sich erniedrigen; **7.** ~ *de* abstammen (*od.* herrühren) von (*dat.*); **8.** ~ *jusqu'à od. sur* herunter-gehen (-hängen *od.* -reichen) bis zu (*dat.*); **9.** ♪ ~ *d'un ton* e-n Ton niedriger singen *od.* spielen; **II** (*stets mit avoir*) *v/t.* **10.** herunter-nehmen, -heben, niederlassen; niedriger hängen; F niederknallen, kaltmachen P, zu Boden strecken; ⚔ *Flugzeug* abschießen, herunterholen, zum Absturz bringen; **11.** *e-n Fluß, e-n Berg* hinabfahren, -gehen, -steigen; *j'ai descendu l'escalier* ich bin die Treppe heruntergegangen; *Ski*: *j'avais descendu toutes les pistes du Tyrol* ich bin alle Tiroler Bahnen (he)runtergefahren; *thé.* ~ *la scène* nach vorn gehen; **12.** runtertragen, herunterbringen; **13.** F ~ *des voyageurs* Reisende absetzen *od.* ans Land setzen; **14.** ♪ herunterstimmen, tiefer stimmen; ~ *la gamme* die absteigende Tonleiter singen *od.* spielen; **15.** ⚔ ~ *la garde* von der Wache abziehen; **~seur** [~'sœ:r] *m*: ~ *automatique* Rutschtuch *n* der Feuerwehr; **~te** [~'sɑ̃:t] *f* **1.** Herab-, Hinab-fahren *n*, -gehen *n*, -kommen *n*, -steigen *n*; *Auto*: Talfahrt *f*; ⚓, ✈ Landung *f*; ⚒ Einfahren *n*; ⚒ Schrägstollen *m*; ✈ ~ *en piqué* Sturzflug *m*; ~ *planée* Gleitflug *m*; ~ *en parachute* Fallschirmabsprung *m*; *course f de* ~ Abfahrtslauf *m* (*Schi*); *à la* ~ beim Aussteigen, beim Runtergehen; *Auto*: während der Talfahrt; ~ *du Saint-Esprit* Ausgießung *f* des Heiligen Geistes; ⚔ ~ *de la garde* Abziehen *n* der Wache; **2.** Fallen *n des Wassers, des Thermometers*; **3.** ~ (*maritime, d'armée*) feindliche Landung *f*, Einfall *m* in ein Land; ~ *de troupes de débarquement aériennes* Einsatz *m* von Luftlandetruppen; **4.** ⚖ *faire une* ~ *chez q.* bei j-m Haussuchung machen; ~ *sur les lieux* Ortsbesichtigung *f*; Lokaltermin *m*; **5.** Herunternehmen *n*, Runterschaffen *n*, Tieferhängen *n*; ⚔ ~ *d'un avion* Abschuß *m* e-s Flugzeuges; ✝ *de croix* Kreuzabnahme *f*; **6.** abschüssige Strecke *f*, Abhang *m*; **7.** ⚕ Bruch *m*; Senkung *f*; **8.** ~ *de* *lit* Bettvorleger *m*; **9.** *tuyau m de* ~ Fallrohr *n*; **10.** ⚡, *rad.* ~ *de poste (en fourche* Doppel-)Ableitung *f*.

descrip|teur [deskrip'tœ:r] *su.* (7g) Beschreiber *m*; **~tible** [deskrip'tiblə] *adj.* beschreibbar; **~tif** [~p'tif] *adj.* (7e) deskriptiv, darstellend, beschreibend; **~tion** [~p'sjɔ̃] *f* **1.** Beschreibung *f*; **2.** ☤ kurzgefaßtes Inventar *n*; **3.** ⩓ Zeichnung *f* e-r Linie.

déséchouer ⚓ [deze'ʃwe] *v/t.* (1a) wieder flottmachen.

déségrégation *soc.* [desegrega'sjɔ̃] *f* Beseitigung *f* der Trennung.

désembal|lage [dezɑ̃ba'la:ʒ] *m* Auspacken *n*; **~ler** [~'le] *v/t.* (1a) Waren auspacken.

désembarquer ⚓ [dezɑ̃bar'ke] *v/t.* (1m) (wieder) ausladen.

désembourber [dezɑ̃bur'be] *v/t.* (1a) aus dem Schlamm (*od. fig.* aus dem Elend, aus der Unwissenheit *usw.*) herausziehen.

désembourgeoiser [dezɑ̃burʒwa'ze] *v/t.* (1a) entbürgerlichen, verproletarisieren.

désembouteill|age [dezɑ̃butɛ'ja:ʒ] *m* Verkehrsentlastung *f*; **~er** [~'je] *v/t.* (1a) verkehrsmäßig entlasten.

désembuage [dezɑ̃'bɥa:ʒ] *m* Beseitigung *f* des Beschlagenseins (*Autoscheibe*).

désemmancher [dezamɑ̃'ʃe] *v/t.* (1a) den Stiel abmachen von.

désempar|é [dezɑ̃pa're] *adj.* **1.** ratlos, fassungslos; **2.** ⚓, ✈, *Auto* manövrierunfähig, ramponiert, beschädigt, gebrauchsunfähig; **~er** [~] (1a) **I** *v/i.* **1.** *sans* ~ widerspruchslos, auf der Stelle, ohne Widerrede; ununterbrochen; **II** *v/t.* **2.** ⚓, ✈ ~ *un vaisseau (un avion)* ein Schiff (ein Flugzeug) manövrierunfähig machen; **3.** *fig.* ~ *q.* j-n entwaffnen *fig.*; aus den Fugen bringen; *fig.* ratlos machen.

désemplir [dezɑ̃'pli:r] (2a) **I** *v/i.* leer werden, *mst. nég.*: *la maison ne désemplit pas* das Haus ist immer voll; *il n'a jamais désempli* sein Geschäft ging immer; **II** *v/rfl.* *se* ~ sich leeren (*Saal*).

désempoisonner [dezɑ̃pwazɔ'ne] *v/t.* (1a) entgiften.

désempoissonner [dezɑ̃pwasɔ'ne] *v/t.* (1a) fischleer machen.

désemprisonner [dezɑ̃prizɔ'ne] *v/t.* (1a) aus dem Gefängnis entlassen.

désémulsion ⚗ [dezemyl'sjɔ̃] *f* Entemulsionierung *f*.

désencadrer [dezɑ̃ka'dre] *v/t.* (1a) aus dem Rahmen herausnehmen.

désenchaîner [dezɑ̃ʃɛ'ne] *v/t.* (1b) losketten.

désenchant|ement [dezɑ̃ʃɑ̃t'mɑ̃] *m* Enttäuschung *f*; **~er** [~'te] *v/t.* (1a) enttäuschen.

désenchâsser [dezɑ̃ʃa'se] *v/t.* (1a) aus der Einfassung herausnehmen.

désenclaver [dezɑ̃kla've] *v/t.* (1a) **1.** *pol.* aus e-m fremden Staatsgebiet herausnehmen; **2.** ⚠ *ein Gelände od. Gebiet* erschließen.

désenclencher ⊕ [dezɑ̃klɑ̃'ʃe] *v/t.* (1a) ausrücken, auskuppeln.

désenclouer [dezɑ̃'klwe] *v/t.* (1a) losnageln; *vét.* ~ *un cheval* e-n Nagel aus dem Huf ziehen.

désencom|brement [dezɑ̃kɔ̃brə'mɑ̃] *m* Schuttbeseitigung *f*, Wegräumen *n* von Schutt; Entrümpelung *f*; **~brer** [~'bre] *v/t.* (1a) vom Schutt befreien, freilegen; entrümpeln.

désencroûter [dezɑ̃kru'te] *v/t.* (1a) die Kruste (den Kesselstein) abschaben (*od.* beseitigen); *fig.* *j-n* von alten Vorurteilen befreien; *fig.* *j-n* geistig rege machen.

désendett|ement ☤ [dezɑ̃dɛt'mɑ̃] *m* Entschuldung *f*; **~er** [~'te] *v/t.* (1a) entschulden.

désen|flement *m*, **~flure** *f* ⚕ [dezɑ̃flə'mɑ̃, ~'fly:r] Rückgang *m der Geschwulst*, Abschwellen *n*; **~fler** [~'fle] (1a) *v/t.* **1.** ⚕ die Geschwulst vertreiben; **2.** ~ *un ballon* e-n Ballon entleeren; **3.** *fig.* ~ *q.* j-m den Dünkel austreiben; **4.** *fig.* einfacher gestalten (*Stil*).

désenfourner [dezɑ̃fur'ne] *v/t.* (1a) aus dem Ofen herausnehmen.

désenfumer [dezɑ̃fy'me] *v/t.* (1a) vom Rauch befreien, lüften.

désengagement [dezɑ̃gaʒ'mɑ̃] *m* **1.** *allg.* Befreiung *f* (*bzw.* Abrücken *n*) von Verpflichtungen; **2.** *pol.* Disengagement *n*; ~ *économique* wirtschaftliche Entpflichtung *f*.

désengager [dezɑ̃ga'ʒe] *v/t.* (1l) von e-r Verpflichtung befreien.

désengageur ⊕ [dezɑ̃ga'ʒœ:r] *m* Ausrückhebel *m*.

désengren|age [dezɑ̃grə'na:ʒ] *m* Ausschaltung *f*, Auskupplung *f*; **~é** [~'ne] *adj.* ausgeschaltet, außer Betrieb; **~er** [~] *v/t.* (1a) ausschalten, ausrücken, auskuppeln.

désenivrer [dezɑ̃ni'vre] (1a) **I** *v/t.*: ~ *q.* j-n nüchtern machen; **II** *v/i.* nüchtern werden.

désenlacer [dezɑ̃la'se] (1k) *v/rfl.*: se ~ sich für immer trennen (*Liebende*).

désenlaidir [dezɑ̃lɛ'di:r] *v/t. u. v/i.* (2a) hübscher machen (*od.* werden).

désenneigement [dezɑ̃nɛʒ'mɑ̃] *m* Schneebeseitigung *f*.

désennuyer [dezɑ̃nɥi'je] (1h) **I** *v/t. j-n* unterhalten, zerstreuen; **II** *v/rfl.* se ~ sich die Zeit vertreiben.

désen|rayer [dezɑ̃rɛ'je] *v/t.* (1i) den Hemmschuh wegnehmen; *Gewehr* entsichern; ⊕ wieder in Gang bringen; **~rhumer** [~ry'me] *v/t.* (1a) den Schnupfen *od.* Husten vertreiben; **~rouer** [~'rwe] (1a) **I** *v/t.* die Heiserkeit vertreiben; **II** *v/rfl.* se ~ die Heiserkeit verlieren; **~sabler** [~sa'ble] *v/t.* (1a) **1.** ausbaggern; **2.** ⚓ wieder flottmachen; **~sevelir** [~sə'vli:r] *v/t.* (2a) das Leichentuch *von e-m Toten* abnehmen; **~sibilisateur** *phot.* [~sibiliza'tœ:r] *m* Desensibilisator *m*, Farbstoff *m* gegen Lichtempfindlichkeit; **~sibilisation** [~sibiliza'sjɔ̃] *f* **1.** *phot.* Lichtempfindlichkeitsverminderung *f* (*der photographischen Emulsion*); **2.** ⚕ Desensibilisierung *f*, Abstumpfung *f* der Überempfindlichkeit (*der Allergie*); **~sibiliser** [~sibili'ze] *v/t.* (1a) desensibilisieren, unempfindlich machen; **~sorceler** [~sɔrsə'le] *v/t.* (1c) entzaubern; **~tasser** [~tɑ'se] *v/t.* (1a) ausea.-machen, -stellen; *die Erde* auflockern; **~têter** [~tɛ'te] *v/t.* (1a) j-m etw. aus dem Sinn schlagen; **~tortiller** [~tɔrti'je] *v/t.* (1a) entwirren (*a. fig.*); **~traver** [~tra've] *v/t.* (1a) losmachen (*Pferd*); **~trelacer** [~trəla'se] *v/t.* (1k) entwirren; **~velopper** [~vlɔ'pe] *v/t.* (1a) auswickeln; **~venimer** [~vni'me] *v/t.* (1a) entgiften; **~vironner** *peint.* [~virɔ'ne] *v/t.* (1a) von der bestehenden Umwelt befreien; **~vironneur** *peint.* [~virɔ'nœ:r] *m* Befreier *m* von der Umwelt.

déséquilibr|e [dezeki'librə] *m* Gleichgewichtsstörung *f*; *fig.* Mißverhältnis *n*; **~é** [~'bre] *adj. u. su. fig.* seelisch unausgeglichen; labil; überspannt; Mensch *m* mit gestörtem seelischem Gleichgewicht, Neurotiker *m*; **~er** [~] *v/t.* (1a) aus dem Gleichgewicht bringen.

déséquiper [dezeki'pe] *v/t.* (1a) **1.** ⚓ abrüsten; **2.** *j-m* die Ausrüstung abnehmen.

désert [de'zɛ:r] **I** *adj.* verlassen, einsam, menschenleer, wüst, öde; **II** *m* Wüste *f*, Wildnis *f*, Einöde *f*; *prêcher dans le* ~ in den Wind reden.

déser|ter [dezɛr'te] (1a) **I** *v/t.* **1.** *e-n Ort usw.* verlassen; ~ *l'armée*, ~ *les drapeaux*, ~ *le service* fahnenflüchtig werden; *déserté* verödet, verlassen; **2.** *pol.* ~ *un parti* von e-r Partei abfallen; **II** *v/i.* **3.** ausreißen, durchbrennen F; **4.** ⚔ desertieren; ~ (*à l'ennemi*) zum Feind übergehen; **~teur** [~'tœ:r] *m* Abtrünnige(r) *m*, ⚔ Deserteur *m*; **~tion** [~'sjɔ̃] *f pol.* Abfall *m*, Abtrünnigwerden *n*; ⚔ Fahnenflucht *f*, Desertion *f*; ~ *des campagnes* Landflucht *f*; **~tique** [~'tik] *adj.* öde, verlassen; wüstenartig, Wüsten...

désescalade [dezɛska'lad] *f* ⚔, *pol.* Deseskalation *f*, Entschärfung *f*; *fig.* Mäßigung *f*; *fin.* Sturz *m*.

désespé|rant [dezɛspe'rɑ̃] *adj.* (7) verzweifelnd; trostlos; **c'est** ~ das ist zum Verzweifeln; **~ré** [~'re] *su.* Verzweifelte(r) *m*; *adjt.*: *être dans une situation* ~*e* in e-r verzweifelten Lage sein.

désespérer [~] (1f) **I** *v/i.* **1.** ~ de die Hoffnung aufgeben auf (*acc.*), verzweifeln an (*dat.*); *affaire f désespérée* hoffnungslose Sache *f*; **2.** *être désespéré de qch.* in Verzweiflung (*od.* untröstlich) über etw. (*acc.*) sein, nicht genug bedauern können; **II** *v/t.* ~ *q.* j-n betrüben (*od.* enttäuschen); **III** *v/rfl.* se ~ in Verzweiflung geraten.

désespoir [dezɛs'pwa:r] *m* **1.** Verzweiflung *f*; *mettre q. au* ~, *faire le* ~ *de q.* j-n zur Verzweiflung bringen; *faire qch. en* ~ *de cause* etw. aus reiner Verzweiflung tun; **2.** Ärgernis *n*, Kummer *m*, unerreichbares Vorbild *n*; *c'est là mon* ~, *cela fait mon* ~ daran scheitert meine ganze Kunst; das ist mir ein unerreichbares Vorbild; *c'est là mon* ~ *a. allg.* das ist es ja eben!; **3.** Bedauern *n*: *je suis au* ~ *de* ... es tut mir unendlich leid, daß ...; *être au* ~ *que* (*mit subj.*) es ganz außerordentlich bedauern, daß ...

désessenciement ⊕ [dezesɑ̃si'mɑ̃] *m* Entölen *n*.

désétatis|ation [dezetatizɑ'sjɔ̃] *f* Entstaatlichung *f*, Verprivatisierung *f*; **~er** [~'ze] *v/t.* (1a) verprivatisieren.

déshabil|lé [dezabi'je] *m* Negligé *n*; **~ler** [~] (1a) **I** *v/t.* die Sachen ausziehen (*dat.*), ausziehen, entkleiden; *fig.* ~ *une maison* ein Haus völlig ausplündern; *fig.* ~ *q.* j-s Absichten aufdecken, j-n bloßstellen; **II** *v/rfl.* se ~ sich entkleiden, sich ausziehen; sich umziehen, die Sachen wechseln; *déhabillez-vous un peu* machen Sie die Brust (*od.* den Oberkörper) frei!

déshabituer [dezabi'tɥe] *v/t.* (1a): ~ *q. de qch.* j-m etw. (*acc.*) abgewöhnen; se ~ *de qch.* sich etw. abgewöhnen.

désherb|age , [dezɛr'ba:ʒ] *m* Unkrautvertilgung *f*; **~ant** [~'bɑ̃] *m* Unkrautvertilgungsmittel *n*; **~er** [~'be] *v/t.* (1a) ausjäten, von Unkraut säubern.

déshérence [deze'rɑ̃:s] *f* Erbenlosigkeit *f*; *tomber en* ~ dem Fiskus anheimfallen.

déshéri|té [dezeri'te] **I** *su.* Enterbte(r) *m*; *fig.* völlig Mittellose(r) *m*, Arme(r) *m*; Entrechtete(r) *m*; **II** *adj.* vernachlässigt; **~tement** [~t'mɑ̃] *m* Enterbung *f*; Rechtlosigkeit *f*; **~ter** [~'te] *v/t.* (1a) enterben, verstoßen; *fig.* stark benachteiligen.

déshonnête [dezɔ'nɛt] *adj.* □ unanständig, anstößig, unschicklich.

déshon|neur [dezɔ'nœ:r] *m* Unehre *f*, Ehrlosigkeit *f*, Entehrung *f*, Schande *f*, Schimpf *m*; **~orant** [~nɔ'rɑ̃] *adj.* (7) entehrend, schandhaft, schimpflich; **~orer** [~nɔ're] (1a) **I** *v/t.* **1.** entehren; **2.** *fig.* verunzieren; verunstalten; **II** *v/rfl.* se ~ die Ehre verlieren.

déshuil|age ⊕ [dezɥi'la:ʒ] *m* Entölung *f*; **~er** ⊕ [~'le] *v/t.* (1a) entölen; **~eur** ⊕ [~'lœ:r] *m* Entöler *m*.

déshydrat|ant [dezidra'tɑ̃] **I** *adj.* (7) wasserentziehend; **II** *m* Dehydratierungs-, Wasserabspaltungs-, Wasserentziehungs-mittel *n*; **~er** [~'te] *v/t.* (1a) dehydrieren, das Wasser entziehen.

déshydrogéner [dezidrɔʒe'ne] *v/t.* (1f) dehydrieren, von Wasserstoff befreien.

déshypothéquer *fin.* [dezipɔte'ke] *v/t.* (1f) von e-r Hypothek entlasten.

désidérabilité [deziderabili'te] *f* wirtschaftlicher Nutzen *m*.

desiderata [dezidera'ta] *m/pl.* **1.** Lücken *f/pl.*, noch ungelöste Fragen *f/pl. od.* Probleme *n/pl.*; *a. pol.* Anliegen *n/pl.*, Wünsche *m/pl.*; **2.** Desideratenliste *f/sg.*, Bücherwunschliste *f/sg.*, Bücherwünsche *m/pl.*

desideratum [dezidera'tɔm] *m* Lücke *f*, ungelöstes Problem *n*, Wunschtraum *m*, fernes Ziel *n*; *a. pol.* Anliegen *n*.

design ⊕, † [di'zain, de'ziɲ] **I** *m* Design *n*, Entwurf *m*, Modell *n*; **II** *adjt.* Design...

désign|atif [deziɲa'tif] *adj.* (7e) kennzeichnend, unterscheidend; **~ation** [~ɲɑ'sjɔ̃] *f* **1.** Bezeichnung *f*, Kenntlichmachung *f*; ~ *de la fonction* Amtsbezeichnung *f*; **2.** Ernennung *f*; Bestimmung *f*, Festsetzung *f*; **~er** [~'ɲe] *v/t.* (1a) **1.** bezeichnen, kenntlich machen; ~ *qch. du doigt* auf etw. zeigen; **2.** bestimmen, festsetzen; **3.** ~ *q. pour qch.* j-n zu etw. (*dat.*) ernennen *od.* bestimmen.

designerie [dizain'ri, deziɲə'ri] *f* Boutique *f* für moderne Kunst.

désillusion *f*, **~nement** *m* [dezily'zjɔ̃, ~zjɔn'mɑ̃] Enttäuschung *f*; **~ner** [~zjɔ'ne] *v/t.* (1a) enttäuschen.

désincarné *a. iron.* [dezɛ̃kar'ne] *adj.* vergeistigt.

désincorporer [dezɛ̃kɔrpɔ're] *v/t.* (1a) aus e-m (Truppen-)Verband aussondern.

désincruster ⊕ [dezɛ̃krys'te] *v/t.* (1a) den Kesselstein entfernen von.

désinence *gr.* [dezi'nɑ̃:s] *f* Wortendung *f*, Endung *f*.

désinfec|tant [dezɛ̃fɛk'tɑ̃] **I** *adj.* desinfizierend; **II** *m* Desinfektionsmittel *n*; **~ter** [~'te] *v/t.* (1a) ausräuchern; desinfizieren; entseuchen, entkeimen; ⚔ entgiften (*vom Giftgas*); **~teur** [~'tœ:r] *adj. u. m* (7g) luftreinigend, desinfizierend; (*appareil m*) ~ *m* Luftreiniger *m*, Luftverbesserer *m*; **~tion** [~k'sjɔ̃] *f* Desinfizierung *f*, Reinigung *f* von Ansteckungsstoffen, Ent-keimung *f*, -seuchung *f*; ⚔ ~ *du terrain* Geländeentgiftung *f*.

désinsectisation [dezɛ̃sɛktiza'sjɔ̃] *f* Insektenvertilgung *f*.

désinséré *psych.* [dezɛ̃se're] *adj.* kontaktarm, abseitsstehend.

désintégr|ation [dezɛ̃tegra'sjɔ̃] *f* Zersetzung *f*, Ausscheidung *f*, Auflösung *f*; Zerfall *m*; *phys.* Kernspaltung *f*, Atomzertrümmerung *f*; *at.* ~ *en chaîne* Kettenreaktion *f*; **~er** [~'gre] *v/t.* (1g) zersetzen (*a. fig.*), desintegrieren; *at.* spalten.

désintéres|sé [dezɛ̃terɛ'se] **I** *adj.* **1.** uneigennützig, selbstlos; **2.** unparteiisch, unbefangen; **II** *su.* Unbeteiligte(r) *m*, unbeteiligte Person *f*; **~sement** [~s'mɑ̃] *m* **1.** Uneigennützigkeit *f*; **2.** † Abfindung *f*; **~ser** [~'se] (1a) **I** *v/t.* ~ *q.* j-n abfinden, entschädigen; **II** *v/rfl.* se ~ *de* *qch.* sich für etw. (*acc.*) nicht mehr interessieren, sich um etw. (*acc.*) nicht mehr kümmern, gegen etw. (*acc.*) gleichgültig werden.

désintoxiquer [dezɛ̃tɔksi'ke] *v/t.* (1a) entgiften.

désinvestissement [dezɛ̃vɛstis'mɑ̃] *m* **1.** ⚔ Aufhebung *f* der Belagerung; **2.** *écol.* Begabungsrückgang *m*, Anlagenschwund *m*; **3.** *psych.* gestörte Verhaltensweise *f Jugendlicher* durch fehlende Nestwärme.

désinviter [dezɛ̃vi'te] *v/t.* (1a) ausladen (*Gäste*), die Einladung *j-m gegenüber* zurücknehmen.

désinvolt|e [dezɛ̃'vɔlt] *adj.* ungezwungen, unbefangen, ungeniert; *péj.* achtlos; keß; lässig, gleichgültig, nonchalant; **~ure** [~'ty:r] *f* Ungezwungenheit *f*; Unbefangenheit *f*, ungezwungene (*od.* zwanglose) Haltung *f*; Natürlichkeit *f*, Selbstverständlichkeit *f*; *péj.* Achtlosigkeit *f*; Ungeniertheit *f*; Dreistigkeit *f*, Keßheit *f*; *traiter q. avec ~* j-n ohne besondere Aufmerksamkeiten (achtlos, von oben herab) behandeln, j-m völlig ungeniert gegenübertreten; *traiter qch. avec ~* etw. auf die leichte Schulter nehmen.

désir [de'zi:r] *m* Wunsch *m*, Verlangen *n*; Begierde *f*, Sehnsucht *f*; Drang *m*, Trieb *m*; *~s pl.* Wünsche *m/pl.*, Gelüste *n/pl.*; *au gré de ses ~s, selon ses ~s* nach s-m Wunsch; *~ de la gloire* Ruhmsucht *f*; *~ de s'instruire* Wissens-durst *m*, -drang *m*; **~able** [dezi'rablə] *adj.* wünschens-, begehrens-wert; willkommen (*Zu- od. Um-stand, Sache*); **~é** [~'re] *su.* Ersehnte(r) *m*.

désir|er [~'re] **1.** *v/t.* (1a) *~ qch.* etw. *für sich* (sehnlichst) wünschen, gern haben wollen, ersehnen, trachten nach etw. (*dat.*), etw. begehren; *cela laisse beaucoup à ~* das läßt viel zu wünschen übrig; *je désire le voir* ich möchte ihn gern sehen; *je désire qu'il vienne* ich wünsche, daß er kommt; *le malade désire la guérison* der Kranke ersehnt die Heilung; **2.** *se faire ~* sich selten sehen lassen; **~eux** [~'rø] *adj.* (7d): *~ de* erpicht auf (*acc.*).

désis|tement [dezistə'mɑ̃] *m* Verzicht *m*; **~ter** [~'te] *v/rfl.* (1a): *se ~ de* Abstand nehmen von (*dat.*), verzichten auf (*acc.*).

désobé|ir [dezɔbe'i:r] *v/i.* (2a) **1.** *~ à q.* j-m nicht gehorchen; *je ne veux point être désobéi* ich dulde keinen Ungehorsam; **2.** *fig.* *~ à qch.* auf etw. (*acc.*) nicht hören; *~ à la loi* das Gesetz übertreten; **~issance** [~i'sɑ̃:s] *f* Ungehorsam *m*; **~issant** [~i'sɑ̃] *adj. u. su.* (7) ungehorsam, unfolgsam; Ungehorsame(r) *m*.

désobli|geamment [dezɔbliʒa'mɑ̃] *adv.* ungefällig, unfreundlich, abfällig; **~geance** [~'ʒɑ̃:s] *f* Ungefälligkeit *f*, Unfreundlichkeit *f*; **~geant** [~'ʒɑ̃] *adj.* (7) ungefällig, unfreundlich, abfällig; **~ger** [~'ʒe] *v/t.* (1l): *~ q.* j-m e-n schlechten Dienst erweisen; j-m unfreundlich begegnen, j-n vor den Kopf stoßen, kränken, beleidigen, j-m mißfallen, j-m gegenüber unfreundlich sein.

désob|struant ⚕ (7), **~structif** ⚕ (7e) [dezɔpstry'ɑ̃, ~stryk'tif] **I** *adj.* die Verstopfung beseitigend; **II** *m* Mittel *n* gegen Verstopfung; **~struction** [~stryk'sjɔ̃] *f* **1.** *chir.* Eingriff *m* zur Beseitigung von Blutgerinnseln; **2.** *a.* ⚓ Freimachung *f* (*e-s Fahrwassers*); **3.** Aufräumungsarbeiten *f/pl.*

désobstruer [~stry'e] (1a) **I** *v/t.* *Straße* frei machen, räumen, von Hindernissen frei machen; *Kanal* aufräumen; ⚕ von Verstopfung befreien; **II** *v/rfl.* *se ~* sich Luft machen; frei werden.

désodoris|ant [dezɔdɔri'zɑ̃] *m* Geruchbeseitigungsmittel *n*; **~er** [~'ze] *v/t.* (1a) geruchlos machen.

désœu|vré [dezœ'vre] **I** *adj.* untätig, beschäftigungslos; faul, verbummelt; *jeunesse f ~e* Halbstarke *m/pl.*; **II** *su.* Müßiggänger *m*, Beschäftigungslose(r) *m*; **~vrement** [~vrə'mɑ̃] *m* Müßiggang *m*, Untätigkeit *f*, Herumlungern *n*.

désolant [dezɔ'lɑ̃] *adj.* (7) betrüblich, trostlos, traurig; F fürchterlich, entsetzlich.

déso|lation [~zɔla'sjɔ̃] *f* **1.** *litt.* Verwüstung *f*, Verheerung *f*; **2.** Trostlosigkeit *f*, tiefe Betrübnis *f*; **~ler** [~'le] (1a) **I** *v/t.* **1.** *litt.* verwüsten, verheeren; **2.** aufs tiefste betrüben; *allg.* ärgern; *je suis désolé de ...* ich bin untröstlich (*od.* tief betrübt, ganz niedergeschlagen), es tut mir (unendlich) leid, daß ...; **II** *v/rfl.* *se ~* sich (ab)grämen, vergrämt (bedrückt, betrübt, beschwert) sein, Kummer haben, bekümmert sein, bangen, seelischen Schmerz empfinden, sich abhärmen.

désolidariser [desɔlidari'ze] (1a) **I** *v/t.* die Solidarität ... (*gén.*) vernichten; **II** *v/rfl.* *se ~ de* (*od.*

d'avec) q. sich von j-m lossagen (*od.* distanzieren).

désoperculer [dezɔpɛrky'le] *v/t.* (1a) den Deckel *der Honigwabenzellen* abnehmen.

désopi|lant [dezɔpi'lɑ̃] *adj.* (7) spaßig, ulkig, zum Lachen; **~ler** [~'le] (1a) **I** *v/t. fig.* ~ *q.* (*od.* ~ *la rate à q.*) j-n zum Lachen bringen; **II** *v/rfl. se* ~ herzlich lachen.

désor|donné [dezɔrdɔ'ne] *adj.* (*adv.* *~ment*) unordentlich; zügellos, liederlich; unmäßig; unbeherrscht, fahrig; **~donner** [~] (1a) *v/t.* (*u. se* ~) in Unordnung bringen (geraten); (sich) verwirren; **~dre** [de'zɔrdrə] *m* **1.** Unordnung *f*; Verwirrung *f*; *advt. en* ~ in Unordnung, unordentlich; **2.** *litt.* Liederlichkeit *f*, Ausschweifung *f*; **3.** *~s pl.* öffentliche Unruhe *f*, Aufruhr *m*; **4.** ⚕ Störung *f*.

désorgani|sateur [dezɔrganiza'tœ:r] *adj. u. su.* (7f) auflösend, zerrüttend, zersetzend, desorganisierend; Zersetzer *m*, Zerstörer *m*; **~sation** [~za'sjɔ̃] *f* Störung *f* der Ordnung, Desorganisation *f*, Zersetzung *f*, Auflösung *f*, Zerrüttung *f*; **~ser** [~'ze] *v/t.* (1a) in Unordnung bringen, zersetzen, desorganisieren, zerstören, auflösen, zerrütten.

désorien|tation [dezɔrjɑ̃ta'sjɔ̃] *f* Irreführung *f*, Verwirrung *f*; ~ *des esprits* Fehlen *n* e-r geistigen Ausrichtung; **~ter** [~'te] (1a) **I** *v/t.* irreführen, ganz durchea.-bringen, desorientieren, irremachen, verwirren; *être tout désorienté* sich nicht mehr zurechtfinden können, ganz durcheinander sein; **II** *v/rfl. se* ~ die Richtung verlieren, sich verirren; *fig.* verwirrt werden.

désormais [dezɔr'mɛ] *adv.* von jetzt ab, in Zukunft, künftig.

désos|sé [dezɔ'se] **I** *adj. cuis.* ohne Knochen; *fig.* sehr gelenkig, akrobatisch; **II** *m* Schlangenmensch *m*, Akrobat *m*; **~sement** *cuis.* [~zɔs'mɑ̃] *m* Entfernung *f* der Knochen; Entgrätung *f*; **~ser** [~zo'se] (1a) **I** *v/t. cuis.* die Knochen entfernen; entgräten; *fig.* zerlegen; **II** *v/rfl. se* ~ gelenkig werden; Gelenkigkeitsübungen machen.

désoxyder [dezɔksi'de] *v/t.* (1a) desoxydieren, Sauerstoff entziehen.

des plus [de'ply] *advt.* (*vor unverändertem Adjektiv, Partizip od. vor e-m Adverb*) äußerst, überaus (*vgl. plus* III).

despot|e [dɛs'pɔt] **I** *m* Despot *m*; **II** *adjt. un mari* ~ ein despotischer Ehemann *m*; **~ique** [~'tik] *adj.* despotisch; herrisch; **~isme** [~'tism] *m* Despotismus *m*, Gewaltherrschaft *f*.

despumer *phm.* [dɛspy'me] *v/t.* (1a) abschäumen.

desqua|mation ⚕ [dɛskwama'sjɔ̃] *f* Abschuppung *f* (*nach e-r Krankheit*); **~mer** [~'me] (1a) **I** *v/t.* abschuppen, abschürfen; **II** *v/rfl. se* ~ sich abschälen (*Haut*).

dessabl|age [desa'bla:ʒ] *m* Entsanden *n*; ⊕ Sandstrahlen *n*; **~er** [~'ble] *v/t.* (1a) entsanden.

dessai|sir ⚖ [desɛ'zi:r] (2a) **I** *v/t.* ~ *q. de qch.* etw. dem Besitz j-s entziehen; **II** *v/rfl. se* ~ *de qch.* etw. abtreten, auf etw. verzichten; **~ssement** [~zis'mɑ̃] *m* Herausgabe *f*, Abtretung *f*, Aushändigung *f*.

dessal|é [desa'le] *adj.* **1.** entsalzt; **2.** *fig.* F gewitzt, helle, aufgeweckt; *bien* ~ mit allen Wassern gewaschen, mit allen Hunden gehetzt, durchtrieben, ausgekocht, ganz gerissen; **~ement** [~sal'mɑ̃] *m* Entsalzung *f*; **~er** [~'le] (1a) **I** *v/t.* entsalzen; wässern; F *fig.* gewitzt machen; **II** *v/rfl. se* ~ den Salzgehalt verlieren; F *fig.* gewitzt werden.

dessangler [desɑ̃'gle] *v/t.* (1a) losgürten.

dessaouler [desu'le] (1a) **I** F *v/t.* nüchtern machen; **II** *v/i.* nüchtern werden; *mst. dessoûler.*

des|sèchement [desɛʃ'mɑ̃] *m* Austrocknung *f*, Entwässerung *f*, Trokkenlegung *f*; Dörren *n*; ⚕ Einschrumpfen *n*; *fig.* Abstumpfung *f*; **~sécher** [~se'ʃe] (1f) **I** *v/t.* **1.** (aus-)trocknen, entwässern, trockenlegen; **2.** *Obst* dörren; **3.** abzehren; **4.** *fig.* abstumpfen; ~ *le cœur* das Gefühl abtöten; **II** *v/rfl. se* ~ trocken werden; ver-, aus-trocknen; abmagern; *fig.* abstumpfen, gefühllos werden.

dessein [de'sɛ̃] *m* Absicht *f*; *avoir le* ~ *de* ... die Absicht haben zu ...; *avoir des ~s sur une jeune fille* es auf ein Mädchen abgesehen haben; *advt. à* ~ absichtlich.

desseller [desɛ'le] *v/t.* (1a) absatteln.

desserr|age [desɛ'ra:ʒ] *m* Losmachen *n*; **~e** F [de'sɛ:r] *f*: *être dur à la* ~ sich schwer vom Geld trennen, sehr ungern mit dem Geld herausrücken; **~er** [~sɛ're] (1b) **I** *v/t.* aufschnüren, lockern, locker-, los-machen, *Knoten* aufmachen; *etw.* loser schnallen; entspannen;

sans ~ *les dents* ohne e-n Ton zu sagen, ohne den Mund aufzumachen; **II** *v/rfl.* se ~ nachlassen; locker werden, sich lösen.

dessert [de'sɛ:r] *m* Nachtisch *m*, Dessert *n*.

desserte [de'sɛrt] *f* **1.** Anrichte *f*, Anrichtetisch *m*; ~ *mobile* fahrbarer Serviertisch *m*; **2.** *rl.* Seelsorge *f*; **3.** regelmäßige Verbindung *f*, Verkehr *m*; *chemin m de* ~ Verbindungsweg *m*, Zufahrtstraße *f*.

dessertir [desɛr'ti:r] *v/t.* (2a) *e-n Edelstein* aus der Fassung nehmen.

desser|vant *cath.* [desɛr'vã] *m* Pfarr-verweser *m*, -herr *m*; **~vir** [~'vi:r] *v/t.* (2b) **1.** ~ *les plats* die Speisen abtragen; ~ *la table* den Tisch abdecken; **2.** ~ *q.* j-m e-n schlechten Dienst erweisen; j-m schaden; **3.** ~ *une cure* e-e Pfarre betreuen; **4.** 🚂 *usw.* die Verkehrsverbindung herstellen mit (*dat.*); (regelmäßig) fahren über *od.* durch (*acc.*); ⚓ (regelmäßig) anlaufen; ✈ (regelmäßig) anfliegen; ⚡ versorgen; **5.** *Treppe, Korridor*: in Verbindung stehen mit (*dat.*).

dessicca|teur [desika'tœ:r] *m* Trockenhaus *n*, Darre *f*; Trockenapparat *m*; **~tif** [~'tif] (7e) *adj. u. m* (aus-) trocknend(es Mittel *n*); **~tion** [~ka-'sjɔ̃] *f* Austrocknung *f*; Darren *n*.

dessiller [desi'je] (1a) **I** *v/t. fig.* ~ *les yeux à q.* j-m die Augen öffnen; **II** *v/rfl.* se ~: *ses yeux se dessillent fig.* die Augen gehen ihm (ihr) auf, er (sie) sieht klar.

dessin [de'sɛ̃] *m* **1.** Zeichenkunst *f*; Zeichnen *n*; *maître m de* ~ Zeichenlehrer *m*; *arts m/pl. du* ~ Malerei *f*; ~ *industriel* technisches Zeichnen *n*; **2.** Zeichnung *f*, Skizze *f*; *cin.* ~ *animé* Trickfilm *m*; ~ *au crayon*, ~ *à la plume* Bleistift-, Feder-zeichnung *f*; ~ *au lavis* Tuschzeichnung *f*; ~ *à main levée* Freihandzeichnen *n*; ~ *linéaire* Linearzeichnen *n*; ~ *en coupe* Schnittzeichnung *f*; ~ *au trait* Kontur *f*, Umrißzeichnung *f*; **3.** △ Riß *m*, Plan *m*; *fig.* Entwurf *m e-s literarischen Werkes usw.*; ~ *d'un bâtiment* Bauplan *m*; **4.** *tiss.* Muster *n*, Dessin *n*; **~ateur** [~sina'tœ:r] *su.* (7f) Zeichner *m*; ~ *industriel* technischer Zeichner *m*; ~ *publicitaire* Reklamezeichner *m*; *dessinatrice f de modes* Modezeichnerin *f*; ~ *de meubles* Möbelgestalter *m*; **~-charge** [de'sɛ̃'ʃarʒ] *m* (6a) Karikaturzeichnung *f*; **~er** [~si'ne] (1a) **I** *v/t.* **1.** (ab)zeichnen; ~ *d'après nature* nach der Natur zeichnen; ~ *de fantaisie* aus dem Kopf zeichnen; **2.** *fig.* hervortreten lassen; andeuten; **II** *v/rfl.* se ~ sich abzeichnen, sichtbar werden, hervortreten, sich hervorheben; *fig. e-e bestimmte Gestalt* annehmen.

dessoler ✓ [desɔ'le] *v/t.* (1a) die Fruchtfolge ändern.

dessoucher ✓ [desu'ʃe] *v/t.* (1a) ausroden.

dessouder ⊕ [desu'de] (1a) **I** *v/t.* loslöten; **II** *v/rfl.* se ~ abgehen.

dessoûler [desu'le] (1a) *v/t.* (*u. v/i.*) nüchtern machen (werden).

dessous [də'su] **I** *adv.* **1.** unten, d(a)runter; *vêtements m/pl. de* ~ Unterkleidung *f*; **2.** *en* ~ (nach) unten; *fig.* versteckt; *manœuvrer* (*od. agir*) *en* ~ nicht mit offenen Karten spielen; *attaques f/pl. en* ~ versteckte Angriffe *m/pl.*; *par-*~, *en* ~ unten durch; *fig.* heimlich, hintenherum F; *regarder en* ~ nicht offen ins Gesicht schauen (*od.* blicken); **3.** *de* ~ von unten her; unter ... hervor; **II** *prp.* **4.** *de* ~, *par-*~ *z.B. in*: *arracher un voleur de* ~ *le lit* e-n Dieb unter dem Bett hervorziehen; *dégager q. de* ~ *sa voiture* j-n unter s-m Wagen hervorziehen; *passer par-*~ *la table* unter dem Tisch durchgehen; **III** *m* **5.** Unterseite *f*, -teil *m u. n*; Unterlage *f*; Grundlage *f*; ~ *du pied* Fußsohle *f*; **6.** *fig.* Kehrseite *f*; *connaître les* ~ die Hintergründe kennen; **7.** ~*-de-*-*bras* Armblatt *n* (*Kleid*); *les* ~ *pl.* die Unterwäsche *f* (*der Frauen*); **8.** ~ (*d'un théâtre*) Versenkung *f*; *fig. être dans le trente-sixième* ~ in e-r äußerst üblen Lage sein; **9.** ~ *de bouteille* Flaschenuntersatz *m*; **10.** *avoir le* ~ den kürzeren ziehen; unterliegen; **11.** ⚓ ~ *du vent* Lee(seite *f*) *f*.

dessous|-de-plat [~də'pla] *m/inv.* Schüsseluntersatz *m*; **~-de-table** ✝ [~də'tablə] *m/inv.* Draufgeld *n*.

dessuinter [desɥɛ̃'te] *v/t.* (1a) (*Wolle*) entfetten, auswaschen.

dessus [də'sy] **I** *adv.* **1.** oben, obendrauf; *vêtements m/pl. de* ~ Oberkleidung *f*; *fig. vous avez mis le doigt* ~ Sie haben den Nagel auf den Kopf getroffen; *bras* ~, *bras dessous* Arm in Arm; *sens* ~ *dessous* das Unterste zuoberst, drunter und drüber; F *marcher* ~ *à q.* j-m auf die Füße treten; **2.** ⚓ *avoir le* (*vent*) ~ backliegen; **3.** *en* ~ (nach) oben; **II** *prp.* **4.** *chercher* ~ *et dessous la table* auf und unter dem Tisch suchen; *de ~ z.B.*: *ôtez cela de ~ la table!* nehmen Sie dies vom Tisch weg!; *par-~ le marché* obendrein, außerdem, noch dazu; **III** *m* **5.** Oberteil *m u. n*, die obere Seite; ⚓ Verdeck *n*; *~ de boîte* Schachteldeckel *m*; *~ de lit* Überbett *n*; *le ~ du panier* das Beste; *~ de table* Tischplatte *f*; *les ~ de théâtre* der Schnürboden; *fig. avoir le ~* die Oberhand behalten (*od.* haben); überlegen sein; *prendre le ~ sur q.* die Oberhand über j-n (*acc.*) gewinnen; *prendre le ~* überhandnehmen; das Wichtigste sein; s-n Schmerz überwinden; *reprendre le ~* allmählich wieder gesund werden, sich erholen; **6.** ♪ Diskant *m*; **7.** △ *~ de porte* Gesims *n* über der Tür; **8.** ⚓ *~ du vent* Luv(seite *f*) *f*; *fig. prendre le ~ du vent* den Wind abfangen.

déstalinis|ation *pol.* [destaliniza'sjɔ̃] *f* Entstalinisierung *f*; **~er** *pol.* [~'ze] *v/t.* (1a) entstalinisieren.

destin [dɛs'tɛ̃] *m* Schicksal *n*, Los *n*, Verhängnis *n*.

destina|taire [dɛstina'tɛ:r] *su.* Empfänger(in *f*) *m*, Adressat(in *f*) *m*; **~teur** [~'tœ:r] *su.* (7f) Absender (-in *f*) *m*; **~tion** [~na'sjɔ̃] *f* Zweck *m*, Sinn *m*; Reiseziel *n*; Bestimmungsort *m*, -hafen *m*; Ziel *n*; ⚖ Verfügung *f*; 🚂 *à ~ de Dijon* nach Dijon.

desti|née [dɛsti'ne] *f* (*häufiger wird destin gebraucht*) Schicksal *n*; **~ner** [~'ne] (1a) **I** *v/t.* bestimmen, ausersehen (*à* für *acc.*); *~ q. à qch.* j-n zu etw. berufen, für etw. auserwählen; *cet argent est destiné aux pauvres* dieses Geld ist für die Armen bestimmt; *le prix qui vous est destiné* der Ihnen zugedachte Preis; **II** *v/rfl. se ~ à qch.* sich e-r Sache (*dat.*) widmen.

destitu|able [dɛsti'tɥablə] *adj.* absetzbar; **~er** [~'tɥe] *v/t.* (1a) **1.** absetzen; *~ d'une fonction* e-s Amtes entheben; **2.** † berauben; *nur noch im p/p.*: *destitué de toute vraisemblance* völlig unwahrscheinlich; *destitué de fondement* grundlos; **~tion** [~ty'sjɔ̃] *f* Absetzung *f*.

déstockage [destɔ'ka:ʒ] *m* Auflösung *f* von Lagerbeständen.

destrier *poét.* [dɛstri'e] *m* Schlachtroß *n*.

destroyer ⚓, ✈ [dɛstrɔ'jœ:r] *m* Zerstörer *m*.

destruc|teur [dɛstryk'tœ:r] *adj. u. su.* (7f) zerstörend, verheerend; Zerstörer *m*; Beseitiger *m* (*von Mißbräuchen*); ✈ *~ d'avion* Flugzeugzerstörer *m*; **~tible** [~'tiblə] *adj.* zerstörbar; **~tif** [~'tif] *adj.* (7e) zerstörend, vernichtend; **~tion** [~k'sjɔ̃] *f* Zerstörung *f*, Vernichtung *f*; *fig.* Untergang *m*; Beseitigung *f von Mißbräuchen*; *~ des parasites* Schädlingsbekämpfung *f*; *~ massive* Massenvernichtung *f*.

désuet [de'sɥɛ] *adj.*, *f*: **désuète** [de'sɥɛt] ungebräuchlich, veraltet, altmodisch.

désuétude [desɥe'tyd] *f* Ungebräuchlichkeit *f*; *tomber en ~* ungebräuchlich werden, außer Gebrauch kommen, veralten.

désulfurer [desylfy're] *v/t.* (1a) entschwefeln.

désu|ni [dezy'ni] *adj.* getrennt; *fig.* uneinig; zerrüttet (*Ehe usw.*); **~nion** [dezy'njɔ̃] *f* Trennung *f*; *fig.* Uneinigkeit *f*, Entzweiung *f*, Zwietracht *f*; **~nir** [~'ni:r] *v/t.* (2a) trennen; *fig.* entzweien, veruneinigen.

désurbanisation ⚔ [dezyrbaniza'sjɔ̃] *f* Ausrottung *f* von Städten.

détach|able [deta'ʃablə] *adj.* lösbar, abnehmbar, (ab)trennbar; *non ~* unablöslich; **~age** [~'ʃa:ʒ] *m* Reinigung *f* (*v. Kleidern*), Fleckenbeseitigung *f*; **~ant** [~'ʃɑ̃] *m* Fleckenwasser *n*; **~é** [~'ʃe] *adj.* lose, locker; abgesondert, isoliert; nicht gebunden; *air m ~* gleichgültige Miene *f*; ⚔ *forts m/pl. ~s* Außenwerke *n/pl.*; **~ement** [~ʃ'mɑ̃] *m* **1.** Entsagung *f*, Lossagung *f*, Abwendung *f*; Gleichgültigkeit *f*, Uninteressiertheit *f*; **2.** ⚔ Abteilung *f*, Trupp *m*, Kommando *n*; ✈ *~ d'atterrissage* Landeabteilung *f*; ⚓ *~ de débarquement* Landeabteilung *f*; *~ de découverte* Aufklärungsabteilung *f*; *~ de radiotélégraphistes* Funkkommando *n*; *~ d'assaut* Sturmabteilung *f*, Sturmtrupp *m*; *~ de lance-flammes* Flammenwerfertrupp *m*; *~ d'éclaireurs* Spähtrupp *m*; *en ~* abkommandiert; **3.** ⚔ *u. allg.* Entsendung *f* (*als Handlung*); **~er** [~'ʃe] (1a) **I** *v/t.* **1.** abmachen, -brechen, -reißen, trennen, absondern, zerlegen; losbinden; abtrennen; *Obst* abnehmen; ⚡ abschalten; *~ un pays d'une emprise politique* ein Land aus e-m politischen Einfluß heraushalten; **2.** *peint. e-e Figur* hervorheben; **3.** ♪ *die Töne* kurz abstoßen (*staccato*); **4.** ⚔, ⚓ abkommandieren, auf Kommando ab- *od.* aus-schicken;

allg. entsenden, delegieren; **5.** von Flecken reinigen; *savon m à* ~ Fleckenseife *f*; **II** *v/rfl.* se ~ **6.** sich losmachen *od.* -reißen; abfallen (*Obst*); **7.** *fig.* sich trennen (de von *dat.*); *se* ~ *du monde* der Welt entsagen; **8.** *peint. les figures ne se détachent pas assez* die Figuren heben sich nicht genug ab.

détail [de'taj] *m* **1.** Einzelheit *f*, Nebenumstand *m*, einzelner Umstand *m*, Kleinigkeit *f*; *coll.* das Einzelne; *faire le* ~ *d'un compte* die einzelnen Posten e-r Rechnung angeben; *entrer dans le(s)* ~(s) aufs einzelne zu sprechen kommen; *sans descendre* (*od. entrer*) *dans le(s)* ~(s) ohne auf die näheren Umstände einzugehen; *c'est un* ~ das ist Nebensache, das ist unwichtig; *en* ~ im einzelnen, ausführlich, umständlich; **2.** Einzel-, Klein-, Detailhandel *m*.

détail|lant [deta'jɑ̃] *su.* (7) Einzel-, Klein-händler *m*, Detaillist *m*; **~lé** [~'je] *adj.* ausführlich, erschöpfend, genau, detailliert, eingehend; umständlich, weitläufig; **~ler** [~] *v/t.* (1a) **1.** in Stücke zerlegen *od.* zerschneiden; **2.** im kleinen verkaufen; **3.** *fig.* ausführlich darlegen, umständlich erzählen, genau beschreiben; von oben bis unten mustern *od.* betrachten; **~liste** [~'jist] *su.* **1.** Detailmaler *m*; **2.** Schilderer *m* von Einzelheiten.

détaler F [deta'le] *v/i.* (1a) *fig.* ausreißen, türmen, abhauen, sich packen, davonlaufen; *Auto*: losbrausen.

détartrer ⊕, ⚕ [detar'tre] *v/t.* (1a) den Kessel- *bzw.* Zahn-stein entfernen.

détax|e [de'taks] *f* Steuer- (*od.* Gebühren-)senkung *f*, -erlaß *m*; ✝ Rabatt *m*; **~er** [~k'se] *v/t.* (1a) Steuern (*od.* Gebühren) ... (*gén.*) senken.

détect|er [detɛk'te] *v/t.* (1a) nachweisen, feststellen, auf-, entdecken; **~eur** *rad.*, ⊕ [~'tœːr] *m* Detektor *m*; ⚠ ~ *de température* Temperaturanzeiger *m*; **~ion** [~tɛk'sjɔ̃] *f* Auffindung *f*, Entdeckung *f*; *rad.* (*circuit m de*) ~ Audionstufe *f*; **~ive** [~'tiːv] *m* Detektiv *m*.

déteindre [de'tɛ̃ːdrə] (4b) **I** *v/t.* entfärben; **II** *v/i.* sich verfärben; *fig.* ~ *sur q.* auf j-n abfärben, j-n beeinflussen.

dételer [de'tle] *v/t.* (1c) (*a. abs.*) ab-, aus-spannen; ⊕ ab-, los-kuppeln.

détend|eur ⊕ [detɑ̃'dœːr] *m* Niederdruckzylinder *m*, Druckregler *m*, Reduzierventil *n*; **~re** [~'tɑ̃ːdrə] (4a) **I** *v/t.* **1.** ab-, los-, ent-spannen; ausstrecken (*Bein*); *fig. la lecture détend l'esprit* die Lektüre lenkt ab (*od.* entspannt); **II** *v/rfl.* se ~ **2.** schlaff werden, nachgeben (*a. fin.* *von Kursen*), nachlassen; *fig. les rapports se sont détendus* die Beziehungen haben sich entspannt; **3.** *fig.* sich erholen, ausspannen, sich entspannen; *se* ~ *l'esprit od.* ~ *son esprit* geistig ausspannen; **4.** *Wetter*: besser (*od.* milder) werden.

détenir [det'niːr] *v/t.* (2h) **1.** zurück-, fest-halten, besitzen, im Besitz haben; *Sport*: ~ *le championnat* die Meisterschaft errungen haben (*od.* innehaben); **2.** ⚖ vorenthalten; **3.** ~ (*en prison*) gefangenhalten.

déten|te [de'tɑ̃ːt] *f* **1.** Abzug *m*, Drücker *m am Gewehr*; **2.** Losdrücken *n*; **3.** *fig. a. pol.* Entspannung *f*; *exercice m de* ~ Entspannungsübung *f*; **4.** F *être dur à la* ~ nur ungern mit s-m Geld herausrücken; nicht leicht nachgeben; **~teur** [~tɑ̃'tœːr] *su.* (7f) Besitzer *m*, Inhaber *m*; ~ *d'un animal* Tierhalter *m*; *Sport*: ~ *titulaire*, ~ *de titre* Titelhalter *m*, -verteidiger *m*; **~tion** [~tɑ̃'sjɔ̃] *f* **1.** Gefangenhaltung *f*; Haft *f*; ~ *préventive* Untersuchungs-, Schutz-haft *f*; **2.** Besitz *m*; Vorenthaltung *f*; ~ *d'armes* Waffenbesitz *m*; ~ *de matériel de guerre* Lagerung *f* von Kriegsmaterial; **~trice** [~'tris] *adj./f*: *puissance f* ~ Gewahrsamsmacht *f*.

détenu [det'ny] *su.* Häftling *m*, Inhaftierte(r) *m*, Sträfling *m*.

détergent *phm.*, ⚗ [detɛr'ʒɑ̃] *adj.* (7) *u. m* Reinigungsmittel *n* (*dafür häufiger*: *détersif*); *pouvoir m* ~ Reinigungskraft *f*.

déterger ⚕ [detɛr'ʒe] *v/t.* (1l) reinigen.

détériorer [deterjɔ're] *v/t.* (1a) verderben, verschlechtern, beschädigen.

détermi|nant [detɛrmi'nɑ̃] *adj.* (7) bestimmend, ausschlaggebend, maßgebend, entscheidend; **~natif** [~na'tif] **I** *adj.* (7e) *gr.* näher bestimmend, attributivisch; **II** *m gr.* Attribut *n*, Bestimmungswort *n*; **~nation** [~nɑ'sjɔ̃] *f* **1.** Bestimmung *f*, Feststellung *f*, Ermittlung *f*; ~ *des hauteurs* Höhenmessung *f*; **2.** Entschluß *m*; Entschlossenheit *f*; *prendre une* ~ e-n Entschluß fassen;

3. *géom.* Determination *f*; **~né** [~'ne] *adj.* **1.** bestimmt; **2.** entschieden, entschlossen, resolut; kühn, verwegen; **~ner** [~] (1a) **I** *v/t.* (näher) bestimmen, abgrenzen, erfassen, fest-setzen, -stellen, ermitteln, klären, regeln; ~ *q. à faire qch.* j-n bestimmen (*od.* veranlassen), etw. zu tun; **II** *v/rfl.* se ~ *à qch.* sich zu etw. (*dat.*) entschließen; **~nisme** *phil.* [~'nism] *m* Determinismus *m.*

déter|ré [detɛ're] *su.* ausgegrabene Leiche *f*; *il a l'air d'un* ~ er sieht leichenblaß aus; **~rement** [~tɛr'mɑ̃] *m* Ausgrabung *f*; **~rer** [~'re] *v/t.* (1b) ausgraben, ausbuddeln; *fig.* entdecken, ausfindig machen, *arch. Schätze* freilegen, heben.

détersif [detɛr'sif] *adj.* (7e) *u. m* Reinigungs-, Putz-mittel *n.*

détes|table [detɛs'tablə] *adj.* abscheulich; **~tation** [~tɑ'sjɔ̃] *f* Verabscheuung *f*, Abscheu *m*, Haß *m*; **~ter** [~'te] *v/t.* (1a) verabscheuen, hassen; *il se fait* ~ *de tout le monde* er macht sich bei allen verhaßt.

détirer [deti're] *v/t.* (1a) ziehen (*Wäsche*); ausrecken (*Arme*).

détisser *text.* [deti'se] *v/t.* (1a) ausfasern.

déto|nant [detɔ'nɑ̃] *adj.* (7) knallend, explodierend; *gaz m* ~ Knallgas *n*; *mélange m* ~ explosives Gemisch *n*; **~nateur** [~na'tœ:r] *m* Zündkapsel *f*; Sprengkörper *m*; **~nation** [~nɑ'sjɔ̃] *f* Knall *m*, Explosion *f*, Detonation *f*; **~ner** [~'ne] *v/i.* (1a) explodieren, knallen.

détonner [~] *v/i.* (1a) ♪ vom Ton abweichen; *fig.* ~ *avec qch.* nicht zu etw. (*dat.*) passen.

détordre [de'tɔrdrə] *v/t.* (4a) auf-, auseinander-drehen, -fädeln.

détorquer [detɔr'ke] *v/t.* (1a): ~ *un texte* e-n Text falsch deuten; e-m Text Gewalt antun.

détors [de'tɔ:r] *adj.* (7) auseinandergedreht, aufgefädelt.

détortiller [detɔrti'je] *v/t.* (1a) auseinanderwickeln; *fig.* ~ *qch.* mit etw. fertigwerden.

détour [de'tu:r] *m* **1.** Krümmung *f*, Biegung *f*, Wendung *f*; *fig. les* ~*s du cœur* die geheimsten Winkel *m/pl.* des Herzens; **2.** Umweg *m*; *par un* ~ auf e-m Umweg; *prendre* (*od. faire*) *un* ~ e-n Umweg machen; *après bien des tours et des* ~*s* nach langem (*od.* endlosem) Herumlaufen; **3.** *fig.* Ausflucht *f*, Ausrede *f*, Winkelzug *m*; *chercher des* ~*s* Ausflüchte (*od.* Ausreden) suchen; *être sans* ~ ohne Falsch sein; *parler sans* ~ mit rückhaltloser Offenheit sprechen.

détour|né [detur'ne] *adj.* abgelegen; *chemin m* ~ *a. fig.* Umweg *m*, Schleichweg *m*; Schlich *m*; *reproche m* ~ versteckter Vorwurf *m*; *sens m* ~ *d'un mot* Nebensinn *m* e-s Wortes; **~nement** [~nə'mɑ̃] *m* **1.** Ablenken *n*; 🚂 *usw.* Umleitung *f e-s Zuges*; ~ *d'avion* Flugzeugentführung *f*; **2.** Entwendung *f*, Unterschlagung *f*; Veruntreuung *f*; Entführung *f*; ~ *d'impôts* Steuerhinterziehung *f*; **~ner** [~'ne] (1a) **I** *v/t.* **1.** abwenden, ablenken; ⚡ *u. Blitz*: ableiten; ~ *la circulation* den Verkehr umleiten; ~ *un avion* ein Flugzeug entführen; ~ *q.* (*de son chemin*) j-n vom Weg abbringen; ~ *q. de son devoir* j-n von s-r Pflicht abhalten; **2.** (heimlich) beiseite schaffen; entführen; ~ *des fonds* Gelder unterschlagen *od.* veruntreuen; **3.** *fig.* ~ *le sens d'un passage* e-r Stelle einen anderen Sinn geben, den Sinn e-r Stelle verdrehen; ~ *la vérité* die Wahrheit verdrehen (*od.* entstellen); **II** *v/rfl.* **4.** se ~ *de qch.* sich von etw. abwenden, etw. aufgeben, etw. im Stich lassen; se ~ *de q.* sich von j-m abwenden, sich mit j-m entfremden, j-n meiden; **5.** se ~ sich abwenden, sich seitwärts (*od.* nach e-r anderen Seite) wenden.

détoxication ⚕ [detɔksikɑ'sjɔ̃] *f* Entgiftung *f.*

détrac|ter [detrak'te] *v/t.* (1a) verleumden, *fig.* schmälern, herunterreißen; **~teur** [~'tœ:r] **I** *su.* (7f) Verleumder *m*; *se faire le* ~ *de q.* F j-n verleumden, j-n anschwärzen; **II** *adj./m* verleumderisch; **~tion** [~k'sjɔ̃] *f* Verleumdung *f.*

détra|qué [detra'ke] *adj. u. su.* ⊕ kaputt, entzwei; *fig.* verrückt, übergeschnappt; verschrobener Kerl *m*; Verrückte(r) *m*; *la montre est* ~*e* die Uhr ist kaputt; *j'ai fini par comprendre ce qui est* ~ *chez elle* ich habe endlich begriffen, was bei ihr nicht stimmt; **~quement** [~k'mɑ̃] *m* Störung *f*, Zerrüttung *f*; **~quer** [~'ke] **I** *v/t.* (1m) in Unordnung bringen, verwirren; zerrütten; verderben; F kaputt machen; **II** *v/rfl.* se ~ in Unordnung kommen; kaputtgehen; F überschnappen F.

détrem|pe [de'trɑ̃:p] *f* **1.** Wasserfarbe *f*; *peindre en* ~ mit Wasserfarben malen; **2.** Wassermalerei *f*; **3.** Gemälde *n* in Wasserfarben;

4. ⊕ Weichmachen *n*; ⚒ Enthärten *n* (*des Stahls*); **~pé** [~ɑ̃'pe] *p.p.*: *tout* ~ völlig durchnäßt; **~per** [~] *v/t.* (1a) **1.** an-, ein-rühren; *Kalk* löschen; *Leim* kochen; *Farben* einrühren; **2.** ⊕ ein-, auf-weichen (*a. Wege*); ~ *l'acier* den Stahl enthärten.

détresse [de'trɛs] *f* Not(lage *f*) *f*, Notstand *m*; Elend *n*; *cri m de* ~ Notschrei *m*; ⚓ *signal m de* ~ Notschuß *m*, -signal *n*; ~ *en mer* Seenot *f*; 🚂 *être en* ~ steckenbleiben; ⚓ in Not sein.

détresser [detrɛ'se] *v/t.* (1b) aufflechten.

détricher *text.* [~tri'ʃe] *v/t.* (1a) sortieren (*Wolle*).

détriment [detri'mɑ̃] *m* Nachteil *m*.

détri|ter [detri'te] *v/t.* (1a) *Oliven* zerquetschen; **~tique** [~'tik] *adj.* verwittert; **~toir** [~'twa:r] *m* Oliven-, Öl-presse *f*; **~tus** [~'tys] *m/pl.* Schutt *m*, Abfälle *m/pl.*; *géol.* Detritus *m*, Geröll *n*, Grus *m*, zerbröckeltes (*od.* verwittertes) Gestein *n*; *biol.* Aufschwemmung *f* (*v. Exkrementen im Wasser*).

détroit [de'trwa] *m* Meerenge *f*; Engpaß *m zwischen Gebirgen*.

détromp|age ⚡ [detrɔ̃'pa:ʒ] *m* Funktionssicherheit *f*; **~er** [~'pe] (1a) **I** *v/t.* ~ *q.* j-n e-s Besseren belehren, von e-m Irrtum befreien; **II** *v/rfl.* *se* ~ s-n Irrtum erkennen (*od.* einsehen).

détrôner [detro'ne] *v/t.* (1a) entthronen, absetzen; *allg.* verdrängen.

détrous|ser *plais.* [detru'se] *v/t.* (1a) ausplündern; **~seur** *plais.* [~'sœ:r] *su.* (7g) Straßenräuber *m*.

détruire [de'trɥi:r] (4c) **I** *v/t.* **1.** zerstören, vernichten, niederreißen, zertrümmern; ⚔ schleifen (*Festung*); verheeren, umbringen; aus-, vertilgen; **2.** *fig.* zugrunde richten; **II** *v/rfl.* *se* ~ sich gegenseitig vernichten; einfallen, verfallen; zugrunde gehen, sich das Leben nehmen.

dette [dɛt] *f* **1.** (Geld-)Schuld *f*; *contracter* (*od. faire*) *des* ~*s* Schulden machen; *être criblé de* ~*s*, *être dans les* ~*s jusqu'au cou* bis über die Ohren in Schulden stecken; *recouvrer une* ~ e-e Schuld einziehen; ~ *active* ausstehende Schuld *f*; ~ *commerciale* (*obligatoire*) Handels- (Obligations-)schuld *f*; ~ *fiscale* Steuerschuld *f*; *convertir une* ~ e-e Schuld umwandeln; ~ *flottante* schwebende Schuld *f*; ✝ ~ *fondée sur une lettre de change* Wechselschuld *f*; ~ *publique* Staatsschuld *f*; ~*s f/pl. criardes* häufig angemahnte, kleinere Schuldbeträge *m/pl.*, F Läpperschulden *f/pl.*; ~ *d'honneur* Ehrenschuld *f*; **2.** *fig. payer sa* ~ *à son pays* s-e vaterländische Pflicht erfüllen; *payer sa* ~ *à la nature* aus dem Leben scheiden; *payer sa* ~ *à la société* hingerichtet werden.

détumescence ⚕ [detyme'sɑ̃:s] *f* Nachlassen *n* e-r Geschwulst.

deuil [dœj] *m* **1.** großes Leid *n*, Betrübnis *f*; Trauer *f*; *j'en fais mon* ~ das tut mir bitter leid; ich gebe es auf, ich verzichte darauf; **2.** (*habit m de*) ~ Trauerkleidung *f*; *grand* ~ tiefe Trauer *f*; *petit* ~ Halbtrauer *f*; *avoir les ongles en* ~ Trauerränder an den Fingernägeln haben; *prendre* (*quitter*) *le* ~ Trauer anlegen (ablegen); *être en* ~ *de q.*, *porter le* ~ *de q.* um j-n (*acc.*) trauern; **3.** (*durée f du*) ~ Trauerzeit *f*; *année f de* ~ Trauerjahr *n*; **4.** Trauerzug *m*; *mener le* ~ an der Spitze des Leichenzuges gehen.

deux [dø] **I** *adj./n.c.* **1.** zwei; *piquer des* ~ beide Sporen geben; *fig.* sich sehr beeilen; antreiben, anspornen; ~ *fois autant* zweimal soviel; *des* ~ *mains* mit beiden Händen; *en moins de* ~ im Handumdrehen; *en* ~ *mots* in ein paar Worten; *j'ai* ~ *mots à vous dire* ich habe Ihnen nur kurz etw. zu sagen; *à* ~ *pas d'ici* nur einige Schritte (*od.* nur e-n Katzensprung) von hier; *nous* ~ wir beide; *tous* (*les*) ~ alle beide; *l'un des* ~ einer von beiden; *à* ~ zu zweien, paarweise; *couper en* ~ entzweischneiden; *partager en* ~ halbieren; *tome m* ~ Band *m* zwei, zweiter Band *m*; *Frédéric* ~ Friedrich II.; *page f* ~ Seite zwei, zweite Seite *f*; **II** *m* **2.** Zwei *f*; **3.** *der* Zweite des Monats; *aujourd'hui, nous sommes le* ~ *janvier* heute haben wir den zweiten Januar.

deux-huit [dø'zɥit] *pl.*: *faire les* ~ in zwei Schichten arbeiten.

deuxième [dø'zjɛm] *adj./n.o.* zweiter, zweite, zweites; *au* ~ (*étage*) im zweiten Stock; **~ment** [~'mɑ̃] *adv.* zweitens.

deux-mâts [dø'mɑ] *m* (6c) Zweimaster *m*.

deux-pièces [~'pjɛs] *m* **1.** Deux-pièces *n*, Zweiteiler *m*, zweiteiliges Kleid *n*; **2.** Zweizimmerwohnung *f*.

deux-points [dø'pwɛ̃] *m/pl.* Doppelpunkt *m*.

deux-roues [dø'ru] *m/pl.* Fahrräder *n/pl.*, Mofas *n/pl.*, Mopeds *n/pl.*, Motorräder *n/pl.* (*bzw. ihre Benutzer*).

dévaler [deva'le] (1a) **I** (*mit avoir!*) *v/t.* a) hinunter-lassen, -schaffen; ~ *du vin à la cave* Wein in den Keller hinunterbefördern; b) *des blocs de pierre dévalent les flancs des montagnes* Steinblöcke rollen von den Berghängen herab; *Auto*: ~ *la rue* die Straße herunterbrausen; *une voiture a dérapé et a dévalé le talus* ein Wagen ist ins Schleudern geraten u. die Böschung hinuntergestürzt; **II** *v/i.* herabfließen; nach etw. neigen (*Gelände*); heruntersausen, -rasen (*a. Menschen*); *les torrents dévalent des montagnes* die Sturzbäche fließen von den Bergen herab.

dévali|ser [devali'ze] *v/t.* (1a) ausplündern; **~seur** [~'zœːr] *su.* (7g) Räuber *m*, Dieb *m*.

dévaloris|ation [devalɔriza'sjɔ̃] *f* Entwertung *f*, Wertminderung *f*; **~er** [~'ze] *v/t.* (1a) entwerten.

dévalu|ateur [devalɥa'tœːr] *m* Abwertungsbefürworter *m*; **~ation** [~lɥa'sjɔ̃] *f* Abwertung *f*; **~er** [~'lɥe] *v/t.* (1a) abwerten.

devan|cer [d(ə)vɑ̃'se] *v/t.* (1k) **1.** ~ *q.* vor j-m hergehen; j-m vorausfahren; j-m zuvorkommen; vor j-m eintreffen; j-n überholen (*a. fig.*); j-n übertreffen *od.* überflügeln; den Vortritt vor j-m haben; vor j-m leben, j-s Vorgänger sein; **2.** ~ *qch.* e-r Sache (*dat.*) vorhergehen *od.* vorauseilen; ~ *son âge* s-m Alter voraus sein; **3.** ⚔ ~ *l'appel* freiwillig Soldat werden; **~cier** [~'sje] *adj. u. su.* (7b) vorangehend; Vorgänger *m*; ~*s pl. die* Vorfahren *m/pl.*

devant [də'vɑ̃] **I** *adv.* vorn, voran, voraus; *courir* ~ voranlaufen; *passez* ~, *s'il vous plaît* bitte, gehen Sie voran!; *par* ~ (von) vorn; *pied m de* ~ Vorderfuß *m*; *siège m de* ~ Vordersitz *m*; ⚓ *vent m* ~ Gegenwind *m*; **II** *prp.* vor (*dat. u. acc.*) (*örtlich*); (s. *au-*~ *de*); *il était* ~ *lui* er stand vor ihm; *il se mit* ~ *lui* er stellte sich vor ihn; *avoir* ~ *les yeux* *j-m* vor Augen schweben; **III** *m* Vorderteil *m* (*a. n*), *das* Vorderste; △ Vorderseite *f*; *loger* (*od. habiter*) *sur le* ~ nach vorn hinaus wohnen; *prendre les* ~*s* voraus-gehen, -fahren, -eilen, -reisen; zuvorkommen, vorbeugen; e-n Vorsprung gewinnen.

devanture [dəvɑ̃'tyːr] *f* Schaufenster *n*; Auslage *f*.

dévas|tateur [devasta'tœːr] *adj. u. su.* (7f) verheerend; Verwüster *m*; **~tation** [~tɑ'sjɔ̃] *f* Verheerung *f*, Verwüstung *f*; **~ter** [~s'te] *v/t.* (1a) verheeren, verwüsten, heimsuchen.

dévei|nard F [devɛ'naːr] *m* Pechvogel *m*; **~ne** F [de'vɛn] *f* Unglück *n*, F Pech *n*; *avoir de la* ~, *être en* (*od. dans la*) ~ Pech haben.

dévelop|pable [devlɔ'pablə] *adj.* entwickelbar; **~pante** *géom.* [~'pɑ̃ːt] *f* Evolvente *f*; ⊕ *machine f à fraiser par* ~ Wälzfräsmaschine *f*; **~pée** *géom.* [~'pe] *f* Evolute *f*, Abwickelungslinie *f*; **~pement** [~p'mɑ̃] *m* **1.** Ab-, Ent-wicklung *f* (*a. phot.*); Förderung *f*; Wachstum *n*, Ausdehnung *f*; Ausbildung *f*; ~ *d'un roman* Gang *m* (Verlauf *m*) e-s Romans; ⚔ ~ *en bataille* Aufmarsch *m*; ~ *graduel* Stufengang *m*; ~ *rétrograde* Rückbildung *f*; **2.** Erörterung *f*, Auseinandersetzen *n*; **3.** △ Riß *m*; *faire le* ~ *de qch.* etwas nach dem Grundriß darstellen; **4.** ⩘ Evolution *f e-r krummen Linie*; **5.** *vél.* zurückgelegte Strecke *f* nach einmaliger Umdrehung der Pedale; **~per** [~'pe] *v/t.* (1a) **1.** auseinander-, aus-, auf-, ent-wickeln (*a. phot.*); fördern; entfalten; aufrollen; ⚔ ~ *une armée* ein Heer aufmarschieren lassen; **2.** *fig.* ausbilden, zur Reife bringen; **3.** *fig.* darlegen; ~ *davantage* ausführlicher erörtern; *inutile de* ~ mehr brauche ich nicht zu sagen; **4.** △ ~ *un édifice* ein Gebäude im Riß darstellen.

devenir [dəv'niːr] (2h) **I** *v/i.* ~ (*qch.* etw.) werden; *que va-t-il* ~? was wird aus ihm werden?; *je ne sais pas que* ~ ich weiß vor Unruhe (Aufregung *usw.*) nicht, was ich machen soll; ich weiß nicht, was aus mir werden soll; *que devins-je!* wie groß war mein Schrecken!; *que devenez-vous?* a) was machen Sie?; b) wo wollen Sie denn hin?; c) wo stecken Sie denn?; ~ *à rien* zusammenschrumpfen; abmagern; **II** *m* Werden *n*, Entwicklung *f*.

dévergon|dage [devɛrgɔ̃'daːʒ] *m* Schamlosigkeit *f*; **~dé** [~'de] *adj.* schamlos; verlottert F; **~der** [~'de] *v/rfl.* (1a): se ~ alle Scham verlieren; sich ausleben.

dévernir ⊕ [devɛr'niːr] *v/t.* (2a) ablackieren.

déverrouiller [devɛru'je] *v/t.* (1a) aufriegeln.

dévers [de'vɛːr] **I** *adj.* (7) krumm, schief; **II** *m charp.* schiefe Kante *f*;

⊕ Schräge *f*; Kurvenlage *f*; 🚂 Überhöhung *f der äußeren Schiene bei Kurven.*

déver|sement [devɛrsəˈmɑ̃] *m* Ableiten *n* (*v. Wasser*); Abfluß *m*; *géol.* einseitige Verlagerung *f*; Überflutung *f*; ⊕ ~ *automatique* selbsttätige Kippvorrichtung *f*; **~ser** [~ˈse] (1a) **I** *v/t.* krümmen, neigen; verkanten; ausgießen, abfließen lassen; *a.* ⊕ ausschütten, auskippen; ⚔ *Bomben* ausklinken; **II** *v/i.* △ schief stehen, überhängen (*Mauer*); sich werfen (*Holz*); **III** *v/rfl.* se ~ sich werfen (*Holz*); abfließen, sich ergießen; **~seur** *Auto*, ⊕ [~ˈsœːr] *m*: ~ *automoteur* Autokipper *m*, -schütter *m*; **~soir** [~ˈswaːr] *m* Wasserablaß *m*, Wehr *n*; Abflußrinne *f*.

dévêtir [devɛˈtiːr] (2g) **I** *v/t.* entkleiden, ausziehen; **II** *v/rfl.* se ~ sich ausziehen, sich entkleiden.

déviant ⚕, *psych.* [deˈvjɑ̃] *su.* Anormale(r) *m.*

déviation [devjɑˈsjɔ̃] *f* **1.** Abweichung *f*; ⊕ Verbiegung *f*; *phys.* Ausschlag *m* (*der Magnetnadel*); *produire* (*subir*) *une* ~ e-e Ablenkung hervorrufen (erfahren); **2.** Umleitung *f*; **3.** *fig.* Abweichen *n*; **4.** *anat.* Verwachsung *f*; ~ *de la colonne vertébrale* Rückgratsverkrümmung *f*; **~nisme** *pol.* [~sjɔˈnism] *m* Ablenkungsmanöver *n*; Diversantentum *n*; ~ *doctrinal* doktrinäre Abweichung *f*; **~niste** *pol.* [~sjɔˈnist] *su. u. adj.* Abweichling *m*, Diversant *m*; abtrünnig, von der Parteilinie abweichend.

dévi|der ⊕ [deviˈde] *v/t.* (1a) *Garn* ab-haspeln, -spulen; **~doir** ⊕ [~ˈdwaːr] *m* Haspel *f*.

dévier [deˈvje] (1a) **I** *v/i.* abweichen (*de* von *dat.*); sich krümmen; von s-r Richtung abgelenkt werden; *phys.* ausschlagen (*Magnetnadel*); ~ *de son chemin* von s-m Weg abkommen (*a. fig.*); *faire* ~ krümmen; **II** *v/t.* von der senkrechten Linie ablenken; umleiten (*Verkehr*); verkrümmen; verbiegen; *fig.* ablenken; **III** *v/rfl.* se ~ von der Bahn abweichen; *anat.* sich verkrümmen.

devin [d(ə)ˈvɛ̃] *su.* (*f*: **~eresse** [d(ə)vinˈrɛs]) **1.** Wahrsager *m*; **2.** P *zo.* Königs-, Abgott-schlange *f* (*Boa constrictor*); **~able** [d(ə)viˈnablə] *adj.* erratbar; **~er** [d(ə)viˈne] (1a) **I** *v/t.* (er)raten; herauslesen; vorhersagen, prophezeien; vorhersehen; ahnen; **II** *v/rfl.* se ~ sich erraten lassen, sich von selbst verstehen; **~ette** [d(ə)viˈnɛt] *f* Rätsel *n*; *jouer aux* ~*s* Rätsel raten.

devis [d(ə)ˈvi] *m* **1.** Kosten-, Bauanschlag *m*; *établir un* ~ e-n Kostenanschlag machen; **2.** Patentbeschreibung *f*.

dévisager [devizaˈʒe] *v/t.* (1l) scharf ansehen, mit Blicken messen.

devise [d(ə)ˈviːz] *f* **1.** Denk-, Sinn-, Wahl-, Wappen-spruch *m*, Losung *f*, Devise *f*, Motto *n*; **2.** ✝ ausländisches Zahlungsmittel *n*, Devise *f*; ~*s pl. étrangères* Valuten *f/pl.*, Devisen *f/pl.*

deviser *litt.* [dəviˈze] *v/i.* (1a) vertraulich plaudern.

dévisser [deviˈse] *v/t.* (1a) losschrauben; * ~ *son billard* abnippeln P, abkratzen P, sterben.

de visu [deviˈzy] *advt.* aus eigener Anschauung (heraus).

dévitaliser ⚕ [devitaliˈze] *v/t.* (1a) abtöten.

dévitrifier [devitriˈfje] *v/t.* (1a) entglasen.

dévocalis|ation *gr.* [devɔkalizɑˈsjɔ̃] *f* Stimmloswerden *n*; **~er** [~ˈze] *v/t.* (1a) stimmlos aussprechen (*bzw.* machen).

dévoiement △ [devwaˈmɑ̃] *m* Neigung *f*.

dévoi|lement [devwalˈmɑ̃] *m* Enthüllung *f*; **~ler** [~ˈle] (1a) **I** *v/t.* entschleiern, enthüllen; *fig.* aufdecken, ans Licht bringen; **II** *v/rfl.* se ~ sich entschleiern; *fig.* sich entpuppen, ans Tageslicht kommen; *le mystère se dévoile* das Rätsel klärt sich auf.

devoir[1] [d(ə)ˈvwaːr] (3a) **I** *v/t.* **1.** (*a. abs.*) (*Geld*) schulden, schuldig sein; verdanken, zu verdanken haben; *je lui dois mille francs* ich schulde ihm 1000 Franken; *nous lui devons la vie* wir verdanken ihm das Leben; *je lui dois d'être ici* ich verdanke es ihm, hier zu sein; *cela lui est dû* man ist es ihm schuldig; er verdient es; *c'est à lui que les remerciements sont dus* ihm gebührt der Dank; **2.** sollen (*moralisch, ethisch*), müssen (*oft als Ausdruck der Wahrscheinlichkeit auch durch „vielleicht", „sicher", „wohl" od. „können", zu übersetzen*), willens sein; *j'aurais dû y aller* ich hätte hingehen müssen (*od.* sollen); *ce crime ne doit pas rester impuni* dieses Verbrechen darf nicht ungestraft bleiben; *il doit le savoir mieux que personne* er muß es am besten wissen; *la campagne* *doit être belle maintenant* die Natur auf dem Lande muß jetzt schön sein, ... ist jetzt sicher schön; *vous devez bien penser que* ... Sie können sich leicht denken, daß ...; *il a dû partir hier* er wird wohl gestern abgereist (*od.* abgefahren; abgeflogen) sein; *dussé-je y périr* wenn ich auch selbst dabei zugrunde gehen sollte; *je dois aller demain à la campagne* ich will morgen aufs Land gehen; **3.** (*im impf. u. p.s. bleibt es oft unübersetzt*) **a**) wollen, planen; können; sollen, müssen (*schicksalsmäßig*); *ils devaient faire une excursion* sie wollten e-n Ausflug (e-e Fahrt) machen; *les survivants devaient expliquer que l'eau fut précipitée dans le tunnel* die Überlebenden sagten aus (*od.* erklärten), daß das Wasser in den Tunnel gedrungen sei; *des barbelés avaient été installés autour du réservoir profond, mais l'enfant, en se penchant, dut glisser* Stacheldraht war um den tiefen Brunnen gelegt worden, aber das Kind glitt (*od.* rutschte) hinein, als es sich darüberneigte; *personne ne conteste que les Francs aient envahi la Gaulle. Mais ils ne l'ont pas dû peupler, et auraient été absorbés par la population galloromaine* niemand bestreitet, daß die Franken in Gallien eingefallen sind. Aber sie haben es nicht bevölkert (*wörtlicher*: sie sollten es nicht bevölkern) und dürften schnell von der gallo-romanischen Bevölkerung aufgesogen worden sein; *je dus m'endormir presque aussitôt, et j'étais en train de faire un rêve* ich war wohl fast gleich danach eingeschlafen (*od.* ich mußte fast unmittelbar darauf eingeschlafen sein) und hatte gerade e-n Traum; *il semble ne pas ~ passer la nuit* er scheint die Nacht nicht überstehen zu können; *on alla se coucher, et beaucoup durent méditer ces sages paroles* man ging schlafen, und viele werden über diese klugen Worte nachgedacht haben; **b**) *im prés. als Futurersatz*: *les élections qui doivent avoir lieu dimanche* ... die Wahlen, die am Sonntag stattfinden werden ...; **II** *v/rfl.* **4.** *se ~ à soi-même de* ... es sich selbst schuldig sein zu ...; *se ~ à sa famille* sich für s-e Familie erhalten müssen; **5.** sich gehören (*sittliche Notwendigkeit*); *cela se doit entre gens bien élevés* das gehört sich unter gebildeten Menschen, das kann man von gebildeten Menschen erwarten.

devoir[2] [d(ə)'vwa:r] *m* **1.** Pflicht *f*; *accomplir (remplir, faire) son ~* s-e Pflicht erfüllen; *je crois de mon ~ od. je m'en fais un ~* ich halte es für meine Pflicht; *être à son ~* auf s-m Posten sein (*od.* stehen); *il est de mon ~ de* ... es ist meine Pflicht (*od.* ich fühle mich verpflichtet) zu ...; *manquer à son ~* s-e Pflicht versäumen; *se mettre en ~ de faire qch.* es als s-e Pflicht ansehen, etw. zu tun; **2.** Ehrenbezeugung *f*; *aller rendre ses ~s à q.* j-m s-e Aufwartung machen; *rendre les derniers ~s à q.* j-m die letzte Ehre erweisen; **3.** *écol.* Schulaufgabe *f*; *~s pl.* Schularbeiten *f/pl.*

dévolu [devɔ'ly] **I** *adj.* **1.** *~ à q.* j-m zugefallen, an j-n übertragen; **2.** *allg.* bestimmt (für j-n); *le rôle ~ à l'Europe* die Europa zufallende Rolle; **II** *fig. m jeter son ~ sur qch.* (*od. sur q.*) sein Auge auf etw. (*acc.*) (*od.* auf j-n *acc.*) werfen, etw. (*od.* j-n) für sich beanspruchen; **~tion** [~'sjɔ̃] *f* Anfall *m* (*e-r Erbschaft*).

dévonien *géol.* [devɔ'njɛ̃] *adj.* (7c) *u. m*: *le ~* die Devonformation.

dévo|rant [devɔ'rɑ̃] (7a) *fig. appétit m ~* mächtiger Appetit *m*; *faim f ~e* Heißhunger *m*; s. dent 1; *soif f ~e* brennender Durst *m*; **~rer** [~'re] (1a) **I** *v/t.* **1.** zerfleischen, zerreißen; (gierig) fressen, gierig essen, verschlingen; *~ q. de caresses* j-n vor Liebe mit Zärtlichkeiten überschütten; *~ q. des yeux* j-n mit den Augen verschlingen; **2.** verzehren; verschwenden; *~ son patrimoine* sein Vermögen verschwenden (aufbrauchen, vertun); *dévoré d'ambition* vom Ehrgeiz gepackt; *~ ses chagrins* seinen Kummer in sich hineinfressen (*od.* sich ... nicht anmerken lassen); *~ un affront* e-e Beleidigung einstecken; *~ ses larmes* s-e Tränen unterdrücken; *fig. ~ un livre* ein Buch verschlingen; **3.** *Auto*: *Kilometer* fressen; **II** *v/rfl.* *se ~* sich zerfleischen; *se ~ d'impatience* vor Ungeduld vergehen.

dévot [de'vo] (7) **I** *adj.* **1.** fromm, gottesfürchtig, andächtig; **2.** *péj.* frömmelnd, scheinheilig, devot; **II** *su.* frommer Mensch *m*, Kirchgänger *m*; *fig.* getreuer Anhänger *m*; *faux ~ m, fausse ~e f* Frömmler (-in *f*) *m*; Betbruder *m*, Betschwester *f*; *péj. faire le ~* frömmeln; fromm tun; **~ion** [~'sjɔ̃] *f* **1.** Andacht *f*, Frömmigkeit *f*; Andachtsübung *f*; *faire ses ~s* s-e Andacht halten; beichten u. kommunizieren; *livres m/pl. de ~* Gebet-, Andachtsbücher *n/pl.*; **2.** *fausse ~* Frömmelei *f*; **3.** (große) Ergebenheit *f*, Ehrerbietung *f*; *avoir q. à sa ~* sich auf j-n hundertprozentig verlassen können; *être à la ~ de q.* j-m ganz ergeben sein.

dévoué [de'vwe] *adj.* ergeben, zugetan, treu, anhänglich; *~ aux autres* selbstlos, aufopfernd.

dévouement [devu'mã] *m* Hingabe *f*, Ergebenheit *f*; Aufopferung *f*, Hingebung *f*, Treue *f*, Anhänglichkeit *f*; *~ aux autres* Selbstlosigkeit *f*, Selbstaufopferung *f*.

dévouer [de'vwe] (1a) **I** *v/t.* weihen, widmen; *~ q. au mépris* j-n der Verachtung preisgeben; **II** *v/rfl. se ~* sich hingeben, sich widmen, sich aufopfern; *des gens dévoués* ganz zuverlässige Leute; *in Briefen alten Stils*: *(je suis) votre tout dévoué (serviteur)* (ich verbleibe) Ihr ergeben(st)er (Diener).

dévoy|é [devwa'je] *adj.* verirrt (*a. fig.*); *fig.* entgleist, ungeraten, mißraten; **~er** [~] (1h) **I** *v/t.* **1.** vom rechten Weg abbringen; **2.** ⊕, △ schief aufsetzen *od.* bauen; **II** *v/rfl. se ~* auf die schiefe Bahn geraten *fig.*

dextérité [dɛksteri'te] *f* Geschicklichkeit *f*, Fingerfertigkeit *f*; *fig.* Gewandtheit *f*.

dextre ['dɛkstrə] **I** *adj. nur noch* ▨ recht; **II** *plais. f* rechte Hand *f*.

dextr|ine ⚗ [dɛks'trin] *f* Dextrin *n*; **~ogyre** [~trɔ'ʒi:r] *adj. phys.* sich nach rechts drehend; *pol. iron.* mit e-m Rechtsdrall; **~ose** *phm.* [~'tro:z] *f* Traubenzucker *m*.

dia [dja] *int.* hü! (= nach links!); *l'un tire à hue, l'autre à ~* der e-e will hott, der andere hü; F *n'entendre ni à hue ni à ~* keinerlei Vernunft annehmen wollen, eigensinnig auf s-r Meinung bestehen.

dia|bète [dja'bɛt] *m* Zuckerkrankheit *f*; **~bétique** [~be'tik] *adj. u. su.* zuckerkrank; Zuckerkranke(r) *m*.

diable ['dja:blə] *m* **1.** Teufel *m*; *le ~ t'emporte!* hol' dich der Teufel!; *envoyer q. au ~* j-n zum Teufel jagen, F j-n rauswerfen (*od.* rausschmeißen); *souhaiter q. au ~* j-n zum Teufel wünschen, j-n verwünschen; *ce ~ d'homme* dieser Pfiffikus *m od.* Tausendsassa *m od.* Teufelskerl *m*; *une ~ d'affaire* e-e verteufelte (*od.* verflixte) Geschichte *f*; *que ~ signifie cela?* was zum Teufel soll das bedeuten?; *pourquoi ~?* warum in aller Welt?, warum eigentlich (*od.* überhaupt)?; **2.** *un bon ~* ein guter Kerl *m*; *avoir l'air bon ~* gutmütig aussehen; *~ incarné* ganz gemeiner Mensch *m* (*od.* Charakter *m*); F *pauvre ~* armer Teufel *m* (*od.* Schlucker *m*); *petit ~* Racker *m*, Schelm *m*, Wildfang *m* (*v. Kindern*); *à la ~* F miserabel, sehr schlecht; *la beauté du ~* der Reiz jugendlicher Frische; *un grand ~* ein langer Kerl *m*; *avoir le ~ au corps* den Teufel im Leib haben; *tirer le ~ par la queue* sich kümmerlich durchs Leben schlagen, sein Leben fristen, am Hungertuch nagen; *c'est le ~ de ...* das ist verteufelt schwer, zu ...; *c'est au ~ vauvert* das ist verdammt weit von hier, das ist ja am Ende der Welt; *se démener comme un ~ dans un bénitier* sich wie ein Verrückter gebärden; *faire le ~ à quatre* e-n Höllenspektakel machen; *loger le ~ dans sa bourse* nicht e-n Pfennig in der Tasche haben; *c'est le ~ à confesser* das ist e-e verflixt (*od.* verdammt) schwierige Sache; **3.** ⊕ Sack-, Müll-, Stech-karre *f*, Stechkarren *m* (*zum Schieben, zweiräderig; auf Bahnhöfen, in Lagerschuppen usw.*); **4.** *text.* Reißwolf *m*, Wollöffner *m*; **5.** *roue f du ~* Taifun-(Teufels-)rad *n* (*Rummelplatz*).

diable|ment F [djablə'mã] *adv.* verteufelt; äußerst; **~rie** [~'ri] *f* Teufelei *f*, Teufelsstreich *m*; **~sse** [~'blɛs] *f* Teufelin *f*; Teufelsweib *n*, Satan *m* (*von e-r Frau*).

dia|bloteau [djablɔ'to] *m* Teufelchen *n*; **~blotin** [~blɔ'tɛ̃] *m* Teufelchen *n*; F kleiner Schlingel *m*; ⊕ Ofenreiniger *m*; **~bolique** [~bɔ'lik] *adj.* □ teuflisch, diabolisch; Satans...; abscheulich, abstoßend, gemein, widerlich; F verteufelt schwer; **~bolo** [~bɔ'lo] *m* Diabolo *n*, Schleuderkreisel *m* (*Kinderspiel*).

diaco|nat [djakɔ'na] *m* Diakonat *n*; **~nesse** [~'nɛs] *f* Diakonissin *f*.

diacoustique *phys.* [djakus'tik] *f* Schallbrechungslehre *f*, Diakustik *f*.

diacre *rl.* ['djakrə] *m* Diakon *m*.

diacritique [djakri'tik] *adj.* diakritisch, unterscheidend.

diadème [dja'dɛm] *m* Diadem *n*, Stirnband *n*; Krone *f* (*a. fig.*); *fig.* Königswürde *f*.

diadoque *pol.* [dja'dɔk] *m* griechischer Thronfolger *m*, Diadoche *m*.

diagnostic [djagnɔs'tik] *m* ⚕ Diagnose *f*; *écol.* Vorausbeurteilung *f*.
diagnosti|que ⚕ [djagnɔs'tik] *adj. u. m*: (*signe m*) ~ Erkennungszeichen *n*; **~quer** ⚕ [~'ke] *v/t.* (1m) *e-e Krankheit* feststellen, diagnostizieren.
diago|nal ⚘ [djagɔ'nal] *adj.* (5c) diagonal; **~nale** ⚘ [~] *f* Diagonale *f*; *en* ~ schräg; schräg gegenüber.
diagramme [dja'gram] *m* Plan *m*, Skizze *f*, Diagramm *n*, Abriß *m*.
dialec|tal [djalɛk'tal] *adj.* (5c) dialektisch, mundartlich; **~te** [dja'lɛkt] *m* Dialekt *m*, Mundart *f*; **~ticien** [~ti'sjɛ̃] *m* Dialektiker *m*; **~tique** *phil.* [~'tik] **I** *adj.* dialektisch, disputierend; **II** *f* Dialektik *f*; **~tologie** *ling.* [~tɔlɔ'ʒi] *f* Dialektkunde *f*, -forschung *f*.
dialo|gique [djalɔ'ʒik] *adj.* □ dialogisch; **~gisme** [~'ʒism] *m* Dialogkunst *f*; **~gue** [dja'lɔg] *m* **1.** Dialog *m*, Zwiegespräch *n*; *bsd. pol.* Gespräch *n*; *en forme de* ~ in Gesprächsform; **2.** Werk *n* in Gesprächsform; *thé.* dialogisierte Szene *f*; **~guer** [~'ge] (1m) **I** *v/t.* in Gesprächsform kleiden; redend einführen; *contexte m dialogué* zusammenhängender Text *m* in Gesprächsform; **II** *v/i.* sich unterhalten; **~guiste** *cin.* [~'gist] *m* Dialogist *m*.
diamant [dja'mɑ̃] *m* **1.** Diamant *m*; ~ *à facettes* Brillant *m*, Rautendiamant *m*; ~ *taillé* (*brut*) geschliffener (ungeschliffener) Diamant *m*; ~ *rose*, ~ *rosette* Rosette *f*; **2.** Diamantring *m*; **3.** *typ. édition f* ~ Diamant-, Miniatur-ausgabe *f*.
diaman|taire [djamɑ̃'tɛːr] **I** *adj.* diamantenähnlich; **II** *m* Diamantschleifer *m*; ✝ Diamanthändler *m*; **~ter** [~'te] *v/t.* (1a) **1.** mit Diamanten besetzen; **2.** wie Diamanten leuchten machen; **~tifère** [~ti'fɛːr] *adj.* diamantenhaltig; **~tin** [~'tɛ̃] *adj.* (7) diamanten.
dia|métral [djame'tral] *adj.* (5c) diametral; *ligne f* ~*e* Durchschnittslinie *f*; *adv.* ~*ement opposé* diametral entgegengesetzt, in krassem Widerspruch; **~mètre** [~'mɛtrə] *m* **1.** Durchmesser *m*; **2.** ⚠ Spannung *f e-s Gewölbebogens*; **3.** ⚔ ~ *du canon* Rohrweite *f*.
diane ⚔, ⚓ *litt.* [djan] *f* Wecken *n*.
diantre ['djɑ̃ːtrə] *int.*: ~! zum Teufel!, verdammt nochmal!, zum Kuckuck!, Himmeldonnerwetter!; *cette* ~ *de cérémonie!* diese verdammte Zeremonie!
diapason [djapa'zɔ̃] *m* **1.** ♪: a) Umfang *m*, Ausdehnung *f e-r Stimme*, *e-s Instruments*; *fig.* Ton *m*; Stimmung *f*; *fig. baisser le* ~ die Ansprüche herabsetzen; *se mettre au* ~ *de q.* sich nach j-s Stimmung (*od.* Laune) richten, sich j-m anpassen; b) Stimmgabel *f*; Stimmton *m*; ~ *normal*, ~ *officiel* Kammerton *m*; **2.** ⊕ *Glockengießerei*: Maßstab *m*; **~ner** ♪ [~zɔ'ne] *v/t.* (1a) stimmen.
diapha|ne 🕮 [dja'fan] *adj.* durchscheinend, lichtdurchlässig, durchsichtig; **~néité** [~nei'te] *f* Durchscheinen *n*, -sichtigkeit *f*, Lichtdurchlässigkeit *f*; **~nomètre** *phys.* [~nɔ'mɛtrə] *m* Luftdurchsichtigkeitsmesser *m*, Diaphanometer *m*; **~noscope** ⚕ [~nɔs'kɔp] *m* Durchleuchtungsapparat *m*, Diaphanoskop *n*; **~noscopie** ⚕ [~nɔskɔ'pi] *f* Diaphanoskopie *f*, Untersuchung *f* mit Durchleuchtung.
diaphrag|me [dja'fragmə] *m* **1.** *anat.* Zwerchfell *n*; **2.** ⚘, *zo.* Quer-, Scheide-wand *f*; **3.** *phot.*, *opt.* Blende *f*; *phot. mettre le* ~ abblenden; **4.** *Grammophon*: Membrane *f*, Schalldose *f*; *rad.* Membrane *f*, Lautsprecherdose *f*; **~mer** *phot. u. opt.* [~g'me] *v/t.* (1a) abblenden.
diapositive *phot.* [djapozi'tiːv] *f* Diapositiv *n*.
dia|pré [dja'pre] *adj.* vielfarbig, bunt; **~prer** [~] *v/t.* (1a) *text.* abmustern; **~prure** [~'pryːr] *f* Buntheit *f*.
diariste [dja'rist] *m* Tagebuchschreiber *m*.
diar|rhée ⚕ [dja're] *f* Durchfall *m*, Diarrhöe *f*; **~rhéique** ⚕ [~re'ik] **I** *adj.* durchfallartig; **II** *m* mit Durchfall Behaftete(r) *m*.
diarthrose *anat.* [djar'troːz] *f* Diarthrose *f*, Gelenk *n* mit Beweglichkeit nach allen Richtungen.
diascope [dja'skɔp] *m* Bildwerfer *m*.
diastase [djas'tɑːz] *f chir.* Diastase *f*, Auseinanderweichen *n* zweier Knochen.
diastole ⚕ [djas'tɔl] *f* Diastole *f*, Herzerweiterung *f*.
diastrophie ⚕ [djastrɔ'fi] *f* Muskelzerrung *f*.
diatherm|ane ⚗ [djatɛr'man] *adj.* wärmedurchlässig, diatherman; **~ie** ⚕ [~'mi] *f* Diathermie *f*; **~ique** [~'mik] *adj.* diathermisch.

diatomique ⚗ [djatɔ'mik] *adj.* doppelatomig, zweiwertig.
diatonique ♪ [djatɔ'nik] *adj.* diatonisch, tonleitereigen.
diatribe [dja'trib] *f* Schmähschrift *f*, Pamphlet *n*; heftige Kritik *f*.
dichotomie [dikɔtɔ'mi] *f* **1.** *allg.* Zweiteilung *f*; **2.** ⚘ gablige Verzweigung *f*; **3.** ⚕ Honorarteilung *f* (*zwischen behandelndem und hinzugezogenem Arzt*).
dichroïsme *phys.* [dikrɔ'ism] *m* Zweifarbigkeit *f*.
dico* [di'ko] *m* Wörterbuch *n*.
dictame [dik'tam] *m* **1.** ⚘ Eschenwurz *m*; **2.** *a. fig.* Trost *m*; Balsam *m*.
dicta|phone *a.* ⚡ [dikta'fɔn] *m* Diktiergerät *n* (*a. in Autos*); **~teur** [~'tœ:r] *m* Diktator *m*, Gewaltherrscher *m*; *prendre un ton de ~* e-n gebieterischen Ton annehmen; **~torial** [~tɔ'rjal] *adj.* (5c) diktatorisch, gebieterisch; **~ture** [~'ty:r] *f* Diktatur *f*.
dic|tée [dik'te] *f* Diktieren *n*; Diktat *n*; *écrire sous la ~* nach Diktat schreiben; *faire une ~* (*à q.*) (j-n) ein Diktat schreiben (lassen); **~ter** [~'te] *v/t.* (1a) diktieren (*a. fig.*); vorschreiben; auferlegen; **~teur** [~'tœ:r] *m* Diktierer *m*; **~tion** [~'sjɔ̃] *f* Vortragsart *f*, Sprache *f*, Stil *m*, Ausdruck *m*, Diktion *f*.
dictionnaire [diksjɔ'nɛ:r] *m* Wörterbuch *n*; *~ de poche, ~ portatif* Taschenwörterbuch *n*; F *il est* (*od. c'est*) *un ~ vivant* (*od. ambulant*) er (*od.* das) ist ein wandelndes Wörterbuch.
dicton [dik'tɔ̃] *m* sprichwörtliche Redensart *f*.
didactique [didak'tik] **I** *adj.* didaktisch, belehrend; Lehr...; *lettres f/pl. ~s* Unterrichtsbriefe *m/pl.*; *écol. matériel m ~* Lehrmittel *n/pl.*; *poème m ~* Lehrgedicht *n*; **II** *m* belehrende Literatur *f*; **III** *f* Lehrkunst *f*, Didaktik *f*.
dièdre ['djɛ:drə] *m* V-Form *f*, Winkelform *f*.
diélectrique [dielɛk'trik] *adj. u. m* nicht leitend(es) *od.* isolierend(es Mittel *n*); dielektrisch.
dièse ♪ [djɛ:z] *m* Kreuz *n*; *ut ~ majeur* Cis-Dur *n*; *ut ~ mineur* cis-Moll *n*.
diesel ⊕ [di'zɛl] *m* Dieselmotor *m*; **~-électrique** [~elɛk'trik] *adj.* dieselelektrisch; **~ification** [~ifika'sjɔ̃] *f* Umstellung *f* auf Dieselmotoren.
diéser ♪ [dje'ze] *v/t.* (1f) mit e-m Kreuz bezeichnen.
diète[1] ⚕ [djɛt] *f* Diät *f*, zweckmäßige Kost *f*; *~ absolue, ~ complète* völlige Diät *f*, Hungerkur *f*; *~ lactée* Milchkur *f*; *mettre q. à la ~* j-n auf magere Kost setzen; *être à la ~, faire ~* Diät halten.
diète[2] [~] *f* Landtag *m*; *hist. ~ de l'empire ehm.* deutscher Reichstag *m*; *heute*: *♀ fédérale* (Deutscher) Bundestag *m*.
diététicien ⚕ [djeteti'sjɛ̃] *su.* (7c) Diätiker *m*.
diététique ⚕ [djete'tik] **I** *adj.* □ zur Diät gehörig; **II** *f* Diätetik *f*, Gesundheitslehre *f*, Ernährungsweise *f*, Ernährungswissenschaft *f*.
Dieu [djø] *m* **1.** Gott *m*; *confiance f en ~* Gottvertrauen *n*; *craignant ~* gottesfürchtig; *crainte f de ~* Gottesfurcht *f*; *croire en ~* an Gott glauben; *prier ~* zu Gott beten; *pour l'amour de ~* für die Liebe Gottes, umsonst, gratis; *~ le sait* weiß Gott; *~ le sache* das mag Gott wissen; *plaise à ~! od. ~ le veuille!* Gott gebe es!; *à ~ ne plaise!, ~ m'en garde!* Gott bewahre! *od.* behüte!; *plût à ~* wollte Gott; *grâce à ~!, ~ merci!, ~ (en) soit loué!* Gott sei Dank!, gottlob!; *grand* (*od. bon*) *~!, juste ~!, mon ~!* großer (*od.* gerechter) Gott!, Herrgott!, mein Gott!; **2.** ♀ (5b) *fig.* Abgott *m*, Götze *m*; *dieux pl. de l'Olympe, grands dieux* große Götter *m/pl.*; *dieux infernaux* Götter der Unterwelt.
Dieu-Homme [djø'ɔm] *m* Gottmensch *m*.
diffa *arab.* [di'fa] *f* Empfangsschmaus *m*.
diffa|mant [difa'mɑ̃] *adj.* (7) ehrenrührig; verleumderisch, diffamierend; **~mateur** [~ma'tœ:r] *su.* (7f) Verleumder *m*, Diffamierer *m*; **~mation** [~mɑ'sjɔ̃] *f* Verleumdung *f*, Verteufelung *f*, üble Nachrede *f*, Lästerung *f*; **~matoire** [~ma'twa:r] *adj.* ehrenrührig, verleumderisch; **~mer** [~'me] *v/t.* (1a) diffamieren, diskriminieren, verleumden, verteufeln, heruntermachen; in bösen Leumund bringen, entehren; *maison f diffamée* verrufenes Haus *n*.
différé *rad., télév.* [dife're] *m*: *en ~ Sendung* nach erfolgter Aufzeichnung, in e-r späteren Übertragung; *image f en ~* Zeitlupenbild *n*.
différemment [difera'mɑ̃] *adv.* (in)

verschieden(er Weise), abweichend, unterschiedlich; ~ *de ...* anders als ...

différen|ce [~'rã:s] *f* **1.** Unterschied *m*, Verschiedenheit *f*; *à la ~ de* zum Unterschied von (*dat.*); **2.** ⩕ Differenz *f*; Rest *m*; ⚕ Fehlbetrag *m*; **~ciation** [~sja'sjõ] *f* Differenzierung *f*, Unterscheidung *f*; **~cier** [~'sje] (1a) **I** *v/t.* unterscheiden; ⩕ differenzieren; **II** *v/rfl.* se ~ sich unterscheiden; *fig.* sich hervortun.

différend [dife'rã] *m* Meinungsverschiedenheit *f*; *fig.* Differenz *f*; Streit *m*, Streitigkeit *f*, Streitsache *f*; Auseinandersetzung *f*, Zwist *m*.

différent [~] *adj.* (7) **1.** verschieden, abweichend; *en termes ~s* mit anderen Worten; *c'est ~* das ist etw. anderes; **2.** *~s m/pl.*, *~es f/pl.* (*vor su. und ohne* de) manche, mehrere, verschiedene, etliche; *~es personnes* verschiedene Personen *f/pl.*; *à ~es reprises* mehrfach; **~iation** ⩕ [~sja'sjõ] *f* Differenzieren *n*; **~iel** [~'sjɛl] **I** *adj.* (7c) ⩕ Differential...; *calcul m ~* Differentialrechnung *f*; **II** *m Auto*, ⚙ Differential *n*, Ausgleichsgetriebe *n*; **~ier** [~'sje] *v/t.* (1a) ⩕ differenzieren.

différer [dife're] (1f) **I** *v/t.* **1.** aufschieben, zurückstellen, verschieben; *télév. en différé* nach Aufzeichnung e-r Sendung; **II** *v/i.* **2.** *litt.* ~ *de* (*mit inf.*) zögern; *il diffère de partir* er zögert abzufahren; **3.** sich unterscheiden, voneinander abweichen; *~ avec q.* mit j-m verschiedener Ansicht sein; *~ du blanc au noir* himmelweit verschieden sein.

diffi|cile [difi'sil] **I** *adj.* ☐ **1.** schwierig, schwer (zu machen), mühsam; **2.** eigensinnig, diffizil, wunderlich, schwer zu behandeln, schwer erziehbar, schwer zu befriedigen; wählerisch, mäkelig; anspruchsvoll; *cheval m ~* leicht scheuendes Pferd *n*; *des femmes f/pl. élégantes et ~s* elegante u. anspruchsvolle Damen *f/pl.*; **II** *su.*: *faire le* (*od. la*) *~* große Ansprüche stellen, wählerisch sein; **~culté** [~kyl'te] *f* **1.** Schwierigkeit *f*; *je n'y vois aucune ~* ich sehe darin keinerlei Schwierigkeit; *écol. expliquer les mots qui font ~* die Wörter erklären, die Schwierigkeiten bereiten; **2.** Beschwerlichkeit *f*, Mühe *f*; *il éprouve de la ~ à marcher* das Gehen fällt ihm schwer; *~ de respirer* Atemnot *f*; **3.** Einwand *m*; *soulever une ~* e-n Einwand machen; **4.** Streitigkeit *f*, Streit *m*; *être en ~ avec q.* sich mit j-m streiten; **5.** schwierige (*od.* dunkle) Stelle *f* (*im Text*); **~cultueux** F [~kyl'tɥø] *adj.* (7d) ☐ schwierig, mühselig, knifflig.

difflu|ence [difly'ã:s] *f* Zerfließen *n*; **~ent** [~fly'ã] *adj.* (7) zerfließend; **~er** [~fly'e] *v/i* (1a) zerfließen, sich auflösen.

diffor|me [di'fɔrm] *adj.* ungestalt, mißgestaltet, häßlich, unförmig; **~mer** [~'me] *v/t.* (1a) verunstalten; **~mité** [~mi'te] *f* Unförmigkeit *f*.

diffrac|ter *phys.* [difrak'te] *v/t.* (1a) *Lichtstrahlen* brechen; *les électrons peuvent se ~* die Elektronen können gebrochen werden; **~tion** *phys.* [~k'sjõ] *f* Brechung *f* des Lichts; *~ des électrons* Elektronenbrechung *f*.

diffus [di'fy] *adj.* (7) weitschweifig, umständlich, breit; *phys.* weit ausgebreitet; zerstreut (*Licht*); *fig.* unbestimmt; *lumière f ~e* matte Beleuchtung *f*; **~ément** [~ze'mã] *adv.* weitschweifig, umständlich; **~er** [~'ze] *v/t.* (1a) *a. phys.* ausbreiten; zerstreuen; verbreiten; ⚕ absetzen, verkaufen; *rad.* senden; *Gas*: abblasen; **~eur** [~'zœ:r] *m* **1.** ⊕ Absüßungsapparat *m* (*in Zuckerfabriken*), Diffusor *m*; **2.** *Auto*: Zerstäuber *m*, Luftdüse *f*, Venturirohr *n*; **3.** *rad.* Lautsprecher *m*; **4.** Lichtschirm *m*; **5.** Verteiler *m* (*Autobahn*); **~if** *phys.* [~'zif] *adj.* (7e) flüchtig; **~ion** [~'zjõ] *f phys.* Ausbreitung *f*; Verbreitung *f*; Streuung *f*; ⚕ Absatz *m*, Verkauf *m*; *rad.* Sendung *f*, Übertragung *f*; *fig.* Weitschweifigkeit *f*.

digé|rable [diʒe'rablə] *adj.* verdaulich; **~rer** [~'re] (1f) *v/t.* **1.** verdauen; **2.** *fig.* verarbeiten, durchdenken, innerlich aufnehmen, überlegen; **3.** *fig.* ertragen, verwinden.

diges|te [di'ʒɛst] *adj.* (leicht) verdaulich, leicht bekömmlich; *peu ~* schwer verdaulich; **~teur** ⊕ [~'tœ:r] *m*: *~ de Papin* Papinscher Kochtopf *m*; **~tibilité** [~tibili'te] *f* Verdaulichkeit *f*; **~tible** [~'tiblə] *adj.* verdaulich; **~tif** ⚕ [~'tif] **I** *adj.* Verdauungs...; **II** *adj. u. m* verdauungsfördernd(er Schnaps *m*); **~tion** [~'tjõ] *f* Verdauung *f*.

digi|graphie *inform.* [diʒigra'fi] *f* digitale Darstellung *f*; **~tal** [diʒi'tal] *adj.* (5c) *anat.* Finger...; *inform.* Digital...; **~tale** ⚘ [~] *f* Fingerhut *m*; **~taliser** *inform.* [~tali'ze] *v/t.*

(1a) digitalisieren; **~tation** [~tɑ'sjɔ̃] *f* Fingerform *f*, fingerförmige Ausbreitung *f*; **~té** ⚘ [~'te] *adj.* fingerförmig; gezackt; **~tigrade** *zo.* [~ti'grad] **I** *adj.* auf den Zehenspitzen gehend; **II** *~s m/pl.* Zehen-gänger *m/pl.*, -tiere *n/pl.*

diglossie *ling.* [diglɔ'si] *f* Zweisprachigkeit *f.*

digne [diɲ] *adj.* □ **1.** *~ de* würdig (*gén.*); *~ de foi* glaubwürdig; **2.** würdevoll; ehrenwert; **3.** angemessen, passend; **~ment** [~ɲ'mɑ̃] *adv.* auf würdige Weise, in würdiger Weise.

digni|taire [diɲi'tɛ:r] *m* Würdenträger *m*; *pol.* Hoheitsträger *m*; **~té** [~'te] *f* **1.** Würde *f*; *ne pas croire de sa ~ de …* es unter s-r Würde halten zu …; **2.** Ehren-amt *n*, -stelle *f*; **3.** würdige Haltung *f*; *marcher avec ~* würdevoll einherschreiten.

digraphie ✝ [digra'fi] *f* doppelte Buchführung *f.*

digres|ser [digrɛ'se] *v/i.* (1b) abschweifen; **~sion** [~'sjɔ̃] *f* **1.** Abschweifung *f*; **2.** *ast.* Abweichung *f*; **3.** ⚠ Abstand *m.*

digue [dig] *f* **1.** Damm *m*, Deich *m*; **2.** *fig.* Hindernis *n.*

diktat *pol.* [dik'tat] *m* Diktat *n.*

dilacé|ration [dilaserɑ'sjɔ̃] *f* gewaltsame Zerreißung *f*; **~rer** [~'re] *v/t.* (1f) gewaltsam zerreißen.

dilapi|dateur [dilapida'tœ:r] *adj. u. su.* (7f) vergeudend; Verschwender *m*; **~dation** [~dɑ'sjɔ̃] *f* Vergeudung *f*, Verschwendung *f*; **~der** [~'de] *v/t.* (1a) vergeuden.

dilata|bilité *phys.* [dilatabili'te] *f* (Aus-)Dehnbarkeit *f*; **~ble** *phys.* [~'tablə] *adj.* (aus)dehnbar; **~teur** *chir.* [~'tœ:r] *m* Instrument *n* zum Erweitern e-r Wunde; **~tion** *phys.* [~tɑ'sjɔ̃] *f* Dehnung *f.*

dilater [dila'te] (1a) **I** *v/t.* (aus-)dehnen, erweitern; *fig. ~ le cœur* das Herz erfreuen; **II** *v/rfl. se ~* sich ausdehnen; sich erweitern; *fig. il se dilate* das Herz geht ihm auf.

dilatoire ⚖ [dila'twa:r] *adj.* verzögernd, dilatorisch.

dilection *litt.* [dilɛk'sjɔ̃] *f zarte* Liebe *f.*

dilemme [di'lɛm] *m* Dilemma *n.*

dilettan|te [dilɛ'tɑ̃:t] *m* Musik-, Kunst-liebhaber *m*; *bisw. péj.* Dilettant *m*; *péj.* Laie *m*, Stümper *m*; **~tisme** [~tɑ̃'tism] *m* Musik-, Kunst-liebhaberei *f*; *bisw. péj.* Dilettantismus *m*; *péj.* Stümperei *f.*

dili|gemment [diliʒa'mɑ̃] *adv.* **1.** sorgfältig; **2.** prompt; emsig, fleißig; **~gence** † [~'ʒɑ̃:s] *f* **1.** Emsigkeit *f*, Eile *f*, Schnelligkeit *f*; **2.** Sorgfalt *f*; Fleiß *m*; **3.** *~s pl. fig.* Schritte *m/pl.* **4.** *hist.* Postkutsche *f*; **5.** ⚖ *à la ~ du procureur* auf Veranlassung des Staatsanwalts; **~gent** [~'ʒɑ̃] *adj.* (7) **1.** *litt.* prompt, flink, schnell, geschwind; **2.** *litt.* sorgfältig, fleißig.

dilu|er [di'lɥe] *v/t.* (1a) (mit Wasser) verdünnen; **~tion** [~ly'sjɔ̃] *f* Verdünnung *f.*

dilu|vial *géol.* [dily'vjal] *adj.* (5c) diluvial; **~vien** [~'vjɛ̃] *adj.* (7c) sintflutlich; *fig. pluie f ~ne* Wolkenbruch *m*; **~vium** *géol.* [dily'vjɔm] *m* Diluvium *n.*

dimanchard F [dimɑ̃'ʃa:r] *su.* (7) Sonntagsausflügler(in *f*) *m.*

dimanche [di'mɑ̃:ʃ] *m* Sonntag *m*; *~ gras* Sonntag *m* vor Aschermittwoch; *~ des Rameaux* Palmsonntag *m*; *tous les ~s* jeden Sonntag; Sonntag für Sonntag; *tenue f de ~* Sonntagsanzug *m.*

dîme *hist.* [dim] *f* Zehent *m.*

dimension [dimɑ̃'sjɔ̃] *f* Ausmaß *n.*

diminué [dimi'nɥe] *m*: *~ physique* Körperbehinderte(r) *m.*

diminu|er [~] (1a) **I** *v/t.* **1.** verkleinern, vermindern; *Personal, Steuern, Rüstungen usw.* abbauen *od.* verringern; *~ le prix* den Preis herabsetzen; **2.** ♪ nachlassen; *diminué* um e-n halben Ton vermindert; *octave f diminuée* kleine Oktave *f*; **3.** ⚠ verjüngen, dünner machen; **II** *v/i.* **4.** sich vermindern, abnehmen; *~ (de prix)* im Preis heruntergehen; **5.** ⚠ sich verjüngen; **~tif** [~'tif] **I** *adj.* (7e) *gr.* verkleinernd, diminutiv; **II** *m gr.* Verkleinerungswort *n*, Diminutiv *n*; **~tion** [~ny'sjɔ̃] *f* **1.** Verkleinerung *f*, Verminderung *f*, Verringerung *f*; Abbau *m od.* Senkung *f der Steuern, Rüstungen*; *~ des traitements, ~ des appointements* Gehalts-abbau *m*, -senkung *f*; *~ de la natalité, ~ du chiffre des naissances* Geburtenrückgang *m*; *~ de la semaine de travail* Verkürzung *f* der Arbeits-zeit, -woche; **2.** ⚠ Verjüngung *f*; **3.** ✝ Preisermäßigung *f*; *faire une ~* etw. ablassen (*sur* auf *acc.*); **4.** *Häkeln*: Luftmasche(n *pl.*) *f*; **5** ♪ Aufteilung *f.*

dinanderie ✝ [dinɑ̃'dri] *f* Messingware *f.*

dînatoire [dina'twa:r] *adj.*: *goûter*

m ~ reichlicher Nachmittagsimbiß *m*.

dinde [dɛ̃:d] *f* Truthenne *f*, Pute *f*; F *fig.* dumme Gans *f*.

dindon [dɛ̃'dɔ̃] *m* Truthahn *m*, Puter *m*; F *fig.* (Einfalts-)Pinsel *m*; F *être le ~ de la farce* der Dumme *bei e-r Sache* sein; **~neau** [~dɔ'no] *m* (5b) junge Pute *f*; junger Truthahn *m*; **~ner** [~dɔ'ne] *v/t.* (1a) betrügen.

dîné [di'ne] *p.p. am Satzanfang*: ~ *avec* ... nachdem er (sie, es) bei ... gegessen hat.

dîner[1] [~] *v/i.* (1a) zu Abend (*ehm. u. heute noch in bestimmten Gegenden* zu Mittag) essen; ~ *en ville* auswärts (*od.* in der Stadt) essen; F ~ *par cœur* sich die Mahlzeit verkneifen; ~ *à la fortune du pot* mit dem vorliebnehmen, was es gerade zu essen gibt.

dîner[2] [~] *m* Abendessen *n*; *ehm. u. heute noch regional* Mittagessen *n*.

dînette [di'nɛt] *f* Kinder-, Puppenmahlzeit *f*; *faire la ~* eine kleine Mahlzeit halten, kurz etw. zu Mittag (*od.* zum Abendbrot) essen.

dîneur [di'nœ:r] *su.* (7g) Tischgast *m*; *beau ~* starker Esser *m*.

dinghy ⚓ [din'gi] *m* Rettungsschlauchboot *n*.

dingo [dɛ̃'go] **I** *m zo.* Dingo *m* (*australischer Hund*); F Verrückte(r) *m*; **II** *adj.* F plemplem P, bekloppt P, verrückt, meschugge P.

dingue P [dɛ̃:g] *adj.* verrückt (*de qch.* nach etw.).

dinguer F [dɛ̃'ge] *v/i.* (1m) fallen; *envoyer ~ q.* j-n abblitzen lassen.

dio|césain *rl.* [djɔse'zɛ̃] *adj.* (7) *u. m* zum Sprengel gehörig; Diözesan *m*; **~cèse** [~'sɛ:z] *m* Diözese *f*.

diode ⚡ [djɔd] *f* Zweielektrodenröhre *f*.

dionysiaque *myth.* [djɔni'zjak] *adj.* dionysisch.

diop|tre *opt.* ['djɔptrə] *f* Diopter *n*; *phot.* Sucher *m*; **~trique** [~'trik] **I** *adj.* dioptrisch; **II** *f* Strahlenberechnungslehre *f*, Dioptrik *f*.

diphasé ⚡ [difa'ze] *adj.* zweiphasig.

diphtér|ie ⚕ [difte'ri] *f* Diphtherie *f*; **~ique** ⚕ [~'rik] *adj.* diphtheritisch.

diphtong|aison *gr.* [diftɔ̃gɛ'zɔ̃] *f* Diphthongierung *f*; **~ue** *gr.* [~'tɔ̃:g] *f* Diphthong *m*.

diphylle ⚘ [di'fil] *adj.* zweiblättrig.

diplégie ⚕ [diple'ʒi] *f* doppelseitige Lähmung *f*.

diploma|te [diplɔ'mat] **I** *m* Diplomat *m*, Staatsmann *m*; *habile ~* gewandter Mensch *m*; **II** *adj.* diplomatisch; schlau; **~tie** [~'si] *f* **1.** Diplomatie *f*; *entrer dans la ~* Diplomat werden; **2.** *fig.* kluge Taktik *f*; **~tique** [~'tik] **I** *adj.* □ **1.** diplomatisch; *corps m ~* diplomatisches Korps *n*; **2.** umsichtig, geschickt; **3.** zweideutig, geheimnisvoll; gerissen, schlau; *d'un air ~* mit geheimnisvollem Blick; *langage m ~* zweideutige Sprache *f*; **4.** urkundlich; Urkunden...; **II** *f* Diplomatik *f*, Urkundenlehre *f*; **~tiste** [~'tist] *m* Urkundenkenner *m*.

diplô|me [di'plo:m] *m* Diplom *n*, Urkunde *f*, Bestallungsbrief *m*, Prüfungszeugnis *n*; ~ *de fin d'études*, ~ *de baccalauréat* (*od. de bachelier*) Abiturientenzeugnis *n*; **~mé** [diplo'me] **I** *adj.* mit e-m Diplom versehen; *ingénieur m ~* Diplomingenieur *m*; **II** *m* Absolvent *m*.

diptère [dip'tɛ:r] **I** *adj.* **1.** *zo.* zweiflügelig; **II** *m* **2.** ⌂ mit zwei Säulenreihen umgebener Tempel *m*; **3.** *~s pl. zo.* Zweiflügler *m/pl.*

diptyque *rl.* [dip'tik] *m* Diptychon *n*.

dire [di:r] (4m) **I** *v/t.* **1.** sagen, sprechen, reden; mitteilen; *à ~ vrai od. à vrai ~* offen gesagt; *~ la vérité* die Wahrheit sagen; *~ vrai* wahr sprechen; *cela va sans ~* das ist selbstverständlich, das versteht sich von selbst; *c'est-à-~*, *meist abr. c.-à-d.* das heißt; nämlich; *~ des douceurs* mit Worten schmeicheln; F schmusen; *~ la bonne aventure*, *~ l'avenir* wahrsagen; *~ le droit* Recht sprechen; *~ que oui* (*non*) ja (nein) sagen; *ne ~ mot* kein Wort sagen; *sans ~ mot* (*od. rien*), *sans mot* (*od. rien*) *~* ohne ein Wort zu sagen; *dites donc!* hören Sie mal!; *dites-lui bien des choses de ma part* grüßen Sie ihn (sie) vielmals von mir; *il a beau ~* er hat gut reden; was er auch sagen mag; *il me fait ~* er behauptet, ich hätte gesagt; *j'ai dit* ich habe gesprochen; *pour ainsi ~* sozusagen, gleichsam; *à qui le dites-vous* wem sagen Sie es; das brauchen Sie mir gar nicht erst zu sagen; F *tu viendras, dis?* du kommst doch, nicht wahr?; *vous dites?*, *vous disiez?* wie bitte?, wie (meinten Sie)?; *c'est tout ~* damit ist alles gesagt; *pour tout ~* kurz und gut; *on dirait* man möchte sagen; *si le cœur vous en dit* wenn Sie Lust dazu haben; s. *a. unter* et; **2.** her-, auf-sagen, vortragen, deklamieren; *ce comédien dit à merveille* dieser Schauspieler besitzt e-e hohe Vortragskunst; *~ son chapelet* den Rosenkranz herbeten; *écol. ~ sa leçon* s-e Aufgabe hersagen; *l'art m de bien ~* die Redekunst; *~ la messe* die Messe lesen; **3.** befehlen; *dites-lui de venir od. qu'il vienne* sagen Sie ihm, daß er kommen soll; *vous n'avez qu'à ~* Sie haben nur zu befehlen; **4.** (be)nennen, festsetzen; *à l'heure dite* zur festgesetzten Stunde; **5.** glauben, denken; (darunter) verstehen, (damit) sagen wollen, meinen; *on dit* man sagt *od.* es geht das Gerücht; *m/pl.*: *ce sont des on dit* es sind bloße Gerüchte; *qu'en dira-t-on?* was wird man dazu sagen?; *qu'en dites-vous?* was meinen Sie dazu?; *cette réflexion en disait long* diese Äußerung besagte viel; *ne savoir que ~* nicht wissen, was man (dazu) sagen soll; **6.** *poét.* besingen, preisen, erzählen; *Muse, dis la colère d'Achille* Muse, besinge den Zorn des Achilles; **7.** *vouloir ~* bedeuten, heißen; *que veut ~ ce mot?* was bedeutet dieses Wort?; **8.** einwenden; *il trouve toujours qch. à ~* er hat immer etw. auszusetzen; *il y aurait beaucoup à ~ là-dessus* es ließe sich manches dagegen einwenden; *il n'y a rien à ~ à cela* es ist nichts dagegen zu sagen; *il n'y a pas à ~* zweifellos; **II** *se ~* **9.** gesagt werden; *il se dit bien des choses* man sagt mancherlei; *cela ne se dit pas* das sagt man nicht (*schickt sich nicht*); **10.** sich nennen; heißen; *se ~ médecin* sich als Arzt ausgeben; **11.** einander sagen; *se ~ (à soi-même)* zu sich selbst sagen; **III** *m* **12.** Sagen *n*, Aussage *f*; Gerede *n*; *au ~ de tout le monde* wie alle Leute behaupten; **13.** Behauptung *f*, Ansicht *f*: *au ~ des experts* nach dem Urteil der Sachverständigen.

direct [di'rɛkt] **I** *adj.* **1.** in gerader Richtung (fortlaufend), geradlinig, gerade; **2.** unmittelbar, direkt; *argument m ~* direkter Beweis *m*; *gr. complément m ~, régime m ~* näheres Objekt *n*, Akkusativ *m*; *construction f ~e* regelmäßige Wortfolge *f*; *discours m ~* direkte Rede *f*; *mode m ~ gr.* Anrede *f*; *télév. émission f en ~* Live-Sendung *f*; 🚂 *train m ~* D-Zug *m*; *train m semi-~* Eilzug *m*; **II** *m Boxsport*: *un ~ du (poing) droit* ein rechter Gerader *m*; **III** **~ement** [dirɛktə'mɑ̃] *adv.* direkt, ohne Zwischenaufenthalt; geradezu; ohne Vermittlung.

directeur [dirɛk'tœ:r] (7f) **I** *su.* **1.** Direktor *m*; Leiter *m*, Chef *m*; Vorsteher *m*; **2.** *rl. ~ de conscience* Beichtvater *m*, Seelsorger *m*; **II** *adj.* leitend; ⚡ *force f directrice* Richtkraft *f*, -vermögen *n*; *idée f directrice* Leitgedanke *m*; *artill. plan m ~* Meßplan *m*, Meßtischblatt *n*; *principe m ~* Richtschnur *f*; *roue f directrice vél. usw.* Vorderrad *n*; **~-gérant** [~ʒe'rɑ̃] *m* (6a) Geschäftsführer *m*.

direc|tif *rad.* [dirɛk'tif] *adj.* (7e) Richtstrahl...; **~tion** [~'sjɔ̃] *f* **1.** Leitung *f*, Führung *f*; *avoir la ~ de qch.* den Vorsitz bei etw. führen; *prendre la ~ de qch.* die Leitung e-r Sache in die Hand nehmen; **2.** Direktion *f*, obere Leitung *f*; Oberaufsicht *f*; Vorstand *m*; Direktorium *n*; Direktionsgebäude *n*; *centre m (od. service m) de ~* Lenkungsstelle *f*; ⚔ *~ du tir* Feuerleitung *f*; *~ du personnel* Personalabteilung *f*; **3.** ⚖ *~ de créanciers* Verwaltung *f* der Konkursmasse; **4.** Richtung *f*; Fahrtrichtung *f*; *en (od. dans la) ~ de Dijon* in Richtung (nach) Dijon; *prendre une ~* e-e Richtung einschlagen; *dans toutes les ~s* nach (in) allen Richtungen; **5.** ⚒ *~ d'une veine* Streichen *n* (*od.* Bestimmung *f* der Lage) e-s Ganges; **6.** *Auto*, ⚡: Lenkung *f*, Steuerung *f*; *~ à vis sans fin (à vis et à écrou)* Schnecken-(Schrauben-)lenkung *f*; *Auto*: *~ collapsible* Sicherheits-Lenksäule *f* mit Knautschzone; *~ repliable* teleskopartige Sicherheits-Lenksäule *f*; **~tionnel** *rad.* [~sjɔ'nɛl] *adj.* (7c) Richtstrahl...; **~tive** [~'ti:v] *f* Weisung *f*, Richtlinie *f*, Anleitung *f*; Direktive *f*, Verhaltungsmaßregel *f*; *les ~s pl.* die Richtlinien *f/pl.*; ✝, ⊕ *~s au sujet de la qualité* Güterichtlinien *f/pl.*; **~toire** [~'twa:r] *m* Direktorium *n*, Verwaltungsrat *m*, Vorstand *m*; leitende Behörde *f*; *hist. le* ♀ das Direktorium (*1795—99*).

directo|rat *Fr.* [~tɔ'ra] *m* Direktorat *n der Académie française*; **~rial** [~'rjal] *adj.* (5c) leitend; *le personnel ~* das leitende Personal.

directrice [dirɛk'tris] *f* **1.** Leiterin *f*, Direktorin *f usw.*; ✝ Direktrice *f*; **2.** ⩓ Leitlinie *f*.

dirigea|bilité ✈ [diriʒabili'te] *f* Lenkbarkeit *f*; **~ble** [~'ʒablə] **I** *adj.* lenkbar; **II** *m* lenkbares Luftschiff *n.*

dirigeant [diri'ʒɑ̃] *adj.* (7) *u. m* leitend; *bsd. pol.* Leiter *m*, (*Partei-, Gewerkschafts-*)Führer *m*, Funktionär *m*; Machthaber *m*; *principes m/pl.* ~*s* Richtlinien *f/pl.*; *les* ~*s* die führenden Kreise *m/pl.*

diriger [diri'ʒe] (1l) **I** *v/t.* **1.** führen, leiten; lenken; *fig.* vorstehen (*dat.*); ~ *les travaux* die Arbeiten leiten; *rl.* ~ *la conscience de q.* j-s Gewissensrat sein; **2.** ~ *qch. vers* (*od. sur*) *qch.* etw. auf etw. (*acc.*) hinlenken (*od.* hinsteuern); ~ *ses pas vers la ville* seine Schritte zur Stadt hin lenken; auf die Stadt zugehen; **3.** senden, befördern; **4.** *Auto*, ✈, ⚓ steuern; **II** *v/rfl.* **5.** *se* ~ *vers* ... zugehen auf ..., in Richtung ... gehen (*od.* fahren *od.* fliegen); **6.** *fig.* *se* ~ sich benehmen, sich in der Gewalt haben; *il ne saura jamais se* ~ er wird sich niemals benehmen können; **7.** *fig.* *se* ~ *d'après q.* sich nach j-m richten.

dirigis|me [diri'ʒism] *m* Planwirtschaft *f*, Dirigismus *m*, gelenkte Wirtschaft *f*; **~te** [~'ʒist] **I** *su.* Verfechter *m* der Planwirtschaft; **II** *adj.* dirigistisch.

dirimer ⚖ [diri'me] *v/t.* (1a) aufheben, ungültig machen.

discale ✝ [dis'kal] *f* Gewichtsverlust *m.*

discer|nable [disɛr'nablə] *adj.* unterscheidbar; **~nement** [~nə'mɑ̃] *m* **1.** *litt.* Unterscheidung *f*; *employé sans* ~ unterschiedslos gebraucht; **2.** Unterscheidungsvermögen *n*; Überlegung *f*; *il faut y procéder avec* ~ man muß dabei mit Überlegung verfahren; *agir sans* ~ sich der Tragweite s-r Handlungen nicht bewußt sein, ohne Überlegung handeln; ⚖ *âge m de* ~ zurechnungsfähiges Alter *n*; **~ner** [~'ne] *v/t.* (1a) unterscheiden, erkennen, einsehen; *capable de* ~ zurechnungsfähig.

disciple [di'siplə] *su.* Schüler *m* (*e-s Meisters, e-s Gelehrten, e-s Philosophen usw.*), Nachfolger *m*, Anhänger *m*; *les* ~*s pl. de Jésus-Christ* Christi Jünger *m/pl.*

discipli|nable [disipli'nablə] *adj.* folgsam, gelehrig; **~naire** [~'nɛ:r] **I** *adj.* □ disziplinarisch; Disziplinar...; *enquête f* ~ Disziplinarverfahren *n*; *établissement m* ~ Besserungsanstalt *f*; *peine f* (*od. punition f*) ~ Ordnungsstrafe *f*; *déplacement m par mesure* ~ Strafversetzung *f*; **II** *m* ⚔ Soldat *m* e-r Strafkompanie; **~ne** [disi'plin] *f* **1.** Disziplin *f*, Zucht *f*; *conseil m de* ~ Disziplinargericht *n*; ⚔ *compagnie f de* ~ Strafkompanie *f*; ~ *militaire* militärische Disziplin *f*, Manneszucht *f*; ~ *de soi-même* Selbst-zucht *f*, -disziplin *f*; ~ *scolaire* Schuldisziplin *f*, Schulzucht *f*; **2.** Lehre *f*, Disziplin *f*; Unterrichtsfach *n*; Wissenszweig *m*; **3.** *Sport*: Sportart *f*; **4.** *rl.* Geißelung *f*; Geißel *f*; **~ner** [~pli'ne] *v/t.* (1a) **1.** an Zucht und Ordnung gewöhnen, disziplinieren; **2.** *fig. e-e Frisur* in Ordnung halten.

discobole *Sport* [diskɔ'bɔl] *m* Diskuswerfer *m.*

discographie [diskɔgra'fi] *f* Schallplattenkunde *f*, Spezialabhandlung *f* über Schallplatten.

discolore [diskɔ'lɔ:r] *adj.* □ verschiedenfarbig.

discontinu [diskɔ̃ti'ny] *adj.* unterbrochen, unzusammenhängend; *A* unstetig; *phys.* diskontinuierlich; *temps m* ~ unbeständiges Wetter *n*; **~ation** ⚒ [~nɥa'sjɔ̃] *f* Unterbrechung *f*, Einstellung *f*; **~er** [~'nɥe] (1a) **I** *litt. v/t.* unterbrechen, liegenlassen, einstellen, nicht fortsetzen; **II** *v/i.* ~ (*de mit inf.*) aufhören zu ... *od.* mit (*dat.*); *sans* ~ ununterbrochen; **~ité** [~nɥi'te] *f* Unterbrechung *f*; *A* Unstetigkeit *f.*

disconve|nance *litt.* [diskɔ̃v'nɑ̃:s] *f* Mißverhältnis *n*; **~nir** [~'ni:r] *v/i.* (2h) *ne pas* ~ *de* (~ *que mit subj.*) nicht in Abrede stellen (daß); nicht leugnen.

disco|parade ♪, *rad.* [diskɔpa'rad] *f* Schallplattenparade *f*; **~phile** ♪ [~'fil] *su. u. adj.* Schallplattenfreund(in *f*) *m*; plattenbegeistert; **~rama** *rad.* [~ra'ma] *m* Schallplattenkonzert *n.*

discord ⚒ [dis'kɔ:r] *adj./m* ♪ verstimmt; *piano m* ~ verstimmtes Klavier *n*; *allg. bruits m/pl.* ~*s* schrille Geräusche *n/pl.*

discor|dance [diskɔr'dɑ̃:s] *f* **1.** Nichtübereinstimmung *f*, Unterschiedlichkeit *f*; **2.** *géol.* Unterbrechung *f der Schichten*; **~dant** [~'dɑ̃] *adj.* **1.** ♪ verstimmt, unharmonisch; *tons m/pl.* ~*s* Mißtöne *m/pl.*; **2.** *fig.* nicht übereinstimmend, uneinig; **~de** [dis'kɔrd] *f* Zwietracht *f*, Uneinigkeit *f*, *pomme f de* ~ Zankapfel *m.*

discothécaire [diskɔte'kɛ:r] *m* Schallplatten-sammler *m*, -wart *m*, -archivar *m*.
discothèque [diskɔ'tɛk] *f* Schallplatten-archiv *n*, -sammlung *f*; Platten-schrank *m*, -bar *f*, Diskothek *f*.
discou|reur [disku'rœ:r] *su.* (7g) Schwätzer *m*; *faire le beau* ~ sich gerne reden hören; **~rir** *péj.* [~'ri:r] *v/i.* (2i) salbadern, faseln.
discours [dis'ku:r] *m* **1.** Rede *f*; *faire* (*od. prononcer od. tenir*) *un* ~ e-n Vortrag (e-e Rede) halten; ~ *d'ouverture* (*de réception*) Eröffnungs- (Begrüßungs-)rede *f*; ~ *improvisé* Rede *f* aus dem Stegreif; ~ *programme* Programmrede *f*; ~ *inaugural* Eröffnungsrede *f*; ~ *du trône* Thronrede *f*; **2.** Gespräch *n*, Unterhaltung *f*; *un* ~ *équipe* ein Gruppengespräch *n*; **3.** *pl. péj.* Gerede *n*; *point de* ~ *superflus!* keine überflüssigen Worte!; *péj.* ~ *que tout cela!* nichts als Gequatsche! *trêve de* ~*!*, *point de* ~*!* genug der Worte!; **4.** *gr. les neuf parties f/pl. du* ~ die neun Redeteile *m/pl.*; **5.** 🕮 Abhandlung *f*; **~-fleuve** [~'flœ:v] *m* (6c) Bandwurmrede *f*.
discourtois [diskur'twa] *adj.* (7) □ unhöflich.
discrédit [diskre'di] *m* Mißkredit *m*, Verruf *m*; *jeter le* ~ *sur* in Verruf bringen; *tomber dans le* (*od. en*) ~ in Mißkredit kommen; **~é** [~'te] *adj.* kreditlos; verrufen, verachtet; *être* ~ in Verruf kommen *od.* sein; **~er** [~] *v/t.* (1a) in Mißkredit (*od.* in Verruf) bringen.
discret [dis'krɛ] (7b) *adj.* □ **1.** zurückhaltend, bescheiden, besonnen, diskret, vorsichtig, taktvoll, verschwiegen; *faire le* ~ geheimnisvoll tun; **2.** ⚡ unstetig.
discré|tion [diskre'sjɔ̃] *f* **1.** Takt *m*, Zurückhaltung *f*; *sans* ~ rücksichtslos, maßlos, taktlos; **2.** Ermessen *n*, Belieben *n*; *je m'en remets à votre* ~ das überlasse ich Ihnen, ich stelle es Ihrem Ermessen anheim; *se mettre à la* ~ *de q.* sich j-m ganz unterordnen; **3.** *à* ~ *advt.* nach Belieben; *boire à* ~ trinken, soviel man will; **4.** Diskretion *f*, Verschwiegenheit *f*; *n'avoir rien à perdre de la* ~ auf e-e absolute Geheimhaltung angewiesen sein; ~ *de fonctionnaire* Amtsverschwiegenheit *f*; ~ *professionnelle* Schweigepflicht *f*; **~tionnaire** [~sjɔ'nɛ:r] *adj.* dem freien Ermessen überlassen.
discrimin|ant [diskrimi'nɑ̃] **I** *adj.* unterscheidend; **II** ⚡ *m* Diskriminante *f*; **~ateur** *rad.* [~na'tœ:r] *m* Diskriminator *m*; **~ation** [~nɑ'sjɔ̃] *f* Unterscheidung *f*; Unterscheidungsvermögen *n*; *péj.* Diskriminierung *f*, Verunglimpfung *f*, Herabsetzung *f*; **~atoire** *péj.* [~na'twa:r] *adj.* diskriminierend; **~er** [~'ne] *v/t.* (1a) **1.** *litt.* unterscheiden; **2.** *rad.* hochfrequenzmodulierten Strom durch e-n Diskriminator gehen lassen, um Niederfrequenzschwingungen zu erhalten.
discul|pation [diskylpɑ'sjɔ̃] *f* Entschuldigung *f*, Rechtfertigung *f*; **~per** [~'pe] *v/t.* (1a): ~ *q. de* j-n entschuldigen *od.* rechtfertigen wegen (*gén.*); *se* ~ sich rechtfertigen, die Schuld von sich wälzen, sich reinwaschen F.
discursif [diskyr'sif] *adj.* (7e) **1.** logisch vorgehend, deduktiv; **2.** abschweifend.
discussion [disky'sjɔ̃] *f* **1.** Erörterung *f*, Diskussion *f*; *s'engager dans une* ~ sich in e-e Erörterung einlassen; *cela est sujet à* ~ darüber läßt sich streiten; *la* ~ *n'est pas là* darum geht es nicht, darum dreht es sich nicht; *hors de* ~ unbestritten; *mettre en* ~ zur Sprache bringen; **2.** Wortwechsel *m*; *je ne veux pas entrer en* ~ *avec lui* ich will mich nicht in e-n Streit mit ihm einlassen.
discu|table [disky'tablə] *adj.* fraglich, diskutabel, anfechtbar, bestreitbar; **~tailler** F *péj.* [~ta'je] *v/i.* (1a) sich lange wegen nichts und wieder nichts herumstreiten; **~ter** [~'te] (1a) **I** *v/t.* **1.** diskutieren, besprechen, erörtern; ~ *cuisine* sich über die Kochkunst unterhalten; **2.** anzweifeln; **II** *v/i.* ~ *de od. sur qch.* über etw. (*acc.*) verhandeln, diskutieren.
disert *litt.* [di'zɛ:r] *adj.* (7) beredt.
diset|te [di'zɛt] *f* Knappheit *f*, Mangel *m bsd. an Lebensmitteln*, Nahrungsmangel *m*, Hungersnot *f*, Not *f*, Teuerung *f*; *a. fig.* Armut *f*; **~teux** [dizɛ'tø] *adj.* (7d) notleidend.
diseur [di'zœ:r] *su.* (7g) Erzähler *m*; Deklamator *m*, Rezitator *m*, Vortragskünstler *m*; ~ *de bonne aventure* Wahrsager *m*; ~ *de bons mots* aufdringlicher Witzbold *m*; *fin* ~ guter Erzähler *m*.
disgrâce [dis'grɑ:s] *f* **1.** Ungnade *f*; *encourir la* ~ *de q.* sich j-s Ungnade zuziehen; *tomber en* ~ in Ungnade

fallen; **2.** † Mißgeschick *n*, Unglück *n*; **3.** *litt.* ~ *physique* Fehlen *n* jeglicher Anmut.

disgra|cier [disgrɑ'sje] *v/t.* (1a): ~ *q.* j-m seine Gnade (*od.* Gunst) entziehen; *disgracié* in Ungnade gefallen (*a. su.*); *disgracié de la nature* von der Natur stiefmütterlich behandelt; **~cieux** [~'sjø] *adj.* (7d) □ ungraziös, plump, schwerfällig, steif, ungelenk, ohne Anmut; unfreundlich, barsch.

disjoindre [dis'ʒwɛ̃:drə] (4b) **I** *v/t.* auseinandernehmen, lockern; *fig.* trennen; **II** *v/rfl.* *se* ~ aus den Fugen gehen.

disjonc|té [disʒɔ̃k'te] *adj.* ausgeschaltet; **~teur** ⚡ [~'tœ:r] *m* Schalter *m*; ~ *dans l'huile*, ~ *à bain d'huile* Ölschalter *m*; ~ *de protection* Schutzschalter *m*; **~tif** [~'tif] *adj.* (7e) *gr.* trennend, disjunktiv; **~tion** [~'sjɔ̃] *f* Trennung *f*; ⚡ Abschaltung *f*.

dislo|cation [dislɔkɑ'sjɔ̃] *f* **1.** Auseinandernehmen *n*; **2.** ~ *d'un empire* Zerstückelung *f* e-s Reiches; **3.** ⚕ Verrenkung *f*; **4.** ⚔ (*Truppen-*) Verlegung *f*; Verwirrung *f* (*von Truppeneinheiten*); **5.** *géol.* Verschiebung *f*; **6.** *exercices m/pl. de* ~ Gelenkigkeitsübungen *f/pl.*; **~quer** [~lɔ'ke] (1m) **I** *v/t.* **1.** auseinandernehmen; zertrennen; **2.** ⚕ verrenken; **3.** ⚔ verlegen (*Truppen*); zerschlagen; aufreiben; ~ *l'attaque* den Angriff lahmlegen; **II** *v/rfl.* *se* ~ zerbröckeln; ⚕ sich ausrenken; *disloqué* gelenkig.

dispach|e ⚓ [dis'paʃ] *f* Seeschadensregelung *f*; **~eur** ⚓ [~'ʃœ:r] *m* Schiedsrichter *m bei Seeversicherungen*; Seeschadenberechner *m*.

disparaître [dispa'rɛ:trə] *v/i.* (4z) (*mit avoir, um die Handlung, mit être, um den Zustand auszudrücken*) verschwinden, unsichtbar werden; *gr.* verstummen.

dispa|rate [dispa'rat] *adj.* nicht zusammenpassend, verschiedenartig, unvereinbar; **~rité** [~ri'te] *f* Unterschiedlichkeit *f*.

dispa|rition [dispari'sjɔ̃] *f* Verschwinden *n*; **~ru** [~'ry] *adj. u. m* verschollen; ⚔ vermißt; Vermißte(r) *m*.

dispatch|er [dispɛt'ʃœ:r] *m* **1.** 🚂 Fahrdienstleiter *m*; **2.** ✈ Abfertigungsbeamte(r) *m*; **3.** ⚡ Betriebsüberwacher *m*; **~ing** [~'ʃiŋ] *m* **1.** 🚂 Fahrdienstleitung *f*; **2.** ✈ Flugnachrichtendienst *m*; **3.** ⚡ Betriebsüberwachung *f*.

dispendieux [dispɑ̃'djø] *adj.* (7d) □ kostspielig.

dispen|sable [dispɑ̃'sablə] *adj.* erlaßbar; **~saire** [~'sɛ:r] *m* kleines Krankenhaus *n für Notfälle*; **~sateur** [~sa'tœ:r] *su.* (7f) Austeiler *m*.

dispen|se [dis'pɑ̃:s] *f* **1.** Erlassung *f*, Befreiung *f*; **2.** Erlaubnis(schein *m*) *f*, Befreiungsbescheinigung *f*; **~ser** [~pɑ̃'se] (1a) **I** *v/t.* **1.** ~ *q. de qch. od. de ...* (*inf.*) j-n von etw. (*dat.*) befreien (*od.* ausnehmen, dispensieren, entbinden), j-m etw. erlassen *od.* schenken; *dispensez-m'en* verschonen Sie mich damit; **2.** gewähren, spenden, aus-, ver-teilen; **II** *v/rfl.* *se* ~ *de qch. od. de ...* (*inf.*) etw. (*acc.*) unterlassen; *se* ~ *de ses devoirs* sich s-n Pflichten entziehen.

disper|ser [dispɛr'se] (1a) **I** *v/t.* **1.** ausstreuen, austeilen, verteilen; **2.** ver-, zer-streuen; zersplittern; ~ *les ennemis* den Feind zersprengen; ~ *ses efforts fig.* sich zersplittern; **II** *v/rfl.* *se* ~ umhergestreut werden; sich zerstreuen, ausea.-laufen; ⚔ *se* ~ *en tirailleurs* (aus-) schwärmen; **~sion** [~'sjɔ̃] *f* Umherstreuen *n*; *phys.* (Zer-)Streuung *f*; Streuung *f* (*Beschuß*); ~ *des forces* Zersplitterung *f* der Kräfte; ⚔ Auseinanderlegung *f der Truppen*; **~sif** [~'sif] *adj.* (7e) *phys.* zerstreuend, Zerstreuungs...; *opt.* Streu..., brechend.

disponi|bilité [dispɔnibili'te] *f* **1.** *a.* ⚔ Verfügbarkeit *f*, Bereitschaft *f*; *a.* ⚔ *mettre en* ~ einstweilig aus dem Dienst entlassen, zur Disposition stellen; *hommes m/pl. en* ~ Ersatzreserve *f*; Beurlaubtenstand *m*; *traitement m de* ~ Wartegeld *n*; **2.** ☤ ~*s pl.* verfügbare Beträge *m/pl. od.* Gelder *n/pl.*; ~*s en espèces* Barmittel *n/pl.*; **~ble** [~'niblə] *adj.* verfügbar; ☤ flüssig, vorrätig; *a.* ⚔ zur Disposition stehend.

dispos [dis'po] *adj./m* munter, rüstig; *frais et* ~ frisch und gesund.

disposable ⚕ [dispo'zablə] *m* nur zu einmaligem Gebrauch bestimmter Gegenstand.

disposer [dispo'ze] (1a) **I** *v/t.* **1.** disponieren, (an)ordnen; einrichten; ~ *les affaires* die nötigen Anstalten treffen; **2.** ~ *q. à qch.* j-n zu etw. (*dat.*) vorbereiten, bewegen, geneigt machen; ~ *q. en faveur de* j-n günstig stimmen für (*acc.*); ~ *q. à la mort* j-n auf den Tod vorbereiten; *disposé à qch.* bereit zu etw., zu etw. neigend; *bien* (*mal*) *disposé* gut (schlecht) gelaunt; **3.** ~ *qch. pour qch.* etw. für etw. (*acc.*) vorbereiten *od.* herrichten; **4.** ⚔ ~ *une troupe* e-e Truppe aufstellen; **II** *v/i.* verfügen: *vous pouvez* ~ ich will Sie nicht weiter aufhalten; ~ *de q.* (*qch.*) über j-n (etw.) verfügen (können); *disposez de ma maison* mein Haus steht zu Ihrer Verfügung; ⚕ ~ *sur le tiré* auf den Bezogenen verfügen; **III** *v/rfl.* se ~ *à faire qch.* sich anschicken, etw. zu tun.

dispositif [~zi'tif] *m* **1.** ⚖ ~ *du jugement* Urteils-formel *f*, -spruch *m*; **2.** ⚔ Gliederung *f*, Gefechtsgliederung *f*; Kräfteverteilung *f*, Einweisung *f*; Verband *m*; ~ *de marche* Marschgliederung *f*; **3.** ⊕ Vorrichtung *f*, Einrichtung *f*, System *n*, Apparat(ur *f*) *m*, Anlage *f*; ~ *d'ajustage*, ~ *de réglage* Einstellvorrichtung *f*; ~ *cheminant* wandernde Vorrichtung *f*; ~ *de protection* Schutzvorrichtung *f an Maschinen*; ~ *de démarrage*, ~ *de mise en marche* Anlaßvorrichtung *f*; ~ *de barrage* Stauanlage *f*; *Auto*: ~ *de démarrage* Starter(knopf *m*) *m*; *rad.* ~ *d'accord* Abstimmvorrichtung *f*; ⚓ ~ *correcteur de centrage* Trimmgerät *n*.

disposition [dispozi'sjõ] *f* **1.** a) Anordnung *f*, Einrichtung *f*; Einteilung *f*; ~ *des troupes* Aufstellung *f* der Truppen; ~ *de la bataille* Schlachtordnung *f*; b) ⊕ Einrichtung *f e-r Maschinenanlage*; **2.** *a. écol.* Gliederung *f*, Disposition *f* (*im Aufsatz*); **3.** Verfügung *f*; *tout est à votre* ~ alles steht zu Ihrer Verfügung; *mettre à la* ~ (*de q.* j-m) zur Verfügung stellen; **4.** Neigung *f*, Lust *f*, Stimmung *f* (*à* zu *dat.*); körperliches Befinden *n*; ~ *au mal* Hang *m* zum Bösen; F *en bonne* ~ wohlauf; *fig.* in guter Verfassung; **5.** körperliche *od.* geistige Anlage *f*, Empfänglichkeit *f*, Anfälligkeit *f*; ~ *à la goutte* Anlage *f* zur Gicht; *avoir des* ~*s* Anlagen *pl. od.* Talente *pl.* haben; **6.** ~*s pl.* Vorkehrungen *f/pl.* (*od.* Anstalten *f/pl.*), ⚔ Anordnungen *f/pl.*; *faire ses* ~*s pour partir* Vorkehrungen (*od.* Anstalten) zur Abreise treffen; **7.** ⚖ Bestimmung *f*, Verfügung *f*; ~ *concernant les constructions* Bauvorschrift *f*; ~ *transitoire* Übergangsvorschrift *f*; ~ *d'application d'une loi* Durchführungsbestimmung *f*; ~ *contractuelle* Vertragsbestimmung *f*; ~*s pl. testamentaires* letztwillige Verfügungen *f/pl.*; *ayant le droit de* ~ verfügungsberechtigt; *droit m de libre* ~ Selbstbestimmungsrecht *n*.

dispropor|tion [disprɔpɔr'sjõ] *f* Mißverhältnis *n*; Ungleichheit *f*; ~ *du corps* Mangel *m* an Ebenmaß des körperlichen Wuchses; **~tionné** [~sjɔ'ne] *adj.* (~*tionnément adv.*) disproportioniert, nicht ebenmäßig, ungleich; unverhältnismäßig; **~tionner** [~sjɔ'ne] *v/t.* (1a) in ein Mißverhältnis bringen, ungleich machen.

dispu|te [dis'pyt] *f* Streit *m*, Disput *m*, Krach *m* F, Wortwechsel *m*; ~ *de mots* Streit *m* um Worte, Wortklauberei *f*; *ils sont toujours en* ~ sie krachen sich dauernd; ~*s de religion* Religionsstreitigkeiten *f/pl.*; *hors de* ~, *sans* ~ unbestreitbar; **~ter** [~'te] (1a) **I** *v/i. litt.* **1.** disputieren, sich unterhalten (*de* über *acc.*); erörtern; *on dispute du talent d'un auteur* man unterhält sich über das Talent e-s Verfassers; ~ *de points de vue politiques* sich über politische Gesichtspunkte unterhalten, politische Gesichtspunkte erörtern; **2.** ~ (*de od. sur*) streiten, in Wortwechsel geraten (um *od.* über *acc.*); *il ne faut pas* ~ *des goûts* über den Geschmack läßt sich nicht streiten; ~ *sur la pointe d'une aiguille* sich um Kleinigkeiten (*od.* um des Kaisers Bart) streiten; ~ *de beauté* um den Preis der Schönheit ringen; **II** *v/t.* **3.** streiten um (*acc.*), streitig machen; ~ *le prix* um den Preis streiten (*od.* ringen, kämpfen); ~ *le terrain à q.* j-m das Feld streitig machen; *Sport*: ~ *un match* (*une partie*) ein Wettspiel (ein Spiel) austragen; ~ *un championnat* e-e Meisterschaft austragen; ~ *un titre* den Träger e-s Titels herausfordern; **4.** *le* ~ *à q. en qch.* j-m den Vorrang in etw. (*dat.*) streitig machen; mit j-m in etw. (*dat.*) wetteifern; **5.** F ~ *q.* j-n ausschelten (*od.* ausschimpfen); **III** *v/rfl.* **6.** *se* ~ *avec q. au sujet de qch.* sich mit j-m wegen e-r Sache (*od.* Frage) zanken (*od.* in den Haaren *od.* in der Wolle haben F); **7.** *se* ~ *qch.* sich etw. streitig machen; sich um etw. reißen; *fig.* miteinander um etw. (*acc.*) wetteifern; **~teur** *litt.* [~'tœːr] *adj.* (7g) *u. su.* streitsüchtig(er Mensch *m*).

disquaire [dis'kɛ:r] *m* Schallplattenhändler *m*, -aufleger *m* (*im Lokal*).

disqualifi|cation [diskalifika'sjõ] *f* Ausschluß *m*, Ausschließung *f*, *a. Sport*: Ausscheidung *f*, Disqualifizierung *f*; **~er** [~'fje] (1a) **I** *v/t.* für ungeeignet erklären, ausschließen; *Sport*: disqualifizieren, ausscheiden; **II** *v/rfl.* se ~ sich unmöglich machen.

disque [disk] *m* **1.** Diskus *m*, Wurfscheibe *f*; *lancer le* ~ den Diskus werfen; *Sport*: *jeu m du* ~ Scheibenwerfen *n*; **2.** Scheibe *f* (*bsd. ast.*); **3.** Schallplatte *f*; ~ *image m od.* ~ *vidéo m* Bildplatte *f*; **4.** 🚂 Weichen-, Signal-scheibe *f*; **5.** ⚘ Fläche *f* e-s Blattes; **6.** *téléph.* ~ *d'appel* Wählerscheibe *f*; **7.** *Auto*: ~ *de stationnement* Parkscheibe *f*; **8.** *anat.*, ⚕ ~ *vertébral* Bandscheibe *f*.

disque-album [diskal'bɔm] *m* (6a): ~ *pour les enfants* Schallplattenbilderbuch *n* für Kinder.

dissection [disɛk'sjõ] *f* Zergliederung *f*; *anat.* Sezieren *n*, Sektion *f*.

dissem|blable [disɑ̃'blablə] *adj.* □ unähnlich; verschieden, unterschiedlich; **~blance** [~'blɑ̃:s] *f* Unähnlichkeit *f*, Verschiedenartigkeit *f*, Unterschiedlichkeit *f*.

dissémi|nation [disemina'sjõ] *f* Ausstreuung *f* des Samens; *fig.* Verbreitung *f*; **~ner** [~'ne] *v/t.* (1a) ausstreuen; verbreiten; zersplittern.

dissension [disɑ̃'sjõ] *f* Entzweiung *f*, Zwietracht *f*, Mißhelligkeit *f*, Streit *m*.

dissensus [disɑ̃'sys] *m* partielle Meinungsverschiedenheit *f*, Dissens *m*.

dissentiment [disɑ̃ti'mɑ̃] *m* Meinungsverschiedenheit *f*.

disséquer [dise'ke] *v/t.* (1f) *u.* (1m) *anat.* zergliedern, sezieren; *fig.* sezieren.

disser|tateur *péj.* [disɛrta'tœ:r] *m* gelehrter Schwätzer *m*; **~tation** [~ta'sjõ] *f* Dissertation *f*, (*wissenschaftliche*) Abhandlung *f*; *écol.* Aufsatz *m* (*e-r höheren Klasse*); **~ter** [~'te] (1a) **I** *v/i.* e-e Dissertation (*écol.* e-n Aufsatz) schreiben (*sur qch.* über etw. *acc.*); **II** *v/t.*: ~ *politique* über Politik sprechen.

dissi|dence [disi'dɑ̃:s] *f rl.* (Glaubens-)Zwist *m*, Schisma *n*; *pol.*, *rl.* Abweichung *f*, Meinungsverschiedenheit *f*, Spaltung *f*; *rl. die* Dissidenten *pl.*, *pol. die* Spalter *pl.*; **~dent** [~'dɑ̃] **I** *adj. rl.*, *pol.* andersdenkend; **II** *m rl.* Dissident *m*; *pol.* Spalter *m*.

dissimi|laire *anat.*, *min.* [disimi'lɛ:r] *adj.* ungleichartig; **~lation** *gr.*, ⚘ [~la'sjõ] *f* Dissimilation *f*, Dissimilierung *f*, Entähnlichung *f*; **~ler** *gr.*, ⚘, *physiol.* [~'le] *v/t.* (1a) dissimilieren, entähnlichen; **~litude** [~li'tyd] *f* Ungleichartigkeit *f*.

dissimu|lateur [disimyla'tœ:r] (7f) **I** *su.* Heuchler *m*, Schleicher *m*; **II** *adj.* heuchlerisch; **~lation** [~la'sjõ] *f* Heuchelei *f*, Verstellung(skunst *f*) *f*; Verheimlichung *f*; ⚖ ~ *d'actif* Bilanzverschleierung *f*; **~lé** [~'le] **I** *adj.* **1.** verschlossen; heuchlerisch; ⊕ verdeckt; **2.** ⚡ *électricité* ~*e* gebundene Elektrizität *f*; **II** *su.* Schleicher *m*, Duckmäuser *m*; **~ler** [~'le] (1a) **I** *v/t.* **1.** verbergen, verstecken, verhehlen, verheimlichen, verschweigen; **2.** nicht merken lassen, nicht zeigen; ~ *une injure* eine Beleidigung einstecken; **II** *v/rfl.* se ~ **3.** verborgen werden; **4.** sich verstecken, heimlich wegschleichen; **5.** *se* ~ *qch.* etw. sich selbst gegenüber nicht eingestehen wollen; *ne pas se* ~ *les difficultés* sich über die Schwierigkeiten völlig im klaren sein.

dissipa|teur [disipa'tœ:r] *su. u. adj.* (7f) Verschwender *m*; verschwenderisch; **~tion** [~pa'sjõ] *f* **1.** Zerstreutheit *f*, Zerfahrenheit *f*; ~ *d'esprit* Gedankenlosigkeit *f*; **2.** *litt.* Verschwendung *f*, Prasserei *f*; ~*s pl.* übertriebene Geldausgaben *f/pl.*; *vivre dans la* ~ in Saus und Braus leben; **3.** ⚗ Verdunstung *f*; **4.** *rad.* Streuung *f*; **5.** *fig.* Verschwinden *n*.

dissipé [disi'pe] *adj.* abgelenkt, fahrig, zerfahren, zerstreut; *litt.* leichtsinnig, üppig (*Leben*); *litt.* vergnügungssüchtig.

dissiper [~] (1a) **I** *v/t.* **1.** vertreiben, zerteilen, auflösen; ~ *une armée* ein Heer auseinandersprengen; *fig.* ~ *des doutes* Zweifel beseitigen; **2.** verschwenden, vergeuden, verprassen; vertrödeln, verbummeln; verschleudern; **3.** *litt.* (*von der Pflicht, von der Arbeit*) ablenken, verleiten; **II** *v/rfl.* se ~ **4.** (ver-)schwinden; sich verziehen; verfliegen, verdunsten; *fig.* se ~ *en fumée* in Rauch aufgehen; **5.** Zerstreuung suchen.

dissoc|iable ⚗ [disɔ'sjablə] *adj.* trennbar, auflösbar; **~iation** ⚗ [~sja'sjõ] *f* Zerfall *m*, Trennung *f*, Auflösung *f*, Abspaltung *f*, Dissoziation *f* (*a. psych.*); **~ier** ⚗ [~'sje] *v/t.* (1a) auflösen, trennen, abspalten, zersetzen (*a. allg.*), dissoziieren.

dissolu [disɔ'ly] *adj.* ausschweifend; liederlich; **~bilité** [~bili'te] *f* Auflösbarkeit *f*; **~ble** [~'lyblə] *adj.* (auf-)lösbar; **~tion** [~'sjɔ̃] *f* **1.** ⚗ Auflösung *f*; **2.** ⚕ Zersetzung *f* des Blutes; **3.** *fig.* Auflösung *f*, Trennung *f*, Scheidung *f*; *tomber en ~* sich auflösen, aufgelöst werden; **4.** *litt. fig.* Ausschweifung *f*, Sittenlosigkeit *f*.

dissolvant ⚗ [disɔl'vɑ̃] **I** *adj.* (7) auflösend; **II** *m* Auflösungsmittel *n*; Nagellackentferner *m*.

disso|nance [disɔ'nɑ̃:s] *f* ♪ Mißklang *m* (*a. fig.*), Dissonanz *f*; **~nant** [~'nɑ̃] *adj.* (7) mißtönend, falsch klingend; **~ner** [~'ne] *v/i.* (1a) falsch klingen, dissonieren.

dissoudre [di'su:drə] *v/t.* (4bb) auflösen; zersetzen; *fig.* trennen; aufheben.

dissuader [disɥa'de] *v/t.* (1a): *~ q. de (faire) qch.* j-m etw. abraten *od.* ausreden, j-n davon abbringen, etw. zu tun.

dissuasion *bsd.* ⚔ [~sɥa'zjɔ̃] *f* Abschreckung *f*.

dissylla|be [disi'lab] *adj. u. m u.* **~bique** [~'bik] *adj.* zweisilbig(es Wort *n*).

dissymétrie [disime'tri] *f* fehlende Symmetrie *f*.

distan|ce [dis'tɑ̃:s] *f* **1.** Abstand *m*, Entfernung *f*, Strecke *f*; *Auto*: *~ d'arrêt* (*od. de freinage*) Bremsweg *m*, -strecke *f*; *de ~ en ~* in gewissen Abständen; ✈ *vol m à grande ~* Langstreckenflug *m*; *~ de tir* Schußweite *f*; *tenez-vous à ~!* kommen Sie nicht so nah heran!; *phot. ~ focale* Brennweite *f*; ⚔ *prendre les ~s* Abstand nehmen; **2.** Zwischenzeit *f*; **3.** *fig.* Unterschied *m*; *~s* (Standes-)Unterschiede *m/pl.*; *garder ses ~s* zurückhaltend sein; *tenir q. à ~* sich von j-m distanzieren; **~cer** [~'se] *v/t.* (1k) **1.** *Sport*: *~ q.* j-n überholen; *fig.* j-n übertreffen; **2.** *Sport*: disqualifizieren (*Läufer*, *Reiter*); **~ciation** [~sjɑ'sjɔ̃] *f* Distanzierung *f*; Abtrennung *f*; *litt.* Verfremdung *f*.

distant [dis'tɑ̃] *adj.* (7) **1.** entfernt; *~ de 15 kilomètres* 15 km weit entfernt; **2.** *fig.* zurückhaltend; unnahbar, reserviert.

disten|dre [dis'tɑ̃:drə] *v/t.* (4a) *anat.* stark ausdehnen; *fig.* lockern, lösen; **~sion** *anat.* [~tɑ̃'sjɔ̃] *f* starke Ausdehnung *f*.

distilla|ble [disti'lablə] *adj.* destillierbar; **~t** [~'la] *m* Destillationsprodukt *n*, Destillat *n*; **~teur** [~'tœ:r] *m* Branntweinbrenner *m*, Destillateur *m*; **~tion** [~lɑ'sjɔ̃] *f* Destillation *f*, Brennen *n*; *produit m de ~* Destillat *n*; **~toire** [~la'twa:r] *adj. u. m* (*appareil m*) *~* Destillierapparat *m*.

distil|ler [disti'le] (1a) *v/t.* **1.** ⚗ abziehen, destillieren; *~ du miel* Honig bereiten (*Bienen*); **2.** *fig. ~ son fiel* (*od. son venin*) *sur q.* s-e Wut an j-m auslassen; *~ des histoires gaillardes* schlüpfrige Geschichten vom Stapel lassen; **~lerie** [~l'ri] *f* (Branntwein-)Brennerei *f*, Schnapsfabrik *f*; ⚗ Destillierkammer *f*.

distinct [dis'tɛ̃:(kt)] *adj.* (7) □ **1.** unterschiedlich; **2.** deutlich, klar; **3.** ✿ getrennt; **~if** [~tɛk'tif] *adj.* (7e) □ besonder, charakteristisch, Kenn...; **~ion** [~tɛk'sjɔ̃] *f* **1.** Unterscheidung *f*; *la ~ du bien et du mal* die Erkenntnis des Guten und des Bösen; **2.** Unterschied *m*; *sans ~* ohne Unterschied; **3.** Auszeichnung *f*; *traiter q. avec ~* j-n mit besonderer Zuvorkommenheit behandeln; **4.** Vornehmheit *f*; *homme m de ~* vornehmer Mann *m*; Standesperson *f*; *air m de ~* vornehmes Aussehen *n* (*od.* Äußeres *n*).

distin|gué [distɛ̃'ge] *adj.* hervorragend; vornehm, fein F; **~guer** [~] (1m) **I** *v/t.* **1.** unterscheiden (*d'avec od. nur*: *de* von); **2.** kenn-, auszeichnen; **3.** vernehmen, erkennen; ⚓ ausmachen; auseinanderhalten; **II** *v/rfl.* *se ~* sich unterscheiden; sich auszeichnen; sichtbar werden; **~guo** F [distɛ̃'go] *m*: *faire un ~* unterscheiden.

distors [dis'tɔ:r] *adj.* (7) ⚕ verrenkt, *rad.* -zerrt; **~ion** [~tɔr'sjɔ̃] *f* Verdrehung *f*; ⚕ Verrenkung *f*; *a. rad.* Verzerrung *f*; *éc.*, *soc.* Ungleichheit *f*, Unausgewogenheit *f*; *allg.* Mißverhältnis *n*.

distraction [~trak'sjɔ̃] *f* **1.** Zerstreutheit *f*, Vergeßlichkeit *f*, Geistesabwesenheit *f*; *par ~* in Gedanken, aus Gedankenlosigkeit; **2.** Zerstreuung *f*, Ablenkung *f*, Vergnügen *n*, Unterhaltung *f*.

dis|traire [dis'trɛ:r] *v/t.* (4s) **1.** *fig.* ablenken, unterhalten, auf andere Gedanken bringen; zerstreuen; **2.** *bsd. écol.* stören; **~trait** [~'trɛ]·

(7) **I** *adj.* zerstreut; **II** *su.* Zerstreute(r) *m*; **~trayant** [~trɛ'jɑ̃] *adj.* (7) unterhaltsam.

distribu|er [distri'bɥe] *v/t.* (1a) **1.** austeilen, verteilen; spenden; *Dividende*: ausschütten; ~ *des lettres* Briefe austragen; **2.** einteilen; **~teur** [~by'tœ:r] **I** *su.* (7f) **1.** Aus-, Ver-teiler *m*; Spender *m*; Filmverleiher *m*; **II** *m* **2.** Handelsvertretung *f*, Auslieferer *m*, Lieferfirma *f*; ~ (*automatique*) (Waren-) Automat *m*; **3.** ⊕ Steuerung *f* (*Vorrichtung am Zylinder, z.B. der Dampfmaschine*); *Auto*: ~ *d'allumage* Zündverteiler *m*; ⊕ ~ *d'eau chaude* Warmwasserspeicher *m*, Boiler *m*; *rad.* ~ (*automatique*) *à cinq départs* Hörerverteiler *m* mit fünf Anschlüssen; ~ *d'essence* Zapfstelle *f*, Tanksäule *f*; ⚡ ~ *de courant* Stromverteiler *m*; ⚒ ~ *d'engrais* Düngerstreumaschine *f*; **~tif** [~'tif] *adj.* (7e) **1.** austeilend, verteilend; **2.** *gr.* *nombre m* ~ Distributivzahl *f*; *particule f distributive* Teilungspartikel *f*; **~tion** [~'sjɔ̃] *f* **1.** Aus-, Ver-teilung *f*; *cin.* Verleih *m*; ⚔ Verpflegungsempfang *m*; *écol.* ~ *des notes* Zensurenverteilung *f*; ⚚ ~ *de dividende(s)* Dividendenausschüttung *f*; ✉ ~ *postale*, ~ *des lettres* Postbestellung *f*, Austragen *n* der Briefe; **2.** Anordnung *f*, Einteilung *f*; *thé.* ~ *des rôles* Rollenverteilung *f*; **3.** ⊕, ⚡ Anlage *f*, Anschluß *m*; ~ *d'eau* Wasserleitung *f*; ~ *électrique* elektrische Anlage *f*; ~ *de la vapeur* Steuerung *f der Dampfmaschine*; **4.** F Tracht *f* Prügel.

district [dis'trik(t)] *m* Bezirk *m*; *tribunal m de* ~ Kreisgericht *n*; ~ *houiller* Kohlengebiet *n*; ⚔ ~ *militaire* Wehrkreis *m*.

dit [di] **I** *p/p. v. dire*; *advt.*: *autrement* ~ mit anderen Worten; **II** *adj.* (7) genannt; vereinbart; festgesetzt; **III** *m* **1.** *litt.* mittelalterliche französische Erzählung *f* in Versen; **2.** † Ausspruch *m*.

dithyram|be *litt.* [diti'rɑ̃:b] *m* Loblied *n*; **~bique** [~rɑ̃'bik] *adj.* lobend.

dito ⚚ [di'to] *adv.* desgleichen, dito.

dit-on [di'tɔ̃] *m/inv.* Gerede *n*.

diu|rèse [djy'rɛ:z] *f* Harnabsonderung *f*; **~rétique** [~re'tik] *adj. u. m* harntreibend(es Mittel *n*).

diurne [djyrn] **I** *adj.* Tages..., einen Tag dauernd; *pluie f* ~ Tagesregen *m*; *les températures* ~*s* die Tagestemperaturen *f/pl.*; **II** *zo.*, *ent.* ~*s m/pl.* Eintagstiere *n/pl.*

diva|gation [divagɑ'sjɔ̃] *f* **1.** Abschweifung *f* (*fig.*); Faselei *f*, Hirngespinst *n*, Irrereden *n*; **2.** Überschwemmung *f*, Flußübertritt *m*; **~guer** [~'ge] *v/i.* (1m) **1.** *fig.* abschweifen; faseln; irrereden; **2.** über die Ufer treten (*Fluß*).

divan [di'vɑ̃] *m* Diwan *m*: **1.** ♀ *allg.* türkische Regierung *f*; *ehm.* die Hohe Pforte, türkischer Staatsrat *m* (*bis 1924*); **2.** Couch *f*; **3.** *litt.* Sammlung *f* von arabischen Gedichten; **~-lit** [~'li] *m* (6a) Bettcouch *f*.

dive *plais.* [di:v] *adj./f*: *ami m de la* ~ *bouteille* Zech-, Sauf-bruder *m*.

diver|gence [divɛr'ʒɑ̃:s] *f* **1.** ⩘, *phys.* Divergenz *f*, Abweichen *n*, Auseinanderlaufen *n*; *opt.* *point m de* ~ Zerstreuungspunkt *m*; **2.** *fig.* Meinungsverschiedenheit *f*, Widerstreit *m*, Divergenz *f*; **~gent** [~'ʒɑ̃] *adj.* (7) ⩘, *phys.* auseinanderlaufend; *fig.* divergierend, abweichend, widerstreitend; **~ger** [~'ʒe] *v/i.* (1l) ⩘, *phys.* divergieren, auseinanderlaufen, sich ausbreiten; *fig.* abweichen; *Reaktor*: kritisch werden, s-n kritischen Zustand erreichen, anlaufen.

divers [di'vɛ:r] **I** *adj.* (7) □ **1.** *immer pl.* (*nachgestellt*): verschiedene, unterschiedliche; *faits* ~ Vermischtes *n/sg. in der Zeitung*; *avec des succès* ~ mit wechselndem Erfolg; **2.** *immer pl.* (*vorgestellt*): verschiedene, manche, allerlei; *à* ~*es fois* zu verschiedenen Malen; *à* ~ *égards* in mancherlei Hinsicht; *de* ~*es sortes* vielerlei Sorten *f/pl.* (*od.* Arten *f/pl.*); ~*es choses* verschiedene Dinge *n/pl.*; *en* ~ *lieux*, *à* ~ *endroits* an verschiedenen Orten; *de* ~*es couleurs* (*a.*: *de couleurs* ~*es*) bunt(farbig); *de* ~*es espèces* verschiedener Art, vielartig; ~*es sortes de* verschiedene Sorten von; **II ~ement** [diversə'mɑ̃] *adv.* auf verschiedene Art (u. Weise).

diver|sification [diversifikɑ'sjɔ̃] *f* vielseitige Gestaltung *f*; *univ.* Fächerung *f des Studiums*; *écol.* ~ *d'une matière* Auflockerung *f* auf e-m Gebiet; **~sifié** [~si'fje] *adj.* abwechslungsreich; **~sifier** [~] *v/t.* (1a) Abwechselung bringen in (*acc.*); *écol.* auflockern; **~sion** [~'sjɔ̃] *f* Zerstreuung *f*; Ablenkung *f*; ⚔ Ablenkungsangriff *m*, Entlastungsvorstoß *m*; **~sité** [~si'te] *f* Mannigfaltigkeit *f*, Verschiedenartigkeit *f*, Buntheit *f*, Abwechselung *f*.

diver|tir [divɛr'ti:r] (2a) **I** *v/t.* **1.** *fig.* ablenken, zerstreuen, unterhalten, belustigen; **2.** unterschlagen, veruntreuen; **II** *v/rfl.* se ~ sich *mit etw.* (*dat.*) belustigen, sich vergnügen, sich ablenken, sich unterhalten; sich ergötzen (*à qch.* an etw.); se ~ *de q.* (*od. aux dépens de q.*) sich über j-n lustig machen; **~tissant** [~ti'sɑ̃] *adj.* (7) belustigend, unterhaltend, spaßhaft; **~tissement** [~tis'mɑ̃] *m* **1.** Unterhaltung *f*, Belustigung *f*, Zeitvertreib *m*, Ablenkung *f*; *prendre du* ~ sich erholen, sich entspannen; **2.** ⚖ Unterschlagung *f*, Veruntreuung *f*; **3.** *ehm. thé.*, ♪ Zwischenspiel *n*.

dividende [divi'dɑ̃:d] *m* **1.** ⚹ Dividend(us) *m*, zu teilende Zahl *f*; **2.** ✝ Dividende *f*, Gewinnanteil *m*, Kapitalertrag *m*.

divin [di'vɛ̃] **I** *adj.* (7) □ **1.** göttlich; Gottes...; *service m* ~ Gottesdienst *m*; **2.** *vorangestellt*: *fig.* gottbegnadet; *le* ~ *Virgile* der göttliche Vergil; **II** *m das* Göttliche.

divina|teur [divina'tœ:r] *adj.* (7f) weissagend; **~tion** [~nɑ'sjɔ̃] *f* Wahrsagung *f*; Ahnungsvermögen *n*; **~toire** [~na'twa:r] *adj.*: *art m* ~ Wahrsagekunst *f*; *baguette f* ~ Wünschelrute *f*.

divinement [divin'mɑ̃] *adv.* göttlich; *fig.* wundervoll, herrlich, entzückend, himmlisch F.

divini|ser [divini'ze] *v/t.* (1a) göttlich verehren; *fig.* vergöttern; **~té** [~'te] *f* **1.** Göttlichkeit *f*, göttliche Natur *f*; **2.** ♀ Gott *m*; **3.** Gottheit *f*; ~*s pl.* Götter *m/pl.*; **4.** *fig.* Abgott *m*; große Schönheit *f* (*Frau*).

divio * [di'vjo] *m* Trickkünstler *m*.

divi|ser [divi'ze] (1a) **I** *v/t.* **1.** (ab-, ein-, zer-)teilen; dividieren; ~ *un discours* e-e Rede (e-n Vortrag) gliedern; **2.** trennen; *fig.* entzweien, veruneinigen; **II** *v/rfl.* se ~ sich teilen, geteilt werden; *fig.* sich entzweien; *arith.* sich teilen lassen; **~seur** [~'zœ:r] **I** *adj./m* teilend; **II** *m* Divisor *m*, Teiler *m*; *le plus grand commun* ~ der Hauptnenner; **~sibilité** [~zibili'te] *f* Teilbarkeit *f*; **~sible** [~'ziblə] *adj.* teilbar; **~sion** [~'zjɔ̃] *f* **1.** Teilung *f*, Einteilung *f*; ~ *cellulaire* Zellteilung *f*; ~ *du travail* Arbeitsteilung *f*; ~ *en syllabes* Silbentrennung *f*; **2.** Uneinigkeit *f*, Zerrissenheit *f*, Zwist *m*; **3.** *arith.* Division *f*, Teilung *f*; ✝ ~*s pl. des risques* Risikoausgleich *m*; **4.** ⚔ Division *f*; *général m de* ~ Divisionsgeneral *m*; ~ *motorisée* motorisierte Division *f*; ~ *des radiotélégraphistes* Funkerabteilung *f*; **5.** *Verwaltung*: Abteilung *f*; *chef m de* ~ Abteilungsleiter *m*, -vorsteher *m*; ~ *des recherches* Forschungsabteilung *f*; **6.** *Sport*: Spitzen-, Sonder-klasse *f*, Klasse *f*, Liga *f*; ~ *nationale* Ländermannschaft *f*; **7.** Gefängnisabteilung *f*; **~sionnaire** [~zjɔ'nɛ:r] **I** *adj.* Divisions..., *inspecteur m* ~ Kreisinspektor *m*; *monnaie f* ~ Scheidemünze *f*; **II** *m* ⚔ Divisionsgeneral *m*.

divor|ce [di'vɔrs] *m* **1.** Ehescheidung *f*; *action f en* ~ Scheidungsklage *f*; *demande f en* ~ Scheidungsbegehren *n*; *faire* ~ sich scheiden lassen; **2.** Zerwürfnis *n*, Trennung *f*; **~cer** [divɔr'se] (1k) *v/i.* (*d'avec q.*) sich (von j-m) scheiden lassen; *ils ont divorcé* sie haben sich scheiden lassen; (*homme*) *divorcé* Geschiedene(r) *m*; (*femme*) *divorcée* Geschiedene *f*; *fig.* ~ *avec* brechen mit (*dat.*); **~ceur** [~'sœ:r] *su.* (7g) Person, die sich scheiden läßt; **~tialité** [~sjali'te] *f* Ehescheidungsindex *m*.

divul|gateur [divylga'tœ:r] *su.* (7f) Verbreiter *m*; **~gation** [~gɑ'sjɔ̃] *f* Verbreitung *f*; **~guer** [~'ge] (1m) **I** *v/t.* verbreiten, unter die Leute bringen; **II** se ~ bekanntwerden.

divulsion ⚕ [divyl'sjɔ̃] *f* Zerreißung *f*.

dix I *a/n.c.* (1. *vor vo. od. stummem h*: [diz], *z.B. dix hommes* [di'zɔm] 2. *vor cons. od. h aspiré*: [di], *z.B. dix* [di] *garçons*; 3. *alleinstehend*: [dis], *z.B. dix et dix font vingt*) zehn; *chapitre* ~ zehntes Kapitel *n*; *Louis* ~ (= Louis X) Ludwig der Zehnte; *le* ~ [dis *od.* di] *mars* am zehnten März; **II** *m* [*immer*: dis] Zehn *f*; Zehnte; ~ *de cœur* Herzen-Zehn *f*.

dix|-huit [di'zɥit] **I** *adj./n.c.* (*vor e-m cons.* [di'zɥi]) achtzehn; *Louis* ~ (= Louis XVIII) Ludwig der Achtzehnte; *page f* ~ Seite 18; **II** *m* Achtzehn *f*; *le* ~ *du mois* der Achtzehnte des Monats; **~-huitième** [~ɥi'tjɛm] **I** *a/n.o.* achtzehnte(r); **II** *su.* Achtzehnte(r) *m*; **III** *m* Achtzehntel *n*.

dixième [di'zjɛm] **I** *adj./n.o.* zehnte(r); zehntel; **II** *su.* Zehnte(r) *m*;

III *m* Zehntel *n*; IV *f* ♪ Dezime *f*.
dix|-neuf I *adj./n.c.* [diz'nœf *bzw.* ~'nœv] neunzehn; neunzehnte(r); *le ~ mai* der 19. Mai; II *m* (*immer*: ~'nœf; *pl. ohne s*) Neunzehn *f*; *le ~ du mois* der Neunzehnte des Monats; **~-neuvième** [~nœ'vjɛm] I *adj./n.o.* neunzehnte(r); neunzehntel; II *su.* Neunzehnte(r) *m*; III *m* Neunzehntel *n*.
dix|-sept I *adj./n.c.* [di'sɛt] siebzehn; siebzehnte(r); *le ~ avril* der 17. April; II *m* Siebzehn *f*; **~-septième** [~sɛ'tjɛm] I *adj./n.o.* siebzehnte(r); siebzehntel; II *su.* Siebzehnte(r) *m*; III *m* Siebzehntel *n*.
dizain [di'zɛ̃] *m* Zehnzeiler *m*.
dizaine [di'zɛn] *f* 1. Anzahl *f* von zehn; *une ~ de ...* etwa zehn ...; 2. *arith.* Zehner *m*.
djebel *arab.* [dʒɛ'bɛl] *m* Berg *m*, Gebirge *n*.
djellaba [dʒɛla'ba] *f* lange Bluse *f der Algerier u. Marokkaner.*
djerme [dʒɛrm] *m* kleines ägyptisches Boot *n*.
djihad *arab.* [dʒi'ad] *m*: *le ~* der heilige Krieg.
djin(n) *arab.* [dʒin] *m* Dschinn *m* (*guter od. böser Geist*).
do ♪ [do] *m* (5a) *das* C; *~ dièse* Cis *n*.
doci|le [dɔ'sil] I *adj.* □ folgsam; gelehrig; empfänglich (*à* für *acc.*); II *su.* Gelehrige(r) *m*; **~lité** [~li'te] *f* Folgsamkeit *f*; Gelehrigkeit *f*.
docimolog|ie *péd.* [dɔsimɔlɔ'ʒi] *f* Studium *n* e-r objektiveren Beurteilung von Schülerleistungen; **~ique** *péd.* [~'ʒik] *adj.* Beurteilungs...
dock ⚓ [dɔk] *m* 1. Dock *n*; *~ flottant* Schwimmdock *n*; *faire entrer aux ~s* eindocken; 2. ⚓ Lagerhaus *n*; Silo *m*; **~er** [dɔ'kɛ:r] *m* Dock-, Hafen-arbeiter *m*.
docteur [dɔk'tœ:r] *m* 1. Doktor *m*; *im Französischen stets hinter dem Namen*: *~ en droit* Doktor der Rechte, Dr. jur.; *~ en médecine* (*ès lettres, ès sciences*) Doktor der Medizin, Dr. med. (der Philosophie, der Naturwissenschaften, Dr. phil.); *prendre le grade de ~* promovieren; 2. *bibl.*: *~ de la loi* Schriftgelehrte(r) *m*; ♀ *de l'Eglise* Kirchenvater *m*; 3. Arzt *m*, Doktor *m*.
doctissime *plais.* [dɔkti'sim] *adj.* hochgelehrt.
docto|ral [dɔktɔ'ral] *adj.* (5c) 1. Doktor..; 2. *iron.* pedantisch; *ton ~* Schulmeisterton *m*; **~rat** [~'ra] *m* Doktor-titel *m*, -würde *f*, Promotion *f*; *passer son ~* promovieren, s-e Doktorprüfung (s-n Doktor) machen; **~resse** [~'rɛs] *f* Ärztin *f*.
doctri|naire [dɔktri'nɛ:r] I *adj.* □ doktrinär; II *m* Doktrinär (*bsd.* politischer Parteigänger *m* der französischen Restauration [1814 *bis* 1830]); *allg.* Prinzipienreiter *m*; **~nal** [~'nal] *adj.* (5c) □ der Kirchendoktrin gemäß; **~narisme** [~na'rism] *m* Doktrinarismus *m*; *allg.* Prinzipienreiterei *f*; **~ne** [~'trin] *f* Doktrin *f*, Lehre *f*, Lehrgebäude *n*, philosophisches System *n*.
document [dɔky'mɑ̃] *m* Urkunde *f*, Dokument *n*, Papier *n*, Aktenstück *n*, Beleg *m*.
documen|taire [~mɑ̃'tɛ:r] 1. *adj.* urkundlich; *à titre ~* als Beleg; 2. *m* Kultur-, Dokumentar-film *m*; **~tation** [~tɑ'sjɔ̃] *f* Dokumentieren *n*, Belegen *n*; Urkundenbeweis *m*, Beurkundung *f*; **~taliste** [~ta'list] *su.* Dokument-alist *m*, -ar *m*; **~tariste** *cin.* [~ta'rist] *su.* Verfasser *m* von Dokumentarfilmen; **~ter** [~'te] *v/t.* (1a) beurkunden, durch Urkunden belegen; *être très documenté sur qch.* über etw. gut Bescheid wissen; se *~ sur qch.* Beweisstücke *n/pl.* (Belege *m/pl. od.* Unterlagen *f/pl.*) sammeln über etw. (*acc.*), *allg.* sich über etw. (*acc.*) informieren.
dodéca|èdre [dɔdeka'ɛdrə] *m* (*a. adj.*) Zwölfflächner *m*; **~gone** [~'gɔn] *m* (*a. adj.*) Zwölfeck *n*.
dodeliner [dɔdli'ne] *v/i.* (1a): *~ de la tête* langsam mit dem Kopf wackeln.
dodo *enf.* [dɔ'do] *m* 1. Baba *f*, Heia *f*, Bettchen *n*; *aller au ~* in die Heia gehen; *faire ~* Heia (*od.* Baba) machen; *mettre au ~* ins Bett bringen; 2. F *entre le boulot et le ~* zwischen Arbeitsplatz und Wohnung.
dodu F [dɔ'dy] I *adj.* dick, fett; drall, wabbelig; II *su.* Dickwanst *m*.
dogmati|que [dɔgma'tik] I *adj.* □ 1. dogmatisch; 2. *fig.* pedantisch, schulmeisterlich; II *m* 3. dogmatischer Teil *m*; 4. Lehrstil *m*; 5. Dogmatiker *m*; III *f* Dogmatik *f*, Glaubenslehre *f*; **~ser** [~'ze] *v/i.* (1a) 1. *rl.* Dogmen aufstellen; 2. selbstherrlich *od.* schulmeisterlich reden; **~sme** [~'tism] *m* Dogmatismus *m*; **~ste** [~'tist] *m* Anhänger *m* des Dogmatismus.
dogme [dɔgm] *m a. allg.* Lehre *f*, Dogma *n*.

dogue [dɔg] *m* Dogge *f*.

doigt [dwa] *m* **1.** Finger *m*; Fingerbreite *f*, -dicke *f*; *fig. être à deux* ~*s de la faillite* unmittelbar vor dem Bankrott stehen; ~ *indicateur* Zeigefinger *m*; ~ *du milieu* Mittelfinger *m*; (~) *annulaire* Ringfinger *m*; *petit* ~ *od.* ~ *auriculaire* kleiner Finger *m*; *bout m du* ~ Fingerspitze *f*; *mv.p. montrer q. du* ~ mit Fingern auf j-n zeigen, über j-n öffentlich herziehen; *il s'en mordra les* ~*s* er wird es noch bitter bereuen; *mettre le* ~ *dessus* etw. erraten, den Nagel auf den Kopf treffen; *il se met le* ~ *dans l'œil* er läßt sich reinlegen, er läßt sich übers Ohr hauen; *obéir au* ~ *et à l'œil* aufs Wort gehorchen; *savoir qch. sur le bout du* ~ etw. aus dem Effeff kennen; etw. fließend hersagen können; *être unis comme les (cinq)* ~*s de la main* ein Herz und e-e Seele sein; *avoir de l'esprit jusqu'au bout des* ~*s* sehr intelligent sein; *ne faire œuvre de ses dix* ~*s* keinen Finger rühren; **2.** *fig. boire un* ~ *de vin* ein Schlückchen Wein trinken; **3.** ~ *(du pied)* Zehe *f*; *le gros* ~ die große Zehe; **4.** *zo.* Finger *m* (*Affe*); Kralle *f* (*Vogel*); **5.** ♪ *avoir des* ~*s* Fingerfertigkeit haben; **6.** *ch.* ~*s pl.* Augensprossen *f/pl.* am Hirschgeweih.

doig|té ♪ [dwa'te] *m* Fingersatz *m*; *fig.* Takt(gefühl *n*) *m*, Fingerspitzengefühl *n*, Geschicklichkeit *f*; **~ter** ♪ [~] (1a) **I** *v/i.* den Fingersatz befolgen; **II** *v/t.* mit dem Fingersatz bezeichnen; **~tier** [~'tje] *m* Däumling *m*, Fingerling *m*.

doit ⚕ [dwa] *m* Soll *n*, Debet *n*, Passiva *n/pl.*; ~ *et avoir* Soll *n* und Haben *n*.

dol ⚖ [dɔl] *m* arglistige Täuschung *f*.

doléances [dɔle'ɑ̃:s] *f/pl.* Beschwerde *f*; ⚕ Reklamation *f*.

dolent [dɔ'lɑ̃] (7) **I** *adj.* wehklagend, kläglich, jämmerlich; kränklich; *parler d'une voix* ~*e* jammern, wimmern; **II** *su. faire le* ~ sich kläglich gebärden.

dolichocéphale 📖 [dɔlikɔse'fal] **I** *adj.* langschädelig; **II** *m* Langschädel *m*.

dollar [dɔ'la:r] *m* Dollar *m*.

dolmen [dɔl'mɛn] *m* Dolmen *m* (*keltisches Großsteingrab*).

doloire [dɔ'lwa:r] *f* ⊕ Schneide-, Band-messer *n*; *charp.* Dünnbeil *n*; Mörtelrührschaufel *f*.

dolomie, dolomite *min.* [dɔlɔ'mi(t)] *f* Dolomit *m*, Kalkstein *m*.

domaine [dɔ'mɛ:n] *m* **1.** Besitzung *f*; (Ritter-, Erb-)Gut *n*, Landsitz *m*; **2.** ~ *public*, ~ *de l'Etat* Besitz *m* der öffentlichen Hand, staatliche Domäne *f*; ✈ ~ *aérien* Luftraum *m*; **3.** Domänenverwaltung *f*; **4.** *fig.* Gebiet *n*, Bereich *m od. n*; ~ public Gemeingut *n* literarischer *usw.* Werke; ⚖ *tomber dans le* ~ *public* allgemein zugänglich werden (*Bücher, Kunstwerke*); *dans le* ~ *de la littérature française* auf dem Gebiet der französischen Literatur; *être du* ~ *de q.* in j-s Gebiet *od.* Fach schlagen.

domanial ⚖ [dɔma'njal] *adj.* (5c) Domänen..., Staats...

dôme [do:m] *m* **1.** Kuppel *f*; *le* ~ *du Panthéon* die Kuppel des Pantheons; *le* ~ *des Invalides* der Invalidendom; *poét.* ~ *du ciel* Himmelsgewölbe *n*; ~ *de verdure* Laubdach *n*; **2.** Dom *m* (*in gewissen Ländern, wie Italien*; *sonst cathédrale*); *le* ~ *de Milan* der Mailänder Dom; *le* ~ *de la basilique Saint-Pierre de Rome* der St.-Peters-Dom; **3.** ⊕ Deckel *m*, Haube *f*; ~ *de protection* Schutzhaube *f für Maschinen* (*Luftschutzbau*); ~ *de prise de vapeur* Dampfdom *m*.

domesti|cation [dɔmɛstika'sjɔ̃] *f* Zähmung *f*; *fig.* Unterwerfung *f*; **~cité** [~si'te] *f* **1.** Hausangestelltenverhältnis *n*; **2.** Dienerschaft *f*, Gesinde *n*; **~que** [~'tik] **I** *adj.* □ häuslich; Haus...; *affaires f/pl.* ~*s* häusliche (*od.* Familien-)Angelegenheiten *f/pl.*; *animal m* ~ Haustier *n*; *économie f* ~ Hauswirtschaft *f*; *roman m* ~ Familienroman *m*; **II** *m* Diener *m*; ~ *à tout faire* Dienstbote *m* für alles; *les* ~*s* die Dienerschaft *f* (*heute mst. gens m/pl. bzw. f/pl. de maison*); *f*: Dienerin *f*; Magd *f*; **~quer** [~ti'ke] *v/t.* (1m) zähmen.

domicile [dɔmi'sil] *m* **1.** Wohn-ort *m*, -sitz *m*, Wohnung *f*, Heim *n*; *élire* ~, *établir son* ~ sich ansässig machen; *travail m à* ~ Heimarbeit *f*; *violation f de* ~ Hausfriedensbruch *m*; *sans* ~ wohnungslos; **2.** *astrol.* Haus *n e-s Planeten*.

domici|liaire [dɔmisi'ljɛ:r] *adj.*: *visite f* ~ Haussuchung *f*; **~liation** ⚕ [~lja'sjɔ̃] *f* Domizilierung *f*, Angabe *f* e-s Zahlungsortes; **~lié** [~'lje] *adj.* ansässig, wohnhaft; **~lier** [~]

v/t. (1a) **1.** ansiedeln; **2.** ✝ ~ *une lettre de change* e-n Wechsel domizilieren.

dominant [dɔmiˈnɑ̃] *adj.* (7) vorherrschend, vorwiegend, Haupt..., Grund...; *idée f* ~*e* Grundgedanke *m*; ~**e** [~ˈnɑ̃:nt] *f* ♪ Dominante *f*; *gr.* vorherrschender Vokal *m in e-m Diphthong*; *a. écol.*: *à* ~ *musique* mit dem Schwerpunkt Musik.

domina|teur [~naˈtœ:r] (7f) **I** *adj.* herrschend; herrschsüchtig; **II** *su.* Beherrscher *m*; ~**tion** [~nɑˈsjɔ̃] *f* (Ober-)Herrschaft *f*; *ranger sous sa* ~ unter s-e Herrschaft (*od.* Botmäßigkeit) bringen; *usurper la* ~ die Herrschaft an sich reißen.

dominer [dɔmiˈne] (1a) **I** *v/t.* beherrschen; überragen; übertönen; *fig. il domine son sujet* er beherrscht sein Thema; ~ *ses passions* s-e Leidenschaften bezwingen (*od.* in Schach halten); ~ *la situation* Herr der Lage sein, die Situation meistern; **II** *v/i.* ~ (*sur*) herrschen, *fig.* hervorragen (über) (*acc.*); *fig.* vorherrschen; *le poivre domine dans cette sauce* diese Soße ist stark gepfeffert; **III** *v/rfl. fig. savoir se* ~ sich beherrschen können.

dominical [dɔminiˈkal] *adj.* (5c): *oraison f* ~*e* Vaterunser *n*; *repos m* ~ Sonntagsruhe *f*.

domino [dɔmiˈno] *m* Domino *m* (*Maskenkostüm*; *Person*); Dominospiel *n*, -stein *m*; *jouer aux* ~*s* Domino spielen.

domma|ge [dɔˈma:ʒ] *m* **1.** Schaden *m*; Beschädigung *f*; Einbuße *f*, Verlust *m*; Nachteil *m*; *causer du* ~, *porter* ~ Schaden anrichten; *éprouver du* ~ Schaden leiden (*od.* nehmen); *c'est* ~ das ist schade (*de* um; *que mit subj.*); *c'est grand* ~ es ist jammerschade; *quel* ~! wie schade!; ~ *matériel*, ~ *causé aux biens* Sachschaden *m*; ~*s pl. de guerre* Kriegsschäden *m/pl.*; **2.** ⚖ *dommages-intérêts* Schadenersatz *m*; ~**geable** [~ˈʒablə] *adj.* □ nachteilig, schädlich.

domp|ter [dɔ̃ˈte] *v/t.* (1a) (be)zähmen, bändigen; ⚔ be-, nieder- -zwingen, niederwerfen; ~**teur** [~ˈtœ:r] *su.* (7g) Dompteur *m*.

don [dɔ̃] *m* **1.** *a. éc.* Schenkung *f*; Gabe *f*, Geschenk *n*; *faire* ~ *de qch.* etw. spenden; ~ *en nature* Sachspende *f*; ~*s pl. de la fortune* Glücksgüter *n/pl.*; **2.** *fig.* Gabe *f*, Talent *n*, Anlage *f*, Fähigkeit *f*; ~ *de la parole* Rednergabe *f*; **3.** *rl.* milde Gabe *f*, Spende *f*.

dona|taire [dɔnaˈtɛ:r] *su.* Beschenkte(r) *m*; ~**teur** [~ˈtœ:r] *su.* (7f) Spender *m*; ~**tion** [~nɑˈsjɔ̃] *f* Schenkung(surkunde *f*) *f*.

donc [*in der Mitte des Satzes vor vo.*: dɔ̃:k, *vor cons.*: dɔ̃; *zu Anfang des Satzes*: dɔ̃:k, *am Ende des Satzes*: dɔ̃] *cj.* **1.** also, daher, demnach, folglich; *je pense,* ~ *je suis*, ich denke, also bin ich (*Ausspruch von Descartes*); **2.** *beim impér.* doch; *répondez* ~! antworten Sie doch!; *allons* ~ [dɔ̃]! nun schlägt's aber dreizehn!; da hört doch alles auf!; nun mach (machen Sie) mal 'nen Punkt!; das ist ja kaum zu glauben!; *dites* ~ [ˈditdɔ̃] sagen Sie mal!; *dis* ~ [ˈdidɔ̃] sag mal!; *viens* ~ komm doch!; **3.** *in Fragen*: denn, also; *il est* ~ *bien décidé?* er ist also fest entschlossen?; *pourquoi* ~? warum denn?; *que veut-il* ~? was will er denn?

dondaine [dɔ̃ˈdɛ:n] *f Art* Dudelsack *m*.

dondon F [dɔ̃ˈdɔ̃] *f* F *fig.* Berolina *f*, *fig.* Kanone *f*, Walze *f*, Dralle *f*, Fette *f* (*dicke Frau*).

donjon [dɔ̃ˈʒɔ̃] *m* Schloßturm *m*.

donjuanesque [dɔ̃ʒɥaˈnɛsk] *adj.* leichtsinnig.

donnant [dɔˈnɑ̃] *adj.* (7): ~ ~ e-e Hand wäscht die andere; *drohend*: wie du mir, so ich dir; Wurscht wider Wurscht.

donne [dɔn] *f* (Karten-)Geben *n*; *à qui la* ~? wer gibt?; *faire fausse* ~ die Karten falsch geben.

donnée [dɔˈne] *f* **1.** Å Gegebene(s) *n*, bekannte Größe *f*; **2.** Grundgedanke *m*, Vorwurf *m* e-s Werkes; **3.** ~*s pl.* gegebene Tatsachen *f/pl.*; *électron.* Daten *n/pl.*; *hist.* ~*s pl. chronologiques* Daten *n/pl.*

donner [dɔˈne] (1a) **I** *v/t.* **1.** geben; schenken; F ~ *q.* j-n verpfeifen P, j-n denunzieren; F ~ *le nom de q.* den Namen j-s verraten; ~ *à pleines mains* mit vollen Händen geben; ~ *l'aumône* Almosen geben; ~ *l'hospitalité à q.* j-n gastlich aufnehmen; ~ *sa parole à q.* j-m sein Wort geben; *il donnerait jusqu'à sa chemise* er würde sein letztes Hab und Gut (*od.* sein letztes Hemd) hergeben; F *iron. vous me la donnez belle od. bonne* Sie spaßen wohl!; Sie machen wohl Scherze!; ~ *à rire* Anlaß zum Lachen geben; ~ *à entendre* zu verstehen geben, durchblicken lassen; ~ *pour bon* garantieren; *Tennis*: ~ *le service* den Aufschlag geben; F *je vous le donne en cent* (*od. en mille*) ich wette mit Ihnen hundert gegen eins, daß Sie das nicht erraten (*od.* machen können); das werden Sie ganz bestimmt nicht erraten!; **2.** verschaffen; **3.** verursachen, machen; mitteilen, übertragen; hervorbringen, erzeugen; einflößen; ~ *l'alarme* Lärm schlagen; ~ *de l'appétit* Appetit machen; ~ *du chagrin* Kummer machen; ~ *du courage à q.* j-m Mut machen (*od.* einflößen); j-m gut zureden; ~ *du dégoût à q.* j-n anekeln (*od.* anwidern); *cela lui a donné la fièvre* davon hat er Fieber bekommen; ~ *lieu à qch.* Anlaß zu etw. (*dat.*) geben; ~ *la chasse à* Jagd machen auf (*acc.*); ~ *de la peine* (*od. du mal*) *à q.* j-m Mühe verursachen (*od. häufiger*: machen); **4.** widmen, hingeben; **5.** übergeben, aushändigen; ~ *quittance* quittieren; ~ *avis* avisieren; **6.** zuteilen, erteilen; zuschreiben, beilegen; *quel âge lui donne-t-on?* wie alt schätzt man ihn (sie *sg.*)?; ~ *droit à q.* j-n berechtigen; **7.** ~ *q.* (*qch.*) *pour* j-n (etw.) ausgeben für (*acc.*); **8.** liefern, beibringen, beschaffen; bringen, tragen; versorgen, versehen; von sich geben, zeigen; ~ *son assentiment* einwilligen, zustimmen; ~ *des louanges* Lob spenden; ~ *de ses nouvelles* von sich hören lassen, Nachricht geben; ~ *des preuves* Beweise liefern; *le vent nous donne de la pluie* der Wind bringt uns Regen; *cet arbre donne beaucoup* dieser Baum trägt (*od.* bringt) viel; **9.** reichen; ~ *le bras à q.* j-m den Arm reichen; ~ *la main* die Hand reichen; *fig.* unterstützen; **10.** veranstalten; **11.** aufführen; **12.** gestatten, gewähren; ~ *audience* Gehör geben; ~ *la parole à q.* j-m das Wort erteilen; ~ *le choix* freie Wahl lassen; ~ *passage* freien Durchgang gestatten; **13.** ~ *à ...* überlassen; ~ *au hasard* dem Zufall überlassen; **14.** F betiteln; ~ *de l'Excellence à q.* j-n mit „Exzellenz" betiteln (*od.* ansprechen); ~ *du «Monsieur le journaliste»* die Anrede „Herr Journalist" gebrauchen; **15.** auseinandersetzen, aussprechen; ~ *ses raisons* s-e Gründe darlegen; **16.** aufgeben, vorschreiben; festsetzen, bestimmen; ~ *son congé*, ~ *ses huit jours à q.* j-m kündigen; *je lui ai donné jour le lundi* ich habe ihn für Montag bestellt; ⚔ ~ *le mot d'ordre* die Parole ausgeben; ♪ *u. fig. donner le ton* den Ton angeben; ~ *un pensum* (*od. une punition*) e-e Strafarbeit aufgeben; *étant donné que ...* da es feststeht (*od.* da man weiß), daß ...; *oft einfach nur*: da ...; **17.** versetzen; ~ *des coups à q.* j-n schlagen, j-m Schläge (*od.* Hiebe) versetzen; *fig.* ~ *un coup de patte à q.* über j-n herziehen, j-n scharf kritisieren, j-n heruntermachen; ~ *un coup de poing à q.* j-m e-n Faustschlag versetzen; ~ *la question à q.* j-n auf die Folter spannen; **18.** *gr.* bilden; **19.** Karten austeilen (*im Spiel*); *mal* ~ sich vergeben, falsch *od.* zuviel geben; **20.** ausfertigen; *donné à Dijon le 18 mai 1957* gegeben zu Dijon am 18. Mai 1957; **21.** ~ *à fond* ankern; ~ *une remorque à un vaisseau* ein Schiff bugsieren; **II** *v/i.* **22.** ~ *à* irgendwohin geraten *od.* kommen; ⚓, ✈ ~ *à la côte* stranden; ~ *à gauche bsd. pol.* nach links tendieren; ~ *à tout* sich mit allem möglichen befassen; *le vent donne au visage* der Wind weht (*od.* bläst) ins Gesicht; ~ *au but* das Ziel treffen; *fig.* den Nagel auf den Kopf treffen, *fig.* den Haken *e-r Sache* herausfinden, j-s Absicht durchschauen; ~ *contre* rennen (*od.* stoßen) gegen (*acc.*); ~ *dans*: a) geraten auf *od.* in (*acc.*); *fig.* verfallen auf *od.* in; sich hingeben (*dat.*); F ~ *dans qch. fig.* auf etw. hereinfallen, blind an etw. glauben; ~ *dans la dévotion* sich der Frömmelei ergeben; ~ *dans le panneau* (*od. dans le piège*) in die Falle geraten, sich anführen lassen; b) sich stürzen auf (*acc.*); ~ *tête baissée dans* sich blindlings stürzen auf; ~ *dans le luxe* sich dem Luxus hingeben, dem Luxus frönen; c) ~ *dans la vue* blenden (*von der Sonne*); d) *la chambre donne dans la cour* das Zimmer geht auf den Hof hinaus; ~ *dans deux rues* nach zwei Straßen Ausgänge haben; ~ *de*: ~ *de la tête contre un mur* mit dem Kopf gegen e-e Mauer stoßen; *fig.* mit dem Kopf gegen die Wand rennen; *il ne sait où* ~ *de la tête* er weiß nicht, wo ihm der Kopf steht; ~ *du pied dans le derrière de q.* j-m e-n Tritt in den Hintern geben; ~ *dedans* in die

Falle gehen, auf den Leim gehen, sich anführen lassen; ~ *sur*: a) ~ *sur le jardin* e-n Ausgang zum Garten haben (*Tür*); zum Garten hin liegen *od.* hinausgehen (*Fenster*); b) ⚓ ~ *sur un banc de sable* auf e-e Sandbank auffahren; c) *fig.* ~ *sur q.* über j-n herziehen; ~ *au travers de* mitten hineingeraten in (*acc.*); **23.** ergiebig sein; (gut) geraten; **24.** ~ *sur l'ennemi* gegen den Feind vorrücken (*od.* losstürmen); **25.** *Auto usw.*: *le moteur donne* der Motor springt an; **III** *v/rfl.* se ~ **26.** einander (etw.) geben; *se* ~ *le bras* sich unterfassen, Arm in Arm gehen; *se* ~ *la main* sich die Hand reichen; **27.** *se* ~ *à* sich widmen (*dat.*); *se* ~ *tout entier à q.* sich j-m ganz hingeben; **28.** gegeben werden; *thé.* aufgeführt werden; geliefert werden (*Schlacht*); *ce mal se donne* diese Krankheit ist ansteckend; **29.** *se* ~ *pour* sich ausgeben als (*acc.*); **30.** *se* ~ *de la peine, se* ~ *du mal de faire qch.* sich bemühen (*od.* sich Mühe geben), etw. zu tun; *donnez-vous la peine d'entrer* bitte, treten Sie näher!; *donnez-vous la peine de vous asseoir* bitte, nehmen Sie freundlichst Platz!; *ne pas se* ~ *de coups de pied* selbstgefällig sein; *se* ~ *des airs* vornehm tun, angeben F (*abs.*); *se* ~ *des airs de savant* so tun, als sei man ein Gelehrter; den Gelehrten spielen; *se* ~ *garde de* ... (*inf.*) sich davor hüten, zu ...; *se* ~ *du bon temps* ein bequemes Leben führen; *se* ~ *le mot pour* ... (*inf.*) sich von vornherein (*über etw. acc.*) verabreden; *se* ~ *les violons de qch.* sich allein den Erfolg bei etw. zuschreiben; *s'en* ~ *à cœur joie* sich austoben.

donneur [dɔ'nœ:r] *su.* (7g) **1.** Geber *m*; ⚕ ~ *de sang* Blutspender *m*; **2.** ⚚ ~ *d'aval* Wechselbürge *m*; ~ *d'ordre* Auftraggeber *m*; Wechselaussteller *m*; **3.** P Verräter *m*.

don-quichottisme [dɔ̃kiʃɔ'tism] *m* prahlerisches Auftreten *n*.

dont [dɔ̃] *gén. des pr./r. sg. u. pl.* **1.** (*bezieht sich sowohl auf Personen als auch auf Sachen, verlangt stets den Artikel vor dem Substantiv, auf das es sich bezieht, hat nach sich die gleiche Wortfolge wie im Hauptsatz und steht heute mst. für älteres de qui, duquel, de laquelle, desquels, desquelles*) dessen, deren, von (mit, aus) welchem, welcher, welchen; *voilà la personne* ~ *je vous ai parlé* das ist die Person, von der ich zu Ihnen gesprochen habe; *l'enfant* ~ *les parents sont toujours malades est malheureux* das Kind, dessen Eltern immer krank sind, ist unglücklich; *la maison* ~ *le toit est démoli* ... das Haus, dessen Dach völlig beschädigt ist, ...; *c'est un malheur* ~ *je ne prévois pas le terme* das ist ein Unglück, dessen Ende ich nicht voraussehe; *la manière* ~ *il le fit* die Art, wie er es tat; *douze pays,* ~ *la France et l'Allemagne,* ... 12 Länder, darunter Frankreich u. Deutschland, ...; ⚖ ~ *acte délivré en brevet à Lausanne ce six juillet* zu Urkund dessen in Lausanne, heute, den 6. Juli; **2.** *ce* ~ (*nur von Sachen gebraucht; steht für ce de quoi*) womit, woraus, worüber, wovon; *ce* ~ *je parle* das, worüber ich spreche; *voilà ce* ~ *il s'agit* darum handelt es sich.

donte [dɔ̃:t] *f* Bauch *m der Laute.*

donzelle *péj.* [dɔ̃'zɛl] *f* Flittchen *n*.

dop|age *Sport* [dɔ'pa:ʒ] *m* Doping *n*; **~ant** [~'pɑ̃] *m* Aufputschmittel *n*; **~er** *Sport* [dɔ'pe] (1a) **I** *v/t.* dopen; **II** *v/rfl. fig. se* ~ sich aufpeitschen.

doping *Sport* [dɔ'piŋ] *m* Doping *n*.

dorade *icht.* [dɔ'rad] *f*: ~ (*chinoise*) Goldfisch *m*.

doré [dɔ're] *adj.* vergoldet, golden, Gold...; *fig.* goldgelb, goldig; *jeunesse dorée*: a) *hist.* reaktionäre Jugend *f*, vornehme junge Leute *pl.* (*Franz. Revolution*); b) vergnügungssüchtige, reiche Großstadtjugend *f*; *blousons m/pl.* ~*s* reiche Gammler *pl.*

dorénavant [dɔrena'vɑ̃] *adv.* künftig, von jetzt ab, in Zukunft.

dorer [dɔ're] (1a) *v/t.* **1.** vergolden; ~ *à la pile* galvanisch vergolden; ~ *au feu* im Feuer vergolden; **2.** *fig.* erträglich(er) machen (*à q.* j-m gegenüber); ~ *la pilule à q.* j-m gegenüber etw. Unangenehmes schmackhaft machen; **3.** *cuis.* ~ *la pâte* den Teig mit Eigelb *od.* Zucker bestreichen.

d'ores [dɔ:r] *adv.*: ~ *et déjà* schon jetzt.

dorique △ [dɔ'rik] *adj.* dorisch.

dorlot|ement [dɔrlɔt'mɑ̃] *m* Verhätschelung *f*; **~er** [~'te] *v/t.* (1a) verhätscheln, verwöhnen.

dor|mant [dɔr'mɑ̃] **I** *adj.* (7) **1.** schlafend: *fig. la Belle au bois* ~ Dornröschen *n*; **2.** *fig.* stehend, unbeweglich; *eau f* ~*e* stehendes

Wasser *n*; *torpille f* ~*e* auf dem Meeresgrund ruhender Torpedo *m*; **II** *m* **3.** Schläfer *m*: *rl. les Sept* ²*s* die Siebenschläfer *m/pl.*; **4.** ~ *de fenêtre* (*de porte*) Fenster-, Türrahmen *m*; **5.** ⚓ ~ *du cordage*, ~ *d'une manœuvre* stehender Teil *m* des Tauwerkes; **~meur** [~'mœːr] (7g) **I** *adj.* schläfrig; **II** *su.* Langschläfer *m*; *m zo.* Seekrebs *m*; **~meuse** [~'møːz] *f* **1.** Langschläferin *f*; **2.** † feiner Ohrring *m*.

dor|mir [dɔr'miːr] (2b) **I** *v/i.* **1.** schlafen; *je n'ai pas dormi toute la nuit* ich habe die ganze Nacht nicht geschlafen; *conte m à* ~ *debout* Ammenmärchen *n*; ~ *à la belle étoile* unter freiem Himmel (*od.* bei Mutter Grün F) schlafen; ~ *comme une brute* (*comme un loir, comme une marmotte, comme un sabot, comme une souche, à poings fermés*) wie ein Murmeltier (wie e-e Ratte, wie ein Bär) schlafen; ~ *du sommeil du juste* den Schlaf des Gerechten schlafen; *fig. ne* ~ *que d'un œil* sehr wachsam (*od.* mißtrauisch) sein; *il n'en dort pas* er kann darüber nicht schlafen; *il faut* ~ *là-dessus* man muß es erst mal beschlafen; **2.** *fig.* ruhen, liegen; stillstehen, sich nicht bewegen; *la toupie* (*le toton*) *dort* der Spielkreisel steht (indem er sich dreht); **II** *v/t.* ~ *un bon somme* sich gut ausschlafen; ~ *son content* sich richtig ausschlafen; **~mitif** [~mi'tif] *adj.* (7e) *u. m* einschläfernd (-es Mittel *n*); Schlafmittel *n*.

doroir *pât.* [dɔ'rwaːr] *m* Streichpinsel *m*.

dorsal [dɔr'sal] (5c) **I** *adj. u. su. anat.* Rücken...; *épine f* ~*e* Rückgrat *n*; *zo.* (*nageoire f*) ~*e* Rückenflosse *f*; **II** *m* (5c) Rückenfallschirm *m*.

dortoir [dɔr'twaːr] *m* Schlafsaal *m*.

dorure [dɔ'ryːr] *f* **1.** Vergoldung *f*, Vergolden *n*; *cout.* ~*s pl.* Goldverzierungen *f/pl.*; **2.** *cuis.* Bestreichen *n* mit Eigelb.

doryphore *ent.* [dɔri'fɔːr] *m* Kartoffel-, Kolorado-käfer *m*.

dos [do] *m* **1.** Rücken *m*; Buckel *m*; *avoir bon* ~ *fig.* e-n breiten Rücken (*od.* ein dickes Fell) haben; manchen Hieb vertragen können; *le* ~ *lui démange* ihm juckt das Fell; *se mettre q. à* ~ sich mit j-m verkrachen, sich j-n zum Feind machen; ~ *à* ~ Rücken an Rücken; *et de là à* ~ *d'âne ou de mulet* und von dort mit dem Esel oder Maulesel; *faire le gros* ~ e-n Buckel machen (*Katze*); *renvoyer* ~ *à* ~ keinem recht geben; abweisen, abblitzen lassen F; F *scier le* ~ in den Ohren liegen; *mettre qch. sur le* ~ *de q.* j-m etw. aufhalsen; *dire du mal de q. derrière son* ~ j-n hinter s-m Rücken schlechtmachen; *se laisser manger la laine sur le* ~ sich die Butter vom Brot nehmen lassen; sich das Fell über die Ohren ziehen lassen; F *en avoir plein le* ~ etw. satt haben, von etw. genug haben; **2.** Rückseite *f*; ~ *d'une chaise* Lehne *f* e-s Stuhls; *chaise f* (*od. siège m*) *à* ~ Lehnstuhl *m*; ~ *d'un couteau* Messerrücken *m*; ~ *d'un livre* Buchrücken *m*; ~ *de la main* Handrücken *m*; *se voir de* ~ *dans une glace* sich von hinten in e-m Spiegel sehen; F *ne pas y aller avec le* ~ *de la cuiller* rücksichtslos vorgehen; **3.** ✓ ~ *d'un sillon* Aufhäufung *f* e-r Furche; **4.** ⚠ ~ *d'âne* Satteldach *n*; Rangierberg *m*; Abhang *m*; *en* ~ *d'âne* abschüssig.

dos|able [do'zablə] *adj.* dosierbar; **~age** [~'zaːʒ] *m* **1.** ⚗, *a. fig.* Dosierung *f*; Gewichtsbestimmung *f*; *bét.* Mischungsverhältnis *n*; *phm.* Bestimmen *n* der Dosis; **2.** Zubereitung *f* (*z.B. des Tees*); **~e** [doːz] *f* Dosis *f*; Menge *f*; *fig.* Maß *n*; **~er** [do'ze] *v/t.* (1a) *a. fig.* dosieren; die richtige Dosis geben *od.* bestimmen; **~eur** ⊕ [~'zœːr] *m* Meßapparat *m*; ~ *d'air* Anlaßdüse *f*; **~imètre** *a. at.* [~zi'mɛːtrə] *m* Dosimeter *n*.

dosse *charp.*, ⚠ [doːs] *f* Schalbrett *n*.

dossier [do'sje] *m* **1.** Rückenlehne *f*, Rück-seite *f*, -wand *f*; ~ *rembourré* Rückenpolster *n*; **2.** *a. Auto*: Innere(s) *n*, Wageninnere(s) *n*; **3.** ⚓ bewegliche Rückenlehne *f e-s Bootes*; Kopfbrett *n am Bett*; **4.** Sammelmappe *f*; Aktenstück *n*, Vorgang *m*, Aktenbündel *n*; Strafregister *n*, Vorstrafen *f/pl.*; *pol.* Frage(nkomplex *m*) *f*, (Verhandlungs-)Paket *n*, Papier *n fig.*; *écol.*, *péd.* Arbeitsmaterial *n*; ~ *médical* Krankengeschichte *f*; ~ *personnel* Personalakten *pl.*; **5.** ~ *suspendu* Hängerollkorb *m* (*für Büros*); **~-classeur** [~kla'sœːr] *m* (6a) Schnellhefter *m*.

dossière [do'sjɛːr] *f* Rückenriemen *m am Pferdegeschirr*.

dot [dɔt] *f* **1.** Aussteuer *f*, Mitgift *f*, Brautschatz *m*; *allg.* Heiratsgut *n* (*a. des Mannes*); **2.** ~ *d'une religieuse* Mitgabe *f* e-r Nonne; **~al** ⚖ [~'tal] *adj.* (5c) zur Aussteuer gehörend; *régime m* ~ Ausschluß *m* der Gütergemeinschaft, Dotalrecht *n.*

dotation [dɔtɑ'sjɔ̃] *f* **1.** Ausstattung *f* mit Einkünften, Schenkung *f*; **2.** Dotation *f*, zugewiesene Einkünfte *f/pl.*; **3.** ⚔, ⊕ Ausstattung *f* (*z.B. e-s Krankenhauses*); **4.** *fin.* Zuweisung *f.*

doter [dɔ'te] *v/t.* (1a) **1.** ~ *q.* j-n aus-statten *od.* -steuern; **2.** mit Einkünften versehen; beschenken; **3.** *a.* ⚔, ⊕ ausstatten.

douairière [dwɛ'rjɛːr] **I** *f* Witwe *f* von Stand; vornehme alte Dame *f*; **II** *adj./f reine f* ~ Königinwitwe *f.*

doua|ne [dwan] *f* **1.** (*droit m de*) ~ Zoll *m*; *déclaration f en* ~ Zollinhaltserklärung *f*; ~ *à l'entrée* Einfuhrzoll *m*; *frais m/pl. de* ~ Zollgebühr *f*; *soumis aux droits de* ~ zollpflichtig; **2.** Zollverwaltung *f*; (Grenz-)Zollamt *n*; **~ner** [dwa'ne] *v/t.* (1a) auf dem Zollamt plombieren; **~nier** [~'nje] **I** *m* Zolleinnehmer *m*, -beamte(r) *m*, Grenzaufseher *m*; **II** *adj.* (7b) Zoll...

douar [dwaːr] *m* Beduinendorf *n.*

doubat [du'ba] *m* farbiger Soldat *m* Ostafrikas.

doublage ⊕ [du'blaːʒ] *m* Verdoppelung *f*; Fütterung *f*; *cin.* Doubeln *n*; *cin., thé.* Ersetzung *f* durch ein Double; ~ *de cuivre* Kupferbeschlag *m.*

double ['dublə] **I** *adj.* □ **1.** doppelt, zweifach; Doppel...; ⚖ *en* ~ *expédition* in doppelter Ausführung; *en* ~ (*copie*) abschriftlich; *avoir qch. en* ~ etw. doppelt haben; *clef f* (*od. clé f*) *en* ~ Nach-, Nebenschlüssel *m*; *faire coup* ~: a) *ch.* e-n Doppeltreffer machen, mit einem Schuß zwei Tiere treffen; b) *fig.* zwei Fliegen mit einer Klappe schlagen; ⚘ *fleur f* ~ gefüllte Blume *f*; *à* ~ *fond* mit doppeltem Boden; ~ *menton m* Doppel-, Unter-kinn *n*; ~ *sens m* Doppelsinn *m*; *à* ~ *sens* zweideutig; **2.** *fig.* doppelt (stark); vorzüglich; Haupt-..., Erz...; ~ *bière f* Doppelbier *n*; ~ *fripon m* Erzschurke *m*; **3.** *fig.* doppelzüngig, gleisnerisch, falsch; *mv.p. homme m à* ~ *face* Mensch *m* mit e-m doppelten Gesicht, Heuchler *m*, Scheinheilige(r) *m*, Achselträger *m*; **4.** ♪ ~ *croche f* Sechzehntelnote *f*; **II** *adv.* **5.** doppelt; *voir* ~ doppelt sehen; **III** *m* **6.** *das* Doppelte; *rendre au* ~ doppelt vergelten; **7.** Dublette *f*; Doppel *n*; Duplikat *n*, Durchschlag *m* (*in Maschinenschrift*); ⚚ ~ *de commission* Orderkopie *f*; *prendre le* ~ *de ...* e-e Kopie machen von ...; **8.** *Tennis*: Doppel(spiel) *n*; ~ *dames* Damen-Doppel *n*; ~ *messieurs* Herren-Doppel *n*; ~ *mixte* gemischtes Doppel *n*; **9.** Doppelgänger *m*; **10.** *thé., cin.* Doppelspieler *m*, Stellvertreter *m in e-r Rolle.*

dou|blé [du'ble] **I** *m* **1.** ⊕ Dublee *n*, Plattierung *f mit Gold oder Silber*, plattierte Ware *f*, Talmigold *n*; **2.** *ch.* Dublette *f*, Doppeltreffer *m*; *faire un* ~ *de canards* zwei Enten hintereinander abschießen; **3.** ✈ Doppelabschuß *m*, doppelter Luftsieg *m*; **II** *adj. a.* ⚘ gefüllt; **~bleau** ⚠ [~'blo] *m* (5b) Doppelbalken *m*; **~blement** [~blə'mɑ̃] *m* Verdoppelung *f*; 🚂 Einsetzen *n e-s Einsatzzuges.*

doubler [du'ble] (1a) **I** *v/t.* **1.** verdoppeln; (doppelt) zusammenlegen; *écol.* ~ *une classe* sitzenbleiben; ~ *le pas* schneller gehen; *il était un critique doublé d'un psychologue* er war ein Kritiker und Psychologe zugleich; ~ *q. par q.* j-n durch j-n ersetzen; **2.** *cin.* doubeln; **3.** *a.* ⊕ füttern; auskleiden; ~ *de soie* mit Seide füttern; ~ *en fer* mit Eisen beschlagen; **4.** plattieren; **5.** ⚔ ~ *les rangs* die Reihen verdoppeln; **6.** ⚓ ~ *un cap* ein Vorgebirge umsegeln; ~ *un navire* ein Schiff überholen; *a. Auto*: ~ *une voiture* e-n Wagen überholen; **7.** 🚂 ~ *un train* e-n Einsatzzug einsetzen; **II** *v/i.* sich verdoppeln; *Preis*: um das Doppelte steigen.

doublet [du'blɛ] *m* **1.** falscher Edelstein *m*; **2.** *gr.* Dublette *f.*

doublier ⚒ [dubli'e] *m* Doppelraufe *f*, zweiseitige Heuraufe *f.*

doubleur ⊕ [du'blœːr] **I** *m* Elektrizitätssammler *m*; (Frequenz-)Verdoppler *m*; *text.* Lappingmaschine *f*, Bandvereinigungsmaschine *f*; **II** *su.* (7g) *text.* Zwirner *m.*

doublonner *pol.* [dublɔ'ne] *v/i.*: ~ *avec q.* mit j-m als Kandidat konkurrieren.

doublure [du'blyːr] *f* **1.** ⊕ Futter *n*, Unterfutter *n*; Verkleidung *f*; **2.** *thé.* Stellvertreter *m*, Doppelspieler *m*; Lückenbüßer *m*; *cin.* Double *n*; *allg.* Doppelgänger *m.*

douce-amère ⚘ [dusa'mɛːr] *f* (6a) Bittersüß *n*.
douceâtre [du'sɑːtrə] *adj. a. fig.* fade, süßlich.
douce|ment [dus'mɑ̃] *adv.* langsam, behutsam; leise, sachte; heimlich; ruhig, friedlich, gelassen; gütig; menschlich; gemächlich, behaglich; *tout* ~ so leidlich, einigermaßen, so lala, nicht gerade besonders gut (*Gesundheit, Geschäft*); ~, *mon ami!* immer langsam (*od.* F sachte), mein Lieber!; **~reux** [dus'rø] *adj.* widerlich süß; *fig.* katzenfreundlich; *faire le* ~ freundlich tun.
doucet|te F ⚘ [du'sɛt] *f* Rapunzel *f*; **~tement** F [~t'mɑ̃] *adv.* ganz sachte.
douceur [du'sœːr] *f* **1.** Lieblichkeit *f*, Milde *f*, Anmut *f*, Zartheit *f*, Zauber *m*; Freundlichkeit *f*, Sanftmut *f*; ✈ *atterrissage m en* ~ weiche Landung *f*; P *en* ~ sachte, in aller Güte; **2.** ~*s pl.* Süßigkeiten *f/pl.*; *aimer les* ~*s* gern Süßigkeiten essen.
douch|e [duʃ] *f* Dusche *f*, Brausebad *n*; ~ *à air chaud* Heißluftdusche *f*; F *fig. recevoir une* ~ e-n Rüffel bekommen; **~é** F [~'ʃe] *adj.* abgekühlt *fig.*; **~er** [~] *v/t.* (1a) abbrausen, duschen; *weitS.* durchnässen; F *fig.* herunterputzen; enttäuschen, ernüchtern; **~eur** [~'ʃœːr] *su.* (7g) Badediener *m*.
doucin ✓ [du'sɛ̃] *m* wilder Apfelbaum *m*.
doucine △ [du'siːn] *f* Kehlleiste *f*.
doucir [du'siːr] *v/t.* (2a) *Spiegel* schleifen; *Metall* polieren.
doué [dwe] *adj.* begabt; talentvoll; *mal* ~ unbegabt.
douer [~] *v/t.* (1a) versehen (de mit [*dat.*]).
douille [duj] *f* **1.** ⊕ Rohransatz *m*; Tülle *f*; Sockel *m*, Muffe *f*; ⚔ Patronenhülse *f*; ⚡ Fassung *f e-r Birne*; ~ *de contact* Kontaktbuchse *f*; **2.** * Geld *n*; * ~*s pl.* Haare *n/pl.*
douillet [du'jɛ] (7c) **I** *adj.* ☐ mollig, weich; gemütlich; verweichlicht, empfindlich, zimperlich; *une demeure* ~*te et aimable* e-e gemütliche u. freundliche Wohnung *f*; **II** *su.* Weichling *m*; **~te** [~'jɛt] *f* wattierter Mantel *m*.
douleur [du'lœːr] *f* Schmerz *m*.
douloureux [dulu'rø] *adj.* (7d) ☐ schmerzhaft.
doute [dut] *m* **1.** Zweifel *m*; *il n'y a pas de* ~ da gibt's gar keinen Zweifel, das ist gar keine Frage; *laisser dans le* ~ im Zweifel lassen, offenlassen; *mettre en* ~ bezweifeln, in Zweifel ziehen; *sans* ~ zweifellos; *sans* ~ *pourra-t-il le faire* zweifellos wird er es machen können; **2.** Bedenken *n*; **3.** ~*s pl.* Verdacht *m*; *concevoir des* ~*s* Argwohn schöpfen.
douter [du'te] (1a) **I** *v/i.* **1.** zweifeln (de an *dat.*); *j'en doute fort* ich zweifle sehr daran; *je doute si je partirai demain* ich bin im Zweifel, ob ich morgen abfahren soll; *je doute qu'il vienne* ich zweifle, daß er kommt; **2.** ~ de (*mit inf.*) Bedenken tragen zu ...; **II** *v/rfl. se* ~ *de qch.* etw. ahnen, etw. vermuten; *je m'en suis toujours douté* ich habe es stets vermutet, das habe ich mir schon immer gedacht; *il se doute de qch.* er merkt etw.; er hat e-n Verdacht; *je ne m'en serais jamais douté* das hätte ich mir nie träumen lassen, daran hätte ich nie gedacht; *on ne s'en doute guère* man glaubt es kaum; *je ne me doutais de rien* ich vermutete nichts Böses (*od.* Schlimmes); *je ne m'en doutais même pas, j'étais loin de m'en* ~ ich hatte keine Ahnung (*od.* keinen Begriff) davon.
dou|teur [du'tœːr] *su.* (7g) Zweifler *m*; **~teux** [~'tø] *adj.* (7d) **1.** zweifelhaft, unentschieden; **2.** *pièce douteuse* verdächtiges Geldstück *n*; *réputation douteuse* zweideutiger Ruf *m*; **3.** doppelsinnig; **4.** *clarté f douteuse, jour m* ~, *lumière f douteuse* Halbdunkel *n*, trübes Licht *n*; *fig. sens* ~ dunkler Sinn *m*.
douvain [du'vɛ̃] *m* (Faß-)Daubenholz *n*.
douve [duːv] *f* **1.** (Faß-)Daube *f*; **2.** Wassergraben *m*; **3.** *vét.* ~ *du foie* Leberwurm *m*.
Douvres ['duːvrə] *f* Dover *n*.
doux [du] **I** *adj.* (*f douce* [dus]) ☐ **1.** süß; *eau f douce* Süßwasser *n*; *marin d'eau douce* Flußschiffer *m*; unerfahrener Matrose *m*; *vin* ~ Süßwein *m*; *a.* Most *m*; *être* ~ süß schmecken; *rendre* ~ versüßen; **2.** ungewürzt; **3.** angenehm, wohltuend, lieblich; *le plus* ~ *plaisir* das köstlichste Vergnügen; *la douce France* das liebe Frankreich; **4.** gelinde; sanft; weich; *il fait très* ~ es ist sehr mildes Wetter; *feu* ~ schwaches Feuer *n*; *médecine douce* leichte Arznei *f*; *prix* ~ mäßiger Preis *m*; ~ *sommeil* ruhiger Schlaf *m*; *pente douce* sanfter Abhang *m*;

c'est ~ à toucher es fühlt sich weich an; **5.** sanftmütig, mild, freundlich; *billet m ~* Liebesbrief *m*; *les ~ propos* das Liebesgeplauder; *~ sourire* holdes Lächeln *n*; F *faire les yeux ~* liebäugeln; **6.** sanft, zahm, fromm (*von Tieren*); **7.** *gr. lettre douce* stimmhafter Buchstabe *m*; *grch. gr.*: *esprit m ~* Spiritus lenis; **8.** ⊕ geschmeidig, weich (*von Metallen*); *lime douce* feine Feile *f*; **II** *adv.* (*vgl. a. doucement*) **9.** sachte, leise; F *tout ~!* nicht so hitzig!; immer sachte!; ereifern Sie sich nicht!; **10.** still, behutsam; F *filer ~* klein beigeben, zum Munde reden, kriechen; **11.** zart; **III** *m le ~* das Angenehme *od.* Sanfte; F *un verre de ~* ein Gläschen süßen Likörs; **IV** *su.* F *faire le ~ (la douce)* den Sanftmütigen (die Sanftmütige) spielen, freundlich tun; *adv.* P *comment ça va-t-il? — à la douce!* wie geht's? — ganz leidlich!

douzaine [du'zɛ:n] *f* Dutzend *n*; *une ~ de ...* etwa zwölf ...

douze [du:z] **I** *a/n.c.* **1.** zwölf; **2.** zwölfte(r); *Charles ~*, *gew. Charles XII* Karl der Zwölfte; *le ~ juin*, *gew. le 12 juin* am zwölften (12.) Juni; **II** *m* **3.** Zwölf *f*; **4.** *le ~ du mois* der Zwölfte des Monats.

douzième [du'zjɛ:m] **I** *a/n.o.* zwölfter, zwölfte, zwölftes; **II** *su.* Zwölfte(r) *m*; **III** *m* Zwölftel *n*; *fin. ~ provisoire* einstweiliges Haushaltszwölftel *n*; **IV** *f* ♪ Duodezime; **~ment** [duzjɛm'mɑ̃] *adv.* zwölftens.

doyen [dwa'jɛ̃] *su.* (7c) **1.** *rl.* Dechant *m*, Dekan *m*; **2.** *allg.* Älteste(r) *m*; *~ (d'âge)* Alterspräsident *m*; **3.** Dekan *m*, (Pro-)Rektor *m* einer Fakultät.

doyenné [dwajɛ'ne] *m* **1.** Dekanat *n*; **2.** Dekanatswohnung *f*; **3.** ♀ Butterbirne *f*.

draconien [drakɔ'njɛ̃] *adj.* (7c) drakonisch; sehr streng, unerbittlich.

dragage [dra'ga:ʒ] *m* Ausbaggern *n*.

dragée [dra'ʒe] *f* **1.** Stück *n* Konfekt, überzuckerte Mandel *f*; *~ au cognac* Kognakbohne *f*; *~s pl.* Konfekt *n*, Süßigkeiten *f/pl.*; *fig. avaler la ~* in den sauren Apfel beißen müssen; *tenir la ~ haute à q.* j-m den Brotkorb höher hängen; **2.** ✓ Mischfutter *n*; *sachet m à ~* Futtersack *m*; **3.** *ch.* (Flinten-) Schrot *n*; P ⚔ blaue Bohne *f*.

drageon [~'ʒɔ̃] *m* Wurzelschößling *m*; **~ner** [~ʒɔ'ne] *v/i.* (1a) Wurzelschößlinge *m/pl.* treiben.

dragon [dra'gɔ̃] *m* **1.** Drache *m*; **2.** *ehm.* ⚔ Dragoner *m*; **~ne** [~'gɔn] *f* ⚔ Degenquaste *f*, Säbeltroddel *f*, Portepee *n*; Schlaufe *f* (*Schirm, Schistock*).

dragonnier ♀ [~gɔ'nje] *m* Drachenbaum *m*.

dra|guage ⊕ [dra'ga:ʒ] *m* **1.** Baggern *n*; **2.** Fischen *n* mit dem Schleppnetz; **~gue** ⊕ [drag] *f* **1.** Schaufelbagger *m*; *~ à chaîne* Kettenbagger *m*; *~ à cuiller* Löffelbagger *m*; *~ à godets* Eimerbagger *m*; ⚔, ⚓ *~ de mines* Minensucher *m*; **2.** Schleppnetz *n*; **~guer** ⊕ [~'ge] *v/t.* (1a) **1.** (aus)baggern; **2.** mit dem Schleppnetz fischen; **3.** ⚓ *~ l'ancre* den Anker mit dem Suchtau aufsuchen; *~ le fond nach e-m verlorenen Gegenstand* suchen, den Meeresgrund absuchen, dreggen; ⚔, ⚓ *~ des mines* Minen suchen; **~gueur** ⊕ [~'gœ:r] *m* **1.** Baggerführer *m* (*Person*); Baggerer *m* (*Arbeiter*); **2.** Baggerschiff *n*; ⊕ Bagger(maschine *f*) *m*; *~ de mines* Minensuchboot *n*; ⚓ *~ d'aspiration* Saugbagger *m*; **3.** F *junger* Schürzenjäger *m*; **~gueuse** [~'gø:z] *f* Baggermaschine *f*.

drain ✓ [drɛ̃] *m* Abzugskanal *m*, Sickerrohr *n*, Dränröhre *f*; ⚕ Kanüle *f*.

drain|able [drɛ'nablə] *adj.* dränierbar, entwässerbar; **~age** [~'na:ʒ] *m* Entwässerung *f* des Bodens, Dränierung *f*; **~er** [~'ne] *v/t.* (1b) ✓ dränieren, entwässern, trockenlegen; ⚕ (*Wunde*) drainieren, seröse Flüssigkeit beseitigen (aus), Wundröhrchen einlegen (in); *fig.* aufsaugen, für sich in Anspruch nehmen, verbrauchen; **~neur** [~'nœ:r] *m* Dränierer *m*.

draisine 🚂 [dre'zi:n] *f* Draisine *f*.

dralon *text.* [dra'lɔ̃] *m* Dralon *m*.

drama|tique [drama'tik] **I** *adj.* □ **1.** dramatisch; Schauspiel..., Bühnen..., Theater...; *art m ~* Bühnenkunst *f*, Dramatik *f*; *artiste m ~* Bühnenkünstler *m*; *poète m (od. auteur m) ~* Bühnendichter *m*, Dramatiker *m*; **2.** *fig.* dramatisch, packend; **3.** *fig.* ernst; *des conséquences ~s* ernste Folgen *f/pl.*; **II** *m* dramatisches Gebiet *n*; *das* Dramatische; Lebhaftigkeit *f*; **~tiser** [~ti'ze] *v/t.* (1a) bühnengerecht machen; dramatisch darstellen; dramatisieren; **~turge** [~'tyrʒ] *su.* Dramaturg *m*, Bühnendichter *m*;

~turgie [~tyr'ʒi] *f* Dramaturgie *f*, Bühnendichtung *f*.
drame [dram] *m* Drama *n*, Theaterstück *n*; Schauspiel *n*; *fig.* Drama *n*, tragische Begebenheit *f*; ~ *lyrique* Musikdrama *n*, lyrisches Drama *n*.
drap [dra] *m* **1.** Tuch *n*; Stoff *m*; ~ *d'argent* Silberstoff *m*; ~ *croisé* Köpertuch *n*; ~ *feutré* Filztuch *n*; *de* ~, *en* ~ aus Tuch; **2.** ~ *de lit* Bettlaken *n*; ~ *mortuaire* Leichentuch *n*; ~ *de pied* Betstuhldecke *f*; **3.** F *nous voilà dans de jolis* (*od. beaux od. vilains*) ~*s!* da sitzen wir schön in der Tinte!, da haben wir uns was eingebrockt!; wir sind aufgeschmissen!; *se mettre dans de mauvais* ~*s* ins Fettnäpfchen treten, 'anecken; **~age** [~'pa:ʒ] *m* Drapierung *f*.
drapeau [dra'po] *m* (5b) Fahne *f*; *appeler sous les* ~*x* zu den Fahnen rufen; einberufen; *être sous les* ~*x* dienen; *fig. faire sortir son* ~ Farbe bekennen, zu e-r Sache stehen.
draper [dra'pe] (1a) **I** *v/t. peint.*, *sculp.*, *Gewänder* in (schöne) Falten legen, drapieren; *Mode*: ~ *une robe* ein Kleid drapieren (*Mannequin*); **II** *v/rfl. se* ~ *dans son manteau* sich in s-n Mantel hüllen; *fig. se* ~ *dans sa dignité* sich in Schweigen hüllen; *se* ~ *dans sa vertu* sich mit s-r Tugend brüsten.
draperie [dra'pri] *f* **1.** Tuchfabrik *f*; Tuchhandel *m*; Tuchwaren *f/pl.*; **2.** *peint.*, *sculp.* Gewandung *f*, Faltenwurf *m*; **3.** ~*s pl.* Vorhänge *m/pl.*, Gardinen *pl.*
drapier [dra'pje] *su.* (7b) (*a. adj.*): (*fabricant m*) ~ Tuch-macher *m*, -fabrikant *m*; (*marchand m*) ~ Tuchhändler *m*.
drastique [dras'tik] *adj.* ⚕ schnell wirkend; ⚕, *éc.* drastisch, radikal.
drav|e *dial. Canada* [dra:v] *f* Flößerei *f*; **~eur** [dra'vœ:r] *m* Flößer *m*.
drayer ⊕ [drɛ'je] *v/t.* (1i) *Gerberei*: (aus)schaben, ausfleischen.
drèche ⊕ [drɛʃ] *f* Treber *pl.*
drège [drɛ:ʒ] *f* **1.** *Fischerei*: großes Schleppnetz *n*; **2.** *text.* Flachskamm *m*.
drelinguer [drəlɛ̃'ge] *v/i.* (1m) zittern.
dress|age [drɛ'sa:ʒ] *m* **1.** Abrichten *n*, Dressieren *n*; *fig.* Drill *m*, Schulung *f*, Ausbildung *f*; **2.** ✓ Anbinden *n der Reben usw.*; **3.** (Aus-, Zu-)Richten *n*; Schleifen *n des Spiegelglases*; **~ement** [~s'mɑ̃] *m* = *dressage* 1.
dress|er [drɛ'se] (1b) **I** *v/t.* **1.** (auf-)richten, in die Höhe richten, strecken, gerade-machen *od.* -halten; ~ *l'oreille* aufmerksam zuhören; ~ *les oreilles* die Ohren spitzen; *dressé* aufrecht (stehend); **2.** errichten, aufstellen, aufschlagen; ~ *une machine* e-e Maschine montieren (*od.* aufstellen); ~ *une statue* e-e Bildsäule errichten; ~ *une tente* (*un camp*) ein Zelt (ein Lager) aufschlagen; ~ *une embuscade* e-n Hinterhalt legen; *fig.* ~ *un piège à q.* j-m e-e Falle stellen; **3.** abfassen, ausfertigen; ~ *un contrat* e-n Vertrag aufsetzen; ~ *un inventaire* ein Verzeichnis aufnehmen, Inventur machen; ~ *un plan* e-n Plan entwerfen; ~ *un procès-verbal* ein Protokoll aufnehmen; ~ *une statistique* e-e Statistik aufstellen; **4.** dressieren, abrichten; *péj.* ⚔ schulen, drillen; F kleinkriegen; *fig.* ~ *q. contre q.* j-n gegen j-n aufhetzen; ~ *q. qch.* j-n (durch Mühen) zu etw. machen; *ces deux mille kilomètres vous dressent un homme!* diese zweitausend Kilometer machen Sie zu e-m Menschen!; **5.** ⊕ aus-, zurichten; behobeln; behauen, beschneiden; ⚠ ~ *d'alignement* (*od. à la ligne*) einfluchten; **6.** *cuis.* anrichten, zubereiten, fertigmachen; **II** *v/rfl. se* ~ **7.** sich aufrichten, sich (auf)bäumen; sich erheben; **8.** abgerichtet (geschult, gedrillt) werden.
dress|eur [drɛ'sœ:r] *su.* (7g) Dressierer *m*; ⚔ Driller *m*; **~ing-room** [~siŋ'rum] *m* (6g) Umkleideraum *m*; **~oir** [~'swa:r] *m* Anrichtetisch *m*.
dreyfusard *hist. Fr.* [drɛfy'za:r] *m* Dreyfusanhänger *m*.
dribbler *Sport* [dri'ble] *v/i. u. v/t.* (1a) *Fußball*: dribbeln; den Ball vor sich hertreiben.
drille[1] F [drij] *m*: *bon* ~ netter Kerl *m*; *pauvre* ~ armer Schlucker *m*; *vieux* ~ alter Lüstling *m*.
drille[2] ⊕ [~] *f* Drillbohrer *m*.
drisse ⚓ [dris] *f* Hißtau *n*.
drive *Tennis* [draiv] *m* Treibschlag *m*.
drive-in [draiv'in] *m* (6g) Autokino *n*.
dro|gue [drɔg] *f* **1.** ⚕ *péj.* schlechte Medizin *f*, Mittelchen *n*; **2.** *péj.* Gesöff *n*; **3.** Rauschgift *n*; **~gué** [drɔ'ge] *su.* Drogenabhängige(r) *m*, Rauschgiftsüchtige(r) *m*; **~guer** [~] (1m) **I** *v/t.* ~ *q.* j-m zuviel Arznei eingeben; an j-m herumdoktern F; **II** F ⚒ *v/i.* warten, bis man schwarz

wird; **III** *v/rfl.* se ~ a) zuviel Medizin einnehmen; b) Rauschmittel nehmen; **~guerie** [~'gri] *f* Drogerie(waren *f/pl.*) *f*; **~guet** *text.* [~'gɛ] *m* Mischgewebe *n*; **~gueur** ⚓ [~'gœ:r] *m* Heringskutter *m* mit Fischzubereitung; **~guiste** [~'gist] *su.* Drogist *m*.

droit[1] [drwa] **I** *adj.* **1.** gerade; *le ~ chemin* der gerade Weg (*a. fig.*); *la ligne ~e* die gerade Linie; *en ligne ~e, en ~e ligne* in gerader Linie; *être ~ comme un cierge* kerzengerade sein; **2.** aufrecht stehend; **3.** recht; *fig. être le bras ~ de q.* j-s rechte Hand sein; **4.** □ rechtschaffen, aufrichtig, geradlinig, korrekt; **5.** □ richtig; *~e raison* gesunde Vernunft *f*; **6.** *angle m ~* rechter Winkel *m*; **7.** einreihig (*Sakko*); **II** *adv.* gerade; *aller tout ~* ganz geradeaus gehen; *fig. aller ~* rechtschaffen handeln; *aller ~ au cœur* zu Herzen gehen; *aller ~ au fait* ohne Umschweife anfangen, zu reden; unmittelbar auf das Thema zu sprechen kommen; gerade auf sein Ziel lossteuern; *marcher ~* gerade gehen; *fig.* s-e Pflicht erfüllen, zu s-m Wort stehen; **III** *m Boxsport*: Rechte(r) *m*; *Tennis*: (*coup m*) ~ Vorhandschlag *m*.

droit[2] [drwa] *m* **1.** Recht *n*, Berechtigung *f*, Anrecht *n*; Gerechtigkeit *f*, Rechtsordnung *f*, Gesamtheit *f* der Gesetze; *avoir ~ à* Anspruch haben auf (*acc.*); *faire ~ à q.* j-m Gerechtigkeit widerfahren lassen; *~ d'aînesse* Erstgeburtsrecht *n*; *fig.* Vorrecht *n*; *~ d'auteur* Urheberrecht *n*; *~ de bourgeoisie, ~ de cité, ~ de citoyen* Bürgerrecht *n*; *~ sur des brevets* Patentrecht *n*; *~ budgétaire* Budgetrecht *n*; *~ cambiaire, ~ cambial* Wechselrecht *n*; *~ civil* bürgerliches Recht *n*; *~s civiques* bürgerliche Ehrenrechte *n/pl.*; *~ canon* kanonisches Recht *n*, Kirchenrecht *n*; *~ de change* Wechselrecht *n*; *~ commercial* Handelsrecht *n*; *~ commun* gemeines Recht *n*; Landrecht *n*; *~ coutumier* Gewohnheitsrecht *n*; *~ criminel* Strafrecht *n*; *~ électoral* Wahl-, Stimm-recht *n*; *~ du plus fort* Faustrecht *n*; *~ des gens, ~ international public* Völkerrecht *n*; *~ pénal* Strafrecht *n*; *~ romain* römisches Recht *n*; *~ des peuples à disposer d'eux-mêmes* Selbstbestimmungsrecht *n* der Völker; *~ d'impression* Verlagsrecht *n*; *~ du jeu* Spielregel *f*; *~ d'option, ~ de faveur* Vorkaufs-, Vorzugs-recht *n*; *~ de recours* Regreßrecht *n*; *~ d'usage, ~ d'usufruit, ~ d'exploitation, ~ d'exploiter* Nutzungsrecht *n*; *~ de souscription, ~ de disposition* Verfügungs-, Bezugs-recht *n*; *~ intellectuel (scientifique)* geistiges (wissenschaftliches) Eigentumsrecht *n*; *~ contractuel, ~ conventionnel* Vertragsrecht *n*; *~ de suite* Nachfolgerecht *n*; *~ syndical* Gewerkschaftsrecht *n*; *~s pl. matériels exercés sur les choses* Sachenrecht *n*; *~ minoritaire, ~ des minorités* Minderheitenrecht *n*; *~ de vote féminin* Frauenwahlrecht *n*; *priver q. de ses ~s* j-n entrechten; *privation f des ~s* Entrechtung *f*; *~ de vote* Stimmrecht *n*; *~ maritime* Seerecht *n*; *~ naturel* Naturrecht *n*; *de ~* von Rechts wegen; *cela est de ~* das besteht zu Recht; *à bon ~* mit vollem Recht, mit Fug und Recht; *à qui de ~* wem es zukommt; an die zuständige Person (*od.* Stelle) (*englisch*: *to whom it may concern*); *être en ~ de ...* berechtigt sein zu ...; *de plein* (*od.* *de bon*) *~* von Rechts wegen, rechtmäßig, mit vollem Recht; *~s de l'homme* Menschenrechte *n/pl.*; *contre tout ~ et raison* gegen Recht und Billigkeit; *~s pl. en cours d'acquisition* Anwartschaften *f/pl.*; **2.** *ayant ~* (*mst. pl.*: *ayants ~*) Berechtigte(r) *m*, Rechtsnachfolger *m*; *ayant le ~ de vote* wahlberechtigt; **3.** Rechtswissenschaft *f*, Jurisprudenz *f*; *docteur m en ~* Doktor *m* der Rechte, *mst.*: Dr. jur.; *faculté f de ~* juristische *od.* rechtswissenschaftliche Fakultät *f*; *étudiant m en ~* Student *m* der Rechte, *mst.*: stud. jur.; *étudier le ~, faire son ~* Jura (*od.* Rechtswissenschaften) studieren; **4.** Abgabe *f*, Auflage *f*, Gebühr *f*; Zoll *m*; *~s pl.* Steuern *f/pl.*, *ehm.* Gefälle *n/pl.*; *~ d'entrée* (*~ d'importation*) Eingangs-(Einfuhr-)zoll *m*; *~ d'exportation* Ausfuhrzoll *m*; *~s pl. de chaussée* Straßenbenutzungsgebühren *f/pl.*; *ehm. ~ d'octroi* Torzoll *m*; *~ protecteur* Schutzzoll *m*; *~ de sortie* Ausgangszoll *m*; *~ sur les successions* Erbschaftssteuer *f*; *~ de timbre* Stempelgebühr *f*; *exempt de ~* zollfrei; *percevoir un ~* e-n Zoll erheben; *~(s pl.) de consommation,*

~ *d'enregistrement* Verbrauchs-, Eintragungs-gebühr *f*; ~ *des pauvres* Lustbarkeits-, Vergnügungs-steuer *f*; ~ *de douane* Zoll-abgabe *f*, -gebühr *f*; ~ *de scolarité* Schulgeld *n*.
droite [drwat] *f* **1.** rechte Seite *f* *od.* Hand *f*; *pol.* Rechte *f*; rechter Flügel *m*; *à la* ~ *de Dieu* zur Rechten Gottes; *prendre la* ~, *tenir* (*od. garder*) *sa* ~ *Auto usw.*: rechts fahren; **2.** ⩘ *die* Gerade, gerade Linie *f*; **3.** *à* ~ *advt.* (nach) rechts; ⚔ rechtsum; *prendre à* ~ rechts einbiegen; *pol. voter à* ~ rechts wählen; *il est à* ~ er ist rechts.
droit-fil *cout.* [drwa'fil] *m* (6a) Verstärkungsstück *n* aus Leinen.
droitier [drwa'tje] *adj. u. su.* (7b) **1.** rechtshändig; **2.** *pol.* (*a. droitiste*) rechtsgerichtet.
droiture [drwa'ty:r] *f* Rechtschaffenheit *f*, Aufrichtigkeit *f*.
drolatique [drɔla'tik] *adj.* □ lustig, drollig, spaßig, ulkig, F putzig.
drôle [dro:l] **I** *adj.* □ **1.** drollig, lustig, possierlich; **II** *su.* **2.** *un* ~ *de type* ein komischer Typ; *une* ~ *d'idée* ein seltsamer Gedanke; *une* ~ *de poigne* e-e unheimliche Kraft (*od.* Energie); **~ment** F [drol'mɑ̃] *adv.* wahnsinnig, irrsinnig, furchtbar, riesig; *il fait* ~ *chaud* es ist irrsinnig heiß; **~rie** [drol'ri] *f* Drolligkeit *f*.
dromadaire *zo.* [drɔma'dɛ:r] *m* Dromedar *n*.
drome [drɔm] *f* **1.** ⚓ Barring *f*; **2.** sämtliche Boote *n/pl.* e-s Schiffs; **3.** *charp.* Längsbalken *m* (*e-s Schmiedehammers*).
dronte *orn.* [drɔ̃:t] *m* Dronte *f*.
drop *Sport* [drɔp] *m* Sprungtritt *m*, Stoß *m* (*Rugby*).
drosomètre *phys.* [drɔzɔ'mɛ:trə] *m* Drosometer *n*, Taumesser *m*.
drosse ⚓ [drɔs] *f* Steuerreep *n*; **~r** ⚓ [~'se] *v/t.* (1a) abtreiben.
dru [dry] **I** *adj.* dicht; *sa barbe* ~*e* sein dichter Bart *m*; *ces blés sont fort* ~*s* dieses Korn steht sehr dicht; *pluie f* ~*e* dichter Regen *m*; **II** *adv.* dicht; *semer* ~ dicht säen; *la pluie tombait* ~ *et menu* es fiel ein dichter, feiner Sprühregen.
drugstor|e [drœg'stɔ:r] *m z. T.* Tag u. Nacht geöffnetes Geschäft *n* (*Tabak, Zeitungen, Eßwaren*); Einkaufszentrum *n* (mit Restaurant); **~ien** [~stɔ'rjɛ̃] *adj.* (7c) Drugstore...; **~iser** [~stɔri'ze] *v/t.* (1a) in Einkaufszentren umwandeln; **~iste** [~stɔ'rist] *su.* Drugstore-käufer *m*, -besucher *m*.
druide *hist.* [dry'i:d] *m* Druide *m*.
dry [drai] *adj. u. m* trocken(er Sekt *m*).
dryade *myth.* [dri'ad] *f* Dryade *f*.
du [dy] *art. m/sg.* **I** *gén.* **1.** des (der); **2.** von (zu, aus) dem *od.* der, vom, zum, zur; *du temps de Henri IV* zur Zeit Heinrichs IV.; *du temps que Berthe filait* in guten, alten Zeiten; *le voyage du sud* die Reise nach dem Süden; **II** (*art. partitif*) *du* (*bon*) *vin* (guter) Wein *m*.
dû *m*, **due** *f* [dy] **I** *p/p. von devoir* (*pl. dus, dues*) schuldig, gebührend; vorschriftsmäßig; *en bonne et due forme* vorschriftsmäßig; **II** *m* Forderung *f*; *je vous demande mon dû* ich verlange von Ihnen, was mir zukommt.
dua|lisme *phil.* [dɥa'lism] *m* Dualismus *m*; **~lité** [~li'te] *f* Zweiheit *f*.
dubitatif [dybita'tif] *adj.* (7e) **1.** *gr.* dubitativ, zweifelhaft; **2.** *allg.* voller Zweifel.
duc [dyk] *m* **1.** Herzog *m*; *grand* ~ Großherzog *m*, Großfürst *m*; **2.** *orn.* Ohreule *f*; *grand* ~ Uhu *m*; **3.** ⚓ ~ *d'albe m* Duckdalbe *m*, Ankerpfahl *m*.
ducal [dy'kal] *adj.* (5c) herzoglich.
ducasse *dial.* [dy'kas] *f* Kirmes *f*.
ducat [dy'ka] *m* Dukaten *m*.
duché [dy'ʃe] *m* Herzogtum *n*.
duchesse [dy'ʃɛs] *f* **1.** Herzogin *f*; **2.** F vornehm tuende Frau *f*; **3.** *altmodisches* Ruhebett *n*; **4.** *poire f* ~ (6b) Tafelbirne *f*.
ducroire ☤ [dy'krwa:r] *m* Delcredere *n*, Bürgschaftsvergütung *f*.
ducti|le [dyk'til] *adj.* ausziehbar, dehn-, streck-bar; geschmeidig; **~limètre** [~li'mɛ:trə] *m* Meßgerät *n* zum Bestimmen der Dehnbarkeit; **~lité** [~li'te] *f* Ausziehbarkeit *f*; Dehn-, Streck-barkeit *f*.
duègne [dɥɛɲ] *f* **1.** Anstandsdame *f*; **2.** *péj.* lästige Tugendwächterin *f*.
duel [dɥɛl] *m* **1.** Duell *n*; *se battre en* ~ sich duellieren; *provoquer en* ~ (zum Duell) herausfordern; **2.** *Sport*: Zwei-, Wett-kampf *m*; **3.** *gr.* Dual *m*; **~liste** [~'list] *m* Duellant *m*.
duettiste [dɥɛ'tist] *m* Duettsänger *m*.
dugong *zo.* [dy'gɔ̃] *m* Seekuh *f*.
duit ⊕ [dɥi] *m* Querdamm *m*.
duite *text.* [dɥit] *f* Schußfaden *m*.
dulcifier ⚗ [dylsi'fje] *v/t.* (1a) absüßen.
dulcinée *plais.* [dylsi'ne] *f* Geliebte *f*, Flamme *f fig.*, Dulcinea *f*.

dulie *rl.* [dy'li] *f*: *culte m de* ~ Heiligenverehrung *f*.
dûment [dy'mɑ̃] *adv.* gebührend.
dumper ⊕ [dœm'pɛːr] *m* Autoschütter *m*.
dumping ✝ [dœm'piŋ] *m* Dumping *n*, Verschleudern *n*; *faire le* ~ unter dem Preis verkaufen, verschleudern.
dundee ⚓ [dœn'di] *m* großer Zweimaster *m*.
dune [dyːn] *f* Düne *f*.
dunette [dy'nɛt] *f* Kajüte *f* auf Deck.
Dunkerque *géogr.* [dœ̃'kɛrk] *f* Dünkirchen *n*.
duo [dɥ'o] *m* **1.** ♪ Duett *n*; **2.** *Motorrad*: Soziussitz *m*.
duodénum *anat.* [dɥɔde'nɔm] *m* Zwölffingerdarm *m*.
dupe [dyp] *f u. adj.* der (*die*) Betrogene; betrogen; *être la* ~ *de q.* von j-m angeführt (*od.* zum Narren gehalten *od.* an der Nase herumgeführt *od.* übers Ohr gehauen) werden; *il n'est pas* ~ *de ces belles paroles* er fällt nicht auf diese schönen Worte rein; *faire des* ~*s* die Leute betrügen.
duper [dy'pe] *v/t.* (1a) anführen, hintergehen, betrügen, übers Ohr hauen, prellen; ~**ie** [dy'pri] *f* Betrügerei *f*, Schwindel *m*.
duplex [dy'plɛks] **I** *adj.* ⊕ doppelt wirkend; **II** *m téléph.* Gegensprechen *n*; *télégr.* Duplex-telegraphie *f*, ⊕ -verfahren *n*; ⚠ Zweietagenappartement *n* mit Innentreppe.
duplicata [dyplika'ta] *m* (7a) Doppel *n*, Zweitschrift *f*.
duplica|teur [dyplika'tœːr] *m* Vervielfältigungsapparat *m*; *phys.* Duplikator *m*, Elektrizitätssammler *m*; ~**tif** [~'tif] *adj.* (7e) verdoppelnd; ~**tion** [~kɑ'sjɔ̃] *f* **1.** ⚘ *u.* ⚘ Verdoppelung *f*; **2.** *télégr.* Duplexbetrieb *m*.
duplicité [dyplisi'te] *f* Doppelheit *f*; *fig.* Doppelzüngigkeit *f*.
dur [dyːr] **I** *adj.* □ **1.** hart, fest; unempfindlich; *jouer le* ~ den starken Mann spielen; *fig. avoir la vie* ~*e* ein zähes Leben haben; ⚠ *bâtiment m en* ~ Massivbau *m*; **2.** streng; hartherzig, schonungslos, schroff; *avoir le cœur* ~ hartherzig sein; **3.** mühsam, sauer; *rendre la vie* ~*e à q.* j-m das Leben sauer machen; **4.** schwer, schwierig; *fig. avoir l'intelligence* (*od. la tête*) ~*e* schwer von Begriff sein; *avoir l'oreille* ~*e*, *être* ~ *d'oreille* schwer hören; **5.** rauh, hart; *fig. les temps sont* ~*s* es sind schwere Zeiten; *voix* ~*e* rauhe Stimme *f*; **6.** ~ *à* abgehärtet gegen (*acc.*); ~ *à la fatigue* gegen Strapazen abgehärtet; *un* ~ *à cuire* ein hartgesottener Mensch *m*; **7.** *vin* ~ herber Wein *m*; **II** *adv.*: *travailler* ~ schwer arbeiten; *il y croit* ~ *comme fer* er glaubt steif und fest daran; **III** *m* F Draufgänger *m*; P 🚂 Zug *m*; **IV** F ~*e f* a) harte Erde *f*; *coucher sur la* ~*e* auf der bloßen Erde (*od.* auf dem Erdboden) schlafen; b) *élever à la* ~*e* hart erziehen.
dura|bilité [dyrabili'te] *f* Haltbarkeit *f*, Dauerhaftigkeit *f*; ~**ble** [dy'rablə] *adj.* □ haltbar, dauerhaft.
duralumin [dyraly'mɛ̃] *m* Duralumin *n* (*Aluminiumlegierung*).
duramen [dyra'mɛn] *m* Kernholz *n*.
durant [dy'rɑ̃] **I** *prp.* während (*gén.*); ~ *trois jours* drei Tage lang; ~ *ce temps*(*-là*) während jener Zeit, in der Zwischenzeit; **II** *p.pr. nachgestellt*: *une heure* ~ eine Stunde lang; *sa vie* ~ sein ganzes Leben lang, zeit s-s Lebens.
dur|cir [dyr'siːr] (2a) **I** *v/t.* härten; *fig.* abhärten; **II** *v/i. u. v/rfl. se* ~ hart werden; verharschen (*Schnee*); ~**cissement** [~sis'mɑ̃] *m* **1.** Hartwerden *n*; **2.** *pol.* Verhärtung *f*; **3.** ⊕ Härtung *f*.
durée [dy're] *f* **1.** Dauer *f*; *être de courte* ~ von kurzer Dauer sein, nicht lange dauern; **2.** Dauerhaftigkeit *f*; ~ *de vie* Lebens-dauer *f* (*a.* ⊕), -zeit *f*; ~ *du parcours*, ~ *du trajet* Fahrzeit *f*; ✈ Flugzeit *f*; ⚔ ~ *du service* (*militaire*) Militärzeit *f*; ~ *de marche d'une pendule* Laufzeit *f* e-s Pendels; ⚠ ~ *de la prise* Abbindezeit *f*; *de* ~ haltbar, dauerhaft.
dure-mère *anat.* [dyr'mɛːr] *f* (6a) harte Hirnhaut *f*.
durer [dy're] *v/i.* (1a) **1.** dauern; lange halten (*Kleidung*); sich halten (*a. Blumen*); **2.** *le temps lui dure* die Zeit wird ihm lang; **3.** F aushalten; *ne pouvoir* ~ *en place* nicht stillsitzen können; keine Ruhe haben; es an e-m Ort nicht lange aushalten können; *ne pouvoir* ~ *de chaud* es vor Hitze nicht mehr aushalten.
dureté [dyr'te] *f* **1.** Härte *f*, Festigkeit *f*; *fig.* ~ *d'oreille* Schwerhörigkeit *f*; ~ *de ventre* Hartleibigkeit *f*; **2.** *fig.* Schroffheit *f*, Gefühllosigkeit *f*, Schonungslosigkeit *f*, Unbarmherzigkeit *f*; ~ *de cœur* Hart-

herzigkeit *f*; **3.** Strenge *f* (*Klima u. peint.*).

durillon [dyri'jɔ̃] *m* Schwiele *f*.

durit ⊕ [dy'rit] *f* biegsame Gummi- *od.* Preßstoff-rohrleitung *f für Wasser, Treibstoff u. Öl.*

duvet [dy'vɛ] *m* **1.** Flaum(federn *f/pl.*) *m*, Daunen *f/pl.*; Pelzschicht *f* (*Pfirsich*); ⚕ ~ *d'autruche* Straußendaunen *f/pl.*; **2.** Feder-, Daunenbett *n*; *coussin m de* ~ Daunenkissen *n*; **3.** *fig.* Milchbart *m*, Flaum *m*; **~é, ~eux** [dyv'te, ~'tø] *adj.* (7d) flaumig, weichhaarig; **~er** [dyv'te] *v/rfl.*: *se* ~ sich mit e-r flaumigen Schicht überziehen.

dyarchie *pol.* [diar'ʃi] *f* Zweiparteienherrschaft *f*.

dyna|mie 🕮 [dina'mi] *f* Arbeitseinheit *f*; **~mique** [~'mik] **I** *adj.* **1.** dynamisch; **2.** *fig.* energisch, temperamentvoll, lebhaft, energiegeladen; *a.* ⊕ intensiv; *thé.* atemberaubend, spannend; ⚕ *vente f* ~ Stoßverkauf *m*; **II** *f* Dynamik *f*; *psych.* ~ *de(s) groupe(s)* Gruppendynamik *f*; **~miser** *Sport, éc., péd.* [~mi'ze] *v/t.* (1a) anspornen; **~misme** 🕮 [~'mism] *m* Dynamismus *m*, Schwung *m*, Energie *f*.

dynami|tage [dinami'ta:ʒ] *m* Sprengen *n* mit Dynamit; **~te** [~'mit] *f* Dynamit *n*; **~ter** [~mi'te] *v/t.* (1a) mit Dynamit sprengen; **~teur** [~mi'tœ:r] *su.* (7g) Dynamitattentäter *m*; Dynamitfabrikant *m*.

dynamo ⊕, ⚡ [dina'mo] *f* Dynamo *m*; **~mètre** [~'mɛ:trə] *m* Dynamometer *n*, Leistungs-, Kraft-messer *m*; **~métrie** [~me'tri] *f* Kraftmessung *f*.

dynas|tie [dinas'ti] *f* Dynastie *f*; Herrscherhaus *n*; **~tique** [~s'tik] *adj.* dynastisch.

dyne *phys.* [din] *f* Dyn *n*.

dyschrom|atopsie ⚕ [diskrɔmatɔp'si] *f* Dyschromatopsie *f*, partielle Farbenblindheit *f*; **~ie** ⚕ [~'mi] *f* Hautverfärbung *f*.

dysenterie ⚕ [disɑ̃'tri] *f* Ruhr *f*.

dysfonction *éc., soc.* [disfɔ̃k'sjɔ̃] *f* Versagen *n*; **~nement** ⚕ [~ksjɔn'mɑ̃] *m* Funktionsstörung *f*.

dyslexi|e ⚕ [~lɛk'si] *f* Dyslexie *f*, neurotische Lesestörungen *f/pl.*; **~que** [~k'sik] *adj. u. su.* lesegehemmt(es Kind *n*).

dysménorrhée ⚕ [dismenɔ're] *f* Menstruationsbeschwerden *f/pl*.

dyspepsie ⚕ [dispɛp'si] *f* Verdauungsstörung *f*.

dyspnée ⚕ [dis'pne] *f* Atemnot *f*.

dysthymique ⚕ [disti'mik] *adj.*: *un enfant* ~ ein Kind *n* mit Gemütsstörungen.

dysurie ⚕ [dizy'ri] *f* Harnbeschwerden *f/pl*.

dytique *ent.* [di'tik] *m* Schwimmkäfer *m*.

E

E, e *m* E, e *n*.

eau [o] *f* (5b) **1.** Wasser *n*; ~x *pl.* Gewässer *n/pl.*; *rl.* ~ *bénite* Weihwasser *n*; ~ *douce*: a) weiches Wasser *n*; b) Süßwasser *n*; ~x *d'égout*, ~x *ménagères* Spülwasser *n*; ~x *résiduaires*, ~x *usées*, ~x-*vannes* Abwässer *n/pl.*; ~ *potable* Trinkwasser *n*; ~ *souterraine* Grundwasser *n*; ~ *vive* Quellwasser *n*; *se jeter à l'*~ sich ins Wasser stürzen (*um zu ertrinken od. um Ertrinkende zu retten*); *fig.* frisch u. frei ans Werk gehen; mutig u. entschlossen etw. anpacken; sich mutig an etw. (*acc.*) heranmachen; *se jeter dans l'*~ ins Wasser gehen (*um zu baden*); *passer qch. à l'*~ etw. wässern (*od.* spülen); *flotter entre deux* ~x unter Wasser entlangtreiben (*Leiche*); *nager entre deux* ~x unter Wasser schwimmen; *tomber à l'*~ ins Wasser fallen (*a. fig.*); ⚓ *voie d'*~ Leck *n*; ⚓ *faire* ~, *avoir une voie d'*~ leck werden, sein; ⚓ *faire de l'*~ sich mit Trinkwasser versehen; *prov. porter de l'*~ *à la mer* Eulen nach Athen tragen; *s'en aller* (*od. tourner*) *en* ~ *de boudin fig.* ins Wasser fallen, nichts daraus werden, scheitern; *se ressembler comme deux gouttes d'*~ einander gleichen wie ein Ei dem anderen; *l'*~ *m'en vient à la bouche* mir läuft das Wasser im Munde zusammen; *aller* (*od. être*) *à-vau l'*~ stromabwärts gehen, *fig.* scheitern, mißlingen; *battre l'*~ *avec un bâton* leeres Stroh dreschen, sich umsonst abquälen; *mettre de l'*~ *dans son vin* klein beigeben, gelindere Saiten aufziehen, kleinlaut werden; *pêcher en* ~ *trouble* im trüben fischen; *les grandes* ~x das Hochwasser; *les basses* ~x der niedrige Wasserstand; ~ *montante* steigende Flut *f*; *Sport*: *faire sa pleine* ~ sich freischwimmen; **2.** *les grandes* ~x *de Versailles* die Wasserspiele von V.; **3.** *administration f des* ~x *et forêts od. les* ~x *et forêts* Jagd-, Forst- und Wasserbau-verwaltung *f*; **4.** ~ *minérale* Mineralwasser *n*; ~x *pl.* (*minérales*) Mineralquelle *f*; (Gesund-)Brunnen *m*; *ville f d'*~x Kurort *m*; *aller aux* ~x ins Bad reisen; *prendre les* ~x e-e Brunnenkur machen; *voyage m aux* ~x Badereise *f*; **5.** Regen *m*: *il tombe de l'*~ es regnet; **6.** Tränen *f/pl.*; Schweiß *m*; Speichel *m*; P ⚕ Wasser *n*, Urin *m*; *cela fait venir l'*~ *à la bouche* dabei läuft einem das Wasser im Munde zusammen; *avoir les yeux tout en* ~ in Tränen zerfließen; *ses yeux se fondent en* ~ er (sie) weint sich die Augen rot; *être tout en* ~ in Schweiß gebadet sein, wie aus dem Wasser gezogen sein; *suer sang et* ~ Blut und Wasser schwitzen; P *lâcher de l'*~ Wasser lassen, urinieren; **7.** künstliches Wasser *n*, destillierte Flüssigkeit *f*; ⚗ ~ *acidulée* angesäuertes Wasser *n*; *pharm.* ~ *blanche* Bleiwasser *n*; ~ *à dégraisser* Fleckenreinigungswasser *n*, -mittel *n*; ~ *gazeuse* kohlensaures Wasser *n*; ~ *des carmes*, ~ *de mélisse* Melissengeist *m*; ~ *de Cologne* Kölnisch Wasser *n*; ~ *ferrugineuse* Eisenwasser *n*; P ⚗ ~-*forte* Salpetersäure *f*; *Graphik*: Radierung *f*; ~ *oxygénée* Wasserstoffsuperoxyd *n*; ~ *seconde* verdünntes Scheidewasser *n*; ~ *graduée* gradierte Sole *f*; ⚗ ~ *mère f* Mutterlauge *f*; *eaux-mères f/pl.* Solbad *n*; ~ *de noyau* (Pflaumenkern-, Kirschkern-)Branntwein *m*; *petites* ~x: a) † sehr starker Alkohol *m*; b) ⚗ schwache Salpeterlauge *f*; ⚗ ~ *régale* Goldscheide-, Königs-wasser *n*; ~ *salée* Sole *f*; ~ *de senteur* wohlriechendes Wasser *n*; ⚕ ~ *vulnéraire* Wundwasser *n*; **8.** Glanz *m*, Wasser *n e-s Edelsteins*; *diamant m de la première* ~ Diamant *m* vom reinsten Wasser.

eau-de-vie [odˈvi] *f* (6b) Branntwein *m*, Schnaps *m*.

eau-forte [oˈfɔrt] *f* (6a) Radierung *f*; ⚗ Scheidewasser *n*.

éba|hir [eba'i:r] (2a) **I** *v/t.* in Erstaunen setzen; **II** *v/rfl.* s'~ verblüfft sein (*de* über *acc.*); *être tout ébahi* ganz verdutzt sein, sprachlos (F platt) sein; wie aus den Wolken gefallen sein; **~hissement** [~is'mɑ̃] *m* Erstaunen *n*, Verwunderung *f*.

ébar|bage ⊕ [ebar'ba:ʒ] *m* Entgraten *n*, Gußputzen *n*; **~ber** ⊕ [~'be] *v/t.* (1a) **1.** ⊕ abgraten; **2.** ✓ *Hecken* verschneiden *od.* stutzen; **3.** ~ *du papier* Papier beschneiden; **~boir** ⊕ [~'bwa:r] *m Kupferstecherei*: Schaber *m*; *Schmiede*: Schroteisen *n*; **~bure** ⊕ [~'by:r] *f* Gratspäne *m/pl.*

ébat|s [e'ba] *m/pl.* Ausgelassensein *n*; *prendre ses ~s* sich herumtummeln; **~tre** [e'batrə] (4a) *v/rfl.* s'~ sich tummeln.

ébaubi F [ebo'bi] *adj.* zuhöchst erstaunt, verblüfft.

ébau|chage [ebo'ʃa:ʒ] *m* Zurichten *n*, Behauen *n*; Entwerfen *n*, flüchtiges Skizzieren *n*; **~che** [e'boʃ] *f* Skizze *f*, Umriß *m*, Anlage *f*, erster Entwurf *m*; Roharbeit *f*; ⊕ Vorschliff *m*; *fig.* schwacher Versuch *m*; Andeutung *f*; **~cher** [ebo'ʃe] (1a) **I** *v/t.* flüchtig entwerfen, skizzieren, aus dem groben arbeiten, in allgemeinen Umrissen entwerfen; *fig.* andeuten; **II** *v/rfl.* s'~ *fig.* in die Wege geleitet werden; *fig.* heranreifen; **~choir** ⊕ [~'ʃwa:r] *m* Schrotmeißel *m*.

ébavurer ⊕ [ebavy're] *v/t.* abgraten.

ébène [e'bɛn] *f* Ebenholz *n*; *fig. cheveux m/pl.* d'~ tiefschwarze Haare *n/pl.*

ébé|nier [ebe'nje] *m* Ebenholzbaum *m*; **~niste** [~'nist] **I** *m u. adj.*: (*menuisier*) ~ Kunsttischler *m*; **II** *zo. f* Riesenameise *f*; **~nisterie** [~nis'tri] *f* Kunst-, Möbel-tischlerei *f*; Kunsttischlerarbeit *f*.

éberlué F [ebɛr'lɥe] *adj.* verblüfft.

éblou|ir [eblu'i:r] *v/t.* (2a) blenden; *fig.* blenden, verblüffen, betören; ~ *de son érudition* mit s-r Bildung bluffen (*od.* protzen); **~issant** [~i'sɑ̃] *adj.* (7) blendend, verblüffend; **~issement** [~is'mɑ̃] *m* Blendung *f*, Flimmern *n* vor den Augen; *fig.* Verblendung *f*; bewunderndes Staunen *n*; *bsd.* ~*s pl.* Schwindelanfall *m*; *j'ai des ~s* es flimmert mir vor den Augen, mir wird schwarz vor Augen.

ébonite [ebɔ'nit] *f* Hartgummi *m*.

éborgner [ebɔr'ɲe] *v/t.* (1a) j-m ein Auge aus-stechen, -schlagen; ✓ Augen an Reben wegnehmen.

ébou|age [e'bwa:ʒ] *m* Straßenreinigung *f*; **~eur** (*offizieller Ausdruck!*) [~'bwœ:r] *su.* (7g) Müllmann *m*; *vgl. boueux*.

ébouillanter [ebujɑ̃'te] *v/t.* (1a) ab-, ver-brühen; kurz aufkochen.

ébou|lement [ebul'mɑ̃] *m* Einsturz *m*; Erdrutsch *m*; **~ler** [~'le] *v/rfl.* (1a) s'~ einstürzen; **~leux** [~'lø] *adj.* (7d) bröckelig; **~lis** *bsd. géol.* [~'li] *m* Geröll *n*.

ébourgeonner ✓ [eburʒɔ'ne] *v/t.* (1a) Triebe *e-s Obstbaumes* abbrechen, ausputzen.

ébourif|fant F [eburi'fɑ̃] *adj.* (7) unglaublich, ganz außergewöhnlich; **~fé** [~'fe] **I** *adj.* **1.** struppig; **2.** F *fig.* verblüfft, ganz baff F, vollkommen sprachlos; **II** *m*: *un* ~ ein Struwwelpeter *m*; **~fer** [~'fe] *v/t.* (1a) **1.** ~ *q.* j-m das Haar zerzausen; **2.** F *fig.* völlig verblüffen.

ébourrer [ebu're] *v/t.* (1a) abhaaren (*Fell*).

ébousiner [ebuzi'ne] *v/t.* (1a) abschaben (*Steine*).

ébouter [ebu'te] *v/t.* (1a) abschneiden (*Stück Holz*).

ébranch|er ✓ [ebrɑ̃'ʃe] *v/t.* (1a) *e-n Baum* lichten; **~oir** ✓ [~'ʃwa:r] *m* Baummesser *n* (*mit langem Stiel*).

ébran|lement [ebrɑ̃l'mɑ̃] *m* **1.** Erschütterung *f*, heftiger Stoß *m*; 🚂 Anfahren *n e-s Zuges*; *allg.* Aufbrechen *n*; **2.** *fig.* Zerrüttung *f*; Erschütterung *f*; Schwanken *n*; **~ler** [~'le] (1a) **I** *v/t.* erschüttern; *Zahn* locker machen; lockern, rütteln; *fig.* in Verwirrung bringen; ⚔ ins Wanken bringen; ~ *la résolution de q.* j-n in s-m Vorsatz wankend machen; **II** *v/rfl.* s'~ in Bewegung kommen, sich in Bewegung setzen (*vom Zug, von e-r Gruppe*).

ébraser △ [ebrɑ'ze] *v/t.* (1a) ausschrägen.

ébrécher [ebre'ʃe] (1f) **I** *v/t.* **1.** *Glas usw.* anschlagen; *Messer* schartig machen; *dent f ébréchée* lückenhafter Zahn *m*; **2.** *fig. fortune ébréchée* stark angegriffenes Vermögen *n*; **II** *v/rfl.* s'~ schartig werden; s'~ *une dent* sich ein Stück von e-m Zahn ausbeißen.

ébriété [ebrie'te] *f* Trunkenheit *f*.

ébrou|ement [ebru'mɑ̃] *m* Schnauben *n*; Niesen *n* (*von Tieren*); **~er** [~bru'e] (1a) *v/rfl.* s'~ schnauben; niesen (*v. Tieren*); sich schütteln (*v. Hunden*); (*Vögel*) baden.

ébruiter [ebrɥi'te] (1a) **I** *v/t.* ausplaudern, unter die Leute bringen; **II** *v/rfl.* s'~ ruchbar werden, herauskommen, an den Tag kommen.
ébuard [e'bɥa:r] *m* Spaltkeil *m*.
ébull|iomètre [ebyljɔ'mɛ:trə] *m*, **~ioscope** [~ljɔ'skɔp] *m* Siedepunktmesser *m*; **~ition** [~li'sjɔ̃] *f* **1.** Kochen *n*; *être en ~* kochen *v/i.*; *fig.* auf dem Siedepunkt angelangt sein; *point m d'~* Siedepunkt *m*; **2.** ⚗ Aufbrausen *n*; **3.** *fig.* Empörung *f*.
éburné [ebyr'ne] *adj.*, **~néen** [~ne'ɛ̃] *adj.* (7c) elfenbeinern.
écaillage [eka'ja:ʒ] *m* Abschuppen *n*.
écaille [e'ka:j] *f* **1.** (*Fisch- usw.*) Schuppe *f*; *tomber par ~s* sich abschuppen; abbröckeln, abspringen; **2.** Schildpatt *n*; *lunettes f/pl. d'~* Hornbrille *f*; **3.** ⊕ Splitter *m*, Span *m*.
écaillement [ekaj'mɑ̃] *m* Aufmachen *n der Austern*.
écailler[1] [eka'je] (1a) **I** *v/t.* **1.** (ab-)schuppen; **2.** *~ des huîtres* Austern aufmachen; **II** *v/rfl.* *s'~* abbröckeln, abblättern.
écailler[2] [~] *su.* (7b) Austernhändler *m*.
éca|le [e'kal] *f* (*Erbsen-, Nuß-*) Schale *f*; **~ler** [~'le] *v/t.* (1a) *Nüsse, Eier* schälen.
écanguer ✓ [ekɑ̃'ge] *v/t.* (1a) *Flachs* brechen.
écarlate [ekar'lat] **I** *f* **1.** Scharlachfarbe *f*; **2.** ⚘ knallroter Stoff *m*; **II** *adj.* scharlach-, *fig.* puter-rot (*de* vor).
écarquiller [ekarki'je] *v/t.* (1a): *~ les jambes* die Beine spreizen; *~ les yeux* die Augen aufsperren.
écart [e'ka:r] *m* **1.** Seiten-schritt *m*, -sprung *m*, -wendung *f*; *Akrobatik*: *grand ~* Spagat *m*; **2.** *fig.* Verfehlung *f*, Verstoß *m*, Verirrung *f*; *~s pl. de jeunesse* Jugendstreiche *m/pl.*, Ausschweifungen *f/pl.*; *commettre des ~s* auf Abwege geraten; ⚕ *~ de régime* Diätfehler *m*; **3.** Abstand *m*, Unterschied *m*, Abweichung *f*; ⊕ Toleranz *f*, Spielraum *m*; *éc. ~ entre les prix de la production et ceux de la vente* Preisschere *f*; *les ~s pl. du climat* die Klimaunterschiede *m/pl.*; **4.** *à l'~ advt.* abseits, entlegen, für sich; *demeurer à l'~* beiseite bleiben; *mettre à l'~* beiseite schaffen *od.* legen; *mise f à l'~* Beiseitesetzung *f*; *se tenir à l'~* beiseite stehen, sich abseits halten, sich fernhalten; **5.** weggelegte Karten *f/pl.*, Skat *m*; **6.** *vét.* Verrenkung *f*; **7.** ⚔ Abweichung *f*, Streuung *f* (*beim Schießen*).
écarté [ekar'te] **I** *adj.* abstehend (*Ohren*); (weit) auseinanderstehend (*Augen, Zähne*); gespreizt (*Finger*); abseits gelegen, entlegen; abgewiesen; beseitigt; *fig. cartes ~es* abgeworfene Karten; **II** *m* Ekarté *n* (*Kartenspiel*).
écarteler [ekartə'le] *v/t.* (1d) *hist.* vierteilen; ⛉ in vier Felder teilen.
écar|tement [ekartə'mɑ̃] *m* **1.** Ausspreizen *n*; *fig.* Beseitigung *f*; **2.** Abstand *m*, Auseinanderstehen *n*, Abweichen *n*; Spalt *m*, Ritze *f*; ⚡ *~ des bougies* Elektrodenabstand *m*; **3.** 🚂 Spurweite *f*; **4.** *~ des essieux* Achsabstand *m*; **5.** Streuen *n* (*von Geschossen*); **~ter** [~'te] (1a) **I** *v/t.* **1.** auseinandermachen, auseinandertreiben; zerstreuen; *~ les doigts* (*les jambes*) die Finger (Beine) spreizen, *Beine* grätschen; **2.** *vom Weg* ablenken; *~ un coup* (*de bâton*) e-n (Stock-)Hieb parieren; **3.** *fig.* entfernen, beseitigen; *fig.* für ausgeschlossen halten; *~ q.* j-n beiseite schieben *od.* kaltstellen; *~ une demande* ein Gesuch (eine Bitte) abweisen; *~ les soupçons* den Verdacht (von sich) ablenken; **4.** *~ des cartes* Karten weglegen (*in den Skat*); **5.** ⚔ *u. ch., abs. le fusil écarte* die Flinte streut; **II** *v/rfl.* *s'~* **6.** sich entfernen; *s'~ du chemin* vom Weg abkommen, sich verlaufen; *fig. s'~ de son devoir* von s-r Pflicht abweichen; **7.** sich öffnen; **8.** *s'~* (*au large*) auseinandergehen, sich zerstreuen (*Volksmenge*).
ecce homo *peint.* [ɛksеɔ'mo] *m* (5a) Christus *m* mit der Dornenkrone.
ecchymo|se ⚕ [ɛki'mo:z] *f* Bluterguß *m*, Quetschung *f*, blauer Fleck *m*; **~sé** ⚕ [~mo'ze] *adj.* blutunterlaufen.
ecclésial *adm. rl.* [ɛkle'zjal] *adj.* (5c): *cellule f ~e* Kirchenzelle *f*.
ecclésiastique [ɛklezjas'tik] **I** *adj.* □ geistlich, kirchlich; *histoire f ~* Kirchengeschichte *f*; **II** *m* Geistliche(r) *m*.
écervelé [esɛr'vle] *adj.* leichtsinnig.
échafaud [eʃa'fo] *m* **1.** (Arbeits-)Gerüst *n* (*für Maler, Maurer usw.*); *~ volant* schwebendes Gerüst *n*, Hängegerüst *n*; **2.** *hist.* Schafott *n*; **~age** [~fo'da:ʒ] *m* **1.** Gerüst *n*; *~ tubulaire* Rohrgerüst *n*; **2.** F *fig.*

Haufen *m*, Stapel *m*, Stoß *m*; **3.** *fig.* Gebäude *n*, Aufbau *m*; **~er** [~fo'de] (1a) **I** *v/t.* **1.** stapeln; **2.** *fig.* *Plan* entwerfen, ausarbeiten; *~ un système sur qch.* ein System auf etw. aufbauen; **II** *v/i.* ⚠ ein Gerüst aufstellen, rüsten; **~eur** [~fo'dœ:r] *m* Gerüstbauer *m*.

échalas [eʃa'lɑ] *m* **1.** ↗ Wein-, Reb-pfahl *m*; Hopfen-, Tomatenstange *f*; *se tenir droit comme un ~, avoir avalé un ~* steif sein wie ein Stock; **2.** F: *c'est un véritable ~* er (sie) ist lang wie e-e Bohnenstange; **~ser** [~lɑ'se] *v/t.* (1a) anpfählen; stengeln.

échalier [eʃa'lje] *m* **1.** Heckensteigleiter *f*; **2.** Feldzauntür *f*.

échalote ⚘ [eʃa'lɔt] *f* Schalotte *f*, Eschlauch *m*.

échan|crer [eʃɑ̃'kre] *v/t.* (1a) auszacken, *cout.* ausschneiden; einbuchten; **~crure** [~'kry:r] *f cout.* Ausschnitt *m*; Einkerbung *f*, Kerbe *f*; *Küste*: Einbuchtung *f*, Busen *m*.

échandole ⚠ [eʃɑ̃'dɔl] *f* Dachschindel *f*.

échan|ge [e'ʃɑ̃:ʒ] *m* Auswechslung *f*, Tausch *m*, Aus-, Um-tausch *m*; *~ d'élèves* Schüleraustausch *m*; *~ de lettres* Briefwechsel *m*; *~ de notes diplomatiques* diplomatischer Notenwechsel *m*; *~ de populations* Bevölkerungsaustausch *m*; *~ de vues* Meinungsaustausch *m*; *~ de professeurs (d'étudiants)* Lehrer-(Studenten-)austausch *m*; *professeur m d'~* Austauschprofessor *m*; *~ de logements* Wohnungstausch *m*; *~s pl. commerciaux* Handels-, Warenverkehr *m*; *fig.* *~ d'injures* gegenseitige Beschimpfung *f*; (*commerce m d'*)*~* Tauschhandel *m*; *libre ~* freie Wirtschaft *f*; Freihandel *m*; *~s pl. de biens* Güteraustausch *m*; *advt.* *en ~* dafür, dagegen; *en ~ de* als Austausch (*od.* Gegengabe) für (*acc.*); **~geable** [~'ʒablə] *adj.* vertauschbar, austauschbar; **~ger** [~'ʒe] (1l) **I** *v/t.* *~ contre* aus-, ein-, um-, ver-tauschen (*od.* auswechseln) gegen *od.* für (*acc.*); **II** *abs.* *~ sur* s-e *etc.* Ansichten austauschen über; **~geur** [~'ʒœ:r] *m* **1.** *Auto*: Verteiler *m*, Verkehrsknotenpunkt *m*, -kreuz *n*; **2.** (Wasser-)Wechsler *m* (*Reaktor*); *~ d'ions* ⚗, *phys.* Ionenaustauscher *m*; **~giste** [~'ʒist] ⚖ *su.* Tauschpartner *m*.

échanson *hist.* [eʃɑ̃'sɔ̃] *m* Mundschenk *m*.

échantillon [eʃɑ̃ti'jɔ̃] *m* Probe *f*, Muster *n*; Probestück *n*; *donner un ~ de son savoir-faire* zeigen, was man kann; *carte f d'~s* Musterkarte *f*; *~ de vin* Weinprobe *f*; **~nage** [~jɔ'na:ʒ] *m* Sortieren *n*; Musterkollektion *f*; Stichprobenerhebung *f*; **~ner** [~'ne] *v/t.* (1a) **1.** ⚕ sortieren; zu Proben zerschneiden; mit den Proben vergleichen; **2.** *allg., sogar in Bezug auf irgendein Unterrichtsfach*: auswählen.

échap|patoire [eʃapa'twa:r] *f* Vorwand *m*, Ausrede *f*, Ausflucht *f*; **~pé** [~'pe] *su.* Entlaufene(r) *m*; F *fig.* Verrückte(r) *m*; **~pée** [~] *f* **1.** *Sport*: Ausreißversuch *m*; **2.** *~ de vue* schmale Aussicht *f*, Durchblick *m*, *peint.* Ausblick *m*; *~ de lumière* Streiflicht *n*; **3.** kurzer Augenblick *m*; *~ de soleil* (kurzer) Sonnenblick *m*; **4.** ⚠ *~ du jour* Lichtenweite *f*; **5.** ♪ Nebennote *f*; **~pement** [eʃap'mɑ̃] *m* **1.** Entweichen *n*; ⊕ Ausströmen *n z.B. des Dampfes*; **2.** *Auto*, ⊕ Auspuff *m*; *tuyau m d'~* Dampfauslaß- *od.* Auspuffrohr *n*; **3.** ⊕ *horl.* Hemmung *f*; *montre f avec ~ à cylindre* Zylinderuhr *f*.

échapper [eʃa'pe] (1a) **I** *v/i.* (*mst. mit avoir, z. T. noch mit* être) **1.** entwischen, entfliehen, entgehen, entkommen; *laisser ~ un prisonnier* e-n Gefangenen entspringen lassen; *laisser ~ une occasion* e-e Gelegenheit versäumen; *il n'échappa qu'à grand-peine* er entkam nur mit knapper Not; **2.** *~ à qch. od. à q.*: *~ à la mort* dem Tode entrinnen; *~ à un danger* e-r Gefahr entgehen; *cela échappe à tout calcul* das entzieht sich aller Berechnung; *la patience lui a échappé* die Geduld ist ihm (ihr) ausgegangen; seine (ihre) Geduld ist zu Ende; *la tasse lui a échappé des mains* die Tasse ist ihm (ihr) aus der Hand gefallen; *~ à la vue* sich den Blicken entziehen; *le mot m'a échappé* das Wort ist mir entgangen (*ich habe es überhört, a.: übersehen*); *il m'a échappé que ...* ich habe übersehen, daß ...; *ce mot m'a* (*od. m'est*) *échappé* das Wort ist mir entschlüpft *od.* entfahren; *quelques fautes vous sont échappées od. v/imp.*: *il vous est échappé quelques fautes* es sind Ihnen einige Fehler unterlaufen; *cela m'avait* (*od.* *m'était*) *échappé de la mémoire* das war mir aus dem Gedächtnis entschwunden; *un cri lui a* (*od.* *est*) *échappé* er *od.* sie hat e-n Schrei ausgestoßen; ~ *de*: ~ *de la prison* aus dem Gefängnis entweichen; ~ *d'un naufrage* sich aus einem Schiffbruch retten; *il a échappé des mains des ennemis* er ist den Feinden entwischt; **II** *v/t.* **3.** *l'*~ *belle* mit heiler Haut (*od.* mit blauem Auge *od.* mit knapper Not) davonkommen; **4.** *ils ont échappé de peu la prison* um ein Haar wären sie ins Gefängnis gekommen; **III** *v/rfl.* *s'*~ **5.** *s'*~ (*de*) entweichen, sich flüchten; entwischen, entfliehen, entschlüpfen, entkommen, ausbrechen; *Sport*: ausreißen; sich *von der Gruppe* trennen (*od.* absetzen); auslaufen (*Flüssigkeit*); rinnen, strömen (*Blut*); hinausdringen (*Rauch*) (aus *dat.*); *s'*~ *de prison* aus dem Gefängnis entspringen; **6.** *Auto*: ausströmen, entweichen (*Verbrennungsgase*); **7.** sich vergessen; *il s'échappa jusqu'à dire ...* er vergaß sich so weit und sagte ...; **8.** los-, auf-gehen; *s'*~ *de l'aiguille* sich ausfädeln.

échar|de [e'ʃard] *f* ins Fleisch gedrungener (Holz-)Splitter *m*; **~donner** [~dɔ'ne] *v/t.* (1a) ⚘ von Disteln befreien; *Tuch* aufrauhen.

échar|ner ⊕ [eʃar'ne] *v/t.* (1a) *Gerberei*: abschaben; **~noir** [~'nwa:r] *m* Schabeisen *n*; **~nure** ⊕ [~'ny:r] *f* *Gerberei*: Abschabsel *n*.

écharpe [e'ʃarp] *f* **1.** Schärpe *f*; **2.** leichter Damenschal *m*, leichtes Umhängetuch *n*; **3.** ⚕ *porter le bras en* ~ den Arm in e-r Binde tragen; **4.** *advt.* *en* ~ quer, schräg; *esc.* *coup m en* ~ Querhieb *m*; *prendre en* ~ a) von der Seite rammen; quer *od.* schräg aneinanderfahren; *un camion prend une voiture de tourisme en* ~ ein Lastauto rammt e-n Reiseomnibus; *être pris en* ~ *par un train* von e-m Zug querseitig gerammt werden; b) ⚔ von der Seite angreifen; **5.** ⊕ Schrägleiste *f*; Spanntau *n*.

écharper [eʃar'pe] *v/t.* (1a) **1.** zerhauen; schwer verwunden; *Feind* zusammenhauen, zerschlagen; **2.** F *fig.* ~ *q.* j-n fast lynchen, j-n fertigmachen.

échasse [e'ʃas] *f* **1.** Stelze *f*; ⚠ Gerüststange *f*, Rüstbaum *m*; **2.** *orn.* *m* Stelzvogel *m*; **3.** F *fig.* ~*s pl.* lange, dünne Beine *n/pl.*

échau [e'ʃo] *m* (Be-, Entwässerungs-)Rinne *f*.

échauboulure *vét.* [eʃobu'ly:r] *f* Nesselsucht *f*.

échau|dage [eʃo'da:ʒ] *m* **1.** Brühen *n*, Ausbrühen *n*; **2.** ⚠ Kalktünche *f*, Weißen *n der Wände* mit Kalktünche; **~dé** [~'de] *adj.* *pât.* Windbeutel *m*.

échau|der [~] (1a) **I** *v/t.* **1.** ver-, abbrühen, versengen, verbrennen (*mit heißer Flüssigkeit*); **2.** *fig.* ~ *q.* j-m e-e Lehre erteilen; **3.** ⚠ mit Kalk überstreichen, weißen; **II** *v/rfl.* *s'*~ sich verbrühen; F *fig.* sich die Finger *bei etw.* verbrennen, zu Schaden kommen; **~doir** ⊕ [~'dwa:r] *m* Brüh-faß *n*, -kessel *m*, -haus *n*; **~dure** ⚕ [~'dy:r] *f* verbrühte Stelle *f*, Brandfleck *m*.

échauf|fant ⚕ [eʃo'fɑ̃] *adj.* (7) verstopfend; **~fe** [e'ʃof] *f* *Gerberei*: Schwitze *f*; **~fé** [~'fe] **1.** erhitzt; *fig.* in gehobener Stimmung; aufgeregt; **2.** brandig, stockig (*Getreide*); **3.** *teint m* ~ unreine Haut *f*; **4.** ⚕ verstopft, hartleibig; **~fement** [~f'mɑ̃] *m* **1.** Erhitzung *f*; erhitztes Blut *n*; Aufregung *f*; **2.** Muffigwerden *n*; **3.** F ⚕ a) leichte Verstopfung *f*; b) Tripper *m*; **4.** ⊕ Heißlaufen *n*.

échauf|fer [eʃo'fe] (1a) **I** *v/t.* **1.** *a.* *fig.* erwärmen, warm machen; erhitzen, heiß machen; *fig.* anfeuern, anregen, begeistern; ~ *la bile* (*les oreilles, le sang od. la tête*) *à q.* j-n auf die Palme bringen, j-n wütend machen; *le vin lui a échauffé la tête* der Wein ist ihm zu Kopf gestiegen; **2.** ⚕ F verstopfen; **II** *v/rfl.* *s'*~ **3.** sich warm laufen (*Sport*); sich heißlaufen (*Räder*); *fig.* sich ereifern, wütend werden; *s'*~ *au sujet de qch.* sich für etw. erwärmen (*od.* begeistern); **4.** ⚘ stockig *od.* muffig werden (*Getreide*); **5.** ⊕ sich heißlaufen; **~fourée** [~fu're] *f* Krawall *m*, Tumult *m*; ⚔ Geplänkel *n*; **~fure** ⚘ [eʃo'fy:r] *f* leichtes Gären *n* (*Getreide*).

échauguette *frt.* [eʃo'gɛt] *f* (Burg-)Warte *f*, Wachtturm *m*.

èche [ɛʃ] *f* Köder *m*.

éché|ance [eʃe'ɑ̃:s] *f* Fälligkeitsdatum *n*, (Zahlungs-)Termin *m*; *fig.* Entscheidungsphase *f*; ~*s pl.* fällige Beträge *m/pl.*; *reculer l'*~ den Fälligkeitstermin aufschieben;

à l'~ bei Fälligkeit; *à courte* (*longue*) ~ auf kurze (lange) Sicht; *payer ses* ~*s* s-e Verbindlichkeiten erfüllen; *arriver à* ~ fällig werden; **~ancier** [~ɑ̃'sje] *m* Terminkalender *m*; **~ant** [~'ɑ̃] *adj.* (7) fällig; *le cas* ~ erforderlichenfalls, gegebenenfalls.

échec [e'ʃɛk] **I** *m* **1.** Schach *n*; ~ *et mat* Schach (und) matt; *fig.* schachmatt; *faire* ~ Schach bieten; *donner* (*od. faire*) ~ *et mat* matt setzen; *tenir q. en* ~ j-n in Schach halten (*a. fig.*); **2.** *fig.* Mißerfolg *m*, Fehl-, Rück-schlag *m*, Scheitern *n*; Verlust *m*; *écol.* Durchfall *m*; Schlappe *f*; *faire* ~ *à qch.* etw. zum Scheitern bringen; *faire* ~ *à q.* j-m Schwierigkeiten bereiten; *tenir q. en* ~ j-n in Schach halten; *voué à l'*~ aussichtslos; *recevoir un rude* ~ e-e empfindliche Schlappe erleiden; **II** ~*s m/pl.* Schachspiel *n*.

échelle [e'ʃɛl] *f* **1.** Leiter *f*; ~ *de corde* Strickleiter *f*; ~ *d'assaut* Sturmleiter *f*; ~ *automobile* mechanische Leiter *f* (*Feuerwehr, städtische Beleuchtung*); ~ *double* Garten-, Baum-, Steh-leiter *f*; ~ *à incendie*, ~ *de sauvetage* Feuer-, Rettungs-leiter *f*; ~ *coulissante*, ~ *à coulisse* Auszieh-, Schiebe-leiter *f*; ~ *pliante* Klappleiter *f*; ~ *sur pivot* Drehleiter *f*; ~ *sur porteur* ausfahrbare Leiter *f*; *monter sur* (*od. à*) *une* ~ auf e-e Leiter steigen; *faire la courte* ~ *à q.* j-m beim Klettern s-e Schultern reichen; *fig. tenir l'*~ *à q.* j-m behilflich sein, j-m unter die Arme greifen; *fig. après lui, il faut tirer l'*~ ihm kommt niemand gleich, mit ihm nimmt's keiner auf; *monter à l'*~ e-n Spaß ernst nehmen; *faire monter q. à l'*~ j-n auf die Palme bringen *fig.*, j-n hochnehmen; **2.** (*bsd.* ⚓ Schiffs-)Treppe *f*; ~ *de poupe* Heckleiter *f*; **3.** *fig.* Stufenleiter *f*, Abstufung *f*; ~ *sociale* gesellschaftliche Rangordnung *f*, Gesellschaft *f*, Stände *m/pl.*; **4.** *a. phys.* Gradeinteilung *f*, Skala *f*, Tabelle *f*; Tonleiter *f*; *allg.* Maßstab *m*; ~ *fluviale*, ~ *hydrométrique*, ~ *des eaux* Pegel *m*; ~ *de jauge* Eichskala *f*; ~ *graduée* Gradmesser *m*; ~ *mobile* gleitende Skala *f*; ~ *mobile des salaires* gleitende Lohnskala *f*; ✝ ~ *d'intérêts* Zinsskala *f*; *phot.* ~ *d'exposition* Belichtungstabelle *f*; *à l'*~ maßgerecht; ~ *de réduction* verkleinerter Maßstab *m*; ~ *des salaires* (*od. des traitements*) Lohnskala *f*; *fig. à grande* ~ in großem Maße; *a. fig. sur une grande* ~ in großem Maßstab (*od.* Stil); **5.** Laufmasche *f*; **~-marchepied** [~marʃ'pje] *f* (6b) Stehleiter *f*.

échelon [eʃ'lɔ̃] *m* (Leiter-)Sprosse *f*; *fig.* Stufe *f*, Rangstufe *f*, Dienstgrad *m*; ⚔ Staffel *f*; ~ *de combat* Gefechtsstaffel *f*; ~ *du commandement* Befehlsstelle *f*; *premier* ~ vordere Linie *f*; *par* ~*s*, *en* ~*s* stufenweise; staffelförmig; *marcher en* ~*s* in Staffelstellung marschieren; *pol. pourparlers m/pl. à l'*~ *le plus élevé* Verhandlungen *f/pl.* auf höchster Ebene; **~nement** [eʃlɔn'mɑ̃] *m* **1.** Staffelung *f*; *fig.* Abstufung *f*; ~ *des prix* Preisstaffelung *f*; **2.** Verteilung *f* auf verschiedene Zeitpunkte; ~ *des vivres* Kartensystem *n*, Lebensmittelverteilung *f* (*im Falle der Rationierung*); **3.** ⚔ Staffelaufstellung *f*; ~ *en profondeur* Tiefengliederung *f*; **~ner** [eʃlɔ'ne] *v/t.* (1a) **1.** staffeln; abstufen; **2.** auf bestimmte Zeitpunkte verteilen; **3.** ⚔ staffelförmig aufstellen.

écheneau *métall.* [eʃ'no] *m* (5b) Gußrinne *f*.

échenil|lage ⚘ [eʃni'ja:ʒ] *m* Raupenablesen *n*; **~ler** ⚘ [~ni'je] *v/t.* (1a) **1.** die Raupen ablesen von; **2.** *fig.* säubern; **~loir** ⚘ [~ni'jwa:r] *m* Raupenschere *f*.

écheveau [eʃ'vo] *m* (5b) **1.** Bund *n*, kleiner Strang *m*, kleine Strähne *f*; ~ *de fil* Bund *n* Garn; **2.** *fig.* Durcheinander *n*, Wirrwarr *m*; ~ *embrouillé* verwickelte Geschichte *f*; *débrouiller* (*od. démêler*) *l'*~ *d'une intrigue* die Lösung e-r Intrige finden; ~ *de rues* Straßengewirr *n*.

écheveler *litt.* [eʃə'vle] *v/t.* (1c) das Haar zerzausen (*dat.*).

échevette [eʃ'vɛt] *f* (Garn-)Knäuel *m u. n* (= 100 m).

échevin *Belgien, Kanada* [eʃ'vɛ̃] *m* stellvertretender Bürgermeister *m*.

échidné *zo.* [ekid'ne] *m* Ameisenigel *m*.

échidnovaccin *phm.* [ekidnɔvak'sɛ̃] *m* Viperngiftvakzine *f* (*Impfstoff*).

échiff(r)e [e'ʃif(rə)] **1.** *m* ⚠ Treppenuntermauerung *f*; **2.** *f hist.* hölzerner Wachtturm *m* auf e-r Stadtmauer.

échine [e'ʃin] *f* Rückgrat *n*; P *fig.*: *longue* ~ lange Bohnenstange *f*, langer Kerl *m*; F *fig. avoir l'*~ *souple od. très flexible* ein Kriecher sein;

frotter l'~ à q. j-n krumm u. lahm schlagen.

échiné [eʃiˈne] *adj.* lendenlahm, völlig kaputt, todmüde.

échiner [~] (1a) *v/rfl. s'~ fig.* sich abrackern, sich abquälen, sich abarbeiten, sich abschinden.

échinodermes 🕮 [ekinɔˈdɛrm] *m/pl. zo.* Stachelhäuter *m/pl.*

échi|queté [eʃikˈte] *adj.* schachbrettartig geteilt; **~quier** [eʃiˈkje] *m* **1.** Schachbrett *n*; **2.** kreuzweise bepflanztes Feld *n*; **3.** † ⚔ schachbrettförmige Aufstellung *f*; **4.** *fig., pol.* Kräftespiel *n*; **5.** britisches Finanzministerium *n*; **6.** *Fischerei*: viereckiges Fischnetz *n*.

écho [eˈko] *m* **1.** Echo *n*, Widerhall *m*; *il y a de l'~ ici* hier gibt es ein Echo, hier hallt es wider; *se faire l'~ de q.* nachbeten, was jemand sagt; *fig. trouver peu d'~* wenig Anklang finden; **2.** *~s m/pl. de la ville* Lokale(s) *n/sg.* (*in Zeitungen*); **3.** *Radar*: *~ truqué* Scheinecho *n*.

échoir [eˈʃwa:r] *v/i.* (3l) **1.** anheim-, zu-fallen, zuteil werden; *il espère que le gros lot lui écherra* er hofft, daß ihm das große Los zufallen wird; *il m'est échu en partage de ...* es war mir beschieden zu ...; **2.** verfallen, fällig werden.

écho|localisation [ekɔlɔkalizaˈsjɔ̃] *f*, **~location** [~lɔkaˈsjɔ̃] *f* Ortung *f* durch Schallwellen.

écho|mètre [ekɔˈmɛ:trə] *m* Schallmesser *m*; **~métrie** [~meˈtri] *f* Schallmessung *f*.

échoppe[1] [eˈʃɔp] *f* (Bretter-)Bude *f*; kleiner Verkaufsstand *m*, kleine Verkaufsbude *f*.

échop|pe[2] ⊕ [~] *f Gravierkunst*: Radiernadel *f*; Grabstichel *m*; **~per** [eʃɔˈpe] *v/t* (1a) mit der Radiernadel bearbeiten.

échotier [ekɔˈtje] *m* für die Gesellschaftsnachrichten verantwortlicher Redakteur *m*.

échou|age ⚓ [eˈʃwa:ʒ] *m* Auffahren *n* auf den Strand; **~ement** [eʃuˈmɑ̃] *m* **1.** ⚓ Stranden *n*; **2.** *fig.* Scheitern *n*.

échouer [eˈʃwe] (1a) *v/i.* **1.** mißlingen, scheitern, fehlschlagen; *bei e-r Prüfung* durchfallen; *faire ~* vereiteln, hintertreiben; **2.** ⚓ *v/i. u. v/rfl. s'~* auflaufen, auf Grund laufen, stranden, sich festfahren, auf e-e Sandbank laufen.

échu [eˈʃy] *adj.* fällig, verfallen.

écim|age [esiˈma:ʒ] *m* Kappen *n*, Stutzen *n* der Bäume; **~er** [~ˈme] *v/t.* (1a) e-n Baum kappen.

éclabous|sement [eklabusˈmɑ̃] *m* Bespritzen *n* mit Straßenschmutz; **~ser** [~ˈse] *v/t.* (1a) mit Straßenschmutz bespritzen; *fig. ~ q.* j-n vor aller Welt bloßstellen; j-n in den Schatten stellen; **~sure** [~ˈsy:r] *f* angespritzter Straßenschmutz *m*, Kotspritzer *m*; *fig.* Makel *m*.

éclair [eˈklɛ:r] *m* **1.** Blitz *m*; *~s de chaleur* Wetterleuchten *n*; *il fait* (*od. il y a*) *des ~s* es blitzt; *il fait des ~s de chaleur* es wetterleuchtet; *passer comme un ~* vorbeisausen, vorbeiflitzen; **2.** *fig.* Aufleuchten *n*; *ses yeux lançaient des ~s* s-e Augen blitzten vor Zorn; *~ de génie* Geistesblitz *m*; genialer Gedanke *m*; **3.** Eclair *n*, Liebesknochen *m* (*Gebäck*); **4.** *fermeture f ~* Reißverschluß *m*; *guerre f ~* Blitzkrieg *m*; *visite f ~* Stippvisite *f*; **5.** *phot. ~ de magnésium* Magnesiumblitzlicht *n*.

éclai|rage [eklɛˈra:ʒ] *m* Beleuchtung *f*; *Auto*: Licht *n*; *~ arrière* (rotes) Rücklicht *n*; *Auto*: *~ de ville* Stadtlicht *n*; ⚡ *circuit m* (*od. réseau m od. ligne f*) *d'~* Lichtleitung *f*; *~ de secours* Notbeleuchtung *f*; *gaz m d'~* Leuchtgas *n*; *~ au gaz* Gasbeleuchtung *f*; *~ électrique* elektrisches Licht *n*; **~ragisme** [~raˈʒism] *m* Beleuchtungstechnik *f*; **~ragiste** [~raˈʒist] *m* Beleuchtungstechniker *m*; **~rant** [~ˈrɑ̃] *adj.* (7) **1.** leuchtend; *fusée f ~e* Leuchtrakete *f*; *pouvoir m ~* Leuchtkraft *f*; **2.** *fig.* einleuchtend.

éclair|ci [eklɛrˈsi] *adj.* licht; **~cie** [~] *f* **1.** Lichtung *f im Wald*; **2.** helle Stelle *f am bewölkten Himmel*; *~ de soleil* Sonnenblick *m*; **3.** *fig.* kurzer Lichtblick *m*, Silberstreifen *m*; **~cir** [~ˈsi:r] (2a) **I** *v/t.* **1.** erhellen, hell machen; **2.** *fig. etw.* aufklären, klarstellen, Licht (*od.* Klarheit) bringen in (*acc.*); **3.** *cuis.* verdünnen; **4.** *~ les rangs* (*une forêt*) die Reihen (e-n Wald) lichten; **II** *v/rfl. s'~* **5.** sich aufklären; aufklaren (*Wetter*); **6.** dünner werden; sich lichten; **7.** *s'~ la voix* sich räuspern; **~cissement** [~sisˈmɑ̃] *m* **1.** *~ de qch.* Klärung *f* e-r Sache, Aufschluß *m* über etw. (*acc.*), Klarstellung *f*, Erläuterung *f*; **2.** *for.* Auslichten *n*.

éclair|é [eklɛˈre] *adj.* hell, erleuchtet; *fig.* aufgeklärt, freisinnig; klarsehend; aufgeschlossen; *esprit m ~* heller Kopf *m*; *litt. siècle m*

~ Zeitalter *n* der Aufklärung; **~ement** [~r'mɑ̃] *m* Helligkeit *f*; Beleuchtung *f*; **~er** [~'re] (1b) **I** *v/t.* **1.** beleuchten; ~ *à l'électricité* elektrisch beleuchten; ~ *q. pour sortir* (*pour descendre*) j-m hinaus- (hinunter-)leuchten; *être logé et éclairé* freie Wohnung und Licht haben; *éclairez-moi* leuchten Sie mir!; **2.** *fig. j-n* aufklären, informieren, *etw.* beleuchten; **3.** ⚔ *etw.* aufklären; **II** *v/i.* **4.** leuchten (*Kerze*); **5.** P blechen; **III** *v/rfl. s'~* **6.** hell werden; sich Licht machen (*od.* verschaffen); **7.** *fig.* sich aufhellen; sich aufheitern; sich klären, klar werden; **8.** *s'~ sur qch.* über etw. Klarheit gewinnen.

éclaireur [eklɛ'rœ:r] *m* **1.** ⚔ Aufklärer *m*, Kundschafter *m*; **2.** *Sport*: Pfadfinder *m*; **3.** ✈ *avion m ~* Aufklärungsflugzeug *n*.

éclat [e'kla] *m* **1.** Splitter *m*; *à l'abri des ~s* splittersicher; ~ *d'obus* Bomben-, Granat-splitter *m*; ~ *de verre* Glassplitter *m*; *voler en ~s* in Stücke fliegen, (sich) zersplittern; **2.** Knall *m*, starker Schall *m*; *~s du tonnerre* Rollen *n* des Donners; ~ *de tonnerre* Donnerschlag *m*; *fig. etw.* Niederschmetterndes *n*; *~s de voix* schallende Stimmen *f/pl.*; (*grands*) *~s de rire* schallendes Gelächter *n*; *rire aux ~s* laut auflachen; **3.** Aufblitzen *n*, Helligkeit *f*, Lichtschein *m*; **4.** *fig.* Auftritt *m*, Skandal *m*; *provoquer un ~* e-n Skandal herbeiführen; *faire beaucoup d'~* ein großes Aufsehen erregen; *~s pl.* heftiger Wortstreit *m*; **5.** Glanz *m*; frisches, jugendliches Aussehen *n*; *fig.* Pracht *f*; *action f d'~* glänzende Tat *f*, Glanzleistung *f*; *coup m d'~* Glanzstück *n*; ~ *des couleurs* Farbenpracht *f*; *sans ~* glanzlos, matt; *fig.* unscheinbar.

écla|tant [ekla'tɑ̃] *adj.* (7) **1.** glänzend, strahlend; **2.** hell, schallend, laut, schmetternd; **3.** großartig, glanzvoll, hervorragend, aufsehenerregend, auffallend; strotzend; offensichtlich, deutlich, eklatant, sichtbar; **~tement** [~t'mɑ̃] *m* **1.** Zerplatzen *n*, Zerspringen *n*; *bombe f à ~* Sprengbombe *f*; **2.** *fig.* Auflösung *f e-r Partei.*

écla|ter [ekla'te] (1a) (*mit avoir!*) **I** *v/i.* **1.** (zer)platzen, bersten, zersplittern, zerspringen; ⚔ krepieren (*von Geschossen*); explodieren; *faire ~ a.* sprengen; *le pneu éclate* der Reifen platzt; *ma tête m'éclate* der Kopf will mir platzen; *la peau éclate* die Haut springt auf; **2.** lautes Geräusch machen, erschallen; knallen, prasseln, krachen; ~ *de rire* laut auflachen; ~ *de santé* vor Gesundheit strotzen; ~ *en injures* in Schmähungen ausbrechen; **3.** zum Ausbruch kommen, aufflackern; *la révolution* (*l'incendie*) *éclata* die Revolution (der Brand) brach aus; **4.** sich zeigen, an den Tag kommen, laut werden; *faire ~ la vérité* die Wahrheit ans Licht bringen; **5.** blitzen, glänzen; **II** *v/t.* ✓ ~ *des racines* durch Wurzelteilung vermehren; **~teur** ⚡, *rad.* [~'tœ:r] *m* Entlader *m*, Funkenstrecke *f*, Funkeninduktor *m*.

éclectisme *phil.* [eklɛk'tism] *m* Eklektizismus *m*.

éclimètre [ekli'mɛ:trə] *m* Gefällemesser *m*, Azimutkompaß *m*, Gradbogen *m*, Röhrenlibelle *f*.

éclip|se [e'klips] *f* **1.** Finsternis *f*; *une ~ de soleil* e-e Sonnenfinsternis *f*; **2.** *fig.* (Ver-)Schwinden *n*; **~ser** [~p'se] (1a) **I** *v/t.* verdunkeln, verfinstern; *fig.* ~ *q.* (*qch.*) j-n (etw.) in den Schatten stellen; **II** *v/rfl.* *s'~* verschwinden; F verduften, sich verkrümeln (*plais.*); sich aus dem Staube machen; *s'~ par des portes dérobées* sich durch Hintertüren aus dem Staube machen; **~tique** *ast.* [~'tik] *m* Ekliptik *f*.

éclissage [ekli'sa:ʒ] *m* **1.** ⚕ Schienen *n*; **2.** 🚂, ⊕ Verlaschung *f*.

éclis|se [e'klis] *f* Holzspan *m*; ⚕ (Arm-, Bein-)Schiene *f*; ⊕, 🚂 Lasche *f*, Stoßschiene *f*; *Käsefabrikation*: Abtropfkörbchen *n*; **~ser** [ekli'se] *v/t* (1a) ⚕ schienen; 🚂, ⊕ verlaschen.

éclo|pé [eklɔ'pe] **I** *adj.* gehunfähig, lahm, fußkrank, hinkend; **II** *m* Marsch-, Fuß-kranke(r) *m*; ⚔ Leichtverwundete(r) *m*.

éclore [e'klɔ:r] *v/i.* (4k) **1.** aus dem Ei kriechen; ausschlüpfen; *les petits sont éclos* die Jungen sind ausgeschlüpft; **2.** sich öffnen (*Ei*); aufbrechen (*Knospe*); aufblühen (*Blume*); *fig.* anbrechen (*Tag*); *fig.* an den Tag kommen; *faire ~* ausbrüten; ⚘ zum Aufblühen bringen; *fig.* hervorrufen, zum Leben erwecken, zur Reife bringen.

éclosion [eklo'zjɔ̃] *f* Auskriechen *n*, Ausschlüpfen *n*; ⚘ Aufbrechen *n*; Aufblühen *n*; *fig.* Werden *n*.

éclusage ⚓ [ekly'za:ʒ] *m* Durchschleusen *n*.
écluse [e'kly:z] *f* Schleuse *f*.
éclu|sée [ekly'ze] *f* Schleusenwasser *n*; Gesamtheit *f* der auf einmal durchgeschleusten Schiffe; **~ser** [~] *v/t*. (1a) durchschleusen; mit Schleusen versehen; P saufen; *en ~ un* einen hintergießen.
écobu|age [ekɔ'bɥa:ʒ] *m* Jäten *n* und Abbrennen *n des Unkrauts*; **~er** [~'bɥe] *v/t*. (1a) *Unkraut zur Düngung* abbrennen.
écœu|rant [ekœ'rɑ̃] *adj*. (7) ekelhaft, widerlich; **~rement** [~r'mɑ̃] *m* Ekel *m*; **~rer** [~'re] (1a) **I** *v/t*. anekeln, anwidern; **II** *v/rfl*. s'~ Ekel empfinden.
écoinçon [ekwɛ'sɔ̃] *m* Eckstein *m*; *meuble m en ~* Eckschrank *m*.
école [e'kɔl] *f* **1.** Schule *f*; Lehranstalt *f*; Schulgebäude *n*, Schulhaus *n*; *aller à l'~* zur Schule gehen; *fréquenter l'~* die Schule (regelmäßig) besuchen; *être à bonne ~ a. iron.* in e-r guten Lehre *od*. Schule sein; *faire une rude ~, être à rude ~* durch e-e harte (*od*. strenge) Schule gehen; *mettre un enfant à l'~* ein Kind einschulen; *en âge d'aller à l'~* schulpflichtig; *fig. faire ~ a. iron.* Schule machen, Nachahmer finden, sich durchsetzen; *fig. faire l'~ buissonnière* die Schule schwänzen; *il faudrait le renvoyer à l'~* er sollte sich sein Lehrgeld wiedergeben lassen; *~ d'art dramatique* (*bisw. ~ théâtrale*) Schauspielschule *f*; *~ d'art industriel* Kunstgewerbeschule *f*; *Fr.* 2 *des arts et métiers etwa*: Technische Hochschule *f*; *Fr.* 2 *nationale des beaux-arts* Staatliche Kunstakademie *f*; *Fr.* 2 *centrale* Technische Hochschule *f*; 2 *des chartes* staatliche Hochschule *f* für das Studium von Handschriften *usw*.; *~ de(s) chauffeurs* (*od. de conducteurs d'automobiles*) Fahrschule *f*; *~ commerciale* (*od. de commerce*) Handelsschule *f*; *~ communale* Gemeinde-, Volks-schule *f*; *~ complémentaire rurale* ländliche Fortbildungsschule *f*; 2 *de droit* juristische Fakultät *f*; *~ d'équitation* Reitschule *f*; 2 *des eaux et forêts* Forstakademie *f*; *Fr. grande ~* höhere Fachschule *f*; *Fr.* 2 *des hautes études commerciales* Handelshochschule *f* (*in Paris*); *~ interconfessionnelle* Simultanschule *f*; *~ libre* private Konfessionsschule *f*; *Fr. ~ maternelle* Vorschule *f* für 3—6jährige *~ militaire* Militärakademie *f*; *~ des mines* Bergakademie *f*; *Fr.* 2 *nationale d'administration* (*abr.* E.N.A.) Hochschule *f* für Verwaltungswissenschaften; *Fr. ~ normale primaire* Pädagogische Hochschule *f*; *~ normale supérieure* Hochschule *f* zur Ausbildung von Lehrern an Oberschulen; *~ par correspondance* Fernkursschule *f*; *~ (en) plein air* Wald-, Freiluft-schule *f*; *~ polytechnique etwa*: Technische Universität *f*; *Fr.* 2 *des ponts et chaussées* Hochschule *f* für Tiefbauingenieure; *allg. ~ préparatoire* Vorschule *f*; *~ primaire élémentaire* Grundschule *f*; *~ professionnelle* Berufsschule *f*; *~ professionnelle technique* Gewerbeschule *f*; *~ secondaire* Oberschule *f*, höhere Schule *f*; *All.* Gymnasium *n*; *~ spéciale* Fachschule *f*; *~ solidariste* Gemeinschaftsschule *f*; 2 *normale supérieure d'éducation physique* Hochschule *f* für Leibesübungen; *~ vétérinaire* Tierarzneischule *f*; *~ de vol à voile* Segelflugschule *f*; *fig. ~ du malheur* Schule *f* des Leidens; **2.** Lehrgebäude *n*, Lehrsystem *n*; **3.** Schulton *m*, Schülermanieren *f/pl*.; **4.** Lehre *f*, Schule *f*, Sekte *f*, System *n*; *~ classique* (*romantique*) klassische (romantische) Schule *f*; *~ flamande* (*~ d'Italie*) niederländische (italienische) Schule *f*; **5.** Schulung *f*, Dressur *f*, Ausbildung *f*; *~ supersonique* Überschallausbildung *f*; **~-cité** [~si'te] *f* (6a) Schulgemeinde *f*.
écolier [ekɔ'lje] (7b) **I** *su*. junger Schüler *m*; F *fig*. Anfänger *m*, Novize *m*; *prendre le chemin des ~s* Umwege machen, den längsten Weg einschlagen; *faute f d'~* Elementarfehler *m*; **II** *adj*. *la gent écolière* das Schülervolk; *Fr. papier m ~* lini(i)ertes Konzeptpapier *n*.
écolo|gie [ekɔlɔ'ʒi] *f* Ökologie *f*, Wissenschaft *f* v. den Beziehungen der Lebewesen zu ihrer Umwelt; *allg*. Milieuwissenschaft *f*; **~gique** [~'ʒik] *adj*. ökologisch; **~giste** [~'ʒist] *su*., **~gue** [~'lɔg] *su*. Ökologe *m*.
écondu|ire [ekɔ̃'dɥi:r] *v/t*. (4c) *j-n* abweisen, *j-m* die Tür weisen, *j-n* hinauskomplimentieren, *j-m* e-n Korb geben, *j-n* abblitzen lassen.

économat [ekɔnɔ'ma] *m* **1.** Verwalterstelle *f*, Verwaltung *f*; **2.** Verkaufsstelle *f* für Betriebsangehörige; **3.** ⚔ heereseigene Verkaufsstelle *f*.

écono|me [ekɔ'nɔm] **I** *adj.* sparsam, haushälterisch, wirtschaftlich; *fig.* *~ de paroles* wortkarg; *être ~ de qch.* mit etw. sparsam umgehen; **II** *su.* Verwalter *m*; **~métricien** [~metri'sjɛ̃] *m* Wirtschafts-forscher u. -planer *m*; **~métrie** [~me'tri] *f* Wirtschafts-forschung u. -planung *f*; **~mie** [~'mi] *f* **1.** Wirtschaft(ssystem *n*) *f*; *~ agricole* (*od. rurale*) Agrarwirtschaft *f*; *~ armée* Wehrwirtschaft *f*; *concernant l'~ privée* privatwirtschaftlich; *~ concurrentielle* Wettbewerbswirtschaft *f*; *~ coopérative* Genossenschaftswirtschaft *f*; *~ dirigée* Planwirtschaft *f*, gelenkte Wirtschaft *f*; *~ domestique* Hauswirtschaft *f*; *~ financière* Finanzwirtschaft *f*; *~ forestière* Forstwirtschaft *f*; *~ harmonisée* ausgeglichene Wirtschaft *f*; *~ hydraulique* Wasserwirtschaft *f*; *~ libérale* freie (Markt-)Wirtschaft *f*; *~ monétaire* Geldwirtschaft *f*; *~ nationale* einheimische Wirtschaft *f*, Staatswirtschaft *f*; *~ planifiée* Planwirtschaft *f*; *~ politique* Volkswirtschaft *f*, Nationalökonomie *f*; *~ privée* Privatwirtschaft *f*; *sage ~* vernünftiges Wirtschaften *n*; *~ sociale* soziale Wirtschaft *f*; **2.** Sparsamkeit *f*, Wirtschaftlichkeit *f*; Einsparung *f*; *~s pl.* a) Ersparnisse *f/pl.*; b) Wirtschaftlichkeit *f*; *mauvaise ~* falsche Sparsamkeit *f*; *avoir de l'~ od. vivre avec ~* sparsam leben; *faire od. réaliser des ~s* sparen, etw. zurücklegen; etw. einsparen; *~ de place* Raumersparnis *f*; **~mique** [~'mik] **I** *adj.* wirtschaftlich, preiswert, sparsam; *peu ~* unwirtschaftlich; *problèmes m/pl. ~s* Wirtschaftsfragen *f/pl.*; *branche f ~* Wirtschaftszweig *m*; **II** *m* Wirtschaftsbereich *m*; **III** *f* Wirtschaftswissenschaft *f*; **~miser** [~mi'ze] (1a) **I** *v/t.* sparsam umgehen mit (*dat.*); (ein)sparen, zurücklegen, erübrigen; *~ son temps* sparsam mit s-r Zeit umgehen; **II** *v/i.* *~ sur ses revenus* von s-m Einkommen sparen; *~ sur tout(es choses)* an allem sparen; **~miseur** ⊕ [~mi'zœ:r] *m* Spargerät *n*; *~ de charbon* Kohlensparer *m*; **~miste** [~'mist] *m* Wirtschaft(swissenschaft)ler *m*, Wirtschaftsexperte *m*.

éco|pe ⚓ [e'kɔp] *f* Wasserschaufel *f*; **~per** [~'pe] (1a) **I** *v/t.* ⚓ *das Wasser aus e-m Fahrzeug* ausschöpfen; P verbüßen (*Gefängnisstrafe*); **II** F *v/i.* Vorwürfe *od.* Schläge bekommen; die Zeche bezahlen müssen (*fig.*); der Sündenbock sein, es ausbaden müssen; *ce sont toujours les braves gens qui écopent* das sind immer die anständigen Leute, die herhalten müssen; *il a écopé de trois mois de prison* er ist zu drei Monaten Gefängnis verurteilt worden; **~perche** ⊕ [ekɔ'pɛrʃ] *f* Kranbalken *m*.

écorce [e'kɔrs] *f* **1.** Rinde *f*, Borke *f*, Schale *f*; *~ de citron* Zitronenschale *f*; *~ d'orange* Apfelsinenschale *f*; **2.** Kruste *f*; *~ du globe* Erdrinde *f*; **3.** *fig. das* Äußere, Schein *m*.

écorcer [ekɔr'se] (1k) *v/t.* (*u. s'~* sich) (ab)schälen, abrinden.

écor|chage [ekɔr'ʃa:ʒ] *m*, **~chement** [~ʃə'mɑ̃] *m* Abziehen *n des Felles*; **~ché** [ekɔr'ʃe] *m* **1.** *peint., sculp.* Muskelfigur *f* (*Mensch;Tier*); **2.** ⊕ Darstellung *f* des Inneren e-r Maschine; **~cher** [~] (1a) **I** *v/t.* **1.** *e-m Tier* das Fell abziehen; **2.** aufschürfen (*Haut, Knie*), wund reiben, durchscheuern, zerkratzen, verletzen; wund reiten; *fig.* radebrechen (*e-e Sprache*); ♪ runterklimpern; *fig. ~ un violon* auf e-r Geige herumkratzen; *~ une langue* e-e Sprache radebrechen; *~ les oreilles à q.* j-m (*tonlich*) auf die Nerven fallen; *avoir le pied écorché* wunde Füße bekommen; **3.** F *fig. j-m* das Fell über die Ohren ziehen, *j-n* prellen, überteuern; **II** *v/rfl. s'~* **4.** sich aufschürfen, sich wund reiben, sich Wunden laufen *od.* reiten; *s'~ à force d'être couché* sich wundliegen; **~cherie** [~ʃə'ri] *f* Abdeckerei *f*; **~cheur** [~'ʃœ:r] *su.* (7d) **1.** Abdecker *m*, Schinder *m*; **2.** F *fig.* Halsabschneider *m fig.*, Preller *m*; **~cheuse** ⊕ [~'ʃø:z] *f*: *~ à bras* Handschrapper *m*; **~chure** [~'ʃy:r] *f* Abschürfung *f*, wunde Stelle *f*, Schramme *f*.

écor|ner [ekɔr'ne] *v/t.* (1a) **1.** *~ les billets* die Eintrittskarten abreißen; **2.** die scharfen Ecken abstoßen von; abkanten, abhobeln; **3.** *~ un livre in ein Buch* Eselsohren machen; **4.** F *fig.* schmälern, verringern; *~ sa fortune* sein Vermögen zum Teil durchbringen; **~nifler** F [~ni'fle] *v/t.* (1a) sich ergaunern; *~ un dé-*

jeuner sich ein Mittagessen ergaunern; **~nifleur** F [~niˈflœːr] *su.* (7g) Schmarotzer *m*, Nassauer *m* F; Zechpreller *m*; **~nure** [~ˈnyːr] *f* abgestoßene Ecke *f*.

écossais [ekɔˈsɛ] **I** *adj.* (7) schottisch; **II** *m* ♀ Schotte *m*.

Écosse [eˈkɔs] *f*: **l'~** Schottland *n*.

écoss|er [ekɔˈse] *v/t.* (1a) enthülsen; **~euse** ⊕ [~ˈsøːz] *f* Schälmaschine *f*.

écot[1] [eˈko] *m* Anteil *m an der Zeche*; *payer son ~* s-n Anteil an der Zeche bezahlen, sich beteiligen.

écot[2] *for.* [~] *m abgesägter* Stamm *m od.* Ast *m*.

écôt|age [ekoˈtaːʒ] *m* **1.** Ausrippen *n des Tabaks*; **2.** ⊕ Glattziehen *n* (*Draht*); **~er** [~ˈte] *v/t.* **1.** *Tabakblätter* entrippen; **2.** ⊕ *Draht* glattziehen.

écoul|ement [ekulˈmɑ̃] *m* **1.** Ab-, Aus-fluß *m*, Abzug *m*; ✝ Absatz *m*, Umsatz *m*, Vertrieb *m*; **2.** ⚕ Ausfluß *m*, Eiterung *f*; * Tripper *m*; **3.** *fig.* (Zeit-)Verlauf *m*; **4.** Ab-, Durch-zug *m* (*Truppen*); freie Durchfahrt *f* (*Autos*); Abwicklung *f* (*Verkehr*); **~er** [~ˈle] (1a) **I** *v/rfl.* s'~ **1.** auslaufen, abfließen (*Wasser*); **2.** vergehen, verstreichen (*Zeit*); **3.** auseinanderströmen, sich verlaufen (*Menschenmenge*); **4.** ✝ Absatz finden (*Ware*); **II** *v/t.* **5.** ✝ absetzen, verkaufen; in Umlauf bringen (*Falschgeld*).

écourter [ekurˈte] *v/t.* (1a) stutzen, kürzer machen; *Zeit* verkürzen; *~ les cheveux* die Haare etw. kürzer schneiden; *fig. ~ un discours* e-e Rede etw. kürzen.

écoute[1] ⚓ [eˈkut] *f* Schot(e) *f*, Segelleine *f*.

écoute[2] [~] *f* **1.** (*oft pl.*) (Ab-)Hören *n*; *être à l'~* (*od. aux ~s*) auf der Lauer sein; ⚔ abhören; *se tenir aux ~s* horchen; **2.** ⚔ *poste m d'~s* Horchposten *m*; *dispositif m d'~s* Abhörvorrichtung *f*; *service m d'~s* Abhördienst *m*; *galerie f d'~* Horchgang *m*; **3.** *téléph.*, *rad.* *être à l'~* (e-e Übertragung) hören; *Rundfunkgerät*: auf Empfang stehen, an sein F; *restez à l'~!, ne quittez pas l'~!* bleiben Sie am Apparat!; *appareil m d'~* Horchgerät *n*; *~ radio et radar* Funkhorchdienst *m*; **4.** *ch.* *~s pl.* Gehöre *n/pl.* (*Wildschwein*).

écouter [ekuˈte] (1a) **I** *v/t. u. v/i.* **1.** aufmerksam zuhören (*dat.*), hören auf (*acc.*), *j-n* anhören, *rad.* hören; *on nous écoute* man belauscht uns; *nous l'écoutons* wir hören ihm (ihr) zu; *n'~ que d'une oreille* nur mit halbem Ohr zu-, hin-hören; *écoutez!* hören Sie mal!; **2.** Gehör schenken; erhören; *il est très écouté ici* er hat hier viel zu sagen; *il ne fut pas écouté* man hörte nicht auf ihn, er fand kein Gehör; **3.** befolgen; *n'~ que soi-même* nur seinen eigenen Ideen folgen; **II** *v/rfl. s'~* **4.** F an s-e Gesundheit denken; *s'~ trop* sich verpimpeln; **5.** *s'~ parler* sich selbst gern reden hören.

écou|teur [ekuˈtœːr] *m téléph.*, *rad. usw.* Kopfhörer *m*; Abhör-Horchgerät *n*; Hörrohr *n*; Kleinhörer *m*.

écoutille [~ˈtij] *f* ⚓, *Treppe, Raumkapsel, Mondfähre*: Luke *f*.

écouvillon [ekuviˈjɔ̃] *m* Ofenwischer *m* (*Bürste*); ⚔ Kanonenwischer *m*; Flaschenbürste *f*; ⚕ Wischer *m*; **~ner** [~jɔˈne] *v/t.* [1a] auswischen.

écrabouiller F [ekrabuˈje] *v/t.* (1a) zermalmen, zerquetschen.

écran [eˈkrɑ̃] *m* **1.** Licht-, Ofen-, Kamin-schirm *m*; *télév. petit ~* Fernsehen *n*; *~ radar* Radarschirm *m*; **2.** ⚠ durchbrochene Schranke *f*, Gitter *n*; **3.** ⊕ Schutzblech *n*; ⚔ Schutzwand *f*; *~ de fumée* Rauchschleier *m*, -vorhang *m*; **4.** *cin.* Leinwand *f*; *grand ~ od. ~ panoramique* Breitwand *f*; *porter à l'~* verfilmen; *fig. faire ~* isoliert betrachtet werden; **5.** *phot.* Filter *m*; *~ jaune* Gelbscheibe *f*; **6.** *géogr.* Wetterfront *f*, -scheide *f*; **~ner** *rad.* [ekraˈne] *v/t.* (1a) abschirmen, entstören.

écra|sant *fig.* [ekraˈzɑ̃] *adj.* (7) gewaltig, überwältigend; erdrückend; **~sement** [~zˈmɑ̃] *m* Vernichtung *f*; **~ser** [~ˈze] (1a) **I** *v/t.* **1.** zerdrücken, zu Boden strecken (*od.* schmettern), zermalmen, zerquetschen; *~ avec le pied* zertreten; *il a été écrasé* er ist überfahren worden; *nez m écrasé* platte Nase *f*; **2.** *fig.* vernichten, zugrunde richten, niederwerfen, erdrücken, übermäßig belasten; *fig.* in den Schatten stellen, total in die Ecke drängen, ausstechen; *sous un soleil écrasant* in glühender Sonne; **3.** P *écrase!* Schnauze!, quatsch nicht!; *en ~* wie ein Sack schlafen; **II** *v/rfl. s'~* **4.** zerdrückt werden; F sich drängen (*Menschenmenge*); **5.** ✈ abstürzen; *s'~ contre une montagne* an e-m Berg zerschellen; *Auto*: *s'~ contre un mur* gegen e-e Mauer prallen (*od.* fahren); **6.** P die Schnauze halten.

écré|mage [ekreˈmaːʒ] *m* Abrahmen *n*; Abschäumen *n*; *fig.* Ausleseprozeß *m*, Nachwuchsauslese *f*; **~mer** [~'me] *v/t.* (1f) absahnen; abschäumen; *fig.* das Beste (*od.* den Rahm) abschöpfen; **~meuse** [~'mø:z] *f* (Milch-)Zentrifuge *f*.

écrêter ⚔ [ekrɛ'te] *v/t.* (1f) **1.** ~ *un bastion* e-e Bastion abkämmen; **2.** ↗ *Mais* köpfen; **3.** *rad. Amplitude* begrenzen; **4.** ⚠ einebnen.

écrevisse [ekrə'vis] *f* **1.** *zo.* (Fluß-)Krebs *m*; **2.** *métall.* Rumpf-, Scheren-, große Luppen-zange *f*.

écrier [ekri'e] (1a): s'~ ausrufen.

écrin [e'krɛ̃] *m* (Schmuck-)Kästchen *n*, Schatulle *f*.

écrire [e'kri:r] (4f) **I** *v/t.* **1.** (auf- *od.* nieder-)schreiben; ~ *à la machine* maschineschreiben; ~ *en un mot* zusammenschreiben, in einem Wort schreiben; ~ *en toutes lettres* ganz ausschreiben; ~ *sous la dictée* nach Diktat schreiben; ~ *tout fin* sehr klein schreiben; ~ *plus serré* enger schreiben; ~ *(très) gros* sehr groß schreiben; ~ *plus desserré* weiter auseinander schreiben; *exercices m/pl. écrits* schriftliche Übungen *f/pl.*; F ~ *comme un chat* unleserlich schreiben; **2.** (schriftlich) ausarbeiten, verfassen; ♪ in Noten setzen, komponieren; **3.** schriftlich mitteilen, *etw.* schriftlich geben; *il est écrit* es ist beschlossen; *c'était écrit* es sollte so sein, so wollte es das Schicksal; **II** *v/i.* schriftstellern; **III** *v/rfl.* s'~ sich (*Briefe*) schreiben, miteinander in Briefwechsel stehen; geschrieben werden.

écrit [e'kri] *m* Schriftstück *n*; 🕮 *litt.* Werk *n*; *das* Schriftliche; *die* schriftliche Prüfung; *j'aime mieux que vous me donniez un mot d'écrit* ich möchte lieber, daß sie mir etw. Schriftliches gäben; *advt. par* ~ schriftlich, brieflich; *mettre (formuler, passer) par* ~ schriftlich abfassen.

écri|teau [ekri'to] *m* (5b) Schild *n*; **~toire** † [~'twa:r] *f* Schreibzeug *n*; **~ture** [~'ty:r] *f* **1.** Schrift *f*; ~ *chiffrée* Geheimschrift *f*; ~ *droite* Steilschrift *f*; ~ *gothique* Frakturschrift *f*; ~ *renversée* Spiegelschrift *f*; ~ *fumigène* Rauchschrift *f am Himmel*; ~ *lumineuse mobile* Wanderleuchtschrift *f*; ~ *ornée* Schnörkelschrift *f*; **2.** Handschrift *f*; **3.** *das* Geschriebene; *effacer l'*~ die Schrift auswischen; *~s préparatoires* vorbereitender Schriftsatz *m*; **4.** *l'*♀ *(sainte), les (saintes)* ♀*s* die Heilige Schrift, die Bibel; **5.** *litt.* Ausdrucksform *f*; *cin.* Ton *m* und Gestaltung *f*; **6.** ✝ a) Buchung *f*; ~ *comptable* Buchungsposten *m*; *passer* ~ *de qch.* etw. buchen; b) *~s pl.* Handelsbücher *n/pl.*; *~s pl. portées au débit* (de) Lastschriften *f/pl.*

écrivail|ler [ekrivɑ'je] *v/i.* (1a) liederlich schreiben, *etw.* zusammenschreiben, hinschmieren; *écol.* pinseln; **~leur** [~'jœ:r] *su.* (7g) Schreiberling *m*.

écri|vain [ekri'vɛ̃] *m* Schriftsteller (-in *f*) *m*; (*femme f*) ~ Schriftstellerin *f*; ~ *public* Schreibkundige(r) *m*; **~vant** *néol.* [~'vɑ̃] *m* Verfasser *m* ohne persönlichen Stil, Dutzendschreiber *m*; **~vasser** [~va'se] *v/i.* (1a) *s. écrivailler*; **~vasserie** [~vas'ri] *f* Vielschreiberei *f*; **~vassier** [~va'sje] *m* Vielschreiber *m*; *a. écrivailleur*.

écrou[1] ⊕ [e'kru] *m* (Schrauben-)Mutter *f*.

écrou[2] [~] *m* Inhaftierung *f*; *levée f d'*~ Haftentlassung *f*.

écrouelles † [ekru'ɛl] *f/pl.* Skrofeln *pl.*

écrouer [ekru'e] *v/t.* (1a) in die Gefangenenregister eintragen; *fig.* erwischen, schnappen, in Haft nehmen, einsperren, einlochen P.

écrou|ir ⊕ [ekru'i:r] *v/t.* (2a) durch Kalthämmern härten; **~issage** [~i'sa:ʒ] *m* Härten *n*.

écrou|lement [ekrul'mɑ̃] *m* Einsturz *m*, Zusammenbruch *m*; *fig.* Verfall *m*; **~ler** [~'le] (1a) *v/rfl.* s'~ (zusammen-, ein-)stürzen; *fig.* zusammenbrechen, zugrunde gehen, verfallen; dahinschwinden (*Traum*); *ohne* se: *faire* ~ *un mur* e-e Mauer einreißen.

écroûter [ekru'te] *v/t.* (1a) **1.** Brot abkrusten; **2.** ↗ *die oberste Erdschicht* lockern.

écru [e'kry] *adj.* roh, ungebleicht.

écu [e'ky] *m* **1.** Schild *m*; Wappenschild *m* (*od. n*); **2.** † Taler *m*; **3.** *ent.* Rückenschild *m der Insekten.*

écubier ⚓ [eky'bje] *m* Klüse *f*.

écueil [e'kœj] *m* Klippe *f*; *a. fig. tourner les ~s* die Klippen umfahren; ⚓ *(s')échouer sur* ~ zerschellen.

écuelle [e'kɥɛl] *f* **1.** Napf *m*, Schale *f*; Schüssel *f*; **2.** Napfvoll *m*; **3.** ⊕ ~ *de pivot* Lagerpfanne *f*.

écuisser [ekɥi'se] *v/t.* (1a) *e-n Baum beim Fällen* zersplittern.

éculer [eky'le] *v/t.* (1a): ~ *des bottes* Stiefel ab- *od.* schief-laufen; *éculé* ausgetreten; *fig.* abgedroschen.

écum|age *métall.* [eky'maːʒ] *m* Abstrich *m*, Abschäumen *n*; **~e** [e'kym] *f* **1.** Gischt *f*, Schaum *m*; *fig.* ~ *de la société* Abschaum *m* der Menschheit; **2.** Geifer *m*; Schweiß *m des Pferdes*; **3.** *min.*: ~ *de mer* Meerschaum *m*; *pipe f d'*~ (*od. en* ~) Meerschaumpfeife *f*; **4.** *métall.* Abschaum *m*, Schlacke *f*.

écu|mer [eky'me] (1a) **I** *v/t.* abschäumen; *fig.* (plündernd) heimsuchen; ~ *les côtes od. les mers* Seeräuberei treiben; **II** *v/i.* schäumen (*a. fig.*); *fig.* toben; *fig.* ~ *de rage* vor Wut kochen; **~meur** [~'mœːr] *su.* (7g) **1.** † Pirat *m*; **2.** *fig.* Plagiator *m*; **~meux** [~'mø] *adj.* (7d) schäumend, schaumbedeckt; **~moire** [~'mwaːr] *f* Schaumlöffel *m*.

écureuil [eky'rœj] *m zo.* Eichhörnchen *n*.

écurie [eky'ri] *f* **1.** (Pferde-)Stall *m*; *avoir une* ~ Rennpferde halten; **2.** *pol.*, *plais.*, *iron.* Stab *m*; **3.** F *fig.* (Schweine-)Stall *m* (*Zimmer*).

écusson [eky'sɔ̃] *m* **1.** (kleiner) Wappenschild *m*; Namens-, Firmenschild *n*; **2.** Schlüsselblech *n*; **3.** *ent.* Rückenschild *n*; **4.** ✓ Auge *n*, Okulierschild *n*; **5.** ⚔ Kragenspiegel *m*; **~ner** ✓ [~sɔ'ne] *v/t.* (1a) okulieren; veredeln; **~noir** [~sɔ'nwaːr] *m* Okuliermesser *n*.

écuy|er [ekɥi'je] *m* **1.** *ehm.* (Schild-)Knappe *m*; Junker *m*; **2.** Zureiter *m*, Kunstreiter *m*, (guter) Reiter *m*; Reitlehrer *m*; **3.** Geländerstange *f* (*Treppe*); **~ère** [~'jɛːr] *f* **1.** (Kunst-)Reiterin *f*; **2.** *bottes f/pl. à l'*~ Reit-, Stulpen-stiefel *m/pl.*

eczéma ⚕ [ɛgze'ma] *m* Hautausschlag *m*, Ekzem *n*; **~teux** 🕮 ⚕ [~ma'tø] *adj.* (7d) ekzemartig.

edelweiss [edɛlwa'is] ⚘ *m* Edelweiß *n*.

Éden [e'dɛn] *m* Paradies *n*.

édénique [ede'nik] *adj.* paradiesisch.

édent|é [edɑ̃'te] **I** *adj.* zahnlos; **II** **~s** *m/pl. zo.* Zahnlücker *m/pl.* (*zahnarme Säugetiere*); **~er** [~] *v/t.* (1a) Zähne ausbrechen (*dat.*).

édicter ⚖ [edik'te] *v/t.* (1a) verordnen.

édicule [edi'kyl] *m* Kiosk *m*; Bedürfnisanstalt *f*.

édifi|ant [edi'fjɑ̃] *adj.* (7) erbaulich; **~cateur** [~fika'tœːr] *m* Erbauer *m*; **~cation** [~ka'sjɔ̃] *f* **1.** ⚠ Errichtung *f*; **2.** *fig.* Erbauung *f*, innere Besinnung *f*; Aufbau *m*.

édifi|ce [edi'fis] *m* **1.** *großartiges* Gebäude *n*, Bauwerk *n*, Prachtbau *m*; **2.** *fig.*, *a.* ⚠ Struktur *f*; Aufbau *m*; **~er** [~'fje] *v/t.* (1a) **1.** er-, aufbauen, errichten; **2.** *fig.*, *a. rl.* erbauen; **3.** ~ *q. sur qch.* j-n über etw. (*acc.*) belehren; *je suis édifié sur ses intentions* ich bin über seine Absichten auf dem laufenden; *je suis édifié* ich weiß, woran ich bin; ich bin im Bilde.

édi|le *hist.* [e'dil] *m* Ädil *m*; *les* **~s** die Stadtväter *m/pl.*, der Magistrat; **~litaire** [~li'tɛːr] *adj.* Magistrats...; **~lité** [edili'te] *f* Stadtverwaltung *f*; Tiefbauamt *n*; **~s** *pl.* Erschließung *f* (*Gas*, *Wasser*, ⚡).

édit *hist.* [e'di] *m* Edikt *n*.

édi|ter [edi'te] (1a) **I** *v/t. ein Werk* herausgeben, verlegen; **II** *v/rfl. s'*~ verlegt werden, erscheinen; **~teur** [~'tœːr] *su.* (7f) Herausgeber *m*, Verleger *m*; *maison f éditrice* Verlag *m*; **~tion** [~'sjɔ̃] *f* Ausgabe *f*, Auflage *f e-s Buches*; *nouvelle* ~ Neuauflage *f*; ~ *portative* Taschenausgabe *f*; ~ *refondue*, ~ *remaniée* neubearbeitete Auflage *f*; **~tionner** [~sjɔ'ne] *v/t.* (1a) mit e-m Vermerk über Auflage u. Auflagenhöhe versehen; **~to** F [~'to] *m*, **~torial** [~tɔ'rjal] *m* (5c) Leitartikel *m*; **~torialiste** [~tɔrja'list] *su.* Leitartikler *m*.

édredon [edrə'dɔ̃] *m* Daunendecke *f*; Deck-, Feder-bett *n*.

éduca|bilité [edykabili'te] *f* Erziehbarkeit *f*; Bildungsfähigkeit *f*; **~ble** [~'kablə] *adj.* erziehbar; bildungsfähig; **~teur** [~'tœːr] (7f) **I** *su.* Erzieher *m*; **II** *adj.* erzieherisch; **~tif** [~'tif] **I** *adj.* (7e) erzieherisch; *film m* ~ Lehrfilm *m*; **II** *m* Zweckgymnastik *f*, spezielle Übungen *f/pl.*; **~tion** [~ka'sjɔ̃] *f* **1.** Erziehung *f*; Ertüchtigung *f*; Bildung *f*; Heranbildung *f*; Ausbildung *f*; ~ *mixte* Koedukation *f*; ~ *permanente* Weiterbildung *f*; ~ *populaire* Volksbildung *f*, -erziehung *f*; ~ *professionnelle* Fachbildung *f*; ~ *physique* Leibeserziehung *f*, Körperschulung *f*; *subvention f d'*~ Erziehungsbeihilfe *f*; **2.** *fig.* (gutes) Benehmen *n*; **~tionnel** [~kasjɔ'nɛl] *adj.* (7c) Bildungs...

édulco|rant [edylkɔ'rɑ̃] *m* Süßstoff *m*; **~ration** [~rɑ'sjɔ̃] *f* **1.** *phm.* Hinzufügen *n* von Süßstoff; **2.** *fig.* Milderung *f*; **~rer** [~'re] *v/t.* (1a) **1.** *phm.* Süßstoff hinzufügen; **2.** *fig.* mildern.

éduquer [edy'ke] *v/t.* (1m) erziehen, ertüchtigen, schulen, bilden.

éfaufiler [efofi'le] *v/t.* (1a) ausfasern.

effa|çable [efa'sablə] *adj.* auslöschbar; **~cé** [~'se] *adj.* unscheinbar (*Person*); zurückhaltend; **~cement** [~s'mɑ̃] *m* **1.** Auslöschen *n*, Tilgung *f*; Streichen *n*; Löschen *n* (*Tonband*); **2.** *fig.* bescheidenes Zurücktreten *n*, Bescheidenheit *f*; **~cer** [~] (1k) **I** *v/t.* **1.** auswischen, auslöschen, ausradieren, ausstreichen; tilgen; **2.** *fig.* in den Schatten stellen, überragen, verdrängen, übertreffen; **3.** *~ les épaules* die Schultern einziehen, die Brust herausnehmen, sich (schön) geradehalten; *~ le corps* den Körper zurücknehmen, etw. zur Seite treten (*beim Tanzen od. Fechten*); **II** *v/rfl. s'~* erlöschen, ausgelöscht *usw.* werden, vergehen, sich verwischen; bescheiden beiseite treten, zurücktreten, in den Hintergrund treten; *esc.* den Körper zurücknehmen; *allg.*, *Sport*: zurückbleiben.

effa|rement [efar'mɑ̃] *m* Bestürzung *f*; **~rer** [~'re] (1a) **I** *v/t.* bestürzt machen, außer sich bringen; **II** *v/rfl.* s'~ außer sich geraten.

effaroucher [efaru'ʃe] (1a) **I** *v/t.* **1.** auf-, ver-scheuchen; **2.** scheu machen; *fig.* abschrecken; verschüchtern; **II** *v/rfl.* s'~ scheu werden; s'~ *d'un rien* (sich) über eine Kleinigkeit erschrecken; *se laisser ~* sich einschüchtern lassen.

effec|tif [efɛk'tif] **I** *adj.* (7e) □ wirklich, echt *fig.*, faktisch, real, effektiv, tatsächlich; ⚕ *capital ~* Aktivvermögen *n*; **II** *m* Effektivbestand *m*, Stärke *f*; wirklicher Bestand *m*, Ist-Bestand *m*; *écol.* *l'~ de trois classes* die Gesamtzahl von drei Klassen; *écol.* *~ des classes* Klassenstärke *f*; *allg.* *~ théorique*, *~ prévu* Sollstärke *f*; *bsd.* ⚔ *~ des rationnaires* Verpflegungsstärke *f*; *~s pl.* (*de guerre*) (Kriegs-)Stärke *f*; *~s pl.* Personalbestand *m*; **~tuer** [~'tɥe] **I** *v/t.* ausführen, verwirklichen, leisten, machen; *ein Geschäft* tätigen; *~ un paiement* eine Zahlung leisten; *~ une promesse* ein Versprechen erfüllen; *à ~* ausführbar; **II** *v/rfl.* s'~ sich vollziehen.

efféminé|né [efemi'ne] *adj.* feminin, weichlich; **~ner** [~'ne] *v/t.* (1a) weibisch machen, verweichlichen.

efferves|cence [efɛrvɛ'sɑ̃:s] *f* ⚗, *a. fig.* Aufbrausen *n*; *fig.* Aufregung *f*, Unruhe *f*, Gärung *f*; **~cent** [~'sɑ̃] *adj.* (7) ⚗, *a. fig.* (auf)brausend; *fig.* erregt, brodelnd; leicht erregbar.

effet [e'fɛ] *m* **1.** Wirkung *f*, Ergebnis *n*, Folge *f*, Effekt *m*; *~ utile* Nutzleistung *f*; **2.** Eindruck *m*; *~s de l'ensemble* Gesamteindruck *m*; *faire à q. l'~ de ...* j-m den Eindruck von ... machen, j-m wie ... vorkommen; *il me fait l'~ d'un fou* er kommt mir vor wie ein Blödling; **3.** Effekt *m*; *phrase f à ~* auf Effekt berechneter Satz; *recherche f de l'~* Effekthascherei *f*; **4.** Ausführung *f*, Verwirklichung *f*; Zweck *m*; *mettre à ~* verwirklichen; *en venir aux ~s* zur Tat schreiten, zur Verwirklichung übergehen; *prendre ~* in Kraft treten (*Vertrag*); *produire son ~* sich·auswirken; *à quel ~?* zu welchem Zweck?; *à cet ~* zu diesem Zweck; diesbezüglich, deshalb; *advt.* *en ~* in der Tat, wirklich; effektiv; **5.** *~s pl.* Kleidungsstücke *n/pl.*; Sachen *f/pl.*, Gepäck *n*; *~ d'habillement* Bekleidungs-, Uniform-stück *n*; *~s de campement* Lagergerätschaften *f/pl.*; **6.** *~s pl.* Güter *n/pl.*, Vermögen(sstücke *n/pl.*) *n*, Habe *f*; *~s mobiliers* Mobiliarvermögen *n*; **7.** ⚕ *~s (de commerce)* Wechsel *m/pl.*, Schecks *m/pl.* (*u. andere Kreditpapiere*); Effekten *pl.*, Vermögenswerte *m/pl.*; *~ (remis) à l'encaissement* Inkassowechsel *m*; *~ fictif* Kellerwechsel *m*; *~s publics* Staatspapiere *n/pl.*; **8.** *~ dynamique* mechanische Leistung *f e-r Kraft*; **9.** ⚔ *~ de mine (d'éclatement, d'explosion, du tir)* Trichter- (Splitter-, Spreng-, Feuer-)wirkung *f*; *~ utile* Schußwirkung *f*.

effeuil|lage [efœ'ja:ʒ] *m* Abblättern *n* (*als Handlung*); *fig.* Entkleidungsnummer *f*, Striptease *n*; **~laison** [~jɛ'zɔ̃] *f* Abfallen *n* der Blätter; **~ler** [~'je] (1a) **I** *v/t.* abblättern, abrupfen; **II** *v/rfl.* s'~ das Laub verlieren; **~leuse** [~'jø:z] *f* Stripteasetänzerin *f*.

effica|ce [efi'kas] *adj.* □ wirksam; **~cité** [~si'te] *f* Wirkungskraft *f*, Wirksamkeit *f*; *phys.* Leistung *f*; *éc.* Wirtschaftsaufschwung *m*; ⚔ Wirkung *f*.

efficience [efi'sjɑ̃:s] *f* Wirksamkeit *f*; ⊕ Leistung *f*; *menschliche* Leistungsfähigkeit *f*.

efficient [efi'sjɑ̃] *adj.* (7) *phil.* wirkend; *allg.* wirksam; *Person*: fähig, tüchtig; *éc.* leistungsfähig, wirtschaftlich.

effigie [efi'ʒi] *f bsd. num.* Bildnis *n*.

effi|lage [efi'la:ʒ] *m text.* Ausfasern *n*; *méc.* Abschärfung *f*; **~lé** [~'le]

I *adj.* zugespitzt, dünn; schlank, schmächtig, schmal, lang; *Auto*: stromlinienförmig; *fig.* scharf, spitz; *langue f* ~*e fig.* scharfe Zunge *f*; II *m* Franse *f*; ~**lement** ⊕ [efil'mã] *m* sich verjüngende Form *f*; ~**ler** [efi'le] (1a) I *v/t.* ausfasern, ausfädeln, ausfransen; *Haar* gleichmäßig ausschneiden; *méc.* abschärfen; *ch. die Hunde* müde hetzen; II *v/rfl.* s'~ sich ausfasern.

effil|ochage [efilɔ'ʃa:ʒ] *m* Zerreißen *n* der Lumpen; ~**oche** *text.* [~'lɔʃ] *f* Flockseide *f*; ~**oché** *text.* [~lɔ'ʃe] *m* Reißwolle *f*; ~**ocher** [~] *v/t.* (1a) zerfasern, Lumpen zerreißen; ~**ocheuse** *text.* [~'ʃø:z] *f* Zerreißmaschine *f*, Lumpenwolf *m*.

efflan|qué [eflã'ke] *adj.* dürr, schmächtig, kraftlos, ausgemergelt; *fig.* kraftlos, fade, seicht (*Stil*).

effleurer [eflœ're] *v/t.* (1a) 1. streifen, leicht berühren, ritzen, schrammen; 2. *fig.* ~ *une question* e-e Frage streifen (*od.* antippen, kurz anschneiden).

effleurir ⚒, *min.* [~'ri:r] *v/i.* (2a) ausblühen, verwittern.

efflores|cence [eflɔrɛ'sã:s] *f* 1. ⚘ Befall *m* (*v. Früchten*); 2. ⚒, *min.* Auswittern *n*, Ausblühung *f auf Mauern*, Effloreszenz *f*; 3. ⚕ Hautausschlag *m*; 4. *fig. litt.*, *peint.* Blütezeit *f*; ~**cent** [~'sã] *adj.* (7) 1. ⚒, *min.* verwitternd; 2. *fig.* aufblühend.

efflu|ent *phys.* [efly'ã] I *adj.* (7) ausströmend; II *m* Abwässer *n/pl.*; ~**ve** [e'fly:v] *m* Ausdünstung *f*, Ausströmung *f*; *fig.* Fluidum *n*.

effon|drement [efɔ̃drə'mã] *m* 1. Einsturz *m*, Sturz *m*; *fig.*, *bsd. pol.* Zusammenbruch *m*, Zerfall *m*, Krach *m*; Niedergeschlagenheit *f*; Scheitern *n* (*Plan*); ~ *des prix* Preissturz *m*; 2. ⚘ tiefes Umpflügen *n*; ~**drer** [~'dre] (1a) I *v/t.* 1. einschlagen, einstoßen, eintreten; *chemin m effondré* ausgehöhlter (*od.* grundloser) Weg *m*; ~ *un coffre* den Boden e-s Koffers einstoßen; *fig. effondré* herunterkommen; *aux joues effondrées* mit eingefallenen Backen; 2. ⚘ tief umpflügen *od.* umgraben; II *v/rfl.* s'~ sinken, sich setzen, einstürzen; *fig.* zusammenbrechen.

ef|forcer [efɔr'se] (1k) *v/rfl.* s'~ (de) sich anstrengen, sich bemühen (zu ...); ~**fort** [e'fɔ:r] *m* 1. Anstrengung *f*; *faire un* ~ sich anstrengen; *faire un* ~ *sur soi-même* sich selbst überwinden; *il est à bout d'*~*s* er kann nicht weiter, er ist am Ende s-r Kunst; 2. Bemühung *f*, Streben *n*, Versuch *m*; *fig.* ~ *de l'art* Meisterstück *n* der Kunst; 3. ~ *de l'eau* Gewalt *f* des Wassers; *l'*~ *de la guerre* die ganze Last des Krieges; ⚔ ~ *principal* Schwerpunkt *m*; 4. ⊕ Kraftäußerung *f e-r Maschine*, Beanspruchung *f*, Druck *m*; *méc.* ~ *de traction* Zugkraft *f*; *transmission f d'*~*s* Kraftübertragung *f*.

effraction [efrak'sjɔ̃] *f* Einbruch *m*; *vol m avec* ~ Einbruchsdiebstahl *m*.

effraie [e'frɛ] *f* Schleiereule *f*.

effranger [efrã'ʒe] *v/t.* (1l) ausfransen.

effray|ant [efrɛ'jã] *adj.* (7) fürchterlich, schrecklich; F riesig; ~**er** [~'je] (1i) I *v/t.* erschrecken, in Schrecken setzen, aufscheuchen; II *v/rfl.* s'~ de (sich) erschrecken über (*acc.*).

effréné [efre'ne] *adj.* zügellos, unbändig.

effrit|ement [efrit'mã] *m* Verwitterung *f*, Abbröckeln *n*; *fig.* Zerfall *m*, Schwund *m*; ~**er** [~'te] (1a) I *v/t.* 1. *Ackerboden* bröckelig machen; aussaugen; 2. *fig.* unterminieren; II *v/rfl.* s'~ verwittern, zerbröckeln; *fig.* sich auflösen, schwinden.

effroi [e'frwa] *m* Entsetzen *n*.

effron|té [efrɔ̃'te] I *adj.* frech, unverschämt; II *su.* freche Person *f*; ~**tément** [~te'mã] *adv.* frech, unverschämt; *le sport se commercialise* ~ der Sport wird in schamloser Weise zu einer Geschäftsangelegenheit; ~**terie** [~'tri] *f* Frechheit *f*, Unverschämtheit *f*.

effroyable [efrwa'jablə] *adj.* □ entsetzlich, fürchterlich, furchtbar.

effusion [efy'zjɔ̃] *f* 1. (*sans*) ~ *de sang* (ohne) Blutvergießen *n*; 2. *fig.* ~ (*du cœur*) Herzenserguß *m*; ~ *de tendresse* überströmende Zärtlichkeit *f*; *parler avec* ~ aus vollem Herzen sprechen; *s'embrasser avec* ~ sich auf das herzlichste umarmen (*od.* küssen).

égailler [ega'je] *v/rfl.* s'~ sich zerstreuen.

égal [e'gal] I *adj.* (5c) □ 1. gleich, gleich-förmig, -mäßig; ⩯ kongruent; *chances f/pl.* ~*es* Chancengleichheit *f*; 2. gleichgültig; 3. sich gleichbleibend; 4. eben, flach; II *su.* 5. *der, die, das* Gleiche *od.* Ebenbürtige; *mon* ~ meinesgleichen; *entre égaux* mit (*od.* unter) seinesgleichen; *il n'est pas son* ~ *en force* er kommt ihm an Kräften nicht gleich; **6.** *advt.* *d'*~ als Gleicher, als Gleichen; *traiter q. d'*~ *à* ~ *avec q.* j-n wie seinesgleichen behandeln, mit j-m wie mit seinesgleichen umgehen; ~ *en droits* gleichberechtigt; **7.** *advt.* *à l'*~ *de* ... (ebenso) wie ..., ebensosehr wie ...

éga|lable [ega'labl∂] *adj.* dem man gleichkommen kann; **~lé** [~'le] *adj.*: *non* ~ unerreicht; **~lement** [~l'mɑ̃] *adv.* auf gleiche Art u. Weise; ebenfalls; gleichfalls; auch; **~ler** [~'le] *v/t.* (1a) **1.** ~ *q.* (*qch.*) j-m (e-r Sache) gleichkommen *od.* gleich sein; **2.** ⩚ gleich sein; **3.** *Sport*: ~ *un record* die gleiche Zeit (*od.* Punktzahl) erreichen; **4.** ~ *q. à q.* j-n e-m anderen gleichstellen; **~lisateur** [~liza'tœ:r] *adj.* (7f) ausgleichend, Ausgleichs...; **~lisation** [egaliza'sjɔ̃] *f a. Sport*: Ausgleich *m*; **~liser** [~'ze] (1a) **I** *v/t.* **1.** gleichmachen, gleichmäßig verteilen; **2.** eben machen, ebnen, planieren; **3.** *a. Sport*: ausgleichen; **II** *Sport v/i.* ein Unentschieden erzielen; **~liseur** ⊕ [~li'zœ:r] *adj.* (7g) entzerrend (*Tonband*); **~litaire** [~'tɛ:r] **I** *adj.* sozialer Gleichstellung; *péj.* gleichmacherisch; *doctrines f/pl.* ~*s* Lehren von der Gleichheit aller Menschen; **II** *m* = ~*litariste*; **~litarisme** [~ta'rism] *m* soziale Gleichstellung *f*; *péj.* Gleichmacherei *f*; **~litariste** *pol.* [~ta'rist] *su.* Vertreter *m* des Gedankens der Gleichberechtigung; **~lité** [~'te] *f* **1.** Gleichheit *f*; ~ *devant la loi* Rechtsgleichheit *f*; ~ *de droits* Gleichberechtigung *f*, Rechtsgleichheit *f*; *sur le pied d'*~ auf gleichem Fuß; ~ *d'humeur*, ~ *d'âme* Gleichmut *m*; **2.** *Sport*: Ausgleich *m*, Einstand *m* (*bsd. a. Tennis*); **3.** Ebenheit *f*, Flachheit *f*.

égard [e'ga:r] *m* **1.** Hinsicht *f*, Beziehung *f*; *à cet* ~ in dieser Hinsicht; *à maints* (*à tous* [*les*]) ~*s* in mancher (jeder) Beziehung; *aimable à l'*~ *de ses clients* liebenswürdig zu s-n Kunden; *à son* ~ ihm gegenüber; *eu* ~ *à*, *par* ~ *à* (*od. pour*) im Hinblick auf, mit Rücksicht auf; *sans* ~ *pour* ohne Rücksicht auf; **2.** ~*s pl.* Rücksicht(nahme *f*) *f*, Achtung *f*, Aufmerksamkeiten *f/pl.*; *avoir de grands* ~*s pour q.* j-m mit großer Hochachtung begegnen; *manque m d'*~*s* Rücksichtslosigkeit *f*; *manquer aux* ~*s* keinen Anstand haben; *manquer d'*~*s envers q.* j-n rücksichtslos behandeln.

éga|ré [ega're] *adj.* **1.** verlaufen, verirrt (*Mensch*, *Tier*); verfahren (*Autofahrer*); **2.** verlegt, weg (*Gegenstand*); **3.** *fig.* verwirrt, wirr, verstört; **~rement** [~r'mɑ̃] *m* **1.** Verirrung *f*; *fig.* ~ *de l'esprit* Geistesverwirrung *f*; ~*s pl. de jeunesse* Jugendverfehlungen *f/pl.*; **2.** Aufregung *f*; **~rer** [~'re] (1a) **I** *v/t.* fehlleiten; den falschen Weg zeigen (*dat.*); zu Irrtümern verleiten; *fig.* verführen; **2.** verwirren; ~ *l'esprit* den Verstand rauben; *avoir l'air égaré* verstört aussehen; **3.** verlegen; *il a égaré ses lunettes* er hat seine Brille verlegt; **II** *v/rfl.* *s'*~ sich verirren; sich verlaufen; sich verfahren; *fig. vom Thema* abschweifen; außer sich kommen; verlegt werden; abhanden kommen, in Verlust geraten; *ta lettre s'est égarée* dein Brief ist verlorengegangen.

égayer [egɛ'je] (1i) **I** *v/t.* **1.** aufheitern, ermuntern; **2.** angenehmer (*od.* gefälliger) machen; ✓ ~ *un arbre* einen Baum lichten; **II** *v/rfl.* *s'*~ sich erheitern, lustig werden; *s'*~ *sur le compte* (*od. aux dépens*) *de q.* sich über j-n lustig machen.

égérie [eʒe'ri] *f* Ratgeberin *f*; Muse *f*.

égide [e'ʒid] *f*: *sous l'*~ *de* unter der Schirmherrschaft *f* (*gén.*).

églan|tier [eglɑ̃'tje] *m* Heckenrosenstrauch *m*; *fruit m de l'*~ Hagebutte *f*; **~tine** [~'tin] *f* wilde Rose *f*.

église [e'gli:z] *f* **1.** Kirche *f*; Gotteshaus *n*; *aller à l'*~ in die Kirche gehen; ♀ *nationale* Staatskirche *f*; *l'*♀ *catholique* (*protestante*) die katholische (protestantische) Kirche; *l'*♀ *militante* die streitende Kirche; **2.** *hist.* *Etats m/pl. de l'*♀ Kirchenstaat *m/sg.*

églogue *litt.* [e'glɔg] *f* Ekloge *f*.

égocen|trique *psych.* [egɔsɑ̃'trik] *adj.* egozentrisch, alles auf das eigene Ich beziehend; **~trisme** [~'trism] *m* Ichbezogenheit *f*.

égoïne ⊕ [egɔ'in] *f* Fuchsschwanz *m*, Stichsäge *f*.

égo|ïsme [egɔ'ism] *m* Egoismus *m*, Selbstsucht *f*; **~ïste** [~'ist] **I** *adj.* □ egoistisch, selbstsüchtig; **II** *su.* Egoist *m*, selbstsüchtiger Mensch *m*; **~lâtrie** [~lɑ'tri] *f* Anbetung *f* des eigenen Ichs.

égor|gement [egɔrʒ∂'mɑ̃] *m* Ermordung *f*; **~ger** [~'ʒe] *v/t.* (1l) die Kehle durchschneiden (*dat.*), niedermetzeln; *fig.* übers Ohr hauen; **~geur** [~'ʒœ:r] *su.* (7g) Mörder *m*; *fig.* Halsabschneider *m*.

égosiller [egɔzi'je] (1a) *v/rfl.* s'~ sich heiser schreien, sich überschreien.
égo|tisme [egɔ'tism] *m* Egotismus *m*, Ichkult *m*; **~tiste** [~'tist] *adj. u. m* ichbetont(er Mensch *m*).
égout [e'gu] *m* **1.** Abfluß *m*; **2.** *eaux f/pl.* d'~ herabfließendes Wasser *n*; Abflußwasser *n*; **3.** ~ *du toit* Abflußrinne *f*; **4.** *bsd. pl.* ~s Kanalisation *f*, Gully *m*, Abflußkanal *m*; **~ier** [~'tje] *m* Kanalarbeiter *m*.
égout|tage [egu'ta:ʒ] *m*, **~tement** [~t'mɑ̃] *m* Abtröpfeln(lassen *n*) *n*; Trockenlegung *f*, Entwässerung *f*; **~ter** [~'te] (1a) **I** *v/t.* abtropfen lassen; ⚒ trockenlegen, entwässern; **II** *v/rfl.* s'~ ablaufen, abtropfen; **~toir** [~'twa:r] *m* ⊕ Abtropfgestell *n*; *cuis.* Tropfbrett *n*; *phot.* Trokkenständer *m*; **~ture** [~'ty:r] *f* Rest *m aus e-r Flasche*.
égrapper [egra'pe] *v/t.* (1a) abbeeren.
égratign|er [egrati'ɲe] *v/t.* (1a) **1.** zerschrammen; (zer)kratzen, ritzen; *fig.* ~ *q.* j-n leicht kränken, über j-n herziehen; **2.** ⊕ *Seidenzeug* aufrauhen; **3.** *peint.* schraffieren; *manière f égratignée* Sgraffito *n*; **~ure** [~'ɲy:r] *f* Streif-, Kratz-wunde *f*, Schramme *f*; *fig.* (leichte) Kränkung *f od.* Kritik *f*.
égravillonner ⚒ [egravijɔ'ne] *v/t.* (1a) die Wurzeln *e-s Baumes* zum Umpflanzen freilegen.
égrenage [egrə'na:ʒ] *m* Auskörnen *n*; Abbeeren *n*.
égren|er [egrə'ne] (1d) **I** *v/t.* **1.** auskörnen; abbeeren; **2.** *rl.* ~ *son* (*od.* *le*) *chapelet* den Rosenkranz abbeten (*od.* herbeten *od. mv.p.* runterleiern); **3.** *fig.* mechanisch bekanntgeben, herunterleiern; **II** *v/rfl.* s'~ **4.** abfallen (*von Beeren*); **5.** *fig.* sich auflösen; **6.** *Auto*: davonsausen; **~euse** ⚒ [~'nø:z] *f* Auskörnmaschine *f*.
égrill|ard [egri'ja:r] *adj.* (7) frech, anzüglich, allzu gewagt; **~oir** [~'jwa:r] *m* **1.** Teichabfluß *m*; **2.** Fischreuse *f*.
égri|sage [egri'za:ʒ] *m* Abschleifen *n* (*Diamant*); **~sée** [~'ze] *f* Diamantpulver *n*; **~ser** [~] *v/t.* (1a) *Diamanten, Marmor usw.* abschleifen.
égrotant *litt.* [egrɔ'tɑ̃] *adj.* kränklich.
égrug|eage [egry'ʒa:ʒ] *m* Zerstampfen *n*; **~eoir** [~'ʒwa:r] *m* Holzmörser *m*, Stampfbüchse *f*; **~er** [~'ʒe] *v/t.* (1l) zerstampfen.
égueulé [egœ'le] *adj.* mit ausgezacktem Rand.
Égypte [e'ʒipt] *f*: **l'~** Ägypten *n*.
égyp|tien [eʒip'sjɛ̃] (7c) **I** *adj.* ägyptisch; **II** ♀ *su.* Ägypter *m*; **~tologie** [~ptɔlɔ'ʒi] *f* Ägyptologie *f*.
eh [e] *int.* he!, hallo!; *Erstaunen*: ach!; *Schmerz*: au!; ~ *bien!*, F ~ *ben!* [bɛ̃] nun? na und?; nun gut!; ~ *bien, mais* ... alles gut und schön, aber ...
éhonté [eɔ̃'te] *adj.* schamlos; unverschämt, frech.
eider [e'dɛ:r] *m* Eiderente *f*.
Eiffel [ɛ'fɛl] *m*: *la tour* ~ der Eiffelturm.
éjacu|lation *physiol.* [eʒakylɑ'sjɔ̃] *f* Samenerguß *m*; **~ler** [~'le] *v/t.* (1a) *den Samen* ausspritzen.
éject|able ✈ [eʒɛk'tablə] *adj.*: *siège m* ~ Schleudersitz *m*; **~er** [~'te] *v/t.* (1a) heraus-schleudern, *a.* F *fig.* -werfen; **~eur** ⊕ [~'tœ:r] *m* Auswerfer *m*; *absaugende* Strahlpumpe *f*; **~ion** [~k'sjɔ̃] *f* **1.** *géol.* Auswurf *m*; ✈ Herausschleudern *n*; ⚔ *tuyau m d'~* Ausstoßrohr *n* (*beim MG*); **2.** ⚕ Ausscheidung *f*.
élabo|ration [elabɔrɑ'sjɔ̃] *f* Aus-, Ver-arbeitung *f*, Herstellung *f*; **~rer** [~'re] *v/t.* (1a) aus-, be-, verarbeiten.
éla|gage [ela'ga:ʒ] *m* **1.** ⚒ Ausschneiden *n der Zweige*, Auslichten *n*; *fig.* Beseitigung *f* des unnützen Beiwerks; **2.** ausgeschnittene Zweige *m/pl.*; **~guer** [~'ge] *v/t.* (1m) ⚒ *e-n Baum* lichten *od.* ausästen; *fig.* verkürzen.
élaïomètre [elajɔ'mɛ:trə] *m* Ölmesser *m*.
élan¹ [e'lɑ̃] *m* **1.** Anlauf *m*, Satz *m*, Sprung *m*; *prendre son* ~ e-n Anlauf nehmen; **2.** *fig.* Schwung *m*, Elan *m*, Begeisterung *f*; *fig.* Stoßkraft *f*, Schmiß *m*; *plein d'~* schmissig; ~ *de générosité* Anwandlung *f* von Großzügigkeit.
élan² *zo.* [~] *m* Elen(tier *n*) *n*, Elch *m*.
élan|cé [elɑ̃'se] *adj.* schlank; hoch aufgeschossen; **~cement** [~s'mɑ̃] *m* **1.** ⚕ stechender Schmerz *m*; **2.** *litt.* ~s *pl. de l'âme* Aufschwung *m/sg.* der Seele; **~cer** [~'se] (1k) **I** *v/i.* **1.** stechen, heftig schmerzen; *le doigt m'élance* ich habe Stiche im Finger; **II** *v/rfl.* s'~ **2.** sich stürzen, losbrechen; *fig.* sich emporschwingen **3.** in die Höhe ragen.
élar|gir [elar'ʒi:r] (2a) **I** *v/t.* **1.** breiter (*od.* weiter) machen; *a. fig.* erweitern; *Kleider* auslassen; *pol.*

Communauté élargie erweiterte Gemeinschaft *f*; **2.** ⚖ freilassen; **II** *v/i.* F in die Breite gehen; **III** *v/rfl.* *s'*~ sich erweitern, breiter (*od.* weiter) werden; **~gissement** [~ʒis'mɑ̃] *m* **1.** Ausweitung *f*, Erweiterung *f*, Verbreiterung *f*; *fig.* Ausdehnung *f* (*sur* auf [*acc.*]); **2.** ⚖ Freilassung *f*.

élasti|cité [elastisi'te] *f* Dehnbarkeit *f*; *a. fig.* Spannkraft *f*, Elastizität *f*; **~que** [~'tik] **I** *adj.* elastisch, federnd, dehnbar; *force f* ~ Federkraft *f*; *sommier m* ~ Springfedermatratze *f*; **II** *m* (elastisches) Gummiband *n*.

élastomère [elastɔ'mɛːr] *m* Elastomer *n*, Weichmacher *m*, kautschukelastischer Stoff *m*.

élater *m*, **élatère** *m* [ela'tɛːr] **1.** ⚘ Springfaden *m*; **2.** *ent.* Springkäfer *m*.

élatéromètre *phys.* [elaterɔ'mɛːtrə] *m* Dampf-, Gas-druckmesser *m*.

élation *litt.* [ela'sjɔ̃] *f*: *en état d'*~ in gehobener Stimmung.

élavé *ch.* [ela've] *adj.* falb.

eldorado [ɛldɔra'do] *m* Eldorado *n*.

élec|teur [elɛk'tœːr] *su.* (7f) **1.** Wähler *m*; **2.** *hist.* Kurfürst *m*; **~tif** [~'tif] *adj.* (7e) Wahl...; *roi m* ~ Wahlkönig *m*; **~tion** [~k'sjɔ̃] *f pol.* Wahl *f*; *l'*~ *du président* die Wahl des Präsidenten; ~ *primaire* Ur-abstimmung *f*, -wahl *f*; ~ *proportionnelle* Verhältniswahl *f*; ~*s f/pl. à liste unique* Einheitslistenwahlen *f/pl.*; ~*s f/pl. anticipées* vorgezogene Wahlen *f/pl.*; *fig.* *d'*~ auserwählt; **~tivité** [~tivi'te] *f* Wählbarkeit *f*; **~toral** [~tɔ'ral] *adj.* (5c) **1.** Wahl...; *campagne f* ~*e* Wahlkampf *m*; *circonscription f* ~*e* Wahlbezirk *m*; *collège m* ~ Wähler *m/pl.* e-s Wahlbezirks; *corps m* ~ Wählerschaft *f*, (alle) Wähler *m/pl.*; *comité m* ~ Wahlvorstand *m*; *loi f* ~*e* Wahlgesetz *n*; *liste f* ~*e* Wählerliste *f*; *manifeste m* ~ Wahlaufruf *m*; *réunion f* ~*e* Wahlversammlung *f*; **2.** *hist.* kurfürstlich; Kur...; **~toralisme** *péj.* [~tɔra'lism] *m* Wahlmache *f*, Wählerfang *m*; **~toraliste** [~tɔra'list] **I** *adj.* wahlpropagandistisch; **II** *su.* Wahlpropagandist *m*; **~toralité** [~tɔrali'te] *f* Wählerschaft *f*, Wahlbezirk *m*; **~torat** [~tɔ'ra] *m* **1.** Wahlrecht *n*; **2.** *hist.* Kurfürstentum *n*; **3.** *hist.* Kurwürde *f*.

électri|cien [elɛktri'sjɛ̃] *m* **1.** Elektriker *m*; *ingénieur-*~ Elektroingenieur *m*; **2.** *Fr.* Angestellte(r) *m* der franz. Elektrizitätswerke; **3.** Beleuchter *m im Theater*; **~cité** [~si'te] *f* **1.** Elektrizität *f*; ⚡ *compteur m d'*~ Stromzähler *m*; **2.** elektrisches Licht *n*.

électrifi|cation [elɛktrifika'sjɔ̃] *f* Elektrifizierung *f*; **~er** [~'fje] *v/t.* (1a) elektrifizieren.

électri|que [elɛk'trik] *adj.* **1.** elektrisch; Elektrizitäts...; **2.** *fig.* packend, überwältigend; **~sable** [~'zablə] *adj.* elektrisierbar; *fig.* leicht zu begeistern; **~sant** [~'zɑ̃] *adj.* (7) *fig.* aufrüttelnd, begeisternd; **~sation** [~za'sjɔ̃] *f* Elektrisierung *f*; **~ser** [~'ze] (1a) *v/t.* Elektrizität erzeugen; *fig.* aufrütteln, begeistern.

électro ⚡ [elɛk'tro] *m* Elektromagnet *m*; ~ *à rappel* Rücklaufmagnet *m*; **~-aimant** [elɛktrɔɛ'mɑ̃] *m* Elektromagnet *m*; **~cardiogramme** ⚕ [~kardjɔ'gram] *m* Elektrokardiogramm *n*, *mst.*: EKG *n*; **~chimie** [~ʃi'mi] *f* Elektrochemie *f*; **~chimique** [~ʃi'mik] *adj.* elektrochemisch; **~choc** ⚕ [~'ʃɔk] *m* Elektroschock *m*.

électrocu|ter [elɛktrɔky'te] *v/t.* (1a) durch elektrischen Strom töten; *s'*~, *être électrocuté* durch Elektrizität getötet werden; **~tion** ⚕ ⚡ [~ky'sjɔ̃] *f* tödlicher Schlag *m*; Tötung *f* durch elektrischen Strom.

électrode [elɛk'trɔd] *f* Elektrode *f*.

électrodynam|ique [elɛktrɔdina'mik] **I** *adj.* elektrodynamisch; **II** *f* Elektrodynamik *f*; **~omètre** [~mɔ'mɛːtrə] *m* Elektrodynamometer *n*.

électro-encéphalo|gramme ⚕, ⚡ [elɛktrɔɑ̃sefalɔ'gram] *m* Elektroenzephalogramm *n*; **~graphe** ⚕, ⚡ [~'graf] *m* Enzephalograph *m*.

électro|galvanique [elɛktrɔgalva'nik] *adj.* elektrogalvanisch; **~gène** [~'ʒɛn] *adj.* stromerzeugend; *groupe m* ~ Stromaggregat *n*; **~générateur** [~ʒenera'tœːr] *m* elektrischer Generator *m*; **~-hydraulique** [~trɔidro'lik] **I** *adj.* elektrohydraulisch; **II** *f* Elektrohydraulik *f*; **~lyse** [~'liːz] *f* Elektrolyse *f*; **~lyser** [~li'ze] *v/t.* (1a) elektrolysieren; **~magnétique** [~maɲe'tik] *adj.* elektromagnetisch; Tonband...; **~magnétisme** [~maɲe'tism] *m* Elektromagnetismus *m*; **~mécanicien** [~mekani'sjɛ̃] *su.* Elektromechaniker *m*; **~mécanique** [~meka'nik] **I** *adj.* elektromechanisch; **II** *f* Elektromechanik *f*; **~-ménager** [~mena'ʒe] *adj.* (7b): *appareils m/pl. électro-ménagers* elektrische Haus- u. Küchengeräte *n/pl.*; **~métallurgie** [~metalyr'ʒi] *f* Elektrometallurgie *f*; **~mètre** [~'mɛːtrə] *m* Elektrometer *n*; **~métrie** [~me'tri] *f* elektrometrische Maßanalyse *f*; **~moteur** [~mɔ'tœːr] *m u. adj.* (7f) Elektromotor *m*; elektromotorisch.

électron ⚡, *phys.*, *at.* [elɛk'trɔ̃] *m* Elektron *n*; **~ation** ⚗ [~trɔnɑ'sjɔ̃] *f* Bindung *f* e-s Elektrons an e-n Atomkern; **~icien** ⚡, *phys.*, *at.* [elɛktrɔni'sjɛ̃] *su.* Elektroniker *m*; **~ique** ⚡, *phys.*, *at.* [~trɔ'nik] **I** *f* Elektronik *f*; **II** *adj.* elektronisch.

électrophone ⚡, ♪ [~'fɔn] *m* Plattenspieler *m*, Phonokoffer *m*; ~ *en mallette* Kofferplattenspieler *m*.

électrophore [elɛktrɔ'fɔːr] *m* Elektrizitätserzeuger *m*, Elektrophor *m*.

électro|scope [elɛktrɔ'skɔp] *m* Elektroskop *n*; **~technicien** [~tɛkni'sjɛ̃] *su.* Elektrotechniker *m*; **~technique** [~tɛk'nik] **I** *adj.* elektrotechnisch; **II** *f* Elektrotechnik *f*; **~thérapie** [~tera'pi] *f* Elektrotherapie *f*.

élé|gamment [elega'mɑ̃] *adv.* elegant, vornehm, geschmackvoll; *parler* ~ gewählt sprechen; **~gance** [~'gɑ̃ːs] *f* Eleganz *f*, Geschmack *m*, Anmut *f*; Takt *m*, Haltung *f*; **~gant** [~'gɑ̃] (7) **I** *adj.* elegant, geschmackvoll, fein; **II** *su.* Modeherr *m*; *péj.* Geck *m*; ~e *f* Modedame *f*.

élé|giaque [ele'ʒjak] **I** *adj.* elegisch; *fig.* melancholisch; **II** *su.* Elegiker *m*; **~gie** [~'ʒi] *f* Elegie *f*, Klagelied *n*.

élément [ele'mɑ̃] *m* **1.** Element *n*; Lebenselement *n*; *être hors de son* ~ sich unbehaglich fühlen; *c'est son* ~ das ist sein Lieblings-gebiet *n*, -fach *n*; **2.** *a.* ⚗ Grund-, Ur-stoff *m*; wesentlicher Bestandteil *m*; Faktor *m*; ~ *traitant* Wirkstoff *m*; **3.** ~*s pl.* Grundlagen *f/pl.*, Grundzüge *m/pl.*; *a.* ⊕ Einzelteile *m/pl.*; *il en est encore aux* (*premiers*) ~*s* er ist noch bei den Anfangsgründen; *n'avoir pas les premiers* ~*s d'une science* von e-r Wissenschaft absolut nichts verstehen (*od.* keinerlei Ahnung haben); ~*s pl. de civilisation* Kulturträger *m/pl.*; **4.** Anbaumöbelstück *n*; ~ *mural* Wandschrank *m*.

élémentaire [elemɑ̃'tɛːr] *adj.* **1.** elementar, grundlegend; *fig.* elementar, einfach; ⚗ *molécules f/pl.* ~*s* unzerlegbare Moleküle *n/pl.*; *c'est* ~ das weiß doch jedes Kind; **2.** Elementar..., Anfangs...; *classes f/pl.* ~*s* unterste (Schul-)Klassen.

élémosinaire *litt.* [elemɔzi'nɛːr] *adj.* Almosen...

éléphant [ele'fɑ̃] *m* Elefant *m*; ~ *nain* Zwergelefant *m*; *fig. faire d'une mouche un* ~ aus e-r Mücke e-n Elefanten machen; **~esque** [~'tɛsk] *adj.* riesig, ungeheuer.

éleva|ge [el'vaːʒ] *m* Aufzucht *f*, Zucht *f*, Züchtung *f der Haustiere*; **~teur** [~va'tœːr] *m u. adj.*/*m*: **1.** ⊕ Hebemaschine *f*, Lastenaufzug *m*, Elevator *m*; *chariot m* ~ Gabelstapler *m*, Hubkarren *m*; **2.** *anat. muscle m* ~ Hebemuskel *m*; **~tion** [~vɑ'sjɔ̃] *f* **1.** Hebung *f*, Erhöhung *f*, Erhebung *f*; ~ *d'eau* Wasserförderung *f*; **2.** Erhebung *f zu Würden*; Emporkommen *n*; hohe Stellung *f*; ~ *à une dignité* (*au trône*) Erhebung *f* zu e-r Würde (auf den Thron); **3.** Steigen *n*; ~ *du pouls* Beschleunigung *f* des Pulses; ~ *des prix* Preissteigerung *f*, Hochgehen *n od.* Anziehen *n* der Preise; **4.** ✗ ~ *à une puissance* Potenzierung *f*; **5.** *géol.* Anhöhe *f*; **6.** *fig.* Erhabenheit *f*, Geistesgröße *f*; ~ *de sentiments* Adel *m* der Gesinnung; ~ *du style* Erhabenheit *f* des Stils; **7.** △, ✗ Höhenmaß *n*, Aufriß *m*; ~ *de devant*, ~ *antérieure* Vorderansicht *f*; ~ *longitudinale* Längenansicht *f*; ~ *latérale* Seitenansicht *f*; ~ *de derrière* Hinteransicht *f*; **8.** *ast. angle m d'*~ Höhenwinkel *m*; ~ *d'une étoile* Höhe *f* e-s Sterns; ~ *du pôle* Polhöhe *f*; **~toire** [~va'twaːr] *adj.* Hebe...; *appareil m* ~ Aufzug *m*, Hebegerät *n*; Hebevorrichtung *f*.

élève [e'lɛːv] **I** *su.* Schüler(in *f*) *m* (*a. e-r Autofahrschule*); *une* ~ e-e Schülerin *f*; ~ *m forain* (*auswärtiger*) Fahrschüler *m*; ~ *à orientation lente* Spätentwickler *m*; **II** *m* a) junges Zuchttier *n*; b) Sämling *m*, Pflänzling *m*; **~-pilote** ✈ [~pi'lɔt] *su.* (6a) Flugschüler *m*.

élever [el've] (1d) **I** *v/t.* **1.** erheben, erhöhen, höher setzen; *fig.* ~ *des difficultés* Schwierigkeiten verursachen; ~ *une vigoureuse protestation* e-n scharfen Protest erheben; ~ *des scrupules* Zweifel erregen; ~ *les eaux* das Wasser stauen; ~ *un mur* e-e Mauer ziehen; ~ *au trône* auf den Thron heben; *un lieu élevé* ein hochgelegener Ort *m*; ~ *la voix* die Stimme heben; *style m élevé* gehobener Stil *m*; ~ *aux nues* bis in den Himmel heben, zuhöchst loben; **2.** steigern; ~ *le prix* den Preis erhöhen; ~ *ses prétentions* s-e Ansprüche steigern; *d'un prix trop élevé* zu teuer; *température élevée* hohe Temperatur *f*; *pouls élevé* beschleunigter Puls *m*; **3.** ♪ ~ *le ton d'un morceau* ein Musikstück in e-e höhere Tonart umsetzen; *fig.* ~ *le ton* e-n andern Ton anschlagen; **4.** ⩚ ~ *un nombre au carré* e-e Zahl zum Quadrat erheben; ~ *à la cinquième puissance* mit 5 potenzieren; ~ *une perpendiculaire* ein Lot errichten; **5.** ⚠ erbauen, errichten; ~ *un monument* ein Denkmal errichten; ⚔ ~ *un ouvrage* ein Schanzwerk aufwerfen; **6.** großziehen, aufziehen; ~ *au biberon* aufpäppeln; ~ *du bétail* Viehzucht betreiben; **7.** erziehen; *un enfant bien élevé* ein wohlerzogenes Kind *n*; *bien élevé ein* gebildeter Mann *m*; **8.** ⚔ *ein Geschütz* richten; **II** *v/rfl.* s'~ **9.** sich erheben, *a.* ✈ aufsteigen; s'~ *en l'air* sich emporheben, aufsteigen; auffliegen (*Vögel*); s'~ *par terrasses* stufenförmig aufsteigen; s'~ *au-dessus de qch.* sich über etw. (*acc.*) hinwegsetzen; über etw. (*dat.*) erhaben sein; **10.** s'~ *contre q.* sich gegen j-n erheben, gegen j-n auftreten; **11.** *fig.* emporkommen; s'~ *à la connaissance de Dieu* sich zur Erkenntnis Gottes aufschwingen; **12.** erhöht (*od.* stolz) werden; s'~ *au-dessus de q.* sich über j-n hinwegsetzen, übergehen; **13.** s'~ *à* sich belaufen auf; **14.** stärker werden (*Ton*); steigen (*Temperaturen*); *le temps s'élève* die Temperatur steigt; **15.** sich auf- (*od.* groß-)ziehen lassen (*Tiere*); sich erziehen lassen (*Kinder*); **III** *v/imp. il s'élève* es erhebt sich; *il s'élève des opinions* es tauchen Meinungen auf, es werden Stimmen laut.

éle|veur [el'vœ:r] *su.* (7g) Viehzüchter *m*; **~veuse** [~'vø:z] *f* Brutapparat *m*.

élider *gr.* [eli'de] *v/t.* (1a) elidieren, *e-n Buchstaben* ausstoßen.

éligi|bilité [eliʒibili'te] *f* Wählbarkeit *f*, passives Wahlrecht *n*; **~ble** [~'ʒiblə] *adj.* wählbar.

élimé [eli'me] *adj.* abgetragen, abgewetzt, schäbig.

élimer [~] (1a) **I** *v/t.* abnutzen, abtragen; **II** *v/rfl.* s'~ sich abnutzen.

élimi|nateur [elimina'tœ:r] *adj.* (7f) Ausscheidungs...; **~nation** [~na'sjɔ̃] *f* Beseitigung *f*, Aussonderung *f*, Ausmerzung *f*; *Sport*: Ausscheidung *f*; *fig.* Kaltstellung *f*; Ausschaltung *f*; ~ *d'un obstacle* Beseitigung *f* e-s Hindernisses; *rad.* ~ *des perturbations* Störschutz *m*; **~natoire** [~na'twa:r] **I** *adj.* den Ausschluß bedingend, Ausscheidungs...; **II** ~*s f/pl.* Ausscheidungskämpfe *m/pl.*; **~ner** [~'ne] *v/t.* (1a) beseitigen, aussondern, ausmerzen, ausschalten, *fig.* kaltstellen; (weg-)räumen, beseitigen; *bsd. Sport*: ausscheiden.

élinde ⊕ [e'lɛ̃:d] *f* Eimerleiter *m* (*Bagger*).

élingue ⊕, ⚓ [e'lɛ̃:g] *f* Schlinge *f* (*am Tau*); **~r** [elɛ̃'ge] *v/t.* (1m) e-e Schlinge schlagen um (*acc.*).

élire [e'li:r] *v/t.* (4x) wählen (*durch Abstimmung*), ernennen; ~ *q. roi* j-n zum König wählen; ~ *q. à la majorité des voix* j-n durch Stimmenmehrheit wählen; ~ *au sort* durch Los wählen; ~ *domicile* sich niederlassen.

élision *gr.* [eli'zjɔ̃] *f* Elision *f*.

élit|e [e'lit] *f* Elite *f*, Auswahl *f*; *l'~ mondaine* die oberen Zehntausend *pl.*, die Elite der Gesellschaft; *troupes f/pl. d'~* Elitetruppen *f/pl.*; ~ *de la noblesse* Blüte *f* des Adels; **~isme** [~'tism] *m* elitäres Prinzip *n*; **~iste** [~'tist] *adj.* elitär.

élixir [elik'si:r] *m* Heiltrank *m*, Elixier *n*; ~ *de longue vie* Lebenselixier *n*.

elle [ɛl] *pr/p. f der 3. Person* (*pl.* ~*s*) sie; *à ~s trois, elles peuvent plus que moi* sie alle drei zusammen schaffen mehr als ich allein.

ellébore ⚘ [ɛle'bɔ:r] *m* Nieswurz *f*.

ellip|se [e'lips] *f* **1.** ⩚ Ellipse *f*; **2.** *gr. u.* ♪ Auslassung *f*; *faire ~ de* auslassen; **~tique** [~'tik] *a.* □ elliptisch.

élocution [elɔky'sjɔ̃] *f* Ausdrucksweise *f*, Vortragsart *f*, Diktion *f*; ~ *aisée* Redefertigkeit *f*.

élo|ge [e'lɔ:ʒ] *m* Lobrede *f*; ~ *funèbre* Grabrede *f*; *prodiguer les ~s à q.* j-n mit Lob überhäufen; *faire l'~ de q.* j-n loben; **~gieux** [elɔ'ʒjø] *adj.* (7d) lobend.

éloi|gné [elwa'ɲe] *adj.* fern, abgelegen, entlegen; *zeitlich*: weit zurückliegend; *ils sont parents ~s* sie sind weitläufig verwandt; **~gnement** [~ɲ'mɑ̃] *m* **1.** Entfernung *f*, Entfernen *n*; **2.** Ferne *f*, Abgeschiedenheit *f* (*e-s Dorfs*); Abwesenheit *f*; **3.** zeitlicher Abstand *m*; **~gner** [~'ɲe] (1a) **I** *v/t.* **1.** entfernen, fernhalten, wegstellen, abrücken; *fig.* verwerfen, beseitigen; *éloignez de vous ces tristes idées* schlagen Sie sich diese traurigen Gedanken aus dem Sinn; *être bien éloigné de* (*inf.*) noch weit davon entfernt sein zu ...; **2.** aufschieben, aufhalten, verzögern; **3.** zurückstoßen; **II** *v/rfl.* s'~ **4.** *s'~* (*beaucoup*) sich (weit) entfernen; *peint.* zurücktreten; *s'~ en courant* weglaufen; **5.** *fig. s'~ de* abweichen von, sich unterscheiden von (*dat.*); abschweifen von.

élongamètre ⚕ [elɔ̃ga'mɛtrə] *m* Längenmesser *m* (*zur Feststellung der Widerstandskraft u. Länge der Haare*).

élongation [elɔ̃ga'sjɔ̃] *f* **1.** *phys.* Aus-, Ab-weichung *f*, (Pendel-) Ausschlag *m*; **2.** ⚕ Dehnung *f*; **3.** *Sport*: (Körper-)Streckung *f*.

élo|quence [elɔ'kɑ̃:s] *f* Beredsamkeit *f*; *l'art m de l'~* die Rednerkunst; *~ du barreau* gerichtliche Beredsamkeit *f*; *~ de la tribune* parlamentarische Beredsamkeit *f*; **~quent** [~'kɑ̃] *adj.* (7) beredt; *fig.* ausdrucksvoll, bedeutsam.

élu [e'ly] *su.* Gewählte(r) *m*, Erwählte(r) *m*.

éluci|dation [elysida'sjɔ̃] *f* Aufklärung *f*, Erläuterung *f*; **~der** [~'de] *v/t.* (1a) aufklären, erläutern.

élucu|bration *péj.* [~kybra'sjɔ̃] *f* mühselige Ausarbeitung *f*; *~s f/pl. péj.* Hirngespinste *n/pl.*; *se livrer à des ~* spintisieren; **~brer** *péj.* [~'bre] *v/t.* (1a) mühsam arbeiten.

élu|der [ely'de] *v/t.* (1a): *~ une question* einer Frage ausweichen; *~ une loi* ein Gesetz umgehen; **~sif** [~'zif] *adj.* (7e) ausweichend.

Élysée [eli'ze] *m* **1.** *le palais de l'~* der Elyseepalast; *les Champs-~s* (*Prachtstraße in Paris*); **2.** *myth.* Elysium *n*; *fig.* Paradies *n*.

élytre *ent.* [e'litrə] *m* Flügeldecke *f*.

éma|ciation ⚕ [emasja'sjɔ̃] *f* Abzehrung *f*; **~cié** ⚕ [~'sje] *adj.* abgezehrt, ausgemergelt F.

émail [e'maj] *m* (5c) **1.** Emaille *f*, Glasur *f*; **2.** *~ des dents* Zahnschmelz *m*.

émail|ler [ema'je] (1a) *v/t.* **1.** emaillieren, mit Schmelz überziehen; glasieren; **2.** *fig.* ~ de anfüllen (*od.* spicken) mit (*dat.*); **~lerie** [~j'ri] *f* Emaillier-arbeit *f*; -werkstatt *f*; **~leur** [~'jœ:r] *su.* (7g) Emaillierer *m*; **~lure** [~'jy:r] *f* Emaillierung *f*.

émanation [emana'sjɔ̃] *f* Ausströmen *n*, Ausdünstung *f*, Ausfluß *m* (*a. fig.*); *phys.* Emanation *f*.

émanci|pateur [emɑ̃sipa'tœ:r] (7f) **I** *adj.* emanzipatorisch; **II** *su.* Befreier *m*; **~pation** [~pa'sjɔ̃] *f* **1.** Emanzipation *f*, Emanzipierung *f*, bürgerliche Gleichstellung *f*; **2.** ⚖ Mündigsprechung *f*; **~per** [~'pe] (1a) **I** *v/t.* **1.** emanzipieren, befreien, freimachen; gleichstellen; **2.** ⚖ mündigsprechen; **II** *v/rfl.* s'~ sich emanzipieren, sich frei machen; F *péj.* sich allzu große Freiheiten herausnehmen.

émaner [ema'ne] *v/i.* (1a) ausfließen, ausströmen; *fig.* ausgehen, herrühren, hervorgehen.

émar|gement [emarʒə'mɑ̃] *m* **1.** Randvermerk *m*; **2.** ✝ Abzeichnen *n od.* Quittieren *n e-r Summe* am Rand einer Rechnung; *feuille f d'~* Gehaltsliste *f zwecks Quittung*; **~ger** [~'ʒe] *v/t.* (1l) ✝ am Rand abzeichnen *od.* quittieren; F *abs. ~ au budget* Gehalt vom Staat beziehen.

émascul|ation [emaskyla'sjɔ̃] *f* Entmannung *f*; Kastrierung *f*; **~er** [~'le] *v/t.* (1a) entmannen; kastrieren; *fig.* verweichlichen.

embâcle [ɑ̃'bɑ:klə] *m* Blockierung *f e-s Flusses* durch Eisschollen.

embal|lage [ɑ̃ba'la:ʒ] *m* Einpacken *n*, Verpacken *n*; Verpackung *f*; *~ consigné* Leergut *n*; *~ en blister od. ~ scellé* Durchdrückpackung *f*; *~ perdu* Wegwerfpackung *f*; *toile f d'~* Packleinwand *f*; **~lé** [~ba'le] *adj.* **1.** scheuend (*Pferd*); **2.** F *fig. en être très ~* ganz weg (*od.* hingerissen) sein (*vor Begeisterung*); **~lement** [~bal'mɑ̃] *m* Durchgehen *n der Pferde*; ⊕ Überlastung *f*; *bsd. ~s pl. fig.* blinde Begeisterung *f*, Ereiferung *f*; **~ler** [~ba'le] (1a) **I** *v/t.* **1.** (ein-, ver-) packen; **2.** F beschwatzen, *fig.* einwickeln F; begeistern, hinreißen; **3.** ⊕ *e-e Maschine* überlasten; *Auto*: *~ le moteur* den Motor auf Touren bringen; *~ le moteur à fond* Vollgas geben; **4.** F aufgreifen, einsperren; F *~ une fille* ein Mädchen aufgabeln; **5.** P runterputzen, anpfeifen; **II** *v/rfl.* s'~ **6.** durchgehen, ausreißen (*Pferd*); *mot.* auf Touren kommen; *s'~ pour qch.* sich für etw. begeistern; **7.** sich hinreißen lassen; sich ereifern; wütend werden; *ne vous emballez pas!* haut euch nicht!; **~leur** [~ba'lœ:r] *m* Packer *m*.

embarbouiller [ɑ̃barbu'je] (1a) **I** *v/t. fig.* verwirren, aus dem Konzept bringen; **II** *v/rfl.* s'~ sich verhaspeln (*mit Worten*).

embarca|dère ⚓ [ɑ̃barka'dɛ:r] *m* Lande-steg *m*, -platz *m*; Verlade-platz *m* (*v. Waren*); **~tion** [~ka'sjõ] *f* kleines Boot *n*.

embard|ée [ãbar'de] *f* **1.** ⚓, ✈ Gieren *n*, Schlingerbewegung *f*; ✈ Zickzackflug *m*; **2.** *Auto*: Ausscheren *n*, plötzliche Seitenwendung *f*, Schleudern *n*; *~s pl.* Zickzackkurs *m*; **~er** [~'de] (1a) *v/i.* **1.** ⚓ gieren; **2.** ✈ im Zickzack fliegen; **3.** *Auto*: ausscheren, sich plötzlich wenden, schleudern.

embargo ⚓ [ãbar'go] *m* Embargo *n*, Hafensperre *f*; Handelssperre *f*; *allg.* Beschlagnahme *f*; *mettre l'~ sur une marchandise allg.* e-e Ware beschlagnahmen; *lever l'~* die Beschlagnahme aufheben.

embar|quement [ãbarkə'mã] *m* **1.** ⚓ Verschiffung *f*, Verladung *f*; **2.** ⚓ Anbordgehen *n*; *allg.* Einsteigen *n*; **~quer** [~'ke] (1m) **I** *v/t.* **1.** verschiffen, verladen; F *~ q. dans sa voiture* j-n in s-m Wagen mitnehmen; **2.** *fig. ~ q. dans une affaire* j-n in e-e Angelegenheit verwickeln; **II** *v/i.* **3.** (*mit être!*) ⚓ an Bord gehen; *allg.* einsteigen; **III** *v/rfl. s'~* **4.** *s'~ pour* sich einschiffen nach (*dat.*); *allg.* abfahren nach (*dat.*); **5.** F *fig. s'~ dans* sich einlassen auf (*acc.*).

embarras [ãba'ra] *m* **1.** Ungelegenheit *f*, Belästigung *f*; *causer de l'~ à q.* j-n belästigen, j-m ungelegen kommen; *faire de l'~* wichtig tun, angeben F; *faire des ~* Umstände machen; unberechtigte Ansprüche machen; *faiseur m d'~* Großmaul *n*, Angeber *m* F; **2.** Schwierigkeit *f*; *vous n'avez que l'~ du choix* Sie haben e-e reichliche Auswahl; **3.** Verwirrung *f*; **4.** unangenehme Lage *f*, Verlegenheit *f*; *être dans l'~* in Verlegenheit sein, in der Klemme sitzen; *tirer q. d'~* j-m aus der Klemme helfen; **5.** *~ d'argent* Geldverlegenheit *f*; **6.** ⚕ *~ gastrique* Magenverstimmung *f*; **~sant** [~ra'sã] *adj.* (7) hinderlich, beschwerlich; peinlich, mißlich, unangenehm, lästig.

embarrass|é [ãbara'se] *adj.* wirr, verworren; unklar (*Stil*); verlegen, befangen, unschlüssig, ratlos; ⚕ benommen; verschleimt; gestört; s. *~er* 5.; **~er** [~] (1a) **I** *v/t.* **1.** behindern; **2.** *~ q.* j-m hinderlich sein, j-n belästigen; **3.** verwirren, verwikkeln; **4.** in Verlegenheit bringen, *être embarrassé* in Geldverlegenheit sein; *être embarrassé de répondre* um die Antwort verlegen sein; *être embarrassé de sa personne* sich nicht zu benehmen wissen; **5.** ⚕ beschweren; *avoir la langue embarrassée* anfangen zu stottern; *avoir l'estomac embarrassé* Magenbeschwerden haben; *tête embarrassée* benommener Kopf *m*; **II** *v/rfl. s'~* **6.** in Verwirrung (*od.* Verlegenheit) geraten; **7.** *s'~ dans* sich verwickeln in (*acc.*); *s'~ dans ses discours* in seiner Rede steckenbleiben; **8.** *s'~ de q.* sich j-n auf den Hals laden, sich um j-n kümmern; *s'~ de qch.* sich über etw. (*acc.*) beunruhigen; sich in etw. (*acc.*) einlassen.

embase [ã'ba:z] *f* **1.** *méc.* Ansatz *m*, Anpaß *m*, Stoßscheibe *f*, Bodenplatte *f*; **2.** *règles f/pl. d'~* Richtmaße *n/pl.*

embasement △ [ãbaz'mã] *m* Grundmauer *f*, Sockel *m*.

embattage ⊕ [ãba'ta:ʒ] *m* Beschlagen *n* (*e-s Rades*).

embattre ⊕ [ã'batrə] *v/t.* (4a) *Räder* beschlagen *od.* beschienen.

embau|chage [ãbo'ʃa:ʒ] *m* Anstellung *f*; **~che** [ã'bo:ʃ] *f* Arbeit *f*, Beschäftigung *f*; *bureau m d'~* Werbebüro *n*; **~cher** [ãbo'ʃe] *v/t.* (1a) *j-n* an-, ein-stellen; **~cheur** [ãbo'ʃœ:r] *m* Anwerber *m*; **~choir** ⊕ [~'ʃwa:r] *m* Schuhleisten *m*.

embau|mement [ãbom'mã] *m* Einbalsamierung *f*; **~mer** [~'me] (1a) **I** *v/t.* **1.** (ein)balsamieren; **2.** mit Wohlgeruch erfüllen; duften nach (*dat.*); *fig.* ausschmücken; **II** *v/i.* (angenehm) duften.

embéguiner † [ãbegi'ne] (1a) *v/rfl. s'~ de q.* sich in j-n verknallen F.

embellie ⚓ [ãbɛ'li] *f* kurze Windstille *f*.

embel|lir [ãbɛ'li:r] (2a) **I** *v/t.* verschönern, *fig.* ausschmücken; **II** *v/i.* schöner werden; **~lissement** [~lis'mã] *m* Verschönerung *f*.

emberlificoter F [ãbɛrlifikɔ'te] (1a) **I** *v/t. j-n* rumkriegen, beschwatzen; **II** *v/rfl. s'~ dans ses explications* sich in s-n Erklärungen verheddern.

embê|tant F [ãbɛ'tã] *adj.* (7) langweilig; ärgerlich, lästig; **~tement** F [~t'mã] *m* Belästigung *f*, Ärger *m*, Schererei *f* F; **~ter** F [~'te] (1a) **I** *v/t.* (1a) auf die Nerven gehen (*dat.*), langweilen, ärgern; **II** *v/rfl. s'~* sich langweilen.

embla|vage 🌱 [ãbla'va:ʒ] *m* Saatbestellung *f*; **~ver** [~'ve] *v/t.* (1a) mit Korn besäen.

emblée [~'ble]: *d'~ advt.* auf Anhieb, im ersten Anlauf, gleich, ohne weiteres; *élu d'~* im ersten Wahlgang gewählt.

emblématique [~ma'tik] *adj.* sinnbildlich.

emblème [ã'blɛ:m] Emblem *n*, Sinnbild *n*; *les ~s de la souveraineté* die Hoheitsinsignien *pl.*

embobeliner F [ãbɔbli'ne] *v/t.* (1a) beschwatzen, einwickeln.

embobiner ⊕ [ãbɔbi'ne] *v/t.* (1a) ⚡, ⊕ umwickeln; *text.* aufspulen; *Tonband*: vorwärtsspulen.

emboire ⊕ [ã'bwa:r] (4u) **I** *v/t. e-e Form* einölen, *mit Öl (od. Wachs)* tränken; **II** *v/rfl.* s'~ nachdunkeln *od.* einlaufen (*von Farben*).

emboî|table [ãbwa'tablə] *adj.* einfügbar (*Möbelteil*); **~tage** [~'ta:ʒ] *m* **1.** Verpacken *n in Schachteln*, Einfüllen *n in Dosen*; **2.** *Buchbinderei*: Einbandhülle *f*, Kassette *f*, Schuber *m*; **3.** ★ *fig.* Protestkundgebung *f gegen e-n Redner, Schauspieler usw.*; **~té** ⊕ [~'te] *adj.* ineinandergreifend; **~tement** [~t'mã] *m* Ineinandergreifen *n*; *anat. ~ des os* Knochenfügung *f*.

emboîter [ãbwa'te] *v/t.* (1a) genau einpassen, ineinanderfügen, anpassen; *charp.* einzapfen; *~ le pas à q.* j-m auf dem Fuße folgen; sich nach j-m richten; ⚔ *~ les files* aufschließen, sich anschließen; *péj.* hinterher-laufen, -hinken; hinter j-m zurückstehen; ★ auspfeifen, verhöhnen.

emboîture ⊕ [ãbwa'ty:r] *f* Verbindung(sstelle *f*) *f*.

embolie ⚕ [ãbɔ'li] *f* Embolie *f*.

embonpoint [ãbɔ̃'pwɛ̃] *m* Korpulenz *f*, Beleibtheit *f*; *recouvrer son ~* wieder dicker werden.

embosser ⚓ [ãbɔ'se] (1a) *v/t.* ⚓ quer vor Anker legen.

emboucaner ★ [ãbuka'ne] *v/t. u. v/i.* (1a) stinken; anwidern.

embou|che [ã'buʃ] *f* **1.** fettes Weideland *n*; **2.** Herausfüttern *n*; **~ché** F [ãbu'ʃe] *adj.*: *mal ~* patzig, bissig; **~chement** [ãbuʃ'mã] *m* **1.** Ansetzen *n e-s Blasinstruments* an den Mund; **2.** Aufzäumung *f*; **~cher** [ãbu'ʃe] *v/t.* (1a) **1.** *Trompete usw.* ansetzen; *fig. ~ la trompette pour annoncer qch.* etw. ausposaunen; **2.** ↗ zur Mast auf die Weide bringen; **3.** das Gebiß anpassen (*dat.*); **~choir** [~'ʃwa:r] *m* **1.** ♪ Mundstück *n*; **2.** ⚔ *~ du fusil* Oberring *m*; **~chure** [~'ʃy:r] *f* **1.** Mündung *f*; Hafeneinfahrt *f*; **2.** *~ du mors* Trense *f*; **3.** ♪ Mundstück *n*; **4.** *géol.* Krateröffnung *f*; **5.** ⊕ Düse *f*.

embouquer ⚓ [ãbu'ke] *v/i.* (*a. v/t.*) (1m) in e-e Meerenge einlaufen.

embourb|é [ãbur'be] *adj.* im Schlamm steckend; **~er** [~] (1a) **I** *v/t.* in Schlamm *od.* Morast führen, bringen, F *fig. ~ q. dans une mauvaise affaire* j-n in e-e üble Angelegenheit verwickeln; **II** *v/rfl.* s'~ in Morast geraten; sich festfahren.

embourgeois|ement [ãburʒwaz'mã] *m* Verbürgerlichung *f*; **~er** [~ʒwa'ze] *v/rfl.* s'~ verbürgerlichen; *péj.* verspießern.

embout [ã'bu] *m* Zwinge *f* (*am Stock*); Ansatzstück *n*; *~ respiratoire* Atmungsgerät *n für Taucher*.

embouteil|lage [ãbutɛ'ja:ʒ] *m* Verkehrsstockung *f*, Rückstau *m*; *fig.* Überfüllung *f*; *l'~ du métro (des professions libérales)* die Überfüllung der U-Bahn (der freien Berufe); **~lé** [~'je] *adj.* verstopft; überfüllt; überbelastet; **~ler** [~] *v/t.* (1a) *Straßen* verstopfen.

emboutir [ãbu'ti:r] (2a) **I** *v/t. Metall* ausbauchen, pressen, austiefen; *bét.* ziehen; F *Kotflügel, Schaufenster* eindrücken; *Auto*: anfahren, rammen; **II** F *v/rfl.* s'~ *contre* zs.-prallen mit (*dat.*).

embran|chement [ãbrãʃ'mã] *m* Ab-, Ver-zweigung *f*; Kreuz-, Scheide-weg *m*; 🚂 Abzweigung *f* e-r Linie, Gleisanschluß *m*, Zweigbahn *f*; Ausläufer *m e-s Gebirges*; *fig.* Zweig *m e-r Wissenschaft*; **~cher** [~'ʃe] (1a) **I** *v/t. ~ à e-e Strecke* anschließen an (*acc.*); einfügen; anschiften; zusammenlöten; **II** *v/rfl.* s'~ *sur* angeschlossen sein an.

embraquer ⚓ [ãbra'ke] *v/t.* (1m) *Seil* straff anziehen.

embra|sé [ãbra'ze] *adj.* glühend; *être ~* glühen; *le couchant est ~* das Abendrot glüht; **~sement** [~braz'mã] *m* a) festliche Beleuchtung *f*; b) Lichteffekt *m am Himmel*; c) *soc.* Aufbegehren *n*; **~ser** *litt.* [~'ze] (1a) **I** *v/t.* in rote Glut tauchen; versengen; e-n roten Lichteffekt geben (*dat.*); **II** *v/rfl.* s'~ *Himmel*: sich rot färben, von e-m roten Schimmer umgeben werden.

embras|sade [ãbra'sad] *f* Umarmung *f*; *des ~s* Küssen *n*; **~se** [~'bras] *f* Gardinenhalter *m*; **~sement** *litt.* [~bras'mã] *m* Umarmung *f*.

embrasser [ãbra'se] *v/t.* (1a) **1.** umarmen; küssen; *beaucoup (od.*

bien) ~ abküssen; **2.** *fig.* ~ *d'un regard* überblicken, mit einem einzigen Blick übersehen; **3.** ~ unternehmen; ~ *trop d'affaires* zu vielerlei unternehmen; **4.** ergreifen, erwählen, annehmen; ~ *une carrière* einen Beruf ergreifen; ~ *la cause de q.* j-s Partei in e-r Sache ergreifen; ~ *le christianisme* das Christentum annehmen; ~ *une occasion* eine Gelegenheit ergreifen; ~ *un parti* sich e-r Partei anschließen; **5.** enthalten, in sich mit einbegreifen, sich erstrecken über (*acc.*).

embrasure △ [ɑ̃brɑ'zy:r] *f* Fenster-, Tür-öffnung *f*.

embray|age ⊕ [ɑ̃brɛ'ja:ʒ] *m Auto*: Kupplung *f*; *voiture f à* ~ *automatique* Wagen *m* mit automatischer Kupplung; *vél.* ~ *à roue libre* Freilauf *m*; **~er** [~'je] (1i) **I** *v/t. e-n Maschinenteil* einrücken; kuppeln; in Gang setzen; **II** *v/i.* F anfangen; P die Arbeit wieder aufnehmen; *Auto*: ~ *sur qch.* etw. einschalten.

embrigader [ɑ̃briga'de] (1a) **I** *v/t.* eingliedern; erfassen; **II** *v/rfl. s'*~ sich unterordnen.

embrocation ⚕ [ɑ̃brɔkɑ'sjɔ̃] *f* Einreiben *n* mit Öl.

embroch|age *chir.* [ɑ̃brɔ'ʃa:ʒ] *m* Knochennagelung *f*; **~er** [~'ʃe] (1a) **I** *v/t.* an den Bratspieß stecken; F *fig.* durchbohren; *chir.* ~ *un os* e-n Knochen nageln; **II** ⚡ *v/i.* ~ *sur le circuit* in den Stromkreis einschalten.

embrouil|lage F [ɑ̃bru'ja:ʒ] *m*, **~lamini** F [ɑ̃brujami'ni] *m*, **~lement** [~j'mɑ̃] *m* Durcheinander *n*, völliger Wirrwarr *m*; **~ler** [~'je] (1a) **I** *v/t.* in Unordnung bringen; *fig.* komplizieren; *j-n* verwirren; ~ *son discours* vom Hundertsten ins Tausendste kommen, *fig.* spinnen F; *embrouillé* wirr, konfus, unklar; **II** *v/rfl. s'*~ sich verwickeln, kompliziert werden; *fig.* den Faden (der Rede) verlieren, aus dem Konzept kommen; ⚓ trübe werden (*Wetter*).

embroussaillé [ɑ̃brusɑ'je] *adj.* **1.** voller Gestrüpp; **2.** struppig (*Haar*).

embrumer [ɑ̃bry'me] *v/t.* (1a) in Nebel hüllen; *fig.* überschatten; düster (*od.* traurig) stimmen.

embruns ⚓ [ɑ̃'brœ̃] *m/pl.* Gischt *m*.

embry|ogénèse *biol.* [ɑ̃briɔʒe'nɛ:z] *f* Embryogenese *f*; **~on** *biol.* [ɑ̃bri'ɔ̃] *m* Embryo *m*, Leibesfrucht *f*; ⚘ Keim *m*; *fig.* Keimzelle *f*; erster Anfang *m*; *fig.* Grundlage *f*; Knirps *m*; **~onnaire** [ɑ̃briɔ'nɛ:r] *adj.* Keim..., Embryo...; *fig.* im Anfangsstadium.

embu [ɑ̃'by] **I** *m* verblaßte Farbe *f*; Nachdunkeln *n*; **II** *adj. peint.* nachgedunkelt, matt; **~age** [~'bɥa:ʒ] *m* Beschlagen *n der Augengläser*.

embûches [ɑ̃'byʃ] *f/pl.* Fallen *f/pl.*, Tücken *f/pl.*, Schwierigkeiten *f/pl.*, Hindernisse *n/pl.*

embuer [ɑ̃'bɥe] *v/t.* (1a) anlaufen lassen; *vitre f embuée* beschlagene Fensterscheibe *f*.

embus|cade [ɑ̃bys'kad] *f* **1.** ⚔ Hinterhalt *m*; *dresser une* ~ einen Hinterhalt legen; *donner* (*od. tomber*) *dans une* ~ in einen Hinterhalt geraten; **2.** *fig.* ~*s f/pl.* = *embûches*; **~qué** ⚔ [~'ke] *m* Drückeberger *m*; *péj.*, *oft pol. pl.* ~*s* Hintermänner *m/pl.*; **~quer** [~] (1m) *v/rfl. s'*~ sich in e-n Hinterhalt (*od.* sich auf die Lauer) legen; F sich drücken.

éméché F [eme'ʃe] *adj.* beschwipst.

émender ⚖ [emɑ̃'de] *v/t.* (1a) (*erstinstanzliches Urteil*) abändern.

émeraude [em'ro:d] **I** *f* **1.** Smaragd *m*; **2.** Smaragdgrün *n*; **II** *adj.* smaragd-farben, -artig.

émer|gement *géol.* [emɛrʒə'mɑ̃] *m* Hervorragen *n*; **~gence** [~'ʒɑ̃:s] *f* Auftauchen *n*; *point m d'*~ Austrittswinkel *m*; **~gent** [~'ʒɑ̃] *adj.* (7) auftauchend; **~ger** [~'ʒe] *v/i.* (1l) auftauchen; *fig.* zum Vorschein kommen; hervorragen.

émeri [ɛm'ri] *m* Schmirgel *m*.

émerillon [ɛmri'jɔ̃] *m* **1.** *orn.* Zwergfalke *m*; **2.** ⊕ Drehring *m*; Kettenwirbel *m*; **3.** ⚓ Wirbel *m*.

émeriser [ɛmri'ze] *v/t.* (1a) mit Schmirgel belegen.

émérite [eme'rit] *adj.* tüchtig, hervorragend, erfahren, beschlagen, verdienstvoll.

émersion [emɛr'sjɔ̃] *f* Emporsteigen *n*, Hervortauchen *n*; *ast.* Austritt *m*.

émerveill|ement [emɛrvɛj'mɑ̃] *m* Verwunderung *f*, Erstaunen *n*; **~er** [~'je] *v/t.* (1a) in Verwunderung (*od.* größtes Erstaunen) versetzen.

émét|ique ⚕ [eme'tik] **I** *adj.* Erbrechen erregend; **II** *m* Brechmittel *n*; **~isant** ⚕ [~ti'zɑ̃] Erbrechen hervorrufend.

émet|teur [emɛ'tœ:r] **I** *m rad.*, *télév.* Sender *m*; ~ *à ondes dirigées vers ...* Richtstrahler *m* nach ...; ~ *de radio* Rundfunksender *m*; ~ *radiogoniométrique* Peilfunksender *m*; ~ *de signaux* Zeichengeber *m*; ~ *de télévision* Fernsehsender *m*; ~ *clandestin* Schwarzsender *m*; ~ *intermédiaire*,

~ *auxiliaire* Zwischensender *m*; ~ *local*, ~ *régional* Ortssender *m*; (*poste m*) ~ *à grande puissance* Großsender *m*; ~ *à ondes ultra-courtes* UKW-Sender *m*, Ultrakurzwellensender *m*; ~*-récepteur m* (6a) Sende- u. Empfangs-gerät *n*, Funk(sprech)-gerät *n*; **II** *adj.* (7f): *station f émettrice* (*od. d'émission*) Sendestation *f*, Sendestelle *f*; **~tre** [e'mɛtrə] *v/t.* (4p) **1.** *phys.* ausstrahlen; *rad.* senden; *fig.* ~ *une opinion* e-e Meinung äußern; **2.** ⚕ in Umlauf bringen; emittieren, ausgeben, ausstellen; **3.** *abs.* ~ *sur* sich äußern zu (*dat.*).

émeu *orn.* [e'mø] *m* (*pl.* ~s) Emu *m*.

émeu|te [e'møt] *f* Aufruhr *m*, Krawall *m*; **~tier** [emø'tje] *su. u. adj.* (7b) Aufrührer *m*, Aufständische(r) *m*; aufrührerisch; *harangue f émeutière* Hetzrede *f*.

émiettement [emjɛt'mã] *m* Zerbröckeln *n*; *fig.* Zersplitterung *f*.

émietter [emjɛ'te] (1a) **I** *v/t.* zerbröckeln; *fig.* zersplittern; vergeuden; **II** *v/rfl.* s'~ zerbröckeln; *fig.* zersplittern.

émi|grant [emi'grã] (7) **I** *adj.* auswandernd; **II** *su.* Auswanderer *m* (s. *dagegen*: *émigré!*); **~gration** [~gra'sjõ] *f* **1.** Auswanderung *f*; *pol.*, *rl.* Emigration *f*; ⚕ ~ *des capitaux* Kapitalabwanderung *f*; **2.** *hist.* l'~ die Emigranten *m/pl.* (*z. Z. der Franz. Revolution*); **3.** *zo.* Wanderung *f*; **~gré** [~'gre] **I** *adj.* ausgewandert; **II** *pol.*, *rl. su.* Emigrant *m*; **~grer** [~'gre] *v/i.* (1a) aus-, ab-wandern; *pol.*, *rl.* emigrieren; *zo.* ziehen.

émin|cé [emɛ̃'se] *m* dünne Scheibe *f* Fleisch; **~cer** [~] *v/t.* (1k) in dünne Scheiben schneiden.

émi|nemment [emina'mã] *adv.* überaus, höchst, in höchstem Grade; **~nence** [~'nã:s] *f* **1.** *anat.* Höker *m*; **2.** Anhöhe *f*; **3.** ♀ Eminenz *f* (*Titel*); **~nent** [~'nã] *adj.* (7) bedeutend, verdienstvoll; außerordentlich; **~nentissime** [~nãti'sim] *adj.* hochwürdigst.

émis|saire [emi'sɛ:r] **I** *m* **1.** Geheimbote *m*, Sendbote *m*; **2.** ⊕ Abfluß *m*; Ableitungskanal *m*; **II** *adj.* *bouc m* ~ Sündenbock *m*; **~sion** [~'sjõ] *f* **1.** *rad.*, *télév.* Sendung *f*; ~ *enfantine* Kinderfunk *m*; ~ *en direct* Live-Sendung *f*; ~ *météo* Wettersendung *f*; ~ *publicitaire* Reklamesendung *f*; ~ *radioaérienne* ✈ Bordfunken *n*; ~ *de télévision*, ~ *télévisée*, ~ *télévisuelle* Fernsehsendung *f*; ~ *à ondes ultra-courtes* Ultrakurzwellensendung *f*; **2.** ⚕ Ausgabe *f*, Inumlaufsetzen *n*, Begebung *f*; Auflegung *f e-r Anleihe usw.*; *banque f d'*~ Notenbank *f*; *cours m d'*~ Ausgabekurs *m*; **3.** *phys.* Abgabe *f*, Ausströmen *n*, Ausstoßen *n*, Ausstrahlen *n*; **4.** *physiol.* Ausscheidung *f*; **5.** *rl.* ~ *des vœux* (feierliche) Ablegung *f* der Gelübde; **6.** *fig.* Verbreitung *f* (*v. Gerüchten*).

emmagasi|nage [ãmagazi'na:ʒ] ⚕ *m* Lagerung *f*; **~ner** [~'ne] *v/t.* (1a) (ein)lagern.

emmailler [ãma'je] (1a) *v/rfl.* s'~ sich in den Maschen *e-s Netzes* verfangen.

emmailloter [ãmajɔ'te] *v/t.* (1a) ⚕ einwickeln; *fig.* umgeben.

emman|ché [ãmã'ʃe] *adj. a.* ⊕ gestielt; gut verbunden; *fig.* *bien* ~ gut eingeleitet; **~chement** [~ʃ'mã] *m* ⊕ Bestielen *n*, Anfügen *n* der Glieder; **~cher** [~'ʃe] *v/t.* (1a) ⊕ mit e-m Stiel versehen; F *fig.* ~ *une affaire* ein Unternehmen in Angriff nehmen *od.* in Gang bringen; **~chure** [~'ʃy:r] *f* Ärmelloch *n*.

emmarchement △ [ãmarʃə'mã] *m* Steigung *f* e-r Treppe.

emmêler [ãmɛ'le] *v/t.* (1a) **1.** verwickeln; **2.** *fig.* verwirren, durcheinanderbringen.

emména|gement [ãmenaʒ'mã] *m* **1.** Einziehen *n* (*in e-e Wohnung*); **2.** ⚓ Kajüte(neinteilung *f*) *f*; **~ger** [~'ʒe] (1l) **I** *v/i.* einziehen; **II** *v/t.* in e-e neue Wohnung transportieren; ~ *q.* j-m beim Umzug behilflich sein.

emménagogue ⚕ [ã- *od.* ɛmena'gɔg] *adj.* menstruationsfördernd.

emmener [ãm'ne] *v/t.* (1d) **1.** *Personen, Tiere,* F *a. Sachen* (*wofür korrekt*: *emporter*) mitnehmen; *j-n* abführen, mitnehmen; ~ *q. en otage* j-n als Geisel mitnehmen; *Auto*: ~ *q. en voiture* j-n im Wagen mitnehmen; **2.** *fig.* *Sport*, ⚔ mitreißen.

emmerd|ant P [ãmɛr'dã] *adj.* zum Kotzen P; widerlich; **~ement** P [~də'mã] *m* Schererei *f*; **~er** P [~'de] *v/t.* (1a) ankotzen P, anöden, anwidern.

emmétrer [ãme'tre] *v/t.* (1f) zum Abmessen in Metern bereitlegen.

emmétrope *physiol.* [ãme'trɔp] *adj.* normalsichtig.

emmiel|ler P *plais.* [ãmjɛ'le] *v/t.* (1a) = *emmerder*.

emmitoufler F [ãmitu'fle] (1a) *v/t.*

(*u.* s'~ sich) einmummeln, warm umhüllen.

emmouscailler P [ãmuska'je] *v/t.* (1a): ~ *q.* j-m auf den Wecker fallen F.

emmurer [ãmy're] *v/t.* (1a) **1.** *hist.* ⚖ in Mauern einschließen; **2.** *allg.* einschließen; ⚒ *être emmuré dans une mine* in e-r Grube eingeschlossen sein.

émoi [e'mwa] *m* innere Unruhe *f*, [Aufregung *f*.]

émollient [emɔl'jã] *adj.* (7) *u. m* aufweichend; Aufweichmittel *n.*

émoluments [emɔly'mã] *m/pl.* (Dienst-)Bezüge *m/pl.*, Gehalt *n.*

émonctoire *physiol.* [emõk'twa:r] *m* Ausscheidungsorgan *n.*

émon|dage [emõ'da:ʒ] *m* Ausästen *n der Bäume*; **~der** [~'de] *v/t.* (1a) *e-n Baum* auslichten; *fig. Geschriebenes* zusammenstreichen.

émorfiler ⊕ [emɔrfi'le] *v/t.* (1a) abgraten, abfasen.

émotif *psych.* [emɔ'tif] *adj.* (7e) **1.** Gefühls..., Gemüts...; **2.** feinfühlig; überempfindlich.

émotion [emo'sjõ] *f* **1.** Aufregung *f*; ~ *du pouls* Blutwallung *f*; **2.** *fig.* Erregung *f*, Ergriffenheit *f*, Bestürzung *f*; *grosse* ~ Erschütterung *f*; **~nable** [emosjɔ'nablə] *adj.* leicht erregbar; **~nel** *psych.* [~'nɛl] *adj.* (5c) emotional; **~ner** [~'ne] *v/t.* (1a) aufregen, ergreifen, erschüttern.

émotivité *psych.* [emɔtivi'te] *f* erhöhte (Gemüts-)Erregbarkeit *f.*

émot|ter ✓ [emɔ'te] *v/t.* (1a): ~ *le champ* die Erdschollen *auf dem Acker* zerkleinern; **~teuse** [~'tø:z] *f* Ackerwalze *f.*

émou *orn.* [e'mu] *m* (*pl.* ~s) Emu *m.*

émou|chet [emu'ʃɛ] *m* Turmfalke *m*; **~chette** [~'ʃɛt] *f* Fliegen-netz *n*, -decke *f für Pferde*; **~choir** [~'ʃwa:r] *m* Fliegenwedel *m.*

émoulu [emu'ly] *adj.*: *fig. un bachelier frais* ~ ein frisch gebackener Abiturient *m.*

émousser [emu'se] (1a) **I** *v/t.* abstumpfen (*a. fig.*); stumpf machen; ~ *la pointe* die Spitze; abbrechen; *émoussé* stumpf; **II** *v/rfl.* s'~ stumpf werden; *fig.* nachlassen (*Prestige*).

émoustiller [emusti'je] *v/t.* (1a) aufmuntern, lustig machen; *émoustillé* angeheitert, freudig erregt.

émouvoir [emu'vwa:r] (3d) **I** *v/t.* **1.** auf-, er-regen, ergreifen; **2.** ~ *le public* die Öffentlichkeit ansprechen (*Buch*; *Kunstwerk*); **II** s'~ *fig.* gerührt werden; sich aufregen (*de qch.* über etw.).

empail|lage [ãpɑ'ja:ʒ] *m* Ausstopfen *n von Tieren*: **~ler** [~'je] *v/t.* (1a) mit Stroh beflechten, umwickeln; *Tiere* ausstopfen; ✓ in Stroh (ein)packen; F *être empaillé* unbeholfen sein; **~leur** [~'jœ:r] *su.* (7g) Strohflechter *m*; Tierausstopfer *m.*

empal|ement *ehm.* [ãpal'mã] *m* Pfählen *n*, Aufspießen *n e-s Verbrechers*; **~er** [~'le] *v/t.* (1a) aufspießen.

empanacher [ãpana'ʃe] *v/t.* (1a) mit Federn schmücken.

empanner ⚓ [ãpa'ne] (1a) **I** *v/t.* zum Beidrehen veranlassen; **II** *v/i.* backkommen (*Segelschiff*).

empaquet|age [ãpak'ta:ʒ] *m* Ein-, Ver-packen *n*; **~er** [ãpak'te] *v/t.* (1c) ein-, ver-packen.

emparer [ãpa're] (1a): *s'~ de q.* (*de qch.*) sich j-s (e-r Sache) bemächtigen.

empâté [ãpɑ'te] *adj.* dicklich, aufgedunsen; mit schlaffen Konturen.

empâtement [ãpɑt'mã] *m* **1.** ~ (*de la langue*) Verschleimung *f*, Belegtheit *f* (der Zunge); **2.** Nudeln *n*, Mästen *n*; **3.** Dicker-, Rundlich-, Schlaff-werden *n* (*des Gesichts*); **4.** *peint.* dicker Farbenauftrag *m.*

empâter [ãpɑ'te] (1a) **I** *v/t.* **1.** verschleimen; *langue f empâtée* belegte Zunge *f*; **2.** nudeln, stopfen, mästen; **3.** *peint.* dick auftragen; **II** *v/rfl.* s'~ dick und bequem werden.

empat|tement [ãpat'mã] *m* unterer (vorspringender) Absatz *m e-r Mauer*; Bankett *n e-r Grundmauer*; Ausmauern *n*; *Auto*, 🚗 Rad-, Achs-stand *m*; Untersatz *m e-s Möbels*; ✓ untere Verdickung *f e-s Baumstammes od. Astes*; **~ter** [~'te] *v/t.* (1a) **1.** aneinanderfügen; wieder zusammendrehen (*Litze*, *Tau*); **2.** *den Grund* ausmauern; **3.** *Kran* mit Balken stützen.

empau|mer [ãpo'me] *v/t.* (1a) **1.** ~ *la balle* den Ball auffangen und wegschlagen; **2.** F *fig.* ~ *q.* j-n beschwindeln, übers Ohr hauen; **~mure** [~'my:r] *f* **1.** innerer Teil *m* e-s Handschuhes; **2.** *ch.* (Geweih-) Krone *f.*

empê|chement [ãpɛʃ'mã] *m* Hindernis *n*, Verhinderung *f*; Hemmung *f*; **~cher** [~'ʃe] (1a) **I** *v/t.* (ver)hindern; sich widersetzen (*dat.*); verhüten; *je n'empêche pas qu'il (ne) fasse ce qu'il voudra* ich hindere ihn nicht daran, zu tun, was er will; *empêché* verlegen *fig.*; *être empêché de sa personne od. de sa contenance* nicht wissen, wie man sich benehmen soll; *fig.* in großer Verlegenheit sein; *auch als su.*: *faire l'empêché* den Geschäftigen spielen; *dafür mst.*: so tun, als hätte man sehr viel Arbeit; (*il*) *n'empêche que* ... (*ind. od. bisw. cond.*) und doch ...; **II** *v/rfl.* *s'*~ *de* (*inf.*) sich enthalten (*gén.*); *je ne puis m'*~ *de vous dire* ich muß Ihnen unbedingt sagen; **~cheur** [~'ʃœ:r] *su.* (7g): ~ *de danser en rond* Spielverderber *m.*

empeigne [ã'pɛɲ] *f* Oberleder *n.*

empeloter [ãplɔ'te] *v/t.* (1a) zu e-m Knäuel aufwickeln.

empenn|age ✈ [ãpɛ'na:ʒ] *m* Leitwerk *n*; Leitflosse *f*; ~ *d'altitude*, ~ *horizontal* Höhenleitwerk *n*; ~ *de la bombe d'avion* Flügel *m* der Fliegerbombe; **~e** [~'pɛn] *f* Befiederung *f e-s Pfeiles*; **~er** [~'ne] *v/t.* (1a) befiedern (*Pfeil*).

empereur [ã'prœ:r] *m* Kaiser *m.*

emperler [ãpɛr'le] *v/t.* (1a) mit Perlen schmücken; *fig. la sueur emperle ses joues* der Schweiß läuft ihm (ihr) über die Backen.

empeser [ãpə'ze] *v/t.* (1d) ~ *du linge* Wäsche stärken; *empesé fig.* steif, gezwungen (*Gesichtsausdruck, Stil*).

empester [ãpɛs'te] *v/t.* (1a) *a. fig.* verpesten; ~ *qch.* stinken nach etw. (*dat.*); *abs.* stinken.

empêtrer [ãpɛ'tre] (1a) **I** *v/t.* verwickeln; ~ *q. dans une affaire* j-n in e-e Angelegenheit verwickeln; *avoir l'air empêtré* verlegen aussehen; e-n unbeholfenen Eindruck machen; *rester empêtré dans la vie civilisée* in den Fesseln des zivilisierten Lebens hängenbleiben; **II** *v/rfl.* *s'*~ sich verwickeln; *fig.* sich verstricken.

empha|se [ã'fa:z] *f* Emphase *f*, Nachdruck *m*; **~tique** [~fa'tik] *adj.* □ emphatisch, nachdrücklich.

emphy|sème ⚕ [ãfi'zɛm] *m* Lungenerweiterung *f*, Emphysem *n*; **~téose** ⚖ [~te'o:z] *f* Erbpacht *f*; **~téote** ⚖ [~te'ɔt] *m* Erbpächter *m*; **~téotique** ⚖ [~teɔ'tik] *adj.* erbzinslich; Erb...; *bail m* ~ Erbpachtvertrag *m.*

empiècement [ãpjɛs'mã] *m* Einsatz *m*, Passe *f am Kleid.*

empier|rement [ãpjɛr'mã] *m* Beschotterung *f*; **~rer** [~'re] *v/t.* (1b) beschottern.

empié|tement [ãpjɛt'mã] *m* ⚖ Eingriff *m* (*sur* in *acc.*); Beeinträchtigung *f*; *a. pol.* Übergriff *m*; △ Überbau *m*; *les* ~*s de la mer sur les terres* das Vordringen des Meeres ins Land; **~ter** [~pje'te] *v/i.* (1f) **1.** ~ *sur le terrain de q.* sich widerrechtlich fremdes Gelände aneignen; ~ *sur les droits de q.* in j-s Rechte eingreifen; **2.** ~ *sur les côtes* ins Land vordringen (*Meer*).

empiffrer F [ãpi'fre] (1a) **I** *v/t.* *Essen* verschlingen; **II** *v/rfl.* *s'*~ (*de*) sich vollfressen P (mit *dat.*).

empi|lage, ~lement [ãpi'la:ʒ, ~l'mã] *m* Schichtung *f*, Aufstapelung *f*; *bsd.* ⊕ ~*lage* Stapeln *n*; **~ler** [~'le] *v/t.* (1a) aufschichten, (auf-)stapeln; stauen (*Waren*); zusammenpferchen (*Menschen*); F täuschen, anschmieren.

empire [ã'pi:r] *m* **1.** Herrschaft *f*; starker Einfluß *m*; *fig. sous l'*~ *d'un état alcoolique* unter Alkoholeinfluß; **2.** Kaiserreich *n.*

empirer [ãpi're] (1a) *v/t. u. v/i.* (sich) verschlechtern.

empi|rique [ãpi'rik] **I** *adj.* □ empirisch; **II** *m* Empiriker *m*; **~risme** *phil.* [~'rism] *m* Empirismus *m*; **~riste** *phil.* [~'rist] *m u. adj.* Empirist *m*; empiristisch.

emplacement [ãplas'mã] *m* **1.** Platz *m*, Stelle *f*, Standort *m*, Lage *f*, Anordnung *f*; ~ *sportif* Sportanlage *f*; **2.** ⚔ Geschützstand *m*; **3.** einstige Stätte *f.*

emplanture ✈ [ãplã'ty:r] *f*: ~ *de l'aile* Flügelwurzel *f.*

emplâ|tre [ã'plɑ:trə] *m* **1.** (Wund-)Pflaster *n*, Salbenverband *m*; ~ *vaporisé* (*bzw. vaporisable*) Sprühverband *m*; **2.** 🖌 Baumwachs *n*; **3.** F zu schweres Essen; **4.** F Schlappschwanz *m.*

emplette [ã'plɛt] *f* Einkauf *m*; *faire l'*~ *de qch.* etw. (ein)kaufen; *faire des* (*od. ses*) ~*s* einholen (*a. abs.*), Besorgungen machen.

emplir [ã'pli:r] *v/t.* (2a) (an)füllen.

emploi [ã'plwa] *m* **1.** Anwendung *f*, Verwendung *f*, Gebrauch *m*; Anlage *f von Geldern*; *bsd.* ⚔ Einsatz *m*; ~ *du temps* Arbeitsplan *m*, Arbeitseinteilung *f*; *mode m d'*~ Gebrauchsanweisung *f*; *faire un bon* ~ *de son temps* s-e Zeit gut anwenden; *faire l'*~ *d'une somme dans un compte* e-n Betrag in Rechnung stellen; ~ *abusif* Mißbrauch *m*; *double* ~ unnütze Wiederholung *f*; doppelte Aufführung *f des gleichen Betrags*; **2.** Beschäftigung *f*, Stelle *f*; Anstellung *f*; *plein* ~ Vollbeschäftigung *f*; *indication f* (*od. offres f/pl.*) *d'*~*s vacants* Stellen-, Arbeits-nachweis *m*; ~ *accessoire* Nebenamt *n*; ⚔ F ~ *d'embusqué* Druckposten *m*; ~*s pl. de servitude* Dienstleistungen *f/pl.*; **3.** *thé.* Rolle *f*; *il tient l'*~ *des valets* er spielt die Dienerrollen.

employ|able [ɑ̃plwa'jablə] *adj.* verwendbar; **~é** [~'je] *su.* **1.** Angestellte(r) *m*, Arbeitnehmer *m*; Beamte(r) *m*; **2.** ~ *de commerce* kaufmännische(r) Angestellte(r) *m*; ~ *du gaz* Gasmann *m*; **3.** Beamte(r) *m*; ~ *du guichet* Schalterbeamte(r) *m*; ~ *des postes* Postbeamte(r) *m*; **~er** [~] (1h) **I** *v/t.* **1.** anwenden, (ge)brauchen *od.* verwenden; **2.** ~ *q.* j-n an-, ein-stellen; **3.** ~ *ses bons offices pour q.* sich für j-n verwenden; **4.** ⚕ ~ *des capitaux* Kapital arbeiten lassen; **II** *v/rfl. s'*~ gebraucht werden; *s'*~ *pour q.* sich für j-n verwenden; *s'*~ *à qch. à fond* sich voll und ganz für etw. einsetzen; **~eur** [~'jœːr] *su.* (7g) Arbeitgeber *m*.

emplumer [ɑ̃ply'me] *v/t.* (1a) befiedern, mit Federn schmücken.

empocher F [ɑ̃pɔ'ʃe] *v/t.* (1a) **1.** einnehmen (*Geld*); **2.** *fig.* ~ *des coups* Schläge einstecken.

empoi|gnade [ɑ̃pwa'ɲad] *f* heftiger Wortwechsel *m*, F Krach *m*; **~gne** [ɑ̃'pwaɲ] *f nur noch in*: *foire f d'*~ **1.** Durcheinander *n*; **2.** Eldorado *n* für Diebe; *acheter à la foire d'*~ klauen F; **3.** Aufeinanderprallen *n* von Interessen, Postenjägerei *f*; **~gner** [~'ɲe] (1a) **I** *v/t.* **1.** anpacken, er-, an-fassen; festnehmen; **2.** *fig.* ergreifen, packen, tief beeindrucken; **II** F *v/rfl. s'*~ sich raufen; in Wortwechsel geraten.

empois [ɑ̃'pwa] *m Wäscherei*: Stärke *f*.

empoise ⊕ [ɑ̃'pwɑːz] *f* Einbaustück *n e-r Walzstraße*.

empoison|nant F [ɑ̃pwazɔ'nɑ̃] *adj.* (7) widerlich; **~nement** [~zɔn'mɑ̃] *m* Vergiftung *f*; Giftmord *m*; **~ner** [~zɔ'ne] *v/t.* (1a) **1.** vergiften; *fig.* verderben; verbittern; **2.** F auf die Nerven fallen; langweilen; **~neur** [~'nœːr] *su.* (7g) Giftmischer *m*; *fig.* Brunnenvergifter *m*; F lästiger Kerl *m*.

empoissonner [ɑ̃pwasɔ'ne] (1a) *v/t.* *e-n Teich* mit Fischbrut besetzen.

emporétique [ɑ̃pɔre'tik] *adj.*: *papier m* ~ Filterpapier *n*.

emport [ɑ̃'pɔːr] *m*: ✈ *capacité f d'*~ Nutzlast *f*.

empor|té [ɑ̃pɔr'te] *adj.* aufbrausend, jähzornig; **~tement** [~tə'mɑ̃] *m* Aufbrausen *n*, Wut *f*.

emporte-pièce [ɑ̃pɔrtə'pjɛs] *m* (6c) **1.** ⊕ Lochzange *f*, Locheisen *n*; **2.** *fig. à l'*~ klar, treffend, offen, bissig.

emporter [ɑ̃pɔr'te] (1a) **I** *v/t.* **1.** *etw.* mit-, weg-nehmen; ~ *des provisions* (*un bon souvenir*) Proviant (e-e gute Erinnerung) mitnehmen; *les voleurs ont emporté tout* die Diebe haben alles mitgenommen; *fig.* ~ *la conviction de q.* j-n schließlich überzeugen; F ~ *le morceau* bekommen, was man will; F *il ne l'emportera pas en paradis* dem werde ich's noch zeigen (*od.* geben)!; **2.** ~ *qch.* etw. fortschwemmen, mit sich reißen, abreißen, verwehen; *autant en emporte le vent* davon bleibt nichts übrig; vom Winde verweht; **3.** *a.* ⚕ beseitigen; ~ *des taches* Flecken beseitigen; *la quinine a emporté la fièvre* das Chinin hat das Fieber beseitigt; **4.** ⚔ einnehmen, sich bemächtigen (*gén.*); **5.** beschädigen (*Wäsche*); F ~ *la bouche j-m* den Mund verbrennen; **6.** a) *j-n* wegtragen; ~ *des blessés, des personnes évanouies, des morts* Verwundete, Ohnmächtige, Tote weg-tragen, -schaffen; *que le diable vous emporte!* hol' euch der Teufel!; b) dahinraffen: *cette maladie l'a emporté* diese Krankheit hat ihn dahingerafft; c) mitreißen: *le courant l'a emporté vers le rivage* die Strömung hat ihn zum Ufer fortgerissen; *fig.* se *laisser* ~ *à faire qch.* sich zu etw. (*dat.*) hinreißen lassen; **7.** *l'*~ sich durchsetzen; *l'*~ *sur q.* (*sur qch.*) e-n Sieg über j-n (über etw.) davontragen; **II** *v/rfl. s'*~ aufbrausen, wütend werden, hochgehen F.

empoté F [ɑ̃pɔ'te] **I** *adj.* ungeschickt; **II** *m* blöder Kerl *m*.

empourprer [ɑ̃pur'pre] *v/t.* (1a) purpurrot färben.

empoussièrement [ɑ̃pusjɛr'mɑ̃] *m* Verstaubung *f*.

empoussiérer [ɑ̃pusje're] *v/t.* (1f) mit Staub bedecken.

emprein|dre [ɑ̃'prɛ̃ːdrə] *v/t.* (4b) *ein Siegel usw.* ab-, ein-, aufdrücken; *a. fig.* einprägen; *~ son image dans le cœur de q.* in j-s Herzen e-n nachhaltigen Eindruck hinterlassen; *empreint de* mit e-m Gepräge von (*dat.*); **~te** [~'prɛ̃:t] *f* **1.** Abdruck *m*, Prägung *f*; *~ en creux* (*en relief*) vertiefter (erhabener) Abdruck *m*; *~ digitale* Fingerabdruck *m*; *l'~ des pas* die Fußspuren *f/pl.* (*z.B. im Sand od. Schnee*); **2.** *géol.* Stein *m* mit e-m Abdruck, Petrefakt *m od. n*; **3.** *typ.* Abdruck *m*; **4.** *fig.* Gepräge *n*, Stempel *m*.

empressé [ɑ̃prɛ'se] *adj.* eifrig, betriebsam, geschäftig; *soins m/pl. ~s* eifriges Bemühen *n*, volle Hingabe *f*; *des vœux m/pl. ~s* angelegentliche (*od.* innige) Wünsche *m/pl.*; *Briefschluß: Recevez, Monsieur, mes salutations ~es* Hochachtungsvoll; *~ auprès* (*od. à l'égard*) *de q.* um j-n (*acc.*) bemüht.

empressement [ɑ̃prɛs'mɑ̃] *m* Eifer *m*, Emsigkeit *f*, Geschäftigkeit *f*.

empresser [ɑ̃prɛ'se] (1b): *s'~ de faire qch.* sich beeilen, etw. zu tun; *s'~ auprès de q.* sich um j-s Gunst bemühen.

emprise [ɑ̃'pri:z] *f* **1.** *fig.* (Macht-)Einfluß *m*; *avoir de l'~ sur q.* Einfluß auf j-n haben; *renforcer l'~ du pouvoir central* den Machteinfluß der Zentralregierung verstärken; *détacher un pays d'une ~ anti-occidentale* ein Land aus e-m antiwestlichen Einfluß heraushalten; *sous l'~ de l'alcool* unter dem Einfluß von Alkohol; **2.** öffentliches Wegegelände *n*; *~ du chemin de fer* Bahngelände *n*.

emprison|nement [ɑ̃prizɔn'mɑ̃] *m* **1.** Verhaftung *f*, Gefangennahme *f*; **2.** Haft *f*, Gefängnisstrafe *f*; *~ cellulaire* Einzelhaft *f*; **~ner** [~'ne] *v/t.* (1a) **1.** inhaftieren, einsperren, gefangenhalten; **2.** ⚗ *Gase usw.* gebunden halten; **3.** *fig.* ein-, um-, ver-schließen, verschlossen halten; *les rives qui emprisonnent le fleuve* die Ufer, die den Fluß säumen.

emprunt [ɑ̃'prœ̃] *m* Entleihung *f*; Anleihe *f*; *~ forcé* Zwangsanleihe *f*; *~ à primes* Prämienanleihe *f*; *~ de guerre* Kriegsanleihe *f*; *~ hypothécaire* Hypothekenanleihe *f*; *~ à valeur fixe* wertbeständige Anleihe *f*; *placer* (*émettre*) *un ~* e-e Anleihe unterbringen (begeben); *négocier* (*od. ouvrir*) *un ~* e-e Anleihe auflegen; *souscrire à un ~* e-e Anleihe zeichnen; *~ de courant* Stromentnahme *f*; *vivre d'~s* auf Pump leben; *mot m d'~* Lehnwort *n*; *fig. d'~* fremd, falsch, Schein...

emprunt|é [ɑ̃prœ̃'te] *adj.* geborgt, entliehen; *gr.* entlehnt; angenommen, falsch, Schein..., künstlich, erzwungen; unbeholfen, linkisch, steif; **~ter** [~] *v/t.* (1a) *~ qch. à q.* etw. von j-m borgen *od.* leihen; *ling.* entlehnen; *iron.* * organisieren, klauen; F *fig. ~ qch.* etw. (*bsd. Weg, Treppe, Fahrstuhl*) benutzen; sich e-r Sache bedienen; *~ une route* (*l'autoroute*) e-n Weg (die Autobahn) benutzen; *empruntez le* (*passage*) *souterrain* benutzen Sie den Tunnel!; *~ certains moyens* sich gewisser Mittel bedienen; *un auteur emprunte une pensée à q., à un autre ouvrage* ein Verfasser hat e-n Gedanken von j-m, aus e-m anderen Werk; **~teur** [~'tœ:r] (7g) *su.* Entleiher *m*; Anleihenehmer *m*.

empsychose *phil.* [ɑ̃psi'ko:z] *f* Beseelung *f*.

empuantir [ɑ̃pɥɑ̃'ti:r] (2a) *v/t.* verpesten.

empyème ⚕ [ɑ̃'pjɛm] *m* Eiteransammlung *f*.

empyrée *myth.* [ɑ̃pi're] *m*: *l'*♀ *od. adj.*: *ciel m ~* Feuerhimmel *m*; *fig. être toujours dans l'*♀ immer in höheren Regionen (*od.* im siebenten Himmel) schweben.

empyreu|matique ⚗ [ɑ̃pirøma'tik] *adj.* brenzlig; **~me** [~'rø:m] *m* ⚗ Brand-geruch *m*, -geschmack *m*.

ému [e'my] *adj.* (7) gerührt, ergriffen.

émulation [emyla'sjɔ̃] *f* Nacheiferung *f*, Wetteifer *m*, Strebsamkeit *f*; *psych.* Emulation *f*.

émule [e'myl] *su.* Nacheiferer *m*; Rivale *m*; *être l'~ de q.* mit j-m wetteifern.

émul|seur [emyl'sœ:r] *m* Emulsionsapparat *m*; *Auto*: *~ carburateur* Vergaserzerstäuber *m*; **~sif** [~'sif] *adj.* (7e) emulgierend; **~sifier** [~si'fje] *v/t.* (1a) emulgieren; **~sion** [~'sjɔ̃] *f phm.* (*phot. photographique*) (photographische) Emulsion *f*.

en [ɑ̃] **I** *pronom adverbial* **1.** *rein örtlich*: von dort: *j'en viens* ich komme von dort; *va-t'en* geh weg!; *ne t'en va pas* geh nicht weg!; *allez-vous-en!* geht weg!, gehen Sie weg!; *ne vous en allez pas* geht nicht weg!, gehen Sie nicht weg!; *il en sortit* er ging dort hinaus; *fig.*

je n'en sors pas das schaffe ich nicht, ich werde damit nicht fertig; **2.** *auf etw. Vorhergehendes bezüglich*: davon; darüber; deshalb; von ihm, von ihr *usw.*; *oft bleibt en im Deutschen unübersetzt! avez-vous du sucre? (des frères?) — Oui, madame, j'en ai (j'en ai deux)* haben Sie Zucker? (Brüder?) — Ja, meine Dame (ich habe zwei); *il m'en a donné* er hat mir davon gegeben; *parle-t-il de ce cas (de Jean)? — non, il n'en parle pas* spricht er über diesen Fall (über Hans)? — nein, er spricht nicht darüber (über ihn); *nous nous en sommes bien réjouis* wir haben uns sehr darüber gefreut; *j'en suis content* ich bin damit zufrieden; *je n'en suis pas plus heureux* ich bin deshalb nicht glücklicher; *si vous êtes sage, je vous ~ aimerai davantage* wenn Sie verständig sind, werde ich Sie um so mehr lieben; *il n'en partira pas moins* er wird trotz allem abreisen; *je vous en prie* ich bitte Sie (darum); wenn ich bitten darf (*einladend*); bitte sehr, macht nichts (*als Antwort auf e-e Entschuldigung*); bitte sehr, gern geschehen (*als Antwort auf e-n Dank*); das bitte ich mir aus! (*drohend*); *je ne vous en veux pas* das nehme ich Ihnen nicht übel; *quoi qu'il en soit* wie dem auch sei; *à qui en a-t-il donc?* wen meint er eigentlich?, auf wen hat er es denn abgesehen?; *c'en est assez!* genug davon!; *c'en est trop!* das geht aber zu weit!; *c'en est fait* das ist fertig (*od.* geschehen); es ist aus damit; *en être pour ses frais* nicht auf s-e Kosten kommen, sich umsonst bemüht haben; *où en sommes-nous?* wo sind wir stehengeblieben? (*beim Lesen*); *nous allons voir ce qu'il en est* wir werden sehen, was es ist (*od.* wie es damit steht *od.* aussieht), was los ist; *en en créant de nouveaux wörtlich*: indem er (sie *usw.*) davon neue schafft; *les habitants en sont heureux* ihre Einwohner (*nämlich die e-r Stadt*) sind glücklich; *bisw. im Passiv*: *on ne voit pas les autos*; *on n'en est pas vu* man sieht die Autos nicht; man wird von ihnen nicht gesehen; **II** *préposition* **3.** *Raum*: in (*auf die Frage wo? bei Ländern*), nach (*auf die Frage wohin? bei Ländern*), auf (*bei Flüssen, dat.*); *en France* in (nach) Frankreich; *en U.R.S.S., en Union Soviétique* in der [*wo?*] (in die [*wohin?*]) Sowjetunion; *en République fédérale* in der [*wo?*] (in die [*wohin?*]) Bundesrepublik; *bei großen Inseln*: *en Crète* auf [*wo?*] (nach [*wohin?*]) Kreta; *bei Gebiets- od. Provinznamen*: *en Picardie* in (nach) der Pikardie; *regional sogar heute noch bei Städten*: *arriver en Avignon* in Avignon ankommen; *en ville* (*auf Briefen*) hier(selbst); *aller en ville* in die Stadt gehen *od.* fahren; ausgehen; *aller en France* nach Frankreich fahren; *canoter en Seine* auf der Seine segeln; *de haut en bas* von oben nach unten; *de père en fils* vom Vater auf den Sohn; *fig.* *de mal en pis* immer schlimmer; *il n'est pas en moi de le faire* es steht mir nicht zu, es zu tun; *en route pour* auf dem Weg nach; *en voyage* auf Reisen; *en pleine assemblée* vor der ganzen Versammlung; *en l'église de la Madeleine* in der Madeleineskirche; **4.** *Zeit*: im Jahre; in (*dat.*); innerhalb (*gén.*); *en 1975* (*daneben häufig*: *en l'an 1975 od. nur*: *l'année 1975*) im Jahre 1975; *en deux ans* in zwei Jahren; *en trois jours* innerhalb von drei Tagen; *je me suis décidé en quarante-huit heures* ich habe mich in 48 Stunden entschieden; *en automne* im Herbst; *en août* im August; *en temps de guerre* in Kriegszeiten; *d'aujourd'hui en huit* heute über acht Tage; *de jour en jour* von Tag zu Tag; *il reviendra en quinze jours* er wird in vierzehn Tagen zurückkommen; **5.** *Zweck, Bestimmung*: *venir en aide* zu Hilfe kommen; *mettre en gage* versetzen; *armer en guerre* zum Krieg rüsten; *en vente chez tous les libraires* bei allen Buchhändlern erhältlich; *mettre en vente* zum Verkauf anbieten; *en l'honneur de q.* j-m zu Ehren; *en son honneur* ihm zu Ehren; **6.** *Einteilung*: *en deux* entzwei; **7.** *Form, Umhüllung, Kleidung*: *en pyramide* pyramidenförmig; *en grand deuil* in voller Trauer; **8.** *Stoff, Inhalt*: *bordé en or* mit Gold verbrämt; *montre f en or* goldene Uhr *f*; *table f en bois* Holztisch *m*; **9.** *Art, Weise, Mittel, Zustand usw.* *approvisionnement m en matières premières* Rohstoffbeschaffung *f*; *besoins m/pl. en énergie* ⚡ Energiebedarf *m*; *colorer en bleu* blau färben; *course f (excursion f, promenade f, voyage m) en* *auto* Autofahrt *f*; *course f* (*excursion f*, *randonnée f*, *promenade f*) *en vélo* Radfahrt *f*; *en latin* auf lateinisch; *en votre qualité de ...* in Ihrer Eigenschaft als ...; *portrait m en pied* Bild *n* in ganzer Figur; *surpasser q. en beauté* j-n an Schönheit übertreffen; *elle était en blanc* sie hatte ein weißes Kleid an; *en chemise* im Hemd; *prendre q. en horreur* j-n verabscheuen; *être en vie* (*en congé*) am Leben (auf Urlaub) sein; *fertile en* reich an (*dat.*); *je me suis ruiné en pilules* ich habe mich mit Pillen zugrunde gerichtet; **10.** *Fach*: *étudiant m en droit* Jurastudent *m*; *ouvrier m en bâtiment* Bauarbeiter *m*; *ouvrier m en soie* Seidenarbeiter *m*; **11.** als, wie; *en ami* als Freund; *s'habiller en Eskimo* sich wie ein Eskimo anziehen; *se battre en désespéré* sich wie ein Verzweifelter schlagen; **12.** *verschiedene Redensarten*: *en tous les cas* in allen Fällen; *il n'y avait en femmes que ...* an Frauen waren nur ... da; *croire en Dieu* an Gott glauben; *croire en sa chance* an s-e Chance glauben; *fondre en larmes* in Tränen zerfließen (*od.* ausbrechen); *se changer en qch.* sich in etw. verwandeln; *se mettre en frais* sich in Unkosten stürzen; *Auto*: *entrer en collision avec* zusammenstoßen mit (*dat.*); *travailler en musique* bei Musik arbeiten; **13.** *zur Bildung des gérondifs*: *c'est en forgeant qu'on devient forgeron* durch (vieles) Schmieden wird man Schmied; Übung macht den Meister; *il a gagné sa fortune en travaillant* er hat sich ein Vermögen durch Arbeit erworben; *en en* (s. *unter* 2!) *créant de nouveaux* indem (*od.* dadurch, daß) er (sie *usw.*) davon neue schafft; *en en* (s. *unter* 2!) *multipliant les classes* indem man davon die (Schul-) Klassen vermehrt; *il lit en se promenant* er liest beim Spazierengehen; **14.** *advt. en avant!* vorwärts!

enamourer [ɑ̃namu're], **énamourer** [enamu're] *litt. od. iron.* (1a) *v/rfl.*: *s'~ de q.* sich in j-n verlieben.

énarque *Fr.* [e'nark] *m* (ehemaliger) Schüler *m* der Ecole nationale d'administration.

énarthrose *anat.* [enar'tro:z] *f* Pfannengelenk *n*.

en bas [ɑ̃'bɑ] *adv.* (nach) unten; *d'~* von unten (her).

encabaner [ɑ̃kaba'ne] *v/t.* (1a) *die Seidenraupen* auf die Hürde bringen.

encadré *journ.* [ɑ̃ka'dre] *m* umrandeter Artikel *m*; Kasten *m*.

enca|drement [ɑ̃kadrə'mɑ̃] *m* **1.** Einfassung *f*, Einrahmung *f*; *fin.* *~ de crédit* Krediteinschränkung *f*; **2.** *weitS.* leitende Angestellte *m/pl.*; Stammpersonal *n*; **~drer** [~'dre] *v/t.* (1a) einrahmen; einfassen, einfügen; ⚔ *in Kader* einverleiben; *durch Beschuß* abriegeln, einkreisen; *artill.* *~ un but* ein Ziel eingabeln.

encag|er [~'ʒe] *v/t.* (1l) in einen Käfig (*od. fig.* ins Gefängnis) stekken; ⚒ den Förderkorb beschicken (mit); **~eur** [~'ʒœ:r] *m* **1.** ⚒ Beschickungsmaschine *f*; **2.** Verzurrband *n* (*gegen Herausfallen gestapelter Waren*).

encais|sable [ɑ̃kɛ'sablə] *adj.* einkassierbar; **~sage** [~'sa:ʒ] *m* **1.** Verpacken *n* in Kisten; **2.** ✓ Einpflanzen *n* in Kübel; **~se** ✝ [~'kɛs] *f* Kassenbestand *m*; **~sé** *géol.* [~kɛ'se] *adj.* eingeengt, tief eingeschnitten; kesselförmig; **~sement** [~kɛs'mɑ̃] *m* **1.** Einpacken *n* in Kisten; Verpackung *f*; **2.** ✝ Einkassieren *n*, Zahlungseingang *m*, Inkasso *n*; **3.** ⊕ Eindämmung *f e-s Flusses*; **~se-or** [~kɛ'sɔ:r] *f* (6b) Goldbestand *m*; **~ser** [~'se] *v/t.* (1b) **1.** in e-e Kiste *usw.* (ver)packen; **2.** einkassieren, Scheck einlösen; *fig.* (*Beleidigungen usw.*) einstecken; hinnehmen; *ne pas ~* nicht leiden können; **3.** ✓ in Kübel einpflanzen; **~seur** [~'sœ:r] *m* Einkassierer *m*.

encan [ɑ̃'kɑ̃] *m*: *vente f à l'~* Auktion *f*, Versteigerung *f*; *être à l'~* für den Meistbietenden zu haben sein; *mettre* (*od. vendre*) *à l'~* versteigern.

encanailler [ɑ̃kanɑ'je] (1a): *v/rfl.* *s'~* vulgär werden; in schlechte Gesellschaft geraten, schlechten Umgang haben.

encapuchonner [ɑ̃kapyʃɔ'ne] (1a) *v/t.* eine Kapuze überziehen (*dat.*).

encaquer [ɑ̃ka'ke] (1m) *v/t. Heringe* einsalzen.

encart [ɑ̃'ka:r] *m* Beilage *f* (*a.* ~age); *typ.* Einlage *f*; **~age** [~'ta:ʒ] *m* **1.** Einbriefen *n* (*od.* Einheften *n*) *der Stecknadeln*; **2.** *journ. unregelmäßige* Beilage *f*, *beigefügter* Prospekt *m*; Einlegen *n e-r Beilage*; **~er, ~onner** [~'te, ~tɔ'ne] (1a) **I** *v/t.* **1.** *~ les épingles* die Stecknadeln in Briefe stecken; **2.** *journ. eine Bei-*

lage, eine Reklame einlegen; **II** *v/rfl.* s'~ auf Pappe gesteckt werden; *journ.* eingelegt werden.

en-cas, encas [ɑ̃'kɑ] *cuis. m* (6c) kalter Imbiß *m*, kalte Platte *f*.

encastelure *vét.* [ɑ̃kastə'ly:r] *f* Hufzwang *m*.

encastr|é ⊕ [ɑ̃kas'tre] *adj.* eingebaut; gelagert; **~ement** [~strə'mɑ̃] *m* Einfugen *n*, Einlassen *n*, Einpassen *n*; Lager *n*, Zapfenlager *n*; ~ *d'essieu* Achslager *n*; **~er** [~s'tre] *v/t.* (1a) einbauen, einfalzen, einlassen, einfassen; *Auto*: *s'~ sous un camion* unter e-n Lastwagen geraten.

encaus|tique [ɑ̃kos'tik] **I** *adj.* **1.** *peinture f ~* (eingebrannte) Wachsmalerei *f*; **II** *f* **2.** *peindre à l'~* mit Wachsfarben malen; **3.** Bohnerwachs *n*; *passer à l'~* bohnern; **~tiquer** [~ti'ke] *v/t.* (1m) bohnern.

enca|ver [ɑ̃ka've] *v/t.* (1a) einkellern; **~veur** [~'vœ:r] *m* Küfer *m*.

enceinte [ɑ̃'sɛ̃:t] **I** *adj./f* **1.** schwanger, in anderen Umständen; **II** *f* **2.** Umfassung *f*, Umgrenzung *f*; Ausstellungsgelände *n*; Tiergehege *n*; **3.** ⚖ *l'~ d'un tribunal* der Gerichtssaal; **4.** *~ acoustique* Lautsprecheranlage *f*; **5.** *frt.* Umwallung *f*; Stadtmauer *f*.

encens [ɑ̃'sɑ̃] *m* **1.** Weihrauch *m*; **2.** *fig. a. péj.* Lob *n*, Schmeichelei *f*.

encen|sement [ɑ̃sɑ̃s'mɑ̃] *m* Weihrauchstreuen *n*; *fig. ~ de soi* Selbstbeweihräucherung *f*; **~ser** [ɑ̃sɑ̃'se] *v/t.* (1a) mit Weihrauch beräuchern, *j-m* Weihrauch streuen; *fig. péj.* beweihräuchern; schmeicheln (*dat.*); **~seur** *rl.* [~'sœ:r] *su.* (7g) Rauchfaßträger *m*; **~soir** [~'swa:r] *m* **1.** Weihrauchfaß *n*; *fig. donner l'~ à q., lui casser l'~ sur le nez fig.* j-m ordentlich um den Bart schmieren; **2.** *fig.* geistliche Macht *f*; *tenir le sceptre et l'~* die weltliche und die geistliche Gewalt haben.

encéphale *anat.* [ɑ̃se'fal] *m* Gehirn *n*.

encéphal|ite ⚕ [ɑ̃sefa'lit] *f* Gehirnentzündung *f*; **~ogramme** ⚕ [~lɔ'gram] *m* Enzephalogramm *n*.

encer|clement [ɑ̃sɛrklə'mɑ̃] *m* Einkreisung *f* (*a. pol.*); **~cler** [~'kle] *v/t.* (1a) einkreisen, umzingeln; *fig.* e-n Kreis zeichnen, umranden.

enchaî|nement [ɑ̃ʃɛn'mɑ̃] *m* An-, Ver-kettung *f*; *cin., thé.* Überleitung *f*, Zwischennummer *f*, verbindender Text *m*; **~ner** [~'ne] **I** *v/t.* (1b) **1.** anketten; fesseln; **2.** *fig.* in Ketten legen, unterjochen; **3.** hemmen, hindern; **4.** verketten, verknüpfen; *cin.* überblenden; **II** *abs.* sogleich das Gespräch wieder aufgreifen, sogleich antworten.

enchan|tement [ɑ̃ʃɑ̃t'mɑ̃] *m* **1.** Bezauberung *f*, Zauber(ei *f*) *m*; **2.** *fig.* Zauber *m*, Reiz *m*; Zaubermittel *n*; Entzücken *n*; *être dans l'~* ganz entzückt sein; **~ter** [~'te] *v/t.* (1a) bezaubern, verzaubern, behexen; *fig.* entzücken, bezaubern; sehr erfreuen; *palais enchanté* Zauberschloß *n*; **~teur** [~'tœ:r] (7h) **I** *su.* Zauberer *m*, Zauberin *f*; **II** *nur m fig.* Charmeur *m*; **III** *adj.* bezaubernd.

enchâs|sement [ɑ̃ʃɑs'mɑ̃] *m* Einfassung *f*; **~ser** [~ʃɑ'se] (1a) *v/t.* **1.** in ein Reliquienkästchen legen; **2.** fassen, einfügen (*Edelsteine*); *fig. in Reden* einflechten; **~sure** *f*, **enchatonnement** *m* [~'sy:r, ~ʃatɔn'mɑ̃] Einfassen *n*, Fassung *f*.

enchatonner ⊕ [ɑ̃ʃatɔ'ne] *v/t.* (1a) *Edelsteine* fassen.

enchausser ⚘ [ɑ̃ʃo'se] *v/t.* (1a) mit Stroh (*od.* Dung) zudecken.

enchère [ɑ̃'ʃɛ:r] *f* **1.** höheres Angebot *n*; *~ minimum* Mindestgebot *n*; *la plus forte* (*od. la dernière*) *~* Höchstgebot *n*; *aller d'~ en ~* die Preise höher treiben; *couvrir une ~* überbieten; *en payer la folle ~* etw. ausbaden (müssen); *fig. cet homme est à l'~* dieser Mensch ist käuflich; **2.** *vente f aux ~s* Versteigerung *f*, Auktion *f*; *~s forcées* Zwangsversteigerung *f*; *mettre* (*od. vendre*) *aux ~s* versteigern.

enché|rir [ɑ̃ʃe'ri:r] *v/i.* **1.** † teurer werden; **2.** † *~ sur q.* j-n überbieten; *fig. Néron enchérit sur la cruauté de Tibère* Nero übertraf Tiberius an Grausamkeit; *~ sur la vérité* mehr sagen, als wahr ist; **~rissement** [~ris'mɑ̃] *m* Verteuerung *f*, Preissteigerung *f*; **~risseur** [~ri'sœ:r] *su.* (7g) Mehrbieter *m*; *dernier ~* Meistbietende(r) *m*.

enchevalement ⚠ [ɑ̃ʃ(ə)val'mɑ̃] *m* Abstützarbeiten *f/pl.*

enchevaucher ⊕ [ɑ̃ʃ(ə)vo'ʃe] *v/t.* (1a) überlappen, ver-, über-blatten (*Bretter, Ziegel*).

enchevêtr|é [ɑ̃ʃ(ə)vɛ'tre] *adj.* verwickelt, kompliziert; **~ement** [~vɛtrə'mɑ̃] *m* Verwicklung *f*, Verworrenheit *f*; **~er** [~vɛ'tre] (1a) **I** *v/t.* ⚠ *Balken* auswechseln; *fig.* verwickeln, komplizieren; **II** *v/rfl.*

s'~ sich verwickeln; **~ure** [~'try:r] *f* Balkenauswechselung *f*.

enchifrené ⚕ [ɑ̃ʃifrə'ne] *adj.* stark verschnupft.

encla|ve [ɑ̃'kla:v] *f* Enklave *f*; *géol.* eingesprengtes Gestein *n*; **~vé** [ɑ̃kla've] *m* abgekapselt Lebende(r) *m*; **~ver** [~'ve] *v/t.* (1a) *Landesteile usw.* umschließen; ⊕ einfügen (*a. fig.*), einkeilen.

enclen|che ⊕ [ɑ̃'klɑ̃:ʃ] *f* Ringnut *f*; **~chement** ⊕ [ɑ̃klɑ̃ʃ'mɑ̃] *m* Einrasten *n*; Einrückung *f*; **~cher** [ɑ̃klɑ̃'ʃe] *v/t.* (1a) *mach.* ein-klinken, -schalten; *fig.* in Gang bringen.

enclin [ɑ̃'klɛ̃] *adj.* (7): ~ *à qch. od. à* (*mit inf.*) geneigt zu etw., zu ...

encliquet|age ⊕ [ɑ̃klik'ta:ʒ] *m* Sperrvorrichtung *f*; **~er** ⊕ [~klik'te] *v/t.* (1c) einrasten.

enclise *ling.* [ɑ̃'kli:z] *f* Enklise *f*.

enclitique *gr.* [ɑ̃kli'tik] *adj.* angehängt, enklitisch.

enclore [ɑ̃'klɔ:r] *v/t.* (4k) umzäunen, umgeben.

enclos [ɑ̃'klo] **I** *adj.* (7) eingeschlossen; **II** *m* Zaun *m*, Umzäunung *f*; eingezäuntes Grundstück *n*; Koppel *f*.

enclou|er [ɑ̃klu'e] *v/t.* (1a) **1.** *vét. ein Pferd beim Beschlagen* vernageln; **2.** *chir.* nageln; **~ure** *vét.* [~'y:r] *f* Nagelschaden *m*.

enclume [ɑ̃'klym] *f* Amboß *m*; *dur comme une ~* steinhart; *être entre l'~ et le marteau fig.* zwischen zwei Mühlsteine geraten.

encoche [ɑ̃'kɔʃ] *f* Kerbe *f*, Einschnitt *m*; ⊕ Raste *f*, Nut *f*; **~ment** [~'mɑ̃] *m* Einkerben *n*; Einlegen *n der Bogensehne* in die Kerbe.

encoch|er [ɑ̃kɔ'ʃe] *v/t.* (1a) **1.** einkerben; **2.** *die Bogensehne* in die Kerbe legen; **~euse** ⊕ [~'ʃø:z] *f* Nutenstanzpresse *f*.

encoignure [ɑ̃kɔ'ɲy:r] *f* (Zimmer-) Ecke *f*; Eck-brett *n*, -schränkchen *n*.

encol|lage [ɑ̃kɔ'la:ʒ] *m* **1.** *text.* Appretur *f*; **2.** *a. Papier*: Leimen *n*; Auftragen *n* e-r Gummi-, Klebeschicht; **~ler** [~'le] *v/t.* (1a) **1.** *text.* appretieren; **2.** *Papier*: leimen, gummieren.

encolure [ɑ̃kɔ'ly:r] *f* **1.** (Pferde-) Hals(-länge *f*) *m*; **2.** Kragen-, Halsweite *f*; Handschuhnummer *f*; **3.** *Sport*: Hals- u. Schulter-breite *f* (*v. Personen*); **4.** ⚓ mittlere Innenspanthöhe *f*; ~ *de l'ancre* Ankerhals *m*.

encom|brant [ɑ̃kɔ̃'brɑ̃] *adj.* (7) **1.** sperrig, unhandlich; verkehrsbehindernd; **2.** *fig.* lästig; **~bre** [~'kɔ̃:brə] *m*: *sans ~* unbehindert; **~brement** [~kɔ̃brə'mɑ̃] *m* Verkehrsstockung *f*; Gewühl *n*, Gedränge *n*; Überangebot *n* (*v. Waren*); Überfüllung *f* (*e-s Berufs*); *bsd.* ⊕ Ausmaße *n/pl.*, Platzbedarf *m* (*e-r Maschine usw.*); **~brer** [~'bre] *v/t.* (1a) versperren; überfüllen; *fig.* belästigen; überladen.

encontre [ɑ̃'kɔ̃:trə]: *à l'~ de* gegen (*acc.*); *aller à l'~ de* sich widersetzen (*dat.*); *personne ne va ~* niemand ist dagegen, niemand bestreitet es.

encorbellement ⚠ [ɑ̃kɔrbɛl'mɑ̃] *m* Erker *m*, Überhang *m*, Mauervorsprung *m*, Auskragung *f*; *poutre f en ~* Kragträger *m*; *être en ~ sur qch.* über etw. auskragen.

encorder [ɑ̃kɔr'de] *v/t.* (1a) *Klettersport*: anseilen; *text.* abschnüren.

encore [ɑ̃'kɔ:r] **I** *adv.* **1.** noch (immer), bis jetzt; *~ assez* noch und noch, reichlich; *~ plus, ~ davantage* noch mehr; *il en veut ~* er will noch mehr; *pas ~* noch nicht; **2.** wieder, nochmals; *~ une fois* (F *~ un coup*) noch einmal; *int. ~!* schon wieder!; *qu'est-ce ~?* was ist das schon wieder?; **3.** auch noch, überdies, ferner; *non seulement ..., mais ~* nicht nur, sondern auch; *~ est-il que ...* hinzu kommt, daß ...; außerdem ...; obendrein ...; **4.** *mais ~?* und dann?; na und?; was weiter?; *et ~!* und selbst dann!, und davon ganz abgesehen!; **5.** *~ s'il venait* wenn er nur wenigstens käme; **6.** (*mit Inversion*) allerdings, freilich; **II ~ que** *litt. cj. mit subj.* obgleich, wenn auch; *~ qu'il soit jeune* wenn er auch noch jung ist; *~ qu'innocemment* wenn auch unschuldigerweise.

encor|ner [ɑ̃kɔr'ne] *v/t.* (1a) **1.** mit Hörnern stoßen; **2.** F *fig. ~ son mari* ihren Mann täuschen; **~net** *icht.* [~'nɛ] *m* Kalmar *m*.

encoura|gement [~raʒ'mɑ̃] *m* Ermutigung *f*, Aufmunterung *f*; *écol. prix m d'~* Prämie *f*; *société f d'~* Verein *m* zur Förderung (*gén.*); **~ger** [~'ʒe] *v/t.* (1l) ermutigen, aufmuntern, anfeuern; *~ qch.* etw. (zu) fördern (suchen).

encourir [ɑ̃ku'ri:r] *v/t.* (2i) sich zuziehen, sich aussetzen (*dat.*), auf sich laden; *~ la disgrâce* in Ungnade fallen; *~ une amende* e-e Geldstrafe erhalten; *~ des reproches* sich Vorwürfen aussetzen.

encrage *typ.* [ɑ̃'kra:ʒ] *m* Färben *n.*

encrass|é [ɑ̃kra'se] *adj.* verschmutzt, verölt, verrußt; **~er** [~] *v/t.* (1a) verschmutzen, verunreinigen; ~ *par la suie* verrußen.

en|cre ['ɑ̃:krə] *f* Tinte *f*; ~ *d'imprimerie*, ~ *noire* Druckerschwärze *f*; ~ *de Chine* Tusche *f*; ~ *à stylo* Füllertinte *f*; ~ *à copier* Kopiertinte *f*; *crayon m* ~ Kopierstift *m*; *tache f d'*~ Tintenklecks *m*; *écrire à l'*~ mit Tinte schreiben; F *écrire à q. de bonne* ~ j-m e-n groben Brief schreiben; **~crer** [ɑ̃'kre] *v/t.* (1a) *typ.* ~ *les lettres* Druckerschwärze auftragen; ~ *les rouleaux* die Walzen einfärben; **~crier** [ɑ̃kri'e] *m* **1.** Tintenfaß *n*; **2.** *typ.* Farbkasten *m*; **~crivore** [ɑ̃kri'vɔ:r] *adj.* tintelöslich.

encroût|é [ɑ̃kru'te] *adj. a. fig.* verkalkt; **~er** [~] (1a) *v/t.* **1.** mit e-r Kruste überziehen, berinden; **2.** ⚠ mit Mörtel bewerfen, verputzen; **3.** *fig.* abstumpfen, verblöden; être *encroûté de préjugés* voller Vorurteile sein; *pédant encroûté* verkalkter (*od.* verknöcherter) Besserwisser *m.*

encu|vage, ~vement ⊕ [ɑ̃ky'va:ʒ, ~v'mɑ̃] *m* Einlegen *n* in Fässer; Einmaischen *n*; **~ver** [~'ve] *v/t.* (1a) **1.** in Fässer bringen; **2.** ~ *du linge* Wäsche einweichen; **3.** *Brauerei*: ~ *le malt* einmaischen.

encyclique [ɑ̃si'klik] *f* Enzyklika *f.*

encyclopé|die [ɑ̃siklɔpe'di] *f* Konversationslexikon *n*, Enzyklopädie *f*; ~ *pratique* Reallexikon *n*; *fig. une* ~ *vivante* ein wandelndes Lexikon *n*; **~dique** [~'dik] *adj.* enzyklopädisch, allumfassend; **~diste** [~'dist] *m* **1.** *18. Jh.*: Enzyklopädist *m*; **2.** Mitarbeiter *m* an e-r Enzyklopädie.

endéans *dial., belgisch* [ɑ̃de'ɑ̃] *prp.* innerhalb (*gén.*); ~ *les quinze jours* innerhalb von nur 14 Tagen.

endé|mie ⚕ [ɑ̃de'mi] *f* Endemie *f*; **~mique** [~'mik] *adj.* endemisch, einheimisch; *fig.* dauernd.

enden|té [ɑ̃dɑ̃'te] *adj.* mit Zähnen versehen, gezähnt; ⊕ *roue f* ~*e* Zahnrad *n*; **~ter** [~'te] *v/t.* (1a) verzahnen; **~ture** *méc.* [~'ty:r] *f* Zacke *f*, Zahnwerk *n.*

endermique ⚕ [ɑ̃dɛr'mik] *adj.* endermatisch.

endet|tement [ɑ̃dɛt'mɑ̃] *m* Ver-, Über-schuldung *f*; **~ter** [~'te] (1a) *v/t.* (*u. s'*~ sich) in Schulden stürzen; ~té verschuldet.

endeuiller [ɑ̃dœ'je] *v/t.* (1a) in Trauer versetzen.

endiab|lé [ɑ̃dja'ble] *adj.* besessen, leidenschaftlich, wild (*Rennen, Rhythmus*); être ~ *de* versessen sein auf (*acc.*).

endi|guement [ɑ̃dig'mɑ̃] *m* Eindämmung *f*, Eindeichen *n*; **~guer** [ɑ̃di'ge] *v/t.* (1m) eindämmen, eindeichen; *fig.* hemmen; einschränken; aufhalten.

endimancher [ɑ̃dimɑ̃'ʃe] (1a) *v/rfl.* s'~ sich sonntäglich anziehen.

endive ⚘, *cuis.* [ɑ̃'di:v] *f* Chicorée *f.*

endivisionner ⚔ [ɑ̃divizjɔ'ne] *v/t.* (1a) in Divisionen aufstellen.

endo|carde *anat.* [ɑ̃dɔ'kard] *m* Endokardium *n*, innere Herzhaut *f*; **~cardite** ⚕ [~kar'dit] *f* Endokarditis *f*, Entzündung *f* der inneren Herzhaut; **~carpe** ⚘ [~'karp] *m* Endokarp *n*, innerste Schalenschicht *f* der pflanzlichen Frucht; **~crine** *physiol.* [~'krin] *adj.*: *glandes f/pl.* ~*s* endokrine Drüsen *f/pl.*

endoctri|né [ɑ̃dɔktri'ne] *adj.* geschult (*bsd. pol.*); **~nement** *pol.* [~n'mɑ̃] *m* Schulung *f*; **~ner** [~'ne] *v/t.* (1a) belehren, *bsd. pol.* schulen; **~neur** [~'nœ:r] *m bsd. pol.* Schulungsleiter *m.*

endogène *anat.* [ɑ̃dɔ'ʒɛn] *adj.* endogen.

endolo|ri [ɑ̃dɔlɔ'ri] *adj.* schmerzhaft; **~rir** [~'ri:r] *v/t.* (2a) Schmerzen verursachen (*dat.*); *j'ai le bras endolori* der Arm tut mir weh; *fig. une nouvelle qui endolorit mon cœur* e-e Nachricht, die mich innerlich trifft; **~rissement** [~ris'mɑ̃] *m* schmerzhafter Zustand *m.*

endomma|gé [ɑ̃dɔma'ʒe] *adj.* beschädigt, defekt; **~gement** [~maʒ'mɑ̃] *m* Beschädigung *f*; **~ger** [~'ʒe] (1l) **I** *v/t.* beschädigen; **II** *v/rfl.* s'~ beschädigt werden.

endonéphrite ⚕ [ɑ̃dɔne'frit] *f* Nierenbeckenhautentzündung *f.*

endor|mant [ɑ̃dɔr'mɑ̃] *adj.* (7) *fig.* zum Einschlafen, langweilig; **~mi** F [~'mi] *adj. u. su.* schläfrig(er), träge(r Mensch *m*), Schlafmütze *f*; **~mir** [~'mi:r] (2b) **I** *v/t.* **1.** *a.* ⚕ einschläfern, *fig.* täuschen, beschwatzen; *il l'a endormi (avec) de belles paroles* er hat ihn mit schönen Redensarten betört; **2.** ~ *à l'éther* ⚕ betäuben, unempfindlich machen; *jambe f endormie* eingeschlafenes Bein *n*; **II** *v/rfl.* s'~ einschlafen; *st.s.* entschlafen, sterben; nachlassen (*Schmerz*); *fig.* nachlässig werden; **~missement** [~mis'mɑ̃] *m* Einschlafen *n*.

endos ✝ [ɑ̃'do] *m* Indossament *n*, Indossierung *f*, Giro *n*, Übertragsvermerk *m*; *a.*: *~sement*.

endoscop|e ⚕ [ɑ̃dɔs'kɔp] *m* Endoskop *n*; *~ tubulaire* schlauchartiges Endoskop *n*; **~ie** [~'pi] *f* Untersuchung *f* mit e-m Endoskop.

endosmose [ɑ̃dɔs'mo:z] *f phys.* Endosmose *f*; *fig.* Einfluß *m*.

endosperme ⚘ [ɑ̃dɔ'spɛrm] *m* Endosperma *n*, Fruchtkeim *m*.

endos|sable ✝ [ɑ̃do'sablə] *adj.* indossierbar, durch Giro übertragbar; **~sataire** ✝ [ɑ̃dosa'tɛ:r] *m* Indossat *m*, Wechselnehmer *m*; **~ser** [~] *v/t.* (1a) anziehen; *~ la soutane* Priester werden; *~ l'uniforme* Soldat werden; *fig. ~ qch.* etw. auf sich nehmen, für etw. geradestehen; *~ la responsabilité* die Verantwortung übernehmen; ✝ *~ une lettre de change* e-n Wechsel indossieren *od.* girieren; **~ses** * [ɑ̃'do:s] *f/pl.* Schultern *f/pl.*; **~seur** ✝ [ɑ̃do'sœ:r] *m* Indossant *m*, Girant *m*, Überweiser *m*.

endroit [ɑ̃'drwa] *m* **1.** (bestimmter) Ort *m*, Platz *m*; Stelle *f*; *en tel ~* an der und der Stelle; *au bon ~* an der richtigen Stelle; *à l'~ où* da wo; *par ~s* stellenweise; **2.** Ort *m*, Ortschaft *f*; **3.** rechte Seite *f*, Glanzseite *f e-s Stoffes usw.*; *étoffe f à deux ~s* auf beiden Seiten gleicher Stoff *m*; *mettre qch. à l'~* etw. (*ein Kleidungsstück*) richtig anziehen; *le bas est à l'~* der Strumpf ist rechts herum; *fig. se faire voir par son bel ~* sich von s-r besten Seite zeigen (*od. iron.* präsentieren); *~ faible* (*od. sensible*) schwache Seite *f*; **4.** *plais.* F *le petit ~* das Örtchen, die Toilette, das WC; **5.** *prpt.* (*litt.*) *à l'~ de ...* hinsichtlich (*gén.*); *il a bien agi à mon ~* er hat mir Gutes getan.

en|duire [ɑ̃'dɥi:r] *v/t.* (4c) be-, über-streichen, -gießen (*de qch.* mit etw.); **~duit** [ɑ̃'dɥi] *m* **1.** Belag *m*, Überzug *m*; **2.** △ Putz *m*, Verputz *m*; *~ de plancher* Estrich *m*; *~ de plâtre* Gipsputz *m*; *~ hourdé* Berappung *f*; *~ au pistolet* Spritzbewurf *m*; *~ à chaux* Kalkanstrich *m*; **3.** *mach. ~ gras* Schmiere *f*.

endu|rable [ɑ̃dy'rablə] *adj.* erträglich; **~rance** [~'rɑ̃:s] *f* Ausdauer *f*, Widerstandskraft *f*; *épreuve f d'~* Dauerprobe *f*; *Sport*: Dauerrennen *n*; **~rant** [~'rɑ̃] *adj.* (7) ausdauernd; duldsam; *il n'est pas trop ~* er läßt sich nichts gefallen.

endur|ci *fig.* [ɑ̃dyr'si] *adj.* **1.** abgebrüht, verstockt, Gewohnheits...; *pêcheur m ~* alter Sünder *m*; **2.** eingefleischt; *haine f ~e* eingefleischter Haß *m*; **3.** hart, mitleidlos; **4.** *a.* ⚔ erprobt; **~cir** [~'si:r] (2a) **I** *v/t.* **1.** *~ à* (*od. contre*) abhärten gegen (*acc.*); *~ le corps à la fatigue* den Körper gegen Ermüdung abhärten; **2.** *fig.* verhärten, verstockt machen; *das Herz* verschließen; **II** *v/rfl. s'~* **3.** hart werden; *fig.* abgehärtet werden; sich abhärten; *s'~ au travail* (*à la douleur*) sich an die harte Arbeit (an den Schmerz) gewöhnen; **4.** *fig.* verstockt (*od.* gefühllos *od.* abgebrüht) werden; **~cissement** [~sis'mɑ̃] *m* Verhärtung *f*; *fig.* Abhärtung *f*; Verstocktheit *f*, Gefühlsarmut *f*.

endurer [ɑ̃dy're] (1a) *v/t. u. v/i.* aushalten, ertragen, erdulden.

énergétique *biol.*, ⚡ [enɛrʒe'tik] **I** *adj.* kraftspendend; *dépense f ~ du muscle* Kraftverbrauch *m* des Muskels; *éc. ressources f/pl. ~s* Energiequellen *f/pl.*; *valeur f ~ des aliments* Nährwert *m* der Speisen; **II** *f* Energetik *f*, dynamische Kraft *f*; *~ biologique* tätig wirkende Lebenskraft *f*; *~ musculaire* Muskelkraft *f*.

éner|gie *a. phys.* [enɛr'ʒi] *f* Energie *f*, Kraft *f*; *fig.* Willensstärke *f*, Tatkraft *f*; Schneid *m*; ⚕ Wirksamkeit *f*, Wirkung *f*; *méc. ~ absorbée* Kraftbedarf *m*, -verbrauch *m*; *~ cinétique* kinetische Energie *f*; *mach. ~ dépensée* Arbeitsaufwand *m*; *méc. ~ potentielle* Energie *f*, Lageenergie *f*; *~ atomique* (*od. nucléaire*) Atom- (*od.* Kern-)energie *f*; *~ latente* Beharrungsvermögen *n*; *~ rayonnante* Strahlungsenergie *f*; *~ hydraulique* Wasserkraft *f*; *plein d'~* energiegeladen; **~gique** *adj.* □ energisch, tatkräftig; wirksam, drastisch; *prendre des mesures ~s* einschneidende Maßnahmen treffen, *abs.* durchgreifen.

énergumène [enɛrgy'mɛn] *su.* Besessene(r) *m*; *pol.* Fanatiker *m*.

éner|vant [enɛr'vɑ̃] *adj.* (7) entnervend, nervenaufreibend; **~vation** *chir.* [~vɑ'sjɔ̃] *f* Enervierung *f*, operative Entfernung *f* der Nerven; **~vé** [~'ve] *adj.* aufgeregt, nervös; **~vement** [~v'mɑ̃] *m* Auf-, Erregung *f*, Entnervung *f*, Nervenschwäche *f*, Nervosität *f*; **~ver**

[~'ve] (1a) **I** *v/t.* aufregen, erregen, nervös machen; **II** *v/rfl.* *s'~* a) sich aufregen, nervös werden; b) F sich beeilen.

enfance [ɑ̃'fɑ̃:s] *f* **1.** Kindheit *f*, Kinderjahre *n/pl.*; *tomber en ~* kindisch werden; **2.** *coll.* Kinder *n/pl.*; **3.** *fig.* Anfang *m*; F *c'est l'~ de l'art* das ist kinderleicht.

enfant [ɑ̃'fɑ̃] **I** *su.* Kind *n*; *un ~* ein Junge *m*; *une ~* ein Mädchen *n*; *~ au maillot* (*od. au berceau*) Wickelkind *n*; *~ à la mamelle* Säugling *m*; *bon ~* gutmütiger Kerl *m*; *il est bien (bon) ~ de croire cela* wie kann man so naiv sein, das zu glauben; F *ils sont loin d'être ~s de chœur* sie sind alles andere als harmlos (*od.* naiv); *~ gâté* verzogenes Kind *n*; *~ naturel* uneheliches Kind *n*; *~ prodige* Wunderkind *n*; *l'~ prodigue* der verlorene Sohn; *~ terrible* Enfant terrible *n*, alles ausplauderndes Kind *n*; *l'hospice m des ~s trouvés, les* 2*s trouvés* Findelhaus *n*; *c'est bien l'~ de sa mère* er ist ganz die Mutter; *d'~* kindlich; kindisch; Kinder...; *ce n'est pas (un) jeu d'~* das ist kein Kinderspiel; *jardin m d'~s* Kindergarten *m*; *livres m/pl. d'~* Kinderbücher *n/pl.*; *être un ~ de son siècle* ein Kind s-r Zeit sein; *faire l'~* sich wie ein kleines Kind anstellen; **II** *adjt. il a l'air bon ~* er sieht gutmütig aus.

enfan|tement *litt.* [ɑ̃fɑ̃t'mɑ̃] *m*: *l'~ d'une œuvre* das Werden e-s Werkes; **~ter** *litt.* [~'te] *v/t.* (1a) hervorbringen; **~tillage** [~ti'ja:ʒ] *m* Kinderei *f*; *~s m/pl.* kindische Reden *f/pl.*; **~tin** [~'tɛ̃] *adj.* (7) **1.** kindlich; *fig.* kinderleicht; *question f ~e* kinderleichte Frage *f*; *voix f ~e* Kinderstimme *f*; **2.** *péj.* kindisch.

enfariné [ɑ̃fari'ne] mit Mehl bestreut; F *la gueule (od. la bouche) ~e, le bec ~* leichtgläubig, naiv; *attendre, le bec ~, la venue de qch.* etw. leichtgläubig erwarten.

enfer [ɑ̃'fɛ:r] *m* **1.** Hölle *f*; *~s pl.* Orkus *m*, *myth.* Unterwelt *f*; *descente f aux ~s* Höllenfahrt *f*; *aller (od. rouler) à un train d'~* ein höllisches Tempo draufhaben; **2.** *fig.* quälende Gedanken *m/pl.*; *appétit m d'~* Riesenappetit *m*; *avoir l'~ dans le cœur* von Gewissensqualen gepeinigt werden; voller Haß *od.* Ressentiments sein.

enfer|mé [ɑ̃fɛr'me] *adj.* **1.** eingesperrt; **2.** *sentir l'~* muffig riechen; **~mer** [~] (1a) *v/t.* **1.** ein-schließen, -sperren; *~ (à clef)* verschließen; *bon à ~* irrsinnig, total verrückt; **2.** rings umgeben; *~ de murailles* mit Mauern umgeben; **3.** *Sport*: abdrängen.

enferrer [ɑ̃fɛ're] (1b): *s'~ dans ses mensonges fig.* sich in s-m eigenen Lügengewebe verfangen.

enfich|able ⚡ [ɑ̃fi'ʃablə] *adj.* steckbar; **~age** ⚡ [~'ʃa:ʒ] *m* Durchstecken *n*, Steckvorgang *m*; **~er** ⚡ [~'ʃe] *v/t.* (1a) durchstecken, stöpseln.

enfiévrer [ɑ̃fje'vre] (1f) **I** *v/t. fig.* sich bemächtigen (*gén.*); **II** *v/rfl.* *s'~ pour qch.* sich für etw. (*acc.*) begeistern.

enfi|lade [ɑ̃fi'lad] *f* **1.** lange Reihe *f*; *~ de chambres* Zimmerflucht *f*; *en ~ Zugtiere*: hintereinander; **2.** *fig. longue ~ de phrases* langes, ermüdendes Geschwätz *n*; **3.** ⚔ *tir m d'~* Längsbeschuß *m*; **~ler** [~'le] (1a) **I** *v/t.* **1.** einfädeln; auf e-n Faden ziehen; aufreihen; aufspießen, durchbohren; F rasch über-, an-ziehen (*z.B. Hemd*); *fig. ~ des perles* sich völlig umsonst abquälen; *fig. ~ un chemin* e-n Weg einschlagen; **2.** P verschlingen; hintergießen; **II** *v/rfl.*: P *s'~ qch.* sich an etw. (*dat.*) gütlich tun; verzehren; hintergießen P, aussaufen P; **~leur** [~'lœ:r] *m*: F *~ de grands mots* Großmaul *n* F.

enfin [ɑ̃'fɛ̃] *adv.* **1.** endlich, schließlich, zuletzt; **2.** kurz(um); **3.** nun.

enflam|mé [ɑ̃flɑ'me] *adj.* feurig (*Augen*); kochend, aufgebracht (*vor Zorn*); zündend, begeisternd (*Worte*); ⚕ entzündet (*Wunde*); **~mer** [~'me] (1a) **I** *v/t.* anzünden, in Flammen setzen; *fig.* entflammen, erhitzen, begeistern; *~ le courage* den Mut anfeuern; **II** *v/rfl.* *s'~* sich entzünden; *fig.* entbrennen; *s'~ (d'amour)* in Liebe entbrennen.

enflé [ɑ̃'fle] **I** *adj.* (an)geschwollen; *Stil*: schwülstig; **II** F *m* Dummkopf *m*.

enfler [~] (1a) **I** *v/t.* anschwellen lassen; *fig.* steigern (*Stimme*); *litt.* übertreiben; *~ une facture* e-e Rechnung zu hoch ansetzen; *~ un récit* e-n Bericht aufbauschen; *~ les voiles* die Segel anschwellen lassen; *~ la voix* die Stimme verstärken; **II** ⚕ *v/i.* anschwellen; *sa jambe droite a enflé (bzw. est enflée)* sein rechtes Bein ist geschwollen; F *être* *enflé comme un ballon* aufgeblasen wie ein Puter sein; **III** *v/rfl.* *s'*~ anschwellen (*Stimme*).

enflure [ɑ̃'fly:r] *f* Geschwulst *f*; *fig.* *l'*~ *de nos budgets* das Anschwellen unserer Haushaltsmittel.

enfoncement [ɑ̃fɔ̃s'mɑ̃] *m* Einschlagen *n* *e-s Nagels*; Einrammen *n* *e-s Pfahls*; Einstoßen *n* *e-r Tür*; Abteufung *f* *e-s Schachts*; ⚔ Durchbrechen *n* *od.* Sprengung *f* *e-r Linie*; Durchbruch *m*; Eindringen *n* *e-s Geschosses*; *géol.* Einbuchtung *f*; ⚠ Fundamenttiefe *f*; *peint.* Hintergrund *m*; ⚕ unvollständige Fraktur *f*.

enfoncer [ɑ̃fɔ̃'se] (1k) **I** *v/t.* **1.** (tief) einschlagen, einrammen; ~ *son chapeau* (*sur la tête*) den Hut tief ins Gesicht drücken; *avoir les yeux enfoncés dans la tête* tiefliegende Augen haben; **2.** einstoßen, einschlagen, erbrechen; ~ *le plancher* den Fußboden eintreten; ~ *des portes ouvertes* viel Lärm um nichts machen, offene Türen einrennen; ⚔ ~ *les rangs de l'ennemi* die feindlichen Linien durchbrechen *od.* sprengen; **3.** F ~ *q.* j-n weit übertreffen; **II** *v/i.* sinken, untergehen (*Schiff*); einsinken (*Person*); **III** *v/rfl.* *s'*~ sich senken, ver-, ein-sinken; einstürzen; *s'*~ *dans le bois* in den Wald vordringen; *s'*~ *dans l'étude* sich in das Studium vertiefen; *s'*~ *toujours plus bas fig.* immer tiefer sinken, immer mehr verkommen.

enfou|ir [ɑ̃'fwi:r] (2a) **I** *v/t.* eingraben, vergraben, verscharren; ⚔ verschütten; *fig.* verstecken; ~ *ses talents* s-e Gaben brachliegen lassen; **II** *v/rfl.* *s'*~ sich verkriechen; **~issement** [~fwis'mɑ̃] *m* Vergraben *n*; ⚔ Verschüttung *f*.

enfour|chement ⊕ [ɑ̃furʃə'mɑ̃] *m* gabelförmige Verbindung *f*; **~cher** [~'ʃe] *v/t.* (1a): ~ *une idée* e-n Gedanken aufgreifen; ~ *un cheval* ein Pferd rittlings besteigen; ~ *son dada* sein Steckenpferd reiten; ~ *un vélo* sich auf ein Fahrrad schwingen; **~chure** *cout.* [~'ʃy:r] *f* Hosenkreuz *n*.

enfourner [ɑ̃fur'ne] *v/t.* (1a) **1.** ⊕ *Brote* in den Ofen schieben; *Hochofen* beschicken; **2.** *fig.* anpacken, sich *an etw.* (*acc.*) heranmachen; *mal* ~ *une affaire* e-e Angelegenheit schlecht anpacken; **3.** F verschlingen; **4.** F ~ *dans un taxi j-n* in e-e Taxe schieben.

enfreindre *litt.* [ɑ̃'frɛ̃:drə] *v/t.* (4b) *Gesetz* übertreten, verletzen.

enfuir [ɑ̃'fɥi:r] (2d) *v/rfl.* *s'*~ fliehen; entlaufen; *fig.* vergehen (*Zeit*); dahinschwinden (*Glück*).

enfumer [ɑ̃fy'me] *v/t.* (1a) ein-, an-, aus-, ver-räuchern, mit Rauch erfüllen; durch Rauch belästigen; ⚔ ein-, ver-nebeln.

enfûtage [ɑ̃fy'ta:ʒ] *m* Abfüllen *n* in Fässer.

enfutailler [ɑ̃fytɑ'je], **enfûter** [ɑ̃fy'te] *v/t.* (1a) in Fässer füllen.

enga|gé ⚔ [ɑ̃ga'ʒe] *m* Freiwillige(r) *m*; ~ *pour la durée de la guerre* Kriegsfreiwillige(r) *m*; **~geant** [~'ʒɑ̃] *adj.* (7) gewinnend, einnehmend, verführerisch, verlockend; **~gement** [~ʒ'mɑ̃] *m* **1.** Verpflichtung *f*, Verbindlichkeit *f*; Versprechen *n*, Zusage *f*; ~ *d'honneur* Verpflichtung *f* auf Ehrenwort; *faire honneur* (*manquer*) *à ses* ~*s* s-n Verpflichtungen (nicht) nachkommen; *sans* ~ ✝ freibleibend; **2.** Ein-, An-stellung *f* (*in e-m Betrieb od. Haushalt*); *thé.* Engagement *n*; ⚔ Anwerbung *f*; ⚓ Anheuern *n*; **3.** *Sport*: a) Meldung *f*; b) Anstoß *m*; **4.** ⚔ Verpflichtung *f*, Meldung *f*; **5.** ⚔ Einsatz *m*, Gefecht *n*; **6.** Engagement *n* (*e-s Autors*); **7.** Verpfändung *f*.

engager [ɑ̃ga'ʒe] (1l) **I** *v/t.* **1.** verpfänden; **2.** verpflichten, binden; *nous ne pouvons pas* ~ *notre responsabilité pour ces produits* wir können für diese Erzeugnisse keine Verantwortung übernehmen; **3.** ein-, an-stellen (*Arbeiter od. Hausangestellte*); ⚔ anwerben; ⚓ anheuern; **4.** ~ *q. à qch.*, ~ *q. à faire qch.* j-n zu etw. (*dat.*) bewegen; ~ *q. à dîner* j-n zum (Abend-)Essen einladen; **5.** ~ *q.* (*qch.*) *dans* j-n (etw.) verwickeln in (*acc.*); ~ *q. dans son parti* j-n auf s-e Seite bringen; ~ *ses capitaux dans une entreprise* sein Geld in ein Geschäft stecken; ⚔ ~ *une troupe dans le combat* e-e Truppe einsetzen; **6.** anfangen, beginnen; ~ *la partie* das Spiel anfangen; ⚖ ~ *le procès* (*la procédure*) den Prozeß (das Verfahren) einleiten; **7.** *Auto*: ~ *son camion sur la route nationale 498* mit s-m LKW in die Nationalstraße 498 einbiegen; **8.** ⊕ hineinführen, -stecken; **9.** *Sport*: (*schriftlich*) anmelden; **II** *v/i.* **10.** *Sport*: den Anstoß ausführen; **III** *v/rfl.* *s'*~ **11.** *s'*~ (*à ... mit inf.*) sich verpflichten zu ...; zusagen; *s'*~ *par écrit* (*par *serment*) sich schriftlich (eidlich) verpflichten; *s'*~ *pour q.* sich für j-n verbürgen, für j-n gutsagen; **12.** *s'*~ *au service de q.* bei j-m e-e Stellung antreten; ⚔ *s'*~ sich freiwillig melden; *s'*~ *dans les ordres* das Ordensgelübde ablegen; **13.** s'~ *dans* sich einlassen in (*acc.*), unternehmen; eindringen in, hineingeraten in (*acc.*); *s'*~ *dans un chemin* e-n Weg einschlagen; *Sport*: s'~ *dans la ligne d'arrivée od. dans la (ligne) droite* in die Gerade einbiegen; *ils s'engagèrent dans la rue St.-Denis* sie bogen in die Rue St.-Denis ein; **14.** beginnen (*Kampf*); **15.** sich engagieren (*Autor*).

engainer [ɑ̃gɛ'ne] *v/t.* (1b) in e-e Scheide stecken; *biol.* mit e-r Blattscheide umfassen; *fig.* in sich bergen.

engazonner [ɑ̃gazɔ'ne] *v/t.* (1a) mit Rasen belegen.

engeance *péj.* [ɑ̃'ʒɑ̃:s] *f fig.* Brut *f*, Sippschaft *f*, Gelichter *n*.

engendrer [ɑ̃ʒɑ̃'dre] (1a) *v/t.* (er-)zeugen; *fig.* verursachen.

engerber [ɑ̃ʒɛr'be] *v/t.* (1a) in Garben binden.

engin [ɑ̃'ʒɛ̃] *m* **1.** ⊕ Werkzeug *n*, Gerät *n*, Maschine *f*; Winde *f*, Hebezeug *n*; Sprengkörper *m*; *at.* Rakete *f*; Mondfahrzeug *n*; ~ *blindé* Panzer *m*; ~ *atomique* Atomrakete *f*; ~*s pl. de combat rapproché* Nahkampfmittel *n/pl.*; ⚔ ~*s pl. de guerre* Kriegsmaschinen *f/pl.*; **2.** F, *oft péj.* Ding *n*, Apparat *m*.

engineering [ɛndʒinə'riŋ] *m* technische u. wirtschaftliche Planung *f*.

englaciation *géol.* [ɑ̃glasjɑ'sjɔ̃] *f* Vereisung *f*.

englober [ɑ̃glɔ'be] *v/t.* (1a) umfassen (*fig.*); vereinigen, verschmelzen, mit einrechnen; einverleiben.

englou|tir [ɑ̃glu'ti:r] (2a) **I** *v/t.* verschlingen (*a. Gelder*); verprassen; **II** *v/rfl.* s'~ versinken, untergehen; ~**tissement** [~tis'mɑ̃] *m* Verschlingen *n*; Versinken *n*, Untergang *m e-s Schiffes*.

englu|able [ɑ̃gly'ablə] *adj.* leicht zu übertölpeln; ~**er** [~'e] (1a) **I** *v/t.* mit Vogelleim bestreichen *od.* fangen; 🖌 mit Baumwachs bestreichen; **II** *v/rfl.* s'~ an der Leimrute klebenbleiben.

engob|e ⊕ [ɑ̃'gɔb] *m* Beguß *m*; ~**er** ⊕ [~'be] *v/t.* (1a) mit e-r Gußmasse überziehen (*Keramik*).

engommer ⊕ [ɑ̃gɔ'me] *v/t.* (1a) gummieren.

engon|cé [ɑ̃gɔ̃'se] *adj.* tief eingehüllt (*in ein Kleidungsstück*); *plais.* eingemummelt; ~**cer** [~'se] *v/t.* (1k) tief einhüllen (*od. plais.* einmummeln).

engor|gement [ɑ̃gɔrʒə'mɑ̃] *m* **1.** ⊕ Verstopfung *f*; ⚕ Verschleimung *f*; ~ *des glandes* Drüsenschwellung *f*; **2.** *fig.* Überfüllung *f der Geschäfte*, Stockung *f des Verkehrs usw.*; ~**ger** [~'ʒe] (1l) **I** ⊕ *v/t.* verstopfen; überfüllen; ⚕ verschleimen; **II** *v/rfl.* s'~ ⚕ sich *mit Blut usw.* füllen; verschleimen; anschwellen.

en|gouement [ɑ̃gu'mɑ̃] *m* **1.** Schwärmerei *f*; **2.** ⚕ Kotstauung *f*; ~**gouer** [ɑ̃'gwe] (1a): *être engoué de od. s'*~ *de q. (qch.)* für j-n (etw.) schwärmen, für j-n (etw.) Feuer und Flamme sein.

engouffrer [ɑ̃gu'fre] (1a) **I** *v/t.* **1.** F verschlingen; **2.** *Geld usw.* in großen Mengen hineinstecken; **II** *v/rfl.* s'~ sich stürzen; mit Wucht eindringen (*Wind*).

engoulevent *orn.* [ɑ̃gul'vɑ̃] *m* Nachtschwalbe *f*.

engour|di [ɑ̃gur'di] *adj.* starr, eingeschlafen (*Glieder*), steif, klamm; schwerfällig, träge; schläfrig, dösig; *chir.* unempfindlich; ~**dir** [~'di:r] (2a) **I** *v/t.* **1.** erstarren (lassen), starr (empfindungslos) machen; einschlafen lassen (*Fuß*); **2.** *fig.* erschlaffen, abstumpfen; **II** *v/rfl.* s'~ erstarren; *fig.* erschlaffen; *zo.* Winterschlaf halten; ~**dissement** [~dis'mɑ̃] *m* Erstarrung *f*, Einschlafen *n von Gliedern*; *fig.* Erschlaffung *f*, Betäubung *f*; *zo.* Winterschlaf *m*.

engrais [ɑ̃'grɛ] *m* **1.** Dünger *m*, Düngemittel *n*; ~ *azoté* Stickstoffdünger *m*; ~ *chimique* Kunstdünger *m*; ~ *phosphatique* Phosphatdüngemittel *n*; ~ *pl. verts* Gründüngung *f*; **2.** Mast *f*; *mettre à l'*~ mästen; *bétail à l'*~ Mastvieh *n*; ~**sement** [ɑ̃grɛs'mɑ̃] *m* Mast *f*, Mästen *n*; ~**ser** [~'se] (1b) **I** *v/t.* mästen; düngen; **II** *v/i. Tiere*: fett werden; *Menschen*: dick werden, zunehmen; **III** *v/rfl.* s'~ *fig.* sich bereichern.

engranger [ɑ̃grɑ̃'ʒe] *v/t.* (1l) **1.** 🖌 in die Scheune bringen, einfahren; **2.** *fin.* einlagern, einbringen.

engraver[1] ⚓ [ɑ̃gra've] (1a) **I** *v/t.* auf Sand laufen lassen; **II** *v/rfl.* s'~ auf Sand geraten.

engraver[2] ⊕ [~] *v/t.* (1a) einkerben; *Bleistreifen* festnageln.

engrenage [ɑ̃grə'na:ʒ] *m* ⊕ **1.** Verzahnung *f*, Getriebe *n*; ~ *différentiel* Differential *n*; **2.** *fig.* Räderwerk *n*, Verwicklung *f*.

engren|er [ɑ̃grə'ne] (1d) **I** *v/t.* **1.** *Zahnräder* einrücken; **2.** *Dreschmaschine usw.* beschicken; **3.** *bien ~ qch.* e-e Sache gut einfädeln; *abs. il a bien engrené* er ist gut gestartet, er hat gut angefangen; **II** ⊕ *v/rfl.* *s'~* ineinandergreifen; **~euse** ⊕ [~grə'nø:z] *f* Beschickungsvorrichtung *f*, Zuführung *f*.

engrenure [ɑ̃grə'ny:r] *f* **1.** ⊕ Verzahnung *f*; **2.** *chir.* Nahtverbindung *f*.

engrois [ɑ̃'grwa] *m* kleiner Holzkeil *m*.

engrosser P [ɑ̃grɔ'se] *v/t.* (1a) schwanger machen.

engueul|ade P [ɑ̃gœ'lad] *f* **1.** Anschnauzer *m*; **2.** heftiger Disput *m*; **~er** P [~'le] *v/t.* (1a) anschnauzen.

enguirlander [ɑ̃girlɑ̃'de] *v/t.* (1a) mit Girlanden schmücken; F *fig.* anschnauzen.

enhardir [ɑ̃nar'di:r] **I** *v/t.* ermutigen, kühn machen; **II** *v/rfl.* *s'~* Mut fassen, sich erkühnen.

en haut [ɑ̃'o] *advt.* (*auf die Frage wohin?*) hinauf, nach oben; (*auf die Frage wo?*) oben.

enherber ✓ [ɑ̃nɛr'be] *v/t.* (1a) mit Gras besäen.

énième F [e'njɛm] *adj.*: *pour la ~ fois* zum zigsten Mal.

énig|matique [enigma'tik] *adj.* □ rätselhaft; **~me** [e'nigm] *f* Rätsel *n*.

eni|vrement [ɑ̃nivrə'mɑ̃] *m* Überschwang *m*, Taumel *m*; **~vrer** [ɑ̃ni'vre] (1a) **I** *v/t.* berauschen; *fig.* betören, blenden; **II** *v/rfl.* *s'~* sich betrinken; *fig.* sich berauschen.

enjam|bée [ɑ̃ʒɑ̃'be] *f* großer Schritt *m*, Satz *m*, Sprung *m*; Schritt (-weite *f*) *m*; *ce n'est qu'une ~* es ist nur ein Katzensprung; **~bement** *mét.* [~b'mɑ̃] *m* Enjambement *n*; **~ber** [~'be] (1a) **I** *v/t.* *~ qch.* etw. überschreiten *od.* überspringen (*a. fig.*); ⚠ überspannen (*Brücke*); *écol. ~ une classe* e-e Klasse überspringen; *~ un ruisseau* über e-n Bach springen; *~ deux marches à la fois* zwei Stufen auf einmal nehmen; **II** *métr.* *v/i.* *~ sur le vers suivant* auf den nächsten Vers übergreifen.

enjaveler ✓ [ɑ̃ʒa'vle] *v/t.* (1c) *Getreide* in Schwaden legen.

enjeu [ɑ̃'ʒø] *m* (5b) Einsatz *m im Spiel*; ⚔ *~ militaire* militärischer Einsatz *m*, Kampfprobe *f*.

enjoindre *litt., adm.* [ɑ̃'ʒwɛ̃:drə] *v/t.* (4b): *~ qch. à q.* j-m etw. auferlegen.

enjô|ler [ɑ̃ʒo'le] *v/t.* (1a) beschwatzen, umschmeicheln, einwickeln; **~leur** [~'lœ:r] (7g) **I** *su.* Verführer *m*; **II** *adj.* betörend, verführerisch.

enjoli|vement [ɑ̃ʒɔliv'mɑ̃] *m* Verzierung *f*; **~ver** [~'ve] *v/t.* (1a) verzieren; *Text* entstellen; *abs.* hinzudichten; **~veur** *Auto* [~'vœ:r] *m* Radzierkappe *f*; **~vure** [~'vy:r] *f* Verzierung *f*.

enjoncer [ɑ̃ʒɔ̃'se] *v/t.* (1k) mit Schilfrohr bepflanzen.

enjoué [ɑ̃'ʒwe] *adj.* munter, fidel, ausgelassen, heiter, lustig.

enjouement [ɑ̃ʒu'mɑ̃] *m* Unbeschwertheit *f*, Heiterkeit *f*, Ausgelassenheit *f*.

enjuiver [ɑ̃ʒɥi've] *v/t.* (1a) verjuden.

enkyst|é ⚕ [ɑ̃kis'te] *adj.* eingekapselt; **~er** ⚕ [~] (1a) *v/rfl.* *s'~* sich einkapseln.

enlac|ement [ɑ̃las'mɑ̃] *m* Verflechtung *f*, Geflecht *n*; Umschlingung *f*; Umarmung *f*; **~er** [~'se] *v/t.* (1k) **1.** ineinanderflechten; *les doigts enlacés* mit verschlungenen Fingern; **2.** *~ des papiers* Papiere zusammenbinden; **3.** *~ q. dans ses bras* j-n umschlingen (*a. Schlange*), umarmen; ⚔ *~ l'ennemi* den Feind umklammern.

enlaid|ir [ɑ̃lɛ'di:r] (2a) **I** *v/t.* häßlich machen, verunstalten; ⚠ verschandeln; **II** *v/i.* häßlich werden; **~issement** [~dis'mɑ̃] *m* Verunstaltung *f*, Entstellung *f*; Häßlichwerden *n*, Schönheitsfehler *m*.

enlevable [ɑ̃l'vablə] *adj.* abnehmbar.

enlevé [ɑ̃l've] *adj.* **1.** *fig.* hoch, gehoben; *dans les milieux ~s* in höheren Kreisen; **2.** *fig.* hinreißend, packend (*Rede*); kühn, leicht hingeworfen, gelungen, schmissig, flott; *la chose est bien ~e* die Sache hat Schmiß; **3.** ♪ schwungvoll gespielt.

enlèvement [ɑ̃lɛv'mɑ̃] *m* Beseitigung *f*, Abtransport *m*; Wegnahme *f*; Abholen *n*; Entführung *f*, Raub *m*; ⚔ Erstürmung *f*; *~ de taches* Fleckenreinigung *f*; *bét. ~ d'agglomérés de ciment* Abtragen *n* von Betonsteinen; *~ des ordures ménagères* Müllbeseitigung *f*; ⚔ *~ de* *troupes* Truppenverschiebung *f*; ⚔ *plan m d'*~ Verladeplan *m*.

enlever [ɑ̃l've] (1d) **I** *v/t.* **1.** (auf-)heben, hochheben; ausziehen (*Kleidung*); *chir.* entfernen, herausoperieren; **2.** gewaltsam wegnehmen; stehlen, entwenden; ⚔ erstürmen, ausheben; ~ *une montre* e-e Uhr stehlen; ~ *une jeune fille* ein Mädchen entführen; ~ *la première place à qch.* sich in e-r Sache sehr in den Vordergrund schieben; **3.** ab-, los-, weg-reißen; ~ *la peau* die Haut abreißen; **4.** weg-schaffen, -tragen; ~ *q.* (*od. qch.*) *en voiture* j-n (*od.* etw.) abtransportieren, wegfahren; ~ *q. par avion* j-n abfliegen (*z.B. Flüchtlinge, Verwundete*); ~ *le couvert* den Tisch abdecken; **5.** beseitigen; ~ *des taches* Flecke entfernen; **6.** *fig.* hinreißen, begeistern, entzücken; ~ *les suffrages* stürmischen Beifall ernten; **7.** ✓ ~ *la récolte* die Ernte einbringen; **8.** *fig.* F ~ *une affaire* e-e Sache schnell erledigen; ~ *un morceau de musique* ein Musikstück mit Schwung spielen; *thé.* ~ *une scène* e-e Szene flott darstellen; **9.** F anschnauzen; rausschmeißen; **II** *v/rfl.* s'~ **10.** herausgehen (*Flecke*); sich loslösen, abgehen; sich abschuppen; **11.** ✝ s'~ *rapidement* reißenden Absatz finden; **12.** *peint.* s'~ *sur un fond* sich von e-m Hintergrund abheben; **13.** s'~ *une idée de la tête* sich e-n Gedanken aus dem Kopf schlagen.

enlier [ɑ̃'lje] *v/t.* (1a) im Verband mauern.

enligner [ɑ̃li'ɲe] *v/t.* (1a) nach der Schnur richten, einfluchten.

enli|sé [ɑ̃li'ze] *p/p.*: ~ *dans des difficultés* in Schwierigkeiten verwickelt; **~sement** [~liz'mɑ̃] *m* Versinken *n* im Triebsand; *fig.* Erlahmen *n*; **~ser** [~li'ze] (1a) *v/rfl.*: s'~ im Triebsand versinken; *allg.* s'~ *dans la boue* im Schlamm steckenbleiben; *fig.* s'~ *dans un confort intellectuel* in e-e geistige Bequemlichkeit verfallen.

enlumi|ner [ɑ̃lymi'ne] (1a) **I** *v/t. peint.* ausmalen, kolorieren; *fig.* ~ *son style* s-n Stil ausschmücken; *fig.* ~ *le teint* das Gesicht rot werden lassen; **II** P *v/rfl.*: s'~ *la trogne* sich besaufen; **~neur** *peint.* [~'nœ:r] *su.* Miniaturmaler *m*; **~nure** [~'ny:r] *f* Miniaturmalerei *f*; *fig.* Röte *f* des Gesichts.

ennéagone [ɛnea'gɔn] *m* (*a. adj.*) Neuneck *n*.

enneigement [ɑ̃nɛʒ'mɑ̃] *m* Schneeverhältnisse *n/pl.*; *Sport*: *bulletin m d'*~ Schneebericht *m*.

ennemi [ɛn'mi] **I** *su.* Feind *m*, Gegner *m*; ~ *héréditaire* Erbfeind *m*; ~ *mortel* Todfeind *m*; ⚔ *marcher à l'*~ gegen den Feind marschieren; *mourir à l'*~ vor dem Feind sterben; *passer à l'*~ zum Feind überlaufen; **II** *adj.* feindlich; *l'armée* ~*e* das feindliche Heer.

ennième F [ɛ'njɛm] *adj.*: *l'*~ *essai m* der soundsovielte Versuch.

enno|blir *nur fig.* [ɑ̃nɔ'bli:r] *v/t.* (2a) *fig.* adeln, heben, auszeichnen.

ennuag|é [ɑ̃nɥa'ʒe] *adj.* bewölkt; **~ement** [~ʒ'mɑ̃] *m* Bewölkungsmenge *f*.

ennui [ɑ̃'nɥi] *m* **1.** Langeweile *f*; **2.** ~ *romantique* (*od. romanesque*) Sehnsucht *f*, schwärmerisches Verlangen *n*; **3.** Verdruß *m*, Gefühl *n* der Unausgefülltheit, Unlust *f*, Sorge *f*, Kummer *m*, Ärger *m*, Schererei *f*; *oft pl.*: *avoir des* ~*s d'argent* in Geldschwierigkeiten sein.

ennuy|é [ɑ̃nɥi'je] *adj.* verstimmt, ärgerlich; besorgt; **~er** [~] (1h) **I** *v/t.* langweilen, ärgern; auf die Nerven fallen; stören; **II** *v/rfl.* s'~ sich langweilen; s'~ *à mourir* sich zu Tode langweilen; s'~ *de q.* j-n vermissen, sich nach j-m sehnen; **~eux** [~'jø] *adj.* □ (7d) unangenehm, lästig, ärgerlich, peinlich, mißlich, unerfreulich; langweilig.

énon|cé [enɔ̃'se] *m* Wortlaut *m*, Aussage *f*; *rad.* Durchsage *f*; ⚗ Voraussetzungen *f/pl.*; **~cer** [~] *v/t.* (1k) **1.** aussprechen, ausdrücken, darlegen, berichten; **2.** *Zahl* lesen, ⚗ *Aufgaben* stellen; **~ciatif** [~sja'tif] *adj.* (7e) aussagend; **~ciation** [~sja'sjɔ̃] *f* Aussage *f*; Darlegung *f*.

enorgueillir [ɑ̃nɔrgœ'ji:r] (2a) **I** *v/t.* stolz (*péj.* überheblich) machen; **II** *v/rfl.* s'~ *de* stolz sein auf (*acc.*).

énor|me [e'nɔrm] *adj.* enorm, ungeheuer, riesig; unerschwinglich (*Preis*); bodenlos (*Dummheit*); kraß (*Fehler*); **~mément** [~me'mɑ̃] *adv. von énorme*; **~mité** [~mi'te] *f* Ungeheuerlichkeit *f*, Riesenhaftigkeit *f*; große Dummheit *f*.

énouer *text.* [e'nwe] *v/t.* (1a) noppen.

énoyaut|er [enwajo'te] *v/t.* (1a) entkernen (*Früchte*); **~eur** [~'tœ:r] *m* Entkernungsgerät *n*.

en plus de [ɑ̃'plydə] *prp.* zusätzlich

zu (*dat.*), abgesehen von (*dat.*) ..., über ... hinaus.

enquérir [ãke'ri:r] (2l): *s'~ de qch. auprès de q.* sich bei j-m nach etw. (*dat.*) erkundigen.

enquê|te [ã'kɛ:t] *f* Erkundigung *f*, Nachforschung *f*, Untersuchung *f*, Rund-, Um-frage *f*; *a.* ⚖ Beweiserhebung *f*; *~ épidémiologique* Seuchenuntersuchung *f*; *a. univ. ~ en* (*od. par*) *équipe* Verbundstudie *f*; *faire une ~* e-e Umfrage halten; **~ter** [ãkɛ'te] *v/i.* (1a) um-, ausfragen, e-e Untersuchung einleiten (*auprès de q.* bei j-m; *sur qch.* über etw. *acc.*); **~teur** [~'tœ:r] *m* Untersuchungskommissar *m*; *allg.* Meinungsforscher *m*.

enquiquin|é F [ãkiki'ne] *adj.* verärgert, auf der Palme F; **~er** F [~] *v/t.* (1a) belästigen, auf die Nerven fallen (*dat.*); **~eur** F [~'nœ:r] *m* Nervensäge *f fig.*; **~eux** F [~'nø] *adj.* (7d) lästig, störend.

enraciner [ãrasi'ne] (1a) **I** *v/t.* einpflanzen; *des préjugés enracinés* festverwurzelte *od.* tiefgreifende Vorurteile *n/pl.*; **II** *v/rfl. s'~ a. fig.* Wurzeln schlagen; *fig.* um sich greifen.

enra|gé [ãra'ʒe] **I** *adj.* **1.** tollwütig; **2.** wütend; leidenschaftlich; rasend, wahnsinnig; *musique f ~e* hinreißende Musik *f*; *dépense f ~e* übertriebene Ausgabe *f*; F *manger de la vache ~e* kaum zu beißen haben, sich kümmerlich durchs Leben schlagen; **II** *su.* Rasende(r) *m*, *v. e-r Idee* Besessene(r) *m*; F *fig.* Tollkopf *m*; *~ de football* Fußballfan *m*; **~ger** [~'ʒe] *v/i.* (1l) sich schwarz ärgern; wütend (*v. Hunden*: tollwütig) werden; *j'enrage* (*de douleur*) ich könnte (vor Schmerzen) verrückt werden; *j'enrage de faim* ich komme um vor Hunger.

enraiement ⚕, *pol.* [ãrɛ'mã] *m* erfolgreiche Bekämpfung *f*.

enray|age ⊕ [ãrɛ'ja:ʒ] *m* Hemmung *f*, Blockierung *f*; ⚔ Ladehemmung *f*; **~ement** ⚕, *pol.* [~rɛj'mã] *m* s. *enraiement*.

enrayer[1] [ãrɛ'je] *v/t.* (1i) **1.** mit Speichen versehen; **2.** ⊕ hemmen, blockieren; *fig.* Einhalt gebieten (*dat.*), verhindern; *~ l'attaque* a) *Sport*: den Vorlauf verbieten; b) *den Angriff* zurückschlagen; ⚕ eindämmen, unter Kontrolle bringen; wirksam entgegentreten (*dat.*).

enrayer[2] ✓ [~] *v/t.* (1i) anpflügen.

enrayure[1] ⊕ [~'jy:r] *f* Hemmvorrichtung *f*.

enrayure[2] [~] *f* erste Furche *f* beim Pflügen; △ *~ (de comble)* Dachbalkenlage *f*.

enrégiment|ation *pol.* [ãreʒimãta'sjɔ̃] *f*, **~ement** [~mãt'mã] *m* zwangsmäßige Erfassung *f*; **~er** [ãreʒimã'te] *v/t.* (1a) ⚔ in ein Regiment einreihen; *fig. ~ q. dans un parti* j-n in e-e Partei eingliedern.

enregis|trement [ãrəʒistrə'mã] *m* **1.** Eintragen *n* in ein Register; Eintragung *f*, Registrierung *f*; 🚂 *~ des bagages* Gepäck-abfertigung *f*, -aufgabe *f*; *bulletin m d'~* Gepäckschein *m*; *droit m d'~* Eintragungsgebühr *f*; **2.** Eintragungsvermerk *m*; **3.** (*Grammophon-, Tonband-, Film- usw.*) Aufnahme *f*; *~ de parole* Sprachaufnahme *f*; *~ en playback* Aufnahme *f* im Playbackverfahren (*Tonband*); *~ trucage* Trickaufnahme *f* (*Tonband*); *~ musical* Musikaufnahme *f*; *cin.* musikalische Untermalung *f*; *~ pris par magnétophone* Bandaufnahme *f*; **4.** *inform.* Speicherung *f*; Datensatz *m*; **~trer** [~'tre] *v/t.* (1a) **1.** eintragen, registrieren, aufzeichnen, verzeichnen; *faire ~ ses bagages* sein Gepäck aufgeben; **2.** (*Grammophon, Tonband, Film usw.*) aufnehmen, überspielen; **3.** *inform.* speichern; **~treur** [~'trœ:r] *m* Registrier-, Aufnahme-, *belg.* Tonband-gerät *n*; *~ à cassettes* Cassetten-Recorder *m*.

enrhu|mé [ãry'me] *adj.* erkältet; **~mer** [~] (1a) **I** *v/t. ~ q.* j-m e-e Erkältung verursachen; **II** *v/rfl. s'~* sich erkälten, e-n Schnupfen bekommen.

enri|chi [ãri'ʃi] *su.* (*nouvel*) *~* Reichgewordene(r) *m*, Emporkömmling *m*, Neureiche(r) *m*; **~chir** [~'ʃi:r] (2a) **I** *v/t.* bereichern; ausschmükken; *métall.* anreichern; **II** *v/rfl. s'~* reich werden; **~chissement** [~ʃis'mã] *m* Bereicherung *f*; Ausschmükkung *f*; *métall.* Anreicherung *f*.

enrob|age ⊕ [ãrɔ'ba:ʒ] *m* Umhüllung *f*; **~er** ⊕ [~'be] *v/t.* (1a) *mit e-r Schutzhülle* umgeben, ⚡ umwickeln.

enrochement △ [ãrɔʃ'mã] *m* Steinpackung *f*.

enrô|lement [ãrol'mã] *m* **1.** *hist.* a) ⚔ Anwerbung *f*; b) ⚓ Anheuerung *f*; **2.** *fig.* ✎ Beitritt *m*; **~ler** [~'le] (1a) **I** *v/t.* **1.** *hist.* a) ⚔ anwerben; b) ⚓ anheuern; **2.** *fig. in e-e Partei* aufnehmen; **II** *v/rfl.* s'~ **3.** *hist.* ⚔ Soldat werden; **4.** *fig.* s'~ *dans un parti* e-r Partei beitreten.

enrou|é [ɑ̃'rwe] *adj.* heiser; **~ement** [ɑ̃ru'mɑ̃] *m* Heiserkeit *f*; **~er** [ɑ̃'rwe] (1a) *v/t.* (*u.* s'~) heiser machen (werden).

enroul|ement [ɑ̃rul'mɑ̃] *m* Umwickeln *n*, Aufrollen *n*; ⚡ Wicklung *f*; △ Schneckenwindung *f*, Schnörkel *m*; **~er** [~'le] (1a) **I** *v/t.* aufwickeln, (auf-, zusammen-)rollen; **II** *v/rfl.* s'~ sich zusammenrollen; sich (ein)wickeln; **~eur** ⊕ [~'lœ:r] *m*: *Auto ceinture f à* ~ einrollbarer Sicherheitsgurt *m*; **~euse** [~'lø:z] *f*: ~ *de câble* Kabelwickelmaschine *f*.

enrubanner [ɑ̃ryba'ne] *v/t.* (1a) mit Bändern schmücken; *iron. fig.* mit Lametta behängen.

ensa|blement [ɑ̃sablə'mɑ̃] *m* Versandung *f*; ⚓ Untiefe *f*, Sandbank *f*; **~bler** [~'ble] (1a) **I** *v/t.* mit Sand bedecken; **2.** ⚓ auf Sand laufen lassen; **II** *v/rfl.* s'~ versanden; ⚓ auf Sand laufen; *Auto*: im Sand steckenbleiben.

ensacher [ɑ̃sa'ʃe] *v/t.* (1a) in Säcke füllen.

ensanglanter [ɑ̃sɑ̃glɑ̃'te] *v/t.* (1a) mit Blut beflecken *od.* besudeln.

enseignant [ɑ̃sɛ'ɲɑ̃] (7) **I** *adj.* lehrend; *personnel m* ~ Lehrkörper *m*; **II** ~*s m/pl.* Lehrkräfte *f/pl.*

enseigne[1] [ɑ̃'sɛɲ] *f* **1.** Schild *n*, Firmen-, Aushänge-schild *n*, Plakat *n*; ~ *au néon* Neonleuchtschild *n*; ~ *(de la rue)* Straßenschild *n*; ~ *lumineuse* Lichtreklameschild *n*; F *être logé à l'~ de l'Ours* im Gasthof zum Bären wohnen; *fig. nous sommes logés à la même* ~ wir sind beide in der gleichen Lage; F *à l'~ de la lune* (*od. de la belle étoile*) im Freien; **2.** *cjt. litt. à telle(s)* ~*(s) que* dergestalt, daß ...

enseigne[2] [ɑ̃'sɛɲ] *m*: ~ *de vaisseau de 2e (1ère) classe* (Ober-)Leutnant *m* zur See.

ensei|gnement [ɑ̃sɛɲ'mɑ̃] *m* **1.** Unterricht(en *n*) *m*; Schul-, Unterrichts-wesen *n*; ~ *obligatoire* Schulpflicht *f*; ~ *organique* aufbauender (planmäßiger) Unterricht *m*; ~ *postscolaire* Fortbildungsunterricht *m*; ~ *technique* (*od. professionnel*) Fach-, Berufsschul-unterricht *m*; ~ *programmé* programmierter Unterricht *m*; ~ *primaire* Grundschulunterricht *m*; ~ *secondaire* Unterricht *m* an höheren Schulen; ~ *supérieur* Hochschul-unterricht *m*, -wesen *n*; ~ *commercial*, ~ *ménager* Handels-, Haushaltungs-unterricht *m*; ~ *intégral* Gesamtunterricht *m*; ~ *féminin* Frauenstudium *n*; ~ *gratuit* (*payant*) schulgeldfreier (schulgeldpflichtiger) Unterricht *m*; **2.** *tirer des* ~*s de qch.* aus etw. die Lehre ziehen; **3.** Lehrberuf *m*; *entrer dans l'*~ in den Schuldienst gehen; **~gner** [ɑ̃sɛ'ɲe] *v/t.* (1a) ~ *qch. à q. od. à q. à* (*inf.*) j-n in etw. (*dat.*) unterrichten, j-m *etw.* (*acc.*) beibringen.

ensellé [ɑ̃sɛ'le] *adj.* **1.** *cheval m* ~ Pferd *n* mit hohlem Rücken; **2.** ⚓ *navire m* ~ stark gewölbtes Schiff *n* (*mit niedriger Mitte u. erhöhten Enden*).

ensemble [ɑ̃'sɑ̃:blə] **I** *adv.* **1.** miteinander, zusammen, zugleich, im Chor; *aller* ~ zusammengehören; *être bien* ~ sich gut miteinander vertragen; *le tout* ~ alles zusammen; *tous* ~ alle zusammen; **II** *m* **2.** *das* Ganze; Summe *f*; Gesamtheit *f*; Komplex *m*; *électron.* ~ *de données* Datei *f*; △ *grand* ~ Großbau *m*, moderner Wohnblock *m*; Wohnsiedlung *f*, Trabantenstadt *f*; ~ *industriel* Industriekomplex *m*; *plan m d'*~ Gesamtplan *m*; **3.** Einheit (-lichkeit *f*) *f*, Übereinstimmung *f*; *thé.* Zusammenspiel *n*; Ensemble *n*; Chorgesang *m*; **4.** Ensemble *n*, Komplet *n*; **5.** ⊕ Stück *n*, Einheit *f*; Aggregat *n*, Anschlußgruppe *f*; ~ *compact* Kompaktanlage *f*; *Auto*: ~ *de véhicules* Last(kraft)zug *m*; **6.** *von Möbeln usw.*: Garnitur *f*, Einrichtung *f*; **7.** ⩘ Menge *f*; *théorie f des* ~*s* Mengenlehre *f*.

ensembl|ier [ɑ̃sɑ̃bli'e] *m* Innenarchitekt *m*, Raumgestalter *m*; *cin.* Ausstatter *m*; **~iste** ⩘ [~'blist] *adj.* zur Mengenlehre gehörend.

ensemen|cement [ɑ̃smɑ̃s'mɑ̃] *m* Besäen *n*, Aussaat *f*; Anlegen *n* e-r (Fisch-)Kultur; *biol.* Zuführen *n von Bakterien*; **~cer** [~'se] *v/t.* (1k) be-, aus-säen; e-e (Fisch-)Kultur anlegen; *biol. Bakterien* zuführen; ~ *une rivière* Fische in e-n Fluß *zur Zucht* einsetzen.

enserrer [ɑ̃sɛ're] *v/t.* (1b) umschließen; umfassen; *zo.* erdrücken.

enseuillement △ [ɑ̃sœj'mɑ̃] *m* Fensterbretthöhe *f*.

enseve|lir [ɑ̃səv'li:r] *v/t.* (2a) **1.** *litt.* begraben; verschütten; **2.** *fig.* ~ *dans* begraben in *od.* unter (*dat.*); *être enseveli dans les livres* hinter

den Büchern hocken; *enseveli dans le chagrin* in Kummer versunken.
ensiforme *biol.* [ɑ̃si'fɔrm] *adj.* schwertförmig.
ensilage [ɑ̃si'la:ʒ] *m* Lagerung *f* im Silo; Gärfutter *n*.
ensiler [ɑ̃si'le] *v/t.* (1a) *das Korn* einbringen, einfahren, im Silo lagern; *matière f* (*od. masse f*) *ensilée* Silofüllgut *n*, Silolagergut *n*; *grains m/pl. ensilés* Silogetreide *n*.
ensoleillement *bsd.* ⚠ [ɑ̃sɔlɛj'mɑ̃] *m* Sonnenlicht *n*.
ensoleiller [ɑ̃sɔlɛ'je] *v/t.* (1a) sonnig bescheinen; *fig.* erheitern.
ensommeillé [ɑ̃sɔmɛ'je] *adj.* schläfrig.
ensorce|lant [ɑ̃sɔrsə'lɑ̃] *adj.* bezaubernd, faszinierend; **~ler** [ɑ̃sɔrsə'le] *v/t.* (1c) be-, ver-hexen, bezaubern, verwünschen; **~leur** [~'lœ:r] (7g) *su.* Zauberer *m*, Hexenmeister *m*; **~llement** [~sɛl'mɑ̃] *m* **1.** Bezauberung *f*, Zauberei *f*; **2.** *fig.* Zauber *m*.
ensouple *text.* [ɑ̃'suplə] *f* Weber-[baum *m*.]
ensoutan|é F [ɑ̃suta'ne] **I** *adj.* im Priesterrock; **II** *péj. m* Pfaffe *m*; **~er** F [~] *v/t.* (1a) zum Pfaffen machen.
ensuite [ɑ̃'sɥit] *adv.* **1.** dann, darauf; **2.** dahinter; **3.** ferner.
ensuivre [ɑ̃'sɥi:vrə] (4h) *v/rfl.* *s'~ de* sich ergeben aus (*dat.*); *il s'ensuit que ...* (*mit ind.*) daraus ergibt sich, daß ...; *il s'en est suivi qch.* es hat sich daraus etw. ergeben.
entablement [ɑ̃tablə'mɑ̃] *m* **1.** ⚠ Hauptgesims *n*; **2.** *géol.* Gesteinsvorlagerung *f*.
entacher [ɑ̃ta'ʃe] *v/t.* (1a) *fig.* beflecken, besudeln; ⚖ *entaché de nullité* null und nichtig.
entail|le [ɑ̃'tɑ:j] *f* **1.** (tiefe) Schnittwunde *f*; **2.** ⊕ Einschnitt *m*; *bét. ~ formant poignée* Griffschlitz *m* (*bei Betonvollsteinen*); **~ler** ⊕ [~tɑ'je] *v/t.* (1a) ein-schneiden, -kerben.
enta|me [ɑ̃'tam] *f* erstes Stück *n vom Brot, Schinken usw.*; **~mer** [~'me] *v/t.* (1a) **1.** anschneiden; anzapfen; anbrechen; anreißen; *e-n Betrag*; ⚗ angreifen; ⚗ zerfressen; **2.** ritzen, (leicht) verwunden; **3.** *fig.* erschüttern; **4.** *fig. ~ la réputation de q.* j-s Ruf antasten *od.* untergraben; **5.** in Angriff nehmen, anfangen, eröffnen; *~ une conversation* (*des négociations*) ein Gespräch (Verhandlungen) anknüpfen; *~ une question* e-e Frage anschneiden.
en tant que [ɑ̃'tɑ̃kə] *adv.* als; *la France ~ nation indépendante* Frankreich als unabhängige Nation.
entartrage [ɑ̃tar'tra:ʒ] *m* Kesselsteinbildung *f*.
entas|sement [ɑ̃tɑs'mɑ̃] *m* Anhäufung *m*; Haufen *m*; **~ser** [~'se] (1a) **I** *v/t.* an-, auf-häufen; *Geld* zusammensparen; hamstern (*Ware od. Geld*); zusammenpferchen; ⚔ *~ des troupes* Truppen zusammenballen; **II** *v/rfl.* *s'~* sich türmen (*Waren usw.*); sich zusammendrängen, sich stauen (*Menschen*).
ente [ɑ̃:t] *f* ✓ Pfropfreis *n*; gepfropfter Baum *m*; Pinselstiel *m*; ⊕, ⚠ Verspannung *f*, Verzahnung *f*.
enten|dement [ɑ̃tɑ̃d'mɑ̃] *m* **1.** Begriffsvermögen *n*, Verständnis *n*; Fassungskraft *f*; **2.** Verstand *m*, Urteil(skraft *f*) *n*; **~deur** [~'dœ:r] *m nur gebr. in*: *à bon ~ salut* wer Ohren hat zu hören, der höre!; Sie sind jetzt gewarnt!
entendre [ɑ̃'tɑ̃:drə] (4a) **I** *v/t.* **1.** hören, vernehmen; *~ clair* ein gutes Gehör haben; *~ dur* schwerhörig sein; *en avez-vous entendu parler?* haben Sie davon gehört?; *il ne veut pas en ~ parler* er will nichts davon wissen; *j'ai entendu dire qu'il est malade* ich habe gehört (*od. seltener*: ich habe sagen hören), er sei krank; *la chanteuse que j'ai entendue chanter* die Sängerin, die ich singen hörte (*seltener*: ..., die ich habe singen hören); *la chanson que j'ai entendu chanter* das Lied, das ich singen hörte; *se faire ~* sich vernehmlich machen, mit s-r Stimme durchdringen; *à l'~* s-n Reden nach; **2.** anhören; erhören; *je ne sais plus lequel ~* ich weiß nicht mehr, auf wen ich hören soll; *~ q. en confession* j-s Beichte hören; *~ la messe* der Messe beiwohnen; ⚖ *entendu les parties od. les parties entendues* nach Anhörung der Parteien; *~ les témoins* die Zeugen vernehmen; *~ q. en ses observations* j-n mit s-n Einwendungen hören; *~ raison* Vernunft annehmen; **3.** meinen; glauben, annehmen; *qu'entendez-vous par là?* was wollen Sie damit sagen?; **4.** begreifen, verstehen; *je n'y entends rien* ich verstehe nichts davon; *ne rien ~ à la musique* nichts von Musik verstehen; *abs. j'entends*

ich verstehe!; *donner à* ~, *faire* ~ zu verstehen geben; *laisser* ~ merken lassen; *se faire* ~ sich verständlich machen; (*ne pas*) ~ *raillerie*, (*ne pas*) ~ *la plaisanterie* (keinen) Spaß verstehen; ~ *la raillerie* (die Kunst), Spaß zu machen *od.* zu scherzen verstehen; ~ *son monde* s-e Leute kennen; (*c'est*) *entendu!* abgemacht!; einverstanden!; **5.** *bei unverändertem Subjekt steht der reine inf., bei Subjektwechsel que mit subj.*: beabsichtigen; wünschen; verlangen; *comme vous l'entendrez* wie Sie wollen; *il n'entend pas s'engager dans les querelles personnelles* er hat nicht die Absicht, sich in persönliche Streitigkeiten einzulassen; *j'entends être obéi, j'entends qu'on m'obéisse* ich verlange Gehorsam; *j'entends qu'on me prenne au sérieux* ich lege Wert darauf, ernst genommen zu werden; **II** *v/rfl.* s'~ **6.** gehört werden; sich hören; *cela s'entend de loin* das hört man von weitem; *il aime* (*litt. à*) *s'~ parler* er hört sich gern reden; **7.** verstanden werden; (*cela*) *s'entend!* (das) versteht sich (von selbst); natürlich!; *le poids atomique s'entend du poids relatif des atomes* unter Atomgewicht versteht man das relative Gewicht der Atome; **8.** sich verständigen; *entendons-nous!* verstehen wir uns recht!; einigen wir uns!; *il ne s'entend pas lui-même* er weiß selbst nicht, was er will; *bien s'~ avec q.* sich gut mit j-m verstehen; **9.** *s'~ à faire qch.* sich darauf verstehen, etw. zu tun; *außer dieser Infinitivkonstruktion nur noch mit y*: *je m'y entends bien* ich verstehe mich gut darauf; **10.** s'~ (*mit inf.*) hören (*se ist hier rückbezüglicher Dativ, abhängig von dem folgenden Infinitiv passiven Inhalts, jedoch aktivischer Form; Fortsetzung des lat. a.c.i.*); *je me suis entendu décrire cette situation* ich habe die Schilderung dieser Lage gehört; *s'~ répondre que* ... die Antwort erhalten, daß ... (*vgl. voir* 15).

entendu [ɑ̃tɑ̃'dy] *adj.* **1.** abgemacht; (*c'est*) ~*!* einverstanden!; *bien* ~ selbstverständlich; F *comme de bien* ~ na klar!; versteht sich; *il est bien* ~ *que* (*mit ind.*) es versteht sich von selbst, daß ...; *c'est tellement* ~ *qu'on doit faire du sport* es gehört nun einmal dazu, daß man Sport treibt; **2.** *air, clin d'œil, sourire* ~ *m* verständnisvolles (*bzw.* verschmitztes) Gesicht *n*, Augenzwinkern *n*, Lächeln *n*.

entente [ɑ̃'tɑ̃:t] *f* **1.** Einvernehmen *n*, Verständigung *f*, Übereinkunft *f*; *éc.* Absprache *f*; *éc.* Kartell *n*; **2.** *à double* ~ zweideutig.

enter [ɑ̃'te] *v/t.* (1a) **1.** ⚘ pfropfen; *fig. canne f entée* zusammengeschraubter Stock *m*; **2.** ~ *des bas* Strümpfe anstricken; **3.** *charp.* einzapfen.

entériner ⚖, *pol.* [ɑ̃teri'ne] *v/t.* (1a) gerichtlich bestätigen *od.* eintragen; *allg.* bestätigen.

entéri|que ⚕ [ɑ̃te'rik] *adj.* Darm...; **~te** ⚕ [~'rit] *f* Darmentzündung *f*.

entéro|sténose ⚕ [ɑ̃terɔste'no:z] *f* Darmverengung *f*; **~tomie** ⚕ [~tɔ'mi] *f* Darmschnitt *m*; **~vaccin** ⚕ [~vak'sɛ̃] *m* Darmimpfstoff *m*.

enter|rement [ɑ̃tɛr'mɑ̃] *m* **1.** Beerdigung *f*, Begräbnis *n*, Bestattung *f*; Ver-, Ein-graben *n*; ernstes Gesicht *n*; **2.** *fig.* Aufgabe *f*, Verzicht *m*; ~ *d'une loi* Abschaffung *f* e-s Gesetzes; **~rer** [~'re] *v/t.* (1b) **I 1.** beerdigen, begraben (*a. fig.*), bestatten; vergraben, verscharren; verschütten; ~ *tout vif* lebendig begraben; *il nous enterrera tous* er wird uns noch alle überleben; **2.** *fig.* in die Vergessenheit geraten lassen; *homme m enterré* völlig zurückgezogener (*od.* in die Vergessenheit geratener) Mensch *m*; **II** *v/rfl.* s'~ sich zurückziehen, zurückgezogen leben; ⚔ sich eingraben.

entêtant [ɑ̃tɛ'tɑ̃] *adj.* betäubend.

en-tête [ɑ̃'tɛ:t] *m* **1.** Briefkopf *m*; **2.** *journ. etc.* Titel *m*, Kopf *m*, Überschrift *f*.

entê|té [ɑ̃tɛ'te] *adj. u. su.* starrköpfig, dickschädelig, stur F; Starrkopf *m*, Dickschädel *m*; **~tement** [~t'mɑ̃] *m* Dickköpfigkeit *f*, Sturheit *f* F; **~ter** [~'te] (1a) **I** *v/t. j-m* in den Kopf steigen (*a. abs. u. fig.*); **II** *v/rfl.* a) *litt. s'~ d'un auteur* für e-n Schriftsteller schwärmen; b) *s'~ dans qch.* auf etw. (*dat.*) bestehen; *s'~ à faire qch.* darauf bestehen, etw. zu tun.

enthelminthe [ɑ̃tɛl'mɛ̃:t] *m* Eingeweidewurm *m*.

enthousias|me [ɑ̃tu'zjasm] *m* Begeisterung *f*, Enthusiasmus *m*; *aptitude f à l'~* Begeisterungsfähigkeit *f*; **~mer** [~s'me] *v/t.* (1a) begeistern, entzücken, mitreißen; **~te** [~'zjast] **I** *su.* Enthusiast *m*,

Begeisterte(r) *m*; Schwärmer *m*; **II** *adj.* begeistert, enthusiastisch.

entiché [ɑ̃ti'ʃe] *adj.*: ~ *de* vernarrt in (*acc.*), eingenommen für (*acc.*).

enticher [ɑ̃ti'ʃe] (1a) *v/rfl. s'~ de fig.* schwärmen für (*acc.*).

entier [ɑ̃'tje] **I** *adj.* (7b) □ **1.** ganz, vollständig, ungeteilt; *mourir tout ~* ohne jeden Nachruhm sterben; *l'assemblée tout entière se leva* die ganze Versammlung erhob sich; **2.** unangetastet, unversehrt, unentschieden, ungelöst; *entière confiance f* (*bei Freundschaft*), *confiance f entière* (*bei Fähigkeiten*) völliges Vertrauen *n*; *cheval m ~* Hengst *m*; *lait m ~* Vollmilch *f*; *la question reste entière* die Frage bleibt offen (*od.* unentschieden); *sévérité f entière* unbedingte Strenge *f*; **3.** *fig.* aufrichtig, gerade, unbeirrt; *a. péj.* eigensinnig; **4.** ⩓ *nombre m ~* ganze Zahl *f*; **II** ⩓ *m* Ganze(s) *n*; *allg. dans* (*od.* en) *son ~* als Ganzes; *advt. en ~* gänzlich, völlig, vollständig, unverkürzt; *lire en ~* ganz durchlesen.

entièrement [ɑ̃tjɛr'mɑ̃] *adv.* ganz, völlig; *~ ivre* total betrunken.

entiroirement [ɑ̃tirwar'mɑ̃] *m* Aufbewahren *n in e-m Schubfach.*

entité [ɑ̃ti'te] *f* **1.** *phil.* Wesenheit *f*; Entität *f*; **2.** *péj.* Hirngespinst *n*; **3.** *bsd. pol.*, *éc.* Gebilde *n.*

entoi|lage [ɑ̃twa'la:ʒ] *m* **1.** Aufziehen *n* auf Leinwand; **2.** ✈ Bespannung *f*; *~ du fuselage* Rumpfbespannung *f*; **3.** *cout.* Einlage *f* (*für Kleider*); **4.** Leineneinband *m* (*Buch*); **~ler** [~'le] *v/t.* (1a) auf Leinwand aufziehen; ✈ mit Leinwand bespannen; *Bücher* in Leinen binden.

entoir ✓ [ɑ̃'twa:r] *m* Pfropfmesser *n.*

entôl|age F [ɑ̃to'la:ʒ] *m* Diebstahl *m*, Bestehlen *n* (*durch e-e Dirne*); **~er** F [~'le] *v/t.* (1a) bestehlen; **~euse** F [~'lø:z] *f* diebische Dirne *f.*

entomo|logie [ɑ̃tɔmɔlɔ'ʒi] *f* Insektenkunde *f*; **~logiste** [~lɔ'ʒist] *m* Insektenkenner *m*; **~phage** [~'fa:ʒ] *adj.* insektenfressend.

enton|nage[1] *m*, **~naison** *f*, **~nement** *m* [ɑ̃tɔ'na:ʒ, ~nɛ'zɔ̃, ~n'mɑ̃] Füllen *n* in Fässer.

entonnage[2] *écol.* [ɑ̃tɔ'na:ʒ] *m* Eintrichtern *n*, Einpaukerei *f.*

entonner[1] [ɑ̃tɔ'ne] *v/t.* (1a) a) in Fässer füllen; b) *fig. écol.*: *~ des connaissances* Kenntnisse eintrichtern; *~ qch. à q.* j-m etw. einpauken (*od.* eintrichtern); c) F hintergießen, trinken.

entonner[2] [~] *v/t.* (1a) ein Lied anstimmen; *fig. ~ les louanges de q.* j-m ein Loblied singen.

entonnoir [ɑ̃tɔ'nwa:r] *m a.* ⊕ Trichter *m*; ⚔ Spreng-, Minen-, Bomben-, Granat-trichter *m.*

entorse [ɑ̃'tɔrs] *f* **1.** ⚕ Verrenkung *f*, Verstauchung *f*; **2.** *fig. ~ à la vérité* Verdrehung *f* der Wahrheit (*gén.*).

entortil|lage [ɑ̃tɔrti'ja:ʒ] *m fig.* Ausflucht *f*, Winkelzug *m*; **~lement** [~tij'mɑ̃] *m* **1.** Sichwinden *n*; **2.** *fig.* Geschraubtheit *f*; **~ler** [~'je] (1a) **I** *v/t.* **1.** einwickeln, umwickeln, herumschlingen; **2.** *fig.* verwickeln, verwirren; *style m entortillé* geschraubter Stil *m*; **3.** F *fig. j-n* einwickeln F, beschwatzen; **II** *v/rfl. s'~* **4.** *s'~ autour de* sich winden (sich ringeln) um (*acc.*); *s'~ dans* sich einwickeln in (*acc.*); **5.** *fig.* sich verwickeln, sich verfangen (*dans* in *dat.*).

entour [ɑ̃'tu:r] *m*: *adv. à l'~* ringsherum; *prp. à l'~ de ...* um ... (*acc.*) herum.

entou|rage [ɑ̃tu'ra:ʒ] *m* **1.** *fig.*, *bsd. a. pol.* Umgebung *f* (*Personen*); **2.** Einfassung *f*; Fassung *f e-s Edelsteins*; ⚠ *~ d'une poutre* Ummantelung *f* e-s Trägers; *~ imperméable* wasserdichte Umschließung *f*; **~rer** [~'re] (1a) **I** *v/t.* **1.** umgeben, einfassen; ✓ umranken; ⚔ umringen, einkreisen; **2.** *fig. il est mal entouré* er hat schlechten Umgang; *~ q. de soins* j-n liebevoll pflegen; **II** *v/rfl. s'~ de mystère* geheimnisvoll tun.

entourloupette F [ɑ̃turlu'pɛt] *f* übler Streich *m*; Intrige *f*; *des ~s* Hinterhältigkeiten *f/pl.*

entournure [ɑ̃tur'ny:r] *f* Ärmelausschnitt *m*; F *fig. être gêné aux ~s* in (Geld-)Schwierigkeiten sein.

entozoaire *biol.* [ɑ̃tɔzɔ'ɛ:r] *m* Entozoon *n*, Innenschmarotzer *m.*

entraccorder [ɑ̃trakɔr'de] (1a): *s'~* sich miteinander verständigen.

entracte [ɑ̃'trakt] *m* **1.** *thé.*, *cin.* Szenenwechsel *m*; Pause *f*; *cin.* Werbungsvorspann *m*; **2.** ♪ Zwischenaktmusik *f*; **3.** *fig.* Atempause *f*, Unterbrechung *f.*

entraid|e [ɑ̃'trɛd] *f* gegenseitige Hilfe *f*; **~er** [~'de] (1b): *s'~* sich gegenseitig helfen.

entrailles [ɑ̃'trɑ:j] *f/pl.* **1.** Eingeweide *n/pl.*; *dans les ~ de la terre* im Erdinneren; **2.** *fig.* Herz *n e-r*

Stadt; Schiffsbauch *m*; Erdinnere(s) *n*; Liebe *f*; Mitleid *n*; *sans* ~ gefühllos, herzlos.

entr'aimer [ɑ̃trɛ'me] (1b): *s'*~ sich gegenseitig lieben.

entrain [ɑ̃'trɛ̃] *m* Schwung *m*, Temperament *n*, Lebhaftigkeit *f*, Begeisterung *f*; *c'est plein d'*~ da ist Schwung drin.

entraî|nant [ɑ̃trɛ'nɑ̃] *adj.* (7) *fig.* schmissig, hinreißend; **~nement** [~trɛn'mɑ̃] *m* **1.** Ausbildung *f*, Training *n*, Schulung *f*; Abhärten *n*; ~ *à la course* Laufübung *f*; ⚔ *un équipage à l'*~ e-e in der Ausbildung befindliche Mannschaft *f*; ~ *au football* Fußballtraining *n*; *marche f d'*~ Übungsmarsch *m*; **2.** ⊕ Antrieb *m*; **3.** *fig.* Macht *f*, Trieb *m*; **~ner** [~'ne] (1b) **I** *v/t.* **1.** mit sich fort-reißen *od.* -schleppen; ~ *q. dans un coin* j-n in e-e Ecke ziehen; **2.** *fig.* hinreißen, mitreißen, packen F, für sich einnehmen; *se sentir entraîné vers le théâtre* sich zum Theater hingezogen fühlen; **3.** ~ *après* (*od. avec*) *soi* nach sich ziehen, zur Folge haben; **4.** trainieren, schulen, üben; **II** *v/rfl.* *s'*~ trainieren (*v/i.*); **~neur** [~'nœːr] *m* **1.** *Sport*: Trainer *m*; Sportlehrer *m*; *vél.* Schrittmacher *m*; **2.** ⊕, ⚒ ~ *à racloirs* Kratzerförderer *m*; **~neuse** [~'nøːz] *f* **1.** Bar-, Animierdame *f*; **2.** *Sport*: Trainerin *f*.

entrait *charp.* [ɑ̃'trɛ] *m* Spannbalken *m*.

entrant [ɑ̃'trɑ̃] **I** *adj.* (7) neueintretend; neuernannt; **II** *m/pl.*: *les* ~*s et les sortants* die Aus- und Eingehenden.

entra|ve [ɑ̃'traːv] *f* (*mst.* ~*s pl.*) Fußfessel *f* (*bei Tieren*); *fig.* Fessel(n *f/pl.*) *f*, Hindernis *n*; ~*s au commerce* Handelsbeschränkungen *f/pl.*; ~ *à la circulation* Verkehrshindernis *n*; **~ver** [~tra've] *v/t.* (1a) *e-m Tier* die Füße fesseln; *fig.* Fesseln anlegen (*dat.*), hemmen, hindern; * kapieren, begreifen.

en travers de [ɑ̃tra'vɛːrdə] *prp.* quer über.

entre ['ɑ̃ːtrə] *prp.* **1.** (*räumlich*) zwischen, unter (*dat. bzw. acc.*); ~ *lui et moi* zwischen ihm und mir (*bzw.* zwischen ihn und mich *auf die Frage*: *wohin*?); *tenir un enfant* ~ *ses bras* ein Kind in den Armen halten; *remettre* ~ *les mains de q.* in j-s Hände geben; ~ *mes mains* in meine(n) Hände(n); *fig.* in meine(r) Gewalt; *nager* ~ *deux eaux* unter Wasser schwimmen; **2.** (*zeitlich*) zwischen (*dat. bzw. acc.*); ~ *deux âges* im mittleren Alter; ~ *chien et loup* im Zwielicht, in der Dämmerung; ~ *la poire et le fromage* beim Nachtisch; *advt.* ~ *temps* inzwischen; **3.** unter (*dat.*), unter der Zahl der (*gén.*); ~ *autres* unter anderem; ~ *amis* unter Freunden; ~ *nous* unter uns (gesagt); *quelqu'un d'*~ *vous* einer unter euch (*od.* Ihnen); *qui d'*~ *vous?* wer von euch (*od.* Ihnen)?

entrebâillement [ɑ̃trəbɑj'mɑ̃] *m* Spalt *m*, geringe Öffnung *f*.

entrebâiller [~bɑ'je] (1a) **I** *v/t.* halb öffnen, *Tür* anlehnen; **II** *v/rfl.* *s'*~ sich ein wenig öffnen.

entrebâilleur [~bɑ'jœːr] *m*: ~ *à chaîne* Sperrkette *f an e-r Wohnungstür.*

entrebaiser [ɑ̃trəbɛ'ze] (1b): *s'*~ sich küssen.

entre-bande *text.* [~'bɑ̃ːd] *f* Salband *n*, Salleiste *f*, Webekante *f*.

entrebattre [~'batrə] (4a) *v/rfl.* *s'*~ sich (gegenseitig) schlagen.

entrechat [~'ʃa] *m* Kreuzsprung *m* (*Ballett*); *battre* (*od. faire*) *un* ~ e-n Luftsprung machen.

entrechoquer [~ʃɔ'ke] (1m) *v/rfl.* *s'*~ aneinander- *od.* zusammen-stoßen; *fig.* aneinandergeraten.

entrecolonnement *m* ⩓ [~kɔlɔn'mɑ̃] Säulenabstand *m*.

entrecôte *cuis.* [~'kot] *f* Rippenstück *n*.

entre|couper [~ku'pe] (1a) **I** *v/t.* unterbrechen; *d'une voix entrecoupée* mit gebrochener Stimme; **II** *v/rfl.* *s'*~ sich schneiden (*Linien*); **~croisement** [~krwɑz'mɑ̃] *f* Kreuzung *f*; *biol.* Genustausch *m*; **~croiser** [~krwɑ'ze] (1a) **I** *v/t.* (durch)kreuzen; **II** *v/rfl.* *s'*~ sich kreuzen.

entre|-déchirement [~deʃir'mɑ̃] *m* (6d) Selbstzerfleischung *f*; **~-déchirer** [~deʃi're] *v/rfl.* (1a) *s'*~ sich gegenseitig zerreißen; sich gegenseitig anschwärzen.

entre-détruire [~de'trɥiːr] *v/rfl.* (4c) *s'*~ sich gegenseitig vernichten.

entre-deux [ɑ̃trə'dø] **I** *m* (6c) **1.** ⚓ Zwischen-raum *m*, -wand *f*; **2.** Konsoltischchen *n*; **3.** ~ (*de dentelles* Spitzen-)Einsatz *m*; **4.** ~ *de morue* Mittelstück *n* des Stockfisches; **II** ~ *les deux adv.* so so; halb und halb.

entre-deux-guerres [~'gɛːr] *m* Zwischenkriegszeit *f* (*1918-1939*).

entre-dévor|ement [~devɔr'mɑ̃] *m* gegenseitige Vernichtung *f*; **~er**

[~'re] *v/rfl.* (1a) s'~ sich gegenseitig zerfleischen.

entre-donner [~dɔ'ne] *v/rfl.* (1a) s'~ sich gegenseitig geben.

entredoublure ⊕ [~du'blyːr] *f* Zwischenfutter *n.*

entrée [ɑ̃'tre] *f* **1.** Ein-, Be-treten *n*, Eintritt *m*; Besuch *m* (*z.B. e-s Films od. Museums*); Einmarsch *m*; Einfahrt *f*; ✈, *ent.*, *orn.* Einflug *m*; Auftreten *n* auf der Bühne; ⚓ Einlaufen *n*; Einreise *f*; *Alpensport*: Einstieg *m*; ⚔ ~ *en ligne* Einsatz *m*; *rad.* ~ *de poste* Antenneneinführung *f*; ~ *au lycée* Eintritt *m* in die höhere Schule; ~ *à l'école* Einschulung *f*; *faire son* ~ s-n Einzug halten; *fig. faire son* ~ *dans le monde* zum erstenmal in der Gesellschaft erscheinen; ~ (*de ballet*) Zwischentanz *m*, Akt *m* e-s (Opern-)Balletts; **2.** Anfang *m*, Beginn *m*; *à l'*~ *de l'hiver* zu Beginn des Winters; *à l'*~ *de la nuit* bei hereinbrechender Nacht; *dès l'*~ *de table* gleich zu Anfang der Mahlzeit; ⊕ ~ *en action* Inbetriebsetzung *f*; ⊕ ~ *du câble* Kabeleinführung *f*; ~ *en campagne* (*en séance*) Eröffnung *f* des Feldzuges (der Sitzung); ~ *en fonction* Amtsantritt *m*; *a.* ⚖ ~ *en matière* Anfang *m* der Verhandlung; ⚖ ~ *en possession* Besitzergreifung *f*; ⚖ ~ *en vigueur* Inkrafttreten *n* e-s Gesetzes; **3.** Ein-, Zu-gang *m*; Diele *f*, Flur *m*; Einfahrt *f*; **4.** Zugang *m*; Bei-, Zu-tritt *m*, Aufnahme *f*, Zulassung *f*; ~ *de faveur*, ~ *libre* freier Zutritt *m*; ~*s de faveur suspendues* Freikarten sind ungültig; ~ *d'un pays dans le marché commun* Beitritt *m* e-s Landes zum Gemeinsamen Markt; **5.** *cyb.* Eingabe *f*; **6.** Stichwort *n*; **7.** *cuis.* Vorspeise *f*, erster Gang *m*; **8.** Eintrittsgeld *n*; *droit m d'*~ Einfuhrzoll *m*; **9.** ☤ a) Buchung *f*, Eintragung *f in die Geschäftsbücher*; b) ~*s pl.* eingehende Waren *f/pl. od.* Gelder; *livre m des* ~*s* Eingangsbuch *n*; **10.** ♪ ~ *d'un instrument* Einsetzen *n* e-s Instruments; *manquer son* ~ zu spät einsetzen; **11.** *advt. d'*~ von Anfang an.

entrefaites [ɑ̃trə'fɛt] *f/pl.*: *sur ces* ~ inzwischen, unterdessen.

entrefer *phys.* [~'fɛːr] *m*: ~ *d'un aimant* Luftspalt *m* e-s Magneten.

entrefermer [~fɛr'me] *v/t.* (1a) halb schließen.

entrefilet *journ.* [~fi'lɛ] *m* Pressenotiz *f*, kurzer Zeitungsartikel *m.*

entre-frapper [~fra'pe] *v/rfl.* (1a) s'~ sich gegenseitig schlagen.

entregent [ɑ̃trə'ʒɑ̃] *m* Gewandtheit *f*, Fingerspitzengefühl *n*, Takt *m.*

entregreffer [ɑ̃trəgrɛ'fe] *v/rfl.* (1a) s'~ miteinander verwachsen.

entre-heurter [ɑ̃trəœr'te] *v/rfl.* (1a) s'~ sich gegenseitig stoßen.

entrejambes [ɑ̃trə'ʒɑ̃ːb] *m* (6c) Schritt *m* (*Hosenteil*).

entrelac|ement *télév.* [ɑ̃trəlas'mɑ̃] *m*: ~ *de l'image* Verschwommenheit *f* des Bildes; **~er** [~'se] *v/t.* (1k) ineinanderschlingen, verflechten; durch-, ein-weben.

entrelacs [~'lɑ] *m/sg.* **1.** ⚠ Flechtdekoration *f*; **2.** Schnörkel *m* (*Schrift*).

entrelarder [~lar'de] *v/t.* (1a) **1.** *Braten* spicken; *morceau m entrelardé* (mit Fett) durchwachsenes Stück Fleisch; **2.** *fig.* würzen; spicken (*de* mit *dat.*).

entremêler [~mɛ'le] (1a) *v/t.* vermischen; *e-e Rede mit Zitaten* durchsetzen.

entremets *cuis.* [ɑ̃trə'mɛ] *m/sg.* Süßspeise *f.*

entremet|teuse [~mɛ'tøːz] *f péj.* Kupplerin *f*; **~tre** [~'mɛtrə] *v/rfl.* (4p) s'~ vermitteln, sich verwenden, sich einschalten.

entremise [ɑ̃trə'miːz] *f* Vermittlung *f*; Fürsprache *f*, Zutun *n*, Verwendung *f* (*für j-n acc.*); ☤ ~ *de capitaux* Kapitalvermittlung *f*; *par l'*~ *de q.* durch Vermittlung j-s.

entremordre [~'mɔrdrə] *v/rfl.* (4a) s'~ sich beißen.

entre-nuire [~'nɥiːr] *v/rfl.* (4c) s'~ sich gegenseitig schaden.

entrepointe(s) ⊕ [ɑ̃trə'pwɛ̃ːt] *adj./inv.*: *distance f* ~ Spitzenweite *f* (*Drehbank*).

entrepont ⚓ [~'pɔ̃] *m* Zwischendeck *n.*

entrepo|sage ☤ [ɑ̃trəpo'zaːʒ] *m* (Ein-)Lagern *n*; **~ser** ☤ [~'ze] *v/t.* (1a) auf Lager bringen *od.* nehmen, einlagern; **~seur** [~'zœːr] *su.* (7g) Lager-aufseher *m*, -halter *m*; **~sitaire** [~zi'tɛːr] *m* Zwischenhändler *m.*

entrepôt ☤ [ɑ̃trə'po] *m* Warenniederlage *f*, Lager *n*, Silo *n*, Lagerhaus *n*, Speicher *m*; ~ *de céréales*, ~ *à grains* Getreidesilo *n*; ~ *sous douane* Zollager *n*; *lieu m d'*~ Stapelplatz *m*; *à l'*~ auf Lager; *en* ~ unverzollt, unter Zollverschluß; ~ *frigorifique* Kühlraum *m.*

entre|prenant [ɑ̃trəprə'nɑ̃] *adj.* (7)

unternehmungslustig, kühn; **~prendre** [~ˈprɑ̃:drə] (4q) **I** *v/t.* **1.** *Reise usw.* unternehmen; *Auftrag* übernehmen; ~ *une guerre* e-n Krieg entfesseln; ⚖ ~ *une preuve* e-n Beweis antreten; **2.** *fig.* a) ~ *q. sur un sujet* j-n zu e-m Gespräch über ein Thema bringen; b) ~ *une femme* e-e Frau zu gewinnen suchen; c) F ~ *q.* j-n behelligen; **II** *v/i.* ~ de (*mit inf.*) den Versuch wagen, versuchen, (es) übernehmen zu, sich zur Aufgabe machen; **~preneur** [~prəˈnœ:r] *su.* (7g) Unternehmer *m*; *grand* ~, ~ *en grand* Großunternehmer *m*; ~ *en bâtiment* Bauunternehmer *m*; ~ *de plomberie* selbständiger Klempner (-meister) *m*; ~ *de travaux publics* Tiefbauunternehmer *m*; ~ *de transports* Spediteur *m*, Fuhrunternehmer *m*; *les* ~*s m/pl.* das Unternehmertum *n*; **~prise** [~ˈpri:z] *f* **1.** Unternehmen *n*; Bauprojekt *n*; Vorhaben *n*; *esprit m d'*~ Unternehmungsgeist *m*; **2.** ⚕ Übernahme *f von Bauten, Lieferungen usw.*; *avoir l'*~ *d'une construction* e-n Bau übernommen haben; *advt. par* ~ kontraktmäßig; **3.** Unternehmen *n*, Geschäft *n*, Betrieb *m*; ~ *de construction* Baugeschäft *n*; ~ *de messageries* Paketpost *f*; ~ *à succursales multiples* Kettengeschäft *n*; Unternehmen *n* mit Filialnetz; *groupement m d'*~*s* Konzern *m*; *grande* ~, ~ *à grand rendement* Großunternehmen *n*; ~ *centrale* Mutterfirma *f*; ~ *de concurrence* Konkurrenzunternehmen *n*; ~ *ferroviaire* Eisenbahnunternehmen *n*; ~ *individuelle* Einzelbetrieb *m*; ~ *productrice* Erzeugerbetrieb *m*; ~ *de pompes funèbres* Beerdigungsinstitut *n*; **4.** *litt.* ~*s f/pl.* Verführungsversuche *m/pl.*

entre-quereller [ɑ̃trəkərɛˈle] *v/rfl.* (1a) *s'*~ sich miteinander zanken.

entrer [ɑ̃ˈtre] (1a) **I** *v/i.* (*nur mit être!*) **1.** a) hinein-, herein-gehen, eintreten; einströmen; einziehen; hineinkommen, (hin)einfahren, ✈ einfliegen; ⚔ einrücken; ⚓ einlaufen; einreisen; hineinpassen; ~ *en coup de vent* herein-stürmen, -stürzen; *entrez!* herein!; *entrez par ici!* Eintritt hier!; *défense d'*~ Eintritt verboten!; *à droite en entrant* am Eingang rechts; b) *mit prp.*: ~ **à**: ~ *au lycée* auf die Oberschule kommen; ~ *au service* Soldat werden; ~ *au service de q.* bei j-m in Dienst treten; ~ **dans**: ~ *dans l'administration* zur (*od.* in die) Verwaltung gehen; ~ *dans le commerce* (*la robe, l'Église*) Kaufmann (Jurist, Geistlicher) werden; ~ *dans la confection de* zur Herstellung dienen von (*dat.*); ~ *dans le détail de qch.* näher auf e-e Sache eingehen; ~ *dans la dépense* zu den Ausgaben beitragen; ~ *dans une famille* in e-e Familie (hin)einheiraten; ~ *dans les faits* in Kraft treten, wirksam werden; ~ *dans les intérêts de q.* j-s Interessen wahrnehmen; ~ *dans le monde* in die Gesellschaft eingeführt werden; ~ *dans la pensée de q.*: a) sich in j-n hineindenken; b) j-n begreifen; c) im Sinne j-s handeln; ⚓ ~ *dans un port* in e-n Hafen einlaufen; ~ *dans les secrets de q.* in j-s Geheimnisse eindringen; ~ *dans un service* (*od. dans un emploi*) e-e Stellung antreten; *cela ne m'est jamais entré dans la tête* das ist mir gar nicht eingefallen; das habe ich nie begreifen können; ~ *dans la vie*: a) das Licht der Welt erblicken, zur Welt kommen; b) in die Welt treten; ~ *dans les vues de q.*: a) auf j-s Absichten eingehen; b) j-s Absichten entsprechen; *cela n'entre pas dans la valise* das geht nicht in den Koffer hinein; ~ **en**: ~ *en arrangement* e-n Vergleich eingehen; ~ *en campagne* ins Feld rücken; ~ *en charge od. en fonction* ein Amt antreten (*od.* übernehmen); ~ *en collision avec* zusammenstoßen mit (*dat.*); ~ *en (ligne de) compte* in Betracht kommen; ~ *en comparaison od. en parallèle* sich vergleichen lassen; ~ *en condition mst. v. Frauen*: in Stellung gehen; *a.*: s-e Stellung als Hausdiener antreten; ~ *en correspondance avec q.* mit j-m in Briefwechsel treten; ~ *en éruption* ausbrechen (*Vulkan*); 🚂 ~ *en gare* einlaufen; *fig.* ~ *en jeu od. lice* sich einschalten; ~ *en matière* zur Sache kommen; ~ *en place* als Dienstbote eintreten; ~ *en relation avec q.* sich mit j-m einlassen; *a.* ⚕ zu j-m in Beziehung treten; ~ *en religion* Mönch werden; ~ *en service* s-n Dienst (*od.* e-e Stellung) antreten; ~ *en vigueur* in Kraft treten; ~ **par**: ~ *par la fenêtre* zum Fenster hineinsteigen; ~ **pour**: *j'y entre pour un tiers* ich bin mit e-m Drittel dabei beteiligt; ~ *pour beaucoup dans qch.* großen Einfluß auf etw. (*acc.*) haben; c) *mit vorgesetztem Verb*: **faire ~** hineinbringen; *faire ~ qch. dans un calcul* etw. in e-e Rechnung einbegreifen; *faire ~ qch. dans la tête de q.* j-m etw. begreiflich machen; *parvenir à faire ~* hereinbekommen; **laisser ~** hinein-, herein-lassen; **pouvoir ~** hinein-, herein-können; d) *v/imp. il entre de l'ambition dans ce dessein* an diesem Plan hat der Ehrgeiz teil; *il entre bien du drap dans cet habit* zu diesem Rock gehört viel Tuch; **2.** passen; *ce chapeau n'entre pas* dieser Hut ist zu eng; **II** *v/t.* (*mit avoir!*) **3.** ⚓ *Schiff* einlotsen, in den Hafen fahren; **4.** ✈ *~ l'avion* das Flugzeug einhallen.

entre-rail 🚂 [ɑ̃trəˈrɑj] *m* Spurweite *f*.

entre-regarder [ɑ̃trərəgarˈde] *v/rfl.* (1a) *s'~* sich gegenseitig anblicken.

entre-secourir [~səkuˈriːr] *v/rfl.* (2i) *s'~* sich gegenseitig helfen.

entresol [~ˈsɔl] *m* Zwischenstock *m*.

entre-temps [~ˈtɑ̃] *adv.* inzwischen.

entretenir [ɑ̃trətˈniːr] (2h) **I** *v/t.* **1.** (*in gutem Zustand*) erhalten, instand halten; *~ une correspondance avec q.* mit j-m in Briefwechsel stehen; *~ q. d'espérances (de belles promesses)* j-n mit Hoffnungen (mit leeren Versprechungen) hinhalten; *~ le feu* das Feuer nicht ausgehen lassen; **2.** ernähren, für den Unterhalt *j-s* aufkommen; F *péj. j-n* aushalten; **3.** *~ q. de* mit j-m sprechen über (*acc.*), j-n unterhalten mit (*dat.*); **II** *v/rfl.* *s'~* **4.** sich (er)halten; sich nähren; *s'~* (*acc.*) *en bonne santé (en bonne humeur; frais)* sich gesund (bei guter Laune; frisch) erhalten; **5.** *s'~* (*dat.*) *la main* die Hand in Übung halten; **6.** *s'~ de qch. avec q.* sich mit j-m über etw. (*acc.*) unterhalten.

entretenu [ɑ̃trəˈtny] *adj.* **1.** *bien (mal) ~* (nicht) gepflegt; **2.** *péj.* ausgehalten (*Frau*); **3.** *phys.* kontinuierlich (*Wellen*).

entretien [ɑ̃trəˈtjɛ̃] *m* **1.** Instandhaltung *f*, Wartung *f*, Pflege *f*, Behandlung *f*, Erhaltung *f*; Lebensunterhalt *m*; Unterhaltungskosten *pl.*; *~ conforme à la condition* standesgemäßer Unterhalt; *Auto*: *~ d'une voiture* Wagenpflege *f*; **2.** Unterredung *f*, Gespräch *n*, Unterhaltung *f*.

entretois|e △ [~ˈtwaːz] *f* Quer-, Zwischen-träger *m*, Versteifung *f*, Riegel *m*; **~ement** △ [~twazˈmɑ̃] *m* Verstrebung *f*; **~er** △, ⚒ [~twaˈze] *v/t.* (1a) absteifen.

entre-tuer [~ˈtɥe] *v/rfl.* (1a) *s'~* sich gegenseitig töten.

entre-voie [~ˈvwa] *f* Gleisabstand *m*.

entrevoir [~ˈvwaːr] (3b) *v/t. nur* halb *od.* flüchtig sehen; *fig.* ahnen; *ne pas ~ dans ses rêves* sich nicht träumen lassen; *laisser ~ qch. à q.* j-m gegenüber etw. durchblicken lassen.

entrevous △ [~ˈvu] *m* **1.** Balkenabstand *m*; **2.** Schalbrett *n*, Füllung *f*; **3.** Zwischendecke *f*.

entrevue [ɑ̃trəˈvy] *f* Unterredung *f*, Zusammenkunft *f*.

entrisme [ɑ̃ˈtrism] *m* politische Durchdringung *f*, langer Marsch *m* durch die Institutionen.

entr|ouvert [ɑ̃truˈvɛːr] *adj.* (7) halb offen; **~ouvrir** [~truˈvriːr] *v/t.* (2f) (nur) halb öffnen.

entub|age P [ɑ̃tyˈbaːʒ] *m* Betrug *m*, Beschiß *m* P; **~er** P [~ˈbe] *v/t.* betrügen, übers Ohr hauen.

enturbanné [ɑ̃tyrbaˈne] *adj.* mit e-m Turban auf dem Kopf.

enture ✓ [ɑ̃ˈtyːr] *f* Pfropfspalt *m*.

énuclé|ation [enykleaˈsjɔ̃] *f* **1.** *chir.* (operative) Entfernung *f* e-s Tumors; **2.** Entkernung *f* (*v. Früchten*); **~er** [~kleˈe] *v/t.* (1a) **1.** *chir.* (operativ) entfernen; **2.** *Früchte* entkernen.

énumé|ration [enymeraˈsjɔ̃] *f* Aufzählung *f*; **~rer** [~ˈre] *v/t.* (1f) aufzählen, -führen.

énurésie ⚕ [enyreˈzi] *f* Bettnässen *n*.

énurétique ⚕ [enyreˈtik] *adj.* bettnässend.

envahir [ɑ̃vaˈiːr] *v/t.* (2a) einfallen (eindringen *od.* einbrechen) in (*acc.*), überfallen; erfassen (*Feuer*); befallen (*Krankheit*); überschwemmen; überwuchern (*Unkraut*).

envahis|sant [ɑ̃vaiˈsɑ̃] *adj.* (7) **1.** überhandnehmend; *érudition f ~e* umfassendes Wissen *n*; **2.** aufdringlich; **~sement** [~isˈmɑ̃] *m* Eindringen *n*; (feindlicher) Einfall *m*, Überfall *m*; Überflutung *f e-s Flusses*, Umsichgreifen *n des Feuers*; **~seur** [~ˈsœːr] *m* Eindringling *m*.

envas|ement [ɑ̃vazˈmɑ̃] *m* Verschlammung *f*; **~er** [ɑ̃vaˈze] (1a) **I** *v/t.* verschlammen; *~ son bateau* mit s-m Boot in Schlamm geraten; **II** *v/rfl.* *s'~* verschlammen (*v/i.*: *Hafen*); in Schlamm geraten.

envelop|pe [ɑ̃ˈvlɔp] *f* Briefumschlag *m*; *Auto, vél.* Schlauchdecke *f*, Reifen *m*, Decke *f*, (Fahrrad-) Mantel *m*; ⊕ Gehäuse *n*, Umwicklung *f*; Hülle *f*, Umhüllung *f*; *Auto*: ~ *antidérapante* Gleitschutzdecke *f*; ~ *d'édredon* Inlett *n*; ✈ ~ *de ballon* Ballonhülle *f*; ~ *en paille* Flaschenhülse *f* aus Strohgeflecht; *mettre sous* ~ in e-n Umschlag stecken; ✉ ~ *affranchie* Freiumschlag *m*; ~ *transparente* Fenster(brief)umschlag *m*; ~ *de coussin* Kissenbezug *m*; ⊕ *moteur m à* ~ *refroidie* Motor *m* mit Außenkühlung; *biol.* ~ *embryonnaire* Eihülle *f*; ~ *en fer blanc* Blechmantel *m*; *fin.* ~ *budgétaire* für ein Ressort vorgesehener (Staats-)Haushaltsbetrag *m*; **~pement** [~p'mã] *m* **1.** Verpacken *n*; **2.** ⚕ (*z. B. Brust-*) Packung *f*; **3.** ⚔ Einkreisung *f*; **~per** [~'pe] *v/t.* (1a) **1.** einhüllen, einwickeln, einpacken; in e-n Umschlag stecken (*Brief*); *on l'a enveloppé dans ce procès* man hat ihn in diesen Prozeß verwickelt; *fig.* ~ *q. d'un regard* j-n mit Blicken mustern; **2.** ⚔ einkreisen, umzingeln; **3.** *fig.* einwickeln, verhüllen, verbergen; *avoir l'esprit enveloppé* ein Wirrkopf sein; *avoir l'esprit enveloppé dans la matière* ein primitiver, geistloser Mensch sein; *parler d'une manière enveloppée* durch die Blume sprechen; *style m enveloppé* unklarer Stil *m*.

envenim|ement ⚕ [ãvənim'mã] *m* Entzündung *f*; **~er** [~ni'me] (1a) **I** *v/t.* ⚕ infizieren; *fig.* verschlimmern; ~ *une querelle* e-n Streit schüren; **II** *v/rfl.* *s'*~ ⚕ sich entzünden; *fig.* sich verschärfen.

enver|guer ⚓ [~'ge] *v/t.* (1m) Segel festmachen; **~gure** [~'gy:r] *f* **1.** ⚓ Weite *f e-s Segels*; Länge *f der Rahe*; **2.** *zo.* Flügelweite *f*; ✈ Spannweite *f*; **3.** *fig.* a) Format *n*; b) Ausmaß *n*.

enverrai [ãvɛ're] *1. pers. sg. fut. v. envoyer.*

envers [ã'vɛ:r] **I** *prp.* gegen (*acc.*); gegenüber (*dat.*), zu (*dat.*); *être aimable* (*gentil*) ~ *q.* zu j-m freundlich sein; *bon* ~ *tout le monde* gut zu jedermann; *juste* ~ *q.* gerecht j-m gegenüber; *avoir de l'indulgence* ~ *q.* gegen j-n Nachsicht üben; *sa manière d'agir* ~ *q.* s-e Handlungsweise j-m gegenüber; *prendre un engagement* ~ *q.* e-e Verpflichtung j-m gegenüber eingehen; *répondre* ~ *q.* j-m gegenüber haften; ~ *et contre tous* gegen jedermann; **II** *m* Rück-, Kehr-seite *f*, linke Seite *f*; *advt. à l'*~ verkehrt; *voilà l'*~ *de la médaille* da ist die Kehrseite der Medaille; *lire un texte à l'*~ e-n Text von hinten nach vorn (von rechts nach links, falsch herum) lesen; *mettre ses bas à l'*~ s-e Strümpfe verkehrt anziehen; *prendre tout à l'*~ alles verkehrt auffassen; *Auto*: *être rangé à l'*~ falsch parken; *repasser à l'*~ von links bügeln.

envi [ã'vi]: *à l'*~ *advt.* um die Wette.

enviable [ã'vjablə] *adj.* beneidenswert.

envider *text.* [ãvi'de] *v/t.* (1a) aufspulen.

envie [ã'vi] *f* **1.** Neid *m*, Mißgunst *f*; *exciter* (*od. susciter*) *l'*~ *de q.* j-s Neid erregen; *porter* ~ *à q.* j-n beneiden; *regarder qch. d'un œil d'*~, *jeter des regards d'*~ *à qch.* etw. mit neidvollem Auge betrachten; *digne d'*~ beneidenswert; **2.** Lust *f*, Verlangen *n*; *j'ai* ~ *de* ... ich habe Lust zu ...; *j'ai grande* ~ *de manger qch. de bon* ich habe große Lust, etw. Gutes zu essen; *je n'ai nulle* ~ *de vous nuire* ich will Ihnen durchaus nicht schaden; *il n'en a pas* ~ er hat keine Lust dazu; *faire* ~ *à q.* j-n anregen; j-n *nach etw.* (*dat.*) verlangen lassen; *cela me fait* ~ ich habe Lust dazu; *si l'*~ *lui en prend* wenn er Lust dazu bekommt; *passer son* ~ (*de qch.*) s-e Lust (an etw. *dat.*) befriedigen; *faire passer l'*~ *de qch. à q.* j-m die Lust zu etw. (*dat.*) austreiben *od.* nehmen; *cette voiture me fait* ~ diesen Wagen hätte ich gern, auf den Wagen bin ich scharf F; *avoir* ~ *d'aller aux cabinets* auf die Toilette (gehen) müssen; **3.** Niednagel *m*; **4.** *anat.* Muttermal *n*.

envi|er [ã'vje] *v/t.* (1a) ~ *q.* (*qch.*) auf j-n (etw.) neidisch sein; ~ *qch. à q.* j-n um etw. (*acc.*) beneiden; *je n'ai rien à* ~ *à personne* mir fehlt es an nichts; **~eux** [ã'vjø] (7d) **I** *adj.*: ~ *de* neidisch, mißgünstig auf (*acc.*); **II** *su.* Neider *m*.

environ [ãvi'rõ] *adv.* ungefähr, etwa; *il y a* ~ *deux ans* vor ungefähr zwei Jahren; **~nant** [~rɔ'nã] *adj.* (7) umliegend, nahe; *monde m* ~ Umwelt *f*; **~nement** *soc.* [~rɔn'mã] *m* Umwelt *f*; *pollution f* (*od. détérioration f*) *de l'*~ Umweltverschmutzung *f*; **~nementaliste** [~rɔnmãta'list] *su.* Umweltforscher *m*; **~ner** [~rɔ'ne] *v/t.* (1a) umgeben (*de* mit [*dat.*]); einschließen; *fig. environné d'éclat* hochgeachtet; **～neur** [～'nœ:r] *m* moderner Raumgestalter *m*.

environs [ɑ̃vi'rɔ̃] *m/pl.* **1.** Umgebung *f*; *être dans les ～* in der Nähe sein; **2.** *prpt. aux ～ de* a) um (*Zeit*); b) in der Nähe von; c) ungefähr, etwa.

envisager [ɑ̃viza'ʒe] *v/t.* (1l) *fig.* betrachten; ins Auge fassen, denken (an *acc.*); (*mit de + inf.*) beabsichtigen (*zu + inf.*).

envoi [ɑ̃'vwa] *m* **1.** Absenden *n*, Versand *m*, Abschicken *n*; *fig. donner un coup d'～ de qch.* etw. in Gang bringen, sich an etw. heranmachen; **2.** Sendung *f*, Paket *n*; *sous ～* gegen Einsendung; *～ collectif* Postwurfsendung *f*; *～ groupé*, *～ d'objets groupés* Mischsendung *f*; *～ au choix* Ansichtssendung *f*; *～ en franchise de port* portofreie Sendung *f*; *bordereau m d'～* Begleitzettel *m*; *lettre f d'～* Begleitbrief *m*; *～ sous bande* Kreuzbandsendung *f*; *～ à titre d'essai* Probesendung *f*; *～ avec valeur déclarée* Wertsendung *f*; *～ contre remboursement* Nachnahmesendung *f*; **3.** *poét.* Zueignungsstrophe *f*, letzte Strophe *f*.

envoiler *métall.* [ɑ̃vwa'le] *v/rfl.* (1a) *s'～* sich verziehen (*bei der Härtung von Eisen od. Stahl*).

envol [ɑ̃'vɔl] *m* **1.** ✈ Start *m*, Abflug *m*; **2.** *orn.* Davonfliegen *n*.

envolé F [ɑ̃vɔ'le] *adj.* geflüchtet.

envolée [～] *f* **1.** *des ～s de gestes* ausladende Gesten; **2.** *fig.* (Auf-)Schwung *m*, Gedankenflug *m*; *～ technique* technischer Aufschwung *m*; *discours m d'une belle ～* schwungvolle Rede *f*; *adv. tout d'une ～* plötzlich.

envoler [ɑ̃vɔ'le] (1a) *v/rfl.* *s'～* **1.** wegfliegen; *faire ～* verscheuchen (*Vögel*); **2.** ✈ aufsteigen, starten, abfliegen (*pour* nach); **3.** *fig.* schwinden (*Jahre*), schnell vergehen, entwischen (*Gelegenheit*).

envoût|ement [ɑ̃vut'mɑ̃] *m* Traumzustand *m Drogensüchtiger*; **～er** [～'te] *v/t.* (1a) bezaubern.

envoy|é [ɑ̃vwa'je] *su.* Abgesandte(r) *m*; Geschäftsträger *m*; **～er** [～] (1p) **I** *v/t.* **1.** (ab)schicken, (ab)senden; *～ q. au bain, au diable, aux pelotes, balader, bouler, dinguer, paître, promener, valser* j-n abblitzen lassen; *～ q. se faire pendre ailleurs* j-n zum Henker schicken; *～ dire qch. à q.* j-m etw. sagen lassen; *ne pas l'～ dire* kein Blatt vor den Mund nehmen; *～ q. à la mort* j-n in den Tod schicken; *～ promener un principe* ein Prinzip fallenlassen; P *... ou je t'envoie cette bouteille au visage ...* oder die Flasche da fliegt dir ins Gesicht; *téléph. ～ des signaux* Zeichen geben; **2.** *～ une gifle* e-e Ohrfeige geben; **3.** abordnen; **4.** *～ chercher qch.* etw. holen lassen; *～ demander qch. à q.* j-n um etw. (*acc.*) bitten lassen; *il a envoyé son fils demander, si ...* er hat durch s-n Sohn fragen lassen, ob ...; *～ dire* sagen lassen; **5.** *bien envoyé!* die Antwort hat gesessen!; **II** *v/rfl.* *s'～* **6.** F auf sich nehmen; **7.** F trinken; sich gönnen; **8.** P *s'～ une fille* mit e-m Mädchen ins Bett gehen; **～eur** [～'jœ:r] *su.*: 📯 *Retour à l'～* an den Absender zurück.

enzyme *biol.* [ɑ̃'zim] *m* Enzym *n*.

éolien [eɔ'ljɛ̃] (7c) *adj.* äolisch; Wind...; *dépôts m/pl. ～s* Ablagerungen *f/pl.* des Windes; *érosion f ～ne* Erosion *f* durch den Wind; *harpe f ～ne* Äolsharfe *f*; **～ne** *mot.* [eɔ'ljɛn] *f* Windmotor *m*.

éolipile [eɔli'pil] *m* **1.** *phys.* Dampfkugel *f*; **2.** ⚠ Schornsteinhaube *f*; **3.** ⊕ Lötlampe *f*.

épagneul *zo.* [epa'ɲœl] *m* Spaniel *m*.

épais [e'pɛ] **I** *adj.* (7d) **1.** dick; **2.** dicht, gedrängt; **3.** dick(flüssig); *nuit f ～se* stockfinstere Nacht *f*; *fig. ignorance f ～se* grobe Unwissenheit *f*; **4.** *fig.* schwerfällig; *avoir l'esprit ～* schwerfällig (*od.* träge) sein; *avoir la langue ～se* e-e schwere Zunge haben; **II** *advt.* dicht; F viel; *semer ～* dicht säen; *il a neigé épais de trois doigts* es hat drei Finger hoch geschneit; *il n'y en a pas ～!* es gibt davon nicht viel!; **III** *m* Dicke *f*; *plusieurs pieds d'～* mehrere Fuß dick (*wörtlich*: „an Dicke"); **～seur** [epɛ'sœ:r] *f* **1.** Dicke *f*, Stärke *f*; *avoir un mètre d'～* e-n Meter dick sein; **2.** Dichtheit *f*; **3.** Dickicht *n*; **4.** Undurchdringlichkeit *f*, Schwärze *f der Nacht*; **5.** *fig.* Gehalt *m*, Tiefgründigkeit *f* (*Roman*), Format *n fig.*, Charakterfestigkeit *f* (*Mensch*); **～sir** [～'si:r] (2a) **I** *v/t.* dick(er) machen, verdicken, verdichten; eindicken; **II** *v/i. u.* **III** *v/rfl.* *s'～* dick werden, sich verdichten; immer undurchdringlicher werden; **～sissement** [～sis'mɑ̃] *m* Verdickung *f*.

épamprer ✂ [epɑ̃'pre] *v/t.* (1a) *den Weinstock* abranken.

épan|chement [epɑ̃ʃ'mɑ̃] *m* **1.** ⚕ (Blut-)Erguß *m*; **2.** *fig.* Herzensergießung *f*; *besoin m d'*~ Mitteilungsbedürfnis *n*; **~cher** [~'ʃe] (1a) **I** *v/t. st.s. fig.* ~ *son cœur* sein Herz ausschütten; **II** *v/rfl. s'*~ *fig.* sein Herz ausschütten.

épan|dage ⚘ [epɑ̃'da:ʒ] *m* Berieseln *n*, Ausstreuen *n*; *champs m/pl. d'*~ Rieselfelder *n/pl.*; **~deur** ⚘ [~'dœ:r] *m*, **~deuse** ⚘ [~'dø:z] *f* Streu-, Spritz-maschine *f*; **~dre** [e'pɑ̃:drə] *v/t.* (4a) *Dung usw.* ausstreuen.

épanou|i [epa'nwi] *adj.* **1.** aufgeblüht; **2.** *fig.* freudig, vergnügt; **3.** gut entwickelt (*Körper*); **~ir** [~'nwi:r] (2a) **I** *v/t.* **1.** zum Aufblühen bringen; **2.** *fig.* auf-, er-heitern; **3.** ~ *q.* j-n in s-r Entwicklung fördern; **II** *v/rfl. s'*~ aufblühen; *physiol.* sich verzweigen (*Nerven*); *fig.* sich entfalten; *fig.* sich aufheitern; *Mode*: *s'*~ *sur qch.* etw. garnieren; **~issement** [~nwis'mɑ̃] *m* Aufblühen *n*; *fig.* Aufheiterung *f*; *fig.* Ent-wicklung *f*, -faltung *f*; *péd.* ~ *des personnalités individuelles* Persönlichkeitsentfaltung *f*.

épargnant [epar'ɲɑ̃] *su.*(7) Sparer *m*.

épargne [e'parɲ] *f* **1.** Sparen *n*, Spartätigkeit *f*; *caisse f d'*~ (*postale*) (Post-)Sparkasse *f*; **2.** Ersparnis *f*; ~*s f/pl.* Ersparnisse *f/pl.*, Spargelder *n/pl.*; **~-construction** [~kɔ̃stryk'sjɔ̃] *f*, **~-logement** [~lɔʒ'mɑ̃] *f* Bausparen *n*.

épargner [epar'ɲe] (1a) **I** *v/t.* **1.** *Zeit, Kräfte usw.* sparen (↖ *Geld*), sparsam umgehen mit (*dat.*); *fig.* ersparen; *ne pas* ~ *sa peine* keine Mühe scheuen; ~ *qch. sur sa bouche* sich etw. vom Munde absparen; ~ *des ennuis à q.* j-m Ärger ersparen; **2.** schonen, verschonen, schonend behandeln; *n'*~ *personne* niemanden verschonen; ~ *la sensibilité de q.* auf j-s Empfindlichkeit Rücksicht nehmen; **3.** *typ.* ~ *les blancs* die weißen Stellen aussparen; **II** *v/rfl.* *s'*~ **4.** *s'*~ *des ennuis* sich Ärger ersparen.

éparpill|ement [eparpij'mɑ̃] *m* Herumliegen *n* (*v. Papieren usw.*); Verzettelung *f*; **~er** [~'je] (1a) **I** *v/t.* umherstreuen; da und dort verteilen; *fig.* verzetteln; **II** *v/rfl. s'*~ sich zerstreuen; sich verzetteln.

épars [e'pa:r] *adj.* (7) verstreut; vereinzelt; *avoir les cheveux* ~ aufgelöste Haare haben; *quelques pluies f/pl.* ~*es* strichweise einige Regenfälle *m/pl.*

épar(t) *charp.* [e'pa:r] *m* Querholz *n*.

éparvin *vét.* [epar'vɛ̃] *m* Spat *m* der Pferde.

épa|tant F [epa'tɑ̃] *adj.* (7) toll F, prima F; *c'est* ~ das ist ja fabelhaft F *od.* phantastisch F; *un type* ~ ein dufter Typ *m*; **~tante** F [~'tɑ̃:t] *f*: *faire de l'*~ prahlen, angeben (*v. e-r Frau*); **~te** F [e'pat] *f* Bluff *m*; **~té** [~'te] *adj.* platt, stumpf; *nez m* ~ Stumpfnase *f*; **~ter** F [~'te] *v/t.* (1a) *j-n* verblüffen; *être tout épaté* ganz verdutzt sein.

épau|lard *icht.* [epo'la:r] *m* Butzkopf *m*; **~le** [e'po:l] *f* Schulter *f*, Achsel *f*; Bug *m*; *hausser* (*od. rouler*) *les* ~*s* mit den Achseln zucken; *prendre par les* ~*s* beim Kragen packen; *prêter l'*~ *à q.*, *donner un coup d'*~ *à q.* j-n unterstützen, j-m unter die Arme greifen; *regarder* (*od. traiter*) *q. par-dessus l'*~ j-n über die Achsel ansehen, j-n von oben herab behandeln; F *avoir la tête sur les* ~*s* vernünftige Ansichten haben; **~lée** [~'le] *f* **1.** Schubs *m od.* Stoß *m* mit den Schultern; **2.** *cuis.* Vorderviertel *n vom Hammel ohne Bug*; **3.** *maçonnerie f faite par* ~*s* in Absätzen durchgeführte Maurerarbeit; **~lement** [epol'mɑ̃] *m* **1.** △ Schulter-, Futter-mauer *f*; **2.** ⚔ Schulterwehr *f*; **3.** *géol.* natürliche Böschung *f*; **4.** ⊕ Vorsprung *m*; **~ler** [~'le] *v/t.* (1a) **1.** helfen (*dat.*); beistehen (*dat.*); **2.** ~ *le fusil* das Gewehr anlegen; **3.** △ *Mauer* abstützen; **~lette** [~'lɛt] *f* **1.** ⚔ Achselstück *n*, Epaulette *f*; **2.** *cout.* Wattierung *f* (*Jacke*); **3.** *cout.* (Hemd-)Träger *m*; **~lière** [~'ljɛ:r] *f* **1.** Schulterblech *n* der Ritterrüstung; **2.** ⚔ MG-Schulterstütze *f*; **3.** *text.* Träger *m* (*an Kinderhöschen od. -röckchen*); **~lochaud** *text.* [~lɔ'ʃo] *m* Schulternwärmer *m* (*aus Wolle*); **~loir** ⚔ [~'lwa:r] *m* MG-Schulterstütze *f*.

épave [e'pa:v] *f* **1.** herrenloses Gut *n*, Wrack *n* (*a.* ✈, *Auto*); ~*s f/pl. maritimes*, ~*s f/pl. recueillies en mer* ⚓ Bergungsgut *n*; Strand-, Treib-gut *n*; *droit m d'*~ Strandrecht *n*; **2.** *fig.* Überbleibsel *n*, kümmerlicher Rest *m*; **3.** *fig.* Wrack *n*, Elendsfigur *f* (*Person*).

épeautre ⚘ [e'po:trə] *m* Spelz *m*.

épée [e'pe] *f* Schwert *n*, Degen *m*; *fig. donner des coups d'*~ *dans l'eau* sich umsonst abquälen; *un coup d'*~ *dans l'eau* ein Tropfen auf den heißen Stein; *mettre l'*~ *à la main*

zum Schwert greifen; *tirer l'~* das Schwert ziehen; *passer au fil de l'~* über die Klinge springen lassen, mitleidslos niedermetzeln; *mettre* (*od. pousser*) *à q. l'~ dans les reins* j-m die Pistole auf die Brust setzen; *poursuivre q. l'~ dans les reins* j-m hart zusetzen, j-m auf den Fersen sein; *à la pointe de l'~* mit Gewalt; *fig. préférer la robe à l'~* lieber Zivilist als Soldat sein wollen.
épeiche *orn.* [e'pɛʃ] *f* Rot-, Buntspecht *m.*
épeichette *orn.* [epɛ'ʃɛt] *f* Kleinspecht *m.*
épeire *zo.* [e'pɛ:r] *f* Kreuzspinne *f.*
épéisme [epe'ism] *m* Degenfechten *n.*
épéiste [epe'ist] *m* Degenfechter *m.*
épel|er [e'ple] *v/t. u. v/i.* (1c) buchstabieren; **~lation** [epɛlɑ'sjɔ̃] *f* Buchstabieren *n.*
épépiner ⚒ [epepi'ne] *v/t.* (1a) entkernen.
éperdu [epɛr'dy] *adj.* **1.** bestürzt; hingerissen; außer sich; **2.** heftig.
éperlan *icht.* [epɛr'lɑ̃] *m* Stint *m.*
éperon [e'prɔ̃] *m* **1.** Sporn *m* (♀, *zo.*, ⚠ *u. Reitgerät*); *donner de l'~* die Sporen geben; **2.** ⚠ Strebe-mauer *f*, -pfeiler *m*; **3.** *géol.* Vorsprung *m*; **4.** *hist.* ⚓ Schiffsschnabel *m*; Rammsporn *m*; **~né** [eprɔ'ne] *adj.* gespornt; *zo. u.* ♀ mit e-m Sporn versehen; **~ner** [~] *v/t.* (1a) e-m Pferd die Sporen geben; *hist.* ⚓ rammen; *fig.* anspornen.
éper|vier [epɛr'vje] *m orn.* Sperber *m*; *Fischerei*: Wurfnetz *n*; **~vière** ♀ [~'vjɛ:r] *f* Habichtskraut *n.*
éphèbe [e'fɛb] *m* **1.** *a. antiq., st.s.* Jüngling *m*; **2.** *fig. iron. péj.* schöner Jüngling *m.*
éphé|lide ⚕ [efe'lid] *f* Sommersprosse *f*; **~mère** [~'mɛ:r] **I** *adj.* □ vergänglich; kurzlebig; **II** *ent. m* Eintagsfliege *f*; **~méride** [~me'rid] *f* Abreißkalender *m.*
épi [e'pi] *m* **1.** ♀ Ähre *f*; *~ de maïs* Maiskolben *m*; *monter en ~* in Ähren schießen; **2.** *fig. ~ (de cheveux)* (Haar-)Wirbel *m*; **3.** ⚠ eiserne Spitze *f* (*auf e-r Mauer*); **4.** ⚓ *~ du vent* Windrichtung *f*, Windstrich *m*; **5.** ⚠ Buhne *f*; **6.** 🚂 Verschiebegleis *n*; **7.** *Auto*: *stationnement m en ~* Schrägparken *n*; **~age** ♀ [e'pja:ʒ] *m* Ährenbildung *f.*
épicarpe ♀ [epi'karp] *m* Fruchthaut *f.*
épice [e'pis] *f* Gewürz *n*; *pain m d'~* Pfefferkuchen *m.*
épicéa ♀ [epise'a] *m* Fichte *f*, Rottanne *f.*
épicentre *géol.* [epi'sɑ̃:trə] *m* Epizentrum *n.*
épi|cer [epi'se] *v/t.* (1k) würzen; *a. fig. épicé* gepfeffert; **~cerie** [~s'ri] *f* **1.** Lebensmittelgeschäft *n*; **2.** Lebensmittelhandel *m*; **3.** Lebensmittel *n/pl.*; *~ de choix od. ~ fine* Delikatessen *f/pl.*, Feinkost *f*; **~cier** [~'sje] (7b) **I** *su.* **1.** Lebensmittelhändler *m*; *mv.p. mentalité f d'~* Krämergeist *m*; **2.** *péj.* Philister *m*, Spießbürger *m*; **II** *adj* **3.** *garçon m ~* Ladenjunge *m*; **4.** *péj.* philiströs, spießbürgerlich.
épicrâne *anat.* [epi'krɑ:n] *m* Schädelhaut *f.*
épicurien *phil.* [epiky'rjɛ̃] *adj. u. su.* (7c) epikureisch; Epikureer *m.*
épicurieux [epiky'rjø] *m*: *~ des loisirs* Freizeitgenießer *m.*
épicurisme *phil.* [~'rism] *m* Epikurismus *m.*
épicycle *astr.* [epi'siklə] *m* Nebenkreis *m.*
épidé|mie ⚕ [epide'mi] *f* Epidemie *f*, Seuche *f*; **~miologique** ⚕ [~mjɔlɔ'ʒik] *adj.* Seuchen...; **~miologiste** ⚕ [~'ʒist] *su.* Seuchenkenner *m*; **~mique** [~'mik] *adj.* □ epidemisch, seuchenartig; *fig.* ansteckend.
épiderm|e [epi'dɛrm] *m anat.* Oberhaut *f*, Epidermis *f*; *fig. ne pas avoir d'~* nicht feinfühlend sein; **~ique** [~'mik] *adj.* **1.** ⚕ epidermal; **2.** *psych. réaction f ~* Empfindlichkeit *f.*
épidiascope *phot.* [epidjas'kɔp] *m* Epidiaskop *n.*
épier [e'pje] *v/t.* (1a) genau beobachten, belauern, erspähen, auskundschaften, aus-, ab-horchen.
épierr|er ⚒ [epjɛ're] *v/t.* (1b) von Steinen säubern; **~eur** ⚒ [~'rœ:r] *m*, **~euse** ⚒ [~'rø:z] *f* Getreidereinigungsmaschine *f.*
épieu *hist.* [e'pjø] *m* (5b) Spieß *m.*
épigastre *anat.* [epi'gastrə] *m* Oberbauch *m.*
épiglotte *anat.* [epi'glɔt] *f* Kehldeckel *m*, Epiglottis *f.*
épigone [epi'gɔn] *m* Epigone *m.*
épigram|matique [epigrama'tik] *adj.* □ epigrammatisch; spöttisch; **~me** [~'gram] *f* Epigramm *n*, Spottgedicht *n.*
épigraph|e [epi'graf] *f* Inschrift *f*; Überschrift *f*, Motto *n*; **~ie** [~'fi] *f* Inschriftenkunde *f*; **~iste** [~'fist] *m* Inschriftenkenner *m.*

épil|age [epi'la:ʒ] *m*, **~ation** [~la'sjɔ̃] *f* Enthaarung *f*; **~atoire** [~la'twa:r] **I** *adj.* haarentfernend; **II** *m* Haarentfernungsmittel *n*.
épilep|sie ⚕ [epilɛp'si] *f* Epilepsie *f*; **~tique** ⚕ [~'tik] **I** *adj.* epileptisch; **II** *su.* Epileptiker *m*.
épiler [epi'le] *v/t.* (1a) enthaaren.
épillet ⚘ [epi'jɛ] *m* Granne *f*.
épilo|gue [epi'lɔg] *m* Epilog *m*; *fig.* Nachspiel *n*; **~guer** [~'ge] *v/i.* (1m): *~ sur* hinterher lange reden über (*acc.*).
épinard [epi'na:r] *m* Spinat *m*; *cuis. des ~s, purée f d'~s* Spinat(gericht *n*) *m*; *fig. cela met du beurre dans les ~s* das ist e-e finanzielle Hilfe.
épin|cer [epɛ̃'se] *v/t.* (1k) **1.** ⚘ Schößlinge *vom Baumstamm* entfernen; **2.** *bisw. text.* s. *~ceter*; **~ceter** *text.* [~s'te] *v/t.* (1c) noppen, belesen, auszupfen.
épine [e'pin] *f* **1.** ⚘ Dornstrauch *m*; *~ noire* Schlehdorn *m*; *haie f d'~s* Dornenhecke *f*; **2.** Stachel *m*; *fig. ~s pl.* Ärgernisse *n/pl.*, Schwierigkeiten *f/pl.*; *être sur des ~s fig.* wie auf Kohlen sitzen; *tirer une ~ du pied à q.* j-m aus der Klemme helfen; *trouver une ~ à qch.* ein Haar in etw. (*dat.*) finden; **3.** *anat. ~ dorsale* Rückgrat *n*; **4.** *géol.* (Gebirgs-)Grat *m*.
épinette [epi'nɛt] *f* **1.** ♪ Spinett *n*; **2.** ✓ Mastkäfig *m*; **3.** ⚘ Rottanne *f*.
épineux [epi'nø] *adj.* (7d) dornig; *fig.* mißlich, heikel; schwierig.
épine-vinette ⚘ [epinvi'nɛt] *f* (6a) Berberitze *f*, Sauerdorn *m*.
épin|gle [e'pɛ̃:glə] *f* **1.** Stecknadel *f*; *~ à cheveux* Haarnadel *f*; *~ anglaise, ~ de sûreté, ~ de nourrice* Sicherheitsnadel *f*; *cout. poser des ~s* abstecken; *fig. coups m/pl. d'~* Nadelstiche *m/pl.*, Sticheleien *f/pl.*; *tiré à quatre ~s* geschniegelt und gebügelt, piekfein, wie aus dem Ei gepellt; *tirer son ~ du jeu* sich geschickt aus der Affäre ziehen; *chercher une ~ dans une botte de foin fig.* Sterne vom Himmel herunterholen wollen; *fig. monter qch. en ~* etw. besonders herausstreichen (*od.* betonen), etw. aufbauschen; *virage m en ~ à cheveux* Haarnadelkurve *f*; **~gler** [epɛ̃'gle] *v/t.* (1a) **1.** mit der Nadel anstecken *od.* aufstecken; **2.** F erwischen; **3.** *text. épinglé* gerippt; **~glerie** [~glə'ri] *f* Nadelfabrik *f*, -industrie *f*.
épinière *anat.* [epi'njɛ:r] *adj./f*: *moelle f ~* Rückenmark *n*.
épinoche *icht.* [~'nɔʃ] *f* Stichling *m*.
Épi|phanie [epifa'ni] *f* Dreikönigsfest *n*; **~phénomène** *a.* ⚕ [~fenɔ'mɛn] *m* Nebenerscheinung *f*.
épique [e'pik] *adj.* episch, Helden...
épisco|pal [episkɔ'pal] *adj.* (5c) □ bischöflich; Bischofs...; **~pat** [~'pa] *m* Episkopat *n*; **~pe** [~'skɔp] *m* **1.** *opt.* Episkop *n*; **2.** Sehschlitz *m* (*e-s Panzers*).
épiso|de [epi'zɔd] *m* Neben-, Zwischen-handlung *f*, Episode *f*; *fig.* Ereignis *n*; Zwischenfall *m*; *cin.* Abschnitt *m*; **~dique** [~'dik] *adj.* untergeordnet, nebensächlich, episodisch, eingeschaltet.
épi|spastique *phm.* [epispas'tik] **I** *adj.* blasenziehend; **II** *m* Zugpflaster *n*; **~sperme** ⚘ [~'spɛrm] *m* Samen-hülle *f*, -decke *f*.
épiss|age ⚓, ⚡ [epi'sa:ʒ] *m* Spleißung *f*, Splissung *f*; **~er** ⚓, ⚡ [~'se] *v/t.* (1a) splissen; **~oir** ⚓ [~'swa:r] *m* Marlpfriem *m*; **~ure** [~'sy:r] *f* ⚓ Splissung *f*; ⊕ Lötstelle *f*.
épisto|laire [epistɔ'lɛ:r] *adj.* brieflich; Brief...; *guide m ~* Briefsteller *m*; **~lier** *plais.* [~'lje] *su.* (7b) Briefschreiber *m*.
épitaphe [epi'taf] *f* Grabinschrift *f*.
épithalame [~ta'lam] *m* Hochzeitsgedicht *n*.
épithète [~'tɛt] *f* Epitheton *n*, Beiwort *n*; Spitzname *m*.
épitoge *Fr.* [epi'tɔ:ʒ] *f* seidener (*Ornats-*) Schulterstreifen *m*.
épitomé *litt.* [~tɔ'me] *m* Abriß *m*, Auszug *m*.
épître *bibl.*, *rl.* [e'pi:trə] *f* Epistel *f*.
épizootie *vét.* [epizɔɔ'ti, ~'si] *f* Viehseuche *f*.
éploré [eplɔ're] *adj.* in Tränen gebadet, verweint; untröstlich.
épluch|er [eply'ʃe] *v/t.* (1a) **1.** putzen (*Gemüse*); schälen (*Früchte*); *Wolle* zupfen; *Erbsen usw.* verlesen; *Geflügel* rupfen; *Baum* ausputzen; **2.** *fig.* genau untersuchen, unter die Lupe nehmen; *Fehler* herausklauben aus (*dat.*); *fig. ~ un texte fig.* e-n Text zerpflücken; **~eur** [~'ʃœ:r] *su.* (7g) **1.** Schälmesser *n*; **2.** Wollsortierer *m*; **~ures** *cuis.* [~'ʃy:r] *f/pl.* Schalen *f/pl.*, Gemüseabfälle *m/pl.*
épointer [epwɛ̃'te] *v/t.* (1a) stumpf machen *bzw.* schreiben.
épong|e [e'pɔ̃:ʒ] *f* **1.** (*Bade-, Tafel-*) Schwamm *m*; *Boxsport*: *jeter l'~* das Handtuch werfen; *passer l'~ sur qch.* etw. mit e-m Schwamm auswischen; *fig.* über etw. hinweg-

sehen, etw. vergessen *od.* verzeihen; **2.** *zo.* Schwammtier *n*; **3.** *vét.* Stollschwamm *m*; **~er** [epɔ̃'ʒe] *v/t.* (1l) mit e-m Schwamm abwischen; *fig.* auffangen (*z.B. in e-r neuen Telefonzentrale den Telefondienst überlasteter Einzelämter*); *fin.* abfangen, abschöpfen; decken, tilgen.

éponte *géol.* [e'pɔ̃:t] *f* Nebengestein *n*.

épontille ⚓ [epɔ̃'tij] *f* Deckstütze *f*.

épopée [epɔ'pe] *f* Epos *n*.

époque [e'pɔk] *f* **1.** Epoche *f*, Zeitabschnitt *m*, Zeitpunkt *m*, Zeit *f*; *à l'~* damals; *en d'autres ~s* zu anderen Zeiten; *avant cette ~* früher; *être d'~* echt sein; *une de mes tâches à l'~* e-e meiner damaligen Aufgaben; *~ glaciaire* Eiszeit *f*; *~ de transition* Übergangszeit *f*; *Sport*: *~ de l'entraînement* Trainingszeit *f*; **2.** *fig.* Aufsehen *n*; *faire ~* Aufsehen erregen.

épouiller [epu'je] *v/t.* (1a) ab-, entlausen.

époumoner [epumɔ'ne] (1a) *v/rfl.* *s'~* sich den Mund fusselig reden.

épou|sailles *plais.*, *iron.* [epu'zɑ:j] *f/pl.* Verehelichung *f*; **~se** [e'pu:z] *f* Gattin *f*, Gemahlin *f*; **~ser** [~] *v/t.* (1a) **1.** heiraten, sich verheiraten mit (*dat.*); **2.** *fig.* sich anpassen, genau entsprechen (*dat.*); *fig.* annehmen, sich zu eigen machen; sich binden an (*acc.*); *~ les formes de ...* die Gestalt ... (*gén.*) annehmen, sich anschmiegen an (*Kleidung*); *~ la cause de q.* für j-n eintreten.

épousse|ter [epus'te] *v/t.* (1c) abstauben, aus-, ab-klopfen; **~tte** [~'sɛt] *f* Staubbesen *m*.

époustoufler F [epustu'fle] *v/t.* (1a) verblüffen, überraschen.

épouvan|table [epuvɑ̃'tablə] *adj.* □ entsetzlich, grauenerregend, furchtbar, schrecklich, grauenvoll; **~tail** [~'taj] *m* (~*s pl.*) Vogelscheuche *f*; *fig.* Schreckgespenst *n*; **~te** [~'vɑ̃:t] *f* Entsetzen *n*, Grauen *n*, Panik *f*; **~ter** [~vɑ̃'te] (1a) *v/t.* erschrecken, in Schrecken versetzen.

époux [e'pu] *m* Gatte *m*, Gemahl *m*; *les ~* die Eheleute *pl.*

épreintes ⚕ [e'prɛ̃:t] *f/pl.* Stuhlzwang *m*.

éprendre [e'prɑ̃:drə] (4q): *s'~ de q.* sich in j-n verlieben; *s'~ de qch.* sich für etw. (*acc.*) begeistern.

épreuve [e'prœ:v] *f* **1.** Probe *f*, Versuch *m*; ⊕ Prüfung *f*; *Sport*: Wettkampf *m*; *mettre à l'~* auf die Probe stellen, erproben; versuchen; *temps m d'~* Probezeit *f*; *Sport*: *~ éliminatoire* Ausscheidungskampf *m*; *Auto*: *~ d'endurance* Prüfungs- (*od.* Dauer-)fahrt *f*; *Auto*: *~ de marche* Fahrprobe *f*; *advt. à l'~ de* sicher vor (*dat.*); *être à l'~* leistungsfähig sein; *être à l'~ de la balle* kugelfest sein; *à l'~ des bombes (de l'eau, du feu)* bombengeschützt (wasserdicht, feuerfest); ⊕ *~ par le frein* Bremsprobe *f*; *~ faite au hasard*, *~ par hasard*, *~ improvisée*, *~ sur prélèvement* Stichprobe *f*; ⊕, ✈ *~ de rupture* Bruchprobe *f*; *~ de force* Kraftprobe *f*; *~ de performance*, *~ de rendement* Leistungsprüfung *f*; *~ de nage* Schwimmprüfung *f*; *passer l'~ de nage* sich freischwimmen; *Schi*: *~ de descente* Abfahrtslauf *m*; *Auto*: *~ de résistance* Zuverlässigkeitsprüfung *f*; *~ de réception* Abnahmeprüfung *f*; *~ de tourisme* Tourenfahrt *f*; *à l'~ de la lumière* lichtecht; *à l'~ de la poussière* staubdicht; *à l'~ de tout*, *à toute ~* ganz ausgezeichnet, bewährt; **2.** Prüfung *f*; *~ de compagnon* Gesellenprüfung *f*; *~s f/pl. de brevet de pilote (de permis de conduire)* Flugzeugführer- (*Auto*: Fahr-)prüfung *f*; *~s écrites* schriftliche Prüfung *f*; *des ~s du sort* Heimsuchungen *f/pl.*; *passer par de dures ~s* viel durchmachen müssen; **3.** ⊕: a) *phot.* Abzug *m*; *~ héliographique* Lichtpause *f*; b) *typ.* Korrekturbogen *m*, Korrektur *f*; c) *Kupferstecherei*: Probedruck *m*; *~ d'artiste* Abzug *m vor dem Probedruck*; d) *cin.* *~s f/pl.* Rohfilm *m*.

épris [e'pri] *adj.* verliebt.

éprouv|ant [epru'vɑ̃] *adj.* hart, anstrengend; **~é** [~'ve] *adj.* ⊕ betriebssicher; *a. Auto usw.*: zuverlässig; leidgeprüft; **~er** [~] *v/t.* (1a) **1.** probieren, versuchen; **2.** auf die Probe stellen, erproben, prüfen; heimsuchen; *ami éprouvé* bewährter Freund *m*; **3.** empfinden; fühlen; erleiden; durchmachen; **~ette** [~'vɛt] Reagenzglas *n*; Materialprobe *f*; *~ graduée* Meßzylinder *m*; Versuchs-menge *f*, -stoff *m*.

épucer [epy'se] *v/t.* (1k) flöhen.

épui|sant [epɥi'zɑ̃] *adj.* (7) entkräftend; **~sé** [epɥi'ze] *adj.* **1.** erschöpft, körperlich verbraucht; **2.** ✝ vergriffen; ausverkauft, alle F; **~sement** [~z'mɑ̃] *m* 🌱 Auszehrung *f des Bodens*; ⚒ Wasserhaltung *f*, Abführung *f* des Wassers; *fig.*

Erschöpfung *f*; ~ *des finances* Zerrüttung *f* der Finanzen; **~ser** [~'ze] (1a) **I** *v/t.* ausschöpfen; austrocknen; *fig.* verbrauchen, erschöpfen; ⚔ *Munition* verschießen; ~ *un sujet* ein Thema erschöpfend behandeln; **II** *v/rfl.* s'~ versiegen; *fig.* sich erschöpfen, ermatten; zur Neige gehen; **~sette** [epɥi'zɛt] *f* **1.** Fangnetz *n*; **2.** Schaufel *f zum Wasserschöpfen.*

épura|teur ⊕ [epyra'tœːr] **I** *m*: ~ *d'air* Luftreiniger *m*; **II** *adj.* (7f) reinigend; **~tion** [~rɑ'sjɔ̃] *f* Reinigung *f*; ⚗ Läuterung *f*; *pol.* politische Säuberungsaktion *f*; ⊕ *station f d'*~ Kläranlage *f*; ⚕ ~ *du sang* Blutwäsche *f*; *fig.* ~ *des mœurs* Läuterung *f* der Sitten.

épu|re [e'pyːr] *f* △, ⊕ Aufriß *m*, Entwurf *m*; technische Zeichnung *f*; **~rement** *litt.* [~pyr'mɑ̃] *m* Reinigung *f*; Säuberung *f*; **~rer** [~'re] *v/t.* (1a) **1.** läutern, reinigen; *fig.* veredeln, verfeinern; **2.** F *fig.* ~ *une assemblée* in e-r Versammlung aufräumen.

équar|rir [eka'riːr] *v/t.* (2a) **1.** ⊕ vierkantig zuschneiden *od.* behauen; *bois m équarri* Kantholz *n*; **2.** *e-n Tierkadaver* abdecken; **~rissage** *m* [~ri'saːʒ] **1.** *charp.* Behauen *n*; *bois m d'*~ Kantholz *n*; **2.** Abdecken *n* (*e-s Tieres*).

équa|teur [ekwa'tœːr] *m* **1.** Äquator *m*; **2.** *géogr.* l'♀ *m* Ecuador *n*; **~tion** 𝔄 [ekwɑ'sjɔ̃] *f* Gleichung *f*; **~torial** [ekwatɔ'rjal] *adj.* (5c) Äquatorial...; **~torien** [~tɔ'rjɛ̃] (7c) **I** *adj.* ecuadorianisch; **II** ♀ *su.* Ecuadorianer *m.*

équerre [e'kɛːr] *f* Winkelmaß *n*; ~ *en T* Reißschiene *f*; *d'*~ rechtwinklig; △ *en retour d'*~ mit zwei vorspringenden Flügeln; *à fausse* ~ schiefwinklig.

équestre [e'kɛstrə] *adj.* Reiter...

équeut|age [ekø'taːʒ] *m* Entstielung *f* (*von Früchten*); **~er** [~'te] *v/t.* (1a) entstielen.

équi|angle 𝔄 [ekwi'ɑ̃ːglə] *adj.* gleichwinklig; **~distance** [~dis'tɑ̃ːs] *f* gleicher Abstand *m* voneinander; **~distant** [~dis'tɑ̃] *adj.* (7) gleich weit voneinander entfernt; **~latéral** 𝔄 [~late'ral] *adj.* (5c) gleichseitig.

équili|brage ⊕ [ekili'braːʒ] *m* Ausbalancieren *n*, Mittenjustierung *f*; **~bre** [~'liːbrə] *m* **1.** Gleichgewicht *n*; *fig.* Ausgeglichenheit *f*; **2.** *tour m d'*~ Trapezkunststück *n*; **~bré** [~li'bre] *adj. a. fig.* ausgeglichen; ✈ ausgewogen; **~brer** [~] *v/t.* (1a) ins Gleichgewicht bringen, ausgleichen; **~breur** ✈, ⚔ [~'brœːr] *m* Ausgleichsvorrichtung *f*; **~briste** [~li'brist] *su.* Seiltänzer *m*, Jongleur *m* (*a. fig.*).

équi|moléculaire *biol.* [ekwimɔlekу'lɛːr] *adj.* äquimolekular; **~multiple** [~myl'tiplə] *adj.*: *nombres m/pl.* ~*s* Zahlen *f/pl.* mit e-m gemeinsamen Faktor.

équin [e'kɛ̃] *adj.* (7) Pferde...

équinox|e [eki'nɔks] *m* Tagundnachtgleiche *f*; **~ial** [~nɔk'sjal] *adj.* (5c) unter dem Äquator liegend.

équi|page [eki'paːʒ] *m* **1.** ⚓ Mannschaft *f*; ✈ Besatzung *f*; **2.** ⚔ ~ *de pont* Brückenkolonne *f*; *train m* (*des* ~*s*) Armeetrain *m*; **3.** ⊕ Zubehör *n*, Ausrüstung *f*; Ausstattung *f*; *méc.* ~ *de pompe* Pumpwerk *n*; **~pe** [e'kip] *f* Kolonne *f von Arbeitern*; *a.* ⚔ Trupp *m*; *a. Sport*: Mannschaft *f*; Besetzung *f*; (Arbeits-)Schicht *f*; Team *n*, Gruppe *f*, Stab *m*; ~ *de nuit* Nachtschicht *f*; *homme m d'*~ Rottenarbeiter *m*; *chef m d'*~ Rottenführer *m*; Polier *m*; ~ *de construction* Bautrupp *m*; ~ *de huit heures* Achtstundenschicht *f*; *Sport*: ~ *sélectionnée* (*nationale*) Auswahl-(National-)mannschaft *f*; ~ *de course* Rennmannschaft *f*; ⚔ ~ *de téléphonistes* Fernsprechtrupp *m*; ~ *de transmission* Nachrichtenabteilung *f*; ✈ ~ *d'atterrissage* Landungs-, Halte-mannschaft *f*; **~pée** *plais.* [~'pe] *f* Abenteuer *n*, Streich *m*; **~pement** [~p'mɑ̃] *m* **1.** Ausrüstung *f*, Ausstattung *f*, Einrichtung *f*; ~ *ménager* Haushaltungseinrichtung *f*; *effets m/pl. d'*~ Dienstbekleidungsstücke *n/pl.*; ~ *de l'aviateur* Fliegerausrüstung *f*; ~ *de bandages* (*od. de pneus*) Bereifung *f*; ~ *de canot* Bootsausrüstung *f*; ~ *d'éclairage* Beleuchtungsgerät *n*; ~ *d'excursionniste* Wanderausrüstung *f*; **2.** *a.* ⚓, ✈ Ausrüsten *n*; Ausstatten *n* (*Handlung*); **3.** *Fr., seit 1966*: *ministre de l'*♀ Minister *m* für Ausrüstung (*einschl. Verkehr u. Wohnungsbau*); **~per** [~'pe] (1a) **I** *v/t.* ausrüsten, ausstatten; **II** *v/rfl.* s'~ *de* sich ausrüsten mit (*dat.*); **~pier** *Sport* [~'pje] *m* Spieler *m.*

équipoll|ence 𝔄 [ekipɔ'lɑ̃ːs] *f* Gleichwertigkeit *f*; **~ent** 𝔄 [~'lɑ̃] *adj.* (7) gleichwertig (*à* mit [*dat.*]).

équipotentiel ⚡ [ekwipɔtɑ̃'sjɛl] *adj.* (7c) von gleicher Spannung.

équitable [eki'tablə] *adj.* □ gerecht; unparteiisch; angemessen.

équitation [ekitɑ'sjõ] *f* Reitkunst *f*; Reiten *n*; ~ *féminine* Damenreiten *n*.
équité [eki'te] *f* Gerechtigkeit *f*, Berechtigung *f*; *plein d'*~ gerecht.
équiva|lence [ekiva'lɑ̃:s] *f* Gleichwertigkeit *f*; **~lent** [~'lɑ̃] **I** *adj.* (7) gleichwertig (*à* mit); **II** *m* Äquivalent *n*, Gegenwert *m*, Ersatz *m*; *phys.*, ⚗ Äquivalent *n*; **~loir** [~'lwa:r] *v/i.* (3h): ~ *à* entsprechen (*dat.*), gleichkommen (*dat.*).
équivo|que [eki'vɔk] **I** *adj.* doppelsinnig; zweideutig, zweifelhaft, verdächtig; **II** *f* Doppelsinnigkeit *f*; Zweideutigkeit *f*, Mißverständnis *n*.
érable ⚘ [e'rablə] *m* Ahorn *m*.
éradication [eradikɑ'sjõ] *f* Herausreißen *n* mit der Wurzel; *fig.* Ausrottung *f*; Zerstörung *f*; *chir.* Ausschälung *f*, Entfernen *n*.
éra|fler [era'fle] *v/t.* (1a) ritzen, schrammen, aufschürfen; **~flure** [~'fly:r] *f* Schramme *f*; Kratzer *m*; Streif-wunde *f*, -schuß *m*.
éraill|é [erɑ'je] *adj.* ausgefranst, abgetragen; blutunterlaufen (*Auge*); mit auswärts gewendetem Augenlid; *voix f* ~*e* heisere Stimme *f*; **~ement** [erɑj'mɑ̃] *m* Heiserkeit *f*; ⚕ Auswärtswendung *f* des Augenlids, Ektropium *n*; *text.* Lockerwerden *n*, Ausfransen *n* (*e-s Stoffes*); **~er** [~'je] (1a) **I** *v/t. tiss.* ausfasern, aufrauhen; **II** *v/rfl.* *s'*~ *la voix* sich heiser schreien.
ère [ɛ:r] *f* Ära *f*, Zeitalter *n*.
érec|teur [erɛk'tœ:r] *adj.* (7f) *u. m anat.*: (*muscle m*) ~ aufrichtend(er Muskel *m*); **~tion** [erɛk'sjõ] *f* **1.** Errichtung *f*; Einführung *f e-s Titels*: **2.** *physiol.* Erektion *f*.
éreint|ant [erɛ̃'tɑ̃] *adj.* anstrengend; **~é** [~'te] *adj.* hunde-, tod-müde; **~ement** [~t'mɑ̃] *m* völlige Erschöpfung *f*; *fig.* scharfe Kritik *f*; **~er** [~'te] *v/t.* (1a) überanstrengen, todmüde machen; *fig.* (*Autor, Buch*) heruntermachen.
érémitique [eremi'tik] *adj.* einsiedlerisch.
érésipèle ⚕ [erezi'pɛl] *m* Rose *f*.
éréthisme ⚕ [ere'tism] *m* Überreizung *f*.
ergonomie [ɛrgɔnɔ'mi] *f* Ergonomie *f*, Wissenschaft *f* von der Anpassung der Arbeit an den Menschen.
ergot [ɛr'go] *m* **1.** *zo.* Sporn *m*; Afterklaue *f*; *fig. se dresser* (*od. monter*) *sur ses* ~*s fig.* rabiat werden; **2.** ⚘ Mutterkorn *n*; *vét.* Flußgalle *f*; **3.** ⊕ Nase *f*, Vorsprung *m*; **~age** [ɛrgɔ'ta:ʒ] *m* Nörgelei *f*; **~é** ⚘ [~gɔ'te] *adj.* vom Mutterkornpilz befallen; **~er** [~] *v/i.* (1a) herumnörgeln, meckern F; **~eur** [~'tœ:r] *adj. u. su.* (7g) nörglerisch; Meckerer *m* F.
ergothérap|eute ⚕ [ɛrgɔtera'pøt] *m* Arbeitstherapeut *m*; **~ie** [~'pi] *f* Arbeitstherapie *f*.
ergotine *pharm.* [ɛrgɔ'tin] *f* Ergotin *n*.
éricacées ⚘ [erika'se] *f/pl.* Heidekrautgewächse *n/pl.*
ériger [eri'ʒe] (1l) **I** *v/t.* **1.** errichten; *Kommission* einsetzen; **2.** *fig.* ~ *en* erheben, machen zu (*dat.*); ~ *en principe* als Grundsatz aufstellen; **II** *v/rfl. s'*~ *en censeur public* sich zum Sittenrichter aufwerfen.
érigne ⚕ [e'riɲ] *f* Hakenpinzette *f*.
ermi|tage [ɛrmi'ta:ʒ] *m* Einsiedelei *f*; *fig.* einsame Gegend *f*; einsam gelegenes Landhaus *n*; **~te** [~'mit] *m* Eremit *m*, Einsiedler *m*.
éroder [erɔ'de] *v/t. géol.* auswaschen (*v. Wasser*); abtragen (*vom Wind*); *den Boden* aussaugen.
éro|sif [ero'zif] *adj.* (7e) erodierend; zerfressend; ätzend; **~sion** [ero'zjõ] *f géol.*, ⚕ Erosion *f*; *éc.* ~ *monétaire* langsames Sinken *n* der Kaufkraft.
érotique [erɔ'tik] *adj.* □ erotisch.
érotisme [~'tism] *m* Erotik *f*.
errance *litt.* [ɛ'rɑ̃:s] *f* Umherirren *n*; *fig.* ~*s pl.* Irrfahrten *f/pl.*
errant [ɛ'rɑ̃] *adj.* (7) wandernd, umherziehend; unstet; *chien m* ~ streunender Hund *m*.
errata [ɛra'ta] *m/inv.* (*un* ~, *des* ~) Druckfehlerverzeichnis *n*.
erratique [ɛra'tik] *adj.* unstet; wandernd (*Schmerz*); unregelmäßig (*Fieber*); *géol. bloc m* ~ Findling *m*.
erratum [ɛra'tɔm] *m* Druckfehler *m*.
erre [ɛ:r] *f* **1.** ⚓ auslaufende Fahrgeschwindigkeit *f* (*ohne Motor*); ⚓ *briser* (*od. casser*) *l'*~ die Fahrt stoppen; **2.** *ch.* ~*s pl.* Fährte *f/sg.*; F *fig. péj. revenir à ses premières* ~*s* in s-e alten Gewohnheiten verfallen; *aller sur les* ~*s de q. od. suivre les* ~*s de q.* in j-s Fußstapfen treten.
errements [ɛr'mɑ̃] *m/pl.* **1.** *péj.* Praktiken *f/pl.*; *retomber à ses anciens* ~ in s-n alten Schlendrian verfallen; **2.** Irrtümer *m/pl.*
errer [ɛ're] *v/i.* (1b) umherirren, herumziehen; streunen.
erreur [ɛ'rœ:r] *f* **1.** Irrtum *m*, irrige Meinung *f*; Fehler *m*, Versehen *n*; ~ *de frappe* Tippfehler *m*; *téléph.* ~ *d'audition* Hörfehler *m*; ⚖ ~ *judi-*

ciaire Rechts-, Justiz-irrtum *m*; *l'~ est chose humaine* Irren ist menschlich; *téléph. il y a ~* falsch verbunden; *induire en ~* irreführen; *vous faites ~* da sind Sie im Irrtum; *~ de calcul* Rechenfehler *m*; *une ~ s'est glissée dans mes comptes* ein Irrtum hat sich in meine Berechnungen eingeschlichen; ✝ *sauf ~* Irrtum vorbehalten; **2.** *~s pl.* Verirrungen *f/pl.*; *les ~s de jeunesse* die Jugendsünden *f/pl.*; **3.** ⚖ *~ de droit* falsche Anwendung *f* e-s Gesetzes; *~ de personne* Personenverwechslung *f*.

erroné [ɛrɔ'ne] *adj.* falsch, irrtümlich.

ersatz [ɛr'zats] *m* (5a) Ersatz *m*.

érubes|cence [erybɛ'sɑ̃:s] *f* Erröten *n*; **~cent** [~'sɑ̃] *adj.* (7) rot werdend, errötend.

éruc|tation [eryktɑ'sjɔ̃] *f* Aufstoßen *n*, Rülpsen *n* F; **~ter** [~'te] (1a) **I** *v/t. fig.* hervorbringen (*Beleidigungen*); **II** *v/i.* aufstoßen, rülpsen F.

érudit [ery'di] **I** *adj.* (7) gelehrt; **II** *m* Gelehrte(r) *m*; **~ion** [~di'sjɔ̃] *f* Gelehrsamkeit *f*.

érugineux [~ʒi'nø] *adj.* (7d) kupfergrün, mit Grünspan beschlagen.

érup|tif [eryp'tif] *adj.* (7c) **1.** *géol.* eruptiv; **2.** ⚕ mit Ausschlag verbunden; **~tion** [~p'sjɔ̃] *f* **1.** *géol. u. fig.* Eruption *f*, Ausbruch *m*; **2.** ⚕ Durchbrechen *n der Zähne*; Hautausschlag *m*; plötzliche Entleerung *f*.

érysipèle ⚕ [erizi'pɛl] *m* Rotlauf *m*, Rose *f*.

ès [ɛs *vor cons.*; *in der Bindung* ɛz] *prp.* in (*dat.*): *docteur m ès lettres* (*ès sciences*) Doktor *m* der Philosophie, der Naturwissenschaften (*abr.* Dr. phil., rer. nat.); ⚖ *~ qualités advt.* ordnungsmäßig, gebührend.

esbrouf|e F [ɛz'bruf] *f* Bluff *m*, Angabe *f* F; *la faire à l'~ à q.* j-n übers Ohr hauen; *faire de l'~* sich wichtig machen; *vol m à l'~* Taschendiebstahl *m* durch Anrempeln; **~er** F [~'fe] *v/t.* (1a) *j-m gegenüber* angeben (*v/i.*); **~eur** F [~'fœ:r] *su.* (7g) Angeber *m*, Wichtigtuer *m*.

escabeau [ɛska'bo] *m* (5b) Schemel *m*, Hocker *m*; Tritt *m* (*kleine Leiter*).

esca|dre ⚓, ✈ [ɛs'kɑ:drə] *f* Geschwader *n*; **~drille** [~ka'drij] *f* **1.** ⚓ Flottille *f*; **2.** ✈ Staffel *f*; *~ de chasse* (*de protection*) Jagd-(Schutz-)staffel *f*; **~dron** [~'drɔ̃] *m* Schwadron *f*; Kompanie *f* (*Panzer*), ✈ Staffel *f*; *fig.* Schar *f*.

escala|de [ɛska'lad] *f* **1.** Über-, Be-steigen *n*, Erklimmen *n*; *vol m à l'~* Einbruchsdiebstahl *m* durch Einsteigen; **2.** ⚔, *allg.* Eskalierung *f*, Verschärfung *f*, Zuspitzung *f*; *~ diplomatique* diplomatische Zuspitzung *f*; **~der** [~'de] *v/t.* (1a) **1.** be-, er-steigen, erklimmen; **2.** *~ une maison* in ein Haus einsteigen (*von Dieben*).

escalator [ɛskala'tɔ:r] *m* Rolltreppe *f*.

esca|le [ɛs'kal] *f* ⚓ Anlege-, Nothafen *m*; Handelsplatz *m*; ✈, ⚓ Zwischenlandung *f*; ⚓, ✈ *faire ~* e-e Zwischenlandung machen.

escalier [ɛska'lje] *m* Treppe *f*; *~ de dégagement* Nebentreppe *f*; *~ dérobé* Lauftreppe *f*; geheime Treppe *f*; *~ de sauvetage* Rettungsleiter *f*; *~ de secours* Nottreppe *f*; *~ de service* Hintertreppe *f*; *~ mécanique*, *~ roulant* Rolltreppe *f*; *~ en colimaçon* Wendeltreppe *f*; *~ suspendu*, *~ en porte-à-faux* freitragende Treppe *f*.

escalope *cuis.* [ɛska'lɔp] *f* Schnitzel *n*.

escamo|table ⊕ [ɛskamɔ'tablə] *adj.* versenkbar, ein-, hoch-ziehbar; **~tage** [~'ta:ʒ] *m* Verschwindenlassen *n*; Stibitzen *n* F; ✈ Einfahren *n* (*des Fahrgestells*); Um'gehen *n* (*e-r Frage*); **~ter** [~'te] *v/t.* (1a) verschwinden lassen; stibitzen F; totschweigen; ✈ einfahren; um'gehen; *gr. ~ une voyelle* e-n Vokal verschlucken; *phot. ~ les plaques* die Platten auswechseln; **~teur** [~'tœ:r] *su.* (7g) Taschenspieler *m*; Langfinger *m* P.

escampette F [ɛskɑ̃'pɛt] *f*: *prendre la poudre d'~* ausreißen, türmen.

escapade [ɛska'pad] *f* **1.** Abstecher *m*, kleine Fahrt *f*; **2.** *mv.p.* heimlicher Ausbruch *m*; Seitensprung *m fig.*

escape △ [ɛs'kap] *f* Säulenschaft *m*.

escapologiste [ɛskapɔlɔ'ʒist] *m* Entfesselungskünstler *m* (*Zirkus*).

escarbille ⊕ [ɛskar'bij] *f* halbverbranntes (*od.* glühendes) Kohlenstückchen *n*; Flugasche *f*.

escarboucle [~'buklə] *f* Karfunkel *m*.

escarcelle F *plais.* [~'sɛl] *f* Geldbeutel *m*, Portemonnaie *n*.

escargot [~'go] *m* Schnecke *f* (*mit Haus*); *~ de Bourgogne* Weinbergschnecke *f*.

escarmouch|e [~'muʃ] *f* Geplänkel *n*; *fig.* Wortgefecht *n*.

escarole ⚘, *cuis.* [ɛska'rɔl] *f* Eskariol *m*, Endivie(nsalat *m*) *f*.

escarotique ⚕ [ɛskarɔ'tik] *adj. u. m* ätzend, Ätzmittel *n.*
escar|pe *frt.* [~'karp] *f* innere Grabenböschung *f*; **~pé** [~'pe] *adj.* steil, abschüssig; *fig.* schwierig; **~pement** [ɛskarpə'mɑ̃] *m* **1.** steiler Anstieg *m*; **2.** schroffer Abhang *m*; **~pin** [~'pɛ̃] *m* **1.** Pumps *m*; **2.** *hist.* leichter Tanzschuh *m*; **~polette** [~pɔ'lɛt] *f* (Strick-)Schaukel *f.*
escarr|e ⚕ [ɛs'ka:r] *f* Grind *m*, Schorf *m*; **~ification** ⚕ [ɛskarifikɑ'sjɔ̃] *f* Schorfbildung *f.*
Escaut [ɛs'ko] *m*: **l'~** die Schelde.
escient [ɛ'sjɑ̃] *m*: *à bon ~* mit Bedacht, mit voller Überlegung.
esclaffer [ɛskla'fe] *v/rfl.* (1a) s'~ laut auflachen (*de qch.* über etw. [*acc.*]).
esclandre [ɛs'klɑ̃:drə] *m* Szene *f*, Auftritt *m*, Skandal *m.*
escla|vage [ɛskla'va:ʒ] *m* **1.** Sklaverei *f*; **2.** *fig.* völlige Abhängigkeit *f*; **~vagiste** *hist.* [~va'ʒist] *m* Verteidiger *m* der Sklaverei; **~ve** [ɛs'klɑ:v] *su.* Sklave *m*, Sklavin *f.*
escobar * [ɛskɔ'ba:r] *m* Treppe *f.*
escoffier P [ɛskɔ'fje] *v/t.* totschlagen.
escogriffe F [ɛskɔ'grif] *m*: *un grand ~* ein langer Lulatsch *m.*
escomp|table ⚚ [ɛskɔ̃'tablə] *adj.* diskontierbar; **~te** ⚚ [ɛs'kɔ̃:t] *m* Abzug *m*, Skonto *m od. n*, Diskont *m*; **~ter** ⚚ [ɛskɔ̃'te] *v/t.* (1a) **1.** *~ l'intérêt bei Vorausbezahlung* die Zinsen abziehen; **2.** *~ un billet, une lettre de change* e-n Wechsel diskontieren; **3.** *fig.* erwarten, rechnen mit (*dat.*); *~ l'avenir* auf eine glückliche Zukunft spekulieren und flott leben.
escor|te [ɛs'kɔrt] *f* Begleitmannschaft *f*, Eskorte *f*, Bedeckung *f*, Geleit *n*; Begleitkommando *n*; *fig.* Gefolge *n*; **~ter** [ɛskɔr'te] *v/t.* (1a) begleiten, geleiten; **~teur** ⚓ [~'tœ:r] *m* Geleitschiff *n.*
escouade *a.* ⚔ [ɛs'kwad] *f* Trupp *m.*
escourgeon [ɛskur'ʒɔ̃] *m* Winter-, Früh-gerste *f.*
escri|me [ɛs'krim] *f* Fechten *n*, Fechtkunst *f*; *faire de l'~* fechten; **~mer** [~'me] (1a) *v/rfl.* *s'~* sich abmühen (*à faire qch.* etw. zu tun); **~meur** [~'mœ:r] *su.* (7g) Fechter *m.*
escro|c [ɛs'kro] *m* Hochstapler *m*, Schwindler *m*, Betrüger *m*, Gauner *m*; *~ à l'assurance* Versicherungsschwindler *m*; **~quer** [ɛskrɔ'ke] *v/t.* (1m): *~ qch. à q.* etw. von j-m ergaunern; *~ q.* j-n betrügen; **~querie** [ɛskrɔ'kri] *f* Betrug *m*, Gaunerei *f*, Schwindel *m*; *~ à l'assurance* Versicherungsschwindel *m.*
esgourde P [ɛs'gurd] *f* Ohr *n*, Löffel *m* F.
ésotér|ique *phil.* [ezɔte'rik] *adj.* esoterisch, geheim; **~isme** *phil.* [~'rism] *m* Geheimlehre *f.*
espa|ce [ɛs'pas] **I** *m* **1.** Raum *m*; Zwischenraum *m*, Lücke *f*; ✈ *~ aérien* Luftraum *m*; *envoyer dans l'~* in den Weltraum schicken; *pol. ~ vital* Lebensraum *m*; *~ vide* Hohlraum *m*; **2.** *un court ~ de temps* e-e kurze Zeitspanne *f*; *dans l'~ de six mois* innerhalb e-s halben Jahres; *en l'~ d'une semaine tout a changé* innerhalb e-r Woche hat sich alles verändert; **3.** ♪ Zwischenraum *m* zwischen den Notenlinien; **4.** ⩚ Fläche *f*; **5.** *pl.* *~s verts* Grünflächen *f/pl.*; **6.** *phys.* durchlaufener Raum *m*; Bahn *f*; **II** *f typ.* Spatium *n*, Ausschluß *m*; **~cement** [~pas'mɑ̃] *m* Abstand *m*; Weitläufigkeit *f*; ⚠ Zwischenweite *f*; Aufstellen *n* in Zwischenräumen; *typ.* Durchschießen *n*; **~cer** [~'se] [1k] *v/t.* **1.** Zwischenraum lassen zwischen (*dat.*); *fig. ~ ses visites* s-e Besuche seltener werden lassen; **2.** *typ.* durchschießen; sperren.
espadon *icht.* [ɛspa'dɔ̃] *m* Schwertfisch *m.*
espadrilles [ɛspa'drij] *f/pl.* Leinenschuhe *m/pl.* mit geflochtener Sohle, Bast-, Hanf-, Strand-, Stroh-pantoffeln *m/pl.*, Strand-, Bade-schuhe *m/pl.*
Espagne [ɛs'paɲ] *f*: **l'~** Spanien *n.*
espa|gnol [ɛspa'ɲɔl] *adj. u.* ♀ *su.* spanisch; Spanier *m*; **~gnolette** [~'lɛt] *f* Drehstangenverschluß *m*; **~gnoliser** [~ɲɔli'ze] *v/t.* (1a) hispanisieren.
espalier ✐ [ɛspa'lje] *m* Spalier *n*; *arbre m en ~* Spalierbaum *m.*
espar [ɛs'pa:r] *m* **1.** *artill.* Hebel *m*; **2.** ⚓ Spiere *f.*
espèce [ɛs'pɛs] *f* **1.** Art *f*, Sorte *f*; ⚘ *u. zo.* Spezies *f*; *péj.* (*des gens de*) *cette ~* ein solches Gelichter *n*; *la belle ~!* e-e feine Sorte!; *des gens de son ~* Leute *pl.* s-r Art; *de l'~*, *propre à l'~* arteigen; *étranger à l'~* artfremd; F *une ~ de savant* e-e Art Gelehrter; **2.** ⚖ *en l'~* im vorliegenden Fall; **3.** *~s pl.* bares Geld *n*; Münzsorten *f/pl.*; *en ~s* (*sonnantes*) in klingender Münze.
espérance [ɛspe'rɑ̃:s] *f* Hoffen *n*, Hoffnung *f*, Aussicht *f*, Erwartung

f (*ursprünglich das vage, unbestimmte Hoffen als Dauerzustand; heute oft = espoir gebraucht*); Gegenstand *m* der Hoffnung: *c'est toute mon* ~ das ist m-e ganze Hoffnung; *avoir des* ~*s* Aussicht haben; *caresser* (*od. nourrir*) *des* ~*s* Hoffnung schöpfen; *dans l'*~ in der Hoffnung; ~ *de vie* Lebenserwartung *f*.

espéran|tiste [~rɑ̃'tist] *su.* Anhänger *m* der Esperantosprache; **~to** [~'to] *m* Esperanto *n* (*Kunstsprache*).

espérer [ɛspe're] *v/t. u. v/i.* erhoffen, erwarten; *bei e-m einzigen Subjekt folgt im allg. der reine inf.*: *il espère me voir* er hofft, mich zu sehen; *bei mehreren Subjekten steht que + fut. bzw. cond.*: *j'espère qu'il viendra* ich hoffe, daß er kommt; *j'espérais qu'il viendrait* ich hoffte (ich erwartete), daß er kam; *ist der Satz bei mehreren Subjekten verneint, muß der Konjunktiv gebraucht werden*: *je n'espère pas que vous vous rappeliez combien il y a de langages* ich erwarte nicht, daß Sie sich daran erinnern, wieviel Sprachen es gibt; *j'espère en vous* ich hoffe auf Sie.

espiègle [ɛs'pjɛːglə] *adj. u. su.* schelmisch, ausgelassen, schalkhaft; Schelm *m*; **~rie** [~pjɛglə'ri] *f* Schalkhaftigkeit *f*; Streich *m*.

espion [ɛs'pjɔ̃] *su.* (7c) Spitzel *m*, Spion *m*; **~nage** [~pjɔ'naːʒ] *m* Spionage *f*, Spitzelei *f*; ~ *industriel* Werkspionage *f*; **~ner** [~pjɔ'ne] (1a) **I** *v/t.* ausspionieren, bespitzeln; abhorchen; **II** *v/i.* spionieren; **~nite** [~'nit] *f* Spionagekomplex *m*.

esplanade [ɛspla'nad] *f* freier Platz *m*, Vorplatz *m*.

espoir [ɛs'pwaːr] *m konkrete* Hoffnung *f*; Zuversicht *f*; *j'ai bon* ~ ich bin guter Hoffnung; *mettre son* ~ *en Dieu* s-e Hoffnung auf Gott setzen; *plein d'*~ hoffnungsvoll; *dans l'*~ *de recevoir de vos nouvelles* in der Hoffnung, von Ihnen zu hören (*Briefschluß*).

esprit [ɛs'pri] *m* **1.** Geist *m*, Seele *f*; Leben *n*; Verstand *m*; Witz *m*; Scharfsinn *m*; *péj. faire de l'*~ geistreich erscheinen wollen; *perdre l'*~ den Verstand verlieren; *présence f d'*~ Geistesgegenwart *f*; *rendre l'*~ den Geist aufgeben, sterben; *reprendre ses* ~*s* wieder zu sich kommen; ~*s pl. animaux* (*od.* ~*s pl. vitaux*) Lebensgeister *m/pl.*; *venir à l'*~ in den Sinn kommen, einfallen; *trait m* (*od. mot m*) *d'*~ Geistesblitz *m*, Witz *m*, geistreicher Gedanke *m*; **2.** *als Person*: Geist *m*; Mensch *m*, Kopf *m*; ~ *borné*, ~ *étroit* beschränkter Kopf *m*; ~ *chimérique* Phantast *m*; ~ *faible* schwacher Kopf *m*; ~ *lucide* heller (*od.* klarer) Kopf *m*; ~ *terre à terre* prosaischer Mensch *m*, Banause *m*; **3.** Wesen *n*, Eigentümlichkeit *f*; Sinn *m e-r Textstelle*; ~ *de corps* Korpsgeist *m*; ~ *d'équipe* Gemeinschafts-, Teamgeist *m*; *dans l'*~ *de la loi* im Sinne des Gesetzes; ~ *de parti* Parteigeist *m*; ~ *du siècle*, ~ *du temps* Zeitgeist *m*; ~ *mercantile* Krämergeist *m*; ~ *nouveau* neuer Kurs *m*; **4.** Neigung *f*, Fähigkeit *f*; Gabe *f*; *il a l'*~ *des affaires* er hat kaufmännisches Talent; ~ *de prophétie* Sehergabe *f*; *quitter un pays sans* ~ *de retour* ein Land auf Nimmerwiedersehen (für immer) verlassen; **5.** Gemütsstimmung *f*, Charakter *m*; *à l'*~ *ouvert* aufgeschlossen *fig.*; ~ *positif* Tatsachenmensch *m*; ~ *remuant* unruhiger Geist *m*; *avoir l'*~ *de suite* beharrlich sein; ~ *volage* flatterhafter Charakter *m*; ~ *de travers* Querkopf *m*; **6.** Meinung *f*; Stimmung *f*; ~*s pl.* Gemüter *n/pl.*; *calmer les* ~*s* die Gemüter beruhigen; *éclairer les* ~*s* die Menschen aufklären; **7.** ~ *du monde* Weltklugheit *f*; ~ *de petite ville*, ~ *de clocher*, ~ *bourgeois* Kleinstädterei *f*, Spießbürgertum *n*; **8.** *rl.*, *myth.* ~*s frappeurs* Klopfgeister *m/pl.*; *l'*~ *malin*, *l'*~ *du mal* der böse Geist; *évoquer les* ~*s* Geister heraufbeschwören; *il y revient des* ~*s* es spukt da; F *fig. ne pas être un pur* ~ realistisch sein; **9.** Sprit *m*; ~ *de sel* (*ammoniac*) Salmiakgeist *m*; ~(-)*de*(-)*vin* Weingeist *m*; ~ *de vitriol* Vitriolöl *n*; **10.** Hauch *m fig.*

esquicher *dial.* [ɛski'ʃe] *v/t.* quetschen, drücken.

esquif [ɛs'kif] *m* **1.** kleines Boot *n*; **2.** Mondauto *n*.

esquill|e [ɛs'kij] *f* Knochensplitter *m*; **~eux** [~'jø] *adj.* (7d) splittrig.

esquimau [ɛski'mo] *m* (5b) **1.** Eskimo *m*; **2.** *Art* Kriechanzug *m für Kleinkinder*; **3.** *Fr. Marke für ein* Speiseeis *n*.

esquint|ant F [ɛskɛ̃'tɑ̃] *adj.* sehr anstrengend; **~er** F [~'te] *v/t* (1a) müde (*od.* kaputt- [*a. Sache*]) machen; *fig.* heruntermachen (*Person, Buch*).

esquis|se [ɛs'kis] *f* Entwurf *m*,

Skizze *f*; ~ *au crayon* Bleistiftskizze *f*; *tracer une* ~ e-e Skizze entwerfen; **~ser** [~'se] *v/i.* (1a) skizzieren, entwerfen; andeuten.

esquiver [~ki've] (1a) **I** *v/t.* ausweichen (*dat.*); **II** *v/rfl.* *s'*~ sich heimlich davonmachen, sich verdrücken.

essai [e'sɛ] *m* **1.** Probe *f*, Versuch *m*; ~ *d'arbitrage* Schlichtungsversuch *m*; ~ *de charge* Belastungsprobe *f*; *Auto*: ~ *sur route* Probefahrt *f*; ~ *d'établir un record* Rekordversuch *m*; *à titre d'*~ versuchsweise; *prendre à l'*~ auf (die) Probe nehmen; *mettre à l'*~ (⊕ *a. en* ~) auf die Probe stellen; ⊕ zu Versuchszwecken einsetzen; *cin. bout m d'*~ Probeaufnahme *f*; *coup m d'*~ Probestück *n*, *fig.* erster Versuch *m*; ⊕ ~ *de contrôle* Überwachungsprüfung *f*; *il n'en est plus à son coup d'*~ er ist kein Anfänger (*od.* Neuling) mehr; **2.** *litt.* Essay *m*, literarischer Versuch *m*; kurze Abhandlung *f*; **3.** *Sport*: Einwurf *m* (*Rugby*).

essaim *ent.* [e'sɛ̃] *m* Schwarm *m*; **~er** *ent.* [esɛ'me] *v/i.* (1b) schwärmen; *fig.* sich niederlassen.

essart ⚒ [e'sa:r] *m* Rode-, Neu-land *n*; **~er** ⚒ [esar'te] *v/t.* (1a) (aus-)roden, urbar machen.

essay|age [esɛ'ja:ʒ] *m* Anprobe *f*; *faire l'*~ anprobieren (*Kleid*); **~er** [~'je] (1i) **I** *v/t.* versuchen, probieren; ~ *du vin* Wein kosten; **II** *v/i.* ~ *de q. od. de (faire) qch.* es mit j-m (*od.* mit etw.) versuchen; **III** *v/rfl.*: *s'*~ *à nager* sich im Schwimmen versuchen; **~eur** [~'jœ:r] *m* **1.** *Auto*: Testfahrer *m*; **2.** *cout.* Anprobierer *m*; **3.** (*Münz-*, *Nahrungsmittel-*) Prüfer *m*; **~euse** *cout.* [~'jø:z] *f* Absteckerin *f*; **~iste** *litt.* [~'jist] *su.* Essayist *m*.

esse [ɛs] *f* S-förmiger Haken *m*; ⊕ Achsnagel *m*; ♪ Schalloch *n*.

essence [e'sɑ̃:s] *f* **1.** *Auto*, ✈ Benzin *n*, Treibstoff *m*; ~ *de térébenthine* Terpentinöl *n*; *réservoir m d'*~ Benzintank *m*; *faire de l'*~, *faire son* (*od. le*) *plein d'*~, *prendre de l'*~, *se ravitailler en* ~ tanken; *poste m d'*~ Tankstelle *f*; **2.** Essenz *f*, ätherisches Öl *n*; *cuis.* Extrakt *m*; **3.** *phil. das* Wesen, *das* Sein; Wesenheit *f*; *allg. dans son* ~ im wesentlichen.

essente [e'sɑ̃:t] *f* Holzschindel *f*.

essentiel [esɑ̃'sjɛl] **I** *adj.* (7c) □ **1.** wesentlich, eigentlich, wirklich; Haupt...; unerläßlich; *caractère m* ~ Wesens-, Haupt-zug *m*; *point m* ~ Kernpunkt *m*, Pointe *f*; *essentiellement adv.* wesentlich; bedeutend; in hohem Maße; **2.** ⚕ *maladie f* ~*le* selbständig auftretende Krankheit *f*; **II** *m das* Wesentliche; Hauptsache *f*.

esseul|é [esœ'le] *adj.* vereinsamt; **~ement** [esœl'mɑ̃] *m* Vereinsamung *f*.

essieu [e'sjø] *m* (5b) (Wagen-, Rad-) Achse *f*.

essor [e'sɔ:r] *m* **1.** *éc.* Aufschwung *m*; *donner un* ~ *à qch.* etw. in Schwung bringen; *prendre un* ~ e-n Aufschwung nehmen; **2.** *poét.* Aufflug *m e-s Vogels*; *prendre son* ~ sich in die Lüfte schwingen.

essor|age [esɔ'ra:ʒ] *m* Schleudern *n*; Auswringen *n*; *avec mécanisme d'*~ *intégré* mit eingebauter Schleudervorrichtung; **~er** [~'re] *v/t.* (1a) schleudern; auswringen; **~euse** [~'rø:z] *f* (Wäsche-) Schleuder *f*; Wringmaschine *f*.

essoriller [esɔri'je] *v/t.* (1a): ~ *un chien* e-m Hund die Ohren stutzen (*od.* kupieren).

essoucher ⚒ [esu'ʃe] *v/t.* (1a) ausroden.

essouffl|é [esu'fle] *adj.* außer Atem, atemlos; **~ement** [~flə'mɑ̃] *m* Atemlosigkeit *f*; **~er** [~'fle] *v/t.* (1a) außer Atem bringen; *s'*~ außer Atem kommen.

essuie|-glace [esɥi'glas] *m* (6d): *Auto*: Scheibenwischer *m*; **~-main**(s) [~'mɛ̃] *m* (6d) Handtuch *n*; **~-phares** *Auto* [~'fa:r] *m* (6c) Scheinwerferwischer *m*; **~-pieds** [~'pje] *m* (6c) Abtreter *m*; **~-plume** [~'plym] *m* (6d) Tintenwischer *m*; **~-verres** [~'vɛ:r] *m* (6c) Gläsertuch *n*.

essuyage [esɥi'ja:ʒ] *m* Abtrocknen *n*.

essuyer [esɥi'je] *v/t.* (1h) **1.** abtrocknen, abwischen; ~ *les larmes de q.* j-s Tränen trocknen; *fig.* j-n trösten; **2.** trocknen, austrocknen; F ~ *les plâtres* e-e Wohnung trocken wohnen; **3.** *fig.* einstecken, ertragen, über sich ergehen lassen; ~ *un refus* e-n Korb (*fig.*) erhalten.

est[1] [ɛst] **I** *m* (*abr.* E.) Osten *m*; *vent m d'*~ Ostwind *m*; *d'*~ *en ouest* von Osten nach Westen; *pol. rencontre f* ≈*-Ouest* Ost-West-Gespräch *n*; **II** *adj./inv.*: *côté m* ~ Ostseite *f*; *longitude f* ~ östliche Länge *f*.

est[2] [ɛ] s. être; *am Satzanfang*: *Est-ce à dire que* ... Soll das etwa bedeuten (*od.* heißen), daß ... ?

estacade [ɛsta'kad] *f* Hafendamm *m*.

estafette [~'fɛt] *f* Stafette *f*; ⚔ Kurier *m*.
estafilade [~fi'lad] *f* Schmarre *f*, *bsd.* Schmiß *m im Gesicht.*
estagnon *dial.* [ɛsta'ɲõ] *m* Blechkanne *f für Speiseöl*, Blechgefäß *n*.
estaminet [ɛstami'nɛ] *m* Kneipe *f*.
estam|page [ɛstɑ̃'pa:ʒ] *m* Stanzen *n*, Prägen *n*; *fig.* F Übervorteilung *f*, Prellerei *f*, Nepp *m* F; **~pe** [ɛs'tɑ̃:p] *f* **1.** Graphik *f*, (Kupfer-) Stich *m*; *~ en bois* Holzschnitt *m*; *~ à l'eau forte* Radierung *f*; **2.** ⊕ Stanze *f*; **3.** F Nepp *m*; **~per** [ɛstɑ̃'pe] *v/t.* (1a) Stiche drucken; stempeln, prägen; stanzen; F prellen, neppen; **~peur** [~'pœ:r] *su.* (7g) Stanzer *m*; F Betrüger *m*, Nepper *m*, Gauner *m*; **~pille** [~'pij] *f* Kontrollstempel *m*; **~piller** [~pi'je] *v/t.* stempeln.
estarie ⚓ [ɛsta'ri] *f* Liege-zeit *f*, -geld *n*.
ester¹ ⚖ [ɛs'te] *v/i. nur im inf. gebr.*: *~ en justice* vor Gericht auftreten, e-n Prozeß führen.
ester² ⚗ [ɛs'tɛ:r] *m* Ester *m*.
es|thète [ɛs'tɛt] *su.* Ästhet *m*; **~théticien** [~teti'sjɛ̃] *m* **1.** *litt.* Ästhetiker *m*; **2.** *~ industriel* Designer *m*, Formgestalter *m*; **~théticienne** [~'sjɛn] *f* Kosmetikerin *f*; **~thétique** [~te'tik] **I** *adj.* ästhetisch; **II** *f* Ästhetik *f*.
estima|ble [ɛsti'mablə] *adj.* schätzenswert, achtbar; **~tif** [~'tif] *adj.* (7e) auf Schätzung beruhend; *devis m* (~) Kostenanschlag *m*; **~tion** [~mɑ'sjõ] *f* Abschätzung *f*, Überschlag *m*, Bewertung *f*, Berechnung *f*.
esti|me [ɛs'tim] *f* Achtung *f*, Hochachtung *f*, Wertschätzung *f*; guter Ruf *m*; *être en grande ~* in hohem Ansehen stehen; *manque m d'~* Geringschätzung *f*, Mißachtung *f*; *~ de soi* Selbstachtung *f*; *perdre l'~ de soi-même* die Achtung vor sich selbst verlieren; **~mer** [~'me] (1a) **I** *v/t.* **1.** (ab-)schätzen, veranschlagen, taxieren; **2.** (hoch)achten; *être estimé de tout le monde* von jedermann geachtet werden; **3.** glauben, der Ansicht sein, davon ausgehen *néol.* (*que* ... daß ...); **II** *v/rfl.* *s'~* sich schätzen; *s'~ heureux* sich glücklich schätzen.
esti|vage [ɛsti'va:ʒ] *m* **1.** Sommerurlaub *m*; **2.** 🌱 Übersommerung *f*; **~val** [~'val] *adj.* (5c) sommerlich; Sommer...; **~vant(e)** [~'vɑ̃] *su.* Sommergast *m* (*in e-r Pension*); **~ver** [~'ve] *v/t.* (1a) das Vieh übersommern lassen.
estoc *hist.* [ɛs'tɔk] *m* Stoßdegen *m*; *frapper d'~ et de taille* aufs Geratewohl (*od.* blindlings) um sich schlagen; **~ade** [~'kad] *f* **1.** Todesstoß *m* (*Stierkampf*); **2.** *esc.* Stoß *m* mit der Klingenspitze; **~ader** *Sport* [~ka'de] *v/t.* schlagen *fig.*, besiegen.
estomac [ɛstɔ'ma] *m* **1.** Magen *m*; *avoir l'~ creux* (*od. vide*) e-n leeren Magen haben; *avoir l'~ dans les talons* Kohldampf schieben P; *creux m de l'~* Magengrube *f*; **2.** F Mut *m*, *péj.* Frechheit *f*; *faire qch. à l'~* etw. mit Bravour machen.
estomaqu|é F [~ma'ke] *adj.* sprachlos, verblüfft; **~er** F [~] *v/t.* (1m) verblüffen.
estom|pe [ɛs'tõ:p] *f* (Zeichen-)Wischer *m*; gewischte Zeichnung *f*; **~per** [~tõ'pe] (1a) **I** *v/t.* mit dem Wischer zeichnen; *fig.* verwischen; mildern; **II** *v/rfl.* *s'~* dahinschwinden, verschwimmen, verblassen.
Eston|ie *ehm.* [ɛstɔ'ni] *f* Estland *n*; **~ien** [~'njɛ̃] *m u.* ♀ *adj.* (7c) Este *m*; estnisch.
estoquer [ɛstɔ'ke] *v/t.* (1a) den Todesstoß versetzen (*Stierkampf*).
estourbir F [ɛstur'bi:r] *v/t.* (2a) niederschlagen; *fig.* verblüffen; *fig. estourbi* benommen, betäubt.
estrade [ɛs'trad] *f* Podium *n*; Tribüne *f*, Bühne *f*, erhöhter Platz *m*.
estran [ɛs'trɑ̃] *m* Watt(enmeer) *n*.
estro|pié [ɛstrɔ'pje] *su.* Krüppel *m*; **~pier** [~] *v/t.* (1a) **1.** zum Krüppel machen, verstümmeln, verkrüppeln; **2.** *fig.* verstümmeln, entstellen.
estuaire *géogr.* [ɛs'tɥɛ:r] *m* Trichtermündung *f*.
estudiantin [ɛstydjɑ̃'tɛ̃] *adj.* (7) Studenten..., studentisch.
esturgeon *icht.* [ɛstyr'ʒõ] *m* Stör *m*.
et [e] (*wird nie gebunden!*) *cj.* und; et ... et ... sowohl ... als auch...; *als Satzanfang*: a) *mit reinem inf.*: *Et dire qu'il avait absolument insisté la veille pour qu'on avançât l'heure du départ!* Und wenn man bedenkt, daß er am Abend vorher noch so darauf bestanden hatte, daß die Abfahrtszeit vorverlegt wird!; b) *mit de + inf. statt e-s Hauptsatzes*: und dann, darauf(hin), gleichzeitig; *Et lui de conclure* Und da folgerte er; *Et les commentateurs d'ajouter que* ... Die Kommentatoren fügten gleichzeitig hinzu, daß ...; *Et de démontrer que* ...

Daraufhin legte er dar, daß ...; c) *Et moi donc!* Und ich erst!

étable [e'tablə] *f* (*Kuh-, Schweine-*) Stall *m*.

établi [eta'bli] **I** *m* Hobelbank *f*, Werktisch *m*; **II** *adj. a.* wohnhaft.

établir [eta'bli:r] (2a) **I** *v/t.* **1.** festsetzen, einrichten; errichten, gründen; ein-, auf-setzen, ausstellen, feststellen; ~ *des écoles* Schulen einrichten; ~ *un camp* ein Lager aufschlagen; ~ *une machine* e-e Maschine aufstellen; ~ *une maison* ein Haus errichten; ~ *en principe* als Grundsatz aufstellen; ~ *un tribunal* e-n Gerichtshof einsetzen; ✝ ~ *le bilan* die Bilanz ziehen; ~ *un procès-verbal* ein Protokoll aufnehmen; *téléph.* ~ *la communication* verbinden, die Verbindung herstellen; **2.** *fig.* darlegen, erklären; begründen; ~ *son droit sur* sein Recht begründen mit (*dat.*); *il est établi que* ... es steht fest, daß ...; ~ *un fait* e-e Tatsache darlegen; *réputation établie* feststehender guter Ruf *m*; **3.** *fig.* ~ *ses enfants* (*sa fille*) s-e Kinder (s-e Tochter) versorgen, unterbringen; **II** *v/rfl.* s'~ **4.** sich niederlassen, sich ansiedeln, einwandern; **5.** sich selbst einsetzen als; *s'~ juge d'un différend* sich zum Richter e-s Streits aufwerfen; **6.** errichtet werden; entstehen; sich einbürgern, um sich greifen (*Sitte*); **7.** ⚔ *s'~ dans une position* Stellung beziehen.

établissement [etablis'mɑ̃] *m* **1.** Gründung *f*; Einrichtung *f*; Errichtung *f*; **2.** *fig.* Begründung *f*, Darlegung *f*; Feststellung *f*; Ausstellung *f*, Ausfertigung *f* (*e-r Bescheinigung*); ~ *de la taxe*, ~ *de l'impôt* Steuer-veranlagung *f*, -festsetzung *f*; ✝ ~ *du bilan* Bilanzaufstellung *f*; ⚖ ~ *de propriété* Darlegung *f* der Besitzakten; **3.** Unternehmen *n*, (*Fabrik- usw.*) Anlage *f*, Werk *n*, Betrieb *m*, Geschäft *n*, Geschäftslokal *n*; ~ *de droit public* Körperschaft *f* des öffentlichen Rechts; ~ *de nuit* Nachtlokal *n*; ✝ ~ *émetteur* Emissionshaus *n*; ~ *d'héliothérapie* Lichtheilanstalt *f*; ~*s pl. de crédit* Kreditinstitute *n/pl.*; ~ *d'assistance publique* Wohlfahrtseinrichtung *f*; **4.** Niederlassung *f*, Ansiedlung *f*; **5.** ⚓ ~ *des marées* Fluttabelle *f*; **6.** *écol.* Anstalt *f*, Schule *f*; ~ *primaire* Grundschule *f*; ~ *scolaire* Lehranstalt *f*; **7.** ~ *hospitalier* Krankenanstalt *f*.

éta|ge [e'ta:ʒ] *m* **1.** Stock *m*, Etage *f*; Stockwerk *n*; ~ *mansardé*, ~ *en mansarde* Dachgeschoß *n*; *maison f à deux* ~*s* zweistöckiges Haus *n*; *maison f à* ~*s assez bas* Haus *n* mit niedrigen Geschossen; *fig. menton m à double* ~ Doppelkinn *n*; **2.** *géol.* Stufe *f*, Schicht *f*; Sohle *f*; **3.** Stufe *f e-r Raumrakete, a. rad.*; **4.** *fig. gens pl. de bas* ~ einfache Leute *pl.*; *plaisanterie f de bas* ~ primitiver Scherz *m*; ~**gement** [etaʒ'mɑ̃] *m* Abstufung *f*; *géol.* Übereinanderschichtung *f*; Fächerhöhe *f* (*Regal usw.*); ~**ger** [~'ʒe] (1l) **I** *v/t.* stufen- *od.* terrassen-förmig anlegen; **II** *v/rfl.* s'~ stufenweise aufsteigen, sich stufenweise aufbauen; ~**gère** [~'ʒɛ:r] *f* **1.** Regal *n*; ~ *à musique* Notenregal *n*; **2.** Brett *n in e-m Regal*; Küchen-, Bücher-brett *n*; Wandbrettchen *n*.

étai [e'tɛ] *m* **1.** ⚠ Stützbalken *m*; ⚒ ~ *de mine* Stempel *m*; **2.** ⚓ Stag *m*; **3.** *fig.* Stütze *f*.

étain [e'tɛ̃] *m* Zinn *n*; ~ *de soudure* Lötzinn *n*; *feuille f d'*~ Stanniol *n*.

étal [e'tal] (*pl. étals*) *m* **1.** Marktstand *m*; **2.** Fleischstand *m*.

étala|ge [eta'la:ʒ] *m* **1.** Aus-stellen *n*, -hängen *n*, -legen *n*; *fig.* Aufwand *m*; *faire* ~ *de qch.* sich durch etw. auszeichnen; etw. zur Schau tragen; *péj.* mit etw. (*dat.*) protzen (*od.* prahlen), sich mit etw. (*dat.*) großtun; sich mit etw. (*dat.*) breitmachen; **2.** ausgestellte Ware *f*; Auslage *f*; **3.** Schau-fenster *n*, -kasten *m*; **4.** Standgeld *n*; **5.** *métall.* ~ *d'un haut-fourneau* Rast *f* e-s Hochofens; ~**ger** [~la'ʒe] *v/t.* (1l) ausstellen (*Waren*); ~**gisme** [~'ʒism] *m* Schaufenster-dekoration *f*, -reklame *f*; ~**giste** [~'ʒist] *su.* Schaufensterdekorateur *m*.

étale [e'tal] *adj.* stillstehend (*Meer*; *Schiff*); gleichmäßig (*Wind*).

étalement [etal'mɑ̃] *m* **1.** *bsd. zeitliche* Entzerrung *f*, Streuung *f*; **2.** Ausbreiten *n*; *fig.* Zurschaustellung *f*.

étaler[1] [eta'le] (1a) **I** *v/t.* **1.** (*zum Verkauf*) aus-legen, -stellen, -hängen; ausbreiten; *fig.* zeigen, zur Schau tragen, entfalten; *fig.* ~ *son savoir* mit s-m Wissen nicht hinter dem Berg halten; ~ *son jeu a. fig.* s-e Karten aufdecken; **2.** *zeitlich* entzerren (*Ferien*); **3.** F *j-n* niederstrecken; **II** *v/rfl.* s'~ sich ausbreiten, sich entfalten; *fig.* sich breitmachen, prahlen, sich zur

Schau stellen; F *s'~ de tout son long* der Länge nach hinfallen.

étaler[2] ⚓ [~] **I** *v/t.* *~ le courant* gegen die Strömung aufkommen; **II** *v/i.* den höchsten *bzw.* niedrigsten Stand erreicht haben (*Meer*).

étalon[1] [eta'lɔ̃] *m* Zuchthengst *m*.

étalon[2] [~] *m* Eichmaß *n*, Normalgewicht *n*, -maß *n*; Standard *m*, Währung *f*; *~-or* Goldwährung *f*; *~ monétaire* Währungsstandard *m*; **~nage** [~lɔ'na:ʒ] *m*, **~nement** [~lɔn'mɑ̃] *m* Eichung *f*; **~ner** [~lɔ'ne] *v/t.* (1a) eichen.

étam|age [eta'ma:ʒ] *m* Verzinnung *f*; Spiegelbelegung *f*, Foliierung *f*; **~er** [~'me] *v/t.* (1a) verzinnen; *e-n Spiegel* belegen, foliieren.

étamine[1] [eta'min] *f* **1.** † Etamin *m*; **2.** Beutel-, Sieb-, Filter-tuch *n*.

étamine[2] ⚘ [~] *f* Staubgefäß *n*.

étam|pe [e'tɑ̃:p] *f* Stanze *f*, Prägestempel *m*; ⊕ Gesenk *n*; **~per** [etɑ̃'pe] *v/t.* (1a) stempeln; stanzen, lochen; ⊕ im Gesenk schmieden.

étamure [eta'my:r] *f* Zinnbelag *m*.

étanch|e [e'tɑ̃:ʃ] *adj. m u. f*: *~ à l'eau* (*à l'air*) wasser- (luft-)dicht; **~éifier** ⊕ *bét. usw.* [etɑ̃ʃei'fje] *v/t.* (1a) abdichten; **~éité** [etɑ̃ʃei'te] *f* Wasserdichtigkeit *f*, Abdichtung *f*.

étancher [etɑ̃'ʃe] *v/t.* (1a) **1.** wasserdicht machen; **2.** *~ le sang* das Blut stillen; *~ la soif* den Durst löschen.

étançon [etɑ̃'sɔ̃] *m charp.* Stütze *f*, Absteifung *f*, Steife *f*; ✓ Baumpfahl *m*; ⚒ Stempel *m*; ⚒ *~ automoteur* selbstfahrender Grubenstempel *m*; **~nement** ⚠ ⚒ [~sɔn'mɑ̃] *m* Verstempeln *n*, Verpfählen *n*, Abfangen *n*, Absteifen *n*; **~ner** [~sɔ'ne] *v/t.* (1a) stützen, absteifen.

étang [e'tɑ̃] *m* Teich *m*, Weiher *m*.

étant *p.pr.* [e'tɑ̃] seiend; *~ entendu que* ... mit der Maßgabe, daß ...; *cela ~* angesichts dieser Tatsache; da (*od.* wenn) dem so ist.

éta|pe [e'tap] *f* **1.** *a.* ⚔ Etappe *f*, Rast *f*, Marschquartier *n*; Tagesmarsch *m*; *brûler l'~* kein Quartier machen; **2.** Reiseabschnitt *m*; Wegstrecke *f*; *vél.* Renn-, ✈ Flugstrecke *f*; **3.** *fig.* Entwicklungsstufe *f*, Schritt *m* vorwärts; *faire une bonne ~* ein gut Stück Arbeit schaffen.

étarquer ⚓ [etar'ke] *v/t.* (1m) hissen und spannen.

état[1] [e'ta] *m* **1.** Lage *f*, Stand *m*, Zustand *m*, Stadium *n*, Beschaffenheit *f*; *~ d'âme* Stimmung *f*; *~ de choses* (*od.* *de fait*[s]) Sachlage *f*, Tatbestand *m*; *~ civil* Personenstand *m*; (*bureau m de l'*)*~ civil* Standesamt *n*; *~ de circonstances exceptionnelles* außergewöhnliche Lage *f*; *~ d'esprit* Einstellung *f*, Geisteshaltung *f*; *~ de guerre* Kriegszustand *m*; *~ d'urgence* Ausnahmezustand *m*, Notstand *m*; *~ hygrométrique* Feuchtigkeitsgehalt *m*, Sättigungsgrad *m*; *~ météorologique* Wetterlage *f*; *~ transitoire* Übergangsstadium *n*; *~ de légitime défense* Zustand *m* der Notwehr; *~ d'alarme*, *~ d'alerte* Alarmzustand *m*; *psych. dans un ~ second* in e-m nicht normalen Zustand; *~ de manque* Gefühl *n* der Angst u. des Unwohlseins *bei Rauschgiftsüchtigen*; *mettre hors d'~ de servir* unbrauchbar machen; *en ~ de service* (*od.* *de servir*) betriebs- (gebrauchs-)fertig; *être en ~* (*hors d'~*) im- (außer-)stande sein; *être dans tous ses ~s* äußerst erregt (*od.* aufgeregt) sein; *mettre en ~* instand setzen, reparieren; *tenir en ~* instand halten; *mettre en ~ d'accusation* in Anklagezustand versetzen; *faire ~ de qch.* auf etw. hinweisen; e-r Sache Bedeutung beimessen, sehr auf etw. (*acc.*) halten, sich um etw. (*acc.*) kümmern; auf etw. erpicht F (*od.* scharf P) sein; *faire beaucoup d'~ de q.* viel von j-m halten; **2.** Stellung *f*, Stand *m*, Beruf *m*; Gewerbe *n*; *hist. le tiers ~* der dritte Stand; *vivre selon son ~* standesgemäß leben; *il est médecin de son ~* er ist Arzt von Beruf; **3.** Liste *f*, Verzeichnis *n*; Übersicht *f*; *~ de frais* Kostenaufstellung *f*; *~ nominatif* namentliches Verzeichnis *n*; *dresser un ~* ein Verzeichnis aufsetzen; être *sur l'~* auf der Liste stehen; **4.** Bestand *m*; **5.** *hist. ~s pl. généraux* Generalstände *m/pl.*

État[2] [~] *m* Staat *m*; *l'~ français* der französische Staat; *affaire f d'~* Staatsangelegenheit *f*; F *fig.* wichtige Sache *f*; *chef m de l'~* Staatsoberhaupt *n* (*aber*: *un chef d'~*); *coup m d'~* Staatsstreich *m*; *fig.* entscheidende Tat *f*; *homme m d'~* Staatsmann *m*; *~ fédératif* Bundesstaat *m*; *~ membre* (6a) Mitgliedsstaat *m*; *~ unifié*, *~ unitaire* Einheitsstaat *m*; *~ totalitaire* totalitärer Staat *m*; *~ limitrophe* Randstaat *m*; *~ tampon* Pufferstaat *m*; *~ industriel* Industriestaat *m*; *~ agraire* Agrarstaat *m*; *~ héréditaire* Kronland *n*;

un ~ discriminé en matière de droits ein rechtloser Staat *m*; *appartenant à l'~* staatseigen; *petit ~* Kleinstaat *m*; *~s pontificaux*, *~ ecclésiastique*, *~ de l'Eglise* Kirchenstaat *m*; *les ~s-Unis* die Vereinigten Staaten *m/pl.*, die USA *pl.*; *aux ~s-Unis* in den (*bzw.* in die) Vereinigten Staaten; *~s successeurs* Nachfolgestaaten *m/pl.*; *~ tiers* Drittstaat *m*.

étatique [eta'tik] *adj.* staatlich.

étatis|ation [etatizɑ'sjɔ̃] *f* Verstaatlichung *f*; **~er** [~'ze] *v/t.* (1a) verstaatlichen; **~me** [~'tism] *m* Staatssozialismus *m*; **~te** [~'tist] *su. u. adj.* Anhänger *m* des Staatssozialismus; staatlich; *une société f ~* e-e staatliche Gesellschaft *f*.

état-major [etama'ʒɔ:r] *m* (6a) **1.** (Regiments- *usw.*) Stab *m*; *~ général* Generalstab *m*; *~ de l'armée de l'air* Führungsstab *m* der Luftwaffe; **2.** ⚓ Offiziere *m/pl.* *e-s Schiffes*; **3.** *allg.* Mitarbeiterstab *m*.

État-providence [~prɔvi'dɑ̃:s] *m* Wohlfahrtsstaat *m*.

États-Uniens F [etazy'njɛ̃] *m/pl.* USA-ler *m/pl.*

étatsunien [~] *adj.* (7c) der USA.

États-Unis [etazy'ni] *m/pl.*: **les ~** die Vereinigten Staaten *m/pl.*

étau [e'to] *m* (5b) ⊕ Schraubstock *m*; *~ à main* Feilkloben *m*; *fig. pris dans un ~* in der Klemme, in der Patsche; **~-limeur** ⊕ [~li'mœ:r] *m* Waagerechtstoßmaschine *f*, Kurzhobel-, Shaping-maschine *f*.

étay|age ⊕ [etɛ'ja:ʒ] *m* Absteifung *f*, Stützen *n*; **~er** [~'je] *v/t.* (1i) stützen, absteifen; *fig.* stützen, erhärten (*Theorie*); *~é d'arguments solides* wohlbegründet.

et caetera [ɛtsete'ra] *advt.* (*abr.* etc.) und so weiter (*abr.* usw.).

été [e'te] *m* Sommer *m*; *au fort de l'~* im Hochsommer; ⚕ *catarrhe m d'~* Heuschnupfen *m*; *en ~* im Sommer; *~ de la Saint-Martin* Spät-, Altweiber-sommer *m*.

éteignoir [etɛ'ɲwa:r] *m* Löschhütchen *n*; *fig.* Miesmacher *m*, Spielverderber *m*.

éteindre [e'tɛ̃:drə] (4b) **I** *v/t.* **1.** löschen, ausmachen (*Feuer*, *Licht*, *Radio*, *Fernseher*); *Hochofen*: ausblasen; *~ l'incendie* (*la soif*) den Brand (den Durst) löschen; *~ une cigarette* e-e Zigarette ausdrücken; *fig. ~ une dette* e-e Schuld löschen; **2.** *fig.* mildern, dämpfen; schwächen; *voix f éteinte* schwache Stimme *f*; *yeux m/pl. éteints* matte Augen *n/pl.*; **3.** *fig.* vernichten; ausrotten, vertilgen; ⚔ *feindliches Feuer* zum Schweigen bringen; **4.** *~ de la chaux* Kalk löschen; **II** *v/rfl.* *s'~* **5.** erlöschen, ausgehen; **6.** *fig.* den Glanz verlieren, trübe werden (*Augen*); **7.** aussterben; verstummen (*Stimme*); **8.** *fig. sanft* entschlafen.

ételle [e'tɛl] *f* größerer Holzspan *m*.

éten|dage [etɑ̃'da:ʒ] *m* **1.** Aufhängen *n* (*Wäsche*); **2.** gezogene Wäscheleine *f*; **~dard** [~'da:r] *m* Standarte *f*; **~doir** [~'dwa:r] *m* **1.** Wäscheleine *f*; **2.** Trocken-platz *m*, -boden *m*, -raum *m*.

étendre [e'tɑ̃:drə] (4a) **I** *v/t.* **1.** ausstrecken, auseinanderfalten; auftragen (*Farbe*); *les bras étendus* mit ausgestreckten Armen; *~ du beurre sur le pain* Butter aufs Brot streichen; *~ du linge* Wäsche aufhängen; *~ la vue sur* s-n Blick über (*acc.*) schweifen lassen; **2.** *fig.* erweitern, vermehren; vergrößern (*Grenzen*; *Macht*; *Thema*); *voix f étendue* tragende (*od.* volle) Stimme *f*; **3.** F *~ q. par terre* (*od. sur le carreau*) j-n zu Boden strecken; F *se faire ~* durchfallen (*bei e-r Prüfung*); **4.** *~ du lait* (*du vin*) Milch (Wein) verdünnen; **II** *v/rfl.* *s'~* sich ausbreiten, sich erstrecken, reichen; sich hinstrecken; *fig. s'~ sur qch.* sich ausführlich über etw. (*acc.*) auslassen, etw. ausführlich behandeln.

étendue [etɑ̃'dy] *f* Ausdehnung *f*, Fläche *f*, Größe *f*, Weite *f*; Raum *m*; Umfang *m*, Ausmaß *n*; Zeitraum *m*; *l'~ de ses connaissances* s-e umfassenden Kenntnisse *f/pl.*; ♪ *l'~ de sa voix* der Stimmumfang; *gr. l'~ d'un mot* der Bedeutungsumfang e-s Wortes.

éternel [etɛr'nɛl] **I** *adj.* (7c) □ ewig; *vorgestellt*: ständig; **II l'**♀ *m* Gott *m*.

éterni|ser [etɛrni'ze] (1a) **I** *v/t.* (sehr) in die Länge ziehen; **II** *v/rfl.* *s'~* ewig dauern; F ewig bleiben; **~té** [~'te] *f* Ewigkeit *f*.

éter|nuement [etɛrny'mɑ̃] *m* Niesen *n*; **~nuer** [~'nɥe] *v/i.* (1a) niesen.

étésiens [ete'zjɛ̃] *adj./pl.*: *vents m/pl. ~* Etesien *pl.*, sommerliche Nordwinde *m/pl.* (*bsd. in Griechenland*).

étêter ✓ [etɛ'te] *v/t.* (1a) *Bäume* kappen *od.* stutzen.

éteule ✓ [e'tœl] *f* Stoppel *f*.

éther [e'tɛ:r] *m* Äther *m* (*a.* ⚗).

éthé|rate ⚗ [ete'rat] *m* äthersaures Salz *n*; **~ré** [~'re] *adj.* mit Äther erfüllt; *fig.* ätherisch, zart, übersinnlich, erhaben, vergeistigt; **~rifier** ⚗ [~ri'fje] *v/t.* (1a) in Äther verwandeln; **~risation** ⚕ [~riza'sjɔ̃] *f* Äthernarkose *f*; **~riser** ⚕ [~ri'ze] *v/t.* (1a) mit Äther betäuben; **~romanie** ⚕ [~rɔma'ni] *f* Äthersucht *f*.

Éthiopie [etjɔ'pi] *f*: **l'~** Äthiopien *n*.

éthique [e'tik] **I** *adj.* ethisch, sittlich; **II** *f* Ethik *f*.

ethnarque [ɛt'nark] *m* Gouverneur *m* (*antiq.*, *Zypern*).

ethnie [ɛt'ni] *f* Volks-tum *n*, -gruppe *f*.

ethnique [ɛt'nik] *adj.* ethnisch, Volks..., Völker...

ethno|cide [ɛtnɔ'sid] *m* Ausrottung *f* e-r Volksgruppe; **~graphe** [~'graf] *su.* Ethnograph *m*; **~graphie** [~gra'fi] *f* Ethnographie *f*, Völkerbeschreibung *f*; **~graphique** [~gra'fik] *adj.* ethnographisch; **~logie** [~lɔ'ʒi] *f* Völkerkunde *f*; **~logique** [~lɔ'ʒik] *adj.* völkerkundlich; **~logue** [~'lɔg] *su.* Ethnologe *m*.

étholog|ie *biol.* [etɔlɔ'ʒi] *f* Verhaltensforschung *f*; **~iste** [~'ʒist] *su.* Verhaltensforscher *m*.

éthyl|e ⚗ [e'til] *m* Äthyl *n*; **~isme** [~'lism] *m* Alkoholvergiftung *f*.

étiage [e'tja:ʒ] *m* niedrigster Wasserstand *m*; *échelle f d'~* Pegel *m*.

étincel|age ⚕ [etɛ̃s'la:ʒ] *m* Behandlung *f* mit hochfrequenten Funken; **~ant** [~'lɑ̃] *adj.* funkelnd; **~er** [~'le] *v/i.* (1c) funkeln, glitzern; *fig.* sprühen.

étincel|le [etɛ̃'sɛl] *f* Funke(n) *m*; **~lement** [~sɛl'mɑ̃] *m* Funkeln *n*.

étiol|é [etjɔ'le] *adj.* verkümmert; **~ement** [etjɔl'mɑ̃] *m*: *fig.* ~ *économique* wirtschaftliches Dahinsiechen *n*; **~er** [~'le] (1a) **I** *v/t.* verkümmern lassen; **II** *v/rfl.* s'~ bleichsüchtig werden, verkümmern.

étiologie [etjɔlɔ'ʒi] *f* **1.** Lehre *f* von den Ursachen e-r Krankheit; **2.** *phil.* Ätiologie *f*.

étique [e'tik] *adj.* mager, dürr; *fig.* dürftig (*Stil*).

étiquet|age [etik'ta:ʒ] *m* Etikettieren *n*; **~er** [~'te] *v/t.* (1d) etikettieren; **~te** [~'kɛt] *f* **1.** *a.* Etikett *n*, Preisschild *n*; **2.** Etikette *f*.

éti|rage ⊕ [eti'ra:ʒ] *m* Strecken *n*, Walzen *n*, Zieharbeit *f*; **~rer** [~'re] (1a) **I** *v/t.* ⊕ *métall.* strecken, walzen; *étiré* gezogen (*Draht*); **II** *v/rfl.* s'~ sich ziehen, sich dehnen; **~reuse** ⊕ [~'rø:z] *f* Streckwalze *f*.

étof|fe [e'tɔf] *f* **1.** Stoff *m*; ~ *en fil d'étain* Kammgarnstoff *m*; ~ *infroissable* knitterfreier Stoff *m*; ~ *unie* glatter Stoff *m*; *tailler en pleine* ~, *ne pas plaindre l'~* aus dem vollen wirtschaften; **2.** *fig.* Stoff *m*, Gehalt *m* (*e-s Films*, *Romans*); **3.** *fig.* Fähigkeit *f*, Tüchtigkeit *f*, Anlage *f*; *il a l'~ d'un président* er hat das Zeug zum Präsidenten; *il y a en lui l'~ de ...* er hat das Zeug zu ... (*dat.*); *il y a de l'~ dans ce jeune homme* aus diesem jungen Mann kann was werden; **~fé** [~'fe] *adj.* **1.** stattlich; stämmig, robust, kräftig; **2.** *fig.* gedankenreich; *style m* ~ reicher (*od.* üppiger) Stil *m*; **3.** ♪ klangvoll; *voix f ~e* kräftige Stimme *f*; **4.** *fig.* umfassend, ausgedehnt (*z.B. Rundreise*); **~fer** [~] (1a) **I** *v/t.* *fig.* ausbauen, ausschmücken, weiter entwickeln, vervollständigen; ~ *le marché* den Markt beschicken; *fig.* ~ *un roman* e-n Roman ausschmücken; **II** *v/rfl.* s'~ in die Breite gehen, kräftiger werden.

étoi|le [e'twal] *f* **1.** Stern *m*; ~ *du berger* Venus *f*; ~ *filante* Sternschnuppe *f*; ~ *polaire* Polarstern *m*; *à la belle* ~ unter freiem Himmel; **2.** *fig. thé.*, *cin.* Star *m*, Stern *m*; berühmter Tänzer *m*; **3.** *fig. bonne* ~ Glücksstern *m*; *mauvaise* ~ Unglücksstern *m*; **4.** (Ordens-)Stern *m*; **5.** *un hôtel trois ~s* ein Hotel mit drei Sternen; **6.** Blesse *f an der Stirn des Pferdes*; **7.** ~ *de mer* Seestern *m* (*Polyp*); **8.** sternförmiger Sprung *m* (*im Glas*); **~ler** [~'le] (1a) **I** *v/t.* mit Sternen schmücken; *étoilé* gestirnt, sternklar; sternförmig, Stern...; *drapeau m étoilé* Sternenbanner *n*; *verre m étoilé* Glas *n* mit e-m sternförmigen Sprung; **II** *v/rfl.* s'~ sternförmig springen (*Glas*).

étole [e'tɔl] *f* Stola *f*.

éton|nant [etɔ'nɑ̃] *adj.* (7) (*adv. étonnament*) erstaunlich; *il ne serait pas ~ que ...* (*mit subj.*) es wäre nicht erstaunlich, wenn ...; *cela n'est pas* ~ das ist kein Wunder; **~nement** [~tɔn'mɑ̃] *m* Erstaunen *n*; Verwunderung *f*; **~ner** [~'ne] (1a) **I** *v/t.* erstaunen, in Erstaunen setzen; *je suis étonné d'apprendre* ich wundere mich zu hören; **II** *v/rfl.* s'~ sich wundern; staunen (*de* über *acc.*).

étouf|fant [etu'fɑ̃] *adj.* (7) schwül; **~fée** [~'fe] *f* Schmoren *n*, Dämpfen *n*; *pommes f/pl. de terre à l'~* gedämpfte Kartoffeln *f/pl.*; **~fement** [~f'mɑ̃] *m* Ersticken *n*; ⚕ Atemnot *f*, Beklemmung *f*; **~fer** [~'fe] (1a) **I** *v/t.* **1.** ersticken; auslöschen; *~ des sons* Töne dämpfen; **2.** vertuschen *od.* totschweigen; **3.** *chambre étouffée* stickiges Zimmer *n*; **4.** *fig. ~ une révolte* e-n Putsch im Keim erstikken; *~ un rire* sich das Lachen verkneifen (*od.* verbeißen); *~ un soupir* e-n Seufzer unterdrücken; **II** *v/i.* ersticken, nicht frei atmen können; *~ de chaleur* vor Hitze umkommen; *~ de rage* vor Wut platzen; **III** *v/rfl.* *s'~* ersticken; F die Klappe (*od.* den Mund) halten; **~foir** [~'fwa:r] *m* ⚡ Funkenlöscher *m*; *fig.* Brutkasten *m* (*stickiges Zimmer*); ♪ Dämpfer *m* *am Klavier*.

étou|page ⊕ [etu'pa:ʒ] *m* Dichtung *f*, Packung *f*; **~pe** [e'tup] *f* Werg *n*, Hede *f*; Dichtungsmaterial *n*; **~per** [etu'pe] *v/t.* (1a) (mit Werg) verstopfen; ⊕ abdichten, verpacken; **~pille** [~'pij] ⚔ Zündschnur *f*.

étour|derie [eturdə'ri] *f* **1.** Unbesonnenheit *f*, Leichtsinn *m*; **2.** Dummerjungenstreich *m*; **~di** [~'di] **I** *adj.* **1.** unüberlegt, leichtsinnig; **2.** *~ de* bestürzt *od.* überrascht über (*acc.*); **II** *su.* leichtsinniger Mensch *m*; *jeune ~* Wildfang *m*; **~dir** [~'di:r] (2a) **I** *v/t.* **1.** betäuben; **2.** nervös machen; *cet enfant m'étourdit* dieses Kind fällt mir auf die Nerven; **3.** benebeln, berauscht machen; **II** *v/rfl.* *s'~* sich betäuben; *s'~ de chimères* Trugbildern nachjagen; **~dissement** [~dis'mɑ̃] *m* Betäubung *f*; *fig.* Bestürzung *f*; ⚕ *j'ai un ~* mir wird schwindlig; *avoir des ~s* Schwindelanfälle haben.

étourneau [etur'no] *m* (5b) **1.** *orn.* Star *m*; **2.** *fig.* leichtfertiger Mensch *m*.

étran|ge [e'trɑ̃:ʒ] *adj.* □ befremdend, sonderbar; *chose ~!* komisch!, eigenartig!, seltsam!; **~ger** [etrɑ̃'ʒe] (7b) **I** *adj.* ausländisch, fremd; unbekannt; fremdartig; *~ à* nicht gehörig zu (*dat.*); unbeteiligt bei (*dat.*); nicht verwandt mit (*dat.*); *~ (à la localité)* ortsfremd; *affaires étrangères* auswärtige Angelegenheiten; *ministère m des affaires étrangères* Außenministerium *n*; *All.*: Auswärtiges Amt; *il a l'air ~* er sieht wie ein Fremder aus; *Fr. Légion étrangère* Fremdenlegion *f*; *n'être ~ nulle part* überall zu Hause sein; *je suis ~ à cela* ich habe nichts damit zu schaffen; **II** *su.* Ausländer *m*; Fremde(r) *m*; **III** *m* Ausland *n*; **~geté** [etrɑ̃ʒ'te] *f* Seltsamkeit *f*; *sensation f d'~* Befremden *n*.

étrang|lement [etrɑ̃glə'mɑ̃] *m* **1.** Erdrosseln *n*; **2.** Verengung *f*; **3.** ⚕ Zusammenschnürung *f der Kehle*; Einklemmung *f* (*Bruch*); *~ intestinal* Darmverschluß *m*; ⊕ *soupape f d'~* Drosselventil *n*; **4.** *fig.* Unterdrückung *f*; **~ler** [~'gle] (1a) **I** *v/t.* **1.** erdrosseln, (er)würgen; **2.** ⊕ drosseln; einengen (*Straße*); **3.** *fig.* unterdrücken; zugrunde richten; **II** *v/rfl.* *s'~* ersticken; enger werden; *sa voix s'étrangla* es versagte ihm die Stimme; *s'~ de soif* vor Durst verschmachten; **~leur** [~'glœ:r] *m* **1.** Würger *m*; **2.** ⊕ Drossel *f*; *Auto*: Drosselklappe *f*.

étranguillon *vét.* [etrɑ̃gi'jɔ̃] *m* Bräune *f*, Halsgeschwulst *f*.

étrave [e'tra:v] ⚓ *f* Vordersteven *m*.

être ['ɛ:trə] (1) **I** *v/aux.* sein: **1.** a) *zur Bildung der zs.-gesetzten Zeiten einiger v/i.*: *je suis arrivé* ich bin angekommen; *Zustand*: *le mois d'avril était à peine commencé que ...* kaum war es Anfang April geworden, als ...; b) *zur Umschreibung v. Verbalbegriffen*: *~ assis* sitzen; *~ couché* liegen; *~ debout* stehen; **2.** *beim Passiv*: werden: *~ aimé* geliebt werden; **3.** *beim v/rfl. mit acc. od. dat.*: haben; *je me suis réjoui* ich habe mich gefreut; *ils se sont donné la promesse* sie haben sich das Versprechen gegeben; **II** *v/i.* **4.** sein, dasein, vorhanden sein; a) *als Kopula u. ell.*: *la terre est ronde* die Erde ist rund; F *c'est (bien) ça!* so ist's recht!; *n'est-ce pas?* nicht wahr?; *cela sera* das soll geschehen; *soit!* meinetwegen!; es sei!; *ainsi soit-il!* so sei es!, Amen!; *cela étant* da dem so ist; b) *als v/impers.* **5. il est**: *il est des gens qui ...* es gibt Leute, die ...; *à l'heure qu'il est* zur Stunde, jetzt; **6. c'est** *zur Hervorhebung*: *c'est ce que je désire* das wünsche ich; *c'était à qui m'offrirait ...* sie boten mir um die Wette ... an; **7.** = *fr. aller* [a'le] *in den Zeiten der Vergangenheit*: *j'ai été le voir* ich habe ihn besucht; **8.** *mit prp.*: ⚖ *~ à ...* sich verhalten zu (*dat.*); *~ à même de faire qch.* imstande sein, etw. zu tun; *à qui est ce livre?* wem gehört dieses Buch?; *il est à son travail* er ist mit s-r Arbeit beschäftigt; *~ après q.* (immer) hinter j-m her sein; *~ bien avec q.* gut mit j-m stehen; *~ dans l'artille-*

rie bei der Artillerie dienen; ~ *de* gehören zu, teilhaben an; *je suis de la famille* ich gehöre zur Familie; ~ *de service* Dienst haben; ⚔ ~ *de garde*, ⚓ *de quart* die Wache haben; *c'est bien de vous* das sieht Ihnen ähnlich; *cela est bien de son caractère* das liegt ganz in seinem Charakter; *pour ce qui est de ...* was ... (an)betrifft; *il est de mes amis* er ist ein Freund von mir; ~ *de la partie* dabeisein, mitmachen; ~ *de rigueur* unumgänglich, nötig sein; *il est d'usage que* (*subj.*) *od. de* (*inf.*) es ist gebräuchlich, daß (*ind.*); *c'est selon* je nachdem; *en* ~ *à* (*inf.*) dabeisein zu ...; e-n Arbeitsabschnitt erreicht haben; *je veux bien en être* ich will gern dabeisein; *j'en suis* ich mache mit (*z.B. e-e Fahrt*); *je ne sais où j'en suis* ich weiß nicht, woran ich bin; *où en sommes-nous?* wie weit sind wir?; was soll das heißen?; *où en êtes-vous?* wie steht's mit Ihnen?, wie geht's Ihnen?; *en êtes--vous là?* haben Sie das vor?; so weit ist es mit Ihnen gekommen?; *j'en suis pour mon argent* ich bin um mein Geld gekommen; *il en est ainsi* so ist's; so verhält sich die Sache; *j'y suis!* ach so!; jetzt hab' ich's (erraten *usw.*)!; ich bin im Bilde; *je n'y suis pour rien* ich kann nichts dafür; *ça y est!* da haben wir's!; jetzt ist's richtig!; **9.** (aus-) machen, betragen; *c'est vingt francs* das macht zwanzig Franken; **10.** sich befinden; *je suis bien* (*mal*) es geht mir gut (schlecht); *il est mieux aujourd'hui* es geht ihm heute besser; **11.** gehören (*à* [*dat.*]); *ce livre est à moi* dieses Buch gehört mir; *je suis à vous* ich stehe Ihnen zu Diensten; *il n'est plus à lui, il n'est plus lui-même* er ist ganz außer sich; *c'est à vous de parler* jetzt müssen Sie reden; **III** *v/rfl.*: **12.** *il s'en fut* er war weggegangen; **IV** *m* **13.** (*Lebe-*)Wesen *n*, Geschöpf *n*; **14.** *l'*2 *des* ~*s*, *le grand* 2, *l'*2 *suprême* das höchste Wesen, Gott; **15.** *das* Sein, *das* Dasein, Wirklichkeit *f*.

étrein|dre [e'trɛ̃:drə] *v/t.* (4b) **1.** fest drücken; umarmen; *Ringkampf*: umklammern; **2.** *fig.* beklemmen; **~te** [e'trɛ̃:t] *f* **1.** Würgegriff *m*; *a. fig.* Druck *m*, Zwang *m*; **2.** Umarmung *f*; **3.** *Boxsport*: Umklammerung *f*.

étren|ne [e'trɛn] *f* **1.** (*mst.* ~*s pl.*) Neujahrsgeschenk *n*; **2.** erste Benutzung *von etwas*; *il en a l'*~ er ist der erste, der dies benutzt; **3.** Weihnachtsgeld *n für Briefträger usw.*; *l'*~ *du garçon de course* das Weihnachtsgeld für den Botenjungen; **~ner** [~'ne] (1a) **I** *v/t.* **1.** ~ *q.* j-n (zu Neujahr) beschenken; **2.** *ein Kleid, e-n Anzug* einweihen, zum erstenmal benutzen; ~ *une piste Sport*: e-e Strecke zum ersten Mal befahren, e-e Strecke einweihen; **II** *v/i. fig.* alles als erster ausbaden müssen.

êtres ['ɛ:trə] *m/pl.* (*nur mit savoir od. connaître!*) Räumlichkeiten *pl.*

étrésillon [etrezi'jɔ̃] *m charp.* (*a.* ⚒) Strebe *f*, Absteifung *f*, Stütze *f*; ⊕ Bindeblech *n*; **~ner** [~jɔ'ne] *v/t.* (1a) absteifen, stützen.

étrier [etri'e] *m* **1.** Steigbügel *m*; *boire le coup* (*od. le vin*) *de l'*~ den Abschiedstrunk trinken; *être ferme sur ses* ~*s* fest im Sattel sitzen; *fig. mettre le pied à l'*~ *à q.* j-m in den Sattel helfen; *a. fig. tenir l'*~ *à q.* j-m die Steigbügel halten; **2.** ⊕, ⚠ *u.* ⚓ Bügel *m*; Lasche *f*; Schelle *f*; **3.** Steigeisen *n* (*für Telegrafenarbeiter*).

étril|lage [etri'ja:ʒ] *m* Striegeln *n*; **~le** [e'trij] *f* Striegel *m*; **~ler** [etri'je] *v/t.* (1a) striegeln; F *fig.* runtermachen, herziehen über (*acc.*); F *fig.* das Fell über die Ohren ziehen.

étriper [etri'pe] (1a) **I** *v/t. Tiere* ausnehmen; *a.* den Bauch aufschlitzen (*dat.*); **II** F *v/rfl. s'*~ sich verprügeln; sich gegenseitig totschlagen.

étriqué [etri'ke] *adj.* **1.** zu knapp zugeschnitten (*Kleid*); **2.** zu knapp gefaßt (*Rede*); **3.** kümmerlich.

étriquer [~] *v/t.* (1m) zu eng machen; *fig.* zu kurz fassen.

étrivière [etri'vjɛ:r] *f* Steigbügelriemen *m*.

étroit [e'trwa] **I** *adj.* (7) □ **1.** eng, schmal; *chemin m de fer à voie* ~*e* Kleinbahn *f*, Schmalspurbahn *f*; **2.** innig; **3.** engherzig, einseitig, kleinlich; *esprit m* ~ beschränkter Kopf *m*; ~ *d'idées* beschränkt, stur F; *un purisme m* ~ ein engherziger (*od.* kleinlicher) Purismus *m*; **4.** streng, genau; *droit m* ~ strenges (*od.* wörtlich genommenes) Recht *n*; ~*e obligation f* bindende Verpflichtung *f*; *prendre qch. dans le sens* ~ etw. wörtlich nehmen; *adv.* ~*ement*: *ils se tenaient* ~*ement embrassés* sie hielten sich umschlungen; *surveiller q.* ~*ement* j-n scharf überwachen; **II** *advt. à l'*~ *fig.* beengt; in beschränkten (*od.* dürftigen) Verhältnissen; **~esse** [~'tɛs] *f* Enge *f*; Eingeschränktheit *f*; Knappheit *f* (*Kleid, Anzug*); *fig.* Beschränktheit *f*; Engherzigkeit *f*, Kurzsichtigkeit *f*.

étron [e'trɔ̃] *m* Kot *m*.

étronçonner ⚘ [etrɔ̃sɔ'ne] *v/t.* (1a) *e-n Baum* kappen.

étrusque *ling.* [e'trysk] *adj.* etruskisch.

étu|de [e'tyd] *f* **1.** Studium *n*, Studieren *n*; *avoir fait de bonnes ~s* e-e gute Schulbildung haben; *faire ses ~s* studieren; ⚕ *~ des marchés* Konjunkturforschung *f*; *écol. ~s primaires, ~s secondaires* Schulzeit *f*; *~s pl. supérieures* (*od. universitaires*) Studium *n*; *Fr. écol. maître m d'~s* Beaufsichtiger *m* der Schularbeiten; Hilfslehrer *m*; **2.** *thé.* Einstudieren *n*; **3.** Studie *f*, Übungsstück *n*, Studienzeichnung *f*; Etüde *f*; **4.** Abhandlung *f*, Aufsatz *m*, Arbeit *f*; **5.** *Fr. écol.* Studienraum *m* *e-r Schule*; **6.** ⚖ Anwaltsbüro *n*, Praxis *f*; **7.** *bsd.* ⚕, ⊕ Untersuchung *f*, Prüfung *f*; *a. pl. ~s* technische Vorbereitungen *f/pl.*; **~diant** [~'djɑ̃] *su. u. adj.* (7) Studierende(r) *m*, Student *m*; *~ en droit* Student *m* der Rechte; *~ en lettres* Philologiestudent *m*; *~ en médecine* Medizinstudent *m*; *Fr. Sécurité f sociale ~e* Soziales Studentenhilfswerk *n*; **~dié** [~'dje] *adj.* wohldurchdacht; ausgefeilt; scharf kalkuliert (*Preise*); *péj.* gekünstelt, gezwungen; **~dier** [~] (1a) **I** *v/t.* **1.** studieren; **2.** einüben, lernen; ♪ üben; *thé. ~ un rôle* e-e Rolle einstudieren; **3.** genau beobachten, *Plan* prüfen, untersuchen, Vorarbeiten machen; **II** *v/rfl.* s'~ sich selbst beobachten; *fig.* zu sehr auf sich Rücksicht nehmen.

étui [e'tɥi] *m* **1.** Etui *n*, Futteral *n*, Besteck *n*; *~ à lunettes* Brillenfutteral *n*; *~ de mathématiques* Reißzeug *n*; *~ de poche* chirurgisches Besteck *n*, Verbandtasche *f*; *~ à violon* Geigenkasten *m*; **2.** ⚔ *~ de cartouche* Patronenhülse *f*; **3.** ⚓ Persenning *f*.

étu|vage [ety'va:ʒ] *m* ⊕ Trocknen *n*; *bét.* Warmbehandlung *f*; **~ve** [e'ty:v] *f* **1.** Schwitz-bad *n*, -kasten *m* (*a. fig.*); **2.** ⊕ Trockenkammer *f*; *~ à stérilisation* Sterilisiergerät *n*; **~vée** *cuis.* [ety've] *f*: *à l'~* gedämpft; geschmort; **~ver** [~] *v/t.* (1a) *cuis.* dämpfen; schmoren; ⚕ in lauem Wasser baden, (*Wunde*) ausspülen; ⊕ trocknen.

étymolo|gie [etimɔlɔ'ʒi] *f* Etymologie *f*; **~gique** [~'ʒik] *adj.* □ etymologisch; **~giste** [~'ʒist] *su.* Etymologe *m*.

eucalyptus [økalip'tys] *m* Eukalyptus(baum *m*) *m*.

eucharistie [økaris'ti] *f* Kommunion *f*, Abendmahl *n*.

eudio|mètre *phys.* [ødjɔ'mɛtrə] *m* Eudiometer *m*, Luftgütemesser *m*; **~métrie** *phys.* [~me'tri] *f* Eudiometrie *f*, Luftgütemessung *f*.

eu égard à [y e'ga:r 'a] *prp.* hinsichtlich (*gén.*), im Hinblick auf (*acc.*), unter Berücksichtigung (*gén.*).

eugén|ique [øʒe'nik] *adj. u. f* eugenisch, erbhygienisch; Eugenik *f*; **~isme** [~'nism] *m* s. *~ique f*.

euh [ø] *int.*: oh!, ach!; *~! ~!* so so!

eunuque [ø'nyk] *m* Eunuch *m*.

euphémi|que [øfe'mik] *adj.* □ euphemistisch, beschönigend; **~sme** [~'mism] *m* Euphemismus *m*.

euphonie [øfɔ'ni] *f* Wohlklang *m*.

euphorbe ⚘ [ø'fɔrb] *f* Wolfsmilch *f*.

euphor|ie [øfɔ'ri] *f* Euphorie *f*, Hochstimmung *f*, Glückstaumel *m*; **~imètre** ⊕ [~'mɛ:trə] *m* Zimmerklimamesser *m*; **~ique** [~'rik] *adj.* euphorisch; **~isant** *phm.* [~ri'zɑ̃] *m* *Art* Rauschmittel *n*.

eurafricain *pol.* [œrafri'kɛ̃] *adj.* (7) eurafrikanisch.

Eurasie [œra'zi] *f*: **l'~** Eurasien *n*.

eurasien *zo.* [~'zjɛ̃] *su.* Eurasier (-hund *m*) *m* (*Chow-Chow + Wolfspitz*).

Euratom *pol.* [œra'tɔm] *m* Euratom *n.*

euro|-arabe [œrɔa'rab] *adj.* europäisch-arabisch; **~dollar** [~dɔ'la:r] *m* Eurodollar *m*.

Europe [œ'rɔp] *f*: **l'~** Europa *n*.

européan|iser [œrɔpeani'ze] (1a) **I** *v/t.* europäisieren; **II** *v/rfl.* s'~ europäisch werden; **~isme** [~'nism] *m* **1.** europäische(r) Charakter *m*; **2.** *pol.* Europagedanke *m*.

Européen [œrɔpe'ɛ̃] *su. u.* ♀ *adj.* (7c) Europäer *m*; europäisch.

européisme *pol.* [œrɔpe'ism] *m* Europagedanke *m*.

eurovision *télév.* [œrɔvi'zjɔ̃] *f*: *transmission f en ~* Eurovisionssendung *f*.

eurythmie [œrit'mi] *f* **1.** *peint.* Harmonie *f* der Verhältnisse, Ebenmaß *n*; ausgeglichene (harmonische) Linienführung *f*; **2.** ♪ Wohlklang *m*; **3.** ⚕ Regelmäßigkeit *f* des Pulses.

euthanasie [øtana'zi] *f* Euthanasie *f*.
eutrophisation *biol.* [øtrɔfiza'sjɔ̃] *f* Eutrophierung *f*, Verseuchung *f* der Seegewässer durch organische Überernährung *od.* durch Übersättigung an Waschmittelphosphaten.
eux [ø, *vor folgendem Vokal* øz] *pr./p.* (*pl. von* lui) sie; *nach vorangehendem su.*: ihrerseits; c'est ~, ce sont ~ sie sind es; d'~ ihrer, von ihnen; c'est à ~ qu'il faut vous adresser Sie müssen sich an sie wenden.
évacu|ant ⚕ [eva'kɥɑ̃] *adj. u. m* abführend; Abführmittel *n*; **~ation** [~ɑ'sjɔ̃] *f* **1.** ⚕ Entleerung *f*, Abführen *n*; **2.** Abfluß *m*; **3.** *bsd.* ⚔ Räumung *f*, Evakuierung *f*, Abschub *m*; **~er** [~'kɥe] (1a) **I** *v/t. u. v/i.* **1.** ⚕ abführen; **2.** ~ une salle einen Saal räumen; **3.** *Truppen usw.* evakuieren; ✈ ausfliegen; ~ en voiture im Auto abtransportieren (*Verletzte*); **II** *v/rfl.* s'~ abgehen (*Eiter usw.*).
évad|é [eva'de] *m* ausgerissene(r) Gefangene(r) *m*; **~er** [~] *v/rfl.* (1a): s'~ ausreißen, entlaufen, entweichen.
évalu|ation [evalɥɑ'sjɔ̃] *f* Schätzung *f*, Berechnung *f*, Taxierung *f*, Überschlag *m*; **~er** [eva'lɥe] *v/t.* (1a) (ab)schätzen, berechnen, veranschlagen, taxieren.
évanescent [evane'sɑ̃] *adj.* verblassend, verschwimmend.
évangéli|que [evɑ̃ʒe'lik] *adj.* evangelisch; **~sation** [~zɑ'sjɔ̃] *f* Verkündigung *f* des Evangeliums; **~ser** [~'ze] *v/i. u. v/t.* (1a): ~ (q. j-m) das Evangelium predigen; ~ (q. j-n) zum Christentum bekehren; *a. allg.* bekehren; **~ste** [~'list] *m* Evangelist *m*.
évangile [evɑ̃'ʒil] *m* Evangelium *n*; 2 selon saint Matthieu Matthäusevangelium *n*; ce n'est pas parole d'~ das steht gar nicht fest.
évanou|i [eva'nwi] *adj.* ohnmächtig; **~ir** [eva'nwi:r] (2a): s'~ ohnmächtig werden, in Ohnmacht fallen; *fig.* verschwinden, vergehen, zerrinnen (*Hoffnung*); ♪ abklingen; s'~ en fumée in Rauch aufgehen; faire ~ schwinden lassen (*Hoffnung*); **~issement** [~is'mɑ̃] *m* Ohnmacht *f*, Bewußtlosigkeit *f*; *fig.* Verschwinden *n*; Zerrinnen *n*; *rad.* Schwund *m*.
évapora|teur ⊕ [evapɔra'tœ:r] *m* Verdampfer *m*; **~tion** [~rɑ'sjɔ̃] *f* Abdampfung *f*, Verdunstung *f*; **~toire** [~ra'twa:r] *adj.*: appareil *m* ~ Verdunstungsapparat *m*.
évapo|ré [evapɔ're] **I** *adj.* leichtsinnig, flatterhaft; **II** *m* leichtsinniger Mensch *m*, *fig.* Windhund *m*, Hansdampf *m* in allen Gassen; **~rer** [~] (1a) s'~ verdampfen, verdunsten; F *fig.* sich verdrücken; faire ~ verdunsten lassen.
éva|sé [evɑ'ze] *adj.* nach oben breiter werdend; *Mode*: weit; ausschweifend verarbeitet; **~ser** [~] (1a) **I** *v/t.* ausweiten; gilet *m* évasé ausgeschnittene Weste *f*; **II** s'~ sich weiten; **~sif** [~'zif] *adj.* (7e) □ ausweichend; **~sion** [~'zjɔ̃] *f* Ausbruch *m*, *a. fig.*, *éc.* Flucht *f*; ~ des capitaux Kapitalflucht *f*; ~ fiscale Steuerflucht *f*; *fig.* ~ dans l'alcool Zuflucht *f* zum Alkohol; **~sionniste** [~zjɔ'nist] *m* Entfesselungskünstler *m* (*Zirkus*).
Ève [ɛ:v] *f* Eva; je ne le connais ni d'~ ni d'Adam er ist mir völlig unbekannt.
évêché [evɛ'ʃe] *m* **1.** Bistum *n*; **2.** Bischofswürde *f*.
éveil [e'vɛj] *m bsd. pol.* Erwachen *n*; *fig.* Warnung *f*, Wink *m*; Anregung *f*; donner l'~ (à) warnen; en ~ auf der Hut, wachsam; **~lé** [evɛ'je] **I** *adj. fig.* aufgeweckt, helle, klug; **II** *fig. su.* aufgeweckter Kopf *m*; **~ler** [~] (1a) **I** *v/t. litt.* wecken; *fig.* beleben; munter machen; wachrufen; **II** *v/rfl.* s'~ *fig.* erwachen.
événement [evɛn'mɑ̃] *m* Ereignis *n*; **~iel** *litt.*, *cin.* [~'sjɛl] **I** *adj.* (7c) nur darstellend; **II** *m* reine Darstellung *f*.
évent [e'vɑ̃] *m* **1.** Luftabzug *m*, Luftschacht *m*, Luft-, Zug-loch *n*; ⚒ ~ des gaz Gasabzug *m*; **2.** Spritzloch *n der Walfische*; **3.** Abstehen *n*, Schalwerden *n des Weins usw.*: ce vin a un goût d'~ dieser Wein schmeckt schal.
éventail [evɑ̃'taj] *m* (*pl.* ~s) **1.** Fächer *m*; en ~ fächerförmig; *fig.* ~ des prix Preisspanne *f*; **2.** *fig.* Umfang *m*; tout l'~ des questions bilatérales der ganze Katalog der bilateralen Fragen; un vaste ~ de toutes les connaissances ein umfassender Querschnitt durch alle Erkenntnisse; **3.** ✝ Angebot *n* (*v. Waren*); **~liste** [~ta'jist] ⊕ Fächer-fabrikant *m*, -maler *m*; ✝ -händler *m*.
éven|taire [~'tɛ:r] *m* flacher Korb *m* (*für Obst, Blumen u. Gemüse*); Bauchladen *m*, Hausiererkasten *m*; (Verkaufs-)Stand *m*; **~té** *adj.* **1.** zugig, windig; **2.** schal, abgestanden;

sel ~ feucht gewordenes Salz *n*; **3.** *fig.* bekannt (*Trick*, *Dreh*); **~ter** [~'te] (1a) **I** *v/t.* **1.** fächeln; **2.** (aus-) lüften; ~ *le grain* das Korn umschaufeln; **3.** schal werden lassen; **4.** aufdecken, aufspüren; ~ *la mèche* den Braten riechen, dahinterkommen; ~ *un complot* ein Komplott aufdecken; **5.** ~ *les voiles* die Segel nach dem Wind richten; **II** s'~ **6.** sich Luft zufächeln; **7.** schal werden.

éventr|ation ⚕ [evɑ̃trɑ'sjɔ̃] *f* Bauchhernie *f*; **~er** [evɑ̃'tre] *v/t.* (1a) den Bauch aufschlitzen (*dat.*); *fig.* gewaltsam öffnen; ~ *une valise* e-n Koffer aufbrechen.

éventu|alité [evɑ̃tɥali'te] *f* Möglichkeit *f*, Eventualität *f*; *à toute* ~ auf alle Fälle; **~el** [~'tɥɛl] *adj.* (7c) eventuell, etwaig, möglich; **~ellement** [~tɥɛl'mɑ̃] *adv.* gegebenenfalls, eventuell, unter Umständen.

évêque [e'vɛk] *m* Bischof *m*.

évertuer [evɛr'tɥe] *v/rfl.* (1a): s'~ sich alle Mühe geben, sich anstrengen.

éviction [evik'sjɔ̃] *f* Ausschluß *m*, Verdrängung *f*.

évidement ⚠ [evid'mɑ̃] *m* Aussparung *f*.

évi|demment [evida'mɑ̃] *adv.* offensichtlich, offenbar; ~*!* na sicher!; **~dence** [~'dɑ̃:s] *f* Evidenz *f*, Klarheit *f*, Augenscheinlichkeit *f*, Offensichtlichkeit *f*; ~ *de fait* durch Tatsachen erlangte Gewißheit; *de toute* ~ mit aller Deutlichkeit; *être en* ~ klar zutage treten; *être de toute* ~ sonnenklar sein; *mettre en* ~ klarstellen, ins rechte Licht rücken, hervorheben; *se mettre en* ~ sich bemerkbar machen, die Aufmerksamkeit auf sich lenken; *se refuser à l'*~ mit offenen Augen nicht sehen wollen; *se rendre à l'*~ sich von den Tatsachen überzeugen lassen; **~dent** [~'dɑ̃] *adj.* (7) offensichtlich, evident, klar, unleugbar.

évider [evi'de] *v/t.* (1a) **1.** aushöhlen; *cout.* bogenförmig ausschneiden; **2.** *chir.* ~ *un os* die inneren Teile e-s *kranken* Knochens ausschneiden; **3.** ⚠ durchbrochen arbeiten, durchbrechen.

évidoir ⊕ [evi'dwa:r] *m* Hohlbohrer *m*.

évier [e'vje] *m* Ausguß *m*, Spülbecken *n*.

évincer [evɛ̃'se] *v/t.* (1k) *fig. j-n* ausschließen; verdrängen; *a. pol.* entlassen (*de* aus).

évi|table [evi'tablə] *adj.* vermeidbar; **~tage** [~'ta:ʒ] *m* Schwenken *n* um den Anker; **~tement** 🚂 [~t'mɑ̃] *m* Ausweich-, Überholungs-gleis *n*; **~ter** [~'te] (1a) **I** *v/t.* (ver)meiden; entgehen (*dat.*); ~ *une voiture* (*une conversation*) e-m Wagen (e-m Gespräch) ausweichen; ~ *une peine à q.* j-m e-e Mühe ersparen; **II** *v/i.* ⚓ drehen (*v/i.*); **III** *v/rfl.* s'~ sich vermeiden lassen; sich meiden, sich aus dem Weg gehen, ea. ausweichen; s'~ *qch.* sich etw. ersparen.

évoca|ble ⚖ [evɔ'kable] *adj.* berufungsfähig; **~teur** [~'tœ:r] **I** *adj.* (7f) Erinnerungen wachrufend; vielsagend; stimmungsvoll; **II** *psych. m* Auslöser *m*; **~tion** [~kɑ'sjɔ̃] *f* Beschwörung *f* von Geistern; *fig.* Wachrufen *n e-r Erinnerung*; ⚖ Vorladung *f vor ein höheres Gericht*, Evokation *f*; **~toire** ⚖ [~'twa:r] *adj.*: *cause f* ~ Grund *m* zur Berufung.

évolu|é [evɔ'lɥe] *adj.* aufgeschlossen *fig.*; hochentwickelt; **~er** [~] *v/i.* (1a) sich entwickeln; sich bewegen; ✈ fliegen; ⚔ Schwenkungen (*od.* Umdrehungen) machen; ⊕ Umdrehungen machen; **~tif** [~ly'tif] *adj.* (7e) sich entwickelnd; ⚕ fortschreitend; ✈ flugfähig; **~tion** [~ly'sjɔ̃] *f* **1.** Ab-, Los-, Ent-wicklung *f*, Evolution *f*; ~ *des conversations* Verlauf *m* der Gespräche; *doctrine f de l'*~ *Darwins* Entwicklungslehre *f*; **2.** ⚔ Schwenkung *f*; **3.** *Auto*: ~*s pl.* Verkehr *m*; **~tionnisme** *phil.* [~sjɔ'nism] *m* Entwicklungs-, Evolutions-theorie *f*.

évoquer [evɔ'ke] *v/t.* (1m): **1.** ~ *des esprits* Geister beschwören; **2.** wachrufen, in Erinnerung (*od.* zur Sprache) bringen, hinweisen *auf*, unterstreichen, *e-e Frage* aufwerfen, geltend machen, äußern; ~ *qch. aux yeux de q.* j-m etw. vor Augen führen; **3.** ⚖ an sich ziehen, übernehmen; *pol.* *être évoqué à l'O.N.U.* vor die UNO gebracht werden.

ex-... [ɛks..., *vor vo.* ɛgz...] *préf.* ehemalig, früher; *ex-ami m* früherer Freund *m*; *ex-professeur m* ehemaliger Lehrer *m*.

exacer|bation [ɛgzasɛrbɑ'sjɔ̃] *f* **1.** Verschlimmerung *f*; **2.** *psych.* Steigerung *f*; **~ber** [~'be] *v/t.* (1a) **1.** verschlimmern; **2.** *psych.* stark erregen.

exact [ɛg'zakt] *adj.* □ genau, exakt, pünktlich, zuverlässig, eingehend;

wahr, richtig; *être* ~ pünktlich sein; **~ion** [~zak'sjõ] *f* übermäßige Forderung *f*; *weitS.* Machtmißbrauch *m*; **~itude** [~ti'tyd] *f* Genauigkeit *f*, Pünktlichkeit *f*; Richtigkeit *f*; Zuverlässigkeit *f*.

ex aequo [ɛgze'ko] *adv. u. adj./inv.* gleich(stehend).

exagé|ration [ɛgzaʒerɑ'sjõ] *f* Übertreibung *f*; **~rer** [~'re] (1f) **I** *v/t.* übertreiben; überschätzen (*Wert*); zu hoch anschlagen (*Verdienst*); **II** *v/rfl. s'*~ *qch.* etw. überbewerten.

exal|tant [ɛgzal'tɑ̃] *adj.* (7) erhebend; mitreißend; **~tation** [~tɑ'sjõ] *f* **1.** Überschwenglichkeit *f*, Schwärmerei *f*, Überspanntheit *f*; **2.** *litt.* Verherrlichung *f*; **3.** ⚕ Steigerung *f der Virulenz*; **4.** ♀ *de la Sainte Croix* Kreuzerhöhung *f*; **~té** [~'te] **I** *adj. fig.* überspannt, exaltiert, überschwenglich, schwärmerisch; **II** *m* Schwärmer *m*, Phantast *m*, Fanatiker *m*; **~ter** [~] (1a) **I** *v/t.* **1.** erregen, begeistern; **2.** preisen; ~ *les mérites de q.* die Verdienste j-s würdigen; **3.** steigern (*Gefühle*; *Virulenz*); **II** *v/rfl. s'*~ *fig.* sich begeistern, in Begeisterung (*od.* Schwärmerei) geraten, sich erregen.

examen [ɛgza'mɛ̃] *m* Prüfung *f*, Examen *n*, Untersuchung *f*, Besichtigung *f*; *après mûr* ~ nach reiflicher Überlegung; ~ *de conscience* Selbstprüfung *f*; ~ *oral* (*écrit*) mündliche (schriftliche) Prüfung *f*; ~ *sanguin* Blutprobe *f*; ~ *d'admission* (*de passage, de sortie*) Aufnahme- (Versetzungs-, Abgangs-) prüfung *f*; ~ *d'aptitude* Eignungsprüfung *f*; ~ *médical* ärztliche Untersuchung *f*; ~ *aux rayons X* Durchleuchtung *f*; ~ *de matériel* Materialprüfung *f*; *centre m d'*~ Prüfstelle *f* (*für Fahrzeuge usw.*); *faire un* ~ e-e Prüfung abhalten; *passer* (*od. subir*) *un* ~ e-e Prüfung machen, sich e-r Prüfung unterziehen; *réussir* (*od. être reçu à*) (*à*) *l'*~ die Prüfung bestehen.

exami|nateur [ɛgzamina'tœːr] (7f) *adj. u. su.* prüfend; Prüfer *m*, Prüfende(r) *m*; **~ner** [~'ne] *v/t.* (1a) prüfen, examinieren; *a.* ⚕ untersuchen; besichtigen; *fig.* beleuchten, aufmerksam betrachten; ⚕ ~ *aux rayons X* durchleuchten; röntgen.

exanthème ⚕ [ɛgzɑ̃'tɛm] *m* Hautausschlag *m*.

exaspé|rant [ɛgzaspe'rɑ̃] *adj.* aufregend; **~ration** [~rɑ'sjõ] *f* Verbitterung *f*; Aufregung *f*; ⚕ Verschlimmerung *f*; **~rer** [~'re] (1f) **I** *v/t.* in Wut bringen; aufregen; ⚕ verschlimmern; **II** *v/rfl. s'*~ wütend werden, außer sich geraten; ⚕ sich verschlimmern.

exaucer [ɛgzo'se] *v/t.* (1k) erhören; gewähren (*Bitte*); erfüllen (*Wunsch*).

exca|vateur ⊕ [ɛkskava'tœːr] *m* (großer) Bagger *m*; ⊕ ~ *à godets* Ladebagger *m*, Lader *m*; **~vation** [~vɑ'sjõ] *f* Vertiefung *f*, Mulde *f*, Aushöhlung *f*, Grube *f*; **~vatrice** ⊕ [~va'tris] *f* (kleiner) Bagger *m*; **~ver** [~'ve] *v/t.* (1a) aushöhlen, ausbaggern, ausschlachten.

excé|dant [ɛkse'dɑ̃] *adj.* (7) lästig, auf die Nerven fallend, entnervend; **~dent** [~] *m* Überschuß *m*; Überhang *m*; ~ *de recettes* Mehreinnahme *f*; ~ *de frais* Mehrkosten *pl.*; ~ *de naissances* (*de population*) Geburten- (Bevölkerungs-)Überschuß *m*; ~ *de main-d'œuvre* Überangebot *n* an Arbeitskräften; ~ *de poids* Übergewicht *n*; **~dentaire** [~dɑ̃'tɛːr] *adj.* überschüssig, Überschuß...; **~der** [~'de] *v/t.* (1f) übersteigen; überschreiten; *fig.* empören, auf die Palme bringen F; völlig erschöpfen; *j'en suis excédé* ich habe es satt; *excédé par* empört über.

excel|lemment [ɛksɛla'mɑ̃] *adv.* vorzüglich, ausgezeichnet; **~lence** [~'lɑ̃ːs] *f* **1.** Vortrefflichkeit *f*; *Fr. écol. prix m d'*~ Preis *m* für den Klassenersten; *advt. par* ~ im höchsten Grade, ausgesprochen, im wahrsten Sinne des Wortes; *un orateur par* ~ ein Redner von Format, ein ausgezeichneter Redner; **2.** ♀ Exzellenz *f*; **~lent** [~'lɑ̃] *adj.* (7) ausgezeichnet, vorzüglich; **~ler** [~'le] *v/i.* (1a) sich auszeichnen (*dans od. en qch.* in etw.); *il excelle à danser* er tanzt ganz ausgezeichnet.

excentr|age *méc.* [ɛksɑ̃'traːʒ] *m* exzentrischer Antrieb *m*; **~er** *méc.* [~'tre] *v/t.* (1a) exzentrieren; **~icité** [~trisi'te] *f* Abstand *m* vom Mittelpunkt; *Stadtviertel*: Abgelegenheit *f*; *fig.* Überspanntheit *f*; *Mode*: Extravaganz *f*; **~ique** [~'trik] **I** *adj.* **1.** ⩓, ⊕ exzentrisch; ⊕ *a.* übermittig; **2.** *fig. Stadtviertel*: abgelegen; **3.** *fig.* überspannt, exzentrisch; **II** *m* überspannter Mensch *m*.

excep|té [ɛksɛp'te] **I** *p/p. veränderlich nach su.*; *unveränderlich, wenn als prp. gebraucht vor su.*: ausgenommen, außer (*dat.*), mit Ausnahme (*gén.*); **II** ~ *que* (*mit ind.*) *cj.* außer, daß ...; ausgenommen, daß ...; **~ter** [~] *v/t.* (1a) ausnehmen, ausschließen; **~tion** [~p'sjɔ̃] *f* **1.** Ausnahme *f*; Sonderfall *m*; *par* ~ ausnahmsweise; **2.** ⚖ Einwand *m*; ~ *dilatoire* aufschiebende Einrede *f*; **~tionnel** [~sjɔ'nɛl] *adj.* (7c) **1.** außergewöhnlich, abweichend; **2.** *fig.* außerordentlich; **~tionnellement** [~sjɔnɛl'mɑ̃] *adv.* ausnahmsweise, außerordentlich.

excès [ɛk'sɛ] *m* **1.** Übermaß *n*; ~ *de fatigue* Übermüdung *f*; ~ *de population* Übervölkerung *f*; *à l'*~ im Übermaß; *poussé jusqu'à l'*~ übertrieben; **2.** ~ *pl.* Übertreibungen *f/pl.*; Ausschweifungen *f/pl.*, Exzesse *m/pl.*; Ausschreitungen *f/pl.*; **3.** ⚖ ~ *de pouvoir* Überschreitung *f* der Amtsgewalt.

excessif [ɛksɛ'sif] *adj.* (7e) □ übermäßig, übertrieben, maßlos; überhöht (*Preis*).

exciper ⚖ [ɛksi'pe] *v/i.* (1a): ~ *de* sich berufen auf; Einrede erheben gegen (*acc.*).

excipient *phm.* [ɛksi'pjɑ̃] *m* Grundmasse *f*.

excis|er ⚕ [ɛksi'ze] *v/t.* (1a) herausschneiden; **~ion** ⚕ [~'zjɔ̃] *f* Ausschneiden *n*.

exci|tabilité [ɛksitabili'te] *f* Erregbarkeit *f*; **~table** [~'tablə] *adj.* reizbar; **~tant** [~'tɑ̃] **I** *adj.* (7) anregend; **II** ⚕ *m* Reizmittel *n*; **~tateur** [~ta'tœ:r] ⚡ [7f] **I** *adj.* Erreger...; **II** *m* Erreger *m*; **~tation** [~tɑ'sjɔ̃] *f* Reiz *m*, Anregung *f*, Ansporn *m*, *fig.* Antrieb *m*; Erregung *f*, Gereiztheit *f*; ~ *à la guerre* Kriegs-hetze *f*, -treiberei *f*; **~ter** [~'te] *v/t.* (1a) erregen, anregen, anspornen, aufwiegeln; reizen; ~ *la haine* den Haß schüren; ~ *au travail* zur Arbeit antreiben.

exclama|tif [ɛksklama'tif] *adj.* (7e) Ausrufungs..., Ausruf...; **~tion** [~mɑ'sjɔ̃] *f* **1.** Ausruf *m*; **2.** *gr. point m d'*~ Ausrufungszeichen *n*.

exclamer [~kla'me] (1a) *v/rfl.*: *s'*~ ausrufen.

exclu|re [ɛks'kly:r] *v/t.* (4l) ausschließen; *fig.* ausschalten, ausklammern, ausmerzen, ausstoßen; **~sif** [~'zif] *adj.* (7e) □ ausschließend, exklusiv; ausschließlich; Allein...; **~sion** [~'zjɔ̃] *f* Ausschluß *m*; **~sivisme** [~zi'vism] *m* Exklusivität *f*; Einzelgängertum *n*; **~siviste** [~zi'vist] *su.* Einzelgänger *m*; Außenseiter *m*; **~sivité** ✝ [~zivi'te] *f* Allein-verkauf *m*, -vertrieb *m*, -aufführung(srecht *n*) *f*.

ex-communauté *Fr.* [ɛkskɔmyno'te] *f* ehemalige Französische Gemeinschaft *f*.

excommuni|cation [ɛkskɔmynikɑ'sjɔ̃] *f* Exkommunizierung *f*; **~er** [~] *v/t.* (1a) exkommunizieren.

excré|ment [ɛkskre'mɑ̃] *m* Exkrement *n*; **~ter** [~'te] *v/t.* (1f) ausleeren, aussondern; **~tion** [ɛkskre'sjɔ̃] *f* Ausscheidung *f*; Auswurf *m*.

excroissance [ɛkskrwɑ'sɑ̃:s] *f* Auswuchs *m*.

excursion [ɛkskyr'sjɔ̃] *f* **1.** Ausflug *m*, Fahrt *f*; Wanderung *f*; Abstecher *m*; ~ *à pied* Fußwanderung *f*; ~ *cycliste* Radtour *f*; ~ *en voiture* Auto-fahrt *f*, -tour *f*; **2.** *rad.* ~ *de fréquence* Frequenzhub *m*; **~ner** [~sjɔ'ne] *v/i.* (1a) e-e Fahrt (e-e Wanderung, e-n Ausflug) machen; **~nisme** [~sjɔ'nism] *m* Wandern *n*; **~niste** [~sjɔ'nist] *su.* Ausflügler *m*, Wanderer *m*.

excu|sable [ɛksky'zablə] *adj.* entschuldbar; **~se** [~'ky:z] *f* Entschuldigung(sgrund *m*) *f*; *péj.* Ausrede *f*; *écol. mot m d'*~ Entschuldigungszettel *m*; *chercher des* ~*s* sich herausreden; *faire* (*od. présenter*) *ses* (*od. des*) ~*s à q.* sich bei j-m entschuldigen; P *faites* ~*!* entschuldigen Sie!; *prendre* (*od. alléguer, donner*) *qch. pour* ~ etw. als Entschuldigung vorbringen, etw. vortäuschen (*od.* vorgeben); **~ser** [~ky'ze] (1a) **I** *v/t.* entschuldigen, verzeihen; **II** *v/rfl.* *s'*~ sich entschuldigen (*de qch. auprès de q.* wegen etw. bei j-m); e-e Einladung absagen; *il a envoyé s'*~ er hat sich entschuldigen lassen.

exécra|ble [ɛgze'krablə] *adj.* □ abscheulich; verabscheuungswürdig; **~tion** [~krɑ'sjɔ̃] *f* Abscheu *m*; *avoir qch. en* ~ etw. verabscheuen; *je l'ai en* ~ er ist mir widerlich.

exécrer [ɛgze'kre] *v/t.* (1f) verabscheuen.

exécu|tabilité [ɛgzekytabili'te] *f* Erfüllbarkeit *f*; **~table** [~'tablə] *adj.* ausführbar; ♪ spielbar; **~tant** [~'tɑ̃] *su.* (7) **1.** ausführendes Organ *n*; **2.** ♪ Mitwirkende(r) *m*, Künstler *m*; **3.** ⊕ technischer Leiter *m*; **~ter** [~'te] (1a) **I** *v/t.* **1.** aus-, durch-führen, bewerkstelligen; zuwege bringen; ~ *un jugement* ein Urteil vollstrecken; ~ *un projet* e-n Plan ausführen; **2.** ♪ vortragen, spielen; **3.** ~

q. j-n hinrichten; ~ *militairement* standrechtlich erschießen; **4.** ~ *q.* (*qch.*) j-n (etw.) scharf kritisieren, tadeln; j-m deutlich s-e Meinung sagen; **II** *v/rfl.* *s'*~ e-r (Zahlungs-) Verpflichtung nachkommen; sich fügen; **~teur** [~'tœːr] *su.* (7f) **1.** ⚖ ~ *testamentaire* Testamentsvollstrecker *m*; **2.** *ehm.* ~ *des hautes œuvres* Scharfrichter *m*; **~tif** [~'tif] *adj.* (7e) *u.* *m* ausübend, vollziehend; *le pouvoir* ~ *od.* *l'*~ die ausübende Gewalt; **~tion** [~'sjɔ̃] *f* **1.** Ausführung *f*; ~ *d'une commande*, ~ *d'un ordre* Erledigung *f* (*od.* Ausführung *f*) e-s Auftrags; **2.** ♪, *thé.* Vortrag *m*, Aufführung *f*; **3.** ⚖ Vollstreckung *f*; ~ *forcée* Zwangsvollstreckung *f*; **4.** ~ (*capitale*) Hinrichtung *f*; ⚔ standrechtliche Erschießung *f*; **5.** *fig.* scharfe Kritik *f*, Abfuhr *f* F; **~toire** [~'twaːr] **I** *adj.* vollstreckbar; rechtskräftig; **II** ⚖ ~ *m des dépens* Kostenfestsetzungsbeschluß *m*.

exégè|se [ɛgze'ʒɛːz] *f* Auslegung *f e-s Textes*; **~te** [~'ʒɛt] *m* Exeget *m*.

exem|plaire [ɛgzɑ̃'plɛːr] **I** *adj.* ⌷ **1.** mustergültig, musterhaft; **2.** exemplarisch (*Strafe*); **II** *m* **3.** Exemplar *n*, Stück *n*; ~ *gratuit* Freiexemplar *n*; ~ *justificatif* Belegexemplar *n*; ~ *spécial* Sonderanfertigung *f*; **~plarité** [~plari'te] *f* Mustergültigkeit *f*; abschreckendes Beispiel *n* (*e-r Strafe*); **~ple** [ɛg'zɑ̃ːplə] *m* Beispiel *n*, Muster *n*, Vorbild *n*; *à l'*~ *de q.* nach j-s Vorbild; *donner l'*~ mit gutem Beispiel vorangehen; *prendre* ~ *sur q.* sich ein Beispiel an j-m nehmen; *sans* ~ beispiellos; *par* ~ zum Beispiel; *par* ~*!* ist doch nicht möglich!; das wäre noch schöner!; ach was!

exempt [ɛg'zɑ̃] *adj.* (7) ~ *de* befreit (*od.* frei) von (*dat.*); ~ *de faute(s)* fehlerfrei; *a.* ✝ ~ *de défauts od. de tout reproche* einwandfrei, tadellos; ~ *d'impôts* steuer-, abgaben-frei; ~ *du service militaire* vom Militärdienst befreit; **~er** [~'te] *v/t.* (1a) befreien, ausnehmen; **~ion** [ɛgzɑ̃'psjɔ̃] *f* Befreiung *f*; *écol.* ~ *de gymnastique* Turnbefreiung *f*.

exequatur [ɛgzekwa'tyːr] *m* **1.** *dipl.* Exequatur *n*; **2.** ⚖ Vollstreckungsurteil *n*.

exer|cer [ɛgzɛr'se] (1k) **I** *v/t.* **1.** ausbilden, trainieren, schulen (*Soldaten, Körper, Geist*); ⚔ drillen; **2.** ausüben, (be)treiben; ⚖ ~ *une action* e-e Klage einreichen (*od.* anstrengen); ~ *une charge*, ~ *un emploi*, ~ *une fonction* ein Amt bekleiden; ~ *son droit* sein Recht geltend machen; ~ *une influence sur* e-n Einfluß ausüben auf (*acc.*); **3.** ~ *les débitants de boissons* e-e staatliche Steuerkontrolle bei den Verkäufern alkoholischer Getränke durchführen; **II** *v/i.* praktizieren, tätig sein (*Arzt, Anwalt*); **III** *v/rfl.* *s'*~ *à qch.*, *s'*~ *à* (*mit inf.*) sich in etw. (*dat.*) üben; sich üben zu ...; **~cice** [~'sis] *m* **1.** Übung *f*, Ausübung *f*, (Pflicht-, Dienst-)Erfüllung *f*; *dans l'*~ *de ses fonctions* in Ausübung s-s Amtes; *entrer en* ~ sein Amt antreten; **2.** ⚔ Übung *f*; Exerzieren *n*; ⚔, ✈, *at.* ~ *d'alerte* Probealarm *m*; *faire l'*~ exerzieren; ~*s sur le terrain* Geländeübungen *f/pl.*; **3.** ~*s pl. de gymnastique* Gymnastikübungen *f/pl.*; ~*s pl. aux* (*od.* *avec*) *agrès* Geräteübungen *f/pl.*; ~ *corporel* Körperschulung *f*; ~*s pl. du plateau*, ~*s pl. de plain-pied* Bodengymnastik *f*; *faire de l'*~ sich Bewegung verschaffen; *a.* Gymnastik treiben; **4.** *écol.* Übung *f*, schriftliche Aufgabe *f*; ~ *d'épreuve* Prüfungsarbeit *f*; **5.** ✝ Geschäfts-, Rechnungs-jahr *n*.

exergue *num.* [ɛg'zɛrg] *m* Inschrift *f auf e-r Münze*; *fig.* *mettre en* ~ als Motto voranstellen.

exfiltration *néol.* ⚔ [ɛksfiltrɑ'sjɔ̃] *f* Ausschwärmen *n* u. Untertauchen *n* in feindlichem Gebiet.

exfol|iation [ɛksfɔljɑ'sjɔ̃] *f a.* ⚘ Abblättern *n*; ⚕ Exfoliation *f*, allmähliche Abstoßung *f* abgestorbener Teile; **~ier** [~'lje] (1a) *v/rfl.* *s'*~ abblättern (*v/i.*).

exha|laison [ɛgzalɛ'zɔ̃] *f* Ausdünstung *f*; **~lation** ⚕ [~lɑ'sjɔ̃] *f* Ausatmung *f*, -dünstung *f*; **~ler** [~'le] (1a) **I** *v/t.* aus-atmen, -dünsten, -hauchen, -schwitzen; *fig.* *Klagen, Schmerz, Zorn usw.* freien Lauf lassen; ~ *sa colère en menaces* s-m Zorn in Drohungen Luft machen; ~ *sa douleur en plaintes* s-n Schmerz durch Wehklagen zum Ausdruck bringen; ~ *le dernier soupir* s-e Seele aushauchen; **II** *v/rfl.* *s'*~ ausströmen; *s'*~ *en menaces* sich durch Drohungen Luft machen.

exhaure *bsd.* ⚒ [ɛg'zɔːr] *f* Bergwerkentwässerung *f*.

exhaus|sement [ɛgzos'mɑ̃] *m* Erhöhung *f*, Aufstockung *f*, Überbau *m*; **~ser** [~'se] *v/t.* (1a) höher machen, erhöhen; ⚠ ~ *une maison d'un étage* ein Haus aufstocken.

exhaust|eur ⊕ [ɛgzos'tœːr] *m* Exhaustor *m*, Absaugvorrichtung *f*; **~if** [~'tif] *adj.* (7e) *fig.* erschöpfend, allumfassend, ausführlich.

exhéréd|ation ⚖ [ɛgzeredɑ'sjɔ̃] *f* Enterbung *f*; **~er** ⚖ [~'de] *v/t.* (1f) enterben.

exhi|ber [ɛgzi'be] *v/t.* (1a) vorlegen *od.* vorzeigen; *péj.* zur Schau tragen; **~bition** [~bi'sjɔ̃] *f* Vorlegung *f*, Vorzeigung *f*; Vorführung *f*; *péj.* Zurschaustellung *f*; **~bitionnisme** [~bisjɔ'nism] *m* Exhibitionismus *m*; **~bitionniste** *psych.* [~bisjɔ'nist] *m* Exhibitionist *m*.

exhor|tation [ɛgzɔrtɑ'sjɔ̃] *f* Ermahnung *f*; **~s** *f/pl.* Zureden *n*; **~ter** *st.s.* [~'te] *v/t.* (1a) ermuntern (*à. qch.* zu etw.; *à faire qch.* etw. zu tun).

exhu|mation [ɛgzymɑ'sjɔ̃] *f* Exhumierung *f*; *antiq.* Ausgrabung *f*; **~mer** [~'me] *v/t.* (1a) exhumieren; *antiq.* ausgraben; *fig.* wieder ans Licht bringen.

exi|geant [ɛgzi'ʒɑ̃] *adj.* (7) anspruchsvoll; **~gence** [~'ʒɑ̃ːs] *f* **1.** Forderung *f*, Anspruch *m*, Erfordernis *n*; **2.** anspruchsvolles Wesen *n*; **~ger** [~'ʒe] *v/t.* (1l) (er)fordern, verlangen, beanspruchen; **~gibilité** [~ʒibili'te] *f* Einklagbarkeit *f*; Eintreibbarkeit *f*; **~gible** [~'ʒiblə] *adj.* einklagbar; eintreibbar, fällig.

exigu [ɛgzi'gy] *adj.* (7a) zu klein; **~ïté** [~gyi'te] *f* Kleinheit *f*, Enge *f*, Raumnot *f*.

exil [ɛg'zil] *m* Exil *n*, Verbannung(sort *m*) *f*; **~é** [~'le] *su.* Verbannte(r) *m*, Landesverwiesene(r) *m*; **~er** [~] (1a) **I** *v/t.* verbannen, des Landes verweisen; **II** *v/rfl.* *s'~* in die Verbannung gehen; *il s'est exilé du monde* er hat sich ganz aus der Öffentlichkeit zurückgezogen.

exis|tant [ɛgzis'tɑ̃] **I** *adj.* (7) bestehend, vorhanden, existent; **II** *m das* Bestehende *n*, Vorhandene *n*; *respect m de l'~* Ehrfurcht *f* vor dem Bestehenden; *phil. tous les ~s sont absurdes* alles Bestehende ist absurd (nicht existenzberechtigt: *Sartre*); ✝ *tout l'~* der ganze Vorrat; **~tence** [~'tɑ̃ːs] *f* Existenz *f*, Dasein *n*, Vorhandensein *n*, Bestehen *n*; Leben *n*; *moyens m/pl. d'~* Erwerbs-, Unterhalts-mittel *n/pl.*; **~tentialisme** *litt.* [~tɑ̃sja'lism] *m* Existentialismus *m*; **~tentialiste** *litt.* [~tɑ̃sja'list] *adj. u. su.* existentialistisch; Existentialist *m*; **~tentiel** [~tɑ̃'sjɛl] *adj.* (7c) existentiell; **~ter** [~'te] *v/i.* (1a) bestehen, existieren, dasein, vorhanden sein; leben.

ex-libris [ɛksli'bris] *m* (*a. pl.*) Exlibris *n*, Buchzeichen *n*.

exode [ɛg'zɔd] *m* **1.** Massenauswanderung *f*; *~ rural* Landflucht *f*; **2.** ♀ zweites Buch *n* Moses.

exoné|ration [ɛgzɔnerɑ'sjɔ̃] *f* Befreiung *f*, Erlaß *m*; **~ré** [~'re] *adj.*: *~ d'impôts* abgabenfrei, steuerfrei; **~rer** [~] *v/t.* (1f) *j-n v. Steuern, Gebühren* befreien; *~ q. de qch.* j-m etw. erlassen.

exorbitant [ɛgzɔrbi'tɑ̃] *adj.* (7) übermäßig hoch; *à des prix ~s* zu unerschwinglichen Preisen.

exorci|ser [ɛgzɔrsi'ze] *v/t.* (1a) *Geister* beschwören, austreiben; *fig. innerlich* loswerden; **~sme** [~'sism] *m* Geister-, Teufelsbeschwörung *f*; **~ste** [~'sist] *m* Teufelsbeschwörer *m*, Geisterbanner *m*.

exorde [ɛg'zɔrd] *m* Anfang *m*, Einleitung *f e-r Rede*.

exostose [ɛgzɔs'toːz] *f* ⚕ Knochenauswuchs *m*, Überbein *n*; ♀ Knorren *m an Bäumen*.

exo|térique *phil.* [ɛgzɔte'rik] *adj.* gemeinfaßlich; **~tique** [~'tik] exotisch, fremdartig; **~tisme** [~'tism] *m* exotisches Wesen *n*, Fremdartigkeit *f*.

expan|sé [ɛkspɑ̃'se] *adj.*: *polystyrène m ~* Styropor *n* (*Kunststoff*); **~sibilité** *phys.* [~sibili'te] *f* Dehnbarkeit *f* (*bsd. v. Gasen*); **~sible** *phys.* [~'siblə] *adj.* ausdehnbar; **~sif** [~'sif] *adj.* (7e) **1.** *phys.* Ausdehnungs...; **2.** mitteilsam, offenherzig; **~sion** [~'sjɔ̃] *f* **1.** Ausdehnung *f*; *bsd. pol.* Expansion *f*; ⚗, ⊕ Ausdehnung *f*, Expansion *f*; Erweiterung *f e-s Rohres*; **2.** *éc.* Entwicklung *f*, Aufschwung *m*; **3.** *fig.* Mitteilsamkeit *f*; **~sionnisme** *pol.* [~sjɔ'nism] *m* Ausdehnungsdrang *m*; **~sionniste** *pol.* [~sjɔ'nist] *adj. u. su.* Expansions...; Vertreter *m* der Expansionspolitik; **~sivité** [~sivi'te] *f* Mitteilsamkeit *f*.

expatr|iation [ɛkspatriɑ'sjɔ̃] *f* Ausweisung *f*; Auswanderung *f*; **~ier** [~tri'e] **I** *v/t.* *fin.* (*Geld*) im Ausland anlegen; **II** *v/rfl.* *s'~* s-e Heimat verlassen, auswandern, s-e Staatsangehörigkeit aufgeben.

expec|tant [ɛkspɛk'tɑ̃] *adj.* (7) abwartend; *garder une attitude ~e* e-e abwartende Haltung bewahren (*od.* einnehmen); **~tative** [~ta'tiːv] *f* **1.** *litt.* Erwartung *f*; **2.** abwartende

Haltung *f*; *rester dans l'~, garder l'~* sich abwartend verhalten, e-e abwartende Haltung einnehmen.

expecto|rant [ɛkspɛktɔ'rɑ̃] *adj.* (7) *u. m* schleimlösend(es Mittel *n*); **~ration** [~rɑ'sjɔ̃] *f* ⚕ Ausspucken *n*, Schleimauswurf *m*; **~rer** [~'re] *v/t. u. v/i.* (1a) ⚕ ausspucken, aushusten, *den Schleim* herausbringen.

expé|dient [ɛkspe'djɑ̃] **I** *adj.* (7): *il est ~ de (inf.) od. que (subj.)* es ist zweckmäßig (ratsam) zu *od.* daß ...; **II** *m* Mittel *n*, Notbehelf *m*, Ausweg *m*; *~s pl.* Maßnahmen *f/pl.*; Selbsthilfe *f*; *péj.* Tricks *m/pl.*; rettende Einfälle *m/pl.*; *vivre d'~s* sich so durchlavieren; *en être réduit à des ~s* auf Tricks angewiesen sein; **~dier** [~'dje] *v/t.* (1a) **1.** (ab-, ver-) senden, befördern, expedieren, abgehen lassen; schnell abfertigen; F *j-n* abschieben, wegschicken; **2.** *péj.* allzu hastig erledigen; *~ un repas* e-e Mahlzeit improvisieren; *~ son travail* s-e Arbeit zu schnell machen; **3.** *Abschrift od. Urkunde* ausfertigen; **~diteur** [~di'tœ:r] *su.* (7f) Absender *m e-s Briefes*; **~ditif** [~di'tif] *adj.* (7e) □ flink; schnell; *employer des procédés ~s* kurzen Prozeß machen; **~dition** [~di'sjɔ̃] *f* **1.** Versand *m* (*v. Waren, Paketen, Drucksachen*); Absendung *f* (*e-s Briefes*); *effectuer l'~ de qch.* etw. zum Versand bringen; *service m d'~* Versand-, Expeditions-abteilung *f*; † *~s f/pl. collectives* Sammel-gut *n*, -ladung *f*; **2.** ⚖ Ausfertigung *f von Urkunden usw.*; *en double ~* in doppelter Ausfertigung; *pour ~ conforme* für die Richtigkeit der Ausfertigung; **3.** ⚔ *~ (militaire)* Feldzug *m*; ⚔ *~ punitive, ~ répressive* Strafexpedition *f*; **4.** Forschungsreise *f*; ⚓ Entdeckungsfahrt *f*; **5.** Erledigung *f* (*v. Geschäften*); **~ditionnaire** [~disjɔ'nɛ:r] *su. u. adj.* **1.** † Angestellte(r) *m* der Versandabteilung; **2.** *~ au greffe* Kanzleiangestellte(r) *m*; **3.** *corps m ~* Expeditionskorps *n*.

expéri|ence [ɛkspe'rjɑ̃:s] *f* **1.** Erfahrung *f*; *~ du monde* Lebenserfahrung *f*, -klugheit *f*, Weltkenntnis *f*; *par ~* aus Erfahrung; **2.** Versuch *m*, Experiment *n*; *faire des ~s ~s* experimentieren; **~mental** [~mɑ̃'tal] *adj.* (5c) experimentell; Experimental...; Versuchs...; **~mentateur** [~mɑ̃ta'tœ:r] *su.* (7f) Experimentierende(r) *m*; **~mentation** [~mɑ̃tɑ'sjɔ̃] *f* Experimentieren *n*; **~menté** [~mɑ̃'te] *adj.* erfahren; **~menter** [~] *v/t.* (1a) ausprobieren, erproben; *abs.* experimentieren.

expert [ɛks'pɛ:r] (7) **I** *adj.* □ erfahren, fach-, sach-kundig (*en* in); **II** *nur m* Sachverständige(r) *m*, Gutachter *m*; *~ comptable* Bücherrevisor *m*, Buchprüfer *m*; *~ fiscal* Steuerberater *m*; *~ (en matière) d'art* Kunstsachverständige(r) *m*; **~ise** [~'ti:z] *f* **1.** Begutachtung *f* durch Sachverständige; **2.** Gutachten *n*; **~iser** [~ti'ze] *v/t.* (1a) begutachten.

expia|ble [ɛks'pjablə] *adj.* sühnbar; **~tion** [~pjɑ'sjɔ̃] *f* Sühne *f*; *rl. a.* Buße *f*; **~toire** [~pja'twa:r] *adj.* Sühne...

expier [ɛks'pje] *v/t.* (1a) büßen.

expi|ration [ɛkspirɑ'sjɔ̃] *f* Ausatmung *f*; *fig.* Ablauf *m*; *~ du délai de production* Ablauf *m* der Einreichungsfrist; *à l'~ de l'année* mit Ablauf des Jahres; **~rer** [~'re] (1a) **I** *v/t.* ausatmen; **II** *v/i.* sterben; *fig.* ungültig werden, verfallen; *Ton*: verhallen.

explétif [ɛksple'tif) *adj.* (7e) □ *gr. particule f explétive* Füllwort *n*.

explica|ble [ɛkspli'kablə] *adj.* erklärbar; **~tif** [~'tif] *adj.* (7e) *a. gr.* erklärend; **~tion** [~kɑ'sjɔ̃] *f* **1.** Erklärung *f*, Erläuterung *f*; **2.** Auseinandersetzung *f*; *avoir une ~ avec q.* mit j-m e-e Auseinandersetzung haben.

explicit|e [ɛkspli'sit] *adj.* □ eindeutig; **~er** [~'te] *v/t.* (1a) klar formulieren.

expliquer [ɛkspli'ke] (1m) **I** *v/t.* (*Unbekanntes*) erklären, erläutern; entwickeln, zu erkennen geben (*s-e Gedanken*); *Text* interpretieren; **II** *v/rfl. s'~* a) sich äußern, sich aussprechen; *s'~ avec q.* sich mit j-m aussprechen (*od.* F prügeln); b) klarwerden, zu erklären sein.

exploit [ɛks'plwa] *m* **1.** (hervorragende) Leistung *f*, Glanzleistung *f*; Heldentat *f* (*a. iron.*); **2.** ⚖ Zustellung *f*.

exploi|tabilité [ɛksplwatabili'te] *f* Abbaufähigkeit *f*; **~table** [~'tablə] *adj.* verwertbar; abbaufähig; *Wald*: nutzbar; **~tant** [~'tɑ̃] *m* **1.** *~ (agricole)* Landwirt *m*; *~ forestier* Leiter *m* e-s Forstbetriebs; **2.** 🚂 Betriebsleiter *m*; **3.** Kinobesitzer *m*; **~tation** [~tɑ'sjɔ̃] *f* ⊕, *péj.* Ausbeutung *f*; (Aus-)Nutzung *f*, Verwertung *f*; Betrieb *m*; Wirtschaftsführung *f*; Anbau *m*, Bewirtschaftung *f*; Bauern-, Landwirtschaft *f*; Abbau *m*; Befliegen *n* (*e-r Fluglinie*); Auswertung *f e-s Patents usw.*; ~ *agricole* landwirtschaftlicher Betrieb *m*; ~-*pilote a.* ✓ *f* Musterbetrieb *m*; *frais m/pl.* d'~ Betriebskosten *pl.*; *mise f en* ~ Inbetrieb-setzung *f*, -nahme *f*; **~ter** [~'te] *v/t.* (1a) (an)bauen, nutzbar machen, zum Ertrag bringen; *Geschäft* betreiben; bewirtschaften, *Betrieb* unterhalten; Nutzen ziehen aus (*dat.*); *péj.* aus-beuten, -nutzen; *fig.* auswerten; *cin.* ~ *un film* e-n Film laufen lassen; ⚒ ~ *une mine* e-e Grube abbauen; ✓ bewirtschaften, bebauen; *Straße* befahren; **~teur** [~'tœ:r] *su.* (7g) *péj.* Ausbeuter *m.*

explo|rateur [ɛksplɔra'tœ:r] *adj. u. su.* (7f) ⚕ Untersuchungs...; Forschungsreisende(r) *m*, Erforscher *m*; **~ration** [~ra'sjõ] *f* **1.** Erforschung *f*; *voyage m d'~* Forschungsreise *f*; **2.** ⚕ *spezielle* Untersuchung *f*; **3.** *télév.*, *Lochkarten*: Abtasten *n*; **~ratoire** [~'twa:r] *adj.*: *conversations f/pl.* ~*s* Vorgespräche *n/pl.*; **~rer** [~'re] *v/t.* (1a) erforschen, ab-, ⚕ unter-suchen; besichtigen (*Haus, Wohnung*); *télév.*, *Lochkarten*: abtasten; ⚔ auskundschaften.

explo|ser [ɛksplo'ze] *v/i.* (*mit avoir!*) *a. fig.* explodieren; **~seur** ⚒ [~'zœ:r] *m* Zündmaschine *f*; **~sibilité** [~zibili'te] *f* Explodierbarkeit *f*; **~sible** [~'ziblə] *adj.* explodierbar, explosionsfähig; **~sif** [~'zif] **I** *adj.* (7e) explosiv, Spreng...; *fig.* spannungsgeladen; *gr. son m* ~ Verschlußlaut *m*; **II** *m* Sprengstoff *m*; **~sion** [~'zjõ] *f* **1.** Explosion *f*, Zerplatzen *n*, Zerspringen *n*; *Auto*: ~ (*prématurée*) Fehlzündung *f*, Knall *m*; ~ *démographique* Bevölkerungsexplosion *f*; *faire* ~ explodieren; **2.** *fig.* Ausbruch *m des Zorns, e-r Krankheit usw.*

expo F [ɛks'po] *f* Ausstellung *f*.

exponentiel [ɛkspɔnɑ̃'sjɛl] *adj.* (7c) ⅍ Exponential...; *allg.* beachtlich.

expor|table ✝ [ɛkspɔr'tablə] *adj.* exportfähig, ausfuhrfähig; **~tateur** [~'tœ:r] (7f) **I** *adj.* exportierend, Export...; **II** *su.* Exportkaufmann *m*, Exporteur *m*; **~tation** [~ta'sjõ] *f* Ausfuhr(handel *m*) *f*, Export *m*; *article m d'~* Ausfuhrartikel *m*; ~ *de capitaux* Kapitalausfuhr *f*; *licence f d'~* Ausfuhrgenehmigung *f*; **~ter** [~'te] *v/t.* (1a) exportieren.

expo|sant [ɛkspo'zɑ̃] **I** *su.* (7) ✝ Aussteller *m*; **II** *m* ⅍ Exponent *m*; **~sé** [ɛkspo'ze] *m* Bericht *m*, Darstellung *f*, Referat *n*, Vortrag *m*, Darlegung *f*, Überblick *m* (*de* über); ~ *général* Gesamtübersicht *f*; ~ *d'invention* Patentschrift *f*; **~ser** [~] (1a) **I** *v/t.* **1.** aus-legen, -setzen, -stellen; *maison f exposée au midi* nach Süden gelegenes Haus *n*; *exposée au soleil* sonnig, der Sonne ausgesetzt; ~ *en vente* zum Verkauf ausstellen; **2.** *fig.* gefährden, in Gefahr bringen; ~ *sa vie* sein Leben aufs Spiel setzen; **3.** *fig.* darlegen, erklären, auseinandersetzen; **4.** *phot.* belichten, exponieren; **II** *v/rfl.* *s'~ à qch.* sich e-r Sache (*dat.*) aussetzen; **~sition** [~zi'sjõ] *f* **1.** Ausstellung *f*, Messe *f*, Schau *f*; *cette ~ se tiendra jusqu'au 5 mai* diese Ausstellung wird bis zum 5. Mai geöffnet sein; ~ *itinérante* (*od. ambulante*) Wanderausstellung *f*; ~ *permanente* Dauerausstellung *f*; ~ *universelle* Weltausstellung *f*; **2.** Aussetzen *n*; ~ *à l'air* Auslüften *n*; **3.** Lage *f* (*z.B. au nord* nach Norden); *ce tableau est dans une bonne* ~ dieses Bild hängt in gutem Licht; **4.** *fig.* Darlegung *f*; *l'~ d'une doctrine* die Darlegung e-r Doktrin; **5.** *phot.* Belichtung *f*.

exprès [ɛks'prɛ] **I** *adj.* (*f*: **expresse** [ɛks'prɛs]) ausdrücklich; **II** *adv.* absichtlich, extra; **III** *m* Eilzustellung *f*; *lettre f* ~ Eilbrief *m*; *par* ~ durch Eilboten.

express 🚆 [ɛks'prɛs] *m* (5a) Schnellzug *m*, D-Zug *m*; *par* ~ als Expreßgut.

expres|sément [ɛksprɛse'mɑ̃] *adv.* ausdrücklich; absichtlich; **~sif** [~'sif] *adj.* (7e) □ ausdrucksvoll; **~sion** [~'sjõ] *f* **1.** *fig.* (Gesichts-)Ausdruck *m* (*a.* ♪ *u. peint.*); *sans* ~ (*plein d'~*) ausdrucks-leer (-voll); *l'~ de la joie* der Ausdruck der Freude; **2.** *sprachlicher* Ausdruck *m*; *avoir l'~ noble* vornehm sprechen; *au-delà de toute* ~ unbeschreiblich; *pol. les pays africains d'~ française* die französisch sprechenden Länder Afrikas; **3.** ⅍ Formel *f*, Ausdruck *m*; *réduire à sa plus simple* ~ auf die einfachste Form bringen; *fig.* auf ein Minimum reduzieren; **~sionnisme** *litt., peint.* [~sjɔ'nism] *m* Expressionismus *m*; **~sionniste** *litt., peint.* [~sjɔ'nist] *adj. u. su.* expressionistisch; Expressionist *m*; **~sivité** [~sivi'te] *f* Ausdruckskraft *f*.

expri|mable [ɛkspri'mablə] *adj.*

ausdrückbar; **~mer** [~'me] **I** *v/t.* (1a) ausdrücken; *fig.* aussprechen; zum Ausdruck bringen; **II** *v/rfl.* s'~ sich ausdrücken; ausgedrückt werden.

expropri|ant [ɛksprɔpri'ɑ̃] (7), **~ateur** [~a'tœ:r] (7f) *adj. u. su.* enteignend; Enteigner *m*; **~ation** ⚖ [~pria'sjɔ̃] *f* Enteignung *f*; **~er** ⚖ [~pri'e] *v/t.* (1a) enteignen.

expul|ser [ɛkspyl'se] *v/t.* (1a) aus-, ver-treiben; ausschließen; ⚕ ausstoßen; *écol.* verweisen; *at.* abspalten; ~ *du pays* des Landes verweisen; **~sif** ⚕ [~'sif] *adj.* (7e) abtreibend, ausstoßend; **~sion** [~'sjɔ̃] *f* Vertreibung *f*, Ausweisung *f*, Ausschluß *m* (*a. aus e-r Schule*); ⚕ Abführung *f*.

expurger [ɛkspyr'ʒe] *v/t.* (1l) die anstößigen Stellen säubern, ausmerzen (*Buch*).

exquis [ɛks'ki] *adj.* vorzüglich, köstlich, ausgezeichnet, erlesen.

exsangue ⚕ [ɛk'sɑ̃:g] *adj.* blut-arm, -leer.

exsanguino-transfusion ⚕ [ɛkssɑ̃g(ɥ)inɔtrɑ̃sfy'zjɔ̃] *f* Blutaustausch *m*.

exsiccation ⚕ [ɛksika'sjɔ̃] *f* Austrocknen *n*.

exsu|dant ⚕ [ɛksy'dɑ̃] *adj. u. m* die Ausschwitzung bewirkend; Ausschwitzungsmittel *n*; **~dat** ⚕ [~'da] *m* Exsudat *n*, Ausschwitzung *f*; **~dation** ⚕ [~da'sjɔ̃] *f* Ausschwitzen *n*; **~der** [~'de] (1a) **I** *v/t. u.* **II** ⚠ *v/i.* ausschwitzen (*Mauer*).

extase [ɛks'tɑ:z] *f* Verzückung *f*, Ekstase *f*, Schwärmerei *f*.

exta|sier [ɛkstɑ'zje] (1a) *v/rfl.* s'~ in Verzückung geraten, schwärmen; **~tique** [~'tik] **I** *adj.* verzückt, ekstatisch, schwärmerisch; **II** *su.* Ekstatiker *m*.

extemporané [ɛkstɑ̃pɔra'ne] *adj. phm.* erst auf Vorlage e-s Rezepts *od.* während e-r Operation zubereitet.

exten|seur [ɛkstɑ̃'sœ:r] *adj. u. m* **1.** *anat.* (*muscle m*) ~ Streckmuskel *m*; **2.** *gym.* Expander *m*; **~sibilité** [~sibili'te] *f* Dehn-, Streck-barkeit *f*; **~sible** [~'siblə] *adj.* dehn-, streckbar; ⊕ ausziehbar; *fig.* erweiterungsfähig; **~sif** [~'sif] *adj.* (7e) **1.** Dehn..., Streck...; **2.** ✔ extensiv; **3.** *ling.* erweitert; **~sion** [~'sjɔ̃] *f* Ausdehnung *f*; *téléph.* Nebenanschluß *m*; ♪ Ausstreckung *f der Finger*, weiter Griff *m*; *fig.* Erweiterung *f*, Ausdehnung *f*; ⚕ Streckung *f*; *bandage m à ~ continue* Streckverband *m*; **~somètre** ⊕ [~sɔ'mɛ:trə] *m* Dehnungsmesser *m*.

exténu|ant [ɛkste'nɥɑ̃] *adj.* sehr anstrengend; **~ation** [~nɥɑ'sjɔ̃] *f* Erschöpfung *f*, Entkräftung *f*; **~er** [~'nɥe] *v/t.* (1a) sehr anstrengen.

extéri|eur [ɛkste'rjœ:r] **I** *adj.* □ äußerlich, äußere(r, -s); Außen...; **II** *m* **1.** Außenseite *f*, *das* Äußere; *fig.* Außenwelt *f*; *à l'~ advt.* äußerlich; draußen; **2.** *cin.* ~*s m/pl.* Außenaufnahmen *f/pl.*; **3.** Ausland *n*; **~orisation** *psych.* [~jɔriza'sjɔ̃] *f* Äußerung *f*; **~oriser** *psych.* [~jɔri'ze] *v/t.* (1a) äußern; **~orité** [~jɔri'te] *f* Äußerlichkeit *f*.

extermi|nateur [ɛkstɛrmina'tœ:r] *adj.* (7f) Ausrottungs...; **~nation** [~nɑ'sjɔ̃] *f* Ausrottung *f*, Vernichtung *f*; **~ner** [~'ne] *v/t.* (1a) ausrotten, vernichten; vertilgen.

exter|nat [ɛkstɛr'na] *m* **1.** *écol.* Schule *f* ohne Schülerheim, Externat *n*; **2.** ⚕ Externat *n*, Stellung *f* e-s Medizinstudenten in e-m Krankenhaus; **~ne** [ɛks'tɛrn] **I** *adj.* äußerlich, von außen; Außen...; *phm. médicament m ~* äußerliches Heilmittel *n*; *pour l'usage ~ phm.* äußerlich anzuwenden; & *angles m/pl. ~s* Außenwinkel *m/pl.*; **II** *m* **1.** Externe(r) *m*, nicht im Internat wohnender Schüler *m*; **2.** Externist *m* (*Medizinstudent, der in e-m Krankenhaus tätig ist*).

exterritorialité [ɛkstɛritɔrjali'te] *f* Exterritorialität *f*.

extinc|teur [ɛkstɛ̃k'tœ:r] *m* Feuerlöschgerät *n*, -löscher *m*; ~ *à mousse carbonique* Schaumlöscher *m*; **~tion** [~k'sjɔ̃] *f* **1.** Löschen *n*; Auslöschen *n*; **2.** ~ *de la chaux* Löschen *n* des Kalks; **3.** ⚕ ~ *de voix* vollständige Heiserkeit *f*; **4.** Aussterben *n* (*e-r Rasse*); Tilgung *f*; ⚓ ~ *d'une dette* Tilgung *f* e-r Schuld; **5.** ⚔ ~ *des feux* Zapfenstreich *m*.

exstir|pateur ✔ [ɛkstirpa'tœ:r] *m* Unkrautegge *f*; **~pation** [~pɑ'sjɔ̃] *f* **1.** ✔ Jäten *n*, Herausziehen *n* (*v. Unkraut*); **2.** ⚕ Ausschneiden *n*; Exstirpation *f*; **3.** *fig. l'~ des abus* die völlige Ausrottung (*od.* völlige Beseitigung) der Mißstände; **~per** [~'pe] *v/t.* (1a) **1.** ✔ jäten, vertilgen, ausroden; **2.** ⚕ ausschneiden; **3.** *fig.* ~ *des abus* Mißbräuche abstellen.

extor|quer [ɛkstɔr'ke] *v/t.* (1m) abnötigen, erpressen; **~queur** [~'kœ:r] *su.* (7g) Erpresser *m*; **~sion** [~r'sjɔ̃] *f* Erpressung *f*.

extra [ɛks'tra] **I** *m/inv.* **1.** *cuis.* etw. Besonderes *n*; **2.** Aushilfsarbeit *f*; **3.** besonderes Vergnügen *n*; **4.** Hilfskellner *m*; Aushilfe *f*; **II** F *abr. adj./inv.* erstklassig, prima F.

extrabudgétaire [~byd͡ʒe'tɛːr] *adj.* außeretatmäßig.

extrace *plais.* [ɛks'tras] *f*: *être de noble* ~ blaues Blut haben *fig.*

extra|-conjugal [~kɔ̃ʒy'gal] *adj.* (5c) außerehelich; **~-contractuel** [~kɔ̃trak'tɥɛl] *adj.* (7c) außervertraglich; **~-courant** ⚡ [~ku'rɑ̃] *m* (6g): ~ *de fermeture* (*de rupture*) Einschalt-(Ausschalt-)stromstoß *m*; **~-court** [~'kuːr] *adj.* besonders kurz.

extrac|teur [ɛkstrak'tœːr] *m* ⚔ *Patronen*-Auszieher *m*; ⊕ Aushebevorrichtung *f*; *métall.* Auszieher *m*; *chir.* Extraktionsapparat *m*; 🐝 Schleudermaschine *f*; Honigschleuder *f*; **~tible** [~'tiblə] *adj.* (her)ausziehbar; **~tif** [~'tif] *adj.* (7e): *industrie f extractive* Bergbauindustrie *f*; **~tion** [~k'sjɔ̃] *f* **1.** ⚔ Ausziehen *n* (*der Hülse*); Ziehen *n* (*e-s Zahns*); *chir.* operative Entfernung *f*; ⚗ Herauslösung *f*, Extraktion *f*; **2.** 𝔄 ~ *de la racine carrée* Ziehen *n* der Quadratwurzel; **3.** ⚒ Förderung *f*, Abbau *m*; **4.** *métall.* Verhüttung *f*.

extra|der ⚖ [ɛkstra'de] *v/t.* (1a) ausliefern (*Verbrecher*); **~dition** ⚖ [~di'sjɔ̃] *f* Auslieferung *f*; **~dos** ✈ [~'do] *m* Tragflügeloberseite *f*.

extraire [ɛks'trɛːr] *v/t.* (4s) **1.** (her-)ausziehen (*Buchstellen*; *Zahn*); **2.** 𝔄 (*e-e Wurzel*) ziehen; **3.** ⚒ fördern; **4.** ⚗ extrahieren.

extrait [ɛks'trɛ] *m cuis.* Extrakt *m*; *fig.* Auszug *m*; ~ *de naissance* Geburtsurkunde *f* (*als Abschrift*).

extra|judiciaire ⚖ [ɛkstraʒydi'sjɛːr] *adj.* außergerichtlich; **~légal** ⚖ [~le'gal] *adj.* (5c) ungesetzlich; **~-muros** [~my'roːs] *adv.*, *adj.* außerhalb der Stadt.

extraordinaire [ɛkstraɔrdi'nɛːr] **I** *adj.* □ außerordentlich; außergewöhnlich; **II** *m l'*~ das Außergewöhnliche.

extra|-parlementaire [~parləmɑ̃'tɛːr] *adj.* außerparlamentarisch; **~poler** [~pɔ'le] *v/i.* (1a) s-e Schlüsse ziehen; **~-scolaire** [~skɔ'lɛːr] *adj.* außerschulisch; **~-terrestre** *at.* [~tɛ'rɛstrə] *adj.* extraterrestrisch, außerhalb der (überwiegenden) Erdanziehung.

extrava|gance [ɛkstrava'gɑ̃ːs] *f* Überspanntheit *f*, Extravaganz *f*, toller Streich *m*; übertriebene Höhe *f der Preise*; **~gant** [~'gɑ̃] *adj. u. su.* (7) überspannt, extravagant; *idée f* ~*e* Hirngespinst *n*.

extravaser [~vɑ'ze] *v/rfl.* (1a): *s'*~ aus den Gefäßen austreten.

extravéhiculaire [~veiky'lɛːr] *adj.* außerhalb der Mondfähre.

extrême [ɛks'trɛːm] **I** *adj.* □ **1.** äußerst, extrem, höchst, außerordentlich; **2.** übertrieben; **II** *m* Extrem *n*; 𝔄 ~*s pl.* Außenglieder *n/pl.*; *pousser à l'*~ zum Äußersten treiben.

extrême|-gauche *pol.* [ɛkstrɛːm'goːʃ] *f*: *l'*~ die äußerste Linke; **~-onction** *rl.* [~ɔ̃'ksjɔ̃] *f* Letzte Ölung *f*; **♀-Orient** [~ɔ'rjɑ̃] *m*: **l'~** der Ferne Osten *m*, Ostasien *n*.

extré|misme [ɛkstre'mism] *m* Extremismus *m*; **~miste** *pol.* [~'mist] *adj. u. su.* extremistisch, radikal; Extremist *m*, Radikale(r) *m*; **~mité** [~mi'te] *f* **1.** äußerstes Ende *n*; **2.** ~*s pl.* Gliedmaßen *pl.*; **3.** *être à toute* ~ (*od. à la dernière* ~) in den letzten Zügen (*od.* im Sterben) liegen; **4.** ~*s pl.* Tätlichkeiten *f/pl.*

extrinsèque [ɛkstrɛ̃'sɛk] *adj.* □ äußerer; *cause f* ~ äußere Ursache *f*.

extrusion ⊕ [ɛkstry'zjɔ̃] *f* Extrusion *f*; Strangpreßverfahren *n für Thermoplasten.*

exubé|rance [ɛgzybe'rɑ̃ːs] *f* Üppigkeit *f*; *fig.* Überschwenglichkeit *f*; ~ *de paroles* Wortschwall *m*; **~rant** [~'rɑ̃] *adj.* (7) ♀ üppig; *fig.* überschwenglich.

exulcé|ration [ɛgzylserɑ'sjɔ̃] *f* Geschwürbildung *f*; **~rer** [~'re] *v/t.* (1f) geschwürig verändern.

exul|tation [ɛgzyltɑ'sjɔ̃] *f* Frohlocken *n*; **~ter** [~'te] *v/i.* (1a) frohlocken.

exurbanisation [ɛgzyrbanizɑ'sjɔ̃] *f* Verlassen *n* von Städtezentren u. Ansiedeln *n* an der Städteperipherie.

ex-voto [ɛksvɔ'to] *m/inv.* Weih-, Votiv-bild *n*, -tafel *f*.

F

F, f [ɛf] *m* **1.** F, f *n*; **2.** F *od.* f = *franc(s)*; ♪ F *od.* f = *forte.*
fa ♪ [fa] *m* F *n*; ~ *dièse* Fis *n*; *clé de* ~ Baßschlüssel *m.*
fable [ˈfɑːblə] *f* **1.** Fabel *f*; Erzählung *f*, Märchen *n*; **2.** *mv.p.* Märchen *n fig.*, Phantasiegebilde *n*; *conter des* ~*s* lügen, aufschneiden; **3.** Gerede *n*, Gespött *n.*
fabli|au [fɑbliˈo] *m* (5b) *litt.* Fabliau *n*, altfranzösische Erzählung *f* in Versen, Schwank *m*; **~er** [~bliˈe] *m* Fabelsammlung *f.*
fabri|cant [fabriˈkɑ̃] *m* Hersteller *m*, Fabrikant *m*; **~cateur** *mv.p.* [~kaˈtœːr] *su.* (7f) Macher *m*; ~ *de faux actes* Urkundenfälscher *m*; ~ *de mensonges* Brunnenvergifter *m*; ~ *de fausse monnaie* Falschmünzer *m*; **~cation** [~kɑˈsjɔ̃] *f* Fabrikation *f*, Anfertigung *f*; ~ *maison* Heimarbeit *f*; ~ *automatique continue* (*od. au tapis roulant*) Fließbandfertigung *f*; ~ *d'un faux acte* Urkundenfälschung *f*; ~ *soignée* sorgfältige Ausführung *f*; *mettre en* ~ in Arbeit geben; ~ *en grand* (*od. en masse od. en série*) Serien-, Massen-herstellung *f*; **~cien** [~ˈsjɛ̃] *m* Kirchenvorsteher *m*; **~que** [~ˈbrik] *f* **1.** Fabrik(gebäude *n*) *f*; ~ *de bas* Strumpfwirkerei *f*; ~ *de saucisses* (*de saucissons*) Wurst-(Würstchen-)fabrik *f*; *marque f de* ~ Fabrik-zeichen *n*, -marke *f*; **2.** *fig. mv.p. ces deux types sont de même* ~ diese zwei Typen sind vom gleichen Schlage; **3.** *conseil m de* ~ Kirchenvorstand *m*, -rat *m*; **~quer** [~ˈke] *v/t.* (1m) verfertigen, herstellen, fabrizieren; *fig.* erdichten; *mv.p.* anstellen F, treiben, machen; *qu'est-ce que vous fabriquez donc?* was macht ihr denn da?; ~ *de la fausse monnaie* Falschmünzerei treiben; ~ *de toutes pièces* das Blaue vom Himmel erzählen; wie gedruckt lügen.
fabul|ateur [fɑbylaˈtœːr] *m* Spinner *m fig.*, Phantast *m*; **~ation** [~lɑˈsjɔ̃] *f* Phantasterei *f*; **~eux** [~ˈlø] **I** *adj.* (7d) □ **1.** erdichtet, märchenhaft, sagenhaft, mythisch; *fig.* ans Fabelhafte grenzend; **2.** der Sagen- *od.* Mythenwelt angehörig; **II** *m das* Sagenhafte *n*; *cela tient du* ~ das klingt wie ein Märchen; **~iste** [~ˈlist] *m* Fabeldichter *m.*
façade [faˈsad] *f* **1.** Vorder-, Außen-seite *f*, Fassade *f e-s Gebäudes*; **2.** *fig.* Schein *m*, Fassade *f.*
face [fas] *f* **1.** Gesicht *n*, Angesicht *n*, Antlitz *n*; *mv.p. avoir deux* ~*s* zwei Gesichter haben, das Fähnchen nach dem Winde tragen; ~ *à prpt.* mit dem Blick auf…; ~ *à* ~ Auge in Auge; *de* ~ von vorn; *une figure dessinée de* ~ ein von vorn gezeichnetes Gesicht *n*; *voir qch. de* ~ etw. von vorn (*od.* von der Vorderseite aus) ansehen; *en* ~ ins Gesicht; *la maison* (*d'*)*en* ~ das Haus gegenüber; *avoir le soleil en* ~ die Sonne im Gesicht haben; *regarder la mort en* ~ dem Tode ins Antlitz schauen; *en* ~ *de* gegenüber (*dat.*); *se placer en* ~ *de q.* sich vor j-n hinstellen; *fig.* j-m die Stirn bieten; *fig. perdre la* ~ sein Ansehen (s-n Ruf) verlieren; *faire* ~ *à q.* j-m die Stirn bieten; ~ *à droite!* rechtsum!; ~ *à gauche!* linksum!; *fig. faire* ~ *à des dépenses* Kosten bestreiten; *faire* ~ *à ses engagements* s-n Verpflichtungen nachkommen; *faire* ~ *à toutes les éventualités* alle Möglichkeiten ins Auge fassen; *faire* ~ *à qch.* etw. meistern; *à double* ~ *fig.* zweideutig, zweizüngig; **2.** Oberfläche *f*, Außenseite *f*; ⚒ Fläche *f*; Seite *f*; *à dix* ~*s* zehnflächig; **3.** Lage *f der Dinge*; Gesichtspunkt *m*, Aspekt *m*, Gesichtswinkel *m*, Seite *f*; ~ *nord* Nordwand *f* (*Berg*); *la* ~ *des choses a changé* die Sachlage hat sich geändert; *cette affaire a plusieurs* ~*s* diese Angelegenheit hat mehrere Seiten; **4.** Schein *m*, Anschein *m*; *sauver la* ~ den Schein wahren; *adv. de* ~ nach außen, dem Anschein nach; **5.** Kopfseite *f e-r*

Münze; *jouer à pile ou* ~ Kopf oder Schrift raten; *fig. à pile ou* ~ aufs Geratewohl; **6.** rechte Seite *f e-s Stoffes.*

face-à-face [fasa'fas] *m* **1.** *pol.* Konfrontation *f*; **2.** *télév.* Streitgespräch *n.*

face-à-main [fasa'mɛ̃] *m* (6b) Lorgnette *f.*

facé|tie [fase'si] *f* derber Witz *m od.* Spaß *m*, Posse *f*, Streich *m*; **~tieux** [~'sjø] **I** *adj.* (7d) □ drollig, spaßig; **II** *m* Spaßmacher *m.*

facet|te [fa'sɛt] *f* kleine Seitenfläche *f*, kleine Raute(nfläche) *f*, schräg geschliffene Glaskante *f*, Facette *f*; *advt. à* ~*s* rautenweise geschnitten; *zo. œil m à* ~*s* Netzauge *n*; *fig. mot m à* ~*s* Wort *n* mit vielen Bedeutungen; *fig. style m à* ~*s* schillernder (*od.* geistreicher) Stil *m*; **~ter** [fasɛ'te] *v/t.* (1a) facettieren, vieleckig schleifen.

fâch|é [fɑ'ʃe] *adj.* **1.** ~ *de* betrübt über (*acc.*); **2.** unzufrieden; **3.** ~ *contre q.* böse auf j-n (*acc.*); **~er** [~] (1a) **I** *v/t.* **1.** verärgern, erzürnen; *être fâché contre q.* auf j-n böse sein; **2.** *je suis fâché de* (*inf.*) *od. que* (*subj.*), *a. v/imp. cela me fâche de od. que* ... es tut mir leid zu ... *od.* daß ... (*ind.*); *j'en suis bien fâché* es tut mir sehr leid; **II** *v/rfl.* **3.** *se* ~ (*de* ...) sich ärgern, böse werden (über *acc.*); **4.** *se* ~ *avec q.* sich mit j-m überwerfen; *se* ~ *contre q.* auf j-n böse werden; **~erie** [fɑʃ'ri] *f* Zerwürfnis *n*, F Krach *m*; **~eux** [fɑ'ʃø] **I** *adj.* (7d) □ ärgerlich, unangenehm, dumm, fatal; betrüblich, unerfreulich.

facial [fa'sjal] *adj.* (5c) Gesichts...

faciès [fa'sjɛs] *m/sg.* Gesichtszüge *m/pl. e-s Kranken*; *allg.* Gesichtsausdruck *m.*

facile [fa'sil] *adj.* □ **1.** leicht (zu machen), mühelos; *fig.* billig (*Witz*); *il a les larmes* ~*s* die Tränen sitzen ihm locker; *c'est* ~ *à dire* das ist leicht gesagt; ~ *à comprendre* leichtverständlich; **2.** *fig.* leicht geschrieben *od.* zu verstehen (*Buch*); *style m* ~ geläufiger (*od.* leichter) Stil *m*; **3.** mit Leichtigkeit arbeitend *od.* schaffend: *il a la parole* ~ er ist sprachgewandt; *il a le travail* ~ die Arbeit geht ihm gut von der Hand; **4.** *fig. homme m* ~ *à vivre* geselliger (*od* gemütlicher) Mensch *m*; *être d'un accès* ~ leicht zugänglich sein; **5.** fügsam (*Kind*); **6.** *fig.* leichtfertig (*Frau*).

facili|tateur [fasilita'tœːr] *adj.* (7f) erleichternd; **~té** [~'te] *f* **1.** Leichtigkeit *f e-r Arbeit*; bequeme Gelegenheit *f*, leichte Möglichkeit *f*; **2.** *fin.* ~*s pl.* Erleichterungen *f/pl.*; **3.** *fig.* Gewandtheit *f*, Geläufigkeit *f*, Fertigkeit *f*; Begabung *f*, leichte Auffassungsgabe *f*; *écol. il a des* ~*s* es fliegt ihm alles zu; **4.** *péj.* Leichtigkeit *f*, Oberflächlichkeit *f des Stils*; **5.** Leichtfertigkeit *f*; **~ter** [~] *v/t.* (1a) erleichtern; fördern.

façon [fa'sɔ̃] **I** *f* **1.** Form *f*, Gestalt *f*; ~ *d'un gilet* Schnitt *m* e-r Weste; **2.** Schneiderarbeit *f*, Zuschneiden *n*, Zuschnitt *m*; Schneider-, Macher-lohn *m*; *allg.* Arbeit *f*, Bearbeitung *f*; *frais m/pl. de* ~ Macherlohn *m*; *lire des vers de sa* ~ *à q.* j-m s-e eigenen Verse vorlesen; *travailler à* ~ in Heimarbeit herstellen *od.* anfertigen; *ouvrier m à* ~ Heimarbeiter *m*; *donner la première* ~ *à qch.* etw. entwerfen; *donner la dernière* ~ *à qch.* e-r Sache den letzten Schliff geben; **3.** ✓ (Boden-) Bearbeitung *f*; Bestellung *f*; *donner la seconde* ~ *à un champ* ein Feld zum zweitenmal (um)pflügen; **4.** Art *f*, Weise *f*; ~ *d'agir* Handlungsweise *f*; ~ *de parler* Redensart *f*; *de* ~ *ou d'autre* auf die eine *od.* andere Art; *en aucune* ~ keineswegs; *en quelque* ~ in gewissem Grade, einigermaßen; *de la bonne* ~, *de belle* ~ gehörig, tüchtig; **5.** Aussehen *n*, Benehmen *n*, Verhalten *n*, Anstand *m*, Haltung *f*; *avoir bonne* ~ gut (*od.* schick) aussehen; **6.** ~*s pl.* Umstände *m/pl.*, Förmlichkeiten *f/pl.*; *faire des* ~*s* Umstände machen, sich zieren; *sans* ~ ohne Umstände, ohne weiteres; *péj.* burschikos, ohne Hemmung, dreist; **II** *cj. de* ~ *que* (*als Tatsache mit ind.*, *als Absicht mit subj.*); *de* ~ *à* (*mit inf.*) so daß ...

faconde [fa'kɔ̃ːd] *f* Zungen-, Redefertigkeit *f*; *oft péj.* Redseligkeit *f.*

façon|nage, ~nement [fasɔ'naːʒ, ~n'mɑ̃] *m* Gestalten *n*, Ausarbeitung *f*, Ein-, Zu-richtung *f*; Formgebung *f*; **~ner** [~'ne] (1a) *v/t.* **1.** bearbeiten, gestalten, formen; *métall.* bearbeiten; ~ *l'opinion publique* die öffentliche Meinung gestalten; **2.** ~ *qch.* die letzte Hand an etw. (*acc.*) legen; **3.** ✓

bestellen; **4.** *litt. fig.* gewöhnen (*à* an *acc.*); **5.** ✝ *ruban façonné* geblümtes (gemustertes) Band *n*; **~nier** [~'nje] (7b) **I** *adj.* geziert, gespreizt, überhöflich; **II** *su.* **1.** Komplimentemacher *m*; **2.** Heimarbeiter *m*.

fac-similé [faksimi'le] *m* Faksimile *n*.

fac|tage ✝ [fak'ta:ʒ] *m* Warenzustellung *f*, Güterbeförderung *f*; Speditionsgeschäft *n*; Brief-, Telegramm-, Paket-bestellung *f*; Zustellungsgebühren *f/pl.*; **~teur** [~'tœ:r] *su.* (7f) **1.** Hersteller *m* (*bsd. v. Musikinstrumenten*); *~ d'orgues* Orgelbauer *m*; **2.** Briefträger(in *f*) *m*; *~ rural* (*~ de ville*) Land- (Stadt-)briefträger *m*; *~ d'express* Telegrammbote *m*; **3.** 🚂 Güterexpedient *m*; **4.** ✝ Agent *m*, Vertreter *m*, Kommissionär *m*; **5.** ⚖ Faktor *m*; **6.** *fig.* Faktor *m*, Element *n*, Triebkraft *f*, Haupttriebfeder *f*; **~teur-chef** [~tœ:r'ʃɛf] *m* (6a) Oberbriefträger *m*; **~tice** [~'tis] *adj.* □ künstlich; *fig.* erkünstelt; unnatürlich; gestellt; nachgemacht; *argent m ~* Falschgeld *n*; ✝ *article m ~ pour l'étalage* Attrappe *f*; ⚔ *combats m/pl. ~s* Manöverkämpfe *m/pl.*; **~tieux** [fak'sjø] (7d) **I** *adj.* aufständisch, revolutionär, aufrührerisch; **II** *su.* Revolutionär *m*.

faction [fak'sjɔ̃] *f* **1.** umstürzlerische Partei *f*, Parteigruppe *f*, Clique *f*; **2.** ⚔ Wache *f*; Wachtposten *m*; *être de* (*od.* en) *~*, *faire ~* Wache (auf Posten) stehen; *entrer en ~*, *monter la ~* auf Posten ziehen; *en ~!* Ablösung vor!; **~naire** [~sjɔ'nɛ:r] *m* Posten *m*, Wache *f*.

factorerie † [faktɔr'ri] *f* Faktorei *f*.

fac|totum [faktɔ'tɔm] *m* Faktotum *n*, Hausdiener *m*; *péj.* Alleswisser *m*; **~tuel** [fak'tɥɛl] *adj.* sachbezogen, Sach...; **~tum** [fak'tɔm] *m* (*pl.* *~s*) Streit-, Schmähschrift *f*.

factu|ration ✝ [faktyra'sjɔ̃] *f* Fakturierung *f*; Rechnungsabteilung *f*; **~re** [fak'ty:r] *f* **1.** ✝ Rechnung *f*, Faktura *f*, Warenverzeichnis *n mit Preisen*; *au prix de ~* zum Selbstkostenpreis; *suivant ~* laut Rechnung; **2.** *litt.*, ♪ Ausführung *f*, Ausarbeitung *f*, Komposition *f*, Arbeit *f*; Gestalt *f*, (Mach-)Art *f*; *morceau m de ~* gelungenes Musikstück *n*; **3.** ♪ *~ d'une orgue* Orgelbau *m*; **~rer** [fakty're] *v/t.* (1a) in Rechnung stellen *od.* fakturieren; **~rier** [~'rje] *m* **1.** Fakturist *m*; **2.** Fakturabuch *n*; **~rière** [~'rjɛ:r] *f* Fakturiermaschine *f*.

facul|tatif [fakylta'tif] *adj.* (7e) □ fakultativ, wahlfrei, beliebig, unverbindlich; *arrêt m ~* Haltestelle *f* je nach Bedarf; *travail m ~* freiwillige Arbeit *f*; **~té** [~kyl'te] *f* **1.** Fähigkeit *f*, Vermögen *n*, Talent *n*; Kraft *f*; Eigenschaft *f*, Gabe *f*; *~s f/pl.* Anlagen *f/pl.*; ⊕ *~ lubrifiante* Schmierfähigkeit *f*; *~ d'adaptation* Anpassungsfähigkeit *f*; **2.** Macht *f*, Recht *n*, Freiheit *f*, Befugnis *f*; **3.** Fakultät *f*; *oft für* Universität *f*; Fach *n*; *~ de droit* juristische Fakultät *f*; *~ des lettres* philosophische Fakultät *f*; *abs.*, *bisw. iron. la* ♀ die Ärzteschaft; F *la ~* der behandelnde Arzt.

fada F *dial.* [fa'da] *adj. u. m* verrückt; Verrückte(r) *m*.

fad|aises [fa'dɛ:z] *f/pl.* Gefasel *n*; **~asse** F [~'das] *adj.* sehr fade; **~e** [fad] *adj.* □ fade, reizlos, abgeschmackt; ungesalzen; **~ette** *dial.* [~'dɛt] *f* Elfe *f*; **~eur** [~'dœ:r] *f* Fadheit *f*, Schalheit *f*, Geschmacklosigkeit *f*; Geistlosigkeit *f*, abgeschmackte Schmeichelei *f*; *~s pl.* seichtes Gerede *n*.

fading *rad.* [fa'diŋ] *m* Fading *n*.

faf* *péj.* [faf] *m* Faschist *m*.

fafiot F [fa'fjo] *m* Banknote *f*.

fagoquercie [fagɔkɛr'si] *f* Mischwald *m* von Buchen und Eichen.

fagot [fa'go] *m* Reisigbündel *n*; *~ d'épines* Dornenbündel *n*; *fig.* bärbeißiger Mensch *m*; *vin m de derrière les ~s* Wein *m* von der besten Sorte; *il y a ~s et ~s* die Menschen (die Dinge) sind alle verschieden; **~er** [fagɔ'te] (1a) **I** *v/t.* in Bündel zusammenbinden; F *fig.* geschmacklos kleiden; **II** *v/rfl.* *se ~* F *fig.* sich geschmacklos anziehen; **~eur** [~'tœ:r] *m* Reisigsammler *m*.

faiblard F [fɛ'bla:r] *adj.* schwächlich.

faible ['fɛ:blə] **I** *adj.* □ **1.** schwach, schwächlich, kraftlos, matt; allzu nachsichtig (*avec* gegen); *âge m ~* zartes Alter *n*; *esprit m ~* Schwachkopf *m*; *~ d'esprit* schwachsinnig; *le point ~* der wunde Punkt; *~ souvenir* dunkle Erinnerung *f*; **2.** dünn (*Getränk*); unbedeutend, gering (*Unterschied*, *Zahl*); *monnaie f ~* nicht vollwichtige Münze; **3.** ✝ flau; **II** *m le ~* der Schwache, Schwächling *m*; *~ su. économique-*

ment Bedürftige(r), Unbemittelte(r); *avoir un* (*od. du*) ~ *pour q.* e-e Schwäche für j-n haben, j-m gewogen sein.

faibl|esse [fɛ'blɛs] *f* **1.** Schwäche *f*; *fig. avoir de la* ~ *pour* ... e-e Vorliebe haben für ...; **2.** ⚕ Ohnmacht *f*, Entkräftung *f*; **3.** *les* ~*s humaines* die menschlichen Schwächen *f/pl.*; ~ *d'esprit* geistige Armut *f*; **4.** ~ *d'un poids* zu leichtes Gewicht; **5.** ⚚ Flauheit *f*; ~**ir** [~'bli:r] *v/i.* (2a) schwach werden; nachgeben; wanken; abnehmen, sinken; ⚚ abflauen; *fig.* nachlassen (*Wind*).

faïenc|e [fa'jɑ̃:s] *f* Fayence *f*, Steingut *n*; ~**erie** [~jɑ̃s'ri] *f* ⊕ Steingut-fabrik *f*, ⚚ -handel *m*; Steingut(ware *f*) *n*.

faille[1] [fɑ:j] *f* **1.** *géol.* Spalte *f* im Gestein, Kluft *f*, Verwerfung *f*; ⚒ (*fausse*) ~ tauber Gang *m*; **2.** *fig.* Fehl(er) *m*, Schattenseite *f*, Riß *m*; *bsd. pol.* ~ *de l'esprit* Fehlrechnung *f*.

faille[2] ⚚ [~] *f* gerippter Taft *m*, grober Seidenstoff *m*.

failli ⚚ [fa'ji] *m* Konkursschuldner *m*.

failli|bilité [fajibili'te] *f* Fehlbarkeit *f*; ~**ble** [fa'jiblə] *adj.* (nicht un)fehlbar.

fail|lir [fa'ji:r] *v/i.* (2n): *j'ai failli tomber* ich wäre beinahe gefallen; *ils ont failli être en retard* sie wären beinahe zu spät gekommen; ~**lite** [fa'jit] *f* Bankrott *m*, Konkurs *m*; *masse f de* ~ Konkursmasse *f*; *vente f après* ~ Konkursausverkauf *m*; *ouvrir la* ~ den Konkurs eröffnen; *tomber en* ~ in Konkurs geraten; *faire* ~ Bankrott machen; *se déclarer en* ~ sich für bankrott erklären, Konkurs anmelden.

faim [fɛ̃] *f* Hunger *m*; *j'ai grand-*~, *j'ai une très grande* ~, F *j'ai très* ~ ich bin sehr hungrig, ich habe großen Hunger; *manger à sa* ~ sich satt essen; *rester sur sa* ~ noch Hunger haben; ~ *canine*, ~ *de loup* Heißhunger *m*.

faine ⚘ [fɛ:n] *f* Buchecker *f*.

fainéant [fɛne'ɑ̃] (7) **I** *adj.* träge, müßig, faul; **II** *su.* Faulenzer *m*, Nichtstuer *m*; ~**er** [~'te] *v/i.* (1a) (herum)faulenzen, die Hände in den Schoß legen; ~**ise** [~'ti:z] *f* Faulenzerei *f*, Müßiggang *m*.

faire [fɛ:r] (4n) **I** *v/t. u. v/i.* **1.** machen, tun; anfertigen, verfertigen; zubereiten; herstellen; verursachen; bilden, formen; ausführen, vornehmen; ~ *attention* aufpassen; ~ *le beau* schön machen (*z.B. v. Hunden*); ~ *du bien* (~ *du mal*) *à q.* j-m Gutes antun, j-m guttun (j-m schaden; j-m weh tun, j-n verletzen); *cela vous fait du bien* das tut Ihnen (euch) gut; ⚔ ~ *brèche* Bresche schießen; ~ *son chemin* (*od. sa fortune*) sein Glück machen; ~ *commerce* Handel treiben; ~ *côte* auf Strand laufen; ~ *la cuisine* kochen; *elle sait bien* ~ *la cuisine* sie kann gut kochen; ~ *un cours* e-e Vorlesung halten; ~ *la classe*, ~ *l'école* Unterricht geben; ~ *du café* Kaffee machen; ~ *le dîner* das Essen machen; ⚓ ~ *eau* lecken; *cin.* ~ *des prises de vues* (*od. du film*) filmen, Filmaufnahmen machen; kurbeln, drehen; ~ *un métier* ein Handwerk betreiben; ~ *ses bagages* (*od. ses malles*) einpacken, die Koffer packen; F ~ *la malle* (*od. la valise*) abhauen, türmen; ⚔ ~ *son service* (*od. son temps*) dienen; ~ *des embarras* sich zieren, sich haben F; ~ *droit à une réclamation* e-r Beschwerde Rechnung tragen; ~ *droit à une demande* e-m Gesuch stattgeben, ein Gesuch annehmen; ⚚ ~ *une commande* bestellen; ~ *mention de* erwähnen; ~ *passer un montant* (*od. une somme*) *à q.* j-m e-n Betrag zugehen lassen; ~ (*od. tirer*) *une traite sur q.* e-e Tratte auf j-n ziehen; ~ *des rentrées* Außenstände einziehen *od.* eintreiben; ~ *honneur à une signature* e-n Wechsel einlösen; ~ *un discours* e-e Rede halten; ~ *son entrée* s-n Einzug halten; ~ *explosion* explodieren; ~ *une bonne fin* ein gutes Ende nehmen; ~ *gloire de qch.* sich e-r Sache (*gén.*) rühmen; ~ *la guerre à* ... bekriegen (*acc.*); ~ *bonne mine à mauvais jeu* gute Miene zu bösem Spiel machen; ~ *la paix* Frieden schließen; ~ *part de qch. à q.* j-m etw. anzeigen, mitteilen; ~ *partie de qch.* zu etw. (*dat.*) gehören; ⚓ ~ *pavillon* die Flagge zeigen; ~ *peur* (*pitié*) Furcht (Mitleid) erregen; *Auto*: ~ *son* (*od. le*) *plein* (*Benzin*) tanken; ~ *présent de qch. à q.* j-m etw. schenken; *être fait prisonnier* gefangengenommen werden; ~ *la queue* Schlange stehen; *ne* ~ *qu'un* (*od.* ~ *corps*) *avec* ... verwachsen (*od.* eins) sein mit (*dat.*); ⚓ ~ *voile* in See stechen; ~ *voile pour* (ab)segeln nach; ~ *du* *cheval* reiten; ~ *du tandem* auf e-m Tandem fahren; ~ *de l'auto* Auto fahren; ~ *du sport* Sport treiben; ~ *du tennis* Tennis spielen; ~ *de la photo* photographieren *abs.*; ~ *bien ensemble* gut zusammenpassen; *en* ~ *autant* es ebenso machen; *c'en est fait* es (*od.* die Sache) ist aus; *c'en est fait de moi* es ist um mich geschehen; *en* ~ *à sa tête* nach s-m Kopfe handeln; (*ne*) *t'en fais pas!* mach dir daraus nichts!; mach dir keine Sorge(n)!; *c'est bien fait pour toi!* das geschieht dir recht!; *avoir à* ~ *à q.* (*jedoch häufiger*: *avoir affaire à q.*) mit j-m zu tun haben (*vgl. affaire* I, 1); *n'avoir rien à* ~ *avec qch.* nichts mit etw. zu tun haben; *une bonne à tout* ~ ein Mädchen *n* für alles; *c'est un homme à tout* ~ er ist zu allem zu gebrauchen; er ist zu allem fähig; *il n'y a rien à* ~ da ist nichts zu machen, es läßt sich nichts machen; *que* (*od.* F *quoi*) ~*?* was soll man machen?, was ist zu machen?; P *ne* ~ *ni une ni deux* nicht lange fackeln (*od.* überlegen), sich nicht lange besinnen; *ne* ~ *que* (*inf.*) nichts tun als ..., bloß ..., nur ..., unaufhörlich; *il ne fait qu'aller et venir* er ist gleich wieder da; *il ne fait que lire* er macht nichts anderes als lesen, er liest nur; *laisser* ~ geschehen lassen; **2.** schaffen, erschaffen; hervorbringen; erzeugen; ~ *ses dents* Zähne bekommen; P ~ *des enfants* Kinder gebären; ~ *des petits* Junge werfen (*Tiere*); **3.** zurechtmachen, in Ordnung bringen; ~ *sa barbe* sich rasieren; ~ *un bouquet* e-n Strauß binden; ~ *la chambre* das Zimmer machen; ~ *ses cheveux* sich frisieren; ~ *les lits* die Betten machen; **4.** ausbilden; ~ *la main* die Hand üben; **5.** *Geld* beschaffen, zusammenbringen; erwerben, verdienen, einbringen; ... *a fait beaucoup d'argent* ... hat viel Geld eingebracht; ~ *fortune* viel (Geld) verdienen; ~ *sa fortune* sein Glück machen; ~ *ses frais* auf s-e Kosten kommen; *l'incendie a fait un mort* der Brand hat e-n Toten gekostet (*od.* gefordert); **6.** durchmachen, ertragen; aushalten, durchhalten; ~ *son apprentissage* in der Lehre sein; ~ *maigre* Fasten halten; **7.** durchlaufen, besuchen, *bsd. Auto*: *e-e Entfernung* zurücklegen, schaffen; ~ *le boulevard* sich auf den Boulevards herumtreiben; ~ *une ville* eine Stadt *in Geschäften* bereisen; ~ *du soixante à l'heure* sechzig Kilometer in der Stunde zurücklegen; **8.** treiben, betreiben, ausüben; ~ *ses besoins od.* ~ *ses nécessités* seine Notdurft verrichten; ✝ ~ *le commerce* (*de*) Handel treiben, handeln (mit *dat.*); P ~ *de la drogue* mit Rauschgift handeln; **9.** zu *e-r Würde usw.* erheben; ~ *qch. de q.* (*qch.*) etw. aus *od.* mit j-m (etw.) machen; *que ferez-vous de votre fils?* was soll Ihr Sohn werden?; ~ *son fils avocat* seinen Sohn Rechtsanwalt werden lassen; **10.** (sich) *für etw.* ausgeben; darstellen, spielen; so tun; ~ *le mort* sich totstellen; ~ *la sourde oreille* sich taub stellen; *il a fait celui qui ne me voyait pas* er hat so getan, als hätte er mich nicht gesehen; **11.** ausmachen, bedeuten, ergeben, sein; zur Folge haben, einbringen, kosten (*a. Tote*); s. 5; *deux et deux font quatre* zwei und zwei ist vier; *cela ne fait rien* das hat nichts zu sagen; *qu'est-ce que cela me fait!* was mache ich mir schon daraus!; *combien cela fait-il?* wieviel (*od.* was) kostet das?; **12.** berechnen; *combien faites-vous le mètre de ...?* wie teuer verkaufen Sie das Meter ...?; **13.** ~ *face aux dépenses*, ~ *les frais* die Kosten bestreiten; **14.** *Karten* mischen und geben; *à qui est-ce de* ~*?* wer gibt?; **15.** *gr.* bilden; *cheval fait au pluriel chevaux* ... bildet den Plural ...; **16.** ausleeren, ausscheiden; ~ *du sang* Blut verlieren; **17.** *fait-il* sagt (*od.* erwidert) er; **18.** ~ *mit inf.* lassen; **a**) veranlassen (*vor transitiven Verben, d. h. vor solchen mit möglichem nachfolgenden Akkusativobjekt, steht die Person, die man veranlaßt, im Dativ*); ~ *faire qch. à q.* (*od. par q.*) [*franz. à* = *lat. a, ab* „von ... her, von sich aus"; *vgl. demander*] j-n etw. machen lassen; ~ *faire un habit à q.* sich bei (*od.* von) j-m e-n Anzug machen (*od.* anfertigen) lassen; *il lui fit visiter la ville* er zeigte ihm (ihr) die Stadt; *je ferai bâtir ma maison à* (*od. par*) *cet architecte* ich werde mein Haus von diesem Architekten bauen lassen; *je le lui ai fait répéter* ich ließ es ihn wiederholen; *faire savoir qch. à q.* j-n etw. wissen lassen *od.* mitteilen; *je lui ai fait savoir que* ... ich habe ihm mitgeteilt, daß ...; *la robe que cette dame s'est fait faire, n'est pas encore payée* das Kleid, das sich diese Dame machen ließ, ist noch nicht bezahlt; **b**) veranlassen; in e-n Zustand versetzen (*vor intransitiven Verben od. vor absolut gebrauchten, transitiven Verben; die zu veranlassende Person od. die in e-n Zustand zu versetzende Sache steht im Akkusativ*); *la condition où le destin l'a fait naître* die Lage, zu der er (sie) vom Schicksal bestimmt war; *chaque vers qu'il entend le fait extasier* jeder Vers, den er hört, bringt ihn in Verzückung; *si le Roi avait un cœur de père pour son peuple ne mettrait-il pas sa gloire à les faire respirer après tant de maux?* hätte der König ein väterliches Herz für sein Volk, würde er es sich nicht zum Ruhme anrechnen, es nach so vielem Leid einmal aufatmen zu lassen?; *il les fait trembler* er macht sie zittern; *je ferai renoncer cet homme à ses prétentions* ich werde diesen Menschen zum Verzicht auf s-e Ansprüche veranlassen; *on l'a fait sortir* man hat ihn (sie) hinausgeworfen *od.* hinausgeführt; *vous le ferez tomber malade* Sie werden ihn krank machen; *je l'ai fait attendre (signer)* ich ließ ihn (sie) warten (unterschreiben); *je le fais mouvoir* ich setze ihn in Bewegung; *faire bouillir* abkochen; **c**) *ohne ausdrückliche Personenangabe und in reflexivem Gebrauch*: *faites voir!* zeigen Sie!, lassen Sie sehen!; *je ferai faire le nécessaire* ich werde alles Erforderliche veranlassen; *il (elle) s'est fait photographier* er (sie) ließ sich photographieren; **19.** *ell.* P: *man ergänze accroire*: *faut pas me la* ~!; *man ergänze vor me die Wörter faut pas u. hinter faire das Wort digérer*: *me la* ~ *à l'estomac! iron.* das können Sie mir doch nicht erzählen (*od.* weismachen)!; den Bären können Sie einem andern aufbinden!; **II** *v/imp.* **20.** *il fait chaud (froid)* es ist warm (kalt); *il fait jour* es ist Tag; *il fait beau od. bon (temps)* es ist schönes Wetter; *il fait plus beau, il fait meilleur* es ist schöneres Wetter; *il fait un froid de loup* es ist e-e Hundekälte; *il fait un temps de chien (od. un chien de temps od. un temps à ne pas mettre un chien dehors)* es ist ein Hundewetter; *il fait mauvais (temps)* es ist schlechtes Wetter; *il fait du (gros) vent* es ist (sehr) windig; *il fait de la pluie* es regnet; *il fait de la neige* es schneit; *il fait du tonnerre (des éclairs)* es donnert (es blitzt); *il fait bon être (od. vivre) ici* hier ist's gut sein; *il n'y fait pas sûr* es ist dort nicht geheuer; **III** *v/i.* **21.** passen; ~ *bien ensemble* gut zs.-passen; *le gris fait bien avec le bleu* grau paßt gut zu blau; **22.** wirken; *ces adverbes font déplorablement* diese Adverbien wirken (= klingen) entsetzlich; **IV** *v/rfl.* se ~ **23.** sich ereignen, geschehen, sich zutragen; *cela* (F *ça*) *peut se* ~ das ist gut möglich; so etwas kann passieren; *comment se fait-il que ...?* woher kommt es, daß ...?; **24.** werden; zustande kommen; *il s'est fait soldat* er ist Soldat geworden; *se* ~ *vieux* alt werden; *v/imp. il se fait tard* es wird spät; **25.** sich stellen, sich ausgeben für (*acc.*); *se* ~ *malade* sich krank stellen; **26.** *se* ~ (~) *la barbe* sich rasieren (lassen); *se* ~ *un devoir de* (*inf.*) es für s-e Pflicht halten zu ...; *se* ~ *honneur* es sich zur Ehre anrechnen; **27.** *se* ~ *aimer de q.* sich bei j-m beliebt machen; *se* ~ *écouter* Gehör finden, mit s-n Worten durchdringen; **28.** *se* ~ *à qch.* sich an etw. (*acc.*) gewöhnen, sich mit etw. (*dat.*) abfinden; *il y est déjà fait* er ist schon daran gewöhnt; *on finit par s'y faire* man gewöhnt sich schließlich daran; **29.** *se* ~ *une raison* resignieren; *se* ~ *la main* üben, versuchen; *se* ~ *un chemin* sich e-n Weg bahnen; *se* ~ *de l'argent* sich Geld verschaffen; *s'en* ~ sich Sorgen machen; *ne vous en faites pas!* machen Sie sich darüber keine Sorgen!; *se laisser* ~ sich gefallen lassen; *se* ~ *tuer* (F *descendre*) erschossen werden; im Krieg fallen; sich abknallen lassen P; P *se le (la)* ~ ihn (sie) kleinkriegen (*od.* umbringen); *se* ~ *jour fig.* sich verbreiten, sich herausstellen; *se* ~ *connaître*, *se* ~ *un nom* sich e-n Namen schaffen, bekannt (*od.* berühmt) werden; *se* ~ *beau* sich fein machen; **V** *litt. m* Tun *n*, Handeln *n*.

faire-part [fɛrˈpaːr] *m* (6c) (Heirats-, Todes- *usw.*) Anzeige *f*.

faire-valoir ⚒ [fɛːrvaˈlwaːr] *m* (6c): *le* ~ *direct* die Selbstbewirtschaftung.

faisabilité *néol.* [fəzabiliˈte] *f* Durchführbarkeit *f*.

faisable [fə'zablə] *adj.* möglich, durchführbar.

faisan [fə'zɑ̃] **I** *su.* Fasan *m*; **II** F Betrüger *m*; **III** *adj.* (7) *coq m (poule f)* ~(e) Fasanen-hahn *m*, (-henne *f*); **~dé** [fəzɑ̃'de] *adj.* mit Wildgeruch; *fig.* mit e-m Stich (*Fleisch*); *litt.* anrüchig; *littérature f* ~e Schundliteratur *f*; **~derie** [~zɑ̃'dri] *f* Fasanerie *f*.

faisceau [fɛ'so] *m* (5b) **1.** Bündel *n*; ~ *de rayons lumineux* Strahlen-bündel *n*, -büschel *n*; ~ *de verges* Rutenbündel *n*; *opt. réuni en* ~ gebündelt; **2.** *antiq.* ~*x pl.* Liktorenbündel *n/pl.*; *prendre les* ~*x* zum Konsul ernannt werden; **3.** *colonne f en* ~ Bündelschaft *m*; **4.** ⚔ ~ *de fusils*, ~ *d'armes* Gewehrpyramide *f*.

faiseur F [fə'zœ:r] *su.* (7g) *plais. od. péj.* Macher *m*; Erbauer *m*; Hersteller *m*; Schneider *m*; *péj.* Angeber *m*; *du bon* ~ vom ersten Schneider; ~ *de dupes* Bauernfänger *m*; ~ *d'embarras* Stänker *m* F; ~ *de réclame*, ~ *de boniments* Reklamemacher *m*; ~ *de tours* Taschenspieler *m*.

faisselle [fɛ'sɛl] *f* Abtropfbehälter *m* für Käse.

fait [fɛ] **I** *p/p. von faire u. adj.* (7) **1.** gemacht, getan; fertig; reif (*Früchte*); eßbar; trinkbar; gar, mürbe (*Fleisch*); durch (*Käse*); gewachsen, von ... Wuchs, von ... Gestalt; F angezogen; F ertappt, erwischt; *c'est bien* ~*!* recht so!; *c'est bien* ~ *pour lui* das geschieht ihm recht; *voilà qui est* ~ das wäre erledigt; *est-ce* ~*?* fertig?; *tout* ~ fix und fertig; feststehend (*Redensart*); *bien* ~ wohlgebaut; *mal* ~ häßlich gewachsen; *esprit m bien* ~ klarer Verstand *m*; *phrase (toute)* ~*e* feststehende Redensart *f*; *ce fromage n'est pas assez* ~ dieser Käse ist nicht genügend durch; *c'en est* ~ *de moi od. je suis* ~ ich bin erledigt (*od.* geliefert F), es ist aus mit mir, es ist um mich geschehen; **II** [fɛ; *im sg. a.* fɛt, *wenn am Ende e-s Redetakts od. wenn betont*] *m* **2.** Tat *f*, Handlung *f*; *on en vint aux voies de* ~ es kam zu Tätlichkeiten; *(en) venir au* ~ auf den Kern der Sache kommen; *prendre q. sur le* ~ j-n auf frischer Tat ertappen; *traduire qch. dans les* ~*s* etw. in die Tat umsetzen; **3.** Tatsache *f*; ~ *accompli* vollendete Tatsache *f*; *exposer les* ~*s* den Sachverhalt darlegen; *le* ~ *générateur de l'action* die den Rechtsanspruch begründende Tatsache; *de* ~ faktisch, tatsächlich; *le* ~ *est que ...* Tatsache ist, daß ...; *du* ~ *de ...* auf Grund von ...; wegen, im Hinblick auf ...; *tout à* ~ ganz u. gar; *prendre* ~ *et cause pour q.* für j-n einstehen; **4.** Vorfall *m*, Begebenheit *f*, Ereignis *n*; ~*s divers* Verschiedene(s) *n*, vermischte Nachrichten *f/pl.*, Vermischte(s) *n in Zeitungen*; *voilà le* ~ die Sache ist die; *aller droit au* ~ ohne Umschweife auf die Sache an sich eingehen; *être sûr de son* ~ seiner Sache (*gén.*) sicher sein; *mettre q. au* ~ *de qch.* j-n über etw. (*acc.*) in Kenntnis setzen (*od.* unterrichten), j-n in etw. einweihen, j-m über etw. Aufschluß geben; **5.** Fall *m*; Anteil *m*; Teil *m*; *ce n'est pas mon* ~ das ist nicht mein Fall; das ist nichts für mich; *c'est un* ~ *à part* das ist eine Sache für sich; *chacun a eu son* ~ jeder hat sein(en) Teil erhalten; *dire son* ~ *à q.* j-m gehörig Bescheid sagen F, j-m s-e Meinung ins Gesicht sagen, j-m klaren Wein einschenken, j-m gegenüber kein Blatt vor den Mund nehmen; **6.** ⚖ ~*s pl. d'un acte* Gegenstände *m/pl.* eines Vertrages.

faî|tage ⩓ [fɛ'ta:ʒ] *m* Firstpfette *f*; **~te** [fɛt] *m* ⩓ First *m*, Giebel *m*; Gebirgsrücken *m*, Wasserscheide *f*; Wipfel *m*, Gipfel *m*; *fig.* Höhepunkt *m*; **~tière** ⩓ [fɛ'tjɛ:r] *f* Firstziegel *m*; ~ *(ventilatrice)* Firstfensterchen *n*.

fait-tout *m* (6c), **faitout** *m* [fɛ'tu] Kochtopf *m*.

faix [fɛ] *m* **1.** ⩓ Senkung *f* (*e-s Neubaus*); **2.** *fig.*, *litt.* Last *f*.

falaise [fa'lɛ:z] *f* Fels-küste *f*, -wand *f*.

falbalas *péj.* [falba'la] *m/pl.* Auftakelei *f*.

falciforme [falsi'fɔrm] *adj.* sichelförmig.

fallacieux *litt.* [fala'sjø] *adj.* (7d) □ trügerisch; erlogen, erheuchelt; eitel (*Hoffnung*).

falloir [fa'lwa:r] *v/imp.* (*in der gesprochenen Sprache häufiger mit subj. als mit inf.!*) (3c) **1.** müssen, nötig sein; *il faut que je sorte, il me faut sortir* ich muß hinausgehen; *il faut partir* ich muß weg (*od.* gehen); wir müssen weg (*od.* gehen *od.* losfahren); *il le faut* das muß sein; *comme il faut* [kɔmi'fo] wie sich's gehört, tüchtig; richtig; brav; *un homme comme il faut* ein feiner

Mensch; **2.** brauchen, nötig haben, benötigen; *il leur fallut trois heures* sie brauchten drei Stunden; *plus qu'il ne faut* mehr als nötig ist; *qu'est-ce qu'il vous faut?* was wünschen Sie?; **3.** (*gehört formal zu faillir*): *s'en* ~ fehlen; *il s'en faut* bei weitem nicht; *tant s'en faut* weit gefehlt; *il s'en faut de beaucoup que ...* (*mit möglichem, zusätzlichem ne + subj.*) es fehlt viel daran, daß ...; *peu s'en est fallu qu'elle (ne) partît* wenig hätte daran gefehlt, daß sie abgereist wäre; beinahe wäre sie abgereist.

falot[1] [fa'lo] *m* Handlaterne *f*; * ⚔ Kriegsgericht *n*.

falot[2] [~] *adj.* (7) *péj.* nichtssagend, unscheinbar, unbedeutend, flatterhaft (*Mensch*); trübe (*Licht*).

falsifi|cateur [falsifika'tœ:r] *adj. u. su.* (7f) (ver)fälschend; Fälscher *m*; **~cation** [~kɑ'sjɔ̃] *f* Fälschung *f*; **~er** [~'fje] *v/t.* (1a) fälschen.

faluche [fa'lyʃ] *f* Studentenmütze *f*.

falun ⛏ [fa'lœ̃] *m* Muschelerde *f*; **~er** ⛏ [~ly'ne] *v/t.* (1a) mit Muschelerde düngen; **~ière** [~ly'njɛ:r] *f* Muschelerdbank *f*.

falzar F [fal'za:r] *m* Hose(n) *f(pl.)*.

famé [fa'me] *adj.*: *bien (mal)* ~ in gutem (schlechtem) Ruf stehend.

famélique [fame'lik] *adj. u. su.* ausgehungert; Hungergestalt *f*.

fameux [fa'mø] *adj.* (7d) □ **1.** berühmt; ausgezeichnet; c'est ~ das ist (ja) prima; **2.** *péj.* berüchtigt; **3.** F gewaltig, gehörig; ~ *imbécile* riesiger Dummkopf *m*.

famili|al [fami'ljal] *adj.* (5c) Familien...; *fig.* gemütlich; **~ale** *Auto* [~] *f* großer Tourenwagen *m*; **~ariser** [~ljari'ze] (1a) **I** *v/t.* ~ *q. avec* j-n gewöhnen an (*acc.*), j-n vertraut machen mit (*dat.*); **II** *v/rfl.* *se* ~ *avec q.* j-n näher kennenlernen, mit j-m vertrauter werden; *se* ~ *avec qch.* sich in etw. (hin)einleben; mit etw. vertraut werden; **~arité** [~ljari'te] *f* Vertraulichkeit *f*, vertraulicher Umgang *m*; *péj.* **~s** *pl.* Vertraulichkeiten *f/pl.*; **~er** [~'lje] (7b) **I** *adj.* □ **1.** frei, ungezwungen, vertraulich; *péj.* aufdringlich, sich anbiedernd; *être* ~ *avec q.* mit j-m auf vertraulichem Fuß stehen; **2.** *langage* ~ Umgangssprache *f*; *mot* ~, *terme* ~ Ausdruck *m* der Umgangssprache; **3.** bekannt; geläufig; vertraut; *cette langue lui est familière* er (sie) ist mit dieser Sprache vertraut; **II** *su.* Vertraute(r) *m*; ~ *de la maison* Hausfreund *m*.

famille [fa'mij] *f* **1.** Familie *f*; Verwandtschaft *f*; Verwandte *m/pl.*; *fig.* Herkunft *f*; *avoir de la* ~ Verwandte haben; *en* ~ im Familienkreis; *il est pour ainsi dire de la* ~ er ist bei uns wie zu Hause; *être de bonne* ~ von guter Herkunft sein; *fils m de* ~ Sohn *m* aus gutem Hause; *air m de* ~ Familienähnlichkeit *f*; *logement m pour une* ~ Einfamilienwohnung *f*; *nom m de* ~ Familienname *m*; *père m de* ~ Hausvater *m*, Familienhaupt *n*; **2.** *zo.*, ⚘ Familie *f*, Geschlecht *n*, Klasse *f*, Gattung *f*; *allg.* Art *f*; *gr.* ~ *de mots* Wörterfamilie *f*; ~ *d'emploi* Verwendungsart *f*.

famine [fa'min] *f* Hunger(snot *f*) *m*; *crier* ~ vor Hunger jammern, über sein Elend klagen; *prendre q. par la* ~ j-m den Brotkorb höher hängen; *salaire de* ~ Hungerlohn *m*.

fan [fan] *su.* (*a. adj.*), **~a** F [fa'na] *su.* (*a. adj.*) Fan *m*, Bewunderer *m*, Begeisterte(r) *m*.

fanage ⛏ [fa'na:ʒ] *m* Heuernte *f*.

fanal [fa'nal] *m* (5c) ⚓, ✈, 🚂 Warnlicht *n*; *fig.* Signal *n*.

fanati|que [fana'tik] **I** *adj.* fanatisch, radikal; F begeistert, schwärmerisch; **II** *su.* Fanatiker *m*; begeisterter Anhänger *m*; ~ *du jazz* Jazzfan *m*; **~ser** [~ti'ze] *v/t.* (1a) fanatisieren, in höchste Begeisterung versetzen; aufhetzen; **~sme** [~'tism] *m* Fanatismus *m*.

fanchon *dial.* [fɑ̃'ʃɔ̃] *f* Kopftuch *n*.

fane [fan] *f* welkes Blatt *n*; **~s** *pl.* (*Kartoffel-, Rüben- usw.*) Kraut *n*.

fan|er [fa'ne] (1a) **I** *v/t.* **1.** ⛏ Heu wenden (*od.* machen); **2.** welk machen; **II** *v/rfl.* *se* ~ welk werden, (ver)welken; *fig.* verblühen; verblassen, die Farbe verlieren; **~eur** ⛏ [~'nœ:r] *su.* (7g) Heumacher *m*; **~euse** ⊕ [~'nø:z] *f* Heuwender *m*.

fanfan F [fɑ̃'fɑ̃] *m* Süßerchen *n*, Kleines *n* (*zu kleinen Kindern*).

fanfa|re [fɑ̃'fa:r] *f* **1.** ♪ Trompetengeschmetter *n*, Tusch *m*; **2.** Blechmusikkapelle *f*, Blechmusikkorps *n*; **~ron** [~'rɔ̃] (7c) **I** *adj.* großsprecherisch; **II** *su.* Aufschneider *m*, Prahler *m*, *faire le* ~ prahlen, aufschneiden; **~ronnade** [~rɔ'nad] *f* Prahlerei *f*, Großsprecherei *f*, Aufschneiderei *f*.

fanfreluches [fɑ̃frə'lyʃ] *f/pl.* Flitterkram *m*, Firlefanz *m*, Tand *m*.

fan|ge [fɑ̃:ʒ] *f* Schlamm *m*, Schmutz *m*; *fig.* Sumpf *m*, Verkommenheit *f*;

~geux [fɑ̃'ʒø] *adj.* (7d) schmutzig.
fanion ⚔ [fa'njɔ̃] *m* Flagge *f*, Wimpel *m*; ~ *de commandement* Kommandoflagge *f*; ~ *de signaleur* Winkerflagge *f*.
fanon [fa'nɔ̃] *m* **1.** *zo.* Wamme *f*, Fleischfetzen *m unter dem Schnabel*; (Haar-)Zotte *f am Pferdefuß*; ~ (*de baleine*) Walfischbarte *f*; **2.** *rl.* Binde *f*.
fantais|ie [fɑ̃tɛ'zi] *f* **1.** Phantasie *f*, Einbildungskraft *f*; *prix m de* ~ willkürlicher Preis *m*; *tissu m de* ~ bunt gemusterter Stoff *m*; *robe f de* ~ leichtes Modekleid *n*; **2.** Lust *f*; Laune *f*; Einfall *m*; *il lui a pris* (*la*) ~ *de* ... plötzlich kam er (sie) auf den Einfall zu ...; **~iste** [~'zist] **I** *adj.* phantasiereich; extravagant; dilettantisch; frei erfunden, falsch; unseriös; **II** *m litt.*, *peint.* Stimmungs-dichter *m*, -maler *m*; Kabarettist *m*; sprunghafter Mensch *m*.
fantasia [~ta'zja] *f* **1.** arab. Reitertournier *n*; **2.** *allg.* Radauszene *f*.
fantasmagor|ie [fɑ̃tasmagɔ'ri] *f* Wahngebilde *n*, Blendwerk *n*; Spiegelfechterei *f*; *fig.* Schattenspiel *n*; **~ique** [~'rik] *adj.* Wahn...
fantasm|atique *néol. psych.* [fɑ̃tasma'tik] *adj.* Traum..., Vorstellungs...; **~e** [~'tasm] *m* Wahnvorstellung *f*, Phantasma *n*.
fantasque [fɑ̃'task] **I** *adj.* □ *u. su.* wunderlich(e), launenhaft(e Person *f*); **II** *m das* Wunderliche.
fantassin ⚔ [fɑ̃ta'sɛ̃] *m* Infanterist *m*; ~ *porté* Panzergrenadier *m*.
fantastique [fɑ̃tas'tik] *adj.* unwirklich, phantastisch (*a. fig.*).
fantoche [fɑ̃'tɔʃ] *m* Marionette *f*.
fantôme [fɑ̃'to:m] *m* Gespenst *n*, Phantom *n*; *fig.* Schattenbild *n*; *gouvernement m* ~ Schattenregierung *f*.
fanton ⊕ [fɑ̃'tɔ̃] *m* s. *fenton*.
faon [fɑ̃] *m* Reh-, Hirsch-kalb *n*; **~ner** [fa'ne] *v/i.* (1a) Junge werfen (*v. Wild*).
farad *phys.*, ⚡ [fa'rad] *m* Farad *n*; **~isation** ⚕ [~diza'sjɔ̃] *f* Behandlung *f* durch elektrische Ströme.
faramineux F [farami'nø] *adj.* (7d) enorm, Phantasie... (*Preis*); *fig.* kolossal.
farandol|e [farɑ̃'dɔl] *f provenzalischer* Rundtanz *m*; **~er** [~'le] *v/i.* (1a) den Rundtanz tanzen.
faraud [fa'ro] *su.* (7) Großtuer *m*, Geck *m*, Angeber *m*; *faire le* ~ angeben, prahlen.
far|ce [fars] *f* **1.** *cuis.* Füllung *f*; **2.** *thé.* Posse *f*, Schwank *m*; **3.** Streich *m*, Schabernack *m*; *faire une* ~ *à q.* j-m e-n Streich spielen; **~ceur** [~'sœ:r] *su.* (7g) Witzbold *m*.
farcin *vét.* [far'sɛ̃] *m* Wurm *m*.
farcir [far'si:r] *v/t.* (2a) *cuis. Geflügel usw.* füllen; *fig. péj.* spicken, vollpfropfen (*mit Zitaten*).
fard [fa:r] *m* Schminke *f*; *fig. sans* ~ ungeschminkt, aufrichtig; *parler à q. sans* ~ j-m reinen Wein einschenken; F *piquer un* ~ (scham)rot werden.
fardage ✝ [far'da:ʒ] *m* Vortäuschen *n* guter Ware.
farde ✝ [fard] *f* Kaffeeballen *m*.
fardeau [far'do] *m* Bürde *f*, Last *f*.
farder[1] [far'de] (1a) **I** *v/t.* schminken; *fig.* beschönigen; ~ *la vérité* die Wahrheit bemänteln; **II** *v/rfl.* *se* ~ sich schminken.
farder[2] [~] *v/i.* (1a) **1.** ⚠ sich senken (*Mauer*); **2.** ⚓ sich blähen (*Segel*).
fardier *ehm.* [~'dje] *m* Blockwagen *m*; Fracht-, Last-fuhrwerk *n*.
farfadet [~fa'dɛ] *m* Kobold *m*, Irrwisch *m*.
farfelu F [farfə'ly] *adj.* eigenartig, ein bißchen verdreht, komisch, urig F, abstrus, extravagant.
farfouiller F [~fu'je] *v/i.* (1a) herum-stöbern, -kramen, -wühlen.
fari|boles [fari'bɔl] *f/pl.* albernes Geschwätz *n*; **~don*** [~'dɔ̃] *f*: *faire la* ~ e-e Zechtour machen; *être de la* ~ keinen Pfennig in der Tasche haben, blank sein F; **~goule** ⚘ *Prov.* [~'gul] *f* Thymian *m*.
farinacé [farina'se] *adj.* mehlartig.
fari|ne [fa'rin] *f* Mehl *n*; *fleur f de* ~, ~ *fleur* feinstes Mehl *n*, Auszugmehl *n*; ~ *lactée* Kindermehl *n*; *fig. de la même* ~ von gleichem Schlag; **~ner** [~'ne] (1a) **I** *v/t.* mit Mehl bestreuen, in Mehl wälzen; **II** *v/i. physiol.* sich schälen (*Haut*); **~neux** [~'nø] **I** *adj.* (7d) mehlhaltig, mehlig, Mehl...; **II** *m* stärkehaltiges Gemüse *n*.
farlouse *orn.* [far'lu:z] *f* Wiesenpieper *m*.
farniente [farnjɛn'te] *m* (süßes) Nichtstun *n*.
farouche [fa'ruʃ] *adj.* ungezähmt, scheu (*Tiere*); ungesellig, menschenscheu (*Menschen*); erbittert (*Feind*); *fig.* leidenschaftlich, stark betont; *une* ~ *indépendance* ein stark betontes Unabhängigkeitsgefühl; *pas* ~ nicht unzugänglich.
farrago [fara'go] *m* Mischkorn *n*.
fart [fa:r] *m* Schiwachs *n*; **~age**

[far'taːʒ] *m* Wachsen *n der Schier*; **~er** [~'te] *v/t.* (1a) *die Schier* wachsen.
fasce ▨ [fas] *f* Balken *m*.
fasciation ⚘ [fasjɑ'sjɔ̃] *f* Verwachsensein *n*.
fascicule [fasi'kyl] *m* Faszikel *n*, Lieferung *f*, Heft *n*.
fascié *ent.* [fas'je] *adj.* gestreift.
fascina|nt [fasi'nɑ̃] *adj.* (7) faszinierend; **~tion** [~nɑ'sjɔ̃] *f* Faszination *f*, Zauber *m*, Reiz *m*, Anziehungskraft *f*; *fig.* Bann *m*, Verblendung *f*.
fascine [fa'sin] *f* Faschine *f*.
fasciner[1] [fasi'ne] *v/t.* (1a) faszinieren, in s-n Bann ziehen.
fasciner[2] [~] *v/t.* mit Faschinen befestigen.
fasci|ser *pol.* [faʃi'ze] *v/t.* (1a) faschistisch beeinflussen; **~sme** *pol.* [~'ʃism] *m* Faschismus *m*; **~ste** *pol.* [~'ʃist] *adj. u. su.* faschistisch; Faschist *m*.
fas|eiller, ~éyer ⚓ [fɑze'je] (1a *u.* 1i) flattern (*Segel*).
faséole [faze'ɔl] *f* Futterbohne *f*.
faste[1] [fast] *m* Pomp *m*, Prunk *m*.
faste[2] [~] *adj.*: *jour m ~* Glückstag *m*.
fastidieux [fasti'djø] *adj.* (7d) □ langweilig; widerlich, abstoßend.
fastueux [~'tɥø] *adj.* (7d) □ prunkliebend; prunkvoll.
fat [fa(t)] *adj./m u. m* geckenhaft, eingebildet; Geck *m*, Laffe *m*.
fatal [fa'tal] *adj.* (*pl.* *~s*) verhängnisvoll, zwangsläufig, fatal, unabwendbar, unheilvoll, tödlich, Todes...; **~isme** [~'lism] *m* Schicksalsglaube *m*, Fatalismus *m*; **~iste** [~'list] **I** *su.* Fatalist *m*; **II** *adj.* fatalistisch; **~ité** [~li'te] *f* Verhängnis *n*, Fatalität *f*, Schicksalsfügung *f*, Zwangsläufigkeit *f*, Mißgeschick *n*.
fatidique [fati'dik] *adj.* □ prophetisch; schicksalhaft.
fati|gabilité [fatigabili'te] *f* Ermüdbarkeit *f*; **~gable** [~'gablə] *adj.* ermüdbar; **~gant** [~'gɑ̃] *adj.* (7) ermüdend; lästig (*Person*); **~gue** [fa'tig] *f* **1.** Ermüdung *f*, Mattigkeit *f*; **2.** Beschwerlichkeit *f*, Überanstrengung *f*, Strapaze *f*; ⚠, ⊕ Beanspruchung *f*; *habit m de ~* Strapazieranzug *m*; **~gué** [~'ge] *adj.* müde, abgespannt, matt; s. *a.* *~guer* I, 2; *~ de sa profession* berufsmüde; **~guer** [~] (1m) **I** *v/t.* **1.** müde machen, überanstrengen; *~ les oreilles à q.* j-m in den Ohren liegen; **2.** *~ q. par* j-n belästigen mit (*dat.*); **3.** strapazieren; *~ un champ* e-n Acker erschöpfen (*od.* zu stark beanspruchen); F *couleur f fatiguée* verblichene Farbe *f*; *livre m fatigué* zerlesenes Buch *n*; *souliers m/pl. fatigués* abgetragene Schuhe *m/pl.*; *vêtement m fatigué* abgetragenes Kleidungsstück *n*; **II** *v/i.* müde werden, ermüden; ⚠ zu sehr belastet sein (*Balken*); ⊕ zu stark beansprucht werden; *une poutre qui fatigue* ein Balken, der zuviel zu tragen hat; **III** *v/rfl. se ~ à qch.* ermüden durch etw. (*acc.*); *se ~ à courir* sich müde rennen.
fatras [fa'trɑ] *m* Kram *m*, Krimskrams *m*, Plunder *m*; Wust *m*; *un ~ d'opinions* ein Wust von Ansichten.
fatuité [fatɥi'te] *f* Überheblichkeit *f*, Selbstgefälligkeit *f*, Aufgeblasenheit *f*, Dünkel *m*.
fatum [fa'tɔm] *m* Schicksal *n*.
faubert ⚓ [fo'bɛːr] *m* Schiffsbesen *m*.
faubour|g [fo'buːr] *m* Vorort *m*, Vorstadt *f*; **~ien** [fobu'rjɛ] *adj. u. su.* (7c) vorstädtisch; Vorstädter *m*.
faucard [fo'kaːr] *m* Binsensense *f*; **~er** [~kar'de] *v/t.* (1a) (*Flüsse, Bäche*) von Binsen reinigen.
fauch|age ✔ [fo'ʃaːʒ] *m* Mähen *n*; **~aison** [~ʃɛ'zɔ̃] *f* Heumahd *f*, Mähzeit *f*; **~ard** [~'ʃaːr] *m* **1.** zweischneidige Baumhippe *f*; **2.** F finanziell Abgebrannte(r) *m*, Pleitegeier *m*; **~e** [foʃ] *f* F Pleite *f*; P Diebstahl *m*; P Diebesgut *n*; **~é** F [fo'ʃe] *adj.* pleite, abgebrannt, blank; **~ée** [~] *f* Mahd *f*, Tagewerk *n* e-s Mähers.
fau|cher [~] *v/t.* (1a) (ab)mähen; *fig.* hinwegraffen; F stehlen, klauen P; **~chet** [~'ʃɛ] *m* Heurechen *m*; **~chette** [~'ʃɛt] *f* Heckenhippe *f*; **~cheur** [~'ʃœːr] **I** *su.* (7g) Mäher *m*, Schnitter *m*; **II** *m fig.* Sensenmann *m*; *ent.* Weberknecht *m* (*a. faucheux*); **~cheuse** [~'ʃøːz] *f* Mähmaschine *f*; **~cheuse-batteuse** [~ba'tøːz] *f* ✔, ⊕ Mähdrescher *m*.
faucheux *ent.* [fo'ʃø] *m* Weberknecht *m* (*langbeinige Spinne*).
faucille [fo'sij] *f* Sichel *f*.
faucon *a. pol.* [fo'kɔ̃] *m* Falke *m*; *~ chouette* Falkeneule *f*; *~ pèlerin* Wanderfalke *m*; *~ lanier* Wachtelfalke *m*; *~ gentil* abgerichteter Falke *m*; **~nerie** [~kɔn'ri] *f* Falkenjagd *f*.
faufil [fo'fil] *m* Heftfaden *m*.
faufiler [fofi'le] (1a) **I** *v/t.* provisorisch mit langen Stichen annähen; **II** *v/rfl. fig. se ~ dans* sich einschleichen in (*acc.*).

faune [fo:n] *f* Fauna *f*, Tierwelt *f*.
faunesque [fo'nɛsk] *adj.* satyrhaft.
faus|saire [fo'sɛ:r] *su.* Fälscher *m*; **~sement** [~s'mɑ̃] *adv.* fälschlich; **~ser** [~'se] (1a) **I** *v/t. Schloß, Text, Sinn, das Recht* verdrehen; ⊕ verbiegen; *Eid* brechen; F ~ *compagnie à q.* j-m entwischen; **II** *v/i.* falsch singen *od.* spielen; **III** ⊕ *v/rfl. se* ~ sich verbiegen.
fausset [fo'sɛ] *m* **1.** ♪ (*voix f de*) ~ Falsettstimme *f*; **2.** ⊕ Spund *m*.
fausseté [fos'te] *f* Falschheit *f*, Unwahrheit *f*, Unechtheit *f*, Heuchelei *f*, Doppelzüngigkeit *f*.
fau|te [fot] *f* **1.** Fehler *m*, *den man macht*; ~ *d'impression*, ~ *typographique* Druckfehler *m*; ~ *d'inattention* Flüchtigkeitsfehler *m*; ~ *de grammaire* grammatischer Fehler *m*; *Sport*: *double* ~ Doppelfehler *m*; *faire* (*od. commettre*) *une* ~ e-n Fehler machen (*od.* begehen); **2.** Schuld *f*, Versehen *n*, Verstoß *m*, Fehlgriff *m*; *porter la* ~ *de qch.* etw. verschulden; *se sentir en* ~ sich schuldig fühlen; *prendre q. en* ~ j-n bei e-m Fehler ertappen; **3.** ⚖ Verschulden *n*, Fahrlässigkeit *f*; **4.** ⊕ schlechte Stelle *in e-r Arbeit*; Sprung *m*; **5.** Mangel *m*; *ne pas se faire* ~ *de qch.* sich etw. nicht entgehen lassen; *elle ne se fit pas* ~ *d'en parler* sie versäumte nicht, davon zu sprechen; *sans* ~ *advt.* ganz bestimmt; ~ *de prp.* aus Mangel an (*dat.*), in Ermangelung von (*dat.*); ~ *de mieux* in Ermangelung von etw. Besserem; ⚖ ~ *de quoi* widrigenfalls; ~ *que cj.* (*mit subj.*) weil nicht ...; ~ *que soit précisé* ... weil nicht ausdrücklich festgelegt ist; *faire* ~ fehlen, vermißt werden; **~ter** F [fo'te] *v/i.* (1a) e-n Fehltritt begehen (*v. e-r Frau*).
fauteuil [fo'tœj] *m* Sessel *m*, Lehnstuhl *m*; *fig.* ~ (*présidentiel*) Vorsitz *m*; *Fr. fig.* ~ *académique* ein Sitz unter den Akademiemitgliedern; ~ *Voltaire* Großvaterstuhl *m*; ~ *cabine* Strandkorb *m*; ~ *couchette*, ~*-lit m* (6a) Schlafsessel *m*; ~ *anglais* Klubsessel *m*; ~ *de cuir* Ledersessel *m*; ~*s pl. rembourrés* Polstermöbel *n/pl.*; ~ *d'orchestre* Parkett-, Sperr-sitz *m*; ~ *à bascule* Schaukelstuhl *m*; ~ *mécanique roulant* Krankenfahrstuhl *m*.
fauteur *péj.* [fo'tœ:r] *su.* (7f) Anstifter *m*; Aufwiegler *m*; ~ *de bruit* Lärmmacher *m*; ~ *de guerre* Kriegshetzer *m*.
fautif [fo'tif] *adj.* (7e) □ schuld(ig).
fauve [fo:v] **I** *adj.* falb, fahlrot; *bêtes f/pl.* ~*s* Raubtiere *n/pl.*, wilde Tiere *n/pl.*; **II** *m* **1.** Raubtier *n*; *chasse f aux* ~*s* Raubtierjagd *f*; **2.** fahlrote Farbe *f*; **~rie** [fo'vri] *f* Raubtierhaus *n*.
fauvette *orn.* [fo'vɛt] *f* Grasmücke *f*.
faux[1] [fo] *f* Sense *f*.
faux[2] *m*, **fausse** *f* [fo; fo:s] **I** *adj.* □ falsch; **1.** unwahr, nicht wahr; ~ *dieux pl.* Abgötter *m/pl.*; *fausse nouvelle* Falschmeldung *f*; **2.** unrichtig, verkehrt, regelwidrig; *faire fausse route* sich verfahren, sich verirren; *fig.* auf Abwege geraten; sich irren; *s'inscrire en* ~ *contre qch.* etw. abstreiten, etw. für falsch erklären; *fig. faire des* ~ *pas* Fehltritte begehen; **3.** unbegründet; eitel (*Hoffnung*); **4.** nachgemacht, unecht, gefälscht; Schein...; *a.* ⚘ *u. zo.* Neben...; *un* ~ *air de qch.* e-e leichte Ähnlichkeit mit etw. (*dat.*); *bijoutier m* ~ Juwelier *m*, der nur unechten Schmuck verkauft; ⚔ *fausse attaque f* Scheinangriff *m*; *fausse clé f* Dietrich *m*, Nachschlüssel *m*; *fausse cartouche f* blinde Patrone *f*, Exerzierpatrone *f*; ~ *col* (*loser Hemd-*)Kragen *m*; ⚕ *fausse couche f* Fehlgeburt *f*; △ *fausse fenêtre f* blindes Fenster *n*; Blendfenster *n*; ~ *frais m/pl.* Nebenkosten *pl.*; *fausse monnaie f* Falschgeld *n*; ~ *monnayeur m* Falschmünzer *m*; ~ *nez m* Halbmaske *f*; △ ~ *plafond m* Blinddecke *f*; *fausse porte f* a) Hintertür *f*; b) △ blinde Tür *f*; c) ⚔ *frt.* Ausfalltor *n*; *c'est une fausse lame* auf ihn (sie) ist kein Verlaß; **5.** heuchlerisch, verstellt; *personne f fausse* Heuchler *m*, Lügner *m*; **II** *advt.* falsch; *il chante* ~ er singt falsch; **III** *m das* Falsche *n*, Unwahre *n*, Unnatürliche *n*, Unreine *n* (*im Ton usw.*); ⚖ Fälschung *f*; ✝ Nachahmung *f*, nachgeahmtes Stück *n*, nachgemachte Ware *f*, *bsd. v. Schmucksachen*; *fabriquer des* ~ falsche Exemplare herstellen (*od.* fabrizieren, *z.B. Möbel*).
faux-accord [foza'kɔ:r] *m* (6g) Mißklang *m*.
faux-bond [fo'bɔ̃] *m* Wortbruch *m*; *faire* ~ *à q.* zu e-r Verabredung mit j-m nicht erscheinen, j-n versetzen.
faux-bourdon ♪ [fobur'dɔ̃] *m* Fauxbourdon *m*.
faux-col [fo'kɔl] *m* (6g) loser Kragen *m*.

faux-filet *cuis.* [fofiˈlɛ] *m* Lendenstück *n.*
faux-fuyant [fofɥiˈjɑ̃] *m* (6g) Ausrede *f*, Ausflucht *f.*
faux-jour [foˈʒuːr] *m* (6c) schwaches Licht *n*, schwache Beleuchtung *f.*
faux|-monnayage [fomɔnɛˈjaːʒ] *m* Geldfälschung *f*; **~-monnayeur** [~ˈjœːr] *m* Geldfälscher *m.*
faveur [faˈvœːr] *f* **1.** Gunst *f*, Begünstigung *f*, Gewogenheit *f*; *homme m de ~* Günstling *m*; *thé. billet m de ~* Freikarte *f für eine Vorstellung*; *entrée f de ~* freier Eintritt *m*; *prix m de ~* Vorzugspreis *m*; *réduction f de ~* Sonderermäßigung *f*; *remise f de ~* Vorzugsrabatt *m*; *tour m de ~* Abfertigung *f* außer der Reihe; *advt.*: *à la ~ de la nuit (du brouillard)* im Schutze der Nacht (des Nebels); *être en ~ auprès de q.* bei j-m in Gunst stehen, bei j-m beliebt sein; *en ~ de* zugunsten (*gén.*); **2.** *~s pl.* Gunstbezeigungen *f/pl.*; **3.** Gewogenheit *f*, Gnade *f*, Nachsicht *f*; **4.** Beifall *m*, Beliebtheit *f*; **5.** Ansehen *n*, Einfluß *m*; **6.** schmales Seidenband *n.*
favo|rable [favɔˈrablə] *adj.* □ *~ (à)* günstig, gewogen (*dat.*); vorteilhaft; **~ri** *m*, **~rite** *f* [~ˈri, ~ˈrit] **I** *adj.* beliebt; Lieblings...; *mets m ~* Leibgericht *n*; **II** *su.* Günstling *m*, Favorit *m*, Liebling *m*; **~ris** [~ˈri] *m/pl.* Backenbart *m/sg.*; **~riser** [~riˈze] *v/t.* (1a): *~ q.* j-n begünstigen, j-m geneigt sein, j-m wohlwollen; *~ qch.* etw. unterstützen, fördern, *éc.* ankurbeln; **~ritisme** [~riˈtism] *m* Günstlingswirtschaft *f.*
fayard ⚘ *dial.* [faˈjaːr] *m* Buche *f.*
fayot F [faˈjo] *m* **1.** weiße Bohne *f*; **2.** *⚔, *écol.* Kriecher *m*; **~er** *⚔, *écol.* [~jɔˈte] *v/i.* (1c) sich anbiedern.
fébri|fuge ⚕ [febriˈfyːʒ] *adj. u. m* fiebervertreibend(es Mittel *n*); **~le** [feˈbril] *adj.* fieberhaft; **~lité** [~liˈte] *f* fiebriger Zustand *m.*
fécal [feˈkal] *adj.* (5c) Kot...; *matière f ~e* Menschenkot *m.*
fèces *physiol.* [fɛs] *f/pl.* Fäkalien *f/pl.*
fécond [feˈkɔ̃] *adj.* (7) *physiol.* fruchtbar; ergiebig, reich (*en* an [*dat.*]); befruchtend; *fig.* schöpferisch; **~ation** [~daˈsjɔ̃] *f* Befruchtung *f*; **~er** [~ˈde] *v/t.* (1a) befruchten; **~ité** [~diˈte] *f* *physiol.*, *a.* ⚘ Fruchtbarkeit *f*; *fig.* Reichhaltigkeit *f*; schöpferische Kraft *f.*
fécu|le [feˈkyl] *f* Stärke(-gehalt *m*, -mehl *n*) *f*; *~ de pommes de terre* Kartoffelmehl *n*; **~lent** [~ˈlɑ̃] **I** *adj.* (7) stärkehaltig; **II** *m* stärkehaltige Pflanze *f*; stärkehaltiges Nahrungsmittel *n*; **~lerie** [~kylˈri] *f* Stärkeindustrie *f*, -fabrik *f.*
feddayins *arab.* [fədaˈjin] *m/pl.* palästinensische Kommandotrupps *m/pl.*
fédéral [fedeˈral] (5c) **I** *adj.* (*oft = fédératif*) **1.** eidgenössisch; Bundes...; *Conseil m ~* Bundesrat *m*; *constitution f ~e* Bundesverfassung *f*; *diète f ~e* Bundestag *m*; *Etat m ~* Bundesstaat *m*; *gouvernement m ~* Bundesregierung *f*; *la République ~e d'Allemagne* die deutsche Bundesrepublik; *la Suisse est une République ~e* die Schweiz ist e-e Bundesrepublik; *tribunal m ~* Bundesgericht *n*; **2.** *hist.* nordstaatlich (*USA*); **II** *hist. Fédéraux m/pl.* Föderalisten *m/pl.*; **~iser** [~liˈze] *v/t.* (1a) zu e-m Bundesstaat machen, föderalisieren; **~isme** [~ˈlism] *m* Föderalismus *m*, Bundesstaatssystem *n*; **~iste** [~ˈlist] *adj. u. su.* föderalistisch; Föderalist *m*, Anhänger *m* des Föderalsystems.
fédéra|teur *pol.* [federaˈtœːr] *m* Einiger *m*; **~tif** [~ˈtif] *adj.* (7e) (*oft = fédéral*) Bundes..., föderativ; *Etat m ~* Bundesstaat *m*; *les Etats-Unis sont une grande république fédérative* die Vereinigten Staaten sind e-e große Bundesrepublik; *Napoléon fit de la République helvétique unitaire une République fédérative* Napoleon machte aus der einheitlichen helvetischen Republik e-e Bundesrepublik; **~tion** [~raˈsjɔ̃] *f* **1.** *~ (d'Etats)* Staatenbund *m*; *♀ de Malaisie* Malaiischer Bund *m*; **2.** Verband *m*; *~ des fonctionnaires* Beamtenbund *m*; *~ des travailleurs* Arbeiterverband *m*; *~ pour la sauvegarde des intérêts (de ...)* Interessengemeinschaft *f* (für ...); *~ nationale* Nationalverband *m.*
fédé|ré [fedeˈre] *adj.* verbündet; **~rer** [~] (1f) *v/t.* (*v/rfl. se ~* sich) verbünden.
fée [fe] *f* Zauberin *f*, Fee *f*; *conte m de ~s* Märchen *n*; *~ Morgane* Fata Morgana *f.*
feeder ⚡, *cyb.* [fiˈdœːr] *m* Speiseleitung *f.*
fée|rie [feˈri] *f* Zauberkunst *f*; *thé.* Märchenspiel *n*, Zauberstück *n*; *fig.* bezaubernder Anblick *m*;

~rique [~'rik] *adj.* feen-, zauberhaft; phantastisch, bezaubernd.
feignant F [fɛ'ɲɑ̃] *adj.* (7) stinkfaul.
feindre ['fɛ̃:drə] **I** *v/t.* (4b) erheucheln, vortäuschen, fingieren, vorgeben; erdichten; **II** *v/i.* sich verstellen; so tun als ob; *il feint d'être malade* er stellt sich krank.
feint [fɛ̃] *p.p. u. adj.* (7) erheuchelt; erdichtet; ⚠ nachgeahmt; *porte f ~e* blinde Tür *f*.
feint|e [fɛ̃:t] *f* Finte *f*; **~er** F [fɛ̃'te] *v/t.* täuschen, reinlegen F.
fêle ⊕ [fɛ:l] *f* Blasrohr *n*.
fêlé [fɛ'le] *adj.* gesprungen (*Glas*).
fêler [~] (1a) **I** *v/t.* spalten, Sprünge (*od.* Risse) machen in (*acc.*); *avoir la tête fêlée* e-n Tick (*od.* e-n leichten Stich *fig.*) haben; **II** *v/rfl. se ~* springen, Risse bekommen.
félibre *litt.* [fe'librə] *m* neuprovenzalischer Dichter *m*.
félici|tation [felisitɑ'sjɔ̃] *f* Glückwunsch *m*; *faire ses ~s à q. de qch.* j-m zu etw. (*dat.*) gratulieren; **~té** *litt.* [~'te] *f* Glückseligkeit *f*; **~ter** [~] (1a) **I** *v/t. ~ q. de* (*bzw. pour*) *qch.* j-n zu etw. (*dat.*) beglückwünschen *od.* j-m gratulieren; **II** *v/rfl. se ~ de* (*mit inf. od. su., auch se ~ que mit subj.*) sich wegen e-r Sache glücklich schätzen, sich glücklich schätzen, daß ...
félin *zo.* [fe'lɛ̃] *adj.* (7) Katzen...
félir [fe'li:r] *v/i.* (2a) fauchen.
fellag(h)a [fɛlla'ga] *m* algerischer Partisan *m* (*1954—62*).
félon *hist.* [fe'lɔ̃] (7c) **I** *adj.* eid-, treu-, wort-brüchig, verräterisch, treulos; **II** *hist. su.* Verräter *m*; **~ie** [felɔ'ni] *f* **1.** *hist.* Lehnsfrevel *m*; **2.** Treubruch *m*, Verrat *m*.
felouque ⚓ [fə'luk] *f* Feluke *f*.
fêlure [fɛ'ly:r] *f* Riß *m* (*a. fig.*); F *fig.* leichter Stich *m*, Tick *m*.
femelle [fə'mɛl] **I** *f* **1.** Muttertier *n*, Weibchen *n*; **2.** ⊕ (Röhren-)Muffe *f*; **II** *adj. zo.*, ⚘ weiblich.
femellitude *psych.* [fəmɛli'tyd] *f* weiblicher Urinstinkt *m*.
fémi|nin [femi'nɛ̃] (7) **I** *adj.* weiblich; *rime f ~e* weiblicher Reim *m*; *gr. terminaison f ~e* weibliche *od.* feminine Endung *f*; *voix f ~e* Frauenstimme *f*; **II** *m gr.* Femininum *n*, weibliches Geschlecht *n*; **~niser** [~ni'ze] (1a) **I** *v/t.* **1.** *péj.* weibisch machen; verweichlichen; **2.** *gr.* feminisieren, *e-m Wort* weibliches Geschlecht geben; **II** *v/rfl. se ~* sanfter werden; verweichlichen (*v/i.*); **~nisme** [~'nism] *m* Frauenbewegung *f*, -frage *f*; **~nissime** F [~ni'sim] *adj.* sehr weiblich; **~niste** [~'nist] **I** *adj.* die Frauen betreffend; *mouvement m ~* Frauenbewegung *f*; **II** *su.* Frauenrechtler(in *f*) *m*; **~nité** [~ni'te] *f* Weiblichkeit *f*; frauliche Eigenschaft *f*, Fraulichkeit *f*, weiblicher Charakterzug *m*.
femme [fam] *f* **1.** Frau *f*; Ehefrau *f*; *une vieille bonne ~* e-e alte Frau; *néol.* F, P *bonne ~* Frau *f*; Ehefrau *f*; *~ de journée* Tagesaushilfe *f*; *~ de ménage* Aufwartung *f*; *~ du monde* Dame *f* von Welt; *~ auteur f* Schriftstellerin *f*; *~ médecin* Ärztin *f*; *~ peintre* Malerin *f*; *~ poète* Dichterin *f*; *~ de salle* Aufwartung *f* (*im Krankenhaus*); *~ soldat f* weiblicher Soldat *m*; *~ f taxi* (6a) Taxifahrerin *f*; **2.** Ehefrau *f*; *ma ~* meine Frau; *prendre ~* sich verheiraten; *~ commune en biens* in Gütergemeinschaft mit ihrem Manne lebende Frau *f*; *im Kanzleistil*: *la ~ Durand* die verehelichte Durand; **3.** weibischer Mensch *m*; **~lette** *péj.* [fam'lɛt] *f* Schwächling *m* (*v. e-m Mann*).
fémoral *anat.* [femɔ'ral] *adj.* (5c) Schenkel...
fémur [fe'my:r] *m* Oberschenkelknochen *m*.
fenaison [fənɛ'zɔ̃] *f* Heuernte *f*.
fend|age ⊕ [fɑ̃'da:ʒ] *m* Spalten *n*; **~erie** ⊕ [fɑ̃'dri] *f* **1.** Zerhauen *n des Eisens in Stangen*; Zerspalten *n* (*von Holz*); **2.** Zainhammerwerk *n*; Holzschneidemaschine *f*; **~eur** [~'dœ:r] **I** *su.* (7g) Spalter *m*; *~ de bois* Holzhacker *m*; **II** *m* Zainer *m*, Stabeisenschmied *m*; **~iller** ⊕ [~di'je] (1a) **I** *v/t.* (ein-, auf-)ritzen; *fendillé* rissig; **II** *v/rfl. se ~* rissig werden; **~illes** ⊕ [~'dij] *f/pl.* Risse *m/pl. im Eisen*; **~oir** [~'dwa:r] *m* ⚒ Pfropfmesser *n*; ⊕ Klobeisen *n*; Spaltkeil *m*, Eisenkeil *m*; *~ du boucher* Fleischerbeil *n*.
fendre ['fɑ̃:drə] (4a) **I** *v/t.* **1.** spalten, zerspalten, aufspalten; (auf)schlitzen, (auf)ritzen; hacken (*Holz*); zerteilen; *~ la foule* die Menschenmenge durchbrechen; *~ en deux* entzweihauen; F *~ l'oreille à q.* j-n kaltstellen (*od.* absägen); *spectacle m à ~ le cœur* herzzerreißender Anblick *m*; **II** *v/i.* **2.** *le cœur me fend* das Herz will mir brechen; *la tête me fend* der Kopf möchte mir zerspringen; **III** *v/rfl. se ~* **3.** bersten, sich (leicht) spalten; aufreißen; **4.** *esc.* ausfallen, e-n Ausfall

machen; **5.** F *se ~ de qch.* etw. spendieren (*od.* opfern).

fenêtrage [fənɛ'tra:ʒ] *m* Fensterwerk *n.*

fenê|tre *a. astron.* [f(ə)'nɛ:trə] *f* Fenster *n*; *appui m de ~* Fensterbrüstung *f*; *~ à bascule* Kippfenster *n*; *~ à coulisse, ~ glissante, ~ à guillotine* (*verticale* vertikales) Schiebefenster *n*; *~ croisée à battants* Flügelfenster *n*; *~ en saillie* Erkerfenster *n*; *fausse ~* blindes Fenster *n*; **~trer** [fənɛ'tre] *v/t.* (1a) **1.** mit Fenstern versehen; **2.** ⚕ *e-n Verband, ein Pflaster für den Eiterausfluß* durchlöchern.

fenil ⚒ [f(ə)'ni(l)] *m* Heuboden *m.*

fennec *zo.* [fɛ'nɛk] *m* Wüstenfuchs *m.*

fenouil ⚘ [f(ə)'nuj] *m* Fenchel *m*; **~lard** *Fr. plais.* [~'ja:r] *m* Ferienreisende(r) *m* aus dem Süden.

fente [fɑ̃:t] *f* **1.** Ritze *f*, Spalte *f*, Schlitz *m*, Sprung *m*; **2.** *~s pl.* Felsenklüfte *f/pl.*; ⚒ Gangspalten *f/pl.*; **3.** *esc.* Ausfall *m*; **4.** *Ski*: Aufsetzen *n.*

fenton ⊕ [fɑ̃'tɔ̃] *m* **1.** Dübel *m*; **2.** △ Eisenband *n*, Anker *m.*

fenugrec ⚘ [fəny'grɛk] *m* Bockshornklee *m.*

féodal *hist.* [feɔ'dal] *adj.* (5c) feudal, lehnbar; Feudal..., Lehns...; *droit ~* Lehnsrecht *n*; *seigneur ~* Lehnsherr *m*; **~isme** *hist., pol.* [~'lism] *m* Feudalismus *m*; **~ité** *hist.* [~li'te] *f* **1.** Lehnswesen *n*; **2.** *a. pol.* Feudalherrschaft *f.*

fer [fɛ:r] *m* **1.** Eisen *n* (*Metall*); *âge m de ~* Eisenzeit *f*; *~ en barres* Stabeisen *n*; *~ battu, ~ forgé, ~ de forge* Schmiedeeisen *n*; *~ blanc* Weißblech *n*; *~ brut* Roheisen *n*; *~ carré* Quadrateisen *n*; *~ cornière* Winkeleisen *n*; *~ doux* Weicheisen *n*; *~ ductile* Schmiedeeisen *n*; *~ façonné* Formeisen *n*; *~ fondu, ~ de fonte* Gußeisen *n*; *~ laminé* Walzeisen *n*; *~ natif, ~ vierge* gediegenes Eisen *n*; *~ plat* Flacheisen *n*; *~ profilé* Profileisen *n*; *~ rouge* rotglühendes Eisen *n*; *~ puddlé* Puddeleisen *n*; *~ en rubans, ~ feuillard* Bandeisen *n*; *~ à od. en T* T-Träger *m*; *~ en od. à U* U-Eisen *n*; *chemin m de ~* Eisenbahn *f*; *être de ~* von Eisen (*od.* unverwüstlich) sein (*eine gute Gesundheit haben*); *à tête de ~* fest entschlossen; **2.** *~ électrique* elektrisches Plätteisen *n*; *~ à repasser* Bügel-, Plätt-eisen *n*; *donner un coup de ~ à un chapeau* einen Hut aufbügeln; *~ à friser, ~ à onduler* Brennschere *f*, Brenneisen *n*; *~ à marquer* Brennstempel *m*; *~ à polir* Glätteisen *n*; *~ à souder* Lötkolben *m*; *fig. employer le ~ et le feu* die schärfsten Mittel anwenden; *fig. mettre les ~s au feu* sich ernsthaft an die Arbeit machen, sich auf die Arbeit stürzen; **3.** *~ à cheval* (*a. bloß ~*) Hufeisen *n*; *en ~ à cheval* hufeisenförmig; **4.** Eisenspitze *f*; *~ de lance* Lanzenspitze *f*; ⚔ Elitetruppe *f*; *pol.* Stoß-, Vor-trupp *m*; *allg.* Hauptperson *f*, Initiator *m*; Fundament *n*; *a. iron.* Krönung *f*; *se battre à ~ émoulu* mit scharfen Waffen kämpfen; **5.** *esc.* Klinge *f*; *fig.* Dolch *m*, Messer *n*, Schwert *n*; *croiser* (*od. engager*) *le ~* die Klingen kreuzen; **6.** *~s pl.* Ketten *f/pl.*, Fesseln *f/pl.*; Gefangenschaft *f*; *jeter dans les ~s* ins Gefängnis werfen; *mettre aux ~s* in Ketten legen.

fer-blanc [fɛr'blɑ̃] *m* (6a) Blech *n.*

ferblan|terie [fɛrblɑ̃'tri] *f* **1.** Klempnerei *f*; **2.** Eisenwaren *pl.*; **~tier** [~'tje] **I** *m* Klempner *m*; **II** *m* Eisenwarenhändler *m.*

fér|ie *rl.* [fe'ri] *f* Wochentag *m* (*außer Sonnabend*); **~ié** [fe'rje] *adj.*: *jour ~* Feiertag *m*; *jour non ~* Werktag *m.*

férir [fe'ri:r] *v/t.* schlagen, *nur noch in*: *sans coup ~* ohne Schwertstreich; *allg.* ohne weiteres.

ferler ⚓ [fɛr'le] *v/t.* (1a) *die Segel* einziehen und festmachen.

fermage [fɛr'ma:ʒ] *m* Pachtgeld *n*; Pacht *f*; *mettre en ~* verpachten.

fermant [fɛr'mɑ̃] *adj.* (7) verschließbar.

ferme[1] [fɛrm] **I** *adj.* □ **1.** fest, stark, kräftig, kernig; **2.** festhaltend; feststehend; sicher, festsitzend, festliegend; *fig.* standhaft; sicher; *caractère m ~* fester (starker) Charakter *m*; *avoir l'esprit ~* unerschütterlich sein; *avoir la main ~* e-e sichere Hand haben; *fig.* e-e feste Hand haben; *fig.* unbeirrt; *de pied ~* festen Fußes (*a. fig.*); *être ~ sur ses étriers, être ~ en selle* fest im Sattel sitzen; *être ~ sur ses pieds* fest auf den Füßen stehen; *prendre la ~ résolution* sich fest vornehmen; *santé f ~* eiserne (unverwüstliche) Gesundheit *f*; *style m ~* knapper, kräftiger Stil *m*; *ton m ~* entschlossener Ton *m*; *volonté f ~* fester Wille *m*; ✝ *bourse f ~* Börse fest; *les cours sont ~s* die Kurse behaupten sich; **II** *adv.* **3.** fest; *fig.* standhaft; *acheter ~* fest kaufen; *demeurer ~ dans sa résolution* fest bei s-m Entschluß bleiben; *promettre* ~ fest versprechen; *tenir* ~ festhalten; standhalten; **4.** derb, nachdrücklich; tüchtig, sehr; *frapper* ~ tüchtig zuschlagen; *parler* ~ *à q.* nachdrücklich (*od.* unmißverständlich *od.* sehr deutlich) mit j-m reden; *travailler* ~ sehr (*od.* schwer) arbeiten; **5.** *fort et* ~ mit aller Kraft.

ferme[2] [~] *f* **1.** Pacht(vertrag *m*) *f*, Verpachtung *f*; *donner à* ~ verpachten, in Pacht geben; *prendre à* ~ pachten, in Pacht nehmen; **2.** Pacht-gut *n*, -hof *m*; *weitS.* Bauern-gut *n*, -hof *m*, Hof *m*, Gehöft *n*, Farm *f*; ~ *modèle f* (6a) Mustergut *n*.

ferme[3] [~] *f* Dachstuhl(verband *m*) *m*, gesamte Dachkonstruktion *f*, Gebinde *n*, Dachgerüst *n*; ~ *maîtresse* Binder *m*, Träger *m*; ~ *en aluminium* Aluminiumbinder *m*.

ferme[4] *thé.* [~] *f* Versatzstück *n*.

ferme-école [fɛrme'kɔl] *f* (6a) praktische landwirtschaftliche Schule *f*.

ferment [fɛr'mɑ̃] *m* Gärstoff *m*; *fig.* Keim *m*; **~ation** [~tɑ'sjɔ̃] *f* Gärung *f*; **~er** [~'te] *v/i.* (1a) gären, fermentieren; **~escibilité** [~tesibili'te] *f* Gärbarkeit *f*; **~escible** [~te'siblə] *adj.* gärungsfähig.

ferme-porte ⊕ [fɛrmə'pɔrt] *m* (5c) selbsttätiger Türschließer *m*; ~ *à air comprimé* Drucklufttürschließer *m*.

fermer [fɛr'me] (1a) **I** *v/t.* **1.** zumachen, schließen; *Fabrik*: stilllegen; zuknöpfen; zunähen; zunageln; zuschrauben; *rad.*, *télév.* abstellen; ~ *à clé* ab-, zu-schließen; *Auto*: ~ *le papillon (du carburateur)* abdrosseln; ~ *le robinet* den Hahn zudrehen; ~ *au verrou* zuriegeln; ~ *à vis* zu-, ver-schrauben; ~ *à double tour* zweimal abschließen; zweimal rumdrehen F; *fig.* ~ *les yeux sur qch.* die Augen über etw. (*acc.*) zudrücken; *fig.* ~ *les yeux à qch.* die Augen vor etw. (*dat.*) verschließen; P *ferme!*, *ferme ton bec (ta boîte)!*, *ferme ça!* halt die Schnauze V (*od.* die Klappe *od.* den Schnabel P)!; **2.** den Zugang versperren; **3.** abschließen, beendigen; **II** *v/i.* schließen; zugehen; geschlossen werden; **III** *v/rfl.* *se* ~ *rapidement* zuschnappen (*Tür*).

ferme|té [fɛrmə'te] *f* Festigkeit *f*; *fig.* Beharrlichkeit *f*, Standhaftigkeit *f*; ~ *de caractère* Charakterfestigkeit *f*; **~ture** [~'ty:r] *f* **1.** Verschluß (-vorrichtung *f*) *m*; ~ *éclair*, ~ *à glissière* Reißverschluß *m*; ~ *à coin(s)* Keilverschluß *m*; **2.** Abschließen *n*, Zuschließen *n*, Sperrung *f*; ~ *des portes* Tor(es)schluß *m*; ~ *des magasins* Geschäftsschluß *m*.

fermier [fɛr'mje] (7b) **I** *su.* **1.** Pächter *m*; ~ *partiaire* Teilpächter *m*; **2.** Landwirt *m*, Bauer *m*; Farmer *m*; **II** *adj.*: *exploitation fermière* Pachtgutsbetrieb *m*.

fermoir [fɛr'mwa:r] *m* **1.** Verschluß *m* (*am Buch od. Portemonnaie*); ~ *à crochet* Schließhaken *m*; **2.** ⊕ breites Stemmeisen *n*; ~ *à nez* krummer Hohlmeißel *m*.

féro|ce [fe'rɔs] *adj.* blutdürstig, wild, reißend; *fig.* grausam; F zu streng (*Lehrer*); *appétit m* ~ Riesenappetit *m*; **~cité** [~si'te] *f* Wildheit *f*, Blutgier *f*, Roheit *f*, Grausamkeit *f*.

ferrage [fɛ'ra:ʒ] *m* Beschlagen *n mit Hufeisen.*

ferrail|le [fɛ'rɑ:j] *f* Schrott *m*, Alteisen *n*; *transformer en* ~ verschrotten; **~ler** [~rɑ'je] *v/i.* (1a) scheppern, klappern, rattern; rasseln (*Kette*); **~leur** [~'jœ:r] *m* **1.** Alteisen-, Schrott-händler *m*; **2.** *esc.* schlechter Fechter *m*; **3.** Raufbold *m*.

fer|ré [fɛ're] *adj.* **1.** mit Eisen (Nägeln) beschlagen; *bâton m* ~ Bergstock *m*; ✝ *par voie* ~*e* auf dem Schienenweg; *voie f* ~*e* Eisenbahnstrecke *f*, Gleis *n*, Schienenstrang *m*; *soulier m* ~ Nagelschuh *m*; **2.** *être* ~ *sur un sujet* in etw. (*dat.*) beschlagen *od.* bewandert sein; *il est très* ~ *en histoire* er ist in Geschichte sehr bewandert; **~rement** ⊕ [fɛr'mɑ̃] *m* **1.** Beschlagen *n* mit Hufeisen; **2.** ~*s pl.* Eisenbeschläge *m/pl.* (*e-r Truhe usw.*); **~rer** [fɛ're] *v/t.* (1b) (*mit Eisen*) beschlagen; **~ret** [~'rɛ] *m* Schnürsenkel-ende *n*, -stift *m*; **~retier** [fɛr'tje] *m* (Huf-)Schmiedehammer *m*; **~reur** ⚒ [~'rœ:r] *m* Hufschmied *m*.

fer|reux ⚗ [fɛ'rø] *adj.* (7g) mit Eisen verbunden, Eisen...; **~rière** [~'rjɛ:r] *f* lederne Tasche *f* (*für Schlosserwerkzeug*); **~rifère** [~ri'fɛ:r] *adj.* eisenhaltig; **~rique** ⚗ [~'rik] *adj.* mit Eisen verbunden; *oxyde m* ~ Eisenoxyd *n*.

ferro|-ciment ⚠ [fɛrɔsi'mɑ̃] *m* Eisenzement *m*; **~-magnétisme** *phys.* [~maɲe'tism] *m* Eisenmagnetismus *m*.

ferron|nerie [fɛrɔn'ri] *f* **1.** Kunstschmiede(arbeit *f*) *f*; **2.** ⚠ Baueisen *n*; **~nier** [~'nje] *su.* (7b) Kunstschmied *m*; Händler *m* mit Baueisen *od.* schmiedeeisernen Waren; **~nière** [~'njɛ:r] *f* Stirnband *n* (*Schmuck*).

ferroutage 🚂 [fɛru'ta:ʒ] *m* Huckepacksystem *n*.

ferroviaire [fɛrɔ'vjɛ:r] **I** *adj.* Eisenbahn...; **II** *~s f/pl.* Eisenbahnwerte *m/pl.* (*Börse*).

ferrugineux [fɛryʒi'nø] **I** *adj.* (7d) eisenhaltig; **II** *pharm.* *m* Eisenpräparat *n*.

ferrure [fɛ'ry:r] *f* **1.** (Eisen-)Beschlag *m*; *~s f/pl. de bâtiment* Baubeschläge *m/pl.*; **2.** Beschlagen *n e-s Pferdes*, Art *f* des Beschlagens.

ferry-boat [fɛri'bo:t] *m* Eisenbahnfähre *f*.

ferti|le ⚘ [fɛr'til] *adj.* □ fruchtbar, ergiebig, reich (*en* an *dat.*); *fig.* schöpferisch, ...reich; *être ~ en expédients* sich stets zu helfen wissen; *~ en incidents* ereignisreich; *sujet m* (*od. matière f*) *~* dankbares Thema *n*; **~lisant** ✓ [~li'zɑ̃] *m* Düngemittel *n*; **~liser** [~li'ze] *v/t.* (1a) fruchtbar machen; befruchten; **~lité** [~li'te] *f* ✓, *fig.* Fruchtbarkeit *f*; *~ d'esprit* schöpferischer Geist *m*.

féru [fe'ry] *adj.*: *~ de* versessen (*od.* erpicht) auf (*acc.*); begeistert für (*acc.*); verliebt in (*acc.*).

férule [fe'ryl] *f* **1.** Rute *f*; Fuchtel *f*; *être sous la ~ de q.* (*de sa femme*) unter j-s Fuchtel (unter dem Pantoffel) stehen; **2.** ⚘ Steckenkraut *n*.

fer|vent [fɛr'vɑ̃] **I** *adj.* (*adv. ~vemment*) eifrig, inbrünstig, leidenschaftlich; **II** *m* glühender Verehrer *m*; **~veur** [~'vœ:r] *f* glühender Eifer *m*, innige Leidenschaft *f*, Inbrunst *f*; *avec ~* inbrünstig.

fes|se [fɛs] *f* (Hinter-)Backe *f*; *~s pl.* Podex *m* F; *plais.* Po *m* F; *donner sur les ~s à q.* j-m die Hosen strammziehen; **~sée** [fɛ'se] *f* Keile *f*, Tracht *f* Prügel, Haue *f*.

fess|er [fɛ'se] *v/t.* (1b): *~ q.* j-m den Hintern vollhauen, j-n versohlen; **~u** [~'sy] *adj.* mit e-m breiten Hintern.

fessier F [fɛ'sje] *m* Hinterteil *n*.

festif [fɛs'tif] *adj.* (7e) festlich.

festin [fɛs'tɛ̃] *m* Festessen *n*.

festi|val [fɛsti'val] *m* (*pl. ~s*) Musik-, Gesangs-fest *n*; *thé.* Festveranstaltung *f*; *Sport*: großartige Leistung *f*; *~s pl.* Festspiele *n/pl.*; **~valier** [~va'lje] *su.* (7b) Festivalteilnehmer *m*; **~vité** [~vi'te] *f* Festlichkeit *f*.

feston [fɛs'tɔ̃] *m* Girlande *f*; **~ner** [~stɔ'ne] *v/t.* (1a) **1.** mit Girlanden schmücken; **2.** zierlich sticken.

festop *Ski* [fɛs'tɔp] *m* Seitabrutschen *n*.

festoyer [fɛstwa'je] *v/i.* (1h) an e-m Festessen teilnehmen; tüchtig schmausen.

fêtard [fɛ'ta:r] *su.* (7) Lebemann *m*; *~e f* Lebedame *f*.

fête [fɛ:t] *f* **1.** Fest *n*, Feiertag *m*; *les dimanches et ~s* die Sonn- u. Feier-tage *m/pl.*; *~ de la récolte*, *~ de la moisson* Erntedankfest *n*; *~ de bienfaisance* Wohltätigkeitsfest *n*; *être à la ~* überfroh sein; **2.** Namenstag *m*; Festlichkeit *f*; *faire ~ à q.* j-n freudig empfangen; **3.** * *faire sa ~ à q.* j-m gegenüber e-e Protestshow abziehen.

Fête-Dieu [fɛt'djø] *f* (6b) Fronleichnamsfest *n*.

fêter [fɛ'te] *v/t.* (1a) feiern; *~ q.* j-n festlich empfangen.

féti|che [fe'tiʃ] *m u. adj.*: (*dieu*) *~* Fetisch *m*, Götzenbild *n*; **~cheur** [~'ʃœ:r] *m* (7g) Fetischzauberer *m*; **~chisme** [~'ʃism] *m* Fetischismus *m*; **~chiste** [~'ʃist] *m u. adj.* Fetischanbeter *m*; Fetisch...

féti|de [fe'tid] *adj.* stinkend; widerlich; **~dité** [~di'te] *f* Gestank *m*.

fétu [fe'ty] *m* Strohhalm *m*.

feu[1] [fø] *m* **1.** Feuer(sbrunst *f*) *n*, Brand *m*; *~ de forêt* Waldbrand *m*; *au ~!* Feuer!; es brennt!; *crier au ~* „Feuer!" schreien; *allumer le ~*, *faire du ~* Feuer machen; *faire ~* Funken geben; *fig. cela n'a pas fait long ~* das hat nicht lange gedauert; ⚔ *mettre à ~ et à sang* mit Feuer und Schwert verheeren; *se jeter dans le ~ pour q.* für j-n durchs Feuer gehen; *a. fig. mettre de l'huile sur le ~* Öl aufs Feuer gießen; *j'en mettrais la* (*od. ma*) *main au ~* ich könnte meine Hand dafür ins Feuer legen, ich könnte es schwören; *a. fig. jouer avec le ~* mit dem Feuer spielen; *a. fig. ~ de paille* Strohfeuer *n*; *fig. faire ~ des quatre fers* alle Hebel in Bewegung setzen; **2.** *hist.* Feuer-strafe *f*, -tod *m*; **3.** *~ follet* Irrlicht *n*; **4.** Licht *n*, Fackel *f*; Leuchtfeuer *n*; ⚓ Feuerbake *f*; *~x pl.* Signallaternen *f/pl.*; *~x pl. du firmament* Himmelslichter *n/pl.*; *vél.*, *Auto*: *~ arrière*, *~ rouge* Katzenauge *n*, Rückstrahler *m*, Schlußlicht *n*; *~x pl. d'atterrissage* Landeleuchten *f/pl.*; *Auto*: *~x pl. de croisement* Abblendlicht *n*; *~ de route*

Auto Fernlicht *n*; ✈, ⚓ Signallicht *n*; ~ *éclair*, ~ *à éclipses*, ~ *intermittent*, ~ *à intermittence*, ~ *clignotant* Blinklicht *n*; *Auto*: ~*x pl. stop*, ~*x pl. de freinage* Bremslichter *n/pl.*; **5.** künstliches Feuer *n*; ~ *d'artifice* Feuerwerk *n*; ~*x pl. de Bengale* bengalisches Feuer *n*; ~ *de (la) Saint-Jean* Johannisfeuer *n*; *thé.* ~*x pl. de la rampe* Rampenlicht *n*; **6.** ⚔ Gewehr-, Geschütz-feuer *n*; *aller au* ~ ins Gefecht rücken; *arme f à* ~ Schußwaffe *f*; *être pris entre deux* ~*x* zwischen zwei Feuerlinien geraten; *fig.* in der Klemme sein; ~ *de file* Lauffeuer *n*; ~ *de protection* Feuerschutz *m*; ~ *rapide od. roulant* Schnellfeuer *n*, Trommelfeuer *n*; *faire* ~ *sur* feuern *od.* Feuer geben auf (*acc.*); ⚔ ~! Feuer! (*Kommando*); *faire long* ~ ⚔ zu spät zünden; *fig.* lange auf sich warten lassen; Pech haben; mißlingen; *ne pas faire long* ~ nicht lange dauern; **7.** Kamin *m nur noch in*: *coin m du* ~ Kaminecke *f*; *au coin du* ~ am Kamin; *sans* ~ *ni lieu* ohne Bleibe, obdachlos, heimatlos; **8.** *fig.* Lebhaftigkeit *f*; Begeisterung *f*; Einbildungskraft *f*; *plein d'un beau* ~ voll Feuereifer; *prendre* ~ Feuer fangen; in Zorn geraten; sich verlieben; *poét.* ~*x pl.* Liebe *f*; **9.** ~ (*de*) *grisou* schlagende Wetter *n/pl.*, Schlagwetter *n*; **10.** ~ *du rasoir* Brennen *n* des Rasiermessers.

feu[2] [fø] *adj.* (*f u. pl. nur unmittelbar vor su., sonst inv.*): *feu ma mère od. ma feue mère* meine verstorbene (*od.* selige) Mutter *f*; *les feus rois* die verstorbenen Könige *m/pl.*

feudataire *hist.* [føda'tɛːr] *m* Lehens-träger *m*, -mann *m*.

feuil|lage [fœ'jaːʒ] *m* Laub(werk *n*) *n*; Zweige *pl.* mit Laub; ~**laison** [~jɛ'zõ] *f* Belaubung *f*; Grünwerden *n der Bäume*; ~**lantine** [~jɑ̃'tin] *f* Blätterteiggebäck *n*; ~**lard** [~'jaːr] *m Böttcherei*: Reifholz *n*; *fer m* ~, *od. nur* ~*s m/pl.* Bandeisen *n*.

feuille [fœj] *f* **1.** ⚘ Blatt *n*; Blumenblatt *n*; ⚘ ~ *bractée* Deckblatt *n*; ~ *morte* welkes Blatt *n*; ~ *de robe* Deckblatt *n e-r Zigarre*; *trembler comme la* ~ wie Espenlaub zittern; ~ *de vigne fig.* Feigenblatt *n*; **2.** Blatt *n* Papier, Bogen *m*; Formular *n*, Vordruck *m*; *advt. à la* ~, *par* ~*s* bogenweise; ~ *d'épreuve* Korrekturbogen *m*; *une* ~ *de papier à lettres* ein Briefbogen *m*; ~ *in-quarto* Quartblatt *n*; ~ *topographique* Meßtischblatt *n*; ~ *de route* ⚔ Marschroute *f*; Urlaubsschein *m*; *fig.* ~ *vierge* unbeschriebenes Blatt *n*; **3.** Zeitung(sblatt *n*) *f*; ~ *hebdomadaire* Wochenblatt *n*; ~ *locale* Lokalblatt *n*; ~ *périodique* Zeitschrift *f*; ~ *à scandale* Skandalblatt *n*; ~ *volante* Flugblatt *n*; F ~ *de chou* Wurst-, Käse-blatt *n*; **4.** Liste *f*, Bestellbogen *m* der Boten *usw.*; Schein *m*; Protokoll *n*; ~ *d'accompagnement* Begleitschein *m*; ~ *d'avertissement* (Steuer-)Mahnzettel *m*; ~ *de chargement* Verladeschein *m*; ~ *de contributions* Steuerzettel *m*; ~ *de dépôt* Aufbewahrungsschein *m*; ~*s f/pl. de paie* Lohnliste *f*; ~ *de présence* Anwesenheitsliste *f*; ✝ Begleit-schein *m*, -zettel *m*; ~ *de renseignements* Merkblatt *n*; ~ *de séance* Sitzungsprotokoll *n*; ~ *de température* Fiebertabelle *f*; **5.** Blättchen *n*, Folie *f*; Splitter *m*, Schuppe *f*; *se lever par* ~*s* abblättern; ~ *d'étain* Stanniolbogen *m*.

feuillées ⚔ [fœ'je] *f/pl.* Latrinengraben *m*.

feuille-morte [fœj'mɔrt] *adj./inv.* hellbraun; *couleur f* ~ Hellbraun *n*; ✈ *descente f en* ~ Sturzflug *m*.

feuillet [fœ'jɛ] *m* **1.** Blatt *n in e-m Buch od. Heft*; **2.** *zo.* Blättermagen *m der Wiederkäuer*; **3.** ⊕ Bogensäge *f*; **4.** *men.* Furnierblatt *n*, -holz *n*; ~**age** [~j'taːʒ] *m* (Herstellung *f* von) Blätterteig *m*; ~**er** [~j'te] *v/t.* (1c) (durch)blättern; ~**on** [~j'tõ] *m* Feuilleton *n*; ~**onesque** [~jtɔ'nɛsk] *adj.* feuilletonistisch, feuilletonhaft; ~**oniste** [~jtɔ'nist] *su.* Feuilletonschreiber *m*.

feuillette [fœ'jɛt] *f* Faß *n* (*etwa 125 Liter*).

feuil|lu [fœ'jy] *adj.* blätterreich, dicht belaubt; ~**lure** [~'jyːr] *f* Falz *m an Türen u. Fenstern*, Hohlkehle *f*, Anschlag *m*.

feul|ement [føl'mɑ̃] *m* Tigergebrüll *n*; ~**er** [~'le] *v/i.* (1a) brüllen (*Tiger*).

feu|tre ['føːtrə] *m* Filz *m*; Filzhut *m*; ~**tré** [fø'tre] *adj.* filzig; *fig.* abgenutzt, schäbig; leise; *pas m* ~ leiser Gang *m*; ~**trer** [~] *v/t.* (1a) **1.** *text.* filzen; **2.** mit Filz unterlegen.

fève ⚘, *cuis.* [fɛːv] *f* Sau-, Puff-bohne *f*; ~ *de cacao* Kakaobohne *f*.

féverole [fɛ'vrɔl] *f* kleine Saubohne *f*.

février [fevri'e] *m* Februar *m*.

fez [fɛːz] *m* Fes *m*.

fi [fi] *int. fi (donc)!* pfui!; *fi de lui!* pfui über ihn!; *faire ~ de qch.* etw. verachten; sich über etw. (*acc.*) hinwegsetzen.

fiab|ilité ⊕ [fjabili'te] *f* Funktionssicherheit *f*; **~le** ⊕ ['fjablə] *adj.* funktionssicher, verläßlich.

fiacre ['fjakrə] *m* Droschke *f*.

fian|çailles [fjɑ̃'sɑ:j] *f/pl.* Verlobung *f*; **~cé** [~'se] *adj. u. su.* verlobt; Verlobte(r) *m*; **~cer** [~] (1k) **I** *v/t. ~ sa fille à q.* s-e Tochter mit j-m verloben; **II** *v/rfl. se ~ à q.* sich mit j-m verloben.

fiasco [fjas'ko] *m* (5a) *bsd. thé.* Fiasko *n*, Reinfall *m*; *faire ~* ein Fiasko erleben.

fibr|anne ⊕ [fi'bran] *f* Zellwolle *f*, Kunstfaser *f*; **~e** ['fi:brə] *f* **1.** Faser *f*, Fiber *f*; *~ d'emballage od. de bois* Holzwolle *f*; *~ de verre* Glaswolle *f*; ⊕ *~ vulcanisée* Vulkanfiber *f*; **2.** (*nur sg.*) *fig.* Ader *f*; Saite *f*; *avoir la ~ poétique* e-e poetische Ader haben; **3.** ⚒ Ader *f*; **~eux** [~'brø] *adj.* (7d) faserig; **~illation** ⚕ [~brila'sjɔ̃] *f* (Herz-)Flimmern *n*; **~ille** [~'brij] *f* Fäserchen *n*; **~ine** [~'brin] *f* Faserstoff *m*; **~ineux** [~bri'nø] *adj.* (7d) faserstoffhaltig; **~ome** ⚕ [~'bro:m] *m* Fasergeschwulst *f*; **~ose** ⚕ [~'bro:z] *f* Fibrosis *f*, übermäßige Entwicklung *f* v. Bindegewebsfasern.

fic *vét.* [fik] *m* Pappillom *n*, Warzengeschwulst *f*.

ficeler [fis'le] *v/t.* (1c) zubinden; ver-, zusammen-schnüren.

ficelle [fi'sɛl] *f* **1.** Bindfaden *m*, Schnur *f*, Faden *m*; *bisw.* Hundeleine *f*; *fig. celui qui tire les ~s* der Drahtzieher; *tenir un chien par la ~* e-n Hund an der Leine führen; **2.** *Fr.* sehr dünnes, langes Weißbrot *n*; **3.** P *fig. ~s pl.* Kniffe *m/pl.*, Tricks *m/pl.*; **4.** F *u. adj.* gerissen(er Kerl *m*).

fichaises F [fi'ʃɛ:z] *f/pl.* wertlose Sache *f*, Kram *m*, Plunder *m*, Tand *m*.

fichant ⚔ [fi'ʃɑ̃] *adj.*: *tir m ~* direkt einschlagendes Feuer *n*.

fiche [fiʃ] *f* **1.** Zettel *m*; Karteikarte *f*; Karteiblatt *n*; Personalnachweis *m*; Blatt *n*, Schein *m*; *~ d'immatriculation* Antragsvordruck *m*; *~ de salaire* Lohnzettel *m*; *catalogue par ~s* Kartothek *f*, Zettelkatalog *m*; **2.** ⚡ Stecker *m*; Klemme *f*; *~ femelle* Steckbuchse *f*; *~ intermédiaire (bipolaire)* Zwischen-(Doppel-)stecker *m*; *~ mâle* Stecker *m*; *~ banane* Bananenstekker *m*; *~ (de fixation)* Spulenstecker *m*; *~ de raccordement* Verbindungsstecker *m*; *~ secteur* Netzstecker *m*; **3.** Absteckpfahl *m*, Pflock *m*, Bolzen *m*; **4.** Spielmarke *f*; *~ de consolation* Trostpreis *m*; **5.** *serr. ~ à gond* (*od. à repos*) Türband *n*.

ficher [fi'ʃe] (1a) **I** *v/t.* **1.** einrammen; *Nagel* einschlagen; festmachen; *Stecker* reinstecken; **2.** F (*euphemistisch für foutre gebraucht*; *daher ein 2. p/p. fichu nach foutu*) schmeißen; *~ q. à la porte* j-n rausschmeißen; **3.** F *fiche-moi le camp!* scher dich zum Teufel!; *fiche-moi la paix!* laß mich in Ruhe!; **4.** F *je t'en fiche!* nichts zu machen!, kommt gar nicht in Frage!, auf keinen Fall!; **II** *v/rfl. se ~* eindringen; *se ~ dedans* sich irren; sich verfahren; *se ~ qch. dans la tête* sich etw. in den Kopf setzen; *se ~ par terre* der Länge nach hinfliegen; *se ~ de* F sich lustig machen über (*acc.*); *je m'en fiche* (*pas mal*) daraus mach' ich mir gar nichts, das ist mir vollkommen egal; *se ~ du public* sich um die Meinung der Leute gar nicht kümmern.

fichet *dial.* [fi'ʃɛ] *m* Ausweis *m*, Bescheinigung *f* (*e-r Teilnahme an e-r Veranstaltung*).

fichier [fi'ʃje] *m* Kartothek *f*, Kartei *f*.

fichiste [~'ʃist] *su.* Karteiführer *m*.

fichtre F ['fiʃtrə] *int. a. Erstaunen od. Bewunderung*: verflucht nochmal!; Himmeldonnerwetter!; **~ment** F [fiʃtrə'mɑ̃] *adv.* erstaunlich, verdammt F, riesig, äußerst.

fichu[1] [fi'ʃy] *m* leichter Damenschal *m*, Schulter-, Kopf-tuch *n*.

fichu[2] F [fi'ʃy] *adj.* **1.** schlecht, mies, erbärmlich, lächerlich, miserabel, verloren, kaputt, vorbei, erledigt; *quel ~ temps!* was für ein widerliches Wetter!; *ce malade est ~* dieser Kranke ist verloren; *ma robe est ~e* mein Kleid ist hin; **2.** gemacht; gewachsen; *c'est mal ~* das ist hingepfuscht; *ce n'est pas mal ~* das ist nicht schlecht gemacht; *il est mal ~* er ist schlecht aufgelegt, er ist nicht auf dem Damm, er fühlt sich nicht recht wohl; *bien ~* gut *od.* schön gemacht; gut gewachsen; *mal ~* schlecht gemacht; nicht ganz in Ordnung, unwohl; schmächtig; **3.** *~ de* (*mit inf.*) imstande: *il n'est pas ~ de gagner sa vie* er ist nicht imstande, sich s-n Lebensunterhalt zu verdienen.

fic|tif [fik'tif] *adj.* (7e) □ angenommen, erdichtet, fiktiv, fingiert, Schein...; **~tion** [fik'sjɔ̃] *f* Erfindung *f*, Fiktion *f*.

fidéicommis ⚖ [fideikɔ'mi] *m* unveräußerliches Erbgut *n*; **~saire** ⚖ [~'sɛ:r] *m* Treuhänder *m*; *~ substitué* Nacherbe *m*; **~sariat** ⚖ [~sa'rja] *m* Treuhänderschaft *f*.

fidèle [fi'dɛl] **I** *adj.* □ **1.** treu; zuverlässig; **2.** wahrheitsgetreu, genau; *mémoire f ~* zuverlässiges Gedächtnis *n*; *traduction f ~* genaue Übersetzung *f*; **II** *~ment adv.* treu; **III** *su.* Getreue(r) *m*; Gläubiger *m*, Kirchgänger *m*.

fidélité [fideli'te] *f* **1.** Treue *f*; Zuverlässigkeit *f*; Anhänglichkeit *f*; *serment m de ~* Treueeid *m*; *~ à un contrat* Vertragstreue *f*; *~ naturelle* angeborene Treue *f*; **2.** Genauigkeit *f*.

fiduciaire ⚖ [fidy'sjɛ:r] **I** *adj.* treuhänderisch; *circulation f ~* Notenumlauf *m*; *monnaie f ~* Papiergeld *n*; Banknoten *f/pl.*; **II** *m* Treuhänder *m*.

fiducie ⚖ [fidy'si] *f* Treuhänderschaft *f*; Sicherungsübereignung *f*; *contrat m de ~* Treuhandvertrag *m*.

fief [fjɛf] *m* **1.** *hist.* Lehen *n*; **2.** *pol.* Hochburg *f*; *fig.* Gebiet *n*; **~fé** [~'fe] *adj. péj.* ausgekocht, abgefeimt, Erz...; *canaille f ~e, fripon m ~* Erzschuft *m*; *ivrogne m ~* Erzsäufer *m*; **~fer** *hist.* [~] *v/t.* (1a): *~ q. de* j-n belehnen mit (*dat.*).

fiel [fjɛl] *m* **1.** Galle *f* (*bsd. der Tiere*); **2.** *fig.* Gehässigkeit *f*, Bitterkeit *f*; Haß *m*, Groll *m*; **~leux** [~'lø] *adj.* (7d) gallig; *fig.* krötig, gehässig, giftig.

fien|te [fjɑ̃:t] *f* (Vogel-, Geflügel-) Mist *m*, Kot *m*; **~ter** [fjɑ̃'te] *v/i.* (1a) Kot auswerfen.

fier[1] [fje] (1a) *v/rfl. se ~ à q.* (*qch.*) j-m (e-r Sache) (ver)trauen, sich auf j-n (etw.) verlassen; *on ne peut (pas) se ~ à lui* man kann ihm nicht trauen, es ist kein Verlaß auf ihn; *fiez-vous-en à moi* verlassen Sie sich auf mich!; *iron. fiez-vous-y!* verlassen Sie sich man bloß darauf!

fier[2] [fjɛ:r] (7b) **I** *adj.* □ **1.** *oft nég. ~ (de)* stolz (auf *acc.*); zufrieden; *péj.* hochmütig; **2.** F riesig, mächtig; anständig; fabelhaft, ausgezeichnet; *j'ai fait un ~ déjeuner* ich hatte ein fabelhaftes Essen; *un ~ fripon* ein ganz großer Schuft; *tu m'as rendu un ~ service!* du hast mir e-n riesigen Gefallen getan!; **II** *su.* Stolze(r) *m*; *péj.* Hochmütige(r) *m*; *faire le ~* stolz (*od.* hochmütig) tun.

fier-à-bras [fjɛra'brɑ] *m* (6c) Bramarbas *m*, Maulheld *m*.

fierté [fjɛr'te] *f oft nég.* Stolz *m*; Zufriedenheit *f*; *Kunst*: kühner Schwung *m*; *péj.* Hochmut *m*.

fièvre ['fjɛ:vrə] *f* Fieber *n*; *fig.* Unruhe *f*, Unrast *f*, heftige Aufregung *f*; *avoir* (F *faire*) *de la ~* Fieber haben; *prendre la ~* Fieber bekommen; *accès m de ~* Fieberanfall *m*; *fort m de la ~* höchste Stufe *f* des Fiebers; *~ bilieuse* Gallenfieber *n*; *~ cérébrale* Gehirnentzündung *f*; *~ intermittente* Wechselfieber *n*; *~ nerveuse* Nervenfieber *n*; *~ puerpérale* Wochenbett-, Kindbett-fieber *n*; *~ scarlatine* Scharlachfieber *n*; *fig. ~ politique* politische Erregung *f*.

fiévreux [fje'vrø] *adj.* (7d) **1.** Fieber verursachend; **2.** fieberkrank; *fig.* fieberhaft; aufgeregt; *activité f fiévreuse* fieberhafte Tätigkeit *f*; *imagination f fiévreuse* Wahnvorstellung *f*, krankhafte Vorstellung *f*.

fifi F [fi'fi] *m* kleines liebes Ding *n*, Herzchen *n*, Liebling *m*; **~lle** F [~'fij] *f* kleines, liebes Mädchen *n* (*beide Ausdrücke bsd. zu Kindern*).

fifre ['fifrə] *m* **1.** Querpfeife *f*; *au son du ~ et du tambour* unter Trommelwirbel u. Pfeifenklang; **2.** Pfeifer *m*.

figaro *plais.* [figa'ro] *m* Friseur *m*.

figé [fi'ʒe] *adj.* erstarrt; dick (-flüssig); *fig.* starr; gezwungen; *huile f ~e* dickes Öl *n*; *~ de peur* starr vor Schreck; *sourire m ~* erzwungenes Lächeln *n*; *rester ~ dans ses préjugés* bei s-n Vorurteilen starr verharren.

figer [fi'ʒe] (1l) **I** *v/t.* gerinnen *od.* erstarren lassen; **II** *v/rfl. se ~* gerinnen; erstarren (*a. fig.*); *fig.* stocken.

fignol|age [fiɲɔ'la:ʒ] *m* sorgfältige Ausführung *f*, Ausfeilen *n*; **~er** [~'le] (1a) *v/t.* sorgfältig ausarbeiten *od.* ausführen; peinlich genau zu Ende führen; ⊕ ausmeißeln, durchfeilen, auspolieren; *allg.* ausfeilen; *~ un discours* e-e Rede (e-n Vortrag) sorgfältig ausarbeiten.

figue [fi:g] *f* Feige *f*; *moitié ~, moitié raisin* (*od. mi ~, mi raisin*) wohl oder übel; schlecht und recht; leidlich, erträglich, ganz annehmbar; halb im Spaß, halb im Ernst;

d'un air moitié ~, moitié raisin mit e-m süßsauren Gesicht.

figuier [fi'gje] *m* Feigenbaum *m*; *~ élastique* Gummibaum *m*.

figuline [figy'lin] *f* Gefäß *n* aus Terrakotta.

figu|rant [figy'rɑ̃] *su.* (7) *thé.* Statist *m*; **~ratif** [~ra'tif] *adj.* (7e) bildlich, figürlich; *écriture f figurative* Bilderschrift *f*; **~ration** [~ra'sjɔ̃] *f* **1.** (bildliche) Darstellung *f*; *fig.* Bild *n*; *toute la ~ de la vocation pastorale* das ganze Bild des Hirtenberufs; **2.** *thé.* Statisten *m/pl.*

figure [fi'gy:r] *f* **1.** Figur *f* (*a.* ♙, *Sport*, *Tanz*), Gestalt *f*; Aussehen *n*, Haltung *f*; *litt.* des *~s* Charaktere *m/pl.* (*in e-m Drama od. Roman*); *faire ~* e-e Rolle spielen, etw. darstellen; *abs.* (*ohne adj. vor ~*) repräsentieren, Staat machen; *une plaisante ~ d'homme* ein ulkiger (*od.* drolliger) Kerl *m*; *il fait une triste ~* er stellt e-e traurige Figur dar; *abs. faire bonne ~* s-n Mann stehen; **2.** *Kartenspiel*: *~s pl.* Figuren *f/pl.* (*a.* ♪), Kartenbilder *n/pl.*; **3.** Gesichtsausdruck *m*, Miene *f*; *~ d'enfant* Kindergesicht *n*; *être bien de ~* angenehme Züge haben, gut aussehen; *faire bonne ~ à mauvais jeu* gute Miene zu bösem Spiel machen; *faire bonne ~ à q.* j-m freundlich entgegentreten; **4.** sprachliche Figur *f*.

figuré [figy're] **I** *adj.* (*adv.* *~-ment*) **1.** *plan m ~* bildliche Darstellung *f*; *copie f ~e* genau nachgemachte Abschrift *f*; **2.** bildlich, figürlich; bilderreich; *Stoff*: gemustert; *langage m ~* Bildersprache *f*; **II** *m* (*a. adj.*: *sens m ~*) übertragener Sinn *m*; *au ~* in übertragenem (*od.* bildlichem) Sinne.

figurer [~] (1a) **I** *v/t.* **1.** bildlich *od.* symbolisch darstellen, abbilden; anschaulich machen; *~ un terrain* ein Gelände aufnehmen; **II** *v/i.* **2.** *~ (bien, mal) ensemble* (gut, schlecht) zusammenpassen; **3.** *bsd. litt.* (*in e-m Text*) vorkommen, erscheinen, dargestellt *bzw.* beschrieben werden, auftreten; *~ sur une liste* auf e-r Liste stehen (*od.* figurieren); **4.** *thé.* als Statist auftreten; **III** *v/rfl.* *se ~* sich einbilden, sich vorstellen; *figurez-vous ...* denken Sie sich ...!

figuri|ne [figy'rin] *f* Statuette *f*, kleine Figur *f*; *écol.* Haftbild *n*; **~ste** [~'rist] *m* Gipsfigurenmacher *m*.

fil [fil] *m* **1.** Faden *m*; Garn *n*; *aiguillée f* (*od. brin m*) *de ~* Zwirnsfaden *m*; *pelote f de ~* Garnknäuel *n*; *~ d'étaim* Kammgarn *n*; *~ à plomb* (Blei-)Lot *n*; *~s pl. d'araignée* Spinngewebe *n*; *~ de laine* Wollgarn *n*; *~ de soie* Seidenfaden *m*; *~ bis*, *~ de Flandre* Doppelgarn *n*; *gros ~* Sackgarn *n*; *~ poissé* Schusterzwirn *m*; *~ de lin*, *~ retors* Zwirn *m*; *~s pl. de papier* ⊕ Papierwolle *f*; *~ retors de soie* Seidenzwirn *m*; *fig.* *~ conducteur* Leitgedanke *m*, rote(r) Faden *m* *e-r Erzählung usw.*; *~s pl. de la Vierge* Altweibersommer *m*; *fig. avoir le ~* gewitzt sein, den Rummel verstehen; *fig. cousu de ~ blanc* allzu durchsichtig (*od.* offensichtlich); *de ~ en aiguille* von A bis Z; ein Wort ergab das andere; *donner du ~ à retordre à q.* j-m e-e harte Nuß zu knacken geben, j-m zu schaffen machen; *perdre le ~* den (roten) Faden verlieren; *ne tenir qu'à un ~* nur (noch) am seidenen Faden hängen; **2.** *~ (de fer)* Draht *m*; ⚡ Leitung *f*; *~ d'acier* Stahldraht *m*; *~ de laiton*, *~ d'archal* Messingdraht *m*; *~ d'argent* Silberdraht *m*; *~ de cuivre* Kupferdraht *m*; *~ de fer barbelé* Stacheldraht *m*; *~ (de fer) laminé*, *~ machine* Walzdraht *m*; *~ à brocher (pour fleurs)* Heft-(Blumen-)draht *m*; ⚡ *~s pl. aériens* Oberleitung *f/sg.*; *~ d'arrivée*, *~ d'amenée* Zuführungs-, Zuleitungs-draht *m*; *~ de contact*, *~ de prise de courant* Kontaktschnur *f*; *~ sous tube* Rohrdraht *m*; *~ de raccordement* Verbindungsdraht *m*; *Auto*: *~ de bougie* Zündkerzenkabel *n*; *~ télégraphique* Telegraphendraht *m*; *télégraphie f sans ~* (*abr. T.S.F.*) drahtlose Telegraphie *f*; *téléph. donner à q. un coup de ~* j-n anrufen; F *qui est au bout du ~?* wer ist am Apparat?; **3.** Faser *f*; ⊕ Ader *f* (*im Marmor, Glas usw.*); **4.** Strömung *f*: *au ~ de l'eau* stromabwärts; *fig. au ~ des heures* (*od. des jours*) im Laufe (*od.* mit) der Zeit; **5.** Schärfe *f*, Schneide *f* *e-s Messers usw.*; *donner le ~ à un rasoir* ein Rasiermesser schärfen; *passer au ~ de l'épée* über die Klinge springen lassen.

filage [fi'la:ʒ] *m* **1.** Spinnen *n*; Gespinst *n*; **2.** *~ de l'huile* langsames Auseinanderfließenlassen *n* von Öl *auf der Meeresoberfläche* (*zur Abschwächung der Wellen*); **3.** *métall.* Warmumformung *f*.

filaire *zo.* [fiˈlɛːr] *m* Fadenwurm *m*.
filament [filaˈmɑ̃] *m* **1.** *anat.* ⚘ Faden *m*, Faser *f*; **2.** ⚡ ~ *(à incandescence)* Glüh-faden *m*, -draht *m*; **~eux** [~ˈtø] *adj.* (7d) faserig.
filan|dres [fiˈlɑ̃ːdrə] *f/pl.* **1.** Fasern *f/pl.* (*des Fleisches u. einiger Gemüsesorten*); **2.** Streifen *m/pl.*, Strähnen *f/pl.*, Schlieren *f/pl.* (*Fehler im Glas od. Marmor*); **~dreux** [~lɑ̃ˈdrø] *adj.* (7d) faserig; aderig (*Marmor*); *fig.* langatmig, weitschweifig; verworren, geschraubt.
filant [fiˈlɑ̃] *adj.* (7) **1.** dickflüssig, zähe; ⚕ sehr schwach (*Puls*); **2.** *étoile f* ~*e* Sternschnuppe *f*.
filanzane [filɑ̃ˈzan] *f* Sänfte *f* (*auf Madagaskar*).
filardeau *icht.* [filarˈdo] *m* Brathecht *m*.
fila|sse [fiˈlas] *f text.* Fasermasse *f*; Werg *n*; *fig. cheveux m/pl.* ~ strohblondes Haar *n*; **~teur** [~ˈtœːr] *su.* (7f) Spinnereibesitzer *m*; **~ture** [~ˈtyːr] *f* **1.** Spinnerei *f*; **2.** *fig.* Beschattung *f*; *prendre q. en* ~ j-n beschatten.
fil-de-fériste [fildəfeˈrist] *su.* Seiltänzer *m*.
file [fil] *f* **1.** Reihe *f*, Zug *m*; *aller (od. marcher) à la (od. en)* ~ *indienne* hintereinander gehen; im Gänsemarsch laufen; **2.** ⚔ Glied *n*, Rotte *f*; *fig. chef m de* ~ Leiter *m*, führender Kopf *m*; Vordermann *m*, Rottenführer *m*; *se joindre en* ~ antreten; sich in Reih und Glied aufstellen; *marcher sur deux* ~*s* in zwei Gliedern marschieren; *serrer les* ~*s* die Glieder aufschließen; *par* ~ rottenweise; *par* ~ *à droite! die ganze Kolonne* rechtsum!
filé [fiˈle] *m*: ~ *d'argent* (~ *d'or*) mit Silber- (Gold-)draht übersponnener Faden.
filer [~] (1a) **I** *v/t.* **1.** spinnen; *fig. e-n Satz* zurechtdrechseln; *e-e Szene, e-n Bericht* kunstvoll durchführen *od.* ausführlich entwickeln; ♪ *Ton* aushalten; *il file un mauvais coton* es ist schlecht um ihn bestellt; *Spiel*: ~ *ses cartes* s-e Karten einzeln aufdecken; **2.** ⊕ ~ *de l'or* Golddraht ziehen; **3.** ~ *le (od. du) câble* das Tau *allmählich* nach-, los-lassen, fieren; **4.** ~ *q.* j-n beschatten, j-m nachgehen (*bsd. von Polizisten*); **5.** P geben; **II** *v/i.* **6.** F ~ *doux* zum Munde reden, klein beigeben; **7.** dick fließen, sich (zu Fäden) ziehen; **8.** blaken (*Lampe*), qualmen; **9.** spinnen, schnurren (*Katze*); **10.** F sich wegscheren, sich auf- und davonmachen; *bsd. Auto*: flitzen, sausen; *Schiff*: schnell segeln *od.* fahren; ~ *à l'anglaise*, ~ *en douce* sich verduften, sich dünnemachen; *le temps file* die Zeit vergeht schnell.
filet [fiˈlɛ] *m* **1.** ⚘ Staubfaden *m*; **2.** dünner Faden *m*, Fädchen *n*; *anat.* Zungenband *n*; **3.** ~ *d'eau* dünner Wasserstrahl *m*; *un* ~ *de voix* ein ganz zartes Stimmchen *n*; ~ *de lumière* Lichtstreifen *m*; **4.** Netz *n* (*bsd. als Fanggerät*); Frisiernetz *n*, Haarnetz *n*; Filetarbeit *f*; ~ *à bagages* Gepäcknetz *n*; ~ *de camouflage* Tarnnetz *n*; ~ *(dit) tramail Fischerei*: Stellnetz *n*; *tendre des* ~*s* Netze ausspannen; *jeter le* ~ das Netz auswerfen; *fig. attirer q. dans ses* ~*s* j-n umgarnen; j-n in die Falle locken; **5.** *cuis.* Filet *n*, Lenden-, Rückenstück *n*; **6.** ⊕ ~ *(d'une vis)* Schraubengewinde *n*; schmale Leiste *f*; **~age** [filˈtaːʒ] *m* Gewindeschneiden *n*; Gewinde *n*; **~er** [filˈte] *v/t.* (1d) **1.** ~ *une vis* ein Schraubengewinde schneiden; **2.** Draht ziehen.
fileur [fiˈlœːr] *su.* (7g) Spinner *m*; Spinnereibesitzer *m*.
filial [fiˈljal] *adj.* (5c) □ kindlich; Kindes...; **~e** ✝ [~] *f* Filiale *f*.
filiation [filjɑˈsjɔ̃] *f* Abstammung *f*; *fig.* Verbindung *f*, Verkettung *f*, Folge *f*; Verbundenheit *f*.
filière [fiˈljɛːr] *f* **1.** Gewinde-, Schneid-kluppe *f*; Zieheisen *n*; **2.** *fig.* Reihenfolge *f*, Stufenleiter *f*; Dienstweg *m*; ~ *administrative* Verwaltungslaufbahn *f*; *passer par la* ~ von der Pike auf dienen; von Stufe zu Stufe gelangen; den Instanzenweg durchmachen; **3.** *univ.* ~ *(de formation)* Studiengang *m*; **4.** ✝ Lieferschein *m*; **5.** *phys.* Anordnung *f* des Reaktorkerns; **6.** P Schmugglerring *m*; ~*s pl.* Hintertürchen *n/pl.*
fili|forme [filiˈfɔrm] *adj.* fadenförmig; schlank; sehr dünn; sehr schwach (*Puls*); **~grane** [~ˈgran] *m* **1.** Wasserzeichen *n im Papier*; **2.** Filigran *n*, feine Gold- (*od.* Silber-)drahtarbeit *f*; *en* ~ *advt.* durch die Blume *ausgedrückt*; zwischen den Zeilen; spürbar; **~graniste** [~graˈnist] *m* Filigranarbeiter *m*; **~granoscope** [~granɔˈskɔp] *m* Wasserzeichenglas *n* (*Philatelie*).
filin ⚓, *allg.* [fiˈlɛ̃] *m* Seil *n*, Tau *n*.
fille [fij] *f* **1.** Tochter *f*; **2.** Mädchen

n; Jungfrau *f*; *camarades f/pl.* ~*s* Kameradinnen *f/pl.*; *jeune* ~ (*à l'âge ingrat*) Backfisch *m*, Teenager *m néol.*; *petite* ~ kleines Mädchen *n*; *vieille* ~ alte Jungfer *f*; ~ *publique*, ~ *de joie* Straßendirne *f*, Hure *f* V; ~ *de magasin* Ladenmädchen *n*; ~ *de chambre* Kammerjungfer *f*; ~ *de salle* Stationshelferin *f*; ~ (*de service*) (Dienst-)Mädchen *n*; ~ *d'honneur* Hoffräulein *n*, Brautjungfer *f*; ~ *mère* unverheiratete Mutter *f*; **3.** *rl.* Nonne *f*.

fillette [fi'jɛt] *f* junges Mädchen *n*.

filleul [fi'jœl] *su.* Patenkind *n*.

film [film] *m* Film *m*; ~ *corrupteur* Schundfilm *m*; ~ *en couleurs* Farbfilm *m*; ~ *d'épouvante* Horrorfilm *m*; ~ *fixe école.* (*Dias*-)Standbildserie *f*; ~ *inversible* Umkehrfilm *m*; ~ *muet* Stummfilm *m*; ~ *parlant* Sprechfilm *m* (*mit Schallplatten*); ~ *policier* Detektiv-, Polizei-film *m*; ~ *en relief* plastischer Film *m*; ~ *sonore* Tonfilm *m*; ~ *à succès* Filmschlager *m*; ~ *d'aventure(s)*, ~ *à épisodes*, ~ *à sérials* Abenteuer-, Fortsetzungs-film *m*; ~ *d'agrément* Spielfilm *m*; ~ *documentaire* Lehr-, Kultur-film *m*; ~ *panchromatique* (*en relief*) farbiger (plastischer) Film *m*; ~ *truqué* Trickfilm *m*; ~ *de propagande*, ~ *de publicité* Propaganda-, Werbefilm *m*; ~ *tourné en plein air*, ~ *tourné au dehors* Außenfilm *m*; *petit* ~ Kurzfilm *m*; ~ *étroit*, ~ *de petit format* Schmalfilm *m*; ~ *à grand spectacle* Ausstattungsfilm *m*; *tourner un* ~ e-n Film drehen; ~**er** [~'me] *v/t.* (1a) (ver)filmen.

filmo-résistance ⊕ [filmɔrezis'tɑ̃:s] *f*: *la* ~ *d'une huile* der Ölfilmwiderstand.

filmothèque [filmɔ'tɛk] *f* Filmsammlung *f*.

film-télé [~te'le] *m* (6b) Fernsehfilm *m*.

filoche [fi'lɔʃ] *f* **1.** großmaschiges Gewebe *n*; **2.** * Beschattung *f*.

filocher P [filɔ'ʃe] *v/i.* (1a) flitzen; hinterherlaufen.

filoir ⊕ [fi'lwa:r] *m* Spinnmaschine *f*.

filon [fi'lɔ̃] *m* **1.** ⚒ Ader *f*, Gang *m*; **2.** F *fig.* guter Posten *m* (*der wenig Arbeit macht*), *fig.* Pfründe *f*, Druckposten *m*; **3.** F *fig.* Schwein *n* P, Glück *n*; *trouver le* ~ Schwein haben.

filoselle [filɔ'zɛl] *f* Flock-, Florettseide *f*.

filou F [fi'lu] *m* Spitzbube *m*; Falschspieler *m*; Betrüger *m*.

fils [fis] *m* Sohn *m*; ~ *de famille* Sohn *m* reicher Eltern; ~ *de ses œuvres* Selfmademan *m*; F *péj.* ~ *à papa* verwöhnter Sohn *m* e-s reichen Vaters; *il est bien le* ~ *de son père* er ist ganz der Vater.

filtra|ge [fil'tra:ʒ] *m*, ~**tion** [~tra'sjɔ̃] *f* Filtrieren *n*, Durchseihen *n*.

filtre ['filtrə] *m* Filter *m od. n*; *rad.* Sperrkreis *m*; ~ *à ondes* Wellensieb *n*; *Auto*: ~ *à huile* Ölfilter *m*, Ölreiniger *m*; ~ *à essence* Benzinfilter *m*; ~ (*en toile*) *métallique* Drahtsieb *n*; *phot.* ~ *à encre* Farbfilter *m*; ~ *à café* Kaffeefilter *m*; ~ *à emboîtement* Aufsteckfilter *m*; *papier m* ~ Filterpapier *n*; *passer au* ~ durchfiltern; *Auto*: ~ *à air* Luftfilter *m*, Luftreiniger *m*; *phot.* ~ *jaune* Gelbscheibe *f*.

filtrer [fil'tre] (1a) **I** *v/t.* filtern, durchgießen, durchlaufen lassen; *fig.* sichten, kontrollieren; **II** *v/i.* durchsickern, hindurchdringen.

filure [fi'ly:r] *f* Gespinst *n*; Fadenbeschaffenheit *f*.

fin[1] [fɛ̃] *f* **1.** zeitliches Ende *n*, Ausgang *m*, Schluß *m*; (Lebens-)Ende *n*, Tod *m*; ~ *de semaine* Wochenende *n*; ~ *d'alerte* Entwarnung *f*; *mener une affaire à bonne* ~ e-e Angelegenheit zu gutem Ende bringen; *mettre* ~ *à qch.* mit e-r Sache (*dat.*) Schluß machen; *prendre* ~ zu Ende gehen; ~ *courant* (*prochain*) Ende dieses (nächsten) Monats; ~ *février* Ende Februar; *sans* ~ endlos; *nos provisions touchent à leur* ~ unsere Vorräte gehen zur Neige; *à la* ~ schließlich, endlich; *à la* ~ *des* ~*s*, *en* ~ *de compte* letzten Endes, schließlich; **2.** Absicht *f*, Ziel *n*, Zweck *m*, Verwendungszweck *m*; ~ *en soi* Selbstzweck *m*; ~ *individuelle*, ~ *particulière* Privatzweck *m*; ~ *de propagande* Werbezweck *m*; *arriver* (*od. en venir*) *à ses* ~*s* sein Ziel erreichen; s-n Willen durchsetzen; *à quelle* ~? zu welchem Zweck?; *bsd.* ⚖ *à cette* ~, *à ces* ~*s* zu diesem Zweck; deshalb; *la* ~ *justifie les moyens* der Zweck heiligt die Mittel; *à toute* ~ (*utile*) auf jeden Fall; *à toutes* ~*s utiles* zur weiteren Veranlassung; **3.** ⚖ ~ *de non-recevoir* Abweisung(sbescheid *m*) *f*.

fin[2] [fɛ̃] (7) **I** *adj.* □ **1.** fein, zart, zierlich; *farine f* ~*e* feines Mehl *n*; *linge m* ~ feine Wäsche *f*; *papier m*

~ feines (Brief-)Papier *n*; *passoire f* ~*e* feines Sieb *n*; *peigne m* ~ feiner Kamm *m*; *visage m* ~ feines (zartes) Gesicht *n*; ~ *comme un cheveu* haarfein; **2.** auserlesen, gut; *fig. la* (~*e*) *fleur de la chevalerie* die Blüte der Ritterschaft; ~ *gourmet m* (~ *bec m*), ~*e bouche f*, ~*e fourchette f* Feinschmecker *m*; *cuis.* ~*es herbes f/pl.* Gewürzkräuter *n/pl.*; *vin m* ~ edler Wein *m*; *le parler* ~ die gewählte Ausdrucksweise; **3.** schlank; dünn; *avoir la jambe* ~*e* (*la taille* ~*e*) feingeformte Beine (e-n schlanken Wuchs) haben; **4.** *fig. Sinnesorgane*: fein, scharf; *avoir le nez* ~ e-e feine Nase haben; *avoir l'oreille* ~*e* (*od. l'ouïe* ~*e*) ein feines Gehör besitzen (*od.* haben); **5.** *fig.* durchtrieben, schlau, gerieben F; ~ *matois m*, ~ *renard m* Schlauberger *m*, Schlaufuchs *m*; ~*e mouche f* schlaue Frau *f*; **6.** *le* ~ *mot* die Hintergründe *m/pl.*, des Pudels Kern *m*, das letzte entscheidende Wort; die Lösung *e-s Rätsels*; **7.** *au* ~ *fond de la mer* im tiefsten Meeresgrunde; *il vient du* ~ *fond de la Russie* er kommt aus dem Innersten Rußlands; **II** *adv.* **8.** *écrire* ~ fein (*od.* dünn) schreiben; **9.** völlig, ganz; *j'étais* ~ *prêt* ich war fix und fertig; *tous sont* ~ *prêts pour tirer tout le bénéfice du spectacle* alle sind ganz bei der Sache, um das Schauspiel vollauf zu genießen; **III** *m* **10.** feine Wäsche *f*; *blanchisseuse f de* ~ Wäscherin *f* für feine Wäsche; Feinwäscherin *f*; **11.** *das* Feine *n*; *le* ~ *du* ~ das Allerbeste, -schönste; *savoir le fort et le* ~ *de qch.* etw. haargenau kennen; **12.** *der* Hauptpunkt *m*; *le* ~ *d'une affaire* die Kernfrage e-r Sache; *le* ~ *du* ~ die Hauptsache, das Allerwichtigste; *chercher le* ~ *du* ~ spintisieren; **13.** Feingehalt *m* (*e-s Edelmetalls*); **14.** *der* Schlaue *m*; *jouer au plus* ~ *avec q.* j-n an Gerissenheit übertrumpfen.

finage [fi'naːʒ] *m* **1.** Gemarkung *f*, Begrenzung *f*; **2.** *métall.* Läutern *n*, Siliziumentfernung *f*.

final [fi'nal] *adj.* (*pl.*: ~*s*) endlich, schließlich; End..., Schluß...; *gr.* final, e-e Absicht (*od.* e-n Wunsch) ausdrückend; *phil. cause f* ~*e* Endzweck *m*; *arrangement m* (~) Schlußabkommen *n*; ⚕ *compte m* ~ Schlußrechnung *f*.

finale [~] **I** *m* ♪ Finale *n*, Schlußsatz *m*; **II** *f* **1.** *gr.* Endsilbe *f*, Wortausgang *m*; ♪ Grundton *m*; **2.** *Sport*: Endkampf *m*, Endsport *m*, Endlauf *m*, Schlußrunde *f*.

finalement [final'mɑ̃] *adv.* schließlich; alles in allem.

finaliste *Sport* [fina'list] *su. Tennis*: Schlußrunden-spieler *m*, -teilnehmer *m*; *allg.* Teilnehmer *m* an e-m Entscheidungskampf (*a.* an e-m Wettbewerb).

finalité [finali'te] *f* **1.** *phil.*, *gr.* Finalität *f*, Zweckbestimmung *f*; **2.** *allg.* Zielsetzung *f*.

finan|ce [fi'nɑ̃ːs] *f* **1.** Barschaft *f*, bares Geld *n*; *être à court de* ~ knapp bei Kasse sein, nicht viel Geld haben; *moyennant* ~ gegen bar; **2.** ~*s pl.* Vermögens-bestand *m*, -lage *f*; **3.** Staatseinkünfte *f/pl.*, Finanzen *f/pl.*; *ministère m des* ~*s* Finanzministerium *n*; *employé m aux* ~*s* Beamte(r) *m* im Finanzministerium; *être dans la* ~ Finanzbeamter sein; **4.** ~*s pl.* Finanzwissenschaft *f*; *il n'entend rien aux* ~*s* er versteht nichts vom Finanzwesen; **5.** Finanzwelt *f*; *la haute* ~ die Hochfinanz, die Geldaristokratie; ~ *interlope*, ~ *véreuse* Finanz *f* der Verbrecherwelt; **~cement** [~nɑ̃s'mɑ̃] *m* Finanzierung *f*; ~ *propre*, ~ *par propres fonds* Selbstfinanzierung *f*; **~cer** [~nɑ̃'se] (1k) **I** *v/i.* Geld vorstrecken (*od.* herausrücken), die Kosten tragen; **II** *v/t.* finanzieren, bezahlen; **~cier** [~'sje] **I** *adj.* (7b) □ finanziell, Finanz..., Geld...; *crise f financière* Geldkrisis *f*; *établissement m* ~ Geldinstitut *m*; **II** *m* Geld-, Finanzmann *m*, Financier *m*; **~cière** *cuis.* [~'sjɛːr] *f*: *à la* ~ *advt.* mit feinsten Zutaten zubereitet.

finas|ser [fina'se] *v/i.* (1a) mit Tricks arbeiten; **~serie** [~nas'ri] *f* Trick *m*, Kniff *m*.

finaud [fi'no] (7) **I** *adj.* pfiffig, schlau; **II** *su.* Pfiffikus *m*, Schlauberger *m*; *c'est un* ~ er ist ausgekocht; **~erie** [fino'dri] *f* Pfiffigkeit *f*.

fine [fin] *f* **1.** besserer Kognak *m*; **2.** ⚒ ~*s pl.* Feinkohle *f*.

finesse [fi'nɛs] *f* **1.** Feinheit *f*, Zartheit *f*; **2.** Sinnesschärfe *f*, Scharfsinn *m*; **3.** ~*s f/pl.* Feinheiten *f/pl.*, Kunstgriffe *m/pl.*, Kniffe *m/pl.*; *il est au bout de ses* ~*s* er ist mit s-r Kunst zu Ende; **4.** List *f nur noch in*: *entendre* (*chercher*) ~ *à qch.* Hintergedanken bei etw. (*dat.*) haben, sich etw. Schlimmes bei etw.

denken; *user de* ~ List anwenden.
finette [fi'nɛt] *f* leichter Woll- *od.* Baumwoll-stoff *m.*
fini [fi'ni] **I** *adj.* **1.** beendet, vollendet; *péj. fig.* Erz...; *produit m* ~ Fertigfabrikat *n*; *coquin* ~ Erzschelm *m*; *ivrogne* ~ Erzsäufer *m*; **2.** *phil.* begrenzt, endlich; **3.** *peint.*, *sculp.* sorgfältig ausgeführt, vollendet; **4.** *fig.* erledigt; *c'est un homme* ~ es ist aus mit ihm; *fig. tout est* ~ *entre eux* sie sind geschiedene Leute; **II** *m* Vollendung *f*, feine Ausführung *f*; *phil. das* Endliche *n*, *die* Endlichkeit *f.*
finir [fi'ni:r] (2a) **I** *v/t.* **1.** enden, beenden, beendigen, vollenden, zu Ende führen; ⊕ veredeln; *il a fini son apprentissage* er hat ausgelernt; ~ *un plat* eine Schüssel leer essen (*od.* ausessen); ~ *un verre* ein Glas austrinken; **2.** *bien* ~ die letzte Hand legen an (*acc.*); **3.** das Ende *od.* den Schluß bilden von (*dat.*); **II** *v/i.* **4.** aufhören, ein Ende machen; end(ig)en, zu Ende gehen; sterben *st.s.*, enden; *j'ai fini* ich bin fertig; *finissons!* (machen wir) Schluß!; *en* ~ *avec q.* (*od. qch.*) mit j-m (*od.* etw.) Schluß machen, ein Ende finden (*zeitlich*); *fig.* mit j-m kurzen Prozeß machen; *abs. en* ~ Schluß machen (*mit dem Leben*); *il n'en finit plus* er kommt zu keinem Ende, er findet kein Ende; *pour en* ~ um zum Schluß zu kommen; *son bail finit à Pâques* sein Miets- (*od.* Pacht-)vertrag läuft zu Ostern ab; *ne pas* ~ kein Ende nehmen; **5.** ~ *en pointe* in e-e Spitze auslaufen; *gr.* ~ *en od. par* ausgehen (*od.* enden) auf (*acc.*); **6.** ~ *par* (*mit inf.*) schließlich (*od.* endlich *od.* zuletzt) doch *etw. tun*; endigen mit (*dat.*); *il finira bien par payer* zum Schluß wird er doch bezahlen.
finish *Sport* [fi'niʃ] *m* **1.** Endkampf *m*; **2.** letzter Schliff *m.*
finiss|age ⊕, *bét.* [fini'sa:ʒ] *m* Ausarbeitung *f*; Nachbehandlung *f*; Veredelung *f*; **~eur** [~'sœ:r] *m* Fertigsteller *m*; ⚠ ~ *pour routes en béton* Betonstraßenfertiger *m.*
finition ⊕ [fini'sjɔ̃] *f* Fertigstellung *f*, Ausarbeitung *f*; Ausführung *f*, Aufmachung *f*; *dernière* ~ letzter Schliff *m e-r Arbeit.*
finitude *phil.* [fini'tyd] *f* Endlichkeit *f*, Begrenztheit *f.*
Finland|ais [fɛ̃lɑ̃'dɛ] **I** *su.* Finne *m*; **II** ♀ *adj.* (7) finnisch; **~e** [~'lɑ̃:d]: **la ~e** *f* Finnland *n*; ♀**isation** *pol.* [~lɑ̃dizɑ'sjɔ̃] *f* Finnlandisierung *f.*
finnois [fi'nwa] s. *finlandais*; *bsd. la langue* ~*e* die finnische Sprache.
fiole [fjɔl] *f* **1.** Arzneifläschchen *n*; **2.** F Gesicht *n*, Visage *f* P; Kopf *m*; *se payer la* ~ *de q.* sich über j-n lustig machen.
fion P [fjɔ̃] *m* letzter Schliff *m.*
fioriture [fjɔri'ty:r] *f* **1.** ♪ Koloratur(en *pl.*) *f*, Verzierung(en *pl.*) *f*; **2.** Schnörkel *m*, Ausschmückung *f.*
fioule *néol.* [fjul] *m* Brennstoff *m.*
fip|ienne *Fr. rad.* [fi'pjɛn] *f* Rundfunksprecherin *f* des FIP-Senders zur Beruhigung der Pariser Autofahrer; **~isation** *Fr. rad.* [~pizɑ'sjɔ̃] *f* Betreuung *f* der Autofahrer mit Sendungen zur Entspannung.
firmament [firma'mɑ̃] *m* Firmament *n*, Sternen-himmel *m*, -zelt *n.*
firme [firm] *f* Firma *f.*
fisc [fisk] *m* Finanzamt *n*; Fiskus *m*, Staatskasse *f*; Steuerbehörde *f*; **~al** [~'kal] *adj.* (5c) fiskalisch; Fiskal..., Steuer...; **~aliser** [~kali'ze] *v/t.* (1a) besteuern; **~alité** [~kali'te] *f* Steuerwesen *n.*
fissa F [fi'sa] *adv.*: *faire* ~ schnell machen.
fissi|ble *at.* [fi'siblə] *adj.* spaltbar; **~le** *bsd.* ♀ *u. min.* [~'sil] *adj.* leicht spaltbar; **~lité** [~li'te] *f* Spaltbarkeit *f*; **~on** *at.* [fi'sjɔ̃] *f* Spaltung *f*; **~pare** *zo.* [fisi'pa:r] *adj.* sich durch Zellspaltung vermehrend.
fissu|ration ⚠, ⊕ [fisyrɑ'sjɔ̃] *f* Rissebildung *f*; **~re** [~'sy:r] *f* Spalte *f*, Riß *m*; **~rer** [~sy're] (1a) **I** *v/t.* spalten; **II** *v/rfl. se* ~ sich spalten.
fiston P [fis'tɔ̃] *m* Sohn *m*; *iron.* Söhnchen *n*, Bürschchen *n.*
fistu|le ⚕ [fis'tyl] *f* Fistel *f*; **~leux** [~'lø] *adj.* (7d) fistelartig.
fixa|ge *phot.* [fik'sa:ʒ] *m* Fixieren *n*; **~nt** [fik'sɑ̃] *m* Haarfestiger *m*; **~teur** [~sa'tœ:r] *m* Haarfestiger *m*; *phot.* Fixier-bad *n* -salz *n*, -flüssigkeit *f*, -mittel *n*; ⚗ Bindemittel *n*; **~tif** [~'tif] **I** *adj.* (7e) festmachend; **II** *peint. m* Fixierlack *m*; **~tion** [~ksa'sjɔ̃] *f* **1.** ⊕ Befestigung *f*; Festmachen *n*; *Skier*: Bindung *f*; **2.** Bestimmung *f*, Festsetzung *f*; ~ *des limites* Abgrenzung *f*; ~ *de l'impôt* Steuerfestsetzung *f*; **3.** ⚗ Bindung *f*, Verdichtung *f.*
fixe [fiks] **I** *adj.* □ **1.** fest, unbeweglich; *étoile f* ~ Fixstern *m*; **2.** beständig, bestimmt, unveränderlich; *appointements m/pl.* ~*s* festes Ge-

halt *n*; *demeure f* ~ bleibender Wohnort *m*; *être au beau* ~ auf beständig stehen (*v. Barometer*); *idée f* ~ fixe Idee *f*; *poste m* ~ feste Anstellung *f*; *prix m* ~ fester Preis *m*; **3.** ⚗ feuerfest; **II** *m* **4.** Fixum *n*, festes Gehalt *n*; **5.** ⚗ *les* ~*s* die feuerfesten Körper *m/pl.*; **III 6.** *ast. les* ~*s f/pl.* die Fixsterne *m/pl.*; **IV 7.** ⚔ ~*! int.* stillgestanden!

fixe|-chaussette [fiksʃo'sɛt] *m* (6c) Sockenhalter *m*; **~-cravate** [~kra'vat] *m* (6g) Schlips-nadel *f*, -halter *m*; **~-moustache** [~mus'taʃ] *m* (6d) Bartbinde *f*; **~-nappe** [~'nap] *m* (6d) Tischtuchklammer *f*.

fixer [fik'se] (1a) **I** *v/t.* **1.** befestigen, festmachen; **2.** e-e bestimmte (*od.* feste) Richtung geben (*dat.*), richten, lenken; (an sich) fesseln; ~ *l'attention de q.* j-s Aufmerksamkeit fesseln; ~ *les soupçons sur q.* den Argwohn auf j-n lenken; **3.** ~ *q.* (*qch.*) *du regard*, ~ *les yeux* (*od. son regard*) *sur q.* (*qch.*) j-n (etw.) scharf ansehen, j-n (etw.) fixieren; **4.** festsetzen, bestimmen, anberaumen (*e-n Zeitpunkt*); ~ *les limites* (de) abgrenzen; *être fixé sur qch.* wissen, woran man ist; über etw. Bescheid wissen; **5.** festlegen; ~ *sa demeure* (*od. sa résidence*) *dans une ville* in e-r Stadt s-n Wohnsitz nehmen; **6.** ⚗, *phys.* feuerfest machen; ~ *par combinaison* binden, anziehen; ⚔ ~ *l'ennemi* den Feind binden; **7.** *phot.* fixieren; **II** *v/rfl. se* ~ **8.** sich (an)heften; auf etw. ruhen (*Blick*); starr werden (*Blick*); sich festsetzen; **9.** *fig.* e-e feste Gestalt (*od.* e-e bestimmte Richtung) annehmen; *fig.* sich verwurzeln; *mon choix s'est fixé sur lui* m-e Wahl ist auf ihn gefallen; **10.** sich niederlassen.

fixis|me *biol.* [fik'sism] *m* Lehre *f* von der Unveränderlichkeit der Arten; **~te** [fik'sist] *su.* sprachlicher Traditionalist *m*.

fixité [fiksi'te] *f* Festigkeit *f*, Haltbarkeit *f*; Unbeweglichkeit *f*; Starrheit *f*; ⊕ Feuerbeständigkeit *f*; *biol.* Unwandelbarkeit *f*, Unveränderlichkeit *f*, Seßhaftigkeit *f*.

fla ♪ [fla] *m* Doppelschlag *m* auf der Trommel.

flac [flak] *int.* klatsch!

flaccidité [flaksidi'te] *f* Schlaffheit *f*.

flache [flaʃ] **I** *f* **1.** *charp.* Wahnkante *f*, entrindeter, aber noch nicht vierkantig geschnittener Baumstamm *m*; Fehler *m im Holz*; **2.** Felsspalte *f*; **3.** Vertiefung *f*; Kute *f*, Schlagloch *n*, ausgefahrene Stelle *f* (*im Wege*); Wasserlache *f im Walde auf Tonboden*; **II** *adj.*: *une poutre* ~ ein wahnkantiger (*od.* stumpfkantiger) Balken *m*.

flacherie [flaʃ'ri] *f* Bakterienkrankheit *f der Seidenraupen*.

fla-fla F [fla'fla] *m/inv.* **1.** Effekthascherei *f*, Kitsch *m* (*in der Malerei*); **2.** Großtuerei *f*, Angeberei *f*.

flacon [fla'kõ] *m* Flakon *n*, Fläschchen *n*.

flagel|lant [flaʒɛ'lɑ̃] *m* Geißelbruder *m*; **~lation** [~lɑ'sjõ] *f* Geißelung *f*; **~ler** [~'le] *v/t.* (1a) *a. fig.* geißeln.

flageo|ler [flaʒɔ'le] *v/i.* (1a) schlottern, wanken; flattern (*Autoräder*); **~let** ♪ [~'lɛ] *m* **1.** Flageolett *n*, kleine Schnabelflöte *f*; F *fig. être monté sur des* ~*s* Storchbeine haben; **2.** ⚘ ~*s m/pl.* grüne Bohnenkerne *m/pl.*

flagor|ner [flagɔr'ne] *v/t.* (1a): ~ *q.* vor j-m kriechen; **~nerie** [~nə'ri] *f* niedrige Schmeichelei *f*, Kriecherei *f*, Byzantinismus *m*; **~neur** [~'nœːr] *m* Speichellecker *m*.

flagrant [fla'grɑ̃] *adj.* (7) offenkundig, unbestreitbar; *prendre en* ~ *délit* auf frischer Tat (*od.* in flagranti) ertappen.

flair [flɛːr] *m* Geruch *m*, Witterung *f*; *fig.* Scharfsinn *m*, Spürsinn *m*; *avoir du* ~ e-e feine Nase haben; **~er** [flɛ're] *v/t.* (1b) riechen, wittern; herausbekommen; aufspüren; beschnuppern (*v. Hunden usw.*); *fig.* ahnen; **~eur** [~'rœːr] *su. u. adj.* (7g) Schnüffler *m*; schnüffelnd.

flamand [fla'mɑ̃] (7) **I** *adj.* flämisch; **II** 2 *su.* Flame *m* (*f*: Flämin).

flamant *orn.* [fla'mɑ̃] *m* Flamingo *m*.

flam|bage [flɑ̃'baːʒ] *m* **1.** ⊕, △ Knick *m*, Knickung *f*; **2.** *cuis.* (Ab-)Sengen *n*; **~bant** [~'bɑ̃] *adj.* (7) flammend; *fig.* auffällig; *tout* ~ *neuf* funkelnagelneu; ~ *clair* hell lodernd; *journ. article m à titre* ~ (Zeitungs-)Artikel *m* mit e-r auffälligen Überschrift; **~bard, ~bart** [~'baːr] *m*: *faire le* ~ protzen, angeben.

flam|be [flɑ̃ːb] *f* **1.** ⚘ Schwertlilie *f*; **2.** ⚔ Flammenschwert *n*; **~bé** [flɑ̃'be] **I** *adj.* F zugrunde gerichtet, erledigt; *il est* ~ es ist aus mit ihm, er ist erledigt, er hat verspielt; **II** *ent. m* Mantel-, Segel-falter *m*; **~beau** [flɑ̃'bo] *m* (5b) **1.** Fackel *f*; *aux* ~*x* bei Fackelschein; **2.** (hoher *od.* Arm-)Leuchter *m*; **3.** *fig.* Fanal *n*; **4.** *fig.* Licht *n*; Koryphäe *f*; **~bée** [~'be] *f* schnell auflodерndes Feuer *n*, Strohfeuer *n*; *fig.* Anfall *m*; † ~ *des prix* Preisauftrieb *m*; *pol.* ~ *de terrorisme* Terrorwelle *f*; **~ber** [~] (1a) **I** *v/i.* **1.** aufflammen, Flammen schlagen, flackern, (auf-)lodern; **2.** *fig.* entbrennen; **3.** F steigen, in die Höhe klettern (*Preise*); **II** *v/t.* über die Flamme halten, (ver)sengen.

flamberge [flɑ̃'bɛrʒ] *f* † Schwert *n*; *fig. mettre ~ au vent* s-e Meinung offen zur Schau tragen; auspacken (*abs.*), vom Leder ziehen.

flambeur P [flɑ̃'bœ:r] *m* Spieler *m*, der hohe Einsätze wagt.

flamb|oiement [flɑ̃bwa'mɑ̃] *m* Lodern *n*, Flackern *n*, Flimmern *n*; **~oyant** [~bwa'jɑ̃] *adj.* flammend; *myth. épée f ~e* Flammenschwert *n*; △ *style m ~* Flammenstil *m*, Stil *m* der späteren Gotik, spätere Gotik *f*; **~oyer** [~bwa'je] *v/i.* (1h) flammen, aufleuchten, blitzen, funkeln, glänzen.

flamenco ♪ [flamɛ̃'ko] *adj.* andalusisch.

flamingant [flamɛ̃'gɑ̃] *su.* (7) Vertreter *m* der flämischen Sprache und Kultur.

flamme [flɑ:m] *f* **1.** Flamme *f*; ~ *en pointe* Stichflamme *f*; **2.** *fig.* Leidenschaft *f*; *poét.* Liebesglut *f*; **3.** *ehm.* ⚔ Fähnlein *n*; **4.** ⚓ Wimpel *m*.

flammé [flɑ'me] *adj.* geflammt.

flammèche [flɑ'mɛʃ] *f* Funkenflug *m*.

flan [flɑ̃] *m* **1.** *cuis.* Pudding *m*; P *en être* (*od. en rester*) *comme deux ronds de ~* sprachlos sein; **2.** *a. typ.* Matrize *f*; **3.** P *à la ~* wertlos; *du ~!* Unsinn!; denkste!

flanc [~] *m* **1.** Weiche *f*, Flanke *f*; *poét.* (Mutter-)Schoß *m*; **2.** Seite *f*; *de ~* [flɑ̃:k...] *en ~* von einer Seite zur andern; **3.** Abhang *m e-s Berges*; **4.** ⚔ Flanke *f*; *par le ~ droit!* rechtsum kehrt!; ~ *dégarni* ungedeckte Flanke *f*; *prendre les ennemis en ~* (*od. de ~*) dem Feinde in die Flanke fallen; *bsd.* ⚔ F *tirer au ~* sich (*vor dem Dienst*) drücken; *prêter le ~* sich angreifen lassen; *fig. prêter le ~ à la critique* sich der Kritik aussetzen; **~-garde** ⚔ [flɑ̃'gard] *f* (6a) Seitendeckung *f*.

flancher F [flɑ̃'ʃe] *v/i.* (1a) zurückweichen, aufgeben (*abs.*; *a. Sport*), versagen; *écol. faire q. ~* j-n durchfallen lassen.

flanchet *cuis.* [flɑ̃'ʃɛ] *m* Mittelstück *n* (*Rind*).

Flandre *géogr.* ['flɑ̃:drə] *f*: **la ~** (*a. les ~s pl.*) Flandern *n*.

flandrin [flɑ̃'drɛ̃] *su.* (7): *grand ~* langer Latsch *m* (*od.* Lulatsch *m*).

flanelle [fla'nɛl] *f* Flanell *m*; (*gilet m de*) ~ wollene Unterjacke *f*.

flân|er [flɑ'ne] *v/i.* (1a) (herum-)bummeln, flanieren; umherschlendern; faulenzen; **~erie** [flɑn'ri] *f* Bummeln *n*, Flanieren *n*; **~eur** [flɑ'nœ:r] *su.* (7g) Spaziergänger *m*; **~ocher** F [~nɔ'ʃe] *v/i.* (1a) = *flâner*.

flanquer[1] [flɑ̃'ke] *v/t.* (1a) hinwerfen, schmeißen P; verpassen, versetzen F; ~ *un coup de pied à q.* j-m e-n anständigen Tritt geben; ~ *une gifle* (*od. une calotte*) *à q.* j-m e-e knallen P, j-m e-e Ohrfeige versetzen (*od.* geben); ~ *q. à la porte* j-n rausschmeißen P; j-n an die Luft setzen *iron.* F.

flanquer[2] [flɑ̃'ke] *v/t.* (1m) **1.** ⚔ *mit e-m Geschütz* beharken; **2.** ⚔ decken, flankieren; **3.** ~ *qch.* an der Seite von etw. (*dat.*) *od.* neben e-r Sache (*dat.*) stehen (*od.* liegen).

flapi F [fla'pi] *adj.* schlapp, hunde-, tod-müde, schachmatt, kaputt.

flaque [flak] *f* Pfütze *f*.

flash [flaʃ] *m* (*pl.* ~es) *phot.* Blitzlicht *n*; *cin.* kurze Szene *f*; *journ.* wichtige Kurznachricht *f*; *lampe f ~* Blitzlichtlampe *f*; *~es électroniques synchronisés* synchronisierte Elektronenblitze *m/pl.*; **~-back** *cin.* [~'bak] *m* Rückblende *f*.

flasque[1] [flask] *adj.* □ schlaff, welk; *fig. style m ~* kraftloser Stil *m*.

flasque[2] [~] **I** *f* kleine flache Flasche *f*; **II** ⚔ *m* a) Lafettenwand *f*; b) Wange *f*, Backe *f*.

flatter [fla'te] (1a) **I** *v/t.* **1.** schmeicheln; ~ *q.* j-m schmeicheln; **2.** angenehm berühren, wohltun, ergötzen; *cette musique flatte l'oreille* diese Musik tut e-m wohl, diese Musik hört man gern; *ce mets flatte le palais* dieses Gericht ist ein wahrer Gaumenkitzel; **3.** leicht (*od.* vorsichtig) berühren (*od.* werfen); ♪ ~ *la corde* die Saite leicht anschlagen; ~ *un dé* e-n Würfel vorsichtig werfen; **4.** streicheln: ~ *un animal* ein Tier streicheln; **5.** schmeichelhaft darstellen, schmeicheln, verschönern; *le peintre l'a un peu flattée* der Maler hat sie etw. schmeichelhaft dargestellt; *ce miroir flatte* dieser Spiegel schmeichelt; ~ *un portrait* ein Porträt verschönern; **6.** *mv./p. etw. Schlechtem* zustimmen, huldigen, frönen, sich hingeben; ~ *les caprices de q.* die Launen j-s schön finden; *il est trop homme de bien pour ~ le vice* er ist ein zu anständiger Mensch, um dem Laster zu frönen (*od.* um sich dem Laster hinzugeben); **7.** ~ *q. d'une espérance* j-m e-e falsche Hoffnung machen; **II** *v/rfl.* se ~ sich schmeicheln (de mit *dat.*); von sich eingenommen sein; sich Hoffnungen machen (*de qch.* auf etw. [*acc.*] *od.* de *mit inf.* zu...); **~ie** [fla'tri] *f* Schmeichelei *f.*

flatteur [fla'tœːr] (7g) **I** *adj.* **1.** schmeichelhaft; anerkennend; verbindlich; *murmure m ~* beifälliges Gemurmel *n*; **2.** verschönernd (*Spiegel*); **II** *su.* Schmeichler *m.*

flatu|eux [fla'tɥø] *adj.* (7d) blähend; **~lence, ~osité** ⚕ [flaty'lɑ̃ːs, ~tɥozi'te] *f* Blähung *f.*

fléau [fle'o] *m* (5b) **1.** ⚒ (Dresch-) Flegel *m*; **2.** *fig.* Landplage *f*, Geißel *f*; **3.** *fig.* Plagegeist *m*, lästiger Mensch *m*; **4.** Torriegel *m*; **5.** Waagebalken *m.*

fléchage [fle'ʃaːʒ] *m* Wegmarkierung *f.*

flèche [flɛʃ] *f* **1.** Pfeil *m*; ⚔ ~ *à feu* Leuchtpfeil *m*; *Auto*: ~ *mobile*, ~ (*lumineuse*) *de signalisation* Winker *m*; *faire ~ de tout bois* alle nur denkbaren Mittel anwenden, kein Mittel (*od.* keine Arbeit) scheuen; **2.** Spitze *f*; **3.** Schwengel *m*, Schlagbalken *m* (*e-r Ziehbrücke*); **4.** △ Turmspitze *f*; **5.** ⚘ Stengel *m des Zuckerrohrs*; **6.** *fig. les prix sont montés en ~* die Preise sind blitzartig gestiegen; *position f en ~* gewagte (*od.* gefährliche) Stellung(nahme *f*) *f*; **7.** ✈ Pfeilung *f*; ~ *longitudinale* Pfeilstellung *f*; *en ~* gepfeilt; **8.** ~ *de lard* Speckseite *f*; **9.** ⊕ Ausleger *m* (*Kran*).

flécher [fle'ʃe] *v/t.* (1f) markieren (*Weg*).

fléchette [fle'ʃɛt] *f* kleiner Pfeil *m.*

fléch|ir [fle'ʃiːr] (2a) **I** *v/t.* **1.** biegen, beugen; *faire ~* krümmen; ~ *le genou devant q.* vor j-m in die Knie sinken, sich vor j-m erniedrigen; **2.** *fig.* bewegen, rühren, erweichen; **II** *v/i.* **3.** sich biegen; *fig.* ~ *sous le joug* sich unter das Joch beugen, sich unterwerfen; **4.** ✝ (*im Preise*) fallen, abflauen (*Börse*); **5.** nachgeben, wanken; ⚔ weichen; **~issement** [fleʃis'mɑ̃] *m* Beugung *f*; Krümmung *f*; *fig.* Nachlassen *n*, Rückgang *m*; ✝ Abflauen *n*, Nachlassen *n*, Nachgeben *n* (*der Kurse*); *Devisen*: Rückgang *m*; **~isseur** *anat.* [~ʃi'sœːr] *m u. adj.* (*muscle m*) ~ Beugemuskel *m.*

flegm|atique [flɛgma'tik] **I** *adj.* □ phlegmatisch, gelassen, kaltblütig; **II** *su.* Phlegmatiker *m*; kaltblütiger Mensch *m*; **~e** [flɛgm] *m* Phlegma *n*, Kaltblütigkeit *f*, Gelassenheit *f.*

flein [flɛ̃] *m* kleiner Obst- *od.* Gemüse-korb *m.*

flemmard F [flɛ'maːr] *su. u. adj.* (7) Faulpelz *m*; faul; **~er** F [flɛmar'de] *v/i.* faulenzen.

flemme F [flɛm] *f* Faulenzerei *f*; *avoir la ~, battre* (*od. tirer*) *sa ~* faulenzen, zu nichts Lust haben.

fléole ⚘ [fle'ɔl] *f* Lieschgras *n.*

flet *icht.* [flɛ] *m* Flunder *f.*

flétan *icht.* [fle'tɑ̃] *m* Heilbutt *m.*

flétrir[1] [fle'triːr] (2a) **I** *v/t.* **1.** welk machen; ausbleichen; *flétri* verwelkt, welk; **2.** *fig.* die Frische nehmen (*dat.*), entstellen; **II** *v/rfl.* se ~ verwelken; s-e Frische verlieren.

flétrir[2] [~] *v/t.* (2a) (*etw.*) brandmarken; verdammen; ~ *la réputation de q.* j-s guten Ruf untergraben.

flétrissure [fletri'syːr] *f* **1.** Welksein *n*, Verwelken *n*, Verblühen *n*; **2.** Schandfleck *m*, Entehrung *f.*

fleur [flœːr] *f* **1.** Blume *f*, Blüte *f*; *étoffe f à ~s* geblümter Stoff *m*; ⚕ *~s blanches* Weißfluß *m*; ⚗ ~ *de soufre* Schwefelblumen *f/pl.*; *marché m aux ~s* Blumenmarkt *m*; *pot m de ~s* Blumentopf *m*; ⛨ *hist. ~s pl. de lis* Lilienwappen *n* (*der franz. Könige*); être *en ~* blühen, in Blüte stehen; *jeter* (*od. semer*) *des ~s* Blumen streuen; *fig. la petite ~ bleue* übertriebene Sentimentalität *f*; *être très ~ bleue* sehr sentimental sein; *fig. couvrir de ~s* lobhudeln (*dat.*), beweihräuchern P (*acc.*), schmeicheln (*dat.*); *fig. ~ du bitume* Straßendirne *f*, Asphaltpflanze *f*; **2.** *fig.* Blütezeit *f*; *à la ~ de l'âge* in der Blüte s-s Lebens; **3.** *fig. litt.* Elite *f*, *das* Beste *n*, *das* Feinste *n*; *la ~ de la jeunesse* die Besten der Jugend; ~ *de farine* Auszugsmehl *n*; **4.** *fig.* Glanz *m*; Reiz *m*; *la ~ du teint* die frische Gesichtsfarbe; **5.** *~s pl. de rhétorique* schöne Floskeln *f/pl.*; **6.** Flaum *m*, Reif *m auf Obst*; **7.** *~s pl.* Schimmel *m* (*auf Wein usw.*); **8.** Oberfläche *f*; *à ~ de ...* in gleicher Höhe mit (*dat.*); *à ~ d'eau* auf der Oberfläche des Wassers; *à ~ de terre* in gleicher Höhe mit der Erde.

fleurdelisé ▨ [flœrdəli'ze] *adj.* mit Lilien verziert.

fleurer [flœ're] (1a) **I** *v/i.* duften; **II** *v/t.* *~ la peinture fraîche* nach frischer Farbe riechen.

fleuret [flœ'rɛ] *m* **1.** Florett *n*, Stoßdegen *m*; **2.** ✝ Florettseide *f*; Florettband *n*; *~ de laine* (*~ de coton*) feine (Baum-)Wolle *f*; **3.** ⊕ Bergbohrer *m*; **~te** [~'rɛt] *f* Blümchen *n*; *conter ~ à une femme* mit e-r Frau flirten; **~tiste** *esc.* [~rɛ'tist] *su.* Florettfechter *m*.

fleurir [flœ'ri:r] (2a) (*fig. p/pr. florissant; impf. florissait, seltener: fleurissait*) **I** *v/i.* blühen, in Blüte stehen; zu wachsen anfangen (*Bart*); *nez m fleuri* Schnapsnase *f*; *Pâques f/pl. fleuries* Palmsonntag *m*; *saison f fleurie* Frühling *m*; *teint m fleuri* blühende Gesichtsfarbe *f*; *fig. les beaux arts florissaient od. fleurissaient* die schönen Künste blühten; **II** *v/t.* mit Blumen schmücken; *~ q.* j-m e-e Blume zum Anstecken schenken; *fig. style m fleuri* blumenreicher Stil *m*.

fleuriste [flœ'rist] **I** *su.* Blumenzüchter *m*, -händler *m*; -maler *m*; *~ (artificiel)* Blumenfabrikant *m*; *magasin m de ~* Blumengeschäft *n*; *kiosque m de ~* Blumenstand *m*; **II** *adj.* Blumen...; *jardinier m ~* Blumengärtner *m*.

fleuron [flœ'rɔ̃] *m* △ Blumenzierat *m*; *typ.* Vignette *f*; *fig.* Blume *f*; Kleinod *n*; ⚘ Blütenblatt *n*; **~né** △ [~rɔ'ne] *adj.* mit Blumenzierat versehen.

fleuve [flœ:v] **I** *m* großer Fluß *m*, Strom *m*; *~ frontière* Grenzfluß *m*; *être situé(e) sur un ~* an e-m Fluß liegen (*Stadt*); *fig. ~ de sang* Blutstrom *m*; **II** *adjt.* endlos.

flexi|bilité [flɛksibili'te] *f* Biegsamkeit *f*, Geschmeidigkeit *f*; **~ble** [~k'siblə] **I** *adj.* biegsam, geschmeidig; **II** ⚡ *m* Schwanenhals *m*; **~on** [~k'sjɔ̃] *f* **1.** Biegung *f*, Beugen *n*; **2.** *gr.* Flexion *f e-s Wortes*; **~onnel** *ling.* [~kjɔ'nɛl] *adj.* (7c) Flexions...

flexu|eux [flɛk'sɥø] *adj.* (7d) gewunden, mehrfach gebogen; **~osité** [~ksɥozi'te] *f* Gebogenheit *f*.

flibustier [flibys'tje] *m* Gauner *m*, Schwindler *m*, Hochstapler *m*; † Freibeuter *m*.

flic P [flik] *m* Polizist *m*; **~aille** P [~'ka:j] *f* Polente *f*; **~ard*** [~'ka:r] *m* (*a. adj.*) Bulle *m* V; s. *flic*.

flic flac [flik 'flak] *int.* klipp, klapp!

fling|ot P ⚔ [flɛ̃'go] *m*, **~ue** P [flɛ̃:g] *m* Knarre *f* (*Gewehr*); **~uer** P ⚔ [flɛ̃'ge] *v/t.* (1m) niederknallen; **~ueur** P [~'gœ:r] *m* Mörder *m*.

flirt [flœrt] *m*, **~age** [flœr'ta:ʒ] *m* Flirt *m*, Flirten *n*, Liebschaft *f*, Kokettieren *n*; **~er** [flœr'te] *v/i.* (1a): *~ avec q.* mit j-m flirten, poussieren, kokettieren; **~eur** [~'tœ:r] *su.* (7g) Liebhaber *m*.

floc[1] [flɔk] *m* (Seiden-)Büschel *n*.

floc[2] [~] *int.* plauz!, plumps!

floche *text.* [flɔʃ] *adj.* wollig, flockig; *soie f ~* Flockseide *f*.

flocon [flɔ'kɔ̃] *m* Flocke *f*; **~ner** [~kɔ'ne] *v/i.* (1a) Flocken bilden; **~neux** [~'nø] *adj.* (7d) flockig.

flocul|ation ⚗ [flɔkyla'sjɔ̃] *f* (Aus-)Flockung *f*; **~er** [~'le] *v/i.* (1a) e-e Flockung bilden.

flonflons ♪ [flɔ̃'flɔ̃] *m/pl.* dumpfe Klänge *m/pl.*; Schall *m*.

flopée P [flɔ'pe] *f* Menge *f*, Haufen *m*.

floraison [flɔrɛ'zɔ̃] *f* Blühen *n*, Blütezeit *f*.

floral [flɔ'ral] *adj.* (5c) Blumen...

floralies [flɔra'li] *f/pl. allg.* Blumenschau *f*.

flore [flɔ:r] *f* Flora *f*.

floréal *hist. Fr.* [flɔre'al] *m* Blütenmonat *m* (*20. April bis 19. Mai*).

Florence [flɔ'rɑ̃:s] *f* **1.** *géogr.* Florenz *n*; **2.** ♀ ✝ Futtertaft *m*; **3.** ♀ *Fischerei: Art* starker Faden *m*.

florès F [flɔ'rɛ:s]: *faire ~* Furore machen.

flori|cole [flɔri'kɔl] *adj.* auf Blüten lebend; **~culture** [~kyl'ty:r] *f* Blumenzucht *f*; **~fère** ⚘ [~'fɛ:r] *adj.* blütenreich; **~lège** 🕮 [~'lɛ:ʒ] *m* Anthologie *f*.

florin [flɔ'rɛ̃] *m* Gulden *m*.

florissant [flɔri'sɑ̃] *adj.* (7) *fig.* blühend (s. *fleurir*).

flot [flo] *m* **1.** Welle *f*, Woge *f*; *~s pl.* Fluten *f/pl.*, See *f*; *fig. ~ touristique* Touristenwelle *f*; *être à ~* flott sein; *fig.* F bei Kasse sein; *(re)mettre à ~* (wieder) flottmachen; *fig.* F wieder auf die Beine helfen; *fig. se remettre à ~* wirtschaftlich wieder hochkommen; *se tenir à ~ fig.* sich über Wasser halten; *~ de sang* Blutstrom *m*; **2.** aufsteigende Flut *f*; Springflut *f z.B. in der Seinemündung*; **3.** *~s pl.* Flut *f*, Strom *m*; *des ~s de lumière* Lichtströme *m/pl.*; *des ~s de poussière* Staubwolken *f/pl.*; *des ~s de bile* Flut *f* von

Schimpfworten; *a. sg.*: ~ *de paroles* Redefluß *m*, Wortschwall *m*; **4.** ~*s pl.* (Menschen-)Menge *f*; ~*s d'auditeurs* Zuhörermenge *f*; *a. sg.*: ~ *humain* Menschen-menge *f*, -strom *m*; **5.** *mettre du bois à* ~ Holz flößen; **6.** *advt. à* ~*s* in Strömen.

flotel [flɔ'tɛl] *m* schwimmendes Hotel *n*.

flot|tabilité [flɔtabili'te] *f* Schwimmkraft *f*, Schwimmfähigkeit *f*; ~**table** [~'tablə] *adj.* **1.** flößbar; **2.** schwimmfähig; schwimmend; seefähig; ~**tage** [~'ta:ʒ] *m* **1.** Flößen *n*; ~ *à bûches perdues* Flößen *n* in losen Stämmen; ~ *en trains* Flößen *n* in zusammengebundenen Stämmen; **2.** Flößholz *n*; **3.** ⊕ Fließglasverfahren *n*; ~**taison** [~tɛ'zɔ̃] *f* **1.** ⚓ Wassertracht *f*; *ligne f de* ~ Bord-, Wasser-linie *f*; **2.** *fin.* freier Wechselkurs *m*, Kursschwankung *f*; ~**tant** [~'tɑ̃] *adj.* (7) **1.** schwimmend; *pont m* ~ Schiffbrücke *f*; **2.** flatternd, fliegend, wallend, wehend; (zu) weit (*Kleid*); **3.** *fin. dette f* ~*e* schwebende Schuld *f*; *mark m* ~ freie Mark *f*; **4.** *fig.* wankelmütig, schwankend (*Charakter*); **5.** *anat. rein m* ~ Wanderniere *f*; **6.** ⚓ *ancre f* ~*e* Treibanker *m*; ~**tard** * [~'ta:r] *m* Student *m*, der sich auf die Aufnahmeprüfung an der Marineakademie vorbereitet.

flotte [flɔt] *f* **1.** Flotte *f*; ~ *marchande* Handelsflotte *f*; ~ *aérienne* Luftflotte *f*; **2.** P große Menge *f*; *avoir une* ~ *d'amis* e-e Menge Freunde haben; *une* ~ *de gens* e-e Riesenmenschenmenge *f*; *des* ~*s* viel(e); **3.** F Wasser *n*; Regen *m*; *boire de la* ~ Wasser trinken; *il tombe de la* ~ es gießt.

flottement [flɔt'mɑ̃] *m* Schwanken *n*, Wankelmut *m*, Unschlüssigkeit *f*; *fin.* = ~*taison* 2.

flot|ter [flɔ'te] (1a) **I** *v/i.* **1.** auf dem Wasser treiben, schwimmen (*v. Sachen*); geflößt werden; **2.** flattern, wehen, fliegen; (hin und her) wanken; weit sein (*Kleid*); locker sein (*Zügel*); **3.** hapern; **4.** schwanken: *fin. laisser* ~ *sa monnaie* s-r Währung e-n freien Wechselkurs geben; **5.** P regnen; **II** *v/t.* flößen; ~**teur** [~'tœ:r] *m* **1.** (Holz-)Flößer *m*; **2.** ⊕ Schwimmer *m an der Angel, am Wasserflugzeug, am Vergaser usw.*; ~**tille** [~'tij] *f* Flottille *f*.

flou [flu] **I** *adj. u. adv. peint.* sanft, weich; duftig und verschwommen gezeichnet; *phot.* unscharf; *péj.* nichtssagend; **II** *m peint., phot.* weiche Manier *f*, Weichheit *f*, Verschwommenheit *f*.

flouer F ✎ [flu'e] *v/t.* (1a) begaunern, reinlegen.

flouve ⚘ [flu:v] *f* Ruchgras *n*.

fluage ⊕ [fly'a:ʒ] *m* Kriecheinfluß *m*.

fluctu|ant [flyk'tɥɑ̃] *adj.* (7) schwankend; ~**ation** [~tɥɑ'sjɔ̃] *f* Schwankung *f*; *a. fin. la libre* ~ *du deutschemark* der freie Wechselkurs der Deutschen Mark; ~ *des prix* (*des cours*) Preis-(Kurs-)schwankung *f*; ~ *de la température* Temperaturschwankung *f*; ~**er** [~'tɥe] *v/i.* (1a) schwanken; ~**eux** [~'tɥø] *adj.* (7d) wogend, stürmisch bewegt.

fluent ⚕, *phil.* [fly'ɑ̃] *adj.* (7) fließend.

fluet [fly'ɛ] *adj.* (7c) schmächtig, zart, dünn.

flui|de [fly'id] **I** *adj.* □ flüssig; *fig. style m* ~ flüssiger Stil *m*; **II** *m* flüssiger Körper *m*, Fluidum *n*; ⚗ Flüssigkeit *f*; ~**dification** *phys.* [~difikɑ'sjɔ̃] *f* Verflüssigung *f*; ~**difier** *phys.* [~di'fje] *v/t.* (1a) verflüssigen; ~**dique** [~'dik] *adj.* ätherartig; ~**dité** [~di'te] *f* Flüssigsein *n*, flüssiger Zustand *m*; ⊕ Flüssigkeitsgrad *m*; ~ *de la circulation* Verkehrsfluß *m*; ~ *diplomatique* diplomatisches Influßkommen *n*.

fluor ⚗ [fly'ɔ:r] *m* Fluor *n*; ~**ation** ⚗ [flyɔrɑ'sjɔ̃] *f* Anreicherung *f* mit Fluor; ~**escence** [~ɔrɛ'sɑ̃:s] *f* schillernde Färbung *f*, Fluoreszenz *f*; ~**escent** [~rɛ'sɑ̃] *adj.* (7) fluoreszierend; ~**hydrique** ⚗ [~ri'drik] *adj.* Fluorwasserstoff...; ~**hydrate** ⚗ [~ri'drat] *m* Fluorhydrat *n*; ~**ure** ⚗ [~'ry:r] *m* Fluorid *n*; ~ *de calcium* Flußspat *m*.

flûte [flyt] *f* **1.** Flöte *f*; ~ *traversière* Querflöte *f*; ~ *à bec* Blockflöte *f*; *jouer de la* ~ Flöte blasen; *fig. jouer les premières* ~*s* die erste Geige spielen, tonangebend sein; *fig. aller aux* ~*s de q.* nach j-s Pfeife tanzen; **2.** Flötist *m*; **3.** F ~*s pl.* lange, dünne Beine *n/pl.*, Flossen *f/pl.*; *se tirer des* ~*s* (*od. jouer des* ~*s*) sich aus dem Staub machen; **4.** ~ *à champagne* Sektglas *n*; **5.** längliches Brot *n*; **6.** F *int.* ~! verdammt noch mal!

flû|té [fly'te] *adj.* Flöten...; *fig. voix* ~*e* helle und zarte Stimme; ~**teau** [~'to] *m* (5b) Kinderflöte *f*; ~**ter** [~'te] (1a) **I** *v/i.* singen (*Amsel*);

II P *v/t.* aussaufen; **~tiste** [~'tist] *m* Flötenspieler *m.*

fluvial [fly'vjal] *adj.* (5c) Fluß...; *navigation ~e* Binnenschiffahrt *f.*

fluviatile [flyvja'til] *adj.* in fließenden Wassern lebend *od.* wachsend; Fluß...

fluviomètre [flyvjɔ'mɛtrə] *m* Pegel *m*, Flußmesser *m.*

flux [fly] *m* **1.** Flut *f*: *le ~ et le reflux* Ebbe *f* und Flut *f*; die Gezeiten *f/pl.*; *fig. ~ et reflux* Wechsel *m*; **2.** ⚕ Ausfluß *m*; *~ de sang* Blutfluß *m*; **3.** ✈ (Vor-)Schub *m.*

fluxion [flyk'sjɔ̃] *f* ⚕ Anschwellung *f*, *bsd. im Gesicht*; F dicke Backe *f*; *~ sur les dents* geschwollenes Zahnfleisch *n.*

foc ⚓ [fɔk] *m* Klüver *m.*

focal [fɔ'kal] *adj.* (5c) *opt.* Brenn-(punkt)...; **~e** ⚡ [~] *f* Brennweite *f*; **~isation** *opt.* [~liza'sjɔ̃] *f* Scharfeinstellung *f*; **~iser** [~li'ze] *v/t.* (1a) konzentrieren *fig.*

fœhn [føn] *m* Föhn *m* (*wärmerer Wind*).

foène [fw'ɛn] *f Fischfang*: Harpune *f.*

fœtus [fe'tys] *m* Leibesfrucht *f.*

foi [fwa] *f* **1.** Glaube(n) *m*; Glaubwürdigkeit *f*, Glaubhaftigkeit *f*; *avoir ~ en q.* zu j-m Vertrauen haben; *avoir ~ dans son médecin* zu s-m Arzt Vertrauen haben; *avoir ~ en Dieu* an Gott glauben; *~ à* (*od.* en) *qch.* Glaube an etw.; *accorder od. ajouter ~ à qch.* e-r Sache (*dat.*) Glauben schenken; *donner ~* Vertrauen erwecken; *faire ~ de qch.* etw. beweisen; *homme m digne de ~* glaubwürdiger Mann *m*; **2.** *rl.* Glaube *m*; *manque m de ~* Unglaube *m*; **3.** Treue *f*, Gewissenhaftigkeit *f*, Zuverlässigkeit *f*; Versprechen *n*, Wort *n*; *~ conjugale, ~ du mariage* eheliche Treue *f*; *~ des contrats* Vertragstreue *f*; *~ d'honnête homme!, par* (*od. sur*) *ma ~!* meiner Treu!, auf Ehrenwort!; F *ma ~* wirklich; ehrlich gesagt; *dégager sa ~* sein Versprechen erfüllen; *engager sa ~* sein Wort geben; *garder sa ~* sein Wort halten; *manquer de ~* sein Wort nicht halten; *homme m sans ~* gewissenloser (unzuverlässiger, treuloser) Mensch *m*; *n'avoir ni ~ ni loi* gewissenlos sein; *bonne ~* Zuverlässigkeit *f*, Glaubwürdigkeit *f*; Ehrlichkeit *f*, Aufrichtigkeit *f*; *de bonne ~* in gutem Glauben; ehrlich, aufrichtig; *de la meilleure ~ du monde* in der redlichsten Absicht; *être de mauvaise ~* unehrlich (*od.* unzuverlässig) sein; **4.** ⚖ *~ des traités* Verbindlichkeit *f* der Verträge; *en ~ de quoi* urkundlich dessen; *faire ~ de qch.* maßgebend für etw. (*acc.*) sein; *sous la ~ du serment* unter Eid.

foie [~] *m* Leber *f*; *pâté m de ~ gras* Gänseleberpastete *f*; *saucisson m de ~* Leberwurst *f*; P *avoir les ~s* große Angst haben; *huile f de ~ de morue* Lebertran *m*; *fig. au ~ engorgé* kurzsichtig, beschränkt.

foin [fwɛ̃] *m* **1.** Heu *n*; *botte f de ~* Heubündel *n*; *tas m de ~* Heuhaufen *m*; *grenier m à ~* Heuboden *m*; *~ comprimé* Preßheu *n*; *fig. faire ses ~s, mettre du ~ dans ses bottes* sein Schäfchen ins trokkene bringen; *être bête à manger du ~* strohdumm sein; *fièvre f* (*od. rhume m*) *des ~s* Heuschnupfen *m*; **2.** (*bsd. ~s pl.*) noch ungemähtes Gras *n*; *couper le ~* Gras mähen; **3.** P *faire du ~* heftig protestieren.

foirail *dial.* [fwa'raj] *m* (5c), **foiral** [fwa'ral] *m* (5c) Marktplatz *m.*

foire [fwa:r] *f* **1.** Messe *f*; Markt *m*, Jahrmarkt *m*; *~ d'échantillons* Mustermesse *f*; *~ aux puces* Trödel-, Floh-markt *m*; *en temps de ~* zur Messezeit; *revenir de la ~ d'empoigne* mit gestohlenen Sachen zurückkehren; *dans une ~* auf e-m Jahrmarkt, auf e-r Messe; *pavillon m de ~* Messehaus *n*; *un stand à la ~* ein Messestand *m*; *~ aux chevaux* Pferdemarkt *m*; *champ m de ~* Messegelände *n*; Jahrmarktplatz *m*; **2.** F Durcheinander *n*; **3.** P *faire la ~* in Saus und Braus leben, herumsumpfen F.

foirer [fwa're] *v/i.* (1a) **1.** P Dünnschiß (V) haben; *fig.* Schiß (V) (*od.* Angst) haben; **2.** ⊕ e-n weiten Feuerschein hinterlassen (*Rakete*); nicht mehr fassen (*Schraubengewinde*); ⚓ sich aufdrehen, sich ausdehnen (*Tau*); *allg.* reißen.

foireux P [fwa'rø] *m* Scheißer *m* V; *fig.* Angsthase *m*; Pechvogel *m.*

fois [fwa] *f* Mal *n*; *une ~* einmal; *je te le dis une ~ pour toutes* ich sage es dir ein für allemal; *il y avait* (*od. il était*) *une ~ un homme très pauvre* es war einmal ein sehr armer Mann; *en une seule ~* aus e-m Guß; auf einmal; *une ~ qu'il sera venu* wenn er erst mal gekommen ist; *pour une ~ que* ... (*ind.*) wenn einmal ...; *cette ~-ci* diesmal; *trois ~ quatre font douze* drei mal vier ist zwölf; *de deux*

~ *l'une od. une ~ sur deux* ein um das andere Mal; *il est deux ~ plus grand que toi* er ist nochmal so groß wie du; *combien de ~?* wie oft?; F *des ~* manchmal; *bien des ~* sehr oft; *maintes ~* öfters, immer wieder, so manches Mal; *à (od. par) deux ~* zweimal; *de ~ à autre* von Zeit zu Zeit; dann und wann; *toutes les ~ que tu viendras* sooft du kommst; *autant de ~ que vous voudrez* sooft Sie wollen; (*tout*) *à la ~* auf einmal; F F *un à la ~* jeder für sich; einer nach dem andern.

foison [fwa'zõ] *f*: *advt. à ~* in Hülle und Fülle; **~nement** [~zɔn'mã] *m* Vermehrung *f*; Wimmeln *n* (*v. Tieren*); Wuchern *n* (*v. Pflanzen*); ⚗ Anschwellen *n*; Aufquellen *n*; **~ner** [~zɔ'ne] *v/i.* (1a) Überfluß haben (*en od. de* an *dat.*); im Überfluß vorhanden sein; sich stark vermehren; wimmeln (*v. Tieren*); wuchern (*v. Pflanzen*); aufquellen (*Kalk*).

folasse F [fɔ'las] *adj./f* ein bißchen verrückt.

folâ|tre [fɔ'lɑ:trə] *adj.* □ ausgelassen; lustig; **~trer** [~lɑ'tre] *v/i.* (1a) ausgelassen herumspringen, scherzen.

foliacé ♀ [fɔlja'se] *adj.* blattartig.

foliaire ♀ [fɔl'jɛ:r] *adj.* blattständig.

foliation ♀ [fɔljɑ'sjõ] *f* Ausschlagen *n* (*der Blätter*); Blätterstand *m*.

folie [fɔ'li] *f* **1.** Narrheit *f*, Irrsinn *m*, Wahnsinn *m*; *advt. aimer qch. od. q. à la ~* etw. *od.* j-n bis zur Verrücktheit lieben; *tenir de la ~* an Wahnsinn grenzen; **2.** Torheit *f*, Unklugheit *f*; **3.** Hobby *n* (*besser: marotte*); **4.** Ausgelassenheit *f*.

folié ♀ [fɔl'je] *adj.* beblättert.

folio [fɔl'jo] *m* Blatt *n od.* Seite *f* e-s Buches, Folio *n*; **~le** ♀ [~'ljɔl] *f* Blättchen *n*, Kelchblatt *n*; **~tage** [fɔljɔ'ta:ʒ] *m* Foliieren *n*, Seitenzählung *f* (*e-s Registers*); **~ter** [fɔljɔ'te] *v/t.* (1a) foliieren.

folk F [fɔlk] *m* s. *~lore* F.

folklor|e [fɔlk'lɔ:r] *m* Volkskunde *f*; F Gaudi *n*, Amüsement *n*, Abwechslung *f*; Idyll *n*; Unsinn *m*, Gerede *n*; Riesenmenge *f*; **~ique** [~lɔ'rik] *adj.* volkskundlich; F drollig (*z.B. altes Auto*); altmodisch gekleidet; komisch, eigenartig, unvorhergesehen; ersponnen; **~iste** [~'rist] *su.* Volkskundler *m*.

folle [fɔl] s. *fou*[1]; *la ~ du logis* die Phantasie; **~ment** [fɔl'mã] *adv.* töricht(erweise), dumm; F riesig.

follet [fɔ'lɛ] *adj.* (7c): *cheveux ~s* struppige Haare *n/pl.* im Nacken; *esprit m ~* Poltergeist *m*, Kobold *m*; *feu m ~* Irrlicht *n*; *fig.* Anwandlung *f*, Strohfeuer *n*; *poil m ~* Flaum-haar *n*, -bart *m*.

folletage ♀ [fɔl'ta:ʒ] *m* Traubenkrankheit *f*, **-fäule** *f*.

follicule *anat.*, ♀ [fɔli'kyl] *m* Follikel *m*.

fomenta|teur [fɔmɑ̃ta'tœ:r] (7f) **I** *su.* Aufwiegler *m*, Hetzer *m*; **II** *adj.* aufwieglerisch, hetzerisch; **~tion** [~tɑ'sjõ] *f* **1.** *fig. ~ de troubles* Aufwiegelung *f*, Aufhetzung *f*; **2.** ⚕ warmer Umschlag *m*.

fomenter [~'te] *v/t.* (1a) *fig. mv.p.* schüren, anstiften; hegen, nähren, aufkommen lassen.

fonçage ⚒ [fõ'sa:ʒ] *m* Ausschachten *n*.

foncé [fõ'se] *adj.* dunkel (*Farbe*).

foncer [~] (1k) **I** *v/t.* **1.** *~ un tonneau* in ein Faß den Boden einsetzen; **2.** *~ un puits* e-n Brunnen graben; ⚒ e-n Schacht abteufen; **3.** *peint. ~ une couleur* e-e Farbe dunkler machen; **II** *v/i.* **3.** dunkler werden (*z.B. Haare*); **4.** F flitzen; *a. ~ droit sur ...* drauflosgehen auf (*acc.*); *~ au travers* (*od. dans le brouillard*) drauflosstürmen; **5.** * zahlen.

fonceur [fõ'sœ:r] *m* **1.** *~* (*de puits*) Schachthauer *m*; **2.** *peint.* Grundierer *m*; **3.** F Draufgänger *m* (*a. Sport*); *allg.* Energiemensch *m*; **4.** F sehr erfolgreicher Verkäufer *m*.

fon|cier [fõ'sje] *adj.* (7b) Grund..., Boden...; *fig.* fest verwurzelt *od.* verankert; *fig. qualités f/pl. foncières* Wesenszüge *m/pl.*; **~cièrement** [~sjɛr'mã] *adv.* durchaus, von Grund auf; *~ honnête* grundanständig.

fonction [fõk'sjõ] *f* **1.** Amtsverrichtung *f*, Amtsgeschäft *n*; *voiture f de ~* Dienstwagen *m*; **2.** Amt *n*; dienstliche Stellung *f*; *s'acquitter de ses ~s* sein Amt verrichten, s-s Amtes walten; *relever q. de ses ~s* j-n s-s Amtes entheben; *résilier ses fonctions* sein Amt niederlegen; *entrer en ~* sein Amt antreten; *obtenir une ~, entrer dans une ~* ein Amt übernehmen; *faire ~ de q.* fungieren *od.* dienen als j., den Dienst j-s vertreten; *dans l'exercice de ses ~s* in Ausübung s-s Amtes; **3.** *physiol.* Funktion *f*, Tätigkeit *f e-s Organs*; **4.** *méc. ~ d'une machine*

Gang *m* e-r Maschine; **5.** ⚕ Funktion *f*; ⚗ Kraft *f*, Wirkung *f*; **6.** *en* ~ *de* in (*s-r usw.*) Abhängigkeit von (*dat.*), im Zusammenhang mit (*dat.*); *être* ~ *de qch.* von etw. abhängen; *faire* ~ *de qch.* etw. vertreten; **~naire** [~sjɔ'nɛːr] *m* Beamte(r) *m*; ~ *préposé aux renseignements* Auskunftsbeamte(r) *m*; ~ *réglementaire* etatmäßiger Beamte(r) *m*; ~ *des cadres moyens* mittlerer Beamte(r) *m*; *les hauts* ~*s* die hohen Beamten *m/pl.*; *les* ~*s de carrière* das Berufsbeamtentum; **~nariser** [~nari'ze] *v/t.* (1a) beamtieren; *péj.* verbürokratisieren; **~narisme** *péj.* [~na'rism] *m* Bürokratismus *m*; **~nel** [~sjɔ'nɛl] *adj.* (7c) **1.** funktionell, Funktions...; zweckgebunden; **2.** ⚚, ⊕ dazugehörig, gebrauchsfertig, *a. allg.* praktisch; ⊕ rationell arbeitend; **~nement** [~sjɔn'mɑ̃] *m* Tätigkeit *f*, Betrieb *m*; **~ner** [fɔ̃ksjɔ'ne] ⊕, *a. physiol. v/i.* (1a) arbeiten (*v. Maschinen, v. Magen usw.*), funktionieren; in Betrieb sein; ~ *à plein rendement* ⊕ auf Hochtouren laufen.

fond [fɔ̃] *m* **1.** Boden *m*, Grund *m*; *das* Unterste *n*, Tiefe *f*; ⚒ (*exploitation f au*) ~ Untertagebau *m*; *au* ~ *de la mine* im Untertagebau; *couleur f de* ~ Grundfarbe *f*; ⚓ ~ *de cale* unterster Schiffsraum *m*; *à* ~ *de cale* ⚓ im Kielraum; *fig.* F ganz abgebrannt, ohne Geld; ~ *du fossé* Grabensohle *f*; ~ *de pantalon* Hosenboden *m*; ~ *de robe* Unterkleid *n*; ~ *de vallée* Talsohle *f*; *de* ~ *en comble* von Grund aus; vom Scheitel bis zur Sohle; **2.** Bodensatz *m*, Rest *m*; **3.** ⚓ Meeresboden *m*; Flußbett *n*; *couler un navire à* ~ ein Schiff versenken; *s'en aller par le* ~ versinken; *toucher le* ~ auf Grund geraten; **4.** ⚓ Wassertiefe *f*; **5.** Grund *m*, entlegenster Teil *m*; *au fin* ~ *de* tief in, im hintersten Winkel von; *fig.* im Innersten (*gén.*); *son* ~ *n'est pas mauvais* er ist im Grunde genommen kein schlechter Kerl; *du* ~ *du cœur* aus tiefstem Herzen; *advt. à* ~ gründlich, ganz gehörig; *à* ~ *de train* in schnellstem Tempo; *Auto*: *appuyer à* ~ *sur l'accélérateur* ordentlich Gas geben; *Auto*: *arriver à* ~ *de train* angesaust kommen; *Auto*: *marcher à* ~ auf vollen Touren laufen; *examiner qch. à* ~ e-r Sache auf den Grund gehen; **6.** *fig.* Grund *m*, *das* Geheimste *n*; Hauptsache *f*, Kern *m*; Untergrund *m*; *article m de* ~ Leitartikel *m*; *dans le* (*od. au*) ~ im wesentlichen; im Grunde genommen; *venir au* ~ zur Hauptsache kommen; **7.** (*siège m du*) ~ *de la voiture* Hintersitz *m im Auto, Wagen*; **8.** Baugrund *m*; **9.** *peint., thé.* Hintergrund *m*; *chambre f du* ~ Hinterzimmer *n*; *dans le* ~ im Hintergrund; **10.** *avoir du* ~ *solide* Kenntnisse haben; **11.** *vél. course f de* ~ Steherrennen *n*; *coureur m de* ~ Langstreckenläufer *m*.

fondage ⊕ [fɔ̃'daːʒ] *m* (Aus-) Schmelzen *n der Metalle.*

fondamental [fɔ̃damɑ̃'tal] *adj.* (5c) □ **1.** Grund...; **2.** *fig.* wesentlich, fundamental; Haupt...; ♪ *accord m* ~ Grundakkord *m*; *loi f* ~*e* Grundgesetz *n*; **~isme** [~'lism] *m* Lehre *f* von den Grundlagen u. Erfolgen der Wissenschaften.

fondant [fɔ̃'dɑ̃] **I** *adj.* (7) **1.** Schmelz ...; **2.** im Munde zergehend; saftig; **3.** ~ *en larmes* in Tränen zerfließend; **4.** ⚕ auflösend; **II** *m* **5.** ~*s pl.* Fondant *m*, gefülltes Zuckerwerk *n*; **6.** ⚕ auflösendes Mittel *n*; ⚗ Schmelzzusatz *m*, Flußmittel *n*.

fonda|teur [fɔ̃da'tœːr] (7f) *su.* (*a. adj.*: *membre m* ~) Gründer *m*, Stifter *m*; **~tion** [~dɑ'sjɔ̃] *f* **1.** △ Fundamentierung *f*, Unterbau *m*, Legung *f* der Fundamente; **2.** △ ~*s pl.* Fundamente *n/pl.*; **3.** *fig.* Gründung *f*; *fig.* Stiftung *f*.

fondé [fɔ̃'de] **I** *p/p. u. adj.* ermächtigt; be-, ge-gründet; *être* ~ *de pouvoir* Prokurist sein; *être* ~ *à croire* ... zu der berechtigten Annahme kommen, ...; **II** *m* ~ *de pouvoir*, ~ *de procuration* Prokurist *m*.

fondement [fɔ̃d'mɑ̃] *m* **1.** △ Fundament *n*; **2.** *fig.* Begründung *f*; Grundlage *f*; **3.** F *physiol.* Hintern *m*.

fonder [fɔ̃'de] (1a) **I** *v/t.* **1.** den Grund legen von *od.* zu (*dat.*), gründen; **2.** begründen, stiften; **3.** *fig.* begründen; **4.** ⚚ *dette f fondée* fundierte Schuld *f*; **5.** ⚚ ~ *q. de procuration* (*od. de pouvoir*) j-n bevollmächtigen, j-m Prokura geben (*od.* erteilen); **II** *abus. statt fondre* 8.: *v/i.* ~ *sur q.* j-n überfallen; **III** *v/rfl. se* ~ *sur* basieren auf (*dat.*).

fonderie [fɔ̃'dri] *f* **1.** Eisenhütte *f*, Hüttenwerk *n*, Schmelzhütte *f*; ~ *de caractères* Schriftgießerei *f*; **2.** Schmelzkunst *f*.

fondeuse ⊕ [fɔ̃'dø:z] *f* Gießmaschine *f*.
fondoir [fɔ̃'dwa:r] *m* Schmelzkessel *m* (*Fleischerei*).
fon|dre ['fɔ̃:drə] (4a) **I** *v/t*. **1.** schmelzen; *Butter* zerlassen; *fig*. ~ *qch. dans* (*od. avec*) *qch*. etw. mit etw. (*dat*.) verschmelzen; *écol*. ~ *deux classes* zwei Klassen zusammenlegen; **2.** gießen; ~ *des balles* Kugeln gießen; *fig. il faut* ~ *la cloche* man muß mit e-r schwierigen Arbeit fertig werden; **3.** *métall*. ~ *le minérai* das Erz verhütten; **4.** ✝ ~ *des actions* Aktien zu Geld machen; **II** *v/i*. **5.** schmelzen; ⚡ durchbrennen; sich auflösen; *fig*. ~ *en larmes* in Tränen zerfließen; **6.** *fig*. abnehmen, dahinschwinden; F ~ *à vue d'œil* zusehends abnehmen, verfallen; **7.** einsinken, versinken; *gymn. jouer à cheval fondu* Bock springen; ✈ ~ *en piquant* im Sturzflug heruntergehen; **8.** ~ *sur q*. j-n überfallen, über j-n herfallen (*dafür abus. fonder* II); *l'orage est près de* ~ das Gewitter wird gleich losbrechen; **III** *v/rfl*. *se* ~ (zer-)schmelzen; ineinander übergehen; *se* ~ *dans* aufgehen in (*dat*.); **~drière** [~dri'ɛ:r] *f* Sumpf-, Schlamm-loch *n*; Wegvertiefung *f*.
fonds [fɔ̃] *m* **1.** Grund und Boden *m*, Grundstück *n*; (Land-)Gut *n*; **2.** *a. fig*. Schatz *m*: ~ *d'érudition* Wissensschatz *m*; **3.** *fig*. Stoff *m* (*z.B. e-s Romans*); **4.** *mst. pl*. Gelder *n/pl*.; Fonds *m/sg*.; (Anlage-, Stamm-) Kapital *n*; ~ *publics* Staatsgelder *n/pl*., Staatspapiere *n/pl*.; ~ *de caisse* Kassen-bestand *m*, -guthaben *n*; être en ~ bei Kasse sein; *rentrer dans ses* ~ wieder zu Geld kommen; ~ *pl. disponibles* verfügbare Gelder *n/pl*.; Verfügungsmittel *n/pl*.; ~ *social* Gesellschaftskapital *n*; *porter le* ~ *social de ... à ...* das Stammkapital von ... auf ... erhöhen; *mise f de* ~ Kapitaleinlage *f*; ~ *m/pl. à terme* Gelder *n/pl*. auf Zeit; *à* ~ *perdu fig*. auf Nimmerwiedersehen; ~ *de commerce*, ~ *commerciaux* Geschäftskapital *n*; ~ *de roulement* Betriebskapital *n*; **5.** ✝ Geschäft *n*, Handelsunternehmen *n*; Warenlager *n*.
fondu [fɔ̃'dy] **I** *adj*. ge-, verschmolzen; aufgeweicht (*Butter*); verschwommen (*Farbe*); * *Marseille*: verrückt; **II** *m/sg*. **1.** Bockspringen *n*; **2.** *cin*. ~ *enchaîné* Überblendung *f*; **3.** *peint*. ~ *des tons* Abtönung *f*; ~ *des contours* Verschwommenheit *f* der Umrisse.
fondue *cuis*. [fɔ̃'dy] *f* Käsefondue *n*.
fongi|ble ⚖ [fɔ̃'ʒiblə] *adj*. Verbrauchs...; **~cide** ⚗ [~'sid] *m* Hausschwammbekämpfungsmittel *n*; **~forme** [~'fɔrm] *adj*. pilzförmig.
fon|gosité [fɔ̃gozi'te] *f* Schwammigkeit *f*; ⚕ schwammiger Auswuchs *m*; **~gueux** [~'gø] (7d) *adj*. ⚕ schwammig; ⚘ pilzartig; **~gus** [~'gys] *m* Schwamm *m* (*im Holz*).
fontaine [fɔ̃'tɛn] *f* **1.** Quelle *f*; Brunnen *m*; ~ *jaillissante* Springbrunnen *m*, Wasserkunst *f*; **2.** Wasserfaß *n*; **~rie** [~n'ri] *f* Brunnenbau *m*.
fontanelle *physiol*. [fɔ̃ta'nɛl] *f* Fontanelle *f*.
fonte [fɔ̃:t] *f* **1.** Schmelzen *n*, Einschmelzen *n*; *peint*. Verschmelzung *f der Farben*; ~ *des neiges* Schneeschmelze *f*; **2.** Guß *m*; *jeter en* ~ gießen; **3.** Gußmetall *n*, Gußeisen *n*; *ouvrage m de* ~ Gußware *f*; ~ *brute od. crue* Roheisen *n*; ~ *moulée* Gußeisen *n*; **4.** Pistolenhalfter *f*.
fontis [fɔ̃'ti] *m* Erdrutsch *m*.
fonts [fɔ̃] *m/pl*.: ~ *baptismaux* Taufbecken *n*.
football [fut'bo:l] *m* Fußballspiel *n*; *équipe f* (*chaussure f*) *de* ~ Fußballmannschaft *f* (-schuhe *m/pl*.); *jouer au* ~ (*od. au ballon*) Fußball spielen; **~eur** [~bo'lœ:r] *su*. (7g) Fußballspieler *m*.
footing [fu'tiŋ] *m* **1.** Fußmarsch *m*; **2.** Schnellgehsport *m*.
for [fɔ:r] *m nur noch fig*.: ~ *intérieur das* Innere *n*, Gewissen *n*.
forage ⊕ [fɔ'ra:ʒ] *m* Bohrung *f*.
forain[1] [fɔ'rɛ̃] *adj*. auswärtig, *nur in*: ⚓ *rade f* ~*e* offene Reede *f*; *écol. élève su*. ~ Fahrschüler *m*.
forain[2] [~] *adj*. (7) Jahrmarkts..., Messe...; (*marchand m*) ~*m* Markthändler *m*; herumziehender Händler *m*; Jahrmarktshändler *m*.
forban [fɔr'bɑ̃] *m* **1.** *hist*. Freibeuter *m*; **2.** *fig*. Hochstapler *m*.
forçat [fɔr'sa] *m* Zuchthäusler *m*.
force [fɔrs] *f* **1.** Kraft *f*, Stärke *f*, Gewalt *f*, Macht *f*; ~ *d'âme* Seelenstärke *f*; *la* ~ *des choses* die Macht der Ereignisse (*od*. die Zwangsläufigkeit *f*); ~ *d'inertie* Beharrungsvermögen *n*, Trägheitsgesetz *n*; *fig*. passiver Widerstand *m*; ~ *portante* Tragfähigkeit *f*; ✈ ~ *ascensionnelle* Steigkraft *f*, Tragfähigkeit *f*; ~ *d'aspiration* Saug-

kraft *f*; *~s pl. en jeu od. aux prises* Kräfte-verteilung *f*, -ausgleich *m*; *plein de ~(s), d'une ~ exubérante* kraftstrotzend; *~ motrice* Antriebskraft *f*, treibende Kraft *f*; *~s vitales* Lebenskräfte *f/pl.*; *dans la ~ de l'âge* im besten Alter; *tour m de ~* Kraftleistung *f*, Bravourstück *n*; *coup m de ~* Gewaltstreich *m*; *~ majeure* höhere Gewalt *f*; *céder à la ~* der Gewalt weichen; *être de ~ à (inf.)* imstande sein zu ...; *reprendre des ~s* wieder zu Kräften kommen; *à ~ de prp.* durch viele, -es ...; mit bloßer Kraft des..., der...; *à ~ de bras* mit bloßer Armkraft; *à ~ de travailler* durch vieles Arbeiten; *à toute ~* unbedingt, durchaus; *par ~, de ~ od. de vive ~* mit offener Gewalt; ⚔ im Sturm; *de gré ou de ~* auf Biegen oder Brechen; *de toute ma ~, de toutes mes ~s* aus Leibeskräften; *par ~* gewaltsam; *a. fig.* zwangsweise; *~ nous est de ... (inf.)* wir müssen ...; **2.** ⚔ Heeresmacht *f*, Streitkraft *f*; *~s pl.* Streitkräfte *f/pl.*; *~s aériennes* Luftstreitkräfte *f/pl.*; *~ de frappe, ~ atomique* Atommacht *f*; *~s navales* Seestreitkräfte *f/pl.*; *~ d'un régiment* Stärke *f* e-s Regiments; *unité f de ~* Kampfeinheit *f*; *supériorité f des ~s* Übermacht *f*; **3.** *advt. ~ ... (das franz. Verb steht im pl.)* zahlreiche ..., sehr viele ...; *~ gens* e-e Menge Leute; *~ chaînes f/pl.* zahlreiche Ketten *f/pl.*; *non sans ~ grimaces* mit sehr vielen Grimassen; **4.** F *à ~* schließlich.

forcé [fɔr'se] *adj.* gezwungen, erzwungen; Zwangs...; *fig.* zwangsläufig, unvereinbar; unnatürlich, erkünstelt; *être ~ de faire qch.* gezwungen sein, etw. zu tun; *marche f ~e* Eilmarsch *m*; *rapprochement m ~* an den Haaren herbeigezogener Vergleich *m*; ⚕ *cours m ~* Zwangskurs *m*; *travaux m/pl. ~s* Zwangsarbeit *f*; **~ment** [~'mɑ̃] *adv.* mit Gewalt; gezwungenerweise; notwendigerweise.

forcement [~sə'mɑ̃] *m* Aufbrechen *n e-s Safes*; Erzwingen *n e-s Durchgangs*; *~ du blocus* Brechung *f* der Blockade.

forcené [fɔrsə'ne] **I** *adj.* rasend; fanatisch; **II** *su.* Rasende(r) *m.*

forceps [fɔr'sɛps] *m chir.* (Geburts-) Zange *f.*

forcer [fɔr'se] (1k) **I** *v/t.* **1.** zwingen, nötigen; *~ q. à faire qch.* j-n zwingen, etw. zu tun; *~ la main à q.* j-n zu *etw.* (*dat.*) zwingen; **2.** *ch.* in die Enge treiben, stellen; **3.** aufbrechen, gewaltsam öffnen; *~ la porte de q.* mit Gewalt bei j-m eindringen; *ch. ~ un animal de chasse* ein Wild stellen; **4.** übermäßig anstrengen; stärker beanspruchen; steigern; *~ sa voix* s-e Stimme zu sehr anstrengen; *~ la nature* a) s-e Kräfte überbeanspruchen; b) das Wachstum (*v. Pflanzen*) beschleunigen; *culture forcée* Treibhauskultur *f*; *~ la dose* die Dosis übertreiben; *~ le pas* a) *Auto*: das Tempo beschleunigen; b) den Schritt beschleunigen; **5.** *fig.* entstellen, vergewaltigen; *~ le sens* den Sinn entstellen; **II** *v/i.* sich sehr anstrengen; *il a forcé à la marche* er hat e-n Gewaltmarsch hinter sich; ⚓ *~ de rames* mit dem Aufgebot aller Kräfte rudern; *~ de voiles* alle Segel beisetzen; *cordage qui force trop* Tau *n*, das zu straff gespannt ist; **III** *v/rfl. se ~* sich überanstrengen; sich bezwingen; *vgl. obliger* 4.

forcerie ✓ [~sə'ri] *f* Treibhaus *n.*

forces [fɔrs] *f/pl.* Schafschere *f.*

forcing *Sport* [fɔr'siŋ] *m*: *faire le ~ contre q.* j-m hart zusetzen.

forclore ⚖ [fɔr'klɔ:r] *v/t.* (4k) ausschließen (*bei Fristversäumnis*).

forclusion ⚖ [fɔrkly'zjɔ̃] *f* Rechtsausschluß *m.*

forer [fɔ're] *v/t.* (1a) (durch-, an-) bohren.

forestage [fɔrɛs'ta:ʒ] *m* Forstarbeit *f.*

forestier [fɔrɛs'tje] *adj.* (7b) Forst..., Wald...; waldreich; *école f forestière* Forst-akademie *f*, -schule *f*; *économie f forestière* Forstwirtschaft *f*; (*garde m*) *~ m* Förster *m*; *maison f forestière* Försterei *f.*

foret ⊕ [fɔ'rɛ] *m* Bohrer *m.*

forêt [~] *f* Wald *m*, Waldung *f*, Forst *m*; *~ domaniale* Staatsforst *m*; *~ vierge* Urwald *m*; *la* ♀ *Noire* der Schwarzwald; *fig. c'est une (véritable) ~ de Bondy (od. on est ici dans la ~ de Bondy)* es ist unheimlich hier.

for|eur [fɔ'rœ:r] *m* Bohrer *m* (*Arbeiter*); **~euse** ⊕ [~'rø:z] *f* Bohrmaschine *f*; **~euse-fraiseuse** [~frɛ'zø:z] *f* (6a) Bohr- u. Fräs-maschine *f.*

forfaire [fɔr'fɛ:r] (4n) (*nur inf. u. p/p.*) *v/i.* pflichtwidrig handeln; *~ à ses engagements* s-n Verpflichtungen zuwiderhandeln.

forfait [fɔrˈfɛ] *m* **1.** Schandtat *f*, Frevel-, Misse-tat *f*, Untat *f*; **2.** Akkord *m*; Stücklohn *m*; Pauschalvertrag *m*; *travail m à* ~ Akkordarbeit *f*; *prix m à* ~ Pauschalpreis *m*; *vendre à* ~ in Bausch und Bogen verkaufen; **3.** *Sport*: Reugeld *n*; *déclarer* ~ verzichten; **~aire** [~ˈtɛːr] *adj.* Pauschal...; **~ure** [~tyːr] Kompetenzüberschreitung *f*.

forfanterie [fɔrfɑ̃ˈtri] *f* Prahlerei *f*.

forficule *ent.* [fɔrfiˈkyl] *m* Ohrwurm *m*.

for|ge [fɔrʒ] *f* **1.** Schmiede *f*; **2.** *mst.* ~*s pl.* Hüttenwerk *n*; **~geable** [~ˈʒablə] *adj.* schmiedbar; **~geage** [~ˈʒaːʒ] *m* Ausschmieden *n*.

forger [fɔrˈʒe] *v/t.* (1l) schmieden, hämmern; *fig.* aushecken, erdichten; ~ *des vers* Verse drechseln; **~on** [fɔrʒəˈrɔ̃] *m* Schmied *m*.

forgeur [fɔrˈʒœːr] *m* Schmiedegehilfe *m*; *fig.* Erfinder *m*.

forjeter ⚠ [fɔrʒəˈte] *v/i.* (1c) vorspringen, sich bauchen.

forligner *litt.* [fɔrliˈɲe] *v/i.* (1a) aus der Art schlagen.

forma|ble [fɔrˈmablə] *adj.* bildsam; **~ge** ⊕ [~ˈmaːʒ] *m* Formung *f*.

forma|liser [fɔrmaliˈze] (1a): *se* ~ *de qch.* etw. übelnehmen, Anstoß nehmen an etw. (*dat.*), ungehalten sein über (*acc.*); **~lisme** [~ˈlism] *m* Umständlichkeit *f*, Kleben *n* an Förmlichkeiten; *a. phil.* Formalismus *m*; **~liste** [~ˈlist] *adj. u. su.* umständlich; förmlich; formalistisch; Formenmensch *m*; *a. phil.* Formalist *m*; **~lité** [~liˈte] *f* Formalität *f*, Förmlichkeit *f*, Formvorschrift *f*, Form *f*; *observer les* ~*s* die Form wahren; *manquer aux* ~*s* gegen die Form verstoßen.

format [fɔrˈma] *m* Format *n*; ~ *de poche* Taschenformat *n*.

format|eur [fɔrmaˈtœːr] (7f) **I** *m* Bildner *m*; **II** *adj.* bildend; **~if** *gr.* [~ˈtif] *adj.* (7e) bildend; **~ion** [~maˈsjɔ̃] *f* Bildung *f*, Entstehung *f*, Erzeugung *f*; Ausbildung *f*, Schulung *f*; Gründung *f*; Gebilde *n*; Formation *f* (*géol. u.* ⚔); ⚔ Verband *m*, Formierung *f*; ~ *d'enseignants* Lehrerbildung *f*; ~ *permanente* Weiterbildung *f*; ✝ ~ *des prix* Preisbildung *f*; ~ *à traction automobile* Kraftfahrtruppe *f*; ~ *professionnelle* Fachbildung *f*; ~ *en bataille* Aufstellung *f* in Schlachtordnung; 🜲 ~ *de chasse* Jagdverband *m*; *géol.* ~ *du terrain* Bodengestaltung *f*; ⚖ ~ *d'un contrat* Zustandekommen *n* e-s Vertrages; ~ *d'une société* Gesellschaftsgründung *f*.

forme [fɔrm] *f* **1.** Form *f*, Gestalt *f*; Äußere(s) *n*; ~ *primitive* Urform *f*; *Sport*: *meilleure* ~ Höchstform *f*; *a. Sport*: *être en* ~ in Form sein; *allg.* auf dem Damm sein; *juger sur la* ~ nach dem Äußeren urteilen; *Hutmacherei*: ~ (*de feutre pour chapeaux*) Hutstumpen *m*; *Auto usw.*: ~ *aérodynamique* Stromlinienform *f*; *prendre* ~ Gestalt annehmen; **2.** Ausdruck *m*; **3.** ~*s pl.* Körperbau *m*; **4.** Art und Weise *f*; Verfahren *n*; *fig.* ~*s pl.* Lebensart *f*, höfliches Benehmen *n*, gute Manieren *f/pl.*; *dans les* ~*s* formgerecht; *en* ~ förmlich; *en bonne* ~ in aller Form; ⚖ *en bonne et due* ~ ordnungsgemäß; *dire qch. par* ~ *d'avis* s-e Meinung über etw. (*acc.*) äußern; *pour la bonne* ~ der Ordnung wegen; *pour la* ~ der Form halber, zum Schein, anstandshalber, pro forma; *pour vice de* ~ wegen eines Formfehlers; *défaut m de* ~ Formfehler *m*; *manque m de* ~ Formlosigkeit *f*, Ungeschliffenheit *f*; *avoir des* ~*s* sich zu benehmen wissen; *observer les* ~*s*, *y mettre des* ~*s* die Form wahren; *de pure* ~ nur zum Schein; *sous* ~ *de* als; *en* ~ *de* als, wie, ...förmig; *sans autre* ~ *de procès* ohne weiteres; *se tenir dans les* ~*s* innerhalb der Formen des Anstands *od.* des guten Tons bleiben; **5.** *cord.* (Schuh-)Leisten *m*; **6.** ⚓ ~ *de radoub* Dock *n*.

formel [fɔrˈmɛl] *adj.* (7c) förmlich, formell, ausdrücklich, deutlich; *non* ~ unformell, zwanglos.

former [fɔrˈme] (1a) **I** *v/t.* **1.** bilden, formen (*sur qch.* nach etw. *dat.*); ~ *un nœud* e-n Knoten machen; ~ *un plan* e-n Plan fassen; **2.** einrichten, organisieren; ~ *une société* e-e Gesellschaft gründen; **3.** hervorbringen; ⚖ ~ *une demande* e-n Antrag stellen; ⚖ ~ *opposition* Einspruch erheben; ~ *des vœux* Wünsche hegen; **4.** aus-, heran-bilden; schulen; entwickeln; **II** *v/rfl.* *se* ~ sich (aus-, heran-)bilden; geschult werden; sich entfalten; ⚗ entstehen; ⚔ *se* ~ *en bataille* sich in Schlachtordnung aufstellen; *se* ~ *aux affaires* sich als Kaufmann ausbilden.

formiate ⚗ [fɔrˈmjat] *m* ameisensaures Salz *n*.

formication ⚕ [fɔrmikɑˈsjɔ̃] *f* Kribbeln *n*.

formid F [fɔrˈmid] *adj.* fabelhaft.

formidable [~ˈdablə] *adj.* □ *fig.* kolossal, *fig.* wahnsinnig F, riesig, fabelhaft, großartig, außergewöhnlich.

formique ⚗ [fɔrˈmik] *adj.*: *acide m* ~ Ameisensäure *f*.

formu|laire [fɔrmyˈlɛːr] *m* Formular *n*; ⚖, *phm.* Formelbuch *n*; ~ (*imprimé*) Vordruck *m*; ~ *d'inscription od.* ~ *de déclaration* Anmeldebogen *m*; ~ *de demande*, ~ *de proposition* Antragsformular *n*; ~ *impératif* vorgeschriebenes Formular *n*; ~ *de départ* Abmeldeschein *m*; ~ *pour télégrammes* Telegrammformular *n*; **~le** [~ˈmyl] *f a.* ⚕ Formel *f*; Formulierung *f*; Formular *n*; Modell *n*, Typ *m*, Art *f*, Vorschlag *m*; Verfahren *n*, Methode *f*; Lösung *f*; ~ *à la mode* Schlagwort *n*; ~ *f passe-partout* Patentlösung *f*; ~ *imprimée* Vordruck *m*; **~ler** [~ˈle] *v/t.* (1a) formulieren, ausdrücken; ⚕ die Schlußformel ziehen aus (*dat.*); ~ *une ordonnance* ein Rezept schreiben; ~ *des réclamations* Beanstandungen vorbringen.

forni|cation *bibl.*, *plais.* [fɔrnikɑˈsjɔ̃] *f* Unzucht *f*; **~quer** *bibl.*, *plais.* [~niˈke] *v/i.* (1m) Unzucht treiben.

fort [fɔːr] **I** *adj.* (7) □ (s. II) **1.** stark, kräftig, kraftvoll; ~ *comme un Turc* sehr stark, mit Riesenkräften; *c'est plus* ~ *que moi* das geht über m-e Kräfte; ich kann nicht anders; *c'est vraiment par trop* ~*!* das ist ja unglaublich!; **2.** tüchtig, bewandert, geschickt; ~ *en histoire* in Geschichte bewandert; *se faire* ~ (*inv.*) *de qch.* es sich zutrauen, etw. zu tun; *être* ~ *pour qch.* starke Neigung für etw. (*acc.*) haben; **3.** mutig; ~*e tête* Außenseiter *m*; Rebell *m*, aufsässiger Mensch *m*; **4.** markig, drastisch, kernig; **5.** stark im Widerstand; fest, dauerhaft, haltbar; ⚒ fett, schwer zu bestellen (*Ackerboden*); **6.** schwer, mühsam; **7.** stark (*an Zahl, Masse usw.*); ~ *de six mille hommes* sechstausend Mann stark; **8.** dick, stark; **9.** dichtgedrängt; **10.** bedeutend, ansehnlich; reichlich; voll, volltönend (*Stimme*); dick aufgetragen (*Farbe*); *fig. à plus* ~*e raison* um so mehr; **11.** heftig, gewaltig, hochgehend (*Meer*); *faire une* ~*e impression* e-n tiefen Eindruck machen; **12.** unangenehm auf die Sinne wirkend; ranzig (*Butter*); scharf, schwer (*Wein*); stark (*Zigarre*); *avoir l'haleine* ~*e* aus dem Mund riechen; **13.** *gr. consonne f* ~*e* harter (*od.* stimmloser) Konsonant *m*; **14.** hart, beleidigend; **15.** ⚔ befestigt; *place f* ~*e* Festung *f*; **II** *adv.* **16.** stark, sehr; *frapper* ~ stark klopfen; *a. pol. parler* ~ e-e massive Sprache sprechen; *c'est* ~ *bien!* sehr gut!; *crier de plus en plus* ~ immer stärker schreien; *avoir* ~ *à faire* viel zu tun haben; *il y a* ~ *peu de choses de changé* sehr wenig hat sich geändert; ~ *heureusement pour ...* äußerst günstig für ...; ~ *et ferme* steif u. fest; **III** *m* **17.** Starke(r) *m*; *droit m du plus* ~ Faustrecht *n*; **18.** Stärke *f*, starke Seite *f*; *c'est là mon* ~ darin liegt meine Stärke; **19.** ⚔ Fort *n*; ~ *blindé* Panzerfort *n*.

fortement [fɔrtəˈmɑ̃] *adv.* (sehr) stark, kräftig; *fig.* nachdrücklich.

forteresse [~təˈrɛs] *f* Festung *f*; ✈ ⚔ ~ *volante* fliegende Festung *f*.

fortifi|able [fɔrtiˈfjablə] *adj.* verschanzbar; **~ant** [~ˈfjɑ̃] *adj.* (7) *u. m* stärkend(es Mittel *n*); **~cation** [~kɑˈsjɔ̃] *f* Befestigung *f*; Festungswerk *n*; **~er** [~ˈfje] *v/t.* (1a) stärken, bestärken, verstärken, kräftigen; ⚔ befestigen.

fortin ⚔ [fɔrˈtɛ̃] *m* kleines Fort *n*.

fortiori [fɔrsjɔˈri] *adv.*: *a* ~ um so mehr, mit um so größerer Berechtigung.

fortuit [fɔrˈtɥi] *adj.* (7) □ unvermutet, zufällig.

fortune [fɔrˈtyn] *f* **1.** *la* ♀ Fortuna *f*, die Glücksgöttin; **2.** Schicksal *n*, Geschick *n*; *bonne* ~ Glück *n*; *mauvaise* ~ Unglück *n*; Mißgeschick *n*; *biens m/pl. de la* ~ Glücksgüter *n/pl.*; *revers m/pl. de* ~ Schicksalsschläge *m/pl.*; *chercher* ~ sein Glück zu machen suchen; *un dîner à la* ~ *du pot* ein zwangloses Essen; *dîner à la* ~ *du pot* essen, was auf den Tisch kommt; *être l'enfant gâté de la* ~ ein Glückskind sein; *faire* ~ sein Glück machen; Glück (Erfolg) haben; *faire contre mauvaise* ~ *bon cœur* gute Miene zu bösem Spiel machen; *tenter* ~ sein Glück versuchen; **3.** Zufall *m*; ... *de* ~ Not(behelfs)...; *dans des locaux de* ~ in behelfsmäßigen Räumen; ✈ *atterrissage m de* ~ Notlandung *f*; *bandage m de* ~ Notverband *m*; *moyens m/pl. de* ~ Notbehelfsmittel *n/pl.*; ⚓ *mât m de* ~ Notmast *m*; **4.** Vermögen *n*; *avoir de la* ~ Vermögen haben; *après* ~ *faite* nach erworbenem Vermögen; *sans ~* unbemittelt, ohne Vermögen; *se contenter de sa ~* mit s-r Lage zufrieden sein; *homme m de ~* reich gewordener Mann *m*.

fortuné [fɔrty'ne] *adj.* begütert.

forure ⊕ [fɔ'ry:r] *f* Bohrloch *n*; Loch *n* im Schlüsselbart.

fosse [fo:s] *f* **1.** Grube *f*; *~ d'aisances, ~ à chaux, ~ à fumier, ~ aux ordures* Abtritts-, Kalk-, Mist-, Müll-grube *f*; *~ à fond perdu, ~ filtrante* Sickergrube *f*; **2.** Grab *n*, Gruft *f*; *~ commune* Massengrab *n*; **3.** ⊕ Schmelzgrube *f*; *~ (à tan)* Lohgrube *f*; **4.** ⚒ Schacht *m*; *~ d'extraction* Förderschacht *m*; **5.** *anat.* Höhlung *f*; *~ nasale* Nasenhöhle *f*; **6.** *thé.* *~ d'orchestre* Orchesterraum *m*.

fossé [fo'se] *m* Graben *m*; Straßen-, Chausse-graben *m*.

fossette [fo'sɛt] *f* Grübchen *n*.

fossile [fo'sil] **I** *adj.* ausgegraben; fossil; *fig.* veraltet, verknöchert; **II** *m géol.* Versteinerung *f*, Fossil *n*.

fossoy|age [foswa'ja:ʒ] *m* Grabenziehen *n*; Totengräberei *f*; **~eur** [~'jœ:r] *m* Totengräber *m* (*a. fig.*).

fou[1] *m*, **folle** *f* [fu; fɔl] (*als adj. vor e-m mit Vokal od. mit stummem h beginnenden m/sg. immer*: **fol** [fɔl], *sonst im m* **fou**; *su. m* **fou**; *m/pl.* **fous** [fu]) **I** *adj.* **1.** □ verrückt, wahnsinnig, toll; *c'est à en devenir ~* das ist zum Verrücktwerden; *être fou furieux* vor Wut platzen; *folle enchère f* Reukauf *m*; *il a failli me rendre fou* er hat mich fast verrückt gemacht; *chien m fou* tollwütiger Hund *m*; **2.** □ närrisch, töricht; einfältig; **3.** ausgelassen; *fou rire* unbändiges Gelächter *n*; **4.** ungeheuer, furchtbar viel, groß, hoch *usw.*; *un argent fou* ein Heidengeld *n*; *luxe m fou* unsinniger Luxus *m*; *il y avait un monde fou* es war ein tolles Gedränge; *prix fou* irrsinniger *od.* übertrieben hoher Preis *m*; **5.** schwankend; lose; ⚘ *branches folles* wilde Zweige *m/pl.*; ⊕ *poulie f folle* Losscheibe *f*; **II** *advt.* *tourner fou* leer laufen; **III** *su.* Irre(r) *m*, Verrückte(r) *m*; Tor *m*, Törin *f*, Narr *m*, Närrin *f*; Einfaltspinsel *m*; *orn.* Tölpel *m*; *fou de cour od. fou du roi* Hofnarr *m*; *faire le fou* den Hanswurst spielen; *la folle du logis* die Phantasie; *écouter la folle du logis* phantasieren.

fou[2] [~] *m* (*~s pl.*) Läufer *m im Schachspiel*.

fouailler *litt.* [fwa'je] *v/t.* (1a) geißeln; quälen, hart zusetzen.

foucade *litt.* [fu'kad] *f* Laune *f*, fixe Idee *f*.

fouchtra [fuʃ'tra] *int.* verflucht!

foudre[1] ['fu:drə] **I** *f* **1.** Blitz(schlag *m*) *m*; *coup m de ~ fig.* Liebe *f* auf den ersten Blick; *recevoir le coup de ~* sich plötzlich verlieben; *lancer ses ~s contre q. fig.* gegen j-n wettern; *essuyer les ~s de q.* den Wutausbruch j-s über sich ergehen lassen; *la ~ est tombée sur cette maison* der Blitz hat in dies Haus eingeschlagen; *comme la ~, avec la rapidité de la ~* blitzschnell; **2.** *rl. pl.* *~s de l'Eglise* Bannstrahl *m*; **II** *m iron.* *~ de guerre* Kriegsheld *m*.

foudre[2] [~] *m großes* Faß *n*.

foudroy|age ⚒ [fudrwa'ja:ʒ] *m* Bruchbau *m*; **~ant** [fudrwa'jɑ̃] *adj.* (7) donnernd; Blitze schleudernd; *fig.* zorn-sprühend, -entflammt; *regard ~* drohender Blick *m*; *fig. nouvelle ~e* niederschmetternde Nachricht *f*; ⚕ *apoplexie ~e* tödlicher Schlaganfall *m*; **~er** [~'je] *v/t.* (1h) durch den Blitz erschlagen; ⚡ plötzlich töten; (tödlich) treffen; niederschmettern (*a. fig.*), zermalmen.

fouet [fwɛ] *m* **1.** Peitsche *f*; **2.** ⚔ *tir m de plein ~* Horizontalschuß *m*, Volltreffer *m*; Flachfeuer *n*; **3.** Rute *f* (*a. Rute des Hundes*); **4.** *~ de l'aile* Flügelspitze *f e-s Vogels*; **5.** *cuis.* Schläger *m*; **6.** ⚕ *coup de ~* plötzlicher, heftiger Schmerz in der Wade; **~ter** [fwɛ'te] (1a) **I** *v/t.* **1.** auspeitschen; klatschen (*Regen*); *avoir bien d'autres chiens à ~* viel Wichtigeres zu tun haben; **2.** *fig.* kritisieren, geißeln; **3.** zu Schaum schlagen; *crème fouettée* Schlagsahne *f*; **II** *v/i.* **4.** * stinken; **5.** P Schiß haben.

foufou[1] [fu'fu] *adj./m* (6g), **fofolle** *adj./f* etwas verrückt.

fou|fou[2], **~tou** [fu'fu, ~'tu] *m* afrikanisches Erdnußgericht *n* mit pfeffriger Soße.

fougère [fu'ʒɛ:r] *f* Farn(kraut *n*) *m*.

fou|gue [fug] *f* **1.** Begeisterung *f*, Feuer *n*, Schwung *m*; **2.** *mât m de ~* Besanmast *m*; *vergue f de ~* Besanrahe *f*; **~gueux** [fu'gø] *adj.* (7d) aufbrausend, feurig, stürmisch *fig.*

fouille [fuj] *f* Auf-, Um-graben *n*, Ausgrabung *f*; △ Baugrube *f*; *fig.* Durchsuchung *f*, Nachforschung *f*; * Tasche *f*; *~ à corps* Leibesvisitation *f*.

fouillé [fu'je] *adj.* genau (*Studie*).

fouil|ler [fu'je] (1a) **I** *v/t.* **1.** auf-, durch-graben, -wühlen; **2.** durchsuchen; *fig.* *j-n* zu erforschen suchen; ~ *un bois* e-n Wald absuchen; **3.** *fig.* sorgfältig ausarbeiten; **II** *v/i.* *in der Erde* wühlen; ~ *dans* nachsuchen in (*dat.*); **III** *v/rfl.* se ~ in s-n Taschen kramen; F *tu peux te* ~ darauf kannst du lange warten; **~leur** [fu'jœ:r] *m* **1.** *arch.* Ausgräber *m*; **2.** ~ *d'archives* Durchwühler *m* von Archiven; **3.** *fig.* Schnüffler *m*; *a. adj.*: *critique m* ~ scharf prüfender Kunstrichter *m*; **~leuse** [~'jø:z] *f* Untergrundpflug *m*; **~lis** F [~'ji] *m* Gewühl *n*; Durcheinander *n*; konfuses Zeug *n*.

fouinard F [fwi'na:r] *su. u. adj.* (7) Schnüffler *m*; neugierig(er) und zudringlich(er Mensch *m*).

fouine [fwin] *f* **1.** Steinmarder *m*; **2.** Marderfell *n*; **3.** F durchtriebener Kerl *m*.

fouiner F [fwi'ne] *v/i.* (1a) sich einmischen, schnüffeln.

fou|ir [fwi:r] *v/t.* (2a) aufwühlen (*z.B. vom Maulwurf*); **~isseur** [fwi'sœ:r] *adj. u. su.* (7g) (auf-)grabend, Wühl...; Wühler *m*; *rat m* ~ Wühlmaus *f*.

foulage ⊕ [fu'la:ʒ] *m* **1.** *Tuchmacherei*: Walken *n*; **2.** ~ *du raisin* Auskeltern *n* des Weins; **3.** *typ.* durchgeschlagener Druck *m*.

foulant [fu'lɑ̃] *adj.* (7) **1.** ⊕ *pompe f* ~e Druckpumpe *f*; **2.** P ermüdend.

foulard [fu'la:r] *m* **1.** Seidenschal *m*; **2.** ⚘ leichter Seidentaft *m*.

foule [ful] *f* **1.** (Menschen-)Menge *f*; Gedränge *n*; en ~ in Massen; *il y a grande* ~ es wimmelt von Menschen; *faire un bain de* ~ v. e-r Menschenmenge umringt werden; *fendre la* ~ sich durch die Menschenmenge hindurchdrängeln; **2.** *une* ~ *de personnes* (*d'animaux, d'objets, d'idées*) sehr viele Personen (Tiere, Gegenstände, Gedanken).

foulée [fu'le] *f* **1.** *Sport*: Schritt *m*, Sprung-, Schritt-weite *f*; **2.** *ch.* Wildfährte *f*.

fouler [~] (1a) **I** *v/t.* **1.** niedertreten; treten; ~ *aux pieds* mit Füßen treten; *fig.* mißachten; **2.** ~ *la vendange* die Weintrauben austreten *od.* keltern; **3.** *Tuchmacherei*: walken; **II** *v/i.* **4.** drücken; **III** *v/rfl.* **5.** se ~ *le pied* (*od. le jarret*) sich den Fuß verstauchen; **6.** *fig.* F *ne pas se* ~ (*la rate*) *fig.* sich kein Bein ausreißen; **~ie** *text.* [ful'ri] *f* Walkmühle *f*.

foul|eur [fu'lœ:r] *m* Tuchwalker *m*; **~oir** [~'lwa:r] *m*: ~ *à raisin* Weinpresse *f*.

foulque *orn.* [fulk] *f* Bläßhuhn *n*.

foulure ⚕ [fu'ly:r] *f* Verstauchung *f*, Verrenkung *f*.

four [fu:r] *m* **1.** *cuis.* (Back-)Ofen *m*; Bratröhre *f*; Herd *m*; ~ *à gaz* (*à quatre feux* vierflammiger) Gasherd *m*; ~ *à micro-ondes* Mikrowellenofen *m*; ~ *électrique* elektrischer Herd *m*; **2.** ⊕ ~ *à brique* (*à chaux*) Ziegel-(Kalk-)ofen *m*; **3.** *pât.* *petits* ~*s pl.* Petits fours *pl.*, Zuckertörtchen *n/pl.*; **4.** *écol.* P ~ *à bachot* Presse *f*, Privatschule *f*.

four|be [furb] *adj.* betrügerisch; *agir en* ~ betrügerisch handeln; **~berie** [~bə'ri] *f* Betrügerei *f*.

four|bi F [fur'bi] *m* **1.** Kram *m*, Krempel *m*; **2.** Schwierigkeit *f*; **~bir** [fur'bi:r] *v/t.* (2a) *Metall* (blank) putzen.

fourbu [fur'by] *adj. vét.* erschöpft; *fig.* ermattet, matt, schlapp; **~re** *vét.* [~'by:r] *f* Lahmheit *f*.

fourche [furʃ] *f* **1.** Heu-, Mistgabel *f*, Forke *f*; **2.** Gabelung *f*; *vél.* (Rad-)Gabel *f*.

fourcher [fur'ʃe] (1a) **I** *v/t.* ⚒ Erde mit e-r Gabel auflockern; **II** *v/i.*: *la langue m'a fourché* ich habe mich versprochen (*od.* verhaspelt).

four|chet [fur'ʃɛ] *vét. m* Klauenseuche *f*; **~chette** [~'ʃɛt] *f* **1.** Gabel *f*, Eßgabel *f*; *déjeuner à la* ~ Gabelfrühstück *n*; *être une bonne* (*od. belle*) ~, *avoir un bon coup de* ~, *jouer de la* ~ ein starker (*od.* tüchtiger) Esser sein; ⊕ ~ *à courroie* Riemengabel *f*; **2.** Hemmgabel *f*, Hemmschuh *m* (*am Pferdewagen*); *Auto*: ~ *d'embrayage* Schaltgabel *f*; **3.** *fin.* Spanne *f*, Marge *f*; **4.** *fig.* Hochrechnung *f* (*bei Wahlen u. allg.*); **~chon** [~'ʃɔ̃] *m* Zinke *f an e-r Gabel*; **~chu** [~'ʃy] *adj.* gabelförmig, gespalten (*a. Haar*); **~chure** [~'ʃy:r] *f* Gabelung *f* (*a. e-s Weges*).

fourgon [fur'gɔ̃] *m* **1.** Ofenhaken *m*; **2.** ⚔ Proviant-, Munitions-wagen *m*; ~ *à vivres* Lebensmittelwagen *m*; **3.** 🚃 Güterwagen *m*, Gepäckwagen *m*; **4.** *Auto*: geschlossener Lastkraftwagen *m*; ~ *funéraire* Leichenwagen *m*; ~*-pompe m* Feuerwehrauto *n*; **~ner** [~gɔ'ne] *v/i.* (1a) stochern; *fig.* herumkramen; **~nette** *Auto* [~'nɛt] *f* Lieferwagen *m*.

fourgu|e * [furg] *m* Komplice *m*;

~er F ⚕ [~'ge] *v/t.* (1m) *j-m etw.* andrehen.

fourmi [fur'mi] *f* Ameise *f*; *~ blanche* Termite *f*; *j'ai des ~s* es juckt mich; **~lier** [~mi'lje] *m* Ameisenbär *m*; **~lière** [~'ljɛ:r] *f* Ameisenhaufen *m*; *fig.* Gewimmel *n*; **~-lion** [~mi'ljɔ̃] *m* (6a) Ameisenlöwe *m*; **~llant** [~mi'jɑ̃] *adj.* (7) wimmelnd; **~llement** [~j'mɑ̃] *m* **1.** Wimmeln *n e-r großen Menge*; **2.** Kribbeln *n*, Jucken *n*; **~ller** [~mi'je] *v/i.* (1a) **1.** wimmeln; **2.** ⚕ jucken.

four|naise [~'nɛ:z] *f* Schmelzofen *m* (*in voller Glut*); *fig.* Affenhitze *f*; **~neau** [fur'no] *m* (5b) **1.** (Kuchen-, Fabrik-)Ofen *m*; *~ de faïence* Kachelofen *m*; *~ économique* Volksküche *f*; *~ à l'huile* Ölofen *m*; **2.** *~ de pipe* Pfeifenkopf *m*; **3.** *~ à charbon* Kohleherd *m*; **4.** ⊕ *~ de fonderie* Gieß-, Schmelz-ofen *m*; *haut ~* Hochofen *m*; *~ à manche* Kuppel-, Schacht-ofen *m*; *~ à réverbère* Flammofen *m*; **5.** ⚔ *~ (de mine)* Mine(nkammer *f*) *f*; *faire jouer un ~* eine Mine springen lassen; **~née** [~'ne] *f* **1.** *Bäckerei*: *une ~ (de pain)* ein Schub (Brot), ein Backofenvoll; ⊕ Brand *m*; *une ~* ein Ofenvoll, e-e Gicht; **2.** *fig.* F Schub *m* (*von Wartenden, zu ernennenden Beamten usw.*); *nouvelle ~* neuer Schub *m*; Nachschub *m*; *~ de travail* Arbeitsschicht *f*; *par ~s* schubweise; **3.** *zo.* Wurf *m* (*z.B. Ratten*); **~nette** ⊕ [~'nɛt] *f* Flammofen *m*; **~ni** [~'ni] *adj.* **1.** *barbe f ~e* starker Bart *m*; *bois m ~* dichter Wald *m*; *qui a les cheveux ~s* mit dichtem Haar; **2.** *bien ~* reich ausgestattet, gut versehen; **~nil** ⊕ [~'ni] *m* Backstube *f*.

fourniment ⚔ [furni'mɑ̃] *m* Lederzeug *n*; *allg.* Ausrüstung *f*.

fournir [fur'ni:r] (2a) **I** *v/t.* **1.** *~ q. de qch.* j-n mit etw. (*dat.*) versorgen *od.* versehen *od.* beliefern; **2.** *~* (*qch. à q.* j-m etw.) liefern; ⚕ *Rechnung* vorlegen; ⚕ *~ une traite sur q.* auf j-n e-n Wechsel ziehen; *~ (une) caution* (e-e) Kaution stellen; *fig. ~ matière à des conjectures* Veranlassung zu Vermutungen geben; **3.** *magasin m bien fourni* reichhaltig versehenes Geschäft *n*; **4.** ⚖ herbeischaffen; *~ ses défenses* s-e Verteidigungsschrift einreichen; *~ et faire valoir une dette* für eine Schuld haften (*od.* bürgen); *~ un garant* e-n Bürgen stellen; *~ des preuves (des témoins)* Beweise (Zeugen) beibringen; *~ des renseignements* Auskunft geben; **5.** *esc. ~ à q. un coup d'épée* j-m e-n tüchtigen Degenstoß versetzen; **6.** *fig.* machen: *~ un gros effort* e-e große Anstrengung machen; ⚔ *~ un rapport* e-n Bericht erstatten; *Sport*: *~ un jeu remarquable* ein beachtliches Spiel liefern; **II** *v/i.* **7.** *~ dans une maison* für ein Haus liefern; *~ à qch.* zu etw. (*dat.*) beitragen; *fig.* für etw. (*acc.*) aufkommen; *faire et ~* Arbeit und Zutaten; **8.** *Kartenspiel*: Farbe bekennen; **III** *v/rfl.* *se ~ de* sich versehen (*od.* versorgen) mit (*dat.*); *se ~ chez q.* bei j-m kaufen.

four|nissement [furnis'mɑ̃] *m* Zuschuß *m*, Einlage(kapital *n*) *f*; **~nisseur** [~ni'sœ:r] *su.* (7g) Lieferant *m*; **~niture** [~ni'ty:r] *f* **1.** Lieferung *f*; **2.** Bedarf *m*, Vorrat *m*; *pl.* *~s* Bedarfsartikel *m/pl.*; *~s scolaires* Lehrmittel *n/pl.*; **3.** Zutaten *f/pl.* (*e-s Schneiders, Tapezierers usw.*; *cuis. zum Salat*).

fourra|ge [fu'ra:ʒ] *m* Viehfutter *n*; *~ concentré* Kraftfutter *n*; *~ fermenté* Gärfutter *n*; *~ vert* Grünfutter *n*; **~ger** [~ra'ʒe] (1l) **I** *v/i.* *fig. ~ dans des papiers* in Papieren herumwühlen; **II** *v/t.* durchwühlen; **III** *adj.* (7b) Futter...; **~gère** [~'ʒɛ:r] *f* **1.** ⚘ (Klee- *usw.*) Feld *n*; **2.** Futterwagen *m*; **3.** ⚔ Schultertresse *f*.

fourré [fu're] *m* Dickicht *n*.

fourreau [fu'ro] *m* (5b) **1.** Scheide *f*, Futteral *n*; *~ de parapluie* Schirmhülle *f*; *tirer l'épée du ~* das Schwert ziehen; *fig.* die Feindseligkeiten eröffnen; **2.** Futteralkleid *n*, eng anschließendes Kleid; **3.** P Hose *f*.

four|rer [fu're] (1a) **I** *v/t.* **1.** hinein-stecken, -stopfen, -schieben, -stoßen; F hinlegen; *être fourré de malice* voll Bosheit stecken; F *~ qch. dans un discours* etw. in e-e Rede einflechten; F *~ q. dedans* j-n reinlegen; *écol. ~ qch. dans la tête de q.* j-m etw. einpauken (*od.* beibringen); *~ q. dans une affaire* j-n in e-e Sache verwickeln; **2.** ⚕ *mit Schlechtem* untermengen, verfälschen; *paix fourrée* Scheinfriede *m*; **3.** (mit Pelz) füttern; **II** *v/rfl.* *se ~* **4.** sich verstecken, sich verkriechen; **5.** *se ~ qch. dans la tête* sich etw. in den Kopf setzen; *fig. se ~ dans qch.* sich in etw. (*acc.*) hineindrängeln; sich auf etw. einlassen; **6.** P *se ~ dedans*, se ~ *le doigt dans l'œil* auf den Leim gehen, sich gewaltig irren.

fourre-tout F [fur'tu] *m* (6c) **1.** Rumpelkammer *f*; **2.** große Reisetasche *f*; **3.** Schrank *m*; Kommode *f*.

fourreur [fu'rœ:r] *m* Kürschner *m*.

fourri|er ⚔ [fu'rje] *m* (*a. adj./m sergent-~ m*) Quartiermacher *m*; *fig.* Vorbote *m*; **~ère** [~'rjɛ:r] *f* **1.** Pfandstall *m*; **2.** Autofundstelle *f*.

fourrure [fu'ry:r] *f* **1.** Pelz *m*; Kürschnerware *f*; **2.** ⊕ (Tür-) Futter *n*.

fourvoyer [furvwa'je] (1h) **I** *v/t.* irreführen (*a. fig.*); **II** *v/rfl.* se ~ sich verirren; *fig.* auf Abwege geraten.

foutaise P [fu'tɛ:z] *f* Unsinn *m*; *c'est de la* ~ das ist Unsinn.

fouteau *dial.* [fu'to] *m* (5b) Buche *f*.

foutoir V [fu'twa:r] *m* Durcheinander *n*.

fou|tre ['futrə] (4a) **I** *v/t.* **1.** P stellen, werfen, schmeißen P; machen; P *péj.* Unsinn machen; ~ *le camp* sich aus dem Staube machen, abhauen; ~ *la paix à q.* j-n in Ruhe lassen; ~ *q. dedans* j-n reinlegen (*od.* anführen); j-n einlochen (*od.* einsperren); ~ *q. dehors* (*od. à la porte*) j-n rausschmeißen; *en* ~ *un coup* tüchtig arbeiten, schuften; *en* ~ *un coup à q.* j-m eins versetzen, j-m e-n Schlag verpassen; *ne pas en* ~ *une rame* gar nichts tun; *va te faire* ~! scher dich zum Teufel!; *foutez-moi (fous-moi) la paix!* laßt mich (laß mich) in Ruhe!; *foutu*: a) gemacht, ausgeführt; gebaut, gewachsen; b) verloren, futsch F; *c'est bien foutu* das ist gar nicht übel, das ist ganz nett gemacht; **2.** V vögeln V; **II** *v/rfl.* se ~ *de qch.* sich nichts aus e-r Sache machen; *je m'en fous* ich pfeife darauf *fig.*; V se ~ *à poil* sich nackend ausziehen; **III** V *m* männlicher Same(n) *m*; **IV** *int.* ~! verflucht nochmal!, verdammter Mist!; **~trement** P [futrə'mɑ̃] *adv.* verflucht, verdammt, riesig.

foutriquet F [futri'kɛ] *m* Niete *f fig.*, völlige Null *f*.

foutu P [fu'ty] *adj.* verloren, erledigt, kaputt; verpfuscht; futsch; verreckt, tot; *bien* ~ gut (*od.* schön) gemacht; *mal* ~ schlecht gemacht; unwohl; schmächtig; *être* ~ *comme l'as de pique* schlecht gekleidet sein.

fox(-terrier) *zo.* [fɔks(tɛ'rje)] *m* Terrier *m* (*Hunderasse*).

foyer [fwa'je] *m* **1.** Feuerstätte *f*, (Brand-)Herd *m*; ⊕ Feuerraum *m*; *fig.* Haus *n*; (~*s pl.*) Heimat *f*, Heim *n*; vier Wände *f/pl.*; ~ *de conflit(s)*, ~ *de danger(s)* Gefahrenherd *m*; ~ *des étudiants* Studentenheim *n*; ~ *de jeunes* Jugendheim *n*; ~ *scolaire*, ~ *de vacances* Schul-, Ferienheim *n*; ~ *scolaire à la campagne* Landschulheim *n*; *être un monsieur de* ~ sich in s-n vier Wänden am wohlsten fühlen; *se créer un* ~ sich ein Eigenheim schaffen (*od.* gründen); *rentrer dans ses* ~*s* in s-e vier Wände zurückkehren; ⚕ ~ *d'infection* Infektionsherd *m*; **2.** *phys.*, *fig.* Brennpunkt *m*; Fokus *m*; *fig.* Sitz *m*, Mittelpunkt *m*; *opt. lunettes f/pl. à double* ~ bifokale Brille *f*; *le* ~ *du commerce* der Brennpunkt des Handels; **3.** *thé.* Foyer *n*, Wandelgang *m*; **4.** Steinplatte *f* vor dem Kamin.

frac [frak] *m* Frack *m*.

fracas [fra'kɑ] *m* Zerschmetterung *f mit Getöse*; Krachen *n des Donners*; Brausen *n* (*v. Meer*), Prasseln *n* (*v. Hagel*); Sausen *n* (*v. Eisenbahnzug*); Geräusch *n*, Getöse *n*, Lärm *m*; **~ser** [~ka'se] (1a) **I** *v/t.* zerschmettern; verschrotten; **II** *v/rfl.* se ~ ⚓ zerschellen.

fraction [frak'sjɔ̃] *f* **1.** *arith.* Bruch *m*; ~ *de prime* Prämien-rate *f*, -anteil *m*; **2.** *pol.* Fraktion *f*, Gruppe *f*; **3.** *rl.* Brechen *n des Brotes*; **~naire** [~ksjɔ'nɛ:r] *adj. arith.* Bruch...; *nombre m* ~ gemischter Bruch *m*; *expression f* ~ unechter Bruch *m*; **~nel** *pol. péj.* [~ksjɔ'nɛl] *adj.* (7c) Spaltungs...; *travail m* ~ Spaltungs-, Zersetzungs-tätigkeit *f*; **~nement** [~ksjɔn'mɑ̃] *m* Zerlegung *f*; Einteilung *f*; ⚗ Kracken *n*; **~ner** [~ksjɔ'ne] *v/t.* (1a) teilen; ⚔ aufteilen, zerlegen, (*Verband*) zerreißen; **~niste** *pol. péj.* [~ksjɔ'nist] *adj. u. su.* spalterisch; Spalter *m*.

fractu|re [frak'ty:r] *f* **1.** *géol.* Riß *m* in der Erdkruste; **2.** ⚕ (Knochen-) Bruch *m*; ~ *par éclats* Splitterbruch *m*; **~rer** [frakty're] (1a) *v/t. u.* se ~ zerbrechen; ~ *la porte* die Tür erbrechen; *se* ~ *le crâne* sich e-n Schädelbruch zuziehen.

fragi|le [fra'ʒil] *adj.* zerbrechlich; spröde; *fig.* vergänglich (*Glück*); schwach; *psych.* anfällig; *résultat m* ~ dürftiges (*od.* kümmerliches) Ergebnis *n*; **~lité** [~li'te] *f* Zerbrechlichkeit *f*; Sprödigkeit *f*; *fig.* Vergänglichkeit *f*; Zartheit *f*, Schwäche *f*.

fragment [frag'mɑ̃] *m* Bruchstück *n*, Scherbe *f*, Splitter *m*; ⚠ ~*s m/pl.*

de brique Ziegelsplitt *m*; **~aire** [~ˈtɛːr] *adj.* in Bruchstücken; Trümmer...; **~ation** [~taˈsjɔ̃] *f* Zertrümmerung *f*, Zersplitterung *f*; Zerlegung *f*; **~er** [~ˈte] *v/t.* (1a) zerstückeln, zerlegen, aufteilen.

frai[1] [frɛ] *m* Laichen *n*; Laich *m*; Rogen *m*; (*saison f du*) ~ Laichzeit *f*.

frai[2] [~] *m* Abnutzung *f* (*Münze*).

fraîche [frɛːʃ] *f*: *à la* ~ in der Morgen- *od.* Abend-kühle *f*.

fraîch|ement [frɛʃˈmɑ̃] *adv.* **1.** frisch, kühl; unfreundlich, kalt; **2.** ganz kürzlich, soeben; ~ *tiré* frisch vom Faß; **~eur** [~ˈʃœːr] *f* **1.** Frische *f*, Kühle *f*; *à la* ~ im Kühlen; ~ *du teint* frische Farbe *f*; jugendliches Aussehen *n*; **2.** F ⚕ **~s** *f/pl.* Rheumaschmerzen *m/pl.*; **3.** Neuheit *f* (*als Zustand*); **~ir** [~ˈʃiːr] *v/i.* (2a) frischer (*od.* stärker) werden; *le temps fraîchit* es wird kühler.

frairie F *dial.* [frɛˈri] *f* Dorffest *n*.

frais[1] [frɛ] **I** *adj.* (*f fraîche* [frɛːʃ]) □ **1.** frisch; kühl; *du pain frais* frisches Brot *n*; *il fait* ~ es ist frisch; **2.** neu; *amitié f de fraîche date* neue Freundschaft *f*; *avoir la mémoire fraîche de qch.*, *avoir qch.* (*tout*) ~ etw. frisch im Gedächtnis haben, sich an etw. (*acc.*) ganz genau erinnern können; *être encore tout* ~ *du collège* die Schule erst kürzlich verlassen haben; **3.** gesund, wohlerhalten, lebhaft, munter; *avoir le teint* ~ e-e frische Gesichtsfarbe haben; **4.** P *nous voilà* ~ so e-e Pleite!; **II** *advt. vor p/p., ursprünglich adj., das wie das p/p. in Zahl und Geschlecht übereingestimmt wird*; s. *a. fraîchement*: frisch; kühl; *étudiant m* ~ *émoulu* frisch gebackener Student *m*; *boire* ~ kalt trinken; ~ *arrivé* soeben angekommen; *fleur fraîche cueillie* frisch gepflückte Blume *f*; *manchmal aber bleibt frais unverändert*: *une boîte* ~ *repeinte* ein frisch überstrichener Kasten *m*; *de* ~ soeben; *rasé de* ~ frisch rasiert; *se mettre en* ~ sich neu einkleiden; **III** *m* **1.** Frische *f* (*Wetter*); *prendre le* ~ frische Luft schnappen; **2.** frisches (rohes) Obst *n od.* Gemüse *n* (*Rohkost*).

frais[2] [frɛ] *m/pl.* Kosten *pl.*, Unkosten *pl.*, Spesen *pl.*; Auslagen *f/pl.*, Kostenaufwand *m*, Amtsgebühren *f/pl.*; *faux* ~ Unkosten *pl.*, Nebenkosten *pl.*; unvorhergesehene Ausgaben *f/pl.*; *à mes* ~ auf m-e Kosten; *à* ~ *communs* auf gemeinsame Kosten; *à peu de* ~ mit wenig Kosten; *fig.* ohne viel Mühe; *à ses* ~ *et dépens* auf s-e Kosten; ~ *de port* Portokosten *pl.*; ~ *de douane* Zollgebühren *f/pl.*; ~ *généraux* Geschäftskosten *pl.*, Handelsspesen *pl.*; ~ *d'entretien* Instandhaltungskosten *pl.*; ~ *de banque* Bank-, Wechselspesen *pl.*; ~ *d'embarquement* Verschiffungskosten *pl.*; ~ *de publicité* Werbekosten *pl.*; ~ *de transport* Zustellungsgebühr *f*; ~ *médicaux* Arztkosten *pl.*; *fig. faire les* ~ *de la conversation* die Unterhaltung allein führen; *faire ses* ~ auf s-e Kosten kommen; *se mettre en* ~ sich in Unkosten stürzen; *tu en seras pour tes* ~ du wirst dein Geld dabei verlieren, du wirst nicht auf deine Kosten kommen, du wirst dich umsonst bemüht haben; ⚖ *être condamné aux* ~ kostenpflichtig verurteilt werden; ~ *d'exploitation* Betriebskosten *pl.*; (*tous*) ~ *payés* kostenfrei; 🚂 ~ *de stationnement* Standgeld *n*; Gleisbenutzungsgebühr *f*; ⚖ ~ *de radiation* Löschungskosten *pl.*; ~ *judiciaires* Gerichtskosten *pl.*; ~ *d'entretien* Verpflegungsgeld *n*.

fraise[1] [frɛːz] *f* **1.** Erdbeere *f*; **2.** P Gesicht *n*; P *ramener sa* ~ protzen, angeben.

frais|e[2] [~] *f* **1.** *cuis.* Gekröse *n* (*v. Kalb u. Lamm*); **2.** ⊕ Fräse *f*; Zahnbohrer *m*; ~ *profilée* Formfräse *f*; **~er** [frɛˈze] *v/t.* (1b) ⊕ (aus)fräsen; **~eur** [~ˈzœːr] *su.* (7g) Fräser *m* (*Person*); **~euse** ⊕ [~ˈzøːz] *f* Fräsmaschine *f*.

fraisier [frɛˈzje] *m* Erdbeerpflanze *f*.

fraisil [frɛˈzi] *m* nicht ausgebrannte Steinkohlenasche *f*.

framboise [frɑ̃ˈbwaːz] *f* Himbeere *f*.

franc [frɑ̃] **I** *adj. u.* ♀ *su.* (7i) a) ♀ Franke *m*; b) *adj.* fränkisch; *la langue franque* das Fränkische; **II** *m* Frank(en) *m* (*Geldstück*); **III** *adj.* (7k) □ **1.** frei; *port m* ~ Freihafen *m*; *ville f franche* Freistadt *f*; *avoir ses coudées franches* Handlungsfreiheit haben; **2.** ~ *de* ... frei von ...; ⚓ ~ *de casse* frei von Bruch; **3.** (kosten)frei; ⚖ ~ *et quitte* lasten-, schulden-frei; ~ *de droits* steuerfrei; ~ *de port adj./inv.* portofrei; **4.** freimütig, aufrichtig, offenherzig, rein, unverfälscht, wahr; *avoir son* ~ *parler* kein Blatt vor den Mund nehmen; ~ *coquin* Erzschelm *m*; ⚖ *huit jours* **~s** volle acht Tage; *terre f franche* Blumenerde *f*; **IV** *adv.* (s. *a. franchement*) freimütig; ~ *et net od. tout* ~ geradeheraus, ganz offen; *parler* ~ frei u. offen sprechen; *peindre* ~ kühn malen.

français [frɑ̃'sɛ] **I** *adj.* (7) französisch; *advt.* en ~ auf französisch, im Französischen; *à la* ~*e* auf französische Art; *parler* ~ französisch sprechen; *parler le* ~ *comme une vache espagnole* französisch radebrechen; **II** *m* Französisch(e) *n*; französische Sprache *f*; *le vieux* ~, *l'ancien* ~ das Altfranzösische; *en bon* ~ auf gut französisch; F *fig.* von der Leber weg, offen gesagt; **III** ♀ *su.* (7) Franzose *m* (*f*: Französin).

franc-bord ⚓ [frɑ̃'bɔ:r] *m* (6a) Freibord *m*.

franc-comtois [frɑ̃kɔ̃'twa] *adj.* (*f*: *franc-comtoise*) hochburgundisch, aus der Franche-Comté.

France [frɑ:s] *f*: **la** ~ Frankreich *n*.

franchement [frɑ̃ʃ'mɑ̃] *adv.* freiheraus, geradezu; schlankweg, ganz einfach; *à parler* ~ offen gestanden; ~ *mauvais* herzlich schlecht.

fran|chir [frɑ̃'ʃi:r] *v/t.* (2a) **1.** überspringen (*z.B. e-n Graben*); **2.** überschreiten; **3.** überwinden; ~ *le pas fig.* den Schritt wagen; ~**chise** [~'ʃi:z] *f* **1.** Gebühren-, ✝, *fin.* Zins-freiheit *f*; 🚂 Freigepäck *n*; ~ *postale*, ~ *de port* Portofreiheit *f*; *en* ~ *de douane* zollfrei; **2.** *fig.* Offenherzigkeit *f*, Offenheit *f*; *peint.* kühne Linienführung *f*; ~**chissable** [~ʃi'sablə] *adj.* überschreitbar; ~**chissement** [~ʃis'mɑ̃] *m*: ~ *d'une frontière* Grenzübertritt *m*.

francique *hist. ling.* [frɑ̃'sik] *m*: *le* ~ das Fränkische.

francisation *gr.* [frɑ̃siza'sjɔ̃] *f* Französierung *f*.

franciscain *rl.* [frɑ̃sis'kɛ̃] *su.* (*a. adj.*) (7) Franziskaner *m*.

franciser [frɑ̃si'ze] *v/t.* (1a) französieren.

francité *néol.* [frɑ̃si'te] *f* französisches Kulturbewußtsein *n*.

francitude *néol.* [frɑ̃si'tyd] *f* wirtschaftliche Abhängigkeit *f* v. Frankreich.

franc-maçon [frɑ̃ma'sɔ̃] *m* (6a) Freimaurer *m*; ~**nerie** [~sɔn'ri] *f* Freimaurerei *f*; ~**nique** [~sɔ'nik] *adj.* freimaurerisch.

franco [frɑ̃'ko] *advt.* franko, frankiert, portofrei; ~ *domicile* frei Haus; ~ (en) *gare* frei (zum) Bahnhof; ~ *chantier* frei Bau; ~ *sur camion* frei Lastwagen.

franco-allemand [frɑ̃kɔal'mɑ̃] *adj.* französisch-deutsch.

francofortois [frɑ̃kɔfɔr'twa] *adj.* (7) (*a. su.*) Frankfurter.

franconien *All.* [frɑ̃kɔ'njɛ̃] *adj. u.* ♀ *su.* (7c) fränkisch; Franke *m*.

franco|phile [frɑ̃kɔ'fil] **I** *adj.* franzosenfreundlich; **II** *m* Franzosenfreund *m*; ~**phobe** [~'fɔb] **I** *adj.* franzosenfeindlich; **II** *m* Franzosenfeind *m*; ~**phone** [~'fo:n] **I** *adj.* französisch sprechend; **II** *su.* Französischsprechende(r) *m*; ~**phonie** [~fɔ'ni] *f* französisch sprechende Welt *f*.

franc|-parler [frɑ̃par'le] *m fig.* offene Sprache *f*; ~**-tireur** [~ti'rœ:r] *m* (6a) ⚔ Freischärler *m*; *mv.p.* ✈ Chartergesellschaft *f*.

fran|ge [frɑ̃:ʒ] *f* Franse *f*; ~**ger** [frɑ̃'ʒe] *v/t.* (1l) mit Fransen besetzen.

frangibilité [frɑ̃ʒibili'te] *f* Zerbrechlichkeit *f*.

frangible [frɑ̃'ʒiblə] *adj.* zerbrechlich.

frangin P [frɑ̃'ʒɛ̃] *m* (7) Bruder *m*; ~**e** P [~'ʒin] *f* Schwester *f*.

frangipane [frɑ̃ʒi'pan] *f* Mandelkrem *m*, -kuchen *m*.

franglais *mv.p.* [frɑ̃'glɛ] *m* mit Anglizismen durchsetztes Französisch.

franquette [frɑ̃'kɛt] *f*: *à la bonne* ~ ohne besondere Umstände.

frap|page ⊕ [fra'pa:ʒ] *m* Schlagen *n*; Prägung *f*; ~**pant** [~'pɑ̃] *adj.* (7) schlagend, auffallend, treffend; verblüffend; ~**pe** [frap] *f* **1.** Schlagen *n*; Prägung *f*, Gepräge *n*; ⚔ *force f de* ~ Atommacht *f*; **2.** Anschlag *m* (*e-r Schreibmaschine*); **3.** P *petite* ~ junger Strolch *m*.

frappé [fra'pe] *adj.* **1.** beeindruckt, erschüttert, **2.** betroffen, heimgesucht, befallen (*v. e-r Krankheit*); **3.** verstört: *avoir l'imagination* ~*e* etw. Schlimmes ahnen, e-e fixe Idee haben; **4.** eisgekühlt; **5.** *des vers bien* ~*s* kraftvolle Verse *m/pl.*; **6.** ♪ *temps m* ~ Niederschlag *m beim Takt*.

frappe-devant ⊕ [frapdə'vɑ̃] *m* (6c) Vorschlaghammer *m*.

frappement [frap'mɑ̃] *m* Schlagen *n*.

frap|per [fra'pe] (1a) **I** *v/t.* **1.** schlagen; treffen; verwunden; *fig.* heimsuchen; ~ *l'air de ses cris* die Luft mit s-m Geschrei erfüllen; *fig.* ~ *l'imagination abs.* Eindruck machen; ~ *la vue*, ~ *les yeux* in die Augen fallen; *cela l'a frappé au* *cœur* das war ihm ein Stich ins Herz; ~ *un coup*: a) e-n Schlag tun; b) klopfen (*an die Tür*); c) schlagen (*Uhr*); F *fig.* ~ *un grand coup*, ~ *les grands coups* erfolgreich durchgreifen; *frappé d'apoplexie* vom Schlag gerührt (*od.* getroffen); **2.** prägen; **3.** ~ (*de glace*) kalt stellen, mit Eis kühlen; **4.** *fig.* Eindruck machen auf (*acc.*), überraschen, befremden; *cela m'a frappé* das ist mir aufgefallen; ~ *q. d'étonnement* j-n in Erstaunen setzen; **5.** ⚚ belasten; *frappé d'un droit à l'entrée* (*à la sortie*) mit e-m Eingangs-(Ausgangs-)zoll belegt; **II** *v/i.* **6.** schlagen, klopfen; ~ *des mains* in die Hände klatschen; ⚔ ~ *au but* treffen; ~ *à faux* vorbeihauen; ~ *à la porte* an die Tür klopfen; *on frappe* es klopft; ~ *à tort et à travers*, ~ *comme un sourd* blind drauflosschlagen; **III** *v/rfl.* *se* ~ **7.** sich (*od.* einander) stoßen; *se* ~ *la poitrine* sich an die Brust schlagen; **8.** *fig.* sich unnütz aufregen, sich unnütze Sorgen machen (*pour q.* um j-n); **9.** (in Eis) gekühlt werden; **~peur** [~'pœ:r] (7g) **I** *adj.* (an)klopfend; *esprit m* ~ Klopfgeist *m*; **II** ⊕ *m* Zuschläger *m* (*beim Schmied*); *télégr.* Klopfer *m.*

frasque [frask] *f* Seitensprung *m.*

frater|nel [fratɛr'nɛl] *adj.* (7c) □ brüderlich; **~nisation** [~nizɑ'sjɔ̃] *f* Verbrüderung *f*; **~niser** [~ni'ze] *v/i.* (1a) brüderlich (*od.* miteinander) verkehren; Brüderschaft schließen; **~nité** [~ni'te] *f* Brüderlichkeit *f.*

fratricide [fratri'sid] **I** *adj. u. su.* brudermörderisch; Bruder- (*od.* Schwester-)mörder *m*; **II** *m* Bruder- (*od.* Schwester-)mord *m.*

frau|de [fro:d] *f* **1.** Betrug *m*; ~ *fiscale* Steuerhinterziehung *f*; *user de* ~ betrügerisch handeln; ~ *sur les vins* Weinverfälschung *f*; *par* ~ betrügerischerweise; **2.** Schleichhandel *m*, Schmuggel *m*, Schmuggelei *f*; *faire la* ~ *de qch.* mit etw. (*dat.*) Schmuggel treiben; *introduit en* ~ eingeschmuggelt; **~der** [fro'de] (1a) **I** *v/t.* betrügen; hintergehen; ~ *la douane* beim Zoll schmuggeln; ~ *du vin* Wein verfälschen; **II** *v/i.* betrügen; ~ *dans un examen* bei e-r Prüfung betrügen; **~deur** [~'dœ:r] *su u. adj.* (7g) Betrüger *m*; betrügerisch; ~ *sur les vins* Weinverfälscher *m*; **~duleux** [frody'lø] *adj.* (7d) □ betrügerisch; gefälscht (*Text*).

fray|er [frɛ'je] (1i) **I** *v/t.* **1.** ~ *le chemin* den Weg bahnen; ~ *des chaussures* Schuhe austreten; **2.** *ch.* ~ *sa tête* sein Gehörn abfegen; **II** *v/i.* **3.** laichen; **4.** *fig.* ~ *avec q.* mit j-m verkehren; sich mit j-m einlassen; **~ère** [~'jɛ:r] *f* Laich-platz *m*, -zeit *f.*

frayeur [frɛ'jœ:r] *f* Angst *f*, Schreck(en) *m.*

fredaine F [frə'dɛn] *f* Jugend-streich *m.*

fredonner [frədɔ'ne] *v/i. u. v/t.* (1a) ♪ (vor sich her-)trillern.

freezer *cuis.* [fri'zœ:r] *m* Tiefkühltruhe *f.*

frégate [fre'gat] *f* **1.** Fregatte *f*; U-Boot-Jäger *m*; ~ *météo* Wetterschiff *n*; ~ *cuirassée* Panzerfregatte *f*; **2.** *orn.* Fregattenvogel *m*; **~-école** [~e'kɔl] *f* (6a) Kadettenschulschiff *n.*

frégoli [fregɔ'li] *m* Verwandlungskünstler *m.*

frein [frɛ̃] *m* **1.** *fig. ronger son* ~ s-n Ärger runterschlucken; **2.** *fig.* Zaum *m*, Zügel *m*; *mettre un* ~ *à q.* j-n in Schach halten; *mettre un* ~ *à qch.* etw. unterbinden; e-r Sache Einhalt gebieten; **3.** *anat.* ~ *de la langue* Zungenband *n*; **4.** Bremse *f*; *serrer les* ~*s* bremsen; ~ *aéro-dynamique*, ~ *à air comprimé*, ~ *pneumatique* Luftdruckbremse *f*; ~ *hydraulique* Wasserdruckbremse *f*, hydraulische Bremse *f*, Ventilbremse *f*; ~ *à corde* (*de tambour*) Seil- (Trommel-) bremse *f*; ⚔, *artill.*: ~ *de recul* Rücklaufbremse *f*; *Auto*: ~ (*sur roue*) *arrière* Hinterradbremse *f*; ~ *à segments intérieurs* Innenbackenbremse *f*; ~ *de secours* Notbremse *f*; *vél.* ~ *à contrepédalage*, ~ *à rétropédalage* Rücktrittbremse *f*; *vél.* ~ *sur jante* Felgenbremse *f*; *Auto*: ~ *à disque* Scheibenbremse *f*; ~ *à double circuit* Zweikreisbremse *f*; ~ *à quatre roues* Vierradbremse *f*; *Farbfernsehen*: ~ *de faisceau* Strahlstrombegrenzung *f*; **~age** [frɛ'na:ʒ] *m* Bremsen *n*; ⊕ Bremsvorrichtung *f*, Bremswerk *n*; *fig.* Einschränkung *f*, Stillstand *m*; ⚚ ~ *d'inflation* Inflationsstopp *m*; **~er** [frɛ'ne] *v/t.* (1b) bremsen; *fig.* hemmen.

freinte ⊕, ⚚ [frɛ̃:t] *f* Schwund *m.*

frela|tage [frəla'ta:ʒ] *m* Verfälschung *f*; ~ *du vin* Weinverfälschung *f*; **~ter** [~'te] *v/t.* (1a) *Lebensmittel, Getränke, fig.* verfälschen.

frêle [frɛ:l] *adj.* schwach, zerbrechlich; zart, fein; *fig.* gebrechlich.

freloche [frəˈlɔʃ] *f* Kescher *m*.
frelon [frəˈlɔ̃] *m* Hornisse *f*.
freluche [frəˈlyʃ] *f* kleine Seidenquaste *f*.
freluquet F [frəlyˈkɛ] *m* Laffe *m*, Geck *m*, Fatzke *m*, Modenarr *m*.
frém|ir [freˈmiːr] *v/i*. (2a) **1.** brausen; rauschen; schwirren; zischen (*Wasser*), singen (*kochendes Wasser*); **2.** *fig*. schaudern, zittern, beben (de vor *dat*.); aufbrausen; *cela fait frémir* das ist schauderhaft; **~issement** [~misˈmɑ̃] *m* **1.** Brausen *n*, Rauschen *n*, Schwirren *n usw*.; **2.** *fig*. Schauder *m*.
frên|aie [frɛˈnɛ] *f* Eschenwald *m*; **~e** [frɛːn] *m* Esche *f*.
fréné|sie ⚕ [freneˈzi] *f* Tobsucht *f*; *fig*. Raserei *f*, Verrücktheit *f*; **~tique** ⚕ [~ˈtik] *adj. u. su*. □ tobsüchtig(er), verrückt(er Mensch); *fig*. hektisch, wahnsinnig; *applaudissements m/pl*. *~s* tosender Beifall *m*.
fréno- [frenɔ...] *préf*. bremsend.
fréquemment [frekaˈmɑ̃] *adv*. häufig, oft.
fréquen|ce [freˈkɑ̃ːs] *f* Häufigkeit *f*; häufige Wiederholung *f*; Verkehrsdichte *f*; Besuchsziffer *f*; ⚡ *haute* (*basse*) *~* Hoch-(Nieder-)frequenz *f*; ⚕ *~ du pouls* Geschwindigkeit *f* des Pulses; 🚂 *~ des trains* Zugfolge *f*; **~t** [freˈkɑ̃] *adj*. (7) häufig; ⚕ *pouls ~* beschleunigter Puls *m*; **~tatif** [~kɑ̃taˈtif] *gr. adj*. (7e): *verbe ~* Frequentativum *n*; **~tation** [~taˈsjɔ̃] *f* häufiger Besuch *m*, Umgang *m*; *~ de l'école* Schulbesuch *m*; **~ter** [~ˈte] (1a) **I** *v/t*. **1.** *~ q*. j-n öfter (*od*. häufig) besuchen; **2.** *~ qch*. etw. oft *od*. regelmäßig besuchen; *~ une école* e-e Schule (regelmäßig) besuchen; *rue fréquentée* belebte Straße *f*; **II** *v/rfl*. *se ~* oft zs.-kommen.
frère [frɛːr] *m* **1.** Bruder *m*; *~ germain* leiblicher Bruder; *~s pl. jumeaux* Zwillingsbrüder; **2.** *rl*. (Ordens-)Bruder *m*, *engS*. Logenbruder *m*.
fréro(**t**) F [freˈro] *m* Brüderchen *n*.
fresque [frɛsk] *f* Freske *f*.
fressure [frɛˈsyːr] *f* **1.** *Schlächterei*: Innereien *f/pl*.; **2.** F *fig*. Magen *m*.
fret ⚓, ✝ [frɛ] *m* **1.** Frachtgeld *n*, Mietpreis *m für ein Schiff*; **2.** Schiffsfracht *f*; ✈ Ladung *f*, Fracht *f*.
frètement ⚓ [frɛtˈmɑ̃] *m* Chartern *n*.
fré|ter ⚓, ✈ [freˈte] *v/t*. (1f) mieten, chartern, be-, ver-frachten; **~teur** ⚓ [~ˈtœːr] *m* Reeder *m*.
frétiller [fretiˈje] *v/i*. (1a) sich hin und her bewegen, zappeln; *~ de la queue* mit dem Schwanz wedeln.
fretin [frəˈtɛ̃] *m* kleine Fische *m/pl*. (*a. fig*.); *fig. menu ~* Ausschuß *m*, Schund *m*; kleine Leute *pl*.
frette ⊕ [frɛt] *f* **1.** (Eisen-)Ring *m*, Zwinge *f*; Eisenbeschlag *m*; **2.** △ Zinnenfries *m*.
fretter [frɛˈte] *v/t*. (1a) mit eisernen Reifen (mit e-m Ring) beschlagen.
freux *orn*. [frø] *m* Saatkrähe *f*.
friab|ilité [friabiliˈte] *f* Mürbheit *f*, Brüchigkeit *f*; **~le** [friˈablə] *adj*. brüchig, mürbe, zerreibbar.
friand [friˈɑ̃] (7) **I** *adj*.: *~ de* gierig nach (*dat*.); **II** *cuis. m* kleine Blätterteigpastete *f*; **~ise** [~ˈdiːz] *f* Leckerbissen *m*; *~s f/pl*. Leckereien *f/pl*.
fric P [frik] *m* Moneten *f/pl*.
fric|adelle *cuis*. [frikaˈdɛl] *f* Fleischklößchen *n*; **~andeau** *cuis*. [~kɑ̃ˈdo] *m* (5b) Kalbssteak *n*; **~assée** *cuis*. [~kaˈse] *f* Frikassee *n*; *fig*. P *~ de museaux* langes Geknutsche *n*; **~asser** *cuis*. [~] *v/t*. (1a) frikassieren; **~asseur** [~kaˈsœːr] *su*. (7g) schlechter Koch *m*.
fricative *gr*. [frikaˈtiːv] *f* Reibelaut *m*.
fric-frac P [frikˈfrak] *m* Einbruch *m*.
friche [friʃ] *f* Brachfeld *n*, Brache *f*; *en ~* brach; *fig. esprit m en ~* primitiver (*od*. ungehobelter) Mensch *m*.
frichti F [friʃˈti] *m* Fraß *m*.
fricot F [friˈko] *m* Ragout *n*; Essen *n*; **~er** F [frikɔˈte] (1a) **I** *v/i*. **1.** kochen; **2.** *fig*. krumme Geschäfte machen; **3.** P geschlechtlich verkehren; **II** *v/t*. **4.** *fig*. einfädeln, anzetteln; ✝ *die Bücher* fälschen; **5.** *cuis*. als Ragout zubereiten; **~eur** F [~ˈtœːr] *su*. (7g) Schieber *m*.
friction [frikˈsjɔ̃] *f* (Ab-, Ein-)Reibung *f* (*a. fig*.); **~ner** [~sjɔˈne] *v/t*. (1a) (ein)reiben.
frigide *psych*. [friˈʒid] *adj*. gefühllos, frigid, kalt.
frigidité *bsd. psych*. [friʒidiˈte] *f* Impotenz *f*, Frigidität *f*, Gefühllosigkeit *f*, Kälte *f*.
frigo F [friˈgo] *m* **1.** Kühlschrank *m*; *fig. mettre en ~* auf Eis legen, aufschieben; **2.** Gefrierfleisch *n*.
frigori|fère [frigɔriˈfɛːr] *m* Kühlraum *m*; **~fier** [~ˈfje] *v/t*. (1a) einfrieren; *viande f frigorifiée* Gefrierfleisch *n*; F *il est frigorifié* ihm ist sehr kalt; **~fique** [~ˈfik] *adj*. kälteerzeugend; *bâtiment m ~* Kühl-

schiff *n*; *installation f* (*od. usine f*) ~ Kühlanlage *f*; **~ste** [~'rist] *m* Kältetechniker *m*.

frileux [fri'lø] *adj. u. su.* (7d) fröstelnd, leicht frierend; Fröstling *m*; P *orn.* Rotkehlchen *n*.

frim|aire *Fr. hist.* [fri'mɛ:r] *m* Reifmonat *m*; **~as** *poét.* [~'mɑ] *m* Reif *m*.

fri|me [frim] *f* F Schein *m*, Mache *f*, Humbug *m*; * Gesicht *n*; **~mer** [~'me] *v/i.* (1a) angeben *v/i.* F; **~mousse** F [~'mus] *f* niedliches Gesichtchen *n*.

fringale F [frɛ̃'gal] *f* Heißhunger *m*; *fig.* Fimmel *m*, Sucht *f*.

fringant [frɛ̃'gɑ̃] *adj.* forsch, munter, lebhaft, keck; fesch; schnippisch; feurig (*Pferd*).

fringuer P [frɛ̃'ge] **I** *v/t.* anziehen; ausstaffieren; **II** *v/rfl. se* ~ sich anziehen.

fringues P [frɛ̃:g] *f/pl.* Klamotten *f/pl.* P, Sachen *f/pl.*

friper [fri'pe] *v/t.* (1a) zerknittern; (*Gesicht*) runzeln; **~ie** [fri'pri] *f* **1.** gebrauchte Kleidung *f*; **2.** Laden *m* für Gebrauchtkleidung.

frip|ier [fri'pje] *su.* (7b) Händler *m* für Gebrauchtkleidung; **~on** [fri'pɔ̃] (7c) **I** *adj.* spitzbübisch, schelmisch; **II** *su.* Schelm *m*, Schalk *m*; **~onne** [~'pɔn] *f* kesses Mädchen *n*; **~onneau** [~pɔ'no] *m* Bürschchen *n*; **~ouille** F [~'puj] *f* Halunke *m*, Schuft *m*, Strolch *m*.

friquet *orn.* [fri'kɛ] *m* Feldsperling *m*.

frire [fri:r] *v/t. u. v/i.* (4m) *in der Pfanne* braten; *poêle f à* ~ Bratpfanne *f*; *poisson m à* ~ Bratfisch *m*; *pommes f/pl. frites* Bratkartoffeln *f/pl.*; F *il est frit* er ist erledigt (*od.* geplatzt).

frisage [fri'za:ʒ] *m* Kräuseln *n*.

frisant [fri'zɑ̃] *adj.* schummerig (*vom Tag, vom Licht*).

Frise[1] [fri:z] *f*: **1. la** ~ Friesland *n*; **2.** ♀ ⚔: *cheval m de* ♀ spanischer Reiter *m* (*zur Barrikadierung*).

frise[2] [~] *f* **1.** △ Fries *m*; **2.** *thé.* Bühnenhimmel *m*; **3.** *text.* Fries *m*, Flausch *m*.

friselée ⚘ [friz'le] *f* s. *frisolée*.

friselis *litt.* [friz'li] *m* Rauschen *n*.

frise-mollets [frizmɔ'lɛ] *adjt.*: *longueur f* ~ Midilänge *f* (*Mode*).

friser [fri'ze] (1a) **I** *v/t.* **1.** kräuseln (*Haare*); **2.** *fig.* streifen, leicht berühren; **3.** *text. Tuch* aufkratzen, aufrauhen; **4.** *fig.* frisieren, beschönigen, vertuschen; ~ *le règlement de comptes* es beinahe hart auf hart kommen lassen; **II** *v/i.* **5.** sich kräuseln; *chou frisé* Wirsingkohl *m*.

frisette [fri'zɛt] *f* Löckchen *n*.

frisolée ⚘ [frizɔ'le] *f* Kartoffelkrankheit *f*.

frison[1] [fri'zɔ̃] *m* Löckchen *n*.

frison[2] [~] *adj. u.* ♀ *su.* (7c) friesisch; Friese *m*.

frisotter [frizɔ'te] (1a) *v/t.* leicht kräuseln.

frisquet F [fris'kɛ] *adj.* (7c) kühl; **~te** *tiss.* [~'kɛt] *f* Kartenmuster *n*.

frisson [fri'sɔ̃] *m* Schauder *m*; **~nement** *litt.* [~sɔn'mɑ̃] *m* Schauder *m*; Zittern *n*; *il lui prit* (*od. passa*) *un* ~, *il eut des* ~*s* ein Schauder packte (*od.* überkam) ihn; **~ner** [~'ne] *v/i.* (1a) schaudern; frösteln.

frisure [fri'zy:r] *f* gekräuseltes Haar *n*.

friteau [fri'to] *m*: ~ *de poulet od. poulet m en* ~ Brathuhn *n*.

friterie [fri'tri] *f* **1.** Fischbrathalle *f*; **2.** Fischkonservenfabrik *f*.

frites [frit] *f/pl.* (*abr. für pommes* ~) Pommes frites *pl.*

fritillaire ⚘ [fritil'lɛ:r] *f*: ~ *impériale* Kaiserkrone *f*.

fritt|age ⊕ [fri'ta:ʒ] *m* Fritten *n*, Ausbrennen *n* (*Glasfabrikation*); **~e** [frit] *f* Fritte *f*, Glasschmelzmasse *f*; **~er** ⊕ [~'te] *v/t.* (1a) fritten, Glasmaterialien ausbrennen.

friture [fri'ty:r] *f* **1.** Braten *n* in der Pfanne; **2.** Braten-fett *n*, -schmalz *n*; **3.** kleine Bratfische *m/pl.*; **4.** *téléph., rad.* Nebengeräusche *n/pl.*; ~ (*parasite*) Störungsgeräusche *n/pl.*

frivo|le [fri'vɔl] *adj.* unbedeutend, wertlos; nichtig; oberflächlich, frivol, leichtfertig, leichtsinnig; **~lité** [~li'te] *f* **1.** Leichtfertigkeit *f*, Frivolität *f*; **2.** Nichtigkeit *f*; **3.** *text.* Klöppelspitze *f*.

froc [frɔk] *m* Mönchskutte *f*; P Hose *f*; *jeter le* ~ *aux orties* die Kutte ablegen.

froid [frwa] **I** *adj.* □ **1.** kalt; *viandes f/pl.* ~*es* kaltes Fleisch *n*; *mets m/pl.* ~*s* kalte Küche *f*; *la température* ~*e de l'eau* die Kälte des Wassers; s. *a.* 3; **2.** *fig.* kühl, kaltblütig, gefühllos, lieblos, gemütsarm, unfreundlich; ausdruckslos, leblos, nüchtern (*Stil*); *à* ~ kalt(blütig), ohne Begeisterung; *cuis.* ungewärmt; *fig. battre le fer à* ~ s-e innere Erregung verbergen; *raisonner à* ~ kühl urteilen; **II** *m* (*auch* ~*s pl.*) **3.** Kälte *f* (s. *a.* 1, *letztes Beispiel*); *avoir* ~ frieren; *avoir* ~ *aux mains* kalte Hände haben; *fig.* *ne pas avoir ~ aux yeux* tollkühn (unverfroren) sein; *dès la venue des premiers ~s* seit Beginn der kalten Jahreszeit; *il fait ~* es ist kalt(es Wetter); *il fait un ~ de loup (od. de canard od. de chien)* es ist e-e Hundekälte; *mourir de ~* erfrieren; *prendre (od. attraper) ~* sich erkälten, sich e-e Erkältung zuziehen; *prendre ~ aux pieds* kalte Füße bekommen; *le ~ me prend* mir wird kalt; *trembler de ~* vor Kälte zittern; *souffler le chaud et le ~* sein Mäntelchen nach dem Winde tragen, doppelzüngig sein; **4.** *fig.* kaltes Wesen *n*; *pol.* Abkühlung *f der Beziehungen*; *battre ~ à q.* j-m kühl entgegentreten; *être en ~ avec q.* sich mit j-m nicht besonders stehen; **~eur** [~'dœ:r] *f fig.* Gefühlskälte *f.*

frois|sement [frwas'mɑ̃] *m* Reibung *f (a. fig.)*; Zerknittern *n*, Knüllen *n (Stoff)*; ⚕ Quetschung *f*; *fig.* Kränkung *f*; *~s pl. des intérêts* Interessengegensätze *m/pl.*; **~ser** [frwa'se] (1a) **I** *v/t.* wund reiben, (zer)quetschen; zerknittern, knüllen; *fig.* kränken, verletzen; **II** *v/rfl.* *se ~ de qch.* sich durch etw. (*acc.*) verletzt (*od.* gekränkt) fühlen; **~sure** *text.* [~'sy:r] *f* Knick *m (Stoff)*.

frôl|ement [frol'mɑ̃] *m* (An-)Streifen *n*; Rauschen *n*, Rascheln *n* (*v. Kleidern*); **~er** [~'le] (1a) **I** *v/t.* streifen, leicht berühren; *~ la mort* hart am Tode vorbeigehen; **II** *v/rfl.* *se ~ auprès de q.* sich bei j-m anschmiegen (*Katze*); **~eur** [~'lœ:r] (7g) **I** *adj.* leicht streifend; einschmeichelnd, anschmiegsam; **II** *péj. m* Betatscher *m* F.

froma|ge [frɔ'ma:ʒ] *m* **1.** Käse *m*; *~ aux fines herbes* Kräuterkäse *m*; *~ de chèvre (~ à la crème, ~ de Gruyère, ~ de lait frais)* Ziegen- (Rahm-, Schweizer-, Süßmilch-)Käse *m*; *~ blanc, ~ mou* weißer Käse *m*, Quark *m*; *~ égoutté* trockener Quark *m*; F *être dans le ~* an der Futterkrippe sitzen; *conserver son ~* sich sein Pöstchen halten; *se retirer dans un ~* nur an sich denken; *entre la poire et le ~* beim Nachtisch; *fig.* so nebenbei; **2.** *~ de porc (od. de tête)* Sülze *f*; **3.** ⋆ Idiot *m*; **~ger** [~ma'ʒe] **I** *su.* (*a. adj.*) (7b) Käse-macher *m*, -händler *m*; **II** *m* a) Käsenapf *m*; b) ⚘ Wollbaum *m (Bombax)*; **~gerie** [~maʒ'ri] *f* Käse-fabrik *f*, -geschäft *n.*

from(e)gi(s)⋆ [frɔm'ʒi] *m* Käse *m.*

froment [frɔ'mɑ̃] *m* Weizen *m*; **~al** ⚘ [~'tal] *m* Wiesenhafer *m*, Hafergras *n.*

from(e)ton⋆ [frɔm'tɔ̃] *m* Käse *m.*

fronce [frɔ̃:s] *f* **1.** kleine Falte *f*; **2.** Knick *m (im Papier)*.

fron|cement [frɔ̃s'mɑ̃] *m* Stirnrunzeln *n*; **~cer** [frɔ̃'se] *v/t.* (1k) **1.** *~ les sourcils* die Stirn runzeln; **2.** ⊕ fälteln (*Rock*); **~cis** [frɔ̃'si] *m* Falten *f/pl.*

frondaison [frɔ̃dɛ'zɔ̃] *f* **1.** Treiben *n* der Blätter; **2.** Laub *n*; **3.** ⚠ Laubornamentik *f an Kathedralen.*

fron|de [frɔ̃:d] *f* **1.** Schleuder *f*; **2.** *chir.* Schleuderbinde *f (Kopfverband)*; **3.** ⚘ Wedel *m*; **4.** *hist.* Fronde *f*; **5.** *fig.* *esprit m de ~* Aufbegehren *n*, Trotz *m*; **~der** [frɔ̃'de] (1a) **I** *v/t. fig.* kritisieren; **II** *pol. v/i.* meckern (*contre* über).

frondescent [frɔ̃dɛ'sɑ̃] *adj.* (7) sich belaubend.

frondeur [frɔ̃'dœ:r] (7g) **I** *su.* Kritikaster *m*, Nörgeler *m*, Meckerer *m*; **II** *adj.* aufsässig, kritisch.

front [frɔ̃] *m* **1.** Stirn *f*; *litt.* Gesicht *n*, Kopf *m*; *~ serein* heiteres Gesicht *n*; *le ~ baissé* gesenkten Hauptes; **2.** Vorderseite *f*, Front *f* (*bsd.* ⚔); *~!* stillgestanden!; *aller au ~* an die Front gehen; *passer devant le ~ des troupes* die Front abschreiten; *fig.* *faire ~ à* die Stirn bieten, widerstehen (*dat.*); *advt.*: *de ~* a) von vorn; b) nebeneinander; *de ~ avec les alliés* in gemeinsamer Front mit den Verbündeten; *marchez quatre de ~!* zu vieren nebeneinander!; c) zu gleicher Zeit; d) schonungslos; ohne Umschweife (*od.* Verzögerung); *bsd. fig.* *heurter de ~ q.* j-n vor den Kopf stoßen; **3.** *fig.* *avoir du ~* frech (*od.* unverschämt) sein; *avoir le ~ de (mit inf.)* sich erdreisten zu ..., die Frechheit besitzen zu ...; **~al** [~'tal] (5c) **I** *adj.* Stirn...; *anat.* *os m ~* Stirnbein *n*; **II** *m* Stirnbinde *f*; **~alier** [~ta'lje] (7b) **I** *adj.*: *différend m ~* Grenzstreit *m*; *trafic m ~* Grenzverkehr *m*; **II** *su.* Grenzgänger *m*; **~eau** [~'to] *m* Stirnbinde *f (der Nonnen)*.

frontière [frɔ̃'tjɛ:r] *f* (*staatspolitische* Landes-)Grenze *f*; *als adj.*: Grenz...; *~ de temps* Zeitzone *f*; *~ du nord* Nordgrenze *f*; *à la ~, sur la ~* an der Grenze; *gare f ~* Grenzbahnhof *m.*

front|ispice *typ.* [frɔ̃tis'pis] *m* Titel-blatt *n*, -bild *n*; **~on** [~'tɔ̃] *m*

⚠ Tür-, Fenster-giebel *m*; Giebeldach *n*, Stirnwand *f*.

frot|tage [frɔ'ta:ʒ] *m* Reiben *n*, Frottieren *n*; Bohnern *n*; **~tée** [~'te] *f* Tracht *f* Prügel; **~tement** [~t'mɑ̃] *m* Reiben *n*, Frottieren *n*; *phys.* Reibung *f*; *fig.* Reiberei *f*, Differenz *f*; **~ter** [~'te] (1a) **I** *v/t.* **1.** (ab-, ein-)reiben; ~ *les oreilles à q.* j-m eins hinter die Ohren geben; ~ *le rasoir* das Rasiermesser abziehen; **2.** *a. abs.* bohnern; schrubben, aufwischen; **II** *v/rfl.* se ~ sich reiben (*contre* an *dat.*); se ~ *les dents* sich die Zähne putzen; se ~ *de* sich einreiben mit (*dat.*); sich oberflächlich beschäftigen mit (*dat.*); *fig.* se ~ *à q.* sich mit j-m reiben, sich mit j-m einlassen; *il ne fait pas bon se ~ à lui* mit ihm ist nicht gut Kirschen essen; F se ~ *à qch.* sich an e-e Sache heranmachen; *ne vous y frottez pas!* fangen Sie bloß so was nicht an!; **~teur** [~'tœ:r] *su.* (7g) Parkettreiniger *m*; ⚡ Kontakt-schleifer *m*, -arm *m*; **~toir** [~'twa:r] *m* **1.** Bohner-, Reibebürste *f*; **2.** Wischlappen *m*; Frottiertuch *n*; **3.** Reibfläche *f*.

frou-frou [fru'fru] *m* Rascheln *n* (*v. Blättern*); Rauschen *n*, Knistern *n* (*bsd. v. Seidenkleidern*); *faire du* ~ *fig.* Staat (*od.* Wind) machen.

froufrouter [frufru'te] *v/i.* (1a) rascheln (*v. Blättern*); knistern, rauschen (*v. seidenen Kleidern*).

frous|sard P [fru'sa:r] **I** *su.* (7) Angsthase *m*; **II** *adj.* feige; **~se** P [frus] *f* Heidenangst *f*.

fructi|dor *Fr. hist.* [frykti'dɔ:r] *m* Fruchtmonat (*15./16. Aug. bis 16./17. Sept.*); **~fication** [~fika'sjɔ̃] *f* Befruchtung *f*; Fruchtentwicklung *f*; **~fier** [~'fje] *v/i.* (1a) Früchte tragen; *faire* ~ befruchten; *fig.* (*Geld*) nutzbringend anlegen.

fructose [fryk'to:z] *f* Fruchtzucker *m*.

fructueux [fryk'tɥø] *adj.* (7d) einträglich (*Geschäft*); erfolgreich, nutzbringend (*Arbeit*).

frugal [fry'gal] *adj.* (5c) **1.** genügsam, bedürfnislos; **2.** einfach, spärlich, bescheiden (*Mahl, Essen*); **~ité** [~li'te] *f* Genügsamkeit *f*, Bedürfnislosigkeit *f*, Einfachheit *f*.

fruit[1] ⚠ [frɥi] *m* Verjüngung *f*.

fruit[2] [~] *m* **1.** Frucht *f*; ~*s pl.* Obst *n*; ~*s pl. cuits* Backobst *n*; ~*s pl. secs* Dörrobst *n*; ~ *à noyau* Steinfrucht *f*; ~ *à pépins* Kernfrucht *f*; *cet arbre ne se met pas à* ~ dieser Baum setzt nicht an; ~ *sec* getrocknete Frucht *f*; *fig.* Null *f fig.* (*Person*); **2.** *fig.* Erfolg *m*, Ertrag *m*, Vorteil *m*, Nutzen *m*, Gewinn *m*; **3.** ⚖ ~*s pl.* Einkünfte *f/pl.*; **~arien** [~ta'rjɛ̃] *su.* (7c) Rohköstler *m*; **~arisme** [~ta'rism] *m* Rohkostdiät *f*; **~é** [frɥi'te] *adj.* mit Fruchtgeschmack; **~er** [~] *v/t. den Lippen* e-e frische Farbe geben; **~erie** [frɥi'tri] *f* Obst-geschäft *n*, -laden *m*, -handel *m*; **~ier** [~'tje] **I** *adj.* (7b) **1.** obsttragend; *arbre m* ~ Obstbaum *m*; *jardin m* ~ Obstgarten *m*; **II** *su.* (7b) **2.** Obsthändler *m*; Obstbaumzüchter *m*; **3.** Käsefabrikant *m* (*Franche-Comté, Savoyen, Jura*); **III** *m* Obst-keller *m*, -kammer *f*, -ständer *m*, -regal *n*, -garten *m*; **~ière** (*Franche-Comté, Savoyen, Jura*) [~'tjɛ:r] *f* Käse-fabrik *f* und -vertrieb *m*.

frumentaire *antiq.* [frymɑ̃'tɛ:r] *adj.* Getreide...

frusquer P [frys'ke] (1m): (se) ~ (sich) anziehen.

frusques P [frysk] *f/pl.* (*bsd.* alte) Sachen *f/pl.* (*zum Anziehen*).

frusquin P [frys'kɛ̃] *m*: *tout son saint* ~ alle s-e Habseligkeiten *f/pl.*

fruste [fryst] *adj.* abgegriffen; rauh (*a. fig.*); *fig.* ungeschliffen, plump; ⚕ unklar (*v. Krankheiten*); *fig.* fast verblaßt.

frustr|ant [fry'strɑ̃] *adj.* (7) frustrierend; **~ation** [frystra'sjɔ̃] *f* Zurücksetzung *f*, Benachteiligung *f*, Enttäuschung *f*; *psych.* Frustration *f*; **~er** [~'tre] *v/t.* (1a): ~ *q. de* j-n bringen um (*acc.*), j-n enttäuschen in (*dat.*); *fig.* ~ *l'attente de q.* j-s Erwartung täuschen.

fuchsia ⚘ [fyk'sja] *m* Fuchsie *f*.

fucus ⚘ [fy'kys] *m* Alge *f*, Tang *m*.

Fuégien [fye'ʒjɛ̃] *su.* (7c) Feuerländer *m*.

fuel (**-oil**) [fjulɔ'il] *m* Heizöl *n*.

fuga|ce [fy'gas] *adj.* flüchtig (*z.B. Parfüm*); vorübergehend (*Schmerz*); schnell verblassend, unecht (*Farbe*); ⚘ früh abfallend; *fig.* von kurzer Dauer; **~cité** *litt.* [~si'te] *f* Flüchtigkeit *f*; schnelles Verblassen *n*, Unechtheit *f*; Vergänglichkeit *f*.

fugitif [fyʒi'tif] (7e) **I** *adj.* **1.** flüchtig; **2.** *fig.* von kurzer Dauer, schnell vorübergehend; einfach und kurz (*Gedicht*); **II** *su.* Flüchtling *m*.

fugue [fyg] *f* **1.** Seitensprung *m*; Ausreißen *n*; **2.** ♪ Fuge *f*.

fugué ♪ [fy'ge] *adj.* fugenhaft.

fugueur *psych.* [fy'gœ:r] *m* (7g) Ausreißer *m.*

fuie [fɥi] *f* kleiner Taubenschlag *m*; *Auto*: fahrbare Militärbrieftaubenstation *f.*

fuir [fɥi:r] (2d) **I** *v/i.* (*mit avoir*) **1.** (ent)fliehen, die Flucht ergreifen; ~ *à toutes jambes* Hals über Kopf davonlaufen; **2.** *fig.* schnell vergehen; **3.** undicht werden, lecken (*Faß*); **4.** zurücktreten (*Stirn*); **II** *v/t.* ~ *q.* (*qch.*) vor j-m (etw.) fliehen; j-n (etw.) meiden.

fuite [fɥit] *f* **1.** Flucht *f*, Fliehen *n* (*de* vor *dat.*); *fig.* Entweichen *n*; *user de* ~*s* Ausflüchte gebrauchen; **2.** *a.* ⊕ Ausströmen *n*, Auslaufen *n*; ⚡ Stromverlust *m*; *pol.* ⚖ durchgesickerte Nachrichten *f/pl.*, gezielte Indiskretion *f*; ~ *d'essence* Leck *n* in der Benzinleitung; **3.** Spalte *f*, Ritze *f*, Öffnung *f* (*z.B. Gasrohr*); *avoir une* ~ leck sein; **4.** *fig.* Vergänglichkeit *f*; **5.** *, *a.* ⚔ Entlassung *f*; Ferien *pl.*

fulgu|rance [fylgy'rɑ̃:s] *f* Blitzen *n*, Funkeln *n*; ~**rant** [~'rɑ̃] *adj.* (7) blitzend; *fig.* blitzschnell; ⚕ stechend; ~**ration** [~rɑ'sjɔ̃] *f* Wetterleuchten *n*; *a.* ⚡ Funkeln *n*, Blitzen *n*; Blitzschlag *m*; ⚕ Behandlung *f* mit Hochfrequenzströmen; ~**rer** [~'re] *v/i.* (1a) funkeln, leuchten, blitzen.

fuligineux [fyliʒi'nø] *adj.* (7) rußig, rußfarben.

fulmicoton [fylmikɔ'tɔ̃] *m* Schießbaumwolle *f.*

fulmi|naire *myth.* [fylmi'nɛ:r] *adj.*: *pierre f* ~ Donnerkeil *m*; ~**nant** [~'nɑ̃] *adj.* (7) *fig.* drohend, tobend, wetternd, wütend; ⚗ Knall...; ~**nation** *rl.* [~nɑ'sjɔ̃] *f* Verkündigung *f*; Schleudern *n*; ~**ner** [~'ne] (1a) **I** *v/i.* Blitz und Donner schleudern; *fig.* wettern, toben, wütend sein; ⚗ knallen; **II** *v/t. rl.* e-n Bannstrahl schleudern (gegen).

fumage[1] [fy'ma:ʒ] *m* Räuchern *n*; ⊕ (falsche) Goldfarbe *f.*

fumage[2] ✓ [~] *m*, **fumaison** [fymɛ'zɔ̃] *f* Düngen *n.*

fume|-cigare [fymsi'ga:r] *m* (6c) Zigarrenspitze *f*; ~**-cigarette** [~siga'rɛt] *m* (6c) Zigarettenspitze *f.*

fumée [fy'me] *f* **1.** Rauch *m*, Dampf *m*; ~*s pl.* Dunst *m*; *épaisse* ~, ~ *noire* Qualm *m*; *avaler la* ~ auf Lunge rauchen; **2.** *a. fig.* ~*s pl.* Rausch *m.*

fumer[1] [fy'me] (1a) **I** *v/i.* **1.** rauchen; qualmen; **2.** dampfen; F wütend sein; **II** *v/t.* rauchen; ~ *des cigarettes à la chaîne* (ein) Kettenraucher sein; ~ *le calumet de paix* die Friedenspfeife rauchen; *défense de* ~! Rauchen verboten!; **3.** (durch)räuchern; *verre m fumé* (rauch)geschwärztes Glas *n.*

fumer[2] [~] *v/t.* (1a) düngen.

fume|rie [fym'ri] *f* **1.** ⚒ (Tabak-) Rauchen *n*; **2.** Opiumhöhle *f*; ~**rolle** *géol.* [~'rɔl] *f* Fumarole *f.*

fumet [fy'mɛ] *m* **1.** Bratenduft *m*; Blume *f* (*Wein*); **2.** *ch.* Witterung *f.*

fumeur [fy'mœ:r] *su.* (7g) Raucher *m.*

fumeux [fy'mø] *adj.* (7) □ **1.** rauchig; qualmend; **2.** berauschend; benebelnd (*Wein*); *fig.* unklar.

fumier [fy'mje] *m* **1.** Mist *m*, Dung *m*; (*tas m de*) ~ Misthaufen *m*; **2.** P *fig.* Mistvieh *n.*

fumi|gateur ⚕, ✓ [fymiga'tœ:r] *m* Rauchzerstäuber *m*; ~**gation** [~gɑ'sjɔ̃] *f* **1.** ⚕ Dampfbad *n*; **2.** Ausräuchern *n*; ⚗ Anräuchern *n*; ~**gène** [~'ʒɛn] *adj.* Rauch..., Nebel...; ~**ste** [~'mist] *m* **1.** Ofensetzer *m*; **2.** F Angeber *m*; F Bluffer *m*; Windhund *m fig.*; ~**sterie** [~stə'ri] *f* **1.** Ofensetzerei *f*; **2.** F Bluff *m*, Angeberei *f*; Schwindel *m.*

fumivore [fymi'vɔ:r] *adj. u. m* rauchverzehrend; Rauchverzehrer *m.*

fumoir [fy'mwa:r] *m* **1.** Rauchzimmer *n*; **2.** Räucherkammer *f.*

fumure ✓ [fy'my:r] *f* Düngung *f*; Dung *m*, Dünger *m.*

funambu|le [fynɑ̃'byl] *su.* Seiltänzer *m*; ~**lesque** [~'lɛsk] *adj.* seiltänzerisch; *fig.* wunderlich.

funèbre [fy'nɛbrə] *adj.* **1.** Begräbnis..., Leichen..., Trauer...; *chant m* ~ Trauergesang *m*; *pompes f/pl.* ~*s* Beerdigungsinstitut *n*; *service m* ~ Trauergottesdienst *m*; **2.** *fig.* düster, traurig, unheimlich.

funé|railles [fyne'rɑ:j] *f/pl.* Leichenbegängnis *n*; Beerdigungsfeier *f*; ~**raire** [~'rɛ:r] *adj.* Grab..., Begräbnis...; ~**rarium** [~ra'rjɔm] *m* Leichenhalle *f.*

funeste [fy'nɛst] *adj.* □ unheilvoll, verheerend, unglücklich, traurig.

funicu|laire [fyniky'lɛ:r] **I** *adj.* Seil...; **II** *m* Drahtseilbahn *f.*

funin ⚓ [fy'nɛ̃] *m* Takelwerk *n.*

fur [fy:r] *m nur noch gebr. in*: *au fur et à mesure* (*de od. que*) entsprechend; in dem Maße, wie.

furax F [fy'raks] *adj.* wütend.

furet [fy'rɛ] *m zo.* Frettchen *n*; *fig.* Schnüffler *m*, Aushorcher *m*; *at.* Rohrpostbüchse *f*, Behälter *m* zum Rohrposttransport radioaktiver Proben (*im Reaktorgelände od. zwischen Instituten*); **~age** [fyr'ta:ʒ] *m ch.* Kaninchenjagd *f* mit Frettchen; F *fig.* Aufstöbern *n*, Ausfindigmachen *n*; **~er** [~'te] *v/t. u. v/i.* (1c) *ch.* mit Frettchen jagen; F *fig.* aufspüren, erschnüffeln; **~eur** [~'tœ:r] *su.* (7g) **1.** *ch.* Kaninchenjäger *m* mit Frettchen; **2.** F *fig.* Schnüffler *m*.

fureur [fy'rœ:r] *f* **1.** Wut *f*, Raserei *f*; *être transporté de ~* vor Wut außer sich sein; *entrer en ~* in Wut geraten; **2.** *fig. ~ de l'orage* Toben *n* des Sturmes; *la mer est en ~* das Meer tobt; *~s pl. de la guerre* Greuel *m/pl.* des Krieges; **3.** *fig.* Begeisterung *f*; Leidenschaft *f*; *~ d'agir*, *~ de servir* Einsatzbereitschaft *f*; *~ du jeu* Spielwut *f*.

fur|ibard F [fyri'ba:r], **~ibond** [fyri'bɔ̃] *adj. u. su.* (7) wütend; Rasende(r) *m*; **~ie** [fy'ri] *f* **1.** *myth.* ♀ Furie *f*; **2.** *fig.* böses Weib *n*; **3.** Wut *f*; *être en ~* wüten; **4.** Heftigkeit *f*, Leidenschaft *f*; **~ieux** [fy'rjø] (7d) **I** *adj.* □ rasend, grimmig, wütend; F *fig.* außerordentlich, gewaltig, Riesen...; *rendre q. fou ~* j-n zur Weißglut bringen; **II** *su.* Rasende(r) *m*.

furon|cle ⚕ [fy'rɔ̃:klə] *m* Furunkel *m*, Blutgeschwür *n*; **~culeux** ⚕ [fyrɔ̃ky'lø] *adj.* (7d) furunkulös; **~culose** ⚕ [~'lo:z] *f* Furunkulose *f*.

furtif [fyr'tif] *adj.* (7e) □ verstohlen, heimlich.

fusain [fy'zɛ̃] *m* **1.** ♀ Spindelbaum *m*; **2.** Zeichenkohle *f*; **3.** Kohlezeichnung *f*.

fusant ⚔ [fy'zɑ̃] *m* Sprenggeschoß *n*.

fus|eau [fy'zo] *m* (5b) **1.** Spindel *f*; F *fig. jambes f/pl. de ~x* Spindelbeine *n/pl.*; **2.** *Sport*: Keilhose *f*; **3.** Klöppel *m zur Spitzenfabrikation*; **4.** ⩚ Kugelsegment *n*; **~ée** [fy'ze] *f* **1.** Garnspule *f*, eine Spindelvoll; **2.** ⊕ Spindel *f*; *~ d'essieu* Achsschenkel *m*; **3.** *a.* ⚔ Zünder *m*; Rakete *f*; *~ atomique* Atomrakete *f*; ✈ *~ réacteur* Düsenrakete *f*; *~ à temps* Zeitzünder *m*; *~ brillante*, *~ éclairante*, *~ illuminante*, *~ lumineuse* Leuchtrakete *f* (*à parachute* mit Fallschirm); *~ incendiaire*, *~ fumigène* Brandrakete *f*; *~ interplanétaire* Raumrakete *f*; *lancer* (*od. tirer*) *une ~* e-e Rakete abschießen; *~ courante* Schwärmer *m*; ⚓ *~ porte-amarre* Rettungsrakete *f*; *~ porteuse* Trägerrakete *f*; *~ à sept* (*à plusieurs*) *étages* siebenstufige (mehrstufige) Rakete *f*; *~-sonde f* (6a) Raketensonde *f*; *base f lance-fusées* Raketenabschußbasis *f*; *fig. ~ de mots spirituels* Salve *f* von Witzen; **~éiste** [~ze'ist] *su.* Raketensachverständige(r) *m*.

fuse|lage [fyz'la:ʒ] *m* Flugzeugrumpf *m*; **~lé** [fyz'le] *adj.* spindelförmig, dünn, verschmälert.

fus|er [fy'ze] *v/i.* (1a) auseinanderfließen (*Farben*); schmelzen (*Wachs*); ⚡ durchbrennen; ⚒ mit Geprassel zerschmelzen; ohne Knall verbrennen (*Pulver*); losgehen (*Schuß*); *fig.* zischen, sprudeln, sprühen; erschallen; brausen (*Wind*); ⚕ sich senken (*Eiter*); **~ibilité** [~zibili'te] *f* Schmelzbarkeit *f*; **~ible** [~'ziblə] **I** *adj.* schmelzbar; **II** ⚡ *m* Sicherung *f*.

fusil [fy'zi] *m* **1.** Gewehr *n*; *coup m de ~* Gewehrschuß *m*; F gepfefferte Rechnung *f*; *~ à air comprimé* Luftgewehr *n*; *~ antichars* Panzerabwehrbüchse *f*; *~ automatique* Selbstladegewehr *n*; *~ de chasse* Jagdgewehr *n*; *~ à magasin* Magazingewehr *n*; *~-mitrailleur* Maschinenpistole *f*; *~ à petit calibre* Kleinkaliberbüchse *f*; *mettre le ~ en joue* das Gewehr anlegen; *à portée de ~* bis in Gewehrschußweite; *fig. changer son ~ d'épaule* sein Mäntelchen nach dem Winde drehen; **2.** *pierre f à ~* Feuerstein *m*; **3.** *fig. en chien de ~* in Hockstellung; mit angezogenen Beinen; **4.** * Kehle *f*, Magen *m*; **5.** Wetzstahl *m*; **~ier** [~'lje] *m*: *~ marin* Gewehrschütze *m* der Marine; *~ mitrailleur* MG-Schütze *m*; **~lade** [fyzi'jad] *f* **1.** Gewehrfeuer *n*, Schießerei *f*; **2.** (*auch* **~lement** [~zij'mɑ̃] *m*) Erschießen *n*; **~ler** [~zi'je] *v/t.* (1a) **1.** standrechtlich erschießen; **2.** F *fig. ~ q. de qch.* j-n mit etw. überschütten; *~ q. du regard* j-n dauernd anglotzen; **3.** P kaputtmachen; **4.** P *sein Geld* sinnlos ausgeben; **5.** F *phot.* knipsen.

fusion [fy'zjɔ̃] *f* **1.** Schmelzen *n*; **2.** ⚗, ✝, *fig.* Fusion *f*, Verschmelzung *f*, Vereinigung *f*; *faire ~* sich verschmelzen; **~ner** [~zjɔ'ne] *v/t.* (*a. v/i.*) (1a) verschmelzen (*a. v/i.*).

fustig|ation *hist.* [fystiga'sjɔ̃] *f* Auspeitschen *n*, Geißelung *f*; **~er** *hist.* [~sti'ʒe] *v/t.* (1l) auspeitschen; *fig.* geißeln, brandmarken.

fût [fy] *m* **1.** *a.* ⩓ Schaft *m*; Gewehrschaft *m*; ⊕ ~ *élévateur* Hubsäule *f*; **2.** Gestell *n*; **3.** Faß *n*.

futaie [fy'tɛ] *f* Hochwald *m*.

futaille [fy'tɑːj] *f* Faß *n*, Tonne *f*.

futé F [fy'te] *adj.* verschmitzt; schlau.

futi|le [fy'til] *adj.* gering, wertlos; belanglos, nichtssagend; **~lité** [~tili'te] *f* Bedeutungslosigkeit *f*.

futur [fy'tyːr] **I** *adj.* (zu)künftig; *les ~s époux* die Verlobten; **II** *su.* F (*auch adj.*: *le ~ époux*, *la ~e épouse*) Verlobte(r), Bräutigam *m* (*f* Braut); **III** *m* Zukunft *f*; *gr.* Futurum *n*; **~ible** [fyty'riblə] *m* **1.** in der Zukunft Mögliche(s) *n*; **2.** *abus.* Futurologe *m*; **3.** *~s m/pl.* Futurologische(s) *n*; **~isme** *litt.*, *peint.* [~'rism] *m* Futurismus *m*; **~ologie** [~rɔlɔ'ʒi] *f* Futurologie *f*, Zukunftswissenschaft *f*; **~ologue** [~rɔ'lɔg] *su.* Futurologe *m*, Zukunftswissenschaftler *m*.

fuy|ant [fɥi'jɑ̃] *adj.* (7) flüchtig; *peint.* zurücktretend; *fig.* ausweichend; *front ~* fliehende Stirn *f*; *échelle ~e* verjüngter Maßstab *m*; *regard ~* scheuer Blick *m*; **~ard** [~'jaːr] *adj. u. su.* (7) fliehend, flüchtig; Flüchtling *m*, Ausreißer *m*.

G

G, g [ʒe] *m* G, g *n*.
gabardine [gabar'din] *f* Gabardine (-mantel *m*) *m*.
gabar(r)e [ga'ba:r] *f* **1.** großes Schleppnetz *n*; **2.** ⚓ Lastschiff *n*.
gabarier ⊕ [~'rje] *v/t.* (1a) nach Modell *od.* Kaliber bauen.
gabarit ⊕ [gaba'ri] *m* Kaliber *n*, Modell *n*, Formbrett *n*, Schablone *f*; ⚒, 🚂, ⊕ Ladeprofil *n*, Laderaumhöhe *f*, Lehr(e *f*) *n*; Richtscheit *n*; F *fig.* Körpergröße *f*, Statur *f*, Figur *f* (*v. Menschen*).
gabegie [gab'ʒi] *f* Schlamperei *f*.
gabel|le *ehm.* [ga'bɛl] *f* Salzsteuer *f*; **~ou** [ga'blu] *m ehm.* Beamte(r) *m* der Salzsteuer; F *jetzt oft mv. p.*: Steuer-, Zoll-beamte(r) *m*.
ga|bie *ehm.* ⚓ [ga'bi] *f* Mastkorb *m*; **~bier** ⚓ [ga'bje] *m* Marsgast *m*, Mastwächter *m*.
gabion [ga'bjɔ̃] *m* **1.** *ch.* behelfsmäßige Hütte *f* für die Jagd auf Wasserwild; **2.** *dial.* ↗ großer Korb *m*; **~ner** ⚔ [~bjɔ'ne] *v/t.* (1a) durch Schanzkörbe decken.
gable u. **gâble** △ ['gablə, 'gɑ:blə] *m* Dreiecksgiebel *m*.
gâchage [gɑ'ʃa:ʒ] *m* **1.** △ Anrühren *n des Mörtels*; **2.** *fig.* Pfuscherei *f*; ✝ Verschleuderung *f*.
gâch|e [gɑ:ʃ] *f* **1.** ⊕ Rührspatel *m des Bäckers*; △ Kalk(rühr)spaten *m des Maurers*; **2.** Schließklappe *f*; Riegelloch *n*; **~é** [gɑ'ʃe] *adj.* verpfuscht; stümperhaft; **~er** [gɑ'ʃe] *v/t.* (1a) **1.** △ *den Mörtel* anrühren; **2.** *fig.* verpfuschen; verschwenden; verpassen (*e-e Gelegenheit*); ~ *le métier* (*la joie*) die Preise (die Freude) verderben.
gâchet *orn.* [gɑ'ʃɛ] *m* Seeschwalbe *f*.
gâchette [gɑ'ʃɛt] *f* **1.** ⊕ Drücker *m am Schloß*; **2.** ⚔ Abzug *m am Gewehr*.
gâch|eur [gɑ'ʃœ:r] *su.* (7g) **1.** △ Kalkeinrührer *m*; **2.** F *fig.* Pfuscher *m*; Preisverderber *m*; **~is** [~'ʃi] *m* Dreck *m*, Schlamm *m*; *fig.* verworrene Lage *f*, Patsche *f*; *être dans le* ~ in der Patsche sitzen; *faire du* ~ die Lage verderben.
gadget [gad'ʒɛt] *m* Ding *n* (Gerät *n*) mit e-m Pfiff.
gadjo *zig.* [gad'ʒo] *m* Fremde(r) *m*.
gadou|e [ga'du] *f* Jauche *f*; (Straßen-)Dreck *m*; **~ille** P [~'duj] *f* Dreck *m*.
gaélique [gae'lik] *adj.* gälisch.
Gaëls [ga'ɛl] *m/pl.*: *les* ~ die Gälen *m/pl.* (*in Irland u. Wales*).
gaf|fe [gaf] *f* **1.** F Versehen *n*, Schnitzer *m*, Dummheit *f*; Fehler *m*, Mißgriff *m*; *faire une* ~ sich blamieren, e-e Dummheit machen; **2.** P *faire* ~ aufpassen; **3.** ⚓ Bootshaken *m*; **~fer** [~'fe] (1a) **I** *v/i.* a) F e-e Dummheit sagen *od.* machen, sich blamieren; b) P aufpassen; **II** *v/t. e-n Fisch* mit e-m Haken fangen; **~feur** F [~'fœ:r] **I** *adj.* dusselig; **II** *m* Dussel *m*.
gag *cin.*, *allg.* [gag] *m* Gag *m*.
gaga F [ga'ga] **I** *adj.* kindisch (*durch das Alter*), vertrottelt; **II** *m*: *un vieux* ~ ein alter Knacker *m*.
gage [ga:ʒ] *m* **1.** Pfand *n*, Unterpfand *n*; *fig.* Bürgschaft *f*, sicherer Beweis *m*; *prêteur m sur* ~*s* Pfandleiher *m*; *être en* ~ verpfändet sein; *mettre* (*donner*) *en* ~ verpfänden, versetzen; *retirer* (*racheter*) *un* ~ ein Pfand einlösen; *laisser qch. en* ~ etw. als Pfand hinterlassen; **2.** *mst.* ~*s pl.* Lohn *m/sg.*, Dienst(boten)-lohn *m*; *être aux* ~*s de q.* in j-s Diensten stehen.
ga|geable [ga'ʒablə] *adj.* beleihbar; **~ger** *litt.* [ga'ʒe] *v/t.* (1l) **1.** annehmen, den Fall setzen; *je gage que non* (*que si*) ich wette, nein (doch); **2.** *fin.* sicherstellen; **~geure** *litt.* [ga'ʒy:r] *f* gewagte Sache *f*; Wagnis *n*; *fig. c'est une* ~*!* ist das ein Wahnsinn!; **~giste** [ga'ʒist] *su.* **1.** Theaterdiener *m*; **2.** ⚖ Pfandnehmer *m*; *créancier m* ~ Pfandgläubiger *m*.
gagmen *cin.* [gag'mɛn] *m/pl.* Gagleute *pl.*
gagnable [ga'ɲablə] *adj.* zu gewinnen, gewinnbar.

gagnant [ga'ɲɑ̃] *su.* Gewinner *m.*
gagne|-pain [gaɲə'pɛ̃] *m* (6c) Broterwerb *m*; **~-petit** [~p(ə)'ti] *m* (6c) Kleinverdiener *m.*
gagner [ga'ɲe] (1a) **I** *v/t.* **1.** verdienen; ~ *gros* viel Geld verdienen; ~ *sur un marché* an e-m Geschäft verdienen; ~ *sa vie* (*od. son pain*) *à chanter, etc.* s-n Lebensunterhalt (*od.* sein Brot) mit Singen *usw.* verdienen; **2.** erlangen, bekommen, gewinnen; sich bemächtigen (*gén*); bestechen; ~ *q.* j-n auf s-e Seite bringen; ~ *de l'avance* e-n Vorsprung gewinnen; ~ *du chemin* vorwärtskommen; ~ *le ciel od. le paradis* in den Himmel kommen; ~ *le dessus* die Oberhand gewinnen; ~ *le large* ⚓ die raume See gewinnen; *allg.* das Weite suchen; ~ *un prix* e-n Preis erringen; ~ *du terrain* (*sur q.*) um sich greifen; Fortschritte machen, (j-m) Boden abgewinnen; ⚔ vordringen; **3.** *iron.* sich zuziehen, sich einhandeln; **4.** erreichen, kommen bis an (*acc.*); ~ *la frontière* (*Chypre*) die Grenze (Zypern) erreichen; ~ *le(s) devant(s) de od. sur q.* j-m vorauseilen; ~ *la porte* das Weite suchen; ~ *q.* j-n einholen; ~ *q. de vitesse* j-n überholen; *fig.* j-m zuvorkommen; *fig.* ~ *les champs* sich aus dem Staube machen; **5.** übergreifen auf (*acc.*), erfassen; überraschen; *le sommeil me gagne* der Schlaf übermannt mich; *sa tristesse me gagne* s-e Traurigkeit steckt mich an; **6.** *Spiel*: *je vous donne gagné* ich gebe Ihnen gewonnenes Spiel; **II** *v/i.* **7.** gewinnen (*a. fig.*); *Sport*: das Rennen machen; ~ *au jeu* im Spiel gewinnen; ~ *en clarté* an Klarheit gewinnen; *il gagne à être connu* er gewinnt bei näherer Bekanntschaft; ~ *sur q.* den Sieg über j-n davontragen; **8.** sich verbessern; **9.** um sich greifen (*Feuer*); **III** *v/rfl.* se ~ **10.** erworben werden; **11.** ⚕ ansteckend sein (*Krankheit*).
gai [ge] *adj.* (*adv. gaiement*) fröhlich, heiter; lustig, aufgeräumt; ~ *comme un pinson* kreuzfidel; *propos m/pl.* ~*s* heitere, ausgelassene Reden *f/pl.*; *il est un peu* ~ er hat 'nen Schwips.
gaïac [ga'jak] *m* Guajakbaum *m*; **~ine** [gaja'sin] *f* Guajakharz *n.*
gaieté [ge'te] *f* Fröhlichkeit *f*, Heiterkeit *f*, Lustigkeit *f*; *de* ~ *de cœur* freiwillig, aus freien Stücken.
gaillard [ga'ja:r] **I** *adj.* (7) □ **1.** lustig, munter, fidel; *frais et* ~ frisch und munter; **2.** etwas ausgelassen; etwas frei (*Worte*); **II** *su. a. péj.* Kerl *m*, Bursche *m*; Typ *m*; *fameux* ~ fabelhafter Kerl *m*; *mon* ~*!* alter Freund!; **III** ⚓ *m* Back *f*; **~e** [~'jard] *f* resolute Frau *f*; **~ise** [~'di:z] *f*: ~*s f/pl.* schlüpfrige Reden *f/pl.*
gailleterie [gaj(ɛ)'tri] *f* großstückige Kohle *f.*
gain [gɛ̃] *m* Gewinn *m*; *amour m du* ~ Gewinnsucht *f*; *à perte et à* ~ auf Gewinn u. Verlust; ~ *au jeu* Spielgewinn *m*; *avoir* ~ *de cause* gewonnenes Spiel haben; *donner* ~ *de cause au(x) requérant(s)* dem Antrag stattgeben; *obtenir* ~ *de cause* den Prozeß gewinnen; *se retirer sur son* ~ mit s-m Gewinn abziehen.
gain|age [gɛ'na:ʒ] *m* (Koffer-)Bezug *m*; ⊕ (Kabel-)Wicklung *f*; **~e** [gɛn] *f* Scheide *f*, Futteral *n*, Hülle *f*; Hüfthalter *m*, Korse(le)tt *n*; ⚘ Blattscheide *f*; Sockel *m* e-r Büste; ⊕ Verkleidung *f*; △ ~ *de ventilation* Ventilationskanal *m*; △ ~ *de chauffage* Heizkanal *m.*
gala [ga'la] *m* **1.** Galaempfang *m*; **2.** *thé. usw.* Galavorstellung *f.*
galacto|mètre [galaktɔ'mɛtrə] *m* Milch(güte)messer *m*; **~phage** [~'fa:ʒ] *adj.* milchliebend; **~se** [~'to:z] *f* Milchzucker *m*; **~vision** *télév.* [~vi'zjɔ̃] *f* Galaktovision *f.*
galalithe [gala'lit] *f* Galalith *n.*
galamment [gala'mɑ̃] *adv.* zuvorkommend, galant; geschickt.
galant [ga'lɑ̃] (7) **I** *adj.* galant, zuvorkommend; *homme m* ~ Frauen gegenüber zuvorkommender Mann *m*; *péj. femme f* ~*e* Kokotte *f*; **II** *plais. m* Galan *m*; **~erie** [~'tri] *f* **1.** Höflichkeit *f*, Zuvorkommenheit *f*, feines Wesen *n* (*Damen gegenüber*); **2.** Kompliment *n*, Galanterie *f*, Schmeichelei *f*; **3.** Liebschaft *f.*
galantine [galɑ̃'tin] *f* Sülzgericht *n.*
galaxie *ast.* [gala'ksi] *f* Milchstraße *f*; Spiralnebel *m.*
galbe [galb] *m* Konturen *f/pl. od.* Umrisse *m/pl. e-s Bauwerks usw.*; Profil *n*; Rundung *f*, Wölbung *f.*
galbé [gal'be] *adj.* **1.** △ ausgebaucht (*v. Säulen*); geschweift; **2.** *bien* ~ a) gut geformt (*z.B. Beine*); b) *Mode*: paßgerecht.
galber *bsd. Mode* [~] *v/t.* (1a) hervortreten lassen, die nötigen Konturen verleihen.
galbeux [gal'bø] *adj.* (7d) zierlich, gefällig, gut geformt; F piekfein.
gale [gal] *f* **1.** Krätze *f*; *vét.* Räude *f*;

P *n'avoir pas la* ~ *aux dents* e-n gesunden Appetit haben; **2.** F Giftnudel *f*, niederträchtige Person *f*; F *être méchant comme la* ~ bösartig sein.

galéj|ade [gale'ʒad] *f* Jägerlatein *n*, Aufschneiderei *f*; **~er** [~'ʒe] *v/i.* Jägerlatein erzählen, e-m e-n Bären aufbinden.

galène [ga'lɛn] *f min.* Bleiglanz *m*.

galéniste *phm.* [gale'nist] *adj.* (*u. su.*): (*technicien m*) ~ Spezialist *m* für die Herstellung pharmazeutischer Präparate.

galère [ga'lɛ:r] *f* **1.** *ehm.* ⚓ Galeere *f*; *fig. vogue la* ~! komme, was da wolle!; **2.** *fig.* heikle Sache *f*; **3.** *ehm.* ~*s pl.* Galeerenstrafe *f*; Zwangsarbeit *f*.

galerie [gal'ri] *f* Galerie *f*: **1.** bedeckter Gang *m*, langer Saal *m*; ♀ *des Glaces* Spiegelsaal *m* (*Versailles*); ⚠ ~ *couverte* Laubengang *m*; **2.** ~ (*de tableaux*) Gemäldesammlung *f*, Bildersaal *m*; **3.** *thé. stalle f de première* ~ Sperrsitz *m* der ersten Galerie; **4.** ⚒ Minengang *m*, Stollen *m*; ~ *oblique* Querstollen *m*; ~ *de roulage* Förderstrecke *f*; **5.** ⊕ unterirdischer Kanal *m*; ~ *d'eau non traitée* Rohwasserkanal *m*; **6.** *Auto*: ~ *à bagages*, ~ *de toit* Kofferbrücke *f* (*auf dem Autodach*), Gepäckträger *m*; **7.** F *fig.* Publikum *n*, Zuschauer *m/pl.*; *pour la* ~ fürs Publikum; *faire* ~ zusehen.

galérien *ehm.* [gale'rjɛ̃] *m* Galeerensklave *m*, Sträfling *m*.

galet [ga'lɛ] *m* **1.** Kieselstein *m*; *pl.* ~*s* Kies *m*, Geröll *n*; *géol.* Geschiebe *n*; **2.** ⊕ (Führungs-)Rolle *f*.

galetas [gal'tɑ] *m fig.* ärmliche Wohnung *f*; *étage m en* ~ ausgebautes Dachgeschoß *n*.

galette [ga'lɛt] *f* **1.** Blechkuchen *m*, Blätterteigkuchen *m*; ⚓ Schiffszwieback *m*; ~ *cassante* Knäckebrot *n*; ~ *des Rois* Dreikönigskuchen *m*; **2.** ⊕ Flachspule *f*; flaches Kissen *n*; **3.** P Moneten *f/pl.* P, Geld *n*.

galetteux P [galɛ'tø] *adj.* (7d) reich.

galeux [ga'lø] (7d) **I** *adj.* ⚕ krätzig, räudig; *fig.* schäbig; **II** *su.* Krätzekranke(r) *m*; P ~ *pl.* Gören *f/pl.*

galgal [gal'gal] *m* (*pl.* ~*s*) keltisches Grabdenkmal *n*.

galhaubans ⚓ [galo'bɑ̃] *m/pl.* Pardunen *f/pl.*

galibot ⚒ [gali'bo] *m* Schlepper *m*.

Galic|e *géogr.* [ga'lis] *f*: **la** ~ Galicia *n* (*Nordspanien*); **~ie** [~'si] *f*: **la** ~ Galizien *n* (*Polen*); **~ien** [~'sjɛ̃] *su.* (7c) **1.** Galego *m* (*Nordspanien*); **2.** Galizier *m* (*Südpolen*).

galimatias [galima'tjɑ] *m* Unsinn *m*, Gefasel *n*, Quatsch *m*.

galipette F [gali'pɛt] *f* Hopser *m*.

galipot [gali'po] *m* Fichtenharz *n*.

galle ⚘ [gal] *f*: *noix f de* ~ Eichengalle *f*, Gallapfel *m*.

Galles [gal] *f*: *pays m de* ~ Wales *n*.

gallican *Fr.* [gali'kɑ̃] (7) *adj.* gallikanisch; *l'Eglise f* ~*e* die französisch-katholische Kirche *f*; **~isme** *Fr.* [~'nism] *m* Gallikanismus *m*.

gallicisme *gr.* [gali'sism] *m* Gallizismus *m*, französische Spracheigentümlichkeit *f*.

gallinacé [galina'se] *adj. u.* ~*s m/pl.* hühnerartig(e Vögel *m/pl.*).

gallois [ga'lwa] *adj. u.* ♀ *su.* (7) walisisch, aus Wales; Waliser *m*.

gallon ⚕ [ga'lɔ̃] *m* Gallone *f* ($4^1/_2$ *Liter*).

gallo|-romain *hist.* [galɔrɔ'mɛ̃], **~-roman** *ling.* [~rɔ'mɑ̃] *adj.* (7) galloromanisch.

galoche [ga'lɔʃ] *f* **1.** Lederschuh *m* mit Holzsohle; **2.** Holzpantine *f*; **3.** F *menton m en* ~ vorspringendes Kinn *n*.

galon *bsd.* ⚔ [ga'lɔ̃] *m* Borte *f*, Tresse *f*; Ärmel-, Hosen-streifen *m*; *fig.* Dienstgrad *m*, höhere Stelle *f*; *prendre du* ~ aufrücken; **~ard** P [~lɔ'na:r] *m* ehrgeiziger Offizier *m*; Karrieremacher *m*; **~né** [~lɔ'ne] *adj.*: *brute f* ~*e* P *péj. fig.* Menschendriller *m*, Offiziersschwein *n*; **~ner** [~] *v/t.* (1a) mit Tressen besetzen.

galop [ga'lo] *m* Galopp *m*; *au grand* (*petit*) ~ im gestreckten (kurzen) Galopp; *partir au* ~ davonsprengen; **~ade** [~lɔ'pad] *f* Galoppieren *n*; F *à la* ~ auf die Schnelle; **~ant** [~'pɑ̃] *adj.* galoppierend (*Inflation, Schwindsucht*); **~er** [~lɔ'pe] (1a) **I** *v/i.* galoppieren; rennen; davonrasen; **II** *v/t.* F belästigen; F schnell hinpfuschen; **~euse** [~'pø:z] *f* Sekundenzeiger *m*; **~in** [~'pɛ̃] *m* Schlingel *m*, Straßenjunge *m*, Bengel *m*.

galoubet ♪ [galu'bɛ] *m Art* Hirtenflöte *f*.

galvani|que [galva'nik] *adj.* galvanisch; **~sation** [~zɑ'sjɔ̃] *f* Galvanisierung *f*; **~ser** [~'ze] *v/t.* (1a) galvanisieren; *fig.* mitreißen; *galvanisé au feu* (*od. au chaud*) feuerverzinkt; *fig.* ~ *la combativité* die Schlagkraft erhöhen; **~sme** [~'nism] *m* Galvanismus *m*.

galvano *typ.* [galva'no] *m* Galvano

n, Klischee *n*; **~cautère** ⚕ [~nɔko'tɛːr] *m* elektrischer Brennapparat *m*; **~mètre** [~nɔ'mɛːtrə] *m* Galvanometer *m*, Strommesser *m*; **~plastie** [~nɔplas'ti] *f* Galvanoplastik *f*; **~scope** [~'skɔp] *m* Galvanoskop *n*; **~thérapie** ⚕ [~tera'pi] *f* Galvanotherapie *f*.

galvaud|er [galvo'de] (1a) **I** *v/t.* entehren, entwerten, *fig.* besudeln; **II** *v/rfl.* se ~ sich erniedrigen, sich herablassen.

gamba|de [gɑ̃'bad] *f* Freudensprung *m*; **~der** [~'de] *v/i.* (1a) Sprünge machen, hopsen, umherspringen.

gamberg|e * [gɑ̃'bɛrʒ] *f* Idee *f*; Überlegung *f*; **~er** * [~'ʒe] (1l) **I** *v/t.* aushecken; **II** *v/i.* nachdenken, grübeln (*sur* über).

gambiller F [gɑ̃bi'je] *v/i.* (1a) schwofen, scherbeln.

gamelle [ga'mɛl] *f* **1.** ⚔ Eßnapf *m*; P *prendre une* ~ stürzen, fallen; **2.** ⚓ Offiziersmesse *f*.

gamète *biol.* [ga'mɛt] *m* Sameneizelle *f*.

gamin [ga'mɛ̃] (7) **I** *su.* **1.** Frechdachs *m*; *f*: kesse Bolle *f*; **2.** P Sohn *m*; *f*: Tochter *f*; **II** *adj.* lausbubenhaft; jungenhaft; jugendlich; **~erie** [~min'ri] *f* Dummerjungenstreich *m*.

gamme [gam] *f* **1.** ♪ Tonleiter *f*, Skala *f*; *faire des ~s* Tonleitern spielen; *rad.* ~ *d'ondes* Wellenskala *f*, -bereich *m*; **2.** F *chanter sa* ~ *à q.* j-m s-e Meinung geigen; *changer de* ~ andere Saiten aufziehen; *être hors de* ~ verwirrt sein; **3.** ⊕, ✝ Fabrikationsprogramm *n*.

gammé [ga'me] *adj.*: *croix f ~e* Hakenkreuz *n*.

ganach|e F [ga'naʃ] **I** *f* Dummkopf *m*; **II** *adj.* doof; **~erie** F [~naʃ'ri] *f* Dummheit *f*.

Gand [gɑ̃] *m* Gent *n*.

gandhien *pol.* [gɑ̃'djɛ̃] *su.* (7c) Gandhi-Anhänger *m*.

gandin *litt.* [gɑ̃'dɛ̃] *m* Geck *m*.

gandoura [gɑ̃du'ra] *f* arabische ärmellose Wollbluse *f*.

gang [gɑ̃] *m* Bande *f* (*v. Verbrechern*); *pol.* Klüngel *m*, Clique *f*.

ganglion [gɑ̃gli'ɔ̃] *m* **1.** *anat.* Nervenknoten *m*; Lymphdrüse *f*; **2.** ⚕ Überbein *n*, Ganglion *n*.

gan|grène ⚕ [gɑ̃'grɛn] *f* **1.** (heißer) Brand *m*; **2.** *fig.* Krebsübel *n*; **~grené** [~grə'ne] *adj.* brandig; *fig.* verdorben, von Lastern zerrüttet; **~grener** [~] *v/t.* (1d) brandig machen; *fig.* verderben; **~greneux** [~grə'nø] *adj.* (7d) brandig.

gangst|er [gɑ̃g'stɛːr] *m* Gangster *m*; **~érisme** [~ste'rism] *m* Gangstertum *n*.

gangue ⚒ [gɑ̃ːg] *f* Gangstein *m*, Muttererde *f* um ein Mineral *od.* e-n Edelstein; ~ *stérile* taubes Gestein *n*; *fig.* *débarrasser de sa* ~ von s-n Schlacken reinigen.

ganse [gɑ̃ːs] *f* Schnur *f*, Schleife *f*, Öse *f*; ⚓ Schlinge *f e-s Taues*.

gansés *cout.* [gɑ̃'se] *m/pl.* Borten *f/pl.*

gant [gɑ̃] *m* Handschuh *n*; ~ *en daim lavable* waschbarer Wildlederhandschuh *m*; *~s de fil* gewirkte Handschuhe *m/pl.*; *~s de peau* Lederhandschuhe *m/pl.*; *~s à revers*, *~s à crispin* Stulphandschuhe *m/pl.*; ~ *de toilette* Waschlappen *m*; F *ne pas mettre* (*od.* *prendre*) *de ~s* keine Umstände machen; F *cela lui va comme un* ~ das sitzt ihm wie angegossen; *fig.* das paßt ihm sehr; *jeter le* ~ *à q.* j-n herausfordern; *ramasser* (*od.* *relever*) *le* ~ die Herausforderung annehmen; *il est souple comme un* ~ er ist ein gutmütiges Geschöpf; *rendre q. souple comme un* ~ j-n kleinkriegen; *se donner les ~s de qch.* sich das Verdienst von etw. zuschreiben.

gante|lée ⚘ [gɑ̃'tle] *f Art* Glockenblume *f*; **~let** [~'tlɛ] *m* **1.** *hist.* Panzerhandschuh *m*; **2.** *chir.* Fingerverband *m*; **3.** dicker Lederhandschuh *m* (*Falkenjagd*); **4.** ⊕ Stück *n* Leder zum Schutz der rechten Handfläche.

ganter [gɑ̃'te] *v/t.* (1a) ~ *q.* j-m Handschuhe anziehen; *il est bien ganté* er hat gutsitzende Handschuhe an; ~ *du six* Handschuhe Nummer 6 tragen; **~ie** [gɑ̃'tri] *f* Handschuh-fabrik(ation *f*) *f*, -handel *m*.

gantier [gɑ̃'tje] *su.* (7b) Handschuhmacher *m*, -händler *m*.

gantois [gɑ̃'twa] *adj. u.* ♀ *su.* (7) aus Gent; Genter *m*.

gara|ge [ga'raːʒ] *m* **1.** 🚂 Ausbiegen *n*, Ausweichung *f*; *voie f de* ~ Verschiebegleis *n*; **2.** Garage *f*; Fahrradstand *m*; **3.** *Auto*: Ausweichnische *f* (*bei Serpentinen*); **~giste** [~'ʒist] *su.* Garagen-besitzer *m*, -verleiher *m*; **~-motoriste** *su.* Autoschlosser *m*.

garance [ga'rɑ̃ːs] *f* Krapp(rot *n*) *m*.

garant [ga'rɑ̃] **I** *su.* (7) Garant *m* (*f*: -in), Bürge *m* (*f*: Bürgin); Gewährsmann *m*; *nur m*: se porter ~ pour q. (*od.* de qch.) für j-n (für etw.) bürgen; *fig.* je vous suis ~ que (*ind.*) ich bürge Ihnen dafür, daß ...; **II** *m fig.* Garantie *f*; **~ie** [~'ti] *f* Garantie *f*, Gewähr *f*, Bürgschaft *f*; Sicherheit *f*, Schutz *m*; **~ir** [~'ti:r] *v/t.* (2a) **1.** ~ qch. etw. garantieren, für etw. (*acc.*) gutsagen (*od.* bürgen); etw. gewährleisten; für etw. (*acc.*) einstehen, etw. zusichern, etw. bestätigen; **2.** ~ q. de qch. j-n vor etw. (*dat.*) schützen.

garbure *cuis. Fr. SW* [gar'by:r] *f* Kohl- u. Specksuppe *f*.

garce P *mv. p.* [gars] *f* **1.** Weibsstück *n*; Hure *f* V; **2.** (*vor e-m sg./f mit* de) P que ~ de vie! was für ein elendes Leben!; **3.** *jetzt oft*: Mädchen *n*, Frau *f*.

garçon [gar'sɔ̃] *m* **1.** Junge *m*; Knabe *m* ⚒; bon ~ guter Kerl *m*; ~ d'honneur Brautführer *m*; mauvais ~ schwerer Junge *m* F; être tout petit ~ klein beigeben, sich fügen; c'est un ~ manqué an ihr ist ein Junge verlorengegangen; **2.** Junggeselle *m*; ménage *m* de ~ Junggesellenwirtschaft *f*; il est encore ~ er ist noch ledig; rester ~ ledig (*od.* Junggeselle) bleiben; **3.** Gehilfe *m*; ~ d'ascenseur Fahrstuhlführer *m*; ~ de boutique Laufbursche *m*; ~ brasseur Bierkutscher *m*; ~ de bureau Bürogehilfe *m*; ⚓ ~ de cabine Steward *m*; ~ de caisse, ~ de recettes Kassenbote *m*; ~ de courses Laufjunge *m*; ~ de ferme Bauerngehilfe *m*; **4.** Kellner *m*; ~! Kellner!; premier ~ Oberkellner *m*.

garçonne [gar'sɔn] *f* emanzipiertes Mädchen *n*.

garçonnet [garsɔ'nɛ] *m* **1.** kleiner Junge *m*; **2.** Burschengröße *f*.

garçonnier [~sɔ'nje] *adj.* (7b) jungenhaft, burschikos.

garçonnière [~sɔ'njɛ:r] *f* **1.** Junggesellenwohnung *f*; **2.** Appartement *n* für eine Person.

garde [gard] **I** *f* **1.** Wache *f*; ~ avancée Vorposten *m*; ~ d'honneur Ehrenwache *f*; la ~ montante die aufziehende Wache; corps *m* de ~ Wachtposten *m*; Wachlokal *n*; être de ~ Wache haben; monter la ~ Wache stehen; prendre la ~ auf Wache ziehen; relever la ~ die Wache ablösen; **2.** Garde *f*; ~ civique Bürgerwehr *f*; ~ du corps Leibgarde *f*; **3.** Aufsicht *f*, Bewachung *f*, Beaufsichtigung *f*; sous la ~ de unter dem Schutz von (*dat.*); être de bonne ~ sich gut halten (*Obst*); un bon chien de ~ ein guter Wachhund *m*; de ~ difficile schwer zu hüten; être sur ses ~s auf der Hut sein, sich vorsehen; mettre en ~ contre warnen vor (*dat.*); se mettre en ~ contre, prendre ~ à sich in acht nehmen vor (*dat.*), achtgeben auf (*acc.*); n'avoir ~ de ... (*inf.*) sich hüten zu ...; prenez ~! Vorsicht!, Achtung!; prendre ~ que (*mit ne u. subj.*) sich hüten (sich in acht nehmen), daß *etw. geschehe*; prendre ~ que (*ind.*; *bei bloßer Annahme*: *cond.*) bedenken, daran denken; prenez ~ de (ne pas) tomber fallen Sie nicht!; ⚔ ~ à vous, fixe! Achtung!, stillgestanden!; **4.** ~ de l'épée Stichblatt *n*; **5.** *esc.* Stellung *f*, Dekkung *f*; être en ~ gedeckt sein; *fig.* sich in acht nehmen; en ~! *fig.* aufgepaßt!; **II** *m* Wachsoldat *m*, Wache *f* (*Person*), Wächter *m*, Aufseher *m*, Gardist *m*; ~ champêtre Feldwächter *m*, ~ forestier Förster *m*; ~ de nuit Nachtwächter *m*; ~ des sceaux Großsiegelbewahrer *m*, Justizminister *m* (*England*).

gardé [gar'de] *adj.* gesichert (*Eisenbahnübergang, durch Schranken*).

garde|-barrière [gardəba'rjɛ:r] *su.* (6a *od.* 6g) Bahn-, Schranken-wärter *m*; **~-boue** [~'bu] *m* (6c) *Motorrad, vél.*: Schutzblech *n*; *Auto*: Kotflügel *m*; *allg.* Schutzleder *n*; **~-cendre(s)** [~'sɑ̃:drə] *m* (6c) Ofenvorsetzer *m*; **~-chasse** [~'ʃas] *m* (6a *u.* 6c) Jagdaufseher *m*; **~-chiourme** [~'ʃjurm] *m* (6a *od.* 6g) scharfer Gefängniswärter *m*; **~-corps** [~'kɔ:r] *m* (6c) (Brücken-)Geländer *n*; **~-côte** [~'ko:t] **I** *m* **1.** (6a) Strand-wache *f*, -wächter *m*; **2.** (6g) Küstenwachschiff *n*; **II** *adj.* canonnier *m* ~ Küstenartillerist *m*; **~-crotte** [~'krɔt] *m* (6c) s. ~-boue; **~-feu** [~'fø] *m* (6c) Ofenvorsetzer *m*; **~-fou** [~'fu] *m* (6g) (Brücken-)Geländer *n*, Brustwehr *f*; *plais.* idiotensichere Auto(straßen)karte *f*; **~-frein** 🚂 [~'frɛ̃] *m* (6a *od.* 6g) Bremser *m*; **~-frontière** [~frɔ̃'tjɛ:r] *m* (6a *od.* 6g) Grenzschutzsoldat *m*; *pl.*: Grenzschutz *m*; **~-jambe** *Sport* [~'ʒɑ̃:b] *m* Beinschiene *f* (*Kricket, Hockey*); **~-ligne** 🚂 [~'liɲ] *m* (6a *u.* 6b) Streckenwärter *m*; **~-magasin** [~maga'zɛ̃] *m* (6a *od.* 6g) Lagerverwalter *m*; **~-malade** [~ma'lad] *su.* (6a) Krankenwärter *m*; **~-manche** [~'mɑ̃:ʃ] *m* (6d) Schreib-, Schutzärmel *m*; **~-manger** [~mɑ̃'ʒe] *m*

(6c) Fliegen-, Speise-schrank *m*; **~-meuble** [~'mœblə] *m* (6d) Möbellager *n*; **~-mites** * ⚔ [~'mit] *m* (6a) Lagerverwalter *m*; **~-pêche** [~'pɛ:ʃ] *m* (6b) Fischereiaufseher *m*; **~-place** 🚂 [~'plas] *m* (6g) Rahmen *m* für Platzkartennummer; **~-port** [~'pɔ:r] *m* (6a *od.* 6g) Hafenwächter *m*.

garder [gar'de] **I** *v/t.* **1.** aufbewahren, verwahren, aufheben; erhalten, (zurück-, auf-, an-)behalten; ~ *fidèlement un dépôt* e-n anvertrauten Gegenstand treu bewahren; ~ *en dépôt* auf Lager halten; ~ *en bon état* in gutem Zustand erhalten; ~ *sous clé* verschlossen halten; *donner qch. à* ~ etw. in Verwahrung geben; ~ *q. à déjeuner bzw. à dîner* j-n zum Essen bei sich bleiben lassen; ~ *une poire pour la soif* sich e-n Notgroschen zurücklegen, etw. für den Notfall zurückbehalten; ~ *qch. pour la bonne bouche a. fig.* etw. als Bestes bis zum Schluß aufheben; *fig. en donner à* ~ *à q.* j-m etw. weismachen (*od.* vormachen, einreden); **2.** bewachen, beaufsichtigen; pflegen; hüten; bewahren (*od.* schützen) vor (*dat.*); ~ *un malade* e-n Kranken pflegen; ~ *les brebis* (*les vaches*) die Schafe (die Kühe) hüten; ~ *le lit* das Bett hüten; ~ *la chambre* (*la maison*) im Zimmer (zu Hause) bleiben (*v. Kranken*); ~ *q. de qch.* j-n vor etw. (*dat.*) bewahren (*od.* schützen); **3.** *fig.* beobachten, wahren, einhalten, beibehalten, halten; ~ *les arrêts* Stubenarrest haben; ~ *la bienséance* (*od. les convenances*) die Form wahren; ~ *le contact* in Fühlung bleiben; ~ *les dehors* den gebührenden Abstand wahren; ~ *ses habitudes* s-n Gewohnheiten treu bleiben; ~ *le jeûne* fasten; ~ *en mémoire* im Gedächtnis behalten; ~ *la mesure* Maß halten; ~ *sa parole* sein Wort halten; ~ *le pas* Schritt halten; ~ *qch. pour soi* etw. für sich behalten; ~ *son prix* sich im Preis halten (*Ware*); ~ *rancune* (*od. une dent*) *à q.* j-m etw. nachtragen (*od.* übelnehmen); ~ *les rangs* in Reih u. Glied bleiben; ~ *le silence sur qch.* über etw. stillschweigen; ~ *son sang-froid* sich nicht aus der Ruhe bringen lassen; ~ *son sérieux* ernst bleiben; ~ *une chose secrète* etw. geheimhalten; **II** *v/rfl.* se ~ *de* sich hüten (*od.* sich in acht nehmen) vor (*dat.*); se ~ *du froid* sich vor (der) Kälte schützen; *gardez-vous de croire* ... glauben Sie ja nicht ...; se ~ sich (er)halten; se ~ *en bon état* sich in gutem Zustand erhalten; se ~ sich lagern (*od.* aufbewahren) lassen.

garderie [gar'dri] *f* **1.** Forstrevier *n*; **2.** Kinderhort *m*.

garde-robe [gar'drɔb] *f* **1.** Kleiderschrank *m*; **2.** Garderobe *f*, Kleidung *f*, Sachen *f/pl.*

garde-temps ⊕ [gardə'tɑ̃] *m* **1.** Zeitmesser *m*; **2.** Präzisionschronometer *n*.

gardeur [gar'dœ:r] *su.* (7g) Hüter *m*, Hirt *m*; *gardeuse f d'oies* Gänseliesel *f*.

garde-voie 🚂 [gardə'vwa] *m* (6a *od.* 6g) Streckenwärter *m*.

gardian [gar'djɑ̃] *m* Ochsenhirt *m*, Pferdehüter *m* der Camargue.

gardien [gar'djɛ̃] **I** *su.* (7c) **1.** Wächter *m*, Aufseher *m*; *fig.* Hüter *m*; ~ *de la paix* Polizist *m* (*in Paris*); **II** *m* **2.** *Sport*: ~ (*de but*) Torwart *m*; **3.** *rl.* Klostervorsteher *m*, Obere(r) *m*; **4.** ⚖ ~ *des scellés* Siegelbewahrer *m*; **~-chef** [~'ʃɛf] *m* (6a) Oberaufseher *m*; **~nage** *a.* ⚓ [~djɛ'na:ʒ] *m* Aufseher-stelle *f*, -dienst *m* (*z.B. in der Werft*); Überwachung *f*.

gardon [gar'dɔ̃] *m icht.* Plötze *f*; *fig. frais comme un* ~ munter wie ein Fisch im Wasser.

gare[1] [ga:r] *f* **1.** Bahnhof *m*; *chef m de* ~ Bahnhofs-, Stations-vorsteher *m*; ~ *destinataire* Bestimmungs-, Empfangs-station *f*; *en* ~, ~ *restante* bahnhoflagernd; ~ *d'attache* Heimatbahnhof *m*; ~ *de marchandises* Güterbahnhof *m*; ~ *de remisage* Abstellbahnhof *m*; ~ *de triage* Rangier-, Verschiebe-bahnhof *m*; ~ *aérienne* Flughafen *m*; ~ *routière* Bus-, LKW-Bahnhof *m*; **2.** Flußhafen *m*; **3.** *a.* ⚔ Ausweichstelle *f*; ~ *régulatrice* Weiterleitungsstelle *f*; ~ *de ravitaillement* Verpflegungsstelle *f*, -bahnhof *m*; ~ *d'eau* Ausweichstelle *f* (*im Fluß*).

gare[2] [~] *int.*: ~! Vorsicht!, Achtung!; ~ *la tête!* Kopf weg!; *sans crier* ~ ohne vorher zu warnen; ohne weiteres; völlig unerwartet; ~ *aux voleurs!* vor Dieben wird gewarnt!; *entrer sans crier* ~ mit der Tür ins Haus fallen.

garenne [ga'rɛn] **I** *f* Kaninchengehege *n*; *lapin m de* ~ wildes Kaninchen *n*; **II** *m* wildes Kaninchen *n*.

garer [ga're] (1a) **I** *v/t.* in Sicherheit bringen; (*Fahrzeug*) unterstellen;

~ *sa voiture Auto*: parken, s-n Wagen unterstellen; ~ *un train* e-n Zug verschieben; ~ *un avion* ein Flugzeug in die Halle bringen; **II** *v/rfl.* se ~ ausweichen (*bsd. v. Fahrzeugen*); parken (*v/i.*); se ~ de sich vorsehen vor (*dat.*).

Gargantua [gargɑ̃'tɥa] *m* **1.** *litt.* Gargantua *m*; **2.** ♀ Vielfraß *m*.

gargari|ser [gargari'ze] *v/rfl.* (1a): se ~ gurgeln; *fig.* se ~ de ... a) F sich ergötzen an ... (*dat.*); b) P trinken; **~sme** [~'rism] *m* **1.** Gurgel-, Mund-wasser *n*; **2.** Gurgeln *n*.

gargot|e [gar'gɔt] *f* billiges Lokal *n*, schmutzige Kneipe *f*; *cuisine f de* ~ Massenfütterung *f*; **~ier** [~'tje] *su.* (7b) Inhaber *m* e-s billigen Lokals; **~ière** [~'tjɛ:r] *f* (Gast-)Wirtin *f*.

gargouil|le [gar'guj] *f* **1.** Wasserspeier *m*; **2.** Ablaufrohr *n*; **~lement** [~guj'mɑ̃] *m* Plätschern *n*; Gurgeln *n*; **~ler** [~gu'je] *v/i.* (1a) gurgeln; plätschern; knurren (*Magen*).

gargousse *artill.* [~'gus] *f* Ladung *f*.

garnement [garnə'mɑ̃] *m* Bengel *m*, Schlingel *m*, Früchtchen *n* F.

garnir [gar'ni:r] **I** *v/t.* (2a) **1.** versehen, ausstatten; ~ *un lit* ein Bett beziehen; *table bien garnie* reich gedeckter Tisch *m*; **2.** einfassen, verzieren, besetzen, garnieren; *cuis.* spicken; ~ *de fleurs* mit Blumen schmücken; ~ *de rideaux* mit Gardinen behängen; *thé. bien garni* gut besetzt; *légume m garni* Gemüse *n* mit Beilage; **3.** ausstopfen, füttern, polstern, überziehen; abdichten (*Fugen*); ⊕ ausfüttern, auskleiden, ausmauern; ⚓ betakeln; **II** *v/rfl.* se ~ sich füllen (*mit Menschen*).

garnison [garni'zɔ̃] *f* Garnison *f*.

garnisseuse [garni'sø:z] *f* **1.** Garniererin *f*; **2.** *text.* Rauhmaschine *f*.

garniture [garni'ty:r] *f* **1.** Ausrüstung *f*, Einrichtung *f*, Zubehör *n*; **2.** Besatz *m*; Schmuck *m*; ~ *de rubans* Bänderbesatz *m*; ~ *de cheminée* Kaminaufsatz *m*; ~ *de* (*od.* en) *fourrure(s)* Pelzbesatz *m*; **3.** *cuis.* Zutaten *f/pl.*, Garnierung *f*; **4.** ⊕ Futter *n*; Dichtung *f*; Armatur *f*; *Auto*: ~ *d'embrayage* Kupplungsbelag *m*; ~ *de frein* Bremsbelag *m*; ~*s pl. de constructions* Baubeschläge *m/pl.*; **5.** Garnitur *f*, vollständiger Satz *m*; ~ *de boutons* Satz *m* Knöpfe; **6.** ⚓ Takelwerk *n*.

garno * [gar'no] *m* Logierhaus *n*.

Garonne [ga'rɔn] *f*: *la* ~ die Garonne; *enfant m de la* ~ Gaskogner *m*, Aufschneider *m*.

garou ♀ [ga'ru] *m* Seidelbast *m*.

garrigue [ga'rig] *f* Heide *f*.

garrot [ga'ro] *m* **1.** *zo.* Widerrist *m*; **2.** ⊕ Knebel *m* (*a.* ⚕), Sperrholz *n* *bsd. an der Säge*; **~te** *ehm.* [ga'rɔt] *f* Erdrosselung *f* (*Hinrichtungsart*); **~ter** [~rɔ'te] *v/t.* (1a) knebeln.

gars F [gɑ] *m* **1.** Bursche *m*, Kerl *m*; F *mes* ~ meine Leute *pl.*; **2.** Sohn *m*.

gascon [gas'kɔ̃] *adj. u. su.* **1.** gaskognisch; ♀ Gaskogner *m*; **2.** F ✎ *fig.* prahlerisch; Angeber *m*, Aufschneider *m*; **~nade** [~kɔ'nad] *f* Angeberei *f*, Prahlerei *f*, Aufschneiderei *f*; **~ner** [~'ne] *v/i.* (1a) **1.** im Gaskogner Dialekt sprechen; **2.** übertreiben, aufschneiden, prahlen, flunkern; **~nisme** [~kɔ'nism] *m* Gaskogner Redensart *f bzw.* Aussprache *f*.

gas-oil [ga'zɔjl] *m* Dieselöl *n*.

gaspard * [gas'pa:r] *m* Ratte *f*.

gaspil|lage [gaspi'ja:ʒ] *m* Verschwendung *f*, Vergeudung *f*; **~ler** [~'je] *v/t.* (1a) verschwenden, vergeuden; **~leur** [~'jœ:r] *adj. u. su.* (7g) verschwenderisch; Verschwender *m*.

gastéropodes *zo.* [gasterɔ'pɔd] *m/pl.* Bauchfüßler *m/pl.*

gastr|algie ⚕ [gastral'ʒi] *f* Magenkrampf *m*; **~ique** [~'trik] *adj.* Magen...; *suc m* ~ Magensaft *m*; **~ite** ⚕ [~'trit] *f* Gastritis *f*.

gastro|-entérite ⚕ [gastrɔɑ̃te'rit] *f* Magen-Darm-Entzündung *f*; **~-intestinal** [~ɛ̃tɛsti'nal] *adj.* (5c) Magen-Darm-...; **~logie** [~lɔ'ʒi] *f* Kochkunst *f*; **~nome** [~'nɔm] *m* Gastronom *m*, Feinschmecker *m*; **~nomie** [~nɔ'mi] *f* Gastronomie *f*, Kochkunst *f*; **~nomique** [~nɔ'mik] *adj.* gastronomisch; **~tomie** [~tɔ'mi] *f* Bauchschnitt *m*.

gat ⚓ [gat] *m* große Landungstreppe *f*.

gâté [gɑ'te] **I** *adj. a. fig.* verdorben; beschädigt, angefault (*Obst, Zahn*); *enfant m* ~ verwöhntes Kind *n*; **II** *m* schlechte (*od.* faule) Stelle *f* (*im Obst*).

gâteau [gɑ'to] *m* Kuchen *m*; ~ *aux amandes* Mandelkuchen *m*; ~ *feuilleté* Blätterteigkuchen *m*; ~ *de miel* Honigwabe *f*; ~ *des Rois* Dreikönigskuchen *m*; ~*x pl. secs* Keks *m*, Teegebäck *n*; *anat.* ~ *placentaire* Mutterkuchen *m*; *fig. avoir part au* ~ am Gewinn teilhaben; *partager le* ~ den Gewinn teilen; P *c'est du* ~ das ist kinderleicht; F *un papa* ~ ein zu nachsichtiger Vater *m*.

gâter [gɑ'te] (1a) **I** *v/t.* **1.** verderben,

schaden (*dat.*); *fig. la pluie gâte les foins* der Regen verdirbt das Heu; *~ le plaisir de q.* j-m die Freude verderben; *~ les affaires* e-n Strich durch die Rechnung machen; *cela ne gâte rien* das kann nichts schaden; *~ l'existence à q.* j-m das Leben versauern; *~ la digestion* der Verdauung schaden; **2.** *fig.* verwöhnen, verziehen; *enfant m gâté* verzogenes Kind *n*; *être l'enfant gâté de la fortune* ein ausgesprochenes Glückskind sein; **II** *v/rfl.* se *~* verderben (*v/i.*), schlecht (*od.* faul) werden, umkommen (*Obst*); *fig. cela se gâte* das nimmt e-e schlimme Wendung, die Sache geht schief.

gâterie [ga'tri] *f* Verwöhnung *f*, Verhätschelung *f*; *bsd.* Nascherei *f*.

gâte-sauce [gat'so:s] *m* (6d) Küchenjunge *m*.

gâte-tout [gat'tu] *m* (6c) Tolpatsch *m*, Trampel *m*.

gâteux [ga'tø] **I** *adj.* altersschwach, kindisch geworden; *~ de q.* in j-n verknallt; **II** *m vieux ~* alter Knacker *m*.

gâtine *dial.* [ga'tin] *f* undurchlässiger Sumpfboden *m*.

gâtisme ⚕ [ga'tism] *m* Alters-, Geistes-schwäche *f*.

gatte ⚓ [gat] *f* Reffgat(t) *n*.

gattine *vét.* [ga'tin] *f Name e-r Seidenraupenkrankheit.*

gauche [go:ʃ] **I** *adj.* **1.** links; *côté m ~* linke Seite *f*; **2.** □ *fig.* linkisch, unbeholfen; **3.** schief; krumm; **II** *f* **4.** linke Hand *f*; *à ma ~* zu meiner Linken; **5.** *pol.* linker Flügel *m*; *allg.* linke Seite *f*; *pol. l'extrême ~* die äußerste Linke; *pol. un homme de ~* ein Linker; *prendre la ~* links ausbiegen *od.* fahren; **III** *~s m/pl.*: *pol. les ~s* die Linken *pl.*; **IV** *advt. à ~* (nach) links; *fig.* verkehrt; F beiseite; *pol.* F *être à ~* ein Linker sein; F *voter à ~* links wählen; *fig. jusqu'à la ~* völlig; *fig. passer l'arme à ~* sterben, ins Gras beißen F; *à droite et à ~* nach (*od.* von) allen Seiten; *tourner à ~* sich nach links wenden; **~ment** [goʃ'mã] *adv.* linkisch.

gaucher [go'ʃe] *adj. u. su.* (7b) linkshändig; Linkshänder *m*; **~ie** [goʃ'ri] *f* Unbeholfenheit *f*.

gauch|ir [go'ʃi:r] (2a) **I** *v/i.* (wind-) schief sein *od.* werden; sich werfen, sich verziehen (*Holz*); **II** *v/t. charp.* krümmen; ✈ verwinden; *allg. etw.* entstellen; **~isant** *pol.* [~ʃi'zã] *adj.* (7) zur Linken neigend; **~isme** [~'ʃism] *m* Linksradikalismus *m*; *pol.* Linksrutsch *m*; **~iste** [~'ʃist] **I** *adj.* linksradikal; **II** *su.* Linksradikale(r) *m*; **~issement** [~ʃis'mã] *m* Schiefwerden *n*; Werfen *n* (*vom Holz*); Schief-sein *n*, -werden *n*; *charp.* Krümmung *f*; ✈ Verwindung *f*.

gaudriole F [godri'ɔl] *f* anzüglicher Witz *m*.

gau|fre ['go:frə] *f* **1.** Wabe *f*, Honigscheibe *f*; **2.** Waffel *f*; **3.** P *se sucrer la ~* sich schminken; **~frer** [go'fre] *v/t.* (1a) **1.** gaufrieren, Figuren pressen auf (*acc.*); **2.** P erwischen; **~frette** [~'frɛt] *f* (Eis-)Waffel *f*; **~frier** [~fri'e] *m* Waffeleisen *n*; **~froir** [~'frwa:r] *m* Gaufrierwalze *f*.

gaulage [go'la:ʒ] *m* Abschlagen *n* (*z.B. v. Nüssen*).

Gaule[1] [go:l] *f*: **la ~** Gallien *n*.

gaule[2] [~] *f* lange Stange *f*; Angelstock *m*.

gauler ⚘ [go'le] *v/t.* (1a) Früchte mit e-r Stange abschlagen.

gaull|ien *Fr. pol.* [go'ljɛ̃] *adj.* (7c) de Gaulles (...); **~isme** *Fr. pol.* [~'lism] *m* Politik *f* de Gaulles; **~iste** [~'list] *adj. u. su.* gaullistisch; Anhänger *m* von de Gaulle.

gaulois [go'lwa] (7) **I** *adj.* gallisch; *fig.* gepfeffert, saftig, derb; *esprit m ~* gallischer Witz *m* (*od.* Humor *m*); **II** ♀ *su.* Gallier *m*; **III** *m das* Gallische *n*; **~erie** [~lwaz'ri] *f* derber Witz *m*, Zote *f*.

gausser *litt.* [go'se] *v/rfl.* (1a): se *~ de q.* (*de qch.*) sich über j-n (über etw.) lustig machen.

gavage [ga'va:ʒ] *m* **1.** ⚘ Mästen *n*; **2.** F *fig. écol.* Eintrichtern *n*, Einpauken *n*; **3.** ⚕ künstliche Ernährung *f*.

gave [ga:v] *m* Sturzbach *m in den Pyrenäen.*

gavé [ga've] *adj.* übersättigt.

gav|er [ga've] (1a) **I** *v/t.* **1.** mästen, kröpfen, nudeln; F *se ~ sa passion* sich ordentlich satt essen; **2.** *~ un enfant* ein Kind überfüttern; **3.** F *écol. ~ q. de connaissances* j-m Kenntnisse eintrichtern; **4.** ✈ *~ un moteur* e-n Motor anreichern (*od.* verdichten); **II** F *v/rfl.* se *~* de sich vollfressen mit (*dat.*); **~eur** [~'vœ:r] *su.* (7g) **1.** ⚘ Mäster *m*; **2.** ✈ Kompressor *m*, Verdichter *m*; **~euse** [~'vø:z] *f* Mästapparat *m*.

gavial *zo.* [ga'vjal] *m* (*pl. ~s*) *m* Gavial *m*.

gavot *Fr.* [ga'vo] *adj. u. m* ♀, **~te**[1] [ga'vɔt] *adj. u. f* ♀ (französischer Alpenbewohner) aus Gap; **~te**[2] [ga'vɔt] *f* Gavotte *f* (*alter Tanz*).

gavroche [ga'vrɔʃ] *m* Pariser Straßenjunge *m*; ~ *haut comme trois pommes* Dreikäsehoch *m*.
gaz [gɑːz] *m* **1.** Gas *n*; Gasbeleuchtung *f*; ~ *ammoniac* Ammoniakgas *n*; ~ *carbonique* Kohlendioxyd *n*; ~ *d'éclairage* Leuchtgas *n*; ~ *naturel* Erd-, Natur-gas *n*; *bec m de* ~ Gasflamme *f*; *conduite f* (*fuite f*, *odeur f*) *de* ~ Gas-leitung *f* (-entströmung *f*, -geruch *m*); *compteur m à* ~ Gasuhr *f*; *Auto*: ~ *d'échappement*, ~ *brûlé* Auspuffgas *n*, Abgas *n*; ~ *distribué à distance* Ferngas *n*; ~ *rare* Edelgas *n*; *incandescence f par le* ~ Gasglühlicht *n*; *usine f à* ~ Gasanstalt *f*; *Auto*: *mettre plein* ~, *mettre* (*plein*) *les* ~, *mettre tous les* ~ (Voll-)Gas geben; *couper le*(*s*) ~ das Gas wegnehmen, abdrosseln; ✈ *piquer à pleins* ~ mit Vollgas heruntergehen; **2.** ⚔ ~ *de combat* Kampfgas *n*; ~ *à effet irritant* Reizgas *n*; ~ *lacrymogène* Tränen-, *weitS.* Reiz-gas *n*; ~ *corrosif* (*moutarde*) Ätz-(Senf-)gas *n*; ~ *toxique*, ~ *délétère*, ~ *asphyxiant* Giftgas *n*; *intoxiqué par le* ~ gasvergiftet.
gaze [gɑːz] *f* Mullbinde *f*, Gaze *f*, dünner Flor *m*.
gazé [gɑ'ze] *adj.* gasvergiftet; * besoffen.
gazéi|fiabilité ⚗ [gazeifjabili'te] *f* Vergasbarkeit *f*; **~fiable** ⚗ [~'fjablə] *adj.* vergasbar; **~fication** ⚗ [~fika'sjɔ̃] *f* Vergasung *f*; **~fier** ⚗ [~'fje] *v/t.* (1a) vergasen; **~forme** [~'fɔrm] *adj.* gas-, luft-förmig; **~té** [~'te] *f* Gasförmigkeit *f*.
gazelle *zo.* [ga'zɛl] *f* Gazelle *f*.
gazer[1] [gɑ'ze] *v/t.* (1a) mit Gaze überziehen.
gazer[2] [~] (1a) **I** *v/t.* durch Gas vergiften, vergasen; **II** F *v/i.* a) *bsd. Auto*: flitzen, rasen, sausen; b) *Auto*, ✈ *ça gaze* der Motor läuft gut; *fig. ça gaze!* das klappt ja!
gazette *Belgien* [gɑ'zɛt] *f* Zeitung *f*; F *fig.* Klatschmaul *n*.
gazeux [gɑ'zø] *adj.* (7d) **1.** gas-artig, -förmig; **2.** kohlensäurehaltig; *eau f gazeuse* Selterswasser *n*; *limonade f gazeuse* Brauselimonade *f*; *poudre f gazeuse* Brausepulver *n*.
gazier [gɑ'zje] *m* Gasarbeiter *m*; Angestellte(r) *m* e-s Gaswerks; P irgendein Individuum *n*; P *bsd.* Naivling *m*.
gazoduc ⊕ [gazɔ'dyk] *m* (Überland-)Gasleitung *f*.
gazogène *Auto*, ⊕ [gɑzɔ'ʒɛn] **I** *m* Generator *m*; **II** *adj.* gaserzeugend.
gazoline [~'lin] *f* Leichtbenzin *n*.
gazomètre [~'mɛtrə] *m* Gasometer *m*, Gasbehälter *m*.
gazon [gɑ'zɔ̃] *m* Rasen *m*; **~ner** [~zɔ'ne] *v/t.* (1a) mit Rasen belegen.
gazouil|lement [gɑzuj'mɑ̃] *m* Zwitschern *n*; Lallen *n*; Plätschern *n*, Murmeln *n*; **~ler** [~'je] *v/i.* (1a) zwitschern (*Vogel*); lallen (*Kind*); plätschern, murmeln (*Bach*); **~lis** [~'ji] *m* Gezwitscher *n*.
geai [ʒɛ] *m* Eichelhäher *m*.
géant [ʒe'ɑ̃] *su. u. adj.* (7) Riese *m* (*f*: Riesin); riesig; **~iste** *Ski* [~'tist] *su.* Riesenslalomläufer *m*.
Géhenne *bibl.* [ʒe'ɛn] *f* Hölle *f*.
geign|ard F [ʒɛ'ɲaːr] **I** *adj.* (7) quengelig; **II** *m* Quengelkopf *m*; *f*: ~*e* Heulsuse *f*.
geindre ['ʒɛ̃ːdrə] *v/i.* (4b) jammern, ächzen, stöhnen; F nörgeln.
gel [ʒɛl] *m* Frost *m*, *a. fin.* Einfrieren *n*.
gélatin|e [ʒela'tin] *f* Gelatine *f*, Gallerte *f*, Knochenleim *m*; **~eux** [~'nø] *adj.* (7d) gallertartig.
gelée [ʒ(ə)'le] *f* **1.** Frost *m*; ~ *blanche* Reif *m*; **2.** *cuis.* a) Gelee *n*; b) Sülze *f*.
geler [ʒə'le] (1d) **I** *v/t.* **1.** zum Gefrieren bringen; **2.** durch Frost beschädigen; **3.** frieren (*od.* erstarren) lassen; *fig.* einfrieren lassen (*a. fin.*), aufgeben; **II** *v/i.* **4.** zufrieren, einfrieren; *la rivière a gelé* der Fluß ist zugefroren; *v/impers. il gèle* es friert; *il gèle à pierre fendre* es ist e-e Hundekälte; *il a gelé blanc* es hat gereift; **5.** erfrieren; *les vignes ont gelé* die Weinstöcke sind erfroren; **6.** (sehr) frieren; **III** *v/rfl.* *se* ~ zu Eis werden; F sehr frieren (*von Personen*).
gélif [ʒe'lif] *adj.* (7e) frostverwittert.
gélifier ⚗ [ʒeli'fje] *v/t.* (1a) vereisen.
gelinotte [ʒ(ə)li'nɔt] *f* Haselhuhn *n*.
gélivure [ʒeli'vyːr] *f* Frostspalt *m* (*in Bäumen od. Steinen*).
gelure ⚕ [ʒ(ə)'lyːr] *f* Frost-beule *f*, -stelle *f*.
Gémeaux *ast.* [ʒe'mo] *m/pl.* Zwillinge *m/pl.*
gémellaire [ʒemɛ'lɛːr] *adj.* Zwillings...
gémin|ation [ʒeminɑ'sjɔ̃] *f* Zusammenlegung *f*; Paarung *f*; Verdoppelung *f*; **~é** [~'ne] *adj.* doppelt, wiederholt; ⚘ gepaart; **~er** [~] *v/t.* (1a) (*a. écol. Jungen u. Mädchen in e-r Klasse*) zusammenlegen.
gém|ir [ʒe'miːr] *v/i.* (2a) **1.** ~ (de) ächzen, seufzen, wimmern, stöh-

nen (über *acc.*); ~ *de douleur* vor Schmerz stöhnen; ~ *de ses fautes* über s-e Fehler jammern; **2.** girren (*Taube*); **3.** knarren (*Rad*); **~issement** [~mis'mɑ̃] *m* **1.** Stöhnen *n*, Wimmern *n*, Ächzen *n*, Seufzen *n*; **2.** Girren *n*; **3.** Knarren *n*; **~isseur** [~mi'sœ:r] *m* (7g) deprimierter Mensch *m*; F *iron.* Quengelkopf *m*.

gem|macé [ʒɛma'se] *adj.* knospenähnlich; **~mage** [~'ma:ʒ] *m* Anzapfung *f* (*der Bäume zur Harzgewinnung*); **~mail** [~'maj] *m* (5c) Kunstfenster *n* ohne Bleieinfassungen; **~mation** [~mɑ'sjɔ̃] *f* Knospentreiben *n*; **~me** [ʒɛm] *f* Edelstein *m*, Gemme *f*; *adj. sel m* ~ Steinsalz *n*; **~mé** [ʒɛ'me] *adj.* mit Edelsteinen geschmückt; **~mer** [~] *v/t.* (1a) anzapfen (*Bäume zur Harzgewinnung*).

gémonies [ʒemɔ'ni] *f/pl.*: *traîner q. aux* ~ j-n in den Dreck ziehen.

gênant [ʒɛ'nɑ̃] *adj.* (7) hinderlich, beschwerlich, peinlich.

gencive [ʒɑ̃'si:v] *f* Zahnfleisch *n*.

gendar|me [ʒɑ̃'darm] *m* **1.** Gendarm *m*; **2.** F *un vrai* ~ ein echtes Mannweib *n*, ein wahrer Dragoner *m*; **3.** P Bückling *m* (*geräucherter Salzhering*), Räucherhering *m*; **~mer** [~'me] *v/rfl.* (1a): *se* ~ *contre* sich empören über (*acc.*); **~merie** [~mə'ri] *f* Gendarmerie *f*, Landpolizei *f*.

gendre ['ʒɑ̃:drə] *m* Schwiegersohn *m*.

gène *biol.* [ʒɛ:n] *m* Gen *n*.

gêne [ʒɛ:n] *f* **1.** Hinderlichkeit *f*, Hindernis *n*, Hemmung *f*, Last *f*, Störung *f*, Zwang *m*, Unbehagen *n*, Ärgernis *n*, Verlegenheit *f*; *être sans* ~ sich keinen Zwang antun; **2.** Geldverlegenheit *f*, Not *f*.

généalog|ie [ʒenealɔ'ʒi] *f* Genealogie *f*; **~ique** [~'ʒik] *adj.* genealogisch; *arbre m* ~ Stammbaum *m*; **~iste** [~'ʒist] *m* Genealoge *m*.

gén|épi, ~ipi ⚘ [ʒene'pi, ~ni'pi] *m* Schafgarbe *f*, Beifuß *m*.

gêner [ʒɛ'ne] (1b) **I** *v/t.* **1.** beengen, zusammenpferchen, drücken, quälen, spannen, zwängen; zu eng sein (*z.B. Hosen*); **2.** hindern, hemmen; *avoir la respiration gênée* an Atemnot leiden; **3.** belästigen, in Verlegenheit bringen; **4.** in Geldverlegenheit bringen; *être gêné* knapp bei Kasse sein; **II** *v/rfl. se* ~ sich Zwang antun, sich genieren, sich schämen (*devant q. à cause de qch.* vor j-m wegen etw. *gén.*); *air m gêné* verlegener Gesichtsausdruck *m*.

général [ʒene'ral] (5c) **I** *adj.* □ **1.** allgemein; *en termes généraux* allgemein ausgedrückt; ⚕ *les frais m/pl. généraux* die Geschäftsunkosten *pl.*, die allgemeinen Unkosten *pl.*; **2.** General..., Haupt..., Ober..., Stabs...; *grève f* ~*e* Generalstreik *m*; *quartier m* ~ Hauptquartier *n*; **II** *m* **3.** *das* Allgemeine *n*; *advt. en* ~ im allgemeinen, überhaupt; gewöhnlich; **4.** ⚔ General *m*, Feldherr *m*; ~ *de brigade, brigadier m* ~ Generalmajor *m*; ~ *de division* Generalleutnant *m*; ~ *commandant de corps d'armée*, ~ *colonel* Generaloberst *m*; ~ *d'aviation* General *m* der Flieger; ~ *d'artillerie* General *m* der Artillerie; ~ *d'infanterie* (*de cavalerie*) General *m* der Infanterie (der Kavallerie); ~ *en chef* kommandierender General *m*; **5.** *rl.* Ordensgeneral *m*; **~e** [~'ral] *f* **1.** Frau *f* e-s Generals; **2.** F tonangebende Frau *f*; **3.** *rl.* Oberin *f*; **4.** *thé.*, ♪ Generalprobe *f*; **~ement** [~ral'mɑ̃] *adv.* allgemein, im allgemeinen; **~isable** [~li'zablə] *adj.* zu verallgemeinern; **~isateur** [~liza'tœ:r] *adj.* (7f) verallgemeinernd; **~isation** [~lizɑ'sjɔ̃] *f* **1.** Verallgemeinerung *f*; **2.** *bsd.* ⚕ Sichausbreiten *n*; **~iser** [~li'ze] *v/t.* (1a) verallgemeinern; **~issime** [~li'sim] *m* Generalissimus *m*, Oberfeldherr *m*, oberster General *m*; **~iste** [~'list] *su.* **1.** praktischer Arzt *m*; **2.** ~ *de l'ameublement* Fachmann *m* der Möbelbranche; **~ité** [~li'te] *f* **1.** Allgemeinheit *f*; ~*s pl.* allgemeine Begriffe *m/pl.*; Allgemeine(s) *n*; *péj.* allgemeines Gefasel *n*; **2.** Mehrzahl *f*; *dans la* ~ *des cas* meistens.

généra|teur [ʒenera'tœ:r] **I** *adj.* (7f) erzeugend; Zeugungs...; Schöpfungs...; **II** *su.* (7f) Erzeuger *m*; **III** *m* ⊕ Generator *m*; Dampfkessel *m*; ⚡ ~ *du courant électrique* Stromerzeuger *m*; **~tion** [~rɑ'sjɔ̃] *f* **1.** *biol.* Zeugung *f*, Fortpflanzung *f*; ~ *spontanée* Urzeugung *f*, Abiogenese *f*; **2.** Generation *f*, Geschlecht *n*, Menschenalter *n*; **~trice** ⚡ [~ra'tris] *f* Generator *m*, Stromerzeuger *m*.

géné|reux [ʒene'rø] *adj.* (7d) □ **1.** großmütig; großzügig; **2.** freigebig; **3.** *sol m* ~ ergiebiger Boden *m*; *vin m* ~ edler (*od.* feuriger) Wein *m*; **~rique** [~'rik] **I** *adj.* generisch, die Gattung allgemein bestimmend; **II** *m cin.* Vorspann *m*; **~rosité** [~rozi'te] *f* **1.** Großmut *f*; Großzügig-

keit *f*; **2.** Freigebigkeit *f*; ~s *f/pl.* Wohltaten *f/pl.*
Gênes [ʒɛːn] *f* Genua *n.*
genèse [ʒəˈnɛːz] *f* **1.** Entwicklungs-, Entstehungs-geschichte *f*, Werdegang *m*; **2.** *bibl.* ♀ Genesis *f.*
génésique 📖 [ʒeneˈzik] *adj.* Geschlechts..., Zeugungs...
genêt ⚘ [ʒəˈnɛ] *m* Ginster *m.*
généti|cien *biol.* [ʒenetiˈsjɛ̃] *su.* Genetiker *m*; **~que** [~ˈtik] **I** *f* Genetik *f*, Vererbungslehre *f*; ~ *humaine* Humangenetik *f*; **II** *adj.* Vererbungs...
genette *zo.* [ʒəˈnɛt] *f* Ginsterkatze *f.*
gêneur [ʒɛˈnœːr] *m* (7g) lästiger Mensch *m*, Querkopf *m.*
Genève [ʒəˈnɛːv] *f* Genf *n.*
genevois [ʒən(ə)ˈvwa] *adj. u.* ♀ *su.* (7) genferisch; Genfer *m.*
genévrier ⚘ [ʒənevriˈe] *m* Wacholderstrauch *m.*
génial [ʒeˈnjal] *adj.* (5c) genial; **~ité** [~liˈte] *f* Genialität *f.*
génie [ʒeˈni] *m* **1.** Geist *m*, Genius *m*; ~ *tutélaire* Schutzgeist *m*; *bon (mauvais)* ~ guter (böser) Geist *m*; ~ *familier* Hausgeist *m*; **2.** Genie *n*, geniale Veranlagung *f*; Wesen *n*, Charakter *m*, Anlage(n *f/pl.*) *f*, schöpferische Kraft *f*; *de* ~ genial; *suivre son* ~ seiner Neigung folgen; *avoir le* ~ *de la musique* von Natur aus musikalisch hoch begabt sein; **3.** Genie *n*, genialer Kopf *m*, großer Geist *m*; ~ *méconnu* verkanntes Genie *n*; **4.** Eigentümlichkeit *f*, Wesen *n*; ~ *romain* Römertum *n*; *le* ~ *d'une langue* die Wesensart e-r Sprache; **5.** *a.* ⚔ Pionier-, Ingenieur-wesen *n*; ⚠ ~ *civil* Bauwesen *n*; ~ *chimique* (*rural*) Chemie-(Agrar-)technik *f*; ⚠ *travaux m/pl. de* ~ *civil* Ingenieurbauten *m/pl.*
genièvre ⚘ [ʒ(ə)ˈnjɛːvrə] *m* Wacholder-beere *f*, -strauch *m*, -schnaps *m.*
génisse *zo.* [ʒeˈnis] *f* Färse *f.*
génital [ʒeniˈtal] *adj.* (5c) Zeugungs...; *parties f/pl.* ~*es* Genitalien *pl.*, Geschlechtsteile *m/pl.*
génitif *gr.* [ʒeniˈtif] *m* Genitiv *m.*
génocide [ʒenɔˈsid] *m* Völkermord *m.*
génois [ʒeˈnwa] *adj. u.* ♀ *su.* (7) genuesisch; Genueser *m.*
genou [ʒ(ə)ˈnu] *m* (5b) **1.** Knie *n*; *rotule f du* ~ Kniescheibe *f*; *avoir les* ~*x en dedans, avoir les* ~*x cagneux* X-Beine haben; *avoir les* ~*x en dehors, avoir les* ~*x arqués* O-Beine haben; *à* ~*x* auf den Knien; ~ *couronné* aufgeschlagenes Knie *n*; *être aux* ~*x de q.* vor j-m auf den Knien liegen; *se mettre* (*od. tomber*) *à* ~*x* (nieder)knien; *fléchir les* ~*x* die Knie beugen; *fig.* in die Knie sinken (*devant q.* vor j-m); *prendre sur ses* ~*x* auf den Schoß nehmen; *fig. sur les* ~*x* todmüde; **2.** ⚘ Absatz *m*, Knoten *m*; **3.** ⊕ Kugelscharnier *n*; Knie-stück *n*, -rohr *n*, -gelenk *n*, Knie *n*; **~illère** [~ˈjɛːr] *f* **1.** ⊕ Kniestück *n*; Knie-hebel *m*, -gelenk *n*; **2.** Knieschützer *m für Hockeyspieler*, -wärmer *m.*
genre [ˈʒɑ̃ːrə] *m* **1.** Gattung *f*, Geschlecht *n*; ~ *humain* Menschengeschlecht *n*; **2.** Art *f*, Sorte *f*; *des marchandises de tout* ~ Waren *f/pl.* aller Art; **3.** Art u. Weise *f*; ~ *de vie* Lebensweise *f*; **4.** ~ *de style* Schreibart *f*, Stil *m*; **5.** Geschmack *m*, Mode *f*; *le bon* ~ das Benehmen aus der guten, alten Zeit; *le dernier* ~ die neueste Mode; *faire du* ~ affektiert (*od.* geziert) sein; F *pour se donner un* ~ aus Angabe; **6.** *peint.* Szene *f* aus dem täglichen Leben; *tableau m de* ~ Genrebild *n*; **7.** *gr.* Geschlecht *n*, Genus *n.*
gens [ʒɑ̃] *su./pl.* (~ *ist m, jedoch ist das vor* ~ *stehende adj. f, wenn es im m nicht auf ein stummes -e ausgeht; das prädikative adj. aber ist stets m*) **1.** Leute *pl.*, Menschen *m/pl.*; *bonnes* ~ gute Menschen *m/pl.*; *fille f de petites* ~ Tochter *f* von kleinen (*od.* einfachen) Leuten; *presque toutes les vieilles* ~ *sont soupçonneux* fast alle alten Leute sind argwöhnisch (*od.* mißtrauisch); *les bons jeunes* ~ die guten jungen Leute *pl.*; *tous les* (*braves*) ~ alle (braven) Leute *pl.*; *tous les* ~ *vertueux sont honorés* alle anständigen Menschen werden geehrt; *tous les* ~ *de bien* alle rechtschaffenen Leute *pl.*; ~ *de lettres* Literaten *m/pl.*, Schriftsteller *m/pl.*; ~ *de mer* Seeleute *pl.*; *les* ~ *du monde* die höhere Gesellschaft, die vornehme Welt; ~ *de peu*, ~ *de petite condition*, ~ *de rien* einfache (*od.* kleine) Leute *pl.*; ~ *de robe*, ~ *de loi* Juristen *m/pl.*; *des* ~ *sans aveu* hergelaufenes Volk *n*; *des* ~ *de sac et de corde* Bettler *m/pl.*; *se connaître en* ~ s-e Leute kennen; **2.** *bsd. adm.* ~ *de maison* Dienstpersonal *n.*
gent [ʒɑ̃] *f* (*ohne pl.*) *plais., iron.* Völkchen *n*; *la* ~ *ailée* das gefiederte Völkchen; *la* ~ *féline et canine*

die Katzen- u. Hunderasse; *la ~ trotte menu* die Mäuse *f/pl.*; *péj. la ~ moutonnière fig.* die Herdenmenschen *m/pl.*

gentiane ⚘ [ʒɑ̃'sjan] *f* Enzian *m.*

gentil[1] *hist. rl.* [ʒɑ̃'ti] *adj. u. m* heidnisch; Heide *m.*

gentil[2] [ʒɑ̃'ti, *vor vo.* ʒɑ̃'tij; *f*: ʒɑ̃'tij] *adj.* (7c) (*adv. gentiment*) nett, liebenswürdig; hübsch, allerliebst, niedlich, lieb; artig.

gentilhomm|e [ʒɑ̃ti'jɔm] *m* (*pl. gentilshommes* [ʒɑ̃ti'zɔm]) Edelmann *m*, Adlige(r) *m*, Junker *m*; *fig. litt.* Kavalier *m*, Gentleman *m*; **~erie** [~m'ri] *f* Adelsstand *m*; *péj.* Junkertum *n*; **~ière** [~'mjɛ:r] *f* kleineres Rittergut *n.*

gentilité *rl.* [ʒɑ̃tili'te] *f* Heidentum *n.*

gentillesse [ʒɑ̃ti'jɛs] *f* **1.** Liebenswürdigkeit *f*, Freundlichkeit *f*; **2.** Aufmerksamkeit *f* (*z.B. ein Geschenk*).

gentillet [ʒɑ̃ti'jɛ] *adj.* (7c) recht nett; klein u. niedlich (*od.* zierlich).

gentiment [ʒɑ̃ti'mɑ̃] *adv. v. gentil*[2].

génuflexion [ʒenyflɛk'sjɔ̃] *f* Kniebeuge *f.*

géocentrique [ʒeɔsɑ̃'trik] *adj.* geozentrisch.

géochim|ie [ʒeɔʃi'mi] *f* Geochemie *f*; **~iste** [~'mist] *su.* Geochemiker *m.*

géode *min.* [ʒe'ɔd] *f* Geode *f.*

géodé|sie [ʒeɔde'zi] *f* Vermessungskunde *f*, Geodäsie *f*; **~sien** [~'zjɛ̃] *m* Landvermesser *m*, Geodät *m.*

géogénie [ʒeɔʒe'ni] *f* Erdentstehungslehre *f*, Geogenese *f.*

géogonie [ʒeɔgɔ'ni] s. *géogénie.*

géogra|phe [ʒeɔ'graf] *m* Geograph *m*; **~phie** [~'fi] *f* Erdkunde *f*; *~ des sous-sols* Meeresbodengeographie *f*; **~phique** [~'fik] *adj.* □ geographisch; *carte f ~* Landkarte *f.*

géolo|gie [ʒeɔlɔ'ʒi] *f* Geologie *f*; **~gique** [~'ʒik] *adj.* geologisch.

géomètre [ʒeɔ'mɛ:trə] *m* **1.** Land-, Feld-messer *m*; **2.** † Geometriker *m.*

géomé|trie [ʒeɔme'tri] *f* Geometrie *f*, Raumlehre *f*; *~ plane od. à deux dimensions* Planimetrie; *~ dans l'espace od. ~ à trois dimensions* Stereometrie *f*; ✈ *à ~ variable* mit verstellbaren Tragflächen; **~trique** [~'trik] *adj.* □ geometrisch; *fig.* mathematisch genau.

géo|phage [ʒeɔ'fa:ʒ] *m* Erdesser *m*, Geophage *m* (*Kongo, China*); **~phone** [~'fɔn] *m* Geophon *n*, Mondmikrophon *n*; **~politicien** [~pɔliti'sjɛ̃] *su.* (7c) Geopolitiker *m*; **~politique** [~pɔli'tik] **I** *adj.* geopolitisch; **II** *f* Geopolitik *f.*

Géorgie [ʒeɔr'ʒi] *f*: **la ~** Georgien *n.*

géorgien [ʒeɔr'ʒjɛ̃] *adj. u.* ♀ *su.* (7c) georgisch; Georgier *m.*

géostationnaire [ʒeɔstasjɔ'nɛ:r] *adj.* erdstationär (*Satellit*).

géotrupe *ent.* [ʒeɔ'tryp] *m* Roßkäfer *m.*

gérance [ʒe'rɑ̃:s] *f* Geschäftsführung *f*, Verwaltung *f*, Bewirtschaftung *f.*

géranium ⚘ [ʒera'njɔm] *m* Geranie *f.*

gérant [ʒe'rɑ̃] *su.* (7) Prokurist *m*, Geschäftsführer *m*; Verwalter *m.*

gerbable ⊕ [ʒɛr'bablə] *adj.* stapelbar.

gerbage [ʒɛr'ba:ʒ] *m* Abtransport *m* der Garben; Garbenbinden *n*; ⊕, ⚕ Stapelung *f.*

gerbe [ʒɛrb] *f* **1.** Garbe *f*; *~ de fleurs* Blumengebinde *n*; **2.** *fig. ~ d'eau* (*~ de feu*) Wasser-(Feuer-)garbe *f*; *~ de poussière* Staubwirbel *m*; **3.** ⚔ *~ d'éclatement* Geschoßgarbe *f.*

ger|bée [ʒɛr'be] *f*: *~ d'étincelles* Funkengarbe *f*; **~ber** [~] (1a) **I** *v/t.* in Garben binden; aufeinanderschichten (*Tonnen*); ⊕ stapeln; **II** *v/i.* viele Garben (reichlich Stroh) geben; **~beur** ⊕, ⚕ [~'bœ:r] **I** *m* Stapeler *m*; **II** *adj.* (7g): *grue f gerbeuse* Stapelkran *m*; **~bi** [~'bi] *f* echter Schwamm *m* für Hausarbeit (*Tunesien*); **~bier** [~'bje] *m* Garbenhaufen *m*; **~bière** [~'bjɛ:r] *f* Ernte-, Leiter-wagen *m.*

gerboise *zo.* [ʒɛr'bwɑ:z] *f* Springmaus *f.*

ger|ce [ʒɛrs] *f* **1.** *Holz*: Sprung *m*; **2.** Kleidermotte *f*; **3.** * Hure *f*; Frau *f*; **~cement** [~sə'mɑ̃] *m* Aufspringen *n* der Haut; **~cer** [~'se] (1k) **I** *v/t.* aufritzen (*Haut*); **II** *v/i.* aufspringen (*Haut*).

gerçure [ʒɛr'sy:r] *f* Riß *m*, Sprung *m*, Spalt *m*; ⚕ Hautriß *m.*

gérer [ʒe're] *v/t.* (1f) leiten, führen, verwalten; *géré par ordinateurs* von Computern gelenkt.

gerfaut *orn.* [ʒɛr'fo] *m* Geierfalke *m.*

gériatrie ⚕ [ʒɛrja'tri] *f* Geriatrie *f.*

germain[1] [ʒɛr'mɛ̃] ⚖ *su.* (7): *~s, ~es pl.* vollbürtige Geschwister *pl.*

germain[2] [~] *adj. u.* ♀ *su.* (7) germanisch; Germane *m.*

germandrée ⚘ [ʒɛrmɑ̃'dre] *f* Gamander *m.*

Germanie *hist.* [ʒɛrma'ni] *f*: **la ~** Germanien *n.*

germani|que [ʒɛrma'nik] *adj.* **1.** *hist.* germanisch; **2.** deutsch; **~sa-**

tion [~zɑ'sjɔ̃] *f* Germanisierung *f*; Eindeutschung *f*; **~ser** [~'ze] *v/t.* (1a) germanisieren; eindeutschen; **~sme** [~'nism] *m* Germanismus *m*; **~ste** [~'nist] *su.* Germanist *m*.

germano|-américain [ʒɛrmanɔameri'kɛ̃] *adj. u.* ♀ *su.* (7) deutschamerikanisch; Deutschamerikaner *m*; **~phile** [~'fil] *adj. u. su.* deutschfreundlich; Deutschenfreund *m*; **~philie** [~fi'li] *f* Deutschfreundlichkeit *f*; **~phobe** [~'fɔb] *adj. u. su.* deutschfeindlich; Deutschenfeind *m*; **~phobie** [~fɔ'bi] *f* Deutschfeindlichkeit *f*.

germ|e [ʒɛrm] *m* Keim *m*, Fruchtknoten *m*; *fig.* Ursprung *m*, Quelle *f*; en ~ im Keim; ~ d'un œuf Hahnentritt *m*; **~er** [~'me] *v/i.* (1a) keimen, ausschlagen; *fig.* sich entwickeln, aufkommen.

germi|cide ⚕ [ʒɛrmi'sid] *adj.* keimtötend; **~nal** [~'nal] **I** *adj.* (5c) Keim...; **II** *Fr. hist. m* Keimmonat *m*; **~nation** [~nɑ'sjɔ̃] *f* Keimen *n*.

germoir [ʒɛr'mwa:r] *m* Malzkeller *m*; Keimkasten *m*.

gérondif *gr.* [ʒerɔ̃'dif] *m* **1.** Gerundium *n* (*in der franz. Sprache*); **2.** Gerundivum *n* (*in der lateinischen Sprache*).

géront|isme [ʒerɔ̃'tism] *m* **1.** Regime *n* von betagten Politikern; **2.** ⚕ Altersschwäche *f*; **~ologie** ⚕ [~tɔlɔ'ʒi] *f* Gerontologie *f*.

gésier *orn.* [ʒe'zje] *m* Kaumagen *m*.

gésine *litt.* [ʒe'zin] *f nur noch fig.*: notre siècle en ~ unser im Umbruch befindliches Jahrhundert.

gésir [ʒe'zi:r] *v/i. dft.* (*nur gebr. in*: *prés. de l'ind.* il gît, nous gisons, vous gisez, ils gisent, *impf. de l'ind.* je gisais *usw.*; *p. pr.* gisant) liegen (*bsd. v. Kranken*); *fig.* c'est là que gît le lièvre da liegt der Hase im Pfeffer; voilà où gît la difficulté da liegt die Schwierigkeit; ~ en vrac durcheinanderliegen (*Geräte*); ci-gît *als Grabinschrift*: hier ruht.

gesse ⚘ [ʒɛs] *f* Platterbse *f*.

gestation *physiol.* [ʒɛstɑ'sjɔ̃] *f* **1.** Trächtigkeit *f*; **2.** Schwangerschaft *f*; **3.** *fig.* Vorbereitung *f*.

geste [ʒɛst] **I** *m* Gebärde *f*; Geste *f*; Mienenspiel *n*; *fig.* Geste *f*, Schritt *m*, Handlung *f*; *fig.* accomplir le ~ ultime den letzten Schritt tun; faits *m/pl.* et ~s Tun u. Treiben *n*; **II** *hist. f* (chansons *f/pl.* de) ~s *pl.* altfranzösische Heldengedichte *n/pl.*

gesticul|ation [ʒɛstikylɑ'sjɔ̃] *f* Gebärdenspiel *n*; Gestikulierung *f*; **~er** [~'le] *v/i.* (1a) Gebärden machen; gestikulieren.

gestion [ʒɛs'tjɔ̃] *f* Geschäfts-, Amts-, Wirtschafts-führung *f*, Verwaltung *f*; ~ directe Selbstbewirtschaftung *f*; ~ forcée Zwangsverwaltung *f*; **~naire** [~tjɔ'nɛ:r] *m* Geschäftsführer *m*, Verwalter *m*.

gest|ique *néol.* [ʒɛs'tik] *f*, **~uelle** *néol.* [~'tɥɛl] *f* Gestik *f*.

Gètes *antiq.* [ʒɛt] *m/pl.* Geten *pl.*

geyser [ʒɛ'zɛ:r] *m* Geiser *m*.

Ghana *géogr.* [ga'na] *m*: **le ~** Ghana *n*.

ghanéen *géogr.* [gane'ɛ̃] *adj.* (7c) ghanaisch, ghanesisch.

ghetto [gɛ'to] *m* G(h)etto *n*.

gib|beux [ʒi'bø] *adj.* (7d) bucklig; **~bon** *zo.* [~'bɔ̃] *m* Gibbon *m*; **~bosité** [~bozi'te] *f* Buckel *m*.

gibecière [ʒib'sjɛ:r] *f* Umhänge-, Schulter-, Reise-, Jagd-tasche *f*.

gibelet ⊕ [ʒi'blɛ] *m* Zwickbohrer *m*.

gibelotte *cuis.* [ʒi'blɔt] *f* Kaninchenfrikassee *n* in Weißwein.

gibet [ʒi'bɛ] *m* Galgen *m*.

gibier [ʒi'bje] *m* Wild *n*, Wildbret *n*; gros ~ Hochwild *n*; menu ~ kleines Wild *n*; *fig.* ~ de potence Galgenstrick *m*.

giboulée [ʒibu'le] *f* Unwetter *n*, Regen-, Graupel-, Hagel-schauer *m*.

giboyeux [ʒibwa'jø] *adj.* (7d) wildreich.

gicler [ʒi'kle] *v/i.* (1a) hervorspritzen.

gicleur *mot.* [ʒi'klœ:r] *m* Düse *f*; ~ de carburateur (de ralenti) Vergaser-(Leerlauf-)düse *f*.

giclure [ʒi'kly:r] *f* Spritzspur *f*.

gidien *litt.* [ʒi'djɛ̃] *adj.* (7c) von André Gide.

gidouille P [ʒi'duj] *f* Kürbis *m*.

giffard ⊕ [ʒi'fa:r] *m* Dampfkesselinjektor *m*.

gi|fle ['ʒiflə] *f* Backpfeife *f*, Ohrfeige *f*; **~fler** [~'fle] *v/t.* (1a) backpfeifen.

gigant|esque [ʒigɑ̃'tɛsk] *adj.* □ gigantisch, riesenhaft, Riesen...; **~isme** [~'tism] *m* Riesengröße *f*, Hang *m* zum Kolossalen.

gigogne [ʒi'gɔɲ] *f nur noch adjt.*: fusée *f* ~ mehrstufige Rakete *f*; lit *m* ~ Etagenbett *n*; navire *m* ~ Mutterschiff *n*; table *f* ~ Satz *m* Beistelltischchen.

gigol|ette F [ʒigɔ'lɛt] *f* flotte Biene *f* *fig.*; **~o** F *mép.* [~'lo] *m* Geliebte(r) *m*.

gigot [ʒi'go] *m* Hammelkeule *f*; *a.* Keule *f* e-s Lammes *od.* Rehs; *plais.* ~s *pl.* Schenkel *m/pl.*, Beine *n/pl.*; *fig.* manches *f/pl.* ~ Puffärmel *m/pl.*; **~er** F [~gɔ'te] *v/i.* (1a) mit den Beinen zappeln; * tanzen.

gigue[1] [ʒig] *f* **1.** F Bein *n*; **2.** P *grande ~* Bohnenstange *f* (*Mädchen*); **3.** *cuis. ~ de chevreuil* Rehkeule *f*.

gigue[2] [~] *f* Gigue *f* (*schneller Tanz*).

gilet [ʒi'lɛ] *m* **1.** Weste *f*; ⚓, ✈ Schwimmweste *f*; *~ de flanelle* Flanellunterhemd *n*; *~ pare-balles* Kugelschutzweste *f*; *~ de sécurité* Leuchtweste *f für Straßenfeger*; **2.** langärmelige Kleiderjacke *f*.

gillotage ⊕ [ʒilɔ'ta:ʒ] *m* Zinkätzung *f*.

gimblette [ʒɛ̃'blɛt] *f* Kringel *m* (*Gebäck*).

gingembre ⚘ [ʒɛ̃'ʒɑ̃:brə] *m* Ingwer *m*.

gingi|vite ⚕ [ʒɛ̃ʒi'vit] *f* Zahnfleischentzündung *f*; **~vorragie** ⚕ [~vɔra'ʒi] *f* Zahnfleischbluten *n*.

ginglyme *anat.* [ʒɛ̃'glim] *m* Winkel-, Scharnier-gelenk *n*.

giorno [dʒɔr'no]: *a ~ advt.* hell (*od.* glänzend) erleuchtet.

girafe [ʒi'raf] *f* Giraffe *f*.

giralducien *litt.* [ʒiraldy'sjɛ̃] *adj.* (7c) von Giraudoux.

girandole [ʒirɑ̃'dɔl] *f* **1.** Wandleuchter *m*; **2.** Ohrgehänge *n* aus Edelsteinen; **3.** ⚘ Blütendolde *f*; **4.** ⚡ Lichtdekor *m*.

girasol [ʒira'sɔl] *m* **1.** *min.* schillernder Quarz *m*; **2.** ⚘ Sonnenblume *f*.

gira|tion [ʒirɑ'sjɔ̃] *f* Rotation *f*, Drehung *f*; **~toire** [~ra'twa:r] *adj.* kreisend; Dreh..., Kreis...; ⊕ *sens m ~* Kreisverkehr *m*.

giraumont ⚘ [ʒiro'mɔ̃] *m* Kürbis *m* (*aus den Antillen*).

giraviation ✈ [ʒiravjɑ'sjɔ̃] *f* Hubschraubertechnik *f*.

giro|fle [ʒi'rɔflə] *m*: (*clou m de*) *~* Gewürznelke *f*; **~flée** [~'fle] *f* Goldlack *m*; Levkoje *f*.

girolle ⚘ [ʒi'rɔl] *f* Pfifferling *m*.

giron *litt.* [ʒi'rɔ̃] *m* Schoß *m* (*a. fig., z.B. der Kirche*).

girouette [ʒi'rwɛt] *f* Wetter-fahne *f*, -hahn *m*; *tourner à tout vent comme une ~* das Mäntelchen nach dem Wind drehen; *fig.* *c'est une ~* er (sie) ist ein wetterwendischer Mensch.

gis|ant [ʒi'zɑ̃] **I** *adj.* (7) liegend; bewegungslos; **II** *m* plastisches Abbild *n* e-s Toten in liegender Haltung; **~ement** *géol.* [ʒiz'mɑ̃] *m* Fundort *m*, Vorkommen *n*, Lagerstätte *f*.

gitan [ʒi'tɑ̃] *su.* Zigeuner *m*; **~e** [~'tan] *f franz. Zigarettenmarke*.

gît|e [ʒit] *m* Unterkunft *f*; *ch.* Lager *n des Hasen*; *min.* Fundort *m*; *~ rural* Unterkunft *f* auf dem Bauernhof; *cuis. ~ à la noix* Hinterviertel *n* vom Rind; **~er** ⚓ [~'te] *v/i.* (1a) auf der Seite liegen; gestrandet sein (*Schiff*).

givrage ✈ [ʒi'vra:ʒ] *m* Vereisung *f*.

givre ['ʒi:vrə] *m* (Rauh-)Reif *m*.

givré [ʒi'vre] *adj.* mit Reif bedeckt.

givrer [~] *v/t.* (1a) mit Reif bedecken.

glabre ['glɑ:brə] *adj.* kahl, unbehaart.

glaçage [gla'sa:ʒ] *m*: *~ du linge* Stärken *n* der Wäsche.

glaçant *fig.* [gla'sɑ̃] *adj.* (7) eiskalt.

glace [glas] *f* **1.** Eis *n*; *~s pl.* (*accumulées*) Packeis *n/sg.*; *~ artificielle* Kunsteis *n*; *aiguilles f/pl.* (*cristaux m/pl.*) *de ~* Eiszapfen *m/pl.*; *~ de fond* Grundeis *n*; *couche f de ~* Eisdecke *f*; *~s pl. flottantes* Treibeis *n*; *briser* (*casser, enlever, rompre*) *la ~* das Eis aufhacken; *fig.* sich im Gespräch näherkommen; *les ~s* die Eismassen *f/pl.*; *pris dans les ~s* eingefroren; *pris par les ~s* vereist; **2.** *cuis.* Eis *n*, Speiseeis *n*, Gefrorene(s) *n*; *marchand m de ~s* Eisverkäufer *m*; *une ~* eine Portion Eis; *~ italienne* Softeis *n*; *~ au café* Mokka-(Kaffee-)Eis *n*; *~ à la vanille* Vanilleeis *n*; **3.** *pât.* Zuckerguß *m*, Glasur *f*; **4.** Spiegel-glas *n*, -scheibe *f*; Spiegel *m*; Kutschen-, Wagenfenster *n*; **5.** ⚕ *poche f* (*od. vessie f*) *à ~* Eisbeutel *m*.

glacé [gla'se] *adj. a. fig.* eisig, eiskalt; erstarrt, durchfroren; glasiert, überzuckert; *café m ~* Eiskaffee *m*.

glacer [~] (1k) **I** *v/t.* **1.** erstarren lassen (*a. fig.*), mit Kälte durchdringen, steif werden lassen; *fig.* lähmen; **2.** *pât.* mit Zuckerguß überziehen; **3.** ⊕ mit e-r Glasur überziehen; *peint.* lasieren; *Papier*: satinieren; *gants m/pl. glacés* Glacéhandschuhe *m/pl.*; **II** *v/rfl.* se ~ gefrieren; *fig.* erstarren; **~ie** [glas'ri] *f* Spiegelglasfabrik *f*.

glaceur [gla'sœ:r] *m* Appreteur *m*; Glasierer *m*; Satinierer *m*.

glaceux [gla'sø] *adj.* (7d) wolkig (*von Diamanten*).

glaci|aire [gla'sjɛ:r] *adj.* Gletscher...; **~al** [~'sjal] *adj.* (7 *od.* 5c) **1.** eiskalt, eisig; *l'océan m ~, la mer ~e* das Eismeer; **2.** *fig.* eisig, kaltherzig, sachlich, nüchtern; **~ation** [~sjɑ'sjɔ̃] *f* Eisbildung *f*.

glaci|er [gla'sje] *m* **1.** Gletscher *m*, Eisberg *m*; **2.** Speiseeisverkäufer *m*;

~ère [~'sjɛ:r] *f* **1.** Eis-schrank *m*, -behälter *m*; **2.** Eisgrotte *f*; **3.** Eisfabrik *f*; **4.** ⊕ Eismaschine *f*, Kühlanlage *f*, -apparat *m*; ~(*s pl.*) *frigorifique*(*s*) Kühlhaus *n auf Schlachthöfen*.

glaci|ériste [glasje'rist] *m* Gletschersteiger *m*; **~ologie** [~sjɔlɔ'ʒi] *f* Gletscherkunde *f*; **~ologiste** [~sjɔlɔ'ʒist] *su.*, **~ologue** [~sjɔ'lɔg] *su.* Gletscherkundler *m*.

glacis [gla'si] *m* **1.** ⚠ Schräge *f*; **2.** *frt.* Vorfeld *n*; **3.** *peint.* Lasur *f*.

glaçon [gla'sɔ̃] *m* **1.** Eisklumpen *m*, Stück *n* Eis, Eisbonbon *m*, Eisscholle *f*; **2.** Eiszapfen *m*; **3.** F *fig.* frigider Typ *m*.

glaçure [gla'sy:r] *f* Glasur *f* (*Töpferei*).

gladiateur *antiq.* [gladja'tœ:r] *m* Gladiator *m*, Fechter *m*.

glaïeul ⚘ [gla'jœl] *m* Gladiole *f*.

glair|e [glɛ:r] *f* rohes Eiweiß *n*; *physiol.* Schleim *m*; **~eux** [glɛ'rø] *adj.* (7d) schleimig, zähflüssig.

glais|e [glɛ:z] *f* (*a. adjt.*: *terre f* ~) Ton(erde *f*) *m*, Lehm *m*; **~er** [glɛ'ze] *v/t.* mit Lehm ausschmieren; ✓ mit Ton (*od.* Lehm) düngen; **~eux** [glɛ'zø] *adj.* (7d) tonhaltig, lehmig; **~ière** [~'zjɛ:r] *f* Lehm-, Ton-grube *f*.

glaive *poét.* [glɛ:v] *m* Schwert *n*.

glanage ✓ [gla'na:ʒ] *m* Ährenlesen *n*, Stoppeln *n*, Nachlese *f*.

gland [glɑ̃] *m* Eichel *f*, Ecker *f*; *fig.* Quaste *f*.

glande *anat.* [glɑ̃:d] *f* Drüse *f*.

glandée [glɑ̃'de] *f* Eichelernte *f*.

glandul|aire [glɑ̃dy'lɛ:r] *adj.*, **~eux** [~'lø] *adj.* (7d) drüsenartig.

glan|e [glan] *f* Ährenbüschel *n*; ~ *d'oignons* Bund *n* Zwiebeln; **~er** [gla'ne] *v/t. u. v/i.* (1a) Ähren lesen; *allg.* aufsammeln; zs.-tragen; ~ *des connaissances* Kenntnisse sammeln; **~eur** [~'nœ:r] *su.* (7g) Ährenleser *m*; **~ure** [~'ny:r] *f* Ährenlese *f*; *fig.* ~*s f/pl.* Notizen *f/pl.*

glap|ir [gla'pi:r] (2a) **I** *v/i.* kläffen; kreischen; **II** *v/t.* ~ *des injures* Flüche mit keifender Stimme ausstoßen; **~issement** [~pis'mɑ̃] *m* Kläffen *n*; Kreischen *n*.

glas [glɑ] *m*: ~ (*funèbre*) Totengeläut *n*.

glaucome ⚕ [glo'ko:m] *m* grüner Star *m*.

glauque [glok] *adj.* meergrün.

glène *anat.* [glɛn] *f* Gelenkpfanne *f*.

glissa|de [gli'sad] *f* **1.** Ausgleiten *n*, Rutschen *n*; *faire une* ~ ausgleiten; *faire des* ~*s* schlittern; **2.** *Tanzkunst*: Schleifschritt *m*; **3.** ✈ Abrutschen *n*; **~ge** [~'sa:ʒ] *m* Herunterschaffen *n v. Holz* auf Schlitten *im Gebirge*; **~nce** [~'sɑ̃:s] *f* Straßenglätte *f*; **~nt** [~'sɑ̃] *adj.* (7) glatt, schlüpfrig; *fig.* bedenklich, mißlich, heikel; *il fait* ~ es ist glatt (*auf der Straße*).

glissement [glis'mɑ̃] *m* Gleiten *n*, Rutschen *n*, Schlittern *n*; ~ *de terrain* Erdrutsch *m*; ✈ *tomber par* ~ *sur l'aile* in der Kurve abrutschen.

glisser [gli'se] (1a) **I** *v/i.* **1.** aus-, ab-gleiten; rutschen; *le pied m'a glissé* ich bin ausgerutscht; F *se laisser* ~ sterben; **2.** gleiten, schlittern; *faire* ~ *le pied* beim Tanzen schleifen; **3.** *fig.* ~ *sur qch.* etw. nur streifen; *il a glissé sur ce fait* er hat sich leicht darüber hinweggesetzt; *tout glisse sur lui* alles prallt an ihm ab; **4.** *fig.* ~ *des mains à q.* j-m entwischen; **II** *v/t.* ~ *un pied* e-n Fuß vorschieben; ~ *qch. à q.* j-m etw. zustecken; ~ *qch. dans qch.* etw. unbemerkt in etw. (*acc.*) hineinbringen *od.* einschieben; ~ *une lettre à la poste* e-n Brief bei der Post einstecken; ~ *qch. à l'oreille de q.* j-m etw. zuflüstern; **III** *v/rfl. se* ~ sich einschleichen, *a. fig.*; unterlaufen (*Fehler*).

glisseur [gli'sœ:r] *m* **1.** ⊕ Schlitten *m*; ⚡, *rad.* Schleifkontakt *m*; **2.** ⚓ Schnellboot *n* mit Luftschraubenantrieb.

glis|sière [gli'sjɛ:r] *f* Rutschbahn *f* (*für gefälltes Holz*); Lauf-, Führungs-, Gleit-schiene *f*, -stange *f an Maschinen*; ⊕ Rutsche *f*; ~ *centrale de sécurité* Leitplanke *f*; *fermeture f à* ~ Reißverschluß *m*; **~soir** [~'swa:r] *m for.* Holzrutschbahn *f* (*für gefällte Bäume*); ⚒, ⊕ Rutsche *f*; kleiner Kettenschiebering *m*; ⊕ ~ *de levage* Hubschlitten *m*; **~soire** [~] *f* Schlitterbahn *f*; Rettungstuch *n* (*Feuerwehr*).

global [glɔ'bal] *adj.* (5c) □ gesamt, abgerundet; *écol. méthode f* ~*e* Ganzheitsmethode *f*; *somme f* ~*e* runde Summe *f*, Pauschalbetrag *m*; *tirage m* ~ Gesamtauflage *f*; **~ement** [~bal'mɑ̃] *adv.* in Bausch u. Bogen; **~isation** *fin.* [~lizɑ'sjɔ̃] *f* Pauschalierung *f*; **~iser** *fin.* [~li'ze] *v/t.* (1a) pauschalieren; **~isme** *écol.* [~'lism] *m* Ganzheitsmethode *f*; **~ité** [~li'te] *f* Riesenausmaß *n* (*e-s Streiks*).

glob|e [glɔb] *m* **1.** Kugel *f*; ~ *solaire*

Sonnen-kugel *f*, -ball *m*; ~ (*terrestre*) Erd-kugel *f*, -ball *m*; ~ *terrestre* Globus *m*; **2.** ~ *de lampe* Lampenglocke *f*; ~ *de verre* Glasglocke *f*; ~ *à fromage* Käseglocke *f*; **3.** *anat.* ~ *oculaire*, ~ *de l'œil* Augapfel *m*; **~e-trotter** [~trɔ'tœːr] *m* Globetrotter *m*, Weltenbummler *m*; **~ulaire** [~by'lɛːr] **I** *adj.* Kugel...; **II** *f* ⚘ Kugelblume *f*; **~ule** [~'byl] *m* Kügelchen *n*; ~ *du sang* Blutkörperchen *n*; **~uleux** [~by'lø] *adj.* (7d) kugelförmig.

gloire [glwaːr] *f* **1.** Ruhm *m*; Ruf *m*, Ehre *f*; *se faire* ~ *de qch.* sich etw. zur Ehre anrechnen; *passion f de la* ~ Ruhmsucht *f*; *avide* (*od. affamé*) *de* ~ ruhmsüchtig; **2.** *rl.* Glanz *m*, Herrlichkeit *f*, Seligkeit *f*; **3.** *peint.* Heiligenschein *m*; **4.** *ehm. thé.* erleuchteter Wolkenhimmel *m*.

glomérule [glɔme'ryl] *m* (⚘ Blüten-, *anat.* Gefäß-)Knäuel *n od. m*.

gloria *rl.* [glɔ'rja] *m* Gloria *n*.

gloriette [glɔ'rjɛt] *f* Gartenlaube *f*.

glori|eux [glɔ'rjø] *adj.* (7d) □ **1.** ruhmvoll, glorreich; **2.** *litt. mv.p.* eingebildet (*de* auf *acc.*); **~fication** [~rifikɑ'sjɔ̃] *f* Verherrlichung *f*, Glorifizierung *f*; *rl.* Verklärung *f*; **~fier** [~ri'fje] (1a) **I** *v/t.* verherrlichen, glorifizieren; **II** *v/rfl.*: *se* ~ *de* sich rühmen (*gén.*); **~ole** *mv.p.* [~'rjɔl] *f* kleinliche Ruhmsucht *f*; Eitelkeit *f*.

glo|se [gloːz] *f* (Wort-)Erklärung *f*, Glosse *f*; **~ser** [glo'ze] (1a) **I** *v/t.* erklären, glossieren; **II** *v/i.* ~ *sur* unnötige *od.* boshafte Betrachtungen anstellen über (*acc.*).

gloss [glɔs] *m* Lippenstift *m* mit Perlmutt.

glossaire [glɔ'sɛːr] *m* Glossar *n*.

glossateur *litt.* [glɔsa'tœːr] *m* Glossator *m*, Erklärer *m*, Ausleger *m*.

glossine *ent.* [glɔ'sin] *f* Tsetsefliege *f*.

glossite ⚕ [glɔ'sit] *f* Zungenentzündung *f*.

glotte *anat.* [glɔt] *f* Stimmritze *f*.

glottorer [glɔtɔ're] *v/i.* (1a) klappern (*Storch*).

glou|glou [glu'glu] *m* Kollern *n des Truthahns*; Girren *n der Taube*; Gluckern *n der Flasche*; **~glouter** [~glu'te] *v/t.* (1a) kollern; girren; gluckern.

glousser [glu'se] *v/i.* (1a) glucksen, locken (*Henne*); *fig.* kichern.

glouteron ⚘ [glu'trɔ̃] *m* Klette *f*.

glouton [glu'tɔ̃] *adj.* □ *u. su.* (7c) gefräßig; *a. zo.* Vielfraß *m*; **~nerie** [~tɔn'ri] *f* Gefräßigkeit *f*, Eßgier *f*; Freßbegierde *f* (*v. Tieren*).

glu [gly] *f* Vogelleim *m*; **~ant** [~'ɑ̃] *adj.* (7) zähflüssig, klebrig; F *fig.* aufdringlich; **~au** [~'o] *m* (5b) Leimrute *f*.

gluc|ides [gly'sid] *m/pl.* Kohlehydrate *n/pl.*; **~omètre** [~kɔ'mɛːtrə] *m* Mostwaage *f*.

glucose [gly'koːz] *m* Trauben-, Stärke-zucker *m*, Glukose *f*.

glume ⚘ [glym] *f* Spelze *f*.

glu|ten [gly'tɛn] *m* Klebstoff *m*, Kleber *m*; **~tineux** [~ti'nø] *adj.* (7d) klebrig, leimartig.

glycérine [glise'rin] *f* Glyzerin *n*.

glycine ⚘ [gli'sin] *f* Glyzinie *f*.

glycosurie ⚕ [glikozy'ri] *f* Ausscheidung *f* von Zucker im Harn.

glyphe ⚠ [glif] *m* Schlitz *m* im Gebälk, Hohlkehle *f*.

glyp|tique [glip'tik] *f* Steinschneidekunst *f*; **~tothèque** [~tɔ'tɛk] *f* Glyptothek *f*, Sammlung *f* von Bildhauerarbeiten.

gnaf P [ɲaf] *m* Flickschuster *m*.

gnangnan F [ɲɑ̃'ɲɑ̃] **I** *m* Schlappschwanz *m*, Waschlappen *m*; **II** *adj.*/*inv.* zimperlich.

gnard * [ɲaːr] *m* Kind *n*.

gneiss *min.* [gnɛs] *m* Gneis *m*.

gniaule F [ɲoːl] *f* Schnaps *m*.

gnognote F [ɲɔ'ɲɔt] *f* wertloses Zeug *n*, Kram *m*, P Käse *m fig.*

gnom|e [gnoːm] *m* Gnom *m*, Erdgeist *m*; **~ique** [gnɔ'mik] *adj.* gnomisch; *poésie f* ~ Spruchdichtung *f*; **~on** *hist.* [~'mɔ̃] *m* Sonnenuhr *f*.

gnon P [ɲɔ̃] *m* Schlag *m*.

gnosti|cisme *rl.* [gnɔsti'sism] *m* Gnostik *f*; **~que** [~s'tik] **I** *adj. rl.* gnostisch; **II** *su.* Gnostiker *m*.

gnou *zo.* [gnu] *m* Gnu *n*.

gnouf * ⚔ [ɲuf] *m* Karzer *m*.

go [go] *advt.*: *tout de* ~ F direkt, ohne weiteres; ohne große Umstände, ohne besondere Vorbereitung; ganz einfach, schlankweg.

gob(b)e [gɔb] *f* Mästkugel *f*.

gobelet [gɔ'blɛ] *m* (Trink-)Becher *m*; **~erie** [~blɛ'tri] *f* Fabrikation *f* u. Verkauf *m* von Bechern.

gobelin [gɔ'blɛ̃] *m* Gobelin *m*, Wandteppich *m*.

gobe-mouches [gɔb'muʃ] *m* (6c) **1.** *orn.* Fliegenschnäpper *m*; **2.** ⚘ Venusfliegenfalle *f*.

gober [gɔ'be] *v/t.* (1a) **1.** (gierig) runterschlucken; F essen; ~ *un œuf* ein Ei ausschlürfen; **2.** F *fig.* leicht glauben, drauf reinfallen; ~ *une histoire*, F *la* ~ sich e-n Bären aufbinden lassen; *fig.* ~ *des mouches* die Zeit vertrödeln; **3.** F ~ *q.* j-n furchtbar gern haben; *se* ~ von sich eingenommen sein; **4.** P ~ *un cambrioleur* e-n Einbrecher erwischen.

goberger F [gɔbɛr'ʒe] *v/rfl.* (1l): *se* ~ sich gute Tage machen, in Saus u. Braus leben.

gobet|age [gɔb'ta:ʒ] *m* ⚠ Berappung *f*, erster Bewurf *m*; **~er** [~'te] *v/t.* (1c) ⚠ berappen, zum ersten Mal bewerfen.

gobeur F [gɔ'bœ:r] *su.* (7g) leichtgläubiges Schaf *n fig.*, Karnickel *n fig.*

godail|le P [gɔ'dɑ:j] *f* Völlerei *f*, Gezeche *n*, Zechgelage *n*; **~ler** P [~dɑ'je] *v/i.* (1a) **1.** F zechen, saufen; **2.** * herumsumpfen; **~leur** P [~dɑ'jœ:r] *su.* (7g) Säufer *m.*

godasse P [gɔ'das] *f* Treter *m*, Latschen *m*, alter Schuh *m.*

godelureau [gɔdly'ro] *m* Geck *m*, Laffe *m*, Schürzenjäger *m.*

goder [gɔ'de] *v/i.* (1a) Falten werfen.

godet [gɔ'dɛ] *m* **1.** Blumentopf *m*; Näpfchen *n*; *peint.* Farben-, Ölnapf *m*; **2.** ~ *de pipe* Pfeifenkopf *m*; **3.** ⊕ Baggereimer *m*; *chaîne f à* ~*s* Becherkette *f*; *élévateur m à* ~*s* Becherwerk *n*; ~ *graisseur* Schmierbuchse *f*; **4.** falsche Falte *f*; **5.** *jupe f à* ~*s* Glockenrock *m*; **6.** ⚘ Osterglocke *f.*

godi|che F [gɔ'diʃ] **I** *su.* Dummkopf *m*; **II** *adj.* naiv u. unbeholfen; **~chon** [~'ʃɔ̃] *adj.* (7c) linkisch.

godill|e [gɔ'dij] *f* **1.** ⚓ Ruder *n* am Bootsheck; *moteur m* ~ Außenbordmotor *m*; **2.** *Ski*: Wedeln *n*, Kurzschwung *m*; **~er** [~di'je] *v/i.* (1a) **1.** ⚓ wricken; **2.** *Ski*: kurz schwingen, wedeln; **~ot** [~'jo] *m*: ~*s pl.* (Soldaten-)Stiefel *m/pl.*; P Quadratlatschen *m/pl.*; *Fr. pol.* gaullistische Mitläufer *m/pl.*

godiveau *cuis.* [gɔdi'vo] *m* Fleischklößchen *n*, -pastete *f.*

godron [gɔ'drɔ̃] *m* ⚠ Eierleiste *f*; **~ner** [~drɔ'ne] *v/t.* (1a) rund fälteln; mit ausgeschweiften Randverzierungen versehen; ⚠ ausbogen.

goéland *orn.* [gɔe'lɑ̃] *m* Seemöwe *f.*

goélette [gɔe'lɛt] *f* **1.** ⚓ Schoner *m*; **2.** *orn.* Seeschwalbe *f.*

goémon ⚘ [gɔe'mɔ̃] *m* Seegras *n*, Tang *m.*

gogo F [gɔ'go] **I** *m* Naivling *m*; **II** F *à* ~ *advt.* in Hülle u. Fülle; nach Herzenslust; *avoir tout à* ~ alles in Hülle u. Fülle haben; *vivre à* ~ wie der Herrgott in Frankreich leben.

goguenard [gɔg'na:r] *adj.* (7) spöttisch; **~ise** [~'di:z] *f* Spöttelei *f*, Witzelei *f.*

goguenot P [gɔg'no] *m*: ~*s pl.* Lokus *m* F, Abort *m.*

goguette F [gɔ'gɛt] *f*: *être en* ~ e-n Schwips haben; in Stimmung sein.

goï [gɔ'i] *m* (*pl. goïm*) Goi *m*, Nichtjude *m.*

goinfre F ['gwɛ̃:frə] *m* Vielfraß *m* P; **~rie** [~frə'ri] *f* Fresserei *f* P.

goi|tre ⚕ ['gwa:trə] *m* Kropf *m*; ~ *exophtalmique* Basedowsche Krankheit *f*; **~treux** [gwa'trø] (7d) **I** *adj.* kropfartig; **II** *su.* Kropfkranke(r) *m.*

golf *Sport* [gɔlf] *m* Golf(spiel *n*) *n*; ~ *miniature* Minigolf *n*; *fig. le pantalon fait* ~ *sur la botte* die Hose fällt über den Stiefel.

golfe [~] *m* Meerbusen *m*, Golf *m*; ~ *Arabe* Persischer Golf *m.*

golfeur [gɔl'fœ:r] *m* (7g) Golfspieler *m.*

gominé [gɔmi'ne] *adj.* pomadisiert.

gom|mage [gɔ'ma:ʒ] *m* Gummieren *n*; **~me** [gɔm] *f* **1.** (dickflüssiger Roh-)Gummi *m* (*a. n*); ~ *arabique* Gummiarabikum *n*; ~ *laque* Schellack *m*, Gummilack *m*; P *à la* ~ unfähig; wertlos; *il nous la fait à la* ~ er macht uns was vor; *affaires f/pl. à la* ~ Scheingeschäfte *n/pl.*; **2.** Radiergummi *m*; ~ *élastique* Gummielastikum *n*; **3.** F *mettre (toute) la* ~ a) *Auto*: Vollgas geben; b) *allg. etw.* zu beschleunigen versuchen; **~mer** [~'me] *v/t.* (1a) **1.** gummieren; **2.** ausradieren; **3.** *das Haar* festigen; **~me-résine** [gɔmre'zin] *f* (6c) Gummiharz *n*; **~meux** [~'mø] (7g) **I** *adj.* gummiartig, Gummi...; **II** F ✎ *m* Geck *m*, Lackaffe *m* P; **~mier** [~'mje] *m* Gummibaum *m*; **~mose** ✔ [~'mo:z] *f* Gummifluß *m*; ~ *bacillaire* Weinstockgummose *f.*

gonadotrophines *phm.* [gɔnadɔtrɔ'fin] *f/pl.* Keimdrüsenmittel *n/pl.*

gonce * [gɔ̃:s] *m* Kerl *m*, Mann *m.*

gond [gɔ̃] *m* Türangel *f*, Haspe *f*; *mettre q. hors des* ~*s* j-n aus dem Häuschen bringen; j-n auf die Palme bringen; *sortir des* ~*s* außer Rand u. Band geraten; rebellisch werden.

gondo|lant P [gɔ̃dɔ'lɑ̃] *adj.* (7) urkomisch, zu drollig; **~le** [~'dɔl] *f* **1.** ⚓ Gondel *f*; **2.** † Fach *n* (voller Ware) zur Selbstbedienung; **~ler** [~'le] (1a) **I** *v/i.* ⊕ sich werfen (*vom Holz*); **II** *v/rfl. se* ~ a) F sich bucklig (*od.* schief-)lachen; b) ⊕ sich werfen (*vom Holz*).

gonflable *a.* △ [gɔ̃'flablə]: *structure f* ~ aufblasbarer Hallenbau *m.*

gonflant [gɔ̃'flɑ̃] **I** *adj.* locker (*Haar*); **II** *m* sanfter u. lockerer Halt *m* (*Haar*).

gonflé [gɔ̃'fle] *adj.* **1.** geschwollen; **2.** verquollen (*Holz*); **3.** P mutig, couragiert, waghalsig, tollkühn; *Sport*: ~ *à bloc* bis aufs äußerste angespannt.

gonflement [gɔ̃flə'mɑ̃] *m* Aufblasen *n*; ⚕ Geschwulst *f*; Anschwellung *f*, Aufblähung *f*; *Auto, vél.* Aufpumpen *n.*

gonfler [gɔ̃'fle] (1a) **I** *v/t.* **1.** (auf-) blähen, aufblasen; aufpumpen (*Reifen*); toupieren (*Haar*); **II** *v/i. u.* se ~ **2.** ⚕ anschwellen, dick werden; *fig. son cœur se gonfle* ihm (ihr) ist weinerlich zumute; **3.** verquellen (*Holz*); *fig.* sich (auf)blähen; se ~ *à propos de* ... sich dicketun mit ...; *gonflé* aufgeblasen (*fig.*); **4.** *vom Teig*: aufgehen.

gong [gɔ̃] *m* Gong *m.*

gongorisme [gɔ̃gɔ'rism] *m* schwülstiger Stil *m.*

gonio|mètre [gɔnjɔ'mɛ:trə] *m* Winkelmesser *m*; ✈ Peilgerät *n*; ⚔ Richtkreis *m*, Bussole *f*; **~métrie** [~me'tri] *f* Winkelmessung *f.*

gonocoque ⚕ [gɔnɔ'kɔk] *m* Gono-, Tripper-kokkus *m*, Gonokokke *f.*

gonzesse * [gɔ̃'zɛs] *f* Frau *f.*

gord [gɔ:r] *m* Fischwehr *n.*

gordien [gɔr'djɛ̃] *adj.* (7c): *nœud m* ~ gordischer Knoten *m.*

goret [gɔ'rɛ] *m* **1.** Spanferkel *n*; **2.** ⚓ Schrubber *m*, Scheuerbürste *f*; **3.** F *fig. péj.* Ferkel *n* (*schmutziges Kind*).

gorge [gɔrʒ] *f* **1.** Gurgel *f*, Kehle *f*, Rachen *m*, Schlund *m*; *avoir la* ~ *enflée* e-n geschwollenen Hals haben; *mal m de* ~ Halsweh *n*; *il a mal à la* ~, *il a un mal de* ~ er hat Halsweh; *arroser la* ~ einen heben; *prendre à la* ~ in die Luftröhre gehen (*Rauch*); *rire à* ~ *déployée* aus vollem Halse lachen; *fig. faire rentrer à q. ses mots dans la* ~ j-n zum Widerruf zwingen; ♪ *chanter de la* ~ mit Bruststimme singen; *voix f de* ~ Bruststimme *f*; **2.** *litt.* Busen *m*; Brust *f* (*der Frau*); **3.** Engpaß *m*, Gebirgspaß *m*, Schlucht *f*; **4.** △ (Hohl-)Kehle *f*; **5.** ⊕ Einschnitt *m*, Rille *f*; **6.** *faire des* ~*s chaudes de q.* j-n verhöhnen, sich über j-n offen lustig machen; *rendre* ~ *fig.* wieder herausgeben müssen.

gorge|-blanche *orn.* [gɔrʒə'blɑ̃:ʃ] *f* (6a) Weißkehlchen *n*; **~-bleue** *orn.* [~'blø] *f* (6a) Blaukehlchen *n*; **~-de-pigeon** [gɔrʒdəpi'ʒɔ̃] **I** *adj./inv.* taubenfarbig, schillernd; **II** *m* Taubenblau *n.*

gorg|ée [gɔr'ʒe] *f* Schluck *m*; *par* ~*s* schluckweise; **~eon** P [~'ʒɔ] *m* Glas *n*; **~er** [~'ʒe] *v/t.* (1l) nudeln; durchtränken; *fig.* vollpfropfen (*de* mit *dat.*); **~eret** *chir.* [~ʒə'rɛ] *m* Leitsonde *f.*

gorget *men.* [gɔr'ʒɛ] *m* Falzhobel *m.*

gorilisme [gɔri'lism] *m* System *n* e-r privaten Eliteschutztruppe (*z.B. Haiti*).

gorille [gɔ'rij] *m* Gorilla *m* (F *a. als Leibwächter*).

gosier [go'zje] *m* Kehle *f*, Gurgel *f*, Schlund *m*; *rire à plein* ~ aus vollem Halse lachen; P *avoir le* ~ *pavé* (*od. blindé*) gegen heiße *od.* stark gewürzte Speisen *od.* Getränke unempfindlich sein; F *avoir le* ~ *en pente* e-n ordentlichen Schluck vertragen können; *grand* ~ starker Esser *m*; ~ *d'éponge* starker Trinker *m.*

gosse F [gɔs] **I** *m* Junge *m*, Bengel *m*; **II** *f* kleines Mädchen *n*, Göre *f* P (*a. gosseline f* F).

Goth *hist.* [go] *m* Gote *m.*

goth|ique [gɔ'tik] **I** *adj.* △ gotisch; **II** *m* Gotik *f*; **III** *f* gotische Schrift *f*, Frakturschrift *f*; **~isme** *litt.* [~'tɪsm] *m* Roheit *f.*

gotique *ling.* [~'tik] *adj.* gotisch.

gouache [gwaʃ] *f* Wasserfarben-, Guasch-malerei *f*, -gemälde *n.*

gouail|le F [gwɑ:j] *f* Herumgewitzele *n*; **~ler** F [gwɑ'je] *v/i.* (1a) herumwitzeln; **~lerie** [gwɑj'ri] *f* Herumgewitzele *n*; **~leur** [~'jœ:r] *adj.* (7g) spöttelnd.

goual|ante * [gwa'lɑ̃:t] *f* Gassenhauer *m*; **~er** * [~'le] *v/i.* (1a) auf der Straße singen; **~eur** * [~'lœ:r] *su.* (7g) Straßensänger *m.*

gouape P [gwap] *f* Strolch *m.*

goudron [gu'drɔ̃] *m* Teer *m*; **~nage** [~drɔ'na:ʒ] *m* Teeren *n*, Asphaltieren *n*; **~ner** [~'ne] *v/t.* (1a) teeren, asphaltieren; **~nerie** [~n'ri] *f* Teerfabrik *f*; **~neur** [~'nœ:r] *m* Asphaltarbeiter *m*; **~neuse** ⊕ [~'nø:z] *f* Teermaschine *f*; **~neux** ⊕ [~'nø] *adj.* (7d) teerig.

gouffre ['gufrə] *m* **1.** Abgrund *m*, Schlund *m*; **2.** Strudel *m*; *fig.* Riesenverschwendung *f.*

goug|e [gu:ʒ] *f* Hohlmeißel *m*; **~er** [gu'ʒe] *v/t.* (1l) ausmeißeln.

gougère [gu'ʒɛ:r] *f* Käsekuchen *m.*

gougnafier * [guɲa'fje] *m* Stümper *m*; Idiot *m*.
gouine * [gwin] *f* Lesbierin *f*.
goujat [gu'ʒa] *m* Flegel *m fig.*; **~erie** [~'tri] *f* Flegelei *f*.
goujon[1] *icht.* [gu'ʒɔ̃] *m* Gründling *m*.
goujon[2] *charp.* [~] *m* Pflock *m*, Dübel *m*, Stift *m*; **~ner** [~ʒɔ'ne] *v/i.* (1a) verdübeln.
goule [gul] *f Art* Vampir *m*; F Schnauze *f*, Fresse *f*.
goulée F [~'le] *f* Maulvoll *n*, großer Bissen *m*.
goulet [gu'lɛ] *m* enge Einfahrt *f* e-s Hafens; Engpaß *m*; s. *a. goulot* 3.
goulot [gu'lo] *m* **1.** (enger) *Flaschen*-Hals *m*; **2.** ⚘ *arroser au* ~ ohne Tülle (*od.* Brause) an der Gießkanne gießen; **3.** ~ (*bisw. goulet*) *d'étranglement fig.* Engpaß *m fig.*; **~te** [gu'lɔt] *f* Wasserablaufrinne *f*; ⊕ ~ *hélicoïdale* Wendeschurre *f*.
goulu [gu'ly] (*adv. goulûment*) *u. su.* gefräßig, gierig; Vielfraß *m*.
goupil|le [gu'pij] *f* Pflock *m*, Stift *m*, Splint *m*; **~ler** [~pi'je] *v/t.* (1a) versplinten; **~lon** [~pi'jɔ̃] *m* **1.** Weihwedel *m*; **2.** Flaschen-, Gläser-bürste *f*.
gourbi [gur'bi] *m* arabische Hütte *f*.
gourd [gu:r] *adj.* (7) (*vor Kälte*) starr, steif.
gourde [gurd] **I** *f* **1.** umflochtene Flasche *f*; **2.** *fig.* F Dussel *m*; **II** F *adj.* dusselig.
gourdin [gur'dɛ̃] *m* Knüppel *m*.
gourer P [gu're] *v/rfl.* (1a): *se* ~ sich irren.
gourgandine F [gurgɑ̃'din] *f* Hure *f*.
gourgane ⚘ [gur'gan] *f* Saubohne *f*.
gourmand [gur'mɑ̃] **I** *adj.* (7) **1.** feinschmeckerisch; **2.** gierig (*de* nach *dat.*), erpicht (*de* auf *acc.*); **II** *su.* (7) Feinschmecker *m*, Lekkermaul *n*, *bsd.* Weinkenner *m*; **III** ⚘ *m* (*a. adj. branche f* ~*e*) Wasserschößling *m*; **~er** *litt.* [~mɑ̃'de] *v/t.* (1a) ausschelten, abkanzeln; **~ise** [~'di:z] *f* **1.** Feinschmeckerei *f*; **2.** ~*s pl.* Leckerbissen *m/pl.*
gour|me [gurm] *f* **1.** *vét.* Druse *f* der Pferde; **2.** ⚕ Milchschorf *m*, Kopfausschlag *m*; **3.** *fig. jeter sa* ~ sich austoben; **~mé** *litt.* [~'me] *adj. fig.* steif; hochnäsig, beschränkt.
gourmet [gur'mɛ] *m* Feinschmekker *m*.
gourmette [~'mɛt] *f* Kinn-, Uhrkette *f*; (Glieder-)Armband *n*.
gourou [gu'ru] *m* geistlicher Lehrer *m* (*Indien*).
gourrer P [gu're] (1a) = *se gourer*.
gouspin P, **goussepain** P [gus'pɛ̃] *m* kleiner Schlingel *m*.
goussaut [gu'so] *adj. u. m* gedrungen(es Pferd *n*).
gousse [gus] *f* Schote *f*, Hülse *f*; ~ *d'ail* Knoblauchzehe *f*; **~t** [~'sɛ] *m* kleine Westentasche *f*.
goût [gu] *m* **1.** Geschmack(ssinn *m*) *m*; *de mauvais* ~ geschmacklos, unpassend, kitschig; *avoir bon* ~ gut schmecken; *être au* ~ *de q.* nach j-s Geschmack sein; *avoir un* ~ *amer* bitter schmecken; *de haut* ~ stark gewürzt *od.* gepfeffert; **2.** *fig.* Vorliebe *f*, Lust *f*, Neigung *f* (zu *dat.*); Gefallen *n*, Geschmack *m* (an *dat.*); Schönheits-gefühl *n*, -sinn *m*; ~ *de l'épargne* Sparsinn *m*, Spartrieb *m*; ~ *de la responsabilité* Verantwortungsfreudigkeit *f*; ~ *de la solitude* Neigung *f* zur Einsamkeit; *affaire f de* ~ Geschmackssache *f*; Ansichtssache *f*; *de bon* ~ geschmack-, takt-voll; *cela est de mon* ~ das ist nach meinem Geschmack; *avoir du* ~ *pour* ... Sinn haben für (*acc.*); *prendre* ~ *à* Geschmack finden an (*dat.*); *faire qch. par* ~ etw. zu seinem Vergnügen tun; **3.** *fig.* Stil *m*; *fig.* Ansicht *f*, Urteil *n*: *à mon* ~ m-r Ansicht nach.
goûter [gu'te] (1a) **I** *v/t.* **1.** kosten, probieren; *fig.* genießen; schätzen; Geschmack finden an (*dat.*); *goûté* beliebt; begehrt, gesucht; **II** *v/i.* **2.** ~ *à* (*od. de*) *qch.* etw. kosten, probieren, von etw. nippen; **3.** *fig.* ~ *de qch.* etw. versuchen *od.* kennenlernen; **4.** vespern; **III** *m* Nachmittagskaffee *m*; Vesperbrot *n*.
goutte [gut] *f* **1.** Tropfen *m*; ~ *à* ~ tropfenweise, allmählich; *faire* ~ tröpfeln; *il tombe des* ~*s* es fängt an zu regnen; *il a la* ~ *au nez* s-e Nase läuft; **2.** *plais. ne* ... ~ überhaupt nichts; *on n'y voit* ~ es ist stockfinster; *je n'y entends* ~ ich verstehe absolut nichts davon; **3.** P Gläschen *n* Schnaps; **4.** ⚕ Gicht *f*; *attaque f de* ~ Gichtanfall *m*; ~ *sciatique* Ischias *f*, Hüftweh *n*; **~-à-~** [guta'gut] ⚕ *m* (6c) Tropfgerät *n*; **~lette** [gut'lɛt] *f* Tröpfchen *n*.
goutter [gu'te] *v/i.* (1a) tropfen.
goutteux [gu'tø] *adj. u. su.* (7d) gichtisch; Gichtkranke(r) *m*.
gouttière [gu'tjɛ:r] *f* **1.** Traufe *f*, Dachrinne *f*; **2.** *chir.* Hohlschiene *f*.
gouver|nable [guvɛr'nablə] *adj.* regierbar, lenkbar; ⚓ steuerbar; **~nail** [~'naj] *m* (*pl.* ~*s*) Steuer *n*,

Steuerruder *n*, Ruderpinne *f*; *fig.* Staatsruder *n*; ✈ ~ *de profondeur*, ~ *d'altitude* Tiefen-, Höhen-steuer *n*; ~ *vertical*, ~ *de direction* Seitensteuer *n*; ⊕ ~*s pl. hydrauliques* hydraulische Ruderanlagen *f/pl.*; **~nant** [~'nɑ̃] *m* Regierende(r) *m*; **~nante** [~'nɑ̃:t] *f* **1.** Gouvernante *f*; **2.** Haushälterin *f*; **3.** Personalleiterin *f e-s Hotels*; **~ne** [gu'vɛrn] *f* ⚓, ✈ Steuerung *f*, Ruderfläche *f*, Steuerruder *n*; *fig.* Richtschnur *f*, Orientierung *f*; *pour ta* ~ zu deiner Orientierung; ✈ ~*s pl.* Leitwerk *n*; **~nement** [~vɛrnə'mɑ̃] *m* Regierung *f*; Regierungsform *f*; ~ *travailliste* Labourregierung *f*; *avoir le* ~ *d'une maison* ein Haus verwalten; **~nemental** [~nmɑ̃'tal] *adj.* (5c) Regierungs...; **~ner** [~'ne] (1a) **I** *v/t.* **1.** ⚓, ✈ steuern, lenken; **2.** *fig.* ~ *ses passions* s-e Leidenschaften beherrschen; **II** *v/i.* regieren; steuern; **~neur** [~'nœ:r] *m* **1.** ~ *militaire* Militärgouverneur *m*; **2.** Vorsteher *m*, *bsd.* Bankdirektor *m*; **3.** *hist.* (Prinzen-)Erzieher *m*.

grabat [gra'ba] *m* altes Bett *n*, Pritsche *f* P; **~aire** † [~'tɛ:r] *adj.* bettlägerig.

grabuge F [gra'by:ʒ] *m* Krakeel *m*.

grâce [grɑ:s] *f* **1.** Gnade *f*; *litt. de* ~*!* ich bitte Sie darum!; *hist. par la* ~ *de Dieu* von Gottes Gnaden; *à la* ~ *de Dieu* auf Gedeih u. Verderb; *coup m de* ~ Gnadenstoß *m* (*a. fig.*); *l'an m de* ~ im Jahre des Heils; **2.** Begnadigung *f*, Verzeihung *f*; *demande f* (*pourvoi m*, *recours m*) *en* ~ Gnadengesuch *n*; *droit m de* ~ Begnadigungsrecht *n*; *faire* ~ *à q.* j-n begnadigen; *faire* ~ *de* verschonen mit, erlassen; **3.** Gewogenheit *f*, Gunst *f*, Gunstbezeigung *f*; *rentrer en* ~ *auprès de q.* bei j-m wieder in Gnaden aufgenommen werden; *bonnes* ~*s* Gewogenheit *f*, Gunst *f e-r Frau*; **4.** Anmut *f*, Grazie *f*; *plein de* ~ anmutig; *bonne* ~ Wohlwollen *n*, Bereitwilligkeit *f*; *de bonne* (*mauvaise*) ~ gern (ungern); **5.** ♀ Grazie *f*, Huldgöttin *f*; **6.** *mst. im pl.* Dank *m*; ~ *à Dieu!* Gott sei Dank!; *action f de* ~*s* Dankeslied *n*, Dankfeier *f*; *rendre* ~ Dank sagen; ~ *à vous*: a) dank Ihrer Bemühung; b) *iron.* durch Ihre Schuld; **7.** ~*s pl.* Dankgebet *n nach Tisch*; *dire les* ~*s* das Dankgebet sprechen.

graci|er ⚖ [gra'sje] *v/t.* (1a) begnadigen; **~eusetė** [grasjøz'te] *f* Höflichkeit *f*; **~eux** [gra'sjø] *adj.* (7d) □ **1.** freundlich; **2.** anmutig; graziös; **3.** freiwillig; *à titre* ~ kostenlos, unentgeltlich, gratis.

gracil|e [gra'sil] *adj.* schlank, zierlich; **~ité** [grasili'te] *f* Schlankheit *f*, Zierlichkeit *f*.

gradation [gradɑ'sjɔ̃] *f* **1.** Abstufung *f*, Stufenfolge *f*, allmähliche Steigerung *f*; ~ *descendante* Verminderung *f*, Reduzierung *f*, Nachlassen *n*; *par* ~ stufenweise; **2.** *peint.* Abstufung *f der Farben.*

gra|de [grad] *m* **1.** Ehrenstufe *f*; (akademische) Würde *f*; (militärischer) Rang *m*; *élever q. au* ~ *de colonel* j-n zum Obersten befördern; *prendre le* ~ *de docteur* promovieren; *monter* (*od. avancer*) *en* ~ aufrücken; *passer par tous les* ~*s* von der Pike auf dienen; **2.** Zentesimalgrad *m*; **~dé** ⚔ [gra'de] *m* Unteroffizier *m*; ~ *de semaine* Diensthabende(r) *m*; *les* ~*s* die Unteroffiziere *m/pl.*; **~dient** *météo.* [~'djɛ̃] *m* Druckgefälle *n*; **~din** [~'dɛ̃] *m* **1.** (*Altar- usw.*) Aufsatz *m*; **2.** ~*s pl.* stufenweise erhöhte Bänke *f/pl.*; *en* ~*s* terrassenförmig; *mettre en* ~*s* abstufen; **~dine** *sculp.* [~'din] *f* Gradiereisen *n*; **~duation** [~dɥɑ'sjɔ̃] *f* **1.** Gradeinteilung *f*; **2.** ⚗ Gradierung *f*; *Saline*: *bâtiment m de* ~ Gradierwerk *n*; **~dué** [~'dɥe] **I** *adj.* *échelle f* ~*e* Skala *f*, Maßstab *m*; **II** *su.* Graduierte(r) *m e-r Universität*; **~duel** [~'dɥɛl] *adj.* (7c) □ stufenweise fortschreitend, abgestuft; **~duer** [~'dɥe] *v/t.* (1a) **1.** in Grade einteilen; **2.** abstufen, allmählich steigern; **3.** *Saline*: *eau f graduée* gradierte Sole *f*.

graffigner *dial.* [grafi'ɲe] *v/t.* (1a) zerkratzen.

graffit|i [grafi'ti] *m/pl. u. sg.* Wandschmiererei(en *f/pl.*) *f*; *antiq.* Graffitti *n/pl.*; **~iste** [~'tist] *su.* Wandbeschmierer *m*.

grail|le *dial.* [grɑ:j] *f* Krähe *f*; **~ler** [grɑ'je] *v/i.* (1a) krächzen.

graillon[1] [grɑ'jɔ̃] *m* brenzliger Fettgeruch *m*; ~*s pl.* Fettreste *m/pl.*

graillon[2] P [~] *m* (Brust-)Schleim *m*.

graillonner[1] [grajɔ'ne] *v/i.* (1a) nach angebranntem Fett riechen.

graillonner[2] [~] *v/i.* (1a) Schleim ausspucken.

grain [grɛ̃] *m* **1.** ♀ Korn *n*; Beere *f*; Kaffeebohne *f*; ~(*s pl.*) Getreide *n*, Korn *n*; Körnerfutter *n*; *gros* ~(*s*) Wintergetreide *n* (*Weizen, Roggen*); *menus* ~*s* Sommergetreide *n* (*Gerste, Hafer*); *bét. à gros* ~*s* grobkörnig;

fig. oberflächlich; *eau-de-vie f de* ~ Kornbranntwein *m*; *fig. avoir un* ~ *de trop* e-n Tick haben; *veiller au* ~ auf der Hut sein; **2.** Kügelchen *n*, Körnchen *n*; ~ *de chapelet* Kügelchen *n* am Rosenkranz; ~ *de grêle* Hagelkorn *n*; ~ *de sable* Sandkorn *n*; ~ *de sel* Körnchen *n* (Koch-)Salz; *fig.* Fünkchen *n* Witz; F *ajouter (od. mettre) son* ~ *de sel à qch.* s-n Senf zu etw. geben; ⚕ ~ *(de verre)* Glasperlen *f/pl.*; **3.** ⚕ Gran *n*; **4.** Köper *m*; *d'un beau* ~ schön geköpert, schön genarbt; **5.** ~ *de petite vérole*: a) Pocke *f*, Blatter *f*; b) Pocken-, Blatter-narbe *f*; ~ *d'orge* Gerstenkorn *n am Auge*; ~ *de beauté* Muttermal *n*; **6.** plötzlicher Regenguß *m*; ⚓ Bö *f*.

grain|e [grɛ:n] *f* **1.** Samenkorn *n*, Same(n) *m*; *sans* ~ kernlos; *mauvaise* ~ *plais.* Rasselbande *f* (*v. Kindern*); *monter en* ~ in Samen schießen; F riesig wachsen; *iron.* e-e alte Jungfer werden; *en prendre de la* ~ sich *j-n* zum Vorbild nehmen; **2.** *Stickerei*: Knotenstich *m*; **3.** ~*s pl.* (*de vers à soie*) Seidenraupeneier *n/pl.*; ~**eterie** [grɛn'tri] *f* Samenhandlung *f*; ~**etier** [grɛn'tje] *m* Samen-, Futtermittel-, *bisw. a.* Gemüse-händler *m*.

grais|sage ⊕ [grɛ'sa:ʒ] *m* Schmieren *n*, Ölen *n*; *Auto*: Schmierung *f*; Abschmierdienst *m*; *faire un* ~ *complet* abschmieren; ~ *sous pression* Druckschmierung *f*; ~ *par barbotage* Tauch- (*od.* Schleuder-) -schmierung *f*; ~ *par circulation* Umlaufschmierung *f*; ~**se** [grɛ:s] *f* Fett *n*; ⊕ Schmiere *f*, Schmiermittel *n*; Zähigkeit *f* (*Wein usw.*); ~ *de rôti* Bratenfett *n*; ~ *(fondue)* Schmalz *n*; ~ *végétale* Pflanzenfett *n*; *frotter avec de la* ~ einfetten; *prendre de la* ~ Fett ansetzen; ~**ser** [grɛ'se] (1b) **I** *v/t.* **1.** einfetten; mit Fett *usw.* einschmieren; ~ *ses bottes* s-e Stiefel einfetten; F *fig.* sich auf sein letztes Stündchen vorbereiten; F ~ *la patte à q.* j-n bestechen; **II** *v/i.* zäh werden (*vom Wein*); ~**seur** [~'sœ:r] **I** *adj.* (7g) Öl..., Schmier...; **II** *m* Schmierer *m* (*Person*); ⊕ Öler *m*, Schmiervorrichtung *f*; ~ *automatique* Selbstöler *m*, Schmieranlage *f*; ~**seux** [~'sø] *adj.* (7d) fettig, schmierig.

gramen ⚘ [gra'mɛn] *m* wildwachsendes Gras *n*.

graminée ⚘ [grami'ne] *adj./f u. f*: (*plantes f/pl.*) ~*s pl.* grasartige Pflanzen *f/pl.*, Gräser *n/pl.*

grammai|re [gra'mɛ:r] *f* Grammatik *f*; ~**rien** [gramɛ'rjɛ̃] *su.* (7c) Grammatiker *m*.

gramma|tical [gramati'kal] *adj.* (5c) □ grammatisch; ~**tisme** [~'tism] *m* Regelhaftigkeit *f*.

gramme [gram] *m* Gramm *n*.

grand [grɑ̃] **I** *adj.* (7) □ **1.** groß; hochgewachsen; *de* ~*e taille* groß (*von Gestalt, auf Personen bezogen*); ~*es eaux f/pl.*: a) Steigen *n* der Gewässer, Hochflut *f*; b) (Springen *n*) sämtliche(r) Fontänen *f/pl.*; *homme m* ~ hochgewachsener (*od.* großer) Mann; *la* ~*e guerre* der erste Weltkrieg (1914—18); *plus* ~ *que nature* in Überlebensgröße; *fig. ouvrir de* ~*s yeux* (*od. les yeux tout* ~*s*) große Augen machen; *iron.* ~ *bien vous fasse!* m-n Segen haben Sie!; **2.** erwachsen; *il se fait* ~ er wächst heran; **3.** beträchtlich; heftig, stark; zahlreich, reichlich; vollständig; *il est* ~ *temps* es ist höchste Zeit; *faire* ~ *cas de* hochschätzen; ~*(e) ouvert(e)* weit offen; ~ *air m* frische Luft *f*; *au* ~ *air* im Freien; ~*e barbe f* langer Bart *m*; *de* ~ *cœur* herzlich gern; *en* ~*e colère* in hellem Zorn; ~ *cri m* lauter Schrei *m*; *à* ~*s frais* mit großen Kosten; *deux* ~*es heures* zwei gute Stunden; *il fait* ~ *jour* es ist heller Tag; *au* ~ *jour* am hellen Tag; *fig. produire (od. mettre) au* ~ *jour* ans Licht bringen, veröffentlichen; *marcher à* ~*es journées* in starken Tagemärschen marschieren; *de* ~ *matin* frühmorgens; *il y aura* ~ *monde* es wird große Gesellschaft da sein; ~ *mutilé* schwer(kriegs)-beschädigt; *m* Schwer(kriegs)beschädigte(r) *m*; ~*e pluie f* heftiger Regen *m*; être *en* ~*e toilette* in vollem Staat sein; *on y mène* ~ *train* da geht's hoch her; *un* ~ *verre* ein volles Glas *n*; ~*e vieillesse* (*od.* ~ *âge m*) hohes Alter *n*; **4.** *fig.* großartig, erhaben; tüchtig, ausgezeichnet; vornehm, hochgestellt; großherzig, edel(denkend); wichtig; Groß..., Haupt...; gewaltig; *iron. c'est* ~*!* das ist ja großartig (*od.* fabelhaft)!; *péj.* ~*s mots m/pl.* hochtrabende Worte *n/pl.*; *avoir* ~ *air* vornehm aussehen; ~*s airs m/pl.* hochmütiger Gesichtsausdruck *m*; ~ *genre m* vornehme Art *f* (*od.* vornehmer Ton *m*); *un* ~ *cœur* ein edles Herz; ~*e dame f* vornehme Dame *f*; *les ~s dignitaires* die hohen Würdenträger; *~ homme m* großer *od.* bedeutender Mann *m* (*od.* Mensch *m*); *le ~ monde* die vornehme Welt; *~e nouvelle f* wichtige Nachricht *f*; *~ seigneur m* vornehmer Herr *m*; *~ teint* farbecht; *un ~ travailleur* ein tüchtiger Arbeiter *m*; *~ chemin m* Hauptstraße *f*; **5.** *als Titel*: *le* 2 *Electeur* der Große Kurfürst; **II** *m* **6.** Erwachsene(r) *m*; F *écol.* älterer Schüler *m*; **7.** hochgestellte Person *f*; Grande *m von Spanien*; *pol. les ~s* die führenden Männer; **8.** *das* Große, *das* Erhabene; *en ~ advt.* im großen, in Lebensgröße; *fig.* in großem Maßstab; großzügig; *penser* (*agir*) *en ~* edel denken (handeln); *voir ~* große Pläne haben; **9.** F Luxus *m*.

grand blessé de guerre [grɑ̃blɛ'se də 'gɛːr] *m* Schwerkriegsbeschädigte(r) *m*.

grand-chose [grɑ̃'ʃoːz] *adv.*: *pas ~* nicht viel; *cela ne vaut pas ~* das ist nicht viel wert; F *un(e) pas ~* ein unbedeutender Mensch *m*.

grand-croix [grɑ̃'krwa] **1.** *f* (6c) Großkreuz *n der Ehrenlegion*; **2.** *m* (6b) Inhaber *m* des Großkreuzes.

grand|-duc [grɑ̃'dyk] *m* (6a) **1.** Großherzog *m*; F *faire la tournée des grands-ducs* teure Lokale aufsuchen; **2.** *orn.* Uhu *m*; **~-ducal** [grɑ̃dy'kal] *adj.* (5c) großherzoglich; **~-duché** [grɑ̃dy'ʃe] *m* (6a) Großherzogtum *n*.

Grande-Bretagne [grɑ̃ːdbrə'taɲ] *f*: **la ~** Großbritannien *n*.

grande-duchesse [grɑ̃ːddy'ʃɛs] *f* (6a) Großherzogin *f*.

grand|elet F [grɑ̃'dlɛ] *adj.* (7c) schon (*od.* ziemlich) groß (*Kind*); **~ement** [grɑ̃d'mɑ̃] *adv.* **1.** großzügig; *faire les choses ~* nichts sparen; **2.** sehr, gewaltig, stark; *il est ~ temps* es ist die höchste Zeit; *différer ~* sich wesentlich unterscheiden; **3.** reichlich; *il a ~ de quoi vivre* er hat sein gutes Auskommen.

grandeur [~'dœːr] *f* **1.** Größe *f*; *~ d'âme* Seelengröße *f*; **2.** *fig.* Erhabenheit *f*, Großartigkeit *f*, Hoheit *f*, Herrlichkeit *f*; *folie f des ~s* Größenwahn *m*.

grand-guignolesque [grɑ̃giɲɔ'lɛsk] *adj.*: *récits m/pl. ~s* gruselige Geschichten *f/pl.*

grand infirme [grɑ̃tɛ̃'firm] *adj.* (6a) schwerbeschädigt.

gran|diose [grɑ̃'djoːz] **I** *adj.* □ großartig; **II** *m das* Großartige *n*; *die* Grandiosität *f*; **~dir** [~'diːr] (2a) **I** *v/i.* groß (*od.* größer) werden; wachsen, zunehmen; **II** *v/t.* größer machen; übertreiben.

grand-livre ✝ [grɑ̃'liːvrə] *m* (6a) Hauptbuch *n*.

grand-maman [grɑ̃ma'mɑ̃] *f* (6a), **grand-mère** [grɑ̃'mɛːr] *f* (6a) Großmutter *f*; Großmütterchen *n*.

grand-messe *rl.* [grɑ̃'mɛs] *f* (6a) Hauptmesse *f*, Hochamt *n*.

grand-oncle [grɑ̃'tɔ̃ːklə] *m* (6a) Großonkel *m*.

grand-papa [grɑ̃pa'pa] *m* (6a), **grand-père** [grɑ̃'pɛːr] *m* (6a) Großvater *m*.

grand-parental [~parɑ̃'tal] *adj.* (5c) großelterlich.

grand-peine [~'pɛn] *f*: *à ~* mit Müh u. Not.

grand-peur [~'pœːr] *f*: *avoir ~* sich sehr fürchten.

grand-poste [~'pɔst] *f* (6a) Hauptpostamt *n*.

grand-route [grɑ̃'rut] *f* (6a) Fernverkehrsstraße *f*.

grand-rue [grɑ̃'ry] *f* (6a) Hauptstraße *f e-r Stadt*.

grands-parents [grɑ̃pa'rɑ̃] *m/pl.* Großeltern *pl.*

grand-tante [grɑ̃'tɑ̃ːt] *f* (6a) Großtante *f*.

grand-voile [grɑ̃'vwal] *f* (6a) Großsegel *n*.

grange [grɑ̃ːʒ] *f* Scheune *f*; *battre en ~* (aus)dreschen; *mettre en ~* einfahren, in die Scheune bringen.

granit(**e**) [gra'nit] *m* Granit *m*; **~é** [~'te] *adj.* (7) gerauht; **~eux** [~'tø] *adj.* (7d) granithaltig; **~o** [~'to] *m Art* Terrazzo *m*.

granivore [grani'vɔːr] *adj.* körnerfressend.

granu|laire [grany'lɛːr] *adj.* körnig; **~lation** [~la'sjɔ̃] *f* Körnen *n*; *~s pl.* Körnchen- (*od.* Knötchen-) bildung *f*; *bét. ~ des couches d'usure* Vorsatzkörnung *f*; **~lats** ⚠ [~'la] *m/pl.* Granulate *n/pl.*; **~le** [~'nyl] *m* Körnchen *n*; *phm.* Kügelchen *n*; **~ler** [~ny'le] *v/t.* (1a) körnen; **~leux** [~'lø] *adj.* (7d) körnig; **~lométrie** *bét.* [~lɔme'tri] *f* Kornaufbau *m*; **~lométrique** *bét.* [~lɔme'trik] *adj.*: *composition f ~* Kornzusammensetzung *f*.

graphi|que [gra'fik] **I** *adj.* □ graphisch; Schrift..., Zeichen...; **II** *m* Kurvenbild *n*, graphische Darstellung *f*; **~te** [~'fit] *m* Graphit *m*; **~ter** ⊕ [~'te] *v/t.* (1a) mit Graphit überziehen; **~teux** [~'tø] *adj.* (7d) graphithaltig.

grapho|logie [grafɔlɔ'ʒi] *f* Graphologie *f*; **~logique** [~lɔ'ʒik] *adj.* graphologisch; **~logue** [~'lɔg] *m* Graphologe *m*.

grappe [grap] *f* ⚘ Traube *f*; Büschel *n*; Bündel *n*; *fig.* Haufen *m*; ~ *de raisin* Weintraube *f*; *vin m de* ~ Traubenwein *m*; *en* ~ traubenförmig.

grappil|lage [grapi'ja:ʒ] *m* **1.** ✎ Nachlese *f*; **2.** F *fig.* kleiner Profit *m*; **~ler** [grapi'je] *v/i. u. v/t.* (1a) **1.** in Weinbergen Nachlese halten; **2.** ~ *qch.* etw. nachernten; *fig.* aufschnappen; einheimsen; **~lon** ⚘ [~'jɔ̃] *m* kleine Traube *f*.

grappin [gra'pɛ̃] *m* **1.** ⚓ kleiner Anker *m*, Dregg *m*; ~ *d'arbordage* Enterhaken *m*; F *fig. mettre le* ~ *sur q.* j-n (geistig) beherrschen; erwischen; *ce policier lui a mis le* ~ *dessus* dieser Polizist hat ihn beim Schlafittchen gepackt; **2.** ⊕ Greifer *m* (*e-s Krans*); Scharreisen *n*; Steigeisen *n*; **~er** ⚓ [grapi'ne] *v/t.* (1a) entern.

grappu [gra'py] *adj.* traubenreich.

gras [grɑ] **I** *adj.* (7c) **1.** □ fett, dick, feist, wohlgenährt; speckig; fettig, fetthaltig; ⚘ saftig, fleischig; *couleur f* ~*se* dick aufgetragene Farbe *f*; *jours m/pl.* ~ Fleischtage *m/pl.*; letzte Karnevalstage *m/pl.*; *mardi m* ~ Fastnacht *f*; *potage m* ~ Fleischsuppe *f*; *manger* (*od. faire*) ~ *an Fasttagen* Fleisch essen; *faire* (*od. dormir*) *la* ~*se matinée* in den Tag hineinschlafen; **2.** schmierig; ⚕ verschleimt; *pavé m* ~ glitschiges Pflaster *n*; *terre f* ~*se* Lehmerde *f*; **3.** *terre f* ~*se* fruchtbares Land *n*; *de l'huile* ~*se* dick gewordenes Öl *n*; *fig. parler* ~ das R (als Zäpfchen-R) in der Kehle sprechen; P *il y a* ~ dabei gibt's was zu verdienen; **II** *m das* Fette *n*; *il aime le* ~ er ißt gern fettes Fleisch; F *tourner au* ~ dick (*od.* beleibt) werden; ~ *de la jambe* Wade *f*.

gras-double *cuis.* [~'dublə] *m* Fettdarm *m*.

gras|sement [grɑs'mɑ̃] *adv. v. gras*; *payer* ~ reichlich bezahlen; *vivre* ~ ein gutes Leben führen; **~set** [~'sɛ] *m* **1.** *vét.* Schlauch *m* (*Pferd, Ochse*); **2.** *orn.* Graukehlchen *n*; **~seyer** [~sɛ'je] *v/i.* (1i) das R (als Zäpfchen-R) in der Kehle sprechen; **~souillet** [~su'jɛ] *adj.* (7c) dicklich, rundlich.

grateron ⚘ [gra'trɔ̃] *m* Labkraut *n*.

gratifi|cation [gratifikɑ'sjɔ̃] *f* (Sonder-)Vergütung *f*, Gratifikation *f*; **~er** [~'fje] *v/t.* (1a) ~ *q. de* j-m e-e Sondervergütung von ... zukommen lassen; j-n beschenken mit.

gratin [gra'tɛ̃] *m* **1.** Essenskruste *f*, Speisesatz *m in Kochtöpfen*; **2.** *cuis.* Kartoffelauflauf *m*; **3.** F *die* oberen Zehntausend *pl.*; **~é** P, *oft iron.* [~ti'ne] *adj.* höchst raffiniert.

gratiner [grati'ne] (1a) *v/t. cuis.* gratinieren, heiß überbacken; F *fig. c'est une histoire gratinée* das ist e-e tolle Sache.

gratis [gra'tis] *adv.* gratis, kostenlos, unentgeltlich.

gratitude [grati'tyd] *f* Dankbarkeit *f*.

grattage [gra'ta:ʒ] *m* Abkratzen *n*.

gratte [grat] *f* **1.** ✎ Jäthacke *f*; **2.** F Profitchen *n*; **3.** übriggebliebenes Material *n*; **4.** F ⚕ Jucken *n*.

gratte|-ciel [grat'sjɛl] *m* (6c) Wolkenkratzer *m*; **~-ciéliaire** *néol.* [~sje'ljɛ:r] *adj.*: *cité f* ~ Wolkenkratzerstadt *f*; **~-cul** [~'ky] *m* (6c *od.* 6g) Hagebutte *f*.

grattement [grat'mɑ̃] *m* Kratzen *n*.

gratte|-paille *orn.* [grat'pɑ:j] *f* (6c) Baumnachtigall *f*; **~-papier** F *péj.* [~pa'pje] *m* (6c) Schreiberling *m*.

grat|ter [gra'te] (1a) **I** *v/t.* **1.** (ab-)kratzen, schaben, scharren, *Geld* zusammenkratzen; scheuern; kraulen (*z.B. den Hund*); (aus)radieren; **2.** F ~ *q. à la course* j-n beim Wettlauf überholen; ~ *une voiture Auto*: e-n Wagen überholen; **3.** *fig.* schmeicheln (*dat.*); ~ *l'épaule à q.* j-m Honig um den Bart schmieren; **II** *v/i.* kratzen; kritzeln (*Schreibfeder*); *abs.* F *Geld* zs.-kratzen; Profitchen machen; ~ *à la porte* leise anklopfen; ~ *du violon* auf der Geige kratzen; **III** *v/rfl. se* ~ sich kratzen; F sich rasieren; **~teur** [~'tœ:r] *su.* (7g) Kratzer *m*; F ~ *de papier* Schreiberling *m*; **~toir** [~'twa:r] *m* Radiermesser *n*; ⊕ Kratzeisen *n*; **~ture** [~'ty:r] *f* Abschabsel *n*.

gratui|t [gra'tɥi] *adj.* (7) □ **1.** unentgeltlich, kostenlos, frei; *à titre* ~ gratis, unentgeltlich; **2.** *fig.* unbegründet; grundlos; zwecklos; mutwillig; willkürlich; *les compagnons m/pl. de l'acte* ~ die Halbstarken *m/pl.*; *affirmation f* ~*e* unbegründete Behauptung *f*; *supposition f* ~*e* willkürliche Annahme *f*; **~té** [~'te] *f* Unentgeltlichkeit *f*; Grund-, Zweck-losigkeit *f*; Mutwilligkeit *f*;

Unbegründetheit *f*; ~ *de l'enseignement primaire et secondaire* Schulgeldfreiheit *f*; **~tement** [gratɥit'mɑ̃] *adv.* gratis, kostenlos, unentgeltlich, umsonst.

gravatier [grava'tje] *m* Schuttfahrer *m*.

gravats [~'va, ~'va] *m/pl.* Schutt *m*.

grave [grɑːv] **I** *adj.* □ **1.** *nur fig.* schwer; ernst; folgenreich; bedenklich, gefährlich; schwerwiegend; schlimm; erheblich; ernsthaft; *homme m* ~ gesetzter Mensch *m*; *faute f* ~ schwerer Fehler *m*; *maladie f* ~ schwere Krankheit *f*; *symptôme m* ~ bedenkliches (*od.* schlimmes) Zeichen *n*; **2.** *son m* ~ tiefer Ton *m*; *gr. accent m* ~ Gravis *m*; **II** *m fig. das* Ernste *n*, *das* Ernsthafte *n*; ♪ tiefer Ton *m*.

gravel|er [grav'le] *v/t.* (1c) mit Kies beschütten; **~eux** [~'lø] *adj.* (7d) **1.** kieshaltig; **2.** *fig.* anstößig.

grav|er [gra've] *v/t.* (1a) (*a. abs.*) (ein)gravieren (*dans* in); ~ *sur bois* in Holz schneiden; ~ *à l'eau forte* ätzen, radieren; **~eur** [~'vœːr] *m* Graveur *m*; ~ *en acier* Stahlstecher *m*; ~ *sur bois* Holzschneider *m*; ~ *sur cuivre* Kupferstecher *m*; ~ *à l'eau-forte* Radierer *m*.

gravid|e [gra'vid] *adj.* **1.** *physiol.* geschwängert; **2.** *vét.* trächtig; **~ité** [~vidi'te] *f* **1.** ⚕ Schwangerschaft *f*; **2.** *vét.* Trächtigkeit *f*.

gravier [gra'vje] *m* Kies *m*; ~ *de sulphure de barium at.* Barytkies *m* (*in Spezialbeton als Strahlenschutz*).

gravillon [gravi'jɔ̃] *m* Kiessand *m*; ⚠, *bét.* Splitt *m*; **~nage** ⊕ [~jɔ'naːʒ] *m* Splittverteilung *f* (*auf Chausseen*).

gravi|mètre [~vi'mɛːtrə] *m* Gravi-, Aräo-meter *n*, Schweremesser *m*; **~métrie** [~me'tri] *f* Gravimetrie *f*, Schweremessung *f*.

gravir [gra'viːr] *v/t.* (2a) erklimmen; herauf-fahren, -steigen.

gravi|tation [gravitɑ'sjɔ̃] *f* Schwer-, Anziehungs-kraft *f*; **~tationnel** [~tasjɔ'nɛl] *adj.* (7c) Gravitations...; **~té** [~'te] *f* **1.** *phys.* Schwere *f*; *centre m de* ~ Schwerpunkt *m*; **2.** *fig.* Würde *f*; Ernst(haftigkeit *f*) *m*; *garder sa* ~ ernsthaft bleiben; **3.** ⚕ Gefährlichkeit *f*; **4.** ♪ Tiefe *f e-s Tones*; **~ter** [~] *v/i.* (1a) *phys.* ~ *autour de* um ... (*acc.*) kreisen.

gravure [gra'vyːr] *f* Stich *m*; ~ *sur acier* Stahlstich *m*; ~ *d'art* Kunstblatt *n*; ~ *sur bois* Holzschnitt *m*; ~ *sur cuivre* Kupferstich *m*; ~ *à l'eau-forte* Radierung *f*; ~ *sur linoléum* Linoldruck *m*.

gré [gre] *m* **1.** Belieben *n*, Gutdünken *n*; Geschmack *m*; Meinung *f*: *de son* ~, *de son plein* ~, *de bon* ~ aus freiem Antrieb, freiwillig; gern; *bon* ~, *mal* ~ wohl oder übel; *de* ~ *à* ~ nach freier Übereinkunft, gütlich; in beiderseitigem Einverständnis; *à mon* ~ meiner Meinung nach; *à votre* ~ (ganz) nach Ihrem Belieben (*od.* Ermessen); *cela est-il à votre* ~? gefällt Ihnen das?, ist es Ihnen so recht?; *au* ~ *des vents* dem Wind preisgegeben; *se laisser aller au* ~ *des événements* sich von den Ereignissen treiben lassen; **2.** *savoir* ~ *à q. de qch.* j-m für etw. (*acc.*) dankbar sein.

gréage ⚓ [gre'aːʒ] *m* Auftakeln *n*.

grèbe *orn.* [grɛb] *m* Steißfuß *m*.

grec *m*, **grecque** *f* [grɛk] **I** *adj.* **1.** griechisch; **II** ♀ *su.* **2.** Grieche *m*; **III** *m* **3.** *das* Griechische *n*; ~ *ancien das* Altgriechische *n*; ~ *moderne das* Neugriechische *n*.

Grèce [grɛːs] *f*: **la** ~ Griechenland *n*.

gréci|ser [gresi'ze] *v/t.* (1a) gräzisieren, e-e griechische Form geben (*dat.*); **~té** [~'te] *f* griechischer Sprachcharakter *m*, Gräzität *f*; *la basse* ~ das Byzantinische.

gréco|-latin [grekɔla'tɛ̃] *adj.* (7) griechisch-lateinisch; **~-romain** [~rɔ'mɛ̃] *adj.* (7) griechisch-römisch; *Sport*: *lutte f* ~*e* griechisch-römischer Ringkampf *m*.

grecque [grɛk] **I** *adj./f u. f* s. grec; **II** *f* Mäander *m*, Schlangenlinie *f*.

gredin [grə'dɛ̃] *su.* (7) Halunke *m*, Lump *m*; F Schlingel *m*.

gréement ⚓ [gre'mɑ̃] *m* Takelwerk *n*.

gréer ⚓ [gre'e] *v/t.* (1a) betakeln.

greffage ✐ [grɛ'faːʒ] *m* Pfropfen *n*.

greffe[1] ⚖ [grɛf] *m* Kanzlei *f*, Gerichtsschreiberei *f*, Geschäftsstelle *f*.

gref|fe[2] [~] *f* **1.** Pfropfreis *n*, Auge *n*; **2.** Pfropfen *n*, Veredelung *f*; **3.** ⚕ ~ *du cœur* Herzverpflanzung *f*; ~ *de la peau* Hauttransplantation *f*; **~fé** ⚕ [grɛ'fe] *su.* Herzempfänger *m*; **~fer** [~] *v/t.* (1a) pfropfen, veredeln.

greffier [grɛ'fje] *m* Kanzleibeamte(r) *m*, Amts-, Gerichts-schreiber *m*, Urkundsbeamte(r) *m*.

greffoir [grɛ'fwaːr] *m* Pfropfmesser *n*.

greffon [grɛ'fɔ̃] *m* **1.** ✐ Pfropfreis *n*; **2.** ⚕ Transplantat *n*.

grégaire [gre'gɛːr] *adj.* Herden...

grégarisme [grega'rism] *m a. fig.*

Herdentrieb *m*; Masseninstinkt *m*; Herdenleben *n*.
grège[1] [grɛːʒ] *adj.*: soie *f* ~ rohe Seide *f*.
grège[2] *bsd. Mode* [~] *adj.* grau-beige.
grêle[1] [grɛːl] *adj.* **1.** schlank, dünn; hager; *anat.* *intestin m* ~ Dünndarm *m*; **2.** piepsig, zart (*Stimme*).
grê|le[2] [~] *f* Hagel *m*; (*chute f de*) ~ Hagelschlag *m*; *il tombe de la* ~ es hagelt; ~ *de balles* Kugelregen *m*; ~ *de pierres* Steinhagel *m*; **~lé** [grɛ'le] *adj.* **1.** ✓ verhagelt; **2.** ⚕ pockennarbig; **~ler** [~] (1a) **I** *v/i.* hageln; *v/impers. il grêle* es hagelt; **II** *v/t.* durch Hagel verderben (*od.* vernichten).
grelet [grə'lɛ] *m* △ Spitzhammer *m*; *dial.* Melkkübel *m*.
grêlon [grɛ'lɔ̃] *m* Hagelkorn *n*.
grelot [grə'lo] *m* **1.** Glöckchen *n*; ~*s pl.* (Schellen-)Geläute *n*; *fig.* F *attacher le* ~ die Initiative ergreifen; P *avoir les* ~*s* Angst (Schiß V) haben; **2.** *zo.* Klapper *f* der Klapperschlange; **~tement** [~lɔt'mɑ̃] *m* Zittern *n*; **~ter** [~lɔ'te] *v/i.* (1a) vor Kälte zittern; ~ *de fièvre* Schüttelfrost haben.
grémial *rl.* [gre'mjal] *m* (5c) Schoßtuch *n*.
grémil ⚘ [gre'mil] *m* Steinsamen *m*.
grémille *icht.* [gre'mij] *f* Kaulbarsch *m*.
gremillette *dial. suisse* [grəmi'jɛt] *f* Eidechse *f*.
grenache [grə'naʃ] *m* großbeerige Rebensorte *f*; Süßwein *m*.
grena|de [grə'nad] *f* **1.** Granatapfel *m*; **2.** ⚔ ~ (*à main*) Handgranate *f*; ~ *fumigène* Rauchgranate *f*; ~ *à fusil* Gewehrgranate *f*; ~ *de jet* Wurfgranate *f*; ~ *sous-marine* Unterwasserbombe *f*; **~dier** [~'dje] *m* **1.** Granatapfelbaum *m*; **2.** ⚔ Grenadier *m*; c'est *un* (*franc*) ~ sie ist ein wahrer Dragoner; **3.** P Laus *f*; **~dille** ⚘ [~'dij] *f* Passionsblume *f*; **~din** [~'dɛ̃] *m orn.* Granatvogel *m*; ⚘ Nelkenart *f*; *cuis.* kleines Frikandeau *n*; **~dine** [~'din] *f* Granatapfelsaft *m*.
grenafe P [grə'naf] *f* Scheune *f*.
grenage [grə'naːʒ] *m* **1.** ⊕ Körnen *n*; **2.** gekörnter Zucker *m*.
grenail|le [grə'nɑːj] *f* **1.** ✓ Kornabfall *m*; **2.** ⊕ Schrot *m*; △ Splitt *m*; ~ *de plomb* Schrotkörner *n/pl.*; **~ler** ⊕ [~nɑ'je] *v/t.* (1a) granulieren, körnen.
grenaison ⚘ [grənɛ'zɔ̃] *f* Fruchtansatz *m*.
grenasse ⚓ [grə'nas] *f* leichte Bö *f*; ~ *de pluie* kurzer Regenschauer *m*.
grenat [~'na] **I** *m* Granat-stein *m*, -farbe *f*; **II** *adj./inv.* granatfarben, dunkelrot.
grené [grə'ne] *adj.* gekörnt; punktiert (*Muster*).
greneler [grɛn'le] *v/t.* (1c) *Papier, Leder* fein narben.
grener [grə'ne] (1d) **I** *v/i.* ✓ Körner tragen; **II** *v/t. Pulver usw.* körnen; *Leder, Papier* narben.
grènetis [grɛn'ti] *m* Randverzierung *f e-r Münze*.
grenier [grə'nje] *m* **1.** (Dach-) Boden *m*; Speicher *m*; **2.** *fig.* Kornkammer *f* (*e-s Landes*).
grenoblois [grənɔ'blwa] *adj. u.* ♀ *su.* (7) aus Grenoble; Grenobler *m*.
grenouil|lage F *bsd. pol.* [grənu'jaːʒ] *m* Machenschaften *f/pl.*; **~le** [grə'nuj] *f* **1.** *zo.* Frosch *m*; ~ *verte* Laubfrosch *m*; **2.** F Vereinsgelder *n/pl.*, Sammelgeld *n*, Löhnungskasse *f*; F *manger* (*od. faire sauter*) *la* ~ mit der Kasse durchbrennen; **3.** * Hure *f* V; **~ler** F [grənu'je] *v/i.* (1a) Machenschaften betreiben, Intrigen spinnen; **~lette** [~'jɛt] *f* **1.** ⚘ Wasserhahnenfuß *m*; **2.** ⚕ Zungengeschwür *n*.
grenu [grə'ny] *adj.* **1.** ⚘ kornreich; **2.** genarbt (*Leder, Papier*); körnig (*Marmor*); *géol.* mit sichtbaren Kristallen.
grès [grɛ] *m* **1.** Sandstein *m*; ~ *bigarré* Buntsandstein *m*; **2.** (*a.* ~ *cérame*) Steingut *n*.
gréseuse ⊕ [gre'zøːz] *f*: ~ *pour le finissage de la pierre reconstituée* Schleifmaschine *f* für Betonwerksteinarbeiten.
gréseux [gre'zø] *adj.* (7d) sandsteinartig.
grésil [gre'zi(l)] *m* Graupeln *f/pl.*
grésill|ement [grezij'mɑ̃] *m* Knistern *n*; **~er** [~zi'je] (1a) *v/i. cuis.* brutzeln; knistern (*Feuer*); **~on** [~zi'jɔ̃] *m* Feinkoks *m*.
gresserie [grɛs'ri] *f* Sandstein-bruch *m*, -lager *n*; Sandsteine *m/pl.*; Steingut *n*.
gressin [grɛ'sɛ̃] *m* knusperiges Stangenbrot *n*.
grève [grɛːv] *f* **1.** sandiges Ufer *n*; **2.** Streik *m*; ~ *d'avertissement* Warnstreik *m*; ~ *dans le bâtiment* Bauarbeiterstreik *m*; ~ *bouchon* Streik *m* an e-m Schlüsselpunkt der Montage; ~ *des bras croisés*, ~ *sur le tas* Sitzstreik *m*; ~ *des cours* Vorlesungsstreik *m*; ~ *des dockers* Hafenarbeiterstreik *m*; ~ *d'élèves* Schü-

lerstreik *m*; ~ *de la faim* Hungerstreik *m*; ~ *générale* Generalstreik *m*; ~ *en masse* Massenstreik *m*; ~ *des retards*, ~ *perlée* Bummelstreik *m*; *univ.* ~ *des repas* Essensstreik *m*; ~ *sauvage* wilder Streik *m*; ~ *scolaire* Schulstreik *m*; ~ *de solidarité* Sympathiestreik *m*; ~ *du textile* Textilstreik *m*; ~ *tournante* flackernder Streik *m*; ~ *du zèle*, ~ *du règlement* Dienst *m* nach Vorschrift; *briseur m de* ~ Streikbrecher *m*; *piquet m de* ~ Streikposten *m*; *être en* ~ streiken; *faire* ~, *se mettre en* ~ in den Streik treten.

grever *fin.* [grə've] *v/t.* (1d) belasten.

gréviste [gre'vist] *su. u. adj.* Streikende(r) *m*; streikend; Streik...

gribouil|lage [gribu'ja:ʒ] *m* Geschmiere *n*, Schmiererei *f*; **~le** [gri'buj] *m* Dussel *m*, Naivling *m*; *politique f de* ~ verbohrte Politik *f*; **~ler** [~'je] *v/t. u. v/i.* (1a) schmieren, kritzeln; **~lis** [~'ji] *m* Geschmiere *n*, unleserliche Schrift *f*.

grief [gri'ɛf] *m* Beschwerde *f*; *faire* ~ *de qch. à q.* j-m etw. vorwerfen; ~*s m/pl. d'appel* Berufungsgründe *m/pl.*

grièvement [griɛv'mɑ̃] *adj. fig.*: ~ *blessé* schwerverwundet.

grif|fe [grif] *f* **1.** Klaue *f*, Kralle *f*, Tatze *f*; *fig. donner un coup de* ~ *à q.* j-m eins versetzen; **2.** ⚘ Ranke *f*, Luftwurzel *f*; **3.** *phot.* ~ *porteviseur* Sucher(schuh *m*) *m*; **4.** ⊕ Haken *m*; **5.** *Mode*, *peint.* Markenzeichen *n mit Namenszug*, Etikett *n*, Note *f*, Stempel *m*; **6.** *allg.* Gepräge *n*; fester Begriff *m*; **~fer** [gri'fe] *v/t.* (1a) mit den Klauen ergreifen, kratzen; **~feton** * [grif'tɔ̃] *m* Muschkot *m* (*Soldat*); **~fon** [~'fɔ̃] *m* **1.** *orn.* Geier *m*; **2.** *zo.* Pinscher *m* (*Hunderasse*); **3.** *myth. u.* ▨ Greif *m*; **4.** Hechthaken *m*; **5.** Ausfluß *m* e-r Mineralquelle; **~fu** [~'fy] *adj.* (7) krallig; **~fure** [~'fy:r] *f* Krallenhieb *m*; Schramme *f*.

griffon|nage [grifɔ'na:ʒ] *m* Gekritzel *n*, Geschmiere *n*; **~er** [~'ne] *v/t. u. v/i.* (1a) (be-, hin-)kritzeln.

grignot|age [griɲɔ'ta:ʒ] *m*, **~ement** [~t'mɑ̃] *m* Annagen *n*, Anfressen *n*; Angenagtwerden *n*; *fig.* Zermürbung *f*; Verfall *m*; **~er** [~'te] *v/t. u. v/i.* (1a) annagen, knabbern; naschen; *fig.* gewinnen, ergattern; ⚔ aufreiben.

grigou F [gri'gu] *adj. u. m* knauserig; Knauser *m*.

gri-gri [gri'gri] *m* (6a) Negeramulett *n*.

gril [gri(l)] *m* (Brat-)Rost *m*; F *fig. être sur le* ~ wie auf Kohlen sitzen; *sembler sur le* ~ ungeduldig zu sein scheinen; *retourner q. sur le* ~ j-m die Hölle heiß machen; **~lade** [~'jad] *f* Rostbraten *m*; **~lage** [~'ja:ʒ] *m* **1.** ⊕ Rösten *n der Erze*; **2.** Gitterwerk *n*, Drahtgitter *n*; ~ *métallique* Drahtgeflecht *n*; **~lager** [~ja'ʒe] *v/t.* (1l) vergittern; **~lageur** [~ja'ʒœ:r] *m* Gitterfabrikant *m*; **~lante** P [~'jɑ̃:t] *f* Zigarette *f*, Stäbchen *n* P; **~le** [grij] *f* **1.** Gitter *n*, Gitterwerk *n*; *être sous les* ~*s* hinter Schloß und Riegel sitzen; **2.** Chorgitter *n in der Kirche*; Sprechgitter *n in e-m Kloster*; **3.** (Feuer- *od.* Lese-)Rost *m*; **4.** *fin.* ~ *des salaires* Besoldungsschlüssel *m*; **~lé** F [gri'je] *adj.* durchschaut, entdeckt; **~le-écran** *rad.* [grije'krɑ̃] *m* (6c) Schirmgitter *n*; **~le-pain** [~'pɛ̃] *m* (6c) Brotröster *m*; **~ler** [gri'je] (1a) **I** *v/t.* **1.** rösten; **2.** F rauchen; F ~ *cigarette sur cigarette* e-e Zigarette nach der anderen verpaffen; F ~ *un feu rouge* bei Rot über e-e Kreuzung fahren; **3.** ⚡, *mot.* durchbrennen lassen; **4.** *Fenster* vergittern; **5.** F anmachen, einschalten; **II** *v/i.* F *fig. in der Hitze* schmoren; *fig.* ~ *d'impatience* vor Ungeduld vergehen; *l'été, on grille* im Sommer kommt man um vor Hitze; **~le-viande** [grij'vjɑ̃:d] *m* (6c) Grillgerät *n*; **~loir** ⊕ [~'jwa:r] *m* Röstofen *m*.

grillon *ent.* [gri'jɔ̃] *m* Grille *f*, Heimchen *n*; **~-taupe** *ent.* [~'top] *m* (6a) Maulwurfsgrille *f*.

grill-room [gril'rum] *m* (6g) Weinstube *f*, Grillroom *m*.

grima|ce [gri'mas] *f* **1.** Grimasse *f*; *faire des* ~*s* Grimassen schneiden; *faire la* ~ ein saures Gesicht machen, die Nase rümpfen; **2.** *fig.* ~*s pl.* Gehabe *n*, Getue *n*, affektiertes Wesen *n*; **3.** *cette jupe fait la* ~ dieser Rock hat e-e falsche Falte; **~cer** [~'se] *v/i.* (1k) **1.** Grimassen schneiden; **2.** *cout.* e-e falsche Falte werfen; **~cier** [~'sje] (7b) **I** *adj.* Grimassen schneidend; **II** *su.* Grimassen-, Fratzen-schneider *m*; *fig.* Zieraffe *m* (*f*: Zierpuppe *f*).

grim|age *thé.* [gri'ma:ʒ] *m* Schminken *n*; Maske *f*; **~er** *thé.* [gri'me] **I** *v/t.* schminken; **II** *v/rfl. se* ~ sich schminken.

grimoire [gri'mwa:r] *m* **1.** Zauberbuch *n*; **2.** *fig.* konfuses Zeug *n*.

grimp|ade [grɛ̃'pad] *f* Kletterei *f*; **~ant** [~'pɑ̃] **I** *adj.* (7) kletternd; *plantes f/pl.* ~*es* Schling- *od.* Kletter-pflanzen *f/pl.*; **II** P *m* Hose *f*; **~ée** [~'pe] *f* schwerer Aufstieg *m*; **~er** [~'pe] (1a) **I** *v/i.* klettern (*à od. sur* auf *acc.*); ~ *raide* steil ansteigen; P *faire* ~ *q.* j-n hochnehmen; **II** *v/t.* hinaufklettern; **~ereau** *orn.* [~'pro] *m* (5b) Baumläufer *m*; **~ette** F [~'pɛt] *f* Steilpfad *m*; *faire une* ~ kraxeln; **~eur** [~'pœ:r] *su.* (7g) Kletterer *m*, Kraxler *m*.

grin|cement [grɛ̃s'mɑ̃] *m* Knirschen *n*; Knarren *n* (*Tür*); **~cer** [~'se] *v/t. u. v/i.* (1k): ~ (*des dents* mit den Zähnen) knirschen; knarren (*Tür usw.*); schnarren (*Saite*); kreischen (*Fledermaus*).

grincher [grɛ̃'ʃe] (1a) **I** *v/i.* F brummen; **II** * *v/t.* klauen P.

grincheux [grɛ̃'ʃø] *adj. u. su.* (7d) mürrisch; Griesgram *m*, Nörgler *m*.

gringalet [grɛ̃ga'lɛ] *su.* (7c) kleiner, schwächlicher Kerl *m*.

gringue * [grɛ̃:g] *m*: *faire du* ~ *à* poussieren mit (*dat.*).

griot [gri'o] **I** *m* Kleienmehl *n*; **II** *su.* (7c) Negersänger *m*.

griotte [gri'ɔt] *f* **1.** Sauer-, Weichsel-kirsche *f*; **2.** rot- u. braungefleckter Marmor *m*.

grippage *métall.* [gri'pa:ʒ] *m* Heißlaufen *n*, Festfressen *n*.

grippal ⚕ [gri'pal] *adj.* (5c): *virus m* ~ Grippevirus *m*.

grip|pe [grip] *f* **1.** ⚕ Grippe *f*; **2.** *avoir* (*od. prendre*) *q. en* ~ gegen j-n eingenommen sein; **~pé** [~'pe] **I** *adj.* **1.** ⚕ vergrippt, grippekrank; **2.** *mot.* festgefahren, heißgelaufen; **II** *su.* Grippekranke(r) *m*.

grip|per [gri'pe] (1a) **I** *v/t. mot.* heißlaufen lassen; **II** *v/i. mot.* sich festfressen, festsitzen; **III** *v/rfl. mot.* se ~ sich heißlaufen; *text.* einlaufen; **~pe-sou** [grip'su] *m* (6d) Pfennigfuchser *m*, Knauser *m*.

gris [gri] **I** *adj.* (7) **1.** grau; F *il est tout* ~ er hat ganz graues Haar; *cheval m* ~ Grauschimmel *m*; *cheval m* ~ *pommelé* Apfelschimmel *m*; *vin m* ~ bleichroter Wein *m*; ~ *verdâtre* feldgrau; *il fait* (*un temps*) ~ es ist trübes Wetter; *fig. faire* ~*e mine à q.* j-m gegenüber ein saures Gesicht machen; **2.** F angetrunken, benebelt; **II** *m* Grau *n*, graue Farbe *f*; *s'habiller de* ~ sich grau kleiden; *peindre en* ~ grau anstreichen; **~aille** *peint.* [~'zɑ:j] *f* Grau *n* in Grau; **~ailler** [~zɑ'je] (1a) **I** *v/t.* grau in grau malen; grau anstreichen; **II** *v/i.* grau werden; **~ard** [~'za:r] *m* Silberpappel *f*; **~âtre** [~'zɑ:trə] *adj.* gräulich, etwas grau.

grisbi * [griz'bi] *m* Geld *n*, Kohlen *f/pl. fig.* P.

gris|-cendré [grisɑ̃'dre] *adj./inv.* aschgrau; **~(-de-)perle** [gri(d)-'pɛrl] *adj./inv.* perlgrau.

griser [gri'ze] *v/t.* (1a) berauschen, benebeln; **~ie** [griz'ri] *f* leichter Rausch *m*, Schwips *m*.

griset [gri'zɛ] *m* Distelfink *m*.

grison *géogr.* [gri'zɔ̃] *adj. u.* ♀ *su.* (7c) graubündnerisch; Graubündner *m*; *canton m des* ♀*s*, *les* ♀*s* Graubünden *n*; **~ner** [~zɔ'ne] *v/i.* (1a) grau werden (*vom Haar*).

grisou ⚒ [gri'zu] *m* Schlagwetter *n/pl.*; *coup m de* ~ Grubengas-, Schlagwetter-explosion *f*; **~mètre** [~'mɛ:trə] *m* Schlagwettermeßgerät *n*; **~scope** [~'skɔp] *m* Schlagwetteranzeiger *m*; **~teux** [~'tø] *adj.* (7d) schlagwetter-führend, -gefährdet.

griv|e [gri:v] *f* Drossel *f*; Krammetsvogel *m*; * Heer *n*; *faute de* ~*s on prend des merles* in der Not frißt der Teufel Fliegen; *être soûl comme une* ~ total besoffen P (*od.* blau F) sein; **~èlerie** [grivɛl'ri] *f* Zechprellerei *f*; **~eton** * [griv'tɔ̃] *m* ⚔ Landser *m*.

grivois [gri'vwa] *adj.* (7) schlüpfrig, zotig; **~erie** [~vwaz'ri] *f* schlüpfrige Rede *f*, Zote *f*, Anzüglichkeit *f*.

Groenland *géogr.* [grɔɛn'lɑ̃:d]: **le** ~ *m* Grönland *n*.

grog [grɔg] *m* Grog *m*.

grogn|asse P [grɔ'ɲas] *f* alte Schrulle *f*, Weibsstück *n*; **~asser** P [~ɲa'se] *v/i.* (1a) dauernd etw. auszusetzen haben, dauernd nörgeln; **~er** [~'ɲe] (1a) **I** *v/i.* knurren; grunzen; *fig.* schimpfen, meckern P, brummen; **II** *v/t. etw.* vor sich hermurmeln; **~on** [~'ɲɔ̃] *adj. u. su.* (7c) brummig; mürrisch; Meckerer *m* (*f*: Meckerliese *f*); **~onner** [~ɲɔ'ne] *v/i.* (1a) = *grogner*.

groin [grwɛ̃] *m* Schweineschnauze *f*; *fig.* Fratze *f*.

grol(l)e [grɔl] *f dial.* Saatkrähe *f*; P Schuh *m*, Latschen *m*, Treter *m*; P *avoir les* ~*s* Angst haben.

grommeler [grɔm'le] *v/t. u. v/i.* (1c) vor sich herbrummeln.

grond|ement [grɔ̃d'mɑ̃] *m* Brummen *n*; Knurren *n*; Rollen *n* des Donners; **~er** [~'de] (1a) **I** *v/i.* **1.** ~ (*contre q.* über j-n) brummen, murren; knurren; ~ *entre les dents* in den

Bart brummen; **2.** brausen, dröhnen; tosen, (g)rollen (*Donner*); **II** *v/t.* ausschimpfen, (aus)schelten; **~erie** [~'dri] *f* Gezänk *n*, Geschimpfe *n*, Schelten *n*; **~eur** [~'dœ:r] *adj.* (7g) brummig, mürrisch, zänkisch; **~in** *icht.* [~'dɛ̃] *m* Knurrfisch *m*.

groom [grum] *m* Page *m*.

gros [gro] **I** *adj.* (7c) □ **1.** dick, stark beleibt; *~ et gras* dick und fett; *~se corde f* dickes Seil *n*; ♩ tiefe Saite *f*; *~se femme f* dicke Frau *f*; F *~ papa m* gutmütiger dicker Kerl *m*; **2.** dick, geschwollen; ⚒ *a. fig.* schwanger; *avoir la joue ~se* e-e dicke Backe haben; *avoir les yeux ~ (de larmes)* Tränen in den Augen haben; *fig. ~ de conséquences* folgenschwer; *~ de malheurs* verhängnisvoll; **3.** groß, bedeutend, beträchtlich; zahlreich; *fig.* wohlhabend, reich; *~ bétail m* Großvieh *n*; *~se entreprise f* Großunternehmen *n*; *~ gibier m* Hochwild *n*; *~ grain(s) m(/pl.)* Wintergetreide *n*; *~se industrie f* Großindustrie *f*; *~ plan m cin.* Großaufnahme *f*; *~se affaire f* Geschäft *n* von Wichtigkeit; *~ bonnet*, F *~se légume f* (!) hohes Tier *n*, bedeutender Mann *m*, *péj.* Bonze *m*; *péj.* Gangsterboß *m*; *~ mangeur m* starker Esser *m*; *se heurter à de ~ses difficultés* auf erhebliche Schwierigkeiten stoßen; *jouer ~ (jeu)* hoch (*fig.* ein gewagtes Spiel) spielen; **4.** heftig, stark; stürmisch; *~se fièvre f* heftiges Fieber *n*; *~se gaieté f* lärmende (*od.* laute) Freude *f*; *~ rire m* schallendes Gelächter *n*; *~se rivière f* angeschwollener Fluß *m*; *~ succès m* Riesenerfolg *m*; *~ temps m* Unwetter *n*; *la mer est ~se* die See geht hoch; **5.** schwer; *~se artillerie f* schwere Artillerie *f*; *~ bagage m* schweres Gepäck *n*; *~se marchandise f* Frachtgut *n*; **6.** derb, grob; *~se bête f*, *~ lourdaud m* gewaltiger Dummkopf *m*; *~ mots m/pl.* hochtrabende Worte *n/pl.*; Schimpfworte *n/pl.*; *~ œuvre m* Rohbau *m*; *~ pain m* hausbackenes Brot *n*; *~se toile f* grobe Leinwand *f*; *~ travaux m/pl.* schwere (*od.* grobe) Arbeit *f*; **II** *adv.* **7.** dick; groß; *en avoir ~ sur le cœur* in banger Sorge sein; *écrire ~* groß (*große Buchstaben*) schreiben; **8.** viel; *gagner ~* viel verdienen; *risquer ~* viel riskieren; *rapporter ~* viel einbringen; **III** *m* dickster (*od.* stärkster) Teil *m*; *fig.* Hauptteil *m*, Hauptmasse *f*, Hauptsache *f*; ⚕ Großhandel *m*; ⚔ Gros *n*; *les ~* die Bonzen *m/pl.*, die hohen Herren *m/pl.*; *faire le plus ~* das Gröbste machen; *~ de l'été* Hochsommer *m*; *au ~ d'hiver* im tiefsten Winter, mitten im Winter; *~ (du revenu)* feste Einkünfte *f/pl.*; Haupteinkommen *n*; *~ d'un vaisseau* Schiffsbauch *m*; *advt. en ~* im großen und ganzen; ⚕ en gros; *tout en ~* alles in allem; *raconter en ~* der Hauptsache nach erzählen, das Wichtigste bringen; *faire le (commerce en) ~* Großhandel treiben; *marchand m en ~* Großhändler *m*; *au prix du ~* zum Engrospreis; *le ~ de l'armée* das Gros des Heeres.

gros-bec *orn.* [gro'bɛk] *m* Kernbeißer *m*.

groseil|le [gro'zɛj] **I** *f* **1.** Johannisbeere *f*; *~ à maquereau* Stachelbeere *f*; *~ noire (rouge)* schwarze (rote) Johannisbeere *f*; **2.** Johannisbeersaft *m*; **II** *adj.* johannisbeerfarben; **~lier** [~zɛ'je] *m* Johannisbeerstrauch *m*; *~ épineux* Stachelbeerstrauch *m*.

Gros-Jean [gro'ʒɑ̃]: *me voilà (od. me voici) ~ comme devant* da bin ich nun ebenso schlau wie vorher.

grosse [gro:s] **I** *adj./f* s. *gros* I; **II** *f* **1.** Gros *n* (*12 Dutzend*); **2.** ⚖ Ausfertigung *f*, Abschrift *f e-r Urkunde*; **~ment** [gros'mɑ̃] *adv.* im großen und ganzen; *fig.* im Rohbau; **~sse** [~'sɛs] *f* Schwangerschaft *f*; *~ extra-utérine* Bauchhöhlenschwangerschaft *f*; *~ gémellaire* Zwillingsschwangerschaft *f*; *~ nerveuse* Scheinschwangerschaft *f*.

gross|eur [gro'sœ:r] *f* **1.** Dicke *f*, Größe *f*, Stärke *f*; Umfang *m e-s Baumes*; **2.** ⚕ Geschwulst *f*; **~ier** [~'sje] **I** *adj.* (7b) □ **1.** grob; plump; **2.** roh; *plaisirs m/pl. ~s* sinnliche Vergnügungen *f/pl.*; **3.** roh, wenig vollendet; *adv. grossièrement travaillé* oberflächlich gearbeitet; **4.** *fig.* unhöflich, flegelhaft, ungeschliffen, grob; gemein; **II** *m* **5.** grober Mensch *m*, Flegel *m*; **6.** *das* Grobe *n*; **~ièreté** [~sjɛr'te] *f* Grobheit *f*; Taktlosigkeit *f*; Unhöflichkeit *f*; Roheit *f*; Rauheit *f e-s Stoffes*; *~ croissante* Verrohung *f*.

gross|ir [gro'si:r] (2a) **I** *v/t.* dicker machen, verstärken, vergrößern; *Fluß* anschwellen lassen; *fig.* übertreiben; *verre m grossissant* Vergrößerungsglas *n*; *~ sa voix* s-e Stimme erheben; **II** *v/i.* zunehmen, stärker werden; anwachsen, anschwellen; **~issement** *fin.* [~sis'mɑ̃] *m* Anschwellen *n*; **~iste** [~'sist] *m* Grossist *m*, Großhändler *m*; **~ium** * [~'sjɔm] *m* (5a) Chef *m*, Boß *m*; Großhändler *m*.

grosso modo [grɔsomɔ'do] *adv.* im großen u. ganzen.

grossoyer [groswa'je] *v/t.* (1h) ausfertigen (*Urkunde*).

grotesque [grɔ'tɛsk] **I** *adj.* □ grotesk, lächerlich, komisch; *figure f* ~ Fratze *f*; **II** *m das* Groteske *n*.

grotte [grɔt] *f* Grotte *f*, Höhle *f*.

grouil|lant [gru'jɑ̃] *adj.* wimmelnd; **~lement** [gruj'mɑ̃] *m* **1.** Gewimmel *n*; **2.** Knurren *n im Magen*; **~ler** [~'je] (1a) **I** *v/i.* **1.** wimmeln (*de* von *dat.*); **2.** knurren (*Magen*); **II** *v/rfl.* se ~ P sich beeilen; **~lot** [~'jo] *m* Laufbursche *m* (*an der Börse*).

group ⚚ [grup] *m* versiegelter Geldsack *m*.

group|age ⚚ [gru'pa:ʒ] *m* Sammelladung *f*; **~e** [grup] *m* Gruppe *f*, Menge *f*; ⚚ Zs.-schluß *m*; ⚔ Abteilung *f*; ✈ Kette *f* (*von Flugzeugen*); ⚡ Aggregat *n*; ✈ ~ *d'armées* Heeresgruppe *f*; *école.* △ ~ *scolaire* Komplex *m* mehrerer Schulgebäude; ⚡ ~ *électrogène* Umformeranlage *f*; ⚡ ~ *Diesel*, ~ *moteur-générateur* Dieselaggregat *n*; ~ *d'études*, ~ *de travail* Arbeitsgemeinschaft *f*; *parl.* ~ *parlementaire* Fraktion *f*; **~ement** [grup'mɑ̃] *m* Gruppierung *f*, Zusammenstellung *f*; Konzern *m*; ~ *sidérurgique* Stahlwerk *n*; ~ *d'études* Arbeitsgemeinschaft *f*; ~ *de jeunes* Jugendgruppe *f*; ~ *professionnel* Berufsverband *m*; Fachgruppe *f*; ~ *de capitaux* Kapitalzusammenlegung *f*; ~ *d'intérêt*, ~ *d'action* Interessengruppe *f*; ⚕ ~ *sanguin* Blutgruppe *f*; **~er** [~'pe] (1a) **I** *v/t.* gruppieren, zusammenstellen, -legen; umfassen; einordnen; ~ *autrement* umgruppieren; **II** *v/rfl.* se ~ sich gruppieren, eine Gruppe bilden; sich zs.-schließen; **~eur** [~'pœ:r] *m* Sammelspediteur *m*; **~iste** *télév.*, *cin.* [~'pist] *su.* Beleuchtungschef *m*; **~uscularisation** *pol.* [~pyskylariza'sjɔ̃] *f* Aufsplitterung *f* in Grüppchen; **~uscule** *péj.* [~pys'kyl] *m* Grüppchen *n*.

grouse [gru:z] *f od. m* schottisches Schneehuhn *n*.

gruau [gry'o] *m* (5b) **1.** Grütze *f*; **2.** *farine f de* ~ Auszugmehl *n*; *pain m de* ~ ganz helles Weißbrot *n*.

grue [gry] *f* **1.** Kranich *m*; *faire le pied de* ~ lange umsonst warten, sich die Beine in den Bauch stehen; **2.** ⊕ Kran *m*, Hebemaschine *f*; ~ *de bord à volée (variable)* Bordwippkran *m*; ~ *à câble* Kabelkran *m*; ~ *pour cale sèche* Hellingkran *m*; ~ *de chargement* Ladekran *m*; ~ *démouleuse* Stripperkran *m*; ~ *excavatrice* Bagger *m*; ~ *à flèche* Auslegerkran *m*; ~ *gerbeuse* Stapelkran *m*; ~ *hydraulique* Wasserkran *m*; ~ *à pivot*, ~ *à bras* Drehkran *m*; ~ *à portique* Portal-, Tor-kran *m*; ~ *de quai* Hafenkran *m*; ~ *roulante* Laufkran *m*; ~ *suspendue* Hängekran *m*; **3.** P *fig. péj.* Hure *f*.

grue-tourelle ⊕ [grytu'rɛl] *f* (6a) Turmdreh-, Bau-kran *m*.

gruger F [gry'ʒe] *v/t.* (1l) übers Ohr hauen *fig.*; ausbeuten *fig.*

grume [grym] *f* Baumrinde *f* auf geschnittenem Holz; *bois m en* ~ unbehauenes Rundholz *n*; **~s** *f/pl.* Stammholz *n*.

grumeau [gry'mo] *m* (5b) Klümpchen *n*; Gerinnsel *n*.

grumeler [grym'le] *v/rfl.* (1c): se ~ klumpig (*od.* dick) werden.

grumeleux [grym'lø] *adj.* (7d) klumpig.

grutier [gry'tje] *m* Kranführer *m*.

gruyère [gry'jɛ:r] *f*: *fromage m de* ♀, *a. bloß* ~ *m* Schweizer Käse *m*.

gué [ge] *m* Furt *f*, seichte Stelle *f*; **~able** [ge'ablə] *adj.* durchwatbar, durchfahrbar, seicht (*Fluß*).

guède ♀ [gɛd] *f* Färberwaid *m*.

gueguerre F *plais.* [gə'gɛ:r] *f* Kleinkrieg *m*.

guelte ⚚ [gɛlt] *f* Gewinnanteil *m*.

guenille [g(ə)'nij] *f* **1.** Lumpen *m*; *être en* **~s** zerlumpt sein; *tomber en* **~s** verlumpen; **2.** *bsd.* **~s** *pl.* alte Kleider *n/pl. od.* Sachen *f/pl.*; **3.** *fig.* alter, heruntergekommener Mensch *m*.

guenon [g(ə)'nɔ̃] *f* Affenweibchen *n*; F *fig. péj.* häßliches Frauenzimmer *n*.

guenuche [g(ə)'nyʃ] *f* kleine Äffin *f*; F *fig. péj.* Hutzelweibchen *n*.

guépard *zo.* [ge'pa:r] *m* Gepard *m*.

guêp|e [gɛ:p] *f* Wespe *f*; **~ier** [gɛ'pje] *m* **1.** Wespennest *n*; **2.** *orn.* Bienenfresser *m*.

guère [gɛ:r] *adv.*: ne ... ~ nicht viel; nicht sehr; nicht oft; nicht lange; kaum, schwerlich; *il n'y a* ~ *que lui qui le sache* außer ihm weiß es wohl niemand; *il n'a* ~ *d'argent* er hat nicht viel Geld; *il ne s'en faut* ~ *que* ... es fehlt nicht viel, daß ...; *ne* ... *plus* ~ kaum noch; *ne* ... ~ *plus* nicht viel mehr.

guéret [ge'rɛ] *m* Brachland *n.*
guéridon [geri'dɔ̃] *m* (einfüßiges) Tischchen *n*, Nipptisch *m.*
guérill|a ⚔, *pol.* [geri'ja] *f* Bandenkampf *m*, Guerillakrieg *m*; **~ero** ⚔ [~je'ro] *m* Partisan *m.*
guér|ir [ge'ri:r] (2a) **I** *v/t.* heilen; *l'art m de ~* die Heilkunst; **II** *v/i.* gesunden, wieder gesund werden; (zu)heilen; **III** *v/rfl. fig.* sich gesund pflegen; *se ~ de qch.* etw. ablegen *fig.*, sich etw. abgewöhnen; **~ison** [~ri'zɔ̃] *f* Genesung *f*, Heilung *f*; *je vous souhaite une prompte ~* ich wünsche Ihnen baldige Besserung; **~issable** [~ri'sablə] *adj.* heilbar; **~isseur** [~ri'sœ:r] *su.* (7g) Heilpraktiker *m*; *mst. péj.* Kurpfuscher *m.*
guérite ⚔ [ge'rit] *f* Schilderhäuschen *n.*
guer|re [gɛ:r] *f* Krieg *m*; *fig.* Angriff *m*, Streit *m*; Kriegs-wesen *n*, -kunst *f*; *~ aérienne* Luftkrieg *m*; *~ atomique* Atomkrieg *m*; *~ bactériologique* Bakterienkrieg *m*; *~ civile* Bürgerkrieg *m*; *~ froide* kalter Krieg *m*; *~ de gaz* Gaskrieg *m*; *la Grande ⁓ od. la première ~ mondiale* der Erste Weltkrieg; *la seconde ~ mondiale* der Zweite Weltkrieg; *~ de mouvement (de position)* Bewegungs- (Stellungs-)krieg *m*; *~ navale* Seekrieg *m*; *~ offensive (défensive)* Angriffs- (Verteidigungs-) Krieg *m*; *~ à outrance* Krieg *m* bis aufs Messer; *~ du pétrole* Ölkrieg *m*; *~ psychologique (od. des nerfs)* Nervenkrieg *m*; *~ des robots* Krieg *m* durch ferngelenkte Flugzeuge; *~ sous-marine* U-Boot-Krieg *m*; *~ de commerce* Handelskrieg *m*; *~ économique* Wirtschaftskrieg *m*; *~ terrestre, ~ continentale* Landkrieg *m*; *~ se déroulant à la frontière* Grenzkrieg *m*; *~ d'usure* Zermürbungskrieg *m*; *aveugle m de ~* Kriegsblinde(r) *m*; *mutilé m de ~* Kriegs-versehrte(r) *m*, -beschädigte(r) *m*; *conseil m de ~* Kriegsrat *m*; *état m de ~* Kriegszustand *m*; *honneurs m/pl. de la ~* kriegerische Ehrungen *f/pl.*; *nom m de ~* Künstler-, Deck-name *m*; *risque m de ~* Kriegsrisiko *n*; *faire la ~ à q.* Krieg mit j-m führen; F *faire la ~ à q. à cause de qch.* bei j-m etw. monieren; *~ des classes* Klassenkampf *m*; *de ~ lasse, ils se sont rendus* des Kampfes müde haben sie sich ergeben; *c'est de bonne ~* das ist nicht unfair; **~rier** [gɛ'rje] (7b) **I** *adj.* kriegerisch; Kriegs...; **II** *su.* Krieger *m*; **~royer** *litt.* [~rwa'je] *v/i.* (1h) Krieg führen.
guet [gɛ] *m* Lauern *n*, Lauer *f*, Wache *f*; *être au ~* auf der Lauer stehen; *faire le ~* Wache halten, aufpassen; *~ de mer* Strandwache *f*; **~-apens** [gɛta'pɑ̃] *m/sg.* (6b) Hinterhalt *m*; *fig.* hinterlistiger Anschlag *m* (*contre q.* gegen j-n); *dresser (od. tendre) un ~* e-n Hinterhalt legen.
guêtre ['gɛ:trə] *f* Gamasche *f.*
guet|ter [gɛ'te] *v/t.* (1a): *~ q.* j-n belauern, j-m auflauern; *~ qch.* etw. erspähen; **~teur** [~'tœ:r] *su.* (7g) **1.** ⚔ Wachtposten *m*; **2.** ⚓ a) Leuchtturmwärter *m*; b) Funkwart *m* e-r Küstenfunkstation.
gueulante * *écol.* [gœ'lɑ̃:t] *f* lauter Protest *m od.* Beifall *m.*
gueulard [gœ'la:r] **I** F *su. u. adj.* (7) Großmaul *n*; großschnäuzig; **II** ⊕ *m* oberer Rand *m e-s Hochofens*, Gicht *f*; Aufschüttplatte *f.*
gueule [gœl] *f* **1.** Maul *n*, Rachen *m*, Schnauze *f*; Fresse *f* V; P Gesicht *n*; *(ferme) ta ~!* halt die Schnauze (*od.* Fresse)!; *être fort en ~* ein großes Maul haben; F *faire la ~ à q.* mit j-m schmollen; **2.** Öffnung *f*, Loch *n*, Mündung *f*; *métall.* Gicht *f* (*e-s Hochofens*); **3.** ⚘ *fleurs f/pl. en ~* Rachen- u. Lippen-blumen *f/pl.*; **4.** P *~ de bois* Katzenjammer *m*, Kater *m*; **5.** ⚒ *~ noire* Kumpel *m*; **6.** *néol.* Aussehen *n*, Form *f*; *avoir de la ~* effektvoll sein; **~-de-loup** [~də'lu] *f* (6b) **1.** ⚘ Löwenmaul *n*; **2.** ⊕ drehbare Knieröhre *f*; **3.** ⚕ Wolfsrachen *m*; **4.** ⚠ Wolfsloch *n.*
gueul|er F [gœ'le] *v/i.* (1a) brüllen; protestieren; **~es** ▨ [gœl] *m* Rot *n*; **~eton** F [gœl'tɔ̃] *m* große Fresserei *f*, Riesenfraß *m*; Festschmaus *m*; **~etonner** F [gœltɔ'ne] *v/i.* (1a) e-n Riesenfraß veranstalten, prassen.
gueuse[1] ⊕ [gø:z] *f* (Eisen-)Massel *f*; Gußform *f*; Ballasteisen *n.*
gueuse[2] [~] *f* Hure *f.*
gueux † [gø] (7d) **I** *adj.* bettelarm; **II** *m* a) Bettler *m*; b) *les ⁓ pl. hist.* die Geusen *pl.*
gugusse * [gy'gys] *m* Clown *m*; Kerl *m*, Typ *m.*
gui ⚘ [gi] *m* Mistel *f.*
guibolle P [gi'bɔl] *f* Bein *n*; *jouer des ~s* rennen, keulen P.
guichet [gi'ʃɛ] *m* **1.** 🚂 *u.* ✆ (*Büro-*) Schalter *m*; *thé.* Kasse *f*; *employé m du ~* Schalterbeamte(r) *m*; *~ des annonces* Inseratenannahme *f*; *~ des bagages* Gepäckschalter *m*; ~

pour télégrammes Telegrammannahme *f*; **2.** Sprechöffnung *f*; **~ier** [giʃ'tje] *m* Schalterbeamte(r) *m*.

guidage ⊕ [gi'da:ʒ] *m* Führung *f*.

guide [gid] **I** *m* **1.** Reiseführer *m*, Führer *m* (*Person*); *~ montagnard* Bergführer *m*; *~ de la région* einheimischer Führer *m*; Autolotse *m*; **2.** Führer *m* (*Buch*); *~ épistolaire* Briefsteller *m*; **3.** ⚔ Flügelmann *m*; **4.** ⚓ Leitschiff *n*; **5.** ⊕ Führung *f an e-r Maschine*; *~ de soupape(s)* Ventilführung *f*; *~ de toupie* Leit- (*od.* Zug-)spindel *f*; **II** *f* **1.** Zügel *m*; *Auto*: *conduire à grandes ~s* auf vollen Touren fahren; *mener la vie à grandes ~s* auf großem Fuße leben; **2.** Scoutführerin *f*; **~-âne** [gi'dɑ:n] *m* (6g) Anleitung *f* (*Buch*).

guider [gi'de] *v/t.* (1a) führen; *fig.* anleiten; lenken; **~ope** [gi'drɔp] *m* Schleppseil *n* (*Ballon*).

guidon [gi'dɔ̃] *m* **1.** (Visier-)Korn *n*, Richtkorn *n*; **2.** *vél. usw.* Lenkstange *f*; **3.** ⚔ Standarte *f*, Wimpel *m*; ⚓ Stander *m*; **4.** 🚂 *~ de départ* Kelle *f*, Abfahrtssignal *n*.

guign|e [giɲ] *f* **1.** F Pech *n*, Unglück *n* (*bsd. im Spiel*); *avoir la ~* Pech haben; **2.** Süß-, Herz-kirsche *f*; **~er** [gi'ɲe] *v/t.* (1a) *~ qch. (q.)* nach etw. *dat.* (zu j-m) hinschielen; *fig.* auf etw. *acc.* (auf j-n) erpicht sein; **~ol** [gi'ɲɔl] *m* **1.** Kasperle *m*; *aller au ~* ins Kasperletheater gehen; **2.** F Spaßvogel *m*; **3.** P *~s m/pl.* Bullen *m/pl.*; **~olet** [~ɲɔ'lɛ] *m* Kirschlikör *m*; **~oliste** [~ɲɔ'list] *su.* Kasperlespieler *m*; **~onnant** P [~ɲɔ'nɑ̃] *adj.* verflixt, verdammt.

guillage [gi'ja:ʒ] *m* Gärung *f* (*Brauerei*).

Guillaume [gi'jo:m] *m* **1.** Wilhelm *m*; **2.** ♀ ⊕ Falzhobel *m*.

guilledou F [gij'du]: *courir le ~* sich als Galan herumtreiben.

guillemétique [gijme'tik] *adj.* durch Anführungsstriche.

guillemets [gij'mɛ] *m/pl.* Anführungsstriche *m/pl.* (« ... »).

guiller [gi'je] *v/i.* (1a) gären (*Bier*).

guilleret [gij'rɛ] *adj.* (7c) quietschfidel, aufgekratzt.

guilleri [gij'ri] *m* Sperlingsgezwitscher *n*.

guilloch|age ⊕ [gijɔ'ʃa:ʒ] *m* Guillochieren *n*, Guillochierung *f*; **~er** ⊕ [~'ʃe] *v/t.* (1a) guillochieren (*mit verschlungenen Linien verzieren*).

guilloire [gi'jwa:r] *f* Gärbottich *m*.

guilloti|ne [gijɔ'tin] *f* Guillotine *f*, Fallbeil *n*; **~ner** [~ti'ne] *v/t.* (1a) guillotinieren, köpfen.

guimauve [gi'mo:v] **I** *f* ⚘ Eibisch *m*; **II** *fig. adjt.*: *un rôle ~* e-e nichtssagende Rolle; *roman m à la ~* kitschiger Roman; *d'un sourire en ~* mit e-m süßlichen Lächeln.

guimbarde [gɛ̃'bard] *f Auto*: alte Mühle *f*, alter Kasten *m*.

guimpe [gɛ̃:p] *f* **1.** Nonnenschleier *m*; **2.** Chemisette *n für Damenkleid*; **3.** Dekolletéeinsatz *m*; **4.** Kinderblüschen *n*.

guinch|e P [gɛ̃:ʃ] *m* Schwof *m* P; **~er** P [gɛ̃'ʃe] *v/i.* (1a) schwofen P.

guin|dage [gɛ̃'da:ʒ] *m* ⊕ Aufwinden *n*; ⚓ Aufhissen *n*; Ausladen *n* v. Lasten mit Zugwinden; **~dé** [gɛ̃'de] *adj.* steif, gezwungen, hochnäsig; geschraubt (*Stil*); **~der** [~] (1a) **I** *v/t.* aufwinden; ⚓ aufhissen; **II** *v/rfl.* se *~ fig.* sich winden, sich zieren, geschraubt sein; großtun.

guingois F [gɛ̃'gwa]: *advt.* de *~* schief.

guinguette [gɛ̃'gɛt] *f* Gartenschenke *f in der Vorstadt.*

gui|per ⊕ [gi'pe] *v/t.* (1a) mit Seide überspinnen; **~pure** ⊕ [~'py:r] *f* mit Seide übersponnene Spitze *f*; erhabene Stickerei *f*.

guirlande [gir'lɑ̃:d] *f* Girlande *f*.

guise [gi:z] *f*: *à sa ~* auf seine (*bzw.* ihre) Weise; *advt.* en *~ de* ... als...; statt (*gén*).

guitar|e [gi'ta:r] *f* Gitarre *f*; **~iste** [~ta'rist] *su.* Gitarrenspieler(in *f*) *m*.

guitoune * ⚔ [gi'tun] *f* Zelt *n*.

guivre ▨ ['gi:vrə] *f* Schlange *f*.

gunit|age ⚠ [gyni'ta:ʒ] *m* **1.** Betonspritzverfahren *n*, Torkretierung *f*; *réservoir m compresseur de matériel à ~* Torkretverpreßkessel *m*; **2.** *~ à* (*od.* de) *béton* dünnflüssiger Zement *m*, Torkretbeton *m*; *projecteur m de ~ de béton* Torkretspritzmaschine *f*; **~er** ⚠ [~'te] *v/t.* torkretieren; **~euse** ⚠ [~'tø:z] *f u. adj.* (*pompe f*) *~* Betonspritzmaschine *f*.

gus * [gys] *m* Kerl *m*, Typ *m*.

gusta|tif [gysta'tif] *adj.* (7e): *nerf m ~* Geschmacksnerv *m*; **~tion** [~ta'sjɔ̃] *f* Kosten *n*, Schmecken *n*.

gutta-percha [gytapɛr'ka] *f* Guttapercha *f*.

guttural [gyty'ral] *adj.* (5c) guttural, Kehl...; *consonne f ~e* (*auch ~e f*) Kehllaut *m*, Guttural *m*; *voix f ~e* Kehlkopfstimme *f*.

gym F *écol.* [ʒim] *f* Gymnastik *f*.

gymna|se [ʒim'nɑ:z] *m* **1.** Turnhalle *f*; **2.** *antiq.* Gymnasium *n* (*Ort* *für Leibesübungen*); **3.** *All.*, *Schweiz* Gymnasium *n*; **~ste** [~'nast] *m* **1.** Turner *m*; *section f de ~s* Turnerriege *f*; **2.** *antiq.* Gymnast *m*; **~stique** ⚒ [~nas'tik] **I** *adj.* Turn...; *pas m ~* (*häufig a.*: *pas de ~*) Dauerlauf *m*, Laufschritt *m*; **II** *f* Gymnastik *f*, Leibesübungen *f/pl.*, Turnen *n*; *faire de la ~* turnen; *~ médicale* Heilgymnastik *f*; *~ respiratoire* Atemgymnastik *f*; *~ aux agrès* Geräteturnen *n*; *~ corrective du maintien* orthopädisches Turnen *n*; *salle f de ~* Turnhalle *f*.

gymnique [ʒim'nik] **I** *f* Leibesübungen *f/pl.* als Wissenschaft; **II** *adj.*, *antiq.* gymnastisch.

gymno|branche *icht.* [ʒimnɔ'brɑ̃:ʃ] *m* Nacktkiemer *m*; **~sperme** ⚘ [~'spɛrm] *adj.* nacktsamig.

gymnote *icht.* [ʒim'nɔt] *m* Zitteraal *m*.

gynécée [ʒine'se] *m* **1.** *antiq.* Frauengemach *n*; **2.** *féod.* Kemenate *f*; **3.** ⚘ Pistill *n*, Stempel *m*.

gynécolo|gie ⚕ [ʒinekɔlɔ'ʒi] *f* Gynäkologie *f*; **~giste** ⚕ [~'ʒist] *su.*, **~gue** ⚕ [~'lɔg] *su.* Gynäkologe *m*.

gypaète *orn.* [ʒipa'ɛt] *m* Lämmergeier *m*.

gyp|se [ʒips] *m* Gips *m*; **~seux** [ʒip'sø] *adj.* (7d) gips-artig, -haltig.

gyrin *ent.* [ʒi'rɛ̃] *m* Drehkäfer *m*.

gyro|clinomètre ✈ [ʒirɔklinɔ'mɛ:trə] *m* Kreiselneigungsmesser *m*; **~compas** ✈ [~kɔ̃'pɑ] *m* Kreiselkompaß *m*; **~coptère** [~kɔp'tɛ:r] *m* Kleinhubschrauber *m* (*für 1 Person*; *startet auf nur 30 m*; *landet fast senkrecht*); **~mètre** ⊕ [~'mɛ:trə] *m* Umdrehungsmesser *m*; **~pilote** ✈, ⚓ [~pi'lɔt] *m* Selbststeuergerät *n*; **~scope** ⚓, ✈ [~'skɔp] *m* Kreisel *m*; ⚓ Torpedorichtungssteuer *n*; **~scopique** [~skɔ'pik] *adj.* Kreisel...

H

Vorbemerkung: Der Stern (*) bedeutet das aspirierte h, das Apostrophierung und Bindung ausschließt.

H, h [aʃ] *m* H, h *n*; *alerte f au H* Hasch(isch)alarm *m fig.*

***ha** [a] *int.* ah!, ei!, ha!; *~!~!* haha!

habile [a'bil] **I** *adj.* □ **1.** geschickt, tüchtig; **2.** gerissen, gewitzt, schlau; **3.** ⚖ fähig; berechtigt; *~ à succéder* erbfähig; *~ à tester* testierfähig; **II** *m* geschickter (*od.* schlauer) Mensch *m*; **~té** [abil'te] *f* Geschicklichkeit *f*.

habili|tation ⚖ [abilitɑ'sjɔ̃] *f* Ermächtigung *f*; **~té** ⚖ [~li'te] *f* Fähigkeit *f*; **~ter** [~] *v/t.* (1a): *~ q. à* (*inf.*) j-n ermächtigen zu.

habil|lage [abi'ja:ʒ] *m* **1.** An-, Einkleiden *n*; **2.** ✐ Beschneiden *n* (*der Wurzeln u. Zweige e-s zu verpflanzenden Baumes*); Hecheln *n* (*v. Flachs*); **3.** *cuis.* Zurichten *n*, Ausschlachten *n* (*z.B. Geflügel*); **4.** *typ.* Textverteilung *f um e-e Illustration*; ⊕ Anordnung *f der verschiedenen Teile des Mechanismus e-r Uhr*; ⊕ Ausrichten *n e-r Maschine*; ✝ Verkapseln *n* von Weinflaschen; ✝ Aufmachung *f* (*v. Waren*); **~lement** [~bij'mɑ̃] *m* **1.** Kleidung *f*, Bekleidung *f*; Anzug *m*; **2.** An-, Ein-kleiden *n*; Art *f*, sich zu kleiden; **~ler** [~'je] (1a) **I** *v/t.* **1.** (an-, be-, ein-)kleiden; anziehen; *~ de blanc* weiß anziehen; *~ de deuil* in Trauer kleiden; *dormir tout habillé* in Sachen schlafen; *robe f habillée* elegantes Kleid *n*; *toilette f habillée* (*costume m habillé*) große Toilette *f*; **2.** *~ q.* j-m die Anzüge schneidern; **3.** *peint.* kostümieren, ausputzen; **4.** kleiden, stehen; **5.** bedecken, ein-, umhüllen (de mit) (*z.B. empfindliche Pflanzen mit Stroh usw.*); *fig.* einkleiden; *fig.* bemänteln, zurechtfrisieren; **6.** ✐ *den Flachs* hecheln; **7.** *cuis.* zurichten, zurechtmachen; ⊕ verkleiden; **8.** F *fig.* *~ q.* j-n heruntermachen, kein gutes Haar an j-m lassen; **9.** *typ.* *~ une nouvelle* e-e Nachricht ausschmücken; *~ une illustration* ein Bild textlich einfassen; **II** *v/rfl.* *s'~* sich anziehen, sich kleiden; *s'~ de neuf* sich neu einkleiden; *s'~ de noir* e-n dunklen Anzug anziehen; **~leur** [~'jœ:r] *su.* (7g) ✝ Lebensmitteldekorateur *m* für Schaufenster; *cuis.* Zurichter(in *f*) *m*; *thé.* Garderobier(e *f*) *m*.

habit [a'bi] *m* Frack *m*; *l'~ est de rigueur* Frackzwang *m*; *prendre l'~* in e-n (geistlichen) Orden (ein-) treten; *~s m/pl. de travail* (*de deuil*) Arbeits- (Trauer-)Kleidung *f*; *brosse f à ~s* Kleiderbürste *f*; *fig. ~ vert Fr.* Akademiemitglied *n*.

habi|tabilité [abitabili'te] *f* **1.** Bewohnbarkeit *f*; **2.** *Auto*, ✈ Sitzmöglichkeiten *f/pl.*; **~table** [~'tablə] *adj.* bewohnbar; **~tacle** [~'taklə] *m* **1.** ✈ Führerstand *m*; *~ des radios* Funkkabine *f*; **2.** *Auto*: Wageninnere(s) *n*; **3.** ⚓ Kompaßhäuschen *n*; **~tant** [~'tɑ̃] (7) **I** *adj.* *~ à* wohnhaft in; **II** *su.* Bewohner *m*, Einwohner *m*; *~ de banlieue* Vorortbewohner *m*.

habi|tat [abi'ta] *m* **1.** Wohnungswesen *n*, -problem *n*; Wohnungsverhältnisse *n/pl.*; Siedlung *f*; Wohnen *n*; *~ m ancien* Altbauten *pl.*; *problème m d'~* Unterbringungsproblem *n*; **2.** *biol.* Heimat *f*, Vorkommen *n*; *zo.* Verbreitungsgebiet *n*; **~tation** [~tɑ'sjɔ̃] *f* **1.** Wohnung *f*; *~s pl. lacustres* Pfahlbauten *m/pl.*; *~s pl. économiques* sozialer Wohnungsbau *m*; **2.** Wohnen *n*; *maison f d'~* Wohnhaus *n*; **~ter** [~'te] (1a) **I** *v/t.* bewohnen; **II** *v/i.* wohnen, leben.

habitu|de [abi'tyd] *f* Gewohnheit *f*; *homme m d'~* Gewohnheitsmensch *m*; *avoir l'~ du cheval* mit Pferden umzugehen verstehen; *il en a l'~* er ist daran gewöhnt; *garder ses ~s* bei s-r Gewohnheit bleiben; *perdre l'~* aus der Übung kommen; *prendre (od. contracter) l'~ de faire qch.* die Gewohnheit annehmen, etw. zu tun; *tourner en ~, devenir une ~* zur Gewohnheit werden; *par ~* aus Gewohnheit; *d'~* (für) gewöhnlich; normalerweise; **~é** [~'tɥe] *m* regelmäßiger Besucher *m*; Kunde *m*, Stammgast *m*; **~el** [~'tɥɛl] *adj.* (7) üblich, gewöhnlich, gewohnheitsmäßig; Gewohnheits...; **~er** [~'tɥe] (1a) **I** *v/t. ~ q. à qch., q. à (inf.)* j-n an etw. (*acc.*) gewöhnen, j-n daran gewöhnen zu (*inf.*); **II** *v/rfl. s'~ à qch. (od. à mit inf.)* sich gewöhnen an (*acc.*); sich in etw. (*acc.*) einleben.

habitus ⚕ [abi'tys] *m* Habitus *m*.

***hâbl|erie** [ɑblə'ri] *f* Prahlerei *f*; **~eur** [ɑ'blœ:r] *su.* (7g) Prahlhans *m*.

***hache** [aʃ] *f* Axt *f*, Beil *n*; **~-légumes** [~le'gym] *m* Wiegemesser *n*; **~-paille** [~'pɑj] *m* (6c) Futterschneide-, Häcksel-maschine *f*.

***hach|er** [a'ʃe] *v/t.* (1a) **1.** zerhakken, zerschlagen, zerfetzen; vernichten (*die Ernte*); *fig.* unterbrechen; *~ menu* kleinhacken, *cuis.* wiegen; *style m haché* abgehackter Stil *m*; **2.** ⊕ *Gravierkunst*: schraffieren; **~ereau** [aʃ'ro] *m* (5c) kleine Axt *f*; **~ette** [ə'ʃɛt] *f* Handbeil *n*.

***hachis** *cuis.* [a'ʃi] *m* Gehackte(s) *n*.

***hachoir** [a'ʃwa:r] *m* Hackbrett *n*; Hack-, Wiege-messer *n*, -maschine *f*; Fleischwolf *m*.

***hachur|e** [a'ʃy:r] *f* Schraffierung *f*; **~er** [aʃy're] *v/t.* (1a) schraffieren.

***hagard** [a'ga:r] *adj.* (7) verstört, scheu (*Blick*).

hagiographie [aʒjɔgra'fi] *f* Heiligengeschichte *f*.

***haie** [ɛ] *f* **1.** Hecke *f*, Einfried(ig)ung *f*; *Sport*: Hürde *f*; *~ vive* lebende Hecke *f*; *course f de ~s* Hindernisrennen *n*; **2.** *fig.* Spalier *n*; *se ranger en ~, former (od. faire) la ~* Spalier bilden.

***haillon** [ɑ'jɔ̃] *m* Lumpen *m*; **~neux** [ɑjɔ'nø] *adj.* (7d) zerlumpt.

***hain|e** [ɛ:n] *f* Haß *m*; *ils n'ont pas la ~* sie hassen nicht; sie kennen keinen Haß; **~eux** [ɛ'nø] *adj.* (7d) □ gehässig; boshaft.

***haïr** [a'i:r] *v/t.* (2m) hassen.

***haire** [ɛ:r] *f* härenes Bußkleid *n*.

***haïssable** [ai'sablə] *adj.* hassenswert.

Haïtien [ai'sjɛ̃] (7c) **I** *su.* Haitianer *m*; **II** ♀ *adj.* haitisch.

***halage** ⚓ [a'la:ʒ] *m* Ziehen *n der Schiffe*, Treideln *n*; ✈ Einholen *n*.

***halde** ⚒ [ald] *f* Halde *f*; *métall.* Schuttplatz *m*.

***hâle** [ɑ:l] *m* Sonnenbräune *f*.

***hâlé** [ɑ'le] *adj.* sonnengebräunt.

haleine [a'lɛ:n] *f* Atem *m*; *fig.* Hauch *m*; *~ forte* übelriechender Atem *m*; *avoir l'~ courte, être court d'~* kurzatmig sein; *avoir l'~ parfumée* F e-e Fahne haben (*nach Alkohol riechen*); *sans ~* atemlos; *perdre ~* außer Atem kommen; *fig. reprendre ~* sich erholen; aufatmen; rasten; *travail m de longue ~* langwierige Arbeit *f*; *de longue ~* von langer Hand vorbereitet; *à perte d'~* endlos; *se mettre en ~* sich in Gang setzen; *tenir en ~ fig.* in Atem halten, fesseln, packen.

***haler** [a'le] *v/t.* (1a) ⚓ an-, ein-, heran-, herauf-ziehen (*a. Baumstämme*); ✈ einholen; (*Schiff*) treideln.

***hâler** [ɑ'le] *v/t.* (1a) *die Haut* bräunen.

***halètement** [alɛt'mɑ̃] *m* Keuchen *n*; *fig.* 🚂 Fauchen *n*.

***haleter** [al'te] *v/i.* (1c) keuchen, schnauben; *fig.* 🚂 fauchen; *fig. ~ après qch.* sehnsüchtig nach etw. verlangen.

***haleur** [a'lœ:r] *su.* (7g) ⚓ Treidler *m*; ✈ Einholer *m*.

***hall** [o:l] *m* großer Saal *m*; (*a.* Flugzeug-)Halle *f*; △ Vorbau *m*; ⊕ Werkhalle *f*; ⊕ *~ de fabrication* Fabrikhalle *f*; *~ de gare, ~ des pas perdus* Bahnhofshalle *f*; *~ d'exposition* Ausstellungshalle *f*; *~ de la foire* Messehalle *f*; *~ d'honneur* Ehrenhalle *f*; *sous ~* überdacht.

***hallage** [a'la:ʒ] *m* Standgeld *n*.

hallali *ch.* [ala'li] *m* Halali *n* (*Jagdruf*); *sonner l'~* Halali blasen; *fig. sonner l'~ de q.* den *bevorstehenden* Sturz j-s laut verkünden.

***Halles** [al] *f/pl.* Zentralmarkthallen *f/pl.* (*z.B. les ~ de Rungis*).

***hallebarde** *ehm.* [al'bard] *f* Hellebarde *f*; F *il tombe des ~s* es regnet in Strömen.

***hallier** [a'lje] *m* Dickicht *n*.

halluci|nation [alysinɑ'sjɔ̃] *f* Sinnestäuschung *f*, Halluzination *f*; *~s pl.* Rauschzustand *m* (*durch Drogen*); **~né** [~'ne] *adj. u. su.* an

Sinnestäuschungen leidend; F verrückt; **~nogène** [~nɔ'ʒɛ:n] *m* (*u. adj.*) Rauschgift(...) *n*.
***halo** [a'lo] *m* Hof *m um Sonne u. Mond*; *phot.* Lichthof *m*.
halo|gène ⚗ [alɔ'ʒɛ:n] **I** *adj.* salzbildend; **II** ⚗ *m* Halogen *n*; **~graphie** [~gra'fi] *f* Salzbeschreibung *f*; **~ïde** ⚗ [~lɔ'id] *adj.* salzartig.
***hâloir** ⊕ [ɑ'lwa:r] *m* Dörrhaus *n*.
***halot** [a'lo] *m* Kaninchenhöhle *f*.
halotechnie [alɔtɛk'ni] *f* Halotechnik *f*, Lehre *f* von der Verarbeitung von Salzen.
***halte** [alt] **I** *f* Halt *m*, Rast *f*; Rastplatz *m*; Sammelpunkt *m*; Haltestelle *f*, kurzer Haltepunkt *m*; *fig.* Pause *f*; Marschpause *f*; **II** *int.* *~!* halt!; *~-là!* halt!, stehenbleiben!; **~-garderie** [~gar'dri] *f* (6a) Kindertagesstätte *f*.
haltère [al'tɛ:r] *m* Hantel *f*.
haltérophil|e *Sport* [alterɔ'fil] *m* Gewichtheber *m*; **~ie** *Sport* [~'li] *f* Gewichtstemmen *n*.
***hamac** [a'mak] *m* Hängematte *f*.
***hameau** [a'mo] *m* (5b) Weiler *m*; ⚔ *~ stratégique* Wehrdorf *n*.
hameçon [am'sõ] *m* Angelhaken *m*; *fig. mordre à l'~* anbeißen.
***hammam** [a'mam] *m* Badeanlage *f* (*im Orient*; *allg. zur Entfettungskur*).
***hampe**[1] [ɑ̃:p] *f* (Lanzen-, Fahnen-) Stange *f*, Schaft *m*; *peint.* Pinselstiel *m*; ⚘ Schaft *m*.
***hampe**[2] [~] *f* Wamme *f* (*Rind*); Brust *f* (*Hirsch*).
***hamster** *zo.* [am'stɛ:r] *m* Hamster *m*.
***hanap** † [a'nap] *m* Humpen *m*.
***hanche** [ɑ̃:ʃ] *f* Hüfte *f*; ⊕ Ausbauchung *f*.
***hand|ball** *Sport* [ɑ̃d'bal] *m* Handball *m*; **~balleur** [~ba'lœ:r] *m* Handballer *m*, Handballspieler *m*.
***handicap** [ɑ̃di'kap] *m* *Sport*: Ausgleich *m*, Handikap *n*, Vorgabe *f*; *fig.* Benachteiligung *f*, Nachteil *m*; **~é** [~'pe] **I** *su.* (Körper-)Behinderte(r) *m*; *~ mental* geistig Behinderte(r) *m*; *~ moteur* Bewegungsbehinderte(r) *m*; **II** *adj.* behindert; verhaltensgestört; **~er** [~'pe] *v/t.* (1a) *Sport*: gleiche Aussichten geben; *fig.* benachteiligen.
***hangar** [ɑ̃'ga:r] *m* (Wagen-) Schuppen *m*; Flugzeug-, Bootshalle *f*; *at.* Atombombenhalle *f*.
***hanneton** [an'tõ] *m* Maikäfer *m*; F *fig. qui n'est pas piqué des ~s* anständig, scharf *fig.*; P *il a un ~ dans le plafond* er hat 'nen Tick; **~nage** [~tɔ'na:ʒ] *m* Maikäfervernichtung *f*.
Hanoïen [anɔ'jɛ̃] *su.* (7c) Einwohner *m* von Hanoi.
***han|ter** [ɑ̃'te] *v/t.* (1a) **1.** *litt.* oft besuchen; **2.** heimsuchen; *maison f hantée* Spuk-, Gespenster-haus *n*; **3.** *fig.* quälen; **~tise** [~'ti:z] *f* fixe Idee *f*, Wahnidee *f*; Angst *f*; *j'en ai la ~* mir graut davor; *~ d'examen* Prüfungsangst *f*.
haplopétale [aplɔpe'tal] *adj.* einblätterig (*von e-r Blütenkrone*).
***happe** ⊕ [ap] *f* Krampe *f*; *men.* (Leim-)Zwinge *f*.
***happée** [a'pe] *f* Bissen *m*.
***happer** [~] *v/t.* (1a) erhaschen, auf-, weg-schnappen; schnell nach *etw.* greifen; *happé par le train* vom Zug erfaßt.
***haran|gue** [a'rɑ̃:g] *f* (feierliche) Ansprache *f*; *fig.* langweiliges Gefasel *n*; Strafpredigt *f*; *prononcer une ~* e-e Ansprache halten; **~guer** [~rɑ̃'ge] *v/t.* (1a) feierlich anreden; *fig.* abkanzeln; *~ la foule* feierlich zur Menge sprechen.
***haras** [a'rɑ] *m* Gestüt *n*.
***harass|ant** [ara'sɑ̃] *adj.* aufreibend; **~é** [~'se] *adj.* erschöpft.
***har|cèlement** [arsɛl'mɑ̃] *m* Belästigung *f*; ⚔ Plänkelei *f*, Störung *f*; ⚔ *tir m de ~* Störungsfeuer *n*; **~celer** [arsə'le] *v/t.* (1d) plagen, bedrängen, provozieren; ⚔ beunruhigen.
***har|de** [ard] *f* **1.** *ch.* Rudel *n* Wild; **2.** Koppelriemen *m*; **~dées** [~'de] *f/pl.* Wildschaden *m*; **~der** [~] *v/t.* (1a) **1.** *ch. Hunde* zusammenkoppeln; **2.** *ein Fell* stollen (*Gerberei*).
***hardes** *péj.* [ard] *f/pl.* alte Kleidungsstücke *n/pl.*, Lumpen *m/pl.*
***hardi** [ar'di] **I** *adj.* (*adv.* *~ment*) kühn, beherzt; gewagt (*Sache*); **II** *int.* *~!* immer feste!, los!; **~esse** [~'djɛs] *f* **1.** Kühnheit *f*, Mut *m*; **2.** Dreistigkeit *f*, Unverschämtheit *f*.
hardware *électron.* [ar'dwɛ:r] *m* Hardware *f*, Maschinenausrüstung *f*, EDV-Maschinen *f/pl.*, Rechner *m/pl.*
***harem** [a'rɛm] *m* Harem *m*.
***hareng** [a'rɑ̃] *m* Hering *m*; *caque f de ~s* Heringsfaß *n*; *~ blanc* Fetthering *m*; *~ fumé*, *~ saur* Bückling *m*, geräucherter Hering *m*; *~ roulé* (*od. mariné*) Rollmops *m*; *~ salé* Salzhering *m*; *~ vierge* Matjeshering *m*; **~aison** [~gɛ'zõ] *f* (Zeit *f*

des) Heringsfang(s) *m*; **~ère** F [~'ʒɛːr] *f* vulgäre Frau *f*.
***haret** *zo.* [a'rɛ] *m* Wildkatze *f*.
***hargn|e** [arɲ] *f* Bissigkeit *f*, mürrisches Wesen *n*; **~eux** [~'ɲø] *adj.* (7d) mürrisch, zänkisch; bissig.
***haricot** [ari'ko] *m* **1.** Bohne *f*; *~ nain* Buschbohne *f*; *~ d'Espagne* Feuerbohne *f*; **2.** *cuis.* *~s verts* grüne Bohnen *f/pl.*; *~s pl. en salade* Bohnensalat *m*; **3.** P Fuß *m*: *courir (od. taper) sur le ~ (od. sur l'~) à q.* j-m auf die Nerven fallen; **4.** P *des ~s!* denkste!; *c'est la fin des ~s* das ist ja der Gipfel!
***haridelle** [ari'dɛl] *f* Gaul *m*, Klepper *m*; F *fig.* Bohnenstange *f* von Frau.
***harkis** ⚔ *ehm.* [ar'ki] *m/pl.* Moslemhilfstruppen *f/pl.*
***harle** *orn.* [arl] *m* Sägetaucher *m*.
harmonica ♪ [armɔni'ka] *m* Harmonika *f*.
harmo|nie [armɔ'ni] *f* **1.** ♪ Harmonie *f*, Wohl-, Zusammen-klang *m*; Harmonielehre *f*; *table f d'~* Resonanzboden *m*; **2.** *fig.* Harmonie *f*, Eintracht *f*, Übereinstimmung *f*; *en ~ avec l'environnement* umweltfreundlich; **~nieux** [~'njø] *adj.* (7d) □ harmonisch (*a. fig.*), wohlklingend; **~nique** 𝔄, *phys.*, ♪ [~'nik] *adj.* □ harmonisch; **~nisation** [~nizɑ'sjɔ̃] *f* Harmonisierung *f*; **~niser** [~ni'ze] (1a) **I** *v/t.* in Übereinstimmung (*od.* in Einklang) bringen; aufea. abstimmen; *e-e Melodie* mehrstimmig setzen *od.* begleiten; **II** *v/rfl.* *s'~* harmonieren, zusammenstimmen; *s'~ avec le milieu ambiant* zur Umgebung passen; **~niste** ♪ [~'nist] *m* Harmoniker *m*; **~nium** ♪ [armɔ'njɔm] *m* Harmonium *n*.
***harnach|é** [arna'ʃe] *adj.*: F *un scooter ~* ein funkelnagelneuer Motorroller *m*; F *être drôlement ~* komisch angezogen sein; **~er** [~] (1a) **I** *v/t.* **1.** Pferde an-, auf-schirren; **2.** F lächerlich ausstaffieren; **II** *v/rfl.* se ~ sich ausrüsten.
***harnais** [ar'nɛ] *m* **1.** Pferdegeschirr *n*; **2.** *hist.* Harnisch *m*, Rüstung *f*; **3.** ⊕ Getriebe *n*; Vorgelege *n*; ✈ Fallschirmgurtzeug *n*; **4.** *blanchir sous le ~* im Dienst (*bsd.* ⚔) alt und grau werden.
***haro** [a'ro]: *crier ~ sur q.* gegen j-n loswettern.
harpagon [arpa'gɔ̃] *m* Geizhals *m*.
***harpe**[1] ♪ [arp] *f* Harfe *f*.
***harp|e**[2] [~] *f* Haken *m*; △ Verzahnung *f*; **~ie** *péj.* [ar'pi] *f* Xanthippe *f*.
***harpiste** ♪ [ar'pist] *su.* Harfenspieler *m*.
***harpon** [ar'pɔ̃] *m* **1.** Harpune *f*; **2.** † ⚓ Enterhaken *m*; **3.** △ Gabelanker *m*, Eisenklammer *f*, Eckband *n*; ⊕ Greifer *m*; **~ner** [~pɔ'ne] *v/t.* (1a) **1.** harpunieren; **2.** F *fig.* ergreifen, erwischen; **3.** F *j-n* (zufällig) aufgabeln; **~neur** [~'nœːr] *m* Harpunier *m*.
***hasard** [a'zaːr] *m* Zufall *m*; Glück *n*; *coup m de ~* Glücksfall *m*; *jeu m de ~* Glücksspiel *n*; *advt. au ~* aufs Geratewohl; *à tout ~* für alle Fälle; *écrire au ~ de la plume* drauflosschreiben; *laisser au ~* dem Zufall überlassen; *parler au ~* in den Tag hineinreden; *par ~* zufällig; *in der Frage*: etwa, vielleicht; **~é** [~zar'de] *adj.* zweifelhaft, unsicher; **~er** [~zar'de] (1a) **I** *v/t.* wagen, aufs Spiel setzen; **II** *v/i.* ~ (*de mit inf.*) es wagen (zu ...); **III** *v/rfl.* *se ~ à faire qch.* etw. wagen; **~eux** [~'dø] *adj.* (7d) □ gewagt, gefährlich.
***hase** [ɑːz] *f* Häsin *f*.
***hassania** [asa'nja] *m*: *le ~* die mauritanische Sprache.
***hâte** [ɑːt] *f* Eile *f*, Hast *f*; *advt. à la ~* hastig, oberflächlich; *en ~* in Eile, eiligst.
***hâter** [ɑ'te] (1a) **I** *v/t.* beschleunigen (*Sache*); **II** *v/rfl.* se ~ sich beeilen (*de mit inf.* zu).
***hâtif** [ɑ'tif] *adj.* (7e) □ **1.** ⚘ frühreif, -zeitig; **2.** hastig, übereilt.
***hauban** [o'bɑ̃] *m* **1.** Rüstseil *n*, *a.* ✈ Haltetau *n*, Spannseil *n*, Spanndraht *m*, Halteleine *f*; ⊕ Drahtseil *n*; **2.** ⚓ *~s pl.* Wanten *f/pl.*; **~age** ✈ [oba'naːʒ] *m* Verspannung *f*, Verstrebung *f*; **~er** [oba'ne] *v/t.* (1a) verankern; ✈ verspannen, verstreben.
***haubert** *féod.* [o'bɛːr] *m* Panzerhemd *n*.
***hausse** [oːs] *f* **1.** Unter-satz *m*, -lage *f* (*z.B. unter Tischbeinen*); **2.** ⚔ Visier *n*; Aufsatz *m* (*bei Geschützen*); *~ fixe* Standvisier *n*; **3.** Steigerung *f*, Ansteigen *n*; Aufschlag *m*, Preiserhöhung *f*; *fin.* Hausse *f*; *~ des fonds* Steigen *n* der Kurse; *~ des prix* Preiswelle *f*; *~ illicite* Preistreiberei *f*; *une brusque (pointe de) ~* e-e scharfe Hausse *od.* Aufwärtsbewegung *f*; *être en ~* steigen (*Aktienkurse*); *Wetter*: *température f en faible ~*

Temperatur *f* schwach ansteigend; **~ment** [os'mɑ̃] *m*: ~ *de la voix* Heben *n* der Stimme; ~ *d'épaules* Achselzucken *n*.

***hauss|er** [o'se] (1a) **I** *v/t.* **1.** auf-, hoch-heben; ~ *les épaules* die Achseln (*od.* mit den Achseln) zucken; **2.** höher machen, *a. Preise*: erhöhen; *fig.* ~ *le courage de q.* den Mut j-s erhöhen; ~ *un instrument* ein Instrument höher stimmen; *fig.* ~ *le ton* e-n schärferen Ton anschlagen; ~ *la voix* die Stimme heben; **II** *v/rfl. se* ~ sich höher machen; *fig.* größer scheinen wollen (*als man ist*); *se* ~ *sur la pointe des pieds* sich auf die Zehen (-spitzen) stellen; **~ier** [o'sje] *m* Haussier *m*, Kurs-, Preis-treiber *m*.

***haut** [o] **I** *adj.* (7) **1.** *örtlich*: hoch; erhoben; hoch gelegen; Hoch...; Ober...; ~ *de vingt mètres* zwanzig Meter hoch; *chapeau m* ~ *de forme* Zylinder(hut *m*) *m*; *être* ~ *sur jambes* (F *sur pattes*) langbeinig sein; *fig. avoir la* ~*e main dans ...* das Regiment in ... führen; *avoir la* ~*e main sur ...* frei schalten u. walten über ...; *garder la* ~*e main* die Oberhand behalten; *tenir la main* ~*e à q.* nichts bei j-m durchgehen lassen; *tenir la dragée* ~*e à q.* j-m den Brotkorb höher hängen; j-n zappeln lassen; *pays m* ~ Hochland *n*; *le* ~ *Rhin* der Oberrhein; *la* ~*e Seine* die obere Seine; F *faire* ~ *le pied* entwischen, türmen; **2.** *zeitlich*: sehr früh; ~*e antiquité f* graues (*od.* frühes) Altertum *n*; **3.** *fig.* hochgestellt, vornehm; edel; teuer; *le Très-*♀ der Allerhöchste (*Gott*); *la* ~*e administration* die hohen Verwaltungskreise *m/pl.*; *une âme* ~*e* e-e edle Seele; *les* ~*es classes* die oberen Klassen *f/pl.* (*der Gesellschaft*); *écol.* die oberen Klassen *f/pl.*; F *les gens de la* ~*e* die oberen Zehntausend *pl.*; *la* ~*e finance* die Hochfinanz; *en* ~ *lieu* höheren Orts, an höchster Stelle; *la* ~*e société, les gens de* ~*e volée* die vornehme Gesellschaft *f*; ☤ *l'argent est* ~ der Zinsfuß ist hoch; **4.** *fig.* groß, bedeutend, gewaltig, stark; *avoir q. en* ~*e estime* j-n hochschätzen; *als Briefschluß*: *Recevez, Monsieur, l'expression de ma plus* ~*e considération* Mit dem Ausdruck meiner vorzüglichsten Hochachtung; *c'est d'un* ~ *comique* das ist äußerst spaßig (*od.* drollig); ~*e nouveauté* das Allerneueste; *mach.* ~*e pression f* Hochdruck *m*; ⚡ ~*e fréquence f* Hochfrequenz *f*; ~*e tension f* Hochspannung *f*; (*crime m de*) ~*e trahison f* Hochverrat *m*; *visage m* ~ *en couleur* puterrotes (*od.* glühendes) Gesicht *n*; **5.** hochmütig, stolz; *le prendre d'un ton* ~ e-n arroganten Ton anschlagen; *avoir le verbe* ~ das große Wort führen; **6.** laut; *à* ~*e voix* mit lauter Stimme; laut; **7.** ⚓ hoch (*vom Wasserspiegel*); ~*es marées f/pl.* hohe Flut *f*; ~*e mer f* offene See *f*; **II** *adv.* (s. *a. hautement*) **8.** hoch; *plus* ~ (weiter) oben, vorher (*im Text*); *là-*~ da oben; *en* ~ oben; hinauf; *d'en* ~ von oben herab; *de* ~ *en bas* von oben nach unten; *fig.* von oben herab; *porter* ~ *la tête* den Kopf hoch tragen; eingebildet sein; *quand la lune fut* ~ *dans le ciel* als der Mond aufgegangen war; ~ *les cœurs! fig.* Kopf hoch!; ~ *les mains!* Hände hoch!; ~ *le pied!* schert euch weg!; *fig.* ~ *la main* mit Leichtigkeit; **9.** laut; *fig.* freiheraus; *parler* ~ laut sprechen; *parler* ~ *et clair* laut u. deutlich sprechen; kein Blatt vor den Mund nehmen; **III** *m* **10.** Höhe *f*; oberer Teil *m*; Gipfel *m*, Spitze *f*; *les* ~*s et les bas* das Auf u. Ab; *vingt mètres de* ~ zwanzig Meter hoch; *du* ~ *du ciel* hoch vom Himmel (herab); *tomber de son* ~ der Länge nach hinfallen; *fig.* sehr enttäuscht sein; *fig.* wie aus den Wolken fallen; *les étages m/pl. d'en* ~ die oberen Stockwerke *n/pl.*; *lumières f/pl. d'en* ~ Oberlicht *n*; **11.** ⚓ ~*s pl. d'un vaisseau* Oberwerk *n* e-s Schiffes.

***hautain** [o'tɛ̃] *adj.* (7) hochmütig, stolz.

***hautbois** ♪ [o'bwa] *m* Oboe *f*.

***hautboïste** [obɔ'ist] *su.* Oboebläser *m*.

***haut-commissaire** *pol.* [okɔmi'sɛ:r] *m* (6a) hoher Kommissar *m*.

***haut-de-chausse**(s) † [od'ʃo:s] *m* (6b) Kniehosen *f/pl.*

***haut-de-forme** [od'fɔrm] *m* (6b) Zylinder(hut *m*) *m*.

***haute|-contre** ♪ [ot'kɔ̃:trə] *f* (6b) **1.** Alt *m*, Altstimme *f*; **2.** Altist *m*, Altsänger *m*; ♀**-Couture** [otku'ty:r] *f*: *la* ~ die Modeschöpfer *m/pl.*, die großen Modehäuser *n/pl.*

***hautement** [ot'mɑ̃] *adv.* **1.** *litt.* freiheraus; **2.** zuhöchst.

***Haute-Silésie** *géogr.* [otsile'zi] *f*: **la** ~ Oberschlesien *n*.

*__hauteur__ [o'tœːr] *f* **1.** Höhe *f*; Anhöhe *f*; Hügel *m*; *de cinq mètres de* ~ fünf Meter hoch; *à* ~ *d'appui* in Brusthöhe; *saut m en* ~ Hochsprung *m*; ✈ *prendre de la* ~ aufsteigen; *voler à une grande* ~ sehr hoch fliegen; *tomber de sa* ~ der Länge nach hinfallen; *fig.* wie aus den Wolken fallen, völlig sprachlos sein; *être à la* ~ *du siècle* auf der Höhe seiner Zeit sein; *être à la* ~ *de la situation* s-r Aufgabe gewachsen sein, die Lage meistern; **2.** *fig.* Erhabenheit *f*: ~ *des idées*, ~ *de vues* Gedankenflug *m*; **3.** *fig.* Anmaßung *f*, Hochmut *m*; *plein de* ~ hochmütig; **4.** ~ *du pôle* Polhöhe *f*; **5.** ⚓ ~ *de l'eau* Wasserstand *m*, Tiefe *f*; **6.** ♪ ~ *du son* Tonhöhe *f*; **7.** ✈ *vol m en* ~ Höhenflug *m*.

*__haut__|**-fond** ⚓ [o'fɔ̃] *m* (6a) Untiefe *f*; **~-fourneau** [~fur'no] *m* (6a) Hochofen *m*; **~-goût** [~'gu] *m* Wildbretgeschmack *m*; **~-le-cœur** [ol'kœːr] *m* (6c) Übelkeit *f*; Ekel *m*; **~-le-corps** [ol'kɔːr] *m* (6c) **1.** Ruck *m*; **2.** Satz *m*, Sprung *m* (*vom Pferde*); **~-le-pied** [ol'pje] **I** *adj./inv.* nicht montiert, nicht angekuppelt, nicht angeschirrt, nicht beladen; *locomotive f* ~ einzelne Lokomotive *f*; *train m* ~ leerer Zug *m*; *cheval m* ~ Reservepferd *n*; **II** 🚂 *m* Leerfahrt *f*; **~-mal** ⚕ [o'mal] *m* Epilepsie *f*; **~-parleur** *rad.* [~par'lœːr] *m* (6a) Lautsprecher *m*; **~-relief** [~rə'ljɛf] *m* Hochrelief *n*; *typ.* Hochdruck *m*; **♀-Rhin** [~'rɛ̃] *m franz. Departement*: Oberelsaß *n*.

*__hauturier__ ⚓ [oty'rje] *adj.* (7b) [Hochsee...]

*__havage__ ⚒ [a'vaːʒ] *m* Schrämen *n*.

*__havane__ [a'van] **I** *m* Havanna (-zigarre *f*) *f*; **II** *adj./inv.* havannafarben, gelbbraun.

*__hâve__ [ɑːv] *adj.* abgezehrt, hager, elend, blaß.

*__haven__|**eau** [av'no] *m* (5b), **~et** [av'nɛ] *m* Krabbennetz *n*.

*__hav__|**er** ⚒ [a've] *v/t.* (1a) schrämen; **~eur** ⚒ [~'vœːr] *m* Hauer *m*, Schrämer *m*; **~euse** ⚒ [~'vøːz] *f* Schrämmaschine *f*.

*__havrais__ [a'vrɛ] *adj.* (7) aus (*od.* von) Le Havre.

*__havre__ ['ɑːvrə] *m* kleiner Hafen *m*; *fig.* Zufluchtsort *m*.

*__havresac__ ⊕ [avrə'sak] *m* Gerätetasche *f*.

*__Haye__ *géogr.* [ɛ] *f*: **la ~** Den Haag *m*.

*__hayon__ *Auto* [ɛ'jɔ̃] *m* aufklappbare Gatterwand *f e-s Kombiwagens.*

*__hé__ [e] *int.* **1.** hallo!; ~ *là-bas!* hallo, aufpassen!; Achtung, Platz!; **2.** oh!, ach! (*Überraschung*; *Bedauern*); **3.** (*wiederholt*): ei! (*Zufriedenheit*).

*__heaume__ *féod.* [oːm] *m* Helm *m*.

hebdo F [ɛb'do] *m* Wochenzeitung *f*.

hebdomadaire [ɛbdɔma'dɛːr] **I** *adj.* □ wöchentlich; **II** *m* Wochenzeitung *f*.

hébélogie *psych.* [ebelɔ'ʒi] *f* Jugendkunde *f*.

héberg|**ement** [ebɛrʒə'mɑ̃] *m* Unterbringung *f* (*v. Gästen*); **~er** [~'ʒe] *v/t.* (1l) beherbergen, unterbringen.

hébé|**té** [ebe'te] *adj.* stumpfsinnig; **~ter** [~] *v/t.* (1f) abstumpfen; **~tude** [~'tyd] *f* Benommenheit *f*, Abgestumpftheit *f*.

hébra|**ïque** [ebra'ik] *adj.* hebräisch (*bsd. v. der Sprache*); **~ïsant** [~i'zɑ̃] *m* Hebraist *m*, Kenner *m* des Hebräischen; **~ïser** [~i'ze] *v/i.* (1a) Hebräisch treiben; hebräische Ausdrücke gebrauchen.

hébreu [e'brø] (5b) **I** *adj./m* (*adj./f*: *hébraïque*) **1.** hebräisch; **II** *m* **2.** ♀ Hebräer *m*; **3.** *das* Hebräische *n*; *c'est de l'*~ *pour moi* das sind für mich böhmische Dörfer; das kommt mir spanisch vor.

hécatombe [eka'tɔ̃ːb] *f antiq.* Hekatombe *f*; *fig.* Blutbad *n*.

hectare [ɛk'taːr] *m* Hektar *m*.

hecti|**que** [ɛk'tik] *adj.* ⚕ hektisch, schwindsüchtig; *fig.* morbide, angekränkelt.

hecto|**gramme** [ɛktɔ'gram] *m* Hektogramm *n*; **~litre** [~'litrə] *m* Hektoliter *n*; **~mètre** [~'mɛːtrə] *m* Hektometer *n*; **~watt-heure** ⚡ [~va'tœːr] *m* (6a) Hektowattstunde *f*.

hédéracé ⚘ [edera'se] *adj.* efeuartig.

hédon|**isme** *phil.* [edɔ'nism] *m* Hedonismus *m*; **~iste** *phil.* [~'nist] **I** *su.* Hedonist *m*; **II** *adj.* (*a.* *~istique*) hedonistisch.

hégémonie [eʒemɔ'ni] *f* Vorherrschaft *f*; ~ *mondiale* Weltherrschaft *f*.

hégire *rl. hist.* [e'ʒiːr] *f* Hedschra *f*.

*__hein__ [ɛ̃] *int.* was?, na?, ja?, wie?

hélas [e'lɑːs] *int.* ach!, o weh!

*__héler__ [e'le] *v/t.* (1f) ⚓ preien, anrufen; *allg.* herbeirufen (*z.B. Taxi*).

hélianthe ⚘ [e'ljɑ̃ːt] *m* Sonnenblume *f*.

hélice [e'lis] *f* **1.** & Schraubenlinie *f*; △ *escalier m en* ~ Wendeltreppe *f*; **2.** ⚓ Schiffsschraube *f*;

✈ Propeller *m*; ~ *à quatre pales* Vierflügelpropeller *m*; *lancer l'*~ den Propeller anwerfen; *vaisseau m à* ~ Schraubendampfer *m*.
héli|coïdal [elikɔi'dal] *adj.* (5c), **~coïde** [~kɔ'id] *adj.* schraubenförmig; **~coptère** ✈ [elikɔp'tɛ:r] *m* Hubschrauber *m*; **~gare** ✈ [~'ga:r] *f* Hubschrauberbahnhof *m*.
hélio|graphie *phot.* [eljɔgra'fi] *f*, **~gravure** *phot.* [~gra'vy:r] *f* Lichtdruck *m*; Lichtpausverfahren *n*; Lichtpause *f*; **~graphique** [~gra'fik] *adj.* heliographisch; **~scope** *biol.* [~'skɔp] *adj.* der Sonne zugewandt; **~stat** *phys.* [~'sta] *m* Heliostat *m*; **~thérapie** ⚕ [~tera'pi] *f* Heliotherapie *f*, (Sonnen-)Lichtheilverfahren *n*; **~zoaires** *ent.* [~zɔ'ɛ:r] *m/pl.* Heliozoen *pl.*, Sonnentierchen *n/pl.*
héliport ✈ [eli'pɔ:r] *m* Hubschrauberlandeplatz *m*; **~age** [~pɔr'ta:ʒ] *m* Transport *m* durch Hubschrauber; **~é** [~pɔr'te] *adj.*: ⚔ *opération f* ~*e* Hubschrauber-Operation *f*; **~er** [~] *v/t.* (1a) mit dem Hubschrauber befördern.
hélium ⚗ [e'ljɔm] *m* Helium *n*.
hélix *anat.* [e'liks] *m* äußerer Ohrrand *m*.
hellé|nique *hist. od. modern* [ɛle'nik] *adj.* griechisch; **~nisme** [~'nism] *m* **1.** griechische Spracheigentümlichkeit *f*; **2.** Hellenismus *m* (*von 336 bis 30 v. Chr.*); **~nistique** *hist.* [~nis'tik] *adj.* hellenistisch.
helvétique [ɛlve'tik] *adj. a. poét.* schweizerisch.
***hem!** [ɛm] *int.* hallo!; ach, ... (*Frage*); *iron.* ~, ~! so, so!
héma|tie *physiol.* [ema'ti] *f* rotes Blutkörperchen *n*; **~tite** *min.* [~'tit] *f* Hämatit *m*, Blutstein *m*, rotbraunes Eisenerz *n*; **~togène** [~tɔ'ʒɛn] *m* blutbildendes Mittel *n*; **~tologie** 📖 [~tɔlɔ'ʒi] *f* Blutlehre *f*; **~tome** ⚕ [~'tɔm] *m* Blutgeschwulst *f*, Hämatom *n*; **~tose** [~'to:z] *f* Blutumbildung *f*.
héméralop|e ⚕ [emera'lɔp] *adj.* nachtblind; **~ie** [~lɔ'pi] *f* Nachtblindheit *f*.
hémi|cycle [emi'siklə] *m* Halbkreis *m*; halbkreisförmiger Saal *m*; Amphitheater *n*; **~one** *zo.* [em'jɔn] *m* Halbesel *m*; **~plégie** ⚕ [emiple'ʒi] *f* einseitige Lähmung *f*; **~sphère** [~'sfɛ:r] *m* Halbkugel *f*, Hemisphäre *f*; *anat.* Hälfte *f* des Großhirns; **~stiche** *mét.* [~'stiʃ] *m* Halbvers *m*.
hémoglobine *biol.* [emɔglɔ'bin] *f* Hämoglobin *n*.
hémogramme ⚕ [emɔ'gram] *m* Blutbild *n*.
hémophil|e ⚕ [emɔ'fil] *su.* Bluter *m*; **~ie** ⚕ [~'li] *f* Bluterkrankheit *f*.
hémoptysie ⚕ [emɔpti'zi] *f* Blutspeien *n*.
hémor|ragie ⚕ [emɔra'ʒi] *f* Bluterguß *m*; ~ *foudroyante* Blutsturz *m*; ~ *nasale* Nasenbluten *n*; ~ *stomacale* Magenblutung *f*; **~roïdes** ⚕ [~rɔ'id] *f/pl.* Hämorrhoiden *pl.*
hémosta|se [emɔs'tɑ:z] *f* **1.** ⚕ Stockung *f* des Blutes; **2.** *chir.* Stillung *f* e-r Blutung; **~tique** [~sta'tik] *adj.* blutstillend.
hémotoxie ⚕ [emɔtɔk'si] *f* Blutvergiftung *f*.
hendécasyllabe *mét.* [ɛ̃dekasi'lab] *m* Elfsilbler *m*, Hendekasyllabus *m*.
***henné** [e'ne] *m* **1.** ⚘ Hennastrauch *m*; **2.** Hennafarbstoff *m*.
***henn|ir** [e'ni:r] *v/i.* (2a) wiehern; **~issement** [enis'mɑ̃] *m* Wiehern *n*.
(*)**Henri** [ɑ̃'ri] *m* Heinrich *m*; *la vie d'*~ (*od. de* ~) *IV* das Leben Heinrichs IV.
***hep** [ɛp] *int.* hallo!
hépat|algie ⚕ [epatal'ʒi] *f* Leberleiden *n*; **~ique** [~tik] **I** *adj.* Leber...; **II** *su.* Leberkranke(r) *m*; **III** *f* Leberblümchen *n*; **~ite** [~'tit] *f* **1.** *min.* Hepatit *m*, Leberstein *m*; **2.** ⚕ Leberentzündung *f*; **~ologie** [~tɔlɔ'ʒi] *f* Leberkunde *f*.
hepta|èdre ⩓ [ɛpta'ɛ:drə] *m* Heptaeder *n*, Siebenflächner *m*; **~gone** ⩓ [~'gɔn] *m* Heptagon *n*.
héraclite △ [hera'klit] *f*: (*plaque f en*) ~ Heraklitplatte *f*.
héraldique [eral'dik] **I** *adj.* heraldisch, Wappen...; **II** *f* Heraldik *f*.
***héraut** *ehm.* [e'ro] *m* Herold *m*.
herba|cé ⚘ [ɛrba'se] *adj.* krautartig; **~ge** [~'ba:ʒ] *m* Futtergras *n*; Weideplatz *m*; **~ger** [~ba'ʒe] **I** *v/t.* (1l) auf die Weide bringen; **II** *su.* (7b) Viehmäster *m*; **~geux** [~'ʒø] *adj.* (7d) reich an Viehweiden.
her|be [ɛrb] *f* Gras *n*; * Hasch *n*; *cuis.*, ⚕ ~*s pl.* Kräuter *n/pl.*; ~ *médicinale* Heilkraut *n*; ~*s pl. potagères* Suppenkräuter *n/pl.*; *mauvaise* ~ Unkraut *n* (*a. fig.*); *potage m aux* ~*s* Kräutersuppe *f*; *en* ~ noch grün (*Getreide*); *fig.* im Werden; vielversprechend; *blé m en* ~ junge Saat *f*; *se coucher sur l'*~ sich ins Gras legen; *couper l'*~ *sous le pied à q.* j-m den Rang ablaufen (wollen); j-n verdrängen; **~ber** ⚒ [~'be]

v/t. (1a) (auf dem Gras) bleichen; **~beux** [~'bø] *adj.* (7d) grasreich; **~bicide** [~bi'sid] *m* Unkraut(vernichtungs)mittel *n*; **~bier** [~'bje] *m* **1.** Pflanzensammlung *f*, Herbarium *n*; **2.** Heuschuppen *m*; **~bivore** [~bi'vɔ:r] *adj. u.* **~s** *m/pl. zo.* pflanzenfressend(e Tiere *n/pl.*); **~borisation** [~bɔriza'sjɔ̃] *f* Kräuter-, Pflanzen-sammeln *n*; botanischer Ausflug *m*; **~boriser** [~bɔri'ze] *v/i.* (1a) Pflanzen sammeln; **~boriste** [~bɔ'rist] *su.* Heilkräuterhändler *m*; **~boristerie** [~bɔrist(ə)'ri] *f* Heilkräuterhandlung *f*; **~bu** [ɛr'by] *adj.* mit hohem Gras bewachsen; **~bue** [~] *f* magerer Boden *m.*

***herch|age** *min.* [ɛr'ʃa:ʒ] *m* Förderung *f von Erz*; **~er** [~'ʃe] *v/t.* (1a) fördern (*Erz*); **~eur** [~'ʃœ:r] *su.* (7g) Förder-mann *m* (*f*: -frau *f*).

hercul|e [ɛr'kyl] *m* Schwergewichtler *m*; **~éen** [ɛrkyle'ɛ̃] *adj.* (7c) herkulisch, riesig, Riesen...

***hère** [ɛ:r] *m* **1.** *pauvre ~* armer Teufel *m fig.*; **2.** *ch.* Spießhirsch *m.*

hérédi|taire [eredi'tɛ:r] *adj.* □ **1.** erblich; Erb...; **2.** *fig.* Erb..., angeerbt; **~té** [~'te] *f* Vererbung *f*, Erblichkeit *f*, Erbanlagen *f/pl.*; ⚖ Erbrecht *n.*

hérédo ⚕ [ere'do] *su.* Erbsyphilitiker *m.*

héré|siarque [ere'zjark] *m* Ketzerhaupt *n*, Heresiarch *m*; **~sie** [~'zi] *f* Ketzerei *f*; *fig.* großer Irrtum *m*, Irrlehre *f*; **~tique** [~'tik] **I** *adj.* ketzerisch; **II** *su.* Ketzer *m.*

***héris|sé** [eri'se] *adj.* borstig, struppig; *fig.* störrisch; wütend; *~ de* strotzend von, voller; **~ser** [~] (1a) **I** *v/t.* emporrichten, sträuben; mit Stacheln besetzen; *fig.* rasend machen; *fig. ~ de* spicken mit; **II** *v/rfl.* se *~* zu Berge stehen (*Haare*); sich sträuben; **~son** [~'sɔ̃] *m* Igel *m*; *fig.* höchst unfreundlicher Mensch *m*; *fig.* Kratzbürste *f* F; *Mauer*: Eisenspitzenhindernis *n*; ⚒ Stachelwalze *f*; ⚔ (*position f en*) *~* Igelstellung *f.*

héri|tage [eri'ta:ʒ] *m* Erbe *n*, Erbschaft *f*, Erbteil *n*; **~ter** [~'te] (1a) **I** *v/i. ~ de qch.* etw. erben; *~ de q.* j-n beerben; *~ de tous les biens de q.* j-n vollständig beerben; **II** *litt.* *v/t. ~* (*qch. de q.* etw. von j-m) erben; **~tier** [~'tje] *su.* (7b) Erbe (*f*: Erbin *f*) *m*; *arrière-~* Nacherbe *m*; *auch adj.*: *prince m ~* Erbprinz *m.*

hermaphrodite [ɛrmafrɔ'dit] *su. u. adj.* Zwitter(...) *m.*

herméneutique 🕮 [ɛrmenø'tik] *adj. u. f* hermeneutisch, deutend; (*art m*) *~* Kunst *f*, die Schriften der Alten auszulegen.

hermét|icité [ɛrmetisi'te] *f* luftdichter Verschluß *m*; **~ique** [~'tik] *adj.* **1.** hermetisch, luftdicht (verschlossen); **2.** *fig.* unklar, unverständlich; *litt.* hermetisch, nur für Eingeweihte bestimmt; **3.** ⚠ *colonne f ~* Hermensäule *f*; **~isme** *litt.* [~'tism] *m* Hermetismus *m.*

hermine [ɛr'min] *f* Hermelin(pelz *m*) *n.*

herminette *charp.* [ɛrmi'nɛt] *f* Dachsbeil *n.*

***her|niaire** ⚕ [ɛr'njɛ:r] *adj.* Bruch...; **~nie** ⚕ [ɛr'ni] *f* Bruch *m.*

hernu *dial. Picardie* [ɛr'ny] *m* Juli (-hitze *f*) *m*; Gewitter *n.*

hérodien *soc.* [erɔ'djɛ̃] *adj.* (*u. su.*) (7c) kapitalistenhörig.

héroï-comique *litt.* [erɔikɔ'mik] *adj.*: *poème m ~* spaßhaftes Heldengedicht *n.*

héroï|ne [erɔ'in] *f* **1.** Heldin *f*; *l'~* die Heldin; **2.** *phm.* Heroin *n*; **~nomane** ⚕ [~nɔ'man] *adj. u. su.* heroinsüchtig(er Mensch *m*); **~nomanie** ⚕ [~nɔma'ni] *f* Heroinsucht *f*; **~que** [erɔ'ik] *adj.* □ **1.** heroisch, tapfer, heldenmütig; *poésie f ~*, *poème m ~* Heldendichtung *f*, episches Gedicht *n*; *mét.* *vers m ~* Alexandriner *m*; **2.** ⚕ sehr stark wirkend; **~sme** [erɔ'ism] *m* Helden-tum *n*, -mut *m.*

***héron** *orn.* [e'rɔ̃] *m* Reiher *m.*

***héros** [e'ro] *m* **1.** Held *m*; *le ~* der Held; *en ~* als Held; **2.** *myth.* Heros *m*, Halbgott *m.*

herpès ⚕ [ɛr'pɛs] *m* Bläschenausschlag *m.*

herpétique ⚕ [ɛrpe'tik] *su.* Herpeskranke(r) *m.*

***her|sage** ⚒ [ɛr'sa:ʒ] *m* Eggen *n*; **~se** [ɛrs] *f* **1.** Egge *f*; **2.** *hist.* ⚔ *frt.* Fallgatter *n*; **3.** *auf dem Erdboden aufgezeichneter* Aufriß *m* e-s Dachstuhls; **4.** großer Kirchenleuchter *m*; **5.** *thé.* unsichtbar angebrachtes Beleuchtungsgerät *n* auf der Bühne; **~ser** ⚒ [~'se] *v/t.* (1a) eggen.

hési|tation [ezita'sjɔ̃] *f* **1.** Zögern *n*; **2.** *~ de parole* Stocken *n* (*beim Reden*); **~ter** [~'te] *v/i.* (1a) **1.** schwanken, unschlüssig sein, zögern; **2.** (*beim Reden*) stocken.

hétéro|clite [eterɔ'klit] *adj. gr.* unregelmäßig; *fig.* verschiedenartig;

seltsam; ⚠ bizarr; **~doxe** [~'dɔks] *adj. u. su.* ketzerisch; Ketzer *m*; **~doxie** [~dɔk'si] *f* Irrlehre *f*, Ketzerei *f*; **~dyne** *rad.* [~'din] *f* Überlagerer *m*; **~gène** [~'ʒɛn] *adj.* heterogen, verschieden-, ungleich-, fremd-artig; **~généité** [~ʒenei'te] *f* Verschieden-, Fremd-, Ungleichartigkeit *f*; **~greffe** *chir.* [~'grɛf] *f* = *~plastie*; **~morphe** *min.* [~'mɔrf] *adj.* heteromorph, ungleichförmig; **~nyme** [~'nim] *adj.* ungleichnamig; **~plastie** *chir.* [~plas'ti] *f* Heteroplastie *f*; **~sexualité** *biol.* [~sɛksɥali'te] *f* Heterosexualität *f*; **~zygote** *biol.* [~zi'gɔt] *adj.* mischerbig.

***hêtraie** [ɛ'trɛ] *f* Buchenhain *m*.

***hêtre** ['ɛːtrə] *m* Buche *f*.

***heu** [ø] *int.*: *~, ~!* hm, hm!; so, so!; oho!

heur † [œːr] *m* Glück *n*; *nur noch in*: *avoir l'~ de plaire* das Glück haben zu gefallen; *il a plus d'~ que de science* er hat mehr Glück (*od.* Schwein P) als Verstand.

heure [œːr] *f* **1.** Stunde *f*; (Uhr-) Zeit *f*, Zeitpunkt *m*; ⚔ *l'~ H* die Stunde X; *deux grandes ~s* gut zwei Stunden *f/pl.*; *cinq ~s de suite* fünf Stunden hintereinander; *une demi-~* eine halbe Stunde *f*; *une ~ et demie* anderthalb Stunden *f/pl.*; *un quart d'~* eine Viertelstunde *f*; *~ du repas* Tischzeit *f*; *à l'~ du déjeuner* (*bzw. du dîner*) zur Essenszeit; *écol. ~ de classe* Schulstunde *f*; *journée f de huit ~s* Achtstundentag *m*; *~ d'été* Sommerzeit *f*; *~s pl. de loisir* Mußestunden *f/pl.*; *~ de l'Europe centrale* mitteleuropäische Zeit *f*; *~ locale* Ortszeit *f*; *~s pl. d'étude* Arbeitszeit *f* (*e-s Schülers usw.*); *~ de travail* Arbeitszeit *f der Arbeiter*; *~s pl. d'affluence*, *~s de grande affluence* Hauptgeschäfts-, Hauptverkehrs-zeit *f*; *~s pl. creuses* verkehrsarme Stunden *f/pl.*; *~ creuse* Zwischen-, Spring-stunde *f*; *rad. ~ d'émission* Sendestunde *f*; *~ du bricoleur* Bastelstunde *f*; *~ de Paris* Pariser Zeit *f*; *convenir d'une ~ avec q.* mit j-m e-e Zeit verabreden; *être tenu* (*od. sujet*) *à l'~* (*od. à une ~ près*), *avoir souci de l'~* an die Stunde (*od.* Zeit) gebunden sein; nicht über s-e Zeit verfügen können; *mettre* (*od. régler*) *sa montre à l'~*; *prendre l'~* s-e Uhr (richtig) stellen; die Uhrzeit vergleichen; *ma montre est à l'~* m-e Uhr geht genau; *aux petites ~s* in schwachen Stunden; *advt.*: *à l'~*: a) zur rechten Zeit, rechtzeitig, pünktlich; b) stundenweise; *à l'~ qu'il est* jetzt, zur Zeit, heutzutage; *à cette ~* jetzt; *à la bonne ~!* herrlich!, bravo!, recht so!; *être à l'~* pünktlich sein; *tout à l'~*: a) † sofort; b) gleich, in Kürze; c) vorhin; *sur l'~* sofort, auf der Stelle; *à tout à l'~!* bis nachher!; *à toute ~* jederzeit; *de bonne ~* früh(morgens), rechtzeitig, beizeiten; *de trop bonne ~* zu früh; *de meilleure ~* früher; *à une ~ indue* ungelegen, zu unpassender Zeit; *dans les 24 ~s* binnen 24 Stunden; *pour l'~*, *pour le quart d'~* augenblicklich, zur Zeit; **2.** Uhr(zeit *f*) *f*; *quelle ~ est-il?*, *quelle ~ avez-vous?* wieviel Uhr ist's?; *il est une* (*deux*) *~(s)* es ist ein (zwei) Uhr; *huit ~s viennent de sonner* es hat soeben acht (Uhr) geschlagen; *à deux ~s précises* (*od. juste od. sonnantes*) Punkt zwei Uhr; *il est deux ~s sonnées* es hat zwei geschlagen; *il est deux ~s passées*, *deux ~s ont sonné* es ist zwei Uhr durch; *vers* (*les*) *quatre ~s* gegen vier Uhr; *il est quatre ~s et demie* es ist halb fünf; **3.** Stundenziffer *f* auf dem Zifferblatt; **4.** *~ de pointe* Spitzenstunde *f* (*im Verkehr*).

heur|eusement [œrøz'mã] *adv.* zum Glück, glücklicherweise, erfreulicherweise; *maison f ~ située* günstig gelegenes Haus *n*; **~eux** [œ'rø] (7d) **I** *adj.* □ glücklich; *j'en suis ~* ich bin sehr froh darüber; *il est ~ de son succès* er freut sich über s-n Erfolg; *il a été ~* es ist ihm gut gegangen; *il est ~ chez nous* er hat es gut bei uns, er fühlt sich bei uns wohl; *avoir la main heureuse* es gut treffen (*bei e-r Wahl*); *une physionomie heureuse* ein gewinnendes Äußeres *n*; *une repartie heureuse* e-e schlagfertige Entgegnung *f*; *rendre q. ~* j-n glücklich machen; *il est* (*fort*) *~ que* (*subj.*) es ist ein (großes) Glück (*od.* sehr erfreulich), daß (*ind.*); **II** *su.* Glückliche(r) *m*.

***heurt** [œːr] *m* Stoß *m*, Zusammenstoß(en *n*) *m*, Anprall *m*; **~er** [œr'te] (1a) **I** *v/t.* **1.** (an-, zusammen-)stoßen; anrempeln; *fig.* *~ q.* j-n vor den Kopf stoßen; *Auto*: j-n anfahren; *~ l'amour-propre de q.* j-s Eigenliebe verletzen; **2.** *heurté* abgerissen, abgehackt (*Rede*);

schroff, kontrastreich; **II** *v/i.* (an-)stoßen; (an)prallen; ~ *du pied contre une pierre* mit dem Fuß gegen e-n Stein stoßen; **~oir** [~'twa:r] *m* Türklopfer *m*; ⊕ Prellbock *m*.

hévéa ⚘ [eve'a] *m* Kautschukbaum *m*.

hexa|èdre ⟁ [ɛgza'ɛ:drə] **I** *adj.* sechsflächig; **II** *m* Hexaeder *n*, Sechsflächner *m*; **~gonal** [~gɔ'nal] *adj.* **1.** sechseckig; **2.** *fig.* französisch; **~gone** [~'gɔn] *m* **1.** Sechseck *n*; **2.** *fig.* *l'~* Frankreich *n*; **~mètre** *mét.* [~'mɛ:trə] *m* sechsfüßiger Vers *m*, Hexameter *m*; **~moteur** ✈ [~mɔ'tœ:r] *adj. u. m* sechsmotoriges Flugzeug *n*.

hiatus [ja'tys] *m* **1.** *gr.* Hiatus *m* (*Zs.-treffen zweier Vokale*); **2.** ⚒ *fig.* Unterbrechung *f*.

hiber|nal [ibɛr'nal] *adj.* (5c) winterlich; Winter...; **~nation** [~na'sjɔ̃] *f zo.* Winterschlaf *m*; ⚕ *~ artificielle* künstlicher Heilschlaf *m*; **~ner** *zo.* [~'ne] *v/i.* (1a) Winterschlaf halten.

***hibou** [i'bu] *m* (5b) Eule *f*; ~ *des clochers* Schleiereule *f*.

***hic** F [ik] *m* Hauptschwierigkeit *f*; *voilà* (*od. c'est là*) *le* ~ da liegt der Hase im Pfeffer; da ist der Haken.

***hid|eur** [i'dœ:r] *f* Scheußlichkeit *f*; **~eux** [~'dø] *adj.* (7d) □ scheußlich.

***hie** ⊕ [i] *f* Pflaster-, Hand-ramme *f*.

hièble ⚘ ['jɛblə] *f* Attich *m*.

hiém|al *bsd.* ⚘ [je'mal] *adj.* (5c) winterlich; **~ation** ⚘ [~ma'sjɔ̃] *f* Überwinterung *f*.

***hiement** [i'mɑ̃] *m* **1.** Festrammen *n des Pflasters*; **2.** Geräusch *n*, Knarren *n der Lasthebemaschinen*.

hier[1] [jɛ:r] *adv.* gestern; *fig.* vor kurzer Zeit; ~ *matin* gestern früh; ~ *tout au matin* gestern ganz früh; ~ *soir* gestern abend; *d'~* gestrig; *sa fortune date d'~* sein Vermögen ist neu.

***hier**[2] ⊕ [i'je] *v/t.* (1a) einrammen.

***hiérarch|ie** [jerar'ʃi] *f* Hierarchie *f*, Rangordnung *f*; **~ique** [~'ʃik] *adj.* □ hierarchisch, vorschriftsmäßig; *par la voie* ~ auf dem Dienstweg; **~iser** [~ʃi'ze] *v/t.* (1a) nach Rangordnungen einteilen.

hiératique [jera'tik] *adj.* hieratisch, religiös gebunden, feierlich.

hiéroglyphe [jerɔ'glif] *m* Hieroglyphe *f*; *~s pl. fig.* unlesbare Handschrift *f*.

hilarant [ila'rɑ̃] *adj.* (7) amüsant, zum Lachen; *gaz m* ~ Lachgas *n*.

hilare [i'la:r] *adj.* heiter.

hilarité [ilari'te] *f* Heiterkeit *f*.

hiloire ⚓ [i'lwa:r] *f* Scherstock *m*.

himalayen [imala'jɛ̃] *adj.* (7c) Himalaja...

hindi *ling.* [ɛ̃'di] *m* Hindi *n*.

hindou *rl.* [ɛ̃'du] *adj. u.* ♀ *su.* Hindu *m*; **~isme** *rl.* [~du'ism] *m* Hinduismus *m*; **~iste** [~du'ist] *su.* Hindu *m*.

Hindoustan *géogr.* [ɛ̃dus'tɑ̃] *m*: **l'~** Hindustan *n*; ♀**i** [ɛ̃dusta'ni] **I** *m* Hindustani(sprache *f*) *n*; **II** *adj.* hindustanisch.

hinterland [intɛr'lɑ̃:d] *m* (*dafür jetzt mst. arrière-pays m*) Hinterland *n*.

***hippie** [i'pi] **I** *su.* Hippy(mädchen *n*) *m*; **II** *adj.* Hippy...

hippique [i'pik] *adj.* zum Pferde gehörig; Pferde...

hippisme [i'pism] *m* Pferde-, Reitsport *m*.

hippo|campe [ipɔ'kɑ̃:p] *m* **1.** *icht.* Seepferdchen *n*; **2.** *myth.* Meerpferd *n*; **~drome** [~'drɔm] *m* (Pferde-)Rennbahn *f*; **~logie** [~lɔ'ʒi] *f* Pferdekunde *f*; **~mobile** [~mɔ'bil] *adj.* von Pferden gezogen; **~phagique** [~fa'ʒik] *adj.*: *boucherie f* ~ Roßschlächterei *f*; **~potame** [~pɔ'tam] *m* Nil-, Fluß-pferd *n*.

hircin [ir'sɛ̃] *adj.* (7) bocksartig; *puanteur f ~e* Bocksgestank *m*.

hirondelle [irɔ̃'dɛl] *f* **1.** Schwalbe *f*; ~ *de cheminée* Rauchschwalbe *f*; F ~ *d'hiver in Paris*: a) Schornsteinfeger *m*; b) Eßkastanienhändler *m*; **2.** P radfahrender Polizist *m*.

hirsute [ir'syt] *adj.* struppig, zerzaust; ⚘ rauh, stachelhaarig.

hispan|ique [ispa'nik] *adj.*: *coutumes f/pl. ~s* spanische Sitten *f/pl.*; **~isant** [~ni'zɑ̃] *m* Spanienforscher *m*; **~isme** [~'nism] *m* spanische Spracheigentümlichkeit *f*; **~o-américain** [~nɔameri'kɛ̃] *adj.* (7) spanisch-amerikanisch; **~ophile** [~nɔ'fil] *m* (*a. adjt.*) Spanienfreund *m*.

hispide ⚘ [is'pid] *adj.* rauh.

***hisser** [i'se] (1a) **I** *v/t.* hissen; **II** *v/rfl.* *se* ~ sich aufschwingen.

histoire [is'twa:r] *f* **1.** Geschichte *f*; ~ *ecclésiastique* Kirchengeschichte *f*; ~ *littéraire* Literaturgeschichte *f*; ~ *naturelle* Naturgeschichte *f*; ~ *universelle* Weltgeschichte *f*; ~ *de la civilisation* Kulturgeschichte *f*; ~ *de France* Geschichte *f* Frankreichs; *écol.* *classe f* (*od. leçon f*) d'~ Geschichtsstunde *f*; *avoir une ~* ein Faktor in der Geschichte bleiben; **2.** Geschichtswerk *n*; **3.** Beschreibung *f*, Erzählung *f*, Geschichte *f*; *c'est l'(éternelle) ~ de ...* so geht es allen ...; **4.** erfundene Geschichte *f*; **5.** (ärgerliche) Sache *f*; *c'est une autre ~* das ist etwas anderes; *voilà bien une autre ~!* auch das noch! (*von Unangenehmem*); *voilà bien des ~s!* was das für Sachen (Geschichten) sind!; **6.** F *~s pl.* Umstände *m/pl.*; Schwierigkeiten *f/pl.*, Scherereien *f/pl.*; Krach *m*, Zank *m*, Streit *m*; *que d'~s!* was für Umstände!; *ne faites donc pas tant d'~s!* machen Sie doch bloß nicht so viele Umstände!; *faire des ~s à q.* j-m Schwierigkeiten machen; *avoir des ~s avec q.* mit j-m Krach (F) haben; *pas (tant) d'~s!* Schluß damit!; *sans ~s* reibungslos; **7.** ⚕, *psych*. Bild *n*; *~ clinique* klinisches Bild *n*; *~ biologique* biologisches Bild *n*; **8.** F *~ de mit inf.* (bloß) um zu ...; *~ d'avoir le champ libre pour ses manigances* bloß um für s-e Machenschaften freies Feld zu haben.

histologie ⚕ [istɔlɔ'ʒi] *f* Histologie *f*, Gewebelehre *f*.

histo|ricité [istɔrisi'te] *f* geschichtlicher Tatbestand *m od.* Wert *m*; **~rien** [~'rjɛ̃] *su.* (7c) Historiker *m*; **~rier** [~'rje] *v/t.* (1a) illustrieren (*Bibel*); verzieren (*Vordergiebel*); **~riette** [~'rjɛt] *f* kleine Geschichte *f*; **~riographe** [~rjɔ'graf] *m* Geschichtsschreiber *m*; **~rique** [~'rik] I *adj.* □ geschichtlich, historisch; Geschichts...; II *m* geschichtliche Darstellung *f*, Werdegang *m*, Ablauf *m*.

histrion [istri'ɔ̃] *m* **1.** *péj.* Stümper *m*; **2.** *antiq.* Komödiant *m*.

***hit** ♪ [it] *m* Spitzenschlager *m*.

hitlérien *All. ehm. pol.* [itle'rjɛ̃] *adj. u. su.* (7c) hitleristisch, Hitler...; Hitlerist *m*, Nationalsozialist *m*.

hitlérisme *All. ehm. pol.* [itle'rism] *m* Hitlerbewegung *f*.

***Hittite** *antiq.* [i'tit] *m* Hethiter *m*.

hiver [i'vɛ:r] *m* Winter *m*; *en ~* im Winter; *au milieu (au plus fort, au cœur) de l'~* mitten im Winter; *passer l'~* überwintern; *sports m/pl. d'~* Wintersport *m/sg.*; *vêtements m/pl. d'~* Winter-kleidung *f/sg.*, -sachen *f/pl.*; **~nage** [~'na:ʒ] *m* Winter-, Regen-zeit *f*; ⚒ Winterbestellung *f*; ⚓, ⚒ Überwinterung *f*; ⚓ Winterhafen *m*; **~nal** [~'nal] *adj.* (5c) winterlich; *saison f ~e* Wintersaison *f*; **~nant** [~'nɑ̃] *su.* (7) Winterkurgast *m*; **~nement** *zo.* [~nə'mɑ̃] *m* Überwinterung *f*; **~ner** [~'ne] (1a) I *v/i.* überwintern; Winterquartiere beziehen; II *v/t.* ⚒ *~ les terres* die Winterbestellung des Ackers machen; *~ le bétail* das Vieh (im Winter) im Stall füttern.

H.L.M. [aʃɛ'lɛm] *m od. f* sozialer Wohnungsbau *m*.

ho [o] *int.* **1.** heda, hallo!; **2.** oh!

***hobereau** [ɔ'bro] *m* (5b) **1.** *orn.* Baumfalke *m*; **2.** *fig. péj.* Krautjunker *m*; *les ~x* das Junkertum; *mv.p. parti m des ~x* Junkerpartei *f*.

***hoche** [ɔʃ] *f* Kerbe *f*.

***hochement** [ɔʃ'mɑ̃] *m*: *~ de tête* Kopfschütteln *n*.

***hochepied** *ch.* [ɔʃ'pje] *m* Stoßfalke *m*.

***hochepot** *cuis.* [ɔʃ'po] *m* Fleischragout *n* mit Gemüse.

***hochequeue** *orn.* [ɔʃ'kø] *m* Bachstelze *f*.

***hocher** [ɔ'ʃe] *v/t.* (1a) schütteln: *~ la tête* mißbilligend den Kopf schütteln.

***hochet** [ɔ'ʃɛ] *m* Beißring *m* (*für Babys*), Kinderklapper *f*; *fig.* Tand *m*.

***hockey** *Sport* [ɔ'kɛ] *m* Hockey *n*; *~ sur glace* Eishockey *n*; **~eur** [ɔkɛ'jœ:r] *su.* (7g) Hockeyspieler *m*.

hodomètre [ɔdɔ'mɛ:trə] *m* Schrittmesser *m*; *a. odomètre*.

***holà** [ɔ'la] I *int.* hallo!; ruhig!; still!; *~! plus un mot!* ruhig!, kein Wort mehr!; II *m*: *mettre le ~ à qch.* e-r Sache Einhalt gebieten.

***holding** ✝ [ɔl'diŋ] *m* Dachgesellschaft *f*.

***hold-up** [ɔl'dœp] *m* (6c) bewaffneter Raubüberfall *m*.

***hollandais** [ɔlɑ̃'dɛ] *adj. u.* ꝗ *su.* (7) holländisch; Holländer *m*.

***Hollande** [ɔ'lɑ̃:d] *f*: **la ~** Holland *n*.

holocauste [ɔlɔ'kost] *m* Brand-, Sühn-opfer(tier *n*) *n*.

holographie *phot.* [ɔlɔgra'fi] *f* Holographie *f* (*dreidimensionale Photographie*).

holothurie *zo.* [ɔlɔty'ri] *f* Seegurke *f*.

***homard** [ɔ'ma:r] *m* Hummer *m*.

***home** [o:m] *m* **1.** Zuhause *n*; **2.** *~ d'enfants* Kinderheim *n*.

homélie *rl.* [ɔme'li] *f* **1.** Predigt *f*; **2.** *fig.* langweilige Moralpredigt *f*.

homéopath|e ⚕ [ɔmeɔ'pat] *adj. u. m* homöopathisch; Homöopath *m*; **~ie** ⚕ [~pa'ti] *f* Homöopathie *f*.

homéostasie ⚕, *cyb.* [ɔmeɔsta'zi] *f* Homöostasie *f.*

homérique [ɔme'rik] *adj.* homerisch.

homicide [ɔmi'sid] **I** *m* a) Totschlag *m*; ~ *par imprudence* fahrlässige Tötung *f*; b) Mörder *m*; **II** *adj.* mörderisch, Mord...; kannibalisch.

hominiens *biol.* [ɔmi'njɛ̃] *m/pl.* Hominiden *pl.*

hominisation [ɔminizɑ'sjɔ̃] *f* Menschheitsentwicklung *f.*

hommage [ɔ'ma:ʒ] *m* **1.** *féod.* Lehnseid *m*; (Vasallen-)Huldigung *f*; **2.** Ehrerbietung *f* (*bsd.* ~s *pl.*); ~ *national à* ... Staatsakt *m* für ...; *fig. rendre* ~ *aux mérites de q.* j-s Verdienste anerkennen (*od.* würdigen); *présenter ses* ~*s à q.* j-m huldigen, j-m s-e Ehrfurcht bezeigen; **3.** Widmung *f*; ~ *de l'auteur* vom Verfasser überreicht; *faire* ~ *de qch. à q.* j-m etw. widmen *od.* verehren; *en* ~ *de reconnaissance* als Zeichen dankbarer Verehrung.

hommasse [ɔ'mas] *adj.*: *femme f* ~ Mannweib *n.*

homme [ɔm] *m* **1.** Mensch *m*; **2.** Mann *m*; (*habillé*) *en* ~ als Mann (gekleidet); *voix f d'*~ Männerstimme *f*; ~ *fait* Erwachsene(r) *m*; *jeune* ~ junger Mann *m*; *il se fait* ~ er wächst zum Manne heran; ~ *d'action* Mann *m* der Tat; ~ *d'affaires* Geschäftsmann *m*; *brave* ~, ~ *de bien, honnête* ~ Ehren-, Bieder-mann *m*, anständiger (*od.* zuverlässiger) Mensch *m*; ~ *de couleur* Farbige(r) *m*; ~ *d'État* Staatsmann *m*; ~ *à femmes* Schürzenjäger *m*; ~ *du monde* Weltmann *m*; ~ *des neiges* Schneemensch *m* (*Himalaja*); ~ *nouveau* Emporkömmling *m*; *fig. l'*~ *de la rue* der (einfache) Mann der Straße; ~ *de paille* Strohmann *m*; *il serait* ~ *à le faire* er wäre imstande, es zu tun; *c'est un* ~ *à ménager* auf ihn muß man Rücksicht nehmen; **3.** ~*s pl.* Leute *pl.*, Personal *n*; **4.** *féod.* ~ *lige* Lehnsmann *m*, Vasall *m*; ~ *de corps* Leibeigene(r) *m*; **5.** P (Ehe-)Mann *m*; **6.** ⚔ Mann *m*; *l'*~ *qu'on a devant soi* der Vordermann; *mille* ~*s à cheval* tausend Mann Reiterei; ⚓ ~ *à la mer* Mann über Bord.

homme-clé [ɔm'kle] *m* (6b) Schlüsselfigur *f.*

Homme-Dieu [ɔm'djø] *m* Gottmensch *m.*

homme-grenouille [ɔmgrə'nuj] *m* (6a) Froschmann *m* (*Taucher*).

homme-réclames [ɔmre'klam] *m* (6b) (Reklame-)Zettelverteiler *m.*

homme-sandwich [~sɑ̃'dwiʃ] *m* (6a) Plakatträger *m.*

homme-serpent [~sɛr'pɑ̃] *m* (6a) Schlangenmensch *m.*

homo|gène [ɔmɔ'ʒɛn] *adj.* □ homogen, gleichartig; **~généisation** [~ʒeneizɑ'sjɔ̃] *f* **1.** ⚗ Homogenisierung *f*; **2.** *fig.* Wachrufen *n* e-s Zs.-gehörigkeitsgefühls; **~généité** [~ʒenei'te] *f* Gleichartigkeit *f*; Zusammengehörigkeit *f*; Geschlossenheit *f* (*e-r Partei*); **~logation** ⚖ [~lɔgɑ'sjɔ̃] *f* Genehmigung *f*, Bestätigung *f*; Klassifizierung *f e-s Hotels*; *Sport*: Beglaubigung *f od.* Anerkennung *f* (*bsd. e-s Rekords*); *Auto*, ✈ (Typ-)Prüfung *f*, Freigabe *f*; **~logue** [~'lɔg] *adj. a. biol.* entsprechend; Kollege *m*; **~loguer** ⚖ [~lɔ'ge] *v/t.* (1m) (gerichtlich) bestätigen; *Sport*: e-n Rekord beglaubigen *od.* anerkennen; *Werkstoff usw.* (amtlich) zulassen; **~nyme** *gr.* [~'nim] *adj. u. m* gleichlautend; Homonym *n*; **~nymie** *gr.* [~ni'mi] *f* Gleichlaut *m*; **~phile** [~'fil] *adj.* homosexuell; **~phonie** *gr.* [~fɔ'ni] *f* Gleichklang *m*; **~sexualité** [~sɛksɥali'te] *f* Homosexualität *f*; **~sexuel** [~sɛ'ksɥɛl] *adj.* (7c) homosexuell.

***hongre** ['ɔ̃:grə] **I** *adj.* verschnitten (*Pferd*); **II** *m* Wallach *m.*

***Hongrie** [ɔ̃'gri] *f*: **la** ~ Ungarn *n.*

***hongrois** [ɔ̃'grwa] *adj. u.* ♀ *su.* (7) ungarisch; Ungar *m.*

***hongroyeur** [ɔ̃grwa'jœ:r] *m* Gerber *m* auf ungarische Art.

honnête [ɔ'nɛ:t] **I** *adj.* □ **1.** ehrlich, redlich, anständig, bieder, rechtschaffen, achtbar, ehrbar, sittsam; **2.** passend, anständig, schicklich; **3.** ausreichend; **II** *m das* Anständige *n*, *das* Ehrbare *n*; **~ment** [ɔnɛt'mɑ̃] *adv.* **1.** auf ehrliche Weise; **2.** ausreichend; **~té** [ɔnɛt'te] *f* **1.** Ehrlichkeit *f*, Rechtschaffenheit *f*; **2.** Anständigkeit *f.*

honneur [ɔ'nœ:r] *m* **1.** Ehre *f*; *affaire f d'*~: a) Ehrensache *f*; b) Zweikampf *m*, Duell *n*; *Fr.*: *croix f* (*de la Légion*) *d'*~ Kreuz *n* der Ehrenlegion; *dame f d'*~ Hof-, Ehren-dame *f*; *demoiselle f d'*~ Brautjungfer *f*; *garçon m d'*~ Brautführer *m*; *parole f d'*~ (auf) Ehrenwort *n*; *avec* ~ ehrenvoll; *sans* ~ ehrlos; *en l'*~ *de q.* j-m zu Ehren;

avoir l'~ (de) die Ehre haben (zu); *cela vous fait ~* es macht Ihnen Ehre; *faire ~ à la vérité* der Wahrheit die Ehre geben; *faites-moi l'~ de venir me voir* beehren Sie mich mit Ihrem Besuch; F *faire ~ à un plat* sich ein Gericht schmecken lassen; *tenir à ~ de faire qch.* es sich zur Ehrenpflicht machen, etw. zu tun; **2.** *fig.* *~s pl.* Ehrenämter *n/pl.*; Ehrenstellen *f/pl.*; Ehrenbezeigungen *f/pl.*; *rendre les derniers ~s à q.* j-m die letzte Ehre erweisen; *faire les ~s de la maison* die Gäste empfangen; **3.** ✝ *faire ~ à une lettre de change* e-n Wechsel bezahlen (*od.* honorieren).

honora|bilité [ɔnɔrabili'te] *f* Ehrenhaftigkeit *f*; **~ble** [~'rablə] *adj.* **1.** ehrenvoll, rühmlich; Ehren...; **2.** achtbar, ehren-, achtungs-wert, geschätzt; Ehren...; *fig.* ansehnlich.

hono|raire [ɔnɔ'rɛːr] **I** *adj.* Ehren..., Titular...; *membre m ~* Ehrenmitglied *n*; *professeur m ~* Honorarprofessor *m*; **II** ⚕, ⚖ *m/pl.* *~s* Honorar *n*; **~rariat** [~ra'rja] *m* Ehrenmitgliedschaft *f*; **~rer** [~'re] (1a) **I** *v/t.* **1.** (ver)ehren, in Ehren halten; **2.** *~ q. de qch.* j-n mit etw. (*dat.*) beehren (*od.* j-m e-e Ehre erweisen); **3.** *~ q.* (*od. qch.*) j-m (*od.* e-r Sache) Ehre machen; **4.** ✝ *~ une lettre de change* e-n Wechsel bezahlen (*od.* honorieren); **II** *v/rfl.* *s'~ de qch.* sich durch etw. geehrt fühlen; *s'~ par qch.* mit etw. (*dat.*) Ehre einlegen; **~rifique** [~ri'fik] *adj.* □ Ehre bringend, ehrend, Ehren...; *à titre ~* ehrenamtlich.

***honte** [ɔ̃ːt] *f* **1.** Scham(haftigkeit *f*) *f*, Schamgefühl *n*; *avoir ~ de qch.* sich wegen e-r Sache (*gén.*) schämen; *avoir ~ de q.* sich vor j-m (*dat.*) schämen; *rougir de ~* vor Scham erröten; *avoir toute ~ bue* völlig schamlos sein; **2.** Schande *f*, Blamage *f*; *il n'y a pas de ~ à faire cela* man braucht sich nicht zu schämen, dies zu tun; *faire ~ à q.* j-n blamieren (*od.* bloßstellen).

***honteux** [ɔ̃'tø] (7d) *adj.* □ **1.** beschämt; *n'es-tu pas ~ de ...?* schämst du dich nicht, zu ...?; *rendre ~* beschämen; **2.** schandhaft, beschämend; **3.** zurückhaltend; verkappt.

***hop** [ɔp] *int.* *~!* hopp!, hops(a)!

hôpital [opi'tal] *m* (5c) Krankenhaus *n*, Hospital *n*; ⚔ *~-arrière m* Reservelazarett *n*; *~ militaire* Lazarett *n*; ⚔ *~ de campagne* Feldlazarett *n*; *~ de contagieux* Seuchenlazarett *n*; *vaisseau-~* Lazarettschiff *n*; *amener q. à l'~* j-n ins Krankenhaus einliefern; *transporter* (*od. emmener*) *q. à l'~* j-n ins Krankenhaus bringen.

***hoplà** [ɔp'la] *int.* *~!* hoppla!

***hoquet** [ɔ'kɛ] *m* Schlucken *m*; *avoir le ~* Schlucken haben; **~er** [ɔk'te] *v/i.* (1c) Schlucken haben.

horaire [ɔ'rɛːr] **I** *adj.* Stunden...; **II** *m école.* Stundenplan *m*; 🚂, ⚓, ✈ Fahrplan *m*, Kursbuch *n*; *allg.* Zeitplan *m*.

***horde** [ɔrd] *f* Horde *f*.

***horions** [ɔ'rjɔ̃] *m/pl.* Schläge *m/pl.*, Prügel *pl.*, Hiebe *m/pl.*; *échange m de ~s* Prügelei *f*; *distribuer des ~s* Schläge austeilen; *recevoir des ~s* Keile kriegen.

horizon [ɔri'zɔ̃] *m* Horizont *m*; Gesichtskreis *m*; *cela passe mon ~* das geht über meinen Horizont (*od.* Verstand); *de tous les ~s* aus allen Kreisen; **~tal** [~'tal] *adj.* (5c) □ waagerecht, horizontal.

horlo|ge [ɔr'lɔːʒ] *f* große (Turm-) Uhr *f*; *~ de gare* Bahnhofsuhr *f*; *~ régulatrice* Normaluhr *f*; *~ parlante* Zeitansage *f* (*durch Rundfunk od. Telephon*); *~ de parquet* Standuhr *f*; *~ pointeuse* Stechuhr *f* (*Kontrolluhr für Wächter*); **~ger** [~'ʒe] **I** *m* Uhrmacher *m*; **II** *adj.* (7b) Uhren...; *industrie f horlogère* Uhrenindustrie *f*; **~gerie** [ɔrlɔʒ'ri] *f* Uhrmacherei *f*; ✝ Uhrenhandel *m*; Uhrengeschäft *n*; Uhrenwaren *f/pl.*

hormis *litt.* [ɔr'mi] *prp.* außer (*dat.*).

hormon|al [ɔrmɔ'nal] *adj.* (5c) Hormon...; **~e** ⚕, *phm.* [ɔr'mɔn] *f* Hormon *n*.

horo|dateur [ɔrɔda'tœːr] *m* Datums- u. Zeitstempel *m*; **~kilométrique** [~kilɔme'trik] *adj.*: *compteur m ~* Tachometer *n*; **~scope** [~'skɔp] *m* Horoskop *n*; *fig.* Vorhersage *f*; *tirer* (*od. faire od. dresser*) *l'~ de q.* j-m das Horoskop stellen.

horr|eur [ɔ'rœːr] *f* **1.** Entsetzen *n*, Schauder *m*; *j'ai ~ de ...* mir grault es, zu ...; *cela fait ~ à penser* man schaudert bei dem Gedanken; *je suis saisi d'~ à l'idée ...* mich packt ein Grauen bei dem Gedanken...; **2.** Abscheu *m*; *avoir ~ de qch., avoir qch. en ~, avoir de l'~ pour qch.* etw. verabscheuen; *être en ~ à q.* j-m ein Greuel sein; **3.** *c'est une ~* das ist ein Scheusal; *une ~ d'enfant* ein abscheuliches Kind; **4.** Scheußlichkeit *f*, Abscheulichkeit *f*; *fi, l'~!* pfui, wie abscheulich!; *dire des ~s de q.* über j-n abscheuliche Dinge sagen; **5.** *~s f/pl.*: *~s de la guerre* Kriegsgreuel *m/pl.*; **~ible** [~'riblə] *adj.* □ **1.** entsetzlich, grauenvoll, scheußlich; **2.** fürchterlich, furchtbar; **~ifier** [~ri'fje] *v/t.* (1a) entsetzen; **~ifique** *plais.* [~ri'fik] *adj.* schrekkenerregend; **~ipilant** F [~ripi'lɑ̃] *adj.* (7) unausstehlich; haarsträubend; **~ipilation** [~ripilɑ'sjɔ̃] *f* Gänsehaut *f*; F *fig.* Empörung *f fig.*; **~ipiler** [~ripi'le] F *v/t.* (1a): *~ q.* j-n bis zum äußersten reizen, j-n auf die Palme bringen.

***hors** [ɔ:r] **I** *prp.*: *mst. mit de*: außerhalb (*gén.*); *~ d'âge* Alter unbestimmt (*v. Pferden*); *~ de combat* kampfunfähig; *~ de la ville*, *bisw. auch nur ~ la ville* außerhalb der Stadt; *~ d'ici!* weg (von) hier!, *être ~ d'affaire* außer Gefahr sein (*v. Kranken*); *être ~ de cause* unbeteiligt sein; *~ de dispute* unstrittig; *mettre qch. ~ de doute* etw. außer (allen) Zweifel setzen; *~ d'haleine* außer Atem; *être ~ de page fig.* aus den Kinderschuhen heraus sein, selbständig sein; *~ de prix* übermäßig teuer; *~ de propos*, *~ de saison* unpassend, nicht angebracht, nicht zutreffend; *~ d'usage* unbrauchbar; *~ (de) pair* unerreicht, außergewöhnlich; *il est ~ de lui* er ist außer sich vor Wut; *mettre q. ~ des gonds* j-n fuchsteufelswild machen; *in gewissen Redensarten auch noch ohne de*: *être logé ~ barrière* in der Vorstadt wohnen; *~ cadre* außeretatmäßig, überzählig; *Sport*: *~ classe* Sonderklasse *f*; *~ commerce* unverkäuflich; *~ cours* außer Kurs; *~ la loi* vogelfrei; *~ concours* außer Konkurrenz; *~ ligne* ganz hervorragend; *~ (de) pair* unvergleichlich; *~ série* außergewöhnlich; *~ mariage* außerehelich; *~ rang* außer der Reihe (*Beförderung*); *~ (de) service* außer Betrieb; *~ texte adj./inv.* eingefügt, eingeschaltet (*im Buch*), als Bilderbeigabe; *fig. ~ de là* im übrigen, abgesehen davon; **II** *stets ohne de*: außer, ausgenommen; *~ lui, tous étaient là* außer ihm waren alle da; **III** *~ que cj., litt.* (*ind. od. cond.*) mit Ausnahme, daß; außer daß.

***hors-bord** ⚓ [ɔr'bɔ:r] *m/inv.* Boot *n* mit Außenmotor.

***hors-cadre** ⚔ [ɔr'kɑdrə] *adj./inv.* überzählig.

***hors-concours** [ɔrkɔ̃'ku:r] *adj./inv.* vom Wettbewerb ausgeschlossen.

***hors-d'œuvre** [ɔr'dœ:vrə] *m* (6c) **1.** *cuis.* Vorspeise *f*, Hors d'œuvre *n*; **2.** *litt.* Nebenhandlung *f*, Abschweifung *f*, Zugabe *f*, beiläufige Schilderung *f*; *peint.* Beiwerk *n*, Nebensache *f*; **3.** △ Anbau *m.*

***hors-jeu** *Sport* [ɔr'ʒø] *m Fußball usw.*: Abseitsstellung *f.*

***hors-la-loi** [ɔrla'lwa] *m/inv.* Vogelfreie(r) *m*, Verbrecher *m.*

***hors-taxes** ✝ [ɔr'taks] *adj.* steuerfrei.

***hors-texte** [ɔr'tɛkst] *m/inv.* (Bild-) Tafel *f* (*in e-m Buch*).

hortensia ⚘ [ɔrtɑ̃'sja] *m* Hortensie *f.*

horti|cole [ɔrti'kɔl] *adj.* Garten...; *établissement m ~* Gärtnerei *f*; **~culteur** [~kyl'tœ:r] *m* (Kunst-) Gärtner *m*; **~culture** [~kyl'ty:r] *f* Gartenbau *m*; **~llonnage** [~jɔ'na:ʒ] *m* für den Gemüseanbau verwendetes Sumpfland *n.*

hosanna *rl.* [ɔza'na] *m* Hosianna *n.*

hospi|ce [ɔs'pis] *m* Hospiz *n*; Altersheim *n*; **~talier** [~ta'lje] (7b) **I** *adj.* □ **1.** gastfreundlich, gastlich; Verpflegungs...; **2.** Krankenhaus...; **3.** *sœur f hospitalière* barmherzige Schwester *f*; **II** *su.* Krankenhausangestellte(r) *m*; **~talisation** [~talizɑ'sjɔ̃] *f* Unterbringung *f* in e-m Krankenhaus; **~taliser** [~tali'ze] *v/t.* (1a) in e-m Krankenhaus aufnehmen, in ein Krankenhaus einliefern; **~talisme** ⚕ [~ta'lism] *m* Hospitalismus *m*, Krankenhauspsychose *f*; **~talité** [~tali'te] *f* Gastfreundschaft *f*; **~talo-universitaire** [~talɔyniversi'tɛ:r] *adj.*: *Fr. centre m ~* Krankenhauszentrum *n* der Universität.

hostellerie [ɔstɛl'ri] *f* Gasthaus *n* im Landstil; *~ scolaire de campagne* Schullandheim *n.*

hostie *rl.* [ɔs'ti] *f* **1.** *antiq.* Opfer *n*; **2.** Oblate *f*, Hostie *f.*

hosti|le [ɔs'til] *adj.* □ feindlich, feindselig; **~lité** [~li'te] *f* Feindschaft *f*; Feindseligkeit *f.*

hosto* [ɔs'to] *m* Krankenhaus *n.*

hôte [o:t] **I** *m* Gastgeber *m*; *compter sans son ~* die Rechnung ohne den Wirt machen; **II** *m* (*f*: *une ~*) Gast *m*; *table f d'~* Gasttisch *m.*

hôtel [o'tɛl] *m* **1.** Hotel *n*; *~ de moyen tourisme* bürgerliches Hotel *n*; *maître m d'~* Oberkellner *m*; **2.** vornehmes Privathaus *n*; großes öffentliches Gebäude *n*; Heim *n*; *~ de l'ambassadeur* Gesandtschaftsgebäude *n*; ~ *meublé* Logierhaus *n*; ~ *maternel* Mütterheim *n*; ~ *des postes* Hauptpostamt *n*; ~ *de ville* Rathaus *n*; **~-Dieu** [~'djø] *m* (6b) städtisches Krankenhaus *n*; **~ier** [otə'lje] *su. u. adj.* (7b) Hotelbesitzer(in *f*) *m*; *industrie f hôtelière* Gaststättengewerbe *n*, Hotelwesen *n*; **~lerie** [otɛl'ri] *f* a) Gästehaus *n* e-r Abtei; b) Hotelgewerbe *n*.

hôtesse [o'tɛs] *f* **1.** Gastgeberin *f*; **2.** Hostesse *f*; ✈ ~ *de l'air* Stewardeß *f*.

***hotte** [ɔt] *f* **1.** Tragkorb *m*, Kiepe *f*; **2.** ⚠ ~ *(de cheminée)* Rauchfang *m*; **3.** * *Auto*: Taxe *f*; Mühle *f*.

***hottentot** [ɔtɑ̃'to] *adj. u.* ♀ *su.* (7) hottentottisch; Hottentotte *m*.

***hou** [u] *int.* hu! pfui!

***houache** [waʃ] *f* Kielwasser *n*.

***houblon** ⚘ [u'blɔ̃] *m* Hopfen *m*; **~ner** [ublɔ'ne] *v/t.* (1a) mit Hopfen würzen; **~nier** [~'nje] *adj.* (7b) *u. m* hopfenerzeugend; Hopfenbauer *m*; **~nière** [~'njɛːr] *f* Hopfenfeld *n*.

***houe** ⚒ [u] *f* Hacke *f*.

***houil|le** [uj] *f* Steinkohle *f*; ~ *blanche* Wasserkraft *f*; **~ler** [u'je] *adj.* (7b) (stein)kohlenhaltig; *industrie f houillère* Kohlenbergbau *m*; **~lère** [~'jɛːr] *f* Steinkohlengrube *f*.

***houle** [ul] *f* ⚓ Dünung *f*, hohle See *f*, Drift *f*.

***houlette** [u'lɛt] *f* Hirtenstab *m*.

***houleux** [u'lø] *adj.* (7d) **1.** ⚓ unruhig, stürmisch (*a. fig.*); **2.** *allg.* unruhig, aufgeregt.

houliganisme [uliga'nism] *m* Bandenwesen *n*, Rowdytum *n*.

***hou(l)que** ⚘ [u(l)k] *f* Honiggras *n*.

***houp** [up] *int.* ~! los!

***houp|pe** [up] *f* **1.** *zo.* Büschel *n*; Quaste *f*; Troddel *f*; ~ *à poudrer* Puderquaste *f*; **2.** Haarschopf *m*; **~pelande** [up'lɑ̃ːd] *f* **1.** *ehm.* weit herabfallender Überwurf *m*; **2.** *Mode*: weiter Mantel *m*; **~pier** [u'pje] *m* Baumkrone *f*.

hour|dage** [ur'daːʒ] *m* **1.** Lattenwerk *n*; rauhes Feldsteinmauerwerk *n*; **2.** Berappen *n*, Spritzwurf *m*; **~der** [ur'de] *v/t.* (1a) **1.** grob ausmauern; **2.** ⚠ *Mauer* berappen, rauh putzen; ~ *au mortier de ciment* mit Zementmörtel berappen; **~dis** [ur'di] *m* = **~*dage.

***houri** [u'ri] *f* **1.** Huri *f*, mohammedanische Paradiesjungfrau *f*; **2.** *allg.* sehr hübsche Frau *f*, Schönheit *f*.

***hourra** [u'ra] **I** *int.* hurra!; **II** *m* Hurra(ruf *m*) *n*; *pousser des ~s* hurra schreien (*od.* rufen).

***hourvari** [urva'ri] *m* **1.** *ch.* a) Hakenschlagen *n* des Wildes; b) Zurückrufen *n* der Meute; **2.** *fig.* Durcheinander *n*, Spektakel *m*.

***houseaux** [u'zo] *m/pl.* hohe, lederne Gamaschen *f/pl.*

***houspiller** [uspi'je] *v/t.* (1a) hart anfahren, heruntermachen.

***houssaie** [u'sɛ] *f* Stechpalmengebüsch *n*.

***housse** [us] *f* **1.** (Möbel-)Überzug *m*; *Auto usw.* Schutzüberzug *m*; **2.** Reit-, Pferde-, Sattel-decke *f*.

***houx** [u] *m* Stechpalme *f*.

***hoyau** [wa'jo] *m* (5b) Rodehacke *f*.

***huard** *orn.* [ɥaːr] *m* Seeadler *m*.

***hublot** ⚓, ✈ [y'blo] *m* Luke *f*.

***huche** [yʃ] *f* Brot-, Mehl-kasten *m*.

***hue** [y] *int.* ~! hü!; vorwärts!; rechts!; *l'un tire à ~, l'autre à dia* der eine will hü, der andere hott; *à ~ et à dia* kreuz und quer.

***huées** [ɥe] *f/pl.* Geschrei *n*; Hohngelächter *n*.

***huer** [ɥe] **I** *v/t.* aus-pfeifen, -zischen, verhöhnen; **II** *v/i.* schreien, kreischen (*v. Eulen*).

***huguenot** [yg'no] *adj. u. su.* (7) hugenottisch; Hugenotte *m*.

huilage [ɥi'laːʒ] *m* Ölen *n*.

hui|le [ɥil] *f* Öl *n*; ~ *camphrée*, ~ *de camphre* Kampferöl *n*; ~ *d'amandes* Mandelöl *n*; ~ *végétale (solaire, de sésame)* Pflanzen- (Solar-, Sesam-)öl *n*; ~ *de graissage* Schmieröl *n*; ~ *brute* Rohöl *n*; ~ *Diesel* Dieselöl *n*, Dieselkraftstoff *m*; ~ *de trempage* Härteöl *n*; ~ *d'anis* Anisöl *n*; ~ *de lin (de noix, d'olive, de ricin, de rose)* Lein- (Nuß-, Oliven-, Rizinus-, Rosen-)öl *n*; ~ *de baleine* Walfischtran *m*; ~ *de foie de morue* Lebertran *m*; ~ *lourde* Schweröl *n*; ~ *minérale* Mineralöl *n*; ~ *comestible* Speiseöl *n*; ~ *pour la peau* Hautöl *n*; ~ *de poisson* Tran *m*; ~ *vierge* Jungfernöl *n* (*bestes Olivenöl*); *couleur f à l'~* Ölfarbe *f*; *peindre à l'~* in Öl malen; F ~ *de coude*, ~ *de bras* Kraftanstrengung *f*; F ~ *de cotret* Hiebe *m/pl.*, Prügel *pl.*; F *une ~* ein hohes Tier *n*, ein Bonze *m*; *fig. jeter de l'~ sur le feu* Öl ins Feuer gießen; *fig. faire tache d'~* um sich greifen, sich ausbreiten; *advt., fig. dans l'~* zu voller Zufriedenheit; **~ler** [~'le] *v/t.* (1a) (ein)ölen, schmieren; **~lerie** [ɥil'ri] *f* Ölfabrik *f*; Ölgeschäft *n*; **~leux** [~'lø] *adj.* (7d) ölig, ölartig; **~lier**

[~'lje] **I** *m* Essig- und Ölständer *m*; **II** *adj.* (7b) Öl...

huis [ɥi] *m* Tür *f*; *nur noch in*: *à ~ clos* unter Ausschluß der Öffentlichkeit, in geheimer Sitzung; **~serie** [ɥis'ri] *f* Türeinfassung *f*, Türrahmen *m*; **~sier** [~'sje] *m* **1.** Amtsdiener *m*; **2.** ⚖ Gerichtsvollzieher *m*, Vollstreckungsbeamte(r) *m*.

***huit** (*alleinstehend, also auch am Satzende, in Prozentangaben, vor allen Monatsnamen — auch vor denen, die mit Konsonant beginnen — und vor Vokalen*: ɥit; *vor cons. od. h aspiré*: ɥi; *~ hat immer h aspiré* (*z.B. le ~ mars* [lə ɥit mars]), *außer in dix-~* [di'zɥit] *u. vingt-~* [vɛ̃'tɥit]) **I** *adj./n.c.* acht; *de ~ ans* achtjährig; *cerf m (à) ~ cors* Achtender *m*; *journée f de ~ heures* Achtstundentag *m*; *il y a ~ jours* vor acht Tagen; *d'aujourd'hui en ~, dans ~ jours* in (= nach) acht Tagen; **II** *m* (*immer* ɥit) Acht *f*; ⚓ Achter *m*.

***huitain** *litt.* [ɥi'tɛ̃] *m* Achtzeiler *m*.

***huitaine** [ɥi'tɛn] *f* **1.** *une ~ de ...* ungefähr acht ...; **2.** Zeitraum *m* von acht Tagen.

***huitante** *dial.* [ɥi'tɑ̃:t] *adj./n.c.* achtzig.

***huitième** [ɥi'tjɛm] **I** *adj./n.o.* achter, achte, achtes; **II** *su.* Achte *m*; **III** *m* Achtel *n*; **IV** *f* achte Klasse *f*; **~ment** [~tjɛm'mɑ̃] *adv.* achtens.

huître ['ɥi:trə] *f* **1.** Auster *f*; *banc m d'~s* Austernbank *f*; *écaille f d'~* Austernschale *f*; *~ perlière* Perlmuschel *f*; **2.** F Schafs-, Dummkopf *m*.

***huit-reflets** F [ɥirə'flɛ] *m/inv.* Angströhre *f* P (*Zylinderhut*).

huîtr|ier [ɥitri'e] **I** *adj.* (7c) Austern...; **II** *m orn.* Austern-dieb *m*, -fischer *m*; **~ière** [~tri'ɛ:r] *f* Austernbank *f*.

***hulotte** [y'lɔt] *f* Waldkauz *m*.

***hululer** [yly'le] *v/i.* (1a) kreischen (*v. Eulen usw.*).

***hum** [œm] *int.* *~!* hm!

humain [y'mɛ̃] **I** *adj.* (7) ☐ **1.** menschlich, Menschen...; *le genre ~* das Menschengeschlecht; *sciences f/pl. ~es* Humanwissenschaften *f/pl.*; **2.** menschenfreundlich, human; **II** *m das* Menschliche *n*; **~ement** [ymɛn'mɑ̃] *adv.* menschlich; menschenfreundlich, human; *~ possible* menschenmöglich; *~ parlant* nach menschlicher Voraussicht.

humani|sation [ymanizɑ'sjɔ̃] *f* Vermenschlichen *n*, Milderung *f*, Verfeinerung *f* (*der Sitten*); **~ser** [~ni'ze] *v/t.* (1a) vermenschlichen; gesittet machen, milder stimmen, verfeinern (*Sitten*); **~sme** [~'nism] *m* Humanismus *m*; **~ste** [~'nist] **I** *m* Humanist *m*; **II** *adj.* humanistisch; **~taire** [~'tɛ:r] *adj.* das Wohl der Menschheit betreffend; **~tarisme** [~ta'rism] *m* **1.** *phil.* Humanitarismus *m*; *allg.* Menschenfreundlichkeit *f*; **2.** *mv.p.* Humanitätsdusel(ei *f*) *m*; **~té** [~ni'te] *f* **1.** Menschheit *f*, menschliche Natur *f*; Menschengeschlecht *n*; **2.** Menschlichkeit *f*; **3.** *~s f/pl. classiques* Studium *n* der alten Sprachen; *~s f/pl. modernes* Studium *n* der neuen Sprachen.

humble ['œ̃:blə] *adj.* ☐ ergeben, demütig, untertänig; arm; *les ~s* die einfachen Leute *pl.*

humec|tage [ymɛk'ta:ʒ] *m* Anfeuchten *n*; **~ter** [~mɛk'te] *v/t.* (1a) anfeuchten; F *plais. s'~ le gosier* einen heben, einen hinter die Kehle (*od.* Binde) gießen P.

***humer** [y'me] *v/t.* (1a) tief einatmen.

huméral *anat.* [yme'ral] *adj.* (5c) Oberarm...

humérus *anat.* [yme'rys] *m* Oberarmknochen *m*.

humeur [y'mœ:r] *f* **1.** Stimmung *f*; Laune *f*; Temperament *n*, Charakter *m*; *je suis d'~ à me promener* ich hätte Lust spazierenzugehen; *~ prompte* aufbrausender Charakter *m*; *être de bonne (mauvaise) ~* guter (schlechter) Laune sein; *avec ~* verdrießlich, verstimmt; *de joyeuse ~* gutgelaunt; *homme m d'~* launischer Mann *m*; *~ sombre* (*od. noire*) tiefe Schwermut *f*; **2.** üble Laune *f*; Verstimmung *f*, Verärgerung *f*; *avoir de l'~ contre q.* auf j-n (*acc.*) geladen sein; *prendre de l'~* ärgerlich werden.

humi|de [y'mid] **I** *adj.* feucht, naß; **II** *m* Feuchtigkeit *f*, Nässe *f*, *das* Nasse; **~dificateur** ⚡ [~difika'tœ:r] *m* Luftbefeuchter *m*; **~dification** [~difikɑ'sjɔ̃] *f* Anfeuchtung *f*; Feuchthaltung *f*; **~difier** [~di'fje] *v/t.* (1a) anfeuchten; feuchthalten; **~dité** [~di'te] *f* Feuchtigkeit *f*, Nässe *f*; *prendre l'~* feucht werden.

humification ⚒ [ymifikɑ'sjɔ̃] *f* Humusbildung *f*.

humili|ant [ymi'ljɑ̃] *adj.* (7) beschämend, erniedrigend, demütigend; **~ation** [~ljɑ'sjɔ̃] *f* Demüti-

gung *f*; Erniedrigung *f*; **~er** [~'lje] (1a) **I** *v/t.* beschämen, demütigen, erniedrigen; **II** *v/rfl.* s'~ sich erniedrigen; **~té** [~li'te] *f* Demut *f*, Unterwürfigkeit *f*.
humor|al *physiol.* [ymɔ'ral] *adj.* (5c) Körpersaft..., humoral; **~iste** [~'rist] **I** *adj.* humoristisch (*Person*); **II** *m* Humorist *m*; **~istique** [~ris'tik] *adj.* humoristisch.
humour [y'mu:r] *m* Humor *m*; ~ *noir* Galgenhumor *m*.
humus [y'mys] *m* Humus *m*.
***Hun** *hist.* [œ̃] *m* Hunne *m*.
***hune** ⚓ [yn] *f* Mars *m*, Mastkorb *m*; ~ *d'artimon* (~ *de misaine*) Besan- (Fock-)mars *m*.
***hunier** ⚓ [y'nje] *m* Mars-, Toppsegel *n*.
***hunnique** [y'nik] *adj.* hunnisch.
***huppe**[1] [yp] *f* Wiedehopf *m*.
***huppe**[2] *orn.* [~] *f* Haube *f*.
***huppé** [y'pe] *adj.* **1.** *orn.* behaubt; **2.** F *fig.* reich, vornehm, fein.
***hure** [y:r] *f* Kopf *m* (*bsd. e-s Wildschweins, großen Fisches*); P *allg.* Kopf *m*, Birne *f* P, Fresse *f* V.
***hurl|ement** [yrlə'mɑ̃] *m* Heulen *n*; Gebrüll *n*; **~er** [yr'le] *v/i.* (1a) heulen; brüllen; **~eur** [~'lœ:r] **I** *su.* (7g) Heuler *m*; *Auto*: Heuler *m*, Alarmgerät *n für Taxis*; **II** *m* Brüllaffe *m*.
hurluberlu [yrlybɛr'ly] *m* Faselkopf *m*, Wirrkopf *m*, Luftikus *m*.
***hussarde** [y'sard] *f*: *à la* ~ *advt.* draufgängerisch; stürmisch.
***hutte** [yt] *f* Hütte *f*, Baracke *f*.
hyacinthe [ja'sɛ̃:t] *f* Hyazinth *m* (*Edelstein*).
hyalin [ja'lɛ̃] *adj.* (7) durchsichtig (*wie Glas*), glasähnlich.
hybridation *biol.* [ibridɑ'sjɔ̃] *f* Zwitterbildung *f*.
hybride *zo.*, ⚘ [i'brid] *adj. u. m* hybrid, Bastard...; Bastard *m*.
hybrid|isme [ibri'dism] *m* Zwitterbildung *f* zwischen sehr nahen Abarten; **~ité** [~di'te] *f* Zwitterhaftigkeit *f*.
hydarthrose ⚕ [idar'tro:z] *f* Gelenkwassersucht *f*.
hydrat|ation ⚗ [idratɑ'sjɔ̃] *f* Hydrierung *f*; **~er** ⚗, *phm.* [~'te] *v/t.* (1a) hydrieren.
hydraulicien [idroli'sjɛ̃] *m* Fachmann *m* für Hydraulik.
hydraulique [idro'lik] **I** *adj.* hydraulisch, durch Wasser getrieben; *usine f* ~ Wasserwerk *n*; **II** *f* Hydraulik *f*.
hydr|aviation [idravjɑ'sjɔ̃] *f* Wasserflugzeugwesen *n*; **~avion** [~dra'vjɔ̃] *m* Wasserflugzeug *n*.
hydre ['i:drə] *f* **1.** *zo.* Wasser-, Seeschlange *f*; **2.** *myth.* Hydra *f*.
hydro|base [idrɔ'bɑ:z] *f* Wasserflughafen *m*; **~carbone** ⚗ [~kar'bo:n] *m* Kohlehydrat *n*; **~carbure** ⚗ [~kar'by:r] *f* Kohlenwasserstoff *m*; **~centrale** [~sɑ̃'tral] *f* Wasserkraftwerk *n*; **~céphale** ⚕ [~se'fal] *adj. u. su.* wasserköpfig; Wasserkopf *m*; **~céphalie** ⚕ [~sefa'li] *f* Hydrozephalie *f*, Gehirnwassersucht *f*; **~cracking** ⚗ [~kra'kiŋ] *m* Hydrocracken *n*, Cracken *n* durch Wasserdampf; **~cuté** ⚕ [~ky'te] *adj.* vom Wassertod betroffen; **~cution** ⚕ [~ky'sjɔ̃] *f* Wasserschlag *m*, plötzlicher Tod *m* im Wasser; **~dynamique** [~dina'mik] **I** *adj.* hydrodynamisch; **II** *phys. f* Hydrodynamik *f*, Wasserkraftlehre *f*; **~-électrique** [~elɛk'trik] *adj.*: *complexe m* ~ Wasserkraftwerk *n*; **~gène** ⚗ [~'ʒɛn] *m* Wasserstoff *m*; **~géner** ⚗ [~ʒe'ne] *v/t.* (1f) hydrieren, mit Wasserstoff verbinden; **~géologie** [~ʒeɔlo'ʒi] *f* Unterwassergeologie *f*; **~glissage** *Auto* [~gli'sa:ʒ] *m* Schleudern *n* durch Straßennässe; **~glisseur** ⚓ [~gli'sœ:r] *m* Gleitboot *n*; **~graphie** *géogr.* [~gra'fi] *f* Gewässer(kunde *f*) *n/pl.*; **~graphique** [~gra'fik] *adj.* hydrographisch; *carte f* ~ Seekarte *f*; **~logie** [~lɔ'ʒi] *f* Wasserkunde *f*; **~logue** [~'lɔg] *su.* Hydrologe *m*, Spezialist *m* für Wasserkunde; **~mel** [~'mɛl] *m* Met *m*; **~mètre** *phys.* [~'mɛ:trə] *m* Hydrometer *n*; **~minéral** ⚕ [~mine'ral] *adj.* (5c) Bäder...; **~pathie** ⚕ [~pa'ti] *f* Wasserheilkunde *f*; **~phile** [~'fil] **I** *adj.* wasseraufsaugend; **II** *ent. m* Wasserkäfer *m*; **~phobe** [~'fɔb] *adj.* wasserscheu; **~phobie** [~fɔ'bi] *f* Wasserscheu *f*; Tollwut *f*; **~phone** ⚓ [~'fɔn] *m* Unterwassermikrophon *n*; **~pisie** ⚕ [~pi'zi] *f* Wassersucht *f*; **~pneumatique** ⊕ [~pnøma'tik] *adj.* hydropneumatisch; **~ptère** ⚓ [~p'tɛ:r] *m* Tragflügelboot *n*, Hydropter *m*; **~soluble** [~sɔ'lyblə] *adj.* wasserlöslich; **~statique** *phys.* [~sta'tik] *adj. u. f* hydrostatisch; Hydrostatik *f*; **~technique** [~tɛk'nik] *f* Wasserbautechnik *f*; **~thérapie** ⚕ [~tera'pi] *f* Wasserheilkunde *f*.
hyène [jɛ:n] *f* Hyäne *f*.
hygiène [i'ʒjɛ:n] *f* Hygiene *f*.
hygiénique [iʒje'nik] *adj.* □ hygie-

nisch, gesundheitlich, Gesundheits...; *papier m* ~ Toilettenpapier *n*; *serviette f* ~ Damenbinde *f*.

hygiéniste [iʒje'nist] *su.* Hygieniker *m*.

hygro|mètre [igrɔ'mɛ:trə] *m* Feuchtigkeitsmesser *m*; **~métrique** [~me'trik] *adj.*: *degré m* ~ Luftfeuchtigkeitsgrad *m*; **~scope** [~'skɔp] *m* Feuchtigkeitsanzeiger *m*.

hymen [i'mɛn] *m* **1.** *poét.* Ehe *f*; **2.** *anat.* Hymen *n*; **3.** *fig.* Verquikkung *f*, Paarung *f*.

hymén|ée *poét.* [ime'ne] *m* Ehe *f*; **~optères** [~nɔp'tɛ:r] *m/pl.* Hymenopteren *pl.*, Hautflügler *m/pl.*

hymn|aire *rl.* [im'nɛ:r] *m* Gesangbuch *n*; **~e** [imn] **I** *m*: ~ *national* Nationalhymne *f*; **II** *f* Hymne *f*, Choral *m*, Kirchengesang *m*; **~ique** [~'nik] *adj.* hymnen-, choralartig.

hyper|barique *chir.* [ipɛrba'rik] *adj.* hyperbar, unter überatmosphärischem Druck; **~bole** [~'bɔl] *f bsd.* ⩘ Hyperbel *f*; *fig.* Übertreibung *f*; **~bolique** [~bɔ'lik] *adj.* □ übertreibend, übertrieben; **~critique** [~kri'tik] *adj.* über-, hyperkritisch; **~émie** ⚕ [~e'mi] *f* Blutfülle *f*, Hyperämie *f*; **~esthésie** ⚕ [~ɛste'zi] *f* Überempfindlichkeit *f*; **~marché** ⚚ [~mar'ʃe] *m* Supermarkt *m* (*ab 2500 m²*); **~métrope** ⚕ [~me'trɔp] *adj.* weit-, übersichtig; **~métropie** ⚕ [~metrɔ'pi] *f* Weit-, Über-sichtigkeit *f*; **~pression** ⊕ [~prɛ'sjɔ̃] *f* Überdruck *m*; **~sensible** *psych.*, ⚕ [~sɑ̃'siblə] *adj.* überempfindlich; **~tendu** [~tɑ̃'dy] *adj.* überspannt; **~tensif** [~tɑ̃'sif] *adj.*: *vertiges m/pl.* ~*s* Schwindelanfälle *m/pl.* durch zu hohen Blutdruck; **~tension** [~tɑ̃'sjɔ̃] *f* **1.** zu große Spannung *f*; **2.** ⚕ = ~*tonie*; **~tonie** ⚕ [~tɔ'ni] *f* Bluthochdruck *m*; **~trophie** ⚕ [~trɔ'fi] *f* krankhafte Vergrößerung *f od.* Erweiterung *f*; **~trophier** ⚕ [~trɔ'fje] *bsd. v/rfl.*: s'~ krankhaft anschwellen.

hypnoïdal [ipnɔi'dal] *adj.* (5c) hypnoseähnlich.

hypnologie 🕮 [ipnɔlɔ'ʒi] *f* Lehre *f* vom Schlaf.

hypno|se [ip'no:z] *f* Hypnose *f*; **~tique** [~nɔ'tik] *adj.* hypnotisch; **~tiser** [~ti'ze] (1a) **I** *v/t.* hypnotisieren; *fig.* bannen; **II** *v/rfl.* s'~ *sur qch.* sich auf etw. (*acc.*) versteifen; **~tiseur** [~ti'zœ:r] *m* Hypnotiseur *m*; **~tisme** [~'tism] *m* Hypnotismus *m*.

hypocon|dre *anat.* [ipɔ'kɔ̃:drə] *m* Unterrippengegend *f*, Hypochondrium *n*; **~driaque** [~kɔ̃dri'ak] *adj. u. su.* hypochondrisch, schwermütig; Hypochonder *m*, Schwermütige(r) *m*; **~drie** [~'dri] *f* Hypochondrie *f*, Schwermut *f*.

hypocoristique *ling.* [ipɔkɔris'tik] *m* Koseform *f* (*e-s Ausdrucks*).

hypocri|sie [ipɔkri'si] *f* Heuchelei *f*, Scheinheiligkeit *f*; Verstellung *f*; **~te** [~'krit] **I** *adj.* □ scheinheilig, heuchlerisch; **II** *su.* Heuchler *m*.

hypodermique ⚕ [ipɔdɛr'mik] *adj.* □ unter die (*bzw.* der) Haut.

hypodynamique ⊕ [~dina'mik] *f* Unterdruck *m*.

hypo|gée 🕮 [ipɔ'ʒe] *adj. u. m* unterirdisch(es Gewölbe *n*); Totengruft *f*; **~physe** *anat.* [~'fi:z] *f* Hypophyse *f*, Hirnanhang *m*; **~stase** [~'stɑ:z] *f* **1.** *rl.* Erscheinungsform *f*, Wesen *n*; **2.** ⚕ Hypostase *f*, vermehrte Blutanfüllung *f* in der Lunge; **~tension** [~tɑ̃'sjɔ̃] *f* **1.** zu geringe Spannung *f*; **2.** ⚕ = ~*tonie*; **~ténuse** ⩘ [~te'ny:z] *f* Hypotenuse *f*; **~thécaire** ⚖ [~te'kɛ:r] *adj.* hypothekarisch, pfandrechtlich; *titre m* ~ Pfandbrief *m*; **~thèque** [~'tɛk] *f* Hypothek *f*, Pfandverschreibung *f*; **~théquer** [~te'ke] *v/t.* (1f) **1.** ⚚ mit e-r Hypothek belasten, verpfänden; **2.** *fig.* ~ *l'avenir* die Zukunft belasten; F *être bien hypothéqué* a) e-n schweren Knacks weghaben; b) in der Klemme sitzen; **~thermie** ⚕ [~tɛr'mi] *f* Untertemperatur *f*; **~thèse** [~'tɛ:z] *f* Hypothese *f*, Annahme *f*, Vermutung *f*, Voraussetzung *f*; **~thétique** [~te'tik] *adj.* □ hypothetisch, angenommen; unsicher; **~tonie** ⚕ [~tɔ'ni] *f* zu niedriger Blutdruck *m*.

hypso|graphique *géogr.* [ipsɔgra'fik] *adj.*: *carte f* ~ Höhenkarte *f*; **~métrie** *géogr.* [~me'tri] *f* Höhenmessung *f*.

hysope ⚘ [i'zɔp] *f* Ysop *m*.

hysté|rie ⚕ [iste'ri] *f* Hysterie *f*; **~rique** ⚕ [~'rik] *adj.* (*auch su.*) hysterisch(e Frau *f*, -er Mann *m*); **~rotomie** ⚕ [~rɔtɔ'mi] *f* Gebärmutter- *od.* Kaiser-schnitt *m*.

I

I, i [i] *m* I, i *n*; *mettre les points sur les i* das Tüpfelchen auf dem i nicht vergessen; P = *il*.

ïamb|e [jɑ̃:b] *m* **1.** *métr.* Jambus *m*; **2.** *~s pl.* Spottgedicht *n*; **~ique** [iɑ̃'bik] *adj.* jambisch.

ibérique *géogr.* [ibe'rik] *adj.*: *péninsule f* ♀ Pyrenäenhalbinsel *f*.

iceberg [is'bɛrg] *m* Eisberg *m*.

ichor [i'kɔ:r] *m* ⚕ eitrige Flüssigkeit *f*; *géol.* Auswurf(s)gestein *n*; **~eux** ⚕ [ikɔ'rø] *adj.* (7d) eitrig.

ichtyo|colle [iktjɔ'kɔl] *f* Fischleim *m*; **~lithe** [~'lit] *m* versteinerter Fisch *m*; **~logie** [~lɔ'ʒi] *f* Fischkunde *f*; **~phage** [~'fa:ʒ] *su.* Fischesser *m*; **~saure** [~'zɔ:r] *m* Ichthyosaurus *m*.

ici [i'si] *adv.* **1.** hier; hierher; *d'~* von hier; *à partir d'~* von hier an; *d'~ là* von hier bis dorthin; *hors d'~* draußen; *hors d'~!* raus! (*od.* hinaus!); *il a passé par ~* er ist hier vorbeigekommen; *viens (par) ~!* komm (mal) her!; **2.** *a. zeitl. jusqu'~* bis hierher; bis jetzt; *dans un an d'~* in einem Jahr; *d'~ là* bis dahin, einstweilen; *d'~ en huit (jours)* heute über acht Tage; *d'~ peu* in kurzem; *d'~ un quart de siècle* (heute) in einem Vierteljahrhundert; *d'~ vingt ans* in den nächsten zwanzig Jahren; **~-bas** [~'bɑ] *adv.* hier auf Erden.

icône *peint.* [i'ko:n] *f* Ikone *f*.

icono|clasme *hist. rl.* [ikɔnɔ'klasm] *m* Bilderstürmerei *f*; **~claste** *hist. rl.* [~'klast] *m* Bilderstürmer *m*; **~graphie** *peint.* [~gra'fi] *f* Ikonographie *f*; **~lâtre** [~'lɑ:trə] *su.* Bilderanbeter *m*; **~thèque** [~'tɛk] *f* Bildersammlung *f*.

icosaèdre ⩓ [ikɔza'ɛ:drə] *m* Zwanzigflächner *m*.

ict|ère ⚕ [ik'tɛ:r] *m* Gelbsucht *f*; **~érique** ⚕ [ikte'rik] *adj.* gelbsüchtig.

idéal [ide'al] (*pl.* *~s od.* [5c]) **I** *adj.* □ ideal, vollkommen; nur in der Vorstellung vorhanden; **II** *m* Ideal *n*, Vorbild *n*; **~iser** [~li'ze] *v/t.* (1a) (ver)idealisieren; **~isme** [~'lism] *m* Idealismus *m*; **~iste** [~'list] **I** *su.* Idealist *m*; **II** *adj.* idealistisch.

idée [i'de] *f* **1.** Idee *f*, Begriff *m*, Vorstellung *f*, Bild *n*; *~ d'ensemble* (allgemeiner) Überblick *m*; *ne pas avoir la première ~ de qch.* nicht die geringste Ahnung von etw. (*dat.*) haben; (*je n'en ai*) *aucune ~, pas la moindre ~* keine Ahnung!; *tu n'as pas ~, tu ne peux pas te faire (une) ~ de ... ...* kannst du dir gar nicht vorstellen; *j'ai ~ que ...* es scheint mir, daß ...; *j'ai dans l'~ que ...* ich denke, daß ...; **2.** Einfall *m*, Gedanke *m*; (falsche) Vorstellung *f*; *~ directrice* Richtlinie *f*, Leitgedanke *m*; *~ folle* toller Einfall *m*; *~ fixe* fixe Idee *f*, Zwangsvorstellung *f*; *ce sont des ~s!* Unsinn!; *c'est une ~!* das wäre was!; *on n'a pas ~!* das ist unerhört!; F *se faire des ~s* sich Illusionen machen; sich ohne Grund Sorgen machen; *venir à l'~* auf den Gedanken kommen; *il a de l'~* er ist klug; F *il y a de l'~* es steckt etw. dahinter; *il m'est venu à l'~ de ...* ich bin auf den Gedanken gekommen zu ...; *l'~ lui est venue de ...* es ist ihm eingefallen zu ...; *c'est une ~ qu'elle a* das bildet sie sich ein; *se faire des ~s noires* trübsinnig werden, sich Gedanken machen; *se repaître d'~s* Träumereien nachhängen; **3.** Meinung *f*, Ansicht *f*, Anschauung *f*; *à mon ~* meiner Ansicht nach; *j'ai mes ~s là-dessus* darüber habe ich meine eigenen Ansichten; *changer d'~* s-e Ansicht (Meinung) ändern; *il fait tout à son ~* er macht alles nach s-m Kopf.

idem F [i'dɛm] *adv.* ebenso.

identi|fication [idɑ̃tifikɑ'sjɔ̃] *f* Identifizierung *f*; **~fier** [~'fje] (1a) **I** *v/t.* identifizieren; gleichsetzen; **II** *v/rfl.* *s'~ avec qch.* sich völlig e-r Sache anpassen, völlig mit etw. (*dat.*) übereinstimmen; *s'~ avec q.* völlig in j-m aufgehen, sich in j-s

Lage versetzen; **~que** [~'tik] *adj.* □ identisch, gleich, wesensgleich, gleichbedeutend; **~té** [~'te] *f* Identität *f*, Übereinstimmung *f*; Personalien *pl.*; *carte f d'~* Personalausweis *m*.

idéo|cratique ⚖ [ideɔkra'tik] *adj.* von Paragraphen beherrscht; **~gramme** [~'gram] *m* Begriffszeichen *n* (*z.B. der Hieroglyphen*).

idéolog|ie [ideɔlɔ'ʒi] *f* **1.** *phil.* Ideologie *f*; **2.** *péj.* Schwärmerei *f*; **~ue** [~'lɔg] *m* **1.** *phil.* Ideologe *m*; **2.** *péj.* Schwärmer *m*.

idio|lâtrie [idjɔlɑ'tri] *f* Selbstvergötterung *f*; **~matique** [~ma'tik] *adj.* □ spracheigentümlich; **~matologie** *ling.* [~matɔlɔ'ʒi] *f* Studium *n* fremder Sprachen; **~me** [i'djo:m] *m* Sprache *f*; **~syncrasie** ⚕ [~sɛ̃krɑ'zi] *f* Allergie *f*; eigene Naturanlage *f*.

idiot [i'djo] (7) **I** *adj.* blödsinnig, dumm, einfältig; *a.* ⚕ idiotisch; **II** *su.* Idiot *m* (*a.* ⚕), Dummkopf *m*; F *ne fais pas l'~!* hab dich doch nicht so!; **~ie** [idjɔ'si] *f a.* ⚕ Idiotie *f*, Geistesschwäche *f*; Unsinn *m*.

idiotisme *gr.* [idjɔ'tism] *m* Spracheigentümlichkeit *f*.

idiotypie *biol.* [idjɔti'pi] *f* Erbbildlehre *f*.

idoine ⚒, *nur noch plais.* [i'dwan] *adj.* geeignet (*à* für *acc.*).

idolâ|tre [idɔ'lɑ:trə] **I** *adj.* □ abgöttisch; *~ de* närrisch verliebt in (*acc.*); **II** *su.* Götzendiener *m*; **~trer** [~lɑ'tre] *v/t.* (1a) vergöttern; **~trie** [~'tri] *f* Götzendienst *m*, Idolatrie *f*; *fig.* abgöttische Liebe *f*.

idole [i'dɔl] *f* **1.** Götze *m*, Götzenbild *n*; **2.** *fig.* Idol *n*, Abgott *m*.

idyl|le [i'dil] *f* Idyll *n*, Schäfergedicht *n*; *fig.* Idylle *f*, zärtliche Liebe *f*; **~lique** [~'lik] *adj.* idyllisch.

if [if] *m* Eibe *f*, Taxusbaum *m*.

igloo [i'glo] *m* **1.** Eskimoschneehütte *f*; **2.** *Fr. métro*: igluförmiger Verkaufsstand *m*.

ignare [i'ɲa:r] **I** *adj.* völlig unwissend; **II** *m* (völliger) Ignorant *m*.

ignatien *rl.* [iɲa'sjɛ̃] *adj.* (7c) von Ignatius von Loyola.

igné [ig'ne] *adj.* brennend; vulkanisch.

igni|cole [igni'kɔl] *adj. u. su.* feueranbetend; Feueranbeter *m*; **~fuge** [~'fy:ʒ] *adj. u. m* feuerfest(er Stoff *m*); **~fuger** [~fy'ʒe] *v/t.* (1l) feuerfest machen; **~teur** *phys.* [~tœ:r] *m* Zündelektrode *f*; **~tion** ⚗ [~'sjɔ̃] *f*: *~ spontanée* Selbstentzündung *f*; **~vome** *géol.* [~'vɔm] *adj.*: *cratère m ~* feuerspeiender Berg *m*; **~vore** [~'vɔ:r] *adj. u. m* feuerfressend; Feuerfresser *m*.

igno|ble [i'ɲɔblə] *adj.* □ schändlich, niedrig, gemein; **~minie** [~mi'ni] *f* Schande *f*; Schandtat *f*; **~minieux** [~mi'njø] *adj.* (7d) □ schändlich, schimpflich.

ignor|ance [iɲɔ'rɑ̃:s] *f* Unwissenheit *f*, Unkenntnis *f*; *par ~* aus Unwissenheit; **~ant** [~'rɑ̃] (7) **I** *adj.* unwissend, unkundig; *~ comme une carpe* dumm wie Bohnenstroh; **II** *su.* Ignorant *m*, Dummkopf *m*; **~antisme** [~rɑ̃'tism] *m* Verdummungssystem *n*; **~er** [~'re] *v/t.* (1a) nicht wissen, nicht kennen, ignorieren; *ne pas ~ que* sehr wohl (*od.* genau) wissen, daß ...; *rester ignoré des ouvriers* den Arbeitern unbekannt bleiben.

iguane *zo.* [i'gwan] *m* Leguan *m*.

il [il; F *vor cons.*: i] *pr/p. m der 3. Person*: er, sie, es; a) *das pronominale Subjekt wird bei Aufzählungen nicht wiederholt*: *il boit, rit* er trinkt, lacht; *il pleut* es regnet; b) es; *auch als grammatisches Subjekt zur Hervorhebung des logischen Subjekts (nur bei intransitiven od. reflexiv gebrauchten Verben möglich)*: *~ est des cas où ...* es gibt Fälle, wo ...; *~ est trois qualités* es gibt drei Eigenschaften; *~ est temps de ...* es ist Zeit zu ...; *~ est trois heures* es ist drei Uhr; *~ fait beau (mauvais) temps* es ist gutes (schlechtes) Wetter; *~ fait chaud (froid)* es ist warm (kalt); *~ faut* es ist nötig; *~ faut que j'apprenne le français* ich muß Französisch lernen; *~ lui a pris une boutade* er hat e-n Rappel bekommen; *~ lui a pris envie de ...* er bekam Lust zu ...; *je l'ai vu ~ y a huit jours* vor acht Tagen habe ich ihn gesehen; *~ y a huit jours que je ne l'ai pas vu* seit acht Tagen habe ich ihn nicht gesehen; *~ arriva trois étrangers* es kamen drei Fremde an; drei Fremde kamen an; *~ se prépare de grandes choses* etwas Großes ist im Werden.

île [il] *f* Insel *f*; *fig.* Häuserblock *m*; *dans une ~* auf e-r Insel; *~ flottante (servant de champ d'atterrissage)* Flugzeuglandeinsel *f im Ozean*; *~ de glace* schwimmende Eisinsel *f*.

iléus ⚕ [ile'ys] *m* Darmverschlingung *f*.

iliaque *anat.* [i'ljak] *adj.*: *os m ~* Hüftbein *n*.

îlien [iˈljɛ̃] *su.* (7c) Inselbewohner *m.*
illégal [illeˈgal] *adj.* (5c) □ ungesetzlich, gesetzwidrig, widerrechtlich, illegal; **~ité** [~liˈte] *f* Rechtswidrigkeit *f,* Ungesetzlichkeit *f,* Rechtsungültigkeit *f.*
illégiti|me [illeʒiˈtim] *adj.* □ **1.** ungesetzlich, widerrechtlich; unehelich; **2.** *fig.* unbillig, unvernünftig; **3.** ungerechtfertigt; **~mité** [~miˈte] *f* Unrechtmäßigkeit *f*; Unehelichkeit *f.*
illettré [illɛˈtre] *su. u. adj.* Analphabet *m*; analphabetisch.
illicite [illiˈsit] *adj.* □ unerlaubt, unlauter.
illico F [illiˈko] *adv.* auf der Stelle, unverzüglich, sofort.
illimité [illimiˈte] *adj.* unbegrenzt, unbeschränkt.
illisi|bilité [illizibiliˈte] *f* Unleserlichkeit *f*; **~ble** [~ˈziblə] *adj.* unleserlich.
illog|ique [illɔˈʒik] *adj.* □ unlogisch, vernunftwidrig; **~isme** [~ˈʒism] *m* Vernunftwidrigkeit *f.*
illumi|nant *fig.* [illymiˈnɑ̃] *adj.* (7) aufklärend; **~nation** [~nɑˈsjɔ̃] *f* Beleuchtung *f*; *fig.* Erleuchtung *f*; **~né** *rl.* [~ˈne] **I** *su.* Schwärmer *m*; F Verrückte(r) *m*; **II** F *adj.* verrückt; **~ner** [~ˈne] *v/t.* (1a) beleuchten, festlich erleuchten; *fig.* aufklären.
illusion [illyˈzjɔ̃] *f* Illusion *f,* Selbstbetrug *m,* Wahnvorstellung *f*; Aussichtslosigkeit *f*; ~ *des sens* Sinnestäuschung *f*; *faire* ~ *à q.* j-n täuschen; *se faire* ~ *sur* sich täuschen über (*acc.*); **~ner** [~zjɔˈne] **I** *v/t.* täuschen; **II** *v/rfl.* s'~ sich Illusionen hingeben; **~niste** [~ˈnist] *su.* Zauberkünstler *m.*
illusoire [illyˈzwaːr] *adj.* □ illusorisch, trügerisch; aussichtslos.
illustr|ateur [illystraˈtœːr] *m* Illustrator *m*; **~ation** [~trɑˈsjɔ̃] *f* **1.** Illustration *f,* Bild *n,* Abbildung *f*; **2.** Bebilderung *f,* Erläuterung *f*; Veranschaulichung *f*; **~e** [ilˈlystrə] *adj.* berühmt, hervorragend, erlaucht; **~er** [~lysˈtre] *v/t.* (1a) illustrieren, erläutern, mit Bildern versehen.
il n'est pas jusqu'à ... qui ne ... [il nɛ pɑ ʒysˈka ... ki nə ...] *loc. mit subj.* ganz zu schweigen von ...; *vgl. jusque* II.
îlot [iˈlo] *m* **1.** kleine Insel *f*; **2.** Verkehrsinsel *f*; **3.** ⚔ ~ *de résistance* Widerstandsnest *n*; **4.** ⚓ Kommandoturm *m* (*auf Flugzeugträgern*); **5.** △ Häuserblock *m*; **~age** [ilɔˈtaːʒ] *m* Einteilung *f* in Überwachungszonen (*Polizei*).
il y a [ilˈja) a) es gibt; ~ *des gens qui* ... es gibt Leute, die ...; *il n'y en aura jamais plus* es wird niemals mehr davon geben; b) *prp.* vor (*zeitlich zurückblickend*); *je vous ai écrit* ~ *quinze jours* ich habe Ihnen vor vierzehn Tagen geschrieben; ~ *quelque soixante ans de cela,* ... vor nunmehr etwa sechzig Jahren ...; c) *cj.* **il y a que** seit; *il y a huit jours que je ne l'ai pas vu* seit acht Tagen habe ich ihn nicht gesehen; d) *il y a que* ... es steht fest, daß ...; *d'abord il y a que* ...; *et puis il y a que* ... erstens steht es fest, daß ...; ferner ist es eine Tatsache, daß ...
ima|ge [iˈmaːʒ] *f* **1.** Bild *n,* Bildnis *n,* Abbildung *f*; *livre m d'~s* Bilderbuch *n*; *feuille f d'~s* Bilderbogen *m*; ~ *télévisée* Fernsehbild *n*; **2.** Ebenbild *n*; Spiegelbild *n*; *fig.* Vorstellung *f*; bildlicher Ausdruck *m*; ~ *du monde* Weltbild *n* (*e-s Schriftstellers od. Dichters*); **3.** ~ *de marque, bisw. nur:* ~ Image [ˈimidʒ] *n*; **~gé** *a. télév.* [imaˈʒe] *adj.* bildlich dargestellt; **~ger** [~] *v/t.* (11) mit Bildern schmücken; *fig.* veranschaulichen; *langage m imagé* bilderreiche Sprache *f*; *gr. expressions f/pl. imagées* bildhafte Ausdrücke *m/pl.*; **~gerie** [imaʒˈri] *f* Bilder-fabrik *f*; -handel *m*; **~gier** [imaˈʒje] *su.* (7b) Bilder-fabrikant *m,* -händler *m*; Illustrator *m alter Bücher.*
imagi|nable [imaʒiˈnablə] *adj.* vorstellbar, denkbar; **~naire** [~ˈnɛːr] *adj.* eingebildet, vermeintlich, erträumt, vorgestellt; *a.* ⅍ imaginär; **~natif** [~naˈtif] *adj.* (7e) erfinderisch, phantasievoll; **~nation** [~nɑˈsjɔ̃] *f* Einbildung(skraft *f*) *f,* Phantasie *f,* Gedankenwelt *f*; **~ner** [~ˈne] (1a) **I** *v/t.* **1.** ~ *qch.* sich etw. denken; **2.** ersinnen, auf etw. (*acc.*) verfallen; **II** *v/rfl.* s'~ sich einbilden, sich denken, sich vorstellen, sich ausmalen.
imagologie [imagɔlɔˈʒi] *f* Lehre *f* von der Wandelbarkeit des Geschichtsbilds *e-s Volkes.*
imbattable [ɛ̃baˈtablə] *adj. a. Sport:* unschlagbar, unerreicht.
imbécil|e [ɛ̃beˈsil] **I** *adj.* □ **1.** ⚕ schwachsinnig; **2.** blöde, dumm; **II** *su.* **3.** ⚕ Schwachsinnige(r) *m*; **4.** Dummkopf *m*; **~lité** [~liˈte] *f* **1.** ⚕ Schwachsinn *m*; **2.** Blödheit *f.*

imberbe [ɛ̃'bɛrb] *adj.* bartlos; ⚘ unbehaart; *fig.* sehr jung.

imbiber [ɛ̃bi'be] (1a) **I** *v/t.* durchnässen, einweichen; tränken; *fig.* durchdringen; **II** *v/rfl.* *s'~ d'eau* sich mit Wasser vollsaugen.

imbibition [ɛ̃bibi'sjɔ̃] *f* Aufsaugen *n*; Anfeuchten *n*.

imbrication [ɛ̃brikɑ'sjɔ̃] *f* dachziegelartiges Übereinandergreifen *n*.

imbriqué [ɛ̃bri'ke] *adj.* dachziegelartig übereinanderliegend; *fig.* verflochten.

imbrisable [ɛ̃bri'zablə] *adj.* unzerbrechlich.

imbroglio [ɛ̃brɔ'ljo] *m* Verwicklung *f*, Durcheinander *n*; *ling.* Unklarheit *f*; *thé.* Intrigenstück *n*.

imbu [ɛ̃'by] *adj.*: *~ de* durchdrungen *od.* eingenommen von (*dat.*).

imbuvable [ɛ̃by'vablə] *adj.* untrinkbar; F *fig.* unerträglich.

imita|ble [imi'tablə] *adj.* nachahmbar; **~teur** [~'tœ:r] *adj. u. su.* (7f) nachahmend; Nachahmer *m*; *litt.* Epigone *m*; *~ servile* *mv.p.* Nachäffer *m*; **~tif** [~'tif] *adj.* (7e) nachahmend; **~tion** [~tɑ'sjɔ̃] *f* Nachahmung *f*; *à l'~ de* in der Art von (*dat.*), wie; *être au-dessus de toute ~* unübertroffen sein.

imiter [imi'te] *v/t.* (1a): *~ q.* j-m (*bzw.* j-n [*im Sinne*: nachmachen]) nachahmen; nachmachen; nachäffen; nachbilden; nachdichten.

immaculé [immaky'le] *adj.* makellos, rein, unbefleckt.

immanen|ce *phil.* [imma'nɑ̃:s] *f* Immanenz *f*, Innewohnen *n*, In-etwas-Enthaltensein *n*; **~t** [~'nɑ̃] *adj.* (7) *phil.* innewohnend, immanent; wesenhaft.

imman|geable [ɛ̃- *od.* im-mɑ̃'ʒablə] *adj.* ungenießbar; **~quable** [ɛ̃- *od.* im-mɑ̃'kablə] *adj.* unausbleiblich; unfehlbar.

immarcescible [immarsɛ'siblə] *adj.* unvergänglich.

immaté|rialiser [immaterjali'ze] *v/t.* (1a) als unkörperlich ansehen; **~rialisme** *phil.* [~rja'lism] *m* Immaterialismus *m*, Auffassung *f* der Materie als e-e Erscheinungsform e-r geistigen Wirklichkeit; **~rialité** [~rjali'te] *f* Unkörperlichkeit *f*; Stofflosigkeit *f*, Übersinnlichkeit *f*; **~riel** [~'rjɛl] *adj.* (7c) □ unkörperlich, stofflos, übersinnlich, geistig.

immatricu|lation [immatrikylɑ'sjɔ̃] *f* Immatrikulation *f*, Eintragung *f*, Registrierung *f*; ✈ Erkennungszeichen *n*; *Auto*: *numéro m d'~* Autonummer *f*; *plaque f d'~* Nummernschild *n*; **~le** *adm.*, ⚖ [~'kyl] *f* Einschreibung *f*, Eintragung *f*; **~ler** [~'le] *v/t.* (1a) immatrikulieren; *Auto*: zulassen.

immaturité [immatyri'te] *f a. fig.* Unreife *f*.

immédiat [imme'dja] **I** *adj.* (7) □ unmittelbar; unverzüglich; **II** *m/sg.* **1.** allernächste Zukunft *f*; **2.** Gegenwart *f*; *dans* (*od. pour*) *l'~* im (gegenwärtigen) Augenblick; **~eté** *phil.*, *psych.* [~tə'te] *f* Unmittelbarkeit *f*; *das* Sofortige.

immémorial [immemɔ'rjal] *adj.* (5c) undenklich, uralt; *de temps ~* seit Menschengedenken.

immen|se [im'mɑ̃:s] *adj.*, **~sément** [immɑ̃se'mɑ̃] *adv.* unermeßlich, ungeheuer, maßlos; unendlich, grenzenlos, unübersehbar; *fig.* großartig; **~sité** [~mɑ̃si'te] *f* Unermeßlichkeit *f*; Maßlosigkeit *f*; Unendlichkeit *f*; Grenzenlosigkeit *f*.

immensurable [immɑ̃sy'rablə] *adj.* unmeßbar.

immerg|ent [immɛr'ʒɑ̃] *adj.* eindringend (*Lichtstrahl*); **~er** [~'ʒe] (1l) **I** *v/t.* ins Meer versenken (*Kabel*; *Tote*); **II** ⚓ *s'~* untertauchen (*U-Boot*).

immérité [immeri'te] *adj.* unverdient.

immersion [immɛr'sjɔ̃] *f* **1.** Ein-, Unter-tauchen *n*; Versenken *n*; *ast.* Eintritt *m* in den Schatten; *mort f par ~* Tod *m* durch Ertrinken; **2.** *fig.* Eingliederung *f*.

immeuble [im'mœ:blə] *adj. u. m* unbeweglich(es Gut *n*); Grundstück *n*; *~ d'habitation* Wohn-, Miets-haus *n*; *~ (construit) en briques hollandaises* Klinkerbau *m*; *~s pl.* Liegenschaften *f/pl*.

immi|grant [immi'grɑ̃] *adj. u. su.* (7) einwandernd; Einwanderer *m*; **~gration** [~grɑ'sjɔ̃] *f* Einwanderung *f*; **~grer** [~'gre] *v/i.* (1a) einwandern.

immi|nence [immi'nɑ̃:s] *f* nahes Bevorstehen *n*, Herannahen *n*; **~nent** [~'nɑ̃] *adj.* (7) (nahe) bevorstehend, drohend.

immi|scer [immi'se] (1k) *v/rfl.*: *s'~ dans qch.* sich in etw. (*acc.*) einmischen; **~scible** ⚗ [~'siblə] *adj.* unvermischbar; **~ssion** [~'sjɔ̃] *f* Einwirkung *f*, Zuführung *f* (*v. Gasen, Gerüchen, Dämpfen*); **~xtion** [~miks'tjɔ̃] *f* Einmischung *f*.

immobi|le [immɔ'bil] *adj.* unbeweglich, regungslos; *fig.* unerschütterlich, standhaft; **~lier** [~'lje] *adj.* (7b) Grundstücks...; **~lisation** [~liza'sjõ] *f* Lahmlegung *f*; Untätigkeit *f*; ⚔ Bindung *f* (*des Feindes*); *fin.* Festlegung *f v. Kapitalien*, Immobilisierung *f*; **~liser** [~li'ze] (1a) **I** *v/t.* unbeweglich machen; lahmlegen; zur Untätigkeit zwingen; *fin.* festlegen, immobilisieren; ⚖ in unbewegliches Gut verwandeln; *Fahrzeug*: stillegen; **II** *v/rfl.* s'~ sich nicht rühren, stehenbleiben, anhalten; **~lisme** [~'lism] *m* (Zustand *m* der) Unbeweglichkeit *f*, starre Haltung *f*, *pol.* abwartende Haltung *f*; Bewegungslosigkeit *f*; *fig.* Starrsinn *m*, Unfortschrittlichkeit *f*; **~lité** [~li'te] *f* Unbeweglichkeit *f*; Untätigkeit *f*.

immodé|ration [immɔdera'sjõ] *f* Maßlosigkeit *f*, Unmäßigkeit *f*; **~ré** [~'re] *adj.*, **~rément** [~re'mã] *adv.* übermäßig, unmäßig; maßlos.

immol|ation [immɔla'sjõ] *f* Opferung *f*; *fig.* Hinopfern *n*; **~er** [~'le] *v/t.* (1a) **1.** opfern; **2.** *fig.* hinschlachten; **3.** *fig.* verzichten auf (*acc.*), preisgeben.

immon|de [im'mõ:d] *adj.* dreckig; ekelhaft; *rl.* unrein; *littérature f* ~ Schundliteratur *f*; **~dices** [imõ'dis] *f/pl.* Müll *m*.

immoral [immɔ'ral] *adj.* (5c) □ unmoralisch, unsittlich; **~ité** [~li'te] *f* Unsittlichkeit *f*, Sittenlosigkeit *f*.

immor|taliser [immɔrtali'ze] *v/t.* (1a) unsterblich machen, verewigen; **~talité** [~tali'te] *f* Unsterblichkeit *f*; **~tel** [~'tɛl] (7c) **I** *adj.* □ unsterblich; *fig.* unvergänglich; **II** *su.* Unsterbliche(r) *m*; **III** ♀s *m/pl.* Mitglieder *n/pl.* der Franz. Akademie.

immortelle ⚘ [immɔr'tɛl] *f* Strohblume *f*, Immortelle *f*.

immotivé [immɔti've] *adj.* unbegründet.

immuable [im'mɥablə] *adj.* □ unwandelbar, unabänderlich.

immuni|sé [immyni'ze] *adj.* seuchenfest, immun; gefeit; mottenecht; **~ser** [~] *v/t.* (1a) gegen Ansteckung sichern; **~té** [~'te] *f* **1.** *biol.* Schutz *m* vor Ansteckung, Immunität *f*; **2.** Steuerfreiheit *f*; **3.** *parl.* Unverletzbarkeit *f*, Straffreiheit *f*, Immunität *f*.

immutabilité [immytabili'te] *f* Unveränderlichkeit *f*, Unwandelbarkeit *f*, Unabänderlichkeit *f*.

impact [ɛ̃'pakt] *m* **1.** ⚔ Aufprall *m*; *point m d'*~ Einschlag *m*; **2.** *fig.* Widerhall *m* (*sur l'opinion* in der öffentlichen Meinung); direkte Auswirkung *f* (*der Reklame*); *pol.* Wirkung *f*.

impair [ɛ̃'pɛ:r] **I** *adj.* □ ungerade; unpaarig; ungleich; **II** *m* Fauxpas *m*, Ungeschicklichkeit *f*.

impalpab|ilité [ɛ̃palpabili'te] *f* Unfühlbarkeit *f*; **~le** [~'pablə] *adj.* unfühlbar; ganz fein.

impaludation ⚕ [ɛ̃palyda'sjõ] *f* **1.** Erkrankung *f* an Malaria; **2.** Malariaimpfung *f*.

impardonnable [ɛ̃pardɔ'nablə] *adj.* unverzeihlich.

imparfait [ɛ̃par'fɛ] **I** *adj.* (7) □ unvollkommen, unvollendet, mangelhaft; **II** *m gr.* Imperfekt *n*.

imparisyllabique *gr.* [ɛ̃parisila'bik] *adj.* ungleichsilbig.

imparité [ɛ̃pari'te] *f* Ungeradheit *f*; Ungleichheit *f*.

impartageable [ɛ̃parta'ʒablə] *adj.* unteilbar.

impartial [ɛ̃par'sjal] *adj.* (5c) □ *u. m* unparteiisch; Unparteiische(r) *m*; **~ité** [~li'te] *f* Unparteilichkeit *f*.

impartir [ɛ̃par'ti:r] *v/t.* (5a) ⚖ gewähren; *litt.* zuteilen, zuschreiben.

impasse [ɛ̃'pa:s] *f* Sackgasse *f*; 🚂 Abstellgleis *n*; *fig.* Klemme *f*.

impassi|bilité [ɛ̃pasibili'te] *f* Unempfindlichkeit *f*; *fig.* Gleichgültigkeit *f*, Leidenschaftslosigkeit *f*, Gefühllosigkeit *f*, Kaltblütigkeit *f*; **~ble** [~'siblə] *adj.* □ unempfindlich; *fig.* kaltblütig, gleichgültig; gefaßt, gelassen.

impati|ence [ɛ̃pa'sjã:s] *f* Ungeduld *f*; **~ent** [~'sjã] *adj.* (7) (*adv. impatiemment*) ungeduldig; sehnsüchtig (de nach *dat.*); **~entant** [~sjã'tã] *adj.* (7) beunruhigend; **~enter** [~sjã'te] (1a) *v/t.* (*u. v/rfl.* s'~) ungeduldig machen (werden).

impatroniser [ɛ̃patrɔni'ze] (1a) **I** *v/t. litt. etw. autoritär* einführen; **II** *v/rfl.* s'~ sich zum Herrn machen, sich einnisten; *fig.* sich breitmachen; aufkommen (*Sitte*).

impavide *litt. od. plais.* [ɛ̃pa'vid] unerschrocken, standhaft, unerschütterlich.

impay|able F [ɛ̃pɛ'jablə] *adj. fig.* köstlich, höchst amüsant, urkomisch, sagenhaft; **~é** [~'je] *adj.* unbezahlt.

impeccab|ilité [ɛ̃pɛkabili'te] *f* **1.** einwandfreier Zustand *m*; **2.** *rl.* Unfehlbarkeit *f*; **~le** [~'kablə] *adj.* **1.** einwandfrei, tadellos, fehlerlos; **2.** *rl.* sündenfrei, unfehlbar.

impédance ⚡ [ɛ̃peˈdɑ̃:s] *f* Impedanz *f.*

impénétra|bilité [ɛ̃penetrabiliˈte] *f* Undurchdringlichkeit *f*; *fig.* Unerforschbarkeit *f*; **~ble** [~ˈtrablə] *adj.* **1.** undurchdringlich; *~ aux balles* kugelsicher; *~ à l'eau* wasserdicht; **2.** *fig.* unerforschbar, unergründlich, undurchschaubar.

impéni|tence [ɛ̃peniˈtɑ̃:s] *f* Unbußfertigkeit *f*; **~tent** [~ˈtɑ̃] *adj.* (7) *rl.* unbußfertig; *allg.* verstockt; unverbesserlich.

impensable [ɛ̃pɑ̃ˈsablə] *adj.* unvorstellbar, undenkbar.

impenses ⚖ [ɛ̃ˈpɑ̃:s] *f/pl.* Aufwendungen *f/pl.*; *~ voluptuaires* Luxusaufwendungen *f/pl.*

imper F [ɛ̃ˈpɛ:r] *m* Regenmantel *m.*

impératif [ɛ̃peraˈtif] **I** *adj.* (7e) □ gebieterisch; ausschlaggebend, tonangebend (*z.B. Mode*); unerläßlich; **II** *m gr.* Imperativ *m*, Befehlsform *f*; *allg.*: *les ~s nationaux* die nationalen Belange *pl.*

impératrice [ɛ̃peraˈtris] *f* Kaiserin *f.*

imperceptible [ɛ̃pɛrsɛpˈtiblə] *adj.* □ unmerklich, nicht wahrnehmbar.

imperdable [ɛ̃pɛrˈdablə] *adj.* unverlierbar (*Prozeß, Partie, Spiel*).

imperfec|tibilité [ɛ̃pɛrfɛktibiliˈte] *f* Unfähigkeit *f*, sich zu vervollkommnen; **~tible** [~ˈtiblə] *adj.* vervollkommnungsunfähig; **~tion** [~fɛkˈsjɔ̃] *f* Unvollkommenheit *f*, Mangel *m*; Nachteil *m.*

imperfor|able [ɛ̃pɛrfɔˈrablə] *adj.* stichfest; **~ation** ⚕ [~rɑˈsjɔ̃] *f* Atresie *f*, mangelnde Öffnung *f.*

impérial [ɛ̃peˈrjal] *adj.* (5c) kaiserlich; Kaiser…, Reichs…, Weltreichs…; **~e** [~] *f* **1.** *Bus*, 🚃 Verdeck *n*; **2.** ⚠ *toit m à l'~* Zwiebeldach *n*; **~isme** [~ˈlism] *m* Imperialismus *m*; **~iste** [~ˈlist] **I** *adj.* imperialistisch; **II** *m* Imperialist *m.*

impérieux [ɛ̃peˈrjø] *adj.* (7d) gebieterisch, herrschsüchtig; dringend, unabweislich.

impérissable [ɛ̃periˈsablə] *adj.* unvergänglich.

impéritie *litt.* [ɛ̃periˈsi] *f* Unerfahrenheit *f*; Ungeschicklichkeit *f.*

imperméab|iliser [ɛ̃pɛrmeabiliˈze] *v/t.* (1a) *Stoffe* imprägnieren; **~le** [~meˈablə] **I** *adj.* □ wasserundurchlässig, regendicht, wetterfest; *~ au gaz* gasdicht; **II** *m* Regenmantel *m.*

impermutable [~myˈtablə] *adj.* unvertauschbar.

impersonn|alité [ɛ̃pɛrsɔnaliˈte] *f*: *l'~ du style* die Unpersönlichkeit des Stils; **~el** [~ˈnɛl] *adj.* (7c) □ unpersönlich.

imperti|nence [ɛ̃pɛrtiˈnɑ̃:s] *f* Ungehörigkeit *f*, Frechheit *f*, Unverschämtheit *f*, Flegelei *f*; *sotte ~* Dummdreistigkeit *f*; **~nent** [~ˈnɑ̃] (7) **I** *adj.* (*adv. impertinemment* [~naˈmɑ̃]) frech, unverschämt, ungehörig, flegelhaft; **II** *su.* Flegel *m.*

imperturba|bilité [ɛ̃pɛrtyrbabiliˈte] *f* Unerschütterlichkeit *f*; **~ble** [~ˈbablə] *adj.* □ unerschütterlich; unverwüstlich (*Gesundheit*).

impétig|ineux ⚕ [ɛ̃petiʒiˈnø] *adj.* (7d) eiterig; **~o** ⚕ [~ˈgo] *m* Hautausschlag *m*; Eiterflechte *f.*

impétrant ⚖ [ɛ̃peˈtrɑ̃] *m* Diplominhaber *m*; *abus.* Gesuchsteller *m.*

impétu|eux [ɛ̃peˈtɥø] *adj.* (7d) □ ungestüm, heftig, stürmisch, wild; reißend (*Strom*); ♪ feurig; **~osité** [~tɥoziˈte] *f* Ungestüm *n*, Heftigkeit *f*, Wucht *f*, Wildheit *f.*

impitoyable [ɛ̃pitwaˈjablə] *adj.* □ unerbittlich, erbarmungslos, schonungslos, unbarmherzig.

implacable [ɛ̃plaˈkablə] *adj.* □ unerbittlich, unversöhnlich.

implan|tation [ɛ̃plɑ̃tɑˈsjɔ̃] *f fig.* Sichfestsetzen *n*; Verwurzelung *f*; ⊕ Aufstellung *f*; ⚠ bauliche Einfügung *f* (*e-s neuen Gebäudes zwischen ältere Gebäude*); ⚠ Errichtung *f*; ⚕ Implantation *f* (*künstlicher Organe*); **~ter** [~ˈte] (1a) **I** *v/t.* ⚠ errichten; ⚕ implantieren; *fig.* einführen; *être implanté* eingewachsen (*fig.* verwurzelt) sein; **II** *v/rfl. s'~* festwachsen; *fig.* Fuß fassen, sich einbürgern; *fig.* sich festsetzen.

impli|cation ⚖ [ɛ̃plikɑˈsjɔ̃] *f* Verwick(e)lung *f* in ein Verbrechen; **~cite** [~ˈsit] *adj.* □ mit einbegriffen; nicht formell, unausgesprochen, stillschweigend; *foi f ~* blinder Glaube *m*; **~quer** [~ˈke] *v/t.* (1m) hineinziehen, verwickeln; mit einbegreifen; *néol. cela implique que …* das setzt voraus, daß …

implor|ation [ɛ̃plɔrɑˈsjɔ̃] *f* Anflehen *n*; **~er** [~ˈre] *v/t.* (1a) anflehen, anrufen.

impoli [ɛ̃pɔˈli] **I** *adj.* (*adv. ~ment* [~ˈmɑ̃]) unhöflich, grob, ungeschliffen; **II** *su.* Grobian *m*; **~tesse** [~ˈtɛs] *f* Unhöflichkeit *f.*

impolitique [ɛ̃pɔliˈtik] *adj.* unklug.

impondérab|ilité [ɛ̃pɔ̃derabiliˈte] *f phys. u. fig.* Unwägbarkeit *f*; **~le** [~ˈrablə] **I** *adj.* unwägbar; **II** *~s pl.* Imponderabilien *pl.*, unerklärbare

Dinge *n/pl.*, Unwägbarkeiten *f/pl.*
impopu|laire [ɛ̃pɔpy'lɛ:r] *adj.* unpopulär, unbeliebt; **~larité** [~lari'te] *f* Unbeliebtheit *f*.
impor|table [ɛ̃pɔr'tablə] *adj.* einführbar; **~tance** [~'tɑ̃:s] *f* Wichtigkeit *f*, Bedeutung *f*, Belang *m*; Ansehen *n*, Einfluß *m*; *de la dernière ~* höchst wichtig; *sans ~, dénué d'~* belanglos, unwichtig; *affaire f sans (aucune) ~* Belanglosigkeit *f*; *cela n'a pas d'~* das hat nichts auf sich (*od.* zu sagen); *accorder (od. attacher) de l'~ à qch.* e-r Sache Bedeutung beimessen; *d'~* bedeutend, erheblich; *rosser q. d'~* j-n tüchtig verhauen; **~tant** [~'tɑ̃] *adj.* (7) **I** *adj.* wichtig, erheblich, beträchtlich; *il fait l'~* er gibt an, er tut sich wichtig; **II** *m* Hauptsache *f*, Hauptpunkt *m*.
importa|teur [ɛ̃pɔrta'tœ:r] *su.* (7f) Importeur *m*; **~tion** [~tɑ'sjɔ̃] *f* **1.** Einfuhr *f*, Import *m*; *~ aérienne* Einfuhr *f* auf dem Luftwege; *~ alimentaire* Lebensmitteleinfuhr *f*; *autorisation f d'~* Einfuhrgenehmigung *f*; *droits m/pl. d'~* Import-, Einfuhr-zoll *m*; *~s f/pl. totales* Gesamteinfuhr *f*; *commerce m d'~* Einfuhrhandel *m*; **2.** ⚕ Einschleppung *f e-r Krankheit*; **3.** *~s pl.* eingeführte Waren *f/pl.*
importer[1] [ɛ̃pɔr'te] *v/t.* (1a) ✝ importieren, einführen; (*Krankheit*) einschleppen.
importer[2] [~] (1a) **I** *v/i.* *~ (à q., à od. pour qch.* für j-n *od.* für etw.) wichtig sein; *que vous importe (cela)?* was geht Sie das an?; *qu'importent ces folies?* was sollen diese Dummheiten?; **II** *v/imp.*: *il lui importe beaucoup (od. grandement) de* (*mit inf.*) es ist ihm viel daran gelegen zu ...; *peu importe que ...* (*mit subj.*) es ist belanglos (*od.* unwichtig *od.* gleichgültig), ob ...; *n'importe od. peu importe* das macht nichts, das spielt keine Rolle; *n'importe comment* auf (jede) beliebige Weise, einerlei wie; *à n'importe quelle heure* zu jeder beliebigen Stunde; *n'importe qui* der erste beste; *qu'importe?* was macht das aus?; *qu'importe(nt) ces pierres de taille?* was haben diese behauenen Steine zu bedeuten?
importun [ɛ̃pɔr'tœ̃] (7) *adj.* (*adv.* *~ément* [~tyne'mɑ̃]) *u. su.* ungebeten(er Gast *m*), aufdringlich(er Mensch *m*); Aufdringling *m*; **~er** [~ty'ne] *litt. v/t.* (1a) behelligen; **~ité** [~tyni'te] *f* Aufdringlichkeit *f*.
impo|sable [ɛ̃po'zablə] *adj.* steuerpflichtig, versteuerbar; **~sant** [~'zɑ̃] *adj.* (7) achtunggebietend, stattlich, ansehnlich, eindrucksvoll, überwältigend, imposant, erhaben; **~sé** [~'ze] *adj. u. su.* besteuert; *les plus ~s* die Höchstbesteuerten *m/pl.*
impo|ser [ɛ̃po'ze] **I** *v/t.* auf-drängen, -laden, -(er)legen, -zwingen; *fig. ~ qch. à q.* j-m etw. auferlegen *od.* vorschreiben; *~ silence* Schweigen gebieten; *~ du (od. le) respect* Ehrfurcht einflößen; *~ une ville* e-e Stadt mit Steuern belasten; *~ le vin* den Wein besteuern; **II** *v/i. en ~ à q.* j-m imponieren, auf j-n Eindruck machen; **III** *v/rfl. s'~* sich durchsetzen (*à q.* bei j-m); *péj.* sich aufdrängen; unbedingt nötig sein; *s'~ à l'attention* Aufmerksamkeit verdienen; *s'~ la règle de ...* sich e-e Regel daraus machen zu ...; *s'~ de faire qch.* sich zwingen, etw. zu tun; **~sition** [~zi'sjɔ̃] *f* **1.** *rl. ~ des mains* Auflegen *n* der Hände; *fig. ~ d'un nom* Beilegung *f* e-s Namens; *fig. ~ d'une contribution* Auf(er)legung *f* e-r Steuer; **2.** Besteuerung *f*; Steuer *f*, Auflage *f*, Abgabe *f*; *catégorie f d'~* Steuergruppe *f*; *non soumis à l'~* steuerfrei; **3.** *typ.* Einheben *n* (*der Form*).
impossi|bilité [ɛ̃pɔsibili'te] *f* Unmöglichkeit *f*; *se trouver dans l'~* außerstande sein; **~ble** [~'siblə] **I** *adj.* unmöglich, unausführbar, ausgeschlossen; **II** *m das* Unmögliche *n*; *faire l'~* Unmögliches leisten.
imposte △ [ɛ̃'pɔst] *f* Schlußstein *m*; Oberlicht *n* (*Fenster, Tür*), Lüftungsflügel *m*.
impos|teur [ɛ̃pɔs'tœ:r] *m* Betrüger *m*; **~ture** *litt.* [~'ty:r] *f* Betrug *m*.
impôt [ɛ̃'po] *m* Steuer *f*, Auflage *f*, Abgabe *f*; *~ sur le revenu* Einkommensteuer *f*; *lever (od. percevoir) des ~s* Steuern erheben; *les ~s* das Steuerwesen *n*; *~ sur les boissons* Getränkesteuer *f*; *~ sur les chiens* Hundesteuer *f*; *~ ecclésiastique* Kirchensteuer *f*; *~ foncier* Grundsteuer *f*; *déclaration f d'~* Steuererklärung *f*; *soustraction f d'~s* Steuerhinterziehung *f*; *dégrever les ~s* die Steuern herabsetzen; *~ corporatif* Körperschaftssteuer *f*; *~ sur la fortune (immobilière* Grund-) Vermögenssteuer *f*; *~ sur les bénéfices* Gewinnabgabe *f*; *~ sur le revenu (od. le produit) du capital*

Kapitalertragssteuer *f*; ~ *sur* (*od. pour*) *les célibataires* Ledigensteuer *f*; ~ *sur le(s) salaire(s)* Lohnsteuer *f*; ~ *sur la plus-value* Wertzuwachssteuer *f*; ~ *dû* Steuerschuld *f*.

impoten|ce ⚕ [ɛ̃pɔ'tɑ̃:s] *f* Bewegungsunfähigkeit *f*; **~t** ⚕ [~'tɑ̃] **I** *adj.* (7) bewegungsunfähig; **II** *m* gebrechlicher Mensch *m*.

impraticable [ɛ̃prati'kablə] *adj.* undurchführbar; ungangbar, unbefahrbar, unwegsam.

imprécation *litt.* [ɛ̃prekɑ'sjɔ̃] *f* Fluch *m*, Verwünschung *f*.

imprécis [ɛ̃pre'si] *adj.* ungenau, unbestimmt, unklar, verschwommen; **~ion** [~'zjɔ̃] *f* Ungenauigkeit *f*, Unbestimmtheit *f*, Verschwommenheit *f*; Ungewißheit *f*.

imprégn|able ⚗ [ɛ̃pre'ɲablə] *adj.* imprägnierbar; **~ateur** [~ɲa'tœ:r] *m* Imprägnier-mittel *n*, -spray *m od. n*; **~ation** ⚗ [~ɲɑ'sjɔ̃] *f* Imprägnierung *f*; Durchtränkung *f*, Sättigung *f*; *fig.* Durchdringung *f*; **~er** ⚗ [~'ɲe] (1f) **I** *v/t.* imprägnieren, durchtränken, sättigen; *fig.* erfüllen (de mit *dat.*); **II** *v/rfl.* s'~ *de qch.* etw. in sich aufnehmen.

imprenable ⚔ [ɛ̃prə'nablə] *adj.* uneinnehmbar.

impréparation ⚔ [ɛ̃preparɑ'sjɔ̃] *f* fehlende Vorbereitung *f*; Ahnungslosigkeit *f*.

imprésario [ɛ̃preza'rjo] *m* (*pl.* ~*s od. impresarii*) Impresario *m*, (Theater-, Konzert-, Film-)Unternehmer *m*.

imprescriptib|ilité ⚖ [ɛ̃prɛskriptibili'te] *f* Unverjährbarkeit *f*; **~le** [~'tiblə] *adj.* unverjährbar.

impression [ɛ̃prɛ'sjɔ̃] *f* **1.** Eindruck *m*; Empfindung *f*; **2.** *typ.* Drucken *n*; (Ab-, Auf-)Druck *m*; ~ *artistique* Kunstdruck *m*; ~ *avant tirage* Vordruck *m*; ~ *en couleur* Farbendruck *m*; ~ *en (plusieurs) couleurs* Buntdruck *m*; *faute f d'*~ Druckfehler *m*; *papier m d'*~ Druckpapier *n*; **~nable** [~sjɔ'nablə] *adj.* für Eindrücke empfänglich; **~nant** [~'nɑ̃] *adj.* (7) eindrucksvoll; **~ner** [~'ne] *v/t.* (1a): ~ *q.* j-n beeindrucken; **~nisme** [~'nism] *m* Impressionismus *m*; **~niste** [~'nist] *su. u. adj.* Impressionist(in *f*) *m*; impressionistisch.

imprévisib|ilité [ɛ̃previzibili'te] *f* Unvorhersehbarkeit *f*; **~le** [~'ziblə] *adj.* unvorhersehbar.

imprévoy|ance [ɛ̃prevwa'jɑ̃:s] *f* Unvorsichtigkeit *f*; **~ant** [~'jɑ̃] *adj.* (7) unvorsichtig.

imprévu [ɛ̃pre'vy] *adj. u. m* unvorhergesehen, unerwartet; *l'*~ das Unvorhergesehene.

impri|mable [ɛ̃pri'mablə] *adj.* druckbar; **~matur** [~ma'ty:r] *m/inv.* Druckreiferklärung *f*; **~mé** [~'me] *m* Drucksache *f*; **~mer** [~] *v/t.* (1a) **1.** aufdrücken; *fig.* einflößen, verleihen; ~ *du respect* Achtung gebieten (*od.* einflößen); ~ *un mouvement à un corps* e-m Körper e-e Bewegung mitteilen; *fig.* ~ *son sceau à qch.* e-r Sache ihr Gepräge geben; **2.** (ab-, be-)drucken; *faire* ~ drucken lassen; **~merie** [ɛ̃prim'ri] *f* **1.** Buchdruckerkunst *f*; **2.** Druckerei *f*; ~ *lithographique* lithographische Anstalt *f*; **~meur** [~'mœ:r] *m* Buchdruckereibesitzer *m*; Buchdrucker *m*.

improba|bilité [ɛ̃prɔbabili'te] *f* Unwahrscheinlichkeit *f*; **~ble** [~'bablə] *adj.* □ unwahrscheinlich.

improba|teur *litt.* [~ba'tœ:r] *adj.* (7f) mißbilligend; **~tion** *litt.* [~bɑ'sjɔ̃] *f* Mißbilligung *f*.

improbité [~bi'te] *f* Unredlichkeit *f*.

improduct|if [ɛ̃prɔdyk'tif] *adj.* (7e) □ ertraglos, unproduktiv, unwirtschaftlich, unergiebig; tot (*Kapital*); **~ivité** [~tivi'te] *f* Ertraglosigkeit *f*, Unwirtschaftlichkeit *f*.

impromptu ♪ [ɛ̃prɔ̃'ty] **I** *m* Impromptu *n*, Einfallsstück *n*; **II** *adj./inv.* improvisiert; **III** *adv.* aus dem Stegreif, ohne Vorbereitung.

imprononçable [ɛ̃prɔnɔ̃'sablə] *adj.* unaussprechbar.

improportionnel [~pɔrsjɔ'nɛl] *adj.* (7c) unverhältnismäßig.

impropr|e [ɛ̃'prɔprə] *adj.* □ ungeeignet, unzweckmäßig; unpassend; falsch angewandt; ~ *au service a.* ⚔ dienstuntauglich; **~iété** [~prie'te] *f* Untauglichkeit *f*; falsche Anwendung *f*.

improvi|sateur [ɛ̃prɔviza'tœ:r] *su.* (7f) Stegreif-dichter *m*, -musiker *m*, -redner *m*, Improvisator *m*; **~sation** [~zɑ'sjɔ̃] *f* Improvisieren *n*; Stegreifgedicht *n*; ♪ Improvisation *f*; **~ser** [~'ze] (1a) *v/t. u. v/i.* aus dem Stegreif dichten *od.* ♪ komponieren; improvisieren; phantasieren; *allg.* ~ *qch.* etw. aus dem Ärmel schütteln; **~ste** [~'vist] *advt.*: *à l'*~ unvermutet, unversehens.

impru|dence [ɛ̃pry'dɑ̃:s] *f* Leichtsinn *m*, Unüberlegtheit *f*, Unvorsichtigkeit *f*; *blessure f par* ~ fahrlässige Körperverletzung *f*; **~dent** [~'dɑ̃] (7) *adj. u. su.* leichtsinnig, unklug, unvorsichtig; Unvorsichtige(r) *m*, Unbesonnene(r) *m*.

impub|ère ⚖ [ɛ̃py'bɛ:r] *adj.* unerwachsen, nicht mündig; **~erté** ⚖ [~bɛr'te] *f* Unmündigkeit *f*.

impu|dence [ɛ̃py'dɑ̃:s] *f* Frechheit *f*, Unverschämtheit *f*, Unverfrorenheit *f*; **~dent** [~'dɑ̃] (7) **I** *adj.* (*adv. impudemment* [ɛ̃pyda'mɑ̃]) frech, unverschämt; **II** *su.* Unverschämte(r) *m*; **~deur** [~'dœ:r] *f* Schamlosigkeit *f*; **~dicité** [~disi'te] *f* Unzucht *f*; unzüchtige Rede *f od.* Handlung *f*; **~dique** [~'dik] *adj.* □ *u. su.* unsittlich(er Mensch *m*).

impuiss|ance [ɛ̃pɥi'sɑ̃:s] *f* Ohnmacht *f*, Unvermögen *n*, Machtlosigkeit *f*; ⚕ Impotenz *f*; **~ant** [~'sɑ̃] *adj.* (7) ohnmächtig, machtlos; *fig.* unfähig; ⚕ impotent.

impul|sif [ɛ̃pyl'sif] *adj.* (7e) impulsiv, temperamentvoll; **~sion** [~'sjɔ̃] *f* **1.** Stoß *m*; ⊕ *force f d'~* Triebkraft *f*; **2.** *fig.* Antrieb *m*, Anregung *f*, Anstoß *m*, Impuls *m*; *~ criminelle* verbrecherische Neigung *f*; *~ de conscience* Gewissensregung *f*; **3.** ⚡ Stromstoß *m*; *rad.* Impuls *m*; *at.* Schub *m*; **~sivité** [~sivi'te] *f* Impulsivität *f*.

impu|nément [ɛ̃pyne'mɑ̃] *adv.* ungestraft; ohne nachteilige Folgen; **~ni** [~'ni] *adj.* ungestraft, straflos; **~nité** [~ni'te] *f* Straflosigkeit *f*.

impur [ɛ̃'py:r] *adj.* □ unrein; unkeusch; **~eté** [~pyr'te] *f* Unreinheit *f*, Verunreinigung *f*; Unlauterkeit *f*; *~s f/pl.* Schmutz *m/sg.*

impu|tabilité [ɛ̃pytabili'te] *f* Zurechnungsfähigkeit *f*; **~table** [~'tablə] *adj.* **1.** *être ~ à q.* (*à qch.*) j-m (e-r Sache) zuzuschreiben sein; **2.** *être ~ sur qch.* von etw. (*dat.*) abzuziehen sein (*Buchhaltung*); **~tation** [~tɑ'sjɔ̃] *f* **1.** *fig.* Beschuldigung *f*, Beimessung *f*; **2.** † *~ à un compte* Debetbuchung *f*; *~ sur une somme* Anrechnung *f* auf e-n Betrag; **~ter** [~'te] *v/t.* (1a) **1.** *~ qch. à q.* j-n e-r Sache (*gén.*) beschuldigen; *~ à q. qch. à crime* j-m etw. als Verbrechen anrechnen; **2.** † *~ à un compte* ein Konto belasten; *~ qch. sur qch.* etw. von etw. (*dat.*) abrechnen *od.* abziehen.

imputrescible [~trɛ'siblə] *adj.* unverweslich, unverfaulbar.

inabordable [inabɔr'dablə] *adj.* **1.** unzugänglich (*Ort*); **2.** unerschwinglich (*Preis*).

inabrité [inabri'te] *adj.* ungeschützt.

inaccentué *gr.* [inaksɑ̃'tɥe] *adj.* unbetont; akzentlos.

inac|ceptable [inaksɛp'tablə] *adj.* unannehmbar; **~ceptation** [~tɑ'sjɔ̃] *f* Nichtannahme *f*; **~cessible** [~ksɛ'siblə] *adj.* unzugänglich (*Ort u. Person*); unnahbar (*Person*); *fig.* unempfindlich; *~ à la concurrence* konkurrenzlos; **~coutumé** [~kuty'me] *adj.* **1.** ungewöhnlich; **2.** *litt.* *~ à* ungewohnt (*gén.*).

inachevé [inaʃ've] *adj.* unvollendet.

inachèvement [inaʃɛv'mɑ̃] *m* Nichtvollendung *f*.

inac|tif [inak'tif] *adj.* (7e) □ untätig, müßig, tatenlos, inaktiv; unwirksam; **~tinique** *phys.* [~ti'nik] *adj.* nicht aktinisch; **~tion** [~k'sjɔ̃] *f* Nichtstun *n*, Untätigkeit *f*; **~tivité** [~ktivi'te] *f* **1.** Untätigkeit *f*; **2.** ⚔ Zustand *m* e-r zeitweiligen Dienstbefreiung; **3.** ⚕ Unwirksamkeit *f e-s Heilmittels*.

inadapt|able, ~é [inadap'tablə, ~'te] *adj.* schwererziehbar; *~able à ...* ungeeignet für ...; *un ~é social* ein sozialer Außenseiter *m*; **~ation** [~tɑ'sjɔ̃] *f* mangelnde Eignung *f*.

inadéquat [inade'kwa] *adj.* (7) nicht entsprechend, ungeeignet; **~ion** [~kwɑ'sjɔ̃] *f* ungleiches Verhältnis *n*.

inadmissi|bilité [inadmisibili'te] *f* Unzulässigkeit *f*; **~ble** [~'siblə] *adj.* unzulässig.

inadvertance [inadvɛr'tɑ̃:s] *f*: *par ~* aus Versehen.

inaliénab|ilité ⚖ [inaljenabili'te] *f* Unveräußerlichkeit *f*; **~le** [~'nablə] *adj.* unveräußerlich.

inalliable [ina'ljablə] *adj.* unlegierbar (*Metall*); *fig.* unvereinbar.

inalper ✓ [inal'pe] *v/i.* (1a) auf den Almen weiden.

inaltéra|bilité [inalterabili'te] *f* Unveränderlichkeit *f*; **~ble** [~'rablə] *adj.* **1.** unveränderlich; unverwüstlich (*Gesundheit*); **2.** *fig.* unerschüttert; *bonheur m ~* ungetrübtes Glück *n*.

inamical [inami'kal] *adj.* (5c) unfreundschaftlich.

inamovi|bilité [inamɔvibili'te] *f* Unwiderruflichkeit *f*; Unabsetzbarkeit *f*; **~ble** [~'viblə] *adj.* unwiderruflich, lebenslänglich; unabsetzbar.

inanalysable [inanali'zablə] *adj.* nicht analysierbar.

inanimé [inani'me] *adj.* leblos.

inani|té [inani'te] *f* Nichtigkeit *f*, Nutzlosigkeit *f*, Vergeblichkeit *f*; **~tion** [~ni'sjɔ̃] *f* Entkräftung *f*.

inapais|able [inapɛ'zablə] *adj.* nicht zu besänftigen; *a. fig.* unstillbar (*Durst*); **~é** [~'ze] *adj.* unbesänftigt; ungestillt.

inaper|cevable [inapɛrsə'vablə] *adj.* unbemerkbar; **~çu** [~'sy] *adj.* unbemerkt.

inapparent [inapa'rɑ̃] *adj.* (7) unsichtbar; unmerklich.

inappétence [inape'tɑ̃:s] *f* Appetitlosigkeit *f*; *fig.* Gleichgültigkeit *f*.

inappli|cable [inapli'kablə] *adj.* unanwendbar (*à* auf *acc.*); **~cation** [~kɑ'sjɔ̃] *f* Trägheit *f*, Faulheit *f*; **~qué** [~'ke] *adj.* unfleißig, nachlässig, träge, faul; unangewendet.

inappréciable [inapre'sjablə] *adj.* 1. unbestimmbar; sehr gering; kaum merkbar; 2. unschätzbar.

inapprivoisable [inaprivwa'zablə] *adj.* unbezähmbar.

inap|te [i'napt] *adj.* untauglich, unfähig (*à* zu *dat.*); **~titude** [~ti'tyd] *f* Untauglichkeit *f*.

inarticul|able [inartiky'lablə] *adj.* unaussprechbar; **~é** [~'le] *adj.* 1. undeutlich ausgesprochen; 2. ⚘, *zo.* ungegliedert; 3. *gr.* unartikuliert, artikellos.

inasservi [inasɛr'vi] *adj.* nicht unterworfen; unabhängig.

inassiduité [inasidɥi'te] *f* Unpünktlichkeit *f* (*im Dienst*), Faulheit *f*.

inassimilable [inasimi'lablə] *adj.* nicht assimilierbar.

inassou|vi [inasu'vi] *adj.* ungestillt (*Hunger*); unbefriedigt (*Haß*); unerfüllt (*Wunsch*); **~vissable** [~vi'sablə] *adj.* nicht zu stillen; nicht zu befriedigen.

inattaquable [inata'kablə] *adj.* unangreifbar; ⚗ *~ aux acides* säurebeständig.

inattendu [inatɑ̃'dy] *adj.* unerwartet, unverhofft.

inatten|tif [inatɑ̃'tif] *adj.* (7e) unaufmerksam, unachtsam; **~tion** [~'sjɔ̃] *f* Unaufmerksamkeit *f*, Unachtsamkeit *f*; *faute f d'~* Flüchtigkeitsfehler *m*.

inaudible [ino'diblə] *adj.* unhörbar.

inaugu|ral [inogy'ral] *adj.* (5c) Antritts..., Einweihungs...; *séance f ~e* Eröffnungssitzung *f*; **~ration** [~rɑ'sjɔ̃] *f* Einweihung *f*; **~rer** [~'re] *v/t.* (1a) feierlich einsetzen, einweihen, eröffnen; (*Standbild*) enthüllen; *fig.* ankündigen, einleiten (*e-e Ära*).

inauthent|icité [inotɑ̃tisi'te] *f* Unechtheit *f*; **~ique** [~'tik] *adj.* unbeglaubigt, unbestätigt, nicht authentisch, unecht.

inavouable [ina'vwablə] *adj.* 1. unaussprechbar; schandhaft; 2. ⚖ nicht anerkennbar.

inavoué [ina'vwe] *adj.* uneingestanden, heimlich.

incalculable [ɛ̃kalky'lablə] *adj.* □ unberechenbar; unübersehbar.

incandes|cence [ɛ̃kɑ̃de'sɑ̃:s] *f* 1. Weißglühen *n*; *lampe f à ~* Glühlampe *f*, -birne *f*; 2. *fig.* Glut *f*, Feuer *n*; **~cent** [~'sɑ̃] *adj.* (7) (weiß)glühend; *fig.* glühend.

incapa|ble [ɛ̃ka'pablə] *adj.*: *~ de qch.* zu etw. (*dat.*) unfähig *od.* ungeschickt; **~cité** [~si'te] *f* Unfähigkeit *f*, Untauglichkeit *f*; *~ légale* Rechtsunfähigkeit *f*; *~ de travail* Arbeitsunfähigkeit *f*.

incarcérer [ɛ̃karse're] *v/t.* (1f) einkerkern.

incar|nadin [ɛ̃karna'dɛ̃] **I** *adj.* (7) fleischfarben; blaßrot; **II** *m* Fleischfarbe *f*; **~nat** [~'na] *adj.* (7) *u. m* hochrot; Hochrot *n*; **~nation** *rl.* [~nɑ'sjɔ̃] *f* Fleischwerdung *f*; **~né** [~'ne] *adj. rl.* Fleisch (*od.* Mensch) geworden; *allg.* leibhaftig, personifiziert, verkörpert; ⚕ *ongle m ~* eingewachsener Nagel *m*; **~ner** [~] (1a) **I** *v/t. rl.* in Fleisch verwandeln; *allg.* verkörpern; **II** *v/rfl.* ⚕ *s'~* ins Fleisch einwachsen.

incartade [ɛ̃kar'tad] *f* Entgleisung *f*, Unüberlegtheit *f*; Seitensprung *m* (*Pferd*).

incassable [ɛ̃ka'sablə] *adj.* unzerbrechlich; splitterfrei (*Glas*).

incen|diaire [ɛ̃sɑ̃'djɛ:r] **I** *adj.* 1. zündend; Zünd..., Brand...; *bombe f ~* Brandbombe *f*; *matière f ~* Zündstoff *m*; 2. *fig.* aufrührerisch; *presse f ~* Hetzpresse *f*; **II** *su.* Brandstifter *m*; **~die** [~'di] *m* Brand *m*, Feuersbrunst *f*; *~ volontaire* Brandstiftung *f*; *assurance f contre l'~* Feuerversicherung *f*; *avertisseur m d'~* Feuermelder *m*; *bouche f d'~* Hydrant *m*; *pompe f à ~* Feuerspritze *f*; **~dié** [~'dje] *su.* von e-r Feuersbrunst Betroffene(r) *m*; **~dier** [~] *v/t.* (1a) in Brand stecken; einäschern; *fig.* in Aufruhr bringen; P abkanzeln; *fig. ~ la gorge* den Mund verbrennen.

incer|tain [ɛ̃sɛr'tɛ̃] **I** *adj.* (7) ungewiß, zweifelhaft, unsicher; unbestimmt; unentschieden; veränderlich; unbeständig, unzuverlässig; unschlüssig (de über *acc.*); **II** *m das* Ungewisse *n*; **~titude** [~ti'tyd] *f*

Ungewißheit *f*, Unsicherheit *f*; Unbeständigkeit *f*; Unschlüssigkeit *f*.

inces|sament [ɛ̃sɛsa'mɑ̃] *adv.* in Kürze, sofort, gleich F; **~sant** [~'sɑ̃] *adj.* (7) unaufhörlich, unablässig; **~sibilité** [~sibili'te] *f* Unabtretbarkeit *f*, Unübertragbarkeit *f*; **~sible** [~'siblə] *adj.* unabtretbar, unübertragbar.

inces|te [ɛ̃'sɛst] *m* Blutschande *f*; **~tueux** [~'tɥø] *adj.* (7d) *u. su.* blutschänderisch; Blutschänder *m.*

inchangé [ɛ̃ʃɑ̃'ʒe] *adj.* unverändert.

inchoatif *gr.* [ɛ̃kɔa'tif] *adj.* (7e) inchoativ, das Werden *od.* Vergehen bezeichnend.

inci|demment [ɛ̃sida'mɑ̃] *adv.* gelegentlich, beiläufig; nebenbei; **~dence** [~'dɑ̃:s] *f* **1.** *géom., phys.* Einfall *m*, Auftreffen *n*; *angle m d'~* Einfallswinkel *m*; **2.** ✈ Anstellwinkel *m*; **3.** *abus.* Folge *f*; **~dent** [~'dɑ̃] **I** *adj.* (7) **1.** beiläufig, zufällig, gelegentlich; dazwischenkommend; *demande f ~e* Nebenklage *f*; *gr. proposition f ~e* eingeschobener Satz *m*; **2.** *phys.* einfallend; **II** *m* Zwischenfall *m*; unangenehmer Vorfall *m*; *~ de marche, ~ du service* Betriebsstörung *f*; ⚔ *~ de chargement* Ladehemmung *f*; **~dente** *gr.* [~'dɑ̃:t] *f* eingeschobener Satz *m.*

inciné|rateur ⊕ [ɛ̃sinera'tœ:r] *m* Müllverbrennungsanlage *f*; **~ration** [~rɑ'sjɔ̃] *f* Einäscherung *f*; Verbrennung *f v. Kadavern*; **~rer** [~'re] *v/t.* (1f) einäschern; verbrennen (*Kadaver*).

inci|se [ɛ̃'si:z] *f* **1.** *gr.* eingeschobener Satz *m*; **2.** ♪ Einschnitt *m*; **~ser** [~si'ze] *v/t.* (1a) einschneiden; *chir.* aufschneiden; **~sif** [~'zif] *adj.* (7e) **1.** schneidend: *dent f incisive* Schneidezahn *m*; **2.** *fig.* beißend, bissig; **~sion** [~'zjɔ̃] *f* Einschnitt *m*; ⚕ Schnitt *m.*

inci|tabilité *a.* ⚕ [ɛ̃sitabili'te] *f* Erregbarkeit *f*, Reizbarkeit *f*; **~table** *a.* ⚕ [~'tablə] *adj.* erreg-, reiz-bar; **~tant** ⚕ [~'tɑ̃] *adj.* (7) *u. m* erregend; Reizmittel *n*; **~tateur** [~ta'tœ:r] *adj.* (7f) anregend; **~tation** [~tɑ'sjɔ̃] *f* Anreiz *m*, Anregung *f*; **~ter** [~'te] *v/t.* (1a) anreizen, anregen; veranlassen (*à* zu *dat.*).

incivil [ɛ̃si'vil] *adj.* □ ungehörig; **~ité** [~li'te] *f* Ungehörigkeit *f*, Frechheit *f.*

inclé|mence *litt.* [ɛ̃kle'mɑ̃:s] *f* Unfreundlichkeit *f*, Rauheit *f* (*Wetter*); **~ment** *litt.* [~'mɑ̃] *adj.* (7) unfreundlich (*Wetter*).

incli|naison [ɛ̃klinɛ'zɔ̃] *f* Neigung *f* (*nicht fig.!*), Gefälle *n e-r Straße*; **~nant** [~'nɑ̃] *adj.* (7) sich neigend, geneigt; **~nation** [~nɑ'sjɔ̃] *f* **1.** Verneigung *f*, Verbeugung *f*; Nicken *n*; **2.** *fig.* Neigung *f*, Zuneigung *f*, Hang *m*; **~ner** [~'ne] (1a) **I** *v/t.* **1.** neigen, schief halten; **2.** *fig.* geneigt machen; **II** *v/i.* **3.** sich neigen; *plan m incliné* schiefe Ebene *f*; *fig. ~ vers sa fin* sich s-m Ende nähern; **4.** *fig.* geneigt sein, neigen; *j'incline à croire* ich neige zu der Auffassung; *~ vers od. pour od. à qch.* für etw. (*acc.*) (eingenommen) sein, zu etw. (*dat.*) hinneigen; **III** *v/rfl. s'~ vers* (*od. devant*) *q.* sich vor j-m verbeugen; *abs.* nachgeben, sich fügen.

inclu|re [ɛ̃'kly:r] *v/t.* (4l) beifügen, mitschicken (*in e-m Brief*); **~s** [~'kly] *adj.* (7) beigefügt, an-, bei-, ein-liegend; **~sif** [~'zif] *adj.* (7e), *~sivement* [~ziv'mɑ̃] *adv.* einschließlich; **~sion** [~'zjɔ̃] *f* **1.** *a.* ⚕ Einschluß *m*; **2.** *biol.* Einschlußverbindung *f.*

incoercible [ɛ̃kɔɛr'siblə] *adj.* **1.** unbändig, nicht unterdrückbar; **2.** *phys.* nicht einschließbar, nicht zusammendrückbar.

incognito [ɛ̃kɔɲi'to] **I** *adv.* inkognito, unbekannt; unter fremdem Namen; unbemerkt; **II** *m*: *garder l'~* sich nicht zu erkennen geben.

incohé|rence [ɛ̃kɔe'rɑ̃:s] *f* Zusammenhanglosigkeit *f*; **~rent** [~'rɑ̃] *adj.* (7) zusammenhanglos; **~sion** *phys.* [~'zjɔ̃] *f* Mangel *m* an Zusammenhang.

incollable F [ɛ̃kɔ'lablə] *adj.* unschlagbar *fig.*

incolore [ɛ̃kɔ'lɔ:r] *adj.* farblos.

incomber [ɛ̃kɔ̃'be] *v/i.* (1a) obliegen.

incombustib|ilité [ɛ̃kɔ̃bystibili'te] *f* Unverbrennbarkeit *f*; Feuerfestigkeit *f*; **~le** [~'tiblə] *adj.* unverbrennbar, feuerfest.

incommensura|bilité [ɛ̃kɔmɑ̃syrabili'te] *f* ⅋ Unmeßbarkeit *f*; *fig.* Unermeßlichkeit *f*; **~ble** [~'rablə] *adj.* □ ⅋ nicht meßbar; *fig.* unermeßlich.

incommo|de [ɛ̃kɔ'mɔd] *adj.* (*adv. ~dément* [~de'mɑ̃]) unbequem; beschwerlich; lästig; ungelegen; **~der** [~'de] *v/t.* (1a) stören, belästigen; **~dité** [~di'te] *f* Unbehaglichkeit *f*, Unbequemlichkeit *f.*

incommunicab|ilité *psych.* [ɛ̃kɔ-

mynikabili'te] *f* fehlende Mitteilungsmöglichkeit *f*, Vereinsamung *f*; Unfähigkeit *f* zur Kommunikation (*Sartre*); **~le** [~'kablə] *adj.* nicht mitteilbar.
incommutab|ilité ⚖ [ɛ̃kɔmytabili'te] *f* Unveräußerlichkeit *f*, Unübertragbarkeit *f*; **~le** ⚖ [~'tablə] *adj.* unveräußerlich, unübertragbar.
incomparable [ɛ̃kɔ̃pa'rablə] *adj.* unvergleich-bar, -lich, unübertrefflich.
incompatib|ilité [ɛ̃kɔ̃patibili'te] *f* Unvereinbarkeit *f*; charakterliche Unverträglichkeit *f*; **~le** [~'tiblə] *adj.* □ unvereinbar, einander ausschließend (*z.B. Krankheiten*); nicht zueinander passend.
incompé|tence [ɛ̃kɔ̃pe'tɑ̃:s] *f* ⚖ Inkompetenz *f*, Nichtzuständigkeit *f*; *fig.* Unfähigkeit *f*; **~tent** [~'tɑ̃] *adj.* (7) ⚖ inkompetent, nicht zuständig; *fig.* unfähig, unmaßgeblich.
incomplet [ɛ̃kɔ̃'plɛ] *adj.* (7b) □ unvollständig, lückenhaft.
incompréhens|ibilité [ɛ̃kɔ̃preɑ̃sibili'te] *f* Unverständlichkeit *f*; **~ible** [~'siblə] *adj.* unbegreiflich, unverständlich; *a. m l'~* das Unbegreifliche *n*; **~ion** [~'sjɔ̃] *f* Verständnislosigkeit *f*.
incompressib|ilité [ɛ̃kɔ̃prɛsibili'te] *f* Unpreßbarkeit *f*; **~le** [~'siblə] *adj.* nicht zusammendrückbar, unpreßbar; *fig.* nicht reduzierbar; unumgänglich notwendig.
incompris [ɛ̃kɔ̃'pri] *adj.* unverstanden, verkannt; nicht gewürdigt.
inconcevable [ɛ̃kɔ̃s(ə)'vablə] *adj.* □ unbegreiflich; unfaßbar.
inconciliab|ilité [ɛ̃kɔ̃siljabili'te] *f* Unvereinbarkeit *f*; **~le** [~'ljablə] *adj.* unvereinbar, unverträglich.
inconditionn|é [ɛ̃kɔ̃disjɔ'ne] *adj.* unbedingt; **~el** [~'nɛl] *adj.* (7c) bedingungslos.
inconduite [ɛ̃kɔ̃'dɥit] *f* Sittenlosigkeit *f*, schlechte Führung *f*, liederliches Leben *n*.
inconfort [ɛ̃kɔ̃'fɔ:r] *m* Mißbehagen *n*, Unbequemlichkeit *f*.
incongelable *phys.* [ɛ̃kɔ̃ʒ(ə)'lablə] *adj.* nicht gefrierbar; kältebeständig.
incon|gru [ɛ̃kɔ̃'gry] *adj.* (*adv.* *~grûment* [~gry'mɑ̃]) unpassend, ungehörig; anstößig; *gr.* fehlerhaft, sprachwidrig; **~gruité** [~gryi'te] *f* Ungehörigkeit *f*; Unschicklichkeit *f*; *gr.* Sprachfehler *m*.
inconnaissable [ɛ̃kɔnɛ'sablə] **I** *adj.* nicht erkennbar, unerforschlich; **II** *m*: *l'~* das Unerforschliche *n*.
inconnu [ɛ̃kɔ'ny] **I** *adj.* unbekannt; **II** *su.* Unbekannte(r) *m*; **~e** Å [~] *f* unbekannte Größe *f*.
inconsci|emment [ɛ̃kɔ̃sja'mɑ̃] *adv.* unbewußt; leichtfertig; **~ence** [~'sjɑ̃:s] *f* Unbewußtsein *n*; fehlendes Bewußtsein *n*, Ahnungslosigkeit *f*; **~ent** [~'sjɑ̃] *adj.* (7) ahnungslos, unbewußt.
inconsé|quence [ɛ̃kɔ̃se'kɑ̃:s] *f* Folgewidrigkeit *f*, Inkonsequenz *f*, Widerspruch *m*, Leichtfertigkeit *f*, Unüberlegtheit *f*; **~quent** [~'kɑ̃] *adj.* (7) nicht folgerichtig, inkonsequent, unbedacht, leichtsinnig.
inconsidé|ration *litt.* [ɛ̃kɔ̃sidera'sjɔ̃] *f* Unüberlegtheit *f*; **~ré** [~'re] *adj.*, **~rément** [~re'mɑ̃] *adv.* unüberlegt, unbedacht, unvorsichtig, voreilig, leichtfertig.
inconsis|tance [ɛ̃kɔ̃sis'tɑ̃:s] *f* Unbeständigkeit *f*; Haltlosigkeit *f* (*v. Ideen*); **~tant** [~'tɑ̃] *adj.* (7) unbeständig; haltlos.
inconsolable [ɛ̃kɔ̃sɔ'lablə] *adj.* □ untröstlich.
inconsommable [ɛ̃kɔ̃sɔ'mablə] *adj.* unverzehrbar.
inconst|ance [ɛ̃kɔ̃'stɑ̃:s] *f* Unbeständigkeit *f*; Vergänglichkeit *f*; Wankelmut *m*; Bröckligkeit *f* (*Teig*); **~ant** [~'stɑ̃] *adj.* (7) unbeständig; vergänglich; wankelmütig; bröcklig (*Teig*).
inconstitutionn|alité [ɛ̃kɔ̃stitysjɔnali'te] *f* Verfassungswidrigkeit *f*; **~el** [~'nɛl] *adj.* (7c) □ verfassungswidrig.
incontes|table [ɛ̃kɔ̃tɛs'tablə] *adj.* □ unanfechtbar; einwandfrei; **~té** [~'te] *adj.* unbestritten.
inconti|nence [ɛ̃kɔ̃ti'nɑ̃:s] *f* mangelnde Enthaltsamkeit *f*; Unbeherrschtheit *f*; *~ de langage* zügellose Sprache *f*; ⚕ *~ d'urine* Bettnässen *n*; Harnfluß *m*; **~nent** [~'nɑ̃] **I** *adj.* (7) unbeherrscht; ⚕ bettnässend; an Harnfluß leidend; **II** *litt. adv.* auf der Stelle, sofort.
incontrôlable [ɛ̃kɔ̃tro'lablə] *adj.* unkontrollierbar, nicht nachprüfbar.
incontroversé [ɛ̃kɔ̃trɔvɛr'se] *adj.* unbestritten.
inconve|nance [ɛ̃kɔ̃v'nɑ̃:s] *f* Ungehörigkeit *f*, Unschicklichkeit *f*; **~nant** [~'nɑ̃] *adj.* (7) ungehörig, unpassend, unschicklich.
inconvénient [ɛ̃kɔ̃ve'njɑ̃] *m* **1.** Unzuträglichkeit *f*, Mißstand *m*; Hindernis *n*; **2.** Nachteil *m*; *je n'y vois pas d'~* ich habe nichts dagegen einzuwenden.

inconvertib|ilité *fin.* [ɛ̃kɔ̃vɛrtibili'te] *f* Nichteinlösbarkeit *f*; **~le** *fin.* [~'tiblə] *adj.* nicht umwechselbar, nicht um-, ab-setzbar (*Rente*).

incorpo|ralité [ɛ̃kɔrpɔrali'te] *f* Unkörperlichkeit *f*; **~ration** [~rɑ'sjɔ̃] *f* Einverleibung *f*; ⚔ Diensteintritt *m*, Einberufung *f*; Einstellung *f* (*v. Arbeitern*); ⊕ Einbau *m*; *cuis.* Vermischen *n*; **~rel** [~'rɛl] *adj.* (7c) unkörperlich; **~rer** [~'re] (1a) **I** *v/t.* einverleiben; (*Rekruten od. Arbeiter*) einstellen; eingliedern; ⊕ einbauen; *cuis.* vermischen; **II** *v/rfl.* s'~ sich (innigst) vereinigen; verschmelzen (*à* mit *dat.*).

incorrect [ɛ̃kɔ'rɛkt] *adj.* □ fehlerhaft, unrichtig, unpassend, anstößig, unkorrekt; **~ion** [~k'sjɔ̃] *f* Fehlerhaftigkeit *f*, fehlerhafte Stelle *f*; Verstoß *m*; Unschicklichkeit *f*.

incorrigi|bilité [ɛ̃kɔriʒibili'te] *f* Unverbesserlichkeit *f*; **~ble** [~'ʒiblə] *adj.* □ unverbesserlich.

incorruptib|ilité [ɛ̃kɔryptibili'te] *f* Unverderblichkeit *f*; Unbestechlichkeit *f*; **~le** [~'tiblə] *adj.* unverderblich; unbestechlich.

incré|dibilité [ɛ̃kredibili'te] *f* Unglaublichkeit *f*; **~dule** [~'dyl] *adj. u. su., a. rl.* ungläubig; Ungläubige(r) *m*; **~dulité** [~dyli'te] *f* Ungläubigkeit *f*; Unglaube *m*.

increvable P [ɛ̃krə'vablə] *adj.* unverwüstlich.

incrimi|nable *litt.* [ɛ̃krimi'nablə] *adj.* angreifbar; **~nation** [~nɑ'sjɔ̃] *f* Beschuldigung *f*; **~ner** [~'ne] *v/t.* (1a) beschuldigen; *etw.* beanstanden.

incroy|able [ɛ̃krwa'jablə] **I** *adj.* □ unglaublich; außerordentlich; **II** *m das* Unglaubliche *n*; **~ance** [~'jɑ̃:s] *f* Unglaube *m*; **~ant** [~'jɑ̃] *adj. u. su.* (7) ungläubig; Ungläubige(r) *m*.

incrus|tation [ɛ̃krystɑ'sjɔ̃] *f* **1.** Überziehen *n*; Belag *m*; Verkrustung *f*; **2.** eingelegte Arbeit *f*; **3.** *min.* Sinter *m*; **4.** ⊕ Kesselstein *m*; **~ter** [~'te] (1a) **I** *v/t.* **1.** ⊕ aus-, einlegen; plattieren; *incrusté als m*: eingelegte Arbeit *f*; **2.** übersintern; **II** *v/rfl.* s'~ verkrusten; sich (*an od. auf etw.*) festsetzen; sich tief einprägen; F *péj.* sich *bei j-m* einnisten; **~teur** [~'tœ:r] *m* Kunsthandwerker *m* für Intarsienarbeit.

incubat|eur [ɛ̃kyba'tœ:r] *m* Brutapparat *m*; **~ion** [~bɑ'sjɔ̃] *f* **1.** Brüten *n*; **2.** ⚕ Inkubation *f*.

incul|pation [ɛ̃kylpɑ'sjɔ̃] *f* Beschuldigung *f*; **~pé** [~'pe] *su.* Beschuldigte(r) *m*; **~per** [~] *v/t.* (1a) beschuldigen.

inculquer [ɛ̃kyl'ke] *v/t.* (1m) einprägen, beibringen, eintrichtern.

incul|te [ɛ̃'kylt] *adj.* unbebaut; *fig.* un(aus)gebildet; vernachlässigt; ungepflegt (*Haar, Bart*); **~tivable** [~ti'vablə] *adj.* nicht anbaufähig; **~ture** *fig.* [~'ty:r] *f* Unbildung *f*.

incunable [ɛ̃ky'nablə] **I** *adj.*: *édition f* ~ Urausgabe *f*; **II** *m* Inkunabel *f*, Wiegendruck *m*.

incurab|ilité [ɛ̃kyrabili'te] *f* Unheilbarkeit *f*; **~le** [~'rablə] *adj. u. su.* unheilbar(er Kranker *m*).

incurie [ɛ̃ky'ri] *f* Nachlässigkeit *f*.

incuri|eux *litt.* [ɛ̃ky'rjø] *adj.* (7d) □ gleichgültig; **~osité** *litt.* [~rjozi'te] *f* Gleichgültigkeit *f*.

incursion [ɛ̃kyr'sjɔ̃] *f bsd.* ⚔ Überfall *m*, Einfall *m*; ~*s pl. d'avions* Einflüge *m/pl.*; *fig.* ~*s pl.* wissenschaftliche Streifzüge *m/pl.*

incurv|ation ⊕ [ɛ̃kyrvɑ'sjɔ̃] *f* Einbiegung *f*; **~é** ⊕ [~'ve] *adj.* eingebogen, gekrümmt; **~er** *géogr.* [~] *v/rfl.* (1a) s'~ in Kurven verlaufen.

Inde [ɛ̃:d] *f*: **l'~** Indien *n*; *en* ~ in (nach) Indien; *les* ~*s pl. ehm.* Britisch-Indien *n* u. Burma; *mer f des* ~*s* Indischer Ozean *m*; *zo. cochon m d'*~ Meerschweinchen *n*.

indécelable [ɛ̃des'lablə] *adj.*: ~ *au radar* mit Radar unerfaßbar.

indé|cence [ɛ̃de'sɑ̃:s] *f* Unanständigkeit *f*; **~cent** [~'sɑ̃] *adj.* (7) (*adv. indécemment* [~sa'mɑ̃]) unanständig.

indéchiffrable [ɛ̃deʃi'frablə] *adj.* □ unentzifferbar; unlesbar; *fig.* rätselhaft, unergründlich.

indéchirable [ɛ̃deʃi'rablə] *adj.* unzerreißbar.

indécis [ɛ̃de'si] *adj.* unentschieden; unentschlossen, unschlüssig; **~ion** [~'zjɔ̃] *f* Unbestimmtheit *f*; Unentschlossenheit *f*, Wankelmut *m*.

indéclinab|ilité *gr.* [ɛ̃deklinabili'te] *f* Undeklinierbarkeit *f*; **~le** [~'nablə] *adj.* undeklinierbar.

indécomposable *a. gr.* [ɛ̃dekɔ̃po'zablə] *adj.* nicht zerlegbar.

indécrochable [ɛ̃dekrɔ'ʃablə] *adj.* **1.** unabnehmbar; **2.** F *fig.* unerreichbar.

indécrottable F [ɛ̃dekrɔ'tablə] *adj.* unverbesserlich.

indéfecti|bilité [ɛ̃defɛktibili'te] *f* Unfehlbarkeit *f*; Unvergänglichkeit *f*; **~ble** [~'tiblə] *adj.* unfehlbar; unvergänglich; unverbrüchlich.

indéfini [ɛ̃defi'ni] **I** *adj.* (*adv.* ~*ment*

[~'mɑ̃]) unbestimmt; unbegrenzt; **II** *m l'*~ das Unbestimmte *n*; **~ssable** [~'sablə] *adj.* unbestimmbar; seltsam, unerklärlich.
indéformable [ɛ̃defɔr'mablə] *adj.* s-e Form nicht verlierend.
indéfrisable [ɛ̃defri'zablə] **I** *adj.* unzerzausbar (*Haar*); **II** *f* Dauerwelle(n *f/pl.*) *f/sg.*; *se faire faire od. se faire avoir une* ~ sich (*dat.*) Dauerwellen machen lassen; ~ *à chaud* (*à froid*) Warm- (Kalt-) welle *f*.
indélébile [ɛ̃dele'bil] *adj.* unauslöschlich, nicht zu entfernen(d) (*a. fig.*); *Lippenstift*: kußfest.
indélibéré [ɛ̃delibe're] *adj.*, **~ment** [~'mɑ̃] *adv.* unüberlegt.
indélicat [ɛ̃deli'ka] *adj.* (7) □ unfein, taktlos; **~esse** [~'tɛs] *f* Taktlosigkeit *f*, rücksichtsloses Verfahren *n*.
indémaillable [ɛ̃dema'jablə] *adj.* maschenfest (*Strumpf*).
indem|ne [ɛ̃'dɛmn] *adj.* heil, unversehrt; frei (*von e-m Leiden*); *être* ~ unverletzt bleiben; **~nisation** [~niza'sjɔ̃] *f* Entschädigung *f*, Abfindung *f*; **~niser** [~ni'ze] *v/t.* (1a) entschädigen, abfinden (*de qch.* für etw. *acc.*); **~nité** [~ni'te] *f* Entschädigung *f*, Schadenersatz *m*; Abfindungssumme *f*; Abstandsgeld *n*; Versicherungsleistung *f*; *parl.* Diäten *f/pl.*; ~ *de logement* Quartier-, Wohnungs-geld *n*; Wohnungsentschädigung *f*; ~ *de voyage* Reisegeld *n*; ~ *journalière* Tagegeld *n*; ~ *supplémentaire* Zuschuß *m*; Zulage *f*; ~ *de déménagement* Umzugsvergütung *f*; ~ *locale*, ~ *de résidence* Ortszulage *f*; ~ *de vie chère* Teuerungszulage *f*; ~ *de licenciement* Abbau-beihilfe *f*, -entschädigung *f*; ~ *d'accident* Unfallentschädigung *f*.
indémodable [ɛ̃demɔ'dablə] *adj.* der Mode nicht unterworfen.
indémontrable [ɛ̃demɔ̃'trablə] *adj.* unbeweisbar.
indéniable [ɛ̃de'njablə] *adj.* unleugbar.
indent|ation *géogr.* [ɛ̃dɑ̃ta'sjɔ̃] *f* Einbuchtung *f*; **~é** *géogr.* [~'te] *adj.* eingebuchtet; buchtenreich.
indépen|damment [ɛ̃depɑ̃da'mɑ̃] *adv.*: ~ *de* **1.** ohne Rücksicht auf (*acc.*); **2.** außer (*dat.*), zusätzlich zu (*dat.*); **~dance** [~'dɑ̃:s] *f* Unabhängigkeit *f*; **~dant** [~'dɑ̃] *adj.* (7) unabhängig, selbständig; **~dantiste** [~dɑ̃'tist] *adj.* (*u. su.*) Unabhängigkeits... (-Kämpfer *m*).
indéracinable [ɛ̃derasi'nablə] **I** *adj.* unausrottbar; **II** *su.* Unentwegte(r) *m*.
indéréglable [ɛ̃dere'glablə] *adj.* absolut betriebssicher, unverwüstlich.
Indes *ehm.* [ɛ̃:d] *f/pl.*: **les ~** Britisch-Indien u. Burma; *jetzt*: *Inde f/sg.*
indescriptible [ɛ̃dɛskrip'tiblə] *adj.* □ unbeschreiblich.
indésirable [ɛ̃dezi'rablə] **I** *adj.* unerwünscht; **II** *su.* ungebetener Gast *m*, Eindringling *m*.
indessert|able ⊕ [ɛ̃desɛr'tablə] *adj.*, **~issable** ⊕ [~ti'sablə] *adj.* ganz fest sitzend.
indestructib|ilité [ɛ̃dɛstryktibili'te] *f* Unzerstörbarkeit *f*; **~le** [~'tiblə] *adj.* □ unzerstörbar.
indétachable [ɛ̃deta'ʃablə] *adj.* unlöslich.
indétermi|nable [ɛ̃detɛrmi'nablə] *adj.* unbestimmbar; **~nation** [~na'sjɔ̃] *f* Unschlüssigkeit *f*; Unbestimmtheit *f*; **~né** [~'ne] *adj.* unbestimmt; unendlich (*bsd.* ⚹); unschlüssig.
index [ɛ̃'dɛks] *m* **1.** Index *m*, Register *n*, Verzeichnis *n*; **2.** Zeigefinger *m*; **3.** ⚹ Kennziffer *f e-s Logarithmus*; **~ation** *fin.* [~ksa'sjɔ̃] *f* Indexbindung *f*; *clause f d'*~ Indexklausel *f*; *l'*~ *des prix* die Preisermittlung auf Grund der Indexziffer; **~er** [~'kse] *v/t.* (1a) **1.** alphabetisch eintragen; **2.** *fin.* ~ *un emprunt sur l'or* (*sur le charbon*) den Wert e-r Anleihe nach dem Gold- (Kohlen-)index festlegen; ~ *sur les prix* an die Preise binden; *emprunt m indexé* Indexanleihe *f*; **3.** ⊕ auf Index schalten, einrasten.
indian|iser [ɛ̃djani'ze] *v/rfl.*: *s'*~ sich mit Indianern vermischen; **~isme** [~'nism] *m* Studium *n* des Indischen; **~iste** [~'nist] *m* Indologe *m*.
indica|teur [ɛ̃dika'tœ:r] **I** *adj.* (7f) **1.** anzeigend; *poteau m* ~ Wegweiser *m*; **II** *m* **2.** 🚂 Verzeichnis *n*; ~ (*des chemins de fer*) Eisenbahnfahrplan *m*, Kursbuch *n*; ✈ ~ *aérien* Flugplan *m*; **3.** Zeiger *m*, Ablesegerät *n*; ⚡ ~ *de courant* Stromanzeiger *m*; ⊕ ~ *de pression d'huile* Öldruck-anzeiger *m*, -messer *m*; *Auto*: ~ *de vitesse* Geschwindigkeitsmesser *m*, Tachometer *m*; ~ *du niveau d'eau* Wasserstandsmelder *m*; ~ *d'essence* Benzinstandmesser *m*; ✈ ~ *de vol* Fluggeschwindigkeitsmesser *m*; **4.** *Auto*: ~ *de direction* Winker *m*; **5.** ⚗ ~ *coloré* Farbindikator *m*; **6.** Denunziant *m*; **~tif**

[~'tif] **I** *adj.* (7e) anzeigend; **II** *m* **1.** *gr.* Indikativ *m*; **2.** *télégr.*, *téléph.*, ⚔ Rufzeichen *n*, Vorwählnummer *f*, Kennbuchstabe *m*, Deckname *m*, Kennzeichen *n*; *rad.* Pausenzeichen *n*; ♪ Einleitung *f*; ~ *d'appel* Funkrufzeichen *n*; ✈ ~ *d'atterrissage* Landezeichen *n*; ✉ ~ *(chiffré)* Postleitzahl *f*; **~tion** [~ka'sjɔ̃] *f* **1.** Anzeige *f*; *sur votre* ~ auf Ihre Anzeige hin; **2.** Hinweis *m*, Wink *m*; Angabe *f*, Merkmal *n*, *a.* ⚕ Anzeichen *n*; ~ *de sources* Quellen-angabe *f*, -nachweis *m*; ~ *d'origine* Ursprungsangabe *f*; *rad.* ~ *d'heure* Zeitangabe *f*; ~*s pl.* technische Daten *n/pl.*; **3.** ~ *de service* Postvermerk *m*.

indi|ce [ɛ̃'dis] *m* **1.** Anzeichen *n*; Anhaltspunkt *m*; Merkmal *n*; *poste m à* ~ *fonctionnel* Posten *m* mit e-m besonderen Aufgabenbereich; **2.** ⚓ Landmarke *f*; ✝ Richtzahl *f*; Index *m*, Stichzahl *f*; ~ *du coût de la vie* Lebenshaltungsindex *m*; ~ *des prix* Preisindex *m*; **~ciaire** [~'sjɛːr] *adj.*: *revalorisation f* ~ Verbesserung *f* der Eingruppierung; **~cible** [~'siblə] *adj.* □ unaussprechlich; unsagbar, unbeschreiblich; **~ction** *rl.* [~dik'sjɔ̃] *f* Einberufung *f* (*e-s Konzils*).

indien [ɛ̃'djɛ̃] *adj. u.* ♀ *su.* (7c) **1.** indisch; Inder *m*; **2.** indianisch; Indianer *m*; *jouer aux* ♀*s* Indianer spielen.

indienne [ɛ̃'djɛn] *f* gedruckter *od.* gefärbter Kattun *m*.

indiffé|rence [ɛ̃dife'rɑ̃ːs] *f* Gleichgültigkeit *f*; **~rent** [~'rɑ̃] **I** *adj.* (7) (*adv.* ~*remment* [~ra'mɑ̃]) gleichgültig (*à q.* j-m gegenüber, *à qch.* e-r Sache gegenüber); teilnahms-, partei-los; gefühllos; unwichtig; ⚗ indifferent; **II** *su.* Gleichgültige(r) *m*; **~rentisme** *pol.*, *rl.* [~rɑ̃'tism] *m* gleichgültige Haltung *f*; **~rer** F [~'re] *v/i.* (1f): *cela m'indiffère* das ist mir egal.

indigén|at [ɛ̃diʒe'na] *m* **1.** *Fr.* Rechtsstellung *f* der Eingeborenen (*bis 1945*); **2.** Gesamtheit *f* der Eingeborenen; **~iste** [~'nist] *adj.* auf dem Gebiet der Eingeborenenforschung.

indigence [ɛ̃di'ʒɑ̃ːs] *f* Bedürftigkeit *f*; *fig. geistige* Armut *f*.

indigène [~'ʒɛːn] *adj. u. su.* eingeboren, einheimisch; Eingeborene(r) *m*.

indigent [ɛ̃di'ʒɑ̃] *adj.* (7) *u. su.* arm, bedürftig.

indiges|te [ɛ̃di'ʒɛst] *adj.* unverdaulich (*a. fig. von e-m Buch*); ungenießbar; **~tion** [~'tjɔ̃] *f* **1.** Verdauungsbeschwerden *f/pl.*, verdorbener Magen *m* F; **2.** *fig.* Überdruß *m*.

indign|ation [ɛ̃diɲɑ'sjɔ̃] *f* Entrüstung *f*, Empörung *f*, Unwille *m*; **~e** [ɛ̃'diɲ] *adj.* □ unwürdig (*de gén.*); **~er** [~'ɲe] (1a) **I** *v/t.* ~ *q.* j-n empören; *être indigné* entrüstet sein; **II** *v/rfl.* *s'*~ *de qch.* (*s'*~ *contre q.*) sich über etw. (über j-n) entrüsten; **~ité** [~ɲi'te] *f* **1.** Unwürdigkeit *f*; **2.** Niederträchtigkeit *f*; **3.** Schande *f*.

indigo ✝ [ɛ̃di'go] *m* Indigo *m*.

indiquer [ɛ̃di'ke] *v/t.* (1m) **1.** anzeigen; ~ *qch. du doigt* (mit dem Finger) auf etw. (*acc.*) zeigen; **2.** hinweisen; angeben, andeuten; *fig.* erkennen lassen, verraten; **3.** *il est tout indiqué de se taire* es empfiehlt sich zu schweigen; **4.** ✝ ~ *un prix* e-n Preis angeben.

indirect [ɛ̃di'rɛkt] *adj.* (7) □ *fig.* indirekt, mittelbar; *régime m* ~, *complément m* ~ entfernteres Objekt *n* (*Genitiv od. Dativ*).

indiscernable *bsd. phil.* [ɛ̃disɛr'nablə] *adj.* ununterscheidbar.

indisciplin|able [ɛ̃disipli'nablə] *adj.* undisziplinierbar, unfügsam; **~e** [~'plin] *f* Disziplinlosigkeit *f*; **~é** [~'ne] *adj.* undiszipliniert.

indis|cret [ɛ̃dis'krɛ] (7b) **I** *adj.* indiskret, taktlos, unvorsichtig, vorwitzig, voreilig, übereilt, aufdringlich, unbescheiden, unüberlegt, schwatzhaft; **II** *su.* Lauscher *m*; Schwätzer *m*; **~crétion** [~kre'sjɔ̃] *f* Taktlosigkeit *f*, Unvorsichtigkeit *f*, Unbescheidenheit *f*, Aufdringlichkeit *f*, Schwatzhaftigkeit *f*.

indiscut|able [ɛ̃disky'tablə] *adj.* indiskutabel, unbestreitbar; **~é** [~'te] *adj.* (7) unbestritten.

indispensable [~pɑ̃'sablə] *adj.* □ unentbehrlich, unbedingt notwendig, unerläßlich; unabkömmlich.

indis|ponibilité [~pɔnibili'te] *f* Unabkömmlichkeit *f*; ⚖ Unverfügbarkeit *f*; **~ponible** [~pɔ'niblɛ] *adj.* unabkömmlich; ⚖ unverfügbar; **~posé** [~po'ze] *adj.* unwohl, nicht in Stimmung, nicht disponiert, *fig.* verstimmt; **~poser** [~] *v/t.* (1a) **1.** unwohl *od.* krank machen; **2.** *fig.* verstimmen; **~position** [~pozi'sjɔ̃] *f* Unpäßlichkeit *f*; Unwohlsein *n*; *fig.* Verstimmung *f*; schlechte Laune *f*.

indissolub|ilité [ɛ̃disɔlybili'te] *f* Unauflösbarkeit *f*; *bsd.* ⚖ Untrenn-

barkeit *f*; **~le** [~'lyblə] *adj.* □ un(auf)löslich; *fig.* unzertrennlich.
indistinct [ɛ̃dis'tɛ̃(kt)] *adj.* □ undeutlich.
indium ⚗ [ɛ̃'djɔm] *m* Indium *n.*
individu [ɛ̃divi'dy] *m* Individuum *n*, Einzelwesen *n*; *oft. iron., péj.* Mensch *m*, Person *f*, Gewisse(r) *m*; **~alisation** *phil.* [~dɥaliza'sjɔ̃] *f* Individualisierung *f*; **~aliser** [~dɥali'ze] *v/t.* (1a) individualisieren, absondern; einzeln behandeln; **~alisme** [~dɥa'lism] *m* Individualismus *m*; **~aliste** [~dɥa'list] *m u. adj.* Individualist *m*; individualistisch; **~alité** [~dɥali'te] *f* Individualität *f*, Eigenart *f*; Persönlichkeit *f*; **~el** [~'dɥɛl] *adj.* (7c) individuell, persönlich, einzeln; **~ellement** [~dɥɛl'mɑ̃] *adv.* einzeln betrachtet.
indivis [ɛ̃di'vi] *adj.* (7) ungeteilt, gemeinschaftlich; *advt.*: *par* ~ ungeteilt; **~ément** ⚖ [~ze'mɑ̃] *adv.* ungeteilt; **~ibilité** [~zibili'te] *f* Unteilbarkeit *f*; **~ible** [~'ziblə] *adj.* □ unteilbar; **~ion** ⚖ [~'zjɔ̃] *f* Gemeinschaft *f.*
in-dix-huit *typ.* [indi'zɥit] *m* (*mst. abr. in-18°*) Oktodezformat *n.*
indocil|e [ɛ̃dɔ'sil] *adj.* □ ungehorsam, unbelehrbar, starrköpfig, unlenksam, widerspenstig, aufsässig; **~ité** [~li'te] *f* Ungehorsam *m*, Aufsässigkeit *f*, Trotz *m*, Starrköpfigkeit *f*, Unbelehrbarkeit *f.*
indocte [ɛ̃'dɔkt] *adj.* ungelehrt.
indo-européen [ɛ̃dɔœrɔpe'ɛ̃] *adj.* (7c) indoeuropäisch.
indo|lence [ɛ̃dɔ'lɑ̃:s] *f* Lässigkeit *f*; Gleichgültigkeit *f*, Apathie *f*, Indolenz *f*; **~lent** [~'lɑ̃] *adj.* (7a) (*adv. indolemment* [~la'mɑ̃]) lässig, träge; gleichgültig, apathisch.
indolore [ɛ̃dɔ'lɔ:r] *adj.* schmerzlos.
indomp|table [ɛ̃dɔ̃'tablə] *adj.* □ unbeugsam, un(be)zähmbar; **~té** [~'te] *adj.* ungebändigt, wild.
Indoné|sie [ɛ̃dɔne'zi] *f*: **l'~** Indonesien *n*; **~sien** [~'zjɛ̃] *su.* (7c) *u.* ♀ *adj.* Indonesier *m*; indonesisch.
in-douze *typ.* [in'du:z] *m* (*mst. abr. in-12°*) Duodezformat *n.*
indu [ɛ̃'dy] *adj.* (*adv. indûment*) ungehörig, unpassend.
indubitable [ɛ̃dybi'tablə] *adj.* □ zweifellos, unzweifelhaft.
induc|tance ⚡ [ɛ̃dyk'tɑ̃:s] *f* induktiver Widerstand *m*; **~teur** ⚡ [~'tœ:r] *m u. adj.* Induktor *m*, Induktionsapparat *m*; induzierend; **~tif** *phil., phys.,* ⚡ [~'tif] *adj.* (7e) induktiv; **~tion** [~k'sjɔ̃] *f* Induktion *f* (*a.* ⚡); Folgerung *f.*
induire [ɛ̃'dɥi:r] *v/t.* (4c) **1.** ~ *en erreur* täuschen; **2.** ~ *qch. de* folgern (schließen) aus (*dat.*).
induit ⚡ [ɛ̃'dɥi] **I** *adj.* (7) induziert; **II** *m* **1.** ⚡ Induktor *m*, Rotor *m*, Läufer *m*, Anker *m*; **2.** *psych.* Ergebnis *n* von Gedankenassoziationen.
indul|gence [ɛ̃dyl'ʒɑ̃:s] *f* **1.** Nachsicht *f*, Duldsamkeit *f*, Milde *f*, Schonung *f*, Indulgenz *f*; **2.** *rl.* Ablaß *m*; **~gent** [~'ʒɑ̃] *adj.* (7) (*adv. indulgemment* [~ʒa'mɑ̃]): ~ *envers*, ~ *pour* nachsichtig gegen (*acc.*).
induration ⚕ [ɛ̃dyra'sjɔ̃] *f* Verhärtung *f.*
industri|alisation [ɛ̃dystrializa'sjɔ̃] *f* Industrialisierung *f*; **~aliser** [~triali'ze] *v/t.* (1a) industrialisieren; **~alisme** [~a'lism] *m* Industrialismus *m.*
industrie [ɛ̃dys'tri] *f* Industrie *f*; Gewerbe *n*; ~*s pl. d'art* Kunstgewerbe *n*; ~ *de l'atome* Atomindustrie *f*; ~ *de base* Grundindustrie *f*; ~ *alimentaire* Nahrungsmittelindustrie *f*; ~ *hôtelière* Hotelwesen *n*, Gaststättengewerbe *n*; ~ *laitière* Milchindustrie *f*; ~ *de l'ameublement* Möbelindustrie *f*; ~ *radiophonique* Rundfunkindustrie *f*; ~ *automobile* Automobilindustrie *f*; ~ *saisonnière* Saisongewerbe *n*; ~ *des colorants*, ~ *des couleurs* Farbstoffindustrie *f*; ~ *du tourisme*, ~ *touristique*, ~ *des étrangers* Fremdenindustrie *f*; ~ *transformatrice*, ~ *de transformation* verarbeitende *od.* Veredelungsindustrie *f*; ~ *de finissage* Veredelungsindustrie *f*; ~ *de l'habillement* Bekleidungsindustrie *f*; ~ *du bâtiment* Baugewerbe *n*; ~ *d'assurance(s)* Versicherungswesen *n*; ~ *mécanique* Maschinenbau *m*; ~ *minière* Montanindustrie *f*; ~ *sidérurgique* Eisenindustrie *f*; ~ *textile* Textilindustrie *f*; ~ *toilière* Leinenindustrie *f*; *petite* ~ Kleingewerbe *n*; *grande* ~ Großindustrie *f*; ~ *lourde* Schwerindustrie *f*; *fig. chevalier m d'*~ Hochstapler *m*; **~-clef** [~'kle] *f* (6a) Schlüsselindustrie *f.*
industri|el [ɛ̃dystri'ɛl] **I** *adj.* (7c) □ industriell, gewerbetreibend, gewerblich; *art m* ~ Kunstgewerbe *n*; *école f* ~*le* Gewerbeschule *f*; *exposition f* ~*le* Industrie-, Gewerbeausstellung *f*; **II** *su.* Industrielle(r) *m*, Gewerbetreibende(r) *m*; ~ *du*

bâtiment Bauschaffende(r) *m*; *grand* ~ Großindustrielle(r) *m*; *petit* ~ Kleingewerbetreibende(r) *m*; **~eux** *litt.* [~tri'ø] *adj.* (7d) □ geschickt.
inébranlable [inebrɑ̃'lablə] *adj.* □ unerschütterlich.
inéchangeable [ineʃɑ̃'ʒablə] *adj.* nicht umtauschbar (*Waren*); nicht einwechselbar (*Wertpapiere*).
inécoutable [ineku'tablə] *adj.* nicht anhörbar.
inédit [ine'di] *adj.* (7) ungedruckt, noch nicht veröffentlicht; neu (-artig); *auch m*: *l'*~ das Neue *n*.
ineffab|ilité [inefabili'te] *f* Unaussprechlichkeit *f*; **~le** [~'fablə] *adj.* unaussprechlich.
ineffaçable [inefa'sablə] *adj.* unauslöschlich; unvergeßlich.
ineffectif [inefɛk'tif] *adj.* (7e) unwirksam, ineffektiv.
inefficа|ce [inefi'kas] *adj.* unwirksam, fruchtlos; **~cité** [~si'te] *f* Unwirksamkeit *f*.
inégal [ine'gal] *adj.* (5c) □ ungleich; uneben; ungleichmäßig, veränderlich; *fig.* unbeständig; launisch; **~able** [~'lablə] *adj.* unvergleichlich; unerreichbar; **~ité** [~li'te] *f* Ungleichheit *f*; Unebenheit *f*; Unregelmäßigkeit *f*; *fig.* Unbeständigkeit *f*.
inélé|gance [inele'gɑ̃:s] *f* Mangel *m* an Eleganz; **~gant** [~'gɑ̃] *adj.* (7) (*adv. litt. inélégamment* [~ga'mɑ̃]) unelegant; taktlos.
inéligi|bilité [inеliʒibili'te] *f* Unwählbarkeit *f*; **~ble** [~'ʒiblə] *adj.* nicht wählbar.
inéluctable [inelyk'tablə] *adj.* unvermeidlich; unabwendbar, unausweichlich.
inemployable [inɑ̃plwa'jablə] *adj.* unanwendbar.
inemployé [inɑ̃plwa'je] *adj.* ungebraucht; ungenutzt.
inénarrable [inena'rablə] *adj.* urkomisch.
inentamé [inɑ̃ta'me] *adj.* unangeschnitten, ganz (*Brot*); unberührt; uneingeschränkt.
inept|e [i'nɛpt] *adj.* □ absurd, dumm, albern; **~ie** [inɛp'si] *f* Blödheit *f*, Albernheit *f*.
inépuisable [inepɥi'zablə] *adj.* □ unerschöpflich.
inéquilatéral ⩓ [inekilate'ral] *adj.* (5c) ungleichseitig.
inerme [i'nɛrm] *adj. zo.*, ⚘ unbewaffnet; *zo.* stachellos.
iner|te [i'nɛrt] *adj.* bewegungslos, regungslos, tot; *a.* ⚗ indifferent; träge, untätig; ⚡ indifferent; **~tie** [inɛr'si] *f* Trägheit *f* (*a. phys.*); *force f d'*~ *phys.* Trägheitsgesetz *n*; *fig.* passiver Widerstand *m*.
inespéré [inɛspe're] *adj.* (*adv.* ~*ment*) unverhofft, unerwartet.
inessayé [inɛsɛ'je] *adj.* unversucht.
inesthétique [inɛste'tik] *adj.* unästhetisch.
inestimable [~ti'mablə] *adj.* unschätzbar; unbezahlbar.
inévitable [inevi'tablə] *adj.* □ unvermeidlich, unabwendbar.
inexact [inɛg'zakt] *adj.* □ ungenau, unrichtig, unzutreffend; unpünktlich; nachlässig; **~itude** [~ti'tyd] *f* Ungenauigkeit *f*, Unpünktlichkeit *f*; Nachlässigkeit *f*.
inexcusable [inɛksky'zablə] *adj.* □ unentschuldbar, unverzeihlich.
inexécutable [inɛgzeky'tablə] *adj.* undurchführbar.
inexigib|ilité ⚖, † [inɛgziʒibili'te] *f* Uneintreibbarkeit *f* (*v. Schuldforderungen*); **~le** [~'ʒiblə] *adj.* uneintreibbar; *von Wechseln*: noch nicht fällig; *c'est* ~ das kann nicht gefordert werden.
inexistant [inɛgzis'tɑ̃] *adj.* (7) nicht vorhanden.
inexistence [~ɛgzis'tɑ̃:s] *f* Nichtvorhandensein *n*.
inexorab|ilité [~ɛgzɔrabili'te] *f* Unerbittlichkeit *f*; **~le** [~'rablə] *adj.* unerbittlich, unnachsichtig.
inexpéri|ence [inɛkspe'rjɑ̃:s] *f* Unerfahrenheit *f*; **~menté** [~perimɑ̃'te] *adj.* unerfahren; ungeübt; noch unversucht, nicht angewandt.
inexpert [inɛks'pɛ:r] *adj.* (7) unerfahren.
inexpiable [inɛks'pjablə] *adj.* unsühnbar.
inexplicable [inɛkspli'kablə] *adj.* unerklärlich.
inexploi|table [~plwa'tablə] *adj.* nicht auszubeuten; ⚒ unabbaubar; **~té** [~'te] *adj.* ⚒ nicht abgebaut; *allg.* nicht in Betrieb.
inexplor|able [~ɛksplɔ'rablə] *adj.* unerforschbar; **~é** [~'re] *adj.* unerforscht.
inexplosible [~plo'ziblə] *adj.* nicht explodierbar, explosionssicher.
inexpressif [inɛksprɛ'sif] *adj.* (7e) ausdruckslos, nichtssagend.
inexprimable [~pri'mablə] *adj.* unaussprechlich, unsagbar.
inexpugnab|ilité [~pygnabili'te] *f* Uneinnehmbarkeit *f*; **~le** [~'nablə] *adj.* uneinnehmbar; *fig.* unüberwindlich.

inextensible [~tɑ̃'siblə] *adj.* unausdehnbar.

in extenso [inɛkstɛ̃'so] *adv.* ausführlich, ungekürzt.

inextinguible [~tɛ̃'g(ɥ)iblə] *adj.* nicht löschbar; *fig.* unbezwingbar (*Lachen*).

inextirpable [~tir'pablə] *adj.* unausrottbar.

in extremis [inɛkstre'mis] *adv.* im letzten Augenblick.

inextricable [~tri'kablə] *adj.* unentwirrbar.

infailli|bilité [ɛ̃fajibili'te] *f* Unfehlbarkeit *f*; Untrüglichkeit *f*; ⊕, ✝ einwandfreie Verwendung *f*; **~ble** [~'jiblə] *adj.* unfehlbar; untrüglich.

infaisable [ɛ̃fə'zablə] *adj.* nicht zu machen, undurchführbar.

infamant [ɛ̃fa'mɑ̃] *adj.* (7) entehrend, ehrenrührig.

infâme [ɛ̃'fɑːm] **I** *adj.* □ ehrlos, unehrlich; niederträchtig, hundsgemein; schändlich; schmutzig; widerlich; **II** a) *m* Strolch *m*; b) *f* gemeines Frauenzimmer *n*.

infamie [ɛ̃fa'mi] *f* **1.** Ehrlosigkeit *f*; Niederträchtigkeit *f*, Gemeinheit *f*, Schandtat *f*, Schande *f*; **2.** *~s pl.* häßliche Worte *n/pl.*, grobe Beleidigungen *f/pl.*

infant [ɛ̃'fɑ̃] *m* Infant *m*; **~e** [~'fɑ̃ːt] *f* Infantin *f*.

infanterie ⚔ [ɛ̃fɑ̃'tri] *f* Infanterie *f*.

infanti|cide [ɛ̃fɑ̃ti'sid] **I** *adj. u. su.* kindermörderisch; Kindermörder *m*; **II** *m* Kindermord *m*; **~le** [~'til] *adj.* □ **1.** kindisch, infantil; **2.** Kinder...; *maladies f/pl. ~s* Kinderkrankheiten *f/pl.*; **~lisation** *univ.*, *péj.* [~liza'sjɔ̃] *f* Verkindlichung *f*; Niveausenkung *f*; **~liser** [~li'ze] *v/t.* (1a) verkindlichen, verdummen; **~lisme** [~'lism] *m* Infantilismus *m*, Kinderei *f*.

infarctus ⚕ [ɛ̃fark'tys] *m*: *~ du myocarde* Herzinfarkt *m*.

infatigable [ɛ̃fati'gablə] *adj.* □ unermüdlich.

infatu|ation [ɛ̃fatɥɑ'sjɔ̃] *f mv.p.* Selbstgefälligkeit *f*; **~é** [~'tɥe] *adj.*: *~ de soi-même* eingebildet, von sich eingenommen; **~er** [~] *v/rfl.*: *s'~ (de soi-même)* äußerst selbstzufrieden sein.

infécond [ɛ̃fe'kɔ̃] *adj.* (7) unfruchtbar (*a. fig.*); **~ité** [~di'te] *f* Unfruchtbarkeit *f*; Unergiebigkeit *f*.

infect [ɛ̃'fɛkt] *adj.* faulig, stinkend, ekelhaft; *cuis.* miserabel (*Essen*; *Wein*); **~er** [~'te] (1a) **I** *v/t.* anstecken, infizieren, verseuchen; *Brunnen* vergiften; *Luft* verpesten; verunreinigen; **II** *v/rfl.* *s'~* eitern, sich entzünden; **~ieux** [~fɛk'sjø] *adj.* (7d) ansteckend; **~ion** [~'sjɔ̃] *f* **1.** ⚕ Infektion *f*, Ansteckung *f*; **2.** Verpestung *f*, Verunreinigung *f*.

infélicité *litt.* [ɛ̃felisi'te] *f* Unglückseligkeit *f*.

inféod|ation [ɛ̃feɔdɑ'sjɔ̃] *f* **1.** *hist.* Belehnung *f*; **2.** *fig.* *~ à un parti* enge Bindung *f* an e-e Partei; **~é** [~'de] *adj.*: *~ à q.* j-m völlig ergeben; **~er** [~] (1a) **I** *hist.* *v/t.* belehnen; **II** *fig.* *v/rfl.*: *s'~ à qch.* sich e-r Sache völlig verschreiben.

inférer [ɛ̃fe're] *v/t.* (1f) folgern.

inféri|eur [ɛ̃fe'rjœːr] **I** *adj.* □ **1.** niedrig gelegen; Unter..., Nieder...; **2.** *~ à ...* geringer als ...; *être ~ (en qch.) à q.* j-m (in etw. *dat.*) unterlegen sein; **II** *su.* Untergebene(r) *m*; **~orité** [~rjɔri'te] *f* *fig.* Unterlegenheit *f*, Minderwertigkeit *f*.

infernal [ɛ̃fɛr'nal] *adj.* (5c) □ höllisch (*a. fig.*); Höllen...; F unausstehlich; *machine f ~e* Höllenmaschine *f*; *pierre f ~e* Höllenstein *m*.

inferti|le [ɛ̃fɛr'til] *adj.* □ unfruchtbar; *fig.* unergiebig; **~lité** [~li'te] *f* Unfruchtbarkeit *f*.

infester [ɛ̃fɛs'te] *v/t.* (1a) heimsuchen, verheeren; befallen (*Schädlinge*).

infeutrable [ɛ̃fø'trablə] *adj.* unverfilzbar.

infi|dèle [ɛ̃fi'dɛːl] **I** *adj.* □ untreu, treulos; unzuverlässig; ungenau; **II** *su.* Ungetreue(r) *m*; **~délité** [~deli'te] *f* Treulosigkeit *f*, Untreue *f*; Ungenauigkeit *f*; (*Gedächtnis*) Unzuverlässigkeit *f*.

infil|tration [ɛ̃filtrɑ'sjɔ̃] *f* Einsickern *n*; **~trer** [~'tre] (1a) *v/rfl.*: *s'~ dans* einsickern, einziehen (*od.* eindringen *a.* ⚔) in (*acc.*).

infime [ɛ̃'fiːm] *adj.* unterst; winzig.

infini [ɛ̃fi'ni] **I** *adj.* unendlich, endlos; zahllos; *fig.* außerordentlich; *adv. ~ment* überaus; **II** *m das* Unendliche *n*; ⅍ unendliche Größe *f*; **~té** [~'te] *f* Unendlichkeit *f*; Unmenge *f*; **~tésimal** [~tezi'mal] *adj.* (5c) □ unendlich klein; Infinitesimal...

infinitif *gr.* [ɛ̃fini'tif] **I** *m* Infinitiv *m*; **II** *adj.* (7e): *proposition f infinitive* Infinitivsatz *m*.

infir|matif ⚖ [ɛ̃firma'tif] *adj.* (7e) entkräftend, aufhebend; **~mation** ⚖ [~mɑ'sjɔ̃] *f* Entkräftung *f*, Ungültigmachung *f*; Aufhebung *f*;

~me [ɛ̃'firm] **I** *adj.* gebrechlich, körperbehindert, siech; **II** *su.* Körperbehinderte(r) *m*; **~me moteur--cérébral** ⚕ [~mɔ'tœːr sere'bral] *m* (6a *u.* 5c) (*pl.* ~*s moteurs-cérébraux*) Hirngeschädigte(r) *m*; **~mer** [~'me] *v/t.* (1a) *fig.* entkräften; ⚖ für ungültig erklären, aufheben; **~merie** *écol.* [~mə'ri] *f* Krankenraum *m*, -saal *m*; **~mier** [~'mje] **I** *su.* (7b) Krankenpfleger *m*; **II** *m* ⚔: ~ (*militaire*) Sanitäter *m*; **~mière** [~'mjɛːr] *f* Krankenschwester *f*; **~mité** [~mi'te] *f* Gebrechen *n*, Siechtum *n*; *fig.* Schwäche *f*.

inflamma|bilité [ɛ̃flamabili'te] *f* Entflammbarkeit *f*; **~ble** [~'mablə] *adj.* entzündbar, brennbar, feuergefährlich; F *fig.* reizbar; **~tion** ⚕ [~mɑ'sjɔ̃] *f* Entzündung *f*; **~toire** [~'twaːr] *adj.* Entzündungs...

inflation [ɛ̃flɑ'sjɔ̃] *f* **1.** *éc.*, *fin.* Inflation *f*; **2.** *fig.* Überzahl *f*; **~niste** *éc.*, *fin.* [ɛ̃flasjɔ'nist] *adj.* inflationistisch, Inflations...

infléchir [ɛ̃fle'ʃiːr] (2a) **I** *v/t.* (einwärts) biegen, lenken; *gr.* umlauten; *fig.* verändern, *pfort.* brechen; **II** *v/rfl.* s'~ sich krümmen, sich biegen; ⚔ (*richtungsmäßig*) abbiegen.

inflétrissable [ɛ̃fletri'sablə] *adj.* unverwelklich.

inflex|ibilité [ɛ̃fleksibili'te] *f* Unbeugsamkeit *f*; *fig.* Unbarmherzigkeit *f*; **~ible** [~'ksiblə] *adj.* □ unbiegsam, steif; *fig.* unbeugsam, unerbittlich, unnachgiebig; **~ion** [~'ksjɔ̃] *f* Biegung *f*; ♪ Modulation *f*; Abwandlung *f*; Ablenkung *f der Lichtstrahlen*, Inflexion *f*; *gr.* Umlaut *m*; ~ *de voix* Stimmfall *m*.

infliger [ɛ̃fli'ʒe] (1l) **I** *v/t.* auferlegen; zufügen *fig.*; **II** *v/rfl.* s'~ sich auferlegen.

inflorescence [ɛ̃flɔre'sɑ̃ːs] *f* Blütenstand *m*.

influ|ençable [ɛ̃flyɑ̃'sablə] *adj.* beeinflußbar; **~ence** [~'ɑ̃ːs] *f* Einfluß *m*, Einwirkung *f*; ~ *mondiale* Weltgeltung *f*; **~encer** [~ɑ̃'se] *v/t.* (1k) beeinflussen; **~ent** [~'ɑ̃] *adj.* (7) einflußreich; **~er** [~'e] *v/i.* (1a): ~ *sur* ... Einfluß haben auf ... (*acc.*); **~x** ⚕ [ɛ̃'fly] *m* Reizleitung *f*.

in-folio, *abr.* **in-fo** [infɔ'ljo] *adj./inv. u. m* (6c): (*format m*) ~ Folioformat *n*, Foliant *m*.

informat|eur [ɛ̃fɔrma'tœːr] *m* Auskunftgeber *m*; **~icien** [~ti'sjɛ̃] *m* Informatiker *m*; **~if** [~'tif] *adj.* (7e) informativ, aufklärend; **~ion** [~mɑ'sjɔ̃] *f* Erkundigung *f*, Ermittlung *f*, Nachricht *f*, Auskunft *f*, Benachrichtigung *f*, Information *f*; **~ionnel** [~sjɔ'nɛl] *adj.* (7c) auf die Informatik bezüglich; **~ique** [~'tik] *f* Informatik *f*; **~isé** [~ti'ze] *adj.* durch Computer erfaßbar u. gesteuert; **~iser** ✝, *adm.* [~] *v/t.* auf Computerbasis bewirtschaften.

informe [ɛ̃'fɔrm] *adj.* gestaltlos; in groben Zügen; plump (*Kleidung*).

informé ⚖ [ɛ̃fɔr'me] *m*: *jusqu'à plus ample* ~ bis auf weiteres.

informel [ɛ̃fɔr'mɛl] *adj.* **1.** formlos (*moderne Kunst*); **2.** *rl.* unformell.

informer [ɛ̃fɔr'me] (1a) **I** *v/t.* ~ *q. de qch.* j-n von etw. (*dat.*) benachrichtigen, j-n von etw. (*dat.*) *od.* über etw. (*acc.*) unterrichten (*od.* belehren); **II** *v/i.* ⚖ ~ *contre q. de* (*od. sur*) *qch.* gegen j-n e-e Untersuchung einleiten wegen e-r Sache; **III** *v/rfl.* s'~ *auprès de q. de qch.* sich bei j-m nach etw. (*dat.*) erkundigen.

infortu|ne [ɛ̃fɔr'tyn] *f* Unglück *n*, Mißgeschick *n*; **~né** [~'ne] *adj. u. su.* unglücklich; Unglückliche(r) *m*.

infrac|teur ⚖ [ɛ̃frak'tœːr] *su.* (7f) Rechtsbrecher *m*, Übertreter *m*; **~tion** ⚖ [~k'sjɔ̃] *f* Übertretung *f*.

infranchissable [ɛ̃frɑ̃ʃi'sablə] *adj.* unüberschreitbar; *fig.* unüberwindlich.

infra-rouge [ɛ̃fra'ruːʒ] **I** *adj.* (6g) infrarot; **II** *m* Infrarot *n*.

infra-salarié [~sala'rje] *su.* Unterbezahlte(r) *m*.

infra-son, infrason *phys.* [~'sɔ̃] *m* Infraschall *m*.

infrastructure *a.* 🚂 [~stryk'tyːr] *f* Unterbau *m*.

infroissable [ɛ̃frwa'sablə] *adj. Stoff*: knitterfrei.

infructueux [ɛ̃fryk'tɥø] *adj.* (7d) □ erfolglos, vergeblich.

infus [ɛ̃'fy] *adj.* (7) angeboren, mitgegeben; **~er** [ɛ̃fy'ze] (1a) **I** *v/t.* eingießen; ziehen lassen; ⚕ infundieren; *fig.* ~ *de l'énergie* Energie einflößen; **II** *v/i.* (an)ziehen; *faire* ~ *le thé* den Tee ziehen lassen; **~ible** [~'ziblə] *adj.* unschmelzbar; **~ion** [~'zjɔ̃] *f* Aufgießen *n*, Ziehenlassen *n*; Aufguß *m*; ⚕ Infusion *f*; *rl.* Ergießung *f*; ~ *de camomille* Kamillentee *m*; **~oires** [~'zwaːr] *m/pl.* Aufgußtierchen *n/pl.*, Infusorien *n/pl.*; *min. terre f d'*~ Kieselgur *f*.

ingagnable [ɛ̃ga'ɲablə] *adj.* nicht zu gewinnen.

ingambe [ɛ̃'gɑ̃:b] *adj.* rüstig; gut zu Fuß.
ingé|nier [ɛ̃ʒe'nje] *v/rfl.* (1a): *s'*~ nachsinnen; sich den Kopf zerbrechen; sich bemühen, versuchen; *s'*~ *à faire qch.* darüber nachdenken, wie man etw. machen kann; **~nierie** *néol.* [~njɛ'ri] *f* moderne technische u. wirtschaftliche Planung *f*; **~nieur** [~'njœ:r] *m* Ingenieur *m*; ~ *analyste inform.* Analysening. *m*; ~ *des ponts et chaussées*, ~ *routier*, ~ *du service vicinal* Straßenbauing. *m*; ~ *d'aviation*, ~ *d'aéronautique* Fluging. *m*; ~ *chimiste* (6a) Chemieing. *m*; ~ *de la circulation* Verkehrsing. *m*; ~*-conseil* beratender Ingenieur *m*; ~*-contrôleur* Prüfing. *m*; ~ *économiste* Wirtschaftsing. *m*; ~ *électricien* Elektroing. *m*; ~ *électronicien* Elektroniking. *m*; ~ *en chef* technischer Leiter *m*; ~*-géographe* (6a) Planzeichner *m*; ~ *gestion* mit der Organisation betrauter Ingenieur *m*; ~ *mécanicien* Maschinening. *m*; ~ *du son* Toning. *m*; ~*-système* (6b) *od.* ~ *technico-commercial* (5c) Betriebsing. *m*; **~nieux** [~'njø] *adj.* (7d) □ erfinderisch; geistreich; **~niosité** [~njozi'te] *f* Scharfsinn *m*, Erfindungsgabe *f*.
ingénu [ɛ̃ʒe'ny] **I** *adj.* (*adv.* ~*ment*) harmlos, kindlich, unschuldig, unbefangen, arglos, naiv; **II** *su.* Unbefangene(r) *m*; Naturkind *n*; **~ité** [~nɥi'te] *f* Harmlosigkeit *f*, Kindlichkeit *f*, Unbefangenheit *f*.
ingé|rence [ɛ̃ʒe'rɑ̃:s] *f* Einmischung *f* (*a. pol.*); **~rer** [~'re] (1f) **I** *v/t.* *Speisen* in den Magen einführen; *Medizin* einnehmen; **II** *v/rfl.* *s'*~ *dans* sich einmischen in (*acc.*).
ingestion [ɛ̃ʒɛs'tjɔ̃] *f* Einnehmen *n* (*v. Medizin*, *Speisen usw.*).
ingouvernable [ɛ̃guvɛr'nablə] *adj.* nicht zu regieren, unlenkbar.
ingrat [ɛ̃'gra] **I** *adj.* (7) □ unangenehm; undankbar; *fig.* unfruchtbar; erfolglos; *fig.* *être à l'âge* ~ in den Flegeljahren sein; **II** *su.* Undankbare(r) *m*; **~itude** [~ti'tyd] *f* Undank *m*.
ingrédient [ɛ̃gre'djɑ̃] *m cuis.* Zutat *f*; *phm.* Bestandteil *m*.
inguérissable [ɛ̃geri'sablə] *adj.* unheilbar.
inguinal [ɛ̃gɥi'nal] *adj.* (5c) *anat.* u. ⚕ Leisten...
ingurgiter [ɛ̃gyrʒi'te] *v/t.* (1a) gierig verschlucken; in die Kehle gießen; runtergießen.
inhabile [ina'bil] *adj.* □ ungeschickt, unfähig; **~té** [~bil'te] *f* Ungeschicklichkeit *f*, Untüchtigkeit *f*.
inhabi|table [inabi'tablə] *adj.* unbewohnbar; **~té** [~'te] *adj.* unbewohnt; unbemannt (*z.B. Satellit*).
inhabituel [inabi'tɥɛl] *adj.* (7c) ungewöhnlich.
inhal|ateur ⚕ [inala'tœ:r] *m* Inhalierungsapparat *m*; Chloroformmaske *f*; **~ation** [~lɑ'sjɔ̃] *f* Einatmung *f*; **~er** [~'le] *v/t.* (1a) einatmen; ⚕ inhalieren.
inharmonique ♪ [inarmɔ'nik] *adj.* dis-, un-harmonisch.
inhé|rence [ine'rɑ̃:s] *f* Anhaften *n*; *phil.* Inhärenz *f*; **~rent** [~'rɑ̃] *adj.* (7): ~ *à qch.* eng verbunden mit etw. (*dat.*); inhärent (*dat.*).
inhi|ber [ini'be] *v/t.* (1a) *psych.* hemmen; **~biteur** [~bi'tœ:r] ⚗ *m*: ~ *de corrosion* Korrosionskatalysator *m*; **~bition** [~bi'sjɔ̃] *f psych.* Hemmung *f*.
inhospita|lier [inɔspita'lje] *adj.* (7b) □ ungastlich; unfreundlich; **~lité** [~li'te] *f* Ungastlichkeit *f*.
inhu|main [iny'mɛ̃] *adj.* (7) □ unmenschlich, grausam; **~manité** [~mani'te] *f* Unmenschlichkeit *f*.
inhu|mation [inymɑ'sjɔ̃] *f* Beerdigung *f*; **~mer** [~'me] *v/t.* (1a) beerdigen, bestatten, beisetzen.
inimaginable [inimaʒi'nablə] *adj.* undenkbar, unvorstellbar.
inimitable [inimi'tablə] *adj.* nicht nachahmbar.
inimitié [inimi'tje] *f* Feindschaft *f*.
ininflammable [inɛ̃fla'mablə] *adj.* unentzündbar.
ininfluençable [inɛ̃flyɑ̃'sablə] *adj.* unbeeinflußbar.
ininsertion *psych.* [inɛ̃sɛr'sjɔ̃] *f*: ~ *sociale* Gesellschaftsfeindlichkeit *f*.
inintellig|ence [inɛ̃teli'ʒɑ̃:s] *f* Unklugheit *f*, Unverständnis *n*, geistige Beschränktheit *f*; **~ent** [~'ʒɑ̃] *adj.* (7) unintelligent, unklug, nicht begabt; unverständig; **~ible** [~'ʒiblə] *adj.* □ unverständlich.
inintéressant [inɛ̃terɛ'sɑ̃] *adj.* (7) uninteressant.
ininterrompu [inɛ̃terɔ̃'py] *adj.* ununterbrochen, unausgesetzt.
ini|que [i'nik] *adj.* □ unbillig, äußerst ungerecht; widerrechtlich; **~quité** [~ki'te] *f* schwere Ungerechtigkeit *f*; *rl.* Sünde *f*.
ini|tial [ini'sjal] *adj.* (5c) □ anfänglich, Anfangs...; *lettre f* ~*e* (*auch f*: ~*e*) Anfangsbuchstabe *m*; **~tialiser** *inform.* [~li'ze] *v/t.* (1a) vorspeichern; **~tiateur** [~sja'tœ:r] *adj. u. su.* (7f)

einführend; bahnbrechend; Anreger *m*, Förderer *m*, Bahnbrecher *m*; Lehrmeister *m*; **~tiation** [~sjɑ'sjɔ̃] *f* Einführung *f*; **~tiatique** [~sja'tik] *adj.*: *roman m* ~ Initiationsroman *m*; **~tiative** [~sja'ti:v] *f* Initiative *f*, Anregung *f*; *droit m d'*~ Antragsrecht *n*; *syndicat m d'*~ Fremdenverkehrsverein *m*; *prendre une* ~ e-n Entschluß fassen; *fig.* e-n Weg beschreiten; **~tié** [~'sje] *adj. u. su.* eingeweiht; Eingeweihte(r) *m*; **~tier** [~] *v/t.* (1a) einweihen (*q. à qch.* j-n in etw. *acc.*), einführen.

injec|ter [ɛ̃ʒɛk'te] *v/t.* (1a) einspritzen, injizieren; ~ *une plaie* e-e Wunde ausspritzen; *yeux injectés (de sang)* rot unterlaufene Augen *n/pl.*; **~teur** [~'tœ:r] *m* **1.** ⚕ Injektionsspritze *f*; Irrigator *m*; **2.** *mach.* Injektor *m*, Dampfstrahlpumpe *f*; **~tion** [~k'sjɔ̃] *f* ⚕ Spritze *f* (*als Handlung!*), Injektion *f*; *allg.* Ein-, Aus-spritzung *f*.

injonction [ɛ̃ʒɔ̃k'sjɔ̃] *f* Weisung *f*, ausdrücklicher Befehl *m*.

injouable *a. thé.* [ɛ̃'ʒwablə] *adj.* unspielbar.

inju|re [ɛ̃'ʒy:r] *f* Beschimpfung *f*; Schimpfwort *n*; **~rier** [~ʒy'rje] *v/t.* (1a) beschimpfen; **~rieux** [~'rjø] *adj.* (7d) beleidigend.

injus|te [ɛ̃'ʒyst] **I** *adj.* □ ungerecht; **II** *m* Unrechte(s) *n*; **~tice** [~'tis] *f* Ungerechtigkeit *f*; **~tifiable** [~ti'fjablə] *adj.* nicht zu rechtfertigen(d), unverantwortlich; **~tifié** [~ti'fje] *adj.* unberechtigt.

inlassable [ɛ̃la'sablə] *adj.* unermüdlich.

innavigable [innavi'gablə] *adj.* unschiffbar.

inné [in'ne] *adj.* angeboren.

innervation [innɛrvɑ'sjɔ̃] *f* **1.** *physiol.* Innervation *f*, Zuleitung *f e-s Reizes* durch die Nerven *zu e-m Organ*; **2.** *anat.* Nervenverteilung *f*.

inno|cence [innɔ'sɑ̃:s] *f* Unschuld *f*, Schuldlosigkeit *f*; Kindlichkeit *f*, Treuherzigkeit *f*, Unverdorbenheit *f*, Arglosigkeit *f*; **~cent** [~'sɑ̃] (7) **I** *adj.* (*adv.* ~*cemment*) **1.** unschuldig; schuldlos; **2.** naiv; **II** *su.* **3.** Unschuldige(r) *m*; *faire l'*~ sich dumm stellen; **~center** [~sɑ̃'te] *v/t.* (1a) für unschuldig erklären *od.* ansehen; **~cuité** [~kɥi'te] *f* Unschädlichkeit *f*.

innombrable [innɔ̃'brablə] *adj.* unzählig.

innommable *péj.* [innɔ'mablə] *adj.* unbeschreiblich.

innom(m)é [innɔ'me] *adj.* unbenannt.

innova|teur [innɔva'tœ:r] (7f) *adj. u. su.* erneuernd; Neuerer *m*; **~tion** [~vɑ'sjɔ̃] *f* Neuerung *f*.

innover [innɔ've] *v/i.* (*auch v/t.*) (1a) Neuerungen (*od.* neu) einführen.

inobéis|sance [inɔbei'sɑ̃:s] *f* Ungehorsam *m*; **~sant** [~'sɑ̃] *adj.* (7) ungehorsam.

inobser|vance, ~vation [inɔpsɛr'vɑ̃:s, ~vɑ'sjɔ̃] *f* Nichtbeachtung *f*; **~vé** [~'ve] *adj.* unbeachtet.

inoccupé [inɔky'pe] *adj.* **1.** unbeschäftigt, untätig; **2.** unbesetzt.

in-octavo, *mst. abr. in-8°* [inɔkta'vo] *adj./inv. u. m* (6c): (*format m*) ~ Oktavformat *n*, Oktavband *m*; *grand* ~ Lexikonformat *n*.

inocu|lable ⚕ [inɔky'lablə] *adj.* übertragbar, (ein)impfbar; **~lateur** ⚕ [~la'tœ:r] *adj.* (7f) übertragend; **~lation** ⚕ [~lɑ'sjɔ̃] *f* Übertragung *f*, (Ein-)Impfung *f*; **~ler** ⚕ [~'le] *v/t.* (1a) übertragen, (ein)impfen (*a. fig.*).

inodore [inɔ'dɔ:r] *adj.* geruchlos.

inoffensif [inɔfɑ̃'sif] *adj.* (7e) □ unschädlich, harmlos.

inon|dation [inɔ̃dɑ'sjɔ̃] *f* Überschwemmung *f*; **~der** [~'de] *v/t.* (1a) überschwemmen, überfluten.

inopérant [inɔpe'rɑ̃] *adj.* (7) wirkungslos, unwirksam.

inopiné [inɔpi'ne] *adj.* unerwartet, unvermutet.

inopportun [inɔpɔr'tœ̃] *adj.* (7), **~ément** [~tyne'mɑ̃] *adv.* unpassend, ungeeignet, ungelegen, unzweckmäßig; **~ité** [~tyni'te] *f* Unzweckmäßigkeit *f*.

inorganique [inɔrga'nik] *adj.* □ unorganisch.

inorganisable [inɔrgani'zablə] *adj.* nicht zu organisieren.

inorientable *écol.* [inɔrjɑ̃'tablə] *adj.* der Schulart nach nicht zu beurteilen.

inoubliable [inubli'ablə] *adj.* unvergeßlich.

inouï [i'nwi] *adj.* unerhört, beispiellos, bodenlos, ungeheuer; **~sme** F [i'nwism] *m* Eigenartigkeit *f*, Seltsamkeit *f*; Beispiellosigkeit *f*; Ungeheuerlichkeit *f*.

inoxydable [inɔksi'dablə] *adj.* rostfrei.

in petto [inpɛ'to] *adv.* im stillen, innerlich, für sich; *cardinal m* ~ in Aussicht genommener Kardinal *m*.

inqualifiable [ɛ̃kali'fjablə] *adj.* nicht

zu beschreiben(d), schandhaft, unverantwortlich.
in-quarto, *mst. abr. in-4°* [inkwar'to] *adj./inv. u. m* (6c) Quart...
inquiet [ɛ̃'kjɛ] *adj.* (7b) a) *être ~ de (od. pour) q.* um j-n in Sorge sein; *être ~ de ne pas recevoir de ses nouvelles* beunruhigt sein, keine Nachrichten von ihm zu erhalten; b) *~ de (od. sur) qch.* über etw. (*acc.*) beunruhigt.
inquié|tant [ɛ̃kje'tɑ̃] *adj.* beunruhigend, besorgniserregend, unheimlich; **~ter** [~'te] (1f) **I** *v/t.* beunruhigen; **II** *v/rfl. s'~ de (od. pour)* sich beunruhigen über (*acc.*) *od.* wegen (*gén.*); *abs.* sich Sorgen machen; **~tude** [~'tyd] *f* Unruhe *f*, Besorgnis *f*; F ⚕ *~s pl.* kleinere Gliederschmerzen *m/pl.*
inquisi|teur [ɛ̃kizi'tœ:r] **I** *hist. rl. m* Inquisitor *m*; **II** *adj.* (7f) durchdringend (*Blick*); **~tion** *hist. rl.* [~zi'sjɔ̃] *f* Inquisition *f*; **~torial** [~tɔ'rjal] *adj.* (5c) inquisitorisch.
insaisissab|ilité [ɛ̃sɛzisabili'te] *f* Unpfändbarkeit *f*; **~le** [~'sablə] *adj.* □ nicht zu ergreifen(d); ⚖ unpfändbar; unantastbar; *fig.* unfaßlich.
insalivation ⚕ [ɛ̃salivɑ'sjɔ̃] *f* Einspeichelung *f.*
insalu|bre [ɛ̃sa'lybrə] *adj.* □ gesundheitsschädlich, ungesund; **~brité** [~bri'te] *f* Unzuträglichkeit *f.*
insanité [ɛ̃sani'te] *f* (*mst. im pl.*): *dire des ~s* Unsinn reden, faseln.
insatia|bilité [ɛ̃sasjabili'te] *f* Unersättlichkeit *f*; **~ble** [~'sjablə] *adj.* □ unersättlich.
insatis|faction [ɛ̃satisfak'sjɔ̃] *f* Unzufriedenheit *f*, Unbefriedigtheit *f*; **~fait** [~'fɛ] *adj.* (7) unzufrieden, unbefriedigt.
inscri|ption [ɛ̃skrip'sjɔ̃] *f* **1.** Inschrift *f*; **2.** Aufschrift *f*, Überschrift *f*; **3.** ⩚ Einbeschreibung *f e-r Figur in e-n Kreis*; **4.** Eintragung *f*, Vermerk *m*; ⚕ Buchung *f*; *Sport*: Meldung *f*; *~ à l'université* Immatrikulation *f*; *prendre ses ~s* sich immatrikulieren, sich als Student anmelden; *prendre une ~* ein Kolleg belegen; *montant m des ~s* Kolleggelder *n/pl.*; Studiengeld *n*; **~re** [ɛ̃'skri:r] (4f) **I** *v/t.* einschreiben, eintragen; **II** *v/rfl. s'~* sich eintragen, s-n Namen einschreiben lassen; *s'~ en faculté* sich immatrikulieren; **~t** [ɛ̃'skri] *adj.* (7) *a.* ⩚ eingeschrieben; *pol.* wahlberechtigt; *parl. non ~* unabhängig.
inscrutable *rl.* [ɛ̃skry'tablə] *adj.* unerforschlich.
insecte [ɛ̃'sɛkt] *m* Insekt *n*; *~s pl. a.* Ungeziefer *n.*
insecti|cide [ɛ̃sɛkti'sid] *adj. u. m* insektentötend; Schädlings-, Insekten-bekämpfungsmittel *n*; **~vore** [~'vɔ:r] **I** *m* Insektenfresser *m*; **II** *adj.* insektenfressend.
insécurité [ɛ̃sekyri'te] *f* Unsicherheit *f.*
insémination *zo.*, ⚕ [~minɑ'sjɔ̃] *f*: *~ artificielle* künstliche Befruchtung *f.*
insen|sé [ɛ̃sɑ̃'se] *adj.* (*adv. ~sément*) *u. su.* sinnlos; verrückt; Wahnsinnige(r) *m*; **~sibilisateur** [~sibiliza'tœ:r] *adj.* (7f) betäubend; **~sibilisation** [~sibilizɑ'sjɔ̃] *f* Betäubung *f*; **~sibiliser** [~sibili'ze] *v/t.* (1a) unempfindlich machen, betäuben; **~sibilité** [~sibili'te] *f* Unempfindlichkeit *f*, Gefühl-, Herz-losigkeit *f*; Gleichgültigkeit *f*, Teilnahmslosigkeit *f*; **~sible** [~'siblə] *adj.* □ **1.** unempfindlich, gefühllos (*à* gegen *acc.*); ungerührt; gleichgültig, teilnahmslos; **2.** unmerklich; allmählich; **~siblement** [~siblə'mɑ̃] *adv.* unmerklich; ganz allmählich.
insépara|bilité [ɛ̃separabili'te] *f* Unzertrennlichkeit *f*; **~ble** [~'rablə] *adj.* □ untrennbar; unzertrennlich.
insérer [ɛ̃se're] (1f) **I** *v/t.* einsetzen, einschalten, einschieben; mit hineinlegen; einflechten, einfügen; *thé.* einlegen; (*in Zeitungen*) *faire ~ des annonces* inserieren; **II** *v/rfl. s'~ Auto*: einscheren, sich einordnen.
insertion [ɛ̃sɛr'sjɔ̃] *f* Einfügung *f*; Einsetzen *n* (*z.B. d'une annonce*).
insexué [ɛ̃sɛk'sɥe] *adj.* geschlechtslos.
insidieux [ɛ̃si'djø] *adj.* (7d) □ hinterlistig; verfänglich; schleichend, heimtückisch (*Krankheit*); *pol. écrits m/pl. ~* Hetzschriften *f/pl.*
insign|e [ɛ̃'siɲ] **I** *adj.* bedeutend, beachtlich; *a. iron.* ganz besonderer, kolossal, Riesen..., Erz...; **II** *m* Abzeichen *n*; Ehrenzeichen *n*; *~ sportif* Sportabzeichen *n*; **~ifiance** [~ɲi'fjɑ̃:s] *f* Bedeutungslosigkeit *f*, Geringfügigkeit *f*; **~ifiant** [~ɲi'fjɑ̃] *adj.* (7) unbedeutend, geringfügig, unerheblich.
insin|cère [ɛ̃sɛ̃'sɛ:r] *adj.* unaufrichtig; trügerisch; falsch; **~cérité** [~seri'te] *f* Unaufrichtigkeit *f.*
insinu|ant [ɛ̃si'nɥɑ̃] *adj.* (7) einschmeichelnd, einnehmend; **~ation**

[~nɥa'sjɔ̃] *f* **1.** ⚕ Einschieben *n*; **2.** *fig.* Andeutung *f*; Wink *m*; Einschmeichelung *f*; **3.** *rhét.* Captatio *f* benevolentiae; **~er** [~'nɥe] (1a) **I** *v/t.* ~ *qch. à q.* j-m etw. zu verstehen geben, andeuten, zuflüstern; unterstellen; **II** *v/rfl.* s'~ sich einschleichen; sich einschmeicheln.

insipi|de [ɛ̃si'pid] *adj.* □ geschmacklos, fade, schal; *fig.* abgeschmackt, seicht, langweilig; **~dité** [~di'te] *f* Geschmacklosigkeit *f*; *fig.* Abgeschmacktheit *f*.

insis|tance [ɛ̃sis'tɑ̃:s] *f* Nachdruck *m*, Beharrlichkeit *f*; Drängen *n*; **~ter** [~'te] *v/i.* (1a): ~ *sur* bestehen auf (*dat.*); *etw.* betonen (*od.* unterstreichen); ~ *à* (*mit inf.*) nicht nachlassen zu ...; *il n'insista pas* er fragte nicht weiter.

in situ [insi'ty] *adv.* an Ort u. Stelle.

insociab|ilité [ɛ̃sɔsjabili'te] *f* Ungeselligkeit *f*; **~le** [~'sjablə] *adj.* ungesellig (*a. antisociable*).

insolation [ɛ̃sɔlɑ'sjɔ̃] *f* **1.** Sonneneinstrahlung *f*; **2.** ⚕ Sonnenstich *m*.

inso|lence [ɛ̃sɔ'lɑ̃:s] *f* Unverschämtheit *f*, Frechheit *f*; Anmaßung *f*; **~lent** [~'lɑ̃] *adj.* (7) (*adv.* *~lemment*) unverschämt, frech; hochmütig, anmaßend.

insoler *phot.* ⚗ [ɛ̃sɔ'le] *v/t.* (1a) der Sonne aussetzen.

insolite [ɛ̃sɔ'lit] *adj.* ungewöhnlich.

insolub|iliser ⚗ [ɛ̃sɔlybili'ze] *v/t.* (1a) unlöslich machen; **~le** [~'lyblə] *adj.* unauflöslich; *fig.* unlösbar.

insolvab|ilité ⚖, ⚗ [ɛ̃sɔlvabili'te] *f* Zahlungsunfähigkeit *f*; **~le** [~'vablə] *adj.* zahlungsunfähig.

insomnie [ɛ̃sɔm'ni] *f* Schlaflosigkeit *f*; *~s pl.* schlaflose Nächte *f/pl.*

insondable [ɛ̃sɔ̃'dablə] *adj.* unergründlich.

insonor|isation *a.* △ [ɛ̃sɔnɔriza'sjɔ̃] *f* Schall-schutz *m*, -dämpfung *f*; **~isé** [~ri'ze] *adj.* schalldicht; **~iser** [~] *v/t.* (1a) schalldicht machen; **~ité** [~ri'te] *f* schalltechnische Verbesserung *f*.

insou|ciance [ɛ̃su'sjɑ̃:s] *f* Sorglosigkeit *f*; **~ciant** (7), **~cieux** *litt.* (7d) [~'sjɑ̃, ~'sjø] *adj.* sorglos, unbekümmert.

insoumis [ɛ̃su'mi] *adj.* (7) aufsässig; ⚔ *m* Dienstflüchtige(r) *m*; **~sion** [~mi'sjɔ̃] *f* Aufsässigkeit *f*; ⚔ Wehrdienstverweigerung *f*.

insoupçonn|able [ɛ̃supsɔ'nablə] *adj.* unvorhersehbar; **~é** [~'ne] *adj.* **1.** unverdächtigt; **2.** ungeahnt.

insoutenable [ɛ̃sut'nablə] *adj.* □ unhaltbar; unerträglich.

inspec|ter [ɛ̃spɛk'te] *v/t.* (1a) genau durchsehen, prüfen, mustern, besichtigen, inspizieren; **~teur** [~'tœ:r] (7f) **I** *adj.* besichtigend, inspizierend; **II** *su.* Inspektor *m*, Aufseher *m*; Finanzbeamte(r) *m*; *écol.* ~ *de l'enseignement secondaire* Schulrat *m* für höhere Schulen; **~tion** [~k'sjɔ̃] *f* Aufsicht *f*, Be(auf)sichtigung *f*; Inspektion *f*; ⚔ Musterung *f*; ~ *des métiers* Gewerbeaufsicht *f*; ~ *scolaire*, ~ *de l'enseignement* Schulaufsicht *f*.

inspi|rateur [ɛ̃spira'tœ:r] *su.* (7f) Ratgeber *m*; *fig.* treibende Kraft *f*; **~ration** [~rɑ'sjɔ̃] *f* Einatmen *n*; *fig.* Eingebung *f*; dichterische Begeisterung *f*; **~rer** [~'re] (1a) **I** *v/t.* einatmen; *fig.* einflößen; begeistern, anregen; **II** *v/rfl.* s'~ *de qch.* sich von e-r Sache beeinflussen lassen.

insta|bilité *psych.* [ɛ̃stabili'te] *f* Unbeständigkeit *f*, Mangel *m* an Festigkeit; Wankelmut *m*; **~ble** *psych.* [~'stablə] *adj.* □ unbeständig; fahrig, labil; *fig. paix f* ~ unsicherer Frieden *m*; *phys. équilibre m* ~ labiles Gleichgewicht *n*.

instal|lateur [ɛ̃stala'tœ:r] *m* (7f) Installateur *m*; **~lation** [~lɑ'sjɔ̃] *f* **1.** Einführung *f in ein Amt*; **2.** ⊕ Einrichtung *f*, Anlage *f*; ⚡ Installation *f*; ⊕ Einbau(en *n*) *m e-r Maschine usw.*; ~ *téléphonique* (*frigorifique*) Fernsprech-(Kühl-)anlage *f*; ~ *de force motrice* (*d'éclairage, de ventilation*) Kraft- (Licht-, Ventilations-)anlage *f*; ⊕ ~ *de préparation de matériaux* Aufbereitungsanlage *f*; ~ *radiotélégraphique* Funkanlage *f*; ~ *à vent* Windkraftanlage *f*; ~ *d'air* Klimaanlage *f*; **~ler** [~'le] (1a) **I** *v/t.* **1.** einführen; **2.** installieren, anbringen, anlegen, einbauen, aufstellen; **II** * *v/i.* en ~ angeben, protzen; **III** *v/rfl.* s'~ sich einrichten, sich niederlassen; ⚔ sich einquartieren.

instamment [ɛ̃sta'mɑ̃] *adv.* inständig, dringend.

instan|ce [ɛ̃'stɑ̃:s] *f* **1.** *~s pl.* Drängen *n*, dringende Bitte *f*; *sur les ~s de q.* auf j-s Drängen; **2.** ⚖ Instanz *f*; Prozeß *m*, Klage *f*, Gesuch *n*; *être en ~ de ...* e-n Antrag auf ... (*acc.*) gestellt haben; **~t** [~'stɑ̃] **I** *adj.* (7) **1.** dringend; **2.** nahe bevorstehend; **II** *m* Augenblick *m*; *advt. à l'~* (so)eben, augenblicklich, sogleich; *un* ~*!* (e-n) Moment!; *l'*~ *d'après* im nächsten Augenblick; *par* ~*s* ab u. zu; **~tané** [~ta'ne] **I** *adv.* (*adv.* ~*ment*) augenblicklich; plötzlich eintretend; **II** *m* Momentaufnahme *f*, Schnappschuß *m*; **~tanéité** [~tanei'te] *f* Augenblicklichkeit *f*.

instar *litt.* [ɛ̃'sta:r]: **à l'~ de** *prp.* in der Art von (*dat.*).

instau|rateur [ɛ̃stɔra'tœ:r] *m* Einführer *m*; **~ration** [~ra'sjɔ̃] *f* Einführung *f*; **~rer** [~'re] (1a) **I** *v/t.* einführen; gründen, errichten; **II** *v/rfl.* *s'*~ *fig.* sich festsetzen.

insti|gateur [ɛ̃stiga'tœ:r] *su.* (7f) Aufhetzer *m*, Aufwiegler *m*, Anstifter *m*; *fig.* Drahtzieher *m*; **~gation** [~ga'sjɔ̃] *f* Aufhetzung *f*; *fig.* Antrieb *m*, Veranlassung *f*; *à l'*~ *de* auf Betreiben (*gén.*).

instill|ation [ɛ̃stila'sjɔ̃] *f* Einträufeln *n*; **~er** [~'le] *v/t.* (1a) einträufeln.

instinct [ɛ̃'stɛ̃] *m* Instinkt *m*, Naturtrieb *m*; ~ *de composition* Gestaltungswille *m*; ~ *grégaire* (*sexuel*, *économique*) Herden- (Geschlechts-, Spar-)trieb *m*; **~if** [~'tif] *adj.* (7e) □ instinktmäßig; **~ivité** [~tivi'te] *f* Instinktmäßigkeit *f*; **~uel** *psych.* [~'tɥɛl] *adj.* (7c) instinktbezogen.

institu|er [ɛ̃sti'tɥe] *v/t.* (1a) **1.** einführen, stiften, gründen; **2.** ⚖ einsetzen; **~t** [~'ty] *m* **1.** Institut *n*; ~ *médico-pédagogique* medizinisch-pädagogisches Institut *n*; ~ *d'études conjoncturelles* Konjunkturinstitut *n*; *l'*♀ (*de France*) das Französische Institut (*Gesamtheit der 5 Akademien*); **2.** ~ *de beauté* Salon *m* für Schönheitspflege; ~ *de gymnastique*, ~ *de culture physique* Gymnastikschule *f*; **3.** *rl.* Ordensregel *f*; geistlicher Orden *m*; **~teur** [~'tœ:r] *su.* (7f) Grundschullehrer *m*; ~ *suppléant*, ~ *adjoint*, ~ *provisoire* Hilfslehrer *m* (*Grundschule*); *institutrice f auch*: Hauslehrerin *f*; **~tion** [~ty'sjɔ̃] *f* **1.** (Amts-)Einführung *f*; **2.** ⚖ ~ *d'héritier* Erbeinsetzung *f*; **3.** (Erziehungs- *od.* Lehr-)Anstalt *f*; ~ *libre* Landerziehungsheim *n*; ~ *pour aveugles* Blindenanstalt *f*; **4.** Einrichtung *f*; ~*s pl. de la Santé* Einrichtungen *f/pl.* des Gesundheitsdienstes; **~tionnalisation** [~sjɔnaliza'sjɔ̃] *f* Institutionalisierung *f*; **~tionnaliser** [~sjɔnali'ze] (1a) **I** *v/t.* institutionalisieren; *fig.* e-e feste (*péj.* starre) Form geben (*dat.*); **II** *v/rfl.* *s'*~ *a. péj.* zur festen Regel werden; **~tionnel** [~sjɔ'nɛl] *adj.* (7c): *garantie f* ~*le* Unantastbarkeit *f*.

instruc|teur [ɛ̃stryk'tœ:r] *m bsd.* ⚔ Ausbilder *m*; (*auch adj.*: *juge m* ~) Untersuchungsrichter *m*; **~tif** [~'tif] *adj.* (7e) lehrreich, instruktiv; **~tion** [~k'sjɔ̃] *f* **1.** Schulung *f*, Unterweisung *f*, Ausbildung *f*, Unterricht *m*; ~ *civique* Staatsbürgerkunde *f*; ~ *intégrale*, ~ *totale* Gesamtunterricht *m*; *a. écol.* ~ *en matière de circulation* Verkehrsunterricht *m*; ~ *judiciaire* Rechtsbelehrung *f*; **2.** (wissenschaftliche) Bildung *f*, Wissen *n*; **3.** Anweisung *f*, Vorschrift *f*, Verhaltungsmaßregel *f*; ~ *préventive aux accidents* Unfallverhütungsvorschrift *f*; **4.** ⚖ Untersuchung *f*, Ermittlung *f*, Verfahren *n*.

instrui|re [ɛ̃'strɥi:r] (4c) **I** *v/t.* **1.** unterrichten, unterweisen, ausbilden, schulen; ~ *q. aux armes* j-m die Handhabung von Waffen beibringen; ~ *un chien* e-n Hund abrichten; **2.** ~ *q. de qch.* j-n von etw. (*dat.*) benachrichtigen, j-m Bericht über etw. (*acc.*) erstatten; **3.** ⚖ ~ *une affaire* e-e Angelegenheit untersuchen; **II** *v/i.* ⚖ ~ *contre q.* gegen j-n ermitteln; **III** *v/rfl.* *s'*~ e-e Ausbildung erhalten; sich bilden; *s'*~ *à ses dépens* durch Schaden klug werden; **~sable** [~strɥi'zablə] *adj.* bildungsfähig.

instrument [ɛ̃stry'mɑ̃] *m* **1.** Instrument *n*, Werkzeug *n*; *fig.* Mittel *n*; Hilfsmittel *n* (*Buch*); *éc.* ~*s de production* Produktionsmittel *n/pl.*; **2.** ♪ ~ *à cordes* (*à vent*) Saiten- (Blas-)instrument *n*; **3.** ⚖ Urkunde *f*, Dokument *n*; ~ *d'adhésion* Beitrittserklärung *f*; **~aire** ⚖ [~'tɛ:r] *adj.*: *témoin m* ~ Beizeuge *m*; **~al** [~'tal] *adj.* (5c) **1.** ♪ Instrumental...; **2.** ⚖ urkundlich; **~ation** ♪ [~ta'sjɔ̃] *f* Instrumentierung *f*; **~er** ⚖ [~'te] *v/i.* (1a) Urkunden ausfertigen; protokollieren; **~iste** ♪ [~'tist] *m* Musiker *m*.

insu [ɛ̃'sy] **I** *prpt.* *à l'*~ *de* ohne Wissen (*gén.*); **II** *advt.* *à mon* ~ ohne mein Wissen.

insubmersib|ilité [ɛ̃sybmɛrsibili'te] *f* Unversenkbarkeit *f*; **~le** [~'siblə] *adj.* nicht versenkbar.

insubor|dination [ɛ̃sybɔrdina'sjɔ̃] *f* Widersetzlichkeit *f*, Aufsässigkeit *f*; ⚔ Ungehorsam *m*; **~donné** [~dɔ'ne] *adj.* aufsässig; ungehorsam.

insuccès [ɛ̃syk'sɛ] *m* Mißerfolg *m*.

insuffi|sance [ɛ̃syfi'zɑ̃:s] *f* Unzulänglichkeit *f*; Unvollkommenheit *f*; Mangel *m*; **~sant** [~'zɑ̃] *adj.* (7) (*adv. ~samment*) ungenügend, unzulänglich; unfähig.

insuffler [ɛ̃sy'fle] *v/t.* (1a) ⊕, *a. phys.* aufblasen; ⚕ einblasen; *fig.* einflößen.

insul|aire [ɛ̃sy'lɛ:r] **I** *adj.* Insel..., insular; **II** *su.* Inselbewohner *m*; **~arité** [~lari'te] *f* insulare Lage *f*; *fig. soc.* Abkapselung *f*.

insuline *phm.* [ɛ̃sy'lin] *f* Insulin *n*.

insul|te [ɛ̃'sylt] *f* Beleidigung *f*, Verhöhnung *f*, Beschimpfung *f*; **~ter** [~'te] (1a) **I** *v/t.* beleidigen, beschimpfen; **II** *v/i.* ~ *à q.* j-n verhöhnen; ~ *à qch.* im krassen Gegensatz zu etw. (*dat.*) stehen, e-r Sache (*dat.*) Hohn sprechen.

insupportable [ɛ̃sypɔr'tablə] *adj.* □ unerträglich, unausstehlich.

insur|gé [ɛ̃syr'ʒe] *adj. u. su.* aufständisch, aufrührerisch; Aufständische(r) *m*, Aufrührer *m*; **~ger** [~] (1l) *v/rfl.*: *s'~* sich erheben (*gegen j-n*); **~montable** [~mɔ̃'tablə] *adj.* unübersteigbar; unüberwindlich; **~passable** [~pa'sablə] *adj.* unüberbietbar *fig.*; **~rection** [~rɛk'sjɔ̃] *f* Aufstand *m*, Aufruhr *m*, Putsch *m*; **~rectionnel** [~rɛksjɔ'nɛl] *adj.* (7c) aufständisch.

intact [ɛ̃'takt] *adj.* unberührt; unversehrt, unverletzt; intakt; *fig.* unbescholten.

intaill|e [ɛ̃'tɑ:j] *f* Gemme *f*; **~er** [ɛ̃tɑ'je] *v/t.* vertieft schneiden (*Halbedelstein*).

intangib|ilité [ɛ̃tɑ̃ʒibili'te] *f* Unberührbarkeit *f*; Unantastbarkeit *f*; **~le** [~'ʒiblə] *adj.* unberührbar.

intarissable [ɛ̃tari'sablə] *adj.* □ unversiegbar; *fig.* unerschöpflich.

inté|gral [ɛ̃te'gral] (5c) □ **I** *adj.* **1.** vollständig, ganz; unverkürzt; unangetastet; **2.** ⅍ Integral...; **II** *m* (*casque m*) ~ Integral-Helm *m* (*für Motorradfahrer*); **~grale** ⅍ [~] *f* Integrale *f*; **~gralité** [~grali'te] *f* Ganzheit *f*, Ganze(s) *n*, Vollständigkeit *f*; **~grant** [~'grɑ̃] *adj.* (7) wesentlich; **~gration** [~grɑ'sjɔ̃] *f a. pol.* Integration *f* (*USA*); Einbeziehung *f*; **~grationniste** *pol.* [~grasjɔ'nist] *su.* Anhänger *m* der Integration.

intègre [ɛ̃'tɛ:grə] *adj.* rechtschaffen, ehrenhaft, unbescholten.

intégrer [ɛ̃te'gre] *v/t.* (1f) einverleiben; einbeziehen; *a.* ⅍ integrieren.

intégrisme *rl., pol.* [ɛ̃te'grism] *m* starre Haltung *f*.

intégrité [ɛ̃tegri'te] *f* Unversehrtheit *f*; Unbescholtenheit *f*.

intellect [ɛ̃tɛ'lɛkt] *m* Intellekt *m*; **~ion** *phil.* [~k'sjɔ̃] *f* Verstehen *n*; **~ualisme** [~ktɥa'lism] *m* Intellektualismus *m*; **~ualité** *phil.* [~ktɥali'te] *f* Verstandesmäßigkeit *f*, Geistigkeit *f*, Begrifflichkeit *f* (*der Anschauung*); **~uel** [~k'tɥɛl] **I** *adj.* (7c) □ intellektuell, geistig; Verstandes...; Geistes...; **II** Intellektuelle(r) *m*.

intelli|gence [ɛ̃tɛli'ʒɑ̃:s] *f* **1.** Einsicht *f*, Verständnis *n*; ~ *des affaires* Geschäftssinn *m*; **2.** Intelligenz *f*, Klugheit *f*, Verstand *m*; *à la portée de toutes les ~s* allgemeinverständlich; **3.** geistiges Wesen *n*, Geist *m*; **4.** *péj.* Mitwisserschaft *f*; *être d'~ avec q.* mit j-m unter einer Decke stecken; *des ~s secrètes* Geheimverbindungen *f/pl.*; **5.** Einvernehmen *n*: *vivre en bonne ~ avec q.* mit j-m in gutem Einvernehmen leben; **~gent** [~'ʒɑ̃] *adj.* (7) (*adv. ~gemment*) **1.** denkend; **2.** intelligent, einsichtsvoll, verständig, klug, geschickt; **~gible** [~'ʒiblə] *adj.* □ **1.** vernehmlich, verständlich; **2.** *phil.* übersinnlich, intelligibel.

intempé|rance [ɛ̃tɑ̃pe'rɑ̃:s] *f* Unbeherrschtheit *f*; **~rant** [~'rɑ̃] *adj.* (7) unbeherrscht; **~ries** [~'ri] *f/pl.* Unbilden *pl.* des Wetters; *à l'épreuve des ~* wetterfest (*Stoff*).

intempes|tif [ɛ̃tɑ̃pɛs'tif] *adj.* (7e) ungelegen; unpassend; überstürzt; **~tivement** [~tiv'mɑ̃] *adv.* zu unpassender Zeit, ungelegen.

intempor|alité *phil., litt.* [ɛ̃tɑ̃pɔrali'te] *f* Zeitlosigkeit *f*; **~el** [~'rɛl] *adj.* (7c) zeitlos.

intenable [ɛ̃tə'nablə] *adj.* unhaltbar.

inten|dance [ɛ̃tɑ̃'dɑ̃:s] *f* Verwaltung *f*, Aufsicht *f*; ⚔ Intendantur *f*; *fig.* Obrigkeit *f*; ~ *militaire* Heeresverpflegungsamt *n*; **~dant** [~'dɑ̃] *m* Verwalter *m*.

inten|se [ɛ̃'tɑ̃:s] *adj.* (*adv. intensément*) stark (*Verkehr; Hitze, Kälte, Verlangen*); angespannt; ♪, *phys.* laut; lautstark; *peu ~* lautschwach; **~sif** [~tɑ̃'sif] *adj.* (7e) □ intensiv, gründlich, eindringlich, gezielt; **~sification** [~sifikɑ'sjɔ̃] *f* Steigerung *f*; Verstärkung *f*; Zunahme *f*; **~sifier** [~si'fje] *v/t.* (1a) steigern, erhöhen, intensivieren; **~sité** [~si'te] *f* Intensität *f*, Stärke *f*; ⚕ Heftigkeit *f*; Kraft *f*, Nachdruck *m*; ~ *du* *son* Lautstärke *f*; ~ *du vent* Windstärke *f*; ⚡ ~ *lumineuse* Leuchtkraft *f*; ~ *du courant* Stromstärke *f*; ~ *en bougies* Kerzenstärke *f*; ~ *de charge* Ladestromstärke *f*.

inten|ter ⚖ [ɛ̃tɑ̃'te] *v/t.* (1a) *e-n Prozeß* anstrengen; *abs.* ~ *en justice contre q.* gegen j-n gerichtlich vorgehen; **~tion** [~'sjɔ̃] *f* **1.** Absicht *f*, Vorhaben *n*, Zweck *m*; *à cette* ~ zu diesem Zweck; *telle n'était pas mon* ~ das war nicht meine Absicht; *il n'est pas dans mes* ~*s de ...* es liegt mir fern zu ...; *à bonne* ~ in guter Absicht; *avec* ~ absichtlich; *sans* ~ unabsichtlich; **2.** *à l'*~ *de q.* für j-n; zu Ehren j-s; **~tionné** [~sjɔ'ne] *adj. u. su.* gesinnt; *mal* ~ übelgesinnt; **~tionnel** [~sjɔ'nɛl] *adj.* (7c) □ absichtlich, beabsichtigt.

inter[1] *Sport* [ɛ̃'tɛ:r] *m* Innenstürmer *m*; ~ *gauche* (*droit*) Links-(Rechts-)innenstürmer *m*.

inter[2] *télégr.* [~] *m* Fernamt *n*.

inter|action [ɛ̃tɛrak'sjɔ̃] *f* Wechselwirkung *f*, -beziehung *f*; **~allemand** *pol.* [~al'mɑ̃] *adj.* (7) innerdeutsch; **~allié** ⚔ [~a'lje] *m u. adj.* Interalliierte(r) *m*; interalliiert; **~armées** [~ar'me] *adj./inv.* verschiedenartigen Heeresverbänden gemeinsam; **~armes** [~'arm] *adj./inv.* ⚔ mehrere Waffengattungen betreffend; **~calaire** [~ka'lɛ:r] *adj.* eingeschaltet; *jour m* ~ Schalttag *m*; **~caler** [~ka'le] (1a) **I** *v/t.* einschalten (*a.* ⚡), einschieben; ⚡ vorschalten; **II** *v/rfl.* *s'*~ *a. Auto*: sich einordnen; **~céder** [~se'de] *v/i.* (1f): ~ *en faveur de q.* ein gutes Wort für j-n einlegen; **~cellulaire** ⚘, *anat.* [~sɛly'lɛ:r] *adj.* zwischen den Zellen befindlich; **~cepter** [~sɛp'te] *v/t.* (1a) **1.** ab-, auf-fangen (*Briefe, Nachrichten*), abhören; unterschlagen; **2.** *Verkehr, Verbindung*: abschneiden, versperren; *Auto*: anhalten; **3.** hemmen, unterbrechen; **~cepteur** ✈, ⚔ [~sɛp'tœ:r] *m* Abfangjäger *m*; **~ception** [~sɛp'sjɔ̃] *f* Ab-, Auf-fangen *n*; Abhören *n*; Versperren *n*, Hemmung *f*; Unterbrechung *f*; Unterbindung *f*; **~cesseur** *rl.*, *litt.* [~sɛ'sœ:r] *m* Fürsprecher *m*; **~cession** [~sɛ'sjɔ̃] *f* Fürsprache *f*; **~changeabilité** ⊕ [~ʃɑ̃ʒabili'te] *f* Austauschbarkeit *f*; **~changeable** [~ʃɑ̃'ʒablə] *adj.* auswechselbar; **~communal** [~kɔmy'nal] *adj.* (5c) zwischengemeindlich; **~communicabilité** [~kɔmynikabili'te] *f* Möglichkeit *f* e-s wechselseitigen Verkehrs; **~communication** [~kɔmynika'sjɔ̃] *f* gegenseitige Verbindung *f*; **~confessionnel** *rl.* [~kɔ̃fɛsjɔ'nɛl] *adj.* (7c) interkonfessionell; **~continental** [~kɔ̃tinɑ̃'tal] *adj.* (5c) interkontinental; **~costal** *anat.* [~kɔs'tal] *adj.* (5c) Interkostal..., zwischen den Rippen liegend; **~course** ⚓ [~'kurs] *f* gemeinsames Verkehrsrecht *n* zweier Staaten; **~current** ⚕ [~ky'rɑ̃] *adj.* (7) interkurrent, hinzutretend; *fièvre f* ~*e* Zwischenfieber *n*; **~départemental** *Fr.* [~departəmɑ̃'tal] *adj.* (5c) für die Departements gemeinsam; **~dépendance** [~depɑ̃'dɑ̃:s] *f* gegenseitige Abhängigkeit *f*; **~dépendant** [~depɑ̃'dɑ̃] *adj.* (7) voneinander abhängig; **~diction** [~dik'sjɔ̃] *f* **1.** Untersagung *f*, Verbot *n*; ✈ ~ *de survoler* (*B.*) Luftsperre *f* (über B.); **2.** einstweilige Amtsenthebung *f*; **3.** ⚖ ~ (*judiciaire*) Entmündigung *f*; **~dire** [~'di:r] *v/t.* **1.** ~ *qch. à q.* j-m etw. untersagen; **2.** ~ *q.* (*de ses fonctions*) j-n s-s Amtes entheben; **3.** ⚖ ~ *q.* j-n unter Vormundschaft stellen *od.* entmündigen; **4.** ⚔ von der Außenwelt abschneiden, blockieren; **~dit** [~'di] **I** *m* **1.** ⚖ Entmündigte(r) *m*; **2.** *rl.* Interdikt *n*, (Kirchen-)Bann *m*; *mettre q.* (*qch.*) *en* ~ j-n (etw.) mit dem Interdikt belegen; **3.** ~ *de séjour* Ausgewiesene(r) *m*; **II** *adj.* verboten, gesperrt; *fig.* bestürzt, verdutzt, verblüfft, sprachlos; *sens m* ~ Einbahnstraße *f*; *stationnement m* ~ Parkverbot *n*; ~ *de séjour* ausgewiesen.

intéres|sant [ɛ̃terɛ'sɑ̃] *adj.* (7) interessant, wissens-, sehens-wert, anziehend; F *elle est dans une position* ~*e* sie ist in anderen Umständen; **~sé** [~'se] **I** *adj.* interessiert (*à qch.* an etw. *dat.*), beteiligt; *mv.p.* gewinnsüchtig, profitgierig; **II** *su.* Beteiligte(r) *m*; **~sement** [~s'mɑ̃] *m* Gewinnbeteiligung *f der Arbeiter*; **~ser** [~'se] (1b) **I** *v/t.* **1.** interessieren; *vous êtes intéressé à ...* es liegt in Ihrem Interesse, zu ...; ~ *q. à qch.* j-n für etw. (*acc.*) interessieren; **2.** angehen, betreffen; **3.** *Lektüre usw.*: packen, begeistern, interessieren, mitreißen, Neugierde erregen; **4.** ⚕ *Wunde*: angreifen, gehen bis ...; *la blessure intéresse le poumon* die Wunde greift die Lunge an; **5.** ~ *q. aux bénéfices* j-n am Gewinn beteiligen; **6.** ~ *une partie* ein Spiel durch Geldeinsatz attraktiv machen; **II** *v/rfl. s'~ à qch.* (*à q.*) sich für etw. (für j-n) (*acc.*) interessieren.

intérêt [ɛ̃te'rɛ] *m* **1.** Interesse *n*, Nutzen *m*, Belang *m*, Vorteil *m*; *~ particulier* Eigennutz *m*; *~ national, ~ de l'État* Staatsinteresse *n*, *weitS.* Staatsnotwendigkeit *f*; **2.** Interesse *n*, Beteiligung *f*; Anteil *m*; *avec un vif ~* mit lebhafter Anteilnahme; *montrer un vif ~ pour qch.* ein lebhaftes Interesse für etw. (*acc.*) zeigen; *prendre ~ à qch.* sich für etw. (*acc.*) interessiert zeigen; **3.** *~s pl.* Zinsen *pl.*; *mettre* (*od.* *placer*) *de l'argent à ~s* Geld auf Zinsen anlegen; *les ~s courent du ...* die Zinsen laufen vom ... an; *les ~s à ce jour* Zinsen bis heute; *~s arriérés* Zinsrückstände *m/pl.*; *~s créditeurs, ~s créanciers* Aktiv-, Haben-zinsen *pl.*; *~s débiteurs* Debet-, Passiv-zinsen *pl.*; *~s hypothécaires* Hypothekenzinsen *pl.*; *~s moratoires* Verzugszinsen *pl.*; *à ~ élevé, produisant des ~s élevés* hochverzinslich.

inter|étatique *adj.*, **~états** *adj./inv.* [~eta'tik, ~e'ta] zwischenstaatlich.

interfér|ence *opt.*, *rad.* [ɛ̃tɛrfe'rɑ̃:s] *f* Interferenz *f*, Überlagerung *f*, Durchschlagen *n*; **~er** [~'re] *v/i.* (1f) interferieren; *rad.* durchschlagen; **~on** *biol.* [~'rɔ̃] *m* Interferon *n*, Antivirenprotein *n*.

inter-firmes [ɛ̃tɛr'firm] *adj./inv.*: *comparaison f ~* Vergleichung *f* mehrerer Betriebe (*od.* Firmen).

interfolier [ɛ̃tɛrfɔ'lje] *v/t.* (1a): durchschießen (*Buch*).

intérieur [ɛ̃te'rjœ:r] **I** *adj.* □ **1.** innere(r, s), innerlich, inwendig; inländisch; Innen...; Binnen...; **II** *m* **2.** *das* Innere *n*; Inland *n*; **3.** Daheim *n*, Häuslichkeit *f*; **4.** *fig.* *unser* Inneres *n*, Herz *n*; **5.** *peint.* Zimmerstück *n*, Interieur *n*; ⚠ Innenansicht *f*; *phot.* Innenaufnahme *f*; **6.** *Sport*: Innenstürmer *m*.

intérim [ɛ̃te'rim] *m* Zwischenzeit *f*, Interim *n*; Übergangszeit *f*, einstweilige Vertretung *f*; *par ~* vertretungsweise; *gouvernement m par ~* Interimsregierung *f*; **~aire** [~'mɛ:r] **I** *adj.* zeitweilig, zwischenzeitlich; **II** *su.* vorläufiger Vertreter *m*; **~at** [~'ma] *m* Zwischenzustand *m*, Provisorium *n*.

intérior|iser [ɛ̃terjɔri'ze] *v/t.* (1a): *~ la vie* das Leben verinnerlichen; **~ité** [~ri'te] *f* Innenleben *n*, Verinnerlichung *f*.

inter|jection [ɛ̃tɛrʒɛk'sjɔ̃] *f* **1.** *gr.* Ausruf *m*, Interjektion *f*; **2.** ⚖ *~ d'appel* Berufungseinlegung *f*; **~jeter** ⚖ [~ʒə'te] *v/t.* (1c): *~ appel* Berufung einlegen.

inter|ligne [ɛ̃tɛr'liɲ] **I** *m* leerer Raum *m* zwischen zwei Zeilen; Zwischenzeile *f*; **II** *f typ.* Durchschuß *m*; **~ligner** [~li'ɲe] *v/t.* (1a) *typ.* durchschießen; **~linéaire** [~line'ɛ:r] *adj.* zwischenzeilig, Interlinear...

interlocu|teur [ɛ̃tɛrlɔky'tœ:r] *su.* (7f) Gesprächs-partner *m*, -teilnehmer *m*; *être l'~ de q.* sich für j-n einsetzen (*od.* verwenden); **~toire** ⚖ [~'twa:r] *m* Zwischenurteil *n*.

interlo|pe [~'lɔp] *adj.* **1.** Schmuggel...; *commerce m ~* Schleich-, Schwarz-handel *m*; **2.** *fig.* fragwürdig, verdächtig; *mv.p. monde m ~* Unter-, Halb-welt *f*; **~qué** [~lɔ'ke] *adj.* sprachlos (*de qch.* über etw. *acc.*); **~quer** [~] *v/t.* (1a) sprachlos machen, verblüffen.

inter|mède [ɛ̃tɛr'mɛd] *m* **1.** *thé.*, ♪ Zwischenspiel *n*, Einlage *f*; **2.** *fig.* Intermezzo *n*, kurze Episode *f*; **~médiaire** [~me'djɛ:r] **I** *adj.* □ **1.** Zwischen..., Mittel..., dazwischenliegend; vermittelnd; **II** *m* **2.** Vermittlung *f*: *par l'~ de* durch Vermittlung von; **3.** Zwischending *n*, Mittelding *n*; **III** *su.* **4.** Vermittler *m*; ✝ Zwischenhändler *m*.

interminable [ɛ̃tɛrmi'nablə] *adj.* □ endlos.

intermitt|ence [ɛ̃tɛrmi'tɑ̃:s] *f* Unterbrechung *f*; ⚡, ⚕ Aussetzen *n*; *par ~(s)* ab und zu; **~ent** [~'tɑ̃] *adj.* (7) aussetzend; vorübergehend; periodisch unterbrochen; *fièvre f ~e* Wechselfieber *n*; *pouls m ~* aussetzender Puls *m*; *géol. source f ~e* intermittierende Quelle *f*, Hunger-, Karst-quelle *f*.

internat [ɛ̃tɛr'na] *m* **1.** *écol.* Internat *n*; **2.** Assistenzarzt-stelle *f*, -zeit *f* in Krankenhäusern.

internatio|nal [~nasjɔ'nal] *adj.* (5c) □ international; *commerce m ~* Welthandel *m*; *droit m ~* Völkerrecht *n*; **~nale** *pol.*, ♪ [~] *f*: *l'♀* die Internationale *f*; **~nalisation** [~naliza'sjɔ̃] *f* Internationalisierung *f*; **~naliser** [~nali'ze] *v/t.* (1a) internationalisieren; **~nalisme** [~na'lism] *m* Internationalismus *m*; **~naliste** [~na'list] **I** *su.* Internationalist *m*; **II** *adj.* internationalistisch; **~nalité** [~nali'te] *f* Internationalität *f*.

inter|ne [ɛ̃'tɛrn] **I** *adj.* **1.** inner(lich); binnenländisch; *droit m* ~ innerstaatliches Recht *n*; ⚕ *lésion f* ~ innere Verletzung *f*; **II** *m* **2.** Internatsschüler *m*; **3.** Assistenzarzt *m* in Krankenhäusern; **~né** [~'ne] *adj. u. su.* interniert; Internierte(r) *m*; **~nement** [~nə'mɑ̃] *m* Internierung *f*; **~ner** [~'ne] *v/t.* (1a) internieren; in e-e Heilanstalt bringen.

interparlementaire [~parləmɑ̃'tɛ:r] *adj.* interparlamentarisch.

interpell|ateur [~pɛla'tœ:r] *su.* (7f) Interpellant *m*, Anfragende(r) *m*; **~ation** [~pɛlɑ'sjɔ̃] *f* **1.** *parl.* Anfrage *f*; **2.** *Polizei*: Festnahme *f*; **~er** [~'le] *v/t.* (1a) anpöbeln; *rl.* herausfordern; *Polizei*: *j-n* stellen, festnehmen.

interpénétration [~penetrɑ'sjɔ̃] gegenseitige Durchdringung *f*.

interphone [~'fɔn] *m* **1.** *Auto, Pforte*: (Gegen-, Wechsel-)Sprechanlage *f*; **2.** ✈ Bordsprechanlage *f*; **3.** *téléph.* Nebenstelle *f*, Haussprechanlage *f*.

interplanétaire [~plane'tɛ:r] *adj.* interplanetarisch, Weltraum...; ère *f* ~ Raumzeitalter *n*; *espace m* ~ Weltraum *m*.

Interpol [ɛ̃tɛr'pɔl] **I** *f* Interpol *f*; **II** *adj./inv.* Interpol...

interpol|ateur *gr.* [ɛ̃tɛrpɔla'tœ:r] *m* Interpolator *m*, Textverfälscher *m*; **~ation** [~lɑ'sjɔ̃] *f* Einschaltung *f*, Interpolation *f* (*a.* ⩘), Textverfälschung *f*; **~er** *gr.* [~'le] *v/t.* (1a) einschalten, interpolieren.

interpos|é [ɛ̃tɛrpo'ze] *adj.* eingesetzt; **~er** [~] (1a) **I** *v/t.* dazwischenstellen; *personne f interposée* Mittelsperson *f*; **II** *v/rfl.* s'~ dazwischentreten; *fig.* vermitteln, vermittelnd eingreifen (*in e-m Streit*); **~ition** [~zi'sjɔ̃] *f* Zwischenlage *f*; *fig.* Eingreifen *n*.

interpré|table [ɛ̃tɛrpre'tablə] *adj.* interpretierbar, deutbar, auslegbar; **~tariat** [~ta'rja] *m* Dolmetscherdienst *m*, -wesen *n*; **~tateur** [~ta'tœ:r] *adj. u. su.* (7f) erläuternd; Erklärer *m*; ♪ Vortragende(r) *m*; **~tatif** [~ta'tif] *adj.* (7e) auslegend, erklärend; **~tation** [~tɑ'sjɔ̃] *f* Verdolmetschung *f*; Interpretation *f*, Auslegung *f*, Erklärung *f*; *thé., cin.* Verkörperung *f*, Darstellung *f*; ♪ Vortrag *m*; ~ *libérale* freie Auslegung *f*.

interprète [ɛ̃tɛr'prɛt] *su.* Dolmetscher *m*; *fig.* Vermittler *m*, Fürsprecher *m*; Darsteller *m e-r Rolle*; ~ *parlementaire* Verhandlungsdolmetscher *m*; ~ *simultané* Simultandolmetscher *m*.

interpréter [ɛ̃tɛrpre'te] *v/t.* (1f) (ver)dolmetschen; interpretieren; *thé.* vorführen, darstellen; ♪ vortragen, spielen.

interrègne [ɛ̃tɛr'rɛɲ] *m* Zwischenregierung *f*, Interregnum *n*.

interro * *écol.* [ɛ̃tɛ'ro] *f* mündliche *od.* schriftliche Prüfung(sfrage *f*) *f*.

interroga|teur [~rɔga'tœ:r] (7f) **I** *adj.* fragend, prüfend; **II** *m* Prüfer *m*; **~tif** [~'tif] *adj.* (7e) *gr.* fragend; Frage...; **~tion** [~gɑ'sjɔ̃] *f* Frage *f*; *point m d'*~ Fragezeichen *n*; **~toire** ⚖ [~'twa:r] *m* Verhör *n*; ~ *contradictoire* Kreuzverhör *n*.

interroger [~rɔ'ʒe] *v/t.* (1l) ab-, aus-, be-fragen; verhören; prüfen.

interrompre [~'rɔ̃:prə] (4a) **I** *v/t.* unterbrechen; einstellen; ⚡ ausschalten; **II** *v/rfl.* s'~ sich unterbrechen; aufhören; innehalten.

interrup|teur [~ryp'tœ:r] *m* ⚡ Schalter *m*; ~ *à bascule* Kippschalter *m*; ~ *à levier*, ~ *à gradins* Hebel-, Stufen-schalter *m*; ~ *bipolaire* Doppelschalter *m*; ~ *de prise de terre* Erdungsschalter *m*; ~ *secteur* Netzschalter *m*; **~tion** [~p'sjɔ̃] *f* Unterbrechung *f*; Zwischenruf *m*, Zwischenrede *f*, Querfrage *f*; Störung *f*; ~ *du travail* Arbeitsunterbrechung *f*, Arbeitsruhe *f*; ⚡ ~ *du courant* Stromunterbrechung *f*.

intersection [~sɛk'sjɔ̃] *f* **1.** ⩘ Schnitt-punkt *m*, -fläche *f*; **2.** (Straßen-)Kreuzung *f*.

intersidéral *astr.* [ɛ̃terside'ral] *adj.* (5c): *l'étendue f* ~*e* der Sternenraum; *l'espace m* ~ der Weltraum; *l'astronautique f* ~*e* die interstellare Raumfahrt.

interstation 🚌 [~stɑ'sjɔ̃] *f* Strecke *f* zwischen zwei Haltestellen.

interstellaire [~stɛ'lɛ:r] *adj.*: *les espaces m/pl.* ~*s* der Weltraum.

inter|stice [ɛ̃tɛr'stis] *m* Abstand *m*; Zwischenraum *m*; **~stitiel** *anat.* [~sti'sjɛl] *adj.* (7c) die Zwischengewebe betreffend, interstitiell; **~tropical** *géogr.* [~trɔpi'kal] *adj.* (5c) zwischen den Wendekreisen gelegen; **~urbain** *téléph.* [~yr'bɛ̃] *adj.* (7): zwischen Städten befindlich, Überland...; *communication f* ~*e* Fernanruf *m*, Ferngespräch *n*; (*service m*) ~ Fernverkehr *m*; *téléph.* Fernamt *n*; (*réseau m*) ~ Überlandtelegraphennetz *n*; **~valle** [~'val] *m* Zwischenraum *m*; *fig.* Abstand *m*;

Zwischenzeit *f*; ♪ Intervall *n*, Tonabstand *m*; *par* ~*s* hin und wieder, mitunter, zeitweilig; von Zeit zu Zeit.

inter|venant [ɛ̃tɛrvə'nɑ̃] **I** *adj.* (7) dazwischentretend; **II** *m* **1.** ⚕ Intervenient *m*, Ehrenakzeptant *m*, Honorant *m*; **2.** ⚖ Intervenient *m*; **~venir** [~və'ni:r] *v/i.* (2h) dazwischentreten, einschreiten; vorstellig werden; *péj.* sich einmischen (*dans* in); ~ *pour q.* (*od. en faveur de q.*) für j-n eintreten; sich für j-n verwenden; **~vention** [~vɑ̃'sjɔ̃] *f* Vermittlung *f*; Intervention *f*, Einschreiten *n*; *péj.* Einmischung *f*; *Börse*: Stützaktion *f*; ⚕ Eingriff *m*; ⚕ (*acceptation f par*) ~ Annahme *f* e-s Wechsels aus Gefälligkeit; **~ventionniste** *bsd. pol.* ⚔ [~sjɔ'nist] *m* Interventionist *m*, Befürworter *m* des Einschreitens.

interver|sion [ɛ̃tɛrvɛr'sjɔ̃] *f* Umkehrung *f*; **~tir** [~'ti:r] *v/t.* (2a) umkehren; ~ *les rôles* die Rollen vertauschen.

interview [ɛ̃tɛr'vju] *f* Interview *n*, Gespräch *n*; **~er¹** [~vju've] *v/t.* (1a) interviewen, befragen; **~er²** [~vju'vœ:r] *m* Interviewer *m*, Gesprächspartner *m*.

intest|able ⚖ [ɛ̃tɛs'tablə] *adj.* unfähig, ein Testament zu errichten *od.* Zeuge zu sein; **~at** ⚖ [~'ta] *adj.* ohne Testament.

intestin [ɛ̃tɛs'tɛ̃] **I** *adj.* (7) inner (-lich); *guerre f* ~*e* Bürgerkrieg *m*; **II** *m* Darm *m*; **~al** [~ti'nal] *adj.* (5c) Darm...

intimation ⚖ [ɛ̃timɑ'sjɔ̃] *f* Vorladung *f*.

inti|me [ɛ̃'tim] **I** *adj.* (*adv. intimement*) intim, innerst, innig, tief; *fig.* vertraut; gemütlich, zwanglos; **II** *su.* Busenfreund *m*, Intimus *m*; **~mé** ⚖ [~'me] *m* Berufungsbeklagte(r) *m*; **~mer** [~] *v/t.* (1a) **1.** amtlich ankündigen; ~ *l'ordre de ...* den Befehl erteilen zu ...; **2.** ⚖ vorladen.

intimi|dable [ɛ̃timi'dablə] *adj.* einzuschüchtern; **~dation** [~dɑ'sjɔ̃] *f* Einschüchterung *f*; **~der** [~'de] *v/t.* (1a) einschüchtern; **~sme** *litt.*, *peint.* [~'mism] *m* Intimismus *m*; **~ste** *litt.*, *peint.* [~'mist] **1.** *su.* Intimist *m*; **2.** *adj.* intimistisch.

intimité [ɛ̃timi'te] *f* Intimität *f*, Vertraulichkeit *f*, Gemütlichkeit *f*, Zwanglosigkeit *f*; Intimbereich *m*.

intitu|lé [ɛ̃tity'le] *m* Titel *m* (*e-s Buches od. Kapitels*), Überschrift *f*, Aufschrift *f*; **~ler** [~] *v/t.* (1a) betiteln.

intolé|rabilité [ɛ̃tɔlerabili'te] *f* Unerträglichkeit *f*; **~rable** [~'rablə] *adj.* □ unerträglich; **~rance** [~'rɑ̃:s] *f* Intoleranz *f*, Unduldsamkeit *f*; **~rant** [~'rɑ̃] *adj. u. su.* (7) unduldsam, intolerant; intoleranter Mensch *m*.

intonation [ɛ̃tɔnɑ'sjɔ̃] *f* **1.** Ton *m*, Betonung *f*; Intonation *f*; **2.** ♪ Tonangeben *n*, Anstimmen *n*.

intouchable [ɛ̃tu'ʃablə] **I** *adj.* unantastbar; **II** ♀ *su.* Unberührbare(r) *m*.

intox(e) F [ɛ̃'tɔks] *f* *Sport* lautstarke Begeisterung *f*, Anheizen *n* F, Aufpeitschen *n* F; *rad.* Berieselung *f fig.*

intoxi|cation [ɛ̃tɔksikɑ'sjɔ̃] *f* (*a. pol.* Brunnen-)Vergiftung *f*; **~quer** [~'ke] *v/t.* (1m) vergiften.

intra-communautaire *pol.* [ɛ̃trakɔmyno'tɛ:r] *adj.* innerhalb der EG.

intraduisible [ɛ̃tradɥi'ziblə] *adj.* unübersetzbar.

intraitable [ɛ̃trɛ'tablə] *adj.* unnachgiebig; unzugänglich; störrisch.

intramusculaire [ɛ̃tramysky'lɛ:r] *adj.* intramuskular.

intransférable ⚖, ⚕ [ɛ̃trɑ̃sfe'rablə] *adj.* unübertragbar.

intransi|geance [ɛ̃trɑ̃zi'ʒɑ̃:s] *f* Unbeugsamkeit *f*, Unversöhnlichkeit *f*, Starrsinn *m*; **~geant** [~'ʒɑ̃] *adj.* (7) unbeugsam, unversöhnlich.

intransitif *gr.* [ɛ̃trɑ̃zi'tif] *adj.* (7e) □ intransitiv.

intrans|missible [ɛ̃trɑ̃smi'siblə] *adj.* unübertragbar; **~portable** [~pɔr'tablə] *adj.* nicht transportfähig.

intrapolé ⊕ [ɛ̃trapɔ'le] *adj.*: ~ *de* entwickelt aus (*dat.*).

intraveineux ⚕ [ɛ̃travɛ'nø] *adj.* (7d) intravenös.

intrépi|de [ɛ̃tre'pid] **I** *adj.* □ furchtlos, unerschrocken; kühn; **II** *su.* Unerschrockene(r) *m*; **~dité** [~di'te] *f* Unerschrockenheit *f*, Kühnheit *f*.

intri|gailler [ɛ̃trigɑ'je] *v/i.* sich in kleine Intrigen einlassen; **~gant** [ɛ̃tri'gɑ̃] *adj. u. su.* (7) intrigierend; Intrigant *m*; **~gue** [ɛ̃'trig] *f* **1.** Intrige *f*, Machenschaft *f*; **2.** *thé.* Intrige *f*, Verwickelung *f*; **3.** Liebschaft *f*; **~gué** [~'ge] *adj.* neugierig; **~guer** [~] (1m) **I** *v/t.* beunruhigen, neugierig machen; **II** *v/i.* intrigieren.

intrinsèque [ɛ̃trɛ̃'sɛk] *adj.* □ wahr, wirklich, eigentlich, tatsächlich; spezifisch, typisch, wesentlich.

introduc|teur [ɛ̃trɔdyk'tœ:r] *su.* (7f) Bahnbrecher *m*, Wegbereiter *m*; **~tif** [~'tif] *adj.* (7e) einleitend; Einleitungs...; **~tion** [~k'sjɔ̃] *f* **1.** Einführung *f*, Empfehlung *f*; **2.** Ein-, An-leitung *f*; **3.** ⊕ Zufuhr *f*.

introduire [ɛ̃trɔ'dɥi:r] (4c) **I** *v/t.* hineinführen, hineinbringen; hineinstecken; einführen, einbürgern; **II** *v/rfl.* *s'*~ eindringen, sich einschleichen; aufkommen, sich einbürgern.

intromission *phys.* [~mi'sjɔ̃] *f* Eindringen *n*.

introni|sation [~niza'sjɔ̃] *f* feierliche Einsetzung *f*; **~ser** [~'ze] *v/t.* (1a) einsetzen; *fig.* einführen (*z.B. e-e Mode*); *fig.* *s'*~ sich einbürgern.

introspection *phil.* [~spɛk'sjɔ̃] *f* Introspektion *f*, Selbstbeobachtung *f*.

introuvable [ɛ̃tru'vablə] *adj.* unauffindbar.

intrus [ɛ̃'try] *adj. u. su.* (7) eingedrungen; Eindringling *m*; **~ion** [~'zjɔ̃] *f* Eindringen *n*.

intui|tif [ɛ̃tɥi'tif] *adj.* (7e) □ intuitiv; Anschauungs...; **~tion** [~'sjɔ̃] *f* **1.** Intuition *f*; **2.** Vorgefühl *n*.

intumescen|ce ⚕ [ɛ̃tyme'sɑ̃:s] *f* Anschwellen *n*; **~t** ⚕ [~'sɑ̃] *adj.* (7) anschwellend.

intussusception ⚕ [ɛ̃tyssysɛp'sjɔ̃] *f* **1.** Aufnahme *f* von Nährstoffen; **2.** Einstülpung *f*, Invagination *f*.

inusable [iny'zablə] *adj.* unverwüstlich.

inusité [inyzi'te] *adj.* ungebräuchlich.

inuti|le [iny'til] *adj.* □ unnütz; fruchtlos, vergeblich; **~lement** [~l'mɑ̃] *adv.* vergebens; **~lisable** [~li'zablə] *adj.* unbrauchbar; **~lité** [~li'te] *f* Zwecklosigkeit *f*.

invagin|ation ⚕ [ɛ̃vaʒina'sjɔ̃] *f* Einstülpung *f*, Invagination *f*; **~é** ⚕ [~'ne] *adj.* eingestülpt.

invaincu [ɛ̃vɛ̃'ky] *adj.* unbesiegt.

invali|dation ⚖ [ɛ̃valida'sjɔ̃] *f* Ungültigkeitserklärung *f*; **~de** [~'lid] **I** *adj.* □ gebrechlich, arbeitsunfähig; **II** *su.* Invalide *m*, Versehrte(r) *m*; **~der** ⚖ [~'de] *v/t.* (1a) für ungültig erklären; **~dité** [~di'te] *f* Invalidität *f*.

invar [ɛ̃'va:r] *m* Invar *n* (*Legierung aus Stahl u. Nickel*).

invaria|bilité [ɛ̃varjabili'te] *f* Unveränderlichkeit *f*; *a.* ⊕ Beständigkeit *f*; **~ble** [~'jablə] *adj., a. gr.* unveränderlich; **~blement** [~blə'mɑ̃] *adv.* stets, immer.

invasion [ɛ̃vɑ'zjɔ̃] *f* ⚔ Invasion *f*, Überfall *m*, Einfall *m*; *fig.* plötzliches Auftreten *n od.* Eindringen *n*; ⚕ plötzliches Auftreten *n e-r Krankheit*, Ausbruch *m*.

invec|tive [ɛ̃vɛk'ti:v] *f* Schimpfrede *f*, Schmähung *f*; **~s** *pl.* heftige Ausfälle *m/pl.*; **~tiver** [~ti've] (1a) **I** *v/i.* ~ *contre q.* j-m gegenüber ausfallend werden; **II** *v/t.* ~ *q.* ausschimpfen.

invendu ✝ [ɛ̃vɑ̃'dy] *m* unverkaufter Posten *m*.

inventaire [ɛ̃vɑ̃'tɛ:r] *m* **1.** Inventar *n*, Bestandsverzeichnis *n*; **2.** ✝ Inventur *f*, Bestandsaufnahme *f*.

inven|ter [ɛ̃vɑ̃'te] *v/t.* (1a) erfinden, ersinnen; erdichten; **~teur** [~'tœ:r] *su.* (7f) Erfinder *m*; ⚖ Finder *m*; **~tif** [~'tif] *adj.* (7e) erfinderisch; **~tion** [~'sjɔ̃] *f* Erfindung *f*; Erdichtung *f*; *office m des brevets (d'*~*)* Patentamt *n*; *fertile en* **~s** erfinderisch; **~tique** [~'tik] *f allg.* Methode, die Anregungen für Erfindungen geben soll.

inventorier [~tɔ'rje] *v/t.* (1a) inventarisieren.

invérifiable [ɛ̃veri'fjablə] *adj.* nicht festzustellen.

inver|sable [ɛ̃vɛr'sablə] *adj.* nicht umwerfbar; **~se** [~'vɛrs] **I** *adj.* umgekehrt, entgegengesetzt; **II** *m* umgekehrtes Verhältnis *n*, Gegenteil *n*, Gegensatz *m*; *à l'*~ *de* im Gegensatz zu; **~sement** [~sə'mɑ̃] *adv.* umgekehrt, andererseits; **~ser** [~'se] *v/t.* (1a) **1.** ⚡ umschalten; ~ *la polarité* umpolen; **2.** *opt.* umkehren (*Bild*); **~seur** ⚡ [~'sœ:r] *m* Stromwender *m*; ~ *du courant* Umpoler *m*; ~ *téléphonique* Fernsprech(um)-schaltung *f*; **~seur-code** *Auto* [ɛ̃vɛr'sœ:r 'kɔd] *m* (6a) Abblendschalter *m*; **~sible** [~'siblə] *adj.* umkehrbar; ⚡ umschaltbar; **~sion** [~'sjɔ̃] *f* Umkehrung *f*; *gr.* Inversion *f*, umgekehrte Wortfolge *f*; ⚡ Stromwendung *f*; Umschaltung *f*; ⚕ ~ *sexuelle* Homosexualität *f*; ⚗ Inversion *f*.

invertébré [ɛ̃vɛrte'bre] *adj.* wirbellos.

inverti [ɛ̃vɛr'ti] **I** *adj.* homosexuell; **II** *m* Homosexuelle(r) *m*.

investiga|teur [ɛ̃vɛstiga'tœ:r] *adj. u. su.* (7f) forschend; Forscher *m*; **~tion** [~gɑ'sjɔ̃] *f* (wissenschaftliche) Forschung *f*; ⚖ Ermittlung *f*.

inves|tir [ɛ̃vɛs'ti:r] (2a) *v/t.* **1.** *féod.* belehnen; *allg.* ~ *q. de qch.* j-n mit etw. auszeichnen; **2.** ⚔ umzingeln; **3.** *Gelder* investieren, anlegen; **~tis-**

sement [~tis'mɑ̃] *m* Belagerung *f*, Einschließung *f*; *fin.* Investierung *f*, Kapitalsanlage *f*; **~tisseur** [~ti'sœ:r] *m* Kapitalanleger *m*, Investor *m*; **~titure** [~ti'ty:r] *f* **1.** *hist.* Investitur *f*, Belehnung *f*, Einsetzung *f*; **2.** *pol.* Benennung *f* e-s Wahlkandidaten.

invétéré|ré [ɛ̃vete're] *adj.* alt, eingewurzelt; *fig.* eingefleischt, unverbesserlich; *scélérat m* ~ Gewohnheitsverbrecher *m*; **~rer** [~] *v/rfl.* (1f): *s'*~ *fig.* einreißen (*Unsitte*); sich festsetzen (*Leiden*).

inviable F [ɛ̃'wjablə] *adj.* nicht lebenswert.

invinci|bilité [ɛ̃vɛ̃sibili'te] *f* Unbesiegbarkeit *f*; **~ble** [~'siblə] *adj.* unbesiegbar, unüberwindlich; unwiderlegbar.

inviola|bilité [ɛ̃vjɔlabili'te] *f* Unverletzbarkeit *f*, Unantastbarkeit *f*; **~ble** [~'lablə] *adj.* □ unverletzlich, unantastbar.

invisi|bilité [ɛ̃vizibili'te] *f* Unsichtbarkeit *f*; **~ble** [~'ziblə] *adj.* □ unsichtbar.

invi|tation [ɛ̃vitɑ'sjɔ̃] *f* Einladung *f*; Aufforderung *f*, Veranlassung *f*; **~te** [ɛ̃'vit] *f* (stille) Ermunterung *f*; **~té** [~'te] *su.* Gast *m*; **~ter** [~] *v/t.* (1a) einladen; auffordern (*à* zu).

in vitro *biol.* [invi'tro] *adv.* Labor... (*Versuch*).

invivable [ɛ̃vi'vablə] *adj.* unverträglich.

in vivo *biol.* [invi'vo] *adv.* Tier... (*Versuch*).

invocation [ɛ̃vɔkɑ'sjɔ̃] *f* Anrufung *f*.

involontaire [ɛ̃vɔlɔ̃'tɛ:r] *adj.* □ unbewußt, unfreiwillig, unwillkürlich.

involu|cre ♀ [ɛ̃vɔ'lykrə] *m* Hülle *f*; **~tion** *biol.* [~ly'sjɔ̃] *f* Rückbildung *f*; Einrollen *n*.

invoquer [ɛ̃vɔ'ke] *v/t.* (1m) anrufen; *fig.* ~ *qch.* etw. geltend machen.

invraisem|blable [ɛ̃vrɛsɑ̃'blablə] *adj.* □ unwahrscheinlich; **~blance** [~'blɑ̃:s] *f* Unwahrscheinlichkeit *f*.

invulnérab|ilité [ɛ̃vylnerabili'te] *f* Unverwundbarkeit *f*; **~le** [~'rablə] *adj.* unverwundbar, unverletzbar.

iod|e ⚗ [jɔd] *m* Jod *n*; **~é** ⚗, **~ique** [jɔ'de, jɔ'dik] *adj.* jodhaltig; Jod...; **~isme** [~'dism] *m* Jodvergiftung *f*; **~oforme** [~dɔ'fɔrm] *m* Jodoform *n*.

ion *phys.* [jɔ̃] *m* Ion *n*.

ionien [jɔ'njɛ̃] *adj.* (7c) ionisch.

ionique [jɔ'nik] *adj.* **1.** Δ ionisch; **2.** *phys.* Ionen...

ionis|ation *phys.* [jɔnizɑ'sjɔ̃] *f* Ionisierung *f*; **~er** *phys.* [~'ze] *v/t.* (1a) ionisieren.

ionosphère [jɔnɔ'sfɛ:r] *f* Iono-[sphäre *f*.]

iota [jɔ'ta] *m* Jota *n*; *fig.* *pas un* ~ nicht ein I-Punkt, überhaupt nichts.

ioul|er [ju'le] *v/i.* (1a) jodeln; **~eur** [~'lœ:r] *m* Jodler *m*.

ipésien *Fr. écol.* [ipe'zjɛ̃] *su.* Anwärter auf die zweite Staatsprüfung (CAPES) nach Besuch e-s IPES.

ipséité *phil.* [ipsei'te] *f* Selbstsein *n* (*Sartre*).

Irak *géogr.* [i'rak] *m*: **l'~** der Irak *m*; **~ien** [~'kjɛ̃] *su. u.* ♀ *adj.* (7c) Iraker(in *f*) *m*; irakisch.

Iran *géogr.* [i'rɑ̃] *m*: **l'~** der Iran *m*; **~ien** [~ra'njɛ̃] *su. u.* ♀ *adj.* (7c) Iranier(in *f*) *m*; iranisch.

irascib|ilité [irasibili'te] *f* Jähzorn *m*; **~le** [~'siblə] *adj.* jähzornig.

iridescent [iride'sɑ̃] *adj.* (7) regenbogenfarbig.

iris [i'ris] *m* **1.** *anat.* Regenbogenhaut *f*; **2.** ♀ Schwertlilie *f*; **3.** *phot.* (*diaphragme m* [*à*]) ~ Irisblende *f*; **~ation** [~zɑ'sjɔ̃] *f* Irisfarbe *f*; **~é** [~'ze] *adj.* regenbogenfarbig; schillernd; **~er** [~] (1a) **I** *v/t.* schillern lassen; **II** *v/rfl.* *s'*~ schillern.

irland|ais [irlɑ̃'dɛ] *adj.* (7) *u.* ♀ *su.* irisch; Irländer *m*; **♀e** [~'lɑ̃:d] *f*: **l'~** Irland *n*.

iron|ie [irɔ'ni] *f* Ironie *f*, Spott *m*; **~ique** [~'nik] *adj.* □ ironisch; **~iser** [~ni'ze] *v/i.* (1a) ironisch werden; **~iste** [~'nist] *m* Ironiker *m*.

iroquois [irɔ'kwa] *adj.* (7) *u.* ♀ *su.* irokesisch; Irokese *m* (*Indianer*).

irrachetable [irraʃ'tablə] *adj.* nicht rückkaufbar.

irradi|ation [~djɑ'sjɔ̃] *f* Ausstrahlung *f*; *physiol.* Aufnahmefähigkeit *f* von Strahlen; **~er** [~'dje] *v/i.* (1a) ausstrahlen.

irraisonn|able [irrɛzɔ'nablə] *adj.* □ unvernünftig; **~é** [~'ne] *adj.* unüberlegt.

irrassasiable [irrasa'zjablə] *adj.* unersättlich.

irrationnel [~sjɔ'nɛl] *adj.* (7c) □ irrational; unmeßbar.

irréal|isable [irreali'zablə] *adj.* unausführbar, nicht zu verwirklichen; **~iste** [~'list] *adj.* unrealistisch.

irrecevab|ilité [irrəs(ə)vabili'te] *f* Unannehmbarkeit *f*; Unzulässigkeit *f*; **~le** [~'vablə] *adj.* unannehmbar; unzulässig.

irré|conciliable [irrekɔ̃si'ljablə] *adj.* □ unversöhnlich; **~couvrable** [~ku'vrablə] *adj.* nicht beitreibbar, nicht wiederzubekommen; **~cupé-**

rable [~kype'rablə] *adj.* (*u. su.*) **1.** nicht wiedergewinnbar; **2.** *psych.* hartgesotten(er Mensch *m*); **~cusable** [~ky'zablə] *adj.* □ einwandfrei; **~dentiste** [~dɑ̃'tist] *adj. u. su.* irredentistisch; Irredentist *m*; **~ductible** [~dyk'tiblə] *adj.* nicht zu verringern, *a.* ⚹ *u.* ⚗ unreduzierbar; *chir.* nicht reponierbar, nicht wiedereinrenkbar; *fig.* unbeugsam, unerbittlich.

irréel [irre'ɛl] *adj.* (7c) *a. gr.* irreal, unwirklich.

irréfléchi [irrefle'ʃi] *adj.* unüberlegt.

irréflexion [irreflɛk'sjɔ̃] *f* Unüberlegtheit *f*, Unbesonnenheit *f*.

irré|formable ⚖ [~fɔr'mablə] *adj.* unabänderlich; **~fragable** [~fra'gablə] *adj.*, **~futable** [~fy'tablə] *adj.* unwiderlegbar; **~futé** [~fy'te] *adj.* unwiderlegt.

irrégu|larité [irregylari'te] *f* Unregelmäßigkeit *f*; Ungleichmäßigkeit *f*; Regelwidrigkeit *f*; **~lier** [~'lje] *adj.* (7b) □ unregelmäßig, ungleich; regelwidrig, unerlaubt (*Sport*); ungehörig; absonderlich; *troupes f/pl. ~lières* ⚔ irreguläre Truppen *f/pl.*

irréli|gieux [irreli'ʒjø] *adj.* (7d) □ irreligiös, ungläubig, gottlos; **~gion** [~'ʒjɔ̃] *f* Gottlosigkeit *f*; **~giosité** [~ʒjozi'te] *f* unreligiöse Einstellung *f*.

irrémédiable [irreme'djablə] *adj.* □ unheilbar; *fig.* nicht wiedergutzumachen(d), unabänderlich, unwiderruflich; *Verlust*: unersetzlich.

irrémissible [~mi'siblə] *adj.* □ unverzeihlich.

irremplaçable [irrɑ̃pla'sablə] *adj.* unersetzbar, unersetzlich.

irréparable [~repa'rablə] *adj.* □ unersetzlich, nicht wiedergutzumachen.

irrépréhensible *litt.* [irrepreɑ̃'siblə] *adj.* □ untadelhaft.

irréprochable [~prɔ'ʃablə] *adj.* □ tadellos, einwandfrei.

irrésistible [~zis'tiblə] *adj.* □ unwiderstehlich.

irrésolu [irrezɔ'ly] *adj.* (*adv. ~ment*) **1.** unentschlossen; **2.** ungelöst, zweifelhaft; **~tion** [~ly'sjɔ̃] *f* Unentschlossenheit *f*, Unschlüssigkeit *f*.

irrespectueux [irrɛspɛk'tɥø] *adj.* (7d) acht-, respekt-los.

irrespirable [irrɛspi'rablə] *adj.*: *de l'air ~* stickige Luft *f*.

irresponsa|bilité [~pɔ̃sabili'te] *f* Unverantwortlichkeit *f*, Unzurechnungsfähigkeit *f*; **~ble** [~'sablə] *adj.* □ unverantwortlich, unzurechnungsfähig.

irrétractable [irretrak'tablə] *adj.* unwiderruflich.

irrétrécissable [~tresi'sablə] *adj.* nicht einlaufend (*Stoff*, *Wolle*).

irrévé|rence [~reve'rɑ̃:s] *f* Unehrerbietigkeit *f*; **~rencieux** [~rɑ̃'sjø] *adj.* (7d) unehrerbietig.

irréversible [irrevɛr'siblə] *adj.* **1.** *phys.*, ⚗ irreversibel, nicht rückgängig zu machen; **2.** *fig.* unabwendbar, unaufhaltbar.

irrévoca|bilité [irrevɔkabili'te] *f* Unwiderruflichkeit *f*; **~ble** [~'kablə] *adj.* □ unwiderruflich.

irri|gable [irri'gablə] *adj.* bewässerbar; **~gateur** [~ga'tœ:r] *m* Gartenspritze *f*; **~gation** [~gɑ'sjɔ̃] *f* **1.** ⚒ Bewässerung *f*; *champs m/pl. d'~* Rieselfelder *n/pl.*; **2.** ⚕ Bespülung *f*; **~guer** [~'ge] *v/t.* (1m) bewässern, berieseln.

irrita|bilité [irritabili'te] *f* Reizbarkeit *f*; **~ble** [~'tablə] *adj.* reizbar, kribbelig F; ⚕ empfindlich.

irritant [~'tɑ̃] **I** *adj.* (7) erregend; *fig.* ärgerlich; **II** *m* Reizmittel *n*.

irri|tation [irritɑ'sjɔ̃] *f* Reizung *f*; Reiz *m*; Gereiztheit *f*; ⚕ Reizung *f*; **~ter** [~'te] (1a) **I** *v/t.* *a.* ⚕ reizen; erzürnen; *être irrité* böse sein; **II** *v/rfl.* *s'~* gereizt werden.

irroration [irrɔrɑ'sjɔ̃] *f* Besprengen *n* mit e-m feinen Strahl.

irruption [irryp'sjɔ̃] *f* (feindlicher) Einfall *m*; Einbruch *m*; *~ des eaux* Durchbruch *m* des Wassers; *allg. faire ~ dans une chambre* in ein Zimmer hineingestürzt kommen.

isard *zo.* [i'za:r] *m* Gemse *f*.

ischémie ⚕ [iske'mi] *f* Blutleere *f*.

ischion *anat.* [is'kjɔ̃] *m* Sitzbein *n*.

islam *rl.* [is'lam] *m* Islam *m*.

Islande *géogr.* [is'lɑ̃:d] *f*: **l'~** Island *n*.

isobare [izɔ'ba:r] *f* Isobare *f*.

isocèle ⚹ [izɔ'sɛl] *adj.* gleichschenklig.

iso|chromatique [~krɔma'tik] *adj.* gleichfarbig; **~chrone** 🕮 [~'krɔn] *adj.* gleichzeitig; gleich lange dauernd.

iso|lable ⚡ [izɔ'lablə] *adj.* isolierbar; **~lant** [~'lɑ̃] **I** *adj.* (7) isolierend; **II** *m* Isolierstoff *m*, Isolator *m*, Nichtleiter *m*; *~ de soutien* Stützisolator *m*; *~ à cloche* Isolierglocke *f*; *~ en forme d'œuf* Isolierei *n*;

~lateur [~la'tœːr] *m* = *~lant*; **~lation** [~lɑ'sjɔ̃] *f* **1.** ⚡, *a.* ⊕ Isolierung *f*; ⚠ *~ acoustique*, *~ phonique*, *~ sonore* Schalldämmung *f*; *~ thermique* Wärmeschutz *m*; **2.** ⚗ Abscheidung *f*, Absondern *n*; **3.** ⊕ Trennung *f der Räume für Eltern u. Kinder in Wohnwagen*; **~lationnisme** *pol.* [~lasjɔ'nism] *m* Isolationismus *m*, Isolationspolitik *f*; **~lationniste** [~lasjɔ'nist] *m u. adj.* Isolationist *m*; isolationistisch.

iso|lé [izɔ'le] **I** *adj.* (*adv. isolément*) abgesondert, freistehend; *fig.* allein, zurückgezogen, einsam; isoliert; **II** ⚔ *m* Versprengte(r) *m*; **~lement** [izɔl'mɑ̃] *m* **1.** *a.* ⚕, ⚡, ⊕ Isolierung *f*; **2.** Isoliertheit *f*, Absonderung *f*, Alleinsein *n*, Einsamkeit *f*.

iso|ler [izɔ'le] (1a) **I** *v/t.* absondern, isolieren; *fig.* allein lassen; ⚡ isolieren; **II** *v/rfl.* *s'~* sich absondern, sich zurückziehen; verschwinden F; **~loir** *pol.* [~'lwaːr] *m* Wahlzelle *f*; **~therme** [~'tɛrm] *adj.* isothermisch; *ligne f ~* Isotherme *f*; *wagon m ~* Kühlwagen *m*; **~tope** [~'tɔp] *m* Isotop *n* (*Atomart*).

Israël *géogr.* [isra'ɛl] *m ohne art.* Israel *n*.

Israélien *géogr.*, *pol.* [israe'ljɛ̃] *su. u.* ♀ *adj.* (7c) Israeli *m*; israelisch.

Israélite [israe'lit] **I** *m* Israelit *m*; Jude *m*; **II** ♀ *adj.* israelitisch; jüdisch.

issu [i'sy] *adj.* abstammend; entsprossen, hervorgegangen.

issue [~] *f* **1.** Ausgang *m*; Aus-, Ab-fluß *m*; *fig.* Ende *n*; Ergebnis *n*, *advt. à l'~ de* am Schluß (*gén.*); *voie f* (*rue f*) *sans ~* Sackgasse *f*; **2.** *fig.* Ausweg *m*; *sans ~* aussichtslos; **3.** *~s pl.* a) Kleie *f*; b) (*Schlacht-*) Abgang *m*, fünftes Viertel *n*.

isthm|e [ism] *m* **1.** Landenge *f*, Isthmus *m*; **2.** *anat.* Enge *f*; **~ique** [~'mik] *adj.* isthmisch.

italianiser [italjani'ze] *v/t.* (1a) italienisieren.

Italie *géogr.* [ita'li] *f*: **l'~** Italien *n*.

ita|lien [ita'ljɛ̃] *adj. u.* ♀ *su.* (7c) italienisch; Italiener *m*; **~lique** [~'lik] **I** *adj. antiq.* italisch; **II** *adj. u. m typ.* Kursiv...; Schräg-, Kursiv-buchstabe *m*.

item ✝ [i'tɛm] *adv.* desgleichen.

itéra|tif [itera'tif] *adj.* (7e) □ wiederholt, nochmalig; *gr.* iterativ; **~tion** [~rɑ'sjɔ̃] *f* Wiederholung *f*.

itinér|aire [itine'rɛːr] **I** *adj.* **1.** Weg-...; **II** *m* **2.** Reiseplan *m*; Marschroute *f*; 🚂, *tram.*: Fahrweg *m*, Fahrstraße *f*, Fahrordnung *f*; Flugstrecke *f*; *livret m à ~ fixe* Rundreiseheft *n*; **3.** Reisehandbuch *n*; Reisebeschreibung *f*; **~ant** [~'rɑ̃] *adj.* (7) wandernd; *exposition f ~e* Wanderausstellung *f*.

itou F [i'tu] *adv.* auch, gleichfalls.

iule [jyl] *m* **1.** ⚘ Kätzchen *n*; **2.** *ent.* Tausendfuß *m*.

ive(tte) ⚘ [iːv, i'vɛt] *f* Gamander *m*.

ivoi|re [i'vwaːr] *m* Elfenbein *n*; **d'~**, *en ~* elfenbeinern; *fig.* elfenbeinfarbig; **~rier** [~'rje] *m* Elfenbeinschnitzer *m*.

ivorine [ivɔ'rin] *f* künstliches Elfenbein *n*.

ivraie ⚘ [i'vrɛ] *f* Lolch *m*; *fig.* Spreu *f*, Unkraut *n*.

ivre ['iːvrə] *adj.* betrunken; *fig.* berauscht, trunken; **~sse** [i'vrɛs] *f* Trunkenheit *f*; *fig.* Rausch *m*; Freudenrausch *m*, Begeisterung *f*.

ivrog|ne *m*, **~nesse** *f* [i'vrɔɲ, ~'ɲɛs] **I** *adj.* trunksüchtig; **II** *su.* Säufer *m*, Trunkenbold *m*; *f*: Säuferin *f*; **~nerie** [~ɲ'ri] *f* Trunksucht *f*.

ixia ⚘ [ik'sja] *f* Schwertlilie *f*.

ixode *ent.* [i'ksɔd] *m* Zecke *f*.

J

J, j [ʒi] *m* J, j *n*.
jabl|e [ˈʒɑːblə] *m* Falz *m*, Kimme *f*, Gargel *f* (*Böttcherei*); **~er** [ʒɑˈble] *v/t*. (1a) falzen, gargeln; **~oire** [~ˈblwaːr] *f* Gargelmesser *n*.
jabot [ʒaˈbo] *m* **1.** Kropf *m* (*der Vögel*); **2.** Brustkrause *f*; **~er** F [~bɔˈte] *v/i*. (1a) tratschen F.
jacas|se [ʒaˈkas] *f* Elster *f*; **~ser** [~ˈse] *v/i*. (1a) schreien (*Elster*); *fig*. tratschen F; **~serie** [~sˈri] *f* Geschwätz *n*.
jachère [ʒaˈʃɛːr] *f* Brache *f*.
jacinthe [ʒaˈsɛ̃ːt] *f* **1.** Hyazinthe *f*; **2.** *min*. Hyazinth *m* (*Art Rubin*).
jack [ʒak] *m* Schaltklinke *f*; ~ *d'interconnexion* Vorschaltklinke *f*.
jacobin [ʒakɔˈbɛ̃] (7) *su. u. adj. Fr. hist*. Jakobiner *m*; *allg*. leidenschaftlicher Republikaner *m*; jakobinisch.
jaconas *text*. [ʒakɔˈnɑ] *m* Jakonett *m* (*Baumwollstoff*).
jacquard ⊕, *text*. [ʒaˈkaːr] *m* Jacquard-webstuhl *m*, -gewebe *n*; (*chandail m*) ~ jacquardgemusterter Pullover *m*.
jacquerie [ʒaˈkri] *f hist. Fr*. Bauernaufstand *m*; *allg*. (örtlich begrenzter) Aufstand *m*.
Jacques [ʒak] *m* Jakob *m*; ♀ F Dummkopf *m*; F *faire le* ~ den Hanswurst spielen.
jacquet [ʒaˈkɛ] *m* Tricktrack *n* (*Spiel*).
jacquot, *a*. **jaco(t)** *orn*. [ʒaˈko] *m* Graupapagei *m*.
jactance [ʒakˈtɑ̃ːs] *f litt*. Großsprecherei *f*; P Gequassel *n* F.
jacter P [ʒakˈte] *v/t*. (1a) quasseln.
jaculatoire *rl*. [ʒakylaˈtwaːr] *adj*.: *oraison f* ~ Stoßgebet *n*.
jade [ʒad] *m min*. Jade *m*; Gegenstand *m* aus Jade.
jadis [ʒaˈdis] *adv*. früher, einstmals; *au temps* ~ in früheren Zeiten.
jaguar *zo*. [ʒaˈgwaːr] *m* Jaguar *m*.
jail|lir [ʒaˈjiːr] *v/i*. (2a) hervorsprudeln, heraus-strömen, -spritzen; *fig*. hervorbrechen; sprühen; **~lissement** [~jisˈmɑ̃] *m* Sprudeln *n*; ~ *d'étincelles* Funkensprühen *n*.
jais *min*. [ʒɛ] *m* Gagat *m*, Pechkohle *f*; ~ *artificiel* Jett *m od. n*; *noir comme du* ~ kohlrabenschwarz.
jalon [ʒaˈlɔ̃] *m* Absteckstange *f*; ⚔ Meßfahne *f*; *fig*. Merkzeichen *n*; *~s pl. pour* ... Richtlinien *f/pl*. für ...; *fig. poser les ~s de qch*. die Marschroute für etw. abstecken; **~ner** [~lɔˈne] *v/t*. (1a) abstecken, ausfluchten; markieren; *fig*. kennzeichnen, begleiten.
jalou|ser [ʒaluˈze] *v/t*. (1a): ~ *q*. j-n beneiden, auf j-n eifersüchtig sein; **~sie** [~ˈzi] *f* **1.** Eifersucht *f*; **2.** Mißgunst *f*, Neid *m*; ~ *de métier* Brotneid *m*; **3.** Δ Jalousie *f*; **~x** [ʒaˈlu] (7d) **I** *adj*. □ **1.** eifersüchtig (*de* auf *acc*.); **2.** mißgünstig; neidisch (*de* auf *acc*.); ~ *de son autorité* befehlshaberisch; *il est* ~ *de sa gloire* er ist sehr auf s-n Ruhm bedacht; **II** *su*. Eifersüchtige(r) *m*; *faire des* ~ Neid erregen.
jamais [ʒaˈmɛ] **I** *adv*. **1.** je(mals); *plus que* ~ mehr denn je; *à (tout)* ~, *pour* ~ für immer, für alle Zeiten; *si vous venez* ~ *me voir* wenn Sie mich je besuchen sollten; **2.** *mit der Negation*: *ne* ... ~ nie(mals); a) *im allg*.: *je ne l'ai* ~ *vu* ich habe ihn nie gesehen; *vor inf*.: *ne* ~ *l'empêcher de* ... ihn niemals hindern zu ...; b) *wenn betont, ist nur folgende Stellung möglich*: ~ *je ne l'ai vu* ich habe ihn n i e gesehen; c) *on n'a* ~ *rien vu de pareil* man hat nie so (et)was gesehen; *ne* ... ~ *plus* nie mehr; *plus que je n'ai* (*od. j'ai*) ~ *espéré* mehr als ich je gehofft habe (*in diesem Vergleichssatz stellt die Negation ein* ne *„explétif", ein pleonastisches od. überflüssiges* ne *dar*; *es kann auch wegbleiben*; *vgl*. craindre; *es erklärt sich aus der Verschmelzung mit dem im Hauptsatz ausgedrückten Gedanken*: *je ne l'ai* ~ *espéré* ich habe es nie gehofft); **3.** *ell*. (*ohne* ne): nie(mals); *il était toujours content, mais* ~ *gai* er war immer zufrieden, aber nie lustig; ~ *de la vie!* nie im Leben!; ~ *plus! od. plus* ~!

nie mehr!; **4.** *ne ~ que ...* immer nur ...; schließlich erst (*od.* nur); *la fortune ne s'acquiert ~ que par le travail et l'intelligence* Vermögen erwirbt man immer nur durch Arbeit und Intelligenz; **II** F *m au grand ~* nie und nimmer!

jambage [ʒɑ̃'ba:ʒ] *m* **1.** △ Grundmauer *f*, Sockel *m*; **2.** Tür-, Fenster-pfosten *m*; **3.** Grundstrich *m* der Buchstaben.

jambe [ʒɑ̃:b] *f* **1.** Bein *n*, Unterschenkel *m*; *ch.* Lauf *m*; *~ de bois* Holzbein *n*; *courir à toutes ~s, prendre ses ~s à son cou, jouer des ~s* die Beine in die Hand nehmen, Hals über Kopf davonrennen, aus Leibeskräften losrennen; *les enfants étaient constamment dans ses ~s* die Kinder kamen ihm (ihr) dauernd in die Quere; s. *a. pardessous* I; F *par-dessus la ~* im Schlaf, spielend; leichtfertig, oberflächlich; *faire qch. par-dessus la ~* etw. spielend (*bzw.* oberflächlich) machen; F *fig. tenir la ~ à q.* j-n durch sein Gerede aufhalten; *tirer od. traîner la ~* sich nur noch mit Mühe weiterschleppen; *fig. tirer dans les ~s de q.* j-m in den Rücken fallen; *traiter q. par-dessus la ~* j-n von oben herab behandeln; F *ça me fait une belle ~!* was hab' ich schon davon!; **2.** ⊕ Schenkel *m e-s Zirkels*; **3.** △ Pfeiler *m*, Seitengewände *n*; *~ de force* Strebepfeiler *m*; ⊕ Strebe *f*.

jam|bé F [ʒɑ̃'be] *adj.* ...beinig; F *être bien ~e* hübsche Beine haben; **~bette** [~'bɛt] *f* **1.** Beinchen *n*; **2.** Taschenmesserchen *n*; **3.** △ Drempel *m*, kleine (Dachstuhl-)Strebe *f*; **~bier** *anat.* [ʒɑ̃'bje] **I** *adj.* (7b) Bein...; **II** *m* Beinmuskel *m*; **~bière** [~'bjɛ:r] *f* **1.** (Wickel-)Gamasche *f*; **2.** *Kricket, Hockey*: Beinschutz *m*; *hist.*: Beinschiene *f*; **~bon** [~'bɔ̃] *m* Schinken *m*; *~ blanc, ~ de Paris* gekochter Schinken; **~bonneau** [~bɔ'no] *m* (5b) Eisbein *n* (*Schwein*); * (Ober-)Schenkel *m*; **~bonner** P [~bɔ'ne] *v/t.* (1a) auf die Nerven fallen (*dat.*).

jamboree [ʒɑ̃bɔ're, -'ri] *m* Scout-, Pfadfinder-treffen *n*.

jansén|isme *rl.* [ʒɑ̃se'nism] *m* Jansenismus *m*; **~iste** [~'nist] *adj. u. su.* jansenistisch; Jansenist *m*.

jante [ʒɑ̃:t] *f* (Rad-)Felge *f*.

janvier [ʒɑ̃'vje] *m* Januar *m*.

Japon [ʒa'pɔ̃] *m* **1. le ~** Japan *n*; **2.** ≈ japanisches Porzellan *n*.

japonais [ʒapɔ'nɛ] *adj. u.* ≈ *su.* (7) japanisch; Japaner *m*.

jap|pement [ʒap'mɑ̃] *m* Gekläffe *n*; **~per** [ʒa'pe] *v/i.* (1a) kläffen.

jaquemart [ʒak'ma:r] *m* Figur *f* e-s Stundenschlägers (*Turmuhr*).

jaquette [ʒa'kɛt] *f* **1.** Cut(away *m*) *m*; **2.** Kostümjacke *f*; **3.** Schutzumschlag *m* (*um ein Buch*).

jardin [ʒar'dɛ̃] *m* Garten *m*; *~ d'enfants* Kindergarten *m*; *~ potager* Gemüsegarten *m*; *~ ouvrier* Schrebergarten *m*; ≈ *des Plantes* (*od. d'acclimation*) botanischer Garten in Paris, verbunden mit zoologischem Garten; *allg. ~ botanique* (*bzw. zoologique*) botanischer (*bzw.* zoologischer) Garten *m*; *~ d'hiver* Wintergarten *m*; *~s pl. publics* Grünanlagen *f/pl.*; *faire son ~* im Garten arbeiten; *fig. c'est une pierre dans mon ~* das ist auf mich gemünzt.

jardin|age [ʒardi'na:ʒ] *m* **1.** Gartenarbeit *f*; *livre m de ~* Gartenbuch *n*; **2.** *coll.* Gartengemüse *n*; **3.** Fleck *m in Diamanten*; **~er** [~'ne] *v/i.* (1a) im Garten arbeiten; **~et** [~'nɛ] *m* Gärtchen *n*; **~eux** [~'nø] *adj.* (7d) fleckig (*Edelstein*); **~ier** [~'nje] (7b) **I** *adj.* Garten...; **II** *su.* Gärtner *m*; **~ière** [~'njɛ:r] *f* **1.** Gärtnerin *f*; *~ d'enfants* Kindergärtnerin *f*; **2.** Blumen-kasten *m*, -schale *f*, -ständer *m*; **3.** *cuis.* Gemüseplatte *f*; *à la ~* mit Gemüsebeilage; **~iste** [~'nist] *su.* Gartenarchitekt *m*.

jardin-restaurant [ʒar'dɛ̃rɛsto'rɑ̃] *m* (6a) Gartenrestaurant *n*.

jardon *vét.* [~'dɔ̃] *m* Hasenspat *m*.

jargon [ʒar'gɔ̃] *m* Jargon *m*; besondere Klassensprache *f*; Fachsprache *f*; **~ner** [~gɔ'ne] *v/i.* (1a) kauderwelschen, fehlerhaft (*od.* unverständlich) sprechen.

Jarnac [ʒar'nak] *npr.*: *coup m de ~* unerwarteter Schlag *m*.

jarre [ʒa:r] *f* großer irdener Krug *m*.

jarret [ʒa'rɛ] *m* Kniekehle *f*; ⊕ Knierohr *n*; △ Winkel *m*; *cuis. ~ de veau* Kalbshaxe *f*; F *avoir du ~* gut zu Fuß sein; **~elle** [ʒar'tɛl] *f* Strumpfhalter *m*; **~ière** [~'tjɛ:r] *f* Strumpfband *n*; *ordre m de la* ≈ Hosenbandorden *m*.

jars [ʒa:r] *m* Gänserich *m*.

jas|er [ʒɑ'ze] *v/i.* (1a) plaudern, schwatzen; klatschen; *faire ~ q.* j-n zum Reden bringen; *ça fera ~* man wird darüber klatschen; **~eur** [ʒɑ'zœ:r] *adj. u. su.* (7g) geschwätzig; Schwätzer *m*.

jasmin ♀ [ʒas'mɛ̃] *m* (echter) Jasmin *m*.

jaspe *min.* [ʒasp] *m* Jaspis *m*.

jasper [ʒas'pe] *v/t.* (1a) marmorieren, sprenkeln (*Buchbinderei*).

jatte [ʒat] *f* Napf *m*, Schale *f*.

jauge [ʒo:ʒ] *f* **1.** Eichmaß *n*; Meßstab *m*; Lehre *f*; ~ *à coulisse* Schublehre *f*; *Auto*, ✈: ~ *d'essence* Benzinuhr *f*; ~ *de niveau d'huile* Ölmeßstab *m*; Ölstandanzeiger *m*; **2.** ⚒ Einschlaggrube *f*; **3.** ⚓ Rauminhalt *m*, Tonnengehalt *m*; *4698 tonneaux m/pl. de* ~ 4698 Registertonnen *f/pl.*; **~age** [ʒo'ʒa:ʒ] *m* **1.** Eichen *n*; (Aus-)Messen *n*; Eichgebühr *f*; **2.** ⚓ Tonnagebestimmung *f*.

jauger [ʒo'ʒe] *v/t.* (1l) **1.** eichen, ausmessen; **2.** ⚓ *ce bateau jauge deux mètres* dieses Schiff hat zwei Meter Tiefgang.

jaumière ⚓ [ʒo'mjɛ:r] *f* Hennegatt *n*.

jaunâtre [ʒo'nɑ:trə] *adj.* gelblich.

jaun|e [ʒo:n] **I** *adj.* gelb; ~ *paille* strohgelb; *fig. rire* ~ gezwungen lachen; **II** *m* **1.** Gelb *n*; ~ *d'œuf* Eidotter *n*, -gelb *n*; **2.** *les* ⁀*s* die gelbe Rasse; **3.** Streikbrecher *m*; **~et** [ʒo'nɛ] **I** *adj.* (7c) gelblich; **II** F † *m* Goldstück *n*; **~ir** [ʒo'ni:r] (2a) **I** *v/t.* gelb färben; **II** *v/i.* gelb werden; **~isse** [~'nis] *f* ⚕ Gelbsucht *f*; *en faire une* ~ sich krank ärgern; **~issement** [~nis'mɑ̃] *m* Gelb-werden *n*, -färben *n*; Vergilben *n*.

java [ʒa'va] *f* **1.** *für den „bal musette" typischer Tanz*; **2.** P *faire la* ~ feiern, schlemmen, prassen.

javeau [ʒa'vo] *m* Sandbank *f*.

Javel [ʒa'vɛl] *m*: *eau f de* ~ Bleichlauge *f* (*für Wäsche*).

javeler [ʒa'vle] *v/t.* (*u. v/i.*) (1c) in Schwaden legen (liegen).

javelle [ʒa'vɛl] *f* Korn-, Reisig-, Latten-bündel *n*, Schwaden *m*; *mettre en* ~ Korn bündeln, in Schwaden legen.

javellis|ation [ʒavɛliza'sjɔ̃] *f* Verchlorung *f*; **~er** [~'ze] *v/t.* (1a) chloren.

javelot [ʒa'vlo] *m* Wurfspieß *m*; *Sport*: Speer *m*; (*lancement m du*) ~ Speer-werfen *n*, -wurf *m*.

jazz ♪ [dʒaz] *m* Jazz *m*; **~-band** [~'bɑ̃:d] *m* Jazz-orchester *n*, -kapelle *f*, Jazzband *f*.

je [ʒə] ich; *bei mehreren Verben mit gleichem Subjekt u. in gleichem Tempus wird das pronominale Subjekt nur beim ersten Verbum ausgedrückt*: ~ *frappai, n'entendis rien et entrai* ich klopfte, hörte nichts und trat ein; *dagegen bei Tempuswechsel*: ~ *dus m'endormir presque aussitôt, et j'étais en train de faire un rêve* ich mußte fast sofort eingeschlafen sein und träumte gerade (*vgl. a. devoir* 3); *völlig alleinstehend nur noch in*: ~, *soussigné, notaire à ..., déclare ...* ich, der unterzeichnete Notar in ..., erkläre ...

jean [dʒin] *m* Jeans *pl.*; ~ *frangé* Jeans mit Fransen.

jeannette [ʒa'nɛt] *f* Ärmel(plätt)-brett *n*; kleines Kreuz *n*.

Jeannot [ʒa'no] *m* Hänschen *n*; ~ *lapin* Meister Lampe *m*.

jéciste *Fr.* [ʒe'sist] *su.* Mitglied *n* der studentischen christlichen Jugend.

jeep [dʒip] *f* Jeep *m*; ~ *lunaire* Mondauto *n*.

je-m'en-fichisme F, **je-m'en-foutisme** F [ʒmɑ̃fi'ʃism, ~fu'tism] *m/inv.* Gleichgültigkeit *f*, Wurschtigkeit *f*, P Leichtsinn *m*.

je ne sais quoi F [ʒənse'kwa] *m*: *un* ~ ein gewisses Etwas *n*.

jenny ⊕ [ʒɛ'ni] *f* Spinnmaschine *f*.

jérémiade [ʒere'mjad] *f fig.* Klagelied *n*; **~s** *pl.* Gejammer *n*.

jerkeuse [ʒɛr'kø:z] *f* Jerk-Tänzerin *f*.

jerrycan *Auto* [ʒɛri'kɑ̃] *m* (Benzin-)Kanister *m*.

jersey *text.* [ʒɛr'zɛ] *m* Jersey *m*; enganliegender Jerseypulli *m*.

Jérusalem [ʒeryza'lɛm] *f* Jerusalem *n*.

jésui|te [ʒe'zɥit] *m* Jesuit *m*; *péj.* Heuchler *m*; **~tique** [~'tik] *adj.* jesuitisch; **~tisme** [~'tism] *m* Jesuitismus *m*; *péj.* Heuchelei *f*.

Jésus [ʒe'zy] *m* Jesus *m*; **~-Christ** [ʒezy'kri] *m* Jesus Christus *m*.

jet[1] [ʒɛ] *m* **1.** Wurf *m*, Werfen *n*; ~ *d'un filet* Auswerfen *n* e-s Netzes; *peint.* ~ *d'une draperie* Faltenwurf *m*; **2.** Strahl *m*; ~ *d'eau* Wasserstrahl *m*; Fontäne *f*; ⊕ ~ *de sable* Sandstrahl *m*; **3.** ⊕, *fig.* Guß *m*, Gießen *n*; *d'un seul* ~ aus einem Guß; *premier* ~ Entwurf *m*; (technisches) Konzept *n*; *à* ~ *continu* unaufhörlich; **4.** ~ (*à la mer*) Auswerfen *n*; **5.** ~ *de fossé* am Rande e-s Grabens ausgehobene Erde *f*; **6.** ♀ Schößling *m*, Trieb *m*; *d'un seul* ~ aus e-m Wuchs, ohne Knoten; **7.** ⊕ Gießloch *n*.

jet[2] ✈ [dʒɛt] *m* Düsenverkehrsmaschine *f*.

jetée [ʒə'te] *f* Mole *f*, Hafendamm *m*.

jeter [ʒə'te] (1c) **I** *v/t.* **1.** werfen,

schleudern; ausstrahlen, ausspeien (*Feuer*), aussprühen (*Funken*); weggießen; ~ *bas* abwerfen (*Reiter*); ~ *le froc aux orties fig.* die Kutte ablegen; ~ *une lumière* aufleuchten; ~ *qch. aux pieds* (*à la tête*) *de q.* j-m etw. vor die Füße (an den Kopf) werfen; ⚓ ~ *l'ancre* den Anker werfen, vor Anker gehen, ankern; ~ *de l'huile sur le feu* Öl ins Feuer gießen; ~ *l'éponge* a) *Boxen*: das Handtuch werfen; b) *fig.* die Flinte ins Korn werfen, sich geschlagen geben, aufgeben; ~ *la terreur* (*od. l'effroi*) Schrecken verbreiten; **2.** aus-, heraus-, hinaus-werfen; von sich geben, ausstoßen; ~ *un cri* einen Schrei ausstoßen; ~ *des larmes* Tränen vergießen; **3.** weg-, abwerfen; ~ *ses cartes* aufhören zu spielen; **4.** ♀ treiben (*Bäume*); ~ *de profondes racines* tiefe Wurzeln schlagen; **5.** richten, wenden; gewaltsam irgendwohin bringen; ~ *q. dans le cachot* j-n ins Gefängnis stecken; **6.** ~ *les fondements d'un édifice* das Fundament zu e-m Gebäude legen; ~ *un pont* e-e Brücke schlagen; **7.** ⊕ ~ *en fonte*, ~ *en moule* gießen; **II** *v/rfl.* se ~ sich werfen, sich stürzen; münden (*Fluß*); se ~ *à l'eau* ins Wasser springen (*um zu ertrinken*); se ~ *dans l'eau* ins Wasser springen (*um zu schwimmen*); se ~ *sur* herfallen über (*acc.*); se ~ *à la tête de q.* sich j-m aufdrängen, sich an j-n klammern; se ~ *la tête contre les murs* verzweifeln; se ~ *au cou de q.* j-m um den Hals fallen; se ~ *au feu pour q.* für j-n durchs Feuer gehen.

jeton [ʒəˈtõ, ʃtõ] *m* Spielmarke *f*; Automatenmünze *f*; F *c'est un faux* ~ das ist ein falscher Fünfziger; P *vieux* ~ klappriger Mensch *m*; P *avoir les* ~*s* Schiß haben P.

jeu [ʒø] *m* (5b) **1.** Spiel *n*, Spielen *n*; Belustigung *f*; ~ *d'adresse* Geschicklichkeitsspiel *n*; ~ *de construction* Baukasten *m* (*Spielzeug*); ~*x pl. en plein air od. d'action* Bewegungs-, *weitS.* Rasen-spiele *n/pl.*; *Fußball*: ~ *de tête* Kopfspiel *n*; ~ *d'équipe* Zusammenspiel *n*; ~ *radiophonique* Quiz *n* im Rundfunk; ~ *de scène thé.* Gebärdenspiel *n*; ~ *d'enfant* Kinderspiel *n*; ~ *d'esprit* Denksportaufgabe *f*; ~ *de hasard* Glücksspiel *n*; *fig.* ~ *du hasard* Spiel *n* des Zufalls; ~*x pl. de société* Gesellschaftsspiele *n/pl.*; *c'est vieux* ~ das ist altmodisch; *cela n'est pas de* ~ das gilt nicht, das ist gegen die Spielregel; ~*x pl. olympiques* Olympische Spiele *n/pl.*; *passion f du* ~ Spielleidenschaft *f*; *avoir beau* ~ leichtes Spiel haben; *toute sa fortune est en* ~ sein ganzes Vermögen steht auf dem Spiel; *c'est sa vie qui est en* ~ es geht um sein Leben; *être heureux au* ~ Glück im Spiel haben; *jouer bien son* ~ sich gut verstellen können; *faire le* ~ *de q.* j-m in die Hände arbeiten; j-s Interessen dienen; *se faire un* ~ *de qch.* etw. spielend tun; über etw. (*acc.*) triumphieren; *péj.* sein Vergnügen an etw. haben; *entrer en* ~ in Funktion treten; wirksam werden, e-e Rolle spielen; **2.** Scherz *m*, Spaß *m*; *par* ~ aus Spaß, aus Scherz; **3.** Spiel *n* (*Karten, Kegel usw.*); ~ *de dames* Damenspiel *n*; *un* ~ *d'échecs* ein Schachspiel *n*; *montrer son* ~ s-e Karten zeigen (*od.* aufdecken); *fig. cacher son* ~ sich nicht in die Karten sehen lassen; **4.** Einsatz *m*; *faites vos* ~*x!* setzen Sie!; *jouer gros* (*petit*) ~ hoch (niedrig) spielen; *fig. vous jouez gros* ~ Sie spielen ein gewagtes Spiel; *mettre en* ~ aufs Spiel setzen; **5.** *maison f de* ~ Spielsalon *m*; **6.** ⊕, *a. fig.* Spielraum *m*; *avoir du* ~ Spielraum haben; **7.** Gang *m e-r Maschine*; *manquer de* ~ zu schwer gehen; **8.** Satz *m*, Garnitur *f* (*Schlüssel usw.*); ⚓ ~ *d'avirons* Ruderwerk *n* e-s Bootes.

jeudi [ʒøˈdi] *m* Donnerstag *m*; ~ *saint* Gründonnerstag *m*.

jeun [ʒœ̃]: *à* ~ *advt.* nüchtern.

jeune [ʒœn] **I** *adj.* **1.** jung; ~*s et vieux* jung und alt; ~ *personne f* junges Mädchen *n*; *des* ~*s gens pl.* Jugendliche *pl.*, junge Leute *pl.*, junge Burschen *m/pl.*; *thé.* ~ *premier m* erster jugendlicher Liebhaber *m*; **2.** jugendlich; *être* ~ *de caractère* ein jugendliches Wesen haben; *s'habiller* ~ sich jugendlich kleiden; **3.** *fig.* unreif; *trop* ~ zu unreif; **4.** P (zu) klein, kurz, schmal; *c'est un peu* ~ das ist etw. zu klein, zu kurz *usw.*; **II** *m* Jugendliche(r) *m*, junger Mann *m*; *zo.* junges Tier *n*; *N...* ~ X... junior; *Pline le* ~ Plinius der Jüngere; *les* ~*s pl.* der Nachwuchs; *former des* ~*s* Nachwuchs heranbilden; *club m* (*maison f*) *de* ~*s* Jugend-klub *m*, -heim *n*.

jeû|ne [ʒøːn] *m* Fasten *n*; *fig.* Enthaltsamkeit *f*; Fastenzeit *f*; Fasttag *m*; ⚕ Hungerkur *f*; ~**ner** [ʒøˈne] *v/i.* (1a) fasten.

jeunesse [ʒœ'nɛs] *f* **1.** Jugend(zeit *f*) *f*, Jugendalter *n*; *ne plus être de la première* ~ nicht mehr ganz jung sein; *dès ma* (*sa etc.*) *première* ~ seit meiner (seiner *usw.*) frühesten Jugend; **2.** junge Leute *pl.*, Jugend *f*; *la* ~ *des écoles, la* ~ *scolaire* die Schuljugend; ~ *délinquante* straffällige Jugend *f*; F *une* ~ ein junges Mädchen *n*, junges Blut *n*; **3.** Jugendlichkeit *f*, Jugendfrische *f*.
jeunet F [ʒœ'nɛ] *adj.* (7c) blutjung.
jeûneur [ʒø'nœ:r] *su.* (7g) Fastende(r) *m*; Hungerkünstler *m*.
jeunot F [ʒœ'no] *m* Bürschchen *n*, junger Kerl *m*.
jiu-jitsu *Sport* [ʒiyʒit'sy] *m* Jiu-Jitsu *n*.
joaill|erie [ʒɔaj'ri] *f* Juwelierkunst *f*, -arbeit *f*, -waren *f/pl.*; **~ier** [ʒɔa'je] *su.* (7b) Juwelier *m*.
Job[1] [ʒɔb] *m* Hiob *m*; *pauvre comme* ~ bettelarm.
job[2] [~] *m* Job *m*; **~ard** F [~'ba:r] *adj. u. su.* (7) einfältig, naiv, harmlos, leichtgläubig; naives Gemüt *n*, Einfaltspinsel *m*, Dussel *m*, Dummkopf *m*; **~arderie** [~bar'dri] *f* Einfalt *f*.
jociste *Fr.* [ʒɔ'sist] *su.* Mitglied *n* der Christlichen Arbeiterjugend.
jockey *Sport* [ʒɔ'kɛ] *m* Jockei *m*.
jodler [ʒɔd'le] *v/i.* jodeln.
johannique *litt.* [ʒɔa'nik] *adj.*: *ouvrage m* ~ Werk *n* über Jeanne d'Arc.
joie [ʒwa] *f* innere Freude *f*, Fröhlichkeit *f*; *bondir de* ~ vor Freude springen; ~ *maligne* Schadenfreude *f*; ~ *de vivre* Lebensfreude *f*; *se faire une* ~ *de qch.* sich ein Vergnügen aus etw. machen; *ne pas se tenir de* ~ sich vor Freude nicht zu halten wissen.
joindre ['ʒwɛ̃:drə] (4b) **I** *v/t.* **1.** aneinander-fügen, -legen, -stellen; verbinden, vereinigen; ~ *les mains* die Hände falten; ~ *les deux bouts* mit s-m Geld *od.* mit s-n Mitteln auskommen *od.* reichen; *efforts joints* gemeinsame Anstrengungen *f/pl.*; **2.** hinzu-fügen, -setzen, beilegen; mitschicken; anschließen; ~ *au capital* zum Kapital schlagen; *adm.*, ⚕ *pièces jointes* Anlagen *f/pl.* (*zu e-m Schreiben*); *joignez à cela que* … hierzu kommt noch, daß …; ~ *le geste à la parole* auf das Wort die Tat folgen lassen; ~ *l'utile à l'agréable* das Angenehme mit dem Nützlichen verbinden; **3.** einholen, erreichen (*a. téléph.*), *zu j-m* stoßen, *j-n* treffen; sich vereinigen mit; **II** *v/i.* **4.** genau anliegen; dicht schließen; *les fenêtres joignent* die Fenster sind dicht *od.* schließen dicht; ⚖ ~ *au fond* zur Verhandlung der Hauptsache übergehen; **III** *v/rfl. se* ~ **5.** sich zs.-fügen; *se* ~ *à q.* sich zu j-m gesellen, sich j-m anschließen; **6.** sich treffen; zs.-stoßen.
joint [ʒwɛ̃] *m* **1.** (Knochen-)Gelenk *n*; *fig. trouver le* ~ das Richtige treffen, die richtige Lösung finden, den Nagel auf den Kopf treffen, e-e Sache richtig anpacken; **2.** ⊕ Gelenk *n*; Fuge *f*, Abdichtung *f*; ~ *à rotule* Kugelgelenk *n*; *Auto*: ~ *de culasse* Zylinderkopfdichtung *f*; ⚠ ~ *de dilatation* Dehnungsfuge *f*; 🚂 ~ *de rail* Schienenstoß *m*; ~ *de tuyaux* Schlauchkupplung *f*; *men.* ~ *à plat point* Leimfuge *f*; **~é** [ʒwɛ̃'te] *adj.*: *court-*~ (*long-*~) kurz (lang) gefesselt (*Pferd*); **~if** ⚠ [~'tif] *adj.* (7e) fugendicht; **~oyer** ⚠ [~twa'je] *v/t.* (1h) Fugen verstreichen (*od.* verschmieren); **~ure** [~'ty:r] *f* **1.** (Knochen-)Gelenk *n*; *faire craquer ses* ~*s* mit den Fingern knacken; **2.** ⚠, ⊕ Fuge *f*.
jojo P [ʒo'ʒo] **I** *adj.* hübsch; *iron. tu es* ~*!* du siehst ja wieder mal reizend aus!; **II** *m*: *un vilain, affreux* ~ ein übler Bursche *m*.
joker [ʒɔ'kɛ:r] *m* Joker *m* (*beim Kartenspiel*).
joli [ʒɔ'li] *adj.* (*adv.* ~*ment a. iron.* sehr, recht, gehörig) hübsch; nett; niedlich; *une* ~*e somme f* e-e hübsche Summe *f*; *iron. c'est du* ~*!* das ist ja heiter! (*a. schimpfend*); *péj. c'est du* ~ *travail!* das ist total verpfuscht!; **~esse** [jɔ'ljɛs] *f* Niedlichkeit *f*, Anmut *f*.
jonc [ʒɔ̃] *m* **1.** ⚘ Binse(n *pl.*) *f*, Schilf *n*; ~ *des Indes* spanisches Rohr *n*; **2.** Spazierstock *m*; **3.** einfacher (*Finger-*)Ring *m*.
jon|chaie [ʒɔ̃'ʃɛ] *f* Binsendickicht *n*; **~chée** [~'ʃe] *f* **1.** auf den Weg ausgestreute Blumen *f/pl. od.* Zweige *m/pl.*; **2.** Rahmkäse *m*; **~cher** [~] *v/t.* (1a) *den Boden* bestreuen, bedecken (de mit *dat.*); **~chère** [~'ʃɛ:r] *f* = ~*chaie*; **~chets** [ʒɔ̃'ʃɛ] *m* Stäbchen(spiel *n*) *n/pl.*
jonction [ʒɔ̃k'sjɔ̃] *f* Verbindung *f*; *téléph.* Anschluß *m*; *boîte f de* ~ Anschlußdose *f*; *point m de* ~ 🚂 Knotenpunkt *m*; *allg.* Verbindungsstelle *f*.
jon|gler [ʒɔ̃'gle] *v/i.* (1a) jonglieren; **~glerie** *oft péj.* [~glə'ri] *f* Jonglieren *n*; **~gleur** [~'glœ:r] *m* Jongleur *m*.
jonque ⚓ [ʒɔ̃:k] *f* Dschunke *f*.

jonquille ⚘ [ʒɔ̃'kij] *f* gelbe Narzisse *f*.

Jordan|ie *géogr.* [ʒɔrda'ni] *f*: **la ~** Jordanien *n*; **~ien** [~'njɛ̃] *su. u.* 2 *adj.* (7c) Jordanier *m*; jordanisch.

jouable ['ʒwablə] *adj.* spielbar; *thé.* aufführbar.

joubarbe ⚘ [ʒu'barb] *f* rankender Steinbrech *m*.

jou|e [ʒu] *f* **1.** Backe *f*; Wange *f st.s., poét.*; *avoir les ~s d'un beau rouge* schöne rote Backen haben; ⚔ *coucher od. mettre qch.* (*q.*) *en ~* auf etw. (j-n) (*acc.*) zielen; *en ~!* legt an!; **2.** ⊕ Seite *f*, Seitenwand *f*, Wange *f*; **~ée** △ [ʒwe] *f* Mauerdicke *f*; (Tür-, Fenster-)Wange *f*.

jouer [ʒwe] (1a) **I** *v/t.* **1.** spielen; *~ une carte* eine Karte ausspielen; *~ franc jeu* ein offenes Spiel spielen; mit offenen Karten spielen; *~ son va-tout* alles auf eine Karte setzen, alles wagen; va banque spielen; *Schachspiel*: *~ un pion* e-n Bauern ziehen; *vgl. par-dessous* 1; *~ un rôle* e-e Rolle spielen; F *ça ne joue pas* das spielt keine Rolle, das kommt nicht drauf an; **2.** einsetzen; aufs Spiel setzen; *~ de l'argent* um Geld spielen; *~ gros (jeu)* mit hohem Einsatz spielen; **3.** *fig.* *~ q.* j-n täuschen, betrügen, zum besten haben, anführen; **4.** ♪ spielen, vortragen; *thé.* aufführen, geben; darstellen; *~ la comédie fig.* heucheln, sich verstellen, Komödie spielen; **5.** gleichen (*dat.*), aussehen wie; *cette étoffe joue la soie* dieser Stoff sieht wie Seide aus; **II** *v/i.* **6.** spielen, scherzen, tändeln; *~ à cache-cache* Versteck spielen; *~ au ballon (au football)* Fußball spielen; *~ au billard (aux cartes, aux dés, aux échecs)* Billard (Karten, Würfel, Schach) spielen; *~ aux quilles* Kegel schieben; kegeln; *~ à la bourse* an der Börse spekulieren; F *~ de son reste*: a) sein letztes Geld wagen; b) *fig.* den letzten Versuch machen, das Äußerste versuchen; *bien joué* gut so!, gut gemacht!; *~ serré* sehr vorsichtig spielen, sich nicht beikommen lassen; *~ au plus fin* vorsichtig zu Werke gehen; *le temps joue contre un pays* die Zeit arbeitet gegen ein Land; *~ de la prunelle* liebäugeln; **7.** *~ de malheur* Pech haben; **8.** ♪ spielen; handhaben; *~ de l'éventail* sich fächeln; F *fig.* *~ des coudes* die Ellbogen gebrauchen; *~ d'un instrument de musique* ein Instrument spielen; *~ à livre ouvert od. à première vue* vom Blatt spielen; **9.** ⊕ (freien) Spielraum haben; sich hin- u. herbewegen; leicht gehen; *faire ~* in Bewegung setzen, losgehen lassen; *fig. faire ~ toutes sortes de ressorts* alle Hebel in Bewegung setzen; **10.** springen (*Wasserkunst*); in die Luft fliegen (*Mine*); **11.** sich werfen (*Holz*); **12.** *fig.* sich erfüllen, in Kraft treten, zutreffen, gelten (*pour q.* für j-n), zu verspüren sein; e-e Rolle spielen; **13.** *la clé jouait dans la serrure sans difficulté* der Schlüssel ließ sich in dem Schloß ohne Schwierigkeit herumdrehen; **14.** F *~ consciencieusement de la fourchette* F nach allen Regeln der Kunst essen; ordentlich zulangen; fressen V; **15.** *fig.* einspringen, in Funktion treten; **III** *v/rfl.* *se ~* **16.** gespielt werden; **17.** auf dem Spiele stehen; **18.** *se ~ de q.* mit j-m sein Spiel treiben, j-s Erwartung(en) enttäuschen; *se ~ des difficultés* mit Schwierigkeiten spielend fertig werden.

jou|et [ʒwɛ] *m* Spielzeug *n*; *fig.* Spielball *m*; *~ d'enfants* Kinderspielzeug *n*; *les ~s* die Spielsachen *f/pl.*; *~s pl. en bois* Holzspielwaren *f/pl.*; *être le ~ de la fortune (du sort)* dem Schicksal ausgeliefert (*od.* preisgegeben) sein; *être le ~ des vents* vom Wind hin- und hergetrieben werden; **~eur** [ʒwœːr] (7g) **I** *su.* Spieler *m*; *se montrer beau ~* mit Anstand verlieren können; **II** *adj.* gern spielend, spielerisch, verspielt; dem Spiel verfallen.

joufflu [ʒu'fly] *adj.* pausbäckig.

joug [ʒu] *m* Joch *n* (*a. fig.*); *fig.* Druck *m*, Zwang *m*, Knechtschaft *f*; *mettre sous le ~* unterjochen; *secouer le ~* das Joch abschütteln.

jou|ir [ʒwiːr] *v/i.* (2a): *~ de qch.* sich einer Sache (*gén.*) erfreuen, etw. (*acc.*) genießen; *~ de la vie* sich seines Lebens freuen; (*ne pas*) *~ de toutes ses facultés* (un)zurechnungsfähig sein; *~ d'un traitement de faveur* bevorzugt werden; **~issance** [ʒwi'sɑ̃ːs] *f* Genuß *m*; ⚖ Nutznießung *f*; *avoir la pleine ~ de ses facultés mentales* im Vollbesitz s-r geistigen Kräfte sein; *~ des sens* Sinnenrausch *m*; **~isseur** [ʒwi'sœːr] *su.* (7g) Genießer *m*.

joujou [ʒu'ʒu] *m* (5b) Spielzeug *n*; *~x pl.* Spielsachen *f/pl.*; *faire ~* spielen.

jour [ʒuːr] *m* **1.** Tag *m*; *avant le ~* vor Tagesanbruch; *de ~, pendant* *le* ~ am Tage, bei Tage; *il fait* ~ es ist Tag; *au* ~ bei Tageslicht; *grand* ~ heller Tag *m*; *au grand* ~, *en plein* ~ am hellichten Tage, mitten am Tage; *au point* (*à la pointe, au lever*) *du* ~, *au petit* ~ bei Tagesanbruch, am frühen Morgen; *nuit et* ~ Tag u. Nacht; ~ *ouvrable* Werktag *m*; ~ *férié* Feiertag *m*; ~ *de course(s)* Renntag *m*; ~ *funeste*, ~ *de déveine*, F ~ *de guigne* Unglückstag *m*; ~ *de* (*od. du*) *paiement* Stich-, Erfüllungs-tag *m*; *d'ici* (*à*) *trois* ~*s*, *dans l'espace de trois* ~*s* binnen drei Tagen; ~ *de l'an* Neujahrstag *m*; *tous les deux* ~*s*, *un* ~ *sur deux*, *de deux* ~*s l'un* alle zwei Tage, einen Tag um den anderen; *de tous les* ~*s* Alltags..., für den täglichen Gebrauch; *le langage de tous les* ~*s* die Umgangssprache; *être à* ~ alles bis zum letzten erledigt haben, auf dem laufenden sein; *se mettre à* ~, *mettre ses affaires à* ~ s-e Angelegenheiten in Ordnung bringen; *un de ces* ~*s* bald, nächstens; *à un de ces* ~*s!* auf ein (recht) baldiges Wiedersehen!; *au* ~ *le* ~ von e-m Tag zum andern; *vivre au* ~ *le* ~ a) von der Hand in den Mund leben; b) in den Tag hineinleben; *l'autre* ~ neulich; *quel* ~ *sommes-nous?* den wievielten haben wir (heute)?; *du* ~ *où* ... seit dem Tage, an dem ...; *ces* ~*s-ci* vor einigen (in diesen, in den nächsten) Tagen; ⚔ *être de* ~ Dienst haben; *de* ~ *en* ~ von Tag zu Tag; *de nos* ~*s* heutzutage; *du* ~ *au lendemain* von e-m Tag zum andern, über Nacht; *ordre m du* ~ Tagesordnung *f*, ⚔ -befehl *m*; ⚔ ~ *J* Tag *m* X; *le goût du* ~ der jetzt herrschende Geschmack; *par* ~ täglich; *deux fois par* ~ zweimal täglich; *un* ~ eines Tages; (*de*) *tout le* ~ *od. tout le long du* ~ den ganzen Tag (über, lang); *un beau* ~ e-s schönen Tages; *un* ~ *ou l'autre* über kurz oder lang; früher oder später; ~ *par* ~ Tag für Tag; tagaus, tagein; tagtäglich; ~ *pour* ~ genau auf den Tag; *un an* (*un mois*) ~ *pour* ~ genau vor (nach) einem Jahr (Monat); **2.** Empfangstag *m e-r Dame*; **3.** Leben *n*, Lebenstage *m/pl.*; *donner le* ~ *à un enfant* e-m Kind das Leben schenken; *donner le* ~ *à qch.* etw. ins Leben rufen; **4.** Tageslicht *n*; *fig.* Licht *n*; *exploitation f à* ~ Tagebau *m*; *être devant le* ~ *de q.* j-m im Licht stehen; *percer q. à* ~ *fig.* j-n durchschauen; *voir le* ~ das Licht der Welt erblicken; veröffentlicht werden; *être à* ~ offen zutage liegen; *se faire* ~ aufleuchten; *mettre au* ~: a) zutage fördern, ans Licht bringen; b) veröffentlichen; **5.** *peint.* Licht *n*, Beleuchtung *f*; *faux*(-) ~ falsches Licht *n*; **6.** Fenster *n*; Öffnung *f*; Spalte *f*; Zwischen-, Spiel-raum *m*; ~ *d'en haut* Oberlicht *n*; *oft nur* ~*s pl.*: ⚠ Oberlichter *n/pl.*; *à* ~ mit Öffnungen, durchbrochen; *se faire* ~ *dans le monde* sich Geltung verschaffen, sich Bahn brechen; an den Tag kommen.

Jourdain *géogr.* [ʒur'dɛ̃] *m*: *le* ~ der Jordan.

journal [ʒur'nal] *m* (5c) **1.** Zeitung *f*; ~ *officiel*, *abr. J.O.* Amtsblatt *n*; Gesetzblatt *n*; ~ *à cancans*, ~ *à scandales* Klatsch-, Skandal-blatt *n*; ~ *des jeunes*, ~ *pour la jeunesse* Jugendzeitung *f*; ~ *financier* Börsenblatt *n*; **2.** *rad.* ~ *parlé* (Rundfunk-)Nachrichten *f/pl.*; ~ *télévisé* Tagesschau *f*; **3.** † Journal *n*; *tenir le* ~ das Journal führen; **4.** ~ (*intime*) persönliches Tagebuch *n*; ⚓ ~ *de bord* Schiffstagebuch *n*, Bordbuch *n*; ~**ier** [~'lje] (7b) **I** *adj.* (all)täglich; **II** *su.* Tagelöhner *m*; ~**isme** [~'lism] *m* Zeitungswesen *n*, Journalistik *f*, Presse *f*; ~**iste** [~'list] *su.* Journalist *m*; ~**istique** [~lis'tik] *adj.* journalistisch.

jour|née [ʒur'ne] *f* **1.** Tag *m* (*Dauer e-s Tages*); *dans la* ~ *ou le soir* am Tage (*od.* im Laufe des Tages) oder abends; *toute la sainte* ~ den lieben langen Tag; ~ *aéronautique* Flugtag *m*; ~ *de repos*, *de travail* Ruhe-, Arbeits-tag *m*; **2.** Tagesarbeit *f*, Tagewerk *n*, Tagesmarsch *m*; *faire la* ~ *continue* durcharbeiten; **3.** Tagelohn *m*; *à la* ~ auf Tagelohn; *homme m de* ~ Tagelöhner *m*; *iron. aujourd'hui j'ai gagné ma* ~ heute war ein schwarzer Tag für mich; **4.** historischer (*od.* denkwürdiger) Tag *m*; *hist. la* ~ *de Valmy* der Tag von Valmy; ~**nellement** [~nɛl'mɑ̃] *adv.* Tag für Tag, tagtäglich.

jou|te [ʒut] *f* **1.** *féod.* Turnier *n*, Lanzenbrechen *n* zu Pferde; **2.** ~ *des bateliers*, ~ *nautique* Schifferstechen *n*; **3.** ~ *oratoire fig.* Wortgefecht *n*; ~**ter** [ʒu'te] *v/i.* (1a) *féod.* Lanzen brechen; ein Schifferstechen veranstalten; *fig.* in Wettkampf treten, streiten; ~**teur** [ʒu'tœ:r] *m* Gegner *m*; Kampfnatur *f*; *féod.* Turnierkämpfer *m*, Kämpe *m*.

jouven|ce [ʒu'vɑ̃:s] *f*: *fontaine f de* ♀ Jungbrunnen *m*; **~ceau** [~vɑ̃'so] (5b) *m*, **~celle** [~vɑ̃'sɛl] *f plais.*, *sonst* †, *su.* Jüngling *m*; Jungfrau *f*.
jouxtant [ʒuks'tɑ̃] *prp.* neben; *le petit atelier ~ le hangar* die kleine Werkstatt neben der Flugzeughalle.
jouxter [ʒuks'te] *v/t.* (1a) angrenzen an (*acc.*), an der Seite von ... (*dat.*) liegen, neben ... (*dat.*) liegen, berühren (*acc.*).
jovial [ʒɔ'vjal] *adj.* (*m/pl. jovials od. joviaux*) fröhlich, heiter, lustig; jovial, leutselig, freundlich; **~ité** [~li'te] *f* Heiterkeit *f*, Lustigkeit *f*; Jovialität *f*, Leutseligkeit *f*, Freundlichkeit *f*.
joyau [ʒwa'jo] *m* (5b) Juwel *n*.
joyeuseté *litt.* [ʒwajøz'te] *f* Witz *m*, Spaß *m*, Ulk *m*, Scherz *m*.
joyeux [ʒwa'jø] *adj.* (7d) □ fröhlich, lustig, fidel; erfreulich; freudig.
jubé *rl.* ⚠ [ʒy'be] *m* Lettner *m*.
jubi|laire [ʒybi'lɛ:r] *adj.* Jubel...; *rl. année f ~* Jubeljahr *n*; **~lation** F [~la'sjɔ̃] *f* Jubel *m*, Frohlocken *n*; *air m de ~* frohlockende Miene *f*; **~lé** [~'le] *m* **1.** *rl.* Jubeljahr *n*; **2.** (*50jähriges*) (Dienst-)Jubiläum *n*; goldene Hochzeit *f*; **~ler** F [~] *v/i.* (1a) frohlocken; jubeln.
juch|er [ʒy'ʃe] (1a) **I** *v/i. u. v/rfl. se ~* sitzen, sich setzen (*v. Hühnern usw.*); **II** *nur v/i.* P *fig.* sehr hoch wohnen; *~ au dixième étage* hoch oben im 10. Stock wohnen; **III** *v/t.* sehr hoch stellen (*od.* hängen); **~oir** [~'ʃwa:r] *m* Hühnerstange *f*.
judaï|cité [ʒydaisi'te] *f* jüdische Herkunft *f*; **~que** [~'ik] *adj.* □ jüdisch; **~ser** [~i'ze] *v/i.* (1a) den jüdischen Religionsgebräuchen folgen; **~sme** [~'ism] *m*, **~té** [~i'te] *f* Judentum *n*.
judas [ʒy'da] *m* Verräter *m*; Guckloch *n* (*Tür*).
judéité [ʒydei'te] *f* jüdische Abstammung *f*.
judelle *orn.* [ʒy'dɛl] *f* Wasserhuhn *n*.
judi|cature [ʒydika'ty:r] *f* Richteramt *n*, -stand *m*; Gericht(sbehörde *f*) *n*; **~ciaire** [~'sjɛ:r] *adj.* □ gerichtlich; Rechts...; *erreur f ~* Justizirrum *m*; *faculté f ~* (*bisw. nur*: *~ f*) Urteilsvermögen *n*; *voie f ~* Rechtsweg *m*; **~cieux** [~'sjø] *adj.* (7d) vernünftig, klug; gescheit; urteilsfähig, scharfsinnig.
judo [ʒy'do] *m* Judo *n*; **~ka** [~dɔ'ka] *su.* Judokämpfer *m*.
juge [ʒy:ʒ] *m* **1.** Richter *m*; (*par-*) *devant le ~* vor Gericht; *Fr.*: *~ consulaire* Handelsrichter *m*; *~ d'appel* Berufungsrichter *m*; *~ d'instruction* Untersuchungsrichter *m*; *~ de paix* Friedensrichter *m*; *~ pénal*, *~ répressif* Strafrichter *m*; *~ suppléant* Ersatzrichter *m*; *Sport*: *~ du ring* Ringrichter *m*; *~ à l'arrivée* Zielrichter *m*; *~ de touche* Linienrichter *m*; **2.** *fig.* Beurteiler *m*, Sachverständige(r) *m*, Schiedsrichter *m*; *je vous laisse ~* ich überlasse es Ihnen; *bon ~* Kenner *m*; *il est seul ~* er allein kann entscheiden.
jugé [ʒy'ʒe] *m nur noch in*: *au ~* (*a. au juger*) nach Gutdünken, nach Gefühl; ungefähr; *estimer au ~* ungefähr abschätzen, über den Daumen peilen.
jugeable [ʒy'ʒablə] *adj.* aburteilbar.
jugement [ʒyʒ'mɑ̃] *m* Urteil *n*, richterliche Entscheidung *f*; richterlicher Spruch *m*; *~ (d'appréciation)* Werturteil *n*; ⚖ *~ entaché d'erreur*, *~ erroné* Fehlurteil *n*; *~ arbitral* Schiedsspruch *m*; *~ par défaut*, *~ par contumace* Versäumnisurteil *n*; *prononcer un ~* ein Urteil fällen; *soumettre qch. au ~ de q.* etw. j-s Urteil überlassen; *~ dernier* Jüngstes Gericht *n*.
jugeotte F [ʒy'ʒɔt] *f* Grips *m* F.
juger [ʒy'ʒe] (1l) **I** *v/t.* **1.** richten, aburteilen; *~ coupable* für schuldig erklären; *tout ~ de la même façon* alles über einen Kamm scheren; **2.** denken, sich vorstellen, halten für, erachten, ermessen; *~ bon de faire qch.* für richtig halten, etw. zu tun; *jugez s'ils ont été contents* Sie können sich denken, daß sie froh waren; **3.** glauben, beurteilen; **II** *v/i.* **4.** urteilen; der Ansicht sein; *~ sans parti pris* unbefangen urteilen; *~ en dernier ressort* in letzter Instanz urteilen; *jugez-en par vous-même!* überzeugen Sie sich selbst!; **III** *v/rfl. se ~* **5.** sich beurteilen; *se ~ capable* sich für fähig halten; *se ~ perdu* sich verloren glauben; **6.** ⚖ zur Entscheidung kommen, vor Gericht kommen (*Rechtssache*).
jugul|aire [ʒygy'lɛ:r] *f* **1.** *anat.* (*veine f*) *~* Halsblutader *f*; **2.** ⚔ Kinnband *n*, Sturm-band *n*, -riemen *m*; *int. ~, ~!* Dienst ist Dienst!; **~er** [~'le] *v/t.* (1a) unterbinden, abwürgen, eindämmen; *~ une maladie* e-e Krankheit im Keim ersticken; *~ q.* j-n drangsalieren, j-m hart zusetzen.
juif [ʒɥif] (7e) **I** *su.* Jude *m*; *f*: Jüdin

f; **II** F *m anat. petit* ~ Musikantenknochen *m*; **III** *adj.* jüdisch.
juillet [ʒɥiˈjɛ] *m* Juli *m*; **~iste** [~ˈtist] *su.* **1.** Urlauber *m* im Juli; **2.** *j.*, der im Juli in Paris usw. zu Hause bleibt.
juin [ʒɥɛ̃] *m* Juni *m*.
jujube [ʒyˈʒyb] **I** *f* ⚘ Brustbeere *f*; **II** *phm. m* Brustbeerensaft *m*.
juke-box [ʒukˈbɔks] *m/inv.* Musikautomat *m*.
julep *phm.* [ʒyˈlɛp] *m* Arzneitrank *m*.
jules P [ʒyl] *m* **1.** Kerl *m*, Zuhälter *m*; **2.** Pinkelpott *m* P.
julienne [ʒyˈljɛn] *f* **1.** ⚘ Nachtviole *f*; **2.** *cuis.* Gemüsesuppe *f*.
jumeau *m* (5b), **jumelle** *f* [ʒyˈmo, ʒyˈmɛl] **I** *adj.* Zwillings...; verbunden; *frères m/pl.* ~*x* (*sœurs f/pl. jumelles*) Zwillings-brüder *m/pl.* (-schwestern *f/pl.*); *lits* ~*x* Doppel-, Ehe-betten *n/pl.*; *maisons f/pl. jumelles* Doppelhaus *n*; **II** *su.* Zwilling(sbruder *m*, -sschwester *f*) *m*; **III jumelles** *f/pl.* **1.** Fernglas *n*; *une paire de jumelles* ein Fernglas *n*; *jumelles* (*de campagne*) Feldstecher *m*; *jumelles* (*de spectacle*) Opernglas *n*; **2.** ⊕ Backen *f/pl.*, Wangen *f/pl.*
jumel|age [ʒymˈlaːʒ] *m* **1.** Verbindung *f*, Koppelung *f*; **2.** (*Städte-*) Partnerschaft *f*; **~er** [ʒymˈle] *v/t.* (1c) zwei ähnliche Dinge zusammenfügen, koppeln; *deux villes f/pl. jumelées* zwei Partnerstädte *f/pl.*
jument *zo.* [ʒyˈmɑ̃] *f* Stute *f*.
jungle [ˈʒɔ̃ːglə] *f* Dschungel *m*.
junior [ʒyˈnjɔːr] *adj. u. m Sport*: junior; Junioren...; Junior *m*.
junker *All.* [ʒuŋˈkɛːr] *m* Junker *m*.
junte *pol.* [ʒɔ̃ːt, ʒœ̃ːt] *f* Junta *f*; ~ *militaire* Militärjunta *f*.
jupe [ʒyp] *f* **1.** (Frauen-)Rock *m*; **2.** 🚋 dehnbare Umwandung *f e-r Überdruckkammer* (*Luftkissenzug*); **~-culotte** [~kyˈlɔt] *f* (6a) Hosenrock *m*; **~tte** [ʒyˈpɛt] *f* Röckchen *n*.
jupitérien [ʒypiteˈrjɛ̃] *adj.* (7c) jupitergleich.
jupon [ʒyˈpɔ̃] *m* (Frauen-)Unterrock *m*; *fig.* F *courir le* ~ ein Schürzenjäger sein.
juras|sien [ʒyraˈsjɛ̃] *adj. u.* ♀ *su.* (7c) (Einwohner *m*) aus dem Jura; **~sique** *géol.* [~ˈsik] *adj. u. m* Jura...; Jura *m*; Juraformation *f*.
juré [ʒyˈre] **I** *adj.* ver-, be-eidigt, geschworen; *ennemi m* ~ geschworener Feind *m*, Todfeind *m*; **II** *su.* Geschworene(r) *m*.
jurer [ʒyˈre] (1a) **I** *v/t.* **1.** schwören, eidlich versichern; eidlich geloben; ~ *la mort de q.* j-m den Tod schwören; ~ *ses grands dieux que* ... Stein u. Bein schwören, daß ...; **II** *v/i.* **2.** schwören (*sur son honneur, sur l'Évangile* bei s-r Ehre, auf das Evangelium); geloben, versichern, beteuern; *fig. on ne jure plus que par lui* man schwört auf ihn; *il ne faut* ~ *de rien* man kann nie wissen; *je vous jure* das kann ich Ihnen sagen (*od.* versichern); **3.** fluchen; ~ *comme un charretier* (*od. comme un païen*) wie ein Droschkenkutscher fluchen; **4.** ~ *avec qch.* gegen etw. (*acc.*) abstechen; nicht mit etw. (*dat.*) zusammenpassen.
juri|diction [ʒyridikˈsjɔ̃] *f* Gerichtsbarkeit *f*; Rechtsprechung *f*, Rechtspflege *f*; Gerichtsbezirk *m*; **~dictionnel** [~diksjɔˈnɛl] *adj.* (7c) richterlich, Gerichts...; **~dique** [~ˈdik] *adj.* □ rechtlich, gerichtlich, juristisch; rechtmäßig; *acte m* ~ Rechtsgeschäft *n*; *juridiquement* auf dem Rechtswege; vom Rechtsstandpunkt aus; **~disme** *péj.* ⚖ [~ˈdism] *m* juristische Engherzigkeit *f*.
juris|consulte ⚖ [ʒyriskɔ̃ˈsylt] *su.* Rechts-gelehrte(r) *m*, -kundige(r) *m*, -berater *m*; **~prudence** [~pryˈdɑ̃ːs] *f* Rechtsprechung *f*; *faire* ~ zum Präzedenzfall werden; **~te** [ʒyˈrist] *m* Jurist *m*.
juron [ʒyˈrɔ̃] *m* Fluch *m*.
jury [ʒyˈri] *m* Geschworene(n) *pl.*; Preisgericht *n*; Jury *f*; ~ *d'examen* Prüfungskommission *f*.
jus [ʒy] *m* Saft *m*, Brühe *f*; P *bsd.* ⚔ Kaffee *m*; P ⚡ Strom *m*; ~ *de fruits, de viande* Frucht-, Fleisch-saft *m*; P ~ *de chaussette* Blümchenkaffee *m*, Lorke *f* F; P *jeter du* ~ Eindruck machen; P *se mettre* (*tomber*) *au* ~ ins Wasser springen (fallen); P *ça valait le* ~ da hast du was verpaßt; es war urkomisch.
jusant ⚓ [ʒyˈzɑ̃] *m* Ebbe *f*.
jusqu'au-bout|isme [ʒyskobuˈtism] *m* Durchhaltepolitik *f*; Scharfmacherei *f*; **~iste** [~ˈtist] *m* Unentwegte(r) *m*, Draufgänger *m*, Radikale(r) *m*, Scharfmacher *m*.
jusque [ʒysk] (*poét. jusques*) **I** *prp.* *jusqu'à* bis; *jusqu'à Paris* bis nach Paris; *du matin jusqu'au soir* von früh bis abend; *jusqu'à demain* bis morgen; *jusqu'à maintenant, jusqu'à présent, a. jusqu'ici* bis jetzt; *jusqu'à nous* bis zu uns; *fig.* bis in unsre Zeit hinein; *jusque tard dans la nuit*

bis spät in die Nacht; *jusqu'au 18 mai inclus* (*od. compris*) bis einschließlich 18. Mai; *jusqu'à quand?* wie lange noch?; *jusqu'ici et pas plus loin!* bis hierher und nicht weiter!; *jusqu'à nouvel ordre* (*od. avis*) bis auf weiteres; *jusque-là* bis dahin; bis jetzt; F *j'en ai jusque là* mir steht's bis hierher, ich hab's satt; *jusqu'au bout* (F *jusqu'à la gauche*) bis ans Ende; *jusqu'où ira--t-il?* bis wohin (*od.* wie weit) wird er gehen?; **II** *advt. zum Ausdruck von etwas Ungewöhnlichem*; a) auch, sogar, selbst; *il aime jusqu'à ses ennemis* er liebt sogar seine Feinde; *on va même jusqu'à reconnaître que* ... man geht sogar so weit, daß man anerkennt, daß ...; b) *il n'est pas jusqu'à ... qui ne* (*mit subj.*) ganz zu schweigen von ..., der ...; *il n'est pas jusqu'aux valets qui ne s'en mêlent* ganz zu schweigen von den Dienern, die sich darum kümmern; **III** *cj. jusqu'à ce que* [ʒys'kaskə] bis (*heute mst. mit subj. zum Ausdruck der Absicht*; *bisw. a. zeitlich gebraucht*); *attendez jusqu'à ce que je vienne* warten Sie, bis ich komme; *für das rein Zeitliche heute jedoch mst. jusqu'au moment où mit dem Indikativ*: *il gardait ce dépôt jusqu'au moment où je l'ai redemandé* er hob das zur Aufbewahrung gegebene Gepäck solange auf, bis ich es zurückverlangte.

jusquiame ⚘ [ʒys'kjam] *f* Bilsenkraut *n*.

justaucorps *cout.* [ʒysto'kɔːr] *m* **1.** körpernaher Damenpulli *m*; **2.** hautenger Freizeitanzug *m für Damen*.

juste [ʒyst] **I** *adj.* □ **1.** gerecht; *rien de plus* ~ das ist nicht mehr als billig; ~ *ciel!* um Himmels willen!; **2.** begründet, berechtigt, gesetzmäßig; genau, richtig; *avoir l'oreille* ~ ein gutes Ohr haben; *à* ~ *titre* mit vollem Recht; *c'est* ~ das stimmt; *avoir l'heure* ~ die genaue Uhrzeit haben; **3.** (zu) eng, knapp (*Kleid*); **II** *adv. aller* ~ genau passen (*Kleid*); genau (*od.* richtig) gehen (*Uhr*); *chanter* ~ richtig singen; *deviner* ~ es erraten, den Nagel auf den Kopf treffen *fig.*; *peser* ~ genau wiegen; *deux heures* ~ Punkt zwei (Uhr); *tout* ~*!* ganz recht!; *avoir tout* ~ *de quoi vivre* knapp zu leben haben, knapp auskommen; ~ *au coin de la rue* genau an der Straßenecke; ~ *à l'heure du déjeuner* gerade zur Essenszeit; ~ *au moment où* ... gerade in dem Augenblick, wo ...; *comme de* ~ selbstverständlich, natürlich; *tomber* ~ das Richtige treffen; aufgehen (*Teilungsaufgabe*); *être chaussé trop* ~ zu enge Schuhe anhaben; **III** *m der* Gerechte *m*; *au* (*plus*) ~ ganz genau; eigentlich; *qu'est-ce que c'est au* ~ *qu'un caniche?* was ist eigentlich ein Pudel?; **~ment** [ʒystə'mɑ̃] *adv.* gerecht; mit Recht; gerade, eben; **~-milieu** [~mi'ljø] *m* (6c) Mittelstraße *f*, -weg *m*; *fig.* goldene Mitte *f*.

jus|tesse [ʒys'tɛs] *f* Richtigkeit *f*; Genauigkeit *f*; Scharfsinn *m*; ⚔ ~ *du tir* Treffsicherheit *f* (*im Schießen*); *la* ~ *du coup d'œil* das richtige Augenmaß; *échapper* (*dat.*) *de* ~ mit knapper Not entkommen; **~tice** [ʒys'tis] *f* Recht *n*, Gerechtigkeit *f*; Rechtsprechung *f*, Rechtspflege *f*, Justiz *f*; Gerichtsbarkeit *f*; Gerichtshof *m*, Gericht *n*; *en toute* ~ mit vollem Recht; mit Fug und Recht; ~ *de paix* Friedensgericht *n*; ~ *civile* (*militaire*) Zivil-(Militär-) Gerichtsbarkeit *f* (*hierfür auch juridiction*); ~ *pénale* Strafgerichtsbarkeit *f*; *avoir la* ~ *de son côté* das Recht auf s-r Seite haben; *demander* (*od. réclamer*) ~ sein Recht verlangen; *appeler* (*traduire, poursuivre*) *en* ~ vor Gericht laden; *faire, rendre* ~ *à q.* j-m Gerechtigkeit widerfahren lassen; *faire* ~ *de qch.* etw. für falsch erklären; *se faire* ~ sich selbst richten; *se faire* ~ *soi-même* sich selbst Recht verschaffen; *passer en* ~ vor Gericht stehen; *rendre la* ~ Recht sprechen; *gens pl. de* ~ untere Gerichtsbeamte *m/pl.*; *et c'est* ~ und das mit Recht; **~ticiable** [~ti'sjablə] **I** *adj.*: ~ *de* e-r Gerichtsbarkeit unterworfen; *être* ~ *d'un tribunal* der Zuständigkeit e-s Gerichts unterliegen; *être* ~ *de q.* j-m Rechenschaft schulden; *allg. enfants m/pl.* ~*s d'une cure* Kinder *n/pl.*, die sich e-r Kur unterziehen müssen; **II** *m* der Rechtsprechung unterworfene Person *f*; **~ticialisme** *pol.* [~tisja'lism] *m* Gerechtigkeitsbewegung *f* (*Juan Perón*); **~ticier** [~ti'sje] *m* Gerichtsherr *m*; Verfechter *m od.* Freund *m* der Gerechtigkeit.

justifi|able [ʒysti'fjablə] *adj.* □ zu rechtfertigen; **~catif** [~ka'tif] **I** *adj.* (7e): *pièces f/pl. justificatives* Belege *m/pl.*; Beweisstücke *n/pl.*; **II** *m* Beleg *m*; **~cation** [~ka'sjɔ̃] *f* Rechtfertigung *f*; Nachweis *m*; ⚖ Beweisführung *f*; *typ.* Zeilenlänge *f*, Satzspiegel *m*, Justierung *f*; **~er** [~'fje] (1a) **I** *v/t. u. v/i.* rechtfertigen, gutheißen, sich einverstanden erklären mit (*dat.*); be-, nach-weisen, belegen; j-n für schuldlos erklären; *il a justifié ma confiance* er hat mein Vertrauen gerechtfertigt; *~ de son identité* sich ausweisen; **II** *v/rfl. se ~* sich rechtfertigen; *se ~ devant q. de qch.* sich wegen etw. (*gén.*) vor j-m (*dat.*) verantworten; *se ~ d'une accusation* sich von e-r Anschuldigung reinwaschen.

jute [ʒyt] *m* Jute *f*.

juteux [ʒy'tø] **I** *adj.* (7d) saftig; P sehr einträglich; **II** ⚔ * *m* Spieß *m* P, Feldwebel *m*.

juvéni|le [ʒyve'nil] *adj.* □ jugendlich; **~lité** [~li'te] *f* Jugendlichkeit *f*.

juxta|linéaire [ʒykstaline'ɛːr] *adj.*: *traduction f ~* dem Text gegenüberstehende Übersetzung *f*; **~posable** [~po'zablə] *adj.* daneben zu stellen (*Möbelteil*); **~poser** [~po'ze] *v/t.* (1a) gegenüber-, nebeneinandersetzen, -stellen, -legen; **~position** [~pozi'sjɔ̃] *f* Nebeneinanderstellung *f*.

K

K, k [kɑ] *m* K, k *n*.
Kabyles [ka'bil] *m/pl.* Kabylen *m/pl.*
kakatoès *zo.* [kakatɔ'ɛs] *m* Kakadu *m*.
kaki [ka'ki] *m u. adj./inv.*: *(couleur f)* ~ Khakifarbe *f*; khakifarben.
kaléidoscope [kaleidɔs'kɔp] *m* Kaleidoskop *n*.
kali [ka'li] *m* **1.** ⚘ gemeines Salzkraut *n*; **2.** ⚗ Kali *n*.
kamikaze [kamika'ze] *m* Selbstmordflieger *m*.
kangourou *zo.* [kɑ̃gu'ru] *m* Känguruh *n*.
kaolin [kaɔ'lɛ̃] *m* Kaolin *n*, Porzellanerde *f*.
karaté [kara'te] *m* Karate *n*.
karting *Sport* [kar'tiŋ] *m* Go-Kart *n*.
kasbah [kas'ba] *f* arabisches Eingeborenenviertel *n*.
katangais [katɑ̃'gɛ] *adj. u.* ♀ *su.* katang(es)isch; Katangese *m*.
kayak ⚓ [ka'jak] *m* Kajak *m*.
kénotron *rad.* [kenɔ'trɔ̃] *m* Gleichrichterröhre *f*.
képhir [ke'fi:r] *m* Kefir *m*.
képi *a.* ⚔ [ke'pi] *m* Käppi *n*.
kéra|tine *physiol.* [kera'ti:n] *f* Keratin *n*, Hornstoff *m*; **~tite** ⚕ [~'tit] *f* Hornhautentzündung *f*, Keratitis *f*.
kermès *ent.* [kɛr'mɛs] *m* Kermesschildlaus *f*.
kermesse [~] *f* Kirmes *f*.
kérosène [kero'zɛ:n] *m* Kerosin *n*.
kg. *abr.* = *kilogramme*; *kg/cm²* *phys.* at *n*; *in der Technik*: atü *n*.
khâgne F [ka:ɲ] *f* s. *cagne*.
Khmer [kmɛ:r] *su.* (*u.* ♀ *adj.*) (7b) Khmer(...) *m*.
khôl [ko:l] *m* Eyeliner *m*, Lidstrich *m*.
kibboutz [ki'buts] *m* Kibbuz *m*.
kidnapp|er [kidna'pe] *v/t.* (1a) entführen, kidnappen; klauen P; **~eur** [~'pœ:r] *m* Entführer *m*; **~ing** [~'piŋ] *m* Menschenraub *m*.
kif [kif] *m* haschischartiges Narkotikum *n* (*aus Hanfblättern*).
kif-kif F [kif'kif] *adj./inv.*: *c'est* ~ das ist ganz egal (*od.* völlig gleich).
kiki P [ki'ki] *m* Hals *m*, Gurgel *f*.
kil P [kil] *m* Liter *m*.
kilbe [kilb] *f* Jahrmarkt *m* (*Elsaß*).
kilo|(gramme) [kilɔ'gram] *m* (*abr.* *kg.*; *un kilo*; *deux kilos*) Kilo (-gramm) *n*; (ein [zwei] Kilo); **~métrage** [~me'tra:ʒ] *m* Kilometer-zahl *f*, -messung *f*, Entfernung *f* in km; **~mètre** [~'mɛ:trə] *m* (*abr.* = *km.*) Kilometer *m*; **~mètre-heure** [~'trœ:r] *m* (6b) Stundenkilometer *m*; **~métrer** [~me'tre] *v/t.* (1f) mit Kilometersteinen versehen; **~mètre-voyageur** 🚃 [~trəvwaja'ʒœ:r] *m* Personenkilometer *m*; **~métrique** [~me'trik] *adj.* □ kilometrisch; Kilometer...; **~watt-heure** [~wa'tœ:r] *m* Kilowattstunde *f*.
kimono [kimɔ'no] *m* Kimono *m*; *manches f/pl.* ~ Kimonoärmel *m/pl.*
kinésithérapie [kinezitera'pi] *f* Heilgymnastik *f*.
kiosque [kjɔsk] *m* Kiosk *m*, Zeitungs-, Verkaufs-, Blumen-stand *m*; ⚓ Kommandostand *m*; ~ *à musique* Musikpavillon *m*.
kirsch [kirʃ] *m* Kirsch(wasser *n*) *m*.
kit ⊕ [kit] *m* vorgefertigtes Einzelteil *n* (*zum Basteln*).
kitsch [kitʃ] **I** Kitsch *m*; **II** *adj./inv.* kitschig; *mode f* ~ kitschige Mode *f*; *objet m* ~ kitschiger Gegenstand *m*.
klaxon *Auto* [klak'sɔ̃] *m* Hupe *f*; *donner un coup de* ~ *od. faire marcher le* ~ = **~ner** *Auto* [~sɔ'ne] *v/i.* (1a) hupen.
kleptomanie s. *cleptomanie*.
knickers [ni'kɛ:rs] *m/pl.*: ~ *au genou* Overknees *pl*.
knock-out, *abr.* **k.o.** [nɔk'awt] *adv. u. m* knock-out; Knock-out *m*.
knout [knut] *m* Knute *f*.
kolkhose [kɔl'ko:z] *m* Kolchose *f*.
korrigan [kɔri'gɑ̃] *m* *Art* Zwerg *m* (*bretonische Sage*).
Koweït *géogr.* [kɔ'weit] *m ohne art.* Kuwait *n*; *à* ~ in (nach) Kuwait.
krach *fin.* [krak] *m* Börsen-, Bankkrach *m*.
Kremlin [krɛm'lɛ̃] *m*: *le* ~ der Kreml *m*.

kummel [ky'mɛl] *m* Kümmel *m* (*Schnaps*).

kurde [kyrd] *adj.* (*u.* ♀ *su.*) kurdisch (Kurde *m*).

kyrielle [kir'jɛl] *f fig.* Litanei *f*; Flut *f*, Unmenge *f*; Schwarm *m*.

kyste ⚕ [kist] *m* Zyste *f*.

L

L, l [ɛl] *m* L, l *n.*

la[1] [la] **I** *art. f* s. *le* I; **II** *pr/p. acc. f* s. *le* II.

la[2] [~] *m* A *n* (*Ton*); *donner le la* das A angeben.

là [~] **I** *adv.* **1.** da, dort, dahin, dorthin; *qui va là?* wer (ist) da?; *d'ici là* bis dahin (*zeitlich*); *à quelques jours de là* einige Tage später (*od.* darauf); *jusque là* bis dahin (*zeitlich u. örtlich*); *à partir de là* von da an; *çà et là* hier und da; hin und her; *là-dedans* darin; da hinein; *là-dessus* darauf; *de là* daher; *par là* da (-durch, -mit); *qu'entendez-vous par là?* was meinen Sie damit?, was wollen Sie damit sagen?; *ne pas en être (encore) là* noch nicht soweit sein; *en rester là* dabei stehenbleiben; *restons-en là!* bleiben wir dabei!; *cette chose-là* jene Sache *f*; **2.** *dient zur Hervorhebung*: *c'est précisément là ce qui m'inquiète* das ist es ja gerade, was mich beunruhigt; **II** *int.* **3.** *là! od. là, là!* schon gut!, immer ruhig Blut! (*tröstend*); Schluß damit!, halt!, sachte! (*drohend*); **4.** *oh là là int.* au!; oh (*od.* au) weh! (*Schmerz*); ach, was! (*Verachtung*).

là-bas [la'bɑ] *adv.* da drüben; da hinten; da; dort; dorthin; dahin; *de ~* von dort; dorther; *hé ~!* heda!

label ☤ [la'bɛl] *m* Gütezeichen *n.*

labelle [~] *f* **1.** ⚘ Lippe *f*; **2.** Mundfühler *m* (*Muschel*).

labeur [la'bœːr] *m* **1.** schwere Arbeit *f*, Plackerei *f*; *rude ~* Strapaze *f*; **2.** *typ.* Werkdruck *m.*

labi|al [la'bjal] *adj.* (5c) Lippen...; *gr. consonne f ~e* (*als f*: *une ~e*) Lippenlaut *m*, Labiallaut *m*; **~é** [la'bje] **I** *adj.* lippenförmig; **II** *labiées f/pl.* Lippenblütler *m/pl.*

labile [la'bil] *adj.* ⚘ fallend, lose, locker (*Blütenblätter*); ⚗ instabil; *psych. jedoch*: *instable.*

labo F ⚗ [la'bo] *m* Labor *n*; *~-industrie f* Laborindustrie *f*; **~rantin** [laborɑ̃'tɛ̃] *m* Laborant *m*; **~rantine** [~rɑ̃'tin] *f* Laborantin *f*; **~ratoire** [~ra'twaːr] *m* Laboratorium *n*, Labor *n*; *phot.* Fotolabor *n*; *~ de langues* (*od.* * *~-lourd*) Sprachlabor *n*; *~ d'analyses (médicales)* diagnostisches Laboratorium *n*; *~ orbital* Himmelslaboratorium *n*, Skylab *n*; ⊕ *~ d'essai* Prüfanstalt *f*; **~rieux** [~bɔ'rjø] *adj.* (7d) □ **1.** arbeitsam; emsig; *les classes laborieuses* die arbeitenden Klassen; **2.** mühselig; schwer (*Sache, Stil*); beschwerlich (*Verdauung*).

labour [la'buːr] *m* Feld-bestellung *f*, -arbeit *f*; *~s pl.* Ackerland *n*; *donner le second ~* zum zweitenmal umpflügen; *cheval m de ~* Ackerpferd *n*; **~able** ⚒ [~bu'rablə] *adj.* bestellbar; *terre f ~* Ackerland *n*; **~age** [~'raːʒ] *m* Pflügen *n.*

labour|er [labu're] (1a) **I** *v/t.* **1.** ⚒ *~ (un champ* ein Feld) bestellen, pflügen; **2.** *fig.* aufwühlen; durchfurchen; bearbeiten; **3.** ⚓ *~ le fond* den Grund aufrühren; schleppen (*Anker*); **II** *v/i.* pflügen; **~eur** [~'rœːr] *m* Bauer *m.*

labre *icht.* ['lɑːbrə] *m* Lippfisch *m.*

labyrinthe [labi'rɛ̃ːt] *m* Labyrinth *n*; Irr-gang *m*, -garten *m.*

lac [lak] *m* (Binnen-)See *m*; *le ~ de Constance* der Bodensee; *~ Léman* Genfer See *m*; *~ de retenue* Stausee *m*; F *tomber dans le ~* ins Wasser fallen (*Plan*); in die Binsen gehen (*Angelegenheit*); F *c'est dans le ~!* das ist aus!, das ist erledigt!

la|çage, ~cement [la'saːʒ, las'mɑ̃] *m* Schnüren *n*; *~çage cout. m* Schnürung *f*; **~cé** [la'se] *m* Lampenschnüre *f/pl.*; **~cer** [~] *v/t.* (1k) (ein-, zu-)schnüren.

lacé|ration [laserɑ'sjɔ̃] *f* Zerreißen *n*, Zerreißung *f*; **~rer** [~'re] *v/t.* (1f) zerreißen.

lacertien *zo.* [lasɛr'sjɛ̃] *m* Schuppeneidechse *f.*

lacet [la'sɛ] *m* Schnürsenkel *m*; *ch.* Schlinge *f*; Serpentine *f.*

lâch|age F [lɑ'ʃaːʒ] *m* Sitzenlassen *n*, treuloses Verlassen *n*; **~e** [lɑːʃ] **I** *adj.* □ **1.** locker, lose, schlaff; lose gearbeitet; **2.** feige; kraftlos (*Stil*); flau (*Zeit*); locker (*Moral*); **3.** niederträchtig, gemein; **II** *m* Feigling *m*; gemeiner Kerl *m*; **~er** [lɑ'ʃe] (1a) **I** *v/t.* **1.** lockern, loser machen, aufschnüren; loslassen, laufen lassen, freilassen; ⚔ *~ des bombes* Bomben abwerfen; *fig. ~ la bride à ses passions* seinen Leidenschaften freien Lauf lassen (*od.* frönen); *~ les chiens après q.* die Hunde auf j-n hetzen; *fig. ~ une parole* ein Wort fallenlassen; *~ une bêtise* e-e Dummheit ungewollt aussprechen; *~ du lest fig.* Konzessionen machen; P *~ le morceau* auspacken F; P *les ~* widerwillig Geld herausrücken; F *~ le mot* einwilligen; *~ pied* ⚔ zurückweichen; *fig.* nachgeben, einlenken; *ne pas ~ pied* standhalten; *~ prise* loslassen; ⚓ *lâchez tout!* los!; *voilà le grand mot lâché* nun haben wir's!; **2.** aufgeben; *~ ses alliés* s-e Verbündeten verlassen; *pol. ~ son parti* umfallen, die Partei wechseln; **II** *v/i.* reißen (*Seil*); versagen (*Bremsen*); nachgeben; **III** *v/rfl.*: *ne pas se ~* zs.-halten (*Freunde*); **IV** *m* Fliegenlassen *n von Brieftauben*; **~eté** [lɑʃ'te] *f* Feigheit *f*; Gemeinheit *f*, Niederträchtigkeit *f*; **~eur** F [lɑ'ʃœ:r] *m* Drückeberger *m*.

lacis [la'si] *m* netzförmiges Gewebe *n*.

laconi|que [lakɔ'nik] *adj.* □ lakonisch, kurz u. bündig, knapp, gedrängt (*Stil*); wortkarg, einsilbig (*Person*); **~sme** [~'nism] *m* Lakonismus *m*, gedrängte Kürze *f*; Wortkargheit *f*.

lacrymal [lakri'mal] *adj.* (5c) *anat.*: *glande f ~e* Tränendrüse *f*.

lacrymogène [lakrimɔ'ʒɛ:n] *adj.* tränenerregend; *bombe f ~* Tränengasbombe *f*; *gaz m ~* Tränengas *n*.

lacs [lɑ] *m* Schlinge *f*; *fig.* Falle *f*.

lac|taire [lak'tɛ:r] **I** *adj.* Milch...; **II** ⚘ *m* Milchling *m*, Reizker *m*; **~tarium** [~ta'rjɔm] *m* Frauenmilchsammelstelle *f*; **~tate** ⚗ [~'tat] *m* Laktat *n*; **~tation** [~tɑ'sjɔ̃] *f* Stillen *n*, Säugen *n*; *anat.* Milcherzeugung *f*; **~té** 📖 [~'te] *adj.* Milch...; *régime m ~* Milchkur *f*; *ast. voie f ~e* Milchstraße *f*; **~tescent** [~te'sɑ̃] *adj.* milchig; milchgebend; **~tifère** [~ti'fɛ:r] *adj.* milchhaltig; Milch...; **~tique** [~'tik] *adj.*: *acide m ~* Milchsäure *f*; **~tomètre** [~tɔ'mɛ:trə] *m* Milch(güte)-messer *m*; **~tose** ⚗ [~'to:z] *f* Milchzucker *m*.

lacun|e [la'ky:n] *f* Lücke *f*; **~eux** [~ky'nø] *adj.* (7d) lückenhaft.

lacustre [la'kystrə] *adj. zo.*, ⚘ in Landseen lebend *od.* wachsend; *cité f ~* Pfahldorf *n*.

là|-dedans [lad'dɑ̃] *adv.* darin; da-, dort-hinein; F *debout ~!* alles aufstehen!; **~-dessous** [la'dsu] *adv.* d(a)runter; **~-dessus** [la'dsy] *adv.* d(a)rauf (*a. zeitlich*); d(a)rüber; *~ il s'en alla* und damit ging er weg; *la guerre de 39 est venue par là--dessus* der 2. Weltkrieg brach darüber herein.

ladin [la'dɛ̃] *adj.* (7) ladinisch.

ladite [la'dit] *adj./f* s. *ledit*.

ladre ['lɑ:drə] **I** *adj.* **1.** *vét.* finnig; **2.** *fig.* äußerst geizig, knauserig; knickerig; **II** *su. fig.* Knicker *m*, Knauser *m*; **~rie** [lɑdrə'ri] *f* **1.** *vét.* Finnen *f/pl.*; **2.** *fig.* Knauserei *f*, Knickrigkeit *f*.

laender *All.* [lɛn'dɛ:r] *m/pl. die* Länder *n/pl.*

lagon [la'gɔ̃] *m* kleiner Salzsee *m* *nahe e-m Korallenriff*.

lagopède *orn.* [lagɔ'pɛd] *m* Schneehuhn *n*.

lagune [la'gy:n] *f* Lagune *f*.

là-haut [la'o] *adv.* dort oben.

lai¹ *rl.* [lɛ] *adj.* weltlich; Laien...; *frère m ~, sœur f ~e* Laien-bruder *m*, -schwester *f*.

lai² *litt.* [~] *m* Lai *n*; *ehm. ~ d'amour* Liebeslied *n*.

laïc [la'ik] s. *laïque*.

laiche ⚘ [lɛʃ] *f* Riedgras *n*.

laïci|sation *Fr., écol.* [laisizɑ'sjɔ̃] *f* Befreiung *f* von kirchlicher Bindung; **~ser** *Fr., écol.* [~'ze] *v/t.* (1a) dem kirchlichen Einfluß entziehen; **~té** [~'te] *f* religiöse Neutralität *f* des Staates.

laid [lɛ] *adj.* (7) □ häßlich; **~eron** [lɛ'drɔ̃] *m* häßliches Frauenzimmer *n*; **~eur** [~'dœ:r] *f* Häßlichkeit *f*; *fig.* Abscheulichkeit *f*.

laie¹ *zo.* [lɛ] *f* Bache *f*, Wildsau *f*.

laie² [~] *f* Schneise *f*, Wildbahn *f*.

lain|age [lɛ'na:ʒ] *m* **1.** Wollware *f*; Wollstoff *m*; Strickjacke *f*; Pullover *m*; *pl. ~s* Wollkleidung *f*, Wollsachen *f/pl.*; **2.** ⊕ Aufrauhen *n* des Tuches; **~e** [lɛ:n] *f* Wolle *f*; Wollstoff *m*; Wollhaar *n*; *de ~* wollen; *fil m de ~* Wollgarn *n*; *~ de brebis* Schafswolle *f*; *~ mère* Rohwolle *f*; *~ vierge* Schurwolle *f*; *~ en suint* ungewaschene Wolle *f*; *~ cardée, peignée* Streich-, Kamm-wolle *f*;

pure ~ reine Wolle; ~ *à tricoter* Strickwolle *f*; ~ *de laitier*, ~ *minérale*, ~ *de roche*, ~ *de scorie* Stein-, Schlacken-wolle *f*; ~ *de verre* Glaswolle *f*; ~ *de bois* Holzwolle *f*; *se laisser manger la* ~ *sur le dos* sich das Fell über die Ohren ziehen lassen; **~er** ⊕ [lɛ'ne] *v/t.* (1b) *Tuch* aufrauhen; **~erie** [lɛn'ri] *f* **1.** ~(s) Wollware(n *pl.*) *f*; **2.** Wollwarenhandlung *f*; **~eur** ⊕ [~'nœ:r] *su.* (7g) Tuchrauher *m*; **~euse** ⊕ [~'nø:z] *f* Rauhmaschine *f*; **~eux** [~'nø] *adj.* (7d) wollig; **~ier** [~'nje] [7b] **I** *su.* ⊕ Wollarbeiter *m*; Wollwarenhändler *m*; **II** *adj.* Woll...

laïque [la'ik] **I** *adj.* weltlich; Laien-...; *école f* ~ staatliche, konfessionslose Schule *f*; **II** *su. égl.* Laie *m.*

lais [lɛ] *m* **1.** *for.* Laß-, Hege-reis *n*; **2.** *géol.* Uferanwuchs *m.*

laisse[1] [lɛs] *f* **1.** Hundeleine *f*; *mener* (*od. tenir*) *en* ~ an der Leine führen; *fig.* am Gängelband führen; **2.** *géol.* flutfreier Strandstreifen *m*; **3.** ~ *de haute mer* Grenzlinie *f* der Flut.

laisse[2] *litt.* [~] *f* Laisse *f.*

laissé-pour-compte [lɛ'sepur'kɔ̃:t] *m* (6b) **1.** ✝ Retourware *f*; Ladenhüter *m*; **2.** *fig. soc.* Nichtteilhabende(r) *m* (de an); Vergessene(r) *m.*

laisser [lɛ'se] (1b) **I** *v/t.* **1.** lassen; liegenlassen, zurücklassen; vergessen; ~ *de côté* beiseite lassen; *c'est à prendre ou à* ~ eins von beiden; *cela me laisse froid* das läßt mich kalt; **2.** verlassen; aufgeben; im Stich lassen; *je vous laisse* ich ziehe mich zurück, ich gehe, ich muß gehen (*bei der Verabschiedung*); **3.** (*in Ruhe*) lassen; ~ *en friche* brachliegen lassen; *laissez-moi tranquille!* lassen Sie mich in Ruhe!; **4.** *ne pas* ~ *de* ... nicht unterlassen zu ..., nicht verfehlen zu ...; **5.** anvertrauen, übergeben; in Verwahrung geben; überlassen, abtreten; verlieren; *y* ~ *sa raison* den Verstand dabei verlieren; *y* ~ *sa vie*, F *sa peau* sein Leben lassen; ~ *des millions dans une entreprise* bei e-m Unternehmen Millionen verlieren; **6.** hinterlassen, vermachen; ~ *des traces* Spuren hinterlassen; **7.** übriglassen; überlassen; ~ *à désirer* zu wünschen übriglassen; *je vous laisse à penser* ich gebe Ihnen zu bedenken; **8.** mit Stillschweigen übergehen; *laissons cela!* lassen wir das!; **9.** zulassen, gestatten; nicht hindern; ~ *faire* alles geschehen lassen; ~ *faire q.* j-n gewähren lassen; ~ *entendre* zu verstehen geben, durchblicken lassen; ~ *entrer* hereinlassen; ~ *passer* durchlassen; vorbeilassen; ~ *tomber q.* j-n fallenlassen; *il laisse aller les choses* er läßt die Dinge laufen; *bien faire et* ~ *dire* tue recht u. scheue niemand!; **II** *v/rfl.* *se* ~ (*mit inf.*) sich ... lassen; *se* ~ *aller* sich gehenlassen; *je me suis laissé dire* ich habe mir sagen lassen; *Sport*: *se* ~ *gagner de vitesse* sich von j-m überholen lassen; *se* ~ *faire* alles mit sich machen lassen, sich alles gefallen lassen.

laisser-aller [lɛsea'le] *m* Sichgehenlassen *n*, Ungebundenheit *f*; Schlamperei *f*; *avoir du* ~ sich gehenlassen.

laissez-passer [~pɑ'se] *m* (6c) Passierschein *m.*

lait [lɛ] *m* Milch *f*; ⚗ ~ *de chaux* Kalkmilch *f*; *café m* (*soupe f*) *au* ~ Kaffee *m* mit Milch (Milchsuppe *f*); *s'emporter comme une soupe au* ~ leicht aufbrausen; ~ *en poudre* Milchpulver *n*; ~ *allégé* fettarme Milch *f*; ~ *caillé* Sauermilch *f*; dicke Milch *f*; ~ *entier* (*od. complet*) Vollmilch *f*; ~ *maternel* Muttermilch *f*; *cuis.* ~ *de poule* Eiermilch *f*; *petit-*~ Molke *f*; *cochon m de* ~ Spanferkel *n*; *vache f à* ~ Milchkuh *f*; **~age** [~'ta:ʒ] *m* Milchprodukt *n*; **~ance, ~e** [lɛ'tɑ̃:s, lɛt] *f icht.* Milch *f* der Fische; **~é** [lɛ'te] *adj.*: *poisson m* ~ Milchner *m*; **~erie** [lɛ'tri] *f* **1.** Molkerei *f*; **2.** Milch-laden *m*, -geschäft *n*, -wirtschaft *f*; **~eux** [~'tø] *adj.* (7d) milchig; Milch...; milchend; **~ier** [~'tje] (7b) **I** *su.* **1.** Milch-händler, -mann *m*; **2.** Hochofenschlacke *f*; ⚠ *ciment m de* ~ Schlackenzement *m*; **II** *adj.*: *vache f laitière* Milchkuh *f*; **~ière** [~'tjɛ:r] *f* **1.** Milch-mädchen *n*, -frau *f*; **2.** Milchkuh *f.*

laiton [lɛ'tɔ̃] *m* Messing *n*; *fil m de* ~ Messingdraht *m.*

laitue ⚘ [lɛ'ty] *f* grüner Salat *m*, Lattich *m*; Gartensalat *m*; ~ *pommée* Kopfsalat *m*; ~ *romaine* Sommerendivie *f.*

laïus F *a. écol.* [la'jys] *m* Gefasele *n*, Gerede *n*; **~ser** F *a. écol.* [~jy'se] *v/i.* schwatzen.

lakiste *litt.* [la'kist] *m* Dichter *m* des Lake-Districts (*NW-England*).

la-la-itou [lalai'tu] *m* Jodeln *n.*

lallation [lalɑ'sjɔ̃] *f* Lallen *n* (*von Babys*).

lama[1] *rl.* [la'ma] *m* Lama *m.*

lama[2] *zo.* [la'ma] *m* Lama *n.*

lamaïsme *rl.* [lama'ism] *m* Lamaismus *m.*

lamanage ⚓ [lama'naːʒ] *m* Lotsendienst *m.*

lamantin *zo.* [lamɑ̃'tɛ̃] *m* Lamantin *m,* Seekuh *f.*

lamaserie *rl.* [lamɑz'ri] *f* Lamakloster *n.*

lambeau [lɑ̃'bo] *m* (5b) **1.** Fetzen *m*; *en ~x* zerfetzt; **2.** *fig. ~x m/pl. de conversation* Gesprächsfetzen *m/pl.*

lambin F [~'bɛ̃] *adj.* (7) *u. su.* langsam, bummelig, *fig.* Bummelant *m,* langweiliger Mensch *m*; **~er** F [~bi'ne] *v/i.* (1a) bummeln, trödeln.

lambourde ⊕ [lɑ̃'burd] *f* **1.** Stützbalken *m*; **2.** weicher Bruchstein *m*; **3.** ✓ Reis *n* mit Fruchtknospe.

lambrequin [lɑ̃brə'kɛ̃] *m* Querbehang *m* am Fenster.

lambris [lɑ̃'bri] *m* △ Täfelung *f,* Paneel *n*; ⊕ Gipsverkleidung *f*; **~sage** ⊕ [~bri'saːʒ] *m* Täfelung *f,* (Wand-)Paneelierung *f*; Paneel *n*; Verkleidung *f*; **~ser** [~'se] *v/t.* (1a) täfeln, paneelieren; mit Gips verkleiden.

lambru|che, ~sque [lɑ̃'bryʃ, ~'brysk] ⚘ *f* wilder Wein *m.*

lame [lam] *f* **1.** Klinge *f*; *~ de rasoir* Rasierklinge *f*; *~ de scie* Sägeblatt *n*; *visage m en ~ de couteau* schmales, hageres Gesicht; **2.** dünnes (Metall- *usw.*) Plättchen *n,* Lamelle *f*; △ *~ de ciment* Zementwand *f*; *~s pl. de persiennes* △ bewegliche Sonnenblenden *f/pl.*; *~s pl. de parquet* Parkettstäbe *m/pl.*; *ressort m à ~s* Blattfeder *f*; **3.** Woge *f,* Welle *f*; *~ de fond* Grundsee *f*; **~-chargeur** ⚔ [~ʃar'ʒœːr] *m* (6b) Ladestreifen *m*; **~lle** ⊕, ⚘, *zo.* [la'mɛl] *f* Lamelle *f,* Blättchen *n,* Plättchen *n*; **~llé, ~lleux** (7d) [~mɛ'le, ~mɛ'lø] *adj.* blättrig, geblättert; Blätter...

lamen|table [lamɑ̃'tablə] *adj.* □ jämmerlich, beklagenswert (*nicht. v. Personen*); **~tation** [~tɑ'sjɔ̃] *f*: *oft ~s pl.* Jammergeschrei *n/sg.,* Wehklage *f/sg.*; **~ter** [~'te] (1a) **I** *v/i.* brüllen (*v. Krokodil*); **II** *v/rfl. se ~* jammern, wehklagen.

lamette [la'mɛt] *f* Plättchen *n.*

lamibé [lami'be] *m* Sultan *m* (*Nordnigerien*).

lamie *zo.* [la'mi] *f* Riesenhai *m.*

lamier ⚘ [la'mje] *m* Taubnessel *f.*

lami|nage ⊕ [lami'naːʒ] *m* Walzen *n*; **~ner** ⊕ [~'ne] *v/t.* (1a) walzen, strecken; *tôle f laminée* Walzblech *n*; **~neur** ⊕ [~'nœːr] *m* Strecker *m in e-m Walzwerk*; **~noir** ⊕ [~'nwaːr] *m* Walzwerk *n,* Walzstraße *f.*

lampadaire [lɑ̃pa'dɛːr] *m* Straßenlaterne *f*; Laternenmast *m*; (hohe) Stehlampe *f.*

lampant [lɑ̃'pɑ̃] *adj.* (7): *pétrole m ~* Leuchtöl *n.*

lamparo [lɑ̃pa'ro] *m* Fischerlampe *f*; Lampenboot *n.*

lampas¹ [lɑ̃'pɑ] *m* **1.** P Kehle *f*; **2.** *vét.* Frosch *m* (*bei Pferden*).

lampas² [~] *m* chinesischer Seidenstoff *m.*

lampe [lɑ̃ːp] *f* **1.** Lampe *f*; *~ de chevet* Nachttischlampe *f*; *~ clignotante Auto*: Warnblinkleuchte *f*; *~ témoin* Kontrollampe *f*; *~ à arc* Bogenlampe *f*; *~ à incandescence* Glühlampe *f*; *~ de poche* Taschenlampe *f*; *~ à souder* Lötlampe *f*; *verre m à* (*od.* *de*) *~* Lampenzylinder *m*; **2.** *rad.* Röhre *f*; *~ d'amplification, ~ amplificatrice* Verstärkerröhre *f*; **3.** P *s'en mettre plein la ~* sich vollfressen; **~-éclair** *phot.* [~e'klɛːr] *f* (6b) Blitzlichtlampe *f.*

lam|pée P [lɑ̃'pe] *f* tüchtiger Schluck *m*; **~per** P [~] *v/t.* (1a) gierig trinken, picheln, aussaufen.

lam|pion [lɑ̃'pjɔ̃] *m* Lampion *m*; **~piste** [~'pist] *su.* 🚂 Lampenwärter *m*; F *fig.* kleiner Mann *m* (*untergeordneter Angestellter*); **~pisterie** 🚂 [~pis'tri] *f* Lampenraum *m.*

lamproie *icht.* [lɑ̃'prwa] *f* Neunauge *n.*

lampyre *ent.* [lɑ̃'piːr] *m* Glühwürmchen *n.*

lance [lɑ̃ːs] *f* **1.** Lanze *f*; *fer m de ~* Lanzenspitze *f*; *rompre une ~ pour q.* e-e Lanze für j-n brechen; *rompre une ~ avec q.* ein Wortgefecht mit j-m haben; **2.** *~ (à eau)* Spritze *f* (*Feuerwehr*); *~ d'arrosage* Schlauch-, Wasserhahn-mundstück *n*; Gartenschlauch *m*; *~ d'incendie* Wasserwerfer *m*; **3.** * Wasser *n*; Regen *m.*

lancé [lɑ̃'se] *adj.* im Schwunge, im Zuge; F blau, angeheitert.

lance-bombes ⚔ [lɑ̃s'bɔ̃ːb] *m* (6c) Bombenabwurfvorrichtung *f.*

lancée [lɑ̃'se] *f* Schwung *m*; *bisw.* ⚕ *~s f/pl.* stechende Schmerzen *m/pl.*

lance|-flammes ⚔ [lɑ̃s'flɑːm] *m* (6c) Flammenwerfer *m*; **~-fusées** *a.* ⚔ [~fy'ze] *m* (6c) Raketenwerfer *m*; **~-grenades** ⚔ [~grə'nad] *m* (6c) Granatwerfer *m.*

lancement [lɑ̃s'mɑ̃] *m* **1.** ⚓ Stapellauf *m*; ✈ Start *m* (*a. e-s Satelliten*); Abschuß *m* (*Rakete*); **2.** *Sport*: *~ du javelot* Speerwurf *m*; *~ du marteau*

Hammerwurf *m*; ~ *du poids* Kugelstoßen *n*; ~ *du disque* Diskuswerfen *n*; **3.** *fig.* Förderung *f* (*e-r Person*); Emporkommen *n*; Veröffentlichung *f*; ⚕ Einführung *f* (*e-r Ware*).

lance-mines ⚔ [lɑ̃s'mi:n] *m* (6c) Minenwerfer *m*.

lancéolé ⚘ [lɑ̃seɔ'le] *adj.* lanzettförmig.

lance-pierres [lɑ̃s'pjɛ:r] *m* (6c) Steinschleuder *f* (*aus Gummi für Kinder*); *fig. manger avec un* ~ hastig essen; schlingen.

lancer [lɑ̃'se] (1k) **I** *v/t.* **1.** schleudern, werfen, schmeißen F; (*Strahl*) aussenden; (*Satelliten*) starten; (*Torpedo*) ausstoßen; *ch.* jagen, hetzen; ⚔ ~ *des bombes* Bomben (ab-) werfen; ~ *le poids* die Kugel stoßen; ~ *la balle od. le ballon* den Ball werfen; *fig.* ~ *un ballon d'essai* e-n Versuchsballon steigen lassen; ~ *un pont* e-e Brücke schlagen; ~ *des jurons* Flüche ausstoßen; **2.** veröffentlichen; ~ *un mandat d'arrêt* e-n Haftbefehl erlassen; **3.** vorwärtsstoßen; *Auto*, ✈ ~ *le moteur* den Motor anlassen; ~ *un navire* ein Schiff vom Stapel lassen; **4.** *fig.* in Schwung (in Gang, in Mode, auf den Markt, in Umlauf) bringen; einführen; *l'affaire est bien lancée* die Sache ist gut im Zuge; ~ *q.* j-m zum Erfolg verhelfen, j-n lancieren; **II** *v/rfl.* se ~ sich stürzen (*sur* auf *acc.*); *fig.* sich werfen (*dans* auf *acc.*); *fig.* eintreten; sich wagen (*dans* in (*acc.*).

lance|-brouillard ⊕ [lɑ̃sbru'ja:r] *m* Schaumlöscher *m*; **~-roquettes** ⚔ [lɑ̃srɔ'kɛt] *m* Panzerschreck *m*; **~-torpille** ⚓ [lɑ̃stɔr'pij] *m* (6c) Ausstoßrohr *n*.

lan|cette *chir.* [lɑ̃'sɛt] *f* Lanzette *f*; **~ceur** [~'sœ:r] *su.* (7g) j., der etw. in Gang *od.* in Mode bringt; Förderer *m* (*e-r Person*); ~ *d'affaires* Manager *m*; *Sport*: ~ *de poids* Kugelstoßer *m*; ~ *de marteau*, ~ *de javelot*, ~ *de disque* Hammer-, Speer-, Diskuswerfer *m*; ~ *de satellites* Satellitenrakete *f*.

lanci|nant [lɑ̃si'nɑ̃] *adj.* (7) **1.** *douleur f* ~*e* stechender Schmerz *m*; **2.** quälend, lästig, entnervend.

landau [lɑ̃'do] *m* Kinder-(Puppen-) wagen *m*.

lande [lɑ̃:d] *f* Heide(land *n*) *f*.

Landerneau [lɑ̃dɛr'no] *m fr. Ort*; F *fig. il y aura du bruit dans* ~ das ist was für die Kleinstadt.

landier *cuis.* [lɑ̃'dje] *m* Feuerbock *m*.

langag|e [lɑ̃'ga:ʒ] *m* Sprache *f* (*als Verständigungsmittel*); Ausdrucksweise *f*, Sprechfähigkeit *f*; Sondersprache *f*; ~ *familier*, ~ *de tous les jours* Umgangssprache *f*; ~ *populaire* Volkssprache *f*; ~ *trivial* Vulgärsprache *f*; ~ *du barreau* Gerichtssprache *f*; ~ *technique*, ~ *du métier* Fachsprache *f*; ~ *du geste* Gebärdensprache *f*; *faute f de* ~ sprachlicher Fehler *m*; *changer de* ~ in e-m andern Ton sprechen, *fig.* e-n anderen Ton anschlagen; **~ier** [~ga'ʒje] *adj.* (7b) sprachlich, Sprach..., Sprech...

lange [lɑ̃:ʒ] *m* Wickeltuch *n*; Windel *f*.

langer [lɑ̃'ʒe] *v/t.* (1l): ~ *un nourrisson* e-n Säugling wickeln; *table f à* ~ Wickeltisch *m*.

langoureux [lɑ̃gu'rø] *adj.* (7d) schmachtend.

langouste *zo.* [lɑ̃'gust] *f* Languste *f*.

langue [lɑ̃:g] *f* **1.** Zunge *f*; ~ *chargée* belegte Zunge *f*; ~ *de vipère* Lästerzunge *f*, -maul *n*; *des mauvaises* ~*s* Lästerzungen *f/pl.*; *coup m de* ~ Verleumdung *f*; *faire claquer sa* ~ mit der Zunge schnalzen; *tirer la* ~ *à q.* j-m die Zunge herausstrecken; *se mordre la* ~ sich auf die Zunge beißen (*a. fig.*); *il ne sait tenir la* ~, *il a la* ~ *trop longue* er kann den Mund nicht halten; *ne pas avoir sa* ~ *dans sa poche* schlagfertig sein; *donner sa* ~ *au chat* e-e Sache aufgeben; auf das Erraten e-s Rätsels verzichten; **2.** Sprache *f*; *gr.* ~*s pl. agglutinantes* (*flexionnelles*) agglutinierende (flektierende) Sprachen *f/pl.*; ~ *maternelle* Muttterspr. *f*; ~ *mère* Urspr. *f*; ~ *courante* (*poétique*, *littéraire*) Umgangs-(Dichter-, Literatur-)spr. *f*; ~ *vivante* (*morte*) lebende (tote) Sprache *f*; ~ *étrangère* Fremdspr. *f*; ~ *de travail* Verhandlungs-, Arbeits-spr. *f*; ~ *universelle* Weltspr. *f*; ~ *véhiculaire* Verkehrsspr. *f*; ~ *verte* Gaunerspr. *f*, Verbrecherspr. *f*, Rotwelsch *n*; ~ *vulgaire* Volksspr. *f*; ~ *d'oïl* alte Sprache *f Nordfrankreichs*; ~ *d'oc das* Provenzalische *n*; *être doué pour les* ~*s* sprachbegabt sein; **3.** ~ *de terre* Landzunge *f*.

languette [lɑ̃'gɛt] *f* kleine Zunge *f*; Zünglein *n*; Lasche *f* (*am Schuh u. an e-r gefütterten Versandtasche*); *charp. rainure et* ~ Nut u. Feder; ♪ (Ventil-)Klappe *f*.

lan|gueur [lɑ̃'gœ:r] *f* **1.** ⚕ Entkräftung *f*, Mattigkeit *f*, Schlaffheit *f*;

2. *fig.* Abspannung *f*, Niedergeschlagenheit *f*; **3.** Liebessehnen *n*; Wehmut *f*; **~guir** [~'gi:r] *v/i.* (2a) **1.** ⚕ entkräftet (matt) sein *od.* werden; dahinwelken; **2.** erstarrt liegen (*Natur*); **3.** *fig.* dahinschleichen, darniederliegen; stocken (*Unterhaltung*); **4.** (ver)schmachten; *faire ~ q.* j-n lange warten lassen; **5.** *~ de q.* sich nach j-m (*dat.*) sehnen; **~guissant** [~gi'sɑ̃] *adj.* (7) entkräftet, siech; matt; *fig.* schmachtend; stockend; ✝ flau, gedrückt.

lanier *orn.* [la'nje] *m* Wanderfalke *m.*

lanière [la'njɛ:r] *f* Riemen *m.*

lanigère ⚘, *zo.* [lani'ʒɛ:r] *adj.* wolletragend; wollig.

lanoline *phm.* [lanɔ'lin] *f* Lanolin *n.*

lanter|ne [lɑ̃'tɛrn] *f* Laterne *f*; *~ sourde* Blendlaterne *f*; *~ vénitienne* Lampion *m*; *~ rouge* Schlußlicht *n* (*auch fig.*); *faire prendre à q. des vessies pour des ~s* j-m etw. vormachen, j-m e-n Bären aufbinden; **~neau** [~'no] *m* ⚠ durchbrochenes Kuppeltürmchen *n*; ⚠ Oberlicht *n*; **~ner** [~'ne] (1a) **I** *v/i.* bummeln, langsam sein, trödeln; **II** F *v/t.* hinhalten, vertrösten; **~ne-tempete** [~tɛrnətɑ̃'pɛt] *f* (6b) Sturmlaterne *f.*

lanturlu [lɑ̃tyr'ly] *m* ausweichende Antwort *f*; *fig.* Korb *m*, Absage *f.*

lanugineux ⚘ [lanyʒi'nø] *adj.* (7d) flaumig.

Laon [lɑ̃] *m fr. Stadt an der Aisne.*

laotien *géogr.* [laɔ'sjɛ̃] *adj.* (7c) laotisch.

lapalissade [lapali'sad] *f* (*a. vérité f de La Palice*) Binsenwahrheit *f.*

laparotomie ⚕ [laparɔtɔ'mi] *f* Bauchschnitt *m.*

lape * [lap] *m*: *bon à ~* zu nichts gut.

laper [la'pe] *v/t. u. v/i.* (1a) (auf-)lecken; schlabbern F.

lapereau [la'pro] *m* (5b) junges Kaninchen *n.*

lapi|daire [lapi'dɛ:r] **I** *m* (*auch adj.*: *ouvrier m ~*) Edelsteinschleifer *m*; **II** *adj.*: *style m ~* Lapidarstil *m*; *réponse f ~* bündige (knappe, lapidare) Antwort *f*; **~dation** [~dɑ'sjɔ̃] *f* Steinigung *f*; **~der** [~'de] *v/t.* (1a) steinigen; Steine werfen auf (*acc.*); **~dification** [~difikɑ'sjɔ̃] *f* Versteinerung *f*; **~difier** [~di'fje] (1a) *v/t. u. v/rfl. se ~* versteinern.

lapin *zo.* [la'pɛ̃] *su.* (7) Kaninchen *n*; *~ domestique* zahmes Kaninchen *n*; *~ sauvage, ~ de garenne* wildes Kaninchen *n*; *fig. un chaud ~* ein geiler Bock *m*; *un fameux ~* ein Pfundskerl *m*, ein famoser Kerl *m*; F *poser un ~ à q.* j-n versetzen; *courir comme un ~* sausen, flitzen; **~ière** [~pi'njɛ:r] *f* Kaninchenstall *m*; **~isme** F *iron.*, *biol.* [~pi'nism] *m* übermäßige Fruchtbarkeit *f.*

lapis(-lazuli) [la'pis lazy'li] *m* Lapislazuli *m*, Lasurstein *m.*

laps [laps] *m*: *~ de temps* Zeitraum *m.*

lapsus [lap'sys] *m* Lapsus *m*, Versehen *n*; *~ linguae* [lɛ̃'gɥɛ] Lapsus *m* linguae, Sichversprechen *n.*

laquage [la'ka:ʒ] *m* Lackieren *n.*

laquais [la'kɛ] *m* Lakai *m.*

laque [lak] **I** *f* **1.** Lack *m*; **2.** Haarfestiger *m*; **II** *m od. f* schwarzer (*od.* roter) chinesischer Lackfirnis *m.*

laquer [la'ke] *v/t.* (1a) lackieren.

laqueux [la'kø] *adj.* (7d) lackartig.

larbin F *péj.* [lar'bɛ̃] *m* Diener *m*; **~isme** F [~bi'nism] *m* Kriechertum *n.*

larcin [lar'sɛ̃] *m* **1.** kleiner Diebstahl *m*; **2.** gestohlene Sache *f* (*von geringem Wert*); **3.** Plagiat *n.*

lard [la:r] *m* Speck *m*; *petit ~, ~ maigre* magerer (*od.* durchwachsener) Speck *m*; P *faire du ~* Speck ansetzen, fett werden; *fig. gros ~* Dickwanst *m*; *fig. tête f de ~* Dickkopf *m*, -schädel *m*; **~er** *cuis.* [lar'de] *v/t.* (1a) spicken; *fig. ~ de coups d'épée* mit Schwerthieben durchbohren; **~oire** [~'dwa:r] *f* Spicknadel *f*; **~on** [~'dɔ̃] *m* **1.** *cuis.* Speckscheibe *f*; **2.** P kleines Kind *n*; Baby *n*; Wonneproppen *m* P.

larg|able ✈ [lar'gablə] *adj.* ausklinkbar; **~age** ✈ [~'ga:ʒ] *m* Abwerfen *n*; Absetzen *n.*

large [larʒ] **I** *adj.* □ **1.** breit; weit; geräumig; **2.** *fig.* groß, bedeutend, beachtlich; ausgedehnt; weitreichend; *dans une ~ mesure* weitgehend; **3.** *fig.* freigebig, großzügig; *homme m ~* freigebiger Mensch *m*; *péj. avoir la conscience ~* ein weites Gewissen haben; **II** *adv.* **4.** *ne pas en mener ~* sich in s-r Haut nicht wohl fühlen; kleinlaut werden; **III** *m* **5.** Breite *f*; *trois mètres de ~* drei Meter breit (*od.* in der Breite); *advt.*: *au ~* geräumig; *fig.* bequem; in guten Verhältnissen; *au ~!* weg da!, zurück!, Platz da!; *en long et en ~* lang und breit; *de long en ~* auf und ab; **6.** hohe See *f*; *au ~ de Cherbourg* vor der Küste, auf der Höhe von Cherbourg; F *fig. gagner* (*od. prendre*) *le ~* das Weite suchen; ausreißen, auskneifen F; **~ment** [larʒə'mɑ̃] *adv.* weit, geräumig; *fig.* reichlich; **~sse** [~'ʒɛs] *f* Freigebigkeit *f*; Großzügigkeit *f*; *~s pl.* Geschenke *n/pl.*

largeur [lar'ʒœ:r] *f* **1.** Breite *f*; Weite *f*; *trois mètres de ~* drei Meter breit; **2.** ⚒ Mächtigkeit *f*; **3.** *fig. ~ de vues, ~ d'esprit* Weitblick *m*.

lar|gue [larg] *adj.* schlaff; *vent m ~* Seiten- *od.* Neben-wind *m*; **~guer** [~'ge] *v/t.* (1m) ⚓ nachlassen, schießen lassen; ✈, ⚔ (*Bomben, Verpflegung*) abwerfen; (*Fallschirmjäger*) absetzen; *fig. j-n* abschieben, loswerden; *fig. écol. ~ le latin* das Lateinische abschaffen.

larme [larm] *f* (*mst. pl.*) **1.** Träne *f*; *fondre en ~s* in Tränen ausbrechen; *rire aux ~s* Tränen lachen; *pleurer toutes les ~s de son corps* sich die Augen ausweinen; *~s de crocodile* Krokodilstränen *f/pl.*; **2.** F Tröpfchen *n*; ⚘ Tropfen *m*; **3.** *ch. ~s pl. de plomb* Vogelschrot *m*.

larmier [lar'mje] *m* **1.** ⚠ Traufdach *n*; Traufbrett *n*; **2.** *anat.* Tränenwinkel *m*; **3.** *zo. ~s m/pl.* (*a. larmières f/pl.*) Tränensack *m* der Hirsche; **4.** *~s m/pl.* Schläfe *f* des Pferdes.

larmoiement [larmwa'mɑ̃] *m* ⚕ Tränen *n* (*der Augen*); *fig.* Geflenne *n*.

larmoy|ant [larmwa'jɑ̃] *adj.* (7) in Tränen zerfließend; weinerlich; *comédie f ~e* Rührstück *n*; **~er** [~mwa'je] *v/i.* (1h) bitterlich weinen; plärren, heulen.

larnaque * [lar'nak] *f* Polente *f* V.

larron † [la'rɔ̃] *m* Dieb *m*; *noch erhalten in: s'entendre comme ~s en foire* ein Herz u. e-e Seele sein; unter e-r Decke stecken.

larv|aire *ent.* [lar'vɛ:r] *adj.* larvenartig; **~e** [larv] *f ent.* Larve *f*; **~é** *a.* ⚕ [lar've] *adj.* verkappt.

laryn|gé ⚕ [larɛ̃'ʒe] *adj.* Kehlkopf-...; **~gien** *gr.* [~'ʒjɛ̃] *adj.* (7c): *voyelle f ~ne* Kehllaut *m*; **~gite** ⚕ [~'ʒit] *f* Kehlkopf-, Hals-entzündung *f*, Laryngitis *f*; **~gologie** ⚕ [~gɔlɔ'ʒi] *f* Laryngologie *f*; **~gologiste** ⚕ [~gɔlɔ'ʒist] *m* Laryngologe *m*; **~goscope** ⚕ [~gɔs'kɔp] *m* Kehlkopfspiegel *m*, Laryngoskop *n*; **~gotomie** ⚕ [~gɔtɔ'mi] *f* Kehlkopfschnitt *m*; **~x** *anat.* [la'rɛ̃ks] *m* Kehlkopf *m*, Larynx *m*.

las [lɑ] *adj.* (7c) müde; überdrüssig (*gén.*); *~ de sa profession* berufsmüde; *~ à mourir* todmüde; *j'en suis ~* ich habe es satt; *de guerre ~se* kriegsmüde.

lascar F [las'ka:r] *m* Schlauberger *m*, Fuchs *m*, durchtriebener Kerl *m*.

lasci|f [la'sif] *adj.* (7e) wollüstig; unzüchtig; schlüpfrig; **~veté** [~siv'te] *f* Wollust *f*; Unzucht *f*; Schlüpfrigkeit *f*.

laser *phys.* [la'zɛ:r] *m* Laser *m*.

lasérothérapie ⚕ [lazerɔtera'pi] *f* Behandlung *f* durch Laserstrahlen.

las|ser [lɑ'se] (1a) **I** *v/t.* müde machen, erschöpfen; *fig.* langweilen; **II** *v/i.* langweilig werden (*Mode*); **III** *v/rfl. se ~* ermüden; überdrüssig werden (*gén.*); **~situde** [lɑsi'tyd] *f* Müdigkeit *f*; *fig.* Überdruß *m*.

lasso [la'so] *m* Lasso *m od. n.*

latanier ⚘ [lata'nje] *m* Fächerpalme *f*.

latence ⚕ [la'tɑ̃:s] *f* Latenz *f*.

latent [la'tɑ̃] *adj.* (7) latent; verborgen, *a.* ⚕ nicht wahrnehmbar.

latéral [late'ral] *adj.* (5c) □ seitlich; seitwärts befindlich (*od.* gelegen); Seiten..., Neben...

latérisation *géol.* ⚔ [laterizɑ'sjɔ̃] *f* Seitenerosion *f*.

latérite *géol.* [late'rit] *f* Laterit *m*.

latifondiaire [latifɔ̃'djɛ:r] *m* (*u. adj.*) Großgrundbesitzer *m*.

latin [la'tɛ̃] **I** *adj.* (7) **1.** lateinisch; *Quartier m ~* Studentenviertel *n* in Paris; *nations f/pl. ~es* romanische Völker *n/pl.*; **2.** *antiq.* latinisch; *les populations f/pl. ~es* die Lat(e)iner *m/pl.*; **3.** *Église f ~e* römisch-katholische Kirche *f*; **4.** ⚓ *voile f ~e* lateinisches (*dreieckiges*) Segel *n*; **II** *m das* Latein(ische *n*) *n*, *die* lateinische Sprache *f*; *en ~* auf lateinisch; *bas ~* Spätlatein *n*, Mittellatein *n*; *~ de cuisine* Küchenlatein *n*; *~ d'église* Kirchenlatein *n*; *~ vulgaire* Vulgärlatein *n*; *être au bout de son ~* mit s-m Latein (*od.* mit s-r Kunst) am Ende sein; **~isation** [~nizɑ'sjɔ̃] *f* Latinisierung *f*; **~iser** [~ni'ze] *v/t.* (1a) latinisieren; **~isme** [~'nism] *m* Latinismus *m*; **~iste** [~'nist] *su.* Latinist *m*, Kenner *m* der lateinischen Sprache u. Literatur; **~ité** [~ni'te] *f* **1.** Latinität *f*; **2.** *basse ~* späteres, schlechtes Latein *n*, spät-, mittel-lateinische Epoche *f*.

latitud|e [lati'tyd] *f* **1.** (geographische) Breite *f*; *~ sud* südliche Breite *f*; **2.** Himmelsstrich *m*, Breitengrad *m*; **3.** *fig.* Freiheit *f*; *avoir toute ~* völlig freie Hand haben; **~inaire** *rl.* [~di'nɛ:r] *adj.* weitherzig, weltoffen.

latrines [la'tri:n] *f/pl.* Abort *m*.

latt|age ⊕ [la'ta:ʒ] *m* Belattung *f*; Lattenverschlag *m*; ⚠ Holzlatten

f/pl.; **~e** [lat] *f* Latte *f*; ⚔ Kürassiersäbel *m*; **~er** [~'te] *v/t.* (1a) belatten; **~is** [la'ti] *m* Lattenwerk *n*.
laudanum 🕮 [loda'nɔm] *m* Opiumtinktur *f*.
laudat|eur [loda'tœ:r] *su.* (7f) Lobredner *m*; **~if** [~'tif] *adj.* (7e) lobend; lobpreisend.
lauréat [lɔre'a] *m* Preisträger *m*; ~ *du prix Nobel* Nobelpreisträger *m*.
laurier [lɔ'rje] *m* Lorbeer(baum *m*) *m*; ~*s pl. fig.* Lorbeerkranz *m*, Lorbeeren *pl.*, Ruhm *m*; *s'endormir sur ses ~s* sich auf s-n Lorbeeren ausruhen; **~-rose** ⚘ [~'ro:z] *m* (6a) Lorbeerrose *f*.
lau|se, ~ze *Prov.* ⚠ [lo:z] *f* Glimmerschieferplatte *f*.
lava|ble [la'vablə] *adj.* waschbar, waschecht; **~bo** [~'bo] *m* Waschbecken *n*, -tisch *m*, -raum *m*, -toilette *f*; ~*s m/pl.* WC *n*; **~ge** [~'va:ʒ] *m* (Ab-, Aus-)Waschen *n*, Reinigen *n*; ⚗ Auslaugung *f*; *phot.* Wässern *n*; ⚕ ~ *d'estomac* Magenspülung *f*; *usé* (*od. décoloré*) *par le* ~ verwaschen; *fig.* ~ *de cerveau* Gehirnwäsche *f*; *fig.* ~ *de tête* Abreibung *f*; Rüffel *m*.
lavallière [lava'ljɛ:r] *f* Künstlerkrawatte *f mit großer Schleife*.
lavande ⚘ [la'vɑ̃:d] *f* Lavendel *m*.
lavandière [lavɑ̃'djɛ:r] *f* **1.** *litt.* Waschfrau *f*; **2.** *orn.* Bachstelze *f*.
lavaret *icht.* [lava'rɛ] *m* Meermaräne *f*, Blau-, Sand-felchen *m*.
lavasse F [la'vas] *f* Plurre *f* P, wässeriges Zeug *n*.
lavatory [lavatɔ'ri] *m* WC *n*.
lave [lɑ:v] *f* Lava *f*.
lave|-glace [lav'glas] *m Auto* Scheibenwaschanlage *f*; **~-mains** [~'mɛ̃] *m* (6c) kleines Handwaschbecken *n*.
lavement [lav'mɑ̃] *m* **1.** *rl.* Waschung *f*; ~ *des pieds* Fußwaschung *f*; **2.** ⚕ Klistier *n*, Einlauf *m*.
laver [la've] (1a) **I** *v/t.* **1.** (ab-, aus-) waschen; abspülen; ⚕ auspumpen; *phot.* wässern; (*Fenster, Zähne*) putzen; *machine f à* ~ Waschmaschine *f*; ~ *du linge* Wäsche waschen; ~ *par terre* aufwischen, rein machen F; F *fig.* ~ *son linge sale en famille* e-n Streit unter sich abmachen; ~ *ses mains* sich die Hände waschen; *fig.* ~ *la tête à q.* j-m den Kopf waschen, j-n ausschelten; **2.** *fig.* rächen; reinwaschen; **II** *v/rfl.* *se* ~ sich waschen; *fig. se* ~ *de qch.* sich von etw. (*dat.*) reinwaschen; *je m'en lave les mains* ich wasche meine Hände in Unschuld.
la|verie [la'vri] *f* **1.** ⊕ Erz-, Kohlenwaschanlage *f*; **2.** Wäscherei *f*; **~vette** [~'vɛt] *f* Abwaschlappen *m*; P Zunge *f*; *péj.* Waschlappen *m*, Feigling *m*; **~veur** [~'vœ:r] *su.* (7g) Wäscher *m*; *f*: Waschfrau *f*; ~ *de voiture* Wagenwäscher *m*; *laveuse f de vaisselle* Abwaschfrau *f*; ~ *de vitres* Fensterputzer *m*.
lave-vaisselle ⊕ [lavvɛ'sɛl] *m* Geschirrspülmaschine *f*.
lavis [la'vi] *m* Tuschen *n*; (*dessin m au*) ~ Tuschzeichnung *f*.
lavoir [la'vwa:r] *m* **1.** Wasch-platz *m*, -haus *n*; steinerner Waschtrog *m*; **2.** = *laverie* 1.
lavure [la'vy:r] *f* Spülwasser *n*; ⚒ Erzwäsche *f*.
lax|atif [laksa'tif] *adj.* (7e) *u. m* abführend; Abführmittel *n*; **~isme** [~'ksism] *m* Großzügigkeit *f*; Laxheit *f*, modische Ausdrucksweise *f*; **~iste** [~'ksist] *su.* sprachlicher Modernist *m*; **~ité** ⚕ [~ksi'te] *f* Schlaffheit *f e-s Gewebes*.
layer [lɛ'je] *v/t.* (1i) *for. Bäume* anlaschen, *stehenbleibende Bäume* markieren; ~ *un bois* e-n Waldweg *od.* e-e Wildbahn durchhauen.
layetier [lɛj'tje] *m* Kistenmacher *m*.
layette [lɛ'jɛt] *f* Babywäsche *f*.
layon *for.* [lɛ'jɔ̃] *m* Schneise *f*.
lazaret [laza'rɛ] *m* Quarantänestation *f*.
lazulite [lazy'lit] *f* Lasurstein *m*.
lazzi(s) [la'(d)zi] *m/pl. inv.* derbe Witzeleien *f/pl.* (*über j-n*).
le [lə] *m*, **la** [la] *f*, *vor vo. u. stummem h*: **l'** [l], *pl.* **les** [le, *thé.* lɛ, *in der Bindung*: lez, *thé.* lɛz] **I** *art.* der, die, das; *pl.* die; *il reçoit le mercredi et le jeudi* mittwochs u. donnerstags hat er Sprechstunde; *il est le fils d'un médecin* er ist Sohn e-s Arztes; *Paris,* (~) *10 mars 1974* P., 10. März 1974; *Auto*: *ne pas dépasser le 90 à l'heure* e-e Stundengeschwindigkeit von 90 km nicht überschreiten; **II** *pr/p. acc.* ihn, sie, es; *pl.* sie.
lé [le] *m* **1.** *text.* Breite *f*, Bahn *f e-s Stoffes*; *jupe f à* ~*s* Bahnenrock *m*; **2.** ⚓ Treidelpfad *m*.
leader [li'dœ:r] *m* **1.** *pol.* Parteiführer *m*; **2.** ✈ Flugzeug *n* an der Spitze e-s Verbandes; **3.** *Sport*: Anführer *m*, Beste(r) *m*; **~ship** *pol.* [lidœr'ʃip] *m* führende Rolle *f*.
leasing ✝ [li'ziŋ] *m* Leasing *n*.
lèche [lɛʃ] *f* P Speichelleckerei *f*; *faire de la* ~ *à q.* vor j-m kriechen.
lèche|-bottes P [lɛʃ'bɔt] *m*, **~-cul** V [~'ky] *m* (6c) Speichel-, V Arsch-

lecker *m*; **~frite** [~'frit] *f* Tropfpfanne *f*.

léch|er [le'ʃe] *v/t.* (1f) (ab)lecken, belecken; F *fig. litt., peint.* sehr sorgfältig ausarbeiten; leicht bespülen (*v. Wellen*); **~eur** [~'ʃœːr] *adj. u. su.* (7g) P *fig.* kriecherisch; Kriecher *m*, Speichellecker *m*.

lèche-vitrines [lɛʃvi'trin] *m/inv.* (6c): *faire du ~* e-n Schaufensterbummel machen.

lécithine *phm.* [lesi'tin] *f* Lezithin *n*.

leçon [lə'sõ] *f* **1.** (Lehr-)Stunde *f*; **~s** *pl.* Unterricht *m*; *~ de choses* sachbezogener Unterricht *m* (*Unterstufe*); **2.** Belehrung *f*, Lehre *f*; *fig.* Warnung *f*, Verweis *m*; *écol.* Lektion *f*, Stück *n*; *fig. bien réciter sa ~* sein Sprüchlein gut hersagen; *donner une bonne ~ à q.* j-m e-e Lehre erteilen, e-n Denkzettel geben; *faire la ~ à q.* j-m die Leviten lesen; j-n ins Gebet nehmen; **3.** Lesart *f*.

lec|teur [lɛk'tœːr] *su.* (7f) **1.** Leser *m*; Benutzer *m* (*e-s Wörterbuchs*); Vorleser *m*; **~s** *pl.* Leserschaft *f*; **2.** Lektor *m* (*Universität, Verlag, thé.*); **3.** *typ.* Korrektor *m*; **4.** ⊕ Ablesevorrichtung *f*; **5.** Tonkopf *m* (*Tonbandgerät*); *inform.* Lesekopf *m*; **~ture** [lɛk'tyːr] *f* **1.** Vorlesen *n*; **2.** Lesen *n*; Lektüre *f*; Lesestoff *m*; *cabinet m de ~* Lesezimmer *n*; *parl. adopter en première ~* in erster Lesung annehmen; **3.** Belesenheit *f*; *avoir beaucoup de ~* sehr belesen sein; **4.** *thé.* Leseprobe *f*; **5.** Abtastung *f e-r Tonspur etc.*; **6.** Ablesung *f e-s Meßinstruments.*

ledit *m*, **ladite** *f* [lə'di, la'dit] *adj.* besagte(r, s), obige(r, s).

lédonien [ledɔ'njɛ̃] *adj. u.* ♀ *su.* (7c) (Einwohner) aus Lons-le-Saunier.

légal [le'gal] *adj.* (5c) □ gesetzlich, rechtlich, gerichtlich; *assassinat m ~* Justizmord *m*; *cours m ~* offizieller, amtlicher Kurs *m*; *médecine f ~e* Gerichtsmedizin *f*; *voie f ~e* Rechtsweg *m*.

légali|sation [legaliza'sjõ] *f* Legalisierung *f*, amtliche Beglaubigung *f*; **~ser** [~'ze] *v/t.* (1a) legalisieren, amtlich beglaubigen; **~té** [~'te] *f* Gesetzlichkeit *f*; Legalität *f*.

légat *rl.* [le'ga] *m* Legat *m*.

légataire [lega'tɛːr] *su.* Vermächtnisnehmer *m*, Legatar *m*; *~ universel* Universalerbe *m*.

légation *dipl.* [lega'sjõ] *f* Gesandtschaft *f*.

lège ⚓ [lɛːʒ] *adj.* zu leicht befrachtet; unbefrachtet.

légen|daire [leʒɑ̃'dɛːr] *adj.* sagenhaft, legendenhaft, berühmt, (all-)bekannt, sprichwörtlich; **~de** [le'ʒɑ̃ːd] *f* **1.** Legende *f*, Heiligengeschichte *f*; **2.** *num.* Randschrift *f*; **3.** Erläuterung *f*, Zeichenerklärung *f*.

léger [le'ʒe] **I** *adj.* (7b) □ **1.** leicht *an Gewicht*; **2.** leicht, dünn (*Kleidung*); **3.** ⚒ leicht (*v. Boden*) **4.** leichtverdaulich; **5.** flink, leicht; *marcher d'un pas ~* flott marschieren; **6.** anmutig, angenehm, ungezwungen; schlank; **7.** gering, unbedeutend, oberflächlich; *blessé ~* Leichtverwundete(r) *m*; **8.** leicht (-sinnig); unbeschwert; oberflächlich; **II** *advt.*: *à la légère* leichtfertig, unbeschwert, unüberlegt.

légèreté [leʒɛr'te] *f* **1.** Leichtigkeit *f*; **2.** Gewandtheit *f*, Behendigkeit *f*; **3.** Anmut *f*; **4.** Geringfügigkeit *f*; **5.** Unbesonnenheit *f*, Leichtfertigkeit *f*, Leichtsinn *m*, Sorglosigkeit *f*; Wankelmut *m*.

légiférer ⚖ [leʒife're] *v/i.* (1f) Gesetze machen.

légion [le'ʒjõ] *f* **1.** Legion *f*, (Heer-)Schar *f*; **2.** ⚔ *Fr. ~ étrangère* Fremdenlegion *f*; ♀ (*d'honneur*) Ehrenlegion *f* (*Orden*); **3.** F *fig.* große Menge *f*, Unzahl *f*; *être ~* (*inv.*) Legion, sehr zahlreich sein; **~naire** [~ʒjɔ'nɛːr] *m* **1.** ⚔ (Fremden-)Legionär *m*; **2.** Mitglied *n* der Ehrenlegion.

législa|teur [leʒisla'tœːr] *adj. u. su.* (7f) gesetzgebend; Gesetzgeber *m*; **~tif** [~'tif] *adj.* (7e) □ gesetzgeberisch; (*le corps*) *~* (der) gesetzgebend(e Körper *m*); *pouvoir m ~* gesetzgebende Gewalt *f*; **~tion** [~la'sjõ] *f* Gesetzgebung *f*; Gesetze *n/pl.* (*in ihrer Gesamtheit*); Gesetzeskunde *f*, Rechtswissenschaft *f*; **~tives** [~'tiːv] *f/pl.*: (*élections f/pl.*) *~* Parlamentswahlen *f/pl.*; **~ture** [~la'tyːr] *f* gesetzgebende Versammlung *f od.* Körperschaft *f*; Legislaturperiode *f*, Amtsdauer *f e-s Parlaments.*

légiste [le'ʒist] *m* Jurist *m*, Rechts-, Gesetzes-kundige(r) *m*, -gelehrte(r) *m*.

légiti|mation [leʒitima'sjõ] *f* Beglaubigung *f*; Legitimierung *f*; Berechtigungsnachweis *m*; Ehelicherklärung *f e-s Kindes*; **~me** [~'tim] **I** *adj.* □ **1.** rechtmäßig; ehelich (*Kind*); *~ défense f* Notwehr *f*; **2.** *fig.* billig, gerecht; **II** *f* F *ma ~* meine Frau *f*; **~mer** [~'me] (1a) *v/t.* **1.** gültig machen; für rechtmäßig erklären; für ehelich erklären (*Kind*); **2.** rechtfertigen; **~miste** *hist.* [~'mist] *su.* Anhänger *m* des Königtums von Gottes Gnaden; **~mité** [~mi'te] *f* **1.** Rechtmäßigkeit *f*; eheliche Geburt *f* (*e-s Kindes*); **2.** Berechtigung *f*.

legs [lɛ, *mst.* lɛg] *m* Vermächtnis *n*.

léguer [le'ge] *v/t.* (1f) *u.* (1m): *~ à q.* auf j-n vererben; *fig.* j-m hinterlassen, auf j-n übertragen.

légu|me [le'gy:m] **I** *m* **1.** Gemüse *n*; *pl. ~s secs* Hülsenfrüchte *f/pl.*; **2.** Schote *f*; **II** *f* **3.** P *grosse ~* P hohes Tier *n*; *péj.* Bonze *m*; **~mier** [~'mje] *m* Gemüseschüssel *f*; **~mineuses** [~mi'nø:z] *f/pl.* Hülsenfrüchte *f/pl.*; **~mineux** [~mi'nø] *adj.* (7d) hülsentragend; Hülsen...

leitmotiv *litt.*, ♪, *allg.* [leitmɔ'tif] *m* Leitmotiv *n*.

LEM [lɛm] *m* Mondfähre *f*.

Léman [le'mã] *adj. u. m*: *le* (*lac*) *~* der Genfer See.

lemming *zo.* [lɛ'miŋ] *m* Lemming *m*.

lendemain [lãd'mɛ̃] *m* folgender Tag *m*; *advt. le ~* am folgenden Tag; *le ~ matin* am folgenden Morgen; *du jour au ~* von einem Tag zum andern; über Nacht; *songer au ~* an die Zukunft denken; *remettre au ~* ver-, auf-schieben.

lendit [lã'di] *m hist.* Messe *f*, Jahrmarkt *m* (*zu Saint-Denis*).

léni|fiant [leni'fjã] *adj.* (7) schmerzlindernd; **~fier** [~'fje] *v/t.* (1a) lindern.

Lénin|e *pol.* [le'nin] *npr. m* Lenin *m*; **♀isme** *pol.* [~'nism] *m* Leninismus *m*; **♀iste** *pol.* [~'nist] *adj. u. su.* leninistisch; Leninist *m*.

lent [lã] *adj.* (7) □ langsam; *fig. a.* schwerfällig, träge, schläfrig; *esprit m ~* Schwerfälligkeit *f*.

lente *ent.* [lã:t] *f* Nisse *f*.

lenteur [lã'tœ:r] *f* **1.** Langsamkeit *f*; *fig.* Schwerfälligkeit *f*, Trägheit *f*, Schläfrigkeit *f*; **2.** *~s pl.* Umständlichkeit *f*, Verzögerung *f*; *~s administratives* Bürokratie *f* der Verwaltungsbehörden.

lenti|culaire, ~culé [lãktiky'lɛ:r, ~ky'le] *adj.* linsen-förmig, -artig, Linsen...; **~forme** [~'fɔrm] *adj.* linsenförmig.

lentigo ⚕ [lãti'go] *m* Leberfleck *m*.

lentille [lã'tij] *f* **1.** Linse *f*; **2.** linsenförmiger Körper *m*; *opt.* Linse *f*; *~ de contact, ~ souple* Kontaktlinse *f*, Haftschale *f*; *~ de pendule* Scheibe *f* am Uhrpendel.

lentisque [lã'tisk] *m* Mastixbaum *m*.

léonin [leɔ'nɛ̃] *adj.* (7) Löwen...; *fig. contrat m ~* erpresserischer Vertrag *m*.

léopard *zo.* [leɔ'pa:r] *m* Leopard *m*.

lépidosirène *icht.* [lepidɔsi'rɛ:n] *m* Lepidosiren *m*, Schuppenmolch *m*.

lépiote ⚘ [le'pjɔt] *f* Lepiotapilz *m*.

lépisme *ent.* [le'pism] *m* Silberfischchen *n*.

léporid|es *zo.* [lepɔ'rid] *m/pl.*, **~és** *zo.* [~'de] *m/pl.* hasenartige Nager *m/pl.*

lèpre ['lɛ:prə] *f* **1.** ⚕ Lepra *f*, Aussatz *m*; **2.** *fig.* Krebs-schaden *m*, -übel *n*, Pest *f*.

lépr|eux [le'prø] (7d) **I** *adj.* ⚠ *mur m ~* schuppige Mauer *f*; **II** *su.* Aussätzige(r) *m*; **~oserie** [leproz'ri] *f* Krankenhaus *n* für Aussätzige.

lepte *ent.* [lɛpt] *m* Kerfmilbe *f*.

lequel [lə'kɛl] *m*, **laquelle** [la'kɛl] *f*, **lesquels** *m/pl.*, **lesquelles** [le'kɛl, *thé.* lɛ'kɛl] *f/pl.*, *pr/r.* (*nach Präpositionen in bezug auf Sachen od. allg. zur Geschlechtsunterscheidung*) *und pr/i.* (*Auswahlsfrage*) welcher, welche, welches; *pl.*: welche; der, die, das; *pl.*: die; *auquel de ces messieurs voulez-vous parler?* welchen dieser Herren wollen Sie sprechen?

lérot *zo.* [le'ro] *m* Gartenschläfer *m*.

les [le, lɛ] *art. u. pr/p.* s. *le*; *~ Racine* ein Dichter wie Racine; *dans ~ vingt-quatre heures* in 24 Stunden; *les 17 et 18 mai* am 17. u. 18. Mai; *elle reçoit les lundis et jeudis* sie empfängt montags u. donnerstags.

lès ⚒ [lɛ] *prp.* bei (*in Ortsnamen*).

lèse-majesté [lɛzmaʒɛs'te] *f*: *crime m de ~* Majestätsbeleidigung *f*.

léser [le'ze] *v/t.* (1f) ⚕, *fig.* verletzen; schädigen; beeinträchtigen; *~ q.* j-m schaden.

lési|ne ⚒ [le'zin] *f* Knauserei *f*; **~ner** [~'ne] *v/i.* (1a) knausern, knickern (*sur qch.* mit etw.); **~nerie** ⚒ [~n'ri] *f* Knauserei *f*; **~neur** ⚒ [~'nœ:r] *su. u. adj.* (7g) Knauser *m*; knauserig.

lésion [le'zjõ] *f bsd.* ⚖ Schädigung *f*, Übervorteilung *f*, Beschädigung *f*; ⚕ Verletzung *f*; *~s pl. cérébrales* Gehirnschäden *m/pl.*

lesquel(le)s [le'kɛl, *thé.* lɛ'kɛl] *pr/r.* s. *lequel*.

lessi|vage [lɛsi'va:ʒ] *m* Scheuern *n*, Schrubben *n*, Abseifen *n*, (Ab-)Waschen *n*; Auslaugung *f* (*des Bodens*); **~ve** [lɛ'si:v] *f* **1.** Wäsche *f* (*als Tätigkeit*); *faire la ~* (große) Wäsche haben; **2.** (gewaschene) Wäsche *f*; **3.** Waschmittel *n*;

Waschpulver *n*; **4.** ⚗ Lauge *f*; ~ *de soude, de potasse* Natron-, Kalilauge *f*; **~ver** [~si've] *v/t.* (1a) scheuern, schrubben, abseifen, (ab-)waschen; auslaugen (*Boden*); P *se faire* ~ ausscheiden müssen; P *être lessivé* todmüde, kaputt sein; **~veuse** ⊕ [~'vøːz] *f* Wäschekochtopf *m*; Waschkessel *m*.

lest [lɛst] *m* Ballast *m*; *jeter* (*od. lâcher*) *du* ~ Ballast abwerfen (*auch fig.*).

leste [~] *adj.* □ **1.** flink, hurtig; *il a la main* ~ er schlägt gleich zu; **2.** gewandt, geschickt; **3.** *fig.* frei, leichtfertig, ungeniert.

lester [lɛs'te] *v/t.* (1a) ⚓ *ein Schiff* mit Ballast beladen; *fig.* *se* ~ *l'estomac* sich den Leib vollschlagen.

létal [le'tal] *adj.* (5c) tödlich; **~ité** ⚕ [~li'te] *f* Sterblichkeit *f*.

léthar|gie [letar'ʒi] *f* Lethargie *f* (*a. fig.*), Scheintod *m*; *fig.* Teilnahmslosigkeit *f*, Erstarrung *f*; **~gique** [~'ʒik] *adj.* lethargisch (*auch fig.*).

letton [lɛ'tɔ̃] **I** *adj.* (7c) lettisch; **II** ♀ *su.* (7e) Lette *m*; ♀**ie** *ehm.* [~tɔ'ni] *f*: **la ~** *géogr.* Lettland *n*.

lettre ['lɛtrə] *f* **1.** Buchstabe *m*; *fig. à la* ~, *au pied de la* ~ buchstäblich, wortgetreu; ~ *initiale* Anfangsbuchstabe *m*; ~ *labiale* Lippenlaut *m*; ~ *majuscule* (*minuscule*) großer (kleiner) Buchstabe *m*; *en toutes* ~*s* in Buchstaben, ausgeschrieben, in Worten; F *les cinq* ~*s verhüllend für «merde»*: Scheiben-honig *m*, -kleister *m*; **2.** *typ.* Letter *f*, Type *f*; **3.** Brief *m*, Schreiben *n*; Urkunde *f*; ~ *d'affaires* (*od. de commerce*) Geschäftsbrief *m*; ~ *d'amour* Liebesbrief *m*; ~ *par avion* Luftpostbrief *m*; ~ *de crédit* Kreditbrief *m*; *hist.* ~ *de cachet* geheimer Verhaftungsbefehl *m* (*vor der Französ. Revolution*); ~ *circulaire* Rundschreiben *n*; ~ *de change* Wechsel *m*; ~ *chargée* (*od. à valeur déclarée*) Geldbrief *m*; ~ *de créance* Beglaubigungsschreiben *n*; ~ *de faire-part* (Heirats-, Geburts-, Todes- *usw.*) Anzeige *f*; ~ *de procuration* schriftliche Vollmacht *f*; ~ *de recommandation* Empfehlungsschreiben *n*; ~ *recommandée* Einschreibebrief *m*; ~ *de remboursement* Nachnahmebrief *m*; ~ *de voiture* Frachtbrief *m*; Begleitschein *m*; Lieferzettel *m*; ~ *particulière*, ~ *privée* Privatbrief *m*; *par* ~ brieflich; *secret m des* ~*s* Briefgeheimnis *n*; *lever les* ~*s* den Briefkasten leeren; **4.** ~*s pl.* Literatur(wissenschaft *f*) *f*; *les*(*belles-*)~*s* die schöne Literatur, die Belletristik; *avoir des* ~*s* gebildet sein; *docteur ès* ~*s* Doktor der Philosophie; *homme m de* ~*s* (*pl.*: *gens de* ~*s*) Literat(en *m/pl.*) *m*.

lettré [lɛ'tre] *adj. u. su.* gebildet; gebildete(r) Mensch *m*; Gebildete(r) *m*.

lettrisme *litt.*, *peint.* [lɛ'trism] *m* [Lettrismus *m*.]

leu [lø] *m* F: *marcher à la queue* ~ ~ im Gänsemarsch gehen (*od.* laufen).

leucémie ⚕ [løse'mi] *f* Leukämie *f*.

leucocytes *biol.* [løko'sit] *m/pl.* weiße Blutkörperchen *n/pl.*

leur [lœːr] **I** *pr/poss.* ihr, ihre (*bei mehreren Besitzern!*); *le* ~, *la* ~ der, die, das ihrige; *les* ~*s* die ihrigen, ihre Angehörigen; **II** *pr/p.* 3ᵉ *pers. du pl.* (*inv.*) ihnen.

leur|re [lœːr] *m* künstlicher Köder *m*; *fig.* Köder *m*, Täuschung *f*, Illusion *f*; **~rer** [lœ're] (1a) **I** *v/t.* ködern; (an)locken; **II** *v/rfl.*: *se* ~ *de qch.* sich in der Hoffnung auf etw. wiegen.

levage [lə'vaːʒ] *m* Heben *n*, Aufrichten *n*; *appareil m* (*od. engin m*) *de* ~ Hebevorrichtung *f*.

levain [lə'vɛ̃] *m* **1.** Hefe *f* (*bsd. für Brot u. Kuchen*); **2.** *fig.* Keim(zelle *f*) *m*.

levant [lə'vɑ̃] **I** *adj./m* **1.** *soleil m* ~ aufgehende (*od.* Morgen-)Sonne *f* (*a. fig.*); **II** *m* **2.** Sonnenaufgang *m*; Osten *m*; **3.** *le* ♀ die Levante; **~in** [~'tɛ̃] *adj. u.* ♀ *su.* (7) levant(in)isch; Levantiner *m*.

levé [lə've] *m* **1.** Aufnahme *f e-s Planes*; ~ *topographique du terrain* Geländeaufnahme *f*; **2.** ♪ Vorschlag *m*; Auftakt *m*; **~e** [~] *f* **1.** Aufheben *n*, Hochheben *n*, Ab-, Auf-nehmen *n*; **2.** *fig.* Aufhebung *f e-r Sitzung, e-r Strafe*; Schluß *m*; Abbrechen *n v. Verhandlungen usw.*; ⚖ ~ *des scellés* Entfernung *f*, Abnahme *f* der Siegel; **3.** ⚔ Aushebung *f von Soldaten*, Einziehung *f*; ~ *en masse* Massenaufgebot *n*; **4.** ~ *du corps* Abholung *f* des Toten; **5.** Stich *m* (*Kartenspiel*); **6.** ✉ Leerung *f e-s Briefkastens*; *faire la* ~ den Briefkasten leeren; **7.** Erhebung *f der Steuern*; **8.** (aufgeschütteter) Damm *m zur Seite e-s Flusses usw.*; **9.** Hub (-höhe *f*) *m des Kolbens usw.*; ~ *de* (*od. des*) *soupape*(*s*) Ventilhub *m*; **10.** *fig.* ~ *de boucliers* Empörung *f*; **11.** Aufgehen *n der Saat.*

lever [lə've] (1d) **I** *v/t.* **1.** (auf-)heben, in die Höhe heben, aufnehmen, -richten; ~ *les épaules* die

Achseln zucken; *fig.* ~ *le pied* durchbrennen, ausreißen; ~ *les pieds* die Füße heben; *fig.* ~ *le voile* den Schleier lüften; ~ *son chapeau* den Hut abnehmen; ~ *les yeux de son livre* von s-m Buch aufblicken; ~ *les yeux sur* (*od. vers*) *q.* j-n ansehen, anblicken; *cela lève le cœur* davon wird e-m übel; ~ *les glaces* die Fenster hochkurbeln; **2.** wegnehmen, beseitigen, entfernen; *fig.* abbrechen; *fig.* aufheben (*Strafe, Verbot*); ~ *un doute* e-n Zweifel beseitigen; ~ *le camp* das Lager abbrechen, das Feld räumen; abziehen; ⚔ ~ *la garde od. la sentinelle* die Wache ablösen; ~ *le siège* die Belagerung aufheben; *la séance est levée* die Sitzung ist geschlossen; ~ *une punition* e-e Strafe aufheben; **3.** *Kartenspiel*: ~ *les cartes*, ~ *le pli* den Stich einziehen; **4.** *Steuern* erheben; **5.** ⚔ (an)werben, ausheben; **6.** ⚓ ~ *l'ancre* den Anker lichten; **II** *v/i.* **7.** ⚘ keimen, aufgehen; *Teig*: gehen; **III** *v/rfl.* se ~ **8.** sich erheben, aufstehen; **9.** aufgehen (*Sonne, Stern*); anbrechen (*Tag*); sich aufklären (*Wetter*); **IV** *m* Aufstehen *n*; Aufgang *m der Sonne*; Anbruch *m* (*des Tages*); Aufnehmen *n* (*v. Plänen*); *thé.* Aufziehen *n des Vorhanges*; ~ *de rideau* Vorspiel *n*, Einakter *m*; *fig.* Auftakt *m* (*Konferenz*).

lève-tôt [lɛv'to] *m* (6c) Frühaufsteher *m*.

leveur [lə'vœ:r] *su.* (7g) *typ.* Setzer *m*.

levier [lə'vje] *m* Hebel *m*, Brechstange *f*; ~ *de pompe* Pumpenschwengel *m*; *Auto*: ~ *de changement de vitesse* Schalthebel *m*; Ganghebel *m*; ~ *de réglage* Einstellhebel *m*; ~ *des interlignes* Zeilenschalter *m* (*Schreibmaschine*); *Auto*: ~ *de frein* Bremshebel *m*; ~ *à main* Handhebel *m*; ~ *de commande* Schalt-, Steuer-hebel *m*.

lévig|ation ⚗ [levigɑ'sjɔ̃] *f* feinste Pulverisierung *f* (*durch Schlämmen*); **~er** [~'ʒe] *v/t.* (1l) *zu feinem Pulver* zerreiben, schlämmen.

lévogyre ⚗ [levɔ'ʒi:r] *adj.* linksdrehend.

levraut [lə'vro] *m* Häschen *n*.

lèvre ['lɛ:vrə] *f* **1.** Lippe *f*; Lefze *f* (*bei Tieren*); ~ *supérieure* (*inférieure*) Ober-(Unter-)lippe *f*; *du bout des* ~*s* gezwungen; widerstrebend; widerwillig; **2.** *chir.* ~*s pl.* Wundränder *m/pl.*; **3.** *anat.* Schamlippen *f/pl.*

levret|te [lə'vrɛt] *f* Windhündin *f*; Windspiel *n*; **~ter** [~vrɛ'te] *v/i.* (1a) (Junge) werfen (*Häsin*).

lévrier [levri'e] *m* Windhund *m*; ~ *afghan* Afghane(nhund *m*) *m*.

levron [lə'vrɔ̃] *su.* (7c) junger Windhund *m*, junges Windspiel *n*.

lévulose ⚗ [levy'lo:z] *f* Lävulose *f*.

levure [lə'vy:r] *f* Hefe *f*; ~ *de bière* Bierhefe *f*; *cuis.* ~ *chimique*, ~ *en poudre* Backpulver *n*.

lexicaliser [lɛksikali'ze] *v/t.* (1a) lexikographisch erfassen.

lexicograph|e [~kɔ'graf] *m* Lexikograph *m*, Wörterbuchschreiber *m*; **~ie** [~'fi] *f* Lexikographie *f*; **~ique** [~'fik] *adj.* lexikographisch.

lexicolog|ie [~kɔlɔ'ʒi] *f* Lexikologie *f*, Wort- u. Bedeutungslehre *f*; **~ique** [~'ʒik] *adj.* lexikologisch; **~ue** [~'lɔg] *m* Lexikologe *m*.

lexique [lɛk'sik] *m* Wortschatz *m od.* Vokabular *n* e-s Verfassers *od.* e-r Sprache; Handwörterbuch *n*.

lez † [lɛ] *prp.* = lès bei (*Ortsnamen*).

lézard *zo.* [le'za:r] *m* Eidechse *f*; *faire le* ~ sich sonnen, sich aalen; **~e** [~'zard] *f* **1.** Mauerritze *f*, Spalt *m*; **2.** Besatz *m* (*Polsterei*); **3.** ⚔ Unteroffizierstresse *f*; **~er** [~zar'de] (1a) **I** *v/t.* spalten, rissig machen; **II** F *v/i.* sich aalen, faulenzen; **III** *v/rfl.* se ~ rissig werden.

liage [lja:ʒ] *m* Binden *n*.

liais *min.* [ljɛ] *m* feinkörniger, harter Kalkstein *m*.

liaison [ljɛ'zɔ̃] *f* **1.** Verbindung *f*; ♪ Bindung *f*; *fig.* Band *n*, Zusammenhang *m*; ⚔ *officier m de* ~ Verbindungsoffizier *m*; ~ *transversale* Querverbindung *f*; ~ (*postale*) *aérienne* Luft(post)verbindung *f*; ~ *téléphonique*, ~ *ferroviaire* Telefon-, Bahn-verbindung *f*; *en* ~ *avec* im Zusammenhang mit (*dat.*); *rester en* ~ *radio avec* ... in Funkverbindung bleiben mit ... (*dat.*); **2.** *gr.* Bindung *f*; *faire la* ~ binden; **3.** ~ (*amoureuse* Liebes-)Verhältnis *n*; ~*s pl.* Bekanntschaften *f/pl.*; **4.** *cuis.* Binden *n* (*mit Eigelb usw.*); **5.** ⚠ Verband *m*; Bindemittel *n*; **~ner** [~zɔ'ne] *v/t.* (1a) verbandmäßig vermauern; mit Mörtel ausfüllen.

liane ⚘ [ljan] *f* Liane *f*.

liant [ljɑ̃] **I** *adj.* (7) umgänglich, freundlich, entgegenkommend; F nett; **II** *m* Geschmeidigkeit *f* (*e-s Materials*); *fig.* Freundlichkeit *f*; ⚠ Bindemittel *n*.

liard [lja:r] *m hist.* Heller *m*; *litt.* *n'avoir pas un* (*rouge*) ~ bettelarm sein.

lias *géol.* [ljɑs] *m* Lias *m.*
liasse [ljas] *f* Pack *m von Papieren*, Aktenstoß *m*, Stoß *m*, Bündel *n*; ~ *de billets* Bündel *n* Banknoten.
Liban [li'bɑ̃] *m*: **le ~** der Libanon; **~ais** [~ba'nɛ] *su. u.* ♀ *adj.* (7) Libanese *m*, Libanesin *f*; libanesisch.
libation [libɑ'sjɔ̃] *f bsd.* ~*s pl.* Zechgelage *n*; *fig. faire des* ~*s* tüchtig trinken (*od.* zechen).
libel|le [li'bɛl] *m* Schmähschrift *f*; **~lé** [~bɛ'le] *m* Wortlaut *m*, Text *m*, Textabfassung *f*, Fassung *f*; **~ler** [~] *v/t.* (1a) ⚖ *eine Klage* vorschriftsmäßig ausfertigen; *allg.* abfassen; *ainsi libellé* folgenden Wortlauts; **~liste** *péj.* [~'list] *m* Verfasser *m* von Schmähschriften; **~lule** *ent.* [~'lyl] *f* Wasserjungfer *f*, Libelle *f.*
liber ⚘ [li'bɛːr] *m* Bast *m.*
libérable [libe'rablə] *adj.* **1.** *a.* ⚔ entlaßbar; **2.** abräumbar (*Gelände*).
libé|ral [libe'ral] **I** *adj.* (5c) □ liberal (*a. pol.*), großzügig, freigebig; freiheitlich, freimütig; *économie* ~*e* freie Marktwirtschaft; *professions* ~*es* freie Berufe; **II** *bsd. pol. m* Liberale(r) *m*; **~ralisme** [~ra'lism] *m* Liberalismus *m*, *éc.* freie Wirtschaft *f*; **~ralité** [~rali'te] *f* Freigebigkeit *f*; (*mst.* ~*s pl.*) Geschenke *n/pl.*; **~rateur** [~ra'tœːr] *su. u. adj.* (7f) Befreier *m*; befreiend; **~ration** [~rɑ'sjɔ̃] *f* **1.** Befreiung *f*; **2.** ⚖ Freilassung *f*, Entlassung *f*; **3.** ⚔ Entlassung *f* (*nach abgelaufener Dienstzeit*); **4.** † Tilgung *f* (*e-r Schuld*); ~ *de titres* Vollbezahlung *f* von ausgegebenen Wertpapieren; **5.** *phys.*, ⚗ Abgabe *f*, Freisetzung *f* (*von Energie etc.*); **~ratoire** ⚖ [~ra'twaːr] *adj.* befreiend; **~ré** [libe're] **I** *adj.* frei; **II** *m* entlassener Soldat *m*; entlassener Sträfling *m*; **~rer** [~] (1f) **I** *v/t.* **1.** ⚖ ~ *q.* (*qch.*) *de* j-n (etw.) befreien (*od.* entlasten) von (*dat.*); **2.** ⚔ *vom Militärdienst* befreien; entlassen; **3.** ⚗ *phys.* freisetzen; abgeben; **4.** abräumen (*Gelände*); **II** *v/rfl.* **se ~** sich freimachen (de von *dat.*); s-e Schulden tilgen.
Libéria *géogr.* [libe'rja] *m*: **le ~** Liberia *n.*
libérien [libe'rjɛ̃] *adj.* (7c) **1.** Bast...; **2.** *adj. u.* ♀ *su.* liberisch; Liberianer *m.*
libermanisme *éc. UdSSR* [libɛrma'nism] *m* Wirtschaftssystem *n* J. Libermanns.
liber|taire [libɛr'tɛːr] *su. u. adj.* Freiheitskämpfer *m*; freiheitsbewußt; freiheitlich; **~té** [~'te] *f* **1.** Freiheit *f*; *atteinte f à la* ~ Freiheitsberaubung *f*; ~ *d'action* Handlungsfreiheit *f*; ~ *du commerce* Handelsfreiheit *f*; ~ *de conscience*, ~ *de culte*, ~ *religieuse* Gewissens-, Glaubens-, Religions-freiheit *f*; ~ *surveillée* Freilassung *f* mit Bewährungsaufsicht; ~ *de domicile* Freizügigkeit *f*; ~ *des mers* freie Schiffahrt *f*; ~ *de la presse* Pressefreiheit *f*; *mise f en* ~ Freilassung *f*; *passion f de la* ~, *soif f de* ~ Freiheitsdrang *m*; *apôtre m* (*champion m*) *de la* ~ Freiheitskämpfer *m*; *advt. en* ~ frei, ungehindert; *mettre en* ~, *rendre à la* ~ auf freien Fuß setzen; *avoir sa* ~ *de mouvements* sein eigener Herr sein; **2.** Willensfreiheit *f*; freier Wille *m*; ~ *d'esprit*, ~ *de jugement* geistige Unabhängigkeit *f*, Vorurteilslosigkeit *f*; **3.** ~ (*de langage*) Kühnheit *f* der Sprache; **4.** Ungezwungenheit *f*; *prendre la* ~ *de faire qch.* sich erlauben etw. zu tun; *prendre des* ~*s avec q.* sich j-m gegenüber Freiheiten herausnehmen; **~ticide** ⚖ [~ti'sid] *adj. u. su.* freiheits-beraubend, -vernichtend; Freiheitsvernichter *m*; **~tin** [~'tɛ̃] (7) **I** *adj.* ausschweifend, leichtfertig, liederlich; **II** *su.* **1.** ausschweifender Mensch *m*; Wüstling *m*; *f*: leichtes Mädchen *n*; **2.** *hist.* Freidenker *m* (*17. u. 18. Jh.*); **~tinage** [~ti'naːʒ] *m* Ausschweifung *f.*
libidineux [libidi'nø] *adj.* (7d) □ lüstern, geil, wollüstig, unzüchtig.
libraire [li'brɛːr] *su.* Buchhändler *m*; **~-éditeur** [~edi'tœːr] *m* (6a) Verlagsbuchhändler *m*, Verleger *m.*
librairie [librɛ'ri] *f* Buchhandlung *f*; Buchhandel *m.*
libration [librɑ'sjɔ̃] *f phys.* Schwingung *f e-s Pendels*; *ast.* Schwankung *f* (*der Mondachse*).
libre ['liːbrə] *adj.* □ **1.** frei; *sur papier* ~ auf einfachem Papier ohne Gebührenmarke; ~*s propos m/pl.* Kommentar *m* (*im Radio*); **2.** unabhängig; ledig, ungezwungen, ausgelassen, freimütig; **3.** freiwillig, natürlich; ungehindert; *vous êtes* ~ (*od.* ~ *à vous*) *de sortir ou de rester* es steht Ihnen frei zu gehen oder zu bleiben; ~ *penseur* Freidenker *m*; **4.** *péj.* allzu frei, leichtfertig, ausschweifend.
libre-échang|e [libre'ʃɑ̃ːʒ] *m* Freihandel *m*; **~iste** [~ʃɑ̃'ʒist] *adj. u. su.* Freihandels...; Anhänger *m* des Freihandels.
libre-service ['liːbrəsɛr'vis] *m* (6a)

Selbstbedienung(sladen *m*, -sgeschäft *n*, -srestaurant *n*) *f*.

libret|tiste [librɛt'tist] *su.* Operntextdichter *m*; **~to** [~'to] *m* (*pl. auch libretti* [~brɛ'ti]) Operntext *m*.

Libye *géogr.* [li'bi] *f*: **la ~** Libyen *n*.

liby|en [li'bjɛ̃] *adj.* (7c), **~que** [~'bik] *adj.* libysch.

lice[1] [lis] *f* **1.** *hist.* Turnierplatz *m*, Kampfplatz *m*; *entrer en ~* in die Schranken treten (*a. fig.*), sich zum Wettkampf stellen; auf dem Plan erscheinen; **2.** Geländer *n*.

lice[2] [~] *f Weberei*: Schaft *m*; Kette *f*; = *lisse*.

lice[3] [~] *f* Jagdhündin *f*.

licen|ce [li'sɑ̃:s] *f* **1.** Erlaubnis *f*, Bewilligung *f*, Genehmigung *f*; Konzession *f*, Lizenz *f*, Approbation *f*, Gewerbeschein *m*; *~ de débit de boissons* Schankkonzession *f*; *~ d'importation* (*d'exportation*) Einfuhr- (Ausfuhr-)erlaubnis *f*; **2.** *Fr.*, *univ.* Staatsexamen *n*; *~ en droit* juristisches Staatsexamen *n*; *~ ès lettres* philologisches (*od.* philosophisches) Staatsexamen *n*; *faire sa ~* sein Staatsexamen machen; **3.** allzu große Freiheit *f*; *prendre bien des ~s avec q.* sich j-m gegenüber viel herausnehmen; **4.** *litt.* Verstoß *m* gegen die Regeln; *~ poétique* dichterische Freiheit *f*; **~cié** [~sɑ̃'sje] *m* Lizenz-träger *m*, -nehmer *m*; *univ.* Referendar *m*; **~ciement** [~sɑ̃si'mɑ̃] *m* Entlassung *f* (*von Arbeitern*), Verabschiedung *f*, Abbau *m* (*v. Beamten*); **~cier** [~'sje] *v/t.* (1a) entlassen; abbauen (*Beamte*); ⚓ *Schiffsvolk* abmustern; **~cieux** [~'sjø] *adj.* (7d) □ allzu frei, ausgelassen; *péj.* unsittlich, zuchtlos, zügellos.

lichen ⚕, ⚘ [li'kɛn] *m* Flechte *f*.

licher P [li'ʃe] *v/t. u. v/i.* (1a) saufen.

lici|tation ⚖ [lisitɑ'sjɔ̃] *f* Versteigerung *f*; **~te** [li'sit] *adj.* □ erlaubt, zulässig; **~ter** [lisi'te] *v/t.* (1a) versteigern.

licorne [li'kɔrn] *f* **1.** Einhorn *n* (*sagenhaftes Tier*); **2.** *zo. ~ de mer* Narwal *m*, Einhornfisch *m*.

licou [li'ku] *m* Halfter *f* (*a. m od. n*).

lie [li] *f* Bodenhefe *f*; *~ de vin* Weinhefe *f*; dunkelrot; weinrot; *fig. la ~ du peuple* die Hefe (*od.* der Abschaum) des Volkes.

liège [ljɛ:ʒ] *m* Kork *m*; *bouchon m de ~* Korkpfropfen *m*.

Liège [~] *f* Lüttich *n*.

liégeois [lje'ʒwa] *adj. u.* ♀ *su.* (7) (Einwohner *m*) aus Lüttich; *café ~* Eiskaffee *m*.

liéger [lje'ʒe] *v/t.* (1f) *Fischnetz* bekorken.

liégeux [lje'ʒø] *adj.* (7d) korkartig.

lien [ljɛ̃] *m* **1.** Band *n*; **2.** *fig. bsd. ~s pl.* Bande *n/pl.*; *~s du sang* Blutsbande *n/pl.*

lier [lje] (1a) **I** *v/t.* **1.** binden, zusammen-, an-, fest-binden; fesseln; (zu)knüpfen; *fig. la peur lui lia la langue* die Angst verschlug ihm die Sprache; *fig. être fou à ~* total verrückt sein; **2.** verbinden, vereinigen; verpflichten; *fig. ~ conversation* e-e Unterhaltung anknüpfen; *être fort lié(e) avec* sehr (*od.* eng) befreundet sein mit (*dat.*); **3.** *cuis. ~ une sauce* e-e Sauce binden, andicken; ♪ binden; **II** *v/rfl. se ~* sich (ver)binden; sich anschließen; *peint.* gut zusammenstimmen (*Farben*); *se ~ d'amitié avec q.* mit j-m Freundschaft schließen; *se ~ à ...* sich verbinden mit ... (*dat.*).

lierre ⚘ [ljɛ:r] *m* Efeu *m*.

liesse † [ljɛs] *f* Jubel *m*; *heute nur noch gebr. in*: *atmosphère f de ~ générale* Atmosphäre *f* allgemeinen Jubels; *une foule en ~* e-e jubelnde Menge *f*.

lieu [ljø] *m* (5b) **1.** Ort *m*, Stelle *f*, Stätte *f*; Aufenthalt(sort *m*) *m*; *~ d'asile* Zufluchtsort *m*; *~ de destination* Bestimmungsort *m*; ⚖ *~ du crime*, *~ du délit* Tatort *m*; *~ de résidence*, *~ de séjour* Aufenthaltsort *m*; *mémoire f des ~x* Ortsgedächtnis *n*; *mauvais ~* verrufenes Haus *n*; *~ de travail* Arbeits-ort *m*, -stätte *f*; *Auto*: *~ de stationnement* Parkplatz *m*; *en maints ~x* vielerorts; ☤ *~ de paiement* (*od. de règlement*) Zahlungs- (*od.* Erfüllungs-)ort *m*; *avoir ~* stattfinden, sich ereignen; *se rendre sur les ~x* sich an Ort u. Stelle begeben; *quitter, vider les ~x* die Wohnung, das Haus räumen; *n'avoir ni feu ni ~* obdachlos sein; *en haut ~* höheren Orts; **2.** *~x pl.* (*d'aisances*) Abort *m*, Abtritt *m*; **3.** Stelle *f in e-m Buch*; **4.** *fig. ~x communs* Gemeinplätze *m/pl.*, Phrasen *f/pl.*; **5.** Stelle *f*: *tenir ~ de q.* die Stelle j-s vertreten; *tenir ~ de qch.* etw. ersetzen; *prp. au ~ de ...* anstatt (*gén.*); *cj. au ~ que ...* statt daß ...; *en ~ et place de q.* in j-s Namen; *en son ~* an s-r Stelle; *en premier ~* an erster Stelle, in erster Linie; **6.** Anlaß *m*, Gelegenheit *f*, Ursache *f*; *donner ~ à des plaintes* Anlaß zu Klagen geben; *avoir tout ~ de ...* allen Grund haben zu ...; *il y a ~ de* ... es ist Grund vorhanden zu ...; *s'il y a ~* nötigenfalls; *en temps et ~* bei günstiger Gelegenheit.

lieudit *od.* **lieu-dit** [ljø'di] *m* (6a) *kleine* Ortschaft *f* (*mit e-m Flurnamen*).

lieue [ljø] *f* Meile *f*, (Weg-)Stunde *f*; *être à cent ~s de supposer qch.* meilenweit entfernt sein, etw. zu vermuten.

lieuse ⊕ [ljø:z] *f* Mähbinder *m*.

lieutenant [ljøt'nɑ̃] *m* Oberleutnant *m*; *sous-~* Leutnant *m*; ⚓ *~ de vaisseau* Kapitänleutnant *m*; **~-colonel** [~kɔlɔ'nɛl] *m* (6a) Oberstleutnant *m*.

lièvre *zo.* ['ljɛ:vrə] *m* Hase *m*; *c'est là que gît le ~* da liegt der Hase im Pfeffer; *être peureux comme un ~* ein Angsthase sein; *avoir une mémoire de ~* ein Gedächtnis wie ein Sieb haben; *fig. lever un ~* ein heikles Thema anschneiden; *fig. courir deux ~s à la fois* zwei Fliegen mit einer Klappe schlagen wollen.

liftier [lif'tje] *m* Fahrstuhlführer *m*, Lift-boy *m*, -junge *m*.

ligament *anat.* [liga'mɑ̃] *m* (Sehnen-)Band *n*; **~eux** [~'tø] *adj.* (7d) bandartig, Band...

ligatur|e [liga'ty:r] *f* **1.** ⚕ Abbindung *f*; **2.** *typ.* Doppelbuchstabe *m* (*z.B.* œ, fl); **3.** ⚒ Umwicklung *f*, Verbinden *n*; Anbinden *n*; **~er** [~ty're] *v/t.* (1a) ⚕ abbinden, abschnüren; ⊕ festbinden.

lige *féod.* [li:ʒ] *adj.* lehnspflichtig.

lignage *journ.* [li'ɲa:ʒ] *m* Zeilenmenge *f*.

lignard [li'ɲa:r] *m* **1.** *journ.* Zeilenschinder *m*; **2.** ⚡, *téléph.* Leitungsstreckenarbeiter *m*.

ligne [liɲ] *f* **1.** Linie *f*, Reihe *f*, Strich *m*; *~ de démarcation* Demarkationslinie *f*; *tracer une ~* e-e Linie ziehen; *en* (*fig.*: *dans les*) *grandes ~s* in großen Umrissen; *~ équinoxiale* Äquator *m*; ⚓ *baptême de la ~* Äquatortaufe *f*; *~ visuelle* Gesichtsachse *f*; *~ de bataille* Schlachtlinie *f*; *troupes f/pl. de ~* Linientruppen *f/pl.*; ⚔ *mettre en ~* einsetzen, zum Einsatz bringen; ⚔ *~ de communication* Nachschubweg *m*; ⚔ *première ~* vorderste Linie, Front *f*; *géol. ~ de faille* Bruch-, Verwerfungs-linie *f*; ⚓ *~ de chargement* Ladelinie *f*; *~ de flottaison* Wasserlinie *f*; *navire m de ~* Schlachtschiff *n*; *~ de partage des eaux* Wasserscheide *f*; *fig. sur toute la ~* auf der ganzen Linie; **2.** *fig.* Richtung *f*, Weg *m*; Rang *m*, Reihe *f*; *~ de conduite* Lebensregel *f*; Richtschnur *f*; Haltung *f fig.*; Marschroute *f fig.*; *faire entrer en ~ de compte* (mit) in Betracht ziehen; *suivre la ~ droite* den geraden Weg gehen; *hors ~* unvergleichlich; *~ du parti* Parteilinie *f*; *être dans la ~* linientreu sein; **3.** Zeile *f*; *à la ~!* neue Zeile! (*beim Diktat*); *lire entre les ~s* zwischen den Zeilen lesen; *résumer en deux ~s* kurz zusammenfassen; **4.** Angel *f*; *pêcher à la ~* angeln; **5.** Strecke *f*; ⚡ Leitung *f*; *réseau m de ~s* Verkehrsnetz *n*; *~ de chemin de fer* Eisenbahnlinie *f*; *~ aérienne* Freileitung *f*, oberirdische Leitung *f*; ✈ Fluglinie *f*, Flugstrecke *f*; 🚂 *grande ~* Haupt-, Fern-strecke *f*; 🚂 *~ à voie étroite* Schmalspurbahn *f*; *~ à voie normale* Normalspurbahn *f*; *~ de métro* U-Bahn-Linie *f*; *~ d'autobus* Autobuslinie *f*; 📯 *~ postale aérienne* Luftpostlinie *f*; *téléph. ~ téléphonique* Fernsprechleitung *f*; ⚡ *~ à faible* (*haute*) *tension* Schwach-(Stark-)stromleitung *f*; **6.** *for.* Schneise *f*; **7.** *tenir à sa ~, surveiller sa ~* auf s-e (ihre) schlanke Linie achten; *garder sa ~* schlank bleiben; *perdre sa ~* dick werden; **8.** *Sport*: *~ d'avants* Stürmerreihe *f*; *~ de but* Torlinie *f*; *~ de départ* Startlinie *f*; *~ d'arrivée* Ziellinie *f*; *Tennis*: *~ de service* Aufschlaglinie *f*; *franchir la ~ d'arrivée* durch das Ziel gehen.

lignée [li'ɲe] *f* Stamm *m*, Geschlecht *n*, Nachkommenschaft *f*.

lign|er [~] *v/t.* (1a) lin(i)ieren; **~eul** [~'ɲœl] *m* Schuhdraht *m*.

lign|eux [li'ɲø] *adj.* (7d) holzartig, holzig; **~ification** [~ɲifika'sjɔ̃] *f* Verholzung *f*; **~ifier** [~ɲi'fje] *v/rfl.* (1a): *se ~* verholzen; **~ite** [~'ɲit] *m* Braunkohle *f*; **~ivore** *zo.* [~'vɔ:r] *adj.* holzfressend.

ligoter [ligɔ'te] *v/t.* (1a) fesseln.

ligue [li:g] *f* Bund *m*, Bündnis *n*; Liga *f*; *♀ des Droits de l'homme* Liga *f* für Menschenrechte; *♀ arabe* Arabische Liga.

ligu|er [li'ge] *v/t.* (1m) verbinden, vereinigen; *se ~ contre q.* sich gegen j-n verbünden; **~eur** [~'gœ:r] *su.* (7g) Mitglied *n* e-r Liga.

ligule ⚘ [li'gyl] *f* Blatthäutchen *n*.

lilas [li'lɑ] **I** *m* ⚘ Flieder *m*; **II** *adj. inv.* lila.

liliacé [lilja'se] *adj.* lilienartig.

lilliputien [lilipy'sjɛ̃] *adj. u. su.* (7c) liliputanisch; Miniatur...; Liliputaner(in *f*) *m*.

lima|ce [li'mas] *f* **1.** *zo.* (Nackt-) Schnecke *f*; *fig.* *quelle* ~*!* so ein Trödelfritze!, so e-e Trödelliese!; **2.** * Hemd *n*; **~çon** [~'sɔ̃] *m* **1.** *zo.* Schnecke *f* (mit Haus); **2.** *anat.* Ohrschnecke *f*.

lim|age ⊕ [li'maːʒ] *m* Feilen *n*; **~aille** [li'mɑːj] *f* Feilspäne *m/pl*.

limande [li'mɑ̃ːd] *f* **1.** *icht.* Kliesche *f*, Rotzunge *f* (*Schollenart*); **2.** ⊕ flaches Holzstück *n*, Setzlatte *f*, Richtscheit *n*; **3.** ⚓ geteertes Leinentuch *n* (*zum Schutz des Seils*).

limbe [lɛ̃ːb] *m* **1.** Gradbogen *m*; **2.** ⚘ Saum *m*; **3.** *ast.* Rand *m der Sonne*; *rl.* *les* ~*s* der Vorhimmel *m*; *fig.* *être encore dans les* ~*s* noch im Werden sein.

lime[1] [lim] *f* kleine süße Zitrone *f*.

lim|e[2] [~] *f* Feile *f*; ~ *douce* Schlichtfeile *f*; ~ *grosse* Grobfeile *f*; ~ *triangulaire* Dreikantfeile *f*; ~ *à ongles* Nagelfeile *f*; *enlever* (*od.* *ôter*) *à la* ~ abfeilen; *fig.* *donner un dernier coup de* ~ *à qch.* e-r Sache den letzten Schliff geben; **~er** [li'me] *v/t.* (1a) feilen; *fig.* sorgfältig ausarbeiten, ausfeilen; **~eur** [li'mœːr] *su.* (7g) Feiler *m*; **~euse** ⊕ [~'møːz] *f* Feilmaschine *f*.

limier [li'mje] *m* Spürhund *m*; *fig.* F Detektiv *m*.

limi|naire *litt.* [limi'nɛːr] *adj.* einleitend; **~tatif** [~ta'tif] *adj.* (7e) □ einschränkend; erschöpfend (*Aufzählung*); **~tation** [~tɑ'sjɔ̃] *f* Einschränkung *f*; ✝ Limitierung *f*; ~ *d'armements* Rüstungsbeschränkung *f*; ~ *des naissances* Geburtenregelung *f*; ~ *de vitesse* Geschwindigkeitsbegrenzung *f*; **~te** [li'mit] *f* **1.** Grenze *f* (*nicht staatspolitisch*; *a. fig.*); Limit *n* (*für Preise*); ~ *d'arbres* Waldgrenze *f im Gebirge*; ~ *maxima* Höchstgrenze *f*; ⊕ ~ *élastique* Streckgrenze *f*; ~ *d'âge* Altersgrenze *f*; *dernière* ~ letzter, äußerster Termin *m*; *avoir des* ~*s* Grenzen haben (*Geduld etc.*); *cas m* ~ Grenzfall *m*; *charge f* ~ Höchstlast *f*; *valeur f* ~ Grenzwert *m*; **2.** ⩕ Grenzwert *m*; **~ter** [limi'te] *v/t.* (1a) begrenzen; *fig.* beschränken; *Preis* limitieren; *non limité* unlimitiert; **~trophe** [~'trɔf] *adj.* angrenzend (de an *acc.*); *pays m* ~ Grenzland *n*.

limnée *zo.* [lim'ne] *f* Schlammschnecke *f*.

limnologie 🕮 [limnɔlɔ'ʒi] *f* Limnologie *f*, Seenkunde *f*.

limog|eage F ⚔, *pol.* [limɔ'ʒaːʒ] *m* Kaltstellung *f*, Entlassung *f*; **~er** F, ⚔, *pol.* [~'ʒe] *v/t.* (1l) *j-n* kaltstellen, absägen F.

limon[1] [li'mɔ̃] *m* Schlamm *m*.

limon[2] [~] *m* **1.** ⊕ Deichsel *f*, Gabel *f*; **2.** ⚠ Treppenwange *f*.

limona|de [limɔ'nad] *f* Limonade *f*; ~ *gazeuse* Brauselimonade *f*; **~dier** [~'dje] *su.* (7b) **1.** Limonadenverkäufer *m*; **2.** Cafébesitzer *m*.

Limonaire [limɔ'nɛːr] *m* (*a. orgue m* ~) Drehorgel *f* (*bsd. beim Karussell*).

limoneux [limɔ'nø] *adj.* (7d) schlammig.

limonier [limɔ'nje] *adj./m u. m* (*cheval m*) ~ Gabelpferd *n*.

limonière [limɔ'njɛːr] *f* Gabel (-deichsel *f*) *f*.

limousi|n [limu'zɛ̃] *m* Maurer *m*; **~nage** [~zi'naːʒ] *m* ⚠ ausgegossenes Bruchsteinmauerwerk *n*, grobes Gemäuer *n*; **~ne** [~'ziːn] *f* **1.** *Auto*: Limousine *f*; **2.** grobwollener Mantel *m*; **~ner** [~zi'ne] *v/t.* (1a) mit Bruchsteinen mauern.

limpi|de [lɛ̃'pid] *adj.* hell, klar, durchsichtig; **~dité** [~di'te] *f* Klarheit *f*, Durchsichtigkeit *f*.

limule *zo.* [li'myl] *m* Limulus *m*, Molukkenkrebs *m*.

lin [lɛ̃] *m* ⚘ Flachs *m*; ✝ Leinwand *f*, Linnen *n*; *phm.* *farine f de* ~ Leinkuchen *m*; *huile f de* ~ Leinöl *n*; *graine f de* ~ Leinsamen *m*.

linaire ⚘ [li'nɛːr] *f* Leinkraut *n*.

linceul [lɛ̃'sœl] *m* Leichentuch *n*.

linéaire [line'ɛːr] *adj.* **1.** linear, geradlinig; linienförmig; *dessin m* ~ Linearzeichnen *n*; *mesures f/pl.* ~*s* Längenmaße *n/pl.*; **2.** ⩕ *équation f* ~ lineare Gleichung *f*.

linéal [line'al] *adj.* (5c) □ ⚖ in gerader (Verwandtschafts-)Linie.

linéament [~a'mɑ̃] *m* **1.** (Gesichts-) Zug *m*; **2.** ~*s pl.* erster Entwurf *m*.

linette [li'nɛt] *f* Leinsamen *m*.

linge [lɛ̃ːʒ] *m* **1.** Wäsche *f*, Leibwäsche *f*; ~ *de corps* Unterwäsche *f*; ~ *de maison* Haushaltswäsche *f*; *gros* ~ grobe Wäsche *f*; *menu* ~, ~ *fin* feine Wäsche *f*; *du* ~ *de rechange* Wäsche *f* zum Wechseln; **2.** Stück *n* Stoff, Leinen; *blanc comme un* ~ leichenblaß, kreidebleich.

ling|ère [lɛ̃'ʒɛːr] *f* Wäscheaufseherin *f*; Weißnäherin *f*; **~erie** [lɛ̃ʒ'ri] *f* **1.** Weißwarenhandel *m*; **2.** Wäschegeschäft *n*; **3.** Wäschekammer *f*; **4.** Wäsche *f*; Damen(unter)wäsche *f*.

lingot [lɛ̃'go] *m* Barren *m*, Block *m*, Stange *f*; ungemünztes Gold *n od.* Silber *n*; **~er** [~gɔ'te] *v/t.* (1a)

Barren gießen; **~ière** ⊕ [~gɔ'tjɛːr] *f* Gießform *f*.
lingual [lɛ̃'gɥal] *adj.* (5c) Zungen...; **~e** *gr.* [~] *f* Zungenlaut *m*.
linguet [lɛ̃'gɛ] *m* ⚓ Sperrklinke *f*.
linguis|te [lɛ̃'gɥist] *su.* Sprachwissenschaftler *m*, Linguist *m*, Sprachforscher *m*; **~tique** [~'tik] **I** *adj.* sprachwissenschaftlich; **II** *f* Sprachwissenschaft *f*, Linguistik *f*, Sprachforschung *f*.
lini|er [li'nje] *adj.* (7b): *industrie f linière* Leinenindustrie *f*, Flachsspinnerei *f*; **~ère** [~'njɛːr] *f* Flachsfeld *n*.
liniment ⚕ [lini'mɑ̃] *m* Einreibemittel *n*.
lin|oléum [linɔle'ɔm] *m* Linoleum *n*; **~on** ✝ [li'nɔ̃] *m* Linon *m*, feines Leinen *n*.
lin|ot *m*, **~otte** *f* [li'no, li'nɔt] *orn.* Hänfling *m*; *il a une tête de ~otte* er ist ein leichtsinniger, kopfloser Mensch.
linotyp|e *typ.* [linɔ'tip] *f* Linotype *f*, Zeilensetzmaschine *f*; **~ie** *typ.* [~'pi] *f* Zeilensatz *m*; **~iste** *typ.* [~'pist] *m* Zeilensetzer *m*.
linteau *charp.* [lɛ̃'to] *m* Tür-, Fenster-sturz *m*.
lion *zo.* [ljɔ̃] *su.* (7c) Löwe *m*; *~ d'Amérique* Puma *m*; *courageux comme un ~* mutig wie ein Löwe; F *fig. il a bouffé du ~* er hat heute e-e ungewöhnliche Energie; *fig. la part du ~* der Löwenanteil; **~ceau** *zo.* [ljɔ̃'so] *m* (5b) junger Löwe *m*; **~ne** *zo.* [ljɔn] *f* Löwin *f*.
lipide *biol.* [li'pid] *m* Fett *n*.
lipoïde [lipɔ'id] *adj.* fettartig, fettig.
lipome ⚕ [li'poːm] *m* Fettgeschwulst *f*.
lipp|e *péj.* [lip] *f*: *faire la ~* schmollen, e-n Flunsch ziehen; **~ée** [li'pe] *f*: *franche ~* gutes, kostenloses Essen *n*; **~u** [li'py] *adj.* dicklippig (*Person*); wulstig, dick (*Lippe*).
liquat|er *métall.* [likwa'te] *v/t.* (1a) seigern; **~ion** [~kwɑ'sjɔ̃] *f* Seigerung *f*, Seigervorgang *m*.
liqué|faction [likefak'sjɔ̃] *f* Flüssigmachen *n*; Verflüssigung *f*; **~fier** [~'fje] (1a) **I** *v/t.* flüssig machen; verflüssigen; **II** *v/rfl.* se ~ schmelzen, flüssig werden.
liquette ★ [li'kɛt] *f* **1.** Hemd *n*; **2.** seitlich geschlitztes Damenhemd *n*, das über e-e Hose fällt.
liqueur [li'kœːr] *f* **1.** Likör *m*; *~ de ménage* selbstgemachter Likör *m*; *~s pl.* Spirituosen *pl.*; **2.** *phm.* Lösung *f*.
liquidambar [likidɑ̃'baːr] *m* **1.** ⚘ Amberbaum *m*; **2.** *phm.* flüssige Ambra *f*.
liqui|dateur [~da'tœːr] *m* Abwickler *m*, Liquidator *m*; **~dation** [~dɑ'sjɔ̃] *f* **1.** ⚖ *u.* ✝ Liquidation *f*, Liquidierung *f*, Abrechnung *f*; *~ de fin d'année* Jahresabschluß *m*; *~ de quinzaine* Medioabrechnung *f*; *~ de fin de mois* Ultimoabrechnung *f*; *faire la ~* abwickeln; **2.** ✝ Ausverkauf *m*; *~ totale* Räumungsverkauf *m*; **3.** *fig.* Liquidierung *f*, Beseitigung *f* (*Gegner*); Klärung *f* (*Situation*); **~de** [li'kid] **I** *adj.* □ flüssig (*a. Geld*); *avoir m ~* Barvermögen *n*; **II** *m* Flüssigkeit *f*; ⚕ flüssige Nahrung *f*; **III** *gr. f* Liquida *f* (*l, m, n, r*); **~der** [~'de] *v/t.* (1a) ⚖ *u.* ✝ ins reine bringen, abrechnen; liquidieren, glattstellen, ausverkaufen; *fig.* regeln, erledigen; klären; *mv. p. ~ q.* j-n liquidieren *od.* beseitigen *od.* fertigmachen; **~dité** [~di'te] *f* flüssiger Zustand *m*; *fin. ~s pl.* flüssige Mittel *n/pl.*; Barmittel *n/pl.*
liquoreux [likɔ'rø] *adj.* (7d) likörartig; süß (*Wein*).
lire[1] [liːr] *v/t. u. v/i.* (4x) (vor)lesen; *~ à haute voix* laut lesen; ♪ *~ la musique* die Noten lesen; vom Blatt spielen; *~ dans la pensée de q.* j-s Gedanken erraten; *~ dans les yeux de q.* in j-s Augen lesen; *je vous lis difficilement* ich kann Ihre Schrift schwer lesen.
lire[2] [~] *f* Lira (*pl.* Lire) *f*.
lis [lis] *m* Lilie *f*; *~ orangé od. rouge* Feuerlilie *f*; ⛝ *fleur f de ~* Lilie *f* im Wappen der französ. Könige.
Lisbonne [lis'bɔn] *f* Lissabon *n*.
lisé|ré [lize're] *m* Litze *f*, Borte *f*, bandförmige Umrandung *f*, Randschnur *f*; **~rer** [~] *v/t.* (1f) mit Schnur einfassen.
liseron ⚘ [liz'rɔ̃] *m* Winde *f*.
lis|eur [li'zœːr] *su.* (7g) Leser *m*; Leseratte *f* F; **~euse** [~'zøːz] *f* Lesezeichen *n* (*kleines Messer mit Häkchen*); Leselampe *f*; Buchhülle *f*; Bettjäckchen *n*.
lisi|bilité [lizibili'te] *f* Lesbarkeit *f*; **~ble** [~'ziblə] *adj.* □ leserlich.
lisier *dial.* ⚒ [li'zje] *m* Schweinemist *m*.
lisière [li'zjɛːr] *f* Saum *m*; Gängelband *n*; *fig.* Grenze *f*, Rand *m*; (Feld-)Rain *m*; *~s pl.* Laufgeschirr *n* (*für Kleinkinder*); *fig. tenir en ~* am Gängelband führen.
lissage *text.* [li'saːʒ] *m* Glätten *n*.
lisse[1] [lis] *adj.* eben, glatt.

lisse[2] [~] *f* **1.** *tiss.* Schaftstab *m*; **2.** ⚓ Planke *f*; ~ *de pavois* Reling *f*.
lissé [li'se] **I** *adj.* glatt; **II** *m cuis.* gesponnener Zucker *m*.
lisser [li'se] *v/t.* (1a) glätten, polieren; satinieren.
lisseur ⊕ [li'sœːr] *m* Bügeleisen *n* (*Straßenbau*); Glätter *m*, Polierer *m*.
lisseuse ⊕ [li'sœːz] *f* Wasch- u. Plätt-maschine *f*; Butterformmaschine *f*; ~ *de laine* Wollglättmaschine; ~ *pour machines à papier* Papiermaschinenglättwerk *n*.
lissoir ⊕ [li'swaːr] *m* Glättwerkzeug *n*.
liste [list] *f* Liste *f*, Verzeichnis *n*; *téléph.* ~ *des abonnés* Teilnehmerverzeichnis *n*; ~ *des numéros gagnants* Gewinnliste *f*; ~ *électorale* Wählerliste *f*; *Sport*: ~ *des inscriptions*, ~ *des engagements* Nennungs-, Meldungs-liste *f*; ~ *des passagers* Passagierliste *f*.
listeau, *auch* **listel,** *pl. immer*: *listeaux* ⚠ [lis'to, lis'tɛl] *m* (schmale) Leiste *f*.
lister ⚕ [lis'te] *v/t.* (1a) auf e-r Liste verzeichnen.
lit [li] *m* **1.** Bett *n*; Lager(stätte *f*) *n*; *bois m de* ~ Bettstelle *f*; ~ *conjugal* Ehebett *n*; ~ *de camp* Feldbett *n*; Pritsche *f*; ~ *de douleur* Schmerzenslager *n*; ~ *de mort* Sterbebett *n*; ~ *pliant* Klappbett *n*; *garder le* ~ das Bett hüten; *se mettre au* ~ sich ins Bett legen; *un* ~ *Empire* ein Bett im Empirestil; **2.** *fig.* Ehe *f*; *enfant m du premier* ~ Kind *n* aus erster Ehe; **3.** ~ (*d'un fleuve*) Flußbett *n*; ~ *du vent* Windstrich *m*; **4.** *géol.* Lage *f*, Schicht *f*; **5.** ~ (*d'une pierre*) Lagerung *f* (e-s Steines); **6.** *hist.* ~ *de justice* königlicher Richterthron *m*; großer Gerichtstag *m*.
litanie [lita'ni] *f* **1.** *fig. iron.* Litanei *f*, Klagelied *n*; **2.** ~*s pl. rl.* Litanei *f*.
liteau [li to] *m* (5b) **1.** *men.* Leiste *f*; **2.** *text.* farbiger Streifen *m* (*Tischwäsche*).
litée *ch.* [li'te] *f* Wurf *m*, Lagervoll *n*.
liter [li'te] *v/t.* (1a) schichten (*Fische in Fässern*).
literie [li'tri] *f* Bettzeug *n*.
litharge [li'tarʒ] *f* (Blei-)Glätte *f*.
lithiase ⚕ [li'tjɑːz] *f* Steinleiden *n*.
lithogra|phe [litɔ'graf] *m* Steindrucker *m*; **~phie** [~'fi] *f* Steindruck *m*, -zeichnung *f*, Lithographie *f*; *chromo-*~ Ölfarbendruck *m*.
litière [li'tjɛːr] *f* **1.** Streu *f*; **2.** Sänfte *f*.
liti|ge [li'tiːʒ] *m* Rechtsstreit *m*, Prozeß *m*; *en* ~ strittig; Streit...; **~gieux** [~ti'ʒjø] *adj.* (7d) ⚖ strittig, Streit...
litispendance [litispɑ̃'dɑ̃ːs] *f* Rechtshängigkeit *f*.
litorne [li'tɔrn] *f* Krammetsvogel *m*.
litote [li'tɔt] *f gr.* Litotes *f*.
litre ['liːtrə] *m* (*abr. l*) Liter *n od. m*.
litron P [li'trɔ̃] *m* Liter *n* Wein.
litté|raire [lite'rɛːr] *adj.* □ literarisch, belletristisch, schriftstellerisch; **~ral** [~'ral] *adj.* (5c) □ buchstäblich; wörtlich; **~rateur** [~ra'tœːr] *su.* (7f) Literat *m*; **~rature** [~ra'tyːr] *f* **1.** Literatur *f*, Schrifttum *n*; ~ *de bas étage*, ~ *ordurière* (*od. faisandée*) Schundlit. *f*; ~ *légère, d'évasion* Unterhaltungslit. *f*; ~ *du second rayon* unbekanntere Lit. *f*; ~ *spécialisée* Fachlit. *f*; **2.** Schriftstellerei *f*; *il se lance dans la* ~ er legt sich aufs Schriftstellern; **3.** *péj.* leere Worte *n/pl*.
littoral [litɔ'ral] **I** *adj.* (5c) Ufer..., Küsten..., Strand...; **II** *m* Küstenstrich *m*.
Lituan|ie *ehm.* [litɥa'ni] *f*: **la** ~ Litauen *n*; **~ien** [~'njɛ̃] *m u.* ♀ *adj.* (7c) Litauer *m*; litauisch.
liturg|ie [lityr'ʒi] *f rl.* Liturgie *f*; **~ique** [~'ʒik] *adj.* liturgisch.
liure [ljyːr] *f* Wagenseil *n*.
livarot [liva'ro] *m* Käse *m* aus Livarot.
livi|de [li'vid] *adj.* fahl; leichenblaß; **~dité** [~di'te] *f* fahle Farbe *f*; Blässe *f*.
living [li'viŋ] *m* Aufenthaltsraum *m*.
livr|able [li'vrablə] *adj.* lieferbar; **~aison** [~vrɛ'zɔ̃] *f* **1.** (Ab-)Lieferung *f*; Zustellung *f*; ~ *partielle* Teillieferung *f*; ✉ ~ *des colis* (*postaux*) Paketzustellung *f*; *Auto*: *voiture f de* ~ Lieferwagen *m*; *bsd.* ⚕: *prendre* ~ *de qch.* etw. in Empfang nehmen; **2.** ⚕ *Buchhandel*: Heft *n*, Lieferung *f*; *paraître par* ~*s* in Lieferungen erscheinen.
livre[1] ['liːvrə] *m* Buch *n*; ~ *de lecture* Lesebuch *n*; ~ *de paie* Lohnbuch *n*; *pol.* ♀ *blanc* Weißbuch *n*; ~ *d'achats* Einkaufsbuch *n*; ~ *champion* Bestseller *m*; ~ *de chevet* Lieblingsbuch *n*; ~ *de compte* Rechnungsbuch *n*; *grand* ~, ~ *des comptes courants* Hauptbuch *n*, Journal *n*; ~ *d'occasion* antiquarisches Buch *n*; ~ *de ventes* Verkaufsbuch *n*; *porter sur les* ~*s* verbuchen; *tenir les* ~*s* Buch führen; *teneur m de* ~*s* Buchhalter *m*; *tenue f des* ~*s* Buchführung *f*;

à ~ ouvert vom Blatt (*spielen*); aus dem Stegreif (*übersetzen*).
livre[2] [~] *f* Pfund *n*; *une ~ sterling* ein Pfund Sterling.
livre-cadeau [~ka'do] *m* (6a) Geschenkband *m*.
livrée [li'vre] *f* **1.** Livree *f*, Dienerkleidung *f*; **2.** *ent.* Apfelraupe *f*; **3.** *zo.* Fell *n*; *orn.* Gefieder *n*.
livrer [~] (1a) **I** *v/t.* **1.** (ab-, aus-) liefern, übergeben, aushändigen; **2.** preisgeben, überlassen; **3.** liefern; *~ (seltener: une) bataille*, *~ combat* e-e Schlacht liefern; *~ passage à q.* j-n durchlassen; **II** *v/rfl.* *se ~* sich hingeben; sich widmen; *se ~ à q.* sich j-m anvertrauen; *se ~ aux études* Studien treiben.
livresque *péj.* [li'vrɛsk] *adj.* büchern; *fig.* trocken.
livret [li'vrɛ] *m* Büchlein *n*; *~ de caisse d'épargne* Sparkassenbuch *n*; *~ (individuel) de membre du parti* Parteibuch *n*; *~ de famille* Familienstammbuch *n*; ⚔ *~ individuel* Soldbuch *n*; *~ militaire* Militärpaß *m*; *~ d'opéra* Operntext *m*; *~ universitaire* Testatbuch *n*; *Fr.*: Universitätszeugnisbuch *n*; *Fr. ~ scolaire* Zeugnisheft *n*.
livreur [li'vrœːr] *adj. u. su.* (7g) ausliefernd; Warenauslieferer *m*; *garçon m ~* Laufbursche *m*.
lixiviation ⚗, *géol.* [liksivjɑ'sjɔ̃] *f* Auslaugung *f*.
lob *Tennis* [lɔb] *m* Hochschlag *m*.
lob|aire *anat.*, ⚘ [lɔ'bɛːr] *adj.* lappenartig, Lappen...; **~by** *pol.* [lɔ'bi] *m* Lobby *f*; **~bying** *parl.* [~bi'iŋ] *m* Wahlbeeinflussung *f*; **~e** [lɔb] *m* *anat.*, ⚘ Lappen *m des Gehirns, der Lunge usw.*; *~ de l'oreille* Ohrläppchen *n*; **~é** *zo. u.* ⚘ [lɔ'be] *adj.* lappig, gelappt.
lobélie ⚘ [lɔbe'li] *f* Lobelie *f*.
lober *Sport* [lɔ'be] *v/i.* (1a) e-n hohen Ball schießen.
lobul|aire [lɔby'lɛːr] *adj.* läppchenähnlich; **~e** [lɔ'byl] *m* Läppchen *n*.
local [lɔ'kal] (5c) **I** *adj.* □ örtlich; Orts...; *fabrication f ~e* einheimische Fabrikation *f*; **II** *m* **1.** Raum *m*, Räumlichkeit *f*.
locali|sation [lɔkalizɑ'sjɔ̃] *f* Lokalisierung *f*; **~ser** [~'ze] *v/t.* (1a) lokalisieren; *~ q.* j-n ausfindig machen; **~té** [~'te] *f* Ortschaft *f*, Ort *m*; Räumlichkeit *f*.
loca|taire [lɔka'tɛːr] *su.* Mieter *m*; **~tif** [~'tif] **I** *adj.* (7e) Miets...; **II** *gr. m* Lokativ *m*; **~tion** [~kɑ'sjɔ̃] *f* **1.** Vermietung *f*, Verpachtung *f*; Mieten *n*; Mietpreis *m*; 🚂, ✈, *Hotel*: Platz- *bzw.* Zimmer-reservierung *f*; *Auto*: Vorbestellung *f*; *~ de films* Filmverleih *m*; **2.** *thé.* Vorverkauf *m*; (*bureau m de*) *~* Tages-, Vorverkaufs-kasse *f*.
loch ⚓ [lɔk] *m* Log *n*.
loche [lɔʃ] *f* **1.** *icht.* Schmerle *f*; **2.** P Gartenschnecke *f*.
lock-out [lɔ'kawt] *m* Aussperrung *f*; **~er** [lɔkaw'te] *v/t.* (1a) aussperren.
loco [lɔ'ko] *f* **1.** Lokomotive *f*; **2.** ♀ * Teenagerklub *m*.
locomo|bile [lɔkɔmɔ'bil] *f* Lokomobile *f*; **~teur** *anat.* [~'tœːr] *adj.* (7f) Bewegungs...; **~tion** [~mo'sjɔ̃] *f* Fortbewegung *f*; *moyen m de ~* Fortbewegungsmittel *n*; **~tive** [~mɔ'tiːv] *f* **1.** Lokomotive *f*; **2.** *fig.* P Stammgast *m*; **~trice** 🚂, *métro* [~mɔ'tris] *f* Triebwagen *m*.
locotracteur [~trak'tœːr] *m* Klein-, Gruben-, Rangier-lokomotive *f*.
locul|aire ⚘ [lɔky'lɛːr], **~é** [~'le] *adj.* in kleine Fächer eingeteilt.
locuste [lɔ'kyst] *f* Heuschrecke *f*.
locut|eur *ling.* [lɔky'tœːr] *su.* (7f) Sprecher *m*; **~ion** [~'sjɔ̃] *f* Redensart *f*.
loden *text.* [lɔ'dɛn] *m* Loden *m*.
lœss *géol.* [løs] *m* Lößboden *m*.
lof ⚓ [lɔf] *m* Wind-, Luv-seite *f*; **~er** ⚓ [lɔ'fe] *v/i.* (1a) anluven, lavieren.
logarithm|e [lɔga'ritm] *m* Logarithmus *m*; **~ique** [~'mik] *adj.* logarithmisch.
loge [lɔːʒ] *f* **1.** *~ de francs-maçons*, *~ maçonnique* (Freimaurer-)Loge *f*; **2.** *~ de concierge* Pförtnerwohnung *f*; **3.** *thé.* Loge *f*; *~ d'acteurs* Umkleideraum *m* für Schauspieler, Garderobe *f*; **4.** ⌂ Loggia *f*; **5.** ⚘ Fach *n*.
logeable [lɔ'ʒablə] *adj.* bewohnbar.
logement [lɔʒ'mɑ̃] *m* **1.** Wohnung *f*; *~ garni* möblierte Wohnung *f*; *~ provisoire* Notwohnung *f*; *~ ouvrier* Arbeiterwohnung *f*; *~ de service* Dienstwohnung *f*; *avoir la table et le ~* freie Kost u. Logis haben; *crise f du ~* Wohnungsnot *f*; **2.** ⚔ Quartier *n*; **3.** ⚓ *~ de l'équipage* Mannschaftsraum *m*.
loger [lɔ'ʒe] (1l) **I** *v/t.* **1.** beherbergen, unterbringen; *logé et nourri* freie Kost u. Logis; *fig. être logé à la même enseigne* in e-r ähnlichen Lage sein; **2.** ⚔ einquartieren; **3.** setzen, stellen; hineinbringen; **II** *v/i.* wohnen; *~ en meublé* (*od.* ↖ *en garni*) möbliert wohnen; *~ à la*

belle étoile unter freiem Himmel schlafen; **III** *v/rfl.* se ~ a) Wohnung nehmen; *a.* ⚔ sich einquartieren; b) *se ~ une balle dans la tête* sich eine Kugel in den Kopf jagen; c) steckenbleiben (*Granatsplitter*).

loge-tout [lɔʒ'tu] *adjt.*: *armoire f ~ pour cuisinette* Allzweckschrank *m* für Kleinküchen.

logeur [lɔ'ʒœːr] *su.* (7g) Zimmervermieter *m*; (Haus-)Wirt *m*; ⚔ Quartiergeber *m*.

logeuse [lɔ'ʒøːz] *f* (Haus-)Wirtin *f*.

loggia △ [lɔd'ʒja] *f* Loggia *f*.

logicien [lɔʒi'sjɛ̃] *m* **1.** *inform.* Logistiker *m*; **2.** *phil.* Logiker *m*.

logique [lɔ'ʒik] **I** *adj.* □ logisch, vernunftgemäß, folgerichtig; **II** *f phil.* Logik *f*, Vernunftlehre *f*; *weitS.* gesundes Urteil *n*.

logis [lɔ'ʒi] *m* Wohnung *f*, Unterkunft *f*, Quartier *n*; Haus *n*; *la folle du ~* die Phantasie; *corps m de ~* Hauptbau *m*.

logist|icien ⚔ [lɔʒisti'sjɛ̃] *m* Logistiker *m*, Nachschubexperte *m*; **~ique** [~'tik] **I** *adj.* zahlenmäßig, rechnerisch; ⚔ Nachschub...; *base f ~* Nachschubbasis *f*; **II** *f* **1.** mathematische Logistik *f*; **2.** ⚔ Nachschub- u. Versorgungs-wesen *n*.

logo|griphe [lɔgɔ'grif] *m* Buchstabenrätsel *n*; **~machie** [~ma'ʃi] *f* Wortklauberei *f*; **~plasie** [~pla'zi] *f* Wortverwirrung *f*; **~plastique** [~plas'tik] *adj.* wortverwirrend.

loi [lwa] *f* Gesetz *n*; *~ organique* (*od. fondamentale*) Grundgesetz *n*; *~-cadre* Rahmengesetz *n*; *~ sur les syndicats ouvriers* Gewerkschaftsgesetz *n*; *~ martiale* Standrecht *n*; *homme m de ~* Rechtsgelehrte(r) *m*; *faire la ~* befehlen, gebieten; *imposer sa ~ à q.* j-n beherrschen; *n'avoir ni foi ni ~* an nichts glauben; *mettre hors la ~* für vogelfrei erklären; *hors la ~* vogelfrei; verpönt.

loi-cadre [~'kaːdrə] *f* Rahmengesetz *n*.

loin [lwɛ̃] **I** *adv.* weit, fern; *il y a ~ de ... à ...* es ist weit von ... nach ...; *fig. ~ de là* im Gegenteil; *fig. il n'ira pas ~* das wird er nicht lange machen; *aller trop ~* übertreiben; *de ~ en ~* ab und zu; hier und dort; *être ~ du compte* sich stark verrechnen; *de ~* von weitem, von weither; *de ~ le plus grand* bei weitem der größte; *au ~* weit weg; *fig. revenir de ~* sich von e-r schweren Krankheit erholen; **II** *cj.* (*bien*) *~ que* (*mit subj.*) statt daß, geschweige denn daß; weit entfernt, daß; *~ de mit. inf.* weit entfernt, zu ...

lointain [lwɛ̃'tɛ̃] **I** *adj.* (7) entfernt, entlegen; **II** *m* Ferne *f*; *peint. les ~s* der Hintergrund.

loir *zo.* [lwaːr] *m* Siebenschläfer *m*; *dormir comme un ~* wie ein Murmeltier (*od.* wie e-e Ratte) schlafen.

Loire *géogr.* [~] *f*: *la ~* die Loire.

loisible [lwa'ziblə] *adj.* □ erlaubt.

loisir [lwa'ziːr] *m* Muße *f*, (freie) Zeit *f*; *~(s pl.)* Arbeitsruhe *f*; *advt. à ~* in Ruhe, mit Muße; *organisation f des ~s* Freizeitgestaltung *f*.

lolo *enf.* [lo'lo] *m* Milch *f*.

lombago *u.* **lumbago** ⚕ [lɔ̃ba'go] *m* Hexenschuß *m*.

lombaire *anat.* [lɔ̃'bɛːr] *adj.* Lenden...

lombard [lɔ̃'baːr] *adj. u.* ♀ *su.* (7) lombardisch; *hist.* langobardisch; Lombarde *m*; *hist.* Langobarde *m*.

lombes *anat.* [lɔ̃ːb] *m/pl.* Lenden *f/pl.*

lombric *zo.* [lɔ̃'brik] *m* Regenwurm *m*.

londonien [lɔ̃dɔ'njɛ̃] *adj. u.* ♀ *su.* (7c) aus London; Londoner *m*.

Londres ['lɔ̃ːdrə] *f* London *n*.

londrès [lɔ̃'drɛs] *m* Havannazigarre *f*.

long [lɔ̃] **I** *adj.* (7i) □ lang; dünn (*z.B. Soße*); langatmig, langwierig; langsam; *~ de deux mètres* zwei Meter lang; *cela n'est pas ~ à faire* das ist bald getan; *avoir le bras ~* sehr einflußreich sein; *avoir les dents ~ues* hungern; *avoir les doigts ~s* lange Fingern machen, klauen P; *avoir la langue ~ue* zuviel reden; *de ~ue main* lange vorher; *de ~ue durée* von langer Dauer; *~ à croître* langsam wachsend; *il est ~ à venir* er läßt lange auf sich warten; *je serais trop ~, si ...* es würde mich zu weit führen, wenn ...; *à la ~ue, tout au ~* im Laufe (*od.* mit) der Zeit; *tout du ~* den ganzen Weg lang; die ganze Zeit hindurch; (*tout*) *au ~* ausführlich; *de ~ en large* hin u. her, auf u. ab; *à ~ terme* langfristig; *voyage m au ~ cours* Überseereise *f*; *c'est ~* das dauert lange; *en ~ et en large* in allen Richtungen; *fig.* in allen Einzelheiten, ausführlich; (*tout*) *au ~* umständlich, *fig.* groß u. breit F; **II** *advt. en savoir ~* viel wissen; *cette réflexion en disait ~* diese Äußerung besagte viel; *en dire ~ sur qch.* auf etw. schließen lassen; *il y a ~ à dire* darüber läßt sich viel sagen; **III** *m* Länge *f*; *de tout son ~* der Länge nach; *un mètre de ~* ein(en) Meter

lang; *prpt.*: (*tout*) *le* ~ *de* längs (*gén.*); (*acc.*) ... hindurch (*zeitlich*).
longanimité [lɔ̃ganimi'te] *f* Langmut *f*.
long-courrier [lɔ̃ku'rje] *m* (6g) **1.** ✈ Langstreckenflugzeug *n*; **2.** ⚓ Überseedampfer *m*.
longe[1] [lɔ̃:ʒ] *f* Leine *f*, Halfterriemen *m*.
longe[2] *cuis.* [~] *f* Lendenstück *n*; ~ *de chevreuil* Rehziemer *m*; ~ *de veau* Kalbsnierenbraten *m*.
longer [lɔ̃'ʒe] *v/t.* (1l) **1.** entlanggehen, -fahren, -fliegen, -reiten, -segeln an (*dat.*); **2.** sich erstrecken längs (*gén.*).
longeron [lɔ̃ʒ'rɔ̃] *m* **1.** *charp.* Längsträger *m*, Längsstrebe *f*; Brückenbalken *m*; **2.** ✈ Holm *m*; **~-caisse** ⊕ [~'kɛs] *m* (6a) Kastenträger *m* (*e-r Verladebrücke*).
longévité [lɔ̃ʒevi'te] *f* hohes Lebensalter *n*, lange Lebensdauer *f*.
longi|ligne [lɔ̃ʒi'liɲ] *adj.* schlank u. groß; **~métrie** [~me'tri] *f* Längenmessung *f*.
longitu|de [lɔ̃ʒi'tyd] *f* geographische *od.* astronomische Länge *f*; **~dinal** [~di'nal] *adj.* (5c) □ der Länge nach, Längs...
longrine 🚂 [lɔ̃'gri:n] *f* Langschwelle *f*, Längsträger *m*.
longtemps [lɔ̃'tɑ̃] *adv.* lange; *il y a* ~ vor langer Zeit; *depuis* ~ seit langem, (schon) längst; *être* ~ *à revenir* lange auf s-e Rückkehr warten lassen; *il n'en a pas pour* ~ er macht (*od.* lebt) nicht mehr lange.
longue [lɔ̃:g] **I** *adj.*/*f* s. *long* I; **II** *f gr.* lange Silbe *f*, Länge *f*; *advt. à la* ~ auf die Dauer, mit der Zeit; allmählich; **~ment** [lɔ̃g'mɑ̃] *adv.* lange; *fig.* weitläufig, lang u. breit; eingehend, ausführlich.
longueur [lɔ̃'gœ:r] *f* **1.** Länge *f* (*a. Sport*); *fig.* lange Dauer *f*; *mesure f de* ~ Längenmaß *n*; *rad.* ~ *d'onde* Wellenlänge *f*; *de toute sa* ~ der Länge lang; *à* ~ *d'année* das ganze Jahr hindurch; *tirer en* ~ in die Länge ziehen; *traîner en* ~ (sich) in die Länge ziehen; **2.** *bsd.* ~*s pl.* Weitschweifigkeit *f*; Längen *f/pl.*
longue-vue [lɔ̃g'vy] *f* (6a) Fernrohr *n*.
loofa(h) ⚘ [lu'fa] *m* Luffa *f* (*kürbisähnliche Frucht*); Luffaschwamm *m*.
looping ✈ [lu'piŋ] *m* Looping *m*, Überschlag *m*, Schleifenflug *m*.
lopin ⸕ [lɔ'pɛ̃] *m* Stückchen *n*.
loqua|ce [lɔ'kwas] *adj.* gesprächig, redselig, schwatzhaft; **~cité** [~si'te] *f* Gesprächigkeit *f*, Redseligkeit *f*.
loque [lɔk] *f* Lappen *m*, Lumpen *m*, Fetzen *m*; *fig.* F Waschlappen *m*, Schwächling *m*; ⸕ Faulbrut *f* (*Bienenkrankheit*); *en* ~*s* zerlumpt.
loquet [lɔ'kɛ] *m* Klinke *f*, (*Tür-*)Drücker *m*; **~eau** [lɔk'to] *m* (5b) Fallklinke *f*, Schnapper *m*.
loqueteux [lɔk'tø] *adj.* (7d) *u. m* zerlumpt; zerlumpter Mensch *m*.
lord [lɔ:r] *m* Lord *m*; *England*: *Chambre f des* ~*s* Oberhaus *n*; **~-maire** [~'mɛ:r] *m* Oberbürgermeister *m* (*v. London*).
lordose ⚕ [lɔr'do:z] *f* Rückgratverkrümmung *f*.
lorgn|er [lɔr'ɲe] *v/t.* (1a) verstohlen betrachten, anblinzeln; *abs.* ~ *les filles* den Mädchen nachsehen; **~ette** [~'ɲɛt] *f* Lorgnette *f*; Opernglas *n*; kleines Fernglas *n*; **~on** [~'ɲɔ̃] *m* Kneifer *m*, Zwicker *m*.
lori [lɔ'ri] *m orn.* Lori *m*, Pinselzüngler *m* (*Papagei*).
loricaire *icht.* [lɔri'kɛ:r] *m* Panzerwels *m*.
loriot [lɔ'rjo] *m* Goldamsel *f*; Pirol *m*; ⚕ *compère-*~ Gerstenkorn *n* am Auge.
lorrain [lɔ'rɛ̃] *adj. u.* ♀ *su.* (7) lothringisch; Lothringer *m*.
Lorraine [lɔ'rɛn] *f*: **la** ~ Lothringen *n*.
lorry 🚂 [lɔ'ri] *m* offene Lore *f*.
lors [lɔ:r] **I** *adv.*: *depuis* ~, *dès* ~ seitdem; *dès* ~ *auch*: infolgedessen, daher, folglich; **II** ~ *de prp.* zur Zeit (des, der ...), anläßlich, bei; **III** *cj. dès* ~ *que* a) da; b) sobald; ~ *même que* ... selbst in dem Augenblick, wo ...; selbst wenn ...
lors-pourtant (*mit nachf. part.*) [lɔrpur'tɑ̃] *adv.* wenn auch.
lorsque [*vor cons.*: 'lɔrskə; *vor vo.*: lɔrsk] *cj.* **1.** als (*passé simple*); **2.** jedesmal (*od.* immer) wenn ... (*impf.*); **3.** *zukünftig*: wenn (*fut. simple bzw. fut. antérieur*); **4.** da (nun einmal) (*kausal*).
losange [lɔ'zɑ̃:ʒ] *m* Raute *f*, Rhombus *m*.
lot [lo] *m* **1.** Los *n*; Anteil *m*; *le gros* ~ das Große Los; der Hauptgewinn; ~ *de terrain* Parzelle *f*; Grundstück *n*; Siedlerstelle *f*; *fin.* ~ *d'actions* Aktienpaket *n*; **2.** *fig.* Los *n*, Schicksal *n*; **3.** ✝ Posten *m* Waren, Quantum *n*, Satz *m*, bestimmte Menge *f*; *fig. être mis dans le* ~ *de* ... als ... eingruppiert werden; **~erie** [lɔ'tri] *f* Lotterie *f*; *fig.* Glückssache *f*, gewagtes Spiel *n*; ~ *foraine* Glücksbude *f*.

loti [lɔ'ti] *adj.*: *être bien (mal)* ~ es gut (schlecht) haben.
lotier ⚘ [lɔ'tje] *m* Schotenklee *m.*
lotion [lo'sjɔ̃] *f*: ~ *après-rasage* Rasierwasser *n*; ~ *capillaire* Haarwasser *n*; **~ner** [~sjɔ'ne] *v/t.* (1a) einreiben.
lot|ir [lɔ'ti:r] *v/t.* (2a) parzellieren, aufteilen; **~issement** [~tis'mɑ̃] *m* Parzellierung *f*; Ansiedlung *f*; Siedlung *f*, Siedlerkolonie *f*; Siedlungsraum *m*; Parzelle *f*; **~s** *pl.* Siedlungen *f/pl.*
loto [lɔ'to] *m* Lotto(spiel *n*) *n.*
lotte *icht.* [lɔt] *f* Quappe *f.*
lotus ⚘ [lɔ'tys] *m* Lotus *m.*
louable ['lwablə] *adj.* lobenswert.
louage [lwa:ʒ] *m* Miete *f*; Vermietung *f*; *donner à* ~ vermieten; *tenir à* ~ zur Miete haben.
louan|ge [lwɑ̃:ʒ] *f* Lob *n*; Lobpreisung *f*; *chanter les* ~*s de q.* j-n verherrlichen; **~ger** [lwɑ̃'ʒe] *v/t.* (1l) loben, rühmen; *péj.* lobhudeln; **~geur** [~'ʒœ:r] (7g) **I** *adj.* lobend; *péj.* lobhudelnd; **II** *su. péj.* Lobhudler *m.*
louche[1] [luʃ] *adj.* trübe (*Wein*); *fig.* zweideutig, anrüchig, verdächtig; unklar.
louche[2] [~] *f* Suppenkelle *f*; ⚒ Jauchekelle *f*; ⊕ Spundbohrer *m*; P Hand *f*, Flosse *f* P.
louchébème * [luʃe'bɛ:m] *m* Fleischer *m.*
loucher [lu'ʃe] *v/i.* (1a) schielen (*vers qch.* nach etw. *dat.*); **~ie** [lu'ʃri] *f* Schielen *n.*
loucherbème * [luʃɛr'bɛ:m] *m* Fleischer *m.*
louchet ⚒ [lu'ʃɛ] *m* schmaler Spaten *m.*
loucheur [lu'ʃœ:r] *su.* (7g) Schieler *m.*
louchonnerie F [luʃɔn'ri] *f* Zweideutigkeit *f.*
louer[1] [lwe] (1a) **I** *v/t.* **1.** vermieten; verleihen; verpachten; **2.** mieten; sich leihen; pachten; bestellen (*Platzkarte*); **II** *v/rfl.* *se* ~ vermietet werden; sich verdingen.
louer[2] [~] (1a) **I** *v/t.* loben, preisen (*de od. pour* wegen [*gén.*]); **II** *v/rfl.* *se* ~ *de qch.* (*q.*) mit etw. (j-m) zufrieden sein.
loueur [lwœ:r] *su.* (7g) Vermieter *m*; *cin.* ~ *de films* Filmverleiher *m.*
loufiat * [lu'fja] *m* Kellner *m in e-m Café.*
loufoque F [lu'fɔk] (*od.* **louf** P [luf]) **I** *adj.* verrückt; **II** *m* verrückter Kerl *m*; **~rie** F [~fɔ'kri] *f* Tick *m*; Blödheit *f*, Unsinn *m*, Quatsch *m.*
louftingue P [luf'tɛ̃:g] *adj.* verrückt.
lougre ⚓ ['lu:grə] *m* Logger(schiff *n*) *m.*
Louis [lwi] *m* Ludwig (*Vn.*); ♀ *d'or* Louisdor *m* (*altes Geldstück*).
loulou[1] F [lu'lu] *m*, **~tte** F [~'lut] *f* liebes Kind *n*; Herzchen *n*, Liebling *m.*
loulou[2] [~] *m* Spitz *m* (*Hunderasse*).
loup [lu] *m* **1.** Wolf *m*; *marcher à pas de* ~ heranschleichen; *entre chien et* ~ in der Abenddämmerung; *connu comme le* ~ *blanc* bekannt wie ein bunter Hund; *froid m de* ~ Hundekälte *f*; *avoir une faim de* ~ einen Bärenhunger haben; **2.** ~ *marin*, ~ *de mer* Art Barbe *f*; Art Barsch *m*; *fig.* ~ *de mer* alter Seebär *m*; **3.** *jouer au* ~ schwarzer Mann spielen; **4.** Halbmaske *f*; **5.** *tête f de* ~ runde Bürste an langem Stiel; **6.** *fig.* Fehler *m*, Versehen *n*; **~-cervier** [~sɛr'vje] *m* (6a) Luchs *m.*
loupe [lup] *f* **1.** Geschwulst *f*; **2.** ⚘ Knorren *m*; **3.** Lupe *f*, Vergrößerungsglas *n*; **4.** *métall.* Frischluppe *f.*
louper F [lu'pe] (1a) **I** *v/i.* schiefgehen; **II** *v/t.* **1.** verfehlen, verpassen; **2.** verpatzen, verhauen (*z. B. Klassenarbeit*), nicht bestehen (*Prüfung*).
loup-garou [luga'ru] *m* (6a) Werwolf *m*; F *fig.* Griesgram *m.*
loupiot F [lu'pjo] *m* Bengel *m*, Gör *n*; **~e** F [lu'pjɔt] *f* **1.** (elektrische) Lampe *f*; **2.** Göre *f.*
lourd [lu:r] **I** *adj.* (7) **1.** schwer, drückend; *fig.* schwül; sauer; *Börse*: flau; *Fr. franc* ~ neuer Franc; ⊕ ~ *du nez*, ~ *de l'avant* vorderlastig; *fig.* ~ *de conséquences* folgenschwer; ~ *de conséquences pour l'avenir* zukunftsschwer; ~ *de promesses* aussichtsvoll; F *il fait* ~ es ist drückend (schwül); **2.** plump, schwerfällig; **3.** *fig.* schwer (*Fehler*; *Irrtum*); **II** *advt.* *peser* ~ schwer wiegen; **~aud** [~'do] *su.* (7) plumper Mensch *m*, Trottel *m*; **~e** * [lurd] *f* Tür *f*; **~er** * [~'de] *v/t.* (1a) rausschmeißen.
lourdeur [lur'dœ:r] *f* Schwere *f*; *fig.* Schwerfälligkeit *f.*
lourer ♪ [lu're] *v/t.* (1a) die Töne binden.
loustic F [lu'stik] *m* Spaßmacher *m.*
loutr|e ['lu:trə] *f* **1.** Fischotter *m od. f*; ~ *de mer* Seeotter *m od. f*; **2.** Fischotterfell *n.*
Louvain *géogr.* [lu'vɛ̃] *m* Löwen *n.*
louve [lu:v] *f* **1.** Wölfin *f*; **2.** ⊕

Steinzange *f*, Kropfeisen *n*, Wolf *m*; **~teau** [luv'to] *m* (5b) junger Wolf *m*; *fig.* junger Pfadfinder *m*.

louvoyer [luvwa'je] *v/i.* (1h) ⚓ lavieren, kreuzen; *allg.* im Zickzack fahren *od.* gehen; *fig.* hin u. her lavieren, Winkelzüge machen.

Louvre ['lu:vrə] *m*: *le* ~ der Louvre.

lover [lɔ've] (1a) **I** *v/t.* ~ *un câble* ein Tau zusammenlegen; **II** *v/rfl.* *se* ~ sich zusammenrollen.

loxodrom|ie ✈, ⚓ [lɔksɔdrɔ'mi] *f* Loxodrome *f*, kursgleiche Linie *f*; **~ique** ✈, ⚓ [~'mik] *adj.* kursgleich.

loy|al [lwa'jal] *adj.* (5c) □ treu, anhänglich, ehrlich, rechtschaffen, vertrauenswürdig, zuverlässig; † reell; ⚖ rechtmäßig; **~alisme** *pol.* [~ja'lism] *m* treue Ergebenheit *f*; Loyalität *f*, Gesinnungstreue *f*; **~aliste** [~a'list] *adj.* regierungstreu; **~auté** [~jo'te] *f* Redlichkeit *f*, Rechtschaffenheit *f*, Pflichttreue *f*, Anständigkeit *f*, Ehrlichkeit *f*.

loyer [lwa'je] *m* Miete *f*, Mietpreis *m*; *donner à* ~ vermieten; *prendre à* ~ mieten.

lubie F [ly'bi] *f* verdrehte (*od.* verrückte) Idee *f*, Marotte *f*, Schrulle *f*; *avoir des* ~*s* Schrullen im Kopf haben.

lubricité [lybrisi'te] *f* Lüsternheit *f*, Geilheit *f*.

lubri|fiant ⊕ [lybri'fjɑ̃] *m* Schmiermittel *n*; **~ficateur** [~fika'tœ:r] *m* Schmierapparat *m*, Selbstöler *m*; **~fication** [~fika'sjɔ̃] *f* Schmieren *n*, Einölen *n*; **~fier** ⊕ [~'fje] *v/t.* (1a) einfetten, (ein)schmieren, (ein-)ölen; **~que** [ly'brik] *adj.* unzüchtig.

lucane [ly'kan] *m* Hirschkäfer *m*.

lucarne [ly'karn] *f* Dachluke *f*.

luci|de [ly'sid] *adj.* □ *fig.* hell, klar; *esprit m* ~ heller Kopf *m*; **~dité** [~di'te] *f* **1.** Klarheit *f*; **2.** klarer Verstand *m*, *fig.* klare Sicht *f*, klarer Blick *m*.

Lucifer [lysi'fɛ:r] *m* Luzifer *m*, Teufel *m*.

lucifuge [~'fy:ʒ] *adj.* lichtscheu.

luciole *ent.* [ly'sjɔl] *f* Leuchtkäferchen *n*, Glühwürmchen *n* F.

lucr|atif [lykra'tif] *adj.* (7e) □ einträglich, vorteilhaft, lukrativ, lohnend, ergiebig; **~e** *péj.* ['lykrə] *m* Profit *m*, Gewinn *m*; Reibach *m* P.

ludique *psych.* [ly'dik] Spiel...

ludothèque [lydɔ'tɛk] *f* Spieliothek *f*.

luette *anat.* [lɥɛt] *f* Zäpfchen *n*.

lueur [lɥœ:r] *f* Schein *m*, Schimmer *m*; *artill.* Mündungsfeuer *n*.

lug|e [ly:ʒ] *f* Rodelschlitten *m*; *aller en* ~, *faire de la* ~ rodeln; **~er** [ly'ʒe] *v/i.* (1l) rodeln; **~eur** [~'ʒœ:r] *su.* (7g) Rodler *m*.

lugubre [ly'gy:brə] *adj.* □ grausig, grauenhaft, schauerlich, unheimlich; *fig.* düster.

lui [lɥi] *pr/p.* **1.** *starktonig* er, ihn; *nach prp.*: sich; *lui-même* (er) selbst; **2.** *schwachtonig gebr.*: ihm, ihr.

lui|re [lɥi:r] *v/i.* (4c) leuchten, glänzen, blinken, schimmern; **~sant** [~'zɑ̃] **I** *adj.* (7) leuchtend, schimmernd, glänzend; *ver m* ~ Leuchtkäferchen *n*, Glühwürmchen *n*; **II** *m* Glanz *m*; * Sonne *f*; * Tag *m*; **~sante** * [~'zɑ̃:t] *f* Mond *m*.

lumachelle [lyma'ʃɛl] *f* Muschelkalk *m*.

lumbago ⚕ [lɔ̃ba'go] *m* Hexenschuß *m*.

lumière [ly'mjɛ:r] *f* **1.** Licht *n*; ~ *électrique* elektrisches Licht *n*; ~ *du soleil* Sonnenlicht *n*; ~ (*du jour*) Tageslicht *n*; **2.** Kerze *f*; Lampe *f*, Licht *n*; *écrire à la* ~ bei Licht schreiben; ⚔ *camouflage m des* ~*s* Verdunkelung *f* (*der Fenster*); **3.** *fig.* ~ *od.* ~*s pl.* Einsicht *f/sg.*, Erleuchtung *f/sg.*, (plötzliche) Eingebung *f/sg.*, Aufschluß *m/sg.*; *litt.* Aufklärung *f*; *litt. le siècle des* ~*s* das Zeitalter der Aufklärung; **4.** ⊕ Guck-, Luft-, Licht-loch *n*; ♪ Windloch *n der Orgel*; *artill.* Zündloch *n*.

lumignon [lymi'ɲɔ̃] *m* brennender Docht *m*, (Licht-)Stumpf *m*.

lumin|aire [lymi'nɛ:r] *m* Beleuchtung *f* (*in e-r Kirche od. e-m Saal*); ✈ Bodenbeleuchtung(sanlage *f*) *f*; Leuchte *f*; **~ance** *phys.* [~'nɑ̃:s] *f* Leuchtdichte *f*; **~escence** *phys.* [~ne'sɑ̃:s] *f* lichtspendende Kraft *f*; **~escent** *phys.* [~ne'sɑ̃] *adj.* selbststrahlend, strahlenaussendend; **~eux** [~'nø] *adj.* (7d) □ leuchtend; *fig.* lichtvoll; *affiche f lumineuse* Lichtreklame *f*; **~osité** [~nozi'te] *f* strahlende Helligkeit *f*; Glanz *m*; *opt.* Lichtstärke *f*.

lun|aire [ly'nɛ:r] **I** *adj. ast.* Mond...; (halb)mondförmig; *année f* ~ Mondjahr *n*; *voyage m* ~ Reise *f* auf den Mond; **II** ⚘ *f* Mondviole *f*; **~aison** [lynɛ'zɔ̃] *f* Mondumlaufzeit *f*, Mondwechsel *m*; **~atique** [~na'tik] **I** *adj.* launisch; **II** *su.* launischer Mensch *m*.

lunaute [ly'not] *m* Lunanaut *m*.

lunch [lœ̃:ʃ, lœntʃ] *m* Gabelfrühstück *n*, Lunch *m*; **~er** [lœ̃'ʃe] *v/i.* (1a) e-n Lunch einnehmen.

lundi [lœ̃'di] *m* Montag *m*; ~ *saint* Montag *m* in der Karwoche.

lune [ly:n] *f* **1.** Mond *m*; *clair m de* ~ Mondschein *m*; *il fait clair de* ~ der Mond scheint; *éclipse f de* ~ Mondfinsternis *f*; *face f de pleine* ~ Vollmondgesicht *n*; *nouvelle* ~ Neumond *m*; *pleine* ~ Vollmond *m*; *la* ~ *est dans son plein* es ist Vollmond; *au déclin de la* ~ bei abnehmendem Mond; *demander la* ~, *vouloir la* ~ Unmögliches verlangen; P *con comme la* ~ saudoof P; **2.** *poét.* Monat *m*; ~ *de miel* Flitterwochen *f/pl.*; **3.** *être dans la* ~ vor sich herduseln, *fig.* träumen; *être dans une bonne* ~ gut aufgelegt sein; **4.** P nackter Hintern *m*; **5.** *Sport*: Aufschwung *m* mit Kammgriff (*Reck*).

luné [ly'ne] *adj.* F gelaunt; *être bien* (*mal*) ~ gut (schlecht) gelaunt sein.

lunetier [lyn'tje] *su.* (7b) Brillenmacher *m*, -schleifer *m*.

lunet|te [ly'nɛt] *f* **1.** ~*s pl.* Brille *f/sg.*; *une paire de* ~*s* e-e Brille *f*; *télév.* ~*s auditives* Hörbrille *f*; ~*s d'automobiliste* Autobrille *f*; ~*s fumées* Brille *f* mit eingefärbtem Glas; ~*s à monture de corne* Hornbrille *f*; ~*s protectrices* Schutzbrille *f/sg.*; ~*s de soleil* Sonnenbrille *f*; *étui m à* ~*s* Brillenfutteral *n*; *mettre des* ~*s* (sich) eine Brille aufsetzen; *fig. regarder qch. par le gros bout de la* ~ etw. unterschätzen; *fig. voir qch. par l'autre bout de la* ~ etw. durch e-e andere Brille sehen; **2.** ~ *d'approche* Fernrohr *n*; **3.** △ Lichtloch *n* in Gewölben; **4.** *Auto* ~ *arrière* Heckscheibe *f*; **5.** Klosettbrille *f*; ~**terie** [lynɛ'tri] *f* Brillen-fabrikation *f*, -herstellung *f*, -handel *m*; ~**tier** [lynɛ'tje] *su.* (7b) *häufiger*: *lunetier*; *s. d.*

lunule [ly'nyl] *f* **1.** ⩘ halbmondförmige Figur *f*; **2.** *physiol.* Mond *m* (*am Nagelbett*).

lunures [ly'ny:r] *f/pl.* Mondringe *m/pl.* (*Fehler im Holz*).

lupanar [lypa'na:r] *m* Bordell *n*.

lupin ⚘ [ly'pɛ̃] *m* Lupine *f*.

lupulin ⚘ [lypy'lɛ̃] *m* Hopfenmehl *n*; ~**e** ⚘ [~'li:n] *f* Hopfenluzerne *f*.

lupus ⚕ [ly'pys] *m* Lupus *m*, fressende Flechte *f*.

lurette F [ly'rɛt] *f*: *il y a belle* ~ (*de cela*) es ist schon lange her.

luron [ly'rɔ̃] *su.* (7c) fideler Kerl *m*; flotter Bursche *m*; ~**ne** [ly'rɔn] *f* kesse Bolle *f*; munteres, resolutes Mädchen *n*.

Lusace *All.* [ly'zas] *f*: **la** ~ die Lausitz.

lusin ⚓ [ly'zɛ̃] *m* Hüsing *f*.

lusotropicalisme [lyzɔtrɔpika'lism] *m* Portugiesentum *n* in Südafrika.

lustrage [ly'stra:ʒ] *m* ⊕ Glänzen(dmachen *n*) *n*; *text.* Glätten *n*.

lustr|e ['lystrə] *m* **1.** Glanz *m*; *fig.* glänzendes Aussehen *n*; **2.** Kronleuchter *m*; ~**er** [ly'stre] *v/t.* (1a) glänzend machen; putzen; glatt bürsten; ~**erie** [~strə'ri] *f* Kronleuchterfabrik *f*; ~**ine** [~'stri:n] *f* Glanzseide *f*; appretierter Baumwollstoff *m*.

lut [lyt] *m* Kitt *m*.

Lutèce † [ly'tɛs] *f* Lutetia *f* (*Paris*).

luter [ly'te] *v/t.* (1a) verkitten.

luth ♪ [lyt] *m* Laute *f*; ~**erie** [ly'tri] *f* Lautenmacherei *f*; Geigenbau *m*; Instrumentenhandlung *f*.

luthérien [lyte'rjɛ̃] *adj. u. su.* (7c) lutherisch; Lutheraner *m*.

luthier ⊕ [ly'tje] *m* Lautenmacher *m*; Geigenbauer *m*; Instrumentenfabrikant *m*, -händler *m*.

lutin [ly'tɛ̃] **I** *adj.* (7) schelmisch, pfiffig; **II** *m* Heinzelmännchen *n*, Kobold *m*; *fig.* Wildfang *m*; ~**er** [~ti'ne] *v/t.* (1a) necken, herumschäkern (*mit e-r Frau*).

lutrin [ly'trɛ̃] *m* **1.** Gesangspult *n in der Kirche*; **2.** Chorraum *m*.

lut|te [lyt] *f* Kampf *m*; Ringkampf *m*; Ringen *n*; Wettstreit *m*; ~ *antipollution* Kampf *m* gegen die Umweltverschmutzung; ⚔ ~ *anti-sous-marine* U-Boot-Abwehr *f*; ~ *contre le chômage a.* Arbeitsbeschaffung *f*; ~ *pour l'existence*, ~ *pour la vie* Kampf *m* ums Dasein; ~ *pour le pouvoir*, *a.* ~ *d'influence* Machtkampf *m*; ~ *des classes* Klassenkampf *m*; *emporter qch. de haute* ~ etw. mit Gewalt durchsetzen; ~**ter** [ly'te] *v/i.* (1a) ringen; kämpfen, streiten; ~ *de vitesse* e-n Wettlauf machen; ~**teur** [~'tœ:r] *su.* (7g) Ringer *m*, Ringkämpfer *m*; *fig.* Kämpfer *m*.

luxation ⚕ [lyksa'sjɔ̃] *f* Verrenkung *f*.

luxe [lyks] *m* Aufwand *m*, Pracht *f*, Luxus *m*; *édition f de* ~ Prachtausgabe *f*; F *c'est du* ~ das ist überflüssig.

Luxembourg [lyksɑ̃'bu:r] *m*: **le** ~ Luxemburg *n*; ♀**eois** [~bur'ʒwa] *adj.* (7) *u.* ♀ *su.* luxemburgisch; Luxemburger *m*.

luxer [ly'kse] *v/t.* (1a) verrenken.

luxmètre *phys.* [lyks'mɛ:trə] *m* Beleuchtungsmesser *m*.

luxu|eux [ly'ksɥø] *adj.* (7d) □ luxuriös, prachtvoll; verschwenderisch; **~re** [~'ksy:r] *f* Unzucht *f*, Wollust *f*; *rl.* Unkeuschheit *f*; **~riance** [~'rjɑ̃:s] *f* Üppigkeit *f*; **~riant** [~'rjɑ̃] *adj.* (7) üppig, wuchernd; **~rieux** [~'rjø] *adj.* (7d) □ unzüchtig, wollüstig.

luzer|ne ⚘ [ly'zɛrn] *f* Luzerne *f*; **~nière** [~'njɛ:r] *f* Luzernenfeld *n*.

lycé|e [li'se] *m Fr.* (*staatliche*) höhere Schule *f*; *All.* Gymnasium *n*; **~en** [~se'ɛ̃] *su.* (7c) höherer Schüler *m*.

lychnide ⚘ [lik'nid] *f* Lichtnelke *f*.

lycopode ⚘ [likɔ'pɔd] *m* Bärlapp *m*.

lymphangite ⚕ [lɛ̃fɑ̃'ʒit] *f* Lymphgefäßentzündung *f*, Lymphangitis *f*.

lym|phatique ⚕ [lɛ̃fa'tik] *adj.* lymphatisch; phlegmatisch; **~phe** [lɛ̃:f] *f* Lymphe *f*; **~phoïde** [~fɔ'id] *adj.* lymphartig.

lynch|age [lɛ̃'ʃa:ʒ] *m* Lynchen *n*; Lynchjustiz *f*; **~er** [~'ʃe] *v/t.* (1a) lynchen.

lynx *zo.* [lɛ̃:ks] *m* Luchs *m*.

lyophilis|é ⚕ [ljɔfili'ze] *adj.*: *vaccin m* ~ Trockenimpfstoff *m*; **~er** [~] *v/t.* gefriertrocknen.

lyre [li:r] *f* Lyra *f*, Leier *f*; *fig.* Muse *f*.

lyri|que [li'rik] **I** *adj.* lyrisch; *poésie f* ~ lyrische Dichtung *f*; Lyrik *f* (*als literarhistorischer Gattungsbegriff*); **II** *m* Lyriker *m*, lyrischer Dichter *m*; **~sme** [~'rism] *m* Lyrik *f* (*als persönliche, individuelle Ausdrucksart*), lyrische Note *f*, lyrisches Schaffen *n*; *fig.* innerer Schwung *m*.

lysimaque ⚘ [lizi'mak] *f*: ~ *commune* gelber Weiderich *m*.

M

M, m [ɛm] *m* M, m *n*.
ma [ma] *f zu mon.*
maboul P [ma'bul] *adj.* verrückt, verdreht, übergeschnappt.
mac* [mak] *m* Zuhälter *m*.
macab P [ma'kab] *m* Leiche *f*.
macabre [ma'kɑːbrə] *adj.* schaurig; *peint. danse f* ~ Totentanz *m*; *humour m* ~ Galgenhumor *m*.
macache* [ma'kaʃ] *adv.*: ~! Pustekuchen!; es ist aus mit ... (*dat.*)!
macadam [maka'dam] *m* Makadam (-pflaster *n*) *m od. n*; Schotter *m*; **~isage** [~mi'zaːʒ] *m* Beschotterung *f*; **~iser** [~mi'ze] *v/t.* (1a) beschottern, mit Kleinschlag pflastern.
macaque *zo.* [ma'kak] *m* Meerkatze *f*; F *fig. figure f de* ~ häßliches Gesicht *n*, Affenfratze *f*.
macaron [maka'rɔ̃] *m* **1.** *cuis.* Makrone *f*; **2.** rundes Etikett *n*.
macaroni [~rɔ'ni] *m/sg.* Makkaroni *m/pl.*
mach *phys.* [mak] *m* Mach *n*; *à* ~ 2 mit doppelter Schallgeschwindigkeit.
macchabée P [maka'be] *m* Leiche *f*.
Macédoine [mase'dwan] *f*: **I la** ~ Mazedonien *n*; **II** ♀ *cuis. f* gemischtes Gemüse *n*; Obstsalat *m*; *fig.* Sammelsurium *n*.
macédonien [masedɔ'njɛ̃] *adj. u.* ♀ *su.* (7c) mazedonisch; Mazedonier *m*.
macé|ration [maserɑ'sjɔ̃] *f* **1.** *cuis.* Einlegen *n*; **2.** *rl. pl.* **~s** Kasteiung *f*; **~rer** [~'re] *v/t.* (1f) *cuis.* einlegen.
macfarlane [makfar'lan] *m* Pelerinenmantel *m*.
machaon [maka'ɔ̃] *m* Schwalbenschwanz *m* (*Schmetterling*)
mâche ⚘ [mɑːʃ] *f* Rapunzel *f*.
mâche|fer [mɑʃ'fɛːr] *m* (*Eisen-, Hammer-*)Schlacke *f* (*a. für Wege od. Rennbahnen*); **~ment** [mɑʃ'mɑ̃] *m das* Kauen *n*.
mâcher [mɑ'ʃe] *v/t.* (1a) **1.** (zer-) kauen; F ~ *de haut* ohne Appetit essen; *fig.* ~ *la besogne à q.* j-m die Arbeit vorkauen, j-m die Sache mundgerecht (*od.* schmackhaft) machen; ~ *à vide* nichts zu beißen haben; ~ *son frein* s-n Ärger verbeißen; *ne pas* ~ *ses mots* kein Blatt vor den Mund nehmen; **2.** zerfetzen; ⊕ *papier mâché* Papiermaché *n*; *fig. avoir une mine de papier mâché* sehr schlecht aussehen.
machette ✗ [ma'ʃɛt] *f* Machete *f*, Buschmesser *n*.
machiav|élique [makjave'lik] *adj. pol.* machiavellistisch; *fig.* skrupellos; **~élisme** *pol.* [~ve'lism] *m* skrupellose Politik *f*.
mâchicoulis *hist. frt.* [mɑʃiku'li] *m* Pecherker *m*.
machin F [ma'ʃɛ̃] *m* Dingsda *m u. f* (*Person*); Ding *n*; **~al** [~ʃi'nal] *adj.* [5c] gedankenlos, *fig.* maschinell, schablonenmäßig, mechanisch; **~ateur** [~na'tœːr] *su.* (7f) Drahtzieher *m*, Anstifter *m*; **~ation** [~nɑ'sjɔ̃] *f* Anschlag *m*, Anstiftung *f*; **~s** *pl.* Machenschaften *f/pl.*
machine [ma'ʃiːn] *f* Maschine *f*; *électron.* Rechenmaschine *f*; Lokomotive *f*; Flugzeug *n*; Motorrad *n*; Fahrrad *n*; ~ *à coudre* Nähmaschine *f*; ~ *à écrire* (*portative* Reise-) Schreibmaschine *f*; ~ *à air comprimé* Preßluftmaschine *f*; ~ *à jet de sable* Sandstrahlgebläse *n*; ~ *à sous* Spielautomat *m*; ~ *de performance* Qualitätsmaschine *f*; *vél.* ~ *de tourisme* Tourenrad *n*; ~ *distributrice a. écol.* Essen-, Getränke-automat *m*; ~ *dynamo* Dynamomaschine *f*; ~ *d'extraction* Fördermaschine *f*; ~ *infernale* Höllenmaschine *f*; ~*-outil f* (6a) Werkzeugmaschine *f*; ~*-robot f* (6a) Roboter *m*; ~ *pour tricoter* Strickmaschine *f*; ~ *à vapeur* Dampfmaschine *f*; 🚗 *faire* ~ *en arrière* rückwärts fahren; *fig.* rückwärts steuern, e-e Wendung machen.
machi|ner [maʃi'ne] *v/t.* (1a) *fig.* aushecken, anstiften, im Schilde führen, aussinnen; **~nerie** [maʃin'ri] *f* Maschinerie *f*, Maschinenbestand *m*; Verfertigung *f* von

Maschinen; Maschinenraum *m*; *thé.* Bühnenwerk *n*; **~nique** [~'nik] *adj.* Maschinen...; **~nisme** [~'nism] *m* Maschinismus *m*; Mechanisierung *f*; **~niste** [~'nist] *m* Straßenbahn-, Bus-fahrer *m*; Maschinist *m*; *thé.* Bühnentechniker *m*.

mâch|oire [mɑ'ʃwa:r] *f* Kinnlade *f*, Kinnbacken *m*, Kiefer *m*; ⊕ ~ *de frein* Bremsbacke *f*; **~onner** [~ʃɔ'ne] *v/t.* (1a) langsam kauen; *fig.* vor sich hermurmeln; **~ouiller** F [~ʃu'je] *v/t.* (1a) langsam kauen.

mâchu|re [mɑ'ʃy:r] *f* Druckstelle *f im Tuch, Pelz, Obst*; **~rer** [~ʃy're] *v/t.* (1a) **1.** zu sehr drücken, unansehnlich machen; **2.** schmutzig machen; *typ.* unsauber abziehen; **3.** *abus.* anbeißen.

macis [ma'si] *m* Muskatblüte *f*.

maçon [ma'sɔ̃] *m* Maurer *m*; ~ *chargé de crépissage* Putzer *m*; *compagnon m* ~ Maurergeselle *m*; *maître m* ~ Maurermeister *m*; **~ner** [~sɔ'ne] *v/t.* (1a) (ver-, zu-) mauern; **~nerie** [~sɔn'ri] *f* Maurerarbeit *f*, Mauerwerk *n*, Gemäuer *n*; ~ *en moellons* ⚠ Bruchsteinmauerwerk *n*; **~nique** [~sɔ'nik] *adj.* freimaurerisch.

macqu|e [mak] *f* Flachs-, Hanfbreche *f*; **~er** [ma'ke] *v/t.* (1m) *Flachs, Hanf* brechen.

macramé *text.* [makra'me] *m* Knüpfarbeit *f*.

macre ⚘ ['makrə] *f* Wassernuß *f*.

macreuse [ma'krø:z] *f* **1.** *orn.* Trauerente *f*; **2.** *cuis.* mageres Schulterstück *n*.

macro|be, ~bien 🕮 [ma'krɔb, ~'bjɛ̃] *adj.* (7c) langlebig; **~biotique** [~bjɔ'tik] *f* Kunst *f* der Lebensverlängerung; **~céphale** 🕮 [~se'fal] *adj.* großköpfig; **~cinématographie** [~sinematɔgra'fi] *f* Herstellung *f* von Makrofilmen; **~cosme** 🕮 [~'kɔsm] *m* Makrokosmus *m*, Weltall *n*; **~dactyle** [~dak'til] *adj.* langfingerig, -zehig; **~-économie** [~ekɔnɔ'mi] *f* Gesamtwirtschaft *f*; **~photographie** [~fɔtɔgra'fi] *f* Makrophotographie *f*; **~pode** [~'pɔd] *adj.* lang-füßig, -flossig, -stengelig; **~ptère** *ent.* [~ɔp'tɛ:r] *m* Langflügler *m*; **~scélide** *zo.* [~se'lid] *m* Elefantenspitzmaus *f*; **~scopique** [~skɔ'pik] *adj.* mit dem bloßen Auge sichtbar, makroskopisch.

macul|age *typ.* [maky'la:ʒ] *m* Durchschlagen *n* (*des Druckes*); **~ation** *typ.* [~lɑ'sjɔ̃] *f* Beschmutzen *n*; **~ature** *typ.* [~la'ty:r] *f* Makulatur *f*.

macu|le [ma'kyl] *f* **1.** Tintenfleck *m*; **2.** (*roter Haut-*)Fleck *m*; **~ler** *litt.* [~'le] *v/t.* (1a) beflecken.

Madame [ma'dam] *f*, *abr.* Mme (*pl.*: **Mesdames** [me'dam], *abr.* Mmes) (gnädige) Frau (*Madame ist mit wenigen Ausnahmen kein Appellativ wie dame od. femme od. monsieur, gestattet daher niemals e-n Artikel od. ein Demonstrativpronomen*); **I** *voll ausgeschrieben*: **1.** *in der Anrede, vor Verwandtschaftsbezeichnungen und Namen* (*Titel des Ehemannes od. eigene Titel bleiben im Französischen weg!*); *stets voll ausgeschrieben und meist mit großem Anfangsbuchstaben*: *oui, Madame, vous avez raison* ja, meine Dame (*od.* gnädige Frau), Sie haben recht; *Mesdames, Messieurs* meine Damen und Herren!; *Madame votre mère, comment va-t-elle?* wie geht es Ihrer Frau Mutter?; *bonjour, Madame Leduc* guten Tag, Frau Leduc; **2.** *bei der Erwähnung e-r Ehefrau im Gespräch mit deren Ehemann*: *comment va Madame?* wie geht es Ihrer Gattin (*höflich*) [Ihrer Frau (*vertraulich*); Ihrer Frau Gemahlin (*sehr höflich, offiziell*)]?; *kennt man sich näher, setzt man den Familiennamen dazu*: *comment va Madame Blanchon?* (*im Deutschen dürfte es diesen Fragetyp kaum mehr geben*); **3.** *auf Adressen sowie im Brief in der Anrede u. im Schluß*; *Adresse*: *Madame Duval, etc.* — *Briefanrede*: *Madame,* Sehr geehrte, gnädige Frau!; *Briefschluß*: *Veuillez agréer, Madame, l'expression de mes sentiments (les plus) respectueux* Mit dem Ausdruck meiner vorzüglichsten Hochachtung; **II** *Abgekürzt vor e-m Namen im fortlaufenden Text*: Mme *de Staël* ... Mme de Staël ...

madeleine [mad'lɛn] *f* **1.** *pât.* e-e *Art Sandplätzchen*; **2.** F *pleurer comme une* ~ heulen wie ein Schloßhund.

Mademoiselle [madmwa'zɛl] *f*, *abr.* Mlle (*pl.*: **Mesdemoiselles** [medmwa'zɛl]; *abr.* Mlles) (gnädiges) Fräulein *n*; *als Anrede u. vor Eigen- u. Verwandtschaftsnamen*; *Mademoiselle ist kein Appellativ wie demoiselle, gestattet daher niemals e-n Artikel od. ein Demonstrativpronomen*; *im übrigen vgl. Madame* I (1, 3) *u.* II.

madère [ma'dɛːr] *m* Madeira(wein *m*) *m*.
madone [ma'dɔn] *f* Marien-, Madonnen-bild *n*.
madras [ma'drɑːs] *m* Madras *m* (*Stoff*); Kopftuch *n*.
madré [mɑ'dre] **I** *adj.* schlau, gerissen, gerieben; *esprit m* ~ Verschmitztheit *f*; **II** *m* Schlaukopf *m*.
madrépore *zo.* [madre'pɔːr] *m* Schwammkoralle *f*.
madrer *mén.* [ma'dre] *v/t.* (1a) masern.
madrier [madri'e] *m* starke Bohle *f*.
madrigal [madri'gal] *m* (5c) Madrigal *n* (*kleines, galantes Gedicht*).
madrilène [madri'lɛːn] *adj. u.* ♀ *su.* aus Madrid; Madrider *m*.
madrure [ma'dryːr] *f* Maserung *f*.
maestro [maɛs'tro] *m* großer Künstler *m*, Meister *m*.
mafou [ma'fu] *m* chinesischer Diener *m*.
magasin [maga'zɛ̃] *m* **1.** Geschäft *n*, Laden *m*; *grand* ~ Warenhaus *n*; ~ *à quatre sous* Ramschladen *m*; ~ *à succursales multiples* Kettenladen *m*; ~ *d'alimentation* Lebensmittelgeschäft *n*; ~ *à prix unique(s)* Einheitspreisgeschäft *n*; ~ *de comestibles* Feinkosthandlung *f*; Lebensmittelgeschäft *n*; ~ (*d'articles*) *de sport* (*d'hiver* Winter-)Sportgeschäft *n*; ~ *pour la vente par acomptes*, ~ *à paiement échelonné od. différé* Abzahlungs-, Ratenzahlungs-, Teilzahlungs-geschäft *n*; ~ *libre-service* Selbstbedienungsladen *m*; ~ *d'expédition* Versandgeschäft *n*; ~ *de nouveautés*, ~ *de modes* Mode(waren)geschäft *n*; *courir les* ~*s* die Läden abklappern; *demoiselle f* (*fille f*) *de* ~ Ladenmädchen *n*; *garçon m de* ~ Ladenjunge *m*; **2.** Lager *n*, Magazin *n*, Niederlage *f*; Vorratskammer *f*, Speicher *m*; ✝, ⊕ ~ *ambulant* fliegendes Lager *n* (*für kurzfristige Lagerung*); ~ *frigorifique* Kühl-haus *n*, -raum *m*; ~ *de vente* Verkaufsniederlage *f*; *avoir en* ~ vorrätig (auf Lager) haben; **3.** ⚔, *phot.* Magazin *n e-s Gewehrs od. e-r Kamera*; ~**age** [~zi'naːʒ] *m* **1.** Lagerung *f*, Einspeichern *n*; **2.** Lagerzeit *f*; **3.** Lagergeld *n*; ~**ier** [~'nje] *m* Lagerverwalter *m*.
magazine [maga'zin] *m* Magazin *n* (*Zeitschrift*); *page f* ~ Unterhaltungsbeilage *f*.
mage [maːʒ] *m* Magier *m*; *fig.* Phantast *m*; *bibl. les* (*trois*) ~*s* die drei Weisen.

Maghreb *géogr.* [ma'grɛb] *m*: **le** ~ der Maghreb (*NW-Afrika*).
maghrébin [~gre'bɛ̃] *adj.* maghrebinisch.
mag|icien [maʒi'sjɛ̃] *su.* (7c) Zauberer *m*; ~**ie** [ma'ʒi] *f* Magie *f*, Zauberei *f*; ~ *noire* schwarze Kunst *f*; *fig.* Hexerei *f*; ~**ique** [~'ʒik] *adj.* magisch, zauberisch; Zauber...
magis|tère [maʒis'tɛːr] *m* **1.** geistige Macht *f*; **2.** Großmeisterwürde *f* (*Ritterorden*); ~**tral** [~'tral] *adj.* (5c) □ **1.** meisterhaft; **2.** ⚕ *médicament m* ~ vom Arzt angefertigte Arznei *f*; **3.** *plais.* gehörig, tüchtig; ~**trat** *Fr.* ⚖, *adm., pol.* [~'tra] *m* hohe(r) Beamte(r) *m*; ~**trature** [~tra'tyːr] *f* **1.** Amt *n*; **2.** Richteramt *n*; ~ *assise* Richterstand *m*; ~ *debout* Staatsanwaltschaft *f*; **3.** Amtsdauer *f* e-s Richters.
magma *géol.* [mag'ma] *m* Magma *n*.
magnan [ma'ɲɑ̃] *dial. Provence m* Seidenraupe *f*.
magna|nerie [maɲan'ri] *f* Seidenraupenzucht *f*; ~**nier** [~'nje] *su.* (7b) Seidenraupenzüchter *m*.
magnani|me [maɲa'niːm] *adj.* □ großherzig; großzügig; ~**mité** [~mi'te] *f* Großherzigkeit *f*; Großzügigkeit *f*.
magnat [ma'ɲa] *m* Magnat *m*; ~ *de l'industrie* Industriemagnat *m*.
magner P [ma'ɲe] *v/rfl.* (1a) *se* ~ **1.** sich beeilen; **2.** *Auto* Gas geben.
magné|sie ⚗ [maɲe'zi] *f* Magnesia *f*, Talkerde *f*; ~**site** *min.* [~'zit] *f* Meerschaum *m*; ~**sium** ⚗ [~'zjɔm] *m* Magnesium *n*; ~**tique** [~'tik] *adj.* a) magnetisch; b) *fig.* anziehend; ~**tisation** [~tiza'sjɔ̃] *f* Magnetisierung *f*; ~**tiser** [~ti'ze] *v/t.* (1a) magnetisieren; *fig.* Einfluß gewinnen (*q.* auf j-n [*acc.*]); ~**tisme** [~'tism] *m* Magnetismus *m*; ~**tite** [~'tit] *f* Magnetit *m*, Magneteisenstein *m*.
magnéto *bsd. Auto u.* ✈ [maɲe'to] *f* Zündmagnet *m*, (Magnet-)Zündung *f*; ~**-électricité** ⚡ [~tɔelɛktrisi'te] *f* Magnetelektrizität *f*; ~**-électrique** ⚡ [~elɛk'trik] *adj.* magnetelektrisch; ~**glisseur** [~gli'sœːr] *m* Luftkissenfahrzeug *n* mit Magnetantrieb; ~**mètre** *phys.* [~'mɛːtrə] *m* Magnetometer *n*; ~**moteur** [~mɔ'tœːr] *adj.* (7f) magnetomotorisch; ~**phone** ⚡ [~'fɔn] *m* Tonbandgerät *n*; ~ *à cassette*, ~*-cassette m* Kassettenrekorder *m*, -(tonband)gerät *n*; ~**thèque** [~'tɛk] *f* Tonband-sammlung *f*, -schrank *m*.

Magnificat *rl.* [magnifi'kat] *m* Lobgesang *m* (*auf die Jungfrau Maria*); *fig. arriver au* ~ zu spät kommen.

magnifi|cence [maɲifi'sɑ̃:s] *f* **1.** Herrlichkeit *f*, Pracht *f*; **2.** Prunkliebe *f*; **3.** *litt.* Freigebigkeit *f*; **~que** [~'fik] *adj.* herrlich; großartig.

magnitude *astr.*, *géol.* [magni-, maɲi'tyd] *f* Größe *f*; Stärke *f*.

magnolia ⚘ [maɲɔ'lja] *m* Magnolie *f*.

magnum [mag'nɔm] *m* große Champagnerflasche *f* (*ca. 2 l*).

magot[1] [ma'go] *m* **1.** *zo.* Magot *m*, türkischer Affe *m*, Hundsaffe *m*; **2.** ~ *de Chine* groteske Porzellanfigur *f*.

magot[2] F [ma'go] *m* verborgener Schatz *m*, verstecktes Geld *n*.

magouille* [ma'guj] *f* Geschäftehudelei *f*; *faire une* ~ e-e krumme Sache machen, ein Ding drehen.

mahaleb [maa'lɛb] *m* wilder Kirschbaum *m*.

Mahomet *npr.* [maɔ'mɛ] *m* Mohammed *m*.

mai [mɛ] *m* Mai *m*; Maibaum *m*; *fête f du Premier* ~ Maifeier(tag *m*) *f*.

maie [~] *f* Back-, Fleisch-trog *m*.

mai|gre ['mɛ:grə] **I** *adj.* □ **1.** mager; ~ *comme un clou* spindeldürr; *jour m* ~ Fast(en)tag *m*; *repas m* ~ Mahlzeit *f* ohne Fleisch; *faire* ~ fleischlos essen, fasten; ~ *repas m* karge Mahlzeit *f*; **2.** ⚒ unergiebig; **3.** *fig.* dünn, schwach; *couleur f* ~ dünne Farbe *f*; **4.** dürr, unbedeutend, dürftig; ~*s raisons f/pl.* leere Gründe *m/pl.*; *style m* ~ dürftiger Stil *m*; ~ *sujet m* unfruchtbares Thema *n*; *dessiner* ~ matt zeichnen; **II** *m rl.* Fastenspeise *f*; *cuis.* Magere(s) *n*, magere Kost *f*; P *zo.* Adlerfisch *m*; *coll.* ~*s m/pl.* mageres Fleisch *n*; **~grelet** [mɛgrə'lɛ] *adj.* (7c) etwas zu dünn; **~greur** [~'grœ:r] *f* Magerkeit *f*; ⚒ Unergiebigkeit *f*; *fig.* Dürftigkeit *f*; **~grichon** [~gri'ʃɔ̃] *adj.* (7c), **~griot** [~gri'o] *adj.* (7c) schmächtig; **~grir** [~'gri:r] (2a) **I** *v/i.* schlank werden, abmagern; **II** *v/t.* mager machen, schlanker erscheinen lassen; ⊕ *konisch od. spindelförmig* sich verjüngend gestalten; *Holz* verdünnen.

mail [maj] *m* öffentliche Promenade *f*; ~*s pl.* (öffentliche) Anlagen *f/pl.*

maillage [ma'ja:ʒ] *m* Dichte *f fig.*

maille [mɑ:j] *f* **1.** Masche *f*, Schlinge *f*; *à* ~*s peu serrées* eng-, fein-maschig; **2.** ⊕ Kettenglied *n*; **3.** *hist.* Panzerring *m*; **4.** Flecken *m* *auf den Flügeln des Rebhuhns*; **5.** *ehm.* kleine Kupfermünze *f*; *n'avoir ni sou ni* ~ keinen Pfennig besitzen; *fig. avoir* ~ *à partir ensemble* ein Hühnchen miteinander zu rupfen haben.

maillechort ⚗ [maj'ʃɔ:r] *m* Neusilber *n*.

mailler [mɑ'je] (1a) **I** *v/t.* *Netze* stricken; *fer m maillé* Eisengitter *n*; **II** *v/i.* Fische fangen (*Netz*).

maillet [ma'jɛ] *m* Holzhammer *m*.

mailloche [ma'jɔʃ] **I** *f* schwerer Holzhammer *m*; **II** * *adj.* groß, stark.

maillon [ma'jɔ̃] *m* Kettenglied *n*.

maillot [ma'jo] *m* **1.** Wickelzeug *n*; *enfant m au* ~ Wickelkind *n*; **2.** Trikot *n* (*a. für Tänzerinnen*); ~ (*de bain*) Bade-anzug *m*, -hose *f*; ~*-ficelle m* Bikini *m* mit Bandverschnürung; *Sport*: ~ *de championnat* Meisterschaftstrikot *n*; **3.** ~ (*de corps*) Unterhemd *n* (*für Herren*).

main [mɛ̃] *f* **1.** Hand *f*; *avoir* (*porter, tenir*) *qch. à la* ~ etw. in der Hand haben (tragen, halten) [*à la* ~: *der Gegenstand ist nur zum Teil von der Hand umschlossen*; *Hauptgedanke*: *der des Habens, Haltens, Gebens usw.*]; *il a son chapeau à la* ~ er hat s-n Hut in der Hand; *il prend* (*il tient*) *son verre à deux* ~*s* er nimmt (er hält) sein Glas mit beiden Händen; *quelques-uns prennent leur courage à deux* ~*s* einige fassen sich ein Herz; *donner à pleines* ~*s* mit vollen Händen geben; *avoir qch. dans la* ~ etw. in der Hand haben [*dans la* ~: *der Gegenstand ist von der Hand völlig oder fast gänzlich umschlossen*; *Hauptgedanke*: *der der Umschließung*]; *le garçon tient une pièce d'argent dans la* ~ der Junge hält ein Geldstück in der Hand; *avoir qch. en* ~ *od. entre les* ~*s* etw. in der Hand haben (= etw. erhalten haben, über etw. verfügen können) [*Hauptgedanke*: *der des Besitzes*]; *sans avoir la marchandise en* ~ ohne die Ware in der Hand zu haben; *une fois la marchandise entre vos* ~*s* wenn die Ware erst einmal in Ihren Händen ist; *fig. kann im pl. dans und entre gebraucht werden*; *Hauptgedanke*: *der der Gewalt od. der freien Verfügung*: *le tyran tient dans ses* ~*s la vie des sujets* das Leben der Untertanen liegt in den Händen des Tyrannen; *il se mit entre les* ~*s du médecin* er vertraute sich dem Arzt an;

tenir qch. avec la ~ (*od. avec les ~s*) etw. festhalten [*avec la ~ od. avec les ~s deutet e-e Kraftanstrengung an*]; *le patient tenait lui-même sa jambe avec les deux ~s* der Patient hielt selbst sein Bein mit beiden Händen fest; *avoir les ~s dans une affaire* s-e Hände bei e-r Sache im Spiel haben; *avoir les ~s chaudes, avoir chaud aux ~s* warme Hände haben; *avoir le cœur sur la ~* grundoffen sein; *avoir les ~s crochues* e-n Hang zum Stehlen haben; *avoir la ~ légère* geschickt sein; *avoir la ~ leste* (*od. légère*) gleich zuschlagen; *avoir les ~s liées* die Hände gebunden haben; *fig. avoir les ~s nettes* e-e reine Weste haben, sich nichts vorzuwerfen haben; *j'en mettrais ma ~ au feu* ich lege dafür meine Hand ins Feuer; *gagner haut la ~* mit Leichtigkeit gewinnen; *mener* (*prendre, tenir*) *q. par la ~* j-n an der Hand führen (an die Hand nehmen, an der Hand halten); *changer de ~* den Besitzer wechseln; *il n'y va pas de ~ morte* er haut tüchtig zu; er geht energisch vor; *mettre la ~ à la pâte* ordentlich zupacken; *mettre la dernière ~ à* die letzte Hand anlegen an (*acc.*); *saluer de la ~* mit der Hand grüßen; *se faire la ~* (sich) üben; *ce policier lui a mis la ~ au collet* dieser Polizist hat ihn am Kragen gepackt; *de la ~ à la ~* ohne Zwischenhändler; *gym. ~s aux hanches!* strammgestanden!; *façon ~* handgemacht, handgenäht; *en ~s propres* eigenhändig; *dessiner à ~ levée* aus freier Hand zeichnen; *passer la ~* nachgeben; *saisir à pleine(s) ~(s)* fest anfassen; *à pleines ~s* aus vollen Händen; *tendre la ~* betteln; *tendre la ~ à q.* j-m die Hand reichen; *faire ~ basse sur qch.* über etw. herfallen; etw. stehlen; *avoir la ~ bonne* (*od. heureuse*) e-e glückliche Hand haben; *il est en bonnes ~s* er ist in guten Händen; *de première ~* aus erster Hand; *fig. avoir la haute ~* das Zepter in der Hand haben, den Ton angeben; *donner la haute ~ à q.* j-m die Leitung *e-s Unternehmens* anvertrauen; *advt. la ~ haute* mit starker Hand, mit erhobenem Zeigefinger; *haut la ~* ohne Schwierigkeit(en), mit Leichtigkeit; *je m'en lave les ~s* ich wasche m-e Hände in Unschuld; *je me lave les ~s* ich wasche mir die Hände; *de longue ~* seit langer Zeit; *battre des ~s* Beifall klatschen; *faire sa ~* sich gesundstoßen; être *bien à la ~* bequem zu handhaben sein; *en venir aux ~s* handgemein werden; *à ~ droite* (*gauche*) zur rechten (linken) Hand; *manger dans la ~ à q.* j-m aus der Hand fressen; *coup m de ~* Handstreich *m*; *homme m de ~* handfest(er Kerl *m*); *de ~ de maître* von Meisterhand; *ouvrage m fait à la ~* handgefertigte Arbeit *f*; *une lettre écrite à la ~* ein handgeschriebener Brief; *une lettre écrite de la ~ de l'auteur* ein vom Verfasser handgeschriebener Brief; *écrire de la ~ gauche* mit der linken Hand schreiben; *tomber entre les ~s de q.* j-m in die Hände fallen; *en sous-~* unter der Hand, heimlich; *sous la ~* zur (*od.* bei der) Hand; **2.** *zo.* Fuß *m* (*Papagei*); Fang *m* (*Raubvogel*); Schere *f* (*Krebs*); **3.** *peint. u. litt.* Fertigkeit *f*; **4.** Vorhand *f* (*Kartenspiel*); *avoir la ~* die Vorhand haben; *faire la ~* Karten geben; *faire une ~* einen Stich machen; **5.** *~ de papier* Buch *n* Papier (*25 Bogen*); **6.** *petite ~* Nählehrmädchen *n*; *première-~* Näherin *f* (*in d. Haute Couture*).

main-courante [mɛ̃kuˈrɑ̃:t] *f* (6a) Handgriff *m* (*am Bus*); Treppengeländer *n*, Geländerstange *f*; ✝ Kladde *f*.

main|-d'œuvre [mɛ̃ˈdœ:vrə] *f* (6b) **1.** Arbeit *f*; **2.** Arbeitskräfte *f/pl.*; **~-forte** [~ˈfɔrt] *f* hilfreiche Hand *f*; *demander ~* um Hilfe bitten; *donner* (*od. prêter*) *~* Hilfe leisten.

main|levée ⚖ [mɛ̃ləˈve] *f* Aufhebung *f*; *~ d'une hypothèque* Löschung *f* e-r Hypothek; **~mise** [~ˈmi:z] *f* Inbesitznahme *f*; Beherrschung *f* (*sur qch.* e-r Sache *gén.*); **~morte** ⚖ [~ˈmɔrt] *f*: *biens m/pl.* de *~* unveräußerliches Gut *n*.

maint [mɛ̃] *adj.* (7) mancher, manche, manches; *~e(s) fois, à ~es reprises* soundso oft, zu wiederholten Malen; *en ~e occasion* des öfteren; *~e guerre f* manch ein Krieg *m*.

maintenance ⊕ [mɛ̃tˈnɑ̃:s] *f* Wartung *f*.

maintenant [mɛ̃tˈnɑ̃] **I** *adv.* **1.** jetzt, nun, gegenwärtig; **2.** jetzt (= *von da ab*); *in Schilderungen der Vergangenheit nur selten anstelle von dès lors od. depuis ce temps-là usw. gebraucht, um* a) *die Vergangenheit lebendig zu gestalten oder* b) *ein*

Nachwirken bis auf die Gegenwart zum Ausdruck zu bringen: a) *quelquefois, il se semblait même étrange, se trouvant* ~ *à deux* er kam sich manchmal sogar komisch vor, als er jetzt zu zweit war; b) ~, *le remède était éprouvé* jetzt war das Heilmittel erprobt; **II** ~ **que** *cj.* jetzt, wo ... (*in der Gegenwart u. Vergangenheit gebr.*).

main|tenir [mɛ̃t'niːr] (2h) **I** *v/t.* **1.** (aufrecht)erhalten, beibehalten; **2.** *fig.* aufrechterhalten (*Aussage*); **II** *v/rfl.* se ~ sich behaupten, sich (er)halten; **~tien** [mɛ̃'tjɛ̃] *m* Aufrechterhaltung *f*; Erhaltung *f*; (Körper-)Haltung *f*; ~ *en bon état* Instandhaltung *f*.

maire [mɛːr] *m* Bürgermeister *m*; Gemeindevorsteher *m*.

mairie [mɛ'ri] *f* Rathaus *n*, Stadthaus *n*, Bezirksamt *n*, Bürgermeisterei *f*, Gemeindeverwaltung *f*.

mais [mɛ] **I** *cj.* aber, allein; sondern (*nach e-m verneinten Satz*); *non seulement*, ~ *encore* (*od.* ~ *aussi*) nicht nur, sondern auch; **II** *adv.* ja, sicherlich; ~ *enfin*, ~ *encore* kurz; ~ *si!* (aber) doch! (*nach e-r Verneinung*); *je n'en puis* ~ ich kann nichts dafür; *non*, ~! nein, so (et)was!

maïs [ma'is] *m* **1.** Mais *m*; **2.** Maismehl *n*.

maison [mɛ'zɔ̃, me'zɔ̃] *f* **1.** Haus *n*; ~ *d'aliénés* Irrenhaus *n*; ~ *d'arrêt* Untersuchungsgefängnis *n*; ~ *caserne* Mietskaserne *f*; ~ *de campagne* Landhaus *n*; ~ (*de commerce* Handels-)Haus *n*, Geschäft *n*; ~ *communautaire* Gemeinschaftswohnhaus *n*; ~ *commune* Gemeindehaus *n*; ~ *de garde-voie* Bahnwärterhäuschen *n*; ♀ *des Jeunes et de la Culture* städtisches Jugendklubhaus *n*; ~ *meublée* möbliertes Haus *n*; ~ *mobile* vorgefertigtes Ferienhaus *n*; ~ *mortuaire* Trauerhaus *n*; ~ *de rapport* Mietshaus *n*; ~ *de réclusion* Zuchthaus *n*; ~ *de rééducation* (*od. de réforme*) Besserungsanstalt *f*; ~ *de campagne scolaire* Schullandheim *n*; ~ *de repos* Erholungsheim *n*; ~*s pl. alignées*, *a.* ~*s pl. en rangée* Reihenhäuser *n/pl.*; △ ~ *à multiples étages* Hochhaus *n*; ~ *individuelle* Eigenheim *n*; ~ *borgne*, ~ *close*, ~ *de passe*, ~ *publique*, ~ *de tolérance*, *petite* ~ Bordell *n*, Absteigequartier *n*; *tenir* ~, *ouvrir sa* ~ *à tout le monde* ein offenes Haus haben; *de bonne* ~ aus gutem Hause; *être de la* ~ zum Hause (zur Familie) gehören; *dame f de la* ~ Dame *f* des Hauses; *maîtresse de la* ~ Hausherrin *f*; *avoir une* ~ *bien montée* ein großes Haus führen; **2.** ⚕ ~ *mère* Mutter-, Stamm-haus *n*; ~ *sœur*, ~ *affiliée* Tochterunternehmen *n*; ~ *inscrite au registre du commerce* eingetragene Firma *f*; ~ *d'affrètement* Verfrachtungsgeschäft *n*; ~ *éteinte*, ~ *dissoute* erloschene Firma *f*; ~ *de location de films* Filmverleih *m*; ~ *d'édition* Verlags-anstalt *f*, -geschäft *n*, -buchhandlung *f*; ~ *de transport* Transportgeschäft *n*; ~ *d'expédition* Speditionsgeschäft *n*; **3.** Hauspersonal *n*; *les gens de* ~ die Diener *m/pl.*; **4.** Personal *n* (*e-r bedeutenden Person*); *la* ~ *civile et militaire du Président de la République* das Zivil- u. Militärpersonal des Präsidenten der Republik; **~née** [~zɔ'ne] *f die* Hausbewohner *m/pl.*; *die* ganze Familie *f*; **~nette** [~'nɛt] *f* Häuschen *n*.

maistrance [mɛs'trɑ̃ːs] *f* Marineunteroffiziere *m/pl.*

maître ['mɛːtrə] *m* **1.** Herr *m*, Gebieter *m*; Eigentümer *m*; ~ *de forges* Hüttenbesitzer *m*; *le* ~ *de la maison* der Herr des Hauses; ~ *d'œuvre* Bauherr *m*; *ton m de* ~ gebieterischer Ton *m*; *faire le* ~ den Herrn spielen; **2.** Lehrer *m*; *fig.* Lehrmeister *m*; ~ *de chapelle* Chorleiter *m* in e-r Kirche; ~ *d'application écol.* (*Grundschul-*)Ausbilder *m*; ~ *de conférences* Dozent *m*; ~ *d'école* Grundschullehrer *m*; *M*[e] *Leblanc, notaire à Genève* Herr Leblanc, Notar in Genf; *Fr. écol.* ~ *d'internat* Studienaufseher *m*; ~ *de gymnastique* Turn-lehrer *m*, -wart *m*; ~ *nageur* Schwimmlehrer *m*; **3.** Meister *m*; Vorgesetzte(r) *m*; Vorsteher *m*; *adjt.*: Ober..., Haupt-..., ...meister; Erz...; △ *les fondations f/pl. maîtresses* die Hauptfundamente *n/pl.*; *grand* ~ Großmeister *m*; ~*-artisan* Handwerksmeister *m*; ~*-assistant univ.* Hauptassistent *m*; ~ *baigneur* Bademeister *m*; ~ *chanteur* a) *hist.* Meistersänger *m*; b) Erpresser *m*; ~ *coq* Schiffskoch *m*; ~ *d'hôtel* Oberkellner *m*; Butler *m*; **4.** großer Maler *m*, großer Musiker *m*; *de main de* ~ von Meisterhand; **5.** *Fr.* ⚖ ~ *des requêtes* höheres Mitglied *n* des franz. Staatsrats.

maître-à-danser ⊕ [mɛtradɑ̃'se] *m* Außen- u. Innen-taster *m*, Doppeltaster *m* (*Meßgerät zur Dickenmessung*).

maître-arbre ⊕ [mɛ'trarbrə] *m* (6a) Königswelle *f*.

maître-autel [mɛtro'tɛl] *m* (6a) Haupt-, Hoch-altar *m*.

maître|-compagnon [mɛtrəkɔ̃pa'ɲɔ̃] *m* (6a) Maurergeselle *m*; **~-maçon** [~ma'sɔ̃] *m* (6a) Maurermeister *m*; **~-mécanicien** [~mekani'sjɛ̃] *m* (6a) Maschinenmeister *m*; **~-ouvrier** [mɛtruvri'e] *m* (6a) Polier *m*, Aufseher *m*.

maîtr|esse [mɛ'trɛs] *f* **1.** (*siehe maître* 1—4) Frau *f* vom Hause, Herrin *f*, Gebieterin *f*; Eigentümerin *f*, Besitzerin *f*, Wirtin *f*; (Grundschul-)Lehrerin *f*; Meisterin *f*; Mätresse *f*, Geliebte *f*; ~ *de maison* Frau *f* des Hauses; **2.** *adjt.*: Ober..., Haupt...; *faculté f* ~ Haupteigenschaft *f*; **~isable** [~tri'zablə] *adj.* zu beherrschen(d); **~ise** [~'tri:z] *f* **1.** Herrschaft *f*; ~ *de soi-même* Selbstbeherrschung *f*; ~ *de l'air* (*de la mer*) Luft- (See-)herrschaft *f*; ~ *de l'univers* Weltherrschaft *f*; **2.** Meisterschaft *f*; Meisterrecht *n*; *brevet m de* ~ Meisterbrief *m*; *examen m de* ~ Meisterprüfung *f*; *Auto*: ~ *du volant* Fahrkunst *f*; **3.** *rl.* Knabenchor *m*; Domsingschule *f*; **4.** *univ.* ~ *de conférences* Dozentur *f*; **5.** *hist.* Meister(würde *f*) *m/pl.*; **~iser** [~tri'ze] (1a) **I** *v/t.* bändigen; beherrschen (*Gefühle*); ⚔ niederkämpfen; **II** *v/rfl.* se ~ sich selbst beherrschen.

majes|té [maʒɛs'te] *f* Majestät *f*; Herrlichkeit *f*; Größe *f*, Erhabenheit *f*; **~tueux** [~'tɥø] *adj.* (7d) □ majestätisch, würdevoll, erhaben.

majeur [ma'ʒœ:r] *adj.* **1.** größer, höher; wichtig, beträchtlich; *force f* ~*e* höhere Gewalt *f*; *rl. ordres m/pl.* ~*s* höhere Weihen *f/pl.*; *en* ~*e partie* größtenteils; ♪ *tierce f* ~*e* große Terz *f*; ♪ *ton m* ~, *mode m* ~ Dur *n*, Durton *m*; **2.** ⚖ großjährig, volljährig, mündig.

majolique [maʒɔ'lik] *f* Majolika *f*.

major [ma'ʒɔ:r] *m* **1.** ⚔ ~ *de garnison* Ortskommandant *m*; **2.** *Fr. écol.* Erster *m* im Wettbewerb e-r „grande école"; **~at** *ehm.* [~'ra] *m* Majorat(sgut *n*) *n*; **~ation** ✝, *fin.* [~rɑ'sjɔ̃] *f* Erhöhung *f*, Aufschlag *m*; ~ *de vie chère* Teuerungszuschlag *m*; ~ *pour enfants* Kinderzulage *f*.

major|dome [maʒɔr'dɔm] *m* **1.** *hist.* Haushofmeister *m*; **2.** Butler *m*; **~er** [~'re] *v/t.* (1a) im Preis erhöhen, herauf-setzen, -schrauben; **~ette** [~'rɛt] *f* Tambourmajorin *f*; **~itaire** [~ri'tɛ:r] **I** *adj.* Mehrheits...; **II** ~*s m/pl.* Mehrheit *f e-r Partei*; **~ité** [~ri'te] *f* **1.** größere Zahl *f*, Mehrzahl *f*; ~ (*des suffrages*) Stimmenmehrheit *f*, Majorität *f*; *à une* ~ *écrasante* mit e-r überwältigenden Mehrheit; *à la simple* ~ *des voix* mit einfacher Stimmenmehrheit; *dans la* ~ *des cas* meistens; **2.** ⚖ Mündigkeit *f*, Volljährigkeit *f*; ~ *électorale* Wahlalter *n*.

Majorque *géogr.* [ma'ʒɔrk] *f*: **la** ~ Mallorca *n*.

majuscul|e [maʒys'kyl] *adj.* u. *f*: (*lettre f*) ~ großer Buchstabe *m*; *prend une* ~ wird groß geschrieben; **~ite** [~'lit] *f* Sucht *f*, alles groß zu schreiben.

maki *zo.* [ma'ki] *m* Maki *m*, Fuchsaffe *m*.

mal [mal] **I** *m* (5c) **1.** *das* Böse *n*, *das* Schlechte *n*; Übel *n*, Leid *n*, Schaden *n*; Verlust *m*; *dire du* ~ *de q.* j-m Schlechtes nachreden; *faire du* ~ *à q.* j-m Böses (*od.* ein Leid) antun (*od.* zufügen); *le* ~ *est que* ... das Schlimme dabei ist, daß ...; *il n'y a pas de* ~ bitte; macht nichts; *prendre qch. en* ~ etw. übelnehmen; *mettre à* ~ *les chars* die Panzer kampfunfähig machen; **2.** Schmerz *m*; Leiden *n*, Krankheit *f*; *cela me fait* ~ das tut mir weh; *avoir* ~ *à la tête* Kopfschmerzen haben; ~ (*od. maux pl.*) *de tête* Kopfschmerzen *m/pl.*; *avoir* ~ *à la ville* stadtkrank sein; *avoir* ~ *au doigt* e-n schlimmen Finger haben; P ~ *caduc, haut* ~ Fallsucht *f*, Epilepsie *f*; *avoir* ~ *aux cheveux fig.* e-n Kater haben; ~ *au cœur od. maux pl. de cœur* Übelkeit *f*; *j'ai* ~ *au cœur* mir ist schlecht; ~ (*od. maux pl.*) *de dents* Zahnschmerzen *m/pl.*; *avoir* ~ *aux dents* (*od. des maux de dents*) Zahnschmerzen haben; ~ *de mer* Seekrankheit *f*; ~ *de l'air*, ~ *de descente*, ~ *de montée* Luft-, Fliegerkrankheit *f*; *avoir le* ~ *de l'air* luftkrank sein; ~ *du pays* Heimweh *n*; ~ *Saint-Guy* Veitstanz *m*; **3.** Mühe *f*; *se donner du* ~ sich Mühe geben; **II** *adv.*; *auch adj. in einigen Redewendungen*; *il est très* (*od. fort*) ~ es steht (gesundheitlich) sehr schlecht mit ihm; F *il est* ~ *en* *point* (*od.* ~ *fichu*) es geht ihm schlecht; *elle n'est pas* ~ sie sieht nicht übel aus; *ça n'est pas* ~ das ist nicht übel; *c'est fort* ~ *de votre part* das ist gemein von Ihnen; *être* ~ *disposé envers q.* schlecht auf j-n zu sprechen sein; ~ *fait* mißgestaltet; *prendre* ~ *qch.* etw. übelnehmen; *tourner* ~ auf die schiefe Bahn geraten; *se trouver* ~ ohnmächtig werden; ~ *à l'aise* unwohl, unbehaglich; *avoir l'esprit* ~ *fait* ein Querkopf sein; ~ *à propos* zur unrechten Zeit, unpassend, ungelegen, ungehörig; *aller de* ~ *en pis* immer schlimmer werden; *tomber de* ~ *en pis* vom Regen in die Traufe kommen; *pas* ~: a) nicht übel; b) nicht wenig, ziemlich viel; *il y avait pas* ~ *de monde* es waren ziemlich viel Leute da; c) so leidlich!

malabar * [mala'ba:r] *m* Muskelprotz *m*.

malachite *min.* [mala'kit] *f* Malachit *m*.

malacologue 🕮 [malakɔ'lɔg] *m* Weichtierforscher *m*.

mala|de [ma'lad] **I** *adj.* **1.** krank; *tomber* ~ krank werden; *être* ~ *de l'estomac* (*de la poitrine*) magenkrank (brustkrank) sein; ~ *à mourir* sterbenskrank; *se faire porter* ~ sich krank melden; *oft*: *je suis* ~ mir ist schlecht; **2.** F beschädigt; **II** *su.* Kranke(r) *m*, Patient *m*; *faire le* ~ sich krank stellen; ⚕ ~ *mental* (5c, 6a) Geisteskranke(r) *m*; **~die** [mala'di] *f* **1.** Krankheit *f*; ~ *de carence* Mangelkrankheit *f*; ~ *des managers* (*od. des cadres dirigeants*) Managerkrankheit *f*; ~ *familiale* (*od. héréditaire*) Erbkrankheit *f*; ~ *mentale* Geisteskrankheit *f*; ~ *du sommeil* Schlafkrankheit *f*; ~ *des tropiques* Tropenkoller *m*; *prendre* (*od. attraper od. gagner*) *une* ~, *être pris d'une* ~ e-e Krankheit bekommen; ~ *du pays* Heimweh *n*; ~ *professionnelle* Berufskrankheit *f*; **2.** Seuche *f*; *fig.* Sucht *f*; ~ *vénérienne* Geschlechtskrankheit *f*; ~ *du jeu* Spielsucht *f*; **~dif** [~'dif] *adj.* (7e) □ kränklich; *fig.* krankhaft.

maladr|esse [mala'drɛs] *f* Ungeschicklichkeit *f*; **~oit** [~'drwa] (7) **I** *adj.* □ linkisch, ungeschickt, unbeholfen; **II** *su.* ungeschickter Mensch *m*, Tölpel *m* (*à qch.* in etw. *dat.*).

malaga [mala'ga] *m* Malagawein *m*.

malais [ma'lɛ] *adj. u.* ♀ *su.* (7) malaiisch; Malaie *m*.

malaise [ma'lɛ:z] *m* **1.** Unpäßlichkeit *f*, Unwohlsein *n*; **2.** *fig.* Unbehagen *n*, Beklommenheit *f*; Verstimmung *f*, Unzufriedenheit *f*, Not *f*.

malaisé [malɛ'ze] *adj.* (*adv.* **~ment** [~ze'mɑ̃]) schwer, schwierig.

Malaisie *géogr.* [malɛ'zi] *f*: **la** ~ Malaysia *n*.

malan|dre [ma'lɑ̃:drə] *f* **1.** *vét.* Mauke *f der Pferde*; **2.** faulige Stelle *f im Holz*; **~drin** † [~'drɛ̃] *m* Straßenräuber *m*, Bandit *m*.

malappris [mala'pri] *su.* (7) Flegel *m péj.*

malaria [mala'rja] *f* Malaria *f*.

malariologie ⚕ [malarjɔlɔ'ʒi] *f* Malariaforschung *f*.

malavisé [malavi'ze] *adj. u. su.* unbedacht(er Mensch *m*).

malax|age [mala'ksa:ʒ] *m* Kneten *n*; **~er** [~'kse] *v/t.* (1a) durch Kneten weich machen; **~eur** ⊕ [~'ksœ:r] *m* Rührkessel *m*; ~ *à béton* Betonmischmaschine *f*; ✓ ~ *à beurre* Butterfertiger *m*.

malbâti [malbɑ'ti] *adj.* schlecht gewachsen *od.* gebaut (*Person*).

malchan|ce [mal'ʃɑ̃:s] *f* Pech *n*, Unglück *n*, Mißgeschick *n*; **~ceux** [~ʃɑ̃'sø] *adj. u. su.* (7d) unglücklich; *fig.* Pechvogel *m*, Unglücksrabe *m*.

maldonne [mal'dɔn] *f* **1.** falsches Geben *n* (*Kartenspiel*); **2.** F *fig.* Irrtum *m*, Versehen *n*.

mâle [mɑ:l] **I** *adj. biol.* männlich; *fig.* kraftvoll; **II** *m* Männchen *n* (*bei Tieren*); F *fig. un beau* ~ ein vitaler Mann *m*.

malédiction [maledik'sjɔ̃] **I** *f* Fluch *m*, Verwünschung *f*; Unglück *n*; **II** ~! *int.* verflucht!

maléfi|ce [male'fis] *m* Behexung *f*, Bezauberung *f*, Hexerei *f*; **~cié** [~'sje] *adj.* behext; **~que** [~'fik] *adj. a. astrol.* unheilvoll.

malencontreux [malɑ̃kɔ̃'trø] *adj.* (7d) □ unglücklich, unangenehm, ärgerlich.

mal-en-point [~ɑ̃'pwɛ̃] *advt.* übel dran, krank.

malentendu [malɑ̃tɑ̃'dy] *m* Mißverständnis *n*, Irrtum *m*.

malfaçon ⊕ [~fa'sɔ̃] *f* Konstruktionsfehler *m*, Defekt *m*.

malfai|sance [~fə'zɑ̃:s] *f* Boshaftigkeit *f*; **~sant** [~'zɑ̃] *adj.* (7) **1.** boshaft; **2.** schädlich; **~teur** [~fɛ'tœ:r] *su.* (7f) Übeltäter *m*, Verbrecher *m*, Rohling *m*, Unhold *m*.

malfamé [~fa'me] *adj.* verrufen, berüchtigt.
malformation [~fɔrmɑ'sjɔ̃] *f* Mißbildung *f*; Geburtsfehler *m*.
malgache [mal'gaʃ] *adj. u.* ♀ *su.* madegassisch; Madegasse *m*.
malgré [mal'gre] **I** *prp.* trotz (*gén.*), ungeachtet (*gén.*); *je l'ai fait ~ moi* ich habe es ungern getan; *~ lui* wider seinen Willen, ohne sein Zutun; *~ cela* trotzdem (*adv.*), dessenungeachtet; *~ tout* trotz alledem; **II** *~ que cj.* (*mit subj.*) obwohl.
malhabile [mala'bil] *adj.* □ ungeschickt.
malheur [ma'lœ:r] *m* Unglück *n*; Mißgeschick *n*; *avoir du ~* Unglück haben; F *faire un ~* Aufsehen erregen; *jouer de ~* Pech haben; *porter ~* Unglück bringen; *messager m de ~* Hiobsbote *m*; *advt. par ~* zum Unglück, unglücklicherweise; *~ à lui!* wehe ihm!; **~eusement** [~lœrøz'mɑ̃] *adv.* unglücklicherweise, leider; **~eux** [~'rø] (7d) **I** *adj.* □ **1.** unglücklich, *fig.* verderblich; unheilvoll; F *~ comme les pierres* kreuzunglücklich; **2.** *fig.* unbedeutend; lumpig; **II** *su.* Notleidende(r) *m*; *péj.* Dummkopf *m*; *~ que je suis!* ach, ich Armer!
malhonnête [malɔ'nɛt] *adj.* □ unredlich, unehrenhaft, unehrlich; **~té** [~ɔnɛt'te] *f* Unredlichkeit *f*; Unehrlichkeit *f*.
Mali *géogr.* [ma'li] *m*: **le ~** Mali *n*.
mali|ce [ma'lis] *f* Schalkhaftigkeit *f*, Witzelei *f*; **~cieux** [~'sjø] (7d) **I** *adj.* □ schelmisch, schalkhaft; **II** *su.* Schelm *m*, Schalk *m*, Racker *m* P.
malien *géogr.* [ma'ljɛ̃] *adj.* (7c) aus (von) Mali.
malignité [maliɲi'te] *f* Boshaftigkeit *f*, Bösartigkeit *f*, Schadenfreude *f*.
malin *m*, **maligne** *f* [ma'lɛ̃, ~'liɲ] **I** *adj.* □ **1.** schlau, pfiffig, ausgekocht F, verschlagen; gerissen; **2.** schelmisch, schalkhaft; **3.** F schwierig; *ce n'est pas (bien) malin* das ist doch ganz einfach; **4.** boshaft, böse, bösartig (*a.* ⚕); *l'esprit ~ (a. m le ~)* der böse Geist, der Böse; *malin plaisir m, joie f maligne* Schadenfreude *f*; **II** *m* Pfiffikus *m*, Schlaukopf *m*; *rl.* Teufel *m*; *faire le (od. son) ~* prahlen, angeben F.
Malines [ma'li:n] *f/sg.* Mecheln *n*; ♀ Mechelner Spitzen *f/pl*.
malingre [ma'lɛ̃:grə] *adj.* schwächlich, kränklich, pimpelig F, verpimpelt F.
malintentionné [malɛ̃tɑ̃sjɔ'ne] *adj.* übelgesinnt.
malique [ma'lik] *adj.* Apfel...
mâliste [mɑ'list] *m* Vertreter *m* des männlichen Prinzips.
mal-jugé ⚖ [malʒy'ʒe] *m* Fehlurteil *n*.
malle [mal] *f* **1.** Reisekoffer *m*; *~-armoire f*, *~ porte-habits f* Schrankkoffer *m*; *~ d'osier (od. en osier)* Reisekorb *m*; Rohrkoffer *m*; *~-cabine f* Kabinenkoffer *m*; *faire ses ~s* die Koffer packen; *défaire sa ~* s-n Koffer auspacken; **2.** *Auto*: Kofferraum *m*; **3.** ⚓ Schiffsverkehr *m* Calais—Dover.
malléa|bilité [maleabili'te] *f* Dehn-, Schmied-barkeit *f*; *fig.* Biegsamkeit *f*; **~ble** [~'ablə] *adj.* dehnbar; schmiedbar; *fig.* nachgiebig; fügsam.
malléole *anat.* [male'ɔl] *f* Fußknöchel *m*.
mallette [ma'lɛt] *f* Handkoffer *m*; *~-table f* (Camping-)Koffertisch *m*.
malmener [malmə'ne] *v/t.* (1d) grob behandeln, übel zurichten; *fig. j-m* schwer zusetzen.
malnutrition [malnytri'sjɔ̃] *f* falsche Ernährung *f*.
malodorant [malɔdɔ'rɑ̃] *adj.* (7) übelriechend.
malotru [malɔ'try] *adj. u. su.* flegelhaft; Flegel *m*.
malouin [ma'lwɛ̃] *adj. u.* ♀ *su.* (7) (Einwohner *m*) aus St.-Malo.
malposition ⚕ [malpozi'sjɔ̃] *f*: *~ dentaire* Zahnstellungsanomalie *f*.
malpropre [mal'prɔprə] **I** *adj.* □ unsauber, schmutzig; schludrig, Pfusch... (*Arbeit*); unanständig; **II** *su.* gemeiner Kerl *m*; **~té** [~prə'te] *f* Unsauberkeit *f*; Unanständigkeit *f*.
malsain [mal'sɛ̃] *adj.* (7) ungesund (*a. fig.*); gesundheitsschädlich.
malsé|ance [malse'ɑ̃:s] *f* Unschicklichkeit *f*, Unanständigkeit *f*; **~ant** [~se'ɑ̃] *adj.* (7) ungehörig, unanständig.
malsonnant [~sɔ'nɑ̃] *adj.* (7) anstößig, unflätig.
malt [malt] *m* Malz *n*; **~age** [~'ta:ʒ] *m* Malzbereitung *f*.
Malte *géogr.* (malt] *f*: **la ~** Malta *n*.
malter [mal'te] *v/t.* (1a) mälzen; **~ie** [mal'tri] *f* Mälzerei *f*.
malthusianisme [maltyzja'nism] *m* Malthusianismus *m*; *weitS.* Geburtenbeschränkung *f*; *~ économique* restriktive Wirtschaftspolitik *f*.

maltraiter [maltrɛ'te] *v/t.* (1a) schlecht behandeln, mißhandeln; *fig.* ~ *une langue* e-e Sprache verhunzen.

malvacées ⚘ [malva'se] *f/pl.* Malvengewächse *n/pl.*

malveil|lance [malvɛ'jɑ̃:s] *f* Feindseligkeit *f*; Boshaftigkeit *f*; Mißgunst *f*; **~lant** [~'jɑ̃] *adj.* (7) boshaft, übelgesonnen, mißgünstig.

malvenu [~və'ny] *adj.* unbegründet; nicht berechtigt; nicht voll entwickelt.

malversation [~vɛrsɑ'sjɔ̃] *f* Veruntreuung *f*, Unterschlagung *f*.

malvoisie [malvwa'zi] *m* Malvasier (-wein *m*) *m*.

maman [ma'mɑ̃] *f* Mama *f*.

mamel|le [ma'mɛl] *f* Brustdrüse *f*; *péj.* starke Brust *f*; **~on** [mam'lɔ̃] *m* **1.** (Brust-)Warze *f*; **2.** Bergkuppe *f*; rundlicher Hügel *m*; **3.** ⊕ Zapfen *m*; **~onné** [mamlɔ'ne] *adj.* hügelig.

mamelu *plais.* [mam'ly] *adj.* mit e-m starken Busen.

m'amie, *a.* **mamie** F [ma'mi] *f* mein Herzchen *n*.

mamillaire ⚘ [mamil'lɛ:r] *f* Mamillarie *f* (*Kaktus*).

mammaire *anat.* [mam'mɛ:r] *adj.* Brust...; *glandes f/pl.* **~s** Brustdrüsen *f/pl.*

mammalogie [mammalɔ'ʒi] *f* Säugetierkunde *f*.

mammifère [mammi'fɛ:r] *m* Säugetier *n*.

mammite ⚕ [mam'mit] *f* Euterentzündung *f*.

mammouth *zo.* [ma'mut] *m* Mammut *n*.

mamours F [ma'mu:r] *m/pl.*: *faire des* ~ *à q.* mit j-m schmusen F.

mam'selle, mam'zelle F [mam'zɛl] *f abr. für mademoiselle.*

man *ent.* [mɑ̃] *m* Engerling *m*.

manade *Provence* [ma'nad] *f* Rinder-, Stier-, Pferde-herde *f*.

manager [mana'dʒɛ:r] *m a. Sport, cin.* Manager *m*.

manant *litt.* [ma'nɑ̃] *m* Flegel *m*.

Manceau [mɑ̃'so] *m* (5c) Einwohner *m* aus Le Mans.

manche[1] [mɑ̃:ʃ] *f* **1.** Ärmel *m*; *fausse* ~ Überärmel *m*; *en* **~s** *de chemise* in Hemdsärmeln; ~ *à gigot* Puffärmel *m*; ~ *courte* (*od. relevée*) kurzer Ärmel *m*; *fig. être dans la* ~ *de q.* bei j-m e-e gute Nummer haben; *fig.* F *avoir la* ~ *large* ein weites Gewissen haben; *c'est une tout autre paire de* **~s** das ist etw. ganz anderes; * *faire la* ~ betteln; **2.** ✈ ~ *à vent*, ~ *à air* Windsack *m*; ⚓ Lüfter *m*; **3.** *la* ♀ der Ärmelkanal; **4.** *Spiel*: Partie *f*; Satz *m*, *a. Ski*: Runde *f*; *être* ~ *à* ~ gleichstehen (*dat.*).

manche[2] [~] *m* **1.** Griff *m*; Stiel *m*; ✈ (Steuer-)Knüppel *m*; s. *cognée*; **2.** ♪ Hals *m e-r Geige od. Gitarre*; **3.** F Blödkopf *m*; **4.** F *être du côté du* ~ auf der Seite des Stärkeren sein; **~ron** [mɑ̃'ʃrɔ̃] *m* Pflugsterz *m*.

manch|ette [mɑ̃'ʃɛt] *f* Manschette *f*; Überärmel *m*; Stulpe *f*; *typ.* Randbemerkung *f*; Kopf *m* (*od.* Schlagzeile *f*) *e-r Zeitung*, fettgedruckter Titel *m*; Waschzettel *m e-s Buches*; Schlag *m* mit der flachen Hand; *journ. sous une grosse* ~ in großer Aufmachung.

manchon [mɑ̃'ʃɔ̃] *m* **1.** Muff *m*; **2.** *petit* ~ Pulswärmer *m*; **3.** *cord.* Schaft *m*; **4.** Hülse *f*, Muffe *f*; Glühstrumpf *m*; ⚡ ~ *isolant* Isolierbuchse *f*; ~ *de caoutchouc* ⊕ Gummimanschette *f*.

manchot [mɑ̃'ʃo] (7) **I** *adj.* einarmig, einhändig; F *fig.* ungeschickt; **II** *su.* Krüppel *m* mit einem Arm *od.* einer Hand; F *fig.* ungeschickter Mensch *m*; *s'y prendre comme un* ~ etw. ungeschickt anfangen; **III** *m orn. Art* Pinguin *m*.

mancoliste *néol., plais.* [mɑ̃kɔ'list] *f* Liste *f* fehlender Briefmarken (*Philatelie*).

mandale * [mɑ̃'dal] *f* Backpfeife *f*.

mandant ⚖ [mɑ̃'dɑ̃] *m* Mandant *m*.

mandarin [mɑ̃da'rɛ̃] *m* **1.** Mandarin *m*; **2.** Intellektuelle(r) *m*, einflußreicher Literat *m*; **3.** *péj.* literarischer Diktator *m*; **4.** Boß *m*; **~al** *soc.* [~ri'nal] *adj.* (5) tonangebend, einflußreich, führend; **~at** [~ri'na] *m* **1.** Mandarinenkaste *f*; **2.** *péj.* Kaste(nwesen *n*) *f*.

mandarine ⚘ [mɑ̃da'ri:n] *f* Mandarine *f*.

mandat [mɑ̃'da] *m* **1.** Mandat *n*, Vollmacht *f*; Auftrag *m*; ~ *d'administrateur* Verwaltungsposten *m*; ~ *d'arrêt* Verhaftungsbefehl *m*; **2.** (Zahlungs-)Anweisung *f*; **~-poste** (*od.* ~ *postal*) Postanweisung *f*; ~ *de versement à un compte courant postal* Zahlkarte *f*; **~aire** [~'tɛ:r] *su.* Bevollmächtigte(r) *m*; Sachwalter *m*; Prokurist *m*; **~-carte** ✉ [mɑ̃da'kart] *m* Postanweisung *f*; **~ement** [~dat'mɑ̃] *m* amtliche Anweisung *f* (*e-r Zahlung*); **~er** [~da'te] *v/t.* (1a) beauftragen, eine Vollmacht erteilen (*dat.*); ~ *une somme* eine Summe anweisen; **~-poste** ✉ [~da'pɔst] *m* (6b) Postanweisung *f*.

mandchou *géogr.* [mɑ̃'tʃu] *adj.* (7) mandschurisch; **♀rie** [~tʃu'ri] *f*: **la ~** die Mandschurei.

man|dement *rl.* [mɑ̃d'mɑ̃] *m* Hirtenbrief *m*; **~der** *litt.* [mɑ̃'de] *v/t.* (1a): ~ *q.* j-n kommen lassen.

mandibul|aire [mɑ̃diby'lɛ:r] *adj.* Kinnbacken...; **~e** F [~'byl] *f* Kinnbacken *m*, -lade *f*.

mandoline ♪ [mɑ̃dɔ'li:n] *f* Mandoline *f*.

mandragore ⚘ [mɑ̃dra'gɔ:r] *f* Mandragora *f*, Alraune *f*.

mandrill *zo.* [mɑ̃'dril] *m* Mandrill *m*.

mandrin [mɑ̃'drɛ̃] *m* ⊕ Bohrfutter *n*, Locheisen *n*; Docke *f*, Dorn *m*; **~s** *pl. de serrage* ⊕ Spannfutter *n*; **~er** ⊕ [~dri'ne] *v/t.* (1a) aus-, auf-dornen.

manducation *biol.* [mɑ̃dyka'sjɔ̃] *f* Kauen *n*.

manécanterie *égl.* [manekɑ̃'tri] *f* Domsingschule *f*, Kantorei *f*.

manège [ma'nɛ:ʒ] *m* **1.** Reit-bahn *f*, -halle *f*, Tattersall *m*; *cheval m de ~* Schulpferd *n*; **2.** *~ de chevaux de bois* Karussell *n*; **3.** ⊕ Pferdegöpelwerk *n*; **4.** *fig.* Schliche *m/pl.*, Tricks *m/pl.*

manette ⊕ [ma'nɛt] *f* Handgriff *m*; *rad.* Schaltung *f*; Knopf *m*, Skala(scheide *f*) *f*; *~ d'accord* Abstimmgriff *m*; *~ micrométrique*, *~ démultiplicatrice*, *~ démultipliée*, *~ à démultiplication* Feineinstellskala *f*; *tram.* ⚡ *~ à plots* Stufenschalter *m*; *~ d'allumage* Zündhebel *m*.

mangan|ate ⚗ [mɑ̃ga'nat] *m* mangansaures Salz *n*; **~èse** ⚗ [~'nɛ:z] *m* Mangan *n*; **~ésien** ⚗ [~ne'zjɛ̃] *adj.* (7c), **~ésifère** ⚗ [~nezi'fɛ:r] *adj.* manganhaltig; **~eux** ⚗ [~'nø] *adj.* (7d), **~ique** ⚗ [~'nik] *adj.* Mangan...; **~isme** ⚕ [~'nism] *m* Manganvergiftung *f*.

mange|able [mɑ̃'ʒablə] *adj.* eßbar; **~aille** F *péj.* [~'ʒɑ:j] *f* Fraß *m*, Fressen *n* P; **~oire** [~'ʒwa:r] *f* Futtertrog *m*, Freßnapf *m*; F *fig. tenir la ~ haute à q.* j-m den Brotkorb höher hängen.

man|ger [mɑ̃'ʒe] (1l) **I** *v/t. u. v/i.* **1.** essen, speisen; fressen (*v. Tieren*); *fig.* aufzehren; verschlingen; durchbringen; * *~ le morceau j-n od. etw.* (*vor Gericht*) verpfeifen; *~ de la vache enragée* sich kümmerlich durchschlagen müssen; *~ des yeux* mit den Augen verschlingen; *~ la consigne* sich um den Befehl nicht kümmern; *~ la grenouille* das unterschlagene Kassengeld um die Ecke bringen; *~ son pain blanc le premier* sich keinerlei Gedanken um die Zukunft machen; *~ sur le pouce* schnell etw. (*od.* e-n Happen) zu sich nehmen; *~ à plusieurs râteliers* mehrere lohnende Pöstchen zugleich bekleiden; *~ du bout des dents* am Essen herummäkeln; **2.** ⚗ zerfressen; ⊕ abnutzen; verbrauchen; *Wörter* verschlucken; **II** *m* Essen *n*; *il en perd le boire et le ~* er vergißt Essen und Trinken darüber; **~ge-tout** [mɑ̃ʒ'tu] *m* (6c) **1.** grüne Bohne *f*; **2.** Zuckererbse *f*; **~geur** [~'ʒœ:r] *su.* (7g) **1.** Esser *m*; *grand ~*, *gros ~* starker Esser *m*; *~ de livres* Bücherwurm *m*; **2.** *fig. ~ d'argent* Verschwender *m*.

manglier ⚘ [mɑ̃gli'e] *m* Wurzelbaum *m*, Mangrove *f*.

mangoustan ⚘ [mɑ̃gu'stɑ̃] *m* Mangostane *f*.

mangouste[1] ⚘ [mɑ̃'gust] *f* Mangostanapfel *m*.

mangouste[2] *zo.* [~] *f* Manguste *f*.

mangrove ⚘ [mɑ̃'gro:v] *f* Mangrove *f*.

manguier ⚘ [mɑ̃'gje] *m* Mangobaum *m*.

maniab|ilité [manjabili'te] *f* leichte Handhabung *f* (*od.* Bedienung *f*), Handlichkeit *f*, Wendigkeit *f*; **~le** [~'jablə] *adj.* handlich; leicht zu verarbeiten; *fig.* lenksam; gefügig; *a.* ✈ wendig; *peu ~* unhandlich.

maniaque [ma'njak] **I** *adj.* wunderlich, eigenbrötlerisch; ⚕ von e-r Manie befallen; manisch; **II** *su. m*: Maniker *m*, Triebverbrecher *m*; Eigenbrötler *m*; komischer Kauz *m*; *f*: komische Heilige *f*, Verrückte *f*.

maniché|en [manike'ɛ̃] *adj.* (7c) **1.** dualistisch; **2.** *fig. pol.* zerstritten; **~isme** [~'ism] *m* Dualismus *m*.

manie [ma'ni] *f* Manie *f*, Sucht *f*; *~ des grandeurs* Größenwahn *m*.

man|iement [mani'mɑ̃] *m* **1.** Handhabung *f*, Betätigung *f*; *litt. le ~ du vers* die Handhabung des Verses; **2.** *fig.* Verwaltung *f von Geldern*; **~ier** [ma'nje] (1a) **I** *v/t.* **1.** handhaben, führen, gebrauchen; *savoir ~ qch.* (*q.*) mit etw. (*dat.*) (mit j-m) umzugehen wissen; ⚔ *~ les armes* mit den Waffen umgehen; **2.** *fig.* in der Hand (in der Gewalt) haben; bearbeiten, behandeln; leiten; verwalten; *bien ~ une langue* *étrangère* e-e Fremdsprache beherrschen; **II** P *v/rfl. se* ~ s. *magner.*

manière [ma'njɛːr] **I** *f* **1.** Art *f*, Weise *f*; ~ *de vivre* Lebensweise *f*; ~ *de voir démodée* überholter Standpunkt *m*; ~ *de parler* eigene Ausdrucksweise *f*; ~ *d'être* Wesensart *f*; ~ *de voir* Einstellung *f*; ~ *de concevoir* (*od. d'interpréter*) *le monde* Weltanschauung *f*; *laisser entendre d'une* ~ *significative fig.* e-n Wink mit dem Zaunpfahl geben; ~ *de penser* Denkart *f*; ~ *de travailler* Arbeitsweise *f*; *de cette* ~ auf diese Weise; *de toute* ~ auf jeden Fall; *en aucune* ~ auf keine Weise; *en quelque* ~ gewissermaßen; *de la même* ~ ebenso; **2.** *litt.*, *peint.* Art *f*; **3.** ~*s pl.* Benehmen *n*, Allüren *f/pl.*, Manieren *f/pl.*, Getue *n*; *bonnes* (*od. belles*) ~*s* feines Benehmen *n*; *faire des* ~*s* sich zieren, sich haben F; *pas de* ~*s!* keine Umstände!; **II** *prp.* **de** ~ **à** (*mit inf.*) um ... zu (*mit inf.*); **III** *cj.* **de** ~ **[à ce] que** (*als Tatsache mit ind.*, *als Absicht mit subj.*) so daß ...; damit; **IV** *cj.* **de telle** ~ **que** (*mit ind.*) derart, daß ...

manié|ré [manje're] *adj.* geziert, affig F; *fig.* geschraubt, gesucht (*Sprechweise*); **~risme** [~'rism] *m peint.*, *litt.* Manierismus *m.*

manieur [ma'njœːr] *m*: ~ *d'argent* Finanzmann *m.*

manif P [ma'nif] *f* Kundgebung *f.*

manifes|tant [manifɛs'tɑ̃] *su.* (7) Teilnehmer *m* an e-r Kundgebung, Demonstrant *m*; *cortège m de* ~*s* Demonstrationszug *m*; **~tation** [~tɑ'sjɔ̃] *f* Kundgebung *f*, Demonstration *f*; Veranstaltung *f*; Bekundung *f*; **~te** [~'fɛst] **I** *adj.* offenkundig; **II** *m pol.* Manifest *n*; ✈, ⚓ Ladungsnachweis *m*; **~tement** [~fɛstə'mɑ̃] *adv.* offensichtlich; **~ter** [~fɛs'te] (1a) **I** *v/t.* kundtun; an den Tag legen, äußern; **II** *v/i.* demonstrieren; randalieren; **III** *v/rfl. se* ~ sich offenbaren, sich zeigen, bekanntwerden; sich hervortun, auffallen; von sich hören lassen.

manifold [mani'fɔld] *m* Durchschreibeblock *m.*

manigan|ce [mani'gɑ̃ːs] *f* Kniff *m*, Trick *m*; **~cer** [~gɑ̃'se] *v/t.* (1k) anzetteln, einfädeln.

manille [ma'nij] **I** *f* Kettenverbindungsstück *n*; Manillespiel *n*; **II** *m* Manila-zigarre *f*, -tabak *m.*

manioc ♆ [ma'njɔk] *m* Maniok *m.*

manipula|teur [manipyla'tœːr] **I** *su.* (7f) ~ *de laboratoire* Laborassistent *m*; **II** *m téléph.* (Morse-)Taster *m*; **~tion** [~lɑ'sjɔ̃] *f* Handhabung *f*, Behandlung *f*, Bearbeitung *f*; *écol.*, *univ.* Versuch *m*; *péj.* Kuhhandel *m.*

manipu|le [mani'pyl] *m* **1.** röm. Manipel *m*; **2.** *rl.* Armbinde *f* des Meßpriesters; **~ler** [~'le] *v/t.* (1a) handhaben, (kunstgerecht) behandeln; betätigen; transportieren; F *péj. etw.* drehen *fig.*; *j-n* manipulieren.

manique ⊕ [ma'nik] *f* Handleder *n.*

manitou F [mani'tu] *m* (*pl.* ~*s*) einflußreiche Person *f.*

maniveau ✝ [mani'vo] *m* Körbchen *n* (*für Eßwaren*).

manivelle [~'vɛl] *f* Kurbel *f.*

manne [man] *f* **1.** (Weiden-)Korb *m*; Waschkorb *m*; **2.** Manna *n od. f*; *weitS.* ♆ süßliches Exsudat *n.*

mannequin [man'kɛ̃] *m* **1.** Gliederpuppe *f*; **2.** *cout.* Mannequin *n od. m*, Vorführdame *f*, Kleiderpuppe *f*; **3.** *le* ~ *de l'année* die Schönheitskönigin des Jahres; **4.** *fig.* Marionette *f*, *fig.* Waschlappen *m.*

mannite ⚗ [ma'nit] *f* Mannazucker *m.*

manodétendeur ⊕ [manɔdetɑ̃'dœːr] *m* Druckminderungsventil *n.*

manœuvr|abilité ⊕ [manœvrabili'te] *f a.* ✈ Manövrierfähigkeit *f*; Wendigkeit *f*; **~able** [~'vrablə] *adj.* manövrierfähig; wendig; **~e** [~'nœːvrə] **I** *f* **1.** Handhabung *f*; **2.** 🚂 Rangieren *n*; **3.** *fig.* ~*s pl.* Machenschaften *f/pl.*; **4.** ⚔, ⚓, ✈, *fig.* Manöver *n*; ~ *de rendez-vous* Rendezvousmanöver *n* (*Raumfahrt*); ~*s pl. navales* (*aériennes*) Flotten-(Luft-)manöver *n/pl.*; ~ *électorale* Wahlmanöver *n*; **II** *m* Handlanger *m*, Hilfsarbeiter *m*; **~er** [~'vre] (1a) **I** *v/i.* ⚔, ⚓, ✈ manövrieren; *fig.* geschickt zu Werke gehen; seine Maßnahmen treffen; **II** *v/t.* **1.** handhaben; ⊕ bedienen; **2.** ⚓, ✈, *fig.* manövrieren; ⊕ betätigen; 🚂 rangieren; **3.** *fig. bsd. pol.* ~ *q.* j-n manipulieren; **~ier** [~vri'e] *su. u. adj.* (7b) **1.** ⚔, ⚓ geschickter Manövrierer *m*; ⚔ *faculté f manœuvrière d'une armée* Manövrierfähigkeit *f* e-r Armee; **2.** *journ.* geschickter Polemiker *m.*

manoir [ma'nwaːr] *m* Landsitz *m*, Schloß *n*, Herrensitz *m.*

manomètre ⊕ [manɔ'mɛːtrə] *m* Manometer *n*, Druckmesser *m.*

manouche * [ma'nuʃ] *f* Zigeunerin *f*.

man|quant [mɑ̃'kɑ̃] **I** *adj*. fehlend; **II** *m* **1.** *a. école*. Fehlende(r) *m*; **2.** ✝ Fehlbetrag *m*; ⚓ fehlendes Ladungsgut *n*; **3.** ✝ *~s pl*. fehlende Waren *f/pl.*; **~que** [mɑ̃:k] **I** *m* **1.** Fehlen *n*, Mangel *m*, Verknappung *f*; ⊕ Defekt *m*, Fehler *m*; *~ de compréhension* Verständnislosigkeit *f*; *~ de fonds*, *~ de capitaux* Kapitalmangel *m*; *Börse*: *~ d'animation* Lustlosigkeit *f*; *Auto*: *~ de visibilité* fehlende Sicht *f*; *~ de foi* Treubruch *m*; *~ de maturité* Unreife *f*; *~ de parole* Wortbrüchigkeit *f*; *~ de volonté* Willenlosigkeit *f*; **2.** *bill*. *~ (de touche)* Fehlstoß *m*; *Roulette*: Zahl *f* bis 18; **3.** ✝ Manko *n*, Defizit *m*; Fehlbetrag *m*; **4.** F *à la ~* schlecht, fehlerhaft; schäbig, mies; **5.** F *int*. *~ de chance!* Pech!; **II** *prp*. *~ de* aus Mangel an (*dat.*); **~quement** [mɑ̃k'mɑ̃] *m* Verstoß *m* (*à* gegen); Versäumnis *n*.

manquer [mɑ̃'ke] (1m) **I** *v/t*. **1.** nicht antreffen, verfehlen; versäumen, nicht erwischen; *~ une occasion (le train)* e-e Gelegenheit (den Zug) verpassen; **II** *v/i*. **2.** fehlen; abwesend sein; **3.** *~ de* a) Mangel haben an (*dat.*), nicht haben; *nous manquons d'argent* es fehlt uns an Geld; *~ de cœur* herzlos sein; b) *mit inf*. unterlassen, versäumen zu; *je ne manquerai pas de ...* ich werde nicht versäumen zu ...; *cela ne pouvait ~ d'arriver* das konnte nicht ausbleiben; **4.** *~ à* verfehlen, versäumen, es fehlen lassen an (*dat.*), sich entziehen (*dat.*); *~ à sa parole* sein Wort brechen; *je n'y manquerai pas* ich werde Wort halten; ich werde es bestellen; *~ à q.* barsch (*od.* unhöflich) zu j-m sein; **5.** versagen; *les jambes me manquent* meine Beine versagen; *le pied lui a manqué* er (sie) ist ausgeglitten; *~ sous les pieds* einsinken; *la voix lui manqua* die Stimme versagte ihm; **6.** fehlschlagen, mißglücken, nicht geraten; *coup m manqué* Fehlschlag *m*; *projet m manqué* verunglückter Plan *m*; **7.** e-n Fehler begehen, *abs*. verfehlen; *en quoi a-t-il manqué?* worin hat er gefehlt?, was hat er verschuldet?; **8.** *il a manqué de tomber* er wäre beinahe gefallen; **III** *v/impers*. *il manque* es fehlt; *il manque cent francs* es fehlen hundert Francs; *il ne manquerait que cela!* das fehlte gerade noch!

mansar|de [mɑ̃'sard] *f* Dachkammer *f*, Mansarde *f*; Mansardendach *n*; **~dé** [~'de] *adj*.: *étage m ~* ausgebautes Dachgeschoß *n*.

mansuétude *litt*. [mɑ̃sɥe'tyd] *f* Sanftmut *f*.

mante[1] *ehm*. [mɑ̃:t] *f* Damenmantel *m* (*ohne Ärmel*).

mante[2] *ent*. [~] *f* Fangheuschrecke *f*.

manteau [mɑ̃'to] *m* (5b) Mantel *m*; *fig*. Deckmantel *m*, Schein *m*, Vorwand *m*; *fig*. *faire circuler un livre défendu sous le ~* ein verbotenes Buch heimlich zirkulieren lassen.

mantelet [mɑ̃'tlɛ] *m* **1.** *rl*. (Bischofs-) Umhang *m*; **2.** *~ de bain* Bademantel *f* für Kinder; **3.** ⚓ Luke *f*.

mantille [mɑ̃'tij] *f* Mantilla *f*, Schleiertuch *n* (*der Spanierinnen*).

manucur|e [many'ky:r] **I** *su*. Handpfleger(in *f*) *m*, *f*: Maniküre *f* (*hier Person!*); **II** *m* Maniküre *f*, Handpflege *f*; **~er** F [~'re] *v/t*. (1a) maniküren.

manuel [ma'nɥɛl] **I** *adj*. (7c) □ Hand...; *travail m ~* Handarbeit *f*; **II** *m* **1.** Lehrbuch *n*, Handbuch *n*; **2.** Handarbeiter *m*; *les intellectuels et les ~s* die Kopf- u. die Handarbeiter *m/pl*.

manufactu|re [manyfak'ty:r] *f* Manufaktur *f*, Handwerksbetrieb *m*; **~rer** [~ty're] *v/t*. (1a) handwerklich herstellen *od.* anfertigen; **~rier** [~'rje] (7b) *adj*. □ gewerbetreibend; Fabrik...

manuscrit [manys'kri] **I** *adj*. (7) handschriftlich, handgeschrieben; **II** *m* Manuskript *n*, Handschrift *f*.

manutention [manytɑ̃'sjɔ̃] *f* **1.** Auf- u. Abladen *n*, Handhabung *f*, Behandlung *f*, Verladen *n*, Umladen *n* (*v. Waren*); Beförderung *f*, Förderwesen *n*; *moyen m de ~* Fördermittel *n*; **2.** Warenmagazin *n*; **~naire** [~sjɔ'nɛ:r] *m* Lagerist *m*; **~ner** [~sjɔ'ne] *v/t*. (1a) ⊕, ✝ umladen, befördern (*Motoren, Stückgut, Lagerware*).

maoïste *pol*. [maɔ'ist] **I** *su*. Anhänger *m* des Mao Tse-tung; **II** *adj*. maoistisch.

mappemonde [map'mɔ̃:d] *f* Weltkarte *f*.

maquer|eau [ma'kro] *m* **1.** *zo*. Makrele *f*; **2.** P Zuhälter *m*, Kuppler *m*; Bordellwirt *m*; **~elle** P [~'krɛl] *f* Zuhälterin *f*, Kupplerin *f*.

maquette [ma'kɛt] *f* erste Skizze *f*,

Modell *n* (*peint.*, *a.* ⊕); Segelflugzeugmodell *n*.

maquignon [maki'ɲɔ̃] *m* **1.** Pferdehändler *m*; *mst. péj.* Roßtäuscher *m*; **2.** *péj.* ✝ durchtriebener Vermittler *od.* (Auto-)Händler *m*; **~nage** [~ɲɔ'na:ʒ] *m* Pferdehandel *m*; ✝ Handelei *f*, Kuhhandel *m* F; Schwindel *m*, Betrug *m*; **~ner** [~ɲɔ'ne] *v/t.* (1a) *Pferd* betrügerisch herausputzen; ~ une affaire mit unlauteren Mitteln ein Geschäft tätigen.

maquill|age [maki'ja:ʒ] *m* Schminken *n*; Schminke *f*; *fig.* Fälschen *n*; **~er** [~ki'je] *v/t.* (1a) schminken; (ver)fälschen, tarnen, mit e-r anderen Farbe überstreichen (*z.B. ein gestohlenes Auto*); **~eur** [maki'jœ:r] *su.* (7g) Schminker *m*; *cin.* Maskenbildner *m*; *fig.* ~ de l'histoire Geschichtsfälscher *m*.

maquis [ma'ki] *m* Buschwald *m*, Dickicht *n* (*a. fig.*), Maquis *m*; *allg.* prendre le ~ das Weite (*od.* Unterschlupf) suchen; *Fr. im Zweiten Weltkrieg*: sich der Widerstandsbewegung anschließen; *fig.* le ~ de la procédure die Verwicklung der Prozeßführung; **~ard** ⚔ [~'za:r] *m* (französischer) Widerstandskämpfer *m* (*1940-1944*).

marabout [mara'bu] *m* **1.** Marabu (-feder *f*) *m*; **2.** Marabut *m* (*mohammedanischer Einsiedler*); kleine Moschee *f*; **3.** ⚔ kleines Rundzelt *n*; **4.** P häßlicher, mißgestalteter Mensch *m*.

maraîcher [marɛ'ʃe] **I** *adj.* (7b) Gemüse...; **II** *m* Gemüsegärtner *m*.

marais [ma'rɛ] *m* **1.** Moor *n*, Morast *m*; **2.** ✓ Gemüseland *n*.

marasme [ma'rasm] *m* **1.** *fig.* Lebensüberdruß *m*; ✝, *pol.* Niedergang *m*; on est dans le ~ man ist völlig fertig; le commerce est dans le ~ der Handel liegt völlig danieder; **2.** ⚕ Auszehrung *f*; Entkräftung *f*.

marasquin ✝ [maras'kɛ̃] *m* Maraschino(likör *m*) *m*.

marathon [mara'tɔ̃] **I** *m Sport*: Marathonlauf *m*; **II** *adj./inv.* Dauer... (*Tanz*, *Debatte*).

marâtre [ma'rɑ:trə] *f* Rabenmutter *f*.

maraud|age [maro'da:ʒ] *m* Felddiebstahl *m*; **~e** [ma'ro:d] *f* **1.** Felddiebstahl *m* (*bsd. von Soldaten*); **2.** *Auto*: unerlaubte, langsame Leerfahrt *f* e-r Taxe (*auf der Suche nach Fahrgästen*, *statt zu parken*); **~er** [maro'de] *v/i.* (1a) regelwidrig langsam fahren (*Taxe*); *ehm.* ⚔ plündernd umherziehen; **~eur** [~'dœ:r] *m* **1.** Felddieb *m*; **2.** Taxichauffeur *m*, der sich nicht an die Parkregeln hält.

mar|bre ['marbrə] *m* **1.** Marmor *m*; *fig.* être de ~ gefühllos sein; cœur *m* de ~ Herz *n* aus Stein; **2.** table *f* de ~ Marmortafel *f*; *sculp.* statue *f* de (*od.* en) ~ Marmor-bild *n*, -statue *f*; ~s *m/pl.* Marmorarbeiten *f/pl.*; **~brer** [~'bre] *v/t.* (1a) marmorieren; **~brerie** [~brə'ri] *f* Marmor-schleiferei *f*, -arbeit *f*; **~brier** [~bri'e] **I** *adj.* (7b) Marmor...; **II** *m* Marmor-fabrikant *m*, -arbeiter *m*; **~brière** [~bri'ɛ:r] *f* Marmorbruch *m*; **~brure** [~'bry:r] *f* Marmorierung *f*.

marc [ma:r] *m* Trester *m/pl.*; ~ de café Kaffee-satz *m*, -grund *m*; ~ de raisin Traubentrester *pl.*

marcair|e [mar'kɛ:r] *m* Senner *m*; **~erie** [~kɛr'ri] *f*, **~ie** [~kɛ'ri] *f* Sennerei *f* (*Vogesen*).

marcassin *zo.* [marka'sɛ̃] *m* Frischling *m*.

marchand [mar'ʃɑ̃] (7) **I** *su.* **1.** Händler *m*, Kaufmann *m*; ~ de soupe schlechter (Gast-)Wirt *m*; ~s *pl.* forains Marktleute *pl.*; ~ interlope Schwarzhändler *m*, Schieber *m*; F ~ de carottes Lügner *m*; *fig.* être le mauvais ~ d'une chose nichts als Ärger mit e-r Sache haben; **II** *adj.* **2.** handeltreibend, Handels...; bâtiment *m* ~ Frachtschiff *n*; esprit *m* ~ Handelsgeist *m*; marine *f* ~e Handelsmarine *f*; **3.** gangbar, leicht verkäuflich; qualité *f* ~e gangbare Qualität *f*; **4.** prix *m* ~ Einkaufs-, Engros-preis *m*; **~age** [~'da:ʒ] *m* **1.** Handeln *n*, Feilschen *n*, Kuhhandel *m fig.* P; **2.** Weitervergebung *f* von Akkordarbeit *f* durch Zwischenunternehmer; **~er** [~ʃɑ̃'de] (1a) **I** *v/t.* **1.** ~ qch. um etw. (*acc.*) feilschen *od.* handeln; etw. durch Abhandeln ergattern; obtenir un rabais en marchandant den Preis abhandeln (*od.* drücken); *fig.* ne pas ~ sa vie s-e Haut zu Markte tragen; ne pas ~ les éloges mit dem Lob nicht zurückhalten; **2.** im Akkordsystem übernehmen; **~eur** [~'dœ:r] *su.* (7g) **1.** Feilscher *m*; **2.** Akkordmeister *m*; **~ise** [marʃɑ̃'di:z] *f* **1.** Ware *f*; ~s *pl.* contingentées zwangsbewirtschaftete Waren *f/pl.*; échange *m* de ~s Warenaustausch *m*; ~ de premier choix, ~ de marque erstklassige

Ware *f*; Qualitäts-, Marken-ware *f*; ~ *à la douzaine* (*à vil prix*) Dutzend-(Schleuder-)ware *f*; ~ *disponible* (*sur place*) Lokoware *f*; **2.** *a.* ⚓ ~*s pl. à déverser* Schüttgut *n*; ~*s pl. en colis* Stückgut *n*; ~*s pl. de refroidement* Kühlgut *n*; ~ *de rebut* Ausschußware *f*; *train m de* ~*s* Güterzug *m*; *fig. faire valoir sa* ~ s-n Standpunkt ins rechte Licht setzen.

marche[1] [marʃ] *f* **1.** Gehen *n*, Laufen *n*; Gang *m* (*a. fig.*); Betrieb *m*; Verlauf *m*, Entwicklung *f*; *fig.* Prozeß *m*; *Sport*, ⚔, ♪ Marsch *m*; Aufmarsch *m*; *ast.* Lauf *m*; *aimer la* ~ gern laufen; *à* ~*s forcées* in Eilmärschen; ~ *en avant* ⚔ Vormarsch *m*; *Auto*: *en* ~ *avant* im Vorwärtsgang; *Auto*: *en* ~ *arrière* im Rückwärtsgang; *Sport*, ⚔ ~ *avec équipement*, ~ (*sportive*) *avec sac au dos*, ~ *avec chargement* Gepäckmarsch *m*; ~-*manœuvre f* (6b) Manövermarsch *m*; ~ *de performance* Leistungsmarsch *m*; *dans la* ~ auf dem Marsch; *fermer la* ~ den Zug beschließen; ~ *des affaires* Handelsverkehr *m*; *mettre en* ~ in Gang setzen; *se mettre en* ~ abmarschieren; starten, sich in Gang setzen; *mot.* anspringen; *mise f en* ~ Anlassen *n*, Ingangsetzen *n*; ~ *avant* (~ *arrière*) Vorwärts- (Rückwärts-) gang *m od.* -bewegung *f*; ~ *à vide* Leerlauf *m*; **2.** (Treppen-) Stufe *f*; △ ~ *de départ* Blockstufe *f*; ~ *à cornière* Winkelstufe *f*; ~ *en forme de coin* Keilstufe *f*; ~ *palière* oberste Treppenstufe *f*, Austrittsstufe *f*; ~ *triangulaire* Dreieckstufe *f*.

marche[2] *hist.* [~] *f* Grenzland *n*.

marché [mar'ʃe] *m* **1.** (Wochen-) Markt *m*; Marktplatz *m*; Handelsplatz *m*; ~ *couvert* Markthalle *f*; ~ *aux poissons* Fischmarkt *m*; ~ *hebdomadaire* Wochenmarkt *m*; ⚕ ~ *intérieur* (*étranger*) Inlands-(Auslands-)markt *m*; *analyse f du* (*od.* des) *marché*(s) Marktforschung *f*; ~ *des capitaux* Kapitalmarkt *m*; ~ *des changes* Devisen-markt *m*, -verkehr *m*; ~ *des rentes* Rentenmarkt *m*; *pol.* ♀ *commun* Gemeinsamer (europäischer) Markt *m*; ~ *noir* Schwarzmarkt *m*; ~ *du travail* Arbeitsmarkt *m*; *fig.* ~ *aux puces* Flohmarkt *m*; *cours m du* ~ Marktpreis *m*; *jour m de* ~ Markttag *m*; **2.** Einkäufe *m/pl.* auf dem Markt; *faire son* (*od. le*) ~ auf dem Markt einkaufen; **3.** Kauf *m*, Geschäft *n*; Kaufvertrag *m*; ~ *au comptant* Bargeschäft *n*; ~ *à prime* Prämiengeschäft *n*; ~ *à terme* Termingeschäft *n*; ~ *ferme* Kauf *m* auf feste Rechnung; ~ *à découvert* Differenzgeschäft *n*; *faire un* ~ e-n Kauf abschließen; *faire un bon* ~ ein gutes Geschäft machen; *fig. faire bon* ~ *de qch.* etw. geringachten (auf die leichte Schulter nehmen); *faire bon* ~ *de sa vie* sein Leben leichtfertig aufs Spiel setzen; *par-dessus le* ~ noch obendrein, außerdem; gratis, umsonst; **4.** *bon* ~ billig; *meilleur* ~ billiger; *le meilleur* ~ am billigsten; *acheter* (*vendre*) *bon* ~ billig kaufen (verkaufen); *vie f bon* ~ (*meilleur* ~, *le meilleur* ~) billiges (billigeres, billigstes) Leben *n*; *être bon* ~ billig sein; *cette marchandise est meilleur* ~ (*le meilleur* ~) diese Ware ist billiger (am billigsten); *il a acheté du terrain qui est très bon* ~ er hat Land gekauft, das sehr billig ist; *fig. stets mit à*: *en être quitte à bon* ~ mit blauem Auge davongekommen sein.

marchepied [marʃ'pje] *m* **1.** *Auto*, *Motorrad*, *tram.*, *Kutsche*, 🚂 Trittbrett *n*; **2.** Stehleiter *f*; Tritt *m*; **3.** *fig. servir à q. de* ~ *fig.* j-m als Sprungbrett dienen, j-n lancieren.

marcher [mar'ʃe] (*nur mit avoir!*) *v/i.* (1a) **1.** (zu Fuß) gehen, laufen, schreiten; wandern; ⚔ marschieren; *j'ai marché* ich bin gelaufen (gewandert); ich bin marschiert; *ils marchent toute la matinée* sie laufen den ganzen Vormittag; F *ne pas se laisser* ~ *sur les pieds* sich nichts gefallen (*od.* bieten) lassen; sich nicht auf der Nase herumtanzen lassen; *en avant, marche!* vorwärts!, marsch!; ~ *à grands pas* große Schritte machen; ~ *à tâtons* blindlings umhertappen; ~ *sur l'ennemi* auf den Feind losgehen; ~ *sur les pas de q.* in j-s Fußtapfen treten; **2.** im Gange sein, gehen (*Maschine*); fahren (*Zug*, *Wagen*); *le train* (*la voiture*) *marche à 150 km à l'heure* der Zug (der Wagen) fährt 150 km in der Stunde; *ma montre ne marche pas* m-e Uhr geht nicht; *faire* ~ in Gang (*od.* in Betrieb) setzen; *faire* ~ *q.* j-n auf die Beine bringen; *fig.* j-n hochnehmen, necken; j-n an der Nase herumführen; *rad. faire* ~ *le poste de radio* das Radio anstellen; **3.** *fig.*

cette affaire ne marche point diese Sache kommt nicht von der Stelle, diese Sache hapert; *ça marche* es macht sich, es geht ganz gut; *cela marche mal* es geht schief; **4.** F ~ *dans la combine* auf den Schwindel reinfallen.

marcheur [mar'ʃœ:r] (7g) **I** *su.* Marschierer *m*; Wanderer *m*; *Sport*: Geher *m*; être *bon* ~ gut zu Fuß sein; *vieux* ~ alter Schürzenjäger *m*; **II** *adj. oiseau m* ~ Laufvogel *m*.

marcot|tage [markɔ'ta:ʒ] *m* ✓ Absenken *n*, Einlegen *n e-s Reises*; *fig.* ~ *des grandes écoles en province* Verlegung *f* der höheren Fachschulen in die Provinz; **~te** ✓ [~'kɔt] *f* Ableger *m*, Pfropfreis *n*; **~ter** ✓ [~'te] *v/t.* (1a) *ein Reis* absenken, einlegen.

mardi [mar'di] *m* Dienstag *m*; ~ *gras* Fastnacht *f*.

mare [ma:r] *f* Tümpel *m*, Pfuhl *m*; Lache *f*; ~ *de sang* Blutlache *f*.

maréca|ge [mare'ka:ʒ] *m* Moor *n*, Morast *m*, Sumpf *m*; **~geux** [~'ʒø] *adj.* (7d) sumpfig, morastig.

maréchal [mare'ʃal] *m* (5c) **1.** ~-*-ferrant* Hufschmied *m*; **2.** ⚔ ~ *de France* Generalfeldmarschall *m* Frankreichs; *bâton m de* ~ Marschallstab *m*; ~ *des logis* Unteroffizier *m* (*Kavallerie u. Artillerie*); ~ *des logis-chef* Feldwebel *m*; **~erie** [~l'ri] *f* Hufschmiede(kunst *f*) *f*.

maréchaussée [mareʃo'se] *f ehm.*, F *od. plais.* Gendarmerie *f*.

marée [ma're] *f* **1.** Ebbe und Flut *f*, Gezeiten *pl.*; ~ *basse*, ~ *descendante* Ebbe *f*; ~ *haute* hohe Flut *f*; *grande* ~ Springflut *f*; ~ *grise* „Überschwemmung" *f* mit Betonbauten; ~ *noire* Ölpest *f*; ~ *urbaine* Bebauungsflut *f*; **2.** frische Seefische *m/pl.*; **3.** *fig.* Riesenmenge *f*.

marégraphe ⊕ [mare'graf] *m* Pegelmesser *m*.

marelle [ma'rɛl] *f*: ~ *à cloche-pied* Hopsespiel *n*.

maremm|atique [marɛma'tik] *adj.* Sumpf...; **~e** [~'rɛm] *f* Sumpfgebiet *n* in Italien.

marémoteur [maremɔ'tœ:r] *adj.* (7f): *usine f* (*od. centrale f*) *marémotrice* Gezeitenkraftwerk *n*.

maréomètre ⊕ [mareɔ'mɛ:trə] *m* Pegelmesser *m*.

mareyeur [marɛ'jœ:r] *su.* (7g) Seefischhändler *m*.

margarine [marga'ri:n] *f* Margarine *f*.

margay *zo.* [mar'gɛ] *m* Tigerkatze *f*.

marge [marʒ] *f* **1.** Rand *m*; *en* ~ am Rande; *annotation f en* ~ Randbemerkung *f*; *faire une croix dans la* ~ ein Kreuz am Rande machen; *vivre en* ~ *de la société* am Rande der Gesellschaft leben; **2.** *fig.* Spielraum *m*; ~ *de manœuvre pol.* Handlungsspielraum *m*; ~ *de profit*, ~ *bénéficiaire* Gewinn-, Verdienst-spanne *f*; ~ *entre les prix de* (*la*) *production et ceux de* (*la*) *vente* Preisschere *f*.

margelle [mar'ʒɛl] *f* Brunnenrand [*m.*]

marg|er *typ.* [mar'ʒe] *v/t.* (1l) *den Bogen* anlegen; *abs.* den Rand einstellen; **~eur** [~'ʒœ:r] *m typ.* Bogenanleger *m*; Einleger *m*; ⊕ Randsteller *m* (*Schreibmaschine*).

margi|nal [marʒi'nal] (5c) **I** *adj.* am Rande befindlich; *note f* ~*e* Randbemerkung *f*; *éc. entreprise f* ~*e* unwirtschaftlicher Betrieb *m*; **II** *rl. m* religiöser Außenseiter *m*; **~nalisation** *soc.* [~naliza'sjɔ̃] *f* Verdrängung *f* an den Rand der Gesellschaft; **~nalisé** *soc.* [~nali'ze] *adj.* (*a. su.*) an den Rand der Gesellschaft gedrängt; **~nalité** *soc.* [~nali'te] *f* Randgesellschaft *f*.

margis * [mar'ʒi] *m* Unteroffizier *m*.

margoter [margɔ'te] *v/i.* (1c) rufen (*Wachtel*).

margouillis F [margu'ji] *m* Dreck *m*; *fig.* Mischmasch *m*.

margoulette P [margu'lɛt] *f* Fresse *f*, Schnauze *f*.

margoulin *péj.* [margu'lɛ̃] *m* kleiner Börsenjobber *m*; *weitS.* Gauner *m*.

marguerite ✿ [margə'rit] *f*: *grande* ~, ~ *des prés* Margerite *f*.

mari [ma'ri] *m* (Ehe-)Mann *m*, Gatte *m*; *prendre q. pour* ~ j-n zum Mann nehmen; ~ *mené par sa femme* Pantoffelheld *m*; **~able** [ma'rjablə] *adj.* heiratsfähig; **~age** [~'rja:ʒ] *m* Ehe *f*, Ehestand *m*; Heirat *f*, Hochzeit *f*, Vermählung *f*, Trauung *f*; *acte m de* ~ Trauschein *m*, Heiratsurkunde *f*; ~ *de convention* Standesehe *f*; ~ *fictif* (*od. putatif*) Scheinehe *f*; ~ *d'inclination* Neigungsehe *f*; ~ *de raison* Vernunftehe *f*.

marial *rl.* [ma'rjal] *adj.* (*pl.* ~*s od.* 5c) Marien...

marié(**e**) [ma'rje] *su.* Vermählte(r) *m*, Bräutigam *m* (Braut *f*) am Hochzeitstage; *nouvelle* ~*e* junge Frau *f*.

Marie-Chantal, *a.* **Marie-Chan'** [mariʃɑ̃'tal, mari'ʃɑ̃] *npr./f* blasier-

ter, dummer Backfisch *m*, Fräulein *n* Naseweis.
marie-couche-toi-là P [marikuʃtwa'la] *f/inv.* leichtfertiges Mädchen *n*.
marie-jeanne * [mari'ʒan] *f* Marihuana *n*.
marie-louise F [~'lwi:z] *f* (6a) Passepartout *n* (*für Bilder*).
marier [ma'rje] (1a) **I** *v/t.* verheiraten, vermählen, trauen; *fig.* anpassen; kombinieren (*a. Mode*), verbinden (*à qch.* mit etw. [*dat.*]); **II** *v/rfl.* se ~ heiraten (*v/i.*), e-e Ehe schließen; *fig.* zueinander passen.
marie-salope [marisa'lɔp] *f* (6a) **1.** P Schlampe *f*; **2.** ⚓ Baggerprahm *m*.
marieur F [ma'rjœ:r] *su.* (7g) Ehestifter *m*.
marigot [mari'go] *m* versickernder Flußarm *m*, tropische Flußschwinde *f*; überschwemmbare Gegend *f*.
marihuana *phm.* [marił̯a'na] *f* Marihuana *n* (*Narkotikum*).
marin [ma'rɛ̃] **I** *adj.* (7) zur See gehörig; See...; *costume m* ~ Matrosenanzug *m*; *avoir le pied* ~ *fig.* nicht aus der Ruhe zu bringen sein; **II** *m* Seemann *m*, Matrose *m*; *plais.* ~ *d'eau douce* Landratte *f fig.*
marina|de *cuis.* [mari'nad] *f* Marinade *f*; **~ge** [~'na:ʒ] *m* Marinieren *n*.
marine [ma'ri:n] **I** *f* **1.** Marine *f*; ~ *marchande* Handelsmarine *f*; **2.** *Fr.* modernes Ferienlandhaus *n am Mittelmeer*; **3.** *peint.* Seegemälde *n*; **II** *m* USA-Marinesoldat *m*.
mariner [mari'ne] (1a) **I** *v/t.* in Essig legen, marinieren; *viande f marinée* sauer eingelegtes Fleisch *n*; **II** *v/i.* in Marinade liegen; F *faire* ~ *q.* j-n endlos warten lassen.
maringouin *ent.* [marɛ̃'gwɛ̃] *m* amerikanische Stechmücke *f*.
marini|er [mari'nje] **I** *adj.* See...; **II** *su.* Seemann *m*; Flußschiffer *m*; **~ère** [~'njɛ:r] *f* **I** ⚓ Windjacke *f*; **II** *nager la* ~ auf der Seite schwimmen; *cuis. moules f/pl.* (*à*) *la* ~ Muscheln *f/pl.* mit Zwiebelsoße.
mariol(le) F [ma'rjɔl] *m* Schlaukopf *m*, Pfiffikus *m*; *fig. faire le* ~ sich aufspielen, angeben.
marionnette [marjɔ'nɛt] *f* **1.** Marionette *f*, Glieder-, Draht-puppe *f*; **2.** *théâtre m de* ~*s* Puppentheater *n*, Kasperletheater *n*; **3.** *fig.* Marionettenfigur *f*, Spielball *m*, leicht zu lenkende Person *f*.
mariste *rl.* [ma'rist] *adj.* (*u. m* Mitglied *n*) des Mönchsordens der Société de Marie.
marital [mari'tal] *adj.* (5c) □ ehelich; **~ement** [~tal'mɑ̃] *adv.* in wilder Ehe.
maritime [mari'ti:m] *adj.* See...; *code m* ~ Seegesetzbuch *n*; *droit m* ~ Seerecht *n*; *puissance f* ~ Seemacht *f*; *ville f* ~ See-, Küstenstadt *f*.
maritorne ✎ F [mari'tɔrn] *f* Schlampe *f*.
marivaud|age [marivo'da:ʒ] *m* **1.** *litt.* affektierter, gezierter Stil *m*; **2.** galante Tändelei *f*; **~er** [~'de] *v/i.* (1a) galant plaudern.
marjolaine ⚘ [marʒo'lɛ:n] *f* Majoran *m*.
mark [mark] *m* Mark *f* (*deutsche Währung*); ~*-or m* (6b) Goldmark *f*; ~ *oriental* Ostmark *f*; ~ *ouest* Westmark *f*; ~ *papier* Papiermark *f*.
marketing ⚚ [markə'tiŋ] *m* Absatzforschung *f*.
marli [mar'li] *m* innerer Tellerrand *m*.
marlou P [mar'lu] *m* Zuhälter *m*.
marmaille F [mar'mɑ:j] *f* Kinderschwarm *m*, Gören *pl.* F.
marmelade [marmə'lad] *f* Marmelade *f*; ~ *de pommes* Apfelmus *n*; F *mettre en* ~ zu Mus schlagen.
marmite [mar'mit] *f* **1.** Kochtopf *m*; * ⚔ *1914—1918*: Granate *f*; ~ *norvégienne* Kochkiste *f*; ~ *électrique* elektrischer Kocher *m* (*od.* Kochtopf *m*); *phys.* ~ *de Papin* Papinscher Topf *m*; *faire bouillir la* ~ für den Unterhalt sorgen; *fig. nez m en pied de* ~ Stülpnase *f*; **2.** *géol.* ~ *de géants* Strudelloch *n*.
marmiton [marmi'tɔ̃] *m* Küchenjunge *m*.
marmonner [marmɔ'ne] *v/t. u. v/i.* (1a) in den Bart brummen.
marmor|éen [marmɔre'ɛ̃] *adj.* (7c) marmorartig, Marmor...; *fig.* kalt, eisig; **~iser** [~ri'ze] *v/t.* (1a) in Marmor verwandeln.
marmot F [mar'mo] *m* kleiner Junge *m*, Knirps *m*; *fig. croquer le* ~ sich die Beine in den Bauch stehen; **~te** [~'mɔt] *f* **1.** Murmeltier *n*; *dormir comme une* ~ wie ein Murmeltier schlafen; *vgl. loir*; **2.** Musterkoffer *m*; **~ter** [~mɔ'te] *v/t.* (1a) vor sich hinmurmeln.
marmouset [marmu'zɛ] *m* groteske Figur *f*.
mar|ne [marn] *f* Mergel *m*; **~ner** [~'ne] (1a) **I** *v/t.* mit Mergel düngen; **II** F *v/i.* schuften.
Maroc [ma'rɔk] *m*: **le** ~ Marokko *n*.

marocain [marɔ'kɛ̃] *adj. u.* ♀ *su.* (7) marokkanisch; Marokkaner *m.*
marolles [ma'rɔl] *m* Weißschimmelkäse *m.*
maronner F [marɔ'ne] *v/i.* (1a) brummen, murmeln, knurren; *faire* ~ *q.* j-n auf die Palme bringen, j-n wütend machen.
maroquin [marɔ'kɛ̃] *m* **1.** Saffian *m*; **2.** *ehm.* Ministerposten *m*; **~age** [~ki'na:ʒ] *m* Saffianzubereitung *f*; **~er** [~ki'ne] *v/t.* (1a) zu Saffian verarbeiten; **~erie** [~n'ri] *f* **1.** Saffianbereitung *f*, -fabrik *f*; **2.** Saffian-, Leder-ware *f*; **3.** Ledergeschäft *n*; Saffianhandel *m*; **~ier** [~'nje] *m* **1.** Saffiangerber *m*; **2.** Lederwarenhändler *m.*
marotte [ma'rɔt] *f* **1.** Steckenpferd *n*, Hobby *n*, Marotte *f*; fixe Idee *f*, Tick *m*, Flitz *m*; *c'est sa* ~, *il a* ~ *pour cette chose* das ist sein Steckenpferd; *chacun a sa* ~ jeder hat e-n Tick (*od.* Flitz *od.* e-e fixe Idee); **2.** Hut-, Kopf-form *f*; **3.** ~ *du fou* Narrenzepter *n.*
marou|fle [ma'ruflə] *f* Malerleim *m*; **~fler** [~'fle] *v/t.* (1a) *ein Gemälde* aufleimen.
marquage [mar'ka:ʒ] *m* **1.** Markieren *n*; **2.** *Sport* Deckung *f.*
marquant [mar'kɑ̃] *adj.* (7) hervorstechend, wichtig; markant, profiliert (*Person*).
marque [mark] *f* **1.** Zeichen *n*, Kenn-, Erkennungs-, Ab-zeichen *n*, Merkmal *n*, Marke *f*; ~ (*de fabrique*) Warenzeichen *n*, Fabrikmarke *f*; Automarke *f*; ~ *déposée* eingetragene Schutzmarke *f*; ~ *de qualité* Gütezeichen *n*; ~ *d'origine* Ursprungszeichen *n*; ~ *d'immatriculation* Eintragungszeichen *n*; **2.** *Sport*: Markierung *f*; Startloch *n*; *à vos ~s! prêts! partez!* Achtung! fertig! los!; *la* ~ *est de trois à zéro* (*3 : 0*) das Spiel steht drei zu null (3 : 0); **3.** Spur *f*; Narbe *f*, Mal *n*; *~s de pas dans la neige* Schrittspuren *f/pl.* im Schnee; ⚕ ~ *de naissance* Muttermal *n*; **4.** ~ *d'honneur* Ehrenzeichen *n*; *fig.* Auszeichnung *f*; *homme m de* ~ hervorragender (*od.* bedeutender) Mann *m.*
marqué [mar'ke] *adj.* bemerkenswert, beachtlich; gestempelt; *moment m* ~ festgesetzter Augenblick *m*; *papier m* ~ Stempelpapier *n.*
marquer [~] (1m) **I** *v/t.* **1.** (be-) zeichnen; ⚔ mit Zeichen (*Preisangabe usw.*) versehen; ~ *une place* e-n Platz belegen; *marqué* ge- (be-) zeichnet; eingeschrieben; *marqué à leur nom* mit ihrem Namen versehen; *marqué de petite vérole* blatternarbig; *avoir les traits marqués* scharfe Züge haben; *avec une intention marquée* mit Nachdruck; **2.** markieren, anstreichen; *men.* anreißen; ~ *d'une croix* ankreuzen; **3.** stempeln (*Papier*); **4.** auf-zeichnen, -schreiben, notieren, einschreiben; ~ *un adversaire Sport*: e-n Gegner genau markieren; ~ (*les points*) *Sport*: (die Punkte) buchen; **5.** äußern, bekunden, (an)zeigen; *fig.* beweisen, ein Zeichen sein für (*acc.*), hindeuten auf (*acc.*); ~ *la mesure* den Takt angeben; ~ *le pas* auf der Stelle treten; *fig.* keinerlei Fortschritte machen; *le baromètre marque beau fixe* das Barometer zeigt auf beständig; *voilà qui marque de la méchanceté* das zeugt von Gemeinheit; **6.** bestimmen, an-, fest-setzen; ~ *un but* ein Ziel setzen; *Fußball*: ein Tor schießen; **7.** *esc.* ~ *un coup* einen Stoß andeuten; **8.** *fig.* ~ *le coup* die Bedeutung unterstreichen; **II** *v/i.* Spuren hinterlassen; einschneidend sein; *Person*: sich hervortun; *Pferd*: die Kennung haben; F ~ *mal* keine gute Figur abgeben; **III** *v/rfl. se* ~ sich bemerkbar machen.
marque|ter [markə'te] *v/t.* (1c) sprenkeln; *mit buntem Holz* auslegen (de mit [*dat.*]); **~terie** [~kɛ'tri] *f* eingelegte Arbeit *f*, Intarsienarbeit *f*; **~teur** [~kə'tœ:r] *m* Intarsienarbeiter *m.*
marqueur [mar'kœ:r] *su.* (7g) **1.** Stempler *m*; **2.** Zähler *m* (*beim Billard*); Anschreiber *m* (*Sport*); ~ *de but* Torschütze *m.*
marquis *hist.* [mar'ki] *su.* (7) Marquis *m.*
marquise [mar'ki:z] *f* **1.** *hist.* Marquise *f*; **2.** Markise *f*, Sonnen-, Schutz-, Wetter-dach *n*; **3.** Schorlemorle *f* (*Getränk*).
marquoir [mar'kwa:r] *m* (Monogramm-)Schablone *f* (*für Wäsche*).
marrade * [ma'rad] *f* Spaß *m*, Ulk *m.*
marraine [mɑ'rɛ:n] *f* Patin *f.*
marrant P [ma'rɑ̃] *adj.* **1.** drollig, zum Lachen; **2.** komisch, seltsam.
marre [mɑ:r] *adv.* **1.** F *j'en ai ~!* ich hab's satt!, ich hab' die Nase voll!; **2.** P *c'est ~!* das genügt!; das ist alles!
marrer * [ma're] *v/rfl.* (1a) *se* ~ sich totlachen.

marron[1] [ma'rɔ̃] **I** *m* **1.** Eßkastanie *f*, Marone *f*; ~ *d'Inde* Roßkastanie *f*; *fig. tirer les* ~*s du feu pour q.* für j-n (*acc.*) die Kastanien aus dem Feuer holen; **2.** P *fig.* Faustschlag *m*; **3.** Arbeiter-, Angestellten-Kontrollmarke (*aus Blech*) *f*; **4.** (Buchstaben-)Schablone *f*; **II** *a. adj./inv.* kastanienbraun.

marron[2] [~] **I** *adj.* (7c) **1.** *ehm. nègre m* ~ entlaufener Negersklave *m*; **2.** unbefugt; *avocat m* ~ Winkeladvokat *m*; *courtier m* ~ Winkelbörsenspekulant *m*; *rad. écouteur m* ~ Schwarzhörer *m*; *médecin m* ~ Kurpfuscher *m*; **3.** F reingelegt, betrogen; enttäuscht; *faire q.* ~ j-n reinlegen; *se faire faire* ~ sich erwischen lassen; ~ *sur le tas* auf der Stelle geschnappt (*od.* erwischt); **II** *typ. m* heimlich gedrucktes Buch *n*.

marronnier [marɔ'nje] *m* (Roß-)Kastanienbaum *m*.

mars[1] [mars] *m* März *m*.

Mars[2] *ast.* [~] *m der* Mars.

mar|sault ⚘ *m*, **~seau** ⚘ [mar'so] *m* Palmen-, Sal-weide *f*.

Marseill|aise [marsɛ'jɛːz] *f* Marseillaise *f*; **~e** [~'sɛj] *mst. m* Marseille *n*.

marsouin [mar'swɛ̃] *m* **1.** *zo.* Tümmler *m*; **2.** * männliches Glied *n*; **~age** ✈ [~swi'naːʒ] *m* wellenförmige *od.* stampfende Lande- *od.* Aufsteigebewegung *f* (*Wasserflugzeug*).

marsupial *zo.* [marsy'pjal] *adj.* (5c): *ours m* ~ Beutelbär *m*.

marte *zo.* [mart] *f* Marder *m*.

marteau [mar'to] *m* (5b) **1.** Hammer *m*; ⚡ Klöppel *m*; *Sport*: (*lancement m du*) ~ Hammerwerfen *n*; ~ *de porte* Türklopfer *m*; ~ *à air comprimé*, ~*-piqueur*, ~ *pneumatique* Preßlufthammer *m*; ~ *de forge* Schmiedehammer *m*; ~ *à river* Niethammer *m*; *donner le dernier coup de* ~ zuschlagen (*bei e-r Versteigerung*); *passer sous le* ~ unter den Hammer kommen, versteigert werden; **2.** *icht.* Hammerfisch *m*; **3.** * Verrückte(r) *m*; **~-pilon** [~pi'lɔ̃] *m* (6a) Maschinenhammer *m* (*in e-r Schmiede*).

martel † [mar'tɛl] *m* Hammer *m*; *nur noch in*: *se mettre* ~ *en tête* sich Sorgen (*od.* Gedanken) machen; **~age** [martə'laːʒ] *m* Hämmern *n*, Schlagen *n*; *for.* Anlaschen *n*; **~er** [~tə'le] *v/t.* (1d) **1.** hämmern, treiben; *for.* anlaschen; ⊕ (aus)hämmern, ausschmieden; ~ *le sol* den Erdboden festtrampeln; **2.** ⚔ pausenlos unter Feuer nehmen, beharken F; **3.** *fig.* scharf artikulieren; einhämmern (*e-e Idee*); **~et** [~tə'lɛ] *m* Hämmerchen *n*.

martial [mar'sjal] *adj.* (5c) **1.** kriegerisch; *loi f* ~*e* Standrecht *n*; **2.** *min.*, *physiol.* eisen-haltig, -speichernd, Eisen...

martien *ast.* [mar'sjɛ̃] *adj.* (7c) *u.* ♀ *su.* Mars...; Marsbewohner *m*.

Martin [mar'tɛ̃] *npr./m* **1.** Martin *m*; *été m de la Saint-*~ Altweibersommer *m*; *ours m* ~ Meister Petz *m*; **2.** ⊕ *acier m* ~ Siemens-Martin-Stahl *m*.

marti|ner ⊕ [marti'ne] *v/t.* (1a) hämmern, schmieden; **~net** [~'nɛ] *m* **1.** ⊕ Hüttenhammer *m*; **2.** Klopfpeitsche *f*; **3.** *orn.* Segler *m*.

martingale [martɛ̃'gal] *f* **1.** Sprungzügel *m* (*Reitkunst*); **2.** *Mode*: *dos m* ~ Rückengürtel *m*; **3.** *Spiel*: höherer Einsatz *m*.

Martinique [marti'nik] **I** *géogr. f*: **la** ~ Martinique *n*; **II** ♀ *m* Martinique-Kaffee *m*.

martin-pêcheur [martɛ̃pɛ'ʃœːr] *m* (6a) Eisvogel *m*.

martre ['martrə] *f* **1.** Marder *m*; ~ *du Canada* Nerz *m*; **2.** Marderfell *n*.

mar|tyr [mar'tiːr] *m*, **~tyre**[1] [~] *f* **I** *su.* Märtyrer *m*, Blutzeuge *m*; *fig.* Dulder *m*; ~ *de la foi* Glaubenszeuge *m*, -held *m*; *être le* ~ *de q.* von j-m viel zu erdulden haben; **II** *adj.* grausam behandelt; gepeinigt; **~tyre**[2] [~] *m* Märtyrer-tod *m*, -tum *n*; *fig.* Martyrium *n*, Pein *f*, Qual *f*; **~tyriser** [~tiri'ze] *v/t.* (1a) quälen; **~tyrologe** [~tirɔ'lɔʒ] *m* Märtyrerverzeichnis *n*.

marx|ien [mark'sjɛ̃] *adj.* (7c) von Karl Marx; **~isant** [marksi'zɑ̃] *adj.* (7) marxistisch orientiert; **~isation** [~ksizɑ'sjɔ̃] *f* marxistische Umfunktionierung *f*; **~isme** [mar'ksism] *m* Marxismus *m*; **~iste** [~'ksist] *su. u. adj.* Marxist *m*; marxistisch; **~ologue** [marksɔ'lɔg] *su.* Marxspezialist *m*.

mas [mɑ(:s)] *m* südfranzösisches Bauernhaus *n*.

mascara [maska'ra] *m* Wimperntusche *f*.

mas|carade [maska'rad] *f* Maskerade *f*, Maskenzug *m*; *fig.* Heuchelei *f*; **~caret** [~ka'rɛ] *m* Sprungwelle *f* (*an Flußmündungen*); **~caron** [~ka'rɔ̃] *m* △ *u. sculp.* Maske *f*,

Fratzengesicht *n*; **~cotte** [~'kɔt] *f* Maskottchen *n*.

masculin [masky'lɛ̃] **I** *adj.* (7) männlich; **II** *m gr.* Maskulinum *n*; **~isation** [~liniza'sjɔ̃] *f* **1.** Vermännlichung *f*; **2.** *gr.* Maskulinisierung *f*, maskuliner Gebrauch *m* (*e-s Wortes*); **~iser** [~ni'ze] *v/t.* (1a) **1.** vermännlichen; **2.** *gr.* als Maskulinum gebrauchen; **~ité** [~ni'te] *f* Männlichkeit *f*.

masochisme *psych.* [mazɔ'ʃism] *m* Masochismus *m*.

masque [mask] *m* **1.** Maske *f*; Fechtkorb *m*, Drahtmaske *f*; *a. fig.* *enlever son ~* s-e Maske fallen lassen; *fig. arracher le ~ à q.* j-m die Maske vom Gesicht reißen, j-n entlarven; **2.** ⚔ *a.* Schutzschild *m*; *~ cuirassé* Panzer(schutz)schild *m*; *~ à gaz* Gasmaske *f*; *esc. ~ pour l'escrime* Fechtmaske *f*; ✈ *~ à oxygène* Sauerstoffmaske *f*; **3.** *fig.* Schein *m*, Deckmantel *m*; **4.** *sculp.* Gipsabguß *m*; Totenmaske *f*.

masqué [mas'ke] *adj. a. fig.* versteckt (*Absicht*).

masquer [~] (1m) **I** *v/t.* **1.** maskieren, vermummen, verkleiden; *bal m masqué* Maskenball *m*; **2.** *fig.* be-, ver-decken; bemänteln; ⚔ tarnen, unkenntlich machen, verschleiern (*a.* ✝ *Bilanz*); *~ la lumière* abblenden (*Licht*); **II** *v/rfl.* *se ~* sich vermummen; *fig.* s-e Absichten verbergen (*od.* tarnen).

massa|crant [masa'krɑ̃] *adj.* (7): *d'humeur ~e* von äußerst schlechter Laune; unausstehlich; **~cre** [~'sakrə] *m* **1.** Massaker *n*, Blutbad *n*, Gemetzel *n*; *hist. le ~ de la Saint-Barthélemy* die Pariser Bluthochzeit (*1572*); **2.** *fig. thé., litt.* Entstellung *f*, Verschandelung *f*, Verhunzung *f*; **3.** *Boxsport*: regelwidriges Zs.-schlagen *n*; **4.** P *tête f à ~* Backpfeifengesicht *n*; **~crer** [~'kre] *v/t.* (1a) niedermetzeln, morden; *fig.* entstellen, verhunzen; **~creur** [~'krœ:r] *m* Mörder *m*; *fig.* Pfuscher *m*.

massage [ma'sa:ʒ] *m* Massage *f*.

massaliote *antiq.* [masa'ljɔt] *adj.* aus Massilia (*Marseille*).

masse[1] [mas] *f* Masse *f*, Menge *f*; ⚡ Erdung *f*; ⚔ Abzug *m* vom Sold (*für Bekleidung usw.*); ⚔ Fonds *m*; *en ~* in Massen, in Hülle u. Fülle; *tomber comme une ~* zs.-sacken; *il a de l'argent en ~* er hat Geld wie Heu; ✝ *~ active* Aktivmasse *f*; *~ passive* Passiva *pl.*; *~ pétrissable* Knetmasse *f*; *de toute sa ~* mit voller Wucht; ⚡ *fil m de ~* Erdleitung *f*; *mise f à la ~* Erdung *f*, Körperschluß *m*; ⊕ *~ mobile*, *~ centrifuge* Schwungmasse *f*; ♪ *~ instrumentale* Instrumente *n/pl.*; *~ vocale* Gesangstimmen *f/pl.*, Chor *m*.

masse[2] [~] *f* **1.** großer Hammer *m*; F *fig. coup m de ~* a) schockierende Nachricht *f*; b) Wucherpreis *m*; **2.** Zeremonienstab *m*; **3.** *hist.* ⚔ *~ d'armes* Streitkolben *m*.

massé *bill.* [ma'se] *m* Kopfstoß *m*.

masselotte ⊕ [mas'lɔt] *f* **1.** Schlagbolzen *m*; **2.** Gußzapfen *m*.

massepain [mas'pɛ̃] *m* Marzipan *n*.

masser [ma'se] (1a) **I** *v/t.* **1.** massieren; **2.** massenweise anhäufen; **3.** *peint.* gruppieren; **4.** ⚔ zs.-ziehen; **II** *v/rfl.* *se ~* sich in Massen versammeln.

masséter *anat.* [mase'tɛ:r] *m* Kaumuskel *m*.

masseur [ma'sœ:r] *su.* (7g) Massierer *m*.

massic|ot [masi'ko] *m* **1.** *min.* Massicot *n*; **2.** ⊕ Papierschneidemaschine *f*; **~otier** [~kɔ'tje] *m* Buchbeschneider *m*.

massier [ma'sje] *m* Kunstschüler *m*, der die Monatsbeiträge für ein Atelier einzuziehen hat.

mas|sif [ma'sif] **I** *adj.* (7e) □ **1.** massiv, massig; *or ~* gediegenes Gold *n*; **2.** *fig.* umfangreich (*Aufträge*); stark (*Dosis*); **II** *m géol.* Massiv *n*, Gebirgsstock *m*; △ starke Grundmauer *f*; ⚘ *~ de fleurs* Blumenbeet *n*; *~ d'arbres* Baumgruppe *f*; **~sification** [~sifika'sjɔ̃] *f* Vermassung *f*; **~sifier** [~si'fje] *v/t.* (1a) vermassen.

mass media [masme'dja] *m/pl.* Massenmedien *n/pl.*

massue [ma'sy] *f* Keule *f*; *coup m de ~* Keulenschlag *m* (*a. fig.*).

mastic [mas'tik] *m* Fenster-, Glaserkitt *m*; *adj./inv.* beigefarben; **~age** [~'ka:ʒ] *m* Verkitten *n*.

mastica|teur [~ka'tœ:r] *adj. u. m*: (*muscle m*) *~* Kaumuskel *m*; **~tion** [~kɑ'sjɔ̃] *f* Kauen *n*; **~toire** [~ka'twa:r] *adj. u. m*: (*remède m*) *~* Kaumittel *n*.

mastiff [mas'tif] *m* Bulldogge *f*.

mastiquer [masti'ke] *v/t.* (1m) **1.** verkitten; **2.** kauen.

mastoc F [mas'tɔk] *adj./inv.* klobig.

mastodonte [mastɔ'dɔ̃:t] *m* **1.** *zo.* Mastodon *n*; **2.** *fig.* Koloß *m* (*a.*

Person), Gigant *m*; ⚠ ~ *de béton* Betonriese *m*.
mastoïdite ⚕ [mastɔi'dit] *f* Warzenfortsatzentzündung *f*.
mastroquet F [mastrɔ'kɛ] *m* **1.** Schenkwirt *m*; **2.** Kneipe *f*.
masturb|ation [~tyrbɑ'sjɔ̃] *f* Onanie *f*; **~er** [~'be] *v/rfl.* (1a) *se* ~ onanieren.
m'as-tu-vu F [maty'vy] **I** *m/inv.* Wichtigtuer *m*, Angeber *m*; **II** *adjt.* eingebildet, angeberisch.
m'as-tu-vuisme [~'vɥism] *m* Geltungsdrang *m*, Angeberei *f*.
masure [ma'zy:r] *f* baufälliges Haus *n*.
mat [mat] **I** *adj.* **1.** *inv. Schachspiel*: (schach)matt; **2.** glanzlos, matt (*Farbe*); dumpf (*Ton, Stimme*); **II** *m Schachspiel*: Matt *n*.
mât [mɑ] *m* **1.** ⚓ Mast *m*, Mastbaum *m*; (*Fahnen- usw.*) Stange *f*; *vaisseau m à trois* ~*s* (*auch un trois-mâts*) Dreimaster *m*; ✈ ~ *d'amarrage*, ~ *d'ancrage* Ankermast *m*; ~ *d'arrière* Besanmast *m*; ~ *d'assemblage* hölzerner Mast *m*; ~ *d'avant* Fockmast *m*; ~ *de beaupré* Bugspriet *n*; ~ *de fortune* Notmast *m*; ~ *de hune* Marsstenge *f*; ~ *de pavillon* Flaggenstock *m*; ~ *de perroquet* Bramstenge *f*; ⚠ ~ *précontraint* Spannbetonmast *m*; ~ *en acier* Stahlmast *m*; ~ *creux* Hohlstrebe *f*; ~ *profilé* Profilstrebe *f*; **2.** *gym.* Kletterstange *f*; **3.** 🚂 Signalmast *m*; ✈ ~ *d'atterrissage* Landungsmast *m*.
matador [mata'dɔ:r] *m* Matador *m*.
mataf * [ma'taf] *m* Matrose *m*.
matage ⊕ [ma'ta:ʒ] *m* **1.** Mattierung *f*; **2.** Stemmnaht *f*, Verstemmen *n*.
mâtage ⚓ [mɑ'ta:ʒ] *m* Bemastung *f*.
matamore [mata'mɔ:r] *m* Renommist *m*, Angeber *m*, Maulheld *m*; *faire le* ~ renommieren, riesig angeben.
match *Sport* [matʃ] *m* (*pl.* **~es** [~]) Wett-spiel *n*, -kampf *m*, Match *n*; ~ *gagné* gewonnenes Spiel *n*; ~ *nul* unentschiedenes Spiel *n*; ~ *amical* Freundschaftsspiel *n*; ~ *de championnat* Meisterschaftsspiel *n*; *disputer un* ~ ein Wettspiel (*od.* e-n Wettkampf) austragen; ~ *de sélection*, ~ *décisif* Ausscheidungs-, Entscheidungs-kampf *m*, -spiel *n*; ~ *final* End-, *a.* Entscheidungs-spiel *n*; ~ *retour*, ~ *de revanche*, ~*-revanche* Vergeltungs- (*od.* Rück-)spiel *n od.* -kampf *m*; ~ *international*, ~ *internations* Länderkampf *m*; ~ *en ligue* Ligaspiel *n*; ~ *interclub* Klubkampf *m*; *Tennis*: ~ *à trois* (*cinq*) *sets* Drei- (Fünf-)satzkampf *m*; ~ *sur courts couverts* Hallenwettspiel *n*.
maté ⚘ [ma'te] *m* Matestrauch *m*.
matefaim *cuis.* [mat'fɛ̃] *m/inv.* dicker Eierkuchen *m*.
matelas [mat'la] *m* **1.** Matratze *f*; ~ *pneumatique*, ~ *d'air* Camping-, Luft-matratze *f*; ~ *à ressorts* (*coutil*), ~ *semi-métallique* Sprungfeder-, Federkern-matratze *f*; ~ *fauteuil* Sitzmatratze *f* (*Camping*); **2.** * Brieftasche *f*; **~ser** [~la'se] (1a) **I** *v/t.* (aus)polstern; **II** *v/rfl. se* ~ sich einmummeln, dicke Sachen anziehen; **~sier** [~la'sje] *su.* (7b) Matratzenmacher *m*; **~sure** [~la'sy:r] *f* Polster *n*, Füllung *f*, Wattierung *f*.
matelot [mat'lo] *m* ⚓ Matrose *m*; **~age** [~lɔ'ta:ʒ] *m* Matrosen-handwerk *n*, -sold *m*; **~e** *cuis.* [mat'lɔt] *f* Fischragout *n*.
mater [ma'te] *v/t.* (1a) **1.** ⊕ mattieren; verstemmen; **2.** *Schachspiel*: matt setzen; **3.** *fig.* niederschlagen, bändigen, kleinkriegen (*a. Sport*); **4.** * beobachten.
mâter ⚓ [mɑ'te] *v/t.* (1a) bemasten.
matéria|lisation [materjalizɑ'sjɔ̃] *f* **1.** Verwirklichung *f*; **2.** *at.* Materialisation *f*; Paarerzwingung *f*; **~liser** [~li'ze] *v/t.* (1a) verwirklichen; *phil.* materialisieren, verkörperlichen; **~lisme** [~'lism] *m* Materialismus *m*; **~liste** [~'list] **I** *su.* Materialist *m*; **II** *adj.* materialistisch; **~lité** [~li'te] *f* Körperlichkeit *f*, Stofflichkeit *f*, materielles Wesen *n*; ⚖ *nier la* ~ *d'un fait* den Tatbestand e-r Sache leugnen.
maté|riau ⚠ [mate'rjo] *m* (5b) Baumaterial *n*, Baustoff *m*; **~riaux** [~] *m/pl.* **1.** ⚠ Material(ien *pl.*) *n*, Baustoffe *m/pl.*; **2.** *fig.* Material *n für e-e wissenschaftliche Arbeit*; **~riel** [~'rjɛl] **I** *adj.* (7c) □ **1.** materiell, Sach...; **2.** *phil.* materiell, stofflich, sinnlich; **3.** *péj.* materiell eingestellt, materialistisch; **II** *m* ⊕ Material *n*, Werkstoff *m*; Ausrüstung *f*; ~ *de guerre* Heeresbedarf *m*; ~ *de camping* Zeltmaterial *n*; *écol.* ~ *éducatif*, ~ *d'enseignement* Lehrmittel *n/pl.*; ~ *d'études* Lernmittel *n/pl.*; ~ *technique* technischer Bedarf *m*; 🚂 ~ *roulant* rollendes Material *n*; **~rielle** F [~'rjɛl] *f* (Lebens-)Unterhalt *m*.
matern|age F [matɛr'na:ʒ] *m* Bemutterung *f*; **~aliser** *écol.* [~nali'ze] *v/t.* (1a) mütterlich gestalten.

mater|nel [matɛr'nɛl] *adj.* (7c) □ mütterlich; *langue f* ~*le* Muttersprache *f*; *institutrice f d'école* ~*le* Kindergärtnerin *f*; *parents m/pl.* ~*s* Verwandte *pl.* mütterlicherseits; ~**nelle** *Fr.* [~] *f* Kindergarten *m*; ~**niser** [~ni'ze] *v/t.* (1a) *die Trockenmilch* der Muttermilch anpassen; ~**nité** [~ni'te] *f* **1.** Mutterschaft *f*; **2.** Entbindungsheim *n.*

math(s) F *écol.* [mat] *f/pl.* Mathe (-matik *f*) *f* F.

mathémati|cien [matemati'sjɛ̃] *su.* (7c) Mathematiker *m*; ~**que** [~'tik] **I** *adj.* □ mathematisch; **II** ~*s f/pl.* Mathematik *f.*

matheux F [ma'tø] *su.* (7d) **1.** guter Mathematiker *m* (*Schüler*); **2.** Student *m* der Mathematik.

matière [ma'tjɛ:r] *f* **1.** Materie *f*, Stoff *m*, Material *n*; ~ *brute*, ~ *première*, ~ *primitive* Ur-, Roh-stoff *m*; ~ *collante* Klebemasse *f*; F ~ *grise* Grips *m* F; ⚓ ~ *en vrac* Schüttgut *n*; ~ *plastique* Plast *m*, Plastik *n*, Form-, Preß-stoff *m*; ~ *de base* Grundstoff *m*; *paiement m en* ~ Zahlung *f* in Waren; **2.** ⚕ ~ *purulente* Eiter *m*; ~ *fécale* Exkremente *n/pl.*; ~ *cérébrale* Hirnmasse *f*; **3.** *fig.* Thema *n*, Gegenstand *m*; Gebiet *n*; *écol.* Fach *n*; ⚖ Tatbestand *m*; *écol.* ~ *à option* Wahlfach *n*; *table f des* ~*s* Inhaltsverzeichnis *n*; *entrer en* ~ zur Sache kommen; *en pareille* ~ in solchen Sachen; *en* ~ *de fig.* auf dem Gebiet (*gén.*); *en la* ~ auf diesem Gebiet; in dieser Hinsicht; *en* ~ *de conclusion* zum Schluß; **4.** Veranlassung *f*, Anlaß *m.*

matin [ma'tɛ̃] **I** *m* Morgen *m*, Vormittag *m*; *écol. classes f/pl. de* ~ Vormittagsunterricht *m*; *prière f du* ~ Morgengebet *n*; *ce* ~ heute morgen, heute früh, heute vormittag; *le* ~, *a. au* ~ (früh)morgens; *tout au* ~ ganz früh; *de bon* ~, *de grand* ~, *bisw. au petit* ~ sehr früh; *à une heure du* ~ um ein Uhr morgens (*od.* früh); *le lendemain* ~ am folgenden (*od.* nächsten) Morgen; *un de ces quatre* ~*s* in allernächster Zeit; *du* ~ *au soir* von früh bis spät; **II** *adv.* früh; *se lever (trop)* ~ (zu) früh aufstehen; *demain* ~ morgen früh; ~ *et soir* früh und spät, morgens und abends; *lundi* ~ Montag früh.

mâtin [mɑ'tɛ̃] **I** *m* Hofhund *m*; **II** *su.* (7) F Schelm *m.*

matinal [mati'nal] *adj.* (5c) □ **1.** morgendlich; Morgen...; **2.** *être* ~ früh aufstehen.

mâtiné [mati'ne] *adj.* **1.** gekreuzt, Misch... (*Hunderasse*); **2.** *fig.* ~ *de* vermischt mit.

matinée [mati'ne] *f* **1.** Morgen (-zeit *f*) *m*; Vormittag *m*; *dans la* ~ im Laufe des Vormittags; *faire la grasse* ~ sich ordentlich ausschlafen, in den Tag hineinschlafen; **2.** Nachmittags-vorstellung *f*, -konzert *n.*

mâtiner [mɑti'ne] *v/t.* (1a) *e-e Hündin* kreuzen.

matines *rl.* [ma'ti:n] *f/pl.* Frühmette *f.*

matir *orf.* [ma'ti:r] *v/t.* (2a) matt machen *od.* feilen, mattieren.

matité [mati'te] *f* Mattheit *f* (*Farbe*); *Ton*, ⚕ Dumpfheit *f.*

matoir ⊕ [ma'twa:r] *m* Steinmeißel *m.*

matois [ma'twa] *adj.* (7) gerissen, durchtrieben, raffiniert.

maton * [ma'tɔ̃] *su.* (7c) Gefängniswärter *m.*

matou [ma'tu] *m* Kater *m.*

matraqu|age [matra'ka:ʒ] *m* Niederknüppeln *n*; P *péj.* ~ *publicitaire* Berieselung *f* durch Reklame; ~**e** [ma'trak] *f* Gummiknüppel *m*; ~**er** [~'ke] *v/t.* (1m) niederknüppeln (*a. fig.*); *fig.* ausnehmen (*durch hohe Preise*); ~**eur** [~'kœ:r] *m* Polizist *m*; * *Sport*: brutaler Spieler *m.*

matras ⚗ [ma'trɑ] *m* Glaskolben *m.*

matri|arcat [matriar'ka] *m* Mutterrecht *n*; ~**çage** ⊕ [~'sa:ʒ] *m* Gesenkschmiedearbeit *f*; ~**ce** [~'tris] *f* **1.** *anat.* Gebärmutter *f*; **2.** ⚖ Matrikel *f*, Stammrolle *f*; **3.** ⊕ (Präge-)Matrize *f*; Gesenk *n*; Prägestock *m*; Stanzeisen *n*; *Schallplattenherstellung*, *typ.* Matrize *f*; ~**cer** ⊕ [~'se] *v/t.* (1k) im Gesenk schmieden; ~**cule** [~'kyl] *f* **1.** Matrikel *f*, Verzeichnis *n*; **2.** ⚔ Stammrolle *f*; Erkennungsnummer *f*; Kennmarke *f*; ~**culer** [~ky'le] *v/t.* (1a) in die Stammrolle eintragen; ~**monial** [~mɔ'njal] *adj.* (5c) ehelich; Ehe...; *agence f* ~*e* Heiratsbüro *n.*

matrone [ma'trɔn] *f* **1.** ältere Dame *f*; **2.** *péj.* Matrone *f*, dicke Frau *f*; **3.** nicht ausgebildete Hebamme *f*; **4.** Abtreiberin *f*, Engelmacherin *f* P.

maturation [matyrɑ'sjɔ̃] *f* Reifen *n*, Reifwerden *n.*

mâture ⚓ [mɑ'ty:r] *f* Mastwerk *n.*

maturité [matyri'te] *f* Reife *f*; *ab-*

sence f de ~ Unreife *f* (*a. fig.*); *avec* ~ mit Überlegung, reiflich.
maubèche *orn.* [mo'bɛʃ] *m* Strandläufer *m*.
maudire [mo'di:r] *v/t. prés., imparf., prés. du subj. u. impér. nach* (2a), *das übrige nach* (4m): ~ *q.* j-n verfluchen, verwünschen.
maudit [mo'di] *adj. u. su.* (7) verflucht; Verfluchte(r) *m*
maugréer [mogre'e] *v/i.* (1a) fluchen, schimpfen, wettern.
Maure, *a.* **More** [mɔ:r] **I** *su.* Maure *m*; **II** ♀ *adj./m* maurisch; *f*: *mauresque*.
mauresque [mɔ'rɛsk] **I** *adj.* maurisch (*Stil*); **II** *f* ♀ Maurin *f*.
mauricien [mɔri'sjɛ̃] *adj.* (*u.* ♀ *su.*) (7c) (Einwohner *m*) der Insel Mauritius.
Mauritanie *géogr.* [mɔrita'ni] *f*: **la** ~ Mauritanien *n*.
mauritanien [mɔrita'njɛ̃] *adj.* (7c) mauritanisch.
mausolée [mozɔ'le] *m* Mausoleum *n*.
maussade [mo'sad] *adj.* □ verdrießlich, übelgelaunt, unwirsch, unfreundlich (*a. Wetter*), mies F (*a. Wetter*); **~rie** [~'dri] *f* mürrische Stimmung *f*, schlechte Laune *f*, Unfreundlichkeit *f*.
mauvais [mɔ-, mo'vɛ] (7) **I** *adj.* **1.** schlecht, übel; *il fait* ~ es ist schlechtes Wetter; *la mer était* ~*e* das Meer tobte; **2.** schädlich, ungesund, nachteilig; unbrauchbar; *la* ~*e clef* der falsche Schlüssel; *pas* ~ nicht übel; **3.** ~ *augure* böses Omen *n*; ~ *œil* böser Blick *m*; **4.** (*sittlich*) schlecht, verdorben; unartig; ~ *enfant* unartiges Kind *n*; ~*e foi f* Unredlichkeit *f*, Untreue *f*; ~ *garçon* schwerer Junge *m* F; ~ *sujet* übler Kerl *m*; **5.** boshaft, bösartig; **II** *adv. sentir* ~ übel riechen; **III** *su.* Böse(r) *m*; **IV** *m das* Böse *n*, *das* Schlechte *n*.
mauve [mo:v] **I 1.** *f* ⚘ Malve *f*; **2.** *m* Malvenfarbe *f*; **II** *adj./inv.* malvenfarbig.
mau|viette [mo'vjɛt] *f* Schwächling *m*; **~vis** *orn.* [mo'vi] *m* Singdrossel *f*.
maxillaire [maksil'lɛ:r] *adj.* Kinnbacken..., Kiefer...
maximal *météo.* [maksi'mal] *adj.* (5c) Höchst...; **~isme** *pol.* [~'lism] *m* Höchstforderungen *f/pl.*; Ultraradikalismus *m*.
maxime [mak'si:m] *f* Maxime *f*.
maxi|mum [~'mɔm] *m u. adj./m u. f* (*neben pl.* ~*s auch pl. u. oft adj. f/sg. auf* **~ma** [~'ma]) **1.** Maximum *n*; Höchst...; **2.** ✝ (*a. prix m* ~) Höchstpreis *m*; *taux m* ~ Höchstsatz *m*; **3.** ⚖ größter Wert *m*.
mayonnaise [majɔ'nɛ:z] *f* Mayonnaise *f*.
mazette [ma'zɛt] **I** *f* F *péj.* Schlappschwanz *m*; **II** *int., dial.* ~! Donnerwetter! (*staunend*), fabelhaft!
mazout [ma'zut] *m* Heizöl *n*; *chauffage m au* ~ Ölfeuerung *f*; **~age** *fig.* [~'ta:ʒ] *m* Beschmutzung *f*; **~é** [~'te] *adj.* mit Öl verschmutzt; **~er** ⚓ [~] *v/i.* Öl tanken.
me [mə], *vor e-m Vokal u. stummem h*: **m'** [m...] *pr/p. conjoint* mir (*dat.*), mich (*acc.*); *me voici!* da bin ich!
mea-culpa [meakyl'pa] *m*: *faire* (*bisw. dire*) *son* ~ s-e Schuld eingestehen.
méan|dre [me'ɑ̃:drə] *m* Krümmung *f e-s Flusses*; *pl.* ~*s* Winkelzüge *m/pl.*, Schleichwege *m/pl.*; ⚠ Wellenlinienverzierungen *f/pl.*
mec [mɛk] *m* **1.** Typ *m*, Kerl *m*; *un* ~ *terrible* ein prima Kerl P; *comment vas-tu,* ~? wie geht's dir, mein Lieber?; **2.** * Zuhälter *m*; *un* ~ *à la redresse* ein Draufgänger *m*.
mécani|cien [mekani'sjɛ̃] *m* Mechaniker *m*; Maschinen-, Autoschlosser *m*; Maschinenbauer *m*; Maschinist *m*; Lokomotivführer *m*; ~ *de la grue* Kranführer *m*; ~ *de précision* Feinmechaniker *m*; ~ *dentiste* Zahntechniker *m*; ✈ ~*s pl. au sol* Bodenpersonal *n*; **~cienne** *cout.* [~'sjɛn] *f* Maschinennäherin *f*; **~que** [~'nik] **I** *adj.* **1.** mechanisch; maschinell; *nettoyage m* ~ maschinelle Reinigung *f*; *travail m* ~ Maschinenarbeit *f*; *presse f* ~ Schnellpresse *f*; F *ennuis m/pl.* ~*s* Motorpanne *f*; **2.** *un esprit* ~ e-e rein praktische Veranlagung; **II** *f* **3.** Mechanik *f*, Bewegungslehre *f*; Maschinen-lehre *f*, -wesen *n*; ~ *de précision* Feinmechanik *f*; *phys.* ~ *ondulatoire* Wellenmechanik *f*; **4.** Mechanismus *m*, Triebwerk *n*, Getriebe *n*; Maschinerie *f*; **5.** F Maschine *f*; **6.** P *rouler les* ~*s* die Schultern hin- u. herbewegen; **~sation** [~za'sjɔ̃] *f* Mechanisierung *f*; **~ser** [~'ze] *v/t.* (1a) mechanisieren; **~sme** [~'nism] *m* Mechanismus *m* (*a. phil.*), Triebwerk *n*, Getriebe *n*, Vorrichtung *f*; *fig.* selbsttätiger Ablauf *m*; ♪ Technik *f*; ⊕ ~ *de manœuvre* Schaltwerk *n*; *fig.* ~*s m/pl.* Vorgänge *m/pl.*
mécano F [meka'no] *m* = *mécanicien*.

mécanograph|e [mekanɔ'graf] *su.* **1.** Locher(in *f*) *m*; **2.** Maschinenbuchhalter *m*; **~ie** [~'fi] *f* Büromaschinenindustrie *f*; maschinelle Datenverarbeitung *f*; **~ique** [~'fik] *adj.*: *machine f* ~ Buchungs-, Büromaschine *f*.
mécanothérapie [mekanɔtera'pi] *f* Heilbehandlung *f* durch mechanische Geräte.
meccano [meka'no] *m* Stabilbaukasten *m*.
mécénat [mese'na] *m* Gönnerschaft *f*.
mécène [me'sɛ:n] *m* Gönner *m*.
méchanceté [meʃɑ̃s'te] *f* Bosheit *f*, Gemeinheit *f*, boshafte Äußerung *f*.
méch|ant [me'ʃɑ̃] (7) **I** *adj.* (*adv. méchamment*) **1.** *nachgestellt*: böse, boshaft (*z.B. Mensch*), bösartig, bissig (*z.B. Hund*), unartig; **2.** *vorangestellt*: schlecht, lumpig, erbärmlich, elend; übel, heikel, gefährlich; F phantastisch, toll F; *la lueur d'une ~e lampe* das Licht e-r elenden Funzel; *~e viande f* schlechtes Fleisch *n*; *de ~e humeur* übelgelaunt; *~ livre m* schlechtes Buch *n*; *~e affaire f* üble Angelegenheit *f*; F *une ~e moto* ein phantastisches Motorrad; **II** *su.* Böse(r) *m*.
mèche[1] [mɛʃ] *f* **1.** Docht *m*; **2.** ⚔ Zündschnur *f*; *éventer la ~* Lunte riechen, die Gefahr wittern; *vendre la ~* aus der Schule plaudern, etw. ausplaudern; **3.** *~ de cheveux* Haarlocke *f*; *~ postiche* Haarteil *n*; **4.** ⊕ Bohreisen *n*.
mèche[2] [~] *m/inv. nur in*: F *être de ~ avec q.* mit j-m unter einer Decke stecken; P *il n'y a pas* (*y'a pas*) *~* nichts zu machen.
mécher [me'ʃe] *v/t.* (1f) **1.** *Weinfässer* schwefeln; **2.** *chir.* drainieren.
méchoui *arab.* [me'ʃwi] *m* Brathammel *m*.
mechta *arab.* [mɛʃ'ta] *f* Nest *n fig.*
mécompte [me'kɔ̃:t] *m* Enttäuschung *f*.
méconium ⚕ [mekɔ'njɔm] *m* Mekonium *n*, Kindspech *n*.
méconnais|sable [mekɔnɛ'sablə] *adj.* unkenntlich, unerkennbar; entstellt; **~sance** [~'sɑ̃:s] *f* Verkennen *n*; Fehleinschätzung *f*.
méconnaître [mekɔ'nɛ:trə] *v/t.* (4z) verkennen; ablehnen; geringschätzen.
méconnu [mekɔ'ny] *adj.* verkannt; unverstanden.
mécontent [mekɔ̃'tɑ̃] (7) **I** *adj.* unzufrieden (*de* mit [*dat.*]), mißvergnügt; ungehalten, ärgerlich (*de* über [*acc.*]); **II** *su.* Unzufriedene(r) *m*, Mißvergnügte(r) *m*; *bsd. pol.* Meckerer *m*, Nörgler *m*, Miesmacher *m*; **~ement** [~tɑ̃t'mɑ̃] *m* Unzufriedenheit *f*; **~er** [~'te] *v/t.* (1a) unzufrieden machen, verärgern.
Mecque [mɛk] *f*: **la** ~ Mekka *n*.
mécréant F *plais.* [mekre'ɑ̃] *adj. u. su.* (7) ungläubig, gottlos; Ungläubige(r) *m*, Gottlose(r) *m*.
mecton * [mɛk'tɔ̃] *m* Junge *m*, Bengel *m* (*12-16 Jahre*); kleiner Kerl *m*.
médail|le [me'dɑ:j] *f* **1.** Medaille *f*; *~ de sauvetage* Rettungsmedaille *f*; **2.** Gedenkmünze *f*; **3.** Erkennungsmarke *f* (*von Gepäckträgern usw.*); **~ler** [~dɑ'je] *v/t.* (1a) mit e-r Medaille auszeichnen; **~leur** [~dɑ'jœ:r] *m* Medaillenstecher *m*; **~lier** [~'je] *m* Münz-schrank *m*, -sammlung *f*; **~liste** [~'jist] **I** *su.* Münzenkenner *m*, -sammler *m*; **II** *adj.*: *graveur m ~* Münzenstecher *m*; **~lon** [~'jɔ̃] *m* **1.** Medaillon *n*; **2.** (runder) Anhänger *m* (*Juwel*); **3.** *cuis.* runde *od.* ovale Fleischscheibe *f*; **4.** △ Rundbild *n*.
méde|cin [med'sɛ̃] *m* Arzt *m*; *~ accoucheur* Geburtshelfer *m*; *~ administratif* Amtsarzt *m*; *~ assistant* Assistenzarzt *m*; *~ chef* Chefarzt *m*; *~ consultant* beratender Arzt *m*; *~ de caisse* Kassenarzt *m*; *~ de la famille*, *~ habituel* Hausarzt *m*; *~ de garde* Bereitschaftsarzt *m*; *~ légiste* Gerichtsarzt *m*; *~ scolaire* Schularzt *m*; *~ sportif* Sportarzt *m*; **~cine** [med'si:n] *f* Medizin *f* (*als Fachgebiet*); *docteur m en ~* Doktor *m* der Medizin; *~ atomique* Atommedizin *f*.
media [me'dja] *m/pl.* Massenmedien *n/pl.*
médial *gr.* [me'djal] *adj.* (5c) Mittel...; (*lettre f*) *~e f* mittlerer Buchstabe *m*.
médian [me'djɑ̃] **I** *adj.* (7) Mittel..., in der Mitte befindlich; *vie f ~e stat.* Lebenserwartung *f*; **II** *~e f* **1.** *stat.* Medianwert *m*; **2.** *gr.* Mittellaut *m*.
médiante ♪ [me'djɑ̃:t] *f* Mediante *f*, Mittelton *m*.
médiastin *anat.* [medjas'tɛ̃] *m* Mittelfell(raum *m*) *n*.
médiat|eur [medja'tœ:r] *adj. u. su.* (7f) vermittelnd; Vermittler *m*, Mittelsmann *m*; *Fr.* Ombudsman *m*; **~ion** [~djɑ'sjɔ̃] *f* Vermittlung *f*.
médical [medi'kal] *adj.* (5c) medi-

zinisch, ärztlich; Heil..., Medizinal...; *corps m ~* Sanitätskorps *n*; **~iser** *néol.* [~li'ze] *v/t.* (1a) **1.** zu e-m medizinischen Problem machen; **2.** *univ.* zum Medizinstudium hinführen.
médica|ment [medika'mɑ̃] *m* Medikament *n*, Arznei *f*, Heilmittel *n*; **~menteux** [~mɑ̃'tø] *adj.* (7d) heilkräftig, heilsam; ⚕ *traitement m ~* Behandlung *f* mit Arzneimitteln.
médi|castre ⚘ *plais.* [medi'kastrə] *m* Quacksalber *m*; **~cation** [~kɑ'sjɔ̃] *f* medikamentöse Behandlungsart *f*; **~cinal** [~si'nal] *adj.* (5c) □ heilkräftig; Heil...
médico|-légal [medikɔle'gal] *adj.* (5c) gerichtsmedizinisch; **~-social** [~sɔ'sjal] *adj.* (5c): *assistance f ~e* Gesundheitsfürsorge *f*; ärztliche Betreuung *f* (*im Betrieb*).
médiév|al [medje'val] *adj.* (5c) mittelalterlich; **~alisme** [~va'lism] *m* mittelalterliches Gepräge *n*; **~iste** [~'vist] *su.* Kenner *m* des Mittelalters.
médina [medi'na] *f* mohammedanischer Stadtteil *m* (*bsd. Marokko*).
médio|cre [me'djɔkrə] *adj.* □ mittelmäßig, ziemlich; **~crité** [~kri'te] *f* **1.** Mittelmäßigkeit *f*; **2.** *~s pl.* Durchschnittsmenschen *m/pl.*; **~thèque** [~'tɛk] *f* Mediothek *f*.
médi|re [me'di:r] *v/i.* (4m): *~ de q.* über j-n herziehen, j-m übel nachreden; **~sance** [~'zɑ̃:s] *f* üble Nachrede *f*, Verleumdung *f*; **~sant** [~'zɑ̃] *adj. u. su.* (7) verleumderisch; Verleumder *m*.
médi|tatif [medita'tif] *adj.* (7e) nachdenklich, grüblerisch; **~tation** [~tɑ'sjɔ̃] *f* Nachdenken *n* (de über [*acc.*]); Betrachtung *f*; *rl.* (stille) Andacht *f*; *~s pl.* Gedanken *m/pl.*; **~ter** [~'te] (1a) **I** *v/t. ~ qch.* **1.** über etw. (*acc.*) nachdenken; **2.** etw. aushecken, etw. im Schilde führen; **II** *v/i.* **3.** *~ sur qch.* über etw. nachdenken; **III** *abs.* grübeln, meditieren.
Méditerran|ée [meditɛra'ne] *f*: *la ~* das Mittelmeer; **2éen** [~ne'ɛ̃] *adj.* (7c) Mittelmeer...
médi|um [me'djɔm] *m* Medium *n*; ♪ Mittelstimme *f*; *peint.* Bindemittel *n*; **~umnique** [~djɔm'nik] medienhaft; **~umnité** [~djɔmni'te] *f* Mediumismus *m*.
médius 🕮 [me'djys] *m* Mittelfinger *m*.
médul|laire *anat.*, ⚘ [medyl'lɛ:r] *adj.* Mark enthaltend, markhaltig; **~le** *anat.*, ⚘ [me'dyl] *f* Mark *n*; **~leux** ⚘ [~'lø] *adj.* (7d) markig.
méduse *zo.* [me'dy:z] *f* Qualle *f*.
médusé [medy'ze] *adj.* sprachlos.
méduser [~] *v/t.* (1a) verblüffen.
meeting [mi'tiŋ] *m* **1.** *pol.* Versammlung *f*; **2.** ✈ *~ d'aviation* Flugveranstaltung *f*, Wettfliegen *n*.
méfait [me'fɛ] *m* **1.** Missetat *f*; **2.** *~s pl.* verhängnisvolle Folgen *f/pl.*
méfi|ance [me'fjɑ̃:s] *f* Mißtrauen *n*; **~ant** [~'fjɑ̃] *adj.* (7) mißtrauisch; **~er** [~'fje] *v/rfl.* (1a): *se ~ de q.* j-m mißtrauen; *abs. se ~* aufpassen, achtgeben.
méga|cycle *phys.*, *abus.* [mega'siklə] *m* Megahertz *n*; **~dyne** *phys.* [mega'di:n] *f* Megadyn *n*; **~hertz** *phys.* [~'ɛrts] *m* Megahertz *n*.
mégaloblast|ique ⚕ [megalɔblas'tik] *adj.* mit übergroßen roten Blutkörperchen; **~ose** ⚕ [~blas'to:z] *f* Anämie *f* (*Blutleere*) mit übergroßen roten Blutkörperchen.
mégaloman|e [megalɔ'man] *adj.* größenwahnsinnig; **~ie** [~ma'ni] *f* Größenwahn *m*.
mégalopolis [megalɔpɔ'lis] *f moderne* Riesenstadt *f*.
mégaphone [mega'fɔn] *m* Megaphon *n*, Sprachrohr *n*.
mégapole [mega'pɔl] *f* Gruppe *f* zusammengewachsener Städte.
mégarde [me'gard] *f nur advt.*: *par ~* aus Versehen.
mégastructure ⚠ [megastryk'ty:r] *f* Megastruktur *f*, Großplanung *f*.
mégatonn|e *at.* [~'tɔn] *f* Megatonne *f*; **~ique** [~'nik] *adj.* großtonnig.
mégère [me'ʒɛ:r] *f* Megäre *f*.
mé|gir [me'ʒi:r] *v/t.* (2a) *u.* **~gisser** [~ʒi'se] *v/t.* (1a) weiß gerben; **~gisserie** [~ʒis'ri] *f* Weißgerberei *f*; **~gissier** [~ʒi'sje] *m* Weißgerber *m*.
mégot P [me'go] *m* Zigaretten-, Zigarren-stummel *m*, Kippe *f* P; **~er** F [~gɔ'te] *v/i.* kleinlich sein (*sur qch.* mit etw. [*dat.*]).
méhari *zo.* [mea'ri] *m* (*pl. auch les méhara*) Renndromedar *n*.
meilleur [mɛ'jœ:r] **I** *adj.* besser; *sup. le ~* der (*od.* das) beste; *de ~e heure* früher; **II** *su.* Beste(r) *m*.
méiose *biol.* [me'jo:z] *f* Meiose *f*, Reduktionsteilung *f*.
méjanage *text.* [meʒa'na:ʒ] *m* Einteilung *f* der Wollgüten.
méjuger [meʒy'ʒe] (1l) **I** *v/i. ~ de q.* (*de qch.*) j-n (etw.) unterschätzen; **II** *v/t.* falsch beurteilen.

mélampyre ⚘ [melɑ̃'piːr] *m* Kuhweizen *m*.

mélanco|lie [melɑ̃kɔ'li] *f* Melancholie *f*, Schwermut *f*; **˷lique** [˷'lik] **I** *adj*. melancholisch, schwermütig; **II** *su*. Melancholiker *m*.

Mélanés|ie [melane'zi] *f*: *la* ˷ Melanesien *n*; **⁲ien** [˷'zjɛ̃] *adj*. (7c) melanesisch.

mélan|ge [me'lɑ̃:ʒ] *m* **1.** Mischung *f*, Vermischung *f*, Vermengung *f*; Mischen *n*; *fig*. Beimischung *f*; ˷ *de grains* Mischfutter *n*; *sans* ˷ unvermischt; *fig*. ungetrübt; *café* ˷ Milchkaffee *m*; **2.** ⊕ Gemisch *n*; Berührung *f* (*v. Leitungen*); ˷ *gazeux* Gasgemisch *n*; ˷ *d'huile et d'essence* Öl-Benzin-Gemisch *n*; ˷ *combustible* Explosionsgemisch *n*; *Auto*: ˷ *deux-temps* Zweitaktmischung *f*; ˷ *au benzol* Benzolgemisch *n*; **3.** *litt*. ˷*s pl*. vermischte Schriften *f/pl*.; **˷ger** [˷lɑ̃'ʒe] *v/t*. (1l) vermischen, (ver)mengen; F durcheinanderbringen; ˷ *q. avec un autre* j-n mit j-m verwechseln; **˷geur** ⊕ [˷'ʒœːr] *m bét*. Mischmaschine *f*; Mischer *m*, Mischapparat *m*; ˷ *de béton à agitation forcée* Zwangsbetonmischer *m*.

mélanoderme [melanɔ'dɛrm] *adj*. schwarzhäutig.

mélasse [me'las] *f* Melasse *f*, Sirup *m*; F dichter Nebel *m*; F Dreck *m*; P *tomber dans la* ˷ in die Klemme geraten.

méléagrine *zo*. [melea'griːn] *f* Perlmuschel *f*.

mêlée [mɛ'le] *f* ⚔ Handgemenge *n*; Schlachtgetümmel *n*; Schlägerei *f*; *Sport*: Gedränge *n*; *fig*. Streit *m*.

mêler [˷] (1a) **I** *v/t*. **1.** (ver)mischen, (ver)mengen; *Farben* einrühren; in Unordnung bringen; verwirren; ˷ *une serrure* ein Schloß verdrehen (*od*. kaputtmachen); **2.** verbinden, vereinigen; verwickeln; ˷ *l'agréable à l'utile* das Angenehme mit dem Nützlichen verbinden; **II** *v/rfl*. se ˷ sich vermischen; sich verwirren; sich kreuzen (*v. Rassen*); ⚔ aufeinander geraten, handgemein werden; *se* ˷ *à la foule* sich unters Volk mischen; *se* ˷ *de qch*. sich in etw. (*acc*.) mischen, sich um etw. (*acc*.) kümmern; *je ne m'en mêle pas* ich mische mich nicht ein; *mêlez-vous de vos affaires!* (*od. de ce qui vous regarde!*) kümmern Sie sich um Ihre eigenen Angelegenheiten!; *de quoi se mêle-t-il?* was geht ihn das an?; *fig. le diable s'en mêle* da ist der Wurm drin *fig*.

mélèze ⚘ [me'lɛːz] *m* Lärche *f*.

mélianthe ⚘ [me'ljɑ̃ːt] *m* Honigblume *f*.

mélilot ⚘ [meli'lo] *m* Honigklee *m*.

méli-mélo F [melime'lo] *m* (6c) Durcheinander *n*, Wirrwarr *m*; *un* ˷ *de gens* Krethi und Plethi *pl*.

mélinite ⚗, ⚔ [˷'nit] *f* Melinit *n*.

mélique ⚘ [me'lik] *f* Perlgras *n*.

mélisse ⚘ [me'lis] *f* Melisse *f*; *eau f de* ˷ *phm*. Melissengeist *m*.

melli|fère [mɛlli'fɛːr] *adj*. honigtragend, -sammelnd; **˷fication** [˷fikɑ'sjɔ̃] *f* Honigbereitung *f*; **˷fique** [˷'fik] *adj*. honigbereitend; **˷flue** [˷'fly] *adj*. *fig*. süßlich, aalglatt.

mélo F [me'lo] *m* Melodrama *n*, Rührstück *n*.

mélo|die [melɔ'di] *f* Melodie *f*; *fig*. Wohlklang *m*; ˷ *en vogue* Schlager(melodie *f*) *m*; **˷dieux** [˷'djø] *adj*. (7d) □ melodisch, wohlklingend; **˷dique** [˷'dik] *adj*. □ melodisch; **˷diste** [˷'dist] *m* Melodiker *m*; **˷drame** *thé*., *cin*. [˷'dram] *m* Melodrama *n*, Rührstück *n*.

méloé *ent*. [melɔ'e] *m* Ölkäfer *m*.

mélomane [melɔ'man] *adj*. *u*. *su*. musikliebend; Musikfreund *m*.

melon [mə'lɔ̃] *m* **1.** ⚘ Melone *f*; **2.** steifer Hut *m*, Melone *f*.

mélopée ♪ [melɔ'pe] *f* monotoner Gesang *m*, monotone Melodie *f*.

membra|ne [mɑ̃'bran] *f* Membran *f*, Häutchen *n*; ˷ *muqueuse* Schleimhaut *f*; ˷ *tympanique* Trommelfell *n*; **˷neux** [˷'nø] *adj*. (7d) *anat*. ⚘ pergamentartig.

mem|bre ['mɑ̃ːbrə] *m* **1.** Glied *n*; ˷*s pl*. Gliedmaßen *pl*., Glieder *n/pl*.; **2.** ⚓ Spant *m*; **3.** *fig*. Mitglied *n*; Teilnehmer *m*; A̶ Glied *n*; *carte f de* ˷ Mitgliedskarte *f*; ˷ *du* (*od*. *d'un*) *parti* Parteimitglied *n*; *les États membres* die Mitgliedsstaaten *m/pl*.; *gr*. ˷ *de phrase* Satzglied *n*; **˷brette** ⚠ [˷'brɛt] *f* Kämpfer-, Bogenpfeiler *m*; **˷brure** [˷'bryːr] *f* **1.** Gliederbau *m*; **2.** ⚓ Spanten *n/pl*.

meme [mɛm] **I** *adj*. *le*, *la* ˷ der-, die-, das-selbe; *eux-mêmes m/pl*. sie selbst; *c'est la* ˷ *chose* das ist dasselbe; *ce jour* ˷ heute noch; *ce* ˷ *jour où* ... an dem gleichen Tage, wo ...; *dans le* ˷ *temps od. en* ˷ *temps* zur gleichen Zeit; gleichzeitig; *c'est moi-*˷ ich bin es selbst; *par cela* ˷ gerade deshalb, eben deshalb; *quand plusieurs verbes ont* *un* ~ *sujet* wenn mehrere Verben ein u. dasselbe Subjekt haben; **II** *m le* ~ dasselbe; *cela revient au* ~ das kommt auf (ein u.) dasselbe raus; **III** *adv.* (*steht oft nach!*) selbst, sogar; *voire* ~ ja sogar; *aujourd'hui* ~ noch heute; heute noch; *avant* ~ *la conclusion d'un cessez-le-feu* sogar vor Abschluß e-r Waffenruhe; *de* ~ gleichfalls, ebenso; *merci, de* ~ danke, gleichfalls!; *de* ~ (F *en* ~) *que* ... ebenso wie ...; *tout de* ~ dennoch, nichtsdestoweniger; trotz(alle)dem; *quand* ~ trotzdem; ~ *pas od. pas* ~ nicht einmal (*ohne Verb*); ~ *pas* (*od. pas* ~) *le juge* (*ne le sait*) nicht einmal der Richter (weiß es); *ne* ... ~ *pas* nicht einmal (*mit einem Verb*); *il ne sait* ~ *pas écrire* er kann nicht einmal schreiben; *fig. être à* ~ *de* (*inf.*) imstande sein zu, können; *mettre q. à* ~ *de* ... j-n in den Stand setzen, zu ...; *tirer le vin à* ~ den Wein an Ort u. Stelle (ohne weiteres) abzapfen; *boire à* ~ ohne Glas trinken; *boire à* ~ *la bouteille* (*od. à* ~ *le goulot*) gleich aus der Flasche trinken; *dormir à* ~ *le plancher* direkt auf dem Fußboden schlafen; *manger à* ~ gleich aus der Schüssel essen; **IV** *cj.* (*vor adj. u. part.*) wenn auch; *un conflit,* ~ *localisé,* ... ein wenn auch lokalisierter Konflikt ...; *(a)lors* ~ *que,* F ~ *que, quand* (*bien*) ~ (*ind. bzw. cond.*) selbst wenn, wenn auch.

mémé *enf.* [me'me] *f* Oma *f.*

mememement P [mɛm'mɑ̃] *adj.* sogar; ebenso; P *j'en ai* ~ *jamais entendu parler* ich habe davon nicht einmal (*od.* irgendwann) etwas gehört; *il en est* ~ *des autres* ebenso verhält es sich mit den andern.

mémento [memɛ̃'to] *m* **1.** Notizbuch *n*; **2.** Abriß *m* (*Buch*); Merkblatt *n*; 🕮 ~ *bibliographique* Quellennachweis *m*; **3.** *rl.* Fürbitte *f.*

mémère *enf.* [me'mɛ:r] *f* **1.** Oma *f*; **2.** *grosse* ~ *péj.* dickes Weib *n.*

mémoire[1] [me'mwa:r] *f* **1.** Gedächtnis *n*; ~ *courte,* F ~ *de lièvre* kurzes (*od.* schlechtes) Gedächtnis *n*; *de* ~ auswendig, aus dem Gedächtnis; *à la* ~ *de* zur Erinnerung an (*acc.*); *de* ~ *d'homme* seit Menschengedenken; **2.** *cyb.* Speicher *m*; *mise f en* ~ Speicherung *f.*

mémoire[2] [~] *m* **1.** Denkschrift *f*; wissenschaftliche *od.* literarische Abhandlung *f*; **2.** ⚖ Schriftsatz *m*; **3.** ⚕ Kostenaufstellung *f*; **4.** ♀s *pl.* Denkwürdigkeiten *f/pl.*, Memoiren *pl.*

mémo|rable [memɔ'rablə] *adj.* □ denkwürdig; **~randum** [~rɑ̃'dɔm] *m* **1.** *pol.* Memorandum *n*, Denkschrift *f*; **2.** ⚕ Bestellzettel *m*; **~rial** [~'rjal] *m* (5c) **1.** *litt.* Erinnerungen *f/pl.* (*als Buchtitel*); **2.** Denkmal *n*; **~rialiste** [~rja'list] *m* Memoirenschreiber *m*; **~risation** *écol.* [~riza'sjɔ̃] *f* Einprägen *n*; **~riser** *écol.* [~ri'ze] *v/t.* (1a) sich einprägen, auswendig lernen.

menable [mə'nablə] *adj.* leitbar, lenksam.

mena|ce [mə'nas] *f* Drohung *f*; ⚔ ~ *aérienne* Luftbedrohung *f*; ~ *à la paix* Bedrohung *f* des Friedens; **~cer** [mənа'se] *v/t.* (1k) (be)drohen; ~ *q. de qch.* j-n mit etw. bedrohen; ~ *ruine* einzustürzen drohen.

menage *pol., péj.* [mə'na:ʒ] *m* Agitation *f.*

ména|ge [me'na:ʒ] *m* Haushalt *m*; Ehe *f*, Ehepaar *n*; *communauté f de* ~ Hausgemeinschaft *f*; ~ *désagrégé* zerrüttete Ehe *f*; *faux* ~ wilde Ehe *f*; ~ *de garçon* Junggesellenwirtschaft *f*; *femme f de* ~ Reinemachefrau *f*, Haushilfe *f*; *pain m de* ~ selbstgebackenes Brot *n*; *faire le* ~ den Haushalt machen; *faire des* ~*s* Aufwartestellen haben; Jobs haben; *faire bon* ~ in glücklicher Ehe leben; gut *mit j-m* auskommen; *se mettre en* ~ e-n eigenen Haushalt gründen, in den Ehestand treten; *tenir le* ~ den Haushalt führen; *jeune* ~ junges Ehepaar *n*; ~ *étudiant,* ~ *d'étudiants* Studentenhaushalt *m*; **~gement** [~naʒ'mɑ̃] *m* Behutsamkeit *f*, Schonung *f*, Vorsicht *f*; *sans* ~ rücksichtslos, schonungslos.

ménager[1] [mena'ʒe] (1l) **I** *v/t.* **1.** sparsam *od.* schonend umgehen mit (*dat.*), *Zeit* gut einteilen; *Gesundheit* schonen; *Gespräch* herbeiführen; ~ *ses paroles* wortkarg sein; ~ *une affaire habilement* e-e Angelegenheit geschickt handhaben; ~ *ses expressions* sich vorsichtig ausdrücken; F ~ *la chèvre et le chou* es mit keinem verderben wollen; **2.** ~ *q.* j-n schonend (*od.* rücksichtsvoll) behandeln; *il ne le ménagea pas* er nahm auf ihn keinerlei Rücksicht; **3.** *Unterredung* herbeiführen; **4.** ⊕ anbringen, anlegen; ~ *un escalier* e-e Treppe anbringen; **II** *v/rfl. se* ~ sich schonen; sich vorsichtig verhalten; *se ~ une longue vie* sich ein langes Leben sichern; *se ~ selon les circonstances* sich nach den Umständen richten; *se ~ une porte de sortie* sich ein Hintertürchen offenlassen.

ménager[2] [~] *adj.* (7b) Haushalt(ung)s...; *appareils m/pl.* ~*s* Haushaltsgeräte *n/pl.*; *école f ménagère* Haushaltungsschule *f.*

ménagère [mena'ʒɛːr] *f* **1.** Hausfrau *f*; **2.** Besteckkasten *m.*

ménagerie [mena'ʒri] *f* Menagerie *f*, Tier-park *m*, -schau *f.*

mendélisme *biol.* [mɛ̃de'lism] *m* Mendelsche Vererbungslehre *f.*

mendésiste *Fr., pol.* [mɛ̃de'zist] (*adj. u.*) *su.* (e-s) Anhänger(s) von Mendès-France.

mendi|ant [mɑ̃'djɑ̃] (7) **I** *adj.* bettelnd; Bettel...; **II** *su.* Bettler *m*; *les quatre* ~*s* Studentenfutter *n* (*Feigen, Mandeln, Rosinen und Nüsse*); **~cité** [~disi'te] *f* Bettelei *f*; *il est réduit à la ~* er ist an den Bettelstab gekommen; *vivre de ~* sich durchbetteln; **~er** [mɑ̃'dje] *v/t. u. v/i.* (1a) (er)betteln; **~got** P [~di'go] *su.* (7) Berufsbettler *m*; *f*: Bettelweib *n*; **~goter** P [~gɔ'te] *v/i.* (1a) (herum)betteln.

meneau ⚠ [mə'no] *m* Fensterkreuz *n*, Fensterstütze *f.*

menée [mə'ne] *f* **1.** ~*s f/pl.* Schliche *m/pl.*; *sourdes ~s* geheime Umtriebe *m/pl. od.* Schliche *m/pl.*; *mettre fin aux ~s de q.* j-m das Handwerk legen; **2.** *ch.* Fährte *f.*

mener [~] (1d) **I** *v/t.* **1.** führen; *je vais vous ~ à la gare* ich werde Sie (*od.* euch) zum Bahnhof führen; *la mère mène l'enfant à l'école* die Mutter führt das Kind zur Schule; *~ les troupes au combat* die Truppen in den Kampf führen; *~ un chien en laisse* e-n Hund an der Leine führen; *~ dans le monde* in die Gesellschaft einführen; *Sport*: *~ un train fou* ein tolles Tempo einschlagen (*od.* hinlegen); *~ la vie dure à q.* j-n sehr hart anpacken *fig.*; F *en ~ large* ein bequemes Leben führen; **2.** 🚗, *Wagen*: befördern (*à* nach); **3.** *fig.* führen; betreiben; *~ une enquête* e-e Untersuchung anstellen; *~ à bien* glücklich ausführen, erfolgreich beenden; *~ à bien un récit* e-e Erzählung zu gutem Ende führen; *il mena l'affaire à bonne fin* er führte die Sache glücklich durch; *~ grand train* auf großem Fuße leben; **II** *v/i.* führen; *ce qui mène au but* was zweckdienlich ist; *~ loin* es weit bringen; *Sport*: *~ (le train)* die Führung übernehmen, führen; *Sport*: *B mène par un but à zéro* B führt 1 : 0 (= eins zu null); *~ devant q.* vor j-m (*dat.*) führen; *rad. ~ à la terre* zur Erde ableiten; *la route mène à la ville voisine* der Weg führt zur benachbarten Stadt.

mén|estrel *hist.* [menɛs'trɛl] *m* Minnesänger *m*; **~étrier** *hist.* [menetri'e] *m* Dorfmusikant *m.*

meneur [mə'nœːr] *su.* (7g) **1.** *a. télév.* *~ de jeu* Spielleiter *m*, Stimmungsmacher *m*, Quizmaster *m*; *Kabarett*: Conférencier *m*; **2.** *~ d'hommes* Menschenführer *m*; **3.** *fig. péj.* Anstifter *m*, Drahtzieher *m*, Rädelsführer *m.*

menhir [me'niːr] *m* aufgerichteter Druidenstein *m* (*in der Bretagne*).

méningé ⚕ [menɛ̃'ʒe] *adj.* Hirnhaut...

méninges F [me'nɛ̃ːʒ] *f/pl.* Gehirn *n*, Grips *m* F, Gedanken *m/pl.*; *les ~ en chipolata* konfuse Gedanken; *il ne s'est pas fatigué les ~* er hat s-n Grips nicht angestrengt.

méningite ⚕ [menɛ̃'ʒit] *f* Hirnhautentzündung *f*, Meningitis *f*; *~ cérébro-spinale* Genickstarre *f.*

méningocoque ⚕ [menɛ̃gɔ'kɔk] *m* Hirnhautbakterie *f.*

ménisque [me'nisk] *m* **1.** *opt.* Punktal(augen)glas *n*; **2.** *anat.* Gelenkmeniskus *m.*

ménopause ⚕ [menɔ'poːz] *f* Klimakterium *n*, Wechseljahre *n/pl.*

menotte [mə'nɔt] *f* **1.** *enf.* Händchen *n*; **2.** ~*s pl.* Handschellen *f/pl.*

menson|ge [mɑ̃'sɔ̃ːʒ] *m* **1.** Lüge *f*; *pieux ~* Notlüge *f*; **2.** *fig.* Trugbild *n*; **~ger** [~sɔ̃'ʒe] *adj.* (7b) □ erlogen, lügnerisch.

men|sualisation [mɑ̃sɥalizɑ'sjɔ̃] *f* (Umstellung *f* auf) monatliche Lohnzahlung *f*; **~sualité** [~'te] *f* monatliche Zahlung *f*, Monatsrate *f*; **~suel** [mɑ̃'sɥɛl] (7c) **I** *adj.* □ monatlich; **II** *su.* Monatslohnempfänger *m.*

mensura|bilité [mɑ̃syrabili'te] *f* Meßbarkeit *f*; **~ble** [~'rablə] *adj.* meßbar; **~teur** [~ra'tœːr] *adj.* (7f) Meß...; **~tion** [~rɑ'sjɔ̃] *f* Körpermessung *f*, -maße *n/pl.*

mentagre ⚕ [mɑ̃'tɑːgrə] *f* Kinnflechte *f.*

mental [mɑ̃'tal] *adj.* (5c) □ **1.** innerlich, in Gedanken; *oraison f ~e* stilles Gebet *n*; *restriction f* ~*e* geheimer Vorbehalt *m*; **2.** geistig, Geistes...; *calcul m* ~ Kopfrechnen *n*; *état m* ~ Geisteszustand *m*; ⚕ *maladie f* ~*e* Geisteskrankheit *f*; **~ité** [~li'te] *f* Mentalität *f*, Denkart *f*, Einstellung *f*, Gesinnung *f*.

menteur [mɑ̃'tœ:r] (7g) **I** *adj.* lügenhaft, lügnerisch; F *être* ~ *comme un arracheur de dents* wie gedruckt lügen; **II** *su.* Lügner *m*; **III** * *f* Zunge *f*.

menthe ⚘ [mɑ̃:t] *f* Minze *f*; ~ *poivrée* Pfefferminze *f*.

menthol *phm.* [mɑ̃'tɔl] *m* Menthol *n*.

mention [mɑ̃'sjɔ̃] *f* Erwähnung *f*; *écol.* (*anerkennende*) Note *f* (*ab „befriedigend" bis „sehr gut" bei e-r Prüfung*); *faire* ~ *de qch.* etw. erwähnen; *barrer* (*od. biffer*) *les* ~*s inutiles, rayer la* ~ *inutile* Nichtzutreffendes zu durchstreichen; **~ner** [~sjɔ'ne] *v/t.* (1a) erwähnen.

mentir [mɑ̃'ti:r] *v/i.* (2b) lügen; ~ *comme un arracheur de dents*, ~ *comme on respire* wie gedruckt lügen *od.* schwindeln; ~ *à q.* j-n belügen; *il lui a menti* er hat ihn (sie *f/sg.*) belogen; *faire q.* ~ j-n Lügen strafen; *sans* ~ wirklich! (*als Antwort*), ungelogen!; ~ *à son passé* s-e Vergangenheit verleugnen.

mentisme *psych.* [mɑ̃'tism] *m* Ideenflucht *f*.

menton [mɑ̃'tɔ̃] *m* Kinn *n*; *zo.* Unterkiefer *m*; **~net** ⊕ [~tɔ'nɛ] *m* Hebezapfen *m*; Nase *f*; Schließ-, Sperr-haken *m*; Spurkranz *m*; **~nier** [~tɔ'nje] *adj.* (7b) zum Kinn gehörig; Kinn...; **~nière** [~tɔ'njɛ:r] *f* ⚕ Kinnbinde *f*; ♪ Kinnstütze *f*; ⚔ Sturmriemen *m*.

mentor [mɛ̃'tɔ:r] *m* Führer *m*, Ratgeber *m*, Mentor *m* (*a. Sport*).

menu [mə'ny] **I** *adj.* **1.** dünn; klein, fein; ~ *bétail* Kleinvieh *n*; ~ *bois* Reisig *n*; ~*e monnaie* Kleingeld *n*; *débiter* (*od. hacher*) ~ kleinhacken (*Holz*); *écrire* ~ (sehr) klein schreiben; *trotter* ~ schnell und in kurzen Schritten gehen, trippeln; **2.** *fig.* gering; ~*s frais m/pl.* Nebenausgaben *f/pl.*; *le* ~ *peuple* die kleinen Leute *pl.*; *argent m pour les* ~*s plaisirs* Taschengeld *n*; ~*s propos* nichtssagendes Gerede *n*; *raconter par le* ~ ausführlich erzählen; **II** *m* **1.** Speise(n)karte *f*; **2.** Menü *n*, Essen *n*.

menuet ♪ [mə'nɥɛ] *m* Menuett *n*.

menui|ser [mənɥi'ze] *v/t.* (1a) **1.** *Holz* kleinschneiden, dünner machen; **2.** (*auch abs.*) tischlern; **~serie** [~z'ri] *f* Tischlerei *f*; Tischlerarbeit *f*; **~sier** [~'zje] *m* Tischler *m*.

ményanthe ⚘ [men'jɑ̃:t] *m* Bitterklee *m*.

méphit|ique [mefi'tik] *adj.* übelriechend; **~isme** [~'tism] *m* Luftverseuchung *f* durch übelriechende Gase.

méplat [me'pla] *adj.* (7) abgeflacht.

méprendre [me'prɑ̃:drə] (4q): *se* ~ *sur qch.* (*sur q.*) sich in etw. (in j-m) irren; *ils se ressemblent à s'y* ~ sie sehen sich zum Verwechseln ähnlich.

mépris [me'pri] *m* **1.** Verachtung *f*; **2.** *au* ~ *de ... prp.* ohne Rücksicht auf (*acc.*); *au* ~ *de la loi* widerrechtlich; **~able** [mepri'zablə] *adj.* zu verachten(d); **~ant** [~'zɑ̃] *adj.* (7) herablassend; verächtlich.

méprise [me'pri:z] *f* Irrtum *m*, Verwechslung *f*; Mißverständnis *n*; *par* ~ aus Versehen.

mépriser [mepri'ze] *v/t.* (1a) mißachten; verachten.

mer [mɛ:r] *f* **1.** Meer *n*, See *f*; ~ *Baltique* Ostsee *f*; ~ *du Nord* Nordsee *f*; *bain m de* ~ Seebad *n*; *mal m de* ~ Seekrankheit *f*; *voyage m par* ~ Seereise *f*; *un homme à la* ~*!* Mann über Bord!; *par grosse* ~ bei hohem Seegang; *sur terre et sur* ~ zu Wasser und zu Lande; **2.** ⚓ *pleine* ~ offene See; hohe Flut; *basse* ~ letzte Ebbe; *en* (*pleine od. haute*) ~ auf (hoher) See; *Schiff*: *qui peut tenir la* ~, *capable de tenir la* ~ seetüchtig; **3.** *fig. une* ~ *de mots* ein Wortschwall *m*; *une* ~ *de sable* eine Sandwüste.

mercanti *péj.* [mɛrkɑ̃'ti] *m* Geschäftemacher *m*, Schieber *m*, Profiteur *m*; **~le** *péj.* [~'til] *adj.* □ krämerhaft; **~lisme** [~ti'lism] *m* **1.** *péj.* Profitgier *f*; **2.** *hist.* Merkantilismus *m*.

mercenaire [mɛrsə'nɛ:r] **I** *adj.* □ *troupes f/pl.* ~*s* Söldnertruppen *f/pl.*; **II** *m* ⚔ Söldner *m*; *travailler comme un* ~ wie ein Sklave schuften.

mercerie [mɛrsə'ri] *f* Kurzwaren *f/pl.*

merceriser *text.* [mɛrsəri'ze] *v/t.* (1a) merzerisieren.

merchandising ☤ [mœrʃɑ̃daj'ziŋ] *m* Einführung *f* e-s neuen Produkts.

merci[1] [mɛr'si] *f* Gnade *f nur noch in*: *sans* ~ erbarmungslos; *à la* ~

des vents et des flots Wind und Wellen preisgeben.

merci[2] [mɛr'si] *m* Dank *m*; ~! danke!; *iron.* fällt mir nicht ein!; *grand ~!* vielen Dank!; *~ beaucoup!*, *~ bien!* danke sehr!; *mille ~s* tausend Dank!; *dire ~* Dank sagen, danken; *Dieu ~!* Gott sei Dank!, gottlob!; *~ de (od. pour) qch.* besten Dank für etw. (*acc.*); *vor inf. nur mit de*: *~ d'être venu me voir* vielen Dank für Ihren (*od.* deinen) Besuch.

mercier [mɛr'sje] *su.* (7b) Kurzwarenhändler *m.*

mercredi [mɛrkrə'di] *m* Mittwoch *m*; *~ des Cendres* Aschermittwoch *m.*

mercu|re [mɛr'ky:r] *m* Quecksilber *n*; *colonne f de ~* Quecksilbersäule *f*; *fulminate m de ~* Knallquecksilber *n*; **~riale** [~'rjal] *f* **1.** *fig.* Rüffel *m*; *une verte ~* e-e gepfefferte Standpauke *f*; **2.** ⚕ Marktbericht *m*; **~riel** [~'rjɛl] *adj.* (7c) quecksilberhaltig.

mercurochrome ⚕ [mɛrkyrɔ'kro:m] *m jodhaltiges* (Wund-)Desinfektionsmittel *n.*

merd|aillon V [mɛrdɑ'jɔ̃] *m* Dreckfink *m*; **~e** V [mɛrd] *f* Scheiße *f* V; *auch als int. der Bewunderung*: *~ (alors)!* Donnerwetter!; **~eux** V [~'dø] **I** *adj.* (7d) mit Kot beschmutzt; **II** V *a. m*: a) (*bâton m*) *~* widerlicher Kerl *m*, Scheißkerl *m* V, Ekel *m*; b) Grünschnabel *m*; c) Geck *m*, Laffe *m* P; *merdeuse f* dumme Pute *f* (*od.* Gans *f*); d) Göre *f* (Junge *od.* Mädchen, *wofür dann merdeuse*); **~ier** P [~'dje] *m* Saustall *m*; **~oyer** P *écol.* [~dwa'je] *v/i.* (1h) Mist bauen *fig.* F.

mère [mɛ:r] *f* Mutter *f*; *~ de famille* Hausfrau *f* (*Berufsbezeichnung*); *seconde ~* Pflegemutter *f*; *sa ~ par le sang* s-e blutmäßige Mutter; *orphelin m de ~* Waise *f* mütterlicherseits.

mergule *orn.* [mɛr'gyl] *m* Zwergsäger *m.*

méri|dien [meri'djɛ̃] **I** *adj.* (7c) mittägig; Mittags...; **II** *m ast.*, *géogr.* Meridian *m*; **~dienne** [~'djɛn] *f* **1.** *ast.* Mittagshöhe *f*; **2.** Mittagsschläfchen *n*; **~dional** [~djɔ'nal] (5c) **I** *adj.* südlich; südfranzösisch; **II** *su.* Südländer *m*, *bsd.* Südfranzose *m.*

meringue *pât.* [mə'rɛ̃:g] *f*: *~ à la crème* Sahnebaiser *n.*

mérinos [meri'no:s] *m* **1.** *zo.* Merinoschaf *n*; **2.** Merino(stoff *m*) *m.*

merise ⚘ [mə'ri:z] *f* Vogelkirsche *f.*

méri|tant [meri'tɑ̃] *adj.* (7) verdienstvoll (*v. Personen*); **~te** [me'rit] *m* Verdienst *n*; *homme m de ~* verdienstvoller Mann *m*; *se faire un ~ de qch.* sich um etw. (*acc.*) verdient machen; **~ter** [~'te] (1a) **I** *v/t.* *~ (de + inf.; que mit subj.)* verdienen (zu *od.* daß ...), wert *od.* würdig sein (*gén.*); verdienen (*acc.*); *il l'a bien mérité* a) er hat es verdient; b) es geschieht ihm recht (*vorwurfsvoll*); **II** *v/i.* (*bien*) *~ de qch.* sich um etw. (*acc.*) (sehr) verdient machen; **~tocratie** *éc.* [~tɔkra'si] *f* Betriebsleitung *f* nach reinem Leistungsprinzip; **~toire** [~'twa:r] *adj.* anerkennenswert, lobenswert, verdienstlich.

merlan [mɛr'lɑ̃] *m* **1.** *icht.* Merlan *m*; **2.** * *plais.* Frisör *m.*

merle *orn.* [mɛrl] *m* Amsel *f*, Schwarzdrossel *f*; *~ doré* Goldamsel *f*, Pirol *m*; *~ d'eau* Bachamsel *f*; *fig. ~ blanc fig.* weißer Rabe *m*; *beau (od. vilain) ~* widerlicher Kerl *m.*

merlin [mɛr'lɛ̃] *m* **1.** Schlächterhammer *m*; **2.** ⚓ Marlleine *f.*

merluche *icht.* [mɛr'lyʃ] *f* Seehecht *m*; ⚕ Stockfisch *m.*

mérou [me'ru] *m* (*pl.* ~s) **1.** *rl.* Meru *m* (*Weltberg nach der Lehre der Dschainas*); **2.** *icht.* Riesenbarsch *m.*

mérovingien *hist.* [merɔvɛ̃'ʒjɛ̃] *adj.* (7c) *u.* ♀ *m* merowingisch; Merowinger *m.*

merrain [mɛ'rɛ̃] *m* **1.** ⊕ Daubenholz *n*; **2.** *ch.* Hirschgeweihstange *f.*

mérule ⚘ [me'ryl] *m od. f* Hausschwamm *m.*

merveil|le [mɛr'vɛj] *f* **1.** Wunder *n*; *faire ~* e-n durchschlagenden Erfolg haben, sehr geschätzt sein; *à ~! int.* (*a. advt.*) ausgezeichnet!; **2.** *cuis.* ungefüllter Pfannkuchen *m*; **~leux** [~'jø] **I** *adj.* (7d) wundervoll, -schön, herrlich; **II** *m das* Wunderbare *n.*

merzlota *géogr.* [mɛrzlɔ'ta] *f* ewiger Eisboden *m.*

mes [me, *thé.* mɛ] *pl. v. mon, ma.*

mésalliance [meza'ljɑ̃:s] *f* Mißheirat *f.*

mésallier [meza'lje] *v/rfl.* (1a) *se ~* unter s-m Stande heiraten.

mésange [me'zɑ̃:ʒ] *f* Meise *f*; *~ charbonnière* Kohlmeise *f*; *~ à longue queue* Schwanzmeise *f.*

mésaventure [mezavɑ̃'ty:r] *f* Mißgeschick *n*, unangenehmer Vorfall *m*.
mescaline [mɛska'lin] *f* Meskalin *n* (*Rauschgift*).
mes|dames [me'dam] *pl. v. madame*; *Anrede*: ♀ *et Messieurs!* (*auch*: ♀, *Messieurs!*) meine Damen u. Herren!; meine sehr geehrten Herrschaften!; **~demoiselles** [medmwa'zɛl] *pl. v. mademoiselle* (*nur in der Anrede gebr.*).
mésentente [mezɑ̃'tɑ̃:t] *f* Unstimmigkeit *f*.
mésestim|e [mezɛs'tim] *f* Mißachtung *f*; **~er** [~'me] *v/t.* (1a) mißachten, geringschätzen.
mésintelligence [mezɛ̃tɛli'ʒɑ̃:s] *f* Unfrieden *m*; *créer de la ~ (entre)* entfremden, *fig.* auseinanderbringen.
mésocarpe ⚘ [mezɔ'karp] *m* mittlere Fruchthaut *f*.
mésocéphale *anat.* [~se'fal] *m* Mittelhirn *n*.
mésologie [mezɔlɔ'ʒi] *f* Milieuwissenschaft *f*.
méson *at.* [me'zɔ̃] *m* Meson *n*.
mesquin [mɛs'kɛ̃] *adj.* (7) □ kleinlich, knickerig, knauserig; engherzig, -stirnig; **~erie** [~kin'ri] *f* Kleinlichkeit *f*, Knauserigkeit *f*; Eng-herzigkeit *f*, -stirnigkeit *f*.
mess ⚔ [mɛs] *m* (5a) Kasino *n*.
messa|ge [me'sa:ʒ] *m* **1.** Auftrag *m*; *a.* ⚔, 📡 Nachricht *f*; *~ radio(télégraphique) od. radiotéléphonique* Funkspruch *m*, Durchsage *f*; **2.** *pol.* Mitteilung *f*, Meldung *f*, Botschaft *f*; **~ger** [~sa'ʒe] *su.* (7b) **1.** Bote *m*; **2.** *fig.* Vorbote *m*, Anzeichen *n*; **~geries** [~saʒ'ri] *f/pl.* **1.** Transport *m*; **2.** Gütereilverkehr *m*.
messalisant *cath.* [mesali'zɑ̃] *su.* (*u. adj.*) Teilnehmer *m* an e-r Messe.
messe [mɛs] *f* **1.** *rl.* Messe *f*; **2.** ♪ Musik *f* zu e-m Hochamt; *dire* (*od. célébrer*) *la ~* die Messe lesen; *~ basse, petite ~* stille Messe *f*; *grand-~, ~ haute* Hauptmesse *f*, Hochamt *n*; *première ~* Frühgottesdienst *m*; *~ de minuit* Weihnachtsmesse *f*; *~ des morts* Seelenmesse *f*; F *péj. ~s basses* Getuschel *n*.
messidor *hist.* [mesi'dɔ:r] *m* Erntemonat *m* (*fr. Revolution*).
Messie *rl.* [me'si, mɛ'si] *m* Messias *m*; *allg. je ne suis pas le ~* ich bin kein Hellseher; F *attendre q. comme le ~* j-n mit großer Ungeduld erwarten.
messieurs (*abr. MM.*) [me'sjø] *m/pl. v. monsieur*; *ces ~* diese Herren; *bonjour (au revoir), ~!* guten Tag (auf Wiedersehen), meine Herren!; *alterner les ~ et les dames* bunte Reihe machen; P *Bonjour, ~ dames!* Guten Tag, meine Herrschaften!
messin [me'sɛ̃] *adj. u.* ♀ *su.* (7) (Einwohner *m*) aus Metz.
messire † [me'si:r, mɛs...] *m*: ♀! *int.* gnädiger (*od.* gestrenger) Herr!
mestre ⚓ ['mɛstrə] *m*: *arbre m de ~* großer Mast *m*.
mesu|rable [məzy'rablə] *adj.* meßbar; **~rage** [~'ra:ʒ] *m* (Ab-, Aus-) Messen *n*, Messung *f*; *~ acoustique* Schallmessung *f*; *outil m de ~* Meßzeug *n*.
mesure [mə'zy:r] *f* **1.** Maß *n*, Maßstab *m*; *fig.* Mäßigung *f*; Maßhalten *n*; *~ de capacité* Raummaß *n*; *~ de superficie* Flächenmaß *n*; *donner sa ~* sich erproben, s-e Kräfte messen; zeigen, was man kann *od.* wer man ist; sich bewähren; *prendre la ~* (ver)messen; *prendre ~ d'un costume* das Maß zu e-m Kleide nehmen; *sur ~* nach Maß; *être en ~ de faire qch.* imstande sein, etw. zu tun; *à ~ (de ...)* verhältnismäßig, nach Maßgabe; im Verhältnis (zu ... *dat.*); *à ~ que ..., dans la ~ où ...* je nachdem, in dem Maße wie ...; *à ~ que l'on a plus d'esprit, les passions sont plus grandes* (*Pascal*) je größer der Geist, um so größer sind die Leidenschaften; *combler la ~* das Maß vollmachen; *être à la ~ d'un sujet* ein Thema meistern können; *ne pas être à la ~ de qch.* sich nicht nach etw. messen lassen; *poids et ~s* Maße u. Gewichte *pl.*; *fig. avoir deux poids et deux mesures* mit zweierlei Maßen messen, parteiisch sein; *manquer de ~* maßlos sein, kein Maß kennen; *garder la ~* Maß halten; *perdre toute ~* jeden Maßstab verlieren, zu weit gehen; *dans la plus large ~ possible* weitestgehend; *dans la ~ du possible* im Rahmen des Möglichen; *advt. outre ~, sans ~* übermäßig, über die Maßen, ohne Maß (und Ziel); **2.** Maßregel *f*, Maßnahme *f*; *~ provisoire* Notmaßnahme *f*; *~ conservatrice* vorsorgliche Maßnahme *f*; *~ coercitive* Straf-maßnahme *f*, -mittel *n*; *~ d'économie, parl. a. ~ de compression budgétaire* Sparmaßnahme *f*; *~ de protection (antiaérienne* Luft-) Schutzmaßnahme *f*; *~ de rigueur* strenge Maßregel *f*; *par ~ d'hy-*

giène aus hygienischen Gründen; *prendre ses ~s* s-e Maßregeln ergreifen, s-e Anstalten treffen; *rompre les ~s de q.* j-s Maßnahmen durchkreuzen; **3.** *esc.* richtiger Abstand *m*; **4.** *mét.* Silbenmaß *n*; **5.** ♪ Takt *m*, Taktmaß *n*; *en ~* im Takt; *battre la ~* den Takt angeben, Takt schlagen; *garder la ~* im Takt bleiben; *observer la ~* Takt halten; *perdre la ~* aus dem Takt kommen.

mesuré [məzy're] *adj.* (ab-, an-) gemessen; gemäßigt, maßvoll.

mesurer [~] (1a) **I** *v/t.* **1.** (ab-, aus-) messen; ⚓ peilen; *~ le temps* die Zeit abstoppen; *combien mesurez-vous?* wie groß sind Sie?; *il mesure 1 m 70* er ist 1 m 70 groß; *~ des yeux* nach Augenmaß schätzen; *fig.* herausfordernd ansehen; **2.** *fig.* in Einklang bringen, abwägen, anpassen; mäßigen; **II** *v/rfl.* *se ~ avec* (*od.* *à*) *q.* sich mit j-m messen.

mesureur [~'rœːr] *m* **1.** Vermesser *m*; **2.** Meßgerät *n*.

méta [me'ta] *m* Metabrennstoff *m*, Metaldehyd *n*.

métabole *rhét.* [meta'bɔl] *f* Metabole *f*, Kehrsatz *m*.

métabol|ique *biol.* [~bɔ'lik] *adj.* Stoffwechsel...; **~isme** *biol.* [~'lism] *m* Stoffwechsel *m*.

métacarp|e *anat.* [~'karp] *m* Mittelhand *f*; **~ien** [~'pjɛ̃] *adj.* (7c) Mittelhand...

métairie [metɛ'ri] *f* Halbpachtgut *n*.

métal [me'tal] *m* (5c) Metall *n*; *~ anglais* Britanniametall *n*; *~ blanc*, *~ d'antifriction* Weißmetall *n*; *~ brut* Rohmetall *n*; *~ de fonte* Gußmetall *n*; *~ léger* Leichtmetall *n*; *~ natif* gediegenes Metall *n*; *~ noble*, *~ précieux* Edelmetall *n*; *plaque f de ~* Metallplatte *f*; **~lifère** [~li'fɛːr] *adj.* metallhaltig; **~lique** [~'lik] *adj.* □ metallisch; *toile f ~* Drahtgewebe *n*; *valeurs f/pl. ~s* Münzwerte *m/pl.*; **~lisation** *f* [~liza'sjɔ̃] Metallisierung *f*; *procédé m de métallisation* Metallspritzverfahren *n*; **~liser** [~li'ze] *v/t.* (1a) metallisieren; **~lo** F [metal'lo] *m* Metallarbeiter *m*; **~lochimie** [~lɔʃi'mi] *f* Metallchemie *f*; **~lochromie** [~lɔkrɔ'mi] *f* Metallfärbung *f*; **~lographie** [~lɔgra'fi] *f* Metallkunde *f*; **~loïde** [~lɔ'id] *m* Metalloid *n*; **~loplastique** ⊕ [~lɔplas'tik] *adj.* metallplastisch.

métallur|gie [metallyr'ʒi] *f* Hüttenkunde *f*, -wesen *n*, Metallurgie *f*; **~gique** [~'ʒik] *adj.* Hütten...; *industrie f ~* Hütten-, Metall-industrie *f*; **~giste** [~'ʒist] **I** *m* Metallarbeiter *m*; **II** *adj.* Metall..., Hütten...; *ingénieur m ~* Hütteningenieur *m*.

métamorpho|se [metamɔr'foːz] *f* Ver-, Um-wandlung *f*, Veränderung *f*, Metamorphose *f*; **~ser** [~fo'ze] (1a) **I** *v/t.* umgestalten, verwandeln; **II** *v/rfl.* se ~ sich verwandeln.

métapélet *Israel* [metape'lɛt] *f* stellv. Mutter in e-m Kibbuz.

métaphonie *gr.* [~fɔ'ni] *f* Umlaut *m*.

métapho|re *rhét.* [~'fɔːr] *f* Metapher *f*, bildlicher Ausdruck *m*; *par ~* bildlich; *sans ~* unverblümt, ins Gesicht; **~rique** [~fɔ'rik] *adj.* metaphorisch, bildlich, bilderreich.

métaphysi|cien *phil.* [~fizi'sjɛ̃] *m* Metaphysiker *m*; **~que** [~'zik] **I** *adj.* □ metaphysisch, übersinnlich; *fig.* zu abstrakt; **II** *f* Metaphysik *f*.

méta|stase ⚕ [~'stɑːz] *f* Metastase *f*, Überwanderung *f*, Übergang *m e-r Krankheit auf e-n anderen Körperteil*; **~stratégie** ⚔, *phil.* [~strate'ʒi] *f* Strategie *f* in metaphysischer Sicht; **~tarse** *anat.* [~'tars] *m* Mittelfuß *m*; **~thèse** *gr.* [~'tɛːz] *f* Metathese *f*, Buchstaben-versetzung *f*, -umstellung *f* (*z.B. formaticum zu fromage, Forum Julii zu Fréjus*).

métay|age [metɛ'jaːʒ] *m* Halbpacht *f*; **~er** [~'je] *su.* (7b) Halbpächter *m*.

méteil [me'tɛj] *m* Mengkorn *n*.

métempsycose 📖 [metɑ̃psi'koːz] *f* Seelenwanderung *f*.

météo F [mete'o] *f* Wetterbericht *m*.

météo|re [mete'ɔːr] *m* Meteor *m* (*a. fig.*); **~rique** [~ɔ'rik] *adj.* □ Meteor...; **~rologie** [~ɔrɔlɔ'ʒi] *f* Meteorologie *f*, Wetterkunde *f*; **~rologique** [~ɔrɔlɔ'ʒik] *adj.* meteorologisch, Wetter...; **~rologiste**, **~rologue** [~ɔrɔlɔ'ʒist, ~'lɔg] *m* Meteorologe *m*; **~rosensible** [~sɑ̃'siblə] *adj.* wetterfühlig.

métèque [me'tɛk] *m* zugewanderter, lästiger Ausländer *m*.

méthane ⚗ [me'tan] *m* Methan (-gas *n*) *n*.

méthanier [meta'nje] *m* Erdgastanker *m*.

métho|de [me'tɔd] *f* **1.** Methode *f*, Verfahren *n*; Ordnung *f*, Plan *m*, System *n*; Lehrart *f*; Lehrbuch *n*; Lehrgang *m*; *écol.* *~ globale* Ganzheitsmethode *f*; *avec ~* methodisch; **2.** ♪ Schule *f*; **3.** ⚕ (Heil-)Verfahren *n*; **~dique** [~'dik] *adj.* □ methodisch; planmäßig, regelrecht; ~-

disme *rl.* [~'dism] *m* Methodismus *m*; **~diste** [~'dist] *adj. u. su. rl.* methodistisch; Methodist *m*; **~dologie** [~dɔlɔ'ʒi] *f* Methodenlehre *f*; **~dologique** [~dɔlɔ'ʒik] *adj.* methodologisch.

méthy|le ⚗ [me'til] *m* Methyl *n*; **~lique** ⚗ [~'lik] *adj.*: *alcool m ~* Methylalkohol *m*, Holzgeist *m*.

méticu|leux [metiky'lø] *adj.* (7d) peinlich genau, äußerst gewissenhaft, akkurat; *péj.* übertrieben genau, pedantisch, haarspalterisch; **~losité** [~lozi'te] *f* peinliche Genauigkeit *f*, Akkuratesse *f*.

métier [me'tje] *m* **1.** (einzelnes *od.* spezielles) Handwerk *n*, Gewerbe *n*; Beruf *m*, Erwerbszweig *m*; *il est maçon de son ~* er ist Maurer von Beruf; *~ des armes* Kriegshandwerk *n*; *avoir du ~* Berufserfahrung besitzen; *être du ~* vom Fach sein; *parler ~* fachsimpeln; *~s pl. artisanaux*, *~s pl. d'artisans* handwerkliche Berufe *m/pl.*; *registre m des ~s* Handwerksrolle *f*; *chambre f de ~s* Handwerkskammer *f*; *arts et ~s m/pl.* Kunsthandwerk *n/sg.*; *corps m de ~* Innung *f*; *hist.* Gilde *f*, Zunft *f*; *homme m (pl. gens) de (od. du) ~* Fachmann *m* (Fachleute *pl.*); *~ manuel (intellectuel)* handwerklicher (geistiger) Beruf *m*; *jalousie f de ~* Brotneid *m*; **2.** ⊕ Webstuhl *m*.

métis [me'tis] (7c) **I** *adj. biol.* durch Kreuzung entstanden; **II** *su.* Mestize *m*, Mischling *m*.

métissage *biol.* [meti'sa:ʒ] *m* Rassenkreuzung *f*.

métonym|ie *rhét.* [metɔni'mi] *f* Metonymie *f*, Wortvertauschung *f*; **~ique** [~'mik] *adj.* metonymisch.

métope △ [me'tɔp] *f* Metope *f*, Zwischenfeld *n*.

métrage [me'tra:ʒ] *m* **1.** Ab-, Aus-, Ver-messen *n*, Vermessung *f* nach Metern; **2.** *cout.* Meterzahl *f*; **3.** *cin.* Filmlänge *f*; *court ~* Kurzfilm *m*; *long ~* Lang-, Spiel-film *m*.

mètre ['mɛ:trə] *m* **1.** (*abr. m*) Meter *n od. m*; *~ carré* (*abr.* m^2) Quadratmeter *n od. m*; *~ cube* (m^3) Kubikmeter *n od. m*; *~ pliant* Zollstock *m*; *~ roulant* Rollbandmaß *n*; *~ à ruban* Bandmaß *n*; **2.** Versmaß *n*.

métré △ [me'tre] *m* Aufmaß *n*.

métreur △ [me'trœ:r] *m* Messungsingenieur *m*.

métricien *mét.* [metri'sjɛ̃] *m* Metriker *m*.

métrique [me'trik] **I** *adj.* **1.** *système m ~* Dezimalsystem *n*; **2.** metrisch; *accent m ~* Versakzent *m*; **II** *f* Metrik *f*, Verslehre *f*.

métrite ⚕ [me'trit] *f* Gebärmutterentzündung *f*.

métro [me'tro] *m* U-Bahn *f*.

métro|logie [metrɔlɔ'ʒi] *f* Maß- u. Gewichtskunde *f*; **~logique** [~lɔ'ʒik] *adj.* Maß- u. Gewichts...

métronome ♪ [~'nɔm] *m* Metronom *n*, Taktmesser *m*.

métropo|le [~'pɔl] **I** *f* **1.** Metropole *f*, Mutterland *n*; **2.** erzbischöflicher Sitz *m*; **II** *adj.*: *église f ~* Metropolitankirche *f*; **~litain** [~li'tɛ̃] **I** *adj.* (7) **1.** *chemin m de fer ~* = *métro*; **2.** des Mutterlandes; **3.** Metropolitan...; **II** *m* **4.** U-Bahn *f*; **5.** *cath.* Metropolit *m*; **~lite** *rl.* [~'lit] *m* Metropolit *m* (*der Ostkirche*).

métrorr(h)agie ⚕ [metrɔra'ʒi] *f* Gebärmuttersenkung *f*.

mets *cuis.* [mɛ] *m* Gericht *n*, Speise *f*.

met|table [mɛ'tablə] *adj.* tragbar (*v. Kleidern*); *cette veste n'est plus ~* dieses Jackett ist abgetragen; **~teur** [mɛ'tœ:r] *su.* (7g): *thé., cin. ~ en scène* Regisseur *m*, Spielleiter *m*; *télév. ~ en ondes* Moderator *m*; *rad. ~ en charge de (od. préposé à) la sonorisation* Tonregisseur *m*; *typ. ~ en pages* Umbrecher *m*; *~ en œuvre* Edelsteinfasser *m*; Bearbeiter *m*.

mettre ['mɛtrə] (4p) **I** *v/t. u. v/i.* **1.** setzen, stellen, (auf)legen; *in e-e Lage od. e-n Zustand* bringen; (hinein)tun; P geben, versetzen, verpassen (*z.B. e-n Schlag*); *~ fin à qch.* e-r Sache ein Ende machen; *~ à bonne fin* zu e-m guten Ende bringen; *~ pied à terre* aussteigen; *~ une affaire dans un faux jour* e-e Angelegenheit in ein falsches Licht bringen; *~ à bout* erschöpfen; zum Äußersten treiben; P *~ les bouts* abhauen F, türmen F; *~ q. au lycée* j-n auf die höhere Schule schicken; *~ le feu à une maison* Feuer an ein Haus legen, ein Haus anzünden; *~ toute la gomme à qch.* e-r Sache den letzten Schliff geben; *~ au jour* zutage fördern (*Archäologie*); *~ sa montre à l'heure* s-e Uhr (richtig-) stellen; *~ à nu* bloßlegen; *~ son cœur à nu* sein Herz bloßlegen (*bei der Beichte*); *~ tous les œufs dans le même panier* alles auf e-e Karte setzen; *~ q. au pain et à l'eau* j-n bei Wasser u. Brot einsperren; *~ q.*

sur le pavé, ~ *q. à la rue* j-n auf die Straße setzen; ~ *à mal sa victime* sein Opfer zs.-schlagen; P ~ *dedans* reinlegen; einsperren; ~ *au point* nachregulieren; *a. rad.*, *phot.* (richtig *bzw.* scharf) einstellen; *fig.* richtig- *od.* klar-stellen, formulieren, (noch einmal) überarbeiten; ⊕ entwickeln, erfinden; *Sport*: ~ *les rames* (die Ruder) auslegen; *fig.* ~ *un frein à qch.* etw. stoppen; *Sport*: ~ *à l'eau ein Boot* zu Wasser bringen; ~ *q. à même de faire qch.* in den Stand setzen, etw. zu tun; *fig.* ~ *au pas* gleichschalten; ~ *au concours* e-n Wettbewerb ausschreiben; ~ *en exploitation ein Land* erschließen; ~ *en valeur ein Baugelände* erschließen; ~ *en vente* zum Verkauf bringen; ~ *en œuvre*, ~ *en main* in Angriff nehmen; ⊕ ~ *en train od. en marche od. en activité* in Betrieb setzen; *autom.*, ✈ ~ *en marche*, ~ *en mouvement* anspringen lassen; ⚔ ~ *en ligne* einsetzen; *Fußball usw.*: ~ *en jeu* einwerfen; *cycl.* ~ *q. hors course* j-n aus dem Rennen ausscheiden; 🚂 *usw.*: ~ *hors de service* ausrangieren; ⚡ ~ *une ligne sous courant od. sous tension* e-e Leitung unter Strom setzen, an- *od.* durch- *od.* einschalten, anschließen; F ~ *q. en boîte* (*od. en caisse*) j-n hochnehmen *od.* aufziehen; ~ *à la boîte aux lettres* in den Briefkasten stecken; ~ *à prix* abschätzen; ~ *à profit* benutzen, verwerten; ~ *à terre rad.*, ⚡ erden; ⚓ an Land setzen; ~ *aux voix* zur Abstimmung bringen; ~ *d'accord* einigen; in Einklang bringen; ~ *en bouteilles* auf Flaschen ziehen; *fig.* ~ *un travail en chantier* e-e Arbeit beginnen; ~ *hors de combat* kampfunfähig machen; ⚡ ~ *le contact*, ~ *en circuit* einschalten; *Auto*: ~ *le contact* die Zündung einschalten; ~ *en fermage* verpachten; ~ *en fuite* in die Flucht schlagen; ~ *en mouvement* in Bewegung setzen; ~ *en ordre* in Ordnung bringen; *typ.* ~ *en pages* umbrechen; ~ *en pièces* zertrümmern; ~ *sur pied* (*Truppen usw.*) aufstellen; *fig.* ins Leben rufen, einführen, gründen; *Auto*: ~ *plein gaz* Vollgas geben; *Auto*: ~ *en code* abblenden; ~ *en prison* ins Gefängnis werfen; ~ *en quartiers* vierteilen, zerreißen; ~ *en question* in Zweifel ziehen; ~ *sur table die Speisen* auftragen; ~ *q. sur la voie* j-n auf die Spur bringen; F ~ *q. dehors* j-n rausschmeißen F, j-n entlassen; **2.** *Kleider*, *Wäsche*, *Schuhe usw.* anziehen, tragen; *Krawatte* umbinden; *Hut* aufsetzen; ~ *bas* ausziehen; *être bien mis* gut gekleidet sein; **3.** *Geld* anlegen; ~ *une somme* e-n Betrag ausgeben; **4.** übertragen: ~ *au net* ins reine schreiben; ~ *l'adresse sur qch.* etw. adressieren; **5.** einsetzen, opfern; ~ *le tout pour le tout* alles riskieren; **6.** *Zeit* brauchen, benötigen; ~ *deux heures à* (*faire*) *qch.* zwei Stunden zu etw. (*dat.*) brauchen; **7.** ~ *q. au pied du mur fig.* j-n in die Enge treiben, j-n zur Rede stellen, j-m hart zusetzen; ~ *un enfant au monde* ein Kind zur Welt bringen; P ~ *au violon* einlochen P, einsperren; *Auto*: ~ *les gaz* Gas geben; ~ *en marche* in Betrieb (*od.* Gang) setzen; **8.** den Fall setzen, annehmen; *en mettant que* ... (*mit subj.*) gesetzt (den Fall), daß ...; *mettons que* ... (*mit subj.*) angenommen, (daß) ...; **II** *v/rfl.* *se* ~ sich setzen *od.* stellen *od.* legen; *se* ~ *à* (*mit inf.*) anfangen zu ...; *se* ~ *à qch.* sich an etw. (*acc.*) machen; *se* ~ *à son aise* sich's bequem machen; *se* ~ *à table* sich an den Tisch setzen; * zugeben, eingestehen, beichten *fig.*; *se* ~ *au fait de* sich vertraut machen mit (*dat.*); *se* ~ *du vernis aux ongles* sich die Finger lackieren; *se* ~ *en chemin* (*od. en route*) sich auf den Weg machen; *se* ~ *en colère contre q.* auf j-n wütend werden; *rad.* *se* ~ *à l'écoute* Rundfunk hören; *fig.* *se* ~ *au diapason de q.* sich in j-n einfühlen; *ch.* *se* ~ *en arrêt Hund*: vorstehen; *fig.* *se* ~ *en relief od. en posture* sich in Positur werfen; *se* ~ *en mouvement* sich in Bewegung setzen; *se* ~ *en quatre* (*od. en dix*) *pour q.* sich für j-n voll und ganz einsetzen; *se* ~ *en quatre pour amuser ses hôtes* alles nur Denkbare für die Unterhaltung s-r Gäste tun; ⚕ *se* ~ *le torse nu* sich den Oberkörper frei machen; *se* ~ *en quête* sich auf die Suche machen; *se* ~ *en usage* aufkommen, gebräuchlich werden.

Metz [mɛs] *m* Metz *n*.

meu|blant [mœˈblɑ̃] *adj.* (7) zum Möblieren geeignet; sich gut ausnehmend; ⚖ *meubles* ~*s* Hausrat *m*; ~**ble** [ˈmœːblə] **I** *adj.* **1.** ⚒ *terre f* ~ leichter, lockerer Boden *m*; **2.** ⚖ *bien m* ~ bewegliches Gut *n*; **II** *m* Möbelstück *n*; ~*s pl.* Mobiliar *n*,

Hausrat *m*; ⚖ bewegliches Gut *n*, Mobiliarvermögen *n*; ~*s pl. de rotin od. en jonc* Rohrmöbel *n/pl.*; ~*s métalliques od. en acier* Stahlmöbel *n/pl.*; ~*s pl. de rangement* Möbel *n/pl.* zum Einräumen; ~*s transformables* Umbaumöbel *n/pl.*; être *dans ses* ~*s* eigene Möbel (*od.* e-n eigenen Haushalt) haben; *se mettre dans ses* ~*s* sich ein eigenes Heim gründen; ~ *radio-phono m*, ~ *radio combiné m* Musikschrank *m*; Musiktruhe *f*; ~ *secrétaire* Schreibschrank *m*; ~*s m/pl. en osier* Korbmöbel *n/pl.*; ~*s rembourrés* Polstermöbel *n/pl.*; **~blé** [~'ble] *m* möblierte Wohnung *f*; möbliertes Zimmer *n*; *habiter en* ~ möbliert wohnen; **~ble-classeur** [mœbləkla'sœ:r] *m* (6a): ~ (*à rideau*) Akten-(roll)schrank *m*; **~bler** [mœ'ble] *v/t.* (1a) **1.** möblieren; *abs. cette étoffe meuble bien* dieser Stoff macht sich gut zu den Möbeln; **2.** *fig.* bereichern, an-, aus-füllen, ausstatten, versehen (*de qch.* mit etw.); ~ *la soirée* den Abend gestalten; *avoir la tête bien meublée* viel wissen, viel im Kopf haben; ~ *sa mémoire* sich Kenntnisse aneignen.

meugl|ement [møglə'mɑ̃] *m* Muhen *n*; **~er** [mø'gle] *v/i.* (1a) muhen.

meule [mø:l] *f* **1.** Mühlstein *m*; **2.** Schleifstein *m*; **3.** ~ *de fromage* Laib *m* Käse; ~ *de gruyère* ganzer Schweizer Käse *m*; **4.** ✓ Schober *m*; Miete *f*; **5.** Kohlenmeiler *m*; **~r** [mø'le] *v/t.* (1a) mit dem Schleifstein schleifen; ~ *en creux* hohlschleifen.

meuleuse *bét.* [mø'lø:z] *f* Schleifaggregat *n*.

meulier [mø'lje] *m* Mühlsteinhauer *m*.

meulière [mø'ljɛ:r] *f* (*od. adjt. pierre f* ~) kieseliger Kalkstein *m*, französischer Quarz *m*.

meulon [mø'lɔ̃] *m* **1.** ✓ kleiner Heu- *od.* Stroh-haufen *m*; **2.** Salzhaufen *m*.

meun|erie [møn'ri] *f* Müllerei *f*; *coll.* Müller *m/pl.*; **~ier** [~'nje] (7b) **I** *adj. garçon m* ~ Müllerbursche *m*; **II** *su.* Müller *m*; **III** *m* a) *ent.* Mehlkäfer *m*; b) *icht.* Alant *m*; **~ière** *orn.* [~'njɛ:r] *f* Schwanzmeise *f*.

meurt-de-faim [mœrdə'fɛ̃] *m/inv.* Hungerleider *m*.

meur|tre ['mœrtrə] *m* Mord *m*, Mordtat *f*; ~ *judiciaire* Justizmord *m*; ~ *prémédité* vorsätzlicher Mord *m*; ~ *avec viol* Lustmord *m*; **~trier** [~tri'e] (7b) **I** *adj.* tödlich; *fig.* verheerend; **II** *su.* Mörder *m*; **~trière** ⚔ [~tri'ɛ:r] *f* Schießscharte *f*; **~trir** [~'tri:r] (2a) **I** *v/t.* (zer)quetschen; wund reiben *od.* schlagen; *avoir les pieds meurtris à force de marcher* sich die Füße wund gelaufen haben; ~ *q. de coups* j-n grün und blau schlagen; **II** *v/rfl. se* ~ sich quetschen; sich stoßen; fleckig werden (*Obst*); **~trissure** [~tri'sy:r] *f* Quetschung *f*, Verletzung *f*, blauer Fleck *m*; angestoßene Stelle *f am Obst*.

Meuse [mø:z] *f*: **la** ~ die Maas.

meute [mø:t] *f ch.* Meute *f* (*a. fig.*); *fig.* Schwarm *m*.

mévente [me'vɑ̃:t] *f* Absatzflaute *f*.

mexicain [mɛksi'kɛ̃] *adj. u.* ♀ *su.* (7) mexikanisch; Mexikaner *m*.

Mexico [mɛksi'ko] *m* Mexiko *n* (*Stadt*).

Mexique [mɛk'sik] *m*: **le** ~ Mexiko *n* (*Land*).

mezzanine ⌂ [mɛdza'ni:n] *f* **1.** Zwischenstock *m*; **2.** kleines Halbgeschoßfenster *n*.

mezzo-tinto [mɛdzɔtin'to] *m* (6c): (*estampe f en*) ~ Kupferstich *m* in schwarzer Manier.

mi-...[1] [mi] *advt.* **1.** halb...; *mi-mort* halbtot; *étoffe f* ~*-soie* halbseidener Stoff *m*; **2.** *à mi-chemin* auf halbem Wege; **3.** *carême und die Monatsnamen, sonst m, werden, mit mi verbunden, f*: *la* ~*-carême* Mittfasten *pl.*; *vers la mi-janvier* gegen Mitte Januar.

mi[2] ♪ [~] *m* E *n*; E-Saite *f*.

miam-miam F *enf.* [mjam'mjam]: *faire* ~ nam-nam (*od.* pap-pap) machen.

miau|lement [mjol'mɑ̃] *m* Miauen *n*; **~ler** [~'le] *v/i.* (1a) miauen.

mi-bas [mi'bɑ] *m* (6c) Wadenstrumpf *m*.

mic *dial. Bretagne* [mik] *m* Kaffee *m* mit Schnaps.

mica *géol.* [mi'ka] *m* Glimmer *m*; ~ *blanc* Katzensilber *n*; **~cé** [~'se] *adj.* glimmer-artig, -haltig.

mi-careme [mika'rɛ:m] *f* Mittfasten *pl.*

micaschiste *min.* [mika'ʃist] *m* Glimmerschiefer *m*.

miche [miʃ] *f* rundes Weißbrot *n*.

miché * [mi'ʃe] *m* reicher Galan *m*.

Michel [mi'ʃɛl, *außer in Michel-Ange*] *m* Michael *m*; **~-Ange** [mikɛ'lɑ̃:ʒ] *m* Michelangelo *m*.

micheline 🚋 [miʃ'li:n] *f* Triebwagen *m auf Gummirädern.*
mi-chemin [mi'ʃmɛ̃] *advt.*: *à* ~ auf halbem Wege.
miches * [miʃ] *f/pl.* Hintern *m.*
micheton * [miʃ'tɔ̃] *m* Lebemann *m*; **~neuse** * [~tɔ'nø:z] *f* Straßenpüppchen *n.*
mi-clos [mi'klo] *adj.* (7) halbgeschlossen.
micmac F [mik'mak] *m* Intrige *f*, Schlamassel *m*, Machenschaften *f/pl.*
micocoulier ⚘ [mikɔku'lje] *m* Zürgelbaum *m.*
mi-corps [mi'kɔ:r] *advt.*: *à* ~ bis an den Gürtel.
mi-côte [mi'ko:t] *advt.*: *à* ~ auf halber Höhe.
micro [mi'kro] *m* Mikrophon *n.*
microb|e [mi'krɔb] *m* Mikrobe *f*; F kleiner Wicht *m*; schwächliche kleine Person *f*; **~icide** [~bi'sid] *adj.* mikrobentötend; **~ien** [~'bjɛ̃] *adj.* (7c) Mikroben...
microcéphale [mikrɔse'fal] *adj.* kleinköpfig.
micro-climat [~kli'ma] *m* Mikroklima *n.*
microcoque *biol.* [~'kɔk] *m* Mikrokokkus *m*, Kugelbakterie *f.*
microcosme [~'kɔsm] *m* Mikrokosmus *m*, Welt *f* im Kleinen.
micro-cravate [~kra'vat] *m* (6a) Umhängemikrophon *n.*
microfilm [~'film] *m* Mikrofilm *m*; **~age** [~'ma:ʒ] *m* Aufnahme *f* von Mikrofilmen; **~er** [~'me] *v/t.* (1a) auf Mikrofilm aufnehmen.
microgénique [~ʒe'nik] *adj.* für das Mikrophon geeignet.
micro|graphe ⊕ [~'graf] *m* Storchschnabel *m*, Pantograph *m*; **~lecteur** [~lɛk'tœ:r] *m* Lesegerät *n*; **~mètre** [~'mɛ:trə] *m* Mikrometer *n od. m*; **~métrique** [~me'trik] *adj.* mikrometrisch; **~millimètre** [~mili'mɛ:trə] *m* Mikromillimeter *n od. m.*
micron *phys.* [mi'krɔ̃] *m* Mikron *n.*
micro-pépin *text.* [mikrɔpe'pɛ̃] *m* Miniknirps *m.*
microphone [mikrɔ'fɔn] *m* Mikrophon *n*, Tonempfänger *m.*
microposte *rad.* [~'pɔst] *m* Kleinstempfänger *m.*
micro-réalisation *rl.* [~realiza'sjɔ̃] *f* kleine Mustersiedlung *f.*
microsco|pe [~'skɔp] *m* Mikroskop *n*; **~pique** [~'pik] *adj.* mikroskopisch; *fig.* winzig klein.
microsillon [~si'jɔ̃] *m* Langspielplatte *f.*
microtourisme [~tu'rism] *m* Nahtourismus *m.*
microzoaires *zo.* [~zɔ'ɛ:r] *m/pl.* Infusorien *pl.*, mikroskopische Aufgußtiere *n/pl.*
midi[1] [mi'di] *m* **1.** Mittag *m*, zwölf Uhr; *à* ~ (*besser als* ce ~) um zwölf Uhr (mittags); *à* ~ *précis, à* ~ *sonnant* Schlag zwölf Uhr; ~ *est sonné* es hat gerade Mittag geschlagen; (*à*) ~ *et demi* (um) halb eins; ~ *et quart* Viertel eins; *en plein* ~ am hellichten Tage; *chercher* ~ *à quatorze heures* Schwierigkeiten suchen, wo keine sind; *ne pas chercher* ~ *à quatorze heures* nicht drumherum reden; P *c'est* ~ *sonné* nichts zu machen!; **2.** Süden *m*; *du* ~ südlich; *au* ~ *de* südlich von (*dat.*); **3.** *le* ♀ Südfrankreich *n*; die südlichen Länder *n/pl. Europas*; der Süden *m e-s Landes*; **4.** Sonnen-, Südseite *f*; *appartement m au* ~ nach der Sonnenseite gelegene Wohnung *f.*
midi[2] *Mode* [~] *m* Midilänge *f.*
midinette [midi'nɛt] *f* junge Modistin *f* (*in Paris*).
mie [mi] *f* Krume *f*; P *à la* ~ *de pain* wertlos.
miel [mjɛl] *m* **1.** Honig *m*; *rayon m* (*od. gâteau m*) *de* ~ Honigwabe *f*; **2.** *int. euphém. für „merde!“* Scheibe! (*statt*: Scheiße!); **~lé** [mjɛ'le] *adj. fig.* honigsüß; **~leux** *fig., péj.* [mjɛ'lø] *adj.* (7d) scheinheilig.
mien [mjɛ̃] **I** *pr/poss. adj.* (7c) mir gehörig; *ce livre est le* ~ (*litt. ... est* ~, *mst. ... est à moi*) dieses Buch ist meins *od.* gehört mir; *litt. un* ~ *ami* einer meiner Freunde, ein Freund von mir; **II** *pr/poss. su. le* ~, *la* ~*ne* der, die, das mein(ig)e; *les* ~*s* die meinigen; *vos affaires sont les* ~*es* Ihre Angelegenheiten sind die meinigen; **III** *m*: *le* ~ das Mein(ig)e *n*, mein Eigentum *n*; *ne confondez pas le tien et le* ~ verwechselt nicht mein und dein.
miette [mjɛt] *f* Krümchen *n*; *les* ~*s de pain* die Brosamen *f/pl.*, die Brotkrümel *m/pl.*; *ne lui en donnez qu'une* ~ geben Sie ihm davon nur ein bißchen!
mieux [mjø] **I** *adv.* **1.** besser; mehr; ~ *que tu ne crois* besser als du glaubst; *aller* ~ sich besser befinden; *je vais de* ~ *en* ~ es geht mir immer besser; *je le sais* ~ *que personne* ich weiß es besser als irgend jemand;

je ne demande pas ~ nichts, was ich lieber täte; *tant* ~ um so besser; *d'autant* ~ *que* ... um so besser, als ...; *pour* ~ *dire* richtiger gesagt; *elle a chanté on ne peut* ~ sie hat großartig gesungen; *aimer* ~ ... *que de* ... ... lieber mögen als ...; ~ *encore* ja, noch mehr; *changer en* ~ sich zum Vorteil verändern; *iron. encore* ~! das wäre ja noch schöner!; nun reicht's mir aber!; *v/imp. il vaut* ~ (*auch*: ~ *vaut*) es ist besser; *il vaudrait* ~ *ne pas le faire* man täte es besser nicht; *ce que vous avez de* ~ *à faire, c'est de* ... (*inf.*) Sie können nichts Besseres tun, als ...; *s'attendre à* ~ etwas Besseres erwarten; ~ *que ça* mehr als das; *à qui* ~ ~ um die Wette; **2.** *le* ~ *sup.* am besten; *le* ~ *possible* so gut wie möglich; *voilà ce que j'aime le* ~ das habe ich am liebsten; **II** *m le* ~ das Bessere *n*, das Beste *n*; Besserung *f* im Befinden; *il y a du* ~ es geht etwas besser, es ist Besserung eingetreten; *faire qch. de son* ~ (*od. pour le* ~ *od. au* ~) etwas so gut wie möglich machen; *abs. faire de son* ~ sein möglichstes tun; *faire pour le* ~ die bestmögliche Lösung suchen; *tout est pour le* ~ alles ist in Ordnung *od.* aufs beste eingerichtet; *nous sommes au* ~ wir verstehen uns sehr gut, wir sind die besten Freunde; *en mettant les choses au* ~ im besten (*od.* im günstigsten) Falle, bestenfalls; *faute de* ~ mangels eines Besseren.

mieux-être [mjø'zɛ:trə] *m* höherer Wohlstand *m*, höheres Lebensniveau *n*.

mièvre ['mjɛ:vrə] *adj.* fade (*Buch*); abgeschmackt (*Worte*); manieriert, affektiert, gesucht, geziert (*Stil, Auftreten*); **~rie** [mjɛvrə'ri] *f* Fadheit *f*; Affekthascherei *f*.

mi-figue, mi-raisin [mi'fig, ~rɛ'zɛ̃] *advt.* halb im Scherz und halb im Ernst; mit e-m süßsauren Gesicht; zweideutig.

mi-flot ⚓ [mi'flo] *advt.*: *à* ~ bei Halbgezeit.

mi-frais [mi'frɛ] *advt.*: *à* ~ für die halben Kosten, für den halben Preis.

mignard [mi'ɲa:r] (7) **I** *adj.* affektiert; F niedlich; **II** ★ *su.* Kind *n*; **~ise** [~'di:z] *f* **1.** Ziererei *f*, Affektiertheit *f*; **2.** ~*s pl.* Schmeicheleien *f/pl.*, Liebkosungen *f/pl.*; **3.** ⚘ gefüllte Nelke *f*.

mignon [mi'ɲɔ̃] (7c) **I** *adj.* allerliebst, niedlich; **II** *su.* Liebling *m*; ★ *mv.p.* schwuler Bruder *m*.

mignonne [mi'ɲɔn] *f* **1.** Süße *f*, Liebling *m*, Herzchen *n*; **2.** *typ.* Mignon- *od.* Kolonel-schrift *f*; **3.** ⚘ Birnen- *od.* Pflaumen-sorte *f*.

mignonnette [miɲɔ'nɛt] *f* **1.** *text.* feine Spitze *f*; **2.** gestoßener Pfeffer *m*; **3.** *Art* Nelke *f*; **4.** ⚘ kleine, wilde Chicorée *f*; kleine Nelke *f*; **5.** feiner Kies *m*.

mignoter [miɲɔ'te] *v/rfl.* (1a) *se* ~ sich feinmachen.

migrain|e ⚕ [mi'grɛ:n] *f* Migräne *f*; **~eux** [~grɛ'nø] *adj. u. su.* (7d) an Migräne leidend(er Mensch *m*).

migrant [mi'grɑ̃] **I** *su. soc.* Wanderer *m* (*z.B. Indien*); **II** *adj. travailleur su.* ~ Wanderarbeiter *m*; *Fr.* Gastarbeiter *m*.

migra|teur [migra'tœ:r] *adj.* (7f) wandernd: *oiseaux m/pl.* ~*s* Zugvögel *m/pl.*; **~tion** [~grɑ'sjɔ̃] *f* Wanderung *f*; Zug *m* (*der Vögel*); ~ *des barbares* Völkerwanderung *f*; **~toire** [~'twa:r] *adj.* Wander...

mi-ironique [miirɔ'nik] *adj.* halb ironisch.

mi-jambe [mi'ʒɑ̃:b] *advt.*: *jusqu'à* ~ bis an die Waden.

mijaurée *péj.* [miʒo're] *f* Zierpuppe *f* (*v. Frauen*); *faire la* ~ sich zieren, sich haben F.

mijoter [miʒɔ'te] *v/t.* (1a) **1.** *cuis.* langsam kochen *od.* schmoren lassen; **2.** F *fig.* von langer Hand vorbereiten, *fig. péj.* aushecken.

mil [mil] *adj./n.c.* tausend; ~ *kann bei Jahreszahlen verwendet werden, sofern es sich* n i c h t *um glatte Tausender handelt*: *en l'an* ~ *cinq cent* im Jahre 1500; *aber*: *en l'an deux mille* im Jahre 2000.

mi-laine [mi'lɛ:n] *m u. adj. inv.* Halbwollstoff *m*; halbwollen.

milan[1] *orn.* [mi'lɑ̃] *m* Milan *m*, Weih *m*.

Milan[2] [~] *m* (*auch f*) Mailand *n*.

milanais [mila'nɛ] *adj. u.* ♀ *su.* (7) mailändisch; Mailänder *m*.

mildiou ⚘ [mil'dju] *m* Meltau *m*; **~sé** ⚘ [~'ze] *adj.* vom Meltau befallen.

miliacé ⚘ [milja'se] *adj.* (7) hirsegrasartig.

miliaire ⚕ [mi'ljɛ:r] *adj.* hirsekornartig; *fièvre f* (*od. suette f*) ~ Frieselfieber *n*, Schweißfriesel *m*.

mili|ce [mi'lis] *f* Miliz *f*, Bürgerwehr *f*; **~cien** [~'sjɛ̃] *m* Milizsoldat *m*.

milieu [mi'ljø] *m* (5b) **1.** Mitte *f*;

doigt m du ~ Mittelfinger *m*; *couper par le* ~ mitten durchschneiden; *au* ~ *de* mitten in (*dat. bzw. acc.*), tief hinein in (*acc.*); **2.** *fig.* Mittelweg *m*; *il n'y a pas de* ~ es gibt keinen (anderen) Ausweg; **3.** *fig.* Milieu *n*, Umwelt *f*, Wirkungskreis *m*; ~*x cultivés m/pl.* bessere Kreise *m/pl.*; *dans les* ~*x diplomatiques* in diplomatischen Kreisen; **4.** * *péj. a.* ♀ Unterwelt *f*; **5.** *phys.* Medium *n*, Mittel *n*; **6.** ⚕, ⚗ ~ *de culture* Nährboden *m*.

mili|taire [mili'tɛ:r] **I** *adj.* □ militärisch, soldatisch; Militär...; *les autorités f/pl.* ~*s* die Militärbehörden *f/pl.*; *engin m* ~ Militärflugzeug *n*, -maschine *f*; *port m* ~ Kriegshafen *m*; *préparation f* ~ Wehrsport *m*; *service m* ~ Militärdienst *m*; *à l'heure* ~ pünktlich; **II** *m* **1.** Soldat *m*; *les* ~*s pl.* das Militär; **2.** *litt.* Kommiß *m*; *dans le* ~ beim Kommiß; **~tance** *pol.* [~'tɑ̃:s] *f* kämpferische Bewegung *f*; **~tant** [~'tɑ̃] (7) **I** *adj.* kämpferisch; streitbar; politisch aktiv; **II** *m* Vorkämpfer *m*; aktiver Politiker *m*; **~tantisme** [~tɑ̃'tism] *m* kämpferischer Geist *m*; **~tarisation** [~tarizɑ'sjɔ̃] *f* Militarisierung *f*; **~tariser** [~tari'ze] *v/t.* (1a) militarisieren; **~tarisme** [~ta'rism] *m* Militarismus *m*; **~tariste** [~ta'rist] **I** *adj.* militaristisch; **II** *m* Militarist *m*; **~ter** [~'te] *v/i.* (1a) kämpfen, politisch aktiv sein, sich einsetzen (*pour* für *acc.*, *contre* gegen *acc.*); *cela milite en sa faveur* das spricht für ihn.

mille[1] [mil] (*pl. ohne s!*) **I** *adj./n.c.* tausend; ~ *fois* tausendmal; *de* ~ *façons* (*od. manières*) auf tausenderlei Art; ~ *remerciements* tausend Dank; ~ *et* ~ tausend und aber tausend; *les* ♀ *et une nuits* Tausendundeine Nacht; *en l'an* ~ im Jahre 1000; **II** *m* Tausend *n*; Tausender *m*; *fig. mettre dans le* ~ den richtigen Treffer machen.

mille[2] [~] *m* (*pl.* ~*s*) Meile *f*; ~ *carré* Quadratmeile *f*; ~ *marin* Seemeile *f*.

mille-feuille ♀ [mil'fœj] *f* Schafgarbe *f*.

millefeuille *pât.* [~] *m* Blätterteigkuchen *m*.

millénaire [mille'nɛ:r] **I** *adj.* tausendjährig; **II** *m* a) Jahrtausend *n*; b) Tausendjahrfeier *f*.

mille|-pattes *zo.* [mil'pat] *m* Tausendfüßler *m*; **~-pertuis** ♀ [~pɛr'tɥi] *m* (6c) Johanniskraut *n*.

millépore *zo.* [mile'pɔ:r] *m* Punktkoralle *f*.

mille-raies *text.* [mil'rɛ] *m* feingestreifter Stoff *m*.

millerandage *vit.* [milrɑ̃'da:ʒ] *m* Samenbruch *m*.

millésime [mille'zim] *m* Jahrgang *m* (*Wein*; *Banknoten*).

millet ♀ [mi'jɛ] *m* Hirse *f*.

milliaire *antiq.* [mil'jɛ:r] *adj. u. m u. a. pierre f* (*od. borne f*) ~ Meilenstein *m*.

milliard [mil'ja:r] *m* Milliarde *f*; **~aire** [~jar'dɛ:r] *adj. u. su.* Milliardär *m*.

millibar *météo.* [mili'ba:r] *m* Millibar *n*.

milli|ème [mi'ljɛ:m] **I** *adj./n.o.* (*auch su.*) tausendst-er, -e, -es; **II** *m* Tausendstel *n*; **~er** [mi'lje] *n* Tausend *n*; *des* ~*s d'hommes* Tausende und aber Tausende von Menschen; *par* ~*s* zu Tausenden; **~gramme** [milli'gram] *m* Milligramm *n*; **~litre** [milli'litrə] *m* Milliliter *n*; **~mètre** [~'mɛ:trə] *m* (*abr. mm*) Millimeter *n*.

million [mi'ljɔ̃] *m* Million *f*; **~naire** [~jɔ'nɛ:r] *adj. u. su.* Millionär *m*.

millirem *at.* [mili'rɛm] *m* Millirem *n* (*strahlenbiologische Maßeinheit*).

millivolt ⚡ [milli'vɔlt] *m* Millivolt *n*.

milouin *orn.* [mi'lwɛ̃] *m* Moor- *od.* Tafel-ente *f*.

mi-marée ⚓ [mima're] *f* Halbgezeit *f*.

mi-mars [mi'mars] *f*: *jusqu'à la* ~ bis Mitte März.

mi|me [mi:m] *m* Mimiker *m*; **~mer** [mi'me] *v/t.* (1a) **1.** pantomimisch darstellen; **2.** nachäffen.

mimétisme [mime'tism] *m biol.* Mimikry *f*, Schutzfärbung *f von Tieren u. Pflanzen*; *allg.* Nachahmungstrieb *m*.

mimi *enf.* [mi'mi] *m* **1.** Mieze *f*, Mimi *f* (*Katze*); **2.** Küßchen *n*; *faire* ~ *à q.* j-m ein Küßchen geben.

mimique [mi'mik] **I** *adj.* mimisch; **II** *f* Mimik *f*, Mienenspiel *n*.

mimologie [mimɔlɔ'ʒi] *f* Stimmenimitation *f*.

mi-mort [mi'mɔ:r] *adj.* (7) halbtot.

mimosa ♀ [mimo'za] *m* Mimose *f*.

minable [mi'nablə] *adj.* kümmerlich.

minage [mi'na:ʒ] *m* **1.** ⚔ Verminung *f e-s Hafens*; **2.** *allg.* Sprengarbeiten *f/pl.*

minaret [mina'rɛ] *m* Minarett *n*.

minaud|er [mino'de] *v/i.* (1a) sich zieren, schöntun; **~erie** [~'dri] *f* Ziererei *f*; **~ier** [~'dje] *m* Zieraffe *m*; **~ière** [~'djɛ:r] *f* Zierpüppchen *n*.

mince [mɛ̃:s] **I** *adj.* □ **1.** dünn (*Scheibe Fleisch; Papier; Metall*); des *lèvres f/pl.* ~s schmale Lippen *f/pl.*; **2.** *fig.* unbedeutend, gering; fadenscheinig (*Vorwand*); **II** P *int.* ~ (*alors*)! verdammt (nochmal)!; ~ *de* ...! was für ein ...!

minceur [mɛ̃'sœ:r] *f* Dünne *f*; Schlankheit *f*.

mine[1] [min] *f* **1.** Miene *f*, Gesichtsausdruck *m*, Aussehen *n*; *avoir bonne* (*mauvaise*) ~ gut (schlecht) aussehen; F *iron. avoir bonne* ~ sich blamieren; *faire bonne* (*grise*) ~ *à q.* j-n freundlich (unfreundlich *od.* mürrisch) empfangen; *faire la* ~ (*à q.* mit j-m) schmollen; *faire* ~ *de* ... so tun als ob ...; *ne pas payer de* ~ nach nichts aussehen, arm aussehen; F ~ *de rien* ganz unauffällig; **2.** ~*s pl.* Mienenspiel *n*; *péj.* Getue *n*, Gehabe *n*; *faire des* ~*s* sich zieren.

mine[2] [~] *f* **1.** ⚒ (Erz-, Kohlen-) Grube *f*, Bergwerk *n*, Zeche *f*, Mine *f* (*a.* ⚔); ⚔ ~ *aérienne* Luftmine *f*; ⚔ ~ *flottante*, ~ *dérivante* Treibmine *f*; Seemine *f*; ⚒ ~ *de pétrole* (Öl-)Bohrschacht *m*; *exploitation f des* ~*s* Bergbau *m*; *ingénieur m des* 2*s* Bergbauingenieur *m*; *École f des* 2*s* Bergakademie *f*; **2.** ~ *de plomb* Bleimine *f*; ~ *de rechange*, ~ *de réserve* Ersatzmine *f* (*e-s Drehbleistiftes*); **3.** *fin. valeurs f/pl.* de ~*s et métallurgie* Montanwerte *m/pl.*

miner [mi'ne] *v/t.* (1a) ⚔ verminen; *fig.* (unter)minieren, untergraben; aushöhlen, unterspülen; *bsd. im Passiv*: *pol.* unterwandern; *fig.* verzehren, aufreiben.

minerai [min'rɛ] *m* Erz *n*; ~ *cru* Roherz *n*; ~ *d'uranium* Uranerz *n*; *riche en* ~ erzreich.

minéral [mine'ral] (5c) **I** *adj.* mineralisch; *règne m* ~ Mineralreich *n*; *ressources f/pl.* ~*es* Bodenschätze *m/pl.*; *eau f* ~*e* Mineralwasser *n*; **II** *m* (5c) Mineral *n*, Gestein *n*; *collection f de minéraux* Steinsammlung *f*.

minéralis|ateur *géol.* [mineraliza'tœ:r] **I** *adj.* (7f) mineralbildend, vererzend; **II** *m* Vererzungsstoff *m*; **~ation** [~za'sjɔ̃] *f* **1.** Mineralgehalt *m*; **2.** Zufuhr *f* von Mineralsalzen, Vererzung *f*; **~er** [~'ze] (1a) **I** *v/t.* mineralisieren, Mineralsalze zuführen (*dat.*), vererzen; **II** *v/rfl.* *se* ~ fest (*od.* hart) werden.

minéralo|gie [mineralɔ'ʒi] *f* Mineralogie *f*, Gesteinskunde *f*; **~gique** [~'ʒik] *adj.* mineralogisch; **~giste** [~'ʒist] *m* Mineraloge *m*.

minerv|al *antiq.* [minɛr'val] *adj.* (5c) die Göttin Minerva betreffend; **~e** *typ.* [~'nɛrv] *f* Abziehpresse *f*.

minet [mi'nɛ] *su.* (7c) Kätzchen *n*; F *fig.* ~ *m* Geck *m*; ~te *f* süße Puppe *f*, Modepuppe *f*.

minette [mi'nɛt] *f géol.* Minette *f* (*Erz*).

mineur[1] [mi'nœ:r] **I** *adj. cmpr.* zweitrangig; *arts m/pl.* ~*s* Kunstgewerbe *n*; *l'Asie* 2*e* Kleinasien *n*; ♪ *sixte f* ~*e* kleine Sexte *f*; *mode m* ~, *ton m* ~ Moll(ton *m*) *n*; **II** *adj. u. su.* ⚖ minderjährig; Minderjährige(r) *m*.

mineur[2] [~] *m* (7g) **1.** ⚒ Bergmann *m*, Grubenarbeiter *m*; **2.** ⚔ Minenleger *m*.

mingrélien *ling.* [mɛ̃gre'ljɛ̃] *adj.* mingrelisch (*mit dem Georgischen verwandt*).

mini [mi'ni] *m* Minimode *f*.

miniatu|re [minja'ty:r] *f* Miniaturbild *n*; *en* ~ im kleinen; **~risation** *bsd.* ⊕ [~riza'sjɔ̃] *f* Verkleinerung *f*; **~riste** [~'rist] *adj. u. su.* (*peintre m*) ~ Miniaturmaler *m*.

mini-bicyclette [minibisi'klɛt] *f* Kleinfahrrad *m*.

minibus [mini'bys] *m* Kleinbus *m*.

mini-cassette [minika'sɛt] *f* kleine Tonband- *bzw.* Film-kassette *f*.

mini|er ⚒ [mi'nje] *adj.* (7b): *richesses minières* Bodenschätze *m/pl.*; *industrie f minière* Montanindustrie *f*; *fin. valeurs f/pl. minières* Montanwerte *m/pl.*; **~ère** ⚒ [~'njɛ:r] *f* Grube *f* im Tagebau.

mini-jupe *Mode* [mini'ʒyp] *f* Minirock *m*.

minilâtre F [mini'lɑ:trə] *adj.* (*u. su.*) auf Minimode erpicht.

mini|ma [mini'ma] *adj./f*: ⚘ *la ration* ~ die Mindestration; *puissance f* ~ Mindestleistung *f*; **~mal** *météo.* [~'mal] *adj.* (5c) Tiefst...; **~me** [mi'ni:m] **I** *adj.* geringfügig, winzig, sehr klein; **II** *pl.*: *les* ~*s* *Sport*: die Jüngsten *m/pl.* (*im Alter von 14—16 Jahren*); **~miser** [~mi'ze] *v/t.* (1a) bedeutend herabmindern, auf ein Mindestmaß beschränken; verniedlichen, verharmlosen, bagatellisieren; **~mum** [~'mɔm] **I** *m a.* ♈ Minimum *n*; ~ (*barométrique*) Tiefdruckgebiet *n*; ~ *de perception* Mindestgebühr *f*; *au* ~ mindestens; ~ *vital* Existenzminimum *n*; **II** *adj. inv.* Mindest...;

~-short [~'ʃɔrt] *m* Minishorts *pl.* *für (junge) Damen.*
ministère [minis'tɛ:r] *m* **1.** Ministerium *n*; ~ *des Affaires étrangères* Außenministerium *n* (*All.* Auswärtiges Amt *n*); ~ *de l'Intérieur* Innenministerium *n*; *Fr.* ~ *de la Condition féminine* Ministerium *n* für Frauenfragen; ~ *de l'Éducation nationale* Unterrichtsministerium *n*; **2.** Amt(szeit *f*) *n e-s Ministers*; *rl.* ~ *des autels od. saint* ~ Altardienst *m*, Priesteramt *n*; **3.** ~ *public* Staatsanwaltschaft *f*.
ministériel [ministe'rjɛl] *adj.* (7c) ministeriell; *crise f* ~*le* Kabinettskrise *f*.
ministrable [mini'strablə] *adj.* *un parlementaire* ~ *od. m un* ~ ein (Abgeordneter, der) Anwärter auf e-n Ministerposten (ist).
ministre [mi'nistrə] *m* **1.** Minister *m* (*m in beiden Sprachen auch, wenn es sich um e-e Frau handelt*); *premier* ~ Ministerpräsident *m*, Premierminister *m*; ~ *des Affaires étrangères* Außenminister *m*; ~ *du Commerce* Handelsminister *m*; ~ *de l'Éducation nationale* Unterrichtsminister *m*; ~ *des Finances* Finanzminister *m*; ~ *de l'Intérieur* Innenminister *m*; ~ *de la Justice* Justizminister *m*; ~ *de carrière* Fachminister *m*; ~ *sans portefeuille* Minister *m* ohne Portefeuille (*od.* ohne Geschäftsbereich); *le Conseil des* ~*s* der Ministerrat; *papier m* ~ Kanzleipapier *n*; **2.** *pol.* ~ (*plénipotentiaire*) Gesandte(r) *m*; **3.** *rl.* evangelischer Pfarrer *m*.
minium [mi'njɔm] *m* Mennige *f*.
mini-vélo [minive'lo] *m* Kleinfahrrad *n*.
minois [mi'nwa] *m* Gesichtchen *n*; *joli* ~ niedliches Ding *n*.
minoritaire *pol.* [minɔri'tɛ:r] *adj.* Minderheits...
minorité [minɔri'te] *f* **1.** Minorität *f*, Minderheit *f*; **2.** ⚖ Minderjährigkeit *f*.
Minorque *géogr.* [mi'nɔrk] *f*: **la** ~ [Minorka *n*.]
mino|terie [minɔ'tri] *f* Mehlfabrik *f*; ✝ Mehlhandel *m*; ~-*provenderie f* Mischfuttermüllerei *f*; **~tier** [~'tje] *m* Mühlenbesitzer *m*.
minou F *enf.* [mi'nu] *m* Mieze *f*.
minoye * [mi'nwa] *m* Mitternacht *f*.
minque *dial.* *Belgien, Le Havre* [mɛ̃:k] *m* Fischmarkt *m*.
minuit [mi'nɥi] *m* Mitternacht *f*; ~ *sonnant* Punkt Mitternacht; *à* ~ um Mitternacht; *à* ~ *et demi* um halb eins nachts.
minus F [mi'nys] *m* Dussel *m*.
minuscul|e [minys'kyl] *adj.* sehr klein, winzig; *a. f*: (*lettre f*) ~ kleiner Buchstabe *m*; **~ite** [~'lit] *f* Sucht, alles klein zu schreiben.
minutage [miny'ta:ʒ] *m* genauer Zeitplan *m*.
minu|te [mi'nyt] **I** *f* **1.** Minute *f*; *d'une* ~ *à l'autre* jeden Augenblick; *à la* ~ sofort, auf der Stelle; *homme m à la* ~ sehr pünktlicher Mensch *m*; *int.* ~! e-n Moment mal!, halt!; **2.** ⚖ Urschrift *f*; **II** F *adjt. cuis.* sehr schnell zubereitet; Schnell...; **~ter** [~'te] *v/t.* (1a) **1.** ⚖ abfassen; **2.** die Dauer (*e-r Arbeit, e-s Rundfunkvortrages usw.*) genau festlegen; **~terie** [~'tri] *f* **1.** *horl.* Schaltuhr *f*; **2.** automatische Treppenbeleuchtung *f*, Treppenautomat *m*.
minu|tie [miny'si] *f* Sorgfalt *f*, Gründlichkeit *f*, peinliche Genauigkeit *f*; **~tieux** [~'sjø] *adj.* (7d) peinlich genau, sorgfältig.
miocène *géol.* [mjɔ'sɛ:n] **I** *adj.* miozän; **II** *m* Miozän *n*.
mioche F [mjɔʃ] *m* Steppke *m*; ~*s pl.* Gören *n/pl.*
mi-pente [mi'pɑ̃:t] *advt.*: *à* ~ auf halbem Abhang.
mirabelle ⚘ [mira'bɛl] *f* Mirabelle *f*.
mira|cle [mi'rɑ:klə] *m* **1.** Wunder *n*; Wunderwerk *n*; ~ *économique* Wirtschaftswunder *n*; **2.** *thé., hist. litt.* Mirakelspiel *n* (*religiöses Drama*); **~culé** [~raky'le] *su.* durch ein Wunder Geheilte(r) *m*; **~culeux** [~raky'lø] (7d) **I** *adj.* Wunder..., übernatürlich, wundertätig; **II** *m das* Wunderbare *n*.
mirador [mira'dɔ:r] *m* **1.** Aussichtsturm *m*; **2.** ⚔ Wachtturm *m*.
mirage [mi'ra:ʒ] *m* Luftspiegelung *f*; Fata Morgana *f*; Durchleuchten *n* (*v. Eiern*); *fig.* Trugbild *n*.
mire [mi:r] *f* **1.** ⚔ Richt-, Visierkorn *n*; *cran m de* ~ Visierkimme *f*; *point m de* ~ Ziel(punkt *m*) *n*; Zielscheibe *f des Spottes usw.*; *télév.* ~ *de réglage* Testbild *n*; **2.** ⚠ Meßlatte *f*.
miré *ch.* [mi're] *adj.*: *sanglier m* ~ Keiler *m* mit langen Hauern.
mire-œufs ⚡ [mi'rø] *m/inv.* Eierprüfgerät *n*.
mirer [mi're] *v/t.* (1a) durchleuchten (*Eier*).
mirette * [mi'rɛt] *f* Auge *n*.
mirifique F, *oft iron.* [miri'fik] *adj.* großartig, phantastisch.

mirliflore *plais.* [~li'flɔ:r] *m* Geck *m.*
mirliton [mirli'tɔ̃] *m* **1.** ♪ Pappflöte *f* (*Jahrmarkt*); **2.** 🚂 Vorwarnschild *n*, Bake *f.*
miro * [mi'ro] *adj.* kurzsichtig.
mirobolant F [mirɔbɔ'lɑ̃] *adj.* (7) fabelhaft, ganz groß F, einzigartig.
miroir [mi'rwa:r] *m* **1.** (kleiner) Spiegel *m*; Spiegelfläche *f*; ✈ ~ *d'appontage* Landungsspiegel *m* (*Flugzeugträger*); ~ *ardent* Brennspiegel *m*; ~ *à barbe* Rasierspiegel *m*; ~ *concave* Hohlspiegel *m*; ~ *déformant* Vexierspiegel *m*; ~ *magique* Zauberspiegel *m*; ~ *héliographique* ⚓ Signalisierspiegel *m*; *œufs m/pl. au* ~ Spiegeleier *n/pl.*; **2.** *fig.* Spiegelbild *n*, Abbild *n.*
miroir-de-Vénus ⚘ [mi'rwa:r də ve'nys] *m* Glockenblume *f.*
miroi|té [mirwa'te] *adj.*: *cheval m* ~ rotbraunes Pferd mit glänzenden Flecken auf der Kruppe; **~tement** [~t'mɑ̃] *m* Schillern *n*, Spiegelung *f*; **~ter** [~'te] (1a) *v/i.* spiegeln, glänzen, glitzern, schillern; *fig. faire* ~ *qch. aux yeux de q.* j-m etw. vorspiegeln (*od.* vormachen F); **~terie** [~'tri] *f* ⊕ Spiegel-fabrik *f*, † -handel *m*; **~tier** [~'tje] *su.* (7b) Spiegelfabrikant *m*, -händler *m.*
miron|ton, **~taine** [mirɔ̃'tɔ̃, mirɔ̃-'tɛn] *int.* valle'ri, valle'ra.
miroton [mirɔ'tɔ̃] *m cuis.* Rindragout *n* mit Zwiebeln u. Gewürzen.
misaine ⚓ [mi'zɛ:n] *f* Focksegel *n*; *mât m de* ~ Fockmast *m.*
misanthro|pe [mizɑ̃'trɔp] *m u. adj.* Menschen-feind *m*, -hasser *m*, Misanthrop *m*; menschen-scheu, -feindlich; **~pie** [~'pi] *f* Menschen-haß *m*, -scheu *f*; **~pique** [~'pik] *adj.* menschenfeindlich, misanthropisch.
miscellanées [misɛlla'ne] *f/pl.* vermischte Aufsätze *m/pl.*
miscib|ilité [misibili'te] *f* Vermischbarkeit *f*; **~le** [~'siblə] *adj.* (ver)mischbar.
mise [mi:z] *f* **1.** Setzen *n*, Stellen *n*, Versetzen *n in e-n Zustand*; ~ *à l'eau* Stapellauf *m*; Auslegen *n od.* Aussetzen *n* (*e-s Bootes*); ~ *à pied* Entlassung *f*; ⚖ ~ *en accusation* Anklageerhebung *f*; Absetzungsverfahren *n*; *fin.* ~ *en circulation* Inkurssetzung *f*; ~ *en compte* Anrechnung *f*; ~ *au concours* Ausschreibung *f* e-s Wettbewerbs; ⚡ ~ *sous courant*, ~ *sous tension* Unterstromsetzen *n*, An-, Ein-, Durchschaltung *f*; *la* ~ *sur* (*od.* *en*) *ordinateur des comptes de la banque* die Umstellung der Bankkonten auf Computer; ~ *sur pied* Zustandekommen *n*; ⚔ ~ *sur pied d'une armée* Aufstellung *f* e-s Heeres; ~ *en exploitation* Erschließung *f e-s Landes*; ⚔ ~ *à feu* Zündung *f*; ~ *en garde* Warnung *f*; ~ *en jeu* Einsatz *m*, Aufbietung *f* (*aller Kräfte*); *Sport*: Einwerfen *n des Fußballs*; ~ *au net* Reinschrift *f*; ~ *au pas fig.* Gleichschaltung *f*; ~ *au point* Einstellen *n des Fernrohrs*; *fig.* Richtigstellung *f*; ⊕ Entwicklung *f*; Nachregulierung *f*, (nochmalige) Überarbeitung *f*; *phot.* ~ *au point nette* Scharfeinstellung *f*; ~ *à la retraite* Versetzung *f* in den Ruhestand; ~ *à sac* Plünderung *f*; *fig.* ⚡ ~ *à la terre* Erdanschluß *m*, Erdung *f*; ~ *au tombeau* Grablegung *f*; ~ *en action* Ausführung *f*, Betätigung *f*; ~ *en chantier*, ~ *sur cale* Kiellegung *f*; ~ *en disponibilité* Zurverfügungstellung *f*; ~ *en état* Versetzung *f* in e-e Lage; ~ *en liberté* Freilassung *f*; ~ *en ligne* Einsatz *m*; ~ *en marche*, ~ *en mouvement* Inbetriebsetzung *f*, Anlassen *n*, Anlauf *m*, Start *m*; *bsd.* ✈ Anwerfen *n*; ~ *en œuvre* Aus-, Durch-führung *f*; ⚒ Verhüttung *f v. Erzen*; *typ.* ~ *en pages* Umbruch *m*; ~ *bas* Werfen *n* (*v. Tieren*); ~ *hors de combat* Knockout *n*; *rad.* ~ *en ondes* Funkbearbeitung *f*, Zs.-stellung *f*; ~ *en place* Durchführung *f*; ~ *en plis* Wasserwelle *f* (*Haarfrisur*); ~ *en pratique* Anwendung *f*; *thé.*, *fig.* ~ *en scène* Inszenierung *f*, *thé.* Regie *f*; ~ *en scène judiciaire* Schauprozeß *m*; ~ *en train* Ingangsetzen *n*; Einarbeiten *n*; *bsd.* †, *éc.* Ankurbelung *f*; ~ *en œuvre*, ~ *en main*, ~ *en pratique* Inangriffnahme *f*; Durchführung *f*; ~ *en contact* Zusammenfügung *f*; ~ *en valeur* Auswertung *f*; Erschließung *f* (*v. Baugelände*); ~ *en vente* Verkaufsangebot *n*; ~ *hors la loi* Achterklärung *f*; ~ *hors de marche* Stillegen *n*; ~ *hors de service* Außerbetriebsetzung *f*, Stillegung *f*; **2.** Art *f*, sich zu kleiden; *avoir une* ~ *soignée* adrett gekleidet sein; **3.** *Spiel*: Einsatz *m*; † Einlage *f*; *fig.* ~ *à mort* Todeseinsatz *m*; **4.** Gebot *n bei Versteigerungen*; **5.** *fig.* Gangbarkeit *f*: *ne pas être de* ~ nicht üblich sein, unpassend sein.
mi-septembre [misɛp'tɑ̃:brə] *f*: *vers la* ~ etwa Mitte September.

miser [mi'ze] (1a) **I** *v/t.* einsetzen (*beim Spiel*); **II** *v/i.* ~ *sur un cheval* auf ein Pferd setzen; *fig.* ~ *sur soi-même* auf sich selbst bauen.

misérabiliste *litt.* [mizerabi'list] *adj.*: *tradition f* ~ auf das Elend der Menschheit bezogene Tradition *f.*

misérable [mize'rablə] **I** *adj.* □ **1.** bedauernswert; notleidend; sehr arm; **2.** kümmerlich, miserabel, wertlos; **II** *su.* **3.** Elende(r) *m*, Hilfsbedürftige(r) *m*; **4.** *péj.* Dummkopf *m*; **5.** *plais. petit* ~! du Racker!

misère [mi'zɛ:r] *f* **1.** Elend *n*, Not *f*, Misere *f*, Notlage *f*; ~*s f/pl.* Kümmernisse *f/pl.*, Plagen *f/pl.*, Leiden *n/pl.*; *faire des* ~*s à q.* j-n schikanieren; *tomber dans la* ~ verarmen; **2.** Bagatelle *f*, Kleinigkeit *f*, Lappalie *f*; **3.** ⚘ Dreimasterblume *f*, Tradeskantie *f.*

miséreux [mize'rø] *adj. u. su.* (7d) arm, bedürftig; armer Teufel *m.*

miséri|corde [mizeri'kɔrd] *f* Barmherzigkeit *f*, Erbarmen *n*; ~! Herr des Himmels!; *faire* ~ *à q.* sich j-s erbarmen; *préférer* ~ *à justice* Gnade vor Recht ergehen lassen; *rl. œuvres f/pl. de* ~ Liebeswerke *n/pl.*; **~cordieux** [~kɔr'djø] (7d) **I** *adj.* □: ~ *envers* barmherzig gegen (*acc.*); **II** *su.* Barmherzige(r) *m.*

misogyn|e [mizɔ'ʒin] **I** *adj.* frauenfeindlich; **II** *m* Frauenfeind *m*; **~ie** [~'ni] *f* Haß *m* gegenüber den Frauen.

mi-soie [mi'swa] *adjt.* halbseiden.

misonéisme [mizɔne'ism] *m* Haß *m* gegen alles Neue.

missel *rl.* [mi'sɛl] *m* Meßbuch *n.*

missile ⚔ [mi'sil] *m* (Kampf-)Rakete *f*; ~ *sol-air* Boden-Luft-Rakete *f*; ~ *à objectifs multiples* Mehrzielrakete *f.*

mission [mi'sjɔ̃] *f* **1.** Auftrag *m*, Aufgabe *f*; *se donner pour* ~ *de* (*inf.*) sich zur Aufgabe stellen zu (*inf.*); **2.** Sendung *f fig.*; **3.** *pol. a. rl.* Mission *f*; **~naire** [~sjɔ'nɛ:r] *m* Missionar *m.*

missive [mi'si:v] *f* Brief *m.*

misti(gri) [mis'ti, ~'gri] *m* F Mieze *f*; *Art* Kartenspiel *n*; Kreuzbube *m* (*in diesem Spiel*).

mistoufle * [mis'tuflə] *f* Misere *f*; *faire des* ~*s à q.* j-m übel mitspielen (*od.* hart zusetzen).

mistral [mis'tral] *m* Mistral *m.*

mitaine [mi'tɛ:n] *f* fingerloser (Arbeits-)Handschuh *m.*

mitard * [mi'ta:r] *m* Einzelarrest *m.*

mi|te *ent.* [mit] *f* Motte *f*; ~ *du fromage* Käsemilbe *f*; **~té** [mi'te] *adj.* von Motten angefressen.

mi-temps [mi'tɑ̃] *f* (6c) *Sport*: Halbzeit *f*; *allg. travail m à* ~ Halbtagsarbeit *f.*

miteux F [mi'tø] (7d) **I** *adj.* ärmlich; mies F; **II** *m* armer Schlucker *m.*

mithridatis|er *litt.* [mitridati'ze] *v/t.* (1a) gegen Gifte immunisieren; **~me** ⚕ [~'tism] *m* Immunität *f* gegen Gifte.

miti|gation ⚖ [mitiga'sjɔ̃] *f* Strafmilderung *f*; **~gé** [~'ʒe] gemäßigt; *abus.* gemischt.

miton [mi'tɔ̃] *m* Pulswärmer *m*; **~ner** [~tɔ'ne] (1a) **I** *v/i.* **1.** langsam kochen; **II** *v/t.* **2.** *cuis.* bei geringer Hitze kochen lassen; *weitS.* mit Liebe zubereiten; **3.** ~ *une affaire* e-e Sache geschickt in die Wege leiten.

mitoyen [mitwa'jɛ̃] *adj.* (7c) in der Mitte befindlich; Mittel...; Grenz-...; *fossé m* ~ Grenzgraben *m*; *clôture f* ~*ne* Zwischenzaun *m*; △ *mur m* ~ Brandmauer *f*; **~neté** [~jɛn'te] *f* ⚖ Grenzgemeinschaft *f*, mittlere Lage *f* zwischen zwei Grundstücken; *allg.* Mittellage *f.*

mitrail|lade ⚔ [mitra'jad] *f*, **~lage** ⚔ [~'ja:ʒ] *m* Beschuß *m*, Beschießung *f*; **~le** [mi'tra:j] *f* **1.** ⚔ *heute nur noch*: *sous la* ~ unter Artillerie-beschuß *m*, -feuer *n*; **2.** F Kleingeld *n*; **~ler** ⚔ [~tra'je] *v/t.* (1a) **1.** mit MG-Feuer belegen; **2.** *fig.* bombardieren (*mit Kirschkernen, Fragen*); **3.** F *fig.* filmen; bedrängen; **~lette** ⚔ [~'jɛt] *f* Maschinenpistole *f*; **~leur** ⚔ [~'jœ:r] *m* MG-Schütze *m*; **~leuse** ⚔ [~'jø:z] *f* Maschinengewehr *n*, MG *n.*

mitre ['mi:trə] *f* **1.** *rl.* Bischofsmütze *f*; **2.** Schornsteinaufsatz *m.*

mitron [mi'trɔ̃] *m* **1.** Bäckergeselle *m*; **2.** △ Kappenziegel *m.*

mi-voix [mi'vwa] *advt.*: *à* ~ halblaut.

mi-volée *Sport* [mivɔ'le] *f* (6d) *Tennis*: Halbflugball *m.*

mixage [mik'sa:ʒ] *m cin.* Mischen *n*; *rad.* Geräuschmischen *n.*

mixer [mik'sœ:r] *m* **1.** *cuis.* Mixer *m*; **2.** *rad.* Mischregler *m.*

mixité [miksi'te] *f* Koedukation *f.*

mix|te [mikst] *adj.* gemischt; ⚔ kombiniert, zusammengesetzt; 🚂 *train m* ~ gemischter Zug *m*; *éducation f* ~ Koedukation *f*; **~tion** *phm.* [miks'tjɔ̃] *f* Mixtur *f*; **~ture**

[~'ty:r] *f* **1.** *phm.* Mixtur *f*; **2.** *péj. cuis., fig.* Mischmasch *m.*

mnémonique 🕮 [mnemɔ'nik] *adj.* gedächtnismäßig.

mnémotechnique [~tɛk'nik] **I** *adj.* mnemotechnisch; **II** *f* Mnemotechnik *f.*

mobi|le [mɔ'bil] **I** *adj.* **1.** beweglich, verstellbar, drehbar, fahrbar, lose; gleitend (*Lohnskala usw.*); *fig.* lebhaft; *esprit m* ~ unruhiger Geist *m*; **2.** ⚔ *Fr. la garde* ~ die kasernierte Bereitschaftspolizei; **II** *m méc.* beweglicher Körper *m*; Mobile *n* (*Kunst*); ⊕ Triebrad *n in Uhren*; *fig.* Motiv *n*, Anlaß *m*, Beweggrund *m*; **~lier** [~'lje] **I** *adj.* (7b) beweglich; aus beweglichen Gütern bestehend; ⚖ Mobiliar...; **II** *m* Mobiliar *n*, Hausrat *m*, Wohnungseinrichtung *f*; **~lisable** [~li'zablə] *adj.* wehrfähig, mobilisierbar; *non* ~ unabkömmlich; **~lisation** [~liza'sjɔ̃] *f* Mobilmachung *f*; *fig.* Aufbringen *n*, Bereitstellen *n*, Flüssigmachen *n von Kapitalien*; ~ *policière* Polizeiaufgebot *n*; **~liser** [~li'ze] *v/t.* (1a) **1.** ⚖ *u.* ✝: ~ *un capital* ein Kapital flüssigmachen; **2.** ⚔, *fig.* mobilisieren, mobil machen; *fig.* zum Einsatz bringen; **~lité** [~li'te] *f* Beweglichkeit *f*; *fig.* Unstetigkeit *f*, Ruhelosigkeit *f*, Veränderlichkeit *f*, Unbeständigkeit *f.*

mobylette [mɔbi'lɛt] *f* Mofa *n*, [Moped *n.*]

mocassin [~ka'sɛ̃] *m* Mokassin *m.*

mochard F [mɔ'ʃa:r] *adj.* ziemlich häßlich (*od.* mies F).

moche F [mɔʃ] *adj.* häßlich; mies, schlecht; schofel; kitschig.

mocheté F *péj.* [mɔʃ'te] *f* Vogelscheuche *f*, Nachteule *f* (*v. e-r Frau*).

modal ⚖, *gr., phil.,* ♪ [mɔ'dal] *adj.* (5c) modal; **~ité** [~li'te] *f* Modalität *f*, Art *f*; ♪ Tonart *f*; ⚖ Bestimmung *f*, Modalität *f*, Bedingung *f.*

mode [mɔd] **I** *m* **1.** Art *f* und Weise *f*, Form *f*, Methode *f*; ~ *d'emploi* Gebrauchsanweisung *f*; ✝ ~ *de paiement* Zahlungs-art *f*, -weise *f*; **2.** ♪ Tonart *f*; **3.** *gr.* Modus *m*; **II** *f* **4.** Mode *f*, Sitte *f*, Geschmack(srichtung *f*) *m*; *à la* ~ modern, modisch, beliebt; *à la dernière* (*od. nouvelle*) ~ neumodisch; *la* ~ *rétro* die nostalgiebetonte Mode; *il est de* ~ ... die Mode bringt es mit sich, ...; *passé de* ~ unmodern, altmodisch; *cuis. bœuf m* ~ Schmorbraten *m*; **5.** ~*s pl.* Modewaren *f/pl.*

modelage [mɔd'la:ʒ] *m* Modellieren *n*; ⊕ Herstellung *f* von Modellen; modellierte Figur *f.*

modèle [mɔ'dɛl] *m* **1.** Muster *n*; Vorlage *f*; Modell *n*, Typ *m*, Bauart *f*; ~ *d'avion* Flugzeugmodell *n*; ~ *déposé* Gebrauchsmuster *n*; *servir de* ~ als Muster dienen; **2.** *peint.* Modell *n*; *faire le métier de* ~ Modell stehen; **3.** *fig.* Vorbild *n*, Muster *n*; *prendre* ~ *sur q., prendre q. pour* ~ sich j-n zum Vorbild nehmen; *c'est un* ~ (*de vertu*) er ist ein wahrer Ausbund von Tugend; *école f* ~ Musterschule *f*; *élève m* ~ Musterschüler *m*; *État m* ~ Musterstaat *m*; *ferme f* ~ Musterlandwirtschaft *f.*

mode|lé [mɔd'le] *m* Modellierung *f*, Gestaltung *f* (*a. géogr.*); ~ *du visage* Gesichtsschnitt *m*; **~ler** [~] (1d) **I** *v/t.* modellieren, formen, gestalten; *fig.* nachbilden; **II** *v/rfl. se* ~ *sur q.* sich j-n zum Vorbild nehmen; **~leur** [~'lœ:r] *m* Modellierer *m*; Modelltischler *m.*

modélisme [mɔde'lism] *m* Modellbau *m.*

modéliste [mɔde'list] *su.*, **modelliste** [~dɛ'list] *su.* Modell-schneider *m*, -zeichner *m*, ⊕ -bauer *m.*

modem *inform.* [mɔ'dɛm] *m* Modem *n.*

modénature ⚠ [mɔdena'ty:r] *f* Profil *n* (*e-s Gesimses*).

modé|rateur [mɔdera'tœ:r] *su.* **1.** Mäßiger *m*, beschwichtigendes Element *n*; **2.** ⊕ Regulator *m*, Reguliervorrichtung *f*; **3.** *phys.* Moderator *m*, Bremsvorrichtung *f* in Kernreaktoren; **~ration** [~ra'sjɔ̃] *f* Mäßigung *f*, Abschwächung *f*; Verminderung *f*; ⚖ Milderung *f*; **~rato** ♪ [~ra'to] *adv.* gemäßigt; **~ré** [~'re] **I** *adj.* mäßig; maßvoll; niedrig (*Preis*); *a. pol.* gemäßigt; **II** *su. pol.* Gemäßigte(r) *m*; **~rer** [~'re] (1f) **I** *v/t.* mäßigen; dämpfen; herabsetzen, vermindern; **II** *v/rfl. se* ~ sich mäßigen, maßhalten, sich bescheiden; nachlassen (*Kälte, Wind usw.*).

modern|e [mɔ'dɛrn] **I** *adj.* □ modern, neu, neuzeitlich, heutig; *grec* ~ neugriechisch; **II** *m*: *le* ~ das Moderne; die moderne Zeit; *écol.* der neusprachliche Zweig; *les* ~*s* die Neueren *m/pl.*; **~isation** [~niza'sjɔ̃] *f* Modernisierung *f*; **~iser** [~ni'ze] *v/t.* (1a) modernisieren; **~isme** [~'nism] *m* Modernismus *m*, moderner Geschmack *m*, moderner Lebensstil *m*; **~iste** [~'nist] **I** *su.* Modernist *m*, Freund *m* (*od.* Anhänger *m*) des Modernen; **II** *adj.* modern eingestellt; *péj.* neuerungssüchtig; **~ité** [~ni'te] *f* neuzeitlicher Stil *m od.* Geschmack *m*, neuzeitliches Gepräge *n*.

modes|te [mɔ'dɛst] *adj.* □ **1.** bescheiden, anspruchslos; schlicht, einfach (*von Möbeln usw.*); **2.** *litt.* sittsam; *tenue f ~* Zurückhaltung *f*, Anstand *m*; **~tie** [~'ti] *f* Bescheidenheit *f*, Anspruchslosigkeit *f*; Schlichtheit *f*; Sittsamkeit *f*.

modicité [mɔdisi'te] *f* geringe Höhe *f* (*des Einkommens*); Niedrigkeit *f des Preises.*

modi|fiable [mɔdi'fjablə] *adj.* abänderungsfähig; einstellbar; **~ficateur** [~fika'tœ:r] **I** *adj.* (7f) abändernd; *biol.* Modifikations...; **II** ⊕ *m* Einrück- u. Ausrück-vorrichtung *f*; **~ficatif** *gr.* [~fika'tif] **I** *adj.* (7e) abändernd; **II** *m* Bestimmungswort *n*; **~fication** [~fikɑ'sjɔ̃] *f* Ab-, Um-, Ver-änderung *f*; Neugestaltung *f*, Wandel *m*; Milderung *f*, Einschränkung *f*; Änderung *f* (*am Kleid*); *~ à la législation* Änderung *f* der Gesetzgebung; *des ~s qui vont loin* einschneidende Veränderungen *f/pl.*; **~fier** [~'fje] *v/t.* (1a) ab-, um-, ver-ändern; *gr.* näher bestimmen.

modillon ⚠ [mɔdi'jɔ̃] *m* Sparrenkopf *m*.

modique [mɔ'dik] *adj.* □ mäßig, gering; niedrig (*Preis*).

modiste [mɔ'dist] *f* (*a. adj.*) Modistin *f*, Putzmacherin *f*.

modu|laire [mɔdy'lɛ:r] *adj.* (*Raum-*) Raketen...; **~larité** *cyb.* [~lari'te] *f* Baukastensystem *n*; **~lation** [~lɑ'sjɔ̃] *f* **1.** ♪ Modulation *f*; *rad.*, *Mischregler*: Aussteuerung *f*; ⚡, *rad. émetteur m à ~ de fréquence* Ultrakurzwellensender *m*; **2.** Vortragsart *f*, Stimmlage *f*; **3.** ⚠ Stützenabstand *m*; Raster *m*; **~latrice** *rad.* [~la'tris] *f* Modulationsröhre *f*; **~le** ⚠, ⚘, *cyb.* [mɔ'dyl] *m* Modul *m*; Einheitsmaß *n*; Durchmesser *m* (*e-r Medaille*); *bét. ~ granulométrique* Körnungsziffer *f*; *Raumschiff*: *~ de commande* Mutterschiff *n*, Kommandokapsel *f*; *~ de service* Betriebsraum *m*; *~ lunaire* Mondfähre *f*; **~ler** [~'le] *v/t. u. v/i.* (1a) *rad.*, ♪ modulieren; **~lomètre** *rad.*, *Tonband*, ⊕ [~lɔ'mɛ:trə] *m* Aussteuerungsinstrument *n*.

moel|le [mwal] *f* **1.** (Knochen-) Mark *n*; *fig. das* Beste *n*; *~ épinière* Rückenmark *n*; *os m à ~* Marksknochen *m*; **2.** ⚘ Mark *n*, Gewebe *n* der Pflanzenstengel; **~leux** [~'lø] *adj.* (7d) □ **1.** weich; **2.** *fig. vin ~* halbtrockener Wein *m*; *voix f moelleuse* volle und zugleich weiche Stimme *f*; **~lon** [~'lɔ̃] *m* ⚠ Bruch-, Bau-, Mauer-stein *m*; *~s concassés pl.* Splitt *m*; ⚠ *les murs sont en ~s* die Mauern sind massiv.

mœurs [mœ:r, F mœrs] *f/pl.* Sitten *f/pl.*, Lebenswandel *m*; *certificat m de bonnes vie et ~* polizeiliches Führungszeugnis *n*.

mofette [mɔ'fɛt] *f* **1.** *géol.* Mofette *f*; **2.** (*a. mouffette*) Stinktier *n*.

mohair *text.* [mɔ'ɛ:r] *m* Mohair *m*.

moi [mwa] **I** (*starktoniges pr.*, *alleinstehend*, *im positiven impér.*, *nach prp.*) ich; mich; mir; *~ non plus* ich auch nicht; *~-même* ich selbst; *~, je n'en sais rien* ich weiß nichts davon; *~ qui l'ai vu ...* ich, der ich ihn gesehen habe, ...; *selon ~* meines Erachtens, meiner Ansicht nach; *il est plus grand que ~* er ist größer als ich; *il ne connaît que ~* er kennt nur mich; *de vous à ~* zwischen uns beiden; *quant à ~*, *pour ~* was mich betrifft; *ce livre est à ~* dieses Buch gehört mir; *je ne suis plus à ~* a) ich bin außer mir; b) ich fühle mich nicht mehr frei; *chez ~* bei mir (zu Hause); *rendez-le-~* geben Sie es mir zurück; **II** *m das* Ich *n*; Selbstsucht *f*.

moignon [mwa'ɲɔ̃] *m* Stumpf *m*.

moindre ['mwɛ̃:drə] *adj.* **1.** geringer, kleiner, minder; *chose f de ~ importance* Nebensache *f*; *rien de ~* nichts Geringeres; **2.** *le, la ~* der, die, das Geringste, Kleinste, Winzigste.

moine [mwan] *m* **1.** Mönch *m*; *se faire ~* Mönch werden; **2.** *zo.* Mönchsrobbe *f*; **3.** *typ.* blasse Stelle *f* im Druck.

moineau [mwa'no] *m* (5b) Spatz *m*, Sperling *m*; F *vilain ~ fig.* häßlicher Vogel *m* (*als Schimpfwort*); *un joli ~ mvp.* ein nettes Früchtchen *n*.

moinillon *iron.* [mwani'jɔ̃] *m* Mönchlein *n*.

moins [mwɛ̃] **I** *adv.* **1.** weniger; *de ~ en ~* immer weniger; *~ de cent personnes* weniger als hundert Personen; *c'est ~ que rien* das ist weniger als nichts; *les ~ de trois* *mois* die Kinder unter drei Monaten; *il a deux ans de ~ que moi* er ist zwei Jahre jünger als ich; *en ~ de rien* im Nu; *il y a mille francs de ~* es sind tausend Franken zuwenig; *vous ne l'aurez pas à ~* Sie werden es nicht billiger bekommen; *dix heures ~ le quart* (⚒ *~ un quart*) dreiviertel zehn (*Uhrzeit*); *une heure ~ dix* zehn Minuten vor eins; *en* (*od. dans*) *~ d'une heure* in weniger als einer Stunde; *~ huit degrés* minus acht Grad; *vingt ~ trois font dix-sept* zwanzig minus (*od.* weniger) drei sind siebzehn; **2.** *ne ... pas ~* andererseits, jedoch, doch; *il n'en est pas ~ vrai que* andererseits ist es wahr (*od.* stimmt es), daß; **3.** *~ ..., ~* je weniger ..., um so (*od.* desto) weniger; **4.** *le ~ sup.* am wenigsten; *pas le ~ du monde* nicht im geringsten; durchaus nicht; *faites le ~ de dépenses que vous pourrez* geben Sie so wenig wie möglich aus!; **5.** *prp.*: *à ~ de* a) unter (= *unterhalb e-s Preises*); *je ne lui donnerai pas ce livre à ~ de cinquante francs* ich werde ihm dieses Buch nicht unter fünfzig Franken ablassen; b) ohne; wenn ... ausbleibt; abgesehen von; *tout est perdu à ~ d'un prompt remède* alles ist verloren, wenn ein schnellwirkendes Heilmittel ausbleibt; **6.** *cjt.*: *à ~ de mit inf., a. noch*: *à ~ que de mit inf.* außer wenn ..., es sei denn, daß ...; *à ~ que ... ne* (*mit subj.*) wofern nicht, außer wenn, ohne daß ...; **7.** a) *au ~, pour le ~, tout au ~, à tout le ~* (*vor Zahlen u. allg. einschränkend*) mindestens, wenigstens; zumindest (*nur allg. einschränkend*); *en prenant au moins 1000 kilos* bei e-r Abnahme von wenigstens 1000 kg; *à tout le ~ usons de ce peu de liberté qui nous reste* genießen wir wenigstens das bißchen Freiheit, das uns bleibt; *vous le lui avez dit, au ~?* Sie haben es ihm doch hoffentlich gesagt?; *au ~, je vous en avertis* jedenfalls warne ich Sie davor; b) *du ~* (*weniger vor Zahlen; mst. allg. einschränkend gebr.*) wenigstens; zumindest; *laisse-moi du moins le plaisir de le voir* laß mir doch wenigstens die Freude, ihn zu sehen; *je viendrai demain, du moins si je peux* ich werde morgen kommen, vorausgesetzt, daß ich kann; **II** *m arith. un ~* ein Minuszeichen *n*; **~-value** ⚕ [~va'ly] *f* (6a) Wertminderung *f*; Minderbetrag *m*.

moi|rage *text.* [mwa'ra:ʒ] *m* Moirieren *n*, Flammen *n*; **~re** *text.* [mwa:r] *f* Moiré *m od. n*; **~ré** [mwa're] *m* Moirémuster *n*; **~rer** [~] *v/t.* (1a) *e-n Stoff* moirieren, flammen.

mois [mwa] *m* **1.** Monat *m*; *au ~ de janvier* im Januar; (*pendant*) *des ~ entiers* monatelang; *dans l'espace d'un ~* innerhalb e-s Monats; *dix-huit ~* anderthalb Jahre; *six ~* ein halbes Jahr *n*; *par ~, tous les ~* monatlich; **2.** Monats-lohn *m*, -gehalt *n*, -miete *f*.

moise △ [mwa:z] *f* Verbindungsstück *n*, Band(balken *m*) *n*.

Moïse [mɔ'i:z] *m* Moses *m*.

moi|si [mwa'zi] **I** *adj.* schimmlig, stockig, muffig; **II** *m* Schimmel *m*, *das* Verschimmelte *n*; *sentir le ~* nach Schimmel riechen; **~sir** [~'zi:r] (2a) **I** *v/t.* schimmlig machen; **II** *v/i.* F lange bleiben *od.* warten, versauern, alt werden; *écol.* nicht mitkommen, schlappmachen; F *~ quelque part* sich irgendwo zu lange aufhalten; *~ dans les cartons* in der Schublade schmoren *fig.*; **III** *v/i. u. v/rfl. se ~* schimmlig werden, (ver)schimmeln; **~sissure** [~zi'sy:r] *f* **1.** Schimmel *m*; *~s pl.* Schimmelpilze *m/pl.*; **2.** Verschimmeln *n*; **3.** Stockfleck *m*, *das* Verschimmelte *n*.

moisson [mwa'sɔ̃] *f* (*Getreide-*) Ernte *f*; Erntezeit *f*; *fig.* Ausbeute *f*; **~ner** [~sɔ'ne] *v/t.* (1a) ernten; *fig.* dahinraffen, niedermähen (*im Krieg*); **~neur** [~'nœ:r] *su.* (7g) Mäher *m*, Schnitter *m*; **~neuse** ⊕ [~'nø:z] *f* Mähmaschine *f*; **~neuse-batteuse** ⊕ [~ba'tø:z] *f* Mähdrescher *m*; **~neuse-lieuse** ⊕ [~'ljø:z] *f* Bindemähmaschine *f*.

moi|te [mwat] *adj.* (etwas) feucht, klamm; *les mains ~s* mit feuchten Händen; **~teur** [mwa'tœ:r] *f* leichte Feuchtigkeit *f*.

moitié [mwa'tje] **I** *f* **1.** Hälfte *f*; *être de ~ dans qch.* zur Hälfte an etw. (*dat.*) beteiligt sein; *diminuer de ~* sich um die Hälfte verringern; *couper* (*partager*) *qch. par la ~* etw. halbieren; *à ~* zur Hälfte; *~ moins* zur Hälfte weniger; *à ~ chemin* auf halbem Wege; *à ~ prix* zu halbem Preise; **2.** F Ehehälfte *f*, bessere Hälfte *f*; **II** *adv. pain m ~ froment, ~ seigle* halb Weizen-, halb

Roggen-brot *n*; F ~ *chair*, ~ *poisson* weder Fisch noch Fleisch.

moitir [mwa'ti:r] *v/t.* (2a) feucht machen; ⊕ anfeuchten.

moka [mɔ'ka] *m* Mokka *m* (*Kaffee*).

molaire [mɔ'lɛ:r] *adj. u. f*: (*dent f*) ~ Backenzahn *m*.

molasse *géol.* [mɔ'las] *f* Molasse *f*.

moldave *géogr.* [mɔl'da:v] *adj.* moldauisch.

môle ⚓ [mo:l] *m* Mole *f*.

molécu|laire [mɔleky'lɛ:r] *adj.* □ Molekular...; **~le** [~'kyl] *f* Molekül *n*, Urteilchen *n*.

molène ⚘ [mɔ'lɛ:n] *f* Königskerze *f*.

moleskine ✝ [mɔlɛs'kin] *f* Moleskin *m od. n* (*Stoffart*).

molester [mɔlɛs'te] *v/t.* (1a): ~ *q.* j-n grob behandeln *od.* übel zurichten.

moleter ⊕ [mɔl'te] *v/t.* (1c) rändeln (*Schraubenköpfe usw.*).

molette [mɔ'lɛt] *f* **1.** ~ (*d'éperon*) Spornrädchen *n*; **2.** ⊕ Kraus-, Rändel-rad *n*; Schleifrolle *f*; Rädchen *n* (*am Feuerzeug*); ⚒ Seilscheibe *f*; *typ.* Farbläufer *m*, Reibstein *m*; *cout.* Rädchen *n*, Kopierrad *n*; ⊕ *clé f à* ~ Universalschlüssel *m*, Engländer *m*.

moliér|esque *litt.* [mɔlje'rɛsk] *adj.* molièrehaft, im Stile Molières; **~iste** [~'rist] *su.* Molièrekenner *m*.

molinologie [mɔlinɔlɔ'ʒi] *f* Mühlenforschung *f*.

moll|asse [mɔ'las] **I** *adj.* schlaff, weichlich, energielos; allzu weich, wabbelig; **II** *fig. su.* Waschlappen *m*, Schlappschwanz *m*; **III** *géol. f* Molassesandstein *m*; **~e** [mɔl] *adj./f u.* **~ement** [mɔl'mɑ̃] *adv.*, *beide v. mou*; **~esse** [mɔ'lɛs] *f* **1.** Weichheit *f*; Weichherzigkeit *f*, Milde *f*; ~ *du corps* Schlaffheit *f* des Körpers; **2.** *fig.* Schwäche *f*, übertriebene Nachsicht *f*; **3.** Energie-, Willenlosigkeit *f*; Verweichlichung *f*.

mollet [mɔ'lɛ] **I** *adj.* (7c) weich, zart; *œuf m* ~ weichgekochtes Ei *n*; *pain m* ~ Milchbrot *n*; **II** *m* Wade *f*; **~ière** [mɔl'tjɛ:r] *f* Leder- *od.* Wickel-gamasche *f*; **~on** [mɔl'tɔ̃] *m* Molton *m* (*Flanell*).

moll|ir [mɔ'li:r] *v/i.* (2a) schwach werden; nachlassen; (es) aufgeben; abflauen (*Wind*); F zögern; Angst bekommen; **~issement** [~lis'mɑ̃] *m*: ~ *de l'eau* Enthärtung *f* des Wassers; **~usque** *zo.* [~'lysk] *m* Weichtier *n*.

molosse [mɔ'lɔs] *m* scharfer Wachhund *m*.

molusson ⚓ [mɔly'sɔ̃] *m* kleine Pinasse *f* (*der engen Kanäle Zentralfrankreichs*).

môme [mo:m] **I** F *m* kleines Kind *n*, Gör *n*, Range *f*, kleiner Junge *m*; **II** *f* F Mädchen *n*; * Geliebte *f*; **III** P *adj.* *tout* ~ ganz klein.

moment [mɔ'mɑ̃] *m* **1.** Augenblick *m*, Moment *m*, Zeit(punkt *m*) *f*; *dans mes ~s perdus* in m-n Mußestunden; *par ~s* mitunter; *pour le* ~ zur Zeit, vorläufig; *au* ~ *où* ... in dem Augenblick, als (wo) ...; *en un* ~ *où* ... in e-m Augenblick, wo ...; *du* ~ *que* da ja; *au bon* ~ im rechten Augenblick, gerade recht; *d'un* ~ *à l'autre* jeden Augenblick; *en un* ~ im Nu; *à ce* ~ in diesem Augenblick; *au* ~ *de* (*inf. bei gleichem Subjekt*) im Augenblick, als; *en ce* ~ gegenwärtig, zur Zeit; *par ~s* bisweilen, mitunter, dann u. wann; *sur le* ~ e-n Augenblick lang; im ersten Moment; **2.** *méc.* ~ *d'inertie* Trägheitsmoment *n*; **~ané** [~ta'ne] *adj.* (*adv. momentanément*) augenblicklich.

momeries [mɔm'ri] *f/pl.* Getue *n*.

momi|e [mɔ'mi] *f* Mumie *f*; **~fication** [~fika'sjɔ̃] *f* Mumifizierung *f*; *fig.* ⚕ Eintrocknen *n* der Gewebe, Brand *m*; **~fier** [~'fje] (1a) **I** *v/t.* mumifizieren; *fig.* lähmen; **II** *v/rfl.* *se* ~ zur Mumie werden; *fig.* einrosten.

mon *m*, **ma** *f*; *pl.* **mes** [mɔ̃, ma; *pl.* me] *pr/poss. adj.* mein(e *f*) *m*, *n*; *pl.* meine; *mon chat* meine Katze *f*; *ma table* mein Tisch *m*; *mes chats* (*tables*) meine Katzen (Tische).

mona|cal [mɔna'kal] *adj.* (5c) □ mönchisch, klösterlich, Kloster...; **~chisme** [~'ʃism] *m* Mönchstum *n*.

monar|chie [mɔnar'ʃi] *f* Monarchie *f*; **~chique** [~'ʃik] *adj.* □ monarchisch; **~chisme** [~'ʃism] *m* Monarchismus *m*; **~chiste** [~'ʃist] *su. u. adj.* Monarchist *m*; monarchistisch; **~que** [mɔ'nark] *m* Monarch *m*.

monas|tère [mɔnas'tɛ:r] *m* Kloster *n*; **~tique** [~'tik] *adj.* □ klösterlich, Kloster..., Mönchs...

monceau [mɔ̃'so] *m* (5b) Haufen *m*.

mon|dain [mɔ̃'dɛ̃] (7) **I** *adj.* □ **1.** gesellschaftlich; mondän; *rapports m/pl.* ~*s* gesellschaftliche Beziehungen *f/pl.*; *tout Paris* ~ die gesamte Pariser Hautevolee *f*; **2.** *rl.* irdisch, weltlich; **3.** alltäglich; **II** *m*:

Mann *m* von Welt; *f*: Dame *f* von Welt; **III** * ²e*f* (= *Police* ~e) Rauschgiftdezernat *n*; **~daniser** [~dani'ze] *v/t.* (1a) verweltlichen; **~danité** [~dani'te] *f* Äußerlichkeit *f*; Veräußerlichung *f*; Eleganz *f* der großen Welt; gesellschaftlicher Rahmen *m*; *pl.* ~*s* Veranstaltungen *f/pl.* der obersten Zehntausend.

monde [mɔ̃:d] *m* **1.** Welt *f*, Weltall *n*; *au* (*od. dans le*) ~ auf der Welt; *comme personne au* ~ wie niemand auf der Welt; *tant que le* ~ *sera* ~ solange die Welt bestehen wird; ~ *physique* (*od. sensible od. visible*) Sinnenwelt *f*; ~ *des idées*, ~ *idéal* Gedankenwelt *f*; **2.** Erde *f*; Welt-, Erd-kugel *f*; *de par le* ~ irgendwo in der Welt; *mettre au* ~ zur Welt bringen; in die Welt setzen; *le* ~ *entier* die ganze Welt; *soc. le* ~ *établi* das Establishment; *courir le* ~ in der Welt herumkommen; *pas le moins du* ~ nicht im geringsten; *pour rien au* ~ um keinen Preis; *c'est un* ~*!* das ist ja unerhört!; **3.** Menschengeschlecht *n*; *die* Leute *pl.*, *die* Menschen *pl.*; Gesellschaft *f*; Lebensart *f*; *il y avait beaucoup de* ~? waren viele Leute da?, war es voll?; *il n'y avait pas grand* ~ es waren nicht viel Leute da; *devant le* ~ öffentlich; *avoir du* ~ Besuch haben; *recevoir du* ~ Besuch empfangen; *tout le* ~ jedermann, jeder, alle *pl.*; *avoir l'air de tout le* ~ ein Durchschnittsgesicht haben; *un* ~ *de* ... e-e Unzahl (*od.* Menge) von ...; *avoir du* ~, *savoir bien le* ~ Lebensart haben; *le grand* ~ die obersten Zehntausend; *tout mon* ~ m-e ganze Familie; *le petit* ~ die Kinderwelt; *le demi-*~ die Halbwelt; ~ *interlope*, ~ *apache* Verbrecherwelt *f*; *habitude f* (*od. usage m*) *du* ~ Weltgewandtheit *f*; *expérience f du* ~ Lebenserfahrung *f*; *femme f du* ~ Weltdame *f*; ~ *imaginaire* heile Welt *f*.

monder [mɔ̃'de] *v/t.* (1a) säubern (*Weintrauben*); schälen (*Mandeln*).

mondial [mɔ̃'djal] *adj.* (5c) Welt...; welt-weit, -umfassend; **~isation** [~liza'sjɔ̃] *f* weltweite Erfassung *f* *e-s Problems*; **~isme** *pol.* [~'lism] *m* Weltorientiertheit *f*; **~iste** [~'list] *adj.* weltweit.

mondi|fication *chir.* [mɔ̃difika'sjɔ̃] *f* Reinigung *f* (*e-r Wunde*); **~fier** *chir.* [~'fje] *v/t.* (1a) reinigen (*Wunde*).

mond(i)ovision [mɔ̃d(j)ɔvi'zjɔ̃] *f* Satellitenfernsehen *n*, interkontinentale Fernsehsendung *f*.

monégasque [mɔne'gask] *adj. u.* ² *su.* monegassisch; Monegasse *m*.

monème *ling.* [mɔ'nɛ:m] *m* Morphem *n*.

moné|taire [mɔne'tɛ:r] *adj.* □ Münz...; Währungs..., Geld...; **~tisation** [~tiza'sjɔ̃] *f* Münzprägung *f*; **~tiser** [~ti'ze] *v/t.* (1a) zu Münzen prägen.

mongette *dial.* [mɔ̃'ʒɛt] *f* Bohne *f*.

moni|teur [mɔni'tœ:r] **I** *su.* (7f) *gym.* Vorturner *m*; (Ski-)Trainer *m*; Sportwart *m*; Fluglehrer *m*; Ausbilder *m*, Betreuer *m* (*Sport*); technischer Ausbilder *m*; Fahrschullehrer *m*; **II** ⊕ *m* Monitor *m*: a) *télév.* Mithöreinrichtung *f*, Bildkontrollgerät *n*; b) *inform.* Programmsteuersystem *n*; **~torat** [~tɔ'ra] *m* Amt *n* e-s Betreuers *etc.*

monitoring ⊕ [mɔnito'riŋ] *m* Kontrolle *f* (*v. Tonbandaufnahmen*); *télév.* Bildkontrolle *f* (*durch e-n Monitor*).

mon|naie [mɔ'nɛ] *f* **1.** Münze *f*; Kleingeld *n*; Landeswährung *f*; Zahlungsmittel *n*, Geldart *f*; ~ *forte* harte Währung *f*; ~ *fiduciaire od. papier* ~ Papiergeld *n*; ~ *flottante* gleitende Währung *f*; *battre* ~ Münzen prägen; ~ *de compensation*, ~ *de compte* Verrechnungsgeld *n*; ~ *réelle*, ~ *effective* bar; *fausse* ~ Falschgeld *n*; ~ *de fortune*, ~ *auxiliaire* Notgeld *n*; *vous avez la monnaie?* haben Sie es passend?; *fig. c'est* ~ *courante* das ist gang und gäbe; *payer q. de la même* ~, *rendre à q. la* ~ *de sa pièce* j-m mit gleicher Münze heimzahlen; F *payer q. en* ~ *de singe* j-n geldlich versetzen; **2.** *la* ² das Münzamt; **~nayage** [~nɛ'ja:ʒ] *m* Münzprägung *f*; **~nayer** [~nɛ'je] *v/t.* (1i) (aus)münzen; (*Geld*) schlagen (*od.* prägen); *etw.* zu Geld machen; **~nayeur** [~nɛ'jœ:r] *m* Münzer *m*; *faux-*~ Falschmünzer *m*.

mono|acide ⚗ [mɔnɔa'sid] *adj.* einsäurig; **~atomique** ⚗ [~atɔ'mik] *adj.* einatomig; **~basique** ⚗ [~bɑ'zik] *adj.* einbasisch; **~bloc** ⊕ [~'blɔk] *adj./inv. u. m* Einblock..., in einem Stück gegossen; Blockgußstück *n*, Zylinderblock *m*; **~câble** [~'kɑ:blə] **I** *m* Einseilbahn *f*; **II** *adj.* einseilig; **~carpe** ⚘ [~'karp] *adj.*, **~carpien** ⚘ [~kar'pjɛ̃] *adj.* (7c) einfrüchtig; **~chrome** [~'kro:m] *adj.* einfarbig; **~classe** [~'klɑ:s] *adj.* einklassig.

monocle [mɔ'nɔklə] *m* Monokel *n*, Einglas *n*.

mono|coque *Auto* [~'kɔk] *adj.* mit selbsttragender Karosserie; **~corde** [~'kɔrd] **I** *adj.* ♪ einsaitig; *fig.* monoton, eintönig; **II** *phys. m* Monochord *n*, Schwingungsmesser *m*; **~culaire** [~ky'lɛ:r] *adj.* monokular; **~culture** [~kyl'ty:r] *f* Monokultur *f*; **~cylindrique** ⊕ [~silɛ̃'drik] *adj.* einzylindrisch; Einzylinder...; **~-étagé** *mot.* [~eta'ʒe] *adj.* einstufig; **~game** [~'gam] *adj.* monogam; *zo.* gepaart lebend; **~gamie** [~ga'mi] *f* Monogamie *f*, Einehe *f*; **~gramme** [~'gram] *m* Monogramm *n*, Namenszug *m*; **~graphie** [~gra'fi] *f* Monographie *f*; wissenschaftliche Einzelabhandlung *f*; Sonderdruck *m*, Spezialarbeit *f*; **~kini** *text.* [~ki'ni] *m* Monokini *m*; **~lampe** *rad.* [~'lɑ̃:p] *adj.* Einröhren...; **~lingue** *ling.* [~'lɛ̃:g] *adj.* einsprachig; **~lithe** [~'lit] *adj. u. m* monolithisch; *bét.* fugenlos; Monolith *m*; *inform.* Kommunikationsgerät *n* mit integrierten Schaltkreisen; *circuits m/pl. intégrés ~s* integrierte Schaltkreisblöcke *m/pl.*; **~lithique** [~'tik] *adj.* = *~ lithe*; *fig. pol.* starr; **~lithisme** [~'tism] *m a. pol.* Starrheit *f*; **~logue** [~'lɔg] *m* Selbstgespräch *n*; *litt. ~ intérieur* innerer Monolog *m*; **~loguer** [~lɔ'ge] *v/i.* (1m) Selbstgespräche führen.

monôme [mɔ'no:m] *m* **1.** Å Monom *n*; **2.** Protestmarsch *m* (*v. Studenten*); **3.** *Fr.* Umzug *m* der Abiturienten durch die Stadt.

mono|métallisme [mɔnɔmetal'lism] *m éc.* Monometallismus *m*; **~moteur** [~mɔ'tœ:r] **I** *adj.* (*a. su.*) (7f) einmotorig; **II** ✈ *m* einmotoriges Flugzeug *n*, Einmotorer *m*; **~pétale** ⚘ [~pe'tal] *adj.* einblätterig; **~phasé** ⚡ [~fɑ'ze] *adj.* einphasig; **~phtongue** *gr.* [~'tɔ̃:g] *f* Monophthong *m*; **~place** ✈ [~'plas] **I** *m* Einsitzer *m*; **II** *adj.* einsitzig; **~plan** ✈ [~'plɑ̃] *m* Eindecker *m*; **~pode** *zo.* [~'pɔd] *adj.* einfüßig; **~pole** [~'pɔl] *m* Monopol *n*; *fig.* Vorrecht *n*; **~polisation** [~pɔlizɑ'sjɔ̃] *f* Monopolisierung *f*; **~poliser** [~pɔli'ze] *v/t.* (1a) monopolisieren; *fig.* für sich in Anspruch nehmen, an sich reißen; **~poliste** *pol.* [~pɔ'list] *adj. u. m* monopolistisch; Monopolkapitalist *m*; **~polistique** [~pɔlis'tik] *adj.* monopolartig; monopolistisch; **~prix** *Fr.* [~'pri] *m* Einheitspreisgeschäft *n*; **~production** [~prɔdyk'sjɔ̃] *f* Alleinherstellung *f*; **~rail** 🚋 [~'rɑ:j] **I** *adj.* einschienig; **II** *m* Einschienenbahn *f*; Hängebahn *f*; **~réacteur** ✈ [~reak'tœ:r] *m* einstrahliges Düsenflugzeug *n*; **~rime** 🕮 [~'ri:m] *adj.* einreimig; **~sperme** ⚘ [~'spɛrm] *adj.* einsamig; **~style** △ [~'stil] *adj.* einschäftig; **~syllabe** [~si'lab] *adj. u. m gr.* einsilbig(es Wort *n*), Einsilber *m*; **~syllabique** [~sila'bik] *adj. gr.* einsilbig; **~théisme** [~te'ism] *m* Monotheismus *m*; **~théiste** *rl.* [~te'ist] *adj. u. su.* monotheistisch; Monotheist *m*; **~tone** [~'tɔn] *adj. a. fig.* monoton, eintönig; langweilig; **~tonie** [~tɔ'ni] *f a. fig.* Monotonie *f*, Eintönigkeit *f*.

mono|trace ✈ [mɔnɔ'tras] *adj.*: *train m d'atterrissage ~* Tandemfahrzeug *n*; **~type** *typ.* [~'tip] *m* Monotypemaschine *f*; **~typiste** *typ.* [~ti'pist] *m* Monotypesetzer *m*; **~valent** ⚗ [~va'lɑ̃] *adj.* (7) einwertig.

monseigneur, *abr.* **Mgr** [mɔ̃sɛ'ɲœ:r] *m* (*pl. messeigneurs* [mesɛ'ɲœ:r]) *rl.* Seine Exzellenz (*bzw. zu Fürsten* Durchlaucht) (*Titel*); Eure Exzellenz (*bzw.* Euer Durchlaucht (*Anrede*); ⊕ *pince f ~* Brecheisen *n* (*der Diebe*); **~iser** *péj.* [~ɲœri'ze] *v/t.* (1a) *j-n* Monseigneur titulieren.

monsieur [mə'sjø, m(p)sjø] *m* (*pl. messieurs* [me'sjø]), *abr.* (*nur im Text, wenn Name folgt*): *sg.* M., *pl.* MM. Herr; *Anrede*: 2! mein Herr!; *Anrede im Brief*: *Monsieur*, (*hinter Monsieur stets ein Komma!*) Sehr geehrter Herr!; *Messieurs!* Meine Herren!; *ce ~* dieser Herr; *un ~* ein Herr; *ces messieurs* diese Herren; *2 votre père* Ihr Herr Vater; *2 le comte* der Herr Graf; *als Anrede*: Herr Graf!; *2 et cher confrère* sehr geehrter Herr Kollege!; *2 et Madame* der Herr und die gnädige Frau; *2 y est-il?* ist der Herr zu Hause?; *faire le* (*gros*) *~* den großen Mann spielen; *un vilain ~* a) ein böser Mann; b) ein übler Bursche.

monstre ['mɔ̃:strə] **I** *m* **1.** Monstrum *n*, Miß-geburt *f*, -bildung *f*; **2.** Ungetüm *n*; gewaltig großes Tier *n*; *fig.* Unmensch *m*, Ungeheuer *n*, Scheusal *n*; *cin. les ~s sacrés* die Superstars *m/pl.*; **II** *adj.* kolossal;

Riesen...; ⚖ *procès m* ~ Monsterprozeß *m.*

monstru|eux [mɔ̃stry'ø] *adj.* (7d) □ mißgestaltet; scheußlich, entsetzlich; ungeheuerlich; riesig, enorm; **~osité** [~ozi'te] *f* **1.** Unförmlichkeit *f*, Mißbildung *f*; **2.** Scheußlichkeit *f*; Untat *f*; **3.** Ungeheuerlichkeit *f*.

mont [mɔ̃] *m* (*nur noch in Eigennamen, in erstarrten Redensarten und st.s., sonst montagne*) Berg *m*; *le ~ Blanc* der Montblanc; *le ~ Etna* der Ätna; *le (~) Palatin* der Palatin (*Rom*); *le ~ Sinaï* der Berg Sinai; *fig. un ~ d'or* ein Haufen Gold; *advt. par ~s et par vaux* über Berg u. Tal; immer unterwegs; ✈ *survoler ~s et vallées* Berg u. Tal überfliegen; *promettre ~s et merveilles* goldene Berge versprechen.

montage [mɔ̃'ta:ʒ] *m* **1.** ⊕ Montage *f*, Aufstellen *n*, Montieren *n*; Zusammensetzen *n*; Fassen *n e-s Edelsteins*; Fertigbau *m*; Anordnung *f*; ⚡ Schaltplan *m*, Schaltung *f*, Schaltskizze *f*; *cout.* Einsetzen *n der Ärmel*; *~ en parallèle* Parallelschaltung *f*; *~ en série* Serienschaltung *f*; *~ à plusieurs directions* Wechselschaltung *f*; *Auto, vél. ~ des bandages, ~ des pneus* Bereifen *n*, Bereifung *f*; *~ cinématographique* Kinomontage *f*; Schnitt *m*; *~ photographique* Photomontage *f*; *~ sonore* Tonmontage *f*; *cin. salle f ~* Schneideraum *m*; **2.** *pol.* Propagandatrick *m*, Bluff *m*.

montagn|ard [mɔ̃ta'ɲa:r] (7) **I** *adj.* Gebirgs..., Berg...; **II** *su.* Bergbewohner *m*; *~ d'Écosse* Bergschotte *m*; **~e** [mɔ̃'taɲ] *f* Berg *m*; Gebirge *n*; *hautes ~s* Hochgebirge *n/sg.*; *chaîne f de ~s* Gebirgskette *f*; *bibl. sermon m sur la ~* Bergpredigt *f*; *~ de glace* Eisberg *m*; *~s russes* Rutschbahn *f/sg.*; *éc. ~ de beurre* Butterberg *m*; *aller à la ~* zur Erholung ins Gebirge fahren; *aller en ~* zum Bergsport ins Gebirge fahren; *vivre à la ~* im Gebirge leben; *fuir dans la ~* ins Gebirge fliehen; *pas de neige en ~* kein Schnee im Gebirge; *fig. envoyer q. à la ~* j-n in die Wüste schicken, j-n preisgeben; **~eux** [~'ɲø] *adj.* (7d) bergig, gebirgig.

montain *orn.* [mɔ̃'tɛ̃] *m* Mistfink *m*.

montaison [mɔ̃tɛ'zɔ̃] *f* Aufsteigen *n*, Laichzeit *f der Lachse.*

montant [mɔ̃'tɑ̃] **I** *adj.* (7) **1.** aufsteigend, (hin)aufgehend, stromaufwärts (*od.* bergauf) fahrend; *le chemin va en ~* der Weg steigt an; ⚔ *garde f ~e* aufziehende Wache *f*; *robe f ~e* oben geschlossenes Kleid *n*; ⚓ *marée f ~e* steigende Flut *f*; **II** *m* **2.** Betrag *m*; **3.** Blume *f des Weins*; pikanter Geschmack *m*; Prickeln *n des Mostrichs*; **4.** ⚘ Haupt-schößling *m od.* -trieb *m der Pflanzen*; **5.** ⚠ Pfosten *m*, Ständer *m*; Leiterbaum *m*; **6.** ⚒ Stütze *f* (*Förderturm*).

mont-de-piété [mɔ̃dpje'te] *m* (6b) Leihamt *n*, Pfandstelle *f*; *mettre* (*od. engager*) *qch. au ~* etw. versetzen; s. *caisse* 4.

monte [mɔ̃:t] *f* **1.** *vét.* Beschälen *n* (*der Pferde*); **2.** *Sport*: Ritt *m*.

monté [mɔ̃'te] *adj.* beritten; F *fig.* wütend, auf der Palme F; *~ sur un cheval* auf e-m Pferd (sitzend); *fig. ~ en qch.* wohlversehen mit etw. (*dat.*); *coup m ~* abgekartete Sache *f*.

monte-charge ⊕, ⚠ [mɔ̃t'ʃarʒ] *m* (6c) **1.** Lastenaufzug *m*; **2.** ⊕ Vertikalschacht *m*.

monte-châssis ⚠ [mɔ̃tʃɑ'si] *m* Fensterheber *m*.

montée [mɔ̃'te] *f* **1.** Hinauf-fahren *n*, -steigen *n*, -fliegen *n*; *Auto*: Bergfahrt *f*; *a.* ✝ Steigen *n*, Aufschlag *m* (*der Preise*); *gym. ~ par traction des bras* Klimmzug *m*; ✈ *~ en chandelle* steiler Aufstieg *m*, Steilflug *m*, senkrechtes Hochreißen *n*; *fin. ~ des cours* Ansteigen *n* der Kurse; ⚠ *~ d'un arc* Bogenhöhe *f*; *parcours m* (*od. piste f*) *de ~* Aufstiegstrecke *f* (*Ski*); **2.** Steigung *f*; Auffahrt *f*; Aufgang *m*; Rampe *f*; **3.** ⚓ Peilhöhe *f*; **4.** *fig.* An-, Aufstieg *m*.

monte-en-l'air [mɔ̃tɑ̃'lɛ:r] *m* (6c) Fassadenkletterer *m*.

monte-pentes [mɔ̃t'pɑ̃:t] *m* (6c) Schleppseilbahn *f* (*für Skiläufer*).

monte-plats [mɔ̃tə'pla] *m* Speiseaufzug *m* (*in Hotels*).

monter [mɔ̃'te] (1a) (*mit être, wenn v/i., mit avoir, wenn v/t.*) **I** *v/i.* **1.** steigen; hinauf-gehen, -fahren, -reiten; hochfliegen; *faire ~ q.* j-n heraufkommen lassen; *~ à cheval* (*od. en selle*) aufs Pferd steigen, aufsitzen; reiten; *~ dans une voiture* (*nur* 🚃 *dans un wagon*) in e-n Wagen steigen; *~ en voiture* (*a.* 🚃 *en wagon*) einsteigen; *fig. ~ sur ses ergots* rabiat werden, aus der Rolle fallen; ✈ *~ en spirales* sich emporschrauben; *~ en amazone* im Damensitz reiten; *fig. ~ sur ses grands chevaux* außer sich vor Wut geraten, auf die Palme gehen F; **2.** sich erheben, steigen; anwachsen (*Fluß*); im Anzug sein (*Gewitter*); ~ *en graine* in Samen schießen; ~ *à la tête* zu Kopf steigen (*Wein*); **3.** befördert werden, aufrücken; *écol.* ~ *d'une classe* versetzt werden; ~ *en grade* befördert werden, aufrücken; **4.** ✝ im Preise steigen; *les actions ont monté de 250%* die Aktien sind um 250% gestiegen; *faire* ~ in die Höhe treiben; **5.** ~ *à* betragen (*Geld*), sich belaufen auf (*acc.*); **II** *v/t.* (*stets mit avoir*) **6.** ersteigen, besteigen, hinaufgehen auf (*acc.*); ~ *l'escalier* die Treppe hinaufgehen; **7.** hinauf-bringen, -tragen, -ziehen; höher anbringen; *fig.* aufziehen, eröffnen, ins Leben rufen, inszenieren; *journ. etw.* hochspielen; ~ *une entreprise* ein Unternehmen aufziehen; ~ *une fabrique* e-e Fabrik eröffnen; ~ *un procès* e-n Prozeß inszenieren; ~ *qch. en épingle* etw. herausstreichen, aufbauschen, aufgreifen; ~ *un voyage* e-e Reise organisieren; **8.** beritten machen; *bien monté* gut beritten; ✈ ~ *un avion* ein Flugzeug bemannen; **9.** ~ *q. en linge* j-n mit Wäsche versorgen; ~ *sa maison* sein Haus einrichten; **10.** zusammensetzen, aufstellen, (an)montieren; ~ *un bouquet* e-n Strauß binden; ~ *un film* e-n Film schneiden (*od.* cuttern); ~ *un lit* ein Bett aufschlagen; ~ *une machine* e-e Maschine aufstellen (*od.* montieren); ~ *une tente* ein Zelt aufschlagen; *Auto*: ~ *les pneus* (*od. les bandages*) *à* bereifen; ~ *une partie* e-e Partie veranstalten; *rad.*, *télév.* ~ *une émission* e-e Sendung zusammenstellen; ~ *une pièce de théâtre* ein Stück inszenieren, aufführen; *fig.* ~ *une cabale* e-e Intrige inszenieren; ~ *un complot* e-e Verschwörung anzetteln; **11.** erhöhen, vermehren; ~ *les prix* die Preise erhöhen (*od.* aufschlagen); **12.** ~ *q. contre q. od.* ~ *la tête à q. contre q.* j-n gegen j-n aufhetzen; P ~ *le coup* (*od. un bateau*) *à q.* j-m e-n Bären aufbinden F; j-m etw. weismachen; F ~ *une scie à q.* j-n hochnehmen F, j-n verulken; **13.** ♪ höher stimmen; *fig.* ~ *son ton* mit s-n Forderungen in die Höhe gehen *od.* straffere Saiten aufziehen; **14.** ⚡ schalten; ~ *en série* hintereinanderschalten; ~ *en parallèle* parallel *od.* nebeneinander schalten; ~ *un diamant* e-n Diamanten fassen; ~ *une estampe* e-n Kupferstich einrahmen; **15.** ⚔ ~ *une batterie* alle Geschütze e-r Batterie zum Feuer bereitmachen; ~ *la garde* auf Wache ziehen; **III** *v/rfl.* *se* ~ bestiegen *usw.* werden (*Pferd*, *Wagen*); aufgerichtet *od.* aufgestellt werden (*Maschine*); sich erheben; ✈ auffliegen; sich reiten lassen; *se* ~ *en qch.* sich mit etw. (*dat.*) versehen; *se* ~ *en linge* sich mit Wäsche versorgen; *se* ~ *à* sich belaufen auf (*acc.*); F *se* ~ aufbrausen, böse (*od.* wütend) werden, sich aufregen; *se* ~ *la tête* (*od. le coup*) sich falsche Hoffnungen (*od.* sich Illusionen) machen.

monte-ressort ⊕ [mɔ̃trəˈsɔːr] *m* (6c) Federspanner *m*.

monteur [mɔ̃ˈtœːr] *su.* (7g) ⊕ Monteur *m*; *cin.* Cutter *m*; Fasser *m e-s Diamanten*; ~ *installateur* Elektromonteur *m*; ~ *de tuyaux* Rohrleger *m*.

monticule [~tiˈkyl] *m* Hügel *m*.

montrable [mɔ̃ˈtrablə] *adj.*: *chose f* ~ Sache *f*, die sich sehen lassen kann.

montre [ˈmɔ̃ːtrə] *f* **1.** (Taschen-)Uhr *f*; ~*-bracelet* Armbanduhr *f*; ~ *de contrôle* Kontrolluhr *f*; ~ *à répétition* Repetieruhr *f*; ~ *à réveil* Taschenwecker *m*; *mettre une* ~ *à l'heure* eine Uhr stellen; **2.** *faire* ~ *de qch. fig.* etw. zur Schau tragen, mit etw. prahlen; von etw. zeugen, etw. beweisen; **3.** ✝ *être mis en* ~ ausgestellt werden; *uniquement pour la* ~ nur zu Ausstellungszwekken.

Montréalais [mɔ̃reaˈlɛ] *su.* (7) Einwohner *m* Montreals.

montrer [mɔ̃ˈtre] (1a) **I** *v/t.* **1.** zeigen; sehen lassen; (hin)reichen, geben; ~ *qch. du doigt* etw. mit dem Finger zeigen; *fig. péj.* ~ *q. du doigt* mit dem Finger auf j-n zeigen; ~ *les dents* mit den Zähnen fletschen; *fig.* ~ *les talons* sich drücken, sich verdünnisieren F; F ~ *patte blanche* sich ausweisen; *fig.* offen Farbe bekennen; *fig.* ~ *son béjaune* sich (*durch Unwissenheit*) blamieren; **2.** an den Tag legen; erkennen lassen; beweisen, darlegen; ~ *du courage* Mut beweisen; **3.** unterweisen; vertraut machen mit (*dat.*); ~ *le maniement de qch. à q.* j-n in der Handhabung e-r Sache unterweisen; **II** *v/rfl.* *se* ~ sich zeigen, sich erweisen als; *se* ~

humain sich menschenfreundlich zeigen; *se ~ homme de courage* Mut beweisen.

montreur [mɔ̃'trœːr] *su.* (7g): *~ de marionnettes* Puppenspieler *m*; *~ d'ours* Bärenführer *m*.

monture [mɔ̃'tyːr] *f* **1.** Reittier *n*, (Reit-)Pferd *n*; **2.** Bügel *m e-r Säge*; Besaitung *f e-s Musikinstruments*; **3.** ⊕ Gestell *n*, Einfassung *f*, Garnitur *f*, Beschlag *m*; Fassung *f e-s Schmuckes*; Brillen-einfassung *f*, -bügel *m*; ⚡ Armierung *f v. Glühlampen*; *phot. ~ hélicoïdale* Schnekkengangfassung *f*; **4.** *plais.* Stahlroß *n* (*Fahrrad*); Nuckeltulle *f* (*Motorrad*).

monument [mɔny'mɑ̃] *m* **1.** Denkmal *n*; *~ funéraire* Grabmal *n*; **2.** Monument *n*, bedeutendes Gebäude *n*; Bau *m*, Kunstwerk *n*; **~al** [~'tal] *adj.* (5c) monumental, kolossal, gewaltig; hochbedeutend; *fig.* riesig; F kapital (*Fehler*); grenzenlos (*Dummheit*).

moque ⚓ [mɔk] *f* Talje *f*, Stagblock *m*.

moquer [mɔ'ke] *v/rfl.* (1m) **1.** *se ~ de q.* (*de qch.*) sich über j-n (über etw.) lustig machen; j-n auslachen; *être moqué, se faire ~* sich lächerlich machen; *il se fera moquer de lui* er wird sich bei ihm lächerlich machen; **2.** *se ~ de qch.* sich nichts aus etw. (*dat.*) machen; *je m'en moque* ich mache mir nichts daraus; **~ie** [mɔ'kri] *f* Spott *m*, Witzelei *f*, Verhöhnung *f*, Neckerei *f*.

moqu|ette [mɔ'kɛt] *f* **1.** *ch.* Lockvogel *m*; **2.** *text.* Auslegeware *f*; **~eur** [mɔ'kœːr] (7g) **I** *adj.* spöttisch, spöttelnd; *être ~* gern spotten; **II** *su.* Spötter *m*; **III** *m* Spottdrossel *f*.

moraillon *serr.* [mɔrɑ'jɔ̃] *m* Schließblech *n*, -band *n*, Krampe *f*.

morain|e *géol.* [mɔ'rɛːn] *f* Moräne *f*; **~ique** [~rɛ'nik] *adj.* Moränen...

moral [mɔ'ral] **I** *adj.* (5c) □ **1.** moralisch, sittlich, ethisch; ⚖ *personne f ~e* juristische Person *f*; **2.** seelisch, innerlich, geistig; **II** *m das* Sittliche *n*; innerer Halt *m*, Stimmung *f*, Moral *f*, Geistesverfassung *f*, Haltung *f*; *avoir bon ~* optimistisch (*od.* zuversichtlich) sein.

morale [~] *f* Moral *f*, Sittlichkeit *f*, sittliches Verhalten *n*; Sittenlehre *f*, Ethik *f*; Strafpredigt *f*; *faire (de) la ~ à q.* j-m e-e Strafpredigt halten.

morali|sateur [mɔraliza'tœːr] *adj.* (7f) erbaulich; *a. péj.* moralisierend; **~sation** [~zɑ'sjɔ̃] *f* sittliche Hebung *f*.

morali|ser [mɔrali'ze] (1a) **I** *v/i.* moralisieren, Moral predigen, moralische Betrachtungen anstellen; **II** *v/t. ~ q.* j-m Moralpredigten halten; **~sme** *phil.* [~'lism] *m* Moralphilosophie *f*; **~ste** [~'list] *su. u. adj.* Moralphilosoph *m*; Moralprediger *m*; moralphilosophisch; moralisierend; **~té** [~li'te] *f* **1.** sittlicher Wert *m*; **2.** Moral *f*, Sittlichkeit *f*; **3.** *ehm. litt.* geistliches Drama *n*, Moralität *f*.

morasse *typ.* [mɔ'ras] *f* Bürstenabzug *m.*

moratoire [mɔra'twaːr] **I** *adj.* aufschiebend; † *intérêts m/pl. ~s* Verzugszinsen *pl.*; **II** *m* Zahlungsaufschub *m*, Moratorium *n*; *allg.* Einstellung *f*, Verbot *n*.

moratorium †, *pol.* [mɔratɔ'rjɔm] *m* Moratorium *n*.

morave *géogr.* [mɔ'raːv] *adj.* mährisch.

morbi|de [mɔr'bid] *adj.* □ morbid (*a. fig.*), krankhaft; Krankheits...; *fig.* angekränkelt; **~desse** [~'dɛs] *f peint.* Weichheit *f* (*od.* Zartheit *f*) *des Fleisches*; **~dité** ⚕ [~di'te] *f* **1.** krankhafter Zustand *m*; **2.** Krankheitsursachen *f/pl.*; **3.** Erkrankungsquotient *m*.

morc|eau [mɔr'so] *m* (5b) **1.** (*unzubereitetes*) Stück *n*; Bissen *m*; *~ de bois* Stück *n* Holz; *~ d'étoffe* Stoffrest *m*; *pour un ~ de pain* für ein Butterbrot; *mettre en ~x* in Stücke reißen, kurz u. klein schlagen; *par ~x* in Stücken; *fig. casser le ~* j-m gründlich s-e Meinung sagen; auspacken F; F *manger* (*od. lâcher*) *le ~* s-e Komplizen verraten; **2.** Teil *m*; Anteil *m*; *~ de terre* Stück *n* Land, Grundstück *n*; **3.** *fig.* Stelle *f*, Abschnitt *m*; *~x choisis* ausgewählte Lesestücke *n/pl.*; **4.** ♪ Musikstück *n*; *~ d'ensemble* mehrstimmiges Musikstück *n*; **~eler** [mɔrsə'le] *v/t.* (1c) zerstückeln; **~ellement** [~sɛl'mɑ̃] *m* Zerstückelung *f*; *fig. le ~ des tâches* die Aufteilung der Aufgaben.

mord|ache [~'daʃ] *f* (Spann-, Feil-) Kluppe *f*, Klemm-eisen *n*, -backe *f* (*Schraubstock*); Feuerzange *f*; **~acité** *litt.* [~dasi'te] *f fig.* Bissigkeit *f*; **~ançage** *text.* [mɔrdɑ̃'saːʒ] *m* Beizen *n*; **~ancer** *text.* [~dɑ̃'se] *v/t.* (1k) beizen, ätzen; **~ant** [~'dɑ̃] **I** *adj.* (7) beißend; ⊕ beizend, fressend, ätzend; *fig.* bissig, scharf, spitz, schneidend (*Worte*, *Tonart*);

II *m* ⊕, *text.* Beize *f*; *fig.* Schärfe *f*, Bissigkeit *f*; ⚔, *Sport* Schneid *m*; **~icus** F [~di'kys] *adv.* hartnäckig, steif und fest.

mordiller [mɔrdi'je] *v/t.* (1a) knabbern; *abs.* leicht beißen.

mordoré [mɔrdɔ're] *adj.* goldbraun.

mordre ['mɔrdrə] (4a) **I** *v/t.* **1.** beißen; stechen (*Floh*); *fig.* ~ *la poussière* a) der Länge nach hinfallen; b) e-e Niederlage erleiden; se ~ *les doigts de qch.* etw. bereuen; **2.** (an)fressen; ⊕ (*faire*) ~ *une planche* eine Platte ätzen; **II** *v/i.* beißen; *fig.* darauf eingehen; F *fig.* ~ *à qch.* etw. mit Freude lernen, Geschmack an etw. (*dat.*) finden; *ça ne mord pas* das zieht nicht, das hat gar keine Wirkung (*Angebot*); ~ (*à l'hameçon*) (am Angelhaken) anbeißen; *fig.* ~ *sur qch.* etw. angreifen; ~ *sur les gens* über die Leute herziehen; *l'ancre mord* der Anker faßt; *Auto*: ~ *sur une ligne jaune* über e-n gelben Strich fahren.

mordu F [mɔr'dy] **I** *m bsd. Sport*: Begeisterte(r) *m*, Fanatiker *m*; *les* ~*s de la vitesse* die Geschwindigkeitsfanatiker *m/pl.* (*Autorennen*); **II** *adj.* verliebt; *bsd. Sport*: begeistert, besessen (*pour* von).

moreau [mɔ'ro] (5b) *adj./m* (*f*: *morelle* [mɔ'rɛl]) ganz schwarz: *cheval m* ~ Rappe *m*.

morelle ⚘ [mɔ'rɛl] *f* Nachtschatten *m*.

morfal * [mɔr'fal] *m* Vielfraß *m* F; **~er** * [~'le] *v/i. u.* se ~ sich vollfressen.

morfil ⊕ [~'fil] *m* Messergrat *m*.

morfondre [mɔr'fɔ̃:drə] *v/rfl.* (4a) se ~ Trübsal blasen.

morfondu [mɔrfɔ̃'dy] *adj. fig.* sehr enttäuscht; niedergeschlagen.

morgue [mɔrg] *f* **1.** Dünkel *m*, Hochmut *m*, Arroganz *f*; **2.** Leichenhalle *f*; ♀ Leichenschauhaus *n*.

moribond [mɔri'bɔ̃] *adj. u. su.* (7) todkrank; Todkranke(r) *m*.

moricaud [mɔri'ko] *adj. u. su.* (7) dunkelhäutig; Mulatte *m*.

morigéner [~ʒe'ne] *v/t.* (1f): ~ *q.* j-n abkanzeln, j-n ausschimpfen.

morille ⚘ [mɔ'rij] *f* Morchel *f*.

morillon [mɔri'jɔ̃] *m* **1.** Reiherente *f*; **2.** ⚘ dunkelrote Weintraube *f*; **3.** roher Smaragd *m*.

morne [mɔrn] **I** *adj.* trübsinnig, niedergeschlagen, düster; trüb(e) (*Wetter*); matt (*Farbe*); **II** *m géol.* Hügel *m*, Anhöhe *f*; **III** *hist. f* Lanzenring *m*.

mornifle [mɔr'niflə] *f* **1.** F Backpfeife *f*; **2.** * Geld *n*.

moro|se [mɔ'ro:z] *adj.* mißgestimmt, mürrisch; **~sité** [~rozi'te] *f* mürrisches Wesen *n*, Griesgrämigkeit *f*, Niedergeschlagenheit *f*.

morphi|ne [mɔr'fin] *f* Morphium *n*; **~nisme** [~'nism] *m* Morphiumvergiftung *f*; **~nomane** [~nɔ'man] *adj. u. su.* morphiumsüchtig; Morphinist *m*; **~nomanie** [~nɔma'ni] *f* Morphiumsucht *f*.

morphologie [mɔrfɔlɔ'ʒi] *f* Morphologie *f* (*a. gr.*), *gr.* Formenlehre *f*.

morpion [mɔr'pjɔ̃] *m ent.* Filzlaus *f*; P *fig.* Lausejunge *m*.

Morris [mɔ'ris]: *colonne f* ~ Anschlag-, Litfaß-säule *f*.

mors [mɔ:r] *m* **1.** Gebiß *n* am Zaum; *prendre le* ~ *aux dents* scheu werden, durchgehen; *fig. etw.* energisch anpacken; leidenschaftlich werden; aufbrausen; **2.** ⊕ (Schraubstock-) Backe *f*.

morse [mɔrs] *m* **1.** *zo.* Walroß *n*; **2.** Morse-schrift *f*, -apparat *m*.

morsure [mɔr'sy:r] *f* Biß *m*, (Floh-) Stich *m*; Bißwunde *f*; *fig.* Stich *m*.

mort[1] [mɔ:r] *f* Tod *m*; Vernichtung *f*, Untergang *m*; ~*s pl.* Todesfälle *m/pl.*; ~ *apparente* Scheintod *m*; *peine f de* ~ Todesstrafe *f*; *ce n'est pas la* ~! das ist doch nicht so schlimm!; *s'ennuyer à la* ~ sich zu Tode langweilen; *lutter contre la* ~ mit dem Tode ringen; *mettre à* ~ umbringen, töten; *mourir de sa belle* ~ e-s natürlichen Todes sterben; *se donner la* ~ sich das Leben nehmen; *combat m à* ~ Kampf *m* auf Leben und Tod; *arrêt m de* ~ Todesurteil *n*; *condamner q. à* ~ j-n zum Tode verurteilen; ~ *volontaire* Freitod *m*; ~*-aux-rats* Rattengift *n*.

mort[2] [~] (7) **I** *p/p. v. mourir* **1.** gestorben, verstorben; *fig. la conférence est* ~*e* die Konferenz ist gescheitert; **II** *adj.* **2.** tot; **3.** ⚘ *u.* ⚕ abgestorben; ⚕ *chair f* ~*e* wildes Fleisch *n*; *peint. nature f* ~*e* Stillleben *n*; **4.** totenblaß; glanzlos, erloschen, brechend (*Augen*); **5.** *eau f* ~*e* stehendes Wasser *n*; *la mer* ♀*e* das Tote Meer; **6.** *fig.* untätig, leblos; **7.** ⚜ still, geschäftslos, flau; *a.* ⊕ *le moteur est* ~ der Motor geht nicht; **8.** *a. fig. point m* ~ toter Punkt *m*; **III** *advt.*, *dennoch veränderlich*: *ivre* ~ total betrunken, sternhagelblau F; **IV** *su.* Tote(r) *m*;

fig. Strohmann *m*, Blinde(r) *m* (*im Spiel*); *faire le* ~ sich totstellen; *fig.* sich drücken; *un* ~ e-e Leiche *f*; *rl. Jour m des* ♀s Allerseelen *n*.
mortais|e [mɔr'tɛːz] *f* ⊕ Zapfenloch *n*; ⚠ Nut *f*; **~er** [~tɛ'ze] *v/t.* (1a) ein Zapfenloch einschneiden *od.* stemmen in; **~euse** ⊕ [~'zøːz] *f* Stoß-, Stemm-, Zapfenloch-, Lochmaschine *f*.
mortalité [mɔrtali'te] *f* Sterblichkeit *f*; ~ *infantile* Kinder-, Säuglings-sterblichkeit *f*.
mort-bois *ohne pl.* ⊕ [mɔr'bwa] *m* schlechtes Holz *n*, Abholz *n*.
morte-eau ⚓ [mɔr'to] *f* (6a) kleine Fluten *f/pl.*, Nippflut *f*.
mortel [mɔr'tɛl] (7c) **I** *adj.* □ **1.** sterblich; irdisch, vergänglich; **2.** tödlich; *coup m* ~ Todesstoß *m*; *ennemi m* ~ Todfeind *m*; *péché m* ~ Todsünde *f*; **3.** *fig.* verhängnisvoll; bitter (*Kälte*); F entsetzlich lang (-weilig); **II** *su.* Sterbliche(r) *m*.
morte-saison [mɔrtəsɛ'zɔ̃] *f* (6a) Sauregurkenzeit *f fig.* F.
mortier [mɔr'tje] *m* **1.** *cuis.*, *phm.*, ⚔ Mörser *m*; **2.** ⚠ Mörtel *m*; **3.** ⚖ Barett *n*.
morti|fiant [mɔrti'fjɑ̃] *adj.* (7) kränkend; **~fication** [~fikɑ'sjɔ̃] *f* **1.** tiefe Kränkung *f*, Demütigung *f*; **2.** *rl.* Abtötung *f des Fleisches*, Kasteiung *f*; **3.** *cuis.* Abhängenlassen *n*; **~fier** [~'fje] *v/t.* (1a) **1.** *fig.* tief kränken, demütigen; **2.** *rl.* abtöten, kasteien; **3.** *cuis.* abhängen lassen; mürbe machen; **~naissance** [~nɛ'sɑ̃ːs] *f* Totgeburt *f*; **~natalité** [~natali'te] *f* Totgeburten-ziffer *f*, -zahl *f*.
mort-né [mɔr'ne] **I** *adj.* totgeboren; **II** *su.* (6g) Totgeburt *f*.
mortuaire [mɔr'tɥɛːr] *adj.* Toten..., Leichen...; *drap m* ~ Leichentuch *n*; *extrait m* ~ Totenschein *m*; *maison f* ~ Trauerhaus *n*.
morue [mɔ'ry] *f icht.* Kabeljau *m*; P *fig.* Fose *f* V; *petite* ~ Dorsch *m*; ~ *noire* Schellfisch *m*; ~ *sèche* (*od. séchée*) Stockfisch *m*; ~ *verte* Laberdan *m*; ~ *ronde* Klippfisch *m*; *huile f de foie de* ~ Lebertran *m*; *habit m queue de* ~, F *queue f de* ~ Schwalbenschwanz *m* (*Frack*).
morutier ⚓, *icht.* [~ry'tje] *adj.* (7b) *u. m* Kabeljau...; Kabeljaufischer *m*.
mor|ve [mɔrv] *f* **1.** *vét.* Rotz(krankheit *f*) *m*, Staupe *f* (*der Pferde*); **2.** ⚕ Nasenschleim *m*, Rotz *m* V; **~veux** [~'vø] *su.* (7g) Rotznase *f*, Rotzbengel *m*.
mosaïque[1] [mɔza'ik] *adj.* mosaisch.
mosaïque[2] [~] *f* Mosaik *n*; *fig.* buntes Allerlei *n*.
mosaïste [mɔza'ist] *m* (*a. adj.*: *ouvrier m* ~) Mosaikarbeiter *m*.
moscatelle ⚘ [mɔska'tɛl] *f* Bisamkraut *n*.
Moscou [mɔs'ku] *m* Moskau *n*.
moscoutaire *pol.*, *péj.* [~ku'tɛːr] *adj. u. su.* moskauhörig; Moskauhörige(r) *m*, Sowjetanhänger *m*.
moscovite [mɔskɔ'vit] *adj. u.* ♀ *su.* moskauisch; Moskauer *m*.
Moselle [mɔ'zɛl] *f*: *la* ~ die Mosel.
mosquée [mɔs'ke] *f* Moschee *f*.
mot [mo] *m* **1.** (Einzel-)Wort *n* (*als Vokabel*); Ausdruck *m*; *bon* ~ (*pl. des bons* ~*s*) geistreiche (*od.* witzige) Bemerkung *f*; ~ *étranger* Fremdwort *n*; ~ *à tout faire* Allerweltswort *n*; *au bas* ~ gelinde gesagt (*od.* ausgedrückt); *parler à* ~*s couverts* durch die Blume sprechen; *ne dire* (*od. ne souffler*) ~ kein Wort sagen; *je n'y entends* ~ ich verstehe kein Wort davon; *manger ses* ~*s* die Worte verschlucken; *traîner ses* ~*s* sehr langsam sprechen; *pas un* ~ *de plus!* kein Wort mehr!; *en un* ~ mit einem Wort; ~ *à* ~ [mɔta'mo], ~ *pour* ~ Wort für Wort, wortgetreu; *fig. je lui écrirai un* ~ ich werde ihm ein paar Zeilen schreiben; **2.** Denk-, Aus-spruch *m*; **3.** *le fin* ~ der wahre Sachverhalt, des Pudels Kern *m* F; **4.** ~ (*de l'énigme*) Lösung *f* (des Rätsels); ~*s pl. carrés* Worträtsel *n*; ~*s pl. croisés* Kreuzworträtsel *n*; **5.** ⚔ ~ *d'ordre* Parole *f*, Losungs-, Kennwort *n*; ~ *de passe* Erkennungs-, Paß-wort *n*; **6.** *se donner le* ~ sich verabreden; **7.** *gr.* ~ *composé* zusammengesetztes Wort *n*; ~*s-outils m/pl.* satznotwendige Wortarten *f/pl.* (*Artikel*, *prp.*, *cj.*); ~ *transfuge* Wort *n*, das in e-e andere Wortklasse übergegangen ist.
motard [mɔ'taːr] *m* Motorradfahrer *m* der Polizei *od.* des Heeres.
motel [mɔ'tɛl] *m* Motel *n*.
motet ♪ [mɔ'tɛ] *m* Motette *f*.
moteur [mɔ'tœːr] (7f) **I** *adj.* motorisch, Bewegungs..., Antriebs...; *roue motrice* Triebrad *n*; **II** *su. fig.* treibende Kraft *f*; **III** *m* Motor *m*; ~ *à combustion* Verbrennungsmotor *m*; ~ *compensateur* Ausgleichsmotor *m*; ~ *à explosion* Explosionsmotor *m*; ~ *électrique* Elektromotor *m*; ~ *à gaz* Gasmotor *m*; ~ *à injection Auto*: Einspritzmotor *m*; ~

à quatre temps Viertaktmotor *m*; ~ *moto-bloc* Blockmotor *m*; ~ *à réducteur* gedrosselter Motor *m*; ~ *de descente* Abstiegstriebwerk *n* (*Mondfähre*); ~ *du compartiment des machines* Haupttriebwerk *n* (*Raumschiff*); ~ (*propulseur*) Antriebsmotor *m*; ~ *auxiliaire* Hilfsmotor *m*; ~ *radial* Sternmotor *m*; ~ *amovible*, ~ *godille* Außenbordmotor *m*; ~ *incorporé* Einbaumotor *m*; ~ *pilon* stationärer Motor *m*; ~ *poussé* hochtouriger Motor *m*; ~ *à culbuteurs* obengesteuerter Motor *m*; ~ *flottant* schwebend (*auf Gummikissen*) gelagerter Motor *m*; ~ *à réaction* Düsentriebwerk *n*; ~ *à refroidissement d'air* (*d'eau*) luft-(wasser-)gekühlter Motor *m*; *le* ~ *démarre od. part* der Motor springt an; *lancer le* ~, *mettre le* ~ *en marche* den Motor anlassen.

motif [mɔ'tif] *m* **1.** Anlaß *m*, Beweggrund *m*, Triebfeder *f*, Motiv *n*; *pour quel* ~? aus welchem Grunde?; *pour* (*od. au*) ~ *que* mit der Begründung, daß; **2.** ♪ Thema *n*, Hauptsatz *m*; **3.** *peint.* Motiv *n*, Gegenstand *m*.

motilité *physiol.* [mɔtili'te] *f* Bewegungsvermögen *n*.

motion [mo'sjɔ̃] *f* Antrag *m*; *parl.* ~ *de censure* Mißtrauensantrag *m*; *parl. auteur m de* ~ Antragsteller *m*.

motivation [mɔtivɑ'sjɔ̃] *f* **1.** *psych.* Willensbestimmung *f*; **2.** Motivierung *f*, Begründung *f*; **3.** *écol.* Motivation *f*; **~nel** *éc.*, *pol.* [~vɑsjɔ'nel] *adj.* (7c): *recherche f* **~***le* Motivforschung *f*.

motiver [mɔti've] *v/t.* (1a) **1.** begründen, motivieren; **2.** *fig.* verursachen.

moto [mɔ'to] *f* Motorrad *n*.

moto|batteuse ⊕ [mɔtɔba'tø:z] *f* Motordresch-er *m*, -maschine *f*; **~caméra** [~kame'ra] *f* Filmaufnahmegerät *n* mit Motorantrieb; **~canot** [~ka'no] *m* Motorboot *n*; **~culteur** [~kyl'tœ:r] *m* Motorpflug *m*, Garten-, Boden-fräse *f*, Motoregge *f*; **~culture** ✓ [~kyl'ty:r] *f* mechanisierte Landwirtschaft *f*; **~cycle** *adm.* [~'siklə] *m jede Art* Kraftrad *n* (*mit 2 Rädern*); **~cyclette** [~si'klɛt] *f* Motorrad *n*; **~cyclisme** [~si'klism] *m* Motorradsport *m*; **~cycliste** [~si'klist] *m* Motorradfahrer *m*; **~faucheuse** ⊕ [~fo'ʃø:z] *f* Motormäher *m*; **~godille** [~gɔ'dij] *f* Außenbordmotor *m*; **~nautisme** [~no'tism] *m* Motorwassersport *m*; **~pompe** [~'pɔ̃:p] *f* Motorpumpe *f*.

motorcade *plais. Auto* [mɔtɔr'kad] *f* Motorkade *f*, Geleitzug *m* v. Autos.

motoris|ation [mɔtɔrizɑ'sjɔ̃] *f* Motorisierung *f*; **~er** [~'ze] *v/t.* (1a) motorisieren; **~te** [~'rist] *su.* Hersteller *m* von Auto- u. Flugzeugmotoren.

motrice [mɔ'tris] **I** *adj./f*: *mot. course f* ~ Arbeitshub *m*; *force f* ~ Triebkraft *f*; **II** *f* Triebwagen *m*.

motricité *physiol.* [mɔtrisi'te] *f* motorische Kraft *f* der Nervenzellen für die Muskelzusammenziehung, Motrizität *f*.

mots-croisiste [mokrwa'zist] *su.* Kreuzworträtselfreund *m*.

motte [mɔt] *f* **1.** (Erd-)Scholle *f*, Klumpen *m*; **2.** ~ *de beurre* Klumpen *m* Butter.

motteux *orn.* [mɔ'tø] *m* Weißschwanz *m*.

motus! [mɔ'tys] *int.* pst!

mot-vedette *typ.* [movə'dɛt] *m* Stichwort *n*.

mou (*vor vo.*: **mol**) *m*, **molle** *f* [mu, mɔl] **I** *adj.* □ **1.** weich; **2.** feuchtwarm (*Wetter*); lau (*Wind*); **3.** *fig.* kraftlos, schwach, schlaff, matt; verweichlicht; gleichgültig, lässig; **4.** ⚓ *cordage m mou* schlaffes Tau *n*; *mer f molle* stille See *f*; **II** *le mou* **5.** *pol.* der Flaue; *allg.* Waschlappen *m fig.*; *cuis. mou m de veau* Kalbslunge *f*; *donner du* ~ *à qch.* etw. lockern.

mouchard [mu'ʃa:r] *su.* (7) (Polizei-)Spitzel *m*; Denunziant *m*; *écol.* Petze *f*, Petzer *m*; Kontrollgerät *n*; **~age** [~ʃar'da:ʒ] *m* Spitzeldienst *m*, Schnüffelei *f*, Spionieren *n*; **~er** F [~'de] (1a) *v/t. u. v/i.* (be)spitzeln; ausspionieren; spionieren, schnüffeln; *écol.* petzen.

mouche [muʃ] *f* **1.** Fliege *f*; zweiflügeliges Insekt *n*; ~ *à viande* Schmeißfliege *f*; F *prendre la* ~ aufbrausen; *fine* ~ *fig.* Fuchs *m*, geriebener Kerl *m*; *faire la* ~ *du coche* sich aufspielen, sich wichtig tun; *pattes f/pl. de* ~ Geschmiere *n*, Gekritzel *n*; ⚕ ~*s f/pl. volantes* Mückensehen *n*; **2.** Schönheitspflästerchen *n*; **3.** *esc.* Lederknopf *m am Stoßrapier*; **4.** Fliege *f* (*Bartansatz an der Unterlippe*); **5.** schwarzer Punkt *m*, *das* Schwarze *n*, Zentrum *n e-r Zielscheibe*; *faire* ~ (richtig) treffen; *fig.* das Richtige treffen; *faire* ~ *à 100 mètres* auf 100 m sicher zielen; ⚔ *coup m qui fait* ~ Volltreffer *m*; **6.** *bateau* ~ kleiner Personenflußdampfer *m*.

moucher [mu'ʃe] (1a) **I** *v/t.* schnauben; ~ *un enfant* e-m Kinde die Nase putzen; F *se faire* ~ abgekanzelt werden; **II** *v/rfl.* *se* ~ (= ~ *son nez*) sich die Nase putzen.

moucheron [muʃ'rõ] *m nicht stechende* Mücke *f*; F *fig.* kleiner Junge *m*, Steppke *m*.

mouchet|er [muʃ'te] *v/t.* (1c) **1.** flecken, sprenkeln, tüpfeln; **2.** *esc. eine Florettspitze* mit einem Knopf versehen; **~is** ⚠ [muʃ'ti] *m* Besenputz *m*.

mouchette [mu'ʃɛt] *f* ⚠ Kranzleiste *f*; Rund-, Sims-hobel *m*.

moucheture [muʃ'ty:r] *f* **1.** *das* Gesprenkelte; **2.** *zo.* Sprenkelung *f*, bunter Fleck *m* (*des Fells*).

mouchoir [mu'ʃwa:r] *m* Taschentuch *n*; ~ *de* (*od. en*) *papier* Papiertaschentuch *n*; *Sport*: *dans un* ~ in e-r dichten Mannschaft.

moudre ['mu:drə] *v/t.* (4y) mahlen.

moue [mu] *f* unzufriedenes Gesicht *n*; *faire la* ~ *à q.* mit j-m böse sein; *abs. faire la* ~ *à qch.* bei etw. (*dat.*) e-n Flunsch ziehen.

mouette [mwɛt] *f* Möwe *f*.

mouffette [mu'fɛt] *f* Stinktier *n*, Skunk *m*.

moufle ['muflə] **I** *f* **1.** Fausthandschuh *m*; **2.** ⊕ (*a. m*) Flaschenzug *m*; **II** *m* ⚗ Schmelztiegel *m*, Muffel *f*.

mouflet F [mu'flɛ] *su.* (7c) Kind *n*.

mouflon *zo.* [mu'flõ] *su.* Mufflon *n*.

mouill|age [mu'ja:ʒ] *m* **1.** Anfeuchten *n*; **2.** ⚓ Anker-grund *m*, -platz *m*; être *au* ~ vor Anker liegen; **3.** Verdünnen *n* (*v. Milch od. Wein*); **~er** [mu'je] (1a) **I** *v/t.* **1.** naß machen; anfeuchten; bespülen; eintauchen; einweichen; *Wein* mit Wasser verdünnen; *mouillé* naß, feucht; ~ *une mine* e-e Mine legen; **2.** *gr. ll und gn* mouillieren, erweichen; *son mouillé* weicher, palataler Reibelaut *m*; **3.** ⚓ ~ (*l'ancre*) vor Anker gehen, ankern, Anker werfen; **II** *v/rfl.* *se* ~ sich naß machen; naß werden.

mouille-timbre [muj'tɛ̃:brə] *m/inv.* (6c) Briefmarkenanfeuchter *m*.

mouill|ette [mu'jɛt] *f* längliche, dünne Brotscheibe *f* zum Eintunken; **~eur** ⊕ [~'jœ:r] *m* (Briefmarken-)Anfeuchter *m*; ⚓ ~ *de câbles* Kabeldampfer *m*; ⚓, ⚔ ~ *de mines* Minenleger *m*; *adjt. bébé m* ~ abwaschbare Puppe *f*; **~oir** [~'jwa:r] *m* Wassernäpfchen *n*; **~ure** [~'jy:r] *f* Stockfleck *m*.

mouise P [mwi:z] *f* Misere *f*, Elend *n*.

moujingue P [mu'ʒɛ̃:g] **I** *m* Bengel *m*, Gör *n*; **II** *f* Göre *f*.

moukère * [mu'kɛ:r] *f* Frau *f*.

moulage ⊕ [mu'la:ʒ] *m* Formen *n*, Abguß *m*, Abdruck *m*; ~ *par injection* Spritzguß *m*.

moulant *cout.* [mu'lã] *adj.* enganliegend.

moule[1] [mul] *m* **1.** Form *f*, Modell *n*; ~ *à gaufres* Waffeleisen *n*; ~ *à pâtisserie* Backform *f*; **2.** *fig.* Muster *n*, Vorbild *n*.

moule[2] [~] *f* **1.** Miesmuschel *f*; **2.** P *fig.* Waschlappen *m*, Schwächling *m*.

moulé [mu'le] **I** *m* Gedruckte(s) *n*; **II** *adj.* gut geformt, (an)gegossen; *matière f* **~e** Preßstoff *m*; *a. fig. il est comme* ~ *dans son vêtement* sein Rock sitzt wie angegossen.

mouler [~] (1a) **I** *v/t.* **1.** ⊕ (ab-)formen, (-)gießen, (-)drucken; **2.** *cout.* die Formen des Körpers hervortreten lassen, sich anschmiegen (*dat.*); **3.** *fig.* ~ *sur* bilden (*od.* formen) nach (*dat.*); **II** *v/rfl.* *se* ~ sich anschmiegen (*v. Kleidern*); *fig. se* ~ *sur q.* sich j-n zum Vorbild nehmen.

moulerie ⊕ [mul'ri] *f* Gießerei *f*.

mouleur [~'lœ:r] *m* Gießer *m*.

moulière [~'ljɛ:r] *f* Muschelbank *f*.

moulin [mu'lɛ̃] *m* Mühle *f*; *se battre contre des* **~s** *à vent* gegen Windmühlenflügel kämpfen; **~age** [~li'na:ʒ] *m* ⊕ Zwirnen *n*; **~er** [~'ne] (1a) **I** *v/t.* **1.** *Seide* zwirnen; **2.** *cuis.* zerkleinern; **II** *v/i.* F *vél.* radeln; **~et** [~'ne] *m* **1.** Moulinet *n* (*Tanzfigur*); *faire le* ~ *mit e-m Spazierstock* ein Rad schlagen; **2.** *hydr.*, *mot.* Geschwindigkeitsmesser *m*; **3.** Angelrolle *f*; **~ette** *cuis.* ⊕ [~'nɛt] *f* Fleischwolf *m*; **~eur** (7g) *od.* **~ier** (7b) ⊕ [~'nœ:r, ~'nje] *su.* Seidenzwirner *m*.

moult *bisw. noch plais.* [mult] *adv.* viel(e); sehr.

moulu [mu'ly] *v. moudre*: *adj.* gemahlen; *fig.* être ~ wie gerädert sein.

moulure [mu'ly:r] *f* ⚠ Gesims *n*; *men.* Zierleiste *f*; Rahmen-, Bilderleiste *f*; ⊕ Profilstück *n*; **~s** *pl.* Sims-, Schnitz-werk *n*; Fries *m*.

moumoute F [mu'mut] *f* Perücke *f*.

mouquère * [mu'kɛːr] *f* Frau *f*.
mourant [mu'rɑ̃] (7) **I** *adj.* **1.** sterbend; *fig. yeux m/pl.* ~*s* brechende Augen *n/pl.*; **2.** *fig.* zu Ende gehend; **3.** verwaschen; *bleu* ~ mattblau; **4.** ♪ *en* ~ zum Pianissimo übergehend; **II** *su.* Sterbende(r) *m*.
mourir [mu'riːr] (2k) **I** *v/i.* **1.** sterben; ~ *de faim* verhungern; ~ *de soif* verdursten; ~ *de peur* sich zu Tode ängstigen; ~ *martyr* als Märtyrer sterben; ~ *de sa belle mort* eines natürlichen Todes sterben; *advt. à* ~ entsetzlich; **2.** eingehen (*Pflanze*); verblühen (*Blume*); **3.** allmählich zu Ende gehen; erlöschen; ausgehen, sich verlieren; **II** *litt. se* ~ (*nur prés.*) im Sterben liegen.
mouroir *péj.* [mu'rwaːr] *m* Sterbeasyl *n*.
mouscaille P [mus'kaj] *f* Not *f*, Elend *n*.
mousquet *ehm.* [mus'kɛ] *m* Muskete *f*; **~aire** *ehm.* [~kə'tɛːr] *m* Musketier *m*; **~on** *ehm.* ⚔ [~'tɔ̃] *m* Karabiner(haken *m*) *m*.
mousse[1] [mus] *m* Schiffsjunge *m*.
mousse[2] [~] *f* **1.** ⚘ Moos *n*; ~ *aquatique* Wassermoos *n*; *fig.* ~ *de nylon* Kräuselkrepp *m*; **2.** Schaum *m*; ~ *anti-incendie f* Feuerlöschschaum *m*; *extinction f à* ~ Schaumlöschverfahren *n*; ~ *en matière plastique* ⚠ Schaumkunststoff *m*; **3.** Schaumgummi *m*; **4.** F *ne pas se faire de* ~ sich keine Sorgen machen.
mousseline [mus'liːn] **I** *f* ✝ Musselin *m*, Nesseltuch *n*; Seidengeorgette *f*; **II** *adj.*: *verre m* ~ hauchdünnes Glas *n*.
mousser [mu'se] *v/i.* (1a) schäumen; *faire* ~ quirlen; F *fig. faire* ~ *q.* a) P j-n wütend machen; b) j-n übertrieben loben.
mousseron ⚘ [mus'rɔ̃] *m* Maischwamm *m*.
mousseux [mu'sø] **I** *adj.* (7d) schäumend; **II** *m* Schaumwein *m*.
moussoir [mu'swaːr] *m* Schaumschläger *m* (*Kücheninstrument*).
mousson [mu'sɔ̃] *f* Monsun *m*.
moussu ⚘ [mu'sy] *adj.* bemoost.
moustach|e [mus'taʃ] *f* **1.** Schnurrbart *m*; **2.** Schnurrhaare *n/pl.*; **~u** [~ta'ʃy] *adj.* mit e-m Schnurrbart.
mousti|quaire [musti'kɛːr] *f* Moskitonetz *n*; **~que** [~'tik] *m* Moskito *m*; (Stech-)Mücke *f*.
moût [mu] *m* Weinmost *m*; Bierwürze *f*.
moutard P [mu'taːr] *m* Knirps *m*.
moutar|de [mu'tard] *f* **1.** ⚘ Senf *m*; **2.** Mostrich *m*, Senf *m*; *la* ~ *lui monta au nez* e-e Laus lief ihm über die Leber; **~dier** [~'dje] *m* **1.** Mostrichnäpfchen *n*; **2.** Mostrichfabrikant *m*, -händler *m*; **3.** *fig.* F *se croire le premier* ~ *du pape* sich für sehr wichtig halten.
mouton [mu'tɔ̃] **I** *m* **1.** Schaf *n*, Hammel *m*, Schöps *m*; *fig. revenir à ses* ~*s* wieder zum Thema zurückkehren; **2.** Hammelfleisch *n*; **3.** Schafleder *n*; **4.** *fig.* nachgiebiger Mensch *m*; *doux comme un* ~ lammfromm; F ~ *de Panurge* Massen-, Herden-mensch *m*; **5.** F ~*s pl.* schäumende Wellen *f/pl.*; **6.** ~*s pl.* Staubflocken *f/pl.* unter den Möbeln; **7.** * Gefangenenspitzel *m*; **8.** ⊕ Pfahlramme *f*, Fallgewicht *n*, Ramm-bär *m*, -klotz *m*; **9.** ⚠ Glockenstuhl *m*; **II** F *adj.* (7c) schafsmäßig; *figure f* ~*ne* Schafsgesicht *n*; **~nement** [mutɔn'mɑ̃] *m* Wogen *n*; *géol.* Gesteinskräuselung *f*; **~ner** [~tɔ'ne] (1a) **I** *v/t.* **1.** kraus (*od.* wollig) machen; *ciel m moutonné* Himmel *m* voller Schäfchenwolken; *tête f moutonnée* Krauskopf *m*; **2.** * ~ *un prisonnier* e-n Gefangenen aushorchen; **II** *v/i.* **3.** sich kräuseln; wogen; **4.** Schäfchenwolken bilden; **~neux** [~tɔ'nø] *adj.* (7d) ⚓ schäumend, wogig, wellig (*Meer*); **~nier** *péj.* [~tɔ'nje] *adj.* (7b) blind folgend; denkfaul; stur.
mouture [mu'tyːr] *f* **1.** Mahlen *n*; **2.** *fig. tirer d'un sac deux* ~*s* doppelten Profit haben; **3.** Mengkorn *n*; **4.** *fig. péj.* Aufguß *m* F, Version *f* (*e-s Werkes*).
mouvant [~'vɑ̃] *adj.* (7) **1.** beweglich; *tableau m* ~ Bild *n* mit beweglichen Figuren; **2.** locker; *fig. dune f* ~*e* Wanderdüne *f*; *sable(s)* ~*(s)* Flugsand *m*; **3.** *fig.* sich ständig verändernd.
mouvement [muv'mɑ̃] *m* **1.** *a. pol.*, ⊕ Bewegung *f*; Gang *m*, Marsch *m*; *se donner du* ~ sich Bewegung verschaffen (*od.* machen); *(se) mettre en* ~ (sich) in Bewegung (*od.* in Gang) setzen; ~ *perdu* Leerlauf *m*, toter Gang *m*; ~ *intermittent* Wechselbewegung *f*; ✈ ~*s d'avions* Ab- u. Anflüge *m/pl.*; ⚕ ~ *nerveux* Zuckung *f*; ~ *réflexe* Reflexbewegung *f*; ⚔ ~ *de troupes* Truppenbewegung *f*; ~ *travailliste*, ~ *ouvrier* Arbeiterbewegung *f*; ~ *syndical*

Gewerkschaftsbewegung *f*; ~ *de la jeunesse* Jugendbewegung *f*; ~ *électoral* Wahlbewegung *f*; ⊕, *allg.* ~ *rétrograde* Rückgang *m*; ⚔ ~ *débordant*, ~ *enveloppant* Umgehungsversuch *m*; *gym.* ~ *respiratoire* Atembewegung *f*; ~ *d'ensemble* Gruppen-, Riegen-turnen *n*; *Auto*: ~ *dérapant* Schleuderbewegung *f*; **2.** *fig.* Regung *f*; Unruhe *f*; Abwechslung *f*; Veränderung *f*; (Personal-)Wechsel *m*; *un* ~ *de colère* e-e Anwandlung *f* von Wut; ~ *démographique* Bevölkerungsbewegung *f*; ~ *diplomatique* Diplomatenwechsel *m*; **3.** ✝ Umsatz *m*; *le* ~ *de caisse* der Kassenumsatz; ~ *commercial* Warenumsatz *m*; ~ *du portefeuille* Wechselumsatz *m*; ~ *des devises* Devisenverkehr *m*; ~ *des prix* Preis-bewegung *f*, -kurve *f*; **4.** *géol.* ~ *de terrain* Unebenheit *f* des Bodens; **5.** Beförderung *f*; ~ *des lettres et colis* Postverkehr *m*; **6.** Antrieb *m*; *de son propre* ~ aus freien Stücken; **7.** *pol.* Bewegung *f*; Strömung *f*; ~ *gréviste* Streikbewegung *f*; ~ *latent pol.* Unterströmung *f*, Untergrundbewegung *f*, Geheimbewegung *f*; ~*s pl. xénophobes* ausländerfeindliche Strömungen *f/pl.*; **8.** 🚂 Verkehr *m*, Betrieb *m*; ~ *des voyageurs* Personenverkehr *m*; **9.** ♪ Tempo *n*; ♪ Satz *m*, Teil *m e-s Werkes*; **10.** *peint.* Ausdruck *m*, Leben *n*, Frische *f*, Bewegung *f*; *litt.* ~*s pl.* Kraft *f*, Lebendigkeit *f* des Ausdrucks; **11.** ⊕ Antrieb *m*, Getriebe *n*, Räderwerk *n*; **12.** ⚓ ~ *d'un port* Schiffsverkehr *m* e-s Hafens; **~é** [~mɑ̃'te] *adj.* belebt; abwechslungsreich; wechselvoll; hügelig; dramatisch, stürmisch; *style m* ~ lebhafter Stil *m*; *vie f* ~*e* bewegtes Leben *n*; **~er** [~] *v/t.* (1a): ~ *qch.* Abwechselung in etw. (*acc.*) bringen, etw. beleben.

mouvette *cuis.* [mu'vɛt] *f* Kochlöffel *m*.

mouvoir [mu'vwa:r] (3d) **I** *v/t.* bewegen, in Bewegung setzen; **II** *v/rfl.* *se* ~ sich bewegen.

moyen [mwa'jɛ̃] **I** *adj.* (7c) **1.** mittlere(r, -s), Mittel...; ~ *haut-allemand* Mittelhochdeutsch *n*; *être d'âge* ~ in den mittleren Jahren sein; ~ *âge m* Mittelalter *n*; *de* ~*ne grandeur* von mittlerer Größe; **2.** □ *fig.* mittelmäßig; durchschnittlich; *le Français* ~ der Durchschnittsfranzose; *advt.* *en terme* ~ im Durchschnitt, durchschnittlich; **II** *m* **3.** Mittel *n*; *au* ~ *de qch.*, *par le* ~ *de qch.* (*letzterer Ausdruck dient zur Hervorhebung von etwas Außergewöhnlichem*) mit Hilfe von etw., durch etw. (*acc.*), mit etw. (*dat.*), mittels e-r Sache (*gén.*); *trouver* ~ *de* ... ein Mittel finden zu ...; ~ *de coercition* (*d'échange*) Druck-(Tausch-)mittel *n*; ~ *de communication* Verständigungsmittel *n*; ~ *de locomotion*, ~ *de transport* Verkehrs-, Transport-, Beförderungsmittel *n*; ~ *de salut* Rettungsmittel *n*; **4.** Vermittlung *f*; *par le* ~ *de q.* durch j-s Vermittlung; *obtenir un emploi par le* ~ *de q.* e-e Stelle durch j-n erhalten (*od.* bekommen F); **5.** Möglichkeit *f*, *etw. zu tun*; *il n'y a pas* ~ *de faire cela* es ist unmöglich, das zu tun; *faire perdre* (*tous*) *ses* ~*s à q.* j-n verunsichern; **6.** 𝔄 mittlere Proportionalgröße *f*; Innenglied *n*; **7.** ~*s pl.* Geldmittel *n/pl.*, Mittel *n/pl.*; *avoir des* ~*s* bemittelt (*od.* vermögend) sein; *sans* ~*s de subsister*, *sans* ~*s de subsistance* erwerbslos; **8.** ~*s pl.* Anlagen *f/pl.*, Talent *n/sg.*; **9.** ⚖ Beweismittel *n*; Begründung *f*; ~ *d'appel* Berufungsgrund *m*; ~ *de droit* Rechtsbehelf *m*; ~ *de nullité* Nichtigkeitsgrund *m*; ~ *de preuve* Beweismittel *n*; **10.** *gr.* Medium *n*.

moyen|âgeux [mwajɛnɑ'ʒø] *adj.* (7d) mittelalterlich; **~-courrier** ✈ [~ku'rje] *m* (6a) Mittelstreckenflugzeug *n*; **~-duc** *orn.* [mwajɛ̃'dyk] *m* (6a) Horneule *f*; **~nant** [~jɛ'nɑ̃] *prp.* mittels (*gén.*); ~ *quoi* wodurch, womit; **~ne** [mwa'jɛn] *f* Durchschnitt *m*; ~ *à l'heure* (mittlere) Stundengeschwindigkeit *f*; 𝔄 ~ *arithmétique* arithmetisches Mittel *n*; ~ *d'âge* Durchschnittsalter *n*; *en* ~ *advt.* durchschnittlich, im Durchschnitt; **~nement** [~jɛn'mɑ̃] *adv.* mittelmäßig, nicht übermäßig viel.

Moyen-Orient *géogr.* [mwajɛ̃nɔ'rjɑ̃] *m* Mittlerer Orient *m*.

moyette ✓ [mwa'jɛt] *f* Miete *f*.

moyeu ⊕ [mwa'jø] *m* (5b) (Rad-)Nabe *f*; Mittelstück *n e-s Lenkrads*.

muable *litt.* ['mɥablə] *adj.* unbeständig.

mucilag|e [mysi'la:ʒ] *m* **1.** ♀ Pflanzenschleim *m*; **2.** Büroleim *m*; **~ineux** [~laʒi'nø] *adj.* (7d) schleimhaltig, -artig, -absondernd.

mucine [my'si:n] *f* Schleimstoff *m*.

mucique [my'sik] *adj.* Schleim...

mucosité *physiol.* [~kozi'te] *f u.* **mucus** [~'kys] *m* Schleim *m.*
mucroné ⚘ [mykrɔ'ne] *adj.* stechend.
mue [my] *f* **1.** Mauser(zeit *f*) *f*; Mauserkäfig *m*; **2.** Abwerfen *n* des Geweihs; **3.** Häuten *n*; **4.** Stimmbruch *m.*
muer [mɥe] (1a) **I** *v/i.* mausern; sich häuten; haaren; im Stimmbruch sein; *sa voix mue* er hat Stimmbruch; **II** *v/t.* ~ *sa tête* das Geweih abwerfen.
muet [mɥɛ] (7c) **I** *adj.* □ **1.** stumm; *sourd-*~ taubstumm; **2.** still, lautlos, schweigend, sprachlos; *demeurer* (*od. être*) ~ schweigen; **3.** *thé. jeu m* ~ Gebärdenspiel *n*; *rôle m* ~ stumme Rolle *f*; **4.** (*a. f*): *gr.* (*lettre f*) ~*te* stummer Buchstabe *m*; (*consonne f*) ~*te* Muta *f*, Verschlußlaut *m*; **II** *m* Stummfilm *m.*
mufle ['myflə] **I** *m* **1.** Vorderteil *n* der Schnauze; **2.** ♫ Tier-, *bsd.* Löwen-kopf *m*; **3.** F *fig.* Flegel *m*; **II** *adj.* flegelhaft.
muflerie [myflə'ri] *f* Flegelei *f.*
muflier ⚘ [myfli'e] *m* Löwenmaul *n.*
muge *icht.* [my:ʒ] *m* Meeräsche *f.*
mu|gir [my'ʒi:r] *v/i.* (2a) muhen, brüllen; laut schreien; tosen, brausen; ~**gissement** [~ʒis'mɑ̃] *m* Muhen *n*, Brüllen *n*; Brausen *n*, Getöse *n*; Geheul *n* (*Wind, Sirene*).
muguet [my'gɛ] *m* **1.** ⚘ Maiglöckchen *n*; *petit* ~ Waldmeister *m*; **2.** Mundschwamm *m*, Soor *m.*
mulard *orn.* [my'la:r] *m* Bastardente *f.*
mulassier [myla'sje] *adj.* (7b) Maultier...
mulâtre [my'lɑ:trə] **I** *adj.* mulattisch; **II** *m* Mulatte *m.*
mulâtresse [~lɑ'trɛs] *f* Mulattin *f.*
mule[1] *zo.* [myl] *f* Mauleselin *f.*
mule[2] [~] *f* Hausschuh *m* (*ohne Hinterleder*); ~ *de vacances* Pantolette *f.*
mulet [my'lɛ] *m* **1.** *zo.* Maulesel *m*; **2.** * *Auto*: Versuchswagen *m.*
muletier [myl'tje] (7b) **I** *adj.* Maultier...; *sentier m* ~ Maultierpfad *m*; **II** *su.* Maultiertreiber *m.*
mulon [my'lɔ̃] *m* Salzhaufen *m* (*in Salzseen*).
mulot [my'lo] *m* Waldmaus *f.*
mulsion ✓ [myl'sjɔ̃] *f* Melken *n.*
multi|broche ⊕ [mylti'brɔʃ] *adj.* mehrspindelig; ~**caule** ⚘ [~'ko:l] *adj.* vielstengelig; ~**cellulaire** [~sely'lɛ:r] *adj.* vielzellig; ~**colore** [~kɔ'lɔ:r] *adj.* vielfarbig; ~**couche** ♫ [~'kuʃ] *adj./inv.* mehrschichtig; ~**disciplinaire** *univ.* [~disipli'nɛ:r] *adj.* multidisziplinär; Gesamthochschul...; ~**disciplinarité** [~nari'te] *f* wissenschaftliche Breite *f* (*od.* Fächerung *f*); ~**flore** ⚘ [~'flɔ:r] *adj.* vielblütig; ~**forme** [~'fɔrm] *adj.* vielgestaltig, formenreich; ~**latéral** *pol.* [~late'ral] *adj.* (5c) mehrseitig, multilateral; ~**latéralisation** [~lateralizɑ'sjɔ̃] *f* vielseitige Gestaltung *f*; ~**lingue** *gr.* [~'lɛ̃:g] *adj.* viel-, mehr-sprachig; ~**loculaire** ⚘ [~lɔky'lɛ:r] *adj.* vielfächerig; ~**millionnaire** [~miljɔ'nɛ:r] *adj. u. su.* viele Millionen besitzend; Multimillionär *m*; ~**moteur** [~mɔ'tœ:r] *adj.* (7f) mehrmotorig; ~**national** *éc.* [~nasjɔ'nal] *adj.* (5c) multinational, aus mehreren Nationen bestehend; ~**nationalisation** *éc.* [~lizɑ'sjɔ̃] *f* Umstellung *f v. Firmen* auf e-e multinationale Grundlage; ~**place** ✈ [~'plas] **I** *m* Mehrsitzer *m*; **II** *adj./inv.* mehrsitzig; ~**plan** ✈ [~'plɑ̃] *m* Mehr-, Viel-decker *m*; ~**ple** [myl'tiplə] *adj. u. m* viel-, mehrfach; *fig.* vielschichtig; *das* Vielfache *n*; ~**pler** *télégr., rad.* [~ti'ple] *v/t.* (1a) vielfachschalten; ~**plex** *rad., télév., Stereo* [~'plɛks] *m* Vielfachumschalter *m*, Multiplexschaltung *f*; ~**pliant** *opt.* [~pli'ɑ̃] *adj.* (7) vervielfältigend; ~**plicande** ⚹ [~pli'kɑ̃:d] *m* Multiplikandus *m*; ~**plicateur** [~plika'tœ:r] *m* **1.** ⚹ Multiplikator *m*; **2.** *méc.* (Räder-) Übersetzung *f*; **3.** ⚡ Vervielfacher *m*, Steigerungstransformator *m*; ~**plication** [~plikɑ'sjɔ̃] *f* **1.** Vervielfältigung *f*; Vermehrung *f*; ⚹ Multiplikation *f*; *table f de* ~ Einmaleins *n*; **2.** 🚂 Verdichtung *f der Zugfolge*; **3.** *vél.* Übersetzung *f*; **4.** *biol.* Vermehrung *f*; ~ *asexuée* ungeschlechtliche Fortpflanzung *f*; ~**plicité** [~plisi'te] *f* Vielheit *f*, Mannigfaltigkeit *f*; ~**plier** [~pli'e] (1a) **I** *v/t.* vermehren; ⚹ multiplizieren; 🚂 ~ *les trains* die Zugfolge verdichten; **II** *v/rfl. a. weitS.* se ~ überall dabeisein; ~**polaire** ⚡ [~pɔ'lɛ:r] *adj.* viel-, mehr-polig; ~**propriété** [~prɔprie'te] *f* Eigentum *n* Mehrerer; ~**traitement** *inform.* [~trɛt'mɑ̃] *m* Multiprogrammierung *f*, Mehrfachverarbeitung *f.*
multitude [mylti'tyd] *f* Menge *f.*
multi|valent [myltiva'lɑ̃] *adj.* (7)

vielwertig; **~valve** *zo.* [~'valv] *adj.* vielschalig.

Munich [my'nik] *m* München *n.*

municipal [mynisi'pal] (5c) **I** *adj.* Gemeinde..., Stadt..., Städte...; **II** *m* Pariser Polizist *m*; **~ité** [~li'te] *f* Magistrat *m.*

munificence *litt.* [mynifi'sɑ̃:s] *f* große Freigebigkeit *f.*

munificent *litt.* [mynifi'sɑ̃] *adj.* (7) sehr freigebig.

munir [my'ni:r] (2a) **I** *v/t.* ausrüsten; ~ *de qch.* mit etw. versehen; **II** *v/rfl. se* ~ *de* sich ausrüsten mit (*dat.*).

munitions [myni'sjɔ̃] *f/pl.* **1.** Munition *f/sg.*; ~ *de premier jet* Handmunition *f/sg.*; **2.** *plais.* ~ *de bouche* Lebensmittel *n/pl.*; *pain m de munition* (*hier sg.!*) ⚔ Kommißbrot *n.*

muqu|euse *anat.* [my'kø:z] *f* Schleimhaut *f*; **~eux** [my'kø] *adj.* (7d) schleimig; Schleim...

mur [my:r] *m* Mauer *f*, Wand *f*; ~ *antibruit* Schallschutzmauer *f*; ~ *coupe-feu*, ~ *réfractaire* Brandmauer *f*; ~ *de revêtement* Futtermauer *f*; *fig.* ~ *de poitrines* Menschenmauer *f*; *faire* (*od. sauter*) *le* ~ ausbrechen *v/i.*, auskneifen; ✈ *franchir le* ~ *du son* die Schallgrenze durchbrechen; *mettre q. au pied du* ~ j-n in die Enge treiben; *fig. au même* ~ im gleichen Atemzug; *fig. au pied du* ~ unmittelbar an Ort u. Stelle.

mûr [~] *adj.* reif, zeitig; entwickelt, gereift; *fig.* reiflich; *abscès m* ~ reifes Geschwür *n*; *fig. l'affaire est ~e* die Sache ist spruchreif; F *fig. costume m* ~ abgetragener Anzug *m.*

mur|age [my'ra:ʒ] *m* Vermauern *n*; **~aille** [~'rɑ:j] *f* (*hohe u. dicke Verteidigungs-*)Mauer *f*; *bsd.* Stadtmauer *f*; ⚓ Bordwand *f*; *enfermer q. entre quatre ~s* j-n ins Gefängnis stecken; **~aillement** ⚠ [~raj'mɑ̃] *m* Untermauern *n*; **~ailler** ⚠ [~ra'je] *v/t.* (1a) untermauern, absteifen.

mural [my'ral] *adj.* (5c) Mauer..., Wand...

mûre ⚘ [my:r] *f* **1.** ~ (*sauvage*) Brombeere *f*; **2.** ~ (*blanche, noire*) (weiße, schwarze) Maulbeere *f.*

murène *icht.* [my'rɛ:n] *f* Muräne *f.*

murer [my're] *v/t.* (1a) **1.** ver-, zu-, ein-mauern; **2.** mit Mauern einschließen; **3.** *fig.* verschließen; verbergen.

mûreraie [myr'rɛ] *f* Maulbeerpflanzung *f.*

muret [my'rɛ] *m*, **murette** [my'rɛt] *f* niedrige Mauer *f.*

murex *zo.* [my'rɛks] *m* Stachelschnecke *f.*

mûrier ⚘ [my'rje] *m* Maulbeerbaum *m.*

mûr|ir [my'ri:r] (2a) **I** *v/i.* reif werden, reifen; **II** *v/t.* zum Reifen bringen; *fig.* ausreifen lassen; **~issage** [~ri'sa:ʒ] *m* Reifen *n* (*a. fig.*).

murmur|ant [myrmy'rɑ̃] *adj.* (7) murmelnd; rauschend; **~e** [~'my:r] *m* **1.** Murmeln *n*, Plätschern *n*, Säuseln *n*, Rauschen *n*; **2.** ~*s pl.* Murren *n*; **~er** [~my're] *v/i.* (1a) **1.** plätschern, rieseln; rauschen; murmeln; säuseln (*Wind*); **2.** murren.

mur-rideau ⚠ [myrri'do] *m* (6a) Vorhangwand *f.*

musaraigne *zo.* [myza'rɛɲ] *f* Spitzmaus *f.*

musarder *litt.* [myzar'de] *v/i.* (1a) die Zeit vertrödeln.

musc [mysk] *m* **1.** Moschustier *n*; **2.** Moschus *m* (*Sekret, Parfüm*).

musca|de [mys'kad] *f* (*auch adj.*: *noix f* ~) **1.** Muskat(nuß *f*) *m*; **2.** Taschenspielerkügelchen *n*; *fig. et passez* ~! eins, zwei, drei ist's gemacht!; Hokuspokus Fidibus!; **~delle** [~'dɛl] *f* Muskatellerbirne *f*; **~det** [~'dɛ] *m* leichter, trockener Weißwein *m*; **~dier** ⚘ [~'dje] *m* Muskatnußbaum *m*; *fleur f de* ~ Muskatblüte *f.*

muscardin *zo.* [myskar'dɛ̃] *m* Haselmaus *f.*

muscat [mys'ka] *adj./m u. m* Muskat(eller)...; (*raisin m*) ~ Muskatellertraube *f*; (*vin m*) ~ Muskatwein *m*, Muskateller *m.*

mus|cle ['myskl] *m* Muskel *m*; ~ *extenseur* Streckmuskel *m*; ~ *pédieux* Fußmuskel *m*; **~clé** [mys'kle] *adj.* muskulös; *fig.* handfest (*Kritik*); **~culaire** [~ky'lɛ:r] *adj* Muskel...; **~culation** [~kylɑ'sjɔ̃] *f* Muskeltraining *n*; **~culature** [~kyla'ty:r] *f* Muskulatur *f*; **~culeux** [~ky'lø] *adj.* (7d) muskulös.

muse [my:z] *f* Muse *f.*

museau [my'zo] *m* **1.** Schnauze *f*, Maul *n*; **2.** F Visage *f*, Fresse *f* P.

musée [my'ze] *m* Museum *n.*

musel|er [myz'le] *v/t.* (1c): ~ *un chien* e-m Hund e-n Maulkorb umbinden; **~ière** [myzə'ljɛ:r] *f* Maulkorb *m.*

muséobus *Fr.* [myzeɔ'bys] *m* fahrbares Kunstmuseum *n.*
muser *ch.* [my'ze] *v/i.* (1a) in die Brunst treten.
muserolle [myz'rɔl] *f* Nasenriemen *m* (*v. Pferd*).
musette [my'zɛt] *f* **1.** *ehm.* ♪ Dudelsack(tanz *m*) *m*; *heute*: *valse f* ~ Musettewalzer *m*; **2.** *aus Leinen*: Futterbeutel *m der Pferde*; *a.* ⚔ Brotbeutel *m*; Werkzeug-, Zeitungs-tasche *f.*
muséum [myze'ɔm] *m* Museum *n* für Naturwissenschaften.
musi|cal [myzi'kal] *adj.* (5c) □ musikalisch (*als adj. nicht von Personen!*); *être doué* ~*ement* musikalisch sein; **~calité** [~kali'te] *f* tonliche Wiedergabe *f*; Klang *m*; **~cassette** [~ka'sɛt] *f* Musikkassette *f*; **~castre** *péj.* [~'kastrə] *m* schlechter Musikant *m.*
music-hall [myzi'ko:l] *m* (6g) Varieté(theater *n*) *n.*
musicien [myzi'sjɛ̃] (7c) **I** *adj.* musikalisch (*nur v. Personen!*); **II** *su.* **1.** Musiker *m*; **2.** Komponist *m.*
musicographe [myzikɔ'graf] *m* Musik-kritiker *m*, -literat *m.*
musicolog|ie [myzikɔlɔ'ʒi] *f* Musikwissenschaft *f*; **~ue** [~'lɔg] *su.* Musikwissenschaftler *m.*
musicorama [~ra'ma] *m* Chansonabend *m.*
musique [my'zik] *f* **1.** Musik *f*; Tonkunst *f* (*st.s.*); Noten *f/pl.*; ~ *ancienne* alte Musik *f*; ~ *de chambre* Kammermusik *f*; ~ *de danse* Tanzmusik *f*; ~ *fonctionnelle* ⊕ Betriebsmusik *f* zur Förderung des Arbeitstempos; ~ *d'instruments à cordes* Streichmusik *f*; ~ *d'instruments à cuivre* Blasmusik *f*; ~ *de jazz* Jazzmusik *f*; ~ *légère* Unterhaltungsmusik *f*; ~ *d'orchestre* Orchestermusik *f*; *acheter de la* ~ Noten kaufen; ~ *enregistrée* Schallplatten- *od.* Tonband-musik *f*; ~ *vocale* Gesangsnoten *f/pl.*; *notes f/pl. de* ~ Noten *f/pl.* (*als einzelne Musikzeichen*); *papier m à* ~ Notenpapier *n*; *marchand m de* ~ Musikalienhändler *m*; *faire de la* ~ musizieren; *mettre en* ~ vertonen, komponieren; *en* ~ bei Musik; *rad. après-midi en* ~ Musik *f* zum Nachmittag; *péj.* ~ *enragée*, ~ *de chiens et de chats* ohrenbetäubende Musik *f*, Katzenmusik *f*, Höllenlärm *m*; F *connaître la* ~ im Bilde sein; **2.** ♪ ~ (*militaire*) Militärkapelle *f.*
musiquette [myzi'kɛt] *f* leichte Unterhaltungsmusik *f.*
musoir ⚓ [my'zwa:r] *m* Molenkopf *m*, Hafendammspitze *f.*
musqué *zo.* [mys'ke] *adj.*: *bœuf m* (*rat m*) ~ Bisam-ochse *m* (-ratte *f*).
mussif ⚗ [my'sif] *adj.* (7e): *or m* ~ Musivgold *n* (*unechtes Gold*).
mussitation ⚕ [mysitɑ'sjɔ̃] *f* Lallen *n*, Gemurmel *n* (*e-s Kranken*).
mustélidés *zo.* [mysteli'de] *m/pl.* Marderarten *f/pl.*
mustélin *zo.* [myste'lɛ̃] *adj.* (7) wieselartig.
musulman [myzyl'mɑ̃] *adj. u. su.* (7) mohammedanisch; Mohammedaner *m.*
muta|bilité [mytabili'te] *f* Veränderlichkeit *f*; **~ge** [~'ta:ʒ] *m* Gärungsunterbrechung *f*; **~nt** *biol.* [~'tɑ̃] *adj.* **1.** mutierend; **2.** in der Entwicklung befindlich; **~teur** ⚡ [~ta'tœ:r] *m* Umrichter *m*; **~tion** [~tɑ'sjɔ̃] *f* Wandel *m*, Veränderung *f*, Wechsel *m*; *biol.* Mutation *f*; *adm.* (Amts-)Versetzung *f*; *gr.* ~ *consonantique* Lautverschiebung *f*; ~*s politiques pl.* politische Umwälzungen *f/pl.*; **~tionnisme** *biol.* [~tɑsjɔ'nism] *m* Mutationstheorie *f.*
muter [my'te] *v/t.* (1a) **1.** verändern, wechseln; umquartieren (*Städtesanierung*); *adm. être muté* versetzt werden; **2.** die Gärung unterbrechen.
muti|lation [mytilɑ'sjɔ̃] *f* Verstümmelung *f*; **~lé** [~'le] *m* (*grand*) ~ *de guerre* (Schwer-)Kriegsbeschädigte(r) *m*, -versehrte(r) *m*; **~ler** [~] *a. fig. v/t.* (1a) verstümmeln.
mutin [my'tɛ̃] **I** *m* Aufwiegler *m*; **II** *adj.* (7) lebhaft, aufgeweckt; ausgelassen; **~er** [~ti'ne] *v/rfl.* (1a) *se* ~ rebellieren; revoltieren; ⚔ meutern; **~erie** [~tin'ri] *f* Meuterei *f*, Aufruhr *m.*
mutisme [my'tism] *m* ⚕ Stummheit *f*; *fig.* Schweigen *n.*
mutu|alisme [mytɥa'lism] *m* gegenseitige soziale Hilfsbereitschaft *f*; **~aliste** [~'list] **I** *su.* Mitglied *n* e-r Gesellschaft auf Gegenseitigkeit; **II** *adj.* Versicherungs...; **~alité** [~li'te] *f* Versicherung *f* auf Gegenseitigkeit (*od.* im Umlageverfahren); **~el** [~'tɥɛl] *adj.* (7c) gegenseitig; *assurance f* ~*le* Versicherung *f* auf Gegenseitigkeit; **Ꞩelle** *Fr.* [~] *f* Versicherungsanstalt *f.*
myciculture [misikyl'ty:r] *f* Champignonzucht *f.*

mycologie [mikɔlɔ'ʒi] *f* Pilzkunde *f*.
myélencéphale *anat.* [mjelɛ̃se'fal] *m* Myelenzephalon *n*.
myélite ⚕ [mje'lit] *f* Rückenmarkentzündung *f*.
mygale *ent.* [mi'gal] *f* Vogelspinne *f*.
myocardite ⚕ [mjɔkar'dit] *f* Herzmuskelentzündung *f*, Myokarditis *f*.
myocastor *zo.* [mjɔkas'tɔ:r] *m* Biberratte *f*.
myologie *anat.* [mjɔlɔ'ʒi] *f* Muskellehre *f*.
myopathie ⚕ [mjɔpa'ti] *f* Muskelerkrankung *f*.
myo|pe [mjɔp] *adj. u. su.* kurzsichtig; Kurzsichtige(r) *m*; **~pie** [mjɔ'pi] *f* Kurzsichtigkeit *f*.
myosotis 🕮 ⚘ [mjɔzɔ'tis] *m* Vergißmeinnicht *n*.
myriade [mi'rjad] *f* Myriade *f*; *fig.* Riesenmenge *f*.
myrrhe [mir] *f* Myrrhe *f*.
myrte [mirt] *m* Myrte *f*.
myrtille ⚘ [mir'tij] *f* Blaubeere *f*.
mys|tère [mis'tɛ:r] *m* **1.** Geheimnis *n*, Rätsel *n*; **2.** *rl.* Mysterium *n*; **3.** *litt. ehm.* Mysterienspiel *n*; **~térieux** [~te'rjø] **I** *adj.* (7d) □ geheimnisvoll; **II** *m das* Geheimnisvolle *n*; **~ticisme** *phil.*, *rl.*, *litt.* [~ti'sism] *m* Mystik *f*; **~ticité** *litt.* [~tisi'te] *f* Hang *m* zur Mystik.
mystifi|cateur [mistifika'tœ:r] *su. u. adj.* (7f) Spaßvogel *m*; *nouvelle f mystificatrice* humoristische Novelle *f*; **~cation** [~ka'sjɔ̃] *f* **1.** lustiger Streich *m*, Ulk *m*, Fopperei *f*, Aufzieherei *f*; **2.** Täuschung *f*, Schwindel *m*, Betrug *m*; **~er** [~'fje] *v/t.* (1a) **1.** reinlegen, hochnehmen; **2.** irreführen, täuschen.
mystique [mis'tik] **I** *adj.* □ geheimnisvoll, mystisch; *fig.* schwärmerisch; **II** *rl. f* Mystik *f* (*als Teil der Theologie*); *allg.* Kult *m*, Mythos *m* (*um e-e Idee od. Person*); mystischer Glaube *m*; **III** *su.* Mystiker *m*.
myth|e [mit] *m* Mythus *m*, Göttersage *f*; **~ique** [~'tik] *adj.* mythisch.
mytholo|gie [mitɔlɔ'ʒi] *f* Mythologie *f*; **~gique** [~'ʒik] *adj.* mythologisch; **~gisme** [~'ʒism] *m* Mythendeutung *f*; **~gue** [~'lɔg] *m* Sagenforscher *m*.
mythomane [mitɔ'man] *su.* **1.** ⚕ Mythomane *m*; **2.** *péj.* Phantast *m*, Angeber *m*.
mytilacés *zo.* [mitila'se] *m/pl.* Miesmuscheln *f/pl.*
myxomatose *vét.* [miksɔma'to:z] *f* infektiöse, tödliche Kaninchenkrankheit *f*.

N

N, n [ɛn] *m* N, n *n*.
na! *enf.* [na] *int.* ätsch!
nabab [na'bab] *m* Nabob *m*; *fig.* steinreicher Mann *m*, Krösus *m*.
nable ⚓ ['nɑːblə] *m* Pfropfloch *n e-s Kahns.*
nabot *péj. m* [na'bo] winziger Kerl *m*; Dreikäsehoch *m*; Knirps *m*.
nacelle [na'sɛl] *f* **1.** Kahn *m*, Nachen *m*; **2.** ✈ Gondel *f*; **3.** ⊕ Fahrkorb *m (beim Aufzug).*
nacr|e ['nakrə] *f* Perlmutter(glanz *m*) *f*; **~é** [na'kre] *adj.* perlmuttartig; **~er** [~] *v/t.* (1a) Perlmutterglanz geben (*dat.*).
nadir *ast.* [na'diːr] *m* Nadir *m*.
naevus ⚕ [nɛ'vys] *m* (*pl. naevi*) Muttermal *n*.
nag|e [naːʒ] *f* Schwimmen *n*; *à la* ~ schwimmend; *la* ~ *sur le dos* das Rückenschwimmen; ~ *libre* Freistilschwimmen *n*; *fig. être (tout) en* ~ in Schweiß gebadet sein; *se mettre en* ~ in Schweiß geraten; **~eoire** *zo.* [~'ʒwaːr] *f* **1.** *zo.* Flosse *f*; **2.** Schwimmflosse *f*; **3.** ✈ ~ *latérale*, ~ *de planement* Gleitflosse *f*; **~er** [na'ʒe] (1l) **I** *v/i.* **1.** schwimmen; ~ *contre le courant* gegen den Strom schwimmen (*a. fig.*); ~ *sous l'eau* unter Wasser schwimmen; *entre deux eaux fig.* zwischen zwei Parteien schwanken; es mit keiner der beiden Parteien verderben wollen; *fig.* ~ *dans les eaux de q.* auf j-s Seite sein; *fig.* ~ *dans l'opulence* in Saus u. Braus leben; **2.** ⚓ rudern; **3.** F *fig.* ratlos sein, nicht kapieren; **II** *v/t.* ~ *la brasse* brustschwimmen; ~ *le crawl* kraulen; **~eur** [~'ʒœːr] (7g) **I** *adj.* schwimmend; **II** *su.* Schwimmer *m*; *maître m* ~ Schwimmlehrer *m*.
naguère [na'gɛːr] *adv.* neulich; *abus.* früher.
naïade *myth.* [na'jad] *f* Najade *f*.
naïf [na'if] *adj.* (7e) □ **1.** natürlich, urwüchsig; **2.** kindlich, unbefangen; **3.** naiv, kindisch, einfältig.
nain [nɛ̃] (7) **I** *adj.* zwergartig; Zwerg...; *plantes f/pl.* ~*es* Zwergpflanzen *f/pl.*; **II** *su.* Zwerg *m*.
naissance [nɛ'sɑ̃ːs] *f* **1.** Geburt *f*; *acte m* (*od. extrait m*) *de* ~ Geburtsschein *m*, -urkunde *f*; **2.** Entstehung *f*; **3.** Herkunft *f*; **4.** *fig.* Anfang *m*; Ursprung *m*; ~ *du jour* Tagesanbruch *m*; *donner* ~ *à* verursachen, ins Leben rufen; den Anlaß geben zu (*dat.*); heraufbeschwören; *prendre* ~ entstehen; ~ *des épaules* Schulteransatz *m*.
naissant [nɛ'sɑ̃] *adj.* (7) entstehend, werdend; anbrechend (*Tag*); aufblühend (*Schönheit*).
naître ['nɛːtrə] *v/i.* (4g) **1.** geboren werden; **2.** abstammen; entspringen; *bien né* mit guten Anlagen, gut geartet; von guter Herkunft; **3.** ⚘ keimen; **4.** *fig.* anbrechen (*Tag*); anfangen, auftauchen; entstehen; entspringen (*Fluß*) *faire* ~ erregen, erzeugen, hervorrufen, anstiften; *cela m'en a fait* ~ *l'idée* das hat mich auf den Gedanken gebracht.
naïveté [naiv'te] *f* Urwüchsigkeit *f*; Natürlichkeit *f*; Unbefangenheit *f*, Naivität *f*, Einfalt *f*.
naja [na'ʒa] *m* Brillenschlange *f*.
nana * [na'na] *f* Mädchen *n*, Göre *f*, Süße *f*.
Nancéien [nɑ̃se'jɛ̃] *su.* (7c) Einwohner *m* von Nancy.
nanan F [nanɑ̃] *m*: *c'est du* ~ das ist etw. Feines.
nanisme *anat.* [na'nism] *m* Zwergbildung *f*.
nan|ti F [nɑ̃'ti] *adj. u. m* reich; Reiche(r) *m*, Besitzende(r) *m*, Profiteur *m*; **~tir** [~'tiːr] *v/t.* (2a) **1.** durch ein Pfand sicherstellen; **2.** *j-n* versorgen (de mit *dat.*); **~tissement** [~tis'mɑ̃] *m* Sicherheit *f*, Deckung *f*, Pfand *n*.
napalm ⚔ [na'palm] *m*: *bombe f au* ~ Napalmbombe *f*.
naphtaline *phm.* [nafta'liːn] *f* Naphthalin *n*.
naphte [naft] *m* Naphtha *n*, Erdöl *n*.
Naples ['naplə] *m od. f* Neapel *n*.
Napoléon [napɔle'ɔ̃] *m* Napoleon *m*;

⁓ien [⁓leɔ'njɛ̃] *adj.* (7c) napoleonisch.

napolitain [napɔli'tɛ̃] *adj.* (7) neapolitanisch.

napp|e [nap] *f* Tisch-, Tafel-tuch *n*; ⁓ *d'eau* glatte Wasserfläche *f*; ⁓ *d'eau (souterraine)* Grundwasserspiegel *m*, -ader *f*; ⁓ *de feu* Flächenbrand *m*; ⁓ *de pétrole* Ölteppich *m*; **⁓er** *cuis.* [na'pe] *v/t.* über-, be-gießen; **⁓eron** [na'prɔ̃] *m* Übertischtuch *n*; Tellerdeckchen *n*.

narciss|e ⚘ [nar'sis] *m* Narzisse *f*; **⁓isme** [⁓'sism] *m* Narzißmus *m*, Verliebtheit *f* in sich selbst.

narco|mane [narkɔ'man] *adj. u. su.* drogensüchtig; Drogensüchtige(r) *m*; **⁓se** ⚕ [⁓'ko:z] *f* Narkose *f*; Betäubung *f*; **⁓tique** [⁓kɔ'tik] *adj. u. m* ⚕ narkotisch(es Mittel *n*); **⁓tiser** ⚕ [⁓ti'ze] *v/t.* (1a) betäuben.

nard ⚘ [na:r] *m* Narde *f*.

narguer [nar'ge] *v/t.* (1m) verachten, pfeifen auf (*acc.*).

nar|guilé, ⁓ghilé [nargi'le] *m* türkische Wasserpfeife *f*.

narine [na'ri:n] *f* Nasenloch *n* (*v. Menschen u. Tieren*), Nüster *f* (*bsd. v. Pferd*).

narquois [nar'kwa] *adj.* (7) □ schalkhaft, spöttisch.

narra|teur [nara'tœ:r] *su.* (7f) Erzähler *m*; **⁓tif** [⁓'tif] *adj.* (7e) erzählend; **⁓tion** [⁓rɑ'sjɔ̃] *f* **1.** Erzählung *f*; Bericht *m*; Darstellung *f* der Tatsachen; **2.** *école.* (einfacherer) Aufsatz *m*, Niederschrift *f*.

narrer [na're] *v/t.* (1a) ausführlich erzählen *od.* berichten.

narval *zo.* [nar'val] *m* (*pl.* ⁓s) Narwal *m*.

nasal [na'zal] *adj.* (5c) □ **1.** *anat.* Nasen...; **2.** *gr.* nasal; **⁓e** [⁓] *f gr.* Nasallaut *m*; **⁓isation** [⁓lizɑ'sjɔ̃] *f gr.* Nasalierung *f*, nasale Aussprache *f*; **⁓iser** [⁓li'ze] *v/t.* (1a) *gr.* nasalieren.

nasil|lard [nazi'ja:r] *adj. u. su.* (7) näselnd; Näseler *m*; **⁓lement** [⁓zij'mɑ̃] *m* Näseln *n*; **⁓ler** [⁓zi'je] *v/i.* (1a) näseln.

nasique *zo.* [na'zik] *m* Nasenaffe *m*.

nasse [nas] *f Fischerei*: Reuse *f*.

natal [na'tal] *adj.* (*pl.* ⁓s) Geburts..., Vater..., heimatlich; **⁓isme** [⁓'lism] *m* Geburtenförderung *f*; **⁓iste** [⁓'list] **I** *adj.* Geburten...; geburtenfördernd; **II** *su.* Gegner *m* e-r Geburtenregelung; **⁓ité** [⁓li'te] *f* Geburtenziffer *f*.

nata|tion [natɑ'sjɔ̃] *f* Schwimmen *n*, Schwimmsport *m*; **⁓toire** [nata'twa:r] *adj.* Schwimm...

natif [na'tif] (7e) **I** *adj.* **1.** gebürtig, stammend (*de* aus *dat.*); *min.* gediegen; **II** *su.* Eingeborene(r) *m*.

nation [nɑ'sjɔ̃] *f* Nation *f*, Volk *n*, Völkerschaft *f*; *Nations Unies* Vereinte Nationen *f/pl.*

national [nasjɔ'nal] **I** *adj.* (5c) □ national, volkstümlich, National..., Staats..., Volks...; **II ⁓e** [⁓] *f* Hauptverkehrsstraße *f*; **III nationaux** [⁓'no] *m/pl.* Staatsangehörige *m/pl.*

national|isation [⁓lizɑ'sjɔ̃] *f* Verstaatlichung *f*; **⁓iser** [⁓li'ze] *v/t.* (1a) verstaatlichen; **⁓isme** [⁓'lism] *m* Nationalismus *m*; **⁓iste** [⁓'list] *adj. u. su.* nationalistisch; Nationalist *m*; **⁓ité** [⁓li'te] *f* Staatsangehörigkeit *f*; Nationalität *f*; *sans* ⁓ staatenlos.

national|-socialisme *ehm. pol. All.* [nasjɔnalsɔsja'lism] *m* Nationalsozialismus *m*; **⁓-socialiste** [⁓'list] *adj. u. su.* (5c *u.* 6a) nationalsozialistisch; Nationalsozialist *m*, Nazi *m*.

nativité [nativi'te] *f* Geburt *f* Christi.

natron, natrum 🕮 [na'trɔ̃, ⁓'trɔm] *m* doppeltkohlensaures Natron *n*.

nat|te [nat] *f* Matte *f*, Geflecht *n*; ⁓ *de cheveux* Zopf *m*; **⁓ter** [⁓'te] *v/t.* (1a) mit Matten belegen; Stroh (ein)flechten in; ⁓ *ses cheveux* sich das Haar flechten.

naturali|sation [natyralizɑ'sjɔ̃] *f* **1.** Naturalisierung *f*, Einbürgerung *f*; **2.** ⚘, *zo.* Einführung *f*, Verpflanzung *f*; **⁓ser** [⁓'ze] *v/t.* (1a) **1.** naturalisieren, einbürgern; **2.** ⚘, *zo.* einführen, einheimisch machen; *ein Tier* ausstopfen; *e-e Pflanze* präparieren; **⁓sme** *litt., phil.* [⁓'lism] *m* Naturalismus *m*; **⁓ste** [⁓'list] **I** *su.* **1.** Natur-forscher *m*, -wissenschaftler *m*; Tierausstopfer *m*; Pflanzenpräparierer *m*; **2.** *phil.* Naturphilosoph *m*; **3.** *litt.* Naturalist *m*; **II** *adj.* naturalistisch; **⁓té** [⁓'te] *f* **1.** Naturzustand *m* (*e-s Erzeugnisses*); **2.** angeborene *od.* angenommene Staatsangehörigkeit *f*; *droit m de* ⁓ Heimatsrecht *n*.

nature [na'ty:r] **I** *f* **1.** Natur *f*, Weltall *n*, Schöpfung *f*, Welt *f*; *loi f de la* ⁓ Naturgesetz *n*; *conforme à la* ⁓ naturgemäß; *contre* ⁓ naturwidrig; **2.** Wesen *n*, Eigentümlichkeit *f*; Gemütsart *f*; *allg.* (Eigen-)Art *f*; *c'est une heureuse* ⁓ er *bzw.* sie ist eine glückliche Natur, er *bzw.* sie hat ein glückliches Naturell; *c'est une petite* ⁓ er *bzw.* sie ist eine schwache Natur; **3.** ~ (*humaine*) Menschennatur *f*; **4.** *rl.* Menschentum *n*; **5.** Naturzustand *m*; *plus grand que* ~ überlebensgroß; **6.** Körperbeschaffenheit *f*, Anlage *f*; Naturtrieb *m*; **7.** Art *f*, Beschaffenheit *f*; ~ *du sol* (*du terrain*) Boden-(Gelände-)beschaffenheit *f*; *de* ~ *à* ... derart, daß ...; *être de* ~ *à* ... so gestaltet sein, daß ...; dazu angetan sein zu ...; *de diverse* ~ verschiedenartig; **8.** Naturalien *pl.*, Naturerzeugnisse *n/pl.*; *payer en* ~ in Naturalien bezahlen; **9.** *peint. d'après* ~ nach der Natur; ~ *morte* Stilleben *n*; **II** *adj./inv.* natürlich; *bœuf m* ~ Rindfleisch *n* ohne Zutaten; *deux cafés* ~ zwei schwarze Kaffee; *grandeur f* ~ natürliche Größe *f*; F *il est* ~ er ist geradezu.

naturel [naty'rɛl] **I** *adj.* (7c) □ **1.** natürlich; Natur...; *sciences f/pl.* ~*les* Naturwissenschaften *f/pl.*; *il lui est* ~ *de* ... er ist daran gewöhnt zu ...; **2.** echt; ohne Zutat; *vin m* ~ Naturwein *m* **3.** angeboren; *don m* ~, *disposition f* ~*le* natürliche Veranlagung *f*; **4.** ungekünstelt, urwüchsig; gerade; **5.** ⚖ *juges m/pl.* ~*s* zuständige Richter *m/pl.*; **6.** *enfant m* ~ uneheliches Kind *n*; **II** *m* **7.** Naturell *n*, Veranlagung *f*, Natur *f*, Wesen *n*, Charakter *m*; **8.** Ungezwungenheit *f*, Unbefangenheit *f*, Gemüt *n*; *manquer de* ~ affektiert sein, sich zieren, sich haben F; **9.** *bsd. pl.*: ~*s m/pl.* Eingeborene *m/pl.*; **10.** *au* ~ *advt.* nach der Natur; *cuis.* ohne Zutaten, im eigenen Saft; **~lement** [~rɛl'mɑ̃] *adv.* **1.** von Natur aus, s-r Natur nach; **2.** auf natürliche Weise; **3.** einfach, natürlich, selbstverständlich, zwanglos.

natur|isme [naty'rism] *m* **1.** ⚕ Naturheilmethode *f*; **2.** Naturverbundenheit *f*, natürliche Lebensweise *f*; Freikörperkultur *f*; **3.** *phil.* Naturismus *m*; **~iste** [~'rist] **I** *m* **1.** ⚕ Natur-heilarzt *m*, -kundige(r) *m*; **2.** Naturmensch *m*; Anhänger *m* der Freikörperkultur; **II** *adj.* Naturheil..., naturverbunden.

naufra|ge [no'fra:ʒ] *m* Schiffbruch *m*; *allg.* Untergang *m*; *faire* ~ Schiffbruch erleiden (*a. fig.*); **~gé** [~fra'ʒe] *adj. u. su.* schiffbrüchig; Schiffbrüchige(r) *m*; **~geur** [~'ʒœ:r] *su.* (7g) Strandräuber *m*.

nau|séabond [nozea'bɔ̃] *adj.* (7) Übelkeit erregend; ekelhaft; übelriechend; *allg.* abstoßend; **~sée** [no'ze] *f* Übelkeit *f*, Brechgefühl *n*; *fig.* Ekel *m*; **~séeux** [~ze'ø] *adj.* (7d) Übelkeit hervorrufend.

nauti|le *zo.* [no'til] *m* Nautilus *m*; **~que** ⚓ [no'tik] *adj.* nautisch; *cartes f/pl.* ~*s* Seekarten *f/pl.*; *club m* ~ Ruderklub *m*; *science f* (*od. art m*) ~ Nautik *f*; *sport m* ~ Wassersport *m*; *ski m* ~ Wasserski *m*; **~sme** [~'tism] *m* Wassersport *m*.

naval [na'val] *adj.* (*m/pl.* ~*s*) Schiffs..., See...; *forces f/pl.* ~*es* Seestreitkräfte *f/pl. école f* ~*e* Seemannsschule *f*; *base f* ~*e* Flottenstützpunkt *m*.

navalisé ⊕ [navali'ze] *adj.*: ✈ *version f* ~*e* Anfertigungstyp *m* für gleichzeitige Verwendung zur See.

navarin *cuis.* [nava'rɛ̃] *m* Hammelragout *n* mit Rüben u. Kartoffeln.

navet [na'vɛ] *m* **1.** weiße Rübe *f*, Steckrübe *f*; **2.** F kitschiger Film *m*; Schmöker *m* (*Buch*); Kitsch *m* (*Bild*).

navette[1] ⚘ [na'vɛt] *f* Rübsen *m*.

navett|e[2] [~] *f* **1.** Weber-, Nähmaschinen-schiffchen *n*; **2.** 🚂 *usw.* Pendel-zug *m*, -verkehr *m*; *faire la* ~ im Pendelverkehr fahren; **3.** ~ *spatiale* Raumgleiter *m* (*Art Satellit*); **4.** *adm.* ~*s f/pl.* behördliche Stellungnahmen *f/pl.*; **~eur** [~'tœ:r] *su.* (7g) Pendler *m*.

navi|culaire [naviky'lɛ:r] *adj.* kahn-, schif(f)-förmig; **~gabilité** [~gabili'te] *f* **1.** Schiffbarkeit *f*; **2.** ⚓ Seetüchtigkeit *f*; **3.** ✈ Flugtüchtigkeit *f*; **~gable** [~'gablə] *adj.* **1.** schiffbar; **2.** ⚓ seetüchtig; **3.** ✈ flugtüchtig; **~gant** [~'gɑ̃] *adj.* zum Flug- *od.* Schiffspersonal gehörig; **~gateur** [~ga'tœ:r] *adj.* (7f) *u. m* schiffahrttreibend; Seefahrer *m*; **~gation** [~ga'sjɔ̃] *f* **1.** Schiffahrt *f*, Seefahrt *f*; ~ *à voile* Segeln *n*, Segelschiffahrt *f*; ~ *fluviale* (*od. intérieure*) Binnenschiffahrt *f*; ✈, *at.* ~ *interplanétaire*, *spatiale* Weltraumschiffahrt *f*; ~ *maritime* Seeschiffahrt *f*; *U-Boot*: ~ *en émersion* Fahrt *f* an der Oberfläche; ~ *en plongée* Unterwasserfahrt *f*; ~ *sous-marine* U-Boots-Schiffahrt *f*; **2.** (*art m de la*) ~ Schiffahrtskunde *f*; Steuermannskunst *f*; **3.** ✈ ~ *aérienne* Flugverkehr *m*; Luftschiffahrt *f*; **~guer** [~'ge] *v/i.* (1m) **1.** zur See (*od.* in der Luft) fahren; ~ *à la voile* segeln; ~ *sans visibilité* blindfliegen; **2.** a) ⚓ steuern; b) ✈ fliegen; **3.** *fig.* ~ *à travers* durchschlendern (*od.* sich durchwinden) durch (*acc.*).

naviplane [navi'plan] *m* Luftkissenbus *m*.

navire [na'vi:r] *m* (See-)Schiff *n*; ~ *car-ferry m* Personen- u. Autofähre *f*; ~ *marchand* Handelsschiff *n*; ~ *à flot* Überwasserschiff *n*; *ast.* ~ *de l'espace* Raumschiff *n*; ~ *de guerre* Kriegsschiff *n*; ~ *porte-avions* Flugzeugträger *m*; ~ *à voiles* Segelschiff *n*; ~*-hôpital* Lazarettschiff *n*; ~*-citerne m* (6a), ~ *pétrolier* Tankschiff *n*; ~ *de cabotage* Küstenschiff *n*; ~ *de la même classe*, ~ *du même type* Schwesterschiff *n*; *at.* ~ *porte--engins* (*od. porte-missiles*) Raketenabschußschiff *n*; ~ *à roteurs* Rotorschiff *n*; ~*-école m* (6a) Schulschiff *n*; **~-planeur** [~pla'nœ:r] *m* (6a) Luftkissenbus *m*; ~*-usine m* (*Fisch-*)Fabrikschiff *n*.

navirotel [navirɔ'tɛl] *m* Hotel *n* am Meer *als Schiff*.

navr|ant [na'vrɑ̃] *adj.* (7) *fig.* herzzerreißend; mißlich, unerfreulich; **~é** [~'vre] *adj.*: **1.** *je suis* ~ es tut mir sehr leid; **2.** *prendre un air* ~ ein zerknirschtes Gesicht machen; **~er** [~'vre] *v/t.* (1a) sehr betrüben.

nazi *ehm. pol. All.* [na'zi] **I** *adj.* nazistisch, nationalsozialistisch; **II** *m* Nazi *m*; **~sme** *ehm. pol. All.* [~'zism] *m* Nazitum *n*.

ne [nə] *adv.* (*nie ohne Verb!*) **1.** *ne* (*n'*) ... *pas* nicht; *ne pas s'éloigner d'un pas* sich nicht e i n e n Schritt entfernen; *ne ... guère* nicht eben sehr (viel), nicht oft, nicht lange, nicht leicht; *on ne le voit plus guère* er läßt sich kaum noch sehen; *ne ... jamais* nie; *ne ... jamais que* immer nur; *ne ... plus* nicht mehr; *ne ... point* gar nicht; **2.** *ne ... pas de mit su.* kein; *n'avoir pas d'argent* kein Geld haben; *ne ... plus de* ... kein ... mehr; *ne ... pas non plus* auch nicht; *je ne sais pas non plus* ich weiß es auch nicht; **3.** *ne ... pas ne pas Bejahung*: *je ne puis pas ne pas croire* ich kann nicht umhin zu glauben; **4.** *ne ... que* nur; erst; *ne ... plus que* nur noch; *je n'ai que mille francs sur moi* ich habe nur tausend Franken bei mir; *il n'est que quatre heures* es ist erst vier Uhr; *il ne manquerait plus que cela!* das fehlte nur noch!; **5.** *ne ... pas que* ... nicht bloß ..., nicht nur ...; *ne ... pas plus que* ... ebensowenig wie; *il ne fait pas qu'imiter*: *il crée* er ahmt nicht nur nach, sondern er ist auch schöpferisch; *il n'y a pas que l'argent qui compte* nicht allein das Geld entscheidet; *il ne possède pas plus que moi* er besitzt ebensowenig wie ich; **6.** *nicht zu übersetzen*: *je crains qu'il (ne) vienne* ich fürchte, daß er kommt; *empêchez (évitez) que le chien ne s'échappe* verhindern Sie (vermeiden Sie), daß der Hund wegläuft!; *il écrit mieux qu'il ne parle* er schreibt besser als er spricht.

né [ne] *p/p. v. naître* geboren; *bien né* von guter Herkunft; *être* ~ *coiffé* ein Glückskind sein.

néanmoins [neɑ̃'mwɛ̃] *adv.* dennoch, nichtsdestoweniger.

néant [ne'ɑ̃] *m a. phil. das* Nichts *n*, Nichtigkeit *f*; *adm.* Fehlanzeige *f*; *réduire à* ~ restlos vernichten; **~iser** [~ti'ze] (1a) **I** *v/t.* **1.** *phil. das Seiende* richten; **2.** F fertigmachen F; **II** *v/rfl. phil.* se ~ in s-m eigenen Ich das Nichts anerkennen (*Sartre*).

nébu|leuse [neby'lø:z] *f* Nebelstern *m*; **~leux** [~'lø] *adj.* (7d) **1.** bewölkt, nebelig; **2.** *fig.* finster, dunkel; unklar; **~losité** [~lozi'te] *f* **1.** leichte Trübung *f*, Eintrübung *f*; dünner Nebel *m*; **2.** finsteres Aussehen *n*; **3.** *fig.* Unklarheit *f*.

néces|saire [nesɛ'sɛ:r] **I** *adj.* □ notwendig, nötig, erforderlich; *nécessairement adv.* notwendigerweise, zwangsläufig; **II** *m* **1.** *das* Notwendige *n*, Auskommen *n*; *avoir le* ~ sein Auskommen haben; *faire le* ~ das Nötigste tun, den Diensteifrigen spielen; **2.** ~ *à ouvrage* Handarbeits-, Näh-zeug *n*; ~ *pour réparation Auto*: Flick-, Reparatur-kasten *m*; **3.** ⚘ Besteck *n*; **~sité** [~si'te] *f* **1.** Notwendigkeit *f*; *je me vois dans la* ~ *de* ... ich sehe mich genötigt zu ...; *de première* ~ unbedingt notwendig, unentbehrlich; ~ *nationale*, ~ *de l'État* Staatsnotwendigkeit *f*; *par* ~ notgedrungen; *sans* ~ unnötigerweise; *en cas de* ~ im Notfall; *faire de* ~ *vertu* aus der Not e-e Tugend machen; **2.** Bedürftigkeit *f*, Mangel *m*, Not *f*; *réduit à la dernière* ~ zur äußersten Not getrieben; **3.** ~*s pl.* Erfordernisse *n/pl.*; Anforderungen *f/pl.*; **~siter** [~si'te] *v/t.* (1a) erfordern; **~siteux** [~si'tø] (7d) **I** *adj.* notleidend, bedürftig; **II** *su.* Notleidende(r) *m*, Hilfsbedürftige(r) *m*.

nécrolo|ge [nekrɔ'lɔ:ʒ] *m* **1.** Totenliste *f*; **2.** Nachruf *m*; **~gie** [~lɔ'ʒi] *f* **1.** *journ.* Todesanzeigen *f/pl.*; **2.** Lebensbeschreibung *f* e-s Verstorbenen; **~gique** [~'ʒik] *adj.* Nachruf...; **~gue** [~'lɔg] *m* Nachrufverfasser *m*.

nécroman|cie [nekrɔmɑ̃'si] *f* Toten-, Geister-beschwörung *f*; **~cien** [~'sjɛ̃] *su.* (7c) Toten-, Geisterbeschwörer *m.*
nécrophore *ent.* [~'fɔ:r] *m* Totengräber *m.*
nécro|phage *zo.* [~'fa:ʒ] *adj.* aasfressend; **~pole** [~'pɔl] *f* **1.** Katakomben *f/pl.*; **2.** großer Friedhof *m.*
nécrose [ne'kro:z] *f* ⚕ Nekrose *f*, Gewebstod *m.*
nec|taire ⚘ [nɛk'tɛ:r] *m* Honiggefäß *n* der Blumen; **~tar** [~'ta:r] *m* ⚘ *myth.* Nektar *m.*
néerland|ais *ling.* [neɛrlɑ̃'dɛ̃] *adj.* (7) niederländisch; **~ophone** [~dɔ'fɔn] **I** *adj.* holländisch sprechend; **II** *su.* Holländischsprechende(r) *m.*
nef [nɛf] *f* Kirchenschiff *n.*
néfaste [ne'fast] *adj.* unheilvoll, unselig; *journée f* ~ Unglückstag *m.*
nèfle ['nɛflə] *f* Mispel *f*; F *des ~s!* ja, Kuchen! F; denkste! F.
néflier ⚘ [nefli'e] *m* Mispelstrauch *m.*
néga|teur [nega'tœ:r] *adj. u. su.* (7f) verneinend; Leugner *m*; **~tif** [~'tif] *adj.* (7e) □ **1.** verneinend, negativ (*a. gr.*); **2.** *phys., phot.* ⚗, ⚖ negativ; *phot. épreuve f négative* Negativ *n*; **~tion** [~gɑ'sjɔ̃] *f* **1.** Verneinung *f*; **2.** *gr.* Negation *f*; **~tive** [~'ti:v] *f* **1.** *gr.* verneinender Satz *m*, Verneinung *f*; **2.** negative (*od.* abschlägige) Antwort *f.*
négli|gé [negli'ʒe] *m* **1.** Morgenrock *m*; Negligé *n*; Hauskleid *n*; **2.** Vernachlässigung *f*: *le ~ du style* der ungepflegte Stil; **~geable** [~'ʒablə] *adj.* unwichtig; weglaßbar; *quantité f ~* nicht (weiter) zu berücksichtigende Größe *f*, unbedeutende Größe *f*; **~gence** [~'ʒɑ̃:s] *f* Nachlässigkeit *f*, Fahrlässigkeit *f*, Sorglosigkeit *f*, Vernachlässigung *f*; Flüchtigkeitsfehler *m*; **~gent** [~'ʒɑ̃] **I** *adj.* (*adv. négligemment* [~ʒa'mɑ̃]) nachlässig, sorglos; liederlich; **II** *su.* Fahr-, Nach-lässige(r) *m*; **~ger** [~'ʒe] (1l) **I** *v/t.* **1.** vernachlässigen; **2.** unterlassen, versäumen; ⚖ weglassen; **II** *v/i.* ~ *de ...* versäumen zu ...; *ce qu'il néglige de dire* was er verschweigt; **III** *v/rfl. se ~* sich vernachlässigen.
négo|ce [ne'gɔs] *m* (Groß-)Handel *m*; **~ciabilité** [~sjabili'te] *f* Verkäuflichkeit *f*, Umsetzbarkeit *f*, Übertragbarkeit *f*, Begebbarkeit *f*; Bankfähigkeit *f*; **~ciable** [~'sjablə] *adj.* verkäuflich, umsetzbar; übertragbar, begebbar, markt-fähig, -gängig; **~ciant** [~'sjɑ̃] *m* Kauf-, Handels-mann *m*; ~ *en gros* Großhändler *m*; ~ *en vins* Wein(groß)-händler *m*; **~ciateur** [~sja'tœ:r] *su.* (7f) Unterhändler *m*, Vermittler *m*; ~ *de (la) paix* Friedensunterhändler *m*; *courtier m ~* Abschlußmakler *m*; **~ciation** [~sjɑ'sjɔ̃] *f* **1.** Unterhandlung *f*, Verhandlung *f*; *engager* (*od. entamer*) *des ~s* Verhandlungen einleiten; *entrer en ~s* in Verhandlungen treten; *être en ~ avec* in Unterhandlungen stehen mit (*dat.*); *~s commerciales* (*tarifaires*) Wirtschafts-(Tarif-)verhandlungen *f/pl.*; *~s (portant) sur la paix* Friedensverhandlungen *f/pl.*; **2.** ⚚ Begeben *n* e-s Wechsels; **~cier** [~'sje] (1a) **I** *v/i.* **1.** Handel treiben; **II** *v/t.* **2.** *fig.* verhandeln; erörtern; vermitteln; ~ *la paix* über den Frieden verhandeln; ~ *un emprunt* e-e Anleihe vermitteln; **3.** ⚚ *Wechsel* begeben.
nègre *m*, **négresse** *f* ['nɛ:grə, ne'grɛs] **I** ⚔, *péj. su.* **1.** Neger *m*; F *parler petit nègre* ein richtiges Kauderwelsch zusammenreden; *travailler comme un nègre* wie ein Pferd schuften; **2.** *fig.* Lohnschreiber *m*; **II nègre** *adj./m u. adj./f* Neger...; *danse f ~* Negertanz *m*; *musique f ~* Negermusik *f.*
négr|ier *ehm.* [negri'e] *adj.* (7b) *u. m* Sklaven-schiff *n*, -händler *m*; *fig.* Ausbeuter *m*; **~illes** [~'grij] *m/pl.* Pygmäen *m/pl.*; **~illon** [~gri'jɔ̃] *m* Negerkind *n.*
négritude [negri'tyd] *f die* Kultur der Schwarzen.
nei|ge [nɛ:ʒ] *f* **1.** Schnee *m*; *~s pl.* Schneemassen *f/pl.*; *chute f de ~* Schneefall *m*; *tourmente f de ~* Schneegestöber *n*; *tempête f de ~* Schneesturm *m*; ⚗, ⊕ *~ carbonique* Trockeneis *n*, Kohlensäureschnee *m*; *Sport*: *~ poudreuse* Pulverschnee *m*; *~ tôlée* verharschter Schnee *m*; *~ lourde* Pappschnee *m*; *se battre à coups de boules de ~* sich schneeballen; *fig. faire boule de ~* lawinenartig anwachsen; **2.** *cuis. œufs m/pl. à la ~* Eierschaum *m*; *battre en ~* zu Schaum schlagen; **3.** * Kokain *n*; **~ger** [nɛ'ʒe] *v/i., imp.* (1l) schneien; *il neige à gros flocons* der Schnee fällt in großen Flocken; **~geux** [nɛ'ʒø] *adj.* (7d) (= *neigé* [nɛ'ʒe]) beschneit, schneebedeckt.
ne ... jamais que [nə ... ʒa'mɛ kə] *adv.* immer nur (s. *unter jamais* 4 *u. unter ne*).
nenni *litt.* [na'ni] *adv.* nein.
nénuphar ⚘ [neny'fa:r] *m* Seerose *f.*

néo|celtique *ling.* [neɔsɛl'tik] *adj.* neukeltisch; **~colonialisme** *pol. péj.* [~kɔlɔnja'lism] *m* Neukolonialismus *m*; **~dyme** [~'dim] *m* Neodym *n* (*seltenes Erdmetall*); **~formation** [~fɔrmɑ'sjɔ̃] *f* Neubildung *f*; **~grammairien** [~gramɛ'rjɛ̃] *m* Junggrammatiker *m*; **~-grec** *m*, **~-grecque** *f* [~'grɛk] *adj.* neugriechisch; **~-hébridais** *géogr.* [~ebri'dɛ] *adj.* (7) neuhebridisch; **~-latin** [~la'tɛ̃] *adj.* (7) neulateinisch; **~-lithique** [~li'tik] *adj.* neolithisch; *période f* ~ jüngere Steinzeit *f*; **~logie** [~lɔ'ʒi] *f* Lehre *f* von den Wortneubildungen; **~logisme** *gr.* [~lɔ'ʒism] *m* Neologismus *m*, Neubildung *f*; **~logite** *péj.* [~lɔ'ʒit] *f* Fremdwortsucht *f*; **~n** [ne'ɔ̃] *m* Neon *n* (*Edelgas*); **~-natal** [~na'tal] *adj.* (*pl.* ~*s*) ... der Neugeborenen; **~-nazi** *pol.* [~na'zi] *adj.* neonazistisch; **~phyte** [~'fit] *su.* **1.** Anfänger *m*; **2.** *rl.* Neubekehrte(r) *m*; **~plasme** ⚕ [~'plasm] *m* Neoplasma *n*; **~plastie** *chir.* [~plas'ti] *f* Neubildung *f*, Ersetzung *f*; **~-platonicien** *phil.* [~platɔni'sjɛ̃] *adj.* (7c) neuplatonisch; **~prène** [~'prɛːn] *m* Neopren *n* (*Kunststoff*); **~-réalisme** [~rea'lism] *m/inv.* neue Sachlichkeit *f*; Neurealismus *m*; **~-réaliste** [~rea'list] *adj. u. su.* neusachlich, neurealistisch; Anhänger *m* der neuen Sachlichkeit, Neurealist *m*; **~-zélandais** [~zelɑ̃'dɛ] *adj. u.* ♀ *su.* (7) neuseeländisch; Neuseeländer *m.*

népalais *géogr.* [nepa'lɛ] *adj.* (7) aus Nepal.

ne ... pas que [nə ... pa kə] *adv.* nicht nur; s. *unter pas*[2] 7.

néphr|algie ⚕ [nefral'ʒi] *f* Nierenleiden *n*; **~étique** [~fre'tik] **I** *adj.* Nieren...; **II** *su.* Nierenkranke(r) *m*; **III** *m* Nierenmittel *n*; **~ite** [ne'frit] *m* ⚕ Nierenentzündung *f.*

ne ... plus jamais [nə ... ply ʒa'mɛ] *adv.* nie mehr.

ne ... plus que [nə ... ply kə] *adv.* nur noch; *vgl. ne* 4.

népotisme [nepɔ'tism] *m* Vettern- *od.* Günstlings-wirtschaft *f.*

ne ... que [nə ... kə] *adv.* nur; erst; *je n'ai que mille francs sur moi* ich habe nur tausend Franken bei mir; *je ne crois que ce que je vois* ich glaube nur, was ich sehe; *ce n'est qu'à dix heures du soir qu'il arrivera* erst um zehn Uhr abends wird er ankommen.

néréide [nere'id] *f* **1.** *myth.* Seenymphe *f*; **2.** *zo.* Borstenwurm *m.*

nerf [nɛːr (*im sg. u. pl.*)] *m* **1.** Nerv *m*; ~ *optique* Sehnerv *m*; ~ *auditif* Gehörnerv *m*; ~ *dentaire* Zahnnerv *m*; *il a les* ~*s en boule, en pelote* s-e Nerven sind zum Zerreißen gespannt; *avoir ses* ~*s* gereizt sein; *taper* (*od. porter*) *sur les* ~*s* nervös machen; *guerre f des* ~*s* Nervenkrieg *m*; **2.** Sehne *f*; ~ *de bœuf* [nɛr də 'bø!] Ochsenziemer *m*; **3.** *fig.* Energie *f*, Seele *f*, Haupttriebfeder *f*; **4.** △ Rippe *f*; **5.** *a.* [nɛrf]: *avoir du* ~ kräftig sein, Kraft haben; *Stil, Kunstwerk*: *manquer de* ~ kraftlos (*od.* ausdruckslos) sein.

nérite *zo.* [ne'rit] *f* Schwimmschnecke *f.*

néroli [nerɔ'li] *m* Orangenblütenöl *n.*

nerprun ♀ [nɛr'prœ̃] *m* Kreuzdorn *m.*

nerv|al [nɛr'val] *adj.* (5c) die Nerven betreffend, Nerven...; **~ation** [~vɑ'sjɔ̃] *f* Nervengerüst *n e-s Blattes od. e-s Insektenflügels*; **~eux** [~'vø] *adj.* (7d) **1.** die Nerven betreffend; *choc m* ~ Nervenschock *m*; **2.** ⚕ nervös; *rendre* ~ nervös machen; **3.** *mot.* schnell anspringend; **~i** [nɛr'vi] *m* (*pl.* ~*s*) Handlanger *m*, (Berufs-)Mörder *m*; **~in** ⚕ [~'vɛ̃] *adj.* (7) *u. m* nervenstärkend(es Mittel *n*); **~osité** [~vozi'te] *f* Nervosität *f*; *Auto*: schnelles Anspringen *n*; **~ure** [~'vyːr] *f* **1.** ♀ *u. zo.* Nervengewebe *n*; Holzmaserung *f*; **2.** ~*s pl.* (Blatt-, Gewölbe-)Rippen *f/pl.*; *cout.* Stege *m/pl.*; *voûte f à* ~ Gurtgewölbe *n*; **3.** ✈ Rippe *f*; **4.** Bund *m*, Gebund *n* (*Buchbinderei*); **~uré** ⊕ [~vy're] *adj.* gerippt.

nescafé *cuis.* [nɛska'fe] *m* Nescafé *m.*

net [nɛt] **I** *adj.* (7c) □ (s. II) **1.** sauber, rein(lich); *faire place* ~*te* alles ausräumen; *voix f nette* reine Stimme *f*; **2.** flecken-, makel-los; glatt; lauter; unvermischt; *conscience f* ~*te* reines Gewissen *n*; **3.** klar, deutlich, verständlich; *rad.* klangrein; *réponse f* ~*te* klare Antwort *f*; **4.** *faire place* ~*te* sein gesamtes Hauspersonal entlassen; **5.** ⚚ unverkürzt, netto; frei von; *poids m* ~ Nettogewicht *n*; *prix m* ~ Nettopreis *m*, äußerster Preis *m*; *produit m* ~ Netto-, Rein-ertrag *m*; *adjt.* ~ *de* ... frei von ...; ~ *d'impôts* steuerfrei; **6.** △ *pierre f* ~*te* viereckig behauener (Bau-)Stein *m*; **II** *adv.* **7.** plötzlich, mit einem Mal, auf einmal; *s'arrêter* ~ plötzlich stehenbleiben; **8.** (*a.* ~*tement*) geradeheraus, unumwunden; *déclarer* (*od. dire tout*) ~ glattheraus sagen, schlankweg erklären; *refuser* ~ rundweg abschlagen; *trancher* ~ kurz u. bündig entscheiden; **III** *m*: *mettre au* ~ ins reine schreiben; *mise f au* ~ Reinschrift *f* (*als Handlung*); *copie f au* ~ Reinschrift *f* (*als Beleg*).

netteté [nɛt'te] *f* Reinheit *f*, Reinlichkeit *f*; Unbescholtenheit *f*; *fig.* Klarheit *f*, Deutlichkeit *f*.

net|toiement [nɛtwa'mɑ̃] *m* Reinigen *n*; ~ *des rues* Straßenreinigung *f*; *adm. service m du* ~ Müllabfuhr *f* u. Straßenreinigung *f*; **~toyage** [~twa'ja:ʒ] *m* Säubern *n*; Reinigung *f*; *faire le* ~ *par le vide* F alles wegwerfen; ~ *à sec* Trockenreinigung *f*; **~toyant** [~twa'jɑ̃] *m* Reinigungsmittel *n*; **~toyer** [~twa'je] *v/t.* (1h) **1.** reinigen, saubermachen, säubern, putzen; ~ *à sec* chemisch reinigen; **2.** kehren; *fig.* ausräumen; ~ *avec un aspirateur* *Teppiche* absaugen; **3.** leeren (*une bouteille* e-e Flasche); F ausplündern; P erledigen, fertigmachen.

neuf[1] [nœf; *in der Bindung vor ans, heures, hommes, autres und mehr u. mehr vor enfants*: nœv] **I** *adj./n.c.* neun; *il a* ~ *ans* [nœ'vɑ̃] er ist neun Jahre alt; *chapitre* ~ neuntes Kapitel *n*, Kapitel *n* neun; *le* ~ *janvier* am (*od.* den) neunten Januar; *Charles* ~ (*IX*) Karl der Neunte (IX.); **II** *m die* Neun.

neuf[2] [nœf] **I** *adj.* (7e) **1.** (fabrik-) neu, ungebraucht; *tout* ~, *flambant* ~ funkelnagelneu; **2.** *fig.* unbewandert; natürlich, echt; **3.** noch nicht dagewesen; Original...; **II** *m das* Neue *n*; *quoi de* ~? (et)was Neues?; *à* ~ *advt.* neu; *refaire à* ~ umarbeiten, -bauen; *remettre à* ~ wieder (wie) neu machen; *habiller* (*tout*) *de* ~ neu kleiden; *vêtu de* ~ neu eingekleidet.

neurasthé|nie ⚕ [nœraste'ni] *f* Nervenschwäche *f*, Neurasthenie *f*; **~nique** [~'nik] **I** *adj.* nervenschwach; **II** *su.* Neurastheniker *m*.

neurine ⚕ [nœ'ri:n] *f* Nervensubstanz *f*.

neuro|leptiques ⚕ [nœrɔlɛp'tik] *m/pl.* nervendämpfende Chemopharmaka *n/pl.*; **~linguistique** ⚕ [~lɛ̃gwis'tik] *f* Lehre *f* von den Sprachschäden; **~logie** [~lɔ'ʒi] *f* Neurologie *f*; **~logiste** [~lɔ'ʒist] *m*, **~logue** [~'lɔg] *m* Nervenarzt *m*; **~ne** ⚕ [~'rɔn] *m* Neuron *n*, Nervenzelle *f*; **~psychologie** [~psikɔlɔ'ʒi] *f* Nerven-, Seelen-kunde *f*; **~toxine** [~tɔk'si:n] *f* Nervengift *n*; **~trophique** [~trɔ'fik] *adj.* nervenstärkend.

neutra|lement *gr.* [nøtral'mɑ̃] *adv.* als Neutrum; intransitiv; **~lisant** ⚗ [~li'zɑ̃] *m* neutralisierender Stoff *m*; **~lisation** [~lizɑ'sjɔ̃] *f a. pol.* Neutralisierung *f*; Unschädlichmachung *f*; **~liser** [~li'ze] *v/t.* (1a) **1.** *pol.* für neutral erklären; **2.** ⚗ neutralisieren, sättigen; **3.** *fig.* unwirksam machen; aufheben; **~liste** *pol.* [~'list] *adj.* neutralistisch, blockfrei; **~lité** [~li'te] *f* **1.** Neutralität *f*, Parteilosigkeit *f*; **2.** ⚗ neutrales Verhalten *n*.

neutre ['nø:trə] **I** *adj.* **1.** neutral, parteilos; **2.** *gr.* neutral, sächlich; **3.** ⚘ *u. zo.* geschlechtslos; **4.** ⚗ *sel m* ~ neutrales Salz *n*; **5.** ⚡ *conducteur m* (*od. fil m*) ~ Nulleiter *m*; **II** *m gr.* Neutrum *n*; *pol. les* ~*s pl.* die neutralen Mächte *f/pl.* (*in e-m Krieg*).

neutron ⚗ [nø'trɔ̃] *m* Neutron *n*.

neuv|aine *rl.* [nœ'vɛ:n] *f* neuntägige Andacht *f*; **~ième** [~'vjɛ:m] *adj./n.o.* neunte(r, s); neuntel.

névé [ne've] *m* Firn *m*.

neveu [n(ə)'vø] *m* (5b) Neffe *m*.

névral|gie [nevral'ʒi] *f* Neuralgie *f*, Nervenschmerz *m*; ~*s pl.* Nervenleiden *n/pl.*; **~gique** ⚕ [~'ʒik] *adj.* neuralgisch; *fig. point m* ~ neuralgischer (*od.* wunder) Punkt *m*; *fig.* Pferdefuß *m*; Achillesferse *f*; *pol.* Unruheherd *m*.

névr|ite ⚕ [ne'vrit] *f* Nervenentzündung *f*; **~ologie** ⚕ [~vrɔlɔ'ʒi] *f* Nervenlehre *f*; **~opathe** ⚕ [~vrɔ'pat] *su. u. adj.* Nervenleidende(r) *m*; nervenkrank.

névroptère *ent.* [nevrɔp'tɛ:r] *adj.* netzflügelig.

névro|se ⚕ [ne'vro:z] *f* Neurose *f*, Nervenkrankheit *f*; **~sé** [~vro'ze] **I** *adj.* neurotisch, überreizt, nervenkrank; **II** *m, f* Neurotiker *m*; **~tomie** *chir.* [~tɔ'mi] *f* Neurotomie *f*, Nervendurchschneidung *f*.

new-yorkais [nujɔr'kɛ] *adj.* (7) *u.* ♀ *m* New Yorker (*m*).

nez [ne] **1.** Nase *f*; *fig.* Gesicht *n*; ✈ ~ *basculant* Schwenknase *f*; ~ *camus*, ~ *camard*, ~ *plat*, ~ *épaté* Stumpfnase *f*; ~ *aquilin*, ~ *crochu*, ~ *en bec d'aigle* Adler-, Haken-nase *f*; ~ *retroussé*, F *en trompette* Stups-, Stülp-nase *f*; *parler du* ~ durch die Nase sprechen, näseln; *avoir le* ~ *fin* (*dur*) e-e gute (schlechte) Nase haben (*v. Hunden*); *avoir du ~, avoir le ~ creux* e-n feinen Riecher haben; *tu as le ~ dessus* es liegt, steht *usw.* vor deiner Nase; *avoir q. dans le ~* j-n nicht ausstehen, riechen können; *mettre* (*od. fourrer*) *son ~ partout* überall s-e Nase reinstecken; überall herumschnüffeln; *le tram m'est passé devant le ~* die Straßenbahn ist mir vor der Nase weggefahren; *fermer la porte au ~ de q.* j-m die Tür vor der Nase zumachen; *faire un* (*long*) *~* ein langes Gesicht machen; *mettre le ~ dehors* kurz mal Luft schnappen; *cela nous pend au ~* das blüht uns noch, das steht uns noch bevor; *se laisser mener par le bout du ~* sich an der Nase herumführen lassen; P *se piquer le ~* einen heben, sich einen anzwitschern P, sich besaufen P; *tirer les vers du ~ à q.* j-n zum Reden bringen; F *à vue de ~* nach Augenmaß; P *se manger le ~* sich heftig streiten, sich schwer in der Wolle haben P; *parler du ~* durch die Nase sprechen; *rire au ~ de q.* j-m ins Gesicht lachen; *piquer du ~* einnicken; **2.** Vorgebirge *n*; Kap *n*; **3.** ⚓ *~ de bateau* Schiffsschnabel *m*.

ni [ni] *cj.*: *sans crainte ni faiblesse* ohne Furcht u. ohne Schwäche; *ni ... ni ...* weder ... noch ...; *ni plus, ni moins* nicht mehr und nicht weniger; *il ne boit ni ne mange* er ißt und trinkt nicht; *ni l'un ni l'autre* keiner von beiden, weder der eine, noch der andere; *je n'ai ni pommes ni poires* ich habe weder Äpfel noch Birnen.

niable ['njablə] *adj.* was sich leugnen läßt.

niais [njɛ] **I** *adj.* (7) □ dumm; unerfahren; albern, kindisch; **II** *su.* einfältiger Mensch *m*, Trottel *m*; **~erie** [~z'ri] *f* Dummheit *f*, kindisches Wesen *n*, Albernheit *f*.

Nicaragua *géogr.* [nikara'gwa] *m*: **le ~** Nicaragua *n*; **~yens** [~gwa'jɛ̃] *m/pl.* Einwohner *m/pl.* aus Nicaragua.

Nice [nis] *f* Nizza *n*.

niche[1] [niʃ] *f* **1.** ⚠ Nische *f*; **2.** *~* (*à chien*) Hundehütte *f*.

niche[2] F [~] *f* Streich *m*, Schabernack *m*.

nich|ée [ni'ʃe] *f* Nestvoll *n*, Brut *f*; **~er** [~] (1a) **I** *v/i.* nisten; hausen; **II** *v/rfl.* se *~* sich einnisten (*Vögel*); *fig. la balle s'est nichée dans le trou* die Kugel steckt im Loch; **~et** [~'ʃɛ] *m* 'Nest|ei *n*; **~oir** [~'ʃwa:r] *m* Vogelkasten *m*; Legekorb *m* (*für Hühner usw.*); **~ons** * [~'ʃɔ̃] *m/pl.* Busen *m*.

nichrome ⊕ [ni'kro:m] *m* Chromnickelstahl *m*.

nickel *min.* [ni'kɛl] *m* Nickel *n*; *adjt.* F *c'est drôlement ~ chez eux* bei ihnen ist alles blitzblank; **~age** ⊕ [ni'kla:ʒ] *m* Vernickelung *f* (*als Handlung*); **~é** ⊕ [ni'kle] *adj.* vernickelt; **~er** [~] *v/t.* (1a) vernickeln.

nickélifère [nikeli'fɛ:r] *adj.* nickelhaltig.

nickelure ⊕ [ni'kly:r] *f* Vernickelungs-kunst *f*, -arbeit *f*.

niçois [ni'swa] *adj. u.* ♀ *su.* (7) (Einwohner *m*) aus Nizza.

nicotin|e [nikɔ'ti:n] *f* Nikotin *n*; **~isme** [~ti'nism] *m* Nikotinvergiftung *f*.

nictitant [nikti'tɑ̃] *adj.* (7) *a. path.* blinzelnd; *zo. paupière f ~e* Nickhaut *f* (*der Nachtvögel*).

nid [ni] *m* **1.** Nest *n*; *fig. bon ~* warmes Nest *n*; *Mode*: *~s m/pl. d'abeilles* Smokarbeit *f*; *Auto*: *~ de poule* Schlagloch *n*; **2.** Brut *f*; **3.** ⚔ *~ de mitrailleuses* MG-Nest *n*; **~ation** ⚕ [nidɑ'sjɔ̃] *f* Nidation *f*; **~ification** [nidifikɑ'sjɔ̃] *f* Nestbau *m*; **~ifier** [~di'fje] *v/i.* (1a) nisten.

nièce [njɛs] *f* Nichte *f*.

nielle[1] ✐ [njɛl] *f* (Getreide-)Brand *m*.

nielle[2] ⊕ [~] *m* schwarzer Schmelz *m*, Niello *n*.

nielle[3] ⚘ [~] *f* (Korn-)Rade *f*.

nieller[1] [njɛ'le] (1a) **I** *v/t.* Getreide brandig machen; **II** *v/rfl.* se *~* brandig werden.

nieller[2] ⊕ [~] *v/t.* (1a) mit schwarzem Schmelz auslegen, niellieren.

niellure[1] ✐ [njɛ'ly:r] *f* Brand *m* des Getreides.

niellure[2] ⊕ [~] *f* Schwarzschmelzen *n*, Schwärzung *f*, Niellierung *f*.

nième [ɛ'njɛ:m] *adj.* **1.** ✗ n-te (*Ordnung, Potenz*); **2.** *pour la ~ fois* zum zigsten (*od.* x-ten) Mal.

nier [nje] (1a) *v/t.* in Abrede stellen, leugnen, abstreiten, verneinen.

nigaud F [ni'go] (7) **I** *adj.* □ albern, einfältig; **II** *su.* Pinsel *m*, Einfaltspinsel *m*, Dummkopf *m*; *f*: alberne Gans *f*.

nigelle ⚘ [ni'ʒɛl] *f* Schwarzkümmel *m*.

Niger [ni'ʒɛ:r] *m*: *le ~* der Niger.

Nigeria [niʒɛ'rja] *f*: **la** (*od.* **le**) **~** Nigeria *n*.

nihilis|me [nii'lism] *m* Nihilismus

m; **~te** [~'list] *adj. u. su.* nihilistisch; Nihilist *m*; Revolutionär *m*.
Nil [nil] *m*: *le* ~ der Nil; *cout. couleur f* ♀ nilgrün.
nilgaut *zo.* [nil'go] *m Art* Antilope *f*.
nille ⊕ [nij] *f* drehbarer Handgriff *m* e-r Kurbel.
nimbe [nɛ̃:b] *m* Heiligenschein *m*.
nimber [nɛ̃'be] *v/t.* (1a) mit e-m Heiligenschein umgeben.
n'importe quel [nɛ̃'pɔrt 'kɛl] *adjt./m* jeder beliebige.
nipp|ée F [ni'pe] *adj./f*: *bien* ~ schick aufgemacht; **~er** F [~] *v/t.* (1a) an-, be-kleiden.
nippes F [nip] *f/pl.* abgetragene Kleidungsstücke *n/pl.*, Klamotten *f/pl.* P.
nippon [ni'pɔ̃] *adj.* (7 *od.* 7c) (*f*: ~e) japanisch.
nippo-soviétique [nipɔsɔvje'tik] *adj.* japanisch-sowjetisch.
nique [nik] *f*: *faire la* ~ *à q.* j-m eins auswischen; j-n zum besten halten.
niqueter [nik'te] *v/t.* (1c) kerben (*Pferdeschwanz*).
nitescent [nite'sɑ̃] *adj.* (7) glänzend weiß.
nitouche F [ni'tuʃ] *f*: *sainte* ~ Scheinheilige *f*; *adjt.* F: *un petit air sainte* ~ nach außen ganz harmlos.
nitr|ate ⚗ [ni'trat] *m* Nitrat *n*, salpetersaures Salz *n*; ~ *d'argent* Höllenstein *m*; ~ *de potasse* Kalisalpeter *m*; **~e** ⚗ ['ni:trə] *m* Salpeter *m*; **~eux** ⚗ [ni'trø] *adj.* (7d) salpeterhaltig; **~ification** ⚗ [~trifikɑ'sjɔ̃] *f* Salpeterbildung *f*; **~ifier** [~tri'fje] (1a): *se* ~ sich mit Salpeter bedecken; **~ique** ⚗ [~'trik] *adj.* Salpeter...; *acide m* ~ Salpetersäure *f*.
nitro|benzène ⚗ [nitrɔbɛ̃'zɛ:n] *m*, **~benzine** ⚗ [~bɛ̃'zi:n] *f* Nitrobenzol *n*, Mirbanöl *n*; **~gène** ⚗ [~'ʒɛ:n] *m* Stickstoff *m*; **~glycérine** ⚗ [~glise'ri:n] *f* Nitroglyzerin *n*.
nival [ni'val] *adj.* (5c) Schnee...
nivéal ⚘ [nive'al] *adj.* (5c) im Schnee wachsend; im Winter blühend.
niveau [ni'vo] *m* (5c) **1.** ⊕ Wasserwaage *f*; ~ *à plomb* Richtwaage *f*; **2.** waagerechte Fläche *f*; Sohle *f*; *fig.* Niveau *n*, Stufe *f*, Stand *m*; ⊕ ~ *de contrôle* Prüflibelle *f*; *Auto*: ~ *de l'huile* Ölstand *m*; ~ *de la mer* Meeresspiegel *m*; ✝ *bas* ~ *des prix* Gedrücktheit *f*, Tiefstand *m*; ✝ ~ *de la production* Produktionsstand *m*; ~ *maximum des prix* Höchststand *m*; ~ *d'eau* Wasserspiegel *m*; ~ *sonore* Lärmpegel *m*; *advt. de* ~ waagerecht, horizontal; 🚂 *passage m à* ~ Bahnübergang *m*; *être au* ~ *de* ... in gleicher Ebene liegen mit (*dat.*); *fig.* auf gleicher Höhe stehen mit (*dat.*), *j-m* die Waage halten; *cela dépasse mon* ~ *fig.* das geht über meinen Horizont; *se mettre au* ~ *de q. fig.* sich j-s Niveau anpassen; ~ *de vie* Lebensstandard *m*.
nive|ler [ni'vle] *v/t.* (1c) **1.** nivellieren, mit der Wasserwaage abmessen; **2.** einebnen, nivellieren; planieren; *fig.* nivellieren, gleichmachen; ausgleichen; über e-n Kamm scheren; **~leur** [~'vlœ:r] *m* (7g) **1.** Vermesser *m*, Feldmesser *m*; **2.** ⊕ Planierbagger *m*; **~llement** [~vɛl'mɑ̃] *m* **1.** *arp.* Abmessen *n* mit der Wasserwaage; Landvermessung *f*; **2.** Einebnen *n*, Nivellierungsarbeiten *f/pl.*; Abtragen *n*; **3.** *fig.* Nivellierung *f*, *bsd. pol.* Gleichmacherei *f*.
nivéole ⚘ [nive'ɔl] *f* großes Schneeglöckchen *n*.
nivolog|ie [nivɔlɔ'ʒi] *f* Schneemessung *f*; **~ique** [~'ʒik] *adj.* Schneemessungs...
nixe *myth.* [niks] *f* Nixe *f*, Wassernymphe *f* (*germanische Mythologie*).
nobiliaire [nɔbi'ljɛ:r] **I** *adj.* zum Adel gehörig, adelsmäßig; *particule f* ~ Adelsprädikat *n*; **II** *m* Adelsbuch *n*.
nob|le ['nɔblə] **I** *adj.* □ **1.** adlig; **2.** *fig.* edel, edelmütig, rühmlich, würdevoll; *style m* ~ erhabener Stil *m*; **3.** *thé. père m* ~ Heldenvater *m*; **4.** *min.*, ⚒ reich (*an Erzen*); **II** *su.* Adlige(r) *m*, Edelmann *m* (*f*: Edel-dame *f*, -fräulein *n*); **~esse** [~'blɛs] *f* **1.** Adel *m*; ~ *terrienne* Landadel *m*; ~ *d'épée* Schwertadel *m*; ~ *de naissance* Geburts-, uralter Adel *m*; ~ *par lettres*, ~ *par anoblissement* Briefadel *m*; *petite* ~ niederer Adel *m*; ~ *de robe* Amtsadel *m*; *lettres f/pl. de* ~ Adelsbrief *m*; **2.** Adlige *pl.*; *ehm.* Edelleute *pl.*; *hist.* Ritterschaft *f*; **3.** *fig. das* Edle *n*, Erhabenheit *f*; ~ *d'âme* Hochherzigkeit *f*.
noblaillon *péj.* [nɔblɑ'jɔ̃] *su.* (7c), **nobliau** [nɔbli'o] *m* (5b) Type *f* niederen *od.* zweifelhaften Adels.
nobliomanie *péj.* [nɔbliɔma'ni] *f* Adelsfimmel *m*.
noce [nɔs] **1.** *oft im pl.* ~*s* Hochzeitsfeier *f*; *célébrer les* ~*s* Hochzeit feiern; *en premières* ~*s* in erster Ehe; ~*s d'argent* (*d'or, de diamant*)

silberne (goldene, diamantene) Hochzeit *f*; ~ *de village* Bauernhochzeit *f*; *être de* ~ auf Hochzeitsreise sein; **2.** (*gens pl. de la*) ~ Hochzeitsgesellschaft *f*, Hochzeitsgäste *m/pl.*; **3.** F Gelage *n*, Prasserei *f*; Ausschweifungen *f/pl.*; F *faire la* ~ flott leben, prassen, schwofen P, sich amüsieren.

noceur F [nɔ'sœ:r] *su.* (7g) lustiger Bruder *m*; Zecher *m*, Lebemann *m*.

noci|f [nɔ'sif] *adj.* (7e) schädlich; **~vité** [~sivi'te] *f* Schädlichkeit *f*.

noctambu|le [nɔktɑ̃'byl] **I** *adj.* nachtwandelnd; **II** *su.* Nachtwandler *m*, Nachtschwärmer *m*; **~lisme** [~'lism] *m* Nachtwandeln *n*.

nocti|flore ⚘ [nɔkti'flɔ:r] *adj.* des Nachts blühend; **~luque** *zo.* [~'lyk] *f* Leuchttierchen *n*.

noctuelle *ent.* [nɔk'tɥɛl] *f* Nachtfalter *m*.

nocturne [nɔk'tyrn] **I** *adj.* nächtlich; Nacht...; **II** *m* **1.** ♪ Notturno *n*; **2.** *rl.* Nachtmesse *f*; **III** *f* **1.** ✝ (außergewöhnliche) Abendöffnung *f*; **2.** *Sport*: Abendspiel *n*.

nod|al *phys.* [nɔ'dal] *adj.* (5c) Schwingungsknoten...; **~osité** ⚘ *u.* ⚕ [nɔdozi'te] *f* knotige Beschaffenheit *f*; Verhärtung *f*; Knötchen *n*; **~ulaire** [~dy'lɛ:r] *adj.* (7) knotig; **~ule** [~'dyl] *m* Knötchen *n*; **~uleux** [~dy'lø] *adj.* (7d) knotig; **~us** ⚕ [~'dys] *m* Knoten *m*.

Noël [nɔ'ɛl] *m* **1.** ~ *od. ell. la* ~ (*für la fête de* ~) Weihnacht(en) *f*, Weihnachtsfest *n*; *à* ~ zu Weihnachten; *arbre m de* ~ Weihnachtsbaum *m*; *Bonhomme* ~ *od. Père* ~ Weihnachtsmann *m*; *la veille de* ~ Heiligabend *m*; **2.** ♀ *od. cantique m de* ~ Weihnachtslied *n*.

noëliser *néol.* [nɔɛli'ze] *v/t.* (1a) weihnachtlich ausschmücken.

nœud [nø] *m* **1.** Knoten *m*; *faire* (*défaire*) *un* ~ einen Knoten machen (aufmachen); **2.** ~ *coulant* Schleife *f* (*e-r Krawatte*); **3.** *fig.* Band *n der Ehe usw.*; *les* ~*s les plus sacrés* die heiligsten Bande; **4.** *fig.* Knoten *m*; Schwierigkeit *f*; **5.** *thé.* Verwicklung *f*; **6.** *anat.* Gelenk *n*, Knöchel *m*; **7.** ⚘ Knoten *m*, Anschwellung *f* des Stengels; Knorren *m*, Knast *m im Holz*; *sans* ~ astfrei; **8.** ⚓ Knoten *m*; *le vaisseau file vingt* ~*s à l'heure* das Schiff läuft zwanzig Knoten in der Stunde; **9.** ~ *de communication* Verkehrsknotenpunkt *m*; **10.** *phys.* Schwingungsknoten *m*.

noir [nwa:r] **I** *adj* **1.** schwarz; braun und blau (geschlagen); *bêtes* ~*es* Schwarzwild *n*; *beurre* ~ braune Butter *f*; F *œil au beurre* ~ blutunterlaufenes Auge *n*; *blé* ~ Buchweizen *m*; *cheval* ~ Rappe *m*; *lunettes* ~*es* Sonnenbrille *f*; *marché m* ~ schwarzer Markt *m*; Schwarzhandel *m*; *pain* ~ Schwarzbrot *n*; *in der Haut*: *point* ~ Mitesser *m*; *travail m* ~ Schwarzarbeit *f*; **2.** dunkel, finster; *fig.* traurig, düster; bitter *fig.*, pessimistisch; *avoir des idées* ~*es* Trübsal blasen; *nuit* ~*e* stockfinstere Nacht; F *il fait* ~ *comme dans un four* es ist stockfinster; (*bei affektivem Gebrauch bisw. vorangestellt*): ~ *chagrin* düsteres Leid *n*; *misère* ~*e* tiefstes Elend *n*; *œil* ~ finster blikkendes Auge *n*; **3.** schmutzig; **4.** *fig.* ruchlos, abscheulich; unheilvoll; *une ingratitude* ~*e* ein schnöder Undank *m*; *c'est le point* ~ das ist das Bedenkliche (dabei); **5.** *magie* ~*e* Schwarze Magie *f*; **6.** * *fig.* total blau; **II** *su.* **7.** Schwarze(r) *m*, Neger *m*; **III** *m* **8.** Schwarz *n*; ~ *de jais* Kohlschwarz *n*; *des cheveux* ~ *de jais* kohlschwarze Haare *n/pl.*; **9.** Schwärze *f*, schwarze Farbe *f*, Trauer(farbe *f*) *f*; *passer du blanc au noir* von einem Extrem ins andere kippen; *teindre en* ~ schwarz färben; ~ *animal*, ~ *d'os* Knochenkohle *f*; ~ *de fumée*, ~ *à noircir* Kienruß *m*; ~ *d'impression* Druckerschwärze *f*; *en* ~, *vêtu de* ~ schwarz gekleidet; *s'habiller de* ~ sich schwarz kleiden; **10.** *das* Schwarze *n*; Zentrum *n*; *mettre dans le* ~ auf Anhieb das Richtige treffen; sofort Glück haben; **11.** *fig.* Betrübnis *f*; *voir tout en* ~ schwarzsehen; F *broyer du* ~ Grillen fangen, schwarzsehen; **12.** F schwarzer Kaffee *m*; **~âtre** [nwa'rɑ:trə] *adj.* schwärzlich; **~aud** F [~'ro] (7) **I** *adj.* schwarzbraun; **II** *su.* Schwarzkopf *m*.

noir|ceur [nwar'sœ:r] *f* **1.** Schwärze *f*; **2.** schwarzer Fleck *m*; **3.** *fig.* Gemeinheit *f*, Hinterlist *f*, heimtükkischer Streich *m*; **~cir** [~'si:r] (2a) **I** *v/t.* **1.** schwarz machen, schwärzen, schwarz färben, schwarz anstreichen; F *iron.* ~ *du papier* schriftstellern; **2.** *fig.* verdüstern, mit schwarzen Gedanken erfüllen; **3.** *fig. litt.* anschwärzen, verleumden; **II** *v/i.* schwarz werden; **III** *v/rfl. se* ~ trübe (dunkel) werden (*Wetter, Himmel*); **~cissement** [~sis'mɑ̃] *m* Schwärzen *n*, Schwarzmachen *n*;

Schwarzwerden *n*; **~cissure** [~si'sy:r] *f* schwarzer Fleck *m*.

noire [nwa:r] *f* ♪ Viertelnote *f*.

noise [nwa:z] *f nur gebr. in*: *chercher ~ à q. od. des ~s à q.* mit j-m Streit anfangen.

noise|tier [nwaz'tje] *m* Hasel(nuß)-strauch *m*; **~tte** [nwa'zɛt] *f* Haselnuß *f*; ⚒ *~s f/pl.* Nußkohle *f*; *auch adj.*: *couleur f ~* nußbraun.

noix [nwa] *f* **1.** Walnuß *f*; Nuß *f*; *huile f de ~ du Brésil* Paranußöl *n*; *~ de coco* Kokosnuß *f*; *~ de galle* Gallapfel *m*; *~ muscade* Muskatnuß *f*; **2.** *~ de veau* Kalbsdrüse *f*, *cuis.* Kalbsnuß *f*.

nom [nɔ̃] *m* **1.** Name(n) *m*; Benennung *f*; Titel *m*; Beiname *m*; *~ de baptême (petit ~)* Vor-, Ruf-, Tauf-name *m*; *~ de jeune fille* Mädchenname *m*; *~ de guerre*, *~ d'emprunt*, *~ de plume* Pseudonym *n*, Schriftsteller- *od.* angenommener Name *m*; *~ de théâtre* Künstlername *m*; *faux ~* Deckname *m* (*v. Verbrechern*); *~ propre* Eigenname *m*; ⚕ *~ commercial* Firmenname *m e-r Gesellschaftsfirma*; *au ~ de q.* in j-s Namen, im Auftrag j-s; *porter le ~ de ......* heißen; *prêter (od. donner) son ~ à qch.* s-n Namen zu et. (*dat.*) hergeben; *changer de ~* e-n anderen Namen annehmen, *von e-r Frau*: sich verheiraten; *appeler les choses par leur ~* die Dinge beim rechten Namen nennen; *de ~* (nur) dem Namen nach; *je le connais de ~* ich kenne ihn (nur) dem Namen nach; *du ~* mit Namen, namens; *le ~ de Grand* der Beiname „der Große"; *petit ~ (d'amitié)* Kosename *m*; *sans ~ fig.* unerhört, grenzenlos; **2.** ⚖ Rechtstitel *m*, Berechtigung *f*; **3.** *gr.* Nomen *n*, Nennwort *n*, Substantiv *n*; *~ de nombre* Zahlwort *n*; **4.** *Logik*: *~ abstrait* Abstraktum *n*; *~ appellatif*, *~ commun* Gattungsname *m*; *~ collectif* Sammelwort *n*; *~ concret* Konkretum *n*; **5.** Ruf *m*, Ruhm *m*; **6.** Geschlecht *n*, Familie *f*; **7.** *int.* *~ de Dieu!*, *~ de ~!*, *~ d'un petit bonhomme!*, *~ d'une pipe!*, *(sacré) ~ d'un chien!*, *~ d'un tonnerre!* Himmel Kreuz!, verflucht nochmal! (*od.* noch eins!), zum Donnerwetter!

noma|de [nɔ'mad] **I** *adj.* nomadenhaft; **II** *su.* Nomade *m*; **~diser** [~di'ze] *v/i.* (1a) nomadisieren; **~disme** [~'dism] *m* Nomadenleben *n*.

no man's land *pol.* [nomans'lɑ̃:d] *m/inv.* Niemandsland *n*.

nombre ['nɔ̃:brə] *m* **1.** Zahl *f*; *sans ~* unzählig, zahllos; *~ abstrait* unbenannte Zahl *f*; *~ cardinal* Grund-, Kardinal-zahl *f*; *~ concret* benannte Zahl *f*; *~ entier* ganze Zahl *f*; *~ fractionnaire* Bruchzahl *f*; *~ mixte* gemischte Zahl *f*; *~ pair (impair)* gerade (ungerade) Zahl *f*; *~ premier* Primzahl *f*; **2.** *gr.* Numerus *m*; *s'accorder en genre et en ~* in Geschlecht u. Zahl übereinstimmen; **3.** beträchtliche Menge *f* (*od.* Zahl *f*), Anzahl *f*; *~ d'historiens* viele Geschichtsschreiber *m/pl.*; *~ de fois* sehr oft; *il était du ~* er war mit dabei; *il n'est pas du ~ de ses amis* er gehört nicht zu s-n Freunden; *le grand ~* der große Haufe; *en grand ~* zahlreich, in Massen; *en ~ suffisant* beschlußfähig; *~ de tours Auto*: Tourenzahl *f*; *~ des illettrés* Zahl *f* der Analphabeten; Analphabetentum *n*; **4.** *bibl.* Les ℒs viertes Buch *n* Moses; **5.** *céder au ~* der Überzahl weichen; **~-indice** [~brɛ̃'dis] *m* (6a) Index-, Richt-zahl *f*.

nombreux [nɔ̃'brø] *adj.* (7d) □ zahl-, kinder-reich.

nombril *anat.* [nɔ̃'bri] *m* Nabel *m*; **~isme** *cath.* [~'lism] *m* Selbstbetrachtung *f* (*junger Pfarrer*).

nomenclature [nɔmɑ̃kla'ty:r] *f* Nomenklatur *f*, Namensregister *n*; Wörterverzeichnis *n*, Verzeichnis *n* sämtlicher Fachausdrücke; Benennung *f*; *~ des rues* Straßenverzeichnis *n*.

nomi|nal [nɔmi'nal] *adj.* (5c) □ namentlich; Nenn...; **~nalement** [~nal'mɑ̃] *adv.* (nur) dem Namen nach; **~nalisme** *phil.* [~na'lism] *m* Nominalismus *m*; **~naliste** *phil.* [~na'list] **I** *adj.* nominalistisch; **II** *m* Nominalist *m*; **~natif** [~na'tif] **I** *adj.* (7e) □ namentlich; auf einen bestimmten Namen lautend; **II** *m gr.* Nominativ *m*, erster Fall *m*; **~nation** [~nɑ'sjɔ̃] *f* Ernennung(surkunde *f*) *f*, Ruf *m*, Bestallung *f*.

nommé [nɔ'me] *adj.* genannt; *un ~ ...* ein gewisser ...; *le ci-dessus ~*, *le sus~* der Obenerwähnte; *au cours ~* zu verzeichnetem Kurs; *à point ~* zur rechten Zeit; **~ment** [~'mɑ̃] *adv.* namentlich, besonders.

nommer [nɔ'me] (1a) **I** *v/t.* **1.** *mst.*: den Namen angeben (von); angeben, anzeigen; **2.** nennen (*besser jedoch*: *appeler*); **3.** ernennen; *~ q. à un poste* j-n zu e-m Amt ernennen (*besser*: *élire*); **II** *v/rfl.* *se ~* heißen (*besser*: *s'appeler*).

non [nɔ̃] *adv.* nein; *je ne dis pas ~*

ich sage nicht nein; das will ich nicht in Abrede stellen; ~ *et* ~! nein und nochmals nein!; ~, *merci!* nein danke; *iron.* ich danke!; ~, *mais!* nein so (et)was!; ~ *pas!* durchaus nicht!; ~ *certes od.* ~ *vraiment* wirklich nicht; *oh, que* ~! o nein!; *je gage que* ~ ich wette auf das Gegenteil; *il a dit* ~ er hat nein gesagt, er hat abgelehnt; ~ *loin* nicht weit; ~ *plus* auch nicht; (*ni*) *lui* ~ *plus* er auch nicht; *et* ~ *plus* und nicht mehr; ~ *que* nicht als ob (*mit subj.*); ~ *seulement, mais aussi* (*od. mais encore*) nicht nur, sondern auch; *répondre que* ~ mit nein antworten; *bei zwei gegensätzlichen Begriffen*: *je parle du passé et* ~ (*od.* ~ *pas*) *du présent* ich spreche von der Vergangenheit, und nicht von der Gegenwart.

non-acceptation [nɔ̃naksɛpta'sjɔ̃] *f* Nichtannahme *f*.

non-accomplissement [nɔ̃nakɔ̃plis'mɑ̃] *m* Nichterfüllung *f*.

non-activité [nɔ̃naktivi'te] *f* augenblickliche Untätigkeit *f od.* Beschäftigungslosigkeit *f* (*e-s Beamten od. Angestellten*); *être en* ~ ohne Stellung sein; *mettre en* ~ *j-n* zur Verfügung (*od.* auf Wartegeld) stellen; *colonel m en* ~ Oberst *m* z.D.

nonagé|naire [nɔnaʒe'nɛ:r] **I** *adj.* neunzigjährig; **II** *su.* Neunzigjährige(r) *m*; **~sime** *ast.* [~'zi:m] *adj. u. m*: ~ (*degré*) neunzigster Grad *m*.

non-agression *pol.* [nɔ̃nagrɛ'sjɔ̃] *f* Nichtangriff *m*.

non-align|é *pol.* [nɔ̃nali'ɲe] *adj.* blockfrei, neutralistisch; *pays m/pl.* ~*s* Drittländer *n/pl.*; **~ement** *pol.* [~ɲe'mɑ̃] *m* Blockfreiheit *f*.

nonante *dial.* [nɔ'nɑ̃:t] *adj./n.c.* neunzig.

non-armé [nɔ̃nar'me] *adj.* unbewaffnet.

non-assistance [nɔ̃nasis'tɑ̃:s] ⚖ *f*: ~ *à personne en danger* unterlassene Hilfeleistung *f*.

non-belligérance [nɔ̃bɛliʒe'rɑ̃:s] *f* Nichtteilnahme *f* am Krieg.

nonce [nɔ̃:s] *m* Nuntius *m*.

noncha|lamment [nɔ̃ʃala'mɑ̃] *adv.* lässig; **~lance** [~'lɑ̃:s] *f* Unbekümmertheit *f*, Sorglosigkeit *f*, Lässigkeit *f*, Saumseligkeit *f*; Nonchalance *f*, Gleichgültigkeit *f*, Sichgehenlassen *n*; **~lant** [~'lɑ̃] *adj. u. su.* (7) lässig, nonchalant, unbekümmert, sorglos, gemächlich, saumselig, gleichgültig(er Mensch *m*); sich gehenlassend.

nonciature [nɔ̃sja'ty:r] *f* Nuntiatur *f*, päpstliche Gesandtschaft *f*.

non|-combattant [nɔ̃kɔ̃ba'tɑ̃] *m* Nichtkämpfer *m*; **~-comparution** ⚖ [~kɔ̃pary'sjɔ̃] *f* Nichterscheinen *n*; **~-conducteur** ⚡ [~kɔ̃dyk'tœ:r] *m* (*a. adj.*) Nichtleiter *m*; nichtleitend; **~-conformisme** *allg.* [~kɔ̃fɔr'mism] *m* Nichtanpassung *f*; **~-conformiste** [~kɔ̃fɔr'mist] **I** *m allg.* Nonkonformist *m*; *England*: Dissident *m*; **II** *adj. allg.* unüblich, ungewöhnlich; **~-conformité** [~kɔ̃fɔrmi'te] *f* Nichtübereinstimmung *f*; **~-déductibilité** [~dedyktibili'te] *f* Nichtabzugsfähigkeit *f*; **~-directif** [~dirɛk'tif] *adj.* (7e) zwanglos (*Gespräch*); **~-disponibilité** [~dispɔnibili'te] *f* Unabkömmlichkeit *f*; **~-dissémination** [~disemina'sjɔ̃] *f* Nichtweitergabe *f* (*v. Kernwaffen*).

non|-éclaté ⚔ [nɔ̃nekla'te] *m* Blindgänger *m*; **~-engagé** *pol.* [~nɑ̃ga'ʒe] *adj.* block-, bündnis-frei, nicht blockgebunden; **~-etre** *phil.* [nɔ̃'nɛ:trə] *m* Nichtsein *n*; **~-évalué** [~neva'lɥe] *adj.* unbewertet; **~-exécution** [~nɛgzeky'sjɔ̃] *f* Nichtausführung *f*; Nichterfüllung *f*; **~-existence** [~nɛgzis'tɑ̃:s] *f* Nichtvorhandensein *n*; **~-figuratif** [~figyra'tif] *adj. Kunst*: ungegenständlich, abstrakt; **~-fondé** *a.* ⚖ [nɔ̃fɔ̃'de] *adj.* unbegründet; **~-fumeur** [nɔ̃fy'mœ:r] *m* (7g) Nichtraucher *m*; **~ habité** [nɔ̃nabi'te] *adj.* unbemannt (*Satellit*); **~-immixtion** *bsd. pol.* [nɔ̃nimiks'tjɔ̃] *f*, **~-ingérence** [~nɛ̃ʒe'rɑ̃:s] *f*, **~-intervention** [~nɛ̃tɛrvɑ̃'sjɔ̃] *f* Nichteinmischung *f*; **~-initié** [nɔ̃nini'sje] *m* Laie *m*, Nichtfachmann *m*.

non-lieu ⚖ [nɔ̃'ljø] *m/inv.* Einstellung *f* des (Straf-)Verfahrens; *ordonnance f de* ~ Befehl *m* zur Einstellung des Verfahrens.

non-métal [nɔ̃me'tal] *m* (5c) Nichtmetall *n*.

nonne *rl., ent.* [nɔn] *f* Nonne *f*; **~tte** [~'nɛt] *f* **1.** junge Nonne *f*; **2.** kleiner Pfefferkuchen *m*; **3.** *orn.* Aschmeise *f*.

non-observation [nɔ̃nɔpsɛrva'sjɔ̃] *f* Nichtbefolgung *f*.

nonobstant [nɔ̃nɔps'tɑ̃] *prp.* trotz (*gén.*), ungeachtet (*gén.*); *nur noch* ⚖: *ce* ~ *od.* ~ *ce* dessenungeachtet; nichtsdestoweniger.

non-officiel [nɔ̃nɔfi'sjɛl] *adj.* (7c) nichtamtlich.

nonomme *enf.* [nɔ'nɔm] *m* Balg *n*, Knirps *m*, Süße(r) *m*.

nonos F [nɔ'nɔs] *m* Knöchchen *n* (*für den Hund*).
non-ouvré [nɔ̃nu'vre] *adj.* roh, unbearbeitet.
non-paiement [nɔ̃pɛj'mɑ̃] *m* Nicht-(be)zahlung *f*; Nichteinlösung *f*.
non-précontraint *bét.* [nɔ̃prekɔ̃'trɛ̃] *adj.* (7) nicht vorgespannt.
non-recevoir [nɔ̃r(ə)sə'vwa:r] *m*: *fin f de* ~ **1.** strikte Ablehnung *f*; **2.** ⚖ (Antrag *m* auf) Abweisung *f* der Klage.
non-recours [nɔ̃rə'ku:r] *m*: *pol.* ~ *à la force* Gewaltverzicht *m*.
non|-retour [nɔ̃rə'tu:r] *m*: ✈, *allg. atteindre le point de* ~ keine Möglichkeit zur Rückkehr haben; **~-salarié** [~sala'rje] *m* selbständige(r) Erwerbstätige(r) *m*; **~-sens** [nɔ̃'sɑ̃:s] *m* (6c) Unsinn *m*, Sinnlosigkeit *f*.
nonuple [nɔ'nyplə] *adj.* neunfach.
non|-usage [nɔ̃ny'za:ʒ] *m* Nichtgebrauch *m*; **~-valeur** [nɔ̃va'lœ:r] *f* Wertlosigkeit *f*, Ertraglosigkeit *f*; ✝ Ausfall *m*, ausfallender Posten *m*, verlorene Forderung *f*.
non-violence *pol.* [nɔ̃vjɔ'lɑ̃:s] *f* Gewaltlosigkeit *f*.
non-violent *pol.* [nɔ̃vjɔ'lɑ̃] *adj.* gewaltlos.
nop|age *text.* [nɔ'pa:ʒ] *m* Auszupfen *n*; **~e** *text.* [nɔp] *f* Noppe *f*, Flocke *f*, Knoten *m*; **~er** *text.* [nɔ'pe] *v/t.* (1a) noppen.
nord [nɔ:r] **I** *m* (*abr.* N.) Norden *m*, Nord *m*; *du* ~ nördlich; *fig. perdre le* ~ den klaren Kopf (*od.* die Ruhe) verlieren; nicht mehr wissen, was man tut; **II** *adj./inv.* nördlich, Nord...; *pôle m* ~ Nordpol *m*.
nord-africain [nɔrafri'kɛ̃] **I** *adj.* nordafrikanisch; **II** ♀ *su.* Nordafrikaner *m*.
nord-est [nɔrd'ɛst] **I** *m* (*abr.* N.E.) Nordost(en *m*) *m*; Nordostwind *m*; **II** *adj.* nordöstlich.
nordique [nɔr'dik] **I** *adj.* nordisch; **II** *m* Nordländer *m*.
nordiste *hist.* [nɔrdist] **I** *adj.* der Nordstaaten; **II** *su.* Nordstaatler *m*.
nord-nord|-est [nɔrnɔrd'ɛst] **I** *m* Nordnordost(en *m*) *m*; Nordnordostwind *m*; **II** *adj.* nordnordöstlich; **~-ouest** [~nɔr'wɛst] **I** *m* Nordnordwesten *m*; Nordnordwestwind *m*; **II** *adj.* nordnordwestlich.
nord-ouest [nɔr'wɛst] **I** *m* Nordwest(en *m*) *m*; Nordwestwind *m*; **II** *adj.* nordwestlich.
nord-vietnamien [nɔrvjɛtnam'jɛ̃] **I** *adj.* nordvietnamesisch; **II** *su.* Nordvietnamese *m*.
noria ⊕ [nɔ'rja] *f* Wasserhebe-, Eimer-, Paternoster-werk *n*.
normal [nɔr'mal] *adj.* (5c) □ **1.** normal; *voie f* ~*e* Vollspurbahn *f*; **2.** *Fr. École f* ~*e* (*primaire*) *od.* ♀*e f etwa* Pädagogische Hochschule *f*; *École* ~*e supérieure* Hochschule *f* zur Ausbildung von Lehrern an höheren Schulen; **~e** *géom.* [~] *f* Normale *f*; **~ien** [~'ljɛ̃] *su.* (7c) (ehemaliger) Student *m* e-r École ~e *od.* der École ~e supérieure; **~isation** [~liza'sjɔ̃] *f* ⊕ Normung *f*; *a. pol.* Normalisierung *f*; **~iser** [~li'ze] *v/t.* (1a) ⊕ normen; *allg.* normalisieren.
normand [nɔr'mɑ̃] *adj. u.* ♀ *su.* (7) normannisch; Normanne *m*; *fig.* pfiffig, schlau, gerissen; *faire une réponse de* ♀ e-e unbestimmte, zweideutige Antwort geben.
Normandie [nɔrmɑ̃'di] *f*: **la** ~ die Normandie.
normannisme *ling.* [nɔrma'nism] *m* normannische Redensart *f*.
normatif [nɔrma'tif] *adj.* (7e) normativ, maßgebend.
norme [nɔrm] *f* Regel *f*, Vorschrift *f*; Richtschnur *f*; Norm *f*.
norois [nɔ'rwa] *adj.* **1.** nordwestlich; **2.** altnordisch.
noroît ⚓ [~] *m* Nordwestwind *m*.
Norvège [nɔr'vɛ:ʒ] *f*: **la** ~ Norwegen *n*.
norvégien [nɔrve'ʒjɛ̃] **I** *adj.* (7c) norwegisch; **II** *m* ♀ Norweger *m*.
norvégienne [nɔrve'ʒjɛn] *f Art* Ruderboot *n*.
noso|graphie [nɔzɔgra'fi] *f* Krankheitsbeschreibung *f*; **~graphique** [~gra'fik] *adj.* Krankheits...; **~logie** [~lɔ'ʒi] *f* Krankheitslehre *f*.
nostal|gie [nɔstal'ʒi] *f* Heimweh *n*; Sehnsucht *f*; **~gique** [~'ʒik] *adj.* Heimweh...; sehnsüchtig.
nota [nɔ'ta] **I** *advt.* (*a.* ~ *bene*) wohlgemerkt; **II** *m* (5a) Randbemerkung *f*.
nota|bilité [nɔtabili'te] *f* **1.** Ansehen *n*, Bedeutung *f*; **2.** hervorragende Persönlichkeit *f*; **~ble** [~'tablə] **I** *adj.* □ angesehen, hervorragend; merkwürdig; **II** *m* angesehene Person *f*; ~*s pl.* Spitzen *f/pl.* der Gesellschaft, Honoratioren *pl.*, Notabeln *pl.*, *die* oberen Zehntausend *pl.*
notage * ✝ [nɔ'tɑ:ʒ] *m* Vornotierung *f* bestellter, aber nicht sofort lieferbarer Modeartikel.
notair|e [nɔ'tɛ:r] *m* Notar *m*; **~esse** [~tɛ'rɛs] *f* Frau *f* e-s Notars.

notamment [nɔta'mɑ̃] *adv.* namentlich, insbesondere, besonders.

notari|al [nɔta'rjal] *adj.* (5c) notariell; **~at** [~'rja] *m* Notariat *n*, Amt *n* e-s Notars; **~é** [~'rje] *adj.* von e-m Notar ausgefertigt; *Urkunde*: notariell (beglaubigt).

notation [nɔtɑ'sjɔ̃] *f* Notierung *f*, Bezeichnung *f*; *écol.* Benotung *f*, Beurteilung *f*, Notengebung *f*; *~s pl.* Bemerkungen *f/pl.*; *~ musicale* Notenschrift *f*; ⚗ *~ chimique* chemische Formel *f*; *fin. ~ de cours* Kursnotierung *f*.

note [nɔt] *f* **1.** (Merk-)Zeichen *n*; Anmerkung *f*; Note *f*, Notiz *f*, Vermerk *m*; Fußnote *f*; *~ marginale* Randbemerkung *f*; *prendre ~ de qch.* sich etw. merken, von etw. (*dat.*) Notiz nehmen, etw. vormerken, ✝ etw. buchen; *prendre des ~s* sich notieren, (sich) Notizen machen, *a.* mitschreiben; *carnet m de ~s* Notizbuch *n*; *~s pl.* Aufzeichnungen *f/pl.*; **2.** ✝ *~ des changes* Kurszettel *m*; **3.** *dipl.* Note *f*, diplomatisches Schreiben *n*; **4.** *écol.*, *adm.* Nummer *f*, Prädikat *n*, Note *f*, Zensur *f*; *Fr.*, *écol. carnet m de ~s* Zeugnis(heft) *n*; *la ~ d'ensemble* das Gesamtprädikat; **5.** *fig. fausse ~* Mißklang *m*, Mißgriff *m*; *changer de ~* e-n anderen Ton anschlagen, andere Saiten aufziehen; *ne pas être dans la ~ fig.* aus dem Rahmen fallen; *la ~ générale d'un discours* der Grundton (*od.* der allgemeine Tenor) e-r Rede; **6.** ♪ Note *f*, Tonzeichen *n*; *tête f* (*queue f*) *d'une ~* Noten-kopf *m* (-schwanz *m*); *donner la ~* den Grundton angeben; **7.** ✝ Rechnung *f*; *~ de frais* Spesenrechnung *f*; *~ de débit* Debetnote *f*, Lastschrift *f*; **8.** *peint. fig.* eigene Note *f*, Ton *m*, besonders hervortretende Stelle *f*.

noter [nɔ'te] *v/t.* (1a) **1.** notieren, aufzeichnen, vormerken, ✝ buchen; *écol.* mit e-r Note versehen, zensieren, prädizieren; *bien noté* gut angeschrieben (*écol.* beurteilt); **2.** ♪ in Noten setzen.

noti|ce [nɔ'tis] *f* **1.** Notiz *f*, kurzer Bericht *m*; **2.** kurze (Lebens-)Beschreibung *f*; **3.** ⊕ *~ d'entretien* Betriebsanleitung *f*; **~fication** [~tifikɑ'sjɔ̃] *f* amtliche Mitteilung *f*, Bekanntgabe *f*; *~ du jugement* Urteilszustellung *f*; **~fier** *adm.*, ⚖ [~ti'fje] *v/t.* (1a) amtlich mitteilen, bekanntgeben, zustellen.

notion [no'sjɔ̃] *f* (Er-)Kenntnis *f*, Vorstellung *f*; Begriff *m*; *~s pl.* Grund-, Elementarkenntnisse *f/pl.*

no|toire [nɔ'twa:r] *adj.* □ offenkundig, notorisch; berüchtigt; **~toriété** [~tɔrje'te] *f* Offenkundigkeit *f*; *de ~ publique* offenkundig; ⚖ *acte m de ~* Zeugenurkunde *f*.

notre [nɔtr(ə), *vor Konsonanten oft* nɔt], *pl.*: **nos** [no, *vor Vokalen* noz...] *pr./pss. adj.* unser(e); *a. bei e-r Schilderung e-r Person, z.B. e-s Schriftstellers*: *notre homme* (*nämlich Restif de la Bretonne*) *occupe une grande place* unser Romanschriftsteller (...) nimmt e-n bedeutenden Platz ein.

nôtre ['no:trə] **I** *pr/pss.* **1.** *su. le, la ~* der (das), die unsrige; *les ~s* die unsrigen; *il n'est pas des ~s* er gehört nicht zu uns; *serez-vous des ~s?* werden Sie unserer *od.* meiner Einladung Folge leisten?; **2.** *adj. ohne art.* (*prädikativ nach* être, *faire, rendre, vouloir, devenir, regarder comme*); *la victoire est ~* der Sieg ist unser; **II** *m*: *le ~* das Unsere; *nous mettrons chacun du ~* wir werden alle unsern Teil dazu beitragen.

Notre|-Dame [nɔtrə'dam] *f* **1.** Unsere Liebe Frau *f*, die heilige Jungfrau Maria; **2.** (6c) Muttergottesbild *n*; **3.** *église f ~* Marien-, Liebfrauen-kirche *f*; **~-Seigneur** [~sɛ'ɲœ:r] *m*: *~* (*Jésus-Christ*) Unser Herr (Jesus Christus).

notule [nɔ'tyl] *f* kurze Anmerkung *f*.

nouage *text.* [nwa:ʒ] *m* Knüpfen *n*.

nouba [nu'ba] *f* **1.** ⚔ algerische Musikkapelle *f*; **2.** F lärmendes Saufgelage *n*, Prasserei *f*.

noue [nu] *f* **1.** △ Dachkehle *f*; Kehlrinne *f*; **2.** ↗ Marschboden *m*.

nou|é [nwe] *adj.* **1.** *il avait la gorge ~e par l'émotion* vor Rührung konnte er nicht mehr sprechen; **2.** ⚕ gichtisch; **~er** [nwe] (1a) **I** *v/t.* **1.** binden, (zusammen)knüpfen; e-n Knoten machen (in); fesseln; ein-knüpfen, -wickeln; **2.** *fig. ~ des relations* Verbindungen anknüpfen; **3.** *thé. pièce bien nouée* gut aufgebautes Stück *n*; **II** *v/rfl. se ~* sich anbahnen (*Beziehungen*); **~eux** [nwø] *adj.* (7d) knorrig, knotig; *bâton m ~* Knotenstock *m*.

nougat [nu'ga] *m* **1.** Nougat *m*, Nuß-, Mandel-konfekt *n*; **2.** *fig.* F *c'est du ~* das ist kinderleicht; **3.** ⋆ *~s m/pl.* Flossen *f/pl.* P, Füße *m/pl.*

nouil|le [nuj] *f* **1.** F feige Memme *f*; charakterloser Mensch *m*; Schlapp-

schwanz *m*; **2.** △ *style m «nouille» de 1900* Nudelstil *m* von 1900; **~les** [~] *f/pl.* Nudeln *f/pl.*
noulet △ [nu'lɛ] *m* Kehlrinne *f.*
nounou *enf.* [nu'nu] *f* Amme *f.*
nounours *enf.* [nu'nurs] *m* Teddybär *m.*
nourrain [nu'rɛ̃] *m* Fischbrut *f.*
nourric|e [nu'ris] *f* **1.** Amme *f*; Säugamme *f*; *a.* Pflegemutter *f*; *je ne suis plus en ~ fig.* ich bin doch kein (kleines) Kind mehr; *mettre (od. placer) un enfant en ~* ein Kind in Pflege geben; **2.** *fig.* Erhalterin *f*, Ernährerin *f*; Kornkammer *f*; **3.** *Auto,* ✈, *mach.* Reservetank *m*; ⊕ Betriebsbehälter *m*; *~ d'essence* Benzintank *m*; **~ier** [nuri'sje] *adj.* (7c) ernährend; Pflege...; *parents m/pl. ~s* Pflegeeltern *pl.*
nourrir [nu'ri:r] (2a) **I** *v/t.* **1.** (er-) nähren; säugen, stillen; verpflegen, beköstigen; füttern; *bien nourri* wohlgenährt; *être nourri* freie Kost haben; *être logé et nourri* freie Kost und Logis (= Wohnung) haben; volle Pension haben; **2.** *fig. style m nourri* kraftvoller Stil *m*; *~ un dessein* sich mit e-m Gedanken tragen; *~ l'espoir de ...* die Hoffnung hegen zu ...; **3.** erziehen; bilden; großziehen; züchten; **4.** ↗ wachsen (*od.* gedeihen) lassen (*v. Boden*); **5.** *applaudissements m/pl. nourris* lauter, anhaltender Beifall *m*; *fusillade nourrie* anhaltendes Gewehrfeuer *n*; **II** *v/i.* nähren, nahrhaft sein; *cela ne nourrit pas* das ist nicht nahrhaft; **III** *v/rfl. se ~* sich (er)nähren; *se ~ d'illusions fig.* sich Illusionen machen.
nourris|sage ↗ [nuri'sa:ʒ] *m* Viehmast *f*, Viehzucht *f*; **~sant** [~'sɑ̃] *adj.* (7) nahrhaft; **~seur** [~'sœ:r] *m* (Vieh-)Züchter *m*; *~ (automatique)* Futterautomat *m*; **~son** [~'sɔ̃] *m* Säugling *m.*
nourriture [nuri'ty:r] *f* **1.** Ernährung *f*; Aufzucht *f*; Stillen *n e-s Kindes*; **2.** Nahrung *f*, Nahrungsmittel *n*, Kost *f*, *a.* ⚔ Verpflegung *f*; Futter *n* (*der Tiere*); *prendre de la ~* Nahrung zu sich nehmen; **3.** *fig.* geistige Nahrung *f.*
nous [nu, *vor vo.* nuz...] *pr/p.* **1.** wir; *c'est ~* wir sind es; *~ étions dix* wir waren zehn; *~ (autres) Allemands* wir Deutschen; *qui de ~?, od. qui d'entre ~?* wer von uns?; *chez ~* bei uns (zu Hause); *~ kann sowohl als Pluralis majestatis als auch als Ausdruck der Bescheidenheit, z.B. im Vorwort e-s Buches, gebraucht werden*; **2.** *acc. od. dat.*: uns.
nouure [nwy:r] *f* **1.** ⚕ Rachitis *f*; **2.** ⚘ Ansetzen *n der Früchte.*
nouveau [nu'vo] *adj./m* (5b), *vor Vokal od. stummem h*: **nouvel** [~'vɛl]; *adj./f*: **nouvelle** [nu'vɛl] **I** *adj.* □ **1.** *vorangestellt drückt es die Zusätzlichkeit od. die sich wiederholende Reihenfolge aus*: neu, zweite(r, s), andere(r, s), weitere(r, s); *un nouveau chagrin nous attendait* ein neuer Ärger erwartete uns; *un nouvel Attila* ein zweiter Attila; *une nouvelle perte* ein weiterer Verlust *m*; *le nouvel élu* der Neugewählte; *un nouveau docteur* ein frischgebackener Doktor *m*; *un nouvel élève* ein neuer Schüler *m*; *le nouvel an, la nouvelle année* das neue Jahr *n*; *nouvelle lune f* Neumond *m*; *un nouvel et fâcheux événement* ein weiteres, ärgerliches Vorkommnis (s. 2c!); *jusqu'à nouvel ordre* bis auf weiteres; **2.** a) *mst. nachgestellt, wenn es bedeutet*: neu, neuartig, neu erschienen (zum ersten Mal vorgekommen), noch nie dagewesen; *art m ~* Jugendstil *m*, *adjt.* im Jugendstil; *un mot nouveau* ein neues Wort *n*; e-e Neubildung *f*; *mœurs f/pl. nouvelles* neue Sitten *f/pl.*; *une vie nouvelle* ein neues Leben; *pommes de terre nouvelles* neue Kartoffeln; *vin nouveau* neuer Wein *m*, Heuriger *m*; b) *in feststehenden Ausdrücken vorgestellt*: *le* 𝓝 *Monde* die Neue Welt (*Amerika*); *le* 𝓝 *Testament* das Neue Testament; *une nouvelle robe f* ein neues Kleid *n*; *les nouveaux mariés* die Neuvermählten *pl.*; *les nouveaux venus* die Neuankömmlinge *pl.*; *un nouveau riche* ein Neureicher *m*; c) *vor „et" muß es nouveau, nicht nouvel, heißen*: *cela est nouveau et très utile* das ist neu und sehr nützlich; *jedoch in* 1. *abus.*: *un nouvel et fâcheux événement* ein weiteres, ärgerliches Vorkommnis *n*; s. *dort*; **3.** *être nouveau en qch.* unerfahren (*od.* ein Neuling) auf e-m Gebiet sein; **II** *m le nouveau*: **4.** *das* Neue *n*; *du nouveau* etwas Neues; *voilà du nouveau!* das ist ja höchst seltsam!; *qu'y a-t-il de nouveau? od. quoi de nouveau?* (*in beiden Fällen ist auch neuf möglich*) was gibt's Neues?; *rien de nouveau* nichts Neues; **5.** *der* Neuling *m*; *der* Neue *m* F; **III** *advt.*: *à nouveau* in völlig neuer Bearbeitung (*od.* Art *od.* Form); *de nouveau*

drückt die bloße Wiederholung aus: erneut, nochmals; ♆ *report m* (*od. solde m*) *à nouveau* Übertrag *m* auf neue Rechnung.

nouveau-né [nuvo'ne] *adj. u. su.* neugeboren; Neugeborene(r) *m.*

nouveauté [nuvo'te] *f* **1.** Neuheit *f*, etwas Neues *n*, Ungewöhnlichkeit *f*; Neuerung *f*; ♆ neuer Modeartikel *m*; *haute* ~ letzte (Mode-)Neuheit *f*, *das* Neuste *n*; **2.** Neuerscheinung *f* (*Buch*).

nouvelle [nu'vɛl] *f* **1.** Nachricht *f*, Meldung *f*, Neuigkeit *f*; ~ *officielle* (*officieuse*) amtliche (halbamtliche) Nachricht *f*; *dernières* ~*s* neueste (letzte) Nachrichten *f/pl.*; ~ (*de presse*) Zeitungsnotiz *f*; ~ *sportive* Sportnachricht *f*; *j'ai de ses* ~*s* ich habe von ihm Nachricht; ich habe erfahren, wie es ihm geht; *aux dernières* ~*s il était encore à Paris* als ich (*bzw.* wir) das letzte Mal von ihm hörte(n), war er noch in Paris; *donner de ses* ~*s* von sich hören lassen; *bisw. iron. vous m'en direz des* ~*s* Sie werden sehen, daß ich recht habe; Sie werden davon begeistert sein; ich glaube bestimmt, er (sie, es) wird Ihnen schmecken; *vous aurez de mes* ~*s!* Sie sollen (*od.* werden) von mir hören! (*drohend*); ~*s pl. du jour* Tagesneuigkeiten *f/pl.*; **2.** *litt.* Novelle *f*, Erzählung *f*.

Nouvelle-Delhi [nu'vɛl de'li] *f*: **la** ~ Neu-Delhi *n.*

nouvellement [nuvɛl'mɑ̃] *adv.* vor kurzem, unlängst, kürzlich.

Nouvelle-Zélande *géogr.* [nu'vɛlze'lɑ̃:d] *f*: **la** ~ Neuseeland *n.*

nouvelliste [nuvɛ'list] *su.* Novellenschreiber *m*, Novellist *m.*

nova|le ⚒ [nɔ'val] *f* Neubruch *m*; **~teur** [~va'tœ:r] *adj. u. su.* (7f) Neuerungs…, neuerungssüchtig; wandlungsfähig, wandelbar; Bahnbrecher *m*, Neuerer *m*, Wegbereiter *m*; **~tion** [~vɑ'sjɔ̃] *f* Novation *f*, Umwandlung *f*, Urkundenersetzung *f*.

novelle ⚖ [nɔ'vɛl] *f* (Gesetzes-)Novelle *f*.

novembre [~'vɑ̃:brə] *m* November *m.*

novi|ce [nɔ'vis] **I** *su. rl.* Novize *m u. f*; *fig.* Neuling *m*, Anfänger *m*; Laie *m*; **II** ⚓ *m* Leichtmatrose *m*; **III** *adj.* unerfahren, laienhaft; *il est encore bien* ~ *dans son métier* er ist noch ein blutiger Anfänger in s-m Beruf; **~ciat** [~'sja] *m* **1.** *rl.* Noviziat *n*; Probezeit *f*; **2.** Novizenhaus *n.*

novocaïne *phm.* [nɔvɔka'i:n] *f* Novokain *n.*

noxologie [nɔksɔlɔ'ʒi] *f* Lehre *f* von den Umweltschäden.

noyade [nwa'jad] *f* Ertränken *n*; Ertrinken *n.*

noyau [nwa'jo] *m* (5b) **1.** Kern *m*, Stein *m*; *phys.* ~ *atomique* Atomkern *m*; *biol.* ~ *cellulaire* Zellkern *m*; **2.** *fig.* Kernpunkt *m*; Mittelpunkt *m*; **3.** ⚔ Hauptmacht *f*, Kern *m des Heeres*; **4.** *bsd. pol.* kleine Gruppe *f*; ⚔ ~ *de résistance* Widerstandsgruppe *f*; **~tage** *pol.* [~'ta:ʒ] *m* Unterwanderung *f*; Zellenbildung *f*; Grundstock *m* (*e-r Partei od. Bewegung*), parteibegründende Elemente *n/pl.*; **~ter** *pol.* [~'te] *v/t.* (1a) unterwandern.

noyé [nwa'je] *su.* Ertrunkene(r) *m.*

noyer[1] [~] *m* Nußbaum *m.*

noyer[2] [~] (1h) **I** *v/t.* **1.** ersäufen, ertränken; unter Wasser setzen; *fig.* ersticken, untergehen (*od.* verschwinden) lassen; **2.** *fig. des yeux noyés de larmes* tränenbenetzte Augen *n/pl.*; **II** *v/rfl.* se ~ a) ertrinken; ersticken; (*aller*) *se* ~ sich ins Wasser stürzen; b) *fig.* zuviel trinken; die Fassung verlieren; sich zugrunde richten; *se* ~ *dans un verre d'eau* gleich den Kopf verlieren.

nu [ny] **I** *adj.* (*mit Bindestrich vor dem su. unveränderlich!*, *wie z.B. nu-tête, aber tête nue*; *adv.*: *nûment und nuement*) **1.** nackt, bloß, entblößt, unbekleidet; blank; ~ *comme un ver* splitternackt; *nu-pieds*, (*les*) *pieds* ~*s* barfuß; *nu-tête*, (*la*) *tête* ~*e* ohne Hut, ohne Kopfbedeckung; *à l'œil* ~ mit bloßem Auge; ⚖ ~*e propriété* Nackteigentum *n* (*ohne Nutznießbrauch*); **2.** *fig.* kahl; unbedeckt; schmucklos; *a. zo.* nackt; ohne Behaarung; blattlos (*Baum*); baumlos (*Landstrich*); ⚠ ~ *habitable* schlüsselfertig; **3.** *fig.* offen, rein, unverfälscht, ungeschminkt; *la vérité toute* ~*e* die nackte (*od.* die pure F) Wahrheit; **II** *m* ~ *das* Nackte *n*, nackte Stelle *f*; Kahlheit *f*; nackte Teile *m/pl.*; *peint.* Aktstudie *f*; **III** *advt. à* ~ nackt; bloß; offen; unvermischt; *monter un cheval à* ~ ein Pferd ohne Sattel reiten; *mettre à* ~ bloßlegen; *fig.* aufdecken; offen darlegen.

nua|ge [nɥa:ʒ] *m* **1.** Wolke *f*; *ciel m sans* ~*s* wolkenloser Himmel *m*; ~ *de fumée* Rauchwolke *f*; ~ *de pous-*

sière Staubwolke *f*; *fig. bonheur m sans* ~ ungetrübtes Glück; **2.** *zum Kaffee, Tee*: *un* ~ *de lait* ein bißchen Milch; **3.** *fig. être dans les* ~*s* träumen, nicht bei der Sache sein; ~**geux** [~'ʒø] *adj.* (7d) wolkig, bewölkt; *temps* ~ bedeckt.

nuan|ce [nɥɑ̃:s] *f* **1.** Nuance *f* (*a. fig.*), (Farben-)Abstufung *f*, Abtönung *f*, Schattierung *f*; **2.** *fig.* feiner Unterschied *m*, Feinheit *f*, Nuance *f*; ~**cer** [nɥɑ̃'se] *v/t.* (1k) nuancieren, abstufen, schattieren, *Gedanken, Meinung* differenzieren; ~**cier** [~'sje] *m* Farbtabelle *f*.

nubi|le [ny'bil] *adj.* heiratsfähig (*v. Mädchen*); ~**lité** [~li'te] *f* Heiratsfähigkeit *f* der Mädchen.

nucléaire ⚗, *phys.*, ⚔ [nykle'ɛ:r] **I** *adj.* Kern..., Atom...; *armes f/pl.* ~*s* Atomwaffen *f/pl.*; *énergie f* ~ Atomenergie *f*; *essais m/pl.* ~*s* Kernwaffenversuche *m/pl.*; *recherche f* ~ Kernforschung *f*; *physique f* ~ Kernphysik *f*; *centrale thermique* ~ Atomkraftwerk *n*; *chimie f* ~ Kernchemie *f*; *la supériorité* ~ die atomare Überlegenheit; *ogive f* ~ atomarer Sprengkopf *m*; **II** *m* Kernenergie *f*.

nuclé|icien [nyklei'sjɛ̃] *m*, ~**oniste** [~kleɔ'nist] *m* Kernphysiker *m*.

nuclide *phys.* [ny'klid] *m* Nuklid *n*.

nud|isme [ny'dism] *m* Freikörperkultur *f*; ~**iste** [~'dist] *m* Anhänger *m* der Freikörperkultur.

nudité [nydi'te] *f* **1.** Nacktheit *f*; Kahlheit *f*; Blöße *f*; **2.** *peint.* (*mst.* ~*s pl.*) nackte Figur(en *f/pl.*) *f*.

nudomane [nydɔ'man] *m* fanatischer Anhänger *m* der Freikörperkultur.

nu|e *mst. fig.* [ny] *f* (*mst. pl.*) Wolke *f*; *fig. élever* (*od. porter*) *aux* ~*s* verhimmeln, vergöttern; *tomber des* ~*s* wie aus allen Wolken gefallen sein; ~**ée** [nɥe] *f* **1.** Wetterwolke *f*; *fig.* Gefahr *f*, Sturm *m*; **2.** *fig.* Schwarm *m*, Unmenge *f*, Heer *n*; ~ *de sauterelles* Heuschreckenschwarm *m*; **3.** *fig.* ~*s pl.* Nebelgebilde *n/sg.*, Wolken *f/pl.*

nuer *text.* [~] *v/t.* (1a) farbenmäßig zs.-stellen.

nui|re [nɥi:r] (4c) **I** *v/i.*: ~ *à q.* (*à qch.*) j-m (e-r Sache) schaden, schädlich sein; **II** *v/imp. il nuit de ...* es schadet, zu ...; ~**sance** [~'zɑ̃:s] *f* schädliche Auswirkung *f*, Nachteil *m*, Mißstand *m*, Belästigung *f*; ~*s pl.* Umweltschäden *m/pl.*; *a.* ⚡ Lärmbelästigung *f*; ~**sette** [~'zɛt] *f* (*Damen-*)Nachthemd *n*; ~**sibilité** [~zibili'te] *f* Schädlichkeit *f*; ~**sible** [~'ziblə] **I** *adj.* □ schädlich; **II** ✓ ~*s m/pl.* Schädlinge *m/pl.*

nuit [nɥi] *f* **1.** Nacht *f*; *jusque tard dans la* ~, *bien* (*od. fort*) *avant dans la* ~ bis spät in die Nacht hinein; *passer la* ~ übernachten; *de* ~ nachts, bei Nacht; *ne pas dormir de la* ~, *passer une* ~ *blanche, ne pas fermer l'œil de la* ~ die ganze Nacht kein Auge zumachen; *il fait* ~ es ist Nacht; *la* ~ *tombe* es wird dunkel (*od.* Nacht); **2.** *fig.* Finsternis *f*; *la* ~ *des temps* die graue Vorzeit; ~**amment** *litt.* [~ta'mɑ̃] *adv.* bei Nacht, nachts; ~**ard** ☏ [nɥi'ta:r] *m* Briefsortierer *m* mit Nachtdienst; ~**ée** [~'te] *f* Übernachtung *f* (*Hotel*).

nul [nyl] (7c) **I** *pr./ind.* **1.** *als adj.*: a) kein(e); *des choses de* ~*le importance* unwichtige Dinge *n/pl.*; ~*le part advt.* nirgends; nirgendwohin; b) irgendein (*nach sans*); *sans* ~ *empêchement* ohne irgendwelche Behinderung; **2.** *als su.* (*nur in literarischem Stil statt des üblichen personne*) kein(e, -er, keins); niemand; **II** *adj.* □ (null u.) nichtig; ungültig; gehaltlos, unbedeutend; *Sport*: unentschieden; *écol. être* ~ *en ...* in e-m Schulfach nichts können (*od.* leisten); *son crédit est* ~ er hat (so gut wie) gar keinen Kredit; *l'effet du remède fut* ~ das Mittel hat nicht im geringsten geholfen (*od.* gewirkt); ~ *et non avenu* null und nichtig; *Sport*: *faire match* ~ ein unentschiedenes Spiel liefern; ~**lement** [nyl'mɑ̃] *adv.* gar nicht, überhaupt nicht, keinesfalls, keineswegs.

nullard P [ny'la:r] *m* Null *f fig.*

nullité [nyli'te] *f* **1.** ⚖ Ungültigkeit *f*; **2.** *fig.* Bedeutungslosigkeit *f*; **3.** *fig.* e-e Null *f*.

nûment *litt.* [ny'mɑ̃] *adv.* unverblümt, unverhohlen; unmittelbar.

numé|raire [nyme'rɛ:r] **I** *adj.* Zahl..., Zähl..., Zahlungs..., Münz...; **II** *m* ✝ Münz-, Bar-geld *n*; *en* ~ in bar; ~**ral** [~'ral] *adj.* (5c) e-e Zahl bezeichnend; Zahl(en)...; (*adjectif m*) ~ Zahlwort *n*; ~**rateur** [~ra'tœ:r] *m* Zähler *m e-s Bruches*; ~**ration** [~rɑ'sjɔ̃] *f* **1.** Numerierung *f*; **2.** ✗ Zählen *n*, Zahlenschreiben *n*; **3.** ✝ Auszahlung *f*; ~**rique** [~'rik] *adj.* numerisch, mit Ziffern; Zahlen...; ~**riquement** [~rik'mɑ̃] *adv.* der Zahl nach.

numéro [nyme'ro] *m* (*abr.* nº, Nº) **1.** Nummer *f*; Hausnummer *f*;

Heft *n e-r Zeitschrift*; ~ *de téléphone*, ~ *d'appel* Telefonnummer *f*; *téléph. faire un faux* ~ falsch wählen; ~ *de loterie* Lotterielos *n*; ~ *d'ordre*, ~ *de série*, ~ *d'enregistrement* laufende Nummer *f*, Ordnungsnummer *f*; ~ *de code postal* Postleitzahl *f*; ~ *du dossier* Aktenzeichen *n*, Geschäftsnummer *f*; *Auto*: ~ *d'immatriculation* Auto-, Zulassungs-nummer *f*; *fig. c'est un* ~*!* das ist 'ne Marke!, das ist ein ulkiger (*od.* geriebener) Kerl!; *l'ennemi* ~ *un* der Feind Nummer eins, der Hauptfeind; **2.** ⚕ (Preis-, Waren-)Zeichen *n*; **3.** *journ.* ~ *d'une annonce* Chiffrenummer *f*; ~ *spécial* Sondernummer *f* (*e-r Zeitung*); **4.** *Zirkus usw.*: Nummer *f*.

numéro|tage [nymerɔ'ta:ʒ] *m* Numerierung *f*, Bezifferung *f*; **~ter** [~rɔ'te] *v/t.* (1a) numerieren; **~teur** [~'tœ:r] *m* Kontrollstempel *m mit beweglichen Zahlen.*

numisma|te [nymis'mat] *m* Münzkenner *m*; **~tique** [~'tik] **I** *adj.* Münzen...; **II** *f* Münzkunde *f*.

nu-pied [ny'pje] *m* (6a) Sandalette *f*.

nu-pieds [~] *advt.* barfuß.

nuptial [nyp'sjal] *adj.* (5c) hochzeitlich; Braut...; Hochzeits...; *bénédiction f* ~*e* Trauung *f*; **~ité** [~li'te] *f* Eheschließungsziffer *f*.

nuque [nyk] *f* Genick *n*, Nacken *m*.

Nuremberg [nyrɑ̃'bɛ:r] *m* Nürnberg *n*.

nurse [nœrs] *f* Kindermädchen *n*.

nutation [nytɑ'sjɔ̃] *f* **1.** *ast.* Nutation *f*, Schwanken *n* (*der Erdachse*); **2.** ⚘ Nutation *f*, Richtungsänderung *f* der Pflanzen während des Wachstums; **3.** ⚕ permanentes Kopfwackeln *n*.

nu-tête [ny'tɛ:t] (*s. nu* 1) *adj.* (6c) ohne Kopfbedeckung.

nutri|ment ⚕ [nytri'mɑ̃] *m* Nährstoff *m*; **~tif** [~'tif] *adj.* (7e) nahrhaft; **~tion** [~'sjɔ̃] *f* Ernährung *f*; **~tionnel** [~sjɔ'nɛl] *adj.* (7c) Ernährungs...; **~tionniste** [~sjɔ'nist] *su.* Nahrungs-, Ernährungs-wissenschaftler *m*.

nyctalope [nikta'lɔp] *adj.* tagblind.

nylon *text.*, ⚒ [ni'lɔ̃] *m* Nylon *n*; *bas m de* ~ Nylonstrumpf *m*.

nym|phe [nɛ̃:f] *f* **1.** Nymphe *f*; **2.** *ent.* Puppe *f*; **~phéa** ⚘ [nɛ̃fe'a] *m* Seerose *f*; **~phète** F [nɛ̃'fɛt] *f* Teenager *m*; **~phomane** ⚕ [~fɔ'man] *adj.* mannstoll; **~phomanie** ⚕ [~fɔma'ni] *f* Mannstollheit *f*.

O

O, o [o] *m* O, o *n*.
ô [o] *int*. ~! oh!; ach!
oasien [ɔaˈzjɛ̃] (7c) **I** *adj*. Oasen...; **II** *su*. Oasenbewohner *m*.
oasis [ɔaˈzis] *f*, ⚒ *m* Oase *f*.
obédienc|e *bsd. rl*. [ɔbeˈdjɑ̃:s] *f* **1.** geistlicher Gehorsam *m*, Unterwerfung *f*, Obedienz *f*; **2.** Urlaub *m e-s Klostergeistlichen*; **3.** Klosteramt *n*; **4.** *pol*. parteiliche Hörigkeit *f*, Prägung *f*, Gefolgschaft *f*; **~ier** *rl*. [~djɑ̃ˈsje] *m* Pfründenverwalter *m* (*Mönch*).
obé|ir [ɔbeˈi:r] *v/i*. (2a) **1.** ~ *à q*. j-m gehorchen; *refuser d'~* den Gehorsam verweigern; *se faire ~* sich Gehorsam verschaffen; *être obéi* Gehorsam finden; *je suis obéi* man gehorcht mir; **2.** *fig*. nachgeben, weichen, sich fügen; *~ à la force* der Gewalt weichen; **~issance** [ɔbeiˈsɑ̃:s] *f* Gehorsam *m*; *manquer d'~* es an Gehorsam fehlen lassen; ⚔ *refus m d'~* Gehorsams-, Befehlsverweigerung *f*; *~ aveugle* Kadavergehorsam *m*; **~issant** [~iˈsɑ̃] *adj*. (7) gehorsam; folgsam.
obélisque [ɔbeˈlisk] *m* Obelisk *m*.
obérer [ɔbeˈre] *v/t*. (1f) mit Schulden belasten.
obèse [ɔˈbɛ:z] *adj. u. su*. zu dick; an Fettsucht Leidende(r) *m*.
obésité [ɔbeziˈte] *f* Fettsucht *f*.
obier ⚘ [ɔˈbje] *m* Schneeball *m*.
obit *rl*. [ɔˈbit] *m* Seelenmesse *f*.
objec|ter [ɔbʒɛkˈte] *v/t*. (1a) **1.** einwenden, entgegnen, beanstanden, einwerfen; *il n'y a rien à ~ à cela* dagegen läßt sich nichts einwenden; **2.** tadelnd vorwerfen; **~teur** [~ˈtœ:r] *m*: *~ de conscience* Militärdienstverweigerer *m*; **~tif** [~ˈtif] **I** *adj*. (7e) objektiv, sachlich, sachgemäß; **II** *m* Objektiv(glas *n*) *n*; *phot*. Objektiv *n*; ⚔ Zielpunkt *m*; *allg*. Vorhaben *n*; ⚔ *~ de marche* Marschziel *n*; **~tion** [~kˈsjɔ̃] *f* Einwand *m*, Einwurf *m*, Beanstandung *f*.
object|ivation [ɔbʒɛktivɑˈsjɔ̃] *f* Objektivierung *f*, rein sachliche Betrachtung *f*; **~iver** [~tiˈve] *v/t*. (1a) objektiv *od*. rein sachlich betrachten; **~ivisme** [~tiˈvism] *m* Objektivismus *m*; **~ivité** [~tiviˈte] *f* Objektivität *f*, Sachlichkeit *f*.
objet [ɔbˈʒɛ] *m* **1.** Gegenstand *m*, Objekt *n*, Ding *n*; *~ d'art* Kunstgegenstand *m*; ⚖ *~ faisant partie de la succession* Nachlaßgegenstand *m*; *~s trouvés* Fundsachen *f/pl*.; *bureau m des ~s trouvés* Fundbüro *n*; **2.** ✝ Artikel *m*; Ware *f*; Gut *n*; *~ d'usage (courant)* Gebrauchs-gegenstand *m*, -artikel *m*; **3.** *fig*. Ziel *n*, Zweck *m*, Bestreben *n*; ♀: ... Betrifft: ... (*Briefkopf*); *avoir pour ~* den Zweck verfolgen; *être, faire l'~ de qch*. Gegenstand von etw. sein; e-r Sache unterliegen; *sans ~* zwecklos; *l'~ de la présente est de* ... (*inf*.), *la présente a pour ~ de* ... (*inf*.) (der) Zweck dieses Schreibens ist, ... zu ...; *~ social* Gesellschaftszweck *m*.
objurgation [ɔbʒyrgɑˈsjɔ̃] *f* **1.** *bsd. pl*. *~s* schwere Vorwürfe *m/pl*.; **2.** *sg*. inständige Bitte *f*.
oblat *rl*. [ɔˈbla] *su*. (7) Laienbruder *m*.
oblation *rl*. [ɔblɑˈsjɔ̃] *f* Darbringung *f*, Opfer *n*.
obliga|taire [ɔbligaˈtɛ:r] *su*. Inhaber *m* von Schuldverschreibungen; **~tion** [~gɑˈsjɔ̃] *f* **1.** Verpflichtung *f*, Pflicht *f*, Verbindlichkeit *f*; ⚖ *~ alimentaire* Unterhaltspflicht *f*; *~s militaires* Wehrpflicht *f*; *~s professionnelles* berufliche Verpflichtungen *f/pl*.; **2.** Notwendigkeit *f*; Zwang *m*; *être dans l'~ de faire qch*. gezwungen sein, etw. zu tun; **3.** ⚖ Verbindlichkeit *f*; Obligation *f*, Schuldverschreibung *f*, Schuldschein *m*; Revers *m*; *~ de la succession* Nachlaßverbindlichkeit *f*; *faire honneur à ses ~s* s-n Verpflichtungen nachkommen; **~toire** [~gaˈtwa:r] *adj*. obligatorisch, vorgeschrieben; verbindlich; zwangsläufig; *enseignement m (od. instruction f) ~* Schulpflicht *f*; *service m militaire ~* allgemeine Wehrpflicht *f*.

obli|gé [ɔbli'ʒe] **I** *su.* Schuldner *m*; ⚖ *principal* ~ Hauptschuldner *m*; *fig. je suis votre* ~(e) ich bin Ihnen zu Dank verpflichtet; **II** *adj.* verbunden, verpflichtet; notwendig; *je vous en suis très* (*od. bien*) ~ ich bin Ihnen dafür sehr dankbar *od.* verbunden; *c'était* ~ F das war unausbleiblich; das mußte ja so kommen; **~geamment** [~ʒa'mɑ̃] *adv.* in verbindlicher Weise, zuvorkommend, höflich; **~geance** [~'ʒɑ̃:s] *f* Gefälligkeit *f*, Freundlichkeit *f*, Zuvorkommenheit *f*; *d'une extrême* ~ überaus gefällig (*od.* freundlich); *ayez l'*~ *de* (*mit inf.*) seien Sie bitte so freundlich zu ...; **~geant** [~'ʒɑ̃] *adj.* (7) gefällig, zuvor-, entgegen-kommend, verbindlich, freundlich; **~ger** [~'ʒe] *v/t.* (1l) **1.** verpflichten; *cela ne m'oblige pas* das ist für mich nicht verbindlich; **2.** mit Schulden belasten; verpfänden; **3.** ~ *q. de qch.* j-m mit etw. e-n Gefallen tun; *obligez-moi de* ... tun Sie mir den Gefallen zu ...; *pour vous* ~ um Ihnen entgegenzukommen; **4.** nötigen, zwingen (*à od. de mit inf.* zu ...); *im Passiv steht nach être obligé*: a) *die Präposition à, wenn es sich um e-e echte Handlung handelt u. somit die Bedeutung „gezwungen werden" vorliegt, die oft noch durch ein par + su. verdeutlicht wird*: *il a été obligé par ses chefs à faire ce voyage* er ist von s-n Vorgesetzten zu dieser Reise gezwungen worden (*Frage: wozu?*); b) *die Präposition de, wenn es sich um e-n rein subjektsbezogenen Zustand handelt, ein folgendes par + su. also ausgeschlossen ist und die aktive Bedeutung „müssen" vorliegt*: *je serai obligé de vous punir* ich werde euch bestrafen müssen; *rein subjektsbezogen ist auch e-e Redewendung wie*: *je me vois obligé(e) de vous dire que* ... ich sehe mich genötigt, Ihnen zu sagen, daß ... (*ebenso être contraint, être forcé à bzw. de*).

oblique [ɔ'blik] *adj.* □ **1.** schief, schräg; ⩓ *projection f* ~ schiefe Projektion *f*; *regard m* ~ Seitenblick *m*; **~ment** *adv.* schräg.

obliqu|er [ɔbli'ke] *v/i.* (1m): ~ *à droite, à gauche* nach rechts, nach links abbiegen; **~ité** [~ki'te] *f* ⩓ schräge Richtung *f*, Neigung *f*; *ast.* Schiefe *f* (*der Ekliptik*).

obli|térateur [ɔblitera'tœ:r] *m* Entwertungsstempel *m*, Briefstempelmaschine *f*; **~tération** [~rɑ'sjɔ̃] *f* **1.** Verwischung *f*; **2.** ✉ ~ *des timbres* Entwertung *f* der Briefmarken *usw.*; **3.** ⚕ Gefäßverstopfung *f*; **~térer** [~te're] *v/t.* (1f) **1.** verwischen; in Vergessenheit bringen; **2.** ✉ *usw.* entwerten, abstempeln; **3.** ⚕ verstopfen.

oblong [ɔb'lɔ̃] *adj.* (7i) länglich.

obnubiler [ɔbnybi'le] *v/t.* (1a) *j-s Gedanken* trüben; *être obnubilé par une idée* von e-r Idee besessen sein.

obole [ɔ'bɔl] *f* Obulus *m*, Scherflein *n*.

obs|cène [ɔp'sɛ:n] *adj.* obszön, zotig, unanständig; schweinisch F; **~cénité** [ɔpseni'te] *f* Obszönität *f*, Unanständigkeit *f*, Zote *f*.

obscur [ɔps'ky:r] *adj.* (*adv. obscurément*) **1.** dunkel, finster; *il fait* ~ es ist trübe (*od.* dunkel *od.* finster); **2.** *fig.* dunkel, undeutlich; kaum bemerkbar; unbekannt, obskur; ruhmlos; niedrig, obskur (*Herkunft*); **~antisme** [~rɑ̃'tism] *m* Obskurantismus *m*, Dunkel *n* des Aberglaubens; Fortschritts- u. Bildungsfeindlichkeit *f*; **~antiste** [~rɑ̃'tist] *su.* Obskurant *m*, Dunkelmann *m*.

obscur|cir [ɔpskyr'si:r] (2a) *v/t.* **1.** verdunkeln (*nicht* ⚔!), dunkel machen, verfinstern; **2.** verschleiern; unverständlich machen; trüben; **~cissement** [~sis'mɑ̃] *m* Verdunkelung *f* (*nicht* ⚔!), Verfinsterung *f*; *fig.* Trübung *f*.

obscurité [ɔpskyri'te] *f* **1.** Dunkelheit *f*, Finsternis *f*; *dans l'*~ im Dunkeln, Finstern; in der Dunkelheit, Finsternis; *fig.* Unklarheit *f*; **2.** *fig.* Unscheinbarkeit *f*, niedrige Herkunft *f*, Unbekanntheit *f*; *vivre dans l'*~ ein unauffälliges, unscheinbares Leben führen.

obsécration [ɔpsekrɑ'sjɔ̃] *f* flehentliche Bitte *f*, Beschwörung *f*.

obsédé [ɔpse'de] *su.* verbohrter Mensch *m*; Besessene(r) *m* (*von e-r fixen Idee*).

obséder [~] *v/t.* (1f): ~ *q.* j-n belästigen; j-n plagen, quälen, heimsuchen, *fig.* j-n verfolgen, umlagern; j-m nicht aus dem Sinn kommen; *être obsédé par* ... besessen (*fig.* verfolgt) sein von (*dat.*).

obsèques [ɔp'sɛk] *f/pl.* Leichenbegängnis *n*; ~ *nationales* Staatsbegräbnis *n*.

obséqui|eux [ɔpse'kjø] *adj.* (7d) □ übertrieben ehrerbietig *od.* höflich, unterwürfig, kriecherisch; **~osité** [~kjozi'te] *f* Unterwürfigkeit *f*, kriecherische Höflichkeit *f*, kriecherisches Wesen *n*.

obser|vable [ɔpsɛr'vablə] *adj.* bemerkbar, wahrnehmbar; **~vance** [~'vɑ̃:s] *f* **1.** Beachtung *f*, Befolgung *f* (*bsd. e-r Ordensregel*); *de stricte ~* strenggläubig; **2.** Satzung *f*, Ordensregel *f*; **3.** Ordensbrüderschaft *f*; **~vateur** [~va'tœ:r] (7f) **I** *adj.* **1.** beobachtend; *être très ~* ein guter, scharfer Beobachter sein; **II** *su.* **2.** *a.* ⚔ Beobachter *m*; **3.** Kundschafter *m*; Forscher *m*; **~vation** [~vɑ'sjɔ̃] *f* **1.** Beobachtung *f*, aufmerksame Betrachtung *f*, Wahrnehmung *f*; *être en ~* unter Aufsicht stehen; **2.** *~ des lois* Befolgung *f* der Gesetze; **3.** Forschung *f*, Untersuchung *f*; *avoir l'esprit d'~* Beobachtungsgabe haben; **4.** (*bsd. ~s pl.*) Anmerkung(en *pl.*) *f*; **5.** *bsd. ~s* Vorhaltungen *f/pl.*; *faire des ~s à q.* j-m Vorhaltungen machen; **~vatoire** [~va'twa:r] *m* Observatorium *n*, Sternwarte *f*; ✈ Wetterwarte *f*; ⚓ Seewarte *f*; ⚔ Beobachtungsstand *m*.

observer [ɔpsɛr've] (1a) **I** *v/t.* **1.** aufmerksam betrachten *od.* beobachten; **2.** befolgen, beachten; *~ le silence* Stillschweigen wahren; **3.** belauern; **4.** (be)merken; *je dois faire ~ que ...* ich muß darauf aufmerksam machen, daß ...; **II** *v/rfl. s'~* **5.** auf sich achten, sich in acht nehmen, sich vorsehen (*z.B. in der Gesellschaft*); **6.** *a.* ⚔ sich gegenseitig beobachten.

obsession [ɔpsɛ'sjɔ̃] *f* Zwangsvorstellung *f* (*a.* ⚕); fixe Idee *f*, quälender Gedanke *m*, quälende Vorstellung *f*.

obsessionnel [ɔpsesjɔ'nɛl] *adj.* ⚕ Zwangs...; *névrose f ~* Zwangsneurose *f*.

obsid|ienne *min.* [ɔpsi'djɛn] *f* Obsidian *m*, isländischer Glasachat *m*; **~ional** [~djɔ'nal] *adj.* (5c) Belagerungs...; belagerungswütig; *psych. délire m ~* Verfolgungswahn *m*.

obsolescence [ɔpsɔle'sɑ̃:s] *f* Veralten *n*.

obsolète [ɔpsɔ'lɛt] *adj.* veraltet (*von einem Ausdruck*).

obstacle [ɔp'staklə] *m* **1.** Hindernis *n*, Hemmnis *n*; *fig.* Anstoß *m*; *faire, mettre ~ à qch.* etw. verhindern; *sauter les ~s* Hindernisse nehmen (*Pferderennen*); *Sport: course f d'~s* Hindernisrennen *n*; Verkehrshindernis *n*; ⚔ *réseau m d'~s* Hindernisverhau *m*; **2.** *phys.* Gegenwirkung *f*.

obstétri|cal [ɔpstetri'kal] *adj.* (5c) geburtshilflich; **~que** [~'trik] *f* Geburtshilfe *f*.

obstination [ɔpstinɑ'sjɔ̃] *f* Eigensinn *m*, Halsstarrigkeit *f*, Sturheit *f* F.

obstiné [ɔpsti'ne] **I** *adj.* eigensinnig; stur F; hartnäckig; *être ~ à ...* durchaus ... wollen; **II** *su.* Starr-, Dick-, Stur-kopf *m* F; **~ment** [~ne'mɑ̃] *adv.* hartnäckig, steif u. fest, stur F.

obstiner [~'ne] *v/rfl.* (1a) *s'~* halsstarrig werden; *fig.* sich verhärten (*Herz*); *s'~ à* (*a. dans*) *qch. od. à* (*mit inf.*) hartnäckig auf etw. (*dat.*) bestehen *od.* darauf bestehen zu; *il s'obstine à le faire* er setzt es sich in den Kopf, es zu tun.

obs|tructif ⚕ [ɔpstryk'tif] *adj.* (7e) verstopfend; **~truction** [~k'sjɔ̃] *f* ⚕ Verstopfung *f*; *parl.* absichtliche Verhinderung *f e-r Beschlußfassung*, Verschleppung *f*, Obstruktion *f*; **~tructionnisme** *pol.* [~ksjɔ'nism] *m* Obstruktions-, Verschleppungs-politik *f*, -taktik *f*; **~tructionniste** *pol.* [~ksjɔ'nist] **I** *adj.* Obstruktions..., Verschleppungs...; **II** *m* Verschleppungs-, Obstruktions-politiker *m*; **~truer** [ɔpstry'e] *v/t.* (1a) blockieren; verstopfen.

obtempérer ⚖, *adm.* [ɔptɑ̃pe're] *v/i.* (1f) Folge leisten.

obten|ir [ɔptə'ni:r] (2h) **I** *v/t.* **1.** (*durch Bemühungen*) erlangen, erreichen, erwerben, erhalten; durchsetzen, bewerkstelligen, be-, er-wirken; *~ (la permission) de* (*mit inf.*) die Erlaubnis erhalten zu ...; *~ une nouvelle aide économique* e-e neue Wirtschaftshilfe erhalten; **2.** *~ un arrêt* ein Urteil erwirken; **II** *v/rfl. s'~* erreicht, erzielt werden; **~tion** [~tɑ̃'sjɔ̃] *f* Erlangung *f*, Erreichung *f*, Durchsetzung *f*; ⚗ Herstellung *f* (*e-r Temperatur, e-s Zustandes*).

obtur|ateur [ɔptyra'tœ:r] **I** *adj.* (7f) verschließend; **II** *m* ⊕ Verschlußvorrichtung *f*; Dichtungsring *m*; ⚗ Schließscheibe *f*; *chir.* Obturator *m*, künstlicher Gaumen *m*, Platte *f*; *phot.* Verschluß *m*; *~ focal* Schlitzverschluß *m*; ⚔ *artill.* Verschlußstück *n*; **~ation** [~rɑ'sjɔ̃] *f* Verschließung *f*; ⊕ Dichtung *f*; *phot.* Überblendung *f*; ⚕ Zahnfüllung *f*, Zahnplombe *f*; **~er** [~re] *v/t.* (1a) verstopfen; verschließen; ⚕ Zahn füllen, plombieren.

obtus [ɔp'ty] *adj.* (7) ⩓ stumpf; *fig.* schwerfällig; **~angle** ⩓ [ɔpty'zɑ̃:glə] *adj.* stumpfwinklig.

obus [ɔ'by] *m* ⚔ Granate *f*; ~ *à balles* Schrapnell *n*; ~ *de rupture* Panzergranate *f*; ~ *non éclaté* Blindgänger *m*; *trou m d'*~ Granattrichter *m*; ~ *percutant*, ~ *à percussion* Aufschlaggranate *f*; ~ *explosif* Sprengbombe *f*; ~ *brisant* Brisanzgranate *f*; ~ *à gaz* (*à croix verte*) Gas- (Grünkreuz-)granate *f*; **~ier** ⚔ [ɔby'zje] *m* Haubitze *f*, Mörser *m*.

obvenir ⚖ [ɔbvə'ni:r] *v/i.* (2h) zufallen, zuteil werden.

obvers *num.* [~'vɛ:r] *m* Kopfseite *f*.

obvier [ɔb'vje] *v/t.* (1a) vorbeugen, entgegentreten (*dat.*).

occase * [ɔ'kɑ:z] *f* = *occasion*.

occasion [ɔkɑ'zjɔ̃] *f* **1.** Gelegenheit *f*; ✝ Gelegenheitskauf *m*; *les grandes* ~*s* die besonderen Gelegenheiten; *manquer* (*saisir*) *l'*~ die Gelegenheit verpassen (wahrnehmen *od.* ergreifen); *profiter de l'*~ die Gelegenheit benutzen; *advt. à l'*~ bei Gelegenheit; gelegentlich; *d'*~ aus zweiter Hand; antiquarisch; *une belle* ~ ein besonders günstiger Gelegenheitskauf; *un livre d'*~ ein antiquarisches Buch; *meubles m/pl. d'*~ alte Möbel *n/pl.*; *à la première* ~ bei der ersten besten Gelegenheit; *prov. l'*~ *fait le larron* Gelegenheit macht Diebe; **2.** Anlaß *m*; *prpt. à l'*~ *de* anläßlich, aus Anlaß (*gén.*); *avoir l'*~ *de faire qch.* Anlaß, Veranlassung, Grund haben, etw. zu tun; **3.** Umstand *m*; *selon l'*~ nach den Umständen, je nach der Lage; **~nel** [~zjɔ'nɛl] *adj.* (7c) gelegentlich; *travail m* ~ Gelegenheitsarbeit *f*; *phil.* veranlassend; **~ner** [~zjɔ'ne] *v/t.* (1a) verursachen, zur Folge haben, bewirken.

occident [ɔksi'dɑ̃] *m* Westen *m*; *à l'*~ *de* westlich von (*dat.*); **~al** [~'tal] **I** *adj.* (5c) westlich; abendländisch; **II** *♀aux pol.* [~'to] *m/pl.*: *les ♀aux* die Westmächte *f/pl.*

occipital *anat.* [ɔksipi'tal] *adj.* (5c) Hinterkopf...

occiput 🕮 [ɔksi'pyt] *m* Hinterkopf *m*.

occlus|if [ɔkly'zif] *adj.* (7e) okklusiv, abschließend; **~ion** [~'zjɔ̃] *f* Verschließung *f*; ~ *intestinale* Darmverschluß *m*; **~ive** *gr.* [~'zi:v] *f* Verschlußlaut *m* (*z.B. k, p, t*).

occul|tation [ɔkyltɑ'sjɔ̃] *f* **1.** Verfinsterung *f*; **2.** *psych.* Unterdrükkung *f*; **~te** [ɔ'kylt] *adj.* □ okkult, geheim, verborgen; **~ter** *psych.* [~'te] *v/t.* (1a) unterdrücken; **~tisme** [~'tism] *m* Okkultismus *m*, Geheimlehre *f*; **~tiste** [~'tist] *su.* Okkultist *m*.

occu|pant [ɔky'pɑ̃] **I** *adj.* (7) besitzend; ⚔ besetzend; ⚖ *avoué m* ~ bestellter (*od.* beauftragter) Sachwalter *m*; ⚔ *puissances f/pl.* ~*es* Besatzungsmächte *f/pl.*; **II** *m* **1.** *premier* ~ erster Besitznehmer *m*; **2.** ✈, *Auto*: Insasse *m*; *Auto*: Mitfahrer *m*; **3.** Bewohner *m* (*e-s Hauses*); **4.** ⚔ Besatzungsmacht *f*; **~pation** [~pɑ'sjɔ̃] *f* **1.** Besetzung *f*, Besitzergreifung *f*; ⚔ Besetzthalten *n*; *frais m/pl. d'*~ Besatzungs-, *euphemistisch*: Stationierungs-kosten *pl.*; ⚔ *troupes f/pl. d'*~ Besatzungstruppen *f/pl.*; **2.** Beschäftigung *f*; ~ *saisonnière* Saison-gewerbe *n*, -beschäftigung *f*; ~ *secondaire* Neben-tätigkeit *f*, -amt *n*; *vaquer à ses* ~*s* s-r Beschäftigung, Tätigkeit, s-n Geschäften nachgehen; **~per** [~'pe] (1a) **I** *v/t.* **1.** in Besitz nehmen; ⚔ besetzen; besetzt halten; **2.** einnehmen, ausfüllen (*Platz*); **3.** bewohnen; innehaben; ~ *un poste* e-e Stellung bekleiden; **4.** beschäftigen, verwenden; *cela m'occupe beaucoup* das beschäftigt mich sehr; **II** *v/i.* ⚖ ~ *pour q.* für j-n als Sachwalter auftreten, j-n vor Gericht vertreten; **III** *v/rfl.* *s'*~ sich beschäftigen, arbeiten; *être occupé à qch.* gerade bei etw. (*dat.*) (beschäftigt) sein; *s'*~ *de qch.* sich mit etw. (*dat.*) befassen, etw. treiben, an etw. (*dat.*) arbeiten; *s'*~ *de q.* an j-n denken, sich mit j-m abgeben.

occur|rence [ɔky'rɑ̃:s] *f* Vorfall *m*; Zufall *m*; Fall *m*; Lage *f*; *en l'*~ im vorliegenden Fall, hierbei; *par* ~ zufällig; **~rent** [~'rɑ̃] *adj.* (7) vorkommend.

océan [ɔse'ɑ̃] *m* **1.** Ozean *m*; Meer *n*, See *f*, Weltmeer *n*; *l'*~ *Atlantique* (*abs. l'♀*) der Atlantische Ozean; *l'*~ *Pacifique* der Stille Ozean; **2.** *fig.* Riesenmenge *f*; ~ *de lumière* Lichtmeer *n*.

océa|nien [ɔsea'njɛ̃] *adj.* (7c) zu Ozeanien gehörig; **~nique** [~'nik] *adj.* ozeanisch; Tiefsee..., Weltmeer...; **~nographie** [~nɔgra'fi] *f* Ozeanographie *f*, Tiefsee-, Meeresforschung *f*, -kunde *f*; **~nographique** [~nɔgra'fik] *adj.*: *musée m* ~ Museum *n* für Meereskunde.

ocelle [ɔ'sɛl] *m* Auge *n auf Pfauenfedern*.

ocelot *zo.* [ɔs'lo] *m* Ozelot *m*, Pardelkatze *f*.

ocratation *bét.* [ɔkrata'sjɔ̃] *f* Okratierung *f* (*Schutz gegen Säuren*).
ocr|e *min.* ['ɔkrə] *f* Ocker *m*; **~é** [ɔ'kre] *adj.* ocker-farben, -gelb; **~eux** [ɔ'krø] *adj.* (7d) ockerfarbig.
octaèdre [ɔkta'ɛːdrə] *adj. u. m* achtflächig; Oktaeder *n*, Achtflächner *m*.
octante *dial.* [~'tɑ̃ːt] *adj./n.c.* achtzig.
octave ♪ [ɔk'taːv] *f* Oktave *f*.
octobre [ɔk'tɔbrə] *m* Oktober *m*.
octo|génaire [ɔktɔʒe'nɛːr] *adj. u. su.* achtzigjährig; Achtzigjährige(r) *m*; **~gonal** ⩓ [~gɔ'nal] *adj.* (5c) achteckig; **~gone** ⩓ [~'gɔn] *m* Achteck *n*; **~syllabe** *métr.* [~si'lab] *adj.*, **~syllabique** *métr.* [~sila'bik] *adj.* achtsilbig.
oc|troi [ɔk'trwa] *m* **1.** Bewilligung *f*; Erteilung *f*, Verleihung *f* (*e-s Privilegs*); **2.** *ehm.* Stadtzoll *m*, Akzise *f*; *droits m/pl. d'*~ Torgeld *n*; **~troyer** [~trwa'je] (1h) **I** *v/t.* bewilligen, verleihen, gewähren; **II** *v/rfl.* *s'*~ *qch.* sich etw. gönnen.
octuple [ɔk'typlə] *adj.* achtfach.
ocu|laire [ɔky'lɛːr] **I** *adj.* Augen...; *témoin m* ~ Augenzeuge *m*; **II** *m opt.* Augenglas *n*; **~liste** [~'list] *su.* Augenarzt *m*.
odalisque [ɔda'lisk] *f* Haremsfrau *f*.
ode *litt.* [ɔd] *f* Ode *f*.
odessite [ɔdɛ'sit] *adj.* (*u.* 2 *su.* Einwohner *m*) aus Odessa.
odeur [ɔ'dœːr] *f* **1.** Geruch *m*, Duft *m*; *bonne* ~, ~ *agréable* Wohlgeruch *m*; *mauvaise* ~ Gestank *m*; **2.** *ne pas être en* ~ *de sainteté auprès de q. fig.* bei j-m nicht gut angeschrieben sein.
odieux [ɔ'djø] *adj.* (7d) □ gehässig; verhaßt; widerwärtig.
odo|mètre ⊕ [ɔdɔ'mɛtrə] *m* Wegmesser *m*; **~métrie** [~me'tri] *f* Wegmessung *f*.
odon|talgie ⚕ [ɔdɔ̃tal'ʒi] *f* Zahnschmerz *m*; **~talgique** ⚕ [~tal'ʒik] *adj. u. m* Zahnschmerz(mittel *n*)...; **~tologie** [~tɔlɔ'ʒi] *f* Zahnlehre *f*; **~tomètre** [~tɔ'mɛːtrə] *m* Zahnzähler *m* (*Philatelie*); **~to-stomatologie** ⚕ [~tɔstɔmatɔlɔ'ʒi] *f* Zahn- u. Mundheilkunde *f*.
odor|ant [ɔdɔ'rɑ̃] *adj.* (7) (wohl-) riechend; **~at** [~'ra] *m* Geruch(ssinn *m*) *m*; **~iférant** [~rife'rɑ̃] *adj.* (7) wohlriechend.
œdème ⚕ [e'dɛːm] *m* Ödem *n*.
œil [œj] *m* **I** (*pl.* **yeux** [jø]) **1.** Augen (*auch im Käse, Brot, auf der Suppe*); ~ *de verre* Glasauge *n*; ⚡ ~ *électronique* Elektronenauge *n*; *typ.* ~ *du caractère* Schriftbild *n*; *avoir des yeux d'aigle* Augen haben wie ein Luchs; *ouvrez l'*~ (*et le bon* F)! passen Sie (ja) auf!; seien Sie auf der Hut!; *faire de l'*~ *à q.*, *faire les yeux doux à q.* j-m schöne Augen machen; *faire les gros yeux à un enfant* ein Kind strafend, tadelnd ansehen; *voir d'un bon* ~ *que* ... es gern sehen, daß ...; *mettre sous les yeux* unterbreiten, vorlegen, zeigen; *cela saute aux yeux* das ist sonnenklar; F *ça me sort par les yeux fig.* das hängt mir zum Halse heraus; *tenir* (*od. avoir*) *q. à l'*~ auf j-n (*acc.*) ein Auge haben; auf j-n (*acc.*) achtgeben, j-n überwachen; F *mon* ~! ich bin doch nicht so dumm, das zu glauben!; F *entre quatre-z-yeux* unter vier Augen; *à l'*~ *nu* mit bloßem Auge; *à mes yeux* in m-n Augen, m-r Ansicht nach; *fermer les yeux sur* etw. über'sehen, bei etw. (*dat.*) ein Auge zudrücken; *n'avoir pas froid aux yeux* vor nichts zurückschrecken, keine Angst haben; *jeter les yeux sur* ... sein besonderes Auge werfen auf ... (*acc.*); *pour les beaux yeux de q.* j-m zuliebe; *sous les yeux de* ... vor den Augen (*gén.*); *jeter un coup d'*~ *sur qch.* e-n kurzen Blick auf etw. (*acc.*) werfen; F *taper dans l'*~ in die Augen fallen, sehr gefallen; P *se rincer l'*~ sich heimlich an dem Anblick weiden, den stillen Genießer spielen; *ne pas avoir les yeux dans sa poche* sich nicht ein X für ein U vormachen lassen, sich nichts vormachen lassen, klar sehen; keß sein; *prov. loin des yeux, loin du cœur* aus den Augen, aus dem Sinn; *coup m d'*~ Blick *m*; *advt.* F *à l'*~ umsonst, für nichts u. wieder nichts, gratis, kostenlos; *à vue d'*~ zusehends; *en un clin d'*~ im Nu; **2.** ♀ Knospe *f*; **3.** ~ *à facettes* Netz-, Facetten-auge *n* (*bei gewissen Tieren*); **II** (*pl. œils*) *fig.* **4.** Auge *n*, Loch *n*, Öse *f*, Öhr *n*; ~ *de roue* Nabenloch *n*; **5.** *min.* ~*s pl. de loup* Krötensteine *m/pl.*
œil-de|-bœuf ⚠ [œjdə'bœf] *m* (6b) (*pl. œils...*) rundes (Dach-)Fenster *n*, Bullauge *n*; **~-chat** *min.* [~'ʃa] *m* (6b) (*pl. œils...*) Katzenauge *n* (*Art Quarz*); **~-perdrix** [œjdəpɛr'dri] *m* (6b) (*pl. œils...*) Hühnerauge *n*.
œill|ade [œ'jad] *f* zärtlicher *od.* verstohlener Blick *m*; *lancer des* ~*s* zärtliche Blicke zuwerfen; **~ère**

[œ'jɛ:r] **I** *adj.* dent *f* ~ (*auch* ~ *f*) Eck-, Augen-zahn *m*; **II** *f* Augenbadschälchen *n*; Scheuklappe *f* (*a. fig.*); **~et** [œ'jɛ] *m* **1.** Schnürloch *n*, Schuh|öse *f*; **2.** ⚘ Nelke *f*; **3.** Flachteich *m* (*in Mesquer, Bretagne*); **~eton** [œj'tɔ̃] *m* **1.** ⚘ Ableger *m*, Schößling *m*; **2.** *opt.* Blendung *f* (*am Okular e-s Fernrohrs*); *phot.* Visier *n*; **3.** ✈ ~ *de visée* Fliegervisier *n*; **4.** Guckloch *n*, Spion *m* (*e-r Tür*); **5.** *anat.* Augenmuschel *f*; **~ette** [œ'jɛt] *f* **1.** ⚘ Gartenmohn *m*; **2.** Mohnöl *n*.

œno|logie 🕮 [enɔlɔ'ʒi] *f* Weinbereitungslehre *f*; **~logue** [~'lɔg] *m* Weinfachmann *m*; **~thèque** [~'tɛk] *f* Weinprobierkeller *m*.

œsophage 🕮 [ezɔ'fa:ʒ] *m* Speiseröhre *f*.

œstre 🕮 ['ɛstrə] *m* Pferdebremse *f*.

œuf [*sg.*: œf; *pl.* ø] *m* **1.** Ei *n*; Hühner|ei *n*; *blanc m* (*jaune m*) *d'*~ Eiweiß *n* (Eidotter *n*); *cuis.* ~*s pl. brouillés* Rührei *n*; ~ *dur* hartes Ei *n*; ~ *à la coque* weiches Ei *n*; ~*s à la neige* zu Schaum geschlagene Eier *n/pl.*, Hoppelpoppel *n*; ~(*s*) *battu*(*s*) *en neige* Eier-schnee *m*, -schaum *m*; ~*s sur le plat* Setz-, Spiegel-eier *n/pl.*; ~*s pochés* verlorene Eier *n/pl.*; ~*s de Pâques* Ostereier *n/pl.*; F *mettre tous ses* ~*s dans le même panier* alles auf e-e Karte setzen; *étouffer* (*od. écraser*) *dans l'*~ im Keim ersticken; F *va te faire cuire un* ~! scher dich zum Teufel!; **2.** ~*s de poisson* Rogen *m/sg.*; **3.** *Skisport*: Eiform(haltung) *f*.

œuvé *icht.* [œ've] *adj.* Rogen habend.

œuvre[1] ['œ:vrə] *f* **1.** Werk *n*; ~ *pie* Liebes-werk *n*, -gabe *f*, Spende *f*, milde Stiftung *f*; ~ *de jeunesse* Jugendwerk *n e-s Dichters*; ~ *d'édification*, ~ *constructive* Aufbauwerk *n*; ~ *de reconstruction* Wiederaufbauwerk *n*; *une* ~ *de longue haleine* e-e Arbeit *f* auf lange Sicht; *rl. l'*~ *de la création* das Schöpfungswerk *n*; *faire* ~ *utile* etw. Nützliches tun; *la mort avait fait son* ~ der Tod hatte s-e Arbeit, das Seine getan; *main-d'œuvre f* a) Arbeitskräfte *f/pl.*; b) Arbeitslohn *m*; *se mettre à l'*~ an die Arbeit gehen, handeln; *mettre tout en* ~ alles aufbieten, alle Hebel in Bewegung setzen; **2.** *litt. dernières* ~*s* Spätwerk *n*; ~*s pl. complètes* sämtliche (~*s choisies* ausgewählte) Werke *n/pl.*; **3.** *for. bois m d'*~ Nutzholz *n*; **4.** *hist. maître m des hautes* ~*s* Scharfrichter *m*; **5.** ~*s pl. sociales d'une entreprise* betriebliche Sozialeinrichtungen *f/pl.*

œuvre[2] [~] *m* **1.** *peint.*, ♪ Gesamtwerk *n* (*e-s Graveurs, Zeichners, Malers od. Komponisten*): (*tout*) *l'*~ *de Chopin*, *de Rembrandt* das Gesamtwerk Chopins, Rembrandts (*aber f bei Schriftstellern*: *toute l'*~ *de Giraudoux* das Gesamtwerk Giraudoux'; *vgl.* œuvre[1]); **2.** ♪ Opus *n*; **3.** ⚠ Bau *m*; *gros* ~ Unterbau *m*, Fundament *n*, Rohbau *m*; *à pied d'*~ unmittelbar am Bauplatz (*od.* an der Einsatzstelle); *dans* ~ innerhalb des Gebäudes; *hors d'*~ außerhalb des Gebäudes; *reprendre en sous-*~ frisch untermauern; **4.** *le grand* ~ der Stein der Weisen.

œuvrer *st.s.* [œ'vre] *v/i.* (1a): ~ *à qch.* an etw. (*dat.*) arbeiten, etw. bearbeiten (*bedeutendere Arbeit*); ~ *pour qch.* auf etw. hinarbeiten.

offen|se [ɔ'fɑ̃:s] *f* **1.** Beleidigung *f*; *faire une* ~ *à q.* j-m e-e Beleidigung zufügen, j-n beleidigen; **2.** *rl.* Schuld *f*, Sünde *f*; **~ser** [ɔfɑ̃'se] (1a) **I** *v/t.* **1.** beleidigen; ~ *Dieu* sündigen; sich an Gott versündigen; *sans vous* ~ nichts für ungut!; **2.** verletzen; *fig.* verstoßen gegen (*acc.*); **II** *v/rfl. s'*~ *de qch.* etw. übelnehmen, an etw. (*dat.*) Anstoß nehmen; **~seur** [~'sœ:r] *m* Beleidiger *m*; **~sif** [~'sif] *adj.* (7e) □ angreifend, Angriffs...; *armes f/pl. offensives* Angriffswaffen *f/pl.*; *retour m* ~ Gegenstoß *m*; *guerre f offensive* Angriffskrieg *m*; *alliance f offensive et défensive* Schutz- u. Trutz-bündnis *n*; **~sive** ⚔ [~'si:v] *f* Offensive *f*, Angriff *m*; ~ *de diversion* Entlastungsoffensive *f*; *prendre l'*~ zum Angriff übergehen; *mouvement m d'*~ Angriffsbewegung *f*.

offertoire *rl.* [ɔfɛr'twa:r] *m* Offertorium *n*.

offi|ce [ɔ'fis] **I** *m* **1.** (Berufs-)Pflicht *f*, Schuldigkeit *f*, Obliegenheit *f*, Funktion *f*, Verrichtung *f*; *faire* ~ *de qch.* als etw. dienen; **2.** Büro *n*, Dienststelle *f*, Amt *n*, Geschäftslokal *n*; ♀ *national de la propriété industrielle* Patentamt *n*; ~ *des changes* Devisenbewirtschaftungsstelle *f*; ~ *central* Zentralamt *n*; ♀ *franco-allemand pour la Jeunesse* Deutsch-Französisches Jugendwerk *n*; ♀ *de la Radiodiffusion-Télévision française*, *abr.* O.R.T.F.

staatliche französische Rundfunk- und Fernsehanstalt *f*; ~ *de tourisme* Verkehrs-amt *n*, -büro *n*; ~ *des passeports* Paßstelle *f*; ~ *des chèques postaux* Scheckamt *n*; *All.* ♀ *Fédéral de Statistique* Statistisches Bundesamt *n*; ~ *de publicité* Anzeigenbüro *n*; **3.** Dienst *m*, Gefälligkeit *f*; *bons* ~*s pl.* Dienstleistung *f*/*sg.*, Freundlichkeiten *f*/*pl.*, Entgegenkommen *n*/*sg.*, Hilfe *f*/*sg.*; **4.** Amt *n* (*als Tätigkeit*); *d'*~ *advt.* von Amts wegen; *avocat* (*commis*) *d'*~ Pflichtverteidiger *m*; **5.** *rl.* ~ (*divin*) Gottesdienst *m*, Messe *f*; *l'*~ *des morts* Totenmesse *f*; *dire l'*~ Messe halten; **II** *f* Anrichtezimmer *n*; *bisw.* Bedientenraum *m*; **~cial** *rl.* [~'sjal] *m* (5c) Offizial *m*, geistlicher Richter *m*; **~cialisation** [~sjaliza'sjɔ̃] *f* offizielle Anerkennung *f*; **~cialiser** [~sjali'ze] *v/t.* (1a) *bsd. pol.* offiziell anerkennen; **~ciant** [~'sjɑ̃] *adj.* (7) *u. m rl.* Messe haltend(er Priester *m*).

officiel [ɔfi'sjɛl] **I** *adj.* (7c) amtlich; *journal* ~ Amtsblatt *n*; *candidat m* ~ Regierungskandidat *m*; *de source* ~*le* von amtlicher Seite, aus amtlicher Quelle; *non* ~ inoffiziell; **II** *les* ~*s m/pl.* Persönlichkeiten *f/pl.* des öffentlichen Lebens; Vertreter *m/pl.* von Staat und Behörden; *Sport* (Sport-)Funktionäre *m/pl.*; **~lement** [~sjɛl'mɑ̃] *adv.* von Amts wegen.

officier[1] [ɔfi'sje] *m* **1.** ⚔ Offizier *m*; ~ *adjoint* Adjutant *m*; ⚡ ~ *d'antenne*, ~ *radio*, ~ *de T.S.F.* Funkoffizier *m*; ~ *aérostier*, ~ *aviateur* Fliegeroffizier *m*; ~ *de carrière* Berufsoffizier *m*; ~ *en disponibilité* zur Verfügung gestellter Offizier *m*; ~ *de marine* Marine-, See-offizier *m*; ~ *supérieur* Stabsoffizier *m*; *aspirant-*~ Offiziersanwärter *m*; ~ *d'approvisionnement* Verpflegungsoffizier *m*; ~ *de campement* Quartiermacher *m*; ~ *des renseignements* (*de liaison*) Nachrichten- (Verbindungs-)offizier *m*; *passer* ~ (zum) Offizier (befördert) werden; **2.** ⚖ Beamte(r) *m*; ~ *d'administration* höherer Militärbeamte(r) *m*; ~ *de l'état civil* Standesbeamte(r) *m*; ~ *ministériel*, ~ *public* Urkundsbeamte(r) *m*, Urkundsperson *f*; amtlich bestallter Notar *m*; ~ *municipal* städtischer Beamte(r) *m*; ~ *payeur* Zahlmeister *m*; **3.** *als Ehrentitel*: *Fr.* ~ *de la Légion d'honneur*; ~ *d'Académie* (*Auszeichnung für verdiente Schullehrkräfte*); ~ *de l'Instruction publique* (*nächsthöhere Auszeichnung*).

officier[2] [~] *v/i.* (1a) **1.** *rl.* Gottesdienst halten, Messe lesen; **2.** *néol.* s-s Amtes walten, arbeiten.

officière *rl.* [ɔfi'sjɛ:r] *f* diensthabende Klosterschwester *f*.

officieux [ɔfi'sjø] *adj.* (7d) □ *pol.* offiziös, halbamtlich.

offici|nal [ɔfisi'nal] *adj.* (5c) □ arzneilich, Arznei..., Heil...; *plante f* ~*e* Heilpflanze *f*; **~ne** [~'si:n] *f* Laboratorium *n* e-r Apotheke; Druck-, Präge-werkstatt *f*; *fig.* Werk-, Geburts-stätte *f*; *péj.* Brutstätte *f*.

offran|de [ɔ'frɑ̃:d] *f bsd. rl.* Spende *f*, Opfer *n*, Weihgeschenk *n*; Opferung *f*; *faire une* ~ ein Opfer bringen; **~t** [ɔ'frɑ̃] *m* Bieter *m*; *le plus* ~ der Meistbietende.

offre ['ɔfrə] *f* Angebot *n*, Offerte *f*; *allg.* ~ *obligeante* freundliches Anerbieten *n*; ~ *d'emploi* Stellenangebot *n*; ~ *de méditation* Vermittlungsvorschlag *m*; ~ *exceptionnelle*, ~ *d'occasion* Ausnahmeangebot *n*; *l'*~ *la plus élevée* das Höchstangebot; *faire une* ~ ein Angebot machen; *Börse*: *l'*~ *est restreinte* das Angebot ist schwach.

offrir [ɔ'fri:r] (2f) **I** *v/t.* **1.** (an-) bieten; ☨ offerieren; ~ *ses services* s-e Dienste anbieten; ~ *qch. meilleur marché*, ~ *qch. à un prix inférieur* e-n Preis für etw. (*acc.*) unterbieten; *que puis-je vous* ~? was darf ich Ihnen anbieten?; **2.** *rl.* darbringen, opfern; ~ *en sacrifice* zum Opfer bringen; **3.** *fig.* zeigen; ~ *à la vue* vor Augen führen; zeigen; ~ *de grandes difficultés* große Schwierigkeiten aufweisen; **II** *v/rfl.* *s'*~ **4.** *s'*~ *qch.* sich etw. leisten (*od.* gönnen); **5.** (*mit à u. inf.*) sich anbieten, sich erbieten; **6.** *fig.* sich darbieten, sich zeigen; **7.** (an)geboten werden.

offus|cation [ɔfyska'sjɔ̃] *f* Verdunkelung *f* der Sonne; **~qué** [ɔfys'ke] *part.* vor den Kopf gestoßen; **~quer** [~] (1m) **I** *v/t.* ärgern, schockieren; mißfallen (*dat.*); **II** *v/rfl.* *s'*~ *de* ... Anstoß nehmen an ... (*dat.*), ungehalten werden über ... (*acc.*), sich ärgern über ... (*acc.*).

ogival ⌂ [ɔʒi'val] *adj.* (5c) spitzbogig, Spitzbogen...; ⌂ *style m* ~ *primitif* Frühgotik *f*.

ogive [ɔ'ʒi:v] *f* **1.** (*arc m en*) ~

Spitzbogen *m*; **2.** *at.* Raketen-, Geschoß-spitze *f*.

ogre *m*, **ogresse** *f* ['ɔgrə, ɔ'grɛs] **1.** Menschenfresser *m*, Kinderfresser *m* im Märchen; **2.** F *fig.* starker Esser *m*; F *manger comme un* ~ fressen wie ein Wolf; **3.** *allg.* gemeiner, grausamer Mensch *m*.

oh [o] *int.* **1.** oh!, ach!, *enf.* ei! (*Bewunderung*); *oh! que c'est beau!* ach, ist das schön!; **2.** ach!, oh! (*Überraschung*, *Freude*, *Ungeduld*); *oh! quelle surprise!* oh, was für eine Überraschung!; *oh!, que vous m'avez fait peur!* ach (oh), wie haben Sie mich erschrocken!; *oh ça!* nanu!; *oh là là!* meine Güte!; hoho!; **3.** ach!, o weh! (*Schmerz*, *Furcht*); *oh! que je souffre!* ach, tut das weh!; *seelisch*: ach, wie leide ich!; **4.** was?!; wie?! (*Verwunderung*, *Empörung*); *oh! tu viens!* was, du kommst?!; *oh! pas possible! od. oh! c'est quand même un peu fort!* das ist ja reichlich stark!, das schlägt dem Faß den Boden aus!; **5.** *oh que si!* doch!, doch! (*Verstärkung*).

ohé! F [ɔ'e] *int.* hallo!, he!; *~! les amis!* he, hallo, Freunde!

ohmmètre ⚡ [ɔm'mɛːtrə] *m* Widerstandsmesser *m*, Ohmmeter *n*.

oie [wa] *f* **1.** Gans *f*; *graisse f d'~* Gänseschmalz *n*; *poitrine f d'~* Gänsebrust *f*; *~ rôtie* Gänsebraten *m*; **2.** *fig.* dumme Gans *f*; F *~ blanche* Backfisch *m*.

oignon [ɔ'ɲɔ̃] *m* **1.** ⚘ Zwiebel *f*; *pelure f d'~* Zwiebelschale *f*; *fig. en rang d'~s* nebeneinander, in einer Reihe; F *aux petits ~s!* großartig!, fabelhaft!, ausgezeichnet!, tadellos!, tipptopp!; *vin m pelure d'~* Bleichert *m* (*hellroter Wein*); **2.** ⚕ Knochengeschwulst *f* am Fuß; **3.** F dicke, altmodische Taschenuhr *f*, alte Bolle *f od.* Zwiebel *f od.* Kartoffel *f* F; **~ière** ✓ [ɔɲɔ'njɛːr] *f* Zwiebelbeet *n*.

oïl *gr.* [ɔ'il] *adv.*: *la langue d'~* die alte Sprache Nordfrankreichs.

oindre ['wɛ̃ːdrə] *v/t.* (4b) **1.** *antiq.* einfetten (*Ringkämpfer*); **2.** *rl.* salben.

oint *rl.* [wɛ̃] *m* Gesalbte(r) *m*.

oiseau [wa'zo] *m* (5b) **1.** Vogel *m*; *~x de basse-cour* Geflügel *n*; *~ chanteur* Singvogel *m*; *~ migrateur* Zugvogel *m*; *~ de proie* Raubvogel *m*; *~ de paradis* Paradiesvogel *m*; *~-mouche m* (6a) Kolibri *m*; *poét. ~ de Junon* Pfau *m*; *poét. ~ de Jupiter* Adler *m*; *poét. ~ de Minerve* Eule *f*; *poét. ~ de Vénus* Taube *f*; *fig. ~ de mauvais augure* Unglücksvogel *m*; *fig. un vilain ~* ein häßlicher Vogel *m*, ein gemeiner Kerl *m*; *avoir une cervelle d'~* nichts als Stroh im Kopf haben; *être comme l'~ sur la branche* nicht wissen, was aus einem wird; keine sichere Stellung haben; *advt. à vol d'~* in der Luftlinie; *vue f à vol d'~* Luftaufnahme *f*, Ansicht *f* aus der Vogel-schau (*od.* -perspektive); **2.** ⚠ Ziegel-, Mörtel-trage *f*, Hucke *f*, Tuppe *f*; **~-mouche** *orn.* [~'muʃ] *m* (6a) Kolibri *m*.

oise|ler [waz'le] (1c) **I** *v/t.* zur Beize abrichten; **II** *v/i.* Vogelfallen stellen; **~let** [waz'lɛ] *m* Vöglein *n*; **~leur** [~'lœːr] *m* Vogelfänger *m*; **~lier** [wazə'lje] *m* Vogelhändler *m*.

oisellerie [wazɛl'ri] *f* **1.** Vogelfang *m*; **2.** Vogel-handlung *f*, -zucht *f*.

ois|eux [wa'zø] *adj.* (7d) □ unnütz, überflüssig; *un commentaire m ~* ein überflüssiger Kommentar *m*; **~if** [wa'zif] (7e) **I** *adj.* □ untätig (*v. Personen*); *modern aber auch*: *mener une vie oisive* ein müßiges Leben führen; **II** *su.* Müßiggänger *m*.

oisillon [wazi'jɔ̃] *m* Vöglein *n*.

oisiveté [waziv'te] *f* Müßiggang *m*; Nichtstun *n*, Untätigkeit *f*.

oison [wa'zɔ̃] *m* Gänschen *n*.

okapi *zo.* [ɔka'pi] *m* Okapi *m*.

okoumé ⚘ [ɔku'me] *m Baumart f Äquatorialafrikas.*

oléagineux [ɔleaʒi'nø] *adj.* (7d) ölhaltig, ölig.

oléandre ⚘ [ɔle'ɑ̃ːdrə] *m* Oleander *m*.

oléiculture [ɔleikyl'tyːr] *f* Ölbaumzucht *f*.

oléoduc ⊕ [ɔleɔ'dyk] *m* Ölleitung *f*, Pipeline *f*.

olfac|tif 🕮 [ɔlfak'tif] *adj.* (7e) Geruchs...; **~tion** [~fak'sjɔ̃] *f* Riechen *n*.

olibrius F *péj.* [ɔlibri'ys] *m* sonderbarer Kauz *m*.

olifant [ɔli'fɑ̃] *m* Hifthorn *n*; ♀ Olifant *m* (*Rolands Horn im Rolandsepos*).

oligar|chie [ɔligar'ʃi] *f* Oligarchie *f*, Herrschaft *f* weniger; **~chique** [~'ʃik] *adj.* oligarchisch.

oligo-élément ⚗, *biol.* [ɔligɔele'mɑ̃] *m* (6g) Spurenelement *n*.

oli|vacé [ɔliva'se] *adj.* olivenfarbig; **~vaison** ✓ [~vɛ'zɔ̃] *f* Olivenernte *f*;

~vâtre [~'vɑːtrə] *adj.* oliven-grün, -farbig.

oliv|e [ɔ'liːv] **I** *f* Olive *f*; *huile f d'~* Olivenöl *n*; **II** *adj. inv.* olivenfarbig; **~erie** [~'vri] *f* Olivenölfabrik *f*; **~ette** [~'vɛt] *f* Ölbaumpflanzung *f*; **~ier** ⚘ [~'vje] *m* Ölbaum *m*.

olographe ⚖ [ɔlɔ'graf] *adj.* eigenhändig geschrieben.

olym|piade *antiq.* [ɔlɛ̃'pjad] *f* Olympiade *f* der Griechen; **~pien** [~'pjɛ̃] *adj. myth.* olympisch; *fig.* majestätisch; **~pique** *Sport* [~'pik] *adj.*: *jeux m/pl.* ⁓s Olympische Spiele *n/pl.*

ombel|le ⚘ [ɔ̃'bɛl] *f* Dolde *f*; **~lifère** ⚘ [~li'fɛːr] *f* Doldenblütler *m*.

ombilic *anat.* [ɔ̃bi'lik] *m* Nabel *m*.

omble *icht.* ['ɔ̃ːblə] *m* Saibling *m*.

ombra|ge [ɔ̃'braːʒ] *m* schattiges Laubwerk *n*, schattige Stelle *f*, Schatten *m*; *fig. porter ~ à q.* j-n in den Schatten stellen, j-n ausstechen; j-n in den Hintergrund treten lassen; *prendre ~ de qch.* etw. übelnehmen; **~gé** [~bra'ʒe] *adj.* schattig; **~ger** [~] *v/t.* (1l) beschatten; **~geux** [~'ʒø] *adj.* (7d) [] mißtrauisch; übelnehmerisch; scheu (*v. Pferden*).

ombre ['ɔ̃ːbrə] **I** *f* **1.** Schatten *m*; Schattenbild *n*; *faire de l'~* Schatten werfen; *~ à paupières* Lidschatten *m*; *plante f d'~* Schattenpflanze *f*; *advt. à l'~ de* im Schatten (*gén.*); *fig.* unter dem Schutze (*gén.*); **2.** *st.s.* Dunkel *n*, Nacht *f*, Finsternis *f*; *fig.* Geheimnis *n*; **3.** Zurückgezogenheit *f*; *fig.* F *mettre q. à l'~* j-n einlochen, auf Nummer Sicher bringen, ins Gefängnis stecken; **4.** abgeschiedene Seele *f*; *myth.* Bewohner *m* der Unterwelt; **5.** *fig.* leiseste Spur *f*, Schimmer *m*; *pas l'~ de bon sens* keine Spur gesunden Menschenverstandes; **6.** *thé. ~s pl. chinoises* Schattenspiel *n*; **7.** *~ absolue* Kernschatten *m*; *~ portée* Schlagschatten *m*; **8.** *min., peint.* (*terre f d'*)*~* Umbra(erde *f*) *n*; **II** *m icht.* Äsche *f*.

ombrelle [ɔ̃'brɛl] *f* kleiner Sonnenschirm *m*.

ombr|er [ɔ̃'bre] *v/t.* (1a) schattieren; **~eux** [~'brø] *adj.* (7d) [] schattig; beschattet.

ombrine *icht.* [ɔ̃'briːn] *f* Umbrine *f*.

omelette [ɔm'lɛt] *f* Omelett *n*, Eierkuchen *m*; *prov. on ne fait pas d'~ sans casser d'œufs* wo gehobelt wird, (da) fallen Späne.

omettre [ɔ'mɛtrə] *v/t.* (4p) aus-, weg-lassen, unterlassen; übergehen, übersehen, vergessen (*de mit inf.*).

omission [ɔmi'sjɔ̃] *f* Auslassung *f*, Unterlassung *f*, Versäumnis *f od. n*; Lücke *f*; *sauf erreur ou ~* Irrtum oder Versehen vorbehalten.

omni|building △ [ɔmnibil'diŋ] *m* Allzweckgroßbau *m*; **~bus** [~'bys] **I** *m* (5a) 🚃 (*train m*) *~* Personenzug *m*; **II** *adjt. inv.*: ⚡ *groupe ~ m* Allzweckaggregat *n*; **~colore** [~kɔ'lɔːr] *adj.* in allen Farben; **~directionnel** ⊕ [~dirɛksjɔ'nɛl] *adj.* (7c) nach allen Richtungen; ✈ *balise f ~le* Leuchtfeuer *n* nach allen Richtungen; **~potence** [~pɔ'tɑ̃ːs] *f* Machtvollkommenheit *f*; Allmacht *f*; **~potent** [~pɔ'tɑ̃] *adj.* (7) allmächtig; **~praticien** [~prati'sjɛ̃] *m* praktischer Arzt *m*; **~présence** [~pre'zɑ̃ːs] *f* Allgegenwart *f*; **~présent** [~pre'zɑ̃] *adj.* (7) allgegenwärtig; **~science** [~'sjɑ̃ːs] *f* Allwissenheit *f*; **~scient** [~'sjɑ̃] *adj.* (7) allwissend; **~sports** [~'spɔːr] *adj./inv.* Volkssport...; **~vore** [~'vɔːr] *adj.* alles fressend.

omnubilé F [ɔmnybi'le] *adj.*: *~ par ...* ganz u. gar verehelicht durch ... (*acc.*).

omoplate *anat.* [ɔmɔ'plat] *f* Schulterblatt *n*.

omphalocèle ⚕ [ɔ̃falɔ'sɛl] *f* Nabelbruch *m*.

on [ɔ̃] *pr. indéfini* man; a) *~ ist mst. m/sg.*: *on était resté bons camarades* man hielt gute Kameradschaft; *jedoch auch f/sg. oder* F *auch pl.*: *on devient patiente, quand on est maman* man wird geduldig, wenn man Mutter ist; *est-on prêtes, mesdemoiselles?* ist man soweit, meine jungen Damen?; *on ne s'était jamais séparés* man hatte sich niemals getrennt; b) F, P: *~ wird anstelle von «nous» gebraucht*: *après la cérémonie, on a été boire un verre* nach der Feier sind wir ein Glas trinken gegangen; c) *~ muß als Subjekt wiederholt werden*: *on l'interpella, on le fit monter et on le retint par force* man nahm ihn fest, ließ ihn einsteigen und hielt ihn gewaltsam zurück; d) *nach et, ou, où, que, si und bisw. nach lorsque kann in der mehr literarischen Sprache l'on statt on gebraucht werden*: *si l'on savait* wenn man wüßte.

onagre [ɔ'nagrə] *m* **1.** *zo.* wilder Esel *m*; **2.** *antiq.* Wurfmaschine *f*.

onanisme [ɔna'nism] *m* Onanie *f*.
once[1] [ɔ̃:s] *f* † Unze *f* (*Gewicht*); F *fig.* ganz geringe Menge *f*, *fig.* Spur *f*; leichter Anstrich *m*.
once[2] *zo.* [~] *f* Schneeleopard *m*.
oncial [ɔ̃'sjal] **I** *adj.* (5c): *lettre f* **~e** (*a. f*: **~e**) Unzialbuchstabe *m*; **II** **~e** *f* Unzialschrift *f*.
oncle ['ɔ̃:klə] *m* Onkel *m*.
onct|ion [ɔ̃k'sjɔ̃] *f* **1.** *rl.* Ölung *f*, Salbung *f*; **2.** *fig.* Sanftmut *f*; **~ueux** [ɔ̃k'tɥø] *adj.* □ fettig, ölig; *fig.* salbungsvoll; **~uosité** [~tɥozi'te] *f* Fettigkeitsgrad *m*.
ond|e [ɔ̃:d] *f* **1.** Welle *f*, Woge *f*; **2.** *poét.* Flut *f*; **3.** *phys.*, *rad.* (Licht-, Luft-, Ton-)Welle *f*, Schwingung *f*; *phys.* ~ *condensée* (*dilatée*) Wellenberg *m* (Wellental *n*); *longueur f d'*~*s* Wellenlänge *f*; ~ *courte* Kurzwelle *f*; ~ *longue* Langwelle *f*; ~ *moyenne* Mittelwelle *f*; ~ *ultra-courte* Ultrakurzwelle *f* (UKW); ~*s f/pl. superposées* sich überlagernde Wellen *f/pl.*; *mettre en* ~*s* für den Rundfunk bearbeiten; **~é** [ɔ̃'de] *adj.* wellen-, wogen-förmig; *text.* geflammt (*Stoffmuster*); **~ée** [~] *f* Regenguß *m*, Platzregen *m*; **~emètre** ⚡, *rad.* [ɔ̃d'mɛ:trə] *m* Wellenmesser *m*; **~er** *text.* [ɔ̃'de] *v/t.* (1a) flammen; **~din** [ɔ̃'dɛ̃] *m*, **~ine** [~'din] *f* Wassergeist *m*; Flußnixe *f*, Nixe *f*, Wassergöttin *f*.
on-dit [ɔ̃'di] *m/inv.* Gerücht *n*.
ond|oiement [ɔ̃dwa'mɑ̃] *m* Wellenbewegung *f*; *rl.* Nottaufe *f*; **~oyant** [~dwa'jɑ̃] *adj.* (7) wallend, wogend; wellenförmig; *fig.* unstet, unbeständig; **~oyer** [~dwa'je] (1h) **I** *v/i.* wallen, wogen; flattern (*a. fig.*); **II** *v/t.* nottaufen.
ondu|lant [ɔ̃dy'lɑ̃] *adj.* wogend; **~lateur** *télégr.* [~la'tœ:r] *m* Undulator *m*; **~lation** [~la'sjɔ̃] *f* **1.** Wellenbewegung *f*, Wellenlinie *f*; ~*s pl. du terrain* wellenförmige Erhebung *f* des Bodens; ~ *des cheveux* Kräuseln *n* (*od.* Welligmachen *n*) der Haare; **2.** *phys.* Schwingungswelle *f*; **~latoire** [~la'twa:r] *adj.* *phys.* wellenförmig; **~lé** [~'le] *adj.* wellig, gewellt; *tôle f* ~*e* Wellblech *n*; **~ler** [~] (1a) **I** *v/i.* sich wellenförmig bewegen, sich wellen; hin u. her wogen (*Kornfeld*); **II** *v/t.* ~ *les cheveux* die Haare ondulieren; **~leux** [~'lø] *adj.* (7d) wellig, wellenförmig.
onéreux [ɔne'rø] *adj.* (7d) □ beschwerlich, lästig; zu teuer, kostspielig; *à titre* ~ kostenpflichtig.
ongl|e ['ɔ̃:glə] *m* **1.** Nagel *m an Händen u. Füßen*; *faire ses* ~*s*, *se faire les* ~*s* sich die Nägel beschneiden; *avoir bec et* ~*s* Haare auf den Zähnen haben; *Français jusqu'au bout des* ~*s* Stockfranzose *m*; **2.** Kralle *f*, Klaue *f*; Huf *m*; **~é** [ɔ̃'gle] *adj.* mit Krallen versehen; **~ée** [~] *f* Erstarren *n* der Fingerspitzen; **~et** [ɔ̃'glɛ] *m* **1.** ⚒ Winkel *m* von 45 Grad; ⊕ Keil *m*, keilförmiger Ausschnitt *m aus e-m Rotationskörper*; ~ *cylindrique* (*conique*) Zylinder- (Kegel-)keil *m*; **2.** *men.*, *charp.* Gehrung *f*; *boîte f à* ~*s* Gehrungslade *f*; **3.** Falz *m* (*Buchbinderei*); **4.** Einkerbung *f an e-r Taschenmesserklinge*; **5.** Reiter *m* (*Kartothek*); **~ier** [ɔ̃gli'e] *m* Maniküreneccessaire *n*; *abus.* ~*s pl.* Nagelschere *f*.
onguent [ɔ̃'gɑ̃] *m* Salbe *f*.
onguicule *zo.* [ɔ̃g(ɥ)i'kyl] *m* kleine Kralle *f*, kleiner Nagel *m*.
ongulés *zo.* [ɔ̃gy'le] *m/pl.* Huftiere *n/pl.*
onirique [ɔni'rik] *adj.* traumhaft.
oniro|mancie [ɔnirɔmɑ̃'si] *f* Traumdeutung *f*; **~mancien** [~mɑ̃'sjɛ̃] *m* (7) Traumdeuter *m*.
onomato|logie [ɔnɔmatɔlɔ'ʒi] *f* Namensforschung *f*; **~pée** *gr.* [~'pe] *f* **1.** Onomatopöie *f*, Lautmalerei *f*; **2.** Schallwort *n*; **~péique** *gr.* [~pe'ik] *adj.* lautnachahmend.
ontarien *géogr.* [ɔ̃ta'rjɛ̃] *adj.* (7c) aus Ontario.
ontologie *phil.* [ɔ̃tɔlɔ'ʒi] *f* Ontologie *f*, Lehre *f* vom Sein.
onusien *pol.* [ɔny'zjɛ̃] *adj.* (7c) Uno...
onychophagie ⚕ [ɔnikɔfa'ʒi] *f* Knabbern *n* an Fingernägeln.
onyx *min.* [ɔ'niks] *m* Onyx *m*.
onze [ɔ̃:z; *vor* ~ *wird nie gebunden noch apostrophiert!*) *a/n.c.* elf; *vers les* ~ *heures* gegen 11 Uhr; *chapitre* ~ elftes Kapitel *n*; *Louis* ~ (*XI*) Ludwig der Elfte (XI.); *le* ~ *janvier* der 11. (*od.* am 11.) Januar; F *prendre le train de* ~ *heures* zu Fuß (*od.* per pedes) gehen; *Sport*: *le* ~ die Elf *f* (*Fußballmannschaft*).
onzième [ɔ̃'zjɛ:m] **I** *adj./n.o.* (*vor* ~ *wird nie gebunden noch apostrophiert!*) elfter, elfte, elftes; elftel; *la* ~ *leçon* die 11. Unterrichtsstunde; *être le* ~ der elfte sein; *dans sa* ~ *année* in seinem (ihrem) elften Lebensjahr; *le* ~ *jour* am elften Tage;

II *su.* Elfte(r, s); **III** *m* Elftel *n*; *six* ~*s* sechs Elftel *n/pl.*; **~ment** [ɔ̃zjɛm'mɑ̃] *adv.* elftens.

opacité [ɔpasi'te] *f* Undurchsichtigkeit *f*; ⚕ ~ *de la cornée* Hornhauttrübung *f*.

opale [ɔ'pal] *f* Opal *m* (*Edelstein*).

opalescence [ɔpale'sɑ̃:s] *f* Opaleszenz *f*, Schillern *n* wie Opal.

opalin [ɔpa'lɛ̃] *adj.* (7) milchweiß.

opaline [ɔpa'li:n] *f* Milchglas *n*.

opaliser [ɔpali'ze] *v/t.* (1a) opalisieren, opalartig schimmern machen.

opaque [ɔ'pak] *adj.* undurchsichtig, lichtundurchlässig, dunkel.

opéra [ɔpe'ra] *m* **1.** ♪ *thé.* Oper *f*; ~*-bouffe* parodistische Operette *f*; *grand* ~ große Oper *f*; ~*-comique* komische Oper *f*; *rad.* ~ *radiodiffusé* Opernübertragung *f*; **2.** *l'*♀ das Opernhaus, die Oper.

opéra|ble [ɔpe'rablə] *adj.* operierbar; **~nt** [~'rɑ̃] *adj.* (7) wirksam; **~teur** [~ra'tœ:r] *su.* (7f) **1.** ⊕, ✈ Bedienungsmann *m*; *téléph.* Fernsprechbeamte(r) *m*; *cin.* Kameramann *m*, Filmvorführer *m*, Operateur *m*; *électron.* Programmierer *m*; ✈ ~ *radio*, ~ *de T.S.F.* Funker *m*; **2.** ⚕ Chirurg *m*; **~tion** [~rɑ'sjɔ̃] *f* **1.** Wirken *n*, Wirkung *f*; Verrichtung *f*; Unternehmen *n*, Maßnahme *f*, Geschäft *n*; Verfahren *n*, Vorgehen *n* (*contre* gegen *acc.*); ~ *de police* Polizeiaktion *f*; ~ *de sauvetage* Rettungsaktion *f*; ~ *à la bourse* Börsenspekulation *f*; ~ *administrative* Amtshandlung *f*; ~ *de banque* Bankgeschäft *n*; ~ *d'émission(s)* Emissionsgeschäft *n*; ~*s pl. de banque* Bankgeschäfte *n/pl.*; ~ *par chèques* Scheckverkehr *m*; ~*s pl. bancaires* Bankverkehr *m/sg.*; **2.** ⚕ Operation *f*, Eingriff *m*; *subir une* ~ sich e-r Operation unterziehen; **3.** ⚔ Operation *f*, Unternehmen *n*, Gefechtshandlung *f*, Bewegung *f*; **4.** ⊕ Arbeitsgang *m*, Verfahren *n*; ⚗ ~ *chimique* chemischer Prozeß *m*; **5.** Ꭿ Rechenart *f*; **6.** *éc. lancer des* ~*s-vérité* Aufklärungskampagnen starten; **~tionnel** [~rasjɔ'nɛl] *adj.* (7c) ⚔ einsatzfähig, Operations...; ✝, ⊕ gebrauchs-, betriebs-fertig; *allg.* praktisch; anwendbar; Betriebs..., betrieblich, Arbeits...; **~toire** ⚕ [~ra'twa:r] *adj.* Operations..., operativ; **~trice** [~ra'tris] *f* Telefonistin *f*.

opercule 🕮 [ɔpɛr'kyl] *m* Deckel *m*; ⚘ Kapseldeckel *m*; *icht.* Kiemendeckel *m*.

opér|é ⚕ [ɔpe're] **I** *adj.* operiert; **II** *m* Operierte(r) *m*; **~er** [~] (1f) **I** *v/t.* **1.** bewirken, hervorbringen, ausführen, machen; **2.** ⚕ operieren; **II** *v/i.* s-e Wirkung tun, anschlagen, fruchten, wirken; ⚔, Ꭿ operieren; verfahren, vorgehen, handeln (*contre* gegen *acc.*); *allg.* sich zu schaffen machen; ⚗, *phm.* experimentieren, laborieren; ~ *sur q.* (*sur qch.*) s-e Wirkung auf j-n (auf etw.) ausüben; ⚕ *ce remède opère* dieses Mittel schlägt an.

opérette [ɔpe'rɛt] *f* Operette *f*.

ophidiens *zo.* [ɔfi'djɛ̃] *m/pl.* Schlangenarten *f/pl.*

ophio|glosse ⚘ [ɔfjɔ'glɔs] *m* Natterzunge *f*; **~lâtrie** [~lɑ'tri] *f* Schlangenkult *m*; **~logie** 🕮 [~lɔ'ʒi] *f* Schlangenkunde *f*.

ophite *min.* [ɔ'fit] *m* Schlangenstein *m*.

ophtal|mie ⚕ [ɔftal'mi] *f* Augenentzündung *f*; **~mique** ⚕ [~'mik] *adj.* die Augen betreffend, Augen...; **~mologie** ⚕ [~mɔlɔ'ʒi] *f* Augenheilkunde *f*, Ophthalmologie *f*; **~mologiste** ⚕ [~mɔlɔ'ʒist] *m*, **~mologue** ⚕ [~mɔ'lɔg] *m* Augenarzt *m*; **~moscope** ⚕ [~mɔ'skɔp] *m* Augenspiegel *m*; **~moscopie** ⚕ [~mɔskɔ'pi] *f* Augenuntersuchung *f*, Ophthalmoskopie *f*.

opi|acé *phm.* [ɔpja'se] *adj.* opiumhaltig; **~at** *phm.* [~'pja] *m* Opiat *n*.

opimes [ɔ'pi:m] *adj. f/pl.*: *dépouilles f/pl.* ~ reiche (*od.* fette) Beute *f*.

opi|nant [ɔpi'nɑ̃] *m* Abstimmende(r) *m*; **~ner** [~'ne] *v/i.* (1a) seine Meinung sagen; stimmen; F ~ *du bonnet* zu allem ja und amen sagen.

opiniâ|tre [ɔpi'njɑ:trə] **I** *adj.* (*adv. opiniâtrement*) hartnäckig, eigensinnig; halsstarrig; ausdauernd; **II** *su.* Starrkopf *m*; **~treté** [~njɑtrə'te] *f* Hartnäckigkeit *f*, Eigensinn *m*, Halsstarrigkeit *f*; Beharrlichkeit *f*.

opinion [ɔpi'njɔ̃] *f* Meinung *f*, Ansicht *f*, Dafürhalten *n*; *a. phil.* Auffassung *f*; *l'*~ (*publique*) die öffentliche Meinung; *ils n'ont pas d'*~ sie haben keine eigene Meinung; *il est de mon* ~ *que* ... ich bin der Ansicht, daß ...; *se faire une* ~ sich eine Meinung bilden.

opio|mane ⚕ [ɔpjɔ'man] *adj. u. su.* opiumsüchtig; Opiumraucher *m*; **~manie** ⚕ [~ma'ni] *f* Opiumsucht *f*.

opium *phm.* [ɔ'pjɔm] *m* Opium *n*.

opossum *zo.* [ɔpɔ'sɔm] *m* Beutelratte *f*, Opossum *n*.

opothérapie ⚕ [ɔpɔtera'pi] *f* Hormontherapie *f*, Gewebssaftbehandlung *f*.

opportun [ɔpɔr'tœ̃] *adj.* (7) (*adv.* **~ément** [~tyne'mɑ̃]) angebracht, geeignet, zweckmäßig; **~isme** [~ty'nism] *m* Opportunismus *m*, Zweckmäßigkeitsdenken *n*; **~iste** [~ty'nist] *su. u. adj.* Opportunist *m*; opportunistisch; **~ité** [~tyni'te] *f* Zweckmäßigkeit *f*.

oppo|sable [ɔpo'zablə] *adj.* gegenüberstellbar; **~sant** [~'zɑ̃] (7) **I** *adj.* gegnerisch, widersprechend; **II** *su.* Gegner *m*; *les ~s* die Gegenpartei *f*; **~sé** [~'ze] **I** *m* Gegenteil *n*; Gegensatz *m*; *à l'~ de* im Gegensatz zu (*dat.*); **II** *adj.* entgegengesetzt; gegenüberliegend; ⚘ gegenständig; ⩓ *angles m/pl. ~s* Scheitelwinkel *m/pl.*; **~ser** [~'ze] (1a) **I** *v/t.* gegenüber-setzen, -stellen, -hängen; entgegenstellen; *fig.* einwenden; *~ q. à q.* j-n mit j-m vergleichen; **II** *v/rfl.* *s'~* sich widersetzen; **~site** [~'zit] *m prpt. à l'~ de* ✎ gegenüber (*dat.*); **~sition** [~zi'sjɔ̃] *f* **1.** Widerspruch *m*, Einwand *m*, Einspruch *m*; **2.** Gegensatz *m*; *par ~ à, en ~ avec* im Gegensatz zu (*dat.*); **3.** Gegenpartei *f*, Gegnerschaft *f*, Opposition *f*; **4.** Gegenüberstellung *f*.

oppres|ser [ɔprɛ'se] *v/t.* (1b) bedrücken, schwer lasten auf; *être oppressé* schwer atmen, keine Luft haben; *fig. j'en suis oppressé* es liegt mir schwer auf dem Herzen; **~seur** [~'sœːr] *m* Unterdrücker *m*.

oppres|sif [ɔprɛ'sif] *adj.* (7e) □ be-, unter-drückend; *mesures f/pl. oppressives* Zwangsmaßnahmen *f/pl.*; **~sion** [~'sjɔ̃] *f* **1.** Beklemmung *f*; **2.** *fig.* Unterdrückung *f*, Unterjochung *f*, Druck *m*.

opprimer [ɔpri'me] *v/t.* (1a) unterdrücken.

opprobre [ɔ'prɔbrə] *m* Schande *f*, Schandfleck *m*.

optatif [ɔpta'tif] *adj.* (7e) □ einen Wunsch ausdrückend.

opter [ɔp'te] *v/i.* (1a) optieren, eine Wahl treffen, sich entscheiden.

opticien [ɔpti'sjɛ̃] *m* Optiker *m*.

opti|maliser [ɔptimali'ze], **~miser** *éc.*, ⊕ [~mi'ze] *v/t.* optimal gestalten; auf die höchste Leistungskraft bringen; **~misme** [~'mism] *m* Optimismus *m*; *~ de circonstance* Zweckoptimismus *m*; **~miste** [~'mist] *adj. u. su.* (*adv. de façon ~, avec optimisme*) optimistisch; Optimist *m*; **~mum** [~'mɔm] *m u. adj.* (*das*) Günstigste *n*, Beste *n*; Optimum *n*; *température f ~* (*od. optima*) günstigste Temperatur *f* (*pl. températures f/pl. optima* [*od. optimum*]).

option [ɔp'sjɔ̃] *f* Wahl *f*, Option *f*, Optierung *f*, Einstellung *f*, Haltung *f*; ✝ Kauf-vormerkung *f*, -zusage *f*; *écol. matière f à ~* Wahlfach *n*; *~ facultative* freies Wahlfach *n*; *~ obligatoire* Wahlpflichtfach *n*; *faire son ~* s-e Wahl treffen; **~nel** *bsd.* ✝ [ɔpsjɔ'nɛl] *adj.* (5c) fakultativ.

optique [ɔp'tik] **I** *adj.* □ **1.** optisch; *nerf m ~* Sehnerv *m*; **II** *f* **2.** *phys.* Optik *f*, Lichtlehre *f*; **3.** Perspektive *f*; **4.** *fig.* Standpunkt *m*.

opu|lence [ɔpy'lɑ̃ːs] *f* großer Reichtum *m*, Überfluß *m*; **~lent** [~'lɑ̃] *adj.* (7) sehr reich; üppig; **~lemment** [~la'mɑ̃] *adv.* im Überfluß.

opuscule [ɔpys'kyl] *m* Büchlein *n*, kleine Schrift *f*.

or[1] [ɔːr] *m* Gold *n*; *fig.* Reichtum *m*; *pièce f d'~* Goldstück *n*; *~ blanc* Weißgold *n*; *~-métal m/inv.* Metallgold *n*; *~ fulminant* Knallgold *n*; *~ natif*, *~ vierge* gediegenes Gold *n*; *à prix d'~* teuer, für teures Geld; *jaune d'~* goldgelb.

or[2] [~] *cj.* nun (aber); also, folglich.

oracle [ɔ'raklə] *m* Orakel *n*.

ora|ge [ɔ'raːʒ] *m* Gewitter *n*, Gewittersturm *m*; *fig.* Unglück *n*, Sturm *m*, Verwirrung *f*, Schicksalsschlag *m*; **~geux** [~ra'ʒø] *adj.* (7d) gewitterschwül, stürmisch.

oraison [ɔrɛ'zɔ̃] *f nur noch z.B. erhalten als*: **1.** Grabrede *f*; *les ~s funèbres de Bossuet* die Leichenreden *f/pl.* Bossuets; **2.** Gebet *n*; *~ mentale* stilles Gebet *n*; *st.s. faire ~* beten.

oral [ɔ'ral] *adj.* (5c) mündlich; **~iser** *ling.* [~li'ze] *v/t.* (1a) mündlich gebrauchen.

oralo-nasal *gr.* [ɔralɔna'zal] *adj.* (5c) Mundnasen...

oran|ge [ɔ'rɑ̃ːʒ] **I** *f* Apfelsine *f*, Orange *f*; *~ amère* bittere Pomeranze *f*; **II** *m* Orangegelb *n*; **III** *adj./inv.* orangegelb; **~gé** [~rɑ̃'ʒe] *adj. u. m* orangefarben, rötlichgelb; Orangegelb *n*; **~geade** [~'ʒad] *f* Orangensaft *m*, Orangeade *f*; **~ger** [~'ʒe] **I** *m* Apfelsinenbaum *m*; *eau f de fleur d'~* Orangenblütenessenz *f*; **II** *su.* (7b) (*auch adj.*: *fruitier m ~*) Apfelsinenhändler *m*; **III** *v/t.* (1g) orange färben; **~gerie**

[~'ʒri] *f* Orangerie *f*, Gewächshaus *n* für Orangen.

orang-outang *zo.* [ɔ'rɑ̃ u'tɑ̃] *m* (6a) Orang-Utan *m*, Menschenaffe *m*.

ora|teur [ɔra'tœ:r] *m* Redner *m*, Sprecher *m*; *pol.* Wortführer *m*; *femme f* ~ Rednerin *f*; **~toire** [~'twa:r] **I** *adj.* □ rednerisch, oratorisch; *art m* ~ Redekunst *f*; **II** *rl. m* Betkapelle *f*; **~torio** ♪ [~tɔ'rjo] *m* Oratorium *n*.

orbe[1] *ast.* [ɔrb] *m* Planetenbahn *f*, Himmelskreis *m*; *fig.* Umkreis *m*.

orbe[2] [~] *adj.*: *coup m* ~ Prellschuß *m*; *mur m* ~ blinde Mauer *f*.

orbiculaire [~biky'lɛ:r] *adj.* □ kreisförmig.

orbit|al *at.* [ɔrbi'tal] *adj.* (5c): *vol m* ~ Raumflug *m*; **~e** [~'bit] *f* **1.** *ast.* ~ *des planètes* Planetenbahn *f*; ~ *lunaire* Mondumlaufsbahn *f*; ~ *terrestre* Erdbahn *f*; **2.** *anat.* Augenhöhle *f*; **3.** *fig.* Bannkreis *m*; *pol.* Einflußsphäre *f*.

orbiter ✈ [ɔrbi'te] *v/i.* (1a): ~ *autour de l'épave* über dem Wrack kreisen; ~ *autour de la Lune* um den Mond kreisen (*Raumfahrt*).

orches|tration ♪ [ɔrkɛstrɑ'sjɔ̃] *f* musikalische Besetzung *f*, Instrumentierung *f*; **~tre** [ɔr'kɛstrə] *m* **1.** Orchester *n*; (Musik-)Kapelle *f*; *chef m d'*~ Kapellmeister *m*; **2.** instrumentaler Teil *m* e-r Partitur; **3.** *thé.* Parkett *n*; **~tré** [~'tre] *adj.*: *une presse bien* ~*e* e-e gut geleitete Presse *f*; *bien* ~ gut einstudiert; **~trer** [~] *v/t.* (1a) instrumentieren, für Orchester einrichten, begleiten; *fig.* inszenieren; ~ *une agitation* Unruhen anstiften.

orchidée ⚘ [ɔrki'de] *f* Orchidee *f*.

orchite ⚕ [ɔr'kit] *f* Orchitis *f*.

ordinaire [ɔrdi'nɛ:r] **I** *adj.* □ **1.** üblich, alltäglich, einfach, mittelmäßig; *vin m* ~ Tischwein *m*; ✝ *prix m* ~ Ladenpreis *m*; ⚔ *pas m* ~ gewöhnliches Marschtempo *n*; **2.** ⚖ ordentlich, von Amts wegen, **3.** *fin. action f* ~ Stammaktie *f*; **II** *m* **4.** *das* Übliche *n*; *sortir de l'*~ aus dem gewohnten Rahmen fallen; *advt.*: *à l'*~, *d'*~ *od. pour l'*~ meistenteils, (für) gewöhnlich, sonst, im allgemeinen; **5.** Hausmanns-, Alltags-kost *f*; **6.** ⚔ Mannschaftsverpflegung *f*; **III** *f* **7.** *Auto*: Normalbenzin *n*.

ordi|nal [ɔrdi'nal] *adj.* (5c): *nombre m* ~ Ordnungszahl *f*; **~nand** *rl.* [~'nɑ̃] *m* vor der Weihe stehender Geistlicher *m*; **~nant** *rl.* [~] *m* Weihbischof *m*; **~nateur** *cyb.* [~na'tœ:r] *m* Computer *m*, Elektronenrechner *m*; ~ *temps réel* gleichzeitig arbeitender Computer *m* (*für Sofortverzollung*); ~ *moyen* Computer *m* der Mittleren Datentechnik; **~nation** *rl.* [~nɑ'sjɔ̃] *f* Priesterweihe *f*.

ordon|nance [ɔrdɔ'nɑ̃:s] *f* **1.** Planung *f*, Anordnung *f*; *l'*~ *d'un édifice* die Planung e-s Gebäudes; *l'*~ *d'un discours* die Anordnung e-r Rede; **2.** Verordnung *f*; Erlaß *m*, Verfügung *f*, Beschluß *m*, Polizeiverordnung *f*, Kabinettsbeschluß *m*; ⚖ ~ *de référé* einstweilige Verfügung *f*; ⚖ ~ *pénale* Strafbefehl *m*; ~ *ministérielle* Ministerialerlaß *m*; ~ *de paiement* Zahlungsbefehl *m*; **3.** ⚕ Rezept *n*, ärztliche Vorschrift *f*; **4.** ⚖ ~ *de paiement* Zahlungsbefehl *m*; **5.** ⚔ Ordonnanz *f*, Offiziersbursche *m*; *officier m d'*~ Adjutant *m*; **~nancement** *fin.* [~nɑ̃s'mɑ̃] *m* **1.** Zahlungsanweisung *f*; **2.** ⊕ Kontrolle *f* über die Durchführung *e-s Auftrags* (*vom ersten Tage der Herstellung bis zur Lieferung an den Kunden*); **~nancer** [~nɑ̃'se] *v/t.* (1k) zur Bezahlung anweisen; **~nateur** [~na'tœ:r] (7f) **I** *adj.* anordnend; **II** *su.* Anordner *m*; **~née** ⩚ [~'ne] *f* Ordinate *f*; **~ner** [~] *v/t.* (1a) **1.** (an)ordnen, einrichten; veranstalten; **2.** befehlen, vorschreiben; **3.** ⚕ verordnen, verschreiben; **4.** *rl.* ordinieren.

ordre ['ɔrdrə] *m* **1.** Ordnung *f*, Anordnung *f*; geordneter Zustand *m*; Reihenfolge *f*; *fig.* Gebiet *n*; ~ *établi* Establishment *n*; *de l'*~ *de* in der Größenordnung (*od.* in Höhe) von (*dat.*); *être en* ~, *être dans l'*~ in Ordnung sein; *rad.* ~ *des auditions* (*des émissions*) Hör-(Sende-)folge *f*; ⚔ ~ *de marche* Marsch-ordnung *f*, -folge *f*; *en* ~ *de marche* marschbereit; *Auto*: ~ *d'allumage* Zündfolge *f*; *de tout premier* ~ ersten Ranges; *mettre en* ~ in Ordnung bringen; *mettre bon* ~ (*à*) Ordnung schaffen (in); *rappel m à l'*~ Ordnungsruf *m*; ~ *chronologique* zeitliche Reihenfolge *f*; ~ *de succession* Erbfolge *f*; ~ *du jour* Tagesordnung *f*; *mot m d'*~ Stichwort *n*; *suivant l'*~ der Reihe nach; *passer à l'*~ *du jour* zur Tagesordnung übergehen; **2.** (*sozialer*) Stand *m*; *hist. les trois* ~*s* die drei Stände *m/pl.*; **3.** geistlicher *od.* weltlicher Orden *m*, Ordensgesellschaft *f*; **4.** Ordenszeichen *n*; Orden *m*; **5.** *rl.* *~s pl.* Priesterweihe *f*; *conférer les ~s* die Weihen erteilen; *recevoir les ~s* die Weihen empfangen; **6.** Befehl *m*, Auftrag *m*; ⚕ *u.* ⚔ Order *f*; ⚔ *~ d'appel* Gestellungsbefehl *m*; ⚔ *~ d'opérations* Operationsbefehl *m*; *~ de marcher*, *~ de (mise en) marche* Marschbefehl *m*; ⚕ *feuille f d'~* Bestellzettel *m*; ⚕ *~ de livrer* Liefer(ungs)-auftrag *m*; *Börse*: *~ d'achat* Kaufauftrag *m*; *d'~ et pour compte de* im Auftrag und für Rechnung von; *je suis à vos ~s* ich stehe zu Ihren Diensten; *jusqu'à nouvel ~* bis auf weiteres; *par ~* im Auftrag (= i. A.); *par ~ de ...* im Auftrage ... (*gén.*); **7.** ⚕ Indossament *n e-s Wechsels*; *~ de recouvrement postal* Postauftrag *m*; *payable à l'~ de ...* zahlbar an ...; *billet m à ~* eigener Wechsel *m*; **8.** Δ (Säulen-)Ordnung *f*; **9.** ⚔ *~ de bataille* Schlachtordnung *f*; *mot m d'~* Losung *f*, Parole *f*; *~ du jour* Tagesbefehl *m*.

ordu|re [ɔr'dy:r] *f* Unrat *m*, Dreck *m* P; *fig.* Zote *f*, Schweinerei *f* (*Worte od. Handlungen*); **~rier** [~dy'rje] *adj.* (7b) *fig.* schmutzig, zotig, schweinisch.

orée [ɔ're] *f* Waldrand *m*.

oreillard [ɔrɛ'ja:r] **I** *adj.* (7) langohrig; **II** *zo. m* Ohrenfledermaus *f*.

oreille [ɔ'rɛj] *f* **1.** Ohr *n*, *ch.* Löffel *m des Hasen*; *weitS.*: Gehör *n*; *bout m de l'~* Ohrläppchen *n*; *pavillon m de l'~* Ohrmuschel *f*; *avoir de l'~*, *avoir l'~ fine* musikalisches *od.* ein gutes Gehör haben; *avoir mal aux ~s* Ohrenschmerzen haben; *avoir l'~ dure* schwerhörig sein; *avoir l'~ de q.* bei j-m Gehör finden; *dormir sur les (od. ses) deux ~s* tief schlafen; *dresser (od. tendre) l'~* die Ohren spitzen; *échauffer les ~s à q.* j-n in Wut (auf die Palme P) bringen; *mettre la puce à l'~ de q.* j-m e-n Floh ins Ohr setzen, j-m den Kopf (*od.* die Hölle) heiß machen; *écorcher les ~s fig.* die Ohren betäuben (*Lärm*); *il n'entend pas bien de cette ~* er hört nicht gut auf diesem Ohr; *je suis tout ~* ich bin ganz Ohr; *faire la sourde ~ à qch.* so tun, als habe man etw. nicht gehört; etw. absichtlich überhören; *les ~s ont dû vous corner od. tinter* Ihre Ohren müssen ja geklungen haben; *montrer (od. laisser passer) le bout de l'~* sich verraten; *fig.* sich entpuppen; F *prêter l'~ à qch.* e-r Sache Gehör schenken; *souffler qch. à l'~ de q.* j-m etw. ins Ohr flüstern; *tirer l'~ à q.*, *tirer q. par l'~* j-m die Ohren lang ziehen; *se faire tirer l'~* sich lange nötigen lassen; **2.** ⊕, ⚡ Öse *f*, Tragöse *f*, Klammer *f*; ⊕ Glockenzapfen *m*, Krone *f*, Griff *m*, Henkel *m e-s Gefäßes*; Lasche *f des Schuhs*; **~-de-souris** ♀ [ɔrɛjdəsu'ri] *f* (6b) Vergißmeinnicht *n*; **~-d'ours** ♀ [ɔrɛj'durs] *f* (6b) Aurikel *f*.

oreil|ler [ɔrɛ'je] *m* Kopfkissen *n*; *adjt. u. advt. sur l'~* im Bett; *confidences f/pl. sur l'~* Bettgeflüster *n*; **~lette** [~'jɛt] *f* **1.** Ohrenschützer *m*; **2.** *anat.* *~ du cœur* Herzvorhof *m*, Herzkammer *f*; **~lons** ⚕ [ɔrɛ'jɔ̃] *m/pl.* Ziegenpeter *m*, Mumps *m*.

ores [ɔ:r] *adv.*: *d'~ et déjà* von jetzt an.

orfèv|re [ɔr'fɛ:vrə] *m* Gold- (*od.* Silber-)arbeiter *m*, -schmied *m*; -warenhändler *m*; **~rerie** [~fɛvrə'ri] *f* **1.** Gold- (*od.* Silber-)schmiedekunst *f*; **2.** Gold- (*od.* Silber-)waren *f/pl.*

orfraie *orn.* [ɔr'frɛ] *f* Seeadler *m*.

orga|ne [ɔr'gan] *m* **1.** Organ *n*; ⊕ Teil *m*; *~ de l'ouïe* Gehörorgan *n*; Ohr *n*; *~ vocal* Stimmorgan *n*; *~s de l'auto* Autoteile *m/pl.*; *~s de commande* Antriebsteile *m/pl.*; **2.** Organ *n*, Stimme *f*; **3.** *fig.* Vermittler *m*; Blatt *n* (*Zeitung*); *adm.* Stelle *f*, Organ *n*; *pol.* Wortführer *m*; Sprachrohr *n*; *pol.* Funktion *f*; *~ gouvernemental* regierungsfreundliches Blatt *n*; *~ de compensation* Abrechnungsstelle *f*; *les ~s diplomatiques* die diplomatischen Funktionen *f/pl.*; **~neau** ⚓ [~ga'no] *m* (5b) dicker, großer Eisenring *m*; **~nigramme** [~ni'gram] *m* **1.** *inform.* Befehlsschema *n*; **2.** graphische Darstellung *f* des Aufbaus e-r Organisation; **~nique** [~'nik] *adj.* □ organisch (gegliedert); ineinandergreifend; *loi f ~* Grundgesetz *n*; ⚕ *échanges m/pl. ~s* Stoffwechsel *m*.

organisa|ble [ɔrgani'zablə] *adj.* organisierbar; **~teur** [~'tœ:r] *adj. u. su.* (7f) organisatorisch, gestaltend, (an)ordnend; Organisator *m*, Gestalter *m*, Veranstalter *m*, Anordner *m*; **~tion** [~za'sjɔ̃] *f* **1.** Organisation *f*, Verband *m*, Gliederung *f*, Einrichtung *f*, Bau *m*, Bildung *f* (*a. fig.*), Organisierung *f*, Gestaltung *f*, Veranstaltung *f*, Wesen *n*; ⚔ Anlage *f*, Stellung *f*, Ausbau *m*; ~ *centrale* Spitzenorganisation *f*; ⚔ ~ *défensive* Verteidigungs-anlage *f*, -ausbau *m*; ♀ *Européenne de Coopération Économique* (*OECE*) Europäischer Wirtschaftsrat *m*; **2.** Aufbau *m*, Verfassung *f e-s Staates*; ~ *militaire*, ~ *de la défense militaire* Wehrverfassung *f*; **3.** Organisationstalent *n*; **~tionnel** [~zasjɔ'nel] *adj.* (7c) Organisations... (*nicht mit Personenbezeichnungen verbunden!*).

organi|sé [ɔrgani'ze] *adj.* zielstrebig, mit Organisationstalent; **~ser** [~] (1a) **I** *v/t.* organisieren, einrichten, begründen, ins Leben rufen, gestalten, veranstalten; **II** *v/rfl.* s'~ sich einrichten, zustande kommen; **~sme** [~'nism] *m* Organismus *m*; ⚖, *adm.* Stelle *f*; ~ *arbitral* Schiedsstelle *f*; ~ *compétent* zuständige Stelle *f*; ~ *de contrôle* Spitzenorganisation *f*.

organiste [ɔrga'nist] *su.* Organist *m*.

orgasme ⚕ [ɔr'gasm] *m* Orgasmus *m*.

orge [ɔrʒ] **I** *f* Gerste *f*; ~ *broyée* Gerstenflocken *f/pl.*; ~ *hâtive* Frühgerste *f*; ~ *gruée*, *gruau m d'*~ Gerstengrütze *f*; *farine f d'*~ Gerstenmehl *n*; **II** *nur noch m in*: ~ *mondé* Perlgraupen *f/pl.*

orgeat [ɔr'ʒa] *m* Mandelmilch *f*.

orgelet ⚕ [~ʒə'lɛ] *m* Gerstenkorn *n*.

orgie [ɔr'ʒi] *f* Orgie *f*, (Sauf-)Gelage *n*, Prasserei *f*.

orgue [ɔrg] *m* Orgel *f*; *grandes* ~*s* Orgel *f in e-r Kirche, in e-m Konzertsaal*; ~ *de Barbarie* Leierkasten *m*, Drehorgel *f*; *tuyau m d'*~ Orgelpfeife *f*; ♪ *point m d'*~ Fermate *f*.

orgueil [ɔr'gœj] *m* Hochmut *m*; Stolz *m*; Überheblichkeit *f*, Dünkel *m*; **~leux** [~gœ'jø] *adj.* (7d) hochmütig, überheblich.

orient [ɔ'rjɑ̃] *m* **1.** Osten *m*; **2.** ♀ Orient *m*; *l'Extrême* ♀ der Ferne Osten; *le Proche* ♀ der Nahe Osten; **3.** *perle f d'un bel* ~ Perle *f* von schönem Glanz; **~able** [~'tablə] *adj. bsd.* ⊕ einstellbar, lenkbar, steuerbar, schwenkbar, drehbar; **~al** [~'tal] **I** *adj.* (5c) östlich; orientalisch; *l'Afrique* ~*e* Ostafrika *n*; **II Orientaux** [ɔrjɑ̃'to] *m/pl.* Orientalen *m/pl.*; **~aliste** [~ta'list] *su.* Orientalist *m*; **~ation** [~tɑ'sjɔ̃] *f* **1.** Orientierung *f*, Zurechtfinden *n*; *pol.* Richtung *f*; ⚡ Ortung *f*, Orts-, Richtungs-bestimmung *f*; *a. pol. l'*~ *nouvelle* der neue Kurs; **2.** ⚓ Stellen *n* der Segel nach dem Winde; **3.** *écol.* (Unterrichts-)Zweig *m*; **4.** ~ *professionnelle* Berufsberatung *f*; **~er** [~'te] (1a) **I** *v/t.* **1.** nach den Himmelsgegenden richten; ⚔ ~ *une attaque* e-n Angriff ansetzen; *rad. cadre m orienté* Richt(strahl)antenne *f*; *fig.* ~ *qch.* e-r Sache (*dat.*) eine bestimmte Richtung geben; *fig.* ~ *un enfant* ein Kind leiten (*od.* beraten); **2.** ⚓ ~ *un vaisseau* alle Segel nach einem Kurs stellen; **II** *v/rfl.* s'~ sich orientieren, sich zurechtfinden; ⚡ orten; **~eur** [~'tœːr] *su.* (7g) Berufsberater *m*.

orifice ⊕ [ɔri'fis] *m* Öffnung *f*.

origan ♀ [ɔri'gɑ̃] *m* Majoran *m*.

origi|naire [ɔriʒi'nɛːr] *adj.* □ ursprünglich; angeboren; ~ *de* ... gebürtig (*od.* stammend) aus ... (*dat.*); **~nairement** [~nɛr'mɑ̃] *adv.* von Hause aus; anfangs, zu Anfang; dem Ursprung nach; **~nal** [~'nal] **I** *adj.* (5c) □ **1.** ursprünglich, original, Original..., echt; *adm.*, ⚖ urschriftlich; *texte m* ~ Urtext *m*; **2.** eigentümlich, originell; sonderbar; **II** *m* **3.** Original *n* (*a. peint.*), Urtext *m*, Urkunde *f*; *adm.*, ⚖ Urschrift *f*; ✝ Originalmuster *n*; **4.** *fig.* wunderlicher Kauz *m*, Type *f* P, Original *n*; **~nalité** [~nali'te] *f* Originalität *f*, Ursprünglichkeit *f*; Eigentümlichkeit *f*, Wunderlichkeit *f*.

origi|ne [ɔri'ʒiːn] *f* **1.** Ursprung *m*, Anfang *m*; *être à l'*~ *de qch.* etw. (*z.B. Krankheit*) verursachen; *tirer son* ~ *de* ... s-n Ursprung herleiten von (*dat.*); entstehen aus (*dat.*); *à l'*~ ursprünglich, anfangs; *dès l'*~ von Anfang an; **2.** Abstammung *f*, Herkunft *f*; *Français m d'*~ gebürtiger Franzose *m*; ✝ *certificat m d'*~ Ursprungs-, Herkunfts-nachweis *m*; **~nel** [~'nɛl] *adj.* □ angeboren, ursprünglich; *inégalité f* ~*le* naturbedingte Ungleichheit *f*; *grâce f* ~*le rl.* natürliche Gnade *f*; *race f* ~*le* ursprüngliche Rasse *f*; *rl. péché m* ~ Erbsünde *f*; *terre f* ~*le* Ursprungsland *n*; *vice m* ~ Grundübel *n*.

orignal *zo.* [ɔri'ɲal] *m* (*pl.* ~*s*) kanadisches Elentier *n*.

orillon [ɔri'jɔ̃] *m* **1.** ⊕ Griff *m*, Henkel *m*; **2.** *frt.* Vorsprung *m*.

orin ⚓ [ɔ'rɛ̃] *m* Bojen-, Anker-tau *n*.

oripeaux [ɔri'po] *m/pl.* alte, zerschlissene Kleidung *f*, Lumpen *m/pl.*

orle [ɔrl] *m* ⚠ Rand *m*; *géol.* Kraterrand *m*.

orléanais [ɔrlea'nɛ] *adj. u.* ♀ *su.* (7) (Einwohner *m*) aus Orléans.

orm|aie [ɔr'mɛ] *f* Ulmenwäldchen *n*; **~e** [ɔrm] *m* Rüster *f*, Ulme *f*; **~eau** [ɔr'mo] *m* (5b) junge Ulme *f*; **~ille** [ɔr'mij] *f* kleine Ulme *f*; Ulmenschonung *f*.

orne|maniste [ɔrnəma'nist] *m* Dekorationsmaler *m*; Stukkateur *m*; **~ment** [~'mɑ̃] *m* **1.** Ornament *n*, Verzierung *f*; *fig.* Zierde *f*; **2.** ~*s pl. rl.* Priesterornat *n*; **~mental** [~mɑ̃'tal] *adj.* (5c) ornamental; *art m* ~ Ornamentik *f*; **~mentation** [~mɑ̃tɑ'sjɔ̃] *f* **1.** Verzieren *n*; **2.** ⚠ Ornamentik *f*, Verzierungskunst *f*; **~menter** [~mɑ̃'te] *v/t.* (1a) verzieren.

orner [ɔr'ne] (1a) **I** *v/t.* verzieren, (aus)schmücken (*z.B. Haus, Fassade, Wohnung, Hut*); *fig.* zieren, auszeichnen; **II** *nur fig. v/rfl.* s'~ *de* sich schmücken mit (*dat.*); *la campagne s'ornait de verdure* die Natur schmückte sich mit frischem Grün.

ornière [ɔr'njɛːr] *f* Wagenspur *f*; *fig. sortir de l'*~ aus dem Gleis kommen; neue Wege einschlagen; *tirer la carriole de l'*~ die Karre aus dem Dreck ziehen.

ornithologie [ɔrnitɔlɔ'ʒi] *f* Ornithologie *f*, Vogelkunde *f*.

ornithorynque *zo.* [ɔrnitɔ'rɛ̃ːk] *m* Schnabeltier *n*.

orobanche ⚘ [ɔrɔ'bɑ̃ːʃ] *f* Sommerwurz *f*.

oro|génèse [~ʒe'nɛːz] *f* Gebirgsbildung *f*; **~graphie** [~gra'fi] *f* Gebirgsbeschreibung *f*; **~hydrographie** [~idrɔgra'fi] *f* Gebirgs- u. Gewässerbeschreibung *f*.

oronge ⚘ [ɔ'rɔ̃ːʒ] *f* Eierpilz *m*; ~ *vraie* Kaiserschwamm *m*; *fausse* ~ Fliegenpilz *m*.

orpaill|age [ɔrpɑ'jaːʒ] *m* Goldwaschen *n*; **~eur** [~pɑ'jœːr] *m* Goldwäscher *m*.

orphelin [ɔrfə'lɛ̃] (7) **I** *adj.* verwaist; ~ *de père* vaterlos; **II** *su.* Waisenkind *n*; ~ *de père et de mère* Vollwaise *f*; ~ *de père* (*bzw. de mère*) Halbwaise *f*; ~ *de guerre* Kriegswaise *f*; **~age** [~li'naːʒ] *m* Verwaisung *f*; **~at** [~li'na] *m* Waisenhaus *n*.

orphéon [ɔrfe'ɔ̃] *m* Gesangverein *m*, Liedertafel *f*; *concours m d'*~*s* Sängerfest *n*; **~iste** [~feɔ'nist] *m* Mitglied *n* e-s Gesangvereins.

orphie *icht.* [ɔr'fi] *f* Hornfisch *m*.

orpiment *min.* [ɔrpi'mɑ̃] *m* Auripigment *n*, Rauschgelb *n*.

orpin ⚘ [ɔr'pɛ̃] *m* fette Henne *f*.

orque *icht.* [ɔrk] *m* Butzkopf *m*.

ortéfien *Fr. rad., télév.* [ɔrte'fjɛ̃] *adj.* (7c) der O.R.T.F.

orteil [ɔr'tɛj] *m* Zehe *f*.

ortho|chromatique *phot.* [ɔrtɔkrɔma'tik] *adj.* farbenempfindlich; **~doxe** [~'dɔks] **I** *adj.* □ *rl.* orthodox; *allg.* strenggläubig; traditionsgebunden; *pol.* linientreu; **II** *su.* Orthodoxe(r) *m*; **~doxie** [~dɔ'ksi] *f* Strenggläubigkeit *f*.

ortho|graphe [~'graf] *f* Orthographie *f*, Rechtschreibung *f*; **~graphie** [~gra'fi] *f* **1.** ⚠ Aufriß *m*; **2.** ⚠ senkrechter Durchschnitt *m*; **~graphier** [~gra'fje] *v/t.* (1a) richtig schreiben; **~graphique** [~gra'fik] *adj.* □ **1.** orthographisch; **2.** ⚠ rechtwinklig.

ortho|pédie ⚕ [~pe'di] *f* Orthopädie *f*; **~pédique** ⚕ [~pe'dik] *adj.* orthopädisch; **~pédiste** ⚕ [~pe'dist] (*adj. u.*) *m* Orthopäde *m*; **~phone** ⚡ [~'fɔn] *m* Richtungshörer *m*; **~phonie** ⚕ [~fɔ'ni] *f* Logopädie *f*, Sprecherziehung *f*; **~phoniste** ⚕ [~fɔ'nist] *su.* Logopäde *m*, Sprecherzieher *m*.

ortie [ɔr'ti] *f* **1.** ⚘ Brennessel *f*; **2.** *zo.* ~ *de mer* Qualle *f*.

ortié ⚕ [ɔr'tje] *adj.*: *fièvre f* ~*e* Nesselfieber *n*.

ortolan *orn.* [ɔrtɔ'lɑ̃] *m* Fettammer *f*.

orvale ⚘ [ɔr'val] *f* Scharlachkraut *n*.

orvet *zo.* [ɔr'vɛ] *m* Blindschleiche *f*.

oryx *zo.* [ɔ'riks] *m* Spießbock *m*.

os [*sg.* ɔs; *pl.* o; F *bisw.* ɔs *od.* oːs] *m* Knochen *m*; *pl. a.*: Gebeine *n/pl.*; *moelle f des* ~ Knochenmark *n*; ~ *à moelle* Marksknochen *m*; ~ *de seiche* weißes Fischbein *n*; *fig.* F *il y a un* ~ die Sache hat einen Haken; V *l'avoir dans l'*~ leer ausgehen, nichts erreicht haben; *trempé jusqu'aux* ~ pudelnaß; *ne pas faire de vieux* ~ nicht alt werden.

oscar [ɔs'kaːr] *m* **1.** *cin.* „Oscar" *m*, hohe Filmauszeichnung *f* (*Hollywood*); **2.** *allg.* Auszeichnung *f*, Preis *m durch e-e Jury.*

oscil|lant [ɔsi'lɑ̃] *adj.* (7) oszillierend, schwingend, pendelnd; **~lateur** *phys.*, ⚡ [~la'tœːr] *m* Schwingungserzeuger *m*, Oszillator *m*; **~lation** [~lɑ'sjɔ̃] *f* Schwingung *f*; *fig.* Schwankung *f*; **~latoire** [~la'twaːr] *adj.* schwingend; **~ler** [~'le]

v/i. (1a) schwingen, *bsd. fig.* schwanken; **~loscope** *Radar* [~lɔ'skɔp] *m* Leuchtschirm *m.*
osé [o'ze] *adj.* gewagt, kühn; dreist, keck.
oseille ⚘ [o'zɛj] *f* Sauerampfer *m*; * Geld *n*, Zaster *m* P.
oser [o'ze] *v/t.* (1a) (*mit inf. ohne prp.*) wagen; *je n'ose (pas) entrer* ich wage nicht einzutreten.
oseraie [oz'rɛ] *f* Weidengebüsch *n.*
osier [o'zje] *m* **1.** ⚘ Korbweide *f*; **2.** Weiden-rute *f*, -geflecht *n.*
oss|ature [ɔsa'ty:r] *f* Knochen-bau *m*, -gerüst *n*, Gerippe *n*; *a. fig.* ⊕, ⚠ *~ métallique*, *~ en fer* Stahlgerüst *n*, -gerippe *n*; **~elet** [ɔs'lɛ] *m* Knöchelchen *n*; **~ements** [ɔs'mɑ̃] *m/pl.* (Toten-)Gebeine *n/pl.*; **~eux** [ɔ'sø] *adj.* (7d) □ knochig; *système m ~* Knochensystem *n.*
ossifi|cation [ɔsifikɑ'sjɔ̃] *f* Knochenbildung *f*; Verknöcherung *f*; **~er** [~'fje] *v/t.* (1a) verknöchern lassen.
ossu [ɔ'sy] *adj.* (stark)knochig; **~aire** [ɔ'sɥɛ:r] *m* **1.** Knochenhaufen *m*; **2.** Beinhaus *n.*
ostéˌ|algie ⚕ [ɔsteal'ʒi] *f* Knochenschmerz *m*; **~ite** ⚕ [ɔste'it] *f* Knochenentzündung *f.*
osten|sible [ɔstɑ̃'siblə] *adj.* □ ostentativ; **~sion** [~'sjɔ̃] *f rl.* Ausstellung *f* von Reliquien; **~soir** [~'swa:r] *m rl.* Monstranz *f*; **~tation** [~tɑ'sjɔ̃] *f* Großtuerei *f*, Prahlerei *f*; **~tatoire** [~ta'twa:r] *adj.* prahlerisch, großtuerisch, angeberisch, protzig.
ostéo|colle [ɔsteɔ'kɔl] *f* Knochenleim *m*; **~logie** 📖 [~lɔ'ʒi] *f* Knochenlehre *f*; **~malacie** ⚕ [~mala'si] *f* Knochenerweichung *f*; **~myélite** ⚕ [~mje'lit] *f* Knochenmarkentzündung *f*; **~plastie** ⚕ [~pla'sti] *f* Knochenbildung *f*; **~psathyrose** ⚕ [~psati'ro:z] *f* Knochenbrüchigkeit *f.*
ostracé 📖 [ɔstra'se] **I** *adj.* muschelartig; **II ~es** [~] *f/pl.* Schal-, Muschel-tiere *n/pl.*
ostracisme [~'sism] *m* Verfemung *f*; *frapper d'~* verbannen.
ostréi|cole [ɔstrei'kɔl] *adj.* Austern-...; **~culteur** [~kyl'tœ:r] *m* Austernzüchter *m*; **~culture** [~kyl'ty:r] *f* Austernzucht *f.*
ostrogot(h) [ɔstrɔ'go] (7) **I** *adj. hist.* ostgotisch; *fig.* wild, barbarisch; **II** *su.* **1.** *hist.* ♀ Ostgote *m*; **2.** *fig.* Barbar *m*, Grobian *m.*
otage [ɔ'ta:ʒ] *m* Geisel *f od. m*; Bürge *m*; *en ~* als Geisel.
otalgie ⚕ [ɔtal'ʒi] *f* Ohrenschmerz *m.*
otarie *zo.* [ɔta'ri] *f* Ohrenrobbe *f*; *~ à la crinière* Seelöwe *m.*
ôter [o'te] (1a) *v/t.* **1.** weg-räumen, -bringen, -schaffen, -legen, -setzen, -stellen, beseitigen, entfernen; *ôtez-vous de là!* gehen Sie weg!, scheren Sie sich weg! P; **2.** *Kleider usw.* ablegen, abnehmen, ausziehen; *~ ses chaussures* sich die Schuhe ausziehen; **3.** *~ qch. à q.* j-m etw. (weg)nehmen; j-n um etw. (*acc.*) bringen; *~ sa confiance à q.* j-m sein Vertrauen entziehen; *cela m'a ôté l'appétit* das hat mir den Appetit genommen; **4.** *Fieber usw.* beseitigen, vertreiben; **5.** *arith.* abziehen, subtrahieren; **6.** *~ la charge (de)* entladen; **7.** ⊕ entfernen, abmontieren; *~ au ciseau* abstemmen, abmeißeln.
otite ⚕ [ɔ'tit] *f* Ohrenentzündung *f*; *~ moyenne* Mittelohrentzündung *f.*
oto-rhino-laryngologiste ⚕ [ɔtɔrinɔlarɛ̃gɔlɔ'ʒist] *m* Hals-, Nasen-, Ohren-spezialist *m*, -arzt *m.*
otorrhée ⚕ [ɔtɔ're] *f* Ohrenfluß *m.*
otoscope ⚕ [ɔtɔ'skɔp] *m* Ohrenspiegel *m*, Otoskop *n.*
ottoman *hist.* [ɔtɔ'mɑ̃] *adj.* (7) osmanisch; **~e** [~'man] *f* breites, niedriges Sofa *n.*
ou [u] *cj.* (*oft auch ou bien*) oder; *ou ... ou ...* entweder ... oder ...
où [~] *adv.* wo; worin; wohin; *où va-t-il?* wohin geht er?; *la ville où il habite* die Stadt, in der er wohnt; *au sens où je l'entends* in dem Sinne, wie ich es verstehe; *c'est où j'en voulais venir* darauf wollte ich hinaus; *où en est l'affaire?* wie steht die Sache?; *d'où êtes-vous?* woher sind Sie?; *par où est-il passé?* wo ist er durchgekommen?; *auch zeitlich bezogen*: *au moment où ...* in dem Augenblick, wo ...; *dans (od. en) un temps où ...* zu einer Zeit, wo ...; *le jour où ...* an dem Tage, wo ...
oua, oua, oua [wa wa 'wa] *int.* wau, wau, wau! (*Hundegebell*).
ouaille *rl.* [wɑ:j] *f fig.* Schäflein *n.*
ouais! F [wɛ] *int. iron. od. skeptisch*: ja ja!
ouat|e [wat] *f* (*mst. la ~, aber auch: l'~*) Watte *f*; **~er** [~'te] *v/t.* (1a) wattieren, mit Watte füttern; *fig.* dämpfen (*Ton*).
oubli [u'bli] *m* **1.** Vergessen *n*; *~ de soi* Selbstlosigkeit *f*; Selbstaufgabe

f, Selbstpreisgabe *f*; *par* ~ aus Vergeßlichkeit (*od.* aus Versehen); **2.** Vergessenheit *f*; *tomber dans l'*~ in Vergessenheit geraten.

oublier [ubli'e] (1a) (*mit de + inf.*) **I** *v/t.* **1.** vergessen; verlernen; **2.** auslassen, übersehen; **3.** außer acht lassen, vernachlässigen; ~ *son devoir* seine Pflicht versäumen; **4.** liegenlassen, stehenlassen; **II** *v/rfl.* aus dem Gedächtnis schwinden; sich gehenlassen; F sich selbst ganz vergessen; *enf.* sich in die Hosen machen; *s'*~ *jusqu'à insulter* (*od. au point d'insulter*) *son père* sich so weit gehenlassen, daß man seinen Vater schwer kränkt; *iron. il ne s'oublie pas!* er sieht schon zu, daß er nicht zu kurz kommt!

oubli|ettes *ehm.* [~bli'ɛt] *f/pl.* Verlies *n*; **~eux** [~bli'ø] *adj.* (7d) vergeßlich.

oued [wɛd] *m* (*pl.* ~*s od. ouadi*) Fluß(tal *n*) *m in Nordafrika*, Wadi *n*.

ouest [wɛst] *m* (*abr.* O.) Westen *m*; *à l'*~ *de* ... westlich von ...; *vers l'*~ westwärts; *le vent d'*~ der Westwind; *pol. la conférence Est-*♀ die Ost-West-Konferenz; *Berlin-*♀ Westberlin *n*; *les Allemands de l'*♀ die Westdeutschen *m/pl.*; ~*-allemand* westdeutsch.

ouf! [uf] *int.* **1.** o weh!; weh(e) mir! (uns!); auweh!; o Jammer! (*Schmerz, Ermüdung*); **2.** Gott sei Dank!; gottlob! (*Aufatmen nach e-m Schmerz, nach e-r Ermüdung*).

Ouganda *géogr.* [ugɑ̃'da]: **l'**~ *m* Uganda *n*.

oui [wi] **I** *adv.* ja; ~, *monsieur*; ~, *madame* ja; *dire* (*que*) ~ „ja" sagen; ~ *certes* ja gewiß; *mais* ~ [mɛ'wi] allerdings; *que* ~*!* 'ja doch!, aber 'ja! (*starke Bejahung als Antwort*); **II** *m le* ~ das Ja(wort) *n*; *pol.* Jastimme *f*.

ouï [wi] *p/p. v. ouïr.*

ouï-dire [wi'di:r] *m* (6c) Hörensagen *n*.

ouïe [wi] *f* **1.** Gehör(sinn *m*) *n*; ~ *dure* Schwerhörigkeit *f*; *avoir l'*~ *fine* (*od. bonne*) ein feines Gehör haben; F *je suis tout* ~ ich bin ganz Ohr; **2.** *icht.* ~*s pl.* Kiemen *f/pl.*; **3.** ♪, ⚠ Schalloch *n*.

ouiller [u'je] *v/t.* (1a) *Wein* nach-, auf-füllen.

ouïr [wi:r] *v/t.* (*nur noch im inf., part. u. in zs.-gesetzten Zeiten*) **1.** hören; *j'ai ouï dire* ich habe sagen hören; **2.** ⚖ verhören: *ouï les témoins* nach Vernehmung der Zeugen; ~ *les experts* die Sachverständigen hören.

ouistiti *zo.* [wisti'ti] *m* (*mst. le* ~, *aber auch l'*~) Pinseläffchen *n*.

oukase [u'kɑ:z] *m* Ukas *m*, unwiderruflicher Befehl *m*.

ouragan [ura'gɑ̃] *m* Orkan *m*, Wirbelsturm *m*.

Oural *géogr.* [u'ral] *m*: **l'**~ der Ural, das Uralgebirge.

ouralien *géogr.* [ura'ljɛ̃] *adj.* (7c) uralisch.

ouraque *anat.* [u'rak] *m* Harngang [*m.*]

ourd|ir [ur'di:r] *v/t.* (2a) **1.** *text.* (an)zetteln; *Stroh* flechten; **2.** *fig.* anzetteln; **~isseur** [~di'sœ:r] *m text.* Anzettler *m*; ⊕ Zettelmaschine *f*; *fig.* Anstifter *m*.

ourl|er [ur'le] *v/t.* (1a) (be)säumen; **~et** [~'lɛ] *m* Saum *m*; ⊕ Rundkante *f*.

ours [urs] **I** *su.* Bär *m*; ~ *blanc*, ~ *polaire* Eisbär *m*; ~ *brun* Braunbär *m*; ~ *marin* Seebär *m*; *compère l'*~ Meister Petz *m*; *enf.* ~ *en peluche* Teddybär *m* (*Spielzeug*); ~*e f* Bärin *f*; *ast. la Grande* ♀*e* der Große Bär (*od.* Wagen); **II** *m* F *fig.* bärbeißiger Mensch *m*; ~ *mal léché* Grobian *m*; **~in** [ur'sɛ̃] *m* **1.** *zo.* Seeigel *m*; **2.** Bärenfell *n*; **~on** [~'sɔ̃] *m* junger Bär *m*; ✝ Teddyplüsch *m*.

oust(e)! P [ust] *int.* raus!, raus (*od.* weg) hier!; hau ab!; los!; schnell!

outarde *orn.* [u'tard] *f* Trappe *f*.

outil [u'ti] *m* Werkzeug *n*; ~*s pl.* Handwerkszeug *n*; **~lage** [uti'ja:ʒ] *m* Gerät *n*, Handwerkszeug *n*; technische Anlagen *f/pl.*; **~ler** [uti'je] *v/t.* (1a) mit Werkzeugen ausrüsten; F *fig. être bien outillé pour qch.* für etw. (*acc.*) wie geschaffen sein; **~lerie** [utij'ri] *f* Werkzeug-fabrik *f*, -handel *m*; **~leur** [uti'jœ:r] *m* Werkzeugschlosser *m*.

outra|ge [u'tra:ʒ] *m* Beleidigung *f*; ⚖ ~ *à magistrat* Amtsverletzung *f*; ~ *aux bonnes mœurs* Verstoß *m* gegen die guten Sitten; *fig.* ~*s pl. du temps* Zahn *m/sg.* der Zeit; **~geant** [utra'ʒɑ̃] *adj.* (7) beleidigend; **~ger** [~'ʒe] *v/t.* (1l) beleidigen, kränken; *fig.* mit Füßen treten, verletzen; **~geusement** [~ʒøz'mɑ̃] *adv. fig.* äußerst, furchtbar, zuviel, übertrieben, maßlos.

outran|ce [u'trɑ̃:s] *f* **1.** Übertreibung *f*, Überspanntheit *f*; Maßlosigkeit *f*; **2.** *à* ~ *advt.* (aufs) äußerst(e); ⚔ auf Leben und Tod; **~cier** [~trɑ̃'sje] *adj.* (7b) übertrieben, maßlos.

outre[1] ['utrə] *f* Schlauch *m* (*Tierfell*); ~ *à vin* Weinschlauch *m*.

outre[2] [~] **I** *prp.* jenseits (*gén.*), über (*dat. bzw. acc.*); neben (*dat.*), außer (*dat.*; = *darüber hinaus*); ~ *mesure* über die Maßen; **II** *adv.* weiter; *passer* ~ *à qch.* sich über etw. (*acc.*) hinwegsetzen, etw. nicht berücksichtigen; *en* ~ außerdem, ferner, überdies, darüber hinaus; **III** *cj.* ~ *que* ... abgesehen davon, daß ...

outré [u'tre] *adj.* **1.** entrüstet, aufgebracht, außer sich, empört; **2.** übertrieben; überspannt.

outre-Atlantique [utratlɑ̃'tik] *adv.* jenseits des Atlantiks.

outrecui|dance *litt.* [utrəkɥi'dɑ̃:s] *f* Übermut *m*, Vermessenheit *f*, Anmaßung *f*; **~dant** [~'dɑ̃] *adj.* (7) übermütig, dünkelhaft, vermessen.

outre|-Manche [utrə'mɑ̃:ʃ] *adv.* jenseits des (Ärmel-)Kanals; **~mer**[1] [~'mɛ:r] *m* Ultramarin *n*; **~-mer**[2] [~] *adv.* jenseits des Meeres; d'~ überseeisch, Übersee...; **~(-)monts** [~'mɔ̃] *adv.* jenseits der Berge; **~-passer** [~pa'se] (1a) **I** *v/t. fig.* überschreiten; ~ *son droit* sein Recht überschreiten; **II** *ch. v/i.* über die Fährte hinweglaufen (*v. Hunden*).

outrer [u'tre] *v/t.* (1a) **1.** übertreiben, zu weit (*od.* auf die Spitze) treiben; **2.** empören.

outre-Rhin [utrə'rɛ̃] *adv.*: *aller* ~ auf das rechte Rheinufer (hinüber-) gehen; d'~ überrheinisch.

outrigger ⚓ [awtri'gœ:r] *m* Auslegerboot *n*.

outsider *Sport*, *fig.* [awtsaj'dœ:r, utsi'dɛ:r] *m* Außenseiter *m* (*a. fig.*).

ouvert [u'vɛ:r] *adj.* (7) geöffnet, offen (*a. fig.*); *fig.* aufgeschlossen.

ouver|tement [uvɛrtə'mɑ̃] *adv.* offen, unverhohlen; **~ture** [~'ty:r] *f* **1.** Öffnung *f*, Loch *n*; Spalt *m*; ~*s pl.* Türen *f/pl.* und Fenster *n/pl.*; ✈ ~ *de soute* Bombenschacht *m*; *phot. objectif m à grande* ~ lichtstarkes Objektiv *n*; **2.** ⚠, ⊕ Weite *f*; Tür *f*; Fenster(weite *f*) *n*; ~ *d'une voûte* Spannweite *f* e-s Gewölbes; **3.** Öffnen *n*, Aufmachen *n*; Eröffnung *f*; **4.** Anfang *m*; *discours m d'*~ Eröffnungsrede *f*; **5.** ♪ Ouvertüre *f*; Anfangsstück *n*; **6.** Vorschlag *m*; ~*s f/pl. de paix* Friedensvorschläge *m/pl.*; **7.** ✝ ~ *éclair* Aufreißpackung *f*.

ouvra|ble [u'vrablə] *adj.* **1.** verarbeitbar; **2.** *jour m* ~ Wochentag *m*, Arbeits-, Werk-tag *m*; **~ge** [~'vra:ʒ] *m* **1.** Arbeit *f*; ⚒ Abbau *m*, Aushieb *m*, Verhau *m*, Verhieb *m*; ~ *gâché* Pfuscharbeit *f*; ⚠ *gros* ~*s pl.* Rohbau *m*; *menus* ~*s pl.* kleinere Arbeiten *f/pl.*, Ausbau *m/sg.*; *sculp.* ~ *relevé* erhabene Arbeit *f*; *se mettre à l'*~ sich an die Arbeit machen; 🚂 ~ *d'art* Brücke *f*, Tunnel *m*, Viadukt *m*; **2.** Schrift *f*, (geschriebenes) Werk *n*; **3.** *boîte f à* ~ Nähkasten *m*; *table f à* ~ Nähtisch *m*; **4.** ⚔ *frt.* Bunker *m*, (vorgeschobenes) Schanzwerk *n*; ~ *de campagne* Feldschanze *f*; ~ *à cornes* Hornwerk *n*; ~ *détaché* Außenwerk *n*; ~*s défensifs souterrains* unterirdische Verteidigungsanlagen *f/pl.*; ~ *non revêtu* Erdschanze *f*; **~ger** [~'ʒe] *v/t.* (1l) verzieren; *fig.* (mühsam) ausarbeiten, sorgfältig überarbeiten.

ouvrant [u'vrɑ̃] **I** *adj.* ⚖ *à audience* ~*e* zu Beginn der Sitzung; *à jour* ~ bei Tagesbeginn; *Auto*: *toit m* ~ Schiebedach *n*; **II** *m* beweglicher Seitenflügel *m e-s Gemäldes*.

ouvreau ⊕ [u'vro] *m* (5b) Ofenloch *n* (*e-s Glas- od. Werk-ofens*).

ouvre|-boîte [uvrə'bwat] *m* (6g) Büchsenöffner *m*; **~-bouche** ⚕ [~'buʃ] *m* (6g) Mundöffner *m* (*Zahnarzt*); **~-bouteilles** [~bu'tɛj] *m* (6c) Flaschenöffner *m*; **~-gants** [~'gɑ̃] *m* (6c) Handschuhweiter *m*.

ouvrer [u'vre] *v/t.* (1a) *text.* blümen; be-, ver-arbeiten; veredeln; *du linge ouvré* geblümtes Tischzeug *n*.

ouvr|eur [u'vrœ:r] *su.* (7g) Öffner *m*; **~euse** *cin.* [~'vrø:z] *f* Platzanweiserin *f*; *thé.* Logenschließerin *f*.

ouvrier [uvri'e] (7b) **I** *su.* (Fabrik-) Arbeiter *m*; Handwerker *m*; Arbeitnehmer *m*; ~ *agricole* Landarbeiter *m*; ~ *de l'industrie* Industriearbeiter *m*; ~ *métallurgiste* Metallarbeiter *m*; ~ *qualifié* Facharbeiter *m*; *simple* ~ ungelernter Arbeiter *m*; ~ *spécialisé* angelernter Arbeiter *m*; *les* ~*s pl.* die Arbeitskräfte *f/pl.*; ~ *du port* Hafenarbeiter *m*; ~ *à façon* Heimarbeiter *m*; ~ *aux pièces* Akkord-, Stück-arbeiter *m*; ~ *en bâtiment* Bauhandwerker *m*; **II** *adj.* Arbeiter..., arbeitend; *maître m* ~ Werkführer *m*; *cité f ouvrière* Arbeitersiedlung *f*; *classe f ouvrière*

Arbeiterklasse *f*; *abeille f ouvrière* Arbeitsbiene *f*.

ouvrir [u'vri:r] (2f) **I** *v/t.* **1.** öffnen, auf-machen, -drehen, -spannen; -reißen, -schlagen; -ziehen; -stoßen; -schlitzen, -stechen; -beißen; *ouvert* geöffnet, offen; ⚡ ~ *le circuit* den Stromkreis öffnen; ausschalten; *Auto*: ~ *les gaz à fond* Vollgas geben; ~ *l'appétit* den Appetit anregen; ~ *une bête* ein Stück Wild ausweiden; ~ *un pays à l'exploitation* ein Land erschließen; ~ *en grand la radio* das Radio ganz laut anstellen; ~ *en grand* ganz aufdrehen (*Wasserhahn*); *il a l'esprit ouvert* er ist geistig aufgeschlossen; *advt.*: *à bras ouverts* mit offenen Armen; *à cœur ouvert* offenherzig; *chanter (jouer) à livre ouvert* vom Blatt singen (spielen); **2.** ⊕ e-e Öffnung machen (anlegen, anbringen in [*dat. u. acc.*]); ⚠ ~ *au burin* aufmeißeln; **3.** *fig.* anfangen, beginnen; *la séance est ouverte* die Sitzung ist eröffnet; ⚔ ~ *le feu* das Feuer eröffnen; **4.** ✝ *compte m ouvert* laufende Rechnung *f*; **5.** *gr. e ouvert* offenes e (è, ê [ɛ]); **II** *v/i.* **6.** aufgemacht werden, sich öffnen; *la porte ouvre sur ...* die Tür führt auf ... (*acc.*) *bzw.* in ... (*acc.*); *abs.* ~ *à q.* j-m aufmachen; **III** *v/rfl.* s'~ sich öffnen, aufgehen, aufspringen; gähnen (*Abgrund*); sich teilen; s'~ *à q.* sich j-m eröffnen *od.* anvertrauen.

ovaire [ɔ'vɛ:r] *m anat.* Eierstock *m*; ♀ Fruchtknoten *m*.

ova|laire [ɔva'lɛ:r] *adj.* ⚕ eiförmig; **~le** [ɔ'val] **I** *adj.* oval, eirund, länglichrund; **II** *géom. m* Oval *n*; **~liser** [~li'ze] (1a) **I** *v/t.* oval machen; **II** *v/rfl.* s'~ oval werden.

ovariotomie *chir.* [ɔvarjɔtɔ'mi] *f* Entfernung *f* des Eierstocks.

ovation [ɔvɑ'sjɔ̃] *f* Ovation *f*, feierliche Ehrenbezeigung *f*; **~ner** [ɔvɑsjɔ'ne] *v/t.* (1a): ~ *q.* j-m zujubeln.

ove ⚠ [ɔ:v] *m* eirunde Verzierung *f*.

ové [ɔ've] *adj.* eiförmig.

ovicule ⚠ [ɔvi'kyl] *m* kleiner Wulst *m*, kleiner eirunder Zierat *m*.

ovi|fère [ɔvi'fɛ:r] *adj.* eiertragend; **~forme** [~'fɔrm] *adj.* eiförmig.

ovin [ɔ'vɛ̃] *adj.* Schafs...

ovipare 🕮 [ɔvi'pa:r] *adj. u. m zo.* eierlegend(es Tier *n*).

ovni *abr.* [ɔv'ni] *m* nicht identifizierter fliegender Raumkörper *m*.

ovoïde [ɔvɔ'id] *adj.* (5c) eiförmig.

ovovivipare *zo.* [ɔvɔvivi'pa:r] *adj.* die Eier im Innern des Körpers ausbrütend.

ovule *biol.* [ɔ'vyl] *m* Eizelle *f*.

oxy|dable ⚗ [ɔksi'dablə] *adj.* oxydierbar; **~dant** ⚗ [~'dɑ̃] *adj.* (7) oxydierend; **~dation** ⚗ [~dɑ'sjɔ̃] *f* Oxydierung *f*; Rosten *n*; **~de** ⚗ [ɔ'ksid] *m* Oxyd *n*; **~dé** ⚗ [~'de] *adj.* zerfressen, oxydiert; **~der** ⚗ [~] (1a) **I** *v/t.* oxydieren; **II** *v/rfl.* s'~ oxydieren, anlaufen, rosten; **~génable** ⚗ [~ʒe'nablə] *adj.* oxydierbar; **~génateur** ⚗ [~ʒena'tœ:r] *m* Sauerstofferzeuger *m*; **~génation** ⚗ [~ʒenɑ'sjɔ̃] *f* Oxydierung *f*; **~gène** ⚗ [~'ʒɛn] *m* Sauerstoff *m*; **~géné** ⚗ [~ʒe'ne] *adj.* sauerstoffhaltig; *eau f* **~e** Wasserstoffsuperoxyd *n*; *blond* ~ wasserstoffblond; *non* ~ ohne Sauerstoff; **~géner** ⚗ [~] (1f) **I** *v/t.* mit Sauerstoff anreichern; *Haare* blond färben; **II** *v/rfl.* s'~ Sauerstoff aufnehmen; **~génothérapie** ⚕ [~ʒenɔtera'pi] *f* Sauerstofftherapie *f*; **~mètre** [~'mɛ:trə] *m* Säuremesser *m*; **~ure** *zo.* [ɔk'sjy:r] *f* Madenwurm *m*.

ozo|ne ⚗ [o'zɔn] *m* Ozon *n*; **~né** [~'ne], **~nifère** [~ni'fɛ:r] *u.* **~nisé** [~ni'ze] *adj.* ozonhaltig; **~nisation** ⚗ [~nizɑ'sjɔ̃] *f* Umwandlung *f* in Ozon; **~niser** ⚗ [~ni'ze] *v/t.* (1a) ozonisieren; **~niseur** ⊕ [~ni'zœ:r] *m* Ozonisierungsapparat *m*; **~nométrie** ⚗ [~nɔme'tri] *f* Ozonmessung *f*.

P

P, p [pe] *m* P, p *n*.

paca|ge ⸙ [pa'ka:ʒ] *m* (Vieh-)Weide *f*; ~ *alpestre* Alm *f*; **~ger** [~ka'ʒe] *v/i.* (1l): *faire* ~ weiden lassen.

pachyderme *zo.* [paʃi- *od.* ~ki-'dɛrm] *m* Dickhäuter *m*.

paci|ficateur [pasifika'tœ:r] *adj. u. su.* (7f) Frieden stiftend; Frieden(s)-stifter *m*; **~fication** [~fika'sjõ] *f* Friedensstiftung *f*, Befriedung *f*; **~fier** [~'fje] *v/t.* (1a) befrieden, beruhigen; ~ *un pays* ein Land befrieden; **~fique** [~'fik] *adj.* □ **1.** friedliebend; **2.** friedlich; *l'océan m* ♀ *od. le* ♀ der Stille Ozean; **~fisme** [~'fism] *m* Pazifismus *m*; **~fiste** [~'fist] *m u. adj.* Pazifist *m*; pazifistisch.

packages *inform.* [pa'ka:ʒ] *m/pl.* Gesamtheit *f* der Programme.

pacotille *péj.* [pakɔ'tij] *f* ✝ Ausschußware *f*; Schund *m*; *de* ~ wertlos; falsch.

pacsif * [pak'sif] *m* Paket *n*.

pact|e [pakt] *m* Pakt *m*, Abkommen *n*; Vertrag *m*; ~ *d'assistance* (*mutuelle*) Beistandspakt *m*; ~ *d'amitié* Freundschaftspakt *m*; ~ *de non-agression* (*de non-immixtion*) Nichtangriffs- (Nichteinmischungs-)pakt *m*; **~iser** [~ti'ze] *v/i.* (1a) e-n Vertrag schließen (*avec* mit *dat.*), paktieren.

pactole *litt.* [pak'tɔl] *m* Quell *m des Reichtums*; ~ *de santé* Gesundheitsquell *m*.

paddock [pa'dɔk] *m* **1.** Pferdekoppel *f*; **2.** P Bett *n*, Falle *f* P, Klappe *f* P.

paed(i)omètre [ped(j)ɔ'mɛ:trə] *m* Meßstange *f* zur Messung der Körpergröße von Kindern.

paedologie 📖 [pedɔlɔ'ʒi] *f* Pädologie *f*, Lehre *f* über die Kindheitsjahre.

paf! [paf] **I** *int.* paff! (*Schuß*); plumps!, plauz! (*Fall*); **II** P *adj./inv.* blau, besoffen.

pagaie ⚓ [pa'gɛ] *f* Paddel *n*.

pag|aïe, ~aille, ~aye F [pa'gaj] Wirrwarr *m*, Durcheinander *n*, Trubel *m*, Unruhe *f*, Verwirrung *f*.

paganis|ation [paganiza'sjõ] *f* Umformung *f* zum Heidentum; **~er** [~ni'ze] *v/t.* (1a) heidnisch machen; **~me** [~'nism] *m* Heidentum *n*.

pagay|age ⚓ [pagɛ'ja:ʒ] *m* Paddelsport *m*; **~er** [~gɛ'je] *v/i.* (1i) paddeln; **~eur** [~'jœ:r] (7g) Paddler *m*.

page[1] [pa:ʒ] *m hist.* Page *m*, Edelknabe *m*; *heute noch in*: *il est hors de* ~ (*od. sorti de* ~) er ist den Kinderschuhen entwachsen.

page[2] [~] *f* (*Schrift-*, *Druck-*)Seite *f*; *à chaque* ~ auf jeder Seite; *à la* ~ *6*, *heute oft*: *en* ~ *6* auf Seite 6; *voir* ~ *6* siehe Seite 6; *suite* (*en*) ~ *6* Fortsetzung Seite 6; ~ *blanche* unbeschriebene Seite *f*, weißes Blatt *n*; ~ *magazine* Unterhaltungsbeilage *f*; ~ *spécimen* Probeseite; *fig. être à la* ~ mit der Zeit gehen, im Bilde sein, auf dem laufenden (*od.* auf der Höhe) sein; die Mode mitmachen; *gens m/pl. à la* ~ Leute *pl.*, die auf der Höhe sind.

pageot P [pa'ʒo] *m* Bett *n*, Falle *f* P.

pagin|ation [paʒina'sjõ] *f* Paginierung *f*, Seitenbezeichnung *f*; **~er** [~'ne] *v/t.* (1a) paginieren.

pagne [paɲ] *m* (Lenden-)Schurz *m*.

paie [pɛ] *f* s. *paye*.

paiement [pɛ'mɑ̃] *m* Zahlung *f*; Bezahlung *f*; ~ *anticipé* Vorauszahlung *f*; ~ *comptant* Barzahlung *f*; ~ *forfaitaire* Pauschalzahlung *f*; ~ *par acomptes*, ~ *à compte*, ~ *échelonné*, ~ *partiel* Raten-, Teilzahlung *f*; ~ *mensuel* monatliche Zahlung *f*; ~ *du* (*od. pour*) *solde* Restzahlung *f*; *trafic m des* ~*s* Zahlungsverkehr *m*; ~ *supplémentaire* (*od.* ~ *ultérieur*) Nachzahlung *f*; *faire un* ~ eine Zahlung leisten; *prendre en* ~ in Zahlung nehmen.

païen [pa'jɛ̃] (7c) **I** *adj.* heidnisch; *fig.* gottlos; **II** *su.* Heide *m*.

paillage ⸙ [pa'ja:ʒ] *m* Bedecken *n* mit Stroh.

paillard [pa'ja:r] *adj.* (7) *u. m* lustig-frivol; unzüchtig, schweinisch P; Wollüstling *m*; **~ise** [~'di:z] *f* leichte Frivolität *f*, Schweinerei *f*.

paillas|se [pɑ'jas] *f* **1.** Strohsack *m*; **2.** P Bauch *m*; **3.** *cuis.* a) Herdmauer *f*; b) Abtropfbecken *n*; **4.** *litt.* Hanswurst *m*; **~son** [~'sõ] *m* **1.** Fußabtreter *m* (*aus Stroh od. Binsen*); ✓ Strohmatte *f* (*für Mistbeete, Spalierobst usw.*); **2.** *péj.* Kriecher *m*; **3.** * Hure *f*; **4.** geflochtener Damenstrohhut *m*.

paille [pɑːj] *f* **1.** Stroh *n*; *une botte de* ~ ein Bund *n* Stroh; *chapeau m de* ~ Strohhut *m*; *feu m de* ~ *fig.* Strohfeuer *n* (*a. fig.*); *grande* ~ Langstroh *n*; ~ *comprimée* Preßstroh *n*; ~ *hachée* Häcksel *m od. n*; *homme de* ~ a) Fatzke *m*, Waschlappen *m*, Pflaume *f*; b) *fig.* Strohmann *m*; ~ *tressée* Strohmatte *f*; *coucher sur la* ~ *fig.* ganz auf den Hund gekommen sein, im äußersten Elend leben; *mettre q. sur la* ~ j-n an den Bettelstab bringen; **2.** (*brin m de*) ~ Strohhalm *m*; *tirer à la courte* ~ mit Hälmchen losen; **3.** *vin m de* ~ Strohwein *m* (*aus getrockneten Trauben*); **4.** *couleur f* (*de*) ~ Stroh-farbe *f*, -gelb *n*; strohfarben; **5.** ⊕ Fleck *m in Diamanten*; ⊕ Schweißfehler *m*, brüchige Stelle *f*; ~ *de fer* Eisen-, Stahl-, Feil-späne *m/pl.*

paillé [pɑ'je] **I** *adj.* **1.** strohfarben; **2.** ⊕ brüchig, zerbrechlich; **II** *m* strohiger Stallmist *m* (*eines Tages*).

pailler[1] [~] *v/t.* (1a) **1.** mit Stroh bedecken; **2.** *Stühle* aus Stroh flechten.

pail|ler[2] [~] *m* Stroh-hof *m*, -schuppen *m*, -miete *f*; *fig.* *être sur son* ~ bei sich zu Hause sein eigener Herr sein; **~let** [~'jɛ] **I** *adj. u. m*: (*vin m*) ~ Bleichert *m* (*hellroter Wein*); **II** ⚓ *m* (Schutz-)Matte *f*.

paillet|er [pɑj'te] *v/t.* (1c) mit Flitter besetzen; **~eur** [~'tœːr] *m* Gold-wäscher *m*, -gräber *m*; **~te** [pɑ'jɛt] *f* **1.** Flitter *m*; **2.** Goldkörnchen *n*; ~ *d'or* Goldblättchen *n*; **3.** fehlerhafte Stelle *f e-s Diamanten*; **4.** ⊕ schuppenförmiges Blech *n*; ~ *de fer* Eisensplitter *m*; ~ *en métal* Blattmetall *n*, Metallfolie *f*; **5.** ⚘ Spreublättchen *n*.

paill|eux [pa'jø] *adj.* (7d) **1.** brüchig, spröde, bröckelig, zerbrechlich; **2.** ✓ *fumier m* ~ strohiger Dung *m*; **~is** [~'ji] *m* Streu *f auf Gartenbeeten*; **~on** [~'jõ] *m* **1.** Flaschenhülse *f* aus Stroh, Strohhülse *f*, -verpackung *f*; **2.** ~ *de cuivre argenté* (*od. plaqué*) plattierte Kupferfolie *f*, unechte Silberfolie *f* (*Juwelierarbeit*); **~ote** [~'jɔt] *f* Strohhütte *f*.

pain [pɛ̃] *m* **1.** Brot *n*; ~ *bis*, ~ *noir* Schwarzbrot *n*, Vollkornbrot *n*; ~ *noir de Westphalie* Pumpernickel *m*; ~ *blanc* Weißbrot *n*; ~ *brioché* Butterstolle *f*; ~ *complet* Schrotbrot *n*; ~ *d'épice* Pfeffer-, Lebkuchen *m*; ~ *frais*, ~ *tendre* frisches Brot *n*; ~ *de ménage* selbstgebackenes Brot *n*; ~ *long* Kaviarbrot *n*, französisches Weißbrot *n*; ~ *mollet* Milchbrot *n*; ~ *de munition* Kommißbrot *n*; *petit* ~ Brötchen *n*, Semmel *f*; *petit* ~ *au lait* Milchbrötchen *n*; ~ *rassis* alt(backen)es Brot *n*; *fig. il est bon comme le* ~ er hat das Herz auf dem rechten Fleck; *avoir du* ~ *sur la planche* die Hände voll zu tun haben; *mettre q. au* ~ *et à l'eau* j-n auf Wasser u. Brot setzen; **2.** *fig.* Nahrung *f*, Unterhalt *m*, Verdienst *m*; *demander son* ~ von Almosen leben; *gagner son* ~ s-n Lebensunterhalt verdienen; *cela se vendra comme du* ~ das wird wie warme Semmeln gehen (*od.* reißenden Absatz finden); **3.** *pâte f de* ~ Brotteig *m*; **4.** Klumpen *m*, Masse *f*, Stück(chen *n*) *n*; ~ *de beurre* Klumpen *m* Butter; ~ *de bougie* Wachsstock *m*; ~ *d'olives* Ölkuchen *m*; ~ *de savon* Stück *n* Seife; ~ *de sucre* Zuckerhut *m*; *cuis.* ~ *de veau* falscher Hase *m*; *métall.* ~ *d'acier* Stahlluppe *f*; ~ *de liquation* Frischstück *n*; **5.** ✓ *arbre m à* ~ Brotbaum *m*; ~ *de pourceau* Saubrot *n*; ~ *de singe* Affenbrot *n*; **6.** P Faustschlag *m*; Ohrfeige *f*.

pair [pɛːr] **I 1.** *adj.*: *nombre m* ~ gerade Zahl; **II** *m* **2.** (*mst. pl.*) der Gleiche *m*, Ebenbürtige *m*; *être jugé par ses* ~*s* von seinesgleichen beurteilt werden; *hors* (*de*) ~ unvergleichlich; **3.** ✝ Pari *n*, Parität *f*, gleicher Wert *m*; ~ *de change* Wechselparität *f*; *être au* ~ al pari (*od.* auf dem Nennwert) stehen; *fig.* aufgearbeitet (*od.* aufgeholt) haben; *il est au* ~ *dans une maison* er hat e-e Stelle für freie Kost u. Logis; **4.** *advt.* de ~ auf gleichem Fuß; *aller de* ~ *avec q.* gleichen Schritt mit j-m halten; *fig.* mit j-m auf gleicher Stufe stehen; *fig. marcher de* ~ Hand in Hand arbeiten; **III** *m* (*f*: **~esse** [pɛ'rɛs]) *hist. Fr.* Pair *m*; Paladin *m*; *England*:

Peer *m*; *la Chambre des* ~*s* das englische Oberhaus.
paire [~] *f* **1.** Paar *n von Tieren*; ~ *de bœufs* Ochsengespann *n*; ~ *de chevaux* Pferdegespann *n*; *une* ~ *de pigeons* ein Taubenpaar *n*; **2.** Paar *n von gleichartigen Sachen*; *une* ~ *de souliers* ein Paar Schuhe; *les deux font la* ~ die beiden gehören zusammen; *une* ~ *de lunettes* eine Brille; *une* ~ *de ciseaux* eine Schere.
paisible [pe'ziblə] *adj.* □ **1.** friedlich; **2.** ruhig, still; **3.** ⚖ ungestört im Besitz, unangefochten.
paître ['pɛːtrə] *v/i.* (4z) *v/dft.* weiden; *mener* ~ auf die Weide führen; F *envoyer q.* ~ j-n zum Teufel jagen.
paix [pɛ] *f* **1.** Friede(n) *m*; *traité m de* ~ Friedensvertrag *m*; *en temps de* ~ in Friedenszeiten; ~ *blanche* Friede *m* ohne Sieg; ~ *d'entente* (*de renonciation*) Verständigungs-(Verzicht-)friede *m*; ~ *fourrée*, ~ *plâtrée* Scheinfriede *m*; ~ *séparée* Sonderfriede *m*; *faire la* ~ Frieden schließen; **2.** *fig.* Eintracht *f*; Ruhe *f*, Frieden *m*; Stille *f*, Schweigen *n*; *fig. ne donner ni* ~ *ni trêve à q.* j-m weder Ruhe noch Rast gönnen; *laisser q. en* ~ j-n in Ruhe lassen; P *fiche-moi* (*od.* V *fous-moi*) *la* ~! *od. nur*: *la* ~! laß mich in Ruhe!; *laisser les morts en* ~ die Toten ruhen lassen.
Pakistan *géogr.* [pakis'tɑ̃] *m*: **le** ~ Pakistan *n*; ~**ais** [~ta'nɛ] *su. u.* ♀ *adj.* (7) Pakistaner *m*; pakistanisch.
pal [pal] *m* (*pl.* ~s) Pfahl *m*.
pala|bre [pa'lɑːbrə] *f* **1.** *mst. pl.* Verhandlung *f* mit e-m Negerhäuptling; **2.** *péj.* langweiliges Gerede *n*, Gefasele *n*; ~**brer** [~lɑ'bre] *v/i.* (1a) faseln, palavern, quatschen.
palace *néol.* [pa'las] *m* modernes Luxushotel *n*; Luxusbau *m*.
palafitte *hist.* [pala'fit] *m* Pfahlbau *m*.
palais[1] [pa'lɛ] *m* **1.** Palast *m*, Prachtbau *m*; Schloß *n*; *féod.* Pfalz *f*; ~ *du gouvernement* Regierungsgebäude *n*; **2.** ⚖ ♀ *de Justice* Justizpalais *n*, Gerichts-hof *m*, -gebäude *n*; *gens m/pl. de* (*od. du*) ♀ Gerichtspersonen *f/pl.*; *en style de* ♀ in der Gerichtssprache; **3.** *modern*: (Ausstellungs-)Halle *f*.
palais[2] [~] *m* Gaumen *m*; ~ *artificiel* Gaumenplatte *f*; *avoir le* ~ *fin* ein Feinschmecker sein.
palan [pa'lɑ̃] *m* ⊕ Flaschenzug *m*; ⚓ Talje *f*, Takel *n*, Schiffswinde *f*; ⊕ ~ *roulant* Laufkatze *f*; ~**che** [pa'lɑ̃ːʃ] *f* Tragejoch *n* (*für Wasserträger*); ~**çons** [palɑ̃'sɔ̃] *m/pl.* Schal-wandung *f*, -holz *n*; ~**guer**, ~**quer** ⚓ [~lɑ̃'ge, ~lɑ̃'ke] (1m) **I** *v/i.* sich e-r Talje bedienen; **II** *frt. v/t.* mit Pfahlwerk verschanzen; ~**que** *frt.* [pa'lɑ̃ːk] *f* Pfahlwerk *n*; ~**quin** [~lɑ̃'kɛ̃] *m* Palankin *m*, Sänfte *f* (*Orient*).
palatal *gr.* [pala'tal] *adj.* (5c) palatal, Gaumen...
palatin[1] *géogr.* [pala'tɛ̃] **I** *adj.* (7) pfälzisch; **II** *m le* (*mont*) ♀ der Palatin.
palatin[2] *anat.* [~] *adj.* (7) Gaumen...
Palatinat *géogr.* [palati'na] *m*: **le** ~ die Pfalz.
pale[1] *rl.* [pal] *f* Kelchdeckel *m*.
pale[2] [~] *f* **1.** ✈ ~ *d'hélice* Luftschraubenblatt *n*, Propeller-blatt *n*, -flügel *m*; **2.** ⚓ ~ *d'aviron*, ~ *de rame* Ruder-, Riemen-blatt *n*; **3.** ⊕ Schutzbrett *n*, (Zieh-)Schütze *f e-s Wasserkanals*; **4.** ⊕ spitz zulaufende (Palisaden-)Bohle *f*.
pâle [pɑːl] *adj.* **1.** blaß, bleich; fahl; **2.** *fig.* matt, kraftlos; **3.** * ⚔ krank.
paléacé ♀ [palea'se] *adj.* spreutragend.
palée ⚠ [pa'le] *f* Pfahlwerk *n*; Bohlenwand *f*; ~ *de pont* Brückenjoch *n*.
pale|frenier *féod.*, *péj.* [palfrə'nje] *m* Stallknecht *m*; ~**froi** *féod.* [~'frwa] *m* Zelter *m*.
paléo|cène *géol.* [paleɔ'sɛːn] *m* Paläozän *n*; ~**graphe** 📖 [~'graf] *m* Paläograph *m*; ~**graphie** 📖 [~gra'fi] *f* Paläographie *f*; ~**graphique** 📖 [~gra'fik] *adj.* paläographisch; ~**lithique** 📖 [~li'tik] *adj. u. m* paläolithisch; Paläolithikum *n*.
paléontolo|gie 📖 [paleɔ̃tɔlɔ'ʒi] *f* Paläontologie *f*; ~**gique** 📖 [~'ʒik] *adj.* paläontologisch; ~**gue** 📖 [~'lɔg] *m* Paläontologe *m*.
paleron [pal'rɔ̃] *m* Vorderbug *m*, Schulterblatt *n bei Tieren*.
Palestin|e *ehm. géogr.* [palɛs'tiːn] *f*: **la** ~**e** Palästina *n*; ~**ien** [~'njɛ̃] (7c) **I** *su.* Palästinenser *m*; **II** ♀ *adj.* palästinensisch.
palet [pa'lɛ] *m* Wurfscheibe *f*.
paletot [pal'to] *m* **1.** kürzerer, sportlicher Herrenmantel *m*, Überzieher *m*; dreiviertellanger Damenmantel *m*; **2.** Berufsjacke *f*; **3.** Jägerjackett *n*.
palett|e [pa'lɛt] *f* **1.** Schlegel *m*; Ballschläger *m*; **2.** *peint.* Palette *f*; **3.** ⊕ Schaufel *f am Wasserrad*; **4.**

⊕ Palette *f*, Hub-, Stapel-platte *f* (*zur mechanischen Warenbeförderung*); **5.** *cuis.* Schulterblatt *n* (*Fleisch*); **~isable** ⊕ [~ti'zablə] *adj.* für Hubplattentransport geeignet; **~isation** ⊕ [~tizɑ'sjɔ̃] *f* Hubplattentransport *m*; **~isé** ⊕ [~ti'ze] *adj.* auf Paletten verstaut; **~iser** ⊕ [~] *v/t.* (1a) auf Paletten verstauen.

palétuvier ⚘ [palety'vje] *m* Mangel-, Wurzel-baum *m.*

pâleur [pɑ'lœ:r] *f* Blässe *f.*

pali|er [pa'lje] *m* **1.** ⚠ Treppenabsatz *m*; **2.** 🚂, ⚠ Planum *n*, horizontale Strecke *f e-r Eisenbahnlinie od. Straße*; **3.** ⚒ ~ *d'exploitation* Abzugshängebank *f*; **4.** ⊕ (Zapfen-)Lager *n*; ~ *à billes* Kugellager *n*; ~ *graisseur* Schmierlager *n*; ~ *à rouleaux* Rollenlager *n*; **5.** ✈ Horizontalflug *m*; **6.** *fig.* Etappe *f* (*e-s Fortschritts*); *univ.* Studienabschnitt *m*; ~ *d'âge* Altersstufe *f*; **~ère** ⚠ [~'ljɛ:r] *adj./f*: *marche f* ~ oberste Treppenstufe *f*, Antrittsstufe *f*; *porte f* ~ Tür *f* zu e-m Treppenpodest.

palifi|cation ⚠ [palifikɑ'sjɔ̃] *f* Verpfählung *f*; **~er** ⚠ [~'fje] *v/t.* (1a) verpfählen.

palimpseste 📖 [palɛ̃'psɛst] *m* Palimpsest *m od. n.*

palingénésie [palɛ̃ʒene'zi] *f a. soc.* Palingenese *f*; *allg.* Wiedergeburt *f.*

palinodies [palinɔ'di] *f/pl.* Meinungsänderung *f.*

pâlir [pɑ'li:r] (2a) **I** *v/i.* blaß *od.* bleich werden; *fig.* verblassen, verschwinden; *fig.* ~ *sur ses livres* über s-n Büchern hocken, *écol.* büffeln; **II** *v/t.* blaß *od.* bleich machen.

palis [pa'li] *m* (Zaun-)Pfahl *m*; Staketenzaun *m*; **~sade** [~'sad] *f* **1.** ⚔ Palisade *f*, Pfahlwerk *n*; **2.** Pfahl-, Holz-zaun *m*; **3.** ⚠ Bauzaun *m*, Bretterzaun *m*, Pfahlwand *f*; **4.** ✓ lebende Hecke *f*; **~sader** [~sa'de] *v/t.* (1a) **1.** mit e-m Bretterzaun umgeben; **2.** einzäunen; **~sage** ✓ [~'sa:ʒ] *m* Anpfählen *n*, Einspalieren *n*; Spalierwand *f*; **~ser** ✓ [~'se] *v/t.* (1a) anpfählen, anspalieren.

palladium [pala'djɔm] *m* **1.** *myth.* Schutzbild *n*; *allg.* Gewähr *f*; **2.** ⚗ Palladium *n.*

palli|atif [palja'tif] *adj.* (7e) *u. m* lindernd(es), nur scheinbar heilend (-es Mittel *n*); *fig.* nur oberflächlich wirksame Maßregel *f*, Notbehelf *m*; **~ation** [~ljɑ'sjɔ̃] *f* Bemäntelung *f*, Beschönigung *f*, Verschleierung *f*; ⚕ vorübergehende Linderung *f*; ⚖ ~ *d'un bilan* Bilanzverschleierung *f*; **~er** [pa'lje] *v/t.* (1a) ⚕ lindern; *fig.* bemänteln, beschönigen.

palmaire *anat.* [pal'mɛ:r] *adj.* Hand…

palmarès [palma'rɛs] *m écol.* Liste der prämiierten Schüler; *Sport*: Siegerliste *f.*

palme [palm] *f* **1.** Palm(en)zweig *m*; *huile f de* ~ Palmöl *n*; *vin m de* ~ Palmwein *m*; **2.** Sieg(espalme *f*) *m*; *remporter la* ~ den Sieg davontragen; **3.** ~ *de caoutchouc* Schwimmflosse *f*; Gummiflosse *f* (*e-s Tauchergeräts*).

palmé [pal'me] *adj.* **1.** handförmig; **2.** *zo.* mit e-r Schwimmhaut versehen; F *avoir les pattes* ~*es* nichts tun wollen; **3.** F mit akademischen Palmenzweigen ausgezeichnet.

palmer[1] ⊕ [pal'mɛ:r] *m* Mikrometer *n.*

palmer[2] ⊕ [~'me] *v/t.* (1a) Nadelköpfe flachschlagen.

palm|eraie [palmə'rɛ] *f* Palmenhain *m*; **~ette** [~'mɛt] *f* **1.** ⚠ Palmette *f*, palmartige Verzierung *f*; **2.** ✓ symmetrische Spalierform *f* der Obstbäume; **~ier** [~'mje] *m* Palme *f*, Palm(en)baum *m*; ~ *dattier* Dattelpalme *f*; ~*-éventail* Fächerpalme *f.*

palmipède 📖 [~mi'pɛd] **I** *m* Schwimmvogel *m*; **II** *adj.* plattfüßig u. mit e-r Schwimmhaut an den Füßen versehen.

palmi|ste ⚘ [~'mist] *m* Zwergpalme *f*; **~te** [~'mit] *m* Palmenmark *n.*

palmure *orn.* [~'my:r] *f* Schwimmhaut *f.*

palois *Fr.*, *géogr.* [pa'lwa] *adj.* (7) aus Pau.

palombe *orn.* [pa'lɔ̃:b] *f* Ringeltaube *f.*

palonnier [palɔ'nje] *m* **1.** Ortscheit *n am Wagen*; **2.** ✈, ⊕ Schalt-, Fuß-hebel *m*; *Auto*: ~ *de frein* Bremsausgleich *m.*

pâlot [pɑ'lo] *adj.* (7c) bläßlich.

palourde [pa'lurd] *f eßbare* Seemuschel *f.*

palpable [pal'pablə] *adj.* □ greifbar; fühlbar; *fig.* handgreiflich.

palpe *ent.* [palp] *m* Fühler *m*, Taster *m*; *icht.* Bartfaser *f.*

palpébral *anat.* [palpe'bral] *adj.* (5c) Augenlid…

palper [pal'pe] *v/t.* (1a) betasten, befühlen; befingern F; *fig.* F *Geld* einstreichen (*od.* einkassieren).

palpeur [pal'pœ:r] *m* **1.** ⊕ Taster

m; **2.** *Auto*: Puffer *m* (*e-r Stoßstange*).
palpi|tant [palpi'tɑ̃] *adj.* (7) zukkend (*Herz*); *fig.* spannend, pakkend; **~tation** [~tɑ'sjɔ̃] *f* (krampfhaftes) Zucken *n*; *~s pl. du cœur* Herzklopfen *n*; **~ter** [~'te] *v/i.* (1a) (krampfhaft) zucken; klopfen, schlagen, pochen (*Herz*); wogen (*Busen*).
palplanche ⊕ [pal'plɑ̃:ʃ] *f* Spundbohle *f*.
paluche * [pa'lyʃ] *f* Hand *f*, Flosse *f* P.
palu|déen [palyde'ɛ̃] *adj.* (7c) Sumpf...; ⚕ *fièvre f ~ne* Malaria *f*, Sumpffieber *n*; **~dicole** [~di'kɔl] *adj.* sumpfbewohnend; **~dier** [~'dje] *m* Seesalinenarbeiter *m*; **~dification** [~difikɑ'sjɔ̃] *f* Versumpfung *f*; **~disme** [~'dism] *m* Malaria *f*, Sumpffieber *n*; **~stre** [~'lystrə] *adj.* Sumpf..., Moor...
pâm|er [pɑ'me] (1a): *se ~* außer sich geraten; *se ~ de rire* platzen vor Lachen, sich totlachen; *faire ~ d'aise* freudig überraschen, entzücken; **~oison** *plais.* [~mwa'zɔ̃] *f* Ohnmacht *f*.
pampa [pɑ̃'pa] *f* Pampa *f*.
pamphl|et [pɑ̃'flɛ] *m* Pamphlet *n*, Schmähschrift *f*; **~étaire** [~fle'tɛ:r] *m* Pamphletist *m*.
pamplemousse ⚘ [pɑ̃plə'mus] *f* Pampelmuse *f*, Grapefruit *f*.
pampre ⚘ ['pɑ̃:prə] *m* Weinranke *f*.
pan[1] [pɑ̃] *m* **1.** Bahn *f od.* Streifen *m e-s Stoffes*, Stoffbahn *f*; Rockschoß *m*; **2.** Δ Mauerfläche *f*; (Mauer-)Stück *n*; *~ de comble* Dachfläche *f*; *~ de verre* Δ Fensterfläche *f*; *~ coupé* abgestumpfte Ecke *f*; **3.** *~ de roche* Felswand *f*; **4.** *fig. un vaste ~ du ciel* e-e weite Himmelsfläche *f*; *des ~s entiers de l'industrie* ganze Industriezweige *m/pl.*
pan![2] [~] *int.* puff!; plauz!, bums!
panacée [pana'se] *f* Allheilmittel *n*.
panach|age *pol.* [~'ʃa:ʒ] *m* Zs.-setzung *f* von Kandidaten verschiedener Listen; **~e** [~'naʃ] *m* **1.** Helm-, Feder-busch *m*; *fig.* Eigenstolz *m*, persönliche Würde *f*, Haltung *f*, Schneid *m*; äußerlicher Glanz *m*; *~ de fumée* Rauch-wolke *f*, -säule *f*; *fig. faire ~ Auto*: sich überschlagen, umkippen; *Ski*: hinschlagen; **2.** Δ Gewölbezwickel *m*; **~é** [~'ʃe] *adj.* buntgestreift; gefleckt; F *fig.* gemischt; **~er** [~] *v/t.* (1a) **1.** mit e-m Federbusch verzieren; **2.** bunt (-streifig) machen; **3.** *pol.* Wahlliste bunt zs.-setzen; **~ure** [~'ʃy:r] *f* Farbenmischung *f*.
panade [pa'nad] *f* Brotsuppe *f*; *fig.* F Misere *f*.
panallemand *pol.* [panal'mɑ̃] *adj.* (7) gesamtdeutsch.
Panam|a [pana'ma] *m* **1.** *géogr.* **le ~** Panama *n*; **2.** ♀ Panamastrohhut *m*; **~(e)** * [pa'nam] *m* Paris *n*; **~éen** [~me'ɛ̃] *su. u.* ♀ *adj.* (7c) Panamaer *m*; panamaisch.
pan|américanisme *pol.* [panamerika'nism] *m* Panamerikanismus *m*; **~arabisme** *pol.* [~ara'bism] *m* Panarabismus *m*.
panard P [~'na:r] *m* Fuß *m*.
panaris ⚕ [pana'ri] *m* Nagelgeschwür *n*.
pancarte [pɑ̃'kart] *f* **1.** *a.* ✝ Anschlagzettel *m*; **2.** Transparent *n*.
panchromatique [pɑ̃krɔma'tik] *adj.* alle Farben aufweisend, farbig.
panclastite ⚗ [pɑ̃klas'tit] *f* flüssiger Sprengstoff *m*.
pancréas *anat.* [pɑ̃kre'ɑs] *m* Bauchspeicheldrüse *f*.
pandémonium *litt.* [~demɔ'njɔm] *m* Stätte *f* des Lasters.
pané *cuis.* [pa'ne] *adj.* paniert.
panégyri|que [paneʒi'rik] *m* feierliche Lobrede *f*; *péj.* Lobhudelei *f*; **~ste** [~'rist] *m* Lobredner *m*; *péj.* Lobhudler *m*.
panel *néol.* [pa'nɛl] *m* beratender Ausschuß *m*, Arbeitsgruppe *f*.
paner *cuis.* [pa'ne] *v/t.* (1a) panieren.
pane|tière [pan'tjɛ:r] *f* Brotkasten *m*; **~ton** [pan'tɔ̃] *m* Brotform *f*.
Paneurope [panœ'rɔp] *f*: **la ~** Paneuropa *n*.
paneuropéen [panœrɔpe'ɛ̃] *adj.* (7c) gesamteuropäisch.
pangolin *zo.* [pɑ̃gɔ'lɛ̃] *m* Schuppentier *n*.
panic ⚘ [pa'nik] *m* Hirse *f*.
panicaut ⚘ [pani'ko] *m* Männertreu *f*.
panicule ⚘ [pani'kyl] *f* Rispe *f*.
panier [pa'nje] *m* Korb *m*; Korbvoll *m*; *~ à anse* Henkelkorb *m*; *faire danser l'anse du ~* in die eigene Tasche wirtschaften; *~ à bouteilles* Flaschenkorb *m*; *~ de crabes fig.* Hexenkessel *m*, Gerangel *n*; 🚂 *~ de groupage* Gepäckkorb *m*; *~ métallique* Drahtkorb *m*; *fig. ~ à salade* Polizeiauto *n* für Gefangene, grüne Minna *f* P; F *les dessus du ~* das Beste; *c'est un ~ percé* das ist ein Erzverschwender; *sot comme un ~* stock-, sau-

dumm P; *mettre tous les œufs dans le même* ~ alles auf eine Karte setzen; *rad. antenne f en* ~ Korbantenne *f*.
panifi|able [pani'fjablə] *adj.* zur Brotbereitung geeignet; **~cation** [~fika'sjɔ̃] *f* Brotbereitung *f*; **~er** [~'fje] *v/t.* (1a) zu Brot backen.
panique [pa'nik] *adj. u. f*: *(terreur f)* ~ Panik *f*, panischer Schrecken *m*.
paniquer *néol.* F [~'ke] *v/i.* (1a) aus dem Konzept kommen; *a. se* ~ *de qch.* wegen etw. (*gén.*) die Nerven verlieren.
panislamisme *pol., rl.* [panisla'mism] *m* Panislamismus *m*.
panne[1] [pan] *f* **1.** *Auto, vél.*, ✈, *mot.*, ⚡ Panne *f*, Störung *f*; Versager *m*; ~ *de moteur* Motorenschaden *m*; *moteur m en* ~ ausgefallener Motor *m*; *être en* ~ *Auto*: Panne haben; *mot.* ausfallen, versagen; *Boot*: leck werden; ⚡ ~ *d'électricité* elektrische Störung *f*; *rester en* ~ *Auto*: wegen e-r Panne unterwegs liegenbleiben; *tomber en* ~ *d'essence* kein Benzin mehr haben; **2.** *thé.* armselige Rolle *f*; Steckenbleiben *n*; **3.** ⚓ *en* ~ beigedreht liegend; *mettre en* ~ beidrehen, beilegen.
panne[2] [~] *f charp.* Dachlatte *f*, Pfette *f*, Dachbalken *m*.
panne[3] [~] *f* (Bauch-)Fett *n der Schweine*.
panne[4] [~] *f* Felbel *m*, Pelzsamt *m*.
panné P [pa'ne] *adj.* pleite, ruiniert, erledigt.
panneau [pa'no] *m* (5b) **1.** ⚠ Füllung *f*; ~ *de porte* Türfüllung *f*; **2.** *ch.* Netz *n* für Hasen; *donner dans le* ~ in das Garn gehen; *fig.* sich anführen lassen, auf den Leim reinfliegen; **3.** *peint.* Holzplatte *f zum Bemalen*; **4.** ⊕ Fläche *f*; Platte *f*; Schild *n*; ⚠ Fachwerkfeld *n*; Fach *n*, Feld *n*, Paneel *n*; *text.* (Stoff-)Bahn *f*; ✈ Fach *n*, Feld *n*; ⚠ ~ *acoustique* Akustikplatte *f*; ✈ ~ *du ballon* Ballonbahn *f*; ⚔ ~ *de cible* Zielscheibenfeld *n*; ~ *de circulation* Verkehrsschild *n*; ⚠ ~ *comprimé* Preßholzplatte *f*; ✈ ~ *de déchirure* Reißbahn *f*; ⊕, ⚡ ~ *de distribution* Schalt-tafel *f*, -feld *n*; ✈ ~ *d'identification* (Flieger-)Sichtzeichen *n*, Flieger-, Erkennungs-, Signal-tuch *n*; ⊕ ~ *de revêtement* Verkleidungsblech *n*; ✈ ~ *de repère* Landezeichen *n*; ~ *de signalisation* Verkehrsschild *n*; ✈ (Flieger-)Sichtzeichen *n*, Signaltuch *n*; ~ *solaire* Sonnenpaddel *n* (*Skylab*); **~tage** ⚠ [~'taːʒ] *m* Wandplattenverkleidung *f*; **~ter** *ch.* [~'te] *v/t.* (1a) Garne (*od.* Netze) aufstellen.
panneton [pan'tɔ̃] *m* Schlüsselbart *m*; **~nage** ⚠ [~tɔ'naːʒ] *m* Dachziegelbefestigung *f* (*von unten*).
panonceau [panɔ̃'so] *m* (5b) Schild *n e-s Notars od. a. e-s Geschäfts*.
panoplie [panɔ'pli] *f* **1.** *féod.* vollständige Ritterrüstung *f*; **2.** Waffensammlung *f* (*an der Wand*); **3.** Rennfahrerausrüstung *f*; **4.** Karton *m* mit Spiel- *od.* Werk-zeug; **5.** *fig.* Zusammenspiel *n*.
panoptique [panɔp'tik] *m u. adj.*: (*bâtiment m*) ~ übersichtlicher Bau *m*.
panoram|a [panɔra'ma] *m* Panorama *n*, Rundblick *m*; Landschaftsgemälde *n*; Übersicht *f*; *phot.* ~ *en couleurs* Farbaufnahme *f*; ~ *des Alpes* Achterbahn *f*; **~ique** [~'mik] *adj.* Aussichts..., Rundblick...
pan|osse * [pa'nɔs] *f*, **~ouillard** * [~nu'jaːr] *m*, **~ouille** * [~'nuj] *f* Dummkopf *m*, Trottel *m*.
pansage [pɑ̃'saːʒ] *m* Wartung *f der Pferde*.
panse [pɑ̃ːs] *f* **1.** *péj.* Wanst *m*, Pansen *m*, Fett-, Schmer-bauch *m*; **2.** *zo.* Pansen *m der Wiederkäuer*; **3.** Bauch *m e-r Flasche*; **4.** Rundstrich *m von Buchstaben*; **5.** ⊕ Glocken-kranz *m*, -ring *m*.
pans|ement ⚕ [pɑ̃s'mɑ̃] *m* Verbinden *n e-r Wunde*; Verband *m*; ~ *liquide* Sprühverband *m*; **~er** [pɑ̃'se] *v/t.* (1a) **1.** ⚕ verbinden; **2.** striegeln (*Pferd*).
panslavisme [pɑ̃sla'vism] *m* Panslavismus *m*.
pansu [pɑ̃'sy] *adj. u. su.* dickbäuchig; Dickwanst *m*.
pantalon [pɑ̃ta'lɔ̃] *m* (lange) Hose *f*; ~ *corsaire* Dreiviertelhose *f*; ~ *à l'écuyère* (Damen-)Reithose *f*; *ceinture f (fond m) de* ~ Hosen-bund *m* (-boden *m*); **~nade** [~lɔ'nad] *f* Posse *f*; scheinheiliges Getue *n*.
pantas [pɑ̃'ta] *m/pl.* kniefreie *od.* bis zur halben Wade reichende Kinder- *od.* Damen-hosen *f/pl.*
pante P [pɑ̃ːt] *m* Typ(e *f*) *m fig.*
pantel|ant [pɑ̃'tlɑ̃] *adj.* (7) keuchend; zuckend; **~er** *litt.* [~'tle] *v/i.* (1c) zucken (*Herz*).
pantenne ⚓ [pɑ̃'tɛn] *advt.*: *en* ~ in Unordnung.
panthéis|me [pɑ̃te'ism] *m* Pan-

theismus *m*; **~te** [~'ist] *adj. u. m* pantheistisch; Pantheist *m*.
panthéon [pɑ̃te'ɔ̃] *m antiq.* Pantheon *n*; *fig.* Ruhmeshalle *f*.
panthère [pɑ̃'tɛːr] *f zo.* Panther *m*; P Olle *f* P, Ehefrau *f*.
pantière *ch.* [pɑ̃'tjɛːr] *f* Vogelnetz *n*.
pantin [pɑ̃'tɛ̃] *m* Hampelmann *m*, Marionettenfigur *f* (*a. fig.*).
pantographe [pɑ̃tɔ'graf] *m* Pantograph *m*, Storchschnabel *m*.
pantois [pɑ̃'twa] *adj.* (7) *fig.* verdutzt, verblüfft, sprachlos, baff.
pantomètre ⚒ [pɑ̃tɔ'mɛːtrə] *m* Pantometer *n*, Winkel-, Längen- u. Höhen-messer *m*.
pantomime [pɑ̃tɔ'mim] **I** *m* Gebärdenspieler *m*; **II** *f* Gebärden-, Mienen-sprache *f*; *thé.* Pantomime *f*, Gebärden(schau)spiel *n*; **III** *adj.* pantomimisch.
pantouflard F [pɑ̃tu'flaːr] **I** *m* Stubenhocker *m*; Spießbürger *m*; **II** *adj.* (7) spießig, spießbürgerisch.
pantou|fle [pɑ̃'tuflə] *f* Hausschuh *m*; F *et caetera ~ deutsch* F: et cetera p.p.; *raisonner comme une ~* albernes Zeug reden; *il est sous la ~* er steht unter dem Pantoffel; **~fler** [~'fle] *v/i.* (1a) **1.** den Staatsdienst verlassen; **2.** * ⚓ s-n Urlaub verbringen.
paon [pɑ̃] *su.* (7c) **1.** Pfau *m*; *fig. faire le ~* sich brüsten F; *fig. se parer des plumes du ~* sich mit fremden Federn schmücken; **2.** *~ de nuit* Nachtpfauenauge *n*; **~ne** [pan] *f* Pfauhenne *f*; **~neau** [pa'no] *m* (5b) junger Pfau *m*.
papa [pa'pa] *m* Papa *m*; *péj. fils m à ~* verwöhnter Sohn *m* reicher Eltern; F *à la ~* ganz gemütlich.
pa|pable F [pa'pablə] *adj.* zur Papstwürde wahlfähig; *fig. pol.* aussichtsreich; **~pal** [~'pal] *adj.* (5c) päpstlich; **~palin** [~pa'lɛ̃] *adj.* (7) *péj.* papsthörig; **~pas** *rl.* [pa'pɑs] *m* Pope *m*; **~pauté** [~po'te] *f* Papst-würde *f*, -tum *n*.
papavéracées ⚘ [~vera'se] *f/pl.* Mohnpflanzen *f/pl.*
pape [pap] *m* Papst *m*.
papelard [pap'laːr] **I** *litt. adj.* (7) scheinheilig; **II** *m* a) F (Stück *n*) Papier *n*; b) * Zeitung *f*; c) * Ausweis *m*.
paperas|se *péj.* [pa'pras] *f* beschriebenes Stück *n* Papier, Wisch *m*; **~serie** [~s'ri] *f* **1.** alter Papierkram *m*; **2.** Papierkrieg *m*, Geschreibsel *n*; **~sier** [~'sje] *su. u. adj.* (7b) Sammler *m* wertlosen Papierkrams; Federfuchser *m*; *péj.* Aktensortierer *m*; papierverschmierend, schreibwütig.
papesse [pa'pɛs] *f* Päpstin *f* (*in der Legende*).
pape|terie [pape'tri, pap'tri] *f* **1.** Papierfabrik *f*; **2.** Papier- u. Schreibwaren-handlung *f*; **~tier** [pap'tje] (7b) **I** *adj.* Papier...; **II** *su.* Papierfabrikant *m*; Papier- u. Schreibwaren-händler *m*.
papier [pa'pje] *m* **1.** *a. pol.* Papier *n*; *~ bible* Dünndruckpapier *n*; *~ blanc* unbeschriebenes Papier *n*; *~ buvard* Löschpapier *n*; *~ brouillon* Konzeptpapier *n*; *~ à calquer*, *~ calque* Pauspapier *n*; *~ carbone* Kohlepapier *n*; *~ à lettres* Briefpapier *n*; *~ pelure pour doubles* Durchschlagpapier *n*; *~ pelure (pour lettres avion)* Übersee-, Luftpost-papier *n*; dünnstes Briefpapier *n*; *~ couché* Kunstdruckpapier *n*; *~ crêpe* Kreppapier *n*; *~ à la cuve* Büttenpapier *n*; *~ à dessin* Zeichenpapier *n*; *~ à écrire* Schreibpapier *n*; *~ d'emballage* Packpapier *n*; *~ sulfurisé* Butterbrotpapier *n*; *~ huilé* Ölpapier *n*; *~ hygiénique* Toilettenpapier *n*; *~ (à lettres) de deuil* Briefpapier *n* mit Trauerrand; *~ timbré* Stempelpapier *n*; *~ à musique* Notenpapier *n*; *~ mâché*, *pâte f de ~* Papiermasse *f*; ⚗ *~ réactif* Reagenzpapier *n*; *~ réglé* lin(i)iertes Papier *n*; *~ de soie* Seidenpapier *n*; *~ de tournesol* Lackmuspapier *n*; *~ verré*, *~ de verre* Sandpapier *n*; *~ pur chiffon* holzfreies Papier *n*; **2.** *~ peint*, *~ de tenture*, *~ de tapisserie* Tapete(n *f/pl.*) *f/sg.*; **3.** ⚖ *~s d'affaires* Geschäftspapiere *n/pl.*; **4.** *~s pl. (d'identité)* (Ausweis-)Papiere *n/pl.*; *~s de bord* a) Schiffspapiere *n/pl.*; b) *Auto*: Wagenpapiere *n/pl.*; *~s pl. douane* Zollpapiere *n/pl.*; ⚓ *~s d'embarquement* Verladepapiere *n/pl.*; **5.** ✝ Wechsel *m*; **6.** *~s* Staatspapiere *n/pl.*; **7.** *~s pl. officiels* Akten *f/pl.*, Urkunden *f/pl.*; **8.** *allg. ~s pl.* Unterlagen *f/pl.*; Schriftstücke *n/pl.*; **9.** (Zeitungs-)Artikel *m*; *~ de physionomie* Stimmungsbericht *m*; *~ de circonstance* gelegentlicher Beitrag *m*; **10.** Zeitungsgewerbe *n*; **11.** F *être dans les petits ~s de q.* bei j-m gut angeschrieben sein.
papier|-calque [papje'kalk] *m* (6a) Pauspapier *n*; **~-émeri** [~em'ri] *m* (6b) Schmirgelpapier *n*; **~-mon-**

naie [~mɔ'nɛ] *m* (6b) Papiergeld *n*; **~-mouchoir** [~mu'ʃwa:r] *m* Papiertaschentuch *n*; **~-tenture** [~tɑ̃'ty:r] *m/inv.* Tapete(n *f/pl.*) *f/sg.*; **~-valeur** [~va'lœ:r] *m* (6b) Wertpapier *n*.

papilionacées *ent.* [papiljɔna'se] *f/pl.* Schmetterlingsblütler *m/pl.*

papil|laire ⚕ [papil'lɛ:r] *adj.* warzenförmig; **~le** [pa'pij] *f anat.* kleine Hautwarze *f*; ⚘ Weichwarze *f*.

papillon [papi'jɔ̃] *m* **1.** Schmetterling *m*, Falter *m*; **2.** *fig.* Flattergeist *m*; **3.** F *fig.* *~s pl. noirs fig.* Grillen *f/pl.*, düstere Gedanken *m/pl.*; **4.** kleine geographische Karte *f* in der Ecke e-r größeren; **5.** *Auto*, ⚙ Drosselventil *n*, Gashebel *m*; Gasbrenner *m*; **6.** Klebezettel *m*; **7.** *Sport*: Schmetterlingsschwimmen *n*, -stil *m*; **8.** *nœud m ~ fig.* Fliege *f*; kurzer, quergebundener Schlips *m*; **~ner** F [~jɔ'ne] *v/i.* (1a) *fig.* umherflattern; **~neur** *Sport* [~'nœ:r] *su.* (7g) Schmetterlingsschwimmer *m*.

papillo|tage [papijɔ'ta:ʒ] *m* **1.** Glanz *m*, Blendwerk *n*; **2.** Flimmern *n* vor den Augen; **3.** *litt. fig.* Bombast *m*; *le ~ du style* der bombastische Stil; **4.** Aufwickeln *n* der Haare; **~te** [~'jɔt] *f* **1.** Lockenwickler *m*, (Haar-)Wickel *m*; *faire ses ~s* sein Haar wickeln; *avoir les yeux en ~s* verschlafene Augen haben; **2.** *côtelettes f/pl. en ~s* in Butter- *od.* Ölpapier auf dem Rost gebratene Koteletts *n/pl.*; **~tement** [~jɔt'mɑ̃] *m* Flimmern *n*; **~ter** [~jɔ'te] *v/i.* (1a) **1.** s-e Augen schweifen lassen; **2.** mit den Augen zwinkern; **3.** flimmern (*Augen, Sonne*); **4.** *peint.* das Auge blenden; **5.** *litt.* durch bombastische Effekthascherei auf die Nerven fallen.

Papin ⊕ [pa'pɛ̃] *n/pr.*: *digesteur m* (*od. marmite f*) *de ~* Papinscher Topf *m*.

papis|me [pa'pism] *m* Papsttum *n*; **~te** *péj.* [~'pist] *m* Päpstling *m*.

papo|tages [papɔ'ta:ʒ] *m/pl.* Geschwätz *n*; **~ter** [~'te] *v/i.* (1a) faseln, quasseln, salbadern.

Papou [pa'pu] *m* (*pl.* *~s*) Papua (-neger *m*) *m*; *langues f/pl.* *~es* Papuasprachen *f/pl.*

paprica *cuis.* [papri'ka] *m* Paprika *m*.

papule ⚕ [pa'pyl] *f* Hitzblatter *f*.

papy|rologie 🕮 [papirɔlɔ'ʒi] *f* Papyruskunde *f*; **~rus** [~'rys] *m* Papyrus-staude *f*, -handschrift *f*.

paquage ⊕ [pa'ka:ʒ] *m* Eintonnen *n* der Salzfische.

pâque *rl.* [pɑ:k] *f* Passah(fest *n*) *n*; *weitS.* Osterlamm *n*.

paquebot [pak'bo] *m* Passagierdampfer *m*; *plais. ~ roulant* Straßenkreuzer *m*.

paquer [pa'ke] *v/t.* (1a) *Fische* eintonnen.

pâquerette ⚘ [pɑ'krɛt] *f* Gänseblümchen *n*.

Pâques [pɑ:k] **I** *m/sg.* Ostern *n od. pl.*; *à ~* zu Ostern; *semaine f avant ~* Osterwoche *f*; *veille f de ~* Ostersonnabend *m*; *lundi m de ~* Ostermontag *m*; *à ~ prochain* nächste Ostern *pl.*; *œuf m de ~* Osterei *n*; *à ~ ou à la Trinité* nie und nimmer, am Nimmermehrstag; *man beachte den sg.* (!) *im Satz*: *~ est tard cette année* in diesem Jahr liegt Ostern spät; *la fête* (*od. les fêtes*) *de ~* das Osterfest; **II** *f/pl.* *~ closes* Weißer Sonntag *m*; *~ fleuries* Palmsonntag *m*; *faire ses ~* zur österlichen Kommunion gehen, s-e Osterandacht halten.

paquet [pa'kɛ] *m* **1.** Paket *n*; Bündel *n*; *~ de tabac* Paket *n* Tabak; F *fig.* *donner son ~ à q.* j-m schonungslos die Wahrheit sagen, j-m heimleuchten F; *faire son ~ od. ses ~s* sein Bündel schnüren; *fig.* sterben; F *donner dans un ~* reinfallen; F *lâcher son ~* alles sagen, was man auf dem Herzen hat; F *risquer le ~* alles aufs Spiel setzen; **2.** *~ de mer* Sturzwelle *f*; **3.** F *avoir* (*od. recevoir*) *son ~* e-n Rüffel einstecken müssen.

paque|tage ⚔ [pak'ta:ʒ] *m* Gepäck *n*; *~ d'assaut* Sturmgepäck *n*; **~teur** [~k'tœ:r] *su.* (7g) (*a. adj.*: *ouvrier m ~, ouvrière f paqueteuse*) (Ein-)Packer(in *f*) *m*; **~tier** *typ.* [pak'tje] *su.* (7b) Stücksetzer *m*.

paqueur [pa'kœ:r] *su.* (7h) Heringspacker *m*.

pâquis *ch.* [pɑ'ki] *m* Äsungsplatz *m*.

par[1] [pa:r] *prp.* durch: **1.** *Ort*: *passer ~ Berlin* durch Berlin kommen *od.* fahren, über Berlin reisen; *~ la porte* (*la fenêtre*) zur Tür (zum Fenster) hinaus (*od.* herein); *~ terre et ~ mer* zu Wasser u. zu Lande; *cela se fait ~ toute la terre* das macht man auf der ganzen Erde; *~ monts et ~ vaux* über Berg u. Tal; *jeter ~ la fenêtre* zum Fenster hinauswerfen; *sortir ~ le jardin* durch den Garten hinausgehen; *tomber* ~ *terre* auf die Erde (*der Länge nach*) fallen; *aber*: *tomber à terre* auf die Erde herunterfallen; ~ *trente degrés de latitude* unter dem 30. Breitengrad; *prendre* ~ *la main* bei der Hand fassen; *prendre les choses* ~ *leur bon côté* die Dinge von der guten Seite sehen; **2.** *Zeit*: ~ *un beau clair de lune* bei schönem Mondschein; ~ *un froid matin de janvier* an e-m kalten Januarmorgen; ~ *temps hivernal* bei winterlicher Witterung; ~ *la suite* später; ~ *temps froid* bei kühler Witterung; **3.** *Grund u. Folge*: ~ *bonheur* zum Glück, glücklicherweise; ~ *conséquent* infolgedessen, somit daher, demzufolge; *agir* ~ *peur* aus Furcht handeln; ~ *crainte de punition* aus Furcht vor Strafe; ~ *curiosité* aus Neugierde; ~ *droit et* ~ *raison* mit Fug u. Recht; ~ *exemple* zum Beispiel; ~ *quoi* wodurch; ~ *amitié* aus Freundschaft; ~ *expérience* aus Erfahrung; ~ *orgueil* aus Stolz; ~ *pure vanité* aus reiner Eitelkeit; **4.** *beim Passiv*: *vaincu* ~ *César* von Cäsar besiegt; *le Cid* ~ *Corneille* „Der Cid" von Corneille (*mit* ~ *also die bloße Titelangabe ohne Verb*; *dagegen*: *le Cid est de Corneille*); **5.** *Mittel*: *arriver* (*partir*) ~ (*le*) *bateau* (~ *chemin de fer*; ~ *le train*) mit dem Schiff (mit der Bahn; mit dem Zug) ankommen (abfahren); ~ *le messager* durch Boten; ~ *exprès* durch Eilboten; ~ *la poste* mit der Post; ~ *avion* durch Luftpost (*amtlich*: mit Luftpost); ~ *la route* mit dem Wagen (*Auto, Rad usw.*); *venir* ~ *auto* im Auto kommen; *voter qch.* ~ *25 voix contre 19* mit 25 gegen 19 Stimmen für etw. (*acc.*) stimmen; *l'avarie s'explique* ~ *un violent tamponnement* die Beschädigung erklärt sich durch e-n heftigen Zusammenstoß; **6.** *Ordnung, Verteilung*: ~ *an* jährlich; ~ *heure* stündlich, jede Stunde; ~ *jour* täglich, pro Tag; ~ *moments* zuweilen, bisweilen; *jour* ~ *jour* Tag für Tag, tagtäglich, e-n Tag nach dem anderen; *point* ~ *point* Punkt für Punkt; *quatre heures* ~ *nuit* vier Stunden jede Nacht; (~) *deux fois* zweimal; *couper* ~ *morceaux* in Stücke zerschneiden; ~ *tête* pro Kopf; ~ *centaines* zu Hunderten; ~ *douzaines* dutzendweise; ~ *tas* haufenweise; *à raison de 50 francs* ~ *quinzaine* im Verhältnis von 50 Francs zu etwa 15; **7.** *Beteuerung*: ~ *ma barbe!* wahrhaftig!, wirklich!, meiner Treu!, ganz bestimmt!; ~ *Dieu!* bei Gott!, in Gottes Namen!; **8.** *commencer, débuter* (*finir, terminer*) ~ (*mit inf.*) damit anfangen (enden) zu; *tu finiras* ~ *triompher* du wirst schließlich triumphieren; **9.** *advt.*: ~ *en haut* (~ *en bas*) nach oben (unten) zu; oben (unten) durch; ~*-ci*, ~*-là* hier und da; hin und wieder; ~*-dessous* unter ... her; ~*-dessus* über ... her; *fig.* darüber hinaus; ~ *ici* hierher; hierdurch; hierüber; hier entlang; *il sort* ~ *ici* er kommt hier heraus; ~ *là* da hindurch, dahin(-auf, -ab); *fig.* dadurch, aus diesem Grunde; *qu'entendez-vous* ~ *là?* was meinen Sie damit?; F ~ *trop* allzu (-sehr, -viel); *c'est vraiment* ~ *trop fort!* das ist ja wirklich der Gipfel!; *ce serait* ~ *trop plaisant* das wäre ja zu ulkig; *tu es* ~ *trop romanesque ce soir* heute abend bist du zu romantisch; *expédier* ~ *trop sa toilette* allzu schnelle Toilette machen, sich allzu oberflächlich waschen; *passer* ~*-devant une maison* vor e-m Haus vorbeigehen *od.* -fahren.

par² [~] (*entstanden aus la part f*) *prp.*: *de* ~ a) auf Befehl, im Namen j-s, namens (*gén.*); *de* ~ *la loi* im Namen des Gesetzes, von Rechts wegen; *de* ~ *le roi* im Namen des Königs; b) *de* ~ *le monde* irgendwo (*bzw.* überall) in der Welt; c) *de* ~ *leurs qualités* dank *od.* wegen ihrer Eigenschaften.

para * ✈ [pa'ra] *m* = ~*chutiste*.

parabo|le [para'bɔl] *f* **1.** Gleichnis *n*; **2.** ⚠ Parabel *f*; **3.** *cin.* Parabolspiegel *m*; **~lique** [~'lik] *adj.* □ in Gleichnissen, parabolisch; ⚠ parabelförmig; **~loïde** ⚠ [~lɔ'id] *m* Paraboloid *n*.

paracentèse *chir.* [parasɑ̃'tɛːz] *f* Einstich *m*, Punktion *f*.

parachèvement *litt.* [paraʃɛv'mɑ̃] *m* endgültige Fertigstellung *f*.

parachever [paraʃ've] *v/t.* (1d) ganz vollenden.

parachu|tage ✈ [paraʃy'taːʒ] *m* Fallschirmabwurf *m*; *être ravitaillé(s) par* ~*s* aus der Luft versorgt werden; **~te** [~'ʃyt] *m* ✈ Fallschirm *m*; Fangvorrichtung *f* (*Seilbahn, Aufzug*); **~ter** [~ʃy'te] *v/t.* (1a) mit dem Fallschirm herablassen (*bzw.* absetzen *od.* abwerfen); **~tisme** [~'tism] *m* Fallschirmspringen *n*; **~tiste** ✈ [~'tist] *su.* Fallschirmspringer *m.*

para-commando ⚔ [~kɔmɑ̃'do] *m* (6g) Fallschirmkommando *n.*

para|de [pa'rad] *f* **1.** *fig.* Zurschautragen *n*, *fig.* Parade *f*, *fig.* Staat *m*, Gepränge *n*, Prunk *m*; *faire ~ de* prahlen mit (*dat.*); *pol. la ~ de la propagande était en place depuis une semaine* die Propagandamaschine war seit einer Woche in Betrieb; **2.** ⚔ Parade *f*; **3.** *fig.* Possenspiel *n* (*vor e-r Jahrmarktstheaterbude*); **4.** *esc.* Parieren *n*; **5.** *man.* Anhalten *n*; **~der** [~'de] *v/i.* (1a) sich präsentieren; *faire ~ un cheval* ein Pferd zur Schau (vor-) reiten.

paradigme *gr.* [para'digm] *m* Paradigma *n*, Musterwort *n.*

paradis [para'di] *m* **1.** Paradies *n*; **2.** *fig.* Paradies *n*, bezaubernde Gegend *f*; **3.** *thé.* oberste Galerie *f*, Olymp *m*; **4.** *orn. oiseau m de ~* Paradiesvogel *m*; **~iaque** [~'zjak] *adj.* paradiesisch; **~ier** *orn.* [~'zje] *m* Paradiesvogel *m.*

parados *frt.* [para'do] *m* Rückendeckung *f.*

parado|xal [paradɔk'sal] **I** *adj.* (5c) □ paradox, seltsam, verstiegen; **II** *m das* Paradoxe *n*; **~xe** [~'dɔks] *m* Paradox *n*, Verstiegenheit *f.*

para|fe, *mst.* **~phe** [pa'raf] *m* Paraphe *f*, Schnörkel *m* der Unterschrift; **~fer,** *mst.* **~pher** [~'fe] *v/t.* (1a) paraphieren, mit seinem Namenszug versehen.

paraffine ⚗ [para'fi:n] *f* Paraffin *n.*

parafiscal [~fis'kal] *adj.* (5c) steuerähnlich.

parafoudre [~'fu:drə] *m* Blitz-ableiter *m*, -schutz *m*, -sicherung *f.*

parages [pa'ra:ʒ] *m/pl.* Küstenstrich *m*; Gegend *f.*

paragraphe [~'graf] *m* Absatz *m*, Paragraph *m* (⚖ *jedoch: article!*), Abschnitt *m*; Paragraphenzeichen *n.*

paragrele ↗ [~'grɛ:l] **I** *m* Hagelableiter *m*; *emploi m de (canons) ~s* Wetterschießen *n*; **II** *adj. fusée f ~* Hagel(ableitungs)rakete *f.*

Paraguay [para'gɛ] *m*: **le ~** Paraguay *n*; **~en** [~gɛ'jɛ̃] *su. u.* ♀ *adj.* (7c) Paraguayer *m*; paraguayisch.

paraison [parɛ'zɔ̃] *f* **1.** Glasmasse *f*, Schmelzfluß *m*; **2.** Glas-blasen *n*, -macherkunst *f*, -macherei *f.*

paraître [pa'rɛ:trə] (4z) (*im Ggs. zu apparaître drückt ~ etw. ganz Normales, Übliches aus; mit avoir!*) **I** *v/i.* **1.** erscheinen (*a. Bücher*), sichtbar werden, zum Vorschein kommen, sich zeigen; *le jour paraît* der Tag bricht an; *faire ~* herausgeben, veröffentlichen (*Buch*); zeigen, vorführen; *vient de ~* soeben erschienen!, Neuerscheinung! (*Buchreklame*); *laisser qch. ~* sich etw. anmerken lassen; **2.** hervortreten, Aufsehen machen; *aimer ~* sich gern hervortun; **3.** scheinen, den Anschein haben; *il ne paraît pas son âge* er sieht jünger aus als er ist; *elle paraît (être) malade* sie scheint krank zu sein; **II** *v/imp. il paraît que ...* (*mit ind.!*) es scheint, daß ...; *il y paraît* das sieht man; *sans qu'il y paraisse* unmerklich; *il paraît que vous avez raison* Sie scheinen recht zu haben; *aber mit subj., wenn verneint* (*hierfür besser: il ne semble pas*): *il ne paraît pas que vous ayez raison* Sie scheinen unrecht zu haben.

parallèle [paral'lɛl] **I** *adj.* □ **1.** parallel, gleichlaufend (*à* mit *dat.*); *barres f/pl. ~s* Barren *m* (*Turngerät*); **II** *f* **2.** ⩘ Parallele *f*, Parallellinie *f*; **3.** ⚔ Laufgraben *m*; **III** *m ast.* Parallelkreis *m*, Breitenkreis *m*; *fig.* Parallele *f*, Gegenüberstellung *f*; *établir un ~, faire le ~* e-n Vergleich anstellen; *mettre en ~* miteinander vergleichen.

parallél|épipède ⩘ [~llelepi'pɛ:d] *m* Parallelepiped *n*, Quader *m*, Langwürfel *m*, Rautenflach *n*; **~isme** [~lle'lism] *m* Parallelität *f* (*a. fig.*), Gleichlauf *m*; *fig.* Wechselbeziehung *f*, Übereinstimmung *f*; *Auto*: Spur *f*; **~ogramme** ⩘ [~lɔ'gram] *m* Parallelogramm *n.*

paralogisme 🕮 [~lɔ'ʒism] *m* Fehlschluß *m.*

paralume ⚡ [para'ly:m] *m* moderne Lichtabschirmung *f*, Lampenschirm *m.*

paraly|sant [~li'zɑ̃] *adj.* (7) ⚕ lähmend (*a. fig.*); **~ser** [~'ze] (1a) **I** *v/t.* ⚕ lähmen (*a. fig.*); *fig.* lahmlegen; **II** *v/rfl. se ~ pol.* handlungsunfähig werden; **~sie** [~'zi] *f* ⚕ Lähmung *f* (*a. fig.*), ⚕ Paralyse *f*; ⚕ *~ cardiaque, du cœur* Herzlähmung *f*; *~ infantile* Kinderlähmung *f*; **~tique** [~li'tik] *adj. u. su.* paralytisch, gelähmt; Paralytiker *m*, Gelähmte(r) *m.*

para|médical [~medi'kal] *adj.* (5c) vormedizinisch; **~militaire** [~mili'tɛ:r] *adj.* vormilitärisch.

parangon [parɑ̃'gɔ̃] *m* fleckenloser Diamant *m*; **~nage** *typ.* [~gɔ'na:ʒ] *m* Abgleichen *n*; **~ner** *typ.* [~'ne] *v/t.* (1a) abgleichen, justieren.

para|noïa ⚕ [~nɔ'ja] *f* Paranoia *f*, Geistesgestörtheit *f*; **~noïaque** [~nɔ'jak] *adj.* geistesgestört.

parapet [~'pɛ] *m* Brüstung *f*.

parapher [~'fe] *v/t.* paraphieren.

paraphra|se [~'frɑ:z] *f* Umschreibung *f*, Paraphrase *f*; Erläuterung *f*; **~ser** [~frɑ'ze] *v/t.* (1a) *fig.* umschreiben, umschreibend erläutern, paraphrasieren; *fig.* ausschmücken; **~seur** [~'zœ:r] *su.* (7g) umständlicher Deuter *m*, Schwätzer *m*.

paraplégie ⚕ [paraple'ʒi] *f* Querschnittslähmung *f*.

parapluie [~'plyi] *m* Regenschirm *m*; ~ *télescopique* Taschenschirm *m*; ⚔ ~ *atomique* Atomschirm *m*.

paras * ✈ [~'ra] *m/pl. abr. für parachutistes* Fallschirmspringer *m/pl.*

parasélène *phys.* [~se'lɛ:n] *f* Nebenmond *m*.

parasi|tage [~zi'ta:ʒ] *m* **1.** *rad.* Rundfunkstörung *f*; **2.** ⊕ Störung *f*; **~taire** [~'tɛ:r] *adj.* parasitisch, schmarotzend, unnützlich; **~te** [~'zit] **I** *m* **1.** ♀ Parasit *m*, Schmarotzer *m* (*a. fig.*); **2.** *rad.* ~*s* Nebengeräusche *n/pl.*, Störungen *f/pl.*; **II** *adj.* ♀ parasitisch; *litt.*, *peint.*, *rad.* überflüssig, störend; *rad. bruit m* ~ Nebengeräusch *n*; **~tisme** [~'tism] *m* Schmarotzerleben *n*, Parasitentum *n* (*a. fig.*).

para|sol [~'sɔl] *m* Sonnenschirm *m*; *Auto*: Blendschutzscheibe *f*, Sonnenblende *f*; ~ *de jardin* Gartenschirm *m*; en ~ schirmförmig; *fleur f en* ~ Doldenblume *f*; **~soleil** *phot.* [~sɔ'lɛj] *m* Blende *f*; ~ *pour vues contre-jour* Gegenlichtblende *f*; **~solette** [~sɔ'lɛt] *f* kleiner Sonnenschirm *m*; **~thyroïde** *anat.* [~tirɔ'id] *adj.*: *glandes f/pl.* ~*s* Nebenschilddrüsen *f/pl.*; **~tonnerre** [~tɔ'nɛ:r] *m* Blitzableiter *m*; **~typhus** [~ti'fys] *m* Paratyphus *m*; **~vent** [~'vɑ̃] *m* Wand-, Bett-schirm *m*, spanische Wand *f*.

parbleu! [par'blø] *int.* aber klar!

parc ⚘ [park] *m* **1.** Park *m*, öffentliche Anlage *f*; ~ *d'attractions*, ~-*exposition* Vergnügungspark *m*; ~ *d'aventure* Abenteuerspielplatz *m*; ~ *d'enfants* (Kinder-)Spielplatz *m*; ~ *national* Naturschutzpark *m*; **2.** Hürde *f*, Pferch *m*, Gehege *n*; ~ *à* (*od.* de) *bébé* Laufgitter *n* (*für Kleinkinder*); ~ *à chevaux* Pferdekoppel *f*; ~ *à huîtres* Austernpark *m*; **3.** 🚂, ⚔ *u. Auto*: Parkplatz *m*; *a.* ⚔ *u.* ⊕ Fuhrpark *m*; ~ *d'artillerie* Geschützpark *m*; *Auto*: ~ *autos* Parkplatz *m*; ~ *souterrain* (*en élévation*) unterirdischer (hochgebauter) Parkplatz *m*; ~ *machines* Maschinenpark *m*, Maschinerie *f*; ~ *d'aviation* Flug(zeug)park *m*; **~age** [~'ka:ʒ] *m* **1.** *néol. Auto, vél. etc.* a) Parken *n*; b) parkende Wagen *m/pl.*; c) ~ (*autorisé*) Parkplatz *m*; **2.** Einpferchen *n der Schafe*, Einsetzen *n der Austern*.

parcel|laire [parsɛ'lɛ:r] *adj. u. m* Parzellen...; ~ *m* Parzellenstück *n*; (*cadastre*) ~ *m* Grundsteuerregister *n*; **~le** [par'sɛl] *f* Parzelle *f*, Stück (-chen *n*) *n*; **~lement** [~sɛl'mɑ̃] *m* Parzellierung *f*; Aufteilung *f* in Parzellen; **~ler** [~sɛ'le] *v/t.* (1a) parzellieren, aufteilen.

parce que ['pars(ə)kə] *cj.* weil.

parchem|in [parʃə'mɛ̃] *m* **1.** Pergament *n*; *visage m de* ~ ausgemergeltes Gesicht *n*; **2.** ~*s pl.* Adelsbriefe *m/pl.*, Adelsurkunden *f/pl.*; **~iné** [~mi'ne] *adj.* pergamentartig; *fig.* eingeschrumpft, ausgemergelt (*Gesicht*); **~iner** [~] *v/t.* (1a) pergamentartig machen.

par-ci [par'si] *adv.*: ~, *par-là* hier und da; hin und wieder, bisweilen.

parcimo|nie [parsimɔ'ni] *f* Knickerigkeit *f*, Knauserigkeit *f*; **~nieux** [~'njø] *adj.* (7d) □ knickerig.

parc(o)mètre *Auto* [park(ɔ)'mɛ:trə] *m* Parkuhr *f*.

par|courir [parku'ri:r] *v/t.* (2l) (*nur mit avoir!*) **1.** durch-gehen, -laufen, -reisen, -fahren; ~ *le monde* die Welt befahren; *a.* ✈, ⚓ ~ *une distance* e-e Strecke zurücklegen; **2.** ~ (*des yeux*) (flüchtig) 'durchlesen, *fig.* über'fliegen, schnell mal über'blicken, 'durchgehen, prüfen; **~cours** [~'ku:r] *m* **1.** *Sport*: (Renn-, Fahr-)Strecke *f* (*a.* ✈); Fahrt *f*, Lauf *m*; Entfernung *f*; Fahrdauer *f*; ✈ Flugweg *m*; 🚂 Eisenbahnstrecke *f*; ⚓ Befahrung *f*; ✈ ~ *d'atterrissage* Rollbahn *f*; ~ *d'autobus* Buslinie *f*; *train m à grand* ~ Fernschnellzug *m*; *service m de grand* ~ Fernverkehr *m*; *voie f de* ~ Fahrtlinie *f*; **2.** ⚖ *droit m de* ~ Triftrecht *n*.

par-delà [pardə'la] **I** *prp.* jenseits (*gén.*); ~ *les Alpes* jenseits der Alpen; **II** *adv.* drüben; außerdem, darüber hinaus.

par-dessous [pardə'su] **I** *prp.* unter (*dat. bzw. acc.*); *jouer q.* ~ *la jambe* mit j-m herumspringen, wie man will; *traiter qch. ~ la jambe* etw. auf die leichte Schulter (*od.* Achsel) nehmen; **II** *adv.* (von) unten; *passez ~* gehen Sie unten durch.

pardessus [pardə'sy] *m* Überzieher *m.*

par|-dessus [~] **I** *prp.* über (*dat. bzw. acc.*); *il sauta ~ le mur* er sprang über die Mauer; *s'élever ~ qch.* über etw. (*acc.*) hinausragen; *~ tout* vor allem, über alles; F *en avoir ~ la tête* es satt haben, die Nase voll haben; *~ le marché* da'zu; *fig.* obendrein, außerdem; *ceci est ~ le marché* das gibt's (gratis) dazu; *il est méchant ~ le marché* er ist obendrein noch bösartig (*od.* gemein); **II** *adv.* (von) oben; darüber, darauf; **~-devant** [~də'vɑ̃] **I** *prp.* vor (*dat.*); *passer ~ une maison* an e-m Haus vorbeigehen, -fahren; *~ notaire* vor dem Notar; **II** *adv.* vorn.

pardi! F [par'di] *int.* wirklich!

pardon [par'dɔ̃] *m* **1.** Verzeihung *f*; *demander ~ à q.* j-n um Verzeihung bitten; *mille ~s!* bitte tausendmal (*od.* vielmals) um Verzeihung!; *~?* wie bitte?; **2.** *rl.* *~s pl.* Ablaß *m/sg.*; **3.** *in der Bretagne*: Wallfahrt *f*; **~nable** [~dɔ'nablə] *adj.* entschuldbar; zu verzeihen.

pardonner [pardɔ'ne] (1a) **I** *v/t.* **1.** *~ qch.* etw. verzeihen; *être pardonné* Verzeihung finden; *~ qch. à q.* j-m etw. verzeihen *od.* vergeben; *vous êtes tout pardonné!* gar keine Ursache!; *ne point ~ qch.* etw. mit aller Strenge beurteilen; *pardonnez-moi!* verzeihen Sie (mir)!; **2.** gönnen; **II** *v/i.* *~ à q.* j-m verzeihen; j-n begnadigen; j-n verschonen; *la mort ne pardonne à personne* der Tod verschont niemanden; **III** *abs. ne pas ~* zum Tode führen (*Krankheit*).

paré [pa're] *adj.* gewappnet, gut vorbereitet; *être constamment ~* ständig in Bereitschaft sein.

pare|-balles [par'bal] **I** *m* (6c) Kugelfang *m*; **II** *adjt.* kugelsicher; **~-boue** [~'bu] *m* (6c) Kotflügel *m*; Kotblech *n*; **~-brise** *Auto* [~bri:z] *m* (6c) Windschutzscheibe *f*; **~-chocs** *Auto usw.* [~'ʃɔk] *m* (6c) Stoßstange *f*; **~-éclats** [pare'kla] *m* (6c) Splitterfänger *m*; **~-étincelles** [paretɛ̃'sɛl] *m* (6c) Funkenfänger *m*; **~-feu** [par'fø] *adjt.* Feuerabwehr...

parégorique ⚕ [paregɔ'rik] *adj.* beruhigend.

pareil [pa'rɛj] (7c) **I** *adj.* □ **1.** gleich, ähnlich; *sans ~, à nul autre ~* ohnegleichen; *rien de ~* nichts dergleichen; *rendre la ~le* zu Gegendiensten bereit sein; *péj.* mit gleicher Münze heimzahlen, Gleiches mit Gleichem vergelten; *je suis prêt à vous rendre la ~le* ich stehe Ihnen zu Gegendiensten gern zur Verfügung; **2.** derartig, solch; *mérite m sans ~* unübertroffenes Verdienst *n*; *dans des circonstances ~les* unter solchen Umständen; **II** *su.* Gleiche(r) *m*, Entsprechende(r) *m*; *mon ~* meinesgleichen; *il n'a pas son ~ pour ...* niemand versteht es so gut wie er zu ...; **III** *adv.*: *~lement* auf dieselbe Weise, ebenso; ebenfalls, gleichfalls; *als Antwort*: *à vous ~lement!* danke, gleichfalls!

parelle ♀ [pa'rɛl] *f* Sauerampfer *m.*

parement [par'mɑ̃] *m* **1.** Schmuck *m*, Zierat *m*; Besatz *m* (*am Kleid*); *~ d'autel* Altarbekleidung *f*; **2.** △ Vorderfläche *f*, Verblendung *f*; Randstein *m e-s Pflasters*, Bordstein *m*; △ *~ en béton* Sichtbeton *m*; **~er** [~'te] *v/t.* (1a) **1.** △ verblenden; verputzen; **2.** *Mode*: besetzen (*z.B. e-n Mantel*).

parémiologie [paremjɔlɔ'ʒi] *f* Sprichwörterforschung *f.*

parent [pa'rɑ̃] (7) **I** *su.* **1.** *~s m/pl.* Eltern *pl.*; **2.** Verwandte(r) *m*; *il est mon ~, nous sommes ~s, c'est un ~ à moi* er ist mit mir verwandt, er ist mein Verwandter; **II** *adj.* verwandt; *langues f/pl. ~es* verwandte Sprachen *f/pl.*; **~al** [~'tal] *adj.* (5c) elterlich; **~é** [~'te] *f* Verwandtschaft *f*; sämtliche Verwandten *pl.*; *liens m/pl. de ~* Verwandtschaftsbande *n/pl.*; *degré m de ~* Verwandtschaftsgrad *m.*

parenthèse [parɑ̃'tɛ:z] *f* **1.** (runde) Klammer *f*; *entre ~s* in Klammern; *mettre entre ~s* a) in Klammern setzen; b) *allg., fig.* ausklammern; **2.** eingeschobener Satz *m*; *entre ~s* beiläufig, nebenbei (gesagt).

paréo [pare'o] *m* tahitischer Lendenschurz *m.*

pare-pierres 🚂 [par'pjɛ:r] *m* (6c) Schienenräumer *m.*

pare-poussière ⊕ [~pu'sjɛ:r] *m* (6c) Staubschutz *m.*

parer[1] [pa're] *v/t.* (1a) **1.** schmükken, zieren (de mit *dat.*); △ verkleiden, verblenden; *bal m paré* Galaball *m*; **2.** *cuis.* zurechtmachen, zurichten, zubereiten; **3.** ⚓ *~ un cordage* ein Tau klarlegen.

parer[2] [~] (1a) **I** *v/t.* parieren, abwehren, auffangen; ⚓ ausweichen, vermeiden; ~ *un cap* (um) ein Vorgebirge (her)umsegeln; ~ *q.* (*qch.*) *de* (*od. contre*) *qch.* j-n (etw.) vor etw. (*dat.*) schützen; *je suis paré contre le froid* ich bin gegen die Kälte geschützt (*od.* gewappnet); **II** *v/i.* ~ *à qch.* e-r Sache (*dat.*) entgegentreten; ~ *au plus pressé* (*od. au plus urgent*) dem Unheil sofort entgegentreten.

parer[3] [~] (1a) **I** *v/t. Pferd* anhalten; **II** *v/i.* ~ *sur les hanches* sich auf die Hüften stützen (*Pferd beim Galopp*).

pare-soleil *Auto* [parsɔ'lɛj] *m* (6g) Blendschutzscheibe *f*.

pares|se [pa'rɛs] *f* Faulheit *f*; **~ser** [~rɛ'se] *v/i.* (1b) faulenzen, bummeln, sich gehenlassen; träge dahinfließen (*Fluß*); **~seux** [~'sø] (7d) **I** *adj.* □ **1.** faul, arbeitsscheu; **2.** schlaff, träge, untätig; **II** *su.* Faulenzer *m*; *bsd. écol.* Faultier *n*; **III** *m zo.* Faultier *n*.

pareur ⊕ [pa'rœ:r] *su.* (7g) Zurichter *m*, Fertigmacher *m*.

pare-vapeur Δ [parva'pœ:r] *m* (6c) Abdichtung *f* gegen Feuchtigkeit.

pare-vent ✈ [par'vɑ̃] *m* (4c) *gitterartige* Luftdruckschutzvorrichtung *f* (*vor den Startbahnen für Düsenjäger*).

par|faire [par'fɛ:r] *v/t.* (4n) vervollkommnen (*s-e Bildung*); ausfeilen (*sein Werk*); **~fait** [~'fɛ] **I** *adj.* (7) □ **1.** vollkommen, vollendet, vortrefflich; perfekt, ausgezeichnet, hervorragend, unvergleichlich; fehlerfrei, einwandfrei; *bois m* ~ Kernholz *n*; *c'est* ~! das ist ja großartig! (*od.* prima! F); **2.** gänzlich; *le vide* ~ die absolute Leere; **II** *m das* Vollkommene *n*; *cuis.* Gefrorene(s) *n*, Eiskrem *f*; *gr.* Perfekt *n*; **~faitement** [~fɛt'mɑ̃] *adv.* vollkommen; *als Antwort*: ganz recht!, richtig!, stimmt!, aber natürlich!, selbstverständlich!

parfois [par'fwa] *adv.* manchmal, mitunter, ab u. zu.

parfondre ⊕ [~'fɔ̃:drə] *v/t.* (4a) gleichmäßig schmelzen (*Emailmalerei*).

parfum [par'fœ̃] *m* Duft *m*; Aroma *n*; Parfüm *n*; * *être au* ~ *de qch.* über etw. (*acc.*) informiert sein; **~é** [~fy'me] *adj.* duftend, wohlriechend; parfümiert; **~er** [~] *v/t.* (1a) parfümieren; *cuis. Suppe* schmackhaft machen; **~erie** [~fym'ri] *f* Parfümerie(geschäft *n*) *f*; Herstellung *f* von Parfümeriewaren; **~eur** [~'mœ:r] *su.* (7g) Parfümerie-fabrikant *m*, -händler *m*.

par(h)élie *ast.* [pare'li] *m* Nebensonne *f*.

pari [pa'ri] *m* Wette *f*; ~ *mutuel*, ~ *aux courses* Totalisator *m*; Rennwette *f* (*Pferderennen*); *faire un* ~, *tenir un* ~ eine Wette annehmen (*od.* eingehen); *gagner* (*perdre*) *un* ~ e-e Wette gewinnen (verlieren).

pariade [pa'rjad] *f* **1.** Paarzeit *f der Vögel*; **2.** Vogelpaar *n*.

parier [pa'rje] *v/t.* (1a) wetten; *que pariez-vous?* was gilt die Wette?; *je le parie* ich wette (*als Antwort*); *je parie cent contre un* ich wette hundert gegen eins.

pariétaire ⚘ [parje'tɛ:r] *f* Mauerkraut *n*.

pariétal [parje'tal] *adj.* (5c) **1.** Wand...; **2.** *anat. os m* ~ Scheitelbein *n*.

parieur [pa'rjœ:r] *su.* (7g) Wetter *m*.

parigot F [pari'go] (7) **I** *adj.* pariserisch; **II** ♀ *su.* Pariser *m*.

Paris [pa'ri] *m* Paris *n*; ~ *ne s'est pas fait en un jour fig.* Rom ist nicht an einem Tage erbaut worden; Gut Ding will Weile haben; ~ *vaut bien une messe* Paris ist e-e Messe wert! (*Henri IV*).

pari|sianiser [parizjani'ze] *v/t.* (1a) nach Pariser Art einrichten; **~sianisme** [~zja'nism] *m* Pariser Redensart *f od.* Sitte *f*; **~sien** [~'zjɛ̃] *adj. u.* ♀ *su.* (7c) pariserisch; Pariser *m*.

parisylla|be, ~bique *gr.* [parisi'lab, ~'bik] *adj.* gleichsilbig.

paritaire [pari'tɛ:r] *adj.* paritätisch.

paritarisme [parita'rism] *m* Paritätsprinzip *n*.

parité [pari'te] *f* Gleichheit *f*; ~ *de l'or* = **~-or** *fin.* [~'ɔ:r] *f* (6c) Goldparität *f*.

parjure[1] [par'ʒy:r] *adj. u. su.* meineidig; eidbrüchig; Eidbrecher *m*.

parjure[2] [~] *m* Meineid *m*, Eidbruch *m*.

parjurer [parʒy're] *v/rfl.* (1a): *se* ~ e-n Meineid schwören.

parkéris|ation ⊕ [parkerizɑ'sjɔ̃] *f* Parkern *n* (*Rostschutzverfahren*); **~er** [~keri'ze] *v/t.* (1a) parkern, parkerisieren.

parking [par'kiŋ] *m Auto*: a) Parken *n*; b) Parkplatz *m*.

par-là [par'la] *adv.* dahin, da(hin)durch; *par-ci*, ~ hier u. da; hin u. wieder, dann u. wann.

parlant [par'lɑ̃] *adj.* (7) F redefreudig; *fig.* ausdrucksvoll (*Blick*); sprechend ähnlich (*Bild*).

parlement [parlə'mɑ̃] *m* Parlament *n*; *contraire aux usages du* ~ unparlamentarisch; **~aire** [~'tɛ:r] **I** *adj.* □ parlamentarisch; **II** *m* Parlamentarier *m*, Mitglied *n* des Parlaments; Parlamentär *m*, Unterhändler *m*; **~arisme** [~ta'rism] *m* Parlamentarismus *m*; **~ariste** [~ta'rist] = *~aire*; **~er** [~'te] *v/i.* (1a) verhandeln (*avec q. sur qch.* mit j-m über etw. *acc.*).

parler [par'le] (1a) **I** *v/i.* **1.** sprechen, reden; *voilà (ce qui s'appelle)* ~*!* das ist ein Wort!; das läßt sich hören!; *sans* ~ *de* ... ganz abgesehen von (*dat.*); ~ *bas* leise sprechen (*aber*: ~ *bassement* sich in gemeiner *od.* niederträchtiger Weise ausdrücken); ~ *haut* (*od. fort*) laut sprechen (*aber*: ~ *hautement* anmaßend *od.* hochmütig reden); ~ *correctement* (*incorrectement*) richtig (falsch) sprechen; ~ *clairement od. distinctement* (*indistinctement*) deutlich (undeutlich) sprechen (*a. fig.*); ~ *net* deutlich werden, deutlich s-e Meinung sagen; ~ *bien* (*mal*) gut (schlecht) sprechen; ~ *couramment* fließend sprechen; ~ *bien* (*mal*) *de q.* gut (schlecht) über j-n sprechen; *pour* ~ *net* rundheraus; *à* ~ *franchement* offen gestanden; *à proprement* ~ eigentlich; *généralement parlant* allgemein gesprochen; ~ *à q.* (*od. avec q.*) mit j-m sprechen; j-n sprechen; *je lui en ai parlé, j'en ai parlé avec lui* ich habe mit ihm darüber gesprochen; *fig. trouver à* (*od. avec*) *qui* ~ *iron.* an die richtige Adresse kommen, auf Granit stoßen, an den Richtigen kommen; *tu en parles à ton aise, tu parles comme un livre* du hast gut reden; *tu parles!* und wie!; *parlez-moi de ça!* das ist (*od.* wäre) aber schön!; ~ *d'homme à homme* von Mensch zu Mensch sprechen; ~ *à bâtons rompus* alles durcheinander reden; F *il vaudrait autant* ~ *à un sourd* das hieße tauben Ohren predigen; ~ *de qch.* über etw. (*acc.*) sprechen; ~ *de politique* (*de chiffons*) über Politik (über Kleider) sprechen; ~ *du nez* durch die Nase sprechen; *il fera* ~ *de lui* man wird von ihm sprechen hören; ~ *d'abondance* völlig frei (aus dem Stegreif) sprechen; *c'est beaucoup* ~ *pour ne rien dire* viel Gerede und nichts dahinter; viel Lärm um nichts; ~ *d'or* goldene Worte reden; ~ *au hasard*, ~ *en l'air*, ~ *à tort et à travers* ins Blaue hinein reden, alles durcheinander faseln; ~ *pour q.* j-n vor Gericht verteidigen, (*a.*: ~ *en faveur de q.*) sich für j-n verwenden; *parlez d'une canicule!* na, das ist ja 'ne Hitze!; **2.** plaudern; **3.** *fig.* eine Sprache haben; *les murailles parlent* die Wände haben Ohren; **4.** *Spiel*: melden, ansagen, bieten; **5.** *ch.* anschlagen; **II** *v/t.* reden, sprechen; ~ *français* (*allemand, anglais, russe*) Französisch (Deutsch, Englisch, Russisch) sprechen; ~ *affaires* (*politique, chiffons, peinture, mode, argent, musique*) über Geschäfte (Politik, Kleider, Malerei, Mode, Geld, Musik) sprechen; ~ *littérature* (*pétrole*) über Literatur (über Erdöl) sprechen; ~ *une langue* e-e Sprache sprechen; ~ *français comme une vache espagnole* Französisch radebrechen; F *fig.* ~ *hébreu* unverständlich sprechen *od.* sich unklar ausdrücken; ~ *lutte contre qch.* den Kampf gegen etw. ansagen; ~ *métier* (*od. service od. travail*) fachsimpeln; *rad. journal m parlé* Rundfunknachrichten *f/pl.*; **III** *m* Sprechen *n*; Redeweise *f*; Sprache *f*; Mundart *f*; *les* ~*s allemands et romans* die deutschen und romanischen Mundarten *f/pl.*; *avoir le* ~ *bref* sich kurz ausdrücken; *avoir le* ~ *lourd* (*doux*) schwerfällig (mit sanfter Stimme) sprechen; *avoir son franc* ~ frisch von der Leber weg reden.

parl|eresse *rad. néol.* [parlə'rɛs] *f* (*statt der gebräuchlichen Mißbildung speakerine französischerseits vorgeschlagen*) Ansagerin *f*; s. *parleuse*; **~eur** *péj.* [~'lœ:r] *su.* (7g): *beau* ~ Schönredner *m*; **~euse** *rad. néol.* [~'lø:z] *f* (*statt speakerine französischerseits vorgeschlagen*) Ansagerin *f*; s. *parleresse*; **~oir** [~'lwa:r] *m* Sprechzimmer *n*; **~ote** F [~'lɔt] *f* **1.** F Debattierklub *m*; **2.** F Raum *m* am Gericht, in dem sich die Notare u. Rechtsanwälte untereinander besprechen können; **3.** Geplauder *n*; **~ure** [~'ly:r] *f* Sprechweise *f*.

parmesan [parmə'zɑ̃] *m* Parmesankäse *m*.

parmi [par'mi] *prp.* (mitten) unter (*dat. u. acc.*); ~ *nous* bei uns zulande; ~ *mes livres* zwischen meinen Büchern.

paro|die [parɔ'di] *f* Parodie *f*, Spottnachdichtung *f*; **~dier** [~'dje] *v/t.* (1a) parodieren, spöttisch nachbilden *od.* nachahmen; **~dique** [~'dik] *adj.* parodistisch; **~diste** [~'dist] *m* Parodiendichter *m*.

paroi [pa'rwa] *f* (Scheide-, Seiten-) Wand *f*; ~ *rocheuse* Felswand *f*; ~ *d'une vallée géol.* Talwand *f*; *anat.* ~ *ventriculaire* Bauchwand *f*; ⊕ ~ *intérieure* Innenwand(ung *f*) *f*; ~ *de cheminée* Schornsteinwange *f*; ~ *de cylindre* Zylinderwand(ung *f*) *f*; ~ *d'un tuyau* Rohrwandung *f*; **~-lattis** [~la'ti] *f* (6b) Gitterwand *f*.

paroir ⊕ [pa'rwa:r] *m* Schabeisen *n*.

parois|se [pa'rwas] *f rl.* Gemeinde *f*; **~sial** [~'sjal] *adj.* (5c) zur Pfarrgemeinde gehörig; **~sien** [~'sjɛ̃] **I** *su.* (7c) *rl.* Gemeindemitglied *n*; **II** *m* Gebet-, Meß-buch *n*.

parole [pa'rɔl] *f* **1.** Wort *n* (*pl.*: *Worte*); Rede *f*; *adresser la* ~ *à q.* j-n ansprechen, sich an j-n wenden; *couper la* ~ *à q.* j-m ins Wort fallen; *je demande la* ~ ich bitte ums Wort (*od.* um Gehör); *porter la bonne* ~ *à q.* j-m gut zureden; *prendre* (*porter*) *la* ~ das Wort ergreifen (führen); *il n'est jamais à court de* ~*s* er ist nie um Ausdrücke verlegen; **2.** Ausspruch *m*, (Denk-)Spruch *m*; ~*s magiques* Zauberspruch *m/sg.*; **3.** Sprechweise *f*, *fig.* Sprache *f*; *avoir la* ~ *difficile* schwer sprechen; *avoir la* ~ *à la main* die Sprache meistern (*od.* in s-r Gewalt haben); *avoir la* ~ *haute* das große Wort führen; *perdre la* ~ die Sprache verlieren (*a. fig.*); **4.** *amour m* (*od. plaisir m*) *de la* ~ Redefertigkeit *f*, Beredsamkeit *f*; **5.** Versprechen *n*, Zusage *f*; *n'avoir qu'une* ~ *od. tenir* (*sa*) ~ (sein) Wort halten; *croire q. sur* ~ j-m aufs Wort glauben; *dégager sa* ~ sein Wort einlösen; *donner sa* ~ sein Wort (*od.* Versprechen) geben; *manquer à sa* ~, *fausser* ~ *à q.* sein Wort brechen (*od.* nicht halten); *ma* ~*!* auf Ehrenwort!; *prisonnier m sur* ~ Gefangene(r) *m* auf Ehrenwort; *reprendre sa* ~ sein Wort zurücknehmen; **6.** ~*s pl.* Stichelreden *f/pl.*; *il y a eu quelques* ~*s entre* ... es kam zu einem Wortwechsel zwischen ... (*dat.*); **7.** ♪ ~*s pl.* Text *m*; **8.** *Kartenspiel*: *passe* ~ ich passe.

parolier [parɔ'lje] *m* (Opern-, Operetten-, Chanson-)Textdichter *m*, Texter *m*.

paroti|de *anat.* [parɔ'tid] *f* Ohrspeicheldrüse *f*; **~dite** ⚕ [~'dit] *f* Ziegenpeter *m*, Mumps *m*.

paroxysme [parɔ'ksism] *m* **1.** ⚕ höchster Grad *m* e-r Krankheit *od.* Sucht; **2.** *fig.* Höhepunkt *m*.

paroxystique ⚕ [~ksis'tik] *adj.* hochgradig.

parpaing ⚠ [par'pɛ̃] *m* Tragstein *m*, Voll-, Durch-binder *m*, Streckstein *m*; Betonstein *m*.

parquer [par'ke] (1m) **I** *v/t.* **1.** einpferchen; ~ *des huîtres* Austernzucht betreiben; **2.** ⚔, 🚂, ✈, *Auto*: parken (*a. abs.*); abstellen; **II** *v/i.* zs.-gepfercht sein; *Auto*: parken.

parquet [par'kɛ] *m* **1.** *men.* Parkett *n*, Parkettfußboden *m*; **2.** ⚖ (Raum *m* für die) Staatsanwaltschaft *f*; *petit* ~ Schnellgericht *n* (*in Paris*); **3.** † amtliche Börse *f*; **~age** *men.* [~kə'ta:ʒ] *m* Täfelung *f*; **~er** *men.* [~kə'te] *v/t.* (1c) parkettieren; täfeln; **~erie** *men.* [~kɛ'tri] *f* Parkettierung *f*, Täfelung *f*; **~eur** [~kə'tœ:r] *m* Parkettleger *m*.

parqueur [par'kœ:r] *su.* (7g) **1.** Tierparkwärter *m*; **2.** Austernzüchter *m*.

parrain [pɑ'rɛ̃] *m* Pate *m*; *fig.* Fürsprecher *m*, Gönner *m*; **~age** [~rɛ'na:ʒ] *m* **1.** Patenschaft *f*; *Fr. pol., éc. s'associer au* ~ *d'un arrondissement* die Patenschaft e-s städtischen Verwaltungsbezirks übernehmen; **2.** *fig.* Förderung *f*; **~er** [~'ne] *v/t.* (1a) befürworten, fördern, sich einsetzen für (*acc.*); als Gönner *j-n* einführen.

parricide[1] [pari'sid] **I** *su.* Vater-, Mutter-, Verwandten-mörder *m*; **II** *adj.* als Vater-, Mutter-mörder(in *f*) *m*.

parricide[2] [~] *m* Vater-, Mutter-, Verwandten-mord *m*.

parsemer *fig.* [parsə'me] *v/t.* (1d) übersäen, bestreuen (de mit *dat.*).

part [pa:r] *f* **1.** Anteil *m*; ~ *d'héritage* Erbanteil *m*; ~ *sociale* Gesellschafts-anteil *m*, -einlage *f*; ~ *au capital* Kapitalanteil *m*; ~ *minière*, ~ *de mine* Bergwerksanteil *m*, Kux *m*; ~ *de bénéfice* Gewinnanteil *m*; *avoir* ~ *à qch.*, *entrer en* ~ *à qch.* an etw. (*dat.*) beteiligt sein; F *avoir* ~ *au gâteau* (*od. sa* ~ *de gâteau*) am Gewinn beteiligt sein; *faire* ~

à deux es unterea. teilen; *faire la ~ de qch.* etw. berücksichtigen, in Betracht ziehen; e-r Sache (*dat.*) Rechnung tragen; *faire la ~ du feu* auf etw. notfalls verzichten; *pour une large ~* in bedeutendem Maße; **2.** Beteiligung *f*, Teilnahme *f*; *avoir ~ à qch.* bei etw. (*dat.*) beteiligt *od.* mitschuldig sein; *prendre ~ à qch.* sich an etw. (*dat.*) beteiligen; *fig.* an etw. (*dat.*) Anteil nehmen; **3.** Mitteilung *f*; *faire ~ de qch. à q.* j-m etw. mitteilen; **4.** Richtung *f*, Seite *f*; *autre ~* anderswo(hin); *nulle ~* nirgends (-wohin); *quelque ~* irgendwo(hin); *quelque ~ qu'il aille* wohin er auch gehen mag; *en bonne (mauvaise) ~* in gutem (schlechtem *od.* üblem) Sinne; *prendre qch. en mauvaise ~* etw. übelnehmen; *de la ~ de q.* von j-m (her); von seiten j-s, im Auftrag j-s; *de ma ~* meinerseits; *saluez vos parents de ma ~* grüßen Sie Ihre Eltern von mir; *savoir de bonne ~* aus guter Quelle wissen; *d'une ~ ..., d'autre ~ ...* einerseits ..., andererseits ...; *d'autre ~* andererseits, wiederum; *de ~ et d'autre* beiderseits, gegenseitig, von (nach, auf) beiden Seiten; *de toute(s) ~(s)* von (*od.* nach) allen Seiten; *percé de ~ en ~* völlig durchbohrt *od.* durchschossen; *pour ma ~* was mich betrifft; *à ~* beiseite, abgesondert; eigenartig; ⚕ *compte m à ~* Sonderkonto *n*; *tirage m à ~* Sonderdruck *m*; *faire bande à ~* sich absondern; *homme m* (*od. caractère m*) *à ~* Sonderling *m*; *à ~ als prp.*: *à ~ cela* (*od. ceci*) davon abgesehen, sonst, darüber hinaus; *à ~ soi* innerlich, bei sich; *mis* (*mst. inv.*) *à ~* abgesehen von, außer.

parta|ge [par'ta:ʒ] *m* **1.** Verteilung *f*; Teilen *n*, Aufteilung *f*; *~ du monde* Aufteilung *f* der Welt; *~ (en deux)* Spaltung *f*; *venir à ~, entrer en ~* zur Teilung kommen; **2.** ⚖ *~ d'une succession* Erb-vergleich *m*, -teilung *f*; *action f de ~* Erbteilungsklage *f*; **3.** *fig. sans ~* ungeteilt (*Freundschaft*); **4.** *~ des voix* Stimmengleichheit *f*; **5.** *ligne f de ~ des eaux* Wasserscheide *f*; 🚂 *point m de ~* höchster Punkt *m e-r Bahnstrecke*; **~geable** [~ta'ʒablə] *adj.* teilbar; **~geant** ⚖ [~'ʒɑ̃] *m* Anteilberechtigte(r) *m*.

parta|ger [parta'ʒe] (1l) **I** *v/t.* **1.** in mehrere Teile teilen, zerlegen, ab-, ein-teilen; *~ en deux* in zwei Hälften teilen, halbieren; **2.** (ver-) teilen, austeilen (*à* unter *acc.*); *mal partagé par la nature* von der Natur stiefmütterlich behandelt; F *~ le gâteau* den Gewinn teilen; **3.** *fig.* mitempfinden, teilnehmen an (*dat.*), teilen (*Freude*; *Gefahren*); **4.** *fig.* in Parteien (zer)spalten, trennen; *opinions f/pl. partagées* geteilte Ansichten *f/pl.*, abweichende Meinungen *f/pl.*; **II** *v/i.* **5.** teilen; *~ en frères* brüderlich teilen; **6.** beteiligt sein, teilhaben (*dans* an *dat.*); *~ dans une succession* an e-r Erbschaft Anteil haben; **III** *v/rfl.* *se ~* **7.** sich teilen, zerfallen (*en* in *acc.*); **8.** *se ~ qch.* etw. unter sich teilen; *se ~ les frais par moitiés* sich die Kosten teilen; **~geur** [~'ʒœ:r] *adj.* (7g) gebefreudig; *pas ~* egoistisch, sehr auf sich bedacht.

partance [par'tɑ̃:s] *f*: *en ~ pour ...* 🚂 zur Abfahrt nach ...; ✈, ⚓ zum Start nach ...

partant [par'tɑ̃] **I** *litt. adv.* mithin, folglich; **II** *su.* Abreisende(r) *m*; *Sport*: Starter *m*, Teilnehmer *m*.

partenaire [partə'nɛ:r] *su.* Partner *m*, Mitspieler *m*; ⚕ Partner *m*, Teilhaber *m*; *a.* Gesprächspartner *m*.

parterre [par'tɛ:r] *m* **1.** ⚘ Beet *n*; **2.** *thé.* Parkett *n*; *fig.* Zuschauer *m/pl.* im Parkett.

parthénogénèse *biol.* [partenɔʒe'nɛ:z] *f* Parthenogenese *f*.

parti [par'ti] *m* **1.** Partei *f*; *esprit m de ~* Parteigeist *m*; *~ socialiste* sozialistische Partei *f*; *prendre le ~ de q.* sich zu j-s Partei schlagen; *prendre ~ pour (contre) q.* für (gegen) j-n Partei ergreifen; *se ranger du ~ de q.* sich j-s Partei anschließen; *avoir un ~ nombreux* e-n großen Anhang haben; **2.** Entschluß *m*; *prendre un ~* e-n Entschluß fassen; *~ pris* vorgefaßte Meinung *f*, Vorurteil *n*; *juger sans ~ pris* unbefangen urteilen; *on ne savait quel ~ prendre* da war guter Rat teuer; *en prendre son ~, prendre son ~ de qch.* sich mit etw. (*dat.*) abfinden, sich dareinfügen, nichts gegen etw. (*acc.*) einzuwenden haben; **3.** Behandlung *f*: *faire un mauvais ~ à q.* j-m übel mitspielen; **4.** Vorteil *m*, Nutzen *m*: *tirer ~ de qch.* aus etw. (*dat.*) Nutzen ziehen; **5.** (Heirats-)Partie *f*.

partial [par'sjal] *adj.* (5c) □ parteiisch, einseitig; **~ité** [~li'te] *f*

Parteilichkeit *f*; *pour motif de* ~ wegen Befangenheit.

partici|pant [partisi'pɑ̃] (7) **I** *adj.* teilnehmend (*à* an *dat.*); **II** *su.* Teilnehmer *m* (*à* an *dat.*); **~pation** [~pa'sjɔ̃] *f* Teilnahme *f*, Mitwirkung *f*, Beteiligung *f* (*a. Sport*); † Partnerschaft *f*; Mitbestimmung *f* (*der Arbeitnehmer usw.*); Quote *f*; *sans ma* ~ ohne mein Zutun; ~ *électorale* Wahlbeteiligung *f*; † ~ *aux bénéfices* Gewinnbeteiligung *f*; **~pationniste** [~pasjɔ'nist] *su.* Befürworter *m* der Mitbestimmung; **~pe** [~'sip] *m gr.* Partizip(ium *n*) *n*; **~per** [~'pe] *v/i.* (1a) **1.** teilnehmen, mitwirken (*à* an *dat.*); *faire* ~ *q. à qch.* j-n an etw. (*dat.*) beteiligen; **2.** *litt.* ~ *de etw.* von den Eigenschaften (*gén.*) haben, verwandt sein mit; **~pial** *gr.* [~'pjal] *adj.* (5c): *construction f* ~*e* Partizipialkonstruktion *f*.

particulari|sation [partikylariza'sjɔ̃] *f* **1.** Unterscheidung *f*; **2.** Unterschied *m*; **~ser** [~'ze] *v/t.* (1a) **1.** hervorheben, unterscheiden; **2.** einzeln (*od.* für sich) betrachten; **~sme** [~'rism] *m* Partikularismus *m* (*a. théol.*), Lokalpatriotismus *m*, Kleinstaaterei *f*; **~ste** [~'rist] *m u. adj.* Partikularist *m*; partikularistisch; **~té** [~ri'te] *f* Eigenheit *f*, Sonderbarkeit *f*, Besonderheit *f*; Einzelheit *f*, besonderer Umstand *m*.

particu|le [parti'kyl] *f* **1.** *a. at.* Teilchen *n*; *ast.* ~*s aurorales* Teilchen *n/pl.* der Korona; *phys.* ~ *élémentaire* Elementarteilchen *n*; **2.** *gr.* Partikel *f*, unveränderlicher Redeteil *m*; **3.** ~ *nobiliaire* Adelsprädikat *n*; *avoir la* ~ von Adel sein, adlig sein; **~lier** [~'lje] **I** *adj.* (7b) □ **1.** besonder, sonderlich, eigentlich; *intérêt m* ~ Sonderinteresse *n*; **2.** privat; *chemin m* ~ Privatweg *m*; **3.** umständlich, genau, einzeln; **4.** abgesondert, geheim; *audience f particulière* Privataudienz *f*; *leçons f/pl. particulières* Privatstunden *f/pl.*; **5.** bemerkenswert, erwähnenswert; *rien de* ~ nichts Besonderes; **6.** merkwürdig, seltsam, komisch, eigenartig; c'est *un homme* ~ das ist ein eigenartiger Mensch (*od.* ein komischer Heiliger *od.* Kauz F); **II** *m* **7.** Privatmann *m*; *péj.* Individuum *n* F, irgend jemand; **8.** *advt.* *en* ~ besonders, einzeln; unter vier Augen; *prendre q. en* ~ j-n beiseite nehmen; *drohend*: *nous nous verrons en* ~! wir werden uns sprechen!

partie [par'ti] *f* **1.** Teil *m*, Bestandteil *m*; ~ *du monde* Erd-, Welt-teil *m*; ~ *avant* (~ *arrière*) Vorder- (Hinter-)teil *m*; ~ *essentielle* Kernstück *n*; *faire* ~ *de qch.* zu etw. (*dat.*) gehören; Mitglied von etw. (*dat.*) sein; *advt.*: *en* ~ teilweise; *en* ~ ..., *en* ~ ... teils ..., teils ...; *en grande* ~ großenteils; *pour la plus grande* ~, *en majeure* ~ größtenteils; *par* ~*s* stückweise; *bei* ~ *als Subjekt kann das Verb im Plural stehen*: *une* ~ *des élèves avaient déjà quitté l'école* ein Teil der Schüler hatte die Schule bereits verlassen; **2.** ~ *du corps* Körperteil *m*; ~ *buccale* Mundpartie *f*; ~*s f/pl. molles* Weichteile *m/pl.*; **3.** (Vergnügungs-)Partie *f*; *a.* Party *f*; ~ *de campagne* Ausflug *m*, Landpartie *f*, Wanderung *f*; *être d'une* ~ e-e Partie mitmachen; ~ *d'alpinisme* Hochtour *f*; *allg. fig. être de la* ~ etw. mitmachen, dabeisein, teilnehmen, mit von der Partie sein F; **4.** Branche *f*; *cela n'est pas de ma* ~ das gehört nicht zu meiner Branche; **5.** † (Waren-)Posten *m*, Menge *f*, Partie *f*; *tenue f des livres en* ~ *simple* (*double*) einfache (doppelte) Buchführung *f*; **6.** ⚖, ⚔ Partei *f*; ~ *adverse* Gegenpartei *f*; ~ *civile* Nebenkläger *m* in e-m Strafprozeß; *se porter* ~ *civile* auf Entschädigung klagen; ~ *publique* Staatsanwalt(schaft *f*) *m*; *se porter* ~, *se rendre* ~ sich zum Kläger aufwerfen; *allg. prendre q. à* ~ auf j-n losgehen, j-n angreifen *od.* anklagen; ~*s pl. contractantes* Kontrahenten *m/pl.*, vertragschließende Parteien *f/pl.*; ~*s belligérantes* kriegführende Mächte *f/pl.*; **7.** ♪ Partie *f*, Stimme *f*; *à quatre* ~*s* für vier Stimmen, vierstimmig; ~ *récitante* Hauptstimme *f*; *chanter en* ~ mehrstimmig singen; ~ *de piano* Klavierauszug *m*; ~ *d'orchestre* Orchesterstimme *f*; **8.** ♪ Gesangrolle *f*; ~ *de ténor* Tenorpartie *f*; *fig. tenir bien sa* ~ s-e Rolle gut spielen; **9.** *Spiel u. Sport*: Partie *f*, Runde *f*; *une* ~ *d'échecs* e-e Partie Schach; *Schachspiel*: ~ *simultanée* Simultanspiel *n*; *faites-vous la* ~? spielen Sie mit?; *coup m de* ~ Stich *m*, Wurf *m usw.*, der die Partie entscheidet; ~ *nulle* unentschieden; unentschiedenes Spiel *n*; *la* ~ *n'est pas égale fig.* die Partie ist ungleich, er ist s-m Gegner nicht gewachsen; *abandonner* (*od.* *quitter*) *la* ~ das Spiel aufgeben; *avoir* ~ *gagnée* gewonnenes Spiel haben; *c'est* ~ *remise* die Sache ist nur aufgeschoben; **10.** ~*s pl.* Geschlechtsteile *m/pl.*

partiel [par'sjɛl] *adj.* (7c) □ Teil..., partiell; **~lement** [~sjɛl'mɑ̃] *adv.* zum Teil.

partir [par'tiːr] (2b) (*nur mit* être!) *v/i.* **1.** abreisen (*pour* nach *dat.*); weggehen; *bsd.* 🚂, *Auto*, ✈ *u.* ⚓ abfahren, abgehen; abfliegen, aufsteigen; absegeln; abmarschieren, aufbrechen, ausrücken; *Sport*, ✈: starten; *mot.* anspringen; ~ (*en auto*) wegfahren; ~ *en voyage* verreisen; *à vos marques! prêts! partez!* Achtung!, fertig!, los!; *il est parti pour la France* (*pour Paris, pour la campagne, pour le Midi*) er ist nach Frankreich (nach Paris, aufs Land, nach dem Süden) abgereist; ~ *en vacances* e-e Ferienreise machen; ~ *en guerre* in den Krieg ziehen; *mot. faire* ~ *un moteur* e-n Motor anlassen; **2.** entspringen, weg-laufen, -fliegen; *fig. le mot est parti* das Wort ist gefallen; **3.** ausgehen, entspringen, (her)kommen (de aus *bzw.* von *dat.*); *advt. à* ~ *d'aujourd'hui* von heute an, ab heute; *à* ~ *de là* von da an gerechnet; **4.** auffahren; davonstürmen; herausfahren; ~ *d'un* (*grand*) *éclat de rire* in lautes Gelächter ausbrechen; **5.** losgehen (*Gewehr*); abfliegen (*Kugel*); *faire* ~ *le coup* abdrücken, abfeuern; **6.** F *être un peu parti* e-n Schwips haben; **7.** F ~ *à faire qch.* anfangen, etw. zu tun.

partisan [parti'zɑ̃] **I** *nur m* Anhänger *m*, Partei-gänger *m*, -mitglied *n*; ⚔ Partisan(enkämpfer *m*) *m*; *elle en est partisan* sie ist dafür; **II** *adj.* (*f*: ~e, F ~te) parteigebunden, Partei... (*z.B. journal* ~); **~isme** [~za'nism] *m* Parteiwesen *n.*

parti|tif *gr.* [parti'tif] *adj.* (7e) Teilungs...; **~tion** [~ti'sjɔ̃] *f* **1.** ⛝ Teilung *f*; *abus.* ~ *d'un territoire* Gebietsteilung *f*; **2.** ♪ Partitur *f*; **3.** *cin.* ~ *musicale* unterlegte Musik *f*, musikalische Untermalung *f.*

partout [par'tu] *adv.* überall, allerorts; nach allen Seiten, überallhin; *de* ~ von überallher; ~ *ailleurs* sonst überall; *toujours et* ~ durchweg.

partouz|e F, P [par'tuːz] *f* Sexparty *f*; **~er** F, P [~tu'ze] *v/i.* (1a) Sexpartys machen.

par trop F [par'tro] *adv.* (all)zu.

partur|iente ⚕ [party'rjɑ̃ːt] *f* gebärende Frau *f*; **~ition** ⚕ [~ri'sjɔ̃] *f* Gebären *n.*

party [par'ti] *f* (*pl. parties*) Party *f.*

parure [pa'ryːr] *f* **1.** Schmuck *m*, Geschmeide *n*; Kopfschmuck *m*; **2.** Damengarnitur *f*; **3.** ⊕ ~ *de peau* Lederabfälle *m/pl.*

parution [pary'sjɔ̃] *f* Erscheinen *n* (*e-s Buchs*).

parve|nir [parvə'niːr] *v/i.* (2h): ~ *à qch.* zu etw. (*dat.*) gelangen *od.* kommen, etw. erreichen; *votre lettre m'est parvenue* Ihr Brief hat mich erreicht; ~ *à un grand âge* ein hohes Alter erreichen; ~ *à mit inf.* es dahin bringen, daß man ...; *je parviens à* ... es gelingt mir zu ...; *faire* ~ *qch. à q.* j-m etw. zuschicken; **~nu** [parvə'ny] *su.* Emporkömmling *m.*

parvis [par'vi] *m* Kirchplatz *m.*

pas[1] [pɑ] *m* **1.** Schritt *m*; Tanzschritt *m*; ~ *seul* Einzeltanz *m*; ~ *de deux* Tanz *m* zu zweien; ~ *cadencé* Gleichschritt *m*; ⚔ ~ *de charge* Sturmschritt *m*; ~ *de course*, ~ (*de*) *gymnastique* Laufschritt *m*; ~ *à* ~ Schritt für Schritt, schrittweise; *à grands* ~ mit großen Schritten; *au petit* ~ ohne sich zu übereilen; *à* ~ *lents* langsamen Schrittes; *à* ~ *de loup*, *à* ~ *feutrés* ganz leise; *aller au* ~ Schritt gehen; *être au* ~ *avec l'époque* mit der Zeit mitgehen (*od.* Schritt halten); *aller* (*un*) *bon* ~ gut marschieren; *fig. aller à* ~ *de géant dans qch.* riesige Fortschritte in etw. (*dat.*) machen; *il n'y a qu'un* ~ *d'ici là* F es ist nur ein Katzensprung bis dorthin; *à deux* ~ (*od. à quatre* ~) *d'ici* in nächster Nähe; *de ce* ~ *advt.* auf der Stelle, augenblicklich, sofort; *faire les cent* ~ auf und ab gehen; *faire un faux* ~ e-n Fehltritt begehen, straucheln (*a. fig.*); *faire un* ~ *de clerc* e-e Unvorsichtigkeit begehen; *prendre le* ~ *sur q.* j-m vorausgehen; *retourner sur ses* ~ wieder umkehren; **2.** Tritt *m*; *au* ~*!* langsam fahren!, Tritt halten!, Tritt gefaßt!; *changer le* ~ Tritt wechseln; *marquer le* ~ auf der Stelle treten; *fig.* keine Fortschritte machen; *perdre le* ~ aus dem Tritt kommen; *raccourcir le* ~ kurztreten; **3.** Fußspur *f*; **4.** *se tirer* (*od. sortir*) *d'un* *mauvais* ~ mit heiler Haut davonkommen; **5.** Engpaß *m*; Meerenge *f*; ~ *de Calais* Straße *f* von Calais; **6.** Schwelle *f*: *franchir le* ~ sich *endlich* entschließen; **7.** *fig.* Vortritt *m*, Vorzug *m*; *avoir le* ~ *sur q.* den Vorrang vor j-m haben; *disputer le* ~ *à q.* j-m den Vorrang streitig machen; **8.** *salle f des* ~ *perdus*: a) große Halle, die als Vorzimmer zu den verschiedenen Gerichtslokalen dient; b) Bahnhofshalle *f*; **9.** *mettre au* ~ *Reitkunst*: Schritt parieren; *fig.* zur Vernunft bringen; *pol.* gleichschalten; **10.** *gym.* ~ *de géant* Rundlauf *m*; **11.** ⊕ Gewinde *n*; ~ *de rayure* Drall *m*; ~ *de vis* Schraubengang *m*; ~ *de l'engrenage* Zahnteilung *f*.

pas[2] [pɑ] *adv.* nicht; kein(e, er, s); **I a)** *allein, ohne Verb*: **1.** *pourquoi pas?* warum nicht?; *pas un seul* kein einziger; *pas du tout* überhaupt nicht, gar nicht; *pas trop vite!* nicht zu schnell!; *pas beaucoup* nicht viel; *pas grand-chose* nichts Besonderes; *pas trop* nicht zuviel; *pas trop haut!* nicht zu laut! (*bzw.* hoch!); *pas deux mots* nicht zwei Worte (*bzw.* Wörter); **2.** *mit nachfolgendem, partitivem* de (*Teil e-r Menge*): *pas d'argent* kein Geld; *pas de fleurs* keine Blumen; **3.** *elliptisch* (*das Verb auslassend*) F *pas vrai?* nicht wahr?; *pas moi bzw. moi pas* ich nicht; *pas question* kommt nicht in Frage; *pas de quoi!* keine Ursache!; macht nichts!; bitte! (*als Antwort auf e-e Entschuldigung*); *statt non*: *nous étions tous fatigués, lui pas* wir waren alle ermüdet, er nicht; *zur Verstärkung von non*: *je crains votre silence et non pas vos injures* ich fürchte Ihr Schweigen, nicht Ihre Kränkungen; **b)** P *u. enf. mit Verb*: **4.** *je sais pas* ich weiß (es) nicht; *j'irai pas* ich werde nicht gehen; *dites pas non!* sagen Sie nicht nein!; *y a pas plus simple* es gibt nichts Einfacheres; **II** *ne ... pas mit Verb*: **5.** *il n'arrive pas* er kommt nicht; *je ne l'ai pas vu du tout* ich habe ihn gar nicht gesehen; *pas un ne bougea* nicht einer rührte sich; *il prétend ne m'avoir pas vu* er behauptet, mich nicht gesehen zu haben; **6.** *mit nachfolgendem, partitivem* de (*Teil e-r Menge*): *il n'a pas d'argent sur lui* er hat kein Geld bei sich; *je ne vois pas d'enfants* ich sehe keine Kinder; *il n'a pas trouvé de pommes mûres* er hat keine reifen Äpfel gefunden; *il n'y a pas de mal* keine Ursache!; macht nichts! (*als Antwort auf e-e Entschuldigung*); *nous ne devons pas perdre de temps* wir dürfen keine Zeit verlieren; *je ne veux pas de vos marchandises* ich will von Ihren Waren nichts; *on n'a pas voulu de moi* man hat nichts von mir gewollt; **7.** *ne ... pas que* nicht nur, nicht bloß; *il ne s'agit pas que de mon frère* es handelt sich nicht bloß um meinen Bruder; *je n'ai pas écouté que lui* ich habe nicht nur ihn angehört; **8.** *das partitive* de *fällt u.a. weg* a) *bei Ausdrücken, die auch im positiven Infinitiv keinen Teilungsartikel haben*: *je n'ai pas faim* (*soif*) ich habe keinen Hunger (Durst); *il n'a pas peur* er hat keine Angst; *je n'y ai pas droit* ich habe darauf keinen Anspruch; *il ne perdit pas courage* er verlor nicht den Mut; *cette somme ne porte pas intérêts* dieser Betrag bringt keine Zinsen (*od.* verzinst sich nicht); *il n'y a pas moyen de le faire* es gibt kein Mittel, es zu machen; b) *wenn der ganze Satz verneint ist*: *nous n'avons pas du pain tous les jours* nicht alle Tage haben wir Brot; c) *vor Zahlen*: *je n'ai pas un bijou* ich habe nicht ein (einziges) Schmuckstück; **III** *non* ~! nein, durchaus nicht!; **IV** *ne ...* ~ *non plus* auch nicht; *moi, je n'ai pas d'argent non plus* ich habe auch kein Geld.

pascal [pas'kal] *adj.* (*pl. a.* [5c]) österlich; Oster...

pascaliser *néol.* [~li'ze] *v/t.* (1a) österlich ausschmücken.

pas-d'âne [pɑ'dɑ:n] *m* (6c) Huflattich *m*.

pas plus que ... ne (*ohne darauffolgendes pas*) [pɑ'plykənə] *cj.* (*nach vorangehendem, verneintem Satz*) ebensowenig wie; *un tel système ne simplifie pas la marche des affaires, pas plus qu'il n'incite aux décisions rapides* ein solches System vereinfacht nicht den Geschäftsgang, ebensowenig wie es zu schnellen Entscheidungen anregt.

passable [pɑ'sablə] *adj.* □ erträglich, leidlich; *écol.* ausreichend (*Schulnote*); *un élève* ~ ein mittelmäßiger Schüler *m*; **~ment** [~blə'mɑ̃] *adv.* einigermaßen.

passade [pɑ'sad] *f* **1.** Laune *f*; vorübergehende Neigung *f*; **2.** kurze Liebelei *f*; **3.** Untertauchen *n e-s Mitschwimmers unter e-n anderen* (*als Spiel*); **4.** *man.* Passade *f*.

passage [pɑ'sa:ʒ] *m* **1.** Durch-gang *m*, -fahrt *f*, -reise *f*, -marsch *m*, -zug *m*; Überquerung *f*; *écol.* ~ (*dans la classe supérieure*) Versetzung *f*; *écol. examen m de* ~ Versetzungsprüfung *f*; ~ *interdit* Durchgang verboten; ~ *de la frontière* Grenzübertritt *m*; *être de* ~ sich nur kurz (*od.* vorübergehend) aufhalten, auf der Durchreise sein; *court* ~ kurzer Abstecher *m*; *oiseau m de* ~ Zugvogel *m*; *ch.* ~ *des bécasses* Schnepfenstrich *m*; **2.** Vorbei-, Vorüber-gehen *n*, -reiten *n*, -fahren *n*, -fliegen *n*; ~ *en trombe* Vorbeifahrt *f* in rasendem Tempo; *saisir qch. au* ~ etw. im Fluge erhaschen; **3.** Übergang *m*, Durchgang *m*, Passage *f*, Durchlaßstelle *f*, Weg *m*, Straße *f*, *fig.* Bahn *f*, Paß *m*; ~ *à niveau* Bahnübergang *m*; ~ *clouté* mit Nägeln bezeichnete Übergangsstelle *f* für Fußgänger; Fußgängerüberweg *m*; ~ *souterrain*, ~ *inférieur*, ~ *en dessous* (Eisenbahn-)Unterführung *f*; ~ *supérieur* (Eisenbahn-)Überführung *f*; *se frayer* (*od. s'ouvrir*) *un* ~ sich Bahn brechen; **4.** *text.* Läufer *m* (*schmaler Teppich*); **5.** Überfahrt *f* (*über e-n Fluß*); **6.** Fährgeld *n*; Brückengeld *n*; **7.** *fig.* Übergang *m*, Wechsel *m*; **8.** *fig.* kurzer Aufenthalt *m*; *pendant son* ~ *au ministère* in der kurzen Zeit, wo er dem Ministerium angehörte; *la vie n'est qu'un* ~ das Leben ist nur e-e Durchgangsstation; **9.** Stelle *f in e-m Buch*; ⚠ Passage *f*; ♪ Verzierung *f* durch Läufe; **10.** geheimer Aus- *od.* Neben-gang *m*; glasbedeckte Passage *f*; kurzer Korridor *m*; Zugang *m*; **11.** F ~ *à tabac* Durchprügeln *n*, Vertobacken *n* P; **~-piétons** [~pje'tõ] *m* (6b) Fußgängerüberweg *m*.

passager [pasa'ʒe] (7b) **I** *adj.* □ **1.** vorübergehend, durch-reisend, -ziehend; Zug...; **2.** vergänglich, von kurzer Dauer; **II** *su.* Fahrgast *m*, Reisende(r) *m*; Mitfahrer *m*; ⚓ Passagier *m*, (See-)Reisende(r) *m*; ✈ Flug-, Fahrgast *m*, Insasse *m*; ~ *clandestin* blinder Passagier *m*.

passagèrement [pasaʒɛr'mã] *adv.* zeitweilig, vorübergehend; ~ *nuageux* zeitweilig bewölkt.

pass|ant [pɑ'sã] (7) **I** *adj.*: *rue f très* ~*e* sehr belebte Straße *f*, verkehrsreiche Straße *f*; **II** *su.* Passant *m*, Vorübergehende(r) *m*; **III** *m* Schlaufe *f*; ~ *en cuir* Lederschlaufe *f*; **~ation** [~sɑ'sjõ] *f* Ausfertigung *f e-s Vertrages*; Ausstellung *f e-r Bescheinigung*, Erteilung *f e-s Auftrages*; Übertragung *f* (*von Befugnissen*); ~ *d'un contrat* Beurkundung *f* e-s Vertrages; ~ *de commande* Auftragserteilung *f*; ~ *des pouvoirs* Übertragung *f* der Dienstbefugnisse (*auf e-n anderen*); **~avant** [~a'vã] *m* **1.** ⚕ Zollbegleitschein *m*; **2.** ⚓ leichter Laufsteg *m*; **3.** Passier-, Durchlaß-, Durchgangs-, Transit-, Zoll(frei)-schein *m*.

passe[1] [pɑ:s] *f* **1.** *ch.* Vogelzug *m*; *esc.* Ausfall *m*; *ch.* ~ *des bécasses* Schnepfenstrich *m*; **2.** *Sport*: (Ball-)Abgabe *f*; Vorlage *f*, Zuspiel *n*; *Spiel*: Zahl *f* über 18 beim Roulette; *faire une* ~ *Sport*: den Ball zuspielen (*od.* abgeben); **3.** ~*s magnétiques* Betasten *n* e-s Magnetiseurs; **4.** *en* ~ *de* im Begriff (*od.* auf dem besten Wege) zu ...; *être en* ~ *de* ... gute Aussichten haben zu ...; *être dans une mauvaise* ~ in e-r üblen Lage sein; **5.** ⚓ Fahrrinne *f*; **6.** *mot m de* ~ Losungs-, Erkennungs-wort *n*, Parole *f*; **7.** *maison f de* ~ *péj.* Absteigequartier *n*; **8.** *fig.* ~ *d'armes* Rededuell *n*; **9.** *typ.* Makulatur *f beim Drucken*; *livres m/pl. de* ~ Fehldrucke *m/pl.*, Zuschußexemplare *n/pl.*; **10.** ⚕ ~ *de caisse* Kassenausgleich *m*; **11.** * Beischlaf *m*; **12.** Damenhutkrempe *f*; **13.** ⊕ Walzstich *m*, Durchgang *m*.

passe[2] [~] *m* Dietrich *m*, Nachschlüssel *m*; = ~*-partout*.

passe![3] [~] *int.* meinetwegen!

passé [pɑ'se] **I** *m das* Vergangene *n*; *a. gr.* Vergangenheit *f*; *gr. au* ~, *nur zeitlich*: *dans le* ~ in der Vergangenheit; **II** *adj.* vergangen, vorig; (da)hin, vorbei, aus, zu Ende; überreif (*Früchte*); *l'année* ~*e* im vergangenen Jahr; *il est neuf heures* ~*es* es ist bald 10 (Uhr), die Uhr geht auf 10; **III** *prp.* (*inv.!*) ~ *20 heures* nach 20 Uhr; ~ *cette époque* nach Ablauf dieser Zeit; ~ *la frontière* hinter der Grenze.

passe|-bouillon [pɑsbu'jõ] *m cuis.* Durchschlagsieb *n*; **~-droit** [~'drwa] *m* (6g) Schiebung *f*, ungerechte Bevorzugung *f*, Dispens *m*.

passée [pɑ'se] *f* **1.** *ch.* Spur *f*, Fährte *f*; **2.** Vorüberziehen *n* der Schnepfen; **3.** ⚒ Flözstreifen *m*.

passéiste [pɑse'ist] *adj.* (*u. su.*) an die Vergangenheit anknüpfend(er Mensch *m*).

passe-lacet [pɑsla'sɛ] *m* (6g) Schnür(senkel)nadel *f*.

passement [pɑs'mɑ̃] *m* Borte *f*, Tresse *f*; Besatz *m*; **~er** [~'te] *v/t.* (1a) besetzen, verbrämen; **~erie** [~'tri] *f* Posamentierwaren *f/pl.*

passe|-montagne [pɑsmɔ̃'taɲ] *m* (6g) Alpinistenmütze *f*; **~-partout** [~par'tu] **I** *m* (6c) **1.** Dietrich *m*, Nachschlüssel *m*; **2.** ⊕ Schrotsäge *f*; **3.** aufklappbarer Bilderrahmen *m*; **4.** *pât.* Mehlbürste *f*; **II** *adjt.* immer passend; *mot m* ~ Allerweltswort *n*; **~-passe** [~'pɑ:s] *m* (6c): *tour m de* ~ *a. fig.* Taschenspielerstück *n*.

passe-plat *cuis.* [~'pla] *m* (6g) Durchreiche *f*.

passepoil [~'pwal] *m* Litze *f*, Streifen *m*, Borte *f*, ⚔ Biese *f*.

passeport [pɑs'pɔ:r] *m* Paß *m*.

passe-purée *cuis.* [pɑspy're] *m* (6c) Durchschlagsieb *n*.

passer [pɑ'se] (1a) **I** *v/i.* (*heute mst. mit* être) **1.** ~ *à ... von e-m Ort nach dem anderen* gehen, fahren, fliegen, reisen, reiten, schwimmen; vorbei-, vorüber-gehen *usw.*; *fig.* 'übergehen; ~ *par ...* durch ... gehen, kommen, ziehen; vorbeifließen; ~ *par une ville* durch e-e Stadt kommen; ~ *par de rudes épreuves* viel (im Leben) durchmachen; *il faut en* ~ *par là* man muß sich das gefallen (*od.* bieten) lassen; ~ *à l'ordre du jour* zur Tagesordnung übergehen; ~ *chez q.* j-n aufsuchen; *écol.* ~ *dans une classe supérieure* versetzt werden; ~ *dans l'usage fig.* sich einbürgern; ~ *de l'autre côté* auf die andere Seite gehen; ~ *devant* vorangehen; *fig.* den Vorrang haben; ~ *devant qch.* vorbeigehen an etw. (*dat.*); ~ *par la porte* zur Tür hinausgehen *bzw.* hereinkommen; *il est passé par ici* er ist hier vorbeigekommen; *le tram m'est passé devant le nez* die Straßenbahn (die Bahn F) ist mir vor der Nase weggefahren; ~ *par la tête* durch den Kopf gehen; ~ *par-dessus* (*od.* *sur*) *qch.* sich über etw. (*acc.*) hinwegsetzen, etw. außer acht lassen, etw. beiseite lassen, etw. übergehen; über etw. (*acc.*) hinwegsehen; etw. überwinden; etw. überschlagen (*Buchstelle*); *l'auto lui est passé sur le corps* das Auto hat ihn überfahren; *fig.* ~ *pour qch.* für etw. (*acc.*) gehalten werden; als etw. gelten *od.* angesehen werden; ~ *pour riche* als reich gelten; *laisser* ~ durchlassen; *fig. laisser* ~ *qch. à q.* bei j-m etw. durchgehen lassen; *passons!* lassen wir das!; *en passant advt.* auf der Durchreise; im Vorübergehen; auf der Durchfahrt; *fig.* gelegentlich, beiläufig, nebenbei; *y* ~ es über sich ergehen lassen; F sterben; *il faut en* ~ *par là* das ist unvermeidbar; F ~ *à l'as* ausbleiben; *fig.* draufgehen; **2.** *bei e-r Prüfung* durchkommen; *écol.* versetzt werden; *il ne passa pas à l'examen* er fiel durch; **3.** werden; ~ *maître* Meister werden; *il n'est jamais passé officier* er ist niemals Offizier geworden; **4.** ⚖ 'durchgehen, angenommen werden; *une loi passe* ein Gesetz geht durch; **5.** *thé.*, *cin.* gespielt werden; *thé.* über die Bretter gehen; *cin.* laufen; **6.** überliefert werden, gelangen; *faire* ~ überliefern; ~ *à la postérité* der Nachwelt überliefert werden; **7.** vergehen, verstreichen (*Zeit*); *l'année passée* voriges Jahr *n*; *le temps est passé bien vite* die Zeit ist schnell vergangen; *ça passera! od. ça va* ~*!* das geht vorüber!; *ce temps est passé* diese Zeit ist vorbei; *il était huit heures passées* es war nach acht Uhr; **8.** vorstehen, vorgucken F; *sa jupe passe sous son manteau* ihr Rock guckt unter ihrem Mantel hervor; **9.** vergehen, verderben; verblühen, verwelken; verschießen (*Farbe*); verschwinden, aufhören; *regional a.* sterben; ~ *de mode* aus der Mode kommen; *je t'en ferai* ~ *l'envie* ich werde dir die Lust dazu noch austreiben; P ~ *l'arme à gauche* abnibbeln P, krepieren P; **10.** passen, kein Spiel ansagen; **II** *v/imp.* gelten, 'durchgehen; *il passe pour certain que ...* es gilt als gewiß, daß ...; *passe!* meinetwegen!; *passe encore* (*pour cela*) das lasse ich mir noch gefallen; *passe pour cette fois* dieses Mal mag es noch so hingehen; *passe encore que ...* (*subj.*) es mag noch angehen, daß ...; *passe encore de faire qch.* es mag noch angehen, etw. zu tun; **III** *v/t.* **11.** *Fluß, Straße* überqueren, überschreiten; an (*dat.*) vorbeigehen; ~ *la fron-*

tière die Grenze überschreiten; ~ *un pont* über e-e Brücke gehen; *passez votre chemin!* geht eures Wegs!; ~ *un tapis à l'aspirateur* e-n Teppich staubsaugen; **12.** 'übersetzen, hinüber-, herüber- (F) fahren; **13.** über-, weiter-geben; zureichen, herüberreichen; F *téléph.* ~ *un coup de fil à q.* j-n anrufen; *pol.* ~ *la main* abtreten, sich zurückziehen; ~ *un plat* ein Gericht herum- (*od.* herüber-)reichen; *Sport*: ~ *la balle* (*od. le ballon*) *à q.* j-m den Ball zuspielen; ⚕ ~ *une maladie à q.* auf j-n e-e Krankheit übertragen; ⚚ ~ *des commandes à q.* j-m Aufträge erteilen; **14.** ~ *par les armes* erschießen; F ~ *q. à tabac* j-n versohlen, j-n grün u. blau schlagen; **15.** 'durch-stecken, -stoßen; 'durchseihen, 'durchlaufen lassen; ~ *au crible* 'durchsieben; *fig.* genauestens untersuchen, *fig.* nach allen Seiten hin beleuchten; **16.** übertreffen, überragen, übersteigen; überschreiten; *elle passait toutes ses compagnes en beauté* sie übertraf all ihre Gefährtinnen an Schönheit; *il ne passera pas la journée* er wird den Tag nicht überleben; *il vous passe de toute la tête* er ist um einen ganzen Kopf größer als Sie; *la dépense passe la recette* die Ausgabe übersteigt die Einnahme; *Sport*: ~ *la défense* den Gegner überspielen; **17.** anziehen; ~ *une chemise propre* ein sauberes Hemd anziehen; **18.** hingleiten lassen, hinstellen; ~ *au feu* dem Feuer aussetzen; ~ *la main sur ses cheveux* mit der Hand über die Haare fahren; ~ *une bague au doigt* e-n Ring an den Finger stecken; ~ *un couteau sur la meule* ein Messer schleifen; **19.** verbringen, verleben (*s-e Zeit*); ~ *l'été à la campagne* den Sommer auf dem Land zubringen; **20.** ⚔ ~ *les troupes en revue* e-e Parade abhalten; ~ *en revue fig.* kontrollieren, prüfen; **21.** ~ *un examen* e-e Prüfung machen; ~ *son permis* s-e Fahrprüfung machen; **22.** ⚚, *adm.* ~ *un contrat* e-n Vertrag aufsetzen; ~ *un marché* ein Geschäft abschließen; ~ *qch. à un prix très modéré* etw. zu sehr mäßigem Preis ansetzen; **23.** erlauben, nachsehen, zugestehen; *il ne faut rien* ~ *aux enfants* man darf den Kindern nichts zugestehen; **24.** ~ *qch.* (F *à l'as*) aus-, weg-lassen, über-schlagen, -'gehen; über'lesen; über'sehen; ~ *qch. sous silence* etw. mit Stillschweigen über'gehen; **25.** *fig.* befriedigen; ~ *son envie* s-e Lust befriedigen; **26.** ⚚ buchen; ~ *qch. en compte* etw. in Rechnung stellen *od.* bringen; **IV** *v/rfl.* se ~ **27.** *se* ~ *soi-même* sich selbst übertreffen; **28.** vergehen (*Zeit*); vorübergehen (*Schmerz*), zu Ende gehen; **29.** sich ereignen, stattfinden, passieren F; *thé.* spielen; verlaufen; *la chose s'est bien passée* die Sache ist gut abgelaufen; *que s'est-il passé?* was ist los (*od.* vorgefallen)?; **30.** se ~ *de qch.* etw. (freiwillig) entbehren; verzichten, sich e-r Sache (*gén.*) enthalten; *je ne peux m'en* ~ ich kann das nicht entbehren; *cela se passe de commentaires* das spricht für sich; **31.** sich leisten, sich gönnen.

passerage ⚘ [pɑs'ra:ʒ] *f* Kresse *f.*

passereaux [pɑs'ro] *m/pl.* sperlingsartige Vögel *m/pl.*

passerelle [pɑs'rɛl] *f* **1.** Steg *m*, schmale Brücke *f*; *fig. école. classe f* ~ Übergangsklasse *f*; **2.** ⚓ (Kommando-, Lauf-)Brücke *f*; **3.** ✈ ~ *télescopique* (*ausziehbare*) Fluggastbrücke *f*.

passe|-rose ⚘ [pɑs'ro:z] *f* Herbst-, Stock-rose *f*; **~-temps** [~'tɑ̃] *m* (6c) Zeitvertreib *m*; *par* ~ zum Zeitvertreib; **~-thé** [~'te] *m* (6c) Teesieb *n*.

passette [pɑ'sɛt] *f* kleines Sieb *n*.

passeur [pɑ'sœ:r] *su.* (7g) Fährmann *m*; heimlicher Grenzführer *m*; ~ *de drogue* Rauschgiftgrenzschmuggler *m*.

passe-velours ⚘ [pɑsvə'lu:r] *m* (6c) Hahnenkamm *m*.

passible [pa'siblə] *adj.* ⚖ ~ *d'une peine* straffällig, strafbar; *être* ~ *d'une amende* e-e Geldstrafe entrichten müssen.

passif [pa'sif] **I** *adj.* (7e) □ passiv; untätig; *défense f passive* Luftschutz *m*; *obéissance f passive* blinder Gehorsam *m*; Kadavergehorsam *m*; *gr. voix f passive* Passiv *n*; **II** *m* **1.** *gr.* Passiv *n*; **2.** ⚚ Passiva *pl.*, Passivmasse *f*, Schulden *f/pl.*, Verbindlichkeiten *f/pl.*; ~ *des comptes de virement* Giroverbindlichkeiten *f/pl.*

passiflore ⚘ [pasi'flɔ:r] *f* Passionsblume *f*.

passion [pɑ'sjɔ̃] *f* **1.** Leidenschaft *f*, Passion *f*; Liebe *f*; Gegenstand *m* der Liebe; Hang *m*, Sucht *f*, glühender Wunsch *m*; ~ *du jeu* Spielwut *f*; ~ *des voyages* Reiselust *f*; **2.** *rhét.* Glut *f*, Wärme *f*; (*u. peint.*) Ausdruck *m* der Leidenschaft; **3.** *rl.* Leiden *n* Christi; Passion *f*; *semaine f de la* ♀ Karwoche *f*; **4.** Passionspredigt *f*; Leidensgeschichte *f*; **~né** [~sjɔ'ne] **I** *adj.* (*adv. passionnément*) leidenschaftlich; **II** *su. fig.* Begeisterte(r) *m*; *un ~ de musique* ein begeisterter Musikliebhaber *m*; **~nel** *psych.* [~sjɔ'nɛl] *adj.* (7c): *crime m* ~ Totschlag *m* im Affekt; *mouvement m* ~ Affekt *m*; **~ner** [~sjɔ'ne] (1a) **I** *v/t.* **1.** ~ *q.* j-n in Leidenschaft versetzen, j-n begeistern; **2.** ~ *qch.* etw. verschärfen, hochspielen; **II** *v/rfl.* *se* ~ leidenschaftlich werden; *se* ~ *pour* sich begeistern für (*acc.*), schwärmen für (*acc.*), sich sterblich verlieben in (*acc.*), vernarrt werden in (*acc.*).

passivité [pasivi'te] *f* Passivität *f*, Untätigkeit *f*, Energielosigkeit *f*, Sichgehenlassen *n*.

passoire [pɑ'swa:r] *f* Sieb *n*.

pastel[1] [pas'tɛl] *m* Waid *m*; Waidfarbe *f*.

pastel[2] [~] *m* **1.** Pastellstift *m*; **2.** Pastellgemälde *n*; **~liste** [~'list] *su.* Pastellmaler *m*.

pastèque ⚘ [pas'tɛk] *f* Wassermelone *f*.

pasteur [pas'tœ:r] *m*: **I** *adjt. peuple m* ~ Hirtenvolk *n*; **II** *prot.* Pfarrer *m*.

pasteur|ien [pastœ'rjɛ̃] *adj.* (7c) nach Pasteur; **~isateur** [~riza'tœ:r] *m* Entkeimungsapparat *m*; **~isation** [~rizɑ'sjɔ̃] *f* Pasteurisierung *f*, Entkeimung *f*; **~iser** [~ri'ze] *v/t.* (1a) pasteurisieren, entkeimen.

pasti|chage *peint.*, *litt.* [pasti'ʃa:ʒ] *m* plagiatartige Nachahmung *f*; **~che** [~'tiʃ] *m litt.* Abklatsch *m*; Nachahmung *f*; **~cher** [~'ʃe] *v/t.* (1a) nachbilden, nachahmen.

pastille [pas'tij] *f* **1.** Plätzchen *n*; Bonbon *m*; *phm.* Tablette *f*; **2.** ⚔ ~ *fusante*, ~ *fulminante* Zünderkopf *m*; ~ *d'oxygène* Sauerstoffpatrone *f*.

pastis [pas'tis] *m* Anisgetränk *n*.

pasto|ral [pastɔ'ral] **I** *adj.* (5c) □ **1.** das Hirten- (*od.* Land-)leben schildernd; Hirten...; *poésies f/pl.* ~*es* Schäfergedichte *n/pl.*; **2.** *rl.* pastoral; *lettre f* ~*e* Hirtenbrief *m*; **II** *m/inv.* bukolische Dichtungsart *f*; **~rale** [~] *f* Hirtengedicht *n*; Hirtenlied *n*, *a. Art* Tanz *m*; Schäferspiel *n*; **~rat** *prot.* [~'ra] *m* Seelsorgeamt *n*.

pastorien [pastɔ'rjɛ̃] *m* Bazillenforscher *m des Pasteur-Instituts.*

pastourelle *litt.* [pastu'rɛl] *f* Pastourelle *f*.

pat [pat] *adj./m* patt (*Schach*).

patachon [pata'ʃɔ̃] *m*: F *vie f de* ~ liederliches Leben *n*.

patafioler F [patafjɔ'le] *v/t.* (1a): *que le bon Dieu* (*od. le diable*) *te patafiole!* hol dich der Teufel!

patapouf F [~'puf] **I** *m* Fettwanst *m*; **II** *int.* ~*!* plumps!, plauz!

pataquès *gr.* [pata'kɛs] *m* **1.** Bindungsschnitzer *m*; **2.** schwerer Fehler *m*.

patate F ⚘ [pa'tat] *f* Kartoffel *f*.

patati-patata F [pata'ti, ~'ta] *int.* papperlapapp!, pipapo!; F *et patati et patata* und so weiter.

patatras! [pata'trɑ] *int.* krach bums!

pataud [pa'to] **I** *adj.* (7) täppisch; **II** *m* junger, tapsiger Hund *m*.

patauger [pato'ʒe] *v/i.* (1l) im Schlamm herumwaten, panschen; *fig.* F sich *beim Reden od. beim Übersetzen* verhaspeln.

patchwork *cout.* [patʃ'wœrk] *m* Stoff *m* mit Flickenmuster; **~ien** [~'kjɛ̃] *adj.* (7c) für Stoffe mit Flickenmuster.

pâte [pɑ:t] *f* **1.** Teig *m*; ~*s pl. alimentaires* Teigwaren *f/pl.*; ~ *feuilletée* Blätterteig *m*; F *mettre la main à la* ~ mit Hand anlegen, ordentlich mit zupacken (*od.* anpacken); ~*s pl. d'Italie* italienische Nudeln *f/pl.*; *fig. bonne* ~ *d'homme* eine gute, ehrliche Haut *f*; **2.** *phm.* teigartige Masse *f*, Paste *f*; ⊕ ~ *à papier* Papierbrei *m*, Pulp *m*; ~ *pectorale* Brustbonbon *m*; *colle f de* ~ Kleister *m*; ~ *de bois* Zellstoff *m*; Holz-schliff *m*, -masse *f*; ~ *à modeler* Knetmasse *f*; ~ *dentifrice* Zahnpaste *f*, Zahnkrem *m*; **3.** *peint.* Farbkomposition *f*; *en pleine* ~ dick aufgetragen; **4.** *fig. une bonne* ~ ein gutmütiger Mensch *m*.

pâté [pɑ'te] *m* **1.** Pastete *f*; ~ *de foie gras* Gänseleberpastete *f*; ~ *de viande* Fleischpastete *f*; **2.** *fig.* (Tinten-)Klecks *m*; **3.** ~ *de maisons* Häuser-block *m*, -komplex *m*.

pâtée [~] *f* **1.** (Mäst-)Futter *n*; *a.*: ~ *des chiens* (*des chats*) Hunde-(Katzen-)brei *m*; **2.** dicke Suppe *f*; **3.** P Tracht *f* Prügel.

patelin[1] F [pa'tlɛ̃] *m* Dorf *n*, Heimatsort *m*; Kaff *n péj.* P.

patelin[2] [~] *adj.* (7) schmeichle-

risch; **~er** [~li'ne] (1a) *v/t.*: ~ *q.* j-m schmeicheln.
patelle [pa'tɛl] *f* **1.** ⚘ Schüsselchen *n*; **2.** *zo.* Schüsselschnecke *f*.
patène *rl.* [pa'tɛ:n] *f* Hostienteller *m*.
patenôtre [pat'no:trə] *f* **1.** *iron.* ~*s pl.* Gebet *n*; *diseur m de ~s* Scheinheilige(r) *m*; **2.** ⊕ Becherwerk *n*; *ascenseur m* ~ Paternoster(aufzug *m*) *m*.
patent [pa'tɑ̃] *adj.* (7) offenkundig; *exemple m* ~ einleuchtendes Beispiel *n*.
paten|te [pa'tɑ̃:t] *f* **1.** Gewerbesteuer(quittung *f*) *f*; **2.** ✝ Gewerbeschein *m*; **3.** ⚓ ~ *de santé* Gesundheitspaß *m*; **~ter** [~tɑ̃'te] *v/t.* (1a) der Gewerbesteuer unterwerfen.
pater *rl.* [pa'tɛ:r] *m/inv.* **1.** Vaterunser *n*; *savoir qch. comme son* ~ etw. wie am Schnürchen hersagen können; **2.** Rosenkranzperle *f*; **3.** F *enf.* Vati *m*.
pâter [pɑ'te] *v/i.* (1a) mehlig schmecken (*Früchte*).
patère [pa'tɛ:r] *f* Kleider-, Gardinen-haken *m*.
pater|nalisme [patɛrna'lism] *m* **1.** *péj.* koloniale *od.* soziale Bevormundung(spolitik *f*) *f* zwecks Ausbeutung; **2.** patriarchalisches Verhältnis *n*; **~naliste** [~na'list] *adj.* traditionsgebunden, altväterlich, patriarchalisch; **~ne** [~'tɛrn] *adj.* gutmütig; **~nel** [~'nɛl] *adj.* (7c) □ von der Seite des Vaters, väterlich, Vater...; *maison f ~le* Vaterhaus *n*; **~nité** [~ni'te] *f* Vaterschaft *f*; ~ *naturelle* uneheliche Vaterschaft *f*.
pater-noster ⊕ [patɛ:rnɔs'tɛ:r] *m* Paternoster(band *n*) *m* (*Becherwerk für Güterstapelung*).
pâteux [pɑ'tø] *adj.* (7d) teigig, pappig; matschig; schmierig; zu dickflüssig; *langue f pâteuse* belegte Zunge *f*; *fig.* undeutliche Sprechweise *f*; *style m* ~ zähflüssiger Stil *m*.
pathétique [pate'tik] **I** *adj.* □ pathetisch, schwungvoll, nachdrücklich, rührend; **II** *m* Pathos *n*.
patho|gène [patɔ'ʒɛ:n] *adj.* pathogen, krankheitserregend; *microbe m* (*od. germe m od. agent m*) ~ Krankheitskeim *m*; **~génie** [~ʒe'ni] *f* Pathogenese *f*, Entstehung *f* u. Entwicklung *f* e-r Krankheit; **~logie** [~lɔ'ʒi] *f* Pathologie *f*, Krankheitslehre *f*; **~logique** [~lɔ'ʒik] *adj.* □ pathologisch; **~logiste** [~lɔ'ʒist] *m* Pathologe *m*.
pathos [pa'tɔs] *m* Pathos *n*.
patibulaire [patiby'lɛ:r] *adj.* unheimlich, fürchterlich.
patiemment [pasja'mɑ̃] *adv.* geduldig.
patience[1] [pa'sjɑ̃:s] *f* **1.** Geduld *f*; Langmut *f*; Beharrlichkeit *f*; *perdre* ~ die Geduld verlieren; *prendre* ~ sich in Geduld fassen; sich gedulden; **2.** *faire une* ~ Patience legen (*Karten*).
patience[2] ⚘ [~] *f* Gemüseampfer *m*.
patient [pa'sjɑ̃] **I** *adj.* (7) geduldig, langmütig; **II** *su.* ⚕ Patient *m*; **~er** [~sjɑ̃'te] *v/i.* (1a) Geduld haben, sich gedulden.
patin [pa'tɛ̃] *m* **1.** Schlittschuh *m*; ~ *à roulettes* Rollschuh *m*; *faire du* ~ Schlittschuh laufen; **2.** ⊕ Gleitschuh *m*; ~ *de frein* Bremsklotz *m*; **3.** ⚠ Unterlage *f* der Treppenstufen, Treppensohle *f*; Träger-, Balken-rost *m*; **4.** * ~*s pl.* Streit *m*; Partei *f*; saftige Knutscher *m/pl.*; **~age** [~ti'na:ʒ] *m* Schlittschuhlaufen *n*; ⊕ Schleudern *n* (*von Rädern*); ~ *artistique* Eiskunstlauf *m*; ~ (*en*) *couple* Paarlaufen *n* auf dem Eis.
patine [pa'ti:n] *f* Patina *f*; Edelrost *m*; *Möbel*: alte Politurschicht *f*.
patiner[1] [pati'ne] *v/i.* (1a) **1.** Schlittschuh laufen; ~ *à roulettes* Rollschuh laufen; **2.** *von Rädern*: rutschen, schleudern, sich auf der Stelle drehen; *Auto*: *l'embrayage patine* die Kupplung faßt nicht.
patiner[2] [~] *v/t.* (1a) patinieren, mit e-r dunklen Schicht überziehen.
patin|ette [pati'nɛt] *f* Roller *m* (*für Kinder*); **~eur** [~'nœ:r] *su.* (7g) Schlittschuhläufer *m*; **~oire** [~'nwa:r] *f* Eisbahn *f*.
pâtir [pɑ'ti:r] *v/i.* (2a) leiden, Schaden nehmen; büßen, dahinsiechen; *la tenue de route en pâtit Auto*: das Kurshalten leidet darunter; *les bons pâtissent souvent pour les mauvais* die Guten haben oft für die Schlechten zu büßen; **~a**(s) F [pɑti'ra] *m* Sündenbock *m*.
pâtis [pɑ'ti] *m* Viehweide *f*.
pâtis|serie [pɑtis'ri] *f* **1.** Feingebäck *n*; **2.** Konditorei *f*; **~sier** [~ti'sje] *su.* (7b) Konditor *m*; **~soire** [~'swa:r] *f* Backtisch *m*.
patoche F [pa'tɔʃ] *f* große Hand *f*, Flosse *f* P.
patois [pa'twa] **I** *m* **1.** Mundart *f*; **2.** Jargon *m*; **II** *adj.* (7) mundart-

lich; **~ant** [~'zɑ̃] *adj.* (7) e-e Mundart sprechend.

pâton [pɑ'tɔ̃] *m* **1.** Stopfnudel *f* zum Mästen; **2.** *pât.* Teigwurst *f.*

patouiller [patu'je] (1a) **I** *v/i.* F im Schlamm panschen; **II** *v/t.* begrapschen.

patraque F [pa'trak] *adj.*: je suis ~ ich fühle mich nicht wohl, ich bin nicht ganz auf der Höhe.

pâtre *litt.* ['pɑːtrə] *m* Hirt *m.*

patriar|cal [patriar'kal] *adj.* (5c) patriarchalisch; *fig.* ehrwürdig; **~cat** [~'ka] *m* Patriarchat *n*; **~che** [~tri'arʃ] *m* Patriarch *m.*

patrie [pa'tri] *f* **1.** Vaterland *n*; mère *f* ~ Mutter-, Stamm-land *n e-r Kolonie*; **2.** Geburtsort *m*; **3.** *fig.* ⚘, *peint. usw.* Heimat *f*; Wiege *f.*

patri|moine *fin.* [patri'mwan] *m* Vermögen *n*; ~ social Gesellschaftsvermögen *n*; **~monial** [~mɔ'njal] *adj.* (5c) vermögensrechtlich.

patrio|tard F [patriɔ'taːr] *su. u. adj.* (7) Hurrapatriot *m*; hurrapatriotisch; **~te** [~'ɔt] *adj. u. su.* patriotisch (*Person*); Patriot *m*; **~tique** [~'tik] *adj.* patriotisch (*Lied*; *Gefühle*); **~tisme** [~'tism] *m* Patriotismus *m*, Vaterlandsliebe *f*; ~ de clocher Lokalpatriotismus *m*, Kirchturmpolitik *f.*

patron [pa'trɔ̃] **I** *m* **1.** Schutzherr *m*; **2.** *rl.* Kirchenpatron *m*; **3.** ⚓ Schiffseigentümer *m*; **4.** Oberarzt *m*; **5.** ⊕ Form *f*, Modell *n*, Muster *n*; Schnittmuster *n*; Schablone *f*; **6.** *fig.* Vorbild *n*; prendre ~ sur q. sich j-n zum Vorbild nehmen; **II** *su.* (7c) **7.** *rl.* Schutzheilige(r) *m*; **8.** (Handwerks-)Meister *m*, Arbeitgeber *m*, Betriebsleiter *m*, Lehrherr *m*; Prinzipal *m*; Wirt *m* (*e-s Restaurants od. Hotels*); Hausherr *m*, Chef *m*; ~ boulanger Bäckermeister *m*; ~ charpentier Zimmermeister *m*; ~ ferblantier Klempnermeister *m*; **~age** [~trɔ'naːʒ] *m* **1.** Schutz *m*; *fig.* Patronat *n*, Schirmherrschaft *f*; **2.** Wohltätigkeits-gesellschaft *f*, -verein *m*; ~ scolaire Jugendhilfswerk *n*; **~al** [~'nal] *adj.* (5c) **1.** Arbeitgeber..., Unternehmer...; **2.** *rl.* Schutzheiligen...; fête *f* ~e Kirchweih *f*, Kirmes *f*; **~at** [~'na] *m* Arbeitgeberschaft *f*, Unternehmertum *n.*

patronne [pa'trɔn] *f* **1.** Schutzheilige *f*, Patronin *f*; **2.** Hausherrin *f*, Chefin *f*; Wirtin *f* (*e-s Restaurants od. Hotels*).

patronner [patrɔ'ne] *v/t.* (1a) protegieren, unterstützen; befürworten.

patronnesse [patrɔ'nɛs] *f u. adj.*: (dame *f*) ~ Vorstands-, Ehren-dame *f*, Festordnerin *f* (*Wohltätigkeitsveranstaltung*).

patronym|e *litt.* [patrɔ'nim] *m* Familienname *m*; **~ique** [~'mik] *adj.*: nom *m* ~ Familienname *m.*

patrouil|le [pa'truj] *f* Streifwache *f*, Runde *f*, Patrouille *f*; ~ de chasse Jagdstreife *f*; ~ de police Polizeistreife *f*; ~s pl. automobiles de gendarmes motorisierte Verkehrspolizeistreifen *f/pl.*; *in Berlin*: „weiße Mäuse" *f/pl.*; **~ler** [~tru'je] *v/i.* (1a) ⚔ patrouillieren, auf Streife gehen; **~leur** [~'jœːr] *m* **1.** ⚔ Patrouillengänger *m*; **2.** ✈ Aufklärer *m*; **3.** ⚓ Wachboot *n.*

patte [pat] *f* **1.** *zo.* Pfote *f*, Fuß *m*, Klaue *f*; Tatze *f*, Pranke *f*; Bein *n*; ~ de devant (de derrière) Vorder- (Hinter-)pfote *f*, -fuß *m*; faire ~ de velours sich lammfromm stellen; F *fig.* ~s f/pl. de lapin Backenbart *m*; *fig.* ~s f/pl. de mouche Gekritzel *n*; ~s f/pl. d'oie Krähenfüße *m/pl.*; **2.** F *allg.* ~s pl. Füße *m/pl.*; à longues ~s langbeinig; *fig.* coup *m* de ~ Stichelei *f*; **3.** F Hand *f*; marcher à quatre ~s auf allen vieren kriechen, krabbeln; *fig.* graisser la ~ à q. j-n schmieren, bestechen; F bas les ~s! Pfoten weg!; *fig.* montrer ~ blanche sich gebührend ausweisen, sich als zuverlässig zeigen; **4.** ⚔ d'épaule Schulterklappe *f*; *Schneiderei*: Patte *f*, Aufschlag *m*; **5.** ⊕ Lasche *f*; ~ de fer eiserne Klammer *f*, Krampe *f*; **6.** Fuß *m e-s Glases*; **7.** ⚓ Ankerschaufel *f.*

patte|-d'oie [pat'dwa] *f* (6b) **1.** Knotenpunkt *m*, Straßenkreuzung *f*; **2.** F Runzeln *f/pl.*, Krähenfüße *m/pl. in den Augenwinkeln*; **~-fiche** [~'fiʃ] *f* (6a) Mauerhaken *m*; *serr.* Bankeisen *n.*

pattu *zo.* [pa'ty] *adj.* rauh-, dickfüßig.

pâtu|rage [pɑty'raːʒ] *m* **1.** Weideplatz *m*, Weide *f*; **2.** Weidenutzung *f*; **~re** [~'tyːr] *f* **1.** (Vieh-)Futter *n*; **2.** *fig.* Nahrung *f*, Stoff *m*; **3.** Weiden *n*; Weide(platz *m*) *f*; vaine ~ Gemeinde-weide *f*, -anger *m*; **~rer** [~ty're] (1a) **I** *v/i.* weiden; **II** *v/t.* abweiden, abfressen, abgrasen.

paturin ⚘ [paty'rɛ̃] *m* Rispengras *n.*

paturon *vét.* [paty'rɔ̃] *m* Fessel *f.*

Paul [pɔl] *m* Paul *m.*

paum|e [poːm] *f* **1.** flache Hand *f*,

Handfläche *f*; **2.** *jeu m de ~ Art* Schlagballspiel *n*; **~é** [po'me] *adj.* (*a. su.*) **1.** P arm(er Schlucker *m*); **2.** F verloren, verstört; **~elle** [po'mɛl] *f* ⊕ Hakenband *n*; **~er** P [~'me] (1a) **I** *v/t.* **1.** erwischen; klauen; erhalten (*e-n Schlag*); **2.** verlieren; **II** *v/rfl. se ~* **3.** sich verirren (*in der Stadt*).

paupéris|ation *soc.* [poperizɑ'sjɔ̃] *f* Verarmung *f*; **~me** [~'rism] *m* Massenverarmung *f*.

paupière [po'pjɛːr] *f* Augenlid *n*; *ne pas fermer la ~* kein Auge zutun.

paupiette *cuis.* [po'pjɛt] *f* Roulade *f*.

paus|e [poːz] *f* Pause *f* (*nicht écol.!*); Rast *f*; F *la ~ café* die Kaffeepause; *~(-)repas f* Essenspause *f*; *faire une* (*od. la*) *~* e-e Pause machen; rasten; **~ologie** *psych.* [pozɔlɔ'ʒi] *f* Deutung *f* von Schweigemomenten.

pauvre ['poːvrə] **I** *adj.* □ **1.** arm, ärmlich; schlecht gestellt; *air m ~* ärmliches Aussehen *n*; *les classes ~s* die armen Schichten *f/pl.*; *langue f ~* (wort)arme Sprache *f*; *sujet m ~*, *matière f ~ fig.* dürftiger Inhalt *m*; *~ comme un rat d'église* arm wie e-e Kirchenmaus; **2.** beklagenswert; *~ diable* armer Teufel *m*; F *un ~ sire, un ~ hère* ein armer Schlucker *m*; *le ~ petit* der arme Kleine; *le ~ chou fig.* das arme Ding; **3.** jämmerlich, dürftig, kümmerlich; *~ écrivain* kümmerlicher (= schlechter) Schriftsteller *m* (*aber*: *écrivain m ~* unbemittelter Schriftsteller *m*); **4.** *im Affekt*: *une ~ fois* ein einziges Mal; *il ne m'a pas dit un ~ mot* er hat zu mir kein Sterbenswörtchen (*od.* kein einziges Wort) gesagt; **5.** *~ de fig.* arm an, ohne; *~ d'esprit* arm an Geist; *rl.* geistig arm; **II** *m* Arme(r) *m*; Bettler *m*; *riches et ~s* arm u. reich.

pau|vrement [povrə'mɑ̃] *adv.* ärmlich; dürftig; **~vresse** [~'vrɛs] *f* arme Frau *f*; **~vret** [~'vrɛ] *su.* (7c) armer Kerl *m*; *pauvrette f* armes Ding *n*; **~vreté** [~vrə'te] *f* Armut *f*; Dürftigkeit *f*; Armseligkeit *f*; *fig.* *~s* Plattheiten *f/pl.*, Banalitäten *f/pl.*

pavage [pa'vaːʒ] *m* **1.** Pflasterung *f*; **2.** Pflaster *n*, Straßendecke *f*.

pava|ne [pa'van] *f* Pavane *f* (*spanischer Tanz*); **~ner** [~'ne] *v/rfl.* (1a): *se ~* umherstolzieren; sich brüsten, *fig.* angeben F.

pavé [pa've] *m* **1.** Pflasterstein *m*; F *c'est le ~ dans la mare* das ist Sturm im Wasserglas; *fig. jeter le ~ dans la mare* den Stein ins Rollen bringen; *fig. jeter le ~ de l'ours* e-n Bärendienst erweisen; **2.** Pflaster *n*; *a. fig.* Straße *f*; *fig. mettre q. sur le ~* j-n auf die Straße werfen; *battre le ~* herumbummeln; *batteur m de ~* Straßenbummler *m*; *être sur le ~* auf der Straße liegen, ohne Arbeit sein, obdachlos sein; *tenir le haut du ~* zu den oberen Zehntausend gehören; e-e große Rolle spielen; F *c'est un ~ dans la mare* das ist noch nicht dagewesen; **3.** *~ de mosaïque* Mosaikfußboden *m*; **4.** F *péj.* Kasten *m fig.* (*Gebäude*); **5.** *pât. ~* (*de pain d'épice*) Pflasterstein *m*, Pfefferkuchen *m*; **6.** *journ.* endloser Artikel *m*.

pavement ⊕ [pav'mɑ̃] *m* Pflaster *n*.

paver [pa've] *v/t.* (1a) pflastern.

paveur [~'vœːr] *m* Steinsetzer *m*.

pavillon [pavi'jɔ̃] *m* **1.** *ehm.* ⚔ (Lager-)Zelt *n*; **2.** (Bett-)Himmel *m*; **3.** *rl.* Vorhang *m* (*vor dem Sakramenthäuschen*); **4.** ⚠ Vor-, An-bau *m*, Pavillon *m*; Einfamilien-, Garten-, Lust-haus *n*; Flachbau *m*; überdeckte Terrasse *f*; Jagdschlößchen *n*; *~ hospitalier* Gästeheim *n*; **5.** ⊕ weite Öffnung *f*; ♪ Schallöffnung *f*; Schalltrichter *m*; *~ de l'oreille* Ohrmuschel *f*; *rad. ~ d'un haut-parleur* Lautsprechertrichter *m*; *~ de récepteur téléph.* Hörermuschel *f*; **6.** ⚔, ⚓ Flagge *f*; *baisser od. amener le ~* die Flagge streichen; *hisser le ~*, *faire ~* die Flagge hissen; *fig. baisser ~* klein beigeben, nachgeben, sich geschlagen fühlen; *~ blanc* Friedensfahne *f*; **~naire** [~jɔ'nɛːr] *adj.* mit Einfamilienhäusern.

pavois [pa'vwa] *m* **1.** *ehm.* großer Schild *m*; *fig. élever* (*od. hisser*) *sur le ~* zu hohen Ehren (*od.* auf den Schild) erheben; **2.** ⚓ *grand ~* festliche Beflaggung *f*.

pavoiser [pavwa'ze] *v/t.* (1a) beflaggen.

pavot ⚘ [pa'vo] *m* Mohn *m*; *~ rouge, ~ sauvage* Klatschmohn *m*; *gâteau m à la graine de ~* Mohnkuchen *m*.

pay|able [pɛ'jablə] *adj.* zahlbar, fällig; **~ant** [~'jɑ̃] **I** *adj.* (7) **1.** zahlend; **2.** gebührenpflichtig; **3.** *s'affirmer ~* sich bezahlt machen, sich rentieren; *être ~* sich lohnen, sich sehr bewähren; **II** *m* Zahler *m*; **~e** [pɛ] *f* (*a. paie f*) Lohn *m*, Löhnung *f*; ⚔ Sold *m*; F *il y a une ~* es ist schon lange her; **~ement** [pɛj'mɑ̃] *m* (*neuere Schreibung*: *paiement*) Zahlung *f*.

payer [pɛ'je] (1i) **I** *v/t.* **1.** bezahlen; zahlen, auszahlen, entrichten; ~ *d'avance* vorausbezahlen; *n'avoir pas de quoi* ~ nicht bezahlen können; ~ *les pots cassés*, ~ *les violons* die Zeche bezahlen; F ~ *q. en monnaie de singe* j-n (*e-n Gläubiger*) auslachen *od.* zum besten halten; **2.** befriedigen; ~ *de belles paroles*, ~ *de mots* mit (schönen) Redensarten abspeisen; **3.** belohnen, entschädigen; ~ *q. de retour* j-s Freundschaft *od.* Zuneigung erwidern; **4.** *fig.* büßen; *il me le paiera* das soll er mir büßen; **II** *v/i.* **5.** sich bezahlt machen; **6.** ~ *pour q.* j-n freihalten; **7.** ~ *pour q.* (*qch.*) für j-n (für etw.) büßen; *fig.* ~ *de sa personne* sich voll u. ganz einsetzen, s-n Mann stehen, Hand anlegen; ~ *d'audace* frech auftreten; *ça ne paie pas de mine* das sieht nicht gut aus; **III** *v/rfl.* *se* ~ **8.** bezahlt werden; *cela ne peut pas se* ~ das ist unbezahlbar; *cela se paie* das rächt sich; **9.** *se* ~ *de mots* sich mit nichtssagenden Worten begnügen; **10.** F *se* ~ *qch.* sich etw. leisten; *se* ~ *le luxe de* + *inf.* sich den Luxus gestatten zu ...; *se* ~ *un voyage* sich e-e Reise leisten (*od.* gönnen); **11.** F *se* ~ *la tête de q.* j-n zum Narren halten; **12.** F *s'en* ~ ausgelassen sein.

payeur [pɛ'jœ:r] *su.* (7g) Zahler *m*; ⚔ *officier m* ~ Zahlmeister *m*.

pays [pe'i] **I** *m* **1.** Land *n*, Landstrich *m*, Gegend *f*; ~ *civilisé* (*industriel*) Kultur- (Industrie-)land *n*; ~ *sous-développé* unterentwickeltes Land *n*; ~ *de Cocagne* Schlaraffenland *n*; ~ *de montagne* Gebirgsgegend *f*; ~ *plat* Flachland *n*; ~ *de provenance* Ursprungsland *n*; *vider le* ~ das Land räumen; *voir du* ~ viel reisen; **2.** Heimat *f*; *avoir le mal du* ~ Heimweh haben; *vin m de* ~ Landwein *m*; **3.** Volk *n*, öffentliche Meinung *f*; *le* ~ *jugera* die öffentliche Meinung wird darüber entscheiden; **II** F *su.* (7) Landsmann *m*, Landsmännin *f*; *tiens, voilà mon* ~ (*ma payse*)! da ist doch ein Landsmann (e-e Landsmännin) von mir!

paysa|ge [pei'za:ʒ] *m* Landschaft *f*; **~giste** [~za'ʒist] *su.* **1.** Landschaftsmaler *m*; **2.** *architecte m* ~ Gartenarchitekt *m*.

paysan [pei'zɑ̃] (7c) **I** *su.* **1.** Bauer *m* (*f*: Bäuerin), Land-mann *m* (*f*: -frau); **2.** *fig.* ungeschliffener Kerl *m*, *péj.* Bauer(ntyp *m*) *m*; **II** *adj.* bäuerisch; Bauern...; **~nat** [~za'na] *m* Bauernstand *m*; **~nerie** [~zan'ri] *f* **1.** Bauernstand *m*; **2.** *litt.* Dorfgeschichte *f*; *thé.* Bauernstück *n*.

Pays-Bas [pei'bɑ] *m/pl.*: **les** ~ die Niederlande *n/pl.*

payse F [pe'i:z] *f* Landsmännin *f*.

P.D.G. [pede'ʒe] *m* bevollmächtigter geschäftsführender Direktor *m*; *péj.* Gangsterboß *m*; s. Abk.

péage [pe'a:ʒ] *m* Autobahngebühr *f*; Chaussee-, Wege-, Brückengeld *n*.

peau [po] *f* (5b) **1.** Haut *f*; *changer de* ~ sich häuten; *fig. faire* ~ *neuve* ein anderer Mensch werden, ein neues Leben anfangen; F *fig. la* ~ *lui démange* ihm juckt das Fell (*nach Schlägen*); *donner* (*od. vendre*) *sa* ~ s-e Haut zu Markte tragen, sich opfern, *für etw.* herhalten (*od.* geradestehen) müssen; *avoir la* ~ *dure* ein dickes Fell haben; P *faire la* ~ *à q.* j-n fertigmachen; *saisir q. par la* ~ *du cou* j-n am Schlafittchen nehmen (*od.* packen); **2.** abgezogenes Fell *n*, Leder *n*, Balg *m*; ~ *de chamois* Lederlappen *m*; ⊕ *cuirs et* ~*x* Häute u. Felle *pl.*; F ~ *d'âne* Diplom *n*, Zeugnis *n*; ~ *de caisse* ♪ Trommelfell *n*; **3.** ♀ Schale *f*, Hülse *f der Früchte*; ~ *de banane* Bananenschale *f*; **4.** Haut *f* auf der Milch; **5.** P *la* ~!, *od.*: ~ *de balle! od.* V: ~ *de zébie* rutsch mir den Buckel (*häufiger*: Puckel) runter! F; nein!, (du kriegst) gar nichts!; s. *tringle*; P *pour la* ~ für nichts u. wieder nichts; P *en* ~ *de lapin* naiv, einfältig; P ~ *de vache* Schuft *m*, Lump *m*.

peaufin|é [pofi'ne] *adj.* gestriegelt u. gebügelt; **~er** [~] *v/t.* (1a) **1.** mit Sämischleder reinigen; **2.** F *fig.* säubern; sorgfältig ausarbeiten; adrett kleiden.

Peau-Rouge [po'ru:ʒ] *f* (6a) Indianer *m*, Rothaut *f*; *a. adjt.*: *tribu f* ~ Indianerstamm *m*.

peaus|serie ✝ [pos'ri] *f* **1.** Lederhandel *m*; **2.** Lederwaren *f/pl.*; **~sier** [po'sje] *m* **1.** ⊕ Lederbereiter *m*; **2.** ✝ Lederhändler *m*.

pébrine *vét.* [pe'bri:n] *f* Fleckkrankheit *f der Seidenraupen*.

pébroc * [pe'brɔk] *m* Regenschirm *m*.

pécari *zo.* [peka'ri] *m* Pekari *n*.

pecca|ble [pɛ'kablə] *adj.* sündig;

~dille [~'dij] *f* leichte Verfehlung *f.*
pechblende *min.* [pɛʃ'blɛ̃:d] *f* Pechblende *f.*
pêche¹ [pɛʃ] *f* Pfirsich *m.*
pêche² [~] *f* **1.** Fischerei *f*, Fischfang *m*, Fischen *n*; *grande ~ au large* Hochseefischerei *f*; *~ aux huîtres* Austernfang *m*; *~ à la ligne*, *~ à l'hameçon* Angeln *n*; **2.** ⚖ *droit m de la ~* Fischereigerechtigkeit *f*; **3.** Fang *m an Fischen.*
péché [pe'ʃe] *m* Sünde *f*; *~ mignon* Lieblingssünde *f*; *~ mortel* Todsünde *f*; *~ d'omission* Unterlassungssünde *f*; *~ original* Erbsünde *f.*
pécher [pe'ʃe] *v/i.* (1f) **1.** sündigen; *~ contre* verstoßen gegen (*acc.*); **2.** Fehler haben; kranken (*par* an *dat.*); *~ par trop de précaution* allzu vorsichtig sein.
pêcher¹ [pɛ'ʃe] *m* **1.** ♆ Pfirsichbaum *m*; **2.** *fleur f de ~* Pfirsichblüte *f*; *a. adj.* pfirsichblütenfarbig.
pêcher² [~] *v/t.* (1a) **1.** fischen (*a. abs.*); *~ à la ligne* angeln; *fig. ~ en eau trouble* im trüben fischen; **2.** *fig.* auf-fangen, -gabeln; entdecken; *où a-t-il pêché cela?* wo hat er das her?
pécheresse [pɛʃ'rɛs] *f* Sünderin *f.*
pêcherie [pɛʃ'ri] *f* Angelstelle *f.*
pécheur [pe'ʃœ:r] *su. u. adj.* (7h) sündig; Sünder *m.*
pêcheur [pɛ'ʃœ:r] (7g) **I** *su.* Fischer *m*; *~ sous-marin* Unterwasserjäger *m*; **II** *adj.* Fischer...
pécore [pe'kɔ:r] **I** F *f fig.* dumme Gans *f*; **II** P *su.* Bauer *m.*
pectoral [pɛktɔ'ral] **I** *adj.* (5c) **1.** *anat.* Brust...; **2.** *phm.* Husten...; *fleurs f/pl. ~es* Brusttee *m*; **II** *m* **3.** *anat.* Brustmuskel *m*; **4.** ⚕ Brustmittel *n.*
péculat *adm.* [peky'la] *m* Veruntreuung *f.*
pécule [pe'kyl] *m* Ersparnisse *n/pl.*; ⚖ Geldrücklage *f*, Guthaben *n.*
pécuniaire [peky'njɛ:r] *adj.* □ pekuniär, geldlich, Geld...
pédago|gie [pedagɔ'ʒi] *f* Pädagogik *f*; **~gique** [~'ʒik] *adj.* □ pädagogisch; **~gue** [~'gɔg] *m* **1.** Pädagoge *m*, Erzieher *m*; *auch adj.*: *ton m ~* schulmeisterlicher Ton *m*; **2.** *péj. faire le ~* den Schulmeister herauskehren.
péda|lage *vél.* [peda'la:ʒ] *m* Radfahren *n*; **~le** [~'dal] *f* **1.** *Auto, vél.*, ♪, ⊕ Pedal *n*; ⊕ Tritt(brett *n*) *m*; *Auto*: *~ d'accélérateur* Gaspedal *n*, -hebel *m*; *~ d'embrayage* Kupplungspedal *n*; *~ de mise en marche*, *~ de démarrage* (Fuß-)Anlasser *m*; **2.** *fig. les fervents m/pl. de la ~* die begeisterten Anhänger *m/pl.* des Radsports; **~ler** [~'le] *v/i.* (1a) (*mit avoir!*) radfahren; radeln; Pedale treten (*Orgel usw.*); **~leur** *cycl.* [~'lœ:r] *su.* (7g) Radsportler *m*; **~lier** [~'lje] *m* **1.** ♪ Pedalklaviatur *f*; **2.** *vél.* Tret- *od.* Kurbel-lager *n*; **~lo** *Sport* [~'lo] *m* Wassertretrad *n.*
pédant *péj.* [pe'dɑ̃] (7) **I** *su.* Besserwisser *m*, Schulfuchs *m*; **II** *adj.* schulmeisterlich; *un ton ~* (*od. ~esque*) ein schulmeisterlicher Ton *m*; **~erie** *péj.* [~dɑ̃'tri] *f* Vielwisserei *f*, Schulfuchserei *f*, Geschraubtheit *f*; **~esque** [~'tɛsk] *adj.* □ *Tonart, Stil* (*nicht von Personen!*): schulmeisterlich, steif; *langage m ~* geschraubte Sprechweise *f*; **~isme** *péj.* [~'tism] *m* = *~erie.*
pédard F [pe'da:r] *m* schlechter (rücksichtsloser) Radfahrer *m.*
pédérast|e [pede'rast] *adj. u. m* homosexuell; Homosexuelle(r) *m*; **~ie** [~'ti] *f* Päderastie *f.*
pédes|tre [pe'dɛstrə] *adj.* □ zu Fuß, Fuß...; *promenade f ~* kleinerer Ausflug *m* zu Fuß; *excursion f ~* Wanderung *f*; **~trement** [~trə'mɑ̃] *adv.* zu Fuß.
pédiatr|e ⚕ [pe'djatrə] *m* Kinderarzt *m*; **~ie** ⚕ [~'tri] *f* Kinderheilkunde *f.*
pédicu|laire [pediky'lɛ:r] **I** *adj.* ⚕ *maladie f ~* Läusekrankheit *f*; **II** ♆ *f* Läusekraut *n*; **~le** [~'kyl] *m anat. u.* ♆ Stiel *m*; △ Schaft *m*; **~lé** [~'le] *adj.* gestielt.
pédicur|e [~'ky:r] *su.* Fußpfleger *m*; **~ie** *néol.* [~ky'ri] *f* Fußpflege *f.*
pédieux [pe'djø] *adj* (7d) Fuß...
pedigree [pedi'gri] *m* Stammbaum *m.*
pédimane *zo.* [pedi'man] *m u. adj.* Handfüßer (...) *m.*
pédolog|ie [pedɔlɔ'ʒi] *f géol.* Bodenkunde *f*; **~ique** *géol.* [~'ʒik] *adj.* bodenkundlich.
pédoncule ♆ [pedɔ̃'kyl] *m* (*Blumen-*)Stiel *m.*
pédoscope ⊕ [pedɔs'kɔp] *m* Fußdurchleuchtungsapparat *m.*
pedzouille * [pɛd'zuj] *m* Bauerntölpel *m*, Klotz *m.*
pégase *icht.* [pe'gɑ:z] *m* Drachenfisch *m*, Meerdrache *m.*
pègre ['pɛ:grə] *f* Unterwelt *f.*
pégriot * [pegri'o] *m* Spitzbube *m.*
peignage ⊕ [pɛ'ɲa:ʒ] *m* Kämmen *n*, Krempeln *n*; Hecheln *n.*

peign|e [pɛɲ] *m* **1.** Kamm *m*; ~ *fin* Staubkamm *m*; ~ *de poche* Taschenkamm *m*; *donner un coup de* ~ sich schnell mal die Haare durchkämmen; **2.** ⊕ Hechel *f*; **3.** *zo.* Kammuschel *f*; **~é** [pɛ'ɲe] *m* **1.** *text.* Kammgarn *n*; **2.** *un mal* ~ ein Struwwelpeter *m*; **~ée** [~] *f* **1.** Kamm *m* voll Wolle; **2.** F *fig.* Tracht *f* Prügel, Keile *f* F.
peign|er [pɛ'ɲe] (1a) **I** *v/t.* **1.** kämmen; **2.** ⊕ krempeln; hecheln; **3.** *fig.* ~ *son style* s-n Stil ausfeilen; **II** *v/rfl.* *se* ~ sich kämmen; F sich gegenseitig rumschlagen (*od.* verprügeln); **~eur** [pɛ'ɲœ:r] *su.* (7g) (Woll-)Kämmer *m*, (Flachs-, Hanf-) Hechler *m*; **~euse** [~'ɲø:z] *f* Wollkämmaschine *f*; **~oir** [~'ɲwa:r] *m* **1.** Frisier-, Bade-mantel *m*; **2.** Haus-, Morgen-rock *m der Damen.*
peille ⊕ [pɛj] *f* Stück *n* Lumpen (*zur Papierfabrikation*).
peinard P [pɛ'na:r] *adj.* (↑) nicht aus der Ruhe zu bringen, urgemütlich.
peindre ['pɛ̃:drə] *v/t.* (4b) **1.** malen, abbilden, darstellen; ~ *à l'huile* in Öl malen; **2.** ~ *un mur* e-e Mauer anstreichen; ~ *en noir* (*en blanc*) schwarz (weiß) anstreichen; ~ *au pistolet* Farbe spritzen; **3.** *fig.* beschreiben, schildern, darstellen; geben; ~ *en beau* beschönigen; ~ *la société humaine* die menschliche Gesellschaft darstellen; *cette action le peint bien* diese Tat kennzeichnet (*od.* charakterisiert) ihn.
peine [pɛ:n] *f* **1.** ⚖ Strafe *f*; *a. rl.* Züchtigung *f*; ~ *capitale*, ~ *de mort* Todesstrafe *f*; ~ *correctionnelle* Strafe *f* für ein Vergehen; ~ *criminelle* Strafe *f* für ein Verbrechen; ~ *disciplinaire* Ordnungsstrafe *f*; *sous* ~ *d'amende* bei Geldstrafe; **2.** Leid *n*, seelischer Schmerz *m*, Kummer *m*; ~ *de cœur* Liebeskummer *m*; *avoir de la* ~ Kummer haben; *conter ses* ~*s à q.* j-m sein Leid klagen; *faire de la* ~ *à q.* j-m Kummer bereiten; *cela fait* ~ *à voir* es tut einem weh, wenn man so etw. sieht; *cet homme me fait* ~ dieser Mann tut mir sehr leid; *être comme une âme en* ~ völlig niedergeschlagen sein; **3.** Sorge *f*; Unruhe *f*. *être en* ~ (*au sujet*) *de q.* (*de qch.*) über j-n (über etw. *acc.*) in Sorge sein; *se mettre en* ~ sich beunruhigen; sich *um etw.* (*acc.*) bemühen; **4.** Mühe *f*, Arbeit *f*; Schwierigkeit *f*; Widerstreben *n*; *homme m de* ~ Schwerarbeiter *m*; *il a de la* ~ *à marcher* ihm fällt das Gehen schwer; *en être pour sa* ~ umsonst (*od.* erfolglos) gearbeitet haben; *cela n'en* (*od.* *ne*) *vaut pas la* ~, *ce n'est pas la* ~ das lohnt sich nicht, das ist nicht der Mühe wert, das lohnt nicht erst; *il ne plaint pas sa* ~ er läßt sich die Mühe nicht verdrießen, er scheut nicht die Mühe; *prenez la* ~ *de vous asseoir* nehmen Sie freundlichst Platz!; *donner de la* ~ Mühe machen; *donnez-vous la* ~ *d'entrer!* bemühen Sie sich herein!; **5.** *advt.* *à* ~ kaum; eben erst; fast gar nicht; *à* ~ *la voiture fut-elle arrivée, que* ... kaum war der Wagen angekommen, als ...; *à* ~ *trouverait-on un de ces fruits qui ne fût pas piqué de vers* man dürfte kaum e-e dieser Früchte finden, die nicht angestochen wäre; *c'est à* ~ *qu'il est sorti* er ist eben erst hinausgegangen; *à* ~ ..., *que* ... kaum ..., als ...; *à grand-*~ mit knapper Not; *avec* ~ ungern; mit Mühe, mühsam; *j'ai de la* ~ *à* ... es widerstrebt mir zu ...
peiné [pɛ'ne] *adj.* (7) betrübt.
peiner [~] (1b) **I** *v/t.* ~ *q.* j-n betrüben, j-m Kummer bereiten; **II** *v/i.* sich abquälen; sich sehr anstrengen.
peintre ['pɛ̃:trə] *m* **1.** Maler *m*; ~ *sur verre* Glasmaler *m*; *a. adj.*: *femme f* ~ Malerin *f*; *Mme Y., peintre de talent* Frau Y., e-e talentierte Malerin *f*; **2.** ⚠ Maler *m*; ~ *en bâtiment*(*s*) Anstreicher *m*; ~ *décorateur* Dekorations-, Zimmer-maler *m*; **3.** *fig.* Schilderer *m*, Darsteller *m*.
peintu|rage F [pɛ̃ty'ra:ʒ] *m* Anstreichen *n*; **~re** [~'ty:r] *f* **1.** Malerei *f*, Malerkunst *f*; ~ *à l'huile* Ölmalerei *f*; ~ *sur verre* Glasmalerei *f*; ~ *murale* Wandmalerei *f*; **2.** Gemälde *n*, Bild *n*; ~ *à l'huile* Ölgemälde *n*; **3.** Farbe *f*, Anstrich(masse *f*) *m*; ~ *à l'huile* Ölanstrich *m*; ~ *à la colle* Leimfarbe *f*; ~ *fraîche!* frisch gestrichen!; **4.** *fig.* Schilderung *f*, Darstellung *f*; Beschreibung *f*; **~rer** [~ty're] *v/t.* (1a) anstreichen.
peinturlur|age F [pɛ̃tyrly'ra:ʒ] *m* geschmackloses Anstreichen *n* in grellen Farben; Kleckserei *f*; **~er** F [~ly're] *v/t. u. v/i.* (1a) (be-) pinseln, (be)schmieren; anmalen (*Neger*); **~eur** F *péj.* [~ly'rœ:r] *m* Anstreicher *m*.

péjo|ratif *ling.* [peʒɔra'tif] *adj.* (7e) verschlechternd, pejorativ; **~ration** *ling.* [~ra'sjɔ̃] *f* Verschlechterung *f.*
Pékin *géogr.* [pe'kɛ̃] *m* Peking *n.*
pékinois *zo.* [peki'nwa] *m* Pekinese *m* (*Hunderasse*).
pelade [pə'lad] *f* Haarausfall *m.*
pelage[1] [pə'la:ʒ] *m* Fell *n.*
pelage[2] [~] *m* **1.** Enthaaren *n* der Häute; **2.** Schälen *n* (*Kartoffeln usw.*).
pélagique [pela'ʒik] *adj* Meeres...
pelard [pə'la:r] *adj. u. m*: (*bois m*) ~ der Lohe wegen geschältes Holz *n.*
pélargonium ⚘ [pelargɔ'njɔm] *m* Pelargonie *f.*
pelé [pə'le] **I** *adj.* kahl; *fig.* öde; abgetragen; **II** *su.* Glatzkopf *m*; F *quatre ~s et un tondu* nur sehr wenig Leute *pl.*
pèle-fruits [pɛl'frɥi] *m* (6c) Obstmesser *n.*
pêle-mêle [pɛl'mɛl] **I** *adv.* bunt durcheinander; **II** *m* Durcheinander *n*, Wirrwarr *m.*
peler[1] [pə'le] (1d) **I** *v/t.* ~ *des peaux* Felle enthaaren; **II** *v/rfl. se* ~ das Haar verlieren, haaren.
peler[2] [~] (1d) **I** *v/t.* (ab)schälen; (ab)pellen; **II** ⚕, *zo. u.* ⚘ *v/i.* sich häuten; **III** *v/rfl. se* ~ sich schälen lassen.
pèlerin [pɛl'rɛ̃] **I** *su.* (7) Pilger *m*; **II** *m* **1.** *orn.* Wanderfalke *m*; **2.** *icht.* Riesenhai *m*; **~age** [~ri'na:ʒ] *m* **1.** Wallfahrt *f*; *aller en* ~ e-e Wallfahrt machen; **2.** Wallfahrtsort *m.*
pèlerine [pɛl'ri:n] *f* Pelerine *f*, Umhang *m.*
pélican *orn.* [peli'kɑ̃] *m* Pelikan *m.*
pelisse [p(ə)'lis] *f* pelzgefütterter Mantel *m.*
pellagre ⚕ [pɛl'lagrə] *f* Pellagra *n.*
pelle [pɛl] *f* Schaufel *f*, Schippe *f*; ⊕ ~ *à force à moteur* Kraftschaufel *f*; ~ (*à mâchoires*) *mécanique* Schaufel-, Löffel-bagger *m*; ~ *aux balayures*, ~ *à poussière* Müllschippe *f*; ~ *à braise*, ~ *à charbon* Kohlenschaufel *f*; ~ *de chargement* Schaufellader *m*; F *fig. ramasser une* ~ hinfallen; *fig.* durchfallen; Pech haben; *cuis.* ~ *à gâteaux* Tortenheber *m*; **~-bêche** ⚔ [~'bɛʃ] *f* (6a) kurzer Spaten *m.*
pelle|tage [pɛl'ta:ʒ] *m* Umschaufeln *n*; **~tée** [pɛl'te] *f* **1.** e-e Schaufel voll; **2.** Spatenstich *m*; **~ter** [~] *v/t.* (1c) (um)schaufeln.
pelleterie [pɛl(ɛ)'tri] *f* **1.** Kürschnerei *f*; **2.** Pelzhandel *m*; **3.** Pelzware *f.*
pelle|teur [pɛl'tœ:r] *m* **1.** Schipper *m*; Baggerführer *m*; **2.** ⊕ *m*, **~teuse** [~'tø:z] *f*: ~ (*mécanique*) Schaufellader *m.*
pelletier [pɛl'tje] *su.* (7b) Kürschner *m*, Pelzhändler *m.*
pellicu|lage *phot.* [pɛlliky'la:ʒ] *m* Abkratzen *n* der Filmschicht; **~laire** *phys.* [~'lɛ:r] *adj.*: *effet m* ~ Skin-Effekt *m*, Hautwirkung *f*; **~le** [~'kyl] *f* **1.** Häutchen *n*; ~*s pl.* Haarschuppen *f/pl.*, Schuppen *f/pl.*; **2.** *phot.* Film *m*; *cin.* Filmstreifen *m*; **3.** Folie *f*; **~leux** ⚕ [~'lø] *adj.* schuppig (*Haar*).
pellucide [pɛlly'sid] *adj.* durchsichtig.
pelotage F [pəlɔ'ta:ʒ] *m* Knutscherei *f*, Streicheln *n.*
pelo|tari [pəlɔta'ri] *m* Kenner *m* (Spieler *m*) der *pelote basque*; *vgl.* ~te 4; **~te** [pə'lɔt] *f* **1.** Knäuel *n*; **2.** Nähkissen *n*; ~ *d'épingles* Nadelkissen *n*; **3.** Ball *m*, Klumpen *m*; **4.** baskisches Ballspiel *n*; **5.** *fig. faire sa* ~ sein Schäfchen ins trockene bringen; *avoir les nerfs en* ~ nur noch ein Nervenbündel sein; *mettre les nerfs de q. en* ~ j-n sehr aufregen; **~ter** F [~'te] *v/t.* (1a): ~ *q.* j-m schmeicheln, j-n umgarnen; j-n begrapschen, j-n abknutschen P; *iron.* ~ *un adversaire* e-n Gegner einwickeln *od.* maßnehmen; **~teur** F [~'tœ:r] (7g) **I** *adj.* zudringlich; **II** *m* **1.** *text.* Knäuelwickler *m*; **2.** Schmeichler *m*, Schmuser *m* F; **~ton** [~'tɔ̃] *m* **1.** Knäuel *n*; *se mettre en* ~ sich zusammenkauern; **2.** *fig.* Gruppe *f*; (*Feuerwehr-*)Zug *m*; (*Straf-*) Kommando *n*; **3.** *Sport*: Mannschaft *f*; *cycl.* Pulk *m*, Hauptfeld *n*; ~ *de tête* Spitzenmannschaft *f*; **~tonnage** [~tɔ'na:ʒ] *m* Aufwickeln *n*; **~tonner** [~tɔ'ne] (1a) **I** *v/t.* auf ein Knäuel wickeln; **II** *v/rfl. se* ~ auf ein Knäuel gewickelt werden; sich zs.-kauern, -ziehen, -rollen, sich ducken, sich kuscheln.
pelous|ard F [pəlu'za:r] *m* Zaungast *m*; Stammgast *m* bei Wettrennen; **~e** [pə'lu:z] *f* **1.** Rasen (-anlage *f*, -platz *m*); ~*s f/pl.* Grünanlagen *f/pl.*; ~ *de repos* Liegewiese *f*; **2.** *Sport*: Rennbahn *f.*
pelu|che [pə'lyʃ] *f* Plüsch *m*; **~ché** [~'ʃe] *adj.* samtartig, wollig; faserig, schäbig (*v. Stoffen*); **~cher** [~] *v/i. u. v/rfl. se* ~ faserig werden (*Stoff*); **~cheux** [~'ʃø] *adj.* (7d) faserig, wollig.
pelure [pə'ly:r] *f* **1.** Haut *f*, Schale *f*

e-r Frucht; ~ *d'orange* Apfelsinenschale *f*; **2.** *papier m* ~ (*pour doubles*) Durchschlagpapier *n*; *papier m* ~ (*pour lettres avion*) Übersee-, Flugpost-papier *n*; dünnstes Briefpapier *n*; **3.** F Kluft *f* P, Anzug *m*.

pelvien *anat.* [pɛl'vjɛ̃] *adj.* (7c) Becken...

pénal [pe'nal] *adj.* (5c) Straf...; *code m* ~ Strafgesetzbuch *n*; *droit m* ~ Strafrecht *n*; **~isation** [~liza'sjɔ̃] *f Sport*: Strafe *f*, Strafpunkt *m*; *zone f* (*od. surface f*) *de* ~ Strafraum *m*; **~iser** [~li'ze] *v/t.* (1a) *Sport*: mit e-m Strafpunkt belegen; ⚖ bestrafen; **~ité** [~li'te] *f* **1.** ⚖ Strafsystem *n*; **2.** ⚖ Strafbarkeit *f*; **3.** ⚖ Strafbestimmungen *f/pl.*; **4.** ~ *fiscale* Strafe *f* in Steuersachen; **5.** *Sport*: *sans* ~ ohne Strafpunkt.

penalty [penal'ti] *m Sport*: Strafstoß *m*.

pénates F [pe'nat] *m/pl. fig.* trautes Heim *n*.

penaud [pə'no] *adj.* (7) verlegen, beschämt; *s'en aller* (*rester*) ~ wie ein begossener Pudel abziehen (aussehen).

penchant [pɑ̃'ʃɑ̃] *m fig.* ~ (*à od. pour od. vers*) Hang *m*, Neigung *f* (zu *dat.*).

pencher [pɑ̃'ʃe] (1a) **I** *v/t.* neigen, senken; ~ *la tête* den Kopf neigen; **II** *v/i.* sich neigen, überhängen, schief stehen; *la tour penchée de Pise* der Schiefe Turm zu Pisa; *fig.* ~ *vers q.* (*pour od. vers qch.*) zu j-m (zu etw.) neigen; ~ *vers un parti* zu e-r Partei hinneigen; **III** *v/rfl.* *se* ~ sich beugen; *se* ~ *par la fenêtre* sich aus dem Fenster lehnen; *se* ~ *sur une question* sich e-r Frage zuwenden; *abs. se* ~ *dessus* sich mit etw. (*dat.*) befassen.

pend|able [pɑ̃'dablə] *adj.*: *jouer un tour* ~ *à q.* j-m schwer mitspielen; **~age** [~'da:ʒ] *m* ⚒ Gefälle *n*, Neigung *f*, Einfallen *n*; *géol.* Fallinie *f*; **~aison** [~dɛ'zɔ̃] *f* Erhängung *f*; **~ant** [~'dɑ̃] **I** *adj.* (7) **1.** (herab-)hängend; **2.** ⚖ anhängig, schwebend; *allg. question f* ~*e* schwebende Frage *f*; **II** *m* **3.** ~ *de ceinturon* Degengehänge *n*; ~*s pl. d'oreilles* Ohrgehänge *n*; **4.** *fig.* Pendant *n*, Gegenstück *n*; *faire* ~ *à* als Gegenstück dienen zu (*dat.*); *n'avoir pas son* ~ nicht seinesgleichen haben; **III** *prp.* während (*gén.*); **IV** ~ **que** *cj. zeitlich u. a. gegensätzlich*: während; **~eloque** [~'dlɔk] *f* **1.** Leuchtergehänge *n*; **2.** Ohrgehänge *n*; **~entif** [~dɑ̃'tif] *m* **1.** ⚠ Hängebogen *m*; **2.** Anhänger *m* (*Schmuck*); **~erie** [pɑ̃'dri] *f* Kleiderablage *f*, Garderobe *f*.

pendil|ler [pɑ̃di'je] *v/i.* (1a) baumeln; **~lon** *horl.* [~'jɔ̃] *m* Unruhe *f*.

pendoir [~'dwa:r] *m* Fleischhaken *m*.

pendre ['pɑ̃:drə] (4a) **I** *v/t.* **1.** (auf-, an-, ein-)hängen; F *fig. avoir la langue bien pendue* nicht auf den Mund gefallen sein; **2.** henken, hängen; *dire pis que* ~ *de q.* kein gutes Haar an j-m lassen; **II** *v/i.* **3.** (herab)hängen; *cela lui pend au nez* (*od.* P *au pif*) das steht mir bevor; das blüht mir; **III** *v/rfl.* *se* ~ **4.** sich hängen (*à* an *acc.*); *fig. se* ~ *aux jupes de q.* sich an j-n hängen (*od.* klammern); **5.** sich er-, aufhängen.

pendu [pɑ̃'dy] *m* Gehenkte(r) *m* (*nicht fig.*!).

pendul|aire [pɑ̃dy'lɛ:r] *adj.* pendelartig; **~e** [~'dyl] **I** *m* Pendel *n*; **II** *f* Pendel-, Stutz-, Wand-, Zimmer-uhr *f*; ~ *de cheminée* Stutzuhr *f*; ~ *à coucou* Kuckucksuhr *f*; ~ *de pointage* Kontroll- *od.* Stechuhr *f*; **~ette** [~'lɛt] *f* kleine Pendel- *od.* Stand-uhr *f*; kleine Stutzuhr *f*.

pêne ⊕ [pɛ:n] *m* Riegel *m am Schloß*.

pénétr|abilité [penetrabili'te] *f* Durchdringlichkeit *f*; **~able** [~'trablə] *adj.* durchdringlich; *fig.* erforschbar; **~ant** [~'trɑ̃] *adj.* (7) durchdringend (*a. Blick*); eindringend; scharf (*Wind*); schneidend (*Kälte*); scharfsinnig (*Kopf*); penetrant (*Geruch*); **~ation** [~tra'sjɔ̃] *f* **1.** Durchdringen *n*; Eindringen *n*, Hereinströmen *n*; *force f de* ~ Durchschlagskraft *f*; *pol.* ~ *pacifique* friedliche Durchdringung *f*; **2.** *fig.* ~ *d'esprit* Scharfsinn *m*.

pénétrer [pene'tre] (1f) **I** *v/t.* **1.** durchdringen; (tief) eindringen (in *acc.*); **2.** *fig.* durchschauen, ergründen; **3.** ~ *le cœur de q.* j-n tief rühren, j-n ergreifen; **4.** ~ *de qch.* mit etw. (*dat.*) ganz erfüllen; *pénétré de* durchdrungen von (*dat.*); **II** *v/i.* (*mit avoir!*) ~ *dans qch.* in etw. (*acc.*) eindringen; etw. erforschen; *phm. en pénétrant jusqu'au plus profond des pores* mit Tiefenwirkung; **III** *v/rfl.*: a) *se* ~ *de qch.* sich etw. zu Herzen nehmen, etw. beherzigen; *pénétrez-vous de* *ceci!* lassen Sie sich das gesagt sein!; b) se ~ sich vermengen.

pénible [pe'niblə] *adj.* □ **1.** beschwerlich, mühselig; *style m* ~ geschraubter Stil *m*; *travail m* ~ saure (*od.* schwere) Arbeit *f*; Mühsal *f*; **2.** *fig.* peinlich, unerfreulich; **3.** F schwierig (*Charakter, Person*).

péniche [pe'niʃ] *f* **1.** ⚓ Schleppkahn *m*; **2.** * *fig.* Treter *m*, Oderkahn *m* (= *großer Schuh*); **~s** *pl.* * Füße *m/pl.*

pénicillé ⚘, *zo.* [penisil'le] *adj.* pinselförmig.

pénicilline [~'li:n] *f* Penizillin *n.*

péniforme *anat.* [~'fɔrm] *adj.* penisartig.

péninsu|laire [penɛ̃sy'lɛ:r] *adj.* Halbinsel...; **~le** [~'syl] *f* Halbinsel *f.*

péniten|ce [peni'tɑ̃:s] *f* **1.** *rl.* Buße *f*; *faire* ~ Buße tun; **2.** Strafe *f*; *en* ~ zur Strafe; *mettre en* ~ bestrafen; **~cerie** [~tɑ̃s'ri] *f* päpstliches Sondergericht *n*; **~cier** [~tɑ̃'sje] *m* **1.** *rl.* (*auch adj.*: *prêtre m* ~) Bußpriester *m*; **2.** Strafanstalt *f.*

pénitent [peni'tɑ̃] (7) *rl.* **I** *adj.* bußfertig; **II** *su.* bußfertiger Sünder *m*; Beichtkind *n*; Büßermönch *m*; **~iaire** [~'sjɛ:r] *adj.*: *colonie f* ~ Strafkolonie *f*; *établissement m* ~ Gefängnisanstalt *f*; **~iaux** [~'sjo] *adj. m/pl.*: *Psaumes* ~ Bußpsalmen *m/pl.*; **~iel** [~'sjɛl] *adj.* (7) *u. m* Buß...; Bußritual *n.*

penn|age [pɛ'na:ʒ] *m* Gefieder *n*; **~e** [pɛn] *f* Schwung- (*od.* Schwanz-) feder *f*; *Weberei*: Garnende *n*; **~é** [~'ne] *adj.* gefiedert; **~iforme** [pɛni'fɔrm] *adj.* federförmig.

pennon [pɛ'nɔ̃] *m* **1.** *féod.* Panier *n*, Banner *n*; **2.** Wappenschild *m.*

pénombre [pe'nɔ̃:brə] *f* Halbschatten *m*; *fig.* Verborgenheit *f.*

penon ⚓ [pə'nɔ̃] *m* Verklicker *m.*

pen|sable [pɑ̃'sablə] *adj.* denkbar; **~sant** [~'sɑ̃] *adj.* (7) **1.** denkend; **2.** *bien* ~ konformistisch; **~se-bête** [pɑ̃s'bɛt] *m* (6g) Einkaufs-, Notizzettel *m*, Gedächtnisstütze *f*; **~sée** [~'se] *f* **1.** Gedanke *m*; **2.** Denkvermögen *n*; Denken *n*; **3.** Geist *m*, Sinn *m*; **4.** Meinung *f*; Absicht *f*, Vorhaben *n*; **5.** **~s** *pl.* Träumereien *f/pl.*, Gedanken *m/pl.*; *perdu dans ses ~s* in s-e Gedanken versunken; **6.** **~s** *pl.* Erinnerungen *f/pl.*; *recevez mes meilleures ~s* nehmen Sie meine besten Erinnerungen entgegen; **7.** ⚘ Stiefmütterchen *n*; **~se-précis** [pɑ̃spre'si] *m/inv.* **1.** Notizblock *m*; **2.** Diktaphon *n.*

pens|er [pɑ̃'se] (1a) **I** *v/i.* **1.** ~ *à q.* (*à qch.*) an j-n (an etw.) denken; *je pense à lui* (*à elle*) ich denke an ihn (an sie); *sans y* ~ ohne daran zu denken, unabsichtlich; *penses-y!* denke daran!; *faire ~ q. à qch.* j-n an etw. erinnern; ~ *à faire qch.* daran denken, etw. zu tun; *je pensais à aller vous voir* ich dachte daran, Sie zu besuchen; *pense à le faire* denke daran, es zu tun; **2.** nachdenken, denken, überlegen, *fig.* sich vorstellen, urteilen, der Ansicht sein, (*subjektiv*) glauben; *ne parlez pas sans* ~ sprechen Sie nicht, ohne nachzudenken (*od.* ohne zu überlegen); *faculté f de* ~ Denkvermögen *n*; ~ *noblement* (*avec élévation*) eine vornehme Gesinnung haben; ~ *petitement* kleinlich denken; ~ *juste* richtig denken; ~ *mal de q.* Schlechtes von j-m denken; *qui pense peu* denkfaul; *pensez-vous?* glauben Sie wirklich?; ist das Ihr Ernst?; *penses-tu!*, *pensez-vous!* ach was!; wo denkst du (*bzw.* denken Sie) hin?!; das kommt gar nicht in Frage!; *je pense, donc je suis* ich denke, also bin ich (*Descartes*); *je pense que oui* (*... que non*) ich denke (= ich glaube) ja (nein); **3.** *mit reinem inf.*: beabsichtigen, sich mit dem Gedanken tragen, vorhaben, gedenken; *je pense aller la voir cet été* ich beabsichtige sie in diesem Sommer zu besuchen; **4.** *penser dient als Umschreibung der deutschen Adverbien* „beinahe", „fast" (*auch bei Tieren u. unbelebtem Subjekt*): *j'ai pensé mourir* (*tomber*) ich wäre beinahe gestorben (gefallen); *ce chien pensa se noyer* dieser Hund wäre beinahe ertrunken; *cette imprudence pensa lui coûter la vie* diese Unvorsichtigkeit hätte ihn beinahe das Leben gekostet; *la pierre pensa l'écraser* der Stein hätte ihn beinahe zerschmettert; *la maison a pensé brûler* das Haus wäre beinahe abgebrannt; **II** *v/t.* **5.** *etw.* denken; *von j-m etw.* halten; *etw.* ausdenken; *etw.* meinen *od.* glauben; *que pensez-vous de lui?* was denken Sie (*od.* halten Sie) von ihm?; *j'ai pensé une chose différente* ich habe etw. ganz anderes ausgedacht; *qu'en pensez-vous?* was meinen Sie dazu?; *qui aurait pensé cela!* wer hätte das gedacht (*od.* geglaubt)?!;

je ne l'aurais jamais pensé ich hätte es nie gedacht (*od.* geglaubt)!; *que pensera-t-on de moi?* was wird man von mir denken?; *à ce que je pense* meiner Ansicht (*od.* Meinung) nach; **~eur** [~'sœːr] *adj. u. su.* (7g) denkend; Denker *m*; **~if** [~'sif] *adj.* (7c) □ nachdenklich, gedankenvoll.

pension [pɑ̃'sjɔ̃] *f* **1.** ~ *de retraite* Pension *f*, Ruhegehalt *n*; ~ *de réversion* Witwengeld *n*; **2.** Pensionspreis *m* (*z.B. für Kost u. Logis*); **3.** Pension *f*, Fremdenheim *n*; *être en ~ chez q.* bei j-m in Pension sein; ~ *gratuite* Freitisch *m* (*für Studenten*); *se mettre en ~* in e-e Pension ziehen; **4.** *écol.* Erziehungsheim *n*, Internat *n*, Pensionat *n*; **~naire** [~sjɔ'nɛːr] *su.* Pensionsgast *m*; **2.** *écol.* Internatsschüler *m*; **~nat** *écol.* [~'na] *m* Pensionat *n*, Internat *n*, Schüler(innen)heim *n*; **~né** [~'ne] *su.* (7) Pensionär *m*, Ruhegehaltsempfänger *m*; **~ner** [~] *v/t.* (1a) pensionieren, in den Ruhestand versetzen.

pensum *a. écol.* [pɛ̃'sɔm] *m* Strafarbeit *f*.

penta|èdre ⩓ [pɛ̃ta'ɛːdrə] *m* Pentaeder *n* (*Fünfflächner*); **~gonal** [~gɔ'nal] *adj* (5c) fünf-eckig, -flächig; **~gone** [~'gɔn] *m* Fünfeck *n*; *pol. le* ♀ das Pentagon (*Verteidigungsministerium der USA*); **~gonisme** [~gɔ'nism] *m* Pentagonpolitik *f*; **~mètre** *mét.* [~'mɛːtrə] *adj. u. m*: (*vers m*) ~ Pentameter *m*.

pentane ⚗ [pɛ̃'tan] *m* Pentan *n*.

penta|syllabe *mét.* [pɛ̃tasi'lab] *adj.* fünfsilbig; **~thlon** *Sport* [~'tlɔ̃] *m* Fünfkampf *m*.

pente [pɑ̃ːt] *f* Abhang *m*, Abdachung *f*, Böschung *f*, Neigung(sfläche *f*) *f*; *aller en ~* abschüssig sein; sich neigen; ~ *du toit* Dachschräge *f*.

Pentecôte [pɑ̃t'koːt] *f* Pfingsten *n/sg. od. pl.*; *à la ~* zu Pfingsten.

pentode *rad.*, ⚡ [pɛ̃'tɔd] *f* Pentode *f*.

pentu [pɑ̃'ty] *adj.* abschüssig, abfallend.

penture ⊕ [pɑ̃'tyːr] *f* Türband *n*, Haspe *f*, Angel *f*; ~ *de fenêtre* Fensterband *n*.

pénultième [penyl'tjɛːm] **I** *adj.* vorletzt; **II** *f gr.* vorletzte Silbe *f*.

pénurie [peny'ri] *f* Knappheit *f*, Not *f*, Verknappung *f*, großer Mangel *m*; ~ *de place* Raummangel *m*; *fig.* ~ *de langage* Mangel *m* an sprachlicher Ausdrucksfähigkeit.

péonage [peɔ'naːʒ] *m* Tagelöhnerdasein *n* (*Südamerika*).

pépée [pe'pe] *f* **1.** *enf.* Püppchen *n*; **2.** ⋆ Fose *f* V, Nutte *f* V.

pépère [pe'pɛːr] **I** *enf. m* Opa *m*; **II** P *adj.* groß; ruhig, gemütlich, behäbig; angenehm.

pépie [pe'pi] *f vét.* Pips *m*; F *avoir la ~* e-e trockene Kehle haben.

pép|iement *orn.* [pepi'mɑ̃] *m* Piepsen *n*; **~ier** [pe'pje] *v/i.* (1a) piep(s)en.

pépin [pe'pɛ̃] *m* **1.** (Obst-)Kern *m*; **2.** F Musspritze *f* (*Regenschirm*); **3.** F *fig.* Haken *m*, plötzliche Schwierigkeit *f*; *il y a un ~* die Sache klappt nicht, die Sache hat ihre Tücken (Mucken).

pépinière [pepi'njɛːr] *f* Baumschule *f*; *fig.* Bildungsstätte *f*; *fig.* Fundgrube *f*.

pépiniériste [~nje'rist] *m* Baumzüchter *m*, -gärtner *m*.

pépite *min.* [pe'pit] *f* Klumpen *m* (*bsd. Gold*).

péplum *cin.* [pe'plɔm] *m* Ausstattungsfilm *m*.

pépon [pe'pɔ̃] *m* Kürbisfrucht *f*.

pepsine *phm.* [pɛp'siːn] *f* Pepsinwein *m*.

péquenot P [pek'no] *m* Bauernlümmel *m*, Flegel *m*.

per|çage [pɛr'saːʒ] *m* Bohren *n*, Lochen *n*; **~cale** *text.* [~'kal] *f* Perkal *m* (*weißer Baumwollstoff*); **~caline** *text.* [~ka'liːn] *f Art* Futterstoff *m*; **~çant** [~'sɑ̃] **I** *adj.* (7) *fig.* durchdringend, scharf, durchbohrend (*Blick*); gellend, schrill (*Stimme*); schneidend (*Kälte*); scharfsinnig (*Geist*); **II** *m fig.* Schneid *m*.

perce [pɛrs] *f* **1.** ⊕ Bohrer *m*; **2.** *mettre en ~ Faß* anstechen; **3.** ♪ Loch *n e-r Flöte*; **~-bois** [pɛrsə'bwa] *m* (6c) Holzwurm *m*.

percée [pɛr'se] *f* **1.** Bohrung *f*, Loch *n*; Durchgang *m*; Einbruchsstelle *f*; ⚔ *Sport*: Durchbruch *m*; **2.** *for.* Lichten *n*, Waldweg *m*; Durchsicht *f z.B. durch die Bäume*; **3.** ~*s pl.* Fenster-, Türöffnungen *f/pl.*

percement [pɛrsə'mɑ̃] *m* **1.** Durchbohren *n*, -stechen *n*; **2.** Durchbruch *m*, -stich *m*; **3.** ⚒ Treiben *n*.

perce|-neige ⚘ [~'nɛːʒ] *m* (6c) Schneeglöckchen *n*; **~-oreille** [pɛrsɔ'rɛj] *m* (6c) Ohrwurm *m*; **~-pierre** ⚘ [~sə'pjɛːr] *f* **1.** Steinbrech *m*; **2.** Meerfenchel *m*.

percep|teur [pɛrsɛp'tœːr] **I** *m*

Steuereinnehmer *m*; **II** *adj. anat.* wahrnehmend; **~tibilité** [~tibili'te] *f* Wahrnehmbarkeit *f*, Sichtbarkeit *f*; **~tible** [~'tiblə] *adj.* □ wahrnehmbar, sichtbar; ~ *à l'oreille* hörbar; ~ *au goût* schmeckbar; ~ *à l'odorat* riechbar; **~tif** *phil.* [~'tif] *adj.* (7e) Wahrnehmungs...; **~tion** [~p'sjɔ̃] *f* **1.** Beitreibung *f*; (Steuer-) Einnahme *f*; Finanzamt *n*; **2.** Wahrnehmung *f*; ~ *sensorielle* Sinneswahrnehmung *f*.

percer [pɛr'se] (1k) **I** *v/t.* **1.** durchstechen, durchbohren, durch'brechen, durchlöchern; ~ *de coups* durchschießen; ~ *qch. d'un coup de dent* etw. 'durchbeißen; *fig. un panier percé* ein Verschwender *m*; **2.** anbohren; an-zapfen, -stechen; **3.** ~ *qch.* durch etw. (*acc.*) hindurchdringen; *percé jusqu'aux os* pudelnaß, bis auf die Haut naß (durchnäßt); **4.** *fig.* ~ *qch.* (*à jour*) etw. durch'schauen; **5.** ⚒ durch'schlagen; *Stollen* treiben; **6.** ⚓ ~ *un navire* Stückpforten in e-m Schiff machen; **II** *v/i.* (*mit avoir!*) **7.** aufgehen, hervorkommen; aus-, 'durch-brechen (*a. Sport*), vorstürmen; *l'abcès a percé* das Geschwür ist aufgegangen; **8.** 'durchgehen, -dringen, -kommen, eindringen; **9.** *fig.* an den Tag kommen, bekannt werden; **10.** *fig. litt.* sich zeigen.

per|cerette ⊕ [pɛrsə'rɛt] *f* Zwickbohrer *m*; **~ceur** [~'sœ:r] *m* (*a. adj.*: *ouvrier m*) ~ (Loch-)Bohrer *m*; **~ceuse** ⊕ [~'sø:z] *f* Bohrmaschine *f*; ~ *radiale* Radial-, Auslegerbohrmaschine *f*.

percevable *fin.* [pɛrsə'vablə] *adj.* erhebbar.

percevoir [pɛrsə'vwa:r] *v/t.* (3a) **1.** *Steuern* erheben; **2.** wahrnehmen.

perche¹ [pɛrʃ] *f* **1.** Stange *f*; F *fig. une grande* ~ *fig.* e-e lange Latte *f*, ein baumlanger Kerl *m*; *fig. tendre la* ~ *à q.* j-m aus der Klemme helfen; **2.** *cin.*, *rad.*, *télév.* Mikrophonstange *f*; **3.** *Sport*: ~ (*à sauter*) Sprungstab *m*; *saut m à la* ~ Stabhochsprung *m*; **4.** ⚠ Rüststange *f*; **5.** ⚡ ~ (*de trolley*) Stromabnehmer *m* (*der Straßenbahn od. des Triebwagens*).

perche² *icht.* [~] *f* Barsch *m*.

perché [pɛr'ʃe] **I** *m ch.*: *tirer au* ~ vom Baum herunterschießen; **II** *adj.* **1.** *être* ~ auf e-r Stange sitzen (*Vögel*); *allg.* ~ *sur son cheval* hoch zu Roß; *haut* ~ hochgelegen (*Ort*); **2.** *Sport*: hängengeblieben (*Fußball*); *géol. roche f* ~*e* Hängegestein *n*.

percher [~] (1a) **I** *v/i. u. v/rfl. se* ~ sich setzen, sitzen (*Vögel*); **II** F *v/i. fig.* hausen; *où perche-t-il?* wo haust er?; **III** F *v/t. fig.* hochstellen; ~ *un vase sur une armoire* e-e Vase auf e-n Schrank stellen.

perch|ette [pɛr'ʃɛt] *f* kleine Stange *f*; **~eur** [~'ʃœ:r] *adj. u. su.* (7g) gewöhnlich auf Zweigen sitzend (*Vögel*); (*oiseaux*) ~*s m/pl.* Baumvögel *m/pl.*; **~is** [~'ʃi] *m* **1.** Stangenzaun *m*; **2.** *for.* Stangenholz *n*; **~iste** *télév.*, *cin.* [~'ʃist] *su.* Person *f*, die die Mikrophonstange hält; **~oir** [~'ʃwa:r] *m* **1.** Sitzstange *f* im Vogelbauer; **2.** Hühnerstange *f*; **3.** F *fig.* Mansardenloch *n*.

perclus ⚕ [pɛr'kly] *adj.* (7) lahm.

percnoptère *orn.* [pɛrknɔp'tɛ:r] *m* Aasgeier *m*.

perçoir ⊕ [pɛr'swa:r] *m* Bohrer *m*; Ahle *f*.

percolateur [pɛrkɔla'tœ:r] *m* Kaffeemaschine *f*.

percu|ssion [pɛrky'sjɔ̃] *f* **1.** Klopfen *n*; Schlag *m*, Stoß *m*; ⚔ Aufschlag *m*; ♪ *instrument m de* ~ Schlaginstrument *n*; *arme f à* ~ Perkussionsgewehr *n*; **2.** ⚕ Perkutieren *n*, Beklopfen *n*; **~tant** [~'tɑ̃] **I** ⚔ *m* Aufschlaggranate *f*; **II** *adj.* durchschlagend; **~ter** [~'te] (1a) **I** *v/t.* **1.** (be)klopfen; **2.** ⚕ perkutieren, beklopfen; **3.** anfahren (*Verkehrsunfall*); **II** *v/i.* ⚔ ~ *au sol* aufschlagen; ✈ ~ *sur ...* aufschlagen auf ... (*acc.*); ~ *contre un poteau de béton* gegen e-n Betonpfeiler stoßen; *fusée f percutante* Aufschlagszünder *m*; **~teur** ⚔ [~'tœ:r] *m* Schlagbolzen *m*.

perd|ant [pɛr'dɑ̃] *adj. u. su.* (7) verlierend; Verlierende(r) *m*; *numéro m* ~, *billet m* ~ *fig.* Niete *f*; ⚓ *le* ~ die Ebbe; **~ition** [~di'sjɔ̃] *f* **1.** *außer* 2. *nur noch mit en*: *Auto*: *en* ~ in e-r Panne; *navire m en* ~ Schiff *n* in Not; **2.** *rl.* Verdammnis *f*.

perdre ['pɛrdrə] (4a) **I** *v/t.* **1.** verlieren; verscherzen, einbüßen; ~ *le chemin* vom Wege abkommen; ~ *connaissance* in Ohnmacht fallen; ~ *contenance* (F ~ *le nord*, ~ *pied*) die Fassung (*od.* die Geistesgegenwart) verlieren; *y* ~ *son latin fig.* mit s-m Latein (*od.* mit s-r Kunst) zu Ende sein; ~ *courage* den Mut verlieren; ~ *ses moyens* (*od.* P *les pédales*) aus dem Konzept kommen; *fig. dans mes moments perdus* in m-n Mußestunden; ~ *son* (*od. tout*) *caractère fig.* verflachen, oberflächlich werden; *vous y perdez vos pas* das ist verlorene Zeit, das ist Zeitvergeudung für Sie; ~ *q. de vue* j-n aus den Augen verlieren; *quartier perdu* entlegenes Stadtviertel *n*; **2.** irreführen, vom Wege abbringen; **3.** entsagen (*dat.*), aufgeben; **4.** zugrunde richten, ruinieren; *rl.* zur Verdammnis führen; ~ *q.* j-n ins Verderben stürzen, j-n zu Fall bringen; ~ *q. dans l'esprit d'un autre* j-n bei e-m anderen anschwärzen; **II** *v/i.* **5.** verlieren; ~ *sur une marchandise* an e-r Ware verlieren; *la mer perd* die Ebbe tritt ein; **6.** an Wert (*od.* Ansehen) verlieren, sich verschlechtern; **III** *v/rfl. se* ~ **7.** verlorengehen; aussterben; verschwinden; **8.** sich verirren; verschwimmen (*Farben*); *bill.* sich verlaufen; **9.** *fig.* sich verlieren, *fig.* ganz irre werden; *se* ~ *en conjectures* sich in Vermutungen verlieren; **10.** sich zugrunde richten.

per|dreau [pɛr'dro] *m* (5b) junges Rebhuhn *n*; **~drix** [~'dri] *f* Rebhuhn *n*; ~ *blanche* Schneehuhn *n*; ~ *grise* Feldhuhn *n*; ~ *rouge* Rothuhn *n*.

perdu [pɛr'dy] *adj.* verloren; ausgestorben; unnütz (*Mühe*); nicht mehr zu retten (*Kranker*); weit entfernt; weit vorgeschoben (*Posten*); *unsichtbar*: *reprise f* ~*e* Kunststopfen *n*; *à corps* ~ mit Wucht, blindlings drauflos; *coups m/pl.* ~*s* Schläge aufs Geratewohl; *crier* (*courir*) *comme un* ~ wie ein Verrückter schreien (umherlaufen).

père [pɛ:r] *m* **1.** Vater *m*; ~ *adoptif* Pflegevater *m*; F *petit* ~ Väterchen *n*; *prov. tel* ~, *tel fils* der Apfel fällt nicht weit vom Stamm; wie der Herr, so's Gescherr; **2.** *fig.* Begründer *m*, Urheber *m*, Schöpfer *m*, Stifter *m*; **3.** *rl.* (*abr.* P., *pl.* P.P.) Pater *m* (*pl.* Patres), Klosterbruder *m*; ~ *spirituel* Beichtvater *m*; *les* ♀*s de l'Église* die Kirchenväter *m/pl.*; **4.** F *mon petit* ~ mein Lieber; *un* ~ *tranquille* ein ruhiger Zeitgenosse.

pérégrin|ations [peregrina'sjɔ̃] *f/pl.* **1.** Fahrt *f*, Reise *f* (*in ferne Gegenden*); *les* ~ *des explorateurs* die Reisen *f/pl.* der Forscher; **2.** *in bezug auf Vögel*: *les* ~ *des hirondelles* das Ziehen der Schwalben; **~er** F [~gri'ne] *v/i.* (1a) in die Ferne reisen.

péremp|tion ⚖ [perɑ̃p'sjɔ̃] *f* Verjährung *f*; **~toire** [~rɑ̃p'twa:r] *adj.* □ **1.** unwiderlegbar, stichhaltig, kategorisch, entscheidend; *fig. péj.* starr; schneidend, herrisch; **2.** ⚖ umstoßend, ungültig machend, verjährend, rechtsverwirkend, peremptorisch; **~toirement** [~rɑ̃ptwar'mɑ̃] *adv.* klipp u. klar, ein für allemal, eindeutig.

péren|ne *géol.* [pe'rɛn] *adj.* das ganze Jahr über fließend (*Fluß, Quelle*); **~niser** [~ni'ze] *v/t.* (1a) **1.** *j-m* e-n festen Posten zusichern; **2.** *fig.* für immer weiterbestehen lassen; **~nité** [~ni'te] *f* Dauerhaftigkeit *f*, Fortbestand *m*.

péréqua|ter *fin.* [perekwa'te] *v/t.* (1a) *Beamtengehälter usw.* ea. anpassen; **~tion** *fin.* [~kwɑ'sjɔ̃] *f* (*Steuer-, Gehälter-, Tarif-, Gewinn-*)Ausgleich *m*; ~ *des charges* (*de guerre*) Lastenausgleich *m*.

perfec|tibiliser [pɛrfɛktibili'ze] *v/t.* (1a) vervollkommnungsfähig machen *od.* gestalten; **~tibilité** [~tibili'te] *f* Vervollkommnungsfähigkeit *f*; **~tible** [~'tiblə] *adj.* vervollkommnungsfähig; **~tion** [~fɛk'sjɔ̃] *f* Vollkommenheit *f*; *à la* ~ meisterhaft, ausgezeichnet, tadellos; **~tionnement** [~sjɔn'mɑ̃] *m* Vervollkommnung *f*; Fortbildung *f*; **~tionner** [~sjɔ'ne] (1a) **I** *v/t.* vervollkommnen, aus-, fort-bilden; verbessern, aus-, über-arbeiten; **II** *v/rfl. se* ~ sich vervollkommnen, sich weiterbilden; **~tionneur** [~sjɔ'nœ:r] **I** *m* a) *rad.* ~ *de sons* Klangveredler *m*; b) ⊕ Vervollkommner *m*; **II** *adj.* (7g) vervollkommnend; **~tionniste** [~sjɔ'nist] **I** *su.* Fortschrittsbesessene(r) *m*; **II** *adj.* fortschrittsbesessen.

perfide [pɛr'fid] *adj.* □ treulos, falsch, hinterlistig, heimtückisch.

perfidie [pɛrfi'di] *f* Treulosigkeit *f*, Heimtücke *f*, Verräterei *f*.

perfo|rage [pɛrfɔ'ra:ʒ] *m* s. *perforation*; **~rateur** [~ra'tœ:r] (7f) **I** *adj.* (durch)bohrend, durchlochend; Bohr...; **II** *su.* ⊕ Bohrer *m*, Bohrmaschine *f*; Locher *m*; Perforiervorrichtung *f*; **~ration** [~rɑ'sjɔ̃] *f* Durchbohren *n*, Durchlochen *n*, Perforierung *f*; **~ratrice** [~ra'tris] *f* **1.** ⊕ (Gesteins-)Bohrmaschine *f*; **2.** *électron.* Datentypistin *f*, Locherin *f*; **~rer** [~'re] *v/t.* (1a) durchbohren, (durch)lochen; **~reuse** ⊕ [~'rø:z] *f* **1.** Bohr-, Loch-maschine *f*; **2.** s. *~ratrice*, 2.

performance *Sport*, ⊕, ✈, *Auto*, *allg.* [pɛrfɔr'mɑ̃:s] *f* Leistung *f*.

performant [pɛrfɔr'mɑ̃] *adj.* (7): *éc. entreprise f ~e* Leistungsbetrieb *m*.

pergola [pɛrgɔ'la] *f* Pergola *f*.

périanthe [per'jɑ̃:t] *m* Blütenhülle *f*.

péricar|de *anat.* [peri'kard] *m* Herzbeutel *m*; **~dite** ⚕ [~'dit] *f* Herzbeutelentzündung *f*.

péricarpe ⚘ [peri'karp] *m* Fruchthülle *f*, Samengehäuse *n*.

périchondre *anat.* [~'kɔ̃:drə] *m* Knorpelhaut *f*.

péricliter [~kli'te] *v/i.* [1a] in Gefahr (*od.* gefährdet) sein; zusammenbrechen, s-m Untergang entgegengehen; *laisser ~* gefährden.

péricrâne [~'krɑ:n] *m* Schädelhaut *f*.

péridot *min.* [~'do] *m* Chrysolith *m*.

péridrome △ [~'dro:m] *m* Säulengang *m*.

périgée *ast.* [~'ʒe] *m* Perigäum *n*, Erdnähe *f*.

périgueux *min.* [~'gø] *m* Braunstein *m*.

périhélie *ast.* [perie'li] *m* Perihelium *n*, Sonnennähe *f*.

péril *bsd. litt.* [pe'ril] *m* Gefahr *f*; *au ~ de ma vie* bei Gefährdung m-s Lebens; *à ses risques et ~s* auf s-e Kosten u. Gefahr; *mettre en ~* gefährden; *~ en mer* Seenot *f*; *il y a ~ en la demeure* es ist Gefahr im Verzug; **~leux** [peri'jø] *adj.* (7d) □ gefährlich; *saut m ~* Hochsprung *m* mit Überschlag, Salto *m*.

périm|é [peri'me] *adj.* ⚖ verfallen, ungültig, verjährt; *allg.* veraltet; **~er** [~] *v/rfl.* (1a): *se ~* verfallen.

périmètre ⩓ [~'mɛ:trə] *m* Umkreis *m*; *le ~ urbain, le ~ d'une ville* der Stadtumkreis.

périnée *anat.* [peri'ne] *f* Damm *m*, Perineum *n*; ⚕ *hernie f du ~* Dammbruch *m*.

pério|de [pe'rjɔd] *f* **1.** Periode *f*, Zeit *f*, Zeitabschnitt *m*; *géol. ~ glaciaire* Eiszeit *f*; **2.** ⚕ Stadium *n* e-r *Krankheit*; *~ d'invasion d'une maladie* Krankheitsbeginn *m*; *la ~ de déclin d'une maladie* das Abflauen e-r Krankheit; **3.** *ast.* Umlauf(szeit *f*) *m*; **4.** *rhét.* Periode *f*, Satzgefüge *n*; **5.** *phys.* Schwingungsdauer *f*, Periode *f*; **6.** △ *~ de construction* Bauabschnitt *m*; **~dicité** [~disi'te] *f* regelmäßige Wiederkehr *f*; Kreislauf *m*; **~dique** [~'dik] **I** *adj.* □ **1.** periodisch; ⚕ *fièvre f ~* Wechselfieber *n*; *rhét. style m ~* ausgeglichener Stil *m*; ⩓ *fraction f ~* periodischer Bruch *m*; **2.** *ast.* kreis-, umlaufend; **II** *m* Zeitschrift *f*; *~ professionnel* Fachzeitschrift *f*.

périos|te *anat.* [per'jɔst] *m* Knochenhaut *f*; **~tite** ⚕ [~'tit] *f* Knochenhautentzündung *f*; **~tose** ⚕ [~'to:z] *f* Knochenhaut-geschwulst *f*, -wucherung *f*.

péripatéticienne F *plais.* [peripateti'sjɛn] *f* Prostituierte *f*.

péripétie [peripe'si] *f* Schicksalswende *f*; plötzlicher Umschwung *m*, unerwartetes Ereignis *n*; *thé.*, *litt.*, *cin.* entscheidende Wendung *f*; *les ~s pl.* die Schicksalsschläge *m/pl.*

périphé|rie [perife'ri] *f* **1.** Peripherie *f*, Umkreis *m*, Umfang *m*; **2.** Außen-, Ober-fläche *f*; **~rique** [~'rik] **I** *adj.* Umkreis...; Oberflächen...; *fig.* zweitrangig; (*boulevard m*) *~ m* Stadtautobahn *f*; Umgehungsstraße *f*; **II** *m* Stadtrand *m*; **~riques** [~] *cyb. m/pl.* periphere Geräte *n/pl.*; *inform.* periphere Einheiten *f/pl.*

périphra|se *gr.* [peri'frɑ:z] *f* Umschreibung *f*; *user de ~s*; **~ser** [~frɑ'ze] *v/t.* (1a) umschreiben; **~stique** [~fras'tik] *adj.* umschreibend.

périple [pe'riplə] *m* Umsegelung *f*; Rundreise *f*; (Rad-)Tour *f*.

périr [pe'ri:r] *v/i.* (2a) (*mit avoir*) sterben, ums Leben kommen, zugrunde gehen, (*a.* ⚓) untergehen, kentern; *fig.* verfallen; aussterben (*Pflanzen*, *Tiere*); *faire ~ q.* j-n umbringen; *fig. ~ d'ennui* sich zu Tode langweilen; *~ par négligence* verkommen, verwahrlosen.

périsco|pe [peri'skɔp] *m* Periskop *n*, Sehrohr *n*; **~pique** [~'pik] *adj.* periskopisch.

périsperme ⚘ [~'spɛrm] *m* Keimhülle *f*.

périss|able [peri'sablə] *adj.* vergänglich; leichtverderblich (*Waren*); **~oire** [~'swa:r] *f* Paddelboot *n*.

péristaltique *anat.* [peristal'tik] *adj.* peristaltisch, wurmförmig.

péristyle △ [peri'stil] *m* Säulenreihe *f*, Säulengang *m*, Peristyl *n*.

péri|toine [peri'twan] *m* Bauchfell *n*; **~tonite** ⚕ [~tɔ'nit] *f* Bauchfellentzündung *f*; **~typhlite** ⚕ [~ti'flit] *f* Entzündung *f* der Gewebe um den Blinddarm; **~urbain**

[~yr'bɛ̃] *adj.* (7) rings um die Stadt gelegen.

per|le [pɛrl] *f* **1.** Perle *f*; ~ *artificielle*, ~ *fausse*, ~ *de culture* unechte Perle *f*, Glas-, Zucht-perle *f*; ~ *montée* eingefaßte Perle *f*; *nacre f* (*od. mère f*) *de* ~(*s*) Perlmutter *f*; **2.** (Tau-)Tropfen *m*; *faire la* ~ perlen, Blasen bilden; **3.** ⚠ ~*s pl.* Perlstab *m*; **4.** *typ.* Perl(schrift *f*) *f*; **5.** *phm.* Kügelchen *n*; **6.** *fig. iron.* ~*s f/pl.* Stilblüten *f/pl.*; **7.** *fig. der, die* Beste, Perle *f* (*Mensch*); **8.** F amüsanter Druckfehler *m od.* Sprachschnitzer *m*; **~lé** [pɛr'le] *adj.* **1.** mit Perlen besetzt; **2.** *fig.* sorgfältig *od.* sauber genäht *od.* ausgeführt; *une phrase* ~*e* ein vollendet schöner Satz *m*; ♪ *jeu m* ~ abgerundetes, leicht dahinperlendes Spiel *n*; *c'est* ~ das perlt nur so, der Vortrag ist vollendet schön; **3.** perl-artig, -farbig; **4.** *fig. grève f* ~*e* Bummelstreik *m*; **~ler** [~] (1a) **I** *v/t.* **1.** ~ *de l'orge* Perlgraupen machen; **2.** *fig.* mit Sorgfalt u. Genauigkeit ausarbeiten; **3.** ♪ sauber vortragen; **II** *v/i.* perlen (*von Tropfen, Tränen, Sekt*); **~lier** [~'lje] **I** *zo. adj.* (7b) Perlen erzeugend; Perlen...; **II** *m* Perlenhändler *m*.

perlglycérine ⚗ [pɛrlglise'ri:n] *f* Perlglyzerin *n*.

perlimpinpin [pɛrlɛ̃pɛ̃'pɛ̃] *m*: *poudre f de* ~ wertlose Arznei *f*.

perlot P [pɛr'lo] *m* Tabak *m*.

permafrost *géol.* [pɛrma'frɔst] *m* Dauerfrostboden *m*.

perma|nence [pɛrma'nɑ̃:s] *f* **1.** Fortdauer *f*, Dauerzustand *m*, Permanenz *f*; **2.** *service m de* ~ Bereitschaftsdienst *m*; *assurer la* ~ Bereitschaftsdienst haben (*Arzt, Apotheke*); **~nent** [~'nɑ̃] **I** *adj.* (7) ständig, dauernd; unkündbar (*Stellung*); (*du cadre*) ~ planmäßig; *armée f* ~*e* stehendes Heer *n*; **II** *m* Gewerkschafts-, Partei-funktionär *m*; **~nente** [~'nɑ̃:t] *f* Dauerwelle *f* (*Haarfrisur*); **~nenté** [~nɑ̃'te] *adj.* dauergewellt; **~nentiste** [~nɑ̃'tist] *su.* Dauerwellenleger *m*.

permanganate ⚗ [pɛrmɑ̃ga'nat] *m* übermangansaures Salz *n*.

perme P ⚔ [pɛrm] *f* Urlaub *m*.

perméa|bilité [pɛrmeabili'te] *f* Durchlässigkeit *f*; **~ble** [~'ablə] *adj.* durchlässig (*a. Grenze usw.*), undicht.

permettre [pɛr'mɛtrə] (4p) **I** *v/t.* **1.** erlauben, gestatten; **2.** dulden, geschehen lassen; **II** *v/rfl.* se ~ sich erlauben.

permis [pɛr'mi] *m* Erlaubnisschein *m*; ~ *de chasse* Jagdschein *m*; ~ *de circulation* Passierschein *m*; *Auto*: Zulassungsschein *m* (*z.B. in Notzeiten*); ~ *de conduire* Führerschein *m*; ~ *de construire* Bauerlaubnis *f*; ~ *de pêche* Anglerkarte *f*; ~ *de séjour* Aufenthaltserlaubnis *f*; ~ *de travail* Arbeitserlaubnis *f*; **~sion** [~mi'sjɔ̃] *f* **1.** Erlaubnis *f* (*a. als Bescheinigung*), Genehmigung *f*; ~ *de quitter le pays* Ausreiseerlaubnis *f*; *avec votre* ~ wenn Sie nichts dagegen haben; mit Verlaub; **2.** ⚔ Urlaub *m*; *en* ~ beurlaubt; ~ *de détente* Erholungsurlaub *m*; **~sif** [~'sif] *adj.* (7e) progressiv-tolerant; nachgiebig; **~sionnaire** ⚔ [~misjɔ'nɛ:r] *su.* Urlauber *m*; **~sivité** [~sivi'te] *f* progressiv orientierte Toleranz *f*.

permu|table [pɛrmy'tablə] *adj.* vertauschbar; versetzbar (*in e-r Behörde*); **~tant** *adm.* [~'tɑ̃] *m* Stellentauscher *m*, Tauschpartner *m*; **~tation** [~tɑ'sjɔ̃] *f* **1.** (Amts-)Versetzung *f*; Dienststellentausch *m*; *pol.* Veränderung *f*; **2.** 𝔄 Permutation *f*, Umsetzung *f*; **3.** ⚡ Umschaltung *f*; **4.** *télégr.* Linienwechsel *m*; **~tatrice** ⚡ [~ta'tris] *f* Umschalter *m*, Kommutatorgleichrichter *m*; **~ter** [~'te] *v/t.* (1a) **1.** *sein Amt* tauschen; ~ *avec q.* mit j-m tauschen; **2.** 𝔄 umstellen, umsetzen; **3.** ⚡ umschalten.

pernic|ieux [pɛrni'sjø] *adj.* (7d) ⚕ bösartig, perniziös; *litt.* sehr schädlich; **~iosité** ⚕ [~sjozi'te] *f* Bösartigkeit *f*.

péroné *anat.* [perɔ'ne] *m* Wadenbein *n*.

péronnelle F [~'nɛl] *f* Schnatterliese *f*, dumme Gans *f*; Waschweib *n*.

péro|raison *rhét.* [perɔrɛ'zɔ̃] *f* Schlußwort *n e-r Rede*; **~rer** [~'re] *v/i.* (1a) breit u. hochtrabend reden; Reden schwingen.

Pérou [pe'ru] *m*: a) *géogr.* **le ~** Peru *n*; b) *fig. gagner le* ~ ein großes Vermögen erwerben.

perpendicu|laire [pɛrpɑ̃dikyˈlɛ:r] **I** *adj.* ⚹ senkrecht (*à* auf *dat. bzw. acc.*); **II** 𝔄 *f* Senkrechte *f*; **~larité** [~lari'te] *f* senkrechte Richtung *f*.

perpétr|ation ⚖ [pɛrpetrɑ'sjɔ̃] *f* Verübung *f*; **~er** ⚖ [~'tre] *v/t.* (1f) begehen *od.* verüben.

perpétu|ation *biol.* [pɛrpetɥɑ'sjɔ̃] *f*

1. Fortpflanzung *f*; **2.** Fortbestehen *n*; **~el** [~'tɥɛl] *adj.* (7c) □ **1.** fortwährend, ewig; **2.** lebenslänglich; ständig; **~er** [~'tɥe] *v/t.* (1a) fortbestehen lassen, verewigen; **~ité** [~tɥi'te] *f* Fortdauer *f*, Unaufhörlichkeit *f*; *advt. à ~* auf ewig; ⚖ lebenslänglich.

perplex|e [pɛr'plɛks] *adj.* perplex, ratlos, bestürzt; **~ité** [~plɛksi'te] *f* Bestürzung *f*, Ratlosigkeit *f*; Unschlüssigkeit *f*.

perquisition ⚖ [pɛrkizi'sjɔ̃] *f* Durch-, Haus-suchung *f*; **~ner** ⚖ [~sjɔ'ne] *v/t.* (1a) durchsuchen.

per|ré Δ [pɛ're] *m* Steinpackung *f*; **~rière** [~'rjɛːr] *f* **1.** ⊕ Schieferbruch *m*; **2.** *féod.* Wurfmaschine *f*; **~ron** Δ [pɛ'rɔ̃] *m* Freitreppe *f*.

per|roquet [pɛrɔ'kɛ] *m* **1.** Papagei *m*; **2.** ⚓ *mât m de ~* Bramstenge *f*; *voile f de ~* Vorbramsegel *n*; **~ruche** [~'ryʃ] *f* **1.** Papageienweibchen *n*; **2.** *~ ondulée* Wellensittich *m*; **3.** *fig.* Klatschweib *n*; **4.** ⚓ Kreuzbramsegel *n*.

perru|que [pɛ'ryk] *f* Perücke *f*; * ⊕ bezahlte Privatarbeit *f*; **~quier** [~ry'kje] *su.* (7b) Perückenmacher *m*.

pers [pɛːr] *adj.* (7) blaugrün (*Augen*).

persan [pɛr'sɑ̃] *adj. u.* ♀ *su.* (7) (neu)persisch; Perser *m*.

perse [pɛrs] **I** *antiq. adj. u.* ♀ *su.* (alt)persisch; Perser *m*; **II** *la* ♀ Persien *n* (*amtliche Bezeichnung*: *l'Iran*); **III** *text. f* bemalte Leinwand *f*.

persécu|ter [pɛrseky'te] *v/t.* (1a) grausam verfolgen; *fig.* belästigen; **~teur** [~'tœːr] (7f) **I** *adj.* verfolgungssüchtig; **II** *su.* Verfolger *m*; *fig.* Plagegeist *m*; **~tion** [~ky'sjɔ̃] *f* grausame Verfolgung *f*; *fig.* Belästigung *f*.

persévé|rance [pɛrseve'rɑ̃ːs] *f* Ausdauer *f*, Beharrlichkeit *f*; **~rant** [~'rɑ̃] *adj.* (7) ausdauernd, beharrlich; **~rer** [~'re] *v/i.* (1f) aushalten, beharren, standhaft bleiben.

persicaire ⚘ [pɛrsi'kɛːr] *m* Flöhkraut *n*.

persienne [pɛr'sjɛn] *f* Jalousie *f*.

persi|flage [pɛrsi'flaːʒ] *m* Spöttelei *f*, Verhöhnung *f*, versteckte Ironie *f*; **~fler** *litt.* [~'fle] (1a) **I** *v/t.* verspotten, sich lustig machen über (*acc.*); **II** *v/i.* spötteln; **~fleur** [~'flœːr] (7g) **I** *adj.* spöttisch; **II** *su.* Spötter *m*.

persil ⚘ [pɛr'si] *m* Petersilie *f*, **~lade** *cuis.* [~si'jad] *f* **1.** Petersiliensoße *f*; **2.** kalte Rindfleischschnitten *f/pl.* mit Petersilie in Essig u. Öl; **~lé** [~'je] *adj.*: *fromage m ~* Gorgonzola *m* (*Schimmelkäse*); *viande f ~e* mit Fett durchwachsenes Fleisch *n*.

persique [pɛr'sik] *adj.*: *ehm. golfe m* ♀ (*heute*: *Arabe*) Persischer Golf *m*.

persis|tance [pɛrsis'tɑ̃ːs] *f* Beständigkeit *f*, Beharrlichkeit *f*, Unerschütterlichkeit *f*; Verharren *n*; Dauer *f*; Fortbestehen *n*; **~tant** [~'tɑ̃] *adj.* (7) beharrlich; dauerhaft, bleibend; *feuillage m ~* bleibendes Blattwerk *n*; ⚕ *fièvre f ~e* anhaltendes Fieber *n*; **~ter** [~'te] *v/i.* (1a) (fort)dauern; *~ dans* bestehen auf (*dat.*), verharren bei (*dat.*); *~ à nier* fortgesetzt leugnen.

personna|ge [pɛrsɔ'naːʒ] *m* **1.** *st.s.* bedeutende Person *f*, Persönlichkeit *f*; *trancher du ~* den Vornehmen spielen; **2.** Mensch *m*; *péj.* Kerl *m*; Kauz *m*; **3.** *litt., thé.* Person *f*, Rolle *f*; Figur *f*; **~lisation** [~nalizɑ'sjɔ̃] *f* Schaffung *f* e-s (e-r) persönlichen Verhältnisses (Note); **~liser** [~li'ze] *v/t.* (1a) e-e persönliche Note geben (*dat.*); ⚖, *Steuer*: personalisieren; **~lisme** *litt.* [~'lism] *m* Persönlichkeitswert *m*; **~lité** [~li'te] *f* **1.** (*im Ggs. zu personnage gehört das Wort personnalité der Umgangssprache an!*) Persönlichkeit *f*, Prominenz *f*; **2.** Wesensart *f*, Persönlichkeit *f*; **3.** ⚖ *~ civile* Rechtsfähigkeit *f*.

person|ne [pɛr'sɔn] **I** *f* **1.** Person *f*; ⚖ a) *~ morale*, *~ juridique* Rechtsperson *f*; b) *~ morale privée* private Vereinigung *f*; *~ physique* natürliche Person *f*; c) *~ morale publique*, *~ morale de droit public* öffentliche Körperschaft *f*; **2.** *grande ~* Erwachsene(r) *m*; **3.** *jeune ~* Mädchen *n*; **4.** *ma ~* ich; *mon humble ~*, *ma modeste ~* meine Wenigkeit *f*; **II** *pr. indéfini/sg.* **5.** (*nur in Sätzen negativen Inhalts*; *vgl. aucun*; *rien*) (irgend) jemand; *je doute que ~ y réussisse* ich zweifle, daß jemand dabei Erfolg hat; *sans avoir vu ~* ohne jemand gesehen zu haben; *connaissez-vous ~ de plus laid?* kennen Sie j-n, der häßlicher ist?; *~ a-t-il jamais parlé comme vous?* hat jemals jemand wie Sie gesprochen?; *vous le savez mieux que ~* Sie wissen es besser als irgend jemand; Sie wissen es am besten; *il travaille plus que ~* er arbeitet mehr als irgend jemand; **6.** *ne ...* ~ niemand; ~ *n'est parfait* niemand ist vollkommen; ~ *n'en sait rien* das weiß niemand; *je ne connais* ~ ich kenne niemand; *je n'ai vu* ~ ich habe niemanden gesehen; *je ne ferai de reproche à* ~ ich werde niemandem e-n Vorwurf machen; *qui reste-t-il? od. qui reste?* — ~*!* wer bleibt übrig? — niemand!; s. *qui* II; ~ *d'autre, litt.* ~ *autre* niemand anders; **~nel** [~'nɛl] **I** *adj.* (7c) □ persönlich; **II** *m* **1.** Personal *n*, Beamte *m/pl.*, Belegschaft *f*; *chef m de la section du* ~ Personalchef *m*; ~ *enseignant* Lehrkörper *m*; ~ *stable*, ~ *primitif* Stammpersonal *n*; ✈ ~ *au sol* Bodenpersonal *n*; ~ *volant*, ~ *navigant* fliegendes Personal *n*; ~ *rampant* Bodenpersonal *n*; ~*s m/pl. de contrôle* Fluglotsen *m/pl.*; **2.** *das* Persönliche *n*; **~nification** [~nifika'sjɔ̃] *f* Verkörperung *f*; Versinnbildlichung *f*; **~nifier** [~ni'fje] *v/t.* (1a) verkörpern; personifizieren.

perspec|tif [pɛrspɛk'tif] *adj.* (7e) perspektivisch; **~tive** [~'tiːv] *f* **1.** Perspektive *f*; ~ *à vol d'oiseau* Vogelperspektive *f*, Vogelschau *f*; **2.** *fig.* Aussicht *f*; *fig.* ~ *réjouissante* Lichtblick *m*; ~*(s pl.) de récolte* Ernteaussicht(en *pl.*) *f*; *avoir qch. en* ~ etw. in Aussicht haben; *être en* ~ bevorstehen.

perspi|cace [pɛrspi'kas] *adj.* scharfsinnig, klarsehend; **~cacité** [~kasi'te] *f* Scharfblick *m*, Weitblick *m*, Klarsicht *f*.

perspirable *physiol.* [pɛrspi'rablə] *adj.* durchlässig.

perspiration [pɛrspira'sjɔ̃] *f* Ausdünstung *f*.

persua|der [pɛrsɥa'de] *v/t.* (1a): ~ *q.* (*heute auch: à q.*) *de faire qch.* j-n überreden, etw. zu tun; ~ *q. de qch.* j-n von etw. (*dat.*) überzeugen; *don m de* ~ Überzeugungskraft *f*; **~sif** [~'zif] *adj.* (7e) überzeugend; **~sion** [~sɥa'zjɔ̃] *f* Überzeugungskraft *f*; Überredung *f*; Überzeugung *f*.

perte [pɛrt] *f* **1.** Verlust *m*, *bsd.* ✝ Ausfall *m*; Schaden *m*, Nachteil *m*, Einbuße *f*; ~ *de temps* Zeit-verlust *m*, -versäumnis *n*; ~ *de capitaux* Kapitalschwund *m*; ~ *comptable* buchmäßiger Verlust *m*, Buchungsverlust *m*; ~ *de forces* Kräfteverlust *m*; ~ *d'intérêts* Zinsenausfall *m*; ~ *de loyer* Mietausfall *m*; ~ *nette* Rein-, Netto-verlust *m*; ~ *de production* Produktionsausfall *m*; ~ *de profit* Verdienstausfall *m*; ~ *de poids* Gewichtsverlust *m*; ~ *de substance* Substanzverlust *m*; ~ *sèche* glatter Verlust *m*; *advt. à* ~ mit Verlust; *courir à* ~ *d'haleine* bis zur völligen Erschöpfung rennen; *à* ~ *d'ouïe* außer Hörweite; *à* ~ *de vue* unabsehbar, soweit das Auge reicht; außerhalb des Gesichtskreises; *fig. raisonnement m à* ~ *de vue* Gerede *n* (*od.* Gefasel *n*) bis ins Endlose, unnützes Geschwätz *n*; *en pure* ~ ganz umsonst, ohne jeden Nutzen; **2.** Untergang *m*, Verderben *n*, Verfall *m*; ~ *de l'âme* ewige Verdammnis *f*; *courir à sa* ~ in sein Verderben rennen; *jurer la* ~ *de q.* j-m den Tod schwören; **3.** ⚕ ~ *de sang* Blutverlust *m*; **4.** ⚡ ~ *à la terre* Erdschluß *m*; Erdkontakt *m*; **5.** *la* ~ *d'un fleuve* der unterirdische Flußlauf, das Verschwinden des Flusses.

perti|nemment [pɛrtina'mɑ̃] *adv.* **1.** *litt.* zutreffend; **2.** *je le sais* ~ ich weiß es ganz genau; **~nence** [~'nɑ̃ːs] *f das* Passende *n od.* Treffende *n*; ⚖ Erheblichkeit *f*; ~ *des preuves* Zutreffen *n* der Beweise; ~ *d'une allégation* Erheblichkeit *f* e-r Behauptung; *sans* ~ unerheblich, belanglos, irrelevant; **~nent** [~'nɑ̃] *adj.* **1.** passend, treffend; zweckdienlich, sachbezogen; wesentlich; **2.** ⚖ zutreffend, rechtserheblich.

pertuis *géogr.* [pɛr'tɥi] *m* **1.** Flußverengung *f*; Meer-, Strom-enge *f*; **2.** Schleusenöffnung *f*; **3.** Engpaß *m*.

perturb|ateur [pɛrtyrba'tœːr] *adj. u. su.* (7f) (ruhe)störend; Störenfried *m*, Chaote *m*; **~ation** [~ba'sjɔ̃] *f* **1.** *a. éc.* Störung *f*; 🚂 Betriebsstörung *f*; *rad.* Störung(sgeräusch *n*) *f*; *rad.* ~ *de réception* Empfangsstörung *f*; ⊕ ~ *d'exploitation* Betriebsstörung *f*; ~ *atmosphérique* atmosphärische Störung *f*; **2.** *fig.* Umwälzung *f*; *ast.* Abweichung *f*; **~er** *a.* ⊕ [~'be] *v/t.* (1a) stören.

péruvien *géogr.* [pery'vjɛ̃] *adj. u.* ♀ *su.* (7c) peruanisch; Peruaner *m*.

pervenche ⚘ [pɛr'vɑ̃ːʃ] *f* Immergrün *n*.

pervers [pɛr'vɛːr] *adj.* (7) □ entartet, widernatürlich, pervers; **~ion** ⚕, *psych.* [~vɛr'sjɔ̃] *f* Entartung *f*;

Perversion *f*; **~ité** [~si'te] *f* Perversität *f*.

pervert|ir [pɛrvɛr'ti:r] *v/t.* (2a) **1.** sittlich verderben; **2.** *die Ordnung der Dinge* umkehren, stören; **~issement** *litt.* [~tis'mɑ̃] *m* sittlicher Verfall *m*.

pes|ade *man.* [pə'zad] *f* Bäumen *n* (*des Pferdes*); **~age** [~'za:ʒ] *m* Abwiegen *n*; Wiegeplatz *m für Jockeis*; **~ant** [pə'zɑ̃] **I** *adj.* (7) (*adv. pesamment*) **1.** schwer (*v. Gewicht*); **2.** *fig.* schwerfällig, plump; *style m* ~ schwerfälliger Stil *m*; **3.** beschwerlich, drückend; langweilig; **II** *m*: *valoir son ~ d'or* Gold wert sein; **~anteur** [~zɑ̃'tœ:r] *f* **1.** Gewicht *n*, Schwere *f*; *fig.* Schwerfälligkeit *f*; **2.** Schwerkraft *f*; **3.** ⚕ Beschwerden *f/pl.*, Druck *m*; ~ *d'estomac* Magenbeschwerden *f/pl.*

pèse * [pɛ:z] *m* Geld *n*; *un mec au ~* ein reicher Kerl *m*.

pèse|-acide [pɛza'sid] *m* (6g) Säureprüfer *m*, -waage *f*; **~-bébé** [~be'be] *m* (6g) Babywaage *f*; **~-bière** [~'bjɛ:r] *m* (6g) Bierwaage *f*.

pesée [pə'ze] *f* **1.** Wiegen *n*; **2.** *das* Gewogene *n*; Waagschalevoll *f*; **3.** ⊕ Druck *m*, Druck-, Zieh-kraft *f*; Heben *n* (*mit e-m Hebel*); *faire une ~ sur qch.* etw. heben.

pèse|-lait [pɛz'lɛ] *m* (6c) Milchwaage *f*; **~-lettre** [~'lɛtrə] *m* (6g) Briefwaage *f*; **~-personne** [~pɛr'sɔn] *m* (6c) Personenwaage *f*.

pes|er [pə'ze] (1d) **I** *v/t.* **1.** wiegen; *fig.* prüfen, erwägen, über-, durchdenken; ~ *ses paroles* s-e Worte abwägen; *fig. pol.* ~ *le poids* den nötigen Einfluß haben; **II** *v/i.* **2.** wiegen; aufwiegen; vollwichtig sein (*Geld*); **3.** (nieder)drücken lassen, schwer liegen; *fig.* e-n Druck auf etw. (*acc.*) ausüben; ~ *à q.* j-m schwerfallen; *cela pèse sur l'estomac* das drückt auf den Magen; *cela me pèse sur la conscience* das belastet mein Gewissen; ~ *sur un levier* auf e-n Hebel drücken; **~ette** [pə'zɛt] *f* Münzwaage *f*; **~eur** [pə'zœ:r] *su.* (7g): ~ *m d'âmes* Seelenforscher *m*.

pèse-urine ⚕ [pɛzy'ri:n] *m* (6c) Harnwaage *f*.

peson [pə'zɔ̃] *m*: ~ *à contre-poids* Schnellwaage *f*; ~ *à ressort* Federwaage *f*.

pessimis|me [pɛsi'mism] *m* Pessimismus *m*; **~te** [~'mist] *adj. u. su.* pessimistisch; Pessimist *m*.

peste [pɛst] *f* **1.** Pest *f*, Seuche *f*; *vét.* ~ *bovine* Rinderpest *f*; *atteint de la ~* pestkrank; ⚕ ~ *bubonique* Beulenpest *f*; *~! int.* verflucht nochmal!, Donnerwetter!; **2.** *fig. fuir q. comme la ~* j-n wie die Pest meiden; *quelle petite ~!* was für ein widerliches Weibsstück!

pester [pɛs'te] *v/i.* (1a): ~ *contre q.* auf j-n fluchen, schimpfen; auf (gegen, über) j-n wettern.

pesti|cide [pɛsti'sid] *m* Vertilgungsmittel *n*; **~fère** [~'fɛ:r] *adj.* verpestend; **~féré** [~fe're] **I** *adj.* verpestet; **II** *su.* Pestkranke(r) *m*; **~lent** ⚕ [~'lɑ̃] *adj.* (7) ansteckend; **~lentiel** [~lɑ̃'sjɛl] *adj.* (7c) übelriechend.

pet [pɛ] *m* **1.** P Furz *m* P, Pup *m* P; *lâcher un ~* e-n fahrenlassen; **2.** * Gefahr *f*; *il n'y a pas de ~* es ist reine Luft; * *~!* Vorsicht!; * *faire le ~* Schmiere stehen; *il y a du ~* es stinkt!; Vorsicht!

pétainiste *Fr. ehm. pol.* [petɛ'nist] *adj. u. su.* Pétain...; Anhänger *m* Pétains.

pétale ⚘ [pe'tal] *m* Blütenblatt *n*.

pé|tarade [peta'rad] *f* Knall *m*, Geknalle *n*; *a. Motorrad*: Geknatter *n*, Knattern *n*, Rattern *n*; **~tarader** *Motorrad usw.* [~tara'de] *v/i.* (1a) rattern, knattern; **~taradeur** [~tara'dœ:r] *m* Knatterer *m*, Krachmacher *m*; **~tard** [~'ta:r] *m* **1.** Knallkörper *m*; Kanonenschlag *m*, Spreng-, Alarm-schuß *m*; * Revolver *m*; ~ *avertisseur* Knallsignal *n*; **2.** Knallbonbon *m*, Schwärmer *m*, Frosch *m*; **3.** F sensationelle Nachricht *f*; **4.** F Skandal *m*, Radau *m*, Krakeelerei *f*; **5.** V Arsch *m* V; **~tarder** * [~tar'de] *v/i.* (1a) Krach machen.

Pétaud [pe'to] *m*: *cour f du roi ~* (= *pétaudière*) Tollhaus *n*; Haus *n*, in dem jeder kommandieren möchte; *fig.* tolle Wirtschaft *f*.

pétaudière [peto'djɛ:r] *f* Zirkus *m fig.*, Radauklub *m*, Tohuwabohu *n*, tolle Wirtschaft *f* (*v. e-r Versammlung, v. e-m Haus*).

pété P [pe'te] *adj.*: *c'est ~* das ist kaputt.

pétéchie ⚕ [pete'ʃi] *f* Petechie *f*, punktförmige Hautblutung *f*.

péter V, P [pe'te] (1f) **I** *v/i.* **1.** sich unanständig aufführen, furzen, pupen; *fig. il m'a envoyé ~* er hat mich rausgeschmissen; ~ *plus haut que le cul* zu hoch hinauswollen; **2.** (*mit avoir!*) knallen, knistern, prasseln; zerplatzen, ab-, zerspringen; kaputtgehen; *ça va* ~*!* nun wird's dicke!; *il faut que ça pète!* das muß geschehen!; ~ *à q. dans la main* schiefgehen; **II** *v/t.* ~ *du feu* (*od. des flammes*) vor Vitalität strotzen.

pète-sec F [pɛt'sɛk] *adj. u. m/inv.* autoritär(er Typ *m*).

pétil|lant [peti'jɑ̃] *adj.* (7) knisternd, prasselnd; schäumend, perlend; *fig.* feurig, lebhaft, übersprudelnd; **~lement** [~tij'mɑ̃] *m* Knistern *n*; Geknatter *n*; Schäumen *n* (*Wein*); Funkeln *n*; *fig.* Sprudeln *n*; **~ler** [~'je] *v/i.* (1a) **1.** knistern, sprudeln, prasseln, knattern; **2.** schäumen, funkeln, perlen; blitzen; *fig.* ~ *d'esprit* von Witz sprühen; **3.** kochen, wallen (*Blut*); *fig.* ~ *d'impatience* vor Ungeduld brennen.

pétinisme *Fr. ehm. pol.* [peti'nism] *m* Regime *n* Pétains.

pétiole ⚘ [pe'tjɔl] *m* Blattstiel *m*.

petiot F [pə'tjo] *adj. u. su.* (7) klein; Knirps *m*.

petit [p(ə)'ti] **I** *adj.* (7) **1.** klein; F lieb; *il se fait* ~ er duckt sich; F *chercher la* ~*e bête* kleinlich diskutieren; **2.** *fig.* gering, unbedeutend; schwach; ~*e santé f* schwankende Gesundheit *f*; *petit vin* Landwein *m*; *les* ~*es gens* die kleinen Leute *pl.*; **3.** gemein, unedel; kleinlich; **4.** *au* ~ *jour* bei Tagesanbruch; **II** *m* **5.** *das* Kleine *n*; *les infiniment* ~*s* die mikroskopischen Wesen *n/pl.*; *advt. en* ~ im kleinen, im verjüngten Maßstab; **6.** *das* Junge *n* (*von Tieren*); *les* ~*s pl. ent.* die Brut *f*; **III** *adv.* ~ *à* ~ allmählich, nach und nach.

petit-beurre *pât.* [~'bœ:r] *m* (6b) Butterkeks *m*.

petit-blanc [p(ə)ti'blɑ̃] *m* (6a) einfacher Weißwein *m*.

petit-bourgeois [~bur'ʒwa] (7) **I** *adj.* kleinbürgerlich; **II** *su.* Kleinbürger *m*.

petit-chou *cuis.* [p(ə)ti'ʃu] *m* (6a): ~ (*à la crème*) Windbeutel *m* (mit Schlagsahne).

petite-bière [p(ə)tit'bjɛ:r] *f* (6a) Dünnbier *n*; *fig. ce n'est pas de la* ~ das ist nicht von Pappe F.

petite-fille [p(ə)tit'fij] *f* (6a) Enkelin *f*.

petitement [p(ə)tit'mɑ̃] *adv.* **1.** in sehr geringer Menge; sehr wenig; *ne buvez d'alcool que* ~ trinken Sie nur ganz wenig Alkohol; **2.** ärmlich, kärglich; *vivre* ~ in ärmlichen Verhältnissen leben; **3.** *fig.* kleinlich, gemein, ruchlos, niederträchtig.

petite-nièce [p(ə)tit'njɛs] *f* (6a) Großnichte *f*.

petitesse [p(ə)ti'tɛs] *f* **1.** Kleinheit *f*, kleiner Wuchs *m*; *typ.* ~ (*du caractère*) kleiner Druck *m*; **2.** *fig.* Geringfügigkeit *f*, Unerheblichkeit *f*; Kärglichkeit *f*; Gemeinheit *f*, Niedrigkeit *f*; Kleinlichkeit *f*; Beschränktheit *f*.

petit-fils [p(ə)ti'fis] *m* (6b) Enkel *m*.

petit-gris [p(ə)ti'gri] *m* (6b) **1.** *zo.* graues Eichhörnchen *n*; **2.** Feh *n*.

pétition [peti'sjɔ̃] *f* Gesuch *n*, Eingabe *f*, Antrag *m*, Bittschrift *f*; **~naire** [~sjɔ'nɛ:r] *su.* Bittsteller *m*.

petit|-lait [p(ə)ti'lɛ] *m* (6a) Molke *f*; **~-nègre** F [~'nɛ:grə] *m/inv.* schlechtes Französisch *n*; **~-neveu** [p(ə)tinə'vø] *m* (6a) Großneffe *m*; **♀-Poucet** [~pu'sɛ] *m* Däumling *m* (*Märchen*).

petits-enfants [p(ə)tizɑ̃'fɑ̃] *m/pl.* Enkel(kinder *n/pl.*) *pl.*

pétoch|ard * [petɔ'ʃa:r] *m* Angsthase *m*; **~e** * [~'tɔʃ] *f* Angst *f*.

pétoire F [pe'twa:r] *f* alte Knarre *f* (*Gewehr*).

peton F [p(ə)'tɔ̃] *m* Füßchen *n*.

pétré [pe'tre] *adj.* steinig.

pétrel *orn.* [pe'trɛl] *m* Sturmvogel *m*.

pétri|fication [petrifikɑ'sjɔ̃] *f* Versteinerung *f*, Petrefakt *n*; **~fier** [~'fje] *v/t.* (1a) versteinern; *fig.* sprachlos machen.

pétr|in [pe'trɛ̃] *m* Backtrog *m*; F *fig.* Klemme *f*, Patsche *f*; **~ir** [~'tri:r] *v/t.* (2a) **1.** kneten; *pétri d'orgueil* voller Dünkel; **2.** *fig.* bilden, schaffen; **~isseuse** ⊕ [~tri'sø:z] *f* Knetmaschine *f*.

pétro|chimie [petrɔʃi'mi] *f* Petrochemie *f*; **~graphie** [~gra'fi] *f* Gesteinskunde *f*; **~graphique** [~gra'fik] *adj.*: *qualité f* ~ *de la roche* Gesteinseigenschaft *f*.

pétro|le [pe'trɔl] *m* **1.** Erdöl *n*; ~ *rouge* illegal verkauftes Erdöl *n*; **2.** Petroleum *n*; **~lette** F [~'lɛt] *f* Leichtmotorrad *n*; **~lier** [~'lje] **I** *adj.* (7b) Öl...; **II** ⚓ *m* Tanker *m*; **~lifère** [~li'fɛ:r] *adj.* erdölhaltig.

pétu|lance [pety'lɑ̃:s] *f* Elan *m*, Temperament *n*, Ausgelassenheit *f*; **~lant** [~'lɑ̃] *adj.* (7) ausgelassen, übersprudelnd, temperamentvoll.

pétunia ⚘ [pety'nja] *m* Petunie *f*.

peu [pø] **I** *adv.* **1.** wenig; ~ *de chose* wenig, eine Kleinigkeit; *de* ~ *d'importance* von geringer Bedeutung, belanglos; *il y a ~ de temps* vor kurzem, unlängst; **2.** *un ~* ein bißchen, etwas, ein wenig; *un ~ moins* etwas weniger; *écoutez un ~!* hören Sie mal!; **3.** *advt. ~ à ~* nach und nach, allmählich; *dans ~, sous ~, avant ~, en ~ de temps, d'ici ~* in Kürze, demnächst; *depuis ~* seit kurzem; *~ après* bald darauf; *quelque ~* einigermaßen, etwas; *à ~ près, à ~ de chose près* beinahe; **II** *m* (*ohne pl.*) *le ~* das Wenige; *le ~ de liberté* das bißchen Freiheit; **III** *cj. pour* (*od. si*) *~ que* (*mit subj.*) wenn auch noch so wenig; *si ~ que cela ait à voir avec la chose* wenn es auch noch so wenig mit der Sache zu tun hat.

peuh! [pø] *int.* bah!, pah! (*Verachtung, Gleichgültigkeit*).

peuplade [pœ'plad] *f* Volksstamm *m.*

peuple ['pœplə] *m* Volk *n*; Bevölkerung *f*; *~ primitif* Naturvolk *n*; *le bas* (*od. le menu*) *~* das niedere Volk, der Pöbel; **~ment** [pœplə'mã] *m* **1.** Bevölkern *n*; **2.** Ausstatten *n mit Vieh*; Besetzen *n mit Fischbrut*; **3.** *for. ~ forestier* Baumbestand *m.*

peupler [pœ'ple] *v/t.* (1a) **1.** bevölkern; **2.** *mit Wild od. Fischbrut* besetzen; **3.** *for.* aufforsten; **4.** *fig.* bewohnen; **5.** *fig.* heimsuchen.

peuplier [pœpli'e] *m* Pappel *f*; *~ blanc* Silberpappel *f.*

peur [pœ:r] *f* **1.** Furcht *f*, Angst *f*; Schreck(en *m*) *m*; *avoir grand-~* (*od. très ~*) große Angst haben; *~ bleue* Höllenangst *f*; *en être quitte pour la ~* mit dem Schrecken davonkommen; *~ de la mort* Furcht vor dem Tode; *laid à faire ~* furchtbar häßlich; *faire ~ à q.* j-m Furcht einjagen; *prendre ~* in Angst geraten; *de ~ des voleurs* aus Furcht vor den Dieben; *j'ai ~ qu'il (ne) vienne* ich fürchte, daß er kommt; *j'ai ~ qu'il (ne) vienne pas* ich fürchte, daß er nicht kommt (*vgl. craindre*); *de* (*od. par*) *~ que (ne) cj.* (*mit subj.*) aus Furcht, daß; damit nicht; **2.** Besorgnis *f*, Befürchtung *f*; *j'ai ~ pour lui* ich bin seinetwegen in Sorge; *j'en ai bien ~* ich befürchte es sehr.

peureux [pœ'rø] *adj.* □ *u. su.* (7d) ängstlich, feige; Feigling *m.*

peut-être [pø'tɛ:trə] *adv.*: *~ le voisin ne le sait-il pas od. ~ que le voisin ne le sait pas* vielleicht weiß es der Nachbar nicht; *~ que oui* vielleicht ja.

phacochère *zo.* [fakɔ'ʃɛ:r] *m* Warzenschwein *n.*

phaéton [fae'tɔ̃] *m* **1.** † *u. plais.* Kutscher *m*; **2.** offener viersitziger Pferdewagen *m*; **3.** *Auto*: Oldtimer *m*; **4.** *orn.* Spitzschwanz *m* (*Seevogel*).

phagocyte *biol.* [fagɔ'sit] *m* Phagozyte *f*, Freßzelle *f.*

phalan|ge [fa'lã:ʒ] *f* **1.** *antiq.* Phalanx *f*; *poét. fig.* Schar *f*; **2.** *anat.* Fingerglied *n*; Zehenglied *n*; **~gette** *anat.* [~lã'ʒɛt] *f* äußerstes Finger- *bzw.* Zehen-glied *n*; * Finger *m*; **~gine** *anat.* [~'ʒi:n] *f* mittleres Finger- *bzw.* Zehenglied *n.*

phalène [fa'lɛ:n] *f* (*bisw. a. m*) Nachtfalter *m*, Spanner *m.*

phantasme [fã'tasm] *m* Trugbild *n.*

phare [fa:r] *m* **1.** Leuchtturm *m*; *~ flottant* Leuchtschiff *n*; **2.** *Auto*: Scheinwerfer *m*; *~ mobile* Sucher-, Kurven-lampe *f*; *Auto*: *mettre (les ~s) en code* abblenden; **3.** *fig.* Leitstern *m*; **~-chercheur** *Auto*, ⚔ [farʃɛr'ʃœ:r] *m* (6a) Suchscheinwerfer *m*, Sucher *m*; **~ perce-brouillard** [~pɛrsəbru'ja:r] *m* Nebellampe *f.*

phari|saïque [fariza'ik] *adj.* pharisäisch; *fig.* heuchlerisch; **~saïsme** [~za'ism] *m* **1.** *rl.* pharisäische Lehre *f*; **2.** *fig.* Pharisäertum *n*, Scheinheiligkeit *f*, Heuchelei *f*; **~sien** [~'zjɛ̃] *m* Pharisäer *m*; *fig.* Heuchler *m*, Scheinheilige(r) *m.*

pharma|ceutique [farmasø'tik] **I** *adj.* pharmazeutisch; Apotheker...; **II** *f* Pharmazeutik *f*, s. *~cie* 1.; **~cie** [~'si] *f* **1.** Arzneimittelkunde *f*; **2.** Apothekerberuf *m*; **3.** Apotheke *f*; *~ familiale* Hausapotheke *f*; **~cien** [~'sjɛ̃] *su.* (7c) Apotheker *m*; **~cologie** [~kɔlɔ'ʒi] *f* Arzneikunde *f*, Heilmittellehre *f*, Pharmakologie *f*; **~copée** [~kɔ'pe] *f* Arzneibuch *n.*

pharyng|ite ⚕ [farɛ̃'ʒit] *f* Rachenentzündung *f*; **~oscope** [~gɔs'kɔp] *m* Kehlkopfspiegel *m*; **~oscopie** [~gɔskɔ'pi] *f* Untersuchung *f* mit dem Kehlkopfspiegel.

pharynx *anat.* [fa'rɛ̃:ks] *m* Kehlkopf *m*, Rachen *m.*

phase [fɑ:z] *f* Phase *f*, Wandlung *f*, Entwicklungsstufe *f*; Stadium *n*, Abschnitt *m in der Geschichte usw.*; ⊕ *~ de travail, ~ d'élaboration* Arbeitsgang *m*; ⚡ *à deux ~s* zweiphasig; *fig. dans ses premières* ~s anfänglich; F *se sentir en* ~ *avec q.* sich mit j-m verstehen.

phéniqu|e ⚗ [fe'nik] *adj.*: *acide m* ~ Karbolsäure *f*; **~er** ⚗ [~'ke] *v/t.* (1a) mit Karbolsäure tränken.

phénix [fe'niks] *m a. fig.* Phönix *m.*

phénol ⚗ [fe'nɔl] *m* Phenol *n*, Karbolsäure *f.*

phéno|ménal [fenɔme'nal] *adj.* (5c) □ *a. fig.* phänomenal; Erscheinungs...; *fig.* wunderbar; **~mène** [~'mɛ:n] *m* **1.** *a. fig.* Phänomen *n*; (Natur-)Erscheinung *f*; **2.** *fig.* Kanone *f* F; Sonderling *m.*

philanthro|pe [filɑ̃'trɔp] *m* Philanthrop *m*; **~pie** [~'pi] *f* Philanthropie *f*; **~pique** [~'pik] *adj.* philanthropisch.

philaté|lie [filate'li] *f* Philatelie *f*, Briefmarkenkunde *f*; **~lique** [~'lik] *adj.*: *album m* ~ Briefmarkenalbum *n*; **~liste** [~'list] *su.* Briefmarkensammler *m.*

philarmon|ie [filarmɔ'ni] *f* Philharmonie *f*; **~ique** [~'nik] *adj.*: *orchestre m* ~ philharmonisches Orchester *n.*

philippi|ne [fili'pi:n] *f* Vielliebchen *n*; *faire* ~ *avec q.* mit j-m Vielliebchen essen; **~que** [~'pik] *f* geharnischte Rede *f*, Philippika *f.*

philistin [filis'tɛ̃] **I** *m* Spießbürger *m*, Philister *m*; **II** *adj.* (7) spießbürgerlich, philisterhaft; **~isme** [~ti'nism] *m* Spießbürgertum *n.*

philolo|gie [filɔlɔ'ʒi] *f* Philologie *f*; ~ *anglaise* Anglistik *f*; ~ *germanique* Germanistik *f*; ~ *romane* Romanistik *f*; ~ *slave* Slawistik *f*; ~ *comparée* vergleichende Sprachforschung *f*; **~gique** [~'ʒik] *adj.* philologisch; **~gue** [~'lɔg] *su.* Philologe *m*, Sprach-wissenschaftler *m*, -forscher *m.*

philoso|phailler *péj.* F [filɔzɔfɑ'je] *v/i.* herumphilosophieren, philosöpheln; **~phal** [~'fal] *adj.*: *pierre f* ~e Stein *m* der Weisen; **~phe** [~'zɔf] *su.* **1.** Philosoph *m*, Denker *m*; **2.** *hist. 18. Jh.*: Freidenker *m*; **3.** *Fr.* F Oberprimaner *m e-s franz. Gymnasiums*; **~pher** [~'fe] *v/i.* (1a) philosophieren, nachdenken, grübeln; **~phie** [~'fi] *f* **1.** Philosophie *f*, Welt-, Lebens-anschauung *f*, -weisheit *f*; **2.** *fig.* Gelassenheit *f*, Gleichmut *m*; **3.** *Fr. écol.* oberste Klasse *f der franz. Gymnasien*, Oberprima *f*; *faire sa* ~ in der Oberprima sein; **~phique** [~'fik] *adj.* □ philosophisch.

philtre ['filtrə] *m* Liebestrank *m.*

philumén|ie [filyme'ni] *f* Sammeln *n* von Streichholzschachteln; **~iste** [~'nist] *su.* Sammler *m* von Streichholzschachteln.

phlébite ⚕ [fle'bit] *f* Venenentzündung *f.*

phlébotomie *chir.* [flebɔtɔ'mi] *f* Aderlaß *m.*

phlegmon ⚕ [flɛg'mɔ̃] *m* Zellgewebsentzündung *f.*

phlox ⚘ [flɔks] *m* Phlox *m*, *a. f.*

phlyctène ⚕ [flik'tɛ:n] *f* Bläschen *n.*

phobie ⚕ [fɔ'bi] *f* Angst *f*, Phobie *f*; ~*s pl.* Angstzustände *m/pl.*

phobique ⚕ [fɔ'bik] **I** *su.* an Angstzuständen Leidende(r) *m*; **II** *adj.*: *névrose f* ~ Angstneurose *f.*

phonat|eur *anat.* [fɔna'tœ:r] *adj.* (7f): *appareil m* ~ Stimmapparat *m*; **~ion** [~nɑ'sjɔ̃] *f* Stimmbildung *f.*

phone *phys.* [fɔn] *m* Phon *n.*

phonème *phonét.* [fɔ'nɛ:m] *m* Phonem *n.*

phonét|icien *gr.* [fɔneti'sjɛ̃] *m* Phonetiker *m*; **~ique** *gr.* [~'tik] **I** *adj.* phonetisch, lautlich, Laut...; *transcription f* ~ Lautschrift *f*; **II** *gr. f* Phonetik *f*, Lautlehre *f*; **~isme** *gr.* [~'tism] *m* Lautumschreibung *f.*

phonévision [fɔnevi'zjɔ̃] *f* Bildtelephonie *f.*

phoniatrie ⚕ [fɔnja'tri] *f* Sprech- u. Stimmtherapie *f.*

phonie *rad.* [fɔ'ni] *f* Sprechfunk *m.*

phonique [fɔ'nik] **I** *adj.* phonisch, Schall...; Laut...; **II** *f* Schallehre *f.*

phono [fɔ'no] *m* Grammophon *n*; **~capteur** [~kap'tœ:r] *m* Schalldose *f*; **~-cinématographe** [fɔnɔsinematɔ'graf] *m* Tonfilmkamera *f.*

phono|génique [fɔnɔʒe'nik] *adj.* für e-e Tonaufnahme geeignet; **~gramme** [~'gram] *m* a) Tonaufzeichnung *f*; b) *gr.* Phonogramm *n*, Lautzeichen *n*; **~graphique** [~gra'fik] *adj.* Tonaufnahme...; **~logie** [~lɔ'ʒi] *f* Phonologie *f*, Lautbildungslehre *f*; **~mètre** *phys.* [~'mɛ:trə] *m* Schallmesser *m*; **~métrie** *phys.* [~me'tri] *f* Schallmessung *f.*

phoque *zo.* [fɔk] *m* Robbe *f*, Seehund *m.*

phosgène ⚗ [fɔs'ʒɛ:n] *m*: (*gaz m*) ~ Phosgen *n.*

phosphate ⚗ [fɔs'fat] *m* Phosphat *n.*

phospho|re ⚗ [fɔs'fɔ:r] *m* Phosphor *m*; **~rer** F [~fɔ're] *v/i.* gute Einfälle haben; schwer nachdenken F; **~rescence** [~fɔre'sɑ̃:s] *f* Phosphoreszieren *n*; **~rescent** [~re'sɑ̃] *adj.* (7)

phosphoreszierend; *cadran m* ~ Leuchtzifferblatt *n*; **~reux** [~'rø] (7d), **~rique** [~'rik] *adj.* phosphorhaltig; Phosphor...; **~risation** ⚗ [~riza'sjɔ̃] *f* Verwandlung *f* in phosphorsaures Salz; **~riser** ⚗ [~ri'ze] *v/t.* (1a) mit Phosphor verbinden; **~risme** ⚕ [~'rism] *m* Phosphorvergiftung *f*; **~rite** ⚗ [fɔsfɔ'rit] *f* Phosphorit *m*, Naturphosphat *n*.

photo [fɔ'to] *f abr. für photographie*: Aufnahme *f*, Lichtbild *n*, Photographie *f*, Photo *n*; *prendre quelques ~s* ein paar Aufnahmen machen.

photo|chimie *phot.* [fɔtɔʃi'mi] *f* Photochemie *f*; **~chromie** [~krɔ'mi] *f* farbiges Lichtbild *n*; **~-ciné** [~si'ne] *m* Filmkamera *f für Amateure*; **~composition** *typ.* [~kɔ̃pozi'sjɔ̃] *f* Lichtsetzverfahren *n*; **~-copie** [~kɔ'pi] *f* Photokopie *f*; **~-copieur** [~kɔ'pjœ:r] *m* Trocken-Photokopiergerät *n*; **~-électrique** [~elɛk'trik] *adj.* photo-, foto-, lichtelektrisch; *cellule f* ~ Photozelle *f*; **~filmeur** [~fil'mœ:r] *m* Straßenfilmer *m*; **~-finish** *Sport* [~fi'niʃ] *f* Zielphotographie *f*; **~gène** [~'ʒɛ:n] *adj.* lichterzeugend; **~génique** [~ʒe'nik] *adj.* photogen, photographisch geeignet; **~gramme** *phot.* [~'gram] *m* Abzug *m*, Positiv *n*; **~grammétrie** [~grame'tri] *f* Meßbildverfahren *n*; **~graphe** [~'graf] *m* Fotograf *m*, Photograph *m*; **~graphie** [~gra'fi] *f* Fotografie *f*, Photographie *f*; Aufnahme *f*, Lichtbild *n*; ~ *de petit format* Kleinaufnahme *f*; ~ *de poses* Aktfoto *n*; ~ *en couleurs* Farbphotographie *f*; ~ *prise de près* Nahaufnahme *f*; ~ *panoramique* Rundaufnahme *f*; *faire de la* ~ photographieren (*abs.*); ~ *instatanée* Momentaufnahme *f*; ~ *aérienne*, ~ *par avion* Luftbild *n*, Fliegeraufnahme *f*; **~graphier** [~gra'fje] *v/t.* (1a) fotografieren, photographieren, aufnehmen, knipsen F; *fig.* ganz genau beschreiben *od.* schildern; **~graphique** [~gra'fik] *adj.* □ fotografisch, photographisch; **~graveur** [~gra'vœ:r] *m* Lichtdrucker *m*; **~gravure** [~gra'vy:r] *f* (*Kupfer- usw.*) Lichtdruck *m*; **~lithographie** [~litɔgra'fi] *f* Photolithographie *f*; **~logie** [~lɔ'ʒi] *f* Lichtlehre *f*; **~mètre** [~'mɛ:trə] *m* Belichtungsmesser *m*; **~montage** [~mɔ̃'ta:ʒ] *f* Photomontage *f*; **~n** *phys.* [fɔ'tɔ̃] *m* Photon *n*, Lichtquant *n*; **~phobe** [~'fɔb] *adj.* lichtscheu; **~stoppeur** [~stɔ'pœ:r] *m* fliegender Photograph *m*; **~synthèse** *biol.* [~sɛ̃'tɛ:z] *f* Photosynthese *f*; **~télégramme** [~tele'gram] *m* Bildtelegramm *n*; **~télégraphie** [~telegra'fi] *f* Bildtelegraphie *f*; **~télégraphique** [~telegra'fik] *adj.* bildtelegraphisch; **~téléphonie** [~telefɔ'ni] *f* Lichttelephonie *f*; **~thèque** [~'tɛk] *f* Lichtbildersammlung *f*; **~thérapie** ⚕ [~tera'pi] *f* Phototherapie *f*, Lichtheilverfahren *n*; **~thérapique** ⚕ [~tera'pik] *adj.* lichtheilkundlich; *appliquer un traitement* ~ mit der Höhensonne bestrahlen; **~type** [~'tip] *m* Lichtdruckplatte *f*; **~typie** [~ti'pi] *f* Phototypie *f*, Lichtdruck *m*; **~typographie** [~tipɔgra'fi] *f* Lichtdruckverfahren *n*, Phototypographie *f*.

phrase [frɑ:z] *f* **1.** Satz *m*, Redewendung *f*; ~ *par* ~ Satz für Satz; *sans* ~ ohne weiteres, unbedingt; **2.** ~*s pl.* leere Redensarten *f/pl.*, Phrasen *f/pl.*; *faiseur m de ~s* Phrasendrechsler *m*; **3.** ♪ Tonsatz *m*.

phra|séologie [frɑzeɔlɔ'ʒi] *f* **1.** Phraseologie *f*, Phrasenschatz *m*; **2.** Ausdrucksweise *f*; **3.** *litt.* leere Phrasen *f/pl.*, Phrasenhaftigkeit *f*; **~séologique** [~zeɔlɔ'ʒik] *adj.* phraseologisch; *accent m* ~ Satzakzent *m*; **~ser** ♪ [frɑ'ze] *v/t.* (1a) ausdrucksvoll spielen *od.* singen; **~seur** [frɑ'zœ:r] *su.* (7g) Phrasendrescher *m*, Schwätzer *m*.

phratrie *soc.* [fra'tri] *f* Sippe *f*, Stamm *m*.

phrénique *anat.* [fre'nik] *adj.* Zwerchfell...

phrygien [fri'ʒjɛ̃] *adj.* (7c) phrygisch; *hist. bonnet m* ~ Jakobinermütze *f*; ♪ *mode m* ~ phrygische Tonart *f*.

phti|sie ⚕ [fti'zi] *f* (Lungen-)Schwindsucht *f*; **~siologie** [~zjɔlɔ'ʒi] *f* Lungenheilkunde *f*; **~siologue** [~zjɔ'lɔg] *su.* Lungenarzt *m*; **~sique** [~'zik] *adj. u. su.* schwindsüchtig; Schwindsüchtige(r) *m*.

phylloxér|a [filɔkse'ra] *m* Reblaus *f*; **~é** [~'re] *adj.* von der Reblaus befallen.

physicien [fizi'sjɛ̃] *su.* (7c) Physiker *m*; ~ *atomiste* Atomphysiker *m*.

physiognomo|nie [fizjɔgnɔmɔ'ni] *f* Physiognomik *f*; **~nique** [~'nik] *adj.* physiognomisch; **~niste** [~'nist] *su.* Physiognomiker *m*.

physio|graphe [fizjɔ'graf] *m* Naturbeschreiber *m*; **~graphie** [~gra'fi] *f* Naturbeschreibung *f*; **~graphique**

[~gra'fik] *adj.* naturbeschreibend; **~logie** [~lɔ'ʒi] *f* Physiologie *f*; **~logique** [~lɔ'ʒik] *adj.* physiologisch; **~logiste** [~lɔ'ʒist] *m* Physiologe *m*; **~nomie** [~nɔ'mi] *f* Gesichtsausdruck *m*; *fig.* besonderes *od.* eigenes Gepräge *n*; *thé. jeux m/pl. de ~* Mimik *f*; **~nomiste** [~nɔ'mist] *adj.* mit e-m guten Personengedächtnis versehen; **~thérapie** ⚕ [~tera'pi] *f* Naturheilmethode *f*.

physique [fi'zik] **I** *adj.* □ **1.** physisch; zur Natur gehörig; **2.** körperlich; *exercices m/pl. ~s* Leibesübungen *f/pl.*; **3.** *phil.* sinnlich; **4.** physikalisch; **II** *f* **5.** Physik *f*; *~ atomique, ~ nucléaire* Atom-, Kernphysik *f*; **III** *m* Körperbeschaffenheit *f*, Körperbau *m*, Gestalt *f*, *das* Äußere *n*; *au ~* körperlich, äußerlich.

phyto|sanitaire [fitɔsani'tɛ:r] *adj.* Pflanzenschutz...; **~thérapeute** [~tera'pøt] *su.* Pflanzentherapeut *m*; **~thérapie** ⚕ [~'pi] *f* Pflanzenheilkunde *f*; **~tron** [~'trɔ̃] *m* Phytotron *n*, Labor *n* zur Pflanzenuntersuchung.

piaf P [pjaf] *m* Spatz *m*.

piaff|ement [pjaf'mɑ̃] *m* Stampfen *n des Pferdes*; **~er** [~'fe] *v/i.* (1a) stampfen (*Pferd*); **~eur** [~'fœ:r] *adj.* (7g): *cheval m ~* stampfendes Pferd *n*.

piaill|ard F [pjɑ'ja:r] *adj. u. su.* (7) kreischend, plärrend; Schreihals *m*; **~ement** *m*, **~erie** *f* [pjɑj'mɑ̃, ~'ri] Kreischen *n*; Geplärre *n*; **~er** F [pjɑ'je] *v/i.* (1a) kreischen; plärren, schreien; **~eur** F [pjɑ'jœ:r] *su.* (7g) Schreihals *m*.

pian ⚕ [pjɑ̃] *m* Pian *m* (*tropische endemische Hautkrankheit*).

pia|nissimo [pjanisi'mo] **I** *adv.* ♪ pianissimo; F ganz langsam; **II** ♪ *m* Pianissimo *n*; **~niste** [~'nist] *su.* Klavierspieler *m*, Pianist *m*; **~no** [pja'no] **I** *adv.* piano, leise; **II** *m* Klavier *n*; *~ à queue* Flügel *m*; *~s pl. droits et à queue* Klaviere u. Flügel; *~ demi-queue* Stutzflügel *m*; *~ mécanique* Drehorgel *f*; **~noter** *péj.* [~nɔ'te] *v/i.* (1a) (auf dem Klavier) herumklimpern; **~noteur** *péj.* [~nɔ'tœ:r] *su.* (7g) Klimperer *m*.

piau|le P [pjo:l] *f* Bude *f* P, Zimmer *n*; **~lement** [pjol'mɑ̃] *m* Piepen *n* (*Küken*); Geplärre *n*; **~ler** [pjo'le] *v/i.* (1a) piepen; plärren; **~lis** F [~'li] *m* Gepiepe *n*.

pic[1] [pik] *m* **1.** ⊕ Hacke *f*, Picke *f*; *~ pneumatique* Preßluftbohrer *m*; *~ à pointe* Spitzhacke *f*; **2.** Bergspitze *f*; *advt. à ~* senkrecht, steil; F *arriver à ~* gerade zur rechten Zeit ankommen; ✈ *chute f à ~* Absturz *m*; Abschuß *m*; ⚓ *couler à ~* in den Grund bohren.

pic[2] *orn.* [~] *m* Specht *m*.

picador [pika'dɔ:r] *m* berittener Stierfechter *m*.

picage *vét.* [pi'ka:ʒ] *m* Federnfressen *n*.

picaillons P [pika'jɔ̃] *m/pl.*: *avoir des ~s* Moneten haben.

picaresque *litt.* [pika'rɛsk] *adj.*: *roman m ~* Schelmenroman *m*.

piccolo ♪ [pikɔ'lo] *m* Piccoloflöte *f*.

pichenette [piʃ'nɛt] *f* Klaps *m*.

pichet [pi'ʃɛ] *m* kleiner Krug *m für Wein*.

pickles *cuis.* [pikls] *m/pl.* Mixed Pickles *pl.*, Essigfrüchte *f/pl.*

pickpocket [pikpɔ'kɛt] *m* Taschendieb *m*.

pick-up [pik'œp] *m* Tonabnehmer *m*.

picol|er * [pikɔ'le] *v/i.* (1a) saufen P; **~eur** * [~'lœ:r] *m* Säufer *m* P.

pico|rée [pikɔ're] *f* **1.** † Beute *f*; F kleiner Diebstahl *m*; **2.** Honigsammeln *n*; **~rer** [~] (1a) **I** *v/i.* sich e-s Plagiats schuldig machen; s-e Nahrung suchen, picken (*Vogel*); F wenig essen; im Essen herumstippen; Honig sammeln (*Bienen*); **II** *v/t.* aufpicken; anknabbern.

picot [pi'ko] *m* **1.** (Holz-)Splitter *m*; **2.** *Spitzenfabrik*: Zäckchen *n*; **3.** ⊕ Spitzhammer *m* (*e-s Steinbrechers*); **4.** ⊕ Stacheldrahtspitze *f*; **5.** *Art* Fischnetz *n*; **~age** [pikɔ'ta:ʒ] *m* Anpicken *n der Früchte*; **~ement** [pikɔt'mɑ̃] *m* Prickeln *n*; Kribbeln *n*; **~er** [pikɔ'te] *v/t.* (1a) **1.** prickeln, stechen, kitzeln, reizen (*Augen*); **2.** (an)picken (*von Vögeln*); **3.** *fig. auf j-m* herumhacken, *mit j-m* herumsticheln; *j-n* necken; **~in** [pikɔ'tɛ̃] *m* Metze *f* Hafer (*Maß*); P Schlag *m* (*Essen*), Futter *n*.

picride ♀ [pi'krid] *f* Bitterkraut *n*.

picrique [pi'krik] *adj.*: *acide m ~* Pikrinsäure *f*.

pictural [pikty'ral] *adj.* (5c) Bilder..., Maler...; für Bilder.

pic-vert *orn.* [pik'vɛ:r] *m s. pivert.*

pie[1] [pi] **I** *f* Elster *f*; **II** *adj./inv. u. su.* (*cheval m*) *~* Schecke *f*.

pie[2] [~] *adj.*: *œuvre f ~* milde Stiftung *f*, frommes Werk *n*.

pièce [pjɛs] **I** *f* **1.** (*mst. sonderlich zubereitetes od. hergestelltes*) Stück *n*; *~s pl. détachées* Einzelteile *n/pl.*;

~s pl. de rechange Ersatzteile *n/pl.*; *~ d'eau* Teich *m*, Wasserbassin *n*; *travailler à la ~ od. aux ~s* im Akkord arbeiten; *fig. ~ essentielle* Kernstück *n*; *cuis. ~ de résistance* großes Fleischstück *n* (*beim Essen*); *ouvrier m à la ~* Akkordarbeiter *m*; *bét. ~ brute en béton* Betonrohling *m*; *advt. ~ à ~* Stück für Stück; *tout d'une ~* aus einem Stück; steif, unbiegsam; in einem fort, ununterbrochen; *dormir tout d'une ~* ununterbrochen (*od.* hintereinander) schlafen; *mettre en ~s* zer-schlagen, -brechen; *tailler* (*od. mettre*) *en ~s fig.* fertigmachen, vernichten, zerschmettern; *reconstruire une phrase de toutes ~s* e-n Satz völlig umformen (*od.* umbauen); **2.** Flicken *m*; **3.** *~ de vin* Weinfaß *n*; **4.** *~ de bétail* Stück *n* Vieh; **5.** Zimmer *n*; *appartement m de huit ~s* Achtzimmerwohnung *f*; *un deux-~s* e-e Zweizimmerwohnung *f*; **6.** Geldstück *n*; F *donner la ~ à q.* j-m ein Trinkgeld geben; **7.** Aktenstück *n*, Urkunde *f*; *~ à l'appui*, *~ justificative* Beleg *m*; *~ à conviction* Beweisstück *n*; *~ de caisse* Kassenbeleg *m*; *~ d'identité* Personalausweis *m*; **8.** *litt. ~ (de théâtre)* Theaterstück *n*; *thé. ~ de circonstance* Zeitstück *n*; *rad. ~ radiodiffusée* Hör-, Sendespiel *n*; **9.** ♪ *~ instrumentale* (*vocale*) Instrumental- (Gesangs)stück *n*; **10.** *litt. faire ~ à qch.* (*à q.*) sich gegen etw. (j-m) widersetzen; **11.** ⚔ Geschütz *n*; **12.** *Spiel*: Bauer *m*; Figur *f*; Stein *m*; **II** *advt.* **13.** ⚜ stückweise, pro Stück; *on vendit 100 francs ~ les livres* man verkaufte die Bücher für 100 Franken pro Exemplar.

pied [pje] *m* **1.** Fuß *m*; *ch.* Lauf *m*; *~ de devant* (*de derrière*) Vorder- (Hinter-)fuß *m*; *bête f à quatre ~s* vierfüßiges Tier *n*; *coup m de ~* Fußtritt *m*; *Fußball*: Schuß *m*; *~ à voûte affaissée* Senkfuß *m*; *~ plat* Plattfuß *m*; *à ~ sec* trockenen Fußes; *aller du même ~* gleichen Schritt halten; *avoir ~* auf Grund sein (*im Wasser*); ⚕ *être sur ~* wieder auf dem Posten sein; wieder auf den Beinen sein F; *faire ~ de grue* umsonst warten; *faire un ~ de nez à q.* j-m e-e lange Nase machen; *il y a ~* man hat Grund (*im Wasser*); *lâcher ~* davonlaufen; fliehen; *fig.* nachgeben; *mettre q. au ~ du mur* j-m hart zusetzen, j-n in die Enge treiben; *mettre ~ à* [pjeta...] *terre* absteigen, aussteigen; *mettre une organisation sur ~* e-e Organisation ins Leben rufen; *prendre ~ sur qch.* auf etw. (*dat.*) fußen; *à ~* zu Fuß; *~ à ~* [pjeta...] Schritt für Schritt, allmählich; vorsichtig; *se jeter aux ~s de q.* sich j-m zu Füßen werfen; *fig. au ~ levé* aus dem Stegreif *od.* Handgelenk, ohne jede Vorbereitung; mir nichts, dir nichts; *prendre q. au ~ levé* j-n auf der Stelle beim Wort nehmen, *fig.* j-n stellen, j-m keine Zeit zur Überlegung lassen; *ne pas savoir sur quel ~ danser* nicht ein noch aus wissen, sich keinen Rat mehr wissen; F *ne pas se donner de coups de ~* sich selbst beweihräuchern P, sich ins rechte Licht setzen; P *ça te fera les ~s!* das geschieht dir recht!; *de ~ en* [pjetɑ̃...] *cap* vom Scheitel bis zur Sohle; von unten bis oben; **2.** *bis 1962*: *~-noir m* (6a) Europäer *m*, *bsd.* Franzose *m in Algerien*; **3.** Fährte *f*, (Fuß-)Spur *f*; **4.** ⚘ Halm *m*, Stengel *m*, Blumenstock *m*; *acheter sur ~* auf dem Halm (*od.* vor der Ernte) kaufen (*Weizen od. Weintrauben*); **5.** unterster Teil *m von etwas*; *~ du lit* Fußende *n* des Bettes; *~ de lampe* Lampenständer *m*; **6.** † Fuß *m* (*Längenmaß*); **7.** *fig.* Maß *n*, Verhältnis *n*; *au ~ de la lettre* buchstäblich, dem Buchstaben nach; *sur le ~ de ...* nach Maßgabe von (*dat.*), je nach ... (*dat.*); *réduire au petit ~* verkleinern, beschränken; *cette maison est montée sur un grand ~* man lebt auf großem Fuß in diesem Haus; *sur quel ~ sont-ils ensemble?* wie stehen sie miteinander?, wie verstehen sie sich?; **8.** *mét.*: (Vers-) Fuß *m*; **9.** *géom. ~ d'une perpendiculaire* Fußpunkt *m* e-r Senkrechten; **10.** *phot.* Stativ *n*; **11.** ⊕ *~ à coulisse* Schublehre *f*; **12.** F *le ~!* toll!, phantastisch!

pied|-à-terre [pjeta'tɛːr] *m* (6c) vorübergehende Unterkunft *f* (*od.* Bleibe *f*); *mettre ~* einkehren, absteigen, Quartier machen; *~-d'alouette* ⚘ [pjeda'lwɛt] *m* (6b) Rittersporn *m*; *~-de-biche* ⊕ [pjed'biʃ] *m* (6b) Nagelzieher *m*; *~-de-lion* ⚘ [pjedə'ljɔ̃] *m* (6b) Edelweiß *n*; *~-de-poule* [pjed'pul] *m* **1.** ⚘ kriechender Hahnenfuß *m*; **2.** *text.* Hahnentritt *m* (*Stoffart*).

piédestal [pjedɛs'tal] *m* (5c) ⚠ Sockel *m*, Säulenfuß *m*, Postament *n*; *fig. se faire un ~ de qch.* etw. als Sprungbrett benutzen.

pied-de-veau ⚘ [pjed'vo] *m* (6b) Aron *m*.

piédouche △ [pje'duʃ] *m* kleiner Sockel *m* (*für Büsten*).

pied-droit *m*, **piédroit** △ [pje'drwa] *m* Pfeiler *m*.

piège [pjɛ:ʒ] *m* Falle *f*; Schlinge *f*; ⚔ *~ à sous-marin(s)* U-Boot-Falle *f*; *dresser (od. tendre) un ~ à q.* j-m e-e Falle stellen; *tomber (a. donner) dans le ~* in die Falle gehen.

piégé [pje'ʒe] *adj.* mit e-m Sprengkörper versehen; *lettre f ~e* Briefbombe *f*, Sprengstoffbrief *m*.

piéger [pje'ʒe] (1g) **I** *v/t.* in e-e (Auto-)Falle locken; ⚔ *~ une mine* e-e Mine tarnen; **II** *abs.* Fallen stellen.

pie-grièche [pigri'ɛʃ] *f* (6a) **1.** *orn.* Würger *m*; **2.** F zänkisches Weib *n*, Xanthippe *f*.

pie-mère *anat.* [pi'mɛ:r] *f* weiche Hirnhaut *f*.

piéride *ent.* [pje'rid] *f* Weißling *m*; *~ brassicaire* Kohlweißling *m*.

pierraille [pjɛ'rɑ:j] *f* Schotter *m*.

Pierre[1] [pjɛ:r] *m* Peter *m*; *~ l'Ébouriffé* Struwwelpeter *m*; *~ et Paul* Hinz u. Kunz.

pierre[2] [~] *f* **1.** Stein *m*; *~ à aiguiser* Schleif-, Wetz-stein *m*; *~ angulaire* Eckstein *m*; *~s pl. concassées* Schotter *m/sg.*; △ *~ chaux-grès f* Kalksandstein *m*; *~ miliaire* Meilenstein *m*; *~ de taille* Quaderstein *m*; *~ tumulaire (od. tombale)* Grabstein *m*; *phm. ~ à cautère* Ätzstein *m*; *~ infernale* Höllenstein *m*; *~ météorique* Meteorstein *m*; *~ de bordure* Bordschwellenstein *m*; *~ à briquet* Feuerstein *m* (*für ein Feuerzeug*); *~ calcaire* Kalkstein *m*; *~ ponce* Bimsstein *m*; △ *~ reconstituée* Betonwerkstein *m*; *a. fig. ~ de touche* Prüfstein *m*; *fig. ~ fondamentale* Grundstein *m*; *fig. ~ de scandale, ~ d'achoppement* Stein *m* des Anstoßes; *faire d'une ~ deux coups* zwei Fliegen mit einer Klappe schlagen; *poser la première ~* den Grundstein legen; *fig. marquer un jour d'une ~ blanche* e-n Tag auf dem Kalender rot anstreichen; *fig. c'est une ~ dans mon jardin* das ist ein Hieb auf mich; *jeter la ~ à q. fig.* den Stein auf j-n (*acc.*) werfen, die Schuld auf j-n laden; **2.** *~ fine* Halbedelstein *m*; *~ précieuse* Edelstein *m*; *~ fausse* unechter (Edel-)Stein *m*; **3.** *jeter la ~ à q.* über j-n herziehen; **4.** ⚕ *~ (de la vessie)* Blasenstein *m*; *avoir la ~* Gallen- *od.* Nieren-steine haben; *opérer q. de la ~* j-m den Stein wegoperieren.

pier|rée [pjɛ're] *f* Sickerkanal *m*; **~reries** [pjɛ'ri] *f/pl.* Edelsteine *m/pl.*, Juwelen *n/pl.*, Geschmeide *n*; **~rette** [pjɛ'rɛt] *f* **1.** F Spatzenweibchen *n*; **2.** Frau *f* des Pierrot; **~reux** [~'rø] *adj.* (7d) steinig; ⚕ blasensteinartig; **~rot** [pjɛ'ro] *m* **1.** ♀ Peterchen *n*; **2.** *thé.* Hanswurst *m*; **3.** F *orn.* Spatz *m*.

piétaille *plais.* [pje'tɑ:j] *f* **1.** ⚔ Fußvolk *n*, Infanterie *f*; **2.** *die* kleinen Leute *pl.*; **3.** *die* Fußgänger *m/pl.*

piété [pje'te] *f* **1.** Frömmigkeit *f*; *livre m de ~* Andachtsbuch *n*; **2.** Liebe *f* u. Ehrerbietung *f*; *~ filiale* kindliche Liebe *f*.

piéter [pje'te] (1f) **I** *v/i.* **1.** *Spiel*: Fuß halten (*beim Kegeln*); **2.** *ch.* hüpfen, laufen (*v. Vögeln*); **II** *v/rfl. se ~ contre la douleur* den Schmerz mutig ertragen.

piéti|nement [pjetin'mɑ̃] *m* Trippeln *n*; Getrappel *n*; Hufschlag *m*; **~ner** [~ti'ne] *v/i. u. v/t.* (1a) mit den Füßen stampfen; *~ sur place* nicht von der Stelle kommen.

piéton [pje'tɔ̃] **I** *su.* Fußgänger *m*; **II** *adjt.*: *rue f ~ne* Fußgängerstraße *f*; **~nisation** [~tɔniza'sjɔ̃] *f* Erklärung *f* zur Fußgängerzone.

piètre ['pjɛ:trə] *adj.* □ armselig, kümmerlich, elend, gering; *avoir (od. tenir) en bien ~ estime* sehr gering einschätzen; *avoir une ~ idée de qch.* etw. geringschätzen.

pieu [pjø] *m* (5b) **1.** Pfahl *m*; *~x pl. de garde* Eisbrecher *m/sg. vor e-r Brücke*; **2.** P *fig.* Falle *f* (*Bett*), Klappe *f* P; *se mettre au ~* = **~ter** P [~'te] *v/rfl.* (1a) *se ~* in die Falle (= *ins Bett*) gehen.

pieuvre ['pjœ:vrə] *f* **1.** *zo.* Polyp *m*, achtarmiger Tintenfisch *m*, Krake *m*; *ville f ~* Moloch *m* von Großstadt; **2.** *fig.* raffgierige Person *f*.

pieux [pjø] *adj.* (7d) □ **1.** fromm; *~ mensonge m* Notlüge *f*; *affecter des dehors ~* fromm tun; **2.** liebevoll.

piézomètre ⊕ [pjezɔ'mɛ:trə] *m* Piezometer *n*.

pif[1] P [pif] *m* Zinken *m* P (*Nase*); *avoir du ~* e-n Riecher haben.

pif[2] [~] *int.*: *~ paf!* piff, paff!

pif(f)er P [pi'fe] *v/t.*: *je ne peux pas le ~* ich kann ihn nicht riechen.

pifomètre P *plais.* [pifɔ'mɛ:trə]: *juger au* ~ über den Daumen peilen.
pigallisation *Fr.* [pigalizɑ'sjɔ̃] *f* Umwandlung *f* e-s Stadtgebiets in e-e zwielichtige Zone (*wie am Place Pigalle*).
pige [pi:ʒ] *f* **1.** *journ., typ.* Arbeitspensum *n*; Stundenlohn *m*; Zeilenhonorar *n*; **2.** P *faire la* ~ *à q.* j-n übertreffen; **3.** * Jahr *n.*
pigeon [pi'ʒɔ̃] *m* **1.** Taube *f*; ~ *mâle* Tauber *m*; *tir m aux* ~*s* Taubenschießen *n*; ~ *boulant* Kropftaube *f*; ~ *à capuchon* Schleiertaube *f*; ~ *casqué* Helmtaube *f*; ~ *voyageur* Brieftaube *f*; ~ *ramier*, ~ *à collier* Ringeltaube *f*; ~ *de volière* Schlagtaube *f*; ~ *artificiel* Wurf-, Tontaube *f*; **2.** F *fig.* Schafskopf *m*, Kamel *n*; *plumer un* ~ *fig. j-n* ausziehen, *j-n* ausnutzen, *j-n* schröpfen; ~**ne** [pi'ʒɔn] *f* weibliche Taube *f*; ~**ner** P [~'ne] *v/t.* (1a) bemogeln, betrügen; ~**nier** [~'nje] *m* Taubenschlag *m*; F Dachwohnung *f.*
piger P [pi'ʒe] *v/t.* (1l) **1.** kapieren, begreifen; **2.** ansehen, bewundern.
pigiste *journ.* [pi'ʒist] *su.* nach Zeilen bezahlter Setzer *m* (*od.* Journalist *m*).
pigment [pig'mɑ̃] *m* Pigment *n.*
pigne ♀ [piɲ] *f* Tannenzapfen *m.*
pignocher F [piɲɔ'ʃe] (1a) **I** *v/t. u. abs.* ohne Appetit essen; im Essen herumstochern; **II** *v/t.* peinlich genau malen; **III** P *v/rfl. se* ~ sich raufen, sich in der Wolle haben.
pignon[1] [pi'ɲɔ̃] *m* △ (Mauer-)Giebel *m*; *fig.* ✝ *avoir* ~ *sur rue* ein gutgehendes Geschäft haben.
pignon[2] ⊕ [~] *m* Getrieberad *n.*
pignon[3] ♀ [~] *m* Piniennuß *f.*
pignoratif ⚖ [piɲɔra'tif] *adj.* (7e): *contrat m* ~ Pfandvertrag *m.*
pignouf P [pi'ɲuf] *m* Flegel *m.*
pilage [pi'la:ʒ] *m* Zerstampfen *n*; Auspressen *n* (*bes. der Äpfel*).
pilaire *anat.* [pi'lɛ:r] *adj.*: *système m* ~ Haarsystem *n.*
pilastre △ [pi'lastrə] *m* viereckiger (Wand-)Pfeiler *m*, Pilaster *m*; *en* ~ pfeilerförmig.
pile[1] [pil] *f* **1.** Haufen *m*, Stoß *m*, Stapel *m*; *en* ~ übereinandergeschichtet; **2.** △ Brückenpfeiler *m*; **3.** ⚡ Batterie *f*, Element *n*; ~ *de tension(-)plaque* Anodenbatterie *f*; ~ *de tension-grille* Gitterbatterie *f*; ~ *sèche* Trockenelement *n*; *at.* ~ *atomique* Atomreaktor *m*, Atommeiler *m*; ~ *à eau* Wasserreaktor *m*; ~*-piscine f* Schwimmbadreaktor *m.*
pile[2] [~] *f* **1.** ⊕ Trog *m* für Papiermaché; **2.** F derbe Tracht *f* Prügel; ⚔ Schlappe *f*; *flanquer une* ~ *à q.* j-n vertrimmen P.
pile[3] [~] *f* Rückseite *f e-r Münze*; *fig. jouer à* ~ *ou face* Kopf *od.* Schrift raten; alles auf eine einzige Karte setzen; ~ *ou face* entweder das eine oder das andere.
pile[4] [~] **I** *adv. arriver* (*od. tomber*) ~ gerade noch zur rechten Zeit (an-)kommen; *à dix heures,* ~, *elle s'arrête* Punkt zehn Uhr hört sie auf; *s'arrêter* ~ auf der Stelle stehenbleiben; **II** *adjt. à l'heure* (*à la seconde*) ~ auf die Stunde (auf die Sekunde) genau.
piler [pi'le] *v/t.* (1a) (zer)stampfen, zerstoßen, zermalmen; F besiegen.
pileux [pi'lø] *adj.* (7d) haarig.
pilier [pi'lje] *m* **1.** △ (Stütz-)Pfeiler *m*, Stütze *f* (*a. fig.*); ~ *butant* Strebepfeiler *m*; *fig. un* ~ *du romantisme* ein Verfechter der Romantik; **2.** *fig. péj.* Stammgast *m*; ~ *d'estaminet,* ~ *de cabaret,* ~ *de bistrot* Saufbruder *m.*
piliforme [pili'fɔrm] *adj.* haarförmig.
pill|age [pi'ja:ʒ] *m* Plünderung *f*; *livrer* (*od. mettre*) *au* ~ der Plünderung preisgeben; ~**ard** [~'ja:r] (7) **I** *adj.* räuberisch; **II** *su.* Plünderer *m*; ~**er** [pi'je] *v/t.* (1a) **1.** (aus-)plündern; **2.** *litt.* aus fremden Büchern abschreiben; ~**eur** [pi'jœ:r] *su.* (7g) Plünderer *m.*
pilon ⊕ [pi'lɔ̃] *m* Stampfe *f*; Stößel *m*, Reibe-, Mörser-keule *f*; Handramme *f*; *cuis.* untere Geflügelkeule *f*; Holzbein *n*; *Bettler *m*; *mettre un livre au* ~ ein Buch einstampfen lassen; ~**nage** ⚔ [~lɔ'na:ʒ] *m* heftiges Bombardement *n*; ~**ner** [~lɔ'ne] *v/t.* (1a) (ein-, fest-)stampfen, stoßen; ⚔ beharken, mit schwerem Artilleriefeuer belegen; *(er)betteln.
pilori [pilɔ'ri] *m hist.* Pranger *m*, Schandpfahl *m*; *fig. clouer* (*od. mettre*) *q. au* ~ j-n an den Pranger stellen.
pilosité [pilozi'te] *f* Haarwuchs *m am Körper.*
pilot [pi'lo] *m* **1.** △ großer Pfahl *m*; **2.** Lumpen *m/pl. für Papierfabrikation.*
pilo|tage [pilɔ'ta:ʒ] *m Auto*: Steuerung *f*; ⚓ Lotsendienst *m*; ✈ (Flugzeug-)Führung *f*; ~ *sans visibilité* Blindflug *m*; ~**te** [pi'lɔt] *m* **1.** a) Lotse *m*; b) Pilot *m*, Flug-

zeugführer *m*; ~ *de combat* Kampfflieger *m*; ~ *d'essai(s)* Einflieger *m*; c) *Auto*: Kraftfahrer *m*, Chauffeur *m*; ~ *de course* Rennfahrer *m*; d) *allg.* Führer *m*; **2.** *icht.* Lotsenfisch *m*; **~taillon** *péj.* [~ta'jɔ̃] *m* schlechter Pilot *m*.

piloter [pilɔ'te] *v/t.* (1a) ⚓ lotsen; *Flugzeug od. Auto* steuern; *allg.* ~ *q. dans la ville* j-n in der Stadt herumführen.

pilotin ⚓ [pilɔ'tɛ̃] *m* Offiziersanwärter *m* der Handelsmarine.

pilotis △ [pilɔ'ti] *m* **1.** Pfahlwerk *n*; **2.** Grundpfahl *m*.

pilou *text.* [pi'lu] *m* weicher Baumwollstoff *m*.

pilu|laire [pily'lɛ:r] *adj.* Pillen...; **~le** [pi'lyl] *f* Pille *f*; ~*s pl. amaigrissantes* Abmagerungspillen *f/pl.*; ~ (*anticonceptionnelle*) (Abtreibungs-) Pille *f*; *fig. avaler la* ~ in den sauren Apfel beißen; *dorer la* ~ *à q.* j-m etw. schmackhaft machen *od.* die Pille versüßen.

pimbêche [pɛ̃'bɛʃ] **I** *f* hochnäsige Frau *f*; *faire la* ~ schnippisch sein; **II** *adj.* gespreizt.

piment [pi'mɑ̃] *m* **1.** Nelkenpfeffer *m*, englisches Gewürz *n*; **2.** *fig.* Würze *f*; *donner du* ~ *à l'existence* das Leben würzen; **~er** [~'te] *v/t.* (1a) pfeffern; *fig.* würzig gestalten, würzen.

pim|pant [pɛ̃'pɑ̃] *adj.* forsch, schick; adrett; *faire le* ~ den feinen Mann spielen; **~pante** [~'pɑ̃:t] *adj./f* fesch, schick, piekfein, elegant; *toilette f* ~*e* schicke Kleidung *f* (*od.* Toilette *f*).

pimprenelle ⚘ [pɛ̃prə'nɛl] *f* Wiesenknopf *m*; Pimpinelle *f*.

pin ⚘ [pɛ̃] *m* Fichte *f*, Kiefer *f*; ~ *alpestre* Zwergkiefer *f*; ~ *sylvestre* Rotfichte *f*; ~ *pignon*, ~ *parasol* Pinie *f*; ~ *nain* Latschen *m*; *pomme f de* ~ Kienapfel *m*; *a.* Tannenzapfen *m*.

pinacle [pi'naklə] *m* **1.** △ Zinne *f*; **2.** *fig.* Gipfel *m*; *porter q. au* ~ j-n ganz besonders herausstreichen.

pinacothèque [pinakɔ'tɛk] *f* Pinakothek *f*, Gemäldegalerie *f*.

pinailler P [pina'je] *v/i.* Haarspalterei treiben.

pinard P [pi'na:r] *m* Wein *m*; **~ier** P [~nar'dje] *m* **1.** Weingroßhändler *m*; **2.** P ⚓ Weintanker *m*.

pinasse ⚓ [pi'nas] *f* flaches Fischerboot *n*.

pinçage [pɛ̃'sa:ʒ] *m* Abkneifen *n*; *hort.* Entfernen *n*, Stutzen *n*.

pinçard *man.* [pɛ̃'sa:r] *m u. adj.*: (*cheval m*) ~ Spitzengänger *m*.

pince [pɛ̃:s] *f* **1.** Kneifen *n*, Zwicken *n*; *n'avoir pas de* ~ nicht gut greifen *od.* fassen (*von e-m Instrument*); *fig. craindre la* ~ fürchten, ertappt (*od.* geschnappt) zu werden; **2.** Zange *f*; Feuerzange *f*; Pinzette *f*; Klemme *f*; Klammer *f*; ~ *coupante*, ~ *à couper* Kneifzange *f*; ~ *à linge* Wäscheklammer *f*; ~ *à percer* Lochzange *f*; ~ *de dentiste* Zahnzange *f*; ~ *plate* Flachzange *f*; ~ *à chaîne*, ~ *à tuyau*, ~ *à écrous* Ketten-, Rohr-, Mutter-zange *f*; ~ *à sucre* Zuckerzange *f*; ~ *à cheveux* Haarklammer *f*; ~ *isolante* Isolierklemme *f*; **3.** ~*s pl.* (*d'écrevisse*) (Krebs-)Scheren *f/pl.*; *auch fig.* Zangen *f/pl.*; **4.** *vél.* ~*-pantalons* Hosenklammer *f*; **5.** ~*s pl.* Schneidezähne *m/pl.* (*der Grasfresser*); **6.** *zo.* Spitze *f des Hufes*; **7.** ⊕ ~*-monseigneur* Brechstange *f*; **8.** *Schneiderei*: spitz zulaufende Falte *f*; **9.** P Hand *f*, Flosse *f* P, Patsche *f*; Fuß *m*; *aller à* ~*s* zu Fuß gehen.

pincé [pɛ̃'se] *adj. fig.* gezwungen, geschraubt, gespreizt; *fig.* kühl, verkniffen; hochmütig; ♪ *instrument m à cordes* ~*es* Zupfinstrument *n*.

pinceau [pɛ̃'so] *m* **1.** (Haar-)Pinsel *m*; *coup m de* ~ Pinselstrich *m*; **2.** Malweise *f*, Farbgebung *f*, Tönung *f*; **3.** ~ *lumineux* Lichtbündel *n*; **4.** P Fuß *m*.

pincée [pɛ̃'se] *f* Fingerspitzevoll *f*; ~ *de tabac* Prise *f* Tabak.

pince|-étoffe [pɛ̃se'tɔf] *m* (6c) Stoffdrücker *m an der Nähmaschine*; **~-fesse(s)** F [~'fɛs] *m* wüste Party *f*; **~-fil** [~'fil] *m* (6c) Fadenklemme(r *m*) *f*; **~ment** [pɛ̃s'mɑ̃] *m* Abkneifen *n*; *hort.* Abbrechen *n*, Entfernen *n*, Stutzen *n*, Herunterschneiden *n*; **~-monseigneur** ⊕ [~mɔ̃sɛ'ɲœ:r] *m* (6b) Brecheisen *n*; **~-nez** [~'ne] *m* (6c) Kneifer *m*, Klemmer *m*, Zwicker *m*; **~-pantalons** *vél.* [~pɑ̃ta'lɔ̃] *m* (6b) Hosenklammer *f*.

pincer [pɛ̃'se] (1k) **I** *v/t.* **1.** (zs.-) kneifen, zwicken; **2.** abknipsen, abkneifen; *hort.* beschneiden; **3.** mit der Zange fassen; **4.** einschnüren, drücken (*v. Kleidern*); **5.** F auf frischer Tat erwischen; **6.** Schmerz verursachen (*dat.*); **7.** ♪ *die Saiten* zupfen; **II** *v/i.* **8.** stark (*od.* scharf) sein, beißen (*vom Mostrich*; *von der Kälte*);

9. ~ *de la guitare* Gitarre spielen; **10.** *en* ~ *pour ...* verknallt sein in ...; scharf sein auf ... (*acc.*); *auch*: *en* ~ *pour la boisson* sehr gern einen hinter die Binde gießen.

pince-sans-rire [pɛ̃ssɑ̃'ri:r] *m/inv.* Mensch *m* mit trockenem Humor.

pincette [pɛ̃'sɛt] *f* **1.** *chir.* Pinzette *f*; **2.** **~s** *f/pl.* Feuerzange *f*; *fig. pas à prendre avec des* ~ sehr schlecht gelaunt; sehr schmutzig.

pinçon [pɛ̃'sɔ̃] *m* blauer Fleck *m* (*auf der Haut*).

pinéal *anat.* [pine'al] *adj.* (5c): *glande f* ~*e* Zirbeldrüse *f.*

pinède [pi'nɛd] *f* Kiefernwald *m.*

pingouin *orn.* [pɛ̃'gwɛ̃] *m* Pinguin *m.*

ping-pong [piŋ'pɔ̃g] *m* Tischtennis *n*, Pingpong *n.*

pingre ['pɛ̃:grə] **I** *adj.* knickerig, knauserig; **II** *su.* Knauser *m*; **~rie** [pɛ̃grə'ri] *f* Knauserei *f.*

pinier ⚘ [pi'nje] *m* Pinie *f.*

pinique [pi'nik] *adj.*: *acide m* ~ Fichten-, Pinin-säure *f.*

pinnipèdes *zo.* [pini'pɛd] *m/pl.* Flossenfüßler *m/pl.*

pinnule [pi'nyl] *f* **1.** *opt.* Diopter *n*, Sehspalte *f*; **2.** ⚘ Seitenblatt *n.*

pinot ⚘ [pi'no] *m Burgunder Weinrebenart f.*

pinson [pɛ̃'sɔ̃] *m* Fink *m.*

pintad|e [pɛ̃'tad] *f* Perlhuhn *n*; **~ine** *zo.* [~'di:n] *f* Perlmuschel *f.*

pint|e [pɛ̃:t] *f* Schoppen *m*; P *se faire* (*od. s'offrir od. se payer*) *une* ~ *de bon sang* sich köstlich amüsieren; **~er** P [pɛ̃'te] *v/i.* (1a) sich besaufen, saufen.

pioch|age [pjɔ'ʃa:ʒ] *m* Hacken *n*; *écol.* Büffelei *f*, Paukerei *f*; Schufterei *f*; **~e** [pjɔʃ] *f* Kreuzhacke *f*; F *tête f de* ~ Dickschädel *m*; **~er** [pjɔ'ʃe] (1a) **I** *v/t.* um-, auf-hacken; *écol.* ~ *la chimie* Chemie pauken; **II** *v/i.* hacken; schuften; wühlen; *écol.* büffeln, ochsen; *Dominospiel*: kaufen müssen; **~eur** [~'ʃœ:r] *su.* (7g) Hacker *m*; F *fig.* Arbeitstier *n*; *écol.* Büffler *m*; **~euse** ⊕ [~'ʃø:z] *f*: ~ *scarificatrice* Straßenaufreißmaschine *f*; **~on** [~'ʃɔ̃] *m* kleine Hacke *f*; *charp.* Bandaxt *f.*

piolet [pjɔ'lɛ] *m* Alpenstock *m.*

pion [pjɔ̃] *m* **1.** *Schachspiel*: Bauer *m*; *Damespiel*: Stein *m*; *damer le* ~ *à q.* j-n ausstechen, j-m den Rang ablaufen; *n'être qu'un* ~ *sur l'échiquier* nichts zu sagen haben; fünftes Rad am Wagen sein; **2.** *écol. Fr. péj.* Studienaufseher *m*; *péj.* Einpauker *m.*

pioncer P [pjɔ̃'se] *v/i.* (1k) pennen P.

pionnier [pjɔ'nje] *m* **1.** ⚔ Pionier *m*; **2.** *fig.* Pionier *m*, Bahnbrecher *m*, Wegbereiter *m*; erster Ansiedler *m.*

piotte P *dial. in Belgien* ⚔ [pjɔt] *m* Muschkote *m*, Landser *m*, Soldat *m.*

pipe [pip] *f* **1.** (Tabaks-)Pfeife *f*; P Zigarette *f*; *fumer la* ~ Pfeife rauchen; P *fig. casser sa* ~ abnibbeln, auf dem letzten Loch pfeifen; *nom d'une* ~*!* verflixt! (*harmloser Fluch*); **2.** ⊕ (Rohr-)Leitung *f.*

pip|eau [pi'po] *m* (5b) ♪ Rohrpfeife *f*, Hirtenflöte *f*, Schalmei *f*; *ch.* Lockpfeife *f*; **~x** *pl.* Leimrute *f*; **~ée** [pi'pe] *f* Vogelfang *m* mit der Lockpfeife.

pipelet P [pi'plɛ] *su.* (7c) Zerberus *m* (*Portier*); *f*: Klatschweib *n.*

pipe-line [pajp'lajn, pip'lin] *m* Pipeline *f.*

piper [pi'pe] (1a) **I** *v/i.* **1.** *ne pas* ~, *ne* ~ *mot* nicht piep sagen; **II** *v/t.* **2.** mit der Lockpfeife fangen; **3.** *fig. Würfel, Karten* fälschen.

piperie [pi'pri] *f* Betrug *m beim Kartenspiel usw.*

pipette [pi'pɛt] *f* Pipette *f*; * Zigarette *f.*

pipi F *enf.* [pi'pi] *m*: *faire* ~ Pipi machen.

pipistrelle *zo.* [pipis'trɛl] *f* Zwergfledermaus *f.*

piquage [pi'ka:ʒ] *m* **1.** ✈ Sturzflug *m*; **2.** *cord.* Steppen *n*; **3.** ⚠ Rauhen *n der Steine.*

piquant [pi'kɑ̃] **I** *adj.* (7) **1.** stachelig; **2.** *cuis.* prickelnd, pikant; scharf (*Wind*); schneidend (*Kälte*); verletzend, anzüglich; *paroles f/pl.* ~*es* Sticheleien *f/pl.*; **3.** *fig.* geistreich, witzig; *fig.* reizend, bezaubernd; *beauté f* ~*e* auffallende Schönheit *f*; **II** *m* **4.** Stachel *m*; **5.** *fig. das* Pikante *n*, *der* Witz *m*, *die* Würze *f.*

pique [pik] **I** *f* **1.** Pike *f*, Spieß *m*; **2.** *fig.* ~*s f/pl.* Sticheleien *f/pl.*; **3.** *fig. à la* ~ *du jour* in aller Frühe; *être à cent* ~*s au-dessus de q.* j-m turmhoch überlegen sein; *être à cent* ~*s au-dessous de q.* j-m meilenweit (*od.* bei weitem) unterlegen sein; **II** *m Kartenspiel*: Pik *n.*

piqué [pi'ke] **I** *m* **1.** Steppstich *m*; **2.** ✝ Pikee *m* (*Stoff*); **3.** F (Halb-)Verrückte(r) *m*; **4.** ✈ (*vol m en*) ~ Sturzflug *m*; **II** *adj.* wurmstichig; fleckig (*Buch*; *Spiegel*); *cuis.* gespielt; stichig (*Wein*); ♪ kurz abgestoßen, staccato; *fig.* F ein bißchen verrückt; F *n'être pas ~ des hannetons* (*od.* des vers) stark (*od.* beachtlich *od.* ausgezeichnet) sein.

pique|-assiette [pika'sjɛt] *m* (6c) Schmarotzer *m*, Nassauer *m*; **~-feu** [~'fø] *m* (6c) Feuerhaken *m*, Schüreisen *n*; **~-nique** [~'nik] *m* (6g) Picknick *n*; **~-niquer** [~ni'ke] *v/i.* (1a) ein Picknick machen; **~-notes** [~'nɔt] *m* (6c) Zettelhaken *m*.

piquer [pi'ke] (1m) **I** *v/t.* **1.** stechen, pieken F, anbohren; beißen (*Schlange*); anpicken (*Vogel*); anfressen (*Würmer*); P klauen, stibitzen (= stehlen); * erdolchen; F *être piqué fig.* e-n Stich haben, nicht ganz normal sein; **2.** durchlöchern, punktieren; vorstechen; **3.** steppen, durchnähen; **4.** (*auf der Zunge*) beißen, prickeln, den Gaumen kitzeln; **5.** *~ au vif* empfindlich treffen; *~ la curiosité* Neugierde erwecken; **6.** *~ des deux* beide Sporen geben; *fig.* sich sehr beeilen; **7.** *~ un dessin* ein Muster 'durchstechen; **8.** *~ une pierre* e-n Stein anrauhen; **9.** *cuis.* spicken, gewürzig machen; **10.** F *~ une crise de fureur* von e-m Wutanfall plötzlich erfaßt werden; * *~ un macadam* e-n Unfall vortäuschen; F *~ un phare, ~ son* (*od.* *un*) *fard, ~ un soleil* erröten, rot werden; *~ un chien* (*od.* *un somme od.* P *un roupillon*) (ein)schlafen, ein Schläfchen machen; *~ une tête* e-n Kopfsprung machen; **11.** F *phot. ~ le sujet* die Person aufs Korn nehmen; **II** *v/i.* **12.** im Mund prickeln *od.* beißen (*Zwiebel*); *l'ortie pique* die Brennessel brennt; *les yeux me piquent* die Augen brennen mir; **13.** ✈ heruntergehen, e-n Sturzflug machen; * ✈ *~ vers ...* Kurs nehmen auf ...; herunterkommen; *allg. ~ sur ...* losgehen auf ... (j-n *od.* etw. *acc.*); *~ en plein sur ...* herabstoßen (*od.* niederprallen) auf (*acc.*); *~ du nez en chute* abstürzen, abschmieren; **III** *v/rfl. se ~* **14.** sich stechen; (sich) spritzen (*Drogensüchtiger*); *se ~ le doigt* (*od.* *au doigt*) sich in den Finger stechen; **15.** einen Stich bekommen, sauer werden; (stock)fleckig werden; **16.** *fig. se ~ de qch.* a) sich durch etw. (*acc.*) beleidigt (*od.* gekränkt) fühlen; gereizt werden; b) sich mit etw. (*dat.*) rühmen, mit etw. (*dat.*) angeben, etw. sein wollen; *se ~ d'honneur* s-e Ehre dareinsetzen; **17.** *fig.* F *se ~ le nez* sich besaufen.

piquet [pi'kɛ] *m* **1.** (Absteck-)Pfahl *m*; *raide comme un ~* steif wie ein Stock; *école. mettre au ~* in die Ecke stellen; **2.** (*Zelt*-)Pflock *m*, *fig.* Hering *m*; **3.** *bsd.* 🚂 *~ d'arrêt* Markierpfahl *m*; **4.** ⚔ Feldwache *f*; kleine Abteilung *f*; diensthabende Abteilung *f* der Polizei, Bereitschaft(spolizei *f*) *f*; *être de ~* sich in Bereitschaft befinden; *~ de grève* Streikposten *m*; *~ d'incendie* Brandwache *f*; **5.** Pikett(spiel *n*) *n*; *jouer au ~* Pikett spielen; **~er** [pik'te] *v/t.* (1c) **1.** ⊕ *mit Pfählen* abstecken; **2.** punktieren; *piqueté de blanc* weiß getüpfelt; **~te** [pi'kɛt] *f* schlechter Wein *m*; *fig. ça n'était pas de la ~* das war keine Kleinigkeit.

piqueur [pi'kœ:r] *m* **1.** *ch.* Pikör *m*, Jagdreiter *m*, Treiber *m*; **2.** Stallwart *m*; **3.** *cuis.* Bratenspicker *m*; **4.** Bauaufseher *m*; ⊕ Vorarbeiter *m*, Aufseher *m*; 🚂 Bahn-, Werkmeister *m*; **5.** ⚒ Kohlenhauer *m*; **6.** ⊕ Aufhack-, Steinhack-maschine *f*; **7.** Steppmaschine *f*; **8.** P Taschendieb *m*.

piqûre [pi'ky:r] *f* **1.** Stich *m*; *~ de ver, ~ de mite, ~ de moustique, ~ d'épingle* Wurmstich *m*, Mottenloch *n*, Mücken-, Nadel-stich *m*; *~ de serpent* Schlangenbiß *m*; **2.** Stockfleck *m*; **3.** ⚕ Spritze *f*, Einspritzung *f*; **4.** ⊕ Steppstich *m*.

pira|te [pi'rat] **I** *m* Pirat *m*, Seeräuber *m*; **II** *adj. émetteur m ~* Piratensender *m*; **~té** ✈ [~'te] *adj.* von Luftpiraten entführt; **~ter** [~'te] (1a) **I** *v/i.* Seeräuberei treiben; **II** *v/t. ~ un avion* ein Flugzeug entführen; **~terie** [~ra'tri] *f* Seeräuberei *f*; *fig.* Erpressung *f*.

pire [pi:r] **I** *adj.* **1.** (*cmpr., fast nur noch in feststehenden Redensarten*) schlimmer; *il n'y a ~ eau que l'eau qui dort* stille Wasser sind tief; *allg. il est ~ que son frère* er ist schlimmer als sein Bruder; **2.** *als sup.*: *le ~, la ~* der (die *od.* das) schlimmste *od.* schlechteste (*od.* *bisw.* ärgste); **II** *m le ~* das Schlechteste *n*, das Schlimmste *n*, das Ärgste *n*; *au ~* schlimmstenfalls, im schlimmsten Falle; *si les choses en viennent au ~ od. en mettant les choses au ~* wenn alle Stricke reißen, im äußersten Falle.

piriforme [piri'fɔrm] *adj.* birnenförmig.

pirogue ⚓ [pi'rɔg] *f* Einbaum *m*.

pirouet|te [pi'rwɛt] *f* **1.** *Tanzkunst*: Pirouette *f*; **2.** *fig.* ~s *pl.* Ausflüchte *f/pl.*; plötzliche Meinungs- *od.* Gesinnungs-änderung *f*; schlechte Witze *m/pl.*; **~ter** [~rwɛ'te] *v/i* (1a) sich im Kreise herumdrehen.

pis[1] [pi] **I** *adv.* (*cmpr. zu mal*) schlimmer, übler, ärger; *de mal en* ~, *de* ~ *en* ~ immer schlimmer; *tomber de mal en* ~ aus dem Regen in die Traufe kommen; *au* ~ *aller* schlimmstenfalls, im schlimmsten Falle; *qui* ~ *est* was noch schlimmer ist, was das schlimmste ist; **II** *m le* ~ das Schlimmste *n*; *le* ~ *du* ~ das Allerschlimmste *n*.

pis[2] [~] *m* Euter *n*.

pis-aller [piza'le] *m* (6c) Notbehelf *m*.

piscicole [pisi'kɔl] *adj.* Fischzucht...

piscicul|teur [~kyl'tœ:r] *m* Fischzüchter *m*; **~ture** [~'ty:r] *f* (künstliche) Fischzucht *f*.

pisci|forme [~'fɔrm] *adj.* fischförmig; **~ne** [pi'si:n] *f* Schwimmbassin *n*; **~vore** *zo.* [~'vɔ:r] *m* Fischfresser *m*.

pisé △ [pi'ze] *m* Stampfbau *m*.

piser △ [~] *v/t.* (1a) mit Stampferde bauen.

pissat [pi'sa] *m* (Tier-)Harn *m*.

pisse V [pis] *f* Pisse *f* V.

pissenlit ⚘ [pisɑ̃'li] *m* Löwenzahn *m*; P *manger les* ~s *par la racine* gestorben sein, die Radies|chen von unten begucken P.

piss|er V [pi'se] *v/i.* (1a) pinkeln F, pissen V; **~eur** V [pi'sœ:r] *m* Pisser *m*; *fig.* ~ *de copie* schlechter Schriftsteller *od.* Journalist *m*; **~euse** P [~'sø:z] *f* kleines Mädchen *n*; **~eux** F [pi'sø] *adj.* (7d) dreckig (*Wäsche*).

pisse-vinaigre P [pisvi'nɛ:grə] *m* Griesgram *m*.

piss|oter P [~sɔ'te] *v/i.* (1a) oft u. wenig pissen V; **~otière** F [~sɔ'tjɛ:r] *f* Pißbude *f* V.

pistache ⚘ [pis'taʃ] *f* Pistazie *f*.

pistachié P [pista'ʃje] *m* Trinker *m*.

pistard *vél.* [pis'ta:r] *m* Bahnfahrer *m* (*Radsport*).

piste [pist] *f* **1.** Fährte *f*, Spur *f*, Trampel-weg *m*, -pfad *m*; **2.** *Sport*: (Kampf-)Bahn *f*, Strecke *f*; Rennbahn *f*; ~ *bétonnée*, ~ *cimentée* Zementbahn *f* (*für Radrennen*); ~ *cendrée* Aschenbahn *f*; ~ *d'élan* Anlaufstrecke *f*; ~ *routière* Straßenrennstrecke *f*; ~ *de sable* Sandbahn *f*; ~ *de danse* Tanzfläche *f*; ~ *à obstacles* Hindernisbahn *f*; **3.** ✈ ~ *de départ*, ~ *d'atterrissage*, ~ *d'envol*, ~ *bétonnée* Start-, Lande-bahn *f*, Start-, Roll-feld *n*; **4.** Rodelbahn *f*; **5.** *vél.* ~ *cyclable*, ~ *pour les cyclistes* Radfahrweg *m*; **6.** *cin.* ~ *sonore* Tonkanal *m*, Tonspur *f*, Tonstreifen *m*.

pister [pis'te] *v/t.* (1a): ~ *q.* j-m auflauern, auf j-n lauern; *Gäste* für ein Hotel werben.

pisteur [pis'tœ:r] *m* Kundensucher *m für e-e Bank*; (*Hotel-*) Gästewerber *m*; (*Polizei-*)Spitzel *m*; *Sport*: Pisten-wärter *m*, -betreuer *m*.

pistil ⚘ [pis'til] *m* Stempel *m*.

pistolet [pistɔ'lɛ] *m* **1.** ⚔ Pistole *f*; ~ *d'arçon* Sattelpistole *f*; ~ *automatique* Selbstlader *m*; ~-*encreur* Farbpistole *f für Wandbeschriftungen*; ~ *lance-fusées* Leuchtpistole *f*; ~ *d'ordonnance* Dienstpistole *f*; ~ *de poche* Taschenpistole *f*; *se battre au* ~ ein Pistolenduell *mit j-m* haben; **2.** ⊕ ~ *à peindre* Farbspritzpistole *f*; ⊕ ~ *pour imprégnations métalliques* Metallisierungspistole *f*; **3.** ~ *à dessin* Kurvenlineal *n*; **4.** ⚕ Harnglas *n*; **5.** *un drôle de* ~ *fig.* ein komischer Kauz *m*; **6.** *in Belgien*: Brötchen *n*; **~-mitrailleur** [~mitrɑ'jœ:r] *m* (6a) Maschinenpistole *f*.

piston [pis'tɔ̃] *m* **1.** ⊕ Kolben *m*, Stempel *m*; Zündkegel *m*; *course f de* ~ Kolbenhub *m*; **2.** ♪ Klapphorn *n*; Klapphornbläser *m*; **3.** F Beziehungen *f/pl.*, Bezugsschein *m* B *plais.*; **~nage** [~tɔ'na:ʒ] *m* Protektion *f*; **~ner** [~tɔ'ne] *v/t.* (1a) protegieren.

pitaine * ⚔ [pi'tɛ:n] *m* Hauptmann *m*.

pitance F, *oft iron.* [pi'tɑ̃:s] *f* Essen *n*; Fressen *n*; *maigre* ~ magere Kost *f*, Fraß *m* P; *faire maigre* ~ kümmerlich leben.

piteux [pi'tø] *adj.* (7d) erbärmlich.

pithécanthrope *zo.* [pitekɑ̃'trɔp] *m* Affenmensch *m*, Pithecanthropus *m*.

pitié [pi'tje] *f* Erbarmen *n*, Mitleid *n*; *par* ~ aus Mitleid; *c'est* ~ es ist ein wahrer Jammer; *ce serait grand-*~ es wäre jammerschade; *il me fait* ~ er tut mir leid; *cela fait* ~ *à voir* es ist ein Jammer mit anzusehen; (*chanter*) *à faire* ~ jämmerlich (singen); *prendre q. en* ~ j-n bemitleiden; *regarder q. en* ~ auf j-n verächtlich herabsehen; j-n verachten; *quelle* ~! ist das widerlich!

piton [pi'tõ] *m* **1.** ⊕ Ringschraube *f*; **2.** P Zinken *m* P; **3.** *géol.* Bergspitze *f*, Bergkuppe *f*.

pitoyable [pitwa'jablə] *adj* □ **1.** jammervoll, bedauernswert, kläglich; **2.** miserabel, elend, sehr schlecht.

pitre [pi:trə] *m* Hanswurst *m*; *faire le* ~ albern sein; **~rie** [pitrə'ri] *f* Posse *f*, Hanswurstiade *f*.

pittoresque [pitɔ'rɛsk] **I** *adj.* □ malerisch, pittoresk; **II** *m*: *le* ~ das Pittoreke (*od.* Malerische); *fig. peindre qch. avec* ~ etw. in bunten Farben darstellen.

pitui|taire *anat.* [pitɥi'tɛ:r] *adj.* Schleim...; *membrane f* ~ Schleimhaut *f*; **~te** [pi'tɥit] *f* **1.** (*Nasen-*, *Magen-*)Schleim *m*; **2.** ⚕ Verschleimung *f*; schleimiges Erbrechen *n*.

piu [pjy] *int.* piep! (*Vögel*, *Küken*).

pivert *orn.* [pi'vɛ:r] *m* Grünspecht *m*.

pivoine ⚘ [pi'vwan] *f* Pfingstrose *f*.

pivot [pi'vo] *m* **1.** ⊕ Angel *f*, Spindel *f*, Zapfen *m*, Welle *f*; **2.** *fig.* Dreh-, Angel-punkt *m*; Hauptstütze *f*, -person *f*; *il est le* ~ *d'une entreprise* er ist die Seele e-s Unternehmens; **3.** ⚕ *dent f à* ~ Stiftzahn *m*; **4.** ⚘ vertikale Pfahlwurzel *f*; **~able** [~vɔ'tablə] *adj.*, **~ant** [~'tã] *adj.* (7) ⊕ Schwenk..., drehbar; *Auto*: ausschwenkbar; ⚘ *racine f ~ante* perpendikulare, netzartige (Normal-)Wurzel *f*; **~er** [~'te] *v/i.* (1a) **1.** sich um s-e Angel drehen; *fig.* ~ *sur qch.* sich um etw. drehen; **2.** ⚘ e-e Pfahlwurzel treiben.

pizzicato ♪ [pidzika'to] *m* (*pl. pizzicati*, *~s*) Pizzikato *n*.

plac|age [pla'ka:ʒ] *m* **1.** ⊕ eingelegte Arbeit *f*, Furnierarbeit *f*, Bekleidung *f* mit Platten; ~ *en marbre* Marmorplatten-belag *m*, -bekleidung *f*; **2.** *fig. péj.* geistiges Flickwerk *n*; **~ard** [~'ka:r] *m* **1.** Plakat *n*, Anschlag(zettel *m*) *m*; **2.** eingebauter Wandschrank *m*; **3.** *mén.* Verkleidung *f*, Feld *n* über e-r Tür; **4.** ⊕ *typ.* Fahnenabzug *m*; **5.** *journ.* mittlere Anzeige *f*; **6.** F dicke Schicht *f*; **7.** ✶ Knast *m*, Karzer *m*; **8.** *péj. fig.* vierschrötiger Kerl *m*, Schrank *m fig.*; **~arder** [~kar'de] *v/t.* (1a) **1.** öffentlich anschlagen; mit Plakaten bekleben; **2.** *typ.* in Fahnen abziehen.

place [plas] *f* **1.** Platz *m*, Ort *m*, freier Raum *m*; *sur* ~ am hiesigen (*od.* dortigen) Ort; an Ort u. Stelle; F *faire du sur* ~ a) *vél.* auf der Stelle treten; b) *Auto*: nicht vorwärtskommen; ⚓ ~ *de transbordement* Umschlagplatz *m*; ✝ ~ *de paiement* Zahlungsort *m*; *par ~s* stellenweise; **2.** ~ (*publique* öffentlicher) Platz *m*, (Markt-)Platz *m*, Markt *m*; ~ *d'armes* Paradeplatz *m*; **3.** Stelle *f*, Raum *m*; Stellung *f*; *à la* ~ *de* an Stelle von; ~ *debout* Stehplatz *m*; ~ *de devant* Rücksitz *m in der Kutsche od. im Eisenbahnwagen*; ~ *de fond* Vordersitz *m in der Kutsche*; *céder la* ~ *à q.* j-m den Platz räumen; *faites ~!* (macht) Platz!; *se faire une* ~ sich Platz machen; *prendre* ~ Platz nehmen, sich setzen; *prendre de la* ~ Platz einnehmen; *tenir sa* ~ sich behaupten; *écol. avoir une bonne* ~ *à l'école* zu den Besten der Klasse gehören; *rester en* ~ sich nicht vom Fleck rühren; *remettre qch. en* ~ etw. wieder an Ort u. Stelle tun (*od.* legen); *mettre en* ~ aufstellen; *fig. tenir une grande* ~ eine bedeutende Person sein; *fig. se mettre à la* ~ *de q.* sich in j-s Lage versetzen (*od.* hineindenken); *à vos ~s!* auf die Plätze!; ⚔ *en* ~, *repos!* rührt euch!; **4.** Stellung *f*, Posten *m*; ~ *lucrative* einträglicher Posten *m*; ~ *vacante* freie Stelle *f*; *être en* ~ ein Amt bekleiden; *les gens en* ~ die hochgestellten Persönlichkeiten; **5.** ~ *forte* Festung *f*.

placebo ⚕ [plase'bo] *m* Scheinmedikament *n*.

placement [plas'mã] *m* **1.** (Auf-)Stellen *n*; Verstauen *n*; **2.** ✝ Anlegen *n von Geld*, Unterbringung *f*, Geld-, Kapital-anlage *f*, Investierung *f*; angelegtes Geld *n*; (Waren-)Vertrieb *m*; *être d'un* ~ *facile* guten Absatz finden; ~ *à intérêts* zinsbringende Kapitalsanlage *f*; **3.** Anstellung *f*, Arbeitsvermittlung *f*; *bureau m de* ~ Arbeitsamt *n*; Stellenvermittlungsbüro *n*.

placenta ⚕ [plasɛ̃'ta] *m* Mutterkuchen *m*, Plazenta *f*.

placer[1] [pla'se] (1k) **I** *v/t.* **1.** (hin-)legen, -stellen, -setzen; verstauen (*Gepäck*); ~ *q.* j-m e-n Platz anweisen; *bien placé* schön gelegen; *fig.* gut angebracht, schicklich; *avoir le cœur bien placé* das Herz auf dem rechten Fleck haben; ~ *sa confiance en q.* sein Vertrauen auf j-n setzen; **2.** anstellen, unterbringen, versorgen; **3.** *Geld* anlegen; Waren absetzen; *fin.* ~ *en bourse* auf der Börse anlegen; **II** *v/rfl.* se ~ **4.** Platz nehmen, sich setzen, sich stellen; *Sport:* se ~ *en troisième position* den dritten Platz belegen; **5.** in den Dienst treten; **6.** ☤ se ~ *bien* guten Absatz finden.

placer[2] *géol.* [pla'sɛ:r] *m* (*Fluß-*) Goldlager *n.*

placet ⚖ [pla'sɛ] *m* Abschrift *f* des Prozeßprotokolls.

placette [pla'sɛt] *f* kleiner Platz *m.*

placeur [pla'sœ:r] *su.* (7g) **1.** ⊕ Anbringer *m*; **2.** *thé.* Platzanweiser *m*; **3.** Stellenvermittler *m.*

placid|e [pla'sid] *adj.* □ gelassen, ruhig, friedlich, selbstbeherrscht, sanft; **~ité** [~di'te] *f* Ruhe *f*, Gelassenheit *f*, Sanftmut *f.*

placier [pla'sje] *su.* (7b) **1.** Platzmakler *m* (*auf dem Markt*); **2.** Handelsvertreter *m*, Stadtreisende(r) *m.*

plaf|ond [pla'fɔ̃] *m* **1.** △ (Zimmer-) Decke *f*; ~ *vitré* Oberlicht *n*; **2.** ✈ Maximalsteighöhe *f*; *Auto:* Höchstgeschwindigkeit *f*; **3.** ☤ Höchstbetrag *m*, -grenze *f*; **4.** P Birne *f* (= *Kopf*); **~onnage** △ [~fɔ'na:ʒ] *m* Deckenarbeit *f*, Verschalung *f od.* Vergipsen *n* der Decke; **~onnement** *a.* ⚖ [~fɔn'mɑ̃] *m* Höchstbegrenzung *f*; **~onner** [~fɔ'ne] (1a) **I** *v/t.* **1.** △ *e-e Decke* verschalen, vergipsen; **2.** *peint. Deckenfiguren* entsprechend verkürzen; **II** *v/i.* **3.** a) ✈ s-e Maximalsteighöhe *bzw.* b) *Auto:* Höchstgeschwindigkeit erreichen; **4.** *allg.* s-e Höchstgrenze *bzw.* höchste Leistungsgrenze (*a. écol.*) erreichen; **~onneur** △ [~fɔ'nœ:r] *m* Vergipser *m*, Verschaler *m*; **~onnier** [~fɔ'nje] *m*: ~ (*électrique*) Decken-beleuchtung *f*, -lampe *f.*

plage [pla:ʒ] *f* **1.** (Bade-)Strand *m*; **2.** Seebad *n*; **3.** Fläche *f*; ⚓ ~ *arrière* Achterdeck *n*; ⚡ ~ *lumineuse d'un écran* Schirmbildfläche *f*; ✈ ~ *de départ* Rollbahn *f*, Startfläche *f*; **4.** ~ *d'un disque* Rillenzahl *f* e-r Schallplatte.

plagi|aire [plaʒ'jɛ:r] *m* Plagiator *m*; **~at** [~'ja] *m* Plagiat *n*; **~er** [~'je] *v/t.* (1a) *péj.* abschreiben.

plagioclase *géol.* [plaʒjɔ'klɑ:z] *m* Plagioklas *m.*

plagiste [pla'ʒist] *su.* Strandpächter *m.*

plaid [plɛd] *m* Plaid *m od. n*; große, karierte, wollene Reisedecke *f.*

plaid|able ⚖ [plɛ'dablə] *adj.* verfechtbar; **~ant** [~'dɑ̃] *adj.* (7) prozessierend, prozeßführend, streitend; **~er** ⚖ [~'de] (1b) **I** *v/i.* e-n Prozeß führen, prozessieren, plädieren, *j-s Sache* vor Gericht vertreten; *fig.* ~ *que* behaupten daß ...; *fig.* ~ *pour* sprechen für (*acc.*), weisen auf (*acc.*); ~ *contre q.* gegen j-n gerichtlich vorgehen; ~ *coupable* sich schuldig bekennen; ~ *au fond* zur Sache verhandeln; ~ *innocent* s-e Unschuld behaupten; ~ *en séparation* auf Trennung klagen; **II** *v/t.* ~ *une cause* e-e Sache (*vor Gericht*) verteidigen (*od.* vertreten *od.* verfechten), e-n Prozeß führen; ~ *les circonstances atténuantes* milderne Umstände geltend machen; ~ *un moyen* ein Beweismittel vorbringen; ~ *son alibi* sein Alibi nachweisen (*od.* beibringen); **~eur** [~'dœ:r] *su.* (7g) **1.** Prozeßführende(r) *m*; **2.** prozeßsüchtiger Mensch *m*; **~oirie** ⚖ [~dwa'ri] *f*, **~oyer** ⚖ [~dwa'je] *m* Plädoyer *n*, Verteidigungs-rede *f* (*a. allg.*), -schrift *f.*

plaie [plɛ] *f* **1.** klaffende Wunde *f*; wunde Stelle *f*; *fig.* wunder Punkt *m*; Plage *f* (*a. v. e-r Person*); Heimsuchung *f*; ~ *contuse* Quetschwunde *f*; ~ *au front* Stirnwunde *f*; **2.** Riß *m der Baumrinde.*

plaignant ⚖ [plɛ'ɲɑ̃] *adj. u. su.* (7) klagend; Kläger *m*; ~ *en second* Nebenkläger *m.*

plain [plɛ̃] *m* **1.** einsetzende Flut *f*; *aller au* ~ Schiffbruch erleiden; **2.** Bottich *m* mit Kalkbrühe (*Gerberei*); **~-chant** ♪ [~'ʃɑ̃] *m* (6a) Gregorianischer Kirchengesang *m.*

plaindre ['plɛ̃:drə] (4b) **I** *v/t.* beklagen, bedauern; *ne pas* ~ *une dépense* e-e Ausgabe nicht scheuen; *il ne plaint pas sa peine* er scheut keine Mühe; **II** *v/rfl.* se ~ klagen (*a.* ⚖), jammern; sich beschweren, sich beklagen.

plaine [plɛ:n] *f* Ebene *f.*

plain-pied [plɛ̃'pje]: *adv.* de ~ zu ebener Erde, ebenerdig; *fig.* ohne weiteres, mit Leichtigkeit; *le logement donne de* ~ *sur la rue* die Wohnung liegt auf ebener Erde zur Straße zu; *être de* ~ *avec q.* sich mit e-m Gleichgestellten gut stehen.

plain|te [plɛ̃:t] *f* Klage *f* (*a.* ⚖); Wehklage *f*; Beschwerde *f*; *pousser des* ~*s* Wehklagen ausstoßen; *livre m de* ~*s* Beschwerdebuch *n*; *dé-*

poser une ~ e-e Klage einreichen; ⚖ ~ *en divorce* Klage *f* auf Ehescheidung; ⚖ *porter* ~ *contre inconnu* gegen Unbekannt klagen; *renvoyer des fins de la* ~ freisprechen; **~tif** [plɛ̃'tif] *adj.* (7e) □ klagend.

plaire [plɛ:r] (4aa) **I** *v/i.* gefallen, angenehm sein; **II** *v/imp.* belieben; *comme il vous plaira* nach Ihrem Belieben; *s'il vous plaît* bitte; gefälligst; wenn ich bitten darf; *plaît-il?* wie beliebt?; *à Dieu ne plaise!* das verhüte Gott!; **III** *v/rfl.* *se* ~ *à qch.* Gefallen finden an etw. (*dat.*), etw. gern haben *od.* tun; *se* ~ *à faire qch.* etw. gern (*od.* mit Vorliebe) tun; *se* ~ *dans un lieu* sich gern an e-m Ort aufhalten; gut gedeihen (*v. Pflanzen*); *je me plais ici* hier gefällt's mir.

plaisamment [plɛza'mɑ̃] *adv.* **1.** angenehm, scherzend, drollig; **2.** zum Spaß; **3.** lächerlich.

plaisan|ce [~'zɑ̃:s] *f nur noch in Zssgn mit* de: *bateau m de* ~ Vergnügungsdampfer *m*; *château m de* ~ Lustschloß *n*; *lieu m de* ~ ländlicher Erholungsort *m*; **~cier** [~zɑ̃'sje] *m* Wassersportler *m*.

plaisant [plɛ'zɑ̃] **I** *adj.* (7) (*adv. plaisamment*) **1.** angenehm; **2.** drollig, humoristisch; **3.** *vor su.*: lächerlich, seltsam; **II** *m* **4.** Spaßmacher *m*; *mauvais* ~ übler Witzbold *m*; **5.** *das* Angenehme *n*; *das* Drollige *n*; **~er** [~zɑ̃'te] (1a) **I** *v/i.* scherzen, spaßen, Scherz treiben; *il ne plaisante pas là-dessus* darin versteht er keinen Spaß; **II** *v/t.* ~ *q.* j-n ein bißchen aufziehen; **~erie** [~zɑ̃'tri] *f* **1.** Spaß *m*, Scherz *m*; ~ *à part!* Spaß beiseite!; *cela passe la* ~ das geht über den Spaß hinaus; *par* ~ aus Spaß; *mauvaise* ~ übler Scherz *m*; Schabernack *m*; **2.** Spott *m*; **~in** *péj.* [~'tɛ̃] *m* Witzbold *m*.

plaisir [plɛ'zi:r] *m* **1.** Vergnügen *n*, Freude *f*; *à* ~ nach Herzenslust; grundlos; *fait à* ~ aus der Luft gegriffen; *par* ~, *pour le* (*od. son*) ~ aus (*od.* zum) Spaß; *pour vous faire* ~ um Ihnen entgegenzukommen; *cela fait* ~ *à voir* das ist e-e wahre Freude mit anzusehen; *prendre* ~ *à qch.* an etw. (*dat.*) Spaß haben; *avec* ~ sehr gern, mit Vergnügen; *pour mon* ~ zu m-m Vergnügen; *fig. bon* ~ Willkür *f*; *régime m du bon* ~ Willkürherrschaft *f*; *argent m pour les menus* ~*s* Taschengeld *n/sg.*; **2.** ~*s pl. des sens* Sinnenfreude *f*; ~*s pl. de la table* Tafelfreuden *f/pl.*; *aimer les* ~*s* vergnügungssüchtig sein; *homme m de* ~ vergnügungssüchtiger Mensch *m*; *lieux m/pl. de* ~ Vergnügungsstätten *f/pl.*; **3.** Gefallen *m*; *pourriez-vous me faire le* ~ *de* (*inf.*) könnten Sie mir den Gefallen tun zu...

plan[1] [plɑ̃] **I** *adj.* (7) eben, flach; **II** *m phys.* Ebene *f*, Fläche *f*; ✈ Flosse *f*; ✈ ~ *horizontal* Höhen-, Stabilisierungs-flosse *f*; ~ *incliné* schiefe Ebene *f*; ~ *de roue* Auflagefläche *f* (*des Autoreifens*); *thé. premier* ~ Vordergrund *m*; *deuxième* ~ Mitte *f* des Bühnenbildes; *troisième* ~ Hintergrund *m*; *en premier* (*second*) ~ *auf Bildern*: vorn (hinten); *fig. sur le* ~ *industriel* (*commercial*) auf dem Gebiete der Industrie (des Handels); *sur le* ~ *confort* hinsichtlich des Komforts; *fig. sur un* ~ *élevé* auf höherer Ebene.

plan[2] [~] *m* **1.** Grundriß *m*, (Lage-)Plan *m*, Karte *f*; *écol.* ~ *de la classe* Klassenspiegel *m* (*Sitzordnung*); ⊕ ~ *omnibus* Gesamtzeichnung *f*; ⚡ ~ *de montage* Schaltplan *m*; ⚔ *artill.* ~ *directeur* Meßplan *m*; ~ *en relief* Aufriß *m*; *tracer* (*od. dresser*) *un* ~ e-n Plan entwerfen; **2.** *fig.* Entwurf *m*, Plan *m*; ~ *de charge* Produktionsplanung *f*; ~ *d'ensemble* Gesamtplan *m*; ~ *de répartition*, ~ *de partage*, ~ *de distribution* Verteilungsplan *m*; ~ *de l'outillage national* Arbeitsbeschaffungsplan *m*; △ ~ *de masse* Lageplan *m*; *pol.* ~ *quinquennal* Fünfjahresplan *m*; ~ *de construction* Bauplan *m*; ~ *constructif* Aufbauplan *m*; P *tirer un* ~ e-n Plan schmieden; **3.** *laisser en* ~ *un travail important* e-e wichtige Arbeit liegenlassen; *laisser q. en* ~ j-n im Stich lassen, versetzen; *rester en* ~ unentschieden bleiben; **4.** *cin., phot. un gros* ~ e-e Großaufnahme *f*; *phot.* ~ *moyen*, ~ *général* halbnahe, totale Aufnahme *f*.

planage ⊕ [pla'na:ʒ] *m* Planierung *f*, Glätten *n*.

planche [plɑ̃:ʃ] *f* **1.** Brett *n*, Bohle *f*, Planke *f*, Diele *f*; ~ *à dessin* Zeichenbrett *n*; ~ *à repasser* Plättbrett *n*; ~ *d'appel* Sprungbrett *n* (*an der Sprunggrube*); ~ *de bord Auto*: Armaturenbrett *n*; ~ *de guidage* Leitplanke *f* (*Autostraße*); ~ *du tablier* Schalt-brett *n*, -tafel *f*;

faire la ~ Schwimmkunst: auf dem Rücken schwimmen, sich treiben lassen; *avoir du pain sur la ~* gut versehen (*od.* verproviantiert) sein, aus dem vollen schöpfen; *avoir du travail sur la ~* Arbeit vor sich haben; **2.** *thé.* *~s pl.* Bühne *f/sg.*; *monter sur les ~s* Schauspieler werden; **3.** ✐ längeres (Gemüse-) Beet *n*; **4.** *~ de l'étrier* Sohle *f* des Steigbügels; **5.** (*Metall-, Holz-*) Platte *f*; (*Kupfer-, Stahl-*)Stich *m*, Holzschnitt *m*; **6.** ⚓ Laufplanke *f*; ⚓ *faire prendre la ~ Matrosen* entlassen; *fig.* *~ de salut* letzte Rettung *f*.

planchéi|age ⊕ [plɑ̃ʃe'ja:ʒ] *m* Ausdielung *f*, Schalung *f*; **~er** ⊕ [~'je] *v/t.* (1a) dielen, mit Dielen belegen; **~eur** [~'jœ:r] *m* Dieler *m*.

plancher[1] [plɑ̃'ʃe] *m* **1.** Fußboden *m*, (Zimmer-)Decke *f*; △ *~ en éléments préfabriqués* Fertigteildecke *f*; **2.** ⚓ F *~ des vaches* festes Land *n*; *habitué m du ~ des vaches* Landratte *f fig.*

plancher[2] [~] *v/i.* **1.** * *écol.* rankommen; *fig.* sich stellen; **2.** F *weitS.* berichten; diskutieren; sich beraten.

planchette [plɑ̃'ʃɛt] *f* Brettchen *n*; Meßtisch *m*; *dessin m de ~* Meßtischblatt *n*; ⚡ *~ à bornes* Klemmenbrett *n*; *~ de raccordement* Klemm(en)leiste *f*; *phot.* *~ de base* Laufboden *m*; *~ à la monnaie* Zahlbrett *n*.

plançon ✐ [plɑ̃'sɔ̃] *m* Setzling *m*, Steckling *m*.

plancton *biol.* [plɑ̃k'tɔ̃] *m* Plankton *n*.

plane ⊕ [plan] *f* Schnitzmesser *n*.

planement ✈ [plan'mɑ̃] *m* Schweben *n*.

planer[1] ⊕ [pla'ne] *v/t.* (1a) glätten.

planer[2] [~] *v/i.* (1a) (*in der Luft*) schweben; ✈ *vol m plané* Gleit-, Segel-flug *m*; *fig.* *~ au-dessus de qch.* über etw. (*acc.*) erhaben sein.

plan|étaire [plane'tɛ:r] **I** *adj.* Planeten...; *néol.* weltweit; **II** *m Auto*: Planeten-, Umlauf-getriebe *n*; **~étarium** [~neta'rjɔm] *m* Planetarium *n*; **~ète** [~'nɛt] *f* Planet *m*.

planeur [pla'nœ:r] *m* **1.** Schleifer *m*; **2.** ✈ Segelflugzeug *n*.

planeuse ⊕ [pla'nø:z] *f* Planiermaschine *f*.

plani|fication *pol.*, *éc.* [planifika'sjɔ̃] *f* Planung *f*; **~fier** ✝ [~'fje] *v/t.* (1a) planmäßig lenken; **~mètre** ⩘ [~'mɛ:trə] *m* Planimeter *n*; **~métrie** ⩘ [~me'tri] *f* Planimetrie *f*; **~sme** *éc.* [~'nism] *m* Planwirtschaft *f*; **~sphère** 🕮 [~'sfɛ:r] *m* Erdkarte *f*.

planking *Sport* [plɑ̃'kiŋ] *m*: *faire du ~* wellenreiten.

plan-masse △ [plɑ̃'mas] *m* (6a) Lageplan *m*.

planning [pla'niŋ] *m* **1.** *éc.* Planung *f*; **2.** *~ familial* Familienplanung *f*.

plan-paquet *phot.* [plɑ̃pa'kɛ] *m* (6a) Mikrokilar *n* (*Nah- u. Fernobjektiv*), tragbare Kompaktkamera *f*.

planque * [plɑ̃:k] *f* Versteck *n*, Unterschlupf *m*; Druckposten *m*.

planquer P [plɑ̃'ke] (1m) **I** *v/t.* verstecken; **II** *v/rfl.* *se ~* a) sich verstecken; sich drücken; b) e-n guten Job finden.

planquouse * *Polizei* [plɑ̃'ku:z] *f* Überwachung *f*.

plant [plɑ̃] *m* **1.** ✐ Pflänzling *m*, Setzling *m*; **2.** *~s pl.* Pflanzschule *f*, Schonung *f*; **~age** [~'ta:ʒ] *m* Pflanzen *n*; **~ain** ⚘ [~'tɛ̃] *m* Wegerich *m*.

plantaire ⚕ [plɑ̃'tɛ:r] *adj.*: *réflexes m/pl. ~s* Fußsohlenreflexe *m/pl.*

plantation [plɑ̃tɑ'sjɔ̃] *f* **1.** Pflanzen *n*, Anpflanzung *f*; *a. thé.* Aufstellen *n* (*der Bühnendekoration*); **2.** Anlage *f*; Baumpartie *f*; *jeune ~* Schonung *f*; **3.** Pflanzung *f*, Plantage *f*.

plante[1] [plɑ̃:t] *f* Pflanze *f*, Gewächs *n*; Staude *f*; *~ aquatique*, *~ marine*, *~ vénéneuse* Wasser-, See-, Gift-pflanze *f*; *~ économique* Nutzpflanze *f*; *~ d'intérieur* Zimmerpflanze *f*; *jardin m des ~s* botanischer Garten *m*.

plante[2] [~] *f*: *~ du pied* Fußsohle *f*.

planter [plɑ̃'te] (1a) *v/t.* **1.** (an-) pflanzen; *fig.* *~ ses choux* sich (aufs Land) zurückziehen; **2.** bepflanzen; **3.** in die Erde setzen *od.* stellen *od.* stecken *od.* schlagen; **4.** hinsetzen, hinstellen, aufstellen; *~ là q.* j-n im Stich lassen, j-n sitzenlassen; *~ là qch.* etw. aufgeben *od.* an den Nagel hängen; **5.** *~ sur la tête* aufstülpen (*Mütze, Hut*).

plan|teur [plɑ̃'tœ:r] *m* Pflanzer *m*; Plantagenbesitzer *m*; **~teuse** ⊕ [~'tø:z] *f* (Kartoffel-)Pflanzmaschine *f*.

plantigrade *zo.* [plɑ̃ti'grad] *m u. adj.*: (*animal m*) *~* Sohlengänger *m*.

plantoir ✐ [plɑ̃'twa:r] *m* Pflanz-, Steck-holz *n*.

planton ⚔ [plɑ̃'tɔ̃] *m* Ordonnanz *f*; F *rester de ~* stehend warten.

plantule ⸙ [plɑ̃'tyl] *f* Keim *m*.

plantureux [~ty'rø] *adj*. (7d) reichhaltig (*Essen*); *femme f plantureuse* vollbusige Frau *f*; *style m* ~ gehaltvoller Stil *m*.

plaqu|age [pla'ka:ʒ] *m* **1.** *Sport*: Zu'fallbringen *n*; **2.** P Sitzenlassen *n*; **~e** [plak] *f* **1.** Platte *f*; Täfelchen *n*; *phot*. Platte *f*; ⚡ Anode *f*; Elektrode *f*; △ ~ *isolante* Isolier-, Leichtbau-platte *f*; *allg*. ~ *lumineuse* Leuchtplatte *f*; ~ *de blindage* (*od. de cuirassement*) Panzerplatte *f*; ~ (*en*) *ébonite* Hartgummiplatte *f*; △ ~ *de liège* Korksteinplatte *f*; ⊕ ~ *de serrage* Klemmplatte *f*; ~ *en fibres de bois* Holzfaserplatte *f*; △ ~ *ondulée* Wellplatte *f*; **2.** ⸙ Ackerstreifen *m*; **3.** Stern *m e-s Ordens*; **4.** metallenes Schild *n*; Türschild *n*; Plakette *f*; *Auto*: ~ *du constructeur* Typen-, Marken-schild *n*; ~ *d'identité* Erkennungsmarke *f*; *Auto*: ~ *d'immatriculation* Nummernschild *n*; ~ *d'amiante* Asbestplatte *f*; ~ *commémorative* Gedenktafel *f*; ~ *de signalisation*, ~ *indicatrice* Verkehrsschild *n*; **5.** 🚂 ~ *tournante* Drehscheibe *f*; **~é** [pla'ke] *m* plattierte Arbeit *f*, Plattierung *f*; ~ *d'or* Talmigold *n*; **~er** [~] *v/t*. (1m) **1.** belegen, bekleiden; überziehen; *men*. furnieren; *les cheveux plaqués* mit angeklatschten Haaren; **2.** ♪ ~ *des accords* Akkorde anschlagen; *fig*. ~ *qch. au nez de q.* j-m etw. ins Gesicht sagen; **3.** P, *a. Sport*: ~ *q.* j-n im Stich lassen; j-n kaltstellen; j-n versetzen, sitzenlassen; **4.** *Rugby*: zu Boden bringen; **~ette** [~'kɛt] *f* **1.** kleine Platte *f*; Plakette *f*; ⚕ ~ *sanguine* Blutplättchen *n*; **2.** Bändchen *n*, Büchlein *n*; **~eur** [~'kœ:r] *m* Furnierer *m*, Plattierer *m*.

plasma ⚕ [plas'ma] *m*: ~ *sanguin* Blutplasma *n*.

plasti|c ⚗ [plas'tik] *m* Sprenggelatine *f*; **~cien** [~'sjɛ̃] *m* Formgeber *m*; **~cité** [~si'te] *f* Formbarkeit *f*, Plastizität *f*, Bildsamkeit *f*; *fig*. Gefühl *n* für Gegenständlichkeit; *péd*. Aufnahmefähigkeit *f*; **~feutre** ⊕ [~'fø:trə] *m* Bodenbelag *m* aus Plastik; **~fiant** ⊕ [~'fjɑ̃] *m* Plastizierer *m*, Weichmittel *n*; **~fié** ⊕ [~'fje] *adj*.: *tissu m* ~ Plastikgewebe *n*; **~quage** [~'ka:ʒ] *m* Plastikattentat *n*; **~que** [~'tik] **I** *adj*. **1.** bildsam, plastisch; ⊕ *matière f* ~ = ~ II; **2.** *physiol*. stoffbildend; **3.** plastisch, körperlich gestaltend; *art m* ~ Plastik *f*, Modellierkunst *f*; *arts m/pl.* ~s bildende Künste *f/pl.*; **II** *m* Plastik-, Preß-, Kunst-, Werk-stoff *m*, Kunstharz *n*; **III** *f sculp*. Plastik *f*; **~quer** ⚔ [~'ke] *v/t*. (1a) mit e-r Plastikladung überfallen; **~queur** [~'kœ:r] *m* Plastik-Attentäter *m*.

plastron [plas'trɔ̃] *m* **1.** † ⚔ Brustharnisch *m*; **2.** *esc*. Paukschurzleder *n*; **3.** ⚔ fingierter Feind *m*; **4.** Vorhemd *n*; **~ner** [~trɔ'ne] *v/i*. (1a) sich in die Brust werfen.

plat [pla] **I** *adj*. (7) □ **1.** eben, flach, platt; *avoir la bourse* ~*e* wenig Geld haben; *pied m* ~ Senkfuß *m*; *fig*. *être à* ~ kaputt sein, absein, abgespannt sein; ⚡ leer sein (*Batterie*); *Auto*: auf Latschen stehen, Plattfuß haben; *auch rein* ⚕: *être* (*od. se trouver*) *à* ~ e-n Nervenknacks haben, vollkommen fertig sein; *thé*. *tomber à* ~ gänzlich durchfallen; *fig*. *se mettre à* ~ *ventre fig*. kriechen, katzbuckeln; *advt*. *tomber tout* ~ der Länge nach hinfallen; **2.** *calme m* ~ Windstille *f*; *fig*. vollständige Geschäftsstille *f od*. Flaute *f*; **3.** fade (*Wein*); *fig*. geistlos, seicht, fade, platt (*Stil*); ausdruckslos; *fig*. unterwürfig; *fig*. *esprit m* ~ Flachstirn *f*; **II** *m* **4.** Fläche *f*; flacher Teil *m*, flache Seite *f*; *le* ~ *de la main* die flache Hand, die Handfläche; *le* ~ *d'épée* die flache Klinge; **5.** *fig*. *péj*. *das* Abgeschmackte *n*, *das* Fade *n*; **6.** Schüssel *f*; Gericht *n*; ~ *aux œufs* Eiergericht *n*; *œufs m/pl. sur le* ~ Spiegeleier *n/pl.*; ~ *unique* Eintopf(essen *n*) *m*; *mettre les pieds dans le* ~ ins Fettnäpfchen treten; F *donner un* ~ *de son métier* e-e Probe s-r Kunst geben; **7.** Schale *f*; ~ *de balance* Wiegeschale *f*; **8.** F *faire du* ~ *à q.* j-m den Hof machen; F *faire tout un* ~ *de qch.* e-e Sache hochspielen; **9.** P *il en fait un* ~ es ist wahnsinnig heiß.

platane ⚘ [pla'tan] *m* Platane *f*.

plat-bord ⚓ [pla'bɔ:r] *m* (6a) Dollbord *n*.

plateau [pla'to] *m* **1.** Tablett *n*; **2.** Wiegeschale *f*; **3.** Plateau *n*, Hochebene *f*; **4.** (Plan-)Scheibe *f*; ~ *électrique* Elektrisierscheibe *f*; **5.** *thé*. Bühne *f*; **6.** *télév*. Aufnahme-, Sende-raum *m*, Fernstudio *n* mit dem Personal; **7.** ⊕ Stapelbrett *n*; **8.** 🚂 Plattformwagen *m*; **9.** Plattenteller *m* (*Plattenspieler*); **10.** *négresse f à* ~*x* Negerin *f* mit Teller-·lippen.

plate-bande [plat'bɑ̃:d] *f* (6a) **1.** schmales Gartenbeet *n*; F *fig. marcher sur les* ~*s de q.* j-m ins Gehege kommen; **2.** Einfassung *f*, Streifen *m*; **3.** Band *n*, Bortensims *m*.

platée [pla'te] *f* **1.** Schüsselvoll *f*; **2.** Grundmauer *f*.

plate-forme [plat'fɔrm] *f* (6a) **1.** *Sport*: Sprungturm *m*; **2.** Plattform *f e-s Busses usw.*; ~ (*d'une locomotive*) Führerstand *m* (e-r Lokomotive); ~ *de chargement* Laderampe *f*; **3.** (Garten-)Terrasse *f*; **4.** offener Güterwagen *m*, Plattformwagen *m*; **5.** ~ (*électorale*) Wahlprogramm *n*; **6.** ~ *de forage* Bohrturm *m* (*Ölfeld*); ~ *roulante* laufendes Band *n*; **7.** ~ *de tir* Schießbühne *f*; **8.** Geschützbettung *f*; **9.** a) Baufläche *f* für das Grundmauerwerk; b) *toit m en* ~ Terrassendach *n*.

platelage [plat'la:ʒ] *m* Bohlen-, Brücken-belag *m*.

platinage [plati'na:ʒ] *m* Platinierung *f*.

platine[1] [pla'ti:n] *f* **1.** Scheibe *f*, Platte *f* (*Uhrwerk*); **2.** (Gewehr-) Schloß *n*; **3.** *serr.* Schlüssel-, Schloß-blech *n*.

platin|e[2] [~] *m* Platin *n*; ~**er** [~'ne] *v/t.* (1a) platinieren; *Haare* blondieren; ~**otypie** *phot.* [~nɔti'pi] *f* Platindruck *m*.

platitude [plati'tyd] *f* **1.** geistige Mittelmäßigkeit *f*; *fig.* Plattheit *f*; *tomber dans la* ~ geistig verflachen; **2.** Schalheit *f* (*Wein*).

platoni|cien *phil.* [platɔni'sjɛ̃] *adj. u. su.* (7c) platonisch; Platoniker *m*; ~**que** [~'nik] *adj. fig.* platonisch, ideal; *vœu m* (*tout*) ~ frommer Wunsch *m*; ~**sme** *phil.* [~'nism] *m* Platonismus *m*, platonische Lehre *f*; *fig.* platonische Liebe *f*.

plâtr|age [plɑ'tra:ʒ] *m* **1.** Gipsarbeit *f*; Vergipsen *n*; **2.** Düngen *n* (*des Weins*) mit Gips; **3.** ~ *gastrique* Magenbehandlung *f* durch Aluminiumpulver; ~**as** [~'tra] *m* (*a. im pl.*) Gipsschutt *m*.

plâtr|e ['plɑ:trə] *m* **1.** Gips *m*; ~ *de plafond* Deckenputz *m*; *plafond m de* ~ Gipsdecke *f*; ~ *cru* ungebrannter Gips *m*; ~ *gâché* Gipsbrei *m*; ~ *noyé* ganz dünn angerührter Gips *m*; *battre* (*od. rosser*) *q. comme* ~ j-n windelweich schlagen; **2.** Gips-abguß *m*, -figur *f*; *tirer un* ~ *sur q.* e-e Gipsmaske von j-s Gesicht abnehmen; **3.** ~*s pl.* Gipsarbeit *f*; ~**é** [plɑ'tre] *adj.* im Gipsverband; ~**er** [~] (1a) **I** *v/t.* **1.** vergipsen; **2.** (*Wein*) mit Gips düngen; **II** *v/rfl.* F *se* ~ in den Mehltopf fallen *fig.*; ~**erie** [~trə'ri] *f* **1.** Gipsbrennerei *f*; **2.** Gipsarbeit *f*; ~**eux** [~'trø] *adj.* (7d) gipsartig; ~**ier** [~tri'e] *m* Gipsarbeiter *m*; Putzer *m*; ~**oir** [~'trwa:r] *m* Gipskelle *f*.

plausible [plo'ziblə] *adj.* □ annehmbar, plausibel, triftig.

plèbe *antiq.* [plɛ:b] *f* Plebs *f od. m.*

plébéien [plebe'jɛ̃] *su.* (7c) einfacher Mann *m* aus dem Volk.

plébiscit|aire [plebisi'tɛ:r] *adj.*: *vote m* ~ Volksabstimmung *f*; ~**e** [~'sit] *m* Volksabstimmung *f*; ~**er** [~'te] *v/t.* (1a): ~ *qch.* über etw. (*acc.*) durch e-e Volksabstimmung entscheiden (lassen).

plein [plɛ̃] **I** *adj.* (7) □ **1.** voll, angefüllt; ~*e* trächtig; *bandage m* ~ Vollgummireifen *m*; *caractère m* ~ fette Schrift *f*; *être* ~ betrunken sein; ~ *comme un œuf* voll bis oben hin, gestopft voll; *verser* ~ vollgießen; *à* ~ *bord* bis an den Rand gefüllt; *à* ~*es mains* mit vollen Händen, reichlich; *crier à* ~*e gorge* aus vollem Halse schreien; *men. porte f* ~*e* massive Tür *f*; P *s'en mettre* ~ *la lampe* sich den Bauch vollschlagen; **2.** *fig.* ~ *de qch.* reichlich mit etw. (*dat.*) versehen, durchdrungen von etw. (*dat.*); ~ *de soi* von sich eingenommen; *il est* ~ *d'expédients* er weiß sich immer zu helfen; *être* ~ *de bonnes intentions* die besten Absichten haben; *bibl.* ~ *de jours* hochbetagt; **3.** *avoir le visage* ~ ein volles Gesicht haben; **4.** vollständig, reichlich; *en* ~ *rapport* in voller Ertragsfähigkeit; *huit jours* ~*s* volle acht Tage; ~ *emploi* Vollbeschäftigung *f*; ~(*s*) *pouvoir*(*s*) (unbeschränkte) Vollmacht *f*; *de* ~ *droit* mit vollem Recht; *de son* ~ *gré* aus freiem Antrieb; *en* ~*e marche* in vollem Marsch; *en* ~ *repos* in aller Ruhe; *faire travailler le moteur à* ~ den Motor voll beanspruchen; **5.** inhaltreich, gehaltvoll; *vie f* ~*e* ausgefülltes Leben *n*; **6.** *en* ~ *mit su.* mitten in (*dat.*); *en* ~ *air*, *en* ~*e campagne* (*od. nature*) unter freiem Himmel, im Freien; *en* ~ *été* im

Hochsommer; *en ~ hiver* mitten im Winter; *en ~ jour* (*od. midi*) am hellerlichten Tage; *mettre en ~ jour* offen darlegen; *en ~e rue* auf offener Straße; **7.** ⚓ *~e mer* offene See *f*; größte Höhe *f* der Flut; **8.** *avoir de l'argent ~ ses poches* die Taschen voller Geld haben; (*tout*) *en ~* völlig, vollständig; ⚓ *s'aborder en ~* sich Bug gegen Bug rammen; **II** *m* **9.** *phys.* voller Raum *m*; **10.** (*roue f avec*) *~* (Rad *n* mit) Vollgummireifen *m*; **11.** ausgefüllter Raum *m*, Fülle *f*, Vollständigkeit *f*; *fig.* Höhepunkt *m*; *faire son ~ de qch.* sich mit etw. (*dat.*) eindecken (*od.* genügend versehen); *Auto*: *faire le ~ avec de l'huile* Öl nachfüllen; *Auto u.* ✈ *faire le ~* tanken; *nos voyages font le ~* unsere Reisen werden (sind) ausgebucht; *~ d'un mur* massives Mauerwerk *n*; *le trop ~* das Übermaß; *la lune est dans son ~* es ist Vollmond; ⚓, ✈ *avoir son ~* voll befrachtet sein; *fig.* sternhagelbetrunken sein; *fig. la fête bat son ~* das Fest ist auf s-m Höhepunkt angelangt; **12.** Grundstrich *m* (*Schrift*); **13.** *~* (*d'un bois*) Mitte *f* e-s Gehölzes; **14.** *mettre dans le ~* ins Schwarze treffen; *un ~ dans le but* ein Volltreffer *m*; **15.** ⚓ hohe Flut *f*; *au ~* bei hoher Flut; **III** *adv.* F *tout ~* viel(e); *il a tout ~ d'envieux* er hat viele Neider.

pleinement [plɛn'mɑ̃] *adv.* völlig.

plein-emploi [plɛnɑ̃'plwa] *m* Vollbeschäftigung *f*.

plénier [ple'nje] *adj.* (7b) Plenar...; *assemblée f plénière* Vollversammlung *f*; *séance f plénière* Plenarsitzung *f*; *rl. indulgence f plénière* vollkommener Ablaß *m*.

plénipotentiaire [plenipɔtɑ̃'sjɛːr] *adj. u. m*: (*ministre m*) *~* bevollmächtigt(er Gesandte[r] *m*); Bevollmächtigte(r) *m*.

plénitude [pleni'tyd] *f* **1.** *litt.* Fülle *f*; **2.** *fig.* Vollbesitz *m*.

pléonas|me *rhét., gr.* [pleɔ'nasm] *m* Pleonasmus *m*, Wortüberfluß *m*; **~tique** [~'tik] *adj.* pleonastisch.

plétho|re [ple'tɔːr] *f* Riesenmenge *f*, Masse *f*, Überfluß *m*; *y avoir ~ de ...* im Überfluß vorhanden sein; **~rique** [~tɔ'rik] *adj.* im Überfluß, überreichlich; *éc.* übersättigt; ⚡ überlastet; *écol. classes f/pl. ~s* überfüllte Klassen *f/pl.*

pleurage [plœ'raːʒ] *m* Wimmern *n* (*Schallplatte, Rundfunkgerät*).

pleural ⚕ [plœ'ral] *adj.* (5c) Rippenfell...

pleurard [plœ'raːr] (7) **I** *adj.*: *ton ~* weinerlicher Ton *m*; **II** *su.* weinerlicher Mensch *m*.

pleurer [plœ're] (1a) **I** *v/i.* **1.** weinen; *~ de joie* vor Freude weinen; *~ à chaudes larmes* bittere Tränen vergießen, bitterlich weinen; *~ sur q.* (*sur qch.*) um j-n (um etw.) trauern; **2.** tränen (*Augen*); **II** *v/t.* beweinen; lebhaft bedauern; *~ misère* über s-e Armut klagen; *~ son biberon* nach s-m Fläschchen weinen (*Baby*); F *il pleure le pain qu'il mange* er gönnt sich das liebe Brot nicht; **~ie** F [plœr'ri] *f* Weinerei *f*, Heulerei *f*.

pleurésie ⚕ [plœre'zi] *f* Rippenfell-, Brustfell-entzündung *f*.

pleur|eur [plœ'rœːr] *adj.* (7g): ♀ *saule m ~* Trauerweide *f*; **~euse** [~'røːz] *f* Klageweib *n*.

pleurnich|er [plœrni'ʃe] *v/i.* (1a) flennen; weinerlich tun; **~erie** [~ʃ'ri] *f* Geflenne *n*.

pleurodynie ⚕ [plœrɔdi'ni] *f* Seitenstechen *n*.

pleuronecte *icht.* [plœrɔ'nɛkt] *m* Scholle *f*.

pleurs [plœːr] *m/pl.* (*pleur m/sg. mst. poét. od. plais.*) Tränen *f/pl.*; *essuyer les ~ de q.* j-n trösten; *être tout en ~*, *être noyé de ~* ganz in Tränen sein; *fondre en ~* in Tränen zerfließen.

pleutre ['pløːtrə] **I** *m* Feigling *m*; **II** *adj.* feige; **~rie** [~trə'ri] *f*: *commettre une ~* feige handeln, sich drücken, kneifen F.

pleuv|asser [pløva'se], **~iner** [~vi'ne] *v/i.* (1a) nieseln, fein regnen.

pleuvoir [plœ'vwaːr] (3e) *v/i. u. v/imp.* **1.** regnen; *il pleut à verse* (*od. à torrents od. à seaux od. des hallebardes*) es gießt in Strömen; **2.** *fig. ~ sur* massenweise herabfallen auf (*acc.*), überschüttet werden.

pleuvoter [pløvɔ'te] *v/i.* (1a) nieseln.

plèvre *anat.* ['plɛːvrə] *f* Rippenfell *n*.

plexiglas ⊕ [plɛksi'glɑːs] *m* Plexiglas *n*.

pleyon ✓ [plɛ'jɔ̃] *m* Bindereis *n*.

pli [pli] *m* **1.** Falte *f*; *~ de pantalon* Hosenfalte *f*; *faire des ~s* Falten werfen; *égaliser* (*od. refaire*) *les ~s* die Falten glattstreichen; *ne pas faire un* (*petit*) *~* glatt sitzen; *faire un ~ à qch.* etw. kniffen; *fig. cela ne fait pas un ~* das macht gar keine Schwierigkeit; *~ de terrain* Bodenfalte *f*, -senkung *f*; **2.** (Brief-)Umschlag *m*; Brief *m*; *sous ce* ~ als Anlage, beiliegend; **3.** *fig.* Wendung *f*; Gewohnheit *f*; *il a pris son* ~ er wird nun nicht mehr anders; er bleibt so, wie er ist; *le* ~ *est pris* daran läßt sich nichts mehr ändern; *prendre un faux* ~ sich falsch *an etw.* gewöhnen, *fig.* e-n falschen Weg gehen (*od.* einschlagen); **4.** Runzel *f*; **5.** *Kartenspiel*: Stich *m*; **6.** *anat.* Biegestelle *f*; **7.** ⊕ Falz *m*; △ einspringender Winkel *m e-r Mauer*; **~able** [pli'ablə] *adj.* biegsam; *fig.* lenksam, leitbar; **~age** ⊕ [pli'a:ʒ] *m* Biegen *n*, Falten *n*; Falzen *n*; Zusammenlegen *n*; **~ant** [~'ɑ̃] *adj.* (7) *u. m* biegsam, geschmeidig; *fig.* lenksam; *canot m* ~ Faltboot *n*; *phot. appareil m (photographique)* ~ Klappkamera *f*; *bicyclette f* ~*e* Klappfahrrad *n*; *chaise f* ~*e* Klappstuhl *m*; *table f* ~*e* Klapptisch *m*; *le* ~ das Klappstühlchen.

plie *icht.* [pli] *f* Scholle *f*.

plier [pli'e] (1a) **I** *v/t.* **1.** (zusammen)falten, in Falten legen, zusammenlegen; ein-, zusammenpacken; ~ *bagage* sein Bündel schnüren; **2.** biegen, beugen, krümmen; ~ *la loi aux circonstances* das Recht den Umständen nach beugen; **3.** *fig.* beugen, bezwingen, gewöhnen; ~ *q. au joug* j-n an das Joch gewöhnen; ~ *q. à* (*mit inf.*) j-n bewegen zu ...; **4.** ⊕ ~ *des feuilles* Bogen falzen; **II** *v/i.* **5.** sich biegen, sich krümmen; *fig.* ~ *sous le poids des années* unter der Last der Jahre zusammenbrechen; **6.** ⚔ (zurück)weichen, wanken; *fig.* nachgeben; **III** *v/rfl.* se ~ sich biegen *od.* gebogen werden, sich krümmen; *fig.* se ~ *à* sich fügen in (*acc.*), sich anpassen (*dat.*); *péj.* das Mäntelchen nach dem Winde drehen.

pli|eur [pli'œ:r] *su.* (7g) Zusammenleger *m*; Falzer *m*; ⊕ Faltennäher *m an der Nähmaschine*; **~euse** ⊕ [pli'ø:z] *f* Falzmaschine *f*.

plinthe △ [plɛ̃:t] *f* Säulenplatte *f*; Leiste *f*, Scheuerleiste *f*.

plioir ⊕ [pli'wa:r] *m* **1.** Falzbein *n*; Papiermesser *n*; **2.** Stück *n* Holz *zum Aufwickeln e-r Angelleine*.

pliss|age [pli'sa:ʒ] *m* Falten *n*; **~é** [pli'se] *m* Plissee *n*; **~ement** *géol.* [plis'mɑ̃] *m* Falte *f*, Faltung *f*; **~er** [~'se] (1a) **I** *v/t.* falten, fälteln, in Falten legen; kniffen; ~ *le front* die Stirn runzeln; ~ *une robe* ein Kleid plissieren; **II** *v/i.* Falten werfen.

plissure [pli'sy:r] *f* Falten *n u. f/pl.*; Gefaltete(s) *n*.

pliure ⊕ [pli'y:r] *f* Falzung *f*.

plomb [plɔ̃] *m* **1.** Blei *n*; ⚡ Sicherung *f*; *de* ~ bleiern; *mine f de* ~ Graphit(stift *m*) *m*, Reißblei *n*; *sommeil m de* ~ sehr tiefer Schlaf *m*; *balle f de* ~ Bleikugel *f*; *menu* ~, ~ *de chasse* (Flinten-)Schrot *n*; *fig. il a du* ~ *dans l'aile* er ist übel dran *od.* ganz runtergekommen; *avoir un cul de* ~ Sitzfleisch haben; *avoir du* ~ *dans la cervelle* (schon etw.) gesetzt sein; *mettre du* ~ *dans la tête à q.* j-n zur Vernunft bringen; **2.** *les* ~*s de Venise* die Bleidächer *n/pl.* Venedigs; **3.** Bleigewicht *n an der Uhr*; **4.** † Plombe *f*, Bleisiegel *n*; ~ *de douane* Zollplombe *f*; **5.** (*fil m à*) ~ (Blei-)Lot *n*; ⚓ ~ (*de sonde*) Senkblei *n*; ~ *à niveau* Bleiwaage *f*; *à* ~ senk-, lot-recht; gerade herunter; **6.** ⚡ Sicherung *f*; **~age** [~'ba:ʒ] *m* **1.** *a.* ⚕ Plombieren *n*; **2.** F ⚕ (Zahn-)Plombe *f*, Zahnfüllung *f*; **~agine** [~ba'ʒi:n] *f* Graphit *m*; ~ *impure* Ofenschwärze *f*; **~e** ★ [plɔ̃:b] *f* Stunde *f*; **~é** [plɔ̃'be] *adj. a.* ⚕ plombiert; bleifarbig; P ⚕ syphilitisch; *fig. sous un soleil* ~ unter e-r stechenden Sonne; **~er** [~] *v/t.* (1a) **1.** †, ⚕ plombieren; **2.** △ abloten; **3.** ↗ *die Erde* feststampfen.

plomb|erie [plɔ̃'bri] *f* **1.** Bleiverarbeitung *f*; **2.** Bleiummantelung *f*; **3.** Wasser- *od.* Gasleitungen *f/pl.*; **~eur** [~'bœ:r] *m* Plombierer *m*; ⊕, ↗ Glattwalze *f*; **~ier** [~'bje] **I** *adj.* (7b) **1.** bleihaltig; **2.** Blei...; **II** *m* **3.** a) Klempner *m*, Installateur *m*, Rohrleger *m*; b) Bleiarbeiter *m*, Bleigießer *m*; **~ifère** [~bi'fɛ:r] *adj.* bleihaltig; **~oir** ⚕ [~'bwa:r] *m* Plombierkolben *m* (*Zahnheilkunde*).

plon|ge [plɔ̃:ʒ] *f* (*Geschirr-*)Abwaschen *n*; **~geant** [~'ʒɑ̃] *adj.* (7) von oben nach unten zu gesenkt; ⚔ *feu m* ~ abwärts gerichtetes Feuer *n*; *vue f* ~*e* Aussicht *f* von oben her; ✈ Fliegersicht *f*; *avoir une vue* ~*e sur qch.* auf etw. (*acc.*) herabblicken; **~gée** [~'ʒe] *f* **1.** Tauchen *n*; ⚓ Tauchmanöver *n*; *en* ~ unter Wasser; **2.** ⚔ ~ (*de parapet*) Abdachung *f e-r Brustwehr*; **3.** *géol.* steiler Abfall *m* des Unterwasserreliefs; **4.** *phot.* (Bild-) Aufnahme *f* von oben; **~geoir** *Sport* [plõ'ʒwa:r] *m* Sprungturm *m*; **~geon** [~'ʒõ] *m* **1.** Kopfsprung *m*; ~ *du tremplin*, ~ *de haut vol* Kunst-, Turm-springen *n*, -sprung *m*; ~ *de départ* Startsprung *m*; ~ *carpé* Hechtsprung *m*; *faire le* ~ in Not geraten; *piquer un* ~ (*vom Turm*) ins Wasser springen; **2.** F ehrerbietiger Gruß *m*; **3.** Sprung *m des Torwarts* (*Fußball*); **4.** *orn.* Taucher *m*.

plon|ger [plõ'ʒe] (1l) **I** *v/t.* **1.** (ein-, unter-)tauchen; **2.** ~ *dans* stecken, stoßen, bohren, stürzen in (*acc.*); *être plongé dans ses pensées* tief in s-n Gedanken versunken sein; **II** *v/i.* **3.** (unter)tauchen; untergehen; *fig.* verschwinden; mit dem Kopf nach unten mit dem Fallschirm abspringen; ~ *dans la mêlée* sich in den Kampf stürzen; **4.** sich senken; *aller en plongeant* von oben nach unten gehen; **5.** nach vorn *od.* zur Seite springen (*Fußball*); **6.** herunterhängen; **III** *v/rfl. se* ~ *dans qch.* sich e-r Sache hingeben; **~geur** [~'ʒœ:r] *m* **1.** Taucher *m*; *cloche f à* ~ Taucherglocke *f*; **2.** Teller-, Geschirr-wäscher *m*; **3.** ~*s pl.* (*a. adj.*: *oiseaux* ~*s*) Tauchervögel *m/pl.*

plot ⚡ [plo] *m* Klemme *f*.

plouf! [pluf] *int.* plauz!, plumps!

plouk F *péj.* [pluk] *m* Hinterwäldler *m*.

ploutocrat|ie [plutɔkra'si] *f* Plutokratie *f*, Geldadel *m*; **~ique** [~'tik] *adj.* plutokratisch.

ployer *litt.* [plwa'je] (1h) **I** *v/t.* durchbiegen; *gym.* krümmen, beugen; **II** *v/i.* sich biegen; *fig.* nachgeben; sich beugen; ~ *sous le faix* unter der Last nachgeben.

pluches F [plyʃ] *f/pl.*: *a.* ⚔ *corvée f de* ~ Küchendienst *m*.

pluie [plɥi] *f* Regen *m*; *eaux f/pl. de* ~ Regenwasser *n*; ~ *battante* (*od. torrentielle*) Platzregen *m*; ~ *fine* Sprühregen *m*; ~ *partielle* Strichregen *m*; *le temps est à la* ~ es sieht nach Regen aus; *se mettre à couvert de la* ~ sich bei Regen unterstellen; *craint la* ~! vor Nässe zu schützen!; *fig. faire la* ~ *et le beau temps* einflußreich sein.

plum|age [ply'ma:ʒ] *m* Gefieder *n*; **~ard** P [~'ma:r] *m* Bett *n*, Falle *f* F, Klappe *f* F.

plumasserie [plymas'ri] *f* Schmuckfedern *f/pl.*

plume [ply:m] *f* **1.** Feder *f*; ~ *d'autruche*, ~ *d'oie*, ~ *de paon* Straußen-, Gänse-, Pfauen-feder *f*; ~ *d'eider* Daunenfeder *f*; *léger comme une* ~ federleicht; *se parer des* ~*s du paon* sich mit fremden Federn schmükken; **2.** Federn *f/pl.*; *lit m de* ~ Federbett *n*; *menue* ~ Flaum *m*; **3.** (Schreib-)Feder *f*; *dessin m à la* ~ Federzeichnung *f*; *d'un trait de* ~ mit einem Federstrich; *au courant de la* ~ ohne lange zu überlegen, aus dem Stegreif; freiweg; *tenir la* ~ die Feder führen; *iron. chevalier m de la* ~ Schreiberling *m*; *nom m de* ~ Schriftstellername *m*.

plum|eau [ply'mo] *m* (5b) Staubwedel *m*, Federwisch *m*; **~ée** [~'me] *f* **1.** Rupfen *n*; *faire la* ~ die Daunen ausrupfen; **2.** Federmenge *f e-s gerupften Vogels*; **3.** *une* ~ *d'encre* eine Federvoll Tinte *f*; **~er** [~] *v/t.* (1a) *e-n Vogel* rupfen; *fig.* rupfen, ausbeuten; *fig. se faire* ~ sich ausbeuten lassen; **~et** [~'mɛ] *m* **1.** Hutfeder *f*; **2.** ⚔ Federbusch *m*; **~etis** [plym'ti] *m* Federstickerei *f*; **~ier** *écol.* [~'mje] *m* Federkasten *m*; **~itif** [~mi'tif] *m* Federfuchser *m*; **~ule** [~'myl] *f* **1.** *orn.* Flaumfeder *f*; **2.** ⚘ Blattkeim *m*.

plupart [ply'pa:r] *f*: *la* ~ die meisten *pl.*, der größte Teil *m*, die Mehrzahl *f*; *pour la* ~, *la* ~ *du temps* meistens, größtenteils; *Verb stets im pl.*: *la* ~ *des hommes croient* ... die meisten Menschen glauben ...

plurali|sme [plyra'lism] *m* Pluralismus *m*; Vielfalt *f*; **~ste** [~'list] *adj.* pluralistisch; **~té** [~li'te] *f* **1.** Mehrheit *f*; *décider à la* ~ *des voix* mit Stimmenmehrheit beschließen; **2.** Vielheit *f*; *phys.* ~ *des mondes* Vielheit *f* der Welten.

pluri|annuel [plyria'nɥɛl] *adj.* (7c) Mehrjahres...; **~disciplinarité** [~disiplinari'te] *f* Zs.-arbeit *f* mehrerer wissenschaftlicher Fachrichtungen.

pluriel *gr.* [ply'rjɛl] *m* (7c) Plural *m*.

plurilatéral *pol.* [plyrilate'ral] *adj.* (5c) mehrseitig.

pluri|partisme *pol.* [~par'tism] *m* Mehrparteiensystem *n*; **~paternité** [~patɛrni'te] *f* Zweifel *m* an der Vaterschaft.

plus [ply, *am Ende e-s Satzgliedes a.* plys, *in der Bindung* plyz...] **I** *adv.* **1.** mehr; *il est* ~ *âgé de deux ans* er ist zwei Jahre älter; ~ *que tu ne penses* mehr als du denkst; *rien de* ~ *juste* das ist nicht mehr als recht und billig; ~ *tôt* eher, früher; *il n'a*

~ *d'argent* er hat kein Geld mehr; ~ *de larmes!* keine Tränen mehr!; *je n'y pensais* ~ ich dachte nicht mehr daran; *on ne peut* ~ im höchsten Maße (*od.* Grade); äußerst; **2.** *le* ~ *grand* der größte; *abs. le* ~ [plys] am meisten; *au* ~ *tôt* frühstens; so bald wie möglich; **3.** *je n'en peux* ~ ich kann nicht mehr, ich halte es nicht mehr aus; *ne* ... ~ *que* ... nur noch...; **4.** *vor einer Zahl*: **plus de ...** mehr als; *il a* ~ *de vingt ans* er ist über zwanzig Jahre alt; **plus que ...** a) *bei verbalem Vergleich*: *six hommes travaillent* ~ *que quatre* sechs Menschen arbeiten mehr als vier; b) *in der Verneinung, auch vor Zahlen*: *je n'ai plus que cent francs* ich habe nur noch hundert Franken; *vgl. a. plus que als Stichwort*; **5.** *abs. il y a* ~ *od. qui* ~ *est od. bien* ~ obendrein; überdies; ja noch mehr; *advt. de* ~ außerdem, zudem, noch dazu; *rien de* ~ weiter nichts; *raison de* ~ *pour* ... das ist ein Grund mehr, um ...; *que voulez-vous de* ~*?* was wollen Sie mehr?; **6.** *en* ~ noch dazu; *en* ~ *de* ... zusätzlich zu ..., abgesehen von ...; *sans* ~ ohne etwas hinzuzufügen; und weiter nichts; *sans* ~ *de délai* ohne weiteren Aufschub; **7.** *tant et* ~ reichlich; *d'autant* ~ um so mehr; **8.** ~ ..., ~ ... je mehr ..., desto mehr ...; ~ *je la connais*, ~ *je l'aime* je mehr ich sie kennenlerne, um so mehr liebe ich sie; **9.** *non* ~ auch nicht; (*ni*) *moi non* ~ ich auch nicht; *eux non* ~ sie auch nicht; *ni* ~ *ni moins* nicht mehr und nicht weniger; **10.** *de* ~ *en* ~ immer mehr; *de* ~ *en* ~ *fort* immer stärker; **II** *m le* ~ das Mehr, das Meiste, das Höchste; *advt. tout au* ~ höchstens, im höchsten Falle; *c'est tout au* ~ *si* ... kaum daß ...; **III** *des* ~ *advt.* äußerst; überaus; *il était des* ~ *satisfait de sa femme* er war mit s-r Frau äußerst zufrieden; *j'écrirais des* ~ *mal* ich würde äußerst schlecht schreiben; *il s'en est des* ~ *heureusement tiré* er hat sich glänzend aus der Affäre gezogen; *une question des* ~ *délicate* e-e überaus heikle Frage; *il est des* ~ *loyal* er ist äußerst zuverlässig.

plusieurs [ply'zjœ:r] **I** *adj. inv.* mehrere, verschiedene; manche; ~ *fois* mehrmals, öfters; *à* ~ *reprises* zu wiederholten Malen; **II** *pr/ind.*: ~ *pensent que* ... mehrere denken (*od.* sind der Ansicht), daß ...

plus-offrant ⚕ [plyzɔ'frɑ̃] *m* Meistbietende(r) *m.*

plus-pétition ⚖ [plyspeti'sjɔ̃] *f* übertriebene Forderung *f.*

plus que [ply kə ...] *adv. am Satzanfang*: *Plus que douze jours jusqu'à Noël!* Nur noch zwölf Tage bis Weihnachten! (*ell. für*: *il n'y a plus que douze jours* ...; *vgl.* ne 4b).

plus-que-parfait *gr.* [plyskəpar'fɛ] *m* Plusquamperfekt *n.*

plus-value ⚕ [plyva'ly] *f* **1.** Wertzuwachs *m*; **2.** Gewinn *m*, Profit *m.*

plutonium ⚗ [plytɔ'njɔm] *m* Plutonium *n.*

plutôt [ply'to] **I** *adv.* eher, lieber; vielmehr; *voyez* ~*!* sehen Sie nur!; **II** *cj.* **ne ... pas** ~ (*richtiger*: *plus tôt*) **que** kaum ... als.

pluvi|al [ply'vjal] (5c) *adj.* Regen...; *eau f* ~*e* Regenwasser *n*; **~er** *orn.* [~'vje] *m* Regenpfeifer *m*; **~eux** [~'vjø] *adj.* (7d) regnerisch; **~omètre** *phys.* [~vjɔ'mɛ:trə] *m* Regenmesser *m*; **~ométrie** [~vjɔme'tri] *f* Regenmessung *f*; **~ométrique** [~vjɔme'trik] *adj.* Niederschlags...; **~o-orageux** [~vjɔɔra'ʒø] *adj.* (7d): *perturbation f pluvio-orageuse* Wetterstörung *f* mit Gewitterregen; **~ôse** *hist. Fr.* [~'vjo:z] *m* Regenmonat *m* (*Fr. Rev.*).

pneu [pnø] **1.** *Auto usw.* (Gummi-) Reifen *m*; ~*s pl.* Bereifung *f*; ~ *à carcasse radiale* Gürtelreifen *m*; ~ *à mobilité intégrale* Total-Mobility-Reifen *m*; ~ *à plat* Plattfuß *m* (*Auto*); ~ *ballon* Ballonreifen *m*; ~ *antidérapant* Gleitschutzreifen *m*; ~ *de rechange* Ersatzreifen *m*; ~ *crevé* Reifen-schaden *m*, -defekt *m*; ~ *à haute* (*basse*) *pression* Hoch- (Nieder-)druckreifen *m*; *monter des* ~*s*, *munir de* ~*s* bereifen; *à* ~*s jumelés* doppeltbereift; **2.** F Rohrpostbrief *m.*

pneumatique [pnøma'tik] **I** *adj.* *phys.* Luft...; ✆ *carte f* ~ Rohrpostkarte *f*; *nur phys.*: *machine f* ~ Luftpumpe *f*; ✆ *poste f* ~ Rohrpost *f*; *bandage m* ~ *Auto usw.* (Gummi-) Reifen *m*; **II** *m* a) *Auto usw.* (Gummi-)Reifen *m*; ~ *confort* Ballonreifen *m*; *les* ~*s pl.* die Bereifung *f*; b) Rohrpostbrief *m*; c) ⚓ Schlauchboot *n*; **III** *f* Pneumatik *f.*

pneumo|coque ⚕ [pnømɔ'kɔk] *m* Pneumokokkus *m* (~*s pl.* Pneumo-

kokken); **~nie** ⚕ [~'ni] *f* Lungenentzündung *f*; **~nique** [~'nik] *adj. u. su.* lungenkrank(er Mensch *m*).
pneu-rail 🚇 [pnø'raj] *m* (6b) Betonfahrbahn *f* für Gummiräder (*z. T. bei der Pariser U-Bahn*).
pochade [pɔ'ʃad] *f peint.* flüchtige Skizze *f*; *litt.* flüchtig geschriebenes Werk *n*, hingeworfene Arbeit *f*.
pochard F [pɔ'ʃa:r] *adj. u. su.* (7) besoffen P; Säufer *m* P.
poch|e [pɔʃ] *f* **1.** Tasche *f*; ~ *appliquée* aufgesetzte Tasche *f auf Mänteln usw.*; *argent m de* ~ Taschengeld *n*; *dictionnaire m de* ~ Taschenwörterbuch *n*; ~ *poitrine* Brusttasche *f*; *~-revolver* Gesäßtasche *f*; *faire les ~s de q.* j-s Taschen (*als Taschendieb*) leeren; F *n'avoir pas sa langue dans sa* ~ nicht auf den Mund gefallen sein; **2.** ~ *de blé* Getreidesack *m*; **3.** fehlerhafte Falte *f an e-m Kleid usw.*; **4.** *métall.* ~ *de coulée* Gießpfanne *f*; **5.** *ch. u. Fischerei*: Sacknetz *n*; **6.** ⚕ Eitersack *m*; **7.** *orn.* Kropf *m*; **8.** *at.* ~ *radio-active* Strahlungsnetz *n*; **9.** ✈ ~ *d'air* Luft-loch *n*, -tasche *f*; **10.** ⚔ *~s pl. rebelles* Nester *n/pl.* von Aufständischen; **~é** [pɔ'ʃe] *adj.* blutunterlaufen; *s'en tirer avec un œil* ~ mit e-m blauen Auge davonkommen; **~ée** [pɔ'ʃe] *f* Taschevoll *f*; **~er** [pɔ'ʃe] *v/t.* (1a) **1.** *cuis.* verlorene Eier kochen; **2.** *fig.* ~ *l'œil à q.* j-m die Augen blau schlagen; **3.** *fig.* e-e Skizze leicht hinwerfen; **~etée** P [pɔʃ'te] *f* Dummkopf *m*; *en avoir* (*od. en tenir*) *une* ~ ein großer Dussel sein.
pochette [pɔ'ʃɛt] *f* **1.** ~ *matelassée* gefütterte Versandtasche *f*; ~ *à serviette de table* Serviettentasche *f*; **2.** seidenes Taschentuch *n*; **3.** ~ *de compas* Reißzeugkasten *m*.
pochoir [pɔ'ʃwa:r] *m* Schablone *f zum Malen v. Buchstaben usw.*
pochon [pɔ'ʃõ] *m* Schöpfkelle *f*.
podium [pɔ'djɔm] *m* Podium *n*.
podologie 🕮 [pɔdɔlɔ'ʒi] *f* Podologie *f*, Lehre *f* vom Fuß.
poêle[1] [pwa:l] *m* Ofen *m*; ~ *de faïence* Kachelofen *m*; ~ *à feu continu* Dauerbrandofen *m*.
poêl|e[2] [~] *f* (Brat-)Pfanne *f*; **~ée** [pwa'le] *f e-e* Pfanne voll.
poêle[3] [~] *m* Sargtuch *n*.
poêlon [pwa'lõ] *m* kleine Pfanne *f*.
poème [pɔ'ɛ:m] *m* (längeres) Gedicht *n*; ~ *épique* Epos *n*.
poésie [pɔe'zi] *f* Poesie *f*, Dichtkunst *f*; Dichtung *f*; Gedicht *n*; ~ *du terroir* Heimatdichtung *f*; *recueil m de* ~ Gedichtsammlung *f*.
poète [pɔ'ɛt] *m* Dichter *m*; ~ *campagnard* Bauerndichter *m*; ~ *du terroir* Heimatdichter *m*; *femme f* ~ Dichterin *f*; *cette femme est un grand* ~ diese Frau ist e-e große Dichterin.
poét|esse *heute öfters péj.* [pɔe'tɛs] *f* (schlechte) Dichterin *f*; **~ique** [~'tik] **I** *adj.* □ poetisch, dichterisch; **II** *f* Poetik *f*; **~iser** [~ti'ze] *v/t.* (1a) dichterisch ausschmücken.
pognon P [pɔ'ɲõ] *m* Zaster *m* P.
poids [pwa] *m* **1.** Schwere *f*, Gewicht *n*; ~ *brut* (*net*) Brutto-(Netto-)gewicht *n*; ~ *mort* Eigengewicht *n* (*Fahrzeug*); ~ *de chargement* Ladegewicht *n*; *a.* ✈ ~ *à vide* Leergewicht *n*; ~ *abattu* Schlachtgewicht *n*; ~ *vivant*, ~ *vif* Lebendgewicht *n*; ✈ ~ *de décollage* Startgewicht *n*; **2.** Gewicht *n* zum Abwiegen; ~ *et mesures pl.* Maße *n/pl. u.* Gewichte *n/pl.*; *faire le* ~ das Gleichgewicht wiederherstellen; **3.** ~ *public* öffentliche Waage *f*; **4.** ⚓ ~ *utile* Nutzlast *f*; **5.** *Sport*: ~ *coq* Bantamgewicht *n*; ~ *mouche* Fliegengewicht *n*; ~ *plume* Federgewicht *n*; ~ *léger* Leichtgewicht *n*; ~ *mi-moyen* Weltergewicht *n*; ~ *moyen* Mittelgewicht *n*; ~ (*mi-*) *lourd* (Halb-)Schwergewicht *n*; (*lancement m du*) ~ Kugelstoßen *n*; **6.** Last *f*; **7.** *fig.* Bedeutung *f*, Wichtigkeit *f*; *article m de* ~ inhaltsreicher Artikel *m*; *homme m de* ~ Mann *m* von Gewicht (und Bedeutung); *motif m de* ~ schwerwiegender Grund *m*; *de peu de* ~ unerheblich; **8.** *Auto*: ~ *lourd* Lastkraftwagen *m*, Lkw *m*; **9.** *fig.* ~ *mort* unnütze Belastung *f*.
poignant [pwa'ɲɑ̃] *adj.* (7) stechend (*Schmerz*); *fig.* herzzerreißend, ergreifend, packend.
poignard [pwa'ɲa:r] *m* **1.** Dolch *m*; *coup m de* ~ Dolchstich *m*; **2.** *cout.* Stoffstreifen *m*; **~er** [~ɲar'de] *v/t.* (1a) erstechen; *fig.* schwer verletzen *fig.*
poign|e [pwaɲ] *f* Kraft *f*; Energie *f*, Schneid *m*; *avoir une bonne* ~, *avoir de la* ~ Kraft (in den Händen) haben; *un homme à* ~ ein Mann, der durchgreift; *un gouvernement à* ~ e-e Regierung, die durchgreift; e-e starke Regierung *f*; **~ée** [~'ɲe] *f* **1.** Handvoll *f*; Bündel *n*; *une* ~ *d'argent* e-e Handvoll Geld; *à* ~, *à pleines ~s* mit vollen Händen,

reichlich, in großen Mengen; **2.** *fig.* kleine Anzahl *f*; ~ *de gens*, ~ *de monde* e-e Handvoll Leute; **3.** ~ *de main* Händedruck *m*; **4.** Griff *m*; Heft *n*; (Schwert-)Knauf *m*; *vél. usw.* Handgriff *m*; ⊕ ~ *de manœuvre* Verschlußgriff *m*; ~ *de support* Halte-griff *m*, -riemen *m* (*in der Straßenbahn usw.*); **~et** [~'ɲɛ] *m* **1.** Handgelenk *n*; **2.** Manschette *f*.

poil [pwal] *m* **1.** Haar *n*, Fell *n* (*von Tieren*); *chien m à long* ~ langhaariger Hund *m*; *perdre son* ~ haaren; *monter un cheval à* ~ auf ein ungesatteltes Pferd steigen; F *fig. reprendre du* ~ *de la bête* sich wieder hochrappeln, wieder gesund werden, wieder auf der Höhe sein; *pol.* sich wieder erheben, wieder auferstehen; **2.** Haar *n an verschiedenen Körperteilen*; Barthaar *n*; ~ *follet* Flaumbart *m*; P *à* ~ nackt; P *à* ~! nieder!; F *c'est au* ~! das ist ja prima!; *fig. avoir du* ~ Haare auf den Zähnen haben; *un homme à* ~ ein fest entschlossener (*od.* resoluter) Mensch *m*; F *fig. un brave m à trois* ~*s* ein alter Draufgänger *m*; P *être de mauvais* ~ schlecht aufgelegt sein, schlechte Laune haben; P *avoir un* ~ *dans la main* faulenzen; *à un* ~ *près* um ein Haar; V *tirer les* ~*s du cul* (*od.* F *du machin*) etw. komplizieren; **3.** Farbe *f des Pferdes*; **4.** ⚘ Haar *n*.

poilu [pwa'ly] **I** *adj.* haarig, behaart; **II** *m Fr.* ⚔ Soldat *m* (*1914—18*).

poinçon ⊕ [pwɛ̃'sɔ̃] *m* Pfriem *m*; (Grab-)Stichel *m*; Stecheisen *n*; (Stein-)Meißel *m*; (Münz-, Medaillen-)Stempel *m*; **~nage** [~sɔ'naːʒ] *m* Eichen *n*, Stempeln *n*; **~ner** [~sɔ'ne] *v/t.* (1a) **1.** stempeln; eichen; stanzen; **2.** 🚂 *Fahrkarte* lochen, knipsen; **~neuse** ⊕ [~'nøːz] *f* Lochmaschine *f*, Lochstanze *f*.

poindre ['pwɛ̃ːdrə] *v/i.* (4b) anbrechen, aufgehen; *fig.* zum Vorschein kommen.

poing [pwɛ̃] *m* Faust *f*; *serrer* (*od. fermer*) *le* ~ die Faust ballen.

point [~] **I** *m* **1.** Punkt *m*; bestimmte Stelle *f*; ~*-virgule* Semikolon *n*; *deux* ~*s* Doppelpunkt *m*; ~ *d'interrogation* Fragezeichen *n*; ~ *d'exclamation* Ausrufungszeichen *n*; *un* ~, *c'est tout!* und dami Punkttum!; ~ *de vue* Aussicht *f*; Aussichtspunkt *m*; *fig.* Gesichtspunkt *m*; *du* (*od. au*) ~ *de vue de la politique internationale* vom Standpunkt der internationalen Politik; *d'un* ~ *de vue élevé* von hoher Warte aus; *du* (*od. au*) ~ *de vue financier od. monétaire* in geldlicher Hinsicht; ⚕ ~ *chaud* Hauptanziehungspunkt *m*; *fig.* Streitpunkt *m*; *mot.* ~ *d'allumage* Zündpunkt *m*; ✈ ~ *d'altitude*, ~ *fixe* Festpunkt *m*; ~ *d'appui* Stützpunkt *m* (*a. fig.*); ~ *de départ* Ausgangspunkt *m* (*a. fig.*); ✈ Abflugstelle *f*; Startplatz *m*; ⚔ ~ *de mire* Zielpunkt *m*; ✈ ~ *de repère* Richt-, Anhalts-punkt *m* (*a. fig.*); Merkmal *n*; Meßpunkt *m*; ⚔ ~ *de pointage* Richtpunkt *m*; *mettre au* ~ *opt.* einstellen; *Auto*: einfahren; *allg.* klarstellen, klären; *la question est au* ~ die Frage ist geklärt; *être au* ~ fertig (*od.* klar) sein; ~ *d'eau* Wasserstelle *f*; ⚔ ~ *de base navale* Flottenstützpunkt *m*; ~ *de rassemblement des blessés* (*légers*) (Leicht-)Verwundetensammelstelle *f*; ~ *de*(*s*) *chute*(*s*) Bombeneinschlag *m*; *phys.* ~ *d'inflammation* Entflammungspunkt *m*; *Auto*: ~ *mort* (*de la boîte de vitesse*) Leerlauf *m*; ⚔ ~ *d'éclatement* Sprengpunkt *m e-r Granate usw.*; ~ *de jonction*, ~ *de raccordement* Verbindungsstelle *f*; **2.** ⚕ a) Stich *m*, stechender Schmerz *m*; ~ *de côté* Seitenstechen *n*; b) F ~ *noir* Mitesser *m*; **3.** Stich *m mit der Nähnadel*; ~ *arrière* Steppstich *m*; ~*s pl. de chaînette* Kettenstiche *m/pl.*; ~ *de crochet* Häkelstich *m*; ~ *de maille* Maschenstich *m*; **4.** Stickerei *f*, Spitzenarbeit *f*; ~ *employé* Stickmuster *n*; ~ *d'esprit* künstliche Spitzenarbeit *f* auf Tüll; ~ *de plume Art* Stickerei *f* mit schrägen Stichen; genähte Spitze *f*; **5.** bestimmter Ort *m od.* Punkt *m* (*a.* ✈); ✈ ~ *de survol de la frontière* Grenzüberflugstelle *f*; **6.** ⚓ Besteck *n* (*Schiffsort nach Längen- u. Breitengrad*); *fig. faire le* ~ *de la situation* die Lage überprüfen (*od.* untersuchen), sich über die Lage klar werden, die Lage klären; **7.** *écol.* Note *f*; *marquer un bon* ~ e-n guten Punkt anschreiben; *mauvais* ~ schlechter Punkt *m*; *Sport*: Strafpunkt *m*; **8.** *fig.* Frage *f*, Punkt *m*; *de* ~ *en* ~, ~ *par* ~ Punkt für Punkt; *de tout* ~, *en tout* ~ in jeder Hinsicht, vollkommen; **9.** ~ *capital* (*od. essentiel*) a) *écol.* Pointe *f* (*e-r Geschichte*); b) *allg.* Hauptsache *f*; **10.** Lage *f*, Zustand *m*; *être mal en* ~ gesundheitlich nicht; auf der Höhe sein; *être bon en* ~ gesundheitlich in Ordnung sein; **11.** Grad *m*; *advt. au dernier* ~, *au plus haut* ~ im höchsten Grade, überaus; (*jusqu'*)*à quel* ~? inwieweit?; *au* ~ *que* ... in e-m solchen Maße, daß ...; *faire parfaitement au* ~ auf den höchsten Stand bringen; *au* ~ *où en sont les choses* bei dem gegenwärtigen Stand der Dinge; **12.** Augenblick *m*, (Zeit-)Punkt *m*; *sur le* ~ *que* ..., *au* ~ *où* ... in dem Augenblick, als *od.* wo ...; *être sur le* ~ *de* ... im Begriff sein zu ...; *advt. à* ~ (*nommé*) gerade zur rechten Zeit, gerade richtig F; **13.** Sichtbarwerden *n*, Anbruch *m*; ~ *du jour* Tagesanbruch *m*; **14.** *Spiel u. Sport*: ~*s pl.* Augen *n/pl. e-r Karte od. auf Würfeln*; *Sport*: *battre aux* ~*s* an Punktzahl übertreffen; **II** *adv. de nég.* **15.** ne ... ~ (*bsd. in der Schrift- und Bauernsprache gebr.*) gar (*od.* überhaupt) nicht; (*ne* ...) ~ *de* ... gar (*od.* überhaupt) kein(e) ...; **16.** ~ *du tout* gar nicht.

point|age [pwɛ̃'ta:ʒ] *m* **1.** Punktieren *n*; ⊕ *travaux m/pl. de* ~ Bohrarbeiten *f/pl.*; **2.** ⚔ Richten *n e-s Geschützes*; **3.** Stechuhrkontrolle *f*; *pol.* Stimmenzählung *f*; **4.** *Sport*: Wertung *f*; ~**al** *charp.* [~'tal] *m* (5c) Stützbalken *m*.

pointe [pwɛ̃:t] *f* **1.** Spitze *f*; Stachel *m*; *advt. en* ~ spitz (zulaufend); *tailler en* ~ an-, zu-spitzen; ~ *du pied* Fuß-, Zehen-spitze *f*; *sur la* ~ *des pieds* auf Zehenspitzen; *fig.* ganz vorsichtig; ~*s pl. d'asperges* Spargelköpfe *m/pl.*; *Sport*: (*chaussures f/pl. à*) ~*s pl.* Spikes *pl.*, Rennschuhe *m/pl.*; *à la* ~ *de l'épée* mit Gewalt; **2.** ~ *de terre* Landzunge *f*; ~ *d'une montagne* Bergspitze *f*; **3.** a) Dreieckstuch *n*; b) Windel *f*; **4.** *fig.* spitze Bemerkung *f*; *fig.* Anflug *m*; *fig. une* ~ *de jalousie* ein Anflug von Eifersucht; ~ *de raillerie* spöttelnder Unterton *m*; *avec une* ~ *d'humour* mit e-m bißchen Humor; **5.** Anbruch *m*, Beginn *m*; *à la* ~ *du jour* bei Tagesanbruch; **6.** ⊕ (Nagel-)Stift *m*; Zwecke *f*; *sculp.* Spitzmeißel *m*; ~ *plafonneur* Rohrstift *m*; ~ *de moulure* Formerstift *m*; *Auto*: ~ *de bougie* Kerzenstift *m*; ~ *de Paris* Drahtstift *m*; ~ *à graver* Radiernadel *f*; **7.** *fig. a.* ⚔ *faire* (*od. pousser*) *une* ~ *jusqu'à* ... bis nach ... vorstoßen; ~**au** [~'to] *m* **1.** ⊕ Körner *m*; **2.** die Arbeitszeit kontrollierender Pförtner *m* (*Fabrik*); **3.** *Auto*: Benzinspindel *f*; ~ *du carburateur* Schwimmernadel *f*; ~**ment** ⚔ [pwɛ̃t'mɑ̃] *m* Richten *n e-s Geschützes.*

pointer[1] [pwɛ̃'te] (1a) **I** *v/t.* **1.** ⊕, ♪, *peint.* punktieren; **2.** notieren, kontrollieren; abhaken, kennzeichnen; *Sport*: werten; *pol.* zählen (*Stimmen*); **3.** *Nadeln, Ohren* spitzen; *bisw.* ~ *un crayon* (*meist*: *tailler un* ...) e-n Bleistift anspitzen; **4.** ⚔ *ein Geschütz* richten; **5.** ~ *q.* (*qch.*) *du doigt* mit dem Finger auf j-n (etw.) zeigen; **II** *v/i.* **6.** punktieren; **7.** ⚘ keimen (*Pflanze*); anbrechen (*Tag*); *fig.* sich herausbilden; **8.** emporragen (*Turm, Kirchturm*); in die Höhe fliegen (*Vogel*); **9.** durch die Kontrolle gehen (*Fabrik*); *aller* ~ stempeln gehen (*Arbeitsloser*); **10.** ⚔ ~ *sur* vorstoßen gegen; **III** *v/rfl.* se ~ a) die Stechuhr bedienen; b) F aufkreuzen, ankommen.

pointer[2] *ch.* [pwɛ̃'tɛ:r] *m* Vorstehhund *m*.

pointeur [pwɛ̃'tœ:r] *m* **1.** ⚔ Richtschütze *m*, -kanonier *m*; **2.** ⚓ *chef m* ~ *d'un tube lance-torpille* Rohrmeister *m*; **3.** *typ.* Punktierer *m*; **4.** a) = *pointeau*, 2; b) *Sport*: Zeitnehmer *m*; Punktzähler *m*.

pointeuse ⊕ [pwɛ̃'tø:z] *f* Lehrenbohrmaschine *f*.

pointil|lage [pwɛ̃ti'ja:ʒ] *m* Punktieren *n*; ~**lé** [~'je] **I** *adj.* punktiert; getüpfelt; **II** *m* Punktierung *f*, punktierte Arbeit *f*; ~**ler** [~] *v/t.* (1a) punktieren; ~**leux** [~'jø] *adj.* (7d) kleinlich, rechthaberisch; ~**lisme** *peint.* [~'jism] *m* Pünktchenmalerei *f*.

pointu [pwɛ̃'ty] **I** *adj.* **1.** spitz; *nez m* ~ Spitznase *f*; **2.** *fig.* kleinlich, spitzfindig; empfindlich, reizbar; **3.** scharf, schrill (*Stimme*); **II** *m* Hitzkopf *m*, Querkopf *m*; empfindlicher Mensch *m*; ~**re** [~'ty:r] *f* (*Schuh-, Handschuh-, Hut-*)Nummer *f*.

point-virgule *gr.* [pwɛ̃vir'gyl] *m* Semikolon *n*.

poire [pwa:r] *f* **1.** Birne *f*; ~ *de garde*, ~ *d'hiver* Winterbirne *f*; *fig. entre la* ~ *et le fromage* beim Nachtisch; *garder une* ~ *pour la soif* e-n Notgroschen zurücklegen; **2.** ~ *à lavements*, ~ *en caoutchouc* Klistierspritze *f*; **3.** P Gesicht *n*; Dussel *m*;

fig. P *être* ~ gutmütig dumm sein; *faire sa* ~ angeben.

poiré [pwa're] *m* Birnenmost *m.*

poireau [pwa'ro], *auch* **porreau** [pɔ'ro] *m* (5b) ♀ Porree *m*, Lauch *m*; F *faire le* ~ lange u. ungeduldig warten (müssen), sehnlich warten.

poireauter F [pwaro'te] *v/i.* (1a) lange warten.

poirée [pwa're] *f* Mangold *m.*

poirer * [~] *v/t.* (1a) erwischen.

poirier [pwa'rje] *m* Birnbaum *m*; *gym. faire le* ~ e-n Kopfstand machen.

pois [pwa] *m* Erbse *f*; *fleur f des* ~ Erbsenblüte *f*; ~ *chiche* Kichererbse *f*; ~ *pl. en cosse* Schotenerbsen *f/pl.*; ~ *pl. gourmands* Zuckererbsen *f/pl.*; ~ *verts, petits* ~ Schoten *f/pl.*, grüne Erbsen *f/pl.*; ~ *cassés* halbe Erbsen *f/pl.*; F *fig. c'est la fleur des* ~ das ist der größte Geck (*od.* Angeber).

poison [pwa'zɔ̃] *m* Gift *n.*

poissard *litt.* [pwa'sa:r] *adj.* (7d) pöbelhaft, vulgär.

poissarde *péj.* [~'sard] *f* Marktweib *n.*

poisse [pwas] **I** * *m* Zuhälter *m*; Strolch *m*; **II** P *f* Unglück *n*, Pech *n fig.*, Mist *m* P; *avoir la* ~ Pech haben.

pois|ser [pwa'se] *v/t.* (1a) **1.** (aus-, ver-)pichen; *fil m poissé* Pechdraht *m*; **2.** *fig.* beschmieren; **3.** a) P klauen, stemmen, klemmen; b) * erwischen, schnappen; **~seux** [~'sø] *adj.* (7d) klebrig, schmierig.

poisson [pwa'sɔ̃] *m* Fisch *m*; ~ *de mer* Seefisch *m*; ~ *d'eau douce*, ~ *de rivière* Süßwasser-, Fluß-fisch *m*; ~ *blanc* Weißfisch *m*; ~ *doré*, ~ *rouge* Goldfisch *m*; *fig.* ~ *d'avril* Aprilscherz *m*; *faire un* ~ *d'avril à q.* j-n in den April schicken; **~-chat** *icht.* [~'ʃa] *m* (6a) Wels *m*; **~naille** [~sɔ'nɑ:j] *f* kleine Fische *m/pl.*; **~nerie** [~sɔn'ri] *f* Fischgeschäft *n*, -markt *m*; **~neux** [~'nø] *adj.* (7d) fischreich; **~nier** [~'nje] *su.* (7b) Fischhändler *m.*

poitrail [pwa'traj] *m* **1.** Pferdebrust *f*; Brust *f* (*v. einigen Tieren*); **2.** Brustriemen *m*; Vordergeschirr *n*; **3.** *charp.* Träger *m.*

poitri|naire ⚕ [pwatri'nɛ:r] *adj. u. su.* schwindsüchtig; Schwindsüchtige(r) *m*; **~ne** [~'tri:n] *f* **1.** Brust *f*; Busen *m*; ~ *de veau* Kalbsbrust *f*; **2.** Lunge *f*: *fluxion f de* ~ Lungenentzündung *f*; **3.** *fig. voix f de* ~ volle Stimme *f.*

poivr|ade [pwa'vrad] *f* Pfeffersoße *f*; **~e** ['pwa:vrə] *m* Pfeffer *m*; *fig.* Schärfe *f*; Unanständigkeit *f*; P Schnaps *m*; *grain m de* ~ Pfefferkorn *n*; ~ *long* spanischer Pfeffer *m*; *fig. cher comme* ~ horrend (*od.* sündhaft) teuer; ~ *et sel* schwarz und weiß gesprenkelt, graumeliert; * *être* ~ besoffen sein; **~er** [pwa'vre] (1a) **I** *v/t.* **1.** pfeffern; *fig. poivré* gepfeffert (*Preis*); **2.** *fig.* ~ *q.* j-n neppen F, j-n übers Ohr hauen; P j-n mit der Syphilis anstecken; **II** * *v/rfl. se* ~ sich besaufen; **~ier** [~vri'e] *m* **1.** ♀ Pfefferstrauch *m*; **2.** Pfefferstreuer *m*; **~ière** [~vri'ɛ:r] *f* **1.** Pfefferstreuer *m*; **2.** *frt.* steinernes Schilderhaus *n*; *tour f en* ~ runder Spitzturm *m.*

poivron ♀ [pwa'vrɔ̃] *m* Paprikaschote *f.*

poivrot P [pwa'vro] *su.* (7) Säufer *m.*

poix [pwa] *f* Pech *n*; ~*-résine f* Pechharz *n*; ~ *minérale* Erdharz *n*; ~ *navale* Schiffspech *n.*

poker [pɔ'kɛ:r] *m* Pokerspiel *n.*

polaire [pɔ'lɛ:r] *adj.* Polar...; *cercle m* ~ Polarkreis *m*; *mer f* ~ Eis-, Polar-meer *n*; *a. f*: (*étoile f*) ~ Polarstern *m*; *a. fig.* Leitstern *m.*

polar * [pɔ'la:r] *m* Krimi *m.*

polari|mètre [pɔlari'mɛ:trə] *m* Polarimeter *n*; **~sant** [~'zɑ̃] *adj.* (7) polarisierend; **~sation** [~zɑ'sjɔ̃] *f* Polarisation *f*; *télégr., téléph.* ~ *de grille* Gittervorspannung *f*; **~ser** [~'ze] *v/t.* (1a) polarisieren; *fig.* fesseln, beeindrucken; * *écol., allg. être polarisé geistig* total mit Beschlag belegt sein; **~seur** *phys.* [~'zœ:r] *m* Polarisator *m*; **~té** [~ri'te] *f* Polarität *f.*

polder *géol.* [pɔl'dɛ:r] *m* Polder *m.*

pôle [po:l] *m* Pol *m*, Angel-, Drehpunkt *m*; ~ *arctique*, ~ *nord* Nordpol *m*; ~ *antarctique*, ~ *sud*, ~ *austral* Südpol *m*; ⚡ ~ *positif* (*négatif*) Plus- (Minus-)pol *m.*

polémi|que [pɔle'mik] **I** *adj.* polemisch; Streit...; *écrit m* ~ Streitschrift *f*; **II** *f* Polemik *f*; **~quer** [~'ke] *v/i.* (1a) polemisieren (*sur un thème* über ein Thema); **~ste** [~'mist] *m* Polemiker *m.*

polémologie [pɔlemɔlɔ'ʒi] *f* Friedensforschung *f.*

poli [pɔ'li] **I** *adj.* **1.** glattpoliert, blank; **2.** höflich; mit feinen Manieren; **II** *m* Glätte *f*, Politur *f*; Polier-mittel *n*, -grund *m.*

police[1] [pɔ'lis] *f* Polizei *f*; *agent m de* ~ Polizist *m*; ~ *judiciaire* Kriminalpolizei *f*, Kripo *f*; ~ *des constructions* Baupolizei *f*; ~ *des rues* Verkehrspolizei *f*; ~ *des étrangers* Fremdenpolizei *f*; ~ *de surveillance des routes* Straßenpolizei *f*; ~ *de sûreté* Sicherheitspolizei *f*.

police² [~] *f* Police *f*, Versicherungsschein *m*; ⚓ ~ *de chargement* Konnossement *n*, Seefrachtbrief *m*; ~ *d'abonnement*, ~ *à forfait*, ~ *flottante* Pauschalpolice *f*.

policé [pɔli'se] *adj.* gebildet; gesittet, zivilisiert; *une société* ~*e* e-e gebildete Gesellschaft *f*.

police-secours [pɔ'lissə'ku:r] *f* (6b) Überfall-, Unfall-kommando *n*.

polichinelle [pɔliʃi'nɛl] *m* Hanswurst *m*; Possenreißer *m*; *secret m de* ~ offenes Geheimnis *n*.

policier [pɔli'sje] *adj.* (7b) *u. m* Polizei...; Polizist *m*; *chien m* ~ Polizeihund *m*; *film m* ~ Kriminalfilm *m*; *roman m* ~ *od. nur* ~ *m* Kriminalroman *m*.

policlinique [pɔlikli'nik] *f* Poliklinik *f*.

polio ⚕ [pɔ'ljo] *f* spinale Kinderlähmung *f*.

polir [pɔ'li:r] *v/t.* (2a) **1.** glätten, glänzend machen, polieren; **2.** *fig.* (aus)feilen, den letzten Schliff geben (*dat.*).

polis|sable [pɔli'sablə] *adj.* polierbar, glättbar; ~**sage** [~'sa:ʒ] *m* Polieren *n*, Schleifen *n*; ~**seur** [~'sœ:r] *su.* (7g) Polierer *m*; ~ *de glaces* (Spiegel[glas]-)Schleifer *m*; ~**seuse** ⊕ [~'sø:z] *f* Schleifmaschine *f*; ~**soir** ⊕ [~'swa:r] *m* Polierwerkzeug *n*; ~ *à ongles* Fingernagelfeile *f*; ~**soire** [~] *f* Schuhbürste *f*.

polisson [pɔli'sɔ̃] *su. u. adj.* (7c) Schlingel *m*, Bengel *m*; ungezogen, keß; ~**ner** [~sɔ'ne] *v/i.* (1a) sich keß benehmen; ~**nerie** [~sɔn'ri] *f* Jungenstreich *m*; Unanständigkeit *f*, Schweinerei *f* P, Zote *f*; unanständiges Benehmen *n*.

politesse [pɔli'tɛs] *f* Höflichkeit *f*, Lebensart *f*, Schliff *m*, gute Umgangsformen *f/pl.*; ~*s pl.* Höflichkeitsbezeigungen *f/pl.*; *manquer de* ~ keine Lebensart haben.

politi|caillerie *péj.* [pɔlitikaj'ri] *f* politisches Gerangel *n*; ~**card** *péj.* [~'ka:r] *m* politischer Hochkömmling *m*; ~**cien** *péj.* [~'sjɛ̃] *su.* (7c) **1.** Politiker *m*; **2.** *péj.* politischer Stümper *m* (*od.* Laie *m*); ~**co-économique** [~kɔekɔnɔ'mik] *adj.* handels-, wirtschafts-politisch; ~**que** [~'tik] **I** *adj.* □ politisch, staatsmännisch; Staats...; *économie f* ~ Nationalökonomie *f*, Volkswirtschaft *f*; **II** *m* Staatsmann *m*, Politiker *m*; **III** *f* Politik *f*; ~ *réaliste*, ~ *des réalités* Realpolitik *f*; ~ *culturelle*, ~ *économique*, ~ *commerciale*, ~ *communale*, ~ *fiscale*, ~ *tarifaire* Kultur-, Wirtschafts-, Handels-, Kommunal-, Steuer-, Tarif-politik *f*; ~ *mondiale* Weltpolitik *f*; ~ *des prix* Preis-politik *f*, -gestaltung *f*; ~ *de(s) crédit(s)* Kredit-politik *f*, -wirtschaft *f*; ~ *de sanction*, ~ *d'intérêts*, ~ *de parti(s)*, ~ *de force*, ~ *d'alliance*, ~ *de rapprochement*, ~ *d'entente* Sanktions-, Interessen-, Partei-, Macht-, Bündnis-, Annäherungs-, Verständigungs-politik *f*; *fig.* ~ *d'autruche*, ~ *de la tête sous l'aile* Vogel-Strauß-Politik *f*; *par* ~ aus politischen Gründen; *parler* ~ von Politik sprechen; ~**sation** [~za'sjɔ̃] *f* Verpolitisierung *f*; ~**sé** [~'ze] *adj.* politisch interessiert; ~**ser** [~] *v/t.* verpolitisieren; *j-s* Interesse für Politik wecken.

polka [pɔl'ka] *f* Polka *f* (*Tanz*).

pollakiurie ⚕ [pɔlakjy'ri] *f* häufiger Harndrang *m*.

pollen ⚘ [pɔ'lɛn] *m* Pollen *m*.

pollu|ant ⚗, *biol.* [pɔ'lɥɑ̃] *m* Verschmutzungsteilchen *n*, Schadstoff *m*; ~**er** [~'lɥe] *v/t.* (1a) verschmutzen, verunreinigen; ~**eur** [~'lɥœ:r] *m*: ~ *de l'environnement* Umweltverschmutzer *m*; ~**tion** [pɔly'sjɔ̃] *f* **1.** Verschmutzung *f*; ~ *de l'air (des eaux)* Luft- (Wasser-)Verschmutzung *f*; **2.** Pollution *f*, Samenerguß *m*.

polochon [pɔlɔ'ʃɔ̃] *m* **1.** P Kopfkissen *n*; **2.** Handtasche *f* in Beutelform.

Pologne [pɔ'lɔɲ] *f*: **la** ~ Polen *n*.

polonais [pɔlɔ'nɛ] *adj. u.* ♀ *su.* (7) polnisch; Pole *m* (*f*: Polin).

poltron [pɔl'trɔ̃] *adj.* □ *u. su.* (7c) feige; Feigling *m*, Hasenfuß *m*; ~**nerie** [~trɔn'ri] *f* Feigheit *f*.

poly|andrie [pɔliɑ̃'dri] *f* Vielmännerei *f*, Polyandrie *f*; ~**chrome** [~'kro:m] *adj.* mehr-, viel-farbig; ~**clinique** [~kli'nik] *f* Poliklinik *f*; ~**copiage** [~kɔ'pja:ʒ] *m* Vervielfältigung *f*; ~**copie** [~kɔ'pi] *f* Vervielfältigungsverfahren *n*; ~**copié** [~'pje] *adj./m u. m*: (*cours m*) ~ vervielfältigtes Kolleg *n*, Skriptum *n*; ~**copier** [~] *v/t.* (1a) vervielfältigen; ~**dipsie** ⚕ [~dip'si] *f* krankhafter Durst *m*; ~**èdre** ⩚ [~'ɛ:drə] *adj. u. m* vielflächig; Polyeder *n*,

Vielflächner *m*; **~game** [~'gam] *adj.* polygam; **~gamie** [~ga'mi] *f* Polygamie *f*; **~glotte** [~'glɔt] *adj. u. su.* vielsprachig; Polyglotte(r) *m*, Sprachenkenner *m*; **~glottisme** [~'tism] *m* Kenntnis *f* vieler Fremdsprachen; **~gonal** ⩓ [~gɔ'nal] *adj.* (5c) viel-eckig, -seitig; **~gone** [~'gɔn] **I** *adj.* ⩓ vieleckig; polygonal; **II** *m* ⩓ Polygon *n*, Vieleck *n*; ⚔ Schieß(übungs)platz *m*; **~graphe** [~'graf] *m* vielseitiger Schriftsteller *m*; **~gyne** ⚘ [~'ʒin] *adj.* polygynisch; **~nôme** ⩓ [~'no:m] *m* vielgliedrige Größe *f*.

polype *zo.*, ⚕ [pɔ'lip] *m* Polyp *m*.

polypétale ⚘ [pɔlipe'tal] *adj.* vielblättrig.

polypeux ⚕ [pɔli'pø] *adj.* (7d) polypenartig.

polyphasé ⚡ [~fa'ze] *adj.* mehrphasig; *courant m* ~ Mehrphasenstrom *m*.

polypho|nie ♪ [~fɔ'ni] *f* Polyphonie *f*; **~nique** [~'nik] *adj.* polyphon.

polysyllab|e *gr.* [~si'lab] **I** *m* mehrsilbiges Wort *n*; **II** *adj.* mehrsilbig; **~ique** *gr.* [~'bik] *adj.* mehrsilbig.

polytechni|cien [~tɛkni'sjɛ̃] *m* Fachschulingenieur *m*; *écol.* Schüler *m* e-s Technikums; **~que** [~'nik] *adj. u. f*: polytechnisch; (*école f*) ~ Polytechnikum *n*.

polythéisme [~te'ism] *m* Polytheismus *m*.

polythéiste [~te'ist] **I** *adj.* polytheistisch; **II** *m* Polytheist *m*.

polyurie ⚕ [pɔliy'ri] *f* Polyurie *f*.

poly|valence [~va'lɑ̃:s] *f* **1.** *gr.* mehrfache Bedeutung *f e-s Wortes*; **2.** ⊕ mehrfache (*od.* vielseitige) Verwendung *f* (*od.* Verwendungsmöglichkeit *f*) *e-r Maschine*, Mehrzweckprinzip *n*; **~valent** [~va'lɑ̃] *adj.* (7) ⚗ mehrwertig; *a. phm.* vielfältig verwendbar; *fin.* mit mehreren Steuerkontrollen beauftragt; ⊕ Mehrzweck...

pomerol [pɔm'rɔl] *m* Pomerolwein *m*.

pomiculteur [pɔmikyl'tœ:r] *m* Obst(baum)züchter *m*.

pomma|de ⚕ [pɔ'mad] *f* Salbe *f*; ~ *pour la peau* Hautsalbe *f*; ~ *à la pénicilline* Penizillinsalbe *f*; ~ *à l'oxyde de zinc* Zinksalbe *f*; *fig. passer de la* ~ *à q.* j-m um den Bart schmieren; **~der** *plais. u. péj.* [~'de] *v/t.* (1a) mit Pomade einschmieren; **~dier** *phm.* [~'dje] *m* großer Salbenmörser *m*.

pommard [pɔ'ma:r] *m* Burgunderwein *m*.

pomme [pɔm] *f* **1.** Apfel *m*; ~ *à cidre* Mostapfel *m*; ~ *sauvage* Holzapfel *m*; ~ *cuite* Bratapfel *m*; *fig.* ~ *de discorde* Zankapfel *m*; **2.** *anat.* ~ *d'Adam* Adamsapfel *m*; **3.** ⚘ ~ *de chou* Herz *n* vom Kohlkopf; ~ *de pin* Tannenzapfen *m*; **4.** ~ *de terre* Kartoffel *f*; ~ *de terre précoce* Frühkartoffel *f*; ~ *de terre tardive* Winterkartoffel *f*; ~*s frites* Pommes frites *pl.*; ~*s pl.* (*de terre*) *paille* Strohkartoffeln *f/pl.*; ~*s sautées* in Butter geschwenkte Kartoffeln *f/pl.*; ~*s en robe de chambre* Pellkartoffeln *f/pl.*; *purée f de* ~*s* Stampf-, Quetsch-kartoffeln *f/pl.*, Kartoffelpüree *n*; **5.** Knopf *m am Stock*; ~ *d'arrosoir* Gießkannenbrause *f*, Tülle *f*; **6.** P Kopf *m*, Gesicht *n*; *ma* ~ ich; *ta* ~ du; *sa* ~ er (sie); **7.** P *tomber dans les* ~*s* ohnmächtig werden; P *aux* ~*s* piekfein, bestens, ausgezeichnet.

pommé [pɔ'me] *adj.*: *chou m* ~ Kopfkohl *m*; *laitue f* ~*e* Kopfsalat *m*.

pommeau [pɔ'mo] *m* (5b) **1.** Degenknauf *m*; **2.** Sattelknopf *m*.

pommelé [pɔm'le] *adj.* mit Schäfchenwolken bedeckt; *cheval m blanc* ~ Apfelschimmel *m*.

pommelle ⊕ [~'mɛl] *f* Seihblech *n*.

pommer [pɔ'me] *v/i.* (1a) Köpfe ansetzen (*von Kohlarten*).

pommette *anat.* [pɔ'mɛt] *f* Backenknochen *m*.

pommier [pɔ'mje] *m* Apfelbaum *m*.

pomologie [pɔmɔlɔ'ʒi] *f* Obstkunde *f*.

pompe[1] [pɔ̃:p] *f* **1.** feierlicher Aufzug *m*, Festzug *m*; ~ *funèbre* feierliches Leichenbegängnis *n*; ~*s pl. funèbres* Beerdigungsinstitut *n*; *voiture f des* ~*s funèbres* Leichenwagen *m*; **2.** Prunk *m*, Pomp *m*.

pompe[2] [~] *f* **1.** Pumpe *f*; ~ *aspirante* Saugpumpe *f*; ~ *foulante* Druckpumpe *f*; ~ *à air* Luftpumpe *f*; *Auto*: ~ *à essence* Zapfstelle *f*; ~ *à feu*, ~ *à incendie* Feuerspritze *f*; *vél.* ~ *à bicyclette*, ~ *à pneu*, ~ *pneumatique* Luftpumpe *f*; ~ *à piston*, ~ *à diaphragme*, ~ *de graissage* Kolben-, Membran-, Öl-pumpe *f*; ⚒ ~ *d'épuisement* Abbaupumpe *f*; ⊕ ~ *à barillet* Faßpumpe *f*; ~ *à engrenages* Zahnradpumpe *f*; *donner un coup de* ~ (*à*) aufpumpen; **2.** ♪ Ansatzstück *n e-r Posaune usw.*; **3.** Vogelnäpfchen *n*; **4.** P Schuh *m*;

5. * *écol.* Büffeln *n*; **6.** F *à toutes ~s* wie ein geölter Blitz; *Sport*: *coup m de ~* Erschöpfung *f*.

pomp|er [pɔ̃'pe] (1a) **I** *v/t.* **1.** (auf-, aus-)pumpen, an sich saugen; **2.** *fig.* aufsaugen, an sich ziehen; **3.** P erschöpfen; **4.** P tanken, saufen; **5.** P ausfragen; *écol.* schlauchen F; **II** *v/i.* **6.** saufen P; **7.** * *écol.* büffeln; * *~ sur un autre* von j-m anderen abschreiben; **~ette** F [~'pɛt] *adj.* beschwipst.

pompeux [pɔ̃'pø] *adj.* (7d) □ pomphaft; *fig.* hochtrabend (*Stil*).

pompidol|ien [pɔ̃pidɔ'ljɛ̃] *adj.* (7c) von Georges Pompidou; **~isme** [~'lism] *m* Politik *f* (*od.* Ära *f*) Pompidous.

pompier [pɔ̃'pje] **I** *m* **1.** Feuerwehrmann *m*; *~s pl.* Feuerwehr *f*; **2.** Arbeiter *m* der Stadtentwässerung; **II** *su.* (7b) Änderungsschneider *m*; **III** F *adj.* (7b) kitschig, abgedroschen; hochtrabend.

pompiérisme *péj.* [pɔ̃pje'rism] *m* pseudoklassischer Stil *m*, Kitsch *m*.

pompiste [pɔ̃'pist] *su.* Tankwart *m*.

pompon [pɔ̃'pɔ̃] *m* Quaste *f*, Troddel *f*; F *fig. à lui le ~!* ihm kommt keiner gleich!; F *avoir le ~* alle anderen übertreffen; **~ner** [~pɔ'ne] *v/t.* (1a) (*a. affektiert*) (aus)schmükken (*a. Stil*).

ponçage [pɔ̃'sa:ʒ] *m* **1.** Durchpausen *n*; **2.** ⊕ Schleifen *n*.

Ponce[1] [pɔ̃:s] *npr.* Pontius *m*; *renvoyer de ~ à Pilate* von Pontius zu Pilatus schicken.

ponce[2] [~] *f* (*a. adj.*: *pierre f ~*) Bimsstein *m*.

ponceau[1] [pɔ̃'so] *m* (5b) **1.** ⚘ Klatsch-rose *f*, -mohn *m*; **2.** Hochrot *n* (*a. adj. inv.*).

ponceau[2] [~] *m* (5b) kleine Brücke *f*; Abzugsgraben *m*.

poncer [pɔ̃'se] *v/t.* (1k) **1.** (durch-) pausen; **2.** (ab)schleifen.

ponceuse ⊕ [pɔ̃'sø:z] *f* Bandschleifmaschine *f*.

ponceux [pɔ̃'sø] *adj.* (7d) bimssteinartig.

poncif [pɔ̃'sif] *m* **1.** Schablone *f*; **2.** *péj.* abgedroschene Phrase *f*; Abklatsch *m*; *litt.* Gemeinplatz *m*, Klischee *n*.

ponction ⚕ [pɔ̃k'sjɔ̃] *f* Punktur *f*, Einstich *m*; **~ner** [~ksjɔ'ne] *v/t.* (1a) e-n Einstich machen, punktieren.

ponctualité [pɔ̃ktɥali'te] *f* Pünktlichkeit *f*.

ponctuation [pɔ̃ktɥa'sjɔ̃] *f* **1.** *gr.* Zeichensetzung *f*, Interpunktion *f*; **2.** ♪ Bezeichnen *n* der Pausen; **3.** ⚘ Punktierung *f*.

ponctuel [pɔ̃k'tɥɛl] *adj.* (7c) □ pünktlich; *pas ~* unpünktlich; *a.* ⚔ *action f ~le* Einzelhandlung *f*.

ponctuer [pɔ̃k'tɥe] *v/t.* (1a) **1.** punktieren; tüpfeln; **2.** *gr.* interpunktieren; **3.** ♪ die Pausen bezeichnen.

pondaison *orn.* [pɔ̃dɛ'zɔ̃] *f* Legezeit *f*.

pondé|rabilité *phys.* [pɔ̃derabili'te] *f* Wiegbarkeit *f*; **~rable** *phys.* [~'rablə] *adj.* wiegbar; **~ral** [~'ral] *adj.* (5c) Gewichts...; **~rateur** [~ra'tœ:r] *adj.* (7f) das Gleichgewicht erhaltend; **~ration** [~rɑ'sjɔ̃] *f* **1.** *phys.* Gleichgewicht(slehre *f*) *n*, Statik *f*; **2.** Abwägen *n*; *fig.* Kaltblütigkeit *f*; innere Ausgeglichenheit *f*, Beherrschtheit *f*; **~ré** [~'re] *adj.* ausgeglichen, beherrscht; gesetzt, ernst; **~rer** [~] *v/t.* (1f) **1.** abwägen, ins richtige Gleichgewicht bringen; **2.** *fig.* beruhigen, mäßigen, dämpfen; **~reux** [~'rø] **I** *adj.* (7d) sehr schwer; **II** *m/pl.* Massengüter *n/pl.*

pond|euse [pɔ̃'dø:z] *adj./f u. f* (*poule f*) *~* Legehenne *f*; **~oir** [~'dwa:r] *m* (Lege-)Korb *m od.* Nest *n* der Hühner; **~re** ['pɔ̃:drə] *v/t. u. v/i.* (4a) (Eier) legen; *œuf m frais pondu* frisch gelegtes Ei *n*.

ponette *zo.* [pɔ'nɛt] *f* Ponystute *f*.

poney *zo.* [pɔ'nɛ] *m* Pony *n*.

pongé *text.* [pɔ̃'ʒe] *m* Pongé *m*.

pongiste [pɔ̃'ʒist] *su.* Pingpongspieler *m*.

pont [pɔ̃] *m* **1.** Brücke *f*; ✈ *~ aérien* Luftbrücke *f*; ✈ *~ d'atterrissage* Landungsbrücke *f*; ✈ *~ d'envol* Startdeck *n* (*e-s Flugzeugträgers*); *~ à bascule* Brückenwaage *f*; *~ de bateaux* Schiffs-, Ponton-brücke *f*; ⊕ *~ à câble* Drahtseilförderer *m*; *~-levis* Zugbrücke *f*; *~ roulant* Roll-, Schiebe-brücke *f*; ⊕ Lauf-, Brükken-kran *m*, Krananlage *f*; *~ suspendu* Hänge-, Ketten-brücke *f*; *~ tournant* Drehbrücke *f*; 🚂 Drehscheibe *f*; *~ transbordeur* Schwebefähre *f*; *~ à trappe* Klappbrücke *f*; ⚔ *tête f de ~* Brückenkopf *m*; *~s et chaussées* Brücken- u. Wegebau *m*; *Fr.* Straßenbauverwaltung *f*; *Auto*: *~ de graissage* Hebebühne *f* zum Abschmieren; **2.** *~* (*de pantalon*) Hosen-latz *m*, -klappe *f*; **3.** ⚓ Deck *n*; *premier ~* Unterdeck *n*; *~ supérieur* Oberdeck *n*; *faux ~* Zwischendeck *n*; *vaisseau m à trois ~s* Dreidecker *m*; **4.** *géogr.* *~ de* *terre* Landbrücke *f*; **5.** *Auto*: Achse *f*; ~ *avant* Vorderachse *f*; ~ *arrière* Hinterachse *f*; ~ *arrière à cardans transversaux* Schwingachse *f*; **6.** *fig.* F ~ *aux ânes* Eselsbrücke *f*; *faire le* ~ an e-m zwischen zwei Feiertagen liegenden Arbeitstag nicht arbeiten; *couper dans le* ~ F reinfallen, sich etw. vormachen lassen; *faire un* ~ *d'or à q.* j-m goldene Brücken bauen.

pontage ⚔ [pɔ̃'taːʒ] *m* Brückenbau *m*.

ponte[1] [pɔ̃ːt] *m* Gegenspieler *m* (*Roulette*); F *fig.* Bonze *m*, hohes Tier *n*, Prominente(r) *m*.

ponte[2] [~] *f* **1.** Eierlegen *n*; **2.** Gelege *n*; **3.** *anat.* ~ *ovarienne* Ausstoßung *f* des Eies.

ponter[1] ⚓ [pɔ̃'te] *v/t.* (1a) *Schiff* mit e-m Deck versehen.

ponter[2] [~] *v/i.* (1a) gegen den Bankier spielen (*Roulette usw.*).

pontet [pɔ̃'tɛ] *m* Abzugsbügel *m* am Gewehr.

pontier [pɔ̃'tje] *m* Brücken-, Kranwärter *m*.

ponti|fe [pɔ̃'tif] *m* **1.** *antiq.* Oberpriester *m*; **2.** Kirchenfürst *m*; **3.** F *fig., oft iron.* Koryphäe *f* (*berühmter Professor od. Arzt usw.*), Tonangeber *m*; großes Tier *n*, Kanone *f*; Literaturpapst *m*; **~fical** [~fi'kal] *adj.* (5c) **1.** *antiq.* oberpriesterlich; **2.** bischöflich; päpstlich; *ornements m/pl. pontificaux* Pontifikalien *pl.*; **~fiant** F [~'fjɑ̃] *adj.* hochnäsig; **~ficat** [~fi'ka] *m* **1.** *antiq.* Oberpriestertum *n*; **2.** Pontifikat *n*, päpstliche Würde *f*; **~fier** F *péj.* [~'fje] *v/i.* (1a) mit s-m Wissen prahlen, blasiert auftreten, ganz groß angeben F.

pont-levis [pɔ̃'lvi] *m* (6b) Zugbrücke *f*.

Pontoise F [pɔ̃'twɑːz]: *avoir l'air de* ~ *od. revenir de* ~ wie aus allen Wolken gefallen sein.

ponton [pɔ̃'tɔ̃] *m* Ponton-, Brückenboot *n*; **~nier** [~tɔ'nje] *m* Pontonpionier *m*.

pool *éc., pol.,* ⚔ [pul] *m* Pool *m*; Interessengemeinschaft *f*; ~ *des sténos* Großraumbüro *n*.

pop' art [pɔp'aːr] *m* Pop-art *f*.

pope *rl.* [pɔp] *m* Pope *m*.

popeline *text.* [pɔ'pliːn] *f* Popelin(e *f*) *m*; *chemise f* ~ Popelinhemd *n*.

pop'music [pɔpmy'zik] *f* Popmusik *f*.

popote [pɔ'pɔt] **I** *f* **1.** ⚔ Offizierskasino *n*, -messe *f*; **2.** F Suppe *f*; Küche *f*; *faire la* ~ (*commune*), *faire* ~ *ensemble avec q.* mit j-m gemeinsam kochen; **II** F *adj.* häuslich, hausbacken, simpel, spießig.

popotin P [pɔpɔ'tɛ̃] *m* Hintern *m*; *se manier le* ~ sich beeilen.

popula|ce [pɔpy'las] *f* Pöbel *m*, Plebs *f*; **~cier** [~'sje] *adj.* (7b) pöbelhaft, Pöbel...

populage ⚘ [pɔpy'laːʒ] *m* Dotterblume *f*.

populaire [pɔpy'lɛːr] *adj.* □ **1.** volkstümlich, Volks...; *chanson f* ~ Volkslied *n*; *faveur f* ~ Volksgunst *f*; *la Chine* ~ Volkschina *n*; *gouvernement m* ~ Volksregierung *f*; *langage m* ~ Volkssprache *f*; **2.** gemeinverständlich, populär; **3.** beim Volk beliebt, populär; *se rendre* ~ sich beim Volk beliebt machen.

populari|sation [pɔpylarizɑ'sjɔ̃] *f* Popularisierung *f*, allgemeinverständliche Darlegung *f* (*od.* Abhandlung *f*); **~ser** [~'ze] *v/t.* (1a) im Volk verbreiten; **~té** [~'te] *f* Beliebtheit *f* beim Volk, Popularität *f*.

popu|lation [pɔpylɑ'sjɔ̃] *f* Bevölkerung *f*; Test-gruppe *f*, -menge *f*; **~lationniste** [~lasjɔ'nist] *adj.* bevölkerungspolitisch; **~leux** [~'lø] *adj.* (7d) stark bevölkert; **~lisme** *litt.* [~'lism] *m* volksnaher Realismus *m*; **~liste** [~'list] *adj.* **1.** *pol.* volksparteilich; **2.** *litt.* volkstümlich; *roman m* ~ Volksroman *m*; **~lo** F [pɔpy'lo] *m* niederes Volk *n*.

porc [pɔːr] *m* **1.** Schwein *n*; Schweinefleisch *n*; *soies f/pl. de* ~ Schweineborsten *f/pl.*; **2.** *fig.* Schwein *n*.

porcelaine [pɔrsə'lɛːn] *f* **1.** Porzellan(geschirr *n*) *n*; ~ *de Saxe* Meißner Porzellan *n*; ~ *tendre* (*dure*) Weich- (Hart-)porzellan *n*; **2.** *zo.* Porzellanschnecke *f*.

porcelainier [pɔrsəlɛ'nje] **I** *adj.* (7b) Porzellan...; **II** *m* Porzellan-arbeiter *m*, -fabrikant *m*.

porcelet [pɔrsə'lɛ] *m* Ferkel *n*.

porc-épic [pɔrke'pik] *m* (6a) Stachelschwein *n*.

porchaison *ch.* [pɔrʃɛ'zɔ̃] *f* Feistzeit *f* der Wildschweine.

porche [pɔrʃ] *m* Portalvorbau *m*.

porcher [pɔr'ʃe] *su.* (7b) Schweinehirt *m*; **~ie** [pɔrʃə'ri] *f* Schweinestall *m*.

porcin [pɔr'sɛ̃] *adj.* (7) Schweine...

por|e [pɔːr] *m* Pore *f*; **~eux** [pɔ'rø] *adj.* (7d) porös, löcherig.

porion [pɔ'rjɔ̃] *m* **1.** ⚒ (Fahr-)

Steiger *m*; *chef m* ~ Obersteiger *m*; **2.** Aufseher *m* e-s Ölbohrschachts.

porno F [pɔr'no] *f* Pornographie *f*.

pornograph|ie [pɔrnɔgra'fi] *f* Schundliteratur *f*, Pornographie *f*; **~ique** [~'fik] *adj.* pornographisch.

poro|mère [pɔrɔ'mɛːr] *adj.* atmungsaktiv (*Leder usw.*); **~sité** [~rozi'te] *f* Porosität *f*.

porphy|re [pɔr'fiːr] *m* Porphyr *m*; **~riser** [~firi'ze] *v/t.* (1a) fein zerreiben.

porreau ⚘ [pɔ'ro] *m* Porree *m*; *a. poireau.*

port[1] [pɔːr] *m* **1.** Hafen *m*; Hafenstadt *f*; ~ *d'attache* Heimathafen *m*; ~ *de destination*, ~ *d'embarquement*, ~ *de transbordement*, ~ *de débarquement* Bestimmungs-, Verschiffungs-, Umschlag-, Löschhafen *m*; ~ *de charbonnage* Bunkerstation *f*; ~ *intérieur* Binnenhafen *m*; ~ *aérien* Lufthafen *m*; ~ *franc* Freihafen *m*; ~ *militaire*, ~ *de guerre* Kriegshafen *m*; ~ *pétrolier* Ölhafen *m*; ~ *de relâche* (*od. de refuge*) Nothafen *m*; ~ *de salut* Sicherheitshafen *m*; *fig.* Zufluchtsort *m*; *prendre* ~ in den Hafen einlaufen; *arriver à bon* ~ wohlbehalten ankommen; **2.** *fig. faire naufrage au* ~ im letzten Augenblick versagen (*od.* scheitern).

port[2] [~] *m* **1.** Tragen *n*; ~ *d'armes* Waffentragen *n*; (*permis m de*) ~ *d'armes* Waffenschein *m*; **2.** *bsd.* ⚓ Last *f*, Fracht *f*, (Tonnen-)Gehalt *m*; **3.** Fracht *f*, Fuhrlohn *m*; ~ *permis* Freifracht *f auf e-m Schiff*; **4.** 📯 Porto *n*; *en* ~ *dû* portopflichtig, unfrankiert; ~ *payé*, *franc de* ~ frankiert, frei; *lettre f officielle en* ~ *dû* portopflichtige Dienstsache *f*; **5.** Körperhaltung *f*; **6.** ⚘ Wuchs *m* (*e-s Baumes*); **7.** ♪ ~ *de voix* Schleifen *n* e-s Tones, Tragen *n* der Stimme.

porta|bilité [pɔrtabili'te] *f* Tragbarkeit *f*; **~ble** [pɔr'tablə] *adj.* tragbar; *dette f* ~ Bringschuld *f*; **~ge** [~'taːʒ] *m* **1.** Trägerdienst *m*; **2.** unbefahrbare Strecke *f*.

portail ⚠ [pɔr'taj] *m* (*pl.* ~*s*) Portal *n*.

port|ance ✈ [pɔr'tɑ̃ːs] *f* Auftrieb *m*; **~ant** [~'tɑ̃] **I** *adj.* (7) **1.** tragend; **2.** *à bout* ~ aus nächster Nähe (*schießen*); **3.** *bien* ~ wohlauf, gesund; **II** *m* **4.** Griff *m* (*am Koffer*); **5.** *thé.* Kulissenstütze *f*; **6.** *phys.* Anker *m am Magneten*; **~atif** [~ta'tif] *adj.* (7e) **1.** tragbar, leicht zu tragen; *arme f portative* Handwaffe *f*; *édition f portative* Taschenausgabe *f* (*Buch*); **2.** *force f portative* Trag-fähigkeit *f*, -kraft *f*.

porte [pɔrt] **I** *f* **1.** Tür *f*, Tor *n*, Einfahrt *f*, Pforte *f*; ~ *à deux battants* Flügeltür *f*; ~ *à claire-voie* Gittertür *f*; ~ *cochère* Torweg *m*; ~ *de communication* Verbindungstür *f*; ~ *de dégagement* Hintertür *f*; *fausse* ~ blinde Tür *f*; geheime Tür *f*; ~ *à jour* Gittertür *f*; ~ *perdue* Tapetentür *f*; ~ *roulante*, ~ *coulissante*, ~ *à glissière* Schiebetür *f*; ~ *tournante* Drehtür *f*; ~ *vitrée* (*od.* ~*-fenêtre*) Glastür *f*; *pousser la* ~ *au nez de q.* j-m die Tür vor der Nase zuschlagen; *à la* ~*!* raus (mit ihm)!; *on frappe à la* ~ es klopft (an der Tür); *mettre* (*od. flanquer*) *q. à la* ~ j-n rauswerfen, j-n vor die Tür setzen; *mettre la clé sous la* ~ ausziehen, ohne die Miete zu zahlen; *advt.*: *à* ~ *close* hinter verschlossenen Türen; **2.** *fig. refuser la* ~ *à q.* j-m keinen Zutritt gewähren; *trouver* ~ *close* niemanden zu Hause antreffen; **3.** *géol.* ~ *de glacier* Gletschertor *n*; **II** *adjt.*: *anat. veine f* ~ Pfortader *f*; **III** *m*, *a. pol.*, *Polizei*: *faire du* ~ *à* ~ von Haus zu Haus gehen.

porte-à-porte ✝ [pɔrta'pɔrt] *m* Hausiergewerbe *n*.

porté [pɔr'te] *adj.*: ~ *à qch.* zu etw. (*dat.*) neigend.

porte|-à-faux ⚠ [pɔrta'fo] *m* Überhang *m*; *en* ~ überhängend, auskragend; *des marches en* ~ freitragende Stufen; **~-affiches** [pɔrta'fiʃ] *m* (6c) Schwarzes Brett *n*, Anschlagtafel *f*; **~-aiguille** *chir.* [~ɛ'gɥij] *m* (6c) Nadelfutteral *n*; **~-aiguilles** [~] *m* (6c) Nadel-behälter *m*, -brief *m*, -buch *n*; **~-allumettes** [~aly'mɛt] *m* (6c) Streichholzschachtelständer *m*; **~-amarre** ⚓ [~a'maːr] *m* (6c) (Rettungs-)Rakete *f*; **~-antenne** [~ɑ̃'tɛn] *m* (6c) Antennenmast *m*; **~-assiette** [~a'sjɛt] *m* Teller-ring *m*, -untersatz *m*; **~-avions** ⚓ [~a'vjɔ̃] *m* (6c) Flugzeugträger *m*; **~-bagages** [pɔrt(ə)ba'gaːʒ] *m* (6c) a) Gepäck-brücke *f*, -halter *m*; b) *vél.* Gepäck-träger *m*, -ständer *m*; **~-bannière** [~ba'njɛːr] *m* (6c) Bannerträger *m*; **~-bébé** [~be'be] *m* Babytragetasche *f*; **~-bobine** [~bɔ'biːn] *m* (6c) Spuler *m an der Nähmaschine*; Rollenträger *m* (*Rotationsdruckmaschine*); **~-bonheur** [~-

bɔ'nœːr] *m* (6c) Glücks-bringer *m*, -pfennig *m*, -medaille *f*; **~-bouteille** [~bu'tɛj] *m* (6c) Flaschenuntersatz *m* (*Bierfilz*); **~-bouteilles** [~] *m* (6c) Flaschenständer *m*; **~-cartes** [~'kart] *m* (6c) Kartentasche *f*; **~-chaise** [~'ʃɛːz] *m* (6c) Sänftenträger *m*; **~-chapeaux** [~ʃa'po] *m* (6c) Hutständer *m*; **~-cigare** [~si'gaːr] *m* (6c) Zigarrenspitze *f*; **~-cigares** [~] *m* (6c) Zigarrentasche *f*; **~-cigarette** [~siga'rɛt] *m* (6c) Zigarettenspitze *f*; **~-cigarettes** [~] *m* (6c) Zigarettenetui *n*; **~-clefs** [~'kle] *m* (6c) **1.** Gefängniswärter *m*; **2.** Schlüsselring *m*; **3.** ♪ Tastenbrett *n*; **~-copie** [~kɔ'pi] *m* (6c) Manuskripthalter *m an der Schreibmaschine*; **~-couteau** [~ku'to] *m* (6c) Messerbänkchen *n*; **~-crayon** [~krɛ'jɔ̃] *m* (6c) Bleistifthalter *m*; **~-disques** [~'disk] *m* (6c) Plattenteller *m* (*Plattenspieler*); **~-documents** [~dɔky'mɑ̃] *m* (6c) Aktentasche *f*; **~-drapeau** [~dra'po] *m* (6c) Fähnrich *m*.

portée [pɔr'te] *f* **1.** Schußweite *f*; Wurfweite *f*; Bereich *m*; *rad.* Reichweite *f*; *Golf*: Flugstrecke *f*; *pièce f à grande* (*od. longue*) *~* weittragendes Geschütz *n*; *~ du feu* Feuer-, Schuß-bereich *m*; *à ~ de la main* griffbereit; *à ~ de la voix* in Rufweite; **2.** *fig.* (Leistungs-)Fähigkeit *f*, Vermögen *n*, Fassungskraft *f*; *être à la ~ de tous* allgemeinverständlich; *mettre qch. à la ~ de q.* j-m etw. verständlich (*od.* plausibel *od.* zugänglich) machen; *cela passe ma ~*, *cela est hors de ma ~* das ist mir zu hoch, das geht über meinen Horizont; *fig. être à la ~ de q.* für j-n erschwinglich sein; **3.** *fig.* Tragweite *f*, Bedeutung *f*; **4.** *zo.* Wurf *m*, Zahl *m* der Jungen *e-s Tieres*; (Dauer *f* der) Tracht *f*; **5.** ♪ Notenlinien *f/pl.*; **6.** ⚠ Spannweite *f*, Bogen-öffnung *f*, -weite *f*; ⊕ Ausladung *f e-s Krans*; **7.** ⚓ *~ en lourd* Lade-, Trag-fähigkeit *f*.

porte|-enseigne † [pɔrtɑ̃'sɛɲ] *m* (6c) Fähnrich *m*; **~-épée** [~e'pe] *m* (6c) Degengehänge *n*; **~-étendard** [~etɑ̃'daːr] *m* (6c) Standartenträger *m*.

porte-fenetre ⚠ [~fə'nɛːtrə] *f* (6a) Fensterwand *f*; Balkon-, Glas-tür *f*.

portefeuille [~'fœj] *m* **1.** Brieftasche *f*; **2.** *pol.* Portefeuille *n*, Geschäftsbereich *m* e-s Ministers; **3.** † Wechselbestand *m*; Wertpapiere *n/pl.*

porte|-flambeau [~flɑ̃'bo] *m* (6c) Fackelträger *m*; **~-fleurs** [~'flœːr] *m* (6c) Blumenständer *m*; **~-foret** ⊕ [~fɔ'rɛ] *m* (6g) Handbohrmaschine *f*; **~-haillons** [pɔrtɑ'jɔ̃] *m* (6c) zerlumpter Mensch *m*; **~-hélicoptères** ⚓ [pɔrtelikɔp'tɛːr] *m* Hubschrauberträger *m*; **~-jarretelles** [pɔrt(ə)ʒar'tɛl] *m* (6c) Hüfthalter *m*; **~-journaux** [~ʒur'no] *m* (6c) Zeitungshalter *m*; **~-liqueurs** [~li'kœːr] *m* (6c) Likörgestell *n*.

portemanteau [~mɑ̃'to] *m* **1.** Kleiderhaken *m*; **2.** Garderobenständer *m*; **3.** ⚓ Schiffskran *m*.

portement *rl.* [~'mɑ̃] *m*: *~ de croix* Kreuztragung *f Christi*.

porte|-micro *rad.* [pɔrt(ə)mi'kro] *m* (6c) Sprecher *m*; **~-mine(s)** [~'min] *m* Drehbleistift *m*; *~ à quatre couleurs* Vierfarbenstift *m*; **~-missiles** ⚓ [~mi'sil]: *navire m ~* Raketenabschußschiff *n*; **~monnaie** [~mɔ'nɛ] *m* (6c) Portemonnaie *n*, Geldbörse *f*; **~-montre** [~'mɔ̃ːtrə] *m* (6c) (Taschen-)Uhrenetui *n*; **~-musique** [~my'zik] *m* (6c) Notenmappe *f*; **~-paquet** [~pa'kɛ] *m* (6c) Paketknebel *m*; **~-parapluies** [~para'plɥi] *m* (6c) Schirmständer *m*; **~-parole** [~pa'rɔl] *m* (6c) Wortführer *m*; Fürsprecher *m*; **~-plume** [~'plyːm] *m* (6c) Federhalter *m*; **~-pneu** *Auto* [~'pnø] *m* (6c) Reifenhalter *m*.

porter [pɔr'te] (1a) **I** *v/t.* **1.** tragen; *~ en haut* (*en bas*) hinauf- (herunter-)tragen; *fig. ~ aux nues* verhimmeln, vergöttern, in den Himmel heben; **2.** *fig.* (hervor-) bringen; verursachen, nach sich ziehen; *~ bonheur* (*malheur*) Glück (Unglück) bringen; *~ intérêt* Zinsen bringen; **3.** *~ sur soi* bei sich (*dat.*) haben; ⚔ *portez arme!* Gewehr über! *cela est toujours bien porté* das ist noch immer Mode; *~ la culotte* das Regiment führen *fig.*; *~ le deuil de q.* um j-n trauern; *~ la robe* ein richterliches Amt bekleiden; *~ la soutane* Geistlicher sein; **4.** bringen, hinschaffen; gelangen lassen (*à* an *acc.*); *~ à la connaissance de q.* zu j-s Kenntnis bringen; *fig. ~ la guerre dans un pays* ein Land mit Krieg überziehen; *~ la vie à* beleben; **5.** haben; besitzen; *il porte sa recommandation sur sa figure* sein Äußeres ist ansprechend; **6.** führen, lenken, richten; halten; *~ la main à qch.* (die) Hand an etw. (*acc.*) legen, etw. anfassen; ~ *la main sur q.* Hand an j-n legen, sich an j-m vergreifen; ~ *ses pas quelque part* sich irgendwohin begeben; ~ *le pied en dedans* die Füße nach innen setzen; ~ *préjudice à q.* j-m schaden; *fig.* ~ *ses vues bien haut* s-e Pläne sehr weit spannen; ~ *les yeux sur qch.* s-e Augen auf etw. (*acc.*) richten; ~ *le nez au vent* hochnäsig (*od.* eingebildet) sein, den Kopf hoch tragen; ~ *haut qch.* etw. hoch anschlagen; etw. zu hoher Vollendung bringen; **7.** bekunden, zeigen, hegen; ~ *amitié à q.* für j-n Freundschaft hegen; ~ *attention à qch.* auf etw. (*acc.*) achten (*od.* achtgeben); **8.** reizen, bewegen, antreiben; verleiten (*à* zu *dat.*); *ce qui me porte à croire* was mich glauben läßt; *être porté d'amitié pour q.* für j-n Freundschaft hegen; ~ *atteinte à qch.* e-r Sache (*dat.*) Eintrag (*od.* Abbruch) tun; **9.** *fig.* ertragen, aushalten; **10.** von sich geben, aussprechen; erklären, lauten, besagen; ~ *un arrêt* ein Urteil fällen; ~ *condamnation* auf schuldig lauten; ~ *un jugement de* (*od. sur*) *qch.* s-e Meinung über etw. (*acc.*) sagen; ~ *la parole* das Wort führen; ~ *plainte contre q.* gegen j-n Klage erheben, j-n verklagen; ~ *un toast à q.* e-n Toast auf j-n ausbringen; ~ *témoignage* Zeugnis ablegen; *l'arrêt* (*la réponse*) *porte que ...* das Urteil (die Antwort) lautet dahin, daß ...; **11.** *fig.* einschreiben, eintragen (*sur une liste* in e-e Liste); ~ *absent* als fehlend eintragen; ~ *candidat* als Kandidat aufstellen; *se faire* ~ *malade* sich krank melden; ✝ ~ *en compte* in Rechnung setzen; ~ *en recette* (*en dépense*) als Einnahme (als Ausgabe) verbuchen; *être porté disparu* als vermißt registriert werden; **II** *v/i.* **12.** tragen; trächtig sein; **13.** liegen, ruhen, gestützt sein (*sur* auf *dat.*); *fig.* ~ *sur qch.* auf etw. beruhen; **14.** tragen, reichen (*à* bis) (*Gewehr*); *Bemerkung*: ~ (*juste*) treffen; *fig.* den Nagel auf den Kopf treffen; *fig. il n'y a pas un mot qui ne porte* jedes Wort sitzt; ~ *à faux* a) ⚠ auskragen; b) *fig.* schlecht begründet sein, abwegig sein, nicht stichhaltig sein; *sa vue porte loin* sein Auge reicht weit; ~ *sur q.* (*qch.*) j-n (etw.) betreffen, sich auf j-n (etw.) beziehen; ~ *sur qch.* auf etw. (*acc.*) abzielen; **15.** anschlagen; *sa tête a porté contre une pierre* er ist mit dem Kopf gegen e-n Stein gefallen; **16.** *le vin porte à la tête* der Wein steigt ihm (*od.* ihr) zu Kopf; ~ *sur les nerfs* auf die Nerven fallen; **17.** ⚓ segeln, steuern; **III** *v/rfl.* *se* ~ **18.** getragen werden; **19.** *litt.* sich begeben; *fig.* *se* ~ *sur q.* sich j-m zuwenden; *se* ~ *en avant* (*en arrière*) vorwärtsrücken (sich zurückziehen); *fig. le choix se porta sur ...* die Wahl fiel auf ...; **20.** *se* ~ *à faire qch.* sich zu etw. hinreißen lassen; **21.** sich befinden, sich fühlen; *portez-vous bien!* bleiben Sie gesund!; *se* ~ *bien* (*mal*) gesund (krank) sein; **22.** auftreten (als), sich stellen (als); *se* ~ *candidat* als Wahlkandidat auftreten; *se* ~ *volontaire* sich als Freiwilliger stellen; *se* ~ *garant* Bürge sein.

porte-rame ⚓ [pɔrt(ə)'ram] *m* (6c) Rudergabel *f.*

porte|-savon *m* (6c), **~-savonnette** [~savɔ'nɛt] *m* (6c) Seifennapf *m*; **~-scie** [~'si] *m* (6c) Sägebogen *m*; **~-serviettes** [~sɛr'vjɛt] *m* (6c) Handtuchhalter *m.*

porteur [pɔr'tœːr] **I** *m* **1.** Träger *m*; 🚂 Gepäckträger *m*; *chaise f à* ~(*s*) Sänfte *f*; ~ *d'eau* Wasserträger *m*; ⚕ ~ *de bacillus* Bazillenträger *m*; ~ *de germes* Keimträger *m*; **2.** Überbringer *m*; ~ *de lait* Milchbringer *m*; **3.** Inhaber *m*; ~ *d'une lettre de change* Wechselinhaber *m*; ~ *légitime* rechtmäßiger Inhaber *m*; *au* ~ auf den Inhaber (*od.* Vorzeiger) ausgestellt; *effets m/pl. au* ~ Inhaberpapiere *n/pl.*; **4.** ⚠, *Wasserbaukunst*: Straßenträger *m*, Brückenbaum *m*; **5.** *biol.* Keimträger *m*; **II** *adj.* (7g): ⚔ *fusée f porteuse* Trägerrakete *f*; ⚠ *les murs* ~*s* die tragenden Mauern *f/pl.*

porte|-veine F [pɔrt(ə)'vɛːn] *m* (6c) Glücksbringer *m*; **~-verge** [~'vɛrʒ] *m* (6c) Stabträger *m*; **~-vêtements** [~vɛt'mɑ̃] *m* (6c) Kleiderbügel *m*; **~-voix** [~'vwa] *m* (6c) Sprachrohr *n.*

portfolio [pɔrt(ə)fɔ'ljo] *m*: ~ *pour billets* Fahrscheintasche *f.*

portier [pɔr'tje] *su.* (7b) Pförtner *m* (*e-s Hotels od. öffentlichen Gebäudes*).

portière [pɔr'tjɛːr] *f* **1.** *Auto, Kutsche,* 🚂 Wagentür *f*; **2.** (Tür-) Vorhang *m.*

portillon [pɔrti'jɔ̃] *m* (Bahnsteig-)

Sperre *f*; F *fig. ça se bouscule au* ~ er verhaspelt sich beim Sprechen.

portion [pɔr'sjɔ̃] *f* **1.** Teil *m*, Anteil *m*; **2.** Portion *f*; *advt. par* ~*s* portionenweise.

portique [pɔr'tik] *m* **1.** Portikus *m*, Säulenhalle *f*, Säulengang *m*; **2.** *phil. le* ♀ die Stoa *f*; Stoizismus *m*; **3.** *gym.* Turngerüst *n*; **4.** ⊕ Portalgerüst *n*.

porto [pɔr'to] *m* Portwein *m*.

Porto-Ricain [pɔrtɔri'kɛ̃] *f* **I** *su.* Portorikaner *m*; **II** ♀ *adj.* portorikanisch.

portrait [pɔr'trɛ] *m* **1.** Porträt *n*, Brustbild *n*; Bild(nis *n*) *n*; ~ *en pied* Bild *n* in ganzer Figur; **2.** *fig.* Ebenbild *n*; *c'est tout le* ~ *de son père* er (sie) ist ganz der Vater; **3.** *fig.* Schilderung *f*; *litt.* Charakterbild *n*; **4.** P Fresse *f* V; ~**iste** [~'tist] *m* Porträtmaler *m*; ~**-robot** ⚖ *journ.* [~rɔ'bo] *m* (6b) Täterzeichnung *f*, Fahndungsskizze *f*; *allg.* Standardbild *n j-s*; ~**urer** [~ty're] *v/t.* (1a) ein Porträt malen.

portuaire [pɔr'tɥɛ:r] *adj.* Hafen...

portugais [pɔrty'gɛ] *adj. u.* ♀ *su.* (7) portugiesisch; Portugiese *m*.

Portugal [pɔrty'gal] *m*: **le** ~ Portugal *n*; *au* (*od. en*) ~ in *od.* nach Portugal.

posage *a.* ⊕ [po'za:ʒ] *m* Aufstellen *n*.

pose [po:z] *f* **1.** Setzen *n*, Legung *f*; ~ *d'un câble* Kabellegung *f*; ⚡ ~ *de ligne*, ~ *des fils* Leitungsverlegung *f*; ▲ ~ *de marches* Stufenverlegung *f*; ~ *de la première pierre* Grundsteinlegung *f*; 🚂 ~ *de voie* Schienen-, Gleis-legung *f*; **2.** Anbringen *n*, Ankleben *n*; **3.** Haltung *f*; Stellung *f*, Pose *f*; **4.** *peint.* Modellsitzen *n* (*Malerei*); **5.** *fig.* gekünsteltes Wesen *n*, Zierere *f*, Pose *f*; **6.** *phot.* Zeitaufnahme *f*; Belichtung *f*.

posé [po'ze] *adj.* (*adv.* ~**ment** [poze'mɑ̃]) bedächtig, gesetzt.

posemètre *phot.* [poz'mɛ:trə] *m* Belichtungsmesser *m*.

poser [po'ze] (1a) **I** *v/t.* **1.** (hin-)setzen, (hin)legen, (hin)stellen; ankleben; **2.** ~ *une question à q.* e-e Frage an j-n richten; **3.** ~ *sa candidature* s-e Kandidatur aufstellen; **4.** ablegen, niederlegen; **5.** *fig. e-n Satz* aufstellen; voraussetzen; ~ *le cas* den Fall setzen; **6.** *fig.* ~ *q.* die Aufmerksamkeit auf j-n lenken, j-n berühmt machen; *bien posé* angesehen, einflußreich; **7.** ▲ ~ *la première pierre* den Grundstein legen; **II** *v/i.* **8.** ~ *sur qch.* auf etw. (*dat.*) liegen, ruhen *od.* sitzen; **9.** Modell sitzen *od.* stehen; sich photographieren lassen; *fig.* sich e-e gekünstelte Haltung geben; *cin.* ~ *pour le cinéma* beim Film mitwirken; **10.** *phot.* belichten; **III** *v/rfl.* *se* ~ **11.** sich setzen, sich stellen; ✈ niedergehen, landen; *se* ~ *lentement* langsam landen; *se* ~ *sur l'eau* wassern; **12.** *fig.* e-e wichtige Miene annehmen; *se* ~ *en* auftreten als, sich aufspielen als; *se* ~ *en exemple* sich als Muster hinstellen; **13.** *fig. un problème se pose* e-e Frage ergibt sich (*od.* taucht auf).

poseur [po'zœ:r] **I** *m* ⊕ Setzer *m*, Steller *m*, Aufsteller *m*; Schienenleger *m*; Steinsetzer *m*; (Plakat-)Ankleber *m*; ⚡ ~ *de ligne* Leitungsleger *m*; ~ *de plastic* Plastikattentäter *m*; **II** *su. u. adj.* (7g) F *fig.* Angeber *m*, Effekthascher *m*; affektiert, angeberisch.

positif [pozi'tif] **I** *adj.* (7e) □ **1.** positiv, ausdrücklich, bestimmt, gewiß, sicher; **2.** wirklich, tatsächlich; **3.** nüchtern (*v. Charakter*); *esprit* ~ Verstandesmensch *m*; **4.** positiv, bejahend; *phys. électricité f positive* positive Elektrizität *f*; *gr. phrase f positive* positiver (*od.* bejahender) Satz *m*; **II** *m* **5.** *das* Positive *n*, *das* Tatsächliche *n*; **6.** *gr.* Positiv *m* (*erster Steigerungsgrad*); **7.** *phot.* Positiv *n*; ~ *sur verre* Diapositiv *n*.

position [pozi'sjɔ̃] *f* **1.** Lage *f*; Stellung *f*; *prendre* ~ sich aufstellen; *parl.* ~ *de la question* Stellung *f* der Vertrauensfrage; ⚔ ~ *de batterie* Batteriestellung *f*; ⚔ ~ *de tir* Feuerstellung *f*; ⚔ ~ *verrouillée*, ~*-verrou* Riegelstellung *f*; ⚔ ~ *de longue durée* Dauerstellung *f*; **2.** (Körper-)Haltung *f*; **3.** *fig.* Stellung *f* (= *Anstellung, Posten*), Position *f*; (gute *od.* schlechte) Lage *f*, (Vermögens-)Verhältnisse *n/pl.*; ~ *sociale* gesellschaftliche Stellung *f*; ⚚ ~ *de place* Börsenlage *f*; **4.** *fig.* Standpunkt *m*, Einstellung *f*; **5.** Voraussetzung *f*; *de fausse* ~ von e-r falschen Voraussetzung ausgehend; **6.** *en* ~*!* stillgestanden!; ~**nement** [~sjɔn'mɑ̃] *m* ⊕ Einstellung *f*; ⚓, ✈ Standortbestimmung *f*; ~**ner** [~sjɔ'ne] (1a) **I** *v/i.* ⚓, ✈ den Standort bestimmen; **II** *v/t.* in e-e genaue Stellung bringen; (*Sitze*) einstellen.

positiv|isme *phil.* [poziti'vism] *m* Positivismus *m*; **~iste** [~'vist] *m u. adj.* Positivist *m*; positivistisch.

possé|dé [pɔse'de] *su.* Besessene(r) *m*; **~der** [~] (1g) **I** *v/t.* **1.** besitzen; innehaben; enthalten; **2.** völlig bewandert sein in (*dat.*), beherrschen *fig.* (*Sprache, Thema*); **II** *v/rfl.* se ~ sich beherrschen.

posses|seur [pɔse'sœːr] *m* Besitzer *m*, Inhaber *m*; **~sif** *gr.* [~'sif] *adj./m u. m* besitzanzeigend(es Fürwort *n*); possessiv; Possessivpronomen *n*; **~sion** [~'sjɔ̃] *f* **1.** Besitz *m*; ~ *exclusive* Alleinbesitz *m*; *entrer en ~ de qch.* in den Besitz von etw. gelangen; *être en ~ de qch.* etw. besitzen; **2.** ~ *de soi* Selbstbeherrschung *f*.

possi|bilité [pɔsibili'te] *f* Möglichkeit *f*; ~ *d'infection*, ~ *de contagion* Ansteckungsmöglichkeit *f*; ✝ ~ *d'écoulement*, ~ *de placement*, ~ *de vente* Absatzmöglichkeit *f*; **~ble** [~'siblə] **I** *adj.* □ möglich, angängig; *heureux au ~* über alle Maßen glücklich; *le plus vite* (*le mieux*) ~ möglichst schnell (gut); *le plus souvent ~* möglichst oft; F ~ *que* (*mit subj.*) vielleicht; **II** *m das* Mögliche *n*; *je ferai tout mon ~* ich werde mein möglichstes tun.

postal [pɔs'tal] *adj.* (5c) □ Post...; *carte f ~e* Postkarte *f*; *colis m ~* Postpaket *n*.

post-combustion ✈ [pɔstkɔ̃bys'tjɔ̃] *f* Nachverbrennung *f*.

postconciliaire *cath.* [~kɔ̃si'ljɛːr] *adj.* nach dem Konzil.

post-cure ⚕ [pɔst'kyːr] *f* Nachkur *f*.

postdater [pɔstda'te] *v/t.* (1a) vordatieren, mit e-m späteren Datum versehen.

poste[1] [pɔst] *f* Post *f*; Post(amt *n*) *f*; *administration f générale des ~s* Oberpostdirektion *f*; (*bureau m de*) ~ Postamt *n*; ~ *aérienne* Luftpost *f*; ~ (*aux lettres*) (Brief-)Post *f*; ~ *en gare* Bahnpost *f*; ~ *militaire* Feldpost *f*; ~ *par pigeons* Brieftaubenpost *f*; ~ *pneumatique* Rohrpost *f*; ~ *restante* postlagernd; ~ *restante bureau central* hauptpostlagernd; *envoyer par la ~* mit der Post schicken; *mettre une lettre à la ~* e-n Brief aufgeben (*od.* zur Post bringen).

poste[2] [~] *m* **1.** Posten *m*, Standort *m*, Stand *m*; (Dienst-)Stelle *f*, Amt *n*, Belegschaft *f*; Wachtposten *m*, -haus *n*, -stube *f*, -mannschaft *f*; ~ *d'appel automatique* Notruf *m*, Alarmsäule *f*; ~ *avancé*, *avant-~* Vorposten *m*; ~ *d'écoute* Abhör-, Horch-posten *m*; ~ *m frontière* Grenzposten *m*; ✈ ~ *arrière*, ~ *de poupe*, ~ *de queue* Heckkanzel *f*; ✈ ~ *avant* Bugkanzel *f*; ⊕, *tram. usw.* ~ *de commande* Fahrerstand *m*; ⚔ ~ *de commandement* Befehls-, Gefechtsstand *m*; *Auto*: ~ *de dépannage* Abschleppdienst *m*, Autounfallstation *f*; Autohilfsdienst *m*; ~ *d'essence* Tankstelle *f*; ~ *d'eau* Wasserleitung *f*; ~ *d'incendie* Feuermelder *m*; ~ *météorologique* Wetterdienststelle *f*; ✈ ~ *de pilotage*, ~ *de pilote* (Flugzeug-)Führer-stand *m*, -raum *m*, -sitz *m*; ~ *de police* Polizeirevier *n*, -wache *f*; ~ *de police en gare* Bahnhofswache *f*; ~ *de pompiers* Feuerwehr *f*; ~ *de repérage* Meßstelle *f*; ~ *de secours abri* Sanitätsstand *m*; ~ *de secours alpestre*, ~ *de montagne* Bergnotdienst *m*; *prendre ~* festen Fuß fassen; *être toujours à son ~* immer auf s-m Posten stehen, stets s-e Pflicht erfüllen; **2.** Anstellung *f*, Stellung *f*, Posten *m*; *occuper un bon ~* e-e gute Stellung bekleiden; ~ *d'honneur* Ehrenamt *n*; **3.** *rad.*, *téléph.* ~ *de radio* (*de télévision*) Radio- *od.* Rundfunk- (Fernseh-) gerät *n*; ~ (*émetteur*) *à antenne dirigée* Sender *m* mit Richtstrahler; ~ *d'avion* Flugzeugfunkstelle *f*; ~ *directeur central* Leitfunkstelle *f*; ~ *émetteur m* (Rundfunk-)Sender *m*, Sendestelle *f*; ~ *optophonique* Lichtsprechzelle *f*; ~ *perturbateur* Störsender *m*; ~ *radio*(*télégraphique*) Funkstelle *f*; ~ *de radio-émission* Funksendestelle *f*; ~ *de radio-réception* Funkempfangsstelle *f*; ~ *radiogoniométrique* Peilsendestelle *f*; ~ *récepteur*, ~ *de réception* (*radiophonique*) (Rundfunk-)Empfänger *m* (*Gerät*), Empfangs-gerät *n*, -station *f*; ~ *téléphonique de taxis* Autoruf *m*; *bsd.* ⚔, *téléph.* ~ (*téléphonique*) *intermédiaire* Fernsprechvermittlungsstelle *f*; *un ~ de radio est à l'écoute* ein Rundfunkgerät ist auf Empfang eingestellt; *rad.* ~ *transistor* Transistorempfänger *m*; **4.** (Arbeits-)Schicht *f*; ~ *non effectué* Fehlschicht *f*.

poste-frontière [~frɔ̃'tjɛːr] *m* (6b) Grenzposten *m*.

postenquête [pɔstɑ̃'kɛt] *f* Nachtest *m*.

poster[1] [pɔs'te] *v/t.* (1a) **1.** auf-,

an-stellen, postieren; **2.** ✉ ~ *une lettre* (*un télégramme*) e-n Brief (ein Telegramm) aufgeben.

poster² [pɔsˈtɛːr] *m* Plakatbild *n.*

postéri|eur [pɔsteˈrjœːr] **I** *adj.* □ **1.** später, jünger (*à qch.* als etw.); **2.** hintere(r, s), hinten befindlich; **II** F *m* Gesäß *n*; **~ori** [~rjɔˈri] *adv.*: *a* ~ aus Tatsachen folgend; hinterher; **~orité** [~rjɔriˈte] *f*: ~ *de date* späteres Datum *n*; **~té** [~riˈte] *f* **1.** Nachkommenschaft *f*; **2.** Nachwelt *f.*

postface [pɔstˈfas] *f* Nachwort *n.*

posthume [pɔsˈtyːm] *adj.* **1.** nachgeboren; **2.** postum; **3.** nach dem Tode eintretend.

postiche [pɔsˈtiʃ] **I** *adj.* **1.** später hinzugefügt; **2.** künstlich, unecht, falsch; **II** *m* Perücke *f*; **III** * *f*: *faire une* ~ *à q.* mit j-m Streit anfangen.

pos|tier [pɔsˈtje] *su.* (7b) Postbeamte(r) *m*; **~tillon** [~tiˈjõ] *m* **1.** *hist.* ✉ Postillion *m*; **2.** Spucke *f* (*beim Sprechen*); *envoyer des* ~*s* = **~tillonner** [~tijɔˈne] *v/i.* (1a) e-e feuchte Aussprache haben.

post-opératoire ⚕ [pɔstɔperaˈtwaːr] *adj.* postoperativ.

postposi|tif *gr.* [pɔstpoziˈtif] *adj.* (7e) nachstehend; **~tion** *gr.* [~ˈsjõ] *f* Nachsetzen *n*; Postposition *f.*

post|scolaire [pɔstskɔˈlɛːr] *adj.* nach der Schulzeit, Fortbildungsschul...; *enseignement m* ~ Fortbildungswesen *n*; **~-scriptum**, *abr.* **P.-S.** [~skripˈtɔm] *m* (6c) Postskriptum *n*, Zu-, Nach-satz *m*; **~synchroniser** *cin.* [~sɛ̃krɔniˈze] *v/t.* (1a) nachträglich synchronisieren.

postu|lant [pɔstyˈlɑ̃] *su.* (7) *a. rl.* Bewerber *m*; **~lat** [~ˈla] *m phil.* Forderung *f*, Postulat *n* (*a. géom.*); **~lation** ⚖ [~laˈsjõ] *f* Prozeßführung *f*; **~ler** [~tyˈle] (1a) **I** *v/t.* ~ *qch.* sich um etw. (*acc.*) bewerben; **II** *v/i.* als Anwalt auftreten, vor Gericht vertreten (*pour q.* j-n).

posture [pɔsˈtyːr] *f* Haltung *f*, Positur *f*, Stellung *f*; *fig. être en bonne* ~ gut gestellt sein.

pot [po] *m* **1.** Topf *m*; Kanne *f*; Krug *m*; F Glas *n*; ~ *de terre* irdener Topf *m*; ~ *à eau* [pɔtaˈo, *a. im pl.*] (6b) Wasser-topf *m*, -kanne *f*; ~ *de chambre* Nacht-topf *m*, -geschirr *n*; ~ *de fleurs* a) Blumentopf *m*; b) Topf *m* mit Blumen; ~ *à lait* [pɔtaˈlɛ, *a. im pl.*] (6b), ~ *au lait* [pɔtoˈlɛ, *a. im pl.*] (6b) Milchtopf *m*; *petit* ~ *à lait* Milchkännchen *n*; *manger à la fortune du* ~ essen, was auf den Tisch kommt; ~ *de lait* Topf *m* Milch; *Auto*: ~ *d'échappement* Auspufftopf *m*; *géol.* ~ *de glacier* Gletschertopf *m*; ~ *au noir* [pɔtoˈnwaːr] *fig.* heikle Lage *f*; *gare le* ~ *au noir!* aufgepaßt! (*Suchspiel*); F *donner dans le* ~ *au noir* reinfallen; *découvrir le* ~ *aux roses* hinter das Geheimnis (die Schliche) kommen; den Nagel auf den Kopf treffen; *être sourd comme un* ~ stocktaub sein; F *tourner autour du* ~ wie die Katze um den heißen Brei gehen; *payer les* ~*s cassés* für den Schaden aufkommen, blechen P; **2.** P, V Hintern *m*; *se manier le* ~ sich beeilen; **3.** F *avoir du* ~ Schwein haben.

pota|bilité [pɔtabiliˈte] *f* Trinkbarkeit *f*; **~ble** [~ˈtablə] *adj.* trinkbar; *eau f* ~ Trinkwasser *n.*

potache F *écol.* [pɔˈtaʃ] *m* Pennäler *m.*

pota|ge [pɔˈtaːʒ] *m* Suppe *f*; ~ *au gras* Fleischsuppe *f*; ~ *aux légumes* Gemüsesuppe *f*; ~ *en tablette* Suppenwürfel *m*; ~ *au vermicelle* Nudelsuppe *f*; **~ger** [~taˈʒe] **I** *adj.* (7b) Suppen...; **II** *m* (*jardin m*) ~ Gemüsegarten *m.*

potas|se [pɔˈtas] *f* **1.** Pottasche *f*; **2.** ⚗ Kaliumoxyd *n*, Kali *n*; **3.** ~ *à la chaux*, ~ *caustique* Ätzkalk *m*; **~ser** F *écol. v/t. u. v/i.* pauken, büffeln, ochsen; ~ *le latin* Latein pauken; **~sique** ⚗ [~taˈsik] *adj.* pottaschehaltig; **~sium** ⚗ [~ˈsjɔm] *m* Kalium *n.*

pot|-au-feu [pɔtoˈfø] (6c) **I** *m* **1.** Suppenfleisch *n*, gekochtes Rindfleisch *n* mit der Fleischbrühe; **2.** Fleisch-, Suppen-topf *m*; **II** F *adjt.* häuslich, hausbacken; simpel, spießbürgerlich; *esprit m* ~ Spießigkeit *f*, Einfalt *f*; *d'allure* ~ hausbacken, simpel; **~-de-vin** [podˈvɛ̃] *m* (6b) Draufgeld *n* *nach Abschluß beim Kauf*; *weitS.* Bestechungsgelder *n/pl.*, Schmiergelder *n/pl.*

pote P [pɔt] *m* Kumpel *m.*

poteau [pɔˈto] *m* (5b) Pfahl *m*, Pfosten *m*; Mast *m*; ⚠ Stütze *f*; *Sport*: Tor-latte *f*, -pfosten *m*; ~ *cornier* Eckpfosten *m*; ~ *frontière* Grenzpfahl *m*; ~ *indicateur* Wegweiser *m*; ~ *télégraphique* Telegraphenstange *f.*

potée [pɔˈte] *f* **1.** *cuis.* Gemüseeintopf *m*; **2.** *métall.* Gieß-, Formerde *f*; ~ *d'étain* Zinnasche *f.*

potelé [pɔ'tle] *adj.* rundlich, drall, quabbelig F.
potelet [pɔ'tlɛ] *m* kleiner Pfahl *m.*
potence [pɔ'tɑ̃:s] *f* **1.** Galgen *m*; *gibier m de* ~ Galgenstrick *m*; **2.** ⊕ Arm *m e-s Beleuchtungskörpers*; Träger *m*; Tragsäule *f*; ⚓ Ausleger *m*, Ladebaum *m*; *vél.* Lenkstangenstütze *f*; △ Kniestütze *f unter e-m Balken*; ⊕ Kranvorsatz *m*; *grue f à* ~ Auslegerkran *m.*
potentat [pɔtɑ̃'ta] *m* Machthaber *m*; *fig. péj.* Potentat *m.*
potenti|alisation *psych.* [pɔtɑ̃sjalizɑ'sjɔ̃] *f* Leistungssteigerung *f* durch Persönlichkeitsentfaltung; **~aliser** [~'ze]: *se* ~ *psych.* s-e Fähigkeiten zur Entfaltung bringen; **~alité** *éc., phil.* [~'te] *f* Möglichkeit *f*; **~el** [~'sjɛl] **I** *adj.* (7c) *phil., phys.* potentiell, in der Möglichkeit vorhanden; *phys. énergie f* ~*le* potentielle Energie *f*; **II** *m* **1.** ⚡ Potential *n*, Spannung *f*; *allg.* Leistungsfähigkeit *f*; ⚔ ~ *de guerre* Kriegspotential *n*; **2.** *gr.* Potentialis *m*, Möglichkeitsform *f.*
potentille ⚘ [pɔtɑ̃'tij] *f* Fingerkraut *n.*
potentiomètre ⚡ [pɔtɑ̃sjɔ'mɛ:trə] *m* Spannungsteiler *m.*
poterie [pɔ'tri] *f* **1.** Tongeschirr *n*; Töpferware *f*; Keramik *f*; ~ *d'étain* Zinngeschirr *n*; **2.** Töpferei *f.*
poterne *frt.* [pɔ'tɛrn] *f* Ausfalltor *n.*
potiche [pɔ'tiʃ] *f* chinesisches (*od.* japanisches) Porzellangefäß *n*; *fig.* Strohpuppe *f.*
potier [pɔ'tje] *m* **1.** Töpfer *m*; **2.** Keramiker *m.*
potin [pɔ'tɛ̃] *m* **1.** *pl.* ~*s* Klatsch *m*, Tratsch *m*, (Weiber-)Geschwätz *n*; **2.** Lärm *m*, Krach *m*; **~er** [pɔti'ne] *v/i.* (1a) klatschen, tratschen.
potion [po'sjɔ̃] *f* Arzneitrank *m.*
potiron ⚘ [pɔti'rɔ̃] *m* (Riesen-)Kürbis *m.*
pot-pourri ♪ [popu'ri] *m* Potpourri *n.*
potron-minet F [pɔtrɔ̃mi'nɛ] *m*: *se lever dès* ~ in aller Herrgottsfrühe aufstehen.
pou [pu] *m* (5b) Laus *f*; *gagner* (*od. prendre*) *des* ~*x* Läuse bekommen; *chercher des* ~*x à q.* sich mit j-m krachen wollen F, Streit mit j-m suchen.
pouah! F [pwa] *int.* puh!; pfui!
poubelle [pu'bɛl] *f* Müllkasten *m.*
pou|ce [pus] *m* **1.** Daumen *m*; *jouer du* ~ Geld herausrücken; *s'en mordre les* ~*s* etw. bereuen; *manger sur le* ~ schnell im Stehen etw. essen; *se tourner les* ~*s* die Hände in den Schoß legen; *mettre les* ~*s* klein beigeben, nachgeben; *donner le coup de* ~ *à qch.* e-r Sache den letzten Schliff geben; *crier «*~*!»* „ich (wir) mache(n) nicht mehr mit!" ausrufen; **2.** große Zehe *f*; **3.** P *et le* ~*!* sogar noch mehr!; **~cet** [~'sɛ] *m* ⊕ Hebedaumen *m*; *le Petit* ~ Däumling *m* (*Märchengestalt*); **~cettes** *hist.* [~'sɛt] *f/pl.* Daumenschrauben *f/pl.* (*zur Folterung*); **~cier** [~'sje] *m* **1.** Däumling *m zum Schutz e-s Fingers*; **2.** (*Tür-*) Drücker *m.*
pouding *cuis.* [pu'diŋ] *m* Pudding *m.*
poudingue *min.* [pu'dɛ̃:g] *m* Puddingstein *m.*
poudre ['pu:drə] *f* **1.** Staub *m*, *nur noch in*: *fig. jeter de la* ~ *aux yeux* Sand in die Augen streuen; **2.** Puder *m*; ~ *de riz* Gesichtspuder *m*; *mettre de la* ~ sich pudern; **3.** Pulver *n*; *café m en* ~ gemahlener Kaffee *m*; *sucre m en* ~ Puderzucker *m*, gestoßener Zucker *m*; *phm.* ~ *pectorale* Brustpulver *n*; ~ *vermifuge* Wurmpulver *n*; *réduire en* ~ zerreiben, zermalmen; *en* ~ gemahlen (*Kaffee*); **4.** ~ *à canon* Schießpulver *n*; ~ *sans fumée* rauchloses Pulver *n*; ~ *fulminante* Knallpulver *n*; ~ *de mine* Sprengpulver *n*; *fig. tirer sa* ~ *aux moineaux* mit Kanonen nach Spatzen schießen, sich umsonst bemühen; *il est comme la* ~ er gerät gleich in Rage; *fig. mettre le feu aux* ~*s* die Bombe zum Platzen bringen; *fig. le feu prend aux* ~*s* die Bombe platzt.
poudr|er [pu'dre] *v/t.* (1a) pudern; **~erie** [~drə'ri] *f* Pulverfabrik *f*; **~ette** [pu'drɛt] *f* getrockneter natürlicher Dünger *m*; **~euse** [~'drø:z] *f* **1.** ⊕ ~ *d'insecticides* Insektenpulverspritze *f*; **2.** (*neige f*) ~ Pulverschnee *m*; **~eux** [~'drø] *adj.* (7d) bestäubt, staubig, grau; **~ier** [~dri'e] *m* Puderdose *f*; **~ière** [~dri'ɛ:r] *f* Pulvermagazin *n*; **~in** [~'drɛ̃] *m* Staubregen *m*; **~oiement** [~drwa'mɑ̃] *m* Aufwirbeln *n* glitzernden Staubs; **~oyer** [~drwa'je] *v/i.* (1h) stauben; wie feiner Staub glitzern.
pouf[1] [puf] *int.* plumps!
pouf[2] [~] *m* Puff *m*, Polsterhocker *m.*
pouffer [pu'fe] *v/i.* (1a): ~ *de rire* laut auflachen.
pouff|iace, ~iasse V [pu'fjas] *f* Hure *f*; dicke Frau *f.*

pouillard F [pu'ja:r] *m* junges Rebhuhn *n*; kleiner Fasan *m*.

pouil|lerie [puj'ri] *f* **1.** äußerste Armut *f*; **2.** Dreck-stall *m*, -zeug *n*; **~les** F [puj] *f/pl.*: *chanter ~ à q.* j-n beschimpfen, j-m den Kopf waschen P; **~leux** [pu'jø] (7d) **I** *adj.* **1.** verlaust; **2.** dreckig; **3.** unfruchtbar (*Gegend*); **II** *su.* armer Schlukker *m*; **~lot** *orn.* [pu'jo] *m* Laubsänger *m*.

poulailler [pula'je] *m* **1.** Hühnerstall *m*; **2.** F *thé.* Galerie *f*, Olymp *m*.

poulain [pu'lɛ̃] *m* **1.** Füllen *n*, Fohlen *n*; **2.** *~ (de déchargement)* Abladungsbrücke *f*, Schrotleiter *f*; **3.** *fig.* Anfänger *m*.

poulaine [pu'lɛn] *f* **1.** *ehm.* ⚓ Galion(sdeck *n*) *n*; * Mannschaftstoilette *f*, -W.C.; **2.** *ehm. souliers m/pl. à la ~* Schnabelschuhe *m/pl.*

poularde [pu'lard] *f* Masthühnchen *n*.

poulbot [pul'bo] *m* Straßenjunge *m* vom Montmartre.

poule [pul] *f* **1.** *orn.* Henne *f*, Huhn *n*; *~ de bruyère* Auerhuhn *n*; *~ d'Inde* Truthenne *f*; *chair f de ~* Gänsehaut *f*; F *fig. cœur m de ~, ~ laitée, ~ mouillée* Hasenfuß *m*, Angsthase *m*; **2.** *Sport*: Spiel *n*, Runde *f*; Einsatz *m*, Wettspielprämie *f*; Mannschaft *f* (*Rugby*); *bill. faire une ~, jouer à la ~* um e-n Satz spielen; *esc. ~ à l'épée* Fechtturnier *n*; **3.** F Liebling *m*, Täubchen *n*, Frauchen *n*; *mv.p.* Mätresse *f*.

poulet [pu'lɛ] *m* **1.** *orn. u. cuis.* Hühnchen *n*; *~ rôti* Brathuhn *n*, Backhähnchen *n*; **2.** F *mon (petit) ~!* mein Herzchen!; **3.** F (Liebes-)Brief *m*; **4.** F Polizist *m*; **~te** [~'lɛt] *f* **1.** F *fig.* junges Mädchen *n*, junge Frau *f*; *ma ~!* mein Täubchen!; **2.** *cuis. sauce f (à la) ~* holländische Soße *f*.

pouliche [pu'liʃ] *f* Stutenfüllen *n*.

poulie ⊕ [pu'li] *f* (Block-)Rolle *f*, Riemenscheibe *f*; ⚓ Block *m*; ⚡ *~ en ébonite* Hartgummirolle *f*; ⚓ *~ mouflée* Flaschenzug *m*, Talje *f*; *~ de renvoi* Antriebsscheibe *f*; *rad. ~ en porcelaine* Isolierrolle *f*.

pouli|ner [puli'ne] *v/i.* (1a) fohlen; **~nière** [~'njɛ:r] *adj. u. f*: (*jument f*) *~* Zuchtstute *f*.

poulot F [pu'lo] *su.* (7c) Süßerchen *n*, Schnurzchen *n*.

poulpe *zo.* [pulp] *m* Tintenfisch *m*.

pouls [pu] *m* Puls *m*; *tâter* (*od. prendre*) *le ~ à q.* j-m den Puls fühlen; *fig. tâter le ~ à q. fig.* j-m auf den Zahn fühlen.

pou(l)t-de-soie *text.* [pud'swa] *m* starker, glanzloser Seidenrips *m*.

poumon [pu'mɔ̃] *m* Lunge *f*; *~ d'acier* eiserne Lunge *f*; *aile f du ~* Lungenflügel *m*; *malade du ~* lungenkrank; *à pleins ~s* aus vollem Halse.

poupard [pu'pa:r] *su.* (7) pausbäckiges Kind *n*, Wonneproppen *m* F.

poupe ⚓ [pup] *f* Heck *n*; *avoir le vent en ~* den Wind im Rücken haben; *fig.* Glück haben.

poup|ée [pu'pe] *f* **1.** Puppe *f*; *~ en caoutchouc* Gummipuppe *f*; *~s régionales* Figuren *f/pl.* in Trachten; *jouer à la ~* mit Puppen spielen; **2.** *fig.* Zierpuppe *f*; *vieille ~* alter Geck *m*; **3.** *fig.* Puppe *f* (*für Kleider- u. Hutmodelle*); **4.** ⊕ Docke *f*, Dockenspindel *f*, Spindelstock *m*; ⚓ Dockenstock *m*; **~in** [pu'pɛ̃] *adj. u. su.* (7) pausbäckig, frisch; *faire le ~* den Freundlichen spielen; **~on** F [pu'pɔ̃] *su.* (7c) Baby *n*, Pausbäckchen *n*; F *ma ~ne!* mein Herzchen *n*!; **~onner** [~pɔ'ne] *v/i.* mit e-m kleinen Kind herumschäkern; **~onnière** [~pɔ'njɛ:r] *f* **1.** Säuglingsheim *n*; **2.** Laufgitter *n* (*für Kleinkinder*).

poupoule F [pu'pul] *f* *Kosewort*: Herzchen *n*.

pour [pur] **I** *prp.* **1.** für (*acc.*); *être ~ beaucoup dans qch.* großen Anteil an etw. (*dat.*) haben *od.* viel zu etw. (*dat.*) beigetragen haben; *~ lui* für ihn; *~ ton bien* zu deinem Besten; *~ traduction conforme* für die Richtigkeit der Übersetzung; **2.** nach (*dat.*); *partir ~ l'Amérique* nach Amerika abreisen; **3.** wegen (*gén.*), um (*gén.*) willen; *~ l'amour de Dieu* umsonst, unentgeltlich, gratis; *~ cause de santé* aus Gesundheitsrücksichten; *ne vous tourmentez pas ~ si peu* regen Sie sich wegen e-r solchen Kleinigkeit nicht auf!; *sourir ~ la forme* der Form halber lächeln; *~ cette raison* deshalb; **4.** zugunsten (*gén.*); (aus Zuneigung) für; *être ~ q.* (*qch.*) für j-n (etw.) sein; *parler ~ et contre* dafür und dagegen sprechen; **5.** in bezug auf (*acc.*), gegen (*acc.*); mit Rücksicht auf (*acc.*); was ... betrifft; *avoir du respect (de l'aversion) ~ q.* Achtung vor j-m (Abneigung gegen j-n) haben; *bon ~* gut (*od.* wirksam) gegen; *~ cela, ~ ce qui est de cela* was das betrifft; ~ (*ce qui est de*) *moi* ich für mein(en) Teil; *c'est ~ toi!* das ist für dich!, das gilt dir!; **6.** anstatt (*gén.*), als; *connu ~* bekannt als; *se le tenir ~ dit* es sich gesagt sein lassen; *passer ~ qch.* für etw. gehalten werden; F *~ de bon?* im Ernst?; *~ rire* aus Spaß; *avoir ~ habitude* zur Gewohnheit haben; *~ toute réponse* statt aller Antwort; *il n'y est ~ rien* er ist ganz unschuldig daran; **7.** *Zeit*: für, auf (*acc.*), während (*gén.*); *ce sera ~ demain* es ist bis auf morgen verlegt; *il est ici ~ cinq jours* er ist auf (*od.* für) fünf Tage hier; *~ de longs siècles* während langer Jahrhunderte; *~ le moment* für den Augenblick; *~ (bien) longtemps* auf (sehr) lange Zeit; *~ jamais, ~ toujours* für immer; *~ la vie* auf Lebenszeit; *~ la dernière fois* zum letztenmal; **II** *cj.* **8.** *~ que mit subj.* damit, auf daß; *~ mit inf.* (*bei einem Subjekt*) um zu; *~ ne vous rien déguiser* um Ihnen nichts zu verhehlen; *il est trop fier ~ vous prier* er ist zu stolz, Sie zu bitten; **9.** *~ en être digne, il l'est* wenn jemand dessen würdig ist, so ist er es; **10.** *~ ... que* wie ... auch immer; *~ sage qu'il soit* so weise er auch sein mag; **11.** *~ mit inf.* weil; *il a été puni ~ l'avoir fait* er ist bestraft worden, weil er es getan hat; **12.** *~ mit inf. bei folgender nég.*: obgleich; *~ être riche, il n'en est pas moins malheureux* obwohl er reich ist, ist er doch nicht weniger unglücklich; **13.** *~ ce que j'ai pu constater autour de moi* soweit ich es um mich herum feststellen konnte; **III** *m*: *le ~ et le contre* das Für und Wider.

pour autant que [puro'tɑ̃kə] *cj.* (*mit ind. od. subj.*) soweit; sofern; *pour autant qu'il est* (*od. soit*) *libre* soweit er frei ist; *pour autant que je le sache, ils étaient ...* soweit ich weiß, waren sie ...

pourboire [pur'bwa:r] *m* Trinkgeld *n.*

pourceau *litt.* [pur'so] *m* (5b) Schwein *n*; *fig.* Ferkel *n*; *un vrai ~* ein Vielfraß *m*; *fig. ~ d'Épicure* Lustmolch *m* F.

pour-cent [pur'sɑ̃] *m* Prozent *n*, Zinsfuß *m*; *~ de mortalité* Sterblichkeitsziffer *f*; *~ en* (*od.* *d'*)*alcool* Alkohol-, Spiritus-gehalt *m.*

pourcentage [pursɑ̃'ta:ʒ] *m* Prozentsatz *m.*

pour ce qui est de ... [purski'ɛ də] was ... betrifft (*als Satzanfang*).

pourchasser [~ʃa'se] *v/t.* (1a) *fig.* Jagd machen auf, unerbittlich verfolgen.

pour-compte ✝ [pur'kɔ̃:t] *m* Verkauf *m* für Rechnung des Absenders.

pourfen|deur [purfɑ̃'dœ:r] *m iron. ~ de géants* Eisenfresser *m*; *fig. ~ de mythes* Zerstörer *m* von Mythen; **~dre** *litt. od. plais.* [~'fɑ̃:drə] *v/t.* (4a) zerschlagen, vernichten.

pourlécher [~le'ʃe] *v/rfl.* (1f) *se ~* sich die Lippen lecken.

pourparlers [purpar'le] *m/pl.* Besprechung *f*, Vorbesprechung *f*, Rücksprache *f*, Verhandlungen *f/pl.*

pour peu que [pur'pøkə] *cj.* (*mit subj.*) wann immer auch nur.

pourpre ['purprə] **I** *f* Purpur-stoff *m*, -mantel *m*; **II** *m* Purpurfarbe *f.*

pour que ['purkə] *cj.* (*mit subj.*) damit.

pourquoi [pur'kwa] **I** *cj.* warum, weshalb; *voilà ~* deshalb, daher; **II** *m/inv.* Grund *m*; Frage *f.*

pourr|i [pu'ri] **I** *adj.* verdorben, verfault; faul (*Frucht*); **II** *m das* Faule *n*, Moder *m*; *sentir le ~* faul(ig) riechen; *odeur f de ~* Modergeruch *m*; **~idié** ⚘ [~ri'dje] *m* Pilzbildung *f*; **~ir** [pu'ri:r] (2a) **I** *v/t.* in Fäulnis bringen; *fig.* verderben; ruinieren; sehr verwöhnen; **II** *v/i.* (ver)faulen, verrotten, verwesen; *fig.* verkommen, verkümmern, verderben; *temps m pourri* feuchtes, ungesundes Wetter *n* (*od.* Klima *n*); **III** *v/rfl. se ~* sich verschlechtern; **~issable** [~ri'sablə] *adj.* verfaulbar, verrottbar, verwesbar; **~issage** [~ri'sa:ʒ] *m* ⊕ Faulenlassen *n*, Mazerieren *n*; *text.* Einweichen *n*; **~issant** [~ri'sɑ̃] *adj.* (ver)faulend; **~issement** [~ris'mɑ̃] *m* Verfaulen *n*; **~issoir** [~ri'swa:r] *m* Verwesungsgrube *f*; **~iture** [~ri'ty:r] *f* Fäulnis *f* (*a. fig.*), Moder *m*; Verwesung *f*; *tomber en ~* in Verwesung übergehen; ✓ *~ du couvain* Faulbrut *f* (*Bienenzucht*).

poursui|te [pur'sɥit] *f* **1.** Verfolgung *f*; **2.** *fig.* Streben *n* (de nach); **3.** Fortsetzung *f*; **4.** ⚖ Betreibung *f* (*e-s Prozesses*), Strafverfolgung *f*; **~teur** [~'tœ:r] *Sport m* Verfolgungsrenner *m*; **~vable** [~sɥi'vablə] *adj.* beitreibbar, verfolgbar; **~vant** [~'vɑ̃] *su.* (7) Bewerber *m*; Verfolger *m*; ⚖ Kläger *m*; **~vre** [~'sɥi:vrə] (4h) **I** *v/t.* **1.** verfolgen (*a. fig.*); **2.** *fig.* quälen, heimsuchen;

3. *fig.* nachstreben (*dat.*); 4. gerichtlich verfolgen *od.* belangen; 5. fortsetzen; fortfahren; ~ *des études* Studien treiben; II *v/rfl.* se ~ *fig.* durchgeführt (*od.* fortgesetzt) werden.

pourtant [pur'tɑ̃] *adv.* dennoch, jedoch, indes.

pourtour [pur'tu:r] *m* Umfang *m*, Umkreis *m*; Rundgang *m*; △ Randfläche *f*, Rand *m* (*e-s Raumes*); ✈ *le* ~ *de la terre* der Flug um die Erde.

pour une fois que [pur'yn 'fwa kə] *cj.* (*mit ind.*) wenn erst einmal.

pourvoi ⚖ [pur'vwa] *m* Rechtsmittel *n*; ~ *en appel* Berufung *f*.

pourvoir [pur'vwa:r] (3b) (*fut. regelmäßig!*) I *v/i.* 1. ~ *à qch.* für etw. (*acc.*) (vor)sorgen; e-r S. abhelfen; *j'y pourvoirai* dafür werde ich sorgen; ~ *au désordre* die Unordnung beseitigen; 2. ~ *à q.* für j-n sorgen; 3. ~ *à un emploi* ein Amt besetzen *od.* vergeben; II *v/t.* 4. *bien* ~ *ses enfants* s-e Kinder gut unterbringen; ~ *q. de qch.* mit etw. (*dat.*) versehen; *être bien pourvu* gut gestellt sein; III *v/rfl.* 5. *se* ~ *de* sich versehen mit (*dat.*); 6. ⚖ *se* ~ Beschwerde einlegen.

pourvoyeur [purvwa'jœ:r] *su.* (7g) 1. *litt.* Lieferant *m*; 2. ⚔ Kanonier *m*.

pourvu [pur'vy]: ~ *que cj.* (*mit subj.*) vorausgesetzt, daß ..., sofern ...; *a. als HS*: wenn doch nur ...!

poussage ⚓ [pu'sa:ʒ] *m* Schubdienst *m*, Schubschiffverkehr *m*.

poussa(h) [pu'sa] *m* 1. Stehaufmännchen *n*; 2. *fig.* Dickwanst *m*.

pousse [pus] *f* 1. ⸙ Schößling *m*, Trieb *m*; 2. Wachsen *n*; Hervorkommen *n* der Zähne, Zahnen *n*; 3. Trübewerden *n des Weins*; 4. ⚕ Wiederausbrechen *n e-s Hautausschlages*; *vét.* Herzschlächtigkeit *f*.

poussé [pu'se] *adj. fig.* hochentwickelt; hochgradig; *un examen très* ~ e-e sehr scharfe Prüfung.

pousse-café [puska'fe] *m/inv.* kleines Glas *n* Schnaps (*nach d. Kaffee*).

poussée [~'se] *f* 1. Stoßen *n*; Stoß *m*; Abstoß *m* (*Wasserball*); *fig.* beschleunigtes Arbeitstempo *n*; *phys.* Auftrieb *m*; *donner une* ~ (*à*) heftig stoßen; ⚔ ~ *principale* Schwergewicht *n* des Angriffs, Hauptstoß *m*; 2. △ Druck *m*; 3. ⚕ *Art* Hautausschlag *m*; ~ *de fièvre* Fieberanfall *m*.

pousse-pousse [pus'pus] *m* (6c) Rikscha *f*.

pousser [pu'se] (1a) I *v/t.* 1. stoßen; wegstoßen; wegschieben; zurücktreiben; vorwärtstreiben; ~ *la porte* die Tür auf- *od.* zu-stoßen; *Auto*: ~ (*le moteur*) *à fond* Vollgas geben; ~ *les choses au noir* die Dinge zu schwarz malen; 2. lebhaft ausstoßen *od.* ausdrücken; ~ *des cris* ein Geschrei erheben; 3. hervorbringen; ~ *des boutons* Knospen treiben *od.* ansetzen; 4. verlängern, ausdehnen; *fig.* eifrig betreiben; ~ *sa chance od. sa fortune* sich vorwärtshelfen; sein Glück versuchen; ~ *son travail* s-e Arbeit eifrig fortsetzen; 5. *fig.* antreiben, vorwärtsbringen, vorantreiben; fördern, beschleunigen, forthelfen (*dat.*); ~ *un élève* e-n Schüler fördern; ~ *une pointe vers ...* e-n Abstecher nach ... machen; ~ *à bout la patience j-s* Geduld erschöpfen; ~ *les enchères* die Preise in die Höhe treiben; 6. entwickeln, sorgfältig ausarbeiten, Nachdruck legen auf (*acc.*); 7. ~ *q. de qch.* j-n mit etw. heimsuchen, j-m mit etw. zusetzen; ~ *de nourriture* überfüttern; II *v/i.* 8. stoßen; ~ *à la guerre* zum Krieg treiben (*od.* hetzen); F *fig.* ~ *à la roue* mitschieben helfen; 9. ~ *à* vordringen bis; ~ *à q.* auf j-n losgehen; 10. ⚘ aufgehen, treiben; sprießen, ausschlagen; wachsen (*Bart*); 'durchbrechen (*Zahn*); 11. ~ *au noir* dunkeln; 12. △ drücken, e-n Druck ausüben; 13. ⚓ ~ *au large* in See stechen, sich entfernen; III *v/rfl.* se ~ 14. gestoßen *usw.* werden; se ~ *dans le monde* vorwärtskommen, s-e Sache machen; 15. F *se* ~ *du col* sich überall vordrängeln, sich dicke tun, angeben.

poussette [pu'sɛt] *f* 1. Marktroller *m*; 2. Kinderwagen *m*; 3. Betrügerei *f beim Spiel*; 4. F *Auto*: Schneckentempo *n in e-m Stau*; 5. F Anschieben *n e-s Radrennfahrers*.

pousseur ⚓ [pu'sœ:r] *m* Schubschiff *n*.

pouss|ier [pu'sje] *m* Kohlenstaub *m*, staubiger Abfall *m*; *métall.* Gestübe *n*; ~ *de coke* Koksgrus *m*; **~ière** [~'sjɛ:r] *f* 1. Staub *m*; *il fait de la* ~ es ist staubig; *fig. réduire en* ~ vernichten; *mordre la* ~ *fig.* ins Gras beißen müssen; *at.* ~ *radio-active* Atomstaub *m*; 2. *poét.* Erde *f*; *fig. das* Nichts *n*; Elend *n*;

3. ⚘ ~ *fécondante* Blütenstaub *m*; **~iéreux** [~sje'rø] *adj.* (7d) staubig.

poussif [pu'sif] **I** *adj.* (7e) **1.** *vét.* herzschlächtig, dämpfig; *être* ~ keuchen (*Pferd*); **2.** F (*von Menschen*) engbrüstig; **II** *m* F *gros* ~ dicker Schnaufer *m*.

poussin [pu'sɛ̃] *m* Küken *n*; **~ière** [~si'njɛ:r] *f* Kükenkäfig *m*.

poussoir [pu'swa:r] *m* Drücker *m od.* Knopf *m am* ⚡ *Schalter, an Uhren usw.*; Ventilstößel *m*; ~ *de soupape* Ventilbolzen *m*.

poutr|age [pu'tra:ʒ] *m*, **~aison** [~trɛ'zɔ̃] *f* Gebälk *n*, Balkenwerk *n*; **~e** ['pu:trə] *f* Balken *m*, Träger *m*; ~ *en treillis* (*en acier*) Gitter-(Stahl-)träger *m*; ~ *du pont* Brükkenträger *m*; **~elle** [pu'trɛl] *f* kleiner Balken *m od.* Träger *m*; Verlade-Traverse *f*.

pouvoir [pu'vwa:r] (3f) **I** *v/t. u. v/i.* **1.** können, vermögen (= *die Kraft od. die natürliche Fähigkeit besitzen*; *dagegen „können" = „gelernt haben"* s. *savoir*); *je ne peux plus rien pour vous* ich kann Ihnen nicht mehr helfen; *je ne peux pas le faire od. je ne puis le faire* ich kann es nicht machen; *je n'en puis mais* ich kann nichts dafür; *sauve qui peut* rette sich, wer kann; *cela ne peut se faire* das läßt sich nicht machen; *ell. il est on ne peut plus aimable* er ist außerordentlich liebenswürdig; **2.** dürfen; *puis-je vous demander?* darf ich Sie fragen?; **3.** *cela peut être* das ist möglich, das kann sein; *cet espoir pourrait bien se réaliser* diese Hoffnung dürfte wohl in Erfüllung gehen; **4.** *zum Ausdruck e-s Wunsches*: *puissé-je ...!* könnte ich doch ...!; *puisse-t-il arriver bientôt!* möge er doch bald ankommen!; **II** *v/rfl.* se ~ **5.** möglich sein; *cela se peut* das kann wohl sein; *v/imp. il se peut que* (*mit subj.*) es ist wohl möglich, daß; *se pourrait-il?* wäre es möglich?, wirklich?; **III** *m* **6.** Können *n*, Fähigkeit *f*, Vermögen *n*; Gewalt *f*; Kraft *f*, Macht *f*; *de tout mon* ~ aus allen meinen Kräften; *il tomba au* ~ *de l'ennemi* er fiel in die Hände des Feindes; ☤ ~ *d'achat* Kaufkraft *f*; *phys.* ~ *calorique* Heizkraft *f*; ~ *expansif* Ausdehnungsvermögen *n*; **7.** Herrschaft *f*, Macht *f*, Regierung *f*; Einfluß *m* (*sur* auf *acc.*); *parvenir au* ~ an die Macht kommen; *être au* ~ an der Macht sein; am Ruder sein; **8.** (schriftliche) Ermächtigung *f*, Befugnis *f*, Vollmacht *f*; *plein(s)* ~(s) Bevollmächtigung *f*, Blankovollmacht *f*; *pol.* Ermächtigung *f*; ⚖ Vertretungsvollmacht *f*; ~ *par-devant notaire* notarielle Vollmacht *f*; *fondé m de* ~ Bevollmächtigte(r) *m*; Prokurist *m*.

Poznan *géogr.* [pɔz'nã] *npr.* Posen *n*.

pragma|tique [pragma'tik] *adj.* □ pragmatisch; auf Tatsachen beruhend; **~tisme** *phil.* [~'tism] *m* Pragmatismus *m*, Lehre *f* vom ursächlichen Zusammenhang, praktische Anwendbarkeit *f*.

Prague *géogr.* [prag] *f* Prag *n*.

prairi|al *hist. Fr.* [prɛ'rjal] *m* Wiesenmonat *m* (*fr. Rev.*); **~e** [~'ri] *f* Wiese *f*, Wiesenland *n*, Prärie *f*; ~ *irriguée* Rieselfeld *n*.

pralin ⸙ [pra'lɛ̃] *m* Düngererde *f*.

prali|ne [pra'li:n] *f* gebrannte Mandel *f*; **~ner** [~li'ne] *v/t.* (1a) **1.** in Zucker bräunen; **2.** ⸙ *Stecklinge beim Pflanzen* mit Düngererde umgeben.

prame ⚓ [pram] *f* Prahm *m*.

prati|cabilité [pratikabili'te] *f* Durchführbarkeit *f*; **~cable** [~'kablə] **I** *adj.* **1.** ausführbar, durchführbar; **2.** (be)fahrbar, passierbar (*Weg*); **3.** *thé. porte f* ~ wirkliche Tür *f*; **II** *cin. m* verstellbare Plattform *f für Kameras od. Projektoren*; **~cien** [~'sjɛ̃] (7c) **I** *su.* **1.** Praktiker *m*; **2.** ⚕ praktischer Arzt *m*; **II** *adj.*: *médecine f* ~*ne* allgemeine ärztliche Betreuung *f*.

praticulture [pratikyl'ty:r] *f* Wiesenbau *m*.

pratiquant [prati'kã] *adj.* (7) **1.** *rl.* streng kirchlich; **2.** *allg.* ausübend; *médecin m* ~ praktischer Arzt *m*.

pratique [pra'tik] **I** *adj.* **1.** □ praktisch, ausübend; *géométrie f* ~ angewandte Geometrie *f*; **2.** zweckmäßig, zweckdienlich, zweckentsprechend; **3.** erfahren, praktisch; **II** *f* **4.** Praxis *f*, Anwendung *f*; Ausführung *f*; *mettre en* ~ anwenden; **5.** Gebrauch *m*, Verfahren *n*; **6.** Erfahrung *f*, Übung *f*, Routine *f*, Fertigkeit *f*; ~ *du théâtre* Bühnenkenntnis *f*; **7.** *rl.* ~*s f/pl. religieuses* Kultübungen *f/pl.*; **8.** *péj.* ~*s pl.* Kniffe *m/pl.*, Schliche *m/pl.*, Praktiken *f/pl.*

pratiquement [pratik'mã] *adv.* praktisch; in der Praxis.

pratiquer [prati'ke] (1m) **I** *v/t.* **1.** ausüben, praktisch betreiben, praktizieren; ~ *les sports* Sport treiben; ~ *une opération* eine Operation vornehmen; *abs. il pratique* er praktiziert, er ist (ein) praktischer Arzt; ~ *partout des sympathies* überall Anklang finden; ~ *la justice* Gerechtigkeit üben; ~ *le trois fois huit* rund um die Uhr arbeiten; **2.** ⊕ anlegen; anbringen; bohren (*Loch*); ~ *un chemin* e-n Weg anlegen; **3.** *abs.* (*a.* ~ *la religion*) oft zur Kirche gehen; die Religionsgebräuche beobachten; **II** *v/rfl. se* ~ geschehen, üblich sein; sich ausführen lassen.

pré [pre] *m* Wiese *f*, Anger *m*; *fig. aller sur le* ~ sich duellieren.

préalable [prea'lablə] **I** *adj.* □ vorrangig; *condition f* ~ Vorbedingung *f*; *question f* ~ Vorfrage *f*; *au* ~, ~*ment adv.* vorher, zuvor; **II** *m*: ~ *de qch.* Vorbedingung *f* für etw. (*acc.*).

préambule [preɑ̃'byl] *m* ⚖ (*pl.* ~*s a. fig.* F) Präambel *f*, Einleitung *f*; *sans* ~ ohne lange Vorrede.

préamplificateur ⊕ [~ɑ̃plifika'tœːr] *m* Vorverstärker *m* (*Tonband*).

préapprentissage *écol.* [~aprɑ̃ti'saːʒ] *m* berufsbildender Unterricht *m*.

préau [pre'o] *m* (5b) **1.** Hof *m* (*Kloster, Gefängnis, Krankenhaus*); **2.** überdachter Schulhof *m*.

préavis [prea'vi] *m* vorheriges Gutachten *n*, vorherige Benachrichtigung *f*; *téléph.* Voranmeldung *f*; *renvoi m sans* ~ fristlose Entlassung *f*.

prébende [pre'bɑ̃ːd] *f rl.* Pfründe *f* (*a. fig. péj.*); *péj.* fetter Posten *m* F.

précaire [pre'kɛːr] *adj.* □ **1.** unsicher, ungewiß, heikel, prekär; *santé f* ~ zarte Gesundheit *f*; **2.** ⚖ widerruflich.

précarité [prekari'te] *f* Ungewißheit *f*; ⚖ Widerruflichkeit *f*.

précaution [preko'sjɔ̃] *f* Vorsicht *f*; *par* ~ aus Vorsicht; *prendre ses* ~*s* Vorsichtsmaßregeln treffen; ~**ner** [~sjɔ'ne] *litt. v/rfl.* (1a) *se* ~ *contre qch.* sich vor etw. (*dat.*) vorsehen *od.* in acht nehmen; ~**neux** [~'nø] *adj.* (7d) vorsichtig.

précé|dent [prese'dɑ̃] **I** *adj.* (7) (unmittelbar) vorhergehend, vorig, früher; *précédemment adv.* vorher; zuvor; **II** *m* Präzedenzfall *m*; *sans* ~ noch nie dagewesen; ~**der** [~'de] (1f) **I** *v/t.* **1.** ~ *q.* vor j-m her-gehen, -fahren *od.* -reiten, j-m vorangehen; **2.** *fig.* ~ *q.* vor j-m den Vorrang haben; j-n übertreffen; **3.** vorausgehen (*dat.*); **II** *v/i.* **4.** ~ *en dignité* den höchsten Rang haben; **5.** vorhergehen.

préceinte ⚓ [pre'sɛ̃ːt] *f* Außenplanke *f*.

précep|te [pre'sɛpt] *m* Lehre *f*, Vorschrift *f*, Regel *f*, Satzung *f*, Weisung *f*, Gebot *n*; ~**teur** [presɛp'tœːr] *su.* (7f) Hauslehrer *m*, Erzieher *m*; ~**torat** [~tɔ'ra] *m* Hauslehrerstelle *f*.

précession *ast.* [presɛ'sjɔ̃] *f* Vorrücken *n*.

prêch|e [prɛʃ] *m* **1.** *prot.* Predigt *f*; **2.** F Moralpredigt *f*; ~**er** [prɛ'ʃe] (1a) **I** *v/t.* predigen; *fig.* ~ *l'économie* Sparsamkeit predigen; ~ *la bonne parole à q.* auf j-n mit freundlichen Worten einreden; **II** *v/i.* predigen; ~ *d'exemple* mit gutem Beispiel vorangehen; *fig.* ~ *dans le désert* tauben Ohren predigen; ~**eur** [~'ʃœːr] (7g) **I** *adj. frère m* ~ Dominikaner *m*; **II** *su. fig.* Moralprediger *m*.

prêchi-prêcha F [prɛ'ʃi, prɛ'ʃa] *m* Gesalme *n*, Salbaderei *f*.

préci|euse [pre'sjøːz] *f hist.* Preziöse *f*; *les* ~*s* (Zirkel *m* v.) geistreiche(n) Frauen *in Paris z.Z. Molières*; *faire la* ~ sich zieren; ~**eux** [~'sjø] **I** *adj.* (7d) **1.** kostbar, wertvoll; ~ *à* wertvoll für (*acc.*); *métaux m/pl.* ~ edle Metalle *n/pl.*; *pierre précieuse* Edelstein *m*; **2.** *Stil*: affektiert, gesucht, geschraubt, geziert; **II** *m das* Gesuchte *n*, gekünsteltes Wesen *n*; ~**osité** [~sjozi'te] *f* Ziererei *f*; Geschraubtheit *f* (*des Stils*); geziertes Wesen *n* der *précieuses*.

précipi|ce [presi'pis] *m* Abgrund *m*; ~**tabilité** ⚗ [~tabili'te] *f* Fällbarkeit *f*; ~**table** ⚗ [~'tablə] *adj.* fällbar, abscheidbar; ~**tamment** [~pita'mɑ̃] *adv.* Hals über Kopf, überstürzt; ~**tant** ⚗ [~pi'tɑ̃] *m* Niederschlag-, Fällungs-mittel *n*; ~**tation** [~pitɑ'sjɔ̃] *f* **1.** Hast *f*, Übereilung *f*, Überstürzung *f*; **2.** ⚗ Niederschlagung *f*, Fällung *f*; **3.** ~ *atmosphérique* Niederschlag *m* (*Regen od. Schnee*); ~*s f/pl.* Niederschläge *m/pl.*; ~**té** [~pi'te] ⚗ *m* Niederschlag *m*; ~**ter** [~] (1a) **I** *v/t.* **1.** (hinab-, herab-)stürzen, (-)schleudern; **2.** beschleunigen; übereilen, überstürzen; ~ *qch.* etw. übers Knie brechen, etw. überstürzen; *avoir un débit précipité* überhastet sprechen; **3.** (*auch v/i.*) niederschlagen, ausfällen; **II** *v/rfl. se* ~ **4.** sich (hinab)stürzen; reißend schnell dahineilen (*a. fig. v. der Zeit*), rasen; **5.** *se ~ sur q.* sich auf j-n stürzen; *se ~ au-devant de q.* j-m entgegeneilen; **6.** *fig.* sich übereilen; sich überstürzen; **7.** ⚗ sich niederschlagen.

préciput ⚖ [presi'py] *m* Vorzugsanteil *m*, Vorrecht *n*; *par ~* im (*od.* zum) voraus; **~aire** ⚖ [~py'tɛ:r] *adj.*: *legs m ~* Vorausvermächtnis *n*.

précis [pre'si] **I** *adj.* (7) **1.** bestimmt, genau; *à dix heures ~es* Punkt zehn Uhr; **2.** deutlich, klar, scharf umrissen, knapp (*Stil*); ausdrücklich; *net et ~* klar und bündig; **II** *m* kurzgefaßter Inhalt *m*; gedrängte Darstellung *f*; Abriß *m*; **~ément** [~ze'mɑ̃] *adv.* **1.** genau, bestimmt; **2.** (*als Antwort*) ganz recht!, sehr richtig!; **3.** *~ parce que* eben weil; **~er** [~'ze] (1a) **I** *v/t.* präzisieren, näher bestimmen, genau angeben; **II** *v/i.* sich deutlich ausdrücken; **III** *v/rfl. se ~* deutlich (*od.* klar) werden, sich klar herausstellen; **~ion** [~'zjɔ̃] *f* **1.** Bestimmtheit *f*, Deutlichkeit *f*, Genauigkeit *f*; *montre f de ~* Präzisions-(taschen- *od.* -armband)uhr *f*; **2.** Knappheit *f des Stils*.

précité [presi'te] *adj.* obenerwähnt.

préclassique *gr., litt.* [prekla'sik] *adj.* vorklassisch.

préco|ce [pre'kɔs] *adj.* □ **1.** frühreif, -zeitig; *fruits m/pl. ~s* Frühobst *n*; **2.** vorzeitig; früh entwickelt; *fig.* frühreif; **~cité** [~si'te] *f* Frühreife *f*.

précompt|e ✝ [pre'kɔ̃:t] *m* im voraus gemachter Abzug *m* **~er** [~kɔ̃'te] *v/t.* (1a) im voraus an- *od.* abrechnen (*sur* auf *acc. od.* von *dat.*).

précon|cassage ⊕ [prekɔ̃ka'sa:ʒ] *m* Vorzerkleinerung *f*, Vorbrechen *n*; **~çu** [~'sy] *adj.*: *opinion f* (*od. idée f*) *~e* vorgefaßte Meinung *f*.

préconis|ation [prekɔniza'sjɔ̃] *f* Befürwortung *f*, Empfehlung *f*, Anregung *f*; Propagierung *f*; **~er** [~'ze] *v/t.* (1a) **1.** *rl.* präkonisieren; **2.** anpreisen, anregen, propagieren, befürworten, empfehlen.

précontraction *bét.* [prekɔ̃trak'sjɔ̃] *f* Anspannung *f*.

précontraint *bét.* [~kɔ̃'trɛ̃] *adj.* vorgespannt; *béton m ~* Spannbeton *m*; **~e** *bét.* [~'trɛ̃:t] *f* a) Vorspannen *n*; Anspannung *f*; b) Spannbeton *m*.

précurseur [prekyr'sœ:r] **I** *m* Vorläufer *m*, -bote *m* (*a. fig.*); **II** *adj./m*: *sans aucun signe ~* ohne irgendein vorheriges (An-)Zeichen.

prédé|céder ⚖ [predese'de] *v/i.* (1f) vorher sterben; **~cès** ⚖ [~'sɛ] *m* vorheriges Ableben *n*; **~cesseur** [~sɛ'sœ:r] *m* Vorgänger *m*.

prédesti|nation [predɛstina'sjɔ̃] *f* Vorherbestimmung *f*; *rl.* Prädestination *f*; **~ner** [~'ne] *v/t.* (1a) prädestinieren (*à* zu *dat.*).

prédétermin|ation *rl.* [predetɛrmina'sjɔ̃] *f* Vorherbestimmung *f*; **~er** *mst. rl.* [~mi'ne] *v/t.* (1a) vorherbestimmen.

prédi|cant [predi'kɑ̃] *m prot.* Prediger *m*; **~cat** *gr.* [~'ka] *m* Prädikat *n*; **~cateur** [~ka'tœ:r] *su.* (7f) Kanzelredner *m*; **~cation** *rl.* [~ka'sjɔ̃] *f* **1.** Predigen *n*; **2.** Predigt *f*.

prédictif *psych., écol.* [predik'tif] *adj.* (7e) prognostisch, Vorhersage...

prédiction [predik'sjɔ̃] *f* Voraussage *f*, Vorhersage *f*; Weissagung *f*, Prophezeiung *f*; *~ du temps, ~ météorologique* Wettervorhersage *f*.

prédigérer [prediʒe're] *v/t.* (1f) (*a. fig.*) vorkauen.

prédilection [predilɛk'sjɔ̃] *f* Vorliebe *f*; *... de ~* Lieblings...; *plat m* (*od. mets m*) *de ~* Leibgericht *n*.

prédire [pre'di:r] *v/t.* (4m) (*aber*: *vous prédisez*) vor'her-, wahr-, weis-sagen, prophezeien.

prédispo|ser [predispo'ze] *v/t.* (1a) empfänglich machen (*à* für *acc.*), vorbereiten (*à* zu *dat.*); **~sition** [~zi'sjɔ̃] *f* Empfänglichkeit *f*.

prédomi|nance [predɔmi'nɑ̃:s] *f* Überwiegen *n*; Vorherrschaft *f*; **~nant** [~'nɑ̃] *adj.* (7) über'wiegend, vorherrschend; **~ner** [~'ne] *v/i.* (1a) vorherrschen, über'wiegen.

préembauche [preɑ̃'bo:ʃ] *f* Ausbildung *f* mit Verpflichtung zu späterer Arbeitsübernahme.

prééminence [preemi'nɑ̃:s] *f* Vorrang *m*; Überlegenheit *f*; **~nent** [~'nɑ̃] *adj.* (7) hervorragend, *fig.* überragend.

préemption ⚖ [preɑ̃p'sjɔ̃] *f* Vorkauf *m*.

préenquête [preɑ̃'kɛt] *f* Vortest *m*.

pré|existant *litt.* [preɛgzis'tɑ̃] *adj.* präexistierend; **~existence** *litt.* [~ɛgzis'tɑ̃:s] *f* Präexistenz *f*, Vorleben *n*; **~exister** [~ɛgzis'te] *v/i.* (1a) *~ à q.* vor j-m existieren.

préfabri|cation [prefabrika'sjɔ̃] *f* vorherige Anfertigung *f*; **~qué** [~'ke] *adj.* vorgefertigt, Fertig...; **~quer** [~] *v/t.* (1a) im voraus herstellen (*od.* anfertigen).

préfa|ce [pre'fas] *f* Vorwort *n*;

~cer [~'se] *v/t.* (1k) das Vorwort schreiben zu (*dat.*); **~cier** [~'sje] *m* Vorwortschreiber *m.*

préfec|toral [prefɛktɔ'ral] *adj.* (5c) Präfektur...; **~ture** [~'ty:r] *f* Präfektur *f*; Präfektenstelle *f*; Amtsdauer *f* e-s Präfekten; Präfekturgebäude *n.*

préfé|rable [prefe'rablə] *adj.* □ vorzuziehen; *il est* ~... es ist besser ...; **~rence** [~'rɑ̃:s] *f* **1.** Vorzug *m*; *donner* (*od. accorder*) *la* ~ *à q.* j-m den Vorzug geben; ~ *pour* Vorliebe für (*acc.*); *advt. de* ~ eher, lieber, am liebsten, vorzugsweise, mit Vorliebe; **2.** *a.* ⚖ Vorrecht *n.*

préférer [prefe're] *v/t.* (1f) (*bei gleichem Subjekt mit inf. ohne prép.*) vorziehen, bevorzugen; *ami m préféré* Lieblingsfreund *m.*

préfet [pre'fɛ] *m* Präfekt *m*; ~ *de police* Polizeipräfekt *m*; ~ *maritime* Marinepräfekt *m.*

préfète [~'fɛt] *f* Präfektengattin *f.*

préfigur|ation [prefigyrɑ'sjɔ̃] *f* Andeutung *f*; ⊕ Planung *f*; **~er** [~'re] *v/t.* (1a) andeuten.

préfix|e *gr.* [pre'fiks] *m* Präfix *n*, Vorsilbe *f*; **~er** *gr.* [~fik'se] *v/t.* (1a) präfixieren; **~ion** *gr.* [~fik'sjɔ̃] *f* Präfixierung *f.*

pré-gazon [pregɑ'zɔ̃] *m* (6a) gepflegte Wiese *f*, Rasenplatz *m.*

préhellénique [preɛle'nik] *adj.* vorgriechisch.

préhen|seur *zo.* [preɑ̃'sœ:r] *adj./m* zum Greifen bestimmt, Greif...; **~sible** [~'siblə] *adj.* greifbar; **~sile** *zo.* [~'sil] *adj.* fähig zu (er)greifen; **~sion** *zo.* [~'sjɔ̃] *f* Greifen *n.*

préhis|toire [preis'twa:r] *f* Vor-, Ur-geschichte *f*; **~torique** [~tɔ'rik] *adj.* vor-, ur-geschichtlich.

préjudi|ce [preʒy'dis] *m* Nachteil *m*, Schaden *m*; *au* ~ *de q.* zu j-s Schaden; *sans* ~ *de mes droits* unbeschadet meiner Rechte; **~ciable** [~'sjablə] *adj.* nachteilig, schädlich (*à* für *acc.*); ~ *à l'environnement* umweltfeindlich; **~ciaux** [~'sjo] *adj./m pl.*: *frais m/pl.* ~ Gerichtskostenvorschuß *m*; **~ciel** ⚖ [~'sjɛl] *adj.* (7c) vorläufig; *question f* ~*le* Vorfrage *f*; **~cier** *litt.* [~'sje] *v/i.* (1a): ~ *à q.* (*à qch.*) j-m (e-r Sache) schaden.

préju|gé [preʒy'ʒe] *m* **1.** Vorurteil *n*; *absence f de* ~*s* Vorurteilslosigkeit *f*; **2.** Vermutung *f*; Anzeichen *n*; **~ger** [~] *v/i.* (1l): ~ *de qch.* e-e voreilige Entscheidung über etw. treffen.

prélangage ⚕, *biol.* [prelɑ̃'ga:ʒ] *m* sprachähnliche Verständigung *f.*

prélart [pre'la:r] *m* Wagenplane *f*; Persenning *f.*

prélasser [prela'se] *v/rfl.* (1a): *se* ~ sich's bequem machen.

prélat *cath.* [pre'la] *m* Prälat *m.*

prèle ⚘ [prɛl] *f* Schachtelhalm *m.*

prélegs ⚖ [pre'lɛ] *m* Vorausvermächtnis *n.*

pré|lèvement [prelɛv'mɑ̃] *m* **1.** Entnahme *f*, *a.* Probe *f* (*das Entnommene*); **2.** ⚕ Abstrich *m*; *opérer un* ~ e-n Abstrich vornehmen; **3.** *fin.* Abheben *n* (*v. Geld*); Einbehaltung *f*; **~lever** [prel(ə)'ve] *v/t.* (1d) **1.** entnehmen (*Probe*); **2.** *fin.* abheben (*Geld*); einbehalten.

préliminaire [prelimi'nɛ:r] **I** *adj.* Vor...; einleitend, vorbereitend; *connaissances f/pl.* ~*s* Vorkenntnisse *pl.*; *discours m* ~ Vorrede *f*; **II** ~*s m/pl.* (*de paix* Friedens-)Vorverhandlungen *f/pl.*

prélu|de [pre'lyd] *m* ♪ Vorspiel *n*, Vorgesang *m*, Präludium *n*; *fig.* Einleitung *f*; *fig.* Vorbote *m*; **~der** [~ly'de] *v/i.* (1a) ♪ präludieren, ein einleitendes Vorspiel geben; ~ *à qch.* ein Vorspiel zu etw. (*dat.*) geben; *allg.* auf etw. (*acc.*) vorbereiten.

prémagnétisation *télév.* [~maɲetizɑ'sjɔ̃] *f* Vorspannung *f.*

prématu|ré [prematy're] *adj.* **1.** frühreif, früh(zeitig); ⚕ *accouchement m* ~ Frühgeburt *f*; *sagesse f* ~*e* Altklugheit *f*; **2.** *fig.* verfrüht; *mort f* ~*e* vorzeitiger Tod *m*; **3.** *fig.* voreilig; *démarche f* ~*e* übereilter Schritt *m*; **~rément** [~re'mɑ̃] *adv.* verfrüht; **~rité** [~ri'te] *f* Frühreife *f*; *fig.* Voreiligkeit *f.*

prémédi|tation [premeditɑ'sjɔ̃] *f* Vorsätzlichkeit *f*; *avec* ~ vorsätzlich; **~ter** [~'te] *v/t.* (1a) vorher bedenken *od.* überlegen.

prémices *litt.* [pre'mis] *f/pl.* Anfang *m.*

premier [prə'mje] (7b) **I** *adj. u. adj./n.o.* a) *vorgestellt*: **1.** erster, erste, erstes; *au* ~ im ersten Stock, e-e Treppe hoch; *au* ~ *jour* an e-m der nächsten Tage; dieser Tage; *en* ~ *lieu, en première ligne* zuerst, zunächst, in erster Linie; *le* ~ *âge* die Kinderjahre *n/pl.*; **2.** *le* ~ (*la première*) *a.* zuerst: *le* ~ *venu* (*la première venue*) der (die) zuerst Angekommene; der (die, das) erste beste; **3.** vorzüglich, höchst, oberst; **4.** früher, vorig; b) *nachgestellt*: **5.** anfänglich, ursprünglich, Ur..., Grund..., Roh...; *la gêne première* die anfängliche Bedrängnis; *matières f/pl. premières* Roh-, Ur-stoffe *m/pl.*; *sens m* ~ Grundbedeutung *f*; *nombres* ~*s* Primzahlen; **II** *su.* Erste(r) *m*, Vorderste(r) *m*; *pol.* Ministerpräsident *m*; *écol.* Primus *m*; ⚒ Abteilungschef *m*; *les* ~*s*, *les seconds* diese ..., jene ...; die einen ..., die anderen ...; *thé. jeune* ~ erster Liebhaber *m*.

première [prəˈmjɛːr] *f* **1.** s. *premier* II; **2.** erste Rangloge *f*; 🚂 erste Wagenklasse *f*; **3.** *thé.* Premiere *f*, Erst-, Ur-aufführung *f*; *Sport*: Erstleistung *f*; **4.** *Fr. écol.* „Prima“ *f*, *d.h.* 11., vorletzte Klasse *f* (s. *terminale*); **5.** *Auto*: erster Gang *m*; **6.** *thé. jeune* ~ erste Liebhaberin *f*; **~ment** [~mjɛrˈmɑ̃] *adv.* erstens.

premier-né [prəmjeˈne] *adj. u. m* (6a) erstgeboren; Erstgeborene(r) *m*.

prémilitaire [premiliˈtɛːr] *adj.* vormilitärisch.

prémisse [preˈmis] *f* Voraussetzung *f*, Prämisse *f*.

prémolaire *anat.* [preməˈlɛːr] *f* vorderer Backenzahn *m*.

prémonit|ion [premɔniˈsjɔ̃] *f* warnendes Vorgefühl *n*; **~oire** [~ˈtwaːr] *adj.* dem Ausbruch e-r Krankheit *usw.* vorhergehend; vorwarnend.

prémunir [premyˈniːr] *v/t.* (2a): ~ *q.* (*se* ~) *contre qch.* j-n (sich) im voraus vor etw. (*dat.*) sichern.

prénaissance *néol.*, *Mode* [prenɛˈsɑ̃ːs] *f* Schwangerschaft *f*.

prenant [prəˈnɑ̃] *adj.* (7) **1.** *zo. queue f* ~*e* Wickel-, Ringelschwanz *m*; **2.** ⚒ *partie f* ~*e* Abnehmer *m*; **3.** *fig.* packend, ergreifend; *manières f/pl.* ~*es* sympathisches Wesen *n*; **4.** F *fig.* zeitraubend; anstrengend.

prénatal *biol.* [prenaˈtal] *adj.* (*m/pl.* ~*s!*) vorgeburtlich; *soins m/pl.* ~*s* Schwangerschaftsfürsorge *f*.

prendre [ˈprɑ̃ːdrə] (4q) **I** *v/t.* **1.** nehmen; greifen, ergreifen, fassen; *Zeit* dauern; ~ *q. au corps* j-n verhaften (s. *a.* 4.); ~ *entre ses bras* in die Arme nehmen; ~ *le pouls à q.* j-s Puls fühlen; *combien de temps cela prendra-t-il?* wie lange wird das dauern?; *à tout* ~ alles in allem; **2.** *fig.* sich bemächtigen (*gén.*), sich aneignen; sich verschaffen; wählen; sich entscheiden für (*acc.*); ~ *son temps* sich Zeit nehmen (*od.* lassen); ~ *son billet* s-e Fahrkarte lösen; ~ *corps* Gestalt annehmen, sich verwirklichen; ~ *courage* Mut fassen; ~ *son élan* e-n Anlauf nehmen; ~ *une forteresse* e-e Festung einnehmen *od.* erobern; ~ *la fuite* die Flucht ergreifen; Reißaus nehmen; ✈ ~ *son vol*, ~ *son essor* abfliegen; *rad.* ~ *Paris* Paris einschalten (*od.* anstellen); *Fr.* ~ *le maquis* sich der Widerstandsbewegung anschließen (*1940 — 1944*); ~ *des mesures* Maßnahmen ergreifen, Maßregeln treffen; ~ *un titre* sich e-n Titel beilegen; ~ *la parole* das Wort ergreifen; ~ *une résolution* e-n Entschluß fassen; *mes souliers prennent l'eau* meine Schuhe sind nicht wasserdicht; ~ *faveur* aufkommen, modern werden; ~ *feu* in Brand geraten, Feuer fangen (*a. fig.*); ~ *froid* sich erkälten; ~ *de la peine à* ... sich Mühe geben, zu ...; sich anstrengen (*od.* sich bemühen) zu ...; ~ *la peine de* ... sich die Mühe machen, zu ...; geruhen zu ...; die Freundlichkeit haben zu ...; *prenez la peine* ~ *d'entrer!* treten Sie bitte näher!; ~ *congé de q.* von j-m Abschied nehmen, sich von j-m verabschieden; ~ *un congé* Urlaub nehmen; ~ *parti pour q.* (*pour qch.*) für j-n Partei ergreifen; für j-n (für etw.) eintreten (*od.* einstehen); ~ *un parti* e-n Entschluß fassen, sich entschließen; ~ *pied* festen Fuß fassen; ~ *plaisir à qch.* sein Vergnügen an etw. (*dat.*) finden; ~ *racine* Wurzel fassen; ~ *soin de qch.* für etw. (*acc.*) sorgen; ~ *qch. à cœur* sich etw. zu Herzen nehmen; ~ *q. en amitié* j-n liebgewinnen; ~ *qch. en considération* etw. in Erwägung ziehen; **3.** ~ *pour q. od. pour qch.* fälschlich für j-n *od.* für etw. (*acc.*) halten, mit j-m *od.* mit etw. (*dat.*) verwechseln; ~ *qch. pour argent comptant* etw. für bare Münze ansehen (*od.* nehmen); ~ *q. pour dupe* j-n betrügen, j-n zum besten haben; **4.** fangen (*au piège*, *à la main* in der Falle, mit der Hand); verhaften, gefangennehmen; *fig.* fesseln; ~ *q. par son faible* j-n bei s-r schwachen Seite kriegen; **5.** ertappen, überraschen; angreifen; ~ *q. en faute* j-n bei e-m Vergehen ertappen (*od.* erwischen); **6.** mitnehmen; *le train prend des voyageurs* der Zug nimmt Reisende auf; **7.**

wegnehmen, entwenden, stehlen; entlehnen (*aus Büchern*); *où prenez-vous cela?, où avez-vous pris cela?* wo haben Sie denn das her?; **8.** zu sich nehmen, essen, trinken, genießen; gebrauchen; ~ *l'air* Luft schnappen; ~ *des airs* sich aufspielen; P sich haben; angeben; ~ *les eaux* e-e Brunnenkur machen; ~ *du café*, ~ *le café* Kaffee trinken; ~ *un repas* e-e Mahlzeit einnehmen; ~ *du repos* (sich) ausruhen; **9.** anlegen, anziehen; *Hut* aufsetzen, *Tuch* umhängen, umnehmen; **10.** *Weg* einschlagen; *Richtung* nehmen, *abs.* gehen; *abs.* ~ *à droite* sich nach rechts wenden; *prenez par ici* gehen (*od.* fahren) Sie hier (ent)lang; ~ *à travers champs* querfeldein gehen (*od.* fahren); ~ *les devants* vorausgehen; *fig.* zuvorkommen; *fig.* ~ *la bonne voie* sich zum Guten wenden; **11.** benutzen, fahren mit (*dat.*); ~ *l'autobus* den Bus nehmen; ~ *le chemin de fer* mit der Eisenbahn fahren; ~ *un train en marche* e-n Zug im Fahren besteigen; **12.** sich zuziehen, bekommen; ~ *de l'importance* an Bedeutung gewinnen; ~ *une maladie* sich e-e Krankheit zuziehen, krank werden; ~ *une passion* von e-r Leidenschaft ergriffen werden; **13.** sich bezahlen lassen; abnehmen, abkaufen; **14.** empfangen, annehmen; ~ *livraison de* in Empfang nehmen; **15.** ~ *q.*: a) j-n bei sich anstellen; in ein Verhältnis zu j-m treten; ~ *femme* (sich ver-)heiraten; b) (*aller*) ~ *q.* j-n abholen; *j'irai vous* ~ ich werde Sie abholen; c) j-n bei sich aufnehmen; **16.** abziehen, entziehen; ~ *sur sa nourriture* sich vom Munde absparen; ~ *sur son sommeil* s-n Schlaf verkürzen; **17.** übernehmen; ~ *des engagements* Verpflichtungen eingehen; ~ *intérêt à q.* (*à qch.*) sich für j-n (für etw.) interessieren; **18.** auffassen, aufnehmen; ~ *mal* übelnehmen; ~ *qch. en aversion* e-e Abneigung gegen etw. (*acc.*) empfinden (*od.* haben), etw. innerlich ablehnen; ~ *les choses au pied de la lettre* die Dinge wörtlich nehmen; **19.** verfechten, sich zu eigen machen; **20.** ⚓ ~ *le large* in See stechen; F *fig.* sich aus dem Staube machen; *pris par les glaces* von Eisschollen eingeschlossen; ~ *port*, ~ *terre* landen; **II** *v/i.* **21.** Erfolg haben, Anklang finden, sich durchsetzen; **22.** ~ *à cœur de* (*mit inf.*) (ernstlich) (ver)suchen zu ...; **23.** haften, festsitzen; binden (*Mörtel*); **24.** sich entzünden, zu brennen anfangen; Feuer fangen; *le bois prend* das Holz fängt an zu brennen; **25.** gerinnen; zufrieren; *la rivière a pris* der Fluß ist zugefroren; **26.** ⚘ gedeihen; **27.** ~ *à q.* j-n befallen (*von Krankheiten*); j-n plötzlich überkommen; *qu'est-ce qui lui prend?* was ist denn plötzlich mit ihm los?, was hat er denn plötzlich?; **III** *v/imp.* **28.** *bien lui prend que* (*mit subj.*) es ist sein Glück, daß ...; *il lui en prendra mal de* (*inf.*) ... es wird ihm schlecht bekommen, wenn ...; **IV** *v/rfl.* *se* ~ **29.** angefaßt werden; *fig.* sich anfassen; *se* ~ *aux cheveux* sich in die Haare geraten; F *fig.* sich zanken; *se* ~ *d'amitié avec q.* sich mit j-m anfreunden; *se* ~ *de querelle avec q.* mit j-m Streit anfangen; **30.** gefangen werden; *fig.* gefesselt werden, in den Bann gezogen werden; **31.** *se* ~ *à* (*mit inf.*) anfangen zu ...; *elle se prit à rire* sie fing an zu lachen; *s'y* ~ *fig.* sich *bei etw.* (*dat.*) anstellen, vorgehen, verfahren, es anstellen; **32.** *se* (*od.* *s'en*) ~ *à q.* j-n provozieren, j-n angreifen, sich mit j-m einlassen; *il ne faut pas se* ~ *à plus fort que soi* man soll sich nicht mit j-m einlassen, der stärker als man selber ist; *s'en* ~ *à q. de qch.* j-m die Schuld für etw. (*acc.*) in die Schuhe schieben; *s'en* ~ *à qch.* e-r Sache entgegentreten (*od.* die Stirn bieten); **33.** empfangen werden; **34.** gerinnen; gefrieren; *vgl.* 25; **35.** verstanden (*od.* aufgefaßt) werden; gebraucht werden; **36.** *se* ~ *pour* ... sich für (*acc.*) halten.

prénégociateur [prenegɔsja'tœ:r] *m* Vorverhandler *m*.

preneur [prə'nœ:r] *su.* (7g) **1.** ✝ Abnehmer *m*; Wechselnehmer *m*, Remittent *m*; ~ *d'assurance* Versicherungsnehmer *m*; **2.** ⚖ Mieter *m*, Pächter *m*; **3.** Fänger *m*; ~ *d'huîtres* Austernfischer *m*; *le* ~ *de rats* der Rattenfänger; (*auch adj.*: *vaisseau m* ~) Kaperschiff *n*; **4.** ⊕ Greifer *m*; **5.** *rad.* ~ *de son* Tonmixer *m*.

prénom [pre'nɔ̃] *m* Vorname *m*; **~mé** [~nɔ'me] **I** *adj.* mit (dem) Vornamen; **II** *su.* Besagte(r) *m*, Vorbenannte(r) *m*; **~mer** [~] *v/t.* (1a) e-n Vornamen geben (*dat.*).

prénotion [preno'sjɔ̃] *f* **1.** Vorkenntnisse *f/pl.*; **2.** *phil.* angeborene Idee *f*, Vorerkenntnis *f*.

prénuptial [prenyp'sjal] *adj.* (5c) vorehelich.

préoccu|pation [preɔkypa'sjɔ̃] *f* **1.** Haupt-beschäftigung *f*, -sorge *f*, -aufgabe *f*, geistige Inanspruchnahme *f*, Vertiefung *f*, Hauptinteresse *n*; **2.** Unruhe *f*, Besorgnis *f*, Sorge *f*, quälender Gedanke *m*, fixe Idee *f*; **~per** [~'pe] (1a) **I** *v/t.* **1.** stark beschäftigen; **2.** beunruhigen, mit Besorgnis erfüllen; **II** *v/rfl.* se ~ de sich intensiv befassen mit (*dat.*); sich Sorgen machen um (*acc.*).

prépaiement [prepɛ'mɑ̃] *m* Vorausbezahlung *f*.

prépara|ble [prepa'rablə] *adj.* leicht vorzubereiten; **~teur** [~'tœ:r] *su.* **1.** Assistent *m e-s Physikers usw.*; **2.** Laborgehilfe *m*; **~tifs** [~'tif] *m/pl.* (*in beiden Sprachen nur im pl.!*) *rein materielle, allgemeine* Vorbereitungen *f/pl.*, Vorkehrungen *f/pl.*, *fig.* Anstalten *f/pl.* (*mit allem Drum und Dran*); ~ d'un repas Essensvorbereitungen *f/pl.*; ~ de voyage Reisevorbereitungen *f/pl.*; **~tion** [~ra'sjɔ̃] *f* **a**) *als spezielle vorbereitende Handlung*: **1.** *geistiges oder leistungsmäßiges* Sichvorbereiten *n*, (besondere) Vorarbeit *f*, Vorbereiten *n*, Vorbereitung *f*, Einleitung *f*, Vor-, Aus-bildung *f*; la ~ d'un voyage die Vorbereitung e-r Reise; parler sans ~ unvorbereitet sprechen; ~ à un examen Vorbereitung *f* zu e-r Prüfung; ~ militaire militärische Ausbildung *f*; *rl.* ~ à la messe innere Sammlung *f* vor der Messe; **2.** ⊕, *cuis.*, ⚗ *materielle* (Auf-, Zu-)Bereitung *f*; ⚗ Präparieren *n*, Herstellung *f*; ~ de peaux Präparieren *n* von Fellen; ~ de béton Betonherstellung *f*; ~ de mets Zubereitung *f* von Gerichten; **b**) *als Ergebnis der Handlung*: ⚗, *phm.* Präparat *n*; ~ alimentaire Nährpräparat *n*; ~ anatomique anatomisches Präparat *n*; ~ cosmétique kosmetisches Präparat *n*; ~ pharmaceutique pharmazeutisches Präparat *n*; **~toire** [~'twa:r] *adj.* vorbereitend; école *f* ~ Vorbereitungsschule *f*.

préparer [prepa're] (1a) **I** *v/t.* **1.** vorbereiten; ~ un examen sich auf e-e Prüfung vorbereiten; **2.** (zu-)bereiten, zurichten; einrichten; *anat.*, ⚗ präparieren; **II** *v/rfl.* **3.** se ~ à sich vorbereiten auf (*acc.*), sich rüsten zu (*dat.*); sich gefaßt machen auf (*acc.*); **4.** *fig.* im Anzug sein; **III** *v/imp.* il se prépare qch. es kriselt, es ist etw. im Anzug.

prépondé|rance [prepɔ̃de'rɑ̃:s] *f* Übergewicht *n*; überragender Einfluß *m*; *pol.* Vorherrschaft *f*, Vormachtstellung *f*; **~rant** [~'rɑ̃] *adj.* (7) überwiegend, entscheidend.

prépo|sé *adm.* [prepo'ze] *m* Vorsteher *m*; Briefträger *m*; Parkplatzwärter *m*; **~ser** [~] *v/t.* (1a): ~ q. à qch. j-n mit der Leitung (*od.* Beaufsichtigung) e-r Sache beauftragen; **~sition** *gr.* [~zi'sjɔ̃] *f* Präposition *f*; **~sitionnel** *gr.* [~zisjɔ'nɛl] *adj.* (7c) präpositional.

prépoten|ce [prepɔ'tɑ̃:s] *f* Vorherrschaft *f*; **~t** [~'tɑ̃] *adj.* (7) vorherrschend.

pré-printemps [preprɛ̃'tɑ̃] *m inv.* Vorfrühling *m*.

prépuce *anat.* [pre'pys] *m* Vorhaut *f*.

préréfrigération [~refriʒera'sjɔ̃] *f* Vorkühlung *f*.

préretraite [prerə'trɛt] *f* vorzeitige Pensionierung *f*.

prérogative [prerɔga'ti:v] *f* Vorrecht *n*.

préromantisme *litt.* [~rɔmɑ̃'tism] *m* Frühromantik *f*; *für Deutschland*: Sturm und Drang *m*.

près [prɛ] **I** *adv.* **1.** nahe; tout ~ ganz in der Nähe; ici ~ dicht nebenan, dicht dabei; **2.** à peu (de chose) ~ bis auf weniges, beinah(e); à beaucoup ~ bei weitem nicht, nicht im entferntesten; weit gefehlt; à cela ~ dies ausgenommen; abgesehen davon; à ces deux exceptions ~ von diesen beiden Ausnahmen abgesehen; à cela ~ que ... ausgenommen, daß ...; nur daß ...; **3.** de ~ in (*od.* aus) der Nähe; nahe; *fig.* genau; sorgfältig; regarder de ~ in der Nähe besehen; ne pas y regarder de si ~ es nicht so genau nehmen; suivre q. de ~ j-m auf dem Fuße folgen; examiner de tout ~ genauestens überprüfen (*od.* untersuchen); surveiller de ~ scharf bewachen; couper de ~ *Haare ganz* kurz schneiden; raser de ~ glatt rasieren; **4.** au plus ~ *fig.* auf dem kürzesten Wege; **II** *prp.* **5.** ~ de (nahe) bei (*dat.*), neben (*dat. u. acc.*); ~ de l'église in der Nähe der Kirche (*man vermeide zu sagen*: près l'église; *vgl.* 7); ~ de la ville in der Nähe der Stadt; ~ *d'ici* hier in der Nähe; **6.** ~ *de vor Zahlwörtern*: beinahe, fast, etwa, ungefähr; *il me doit* ~ *de dix mille francs* er schuldet mir etwa zehntausend Franken; ~ *de deux heures* a) beinahe zwei Stunden; b) fast zwei Uhr; **7.** *archaisch ohne* de *erhalten*: a) = *auprès de* (*bsd. in der Diplomatensprache*): *ministre près la cour de* ... Gesandter am Hofe von ...; *notre ambassadeur près le Saint-Siège* unser Botschafter am Heiligen Stuhl; *près le tribunal* beim Gericht; b) *vor einigen Ortsnamen u. Gebäuden*: *Neuilly près Paris*; *être logé près le Palais-Royal* beim P. R. wohnen; *ehm. il demeure près la porte Saint-Antoine* er wohnt in der Nähe der Porte St.-A.; *man vermeide zu sagen*: *près l'église*; s. 5.

présa|ge [pre'za:ʒ] *m* **1.** Vorzeichen *n*, Vorbedeutung *f*; *tirer un bon* ~ *de qch.* etw. als gutes Vorzeichen nehmen; **2.** Vermutung *f*, Ahnung *f*; **~ger** [~za'ʒe] *v/t.* (1l) **1.** ankündigen; **2.** ahnen, mutmaßen.

pré-salé [presa'le] *m* (6a) **1.** Schaf *n*, das auf Salzwiesen geweidet hat; **2.** *cuis.* Fleisch *n* e-s solchen.

presbyte ⚕ [prɛs'bit] *adj. u. su.* weitsichtig; Weitsichtige(r) *m*.

presbytère [prɛsbi'tɛ:r] *m* Pfarrhaus *n*.

presbytie ⚕ [prɛsbi'si] *f* Weitsichtigkeit *f*.

prescien|ce [pres'sjɑ̃:s] *f* Vorherwissen *n*; **~t** [~'sjɑ̃] *adj.* vorherwissend.

préscientifique [presjɑ̃ti'fik] *adj.* vorwissenschaftlich.

pré-scolaire [presko'lɛ:r] *adj.* Vorschul...

prescrip|tibilité ⚖ [prɛskriptibili'te] *f* Verjährbarkeit *f*; **~tible** [~'tiblə] *adj.* verjährbar; **~tion** [~'sjɔ̃] *f* **1.** Verordnung *f*, Vorschrift *f*; ⚕ ~ (*médicale*) Rezept *n*; ⊕ ~*s f/pl. de vérification* Prüfvorschriften *f/pl.*; **2.** ⚖ Verjährung *f*.

prescrire [prɛs'kri:r] (4f) **I** *v/t.* **1.** vorschreiben; verordnen; verschreiben; **2.** ⚖ durch Verjährung erwerben, ersitzen; verjähren lassen; **II** *v/rfl.* se ~ **3.** ⚕ verschrieben werden; **4.** ⚖ verjähren.

préséance [prese'ɑ̃:s] *f* Vorrang *m*.

présence [pre'zɑ̃:s] *f* Gegenwart *f*, Anwesenheit *f*, Vorhandensein *n*; Auftreten *n*; ~ *d'esprit* Geistesgegenwart *f*; *advt.*: *être en* ~ einander (*kampfbereit*) gegenüberstehen; *en ma* ~ in m-r Anwesenheit; *en* ~ *du ministre* in Anwesenheit des Ministers; *en* ~ *de ces difficultés* angesichts dieser Schwierigkeiten.

présent[1] [pre'zɑ̃] **I** *adj.* (7) □ **1.** anwesend, gegenwärtig, zugegen; *a.* ⚔ ~*!* hier!; *lui* ~ in s-r Gegenwart; **2.** vorliegend; *le* ~ *acte* (die) vorliegende Urkunde *f*; ✝ *votre* ~*e* (*lettre*) Ihr gegenwärtiges (Schreiben); *le* ~ *porteur* Überbringer dieses; **3.** *avoir la mémoire* ~*e* ein gutes Gedächtnis haben; **II** *m das* Gegenwärtige *n*, Gegenwart *f*; *gr.* Präsens *n*; *au* ~ im Präsens; *les* ~*s* die Anwesenden *m/pl.*; *advt. à* ~ jetzt; *les hommes d'à* ~ die heutigen Menschen; *vivre dans le* ~ in der Gegenwart leben; *dès à* ~ von jetzt ab (*od.* an); *jusqu'à* ~ bis jetzt; *pour le* ~ bis jetzt.

présent[2] *litt.* [~] *m* Geschenk *n*.

présenta|ble [prezɑ̃'tablə] *adj.* empfehlenswert; gutaussehend, repräsentabel; **~teur** [~'tœ:r] *m* **1.** *a. rad.* Conférencier *m*; **2.** ✝ a) Vorführer *m*; b) Vorzeiger *m e-s Wechsels*; **~tion** [~ta'sjɔ̃] *f* **1.** Einreichung *f*, Überreichung *f*, Vorzeigen *n*, Eingabe *f*; ✝ *billet m payable à* ~ Sichtwechsel *m*; ✝ *en retard de* ~ bereits verfallen; **2.** Vorschlag *m* (*für ein Amt*); Vorschlagsrecht *n*; **3.** Vorstellung *f* (*Fremden gegenüber*), Sichvorstellen *n*, Einführung *f*; ✈ (Ziel-)Anflug *m*; *thé.* Inszenierung *f*; **4.** ✝ Auslage *f v. Waren*; ✝, *cin.* Vorführung *f*; Packung *f v. Schokolade, Zigaretten usw.*, Aufmachung *f*; äußere Erscheinung *f* (*Mensch*).

présent|er [prezɑ̃'te] (1a) **I** *v/t.* **1.** überreichen, vorlegen; vorzeigen (*Fahrkarte, Paß, Wechsel*); (an-, dar-)bieten; ~ *la main à q.* j-m die Hand reichen; ~ *le bras à une dame* einer Dame den Arm (an-)bieten; ~ *un projet de loi* e-n Gesetzesentwurf vorlegen *od.* einbringen; *fig. cela présente des difficultés* das weist Schwierigkeiten auf, das bietet Schwierigkeiten; **2.** vorstellen, einführen (*in e-e Gesellschaft*); **3.** zeigen; ✝, *cin.* vorführen; ~ *le dos à q.* j-m den Rücken kehren; **4.** vorschlagen (*für ein Amt*); **5.** auseinandersetzen, darlegen; **II** *v/i.* **6.** F ~ *bien* gut (*gekleidet*) aussehen; *il présente bien auch*: er stellt etwas dar;

III *v/rfl.* se ~ **7.** sich zeigen; erscheinen; ⚔ *u. Behörde*: sich stellen; sich vorstellen; auftreten; se ~ *pour une place* sich zum Antritt e-r Stellung melden; *fig. l'affaire se présente bien (mal)* die Sache läßt sich gut (schlecht) an; **8.** eintreten, sich ereignen, vorkommen; ⚕ auftreten; **IV** *v/imp.* **9.** *il se présente beaucoup d'occasions* es bietet sich oft Gelegenheit; **~oir** ✝ [~'twa:r] *m* Muster-tabelle *f*, -koffer *m*, -karton *m*.

présérie ⊕ [prese'ri] *f* erste Serie *f*.

préser|vateur [prezɛrva'tœ:r] *adj.* (7f) schützend (*de* gegen *acc. od.* vor *dat.*); **~vatif** [~va'tif] **I** *adj.* (7e) schützend; ~ *contre la pourriture* fäulnisverhütend; **II** *m* ⚕ Präservativ *n*; **~vation** [~vɑ'sjɔ̃] *f* Bewahrung *f*, Schutz *m*.

préserver [prezɛr've] *v/t.* (1a): ~ *q. de qch.* j-n vor etw. (*dat.*) bewahren *od.* schützen.

prési|dence [prezi'dɑ̃:s] *f* **1.** Präsidium *n*, Vorsitz *m*; **2.** Präsidentenschaft *f*; **~dent** [~'dɑ̃] *su.* (7) Vorsitzende(r) *m*; Präsident *m*; **~dente** [~'dɑ̃:t] *f* Präsidentin *f*; **~dentialiser** *pol.* [~dɑ̃sjali'ze] *v/rfl.* se ~ das Prinzip des Präsidententums annehmen; **~denticide** *iron.* [~dɑ̃ti'sid] *m* Präsidentenmörder *m*; **~dentiel** [~dɑ̃'sjɛl] *adj.* (7c) Präsidenten...; **~der** [~'de] (1a) **I** *v/t.* ~ *une assemblée* in e-r Versammlung den Vorsitz führen; **II** *abs.* den Vorsitz führen; **III** *v/i.* ~ *à qch.* etw. leiten; *fig.* beherrschen (*acc.*), den Ausschlag geben (bei *dat.*).

présignalisation *Auto* [presiɲalizɑ'sjɔ̃] *f* Vorherwarnung *f*; *triangle m de* ~ Warndreieck *n*.

présomp|tif [prezɔ̃p'tif] *adj.* (7e) □ mutmaßlich; **~tion** [~p'sjɔ̃] *f* **1.** Mutmaßung *f* (*a.* ⚖), Vermutung *f*; **2.** Dünkel *m*, Anmaßung *f*, Überheblichkeit *f*, Spleen *m*; **~tueux** [~p'tɥø] *adj.* (7d) □ anmaßend, überheblich.

presque ['prɛsk(ə)] *adv.* fast, beinahe; ~ *rien* fast nichts.

presque totalité [prɛskə tɔtali'te] *f*: *la ~ de ses œuvres est perdue* fast alle seine Werke sind verloren.

presqu'île [prɛs'kil] *f* Halbinsel *f*.

pressage ⊕ [prɛ'saʒ] *m* (Aus-)Pressen *n*, Druck *m*.

pressant [prɛ'sɑ̃] *adj.* (7) **1.** dringend; **2.** inständig; **3.** zudringlich.

presse [prɛs] *f* **1.** ⊕ Presse *f*; ~ *à vin* (Wein-)Kelter *f*; ~ *à copier* Kopierpresse *f*; ~ *de carton* Deckelpresse *f*; ~ *à emboutir* Stanze *f*, Stanz-, Kümpel-presse *f*; *bét.* ~ *à filière* Strangfertiger *m*; ~ *à écrous à froid* Kaltmutternpresse *f*; ~ *pour emboutissage* Ziehpresse *f*; ~ *à emboutir à manivelle* Kurbelziehpresse *f*; ~ *à encocher* Nutstanzpresse *f*; ~ *pour estampage* Präge-, Schmiede-presse *f*; ~ *à excentrique*, ~ *mécanique* Exzenterpresse *f*; ~ *à friction* Friktionsspindelpresse *f*; ~ *à genouillère* Kniehebel-Prägepresse *f*; ~ *hydraulique* hydraulische Presse *f*; ~ *à refouler* Stauchpresse *f*; ~ *revolver* Revolverpresse *f*; **2.** *typ.* (Drucker-)Presse *f*; ~ (*à la*) *mécanique* Schnellpresse *f*; *être sous* ~ gedruckt werden; *mettre sous* ~ drucken; **3.** *journ.* Presse *f*; *la ~ quotidienne* die Tagespresse; ~ *spécialisée* Fachpresse *f*; *liberté f de la* ~ Pressefreiheit *f*; ~ *à scandale* Skandalpresse *f*; ~ *à sensation* Sensationspresse *f*; ~ *de combat* Hetzpresse *f*.

presse|-bouton ⊕ [prɛsbu'tɔ̃] *m* (6g) Knopfmaschine *f*; **~-citron(s)** [~si'trɔ̃] *m* (6c) Zitronenpresse *f*; **~-étoffe** [~e'tɔf] *m* (6c) Stoffdrücker *m der Nähmaschine*; **~-étoupe** *mach.* [~e'tup] *m* (6c) Stopfbuchse *f*; **~-fruits** [~'frɥi] *m* (6c) Fruchtpresse *f*.

pressen|timent [presɑ̃ti'mɑ̃] *m* Vorgefühl *n*, Ahnung *f*; **~tir** [~'ti:r] *v/t.* (2b) **1.** vorherempfinden, ahnen; **2.** *j-n* ausfragen, aushorchen, *j-m* auf den Zahn fühlen F, sondieren, vorfühlen; *être pressenti par q. pour collaborer à ...* im voraus auf e-e Mitarbeit an ... (*dat.*) von j-m angesprochen werden.

presse|-papiers [prɛspa'pje] *m* (6c) Briefbeschwerer *m*; **~-purée** [~py're] *m* (6c) Gemüse-, Kartoffelquetsche *f*.

presser [prɛ'se] (1b) **I** *v/t.* **1.** drükken, pressen; ~ *dans ses bras* in seine Arme schließen; **2.** ausdrücken, auspressen; keltern; **3.** zusammendrängen, -rücken; ~ *son écriture* eng(er) schreiben; **4.** (be-)drängen, in die Enge treiben; ~ *q. de questions* j-n mit Fragen bestürmen; *fig. pressé de la soif* vom Durst geplagt; **5.** ~ *q.* j-n zur Eile antreiben; ~ *qch.* etw. beschleunigen; ~ *q. de faire qch.* j-n drängen, etw. zu tun; ~ *le pas* schneller gehen; *être pressé* es eilig haben; *lettre f pressée* eiliger Brief *m*; *aller au plus pressé* das Dringendste zuerst erledigen; **II** *v/i.* drängen, eilen; dringende Hilfe erfordern (*Gefahr*, *Krankheit*); *l'affaire presse* die Sache eilt; ⚡ *sur le bouton* (*électrique*) anknipsen; **III** *v/rfl.* se ~ sich drängen; sich beeilen; *allons, presse-toi!* los, beeile dich!

pressier *journ.* [prɛ'sje] *m* Drucker *m.*

pressing [prɛ'siŋ] *m* Dampf-[bügelei *f.*]

press|ion [prɛ'sjɔ̃] *f* **1.** Druck *m*; ⊕ Kesseldruck *m*; *basse* ~ Niederdruck *m e-r Dampfmaschine*; *Wetterkunde*: Tief(druck *m*) *n*; *Auto*: ~ *de l'*(*od.* *d'*)*huile* Öldruck *m*; ~ *atmosphérique* Luftdruck *m*; ~ *artérielle*, ~ *sanguine* Blutdruck *m*; ⚡ *contact m de* ~ Druckkontakt *m*; *fig. basse* ~ *démographique* geringe Bevölkerungsdichte *f*; **2.** *fig.* Druck *m* (= *Zwang*); ~ *économique* wirtschaftlicher Druck *m*; ~ *fiscale* Steuerdruck *m*; **~oir** [~'swa:r] *m* **1.** Kelter *f*; Presse *f*; **2.** Kelterhaus *n.*

pressur|age [prɛsy'ra:ʒ] *m* Auspressen *n*, Keltern *n*; **~ation** ⊕ [prɛsyrɑ'sjɔ̃] *f* Luftdruckregulierung *f*; **~er** [~'re] (1a) **I** *v/t.* auspressen, keltern; *fig.* aussaugen; **II** *v/rfl.* F *se* ~ *le cerveau* sich den Kopf zerbrechen; **~eur** [~'rœ:r] *m* Kelterer *m*; **~iser** ✈ [~ri'ze] *v/t.* (1a) mit Überdruck zum Überfliegen luftdünner Räume versehen; *cabine f pressurisée* Überdruckkabine *f.*

prestance [prɛs'tɑ̃:s] *f* stattliches Aussehen *n.*

prestant ♪ [prɛs'tɑ̃] *m* Hauptpfeifenwerk *n*, Prinzipal *n e-r Orgel.*

prestation [prɛstɑ'sjɔ̃] *f* Leistung *f*; Abgabe *f*, Ablieferung *f*; Geldbeihilfe *f*; Zahlungsleistung *f*; **~s** *pl. médicales* ärztliche Leistungen *f/pl.*; **~s** *de naissance* Geburtshilfen *f/pl.*; **~s** *en espèces et en nature* Bar- und Sachleistungen *f/pl.* (*bsd. pol.* Sachlieferungen *f/pl.*); ~ *accessoire* Nebenleistung *f*; ~ *de serment* Eidesleistung *f*, Eidablegung *f.*

prest|e [prɛst] *adj.* □ flink, geschickt; **~esse** [~'tɛs] *f* Fixigkeit *f*, Geschicklichkeit *f.*

presti|digitateur [prɛstidiʒita'tœ:r] *m* Taschenspieler *m*; **~digitation** [~tɑ'sjɔ̃] *f* Taschenspielerkunst *f.*

presti|ge [prɛs'ti:ʒ] *m* **1.** Prestige *n*, Ansehen *n*; ~ *maritime* Seegeltung *f*; **2.** *fig.* Reiz *m*, Zauber *m*; Nimbus *m*; **~gieux** [~ti'ʒjø] *adj.* (7d) zauberhaft, bestechend, hervorragend, berühmt; ⚘ *des vins* ~ anspruchsvolle Weine *m/pl.*

présu|mable [prezy'mablə] *adj.* mutmaßlich, vermutlich; **~mer** [~'me] (1a) **I** *v/t.* vermuten, mutmaßen; ~ *q. innocent* j-n für unschuldig ansehen (*od.* halten); **II** *v/i.* annehmen, glauben; *il est à* ~ *que* ... es ist anzunehmen, daß ...; ~ *trop de qch.* zuviel von e-r Sache (*dat.*) halten; *trop* ~ *de ses forces* seine Kräfte überschätzen.

présupposer [~sypo'ze] *v/t.* (1a) voraussetzen; erfordern.

présure [pre'zy:r] *f* (*Kälber-*)Lab *n.*

prêt[1] [prɛ] *adj.* (7) bereit, fertig; ~ *à* [prɛta...]: a) bereit zu, geneigt zu; b) nahe daran zu, auf dem Punkt zu; ~ *à partir* reisefertig; ~ *à marcher*, ~ *à se mettre en marche* marsch-bereit, -fertig; ⊕ ~ *à fonctionner*, ~ *à marcher* betriebsfertig; ~ *à servir*, ~ *à l'usage* gebrauchsfertig; *Auto*: ~ *à démarrer* startbereit.

prêt[2] [~] *m* **1.** Ausleihen *n*; *maison f de* ~ Leihhaus *n*; *valeur f de* ~ Beleihungswert *m*; *à titre de* ~ leihweise; als Darlehen; **2.** Darlehen *n*; ~ *gratuit* (*à intérêt*) unverzinsliches (verzinsliches) Darlehen *n*; ~ *au mariage* Ehestandsdarlehen *n*; ~ *conditionnel* Verleih *m* gegen Revers; ~ *sur gage* (*od. sur nantissement*) Lombardgeschäft *n*; **3.** ~ *à la grosse* (*aventure*) ⚓ Bodmereivertrag *m*; ~ *à la petite semaine* Wucherdarlehen *n*; **4.** ⚔ Sold *m.*

prêt-à-habiter [prɛtaabi'te] *m* (6b) Fertighaus *n.*

prêt-à-manger [prɛtamɑ̃'ʒe] *m* (6b) Schnellimbiß *m.*

pretantaine, *auch* **pretentaine** F [prətɑ̃'tɛ:n] *f*: *courir la* ~ herumbummeln; in der Weltgeschichte herumgondeln (*bsd. als Galan*).

prêt-à-porter [prɛtapɔr'te] *m* (6b) Kleid *n* (*od.* Kostüm *n od.* Anzug *m*) von der Stange; Konfektionskleidung *f*; tragbare(s), modische(s) Kleidung(sstück *n*) *f.*

prêté [prɛ'te] *adj.* **1.** geliehen; *c'est un* ~ *pour un rendu* Wurscht wider Wurscht F; **2.** untergeschoben (*Meinung*; *Sinn*).

prétendant [pretɑ̃'dɑ̃] *su.* (7) Thronbewerber *m*; Freier *m.*

préten|dre [pre'tɑ̃:drə] (4a) **I** (*mit dem reinen inf.*) **1.** beanspruchen, fordern, verlangen; *abs.* ~ *trop* (*haut*) zu hohe Ansprüche erheben; **2.** beabsichtigen, die Absicht haben, wollen; **3.** behaupten, versichern; *il prétend m'avoir vu* er will mich gesehen haben; **4.** (*bei verschiedenem Subjekt mit* que *u. subj.*) sich anmaßen, verlangen, sich herausnehmen; ~ *que q. fasse qch.* j-m etw. zumuten; **II** *litt. v/i.* ~ *à* Anspruch erheben auf (*acc.*); streben (*od.* trachten) nach (*dat.*); **III** *v/rfl. se* ~ *médecin* sich als Arzt ausgeben; **~du** [pretɑ̃'dy] **I** *adj.* angeblich, sogenannt; **II** *dial. su.* Bräutigam *m* (*f*: Braut); **~s** *pl.* Brautpaar *n.*

prête-nom [prɛt'nɔ̃] *m* Strohmann *m*; vorgeschobene Person *f.*

préten|tieux [pretɑ̃'sjø] *adj.* (7d) **1.** anmaßend, anspruchsvoll, eingebildet; **2.** geziert, gesucht (*Stil*); **~tion** [~tɑ̃'sjɔ̃] *f* Anspruch *m*, Forderung *f*; *péj.* Anmaßung *f*, Angeberei *f*; *sans* ~*s* anspruchslos.

prêter [prɛ'te] (1a) **I** *v/t.* **1.** leihen, verleihen, ausleihen; *fig.* (her-) geben, liefern; ~ *à intérêt* auf Zinsen leihen; ~ *sur gage* gegen Pfand ausleihen; ~ *à usure* gegen Wucherzinsen leihen; *fig.* ~ *aide* (*od. assistance*) *à q.* j-m Hilfe (*od.* Beistand) leisten; ~ *attention* (*od. l'oreille*) *à q.* j-m aufmerksam zuhören; *abs.* ~ *l'oreille* lauschen; ~ *la main* behilflich sein; ~ *serment* e-n Eid leisten, schwören; **2.** ⚔ ~ *le flanc* seine Flanke entblößen; *fig.* sich eine Blöße geben; **3.** *fig.* zuschreiben, unterstellen; **II** *v/i.* **4.** *text.* sich dehnen; **5.** *fig.* sich eignen; ~ *à qch.* Stoff (*od.* Anlaß) zu etw. (*dat.*) geben; *fig.* sich zu etw. eignen; ~ *au ridicule* sich lächerlich machen; **III** *v/rfl.* se ~ geliehen werden; se ~ *à qch.* sich zu etw. (*dat.*) eignen; sich für etw. (*acc.*) anbieten *fig.*; mit etw. (*dat.*) mitmachen; sich hergeben zu etw.

prétér|it *gr.* [prete'rit] *m* Präteritum *n*; **~ition** ⚖, *rhét.* [~ri'sjɔ̃] *f fig.* Übergehung *f*; Auslassung *f.*

prétérito-présent *gr.* [preteritɔpre'zɑ̃] *m* Präteritopräsens *n.*

prétermission *rhét.* [pretɛrmi'sjɔ̃] *f* Übergehung *f*, Auslassung *f.*

prêteur [prɛ'tœ:r] *su.* Verleiher *m.*

prétex|te [pre'tɛkst] *m* Vorwand *m*; *prendre* ~ *de qch.* etw. zum Vorwand nehmen; *cj. sous* ~ *de* (*mit inf.*) *od. que* (*mit ind.*) unter dem Vorwand ...; *sous aucun* ~ unter keinen Umständen; *sur ce* ~ auf diesen Vorwand hin; **~ter** [~tɛks'te] *v/t.* (1a) vortäuschen, vorgeben.

prétoire [pre'twa:r] *m* ⚖ Gerichtssaal *m.*

prétonique *gr.* [pretɔ'nik] *adj.* vortonig.

prêtre ['prɛ:trə] *m* Priester *m*, Geistliche(r) *m*; *Fr.* ~ *ouvrier* Arbeiterpriester *m*; **~sse** *antiq.* [prɛ'trɛs] *f* Priesterin *f.*

prêtrise *nur cath.* [prɛ'tri:z] *f* Priester-weihe *f*, -stand *m*, -tum *n.*

préurbain ⚠ [preyr'bɛ̃] *adj.* (7): *noyau m* ~ Siedlungskern *m* (*der Stadtbildung vorausgehend*).

preuve [prœ:v] *f* **1.** Beweis *m*; ~ *testimoniale*, ~ *par témoins* Zeugenbeweis *m*; *jusqu'à* ~ *du contraire* bis das Gegenteil erwiesen ist; *faire la* ~ *de qch.* etw. beweisen; *fig. faire ses* ~*s* sich bewähren (*v. Personen u. Sachen*); *fig. faire* ~ *de courage* Mut beweisen (*od.* an den Tag legen); **2.** Beleg *m*; Beweisstück *n*, *fig.* Unterlage *f*; ⚖ ~ *documentaire*, ~ *littérale* Urkundenbeweis *m*; **3.** Zeichen *n*, Zeugnis *n*; ~ *d'amitié* Freundschaftsbeweis *m*; **4.** *arith.* Probe *f.*

prévaloir [preva'lwa:r] (3h) **I** *v/i.* überlegen sein, vorwiegen; ~ *sur od. contre* den Sieg davontragen über (*acc.*), mehr gelten als; *l'avis général continue à* ~ die allgemeine Ansicht setzt sich immer mehr durch; **II** *v/rfl. se* ~ *de qch.* sich etw. zunutze machen; etw. für sich geltend machen; pochen auf etw.

prévari|cateur [prevarika'tœ:r] *adj. u. su.* (7f) pflichtvergessen, untreu; Pflichtvergessene(r) *m*; **~cation** [~ka'sjɔ̃] *f* Amtsvergehen *n*, Dienstuntreue *f*, Pflichtverletzung *f*; **~quer** [~'ke] *v/i.* (1m) amts- (*od.* pflicht-)widrig handeln.

prévenan|ce [prev'nɑ̃:s] *f* Zuvorkommenheit *f*, Entgegenkommen *n*; **~t** [~'nɑ̃] *adj.* (7) zuvorkommend, entgegenkommend; einnehmend, angenehm, freundlich.

prévenir [prev'ni:r] *v/t.* (2h) **1.** ~ *qch.* e-r Sache (*dat.*) im voraus entgegentreten, vorbeugen, zuvorkommen, vorgreifen; etw. vereiteln; **2.** ~ *q. de qch.* j-n (zuvor) von etw. (*dat.*) benachrichtigen *od.* in Kenntnis setzen; warnen (*contre q.* vor j-m); ~ *q. en faveur de q.* bei j-m ein gutes Wort für j-n einlegen; *être prévenu de qch.* vor etw. (*dat.*) gewarnt sein; ⚖ *être prévenu d'un délit* e-s Vergehens beschuldigt sein; *als su.*: *le prévenu* der Angeklagte.

préven|tif [prevɑ̃'tif] *adj.* (7e) □ 1. vorbeugend, *a.* ⚕ präventiv, prophylaktisch; *guerre f préventive* Präventivkrieg *m*; *mesures f/pl. préventives* Vorsichtsmaßregeln *f/pl.*; *vaccination f préventive* Schutzimpfung *f*; 2. ⚖ *détention f préventive* Untersuchungshaft *f*; **~tion** [~vɑ̃'sjɔ̃] 1. ⚖ Anklagezustand *m*; Untersuchungshaft *f*; 2. Verhütung *f*, Vorbeugung *f*; *~ des accidents* Unfallverhütung *f*; 3. Voreingenommenheit *f*, Vorurteil *n*; *sans ~s* vorurteilsfrei, unbefangen; **~torium** [~tɔ'rjɔm] *m* Sanatorium *n* für TB-Gefährdete.

prévenu [prev'ny] *su. s. prévenir* 2.

prévision [previ'zjɔ̃] *f* 1. Vorhersehung *f*, Voraussehen *n*; 2. Vermutung *f*; *~s météorologiques* Wetteraussichten *f/pl.*; 3. Voranschlag *m*; *parl.* *~s pl. budgétaires* Haushaltsansätze *m/pl.*; **~niste** *éc.* [~zjɔ'nist] *su.* Vorausberechner *m*.

prévoir [pre'vwa:r] *v/t.* (3b) 1. voraus-, vorher-sehen; 2. *~ des mesures* Vorsorge treffen.

prévôt [pre'vo] *m* 1. *hist.* Vogt *m*; Profoß *m*; 2. ⚔ oberster Feldrichter *m*; 3. *rl.* *~ du chapitre* Dompropst *m*; **~é** ⚔ [~'te] *f* Feldgendarmerie *f*.

prévoy|ance [prevwa'jɑ̃:s] *f* 1. Voraussicht *f*; 2. Vorsorge *f*; Fürsorge *f*; *~ maternelle*, *~ enfantine* Mutter-, Kinder-fürsorge *f*; *~ sociale* soziale Fürsorge *f*; **~ant** [~'jɑ̃] *adj.* (7) 1. voraussehend; 2. vor-, für-sorglich; vorausblickend.

priapée *fig.* [pria'pe] *f* obszöne Dichtung *f od.* Malerei *f*.

priapisme ⚕ [pria'pism] *m* Priapismus *m*, anhaltende, krankhafte Erektion *f*.

prie-Dieu [pri'djø] *m* (6c) Betstuhl *m*.

prier [pri'e] *v/t.* (1a) 1. bitten, ersuchen; *~ q. de faire qch.* j-n bitten, etw. zu tun; *nur noch mit den neutralen Genitiven* en, dont, de rien, *um auszudrücken, worum man j-n bittet*: *je vous en prie* a) ich bitte Sie darum; b) bitte sehr!, gern geschehen!, macht (gar) nichts!; 2. einladen; *~ q. à déjeuner* j-n zu Tisch einladen; 3. beten; *~ (Dieu* zu Gott) beten.

prière [pri'ɛ:r] *f* 1. Gebet *n*; *livre m de ~s* Gebetbuch *n*; *être en ~* beten; *faire sa ~ od. ses ~s* sein Gebet verrichten; 2. Bitte *f*; *j'ai une ~ à vous adresser* ich habe e-e Bitte an Sie; *~ de sonner fort* bitte stark klingeln!

prieur *rl.* [pri'œ:r] *su.* Prior *m*; **~é** [priœ're] *m* Priorei *f*.

primage [pri'ma:ʒ] *m* 1. ⚓ Primgeld *n*, Frachtanteil *m* des Kapitäns; 2. *phys.* Wassergehalt *m* im Dampf.

primaire [pri'mɛ:r] *adj.* Elementar...; Anfangs..., Ur...; primär; *péj.* beschränkt; *école f ~* Grundschule *f*; *élections f/pl. ~s* Urwahlen *f/pl.*; *Fr. écol. inspecteur m ~* Schulrat *m* für Grundschulen.

primat *rl.* [pri'ma] *m* Primas *m*.

primauté [primo'te] *f* 1. Vorrang *m*; *allg.* Primat *n*, Vorrecht *n*; 2. *rl.* Obergewalt *f des Papstes*; 3. *Spiel*: Vorhand *f*.

prime[1] [prim] *adj.* erster; *nur noch erhalten in*: *dans sa ~ jeunesse* in s-r frühsten Jugend; *de ~ abord* von vornherein, zu allererst, auf den ersten Blick; Å *a ~ (a')* a Strich (a').

prime[2] [~] *f* Prämie *f*; Gratifikation *f*; Beihilfe *f*, Zuschuß *m*, Gebühr *f* (*Versicherung*); Zugabe(artikel *m*) *f in Läden*; *~s pl. de naissance* Geburtsbeihilfen *f/pl.*; △ *~ à la construction* Baukostenzuschuß *m*; *~ d'allaitement* Stillgeld *n für selbst stillende Mütter*; ✝ *~ à l'exportation* Ausfuhrprämie *f*; *Versicherung*: *taux m de ~* Prämiensatz *m*; *~ de risque* Risikoprämie *f*; *~ échue* fällige Prämie *f*; *sans ~(s pl.), non assujetti au paiement d'une ~ (od. de ~s pl.)* prämienfrei.

primer[1] [pri'me] (1a) I *v/i.* den Vorrang haben, an der Spitze (*od.* an erster Stelle) stehen (*z.B. in der Produktion*); führend sein; die erste Rolle spielen; überwiegen; II *v/t.* übertreffen.

primer[2] [~] *v/t.* (1a) präm(i)ieren.

primesautier [primso'tje] *adj.* (7b) spontan, wach, frisch, spritzig F, urwüchsig; *tempérament m ~* Urwüchsigkeit *f*.

primeur [pri'mœ:r] *f* 1. *litt. fig.* Neuheit *f*, Vorgenuß *m*; *avoir la ~ de qch.* etw. zuerst genießen; 2. *~s pl.* erstes Gemüse *n*; Früh-gemüse *n*, -obst *n*; Erstlinge *m/pl.* (*a. fig.*); **~iste** [~mœ'rist] *m* Frühgemüse-, Frühobst-gärtner *m*.

primevère ⚘ [prim'vɛ:r] *f* Primel *f*.

primipare [primi'pa:r] *adj.* 1. *vét.*

zum ersten Mal werfend; **2.** ⚕ erstgebärend.

primitif [primi'tif] **I** *adj.* (7e) □ ursprünglich, uranfänglich, einfach, *a. péj.* primitiv; *couleurs f/pl. primitives* Grundfarben *f/pl.*; *état m* ~ Urzustand *m*; *gr. forme f primitive* Stamm-, Grundform *f*; *mot m* ~ Stammwort *n*; *langue f primitive* Ursprache *f*; *terrain m* ~ älteste Bodenschicht *f*; **II** *m/pl. peint.*: *les* ~*s* die Primitiven *pl.*, die den Meistern der Renaissance vorangehenden Künstler *m/pl.*

primitivisme [primiti'vism] *m* Primitivismus *m*.

primo [pri'mo] *adv.* erstens; ~**géniture** ⚖ [primɔʒeni'ty:r] *f* Erstgeburt *f*.

primordial [primɔr'djal] *adj.* (5c) **1.** ursprünglich, uranfänglich; **2.** sehr wichtig, wesentlich, von der größten Bedeutung.

prince [prɛ̃:s] *m* **1.** Fürst *m*; Prinz *m*; Herrscher *m*; ~ *héritier* Kronprinz *m*; ~ *du sang* Prinz *m* von Geblüt; ~ *consort* Prinzgemahl *m*; ~*-évêque m* (6a) Fürstbischof *m*; ~ *régent m* Prinzregent *m*; *être bon* ~ gutmütig sein; *vivre en* ~ fürstlich leben; ein fürstliches Dasein führen; **2.** *le* ~ *des poètes (des auteurs)* der größte Dichter (Schriftsteller).

princeps [prɛ̃'sɛps] *adj. inv.*: *édition f* ~ Erstausgabe *f*.

princ|esse [prɛ̃'sɛs] **I** *f* **1.** Fürstin *f*; Prinzessin *f*; F *faire la* ~ die große Dame spielen; angeben; **2.** F *aux frais de la* ♀ auf Staatskosten; auf Kosten des Chefs; **II** *adj./f*: *haricots m/pl.* ~*s* Prinzeß-, Perl-bohnen *f/pl.*; ~**ier** [~'sje] *adj.* (7b) luxuriös.

principal [prɛ̃si'pal] **I** *adj.* (5c) □ **1.** wesentlich, hauptsächlich, vornehmst, Haupt...; *idée f* ~*e* Grund-, Leit-gedanke *m*; *gr. proposition f* ~*e* Hauptsatz *m*; *principalement adv.* hauptsächlich, vorzüglich, vornehmlich; in der Hauptsache; **II** *m* **2.** Haupt-sache *f*, -punkt *m*; *das* Wesentliche *n*, *die* Kernfrage *f*, *das* Wichtigste *n*, *das* Entscheidende *n*; **3.** ✝ Haupt-forderung *f*, -schuld *f*; Kapital *n*; *somme f en* ~ Restkaufsumme *f*; **4.** ♪ Prinzipal *n* (*Orgel*).

principauté [prɛ̃sipo'te] *f* **1.** Fürstentum *n*; **2.** Fürstenstand *m*.

principe [prɛ̃'sip] *m* **1.** Ursprung *m*, Grundursache *f*; *dès le* ~ von Anfang an; *dans le* ~ im Anfang; **2.** ⚗ (Grund-)Bestandteil *m*; **3.** ~*s* *pl.* Grundbegriffe *m/pl.*, Anfangsgründe *m/pl.*; **4.** Prinzip *n* (*a. phys.*), Grundsatz *m*; Richtlinie *f*; ~ *autoritaire*, ~ *totalitaire* Autoritäts-, Totalitäts-prinzip *n*; *question f de* ~ Prinzipienfrage *f*; *homme m à* ~*s* charakterfester Mensch *m*; *par* ~ aus Prinzip; *en* ~ im Prinzip, prinzipiell, theoretisch, grundsätzlich.

prin|tanier [prɛ̃ta'nje] *adj.* (7b) **1.** Frühlings...; *potage m* ~ Suppe *f* mit frischen Gemüsen; **2.** F frühlingsmäßig gekleidet; ~**temps** [~'tɑ̃] *m* Frühling *m*, Frühjahr *n*; *au* ~ im Frühling.

priorit|aire [priɔri'tɛ:r] *adj.* vorrangig; *route f* ~ Vorfahrtsstraße *f*; ~**é** [~'te] *f* **1.** Priorität *f*, Vorrang *m*; *donner la* ~ *à q.* j-m den Vorrang geben (*od.* überlassen); **2.** *Auto usw.*: Vorfahrt *f*; *avoir la* ~ *sur q.* Vorfahrt vor j-m haben.

pris [pri] (7) *p.p. von prendre*; F *c'est toujours ça de pris* was man hat, hat man; *cette place est-elle* ~*e?* ist dieser Platz besetzt? *je suis pris* ich habe (schon) etw. vor.

prise [pri:z] *f* **1.** Ergreifen *n*, Nehmen *n*; Griff *m* (*beim Klettern*); ~ *d'armes* Parade *f* (*mit Waffen*); ~ *de possession* Besitzergreifung *f*; ~ *du pouvoir* Machtergreifung *f*, Machtübernahme *f*; ~ *de sténo (-gramme)* Stenogrammaufnahme *f*; ~ *de conscience* Bewußtseinsbildung *f*; ~ *de contact*, ~ *de position*, ~ *de parti* Fühlung-, Stellung-, Partei-nahme *f*; ~ *en charge* Kostenübernahme *f*; **2.** Einnahme *f*, Eroberung *f*; Gefangennahme *f*; Wegnahme *f*; **3.** Fang *m*, Beute *f*; ⚓ erbeutetes Schiff *n*, Prise *f*; *lâcher* ~ die Beute fahrenlassen; *fig.* nachgeben; loslassen; *donner* ~ *sur soi* sich e-e Blöße geben; **4.** *fig.* Faßbarkeit *f*, Greifbarkeit *f*; Eindruck *m*; *avoir* ~ *sur q.* j-m etw. anhaben können; j-n beeindrucken; *donner* ~ *à ...* Anlaß geben zu ..., sich aussetzen (*dat.*); *être en* ~ in Gefahr sein, genommen zu werden; **5.** ⚖ ~ *en procès-verbal d'une déclaration* Protokollierung *f* e-r Erklärung; **6.** Streit *m*, Zank *m*; *avoir une* ~ *de bec violente avec q.* mit j-m e-n heftigen Wortwechsel haben; ~*s pl.* Handgemenge *n*, Tätlichkeiten *f/pl.*; *mettre deux pays aux* ~*s* zwei Länder miteinander in Konflikt bringen; *se trouver aux* ~*s avec une difficulté (avec un pro-*

blème) vor e-r Schwierigkeit (vor e-m Problem) stehen; **7.** Gerinnen *n*; Gefrieren *n*; **8.** ⚖ ~ *de corps* Verhaftung *f*; **9.** kleine Menge *f*; ~ (*de tabac*) Prise *f* (*Schnupftabak*); **10.** *phot.* Aufnahme *f*; **11.** ⚡ ~ *de courant* Steck-dose *f*, -kontakt *m*; ⚡ ~ *de courant bipolaire* Doppelstecker *m*; *rad.* ~ *de terre* Erden *n*; **12.** *cin.* ~ *de son* Tonaufnahme *f*; ~ *de vues* Filmaufnahme *f*; **13.** ⚠ Abbindung *f* (*beim Zement*); *des matériaux m/pl. faisant* ~ abbindende Baustoffe *m/pl.*; **14.** *Auto*: ~ *directe* letzter (*od.* großer) Gang *m*; **15.** ⚕ ~ *de sang* Blutprobe *f*; **16.** ⊕ ~ *d'eau* Hydrant *m*, Wasserzapfstelle *f*; ~ *d'air* Luftzufuhr *f*.

prisée ⚖ [pri'ze] *f* Schätzung *f*, Taxierung *f*, Veranschlagung *f*.

priser[1] [~] *v/t.* (1a) taxieren, abschätzen, veranschlagen; *fig.* preisen, würdigen.

priser[2] [~] *v/t.* (1a) schnupfen (*Tabak*); *weitS.* ~ *de l'héroïne* Heroin schnüffeln.

priseur[1] ⚖ [pri'zœ:r] *su.* (7g): (*expert m*) ~ Taxator *m*.

priseur[2] [~] *su.* (7g) (Tabaks-) Schnupfer *m*.

prism|atique [prisma'tik] *adj.* prismatisch; **~e** [prism] *m* Prisma *n*; **~é** *min.* [~'me] *adj.* prismenförmig.

prison [pri'zɔ̃] *f* **1.** Gefängnis *n*; *mettre* (*od. jeter*) *en* ~ ins Gefängnis werfen; **2.** Haft *f*, Gefangenschaft *f*; **~nier** [~zɔ'nje] *adj. u. su.* (7b) gefangen; Häftling *m*; Gefangene(r) *m*; ~ *de guerre* kriegsgefangen; Kriegsgefangene(r) *m*; *faire q.* ~ j-n gefangennehmen; *se constituer* ~ sich als Gefangener stellen.

priva|tif [priva'tif] *adj.* (7e) entziehend; ⚖ ausschließend; *gr.* verneinend, privativ; **~tion** [~vɑ'sjɔ̃] *f* **1.** Entziehung *f*, Verlust *m*; ~ *de sortie* Stubenarrest *m*; **2.** Mangel *m*, Entbehrung *f*; **3.** Fehlen *n*; **4.** *phil.* Aufhebung *f*; **5.** ⚖ ~ *des droits civiques* Aberkennung *f* der bürgerlichen Ehrenrechte.

pri|vautés [privo'te] *f/pl.* (zu große) Vertraulichkeiten *f/pl.*; **~vé** [~'ve] **I** *adj.* privat; *en* ~ unter vier Augen; **II** *m* ⚚ Privatwirtschaft *f*.

priver [pri've] (1a) **I** *v/t.* ~ *q. de qch.* j-n e-r Sache (*gén.*) berauben, j-m etw. entziehen (*od.* wegnehmen *od.* vorenthalten); ~ *du plaisir* um das Vergnügen bringen; F *nous étions privés de Lyon* wir hatten Lyon hinter uns; **II** *v/rfl. se* ~ *de qch.* auf etw. (auf e-n Genuß) verzichten.

privi|lège [privi'lɛ:ʒ] *m* Vor-, Sonder-recht *n*, Privileg *n*; **~légié** [~le'ʒje] **I** *adj.* bevorzugt, privilegiert; **II** *su.* Privilegierte(r) *m*.

prix [pri] *m* **1.** Preis *m*; *de* (*grand*) ~ (sehr) wertvoll; *objets m/pl. de* ~ Wertsachen *f/pl.*; F ~ *d'ami* Vorzugspreis *m*; *à bon* ~ billig; *bas* ~, *vil* ~ Schleuderpreis *m*; ~ *courant* Marktpreis *m*; *prix-courant m* Preisliste *f*; *dernier* ~ äußerster Preis *m*; ~ *doux* (*exorbitant*) mäßiger (übermäßiger *od.* horrender F) Preis *m*; ~ *fixe* fester Preis *m*; ~ *fort* Bruttopreis *m*; ~ *net* Nettopreis *m*; ~ *coûtant* Einkaufspreis *m*; ~ *unique*, ~ *usuraire* Einheits-, Wucher-preis *m*; ~ *normal* Normalpreis *m*, üblicher Preis *m*; ~ *forfaitaire* Pauschalpreis *m*; ~ *exceptionnel*, ~ *d'occasion* Ausnahmepreis *m*; ~ *publicitaire* Werbe-, Reklamepreis *m*; ~ *minimum*, ~ *maximum* Mindest-, Höchst-preis *m*; ~ *indicatif* (empfohlener) Richtpreis *m*; ~ *du jour* Tagespreis *m*; ~ *de gros* (*de détail*) Groß- (Klein-)handelspreis *m*; ~ *de rachat* Rückkaufspreis *m*; ~ *d'amateur* Liebhaberpreis *m*; ~ *d'objectif* erstrebenswerter Preis *m*; ~ *d'ordre* Verrechnungspreis *m*; ~ *d'achat* Einkaufs-, Kauf-preis *m*, -geld *n*; ~ *pour revendeurs* Preis *m* für Wiederverkäufer, Händlerpreis *m*; ~ (*fait*) *sur place* Lokopreis *m*; *convenir d'un* ~ e-n Preis vereinbaren; *les* ~ *s'entendent départ usine* die Preise verstehen sich ab Fabrik; *hors de* ~ unbezahlbar; *à moitié* ~ zum halben Preis; ~ *de revient* Gestehungs-, Selbstkostenpreis *m*; ~ *de vente* Verkaufs-, Laden-preis *m*; *mise f à* ~ Schätzung *f*, Taxe *f*; Preisangabe *f*; *valoir son* ~ preiswert sein; *à tout* ~ in jeder Preislage; *fig.* um jeden Preis, auf jeden Fall; *fig. à aucun* ~ um keinen Preis; *au* ~ *de fig.* im Vergleich mit (*od.* zu); *la fortune n'est rien au* ~ *de la santé* Gesundheit ist das höchste Gut; **2.** *fig.* (sittlicher) Wert *m*; Verdienst *n*; Vortrefflichkeit *f*; **3.** *fig.* Lohn *m*, Strafe *f*; **4.** Prämie *f*; *bsd. Fr. écol. distribution f des* ~ Preisverteilung *f*; *Sport*: ~ *de consolation* Trostpreis *m*.

pro *Sport* [pro] *m* Profi *m*.

proba|bilisme *phil.* [prɔbabi'lism] *m* Wahrscheinlichkeitslehre *f*; **~**-

biliste *phil.* [⁓bi'list] *su.* Anhänger *m* der Wahrscheinlichkeitslehre; **⁓bilité** [⁓bili'te] *f* Wahrscheinlichkeit *f*; **⁓ble** [⁓'bablə] *adj.* □ wahrscheinlich.

probant [prɔ'bɑ̃] *adj.* (7) beweiskräftig.

probation *rl.* [prɔbɑ'sjɔ̃] *f* Probezeit *f* vor dem Noviziat.

probatoire [prɔba'twa:r] *adj.* Probe...

pro|be *litt.* [prɔb] *adj.* rechtschaffen, redlich; **⁓bité** [⁓bi'te] *f* Rechtschaffenheit *f*, Redlichkeit *f*.

problématique [prɔblema'tik] **I** *adj.* fraglich, problematisch; **II** *f* Problematik *f*.

problème [prɔ'blɛ:m] *m* **1.** Problem *n*, schwierige Frage *f*, Streitfrage *f*, *fig.* Rätsel *n*; ⁓ *de l'heure*, ⁓ *actuel* Zeitproblem *n*, aktuelle Frage *f*; *résoudre* (*od. solutionner*) *un* ⁓ ein Problem (*od.* e-e Frage) lösen; s. *question*; **2.** ⅍ Aufgabe *f*.

procédé [prɔse'de] *m* **1.** *allg.* Verfahren *n*; ⁓*s pl.* Vorgehen *n*; **2.** ⚗, ⅍, ⚖, *phm.* Verfahrensart *f*, Prozeß *m*, Verfahren *n*; ⁓ *d'arbitrage* Schiedsgerichtsverfahren *n*; ⁓ *d'expertise* Sachverständigenverfahren *n*; ⊕ ⁓ *de protection* Schutzverfahren *n*; ⁓ *de finissage* Veredelungsverfahren *n*; ⁓ *héliographique* Lichtpausverfahren *n*; **3.** *péj. son style sent le* ⁓ sein Stil wirkt gekünstelt.

procé|der [⁓] *v/i.* (1f) **1.** ⁓ *à qch.* zu etw. (*dat.*) schreiten, etw. vornehmen; **2.** verfahren (*avec q.* mit j-m); **3.** ⁓ *de* herrühren von, entspringen (*dat.*); **⁓dure** ⚖ [⁓'dy:r] *f* **1.** Prozeßverfahren *n*, Rechtsgang *m*; ⁓ (*judiciaire* gerichtliches) Verfahren *n*; ⁓ *sommaire* Schnellverfahren *n*; ⁓ *pénale* (*civile*) Straf-(Zivil-)gerichtsbarkeit *f*, -prozeß *m*; **2.** Prozeßakten *f/pl.*; **⁓durier** ⚖ [⁓dy'rje] *adj. u. su.* (7b) prozeßsüchtig; Querulant *m*.

procès [prɔ'sɛ] *m* **1.** ⚖ Prozeß *m*; *faire* (*od. intenter*) *un* ⁓ *à q.* e-n Prozeß gegen j-n anstrengen; *allg. faire le* ⁓ *de q.* (*de qch.*) j-n (etw.) kritisieren (*od.* angreifen); *sans autre forme de* ⁓ kurzerhand; **2.** *anat.* Fortsatz *m*.

procession [prɔsɛ'sjɔ̃] *f* Prozession *f*, feierlicher Umzug *m*; Festzug *m*, Umzug *m*; **⁓naire** *ent.* [⁓sjɔ'nɛ:r] *adj. u. f* (*chenille f*) ⁓ Prozessions-, Wander-raupe *f*; **⁓nal** [⁓'nal] *m* (5b) Prozessionsliederbuch *n*; **⁓nel** [⁓'nɛl] *adj.* (7e) □ prozessionsmäßig; **⁓nellement** [⁓nɛl'mɑ̃] *adv.* in feierlichem Aufzug.

processus [prɔsɛ'sys] *m* **1.** *fig.* (Entwicklungs-)Prozeß *m*, Verfahren *n*; **2.** *anat.* Fortsatz *m*.

procès-verbal ⚖, *Sitzung* [prɔ'sɛ-ver'bal] *m* (5b) Protokoll *n*; *dresser* ⁓ ein Protokoll aufnehmen; ⁓ *de séance* Sitzungsprotokoll *n*; ⁓ *de constatation* Tatbestandsaufnahme *f*.

prochain [prɔ'ʃɛ̃] (7) **I** *adj.* (*kann bisw. die Stellung wechseln*) **1.** *örtlich*: nahe (gelegen), in der Nähe befindlich; *Reihenfolge*: nächste(r, s); *au* ⁓ *village* im nächsten Dorf; *le village* ⁓ das nächste Dorf; *l'eau vient des montagnes* ⁓*es* das Wasser kommt von den nahen Bergen; **2.** *zeitlich*: nahe(r, s); nächstfolgende(r, s); nächste(r, s); *l'an* ⁓, *l'année* ⁓*e* (im) nächsten Jahr; *l'hiver* ⁓ (im) nächsten Winter; *le mois* ⁓ (im) nächsten Monat; *la semaine* ⁓*e* nächste Woche, in der nächsten Woche; *lundi* (*mardi*) ⁓ (am) nächsten Montag (Dienstag); *à la* ⁓*e occasion* bei der nächsten Gelegenheit; *paix f* ⁓*e* nahe bevorstehender Frieden; *sa fin* ⁓*e* sein nahes Ende; *dans un avenir* ⁓, *dans un* ⁓ *avenir* in naher Zukunft; *le* ⁓ *volume* der nächste Band; *dans ma* ⁓*e lettre* in meinem nächsten Brief; **II** *su. der, die, das* Nächste (Nächstfolgende); *rl. amour m du* ⁓ Nächstenliebe *f*.

proche [prɔʃ] **I** *adj.* **1.** *örtlich*: nahe; *la ville la plus* ⁓ die von den Städten im Umkreis (am) nächste(n gelegene) Stadt; *le* ⁓ *Orient* der Nahe Osten; **2.** *zeitlich*: nahe (*bevorstehend od. zurückliegend*); **3.** *un* ⁓ *parent* ein naher Verwandter *m*; *une langue est très* ⁓ *d'une autre* e-e Sprache ist sehr nahe mit e-r anderen verwandt; **II** *m*: *nos* ⁓*s pl.* unsere Verwandten *pl.*; **III** *adv. de* ⁓ *en* ⁓ allmählich, schrittweise, von Stufe zu Stufe, immer mehr, immer weiter (um sich greifend); **IV** *prp.* ⁓ *de qch.*, *seltener* ⁓ *qch.* nahe bei etw.

procla|mateur [prɔklama'tœ:r] *su.* (7f) Verkünder *m*; **⁓mation** [⁓mɑ'sjɔ̃] *f* Bekanntmachung *f*; ⁓ *des bans* (*de mariage*) öffentliches Aufgebot *n*; ⁓ *au peuple* Aufruf *m* an das Volk; **⁓mer** [⁓'me] (1a) **I** *v/t.* proklamieren, ausrufen, feierlich bekanntgeben; *fig.* ⁓ *qch.* etw. verkündigen, *iron.* etw. ausposaunen;

il fut proclamé roi er wurde zum König ausgerufen; ~ *l'état de siège* den Belagerungszustand verkünden; **II** *v/rfl.* se ~ sich aufwerfen zu ... (*dat.*), sich ausgeben als ...

proclitique *gr.* [prɔkli'tik] *adj. u. m* proklitisch; Proklitikon *n.*

proclivité *anat.* [prɔklivi'te] *f* Neigung *f* nach vorn.

procréat|eur [prɔkrea'tœ:r] *adj.* (7f) zeugend; **~ion** *physiol.* [~krea'sjɔ̃] *f* Zeugung *f.*

procréer [prɔkre'e] *v/t.* (1a) zeugen.

procura|tion [prɔkyra'sjɔ̃] *f* Vollmacht *f*; ⚕ Prokura *f*; ⚖ Prozeßvollmacht *f*; ~ *en blanc* Blankovollmacht *f*; *par* ~ per Prokura, im Auftrag, in Stellvertretung; **~trice** [~ra'tris] *f* Bevollmächtigte *f.*

procur|er [prɔky're] *v/t.* (1a) **1.** verschaffen; besorgen; **2.** verursachen, nach sich ziehen; verschaffen, bringen, gewähren (*Freuden, Vorteile*); **~eur** [~'rœ:r] *m* **1.** Bevollmächtigte(r) *m*; ~ *général* Generalstaatsanwalt *m*; ~ *de la République* (Ober-)Staatsanwalt *m*; **2.** *rl.* Verwalter *m e-s Klosters.*

prodigalité [prɔdigali'te] *f* Verschwendung(ssucht*f*); ~*s pl.* großer Kostenaufwand *m*, Freigebigkeit *f.*

prodi|ge [prɔ'di:ʒ] *m* Wunder *n*, Wunderding *n*; Wundergeschöpf *n*; *aller jusqu'au* ~, *tenir du* ~ ans Wunderbare grenzen; ~ *de beauté* wahre Schönheit *f*; *iron.* Meerwunder *n*; *als adj.*: *enfant m* ~ Wunderkind *n*; **~gieusement** [~ʒjøz'mɑ̃] *adv.* riesig, kolossal; sonderlich; **~gieux** [~'ʒjø] *adj.* (7d) □ **1.** wunderbar, außerordentlich; erstaunlich; **2.** gewaltig, riesig, ungeheuer (groß); **~giosité** [~ʒjozi'te] *f* Wunderbarkeit *f.*

prodi|gue [prɔ'di:g] *adj.* □ *u. su.* **1.** verschwenderisch; Verschwender *m*; *bibl. l'enfant m* ~ der verlorene Sohn; **2.** ~ *de qch.* freigebig mit etw. (*dat.*); **~guer** [~'ge] (1m) **I** *v/t.* **1.** verschwenden, vergeuden; reichlich spenden; zuteil werden lassen; **2.** *fig.* nicht schonen, freigebig sein mit (*dat.*); ~ *les compliments à q.* j-m gegenüber voll des Lobes sein; **II** *v/rfl.* se ~ sich helfend zur Verfügung stellen.

prodrome [prɔ'dro:m] *m* **1.** *fig.* Vorläufer *m*; **2.** ⚕ ~*s m/pl.* erste Anzeichen *n/pl.*

produc|teur [prɔdyk'tœ:r] *adj. u. su.* (7f) produzierend, hervorbringend; Produzent *m*, Erzeuger *m*, Hersteller *m*; *cin.* Filmproduzent *m*; ✓ Züchter *m*; **~tible** [~k'tiblə] *adj.* erzeugbar; **~tif** [~k'tif] *adj.* (7e) **1.** ~ *de qch.* etw. hervorbringend; **2.** produktiv, ergiebig, einträglich; gewinn-, zinsen-bringend; **~tion** [~k'sjɔ̃] *f* **1.** Produktion *f*, Erzeugung *f*, Herstellung *f*; ⊕ Ausstoß *m*; ~ *en grand* Massenerzeugung *f*, -fertigung *f*; ~ *en série* Serienproduktion *f*; ~ *journalière* Tagesleistung *f*; **2.** Erzeugung *f*, Produkt *n*; ✓ ~*s pl. auch*: Erträge *m/pl.*; **3.** ⚖ Beibringung *f*; ~ *de comptes* Rechnungsvorlegung *f*; ~ *de preuves* Beibringung *f* von Beweisen; **~tivisme** *éc.* [~kti'vism] *m* Produktionskampf *m*; **~tivité** [~ktivi'te] *f* Rentabilität *f*, Produktivität *f*, Leistungsfähigkeit *f*, Ergiebigkeit *f*, Ertragsfähigkeit *f*; Fruchtbarkeit *f*; schöpferische Kraft *f.*

produire [prɔ'dɥi:r] (4c) **I** *v/t.* **1.** vor-führen, -legen, -zeigen; ~ *des preuves* (*des titres*) Beweise (Urkunden) beibringen; ~ *des témoins* Zeugen stellen; **2.** produzieren, erzeugen, hervorbringen, liefern; *von Schriftstellern*: schreiben, verfassen; *cet arbre commence à* ~ dieser Baum fängt an zu tragen; **3.** einbringen, abwerfen; Zinsen tragen; **4.** verursachen, veranlassen; **II** *v/rfl.* se ~ sich sehen lassen; sich zeigen; entstehen; geschehen; sich ereignen.

produit [prɔ'dɥi] *m* Ertrag *m*; Erzeugnis *n*, Produkt *n*; ~ *fabriqué* Fabrikat *n*; ~ *fini* Fertigfabrikat *n*; ~*s pl. finis* Fertigwaren *f/pl.*; ~ *mi-fini*, ~ *semi-* (*od. demi-*)*ouvré* Halb(fertig)fabrikat *n*; ~ *national* Sozialprodukt *n*; ~ *primitif* Urprodukt *n*; ~ *protectif pour plantes* Pflanzenschutzmittel *n*; ~ *sidérurgique* Hüttenerzeugnis *n*; ~ *tinctorial* Farbstofferzeugnis *n*; ~ *alimentaire* Nahrungsmittel *n*; ~*s pl. fumés* Räucherwaren *f/pl.*; ~*s pl. de laiterie* Milch-, Molkerei-produkte *n/pl.*; ~ *du capital* Kapitalertrag *m*; ~ *net* Reinertrag *m.*

proémi|nence [prɔemi'nɑ̃:s] *f* **1.** Hervorragen *n*; **2.** hervorragender Teil *m*, Vorsprung *m*; Anhöhe *f*; **~nent** [~'nɑ̃] *adj.* (7) hervorragend (*nicht fig.!*), vorspringend.

prof F *écol.* [prɔf] *su.* Lehrer(in *f*) *m.*

profana|teur [prɔfana'tœ:r] *adj. u. su.* (7f) entweihend; Entweiher *m*;

Tempelschänder *m*; **~tion** [~na'sjõ] *f* Entweihung *f* (*a. fig.*); Profanierung *f*; Mißbrauch *m*.

profa|ne [prɔ'fan] **I** *adj.* □ **1.** profan, weltlich; **2.** ungeweiht; **3.** entweihend, ruchlos; **II** *m* **4.** *das* Profane *n od.* Weltliche *n*; **5.** Laie *m* (*a. fig.*), Nichtkenner *m*, Außenstehende(r) *m*; **~ner** [~'ne] *v/t.* (1a) entweihen; entwürdigen.

proférer [prɔfe're] *v/t.* (1g) (her-) vorbringen, aussprechen.

profès *m*, **professe** *f* [prɔ'fɛ, prɔ'fɛs] *su. rl.* Eingeweihte(r) *m*; *allg.* Fachmann *m*, Kenner *m*.

profes|ser [prɔfɛ'se] *v/t.* (1b) öffentlich bekennen; **~seur** [~'sœ:r] **I** *m* **1.** *écol. allg.* (Ober-)Studien-rat *m*, -rätin *f*; *Ausbildungsweg*: a) *All.* ~ *de lycée licencié et stagiaire*, *Fr. etwa*: ~ *adjoint* Studienreferendar *m*; b) *All.* ~ *de lycée certifié non-titulaire*, *Fr. etwa*: ~ *certifié non-titulaire* Studienassessor *m*; c) *All.* ~ *de lycée titulaire*, *Fr.* ~ *certifié* Studien-rat *m*, -rätin *f*; ~ *principal* Klassenlehrer *m*, Ordinarius *m*; *charge f de* ~ *principal d'une classe* Ordinariat *n*; ~ *de langues vivantes* Neuphilologe *m*; Lehrer *m* für lebende Sprachen; ~ *d'histoire* Geschichts-lehrer *m*, -professor *m* (*vgl.* 2); *chaire f de* ~ Studienratsstelle *f*; *conseil m des* ~*s* Lehrerkollegium *n*; *Mlle Lenoir est un bon* ~ Fräulein Lenoir ist e-e gute Lehrerin; **2.** (Universitäts-)Professor(in *f*) *m*; ~ *honoraire* Honorarprofessor(in *f*) *m*; *Fr.*, *All.* ~ *chargé de cours* Privatdozent *m*; ~ *sans chaire* außerordentlicher Professor *m*; *Fr.* (~) *agrégé m* a) außerordentlicher Professor *m* (*an der juristischen, medizinischen od. pharmakologischen Fakultät*); b) *Fr. écol. ein franz. Studienrat mit höherem Gehalt, der die Staatsprüfung der agrégation bestanden hat*; ~ *universitaire titulaire* ordentlicher (Universitäts-) Professor *m*; *chaire f de* ~ Professur *f*, Lehrstuhl *m* (*vgl.* 1); ~ *de médecine* Professor *m* der Medizin; **3.** *allg.* Lehrer *m*; ~ *de chant* Gesangslehrer(in *f*) *m*; ~ *de piano* Klavierlehrer(in *f*) *m*; ~ *de natation* Schwimmlehrer(in *f*) *m*; ~ *libre* Privatlehrer *m*; *Auto*: ~ *d'une auto-école* Fahrlehrer *m*; **II** *jetzt auch*: *f*; *une jeune professeur* e-e junge Studienrätin *f*; **~sion** [~'sjõ] *f* **1.** Beruf *m*; ~ *accessoire* Nebenberuf *m*; ~ *encombrée* überfüllter Beruf *m*; ... *de* ~ ... von Beruf; ~ *laitière* Berufe *m/pl.* in der Milchwirtschaft; **2.** Bekenntnis *n*; feierliche Erklärung *f*; *pol.* ~ *de foi* Wahlprogramm *n*; **3.** *rl.* Ablegung *f* der Ordensgelübde; **~sionnalisme** [~sjɔna'lism] *m* 'Profitum *n* (*Sport*); berufliche Tätigkeit *f*; **~sionnel** [~sjɔ'nɛl] (7c) **I** *adj.* berufs-, gewerbs-mäßig; Berufs...; *école f* ~*le* Fachschule *f*; Gewerbe-, Handwerker-schule *f*; *enseignement m* ~ Fachschulunterricht *m*; *secret m* ~ Berufsgeheimnis *n*; **II** *su.* Fachmann *m*; Berufssportler *m*, Profi *m*; *vél.* Berufsradrennfahrer *m*; *mot.* Berufsrennfahrer *m*; *allg. Sport*: Berufsspieler *m*; **~soral** [~sɔ'ral] *adj.* (5c) □ Professor(en)...; *péj.* schulmeisterlich; **~sorat** [~sɔ'ra] *m* höheres Lehramt *n*; Studienratsstelle *f*; ~ *universitaire* (Universitäts-)Professur *f*.

profil [prɔ'fil] *m* Profil *n*, Seitenansicht *f*; Durch-, Quer-schnitt *m*; *de* ~ von der Seite, im Profil; **~age** [~'la:ʒ] *m* Profilierung *f*; *Auto*: ~ *aérodynamique* Stromlinienform *f*; ~ *médical* ⚕ Kostensumme *f e-s Rezepts*; **~é** [~'le] *m* Profileisen *n*; ~ *en acier* Stahlprofil *n*; ~*s pl. lumineux* Beleuchtungssystem *n*; **~er** [~'le] *v/t.* (1a) im Profil *od.* im Querschnitt darstellen; ⊕ profilieren.

profit [prɔ'fi] *m* **1.** Gewinn *m*, Profit *m*; ⊕ Ausbeute *f*; *compte m de* ~*s et pertes* Gewinn- u. Verlustkonto *n*; ~ *illicite* Wuchergewinn *m*; ~ *au jeu* Spielgewinn *m*; **2.** Nutzen *m*, Vorteil *m*; *au* ~ *des pauvres* zum Besten der Armen; *faire* ~ *de qch.*, *mettre qch. à* ~ sich etw. zunutze machen; *avec* ~ vorteilhaft; *chercher* (*od. trouver*) *son petit* ~ *à qch.* von (bei, an) etw. profitieren; **~able** [~'tablə] *adj.* □ nützlich, vorteilhaft, einträglich; **~ant** [~'tã] *adj.* (7) **1.** F vorteilhaft, dauerhaft (*Stoff*); **2.** gewinn-, profit-gierig.

profi|ter [~fi'te] *v/i.* (1a) **1.** nützen (*à q.* j-m); **2.** ~ *de qch.* etw. ausnutzen, aus etw. (*dat.*) Nutzen ziehen; **3.** ~ *à q.* j-m zustatten kommen; **4.** F *cet enfant profite bien* dieses Kind entwickelt sich gut; **~teur** [~'tœ:r] **I** *adj.* (7g) Nutzen ziehend, profitierend; **II** *m* Nutznießer *m*, Profit-macher *m*, -jäger *m*; ~ *de guerre* Kriegsgewinnler *m*; ~ *d'inflation* Inflationsgewinnler *m*.

profond [prɔ'fɔ̃] **I** *adj.* (7) (*adv. profondément*) tief; *fig.* gründlich; *ignorance f* ~*e* krasse Unwissenheit *f*; *nuit f* ~*e* stockfinstere Nacht *f*; *saluer profondément* mit e-r tiefen Verbeugung grüßen; *profondément ému* tieferschüttert; **II** *m die* Tiefe *f*; *du plus* ~ *de mon âme* aus tiefster Seele; ~**eur** [~'dœ:r] *f* **1.** Tiefe *f*; *géom.* Höhe *f*; *avoir dix mètres de* ~ zehn Meter tief sein; *phot.* ~ *de netteté* Schärfentiefe *f*; **2.** *fig.* Gründlichkeit *f*; *enquêtes f/pl. en* ~ tiefgreifende Untersuchungen *f/pl.*

profus [prɔ'fy] *adj.* (7) verschwenderisch; ⚕ stark; ~**ion** [~fy'zjɔ̃] *f* Verschwendung *f*; Überangebot *n* (*an Waren*); *à* ~ im Überfluß.

progéniture [prɔʒeni'ty:r] *f* Nachkommenschaft *f*, Kinder *n/pl.*

prognathisme ⚕ [prɔgna'tism] *m* Vorstehen *n* der Kiefer.

programmateur [prɔgrama'tœ:r] *m* **1.** *rad., cin. usw.* Programmgestalter *m*; **2.** ⊕ *cyb.* Programmiergerät *n*.

programm|athèque *cyb.* [~'tɛk] *f* Programmbibliothek *f*; ~**ation** [~ma'sjɔ̃] *f* **1.** *rad., cin. usw.* Programmgestaltung *f*; **2.** *cyb.* Programmierung *f*.

programm|e [prɔ'gram] *m* Programm *n*; Festordnung *f*; Theaterzettel *m*, *thé.* Programm *n*; Planung *f*, Plan *m*; ~ *des études* Lehrplan *m*; Studienplan *m* (*Universität*); *écol.* ~ *d'enseignement* Lehrplan *m* (*Schule*); ~ *budgétaire* Haushaltsplan *m*; ~ *radiophonique* Rundfunkprogramm *n*; ~ *de parti*, ~ *de travail* Partei-, Arbeits-programm *n*; ~**er** *électron.* [~'me] *v/t.* (1a) programmieren; ~**eur** *cyb.* [~'mœ:r] *m* Programmierer *m*.

progrès [prɔ'grɛ] *m* **1.** *m/pl.* a) ⚔ Vormarsch *m*; b) Ausbreitung *f*; *faire de rapides* ~ schnell um sich greifen; **2.** Fortschritt *m*, Entwicklung *f*.

progress|er [prɔgrɛ'se] *v/i.* (1b) Fortschritte machen; weiter-, vorwärts-kommen; um sich greifen; wachsen, gedeihen; *Börse*: anziehen (*v/i.*); ~**if** [~'sif] *adj.* (7e) □ vorrückend, -schreitend; *fig.* gestaffelt; ~**ion** [~'sjɔ̃] *f* Vorgehen *n*, Fortschreiten *n*; *fin.* Staffelung *f* (*v. Steuersätzen*); *fig.* Zunehmen *n*, Stufenfolge *f*; ~**isme** *pol.* [~'sism] *m* Fortschrittlichkeit *f*; ~**iste** [~'sist] *adj. u. m pol.* fortschrittlich; Fortschrittler *m*; ~**ivité** [~sivi'te] *f* Steigerungsfähigkeit *f*.

prohi|ber [prɔi'be] *v/t.* (1a) verbieten, untersagen; *ch. usw. temps m prohibé* Schonzeit *f*; ~**bitif** [~bi'tif] *adj.* (7e) □ ✝ Sperr..., Schutz...; *prix m/pl.* ~*s* Wucherpreise *m/pl.*; ~**bition** [~bi'sjɔ̃] *f* Verbot *n*; ✝ Ein- (*a.* Aus-)fuhrverbot *n*; ~ (*d'alcool*) Alkoholverbot *n*; ~**bitionnisme** [~bisjɔ'nism] *m* Prohibitionssystem *n*; ~**bitionniste** [~bisjɔ'nist] *m u. adj.* Anhänger *m* des Prohibitivsystems; Prohibitiv..., schutzzollmäßig.

proie [prwa] *f* **1.** Raub *m*; *oiseau m de* ~ Raubvogel *m*; **2.** (Kriegs-)Beute *f*; *fig. être en* ~ *à qch.* e-r Sache (*dat.*) schutzlos *od.* wehrlos ausgesetzt sein.

projec|teur *Auto*, ⚔, ⊕ [prɔʒɛk'tœ:r] *m* Scheinwerfer *m*; *bât.* Spritzmaschine *f*; ~**tif** [~'tif] *adj.* (7e) werfend; Wurf...; ~**tile** [~'til] *adj. u. m* Wurf...; ⚔ Geschoß *n*; ~ *à croix bleue* (*jaune*) Blau-(Gelb-)kreuz(geschoß *n*) *n*; ~ *à enveloppe métallique* Mantelgeschoß *n*; ~ *fumigène* Nebel-, Rauch-geschoß *n*; ~ *traceur* Leuchtspurgeschoß *n*; ~ *perforant*, ~ *perce-cuirasse* Panzergeschoß *n*; ~**tion** [~ʒɛk'sjɔ̃] *f* **1.** (Weg-)Schleudern *n*, Werfen *n*, Wurf *m*; **2.** Projektion *f*; ⚠ ~ *horizontale* Grundriß *m*; ~ *lumineuse* (Wand-)Lichtbild *n*; *appareil m à* ~ Projektionsapparat *m*; ~*-débat f* Fernsehdiskussion *f*.

projet [prɔ'ʒɛ] *m* Plan *m*, Entwurf *m*, Projekt *n*; ~ *de loi* Gesetzesentwurf *m*; ~ *de contrat* Vertragsentwurf *m*; *pol.* ~ *de pleins pouvoirs* Ermächtigungsgesetzentwurf *m*; *homme m à* ~*s* Plänemacher *m*.

projeter [prɔʒ'te] *v/t.* (1c) **1.** (vorwärts) schleudern *od.* werfen; herausschleudern; ~ *des étincelles* Funken sprühen; ~ *son ombre* Schatten werfen; ~ *des racines* Wurzeln treiben; **2.** projizieren; **3.** sich etw. vornehmen, entwerfen, planen.

projo P [prɔ'ʒo] *m* Projektor *m*.

prolepse ⚕, *rhét.* [prɔ'lɛps] *f* Prolepsis *f*, Vorwegnahme *f*.

proleptique [prɔlɛp'tik] *adj.* proleptisch, vorwegnehmend; im voraus beantwortend; ⚕ vorgreifend.

prolé|taire [prɔle'tɛ:r] **I** *m* Proletarier *m*; *péj.* Prolet *m*; ~*s de tous les pays, unissez-vous!* Proletarier aller Länder, vereinigt euch!; **II**

adj. proletarisch; **~tariat** [~ta'rja] *m* Proletariat *n*; **~tarien** [~ta'rjɛ̃] *adj.* proletarisch; *la classe ~ne* die Klasse der Proletarier.

proli|fère [prɔli'fɛ:r] *adj.* ⚘ sprießend; **~fération** [~fera'sjɔ̃] *f* **1.** *biol.* ~ *(cellulaire)* Vermehrung *f* (*durch Zellteilung*); **2.** ⚕ Wucherung *f*; **3.** *ling.* Ausbreitung *f*, Weiterbildung *f*; **4.** *allg. fig.* schnelle Zunahme *f*; **~férer** [~fe're] *v/i.* (1l) sich vermehren; **~fique** *biol.* [~'fik] *adj.* sich stark vermehrend; kinderreich.

prolix|e [prɔ'liks] *adj.* weitschweifig; **~ité** [~ksi'te] *f* Weitschweifigkeit *f*.

prolo P [prɔ'lo] *m* Prolet *m*.

prologue [prɔ'lɔg] *m thé.* Prolog *m*; *a. fig.* Vorspiel *n*.

prolon|gation [prɔlɔ̃ga'sjɔ̃] *f zeitliche* Verlängerung *f*; ♪ Aushalten *n einer Note*; ~ *de séjour* Aufenthaltsverlängerung *f*; **~ge** [prɔ'lɔ̃:ʒ] *f* **1.** 🚂 langes Seil *n für Güterwagenfracht*; **2.** ✈ Schleppseil *n*; **~geable** [~'ʒablə] *adj.* verlängerbar; **~gement** [prɔlɔ̃ʒ'mɑ̃] *m örtliche* Verlängerung *f*; ~ *de montagnes* Gebirgsausläufer *m*; **~ger** [~'ʒe] *v/t.* (1l) verlängern, in die Länge ziehen; hinausschieben.

promenade [prɔm'nad] *f* **1.** Spaziergang *m*; ~ *en bateau* Wasserfahrt *f*; ~ *à cheval* (*en voiture*) Spazier-ritt *m* (-fahrt *f*); *grande* ~ *à pied* (Fuß-)Wanderung *f*; **2.** Spazier-platz *m*, -weg *m*, Anlagen *f/pl.*

promen|er [prɔm'ne] (1d) **I** *v/t.* **1.** herum-, umher-führen, -fahren, spazierenführen; ~ *ses regards* umherblicken, s-e Augen schweifen lassen; **2.** F *fig.* hinhalten, an der Nase herumführen, abwimmeln F; **II** *v/rfl. se* ~ (*auch: aller se promener*) spazieren-gehen, -fahren, -reiten; *se* ~ *à cheval* spazierenreiten; *se* ~ *en voiture* spazierenfahren; F *envoyer q.* ~ j-n zum Teufel jagen; **~eur** [~'nœ:r] *su.* (7g) Spaziergänger *m*; **~oir** [prɔm'nwa:r] *m* Wandel-gang *m*, -halle *f*.

promesse [prɔ'mɛs] *f* **1.** Versprechen *n*, Zusage *f*; *remplir sa* ~, *s'acquitter de sa* ~ sein Versprechen erfüllen; *manquer à sa* ~ sein Versprechen nicht halten; **2.** ⚜ Schuldverschreibung *f*, -schein *m*.

prometteur [prɔmɛ'tœ:r] *adj.* (7g) vielversprechend.

promettre [~'mɛtrə] (4p) **I** *v/t.* **1.** versprechen, zusagen; versichern; *la Terre promise* das Gelobte Land; ~ *monts et merveilles* goldene Berge versprechen; **2.** ankündigen, prophezeien; *abs.* Hoffnung(en) erwecken; ↗ *abs.* gut stehen; F *a. iron. cela promet!* das wird was Schönes geben!; **II** *v/rfl.* **3.** se (*dat.*) ~ erwarten, hoffen auf; **4.** sich *selbst* Versprechungen machen auf (*acc.*); **5.** sich fest vornehmen.

promis [prɔ'mi] *adj.* (7): ~ *au succès* erfolgversprechend.

promiscuité [prɔmiskɥi'te] *f* lästiges Zusammenwohnen *n*.

promission *bibl.* [prɔmi'sjɔ̃] *f* Verheißung *f*.

promontoire [prɔmɔ̃'twa:r] *m* Vorgebirge *n*.

promo|teur [prɔmɔ'tœ:r] (7f) **I** *su.* **1.** *péj.* Anstifter *m*; **2.** Förderer *m*; Wegbereiter *m*, Initiator *m*; Veranstalter *m* (*Boxkampf*); ~ *immobilier* Bau-initiator *m*, -planer *m*; Promoter *m*; **3.** ⚜ Verkaufsleiter *m*; **II** *adj.* anstiftend; **~tion** [~mo'sjɔ̃] *f* **1.** Beförderung *f*; Ordensverleihung *f*; *écol.* Jahrgang *m*; **2.** *fig.* Förderung *f*; ~ *sociale* sozialer Aufstieg *m*; ~*-vente* Verkaufssteigerung *f*; **3.** ⚜ *néol.* Reklame *f*; *en* ~ zur Werbung.

promouvoir [~mu'vwa:r] (*nur im inf. u. in zs.-gesetzten Zeiten*) *v/t.* (3d) **1.** ernennen, befördern; *il a été promu aux ordres sacrés* er hat die Weihen erhalten; **2.** *etw.* fördern.

prompt [prɔ̃] *adj.* (7) □ prompt, schnell, baldig, rasch, unverzüglich; bereit; plötzlich; leicht reizbar, aufbrausend; schnell vergänglich; *une* ~*e guérison* e-e baldige Heilung *f*; ~ *à se décider* kurz entschlossen; ~ *à rendre service* gefällig, hilfsbereit; *avoir la main* ~*e* eine lose Hand haben, gleich zuschlagen; *être* ~ *à la riposte, avoir la repartie* ~*e* schlagfertig sein; ~ *comme l'éclair* blitzschnell; *avoir l'esprit* ~ e-e schnelle (*od.* leichte) Auffassungsgabe besitzen (*od.* haben); *il a l'humeur* ~*e, il est d'humeur* ~*e* er braust leicht auf; **~itude** [~ti'tyd] *f* **1.** Schnelligkeit *f*, Promptheit *f*; Bereitschaft *f*; **2.** schnelle (*od.* leichte) Auffassungsgabe *f*.

promu [prɔ'my] **I** *p.p. von promouvoir*; *être* ~ befördert werden, aufrücken, avancieren; **II** *su.* Beförderte(r) *m*.

promul|gation [prɔmylga'sjɔ̃] *f* (*öffentliche od. feierliche*) Bekanntmachung *f*, Erlaß *m*; **~guer** [~'ge] *v/t.* (1m) (*öffentlich od. feierlich*) bekanntmachen, ⚖ erlassen (*Gesetz*).

pronateur *anat.* [prɔnaˈtœːr] *adj. u. m*: (*muscle m*) ~ Pronationsmuskel *m*.

prôn|e [proːn] *m* **1.** *cath.* Predigt *f*; **2.** F *fig.* Strafpredigt *f*; **~er** [proˈne] *v/t.* (1a) predigen; *fig.* anpreisen; wärmstens befürworten; übermäßig rühmen; herausstreichen F.

pronom *gr.* [prɔˈnɔ̃] *m* Pronomen *n*, Fürwort *n*; ~ *démonstratif* Demonstrativpronomen *n*; ~ *indéfini* unbestimmtes Fürwort *n*; ~ *interrogatif* Fragefürwort *n*; ~ *personnel* (*possessif*) Personal- (Possessiv)pronomen *n*; ~ *réfléchi* (*aufs Subjekt*) rückbezügliches Fürwort *n*, Reflexivpronomen *n*; ~ *relatif* bezügliches Fürwort *n*, Relativpronomen *n*; **~inal** *gr.* [~miˈnal] *adj.* (5c) pronominal; *verbe m* ~ reflexives Verb *n*.

pronon|çable [prɔnɔ̃ˈsablə] *adj.* aussprechbar; **~cé** [~ˈse] **I** *m* ⚖ (Urteils-)Spruch *m*; Verkünden *n*; **II** *adj.* stark ausgeprägt *od.* hervortretend; *fig.* ausgesprochen, entschieden, unverkennbar; *un goût* ~ a) e-e ausgesprochene Neigung *f*; b) ein scharfer Geschmack *m*.

pronon|cer [~ˈse] (1k) **I** *v/t.* **1.** aussprechen; anordnen; **2.** ~ *un arrêt* ein Urteil fällen *od.* verkünden; ~ *une peine* e-e Strafe verhängen, auf e-e Strafe erkennen; **3.** vortragen, hersagen; ~ *un discours* e-e Rede halten; **4.** ~ *ses vœux* s-e Gelübde ablegen; **5.** *peint.* kräftig ausdrükken; **II** *v/i.* **6.** ⚖, *allg.* entscheiden; **III** *v/rfl.* se ~ **7.** ausgesprochen werden; **8.** sich erklären, s-e Meinung äußern; **~ciation** [~sjɑˈsjɔ̃] *f* **1.** Aussprache *f*, Aussprechen *n*; *gr.* ~ *figurée* Aussprachebezeichnung *f*, Lautschrift *f*, phonetische Umschrift *f*; **2.** ⚖ Verkündung *f*.

pronos|tic [prɔnɔsˈtik] *m* **1.** Vorher-, Voraus-sage *f*; Anzeichen *n*; *Sport*: Tip *m*; **2.** ⚕ Prognose *f*; **~tiquer** [~tiˈke] *v/t.* (1m) vorhersagen; schließen lassen auf (*acc.*).

pronostiqueur [prɔnɔstiˈkœːr] *su.* (7g) Voraussager *m*; (*Toto*) Tipper *m*; *pol.*, *Sport* jemand, der Voraussagen macht.

pronunciamiento [prɔnɔ̃sjamjɛ̃ˈto] *m* Militärputsch *m*.

propagan|de [prɔpaˈgɑ̃ːd] *f* Propaganda *f*; Reklame *f*, Werbung *f*; Werbetätigkeit *f*; Verbreitung *f*; *tract m de* ~ Propaganda-schrift *f*, -zettel *m*, Flugblatt *n*; ~ *cinématographique*, ~ *par le film* Filmreklame *f*; ~ *de l'action* Propaganda *f* der Tat; ~ *mensongère* Lügenpropaganda *f*; *faire de la* ~ Propaganda machen, (Anhänger *od.* Käufer) werben; *c'est de la* ~*!* das ist Hetze!; **~disme** [~ˈdism] *m* **1.** *bsd. pol.* Hetze *f*, Agitation *f*; **2.** Bekehrungseifer *m*; **3.** Propagandawesen *n*, Werbelehre *f*; **~diste** [~ˈdist] *adj. u. su.* propagandistisch; Propagandist *m*, Werber *m*; *pol. péj.* Agitator *m*, Hetzer *m*.

propa|gateur [prɔpagaˈtœːr] (7f) **I** *adj.* fortpflanzend; **II** *su.* Verbreiter *m e-r neuen Lehre*; ⚕ ~ *de typhus* Typhusübertrager *m*; **~gation** [~gaˈsjɔ̃] *f* Fortpflanzung *f* des Geschlechts; *fig.* Aus-, Verbreitung *f*, Propagierung *f*; Umsichgreifen *n*; *phys.*, ⚡ Ausstrahlen *n*; **~ger** [~ˈʒe] *v/t.* (1l) fortpflanzen; *fig.* aus-, ver-breiten, propagieren.

propan|e ⚗ [prɔˈpan] *m* Propan *n*; **~ier** [~ˈnje] *m* Propangasschiff *n*.

propédeute *Fr.* [propeˈdøt] *su.* Student *m* der *propédeutique* (s.d.).

propédeutique *Fr.* [prɔpedøˈtik] *f* **1.** Propädeutik *f*; **2.** Vorbereitungskurs für die Licence; Schlußexamen *n* dieses Kurses.

propension [prɔpɑ̃ˈsjɔ̃] *f* Hang *m*.

prophète *m*, **prophétesse** *f* [prɔˈfɛt, ~feˈtɛs] Prophet(in *f*) *m*, Seher (-in *f*) *m*.

prophé|tie [prɔfeˈsi] *f* Prophezeiung *f*; **~tique** [~ˈtik] *adj.* □ prophetisch; **~tiser** [~tiˈze] *v/t.* (1a) prophezeien, weissagen.

prophyl|actique ⚕ [prɔfilakˈtik] **I** *adj.* prophylaktisch, vorbeugend; **II** *m a. phot. usw.* Vorbeugungsmittel *n*; **~actorium** [~laktɔˈrjɔm] *m* Werkskrankenhaus *n*; **~axie** ⚕ [~lakˈsi] *f* Prophylaxie *f*.

propice [prɔˈpis] *adj.* gnädig, günstig.

propitiatoire *rl.* [prɔpisjaˈtwaːr] *adj.* Sühn...

proportion [prɔpɔrˈsjɔ̃] *f* **1.** Verhältnis *n*, Maßgabe *f*, Proportion *f*, Ebenmaß *n*; *être en juste* ~ *avec qch.* im richtigen Verhältnis zu etw. (*dat.*) stehen; *toute* ~ *gardée* im Verhältnis; *advt. à* ~ *de*, *en* ~ *de* im Verhältnis zu (*dat.*), nach Maßgabe (*gén.*); *à* ~ *que* (*ind.*) in dem Maße wie, je nachdem ...; **2.** ~*s pl.* Dimensionen *f/pl.*, Ausmaß *n*; *les bonnes* ~*s* das Ebenmaß; *prendre des* ~*s menaçantes* ein drohendes Ausmaß annehmen;

~naliste *pol.* [~sjɔna'list] *su.* Anhänger *m* der Verhältniswahl; **~nalité** [~nali'te] *f* Verhältnismäßigkeit *f*; **~nel** [~'nɛl] *adj.* (7c) □ proportional, verhältnismäßig; ⩚ *moyenne f ~le* mittlere Proportionale *f*; *pol. représentation f ~le* Verhältniswahl(system *n*) *f*; **~nellement** [~nɛl'mã] *adv.* verhältnismäßig; *~ à* im Verhältnis zu (*dat.*); **~ner** [~'ne] *v/t.* (1a) *~ qch. à qch.* etw. e-r Sache anpassen, etw. in ein richtiges Verhältnis setzen zu e-r Sache, bemessen; *bien proportionné* wohlgestaltet; ebenmäßig; ausgeglichen.

propos [prɔ'po] *m* **1.** Entschluß *m*; Vorsatz *m*, Vorhaben *n*; *faire le ferme ~ de ...* fest entschlossen sein zu ...; **2.** Gespräch(sthema *n*) *n*; Äußerung *f*; *~ pl. injurieux* Schmähreden *f/pl.*; *~ malveillants* üble Nachreden *f/pl.*; *~ de table* Tischgespräch *n*; **3.** *advt. à ~* zu passender Gelegenheit, angemessen, zur rechten Zeit; *auch m*: *l'à-~* der passende Augenblick; *auch*: die Gelegenheitsdichtung, das Gelegenheitsstück; *à ~ de qch.* betreffs, hinsichtlich, über; *parler à ~* zur rechten Zeit sprechen; *il arrive à ~* er kommt gerade wie gerufen; *mal à ~, hors de ~* zu ungelegener Zeit; unpassend, unerwünscht, ohne Anlaß; zweckwidrig; *juger à ~ de ...* (*inf.*) für ratsam halten zu ...; *à tout ~* bei jeder passenden Gelegenheit; *à quel ~?, à ~ de quoi?* aus welcher Veranlassung?; *à ~* übrigens; dabei fällt mir ein; nebenbei gesagt.

propo|ser [prɔpo'ze] (1a) **I** *v/t.* vorschlagen, beantragen; vorbringen; vorlegen; unterbreiten, anbieten; *~ une loi* ein Gesetz beantragen; *~ q. comme candidat à un emploi* für j-n als Bewerber um e-e Stelle eintreten; **II** *v/rfl. se ~* sich anbieten, sich zur Verfügung stellen, als Kandidat auftreten, sich zu e-r Stelle melden; *se* (*dat.*) *~ qch.* sich etw. vornehmen; *se ~ un but* sich ein Ziel setzen; **~sition** [~zi'sjɔ̃] *f* **1.** Vorschlag *m*, Antrag *m*; *~ de scrutin* Wahlvorschlag *m*; *parl. ~ additionnelle* Zusatzantrag *m*; **2.** Satz *m*, Behauptung *f*, Lehre *f*, Meinung *f*; *avancer* (*soutenir*) *une ~* e-n Satz aufstellen (verteidigen); **3.** *gr.* Satz *m*; *~ subordonnée* Nebensatz *m*; *~ principale* Hauptsatz *m*; **4.** ⩚ Lehrsatz *m*.

propre ['prɔprə] **I** *adj.* **1.** eigen; *remettre qch. en main ~* etw. zu eigenen Händen übergeben; *gr. nom m ~* Eigenname *m*; *ce sont ses ~s termes* das sind s-e eigenen Worte; *de mes ~s yeux* mit eigenen Augen; **2.** □ eigentlich, wahr, wirklich; *le sens ~* der eigentliche Sinn *e-s Wortes*; *la fable ~ment dite* die eigentliche Fabel; *à ~ment parler* eigentlich; genau gesagt; strenggenommen; **3.** genau der-(die-, das-)selbe; *le ~ jour que ...* gerade an dem Tage, als ...; **4.** eigentümlich; **5.** *~ à qch.* zu etw. (*dat.*) geeignet *od.* tauglich; *~ à rien* zu nichts zu gebrauchen; **6.** *le mot ~, l'expression f ~, le terme ~* das passende Wort, der angemessene (*od.* passende) Ausdruck; **7.** □ sauber; *avoir les mains ~s* saubere Hände haben; **8.** *iron. nous voilà ~s!* da haben wir die Bescherung!; na, das wird ja heiter!; *vgl.* 11; **II** *m* **9.** *das* Typische *n*, *die* Eigentümlichkeit *f*; *le ~ d'un mot* der eigentliche Sinn e-s Wortes; **10.** Eigentum *n*; *avoir qch. en ~* etw. als Eigentum besitzen; **11.** *iron. c'est quelque chose de ~ que vous m'offrez là!* da haben Sie mir ja was Schönes angedreht!; *c'est du ~! od. en voilà du ~!* das ist ja e-e Wirtschaft!; das ist e-e Pleite!; da haben Sie sich aber was geleistet!; meine Herren!; *vgl.* 8.

propre-à-rien [prɔpra'rjɛ̃] *m* (6b) Taugenichts *m*.

propresse * [prɔ'prɛs] *f* Eigentum *n*.

propret [prɔ'prɛ] *adj.* (7c) sauber; **~é** [prɔprə'te] *f* Sauberkeit *f*.

proprié|taire [prɔprie'tɛːr] *su.* Eigentümer *m*, Besitzer *m*; Hausbesitzer *m*, -wirt *m*; *grand ~ foncier* Großgrundbesitzer *m*; **~té** [~'te] *f* **1.** Eigentümlichkeit *f*, Eigenschaft *f*; **2.** Richtigkeit *f e-s Wortes*; *la ~ des termes* die richtige Wahl des Ausdrucks; **3.** Eigentum *n*; Besitztum *n*, Besitzung *f*, Gut *n*; *~ foncière* (*mobilière*) Grund- (Mobiliar-)besitz *m*; *~ paysanne héréditaire* Erbhof *m*; *petite ~* (*rurale* ländlicher) Kleinbesitz *m*; *grande ~ rurale od. foncière* Latifundienbesitz *m*; *~ nationale de l'État* Staatseigentum *n*; *~ fiduciaire* treuhänderisches Eigentum *n*; *~ industrielle* gewerbliches Eigentum *n*; *~ intellectuelle* geistiges Eigentum *n*.

proprio P [prɔpri'o] *m* Hauswirt *m*.

propul|ser ⊕ [prɔpyl'se] *v/t*. (1a) antreiben; **~seur** [~'sœːr] *adj./m u. m* vorwärtstreibend; Propeller *m*; Triebwerk *n* (*Rakete*); ~ *à hélice* Schiffsschraube *f*; **~sif** [~'sif] *adj.* (7e) vorwärtstreibend; **~sion** ⊕ [~'sjɔ̃] *f* Antrieb *m*, Stoß *m*; ~ *atomique* Atomantrieb *m*; ~ *par jet de gaz* Strahlantrieb *m*; ~ *nucléaire* Kernenergieantrieb *m*; ~ *par (la force du) recul* Rückstoßantrieb *m*; ~ *par réaction* Düsenantrieb *m*.

prorata [prɔra'ta] *m* (5a) Anteil *m*; *au* ~ *de* im Verhältnis zu (*dat.*); zum Satz von (*dat.*).

proro|gation [prɔrɔgɑ'sjɔ̃] *f* **1.** Aufschub *m*, Frist *f*; Verlängerung *f*; Stundung *f*; **2.** Vertagung *f*; **~ger** [~'ʒe] *v/t*. (1l) aufschieben; verlängern; ⚕ stunden; vertagen.

pros *Sport* [pro] *m/pl. s. pro*.

prosa|ïque [prɔza'ik] *adj. fig. péj.* prosaisch, alltäglich, nichtssagend, nüchtern; **~ïsme** [~za'ism] *m fig.* Alltäglichkeit *f*; **~teur** [~'tœːr] *m* Prosaiker *m*, Prosaschriftsteller *m*.

pros|cription [prɔskrip'sjɔ̃] *f* Ächtung *f*, Verbannung *f*; *fig.* Abschaffung *f*; **~crire** [~'skriːr] *v/t*. (4f) ächten; verbannen; ausschließen; abschaffen; **~crit** [~'skri] *m* Verbannte(r) *m*.

prose [proːz] *f* Prosa *f*.

prosély|te [prɔze'lit] *su.* Neubekehrte(r) *m*; *allg.* begeisterter Anhänger *m*; **~tisme** [~'tism] *m* Bekehrungseifer *m*.

prosodie *mét.* [prɔzɔ'di] *f* Prosodie *f*.

prospect|er [prɔspɛk'te] *v/t*. (1a) ⚒ schürfen, *nach Erzen* graben; *allg.* erfassen, auswerten; absuchen (*nach Funden*); *at. die Atmosphäre* erforschen; ⚕ werben; **~eur** [~'tœːr] *m* ⚒ Erz-, Gold-sucher *m*; ⚕ Kundenwerber *m*; **~us** [~'tys] *m* Prospekt *m*; ~ *spécimen m* (6g) Textprobe *f*, Probetext *m*.

prospère [prɔs'pɛːr] *adj.* blühend, erfolgreich, glücklich, günstig.

prospér|er [prɔspe're] *v/i*. (1f) **1.** Glück haben, vorwärtskommen; **2.** glücken, guten Erfolg haben; *fig.* blühen, e-n großen Aufschwung nehmen (*Handel, Industrie usw.*); *tout lui a prospéré* alles ist ihm geglückt; *faire* ~ *fig.* zur Blüte bringen; **~ité** [~ri'te] *f* wirtschaftlicher Aufschwung *m*, Wohlstand *m*, Glück *n*, Gedeihen *n*; ~ *illusoire* Scheinblüte *f*.

prostate *anat.* [prɔs'tat] *f* Prostata *f*, Vorsteherdrüse *f*.

prostern|ation *f*, **~ement** *m* [prɔstɛrnɑ'sjɔ̃, ~nə'mɑ̃] Fußfall *m*; *fig.* Selbstdemütigung *f*; **~er** [~'ne] *v/rfl.* (1a) *se* ~ sich (anbetend, flehend) niederwerfen.

prostitu|ée [prɔsti'tɥe] *f* Prostituierte *f*; **~er** [~] *v/t*. (1a) der Unzucht preisgeben; *fig.* entehren; **~tion** [~ty'sjɔ̃] *f* Prostitution *f*; *fig.* Erniedrigung *f*.

pros|tration ⚕ [prɔstrɑ'sjɔ̃] *f* völlige Erschöpfung *f*, Kollaps *m*; **~tré** ⚕ [prɔs'tre] *adj.* entkräftet.

protagoniste [prɔtagɔ'nist] *su.* **1.** *hist. thé.* Hauptdarsteller *m*; **2.** Bahnbrecher *m*, Vorkämpfer *m*.

prote *typ.* [prɔt] *m* Faktor *m*.

protec|teur [prɔtɛk'tœːr] (7f) **I** *adj.* **1.** (be)schützend; *droit m* ~ Schutzzoll *m*; *système m* ~, *régime m* ~ Schutzzollsystem *n*; **2.** gönnerhaft; *air m* ~ Gönnermiene *f*; **II** *su.* Beschützer *m*, Gönner *m*; Patron *m*, Förderer *m*, Schirmherr *m*; **~tion** [~tɛk'sjɔ̃] *f* **1.** Schutz *m*, Obhut *f*; ~ *de l'environnement* Umweltschutz *m*; ~ *de la nature* Naturschutz *m*; ~ *de la maternité*, ~ *de la jeunesse*, ~ *de l'enfance* Mutter-, Jugend-, Kinder-schutz *m*; ~ *des animaux* Tierschutz *m*; ~ *de locataires* Mieterschutz *m*; *pol.* ~ *des minorités* Minderheitenschutz *m*; ⚕ ~ *des modèles déposés* Gebrauchsmusterschutz *m*; ~ *du tarif douanier* Zollschutz *m*; *bsd.* ⚔ ~ *contre les gaz* Gasschutz *m*; ~ *antiaérienne*, ~ *(contre les attaques) aérienne(s)* Luftschutz *m*; **2.** Beistand *m*, Stütze *f*, Gönnerschaft *f*, Protektion *f*; *avoir de puissantes* ~*s* mächtige Gönner haben; **3.** Begünstigung *f*, Förderung *f*; *système m de* ~ Schutzzollsystem *n*; **~tionnisme** [~tɛksjɔ'nism] *m* Schutzzollsystem *n*; Protektionssystem *n*; *allg.* Schutz *m*; ~ *professionnel* Berufsschutz *m*; **~tionniste** [~tɛksjɔ'nist] *adj. u. m* protektionistisch; Anhänger *m* des Schutzzollsystems; **~torat** *ehm.* [~tɛktɔ'ra] *m* Protektorat *n*.

protée [prɔ'te] *m* **1.** wetterwendischer Mensch *m*; ~ *politique* politische Wetterfahne *f fig.*; **2.** *zo.* Olm *m*.

protégé [prɔte'ʒe] *su.* Schützling *m*, Protegé *m*, Begünstigte(r) *m*.

protège|-cahier [prɔtɛʒka'je] *m* (6c) Schutzumschlag *m* (*für Hefte*); **~-coude** [~'kud] *m* (6c) *Hockey*:

Ellenbogenschützer *m des Torwarts*; **~-dents** [~'dɑ̃] *m* (6c) Mundschutz *m* (*für Boxer*); **~-genou** [~ʒə'nu] *m* (6c) Knieschützer *m*; **~-oreille** [~ɔ'rɛj] *m* (6c) Ohrenschützer *m*.
protéger [prɔte'ʒe] *v/t.* (1g) **1.** (be-)schützen; ⊕, ⚡ sichern; **2.** begünstigen; ~ *les arts* die Künste fördern; ~ *q.* j-n protegieren.
protège-radiateur *Auto* [prɔtɛʒradja'tœ:r] *m* Kühlerverkleidung *f*.
protéiforme [prɔtei'fɔrm] *adj.* vielgestaltig.
proté|ine *biol.* [prɔte'i:n] *f* Eiweiß *n*, Protein *n*; **~ique** *biol.* [~te'ik] *adj.* Eiweiß..., proteinhaltig.
protestant [prɔtɛs'tɑ̃] *adj. u. su.* (7) protestantisch; Protestant *m*; **~isme** [~'tism] *m* Protestantismus *m*.
protesta|taire [prɔtɛsta'tɛ:r] *su.* politischer Gegner *m*; *allg.* Widerspruchsgeist *m*; **~tion** [~tɑ'sjɔ̃] *f* **1.** feierliche Versicherung *f*; **2.** Protest *m*, Einspruch *m*.
protester [prɔtɛs'te] (1a) **I** *v/i.* **1.** protestieren, Protest erheben; ~ *contre qch.* gegen etw. (*acc.*) protestieren, sich gegen etw. (*acc.*) auflehnen; **2.** ~ *de qch.* etw. feierlich beteuern; ~ *de son innocence* s-e Unschuld beteuern; **II** *v/t.* **3.** ⚚ ~ *une lettre de change od. un billet* e-n Wechsel protestieren.
protêt ⚚ [prɔ'tɛ] *m* Protesturkunde *f*, Wechselprotest *m*, Protest *m*.
proth|èse [prɔ'tɛ:z] *f* ⚕ Prothese *f*, Gliedersatz *m*; ⚕ *appareil m de* ~ *auditive* Hörgerät *n*; ~ *dentaire* Zahnersatz *m*; ~ *supérieure* Gaumenplatte *f*; **~étique** [~te'tik] *adj.* ⚕ künstlich, Ersatz...; *appareil m* ~ künstliches Glied *n*, Prothese *f*.
protoco|laire [prɔtɔkɔ'lɛ:r] *adj.* protokollarisch, Protokoll...; amtlich eingetragen; **~le** [~'kɔl] *m* **1.** *pol.* Protokoll *n e-r diplomatischen Konferenz*; ~ *additionnel* Zusatzprotokoll *n*; **2.** Hofsitte *f*, diplomatische Etikette *f*; *allg.* Etikette *f*.
proton *at.* [prɔ'tɔ̃] *m* Proton *n*.
protonique *gr.* [prɔtɔ'nik] *adj.* vortonig.
protoplasme *biol.* [~'plasm] *m* Protoplasma *n*, Zellstoff *m*.
prototy|pe [prɔtɔ'tip] *m* Prototyp *m*, Ur-, Vor-bild *n*; *fig.* Muster *n*, Ideal *n*; **~pique** [~'pik] *adj.* vorbildlich.
protozoaires *biol.* [~zɔ'ɛ:r] *m/pl.* Urtierchen *n/pl.*, Protozoen *n/pl.*, Einzeller *m/pl.*
protubé|rance [prɔtybe'rɑ̃:s] *f anat.* Auswuchs *m*, Vorsprung *m*, Höcker *m*; *géol.* Protuberanz *f in der Sonne*; **~rant** [~'rɑ̃] *adj.* (7) hervorstehend.
prou [pru] *adv.*: *litt. peu ou* ~ mehr oder weniger; *ni peu ni* ~ gar nicht.
proue ⚓ [pru] *f* Bug *m*.
prouesse [pru'ɛs] *f* Heldentat *f*.
prouv|able [pru'vablə] *adj.* beweisbar; **~er** [~'ve] *v/t.* (1a) beweisen.
prove|nance [prɔv'nɑ̃:s] *f* **1.** Herkunft *f*, Ursprung *m*; **2.** ⚚ ~*s pl.* Einfuhrgüter *n/pl.*; **~nant** ⚖ [~'nɑ̃] *adj.* (7) herstammend.
provençal [prɔvɑ̃'sal] *adj. u.* ♀ *su.* (5c) provenzalisch; Provenzale *m*.
Provence [prɔ'vɑ̃:s] *f*: **la** ~ die Provence.
provende ↗ [prɔ'vɑ̃:d] *f* Mischfutter *n*.
provenir [prɔv'ni:r] *v/i.* (2h) herkommen, herrühren, stammen.
proverb|e [prɔ'vɛrb] *m* **1.** Sprichwort *n*; **2.** *thé.* kleine, *ein Sprichwort entwickelnde* Komödie *f*; **~ial** [~'bjal] *adj.* (5c) sprichwörtlich; **~ialiser** [~bjali'ze] *v/t.* (1a) sprichwörtlich machen.
providen|ce [prɔvi'dɑ̃:s] *f* Vorsehung *f*; *fig.* Schutzengel *m*; **~tiel** [~dɑ̃'sjɛl] *adj.* (7c) □ von der Vorsehung bestimmt.
provigner ↗ [prɔvi'ɲe] *v/t.* (1a) *Reben* absenken.
provin ↗ [prɔ'vɛ̃] *m* Absenker *m e-s Weinstocks*.
provin|ce [prɔ'vɛ̃:s] *f* Provinz *f*; *aller en* ~ in die Provinz gehen; *air f de* ~ kleinstädtisches Wesen *n*; *gens pl. de* ~ Kleinstädter *m/pl.*; **~ce-frontière** [~frɔ̃'tjɛ:r] *f* (6b) Grenzprovinz *f*; **~cial** [prɔvɛ̃'sjal] (5c) **I** *adj.* □ provinziell; *péj.* provinzlerisch, kleinstädtisch; **II** *su.* Provinzbewohner *m*; *péj.* Provinzler *m*, Kleinstädter *m*; **III** *m rl.* (Ordens-)Provinzial *m*; **~cialisme** [~sja'lism] *m* **1.** mundartlicher Ausdruck *m*; **2.** kleinstädtisches Wesen *n*.
proviseur *Fr.* [prɔvi'zœ:r] *m* Direktor *m e-s lycée de garçons*.
provi|sion [prɔvi'zjɔ̃] *f* **1.** Vorrat *m*; ~*s pl. de bouche* Mundvorrat *m*, Proviant *m*; *avoir en* ~ vorrätig (*od.* auf Lager) haben; *faire* ~ *de qch.* sich mit etw. (*dat.*) versehen; *faire ses* ~*s* seine Einkäufe besorgen; **2.** ⚚ Deckung *f e-r* (*Wechsel-*)*Schuld*; Vorschuß *m*; **~sionnel** ⚖ [~zjɔ'nɛl] *adj.* (7c) einstweilig, vorläufig; **~soire** [~'zwa:r] **I** *adj.* □

vorläufig; einstweilig; **II** *m* Provisorium *n*, vorläufiger Zustand *m*; Notbehelf *m*; **~sorat** *Fr. écol.* [~zɔ'ra] *m* **1.** Direktorenstelle *f*; **2.** Dauer *f* des Direktorats.

provo|cant [prɔvɔ'kɑ̃] (7) *u.* **~cateur** [~ka'tœ:r] (7f) *adj. u. su.* herausfordernd, hetzerisch, aufwiegelnd; Herausforderer *m*; Hetzredner *m*; *agent m* ~ Spitzel *m*; **~cation** [~kɑ'sjɔ̃] *f* Herausforderung *f*; **~quer** [~'ke] *v/t.* (1m) **1.** herausfordern; reizen; **2.** ~ *qch.* etw. bewirken, etw. hervorrufen.

proxénète [prɔkse'nɛt] *su.* Kuppler *m.*

proxénétisme [prɔksene'tism] *m* Kuppelei *f.*

proximité [prɔksimi'te] *f* Nähe *f.*

prude [pryd] *adj.* prüde; affektiert; zimperlich.

prud|emment [pryda'mɑ̃] *adv.* vorsichtig; **~ence** [~'dɑ̃:s] *f* Vorsicht *f*, Umsicht *f*, Überlegtheit *f*, (Lebens-)Klugheit *f*; **~ent** [~'dɑ̃] *adj.* (7) vorsichtig, überlegt, bedacht.

pruderie [pry'dri] *f* Prüderie *f.*

prud'homme [pry'dɔm] *m* Beisitzer *m* beim Arbeitsgericht; *conseil m des ~s* Arbeitsgericht *n.*

pruine [pry'i:n] *f* Reif *m od.* Beschlag *m auf Früchten.*

pru|ne [pry:n] *f* **1.** ♀ Pflaume *f*; (~) *reine-Claude* Reineclaude *f*, süße Pflaume *f*; P *des ~s!* denkste!; P *pour des ~s* umsonst; P *avoir sa ~* besoffen sein; **2.** F *fig.* ⚔ Kugel *f*, blaue Bohne *f* F; **~neau** [pry'no] *m* (5b) Backpflaume *f*; P ⚔ blaue Bohne *f*; **~nelée** [pryn'le] *f* Pflaumenmus *n*; **~nelle** [pry'nɛl] *f* **1.** ♀ Schlehe *f*; **2.** *anat.* Pupille *f*; **~nier** ♀ [pry'nje] *m* Pflaumenbaum *m.*

pruri|gineux [pryriʒi'nø] *adj.* (7d) Juck...; **~go** ⚕ [pryri'go] *m* Juckausschlag *m*; **~t** ⚕ [~'rit] *m* starker Juckreiz *m.*

prussiate ⚗ [pry'sjat] *m* Zyanid *n.*

Prusse [prys] *f*: **la** ~ *ehm.* Preußen *n*; *bleu m de* ~ Preußischblau *n*; F *travailler pour le roi de* ~ umsonst arbeiten.

prussien *ehm.* [pry'sjɛ̃] *adj. u.* ♀ *su.* (7c) preußisch; Preuße *m.*

prussique ⚗ [pry'sik] *adj.*: *acide m* ~ Blausäure *f.*

psalm|ique [psal'mik] *adj.* Psalm(-en)...; **~iste** [~'mist] *m* Psalmendichter *m*; **~odie** [~mɔ'di] *f fig.* *eintöniges* Absingen *n* der Psalmen; Geleier *n*; **~odier** [~mɔ'dje] *v/i. u. v/t.* (1a) psalmodieren; *fig.* runterleiern.

psau|me [pso:m] *m* Psalm *m*; **~tier** [pso'tje] *m* Psalmbuch *n.*

pschitt! [pʃit] *int.* pischt!, zisch!

pseudo|bienfaiteur [psødɔbjɛ̃fɛ'tœ:r] *m* (6g) *péj.* Scheinbeglücker *m*; **~-civilisation** [~siviliza'sjɔ̃] *f* (6g) Scheinkultur *f.*

pseudonym|e [psødɔ'nim] *adj. u. m* pseudonym; Deckname *m*, Pseudonym *n*; **~ie** [~'mi] *f* Pseudonymität *f.*

ps(it)t! [psit, pst] *int.* (p)st!

psittac|idés [psitasi'de] *m/pl.* Papageien-, Sittich-familie *f*; **~isme** [~'sism] *m* inhaltloses Geplapper *n*; **~ose** *vét.* [~'ko:z] *f* Papageienkrankheit *f.*

psoque *ent.* [psɔk] *f* Klopfkäfer *m od.* Totenuhr *f.*

psoriasis ⚕ [psɔrja'zis] *m* Schuppenflechte *f.*

psychana|lyse [psikana'li:z] *f* Psychoanalyse *f*; **~lyser** [~li'ze] *v/t.* (1c) psychoanalysieren; **~lyste** [~'list] *su.* Psychoanalytiker *m*; **~lytique** [~li'tik] *adj.* psychoanalytisch.

psyché [psi'ʃe] *f* großer Drehspiegel *m.*

psychédél|ique *psych.* [psikede'lik] *adj.* im Rauschzustand (*od.* im Wachtraum) befindlich, psychedelisch, sinnbetörend; *fig.* feenhaft, Phantasie...; **~isme** [~'lism] *m* Rauschzustand *m*; Rauschmittelsucht *f.*

psychiatr|e [psi'kja:trə] *m* Psychiater *m*; **~ie** [~kja'tri] *f* Psychiatrie *f*; **~ique** [~'trik] *adj.* psychiatrisch.

psychisme [psi'ʃism] *m* Seelenleben *n.*

psycholo|gie [psikɔlɔ'ʒi] *f* Psychologie *f*; **~gique** [~'ʒik] **I** *adj.* psychologisch; **II** ⚕ *m* psychisch Erkrankte(r) *m*; **~gue** [~'lɔg] *m* Psychologe *m.*

psycho|moteur ⚕ [~mɔ'tœ:r] *adj.* (7f) psychomotorisch; **~motricité** *psych.* [~mɔtrisi'te] *f* Bewegungsdrang *m*; **~pédagogue** [~peda'gɔg] *m* Psychopädagoge *m.*

psychose [psi'ko:z] *f* **1.** ⚕, *fig.* Psychose *f*; **2.** *fig.* fixe Idee *f*, Wahnvorstellung *f.*

psycho|somatique ⚕ [psikɔsɔma'tik] **I** *adj.* psychosomatisch; **II** *f* Psychosomatik *f*; **~technicien** [~tɛkni'sjɛ̃] *m* Psychotechniker *m*, praktischer Psychologe *m*, Berufsberatungspsychologe *m*; **~technique** [~tɛk'nik] **I** *f* Psychotechnik *f*,

Eignungskunde *f*; **II** *adj.* psychotechnisch; **~thérapie** ⚕ [~tera'pi] *f* Psychotherapie *f*; **~tique** ⚕ [~'tik] *adj.* psychotisch, geisteskrank; **~trope** *phm.* [~'trɔp] **I** *adj.* psychotrop, auf die Psyche einwirkend; **II** *m* Beruhigungs- *od.* Anregungsmittel *n.*

puant [pɥɑ̃] *adj.* (7) (*adv.* *puamment*) stinkend; *fig.* widerlich; **~eur** [~'tœ:r] *f* Gestank *m.*

pub F [pyb] *f* Werbung *f.*

pu|bère [py'bɛ:r] *adj.* im Pubertätsalter; **~berté** [~bɛr'te] *f* Pubertät *f.*

pubesc|ence ⚘ [pybe'sɑ̃:s] *f* Flaumhaarigkeit *f*; **~ent** ⚘ [~'sɑ̃] *adj.* flaumhaarig.

public [py'blik] **I** *adj.* (7i) □ **1.** öffentlich, allgemein, Staats..., Gemein...; *le bien* (*od. le salut*) ~ das öffentliche Wohl, das Gemeinwohl; *droit m* ~ Staatsrecht *n*; *effets m/pl.* ~*s* Börsen- (*od.* Staats-)papiere *n/pl.*; *ministère m* ~ Staatsanwaltschaft *f*; *opinion f publique* öffentliche Meinung *f*; *partie f publique* Vertreter *m* der Staatsanwaltschaft; **2.** offenkundig; *rendre* ~ allgemein bekanntmachen, bekanntgeben; **3.** öffentlich, vor aller Augen, in aller Munde; **II** *m* Publikum *n*, Öffentlichkeit *f*; Leute *pl.*; *advt. en* ~ öffentlich.

publication [pyblikɑ'sjɔ̃] *f* **1.** ⚖ Bekanntmachung *f*; **2.** *typ.* Publikation *f*, Veröffentlichung *f.*

publici|taire [pyblisi'tɛ:r] **I** *adj.* die Reklame *od.* Werbung betreffend; Reklame..., Werbe...; **II** *m* Reklame-, Werbe-fachmann *m*; **~té** [~'te] *f* **1.** Offenkundigkeit *f*, Öffentlichkeit *f*, öffentliche Verbreitung *f*; **2.** Reklame-, Werbewesen *n*, Werbung *f*, Reklame *f*, Propaganda *f bsd. für Waren*; ~ *murale* Wandreklame *f*; ~ *lumineuse* Lichtreklame *f*; *office m de* ~ Anzeigenannahme *f*; *faire de la* ~ werben, Reklame machen (*pour od. en faveur de* für *acc.*).

publier [pybli'e] *v/t.* (1a) **1.** ⚖ bekanntmachen; **2.** (*Buch*) veröffentlichen, verlegen.

publipostage ☤ [pyblipɔs'ta:ʒ] *m* Verkauf *m* durch Versandhäuser.

puce [pys] *f* Floh *m*; F *avoir la* ~ *à l'oreille* unruhig (*od.* ganz aufgeregt) sein.

puceau F [py'so] *m* junger Mann *m* ohne Geschlechtsverkehr.

pucelage F [pys'la:ʒ] *m* Jungfräulichkeit *f.*

pucelle [py'sɛl] *f* Jungfrau *f*; *la* ♀ *d'Orléans* die Jungfrau von Orléans.

puceron [pys'rɔ̃] *m* Blattlaus *f.*

puddl|age ⊕ [pyd'la:ʒ] *m* Puddeln *n*, Frischen *n des Eisens*; **~er** ⊕ [pyd'le] *v/t.* (1a) *Eisen* puddeln; **~eur** [~'lœ:r] *m* Puddler *m.*

pudeur [py'dœ:r] *f* Scham-, Zartgefühl *n*; *sans* ~ schamlos.

pudi|bond [pydi'bɔ̃] *adj.* (7) prüde; **~bonderie** [~bɔ̃'dri] *f* Prüderie *f*, falsche Scham *f*; **~cité** [~si'te] *f* Keuschheit *f*; **~que** [~'dik] *adj.* □ keusch, sittsam, züchtig.

puer [pɥe] (1a) **I** *v/i.* stinken; ~ *au nez* anekeln, widerlich sein; **II** *v/t.* ~ *qch.* nach etw. (*dat.*) stinken.

puéricult|rice [pɥerikyl'tris] *f* Kinderpflegerin *f*; **~ure** [~'ty:r] *f* Kinderpflege *f.*

puéril [pɥe'ril] *adj.* kindisch; **~isme** ⚕ [~'lism] *m* Puerilismus *m*, Rückfall *m* in die Kindheitsjahre; **~ité** [~li'te] *f* **1.** kindisches Wesen *n*; **2.** Kinderei *f.*

puerpéral ⚕ [pɥɛrpe'ral] *adj.* (5c) Kindbett...

pugil|at [pyʒi'la] *m* **1.** *antiq.* Faustkampf *m*; **2.** *allg.* Schlägerei *f*; **~iste** *antiq.* [~'list] *m* Faustkämpfer *m.*

puis [pɥi] *adv.* dann, darauf; *et* ~ und dann; außerdem; *et* ~*?* und dann?, na und?

puisard [pɥi'za:r] *m* Senkgrube *f.*

puisatier [pɥiza'tje] *m* Brunnenbauer *m.*

puis|ement [pɥiz'mɑ̃] *m* Schöpfen *n*; **~er** [~'ze] *v/t. u. v/i.* (1a): ~ *à od. dans* schöpfen aus (*dat.*); *fig.* entlehnen; **~oir** [~'zwa:r] *m* Schöpf-, Gieß-kelle *f*, -löffel *m*, -gefäß *n usw.*; *bét.* ~ *à mortier* Mörtelschöpfer *m.*

puisque ['pɥisk(ə)] *cj.* da ja, weil doch, da nun einmal (*drückt bekannten Grund aus*); *oft ohne Nachsatz*: doch; *Comment!* ~ *tu me l'as rapportée!* Wieso denn?! Du hast sie (ihn, es) mir doch zurückgebracht!

puiss|amment [pɥisa'mɑ̃] *adv.* gewaltig; stark; F äußerst; **~ance** [~'sɑ̃:s] *f* **1.** Macht *f*, Gewalt *f*; **2.** (Ober-)Herrschaft *f*; **3.** Macht *f*, Staat *m*; *les grandes* ~*s* die Großmächte *f/pl.*; ~ *aérienne*, ~ *continentale*, ~ *maritime*, ~ *mondiale* Luft-, Land-, See-, Welt-macht *f*;

4. Können *n*, Vermögen *n*; *il n'est pas en ma* ~ es liegt nicht in meiner Macht; **5.** Wirksamkeit *f e-s Heilmittels*; **6.** *méc.*, ⚔, *phys.*, ✈, *mot.*, ⚡, ⚕ Kraft *f*, Stärke *f*; ⊕ Fähigkeit *f*; ~ *motrice* bewegende Kraft *f*; ⚔ ~ *de combat*, ~ *de choc* Schlag-, Stoß-kraft *f*; ~ *de perforation d'un projectile* Durchschlagkraft *f* e-s Geschosses; *phys.* ~ *d'induction* Induktionsvermögen *n*; *rad.* ~ *sonore* Laut-, Klang-stärke *f*; ~ *de sélection* Selektivität *f*; ~ *ascensionnelle* Steigfähigkeit *f*; *Auto*: ~ *du moteur* Motorleistung *f*; ~ *de freinage*, ~ *des freins* Brems-fähigkeit *f*, -leistung *f*, -stärke *f*; ~ *en bougies* Kerzenstärke *f*; ~ *de cheval* Pferdekraft *f*; ~ *d'écoute* Hörstärke *f*; ~ *lumineuse* Lichtstärke *f*; **7.** ✓ Tragfähigkeit *f des Bodens*; ~ *productrice* Leistungsfähigkeit *f*; **8.** ⚒ ~ *d'une couche* Mächtigkeit *f* e-s Lagers; **9.** *phys.* Vergrößerungsgrad *m e-s optischen Instruments*; **10.** ⅍ Potenz *f*.

puissant [pɥi'sɑ̃] **I** *adj.* (7) **1.** mächtig, gewaltig; **2.** einflußreich; **3.** stark, kräftig; **4.** stark (wirkend); *un* ~ *remède* ein sehr wirksames Mittel *n*; **5.** ♪ lautstark; *peu* ~ lautschwach; **6.** ⊕, *Auto*: leistungsfähig; **II** *m*: *les* ~*s pl. du jour* die Bonzen, die gerade oben sind; die Großen (*od.* Mächtigen) des Tages.

puits [pɥi] *m* **1.** Brunnen *m*; ~ *artésien* artesischer Brunnen *m*; **2.** ⚒ ~ (*de mine od. de carrière*) Schacht *m*; ~ *d'aérage* Luftschacht *m*, Wetterführung *f*; ~ *d'épuisement* Abbauschacht *m*; **3.** *pât.* ~ *d'amour* Blätterteig *m* mit Sahne.

pull [pyl] *m*, **pull-over** [pylo'vœ:r, -'vɛ:r] *m* (6g) Pulli *m*, Pullover *m*; ~ *et gilet m* Twinset *n*.

pull-débardeur [~debar'dœ:r] *m* Sonnenpulli *m*.

pullman [pul'man] *m* Babytragetasche *f*.

pulluler [pyly'le] *v/i.* (1a) sich schnell vermehren; wimmeln.

pulmonaire [pylmɔ'nɛ:r] **I** *adj.* Lungen...; ⚕ *phtisie f* ~ Lungenschwindsucht *f*; **II** *f* ⚘ Lungenkraut *n*.

pulpation *phm.* [pylpɑ'sjɔ̃] *f* Verwandlung *f* in Brei.

pulp|e [pylp] *f* **1.** ⚘ Fleisch *n* von Früchten; **2.** *anat.* ~ *cérébrale* Hirnmark *n*; **3.** Ausgepreßte(s) *n*; **4.** *phm.* Brei *m*; **~er** [~'pe] *v/t.* (1a) zu Brei (*od.* Mus) quetschen; **~eux** [~'pø] *adj.* (7d) ⚘ *u. anat.* fleischig, breiig.

pulsa|teur [pylsa'tœ:r] **I** *adj.* (7f) klopfend; **II** ⊕ *m* Pulsator *m*, Schwingungsvorrichtung *f*; Schleuder *f e-r elektrischen Waschmaschine*; **~tif** ⚕ [~'tif] *adj.* (7e) klopfend; **~tion** [~sɑ'sjɔ̃] *f* Pulsschlag *m*; *phys.* Schwingung *f*; ⊕ Kolbenhub *m*; **~toire** [~'twa:r] *adj.* *a.* ⚕ pulsierend; *phys. courant m* ~ pulsierender Strom *m*.

pultacé [pylta'se] *adj.* breiartig.

pulvérin [pylve'rɛ̃] *m* feines Pulver *n für Feuerwerkskörper*.

pulvéri|sateur [pylveriza'tœ:r] *m* Zerstäuber *m*, Sprüh-, Spritz-düse *f*; ⊕ automatisches Spritzgerät *n für Maler*; **~sation** [~zɑ'sjɔ̃] *f* Pulverisieren *n*; Zerstäuben *n*; ~ *par pistolet* Spritzverfahren *n*; **~ser** [~'ze] (1a) **I** *v/t.* **1.** pulverisieren, zerstäuben, zu Pulver reiben, stoßen *od.* mahlen; **2.** *fig.* restlos schlagen; zunichte machen; ~ *un record* e-n Rekord schlagen; **II** *v/rfl.* *se* ~ in Staub zerfallen; **~seur** ✓, ⊕ [~'zœ:r] *m* Ringelwalze *f*.

pulvéru|lence [~ry'lɑ̃:s] *f* Pulverförmigkeit *f*, Staubigkeit *f*; **~lent** [~ry'lɑ̃] *adj.* (7) **1.** ⚘, ⚕ staubig, mit Staub bedeckt; **2.** zerreibbar, mürbe; **3.** pulverförmig.

puma [py'ma] *m zo.* Puma *m*.

pumicif *peint.* [pymi'sif] *adj.* (7e): *papier m* ~ feingekörntes Malpapier *n*.

punaise [py'nɛ:z] *f* **1.** Wanze *f*; **2.** Reißnagel *m*.

punch[1] [pɔ̃:ʃ] *m* Punsch *m*.

punch[2] [pœnʃ] *m* **1.** Treffsicherheit *f des Boxers*; **2.** F *fig.* Schwung *m*, Elan *m*, Tatkraft *f*.

punique [py'nik] *adj.* punisch.

puni|r [py'ni:r] *v/t.* (2a) (be)strafen (*de* für *acc.*); ~ *de mort* mit dem Tode bestrafen; **~ssable** [pyni'sablə] *adj.* strafbar, sträflich; **~tif** [~'tif] *adj.* (7e) Straf...; **~tion** [~'sjɔ̃] *f* Bestrafung *f*; Strafe *f*; ~ *corporelle* körperliche Züchtigung *f*; *en* ~ *de* zur Strafe für (*acc.*).

pupille[1] [py'pil, *mst.* py'pij] *su.* Mündel *m od. n*, Waisen-, Pflegekind *n*.

pupille[2] *anat.* [~, *mst.* py'pij] *f* Pupille *f*.

pupitre [py'pi:trə] *m* (Schreib-)Pult *n*; *inform.* ~ *de commande* Konsole *f*; *rad.* ~ *de mélange* Mischpult *n*.

pupitreur *inform.* [pypi'trœ:r] *m*

Konsole-Operator *m*, Steuerpultbediener *m*.

pur [py:r] *adj.* □ **1.** rein, unvermischt; echt; ♪, *rad.* klangrein; *boire du vin* ~ Wein ohne Wasser trinken; *de l'or m* ~ lauteres Gold *n*; *en* ~*e perte* ganz umsonst; **2.** *la* ~*e vérité* die lautere Wahrheit; *adj. u. m inv.*: (*cheval m*) ~ *sang* Vollblut (-pferd *n*) *n*; F *fig.* ~ *sang inv.* rein, echt; **3.** hell, ungetrübt; *ciel m* ~ unbewölkter Himmel *m*; *lumière f* ~*e* klares Licht *n*; **4.** unbefleckt, makellos; **5.** bloß, einfach, offenbar; *par* ~*e malice* aus purer Bosheit; **6.** *état m de* ~*e nature* Urzustand *m*.

purée [py're] *f* **1.** Brei *m*; ~ *de pommes de terre* Kartoffelpüree *n*; **2.** F *être dans la* ~ in Geldnot (*od.* in der Klemme) sein.

pureté [pyr'te] *f* Reinheit *f*; *fig.* Lauterkeit *f*; Keuschheit *f*; *rad.* Klangreinheit *f*.

purga|tif ⚕ [pyrga'tif] **I** *adj.* (7e) abführend; **II** *m* Abführmittel *n*; **~toire** [~ga'twa:r] *m* Fegefeuer *n*.

purge [pyrʒ] *f* **1.** ⊕ Ablauf *m*; **2.** (Hypotheken-)Löschung *f*; **3.** ⚕ Abführmittel *n*; **4.** *pol.* Säuberungsaktion *f*.

purg|eoir ⊕ [pyr'ʒwa:r] *m* Filterbecken *n*; Reinigungsbehälter *m*; **~er** [~'ʒe] *v/t.* (1l) **1.** ⊕ reinigen; **2.** ⚕ ~ *q.* j-m ein Abführmittel geben; **3.** ⚖ ~ *les hypothèques* die Hypotheken löschen; ~ *une peine* e-e Strafe verbüßen.

purifi|cation *rl.* [pyrifikɑ'sjɔ̃] *f* Reinigung *f*; **~catoire** *rl.* [~ka'twa:r] *m* Kelchtuch *n*; **~er** [pyri'fje] *v/t.* (1a) reinigen; *fig.* veredeln.

puriforme ⚕ [~'fɔrm] *adj.* eiterartig.

purin ⸔ [py'rɛ̃] *m* (Mist-)Jauche *f*.

puris|me *gr.* [py'rism] *m* Purismus *m*; **~te** *gr.* [py'rist] **I** *adj.* puristisch, sprachreinigend; **II** *su.* Purist *m*.

puri|tain [pyri'tɛ̃] *adj. u. su.* (7) *rl.* puritanisch; Puritaner *m*; *fig.* Tugendheld *m*; **~tanisme** [~ta'nism] *m* Lehre *f* der Puritaner; *fig.* Sittenstrenge *f*.

puru|lence ⚕ [pyry'lɑ̃:s] *f* Eiterung *f*; **~lent** ⚕ [~'lɑ̃] *adj.* (7) eit(e)rig.

pus ⚕ [py] *m* Eiter *m*.

pusillani|me [pyzila'nim] *adj.* kleinmütig, verzagt; **~mité** [~nimi'te] *f* Kleinmut *m*, Verzagtheit *f*.

pustule ⚕ [pys'tyl] *f* Pustel *f*.

putain P [py'tɛ̃] *f* Hure *f*, Fose *f* V.

putatif ⚖ [pyta'tif] *adj.* (7e) vermeintlich, Putativ...

pute P [pyt] *f* Fose *f* V.

putois *zo.* [py'twa] *m* Iltis(fell *n*) *m*.

putré|faction [pytrefak'sjɔ̃] *f* Fäulnis *f*; Verwesung *f*; **~fier** [~'fje] (1a) **I** *v/t.* Fäulnis verursachen; **II** *v/rfl.* se ~ faulen, verwesen.

putres|cent [pytre'sɑ̃] *adj.* (7) (ver)faulend; **~cible** [~'siblə] *adj.* verweslich, verderbbar.

putri|de [py'trid] *adj.* faulig, moderig; **~dité** [~di'te] *f* Fäulnis *f*.

putsch *pol.* [putʃ] *m* Putsch *m*; **~iste** *pol.* [~'tʃist] *m* Putschist *m*.

puy [pɥi] *m Auvergne*: Berg *m*.

puzzle ['pœzlə] *m* **1.** Puzzlespiel *n*, Geduldspiel *n*; *fig. un* ~ *historique* ein historisches Rätsel *n*; **2.** *zo. les différentes pièces connues de ce* ~ die verschiedenen bekannten Stücke dieser seltsamen Art.

pycnomètre ⚗ [piknɔ'mɛ:trə] *m* Pyknometer *n*, Dichtigkeitsmesser *m*.

pygargue *orn.* [pi'garg] *m* Seeadler *m*.

Pygmée [pig'me] *m* **1.** Pygmäe *m*; **2.** ♀ *fig.* Zwerg *m*, Wicht *m*.

pyjama [piʒa'ma] *m* Pyjama *m*, Schlafanzug *m*; ~ *de plage* Strandanzug *m*.

pylône [pi'lo:n] *m* ⚠ Pylon *m*; Licht-, Leitungs-, Antennen-, Sende-mast *m*, Mast *m*; Kranbaum *m*; Funk-, Verkehrs-turm *m*.

pyrami|dal [pirami'dal] *adj.* (5c) pyramidenförmig; **~de** [~'mid] *f* Pyramide *f*; **~der** [~'de] *v/i.* (1a) e-e Pyramide bilden, spitz zulaufen; *pyramidé* pyramidenförmig; **~don** *phm.* [~'dɔ̃] *m* Pyramidon *n*.

pyrénéen [pirene'ɛ̃] *adj.* (7c) der Pyrenäen.

Pyrénées [pire'ne] *f/pl.*: **les ~** die Pyrenäen *pl.*

pyrétique ⚕ [pire'tik] *adj.* fieberhaft.

pyrique *phys.* [pi'rik] *adj.* Feuer...

pyri|te *min.* [pi'rit] *f* (Schwefel-)Kies *m*; **~teux** *min.* [~'tø] *adj.* (7d) schwefelkiesig; *cuivre m* ~ Kupferkies *m*.

pyro|gravure [pirɔgra'vy:r] *f* Brandmalerei *f*; **~lâtre** [~'lɑ:trə] *m* Feueranbeter *m*; **~lâtrie** [~lɑ'tri] *f* Feueranbetung *f*.

pyroligneux ⚗ [pirɔliˈɲø] *adj.* (7d): *acide m* ~ Holzessig *m.*
pyrosis ⚕ [piroˈzis] *m* Sodbrennen *n.*
pyrotech|nicien [pirɔtɛkniˈsjɛ̃] *m* Feuerwerker *m*; **~nie** [~tɛkˈni] *f* Feuerwerkerei *f*; **~nique** [~tɛkˈnik] *adj.* Feuerwerks..., pyrotechnisch.
pyrrhonisme *phil.* [pirɔˈnism] *m* Skepsis *f.*
python *zo.* [piˈtɔ̃] *m* Pythonschlange *f.*
pythonisse *litt. od. plais.* [pitɔˈnis] *f* Wahrsagerin *f.*

Q

Q, q [ky] *m* Q, q *n*.
Qatar *géogr.* [ka'ta:r] *m*: **le** ~ Katar *n*; ♀**iote** [~tar'jɔt] *adj.* katarisch.
quadragénaire [kwadraʒe'nɛ:r] *adj. u. su.* vierzigjährig(er Mann *m*).
quadragési|mal [~ʒezi'mal] *adj.* (5c) Fastenzeit ...; ~**me** *rl.* [~'zi:m] *f*: (*le dimanche de*) *la* ♀ der erste Fastensonntag.
quadrangulaire [kwadrɑ̃gy'lɛ:r] *adj.* viereckig.
quadrant [kwa'drɑ̃] *m* Quadrant *m*.
quadraphonie *rad.* [kwadrafɔ'ni] *f* Quadrophonie *f*.
quadra|t *ast.* [kwa'dra] *adj.*: *opposition f* ~*e* Längenunterschied *m* von 90°; ~**teur** [~'tœ:r] *m* Aufsucher *m* der Quadratur des Kreises; ~**tique** [~'tik] *adj.* quadratisch; ~**ture** [~'ty:r] *f géom.* Quadratur *f*; *ast.* Geviert *n*.
quadrette [ka'drɛt] *f*Vierermannschaft *f* (*beim Boulespiel*).
quadri|chromie [kwadrikrɔ'mi] *f* Vierfarbendruck *m*; ~**cycle** *Auto* [~'siklə] *adj.* vierräderig; ~**ennal** *adj.* ✓ [~ɛ'nal] *adj.* (5c) vierjährlich; ~**flore** ⚘ [~'flɔ:r] *adj.* vierblütig; ~**folié** [~fɔ'lje] *adj.* vierblätterig.
quadrige [kwa'dri:ʒ] *m* Quadriga *f*.
quadrilatère [~la'tɛ:r] *m* Viereck *n*.
quadril|lage [kadri'ja:ʒ] *m text.* Karomuster *n*; *auf Papier*: Liniennetz *n*; *fig.* (Propaganda-)Netz *n*; ⚔, *Polizei*: Errichtung *f* e-s Kontrollnetzes; ⊕ ~ *métallique* Drahtgitter *n*; ~**le** [ka'drij] *m* Quadrille *f*; ~**lé** [~dri'je] *adj.* kariert, gewürfelt; ~**ler** *a.* ⚔ [~] *v/t.* (1a) mit e-m Kontrollnetz überziehen; durchkämmen; ~ *la France en zones à surveiller* Frankreich in Überwachungszonen einteilen.
quadri|loculaire ⚘ [kwadrilɔky'lɛ:r] *adj.* vierfächerig; ~**moteur** [~mɔ'tœ:r] **I** *adj.* (7f) viermotorig; **II** ✈ *m* viermotoriges Flugzeug *n*; ~**nôme** ⩓ [~'no:m] *m* Quadrinom *n*; ~**partisme** *pol.* [~par'tism] *m* Politik *f* des Viermächtestatus; ~**partite** *pol.* [~par'tit] *adj.* Viermächte...; ~**phonie** *rad.* [~fɔ'ni] *f* Quadrophonie *f*; ~**propulseur** ✈ [~prɔpyl'sœ:r] *m* Viermotorer *m* mit Turbopropantrieb; ~**réacteur** ✈ [~reak'tœ:r] *m* vierstrahlige Maschine *f*; ~**syllabique** [~sila'bik] *adj.* viersilbig; ~**valence** ⚗ [~va'lɑ̃:s] *f* Vierwertigkeit *f*; ~**valent** ⚗ [~va'lɑ̃] *adj.* (7) vierwertig.
quadru|mane *zo.* [kwadry'man] *adj. u. su.* vierhändig; Vierhänder *m*; ~**pède** [~'pɛd] *adj. u. su.* vierfüßig; Vierfüßler *m*.
quadrupl|e [kwa'dryplə] **I** *adj.* □ vierfach; **II** *m das* Vierfache *n*; ~**é(e)s** [~dry'ple] *m* (*f*) *pl.* Vierlinge *pl.*; ~**er** [~] (1a) **I** *v/t.* vervierfachen; **II** *v/i.* um das Vierfache zunehmen.
quadruplex *télégr.* [kwadry'plɛks] *m* Quadruplexverkehr *m*.
quai [ke] *m* **1.** Kai *m*; Ufer-straße *f*, -promenade *f*; **2.** 🚂 Bahnsteig *m*.
quaker *m*, ~**esse** *f* [kwɛ'kœ:r, ~'krɛs] Quäker *m*, Quäkerin *f*; ~**isme** [~'krism] *m* Quäkertum *n*.
qualifi|able [kali'fjablə] *adj.* benennbar; *Sport*: teilnahmeberechtigt; ~**catif** *gr.* [~ka'tif] **I** *adj.* (7e) e-e Eigenschaft bezeichnend; **II** *m* Bezeichnung *f*; *gr.* Attribut *n*; ~**cation** [~ka'sjɔ̃] *f* Bestimmung *f*, Benennung *f*, Bezeichnung *f*, Qualifizierung *f*; Titulierung *f*; Eignung *f*, Qualifikation *f*; Befähigung *f* (*à* zu *dat.*); ~**er** [~'fje] (1a) **I** *v/t.* bestimmen, (be)nennen, erklären, näher bezeichnen (*de* als), betiteln; qualifizieren; *qualifié* bezeichnet, benannt; befähigt; ⚖ *crime m qualifié* schweres Verbrechen *n*; *ouvrier m qualifié* Facharbeiter *m*; **II** *v/rfl.* se ~ sich bezeichnen, sich ausgeben (*de* als); bezeichnet (*od.* genannt) werden; *Sport*: se ~ *pour* ... sich für ... qualifizieren; se ~ *de docteur*, se ~ *de marquis* sich Doktor, sich Marquis nennen.
quali|tatif [kalita'tif] *adj.* (7e) qua-

litativ; **~té** [~'te] *f* **1.** Eigenschaft *f*, Beschaffenheit *f*, Qualität *f*; *en ~ de* ... als ...; in meiner, deiner *usw.* Eigenschaft als ...; **2.** gute Eigenschaft *f*, Qualität *f*, Güte *f*, Wert *m*; *de première ~* erstklassig; **3.** *phonét.* Klangfarbe *f*; **4.** Berechtigung *f*; *avoir ~ pour faire qch.* berechtigt sein, etw. zu tun.

quand [kɑ̃, *vor Vokalen* kɑ̃t] **I** *adv.* wann?; *depuis ~?* seit wann?; *jusqu'à ~?* bis wann?, wie lange (noch)?; *à ~?, pour ~?* auf welche Zeit?, für wie lange?; *de ~ date cet usage?* seit wann ist dies üblich?; **II** *cj.* **1.** wenn; als; *~ j'y pense* wenn ich daran denke; *~ Dieu créa le monde* als Gott die Welt (er)schuf; **2.** *~, ~ bien même* wenn auch, selbst wenn; *~ je le voudrais, je ne le pourrais pas* selbst wenn ich es wollte, könnte ich es nicht tun; **III** *adv. ~ même* dennoch, trotz allem; *je le ferai ~ même* ich werde es trotzdem (*od.* doch) tun.

quant [kɑ̃]: **~ à ...** [kɑ̃'ta ...] *prpt.* was ... betrifft; *~ à lui* was ihn betrifft, er seinerseits; *être* (*od. rester od. se tenir*) *sur son ~ à soi* sehr zugeknöpft sein, eingebildet sein, den feinen Mann spielen.

quantième *adm.* [kɑ̃'tjɛːm] *m*: *le ~* der jeweilige Tag; *le ~ du mois* der jeweilige Monatstag; *l'indication f du ~ du mois* die Angabe des jeweiligen Monatstages.

quantification *éc.* [kɑ̃tifikɑ'sjɔ̃] *f* Messung *f*, Errechnung *f*.

quantique *phys.* [kɑ̃- *od.* kwɑ̃'tik] *adj.* Quanten...

quanti|tatif [kɑ̃tita'tif] *adj.* (7e) quantitativ; **~té** [~'te] *f* **1.** Menge *f*, Quantität *f*; *~ de personnes sont venues* sehr viele Personen sind gekommen; *folgt aber auf quantité de ein su. im sg., so steht das Verb auch im sg.*: *~ de monde se prélassait sur la pelouse* sehr viele (e-e Menge) Menschen aalten sich auf der Wiese; **2.** *mét.* (*Silben-*)Quantität *f*; **3.** ⩓ Größe *f*.

quantum [kwɑ̃'tɔm] *m* **1.** *adm.*, ⚖ Höhe *f*; beschlußfähige Anzahl *f v. Personen in e-r Sitzung*; *~ de la peine* Strafmaß *n*; **2.** *phys.* Quant *n*; *théorie f des quanta* Quantentheorie *f*.

quaran|taine [karɑ̃'tɛːn] *f* **1.** (etwa) vierzig; **2.** *la ~* die Vierziger *m/pl.*; *elle a passé la ~* sie ist über vierzig, sie ist in den Vierzigern; **3.** ⚓ Quarantäne *f*; *fig. mettre* (*od. tenir*) *q. en ~* j-n von der Umwelt ausschließen; **~te** [ka'rɑ̃ːt] **I** *adj./n.c.* vierzig; *~ et unième* einundvierzigste(r, s); *page f ~* Seite vierzig; **II** *m/inv.* Vierzig *f*; *les* ♀ *pl.* die 40 Mitglieder *n/pl.* der Französischen Akademie; *~-huitard hist. m* (6g) Teilnehmer *m* an der Revolution von 1848; **~tenaire** [~rɑ̃tə'nɛːr] **I** *adj.* **1.** vierzigjährig; **2.** Quarantäne...; **II** *m* Quarantänestation *f*; **~tième** [~'tjɛːm] **I** *adj./n.o.* vierzigste(r, s); vierzigstel; **II** *su.* Vierzigste(r, s); **III** *m* Vierzigstel *n*.

quarderonner ⚠ [kardərɔ'ne] *v/t.* (1a) an den Kanten abrunden.

quart [kaːr] *m* **1.** vierter Teil *m*; Viertel *n*; *~ d'heure* Viertelstunde *f*; *~ d'heure de grâce* akademisches Viertel *n*; *les trois ~s du temps* die meiste Zeit; *le ~ d'heure de Rabelais* der Augenblick, wo man die Zeche bezahlen muß; *allg.* unangenehmer Augenblick *m*; *soc. le ~ monde* die Vierte Welt, das Unterproletariat; *~ de soupir* Sechzehntelpause *f*; *à un ~ de poil* um ein Haar *fig.*; *il est le ~* es ist Viertel; *midi et ~ od. midi un ~* Viertel eins; Viertel nach zwölf; *une heure et ~ od. une heure un ~* Viertel zwei; ein Viertel nach eins; *deux heures moins le ~* drei Viertel zwei (Uhr); **2.** ⚓ (Schiffs-)Wache *f*; *officier m de ~* Wachtoffizier *m*; *faire le ~, être de ~ avec q.* mit j-m auf Wache sein; **3.** ⚔ Feldbecher *m*; **4.** Glas *n* Wein (1/4 *Liter*); **5.** Viertelpfund *n*; **6.** * Polizeirevier *n*.

quartan(n)ier *ch.* [karta'nje] *m* vierjähriges Wildschwein *n*.

quarte [kart] *f* ♪ *u. esc.* Quart(e) *f*; **~ron** [kar'trɔ̃] **I** *m oft péj.* Handvoll *f*, kleiner Haufen *m*; **II** *su.* (7c) Viertelneger *m*.

quartette ♪ [kwar'tɛt] *m* Jazzquartett *n*.

quartier [kar'tje] *m* **1.** Viertel *n*; Teil *m*, Stück *n*; *~ de veau* Kalbsstück *n*; *~ de lard* Speckseite *f*; *bois m de ~* Scheitholz *n*; *~s pl. de pierre* große Steinblöcke *m/pl.*; Bruchsteine *m/pl.*; *mettre en ~s* vierteilen; **2.** (Mond-)Viertel *n*; **3.** ▨ Wappenfeld *n*; **4.** (Stadt-)Viertel *n*, Stadtteil *m*; *~s pl.* Gegend *f*, Nachbarschaft *f*; *le* ♀ *latin* Universitätsviertel (*in Paris*); **5.** Wohnsitz *m*; Quartier *n*; *mettre en ~* einquartieren; **6.** ⚔ Gnade *f*;

7. ⚔ Quartier *n*; ~ *d'assemblée* Sammelplatz *m*; ~ *d'hiver* Winterquartier *n*; ~ *général* Hauptquartier *n*; *grand* ~ *général* Generalstab *m*; oberste Heeresleitung *f*; *prendre ses* ~*s* sich einquartieren.
quartier-maître ⚓ [kartje'mɛ:trə] *m* (6a): ~ *de* 2ᵉ *classe* Gefreite(r) *m*.
quart-monde *pol.* [kar'mɔ̃:d] *m*: *le* ~ die Vierte Welt.
quarto [kwar'to] *adv.* viertens.
quartz *min.* [kwarts] *m* Quarz *m*; **~eux** [~'tsø] *adj.* (7d) quarz(halt)ig; Quarz...
quasar [ka'za:r] *m* **1.** *ast.* Materiemasse *f*, die Radiostrahlung abgibt u. lichtoptisch als Stern erscheint; **2.** *fig. Auto*: Sternauto *n* (*e-r Rallye*).
quasi [ka'zi] *adv.* fast; gleichsam, gewissermaßen; Schein...; **~-délit** ⚖ [~de'li] *m* (6g) unvorsätzliches Vergehen *n*; **~ment** F [~'mɑ̃] *adv.* gleichsam; beinahe; **~-totalité** *f*: *la* ~ fast die Gesamtheit.
quaternaire [kwatɛr'nɛ:r] *adj.* durch vier teilbar; ⚘ zu je vieren vorhanden; *géol.* Quartär...
quator|ze [ka'tɔrz] *adj./n.c.* vierzehn; *Louis* ~ (*XIV*) Ludwig der Vierzehnte (XIV.); **~zième** [~'zjɛ:m] *adj./n.o.* vierzehnte(r, s).
quatrain [ka'trɛ̃] *m* vierzeiliges Gedicht *n*.
quatre ['katrə] *adj./n.c. inv.* **1.** vier; *le* ~ *ans Sport*: der Vierjährige (*Pferd*); ♪ (*jouer*) *à* ~ *mains* vierhändig (spielen); *à* ~ *pattes* auf allen vieren; *tomber les* ~ *fers en l'air* alle viere von sich strecken; *se tenir à* ~ sich sehr beherrschen; *se mettre en* ~ *pour q.* für j-n durchs Feuer gehen; *fig.* sich die Beine für j-n ausreißen; **2.** (*l'*)*un de ces* ~ *matins* an e-m der nächsten Tage, nächstens, bald; *à* ~ *pas d'ici* drei Schritt von hier, ganz in der Nähe; **3.** *Henri* ~ (*IV*) Heinrich der Vierte (IV.).
Quatre-Cantons [katrəkɑ̃'tɔ̃] *m/pl.*: *Lac m des* ~ Vierwaldstätter See *m*.
quatre-essieux *Auto* [katre'sjø] *m* LKW *m*.
quatre|-saisons [katrəsɛ'zɔ̃] *f* (6c) Monatserdbeere *f*; **~-temps** *rl.* [katrə'tɑ̃] *m/pl.* Quatember *m*.
quatre-vingt [katrə'vɛ̃] *adj./n.c.* achtzig; ~*s ans* achtzig Jahre; *nous étions* ~*s* (*hommes*) wir waren unser 80 (Mann); ~*s millions* (*milliards*) 80 Millionen (Milliarden); *aber*: ~ *mille* achtzigtausend; ~*-un* [~vɛ̃'œ̃] einundachtzig; ~*-dix* neunzig; ~*-onze* [~vɛ̃'ɔ̃z], ~*-douze*, ~*-treize* ein-, zwei-, drei-undneunzig.
quatre-vingtième [~vɛ̃'tjɛ:m] *adj./n.o.* achtzigste(r, s).
quatrième [katri'ɛ:m] **I** *adj./n.o.* vierte(r, s); **II** *su.* Vierte(r, s); **III** *m* vierter Stock *m*; **IV** *f école.* Quarta *f*, dritte Klasse *f* (*Gymnasium*); **~ment** [katriɛm'mɑ̃] *adv.* viertens.
quatuor ♪ [kwa'tɥɔ:r] *m* Quartett *n*.
que[1] [kə], *vor vo. u. stummem h*: **qu'** [k] **I** *pr/r.* **1.** *acc.* welchen *od.* den, welche *od.* die, welches *od.* das; *pl.* welche *od.* die; **2.** *ce que* (*acc.*) (*das*) was (*acc.*); *je sais ce qu'il veut* ich weiß, was er will; *à ce que je crois* wie ich glaube; *à ce qu'on dit* nach dem, was man sagt; **3.** *als Prädikatsnominativ bei être*: *malheureux que je suis!* ich Unglücklicher!; *fou que tu es!* du Dummkopf!; **4.** *noch als nom. erhalten*: *je ne sais pas ce que c'est* ich weiß nicht, was das ist; *voilà ce que c'est* das ist es (eben); *qu'est-ce que c'est* (*que cela*)? was ist das?; *vaille que vaille* auf gut Glück; es komme, wie es wolle; *coûte que coûte* um jeden Preis; koste es, was es wolle!; *advienne que pourra!* komme, was da kommen mag!; **II** *pr/int.* **5.** *acc.* was?; *que fait-il?* was macht er?; *qu'en pensez-vous?* was halten Sie davon?; *je ne sais que faire* (*a. moderner*: *quoi faire*) ich weiß nicht, was ich machen soll; *je ne sais qu'y faire* ich weiß nicht, was da zu machen ist; *que faire?* (*a. moderner*: *quoi faire?*) was soll man machen?; *qu'est-ce que j'entends?* was höre ich?; **6.** was? a) *als Prädikatsnominativ vor e-r Form von être und devenir*: *qu'est-ce que c'est que cela? od. qu'est-ce que c'est? od. qu'est-ce? od. qu'est-cela?* was ist das?; *que suis-je?* was bin ich? (*vgl.* 6b); *que deviendrai-je?* was soll aus mir werden?; b) *als logisches Subjekt*: *qu'est-il arrivé? od. que s'est-il passé?* was ist passiert?; *que vous est-il arrivé?* was ist Ihnen zugestoßen?; *qu'est-ce que la mort? od. qu'est-ce que c'est que la mort?* was ist der Tod?; *qu'est-ce que je suis?* was bin ich? (*vgl.* 6a).
que[2] [kə], *vor vo. u. stummem h*: **qu'** [k] **I** *cj.* **1.** daß; *je crois qu'il*

fera beau ich glaube, daß schönes Wetter sein wird (*od.* daß es schön werden wird); *Wunsch mit subj.*: *je voudrais qu'il vînt* ich wollte, er käme; *peut-être qu'il s'est trompé* vielleicht hat er sich geirrt; *est-ce que votre mère est malade?* ist Ihre Mutter krank?; *est-ce que vous viendrez?* werden Sie kommen?; *où est-ce que vous allez?* wohin gehen Sie?, wo gehen Sie hin?; *Erstaunen mit subj.*: *qu'il se soit oublié à ce point!* daß er sich so vergessen konnte!; wie konnte er sich so vergessen!; *Befehl mit subj.*: *qu'on écoute!* man höre (zu)!; *que la lumière soit!* es werde Licht!; *Vermutung mit subj.*: *qu'il le fasse ou non* er mag es tun oder nicht; **2.** *que vertritt verschiedene Nebensätze*: *le jour qu'il partit* an dem Tage, an welchem er abreiste; *de la façon que j'ai vécu* so, wie ich gelebt habe; **3.** *stellvertretend für andere cj. im zweiten u. folgenden Satzglied*; *puisque vous le dites et que nous le croyons* da Sie es sagen und wir es glauben; *s'il venait et qu'il voulût nous voir* wenn er käme und uns sehen wollte; **4.** *bei Vergleichen*: als, wie; *plus grand que moi* größer als ich; *il est de deux ans plus âgé que moi* er ist zwei Jahre älter als ich; *il n'est pas si* (*od. aussi*) *âgé que moi* er ist nicht so alt wie ich; *c'est autre chose qu'il ne (le) croit* es ist anders, als er glaubt; *tel que je suis* so wie ich bin; *tant bien que mal* so gut es geht; **5.** es sei denn; *d'où lui vient cette force que de Dieu?* von wem sonst hat er diese Kraft als von Gott?; **6. ne ... que** nur; erst; *ne ... plus que* nur noch; *ne ... que trop* nur allzu (sehr); *il n'y a que trop longtemps que je le supporte* ich habe ihn nur allzu lange geduldet; *si ce n'est que cela* wenn das alles ist; *je ne veux que le voir* ich will ihn bloß mal sehen; *je ne crois que ce que je vois* ich glaube nur, was ich sehe; **7. non (pas) ... que** *mit subj.* nicht als ob; **8. mais que ... (ou que ...)** *mit subj.* (*darauf folgt der HS im ind. mit et am Anfang*) aber wenn (*bloße Annahme*); *mais que l'un ou l'autre de ces partis l'emporte aux urnes une seule fois, ou qu'il parvienne à s'emparer du pouvoir en dehors des élections, et le pendule politique s'immobilise comme si le mécanisme était brisé* sollte aber die eine oder die andere dieser Parteien an den Wahlurnen ein einziges Mal den Sieg davontragen (*od.* erringen), oder sollte es ihr gelingen, außerhalb der Wahlen die Macht an sich zu reißen, dann bleibt das politische Pendel stehen, als wäre das Getriebe entzwei; *les volets étaient baissés de ce côté, mais qu'un de ses hommes se fût trouvé là par hasard, et nous étions tous pour la corvée pénitentiaire de N.* die Fensterläden waren auf dieser Seite zu, aber wenn einer seiner Männer zufällig dagewesen wäre, wären wir alle für den Strafdienst von N. reif gewesen; **9.** *litt.* **que si ...** wenn aber; *que si ce loup t'atteint, casse-lui la mâchoire* wenn dich aber dieser Wolf zu packen kriegt, dann zerschlage ihm den Kiefer!; **10.** *abs.* F **que si!** doch!; *als Antwort auf e-e verneinte Frage*: sicher!; *vous ne ferez donc pas cela? — Oh que si!* Sie werden das also nicht machen? — Aber doch!; aber natürlich!; na sicher!; na klar! F; **11.** *bleibt unübersetzt*: a) *zur Hervorhebung*: *c'est une chose sérieuse que la mort* es ist e-e ernste Sache um das Sterben; der Tod ist etwas Ernstes; *quelle faute que cette démarche!* was für ein Fehler, e-n solchen Schritt zu tun!; *elle le sent, que le malheur* sie fühlt das Unglück; b) P *à quelle heure que vous vous couchez?* wann gehen Sie schlafen?; *pourquoi que vous l'avez appelé Jules?* warum haben Sie ihn Jules genannt?; **12.** *oh que non (pas)!* o nein!; *il a dit que non (que oui)* er hat nein (ja) gesagt; **13.** F *si j'étais que de vous* (wenn ich) an Ihrer Stelle (wäre); **II** *adv.* **14.** warum?; was?; *que me parlez-vous de cet homme?* warum (*od.* was) sprechen Sie mir von diesem Mann?; **15.** *Ausruf*: **que de ...!** wieviel ...!; *que de fois!* wie oft!; *que de monde!* wieviel Menschen! (*od.* Leute!); *~ d'énergie perdue!* wieviel vergeudete Energie!; **16.** *Ausruf*: *que ...!* wie sehr ...!; *que la vie est belle!* ist das Leben schön!; wie schön ist das Leben!; *qu'il écrit bien!* wie gut schreibt er!; (*od. a. comme vgl. dort* 5).

québécois [kebe'kwa] *adj.* (7) (*a. su.*) Quebec..., aus Quebec.

quel [kɛl] *adj.* (7c) **1.** welcher,

welche, welches; was für ein(e); ~ *âge a-t-il?* wie alt ist er?; *~le heure est-il?* wie spät (*od.* wieviel Uhr) ist es?; *par ~s moyens* wodurch?, mit welchen Mitteln?; **2.** *tel ~* so wie er ist, ohne jede Änderung (*od.* Hinzufügung), unverändert; in s-m jetzigen Zustand; *nous acceptons votre plan tel ~* wir nehmen Ihren Plan an, wie er ist; *je vous rends vos livres tels quels* ich gebe Ihnen Ihre Bücher in ihrem jetzigen Zustand zurück; *prendre la chose telle quelle* die Sache nehmen, wie sie ist; **3.** *Ausruf*: welch ein(e); *~ homme!* was für ein Mann!; **4.** *~ que* (*mit subj.*) welcher (welche, welches) auch immer; *~le que soit son influence* welchen Einfluß er auch immer haben mag.

quelconque [kɛlˈkɔ̃ːk(ə)] *adj.* **1.** *mst. nachgestellt*: irgendein(e); *une ligne ~* irgendeine Linie *f* (*od.* Zeile *f*); *a. im pl.*: *pour toutes les constructions ~s* für jederlei Bauten; *kommt noch ein adj. hinzu, dann stellt ~ vor*: *un ~ violon japonais* irgendeine japanische Geige *f*; F *vorgestellt*: *un ~ pauvre diable m* irgendein armer Schlucker *m*; *il a été attaqué par de ~s voyous* er ist von einigen Rowdys überfallen worden; **2.** *vorgestellt od. prädikativ péj.*: x-beliebig, unbedeutend; *un ~ agent de publicité* irgendein unbedeutender Reklamemann *m*.

quelque [kɛlk(ə)] **I** *adj.* **1.** irgendein(e); *pl.*: paar; *~ chose f* (irgend) etwas; *~ jour* e-s (schönen) Tages; *~ part* irgendwo(hin); *~ peu* etwas, ein bißchen; *~ personne* (irgend) jemand; *il y a ~ temps* vor einiger Zeit; *les ~s objets qu'il avait* die paar Gegenstände, die er besaß; *tous les ~s pas, il s'arrêtait* alle paar Schritte machte er halt (*od.* blieb er stehen); *~ part* irgendwo (-hin); **2.** *~ … que* (*mit subj.*) welcher (welche, welches) auch immer; was für (*od.* wie) … auch immer; *~s richesses qu'il ait* welche Reichtümer er auch haben möge; *~ habitué qu'il soit à …* so sehr er auch gewöhnt sein möge an …; **II** *advt.* (*also inv.!*): **3.** etwa, ungefähr; *voilà ~ trente ans* vor etwa dreißig Jahren; **4.** *~ …* (*adj.*) *que* (*mit subj.*) wie sehr auch; *~ riches qu'ils soient* wie reich sie auch sein mögen.

quelque chose [kɛlkəˈʃoːz, F kɛlkˈʃoːz] **I** *m* etwas; *~ de bon* etwas Gutes; *~ m'a été dit* mir ist etwas gesagt worden; *savez-vous ~ de nouveau?* wissen Sie etwas Neues?; *un certain ~* ein gewisses Etwas; **II** *f* was auch immer; *~ qu'il ait dite* was er auch immer gesagt hat.

quelquefois [kɛlkəˈfwa, F kɛlkˈfwa] *adv.* manchmal, mitunter.

quelques fois [kɛlkəˈfwa] *adv.* einige Male.

quelqu'un [kɛlˈkœ̃] *pr. su.* (7) **1.** (irgend-)einer, (-)eine, (-)eins; *m/pl. quelques-uns*, *f/pl. quelques-unes* [~kəˈzœ̃, ~ˈzyn] einige, manche; **2.** *abs.* (*ohne f*) jemand; *~ (d')étranger* jemand Fremdes; *~ d'autre* jemand anders, irgendein anderer; ce *~* dieser bewußte; *être ~* e-e bedeutende Persönlichkeit sein (*od.* darstellen).

quéman|dage [kemɑ̃ˈdaːʒ] *m* Bettelei *f*; **~der** [~ˈde] (1a) **I** *v/i.* aufdringlich betteln; **II** *v/t. ~ un emploi* um e-e Stellung betteln; **~deur** [~ˈdœːr] *su.* (7g) lästiger Bettler *m*.

qu'en-dira-t-on [kɑ̃diraˈtɔ̃] *m* (6c): *le ~* das Gerede der Leute; *se moquer du ~* auf das Gerede der Leute pfeifen; *écouter les ~* auf das Gerede der Leute hören.

quenelle *cuis.* [k(ə)ˈnɛl] *f* Fleisch-, Fisch-klößchen *n*.

quenotte F *enf.* [k(ə)ˈnɔt] *f* Zähnchen *n*, Beißerchen *n*.

quenouille [k(ə)ˈnuj] *f* **1.** (Spinn-) Rocken *m*; **2.** ♪ Spindelbusch *m*.

querel|le [k(ə)ˈrɛl] *f* Streit *m*, Zank *m*; *~ de mots* Streit *m* um Worte; *épouser* (*od. embrasser*) *la ~ de q.* bei e-m Streit für j-n Partei ergreifen; **~ler** [k(ə)rɛˈle] (1a) **I** *v/t. ~ q.* j-n ausschimpfen, j-n anfahren F, j-m Vorwürfe machen; **II** *v/rfl. se ~* sich zanken, sich streiten; **~leur** [~ˈlœːr] (7g) **I** *adj.* zänkisch, streitsüchtig; **II** *su.* Zänker *m*, Stänker *m* F; *f*: Xanthippe *f*.

quérir [keˈrir] *v/t. nur im inf. gebr.*: *aller ~, venir ~* (ab)holen; *envoyer ~* abholen lassen.

qu'est-ce que [ˈkɛskə] *pr/int. acc.* was?; *~ vous voyez sur la table?* was sehen Sie auf dem Tisch?

qu'est-ce qui [ˈkɛski] *pr/int. nom.* was?; *~ se trouve sur la table?* was befindet sich auf dem Tisch?; (*vgl. aber auch* que[1] II, 6).

questeur [kɥɛsˈtœːr] *m* **1.** *antiq.* Quästor *m*; **2.** *Fr.* Finanz- u. Verwaltungs-beauftragte(r) *m*.

question [kɛsˈtjɔ̃] *f* Frage *f*; Problem *n*; *poser une* ~ *à q.* j-m e-e Frage stellen; *être* (*mettre*) *en* ~ zur Diskussion stehen (stellen); *il est* ~ *de* es ist die Rede von, es handelt sich um; man plant; *a. pol.* ~ *de confiance* Vertrauensfrage *f*; *il n'en est pas* ~! *od.* F *pas* ~! das kommt nicht in Frage!; *qu'il n'en soit plus* ~! kein Wort mehr davon!; *iron. la belle* ~! *od. quelle* ~! so e-e Frage!; *mettre en* ~ in Frage stellen, bezweifeln; *fig.* gefährden; *rappeler q. à la* ~ j-n zur Sache rufen; *venir en* ~ fraglich werden; ~ *clé* Kernfrage *f*; *la chose en* ~ die bewußte Sache; **~naire** [~tjɔˈnɛːr] *m* Fragebogen *m*; **~ner** [~ˈne] *v/t.* (1a) ausfragen, befragen; **~neur** [~ˈnœːr] *su.* (7g) Ausfrager *m*; **~-type** [kɛstjɔ̃ˈtip] *f* (6a) Standardfrage *f*.

questure [kɥɛsˈtyːr] *f a. antiq.* Quästur *f*.

quêt|e [kɛːt] *f* **1.** Suchen *n*, Nachforschen *n*; *la quête du Moi* (*od. de l'ego*) die Suche nach dem Ich; *se mettre en* ~ zu suchen anfangen; *ch.* aufspüren; **2.** (öffentliche) Sammlung *f*, Kollekte *f*; *faire la* ~ e-e Sammlung veranstalten; **~er** [kɛˈte] *v/t. u. v/i.* (1a) **1.** (Almosen, Spenden) sammeln; *fig.* erhaschen; **2.** *ch.* aufspüren; **~eur** [kɛˈtœːr] *su.* (7g) Sammler *m* (*v. Kollekten*).

quetsche ♀ [kwɛtʃ] *f* Zwetsche *f*.

queue [kø] *f* **1.** Schwanz *m*; *a. ast.* Schweif *m*; Sterz *m* (*Vogel*); *fig.* Ende *n* (*Stoff*); *ch.* Rute *f*; ~ *de cheval* Pferdeschwanz *m* (*Frisur*); *remuer la* ~ mit dem Schwanz wedeln; *fig.* F *habit m en* ~ *de morue* Frack *m*; *la* ~ *entre les jambes* mit eingezogenem Schwanz, wie ein begossener Pudel; ♪ *piano m à* ~ Flügel *m*; *fig. finir en* ~ *de poisson* im Sande verlaufen; *n'avoir ni* ~ *ni tête* weder Hand noch Fuß haben; *Auto*: *il lui a fait une* ~ *de poisson* er hat ihn geschnitten (*od.* abgeklemmt); **2.** *ehm.* (Haar-, Perücken-) Zopf *m* der Männer; **3.** (*Blumen-, Blatt-, Obst-, Pfannen-*)Stiel *m*; ~ *de casserole* Topf-, Pfannen-stiel *m*; ~ *de cerise* Kirschstiel *m*; **4.** Schleppe *f*; **5.** Billardstock *m*; *faire fausse* ~ e-n Fehlstoß tun; **6.** *fig.* Ende *n*; ~ *de maladie* Nachwehen *pl.* e-r Krankheit; ~ *de colonne* Nachhut *f*, Nachtrab *m*; *à la* ~, *en* ~ hinten, am Ende; *faire* (*la*) ~ Schlange stehen, sich anstellen; *marcher à la* ~ *leu leu* im Gänsemarsch laufen; **7.** *cuis.* ~ *de mouton* Schwanzstück *n* e-s Hammels; **8.** ⚒ Wetzstein *m*; *a. queux*.

queue-d'aronde *men., charp.* [kødaˈrɔ̃ːd] *f* (6b) Schwalbenschwanz-(verzapfung *f*) *m*, Zinke *f*.

queue-de|-morue [kødmɔˈry] *f* (6b) **1.** flacher Malerpinsel *m*; **2.** F (*a. queue-de-pie f*) Frack *m*; **~-rat** ⊕ [kødˈra] *f* (6b) Rundfeile *f*.

queuter *bill.* [køˈte] *v/i.* (1a) zwei Bälle anstoßen.

queux ⚒ [kø] *f* Wetzstein *m*.

qui [ki] **I** *pr/r.* **1.** **welcher, welche,** welches; der, die, das; *pl.*: welche, die; *celui qui* derjenige, welcher; *celle qui* diejenige welche; *ceux* (*f/pl. celles*) *qui* diejenigen, welche; *ce qui* das, was; *rien qui* nichts, was; *il n'y a personne qui le sache* es gibt niemanden, der es weiß; *c'est toi qui l'as fait* du hast es gemacht; **2.** *ell.* derjenige, welcher; *qui m'aime me suive!* wer mich lieb hat, der folge mir!; *iron. il trouvera à qui parler* er wird schon merken, mit wem er zu tun hat (*drohend*); *qui mieux mieux* um die Wette; **3.** *qui que ce soit* wer es auch sein mag; **4.** *ell. pr/r. n* was; *qui pis est* was noch schlimmer ist; was das Schlimmste ist; *qui plus est* was noch mehr bedeutet; was noch mehr sagen will; *voilà qui est beau* das ist schön; *voilà qui me plaît* das gefällt mir; *voilà qui tient du merveilleux* das grenzt ja an ein Wunder; **II** *pr/int. qui?* wer? *bisw. noch litt.*: was?; *acc.*: wen?; *qui* (*od. qui est-ce qui*) *vous l'a dit?* wer hat es Ihnen gesagt?; *qui cherchez-vous? od. qui est-ce que vous cherchez?* wen suchen Sie?; *écol. qui avez-vous comme professeur de français?* bei wem habt ihr Französisch?; *qui est là?* wer ist da?; *mißtrauisch*: *qui va là?*, ⚔ *qui vive?* wer da?; *téléph. qui est à l'appareil?* wer ist am Apparat?; *nom. als logisches Subjekt bei unpersönlichem v/i.*: *qui reste-t-il? od. nom. als grammatisches Subjekt*: *qui reste?* wer bleibt übrig?; *être muß darauf vor e-m pl. im pl. stehen*: *qui sont ces jeunes gens?* wer sind diese jungen Leute?; *litt.*: *qui t'amène à cette heure?* was führt dich zu dieser Stunde her?; **III** *pr/ind. qui ..., qui ...* die einen ..., die anderen ...; *qui d'un côté, qui de* *l'autre* die einen auf dieser Seite, die anderen auf jener.

quiche *dial.* [kiʃ] *f* Zwiebelkuchen *m, Art* Omelett *n* (*Lothringen*).

quiconque [ki'kɔ̃:k(ə)] *pr. ind. m/sg.* (*kann auch als f/sg. od. abs. gebraucht werden*) wer auch immer, jeder (andere); wer es auch sei; *la France n'a pas à rougir devant* ~ Frankreich braucht vor niemandem zu erröten.

qui|dam F *plais.* [kɥi'dam] *m*, **~dane** [~'dan] *f*: *un* ~ ein gewisser Jemand.

quiddité [kɥidi'te] *f* Besonderheit *f*.

qui est-ce que [ki'ɛskə] *pr/int. acc.* wen?; ~ *tu entends par là?* wen meinst du damit?

qui est-ce qui [ki'ɛski] *pr/int. nom.* wer?; ~ *te l'a dit?* wer hat es dir gesagt?

quiétude [kje'tyd] *f nur noch in*: *en toute* ~ in aller Ruhe.

quignon [ki'ɲɔ̃] *m* Brotkanten *m*.

quille[1] [kij] *f* **1.** Kegel *m*; *jouer aux ~s* Kegel schieben; *abattre des ~s* Kegel umwerfen; *dresser des ~s* Kegel aufsetzen; *faire les neuf ~s* alle neun(e) schieben; *prendre* (*od. trousser*) *son sac et ses ~s* sein Bündel schnüren, mit Sack u. Pack abziehen; *donner à q. son sac et ses ~s* j-m den Laufpaß geben, j-n entlassen; *être reçu comme un chien dans un jeu de ~s* sehr kühl empfangen werden; **2.** F ⚔ Ende *n* des Heeresdienstes, Entlassung *f*; **3.** ⋆ *les ~s pl.* die Stelzen *f/pl.* P, die Beine *n/pl.*; **4.** schlanke Weinflasche *f*.

quille[2] [~] *f* **1.** (Schiffs-)Kiel *m*; **2.** *charp.* Holm *m*, Brückenjochträger *m*; **3.** Zwickel *m*, Keil *m*.

quilleur [ki'jœ:r] *m* Kegeljunge *m*.

quinaire [ki'nɛ:r] *adj.* durch fünf teilbar.

quincaill|erie [kɛ̃kaj'ri] *f* Eisen- u. Haushaltswaren(-handlung *f*, -handel *m*) *f/pl.*; F Flitterkram *m*; **~ier** [~ka'je] *m* Eisen- u. Haushaltswaren-händler *m*.

quinconce [kɛ̃'kɔ̃:s] *m* Fünferanordnung *f* (*wie auf dem Würfel*); ⚒ Kreuzpflanzung *f*; *en* ~ schachbrettförmig, im Zickzack, auf Lücke.

quiné [ki'ne] *adj.* fünfzählig.

quinine [ki'ni:n] *f* Chinin *n*.

quinquagénaire [kɥɛ̃kwaʒe'nɛ:r] *adj. u. su.* fünfzigjährig; Fünfzigjährige(r) *m*.

quinquen|nal [kɥɛ̃kɥe'nal] *adj.* (5c) Fünfjahres...; **~nalité** [~nali'te] *f* fünfjährige Amtsdauer *f*.

quinquet [kɛ̃'kɛ] *m* **1.** *ehm.* Öllampe *f*; **2.** P *~s pl.* Augen *n/pl.*

quinquina [kɛ̃ki'na] *m* **1.** China-, Fieber-rinde *f*; **2.** ⚘ Chinabaum *m*.

quint [kɛ̃] *adj.* (7) *nur gebr. in*: *Charles-*♀ Karl V. *u. Sixte-*♀ Sixtus V.

quintal [kɛ̃'tal] *m* (5c) **1.** Doppelzentner *m*; **2.** *ehm.* Zentner *m*.

quinte [kɛ̃:t] *f* **1.** ♪, *esc.* Quinte *f*; *fig. avoir ~ et quatorze* alle Trümpfe in der Hand haben; **2.** ~ (*de toux*) Hustenanfall *m*.

quintefeuille ⚘ [kɛ̃t'fœj] *f* kriechendes Fingerkraut *n*.

quintessen|ce [kɛ̃te'sɑ̃:s] *f* Quintessenz *f*; *fig. das* Wesentliche *n*, Kern *m*; **~cié** *litt.* [~sɑ̃'sje] *adj.* überfeinert, spitzfindig.

quintette ♪ [kɛ̃'tɛt] *m* Quintett *n*.

quinteux [kɛ̃'tø] *adj.* (7d) **1.** *litt.* launisch; **2.** ⚕ zu Hustenanfällen neigend.

quinto [kɥɛ̃'to] *adv.* fünftens.

quintupl|e [kɛ̃'typlə] *adj. u. m* fünffach; *das* Fünffache *n*; **~é(e)s** [~'ple] *m* (*f*) *pl.* Fünflinge *pl.*; **~er** [~] *v/t.* (*u. v/i.*) (1a) (sich) verfünffachen.

quinzaine [kɛ̃'zɛ:n] *f* **1.** (etwa) vierzehn Tage *m/pl.*; **2.** (etwa) fünfzehn; Mandel *f*.

quinz|e [kɛ̃:z] *adj./n.c.* fünfzehn; ~ *jours* vierzehn Tage *m/pl.*; *Louis* ~ (*XV*) Ludwig XV.; **~ième** [kɛ̃'zjɛ:m] *adj./n.o.* fünfzehnte(r, s).

quiproquo [kiprɔ'ko] *m* Verwechselung *f*; *fig.* Irrtum *m*.

quittan|ce [ki'tɑ̃:s] *f* Quittung *f*; *dont* ~ worüber ich quittiere; *donner* ~ = **~cer** [~tɑ̃'se] *v/t.* (1k) quittieren.

quitte [kit] **I** *adj.* **1.** quitt, nichts mehr schuldig (*envers q.* j-m gegenüber); *nous voilà ~s* wir sind quitt; wir schulden uns nichts mehr; ~ *de dettes* schuldenfrei; *en être ~ à bon marché* billig dabei wegkommen; *jouer ~ ou double* alles auf eine Karte setzen; **2.** los, frei; *je l'en tiens* ~ ich erlasse ihm die Sache; *vous en voilà ~!* nun haben Sie's hinter sich!; **II** *adv.* **3.** ~ *à mit inf.*, ~ *à ce que mit subj.* a) auf die Gefahr hin, daß ...; selbst wenn ...; ~ *à s'en repentir* auf die Gefahr, es zu bereuen; *nous les dépasserons,* ~ *à nous essouffler* wir werden sie überholen, selbst wenn wir dabei den Atem verlieren; b) wenn nur, sofern nur, nur um ...; ~ *à munir les boîtes d'une couche intermédiaire* wenn man nur die Kartons mit e-r wasserdichten Zwischenschicht versieht; **4.** *nous sommes ~ à ~* wir sind quitt; wir schulden uns nichts mehr.

quitter [kiˈte] (1a) **I** *v/t.* **1.** verlassen; sich trennen von (*dat.*), im Stich lassen; *~ le monde* ins Kloster gehen; *~ ce (bas-)monde, ~ la vie* das Zeitliche segnen; *~ prise* loslassen; *~ le service* aus dem Dienst treten (*od.* ausscheiden); *écol. ~ l'école* von der Schule abgehen, *mst. nur*: *abs.* abgehen; *rad., téléph. ne quittez pas (l'écoute)!* bleiben Sie am Apparat!; *ne pas ~ des yeux* nicht aus den Augen lassen; *fig. ~ le droit chemin* vom geraden Weg abkommen; **2.** ablegen; ausziehen (*Kleidungsstück*); *~ le deuil* die Trauer ablegen; *~ sa peau* sich häuten (*v. Schlangen*); *fig.* den alten Adam ausziehen; *cet arbre quitte ses feuilles* dieser Baum verliert s-e Blätter (*od.* wirft ... ab); **3.** überlassen, abtreten; *~ la place à q.* j-m Platz machen, j-m das Feld räumen; **4.** aufgeben; *~ une fonction* ein Amt niederlegen; **II** *v/i.* vom Spiel abtreten; sich zurückziehen; wegziehen (*Mieter*); gehen, kündigen (*Hausmädchen*); sich lösen (*Anker*); **III** *v/rfl.* se ~ sich trennen, auseinandergehen.

quitus *fin.* [kɥiˈtys] *m* Entlastung *f.*

qui-va-là [kivaˈla] *int.* wer da?

qui-vive [kiˈviːv] **I** *int.* ⚔ wer da?; **II** *m être (od. se tenir) sur le ~* auf der Hut sein.

quoi [kwa] **I** *pr/r.* (*stets nach prp. bzw.* P *nach comme; nur auf Sachen bezüglich*) **1.** was; *voilà de ~ il parle* davon spricht er; *ce sont des choses à ~ il faut faire attention* das sind Dinge, auf die man achten muß; *ce à ~ je pense* woran ich denke; *après ~* worauf; *sans ~* sonst, andernfalls; *en ~* worin; *(dites-moi) en ~ puis-je vous servir?* womit kann ich Ihnen dienen?; P *comme ~* wie wenn, als wenn; **2.** *de ~* wovon; die (nötigen) Mittel *n/pl.*, um zu ...; *je n'ai pas de ~ payer la facture* ich habe kein Geld, um die Rechnung zu bezahlen; *il n'a pas de ~ vivre* er hat nicht genug, um zu leben; *ell. il a de ~* er hat sein Auskommen, er hat genug zum Leben; *donnez-moi de ~ écrire* geben Sie mir etwas zum Schreiben!; *abs. (il n'y a) pas de ~!* keine Ursache!; bitte sehr!; nichts zu danken!; gern geschehen! (*als Antwort auf e-n Dank*); macht nichts!, keine Ursache! (*als Antwort auf e-e Entschuldigung*); **3.** *litt. heute oft statt des gén. od. dat. von lequel, im sg. od. pl.*: *une familiarité à ~ il n'a pas pris garde* e-e Vertraulichkeit, die er nicht beachtet hat; *les espérances à ~ l'on se cramponne* die Hoffnungen, an die man sich klammert; **II** *pr/ind. ~ que (mit subj.)* was auch (immer); *~ que vous fassiez* was ihr auch tun möget; *~ qu'il en soit* wie dem auch sei; **III** *pr/int.* was?; F wie?; *de ~ parlez-vous?* wovon sprechen Sie?; *de ~ l'accuse-t-on?* wessen klagt man ihn an?; *à ~ sert de ...?* wozu nützt es zu ...?; *à ~ bon?* wozu (ist das gut)?; *par ~ commencer?* womit soll angefangen werden?; *~ faire?* was soll man (*od.* ich *od.* was sollen wir) tun?; *je ne sais ~ faire* ich weiß nicht, was ich machen soll; *vgl.* que[1] II, 5); **IV** *int.* was!; *~ donc!* was denn!

quoique [ˈkwak(ə)] *cj. mit subj.* obwohl, obgleich, wenn auch.

quolibet [kɔliˈbɛ] *m* Anzüglichkeit *f*; *lancer des ~s contre q.* über j-n herziehen.

quorum [kɔˈrɔm] *m* beschlußfähige Anzahl *f*, Beschlußfähigkeit *f.*

quota [kɔˈta] *m* Kontingent *n*, Anteil *m*, Quote *f*, Prozentsatz *m.*

quote-part *fin.*, ✝ [kɔtˈpaːr] *f* (6a) Anteil *m*, Beitrag *m*, Quote *f.*

quotidien [kɔtiˈdjɛ̃] **I** *adj.* (7c) □ täglich; alltäglich (*a. v. Menschen*); **II** *m* Tageszeitung *f*; **~niser** *thé.* [~djɛniˈze] *v/t.* (1a) veralltäglichen.

quotient *arith.* [kɔˈsjɑ̃] *m* Quotient *m.*

quotité ⚖ [kɔtiˈte] *f* Anteil *m.*

R

R, r [ɛr] *m* R, r *n.*

rab [rab] *m* **1.** P s. *rabiot*; **2.** F s. *rabais.*

rabâ|chage F [rabɑ'ʃa:ʒ] *m*, **~chement** F [~ʃ'mɑ̃] *m* endloses Wiederholen *n*, *fig.* Wiederkäuen *n*; Gequatsche *n*; **~cher** F [~bɑ'ʃe] *v/t. u. v/i.* (1a) immer dasselbe sagen, *fig.* wiederkäuen; salbadern; *écol.* runterleiern; **~cheur** [~'ʃœ:r] *su.* (7g) langweiliger Schwätzer *m.*

rabais [ra'bɛ] *m* Rabatt *m*, Preisermäßigung *f*; ⚖ *adjudication f au ~* Vergabe *f* an den Mindestfordernden; *faire un ~* etwas vom Preis ablassen; **~ser** [~bɛ'se] (1b) **I** *v/t. j-n* erniedrigen; *~ ses prétentions* s-e Ansprüche zurückschrauben; *~ les mérites de q.* j-s Verdienste schmälern; **II** *v/rfl.* *se ~* *fig.* bescheiden zurücktreten, sein Licht unter den Scheffel stellen.

raban ⚓ [ra'bɑ̃] *m* Reep *n.*

rabane [ra'ban] *f* Raphiabastgewebe *n*; *sac m en ~* Basthandtasche *f.*

rabat [ra'ba] *m* **1.** *cout.* Klappe *f e-r Tasche od. e-s Briefumschlags*; Beffchen *n der Richter, Geistlichen usw.*; **2.** (*chasse f au*) *~* Treibjagd *f*; **3.** *rad. ~ transparent* durchsichtiges Fenster *n* (*Kompaktkassette*).

rabat-(l')eau ⊕ [raba'to, ~'lo] *m/inv.* (Wasser-)Abweisblech *n* (*am Mühlstein*).

rabat-joie [raba'ʒwa] *su.* (6c) Spielverderber *m*, Störenfried *m.*

rabat|table [raba'tablə] *adj.* herunterklappbar; **~tage** [~'ta:ʒ] *m* **1.** *ch.* Treibjagd *f*; **2.** ⚒ Stutzen *n* (*v. Bäumen*); **~tement** [~bat'mɑ̃] *m* Herunterklappen *n*; Umlegen *n*; **~teur** [~'tœ:r] *m* **1.** *ch.* Treiber *m*; **2.** *fig. u. péj.* (An-)Werber *m*; **3.** ⊕ Haspel *f* (*Mähdrescher*).

rabattre [ra'batrə] (4a) **I** *v/t.* **1.** herunter-klappen, -drücken, -lassen, niedriger machen; umlegen (*Kragen*); *tric.* abketten; **2.** glatt-machen, -streichen, eben machen; *~ au fer* ausbügeln; **3.** *fig. den Stolz j-s* brechen; **4.** abziehen *vom Preis, Lohn*; nachlassen (*Betrag*); **5.** *ch.* treiben; **6.** ⚒ *~ un arbre* e-n Baum stutzen; **II** *v/i.* **7.** *~ de qch.* etw. vermindern, etw. mäßigen; *en ~* s-e Ansprüche mäßigen; Abstriche machen; **8.** *la cheminée rabat* der Kamin zieht schlecht; **III** *v/rfl.* *se ~* **9.** niedergeschlagen *usw.* werden (*Betrag*); sich senken (*Rauch*); **10.** *Auto*: plötzlich wieder einscheren; **11.** *se ~ sur qch.* sich auf etw. (*acc.*) beschränken; **12.** *se ~ sur q.* (*qch.*) sich an j-m (etw.) schadlos halten; **13.** *se ~ sur la politique* plötzlich auf die Politik zu sprechen kommen.

rabattu [raba'ty] *adj.* **1.** *chapeau m ~* Hut *m* mit herabhängender Krempe; *col m ~* Umlegekragen *m*; liegender (*Mantel-*)Kragen *m*; **2.** ⚘ *rameaux m/pl. ~s* herunterhängende Äste *m/pl.*; **3.** ⊕ *couture f ~e* Kappnaht *f.*

rabbin [ra'bɛ̃] *m* Rabbiner *m.*

rabdoman|cie [rabdɔmɑ̃'si] *f*, **~cien** [~'sjɛ̃] *su.* (7c) s. *rhabdoman|cie*, *~cien.*

Rabelais [ra'blɛ] *npr.*: P *le quart d'heure de ~* der unangenehme Augenblick (des Bezahlens).

rabibocher F [rabibɔ'ʃe] *v/t.* (1a) ausflicken; *fig.* versöhnen.

rabiot F [ra'bjo] *m* **1.** ⚔ Nachschlag *m*, Essenszugabe *f*; **2.** *faire du* (*od. le*) *~* a) P Überstunden machen; b) ⚔ nachdienen; **~er** P [rabjɔ'te] (1a) **I** *v/t.*: *~ qch.* sich den Nachschlag (*od.* den Rest) von etw. besorgen; **II** *v/i.* sich kleine zusätzliche Einnahmen verschaffen; ⚔ sich Lebensmittel aneignen.

rabique [ra'bik] *adj.* (7c) Hundetollwuts...

râble[1] *cuis.* ['rɑ:blə] *m* **1.** Rücken *m des Hasen*; **2.** *anat.* F Kreuz *n.*

râble[2] ⊕ [~] *m* Ofenhaken *m.*

râblé [rɑ'ble] *adj.* **1.** mit breitem Hinterstück (*vom Hasen*); **2.** stämmig, vierschrötig, untersetzt.

rabot ⊕ [ra'bo] *m* **1.** Hobel *m*; **2.** ⚠ Mörtelschippe *f*; **~age** [rabɔ-

'taːʒ] *m* Hobeln *n*; **~er** [~'te] *v/t.* (1a) ⊕ (be-, ab-)hobeln; **~eur** [~'tœːr] *m* Hobler *m* (*Arbeiter*); **~euse** [~'tøːz] *f* Hobelmaschine *f*; **~eux** [~'tø] *adj.* (7d) holperig; *fig. Fläche*: uneben; rauh.

rabou|gri [rabu'gri] *adj.* verkümmert; verkrüppelt (*Baum*); klapperig (*Greis*); **~grir** [~'griːr] (2a) **I** *v/t.* verkrüppeln *od.* verkümmern lassen (*Bäume*); **II** *v/rfl.* se ~ verkümmern (*Bäume*; *Geist*); zs.-schrumpfen (*mit dem Alter*); **~grissement** [~gris'mɑ̃] *m* Verkümmerung *f*.

rabout|er [rabu'te] *v/t.* (1a) aneinander-stückeln, -nähen, an-stükkeln, -nähen, anfügen; **~eur** [~'tœːr] *m* Parkettschleifer *m*.

rabrouer [rabru'e] *v/t.* (1a) *j-m* e-e Abfuhr erteilen.

racaille [ra'kɑːj] *f* Pack *n*, Gesindel *n*, Mob *m*.

raccommo|dage [rakɔmɔ'daːʒ] *m* Flicken *n*; **~dement** F [~d'mɑ̃] *m* Aussöhnung *f*; **~der** [~'de] *v/t.* (1a) **1.** flicken; stopfen (*Strumpf*); **2.** F *fig.* aussöhnen; **~deur** [~'dœːr] *su.* (7g) Flicker *m*.

raccompagner [rakɔ̃pa'ɲe] *v/t.* (1a) zurückbegleiten.

raccord [ra'kɔːr] *m* ⊕ Ausgleichung *f*; Anfügen *n*; Nippel *m*, Rohrverbindungsstück *n*; △, *allg.* Zusammenfügung *f*; ⚡ Anschluß *m*, Verbindung *f*; *fig.*, *a. cin.* Übergang *m*; *peint.* geschickte Ausbesserung *f*; *thé.* Szenenübergang *m*; Probe *f* der Szenenübergänge; **~ement** [~də'mɑ̃] *m* **1.** Verbindung *f*, Vereinigung *f*; ⚡ Verbindungsstelle *f*; **2.** *a.* ⚡ Anschluß *m* an das Fernsprechnetz; ~ (*téléphonique*) *principal* Hauptanschluß *m*; △ *frais m/pl. de* ~ Erschließungsgebühren *f/pl.*; ~ *téléphonique interurbain* Fernanschluß *m*; **3.** 🚂 *voie f de* ~ Zweig-, Verbindungs-bahn *f*; **4.** *fig.* Zweig *m*; **~er** [~'de] (1a) **I** *v/t.* **1.** verbinden; zs.-fügen; ⚡, *téléph.* anschließen; **2.** *fig.* zs.-schmelzen; **3.** *peint.* geschickt ausbessern; **II** *v/rfl.*: *se* ~ *à* (*od. avec*) *qch.* mit etw. verbunden sein (*od.* zs.-passen).

raccour|ci [rakur'si] *m* Abkürzung(sweg *m*) *f*; *fig. litt.* Raffung *f*; *advt. en* ~ *fig.* in gekürzter Form; im kleinen; **~cir** [~'siːr] (2a) **I** *v/t.* **1.** verkürzen, abkürzen; kürzer schneiden (*Haare*); ~ *une jupe* e-n Rock kürzer machen; ⚔ ~ *le tir* das Feuer zurückverlegen; ~ *le pas* kurztreten; **2.** P (um) e-n Kopf kürzer machen, köpfen; **II** *v/i.* **3.** kürzer werden (*Tage*; *Röcke*); **4.** F kürzer getragen werden (*Röcke*); **5.** e-n kürzeren Weg einschlagen; **III** *v/rfl.* se ~ **6.** kürzer werden (*Tage*); kürzer gemacht werden (*Rock*); einlaufen (*Stoff*); **~cissement** [~sis'mɑ̃] *m* Verkürzung *f*; *cout.* Kürzermachen *n*.

raccoutumer [rakuty'me] *v/rfl.*: se ~ *à qch.* sich wieder an etw. gewöhnen; wieder heimisch werden.

raccroc [ra'kro] *advt.*: *par* ~ rein zufällig.

raccroch|er [rakrɔ'ʃe] (1a) **I** *v/t.* **1.** wieder an- (*od.* auf-)hängen; *téléph.* den Hörer wieder auflegen; **2.** ~ *une affaire* e-e (*verlorene*) Sache wieder in den Griff bekommen; **3.** ~ *q.* j-n (*auf der Straße*) anhalten, sich j-m aufdrängen; sich j-m anbiedern; **II** *v/rfl.* se ~ sich *an etw.* klammern *od.* halten.

race [ras] *f* **1.** Rasse *f*; Geschlecht *n*, Stamm *m*; ~ *humaine*, ~ *d'hommes* Menschengeschlecht *n*; ~ *primitive* Urstamm *m*; *de* ~ *pure* reinrassig; rasserein; **2.** *péj.* Sippschaft *f*.

racé [ra'se] *adj.* **1.** *zo.* reinrassig; **2.** *Person*: rassig.

racer *Sport* [rɛ'sœːr] *m* Renn-jacht *f*, -boot *n*, -wagen *m* (*Auto*).

rachat [ra'ʃa] *m* **1.** Wieder-, Rückkauf *m*, Einlösung *f*, Tilgung *f*; Loskauf *m* (*v. Gefangenen*).

rachet|able [raʃ'tablə] *adj.* wiederkäuflich, tilgbar, einlösbar; **~er** [raʃ'te] (1d) **I** *v/t.* **1.** zurückkaufen; **2.** von neuem kaufen; **3.** *Renten* ablösen, tilgen; *rl.* erlösen; **4.** *fig.* abbüßen, wiedergutmachen, aufwiegen, Ersatz bieten für (*acc.*); **5.** △ ausgleichen; verbinden; **II** *v/rfl.* se ~ sein Ansehen wiederherstellen; **~eur** [~'tœːr] *m* Rückkäufer *m*.

rachi|dien *anat.* [raʃi'djɛ] *adj.* (7c) Rückgrats...; **~s** *anat.* [ra'ʃis] *m* Rückgrat *n*, Wirbelsäule *f*; **~tique** ⚕ [~'tik] *adj. u. su.* rachitisch; Rachitiker *m*; *weitS.* verkümmert; schwächlich; **~tisme** ⚕ [~'tism] *m* Rachitis *f*, englische Krankheit *f*.

racial [ra'sjal] *adj.* (5c) rassisch.

racin|age [rasi'naːʒ] *m* ⊕ *Buchbinderei*: Marmorierung *f*; **~al** △ [~'nal] *m* (5c) Unterzug *m*.

racine [ra'sin] *f* **1.** Wurzel *f*; **~s** *pl. aériennes* Luftwurzeln *f/pl.*; **~s** *pl. pivotantes* (*tuberculeuses*) Pfahl-(Knollen-)wurzeln *f/pl.*; *prendre* ~ Wurzeln schlagen; anwachsen; *fig.*

einreißen, aufkommen (*Unsitte*); *fig.* sich (irgendwo) festsetzen, sich längere Zeit aufhalten; *jeter de profondes* ~*s* tiefe Wurzeln schlagen; **2.** *fig.* Grund *m*; *aller à la* ~ bis auf den Grund gehen; **3.** Fuß *m e-s Berges*; **4.** *gr.* Stammwort *n*, Wurzel *f*; **5.** ⅍ Wurzel *f*.

raciner [rasi'ne] *v/i.* (1a) ⊕ *Buchbinderei*: marmorieren.

racing-club *Sport* [resiŋ'klœb] *m* Rennklub *m*.

racis|me [ra'sism] *m* Rassismus *m*; *weitS.* feindliche Einstellung *f*; **~te** *pol.* [~'sist] *adj. u. su.* rassenpolitisch; Rassenpolitiker *m*.

racket [ra'kɛ] *m* Erpressung(saffäre *f*) *f*; **~teur** [~'tœ:r] *m* Erpresser *m*; Dieb *m*.

racl|e [rɑ:klə] *f* Kratz-, Schabeeisen *n*; **~ée** F [rɑ'kle] *f* Tracht *f* Prügel; *fig.* (Wahl-)Niederlage *f*; **~ements** [~klə'mɑ̃] *m/pl.*: ~ *de chaussures* Füßescharren *n/sg.*; **~er** [~'kle] (1a) **I** *v/t.* **1.** abkratzen, abschaben; *ce vin racle le gosier* dieser Wein kratzt im Hals; **2.** ~ *une mesure de grain* ein Maß Getreide abstreichen; **3.** *Auto*: ~ *le bord du trottoir* den Bordstein streifen; ~ *le sol* den Boden leicht behacken (*od.* auflockern); **II** *v/i.* ~ *du violon* auf der Geige kratzen; **III** *v/rfl.* se ~ *le gosier* sich räuspern; **~erie** F [~klə'ri] *f* Kratzerei *f* (*bsd. auf Saiteninstrumenten*); **~ette** [~'klɛt] *f* Kratz-, Schabe-eisen *n*, Schrapper *m*; Spachtel *m*; **~eur** [~'klœ:r] **I** ⊕ *m* Abkratzer *m* (*Mann*); **II** F *su.* (7g) *fig. mv.p.* Fiedler *m*; **~oir** ⊕ [~'klwa:r] *m* = ~ette; **~ure** [~'kly:r] *f* Abschabsel *n*; *fig.* Abschaum *m*; P Hure *f*; F Schlampe *f*.

raco|lage [rakɔ'la:ʒ] *m* **1.** ✝ Kundenfang *m*; **2.** Prostitution *f*; **~ler** [~'le] *v/t.* (1a) werben; anwerben; keilen F; **~leur** [~'lœ:r] *m* Werber *m*; **~leuse** [~'lø:z] *f* Hure *f* V.

racont|able [rakɔ̃'tablə] *adj.* erzählbar; **~ars** [~'ta:r] *m/pl.* Gerede *n*, Geschwätz *n*; **~er** [~'te] *v/t.* (1a): ~ *qch.* (*nur mit dem acc.!*) etw. erzählen; *en* ~ *de belles* Unglaubliches erzählen; **~eur** [~'tœ:r] *su.* (7g) Erzähler *m*.

racorn|ir [rakɔr'ni:r] (2a) **I** *v/t.* hart u. zähe machen; *fig. d'esprit racorni* verknöchert, verkalkt; **II** *v/rfl.* se ~ hart u. zähe werden; einschrumpfen, verknöchern, verkalken; **~issement** [~nis'mɑ̃] *m* hornartige Verhärtung *f*; Einschrumpfen *n*; *fig. le* ~ *de la pensée* die geistige Verkalkung.

rad *phys.* [rad] *m* Rad *n* (*absorbierte Röntgenstrahlung*).

radar [ra'da:r] *m* Radar(gerät *n*) *m*; Funkmeßanlage *f*; *Auto*: ~ *routier* Radargerät *n* der Polizei *zur Überwachung der Geschwindigkeitsgrenze*; ✈ ~*s m/pl. de surveillance et d'atterrissage* Sicherungs- u. Landungsradaranlagen *f/pl.*; **~iste** ✈ [~'rist] *m* Radarmann *m*.

rade ⚓ [rad] *f* Reede *f*.

radeau [ra'do] *m* (5b) Floß *n*; ~ *pneumatique* Schlauchboot *n*.

rader [ra'de] *v/t.* (1a) *Steinblöcke* von oben u. unten anhauen.

radi|able [ra'djablə] *adj.* ausstreichbar; **~aire** [~'djɛ:r] *zo. adj.* strahlenförmig; **~al** [~'djal] (5c) □ **I** *adj.* radial, strahlenförmig; **II** *anat. adj. u. m* Armspeichen(muskel *m*); **~ale** [~] *f* Ausfallstraße *f* aus dem Zentrum; **~ance** [~'djɑ̃:s] *f* Beleuchtungsstärke *f*; **~ant** [~'djɑ̃] *adj.* (7) (aus)strahlend; **~ateur** [~dja'tœ:r] *m* Heiz-körper *m* (*Zentralheizung*), -röhre *f*, -sonne *f*; *Auto*: Kühler *m*; ~ (*en*) *coupe-vent* Spitzkühler *m*; ~ *à gaz* Gasofen *m*; ⚡ ~ *électrique* elektrischer Ofen *m*.

radiation[1] [radjɑ'sjɔ̃] *f* (Aus-)Strahlung *f*; ~*s pl.* Strahlen *m/pl.*

radiation[2] [~] *f* **1.** Aus-, Durchstreichen *n*; Streichung *f aus e-r Rechnung od. Liste*; **2.** ⚖ Löschung *f*.

radical [radi'kal] (5c) **I** *adj.* □ **1.** ⚘ wurzelständig; Wurzel...; **2.** *fig.* Grund...; *vice m* ~ Grundfehler *m*; **3.** *fig.* gründlich, radikal; **4.** ⅍ *signe m* ~ Wurzelzeichen *n* ($\sqrt{\ }$); **5.** *bsd. pol.* radikal, extrem; **II** *m* **6.** ⚗, ⅍ Radikal *n*; **7.** *gr.* Wurzel *f* (*e-s Wortes*), Wortstamm *m*; **III** *su. pol.* Radikalsozialist *m*; **~isation** [~lizɑ'sjɔ̃] *f* Radikalisierung *f*; **~iser** [~li'ze] *v/t.* (1a) radikalisieren; **~isme** *pol.* [~'lism] *m* Radikalismus *m*.

radicelle ⚘ [radi'sɛl] *f* Wurzelfaser *f*.

radié [ra'dje] *adj.* strahlig.

radiée ⚘ [~] *f* Strahlenblume *f*.

radier[1] ⊕, *hydr.*, ⚠, 🚂 [~] *m* Fundament(platte *f*) *n*, Schutzdecke *f*, Sohle *f*, Bettung *f*, Bett *n*, Schleusenboden *m*; Mauerschutz *m*; ~ *en béton* Stahlbetondecke *f*.

radier[2] [~] *v/t.* (1a) streichen (*aus e-r Liste*); ⚖ *Hypothek* löschen.

radiesthé|sie [radjɛste'zi] *f* Radiästhesie *f*; **~siste** [~'zist] *m* Wünschelrutengänger *m*.

radieux [ra'djø] *adj.* (7d) strahlend.

radifère [radi'fɛːr] *adj.* radiumhaltig.

radin F [ra'dɛ̃] **I** *adj.* knickerig P, geizig; **II** F *m* Geizhals *m*; **~er** * [~di'ne] *v/i.* (1a) (an)kommen, eintrudeln F.

radio [ra'djo] **I** *f* Rundfunk *m*, Radio *n*, Rundfunkwesen *n*; Funk *m*; F Rundfunkgerät *n*; F ⚕ Durchleuchtung *f*; *par* ~ über Funk; **II** *m* **1.** Funker *m*; ✈ ~ *de bord od.* ~ *volant* Bordfunker *m*; **2.** Funkspruch *m*.

radio|actif *at.* [radjoak'tif] *adj.* (7e) radioaktiv; **~activité** [~aktivi'te] *f* Radioaktivität *f*; **~astronomie** [~astrɔnɔ'mi] *f* Radioastronomie *f*; **~balisage** [~bali'zaːʒ] *m* Funkpeilung *f*; **~compas** [~kɔ̃'pɑ] *m* (6c) Radiokompaß *m*; **~concert** [~kɔ̃'sɛːr] *m* Funkkonzert *n*; **~-crochet** *Fr. rad.* [~krɔ'ʃɛ] *m* öffentlicher Wettbewerb *m* von Künstlern; **~dermite** ⚕ [~dɛr'mit] *f* Hautleiden *n* durch Strahlen; **~diagnostic** ⚕ [~djagnɔs'tik] *m* Röntgendiagnose *f*; **~diffuser** [~dify'ze] *v/t.* (1a) (durch Rundfunk) übertragen, senden; **~diffusion** [~dify'zjɔ̃] *f* Rundfunkübertragung *f*; **~électricien** [~elɛktri'sjɛ̃] *m* Funktechniker *m*; **~électricité** [~elɛktrisi'te] *f* Funktechnik *f*; drahtlose Fernmeldetechnik *f*; **~électrique** [~elɛk'trik] *adj.* Funk..., Radio...; radioelektrisch; **~élément** *phys.* [~ele'mɑ̃] *m* radioaktives Element *n*; **~génique** [~ʒe'nik] *adj.* für den Rundfunk geeignet; **~goniométrie** [~gɔnjɔme'tri] *f* Funkpeilung *f*; **~goniométrique** [~me'trik] *adj.* Peil...; **~gramme** [~'gram] *m* **1.** Röntgenbild *n*; **2.** Funkspruch *m*; **~graphie** ⚕ [~gra'fi] *f* Röntgenphotographie *f*, -bild *n*; **~graphier** ⚕ [~gra'fje] *v/t.* (1a) röntgen, durchleuchten; Röntgenaufnahmen machen; **~guidage** [~gi'daːʒ] *m* Funksteuerung *f*, Peilschneise *f*; Autofunk *m*; **~guidé** ⚔ [~gi'de] *adj.*: *projectiles m/pl.* ~*s* ferngelenkte Geschosse *n/pl.*; **~-journal** [~ʒur'nal] *m* (5c) Rundfunknachrichten *f/pl.*; **~logie** *phys. u.* ⚕ [~lɔ'ʒi] *f* Röntgenlehre *f*, Strahlen-lehre *f*, -forschung *f*; **~logiste, ~logue** [~lɔ'ʒist, ~'lɔg] *m* Röntgenologe *m*; Strahlenforscher *m*, -therapeut *m*; **~métallographie** ⊕ [~metalɔgra'fi] *f* Röntgenstrahlenprüfung *f*; **~mètre** [~'mɛːtrə] *m* Strahlungsmesser *m*; **~navigant** ⚓, ✈ [~navi'gɑ̃] *m* Funker *m*; **~navigation** ⚓, ✈ [~navigɑ'sjɔ̃] *f* Funknavigation *f*; **~phare** ⚓, ✈ [~'faːr] *m* Funkfeuer *n*; **~phone** *phys.* [~'fɔn] *m* Radiophon *n*, Radiofernsprecher *m*; **~phonie** [~fɔ'ni] *f* Rundfunk *m*; Funksprechverkehr *m*; **~phonique** [~fɔ'nik] *adj.* Funk..., Radio...; Funksprech...; *jeu m* ~ Quizsendung *f*; *pièce f* ~ Hörspiel *n*; **~phono** [~fɔ'no] *m* Rundfunkempfänger *m* mit Plattenspieler; **~photo(graphie)** [~fɔtɔgra'fi] *f* Röntgenphotographie *f*; Funkbild *n*; **~-pirate** [~pi'rat] *f* Piratensender *m*; **~programme** [~prɔ'gram] *m* Rundfunkprogramm *n*; **~protection** [~prɔtɛk'sjɔ̃] *f* Strahlenschutz *m*; **~reportage** [~rəpɔr'taːʒ] *m* Funkreportage *f*; **~reporter** [~rəpɔr'tɛːr] *m* Rundfunkreporter *m*; **~-route** ✈ [~'rut] *f* Luftstraße *f*; **~scopie** ⚕ [~skɔ'pi] *f* Durchleuchtung *f*; **~sondage** *météo.* [~sɔ̃'daːʒ] *m* Beobachtungen *f/pl.* mit der Radiosonde; **~-taxi** [~tak'si] *m* (6g) Funktaxi *n*; **~technique** [~tɛk'nik] **I** *adj.* funktechnisch; **II** *f* Rundfunk-, Radio-technik *f*; **~télégramme** [~tele'gram] *m* Funkspruch *m*; **~télégraphie** [~telegra'fi] *f* Funktelegraphie *f*; **~télégraphique** [~gra'fik] *adj.* funktelegraphisch; **~télégraphiste** [~'fist] *m* Funker *m*; **~télémétrie** [~teleme'tri] *f* Entfernungsmessung *f* durch Funk; **~téléphonie** [~telefɔ'ni] *f* Sprechfunk *m*; **~téléphonique** [~'nik] *adj.* funktelephonisch; **~télescope** *ast.* [~telɛs'kɔp] *m* Radioteleskop *n*; **~télévisé** [~televi'ze] *adj.* durch Rundfunk u. Fernsehen übertragen; **~-théâtre** *rad.* [~te'ɑːtrə] *m* Hör-, Sendespiel *n*; **~thérapie** ⚕ [~tera'pi] *f* Röntgentherapie *f*.

radis ⚘ [ra'di] *m* Rettich *m*; (*petit*) ~ Radieschen *n*; F *n'avoir pas un* ~ keinen Pfennig haben.

radium ⚗ [ra'djɔm] *m* Radium *n*.

radius *anat.*, *zo.* [ra'djys] *m* (Arm-) Speiche *f*.

radome ✈ [ra'dɔm] *m*, **radôme** ✈ [ra'doːm] *m* Radarkuppel *f*.

rado|tage [radɔ'taːʒ] *m* (*mst. pl.*)

albernes Geschwätz *n*, Geschwafel *n* F; **~ter** [~'te] *v/i.* (1a) schwafeln, faseln; **~teur** [~'tœ:r] *su.* (7g) Schwätzer *m.*

radoub ⚓ [ra'du] *m* Ausbesserung *f e-s Schiffes*; *bassin m de ~* Trockendock *n*; **~er** [~du'be] *v/t.* (1a) ⚓, F *a. allg.* ausbessern.

radou|cir [radu'si:r] (2a) **I** *v/t.* **1.** mildern; **2.** *fig.* *~ q.* j-n beschwichtigen; **II** *v/rfl.* *se ~* sich mildern (*Wetter*); *fig.* umgänglicher werden; **~cissement** [~sis'mɑ̃] *m* Milderung *f*; Nachlassen *n*; *fig.* Beschwichtigung *f.*

rafale [ra'fal] *f* **1.** (kurzer) Windstoß *m*; ⚓ Bö *f*; *~s pl. de neige* Schneegestöber *n*; **2.** ⚔ Feuerstoß *m*; *~ de mitrailleuses* MG-Salve *f* (*od.* -Garbe *f*).

rafferm|ir [rafɛr'mi:r] *v/t.* (2a) *fig.* straffen, kräftigen; stärken; *fin.* *se ~* sich festigen; **~issement** [~mis'mɑ̃] *m fig.* Befestigung *f*; Stärkung *f*; *fin.* Festigung *f.*

raffin|age [rafi'na:ʒ] *m* Raffinieren *n*; Veredelung *f*; **~é** [~'ne] **I** *adj.* geläutert, gereinigt; *fig.* verfeinert; kultiviert, hochgebildet, feinsinnig; *avoir reçu une éducation ~e* e-e gute Kinderstube haben; **II** *m* Mann *m* mit verwöhntem Geschmack; geistig anspruchsvoller Mensch *m*; **~ement** [~n'mɑ̃] *m* Verfeinerung *f*; *fig.* Raffinesse *f*; Spitzfindigkeit *f*; Übertreibung *f*; *sans ~* ungekünstelt; **~er** [~'ne] (1a) **I** *v/t.* feiner machen, läutern; ⊕ raffinieren, veredeln; *fig.* verfeinern; **II** *v/i.* *~ sur qch.* etw übertreiben; **~erie** [~n'ri] *f* (*Öl-, Zucker-*) Raffinerie *f*; **~eur** [~'nœ:r] *su.* (7g) Raffineriebesitzer *m*, -fachmann *m.*

raffoler [rafɔ'le] *v/i.* (1a): *~ de q.* (*de qch.*) für j-n (für etw.) schwärmen, sich für j-n (für etw.) begeistern können; *~ de qch. a.* auf etw. (*acc.*) erpicht sein.

raffut F [ra'fy] *m* Höllenlärm *m*, Klamauk *m* P, Krach *m*, Radau *m*; *faire du ~* randalieren.

raffûter [rafy'te] *v/t.* (1a) schleifen.

rafiot F [ra'fjo] *m* alter Kahn *m.*

rafistol|age F [rafistɔ'la:ʒ] *m* Flikken *n*, Flickerei *f*; Flickwerk *n*; **~er** F [~'le] *v/t.* (1a) zurechtschustern, flicken.

rafle ['rɑ:flə] *f* Razzia *f*, Massenverhaftung *f.*

rafler F [rɑ'fle] *v/t.* (1a) *etw.* mitgehen lassen, an sich raffen (*Dieb*); *fig.* einheimsen (*z.B. Goldmedaillen*); *fig.* aufkaufen.

rafraîch|ir [rafrɛ'ʃi:r] (2a) **I** *v/t.* **1.** erfrischen, abkühlen; F *fig.* *~ la mémoire à q.* j-m etw. in Erinnerung bringen; **2.** a) *peint.* restaurieren (*v. Bildern*); b) *se faire ~ les cheveux* (*la barbe*) sich (*dat.*) die Haare (den Bart) etwas (be)schneiden lassen; **II** *v/i.* **3.** kühl werden; *on a mis le vin à ~* man ließ den Wein kühlen; **III** *v/rfl.* *se ~* **4.** frischer (*od.* kühler) werden; sich abkühlen; **5.** auffrischen, stärker werden (*vom Wind*); **6.** sich erfrischen; s-n Durst löschen; *fig.* *se ~ les idées* auf andere Gedanken kommen (*auf Reisen*); **~issant** [~ʃi'sɑ̃] *adj.* (7) erfrischend; **~issement** [~ʃis'mɑ̃] *m* **1.** Abkühlung *f*; **2.** *peint.* Restaurierung *f*, Auffrischung *f*; **3.** Erfrischung *f* (*a. als Getränk*).

ragaillardir [ragajar'di:r] *v/t.* (2a) (*a. abs.*) aufmuntern, aufmöbeln F.

rag|e [ra:ʒ] *f* **1.** Tollwut *f*; **2.** *fig.* Wut *f*; *accès m de ~* Wutanfall *m*; *~ noire* unglaubliche Wut *f*; *écumer de ~* vor Wut schäumen; *avoir une ~ de dents* rasende Zahnschmerzen haben; **3.** *fig.* Sucht *f*; *avoir la ~ de* erpicht sein auf (*acc.*); *avoir la ~ du jeu* e-e wahre Spielwut haben; **~eant** F [ra'ʒɑ̃] *adj.*: *c'est ~* das ist zu ärgerlich; **~er** F [ra'ʒe] *v/i.* (1l) sich ärgern, böse (*od.* wütend) werden; **~eur** [ra'ʒœ:r] *adj. u. su.* (7g) jähzornig; wütend; dröhnend.

raglan [ra'glɑ̃] *m* Raglanmantel *m.*

ragondin [ragɔ̃'dɛ̃] *m* Nutria(fell *n*) *f.*

ragots F [ra'go] *m/pl.* Klatsch *m.*

ragoût [ra'gu] *m cuis.* Ragout *n*; **~ant** [~'tɑ̃] *adj.* (7): *peu ~* unappetitlich; *fig.* abstoßend; **~er** [~'te] *v/t.* (1a): *ne pas ~ q.* j-n anwidern.

ragrafer [ragra'fe] *v/t.* (1a) wieder zuhaken.

ragrandir [ragrɑ̃'di:r] *v/t.* (2a) (wieder) vergrößern.

ragréer ⊕ [ragre'e] *v/t.* (1a) **1.** die letzte Hand an *e-e Arbeit* legen, fertigmachen; **2.** Δ putzen; **3.** ✐ *Ast* glatt absägen.

raguer ⚓ [ra'ge] (1m) *v/t.*, *v/i.* (*u. v/rfl.* *se ~* sich) (durch)scheuern.

raguin [ra'gɛ̃] *su.* (7) einjähriges Lamm *n.*

rai [rɛ] *m* **1.** (Rad-)Speiche *f*; **2.** *litt.* *~ de lumière* Lichtstrahl *m.*

raid [rɛd] *m* **1.** ⚔ Kommandounternehmen *n*, Überfall *m*; ✈ Luftangriff *m*; **2.** ✈, *a. Sport*:

grand ~, ~ *de distance* Fernflug *m*; ~ *d'escadre* Geschwaderflug *m*; ~ *postal* Postflug *m*; ~ *transatlantique* Ozeanflug *m*; **3.** *Sport*: Dauer-lauf *m*, -ritt *m*, -fahrt *f*.

raid|e [~] **I** *adj.* **1.** steif, straff, unbiegsam; *fig.* ungelenk; * ⚔ krank; ~ *de froid* starr vor Kälte; *attitude f* ~ steife Haltung *f*; **2.** *fig.* unbeugsam, starrsinnig, halsstarrig; *se tenir* ~ nicht nachgeben; *ton m* ~ schroffer Ton *m*; **3.** steil (*Felsen*); **4.** P sternhagelblau; **5.** F *fig.* toll, unglaublich; *c'est un peu* ~*!* das ist ja ein starkes Stück!; **6.** P völlig abgebrannt, pleite, blank; **II** *adv.* plötzlich; jäh, sehr schnell; *Auto*: *conduire* ~ ordentlich Gas geben, ein anständiges Tempo drauf haben; *tomber* ~ *mort* auf der Stelle tot sein; **III** * *m* Tausendfrankenschein *m*; * Schnaps *m*; **~eur** [~ˈdœːr] *f* **1.** Steifheit *f*; **2.** *fig.* Starrheit *f*; Schroffheit *f*; **3.** Steilheit *f*; **~illon** [~diˈjɔ̃] *m* kurzer Steilweg *m*; **~ir** [~ˈdiːr] (2a) **I** *v/t.* steif (*od.* straff) machen; *Muskeln*: anspannen; *Draht*: spannen; **II** *v/i.* *u.* *v/rfl.* *se* ~ steif werden; *fig.* *se* ~ (*contre*) Widerstand leisten, trotzen (*dat.*); **~issement** [~disˈmɑ̃] *m* Steifwerden *n*; *pol.* Versteifung *f* (*a.* ⚠) (*sur qch.* in der Frage des..., der...); Straffung *f*; ~ *de la volonté* Willensfestigung *f*.

raie¹ [rɛ] *f* **1.** Strich *m*; Streifen *m*; Schramme *f* (*auf Möbeln*); **2.** Scheitel *m im Haar*; **3.** Furche *f*.

raie² *icht.* [~] *f* Rochen *m*.

raifort ⚘ [rɛˈfɔːr] *m* Meerrettich *m*.

rail [rɑj] *m* (Eisenbahn-)Schiene *f*; *les* ~*s pl.* das Gleis *n*; ⚡ ~ *de contact*, ~ *à courant électrique* 🚃 *etc.* Stromschiene *f*; ~ *mobile* Weichenschiene *f*; *les spécialistes m/pl. du* ~ die Spezialisten *m/pl.* des Bahnverkehrs.

raill|er [rɑˈje] (1a) **I** *v/t.* verspotten; **II** *v/i.* herumwitzeln, Spaß machen, scherzen; *je ne raille point* es ist mein voller Ernst; **~erie** [rɑjˈri] *f* Spott *m*, Stichelei *f*; *entendre* ~ Spaß verstehen; *cela passe la* ~ das geht über den Spaß; ~ *à part* Spaß beiseite!; *se livrer à des* ~*s* herumwitzeln; **~eur** [~ˈjœːr] *adj.* □ *u. su.* (7g) spöttisch; Spötter *m*.

rainer ⊕ [rɛˈne] *v/t.* (1b) ausnuten.

rainette *zo.* [rɛˈnɛt] *f* **1.** Laubfrosch *m*; **2.** *charp.* Reißahle *f*.

rainure [rɛˈnyːr] *f* Nute *f*, Rille *f*, Führungsrinne *f*.

raiponce ⚘ [rɛˈpɔ̃ːs] *f* Rapunzel *f*.

raïs *arab.* [raˈis] *m* Staatschef *m*.

raisin [rɛˈzɛ̃] *m/sg.* (Wein-)Trauben *f/pl.*, Wein *m*; *du* ~ *blanc* (*noir*) weiße (blaue) Weintrauben *f/pl.*; *grain m de* ~ Weintraube *f*; ~ *sec* Rosine *f*; ~*s pl. de caisse* Rosinen *f/pl.*; ~*s de Corinthe* Korinthen *f/pl.*; **~é** [rɛziˈne] *m* Traubengelee *n od. m*; * Blut *n*.

raison [rɛˈzɔ̃] *f* **1.** Verstand *m*, Vernunft *f*; *âge m de* ~ vernünftiges Alter *n*; *contraire à la* ~ vernunftswidrig; *avoir toute sa* ~ s-n vollen Verstand haben; *perdre la* ~ den Verstand verlieren; **2.** Vernünftigkeit *f*, Verständigkeit *f*; *mariage m de* ~ Verstandesehe *f*; *entendre* ~, *se mettre à la* ~ Vernunft annehmen; sich in das Unabänderliche fügen; *mettre q. à la* ~ j-n zur Vernunft bringen; *parler* ~ (*à q.* mit j-m) verständig reden; **3.** Recht *n*, Billigkeit *f*; *avoir* ~ recht haben; *donner* ~ *à q.* j-m recht geben; *comme de* ~ wie es recht u. billig ist; *à bonne* ~ mit Fug u. Recht; *plus que de* ~ mehr als recht u. billig; mehr als zuträglich, über Gebühr; *à plus forte* ~ mit um so größerem Recht, um so mehr; ~ *de plus pour ...* um so mehr muß man ...; *à juste* ~, *avec* ~ mit Recht; **4.** Rechenschaft *f*; Erklärung *f*; *demander* ~ *de qch. à q.* j-n wegen e-r Sache zur Rechenschaft ziehen (*od.* zur Rede stellen); *rendre* ~ *de qch. à q.* j-m Rechenschaft über etw. (*acc.*) ablegen; **5.** Genugtuung *f für e-e Beleidigung*; *demander* ~ *de qch. à q.* von j-m für etw. (*acc.*) Genugtuung fordern; *se faire* ~ *à soi-même* sich selbst Genugtuung verschaffen; *faire* ~ nachkommen (*beim Trinken*); **6.** Grund *m*, Ursache *f*, Beweggrund *m*, Anlaß *m*, Rücksicht *f*; *en avoir* ~ sich etw. erklären können; ~ *suffisante* hinreichender Grund *m*; *en* ~ *de* wegen (*gén.*); mit Rücksicht auf (*acc.*); *ne serait-ce qu'en* ~ *de ...* schon allein wegen (*gén.*) ...; *avoir de bonnes* ~*s* s-e guten Gründe haben; *pour des* ~*s de commodité* aus Bequemlichkeitsgründen, der Einfachheit halber; *pour* ~*s de santé* aus Gesundheitsrücksichten; **7.** ✝ ~ *sociale* Firma *f*, Firmen-name *m*, -bezeichnung *f*; **8.** ⅍ Verhältnis *n*; *fin.*, ✝ *à* ~ *de cinq pour cent* zu fünf Prozent; *il sera payé à* ~ *du travail qu'il aura effectué* er wird für die Arbeit bezahlt werden, die er geleistet hat; *en* ~ *de* im Verhältnis zu; nach Maßgabe (*gén.*); **9.** *avoir* ~ *de q.* j-n niederzwingen *od.* fertigmachen *fig.*; *avoir* ~ *des difficultés* die Schwierigkeiten meistern.

raison|nable [rɛzɔ'nablə] *adj.* □ **1.** vernünftig; vernunftbegabt; **2.** F recht groß; **3.** angemessen, annehmbar (*Preis, Einkommen*); **4.** einsichtig; **~nement** [~zɔn'mɑ̃] *m* **1.** Überlegung *f*; **2.** Urteilskraft *f*; **3.** Schlußfolgerung *f*; **4.** *nur pl.* ~*s* Widerrede *f*; *pas tant de* ~*s!* keine Widerrede!; **~ner** [~'ne] (1a) **I** *v/i.* **1.** urteilen, denken; schließen; e-e Schlußfolgerung ziehen; ~ *juste* (*faux*) richtig (falsch) urteilen; **2.** diskutieren; **3.** nachdenken (*sur qch.* über etw.); **II** *v/t.* ~ *q.* j-m gut zureden; **III** *v/rfl.* se ~ Vernunft annehmen; **~neur** [~'nœːr] (7g) **I** *su.* **1.** *péj.* Nörgler *m*, Widerspruchsgeist *m*; **2.** *un subtil* ~ ein scharfer Denker *m*; **II** *adj.* **3.** *péj.* rechthaberisch; **4.** diskutierfreudig.

rajeu|nir [raʒœ'niːr] (2a) **I** *v/t.* verjüngen, jung machen; jünger schätzen; *fig.* neu beleben; ⊕ erneuern; ~ *les arbres* die Bäume verjüngen (*od.* beschneiden); **II** *v/i.* wieder jung werden, sich verjüngen; **III** *v/rfl.* se ~ sich jünger machen; **~nissement** [~nis'mɑ̃] *m* Verjüngung *f*; *fig.* Modernisierung *f* (*e-s Textes, e-s Wörterbuchs, e-s Kostüms*); ⸗ Beschneiden *n*, Verjüngen *n* (*der Bäume*).

rajouter [raʒu'te] *v/t.* (1a) hinzufügen; anstückeln, anflicken.

rajus|tement [raʒystə'mɑ̃] *m* Anpassung *f*, Angleichung *f* (*der Löhne*); **~ter** [~'te] (1a) **I** *v/t.* wieder in Ordnung bringen (*Frisur*); zurechtrücken (*Brille*; *Krawatte usw.*); anpassen (*Löhne*; *Preise*); ⊕ wieder richtig einstellen; **II** *v/rfl.* se ~ sich wieder zurechtmachen.

râlant P [rɑ'lɑ̃] *adj.*: *c'est* ~ das ist ärgerlich.

râle[1] *orn.* [rɑːl] *m* Ralle *f*.

râle[2] [~] *m* Röcheln *n*; **~ment** [rɑl'mɑ̃] *m* Röcheln *n*; F *fig.* Gemecker *n*.

ralen|ti [ralɑ̃'ti] *m* (*prise f de vue au*) ~ Zeitlupenaufnahme *f*; *Auto*: *mettre* (*le moteur*) *au* ~ abdrosseln; *mot. tourner au* ~ langsamer laufen; *Auto*: *manœuvrer au* ~ den langsamen Gang einschalten; *le travail ne marche qu'au* ~ die Arbeit geht nur sehr langsam vorwärts; **~tir** [~'tiːr] (2a) **I** *v/t.* langsamer machen; *fig.* dämpfen; herabsetzen; **II** *v/i.* langsamer fahren *od.* werden; **III** *v/rfl.* se ~ langsamer werden; nachlassen, erschlaffen; ermatten; abflauen, stocken; einschlafen (*Beziehungen*); **~tissement** [~tis'mɑ̃] *m* Langsamerwerden *n*; Nachlassen *n*; Verlangsamen *n*; Abnahme *f* (*der Geschwindigkeit*); Stocken *n* (*der Geschäfte*); **~tisseur** [~ti'sœːr] *m* *Auto*: Bremsvorrichtung *f*; *at.* Bremssubstanz *f*; *cin.* Zeitlupe *f* (*Kamera*).

râler [rɑ'le] *v/i.* (1a) **1.** röcheln; **2.** F protestieren, meckern F; **3.** *zo.* schreien, brüllen (*Rehkalb, Tiger*).

ralli|ement [rali'mɑ̃] *m* Sammeln *n*; *mot m de* ~ Losungswort *n*; *point m de* ~ Sammelplatz *m*; **~er** [~'lje] (1a) **I** *v/t.* *Truppen* sammeln, zusammenziehen; *fig.* Einigkeit herstellen unter (*dat.*); ⚓ ~ *un port* (wieder) zu e-m Hafen zurückkehren; **II** *v/rfl.* se ~ a) ⚔, ⚓ sich wieder sammeln; b) *fig.* se ~ *à un avis* sich e-r Meinung anschließen.

rallonge [ra'lɔ̃ːʒ] *f* Ansatz *m*, Verlängerung(sstück *n*) *f*; Ausziehplatte *f e-s Tisches*; ⚡ Verlängerungsschnur *f*; F Zugabe *f*; Zuzahlung *f*; *table f à* ~*s* Ausziehtisch *m*; **~ment** [~lɔ̃ʒ'mɑ̃] *m* Verlängerung *f*.

rallonger [ralɔ̃'ʒe] *v/t.* (1l) verlängern, anstückeln; F se ~ e-n Umweg machen.

rallumer [raly'me] *v/t.* (1a) wieder anzünden; *fig.* wieder entfachen.

rallye [ra'li] *m bsd.* *Auto*: Sternfahrt *f*; ✈ ~ *aérien* Sternflug *m*.

rama|ge [ra'maːʒ] *m* **1.** Rankenmuster *n auf Stoffen*; *étoffe f à* ~*s* Stoff *m* mit Rankenmuster; **2.** Zwitschern *n*, Gezwitscher *n*; **3.** Getratsche *n* (*v. Frauen*); Geplapper *n* (*der Kinder*); **~ger** [~ma'ʒe] *v/i.* (1l) zwitschern.

ramassage [rama'saːʒ] *m a.* ⚔ Sammeln *n*; Ein-, Auf-sammeln *n*; Auflesen *n*; Zusammenharken *n*; ~ *scolaire* Abholen *n* der Schüler in Schulbussen.

ramassé [rama'se] *adj.* (7) **1.** untersetzt, stämmig; ~ *sur soi-même* zusammen-gekauert, -gerollt; **2.** ⚘ dicht stehend; **3.** *fig.* *style m* ~ bündiger (*od.* knapper, gedrängter) Stil *m*.

ramasse|-couverts [ramasku'vɛːr] *m* (6c) Besteckkasten *m*; **~-miettes**

[~'mjɛt] *m* (6c) Tisch-besen *m* (u. -schaufel *f*).

ramass|er [rama'se] (1a) **I** *v/t.* **1.** zs.-tragen, -raffen; (ein)sammeln; **2.** *von der Erde* aufheben, auflesen; P ~ *une bûche* (*od. une pelle*) hinfallen; **3.** zs.-ziehen; *fig.* zs.-fassen; **4.** F erwischen, festnehmen, abführen; P ~ *q.* j-n abkanzeln, runtermachen; j-n zur Rede stellen, j-n anschnauzen F; *être ramassé* e-n Rüffel bekommen; se *faire* ~ sich abkanzeln (*od.* anschnauzen F) lassen; **II** *v/rfl.* se ~ **5.** sich zs.-kauern, sich zs.-rollen; **6.** P sich wieder aufrappeln F, sich aufraffen; wieder aufstehen; *a.* hinfallen; **~eur** [~'sœ:r] *su.* (7g) Sammler *m*; ~ *de mégots* (Zigarren- *usw.*) Stummelsucher *m*; ~ *de ferrailles* Alteisen-, Schrott-händler *m*; **~euse-presse** ⊕ [~'sø:z'prɛs] *f* (6a) Sammelpresse *f* (*z.B. für Stroh od. Heu*); **~is** [~'si] *m* **1.** Sammelsurium *n*; **2.** Clique *f*, (zusammengewürfelter) Haufen *m*.

rambarde [rɑ̃'bard] *f* Reling *f*; Geländer *n*.

ramdam F [ram'dam] *m* Lärm *m*.

rame[1] [ram] *f* **1.** ⚓ Ruder *n*; *avoir la* ~ in Führung liegen; *faire force de* ~*s* mit aller Kraft rudern; *être* (*od. tirer*) *à la* ~ schuften wie ein Pferd; **2.** *Sportart*: Rudern *n*.

rame[2] *tram.*, *U-Bahn* [~] *f* Zug *m*, Wagen-gruppe *f*, -reihe *f*; ~ *réversible* Pendelzug *m*; ~*s pl. motrices rapides* Schnelltriebzüge *m/pl.*; ~ *de métro* U-Bahn-Zug *m*.

rame[3] ⚜ [~] *f* Ries *n* (*500 Bogen*).

ramé [ra'me] *adj.*: ✓ *pois m/pl.* ~*s* gestengelte Erbsen *f/pl.*; *ch. cerf m* ~ junger Hirsch *m*, der Geweih aufsetzt, Schmalspießer *m*.

ram|eau [ra'mo] *m* (5b) **1.** Zweig *m*; *fig.* Ab-, Ver-zweigung *f*; Nebengebiet *n*; *dimanche m des* 2*x* Palmsonntag *m*; ~ *d'olivier* Ölzweig *m*; *fig.* Friedenspalme *f*; **2.** *géol.* Ausläufer *m*; **~ée** [~'me] *f* abgeschlagene grüne Zweige *m/pl.*; *poét.* Laubdach *n*.

ramender [ramɑ̃'de] (1a) *v/t.* **1.** *Netze* ausbessern; **2.** ✓ wieder düngen; **3.** ⊕ neu vergolden.

ramener [ram'ne] (1d) **I** *v/t.* **1.** wieder her-, mit-bringen (*q.* j-n; *qch.* etw.); (wieder) zurückbringen *od.* zurückführen; wieder mitnehmen; ~ *un châle sur ses épaules* e-n Schal auf s-n Schultern zurechtlegen; ⊕ ~ *la bande* zurückspulen (*Tonband*); ~ *en position de repos* ausrasten; **2.** wiederherstellen (*Kranken*; *Frieden*); wiedereinführen (*Mode*); **3.** *fig.* ~ *q.* j-n beschwichtigen; **II** *v/rfl.* se ~ *à* hinauslaufen auf (*acc.*); F se ~ wieder aufkreuzen F.

ramequin [ram'kɛ̃] *m Art* Käsekuchen *m*.

ramer[1] [ra'me] *v/t.* (1a) ✓ stengeln, *mit Stangen* stützen.

ramer[2] [~] *v/i.* (1a) rudern.

ramette *typ.* [ra'mɛt] *f* Rahmen *m*.

rameur [ra'mœ:r] *su.* (7g) Ruderer *m*.

rameuter [ramø'te] *v/t.* (1a) **1.** wieder zs.-bringen, -holen; zusammen auffahren lassen (*z.B. Planierraupen, Taxis*); **2.** aufhetzen.

rameux [ra'mø] *adj.* (7d) vielästig; verzweigt.

ramie ⚘ [ra'mi] *f* Chinagras *n*.

ramier *orn.* [ra'mje] *m* Ringeltaube *f*; F Faulpelz *m*.

rami|fication [ramifika'sjɔ̃] *f* Verzweigung *f*; 🚂 Gabelung *f*; **~fier** [~'fje] *v/rfl.* (1a): se ~ sich verzweigen; **~lle** [ra'mij] *f* **1.** *coll.* grüne Zweige *m/pl.*; **2.** ~*s pl.* Reisig(holz *n*) *n*.

ramoll|i F [ramɔ'li] **I** *adj. fig.* verkalkt; stumpfsinnig; ⚕ schlapp; **II** *m* verkalkter Mensch *m*; Schlappschwanz *m*; **~ir** [~'li:r] (2a) **I** *v/t.* erweichen, weich(er) machen; *fig.* verweichlichen, erschlaffen; **II** *v/rfl.* se ~ weich werden; *fig.* verkalken, schlaff (*od.* schwach) werden, erschlaffen; **~issant** [~li'sɑ̃] *adj.* (7) *u. m* aufweichend; Aufweichungsmittel *n*; **~issement** [~lis'mɑ̃] *m* Er-, Auf-weichung *f*; *fig.* Verkalkung *f*.

ramon|age [ramɔ'na:ʒ] *m* Schornsteinfegen *n*; **~er** [~'ne] *v/t.* (1a) *den Schornstein* fegen; *weitS. Pfeife* putzen; **~eur** [~'nœ:r] *m* Schornsteinfeger *m*.

rampant [rɑ̃'pɑ̃] **I** *adj.* **1.** kriechend; *fig.* kriecherisch; **2.** abschüssig, geneigt; **II** △ *m* (*Giebel-*)Schräge *f*; **III** F ✈ ~*s pl.* Bodenpersonal *n*.

rampe [rɑ̃:p] *f* **1.** Treppengeländer *n*; *Auto*: ~ *de protection* Leitplanke *f*; **2.** Rampe *f*, Auffahrt *f*; 🚂 ~ *découverte* Laderampe *f*; ~ *de fortune* behelfsmäßige Rampe *f*, Notrampe *f*; ✈ ~ *flottante* Schlepp-, Landungs-segel *n*; ✈ ~ *de lancement de fusées balistiques* Raketenabschußrampe *f*, Raketenbasis *f*; **3.** Abhang *m*, Steigung *f*; **4.** *thé.* Rampe

f; **5.** ⚒ ~ *d'arrosage* Sprühschlauch *m*.
ramper [rɑ̃'pe] *v/i.* (1a) kriechen (*a. fig.*); sich hinschlängeln (*Pflanze*).
ramponneau P [rɑ̃pɔ'no] *m* (5b) Schubs *m*.
ramure [ra'myːr] *f* Geäst *n*; *ch.* Geweih *n*.
rancard [rɑ̃'kaːr] *m* **1.** P Verabredung *f*; **2.** * Auskunft *f*; Tip *m*; *aller aux* ~*s* sich erkundigen; ~**er** P [~kar'de] (1a) **I** *v/t.* ~ *q.* j-m e-n Tip geben; **II** *v/rfl. se* ~ sich erkundigen.
rancart [rɑ̃'kaːr] *m* **1.** F *mettre au* ~ beiseite werfen; wegwerfen; *fig. être mis au* ~ aufs tote Gleis geschoben sein; **2.** P Verabredung *f*, Rendezvous *n*; *avoir* ~ ein Rendezvous haben.
rance [rɑ̃ːs] *adj.* ranzig, verdorben.
ranc|ir [rɑ̃'siːr] *v/i.* (2a) ranzig werden; ~**issement** [~sis'mɑ̃] *m* Ranzigwerden *n*.
rancœur [rɑ̃'kœːr] *f* Groll *m*.
rançon [rɑ̃'sɔ̃] *f* Lösegeld *n*; ~**nement** [~sɔn'mɑ̃] *m* Forderung *f* von Lösegeld; *fig.* Erpressung *f*; Prellerei *f*, Nepp *m* F; ~**ner** [~'ne] *v/t.* (1a) Lösegeld fordern (*q.* von j-m); *fig.* erpressen; prellen, neppen.
rancu|ne [rɑ̃'kyn] *f* Groll *m*; Rachsucht *f*; F *sans* ~ nichts für ungut!; ~**nier** [~'nje] *adj.* (7b) grollend, nachtragend, rachsüchtig.
randomiser *Computer* [rɑ̃dɔmi'ze] *v/t.* planlos anordnen, willkürlich verteilen.
randonn|ée [rɑ̃dɔ'ne] *f* langer Marsch *m* (Ritt *m*, Flug *m*); *Auto, vél.* Ausflug *m*; Fahrt *f*; Radtour *f*; (*Mond-*)Exkursion *f*; ~**eur** [~'nœːr] *m* Wanderer *m*.
rang [rɑ̃] *m* **1.** Reihe *f* (*a. beim Stricken*); *se mettre en* ~ sich anstellen; **2.** ⚔ Glied *n*; *officier m sorti des* ~*s* Offizier *m*, der von der Pike auf gedient hat; **3.** Platz *m*, Stelle *f*; *par* ~ *de taille* nach der Größe geordnet; **4.** Rangstufe *f*, Rang *m*; Stand *m*, Stellung *f*; **5.** ⊕ ~ *de pierres* Steinschicht *f e-r Mauer*.
range [rɑ̃ːʒ] *m* Toleranzbreite *f* (*Statistik*).
ran|gé [rɑ̃'ʒe] *adj.* ordentlich; regelrecht; *fig.* solide; ~**gée** [~] *f* Reihe *f*; ~**gement** [~ʒ'mɑ̃] *m* Ordnen *n*; Anordnung *f*; *Auto*: *faire un* ~ einparken.
ranger [rɑ̃'ʒe] (1l) **I** *v/t.* **1.** ordnungsgemäß aufstellen (*a.* ⚔); *Auto*: *s-n Wagen* parken; *où faut-il* ~ *cela?* wohin gehört das?; **2.** in Ordnung bringen, ordnen; wegräumen, wegpacken; ~ *une chambre* ein Zimmer aufräumen; **3.** einreihen, rechnen (*parmi les* ... *od. dans les* ... *od. au nombre des* ... unter die [*acc.*] ...); **4.** ⚓ ~ *la côte* an der Küste entlangfahren; **II** *v/rfl. se* ~ **5.** sich in e-e Reihe stellen; *se* ~ *à l'avis de q.* j-m beipflichten; **6.** beiseite treten; heranfahren; **7.** ein ordentlicher Mensch werden.
rangers *Fr.* [rɑ̃'dʒɛːr] *m/pl.* Freiwilligenkorps *n* für Umweltschutz.
ranidés *zo.* [rani'de] *m/pl.* Frösche *m/pl.*
ranimation [ranimɑ'sjɔ̃] *f s. réanimation.*
ranimer [rani'me] *v/t.* (1a) wiederbeleben; aufmuntern, erfrischen; *Feuer* wieder anfachen; *Farbe* auffrischen; *il (elle) n'a pu être ranimé(e)* Wiederbelebungsversuche waren vergeblich.
rantanplan * [rɑ̃tɑ̃'plɑ̃] *adv.* sehr schnell.
ranz [rɑ̃ːz, rɑ̃ts] *m*: ~ *des vaches* Kuhreigen *m*.
rapac|e [ra'pas] **I** *adj.* räuberisch, raubgierig, Raub...; habgierig; **II** *m* Raubvogel *m*; ~**ité** [~si'te] *f* Raubgier *f*; *fig.* Habsucht *f*.
râpage ⊕ [rɑ'paːʒ] *m* Abraspeln *n*; Mahlen *n* (*Tabak*).
rapatelle [rapa'tɛl] *f* Roßhaargewebe *n*.
rapa|trié [rapatri'e] *m* Umsiedler *m*; Heimkehrer *m*; ~**triement** [~tri'mɑ̃] *m* Repatriierung *f*; *fin.* ~ *de capitaux* Kapitalrückfluß *m*; ~**trier** [~tri'e] *v/t.* (1a) repatriieren.
rapatronnage *for.* [rapatrɔ'naːʒ] *m* Nachprüfen *n*, ob der abgesägte Stamm u. der Stumpf zum selben Baum gehören.
râp|e [rɑːp] *f* **1.** Reibeisen *n*; **2.** grobe Feile *f*, Raspel *f*; **3.** Weintraubenkamm *m*; ~**é** [rɑ'pe] **I** *adj.* abgetragen, schäbig (*v. Kleidungsstücken*); **II** *m* Nachwein *m*; ~**er** [~] *v/t.* (1a) **1.** (ab)reiben; *Tabak* mahlen; **2.** ⊕ (ab)raspeln.
rapetass|age F [rapta'saːʒ] *m* Flickerei *f*; ~**er** F [~'se] *v/t.* (1a) (aus-)flicken; *fig.* zurechtschustern F.
rapetiss|ement [raptis'mɑ̃] *m* Verkleinerung *f*; Eingehen *n* (*Stoff*); *fig.* Herabsetzung *f*; ~**er** [~'se] (1a) **I** *v/t.* kleiner (*od.* kürzer) machen; *fig.* herabsetzen; **II** *v/i.* kleiner (*od.* kürzer) werden.
râpeux [rɑ'pø] *adj.* (7d) rauh (*Zunge*; *Stoff*); herb (*Wein*).

raphia [ra'fja] *m* Raphia *f*; Bast *m*.
rapiat F [ra'pja] *adj./inv. od.* (7) knick(e)rig.
rapid|e [ra'pid] **I** *adj.* □ **1.** schnell; reißend (*Fluß*); **2.** schnell vorübergehend; **3.** *bét.* schnell bindend; **4.** lebendig (*Stil*); **5.** steil, abschüssig; **II** *m* **6.** Stromschnelle *f*; **7.** 🚂 Schnellzug *m*; **~ité** [~di'te] *f* Schnelligkeit *f*; **~o** * [~'do] *adv.* schnell.
rapiéçage [rapje'sa:ʒ] *m*, **rapiècement** [rapjɛs'mɑ̃] *m* Flickarbeit *f*.
rapiécer [rapje'se] *v/t.* (1f) *u.* (1k) ausbessern.
rapière *hist.* [ra'pjɛ:r] *f* Rapier *n*.
rapin *péj.* [ra'pɛ̃] *m* Farbenkleckser *m*.
rapine [ra'pi:n] *f* **1.** Raub *m*; Diebstahl *m*; **2.** Beute *f*.
raplapla F [rapla'pla] *adj./inv.* müde, kaputt F.
raplatir [rapla'ti:r] *v/t.* (2a) wieder flach machen.
rapointir [rapwɛ̃'ti:r] *v/t.* (2a) wieder spitz machen.
rappareiller [raparɛ'je] *v/t.* (1a) *mit ähnlichen od. gleichartigen Gegenständen* wieder ergänzen.
rapparier [rapa'rje] *v/t.* (1a) ein Paar (*z.B. Handschuhe*) wieder vollständig machen.
rappel [ra'pɛl] *m* **1.** Zurückrufen *n*; *pol.* Abberufung *f*; **2.** Mahnung *f*; *Fr. Auto*: Wiederholungsschild *n für Geschwindigkeitsbegrenzung*; ⚕ (*vaccination f de*) ~ Nachimpfung *f*; *parl.* ~ *à l'ordre* Ordnungsruf *m*; ~ *au règlement* Aufforderung *f* zur Einhaltung der Geschäftsordnung; **3.** Nachzahlung *f*; **4.** *Bergsport*: Abseilen *n*; *faire un* ~ sich abseilen.
rappeler [ra'ple] (1c) **I** *v/t.* **1.** *téléph.* noch einmal anrufen; **2.** zurückrufen; abberufen, zurückberufen; ⚔ wieder einberufen; ~ *un ambassadeur* e-n Botschafter abberufen; **3.** *thé.* ~ *un acteur* e-n Schauspieler (*beim Applaus*) herausrufen; **4.** ~ *q. à son devoir* j-n an s-e Pflicht mahnen; **5.** ~ *qch. à q.* j-m etw. ins Gedächtnis zurückrufen, j-n an etw. (*acc.*) erinnern; **II** *abs.* **6.** *ch.* Sammelrufe ausstoßen; **III** *v/rfl.* **7.** *se* (*dat.*) ~ *qch.*, F *a. de qch.* sich an etw. (*acc.*) erinnern; *se* (*acc.*) ~ *au souvenir de q.* sich bei j-m in Erinnerung bringen; F *je m'en* (*st.s. je me le*) *rappelle* ich erinnere mich daran.
rappliquer F [rapli'ke] *v/i.* (1m) (an)kommen, hereinschneien P, sich einstellen; *les obus rappliquaient* es hagelte Granaten.
rapport [ra'pɔ:r] *m* **1.** Bericht *m*, Gutachten *n*, Berichterstattung *f*; ⚔ Meldung *f*; ~ *introductif* Einführungsbericht *m*; ~ *officiel* Amtsbericht *m*, amtlicher Bericht *m*; ~ *préliminaire* Vorbericht *m*; ~ *confidentiel* vertraulicher Bericht *m*; ~ *de gestion*, ~ *sur l'exploitation* Geschäftsbericht *m*; ~ *spécial* Sonderbericht *m*; ~ *de conjoncture* Konjunkturbericht *m*; ~ *du caissier*, ~ *sur la situation financière* Kassenbericht *m*; ~ *d'expert* Sachverständigen-bericht *m*, -gutachten *n*; ~ *médico-légal* gerichtsärztliches Gutachten *n*; **2.** Zs.-hang *m*, Beziehung *f*, Verhältnis *n* (*v. Sachen*); Ähnlichkeit *f*; *n'être pas en* ~ *avec* ... nicht entsprechen (*dat.*), nicht passen zu (*dat.*); *avoir* ~ *à* betreffen (*acc.*); *en* ~ *avec* im Zusammenhang mit, zusammenhängend mit; *par* ~ *à* ... mit Rücksicht auf (*acc.*), hinsichtlich (*gén.*); im Vergleich zu (*dat.*); *sous ce* ~ in dieser Beziehung; P ~ *à* wegen (*gén.*); **3.** *mst.* ~*s m/pl.* Verhältnis *n*, Verkehr *m*; Verbindungen *f/pl.* (*v. Personen u. Ländern*); ~*s pl. de commerce* Handelsbeziehungen *f/pl.*; ~*s pl. sexuels* Geschlechtsverkehr *m*; *entrer en* ~ *avec q.* sich mit j-m in Verbindung setzen; **4.** Ertrag *m*; *être d'un bon* ~ einträglich sein; *maison f de* ~ Mietshaus *n*; **5.** *terres f/pl. de* ~ aufgeschüttete Erde *f*.
rapport|able [rapɔr'tablə] *adj.* widerrufbar (*Erlaß*); † anrechenbar; *cout.* ansetzbar; ⚖ übertragbar; ⚠ aufschüttbar (*Erde*); ~ *à qch.* auf etw. zurückführbar; ⊕ *pièce f* ~ Einsatzstück *n*; **~er** [~'te] (1a) **I** *v/t.* **1.** wieder-, zurück-bringen; mitbringen; **2.** *cin. Film* einspielen; **3.** ansetzen; anstückeln; ~ *un étage* e-e Etage aufstocken; ~ *des terres* Erde anfahren *od.* aufschütten; **4.** einbringen, *fig.* abwerfen; **5.** berichten; begutachten; anführen; **6.** hinterbringen; *écol.* petzen; **7.** ~ *qch. à qch.* etw. auf etw. (*acc.*) beziehen, etw. e-r Sache zuschreiben (*od.* auf etw. [*acc.*] zurückführen); **8.** ⚖ ~ *une loi* ein Gesetz aufheben (*od.* widerrufen); **II** *v/rfl.* *se* ~ **9.** zueinander passen; **10.** sich ähnlich sein; übereinstimmen; **11.** *se* ~ *à qch.* sich auf etw. (*acc.*) beziehen (*a. gr.*); **12.** *s'en* ~ *à* sich berufen auf (*acc.*).

rapporteur [rapɔr'tœ:r] **I** *su.* (7g) **1.** Berichterstatter *m*; **2.** Hinterbringer *m*; **II** *m* ⩘ Winkelmesser *m*.
rapprendre [ra'prɑ̃:drə] *v/t.* (4q) von neuem lernen.
rapprêter [raprɛ'te] *v/t.* (1a) wieder appretieren.
rapprivoiser [raprivwa'ze] *v/t.* (1a) wieder zahm machen.
rapproch|ement [raprɔʃ'mɑ̃] *m* **1.** Zusammenrücken *n*; Vereinigung *f*; **2.** *a. pol.* Annäherung *f*, Versöhnung *f*, *pol.* Verständigung *f*; **3.** *fig.* Gegenüberstellung *f*, Vergleich *m*; **~er** [~'ʃe] *v/t.* (1a) **1.** (wieder) nähern, näherbringen; heranrücken (*Möbel*); ~ *les distances* die Entfernungen verkürzen; *fig.* den Rangunterschied aufheben; **2.** *fig.* versöhnen, vereinen, einander näherbringen; **3.** *fig.* gegenüberstellen, vergleichen (de mit).
rapt [rapt] *m* Menschenraub *m*.
râpure ⊕ [rɑ'py:r] *f* Raspelspäne *m/pl.*; ~ *de corne* Hornspäne *m/pl.*
raquette [ra'kɛt] *f* **1.** Tennisschläger *m*; **2.** Schnee-reifen *m*, -teller *m* (*für Schuhe, Skistöcke*); *Art* Schneeschuh *m*.
rare [ra:r] *adj.* □ **1.** selten; F *se faire* ~ sich selten machen; **2.** hervorragend, ungewöhnlich; **3.** dünn (*a. Haar*); spärlich; *phys.* dünn (*Luft*); knapp (*Geld*); **4.** langsam, schwach (*Puls, Atem*); **5.** *gaz m* ~ Edelgas *n*.
raré|faction [rarefak'sjɔ̃] *f* Seltenwerden *n*; Verknappung *f*; *phys.* Verdünnung *f*; **~fier** [~'fje] (1a) **I** *v/t. phys.* verdünnen; *fig.* seltener werden lassen; **II** *v/rfl.* se ~ dünner werden; *fig.* selten (knapp) werden.
rarescib|ilité ⚗ [raresibili'te] *f* Verdünnbarkeit *f*; **~le** [~'siblə] *adj.* verdünnbar.
rareté [rar'te] *f* **1.** Seltenheit *f*, Rarität *f*; Mangel *m*, Knappheit *f*; **2.** Dünne *f* (*der Luft*); **3.** Langsamkeit *f* (*Puls, Atem*).
ras [rɑ] **I** *adj.* (7) **1.** ganz *od.* kurz abgeschoren; kahl; **2.** kurzhaarig; **3.** kurzgeschnitten; **4.** eben, flach: *~e campagne f* flaches Land *n*; *en ~e campagne* auf freiem Feld; **5.** gestrichen voll; *mesurer à ~ bord* bis an den Rand füllen; **6.** *faire table ~e de qch.* etw. restlos beseitigen, mit etw. völlig aufräumen; **7.** ⚓ *bâtiment m* ~ flach(gehend)es Fahrzeug *n*; **II** *m fig.* *~-de-bol m* Siedepunkt *m*; **III** *prpt. verser du vin à ~ bords* ein Glas bis an den Rand mit Wein füllen; *voler à* (*od. au*) *~ de terre* unmittelbar über dem Erdboden fliegen; *fig. à ~ d'expérience* erfahrungsnah.
ras|ade [rɑ'zad] *f* bis an den Rand gefülltes Glas *n*; kräftiger Schluck *m*; *boire force ~s* etliche Gläser leeren; *se verser une ~ de vin* sich das Glas bis zum Rand mit Wein füllen; **~age** [~'za:ʒ] *m* Rasieren *n*; **~ance** [~'zɑ̃:s] *f* Rasanz *f*; **~ant** [~'zɑ̃] *adj.* (7) **1.** ⚔ *tir m* ~ Flachfeuer *n*; **2.** *vol m* ~ a) ✈ Tiefflug *m*; b) den Boden streifender Flug *m e-s Vogels*; **3.** F *fig.* furchtbar langweilig; **~ement** [rɑz'mɑ̃] *m* ⚠ Abreißen *n*; ⚔ *frt.* Schleifen *n*.
rase-mottes ✈ [rɑz'mɔt] *m* (6c) Tiefflug *m*; *en* ~ im Tiefflug.
ras|er [rɑ'ze] *v/t.* (1a) **1.** rasieren; *rasé de frais* frisch rasiert; *mal rasé* schlecht rasiert; *non rasé* unrasiert; **2.** *fig.* ~ *q.* j-n langweilen, j-m auf die Nerven fallen; **3.** dem Erdboden gleichmachen; ⚠ abreißen; *frt.* schleifen; **4.** *Auto*: ~ *q.* dicht an j-m vorbeifahren; ~ *la côte* dicht an der Küste entlangfahren *od.* flach über die Küste hinwegfliegen; **~eur** F [~'zœ:r] (7g) **I** *su.* Nervensäge *f*, langweiliger Kerl *m*; **II** *adj.* geisttötend; langweilig; **~oir** [~'zwa:r] *m* **1.** Rasier-messer *n*, -apparat *m*; **2.** F *fig.* langweilige Person *f od.* Sache *f*; *quel coup de ~!* ist das ein langweiliger Kerl!
rassa|sié [rasa'zje] *adj.* satt; *mv.p.* überdrüssig; **~siement** [~zi'mɑ̃] *m* **1.** Sättigung *f*; **2.** *fig.* Übersättigung *f*; Überdruß *m*; **~sier** [~'zje] *v/t.* (1a) **1.** sättigen, satt machen; **2.** befriedigen; **3.** *péj.* übersättigen; *être rassasié de qch.* e-r Sache (*gén.*) überdrüssig sein, ˚etw. satt haben.
rassemblement [rasɑ̃blə'mɑ̃] *m* **1.** Zs.-bringen *n*, Sammeln *n*; *lieu m de ~* Sammelplatz *m*; **2.** Auflauf *m*, Zs.-rottung *f*; *grand ~* Großkundgebung *f*; **3.** *pol.* Sammlungsbewegung *f*.
rassembler [~'ble] *v/t.* (1a) **1.** (wieder ver)sammeln, zs.-bringen; *fig.* ~ *ses forces* sich aufraffen, s-e Kräfte zs.-nehmen; ~ *des troupes* Truppen zs.-ziehen; **2.** ⊕ wieder zs.-fügen *od.* -setzen.
rasseoir [ra'swa:r] (3k) **I** *v/t.* wieder hinsetzen *od.* hinstellen; **II** *v/rfl.* se ~ sich wieder hinsetzen; *fig.* sich setzen (*Flüssigkeit*).
rasséréner [rasere'ne] (1f) **I** *v/t.* beruhigen; **II** *v/rfl.* se ~ sich auf-

hellen (*Miene*); *fig.* sich wieder beruhigen.

rassir [ra'si:r] *v/i.* (2a) altbacken werden (*Brot*).

rassis [ra'si] *adj.* (7) **1.** *fig.* gesetzt (*v. e-r Person*); **2.** altbacken (*Brot*).

rassur|ant [rasy'rɑ̃] *adj.* beruhigend; **~er** [~'re] (1a) **I** *v/t.* beruhigen; **II** *v/rfl.* se ~ sich beruhigen.

rasta F [ras'ta] *m*, **~quouère** F [~'kwɛ:r] *m* internationaler Hochstapler *m.*

rat [ra] *m* **1.** Ratte *f*; ~ *noir* Hausratte *f*; ~ *d'eau* Wasserratte *f*; ~ *de ballet* junge Ballettänzerin *f*; ~ *de bibliothèque* Leseratte *f*, Bücherwurm *m*; ~ *de cave* Kellerratte *f*; *fig.* Wachsstock *m*; *ehm. fig.* Steuerbeamte(r) *m*; ~ *d'église* a) *plais.* Mesner *m*; b) *fig.* Kriecher *m*, Duckmäuser *m*; ~ *d'hôtel* Hoteldieb *m*; ~ *musqué* Bisamratte *f*; **2.** *fig. avoir des* ~*s* (*dans la tête*) Flausen im Kopf haben.

rata F [ra'ta] *m* mieser Fraß *m* P.

ratafia [rata'fja] *m Art* Likör *m.*

ratage F [ra'ta:ʒ] *m* Mißerfolg *m*, Pleite *f* P.

rataplan [rata'plɑ̃] *int.* rumtata (*Trommelwirbel*).

ratatin|é [ratati'ne] *adj.* zusammengeschrumpft, runzelig; P *fig. Auto*, ✈ völlig zs.-gedrückt; **~er** [~] (1a) **I** *v/t.* P *se faire* ~ abgemurkst (F) werden; P *être ratatiné* völlig zerstört werden (*Haus*); **II** *v/rfl.* se ~ zs.-schrumpfen, runzelig werden.

ratatouille [~'tuj] *f* **1.** F *péj.* Fraß *m* P; **2.** *provenzalischer* Gemüseeintopf *m.*

rate [rat] *f* Milz *f*; *litt. décharger sa* ~ s-m Ärger Luft machen; F *se dilater la* ~ sich vor Lachen den Bauch halten; F *ne pas se fouler la* ~ sich kein Bein ausreißen.

raté [ra'te] **I** *adj.* **1.** mißlungen, verfehlt, schiefgegangen F; *coup m* ~ Versager *m*, Fehlschlag *m*; *vie f* ~*e* verkrachte Existenz *f*; **II** *m* **2.** ⚔ Ladehemmung *f*, Blindgänger *m*; *Auto*: Fehlzündung *f*, Aussetzen *n des Motors*; *allg.* Versager *m*, Panne *f*, Mißerfolg *m*, Pleite *f* P; ~ *dans le pot d'échappement* Knall *m* im Auspuff; *sans* ~*s* nicht versagend, ohne Versager; *faire* (*od. avoir*) *des* ~*s allg.* versagen; Pech haben; *Motor*: aussetzen; **3.** *fig.* Versager *m* (*Person*).

rât|eau [rɑ'to] *m* (5b) Harke *f*, Rechen *m*; **~eler** [rɑt'le] *v/t.* (1c) harken; **~elier** [~tə'lje] *m* **1.** Raufe *f*; F *manger à plusieurs* ~*s* (*od. à plus d'un* ~) mehrere lohnende Pöstchen zugleich bekleiden; ⚒ ~ *de magasin* Lagerregal *n*; F *fig. mettre le* ~ *bien haut à q.* j-m den Brotkorb hoch hängen; **2.** Gewehrständer *m*; **3.** F künstliches Gebiß *n.*

rater [ra'te] (1a) **I** *v/i.* versagen, nicht losgehen (*Schußwaffe*); *fig.* fehlschlagen, mißlingen; **II** *v/t.* verfehlen (*Ball*; *Text usw.*); ~ *le train* den Zug verpassen; ~ *l'occasion* die Gelegenheit versäumen (*od.* verpassen); F *écol.* ~ *une composition* e-e Klassenarbeit verhauen; ~ *un examen* (in e-r Prüfung) durchfallen; F *fig.* ~ *une place* e-e Stellung nicht bekommen; F *je ne le raterai pas* ich werde ihn schon kriegen.

ratibois|é F [ratibwa'ze] *adj.* (7) *fig.* geldlich *od.* gesundheitlich erledigt; **~er** F [~] *v/t.* (1a) klauen; *fig. j-n* ruinieren.

ratier [ra'tje] *m u. adj.*: (*chien m*) ~ Rattenfänger *m* (*Hund*).

ratière [ra'tjɛ:r] *f* Rattenfalle *f.*

ratifi|cation [ratifikɑ'sjɔ̃] *f* Bestätigung(surkunde *f*) *f*; *pol.* Ratifizierung *f*; **~er** [~'fje] *v/t.* (1a) bestätigen; *pol.* ratifizieren.

ratiner ⊕ [rati'ne] *v/t.* (1a) *Tuche* ratinieren, kräuseln.

ratio [ra'sjo] *m* **1.** *éc.* Kennziffer *f*, Quote *f*, Verhältniszahl *f*; **2.** *bisw. allg.* Wert *m.*

ratiocin|ation *péj.* [rasjɔsinɑ'sjɔ̃] *f*: *bsd.* ~*s pl.* Nörgelei *f*; **~er** [~si'ne] *v/i.* (1a): ~ *sur qch.* an etw. (*dat.*) herumnörgeln.

ration [rɑ'sjɔ̃] *f* Ration *f*, zugeteilte Menge *f.*

rationa|lisation [rasjɔnalizɑ'sjɔ̃] *f* Rationalisierung *f*; **~liser** [~'ze] *v/t.* (1a) rationalisieren; **~lisme** *phil.*, *litt.* [~'lism] *m* Rationalismus *m*; **~liste** [~'list] **I** *adj. phil.* rationalistisch, vernunftgemäß; **II** *su. phil.*, *litt.* Rationalist *m*; **~lité** [~li'te] *f phil.* Vernunftgemäßheit *f*; ⩘ Rationalität *f.*

ration|naire [rasjɔ'nɛ:r] *su.* Rationenempfänger *m*; **~nel** [~'nɛl] *adj.* (7c) □ **1.** rational (*a.* ⩘), vernunftgemäß; vernünftig; **2.** rationell, zweckmäßig; **~nement** [~n'mɑ̃] *m* Rationierung *f*, Zwangsbewirtschaftung *f*; **~ner** [~'ne] *v/t.* (1a) **1.** zwangsbewirtschaften, rationieren; **2.** ~ *q.* j-n auf Rationen setzen.

ratis|sage ⚔ [rati'sa:ʒ] *m* Durchkämmung *f*; ~ *policier* Polizeirazzia

f; **~ser** [~'se] *v/t.* (1a) ✓ harken; ⚔ durchkämmen; F ruinieren; **~soire** ✓ [~'swa:r] *f* Gartenhacke *f*; **~sure** [~'sy:r] *f* Zs.-geharkte(s) *n.*
raton *zo.* [ra'tɔ̃] *m* **1.** junge Ratte *f*; **2.** ~ *laveur* Waschbär *m*; **3.** P Araber *m*; **~nade** * ⚔ [~tɔ'nad] *f* Razzia *f.*
rattach|ement [rataʃ'mɑ̃] *m pol.* Anschluß *m*, Angliederung *f*; **~er** [~'ʃe] (1a) **I** *v/t.* wieder anbinden; anschließen; *bsd. pol.* angliedern; *fig.* in Zs.-hang bringen; **II** *v/rfl.* *se ~ à q.* (*à qch.*) *fig.* sich an j-n (an etw.) anschließen; (an etw.) anknüpfen (*v/i.*), (mit etw.) zusammenhängen; *se ~ à une race* zu e-r Rasse gehören.
rattaquer [rata'ke] *v/t.* (1a) wieder angreifen.
rattrap|age [ratra'pa:ʒ] *m* **1.** *écol.* Nachholen *n*; **2.** ⊕ Nachregulieren *n*; **~er** [~'pe] (1a) **I** *v/t.* wieder fangen; wieder-einholen, -gewinnen; erwischen F; *écol.* ~ *les leçons manquées* Versäumtes nachholen; **II** *v/rfl.* *se ~* sich festhalten; *écol.* *se ~ avec le français* mit Französisch ausgleichen; F *se ~ sur qch.* sich an etw. (*dat.*) schadlos halten.
ratu|re [ra'ty:r] *f* Streichung *f*; **~rer** [~ty're] *v/t.* (1a) aus-, durchstreichen.
rauque [ro:k] *adj.* heiser, rauh.
rava|ge [ra'va:ʒ] *m* Verheerung *f*, Verwüstung *f*; *fig.* *les ~s du temps* der Zahn *m* der Zeit; **~gé** *a.* F [~'ʒe] *adj. fig.*: *il est complètement ~* er ist völlig übergeschnappt; **~ger** [~'ʒe] *v/t.* (1l) verheeren, verwüsten, zugrunde richten; **~geur** ⚘ [~'ʒœ:r] *m* Schädling *m.*
raval|ement ⚠ [raval'mɑ̃] *m* (Ver-) Putzen *n*, Putz *m*, Berappung *f*; Bewurf *m*; ~ *des façades* Außenputz *m*; **~er** [~'le] (1a) **I** *v/t.* **1.** ⚠ bewerfen, putzen; **2.** ✓ *Bäume* stutzen; *Boden* walzen; **3.** *fig.* verächtlich machen; **4.** *a. fig.* runterschlucken; **II** *v/rfl.* *se ~* sich erniedrigen; **~eur** ⚠ [~'lœ:r] *m* Putzer *m.*
ravaud|age [ravo'da:ʒ] *m* **1.** Ausbessern *n*, Flicken *n*, Stopfen *n*; **2.** *fig.* Pfuscharbeit *f*; **~er** [~'de] *v/t.* (1a) **1.** ausbessern, flicken, stopfen; **2.** *fig.* zusammenflicken; **~eur** [~'dœ:r] *su.* (7g) Flicker *m.*
rave ⚘ [ra:v] *f* Rübe *f.*
ravenelle ⚘ [rav'nɛl] *f* Goldlack *m.*
ravi [ra'vi] *adj.* sehr erfreut.
ravier [ra'vje] *m* ovale Schale *f für Vorspeisen.*
ravière ✓ [ra'vjɛ:r] *f* Rübenfeld *n.*
ravigot|ant F [ravigɔ'tɑ̃] *adj.* erfrischend; **~e** *cuis.* [~'gɔt] *f* scharfe Kräutersoße *f*; **~er** F [~'te] *v/t.* (1a) wieder zu Kräften bringen.
ravilir [ravi'li:r] (2a) **I** *v/t.* herabsetzen, verunglimpfen; **II** *v/rfl.* *se ~* sich erniedrigen.
ravin [ra'vɛ̃] *m* kleine Schlucht *f*, Talschlucht *f*; Hohlweg *m*; **~e** [ra'vi:n] *f* Schlucht *f*; **~ement** [~vin'mɑ̃] *m géol.* Auswaschung *f*; Bodenabschwemmung *f*, Schluchtenbildung *f*; **~er** *géol.* [~'ne] *v/t.* (1a) auswaschen.
ravioli *cuis.* [ravjɔ'li] *m/pl.* Ravioli *pl.*
ravir [ra'vi:r] *v/t.* (2a) begeistern, hinreißen, entzücken, bezaubern; *advt. elle est belle à ~* sie ist bezaubernd schön.
raviser [ravi'ze] *v/rfl.* (1a): *se ~* s-e Meinung ändern, ander(e)n Sinnes werden.
raviss|ant [ravi'sɑ̃] *adj.* (7) *fig.* entzückend; **~ement** [~vis'mɑ̃] *m* **1.** *fig.* Entzücken *n*, Verzückung *f*; **2.** † Entführung *f*; **~eur** [~'sœ:r] *su.* (7g) Entführer *m*; **~euse** [~'sø:z] *f* Kindesentführerin *f.*
ravitaill|ement [ravitaj'mɑ̃] *m* Verpflegung *f*, Verproviantierung *f*, Lebensmittelversorgung *f*; ⚔ Verpflegungsempfang *m*; Nachschub *m*; *Auto*, ✈ ~ *en essence* Tanken *n*, Versorgung *f* mit Treibstoff; **~er** [~'je] *v/t.* (1a) verproviantieren, versorgen; **~eur** [~'jœ:r] *m* **1.** ✈ Tankflugzeug *n*; Versorgungsschiff *n*; ~ *de sous-marins* U-Boot-Mutterschiff *n*; **2.** *Sport*: Betreuer *m* (*Rad-, Autorennen*).
ravito * [ravi'to] *m* Restaurant *n.*
raviv|age [ravi'va:ʒ] *m* Auffrischen *n* (*v. Gemälden*); **~er** [~'ve] (1a) **I** *v/t.* (neu) beleben; wiedererwecken (*Gefühle*); *Feuer* anfachen; *Gemälde* auffrischen; beizen (*Metall*); **II** *v/rfl.* *se ~* wieder aufleben.
ravoir [ra'vwa:r] *v/t.* (*gebr. nur im inf.*) wiederhaben, wiederbekommen.
ray|age [rɛ'ja:ʒ] *m* **1.** Durchstreichen *n*; **2.** Ziehen *n* der Züge (*bei Feuerwaffen*); **~er** [rɛ'je] *v/t.* (1l) **1.** zerkratzen; **2.** mit Streifen versehen; riefeln; ~ *un fusil* Züge in ein Gewehr machen; *rayé* gestreift; lin(i)iert (*Papier*); *âne m rayé* Zebra *n*; *rayé de noir* schwarzgestreift; **3.** (aus-, durch-)streichen;

~ *la mention inutile* Nichtzutreffendes zu durchstreichen; *vgl. biffer*; **~ère** ⚠ [~'jɛːr] *f* Mauerspalt *m*.

rayon[1] [rɛ'jɔ̃] *m* **1.** (Licht-)Strahl *m*; *~s pl.* ⚔ Röntgenstrahlen *m/pl.*; *at. ~s alpha* Alphastrahlen *m/pl.*; *traiter aux ~s X* mit Röntgenstrahlen behandeln; *fig. ~ de joie* (*~ d'espérance*) Freuden-(Hoffnungs-)strahl *m*; **2.** ⚠ Halbmesser *m*, Radius *m*; *~ d'action* Aktionsradius *m* (*bsd.* ⚔, ✈); *fig.* Arbeitsbereich *m*, Wirkungs-kreis *m*, -feld *n*, -bereich *m*; **3.** *vél. usw.* (Rad-) Speiche *f*.

rayon[2] ✓ [~] *m* Furche *f*, Rille *f*.

rayon[3] [~] *m* **1.** *~ de miel* Honigwabe *f*, -scheibe *f*; **2.** Querbrett *n in Schränken od. Regalen*, Fach *n*; **3.** ✝ Abteilung *f in e-m Geschäft*; *~ enfants* Kinderabteilung; **4.** *adm. UdSSR*: Verwaltungsbezirk *m*, Rayon *m*.

rayonn|age [rɛjɔ'naːʒ] *m* (*Bücher-, Waren-*)Regal *n*; **~ant** [~'nɑ̃] *adj.* (7) **1.** strahlenförmig; **2.** *fig.* strahlend, leuchtend; *~ (de joie)* freudestrahlend; **~e** [rɛ'jɔn] *f* Kunstseide *f*; **~é** [~'ne] *adj.* strahlenförmig; **~ement** [~n'mɑ̃] *m* Strahlenwerfen *n*, Ausstrahlung *f*; *fig. le ~ de ses œuvres* die Verbreitung s-r Werke; *manifestation f artistique de grand ~* künstlerische Veranstaltung *f* großen Ausmaßes (*od.* Stils).

rayonner [rɛjɔ'ne] (1a) **I** *v/i.* **1.** strahlen, Strahlen aussenden; *fig. ~ (de joie* vor Freude) strahlen; **2.** *phys.* ausgestrahlt werden; **3.** Fahrten *usw.* in die Umgebung machen; **4.** ⚠ strahlenförmig verlaufen; **II** *v/t.* **5.** ausstrahlen; **6.** mit Regalen *od.* Fächern versehen.

rayure [rɛ'jyːr] *f* **1.** Streifen *m*; **2.** Zug *m e-r Feuerwaffe*; *flancs m/pl. d'une ~* Drall *m*; **3.** Kratzer *m*, Schramme *f*.

raz [rɑ] *m*: *~ de marée* Flutwelle *f*; *fig. canaliser le ~ de marée* die Wogen glätten, die erregten Gemüter beschwichtigen.

razeteur [rɑz'tœːr] *m* Kokardenabreißer *m bei den provenzalischen Stierkämpfen*.

razzia [ra'zja] *f* **1.** Raubzug *m*; *faire (une) ~ sur qch.* über etw. herfallen; **2.** ✎ Polizeistreife *f*.

razzier [ra'zje] *v/t. u. v/i.* (1a) völlig ausplündern; herfallen (*sur qch.* über etw.).

ré ♪ [re] *m* D(-Note *f*) *n*.

réa ⊕ [re'a] *m* Kettenrolle *f*.

réabon|nement [reabɔn'mɑ̃] *m* Abonnementserneuerung *f*; **~ner** [~'ne] *v/rfl.* (1a): *se ~ à* sein Abonnement erneuern auf (*acc.*).

réac P [re'ak] s. *réactionnaire*.

réaccoupler [reaku'ple] *v/rfl.* (1a): *se ~* sich wiederverkoppeln (*Mondfähregetriebe mit Mutterschiff*).

réac|teur [reak'tœːr] **I** *adj.* (7f) Reaktions...; **II** *m* a) *at.* Reaktor *m*; *~ à haut flux* Hochflußreaktor *m*; *~ à neutrons rapides* schneller Reaktor *m*; *~ nucléaire* Atommeiler *m*, Uranbrenner *m*; *~ de puissance* Leistungsreaktor *m*; b) ✈ Düse(nantrieb *m*) *f*, Strahltriebwerk *n*; **~tif** [~'tif] *adj.* (7e) *u. m* rückwirkend; ⚗ reagierend(es Mittel *n*), Reagenz *n*; **~tion** [~ak'sjɔ̃] *f a.* ⚗, *pol.* Reaktion *f*; Rückwirkung *f*; *rad. couplage m de ~* Rückkopplung *f*; *~ double* Doppelkopplung *f*; *faire agir la ~* (rück)koppeln; *at., phys.,* ⚗, *psych. ~ en chaîne* Kettenreaktion *f*; *avion m à ~* Düsenflugzeug *n*; *bombardier m à ~* Düsenbomber *m*; *chasseur m à ~* Düsenjäger(flugzeug *n*) *m*; **~tionnaire** [~ksjɔ'nɛːr] *adj. u. su.* reaktionär, konservativ; Reaktionär *m*; **~tiver** [~kti've] *v/t.* (1a) wieder entfachen; ⚗ reaktivieren.

réadapt|ation [readaptɑ'sjɔ̃] *f* (therapeutische) Wiedereingewöhnung *f*; neues Einleben *n*; ⊕ Umstellung *f* (*e-s Betriebs*); **~er** [~'te] *v/t.* (1a) wieder anpassen; ⚕ rehabilitieren; ⊕ *Betrieb* umstellen.

réadmettre [read'mɛtrə] *v/t.* (4p) wieder zulassen.

réadmission [readmi'sjɔ̃] *f* Wiederzulassung *f*.

réaffirm|ation [reafirmɑ'sjɔ̃] *f* erneute Bestätigung *f*; **~er** [~'me] *v/t.* (1a) wieder beteuern, erneut bekräftigen.

réagir [rea'ʒiːr] *v/i.* (2a) *a.* ⚗ reagieren; (zu)rückwirken, sich auswirken (*sur* auf *m. acc.*).

réaimanter *phys.* [reɛmɑ̃'te] *v/t.* (1a) neu magnetisieren.

réajus|tement [reaʒystə'mɑ̃] *m* s. *rajustement*; **~ter** [~'te] *v/t.* (1a) s. *rajuster*.

réalés|age ⊕ [reale'zaːʒ] *m* Nachbohren *n*; **~er** ⊕ [~'ze] *v/t.* (1f) nachbohren.

réali|sable [reali'zablə] *adj.* **1.** realisierbar, ausführbar; **2.** ✝ in Geld umsetzbar; **~sateur** [~za'tœːr] *m* Filmregisseur *m*; *télév.* Moderator *m*; *rad.* Sendeleiter *m*; *Unterhal-*

tungsabend: Programmgestalter *m*; *auch*: tatkräftiger Mensch *m*; *biol.* Keimträger *m*; **~sation** [~za'sjõ] *f* **1.** Realisierung *f*; Verwirklichung *f*; **2.** ⚕ Flüssigmachung *f von Kapital*; **3.** *cin.*, *téléν.* Regie *f*, Leitung *f*; Herstellung *f*; **~ser** [~'ze] (1a) **I** *v/t.* **1.** realisieren, verwirklichen; ausführen (*a.* ⚠, ⊕); *Sport*: schaffen, erreichen; *cin.* herstellen (*a.* ⊕), aufnehmen; *rad.*, *télév.* zs.-stellen und leiten; **2.** ⚕ zu Geld machen; ~ *un bénéfice* e-n Gewinn erzielen; **3.** begreifen, einsehen; **4.** ⚖ veräußern; **II** *v/rfl.* se ~ in Erfüllung gehen, sich verwirklichen, zustande kommen.

réal|isme [rea'lism] *m* Wirklichkeitssinn *m*; *a. litt.* Realismus *m*; **~iste** [~'list] *su. u. adj.* Realist *m*; realistisch; **~ité** [~li'te] *f* Wirklichkeit *f*, Tatsächlichkeit *f*, Realität *f*, Tatsache *f*.

réanim|ation ⚕ [reanima'sjõ] *f* Wiederbelebung *f*; **~er** ⚕ [~'me] *v/t.* wiederbeleben.

réanne|xer *pol.* [reanɛk'se] *v/t.* (1a) wieder angliedern; **~xion** *pol.* [~'ksjõ] *f* Wiederangliederung *f*.

réappar|aître [reapa'rɛːtrə] *v/i.* (4z) wieder erscheinen; **~ition** [~ri'sjõ] *f* Wiedererscheinen *n*; Wiederaufkommen *n*, -treten *n*.

réapprovisionn|ement [reaprɔvizjɔn'mɑ̃] *m* Wiederbelieferung *f*; **~er** [~'ne] **I** *v/t.* wieder beliefern; **II** *v/rfl.* se ~ sich wieder versorgen (*en qch.* mit etw.).

réarabiser [rearabi'ze] *v/rfl.*: se ~ sich wieder arabisieren.

réargent|er [rearʒɑ̃'te] *v/t.* (1a) neu versilbern; **~ure** [~'tyːr] *f* Neuversilberung *f*.

réar|mement [rearmə'mɑ̃] *m* Wiederaufrüstung *f*; **~mer** [~'me] (1a) **I** *v/t.* ⚔ wieder laden (*Waffe*); wiederbewaffnen; **II** *v/i.* wiederaufrüsten.

réassign|ation [reasiɲa'sjõ] *f* **1.** ⚕ neue Anweisung *f*; **2.** ⚖ nochmalige Vorladung *f*; **~er** [~'ɲe] *v/t.* (1a) **1.** ⚕ neu anweisen; **2.** ⚖ nochmals vorladen.

réassortir [reasɔr'tiːr] *v/t.* (2a) *das Lager* auffüllen.

réassur|ance [reasy'rɑ̃ːs] *f* Rückversicherung *f*; **~er** [~'re] *v/t.* (1a) rückversichern; **~eur** [~'rœːr] *m* Rückversicherer *m*.

rebaisser [rəbɛ'se] *v/i.* (1a) wieder fallen (*Preise*).

rebander [rəbɑ̃'de] *v/t.* (1a) **1.** wieder spannen; *Auto*, *vél.* neu bereifen; **2.** wieder verbinden.

rebaptis|ation [rəbatiza'sjõ] *f* Umbenennung *f e-r Straße*; **~er** [~'ze] *v/t.* (1a) umbenennen (*Straße*); *rl.* wiedertaufen.

rébarbatif [rebarba'tif] *adj.* (7e) barsch, abstoßend, rauh, mürrisch, unfreundlich.

rebâtir [rəbɑ'tiːr] *v/t.* (2a) wieder aufbauen.

rebattre [rə'batrə] *v/t.* (4a) **1.** *Matratzen* aufarbeiten; ~ *les cartes* die Karten noch einmal mischen; **2.** *fig.* fortwährend wiederholen; ~ *les oreilles à q. de qch.* j-m etw. bis zum Überdruß erzählen; *expressions f/pl. rebattues* abgedroschene Redensarten *f/pl.*; **3.** wieder durchlaufen; *chemin m rebattu* vielbetretener Weg *m*; **4.** ~ *une note* e-e Note immer wieder anschlagen.

rebel|le [rə'bɛl] **I** *adj.* aufständisch, aufsässig (*à q.* gegen j-n *acc.*), aufrührerisch; ~ *à qch.* gegen etw. (*acc.*) eingestellt, unvereinbar mit etw. (*dat.*), für etw. (*acc.*) ungeeignet; ⚕ hartnäckig; **II** *su.* Rebell *m*, Aufständische(r) *m*; **~ler** [~'le] *v/rfl.* (1a): se ~ rebellieren, sich auflehnen (*contre* gegen *acc.*).

rébellion [rebɛ'ljõ] *f* Aufstand *m*.

rebiffer F [rəbi'fe] *v/rfl.* (1a): se ~ sich sträuben; bocken (*v. Kindern*).

rebiquer F [rəbi'ke] *v/i.* (1a) abstehen (*Haare, Kragen-, Schuhspitzen*).

rebobin|age ⊕ [rəbɔbi'naːʒ] *m* Umspulzeit *f* (*Tonband*); **~er** ⊕ [rəbɔbi'ne] *v/t.* (1a) rückspulen.

rebois|ement [rəbwaz'mɑ̃] *m* Wiederaufforstung *f*; **~er** [~'ze] *v/t.* (1a) wieder aufforsten.

rebond [rə'bõ] *m* Abprall *m*; Rücksprung *m*; Sprung *m* (*e-s Sturzbaches*); **~i** [~'di] *adj.* dick und rund; prall; **~ir** [~'diːr] *v/i.* (2a) wieder hochspringen; abprallen; *fig.* wieder aufflackern; wieder von sich hören machen; **~issement** [~dis'mɑ̃] *m* Rückprall *m*, Hochspringen *n*; *fig.* Wiederauflodern *n*; *fig.* **~s** *pl.* Überraschungen *f/pl.*; *cin.* **~s** *pl. de l'action* Steigerungsmomente *n/pl.* in der Handlung.

rebord [rə'bɔːr] *m* erhöhter Rand *m*, Einfassung *f*; Randleiste *f*; Umschlag *m* (*Kleid*); Kragen *m am Mantel*; (Hut-)Krempe *f*; ⚠ Vorsprung *m*; Sims *m*; ~ *du lit* Bettkante *f*; **~er** [~bɔr'de] *v/t.* (1a) neu einfassen.

rebotter [rəbɔ'te] *v/rfl.* (1a): se ~ (sich) die Stiefel wieder anziehen.
reboucher [rəbu'ʃe] *v/t.* (1a) wieder zustopfen *od.* verkorken; *fig.* F ~ *des trous* Schulden bezahlen.
rebouillir [rəbu'ji:r] *v/i.* (2e) wieder kochen; wieder gären (*Wein*).
rebourgeonner [rəburʒɔ'ne] *v/i.* (1a) wieder ausschlagen.
rebours [rə'bu:r] *m* Gegenstrich *m des Tuches usw.*; *fig.* Gegenteil *n*; *advt. à* ~ gegen den Strich, verkehrt; *lire à* ~ von hinten lesen; *marcher à* ~ rückwärts gehen; *prendre tout à* ~ alles verkehrt anfangen; *un esprit m à* ~ ein Querkopf *m*; *als prp.*: *au* (*od. à*) ~ *de* ... im Gegensatz zu (*dat.*), ... (*dat.*) zuwider; *au* (*od. à*) ~ *du bon sens* entgegen dem gesunden Menschenverstand.
rebout|eur F *m*, **~eux** F *su.* (7d) [~'tœ:r, ~'tø] Heilkundige(r) *m*, der Glieder einrenkt.
reboutonner [rəbutɔ'ne] *v/t.* (1a) wieder zuknöpfen.
rebraser ⊕ [rəbrɑ'ze] *v/t.* (1a) wieder anlöten.
rebrouiller [rəbru'je] (1a) **I** *v/t.* wieder durcheinanderbringen; **II** *v/rfl.* se ~ sich wieder veruneinigen.
rebrousse-courant [rə'brus ku'rɑ̃] *advt.*: *aller à* ~ in entgegengesetzter Richtung gehen.
rebroussement [rəbrus'mɑ̃] *m*: 🚂 *triangle m de* ~ Gleisdreieck *n*.
rebrousse-poil [rəbrus'pwal] *advt.*: *à* ~ gegen den Strich.
rebrousser [rəbrus'se] *v/t.* (1a) gegen den Strich bürsten; *fig.* ~ *chemin* (plötzlich) umkehren.
rebuffade [rəby'fad] *f* Abweisung *f*, *fig.* Abfuhr *f* F; *essuyer des* ~*s* e-e scharfe Abfuhr erhalten.
rébus [re'bys] *m* Bilderrätsel *n*.
rebut [rə'by] *m* Ausschuß(ware*f*) *m*; ✉ *au* ~ unzustellbar; **~ant** [~'tɑ̃] *adj.* (7) abschreckend, abstoßend; **~er** [~'te] (1a) **I** *v/t.* **1.** abstoßen; entmutigen; **2.** *litt.* verschmähen (*Liebhaber*); **II.** *v/rfl.* se ~ sich abschrecken lassen, den Mut verlieren; *se* ~ *de qch.* e-r Sache überdrüssig werden, etw. satt haben F; *ne se* ~ *de rien* keine Mühe scheuen.
recacher [rəka'ʃe] *v/t.* (1a) wieder verstecken.
recacheter [rəkaʃ'te] *v/t.* (1c) wieder versiegeln.
récalcifier ⚕ [rekalsi'fje] *v/t.*: ~ *q.* Kalkmangelerscheinungen bei j-m beheben.
récalcitrant [rekalsi'trɑ̃] *adj. u. su.* (7) widerspenstig, bockig, störrisch; F ⊕ tückisch; Widerspenstige(r) *m*.
recaler [rəka'le] *v/t.* (1a) **1.** *Möbel* wieder unter'legen **2.** *fig.* finanziell wieder auf die Beine bringen; **3.** *écol.* F durchfallen lassen; *être recalé* (*od. se faire* ~) *à un examen* in e-r Prüfung durchfallen.
recaoutchouture *Auto* [rəkautʃu'ty:r] *f* Neubereifung *f*.
récapitu|latif [rekapity'latif] *adj.* (7e) zs.-fassend; **~lation** [~lɑ'sjɔ̃] *f* zusammenfassende Wiederholung *f*.
recapuchonner [rəkapyʃɔ'ne] *v/t.* (1a): ~ *son stylo* s-n Füller wieder zumachen.
recarder *text.* [rəkar'de] *v/t.* (1a) *Wolle* aufkrempeln.
recarreler ⚠ [rəkar'le] *v/t.* (1c) neu mit Steinplatten (*od.* Fliesen) belegen.
recaser F [rəkɑ'ze] *v/t.* (1a) wieder unterbringen.
recasser [rəka'se] *v/t.* (1a) wieder zerbrechen.
recauser [rəko'ze] *v/i.* (1a): ~ *de qch.* nochmals etw. besprechen.
recéder [rəse'de] *v/t.* (1f) wieder abtreten; weiterverkaufen.
recel ⚖ [rə'sɛl] *m* Hehlerei *f*.
recélé ⚖ [rəse'le] *m* Verheimlichung *f* e-s Kindes.
receler [rəs'le] *v/t.* (1d) *od.* **recéler** [rəse'le] *v/t.* (1f) verbergen; ⚖ verheimlichen; *fig.* bergen, enthalten.
receleur ⚖ [rəs'lœ:r] *su.* (7g) Hehler *m*.
récemment [resa'mɑ̃] *adv.* kürzlich, vor kurzem, neulich.
recen|sement [rəsɑ̃s'mɑ̃] *m* **1.** (Volks-)Zählung *f*; ~ *des suffrages* Zählung *f* der abgegebenen Stimmen; ~ *de la circulation* Verkehrszählung *f*; **2.** ✝, ⊕, *adm.* Bestandsaufnahme *f*; **~ser** [~'se] *v/t.* (1a) **1.** *Bevölkerung* zählen; **2.** ✝, ⊕, *adm.* besichtigen, nachprüfen; **~sion** *litt.* [~'sjɔ̃] *f* **1.** *antiq.* kritische Textausgabe *f*; **2.** Rezension *f* (*litt.*); **3.** *fig.* genaue Überprüfung *f*.
récent [re'sɑ̃] *adj.* (7) kürzlich, neu(lich).
recentrer [rəsɑ̃'tre] *v/t.* (1a) flanken (*Fußball*).
receper (1d), **recéper** (1f) *for.* [rəs'pe, rəse'pe] *v/t.* zurückschneiden.
récépissé ✝ [resepi'se] *m* Empfangs- *od.* Posteinlieferungs-schein

m; Hinterlegungsschein *m*; Gepäckaufbewahrungsschein *m*.

récep|tacle [resɛpˈtaklə] *m* **1.** Sammel-platz *m*, -stelle *f*; *péj.* Unterschlupf *m*; **2.** *géogr.* Auffangbecken *n*; **3.** ⚘ Fruchtboden *m*; ~ *des cryptogames* Keimboden *m*; **~teur** ⊕ [~ˈtœːr] *m* **1.** *téléph.* Hörer *m*; **2.** *rad.* Empfangsgerät *n*, Empfänger *m*; ~-*couleur m* Farbsehempfänger *m*; ~ *télé* Fernsehempfänger *m*; **3.** ⊕ Auffangbehälter *m e-s Müllschluckers*; **~tif** ⚡, ⚕, *fig.* [~ˈtif] *adj.* (7e) empfänglich, aufnahmefähig; **~tion** [~ˈsjɔ̃] *f* **1.** Aufnahme *f*; Empfang *m* (*a. rad. usw.*); ✉ ~ *des colis* (*postaux*) Paketannahme *f*; *rad.* ~ *pure* klarer Empfang *m*; *rad.* ~ *à grande distance* Fernempfang *m*; ~ *hétérodyne* Überlagerungsempfang *m*; *rad. circuit m de* ~ Empfangskreis *m*; *lampe f de* ~ Empfangsröhre *f*; *faire une bonne* ~ *à q.* j-n gut empfangen; *jour m de* ~ Empfangstag *m*; **2.** Einführung *f*; *discours m de* ~ Antrittsrede *f*; **3.** *thé.* Annahme *f e-s Stückes*; **4.** Abnahme *f e-r Ware*, *e-s Baues*; **~tionnaire** [resɛpsjɔˈnɛːr] *m* Empfänger *m* (*Person*); **~tionnée** [~sjɔˈne] *adj.*/*f Auto*: zugelassen; **~tionniste** [~sjɔˈnist] *su.* Empfangs-chef *m*, -dame *f*; **~tivité** [~tiviˈte] *f* Aufnahmefähigkeit *f*; Empfänglichkeit *f*; **~trice** *rad.* [~ˈtris] *f*: (*lampe f*) ~ Empfangsröhre *f*.

récession *éc.* [resɛˈsjɔ̃] *f* Rezession *f*.

recette [rəˈsɛt] *f* **1.** Einnahme *f*, Erlös *m*, Ertrag *m*; ~*s pl. accessoires* Neben-einkünfte *pl.*, -verdienst *m*; **2.** *Fr.* Steuer-kasse *f*, -amt *n*; ~ *municipale* Stadtkasse *f*; **3.** *cuis.* (Koch-)Rezept *n*; *beim Kauf e-s Patents*: Know how *n*; **4.** *fig.* Mittel *n*.

rece|vabilité ⚖ [rəsvabiliˈte] *f* Zulässigkeit *f* (*e-r Klage*); **~vable** ⚖ [rəsˈvablə] *adj.* zulässig; **~veur** [~ˈvœːr] **I** *su.* (7g) **1.** (Bus-)Schaffner *m*; **II** *m* **2.** *Fr. fin.* Einnehmer *m* für indirekte Steuern; **3.** ✉ Leiter *m e-s Postamts*.

recevoir [rəsˈvwaːr] *v/t.* (3a) **1.** erhalten, bekommen, empfangen, kriegen F; entgegennehmen, in Empfang nehmen; *Ferngespräch*, *Telegramm* abnehmen; *rad.* empfangen; *Sport*: auffangen (*Ball*); **2.** annehmen; **3.** (in sich) aufnehmen; *räumlich*: aufnehmen, fassen; **4.** *fig.* ernten, erleiden, durchmachen, erfahren; ~ *une offense* beleidigt werden; ~ *des éloges* Lob ernten; ~ *des blâmes* getadelt werden; ~ *des pertes* Verluste erleiden; **5.** genehmigen; *bien* ~ *qch.* etw. billigen, gutheißen; *il est reçu que* es steht fest, daß ...; **6.** als wahr (*od.* bindend) anerkennen; **7.** *Besuch* annehmen; *Gesellschaft* empfangen (*auch abs.*); **8.** zulassen; ~ *q. en grâce* j-n zu Gnaden annehmen; **9.** (*feierlich*) aufnehmen; einführen (*in ein Amt*); *être reçu docteur* die Doktorwürde erhalten; *il a été reçu* er hat s-e Prüfung bestanden; **10.** *Waren*, *Bauten* abnehmen.

réchampir *peint.* [reʃɑ̃ˈpiːr] *v/t.* (2a) (vom Hintergrund) abheben.

rechange [rəˈʃɑ̃ːʒ] *m* **1.** *nur noch adjt.*: *de* ~ Reserve..., Ersatz...; *linge m de* ~ Wäsche *f* zum Wechseln; *pièces f/pl. de* ~ Ersatzteile *n/pl.*; **2.** ⚓ Rückwechsel *m*.

rechanger [rəʃɑ̃ˈʒe] *v/t.* (1l) noch einmal (*od.* wieder) wechseln; *Kind* wieder ˈumziehen.

rechanter [rəʃɑ̃ˈte] *v/t.* (1a) **1.** noch einmal singen; **2.** F zum Überdruß wiederholen.

rechap|age [rəʃaˈpaːʒ] *m* Runderneuerung *f v. Reifen*; **~er** ⊕ [~ˈpe] *v/t.* (1a) runderneuern.

réchapper [reʃaˈpe] *v/i.* (1a) (*mit avoir*) glücklich überstehen (*de qch.* etw.).

rechar|ge [rəˈʃarʒ] *f* **1.** Nachfüllung *f* (*Kugelschreiber*); **2.** ⚡ Wiederladung *f*; **~ger** [~ˈʒe] *v/t.* (1l) **1.** wieder auf- *od.* be-laden; **2.** *Gewehr u.* ⚡ wieder laden; **3.** neu füllen (*Feuerzeug*, *Wimperntusche*); **4.** *Straße* neu beschottern.

rechasser [rəʃaˈse] *v/t.* (1a) wieder hinauswerfen; verjagen.

réchaud [reˈʃo] *m* (Gas- *od.* elektrischer) Kocher *m*; Heizplatte *f*; ~ *à gaz* Gaskocher *m*; ~ *à alcool* Spirituskocher *m*.

réchauf|fage [reʃoˈfaːʒ] *m* Vor-, Auf-wärmen *n*; **~fé** [~ˈfe] *m* Wiederaufgewärmte(s) *n*; *fig.* aufgewärmter Kohl F *m*, alte Geschichte *f*; **~fement** [~fˈmɑ̃] *m* Wiedererwärmung *f*; **~fer** [~ˈfe] (1a) **I** *v/t.* auf-, *fig.* erwärmen; *fig.* erneut anfeuern; **II** *v/rfl.* *se* ~ sich aufwärmen; wärmer werden; *fig.* sich begeistern (*pour* für *acc.*); **~feur** ⊕ [~ˈfœːr] *m* Vorwärmer *m*, Anwärmvorrichtung *f*.

rechausser [rəʃoˈse] *v/t.* (1a) **1.** ~ *q.* j-m wieder Schuhe (u. Strümpfe) anziehen; 2. ⚠ ~ *un mur* ein neues Fundament unter e-e Mauer legen; 3. ~ *une plante* e-e Pflanze anhäufeln.

rêche [rɛʃ] *adj.* rauh, spröde (*Haut*); *fig.* störrisch, widerspenstig, bokkig.

recher|che [rə'ʃɛrʃ] *f* **1.** Suche *f*; Erforschung *f*; (Nach-)Forschung *f*; *~-développement f* Entwicklungsforschung *f*; *être à la ~ de qch.* (*de q.*) etw. (j-n) suchen; *se livrer à la ~* sich der Forschung widmen; **2.** ⚖ *~s pl.* Nachforschungen *f/pl.*, Ermittlungen *f/pl.*; **3.** *fig.* Trachten *n*, Streben *n*, Verlangen *n* (*de* nach *dat.*); **4.** feiner Geschmack *m* (*Kleidung*); *das* Gesuchte *n*, Geziertheit *f*; *vêtu avec ~* geschmackvoll gekleidet; *sans ~* ungekünstelt; **~ché** [~'ʃe] *m u. adj.* **1.** *das* Erkünstelte *n*; affektiert, geziert, gesucht, spitzfindig; **2.** vielbegehrt; gesucht, beliebt; erstrebt; **3.** ausgesucht, fein; sorgfältig gearbeitet; **~cher** [~] *v/t.* (1a) **1.** noch einmal suchen; **2.** nachforschen, ⚖ fahnden nach (*dat.*); **3.** trachten nach (*dat.*), sich bemühen um (*acc.*); *~ une fille* (*en mariage*) um die Hand e-s Mädchens anhalten.

rechigner [rəʃi'ɲe] *v/i.* (1a): *~ à qch.* sich gegen etw. (*acc.*) sträuben.

rechut|e [rə'ʃyt] *f* ⚕, *fig.* Rückfall *m*; **~er** [~'te] *v/i.* (1a) e-n Rückfall bekommen; ⚖ rückfällig werden.

réci|dive [resi'di:v] *f* **1.** ⚖ Rückfall *m*; **2.** ⚕ Rezidiv *n*; **~diver** [~di've] *v/i.* (1a) **1.** ⚖ rückfällig werden; **2.** wieder auftreten (*Krankheit*); **~diviste** ⚖ [~di'vist] *su.* Rückfällige(r) *m*; Gewohnheitsverbrecher *m*.

récif ⚓ [re'sif] *m* Riff *n*.

récipiendaire [resipjɑ̃'dɛ:r] *m* **1.** ✝ Empfänger *m* (*von Wirtschaftshilfen*); Empfängerstaat *m*; **2.** Kandidat *m* (*für e-e Akademie*).

récipient [resi'pjɑ̃] *m* Behälter *m*.

récipro|cité [resiprɔsi'te] *f* Gegenseitigkeit *f*, Wechselbeziehung *f*; **~que** [~'prɔk] *adj.* □ gegen-, wechsel-, beider-seitig; **~quement** [~prɔk'mɑ̃] *adv.* wechselseitig; *et ~* und umgekehrt.

récit [re'si] *m* **1.** Erzählung *f*; Bericht *m*; **2.** ♪ Solopartie *f*; **~al** [~'tal] *m* (*pl.* ~s) **1.** ♪ Konzert *n*; *~ de chant* Liederabend *m*; *~ de piano* (*de violon*) Klavier- (Violin-)konzert *n*; *~ à deux guitares* Konzert *n* für zwei Gitarren; **2.** *allg.* Vortrag *m* (*a. von Versen, Gedichten usw.*); **~ant** [~'tɑ̃] **I** *adj.* (7) Solo...; *partie f ~e* Solo-, Haupt-stimme *f*; **II** *m* **1.** ♪ Solosänger *m*; **2.** *cin.*, *thé.* Ansager *m*, Sprecher *m*; **~atif** [~ta'tif] *m* Rezitativ *n*, Sprechgesang *m*; **~ation** *écol.* [~tɑ'sjɔ̃] *f* **1.** Aufsagen *n*, Vortragen *n*; **2.** Gedicht *n*; Fabel *f*; **~er** [~'te] *v/t.* (1a) **1.** aufsagen, rezitieren, vortragen, erzählen; *écol. faire ~ ses leçons à q.* j-n abhören, abfragen; **2.** *péj.* 'herleiern.

récla|mable [rekla'mablə] *adj.* beanstandbar; **~mant** ⚖ [~'mɑ̃] *m* Beschwerdeführer *m*; **~mateur** ⚖ [~ma'tœ:r] *m* Empfangsberechtigte(r) *m*; **~mation** [~mɑ'sjɔ̃] *f* Beschwerde *f*, Einspruch *m*, Reklamation *f*, Beanstandung *f*; **~me** [re'klam] *f* **1.** Reklame *f*, Werbung *f*; *~ murale*, *~ lumineuse* Wand-, Licht-reklame *f*; *~ (lumineuse) mobile* Wanderschrift *f*; *~ aérienne* Luftreklame *f*; Himmelsschrift *f*; *~ par le cinéma*, *~ à l'étalage* Film-, Schaufenster-reklame *f*; **2.** *thé.* Stichwort *n*.

réclamer [rekla'me] (1a) **I** *v/t.* **1.** fordern, beanspruchen; **2.** dringend bitten *um etw.* (*acc.*); *~ l'indulgence* um Nachsicht bitten; **II** *v/i.* Einspruch erheben; **III** *v/rfl.* *se ~* sich berufen (*de* auf *acc.*).

reclass|ement [rəklɑs'mɑ̃] *m* neue Einteilung *f*; Wiedereingliederung *f* in den Arbeitsprozeß; **~er** [~'se] *v/t.* (1a) neu einteilen; *se ~* sich in ein normales Leben wieder einfinden.

réclinaison *ast.* [reklinɛ'zɔ̃] *f* Neigung *f* gegen den Horizont.

reclouer [rəklu'e] *v/t.* (1a) wieder annageln.

reclus [rə'kly] *adj. u. su.* (7) abgeschieden, zurückgezogen; Einsiedler *m*, Klausner *m*.

réclusion [rekly'zjɔ̃] *f* **1.** ⚖ Zuchthaus *n*; **2.** *litt.* Abgeschiedenheit *f*, Einsiedlerleben *n*, Zurückgezogenheit *f*; **~naire** [~zjɔ'nɛ:r] *su.* Zuchthäusler *m*.

récognit|if ⚖ [rekɔgni'tif] *adj.* (7e) Anerkennungs...; **~ion** *phil.* [~'sjɔ̃] *f* (Wieder-)Erkennen *n*.

recoiffer [rəkwa'fe] *v/t.* (1a) wieder frisieren; *se ~ a.* den Hut wieder aufsetzen.

recoin [rə'kwɛ̃] *m* Schlupfwinkel *m*; *fouiller tous les coins et ~s* alle Winkel u. Ecken durchsuchen; *fig. les ~s du cœur* die geheimsten Winkel *m/pl.* des Herzens.

reçois, reçoive, *etc.* [rə'swa, ~'swa:v] s. *recevoir.*
récol|ement [rekɔl'mɑ̃] *m* Bestandsaufnahme *f*; Überprüfung *f e-r Liste, e-s Inventars*; Verlesung *f e-s Protokolls od. e-r Zeugenaussage*; **~er** [~'le] *v/t.* (1a) *ein Inventar* nachprüfen; ⚖ *e-m Zeugen s-e Aussage* noch einmal vorlesen.
récollection *rl.* [rekɔlɛk'sjɔ̃] *f* innere Andacht *f od.* Sammlung *f*.
recoller [rəkɔ'le] *v/t.* (1a) wieder zusammen-, an-kleben.
récoltable [rekɔl'tablə] *adj.* zu ernten(d).
recolonisation [rəkɔlɔniza'sjɔ̃] *f* **1.** Rekolonisierung *f*; **2.** *fig.* Verdammung *f* zur Rückkehr zum früheren System.
recolor|ation [rəkɔlɔra'sjɔ̃] *f* Auffärbung *f*; **~er** [~'re] *v/t.* (1a) auffärben (*a. text.*).
récolt|e [re'kɔlt] *f* Ernte *f* (*nicht Kornernte*; s. *moisson*); *fig.* Forschungsergebnis *n*; *fig.* Ernte *f*, Nutzen *m*; *vendre la ~ sur pied* die Ernte auf dem Halm (*od.* vor dem Abernten) verkaufen; **~er** [~'te] *v/t.* (1a) ernten; *a. fig. ~ la haine* Haß ernten.
recomman|dable [rəkɔmɑ̃'dablə] *adj.* □ empfehlenswert; achtbar; **~dataire** [~da'tɛ:r] *m Wechsel*: Notadressat *m*; **~dation** [~da'sjɔ̃] *f* **1.** Empfehlung *f*; *lettre f de ~* Empfehlungsschreiben *n*; **2.** ✉ Einschreiben *n e-s Briefes usw.*; *droits m/pl.* de ~ Einschreibgebühr *f*; **3.** dringender Rat *m*, Ermahnung *f*; **~der** [~'de] *v/t.* (1a) **1.** empfehlen; **2.** einschreiben lassen; *lettre f recommandée* Einschreib(e)brief *m*; **3.** *~ qch. à q.* j-m etw. empfehlen *od.* einschärfen *od.* raten.
recommen|cement [rəkɔmɑ̃s'mɑ̃] *m* Wiederbeginn *m*; **~cer** [~'se] *v/t. u. v/i.* (1k) wieder (*od.* von vorn) anfangen; *ne plus ~* es nie wieder tun.
récompen|se [rekɔ̃'pɑ̃:s] *f* Belohnung *f*, Lohn *m*; *iron.* Strafe *f*; *en ~ de* als Belohnung für (*acc.*); **~ser** [~'se] *v/t.* (1a) belohnen (*de qch.* für etw. *acc.*).
recompo|ser [rəkɔ̃po'ze] *v/t.* (1a) wieder zusammensetzen; *typ.* neu setzen; **~sition** [~zi'sjɔ̃] *f* Wiederzusammensetzung *f*; *typ.* Neusatz *m*.
recompter [rəkɔ̃'te] *v/t.* (1a) nachzählen; überrechnen.
réconcili|able [rekɔ̃si'ljablə] *adj.* versöhnbar; **~ateur** [~lja'tœ:r] *su.* (7f) Versöhner *m*; **~ation** [~ljɑ'sjɔ̃] *f* Versöhnung *f*; **~er** [~'lje] (1a) **I** *v/t.* versöhnen, wieder aussöhnen; *fig.* in Einklang bringen; *rl.* wieder (*od.* neu) einweihen; **II** *v/rfl.* se ~ sich wieder versöhnen.
reconduct|ible *fin.* [rəkɔ̃dyk'tiblə] *adj.* verlängerbar; **~ion** [~dyk'sjɔ̃] *f* Erneuerung *f* e-s Miet- *od.* Pachtvertrages; Fortsetzung *f* (*e-r Politik*); Beibehaltung *f* (*Preis*).
reconduire [rəkɔ̃'dɥi:r] *v/t.* (4c) **1.** zurück-, heim-begleiten; *~ q.* j-n hinausbegleiten; **2.** fortsetzen, verlängern.
reconfectionner [rəkɔ̃fɛksjɔ'ne] *v/t.* (1a) wieder gebrauchsfertig machen.
réconfort [rekɔ̃'fɔ:r] *m* Trost *m*; Hilfe *f*; **~ant** [~fɔr'tɑ̃] *adj.* (7) *u. m* tröstlich; stärkend; Stärkungsmittel *n*; **~er** [~'te] (1a) **I** *v/t.* **1.** trösten; **2.** stärken; **II** *v/rfl.* se ~ sich trösten; sich stärken.
reconnaiss|able [rəkɔnɛ'sablə] *adj.* erkennbar (*à qch.* an etw.), kenntlich, wiederzuerkennen(d); **~ance** [~'sɑ̃:s] *f* **1.** (Wieder-)Erkennung *f*; Anerkennung *f*; **2.** ⚔ Erkundung *f*, Aufklärung *f*; *~ rapprochée* Nahaufklärung *f*; *~ éloignée, ~ à longue* (*od. à grande*) *distance* Fernaufklärung *f*; *~ aérienne* Luftaufklärung *f*; *~ photographique* Lichtbilderkundung *f*; *~ offensive,* (*combat m de*) *~* Erkundungsvorstoß *m*; ✈ *vol m de ~* Aufklärungsflug *m*; *avion m de ~* Aufklärungsflugzeug *n*; *~ du terrain* Geländeerkundung *f*; *~ armée* bewaffnete Aufklärung *f*; *allg. aller en ~* (*od. faire la ~ des lieux*) die Örtlichkeiten auskundschaften; **3.** Empfangsschein *m*; *~ de la banque* Depositenschein *m*; *~ du mont-de-piété* Pfandschein *m*; **4.** Anerkennung *f*; Dankbarkeit *f*; *par ~* aus Dankbarkeit; **~ant** [~'sɑ̃] *adj.* (7) dankbar, erkenntlich (de für *acc.*).
reconnaître [rəkɔ'nɛ:trə] (4z) **I** *v/t.* **1.** wiedererkennen; erkennen; *~ q. à qch.* j-n an etw. erkennen; **2.** ⚖ feststellen; **3.** (*e-e Gegend*) auskundschaften; ⚔ aufklären, erkunden; **4.** anerkennen; *~ pour* anerkennen als; **5.** bekennen, (ein- *od.* zu-) gestehen; *je reconnais avoir reçu* ... ich bescheinige hiermit, ... erhalten zu haben; **II** *v/rfl.* se ~ **6.** sich wiedererkennen; **7.** erkannt werden; **8.** sich zurechtfinden, sich auskennen; **9.** *se ~ coupable* sich schuldig bekennen.

reconnu [rəkɔ'ny] *adj.* anerkannt.
reconquérir [rəkɔ̃ke'ri:r] *v/t.* (2l) zurückerobern; *fig.* wiedererlangen.
reconquête [~'kɛt] *f* Zurückeroberung *f*; *fig.* Wiedererlangung *f*.
reconsidérer [rəkɔ̃side're] *v/t.* (1f) nochmals in Erwägung ziehen; *pol.* erneut überprüfen.
reconsolid|ation [rəkɔ̃sɔlidɑ'sjɔ̃] *f* Wiederbefestigung *f*; **~er** [~'de] *v/t.* (1a) wieder befestigen.
reconstitu|ant [rəkɔ̃sti'tɥɑ̃] *adj.* (7) *u. m* stärkend; Nähr-, Kräftigungs-mittel *n*; **~er** [~'tɥe] *v/t.* (1a) wiederherstellen; *a.* ⚖ nachbilden; **~tion** [~ty'sjɔ̃] *f* Wiederherstellung *f*, Wiederaufbau *m* (*z.B. der Wirtschaft*); Ergänzung *f* (*e-s Textes*); ⚖ ~ *d'un crime* Nachbildung *f* e-s Verbrechens.
reconstr|uction [rəkɔ̃stryk'sjɔ̃] *f* Wiederaufbau *m*; **~uire** [~s'trɥi:r] *v/t.* (4c) wieder aufbauen.
reconvention ⚖ [rəkɔ̃vɑ̃'sjɔ̃] *f* Gegenklage *f*; **~nel** [~sjɔ'nɛl] *adj.* (7c): *action f ~le* Gegenklage *f*.
reconver|sion [rəkɔ̃vɛr'sjɔ̃] *f* **1.** *éc.* Umstellung *f*; Umschulung *f*; **2.** anderweitiger Einsatz *m*; **~tir** [~'ti:r] (2a) **I** *v/t. éc.* umstellen; umschulen; **II** *v/rfl.* se ~ sich umschulen lassen.
recopier [rəkɔ'pje] *v/t.* (1a) wieder abschreiben; ins reine schreiben.
record [rə'kɔ:r] *m Sport*: Rekord *m*, Höchstleistung *f*, Spitzen-, Bestleistung *f*; ~ *d'endurance*, ~ *de vitesse* Dauer-, Schnelligkeitsrekord *m*; ~ *de fond*, ~ *de demi-fond* Lang-, Mittelstrecken-rekord *m*; ~ *de vitesse sur faible parcours* Kurzstreckenrekord *m*; ~ *de course* Rekordlauf *m*; *établir* (*od. réaliser*) *un* ~ e-n Rekord aufstellen; *améliorer* (*abaisser*) *le* ~ den Rekord verbessern (drücken); ✈ ~ *d'altitude* Höhenrekord *m*; *détenir un* ~ e-n Rekord halten; **~er**[1] *télév.* [rəkɔr'dɛ:r] *m*: ~ *vidéo m* (6b) Video-Recorder *m*; **~er**[2] [rəkɔr'de] *v/t.* neu bespannen (*Tennisschläger*); ♪ neu besaiten; **~man** *Sport* [rəkɔrd'man] *m*: ~ *du monde* Weltrekordmann *m*.
recorriger [rəkɔri'ʒe] *v/t.* (1l) erneut verbessern.
recoucher [rəku'ʃe] *v/t.* (1a) (se ~ sich) wieder ins Bett legen.
recoudre [rə'ku:drə] *v/t.* (4d) wieder zs.-nähen *od. fig.* -bringen.
recoup|e [rə'kup] *f* Verschnitt *m* (*Wein*); **~ement** [~p'mɑ̃] *m* **1.** △ Mauerabsatz *m*; **2.** *rad.* ~ *par appareil radiogoniométrique* Anpeilung *f*; **3.** *fig.* Nachprüfung *f*; **~er** [~'pe] (1a) **I** *v/t.* **1.** wieder (be)schneiden; **2.** *fig.* bestätigen; überprüfen; **3.** *Wein* verschneiden; **II** *v/i. Kartenspiel*: noch einmal abheben.
recouponner [rəkupɔ'ne] *v/t.* (1a) Zinsscheine erneuern.
recourb|ement [rəkurbə'mɑ̃] *m* Krummbiegen *n*; Krümmung *f*; **~er** [~'be] *v/t.* (1a) wieder krümmen; krumm-, um-biegen.
recourir [rəku'ri:r] *v/i.* (2i) **1.** wieder laufen; **2.** ~ *à qch.* etw. nehmen, zu etw. (*dat.*) greifen; sich an etw. (*acc.*) wenden; ~ *aux armes* zu den Waffen greifen.
recours [rə'ku:r] *m* **1.** Zuflucht *f*; *avoir* ~ *à q.* zu j-m s-e Zuflucht nehmen; **2.** ⚖ Rechtsmittel *n*, Beschwerde *f*, Ersatzanspruch *m*; ~ *en grâce* Begnadigungsgesuch *n*; ~ *en revision* Revisionsanspruch *m*.
recouvrable [rəku'vrablə] *adj.* eintreibbar.
recouvrement[1] [rəkuvrə'mɑ̃] *m* **1.** Wiedererlangung *f*; **2.** Eintreibung *f von Steuern od. Außenständen*; *faire des ~s* geschuldete Beträge eintreiben; **3.** ✉ *mandat m de* ~ *postal* Postauftrag *m*.
recouvrement[2] [~] *m bsd.* △ Neudecken *n*; Überlappung *f*, Verblendung *f*; *géol.* Verwerfung *f*.
recouvrer [rəku'vre] *v/t.* (1a) **1.** wieder-erlangen, -bekommen; ~ *la santé* wieder gesund werden; **2.** *Steuern*, *Außenstände* eintreiben.
recouvrir [rəku'vri:r] *v/t.* (2f) wieder (be)decken; zudecken; *fig.* bemänteln, beschönigen; überziehen (*mit Stoff*); übermalen (*mit Farbe*); überwachsen.
recracher [rəkra'ʃe] *v/t.* (1a) wieder ausspucken.
recran [rə'krɑ̃] *m* kleine Bucht *f*.
récré F *écol.* [re'kre] *f* Pause *f*.
recréance *dipl.* [rəkre'ɑ̃:s] *f*: *lettres f/pl. de* ~ Abberufungsschreiben *n*.
récré|atif [rekrea'tif] *adj.* (7e) erheiternd, ergötzlich; **~ation** [~ɑ'sjɔ̃] *f* **1.** Erholung *f*, Entspannung *f*; **2.** *écol.* Pause *f*; **~er** *litt.* [rekre'e] (1a) **I** *v/t.* unterhalten, erheitern; **II** *v/rfl.* se ~ sich entspannen.
recréer [rəkre'e] *v/t.* (1a) neu schaffen, wiederherstellen, zu neuem Leben erwecken.

recrépir ⚠ [rəkre'pi:r] *v/t.* (2a) neu putzen.

recreuser [rəkrø'ze] *v/t.* (1a) wieder tiefer ausgraben *od.* bohren; *fig.* aufs neue erforschen.

récrier [rekri'e] *v/rfl.* (1a): se ~ laut aufschreien; se ~ *d'admiration* in laute Bewunderung ausbrechen; se ~ *contre* laut protestieren gegen (*acc.*).

récrimin|ation [rekriminɑ'sjɔ̃] *f*: ~*s pl.* Vorwürfe *m/pl.*; ~**er** [~'ne] *v/i.* (1a) sich beschweren.

récrire [re'kri:r] (4f) **I** *v/t.* von neuem schreiben, umschreiben, umarbeiten; **II** *v/i.* zurückschreiben.

recroiser [rəkrwa'ze] *v/t.* (1a) wieder kreuzen.

recroître [rə'krwɑ:trə] *v/i.* (4w) nachwachsen; wieder zunehmen (*a. vom Mond*); wieder anschwellen (*Fluß*).

recroquevill|é [rəkrɔkvi'je] *adj.* zusammengeschrumpft, eingefallen, krumm; ~**er** [~] *v/rfl.* (1a): se ~ zusammenschrumpfen (*durch Hitze*); *fig.* sich kauern, sich zusammenrollen, sich verkriechen.

recru *litt.* [rə'kry] *adj.* hundemüde, zum Umfallen müde.

recrû [~] *m* Jungtriebe *m/pl.* (*Holz*).

recrudes|cence [rəkryde'sɑ̃:s] *f* Zunahme *f*, Verschärfung *f* (*z.B. der Kälte*), Wiederausbruch *m* (*e-r Krankheit*; *v. Attentaten*); ~**cent** [~'sɑ̃] *adj.* (7) sich wieder verschlimmernd, wieder ausbrechend, zunehmend, sich verschärfend.

recrue [rə'kry] *f* **1.** neues Mitglied *n*, neuer Mitarbeiter *m*; **2.** ⚔ Rekrut *m.*

recrut|ement [rəkryt'mɑ̃] *m* ⚔ Rekrutierung *f*; *fig.* Einstellung *f* (*v. Arbeitskräften*); ~**er** [~'te] *v/t.* (1a) *Truppen* ausheben *od. a. allg.* anwerben; einstellen; ~**eur** [~'tœ:r] *su. u. adj.* (7g) Werber *m* (*a. allg.*).

recta F [rɛk'ta] *adv.*: *payer ~ à l'échéance* bei Fälligkeit alles pünktlich bezahlen.

rectal [rɛk'tal] *adj.* (5c) rektal, Mastdarm...

rectan|gle ⩘ [rɛk'tɑ̃:glə] *adj. u. m* rechtwinklig; Rechteck *n*; ~**gulaire** [rɛktɑ̃gy'lɛ:r] *adj.* rechteckig.

recteur [rɛk'tœ:r] **I** *m* a) Rektor *m* (*e-r Hochschule*); hoher Beamter *m* e-s Unterrichtsverwaltungsbezirks; b) *dial. rl.* Pfarrer *m*; **II** *adj.* (7f) leitend; *auch f/pl.*: (*pennes f/pl.*) *rectrices* Steuerfedern *f/pl. am Schwanz e-s Vogels.*

rectifi|able [rɛkti'fjablə] *adj.* zu berichtigen, korrigierbar; ⩘, ⚗ rektifizierbar; ~**catif** [~ka'tif] **I** *adj.* (7e) berichtigend, richtigstellend; **II** *m* Berichtigung *f*, Richtigstellung *f*; ~**cation** [~kɑ'sjɔ̃] *f* **1.** Begradigung *f e-s Weges*; **2.** *fig.* Berichtigung *f*; **3.** ⩘, ⚗ Rektifikation *f*; ~**er** [~'fje] *v/t.* (1a) **1.** *e-n Weg* begradigen, geKademachen; **2.** *fig.* berichtigen, verbessern, klarstellen; **3.** ⩘, ⚗ rektifizieren.

recti|ligne [rɛkti'liɲ] *adj.* □ geradlinig; ~**te** ⚕ [~'tit] *f* Mastdarmentzündung *f*; ~**tude** [~ti'tyd] *f* Richtigkeit *f.*

recto [rɛk'to] *m* Vorderseite *f e-s Bogens.*

rector|al [rɛktɔ'ral] *adj.* (5c) Rektoren...; ~**at** [~'ra] *m univ.* Rektorat *n*; *Fr.* Schulbehörde *f.*

rectrice [rɛk'tris] *f* Steuerfeder *f der Vögel*; s. recteur II.

rectum *anat.* [rɛk'tɔm] *m* Mastdarm *m.*

reçu [rə'sy] **I** *p.p. v. recevoir*; *fig.* üblich, althergebracht; **II** *m* Quittung *f*, Empfangs-, Hinterlegungs-, Einlieferungs-schein *m.*

recueil [rə'kœj] *m* Sammlung *f*; ~**lement** [~kœj'mɑ̃] *m* innere Sammlung *f*, Andacht *f*, Selbstbesinnung *f*; ~**lir** [~'ji:r] (2c) **I** *v/t.* **1.** sammeln; **2.** ~ *une succession* eine Erbschaft antreten; **3.** zusammensuchen; *Regenwasser* auffangen; ~ *des renseignements* Erkundigungen einziehen; **4.** ~ *des réfugiés chez soi* Flüchtlinge bei sich aufnehmen; **II** *v/rfl.* se ~ *fig.* sich sammeln.

recuire [rə'kɥi:r] *v/t.* (4c) **1.** noch einmal kochen *od.* backen *od.* braten; **2.** ⊕ ausglühen; wieder erhitzen u. erkalten lassen (*Glas*); *Ziegelsteine* noch einmal brennen.

recuit [rə'kɥi] **I** *m* ⊕ Glühen *n*; **II** *adj.* ⚠ *brique f* ~*e* Hartbrandstein *m.*

recul [rə'kyl] *m* **1.** Zurücktreten *n*; Zurückweichen *n*; Rückstoß *m* (*Kanone*); *Auto*: Abstand *m* (*vom Steuer*); **2.** *fig.* Rückgang *m* (*e-r Epidemie*; *der Produktion*); ~**ade** *péj.* [~'lad] *f* Rückzieher *m*; ~**é** [~'le] *adj.* entlegen, entfernt; *zeitlich*: früh, lange zurückliegend; ~**ée** *géogr.* [~] *f* Kerb-, V-Tal *n* (*Jura*); ~**ement** ⚠ [~l'mɑ̃] *m*:

marge f de ~ Bauwich *m*, Grenzabstand *m*.
recul|er [rəky'le] (1a) **I** *v/t*. **1.** zurückschieben, -setzen, -stellen, -ziehen; *Auto*: zurückfahren; **2.** weiter hinausrücken: △ *Mauer* zurückversetzen; *die Grenzen* erweitern; **3.** *zeitlich* aufschieben, verzögern; **II** *v/i*. **4.** rückwärts gehen *od.* fahren *od.* treten *usw.*; **5.** zurückweichen; *faire* ~ *les ennemis* die Feinde zurücktreiben; **6.** *fig.* nachgeben; **7.** ~ *devant qch.* vor e-r Sache zurückschrecken; *il ne recule devant rien* a) er scheut keine Arbeit; b) er schrickt vor nichts zurück; **~ons** [~'lɔ̃] *adv.*: *à* ~ rückwärts, rücklings.
récupéra|ble [rekype'rablə] *adj.* verwertbar (*Schrott*); nachzuholen (*Arbeitsstunden*); eintreibbar (*Schuld*); *soc.* resozialisierbar; bildungsfähig; **~teur** [~'tœ:r] *m* **1.** ⊕ Wärmespeicher *m*; Wind|erhitzer *m*; **2.** Altmaterialsammler *m*; **~tion** [~ra'sjɔ̃] *f* Wiedererlangung *f*; Bergung *f* (*Raumkapsel*); ⊕ Verwertung *f*; ~ *de déchets* Altmaterialerfassung *f*.
récupérer [rekype're] (1f) **I** *v/t*. wiedererlangen; zurückholen; ⊕ *Alteisen* sammeln; ⚔ erbeuten; *fig.* aufgreifen; *Raumkapsel* bergen; **II** *v/i*. *bsd. Sport*: sich wieder erholen; **III** *v/rfl.*: *se* ~ *de ses pertes* sich schadlos halten.
récurer [reky're] *v/t*. (1a) (ab-) scheuern.
récurrent ⚕, ⚘ [reky'rɑ̃] *adj.* (7) rückläufig.
récus|able [reky'zablə] *adj.* **1.** zurückweisbar; **2.** bestreitbar; **~ation** ⚖ [~za'sjɔ̃] *f* Ablehnung *f*; **~er** ⚖ [~'ze] *v/t*. ablehnen.
recycl|age [rəsi'kla:ʒ] *m* **1.** fachliche Umschulung *f*; ~ *permanent* Weiterbildung *f*; **2.** *biol.* Regenerierung *f*; **3.** *éc.* ~ *de capitaux* Rückführung *f* von Kapitalien; **~er** [~'kle] *v/t*. fachlich umschulen.
rédac|teur [redak'tœ:r] *su.* (7f) Redakteur *m*, Verfasser *m*, Schriftleiter *m e-r Zeitung*; **~tion** [~k'sjɔ̃] *f* **1.** (*Zeitungs-*)Redaktion *f*; Schriftleitung *f*; **2.** Abfassung *f*, Ausarbeitung *f*, Anfertigung *f* (*e-s Schriftstücks*); **3.** *écol.* Aufsatz *m*; **~tionnel** [~sjɔ'nɛl] *adj.* (7c) redaktionell.
redan [rə'dɑ̃] *m* **1.** ⚔ *frt.* Zahnung *f*; **2.** △ (Mauer-)Absatz *m*.
reddition [rɛdi'sjɔ̃] *f* ⚔ Übergabe *f*; ⚖ ~ *de compte* Rechnungslegung *f*.
redécouvrir [rədeku'vri:r] *v/t*. (2f) neu (*od.* wieder-)entdecken.
redemander [rədmɑ̃'de] *v/t*. (1a) noch einmal erbitten; zurückfordern.
rédemp|teur *rl.* [redɑ̃p'tœ:r] *m* ♀ *u. adj.* (7f) Erlöser *m*; erlösend; **~tion** [~ɑ̃'psjɔ̃] *f* **1.** *rl.* ♀ Erlösung *f*; **2.** *fin.* ~ *d'une rente* Rentenablösung *f*.
redescendre [rəde'sɑ̃:drə] (4a) **I** *v/i*. wieder herunterkommen; wieder fallen (*vom Barometer*); **II** *v/t*. wieder herunterfahren; tiefer hängen (*Bild*); ~ *une montagne* e-n Berg wieder hinabsteigen.
redev|able [rədə'vablə] *adj.*: *être* ~ *de* ... (noch) ... schuldig sein *od.* schulden; *fig.* ~ *de* ... (zu Dank) verpflichtet für ... (*acc.*); **~ance** [~'vɑ̃:s] *f* **1.** Abgabe *f*; Lizenzgebühr *f*; **2.** Platzmiete *f*, Standgeld *n* (*Camping*); **3.** *rad.*, *téléph. etc.* Gebühr *f*.
redevenir [rədəv'ni:r] *v/i*. (2h) wieder werden.
redevoir [rədə'vwa:r] *v/t*. (3a) noch schuldig bleiben, noch schulden.
rédhibit|ion ⚖ [redibi'sjɔ̃] *f* (Klage *f* auf) Rückgängigmachung *f* e-s Kaufes; **~oire** [~'twa:r] *adj.* **1.** ⚖ *action f* ~ Wandlungsklage *f*; *vice m* ~ Hauptfehler *m*; **2.** *allg.* hemmend.
rédiger [redi'ʒe] *v/t*. (1l) abfassen, aufsetzen, ausarbeiten; *journ.* redigieren.
rédimer [redi'me] *v/t*. (1a) loskaufen.
redingote [rədɛ̃'gɔt] *f* **1.** *ehm.* Gehrock *m*; **2.** Damenmantel *m* auf Taille.
redire [rə'di:r] (4m) **I** *v/t*. noch einmal sagen; ausplaudern; **II** *v/i.*: *trouver à* ~ *à tout* an allem etw. auszusetzen haben.
redistri|buer [rədistri'bɥe] *v/t*. (1a) neu verteilen; **~bution** [~by'sjɔ̃] *f* Neuverteilung *f*, Neuaufteilung *f*.
redite [rə'dit] *f* unnötige Wiederholung *f*.
redond|ance [rədɔ̃'dɑ̃:s] *f* Wortschwall *m*: **~ant** [~'dɑ̃] *adj.* (7) überschwenglich, schwülstig, weitschweifig (*Stil*); *inform.* redundant.
redonner [rədɔ'ne] (1a) **I** *v/t*. **1.** wieder-, zurück-geben; *mst. fig. in Verbindung mit abstrakten Begriffen*: ~ *de l'espérance* die Hoffnung wiedergeben; **2.** *thé.* wieder spielen; **II** *v/i*. **3.** ~ *dans qch. fig.* wieder in etw. (*acc.*) verfallen.
redorer [rədɔ're] *v/t*. (1a) wieder

vergolden; *fig.* ~ *son blason* wieder zu Geld kommen.

redormir [rədɔr'mi:r] *v/i.* (2b) wieder (ein)schlafen.

redou|blement [rədublə'mɑ̃] *m* Verdoppelung *f*; Zunahme *f*; **~bler** [~'ble] (1a) **I** *v/t.* **1.** verdoppeln; **2.** vermehren; verstärken; **3.** *écol.* *devoir* ~ *la classe* sitzenbleiben, nicht versetzt werden; **4.** *Rock* wieder füttern; **5.** wieder überholen (*Fahrzeug*); **II** *v/i.* sich verdoppeln; zunehmen, stärker werden; ~ *d'efforts* die Anstrengungen verdoppeln.

redoutable [rədu'tablə] *adj.* furchtbar, fürchterlich.

redouter [rədu'te] *v/t.* (1a) sehr fürchten.

redress|able [rədrɛ'sablə] *adj.* wieder geradezurichten(d); *fig.* besserungsfähig; **~e** P [rə'drɛs] *f*: *un type à la* ~ ein ausgekochter Bursche *m*; **~ement** [~s'mɑ̃] *m* **1.** Geraderichten *n*; ✈ Abfangen *n*; *fig.* Berichtigung *f*; Wiedergutmachen *n*; ⚡ *u. rad.* Gleichrichtung *f*; *bsd. éc. fig.* (Wieder-)Ankurbelung *f*, Wiederbelebung *f der Wirtschaft*, Aufschwung *m*; Wiederanziehen *n der Kurse*; Sanierung *f*; **2.** (*erziehungsmäßige*) Besserung *f*, Zurechtweisung *f*; *centre m de* ~ *Art* Jugendhof *m*; **3.** *pol.* Kurswechsel *m*.

redress|er [rədrɛ'se] (1b) **I** *v/t.* **1.** geraderichten, wieder aufrichten; **2.** *fig.* ~ *la situation* die Lage wiederherstellen; ~ *les torts* Unrecht wiedergutmachen; **3.** ~ *le jugement de q.* das Urteil j-s richtigstellen; **4.** ⚡, *rad.* gleichrichten; ⊕ *die Maschine* abfangen; **5.** *fig.* ankurbeln, sanieren (*Wirtschaft*); **II** *v/rfl.* se ~ sich wieder aufrichten; wieder hochschlagen (*Klappsitz*); **~eur** [~'sœ:r] *m* **1.** *mst. iron.* ~ *de torts* Weltverbesserer *m*; **2.** ⚡ Gleichrichter *m*; **3.** Entzerrungsgerät *n* (*Topographie*).

réduc|teur [redyk'tœ:r] **I** *adj.* (7f) **1.** (*bsd.* ⚗) reduzierend; reduzierbar; **II** *m* **2.** *chir.* Einrenker *m* (*Apparat*); **3.** ⚗ Reduktionsmittel *n*; **4.** *phot.* Abschwächer *m*, Verzögerer *m*; **5.** Zellenschalter *m*; **6.** ⊕ Getriebe *n*; **~tibilité** [~tibili'te] *f* Reduzierbarkeit *f*; **~tible** [~'tiblə] *adj.* **1.** herabsetzbar, reduzierbar; *fraction f* ~ Bruch *m*, der sich kürzen läßt; **2.** ~ *à* zurückführbar auf (*acc.*); **3.** *chir.* einrenkbar; **4.** ⚗ reduzierbar, auflösbar; **~tion** [~k'sjɔ̃] *f* **1.** Zurückführung *f der Gleichungen*; Kürzung *f e-s Bruches*; ~ *de plusieurs fractions au même dénominateur* Gleichnamigmachen *n* mehrerer Brüche; **2.** Umrechnung *f v. Maßen od. Gewichten*; **3.** *chir.* Wiedereinrenkung *f*; **4.** ~ *à l'impossible*, ~ *à l'absurde* Beweis *m* der Unmöglichkeit *od.* Abwegigkeit; **5.** *peint.* Verjüngung *f*, Verkleinerung *f*; **6.** Verminderung *f*, Herabsetzung *f*; Konvertierung *f*; Einschränkung *f v. Ausgaben*; *Preise usw.*: Senkung *f*, Kürzung *f*, Ermäßigung *f*, Abbau *m*; ~ *des salaires*, ~ *des traitements* Lohn-, Gehalts-abbau *m*; ~ *des naissances* Geburtenbeschränkung *f*; ~ *du personnel*, ~ *du nombre des fonctionnaires* Personal-, Beamten-abbau *m*; ~ *du taux d'escompte* Diskontsenkung *f*.

réduire [re'dɥi:r] (4c) **I** *v/t.* **1.** zurückführen (*à* auf *acc.*); umrechnen; ~ *à néant* zunichte machen; **2.** *chir.* wieder einrenken; **3.** ⚗ reduzieren; einkochen; **4.** *peint.* verjüngen; **5.** ~ *en qch.* in etw. (*acc.*) verwandeln; ~ *en cendres* einäschern; ~ *en poudre* pulverisieren; *fig.* gänzlich zerstören; **6.** ~ *en pratique* praktisch anwenden; ~ *à l'effet od. en effet* ausführen, verwirklichen; **7.** vermindern, herabsetzen, senken, kürzen, abbauen; beschränken; *prix m réduit* ermäßigter Preis *m*; **8.** ~ *q. à la mendicité* j-n an den Bettelstab bringen; ~ *être bien réduit* sehr heruntergekommen sein; **9.** nötigen, zwingen; ~ *q. à la raison* j-n zur Vernunft bringen; **10.** bändigen; unterwerfen; *e-e Festung* zur Übergabe zwingen; **II** *v/rfl.* se ~ **11.** sich zurückführen lassen; **12.** sich beschränken; es *bei etw.* (*dat.*) bewenden lassen; **13.** se ~ *en qch.* sich in etw. (*acc.*) verwandeln; **14.** sich vermindern; *phm.* einkochen; *a. fig.* se ~ *à rien* sich in nichts auflösen, *fig.* gleich null sein.

réduit [re'dɥi] *m* **1.** enger, dunkler Raum *m*, Loch *n fig.*; **2.** Einbuchtung *f e-s Zimmers* (*als Wandschrank*).

réduplicatif *ling.* [redyplika'tif] *adj.* (7e) reduplizierend.

réduve *ent.* [re'dy:v] *f* Kotwanze *f*.

réécrire [ree'kri:r] *v/t.*, *abs.* (4f) zurückschreiben.

réédifi|cation [reedifika'sjɔ̃] *f* Wiederaufbau *m*; **~er** [~'fje] *v/t.* (1a) wieder aufbauen.

réédi|ter [reedi'te] *v/t.* (1a) *Werk* neu herausgeben, neu auflegen; *fig.* wieder auftischen; **~tion** [~'sjɔ̃] *f* Neuauflage *f*, Neudruck *m*.

réédu|cation [reedyka'sjɔ̃] *f* **1.** ⚕ heilgymnastische Behandlung *f*; **2.** Umerziehung *f*; **~quer** [~'ke] *v/t.* (1m) **1.** ⚕ heilgymnastisch behandeln; **2.** umerziehen.

réel [re'ɛl] **I** *adj.* (7c) □ **1.** tatsächlich, wirklich, real; **2.** ⚖ dringlich; **3.** *opt.*, ✗ reell; **II** *m das* Reale *n od.* Wirkliche *n*, *die* Wirklichkeit *f*.

réélection [reelɛk'sjɔ̃] *f* Wiederwahl *f*.

rééli|gibilité [reeliʒibili'te] *f* Wiederwählbarkeit *f*; **~gible** [~'ʒiblə] *adj.* wiederwählbar.

réélire [ree'li:r] *v/t.* (4x) wiederwählen.

réellement [reɛl'mɑ̃] *adv.* tatsächlich, wirklich, in der Tat.

réembarquement ⚓ [reɑ̃barkə'mɑ̃] *m* Wieder-einschiffung *f*, -verschiffung *f*.

réemption ⚖ [reɑ̃'psjɔ̃] *f* Rückkaufsrecht *n*.

réempl|oi [reɑ̃'plwa] *m* s. *remploi*; **~oyer** [~plwa'je] *v/t.* (1h) s. *remployer*.

réengag|ement [reɑ̃gaʒ'mɑ̃] *m* s. *rengagement*; **~er** [~'ʒe] *v/t.* (1l) s. *rengager*.

réensemenc|ement [reɑ̃smɑ̃s'mɑ̃] *m* Wiederbesäung *f*; **~er** [~'se] *v/t.* (1k) wieder besäen.

réentreprendre [reɑ̃trə'prɑ̃:drə] *v/t.* (4q) wieder unternehmen.

rééquilibrer [reekili'bre] *v/t.* wiederausgleichen.

réescompt|e *fin.* [reɛs'kɔ̃:t] *m* Rediskontierung *f*; Rediskont *m*; **~er** *fin.* [~kɔ̃'te] *v/t.* (1a) rückdiskontieren.

réévalu|ation *fin.* [reevalɥa'sjɔ̃] *f* Aufwertung *f*; **~er** [~'lɥe] *v/t.* (1a) aufwerten.

réexam|en [reɛgza'mɛ̃] *m* erneute Überprüfung *f*; **~iner** [~mi'ne] *v/t.* (1a) noch einmal überprüfen.

réexpéd|ier [reɛkspe'dje] *v/t.* (1a) weiterbefördern, nachsenden; **~ition** [~di'sjɔ̃] *f* Weiterbeförderung *f* Nachsendung *f*.

réexport|ation [reɛkspɔrta'sjɔ̃] *f* Wiederausfuhr *f*; **~er** [~'te] *v/t.* (1a) wiederausführen.

refaçon [rəfa'sɔ̃] *f* Ändern *n* (*e-s Kleids*); *litt.* (schlechte) Neubearbeitung *f*.

refaire [rə'fɛ:r] (4n) **I** *v/t.* **1.** noch einmal machen, umarbeiten; wieder anfangen; *e-e Strecke* wieder zurücklegen; *~ à neuf* neu machen; *Auto*, ✈ *~ le plein* auftanken; **2.** wieder zurechtmachen, ausbessern; **3.** *~ ses forces* (*od. sa santé*) wieder zu Kräften kommen; **4.** F übers Ohr hauen, beschummeln; **5.** P klauen; **II** *v/rfl.* se ~ sich erholen; *beim Spiel*: Verlorenes zurückgewinnen; *on ne se refait pas* man kann sich nicht ändern; F *se ~ une beauté* sich wieder hübsch machen.

refait F [rə'fɛ] *adj.* betrogen.

réfec|tion [refɛk'sjɔ̃] *f* Instandsetzung *f*; **~toire** [~'twa:r] *m* Speiseraum *m*, -saal *m*.

refend ⊕, ⚠ [rə'fɑ̃] *m* **1.** *mur m de ~* Trenn-mauer *f*, -wand *f*; **2.** Reklame-, Werbe-fläche *f an Autostraßen*.

refendre [rə'fɑ̃:drə] *v/t.* (4a) (wieder) spalten; *Holz* der Länge nach spalten *od.* durchsägen.

refente [rə'fɑ̃:t] *f* Spalten *n*; Durchsägen *n*.

référé ⚖ [refe're] *m* einstweilige Verfügung *f*; vorläufiger Beschluß *m*.

référence [refe'rɑ̃:s] *f* **1.** Beziehung *f*, Bezugnahme *f*, Beleg *m*, Belegstelle *f*; *fig. immeuble m de ~* Musterbau *m*; **2.** ✝ Referenz *f*; *ouvrage m de ~* Nachschlagewerk *n*; **3.** *~s pl.* Empfehlungen *f/pl.*; **4.** ✝ Muster-karte *f*, -buch *n*.

référen|daire [referɑ̃'dɛ:r] *m* ⚖ *usw.* Referent *m*; *~ pour l'éducation auprès de ...* Kulturreferent *m* bei ... (*dat.*); *auch adj. Fr.*: *conseiller m ~ (à la Cour des comptes)* Vortragender Rat *m* beim Rechnungshof; **~dum** [~rɛ̃'dɔm] *m* Volksentscheid *m*; Meinungsumfrage *f* (*bei Zeitungslesern usw.*).

référer [refe're] (1f) **I** *v/rfl.*: *se ~ à q.* (*à qch.*) sich auf j-n (auf etw.) beziehen *od.* berufen; **II** *v/i. en ~ à q.* j-m Bericht erstatten.

refermer [rəfɛr'me] *v/t.* (1a) wieder (zu)schließen; *se ~ sur soi-même* sich abkapseln.

refeuilleter [rəfœj'te] *v/t.* (1c) wieder duchblättern.

refiler P [rəfi'le] *v/t.* (1a): *~ qch. à q.* j-m etw. andrehen.

réflé|chir [refle'ʃi:r] (2a) **I** *v/t.* zurück-strahlen, -werfen; widerspiegeln, reflektieren (*a. fig.*); **II** *v/i.* überlegen, nachdenken (*sur*, *auch à* über *acc.*); *j'y réfléchirai, je vais ~ là-dessus* ich werde darüber nachdenken; *réfléchi* überlegt, besonnen, bedächtig; *gr.* reflexiv, rückbezüglich; **~chissant** *opt.* [~ʃi'sɑ̃] *adj.* (7) reflektierend.

réflect|eur [reflɛk'tœːr] *m u. adj.* Hohlspiegel *m*, Reflektor *m*; *Auto*: Scheinwerfer *m*, Rückstrahler *m*; *vél.* Katzenauge *n*; reflektierend, zurückstrahlend; **~ibilité** *phys.* [~tibili'te] *f* Zurückstrahlbarkeit *f*; **~if** *phil.* [~'tif] *adj.* (7e) reflektiv; **~ographie** *phot.* [~tɔgra'fi] *f* Reflexkopierverfahren *n*; **~oriser** *phys.* [~tɔri'ze] *v/t.* reflektieren, zurückstrahlen.

reflet [rə'flɛ] *m* Widerschein *m*, Reflex *m*; *fig.* Abbild *n*.

refléter [rəfle'te] (1f) **I** *v/t. Licht* zurückwerfen, widerspiegeln, reflektieren; **II** *v/rfl.*: *se ~ sur qch.* sich auf etw. (*acc.*) widerspiegeln.

refleurir [rəflœ'riːr] (2a) **I** *v/i.* wieder aufblühen; **II** *v/t.* wieder mit Blumen schmücken (*Grab*).

réflex [re'flɛks] *adj.*: *caméra f ~* Reflexkamera *f*.

réflex|e *physiol.* [re'flɛks] **I** *m* Reflex *m*; **II** *adj.* Reflex...; **~ibilité** *phys.* [~ksibili'te] *f* Reflektierbarkeit *f*; **~ion** [~k'sjɔ̃] *f* **1.** Rückstrahlung *f*, Reflexion *f*, Widerschein *m*; Widerhall *m*; **2.** Überlegung *f*; *faire ~ sur* (*od. à*) *qch.* sich etw. überlegen; *sans ~* unüberlegt; **3.** F Beanstandung *f*.

refluer [rəfly'e] *v/i.* (1a) zurückfließen.

reflux [rə'fly] *m* **1.** Ebbe *f*; **2.** Rückstrom *m* (*e-r Menge*); **3.** *fin.* Rückfluß *m* (*v. Kapitalien*).

refon|dre [rə'fɔ̃ːdrə] *v/t.* (4a) **1.** ⊕ umgießen, umschmelzen; **2.** *fig.* umändern; überarbeiten; **~te** [~'fɔ̃ːt] *f* ⊕ Umguß *m*, Umschmelzung *f*; *fig.* Überarbeitung *f*, Umarbeitung *f*; Umgestaltung *f*, Umänderung *f*, Umprägung *f*.

réformable [refɔr'mablə] *adj.* reformierbar, verbesserungsfähig.

réforma|teur [refɔrma'tœːr] (7f) **I** *adj.* reformerisch; **II** *su.* Reformer *m*; **~tion** ⚖ [~ma'sjɔ̃] *f* Abänderung *f e-r Entscheidung*.

réforme [re'fɔrm] *f* **1.** Reform *f*, Um-, Neu-gestaltung *f*, Verbesserung *f*; *~ électorale* (*agraire*) Wahl- (Agrar-)reform *f*; *~ pénale*, *~ scolaire* Strafrechts-, Schul-reform *f*; **2.** *rl. la* ♀ die Reformation; **3.** ⚔ *congé m de ~* Entlassung *f* wegen Dienstuntauglichkeit; *cheval m de ~* ausgemustertes Pferd *n*; **4.** ⊕ Außerbetriebsetzung *f*.

réformé [refɔr'me] *su.* **1.** *rl.* Reformierte(r) *m*; **2.** ⚔ für dienstuntauglich Erklärte(r) *m*.

réformer [refɔr'me] *v/t.* (1a) **1.** verbessern; ⚖ *~ un arrêt* ein Urteil abändern; **2.** *Mißbräuche* abschaffen *od.* abstellen; **3.** ⚔ *~ des troupes* Truppen entlassen; *~ des chevaux* Pferde ausmustern.

reformer ⚔ [rəfɔr'me] (1a) **I** *v/t.* neu formieren; **II** *v/rfl. se ~* sich neu formieren.

refoul|é *psych.* [rəfu'le] *adj.* verklemmt; **~ement** [~l'mɑ̃] *m psych.* Verdrängung *f*; *allg. a.* Zurückdrängen *n*, -werfen *n*; *hydr. ~ des eaux* Stauung *f* des Wassers; **~er** [~'le] *v/t.* (1a) **1.** zurückdrängen; *a. psych.* verdrängen; *fig. ~ ses larmes* die Tränen zurückhalten; *~ q. à la frontière* j-n über die Grenze abschieben; 🚂 *~ les trains* die Züge zurückschieben; **2.** *hydr. ~ les eaux* das Wasser stauen.

réfrac|taire [refrak'tɛːr] **I** *adj.* **1.** aufsässig, widerspenstig (*à* gegen *acc.*); *Einflüssen* unzugänglich; **2.** ⊕ feuerfest; *mur m ~* Brandmauer *f*; **II** *su. pol.* Gegner *m*; Widerspenstige(r) *m*; *~ au service armé* Kriegsdienstverweigerer *m*; **~tif** [~k'tif] *adj.* (7e) strahlen-, licht-, schall-brechend; **~tion** *phys.* [~k'sjɔ̃] *f* Strahlen-, Licht-, Farben-, Ton-, Schall-brechung *f*.

refrain [rə'frɛ̃] *m* Kehrreim *m*; *~ populaire* Schlager *m*, Gassenhauer *m*; *c'est toujours le même ~* das ist immer die alte Leier.

réfrangible *phys.* [refrɑ̃'ʒiblə] *adj.* brechbar (*z.B. Lichtstrahlen*).

refrappe [rə'frap] *f* Neuprägung *f*.

refrènement [rəfrɛn'mɑ̃] *m* Zügeln *n*, Bändigen *n*, Inschachhalten *n*, *fig.* Eindämmen *n*.

refréner [rəfre'ne] *v/t.* (1f) zügeln, im Zaume halten, bändigen, in Schach halten, *e-r Sache* Einhalt tun; *fig. etw.* eindämmen.

réfrigé|rant [refriʒe'rɑ̃] **I** *adj.* (7) kühlend; *appareil m ~* Kühlapparat *m*; *chambre f ~e* Gefrierraum *m*; **II** *m* ⚗, ⊕ Kühlvorrichtung *f*; **~rateur** ⚡ [~ra'tœːr] *m* Kühlschrank *m*; **~ration** *phys.* [~ra'sjɔ̃] *f* Kühlung *f*; **~rer** *phys.* [~'re] *v/t.* (1f) kühlen; F *être réfrigéré* ganz durchgefroren sein.

réfringent *phys.* [refrɛ̃'ʒɑ̃] *adj.* (7) licht-, strahlen-brechend.
refrire [rə'friːr] *v/t.* (4m) wieder aufbraten.
refroid|ir [rəfrwa'diːr] (2a) **I** *v/t.* kühlen; *fig.* dämpfen; P *j-n* kaltmachen; **II** *v/i.* sich abkühlen, kalt (*od.* kühler) werden (*Speise*; *Motor*); **~issement** [~dis'mɑ̃] *m* Abkühlung *f*; ⚕ Erkältung *f*; *fig.* Erkaltung *f*; *Auto*: Kühlung *f*; *~ à* (*od. par*) *l'eau* wassergekühlt; *prendre un ~* sich erkälten; **~isseur** ⊕ [~di'sœːr] *m*: *~ préalable* Vorkühler *m.*
refuge [rə'fyːʒ] *m* **1.** Zuflucht(sort *m*) *f*; (Schutz-)Hütte *f* (*im Gebirge*); **2.** Verkehrsinsel *f.*
réfu|gié [refy'ʒje] **I** *adj.* geflüchtet; **II** *su.* Flüchtling *m*; Vertriebene(r) *m*; **~gier** [~] *v/rfl.* (1a): *se ~* (sich) flüchten, s-e Zuflucht nehmen.
refus [rə'fy] *m* abschlägige Antwort *f*, Weigerung *f*; *essuyer un ~* abschlägig beschieden (*od.* abgewiesen)werden; e-n Korb (F *fig.*) bekommen (*od.* kriegen F); F *ce n'est pas de ~!* mit Vergnügen!
refuser [rəfy'ze] (1a) **I** *v/t.* **1.** abschlagen, nicht annehmen, ablehnen, zurückweisen; *~ q.* j-m e-n Korb geben; **2.** verweigern; versagen; *~ net* rundweg abschlagen; *auf Briefen*: *refusé* Annahme verweigert; *être refusé* im Examen durchfallen; *ne ~ aucun travail* keine Arbeit scheuen; **II** *v/i.* **3.** *abs.* nein sagen, ablehnen; **4.** ⊕ versagen, nicht mehr gehen, nicht mehr funktionieren (*Werkzeug*, *Apparat*); auf e-n Widerstand stoßen (*Pfahl*); **III** *v/rfl.* **5.** *se ~ qch.* sich etw. versagen; **6.** *se ~ à* (*faire*) *qch.* sich weigern (etw. zu tun), etw. nicht zulassen, sich gegen etw. (*acc.*) sträuben; *je m'y refuse* das ist mir nicht recht.
réfu|table [refy'tablə] *adj.* widerlegbar; **~tation** [~tɑ'sjɔ̃] *f* Widerlegung *f*; **~ter** [~'te] *v/t.* (1a) widerlegen.
regagner [rəga'ɲe] *v/t.* (1a) **1.** wieder-gewinnen, -erlangen; *~ le dessus* die Oberhand gewinnen; *~ du terrain* wieder vordringen, wieder Boden gewinnen; *fig.* Fortschritte machen; ⚔ *~ son unité* wieder zu s-m Verband stoßen; **2.** wieder erreichen; *~ ses foyers* wieder in die Heimat zurückkehren.
regain [rə'gɛ̃] *m* **1.** Grummet *n*; Nachmahd *f*; **2.** *fig.* Wiederaufleben *n*; *~ d'activité* Neubelebung *f* (*der Industrie*).
régal [re'gal] *m* (*pl.* *~s*) **1.** Lieblingsgericht *n*; Schmaus *m*; **2.** *fig.* besonderes Vergnügen *n*, Wonne *f*; **~ade** [~'lad] *f*: *boire à la ~* gleich aus der Flasche trinken.
régalage [rega'laːʒ] *m* Eb(e)nen *n.*
régale [re'gal] **I** *adj./f* ⚗: *eau f ~* Königswasser *n*; **II** *hist.* ⚖ *f* Hoheitsrecht *n.*
régaler[1] [rega'le] *v/t.* (1a) ebnen, planieren.
régaler[2] [~] (1a) **I** *v/t.* gut bewirten (*q. de qch. od. avec qch.* j-n mit etw. *dat.*); *iron. fig.* *~ q. de coups* j-n mit e-r Tracht Prügel bedienen; **II** *v/rfl.*: *se ~ de od. avec qch.* sich etw. schmecken lassen, etw. mit Genuß essen *od.* trinken.
regard [rə'gaːr] *m* **1.** Blick *m*; *fig.* *promener ses ~s autour de soi* s-e Blicke umherschweifen lassen; **2.** *en* (*a. au*) *~ de ...* im Vergleich zu ... (*dat.*); *mettre en ~ l'un de l'autre* miteinander vergleichen, einander gegenüberstellen; *texte m avec traduction en ~* Text *m* mit gegenüberstehender Übersetzung; **3.** *exercer le droit de ~ sur un plan* das Aufsichtsrecht auf e-m Gebiet *fig.* ausüben (*Staat*); **4.** ⚠ Einsteige-loch *n*, -schacht *m*; **~ant** [~'dɑ̃] *adj.* (7) kleinlich.
regarder [rəgar'de] (1a) **I** *v/t.* **1.** anblicken, ansehen, betrachten; *~ qch. de près* etw. in der Nähe betrachten; sich etw. genau ansehen; *elle le regarde manger* sie sieht ihm beim Essen zu; *fig.* *~ q. de travers* j-n schief ansehen; **2.** angehen, betreffen; *ça me regarde!* das ist m e i n e Sache!; **II** *v/i.* blicken, schauen; *~ par la fenêtre* aus dem Fenster sehen; *~ à qch.* auf etw. (*acc.*) sehen (*od.* achten); *y ~ à deux fois* sich etw. zweimal überlegen; *y ~ de près* mit dem Geld knapsen F; *~ à deux francs* mit jedem Pfennig rechnen; *sans y ~*, *od. sans ~ à la dépense* aus dem vollen wirtschaften.
regarnir [rəgar'niːr] *v/t.* (2a) wieder versehen; *a.* mit neuen Waren anfüllen; ⊕ erneuern.
régate [re'gat] ⚓ *f* (*mst. pl.* *~s*) Regatta *f.*
regazonner [rəgazɔ'ne] *v/t.* (1a) wieder mit Rasen belegen.
regel [rə'ʒɛl] *m* neuer Frost *m*; *fig.* *pol.* Wiederverhärtung *f*; **~er** [rəʒ'le] *v/i.* (1d) wieder (zu)frieren.

régence [re'ʒɑ̃:s] *f* Regentschaft *f*.
régénér|ateur [reʒenera'tœ:r] *adj. u. su.* (7f) neu belebend; Wiederhersteller *m*; ⊕ Wärme-speicher *m*, -akkumulator *m*, Regenerator *m*; *at.* Brutreaktor *m*; **~ation** [~rɑ'sjɔ̃] *f* Wiederherstellung *f*; *fig.* moralische Wiedergeburt *f*; *a.* ⊕ Regenerierung *f*; ⊕ Wiedergewinnung *f*; ⚗ Auffrischung *f*; **~er** [~'re] *v/t.* (1f) erneuern; *fig.* wiederbeleben; *biol.*, ⊕ regenerieren; ⊕ auffrischen, wiedergewinnen, aus Altmaterial neu gewinnen; ⚡ ~ *un accu* e-n Akku aufladen; ⚗ ~ *le bain* das Bad ergänzen.
régent [re'ʒɑ̃] (7) **I** *adj.* (vormundschaftlich) regierend; *prince m* ~ Prinzregent *m*; **II** *su.* Regent *m*; **~er** [~'te] *v/t.* (1a) bevormunden.
régicide [reʒi'sid] *m* Königsmörder *m*; Königsmord *m*.
régie [re'ʒi] *f* **1.** staatliches Unternehmen *n*; Regie *f*, Verwaltung *f*; *mauvaise* ~ Mißwirtschaft *f*; ~ *des tabacs* Tabaks-regie *f*, -verwaltung *f*; *mise f en* ~ Verstaatlichung *f*; *travaux m/pl. en* ~ vom Staat ausgeführte öffentliche Arbeiten *f/pl.*; **2.** *thé.*, *télév.*, *cin.* Regieassistenz *f*.
regimber [rəʒɛ̃'be] *v/i.* (1a) hinten ausschlagen; *fig.* sich sträuben.
régime [re'ʒi:m] *m* **1.** *pol.* Regime *n*, Regierung *f*, Regierungs-form *f*, -system *n*; *hist.* ~ *féodal* Lehnswesen *n*; *Fr. hist. Ancien* ♀ Altes Regime *n* (*vor 1789*); **2.** Verfahren *n*, Einrichtung *f*, Ordnung *f*; Verwaltung *f*; (*fin.* Versicherungs-) System *n*, Wirtschaft *f*; Betriebszustand *m*; ~ *d'un fleuve* Wasserstandsverhältnisse *n/pl.* e-s Flusses; ~ *des boissons* Alkoholmonopol *n*; 🚂 ~ *accéléré* Eilgut *n*; ~ *ordinaire* Frachtgut *n*; ⊕ ~ *élevé* hohe Touren-(Dreh-)zahl *f*; ⊕ ~ *de commande* Antriebsart *f*; ⊕ ~ *de vitesse* Geschwindigkeitsstufe *f*; ⚡ ~ *de charge* Ladestärke *f*; ~ *colonial* Kolonial-verwaltung *f*, -system *n*; ~ *industriel*, ~ *douanier* Gewerbe-, Zoll-wesen *n*; *pol.*, *éc.* ~ *douanier protectionniste* Schutzzollsystem *n*; ~ *des passeports* Paßwesen *n*; ~ *des eaux* Wasserwirtschaft *f*; ✝ ~ *des crédits* Kreditwirtschaft *f*; ~ *des paiements* Zahlungsverkehr *m*; ~ *de rationnement* Rationierungssystem *n*; *pol. iron.* ~ *des assiettes au beurre* Futterkrippensystem *n*; *instaurer le* ~ *sec* (durch Alkoholverbot) trockenlegen; ~ *de communauté* eheliche Gütergemeinschaft *f*; ~ *des écoles* Schulwesen *n*; ~*s pl. matrimoniaux* Güterrecht *n*; ~ *pénitentiaire* Gefängniswesen *n*; **3.** Lebensweise *f*; ⚕ Diät *f*; *être au* ~, *suivre un* ~ Diät halten (müssen); ~ *carné*, ~ *lacté* Fleisch-, Milch-kur *f*; ~ *végétarien* Pflanzenkost *f*; **4.** *gr.* Ergänzung *f zum Verb* (*od. Zeitwort*), Objekt *n*; ~ *direct* näheres Objekt *n*, Akkusativ *m*; ~ *indirect* entfernteres Objekt *n* (*Dativ od. Genitiv*); **5.** ⚘ (*Bananen-*, *Dattel-*)Büschel *n*.
régiment [reʒi'mɑ̃] *m* Regiment *n*; *fig.* Riesenmenge *f*; *ils sont là un* ~ sie sind da in Massen; F *faire son* ~ s-n Wehrdienst ableisten; **~aire** [~'tɛ:r] *adj.* Regiments...
région [re'ʒjɔ̃] *f* **1.** Gebiet *n*, Region *f*, Erd-, Land-strich *m*, Gegend *f*; Zone *f*; ~ *du ciel* Himmelsgegend *f*; ~ *limitrophe*, ~*-frontière* Grenzgebiet *n*; ~ *éprouvée* Notstandsgebiet *n*; **2.** *fig.*, *anat. usw.* Gegend *f*, Gebiet *n*, Bereich *m*; ~ *économique* Wirtschafts-bezirk *m*, -bereich *m*, -sparte *f*, -zweig *m*; ~ *inguinale* Leistengegend *f*.
régional [reʒjɔ'nal] (5c) **I** *adj.* regional; 🚂 *trains m/pl. régionaux* Nahverkehrszüge *m/pl.*; **II** *m* ☏ regionales Telefonnetz *n* (*um e-e Großstadt*); **~e** *néol.* [~] *f* Provinzlerin *f*; **~isation** [~lizɑsjɔ̃] *f* Förderung *f* der regionalen Eigenständigkeit; **~iser** [~li'ze] *v/t.* (1a) die regionale Eigenständigkeit fördern; **~isme** *litt.*, *pol.* [~'lism] *m* Regionalismus *m*; **~iste** *litt.*, *pol.* [~'list] *adj. u. m* Heimat...; regionalistisch; Regionalist *m*.
régir [re'ʒi:r] *v/t.* (2a) **1.** ⚖ regeln; **2.** *gr.* regieren.
régisseur [reʒi'sœ:r] *m* Verwalter *m*; 🔨 Gutsverwalter *m*; *thé.*, *cin.*, *télév.* Regieassistent *m*.
registre [rə'ʒistrə] *m* **1.** Register *n*, Verzeichnis *n*; ~ *d'état civil* Standesregister *n*; ~ *du commerce* Handelsregister *n*; ~ *pénal* Strafregister *n*; *inscrit au* ~ *du commerce* handelsgerichtlich eingetragen; **2.** ♪ Stimmlage *f*; Register *n e-r Orgel*; **3.** ⊕ Schließklappe *f*.
régla|ble [re'glablə] *adj.* regulierbar, verstellbar, einstellbar; **~ge** [~'gla:ʒ] *m* **1.** Lin(i)ierung *f des Papiers*; **2.** ⊕ Regulierung *f*; Einstellung *f*.
règle ['rɛ:glə] *f* **1.** Lineal *n*; **2.** Regel *f*, Vorschrift *f*; Richtschnur *f*; Ge-

setz *n*; Gebrauch *m*; Ordnung *f*; Regelmäßigkeit *f*; *cela est dans les* ~*s* das ist in (der) Ordnung; *en (bonne)* ~ in Ordnung, vorschriftsmäßig, regelrecht, in aller Form; *en* ~ *générale* überhaupt; *mettre en* ~ in Ordnung bringen, ordnen; *il est de* ~ *que* ... es ist Sitte, daß ...; *se faire une* ~ *de* ... es sich zur Regel machen, ... zu ...; *sans* ~*s* regellos; **3.** rl. Ordensregel *f*; **4.** ~ *à calcul* Rechenschieber *m*; ~ *à curseur(s)* Schiebestange *f*; **5.** *arith.* ~ *de trois* Dreisatzrechnung *f*; **6.** ⚕ ~*s pl.* Periode *f*, Regel *f*.

règlement [rɛglə'mɑ̃] *m* **1.** Festsetzung *f*, Bestimmung *f*, Regelung *f*; Abwick(e)lung *f*; *fig.* Bereinigung *f e-r Angelegenheit*; ⊕ Normung *f*; ⚚ ~ *de compte* Abrechnung *f*, Bezahlung *f e-r Rechnung*; ⚚ ~ *des comptes* Abrechnungsverkehr *m*; ~ *douanier* Zollregelung *f*; **2.** ⚖ Satzung *f*, Statut *n*, Verordnung *f*, Verfügung *f*; ~ *postal* Posthandbuch *n*; *allg.* ~ *de (la) circulation* Verkehrs-, Fahrvorschrift *f*; **3.** *pol.* Geschäftsordnung *f*.

réglementaire [rɛgləmɑ̃'tɛ:r] *adj.* [□ vorschriftsmäßig.]

réglementation [~mɑ̃tɑ'sjɔ̃] *f* gesetzliche Regelung *f*; (Zwangs-)Bewirtschaftung *f*; ~ *du travail* gesetzliche Arbeitsregelung *f*; ~ *de la circulation* Verkehrsregelung *f*.

réglementer [rɛgləmɑ̃'te] *v/t.* (1a): ~ *qch.* Verordnungen über etw. erlassen, etw. gesetzlich erfassen (*od.* regeln, ordnen).

régler [re'gle] (1f) **I** *v/t.* **1.** lin(i)ieren; **2.** regeln; ordnen; einrichten; festsetzen; *fig. e-e Angelegenheit* bereinigen; normen; ⊕ *rad.* ein-, nach-, richtig-stellen; *s-e Uhr* stellen; ~ *à son maximum de puissance* auf volle Lautstärke einstellen; ⚔ ~ *le tir* sich einschießen; *réglé* geregelt, geordnet; regelrecht; ordentlich; ~ *un compte* e-e Rechnung begleichen *od.* bezahlen; ~ *sa dépense sur son revenu fig.* sich nach der Decke strecken; ~ *un différend* e-n Streit beilegen; **II** *v/rfl.* se ~ **3.** geregelt werden; **4.** se ~ *sur* ... sich richten nach ... (*dat.*).

réglet ⚠ [re'glɛ] *m* Zierleiste *f*; **~te** [re'glɛt] *f* kleines Lineal *n*; *typ.* Span *m*; ⚡ ~ *de boutons* Tastenstreifen *m*; *électron.* ~ *de contact* Kontaktleiste *f*.

régleur ⊕ [re'glœ:r] *m* Justierer *m*; *rad.* ~ *de puissance* Lautstärkeregler *m*.

réglisse [re'glis] *f* Süßholz *n*, Lakritzenwurzel *f*; Lakritze *f*.

réglo F [re'glo] *adj./inv.* korrekt.

réglure [re'gly:r] *f* Lin(i)ierung *f*.

règne [rɛɲ] *m* **1.** Regierung(szeit *f*) *f*; **2.** Herrschaft *f*, Macht *f*; **3.** ~ *animal (végétal, minéral)* Tier-(Pflanzen-, Mineral-)reich *n*.

régner [re'ɲe] *v/i.* (1f) **1.** herrschen, regieren (*a. fig.*); ~ *sur soi* sich selbst beherrschen; **2.** die Vorherrschaft haben (*sur* über *acc.*).

regolithe *géol.* [regɔ'lit] *m* Verwitterungsboden *m*.

regon|flement [rəgɔ̃flə'mɑ̃] *m* Wiederfüllung *f* (*e-s Ballons*); *vél.* Aufpumpen *n* (*e-s Reifens*); Anschwellen *n* (*e-s Flusses*); **~fler** [~'fle] (1a) **I** *v/t. Ballon* wieder füllen; *vél.* aufpumpen (*Reifen*); **II** *v/i.* wieder steigen (*Wasser*); ⚕ wieder anschwellen.

regorger [rəgɔr'ʒe] (1l) **I** *v/i.* ~ *de qch.* voll von etw. (*dat.*) sein, an etw. (*dat.*) Überfluß haben; ~ (*de santé* vor Gesundheit) strotzen; **II** F *v/t.* wieder herausrücken, zurückgeben.

regratter ⚠ [rəgra'te] *v/t.* (1a) *ein Gebäude* abputzen.

régresser [regrɛ'se] *v/i.* (1a) a) *biol.* (*in der Art od. Spezies*) zurückschlagen; b) *allg.* (*an Zahl*) zurückgehen, abnehmen.

régressif [regrɛ'sif] *adj.* (7e) □ rückläufig; *anat. transformation f régressive* Rückbildung *f*.

régression [regrɛ'sjɔ̃] *f* Rück-gang *m*, -schritt *m*, *biol.* -bildung *f*.

regret [rə'grɛ] *m* **1.** seelischer Schmerz *m*; **2.** ~*s pl.* Klagen *f/pl.*, Jammer *m/sg.*; **3.** Bedauern *n*; Reue *f*; *avoir* ~ *de* (*mit inf.*) bedauern, bereuen; *à mon grand* ~ zu meinem großen Bedauern; *à* ~ schweren Herzens; *j'en suis aux* ~*s* es tut mir sehr leid; **4.** Sehnsucht *f*; ~ *de la patrie* Heimweh *n*; *laisser bien des* ~*s* schmerzlich vermißt werden.

regret|table [rəgrɛ'tablə] *adj.* □ bedauernswert, bedauerlich; **~ter** [~'te] *v/t.* (1a) **1.** bedauern; vermissen; sich sehnen nach (*dat.*); **2.** beklagen; bereuen; *il est à* ~ *que* (*subj.*) es ist schade, daß (*ind.*).

regrèvement *fin.* [rəgrɛv'mɑ̃] *m* Steuererhöhung *f*.

regroup|ement [rəgrup'mɑ̃] *m* Umgruppierung *f*; Umstellung *f* *e-s Betriebes*; Umschichtung *f der Bevölkerung, des Kapitals*; **~er** [~'pe] *v/t.* (1a) umgruppieren; umstellen (*Betrieb*); umschichten (*Kapitalien*); zs.-fassen.

régulari|sation [regylarizɑ'sjɔ̃] *f a. fin.* Regelung *f*; ⊕, ⚓ Regulierung *f*; F nachträgliche Eheschließung *f*; **~ser** [~ri'ze] *v/t.* (1a) in Ordnung bringen; ⊕, ⚓ regulieren; **~té** [~'te] *f* **1.** Regelmäßigkeit *f*; *advt. avec* ~ regelmäßig; **2.** Pünktlichkeit *f*; **3.** Vorschriftsmäßigkeit *f*.

régula|teur [regyla'tœ:r] **I** *m* ⊕ Regler *m*; Regulator *m*; *Auto*: ~ *d'air* Luftklappe *f*; ⊕ ~ *de pression* Druckregler *m*; **II** *adj.* (7f) regulierend; **~tion** [~lɑ'sjɔ̃] *f* Regulierung *f*; ~ *des naissances* Geburtenregelung *f*.

régule ⊕ [re'gyl] *m* Lagermetall *n*.

régulier [regy'lje] **I** *adj.* (7b) □ **1.** regelmäßig; 🚂, *Bus*: fahrplanmäßig; ✈ planmäßig; vorschriftsmäßig; regulär; **2.** ordentlich, geordnet, geregelt; **3.** genau, pünktlich; **4.** *rl.* Ordens...; **II** *m* Ordensgeistliche(r) *m*.

régulièrement [regyljɛr'mɑ̃] *adv.* regelmäßig; ordentlich; genau.

régurgit|ation [regyrʒitɑ'sjɔ̃] *f* Wiederheraufbringen *n* des Futters (*beim Wiederkäuen*); ⚕ leichtes Aufstoßen *n*; **~er** ⚕ [~'te] *v/t.* (1a) wiederkäuen (*a. fig.*).

réhabili|tation [reabilitɑ'sjɔ̃] *f* Rehabilitierung *f*; △ völlige Neugestaltung *f*; **~ter** [~'te] *v/t.* (1a) rehabilitieren; △ völlig neugestalten.

réhabituer [reabi'tɥe] *v/t.* (1a): ~ *à qch.* wieder an etw. (*acc.*) gewöhnen.

rehauss|ement [rəos'mɑ̃] *m* Erhöhung *f*; Anheben *n*; Steigerung *f*; **~er** [~'se] *v/t.* (1a) **1.** erhöhen, höher machen; **2.** *fig.* vermehren, steigern; hervorheben, unterstreichen; **3.** △ weiter erhöhen, aufstocken.

réif|ication *phil., soc.* [reifikɑ'sjɔ̃] *f* Versachlichung *f*; **~ier** *phil., soc.* [rei'fje] *v/t.* (1a) versachlichen.

reillère [rɛ'jɛ:r] *f* Gerinne *n*, Wasserzufluß *m* (*bei e-r Mühle*).

réimpor|tation [reɛ̃pɔrtɑ'sjɔ̃] *f* Wiedereinfuhr *f*; **~ter** [~'te] *v/t.* (1a) wiedereinführen.

réimposer *fin.* [reɛ̃po'ze] *v/t.* (1a) neu veranschlagen.

réim|pression [reɛ̃prɛ'sjɔ̃] *f* Nachdruck *m*; **~primer** [~pri'me] *v/t.* (1a) nachdrucken.

Reims [rɛ̃:s] *m franz. Stadt.*

rein [rɛ̃] *m* **1.** Niere *f*; **2.** ~*s pl.* Lenden *f/pl.*, Kreuz *n*; *mal m aux* ~*s* Kreuzschmerzen *m/pl.*; *fig. avoir les* ~*s forts* wohlhabend (*od.* einflußreich) sein; **3.** △ ~*s pl. de voûte* Gewölbezwickel *m*.

réincarcér|ation [reɛ̃karserɑ'sjɔ̃] *f* Wiedereinkerkerung *f*; **~er** [~'re] *v/t.* (1f) wieder einkerkern.

réincarnation *rl.* [reɛ̃karnɑ'sjɔ̃] *f* Seelenwanderung *f*.

réincorporer [reɛ̃kɔrpɔ're] *v/t.* (1a) wiedereingliedern.

reine [rɛ:n] *f* **1.** Königin *f*; ~ *mère* Königinmutter *f*; ~ *douairière* Königinwitwe *f*; **2.** ⚘ ~ *des bois* Waldmeister *m*; ~*-des-prés* Geißbart *m*; **3.** *plais. petite* ~ Fahrrad *n*, Stahlroß *n plais.*, Drahtesel *m plais.*

reinette [rɛ'nɛt] *f* Renette *f* (*Apfelsorte*), Königsapfel *m*; ~ *jaune* Goldrenette *f*.

réin|sérer *soc.*, ⚕ [reɛ̃se're] *v/t.* (1f) wiedereingliedern; **~sertion** *soc.*, ⚕ [~ɛ̃sɛr'sjɔ̃] *f* Wiedereingliederung *f*.

réin|stallation [reɛ̃stalɑ'sjɔ̃] *f* Wiedereinrichtung *f*; Wiedereinsetzung *f* (*v. Personen*); **~staller** [~sta'le] *v/t.* (1a) wiedereinsetzen.

réintégr|able [reɛ̃te'grablə] *adj.* wiedereinsetzbar; **~ation** [~grɑ'sjɔ̃] *f* Wiedereinsetzung *f*; Wiedereinstellung *f*; *bsd. pol.* Rück-führung *f*, -gliederung *f*; **~er** [~'gre] *v/t.* (1f) **1.** ⚖ wiedereinsetzen; *allg. j-n* wiedereinstellen; ~ *en prison* ins Gefängnis zurückführen; **2.** ⚕ wieder integrieren; **3.** *pol.* rückführen, rückgliedern; **4.** wieder betreten, wieder einziehen in (*acc.*); **5.** wieder anziehen (*Anzug*).

réintro|duction [reɛ̃trɔdyk'sjɔ̃] *f* Wiedereinführung *f*; **~duire** [~'dɥi:r] *v/t.* (4c) wiedereinführen.

réinventer [reɛ̃vɑ̃'te] *v/t.* (1a) erneut (*od.* wieder) erfinden.

réitér|atif [reitera'tif] *adj.* (7e) wiederholend, nochmalig; **~ation** [~rɑ'sjɔ̃] *f* Wiederholung *f*; **~er** [~'re] *v/t.* (1f) (*a. abs.*) wiederholen.

reître ['rɛ:trə] *m fig.* Haudegen *m*.

rejaillir [rəʒɑ'ji:r] *v/i.* (2a) (hoch-) spritzen; *fig.* ~ *sur q.* auf j-n zurückfallen.

rejet [rə'ʒɛ] *m* **1.** (Zurück-)Werfen *n*; Anlandspülen *n* (*Strandgut*); ⚕ Abstoßung *f*; **2.** *fig.* Verwerfung *f*, Ablehnung *f* (*e-s Vertragsentwurfs usw.*); **3.** *métr.* Zeilensprung *m*; **4.** ⚘ Schößling *m*, neuer Trieb *m*; **~er** [rəʒ'te] (1c) **I** *v/t.* **1.** wieder (zu)werfen; *fig.* ~ *la faute sur q.* auf j-n die Schuld abwälzen; **2.** *a.* ⚔ zurückwerfen; *gr.* ~ *le verbe* das Verb zurück-setzen, -stellen; **3.** ablehnen; verwerfen; zurückweisen; ausmustern; **4.** an Land spülen (*Strandgut*); **5.** ⚕ *Nahrung* wieder von sich geben; **II** *v/i.* ⚘ Schößlinge treiben; **~on** [rəʒ'tõ] *m* **1.** Schößling *m*; **2.** F *fig.* Nachkömmling *m*, Sprößling *m*.

rejoindre [rə'ʒwɛ̃:drə] *v/t.* (4b) **1.** wieder *an e-n Ort* gelangen; **2.** wieder einholen *od.* treffen; wieder *zu j-m* kommen; ˡauch hinkommen.

rejointoyer △ [rəʒwɛ̃twa'je] *v/t.* (1h) wieder ausfugen.

réjou|i [re'ʒwi] *adj.* vergnügt, lustig, heiter; **~ir** [re'ʒwi:r] (2a) **I** *v/t.* **1.** erfreuen, erheitern; **2.** ~ *l'estomac* dem Magen guttun; **II** *v/rfl.* se ~ **3.** sich freuen (de über *acc.*); **~issance** [~ʒwi'sɑ̃:s] *f* Fröhlichkeit *f*; ~*s pl. publiques* Volksfest *n*; **~issant** [~ʒwi'sɑ̃] *adj.* (7) erfreulich.

relâche [rə'lɑ:ʃ] *f* **1.** *thé. jour de* ~ spielfreier Tag *m*; *aujourd'hui* ~ heute keine Vorstellung; **2.** *sans* ~ ununterbrochen; **3.** ⚓ Aufenthalt *m* in e-m Zwischenhafen; *port m de* ~ Zwischenhafen *m*; **~ment** [~lɑʃ'mɑ̃] *m* **1.** Entspannung *f der Muskeln*; **2.** Nachlassen *n der Disziplin*; **3.** Lockerung *f* (*der Sitten*), Verfall *m*; **4.** Freilassung *f*.

relâcher [rəlɑ'ʃe] (1a) **I** *v/t.* **1.** entspannen, lockern (*Muskeln*); **2.** erlahmen lassen; **3.** freilassen; **II** *v/i.* ⚓ ~ *dans un port* e-n Hafen anlaufen; **III** *v/rfl.* se ~ *a. écol.* nachlassen.

relais [rə'lɛ] *m* **1.** ⚡ Relais *n*; ~-*-radio m* (6c) Sprechfunkgerät *n*; **2.** *Sport*: Staffel(lauf *m*) *f*; **3.** ~ *administratif* Verwaltungsstelle *f*; ~ *routier* Raststätte *f* (*für Autofahrer*); *ehm.* ~ *de poste* Umspannstelle *f* für Postkutschpferde.

relance [rə'lɑ̃:s] *f* **1.** *éc.* neuer Aufschwung *m*, *fig.* Wieder-ankurbelung *f*, -belebung *f* (*der Wirtschaft*); **2.** neuer (Spiel-)Einsatz *m* (*beim Spiel*).

relancer [rəlɑ̃'se] *v/t.* (1k) **1.** zurückwerfen (*Ball*); *éc. fig.* wieder ankurbeln; **2.** *ch.* wieder auftreiben; **3.** F *fig.* ~ *q.* j-m dauernd auf dem Halse sitzen; **4.** *beim Spiel* überbieten.

relaps *rl.* [rə'laps] *adj. u. su.* rückfällig(er Ketzer *m*), Rückfällige(r) *m*.

relater [rəla'te] *v/t.* (1a) ausführlich berichten *od.* erzählen.

rela|tif [rəla'tif] *adj.* (7e) □ **1.** relativ, verhältnismäßig; **2.** bezüglich (*à qch.* auf etw. *acc.*), betreffend, einschlägig; **3.** *gr. pronom m* ~ Relativpronomen *n*; **4.** *adv.*: *relativement à* im Verhältnis zu (*dat.*), im Vergleich mit (*dat.*); **~tion** [~lɑ'sjõ] *f* **1.** Beziehung *f*; **2.** Verbindung *f*, Verhältnis *n*, Verkehr *m*; *avoir* ~ (*od. être en* ~) *avec q.* mit j-m verkehren; *entrer en* ~*s d'affaires avec q.* mit j-m in Geschäftsverbindung treten; ~*s f/pl. publiques* Public Relations *pl.*; **~tivisme** *phil.* [~ti'vism] *m* Relativismus *m*; **~tivité** [~tivi'te] *f* Relativität *f*, Bedingtheit *f*.

relaver [rəla've] *v/t.* (1a) nachwaschen.

relax|ation [rəlaksɑ'sjõ] *f* **1.** ⚕ Entspannung *f*; **2.** Auslösung *f* (*Bombe*); **~e** ⚖ [rə'laks] *f* Freispruch *m*; **~er** [~'kse] (1a) **I** *v/t.* **1.** ⚖ freilassen; **2.** ⚕ entspannen; **II** *v/rfl.* se ~ sich entspannen.

relayer [rəlɛ'je] (1i) **I** *v/t.* **1.** *j-n bei e-r Tätigkeit* ablösen; **2.** *rad.* anschließen; ~ *un programme au monde entier* ein Programm über die ganze Welt senden; **II** *ehm. v/i.* die Pferde wechseln; **III** *v/rfl.* se ~ sich (*bei e-r Arbeit*) ablösen, sich abwechseln.

relayeur *Sport* [rəlɛ'jœ:r] *su.* (7g) Staffelläufer *m*.

relecture [rəlɛk'ty:r] *f* erneute Lektüre *f*; Entzifferung *f* (*Mikrokopie*).

relégation [rəlegɑ'sjõ] *f* **1.** ⚖ Sicherungsverwahrung *f*; **2.** *Sport*: Abstieg *m* (*in e-e niedere Spielklasse*).

reléguer [rəle'ge] *v/t.* (1f) *u.* (1m) *j-n* abschieben, verbannen; *etw.* abstellen; ⚖ in Sicherungsverwahrung nehmen.

relent [rə'lɑ̃] *m* muffiger Geruch *m*; *nicht péj.*: Anflug *m fig.*; *bsd. pl.* ~*s* Spuren *f/pl.*

relevable [rəl'vablə] *adj.* aufklappbar; ✈ einziehbar.

relevage [rəl'va:ʒ] *m*: *travaux m/pl. de* ~ Hebungs-, Bergungs-arbeiten *f/pl.*

relève [rəˈlɛːv] *f* **1.** *a.* ⚔ Ablösung *f*; **2.** *avion m de* ~ Flugzeug *n* zur Ablösung.

relevé [rəlˈve] **I** *m* **1.** Liste *f*, Verzeichnis *n*; Aufstellung *f*; *faire le* ~ *de qch.* etw. ver-, auf-zeichnen; **2.** ⚕ (Rechnungs-)Auszug *m*; ⚡ Ablesen *n* (*e-s Zählers*); **II** *adj.* hochgeschlagen (*Kragen*); gehoben (*Stil*); *cuis.* pikant.

relèvement [rəlɛvˈmɑ̃] *m* **1.** Wiederaufrichtung *f*; ⚓ Hebung *f*; *fig.* Wiederaufbau *m*, (Er-)Hebung *f*, Förderung *f*, Aufschwung *m*; *le* ~ *du niveau de vie* die soziale Besserstellung; *fig.* ~ *du peuple* sittliche Hebung *f* des Volkes; **2.** ✈, ⚓ Peilung *f*; *prendre le* ~ peilen; **3.** ~ *des traitements* Gehaltsaufbesserung *f*.

relever [rəlˈve] (1d) **I** *v/t.* **1.** wieder aufheben; aufkrempeln (*Ärmel*); hochkurbeln (*Autofenster*); *le col relevé* mit hochgeschlagenem Kragen; **2.** wiederherstellen; **3.** anheben, erhöhen; *fig.* ~ *le style* dem Stil mehr Schwung verleihen; **4.** in die Höhe richten; **5.** *den Briefkasten* leeren; *Hefte* einsammeln; **6.** *fig. in j-s Ansehen* heben; **7.** (*nur mit folgendem acc.*; *vgl. souligner*) hervorheben, betonen, hinweisen auf (*acc.*); lobend erwähnen; aufschreiben, notieren; ablesen (*Stromzähler*); **8.** *Fehler* anstreichen; bemängeln; **9.** ⚔ *eine Wache, allg.*: *j-n* ablösen; **10.** *cuis., a. fig.* pikanter machen; **11.** ~ *q. de qch.* j-n von etw. entbinden; ~ *q. d'une fonction* j-n e-s Amtes entbinden; **12.** ⩟ bestimmen; **13.** ⚓ *Schiff* heben; ⚓, ✈ peilen; **14.** *téléph.* beseitigen (*Störung*); **II** *v/i.* **15.** ~ *de q.* zu j-s Ressort gehören, von j-m abhängen; **16.** ⚕ ~ *d'une grippe* e-e Grippe überstanden (*od.* hinter sich) haben; **III** *v/rfl. fig. se* ~ sich erholen; *fig. se* ~ *d'une perte* sich von e-m Verlust erholen.

releveur [rəlˈvœːr] *m* **1.** *anat.* Hebemuskel *m*; Lidhalter *m*; **2.** ⚓ Hebeschiff *n*; **3.** ↙ Garbenheber *m*; **4.** ⚡, *Gas, Wasser*: Ableser *m*.

relief [rəˈljɛf] *m* **1.** Relief *n* (*a. géol.*), erhabene Arbeit *f*, Umriß *m*; **2.** *fig.* Hervortreten *n durch den Gegensatz*; *mettre qch. en* ~ etw. hervorheben; **3.** ~*s pl.* Tafel-, Essenreste *m/pl.* (*auf dem Tisch*); *litt.* Reste *m/pl.*

relier [rəˈlje] *v/t.* (1a) **1.** wieder zusammenbinden; miteinander verbinden, in Zs.-hang bringen; ⊕, ⚡ ~ *à* anschließen an (*acc.*); ⚡ (an-)schalten an (*acc.*); ⩟ *zwei Punkte* verbinden; **2.** *Buch* (ein)binden.

relieur [rəˈljœːr] *su.* (7g) Buchbinder *m*.

religi|eusement [rəliʒjøzˈmɑ̃] *adv.* gewissenhaft; andächtig; **~eux** [~ˈʒjø] (7d) **I** *adj.* □ religiös; kirchlich; gewissenhaft; *rl.* Ordens...; Kloster...; **II** *su. rl.* Klosterbruder *m*; Mönch *m* (*f*: Nonne *f*); **~on** [~ˈʒjɔ̃] *f* **1.** Religion *f*; **2.** Glaube *m*; *rl.* (geistlicher) Orden *m*; *entrer en* ~ ins Kloster gehen, Mönch (*bzw.* Nonne) werden; *nom m de* ~ Klostername *m*; *fig. faire sa* ~ sich e-e eigene Meinung bilden; **~osité** [~ʒjoziˈte] *f* fromme Gesinnung *f*, Gläubigkeit *f*.

reliquaire [rəliˈkɛːr] *m* Reliquienkästchen *n*, Heiligenschrein *m*.

reliquat [~ˈka] *m* Restbetrag *m*, *a. allg.* Rest *m*.

relique [rəˈlik] *f* **1.** *rl.* Reliquie *f*; **2.** *biol.* Relikt *n*.

relire [rəˈliːr] *v/t.* (4x) noch einmal überlesen, nachlesen; entziffern (*Mikrokopie*).

reliure [rəˈljyːr] *f* **1.** Einband *m*; ~ *en cuir* (~ *en toile*) Leder- (Leinen-)band *m*; ~ *en veau* Franzband *m*; **2.** Binden *n e-s Buches*.

relocation [rəlɔkɑˈsjɔ̃] *f* Wiedervermietung *f*.

relog|ement [rəlɔʒˈmɑ̃] *m* Unterbringung *f*; **~er** [~ˈʒe] *v/t.* (1l) unterbringen (*Flüchtlinge*).

relouage [rəˈlwaːʒ] *m* Laichzeit *f der Heringe*.

relouer [rəˈlwe] *v/t.* (1a) wieder (ver)mieten.

réluctance *phys.* [relykˈtɑ̃ːs] *f* magnetischer Widerstand *m*.

relui|re [rəˈlɥiːr] *v/i.* (4c) glänzen, schimmern; **~sant** [~ˈzɑ̃] *adj.* (7) glänzend, schimmernd, leuchtend; blitzblank.

reluquer F [rəlyˈke] *v/t.* (1m) **1.** anblinzeln, neugierig (*od.* gierig) anblicken; **2.** *fig. péj.* neidisch schielen auf (*acc.*).

rem *phys.* [rɛm] *m* Rem *n* (*absorbierte ionisierende Strahlung*).

remâcher [rəmɑˈʃe] *v/t.* (1a) herumkauen auf (*dat.*); *fig.* nicht loskommen von (*dat.*).

remake *cin.* [riˈmɛk] *m* Neuverfilmung *f*.

rémanen|ce [remaˈnɑ̃ːs] *f* Remanenz *f* (*a. psych.*), remanenter Magnetismus *m*; **~t** [~'nɑ̃] *adj.* (7) remanent.

rema|niement [rəmani'mɑ̃] *m* Umänderung *f*, Überarbeitung *f*, Umarbeitung *f*, Neugestaltung *f*, Umbildung *f*; ~ *parcellaire* Flurbereinigung *f*; ~ *social* soziale Umschichtung *f*; ~ *ministériel* Umbildung *f* des Kabinetts; *typ.* ~ *sur épreuves* Umbruch *m*; **~nier** [~'nje] *v/t.* (1a) **1.** *fig.* ab-, um-ändern, neu gestalten, um-, über-arbeiten; **2.** *pol.* umbilden; **3.** *typ.* ~ *sur épreuves* umbrechen.

remariage [rəma'rja:ʒ] *m* Wiederverheiratung *f*.

remarier [rəma'rje] (1a) *v/rfl.*: se ~ sich wieder verheiraten.

remar|quable [rəmar'kablə] *adj.* □ bemerkenswert, bedeutend, hervorragend, beachtlich, außerordentlich, vorzüglich, ausgezeichnet; *im Satz eingeschoben*: *chose f* ~ merkwürdigerweise; **~que** [~'mark] *f* Bemerkung *f*; Anmerkung *f*, Fußnote *f*.

remarquer [rəmar'ke] *v/t.* (1m) (an-, be-)merken, wahrnehmen, be(ob)achten; *faire* ~ *qch. à q.* j-n auf etw. (*acc.*) aufmerksam machen; *se faire* ~ auffallen, sich bemerkbar machen.

remballer [rɑ̃ba'le] *v/t.* (1a) wieder einpacken; F ~ *q.* j-n zum Teufel jagen, j-n abblitzen lassen.

rembarquer [rɑ̃bar'ke] (1m) **I** *v/t. u. v/i.* (sich) wieder einschiffen; **II** *v/rfl.* se ~ sich wieder einschiffen; wieder in See stechen; *fig.* se ~ *dans une affaire* sich auf etw. (*acc.*) wieder einlassen.

rembarrer [rɑ̃ba're] *v/t.* (1a): ~ *q.* j-m e-e Abfuhr erteilen.

rem|blai [rɑ̃'blɛ] *m* (Erd-)Aufschüttung *f*; 🚂 Bahndamm *m*; Böschungsterrasse *f*; **~blaver** ↗ [~bla've] *v/t.* (1a) zum zweiten Mal besäen; **~blayage** ⊕ [~blɛ'ja:ʒ] *m* Erdaufschüttung *f*; **~blayer** [~blɛ'je] *v/t.* (1i) mit Erde aufschütten; ausfüllen.

rembobinage *phot.* [rɑ̃bɔbi'na:ʒ] *m* Rückspulung *f*.

remboî|tement *chir.* [rɑ̃bwat'mɑ̃] *m* Wiedereinrenken *n*; **~ter** *chir.* [~'te] *v/t.* (1a) wieder einrenken.

rembour|rage [rɑ̃bu'ra:ʒ] *m* Ausstopfung *f*, Polsterung *f*; Dichtung *f*; **~rer** [~'re] *v/t.* (1a) ausstopfen, (aus)polstern; abdichten; *fig.* vollpfropfen; **~rure** [~'ry:r] *f* Polsterhaar *n*, -füllung *f*.

rembours|abilité [rɑ̃bursabili'te] *f* Rückzahlbarkeit *f*, Erstattungsfähigkeit *f*; **~able** [~'sablə] *adj.* rückzahlbar; **~ement** [~sə'mɑ̃] *m* Rückzahlung *f*, Rückvergütung *f*, Erstattung *f*; 📯 Nachnahme *f*; Ausgleichung *f*; ~ *des droits* Zollvergütung *f*; *contre* ~ unter Nachnahme; **~er** [~'se] *v/t.* (1a) zurückzahlen, zurückerstatten, rückvergüten, tilgen; *lettre f de change non remboursée* nicht eingelöster Wechsel *m*.

rembrunir [rɑ̃bry'ni:r] (2a) **I** *v/t.*, *nur noch als p/p.*: *air m rembruni* finstere Miene *f*; **II** *v/rfl.* se ~ *fig.* sich verfinstern; sich bewölken.

remède [rə'mɛ:d] *m* **1.** Heil-, Arznei-mittel *n*; ~ *de bonne femme* Hausmittel *n*; ~ *abortif* Abtreibungsmittel *n*; ~ *contre les cors*, ~ *contre les œils-de-perdrix* Hühneraugenmittel *n*; **2.** *fig.* Abhilfe *f*, Mittel *n*; Rettungsmittel *n*; *le meilleur* ~ *à qch.* das beste Mittel gegen etw. (*acc.*); *porter* ~ *à qch.* e-r Sache (*dat.*) abhelfen; *il y a* ~ *à cela* dem kann abgeholfen werden.

remédi|able [rəme'djablə] *adj.* wiedergutzumachen(d); zu beheben; **~er** [~'dje] *v/i.* (1a): ~ *à qch.* e-r Sache (*dat.*) abhelfen, etw. beheben.

remembrement [rəmɑ̃brə'mɑ̃] *m* Rückgliederung *f*, Flurbereinigung *f*, Umlegung *f* (*v. Grundstücken*); *le* ~ *des terres* die Flurbereinigung; *le* ~ *des industries-clefs* die Wiedervereinigung der Schlüsselindustrien.

remémor|ation *psych.* [rəmemɔra'sjɔ̃] *f* (beabsichtigtes) Sich-erinnern *n*; **~er** [~'re] *v/rfl.* (1a) se ~ *qch.* sich etw. ins Gedächtnis zurückrufen.

remenée △ [rəm'ne] *f* Fenster-, Tür-bogen *m*.

remérage [rəme'ra:ʒ] *m* Königinnenerneuerung *f* (*Bienenzucht*).

remerciement [rəmɛrsi'mɑ̃] *m* Dank(sagung *f*) *m*; *mille* ~*s* tausend Dank (dafür); *mes* ~*s empressés* danke bestens (*od.* vielmals); *lettre f de* ~ Dankschreiben *n*.

remercier [rəmɛr'sje] *v/t.* (1a) **1.** ~ *q. de qch.* (*neuerdings auch*: *pour qch.*) j-m für etw. (*acc.*) danken, sich bei j-m für etw. bedanken; *aber nur*: *je vous en remercie* ich danke Ihnen dafür;

2. dankend ablehnen; 3. *euphém.* kündigen, entlassen.

réméré ⚖ [reme're] *m* Rückkaufsrecht *n*.

remesurer [rəməzy're] *v/t.* (1a) nachmessen.

remettant *fin.* [rəmɛ'tɑ̃] *m* Remittent *m*.

remettre [rə'mɛtrə] (4p) **I** *v/t.* **1.** wieder hin-stellen, -setzen, -legen, -tun; wieder hineinstecken; F ~ *ça* (*od.* *cela*) wieder anfangen *abs.*; wieder anziehen; ~ *son chapeau* s-n Hut wieder aufsetzen; ~ *q. dans le bon chemin fig.* j-n wieder auf den richtigen Weg bringen; ~ *qch. à q. devant* (*od.* *sous*) *les yeux* j-m etw. wieder vor Augen stellen; **2.** von neuem setzen *od.* stellen; ~ *q. dans ses droits* j-n wieder in s-e Rechte einsetzen; ~ *en crédit* wieder zu Ansehen bringen; ~ *q. à sa place* j-n zurechtweisen; ~ *en question* wieder in Frage stellen; ~ *en vigueur* wieder in Kraft setzen; ~ *sur pied* wieder auf die Beine bringen; *fig.* ~ *sur le tapis* wieder zur Sprache (*od.* aufs Tapet) bringen; **3.** wiedererkennen; *vous ne me remettez pas?* Sie erkennen mich nicht wieder?; **4.** *chir.* wieder einrenken; **5.** aushändigen, übergeben; *écol.* ~ *les cahiers* die Hefte abgeben; ~ *en main propre* eigenhändig abgeben; **6.** ~ *entre les mains de la justice* der Justiz überantworten (*od.* übergeben); **7.** ~ *sa démission* sein Entlassungsgesuch einreichen, sein Amt niederlegen; **8.** ~ *à q. le soin de faire qch.* es j-m überlassen (*od.* anheimstellen), etw. zu tun; **9.** aufschieben; verschieben; *thé.* absagen; ⚔ abblasen (*Angriff*); *Schachspiel*: ~ *une partie* e-e Partie als unentschieden aufgeben; *remis* unentschieden (*Schachpartie*); **10.** *fig.* ~ *à neuf* wiederherstellen, überholen; **11.** *die Gesundheit* wiederherstellen; **12.** ~ *l'esprit de* (*od.* *à*) *q.*, ~ *q.* j-n beruhigen; *je n'en suis pas encore remis* ich habe mich noch nicht von meinem Schrecken erholt; **13.** erlassen; verzeihen; **14.** P ~ *ça* wieder anfangen; *on remet ça!* noch 'ne Runde! (*in e-m Lokal*); **II** *v/rfl.* se ~ **15.** sich wieder legen *od.* setzen *od.* stellen; se ~ *en marche* sich wieder in Marsch setzen, wieder weitergehen; se ~ *en route* wieder aufbrechen; **16.** se ~ *avec q.* sich wieder mit j-m versöhnen; **17.** verschoben werden; **18.** erlassen werden (*Strafe*); verziehen werden (*Vergehen, Fehler*); **19.** se ~ *au français* wieder Französisch treiben; se ~ *au travail* die Arbeit wiederaufnehmen; se ~ *à faire qch.* wieder anfangen, etw. zu tun; **20.** *je m'en remets à vos bons soins, je m'en remets à vous* ich verlasse mich auf Sie; ich stelle es Ihnen anheim; se ~ *entre les mains de q.* sich j-m anvertrauen; **21.** se ~ *d'une maladie* sich von e-r Krankheit wieder erholen; *abs.* se ~ sich wieder fassen, sich beruhigen (*nach e-m Schreck*); **22.** *le temps se remet* (*au beau*) es wird wieder schönes Wetter.

remeubler [rəmœ'ble] *v/t.* (1a) neu möblieren.

rémige *orn.* [re'mi:ʒ] *f* Schwungfeder *f*.

remilitaris|ation [rəmilitarizɑ'sjɔ̃] *f* Remilitarisierung *f*; **~er** [~'ze] *v/t.* (1a) remilitarisieren.

réminiscence [remini'sɑ̃:s] *f* (Wieder-)Erinnerung *f*; Anklang *m*.

remis [rə'mi] *p/p. von remettre*: wieder hingestellt; eingerenkt; abgeliefert; wieder erholt, genesen; wieder zur Besinnung gekommen; erlassen, verziehen; aufgeschoben; ~ *d'aplomb* wieder auf den Beinen, völlig wiederhergestellt; ✉ *non* ~ *à son adresse* unbestellt.

remis|e [rə'mi:z] *f* **1.** ~ (*à neuf*) Wieder-herstellung *f*, -instandsetzung *f*, Überholung *f*; **2.** ✝ ~ *sur le prix* Preisnachlaß *m*, Rabatt *m*; Rabatt *m* für Wiederverkäufer; ~ *spéciale*, ~ *extraordinaire* Sonderrabatt *m*; **3.** Erlaß *m e-r Strafe, e-r Schuld*; ~ *de peine* (*conditionnelle* bedingter) Straferlaß *m*; **4.** Aufschub *m*; Verzögerung *f*; ~ *de la course* Verlegung *f* des Rennens; **5.** (Wagen-)Remise *f*, (-)Schuppen *m*; 🚂 ~ *à machines* Lokomotivschuppen *m*; **6.** Garage *f*; *voiture f de grande* ~ Luxusleihwagen *m*; **7.** *ch.* Stand *m*; Schlupfwinkel *m*, Unterschlupf *m*; **~er** [~mi'ze] (1a) **I** *v/t.* **1.** unterstellen (*Wagen*); abstellen (*Koffer*); ~ *l'uniforme* die Uniform an den Nagel hängen; **2.** F ~ *q.* j-m e-e Abfuhr erteilen, j-n abblitzen lassen; **II** *v/rfl.* se ~ *ch.* sich setzen (*v. Rebhühnern*); **~ier** [~mi'zje] *m* Börsenvermittler *m*.

rémission [remi'sjɔ̃] *f* **1.** *rl.* Vergebung *f der Sünden*; **2.** *sans* ~ unerbittlich; **3.** ⚕ zeitweiliges Nachlassen *n* (*vom Fieber usw.*).

rémit|tence ⚕ [remi'tɑ:s] *f* Nachlassen *n*; **~tent** ⚕ [~'tã] *adj.* (7) zeitweilig nachlassend.

remmailler [rãmɑ'je] *v/t.* (1a) Maschen wiederaufnehmen.

remmailloter [rãmajɔ'te] *v/t.* (1a) wieder in (frische) Windeln legen; wieder wickeln.

remmancher [rãmã'ʃe] *v/t.* (1a) neu bestielen.

remmener [rãm'ne] *v/t.* (1d) zurück-führen, -begleiten.

remodel|age [rəmɔ'dla:ʒ] *m* Umformung *f*; **~er** [~'dle] *v/t.* (1d) umformen; neu modellieren.

remon|tage [rəmɔ̃'ta:ʒ] *m* **1.** ⊕ Wiederaufbau *m*, Wiederzusammensetzen *n*; **2.** Aufziehen *n*, Aufzug *m e-r Uhr*; **3.** ⚓ Stromaufwärtsfahren *n*; **~tant** [~'tã] **I** *adj.* (7) **1.** belebend, stärkend (*Getränk*); **2.** ⚘ zweimal im Jahre blühend; **II** *m phm.* Stärkungsmittel *n* (*Getränk*); **~te** [rə'mɔ̃:t] *f* **1.** ⚓, *zo.* Stromaufwärts-fahren *n*, -schwimmen *n* (*zum Laichen*); **2.** ⚔ Beschaffung *f* von Pferden.

remontée [rəmɔ̃'te] *f* **1.** Wiederaufsteigen *n* (*z.B. von Vögeln*); Aufholen *n* (*Radsport*); **2.** Schilift *m*.

remonte-pente [rə'mɔ̃:t'pã:t] *m* (6g) Schilift *m* (*mit Gurten*); *a.* *téléski*.

remonter [rəmɔ̃'te] (1a) **I** *v/i.* **1.** wieder hinauf-gehen, -steigen, -fahren; ~ *à bord* sich wieder einschiffen, wieder an Bord gehen; ~ *à cheval* wieder aufsitzen; **2.** aufwärts-gehen, -steigen; stromaufwärts fahren; ~ *contre le courant* gegen den Strom schwimmen; **3.** wieder steigen (*auch: Barometer*); *fig.* sich wieder finden, wieder hochkommen; *ses actions remontent* s-e Aktien sind (F *fig.* sein Ansehen ist) wieder im Steigen; ~ *haut* weit zurückreichen; ~ *plus haut* weiter ausholen; **4.** *fig.* ~ *à* aus *e-r früheren Zeit* herstammen; sich hinauf erstrecken bis; zurück-greifen *od.* -gehen auf (*acc.*); **5.** ♪ höher singen *od.* spielen; **6.** ⚘ zweimal im Jahr blühen; **7.** ⚓ ~ *au vent* dicht beim Wind lavieren; *le vent remonte* der Wind springt nach Nord(en) um; **II** *v/t.* **8.** (wieder) hinauffahren *od.* -steigen; *fig. il remonte la pente* es geht mit ihm wieder aufwärts; ⚓ ~ (*la côte*) auf die Küste zusteuern; **9.** wieder hinauf-bringen, -holen, -tragen, -ziehen; *Hose* hochziehen; *Kragen* hochschlagen; **10.** wieder montieren; mit dem Nötigen ausrüsten; *Tennisschläger* neu bespannen; ♪ neu besaiten; *thé.* ~ *une pièce* ein Stück neu inszenieren; ~ *un violon* e-e Geige neu besaiten; **11.** *auf e-e frühere Zeit* verlegen; **12.** ⊕ *e-e Maschine* wieder zusammensetzen; wieder einbauen; **13.** *Uhr* (wieder) aufziehen; **14.** *fig.* ermuntern, neu beleben, kräftigen; F ~ *la tête à q.* j-m den Kopf zurechtrücken; **III** *v/rfl.* *se* ~ **15.** *fig.* wieder zu Kräften kommen; **16.** *fig. se* ~ *en qch.* sich mit etw. wieder eindecken.

remontoir [rəmɔ̃'twa:r] *m* Aufzug (-feder *f*) *m*; Stellrad *n an Uhren.*

remontr|ance [rəmɔ̃'trɑ̃:s] *f*: *nur noch im pl.*: *~s f/pl.* Vorschaltungen *f/pl.*; **~er** [~'tre] (1a) **I** *v/t.* wieder zeigen; **II** *v/i.* *en* ~ *à q.* j-m überlegen sein.

remordre [rə'mɔrdrə] *v/i.* (4a) wieder anbeißen; *fig.* ~ *au travail* die Arbeit wieder anpacken.

remords [rə'mɔ:r] *m* Schuldgefühl *n*, Gewissensbiß *m*.

remor|quage *Auto*, ⚓ [rəmɔr'ka:ʒ] *m* Schleppdienst *m*, Schleppen *n*; **~que** [rə'mɔrk] *f* **1.** Schlepptau *n*; *prendre à la* ~ ⚓ ins Schlepptau nehmen; *Auto*: abschleppen; *fig. se mettre à la* ~ *de q.* sich von j-m ins Schlepptau nehmen lassen; **2.** *Auto, tram.*, 🚃 Anhänger *m*; **~quer** [rəmɔr'ke] *v/t.* (1m) ⚓ schleppen; *Auto*: abschleppen; **~queur** ⚓ [~'kœ:r] *m* Schlepper *m* (*Schiff*).

remouiller [rəmu'je] *v/t.* wieder naß machen; *cuis.* wieder einweichen.

rémoulade [remu'lad] *f cuis.* Remoulade *f* (*Soße*).

rémouleur [remu'lœ:r] *m* Scherenschleifer *m*.

remous [rə'mu] *m* **1.** ⚓ Kielwasser *n*, Sog *m*; **2.** ⚓ (Wasser-)Strudel *m*, Wirbel *m*; Gegenströmung *f*; **3.** *fig.* *les* ~ *pl.* die Erschütterungen *f/pl.*, der Sog, die Umwälzungen *f/pl.*, die Wirren *pl.*, das Hin u. Her.

rempaill|er [rãpɑ'je] *v/t.* (1a) wieder mit Stroh beflechten; **~eur** [~'jœ:r] *su.* (7g) Strohflechter *m*.

rempaqueter [rãpak'te] *v/t.* (1c) wieder einpacken.

rempart [rã'pa:r] *m* **1.** ⚔ Wall *m*; **2.** *fig.* Bollwerk *n*, Schutz *m*.

rempiéter [rãpje'te] *v/t.* (1f) **1.** den

unteren Teil *e-r Mauer* ausbessern; **2.** *Strümpfe* anstricken.

rempiler * ⚔ [~pi'le] *v/i.* (1a) freiwillig länger dienen.

rempla|çable [rɑ̃pla'sablə] *adj.* ersetzbar; auswechselbar; **~çant** [~'sɑ̃] *su.* (7) Vertreter *m*, Aushilfe *f*; *Sport*: Ersatzspieler *m*; **~cement** [~s'mɑ̃] *m* **1.** Ersetzung *f*; *en* ~ zum Ersatz; **2.** Vertretung *f*; **~cer** [~'se] *v/t.* (1k) **1.** ersetzen; **2.** ~ *q.* j-m *in e-m Amt* nachfolgen; j-n vertreten.

remplage △ [rɑ̃'pla:ʒ] *m* Mauerfüllung *f*.

rempli *text.* [rɑ̃'pli] *m* Einschlag *m* (*Rock*; *Vorhang*).

remplir [rɑ̃'pli:r] *v/t.* (2a) **1.** wieder (an)füllen; vollmachen (de mit *dat.*); *rempli* voll; *il est tout rempli de lui-même* er ist ganz von sich eingenommen; *une vie remplie* ein tatenreiches Leben *n*; *théâtre m rempli* gutbesetztes Theater *n*; **2.** ~ *une fonction* ein Amt (e-e Funktion) ausüben; ~ *une place fig.* e-e Stelle (*od.* ein Amt) bekleiden; ~ *son office de* ... gute Dienste leisten als ...; **3.** *Formular* ausfüllen; ergänzen, vollzählig machen; **4.** *fig.* erfüllen; ~ *tous ses engagements* allen seinen Verbindlichkeiten nachkommen; ~ *sa promesse* sein Versprechen erfüllen.

rempliss|age [rɑ̃pli'sa:ʒ] *m* **1.** Ausfüllen *n*, Nachfüllen *n*; **2.** *fig. péj.* Füllsel *n* (*in e-m Text*); **3.** △ Füllung *f*; **4.** Belegung *f* (*e-s Hotels*); **~euse** ⊕ [~'sø:z] *f* (*Flaschen*-)Abfüllmaschine *f*.

rem|ploi [rɑ̃'plwa] *m* Wiederbeschäftigung *f*; ✝ Wiederanlage *f von Geld*; **~ployer** [~plwa'je] *v/t.* (1h) wieder beschäftigen; ✝ wieder anlegen (*Geld*).

remplumer [rɑ̃ply'me] *v/rfl.* (1a): *se* ~ neue Federn bekommen; F *fig.* wieder zu Geld kommen; wieder rundlicher werden.

rempocher [rɑ̃pɔ'ʃe] *v/t.* (1a) wieder einstecken.

rempoissonn|ement [rɑ̃pwasɔn'mɑ̃] *m* Wiederbesetzen *n* mit Fischbrut; **~er** [~'ne] *v/t.* (1a) wieder mit Fischbrut besetzen.

remporter [rɑ̃pɔr'te] *v/t.* (1a) (wieder) wegtragen; wieder mitnehmen; *fig.* ~ *un avantage* e-n Vorteil erringen; ~ *le prix* den Preis gewinnen; ~ *la victoire* den Sieg davontragen.

rempot|age ⚘ [rɑ̃pɔ'ta:ʒ] *m* Umtopfen *n*; **~er** ⚘ [~'te] *v/t.* (1a) *Pflanzen* umtopfen.

remprunter [rɑ̃prœ̃'te] *v/t.* (1a) wieder borgen, sich erneut leihen.

remu|age [rə'mɥa:ʒ] *m* Umschaufeln *n* (*des Korns*); Rütteln *n* und Drehen *n* (*des Schaumweins*); **~ant** [~'mɥɑ̃] *adj.* (7) lebhaft (*Kind*); rege; *péj. esprit m* ~ unruhiger Geist *m*.

remue|-ménage [rəmyme'na:ʒ] *m* (6c) **1.** Hin- und Herschieben *n v. Möbeln usw.*; **2.** Drunter und Drüber *n*, Durcheinander *n*, Wirrwarr *m*, Unordnung *f*, Krawall *m*; **~-méninges** *éc.* [~me'nɛ̃:ʒ] *m* Brainstorming *n*, Wirtschaftsberatung *f*.

remuement [rəmy'mɑ̃] *m* Hin- und Herbewegen *n*.

remuer [rə'mɥe] (1a) **I** *v/t.* **1.** bewegen; (weg)rücken; (um)rühren, (um)schütten; umschaufeln (*Korn*); ⚘ (auf)lockern; umgraben; wenden (*Heu*); ~ *la queue* mit dem Schwanz wedeln; *ne pouvoir* ~ *ni pied ni patte* sich überhaupt nicht rühren können; ~ *ciel et terre* alle Hebel in Bewegung setzen, alles aufbieten; ~ *l'argent à la pelle* Geld wie Heu haben; **2.** *fig.* innerlich aufrütteln, stark erregen, ergreifen, packen, erschüttern; aufwiegeln; **II** *v/i.* **3.** sich rühren, sich regen, sich bewegen; zappeln, strampeln; **4.** aufbegehren, aufwieglerisch (*od.* unruhig) werden; sich empören; **5.** wackeln (*Zahn*); **III** *v/rfl.* *se* ~ *fig.* sich Mühe geben, sich rühren *od.* regen; *allons, qu'on se remue!* los, beeilt euch!

rémuné|rateur [remynera'tœ:r] *adj.* (7f) einträglich, lohnend; **~ration** [~rɑ'sjɔ̃] *f* Entschädigung *f*, Vergütung *f*; **~rer** [~'re] *v/t.* (1f) be-, ent-lohnen; vergüten.

renâcler [rənɑ'kle] *v/i.* (1a) schnauben; sich sträuben; *fig.* ~ *à* (*od. devant*) *qch.* sich gegen etw. sträuben.

renaissance [rənɛ'sɑ̃:s] *f* Wiedergeburt *f*; *fig., litt., peint. la* ♀ die Renaissance; *style m* (*pilastre m*) ♀ Renaissance-stil *m* (-pfeiler *m*).

renaître [rə'nɛ:trə] *v/i.* (4g) wiedergeboren werden; *poét.* zu neuem Leben erwachen (*Pflanze*); *poét.* anbrechen (*Tag*); ~ *à la vie* wieder aufleben; *faire* ~ *fig.* wiedererwekken.

rénal 🕮 [re'nal] *adj.* (5c) Nieren...

renard [rə'na:r] *m* **1.** Fuchs *m* (*a. fig. u. hydr.*); ~ *argenté* Silberfuchs *m*; **2.** Fuchspelz *m*; **3.** Riß *m* (*im Wasserrohr*); **4.** Streikbrecher *m*.

renar|de [rə'nard] *f* Füchsin *f*, Fähe *f*; **~deau** [rənar'do] *m* (5b) junger Fuchs *m*; **~dière** [~'djɛ:r] *f* Fuchsbau *m*.

rencaisser [rɑ̃kɛ'se] *v/t*. (1b) **1.** *fin*. wieder einkassieren; **2.** ✓ in einen anderen Kasten setzen.

rencard [rɑ̃'ka:r] *m* s. *rancard*.

rencart P [~] *m* s. *rancart*.

renchaîner [rɑ̃ʃɛ'ne] *v/t*. (1a) wieder an die Kette legen.

renché|rir [rɑ̃ʃe'ri:r] *v/i*. (2a) *fig*. ~ *sur q*. j-n überbieten; ~ *sur qch*. etw. übertreffen; über etw. hinausgehen; **~rissement** [~ris'mɑ̃] *m* Verteuerung *f*, Preissteigerung *f*.

rencogner F [rɑ̃kɔ'ɲe] (1a) **I** *v/t*. in eine Ecke (*od*. in die Enge) treiben; **II** *v/rfl*. se ~ sich verkriechen.

rencon|tre [rɑ̃'kɔ̃:trə] *f* **1.** Begegnung *f*, Zusammentreffen *n*; *pol*. ~ *au sommet* Gipfeltreffen *n*; *aller à la* ~ *de q*. j-m entgegengehen; *faire* ~ *de q*. mit j-m zusammentreffen; ~ *de jeunes gens* Jugendtreffen *n*; *Sport*: ~ *finale* End-, Entscheidungs-spiel *n*; ~ *en ligue*, ~ *en divisions d'honneur* Ligaspiel *n*; **2.** ⚔ Gefecht *n*, Treffen *n*; **3.** Zusammenstoß *m* (*v. Fahrzeugen*); **4.** de ~ gelegentlich; *par* ~ zufälligerweise; **~trer** [~'tre] (1a) **I** *v/t*. ~ *q*. j-n treffen, j-m begegnen; j-n unerwartet finden; ~ *des difficultés* auf Schwierigkeiten stoßen; ~ *le vrai* den wahren Sinn erraten; **II** *v/rfl*. se ~ sich treffen; *fig*. denselben Gedanken haben; *se* ~ (*violemment*) zusammenstoßen; *cela se rencontre bien* das trifft sich gut; *cela ne se rencontre guère* das gibt es kaum noch.

rendement [rɑ̃d'mɑ̃] *m* **1.** Ertrag *m*; Ergiebigkeit *f*, Rentabilität *f*, Einträglichkeit *f*, Leistungsfähigkeit *f*, Wirkungsgrad *m*; (Nutz-)Leistung *f e-r Maschine*; ~ en Ausbeute *f* an (*dat*.); ~ (*d'une taxe* Steuer-)Aufkommen *n*; ~ *supplémentaire*, ~ *optimum*, ~ *accessoire* Mehr-, Spitzen-, Neben-leistung *f*; ~ *minimum* Minimalertrag *m*; ~ *théorique* Soll *n*; *donner un* ~ (*suffisant*) sich rentieren; *maximum m de* ~ Höchstleistung *f*; ~ *dynamique* Kraftleistung *f*; **2.** *Sport*: Vorgabe *f*.

rendez-vous [rɑ̃de'vu] *m* (6c) **1.** *jede beliebige* Verabredung *f*; **2.** Rendezvous *n*, Stelldichein *n*; ~ *orbital* Raumrendezvous *n* (*Raumfahrt*); **3.** Treffpunkt *m*.

rendormir [rɑ̃dɔr'mi:r] (2b) **I** *v/t*. wieder zum Einschlafen bringen; **II** *v/rfl*. se ~ wieder einschlafen.

rendosser [rɑ̃do'se] *v/t*. (1a) *ein Kleid usw*. wieder anziehen.

rendre ['rɑ̃:drə] (4a) **I** *v/t*. **1.** wiedergeben, zurückgeben; zurückerstatten; *pouvez-vous me* ~ *sur mille francs?* können Sie mir auf tausend Franc herausgeben?; **2.** abgeben, abliefern; *école*. ~ *un devoir a*.: e-e Hausarbeit abliefern; **3.** erweisen; ~ *compte* Rechnung ablegen; Bericht erstatten (de über *acc*.); ~ *ses devoirs à q*. j-m s-e Aufwartung machen; ~ *les derniers devoirs à q*. j-m die letzte Ehre erweisen; ~ *grâce* Dank sagen; ~ *hommage* huldigen; ~ *honneur* Ehre erweisen; ~ *justice à q*. j-m Gerechtigkeit widerfahren lassen; ~ *service* e-n Dienst erweisen; ~ *témoignage* Zeugnis ablegen; ~ *visite à q*. j-n besuchen; ~ *sa visite à q*. j-m e-n Gegenbesuch machen; **4.** *fig*. vergelten, erwidern; ~ *la pareille* Gleiches mit Gleichem vergelten; ~ *la monnaie de sa pièce à q*. j-m etw. mit gleicher Münze heimzahlen; ~ *une invitation* e-e Einladung erwidern; **5.** *mit adj. od. su.*: machen; ~ *q. heureux* j-n glücklich machen; ~ *maître* zum Herrn machen; ~ *tranchant* schärfen; ~ *uniforme* vereinheitlichen; ~ *un chemin praticable* e-n Weg fahrbar machen; **6.** von sich geben; *cette plaie rend beaucoup* diese Wunde eitert sehr; ~ *gorge* sich übergeben, brechen; *fig*. (*unredlich Erworbenes*) wieder herausrücken müssen; ~ *l'âme*, ~ *le dernier soupir*, ~ *l'esprit*, ~ *la vie* den Geist aufgeben; * *les clés* an Drogenvergiftung sterben; **7.** abtreten, übergeben; ~ *les armes* die Waffen strecken; **8.** ausdrücken, wiedergeben; ~ *le sens d'un passage* den Sinn e-r Stelle wiedergeben; wiedererzählen; **9.** aussprechen, verkünden; ~ *un arrêt*, ~ *un jugement* ein Urteil sprechen *od*. fällen; ~ *des oracles* Orakel verkünden; **II** *v/i*. **10.** ✓ einbringen, abwerfen; ✓ ~ *bien* gut tragen; **11.** F *phot*. wirken, aussehen; *bien* ~ *à l'écran* sich auf dem Bildschirm gut machen; *ne* ~ *jamais bien* nie gut aussehen; **III** *v/rfl*. se ~ **12.** sich *wohin* begeben; *irgendwohin* reisen, fahren, fliegen; se ~ *chez q*. zu j-m gehen; se ~ *à son travail* an s-e Arbeit gehen; **13.** sich ... machen; werden; se ~ *malade* sich e-e Krankheit zuziehen; se ~

responsable Verantwortung auf sich laden; se ~ *utile* sich nützlich machen; **14.** nachgeben, zustimmen, beipflichten (*dat.*); anerkennen (*acc.*); se ~ *au désir de q.* dem Wunsch j-s nachkommen (*od.* entsprechen); se ~ *à une invitation* e-r Einladung Folge leisten; se ~ *aux raisons de q.* j-s Gründe annehmen; **15.** ⚔ sich *dem Feind* ergeben; se ~ *prisonnier* sich gefangen geben; F *je me rends* ich erkläre mich für besiegt; **16.** nicht mehr (weiter)können; **17.** zurückgegeben werden; vergolten werden; übersetzt werden; ⚖ gefällt werden; **18.** se ~ *à qch.* sich e-r Sache (*dat.*) wieder hingeben; **19.** se ~ *compte de qch.* sich über etw. (*acc.*) klarwerden.

rendu [rɑ̃'dy] **I** *m* **1.** ☤ Rückware *f*; **2.** *peint.*, *phot.* *das in e-r Zeichnung usw.* Wiedergegebene *od.* Hervorgehobene *n*; Wiedergabe *f*; Darstellung *f*; **3.** F *c'est un prêté pour un* ~ Wurst wider Wurst; **II** *adj.* (7) **4.** erschöpft, ermattet; **5.** angekommen; **6.** ☤ ~ *à bord* frei an Bord; ~ *à domicile* frei Wohnung, frei Haus.

renduire [rɑ̃'dɥiːr] *v/t.* (4c) neu verputzen.

rendur|cir [rɑ̃dyr'siːr] *v/t.* (4a) wieder hart machen; **~cissement** [~sis'mɑ̃] *m* erneutes Hartwerden *n*.

rêne [rɛːn] *f a. fig.* Zügel *m*.

renégat *rl.*, *pol.* [rəne'ga] *adj. u. su.* (7) abtrünnig, Abtrünnige(r) *m*; Überläufer *m*.

renégoc|iation *bsd. pol.* [rənegɔsja'sjɔ̃] *f* Neuverhandlung *f*; **~ier** [~'sje] *v/t.* (1a) neu verhandeln.

rénette *charp.* [re'nɛt] *f* Reißahle *f*.

renettoyer [rənɛtwa'je] *v/t.* (1h) wieder reinigen (*od.* säubern).

renfaîter ⚠ [rɑ̃fɛ'te] *v/t.* (1a) den First *e-s Hauses* erneuern.

renfer|mé [rɑ̃fɛr'me] **I** *m das* Dumpfige *n*; *odeur f de* ~ dumpfiger Geruch *m*; *sentir le* ~ muffig riechen; **II** *adj. fig.* verschlossen (*Charakter*); **~mer** [~] (1a) **I** *v/t.* **1.** (wieder) verschließen *od.* einschließen; einsperren; **2.** *fig.* enthalten; **II** *v/rfl.* se ~ **3.** sich einschließen; se ~ *dans un silence profond* sich in tiefes Schweigen hüllen; se ~ *dans sa coquille od.* se ~ *en soi-même* sich (in seine Haut) zurückziehen.

renfiler [rɑ̃fi'le] *v/t.* (1a) wieder einfädeln.

renfl|ement [rɑ̃flə'mɑ̃] *m* **1.** ⚘ Anschwellung *f*; **2.** ⚠ Ausbauchung *f e-r Säule*; **~er** [rɑ̃'fle] (1a) **I** *v/t.* anschwellen lassen, ausbauchen; *renflé* ausgebaucht; **II** *v/rfl.* se ~ anschwellen.

renflouer [rɑ̃flu'e] (1a) **I** *v/t.* ⚓ (wieder) flottmachen; heben; *fig.* ☤ wieder hochbringen (*Geschäft*); wieder stärken (*Ansehen*, *Ruf*); **II** *v/rfl.* ☤ se ~ sich wieder sanieren; *fig.* wieder auf die Beine kommen, sich wieder hochrappeln.

renfon|cement [rɑ̃fɔ̃s'mɑ̃] *m* **1.** Vertiefung *f* (*e-r Tür*, *in e-r Mauer*); **2.** *typ.* Einrücken *n* (*e-r Zeile*); **~cer** [~'se] *v/t.* (1k) tiefer hineindrücken; den Hut tief über die Ohren stülpen; *typ.* ~ *une ligne* e-e Zeile einrücken.

renfor|çateur [rɑ̃fɔrsa'tœːr] *m* **1.** *phot.* Verstärker *m*; **2.** *psych.* Anregungsmittel *n*; **~cement** [~fɔrsə'mɑ̃] *m* Verstärken *n*, Verstärkung *f* (*a.* ⚔, ⚒ *u. phot.*); ⚠ Versteifung *f*; *pol.* Stärkung *f*; **~cer** [~'se] (1k) **I** *v/t.* verstärken, stärker machen; ⚠ versteifen; **II** *v/rfl.* se ~ stärker werden.

renformir ⚠ [~fɔr'miːr] *v/t.* (2a) *Mauer* ausbessern und putzen.

renfort [rɑ̃'fɔːr] *m* **1.** *a.* ⚔ Verstärkung *f*; ⚠ Futtermauer *f*, Verkleidung *f*; ~s *pl.* Truppenverstärkungen *f/pl.*, Truppennachschub *m*; **2.** *à grand* ~ *de* ... mit Hilfe von viel ...

renfrogn|é [rɑ̃frɔ'ɲe] *adj.* griesgrämig, mürrisch; **~er** [~'ɲe] *v/rfl.* (1a): se ~ die Stirn runzeln, ein saures Gesicht machen.

rengagement [rɑ̃gaʒ'mɑ̃] *m* Wieder-einstellung *f*, ⚔ -verpflichtung *f*.

rengager [rɑ̃ga'ʒe] (1l) **I** *v/t.* **1.** wiedereinstellen; **2.** ~ *le combat* den Kampf wiederaufnehmen; **3.** wieder verpflichten; ~ *q. dans une aventure* j-n erneut in ein Abenteuer verwickeln; **II** *v/rfl.* se ~ **4.** sich erneut verpflichten; *a.* ⚔ weiterdienen; se ~ *dans qch.* sich wieder auf etw. einlassen; **5.** von neuem anfangen.

rengaine [rɑ̃'gɛːn] *f* alte Leier *f fig.*; ♪ alter Schlager *m*.

rengainer [rɑ̃gɛ'ne] *v/t.* (1b): ~ (*son épée* das Schwert) wieder in die Scheide stecken; F *fig.* für sich behalten, runterschlucken.

rengorger [rɑ̃gɔr'ʒe] *v/rfl.* (1l): se ~ sich brüsten, protzen, angeben F (*abs.*); *rengorgé* blasiert.

rengraisser [rɑ̃grɛ'se] *v/i.* (1b) wieder Fett ansetzen; wieder (dick und) fett werden.

rengrener [rɑ̃grə'ne] *v/t.* (1d) **1.** ⚒

nochmals (Korn in den Mühltrichter) aufschütten; **2.** ⊕ in ein zweites Rad eingreifen lassen.

reniable [rə'njablə] *adj.* leugbar.

reniement [rəni'mɑ̃] *m* Verleugnung *f.*

renier [rə'nje] *v/t.* (1a) **1.** verleugnen; **2.** untreu (*od.* abtrünnig) werden (*dat.*); aufgeben; ~ (*sa foi* s-m Glauben) abschwören.

renifl|e * [rə'niflə] *f* Polente *f* P, Polizei *f*; **~ement** [~flə'mɑ̃] *m* Schnüffeln *n*; F Hochziehen *n*; **~er** [~'fle] *v/t. u. v/i.* (1a) schnüffeln, schnuppern (*qch.* an etw.); F die Nase hochziehen; * ~ *une affaire* e-e Sache aufspüren; *v/t.* ~ *du tabac* Tabak schnupfen; **~erie** P [~flə'ri] *f* Schnüffelei *f*; **~eur** [~'flœːr] *su.* F Schnüffler *m*; * Polizist *m.*

réniforme [reni'fɔrm] *adj.* nierenförmig.

réni|tence ⚕ [reni'tɑ̃ːs] *f* Gespanntheit *f e-s Geschwürs*; **~tent** ⚕ [~'tɑ̃] *adj.* (e-m Druck) widerstehend, prall.

reniveler [rəni'vle] *v/t.* (1c) wieder einebnen.

renne *zo.* [rɛn] *m* Rentier *n.*

renoircir [rənwar'siːr] *v/t.* (2a) wieder schwarz machen.

renom [rə'nɔ̃] *m* (*stärker als réputation, etwas schwächer als renommée; in gutem Sinne stets ohne Zusatz von bon, excellent usw.*) großer Name *m*, weiter (*od.* guter) Ruf *m*, Berühmtheit *f*; *un savant de* ~ ein Gelehrter *m* von Ruf.

renom|mée [rənɔ'me] *f* (*noch stärker als renom*) weiter Ruf *m* in der Öffentlichkeit, Renommee *n*, großer Name *m*, Berühmtheit *f*; **~mer** [~] *v/t.* (1a) wieder ernennen; *renommé* berühmt (*pour* für *acc.*).

renon|ce [rə'nɔ̃ːs] *f Kartenspiel:* Nichtbedienen *n*; **~cement** [~nɔ̃s'mɑ̃] *m* Entsagung *f*; ~ *à soi-même* Selbst-entsagung *f*, -verleugnung *f*; **~cer** [~'se] *v/i.* (1k) **1.** ~ *à qch.* auf etw. (*acc.*) verzichten, von etw. (*dat.*) absehen, sich lossagen von etw. (*dat.*); **2.** *Kartenspiel:* nicht bedienen, nicht bekennen; **~ciateur** [~sja'tœːr] *su.* (7f) Verzichtleistende(r) *m*; **~ciation** [~sjɑ'sjɔ̃] *f* Verzicht(leistung *f*) *m*; Selbstverleugnung *f.*

renoncule ⚘ [rənɔ̃'kyl] *f* Ranunkel *f.*

renouée ⚘ [rə'nwe] *f* Knöterich *m.*

renouer [~] *v/t.* (1a) wieder binden, wieder (an- *od.* zu-)knüpfen; *fig.* wiederaufnehmen, erneuern.

renouveau [rənu'vo] *m* (5b) **1.** *poét.* Lenz *m*; **2.** *fig.* Rückkehr *f*; **3.** *fig.* Erneuerung *f*, Umschwung *m*; Neu(auf)bau *m*; *un* ~ *des idées* e-e Erneuerung *f* der Gedankengänge.

renouvel|able [rənu'vlablə] *adj.* verlängerbar (*Paß, Rezept*); erneuerungsbedürftig, zu wiederholen (*z.B. e-e Ernennung*); **~er** [~'vle] (1a) **I** *v/t.* **1.** erneuern, auffrischen; **2.** umbilden, neu gestalten; verjüngen; **3.** *parl.* neu wählen; wieder aufbringen; **II** *v/rfl.* se ~ sich erneuern; sich wandeln; wechseln (*die Natur im Frühling*); sich wiederholen; stets wiederkommen; **~lement** [~vɛl'mɑ̃] *m* **1.** Erneuerung *f*; **2.** Verlängerung *f* (*Paß*); **3.** Ergänzung *f* (*Vorräte*); **4.** Wiederholung *f.*

rénov|ateur [renɔva'tœːr] (7f) **I** *adj.* erneuernd; **II** *su.* Erneuerer *m*; **~ation** [~vɑ'sjɔ̃] *f* Renovierung *f* (*Gebäude*); Erneuerung *f* (*Institution, Methode*); **~er** [~'ve] *v/t.* (1a) renovieren (*Wohnung*); auffrischen (*Gemälde, Möbel*).

renseign|ement [rɑ̃sɛɲ'mɑ̃] *m* Auskunft *f*; Erkundigung *f*; ⚚ Referenz *f*; ~ *juridique* Rechtsauskunft *f*; *fournir* (*od. donner*) *des* ~*s à q. sur qch.* j-m über etw. (*acc.*) Auskunft erteilen; *pour plus de* ~*s, voyez ...* Näheres wollen Sie aus ... (*dat.*) ersehen; *bureau m de* ~*s* Auskunftsbüro *n*; Auskunftei *f*; ⚔ *service m de* ~*s* Nachrichtendienst *m*; **~er** [~'ɲe] (1a) **I** *v/t.* ~ *q. sur qch.* j-m über etw. (*acc.*) Auskunft geben, j-n aufklären (*od.* unterrichten) über etw. (*acc.*); **II** *v/rfl.* se ~ sich erkundigen; *se* ~ *sur q. auprès de q.* sich bei j-m über j-n erkundigen.

rensemencer ⸙ [rɑ̃smɑ̃'se] *v/t.* (1k) wieder besäen.

rentabili|ser [rɑ̃tabili'ze] *v/t.* rentabel machen; **~té** [~'te] *f* Rentabilität *f.*

rentable [rɑ̃'tablə] *adj.* rentabel.

rente [rɑ̃ːt] *f* **1.** (*Kapital- od. Sozial-*) Rente *f*; ~ *foncière* Bodenrente *f*; ~ *perpétuelle* unkündbare Rente *f*; ~ *vieillesse* Altersrente *f*; ~ *viagère* Leibrente *f*; *titre m de* ~ Rentenbrief *m*; **2.** ~ (*sur l'État*) Staatsanleihe *f.*

rentier [rɑ̃'tje] *su.* (7b) Rentner *m*; Privatier *m*; *petit* ~ Kleinrentner *m.*

rentoil|age *peint.* [rɑ̃twa'laːʒ] *m* Aufziehen *n* auf neue Leinwand; **~er** *peint.* [~'le] *v/t.* (1a) auf neue Leinwand aufziehen (*Bild*).

rentrage [rɑ̃'tra:ʒ] *m*: *le ~ du bois* das Einfahren des Holzes.

rentraîner [rɑ̃trɛ'ne] *v/t.* (1a) wieder mit sich fortreißen.

rentraiture *cout.* [rɑ̃trɛ'ty:r] *f* Stopf-, Stoß-naht *f.*

rentrant [rɑ̃'trɑ̃] *adj.* (7) zurückspringend, zurückweichend; einklappbar, einziehbar.

rentray|age *text.* [rɑ̃trɛ'ja:ʒ] *m* Stopfen *n*; **~er** *text.* [~'je] *v/t.* (1i) stopfen; **~eur** *text.* [~'jœ:r] *su.* (7g) Stopfer *m.*

rentrée [rɑ̃'tre] *f* **1.** Rückkehr *f*; *~ atmosphérique* Wiedereintritt *m* in die Atmosphäre (*Raumfahrt*); **2.** ✓ Einfahren *n*, Einbringen *n der Ernte*; **3.** *~ des classes* Schulbeginn *m*; **4.** *thé.* Wiedereröffnung *f*; **5.** ✝ Eingang *m der Briefe, Gelder usw.*; *sauf* (*od. sous réserve de*) *~* vorbehaltlich Eingang; *~ de créances* Eingang *m* von Außenständen.

rentrer [~] (1a) **I** *v/i.* **1.** wieder eintreten, wieder hineingehen (*od.* hereinkommen); zurückkehren; zurückkommen, wiederkommen; *~* (*chez soi*) wieder nach Hause kommen (*od.* gehen); heimkehren; *aber auch*: *~ à Moscou* (*en France*) nach Moskau (nach Frankreich) zurückkehren; *~ de vacances* vom Urlaub zurückkehren; *~ dans ses droits* wieder zu s-m Recht gelangen; *~ dans ses fonds* wieder zu s-m Geld kommen; *~ dans ses fonctions* sein Amt wieder antreten; *~ en soi-même* in sich gehen, erst einmal ruhig überlegen; **2.** wieder zusammentreten, wieder *in Verhandlungen* treten; **3.** sich ineinander fügen; **4.** *~ dans qch.* in etw. (*dat.*) mit einbegriffen (*od.* enthalten) sein; *~ dans un domaine* in ein Gebiet fallen; *~ dans la catégorie de ...* unter den Begriff ... fallen; **5.** *abs.* a) wieder anfangen (*Schule, Gerichtssitzungen usw.*); *les classes rentrent le 2 octobre* die Schule fängt am 2. Oktober wieder an; b) *thé.* wieder auftreten; **6.** ✝ eingehen *od.* einlaufen (*von Geldern*); **7.** ⚕ zurück-treten, -schlagen (*vom Ausschlag usw.*); **8.** *avoir les yeux rentrés* tiefliegende Augen haben; *dès joues rentrées* eingefallene Backen *f/pl.*; **9.** ♪ ein-fallen, -setzen; **10.** *Spiel*: kaufen; *il m'est rentré beau jeu* ich habe gute Karten gekauft; **11.** *abus.* hineingehen; *~ à l'hôpital* ins Krankenhaus kommen; *~ dans un cinéma* in ein Kino gehen; *fig. ~ dans la police* zur Polizei gehen (*als Laufbahn*); **12.** ⚠ zurückspringen, einspringen; **13.** *text.* einlaufen; **14.** F *Auto*: *~ dans un arbre* gegen e-n Baum fahren; **II** *v/t.* **15.** ✓ einfahren; **16.** *~ ses larmes* die Tränen unterdrücken; **17.** *~ les griffes* (*le ventre, les jambes*) die Krallen (den Bauch, die Beine) einziehen; **18.** *typ.* einrücken; **19.** *~ sa voiture au garage* s-n Wagen wieder in die Garage fahren; **20.** P *Auto usw.*: *~ q. dedans* j-n über den Haufen fahren.

renvenimer [rɑ̃v(ə)ni'me] *v/t.* (1a) *fig.* wieder verschlimmern; se *~* wieder schlimmer werden.

renverguer ⚓ [rɑ̃vɛr'ge] *v/t.* (1m) *Segel* wieder anschlagen.

renvers|able [rɑ̃vɛr'sablə] *adj.* (um)stürzbar; **~ant** F [~'sɑ̃] *adj.* (7): *c'est ~!* das ist ja unglaublich!

renverse [rɑ̃'vɛrs] *f*: *à la ~ advt.* rücklings; *tomber à la ~* auf den Rücken fallen; **~ment** [~sə'mɑ̃] *m* **1.** Umkehren *n*, Umkehrung *f* (*a.* ♪), Umstoßen *n*; ⚡ *~ (du courant)* Umschaltung *f*; *~ (de polarité)* Umpolung *f*; ✈ *~ (inversé)* hochgezogene Kehrtkurve *f* (*in Rückenlage*); **2.** Umsturz *m*, Vernichtung *f*; **3.** Zurückneigen *n* (*des Kopfes, Oberkörpers*).

renverser [rɑ̃vɛr'se] (1a) **I** *v/t.* **1.** umkehren, umstülpen; *le monde renversé* die verkehrte Welt; *~ (le courant, la polarité)* umschalten, umpolen; *fig. avoir la figure renversée* ein verstörtes Gesicht machen; *pol.,* ⚔ *~ la marmite* das Signal zum Aufstand geben; *~ les rôles* die Rollen vertauschen; **2.** umsetzen, umstellen; *a.* ♪ umkehren; *~ la vapeur* Gegendampf geben; *fig.* das Gegenteil tun *od.* sagen; **3.** in Unordnung bringen; **4.** umwerfen, umstoßen, niederreißen; umschütten; vergießen; *~ qch. sur soi* sich mit etw. begießen; *~ q.* j-n überfahren; **5.** *fig.* umstürzen, vernichten; *~ q.* j-n stürzen; **6.** F verblüffen; **II** *v/i.* wechseln (*Gezeiten*); F überlaufen (*Milch*); **III** *v/rfl.* se *~* sich zurücklehnen; zu Boden stürzen, umstürzen, umkippen, umfallen; ausgeschüttet (vergossen) werden.

renverseur ⚡ [rɑ̃vɛr'sœ:r] *m*: *~ de courant* Um-, Wechsel-schalter *m*, Stromwender *m.*

renvi [rɑ̃'vi] *m* Mehreinsatz *m* (*Spiel*).

renvider *text.* [rɑ̃vi'de] *v/t.* (1a) aufspulen.

renvoi [rɑ̃'vwa] *m* **1.** Zurücksendung *f*; *fig.* Erwiderung *f*; Zurückschlagen *n e-s Balles*; Zurückstrahlen *n des Lichts*; **2.** ⚕ Aufstoßen *n*; **3.** Ablehnung *f*, Zurück-stellung *f*, -weisung *f*; Beschlagnahme *f e-r Zeitung*; Absetzung *f*, Entlassung *f*; *écol.* Verweis *m* (*v. d. Schule*); Verabschiedung *f von Truppen*; ~ *en masse* Massenaussperrung *f* (*v. Arbeitern*); **4.** ~ (*dans les bureaux*) Verweisung *f* (an die Ausschüsse); ⚖ ~ *devant les juges compétents* Verweisung *f* an die zuständigen Richter; ⚖ *sans* ~ ohne Einrede der Verweisung an ein anderes Gericht; **5.** *bsd.* ⚖ Verschiebung *f*, Vertagung *f*; **6.** Hinweis *m*; **7.** hinweisendes Zeichen *n*; **8.** ⚠ ~ *d'eau* Wasserschenkel *m*.

renvoyer [rɑ̃vwa'je] *v/t.* (1p) **1.** wieder- *od.* zurück-schicken; **2.** abweisen, nicht annehmen; **3.** zurück-strahlen, -werfen; **4.** *fig.* ~ *à qch.* auf etw. (*acc.*) hinweisen; **5.** ablehnen, zurückstellen; entlassen, wegschicken, verabschieden; *écol. von der Schule* verweisen; ~ *en masse Arbeiter* aussperren; **6.** verschieben, vertagen; vertrösten (*acc.*); **7.** ⚖ ~ *devant les assises* vor das Schwurgericht verweisen.

réoccup|ation [reɔkypɑ'sjɔ̃] *f* Wiederbesetzung *f*; **~er** [~'pe] *v/t.* (1a) wieder besetzen.

réorganis|ateur [reɔrganiza'tœ:r] (7f) **I** *adj.* neugestaltend; **II** *su.* Neugestalter *m*; **~ation** [~zɑ'sjɔ̃] *f* Neugestaltung *f*, Wiedereinrichtung *f*, Neuregelung *f*; ⚔ ~ *des armements* Umrüstung *f*; ~ *des terres de l'exploitation* Flurbereinigung *f*, (Güter-)Zusammenlegung *f*, Kommassierung *f*; **~er** [~'ze] *v/t.* (1a) reorganisieren, neu gestalten, neu regeln; *fin.*, ✝ sanieren; ⚔ ~ *les armements* umrüsten.

réorient|ation [reɔrjɑ̃tɑ'sjɔ̃] *f* Neuorientierung *f*; **~er** [~'te] *v/t.* neu orientieren; *a. écol.* umschulen.

réouverture [reuvɛr'ty:r] *f* Wiedereröffnung *f*; *écol.* ~ *des classes* Wiederbeginn *m* des Unterrichts.

repaire [rə'pɛ:r] *m* Zufluchtsort *m*, Schlupfwinkel *m*; Lager *n*; Höhle *f wilder Tiere*; *fig.* Räubernest *n*.

repairer *ch.* [rəpɛ're] *v/i.* (1a) im Lager sein.

répaisir *cuis.* [repɛ'si:r] *v/t.* (2a) noch mehr verdicken.

repaître [rə'pɛ:trə] (4z) **I** *v/i.* fressen (*v. Tieren*); *repu* satt; **II** *v/t. fig.* nähren, weiden, hinhalten; ~ *ses yeux d'un spectacle* s-e Augen an e-m Schauspiel erfreuen; ~ *q. de vaines espérances* j-n mit leeren Hoffnungen abspeisen; **III** *v/rfl.*: *se* ~ *de Tier*: sich vollfressen mit (*dat.*); *fig.* schwelgen in (*dat.*), sich berauschen an (*dat.*), Gefallen finden an (*dat.*), sich weiden an (*dat.*).

repâlir [rəpɑ'li:r] *v/i.* (2a) wieder blaß werden.

répandre [re'pɑ̃:drə] (4a) **I** *v/t.* **1.** vergießen, ausgießen, ausstreuen; *fig.* ~ *son âme* sein Herz ausschütten; **2.** ausbreiten; austeilen; in Umlauf setzen; ~ *une nouvelle* e-e Nachricht verbreiten; **II** *v/rfl.* *se* ~ **3.** vergossen werden; **4.** sich ausbreiten, sich verbreiten; *se* ~ *à flots sur les champs* die Äcker überfluten (*Fluß*); *se* ~ *dans le monde* gesellschaftliche Beziehungen pflegen; **5.** *se* ~ *en invectives* sich in Schmähungen ergehen.

réparable [repa'rablə] *adj.* reparierbar, wieder instandsetzbar, ersetzbar; *fig.* wiedergutzumachen.

reparaître [rəpa'rɛ:trə] *v/i.* (4z) wiedererscheinen, plötzlich auftauchen (*v. Personen*); sich wieder einstellen (*Schmerzen*); wieder aufkommen (*Brauch, Gewohnheit*).

répar|ateur [repara'tœ:r] *adj. u. su.* (7f) ersetzend, wiederherstellend; ⚕ heilsam, wohltuend, stärkend; Wiederhersteller *m*, Instandsetzer *m*; Versöhner *m*; **~ation** [~rɑ'sjɔ̃] *f* **1.** Reparatur *f*, Ausbesserung *f*, Instandsetzung *f*, Wiederherstellung *f*; **2.** *fig.* Wiedergutmachung *f*, Genugtuung *f*; ~ *de dommages* Entschädigung *f*; **3.** *Fußball*: *coup m de pied* ~ Elfmeterstrafstoß *m*; **~er** [~'re] *v/t.* (1a) **1.** reparieren, instand setzen, ausbessern; wiederherstellen; **2.** *fig.* ersetzen; *Fehler* wiedergutmachen; ~ *le dommage* den Schaden ersetzen; ~ *ses forces* wieder zu Kräften kommen.

reparler [rəpar'le] *v/i.* (1a): ~ *de qch. fig.* auf etw. zurückkommen, erneut über etw. (*acc.*) sprechen.

repartager [rəparta'ʒe] *v/t.* (1l) wiederverteilen.

repartie [rə-, *mst.* re-par'ti] *f* schnelle, treffende Entgegnung *f od.* Erwiderung *f*; *promptitude f* (*od. vivacité f*) *de* ~ Schlagfertigkeit *f*; *prompt à la* ~ schlagfertig.

repartir[1] [rəpar'ti:r] (2b) *v/t. u. v/i.*

schnell entgegnen *od.* erwidern, schlagfertig antworten.
repartir[2] [~] *v/i.* wieder abfahren, wieder abfliegen; wieder zurückgehen, -fahren, wieder aufbrechen; *mot.* wieder anspringen; ~ *de zéro fig.* von ganz von vorn anfangen.
répar|tir [repar'ti:r] *v/t.* (2a) verteilen; ✝ zuteilen (*Aktien od. Anteilscheine*); **~tissable** [~ti'sablə] *adj.* verteilbar; **~titeur** *téléph.* [~ti'tœ:r] *m* Verteiler *m*; **~tition** [~ti'sjɔ̃] *f* Verteilung *f*; ✝ Zuteilung *f* (*v. Aktien usw.*); ~ *des bénéfices* Gewinnverteilung *f*; ~ *des dividendes* Dividendenverteilung *f*; ~ *de l'impôt* Steuerveranlagung *f*.
repas [rə'pɑ] *m* Mahlzeit *f*; Essen *n*; ~ *d'adieu(x)* Abschiedsessen *n*; ~ *de noces* Hochzeitsessen *n*; *distribution f des* ~ Essenausgabe *f*.
repassage [rəpa'sa:ʒ] *m* **1.** Bügeln *n*, Plätten *n*; **2.** ⊕ Schleifen *n* (*von Messern*).
repasser [rəpɑ'se] (1a) **I** *v/i.* **1.** wieder vorbei-gehen, -fahren, -fliegen, -kommen, -reisen, -reiten; wieder vorsprechen; (wieder) zurückgehen, -kommen, -reisen; **II** *v/t.* **2.** wieder über ... (*acc.*) (zurück-)gehen *od.* (-)kommen; ~ *la rivière* wieder über den Fluß setzen; **3.** plätten, aufbügeln; **4.** ~ *des couteaux* Messer schleifen; **5.** *fig.* noch einmal durchlesen, repetieren; *écol.* ~ *sa leçon* s-e Aufgabe noch einmal durchgehen (*od.* wiederholen); ~ *un compte* e-e Rechnung nachprüfen; ~ *qch. dans son esprit* etw. überdenken.
repass|erie [rəpɑs'ri] *f* Plätt-, Bügel-anstalt *f*; **~eur** [~'sœ:r] *m* Polierer *m*, (Fein-)Schleifer *m*; ⊕ Schleifapparat *m*; **~euse** [~'sø:z] *f* Plätterin *f*, Büglerin *f*.
repav|age [rəpa'va:ʒ] *m* Neupflasterung *f*; **~er** [~'ve] *v/t.* (1a) wieder (*od.* neu) pflastern.
repayer [rəpɛ'je] *v/t.* (1i) noch einmal bezahlen.
repêch|age [rəpɛ'ʃa:ʒ] *m Sport* zusätzlicher Qualifikationswettkampf *m*; *écol.* Wiederholungsprüfung *f*; **~er** [~'ʃe] *v/t.* (1a) wieder herausfischen, wieder aus dem Wasser ziehen; ~ *q. dans l'embarras* j-m aus der Verlegenheit helfen.
repeigner [rəpɛ'ɲe] *v/t.* (1a) wieder (auf)kämmen.
repeindre [rə'pɛ̃:drə] *v/t.* (4b) übermalen; *Auto*: neu spritzen; *fig.* noch einmal schildern.
repenser [rəpɑ̃'se] *v/t.* (1a) noch einmal überdenken.
repent|ant [rəpɑ̃'tɑ̃] *adj.* (7) reumütig; **~i** [~'ti] *adj.* der ein neues Leben angefangen hat; **~ir** [~'ti:r] **I** *v/rfl.* (2b) **1.** *se* ~ *de qch.* etw. bereuen; *faire* ~ *q. de qch.* j-m Veranlassung geben, etw. zu bereuen; **II** *m* **2.** (*a. pl.* ~s) Reue *f*; **3.** *typ.* Autorkorrektur *f*; **4.** *peint.* Abänderungsspur *f*.
repérable *bsd.* ⚔ [rəpe'rablə] *adj.* kenntlich, erkennbar.
repérage [rəpe'ra:ʒ] *m* Markieren *n*; Aufstellung *f* von Merkzeichen; ⚔ Peilung *f*, Ortung *f*, Entdeckung *f*, Auffindung *f*, Ermittlung *f*.
repercer [rəpɛr'se] *v/t.* (1k) wieder durchbohren.
réper|cussion [repɛrky'sjɔ̃] *f phys.* Zurückwerfen *n*; *fig.* Auswirkung *f*; **~cuter** [~ky'te] (1a) **I** *v/t. phys.* zurückschallen lassen; *Steuern* abwälzen; **II** *v/rfl. se* ~ *phys.* zurückschallen; *fig. se* ~ *sur* sich auswirken auf (*acc.*).
reperdre [rə'pɛrdrə] *v/t.* (4a) wieder verlieren.
rep|ère [rə'pɛ:r] *m*: (*point m de*) ~ Markierung *f*, (Merk-)Zeichen *n*; *fig.* Anhaltspunkt *m*; **~érer** [~pe're] *v/t.* (1f) **1.** markieren, kennzeichnen; **2.** *mit Hilfe v. Merkzeichen* auffinden *od.* bestimmen, ermitteln, *a.* ⚔ orten, sichten; F ausfindig machen, entdecken.
répert|oire [repɛr'twa:r] *m* **1.** (Sach-)Register *n*, Verzeichnis *n*; **2.** *thé.* Repertoire *n*; **~orier** [~tɔ'rje] *v/t.* (1a) in ein Verzeichnis aufnehmen.
repeser [rəpə'ze] *v/t.* (1d) nachwiegen.
répét|ailler F [repetɑ'je] *v/t.* (1a) bis zum Überdruß wiederholen; **~er** [~'te] *v/t.* (1f) wiederholen; *écol. faire* ~ *sa leçon à un élève* e-n Schüler *etw.* abfragen; *thé.* ~ *un rôle* e-e Rolle einstudieren; **~eur** *téléph.* [~'tœ:r] *m* Verstärker *m*; **~iteur** [~ti'tœ:r] **I** *su.* (7f) Repetitor *m*, Einpauker *m* F; **II** *m* 🚂 ~ *de signaux* Signalrückmelder *m*; **~ition** [~ti'sjɔ̃] *f* **1.** Wiederholung *f*; *fusil m à* ~ Mehrladegewehr *n*; **2.** *écol.* Nachhilfestunde *f*; **3.** *thé.* Probe *f*; ~ *en costume(s)* Kostümprobe *f*; ~ *générale* Generalprobe *f*; *mettre une pièce en* ~ ein Stück einstudieren.
repeupl|ement [rəpœplə'mɑ̃] *m*

Wiederbevölkerung *f*; Wiederbesetzung *f e-s Teiches* mit Fischen; *for.* Wiederaufforstung *f*; **~er** [~'ple] *v/t.* (1a) wieder-bevölkern, -besetzen (*Teich*), -bepflanzen, -aufforsten.

repincer [rəpɛ̃'se] *v/t.* (1k) wieder kneifen; F ~ *q.* a) j-n wieder ertappen; b) *fig.* j-m etw. heimzahlen.

repiqu|age [rəpi'ka:ʒ] *m* **1.** ⊕ Ausbesserung *f des Pflasters*; **2.** ➶ Umpflanzen *n*; **~e** *phot.* [rə'pik] *f* Ausflecken *n*; **~er** [~'ke] (1m) **I** *v/t.* **1.** wieder stechen; **2.** *Straßenpflaster* ausbessern; **3.** ➶ umpflanzen, Pflanzen versetzen; **4.** *a. journ.* überarbeiten; **5.** *Schallplatte* überspielen; **II** F *v/i.*: ~ *au truc* es noch mal versuchen.

répit [re'pi] *m* Frist *f*, Aufschub *m*; Ruhe *f*, *fig.* Atempause *f*; *sans* ~ unaufhörlich, unentwegt.

replacer [rəpla'se] (1k) **I** *v/t.* wieder hinstellen *od.* hinsetzen *od.* anbringen; *j-n* wieder anstellen; **II** *v/rfl.* se ~ sich wieder hinstellen; e-e andere Stellung annehmen (*z.B. Hausangestellte*); ⚕ in die frühere Lage zurückkehren (*Glied*).

replanir [rəpla'ni:r] *v/t.* (2a) *Parkett* nachhobeln.

replan|tation [rəplɑ̃ta'sjɔ̃] *f* Um-, Neube-pflanzung *f*; **~ter** [~'te] *v/t.* (1a) **1.** 'umpflanzen, versetzen; **2.** aufs neue bepflanzen.

replat *géol.* [rə'pla] *m* Talterrasse *f*.

replâtr|age [rəplɑ'tra:ʒ] *m* **1.** ⊕ Übergipsen *n*; **2.** F *fig.* Flickwerk *n*; Bemäntelung *f*; scheinbare Versöhnung *f*; **~er** [~'tre] *v/t.* (1a) übergipsen; F *fig.* oberflächlich ver-, aus-bessern; bemänteln.

replet [rə'plɛ] *adj.* (7b) beleibt, dick.

réplé|tif ⚕ [reple'tif] *adj.* (7e) das Körpergewicht steigernd; **~tion** [~ple'sjɔ̃] *f* Völle *f*, Übersättigung *f*.

repli [rə'pli] *m* **1.** Krümmung *f*, Windung *f*; *un* ~ *de terrain* e-e Boden-, Gelände-falte *f*; **2.** ⚔ planmäßiger Rückzug *m*, Absetzbewegung *f*; *position f de* ~ Auffangstellung *f*; **3.** *fig.* **~s** *pl. du cœur* verborgene Winkel *m/pl.* des Herzens; **~able** [~pli'ablə] *adj.* zusammenklappbar; **~ement** [~'mɑ̃] *m* **1.** *psych.* ~ (*sur soi*[*-même*]) Abkapselung *f*; **2.** ⚔ planmäßiges Sichabsetzen *n*, geordneter Rückzug *m*; **~er** [rəpli'e] (1a) **I** *v/t.* **1.** wieder zusammenlegen; falzen; zusammenklappen; *Flügel* einziehen; *Beine* anziehen; **2.** *Papier* umknicken; *Ärmel* hochkrempeln; **3.** ⚔ zurückziehen; **II** *v/rfl.* se ~ **4.** *Schlange* sich krümmen, sich winden; ⚔ sich (planmäßig) absetzen, sich zurückziehen; *fig.* se ~ *sur soi-même* sich abkapseln.

répliqu|e [re'plik] *f* **1.** Erwiderung *f*, Gegenantwort *f*; **2.** Widerrede *f*; *être sans* ~ unwiderleglich sein; **3.** *thé.* Stichwort *n*; **4.** ♪ Einsatzstelle *f*; **5.** *peint.*, ⊕ Nachbildung *f*; **~er** [repli'ke] *v/t. u. v/i.* (1m) erwidern, entgegnen; widersprechen.

replonger [rəplɔ̃'ʒe] (1l) **I** *v/t.* wieder eintauchen; *fig.* wieder stürzen (*dans* in *acc.*); **II** *v/i. u. v/rfl.* (se) ~ *dans qch. a. fig.* sich in etw. wieder vertiefen.

repoissonnement [rəpwasɔn'mɑ̃] *m* Wiederbevölkerung *f* mit Fischen.

repomper [rəpɔ̃'pe] *v/t.* (1a) wieder einpumpen.

répond|ant [repɔ̃'dɑ̃] *m* Bürge *m*, Gewährsmann *m*; **~eur** [~'dœ:r] **I** *m* ⊕ *téléph.* Anrufbeantworter *m*; **II** *su. u. adj.* Widerspruchsgeist *m*; widersetzlich.

répondre [re'pɔ̃:drə] (4a) **I** *v/i.* **1.** antworten, erwidern (*à* auf *acc.*); **2.** widersprechen; **3.** ~ *à qch.* zu etw. (*dat.*) passen; e-r Sache (*dat.*) entsprechen; mit etw. (*dat.*) übereinstimmen; **4.** ~ *de* bürgen für, einstehen, haften; *etw.* verantworten; *j'en réponds* dafür stehe ich gerade; F *je ne réponds de rien* ich garantiere für nichts; **5.** *fig.* ~ *à l'appel de q.* j-s Aufforderung Folge leisten; **6.** *téléph.*: ~ *à l'appel* sich melden; **II** *v/t.* **7.** *il m'a répondu une longue lettre* er hat mir mit e-m langen Brief geantwortet; *je ne vois rien de* ~ *à cela* ich habe nichts darauf zu erwidern; **8.** *rl.* ~ *la messe* bei der Messe antworten.

répons *rl.* [re'pɔ̃] *m* Responsorium *n*, Antwortgesang *m*.

réponse [re'pɔ̃:s] *f* **1.** Antwort *f*, Beantwortung *f*; Bescheid *m*; F ~ *de Normand* zweideutige Antwort; ~ *payée* Rückantwort bezahlt; *il n'y a pas de* ~ es bedarf keiner Antwort; *un mot de* ~ e-e kurze Antwort; *avoir* ~ *à tout* nie um e-e Antwort verlegen sein; **2.** Widerlegung *f*; **3.** *cyb.* ~ *impulsionnelle* Stoßantwort *f*.

report [rə'pɔ:r] *m* **1.** ✝ Übertrag *m auf e-e andere Seite*; **2.** Kostgeschäft *n* (*Börse*); **3.** Vertagung *f*; ⚔ ~ *d'incorporation* Zurückstellung *f* von der Einberufung; **4.** Umdruck *m*;

~age [rəpɔr'ta:ʒ] *m* Reportage *f*, Berichterstattung *f*.

reporter[1] [~'te] (1a) **I** *v/t.* **1.** wieder hin- (*od.* zurück-)bringen *od.* -tragen; *fig.* (*zeitlich*) auf-, ver-schieben; **2.** ✝, *fig.* übertragen; ~ *tout son espoir sur q.* s-e ganze Hoffnung auf j-n setzen; **II** *v/rfl.* *se* ~ *aux jours de son enfance* sich in die Tage s-r Jugend versetzen; *se* ~ *à un document* sich auf ein Dokument beziehen; *se* ~ *sur* ... übergehen auf ... (*Wählerstimmen*; *acc.*).

reporter[2] [rəpɔr'tɛ:r] *m* Reporter *m*, Berichterstatter *m*; **~ photographe** [~fɔtɔ'graf] *m* (6a) Pressephotograph *m*, Bildberichterstatter *m*.

repos [rə'po] *m* **1.** Ruhe *f*, Erholung *f*; ⚔ *~!* rührt euch!; **2.** *st.s.* Schlaf *m*; **3.** Beruhigung *f*; *mettre sa conscience en* ~ sein Gewissen beschwichtigen; ✝ *valeur f de tout* ~ mündelsicheres Papier *n*; **4.** *mét.*, ♪ Pause *f*; **~ée** [rəpo'ze] *f ch.* Lager *n*.

repose-pied [rəpoz'pje] *m* (6d) Fuß-raste *f*, -stütze *f* (*im Auto*, *des Zahnarztstuhls*).

repos|er [rəpo'ze] (1a) **I** *v/t.* **1.** wieder hinlegen *od.* hinstellen; ⚔ *reposez arme*(*s*)*!* Gewehr ab!; **2.** in Ruhe versetzen, ausruhen lassen, entspannen; *advt. à tête reposée* bei ruhiger Überlegung; **II** *v/i.* **3.** schlafen; ruhen; **4.** ~ *sur qch.* auf etw. (*dat.*) beruhen; **5.** ↗ brachliegen; **6.** sich setzen (*Flüssigkeit*); *vin m reposé* abgelagerter Wein *m*; **III** *v/rfl.* *se* ~ **7.** sich ausruhen, sich erholen; **8.** *se* ~ *sur qch.* sich auf etw. (*acc.*) stützen; **9.** *se* ~ *sur* sich verlassen auf; **~e-tête** *Auto* [~poz'tɛ:t] *m* Kopfstütze *f*.

repourvoir [rəpur'vwa:r] *v/i.* (3b): ~ *à une chaire* e-n Lehrstuhl wieder besetzen (*Universität*).

repouss|ant [rəpu'sɑ̃] *adj.* (7) abstoßend, abschreckend; **~er** [rəpu'se] (1a) **I** *v/t.* **1.** wieder stoßen; **2.** zurück-stoßen *od.* -treiben *od.* -schlagen; ~ *une attaque* einen Angriff abweisen; **3.** *fig.* zurückweisen, verwerfen, ablehnen, abschlagen (*Bitte*); abwehren; abstoßen, abschrecken; **4.** ⚘ *neue Schößlinge* zum Treiben bringen; **5.** ⊕ treiben, ziselieren; **II** *v/i.* **6.** ⚘ wieder ausschlagen (*od.* treiben *od.* wachsen); **~oir** [~'swa:r] *m* **1.** ⊕ Durchschlaghammer *m*; Treibeisen *n*; Bolzen *m*; *sculp.* Steinmeißel *m*; **2.** *chir.* Zahnzange *f*; **3.** *fig. peint.* Kontrast *m*; F *allg.* (gegensätzliches) Vorbild *n*.

répréhensible [repreɑ̃'siblə] *adj.* □ tadelnswert, verwerflich.

reprendre [rə'prɑ̃:drə] (4q) **I** *v/t.* **1.** wieder (ab-, auf-, ein-, weg-, zurück-)nehmen, wiederbekommen; ✝ in Zahlung nehmen (*Auto*, *Radio usw.*); ~ *conscience* wieder zu Bewußtsein kommen; ~ *courage* wieder Mut fassen; ~ *le dessus* die Oberhand wiedergewinnen; ~ *ses esprits* sich wieder fassen; ~ *ses forces* wieder zu Kräften kommen; ~ *haleine* wieder Atem schöpfen; ~ *son influence* s-n Einfluß wiedergewinnen; ~ *une maille* e-e Masche aufnehmen; *Auto*: ~ *sa voiture* s-n Wagen aus der Garage herausfahren; ✈ ~ *son vol* weiterfliegen; *rad.* ~ *Paris* Paris wieder einschalten; ~ *un programme* ein Programm übernehmen; **2.** wieder ergreifen, wieder einfangen; wieder befallen (*Krankheit*); *on ne m'y reprendra plus* das soll mir nicht wieder passieren!; **3.** widerrufen; **4.** wieder anfangen, von neuem betreiben; ~ *ses affaires* s-e Geschäfte wiederaufnehmen; ~ *la parole* wieder das Wort ergreifen; *il reprit son récit* er erzählte weiter; **5.** überarbeiten; enger machen, ändern; **6.** zurechtweisen; tadeln; *trouver à* ~ *à tout* an allem etwas auszusetzen haben; **II** *v/i.* **7.** erwidern; **8.** wieder anwachsen; **9.** sich wieder erholen; **10.** wieder anfangen; *le froid a repris* es ist wieder kalt geworden; *le commerce reprend* der Handel hebt sich wieder; **11.** wieder zufrieren; **III** *v/rfl.* *se* ~ **12.** *etw. Gesagtes* (wieder) zurücknehmen; sein Wort zurücknehmen; **13.** *fig.* sich fassen; wieder zur Besinnung kommen; **14.** *s'y* ~ *à deux fois pour faire qch.* zweimal mit etw. anfangen; **15.** *se* ~ *à rire* wieder zu lachen anfangen.

représailles [rəpre'zɑ:j] *f/pl.* Repressalien *f/pl.*

représent|able [rəprezɑ̃'tablə] *adj.* darstellbar; **~ant** [~'tɑ̃] *m a.* ✝ Vertreter *m*, Stellvertreter *m*; ~ *légal* Rechtsvertreter *m*; **~atif** [~ta'tif] *adj.* (7e) □ **1.** repräsentativ, stellvertretend; *gouvernement* ~ parlamentarische Regierung *f*; **2.** ~ *d'une époque* charakteristisch für e-e Epoche; **~ation** [~tɑ'sjɔ̃] *f* **1.** Darstellung *f*, Abbildung *f*; Schilderung *f*; **2.** Vertretung *f*; ~ *exclusive* Alleinvertretung *f*; **3.** *thé.*, *cin.*, *rad.*

Aufführung *f*; Vorstellung *f*; Veranstaltung *f*; ~ *cinématographique* Kinovorstellung *f*; ~ *radiodiffusée* Hörspiel *n*; ~ *de music-hall* Varietévorstellung *f*; **4.** Repräsentation *f*; *frais m/pl. de* ~ Aufwandsentschädigung *f*; **5.** *psych.* Vorstellung *f*; **~ativité** *pol.* [~tativi'te] *f* repräsentativer Charakter *m*; **~er** [~'te] (1a) **I** *v/t.* **1.** darstellen, wiedergeben, versinnbildlichen; *litt.* schildern; **2.** *thé., cin., rad., télév.* aufführen, darstellen; **3.** *j-n* vertreten; **II** *v/i.* **4.** repräsentieren; **III** *v/rfl. se* ~ **5.** *fig.* wieder vorkommen (*Vorfall*); sich wieder melden (*Person*); sich *etw.* vorstellen; **6.** *parl.* sich als Kandidat aufstellen lassen.

répress|if [reprɛ'sif] *adj.* (7e) be-, ein-schränkend; unterdrückend; *justice f répressive* Strafrechtspflege *f*; **~ion** [~'sjɔ̃] *f* Unterdrückung *f*; Niederwerfung *f*; ⚖ Ahndung *f*.

réprim|ande [repri'mɑ̃:d] *f* Verweis *m*, Strafpredigt *f*; **~ander** [~mɑ̃'de] *v/t.* (1a) ~ *q. (à cause) de qch.* j-n wegen etw. tadeln, j-m wegen etw. e-n Verweis erteilen, j-n ausschimpfen; **~er** [~'me] *v/t.* (1a) **1.** ~ *qch.* e-r Sache (*dat.*) Einhalt tun; **2.** *Tränen, Lächeln* unterdrücken; *Leidenschaften* im Zaum halten; **3.** ~ *une révolte* e-n Aufstand unterdrücken; **4.** ⚖ ahnden.

repris [rə'pri] *m*: ~ *de justice* Vorbestrafte(r) *m*.

reprisage [rəpri'za:ʒ] *m* Stopfen *n*.

reprise [rə'pri:z] *f* **1.** Wiedernehmen *n*; Wieder-ein-, -ab-nahme *f*; Wiederergreifung *f e-s Flüchtlings*; **2.** ✝ Wiederbelebung *f der Geschäfte*; Steigen *n*, Wiederanziehen *n gefallener Kurse*; Inzahlungnahme *f e-s Autos*; ~ *économique* Ankurbelung *f* der Wirtschaft; **3.** Wiederaufnahme *f*, Wiederholung *f*; *thé.* Wiederaufführung *f*; *à diverses (à plusieurs, à maintes)* ~*s* zu verschiedenen (zu wiederholten) Malen, recht häufig; *à trois* ~*s* dreimal hintereinander; ~ *du froid* Wiederbeginn *m* der Kälte; **4.** ♪ Wiederholung *f*; **5.** *Boxen*: Runde *f*; *esc.* Doppelnachstoß *m*; **6.** Stopfen *n*, Ausbessern *n*; ~ *perdue* Kunststopferei *f*; **7.** ⚠ Ausbesserung *f*; ~ *en sous-œuvre* neues Untermauern *n*; **8.** *allg.* Ausbesserung *f*, Überholung *f* (*v. Möbeln*).

repriser [rəpri'ze] *v/t.* (1a) ausbessern, stopfen.

réproba|teur [reprɔba'tœ:r] *adj.* (7f) vorwurfsvoll, tadelnd; **~tion** [~bɑ'sjɔ̃] *f* **1.** Mißbilligung *f*; **2.** *rl.* ewige Verdammnis *f*.

reproch|e [rə'prɔʃ] *m* Vorwurf *m*, Tadel *m*; *exempt de tout* ~ einwandfrei; **~er** [~'ʃe] *v/t.* (1a) ~ *qch. à q.* j-n wegen etw. tadeln, j-m etw. vorwerfen; ~ *un service à q.* j-n immer wieder an e-e Gefälligkeit erinnern.

reproduc|teur [rəprɔdyk'tœ:r] **I** *adj.* (7f) fortpflanzend; wiedergebend; vervielfältigend; Vervielfältigungs-..., Kopier...; **II** *m* männliches Zuchttier *n*; **~tibilité** [~tibili'te] *f* Fortpflanzungsfähigkeit *f*; **~tible** [~'tiblə] *adj.* fortpflanzungsfähig; **~tif** [~'tif] *adj.* (7e) *éc.* wiedererzeugend; *zo.*, ⚘ fortpflanzungsfähig; *psych.* reproduktiv; **~tion** [~k'sjɔ̃] *f* **1.** Wiedererzeugung *f*, Wiederherstellung *f*; ~ *électromagnétique* Wiedergabe *f* durch Tonband; **2.** Fortpflanzung *f*; Wiederwachsen *n*; **3.** Wiederabdruck *m*, Neudruck *m*, Abbildung *f* (*Photographie*), Nachdruck *m*; **4.** Vervielfältigung *f*; **~tivité** [~tivi'te] *f* Reproduktionsfähigkeit *f*; **~trice** [~'tris] *f* Kartendoppler *m für Lochkarten*.

reproduire [rəprɔ'dɥi:r] (4c) **I** *v/t.* **1.** wieder hervorbringen, wieder erzeugen; **2.** wieder vorzeigen; **3.** ab-, nach-drucken; nachahmen; reproduzieren; *phot.* aufnehmen; **4.** vervielfältigen; **II** *v/rfl. se* ~ **5.** sich fortpflanzen; wieder wachsen; **6.** sich wieder zeigen; sich wiederholen; **7.** sich abdrucken lassen, sich nachahmen lassen *usw.*

reprograph|ie [rəprɔgra'fi] *f* Trokken-Fotokopie(rverfahren *n*) *f*; **~ier** [~'fje] *v/t.* (1a) trocken fotokopieren.

réprouv|able [repru'vablə] *adj.* verwerflich, tadelnswert; **~é** [~'ve] *m* Verdammte(r) *m*; Verstoßene(r) *m*; **~er** [~] *v/t.* (1a) mißbilligen.

reprouver [rəpru've] *v/t.* (1a) noch einmal beweisen.

reps *text.* [rɛps] *m* Rips *m*.

rep|tation [rɛptɑ'sjɔ̃] *f das* Kriechen *n*; **~tile** [~'til] *m* Reptil *n*; **~tilien** [~ti'ljɛ̃] *adj.* (7c) reptilienartig.

repu [rə'py] *adj.* übersatt, gesättigt, vollgestopft; vollgefressen V; überdrüssig.

républi|cain [repybli'kɛ̃] (7) **I** *adj.* □ republikanisch; **II** *su.* Republikaner *m*; **~caniser** [~kani'ze] *v/t.* (1a) republikanisieren; **~canisme** [~ka'nism] *m* republikanische Gesinnung *f* (*od.* Haltung *f*); **~que** [~'blik] *f* Republik *f*; ♀ *féderale* *d'Allemagne* Bundesrepublik *f* Deutschland (*abr.* BRD); ♀ *démocratique d'Allemagne* Deutsche Demokratische Republik *f* (*abr.* DDR); ~ *des magistrats* Obrigkeitsstaat *m.*

répudi|ation [repydja'sjõ] *f* Verstoßen *n*, Verstoßung *f* (*e-r Frau*); ⚖ Ablehnung *f*, Ausschlagen *n*; **~er** [~'dje] *v/t.* (1a) verstoßen; ⚖ ablehnen (*Erbschaft*); aufgeben; ablegen.

répugn|ance [repy'ɲɑ̃:s] *f* Widerwille *m*, Ekel *m*, Abscheu *m*; *avoir une ~ pour qch.* sich vor etw. ekeln, e-n Abscheu vor etw. haben; **~ant** [~'ɲɑ̃] *adj.* (7) widerlich, abstoßend, ekelhaft.

répugner [repy'ɲe] *v/i.* (1a): ~ *à qch.* gegen etw. (*acc.*) sein, e-r Sache widerstreben, etw. verabscheuen; *je répugne à ...* (*od. il me répugne de ...*) es widerstrebt mir, zu ...

repulluler [rəpyly'le] *v/i.* (1a) wieder wuchern.

répul|sif [repyl'sif] *adj.* (7e) *phys.*, *litt.* abstoßend; **~sion** [~'sjõ] *f* Ab-, Zurück-stoßung *f*; *fig.* heftige Abneigung *f*, Widerwille *m*; *éprouver de la ~ pour q.* Abneigung gegen j-n haben.

repurger [rəpyr'ʒe] *v/t.* (1l) nochmals reinigen; ⚕ erneut abführen.

réput|ation [repyta'sjõ] *f* (*allgemeiner Ausdruck*; *gehobener ist renom u. renommée*) *a.* † Ruf *m*, Ansehen *n*, † Renommee *n*; *de mauvaise ~* verrufen; **~é** [~'te] *adj.* berühmt; geschätzt; angesehen; *vin m ~* berühmter Wein *m*; *être ~ faire partie de qch.* als Bestandteil von etw. gelten.

requé|rant [rəke'rɑ̃] *adj. u. su.* (7) ersuchend; Antragsteller *m*; **~rir** [~'ri:r] *v/t.* (2l) **1.** *Truppen* anfordern, verlangen; **2.** ⚖ *Strafe* beantragen.

requête [rə'kɛt] *f* Antrag *m*, Bittschrift *f*, Gesuch *n*; *agissant à* (*od. sur*) *la ~ de ...* im Auftrag von ...; ~ *en cassation* Gesuch *n* um Aufhebung e-s richterlichen Urteils; *présenter une ~* ein Gesuch einreichen.

requiem [rekɥi'ɛm] *m* (5a) *rl.*, ♪ Requiem *n*; Totenmesse *f.*

requin [rə'kɛ̃] *m* Hai(fisch *m*) *m.*

requinquer F [rəkɛ̃'ke] (1m) **I** *v/t.* wieder auf die Beine bringen, aufmöbeln F; **II** *v/rfl.* se ~ wieder zu Kräften (*od.* auf die Beine) kommen, wieder munter werden.

requis [rə'ki] **I** *adj.* (7) erforderlich; dienstverpflichtet; **II** *m* Dienstverpflichtete(r) *m.*

réquisi|tion [rekizi'sjõ] *f* **1.** ⚔ Beschlagnahme *f*, Requisition *f*, Anforderung *f*; Dienstverpflichtung *f*; **2.** ⚖ Antrag *m*; *agir à la ~ de ...* im Auftrag von ... handeln; **~tionner** [~sjɔ'ne] (1a) *v/t.* *Lebensmittel*, *Autos usw.* beschlagnahmen; *Personen* dienstverpflichten; **~toire** ⚖ [~'twa:r] *m* Plädoyer *n* des Staatsanwalts; *fig.* Anklagerede *f.*

re-romanisation *ling.* [rərɔmaniza'sjõ] *f* erneute Romanisierung *f.*

rescapé [rɛska'pe] *su.* Überlebende(r) *m*, Gerettete(r) *m.*

rescind|ant [resɛ̃'dɑ̃] **I** *adj.* ⚖ aufhebend; **II** *m* Nichtigkeitsantrag *m*; **~ement** ⚖ [~d'mɑ̃] *m* Aufhebung *f*, Ungültigkeitserklärung *f*; **~er** ⚖ [~'de] *v/t.* (1a) aufheben, kassieren.

rescision ⚖ [resi'zjõ] *f* Aufhebung *f*, Annullierung *f.*

rescisoire ⚖ [resi'zwa:r] *adj.* umstoßend.

resco * [rɛs'ko] *m* billiges Lokal *n.*

rescousse [rɛs'kus] *f*: *venir à la ~* zu Hilfe kommen.

rescrit [rɛs'kri] *m* Antwortschreiben *n* (*römischer Kaiser*); *rl.* Erlaß *m.*

réseau [re'zo] *m* (5b) **1.** Netz *n* (*a.* ⚡, *téléph.*, *rad.*, 🚂, ✉); ~ *de chemins de fer*, ~ *ferré* Eisenbahnnetz *n*; ~ *domestique* Fernsehsatellitennetz *n*; ~ *fluvial* Flußnetz *n*; ~ *routier* Straßen-, Wege-netz *n*; ~ *de communications* Verkehrsnetz *n*; ~ *en fil de fer* Drahtgewebe *n*; ~ *urbain*, ~ *métropolitain* Stadtbahnnetz *n*; ~ *postal aérien* Luftpostnetz *n*; *Auto*: ~ *des autoroutes* Autobahnnetz *n*; *téléph.* ~ *urbain* Ortsnetz *n*; **2.** *anat.*, ⚘ netzartiges Geflecht *n*; **3.** ⚠ Maßwerk *n* an gotischen Bauten.

résection *chir.* [resɛk'sjõ] *f* Entfernung *f z.B. e-s Knochenstücks.*

réséda ⚘ [reze'da] *m* Resada *f.*

resemer ✓ [rəs(ə)'me] *v/t.* (1d) wieder säen.

réséquer *chir.* [rese'ke] *v/t.* (1f) *u.* (1m) operativ entfernen.

réservation [rezɛrva'sjõ] *f* Reservierung *f* (*v. Zimmern*, *Tischen*, *Flugtickets*, *Theaterkarten usw.*).

réserv|e [re'zɛrv] *f* **1.** Vorbehalt *m*; *sans ~* vorbehaltlos; *faire ses ~s* sich verwahren; *sous ~ de* vorbehaltlich (*gén.*); *sous toutes ~s* unter allem Vorbehalt; ohne jede Gewähr;

2. Vorrat *m*, Reserve *f*; *vivres m/pl. de* ~ Lebensmittelvorrat *m*; *fin.* Notenreserve *f bei e-r Bank*; *fin.* ~*s pl.* Rücklagen *f/pl.*; ~ *de puissance* Kraftreserve *f*; ✝ ~ *nette* Nettoreserve *f*; ~ *métallique* Metallvorrat *m*; ~ *mathématique* Deckungskapital *n*; ~*s pl. mathématiques*, ~*s pl. de primes* Prämienreserve *f/sg.*; ~ *d'or*, ~ *de dividendes* Gold-, Dividendenreserve *f*; *avoir en* ~ vorrätig haben; *mettre en* ~ beiseite legen; **3.** ⚔ Reserve *f*; ~*s pl. instruites* ausgebildete Reserven *f/pl.*; **4.** Reserviertheit *f*, Zurückhaltung *f*; *user de* ~ *avec q.* gegen j-n zurückhaltend sein; **5.** *for.* (*bois m de*) ~ Schonung *f*; **6.** Reservat *n*; Tierpark *m*, Wildgehege *n*; ~ *indienne* Indianerreservat *n* (*USA*); **7.** ⚖ ~ *légale* Pflichtteil *m u. n*; *réduire q. à ses* ~*s* j-n auf das Altenteil setzen; **8.** Aufbewahrungsort *m*.

réser|vé [rezɛr've] *adj.* **1.** zurückhaltend, reserviert; **2.** ~ *à* vorgesehen für (*acc.*), bestimmt zu (*dat.*); **3.** *thé.* reserviert, belegt, besetzt; **~ver** [~] *v/t.* (1a) **1.** vorbehalten, zurückbehalten; *Zimmer usw.* reservieren; **2.** zurücklegen.

réser|viste ⚔ [~'vist] *m* Reservist *m*; **~voir** [~'vwa:r] *m* **1.** Behälter *m*, *bsd.* Wasserbehälter *m*; ~ *d'essence* Benzintank *m*; **2.** Stausee *m*.

rési|dant [rezi'dɑ̃] *adj.* (7) wohnhaft; *Fr. membre m* ~ ordentliches Akademiemitglied *n*; **~dence** [~'dɑ̃:s] *f* **1.** Aufenthalt(sort *m*) *m*; Wohnsitz *m*; Amtssitz *m*; ~ *secondaire* Zweitwohnung *f*, Nebenwohnsitz *m*; **2.** Residenz *f*; **~dent** [~'dɑ̃] *su.* (7) **1.** (*auch als adj.*: *ministre m* ~) Geschäftsträger *m*; **2.** Ausländer *m in e-m Gastland*; **~dentiel** [~dɑ̃'sjɛl] *adj.* (7c): *immeuble m* ~ Wohnhaus *n*; **~der** [~'de] *v/i.* (1a) **1.** wohnen; **2.** *fig.* liegen, enthalten sein; **~du** [~'dy] *m* Rückstand *m*, Bodensatz *m*; *allg.* ~*s pl. de ménage* Küchenabfälle *m/pl.*; **~duaire** ⚗ [~'dɥɛ:r] *adj.* Rest..., Abfall...; **~duel** ⚗, ⚡ [~'dɥɛl] *adj.* (7c) Rest..., zurückbleibend.

résignation [rezipɑ'sjɔ̃] *f* Verzicht *m*, Resignation *f*, Ergebung *f*; Gelassenheit *f*.

résigner [rezi'ɲe] (1a) **I** *v/t. litt.* ~ *une fonction* ein Amt niederlegen; **II** *v/rfl. se* ~ sich ergeben, sich fügen (*à* in *acc.*); *abs.* resignieren.

résili|able ⚖ [rezi'ljablə] *adj.* kündbar; **~ation** [~ljɑ'sjɔ̃] *f* Kündigung *f*; **~ence** ⊕ [~'ljɑ̃:s] *f* Schlagfestigkeit *f*; **~er** [~'lje] *v/t.* (1a) kündigen, aufheben, rückgängig machen.

résille [re'zij] *f* Haarnetz *n*; ⊕ Bleinetz *n* (*Glasmalerei*).

rési|nage [rezi'na:ʒ] *m* Harzgewinnung *f*; **~ne** [re'zin] *f* Harz *n*; ~ *synthétique* Kunstharz *n*; **~né** [~'ne] *adj.* geharzt (*Wein*); **~ner** [~] *v/t.* (1a) **1.** ~ *un pin* von e-r Fichte Harz abzapfen; **2.** mit Harz überziehen; **~neux** [~'nø] *adj.* (7d) □ harzig; Harz...; **~nifère** [~ni'fɛ:r] *adj.* harzhaltig.

résipiscence *rl.* [~pi'sɑ̃:s] *f* Reue *f*.

résist|ance [rezis'tɑ̃:s] *f* **1.** Widerstand(s-fähigkeit *f*, -kraft *f*) *m*, Ausdauer *f*; Haltbarkeit *f*; ⊕ Festigkeit *f*; ⚠ Tragfähigkeit *f*; ~ *aux intempéries* Wetterbeständigkeit *f*; ~ *aux pressions* Druckbeanspruchung *f*; ~ *à la rupture* Bruchfestigkeit *f*; *phys.* ~ *de l'air* Luftwiderstand *m*; ⚡ ~ *du fil od. de la ligne* Leitungswiderstand *m*; **2.** *Fr. pol. la* ♀ die französische Widerstandsbewegung (*1940—1944*); **~ant** [~'tɑ̃] **I** *adj.* (7) **1.** widerstrebend; **2.** haltbar (*Stoff*); resistent; feuerfest; wasserdicht; ~ *à la chaleur* hitzebeständig; **3.** ausdauernd, widerstandsfähig; **II** *m pol.* Widerstandskämpfer *m*.

résister [rezis'te] *v/i.* (1a) **1.** widerstehen, Widerstand leisten (*à q.* gegen j-n, *à qch.* gegen etw.); **2.** *fig.* ~ *à qch.* etw. aushalten *od.* ertragen.

résistivité ⚡ [rezistivi'te] *f* spezifischer (Leitungs-)Widerstand *m*.

résolu [rezɔ'ly] **I** *p/p. v. résoudre*; **II** *adj.* fest entschlossen, mutig, resolut; **~ment** [~'mɑ̃] *adv.* fest entschlossen, kühn; **~tion** [~ly'sjɔ̃] *f* **1.** Entschluß *m*, Beschluß *m*, Entschlossenheit *f*; *bsd. pol.* Resolution *f*; *allg.* Entschlußkraft *f*; *prendre une* ~ e-n Entschluß fassen; *adopter une* ~ e-e Entschließung annehmen; **2.** Entscheidung *f od.* Lösung *f e-r Frage*; ✎ Lösung *f e-r Aufgabe*; **3.** ⚗, ♪ Auflösung *f*; **4.** ⚕ Zurückgehen *n e-r Geschwulst*; **5.** ⚖ Aufhebung *f von Verträgen usw.*; **~toire** ⚖ [~'twa:r] *adj.* aufhebend.

réson|ance [rezɔ'nɑ̃:s] *f* Nach-, Wider-hall *m*, Resonanz *f*, Mitklingen *n*; ♪ *table f de* ~ Resonanzboden *m*; **~ateur** *phys.* [~na'tœ:r] *m* Resonator *m*, Schallfänger *m*; **~ner** [rezɔ'ne] *v/i.* (1a) widerhallen; *fig.* erschallen, ertönen.

resonner [rəsɔ'ne] *v/i.* (1a) wieder klingeln.

résor|ber [rezɔr'be] *v/i.* (1a) wieder aufsaugen; *fig.* beseitigen (*Arbeitslosigkeit*); übernehmen (*Beamte*); **~ption** [~p'sjɔ̃] *f* Resorption *f*.

résoudre [re'zu:drə] (4bb) **I** *v/t.* **1.** (auf)lösen (*a.* ⚗ *u.* 𝔪); **2.** ⚕ erweichen; ~ *une tumeur* eine Geschwulst beseitigen; **3.** ⚖ aufheben; **4.** *e-e Frage* entscheiden; **5.** ~ *qch.* etw. beschließen; être *résolu à* (*od. seltener* de) (*mit inf.*) entschlossen sein, zu ...; **II** *v/rfl.* se ~ **6.** se ~ *à faire qch.* sich entschließen, etw. zu tun; se ~ *à qch.* sich zu etw. (*dat.*) entschließen.

respect [rɛs'pɛ] *m* Ehrfurcht *f*; Ehrerbietung *f*; Achtung *f*; *manquer de* ~ *à q.* sich j-m gegenüber respektlos benehmen; *assurer q. de son* ~ j-n seiner Hochachtung versichern; *rendre* (*od. présenter*) *ses* ~*s à q.* j-m seine Aufwartung machen; *présentez-lui mes* ~*s* empfehlen Sie mich ihm; *sauf votre* ~ offen gesagt; *sans* ~ *de qch.* ohne Rücksicht auf etw. (*acc.*).

respec|tabilité [rɛspɛktabili'te] *f* Achtbarkeit *f*; **~table** [~'tablə] *adj.* □ ehrwürdig; beachtlich; **~ter** [~'te] *v/t.* (1a) **1.** achten; se *faire* ~ sich Achtung verschaffen; **2.** Rücksicht nehmen auf (*acc.*); beachten; wahren; **~tif** [~'tif] *adj.* (7e) □ jeweilig, entsprechend; beiderseitig; einschlägig; *respectivement adv.* beziehungsweise; **~tueux** [~'tɥø] *adj.* □ respektvoll; F *une respectueuse* e-e Dirne.

respir|able [rɛspi'rablə] *adj.* erträglich (*Luft*); **~ateur** ⚕ [~ra'tœ:r] *m* **1.** Atmungsapparat *m*; **2.** Atemschutzgerät *n*; **~ation** [~rɑ'sjɔ̃] *f* Atmen *n*, Atmung *f*; **~atoire** [~ra'twa:r] *adj.* Atem...; **~er** [~'re] (1a) **I** *v/i.* **1.** (auf)atmen, Atem holen; noch am Leben sein; **2.** *fig.* aufatmen; **II** *v/t.* **3.** einatmen; **4.** *fig.* ausdrücken.

resplend|ir [rɛsplɑ̃'di:r] *v/i.* (2a) leuchten, glänzen, strahlen (*a. fig.*), blinken, funkeln; **~issement** [~dis'mɑ̃] *m* Glanz *m* (*a. fig.*), Funkeln *n*.

responsa|bilité [rɛspɔ̃sabili'te] *f* Verantwortung *f*; Verantwortlichkeit *f*; ⚖ ~ *civile* Haftpflicht *f*; *prendre la* ~ *de qch.* für etw. (*acc.*) einstehen; **~ble** [~'sablə] *adj.* verantwortlich, haftbar (de für *acc.*).

resquil|le F [rɛs'kij] *f* Vordrängeln *n*; Schwarz-hören *n*, -sehen *n*, -fahrt *f* (*z.B. im Bus*); Nassauerei *f*; **~ler** F [~ki'je] *v/i.* (1a) sich vordrängeln, sich hereinschmuggeln; schwarzhören (*rad.*), -sehen; unrechtmäßig ergattern, organisieren *fig.*; nassauern; **~leur** F [~ki'jœ:r] *m* Schwarz-fahrer *m*, -hörer *m*; Zaungast *m*; Nassauer *m*.

ressac ⚓ [rə'sak] *m* Brandung *f*.

ressaisir [rəsɛ'zi:r] (2a) **I** *v/t.* **1.** wieder ergreifen; **2.** wieder an sich bringen; **II** *v/rfl.* se ~ sich wieder bemächtigen (de *qch.* e-r Sache); *fig.* wieder zu sich kommen (*a. pol.*), sich wieder fassen.

ressass|é [rəsa'se] *adj. fig.* abgedroschen; *un sujet* ~ ein abgedroschenes Thema *n*; **~er** [~] *v/t.* (1a) *fig.* noch einmal durchgehen; bis zum Überdruß wiederholen.

ressaut [rə'so] *m* **1.** △ Vorsprung *m*; *faire* ~ vorspringen; **2.** Unebenheit *f*; **3.** *géol. a.* Sprung *m*; **~er** [~'te] (1a) **I** *v/t.* wieder überspringen; **II** *v/i.* wieder springen.

ressembl|ance [rəsɑ̃'blɑ̃:s] *f* Ähnlichkeit *f*; **~ant** [~'blɑ̃] *adj.* (7) ähnlich; **~er** [~'ble] (1a) **I** *v/i.* ähnlich sein, gleichen; *fig. cela ne ressemble à rien* das taugt nichts; das ist etwas einmalig Neues; **II** *v/rfl.* se ~ sich ähnlich sehen *od.* gleichen.

ressemel|age [rəsəm'la:ʒ] *m* Neubesohlung *f*; **~er** [~'le] *v/t.* (1c) neu besohlen.

ressemer [rəs(ə)'me] (1d) **I** *v/t.* wieder säen; **II** *v/rfl.* se ~ wieder gesät werden; sich von selbst aussäen.

ressent|iment [rəsɑ̃ti'mɑ̃] *m* Gefühl *n* der Verbitterung, Groll *m*, Rachegefühl *n*; **~ir** [~'ti:r] (2b) **I** *v/t.* verspüren, merken, empfinden; **II** *v/rfl.* se ~ *de qch.* Folgen von etw. (*dat.*) spüren, nachträglich noch zu leiden haben an etw. (*dat.*).

resserre [rə'sɛ:r] *f* Aufbewahrungs-, Rumpel-kammer *f*, Verschlag *m*.

resserr|ement [rəsɛr'mɑ̃] *m* **1.** Fest-, An-ziehen *n*; **2.** *fig.* Festigung *f*; *bsd. pol. le* ~ *de la coopération* die Festigung der *wirtschaftlichen* Zusammenarbeit; ~ *du contrôle sur les forces militaires* Verschärfung *f* der Kontrolle über die Streitkräfte; **3.** *fig.* ~ *de crédit* Kreditbeschränkung *f*; **~er** [~'re] (1b) **I** *v/t.* **1.** fester ziehen *od.* schnüren; enger schnallen; zs.-ziehen; **2.** *fig.* enger gestalten *od.* knüpfen; **II** *v/rfl.* se ~ **3.** sich zs.-ziehen; *fig.* enger werden.

resservir [rəsɛr'vi:r] (2b) **I** *v/i.* nochmals gebraucht werden; **II** *v/t.* noch einmal servieren *bzw.* einschenken; *fig.* ~ *un bon mot entendu* e-n gehörten Witz an den Mann bringen.

ressort[1] [rəˈsɔːr] *m* **1.** ⊕ Feder *f*; **2.** *fig.* Triebfeder *f*; Tatkraft *f*, Spannkraft *f*, Schwung *m*; *être sans* ~ ganz kaputt (*od.* völlig schlapp) sein; *faire jouer tous les* ~*s fig.* alle Hebel in Bewegung setzen.

ressort[2] [~] *m* **1.** *adm.*, ⚖ Zuständigkeitsbereich *m*; *être du* ~ *de* ... zuständig sein für ... (*acc.*); **2.** ⚖ Gerichtsbezirk *m*; **3.** *fig.* Fach *n*, Bereich *n*, Gebiet *n*; ~ *d'activité* Aufgabenkreis *m*; *cela n'est pas de mon* ~ damit habe ich nichts zu tun.

ressortir[1] [rəsɔrˈtiːr] *v/i.* (2b) **1.** wieder hinausgehen; **2.** *fig.* hervorspringen, -treten; *faire* ~ hervorheben; **3.** *v/imp. il ressort de cela* daraus geht hervor.

ressor|tir[2] [~] *v/i.* (2a) zur Zuständigkeit gehören (*à* zu *dat.*); ~ *au tribunal de* ... zur Zuständigkeit des Gerichts in ... gehören; **~tissant** [~tiˈsɑ̃] (7) **I** *adj.*: ~ *à* ... der ... Gerichtsbarkeit unterstehend; **II** *bsd.* ⚖ *su.* Angehörige(r) *m*; *les* ~*s des parties contractantes* die Angehörigen *m/pl.* der vertragschließenden Parteien; ~ (*d'un État*) Staatsangehörige(r) *m*.

ressource [rəˈsurs] *f* **1.** Mittel *n*; *un homme de* ~ ein Mensch, der sich zu helfen weiß; **2.** ~*s f/pl.* Geldmittel *n/pl.*; *être sans* ~*s* mittellos sein; **3.** ~*s f/pl.* Reichtum *m*, Reserven *f/pl.* (*e-s Landes*); ~*s f/pl. du pays* Bodenschätze *m/pl.*

ressouvenir [rəsuvˈniːr] *v/rfl.* (2h): *se* ~ *de qch.* sich an etw. (*acc.*) wieder erinnern, sich e-r Sache (*gén.*) entsinnen.

ressuer [rəˈsɥe] (1a) *v/i.* schwitzen (*Mauer*); ⊕ seigern.

ressusci|table [resysiˈtablə] *adj.* wiederbelebungsfähig; **~tation** ⚕ [~taˈsjɔ̃] *f* Wiederbelebung *f*; **~té** [~ˈte] *su.* vom Tode Wiederauferweckte(r) *m*; **~ter** [~] (1a) **I** *v/t.* wieder auferwecken (*Tote*); *fig.* wiedererwecken, neu beleben, anregen, erneuern; **II** *v/i.* (*mit être, wenn der Zustand, mit avoir, wenn die Handlung ausgedrückt werden soll*) wieder auferstehen (*a. fig.*); ⚕ genesen.

restant [rɛsˈtɑ̃] **I** *adj.* (7) **1.** restlich; übriggeblieben; **2.** ✉ *poste f* ~*e* postlagernd; **II** *m* Rest(betrag *m*) *m*.

restau|rant [rɛstɔˈrɑ̃] *m* Restaurant *n*, Lokal *n*, Gasthaus *n*, Gaststätte *f*; **~rateur** [~raˈtœːr] *su.* (7f) (Gast-) Wirt *m*; *fig.* Restaurator *m* (*v. Kunstwerken*); *st.s. pol.* Erneuerer *m* (*e-r Staatsform*); **~ration** [~raˈsjɔ̃] *f* **1.** Restaurierung *f* (*v. Kunstwerken*); **2.** Wiederherstellung *f* (*der Ordnung*); **3.** *fin.* Sanierung *f*; **4.** *Fr. hist.* ♀ Restauration *f*; *style m de la* ♀ Biedermeierstil *m*; **~rer** [~ˈre] (1a) **I** *v/t.* **1.** ⚠, *peint.* restaurieren; **2.** *Ordnung* wiederherstellen; **3.** *pol.* wiedereinführen; **II** *v/rfl. se* ~ sich stärken, etw. zu sich nehmen (*od.* essen).

reste [rɛst] *m* **1.** Rest *m*, Überbleibsel *n*, *das* Übrige *n*; *du* ~ (*st.s. au* ~) übrigens; *de* ~ übrig, mehr als nötig; *et ainsi du* ~ und so fort; ~ *d'un tirage* Restauflage *f* (*Buch usw.*); *sans* ~ restlos; *avoir de l'argent de* ~ Geld übrig haben; *jouer (de) son* ~ sein letztes Geld aufs Spiel setzen; *fig.* den letzten Versuch machen, das Äußerste versuchen; *ne pas demander son* ~ sich sang- u. klanglos aus dem Staub machen; **2.** *abs.* ~*s pl.* sterbliche Hülle *f/sg.*

rester [rɛsˈte] *v/i.* (1a) (*mit être*) **1.** (da-, zurück-)bleiben; sich aufhalten; F wohnen; ~ *assis* (*couché*) sitzen (liegen) bleiben; ~ *debout* stehen bleiben; **2.** übrigbleiben, übrig sein; *v/imp. il (me) reste mille francs à payer* es bleiben (mir) noch tausend Francs zu zahlen; *reste à savoir si* ... es fragt sich nur noch, ob ...; **3.** *en* ~ *à qch.* es bei etw. (*dat.*) bewenden lassen; bei etw. stehenbleiben; *il n'en restera pas là* er wird es nicht dabei (bewenden) lassen; *écol. usw. où en sommes-nous restés?* wo sind wir stehengeblieben?

restitu|able [rɛstiˈtɥablə] *adj.* zurückzuerstatten; zu ersetzen; **~er** [~ˈtɥe] *v/t.* (1a) **1.** ersetzen, (wieder- *od.* zurück-)erstatten; **2.** wiederherstellen; **3.** *phot.* auswerten; **~tion** [~tyˈsjɔ̃] *f* **1.** Rück-gabe *f*, -zahlung *f*; **2.** *litt.* Rekonstruktion *f*, Wiederherstellung *f* (*Text, Bauwerk*); **3.** *phot.*, *Schallplatte*: Auswertung *f*; *appareil m de* ~ Wiedergabegerät *n*, Einzelbildsammler *m*.

restoroute *Auto* [rɛstɔˈrut] *m* Raststätte *f an e-r Autobahn.*

restreindre [rɛsˈtrɛ̃ːdrə] (4b) **I** *v/t.* be- *od.* ein-schränken (*Freiheit, Macht, Ausgaben*); einengen (*Bedeutung*); *au sens restreint* im engeren Sinne; **II** *v/rfl. se* ~ sich einschränken.

restric|tif [rɛstrikˈtif] *adj.* (7) einschränkend; **~tion** [~strik'sjɔ̃] *f* Beschränkung *f*; ~ *mentale* stillschweigender Vorbehalt *m*; *sans* ~ ohne Einschränkung, unbedingt; *sous* ~ unter (*od.* mit) Vorbehalt; *~s f/pl. à l'importation* Einfuhrbeschränkungen *f/pl.*; ~ *au commerce* Handelsbeschränkung *f*; ~ *de production* Produktionsbeschränkung *f*; ~ *du nombre des fonctionnaires* Beamtenabbau *m*.

restructuration [restryktyrɑ'sjɔ̃] *f* Umstrukturierung *f*.

resucée F [rəsy'se] *f*: *une* ~ noch ein Gläschen.

résult|ante [rezyl'tɑ̃:t] *f* Folge *f*; ⚗ Resultante *f*; **~at** [~'ta] *m* Ergebnis *n*; *sans* ~ ergebnislos; *fécond en ~s* ergebnisreich; **~er** [~'te] *v/i.* (1a) sich ergeben, resultieren; *qu'en résulte-t-il?* was folgt daraus?

résu|mé [rezy'me] *m* Zusammenfassung *f*, Überblick *m*; *écol.* ~ *écrit* Protokoll *n e-r Lehrstunde*; *en* ~ zusammenfassend, kurz; **~mer** [~] (1a) **I** *v/t.* kurz zusammenfassen; **II** *v/rfl. se* ~ sich kurz fassen.

résurrection [rezyrɛk'sjɔ̃] *f* **1.** Auferstehung *f*; **2.** plötzliche Genesung *f*; **3.** *fig.* Wiederaufleben *n*.

retable ⚠ [rə'tablə] *m* Altarblatt *n*.

rétabl|ir [reta'bli:r] (2a) **I** *v/t.* **1.** wieder einrichten; wieder einsetzen; **2.** wiederherstellen, wieder in Gang bringen; **3.** ~ (*la santé de*) *q.* j-n wieder gesund machen; **II** *v/rfl. se* ~ ⚕ wieder gesund werden, genesen; **~issement** [~blis'mɑ̃] *m* Wiederherstellung *f*; Besserung *f*, Genesung *f*; Wiedereinsetzung *f*; *gym.* Aufschwung *m*; *fig.* Gesundung *f*; ⚚ ~ *financier* Sanierung *f* der Finanzen; ~ *économique* Gesundung *f* der Wirtschaft; ~ *du dollar* Festigung *f* des Dollars; ⚕ *prompt* ~*!* baldige (*od.* gute) Besserung!

retail|le ⊕ [rə'tɑ:j] *f* Abschnitzel *n*; **~ler** [rətɑ'je] *v/t.* (1a) wieder schneiden; wieder spitzen (*Bleistift*).

rétam|é F [reta'me] *adj.* sternhagelblau; völlig am Ende, erschöpft, kaputt; **~er** ⊕ [~] *v/t.* (1a) wieder verzinnen; F kaputtmachen; **~eur** ⊕ [~'mœ:r] *m* Kesselflicker *m*.

retape [rə'tap] *f*: P *faire la* ~ auf den Strich gehen; F *faire de la* ~ die Werbetrommel rühren.

retaper F [rəta'pe] **I** *v/t.* **1.** wieder in Ordnung bringen, reparieren, wieder zurechtmachen, neu machen; wieder auffrischen; umarbeiten; *Hut* aufbügeln; **2.** ⚕ ~ *q.* j-n wieder hochbringen (*a. allg.*); *allg.* j-m neuen Mut zusprechen; **3.** *écol.* ~ *q.* j-n durchfallen lassen; **4.** * ~ *q.* j-n erneut anpumpen; **II** *v/rfl. se* ~ ⚕ sich wieder hochrappeln.

retard [rə'ta:r] *m* **1.** Verspätung *f*; *en* ~ verspätet; ✈, ⚓ überfällig; ⚚ rückständig; *sans* ~ ohne Verzug, ohne Verspätung; *être en* ~ zu spät kommen; *se mettre en* ~ *pour q.* sich wegen j-s aufhalten; *ma montre est en* ~ *de cinq minutes sur l'horloge de la gare* meine Uhr geht nach der Bahnhofsuhr (um) 5 Minuten nach; ⚚ *intérêts m/pl. de* ~ Verzugszinsen *m/pl.*; ⚚ ~ *de paiement* Zahlungsverzug *m*; ~ *de (la) livraison* Lieferungsverzögerung *f*; **2.** ⊕ Verzögerung *f*; *Auto*: ~ *à l'allumage* Spätzündung *f*; **3.** ⚕ *adjt.* (*nachgestellt*) Depot...; **~ataire** [~da'tɛ:r] **I** *adj.* verspätet; rückständig; **II** *su.* Zuspätkommer *m*; Nachzügler *m*; rückständiger Steuerzahler *m*; **~ateur** [~da'tœ:r] *adj.* (7f) *phys.* hemmend; **~ement** [~də'mɑ̃] *m nur noch*: ⚔ *à* ~ mit Zeitzünder; *fig.* erst nachträglich; **~er** [~'de] (1a) **I** *v/t.* **1.** aufschieben; **2.** aufhalten; **3.** *Uhr* zurückstellen; **II** *v/i.* **4.** nachgehen (*Uhr*); **5.** ~ *sur son temps* mit s-r Zeit nicht mitkommen; **6.** F hinter dem Mond sein.

retâter [rətɑ'te] (1a) **I** *v/t.* **1.** wieder betasten; **2.** *fig.* ~ *q.* j-m wieder auf den Zahn fühlen; **II** *v/i.* ~ *à* (*od. de*) *qch.* wieder von etw. (*dat.*) kosten.

reteindre [rə'tɛ̃:drə] *v/t.* (4b) wieder färben.

retenable [rət'nablə] *adj.* leicht zu behalten.

retendre [rə'tɑ̃:drə] *v/t.* (4a) wieder (be)spannen.

rétendre [re'tɑ̃:drə] *v/t.* (4a) wieder ausbreiten.

retenir [rət'ni:r] (2h) **I** *v/t.* **1.** zurück-, auf-, fest-halten (*Person*); *écol.* nachsitzen lassen; **2.** zurück-, ein-behalten, nicht herausgeben; **3.** *fig.* sich merken, im Gedächtnis behalten; **4.** ⚖ ~ *une cause* sich e-e Rechtssache vorbehalten, sich für e-e Sache für zuständig erklären; **5.** abziehen (*von e-m Betrag*); **6.** vorbestellen, belegen, reservieren (*Platz usw.*); **7.** auf-, zurück-halten; ~ *un cri* e-n Schrei unterdrücken; ~ *son haleine* den Atem anhalten; ~ *sa langue* s-e Zunge im Zaum halten; **II** *v/rfl. se* ~ **8.** *se* ~ *à qch.* sich an etw. (*dat.*) (fest)halten; **9.** *fig.*

sich zs.-nehmen, sich beherrschen, sich mäßigen; *se* ~ *de crier* s-n Schmerz verbeißen; *je ne puis me* ~ *de ...* ich kann nicht umhin, zu ...

retenter [rətɑ̃'te] *v/t.* (1a) wieder versuchen.

réten|teur *méc.* [retɑ̃'tœːr] *adj.* (7f), **~tif** *méc.* [~'tif] *adj.* (7e) zurückhaltend, hemmend; **~tion** [~'sjɔ̃] *f* **1.** ⚖ *droit m de* ~ Zurückbehaltungsrecht *n*; **2.** ⚕ Zurück-, Verhaltung *f*.

retent|ir [rətɑ̃'tiːr] *v/i.* (2a) widerhallen; ertönen; dröhnen; *fig. faire* ~ *partout les louanges de q.* j-s Lob überall verkünden; **~issant** [~ti'sɑ̃] *adj.* (7) widerhallend; schallend; aufsehenerregend; *mots m/pl.* ~*s* hochtönende Worte *n/pl.*; **~issement** *fig.* [~tis'mɑ̃] *m* Auswirkung *f*, Widerhall *m*; großes Aufsehen *n*.

rete|nu [rət'ny] *adj.* vorbestellt, reserviert; gedämpft (*Stimme*); verhalten; **~nue** [~] *f* **1.** Abzug *m vom Gehalt*; **2.** *écol.* Arrest *m*, Nachsitzen *n*; *être en* ~ nachsitzen; *mettre en* ~ nachsitzen lassen; **3.** *fig.* Zurückhaltung *f*, Bescheidenheit *f*; **4.** Zurückhalten *n*; ~ *d'eau* Stausee *m*; **5.** *Auto*: Rückprall *m*.

réticence [reti'sɑ̃ːs] *f* Verschweigung *f*, absichtliche Übergehung *f*; Zögern *n*, Reserve *f*.

réticent [reti'sɑ̃] *adj.* (7) verschwiegen; zögernd, reserviert.

réticu|le [reti'kyl] *m* **1.** Handtäschchen *n* (*für Damen*); **2.** *opt.* Fadenkreuz *n*; **~laire** [~'lɛːr] *adj.*, **~lé** [~'le] *adj.* netzartig.

rétif [re'tif] *adj.* (7e) störrisch; bockig, widerspenstig; ~ *au travail* arbeitsscheu.

réti|ne [re'tin] *f* Netzhaut *f*, Retina *f*; **~nite** [~'nit] *f* **1.** ⚕ Netzhautentzündung *f*; **2.** *min.* Pechstein *m*.

reti|ré [rəti're] *adj.* zurückgezogen; *vivre* ~, *mener une vie* ~*e* zurückgezogen leben; **~rer** [~] (1a) **I** *v/t.* **1.** zurück-, hervor-, heraus-ziehen; ~ *sa casquette* s-e Mütze ziehen; ~ *une clef* e-n Schlüssel abziehen; ~ *qch. de la circulation* etw. aus dem Verkehr ziehen; **2.** entziehen, wegnehmen; ~ *un enfant du collège* ein Kind aus der Oberschule nehmen; ~ *q. à qch.* j-n v. etw. befreien *fig.*; **3.** beziehen, einnehmen; *fig.* gewinnen; ~ *des avantages de qch.* Vorteile aus etw. ziehen; ~ *un profit de qch.* e-n Nutzen aus etw. (*dat.*) ziehen; ~ *l'impression que ...* den Eindruck gewinnen, daß ...; ~ *de la gloire* Ruhm ernten; **4.** *typ.* wieder abdrucken (*od.* abziehen); **5.** *fig.* zurücknehmen; ein Pfand einlösen; *Sport*: aufgeben; s-e Meldung zurückziehen; **II** *v/i.* **6.** von neuem ziehen; ~ *au sort* noch einmal losen; **III** *v/rfl.* se ~ **7.** sich zurückziehen; zurücktreten; *se* ~ *devant q.* j-m das Feld räumen, j-m den Vorrang lassen; **8.** sich zur Ruhe setzen, abtreten; **9.** einlaufen (*Stoff*), zusammenschrumpfen.

retombée [rətɔ̃'be] *f* **1.** ⚠ Anfänger *m*; **2.** Behang *m* (*v. Vorhängen*); **3.** *at.* ~*s pl. nucléaires* radioaktiver Niederschlag *m*; **4.** ~*s pl. péj.* Folgen *f/pl.*

retomber [~] *v/i.* (1a) **1.** wieder fallen; **2.** (wieder) zurückfallen; *fig.* zurücksinken; **3.** *fig.* wieder versinken; **4.** ~ *sur q.* j-n zufällig wieder treffen; auf j-n zurückfallen; *faire* ~ *la faute sur q.* die Schuld auf j-n abwälzen.

retor|deuse [rətɔr'døːz] *f* Zwirnerin *f*; Zwirnmaschine *f*; **~dre** [~'tɔrdrə] *v/t.* (4a) wieder auswringen; zwirnen.

rétorquer [retɔr'ke] (1m) **I** *v/t.* *Gründe usw.* umkehren, zurückweisen; **II** *v/i.* erwidern.

retors [rə'tɔːr] *adj.* (7) **1.** gedreht; *fil m* ~ Zwirn *m*; **2.** *fig.* geschraubt, gewunden, gedrechselt (*Stil*); **3.** *fig.* schlau, durchtrieben, gerissen; *a. m* Schlauberger *m*, geriebener Kerl *m*, Fuchs *m fig.*

rétorsif [retɔr'sif] *adj.* (7e) zurückweisend.

rétorsion [retɔr'sjɔ̃] *f rhét.* Zurückweisung *f*; *pol.* Vergeltung *f*.

retou|che [rə'tuʃ] *f phot. usw.* Retusche *f*, Überarbeitung *f*; *cout.* Änderung *f*; **~cher** [~'ʃe] *v/t.* (1a) **1.** *phot.* retuschieren; **2.** überarbeiten, überholen, nachbessern; **3.** *cout.* ändern; **~cheuse** [~'ʃøːz] *f Mode*: Änderin *f*.

retour [rə'tuːr] *m* **1.** Rück-kehr *f*, -fahrt *f*, -reise *f*; ✈ (*vol m de*) ~ Rückflug *m*; *de* ~ *de ...*, *od. nur*: ~ *de ...* zurückgekehrt aus ...; *de* ~ *chez moi ...* bei meiner Rückkehr nach Hause ...; *l'aller et le* ~ die Hin- und Rück-fahrt; *par* ~ *du courrier* postwendend; ~ *de courant* Stromrückgang *m*; ⊕ *mouvement m en* ~ Rückwärtsbewegung *f*; **2.** ✝ Rücksendung *f*; *fret m de* ~ Rückfracht *f*; *port m de* ~ Rückporto *n*; **3.** ~ *vers qch.* Rückblick *m* auf etw. (*acc.*); **4.** Wechsel *m des Glücks*; *bsd.* ~*s pl.*

Sinneswandel *m*; ~ *de l'opinion* Umkehr *f* der öffentlichen Meinung; **5.** Wiederkehr *f*; *sans* ~ unwiederbringlich, auf immer; **6.** *être sur le* ~ in den Wechseljahren sein; allmählich alt werden; **7.** *en* ~ dafür, als Gegenleistung; *payer q. de* ~ es j-m heimzahlen; *présent m offert en* ~ *d'un autre* Gegengabe *f*; **8.** ⚔ ~ *offensif* Gegenstoß *m*; **9.** ⚖ *droit m de* ~ Heimfallrecht *n*; **10.** ⊕, *cin.* Rücklauf *m*; **11.** ⚠ Vorsprung *m*.

retournement [rəturnə'mɑ̃] *m* (Um-)Wenden *n*; Rückentwicklung *f*; Meinungsumschwung *m*; *Sport*: ~ (*inversé*) hochgezogene Rollenkehre *f*.

retourner [rətur'ne] (1a) **I** *v/t.* (*mit avoir!*) **1.** umkehren, (um)wenden; *Karte* umschlagen; umgraben; umpflügen; umrühren; *fig.* ~ *le sens* den Sinn verdrehen; **2.** zurückschicken; **3.** F *fig.* ~ *q.* j-n umstimmen, j-n herumkriegen F; *v. e-r Nachricht*: j-n aufwühlen; **4.** von allen Seiten beleuchten (*e-e Frage*); **II** *v/i.* (*mit être!*) **5.** zurück-kehren, -fliegen, -fahren, -reisen; ~ *en France* (*à Paris*) nach Frankreich (nach Paris) zurückkehren; ~ *chez soi* nach Hause gehen; heimkehren; ~ *à* wieder gehen (*od.* fahren *od.* reisen *od.* fliegen) nach (*dat.*); ~ *sur ses pas* (auf demselben Wege wieder) umkehren; **6.** ~ *à qch.* etw. wieder aufnehmen; **7.** ⚖ heimfallen; **III** F *v/imp. voilà donc de quoi il retourne* darum also dreht (*od.* handelt) es sich; *de quoi retourne-t-il?* worum dreht es sich?; was ist los?; **IV** *v/rfl.* *se* ~ sich 'umdrehen; *Auto*: sich überschlagen; *il sait se* ~ er weiß sich zu helfen; *s'en* ~ wieder zurückkehren, wieder umkehren; *se* ~ *contre q.* sich gegen j-n wenden *bzw.* auswirken.

retracer [rətra'se] *v/t.* (1k) noch einmal zeichnen; *fig.* erzählen, schildern, erneut vor Augen führen; vergegenwärtigen.

rétrac|table [retrak'tablə] *adj.* widerruflich; ⊕ einziehbar; **~tation** [~ta'sjɔ̃] *f* Widerruf *m*, Zurücknahme *f*; **~ter** [~'te] (1a) **I** *v/t.* ein-, zurück-ziehen; *fig.* widerrufen; **II** *v/rfl.* *se* ~ sich zusammenziehen (*Muskel*); **~tile** *zo.* [~'til] *adj.* zurück-, ein-ziehbar; **~tion** [~trak'sjɔ̃] *f* ⚕ Zusammenziehung *f*, Verkürzung *f*.

retraduction [rətradyk'sjɔ̃] *f* Neu-, Rück-übersetzung *f*.

retraduire [rətra'dɥi:r] *v/t.* (4c) **1.** nochmals übersetzen; **2.** rückübersetzen.

retrait [rə'trɛ] **I** *advt.* **1.** *en* ~ ⚠ zurückgesetzt; *typ.* eingerückt; *allg.* abseits; **II** *m* **2.** Entzug *m* (*des Führerscheins*); **3.** Zurückziehung *f*, Abzug *m* (*a. v. Truppen*); Zurücknahme *f*; Einziehen *n von Münzen*; ~*s pl. fin.* Abhebungen *f/pl.*; ~ *à vue* Barabhebung *f*; 🚂 ~ *des billets* Abnahme *f* der Fahrkarten; ⚔ ~ *du front* Zurücknahme *f* (*od.* Rückverlegung *f*) der Front; *adm.* ~ *d'emploi* Amtsenthebung *f*; ⚡, ⊕ *montage m en* ~ Unterputzmontage *f*; **4.** ⚖ (Wieder-)Einlösung *f*; **5.** Zurückweichen *n des Meeres*; **6.** *bét.* Schwindmaß *n*, Schwinden *n* (*von Zement u. Beton bei trockener Luft*); *tendance f au* ~ Schwindneigung *f*.

retraite [rə'trɛt] *f* **1.** ⚔ Rückzug *m*; *couper la* ~ *à l'ennemi* dem Feind den Rückzug abschneiden; *donner le signal de la* ~ zum Rückzug blasen, den Angriff abblasen; **2.** ⚔ Zapfenstreich *m*; ~ *aux flambeaux* Fackelzug *m*; **3.** Ruhestand *m*, Pensionierung *f*; *mettre q. à la* ~ j-n in den Ruhestand versetzen, j-n pensionieren; **4.** (Alters-)Rente *f*, Ruhegeld *n*; Pension *f*; **5.** Abgeschiedenheit *f*; **6.** *litt.* Zufluchtsort *m*.

retrai|té [rətrɛ'te] *adj. u. su.* pensioniert; Pensionierte(r) *m*; **~tement** *at.* [~t'mɑ̃] *m* Wiederaufarbeitung *f*.

retranch|ement [rətrɑ̃ʃ'mɑ̃] *m* ⚔ Verschanzung *f*; **~er** [~'ʃe] (1a) **I** *v/t.* **1.** (weg)streichen; **2.** ✝ *von e-m Betrag* abziehen; **3.** ⚔ verschanzen; **II** *v/rfl.* *se* ~ ⚔ sich verschanzen; *fig.* *se* ~ *derrière q.* sich hinter j-m verschanzen; *se* ~ *dans le silence* sich in Schweigen hüllen.

retranscription [rətrɑ̃skrip'sjɔ̃] *f* *schriftliche* Wiedergabe *f e-r Bandaufnahme.*

retransmettre *rad.*, *télév.* [rətrɑ̃s'mɛtrə] *v/t.* (4p) übertragen; ~ *en direct* direkt (*od.* live) übertragen.

retransmission [rətrɑ̃smi'sjɔ̃] *f* *rad.*, *télév.* Übertragung *f*.

rétréc|ir [retre'si:r] (2a) **I** *v/t.* verengen, schmaler machen; *fig.* beschränken, einengen; **II** *v/i.* einlaufen (*Stoff*); **III** *v/rfl.* *se* ~ *Straße*: enger werden; **~issement** [~sis'mɑ̃] *m* Verengung *f*; Einlaufen *n v. Stoffen.*

rétreindre ⊕ [re'trɛ̃:drə] *v/t.* (4b) aushämmern; reduzieren.

retremper [rətrɑ̃'pe] (1a) **I** *v/t.*

Wäsche wieder einweichen; ⊕ *Stahl* wieder härten; *fig.* mit neuer Tatkraft ausrüsten; **II** *v/rfl.* se ~ *fig.* neue Kraft schöpfen.

rétribu|er [retri'bɥe] *v/t.* (1a) entlohnen, bezahlen, vergüten; **~tion** [~by'sjɔ̃] *f* **1.** Bezahlung *f*, Vergütung *f*, Entgelt *n*; **2.** Belohnung *f*.

rétro[1] *Mode* [re'tro] *f* modemäßiges Zurückgreifen *n auf e-e frühere Zeit*.

rétro[2] P [~] *m Auto*: Rückspiegel *m*.

rétroac|tif [retrɔak'tif] *adj.* (7e) □ rückwirkend; **~tion** [~ak'sjɔ̃] *f* Rückwirkung *f*; *cyb.* Rückkopplung *f*; **~tivité** [~aktivi'te] *f* rückwirkende Kraft *f*.

rétro|céder [retrɔse'de] *v/t.* (1f) **1.** ⚖ wieder abtreten; **2.** weiterverkaufen; **~cession** [~sɛ'sjɔ̃] *f* **1.** ⚖ Wiederabtretung *f*; **2.** Weiterverkauf *m*; **3.** ⚕ Zurücktreten *n*, Verschwinden *n*, Aufhören *n*; **4.** *phys.* Rückwärtsgehen *n*; **~fusée** *at.* [~fy'ze] *f* Bremsrakete *f*.

rétrogra|dation [~grada'sjɔ̃] *f* **1.** ⚔ Degradierung *f*; **2.** *ast.* Rücklauf *m*; **~de** [~'grad] *adj.* rückgängig; rückläufig; *fig.* rückschrittlich; **~der** [~'de] (1a) **I** *v/i.* rückwärts gehen; rückläufig sein; *ast.* zurücklaufen; *fig.* rückschrittlich sein; *Schüler*: zurückbleiben; ⚔ zurückweichen; **II** *v/t.* ⚔ degradieren; *Beamten* zurückstufen; *Auto* zurückschalten; *Auto*: ~ *ses vitesses* s-e Geschwindigkeit verringern.

rétro|gression *st.s.* [~grɛ'sjɔ̃] *f* Rückschritt *m*; **~pédalage** *vél.* [~peda'laːʒ] *m*: *frein m à* ~ Rücktrittbremse *f*; **~pédaler** *vél.* [~peda'le] *v/i.* (1a) die Rücktrittbremse benutzen; **~projecteur** [~prɔʒɛk'tœːr] *m* Tageslicht-, Überkopfprojektor *m*, Overhead Projector *m*.

rétro|spectif [~spɛk'tif] *adj.* (7e) □ rückblickend; *coup m d'œil* ~ Rückblick *m*; **~spective** [~'tiːv] *f* Rückblick *m*; *peint.* Ausstellung *f* e-s Lebenswerkes.

retrouss|er [rətru'se] (1a) **I** *v/t.* aufkrempeln (*Hemdsärmel*); umschlagen (*Rockärmel, Hosen*); aufschürzen, hochnehmen (*Frauenrock*); hochkämmen (*Haar*); *Schnurrbart* noch oben kämmen; *nez m retroussé* Stülpnase *f*; **II** *v/rfl.* se ~ ihren Rock hochziehen; **~is** [~'si] *m* Aufschlag *m* (*am Rockschoß e-r Uniform*).

retrouv|ailles F [rətru'vaːj] *f/pl.* Wiederbegegnungen *f/pl.*; **~er** [rətru've] (1a) **I** *v/t.* **1.** wieder-, auffinden (*durch Anstrengung*), wiedererlangen; **2.** *aller* ~ *q.* j-n wieder aufsuchen; **II** *v/rfl.* se ~ sich wieder treffen; *s'y* ~ sich zurechtfinden, sich auskennen.

rétro|version [retrɔvɛr'sjɔ̃] *f* **1.** Rückübersetzung *f*; **2.** ⚕ Retroversion *f*, Rückwärtsneigung *f* der Gebärmutter; **~viseur** [~vi'sœːr] *m Auto* **1.** Rückspiegel *m*; ~ *deux positions* blendfreier (*Nacht- u. Tag-*) Spiegel *m*; **2.** Spion *m fig.* (*am Fenster*).

rets *litt.* [rɛ] *m* Netz *n*; *se laisser prendre dans les* ~ *de q.* sich von j-m umgarnen lassen.

réun|ification *pol.* [reynifika'sjɔ̃] *f* Wiedervereinigung *f* (*e-s geteilten Gebiets*); **~ifier** *pol.* [~ni'fje] *v/t.* (1a) wiedervereinigen; **~ion** [~'njɔ̃] *f* **1.** Versammlung *f*, Zs.-kunft *f*; **2.** *pol.* Angliederung *f*; **3.** Zs.-legung *f*, -schluß *m* (*v. Firmen*); **4.** Zs.-stellung *f* (*v. Unterlagen*); **~ionnais** [~njɔ'nɛ] *adj.* der Insel Réunion; **~ir** [~'niːr] (1a) **I** *v/t.* **1.** wieder vereinigen *od.* zs.-bringen; sammeln, zs.-stellen; verbinden; **2.** *pol.* angliedern; **3.** ~ *toutes les conditions* alle Bedingungen erfüllen; ~ *toutes ses forces* alle s-e Kräfte zs.-nehmen; **II** *v/rfl.* se ~ sich versammeln, zs.-kommen; sich vereinigen; zs.-gestellt werden; zs.-fließen (*Flüsse*).

réussir [rey'siːr] (2a) (*mit avoir!*) **I** *v/i.* **1.** Erfolg (*od.* Glück) haben; glücken, gelingen, nach Wunsch gehen; seinen Zweck erreichen; *thé.* Beifall finden; *réussi* gelungen; ~ *à qch.* bei etw. (*dat.*) Glück haben; *j'ai réussi à le faire* es ist mir gelungen, es zu tun; *il ne réussit à rien* nichts will ihm glücken; *j'ai mal réussi* ich habe Pech gehabt; es ist mir nicht gelungen; *l'affaire a réussi* das Geschäft ist geglückt; **2.** ⚘ gedeihen; **3.** ⚕ gut bekommen (*Klima*); **II** *v/t.* glücklich zustande bringen, erfolgreich durchführen, schaffen; *Sport*: *Tor* schießen; ~ *son amour* in s-r Liebe Erfolg haben.

réussite [rey'sit] *f* Erfolg *m*.

réutilisable [reytili'zablə] *adj.* wiederverwendbar.

revaccin|ation ⚕ [rəvaksina'sjɔ̃] *f* Nachimpfung *f*; **~er** ⚕ [~'ne] *v/t.* (1a) nachimpfen.

revaloir [rəva'lwaːr] *v/t.* (3h) **1.** heimzahlen (*als Rache*); **2.** sich erkenntlich zeigen, sich revanchieren (*qch.* für etw).

revaloris|ation [rəvalɔriza'sjɔ̃] *f fin.* Aufwertung *f*; Erhöhung *f*; *pol.* Aufwertung *f e-s Landes*; **~er** [~'ze] *v/t.* (1a) aufwerten; anheben; *fig.* wieder zur Geltung bringen.

revanch|ard *pol.* [rəvɑ̃'ʃa:r] *m u. adj.* Revanchist *m*; revanchistisch; **~e** [rə'vɑ̃:ʃ] *f* Vergeltung *f*; *bei Sport u. Spiel*: Revanche *f*; *Sport*: *donner sa ~ à l'adversaire* dem Gegner die Möglichkeit e-r Revanche geben; *prendre sa ~* sich Genugtuung verschaffen (*de qch. sur q.* für etw. bei j-m); *Sport*: Revanche nehmen (für etw. an j-m); *advt. à charge de ~ fig.* ich werde mich (wir werden uns) erkenntlich zeigen; *en ~* dafür; dagegen.

revascularisation *chir.* [revaskylarizα'sjɔ̃] *f* Gefäßoperation *f*.

rêvass|er [rεva'se] *v/i.* (1a) vor sich hin dösen; **~erie** [~vas'ri] *f* Dösen *n*; *péj.* Hirngespinst *n*; **~eur** [~'sœ:r] *su.* (7g) Spinner *m* F *fig.*

rêve [rε:v] *m* Traum *m*; *en ~* im Traum; *faire un ~* träumen.

revêche [rə'vεʃ] *adj.* barsch, unfreundlich, störrisch (*envers q.* j-m gegenüber).

réveil [re'vεj] *m* **1.** Aufwachen *n*, Erwachen *n*; ⚔ Wecken *n*; **2.** Wekker(uhr *f*) *m*; *mettre le ~ à cinq heures* den Wecker auf fünf Uhr stellen.

réveill|er [revε'je] (1a) **I** *v/t.* **1.** (auf)wecken; **2.** *fig.* wieder beweglich machen; wecken; wieder hervorrufen; anregen (*Appetit*); wieder wachrufen; **II** *v/rfl.* *se ~* **3.** erwachen, aufwachen; *se ~ en sursaut* plötzlich aus dem Schlaf fahren; **4.** wieder aufleben (*Gefühle*); **~eur** *litt.* [~'jœ:r] *m* geistiger Aufrüttler *m*; **~on** *Fr.* [~'jɔ̃] *m* Festessen *n* am Heiligen Abend *bzw.* zu Silvester; **~onner** [~jɔ'ne] *v/i.* (1a) Heiligabend *bzw.* Silvester (mit e-m Festessen) feiern.

révél|ateur [revela'tœ:r] **I** *adj.* (7f) aufschlußreich, auf die Spur führend; **II** *m phot.* Entwickler *m*; **~ation** [~lα'sjɔ̃] *f* ⚖ Auf-, Ent-dekkung *f* (*Sportler, Künstler*) *f*; Enthüllung *f*; *rl.* Offenbarung *f*; *phot.* Entwickeln *n*; **~er** [~'le] (1f) **I** *v/t.* enthüllen, aufdecken, offenbaren; *phot.* entwickeln; *~ ses complices* s-e Mitschuldigen angeben; *~ un secret* ein Geheimnis verraten; **II** *v/rfl.* *se ~* (*acc.*) sich erweisen, sich herausstellen, zutage treten.

revenant [rəv'nɑ̃] *m* **1.** Gespenst *n*; **2.** F unerwarteter Rückkehrer *m*; **~-bon** ✝ [~'bɔ̃] *m* (6a) Nebengewinn *m*.

revendeur [rəvɑ̃'dœ:r] *su.* (7g) Wiederverkäufer *m*, Zwischenhändler *m*.

revendi|catif [~ka'tif] *adj.* (7e) fordernd; *journée f revendicative* Streiktag *m* wegen Lohnforderungen; **~cation** ⚖ [~kα'sjɔ̃] *f* **1.** Forderung *f e-s Rechts*; Anspruch *m*; **2.** ⚖ Herausgabeanspruch *m*; **~quer** [~'ke] *v/t.* (1m) fordern, beanspruchen; *~ la responsabilité de qch.* die Verantwortlichkeit für etw. (*acc.*) übernehmen.

revendre [rə'vɑ̃:drə] *v/t.* (4a) weiterverkaufen, wiederverkaufen; *il en a à ~* er hat davon im Überfluß; *fig. en ~ à q.* j-n einwickeln (*od.* verkaufen); *il vous en revendrait* er könnte Sie übers Ohr hauen.

revenez-y [rəvne'zi] *m*: *cela a un goût de ~* das schmeckt nach mehr; *celui-là, je l'attends au ~!* der soll mir nur wiederkommen!

revenir [rəv'ni:r] *v/i.* (2h) **1.** wieder-, zurück-kommen, noch einmal kommen; *Auto*: *~ (en seconde od. en première vitesse)* zurückschalten; *~ à soi* wieder zu sich kommen; **2.** wieder wachsen; **3.** wiedererscheinen, wiederkehren; *~ sur ses pas* (wieder) umkehren; *les forces lui sont revenues* er ist wieder zu Kräften gekommen; *v/imp. il m'est revenu que …* es ist mir zu Ohren gekommen, daß …; **4.** *~ à l'esprit, ~ en mémoire* wieder einfallen (*Gedanke*); *ce nom ne me revient pas* dieser Name fällt mir nicht wieder ein; **5.** *cuis. faire ~ Fleisch* anbraten; *Gemüse* im Fett dünsten; **6.** aufstoßen (*v. Speisen*); **7.** *~ à qch.* auf etw. (*acc.*) zurückkommen; *cela revient à dire …* das heißt mit anderen Worten; *j'en reviens toujours à dire que …* ich bleibe dabei, daß …; **8.** sich erholen (*de* von *dat.*); *il revient à vue d'œil* es geht ihm zusehends besser; *~ à soi* wieder zur Besinnung kommen, sich beruhigen; *~ d'un étonnement* sich von e-m Erstaunen erholen; *abs. je n'en reviens pas* ich komme nicht darüber hinweg, ich kann es nicht fassen; **9.** sich befreien, loskommen; *~ de ses erreurs* s-e Irrtümer aufgeben; *~ sur ce qu'on avait dit* sein Wort zurücknehmen; *j'en suis re-*

venu ich habe mich anders besonnen; ~ *sur sa décision* sich anders besinnen; **10.** zustehen, zukommen, gebühren (*Rechtsanspruch*); *ce lui revient de droit* das steht ihm rechtmäßig zu; *a. v/imp. il me revient dix francs* ich bekomme zehn Franc zurück; **11.** zu stehen kommen; *cela me revient à dix mille francs* das kostet mich zehntausend Franc; *cela me revient cher* das kommt mir teuer zu stehen; **12.** *cela revient au même* das kommt auf dasselbe heraus; **13.** *ne pas* ~ nicht gefallen, mißfallen.

revente [rə'vɑ̃:t] *f* Wiederkauf *m.*

reve|nu [rəv'ny] *m* Einkommen *n*; ~**s** *m/pl.* Einkünfte *f/pl.*; ~(*s pl.*) *ne provenant pas du travail* arbeitsloses Einkommen *n*; ~*s pl. en excédent* Mehreinkommen *n/sg.*; *à* ~ *fixe* festverzinslich; ~**nue** [~] *f* Nachwuchs *m* (*vom Holz*).

rêver [rɛ've] (1a) *v/i. u. v/t.* **1.** (*fig.* er-)träumen; ~ *le pouvoir* die Macht erträumen; **2.** ~ *à qch.* an etw. (*acc.*) denken, über etw. (*acc.*) nachdenken; ~ *de qch.* etw. sehnlichst herbeiwünschen.

réver|bération [reverbera'sjɔ̃] *f* **1.** *phys.* Rückstrahlung *f*; **2.** *rad.* Nachhall *m*; ~**bère** [~'bɛ:r] *m* **1.** Reflektor *m an e-r Lampe*; **2.** *alte* Straßenlaterne *f*; ~**bérer** *phys.* [~be're] *v/t.* (1f) reflektieren, *Licht* zurückwerfen; *Wärme* zurückstrahlen.

reverdir [rəvɛr'di:r] *v/i.* (2a) wieder grün werden.

révéren|ce [reve'rɑ̃:s] *f* **1.** Knicks *m*; *weitS.* Verbeugung *f*; **2.** Ehrerbietung *f*; *litt.* ~ *parler* mit Verlaub gesagt; ~**ciel** [~rɑ̃'sjɛl] *adj.* (7c) ehrfurchtsvoll; *crainte f* ~*le* kindliche Ehrfurcht *f*; ~**cieux** [~'sjø] *adj.* (7d): *peu* ~ nicht gerade ehrerbietig; ~**d** *rl.* [~'rɑ̃] *adj. u. su.* (7) ehrwürdig; ~**dissime** *rl.* [~di'sim] *adj.* hochwürdigst.

révérer [reve're] *v/t.* (1f) verehren.

rêverie [rɛv'ri] *f* Träumerei *f*; *péj.* Phantasterei *f.*

revers [rə'vɛ:r] *m* **1.** Rück-, Kehrseite *f*; *prov. toute médaille a son* ~ jedes Ding hat zwei Seiten (*od.* s-e Kehrseite); **2.** (*coup m de*) ~ *Tennis*: Rückhand(schlag *m*) *f*; **3.** Revers *n od. m*; Auf-, Um-schlag *m an Kleidungsstücken*; Stulpe *f*; *bottes f/pl. à* ~ Stulpenstiefel *m/pl.*; **4.** *fig.* ~ (*de fortune*) Unglücksfall *m*, Schicksalsschlag *m*, Rückschlag *m*; ⚔ Niederlage *f*; **5.** ⚔ *prendre à* ~ von der Flanke u. im Rücken angreifen.

reversement *fin.* [rəvɛrsə'mɑ̃] *m* Übertragung *f.*

reverser [rəvɛr'se] *v/t.* (1a) **1.** wieder einschenken; **2.** wieder aus- (*od.* zurück-)gießen; **3.** ✝ übertragen.

réver|sibilité [reversibili'te] *f* ⚖ Übertragbarkeit *f e-r Rente*; ⊕ Umsteuerbarkeit *f*; ⊕ Umkehrbarkeit *f*; ~**sible** [~'siblə] *adj.* ⚖ übertragbar; ⊕ auf beiden Seiten verwendbar, umsteuerbar, auswechselbar; *Mode*: *manteau m* ~ Wendemantel *m*; ~**sion** [~'sjɔ̃] *f* **1.** ⚖ Übertragung *f*; **2.** *biol.* Rückschlag *m.*

revê|tement ⚠ [rəvɛt'mɑ̃] *m* Ver-, Be-kleidung *f*, Schicht *f*; Strebemauer *f*; ~ *en béton* Betonverkleidung *f*; ~ *en bois* Holz-verkleidung *f*, -täfelung *f*; ~ *routier* Straßendecke *f*; ~ *du sol* Fußbodenbelag *m*; ~**tir** [~'ti:r] *v/t.* (2g) **1.** ~ *q. de qch.* j-m etw. anziehen; ~ *ses habits du dimanche* s-e Sonntagssachen anziehen; **2.** *fig.* ~ *la figure de q.* die Gestalt (*od.* den Charakter) j-s annehmen; ~ *une importance particulière* e-e besondere Bedeutung haben; **3.** *être revêtu d'une charge* ein Amt bekleiden; **4.** ⚠ verkleiden, überziehen; ~ *de planches* mit Brettern verschlagen.

rêveur [rɛ'vœ:r] *adj. u. su.* (7g) **1.** träumerisch, verträumt; Träumer *m*; **2.** nachdenklich.

revient ✝ [rə'vjɛ̃] *m*: *prix m de* ~ Selbstkostenpreis *m.*

revif [rə'vif] *m* **1.** *allg.* Wiederaufleben *n*; **2.** ⚓ Wiederansteigen *n der Flut.*

revigor|ant ⚕ [rəvigɔ'rɑ̃] *adj.* (7) kräftigend; ~**er** [~'re] *v/t.* (1a) ⚕ wiederbeleben, kräftigen; *fig.* neu beleben.

revirement [rəvir'mɑ̃] *m* Umschwung *m*; ~ *d'opinion* Meinungsumschwung *m.*

révisable [revi'zablə] *adj.* revisionsfähig; der Durchsicht unterworfen.

réviser [revi'ze] *v/t.* (1a) überprüfen, durchsehen, revidieren; ⊕, *Auto*: überholen.

réviseur [revi'zœ:r] *m* Revisor *m*, Überprüfer *m*; *typ.* Korrektor *m.*

révision [revi'zjɔ̃] *f* **1.** Revision *f*, Durchsicht *f*; Überprüfung *f*; ~ *de comptes* Nachrechnung *f*; ⊕ *faire une* ~ (*complète* gründlich) überholen; **2.** ⚖ Wiederaufnahmeverfahren *n*, Revision *f*; **3.** *typ.* letzte Korrektur *f*, Revision *f*; **4.** ⚔ *conseil m de* ~ Musterungsausschuß *m*; **5.** *pol.* (*Grenz-*, *Verfassungs-*)Änderung *f*; **~nisme** *pol.* [~'nism] *m* Revisionismus *m*; **~niste** *pol.* [~zjɔ'nist] *adj. u. su.* revisionistisch; Revisionist *m*.

réviso F *péj. pol.* [revi'zo] *m* Revisionist *m*.

revitalisant ⚕ [rəvitali'zɑ̃] *adj.* kräftigend.

revitalisation *éc.* [rəvitalizɑ'sjɔ̃] *f* *wirtschaftliche* Wiederbelebung *f*.

revitaliser [~tali'ze] *v/t.* **1.** *éc.* neu beleben; **2.** ⚕ kräftigen; aufbauend wirken auf (*acc.*).

revivi|fiant [rəvivi'fjɑ̃] *adj.* (7) *u. m* belebend; Belebungsmittel *n*; **~fication** *st.s.* [~fikɑ'sjɔ̃] *f* Wiederbelebung *f*; **~fier** *st.s.* [~'fje] *v/t.* (1a) wiederbeleben.

reviviscen|ce *biol.*, *fig.* [rəvivi'sɑ̃:s] *f* Wiederaufleben *n*; **~t** [~'sɑ̃] *adj.* wiederauflebend.

revivre [rə'vi:vrə] (4c) **I** *v/i.* **1.** *fig.* weiterleben; **2.** *fig.* wiederaufleben; **II** *v/t.* noch einmal erleben.

révoca|bilité [revɔkabili'te] *f* Absetzbarkeit *f e-s Beamten*; **~ble** [~'kablə] *adj.* widerruflich; absetzbar; **~tion** [~kɑ'sjɔ̃] *f* **1.** Abberufung *f*; Absetzung *f*; **2.** Widerruf *m*; Aufhebung *f*; **~toire** [~ka'twa:r] *adj.* widerrufend.

revoici *u.* **revoilà** [rəvwa'si, ~'la] *advt.*: *me revoici* (*revoilà*) hier (da) bin ich wieder; *le revoilà malade* da ist er wieder krank.

revoir [rə'vwa:r] **I** *v/t.* (3b) **1.** wiedersehen; **2.** (*aller*) ~ *q.* wieder zu j-m gehen; **3.** noch einmal prüfen *od.* durchsehen, revidieren; **II** *m* Wiedersehen *n*; *au* ~*!* auf Wiedersehen!

revoler [rəvɔ'le] *v/i.* (1a) (*mit avoir!*) **1.** ✈ wieder fliegen; **2.** zurückeilen.

révolt|ant [revɔl'tɑ̃] *adj.* (7) empörend; **~e** [~'vɔlt] *f* Empörung *f*, Aufruhr *m*, Putsch *m*; **~é** [~'te] *adj. u. m* aufständisch; Aufrührer *m*, Putschist *m*; **~er** [~] (1a) **I** *v/t.* empören; **II** *v/rfl.* se ~ revoltieren, sich empören, meutern, sich auflehnen, e-n Putsch machen.

révolu [revɔ'ly] *adj.* vergangen, *zeitlich* vollendet; *quatre ans* ~*s* vier volle Jahre; être ~ vorbei sein.

révoluté ⚘ [revɔly'te] *adj.* nach außen umgerollt.

révolution [revɔly'sjɔ̃] *f* **1.** Revolution *f*, Umsturz *m*; **2.** Umlauf *m der Planeten*; Umlaufszeit *f*; ⊕, ♂ Umdrehung *f*; ~ *des saisons* Wechsel *m* der Jahreszeiten; ~ *universelle* Weltrevolution *f*; ~ *de palais* Palastrevolution *f*; **~naire** [~sjɔ'nɛ:r] **I** *adj.* revolutionär, aufrührerisch, umstürzlerisch; *parti m* ~ Revolutionspartei *f*; **II** *su.* Revolutionär *m*; *All. litt. les* ~*s en littérature* die Dichter *m/pl.* der Sturm- u. Drangzeit *f*; **~narisation** [~narizɑ'sjɔ̃] *f* Revolutionierung *f*; **~ner** [~'ne] *v/t.* (1a) revolutionieren (*a. fig.*), in Aufruhr bringen; *fig.* gewaltig aufregen; *fig.* entscheidend beeinflussen.

revolver [revɔl'vɛ:r] *m* Revolver *m*; ~ *d'ordonnance* Dienstrevolver *m*; ~ *à chargement automatique* Selbstladepistole *f*.

révolvérisé F [revɔlveri'ze] *adj.* mit e-m Revolver bewaffnet.

revomir ⚕ [rəvɔ'mi:r] *v/t.* (2a) wieder ausbrechen.

révoquer [revɔ'ke] *v/t.* (1m) **1.** absetzen; **2.** widerrufen; ~ *en doute* an-, be-zweifeln.

revoyure P [rəwa'jy:r] *f*: *à la* ~ auf Wiedersehen.

revu|e [rə'vy] *f* **1.** Zeitschrift *f*, Revue *f*; **2.** *thé.* Revue *f*, Bühnenschau *f*; **3.** Durch-, Unter-suchung *f*, genaue Durchsicht *f*; *faire la* ~ *de qch.*, *passer qch. en* ~ etw. überprüfen, etw. genau durchsuchen; **4.** Übersicht *f*; ~ *de la presse* Presseschau *f*; **5.** ⚔ Truppenschau *f*, Parade *f*; Appell *m*; *allg.* Besichtigung *f*; ~ *navale* Flottenparade *f*; *passer les troupes en* ~ die Truppen mustern, die Parade abnehmen; ~ *de(s) modes* Modenschau *f*; **6.** F *nous sommes de* ~ wir sehen uns ja wieder; **7.** F *être de la* ~ der Dumme sein F; **~ette** *thé.* [rəvy'ɛt] *f* kleine Revue *f*; **~iste** *thé.* [rəvy'ist] *m* Autor *m* von Revuen.

révuls|é ⚕ [revyl'se] *adj.*: *avoir les yeux* ~*s* die Augen verdrehen; **~er** [~] *v/t.* (1a) **1.** ⚕ ableiten; **2.** se ~ sich verdrehen (*Augen*); **~if** ⚕ [~'sif] *adj.* (7e) *u. m* ableitend(es Mittel *n*).

rez [re] *prp.*: *couper un arbre* (*à*) ~ *de terre* e-n Baum dicht über der Erde absägen; *adjt. sortie f à* ~ Ausgang *m* zu ebener Erde; **~-de-chaussée** [redʃo'se] *m* (6c) Parterre (-wohnung *f*) *n*, Erdgeschoß(wohnung *f*) *n*; ~ *surélevé* Hochparterre *n*.

rezzou *arab.* [rɛd'zu] *m* Räuberbande *f*.

rhabdoman|cie [rabdɔmɑ̃'si] *f* (Wünschel-)Rutengängerei *f*; **~cien** [~'sjɛ̃] *su.* (7c) (Wünschel-)Rutengänger *m.*
rhabill|age ⊕, ⚠ [rabi'ja:ʒ] *m* Flickarbeit *f*; Ausbessern *n*, Flicken *n*; **~er** [~'je] *v/t.* (1a) **1.** wieder ankleiden; neu (ein)kleiden; F *allez vous ~!* scheren Sie sich zum Teufel!; **2.** ⊕, ⚠ flicken, ausbessern; **3.** *fig.* wieder auffrischen, erneuern; **~eur** ⊕, ⚠ [~'jœ:r] *su.* (7g) Ausbesserer *m.*
rhabituer [rabi'tɥe] *v/t.* (1a) wieder gewöhnen, umgewöhnen.
rhaïta *arab.* [rai'ta] *f* Bauernflöte *f.*
rhapsodie ♪ [rapsɔ'di] *f* Rhapsodie *f.*
rhénan [re'nɑ̃] *adj. u.* ♀ *su.* (7) rhein(länd)isch; Rheinländer *m.*
Rhénanie *géogr.* [rena'ni] *f*: **la ~** das Rheinland.
rhéostat ⚡ [reɔ'sta] *m* Rheostat *m*, Widerstand *m*; *~ constant* konstanter Widerstand *m*; *~ de chauffage* Heizwiderstand *m.*
rhésus [re'zys] *m zo.* Rhesusaffe *m*; ⚕ *facteur ~* Rhesusfaktor *m.*
rhéteur [re'tœ:r] *m* **1.** *antiq.* Lehrer *m* der Beredsamkeit; **2.** *péj.* Phrasendrescher *m.*
rhétique *géogr.* [re'tik] *adj.*: *les Alpes f/pl. ~s* die Rätischen Alpen *pl.*
rhétori|cien [retɔri'sjɛ̃] (7c) *su. litt.* Rhetoriker *m*; *péj.* Phrasendrescher *m*; **~que** [~'rik] *f* **1.** Rhetorik *f*, Redekunst *f*; **2.** *péj.* Wortgeklingel *n.*
rhéto-roman *ling.* [retɔrɔ'mɑ̃] *adj.* rätoromanisch.
Rhin [rɛ̃] *m*: **le ~** der Rhein.
rhinite ⚕ [ri'nit] *f* Nasenschleimhautentzündung *f.*
rhino|céros *zo.* [rinɔse'rɔs] *m* Rhinozeros *n*, Nashorn *n*; **~logie** ⚕ [~lɔ'ʒi] *f* Rhinologie *f*, Nasenheilkunde *f*; **~plastie** *chir.* [~plas'ti] *f* Nasenplastik *f.*
rhizome ⚘ [ri'zo:m] *m* Wurzelstock *m.*
rhizophage *zo.* [rizɔ'fa:ʒ] *adj.* wurzelfressend.
rhodanien [rɔda'njɛ̃] *adj.* (7c) Rhone...
Rhodes *géogr.* [rɔd] *f* Rhodos *n.*
rhododendron ⚘ [rɔdɔdɛ̃'drɔ̃] *m* Rhododendron *n*, Alpenrose *f.*
rhombique [rɔ̃'bik] *adj.* rhombisch.
Rhône [ro:n] *m*: **le ~** die Rhone.
rhubarbe ⚘ [ry'barb] *f* Rhabarber *m.*
rhum [rɔm] *m* Rum *m.*
rhumatis|ant ⚕ [rymati'zɑ̃] *adj.* (7) an Rheuma leidend; **~mal** ⚕ [~tis'mal] *adj.* (5c) □ rheumatisch; **~me** ⚕ [~'tism] *m* Rheuma *n*; *~ articulaire* Gelenkrheumatismus *m.*
rhumatologie ⚕ [rymatɔlɔ'ʒi] *f* Rheumaforschung *f.*
rhumb ⚓ [rɔ̃:b] *m* Kompaßstrich *m.*
rhume ⚕ [rym] *m* Schnupfen *m*, Katarrh *m*; *weitS.* Erkältung *f*; *~ de cerveau* Schnupfen *m*; *~ des foins* Heuschnupfen *m.*
ri [ri] s. *rire*; **~ant** [rjɑ̃] *adj.* (7) *Augen, Gesicht*: strahlend, heiter; *Land*: anmutig, sonnig; lieblich.
ribambelle F [ribɑ̃'bɛl] *f* ganze Schar *f*, Haufen *m*; Schwarm *m.*
ribler ⊕ [ri'ble] *v/t.* (1a) rillen, schärfen (*Mühlsteine*).
riblette *cuis.* [ri'blɛt] *f* dünne, geröstete *od.* geschmorte Scheibe *f* Fleisch.
ribordage ⚓ [ribɔr'da:ʒ] *m* Beschädigung *f* durch Aneinanderrammen.
ribote P [ri'bɔt] *f* Sauferei *f* F; Besoffenheit *f*; *être en ~* besoffen sein; *faire ~, se mettre en ~* sich besaufen.
ribouis P [ri'bwi] *m* Latschen *m*, Treter *m* (*bsd. im pl.*) (*alter Schuh*).
riboul|dingue P [ribul'dɛ̃:g] *f* Prasserei *f*, wüstes Gelage *n*; **~dinguer** P [~dɛ̃'ge] *v/i.* (1m) prassen, ein wüstes Gelage veranstalten.
ric [rik] *m* Rehpinscher *m.*
Ricain * [ri'kɛ̃] *su.* (7) Ami *m* F.
rica|nement [rikan'mɑ̃] *m* Hohngelächter *n*; Grinsen *n*; **~ner** [~'ne] *v/i.* (1a) grinsen; höhnisch lachen; **~neur** [~'nœ:r] *su. u. adj.* (7g) Grinser *m*; grinsend; kichernd.
ric-à-rac F [rika'rak] *advt.* peinlich genau; aufs knappste; *payer ~* auf Heller u. Pfennig bezahlen.
richard F *u. péj.* [ri'ʃa:r] *m* reicher Kerl *m*, Krösus *m* F.
riche [riʃ] **I** *adj.* □ **1.** reich (*en qch.* an etw. *dat.*); ⚒ gehaltreich; *~ à millions* steinreich; ✝ *~ en capitaux* kapitalreich; *Auto*: *trop ~* übersättigt (*vom Gasgemisch*); **2.** ergiebig; fruchtbar; üppig; *rime f ~* volltönender Reim *m*; *richement adv.* reichlich; **3.** *fig. a. sculp.* kostbar; reich geschmückt; *litt.* wertvoll (*Thema, Vergleich*); **4.** F ausgezeichnet; *une ~ idée* e-e glänzende Idee *f*; **II** *su.* Reiche(r) *m.*
richesse [ri'ʃɛs] *f* **1.** Reichtum *m*; Wohlstand *m*; *~s pl.* Reichtümer *m/pl.*; Schätze *m/pl.*; ✝ *~ en capitaux* Kapitalreichtum *m*; *~s pl. naturelles, ~s pl. du sol* Natur-, Boden-schätze *m/pl.*; **2.** Ergiebigkeit *f*,

Fruchtbarkeit *f*; Reichhaltigkeit *f*; **3.** *fig.* Kostbarkeit *f*, Pracht *f*, reiche Ausschmückung *f*.

richissime F [riʃi'sim] *adj.* steinreich.

ricin [ri'sɛ̃] *m* Rizinus *m*, Wunderbaum *m*; *huile f de ~* Rizinusöl *n*.

ricoch|er [rikɔ'ʃe] *v/i.* (1a) ab-, aufprallen; **~et** [~'ʃɛ] *m* **1.** Abprall *m e-s Steins auf dem Wasser*; **2.** ⚔ Prall-, Prell-schuß *m*, Querschläger *m*; Abpraller *m* (*Artillerie*); **3.** *fig.* Kettenreaktion *f*, Rückwirkung *f*; *advt. par ~* auf Umwegen.

ric-rac F [rik'rak] *adv.*: *faire ~ avec qch.* etw. auf Heller u. Pfennig berechnen; s. *ric-à-rac*.

rictus [rik'tys] *m* Grinsen *n*.

ride [rid] *f* Runzel *f*, Falte *f*.

rideau [ri'do] *m* (5b) **1.** Vorhang *m*, Gardine *f*; *fig.* Schleier *m*; *classeur m à ~* Rollschrank *m*; *~ de fumée* Rauchschleier *m*; **2.** *thé.* (Theater-) Vorhang *m*; *thé. ~ d'incendie* Feuervorhang *m*; *~ de manœuvre* Zwischenvorhang *m*; *baisser le ~* den Vorhang herunterlassen; *lever le ~* den Vorhang hochziehen; **3.** *~ de cheveux* Kleopatrafrisur *f*.

ridelle [ri'dɛl] *f* (Wagen-)Leiter *f*.

rider [ri'de] *v/t.* (1a) in Falten ziehen (*auch abs.*); *fig.* kräuseln; *ridé* runzlig, durchfurcht; gekräuselt; *Obst*: schrumplig.

ridicu|le [ridi'kyl] **I** *adj.* □ lächerlich; **II** *m das* Lächerliche *n*, Lächerlichkeit *f*; *se couvrir de ~, tomber dans le ~* sich lächerlich machen; *tourner en ~* ins Lächerliche ziehen; **~liser** [~li'ze] *v/t.* (1a) lächerlich machen.

rien [rjɛ̃] **I** *pr. indéfini* **1.** nichts; *~ du tout* gar nichts; *~ de plus* nichts weiter; *il n'a dit plus ~* er hat nichts mehr gesagt; *il n'a ~ dit* er hat nichts gesagt; *~ ne l'égale* nichts kommt ihm gleich; *il n'en est ~* dem ist nicht so; *cela ne fait ~* das macht nichts; *ce n'était moins que ~* das war überhaupt nichts; *je n'y suis pour ~* ich habe damit nichts zu tun; *comme si de ~ n'était* als wenn nichts wäre; *cela ne sert à rien* das ist völlig zwecklos, das hilft gar nichts; *~ d'autre* nichts anderes; weiter nichts; *~ de nouveau, ~ de neuf* nichts Neues; *je n'y puis rien* ich kann nichts dazu tun; *cela n'a ~ à voir ici* das hat damit nichts zu tun; *pour ~* spottbillig; umsonst, unentgeltlich; *de ~* macht nichts!, keine Ursache!; *je ne le ferais pour ~ au monde* ich würde es auf keinen Fall tun; P *n'avoir ~ à se mettre sous la dent* Kohldampf schieben müssen, nichts zu essen haben; **2.** *ohne* ne: etwas (*nur in Sätzen und Redewendungen mit negativem Inhalt*); *y a-t-il ~ de plus beau?* gibt es etwas Schöneres?; *sans ~ dire* ohne etwas zu sagen; *impossible de ~ apprendre* unmöglich, etwas zu erfahren; **3.** *~ moins que* nichts weniger als, durchaus nicht; *elle n'est ~ moins qu'aimable* sie ist keineswegs liebenswürdig; *~ de moins que* nicht Geringeres als; **4.** *advt. ~ que ...* nur; *~ qu'en entrant* schon beim Eintreten; *~ qu'à le voir* wenn man ihn schon sieht; *~ que cela?* ist das alles?; nur das?; **II** *m* **5.** Nichts *n*; *pour ~ au monde* um keinen Preis; *compter pour ~* gar nicht zählen, keinerlei Bedeutung haben; *gens m/pl. de ~* ganz einfache (*od.* arme) Leute; *un ~ du tout* ein Hergelaufener *m*; **6.** Kleinigkeit *f*; *un ~* eine Lappalie *f*; *diseur m de ~s* leerer Schwätzer *m*; *s'amuser à des ~s* die Zeit mit nichtigen Dingen verbringen; *en un ~, en moins de ~* im Nu; **III** P *adv.* ziemlich; *il fait ~ froid* es ist ziemlich kalt.

rieur [rjœ:r] (7g) **I** *adj.* lachend, lustig, schäkernd; *colombe f rieuse* Lachtaube *f*; **II** *su.* Lacher *m*; Schäker *m*; Spötter *m*.

Rif *géogr.* [rif] *m*: **le ~** das Rif; **~ain** [~'fɛ̃] **I** *m* Rifkabyle *m*; **II** *rifain adj.* Rif...

rififi * [rifi'fi] *m* Schlägerei *f*.

riflard[1] ⊕ [ri'fla:r] *m* Schrupphobel *m*, -feile *f*; (*Gips*-)Spachtel *m od. f*; Langwolle *f*.

riflard[2] F [~] *m* altmodischer großer Regenschirm *m*, Musspritze *f* F.

rifler ⊕ [ri'fle] *v/t.* (1a) mit der Schruppfeile bearbeiten, glatt raspeln.

rifloir ⊕ [ri'flwa:r] *m* Riffelfeile *f*.

rigi|de [ri'ʒid] *adj.* □ **1.** steif; hart; **2.** starr (*Haltung*); **3.** *fig.* steng (*Person*); **~dité** [~di'te] *f* Steifheit *f*; Starrheit *f*; *fig.* unbeugsame Strenge *f*.

rigolade F [rigɔ'lad] *f* Spaß *m*, Ulk *m*, Jux *m* F.

rigol|age ⚘ [rigɔ'la:ʒ] *m* Ableiten *n des Wassers* durch Rinnen; Furchenziehen *n*; **~ard** F [~'la:r] (7) **I** *su.* Spaßvogel *m*; **II** *adj.* drollig; frotzelnd; **~e** [ri'gɔl] *f* Entwässerungsgraben *m*.

rigoler[1] ⚒ [rigɔ'le] *v/t.* (1a) mit Rinnen *usw.* durchziehen.
rigoler[2] F [~] *v/i.* (1a) Ulk machen, herumalbern, rumfrotzeln F.
rigoleuse ⚒ [~'lø:z] *f* Rigolpflug *m.*
rigollot *phm.* [rigɔ'lo] *m* Zugpflaster *n.*
rigolo *m,* **~te** *f* [rigɔ'lo, ~'lɔt] **I** F *adj. u. su.* drollig, zum Piepen P, zum Kugeln P; lustiger Bruder *m*; **II** * *m* Revolver *m,* Kanone * *f.*
rigoris|me [rigɔ'rism] *m* übertriebene Härte *f*; **~te** [~'rist] **I** *m* sittenstrenger Konservativer *m*; **II** *adj.* allzu streng; sittenstreng; pedantisch-konservativ.
rigoureux [rigu'rø] *adj. u. su.* (7d) □ **1.** unerbittlich, streng; **2.** hart; rauh; *froid ~* schneidende Kälte *f*; **3.** peinlich genau, streng; *esprit m ~* scharfer Denker *m.*
rigueur [ri'gœ:r] *f* **1.** *unbeugsame* Strenge *f,* Härte *f*; *tenir ~ à q. de qch.* j-m etw. übelnehmen; *user de ~ envers q.* streng gegen j-n verfahren; **2.** Schärfe *f,* Rauheit *f*; **3.** strenge Befolgung *f,* genaues Beobachten *n*; *délai m* (*od. terme m*) *de ~* äußerster Termin *m*; *de ~* unerläßlich, unbedingt erforderlich, obligatorisch; *à la ~* allenfalls, im äußersten Falle, zur Not; strenggenommen.
rill|ettes [ri'jɛt] *f/pl.* Schmalzfleisch *n in Dosen*; **~ons** [~'jɔ̃] *m/pl.* Grieben *f/pl.*
rimail|ler *péj.* [rimɑ'je] *v/i.* (1a) Verse zs.-stoppeln; **~leur** *péj.* [~mɑ'jœ:r] *m* Dichterling *m.*
rimaye *géol.* [ri'mɑ:j] *f* Randkluft *f.*
rime [ri:m] *f* **1.** Reim *m*; **2.** **~s** *pl.* Verse *m/pl.*; *mettre qch. en ~s* etw. in Verse kleiden; **3.** *fig. cela n'a ni ~ ni raison* das ist glatter Unsinn.
rim|er [ri'me] (1a) **I** *v/i.* **1.** Verse machen, dichten; **2.** (sich) reimen; *cela ne rime à rien* das ist völlig zwecklos (*od.* sinnlos); **II** *v/t.* reimen, in Verse bringen; **~eur** *bsd. péj.* [~'mœ:r] *m* Versemacher *m,* Dichterling *m.*
rimmel [ri'mɛl] *m* Wimperntusche *f.*
rinçage [rɛ̃'sa:ʒ] *m* (Nach-)Spülen *n.*
rinceau *sculp., peint.* [rɛ̃'so] *m* (5b) Laubwerk *n,* Rankenornament *n.*
rince|-bouteilles [rɛ̃sbu'tɛj] *m* (6c) Flaschenspülmaschine *f*; **~-doigts** [~'dwa] *m* (6c) Wasserschale *f* (*zum Fingerreinigen*).
rinc|ée F [rɛ̃'se] *f* Regenguß *m*; **~ement** [rɛ̃s'mɑ̃] *m* Ausspülen *n*; **~er** [~'se] *v/t.* (1k) **1.** (aus-, ab-)spülen; **2.** P *se ~ la dalle* e-n heben F; *se ~ l'œil* sich die Augen ausgucken; **~ette** F [~'sɛt] *f* Schluck *m* Schnaps nach dem Kaffee; P Schnaps *m*; **~eur** [~'sœ:r] *su.* (7g) Flaschenspüler *m*; **~euse** [~'sø:z] *f* Spülmaschine *f.*
rinçure [rɛ̃'sy:r] *f* **1.** Spülwasser *n*; **2.** *fig.* verdünnter Wein *m*; schlechtes Bier *n.*
ring *Sport* [riŋ] *m* (Box-)Ring *m.*
ringard ⊕ [rɛ̃'ga:r] *m* Schüreisen *n*; * Opiumpfeifenreiniger *m.*
ripail|le F [ri'pɑ:j] *f* Schlemmerei *f*; *faire ~* schlemmen; **~ler** [~pɑ'je] *v/i.* (1a) schlemmen; **~leur** [~pɑ'jœ:r] *su.* (7g) Schlemmer *m.*
rip|aton P [ripa'tɔ̃] *m* Fuß *m,* Flosse *f* P; **~e** ⊕ [rip] *f* Kratzeisen *n*; **~er** [ri'pe] (1a) **I** *v/t.* **1.** ⚠, *sculp.* abschaben, abkratzen; **2.** *~ un fardeau* e-e Last rutschen lassen; **II** *v/i.* **3.** gleiten, rutschen (*von Tauen*); *Auto*: *~ sur le trottoir Autos* vorsichtig auf den Bürgersteig fahren; **4.** * abhauen, sich verduften P.
ripolin [ripɔ'lɛ̃] *m* Lackfarbe *f.*
ripost|e [ri'pɔst] *f* **1.** schlagfertige Antwort *f*; *être prompt à la ~* keine Antwort schuldig bleiben; **2.** ⚔ Gegenangriff *m*; **~er** [~'te] *v/i.* (1a) **1.** entgegnen, erwidern, schlagfertig antworten; **2.** ⚔ e-n Gegenangriff machen; **3.** *esc.* ripostieren, parieren und nachstoßen.
riquiqui F [riki'ki] *adj.* winzig; *péj.* armselig; dürftig.
rire [ri:r] (4r) **I** *v/i.* **1.** lachen (*de* über *acc.*); *~ aux éclats, éclater de ~* laut auflachen; *~ comme un fou, ~ comme un bossu, ~ comme une baleine, ~ à gorge déployée, mourir de ~* sich totlachen, in ein schallendes Gelächter ausbrechen; *~ de bon cœur* aus vollem Herzen lachen; *~ tout son soûl* sich auslachen; *~ à en être malade* sich kranklachen; *~ sous cape* kichern; *~ du bout des dents, ~ du bout des lèvres, ~ à contrecœur, ~ jaune* gezwungen lachen; *~ aux dépens de q.* sich über j-n lustig machen; *prêter à ~* Anlaß zum Lachen geben; *tout lui rit* alles geht ihm nach Wunsch; **2.** spaßen; F *vous voulez ~!* das ist doch nicht Ihr Ernst!; *pour ~,* F *histoire de ~* zum Spaß; **II** *v/rfl. se ~ de* sich lustig machen über, über *j-n* lachen; **III** *m* Lachen *n,* Gelächter *n.*
ris[1] [ri] *m cuis.*: *~ de veau* Kalbsmilch *f.*
ris[2] ⚓ [~] *m* Reff *n.*

risée [ri'ze] *f* **1.** allgemeines Gelächter *n*; Gespött *n*; **2.** ⚓ Windstoß *m*.
risette [ri'zɛt] *f* freundliches (F gezwungenes) Lächeln *n*; *faire ~ à q.* j-m freundlich zulächeln.
risible [ri'ziblə] *adj.* lächerlich.
risqu|e [risk] *m* Risiko *n*, Gefahr *f*, Wagnis *n*; *au ~ de ...* auf die Gefahr hin zu ...; *courir le ~ de* (*inf.*) Gefahr laufen zu ...; *j'en prends tous les ~s* ich stehe für alle Folgen gerade (*od.* ein); ⚕ *à ses ~s et périls* auf seine Gefahr u. Kosten; *~ de casse* (*pendant le transport*) Bruchrisiko *n*; **~é** [ris'ke] *adj.* riskant; **~er** [~] *v/t.* (1m) **1.** aufs Spiel setzen, riskieren, wagen; *~ le coup* es darauf ankommen lassen; **2.** *~ de od. que* (*subj.*) Gefahr laufen zu (*od.* ..., daß); **3.** F *zum Ausdruck e-r Möglichkeit*: *vous risquez d'obtenir une indemnité* Sie können vielleicht e-e Entschädigung erhalten.
risque-tout [risk'tu] *adj./inv. u. m* (6c) wagehalsig; Draufgänger *m*.
rissol|e [ri'sɔl] *f Art* Fleischpastete *f*; **~er** [~'le] (1a) **I** *v/t.* **1.** Fleisch braun braten; **2.** bräunen; F *se faire ~* sich *in der Sonne* bräunen lassen; **II** *v/rfl. cuis.* se ~ braun werden.
ristour|ne ⚕ [ris'turn] *f* Rückvergütung *f*, Preisnachlaß *m*; **~ner** ⚕ [~'ne] *v/t.* (1a) rückvergüten.
Rital * [ri'tal] *m* (*pl.* ~*s*) Italiener *m*.
rite *rl.* [rit] *m* Ritus *m*.
ritournelle [ritur'nɛl] *f* **1.** ♪ Ritornell *n*; **2.** F *fig. die* alte Leier *f*.
rituel [ri'tɥɛl] *rl.* **I** *adj./m* rituell; **II** *m* **1.** Ritual *n*; **2.** Rituale *n*.
rivage [ri'va:ʒ] *m* Ufer *n* (*bsd. e-s Meeres od. Sees*), Küstenstrich *m*, Strand *m*, Küste *f*.
rival [ri'val] *adj. u. su.* (5c) rivalisierend, wetteifernd; Rivale *m*, Nebenbuhler *m*; *fig.* ⚕ *sans ~* unübertroffen; **~iser** [~li'ze] *v/i.* (1a): *~ avec q. de qch.* mit j-m in etw. (*dat.*) wetteifern; **~ité** [~li'te] *f* Rivalität *f*.
rive [ri:v] *f* Ufer *n*.
river [ri've] *v/t.* (1a) **1.** ⊕ vernieten; **2.** *fig.* fesseln, verbinden; **3.** *fig.* F *~ son clou à q.* j-m gehörig s-e Meinung sagen.
riverain [riv'rɛ̃] **I** *adj.* (7) Ufer...; *propriété f ~e* angrenzendes Eigentum *n*; **II** *su.* Uferbewohner *m*; Anlieger *m*; **III** *m* Anliegerstaat *m*; **~eté** [~rɛn'te] *f* Anliegerrecht *n*.
rivet ⊕ [ri'vɛ] *m* Niete *f*.
rivière [ri'vjɛ:r] *f* **1.** (Neben-)Fluß *m*; **2.** *~ de diamants* Diamantenhalsband *n*; **3.** *la* ♀ die Riviera.
rivoir ⊕ [ri'vwa:r] *m* Niethammer *m*.
rivure ⊕ [ri'vy:r] *f* Nietung *f*.
rixe [riks] *f* Schlägerei *f*.
riz [ri] *m* Reis(pflanze *f*) *m*; *~ au lait* Milchreis *m*; *poule f au ~* Huhn *n* mit Reis; * ⚔ *plais. riz-pain-sel m/inv.* Verpflegungsoffizier *m*; **~erie** [riz'ri] *f* Reis(waren)fabrik *f*; **~icole** [rizi'kɔl] *adj.* reisbauend; **~iculture** [rizikul'ty:r] *f* Reisanbau *m*; **~ière** [ri'zjɛ:r] *f* Reisfeld *n*.
robe [rɔb] *f* **1.** Kleid *n*; *~ bain-de--soleil* Strandkleid *n*; *~ de chambre* Morgenrock *m*; *~ chemisier, ~ d'intérieur, ~ de mariée, ~ d'après-midi* Hemdblusen-, Haus-, Hochzeits-, Nachmittags-kleid *n*; *~ en dentelle* Spitzenkleid *n*; *pommes f/pl. de terre en ~ de chambre* Pellkartoffeln *f/pl.*; *~ à traîne* Kleid *n* mit Schleppe; **2.** Robe *f*; Talar *m*; *prendre la ~* Richter werden; *gens m/pl. de ~* Rechtsgelehrte *m/pl.*; *homme m de ~* Jurist *m*, Richter *m*; **3.** Hülse *f*, Schale *f*; Haut *f*; Deckblatt *n e-r Zigarre*; **4.** Fell *n e-s Tiers*.
roberts * [rɔ'bɛ:r] *m/pl.* Busen *m*.
Robin *litt.* [rɔ'bɛ̃] *m*: *~ des Bois* Robin Hood *m*.
robinet [rɔbi'nɛ] *m* **1.** ⊕ Hahn *m an e-m Faß usw.*; *~ à eau, ~ à gaz* Wasser-, Gas-hahn *m*; *~ d'essence* Benzinhahn *m*; *tourner le ~* den Hahn auf- *bzw.* zu-drehen; **2.** F *fig. ~ d'eau tiède* langweiliger Schwätzer *m*; **3.** *écol. un problème de ~* e-e Rechenaufgabe *f* über das Volumen e-r Flüssigkeit.
robinier ♀ [rɔbi'nje] *m* unechte Akazie *f*.
robot [rɔ'bo] *m* **1.** ⊕ Roboter *m*; Greifwerkzeug *n*; *cuis.* Mixer *m*; **2.** ⚖ *portrait-~, silhouette ~* Fahndungsskizze *f*, Täterzeichnung *f*; **3.** *ast.* Raumsonde *f*; **~iser** *fig.* [rɔboti'ze] *v/t.* (1a) zu e-m bloßen Werkzeug machen.
robust|e [rɔ'byst] *adj.* stark, stämmig, kräftig, robust; ⊕ strapazierfähig; **~esse** [rɔbys'tɛs] *f* Robustheit *f* (*a.* ⊕); kernige Gesundheit *f*.
roc [rɔk] *m* Felsgestein *n*.
rocade [rɔ'kad] *f* Entlastungs-, ⚔ Verbindungs-straße *f*.
rocail|le [rɔ'ka:j] **I** *f* **1.** steiniger Boden *m*; **2.** Grotten-, Muschel-werk *n*; **II** *adj.*: *style m ~* Rokokostil *m*; **~leux** [rɔka'jø] *adj.* (7d) steinig; *fig.* holprig (*z.B. Stil*); rauh (*Stimme*).
rocambolesque [rɔkɑ̃bɔ'lɛsk] *adj.* extravagant, abnorm, schwärme-

risch, romantisch; unglaublich; aus der Luft gegriffen.
roche [rɔʃ] *f* Felsen *m*; *géol.* Gestein *n*; *il y a anguille sous* ~ da steckt etw. dahinter; ~*s primitives* Urgestein *n*; F *de vieille* ~ vom alten Schrot u. Korn; *cristal m de* ~ Bergkristall *m*.
rocher[1] [rɔ'ʃe] *m hoher, spitzer* Felsen *m*, Felswand *f*; ⚓ steile Klippe *f*; *anat.* Felsenbein *n*.
rocher[2] [~] (1a) **I** *v/t.* ⊕ *vor dem Löten* mit Borax bestreuen; **II** *v/i.* moussieren (*Bier*).
rochet[1] *rl.* [rɔ'ʃɛ] *m* Chorhemd *n*.
rochet[2] ⊕ [~] *m* **1.** kurze dicke Spule *f*; **2.** *roue f à* ~ Sperrad *n*.
rocheux [rɔ'ʃø] *adj.* (7d) felsig.
rock (and roll) [rɔk(ɛn'rɔl)] *m* Rock and Roll *m*.
rocking-chair [rɔkiŋ'tʃɛ:r] *m* (6d) Schaukelstuhl *m*.
rococo [rɔkɔ'ko] **I** *adj./inv.* **1.** Rokoko...; **2.** *fig.* altmodisch; **II** *m* Rokoko *n*.
rocou ✝ [rɔ'ku] *m* Orlean *m* (*orangegelber Farbstoff*); ~**er** [rɔ'kwe] *v/t.* (1a) mit Orlean färben; ~**yer** ⚘ [~ku'je] *m* Orleanbaum *m*.
rodage [rɔ'da:ʒ] *m Auto* Einfahren *n*; *fig.* Anlaufzeit *f*.
rodé F [rɔ'de] *adj.* erfahren; eingearbeitet.
rodéo [rɔde'o] *m* Reiterschau *f*.
roder ⊕ [rɔ'de] *v/t.* (1a) schleifen; ~ *à l'émeri* abschmirgeln; ~ *un moteur* e-n Motor sich einlaufen lassen; ~ *une auto* ein Auto einfahren.
rôd|er [ro'de] *v/i.* (1a) umherstreifen; ~**eur** [~'dœ:r] (7g) **I** *adj.* herumstreichend; **II** *su.* Herumstreicher *m*.
rodomontade [rɔdɔmɔ̃'tad] *f* Prahlerei *f*; *se livrer à des* ~*s fig.* sich großtun, protzen.
roga|tion [rɔgɑ'sjɔ̃] *f* **1.** *antiq.* Gesetzesvorschlag *m*; **2.** *rl.* ♀*s f/pl.* Bittprozessionen *f/pl.*; ~**toire** ⚖ [~'twa:r] *adj.* ersuchend; *commission f* ~ Rechtshilfeersuchen *n*.
rogatons F [rɔga'tɔ̃] *m/pl.* (Speise-) Reste *m/pl.*, *das* Aufgewärmte *n*.
rognage ⊕ [rɔ'ɲa:ʒ] *m* (Bücher-, Kanten-)Beschneiden *n*.
rogne F [rɔɲ] *f* Stinkwut *f*; *être en* ~ e-e Stinkwut haben; *chercher des* ~*s à q.* mit j-m Streit anfangen.
rog|ner [rɔ'ɲe] *v/t.* (1a) beschneiden, stutzen; F *fig.* schmälern, einschränken; kürzen (*Lohn, Gehalt*); ~**neuse** ⊕ [~'ɲø:z] *f* (Buch-)Beschneidemaschine *f*.
rognon [rɔ'ɲɔ̃] *m cuis.* Niere *f*; *géol.* Erzniere *f*; ~**ner** F [~ɲɔ'ne] *v/i.* (1a) brummeln, murmeln.
rognure [rɔ'ɲy:r] *f*: ~*s pl.* Schnipsel *m/pl.*; ~*s pl. de papier* Papierschnipsel *m/pl.*
rogue[1] [rɔg] *adj.* □ hochmütig.
rogue[2] [~] *f* Fischrogen *m*.
roi [rwa] *m* König *m*; *de par le* ~ im Namen des Königs; *travailler pour le* ~ *de Prusse* für nichts u. wieder nichts arbeiten; *un morceau de* ~ ein herrlicher Bissen *m*; F ein tolles Weib; *le jour des* ♀*s* Dreikönigstag *m*.
roitelet [rwat'lɛ] *m* **1.** *orn.* Goldhähnchen *n*; *abus.* Zaunkönig *m*; **2.** *péj.*, *plais.* Duodezfürst *m*.
rôlage [ro'la:ʒ] *m* Rollen *n des Tabaks*.
rôle [ro:l] *m* **1.** *thé.*, *fig.* Rolle *f*; **2.** *adm.* Liste *f*, Verzeichnis *n*, Register *n*; *fig. à tour de* ~ der Reihe nach.
rôler [ro'le] *v/t.* (1a) rollen.
rôlet F [ro'lɛ] *m*: *il est au bout de son* ~ *fig.* er weiß nicht mehr weiter; *ce n'est pas dans mon* ~ damit habe ich nichts zu tun.
romain [rɔ'mɛ̃] **I** *adj.* (7) römisch; *caractères m/pl.* ~*s* lateinische Buchstaben *m/pl.*; **II** ♀ *su.* (7) Römer *m*; *fig. travail m de* ♀ Sisyphus-, Riesen-arbeit *f*; **III** *m typ.* Antiqua *f*.
romaine[1] ⚘ [rɔ'mɛn] *f* römischer Salat *m*.
romaine[2] [~] *f* Laufgewichts-waage *f*.
romaïque [rɔma'ik] *adj.* neugriechisch (*Volkssprache*).
roman[1] [rɔ'mɑ̃] **I** *adj.* (7) *ling.*, ⚠ romanisch; **II** *m* Vulgärlatein *n*.
roman[2] [~] *m* **1.** Roman *m*; ~ *d'anticipation* Zukunftsroman *m*; ~ *d'aventure* Abenteuerroman *m*; ~ *de mœurs* Sittenroman *m*; ~ *noir*, ~ *policier* Kriminalroman *m*, Krimi *m* F; *mauvais* ~, ~ *de quatre sous* Schundroman *m*; ~ *à clé* Schlüsselroman *m*; ~*-fleuve m* (*pl.* ~*s-fleuves*) Romanzyklus *m*; ~ *de chevalerie* Ritterroman *m*; ~ *pastoral* Schäferroman *m*; ~ *comique* (*od. burlesque*) komisch-satirischer Roman *m*; ~ *picaresque* Schelmenroman *m*; ~ *bourgeois* bürgerlicher Roman *m*; ~ *domestique* Familienroman *m*; ~ *d'analyse*, ~ *psychologique* (*philosophique*) psychologischer (philosophischer) Roman *m*; ~ *historique* historischer Roman *m*; ~ *de voyage* Reiseroman *m*; ~ *rustique*, ~ *paysan* Bauernroman *m*; **2.** *fig.* abenteuer-

liche Erzählung *f*; *cela tient du* ~ das klingt ja wie ein Roman.

romanais [rɔma'nɛ] *adj.* (*u.* ♀ *su.*) (7) (Einwohner *m*) aus Romans-sur-Isère.

romance ♪ [rɔ'mɑ̃:s] *f* Romanze *f*.

romancer [rɔmɑ̃'se] *v/t.* (1k) in Romanform schreiben.

romanche *ling.* [rɔ'mɑ̃:ʃ] *adj.* rätoromanisch.

romancier [rɔmɑ̃'sje] *su.* (7b) Romanschriftsteller(in *f*) *m*.

romand [rɔ'mɑ̃] (*nur von der Schweiz!*) *adj.* (7): *la Suisse* ♀*e* die französische Schweiz; **~isme** [~'dism] *m* Ausdruck *m* der französischen Schweiz.

romanesque [rɔma'nɛsk] **I** *adj.* **1.** *litt.* romanhaft; **2.** *fig.* schwärmerisch, romantisch (*Person*); **II** *m das* Schwärmerische *n*.

romani [rɔma'ni] *m*, **romanichel** [~ni'ʃɛl] *m* herumziehender Zigeuner *m*; *allg.* Vagabund *m*.

romanis|ation *ling.* [rɔmanizɑ'sjɔ̃] *f* Romanisierung *f*; **~er** [~'ze] (1a) **I** *v/t.* romanisieren; **II** *v/i. rl.* römisch-katholisch eingestellt sein.

romanisme *rl.* [rɔma'nism] *m* **1.** römisch-katholische Kirche *f* (*in England*); **2.** römisch-katholische Lehre *f*.

romaniste [rɔma'nist] *m* **1.** *ling.* Romanist *m*; **2.** *rl.* Anhänger *m* des römisch-katholischen Ritus.

roman|tique [rɔmɑ̃'tik] **I** *adj.* □ **1.** romantisch; **II** *m* **2.** *das* Romantische *n*; **3.** Romantiker *m*, romantischer Schriftsteller *m*; **~tisme** [~'tism] *m* Romantik *f*.

romarin ⚘ [rɔma'rɛ̃] *m* Rosmarin *m*.

rombière F [rɔ̃'bjɛ:r] *f* alte Schachtel *f*, alte Scharteke *f*, alte Schrulle *f*.

Rome [rɔm] *f* Rom *n*.

rompre ['rɔ̃:prə] (4a) **I** *v/t.* **1.** brechen (*mst. fig.*); ~ *un contrat* e-n Vertrag brechen; ~ *le silence* das Schweigen brechen; ~ *le caractère de q.* j-n gefügig machen; *à bâtons rompus* zusammenhanglos, von jedem etwas; ~ *bras et jambes à q.* j-m alle Knochen zerschlagen; ~ *ses chaînes od. ses fers* s-e Fesseln sprengen; ~ *la glace* den ersten Schritt tun; ~ *une lance pour q.* e-e Lanze für j-n einlegen; *j'ai les membres rompus* die Glieder sind mir wie zerschlagen; *applaudir à tout* ~ tosenden Beifall zollen; *un bruit à tout* ~ ein ohrenbetäubender Lärm *m*, ein Höllenlärm *m*; **2.** *fig. être (tout) rompu de fatigue* wie zerschlagen sein; ganz kaputt sein F; **3.** abbrechen, aufgeben; ~ *toute relation avec q.* jeden Verkehr mit j-m abbrechen; **4.** nicht (inne)halten, verletzen; **5.** hindern, stören, vereiteln; hemmen, aufhalten; ~ *les desseins (les mesures) de q.* j-s Absichten (Maßregeln) vereiteln (*od.* durchkreuzen); ~ *un enchantement* e-n Zauber lösen; ~ *un mariage* e-e Heirat rückgängig machen; ~ *le vent* die Gewalt des Windes brechen; ~ *un coup* die Wirkung e-s Stoßes hemmen; **6.** gewöhnen; ~ *q. à la fatigue* j-n abhärten; **7.** *fig.* ~ *les chiens* ein peinliches (*od.* unangenehmes) Gespräch kurz abbrechen; ~ *les oreilles à q.* j-m die Ohren vollschreien; **8.** ⚔ ~ *les rangs* wegtreten; *rompez!* weggetreten!; **II** *v/i.* **9.** ~ *avec q.* mit j-m brechen; **III** *v/rfl.* se ~ **10.** (ab)brechen (*Zweig*); **11.** se ~ *le cou* sich den Hals brechen.

rompu [rɔ̃'py] *adj.*: ~ *à* vertraut mit (*dat.*).

romsteck *cuis.* [rɔm'stɛk] *m* Rumpsteak *n*, Lendenstück *n*.

ronce [rɔ̃:s] *f* **1.** Brombeerstrauch *m*; **2.** ~ *artificielle* Stacheldraht *m*; **~raie** [rɔ̃s'rɛ] *f* mit Brombeergestrüpp bewachsenes Grundstück *n*.

ronceux [rɔ̃'sø] *adj.* (7d) **1.** gemasert (*Holz*); **2.** mit Brombeergestrüpp bewachsen.

ronchon F [rɔ̃'ʃɔ̃] *su.* Nörgler *m*; **~ner** [~ʃɔ'ne] *v/i.* (1a) *fig.* meckern, nörgeln, brummeln; **~neur** [~ʃɔ'nœ:r] *su.* (7g) Meckerer *m*; *f*: Meckertante *f*.

rond [rɔ̃] **I** *adj.* (7) □ **1.** rund; **2.** *fig. compte m* ~ runde Rechnung *f*; *somme f* ~*e* runde Summe *f*; *voix f* ~*e* volle u. gleichmäßige Stimme *f*; **3.** *fig.* ~ *en affaires* schnell von Entschluß; **4.** F besoffen, total blau P; **II** *advt.*: *un moteur tourne* ~ ein Motor läuft gut; *ça tourne* ~ das geht ganz glatt; das klappt; F *ça ne tourne pas* ~ *chez toi* dir geht's wohl nicht gut; F *qch. ne tourne pas* ~ *dans sa tête* der (die) ist nicht ganz richtig; **III** *m* Kreis *m*; Ring *m*; ~ *de serviette* Serviettenring *m*; F *il n'a pas un* ~ *dans sa poche* er hat keinen Pfennig in der Tasche; F *ils ont des* ~*s* sie haben Geld wie Heu; *être assis en* ~ im Kreise (in der Runde) sitzen.

rondache *ehm.* ⚔ [rɔ̃'daʃ] *f* Rundschild *m*.

rond-de-cuir *péj.* [rɔ̃də'kɥi:r] *m* (6b)

Bürokrat *m*, Pedant *m*, Spießer *m*.

ronde [rɔ̃:d] *f* **1.** Runde *f*, Rundgang *m*, Rundtanz *m*; ~ *d'agents* Polizeistreife *f*; *faire la* ~ die Runde machen; *fig.* von Hand zu Hand gehen; *questionner* (*od. interroger*) *à la* ~ e-e Umfrage vornehmen; *Sport*: ~ *éliminatoire* Ausscheidungsrunde *f*; *advt. à la* ~ ringsherum, im Umkreis, weit u. breit, der Reihe nach; **2.** ♪ ganze Note *f*; **3.** Rundschrift *f*.

rondeau [rɔ̃'do] *m* (5b) **1.** *poét.* Rondeau *n*; **2.** ♪ Rondo *n*.

ronde-bosse *sculp.* [rɔ̃d'bɔs] *f* (6a) hocherhabene Arbeit *f*.

rondelet [rɔ̃'dlɛ] *adj.* (7c) rundlich; wohlbeleibt; *fig.* prall gefüllt (*Portemonnaie*); groß (*Vermögen*); *une somme* ~*te* ein nettes Sümmchen *n*.

rond|elle [rɔ̃'dɛl] *f* **1.** ⊕ Unterlegscheibe *f*, Dichtungsring *m*, runde Scheibe *f*, Lochscheibe *f*; Zwischenlegscheibe *f*; ~ (*en caoutchouc*) Gummi-scheibe *f*, -ring *m*; **2.** Schneeteller *m* (*des Skistocks*); **~ement** [rɔ̃d'mɑ̃] *adv.* **1.** flink, prompt, zügig, beschwingt, schnell; *marcher* ~ draufzu gehen; *mener une affaire* ~ e-e Angelegenheit eifrig betreiben; **2.** ohne Bedenken, ohne Umschweife; *il y va* ~ er macht sich bedenkenlos heran; ohne Zögern packt er die Sache an; **3.** freiheraus; *parler* ~ freiheraus sprechen; **~eur** [~'dœ:r] *f* **1.** ~*s f/pl.* F weibliche Rundungen *f/pl.*; **2.** *fig.* Freimütigkeit *f*, Offenheit *f*, Ungezwungenheit *f*; **~in** [~'dɛ̃] *m* **1.** ⚠ Rundholz *n*; **2.** Knüppelholz *n*; **~ir** ★ [~'di:r] *v/rfl.* (2a): se ~ sich besaufen; **~ouillard** F [~du'ja:r] *adj.* dicklich.

rond-point [rɔ̃'pwɛ̃] *m* (6a) Rondell *n*, runder Platz *m*, Stern *m*.

ronéo [rɔne'o] *f* Vervielfältigungsgerät *n*; **~té** *néol.* [rɔneɔ'te] *adj.* = ~*typé*; **~typer** [~ti'pe] *v/t.* (1a) vervielfältigen.

ronfl|ant [rɔ̃'flɑ̃] *adj.* (7) schnarchend; *mot.* dröhnend; *fig.* hochtrabend; **~ement** [~flə'mɑ̃] *m* Schnarchen *n*; *fig.* Dröhnen *n*; Rattern *n*; **~er** [~'fle] *v/i.* (1a) **1.** schnarchen; **2.** *fig.* dröhnen; rattern; **~eur** [~'flœ:r] **I** *su.* (7g) Schnarcher *m*; **II** *m téléph.* Summer *m*.

rongé [rɔ̃'ʒe] *adj.*: ~ (*par la vie*) verlebt; ~ *par la rouille* verrostet.

ronger [~] (1l) **I** *v/t.* **1.** (ab)nagen, benagen, zernagen; *fig.* ~ *son frein* s-n Ärger (*od.* s-e Wut) herunterschlucken; **2.** anfressen, aushöhlen; ätzen; **3.** *fig.* beunruhigen; *rongé de remords* von Gewissensbissen gequält; **II** *v/rfl. se* ~ *les ongles* an den Fingernägeln kauen; *se* ~ *de chagrin* sich abgrämen; sich innerlich aufzehren; *à se* ~ *les sangs* bis zum Überdruß; *se* ~ *un passage* sich durch e-e Textstelle durchfressen.

rongeur [rɔ̃'ʒœ:r] **I** *adj.* (7g) nagend (*a fig.*); **II** *m zo.* Nagetier *n*.

ronron [rɔ̃'rɔ̃] *m* Schnurren *n der Katze*; *weitS.* anhaltendes dumpfes Geräusch *n*; *fig.* ~ *lyrique* Singsang *m*; *faire* ~ *od.* **~ner** [~rɔ'ne] *v/i.* (1a) schnurren (*Katze*); ⊕ dröhnen, wummern (*Motor*).

roquefort [rɔk'fɔ:r] *m* Roquefortkäse *m*.

roquer [rɔ'ke] *v/i.* (1m) *Schach*: rochieren.

roquet [rɔ'kɛ] *m* **1.** (kleiner) Kläffer *m* (*a. von e-m Menschen*); **2.** *zo. Art* Mops *m*; **~in** *text.* [~k'tɛ̃] *m* Seidenspule *f*.

roquette[1] ⚔, ✈ [rɔ'kɛt] *f* nichtgelenkte(s) Rakete(ngeschoß *n*) *f*.

roquette[2] ⚘ [~] *f* Senfkohl *m*.

rorqual *icht.* [rɔr'kwal] *m* (*pl.* ~*s*) Finn-fisch *m*, -wal *m*; s. *baleinoptère*.

rosa|ce ⚠ [ro'zas] *f* Rosette *f*; **~cé** ⚘ [~'se] *adj. u.* ~*es f/pl.* rosenartig(e Pflanzen *f/pl.*).

rosaire *rl.* [ro'zɛ:r] *m* Rosenkranz *m*; *dire* (*od. réciter*) *son* ~ s-n Rosenkranz abbeten.

ros|at [ro'za] *adj./inv.* Rosen...; *huile f* ~ Rosenöl *n*; **~âtre** [~'zɑ:trə] *adj.* schmutzigrosa.

rosbif [rɔs'bif] *m* Roastbeef *n*.

rose [ro:z] **I** *f* **1.** ⚘ Rose *f*; ~ *de mai*, ~ *pompon* Dijonröschen *n*; ~ *de tous les mois*, ~ *de Bengale* Monatsrose *f*; ~*-mousse* Moosrose *f*; ~ *de Gueldre* gefüllter Schneeball *m*; ~ *trémière* Herbst-, Stock-rose *f*; *essence f de* ~ Rosenöl *n*; *découvrir le pot aux* ~*s* hinter die Schliche kommen; *prov. point de* ~*s sans épines* keine Rosen ohne Dornen; *lèvres f/pl. de* ~ rosige Lippen *f/pl.*; *avoir un teint de lis et de* ~*s* wie Milch u. Blut aussehen; **2.** ⚠ Rosette *f*, Fensterrose *f*; Schalloch *n*; **3.** *météo.* ~ *des vents* Windrose *f*; **II** *m u. adj.* Rosenrot *n*; rosafarben, rötlich; *fig. voir tout en* ~ alles in rosigen Farben sehen.

rosé [ro'ze] *adj.* zartrosa; *vin m* ~ Rosé(wein) *m*.

roseau [ro'zo] *m* (5b) Schilf(rohr *n*) *n*; *fig.* schwankendes Rohr *n*.
rosée [ro'ze] *f* Tau *m*.
roséine [roze'in] *f* Anilinrot *n*.
roselière [rozə'ljɛ:r] *f* Röhricht *n*.
roséole ⚕ [roze'ɔl] *f* Roseola *f*.
roseraie [roz'rɛ] *f* Rosengarten *m*.
rosette [ro'zɛt] *f* **1.** (mehrfach gebundene) Schleife *f*, Rosette *f*; *bsd.* Ordensschleife *f*; **2.** (*cuivre m de*) ~ Fein-, Rosetten-kupfer *n*; **3.** *horl.* Stellscheibe *f* (*in Taschenuhren*).
rosi|er ⚘ [ro'zje] *m* Rosenstrauch *m*; ~ *nain* Zwergrose *f*; *haie f de* ~*s* Rosenhecke *f*; *massif m* (*od. buisson m*) *de* ~*s* Rosenbusch *m*; ~ *en buisson* Buschrose *f*; ~ *en tige* Hochstammrose *f*; **~ère** [ro'zjɛ̃:r] *f*: F *la* ~ *du pays* die Tugend in Person; **~ériste** [~zje'rist] *m* Rosenzüchter *m*.
rosir [ro'zi:r] *v/i.* (2a) leicht erröten.
ross|ard [rɔ'sa:r] *adj. u. m* gemein(e Person *f*); **~e** [rɔs] **I** *f* **1.** *litt. péj.* (Schind-)Mähre *f*, Klepper *m*, Gaul *m*; **2.** *fig.* gemeiner Mensch *m*, Leuteschinder *m*; **II** *adj.* gemein (F *a. ein Lehrer*), scharf, streng, zynisch; **~ée** F [rɔ'se] *f* derbe Tracht *f* Prügel, Senge *f*, Keile *f*; **~er** F [~] *v/t.* (1a) durchprügeln, verhauen; **~erie** F [rɔs'ri] *f* Gemeinheit *f*, übler Streich *m*.
rossignol [rɔsi'ɲɔl] *m* **1.** Nachtigall *f*; **2.** F Ladenhüter *m*; **3.** ⊕ Dietrich *m*.
rossinante *litt. péj.* [rɔsi'nɑ̃:t] *f* (Schind-)Mähre *f*, Klepper *m*.
rossolis ⚘ [rɔsɔ'li] *m* Sonnentau *m*.
rostral *antiq.* ⚓ [rɔs'tral] *adj.* (5c) schnabelförmig.
rostre ['rɔstrə] *m* **1.** ⚘ Schnabel *m*; *zo.* Rüssel *m*; **2.** *antiq.* ~*s pl.* Schiffsschnabel(verzierung *f*) *m*; **3.** *antiq.* ~*s pl.* Rostra *f*.
rot V [ro] *m* Rülpser *m*, Aufstoßen *n*.
rôt *litt.* [~] *m* Braten *m am Spieß*.
rota|teur [rɔta'tœ:r] *adj.* (7f) *u. m*: (*muscle m*) ~ Drehmuskel *m*; **~tif** [~'tif] *adj.* (7e): *typ.* (*machine f*) *rotative f* Rotationsmaschine *f*; **~tion** [~tɑ'sjɔ̃] *f* **1.** Umdrehung *f*, Rotation *f*; **2.** ✓ ~ (*des cultures*) Wechselwirtschaft *f*; *par* ~ abwechselnd; **3.** ~ *des vêtements* Kleiderwechsel *m*; **4.** ✝ Umsatz *m*; *à forte* ~ gut verkäuflich, stark gefragt; **~toire** [~'twa:r] *adj.* rotierend.
roter V [rɔ'te] *v/i.* (1a) rülpsen; P *en* ~ es schwer haben.
rôti [ro'ti] *m* Braten *m*; **~e** [~] *f* geröstete Brotschnitte *f*, Toast *m*.
rotin [rɔ'tɛ̃] *m* spanisches Rohr *n*; *meuble m en* ~ Korbmöbelstück *n*; *siège m en* ~ Korbsessel *m*.
rôtir [ro'ti:r] (2a) **I** *v/t. u. v/i.* braten, rösten; **II** *v/rfl. se* ~ *au soleil* sich von der Sonne bräunen lassen.
rôtiss|age [roti'sa:ʒ] *m* Braten *n*, Rösten *n*; **~erie** [~tis'ri] *f* Grillrestaurant *n*; **~eur** [~'sœ:r] *su.* (7g) Grillkoch *m* (*f*: -köchin *f*); **~oire** [~'swa:r] *f* Grill(gerät *n*) *m*.
roto F *typ.* [rɔ'to] *f* Rotationsmaschine *f*.
roton|de [rɔ'tɔ̃:d] *f* Rotunde *f*; ⚠ Rundgebäude *n*; Schirmdach *n in Gärten*; 🚂 ~ *à locomotives* Lokomotivschuppen *m*; **~dité** [~tɔ̃di'te] *f* Rundheit *f*; *fig.* Korpulenz *f*.
roto-percutante ⊕ [rɔtɔpɛrky'tɑ̃:t] *f* rotierender Stoßbohrer *m*.
rotor ⚡, ✈ [rɔ'tɔ:r] *m* Rotor *m* (*a. e-s Hubschraubers*), Anker *m der Dynamomaschine*.
rotul|e [rɔ'tyl] *f* **1.** Kniescheibe *f*; F *Sport*: *sur les* ~*s* erschöpft, k.o.; **2.** ⊕ Kugelkopf *m*; **~ien** ⚕ [~'ljɛ̃] *adj.* (7c): *réflexes m/pl.* ~*s* Kniesehnenreflexe *m/pl.*
rotur|e *hist.* [rɔ'ty:r] *f* Nichtadlige *m/pl.*; *la* ~ *péj.* das Bürgerpack; **~ier** *hist.* [~'rje] *adj.* □ *u. su.* (7b) bürgerlich; unadlig; Nichtadlige(r) *m*, Bürgerliche(r) *m*.
rouage [rwa:ʒ] *m* Rädchen *n*; ~*s pl.* Räderwerk *n*, Getriebe *n*.
rouan [rwɑ̃] *adj. u. su.* (7c): (*cheval m*) ~ rotgrau(er Schimmel *m*).
rouanne ⊕ [rwan] *f* Reißahle *f*.
roubine *dial.* [ru'bi:n] *f* Wasserlauf *m*.
roublard F [ru'bla:r] *adj. u. su.* (7) durchtrieben(er Kerl *m*); **~ise** F [~'di:z] *f* Gerissenheit *f*.
rouble ['rublə] *m* Rubel *m*.
roucoul|ement [rukul'mɑ̃] *m* Girren *n* (*Tauben*); **~er** [~'le] (1a) **I** *v/i.* girren; *fig.* mitea. schmusen; **II** *v/t.* schmalzig singen.
roue [ru] *f* **1.** Rad *n*; ~ *avant* Vorderrad *n*; ~ *arrière* Hinterrad *n*; ~ *de réserve*, ~ *de secours*, ~ *de rechange* Ersatz-, Reserve-rad *n*; ~ *pleine*, ~ *en tôle* (*d'acier*) Scheiben-, Teller-, Voll-rad *n*; ~ *à rayons en tôle* (*d'acier*) Stahlspeichenrad *n*; ✈ ~ *d'atterrissage* Laufrad *n*; ~ *à dents*, ~ *dentée* Zahnrad *n*; ~ *folle* Sicherheits-, Zwischen-rad *n*, loses Rad *n*; ⚓ ~ *du gouvernail* Steuerrad *n*; ~ *hydraulique* Wasserrad *n*; ~ *libre* Freilauf *m*; ~ *à aubes od. à palettes* Schaufel-, Ruder-rad *n*; ~ *volante* Schwungrad *n*; *Auto*: *frein*

m sur les quatre ~*s* Vierradbremse *f*; *adm. les deux* ~*s* die Fahr- u. Krafträder *n/pl.*; *faire la* ~ radschlagen (*vom Pfau u. vom Sport*); **2.** ~ *de la Fortune* Glücksrad *n*; **3.** *ehm.* Rädern *n* (*Todesstrafe*).

roué [rwe] **I** *su.* gerissener Kerl *m*; **II** *adj.* durchtrieben, gerissen.

rouelle *cuis.* [rwɛl] *f* Fleischscheibe *f* aus der Kalbskeule.

rouennais [rwa'nɛ] *adj.* (*u.* ♀ *su.*) (7) (Einwohner *m*) aus Rouen.

rouer [rwe] *v/t.* (1a) a) *hist.* rädern; b) ~ *q. de coups* j-n windelweich schlagen.

rouerie [ru'ri] *f* Trick *m*, Gaunerei *f*; Gerissenheit *f*, Verschlagenheit *f*.

rouet [rwɛ] *m* **1.** Spinnrad *n*; **2.** Brunnenkranz *m*; **3.** ⊕ Seil-, Ketten-rolle *f*.

rouf ⚓ [ruf] *m* Deckhaus *n*.

rouflaquette F [rufla'kɛt] *f* **1.** Schmachtlocke *f*; **2.** ~*s pl.* Koteletten *pl.*

rouge [ru:ʒ] **I** *adj.* **1.** rot; feuerrot (*Haare*); ~ *cuivre* kupferrot; ~ *sang* blutrot; ~ *tirant sur le blanc* blaßrot; *chapeau m* ~ *weitS.* Kardinalshut *m*; *fig. voir* ~ außer sich vor Wut sein; **2.** rotglühend; **II** *m* **3.** Rot *n* (*a. Farbstoff*); ~ *à joues* Rouge *n*; ~ *à lèvres* Lippenstift *m*; *mettre du* ~ Rouge auflegen; **4.** *pol.* Rote(r) *m*; **5.** * Rotwein *m*; ~**âtre** [~'ʒɑ:trə] *adj.* rötlich; ~**aud** [~'ʒo] *adj. u. su.* (7) (Person *f*) mit rotem Gesicht; ~**-gorge** *orn.* [ruʒ'gɔrʒ] *m* (6a) Rotkehlchen *n*.

rougeoiement [ruʒwa'mɑ̃] *m*: ~ *du couchant* Abendrot *n*.

rougeole ⚕ [ru'ʒɔl] *f* Masern *pl.*

rougeoyer [ruʒwa'je] *v/i.* (1h) rötlich schimmern; aufglühen.

rouge-queue *orn.* [ruʒ'kø] *m* (6a) Rotschwänzchen *n*.

roug|et [ru'ʒɛ] **I** F *adj.* (7c) leicht gerötet; **II** *m icht.* Seebarbe *f*; ~**eur** [~'ʒœ:r] *f* **1.** ⚒ rote Farbe *f*, Röte *f*; ~ *du couchant* Abendrot *n*; **2.** Erröten *n*; **3.** ⚕ rote Hautflecken *m/pl.*; ~*s pl.* Hitzblattern *f/pl.*; ~**ir** [~'ʒi:r] (2a) **I** *v/t.* rot färben; ⊕ ~ *au feu* auf Rotglut bringen; **II** *v/i.* rot werden; *fig.* erröten (de über *acc.*).

rougissant [ruʒi'sɑ̃] *adj.*: ~ *de qch.* leicht vor etw. (*dat.*) errötend.

rouil|le [ruj] *f* **1.** (Eisen-)Rost *m*; *tache f de* ~ Rostfleck *m*; *taché de* ~ rostfleckig; *sans* ~ rostfrei; **2.** ⚘ Brand *m*; **3.** *adjt.* rostbraun; ~**ler** [ru'je] (1a) **I** *v/t.* **1.** rostig machen; *rouillé* rostig, rostfarben; *fig.* eingerostet; **2.** *fig.* verkümmern lassen; **II** *v/rfl.* *se* ~ (ver)rosten, rostig werden; ⚘ brandig werden; *fig.* einrosten; ungelenkig werden; ~**lure** [ru'jy:r] *f* **1.** Verrostung *f*; **2.** ⚘ Rostbefall *m*.

rou|ir [rwi:r] *v/t. u. v/i.* (2a) *Flachs* rösten; ~**issage** [rwi'sa:ʒ] *m* Rösten *n des Flachses*.

roul|able [ru'lablə] *adj.* aufrollbar; sich aufrollend; ~**ade** [~'lad] **1.** *cuis.* Roulade *f*, gerollte Fleischschnitte *f*; **2.** ~*s pl.* Koloratur *f*, virtuoser Lauf *m*; ~**age** [~'la:ʒ] *m* **1.** Güterkraftverkehr *m*; Beförderung *f* per Achse; *par* ~ per Achse; **2.** ⚒ Walzen *n*; **3.** ⚒ Streckenförderung *f*; **4.** ⊕ Rollen *n*, Rundschmieden *n*; ~**ant** [~'lɑ̃] **I** *adj.* (7) **1.** rollend; *escalier m* ~ Rolltreppe *f*; *fauteuil m* ~ Rollstuhl *m*; 🚂 *matériel m* ~ rollendes Material *n*; *tapis m* ~ Förderband *n*; **2.** F *c'est* ~*!* das ist ja zum Piepen!; **II** F 🚂 ~*s m/pl.* fahrendes Personal *n*; ~**ante** F [~'lɑ̃:t] *f* fahrbare Küche *f*.

rouleau [ru'lo] *m* (5b) **1.** Rolle *f*; *fig. être au bout de son* ~ am Ende s-r Kunst (*od.* Kraft) sein; **2.** ⊕ *u.* ⚒ Walze *f*; ~ *compresseur* Dampfwalze *f*; ⊕, ⚠ ~ *comprimeur du sol* Bodenverdichter *m*; *typ.* ~ *encreur* Farbwalze *f*; ~ *plombeur* Glattwalze *f*, Walze *f* zum Asphaltieren; *cuis.* ~ *à pâtisserie* Nudelholz *n*.

roulée P [ru'le] *f* Selbstgedrehte *f* (*Zigarette*).

roulement [rul'mɑ̃] *m* **1.** Rollen *n*; ~ *d'yeux* Augenrollen *n*; **2.** Dröhnen *n* (*Autos*); Grollen *n* (*Donner*); ~ *de tambours* Trommelwirbel *m*; **3.** *fig.* Personenwechsel *m in Ämtern*, Turnus *m*; Schichtwechsel *m* (*in der Arbeit*); Innenorganisation *f e-s Warenhauses*; *par* ~ turnusmäßig; *travail m par* ~ Schichtarbeit *f*; *écol. système m de* ~ (*dans l'enseignement*) Schichtunterricht *m*; **4.** ✝ (Geld-)Umlauf *m*, Umsatz *m*; *fonds m de* ~ Betriebskapital *n*; **5.** ⊕ ~ *à vide* Leerlauf *m*; ~ *à billes* Kugellager *n*; ~ *à rouleaux* Rollenlager *n*; *Auto usw.*: *état m de* ~ Verkehrstauglichkeit *f*.

rouler [ru'le] (1a) **I** *v/t.* **1.** (weg-)rollen, weg-treiben, -wälzen; F ~ *sa bosse* viel herumkommen (*od.* reisen); ~ *les épaules* mit den Achseln zucken; *fig.* ~ *de grands projets dans sa tête* große Pläne im Kopf wälzen; ~ *doucement sa vie* ein gemächliches Leben führen; ~ *les r* das R rollen;

2. auf-, zusammen-rollen; aufwickeln; ~ *une cigarette* sich e-e Zigarette drehen; *jambon m roulé* Rollschinken *m*; 3. walzen; ~ *un champ* ein Feld einwalzen; 4. F ~ *q.* j-n übers Ohr hauen, reinlegen; **II** *v/i.* 5. rollen; *Auto*: fahren; ⚓ schlingern; *Auto*: ~ *à vide* leer laufen; ~ *à toute allure* mit vollen Touren fahren; ~ *à tombeau ouvert* in rasendem Tempo fahren; *il fait beau ~ ici* hier fährt es sich gut; P *ça roule?* geht's gut?; *ça roule* es klappt; alles in Butter!; 6. rollen (*Donner*); 7. *fig. péj.* herumziehen, sich herumtreiben; 8. *fig.* ~ *sur q.* (*sur qch.*) j-n (etw.) betreffen, sich um j-n (um etw.) drehen; *tout roule là-dessus* darum dreht sich alles; 9. *fig. ne pas ~ en rond* aus der Reihe tanzen; ~ *sur l'or* im Geld schwimmen; **III** *v/rfl.* se ~ 10. sich (herum-) wälzen; 11. sich zs.-rollen.

roul|ette [ru'lɛt] *f* 1. Rolle *f* (*bsd. unter Möbeln*); ~ *de dentiste* Zahnbohrer *m*; *patins m/pl. à ~s* Rollschuhe *m/pl.*; F *fig. cela va* (*od. marche*) *comme sur des ~s* das geht (ja) wie geschmiert; 2. Roulett *n*; *jouer à la ~* Roulett spielen; **~eur** [~'lœ:r] *m* 1. guter Radrennfahrer *m*; 2. ⊕ fahrbarer Wagenheber *m*; **~euse** *zo.* [~'lø:z] *f* (Blüten-)Wickler *m*.

roulis ⚓ [ru'li] *m* Schlingern *n*.

roulot|te [ru'lɔt] *f Auto*: Wohnwagen *m*; **~té** *cout.* [~'te] *m* Einrollen *n*; **~ter** [~] *v/t.* (1a) einrollen; *cout.* mit e-m Rollsaum versehen.

roulure P [ru'ly:r] *f* Nutte *f* V.

roumain [ru'mɛ̃] *adj. u.* ♀ *su.* (7) rumänisch; Rumäne *m*.

roumanche [ru'mɑ̃:ʃ] *adj. f*: *langue f ~* Rätoromanisch *n*.

Roumanie [~ma'ni] *f*: **la ~** Rumänien *n*.

roumano-français [rumanɔfrɑ̃'sɛ] *adj.* rumänisch-französisch.

roumi [ru'mi] *m* (*bisw.* ♀): *un ~* ein Christ *m* (*bei den Arabern*).

round *Sport* [rawnd] *m* Runde *f*.

roupie [ru'pi] *f* Rupie *f*.

roupill|er F [rupi'je] *v/i.* (1a) pennen; **~on** F [~'jɔ̃] *m* Schläfchen *n*, Nickerchen *n*; *faire* (*od. piquer*) *un ~* ein Schläfchen machen.

rouquin F [ru'kɛ̃] *adj. u. su.* (7) rothaarig(e Person *f*); Rotkopf *m*; * *m*: Rotwein *m*.

rouscailler P [ruska'je] *v/i.* (herum-)meckern, schimpfen.

rouspé|tance F [ruspe'tɑ̃:s] *f* Gemeckere *n*, Geschimpfe *n*; **~ter** F [~'te] *v/i.* (1f) meckern, schimpfen; **~teur** F [~'tœ:r] *su.* (7g) Meckerfritze *m* (*f*: ~*teuse* Meckerziege *f*).

roussâtre [ru'sɑ:trə] *adj.* rötlich.

rousse * [rus] *f* Polente *f* P.

rouss|er * [ru'se] *v/i.* (1a) meckern, nörgeln; **~erolle** *orn.* [rus'rɔl] *f* Schilf-, Rohr-sänger *m*; **~ette** [~'sɛt] *f* 1. *icht.* Hunds-, Katzen-hai *m*; 2. *zo.* Kalong *m*, Flughund *m*; **~eur** [~'sœ:r] *f* rote Farbe *f* (*bsd. des Haares*); ~*s pl. od. taches f/pl. de ~* Sommersprossen *f/pl.*

roussi [ru'si] *m* Brandgeruch *m*; *sentir le ~ a. fig.* brenzlig werden.

roussin * [ru'sɛ̃] *m* Bulle *m* P, Polizeispitzel *m*.

roussir [ru'si:r] (2a) **I** *v/t.* ansengen (*Wäsche*); **II** *v/i.* rötlich werden; *cuis. faire ~* (*Mehl*) einbrennen.

rouste P [rust] *f* Tracht *f* Prügel, Keile *f*.

roustir P [rus'ti:r] *v/i.* (2a): *faire ~ das Essen* anbrennen lassen; *fig. être rousti* aufgeschmissen sein.

routage [ru'ta:ʒ] *m* Postleitzahl *f für Drucksachen*.

route [rut] *f* 1. (Auto-, Land-)Straße *f*, Chaussee *f*, Weg *m*; ~ *cyclable* Radfahrweg *m*; ~ *militaire*, ~ *stratégique* Heerstraße *f*; ~ *de grand débit* Ausfallstraße *f*; *Auto*: *souhaiter bonne ~* gute Fahrt wünschen; *sur la ~* auf der Chaussee; ~ *nationale Fr.* Nationalstraße *f*; *BRD* Bundesstraße *f*; *Sport*: ~ *de course* Rennstrecke *f*; ⚔ ~ *d'approche* Anmarsch-, Aufmarsch-straße *f*; ~ *en lacets* Schlängelweg *m*; ~ *prioritaire* Vorfahrtstraße *f*; 2. Weg *m od.* Richtung *f nach e-m Ort*; ~ *de terre* Landweg *m*; ~ *maritime* Seeweg *m*; *en ~* unterwegs; *en ~ pour la chapelle* auf dem Weg zur Kapelle; *en cours de ~* unterwegs; *faire fausse ~* vom richtigen Weg abkommen, sich verlaufen, sich verfahren; *fig.* auf Abwege geraten, auf dem Holzweg sein; *se mettre en ~* sich auf den Weg machen; 3. Verbindungsstraße *f* zwischen Schulen, Instituten, Laboratorien u. Industrieunternehmen; 4. ⚔ Marsch *m*; *feuille f de ~* Marschroute *f*; Urlaubszettel *m*; 🚂 *en ~!* fertig!; abfahren!; 5. ⚓, ✈ Kurs *m*; *faire ~ vers le nord* Kurs in Richtung Norden nehmen.

router ✈ [ru'te] *v/t.* (1a) sortieren.

routier [ru'tje] **I** *m* 1. *fig. vieux ~* alter Routinier *m*; 2. *Auto*: Fernfahrer *m*; *vél.* Straßenfahrer *m*;

II *adj.* (7b): *carte f routière* Autokarte *f.*
routière [ru'tjɛ:r] *f* **1.** *vél.* Tourenrad *n*; **2.** *Auto*: Tourenwagen *m*; **3.** V Straßendirne *f.*
routin|e [ru'tin] *f* **1.** Routine *f*, Gewohnheit *f*; **~ier** [~'nje] (7b) **I** *adj.* routine-, gewohnheits-mäßig; **II** *su.* Gewohnheitsmensch *m*, Routinier *m*; *vieux ~* alter Praktikus *m.*
rouver(a)in *métall.* [ruv'rɛ̃] *adj.* (7) rotbrüchig.
rouvieux [ru'vjø] *adj./m u. m* räudig; Räude *f* (*von Pferd od. Hund*).
rouvre ♀ ['ru:vrə] *m* Steineiche *f.*
rouvrir [ru'vri:r] *v/t.* (2f) wieder (er)öffnen, wieder aufmachen.
roux *m*, **rousse** *f* [ru, rus] **I** *adj.* rot(gelb), fuchsrot; rothaarig; *ch. bêtes rousses* Rotwild *n*; *lune rousse* Zeit *f* der späten Nachtfröste (*April/Mai*); *fig.* kritische Ehezeit *f*; **II** *su.* rothaarige Person *f*; **III** *m* (Fuchs-)Rot *n*; *cuis.* Mehlschwitze *f*, Einbrenne *f.*
Rover [rɔ'vɛ:r] *m* Mondauto *n.*
royal [rwa'jal] *adj.* (5c) □ königlich; *prince m ~* Kronprinz *m*; *zo. caniche m ~* Königspudel *m*; *tigre m ~* Königstiger *m*; *fig. c'est ~* das ist wunderbar; *s'amuser ~ement* sich köstlich amüsieren; **~e** [~] *f* Spitzbärtchen *n*; **~iste** [~'list] *adj. u. su.* königstreu; Royalist *m*; **~ties** [rwajal'ti] *f/pl.* **1.** ✝ Tantiemeabgaben *f/pl.*; **2.** Förderabgaben *f/pl.* (*Erdölgeschäft*).
royau|me [rwa'jo:m] *m* **1.** Königreich *n*; **2.** *fig.* Reich *n*; **~té** [~jo'te] *f* Königswürde *f.*
ruade [rɥad] *f* Ausschlagen *n* (*Pferd*).
ruban [ry'bɑ̃] *m* **1.** Band *n*; *~ adhésif* Klebe-band *n*, -streifen *m*; *~ isolant* Isolierband *n*; *~ magnétique* Tonband *n*; *~ encreur* Farbband *n*; *~ transporteur* ⊕ Transport-, Förderband *n*; **2.** Ordensband *n*; *~ rouge* Band *n* der Ehrenlegion; **3.** * Trottoir *n*; Straße *f*; **~é** [~ba'ne] **I** *adj.* gestreift (*Marmor*); **II** *m* gestreifter Stoff *m*; **~erie** [~n'ri] *f* **1.** Bandwirkerei *f*; **2.** ✝ Bandhandel *m*; **~ier** [~'nje] (7b) *su.* ⊕ Band-weber *m*, ✝ -händler *m.*
rubé|faction ⚕ [rybefak'sjɔ̃] *f* Rötung *f* der Haut; **~fier** ⚕ [~'fje] (1a) **I** *v/t.* die Haut röten, reizen; **II** *v/rfl.* se ~ rot werden.
rubéole ⚕ [rube'ɔl] *f* Röteln *pl.*
rubescent [rybe'sɑ̃] *adj.* (7) sich rötend.
rubican [rybi'kɑ̃] *adj./m* stichelhaarig (*Pferd*).
rubi|cond [~'kɔ̃] *adj.* (7) hochrot (*Gesicht*); **~gineux** *st.s.* [~ʒi'nø] *adj.* (7d) rostig; rostfarben.
rubis [ry'bi] *m* Rubin *m*; *fig. payer ~ sur l'ongle* bis auf Heller u. Pfennig bezahlen.
rubrique [ry'brik] *f* **1.** *journ.* Rubrik *f*, Spalte *f*, Teil *m*; *~ sportive* Sportteil *m* (*e-r Zeitung*); *~ de publicité, ~ des annonces* Anzeigenteil *m*; *fig. être rangé sous quatre ~s* in vier Kategorien eingeteilt werden; **2.** *~s pl. rl.* rotgedruckte Gebets- u. Meßbuch-regeln *f/pl.*; **3.** Verlagsort *m* (*mst. als Deckadresse!*).
ruche [ryʃ] *f* **1.** Bienen-korb *m*, -stock *m*; **2.** *fig.* Ameisenhaufen *m*; **3.** *Mode*: Rüsche *f.*
rucher[1] [ry'ʃe] *m* Bienen-haus *n*, -stand *m.*
rucher[2] [~] *v/t.* (1a) mit Rüschen einfassen; kraus falten.
rude [ryd] *adj.* □ **1.** roh, derb, urwüchsig (*Person*); rauh (*Stimme*; *Stoff*; *Klima*); schwer (*Arbeit*); *passer par de ~s épreuves* Schweres durchmachen; *~ tâche f* schwere Aufgabe *f*; *fig. ~ coup m* harter Schlag *m*; **2.** F kräftig, Mords..., Riesen... F; *il a une ~ veine* er hat ein Riesenschwein; **~ment** [ryd'mɑ̃] *adv.* **1.** derb, rücksichtslos; *il y va ~* er geht rücksichtslos draufzu; **2.** F sehr, riesig P.
rudesse [ry'dɛs] *f* Roheit *f*, Grobheit *f*, Ungeschliffenheit *f*; Rauheit *f.*
rudiment [rydi'mɑ̃] *m* **1.** *~s pl.* Anfangsgründe *m/pl.*; *renvoyer q. aux ~s* j-n wieder in die Lehre schicken; **2.** *biol.* Rudiment *n*; **~aire** [~'tɛ:r] *adj.* **1.** unzureichend, (not)dürftig; **2.** noch in den Anfängen steckend; **3.** *biol.* verkümmert.
rudoiement [rydwa'mɑ̃] *m* grobe Behandlung *f.*
rudoyer [rydwa'je] *v/t.* (1h) anschnauzen, grob behandeln.
rue[1] [ry] *f* Straße *f*; *~ adjacente* Nebenstraße *f*; *~ animée, ~ passante* Hauptverkehrsstraße *f*, verkehrsreiche Straße *f*; *~ latérale* Seitenstraße *f*; *~ piétonne* Fußgängerstraße *f*; *indicateur m des ~s* Straßenverzeichnis *n*; *~ de traverse* Querstraße *f*; *~ à sens unique* Einbahnstraße *f*; *en pleine ~* auf offener Straße; *dans la ~* auf der Straße; *il sort dans la ~* er geht auf die Straße; *fig. cela court les ~s* das ist stadtbekannt; F *vieux comme les ~s* uralt.
rue[2] ♀ [~] *f* Raute *f.*

ruée [rɥe] *f* Ansturm *m*; ~ *vers l'or* Goldrausch *m*.

ruelle [rɥɛl] *f* **1.** Gasse *f*, Gäßchen *n*; **2.** Gang *m* zwischen Bett u. Wand.

ruer [rɥe] (1a) **I** *v/i.* nach hinten ausschlagen; *fig.* ~ *dans les brancards* sich sträuben; **II** *v/rfl.* *se* ~ *sur* herfallen über (*acc.*).

rugine *chir.* [ry'ʒi:n] *f* Knochenfeile *f*.

rug|ir [ry'ʒi:r] *v/t.* (2a) brüllen (*v. Löwen*); *fig.* heulen (*Wind*); *fig.* ~ *de fureur* vor Wut toben; **~issement** [~ʒis'mɑ̃] *m* Brüllen *n*, Gebrüll *n*; Tosen *n* (*Meer*); Heulen *n* (*Wind*); Wutgeschrei *n*.

rug|osité [rygozi'te] *f* Unebenheit *f*, Rauheit *f* (*e-r Oberfläche*); **~ueux** [ry'gø] *adj.* (7d) uneben, rauh.

ruin|e [rɥin] *f* **1.** Einsturz *m*, Verfall *m*, *menacer* ~ einzustürzen drohen; *tomber en* ~ verfallen; **2.** Ruine *f*; **3.** *fig.* Ruin *m*, Elend *n*, Verarmung *f*, Verlust *m* des Vermögens; Verderben *n*, Untergang *m*; Zerstörung *f*, Vernichtung *f*, Zerrüttung *f*, Zertrümmerung *f*, Verfall *m*; **~er** [~'ne] *v/t.* (1a) ruinieren, zugrunde richten, zunichte machen (*Hoffnungen*); **~eux** [~'nø] *adj.* (7d) *fig.* höchst kostspielig; **~iforme** *géol.* [~ni'fɔrm] *adj.*: *roches f/pl.* ~*s* Trümmergestein *n*.

ruisseau [rɥi'so] *m* (5b) **1.** Bach *m*; **2.** Rinnstein *m*, Gosse *f*.

ruissel|er [rɥis'le] *v/i.* (1c) rieseln, rinnen; ~ *de* triefen von (*dat.*); **~et** [~'lɛ] *m* Bächlein *n*; **~lement** [rɥisɛl'mɑ̃] *m* **1.** Rieseln *n*, Rauschen *n* *vom Wasser usw.*; **2.** ~ *de pierreries* Edelsteingefunkel *n*.

rumb ⚓ [rɔ̃:b] *m* Kompaßstrich *m*.

rumeur [ry'mœ:r] *f* **1.** Lärm *m*, dumpfes Getöse *n*; **2.** Stimmengewirr *n*; Murren *n*; allgemeine Unruhe *f*; **3.** Gerücht *n*.

rumex ⚘ [ry'mɛks] *m* Ampfer *m*.

rumin|ant [rymi'nɑ̃] **I** *adj.* (7) wiederkäuend; **II** ~*s m/pl.* Wiederkäuer *m/pl.*; **~er** [~'ne] (1a) *v/t. u. v/i. zo.* wiederkäuen; *fig.* hin und her überlegen; über *etw.* brüten; ~ (*des pensées*) spintisieren, grübeln.

run|e [ryn] *f* Rune *f*; **~ique** [~'nik] *adj.* Runen...

Rungis [rœ̃'ʒis] *m Stadt südl. von Paris; Markthallen seit 1969.*

ruolz [rɥɔls] *m* Neusilber *n*.

rupestre [ry'pɛstrə] *adj.* Felsen...

rupin P [ry'pɛ̃] *adj. u. su.* (7) reich; *m* Krösus *m*; **~er** F *écol.* [~pi'ne] **I** *v/i.* (*im Examen*) glänzen; ~ *à bloc* e-n durchschlagenden Erfolg haben; **II** *v/t.* ~ *son anglais* s-e Englischprüfung mit Erfolg bestehen.

rupteur *Auto* [ryp'tœ:r] *m* Zündunterbrecher *m*.

ruptile ⚘ [ryp'til] *adj.* aufspringend.

rupture [ryp'ty:r] *f* **1.** Bruch *m*; Aufbrechen *n e-r Tür*, Aufsprengen *n*; ⚕ ~ *d'une veine*, ~ *d'une artère* Aderbruch *m*; ~ *d'une digue* Dammbruch *m*; ⚔ ~ *du front* Durchbruch *m* an der Front; *géol.* ~ *des glaces*, ~ *d'un glacier* Gletscherabbruch *m*; *éc.* ~ *de charge* Arbeitsunterbrechung *f*; ⚡ ~ *du courant* Stromunterbrechung *f*; ⊕ ~ *d'une conduite de gaz* Gasrohrbruch *m*; ⊕ *résistant à la* ~ bruchfest; **2.** Riß *m*; **3.** *fig.* Auflösung *f e-r Versammlung*; Abbruch *m e-r Verhandlung*; Rückgängigmachen *n e-r Verlobung*; *être en* ~ *de foyer* mit dem Elternhaus gebrochen haben; ~ *de la paix* Friedensbruch *m*; ⚕ ~ *d'équilibre* Gleichgewichtsstörung *f*; *fig.* ~ *passagère* vorübergehende Entzweiung *f*.

rural [ry'ral] (5c) **I** *adj.* ländlich; Land...; *facteur m* ~ Landbriefträger *m*; *exploitation f* ~*e* Bauerngut *n*; *propriété f* ~*e* Landgut *n*; **II** *su.* Bauer *m*; *ruraux m/pl.* Landbevölkerung *f*.

rus|e [ry:z] *f* List *f*, Hinterlist *f*, Durchtriebenheit *f*, Verschlagenheit *f*; Kunstgriff *m*, Trick *m*; *percer à jour les* ~*s de q.* hinter j-s Schliche kommen; ~ *de guerre* Kriegslist *f*; *user de* ~ List anwenden; **~é** [ry'ze] *adj. u. su.* (hinter-)listig, schlau, gerissen F; Schlaukopf *m*, Fuchs *m* F.

ruser [ry'ze] *v/i.* (1a) List anwenden.

russe [rys] **I** *adj.* russisch; *montagnes f/pl.* ~*s* Achterbahn *f*; **II** ♀ *su.* Russe *m* (*f*: Russin *f*); ♀ *blanc* Weißrusse *m*.

Russie [ry'si] *f*: **la** ~ Rußland *n*.

russ|ification [rysifikɑ'sjɔ̃] *f* Russifizierung *f*; **~ifier** [~si'fje] *v/t.* (1a) russifizieren; **~ophile** [~sɔ'fil] *adj. u. su.* russenfreundlich; Russenfreund *m*; **~ophobe** [~sɔ'fɔb] *adj. u. su.* russenfeindlich; Russenfeind *m*.

rustaud [rys'to] *adj. u. su.* (7) bäurisch, plump, ungeschliffen; *fig.* Trampel *m*; **~erie** [~to'dri] *f* Flegelhaftigkeit *f*.

rusti|cité ⚘ [rystisi'te] *f* Widerstandsfähigkeit *f*; **~que** [~'tik] *adj.* **1.** ⚘ *u. zo.* widerstandsfähig; **2.** *fig.* rustikal; *style m* ~ Bauernstil *m*; **~quer** [~'ke] *v/t.* (1m) *Bausteine* grob behauen *od.* bewerfen.

rustre ['rystrə] **I** *adj.* flegelhaft; **II** *m* Grobian *m*, (Bauern-)Lümmel *m*.

rut *ch.* [ryt] *m* Brunst *f*; *en* ~ brünstig.

rutabaga ⚘ [rytaba'ga] *m* Kohlrübe *f*.

rutacées ⚘ [ryta'se] *f/pl.* Rautengewächse *n/pl.*

ruthène [ry'tɛ:n] *adj. u.* ♀ *su.* ruthenisch, kleinrussisch; Ruthene *m*.

rutil|ant [ryti'lɑ̃] *adj.* (7) glänzend (*Karosserie*); funkelnd (*Diamant*); *fig.* bombastisch; **~er** [~'le] *v/i.* (1a) glänzen.

rythm|e [ritm] *m* Rhythmus *m*; Tempo *n*; Takt *m*; **~é** [~'me] *adj.* rhythmisch; **~er** [~] *v/t.* (1a) Rhythmus geben (*dat.*); **~ique** [~'mik] **I** *adj.* rhythmisch; **II** *f* **1.** Rhythmik *f*; **2.** rhythmischer Tanz *m*.

S

S, s [ɛs] *m* S, s *n*.
sa [sa] *f zu son*[3].
sabbat [sa'ba] *m* Sabbat *m*; F *fig.* Höllenspektakel *m*.
sabine ⚘ [sa'bi:n] *f* Wacholderstrauch *m*.
sabir [sa'bi:r] *m* **1.** romanische Mischsprache *f* (lingua franca) der Levante u. Nordafrikas; **2.** *allg.* Mischsprache *f*, Kauderwelsch *n*.
sablage [sa'bla:ʒ] *m* Bestreuen *n* mit Sand.
sable[1] ['sɑ:blə] *m* **1.** Sand *m*; *métall.* ~ *à mouler* Formsand *m*; ~ *de mer* Seesand *m*; ~ *mouvant* Flug-, Trieb-sand *m*; *bâti à chaux et à* ~ a) unverwüstlich (*v. Sachen*); b) von unverwüstlicher Gesundheit, kerngesund; *fig. bâtir sur le* ~ auf Sand bauen; **2.** ⚕ Nieren-, Blasengrieß *m*.
sable[2] *zo.* [~] *m* Zobel *m*.
sabl|er [sɑ'ble] *v/t.* (1a) **1.** mit Sand bestreuen, besanden; ⚠ sandeln; *métall.* in Sand gießen; **2.** ~ *le champagne* Champagner trinken; **~eur** [~'blœ:r] *m* **1.** ⊕ Sandformenmacher *m*; **~euse** ⊕ [~'blø:z] *f* Sandstrahlgebläse *n*; **~eux** [~'blø] *adj.* (7d) sandhaltig, sandig; Sand...; Sand...; **~ier** [~bli'e] *m* Sanduhr *f*.
sablière[1] [sɑbli'ɛ:r] *f* Sand-, Kiesgrube *f*.
sablière[2] [~] *f* 🚂 Sandstreuvorrichtung *f*; ⚠ Rahmholz *n*, Bodenschwelle *f*; ⚓ Bohle *f*, Planke *f*.
sablon [sɑ'blɔ̃] *m* feiner Sand *m*, Streusand *m*; **~ner** ⊕ [~blɔ'ne] *v/t.* (1a) mit Schweißsand bestreuen; **~neux** [~blɔ'nø] *adj.* (7d) sandig.
sablonnière [sɑblɔ'njɛ:r] *f* Sandgrube *f*.
sabord ⚓ [sa'bɔ:r] *m* Stückpforte *f*; **~age** [~bɔr'da:ʒ] *m* ⚓ Anbohren *n*, Versenken *n*; *fig. bsd. pol.* Torpedierung *f* (*e-r Konferenz*); **~er** [~bɔr'de] *v/t.* (*ein Schiff*) versenken; *allg. Betrieb etc.* freiwillig einstellen, aufgeben; *se* ~ a) ⚓ sich selbst versenken; b) *journ.* das Erscheinen einstellen.
sabot [sa'bo] *m* **1.** Holzschuh *m*; **2.** Huf *m*; **3.** Hemmschuh *m*; Bremskufe *f* (*Radschlitten*); **4.** Kreisel *m* (*Kinderspielzeug*); **5.** *etwas* Schlechtes *n*; Klimperkasten *m* (*schlechtes Klavier*); Transportkiste *f für Tiere*; schlechtes Schiff *n od.* Werkzeug *n usw.*; *faire qch. comme un* ~ etw. hinpfuschen; **6.** ⚘ ~ *de Vénus* Frauenschuh *m*.
sabo|tage [sabɔ'ta:ʒ] *m* **1.** *pol., éc.* Sabotage *f*; **2.** Pfuscharbeit *f*; **3.** 🚂 Einblatten *n* der Eisenbahnschwellen; **4.** Holzschuhmacherei *f*; **~ter** [~bɔ'te] *v/t.* (1a) **1.** sabotieren, vereiteln; absichtlich beschädigen; **2.** verpfuschen; **3.** ⊕ einblatten, anschuhen, dechseln; **~teur** [~'tœ:r] *su.* (7b) Saboteur *m*, böswilliger Beschädiger *m* (*v. Betriebsmitteln*); Pfuscher *m*; **~tier** [~'tje] *su.* (7b) Holzschuhmacher *m*.
sabra [sa'bra] *su.* einheimischer Israelit *m*.
sabre ['sɑ:brə] *m* Säbel *m*; *duel m au* ~ Säbelduell *n*; **~-baïonnette** [~bɑjɔ'nɛt] *m* (6a) Seitengewehr *n*.
sabrer [sɑ'bre] *v/t.* (1a) niedersäbeln, -hauen; *fig. Zeitungsartikel etc.* zs.-streichen.
saburr|al ⚕ [saby'ral] *adj.* (5c): *langue f* ~*e* belegte Zunge *f*; **~e** ⚕ [sa'by:r] *f* Belag *m* auf der Zunge.
sac[1] [sak] *m* **1.** Sack *m*; Beutel *m*; ~ (*de papier*) Tüte *f*; Papiersack *m*; *toile f à* ~*s* Sackleinwand *f*; ~ *de couchage* Schlafsack *m*; ~ *de voyage* Reisetasche *f*; *Golfsport*: ~ *à cannes (de golf)* Stockträger *m*; ~ (*à main*) (Damen-)Handtasche *f*; Badebeutel *m*, -tasche *f*; ~ *à provisions* Einkaufstasche *f*, Einholetasche *f*; ~ *flottant* Schlauchsack *m* für Pontons; *course f en* ~ Sackhüpfen *n*; *mettre dans le même* ~ in den gleichen Topf werfen; *prendre la main dans le* ~ auf frischer Tat ertappen; *l'affaire est dans le* ~ die Sache klappt; P *avoir le* ~ Geld wie Heu haben; *vider son* ~ sich offen aussprechen; *avoir plus d'un tour dans*

son ~ die verschiedensten Kniffe kennen, mit allen Wassern gewaschen sein; *homme m de* ~ *et de corde* Erzgauner *m*, Taugenichts *m*; **2.** Tornister *n*; ⚔ Affe *m*; ⚓ Seesack *m*; ~ *d'écolier* Schulranzen *m*; ~ *à dos*, ~ *tyrolien* Rucksack *m*; ~ *de survie* Klimatornister *m* (*Mondfahrer*); **3.** *hist. rl.* Bußkleid *n*; **4.** *anat.* ~ *lacrymal* Tränensack *m*; **5.** ~ *à vin* Säufer *m*.

sac[2] [~] *m* Plünderung *f*; *mettre à* ~ der Plünderung preisgeben.

sac-à-jeter [sakaʒəˈte] *m* (6b) Wegwerfbeutel *m*.

sacca|de [saˈkad] *f* Ruck *m*; *advt. par* ~*s* stoß-, ruck-weise; **~der** [~ˈde] *v/t.* (1a) mit dem Zügel e-n Ruck geben; *mouvements m/pl. saccadés* heftige Stöße *m/pl.*; *style m saccadé* abgehackter Stil *m*; **~ge** [~ˈkaːʒ] *m* **1.** Plünderung *f*; **2.** Verwüstung *f*; **~ger** [~kaˈʒe] *v/t.* (1l) (aus)plündern; *fig.* durcheinanderbringen; **~geur** [~kaˈʒœːr] *su.* (7g) Plünderer *m*.

saccha|reux ⚗ [sakaˈrø] *adj.* (7d) zuckerig; Zucker...; **~rifère** [~riˈfɛːr] *adj.* zuckerhaltig; **~rification** ⚗ [~rifikaˈsjɔ̃] *f* Zuckerbildung *f*; **~rifier** [~riˈfje] *v/t.* (1a) in Zucker verwandeln; **~rimètre** [~riˈmɛːtrə] *m* Zuckermeßgerät *n*; **~rin** [~ˈrɛ̃] *adj.* (7) Zucker...; zuckerhaltig; *principe m* ~ Zuckerstoff *m*; **~rine** [~ˈriːn] *f* Sa(c)charin *n*.

sacerdo|ce [sasɛrˈdɔs] *m* Priesteramt *n*, -stand *m*; **~tal** [~ˈtal] *adj.* (5c) priesterlich; Priester...

sachet [saˈʃɛ] *m* **1.** Säckchen *n*, Beutel(chen *n*) *m*, Tütchen *n*; ⚓, ✈ ~ *m antirequins* chemisches Haifischabschreckungsmittel *n*; **2.** ~ *de parfums* Riechkissen *n*; **3.** ☤ ~ *de paie* Lohntüte *f*; **4.** ⚕ Mullsäckchen *n*; **5.** gefütterte Versandtasche *f*

sacoche [saˈkɔʃ] *f* **1.** *vél.* Werkzeugtasche *f*; Satteltasche *f*; **2.** Schulmappe *f*; Umhängetasche *f*.

sacome △ [saˈkoːm] *m* hervorstehendes Simswerk *n*.

sacquer P [saˈke] *v/t.* **1.** rausschmeißen, feuern P; **2.** *écol.* abkanzeln; zu schlecht benoten.

sacraliser [sakraliˈze] *v/t.* heiligsprechen.

sacramentel (7c) [sakramɑ̃ˈtɛl] *adj.* □ sakramental, feierlich.

sacre[1] [ˈsakrə] *m* Salbung *f* (*e-s Königs*); Weihe *f* (*e-s Bischofs*).

sacre[2] *orn.* [~] *m* Würgefalke *m*.

sacré [saˈkre] **I** *adj.* **1.** geweiht, geheiligt; heilig; *histoire f* ~*e* Religionsgeschichte *f*; *les livres m/pl.* ~*s* die Heilige Schrift; *ordres m/pl.* ~*s* höhere Weihen *f/pl.*; *rl. vases m/pl.* ~*s* Meßgefäße *n/pl.*; **2.** gesalbt, gekrönt; geweiht; unantastbar; **3.** F *fig.* (*vor su.*) verflucht, verdammt; ~ *nom* (*de nom*)! verflucht (*od.* verflixt) nochmal!; **II** *m das* Heilige *n*.

sacre|bleu, ~dié, ~dieu F [sakrəˈblø, ~ˈdje, ~ˈdjø] *int.* Himmel Kreuz!; verflucht nochmal!

sacr|ement *rl.* [sakrəˈmɑ̃] *m* Sakrament *n*; *le Saint* ♀ das Heilige Abendmahl; **~er** [~ˈkre] (1a) **I** *v/t.* zum König salben, zum Bischof weihen; **II** *v/i.* fluchen, wettern.

sacrifi|cateur *antiq.* [~krifikaˈtœːr] *su.* (7f) Opferpriester *m*; *grand* ~ Hohepriester *m*; **~ce** [~ˈfis] *m* **1.** *rl.* Opfer *n*, Opferung *f*; *cath. saint* ~ Meßopfer *n*; ~ *expiatoire* Sühnopfer *n*; ~ *humain* Menschenopfer *n*; *faire* (*od. offrir*) *un* ~ ein Opfer darbringen; **2.** *fig.* Opfer *n* (*das man bringt*; *vgl. dagegen victime* 2); Aufopferung *f*; *faire le* ~ *de qch.* ein Opfer darbringen; **~er** [~ˈfje] (1a) **I** *v/t.* **1.** opfern; **2.** *fig.* ~ *q.* j-n (hin)opfern; ~ *qch.* etw. aufopfern; ~ *qch. à q.* j-m etw. zum Opfer bringen; **3.** *fig.* hingeben; widmen; **4.** *fig.* preisgeben; **5.** ~ *la marchandise* die Ware verschleudern; **II** *v/rfl.* *se* ~ sich (auf-)opfern; sich hingeben; **III** *v/i.* huldigen, sich hingeben; frönen, erliegen, nachgeben; sich richten (*à* nach *dat.*); ~ *à la mode* sich ganz nach der Mode richten.

sacrilège [sakriˈlɛːʒ] **I** *adj.* □ *u. m* gottlos, frevelhaft; Gotteslästerer *m*; Kirchenschänder *m*; **II** *m* Kirchenschändung *f*, Freveltat *f*.

sacripant F [~ˈpɑ̃] *m* Taugenichts *m*; Schurke *m*, Schuft *m*.

sacristain *rl.* [sakrisˈtɛ̃] *m* Kirchendiener *m*, Küster *m*, Mesner *m*.

sacristi! [sakrisˈti] *int.* verflixt!

sacro-saint *iron.* [sakrɔˈsɛ̃] *adj.* (7) unantastbar.

sacrum *anat.* [saˈkrɔm] *m* Kreuzbein *n*.

sadi|que [saˈdik] *adj. u. su.* sadistisch; Sadist(in *f*) *m*; ⚖ Triebtäter *m*; *crime de* ~ Triebverbrechen *n*; **~sme** [~ˈdism] *m* Sadismus *m*.

safar|i [safaˈri] *m* Safari *f*; **~ien** [~ˈrjɛ̃] *adj.*: *tenue f* ~*ne* Safarikleidung *f*; **~iste** [~ˈrist] *su.* Safaritourist *m*.

safran [sa'frɑ̃] **I** *m* **1.** ♀ Safran *m*, Krokus *m*; **2.** ♀ Ruderblatt *n*; **II** *adj./inv.* des étoffes *f/pl.* ~ safranfarbene Stoffe *m/pl.*; **~er** [~fra'ne] *v/t.* (1a) mit Safran färben.

saga|ce [sa'gas] *adj.* scharfsinnig; **~cité** [~si'te] *f* Scharfsinn *f.*

sage [sa:ʒ] **I** *adj.* □ **1.** weise; klug, besonnen, vernünftig; einsichtsvoll; **2.** artig, folgsam; sittsam; fromm (*Pferd*); **II** *m* Weise(r) *m*; **~-femme** [~'fam] *f* (6a) Hebamme *f.*

sagesse [sa'ʒɛs] *f* **1.** Weisheit *f*; Klugheit *f*, Besonnenheit *f*; Vorsicht *f*; *fig.* Vernunft *f*; *la* ~ *des nations* die Volksweisheit; *la voix de la* ~ die Stimme der Vernunft; *avoir la* ~ *de* (+ *inf.*) so klug sein und ...; *la* ~ *a prévalu* die Vernunft hat gesiegt; **2.** Mäßigung *f*, Gelassenheit *f*; **3.** Artigkeit *f*; Sittsamkeit *f*, Folgsamkeit *f.*

sagittaire [saʒi'tɛ:r] **I** *m* **1.** *antiq.* Bogenschütze *m*; **2.** *ast.* Schütze *m* (*Sternbild*); **II** *f* ♀ Pfeilkraut *n.*

sagou [sa'gu] *m* Sago *m.*

sagouin F [sa'gwɛ̃] *m* Schmutzfink *m*, Dreckschwein *n* P.

sagoutier [sagu'tje] *m* Sagobaum *m.*

Sahara *géogr.* [saa'ra] *m*: **le ~** die Sahara.

saharien *géogr.* [saa'rjɛ̃] *adj.* (7c) der Sahara, Sahara...; **~ne** [~'rjɛn] *f* Khakihemd *n.*

sahib [sa'ib] *m* Herr *m* des Hauses (*Indien*).

sai|e F ⊕ [sɛ] *f* Kratzbürste *f*; **~etter** [sɛjɛ'te] *v/t.* (1a) mit der Kratzbürste putzen.

saign|ant [sɛ'ɲɑ̃] *adj.* (7) blutend; *viande f* ~*e* nicht ganz durchgebratenes Fleisch *n*; **~ée** [~'ɲe] *f* **1.** Aderlaß *m*; **2.** entzogenes Blut *n*; **3.** Abzugsgraben *m*; **~ement** [sɛɲ'mɑ̃] *m* Bluten *n*; **~er** [sɛ'ɲe] (1b) **I** *v/t.* **1.** ~ *q.* j-m Blut abnehmen; **2.** *fig.* j-m Geld abnehmen, j-n schröpfen; **3.** (ab)schlachten, abstechen (*Schwein*); * *fig.* ~ *q.* j-n umbringen; **4.** ~ *la viande* das Fleisch brühen; **5.** *Graben* ablassen; *Fluß* ableiten; **II** *v/i.* bluten; ~ *du nez* aus der Nase bluten; **III** *v/rfl.*: *se* ~ *aux quatre veines* große finanzielle Opfer bringen.

saill|ant [sa'jɑ̃] **I** *adj.* (7) **1.** vorspringend; ⚠ *partie f* ~*e* Vorbau *m*; **2.** *fig.* (geistig) hervorragend, auffallend; *Ereignis*, *Merkmal* hervorstechend; **II** *m* **3.** ⚔ *frt.* ausspringender Winkel *m*; **4.** *das* Hervorragende *n*; **~ie** [~'ji] *f* **1.** ⚠ Vorsprung *m*, Überhang *m*; *en* ~ vorspringend; *faire, former* ~ vorspringen, einen Vorsprung bilden; **2.** *litt. fig.* Geistesblitz *m*, Einfall *m*; **3.** 🕮, *bsd.* ⚕ Hervorragung *f*; Höcker *m*; **4.** *peint.* Plastik *f*; Tiefenwirkung *f*; **5.** *zo.* Beschälen *n*; **~ir** [~'ji:r] (2a) **I** *v/i.* hervor-ragen, -springen; **II** *v/t. zo.* bespringen, belegen.

sain [sɛ̃] *adj.* (7) □ **1.** gesund (*a. fig.*) (*bei Personen nur attributiv, nicht prädikativ gebr.*; *also*: er ist gesund: *il est en bonne santé*); *homme m* ~ gesunder Mensch *m*; ~ *de corps et d'esprit* gesund an Leib und Seele; ~ *et sauf* wohlbehalten; *prov. esprit* ~ *dans un corps* ~ ein gesunder Geist in e-m gesunden Körper; *jugement m* ~ gesundes Urteil *n*; **2.** *fig.* fest, haltbar.

sainbois ♀ [sɛ̃'bwa] *m* Seidelbast *m.*

saindoux [sɛ̃'du] *m* Schweineschmalz *n*, -fett *n.*

sainfoin ♀ [sɛ̃'fwɛ̃] *m* Esparsette *f*, Süßklee *m.*

saint [sɛ̃] (7) **I** *adj.* □ **1.** heilig; **2.** gottselig; fromm; **3.** gottgeweiht; *la* ~*e cène* das heilige Abendmahl; *l'Écriture f* ~*e*, *les* ~*es Écritures*, *les* ~*es lettres*, *les* ~*s livres* die Heilige Schrift, die Bibel; *semaine f* ~*e* Karwoche *f*, stille Woche *f*; *le* ♀*-Siège* der Heilige Stuhl (*Papst*); *jeudi* ~ Gründonnerstag *m*; *vendredi* ~ Karfreitag *m*; *la Terre* ~*e* das Gelobte Land; F *fig. toute la* ~*e journée* den lieben langen Tag; **4.** verehrungswürdig; **5.** *beachte: die nach Heiligen benannten Festtage sind weiblich* (*f*), *da la fête zu ergänzen ist*: *la Saint-Jean* der Johannistag; **II** *su.* Heilige(r) *m*; frommer Mensch *m*; *fig. les trois* ~*s de la glace* die drei Eisheiligen; *il ne savait plus à quel* ~ *se vouer* er wußte keinen Rat mehr; er wußte nicht mehr ein noch aus; *prov. mieux vaut s'adresser à Dieu qu'à ses* ~*s* man muß gleich an die oberste Stelle gehen; **III** *m le* ~ *des* ~*s* das Allerheiligste.

saint-cyrien [sɛ̃si'rjɛ̃] *m* (6g) Schüler *m* der Militärakademie von Saint-Cyr.

Saint-Empire *hist.* [sɛ̃tɑ̃'pi:r] *m*: *le* ~ (*romain germanique*) das Heilige Römische Reich Deutscher Nation.

sainte-nitouche F [sɛ̃tni'tuʃ] **I** *f* Scheinheilige *f*; *faire la* ~ unschuldig tun; **II** *adjt.*: *un petit air* ~ wie die Unschuld vom Lande.

sainteté [sɛ̃tˈte] *f* **1.** Heiligkeit *f*; F *fig. qui n'est pas en odeur de* ~ anrüchig, nicht gut angeschrieben; **2.** *Sa* ♀ Seine Heiligkeit (*Papst*).

saint-frusquin F [sɛ̃frysˈkɛ̃] *m* Habseligkeiten *f/pl.*; ... *et tout le* ~ und alles übrige.

saint-glinglin F [sɛ̃glɛ̃ˈglɛ̃] *f*: *à la* ~ am Jüngsten Tag, nie und nimmer.

Saint|-Office *rl.*, *hist.* [sɛ̃tɔˈfis] *m* Inquisition(sgericht *n*) *f*; **~-Père** [~ˈpɛːr] *m*: *le* ~ der Heilige Vater, der Papst; **~-Siège** [~ˈsjɛːʒ] *m*: *le* ~ der Heilige Stuhl.

sai|si [sɛˈzi] *m* Gepfändete(r) *m*; **~sie** [~] *f* ⚖ Pfändung *f*; *a. journ.* Beschlagnahme *f*; *cyb.* ~ *des données* Datenerfassung *f*; **~sie-vente** [~ˈvɑ̃ːt] *f* öffentliche Zwangsversteigerung *f*; **~sine** [~ˈziːn] *f* **1.** ⚖ Besitzrecht *n* eines Erben; **2.** ⚓ Seising *n* (*Tau*).

saisir [sɛˈziːr] (2a) **I** *v/t.* **1.** ergreifen, (er)fassen, packen; kapern; ~ *q. au collet* (*par les cheveux*) j-n am Kragen (bei den Haaren) packen; ~ *le ballon de volée* e-n Freifang machen, den Ball im Sprunge fangen (*Fußball*); ~ *un avantage* e-n Vorteil wahrnehmen; ~ *l'occasion* die Gelegenheit ergreifen; **2.** *fig.* rühren, ergreifen; *être saisi* tief erschüttert sein; **3.** *fig.* begreifen, verstehen, (auf)fassen; **4.** ⚖ beschlagnahmen; **5.** ⚖ ~ *q. de qch.* j-n in Besitz von etw. setzen; **6.** *parl.* ~ *une commission d'un projet de loi* e-m Ausschuß e-n Gesetzesentwurf vorlegen; ⚖ *le tribunal est saisi de l'affaire* die Sache ist bei Gericht anhängig gemacht; **7.** *cuis.* ~ *au feu* anbraten, bräunen; ~ *au four* backen; *saisi* angebraten; **II** *v/rfl.* *se* ~ *de q., de qch.* sich j-s, e-r Sache bemächtigen; *Polizei*: *se* ~ *du voleur* den Dieb fassen.

saisiss|abilité ⚖ [sɛzisabiliˈte] *f* Pfändbarkeit *f*; **~able** ⚖ [~ˈsablə] *adj.* pfändbar; **~ant** [~ˈsɑ̃] (7) **I** *adj.* ergreifend; anschaulich; auffallend (*Ähnlichkeit*); empfindlich, durchdringend (*Kälte*); ⚖ auspfändend; **II** *su.* ⚖ Auspfänder *m*; **~ement** [~sˈmɑ̃] *m* **1.** Ergreifen *n*, Festnehmen *n*; **2.** Zusammenfahren *n vor Kälte*; plötzlicher Schrecken *m*; **3.** *fig.* Ergriffenheit *f*.

saison [sɛˈzɔ̃] *f* **1.** Jahreszeit *f*; *bsd.* ✝ Saison *f*; *arrière-*~ Herbst *m*; *nouvelle* ~ Frühling *m*; *morte* ~ stille Zeit *f*, Geschäftsruhe *f*, Sauregurkenzeit *f* F; *marchand m des quatre-*~*s* Obst- u. Gemüsehändler *m*; **2.** Zeit *f der Ernte*, *der Reife etc.*; *hors de* ~ unzeitgemäß, unpassend; *être de* ~ angebracht sein; passen; **3.** *fig.* Lebensalter *n*; Zeitraum *m*; *la première* ~ *de la vie* die Jugend; **4.** ✝ Saison *f*; **5.** Brunnen- *od.* Kur-zeit *f*; Kur *f*; *Ferienort*: *haute* ~ Hochsaison *f*; ~ (*principale*) *du tourisme* (Haupt-) Reisezeit *f*; *en pleine* ~ in, während der Hochsaison; *la* ~ *bat son plein* die Saison ist auf ihrem Höhepunkt; **~nier** [~zɔˈnje] *adj.* (7b) saison-bedingt, -gemäß, der Jahreszeit angemessen; *travailleur m* ~ Saisonarbeiter *m*.

salac|e *bsd. zo.* [saˈlas] *adj.* geil (*bsd. v. Tieren*); **~ité** [~siˈte] *f* Geilheit *f*.

sala|de [~ˈlad] *f* **1.** Salat *m*; ~ *de laitue* (Kopf-)Salat *m* (*zubereitet*); ~ *russe etwa*: italienischer Salat *m*; F *fatiguer la* ~ den Salat gut mischen; *faire, assaisonner la* ~ den Salat zubereiten; **2.** F *fig.* Durcheinander *n*, Mischmasch *m*; P ~*s pl.* Gequatsche *n*; **3.** F *panier m à* ~ F grüne Minna *f*, Zellenwagen *m*; **~dier** [~ˈdje] *m* Salatschüssel *f*.

salage [saˈlaːʒ] *m* Reifungsprozeß *m bei der Käsefabrikation*.

salaire [saˈlɛːr] *m* Lohn *m*; ~ *au rendement* Leistungslohn *m*.

salaison [salɛˈzɔ̃] *f* **1.** Einsalzen *n*; **2.** (*bsd.* ~*s pl.*) Pökelfleisch *n*; eingesalzene Fische *m/pl.*; Gesalzene(s) *n*.

salamalecs F [salamaˈlɛk] *m/pl.* übertriebene Höflichkeiten *f/pl.*

salamandre [salaˈmɑ̃ːdrə] *f* **1.** *zo.* Salamander *m*; **2.** *Art* Dauerbrandofen *m*.

salami *cuis.* [salaˈmi] *m* Salami (-wurst *f*) *f*.

salangane *orn.* [salɑ̃ˈgan] *f* Salangane *f*, ostindische Schwalbe *f*; *bsd. China*: eßbares Schwalbennest *n*.

salant [saˈlɑ̃] *adj./m*: *lac m* ~ Salzsee *m*; *marais m* ~ Salzteich *m*.

salari|al [salaˈrjal] *adj.* (5c) Lohn...; **~at** [~ˈrja] *m* Stellung *f* e-s Lohnempfängers; Arbeitnehmerschaft *f*; **~é** [~ˈrje] *su.* Arbeitnehmer *m*; Lohnempfänger *m*.

salaud P [saˈlo] *adj. u. su.* (7) gemein(er Kerl *m*), Mistvieh *n* P.

salbande ⚒ [salˈbɑ̃ːd] *f* Salband *n*, Saum *m*.

sale [sal] **I** *adj.* ☐ **1.** schmutzig (*a.*

fig.), dreckig P, unsauber; *être* ~ *comme un peigne, comme un porc* wie ein Schwein aussehen; **2.** *fig.* widerlich, gemein (*Mensch*); ~ *type m* gemeiner Kerl *m*; **3.** zotig (*Sitten*); unflätig, gemein (*Worte*); **4.** *vorangestellt*: übel; unerfreulich; unerquicklich; F *c'est un sale coup pour la fanfare* das ist eine schlimme Lage; *il fait un* ~ *temps* F das ist ein Sauwetter; **II** *m* Mistvieh *m*, Dreckfink *m*.

salé [sa'le] **I** *adj.* **1.** gesalzen; salzig; *lac* ~ Salzsee *m*; **2.** *fig.* beißend; scharf; schlüpfrig; gepfeffert; **II** *m* Pökelfleisch *n*; *petit* ~ a) frisch gesalzenes Schweinefleisch *n*; b) P Kind *n*, Balg *n*, Gör *n*.

saler [~] *v/t.* (1a) salzen; einpökeln; *viande f salée* Pökelfleisch *n*; F *fig.* ~ *la note* e-e gesalzene, gepfefferte Rechnung machen.

saleté [sal'te] *f* Schmutz *m*, Dreck *m* P, Unrat *m*; *fig.* Schlüpfrigkeit *f*, Zote *f*; *fig.* Gemeinheit *f*, Niederträchtigkeit *f*; F Schund *m*, Plunder *m*, Ramsch *m*, Gelump(e) *n*.

salicaire ⚘ [sali'kɛːr] *f* Weiderich *m*.

salicoque *zo.* [sali'kɔk] *f* Krabbe *f*.

saliculture [salikyl'tyːr] *f* Salzgewinnung *f*.

salicy|late [~si'lat] *m* Salizylsäure *f*; **~lique** [~'lik] *adj.* Salizyl...

salière [sa'ljɛːr] *f* Salz-faß *n*, -büchse *f*; F Salznäpfchen *n* (*bei mageren Personen*).

salifi|able [sali'fjablə] *adj.* salzbildend; **~cation** [~fika'sjɔ̃] *f* Salzbildung *f*; **~er** [~'fje] *v/t.* (1a) in Salz verwandeln.

saligaud P [sali'go] *su.* (7) Schmutzfink *m*; *fig.* Mistvieh *n*.

salin [sa'lɛ̃] **I** *adj.* (7) **1.** salzig, salzhaltig; salzartig; **2.** ⚘ auf salzigem Boden wachsend; **3.** körnig (*Marmor*); **II** *m* Salzsumpf *m*.

salin|e [sa'lin] *f* Saline *f*, Salz(berg)-werk *n*; Salzquelle *f*; **~ier** [~'nje] *m* Salzfabrikant *m*; **~ité** [~ni'te] *f* Salzgehalt *m*.

sal|ir [sa'liːr] (2a) **I** *v/t.* beschmutzen, besudeln; *fig.* besudeln, beflecken; **II** *v/rfl.* se ~ schmutzig (dreckig F) werden; *fig.* sich selbst beschmutzen, s-m Ruf schaden; **~issant** [~li'sɑ̃] *adj.* (7) **1.** (be-)schmutzend; *fig.* entehrend; **2.** leicht schmutzend; **~issure** [~li'syːr] *f* Verschmutzung *f*.

sali|vaire [sali'vɛːr] *adj.* Speichel...; *glande f* ~ Speicheldrüse *f*; **~vation** ⚕ [~va'sjɔ̃] *f* Speichelfluß *m*; **~ve** [sa'liːv] *f* Speichel *m*, Spucke *f* F; **~ver** [~li've] *v/i.* (1a) viel Speichel auswerfen; **~veux** [~'vø] *adj.* (7d) speichelartig.

salle [sal] *f* Saal *m*; (größeres) Zimmer *n*; ~ *d'armes* Gewehr-, Waffen-saal *m*; Rüstkammer *f*; Fechtboden *m*; ~ *d'attente* Wartesaal *m*, -raum *m*; ~ *d'audience* Audienzzimmer *n*; Gerichtssaal *m*; ~ *commune* Gemeinschaftsraum *m*; ~ *de conférences* a) *écol.* Lehrerzimmer *n*; b) Zuhörerraum *m*; Vortragssaal *m*; ~ *de bal* Tanzlokal *n*; ~ *d'école* Klassenraum *m*; *écol.* ~ *des fêtes* Aula *f*; ~ *à manger* Eßzimmer *n*, Speisesaal *m*; ~ *des pas perdus* Vorhalle *f* (*e-s Bahnhofs*); ⚔ ~ *d'arrêts* Arrestlokal *n*; ⚕ ~ *de respiration* Klimakammer *f*; ~ *de séjour* Wohn-zimmer *n*, -raum *m*; ~ *de spectacle* Schauspielhaus *n*; Theatersaal *m*, Vorführ-, Zuschauerraum *m*; *la* ~ *était comble* das Haus war knackend voll; *thé.* der Saal war ausverkauft; ~ *d'épreuve de moteurs* Motorprüfraum *m*; ~ *d'exposition* Ausstellungsraum *m*; *écol.* ~ *de dessin* Zeichen-raum *m*, -saal *m*; *chir.* ~ *d'opération* Operations-saal *m*, -raum *m*.

salmigondis [salmigɔ̃'di] *m* Sammelsurium *n*, Mischmasch *m*.

salmis *cuis.* [sal'mi] *m* Salmi *n*, Ragout *n* aus Wildgeflügel.

saloir [sa'lwaːr] *m* Pökelfaß *n*.

salon [sa'lɔ̃] *m* **1.** Salon *m*, Empfangs-, Gesellschafts-zimmer *n*, -raum *m*; ~ *de coiffure* Friseursalon *m*; ~ *de thé* (vornehmes) Café *n*; **2.** Gemälde-, Kunst-ausstellung *f*; **3.** ~ *de l'automobile* Automobilausstellung *f*; **~nard** *péj.* [~lɔ'naːr] **I** *m* Salonheld *m*; **II** *adj.*, *a. litt.* salonhaft.

salop|ard P [salɔ'paːr] *m* Dreckschwein *n*; **~e** P [sa'lɔp] *f* P Schlampe *f*; liederliches Frauenzimmer *n*; **~er** P [salɔ'pe] *v/t.* (1a) (hin-)pfuschen; **~erie** P [salɔ'pri] *f* Dreck *m* F; Pfuscharbeit *f*; F Schund *m*, Plunder *m*, Gelump(e) *n*, Ramsch *m*; Gemeinheit *f*; **~ette** [~'pɛt] *f* **1.** Monteuranzug *m*; **2.** Latzhose *f*, Trägerhose *f*, Rutsch- und Spielhose *f*.

salpetr|age [salpɛ'traːʒ] *m* Salpeterbildung *f*; **~e** [~'pɛːtrə] *m* Salpeter *m*; **~er** [~pɛ'tre] *v/t.* (1a) mit Salpeter überziehen *od.* bestreuen.

salpêtri|sation [~triza'sjɔ̃] *f* **1.** Bestreuen *n* mit Salpeter; **2.** ⌂ Umwandlung *f* in Salpeter; **~ser** [~tri'ze] *v/t.* (1a) in Salpeter verwandeln.

salpingite ⚕ [salpɛ̃'ʒit] *f* Eileiterentzündung *f*.

salsifis ⚘ [salsi'fi] *m* **1.** Bocksbart *m*; **2.** Schwarzwurzel *f*.

saltimbanque [saltɛ̃'bɑ̃:k] *m* Gaukler *m*.

salubr|e [sa'ly:brə] *adj.* □ gesundheitsfördernd, gesund, heilsam; **~ité** [~lybri'te] *f* Heilsamkeit *f*; Gesundheitspflege *f*.

saluer [sa'lɥe] *v/t. u. v/i.* (1a) **1.** grüßen; *~ sa mémoire etwa*: ihn (sie) im Gedenken an ihn (an sie) grüßen, sich vor ihm (vor ihr) verneigen (*zu e-m Toten*); *Schauspieler*: *~ le public* sich vor dem Publikum verneigen; **2.** begrüßen, bewillkommnen; *~ en ... q. od. ~ q. comme ...* j-n anerkennen, ehren als ..., j-m s-e Anerkennung als ... aussprechen; *aller ~ q.* j-n begrüßen gehen; **3.** ⚔ *u.* ⚓ salutieren; ⚓ *~ du canon* Salut schießen; *~ du pavillon* die Flagge zum Gruß senken.

salure [sa'ly:r] *f* Salzigkeit *f*; *degré m de ~* Salzgehalt *m*.

salut [sa'ly] *m* **1.** *le ~ d'une nation* das Wohl e-r Nation; **2.** Heil *n*, Rettung *f*; *armée f du ~* Heilsarmee *f*; **3.** *rl.* Seelenheil *n*, (ewige) Seligkeit *f*; **4.** Gruß *m*: *rendre le ~* den Gruß erwidern; *~ scout* Scoutgruß *m*; *~ olympique* olympischer Gruß *m*; **5.** ⚔ Salutschüsse *m/pl.*; **6.** F *int.* *~!* a) Tag! F, b) Wiedersehen! F, tschüs! F; **7.** *rl.* Abendgottesdienst *m*; **~aire** [~'tɛ:r] *adj.* □ heilsam; **~ation** [~tɑ'sjɔ̃] *f* Begrüßung *f*, Gruß *m*; *Briefschluß*: *avec mes ~s empressées* mit besten Grüßen; **~iste** [~'tist] *m* Mitglied *n* der Heilsarmee.

salvateur [salva'tœ:r] *adj.* (7f) segenbringend.

salve [salv] *f* ⚔ Salve *f*; Reihenfeuer *n*; *fig.* *~ d'applaudissements* tosender Beifall *m*, Beifallssturm *m*.

samaritain [samari'tɛ̃] *adj. u.* ♀ *su.* (7) samaritisch; *bibl. le bon* ♀ der barmherzige Samariter.

samaritanisme [samarita'nism] *m* Samaritertum *n*.

samedi [sam'di] *m* Sonnabend *m*; *süd- u. westdeutsch*: Samstag *m*; ♀ *saint* Sonnabend *m* vor Ostern.

samovar [samɔ'va:r] *m* Teemaschine *f*, Samowar *m*.

sana F [sa'na] *m*, **~torium** [~tɔ'rjɔm] *m* (*pl.* *~s*) Sanatorium *n*.

sancir ⚓ [sɑ̃'si:r] *v/i.* (2a) bugwärts untergehen, versinken.

sancti|fiant [sɑ̃kti'fjɑ̃] *adj.* (7) heiligend; **~ficateur** [~fika'tœ:r] *adj. u. su.* (7f) heiligend; Heiliger Geist *m*; **~fication** [~fikɑ'sjɔ̃] *f* Heiligung *f*; Heilighaltung *f* (*des Sonntags*); **~fier** [~'fje] *v/t.* (1a) **1.** heiligen; **2.** heilighalten.

sanction [sɑ̃k'sjɔ̃] *f* **1.** ⚖ Erteilung *f* der Gesetzeskraft, Bestätigung *f*, Vollziehung *f*, Sanktionierung *f*; **2.** *allg.* Genehmigung *f*; **3.** *hist. rl.* Sanktion *f* (*1438*); Vollziehung *f*; **4.** a) ⚖ Straf-bestimmung *f*, -maßnahme *f*; Vergeltungsmaßnahme *f*; *~s f/pl. pénales* Straffolgen *f/pl.*; b) *bsd. pol.* Sanktion *f*, Gegen-, Vergeltungs-maßnahme *f*; **~ner** [~sjɔ'ne] *v/t.* (1a): *~ qch.* e-r Sache (*dat.*) Gesetzeskraft geben; etw. billigen *od.* gutheißen; bestrafen; *une formation professionnelle dûment sanctionnée* e-e abgeschlossene Berufsausbildung *f*; *pol.* *~ un pays* ein Land mit Sanktionen belegen.

sanctuaire [sɑ̃k'tɥɛ:r] *m* **1.** *das* Allerheiligste *n*; **2.** Hochaltarstätte *f*; **3.** *fig.* Kirche *f*; **4.** *fig.* geweihte Stätte *f*; **5.** ⚔ Schlupfwinkel *m*.

sanctus *rl.* [sɑ̃k'tys] *m* Sanktus *n*.

sandal|e [sɑ̃'dal] *f* Sandale *f*; *esc.* Fechtschuh *m*; *~ de bain* Badeschuh *m*; *~ de plage* Strandschuh *m*; **~ette** [~'lɛt] *f* Sandalette *f*; **~ier** [~da'lje] *m* (7b) Sandalenmacher *m*.

sandow [sɑ̃'do] *m* **1.** *Sport*: Expander *m*; **2.** ✈ elastisches Gummikabel *n zum Abschleudern von Gleitflugzeugen*.

sandre *icht.* ['sɑ̃:drə] *m od. f* Zander *m*.

sandwich [sɑ̃'dwitʃ] *m* (5a) Sandwich *m*, belegtes Brötchen *n* (*od.* Butterbrot *n*); *~ au jambon* Schinkenbrötchen *n*; *homme-~ m* (6b) Plakatträger *m*; F *fig.* *être pris en ~* eingepfercht, eingezwängt sein.

sang [sɑ̃] *m* **1.** Blut *n*; *fig.* Gemüt *n*; Leben *n*; *~ veineux* Venenblut *n*; *couleur f de ~* blutrot; ⚕ *coup m de ~* Schlaganfall *m*; *flux m de ~* Blutfluß *m*; *perte f de ~* Blutverlust *m*; *transfusion f de ~* Blutübertragung *f*; *échauffer le ~* aufregen; *suer ~ et eau* Blut und Wasser schwitzen; *être altéré de ~* blutdürstig sein; *avoir le ~ chaud* hitzig sein, leicht aufbrausen; *avoir horreur du ~* kein Blut sehen können; *être tout en ~* blutüberströmt sein; F *avoir du sang de navet* F ein Schlappschwanz sein; se *faire du mauvais* ~ sich Sorgen machen; F *se ronger les* ~*s* vor Sorgen umkommen; **2.** Abkunft *f*; Geschlecht *n*; Familie *f*; Verwandtschaft *f*; *droit m du* ~ Geburtsrecht *n*; *prince m du* ~ Prinz *m* von Geblüt; **3.** Menschenschlag *m*; ~ *mêlé* Mischblut *n*; **4.** *pur-*~ *m* (6c), *cheval m pur* ~ Vollblutpferd *n*.

sang-froid [sɑ̃'frwa] *m* (*ohne pl.*) Kaltblütigkeit *f*; Gelassenheit *f*; Ruhe *f*; *conserver* (*od. garder*) *son* ~ kaltblütig bleiben, sich nicht aus der Ruhe bringen lassen; *faire perdre son* ~ *à q.* j-n aus der Ruhe bringen; *advt. de* (*od. avec*) ~ kaltblütig, gelassen; *écouter de* ~ gelassen (*od.* ruhig) anhören.

sanglant [sɑ̃'glɑ̃] *adj.* (7) **1.** blutig; **2.** *fig.* beleidigend, bitter; *affront m* ~ empfindliche Beleidigung *f*.

sangl|e ['sɑ̃:glə] *f* Gurt *m*; Tragriemen *m*; ~ *de selle* Sattelgurt *m*; *lit m de* ~ Gurtbett *n*; **~er** [sɑ̃'gle] **I** *v/t.* (1a) **1.** gürten; schnüren; **2.** *cuis.* mit Eis um'legen; **II** *fig. v/rfl. se* ~ *dans son uniforme* sich in s-e Uniform zwängen.

sanglier [sɑ̃gli'e] *m* Wildschwein *n*; ~ *femelle* Bache *f*; *jeune* ~ Frischling *m*; ~ (*mâle*) Eber *m*, Keiler *m*.

sanglot [sɑ̃'glo] *m* Schluchzen *n*; **~er** [~glɔ'te] *v/i.* (1a) schluchzen.

sang-melé [sɑ̃mɛ'le] *m/inv.* Mischblut *n*; *population f de* ~ Mischvolk *n*.

sangsue [sɑ̃'sy] *f* **1.** Blutegel *m*; **2.** *fig.* F *von e-r Frau* Klette *f* F.

sanguin [sɑ̃'gɛ̃] *adj.* (7) **1.** Blut...; *examen m* ~ Blutprobe *f*; *transfusion f* ~*e* Blutübertragung *f*; *vaisseaux m/pl.* ~*s* Blutgefäße *n/pl.*; **2.** blutreich; vollblütig; *fig.* sanguinisch, hitzig; *auch m*: Sanguiniker *m*; **3.** blutfarben; **~aire** [~gi'nɛ:r] **I** *adj.* blut-gierig, -dürstig; *zo.* reißend; *fig.* grausam, mörderisch; **II** ⚘ *f* Blut-kraut *n*, -wurz *f*; **III** ~*s m/pl. zo.* reißende Tiere *n/pl.*; **~e** [sɑ̃'gi:n] *f* **1.** Blutapfelsine *f*; **2.** *min.* Blutstein *m*; ~ *à crayon* Rötel *m*; **3.** *peint.* Rötelzeichnung *f*; **~olent** [~ginɔ'lɑ̃] *adj.* (7) mit Blut vermischt; *crachat*(*s*) *m*(*pl.*) ~(*s*) Blutspucken *n*.

sani|e ⚕ [sa'ni] *f* wässeriger Eiter *m*; **~eux** ⚕ [~'njø] *adj.* (7d) eiterig.

sanitaire [sani'tɛ:r] **I** *adj.* die Gesundheitspflege betreffend, Gesundheits..., Sanitäts...; **II** *m*: *le* ~ die sanitären Anlagen *f/pl.*

sans [sɑ̃] **I** *prp.* **1.** ohne (*acc.*); ~ *fortune* ohne Vermögen; ~ *beauté ni grâce* ohne Schönheit u. Anmut; ~ *cesse* unaufhörlich; ~ *difficulté* ohne Schwierigkeit, ohne weiteres; ~ (*aucun*) *doute* ohne (irgendeinen) Zweifel, zweifellos; ~ *façon* ohne Umstände; ~ *faute* unfehlbar, sicherlich; tadellos; ~ *pareil* ohnegleichen; ~ *pitié* erbarmungslos; ~ *plus* und nicht mehr; ~ *scrupules* ohne Bedenken, bedenkenlos; **2.** *mit folgendem inf. bei einem einzigen Subjekt*: ohne; ~ *comprendre* ohne zu verstehen, verständnislos; *il s'en alla* ~ *rien dire* er ging weg, ohne etwas zu sagen; *vous n'êtes pas* ~ *savoir que* ... Sie wissen sicherlich, daß ...; ~ *cela*, ~ *quoi* sonst, andernfalls; ~ *cet accident* ... wenn dieser Unfall nicht gewesen wäre; **II** *cj.* ~ *que mit subj. bei mehrfachem Subjekt*: ohne daß; *il est parti* ~ *que nous l'ayons revu* er ist abgereist, ohne daß wir ihn noch einmal gesehen haben (*od.* hätten).

sans|-abri [sɑ̃za'bri] *m/inv.* Obdach-, Heimat-lose(r) *m*; **~-cœur** [sɑ̃'kœ:r] *m* (6c) herzloser, gefühlloser Mensch *m*, Unmensch *m*.

sanscrit *ling.* [sɑ̃s'kri] *m* Sanskrit *n*; **~iste** [~'tist] *su.* Sanskritgelehrte(r) *m*.

sans|-culotte *hist. Fr.* [sɑ̃ky'lɔt] *m* extremer Republikaner *m* (*franz. Revolution*); **~-emploi** [sɑ̃zɑ̃'plwa] *m* (6g) Stellungslose(r) *m*; **~-façon** [~fa'sɔ̃] *m* Ungezwungenheit *f*, Zwanglosigkeit *f*; **~-gêne** [sɑ̃'ʒɛ:n] **I 1.** *m/inv.* Ungeniertheit *f*; *pfort* Frechheit *f*, Dreistigkeit *f*, Unverfrorenheit *f*; **2.** *m*, *f/inv.* frecher, dreister Kerl *m*; Frechling *m*; freche Person *f*; **II** *adj/inv.* ungeniert; **~-fil** ⚡ [~'fil] **I** *m* Funkspruch *m*, Funktelegramm *n*; **II** *f* drahtlose Telegraphie *f*; *par* ~ drahtlos; *la* ~ = *la T.S.F.* (*siehe dort*); **~-filiste** [~fi'list] *m* Funker *m*; Rundfunk-amateur *m*, Radiobastler *m*; **~-grade** [~'grad] *m* (6c) gemeiner Soldat *m*; **~-logis** [~lɔ'ʒi] **I** *m* Wohnungslose(r) *m*; **II** *adj./inv.* wohnungslos.

sansonnet *orn.* [sɑ̃sɔ'nɛ] *m* Star *m*.

sans|-patrie [sɑ̃pa'tri] *su.* (6c) Heimatlose(r) *m*; **~-souci** F [~su'si] *m* sorgloser Mensch *m*; **~-travail** [~tra'vaj] *m* (6c) Arbeitslose(r) *m*.

santal [sɑ̃'tal] *m* Sandelholz *n*.

santé [sɑ̃'te] *f* **1.** Gesundheit *f*; *meilleure* ~! gute Besserung!; *maison f de* ~ Nervenheilanstalt *f*; Privatklinik *f*; *service m de* ~ Sanitätsdienst *m*; ärztliches Personal *n*;

⚓ *patente f de* ~ Gesundheitspaß *m*; **2.** Gesundheitszustand *m*; *être en bonne* ~ gesund sein; **3.** *à votre* ~*!* auf Ihr Wohl!, prosit!
santoline ⚘ [sɑ̃tɔ'li:n] *f* Zypressen-, Heiligen-kraut *n*.
sanve ⚘ [sɑ̃:v] *f* Ackersenf *m*.
Saône [so:n] *f*: **la** ~ die Saône.
saoudien [sau'djɛ̃] *adj.* (7c): *les dirigeants m/pl.* ~*s* die saudiarabischen Machthaber *m/pl*.
saoudite *géogr.* [saudit] *adj.* saudiarabisch; *l'Arabie f* ♀ Saudi-Arabien *n*.
saoul, ~**er** s. *soûl, soûler*.
saoulographie P [sulɔgra'fi] *f* Sauferei *f*.
sapajou [sapa'ʒu] *m zo.* Wickelschwanzaffe *m*; F *fig.* Affengesicht *n*.
sape[1] ⚒ [sap] *f* große Sichel *f*.
sap|e[2] ⚔ [sap] *f frt.* **1.** Untergraben *n*; **2.** Laufgraben *m*; **3.** F Pioniertruppe *f*; **4.** * ~*s pl.* F Klamotten *f/pl.*; ~**er** [sa'pe] *v/t.* (1a) *fig.* untergraben, aushöhlen, unterminieren; * bekleiden; * *se* ~ sich anziehen; ~**es** * [sap] *f/pl.* Kleidung *f*.
sapeur ⚔ [sa'pœ:r] *m* (6a) Pionier *m*; F *fumer comme un* ~ viel rauchen; ~ *mineur* ⚔ *m* Minenleger *m*; ~**-pompier** *adm.* [~pɔ̃'pje] *m* (6a) Feuerwehrmann *m*.
saphir [sa'fi:r] *m u. adj./inv.* **1.** Saphir *m*; saphirblau; **2.** ⊕ Nadel *f* (*Schallplatte*); ~**in** [~fi'rɛ̃] *adj.* (7) saphirblau; ~**ine** *min.* [~'ri:n] *f Art* Chalzedon *m*.
sapid|e [sa'pid] *adj.* schmackhaft; ~**ité** [~di'te] *f* Schmackhaftigkeit *f*.
sapin [sa'pɛ̃] *m* **1.** Tanne *f*; ~ *argenté* (*od. blanc*) Silber-, Edel-tanne *f*; **2.** Tannenholz *n*; * Sarg *m*; ~**e** [sa'pin] *f* Tannenholzbrett *n*; ⚠ Hebebaum *m*; ~**ette** [~'nɛt] *f* amerikanische Fichte *f*; ~**ière** [~'njɛ:r] *f* Tannenwald *m*.
sapon|aire ⚘ [sapɔ'nɛ:r] *f* Seifenkraut *n*; ~**ification** [~nifika'sjɔ̃] *f* Verseifung *f*; ~**ifier** [~ni'fje] *v/t.* (1a) verseifen.
sapristi! [sapris'ti] *int.* Himmel Kreuz!, verflucht (noch eins)!
saquer P s. *sacquer*.
sarabande [sara'bɑ̃:d] *f* Sarabande *f*.
sarbacane [sarba'kan] *f* Blas-, Pustrohr *n*.
sarcas|me [sar'kasm] *m* Sarkasmus *m*; ~**tique** [~'tik] *adj.* sarkastisch.
sarcelle *orn.* [sar'sɛl] *f* Knäkente *f*.
sarcl|age [sar'kla:ʒ] *m* Jäten *n*; ~**er** [~'kle] *v/t.* (1a) (aus)jäten; ~**oir** [~'klwa:r] *m* Jäthacke *f*; ~**ure** [~'kly:r] *f* ausgejätetes Unkraut *n*.
sarco|me [sar'ko:m] *m* Sarkom *n*, Fleischgewächs *n*, Wucherung *f*; ~**phage** [sarkɔ'fa:ʒ] *m* Sarkophag *m*, Prachtsarg *m*; ~**pte** ⚕ [sar'kɔpt] *f* Krätzmilbe *f*.
Sardaigne [sar'dɛɲ] *f*: **la** ~ Sardinien *n*.
sarde [sard] *adj.* sardisch.
sardin|e *icht.* [sar'din] *f* **1.** Sardine *f*; ~*s f/pl. à l'huile* Ölsardinen *f/pl.*; ~ *de dérive* große Sardine *f*; **2.** ~*s pl.* F Tressen *f/pl.* der Unteroffiziere an den Ärmeln; ~**erie** [sardin'ri] *f* Ölsardinenfabrik *f*; ~**ier** [~'nje] **I** *su.* (7b) Sardinenfischer *m*; Sardellenzubereiter *m*; **II** *m* Netz *n* zum Sardinenfang.
sardoine *min.* [sar'dwan] *f* Sardonyx *m*.
sardonique [sardɔ'nik] *adj.*: *rire m* ~ höhnisches Lachen *n*.
sari [sa'ri] *m* Sari *m* (*e-r Inderin*).
sarigue *zo.* [sa'rig] *m* Beutelratte *f*.
sarment [sar'mɑ̃] *m* **1.** *zo.* Weinranke *f*, Rebe *f*; **2.** Rebholz *n*; ~**eux** [~'tø] *adj.* (7d) rebentreibend.
sarra|sin [sara'zɛ̃] **I** *hist. adj. u.* ♀ *su.* (7) sarazenisch; Sarazene *m*; **II** *m* Buchweizen *m*; ~**sine** *ehm. frt.* [~'zin] *f* Fallgatter *n*.
sarrau [sa'ro] *m* (5b) (*Bauern-, Maler- od. Kinder-*)Kittel *m*.
Sarre *géogr.* [sa:r] *f*: **la** ~ die Saar; (*territoire m de la*) ~ Saargebiet *n*.
Sarrebruck *géogr.* [sar'bryk] *m* Saarbrücken *n*.
sarrette ⚘ [sa'rɛt] *f* (Färber-) Scharte *f*.
sarriette ⚘ [sa'rjɛt] *f* Pfefferkraut *n*.
sarrois [sa'rwa] *adj. u.* ♀ *su.* (7) saarländisch; Saarländer *m*.
sas[1] [sɑ] *m* Haarsieb *n*; *passer au* ~ durchsieben.
sas[2] [~] *m* **1.** ⊕ Schleusenkammer *f*; **2.** ✈ Gasschleuse *f*; **3.** ⚓ Luftschleuse *f*; **4.** Verbindungsschleuse *f* (*Raumschiff*).
sasse ⚓ [sas] *f* Wasserschaufel *f*, Schöpfkelle *f*; ~**ment** [~'mɑ̃] *m* Durchsieben *n*.
sasser[1] [sa'se] *v/t.* (1a) sieben.
sasser[2] [~] *v/t.* (1a) durchschleusen.
sata|né [sata'ne] *adj.* verteufelt; verflucht; ~**nique** [~'nik] *adj.* satanisch, teuflisch.
satelliser [satɛli'ze] *v/t.* (1a) **1.** *pol.* zu (e-m) Satelliten degradieren; **2.** *ast. e-n künstlichen Satelliten* abschießen.
satellite [satɛ'lit] **I** *m* **1.** Trabant *m*;

2. *ast., pol.* Satellit *m*; **II** *adj. bâtiment m* ~ Satellit *m*, Abfertigungsgebäude *n e-s Großflughafens*; *État m* ~ Satellitenstaat *m*; *ville f* ~ Satelliten-, Trabanten-stadt *f*.

satiété [sasje'te] *f* Übersättigung *f*; *à* ~ bis zum Überdruß; *manger* (*boire*) *à* ~ sich satt essen (trinken).

satin *text.* [sa'tɛ̃] *m* (Seiden-)Atlas *m*, Satin *m*; **~ade** *text.* [sati'nad] *f* Halbatlas *m*; **~age** [~'na:ʒ] *m* Glätten *n*, Satinieren *n*; Kalandern *n*; **~é** [~'ne] **I** *m* (Atlas-)Glanz *m*; **II** *adj.* (7) atlasweich, seidig, sehr zart; **~er** [~] *v/t.* (1a) atlasartig glätten; satinieren; kalandern; **~ette** † [~'nɛt] *f* baumwollener Satin *m*; **~eur** ⊕ [~'nœ:r] *su.* (7g) Glätter *m*; **~euse** ⊕ [~'nø:z] *f* Satiniermaschine *f*.

sati|re [sa'ti:r] *f* Satire *f*, Spottschrift *f*, -gedicht *n*; **~rique** [~'rik] *adj.* satirisch; *a. m*: (*poète m*) ~ Satiriker *m*.

satis|faction [satisfak'sjɔ̃] *f* Zufriedenheit *f*, Befriedigung *f*, Genugtuung *f*; Behagen *n*, Wohlgefallen *n*; **~faire** [~'fɛ:r] (4n) **I** *v/t.* befriedigen, zufriedenstellen, Genugtuung geben; *Wunsch* erfüllen; *e-r Laune* nachgeben (*dat.*); *Hunger* stillen; **II** *v/i.* genügen; Genüge tun, gerecht werden, entsprechen; ~ *à un engagement* e-r Verpflichtung nachkommen; **III** *v/rfl. se* ~ s-e Wünsche, Bedürfnisse befriedigen; s-e Notdurft verrichten; s-e Lust befriedigen; *se* ~ *de peu* sich mit wenigem zufriedengeben; **~faisant** [~fə'zɑ̃] *adj.* (7) befriedigend; genügend; erfreulich; zufriedenstellend; **~fait** [~'fɛ] *adj.* (7) zufrieden; zufriedengestellt.

satur|able ⚗ [saty'rablə] *adj.* sättigungsfähig; **~ation** [~rɑ'sjɔ̃] *f* **1.** Sättigung *f*; **2.** *fig.* Überfüllung *f* (*z.B. e-s Krankenhauses*); Überlastung *f* (*Kabelnetz, Straße*); **~é** [~'re] *adj. a. fig.* ausgelastet (*z.B. Flughafen*); gesättigt; *être* ~ *de qch.* e-r Sache (*gén.*) überdrüssig sein; **~er** [~re] *v/t.* (1a) sättigen; *fig.* übersättigen.

saturn|in [satyr'nɛ̃] *adj.* (7) **1.** ⚗ bleifarben; **2.** ⚕ Blei...; *colique f* ~*e* Bleikolik *f*; **~isme** ⚕ [~'nism] *m* Bleivergiftung *f*.

satyre [sa'ti:r] **I** *m* Satyr *m*, Waldteufel *m*, Faun *m*, Bocksfuß *m*; *fig.* Lüstling *m*; **II** *f thé.* Satyrspiel *n*.

sauce [so:s] *f* **1.** *cuis.* Soße *f*, Tunke *f* P; ~ *ravigote* pikante Soße *f*; (*r*)*allonger la* ~ die Soße verlängern; *fig.* e-e Erzählung in die Länge ziehen; *fig. la* ~ *fait passer le poisson* das Drum und Dran macht es aus; **2.** F Regenguß *m*; **3.** *peint.* weicher schwarzer Bleistift *m* für Wischzeichnungen; **4.** *fig. le verbe «faire» est trop souvent employé à toutes* ~*s* das Verb „faire" wird zu oft für alles gebraucht; *on le met à toutes les* ~*s* er ist zu allem zu gebrauchen; **5.** ⊕ ~ *du tabac* Tabakbeize *f*.

sauc|ée P [so'se] *f* Regenguß *m*; **~er** [~] *v/t.* (1k) **1.** *Teller mit Brot* austunken, auswischen; **2.** F *fig. se faire* ~ pitschenaß werden; **3.** ⊕ ~ *le tabac* den Tabak beizen; **~ière** [~'sjɛ:r] *f* Soßennapf *m*.

sauciss|e [so'sis] *f* **1.** Bratwurst *f*; *petite* ~ *fumée* Knackwurst *f*; ~ *à griller* Bratwurst *f*; *fig. il n'attache pas ses chiens avec des* ~*s* er wirft sein Geld nicht zum Fenster hinaus; **2.** ✈ Fesselballon *m*; **~on** [~'sɔ̃] *m* **1.** Wurst *f*; ~ *à l'ail* Knoblauchwurst *f*; **2.** * ✈ Fesselballon *m*; **~on-jambon** [~ʒɑ̃'bɔ̃] *m* (6a) Schinkenwurst *f*; **~onner** F [~sɔ'ne] *v/i.* (1a) picknicken; kalt essen.

sauf [so:f] **I** *adj.* (7e) **1.** wohlbehalten; *avoir* (*od. s'en tirer*) *la vie sauve* mit dem Leben davonkommen; **2.** unantastbar; **II** *prp.* mit Ausnahme von, bis auf, außer, ausgenommen, vorbehaltlich; ~ *avis contraire*, ~ *imprévu* wenn nichts dazwischenkommt; ~ *erreur* Irrtum vorbehalten; **III** *cj.* **~ que** *mit ind. bei mehrfachem Subjekt*: abgesehen davon, daß ...; nur daß ...; außer daß ...; **~-conduit** *bsd.* ⚔ [sofkɔ̃'dɥi] *m* Passierschein *m*.

sauge ⚘ [so:ʒ] *f* Salbei *f*.

saugrenu [sogrə'ny] *adj.* absurd, verschroben; **~ité** [~nɥi'te] *f* Verschrobenheit *f*.

saul|aie [so'lɛ] *f* Weidengehölz *n*; **~e** ⚘ [so:l] *m* Weide *f*; ~ *pleureur* Trauerweide *f*.

saumâtre [so'mɑ:trə] *adj.* (halb-)salzig; *fig.* bitter (*Scherz*); F *fig. la trouver* ~ es unangenehm, unerfreulich, unpassend finden.

saumon [so'mɔ̃] **I** *m* **1.** *icht.* Lachs *m*, Salm *m*; **2.** ⊕ Block *m*, Masse *f*, Gußzapfen *m*; ~ *d'étain* Zinnblock *m*; **II** *adj./inv.* lachsfarben; **~é** [~mɔ'ne] *adj.* lachsartig; *truite f* ~*e* Lachsforelle *f*; **~eau** [~mɔ'no] *m* (5b) junger Salm *m*, Sälmling *m*; **~eux** [~'nø] *adj.* (7d) lachsreich.

saumur|e [so'my:r] *f* (Salz-)Lake *f*;

⊕ Mutterlauge *f*; **~er** [~my're] *v/t.* (1a) in Salzwasser legen, pökeln.

sauna [so'na] *m* Sauna *f.*

saun|age [so'na:ʒ] *m*, **~aison** [~nɛ'zɔ̃] *f* Salzfabrikation *f*; Salzhandel *m*; **~er** [so'ne] *v/i.* (1a) **1.** Salz hervorbringen; **2.** ⊕ Salz sieden; **~erie** [son'ri] *f* Salzsiederei *f*; **~ier** [~'nje] *m* Salzsieder *m*, Salinenarbeiter *m*; Salzhändler *m*; **~ière** [~'njɛ:r] *f* **1.** Salzkiste *f*; **2.** *ch.* Lecke *f für Rotwild.*

saupiquet *cuis.* [sopi'kɛ] *m* scharf gewürzte Soße *f.*

saupoudrer [sopu'dre] *v/t.* (1a) *mit Salz usw.* bestreuen.

saur [sɔ:r] *adj./m*: *cuis. hareng m ~* Bückling *m.*

saure [sɔ:r] *adj.* gelbbraun (*v. Pferden*).

saurer [so're] *v/t.* (1a) Heringe räuchern.

sauret [sɔ'rɛ] *adj./m* = *saur.*

saurien *zo.* [sɔ'rjɛ̃] *m* Saurier *m*; *~s m/pl.* Eidechsen *f/pl.*

sauriss|age [sɔri'sa:ʒ] *m* (Einsalzen u.) Räuchern *n* der Heringe; **~erie** [~ris'ri] *f* Heringsräucherei *f.*

saussaie [so'sɛ] *f* Weidengebüsch *n.*

saut [so] *m* **1.** Sprung *m*; *advt. par ~s* sprungweise, springend; *~ groupé* Hocke *f*; *~ au cheval d'arçon* Sprung *m* am Pferd; *~ carpé* Hechtsprung *m*; *~ costal* Flanke *f*; *~ de face* Weitsprunghocke *f*; *~ de face écarté* Hochsprunggrätsche *f*; *~ latéral en ciseaux* Schere *f*, Scherensprung *m*; *~ latéral dorsal* Kehre *f*; *~ latéral facial* Wende *f*; *~ de haies* Hürdensprung *m*; *~ roulé* Rollsprung *m*; *~ de singe* Handwelle *f*; *~ nul, faux ~* Fehlsprung *m*; *piste f de triple ~* Dreisprunganlage *f*; *fosse f de ~* Sprunggrube *f*; *~ en hauteur* Hochsprung *m*; *~ en longueur* Weitsprung *m*; *~ en profondeur* Tiefsprung *m*; *~ à la perche* Stabsprung *m*; *~ à la perche en largeur* (*hauteur*) Stabweitsprung *m* (Stabhochsprung *m*); *~ périlleux* Salto mortale *m*; *~ à jambes écartées* Grätschsprung *m*; *~ avec élan* Sprung *m* mit Anlauf; *~ sans élan*, *~ à pieds joints* Sprung aus dem Stand; *triple ~* Dreisprung *m*; *~ en ski* Schisprung *m*; *~ d'obstacle(s)* Hindernissprung *m*; *~ de chasse* Jagdspringen *n*; ✈ *~ en parachute* Fallschirmsprung *m*; F *au ~ du lit* beim Aufstehen; *fig.*: *faire le ~* den Sprung wagen, sich endlich entschließen; sich zugrunde richten; straucheln; *faire un grand ~* e-n großen Sprung (im Leben) machen; *faire un ~ chez q.* auf e-n Sprung bei j-m mit vorbeikommen; **2.** Fall *m*, Sturz *m*; **3.** (Wasser-)Fall *m*; **4.** ♪ Übergang *m*; **5.** ⚒ Verwerfung *f*; **6.** ⚔ *frt.* *~ de loup* a) *frt.* Wolfsgrube *f*; b) ↗ breiter Graben *m um e-n Park.*

saut|-de-lit [sod'li] *m* (6b) leichtes Morgenkleid *n*; **~-de-mouton** [~dəmu'tɔ̃] *m* (6b) erhöhter Übergang *m.*

saute [sot] *f* ⚓ Umspringen *n des Windes*; *~ de température* Wechsel *m* der Temperatur, Temperatursturz *m*; ⚕ *~ de cours* Kurssprung *m*; *fig. ~ d'humeur* plötzlicher Stimmungswechsel *m.*

sautelle ↗ [so'tɛl] *f* Rebenableger *m*, Wurzelrebe *f*, Setzrebe *f.*

saute-mouton [sotmu'tɔ̃] *m* **1.** *gym.* Bockspringen *n*; *jouer à ~* Bock springen; **2.** *Auto*: Kolonnenspringen *n.*

sauter [so'te] (1a) (*mit avoir!*) **I** *v/i.* **1.** springen; hüpfen; *~ à la perche* mit dem Stab springen; *~ en selle* sich in den Sattel schwingen; *~ de joie* vor Freude in die Höhe springen; *fig. ~ au plafond* an die Decke gehen, hochgehen; *~ sur une mine* auf e-e Mine laufen; *cela saute aux yeux* das liegt (klar) vor Augen; F *et que ça saute!* dalli!; **2.** a) in die Luft fliegen, gesprengt werden, platzen; *faire ~ la banque* die Spielbank sprengen; *faire ~ une mine* e-e Mine explodieren lassen; *faire ~ un pont* e-e Brücke sprengen; *faire ~ une porte* eine Tür aufbrechen; *fig. faire ~ q.* j-n um s-e Stellung bringen; *faire ~ un tripot* e-n Spielklub ausheben (*od.* hochgehen lassen); *se faire ~ la cervelle* sich e-e Kugel durch den Kopf jagen; b) ⚡ durchbrennen; **3.** *~ sur* sich stürzen auf (*acc.*); *~ à la gorge de q.* j-n an der Gurgel packen; **4.** sich hinaufschwingen, über *e-e Zwischenstufe* hinüberspringen; **5.** *~ d'un sujet à l'autre* von e-m Thema zum anderen springen; **6.** *Knopf* abspringen; *Sicherung* durchbrennen; *Sektkorken* knallen; **7.** *cuis.* (*faire*) *~* in Butter braten; *pommes f/pl. de terre sautées* Bratkartoffeln *f/pl.*; **II** *v/t.* *~ qch.* über etw. (*acc.*) wegspringen; F *Auto* überholen; *fig.* etw. überspringen, auslassen, übersehen; *fig. ~ le pas* zu e-m Entschluß kommen; sterben; F *fig. la ~* F Kohldampf schieben.

sauterau ♪ [so'tro] *m* (5c) (Klavier-) Hämmerchen *n*.
sauterelle *ent.* [so'trɛl] *f* Heuschrecke *f*; *fig. Person*: *grande* ~ Bohnenstange *f*.
sauterie [so'tri] *f* kleines Tänzchen *n*, zwangloser Tanzabend *m*.
saut|eur [so'tœ:r] **I** *su.* (7g) **1.** Springer *m*; Seiltänzer *m*; **2.** *fig.* unzuverlässiger Mensch *m*, Luftikus *m*; **II** *adj.* Spring...; **~euse** [~'tø:z] *f* Schmorpfanne *f*; **~iller** [~ti'je] *v/i.* (1a) hüpfen, tänzeln; **~oir** [~'twa:r] *m* **1.** liegendes (*od.* Andreas-)Kreuz *n*; *en* ~ kreuzweise; **2.** *Sport*: Sprunggrube *f*; **3.** lange Halskette *f*.
sauva|ge [so'va:ʒ] **I** *adj.* □ **1.** wild (*a. fig.*: *Parken*; *Streik*); **2.** ungesittet; **3.** scheu, ungesellig; **4.** unbewohnt; **II** *su.* Wilde(r) *m*; *fig.* scheuer Mensch *m*; **~geon** [~va'ʒɔ̃] **I** *m* ⸙ Wildling *m*; **II** *su.* (7c) *fig.* Wildfang *m*, Naturkind *n*; **~gerie** [~ʒ'ri] *f* **1.** Wildheit *f*; **2.** Roheit *f*, empörende Handlung *f*; **3.** F *fig.* Menschenscheu *f*, Ungeselligkeit *f*; **~gin** [~'ʒɛ̃] *adj.* (7) *u. m*: *goût m* ~ Wasservogelgeschmack *m*; **~gine** [~'ʒi:n] *f* **1.** *coll.* Wasservögel *m/pl.*; **2.** Geruch *m* der Wasservögel; **3.** Wildbalg *m*, Fell *n* wilder Tiere.
sauvegard|e [sov'gard] *f* Schutz *m*, Gewährleistung *f*; Wahrung *f v. Rechten usw.*; *fig.* Schirm *m*; *fig.* Schutzwehr *f*; ⚖ *clause f de* ~ Schutzklausel *f*; **~é** [~'de] *adj. a.* unter Denkmalsschutz stehend; **~er** [~] *v/t.* (1a) schützen, bewahren; *Rechte* gewährleisten; wahren; ~ *toutes les chances* alle Chancen wahrnehmen.
sauve-qui-peut [sovki'pø] *m* Panik *f*; ⚔ allgemeine Auflösung *f*, ungeordneter Rückzug *m*.
sauver [so've] (1a) **I** *v/t.* **1.** (er-)retten; ~ *q. du naufrage* j-n aus dem Schiffbruch retten; ~ *q. qui se noie* e-n Ertrinkenden retten; ~ *q. de la mort* j-n vom Tode erretten; ~ *la vie à q.* j-m das Leben retten; *fig.* ~ *les apparences* (*od. la face*) den Schein wahren; F ~ *les meubles* das Notwendigste retten; **2.** *rl.* erlösen, selig machen; *fig. il n'y a que la foi qui sauve* der Glaube macht selig; **3.** in Sicherheit bringen; ⚓ bergen; **II** *v/rfl. se* ~ **4.** sich retten; flüchten; F sich gleich verabschieden; *se* ~ *à toutes jambes* wegrennen, sich schleunigst davonmachen; *ell. sauve qui peut!* rette sich, wer kann!; **5.** F *se* ~ überlaufen (*Milch*).
sauve|tage [sov'ta:ʒ] *m* Rettung *f*; ⚓ Bergen *n*; *bouée f* (*ceinture f*) *de* ~ Rettungs-boje *f* (-gürtel *m*); ⚓ *droit m de* ~ Bergegeld *n*; **~teur** [sov'tœ:r] *m* Retter *m*; *auch adj.*: *bateau m* ~ Rettungsboot *n*; **~tte** [so'vɛt]: *à la* ~ *adv.* a) heimlich, illegal; *vente f à la* ~ Schwarzmarktverkauf *m* auf offener Straße; b) auf e-n Sprung, in Eile.
sauveur [so'vœ:r] *m* **1.** *rl. le* ♀ der Heiland; **2.** Retter *m* (*des Vaterlandes*; *vom Arzt*).
savane *géogr.* [sa'van] *f* Savanne *f*.
savant [sa'vɑ̃] (7) **I** *adj.* (*adv. savamment*) **1.** gelehrt; **2.** kunstvoll, geschickt; **3.** sehr bewandert; gut unterrichtet *in etw.*; **4.** abgerichtet (*Tier*); **5.** lehrreich; **II** *su.* Gelehrte(r) *m*; *at.* ~ *atomiste* Kern-, Atomwissenschaftler *m*.
savarin [sava'rɛ̃] *m* mit Rum getränkter Napfkuchen *m*.
savate [sa'vat] *f* **1.** abgetragener Schuh *m*, Treter *m* P, Latschen *m* P; *traîner ses* ~*s* F (herum)latschen, (-)schlurfen; F *traîner la* ~ in dürftigen Verhältnissen leben; **2.** *Sport* Beinstoßen *n*; **3.** *péj.* F Niete *f*, Flasche *f fig*.
savetier † [sav'tje] *m* Schuster *m*.
saveur [sa'vœ:r] *f* Geschmack *m*; *fig.* Reiz *m*; *sans* ~ fade.
Savoie [sa'vwa] *f*: **la** ~ Savoyen *n*.
savoir [sa'vwa:r] (3g) **I** *v/t.* **1.** wissen; *faire* ~ *à q.* j-m mitteilen; *je n'en sais rien* ich weiß nichts davon; *j'en sais quelque chose* ich weiß ein Liedchen davon zu singen F; F *il en sait des choses* was der alles weiß; *ne* ~ *rien de rien* keine Ahnung von etw. (*dat.*) haben; *ne* ~ *que faire* sich keinen Rat wissen; *on ne sait jamais* man kann nie wissen; F *allez* ~*!* wer kann das schon wissen!; *cela se sait* das ist bekannt; *tout se sait, tout finit par se savoir* es kommt alles an den Tag; es bleibt nichts verborgen; *un je ne sais quoi* ein gewisses Etwas; (*à*) ~ nämlich (*bei Aufzählungen*); *c'est à* ~ das ist noch die Frage; *comme l'on sait* bekanntlich; *reste à* ~ es bleibt noch die Frage offen; *qui sait si Jean n'est pas venu* wer weiß, ob Jean nicht gekommen ist; *Dieu sait qu'il n'est pas pauvre* er ist bei Gott kein armer Mann; **2.** Kenntnisse besitzen; **3.** *je ne sache pas que* ... (*mit subj.*) ich wüßte nicht, daß ...; *autant que je sache, à ce que je sais* soviel ich

weiß; *pas que je sache* nicht, daß ich wüßte; **4.** können (= gelernt haben; *vgl. dagegen pouvoir*); verstehen; kennen; ~ *le latin* Latein können; *il sait plusieurs langues* er kann mehrere Sprachen; ~ *par cœur* auswendig können; ~ *conduire* Auto fahren können; ~ *danser* tanzen können; *il sait vivre* er hat Lebensart; F ~ *y faire* sich darauf verstehen; *l'homme que vous savez* Sie wissen ja, wen ich meine; F (*il pleurait*) *toutce qu'il savait* (er weinte) so sehr er konnte *od.* was er konnte; **5.** *bsd. im cond. ohne pas, wenn verneint*: *il ne saurait s'agir d'une grammaire* es kann (*od.* dürfte) sich nicht um e-e Grammatik handeln; *ils ne sauraient s'en contenter* sie dürften sich nicht damit zufriedengeben; *je ne saurais vous le dire* ich kann es Ihnen (leider) nicht sagen; *il ne saurait se passer de lui* er kann ohne ihn nicht fertig werden; **6.** erfahren; *ell.* (*il*) *reste à* ~ es fragt sich nur noch; **II** *m* Wissen *n*, Gelehrsamkeit *f*.

savoir|-faire [~'fɛːr] *m* (*ohne pl.*) **1.** Geschicklichkeit *f*, Gewandtheit *f*; *avoir du* ~ gewandt sein; **2.** ⊕, ✝ Anleitung *f*, Gebrauchsanweisung *f*; Know how *n*; **~-vivre** [~'viːvrə] *m* (*ohne pl.*) Lebensart *f*, (korrekte) Umgangsformen *f/pl.*; *traité m de* ~ Buch *n* über korrektes Benehmen, Knigge *m*.

savon [sa'võ] *m* **1.** Seife *f*; *pain m de* ~ Stück *n* (*od.* Riegel *m*) Seife; ~ *au goudron* Teerseife *f*; ~ *de lessive* Waschseife *f*; ~ *en paillettes* Seifenflocken *f/pl.*; *bulle f de* ~ Seifenblase *f*; *donner un coup de* ~ *à* einseifen; **2.** F *fig.* Rüffel *m*, Anschnauzer *m* F; *on lui a passé un* ~ *fig.* man hat ihm den Kopf gewaschen; **~nage** [~vɔ'naːʒ] *m* Reinigen *n*, Waschen *n*; (kleine) Wäsche *f*; **~ner** [~vɔ'ne] *v/t.* (1a) mit Seife waschen; einseifen; **~nerie** [~vɔn'ri] *f* Seifenfabrik *f*; **~nette** [~vɔ'nɛt] *f* (Stück *n*) Toilettenseife *f*; **~neux** [~vɔ'nø] *adj.* (7d) seifig; Seifen...; **~nier** [~'nje] *adj.* (7b) Seifen...

savour|er [savu're] *v/t.* (1a) in vollen Zügen genießen; sich gut schmecken lassen; **~eux** [~'rø] *adj.* (7d) schmackhaft, wohlschmeckend, bekömmlich; saftig; *fig.* pikant, reizvoll, köstlich.

savoyard [savwa'jaːr] **I** *adj.* (7) savoyisch; **II** ♀ *su.* (7) Savoyer *m*.

saxatile [saksa'til] *adj. u. su.* (*plante f*) ~ auf Felsen wachsend(e Pflanze *f*); *zo.* (*animal m*) ~ unter Steinen lebend(es Tier *n*).

Saxe [saks] **I** *f*: **la** ~ Sachsen *n*; **II** ♀ *m* Meißener Porzellan *n*.

saxifrage ⚘ [saksi'fraːʒ] *f* Steinbrech *m*.

saxo *abr.* [sak'so] *m* Saxophonist *m*.

saxon [sak'sõ] *adj. u.* ♀ *su.* (7c) sächsisch; Sachse *m*.

saxophone [saksɔ'fɔn] *m* Saxophon *n*.

saynète † *thé.* [sɛ'nɛt] *f* Einakter *m*, kurzes Lustspiel *n*.

sbire [zbiːr] *m* Häscher *m*, Scherge *m*.

scabi|euse ⚘ [ska'bjøːz] *f* Grindkraut *n*, Skabiose *f*; **~eux** ⚕ [~'bjø] *adj.* (7d) krätzartig.

scabreux [ska'brø] *adj.* (7d) gefährlich, gewagt; heikel, schlüpfrig.

scaferlati [skafɛrla'ti] *m* Knaster *m* F (*halbfein geschnittener Tabak*).

scalène ⩘ [ska'lɛːn] *adj.* ungleichseitig.

scalpe [skalp] *m* Skalp *m*, Kopfhaut *f*.

scalpel *chir.* [skal'pɛl] *m* Skalpell *n*.

scalp|ement [~p'mɑ̃] *m* Skalpieren *n*; **~er** [~'pe] *v/t.* (1a) skalpieren.

scandal|e [skɑ̃'dal] *m* Skandal *m*; Entrüstung *f*; Krach *m*; Radau *m* F; *feuille f à* ~ Revolverblatt *n*, Sensationsblatt *n* (*Zeitung*); *sujet m de* ~ Stein *m* des Anstoßes; *au grand* ~ *de sa famille* zur großen Entrüstung s-r Familie; c'est *un* ~ es ist ein Skandal, e-e Schande; *faire un* ~ *dans la rue* auf der Straße Krach machen; **~eux** [~'lø] *adj.* (7d) □ skandalös, empörend; anstößig; **~iser** [~li'ze] (1a) **I** *v/t.* ~ *q.* j-n entrüsten *od.* empören; **II** *v/rfl.* se ~ *de qch.* an etw. (*dat.*) Anstoß nehmen.

scander [skɑ̃'de] *v/t.* (1a) **1.** *mét.* skandieren; **2.** im Chor sprechen.

scandinave [skɑ̃di'naːv] *adj. u.* ♀ *su.* skandinavisch; Skandinavier *m*.

Scandinavie *géogr.* [skɑ̃dina'vi] *f*: **la** ~ Skandinavien *n*.

scansion *mét.* [skɑ̃'sjõ] *f* Skandieren *n*.

scaphandr|e [ska'fɑ̃ːdrə] *m* **1.** Taucher-, Raumfahrer-anzug *m*, -gerät *n*; **2.** *at.* ~ *atomique* Atomschutzanzug *m*; *für die Feuerwehr*: ~ *d'amiante* Asbestschutzanzug *m*; **~ier** [~fɑ̃dri'e] *m* Taucher *m*; Mann *m* im Raumfahreranzug.

scaphoïde *anat.* [skafɔ'id] *adj.* kahnförmig.

scapulaire [skapy'lɛːr] **I** *anat. adj.* Schulter...; **II** *rl. m* Skapulier *n*.

scarabée *ent.* [skara'be] *m* Mistkäfer *m*; ~ *doré* Goldkäfer *m*.

scarifi|cateur [skarifika'tœ:r] *m* **1.** *chir.* Schröpfkopf *m*; **2.** ⚒ Reißpflug *f*; **~cation** *chir.* [~kɑ'sjɔ̃] *f* Schröpfen *n*; *appareil m de* ~ Schröpfgerät *n*; **~er** [~'fje] *v/t.* (1a) **1.** *chir.* schröpfen; **2.** ⚒ mit dem Reißpflug eggen; **3.** ⊕ aufreißen.

scarlatine ⚕ [skarla'ti:n] *f* Scharlach(fieber *n*) *m*.

scarole ⚘ [ska'rɔl] *f* Eskariol *m*; *a.* P *escarole*.

scatolog|ie *a. litt.* [skatɔlɔ'ʒi] *f* obszöner Scherz *m*, Zote *f*; Zotendichtung *f*; Obszönität *f*; **~ique** *a. litt.* [~'ʒik] *adj.* zotig, obszön; pornographisch.

scatophage *ent.* [skatɔ'fa:ʒ] *m* Kotfliege *f*.

sceau [so] *m* (5b) **1.** Siegel *n*; *mettre son* ~ sein Siegel aufdrücken; *fig. sous le* ~ *du secret* unter dem Siegel der Verschwiegenheit; *Fr. garde m des* ~*x* Justizminister *m*; **2.** *les* ~*x* das Amt des Siegelbewahrers; **3.** Siegelung *f* mit dem Staatssiegel; **4.** *fig.* Merkmal *n*; Stempel *m*.

scélérat [sele'ra] **I** *adj.* ruchlos, verrucht; schändlich; **II** *su.* Verbrecher *m*, Halunke *m*; **~esse** [~'tɛs] *f* Ruchlosigkeit *f*; Niederträchtigkeit *f*.

scell|é [sɛ'le] *m* gerichtliches Siegel *n*; *apposer* (*od. mettre*) *les* ~*s sur qch.* etw. amtlich versiegeln; **~ement** [sɛl'mɑ̃] *m* △ Verkittung *f*, Verschmierung *f*, Einmauern *n*; ⊕ Verschließen *n*; ~ *en plâtre* Vergipsen *n*; **~er** [~'le] *v/t.* (1a) **1.** gerichtlich besiegeln, bestätigen, bekräftigen; **2.** luftdicht verschließen; **3.** a) △ ~ *qch. dans un mur* etw. einmauern; b) △ mit Gips *od.* Mörtel befestigen; c) △ ~ *les jointures* die Fugen verschmieren; d) ⊕ *Glasscheiben* verbleien; **4.** *fig.* fest begründen; festigen (*de qch.* durch *od.* mit etw. *acc.*); *Freundschaft, Pakt* besiegeln.

scénario [sena'rjo] *m* **1.** *thé.* Entwurf *m od. a.* Text *m* e-s (Theater-) Stückes; **2.** *cin.* Drehbuch *n*; *bâtir un* ~ ein Drehbuch schaffen (*od.* zusammenbauen); **3.** *allg.* Klamauk *m*, Theater *n fig.*; **4.** *fig. a. éc., pol.* Zukunftsvision *f*.

scénariste *cin.* [sena'rist] *m* Drehbuchautor *m*.

scène [sɛ:n] *f* **1.** *thé.* Bühne *f*; ~ *tournante* Drehbühne *f*; *mise f en* ~ Inszenierung *f*; *fig. c'est de la mise en* ~ das ist alles nur Theater, Komödie; *mettre en* ~ auf die Bühne bringen; *un acteur sur* ~ ein Schauspieler auf der Bühne; *entrée f en* ~ Auftritt *m*; *entrer en* ~ auftreten; **2.** *allg.* dramatische Kunst *f*; Theater *n*; **3.** *thé.* Ort *m* der Handlung, Schausplatz *m*; *la* ~ *est à ...* das Stück spielt in ... (*dat.*); **4.** *thé.* Dekoration *f*; **5.** ⚖ Tatort *m*; **6.** *allg.* Szene *f*, Auftritt *m*; **7.** *fig.* Ereignis *n*; **8.** *fig.* Szene *f*, heftige Vorwürfe *m/pl.*; ~ *de ménage* Ehekrach *m*; *faire une* ~ *à q.* j-m eine Szene machen.

scénique [se'nik] *adj. thé.* szenisch, bühnen-technisch, -mäßig.

scéno|graphe *thé.* [senɔ'graf] *m* Bühnenmaler *m*; **~graphie** *thé.* [~gra'fi] *f* Bühnenmalerei *f*.

scepti|cisme [sɛpti'sism] *m* Skeptik *f*, Skepsis *f*; *phil.* Skeptizismus *m*; **~que** [~'tik] *adj.* □ *u. m* skeptisch; zweifelnd; Skeptiker *m*.

sceptre ['sɛptrə] *m* Zepter *n*, Herrscher-stab *m*, *fig.* -gewalt *f*.

schah [ʃa] *m* Schah *m* (*v. Persien*).

scheidage ⚒ [ʃɛ'da:ʒ] *m* Scheidearbeit *f*, Scheidung *f*.

schéma [ʃe'ma] *m*, **schème** *phil., peint., psych.* [ʃɛ:m] *m* Schema *n*; Plan *m*, Abriß *m*, Entwurf *m*; ⚡ *schéma m de montage* Schalt-plan *m*, -skizze *f*.

schéma|tique [ʃema'tik] *adj.* □ schematisch; **~tisation** [~tizɑ'sjɔ̃] *f* Schematisierung *f*; **~tiser** [~ti'ze] *v/t.* (1a) schematisch darstellen; **~tisme** [~'tism] *m* Schematismus *m*.

schérontia *ent.* [skerɔ̃'sja] *m* Totenkopfschmetterling *m*.

schisme [ʃism] *m* **1.** *rl.* Schisma *n*; **2.** Spaltung *f* der Meinungen.

schist|e *min.* [ʃist] *m* Schiefer *m*; ~ *argileux* Tonschiefer *m*; △ ~ *expansif* Blähschiefer *m*; **~eux** [~'tø] *adj.* (7d) schieferartig; Schiefer...; **~ocarpe** ⚘ [~tɔ'karp] *adj.* spaltfrüchtig.

schizomycète ⚘ [skizɔmi'sɛt] *m* Spaltpilz *m*.

schizo|phrène *psych.* [skizɔ'frɛ:n] *adj. u. m* schizophren; Schizophren *m*; **~phrénie** *psych.* [~fre'ni] *f* Schizophrenie *f*.

schlammage ⚒ [ʃla'ma:ʒ] *m* Ein-, Zu-schlammung *f*; △ Auffüllung *f e-s Weges, e-r Straße* mit Sand u. Wasser, Einschlämmen *n*; **~s** ⚒ [~] *m/pl.* Kohlenschlamm *m*.

schlass [ʃlas] *adj.* **1.*** betrunken, blau *fig.*; **2.** P Messer *n*.

schleu * *péj.* [ʃlø] *m* Deutsche(r) *m.*
schlinguer * [ʃlɛ̃'ge] *v/i.* (1m) stinken.
schlitt|e *for.* [ʃlit] *f* Holztransportschlitten *m*; **~er** *for.* [~'te] *v/t.* (1a) auf e-m Schlitten transportieren; **~eur** *for.* [~'tœ:r] *m* Holzschlitter *m.*
schnaps F [ʃnaps] *m* Schnaps *m.*
schnauzer *zo.* [ʃnaw'zɛ:r] *m* Schnauzer *m* (*Hunderasse*).
schnick P [ʃnik] *m* Fusel *m.*
schnock * [ʃnɔk] *m* Trottel *m*; *vieux* ~ alter Knacker *m* F.
schnorchel ⚓ [ʃnɔr'kɛl] *m* Schnorchel *m.*
schooner ⚓ [sku'nœ:r] *m* Schoner *m.*
schproum * [ʃprum] *m* Skandal *m*, Krach *m.*
schuss [ʃus] *m* **1.** *Ski*: Schußfahrt *f*; **2.** *fig. pol.* Radikallösung *f*; **3.** F *fig.* être ~ auf Draht sein.
shamp|ooing [ʃɑ̃'pwɛ̃] *m* Shampoon *n*; **~ouiner** [~pwi'ne] *v/t.* schampunieren.
sci|able ['sjablə] *adj.* sägbar; **~age** [sja:ʒ] *m* Sägen *n*; **~ant** F [sjɑ̃] *adj.* (7) langweilig; unausstehlich.
sciatique ⚕ [sja'tik] *adj. u. f anat.* Hüft...; Ischias *f.*
scie [si] *f* **1.** Säge *f*; ~ *à chantourner* (*od. à découper*) Laubsäge *f*; ~ *circulaire*, ~ *ronde* Kreissäge *f*; ~ *à corde* Spannsäge *f*; ~ *à guichet* Stichsäge *f*; ~ *à ruban* Bandsäge *f*; ~ *à main* Handsäge *f*; *chir.* ~ *à os* Knochensäge *f*; ~ *à manche* Fuchsschwanz(säge *f*) *m*; *en dents de* ~ sägeförmig; **2.** F *fig.* Schlagermelodie *f*, -musik *f*; (alte) Leier *f*; abgedroschenes Zeug *n*; *Person*: Nervensäge *f* F; **3.** *icht.* Sägefisch *m.*
sciemment [sja'mɑ̃] *adv.* wissentlich, absichtlich, bewußt.
science [sjɑ̃:s] *f* **1.** Wissenschaft *f*; ~*s humaines* Humanwissenschaften *f/pl.*; ~*s naturelles* Naturwissenschaften *f/pl.*; ~ *sociale* Gesellschaftswissenschaft *f*; ~ *spatiale* Raumwissenschaft *f*; **2.** Wissen *n*, Gelehrsamkeit *f*; *avoir la* ~ *infuse* die Weisheit für sich gepachtet haben.
science-fiction *litt.* [sjɑ̃:sfik'sjɔ̃] *f* Science-fiction *f.*
sciène *zo.* [sjɛ:n] *f* Adlerfisch *m.*
scientificité [sjɑ̃tifisi'te] *f* Wissenschaftlichkeit *f.*
scienti|fique [sjɑ̃ti'fik] *adj.* □ *u. m* wissenschaftlich; Wissenschaftler *m*; **~fisation** [~fiza'sjɔ̃] *f* Verwissenschaftlichung *f.*
scient|isme [sjɑ̃'tism] *m* positivistische Wissenschaft *f*; **~iste** [~'tist] *m* Vertreter *m* (*od.* Anhänger *m*) der positivistischen Wissenschaft; **~ologie** [~tɔlɔ'ʒi] *f Art* okkulte Lehre *f.*
scier [sje] (1a) **I** *v/t.* **1.** (ab-, zer-) sägen; **2.** F *fig. Nachricht*: ~ *q.* j-n (glatt) umhauen, umwerfen F; **II** ⚓ *v/i.* rückwärts rudern.
scierie [si'ri] *f* Sägewerk *n.*
scieur [sjœ:r] *m* Säger *m*; ~ *de long* Brettschneider *m.*
scieuse ⊕ [sjø:z] *f* Sägemaschine *f.*
scille ⚘ [sil] *f* Meerzwiebel *f.*
scind|ement [sɛ̃d'mɑ̃] *m* Teilung *f*; **~er** [~'de] *v/t.* (1a) zerteilen, trennen, spalten.
scintigraphie ⚕ [sɛ̃tigra'fi] *f* Szintillographie *f.*
scintill|ation *f*, **~ement** *m* [sɛtija'sjɔ̃, ~tij'mɑ̃] Funkeln *n*, Schimmern *n* der Sterne; **~er** [~ti'je] *v/i.* (1a) wie Sterne funkeln, schimmern; **~omètre** [~lɔ'mɛ:trə] *m* Strahlenmesser *m*; **~ométrie** *ast.* [~lɔme'tri] *f* Flimmermessung *f.*
sciograph|e ⚠ [sjɔ'graf] *m* Durchschnittsrißzeichner *m*; **~ie** [~'fi] *f* **1.** ⚠ Durchschnittsriß *m* (*e-s Hauses*); **2.** Zeitermittlung *f durch Sonnen- od. Mondschatten.*
scion ✓ [sjɔ̃] *m* Schößling *m*; Reis *n*; dünnes Ende *n* e-r Angelrute.
scirpe ⚘ [sirp] *m* Binse *f.*
sciss|ile [si'sil] *adj.* spaltbar; **~ion** [~'sjɔ̃] *f* Spaltung *f* (*a. pol.*); *faire (une)* ~ sich absondern; **~ionnaire** *bsd. pol.* [~sjɔ'nɛ:r] *m* Spalter *m*, Abtrünnige(r) *m*; **~ipare** *biol.* [~si'pa:r] *adj.* sich durch Teilung vermehrend; **~iparité** *biol.* [~sipari'te] *f* Vermehrung *f* durch Teilung (*Protozoen*); **~ure** *anat.* [~'sy:r] *f* Spalte *f*, Furche *f.*
sciure [sjy:r] *f* Sägespäne *m/pl.*
scléros|ant [sklero'zɑ̃] *adj.* geisttötend; **~e** ⚕ [skle'ro:z] *f* Sklerose *f*, Verkalkung *f*; **~é** [~ro'ze] *adj.* **1.** verkalkt; **2.** *fig.* erstarrt; **~er** [~] *v/rfl.* se ~ **1.** ⚕ verkalken; **2.** *fig.* erstarren.
sclérotique [sklerɔ'tik] **I** *adj.* ⚕ verhärtend, sklerotisch; **II** *f anat.* harte Augapfelhaut *f*, Sklerotika *f.*
scobine ⊕ [skɔ'bi:n] *f* Raspel *f.*
scolaire [skɔ'lɛ:r] **I** *adj.* Schul...; schulisch; *année f* ~ Schuljahr *n*; *établissement m* ~ Unterrichtanstalt *f*; *obligation f* ~ Schulpflicht *f*; **II** *néol. su.* Schüler *m*; **III** ⚠ *m* Schulbau(arbeit *f*) *m.*
scolaris|ation [skɔlariza'sjɔ̃] *f* Einschulung *f*; Schulbesuch *m*; **~er**

écol. [~'ze] *v/t.* (1a) einschulen; schulisch erfassen.
scolarité [skɔlari'te] *f* (gesamte) Schulzeit *f*; akademische Fachausbildung *f*.
scolastique *phil.* [skɔlas'tik] **I** *adj.* □ scholastisch; **II** *m* Scholastiker *m*; **III** *f* Scholastik *f*.
scoliose ⚕ [skɔ'ljo:z] *f* Skoliosis *f*, seitliche Rückgratsverkrümmung *f*.
scoliotique ⚕ [skɔljɔ'tik] *su.* an seitlicher Rückgratsverkrümmung Leidende(r) *m*.
scolopendre [skɔlɔ'pɑ̃:drə] *f* **1.** ⚘ Zungenfarn *m*, Hirschzunge *f*; **2.** *zo.* Tausenfüßler *m*.
scombre *icht.* ['skɔ̃:brə] *m* Makrele *f*.
sconse [skɔ̃:s] *m* Skunkspelz *m*.
scooter *Auto* [sku'tœ:r, ~'tɛ:r] *m* Motorroller *m*.
scootériste [skute'rist] *su.* Motorrollerfahrer *m*.
scope *abr.* [skɔp] *m* = *oscillo~* Leuchtschirm *m* (*Radar*).
scopie [skɔ'pi] *f* Durchleuchtung *f*.
scopitone [skɔpi'tɔn] *m* Musikbox *f* mit Bildschirm.
scorbut ⚕ [skɔr'byt] *m* Skorbut *m*, Mundfäule *f*; **~ique** ⚕ [~'tik] *adj.* skorbutkrank (*a. su.*).
score [skɔ:r] *m* **1.** *Sport*: Punktzahl *f*, Ergebnis *n*; **2.** *pol.* Stimmenanteil *m*.
scori|e [skɔ'ri] *f* (*mst. hochwertige*) Stahlschlacke *f*; *fig.* Schlacke *f*; *allg.* ~ *de coke* Koksschlacke *f*; ~ *volcanique* vulkanische Schlacke *f*; **~fication** [~rifikɑ'sjɔ̃] *f* Schlackenbildung *f*, Verschlackung *f*; **~fier** [~ri'fje] (1a) *v/t. u. v/rfl.* se ~ verschlacken.
scorpion *ent., ast.* [skɔr'pjɔ̃] *m* Skorpion *m*.
scorsonère ⚘ [skɔrsɔ'nɛ:r] *f* Schwarzwurzel *f*.
scotch [skɔtʃ] *m* **1.** *Whisky*: Scotch *m*; **2.** Tesafilm *m*.
scoumoune * [sku'mun] *f* dauerndes Pech *n*.
scout [skut] *m* Pfadfinder *m*; **~isme** [~'tism] *m* Pfadfinderbewegung *f*.
scraper ⊕ [skrɛ'pœ:r] *m* Löffelräumer *m*, Schrapper *m*.
scribe [skri:b] *m* **1.** (Ab-)Schreiber *m*; **2.** *rl.* Schriftgelehrte(r) *m*.
scribouillard F *péj.* [skribu'ja:r] *m* Schreiberling *m*.
script [skript] **I** *m* **1.** Blockschrift *f*; *écrire en ~* in Blockschrift schreiben; **2.** † Interimsschein *m*; **II** *f* = **~-girl** [~'gœrl] *f* Scriptgirl *n*, Filmateliersekretärin *f*.
scrofulaire ⚘ [skrɔfy'lɛ:r] *f* Braunwurz *f*.
scroful|e ⚕ [skrɔ'fyl] *f* Skrofulose *f*; *~s f/pl.* Skrofeln *f/pl.*; **~eux** [~'lø] *adj. u. su.* (7d) skrofulös; Drüsenkranke(r) *m*.
scrotocèle ⚕ [skrɔtɔ'sɛl] *m* Hodenbruch *m*.
scrotum *anat.* [skrɔ'tɔm] *m* Hodensack *m*.
scrupul|e [skry'pyl] *m* **1.** Skrupel *m*, Gewissensbiß *m*; Bedenken *n*; **2.** Gewissenhaftigkeit *f*; peinliche Genauigkeit *f*; **~eux** [~'lø] *adj.* (7d) gewissenhaft, sorgfältig; peinlich genau.
scrut|ateur [skryta'tœ:r] (7f) **I** *adj.* forschend; **II** *su.* Wahl-kommissar *m*, -leiter *m*, -vorsteher *m*, -prüfer *m*, Stimmensammler *m*; **~er** [~'te] *v/t.* (1a) (er-, aus-)forschen, gründlich untersuchen; *Horizont* mit den Augen absuchen; **~in** [~'tɛ̃] *m*: ~ (*secret*) geheime Abstimmung *f* (*od.* Wahl *f*); *dépouiller le ~* die Stimmzettel zählen; *voter au ~ secret* in geheimer Wahl abstimmen; *mode m de ~* Wahlsystem *n*; (*premier*) *tour m de ~* (erster) Wahlgang *m*; *~ de liste* Listenwahl *f*; *~ de ballotage* Stichwahl *f*; **~iner** [~ti'ne] *v/i.* (1a) abstimmen.
scull ⚓ *Sport* [skul] *m* Skuller *m*.
sculpt|er [skyl'te] *v/t.* (1a) ausschnitzen, in Holz (*od.* Stein) (aus-)hauen; skulptieren; *boiserie f sculptée* mit Schnitzwerk verzierte Holzbekleidung *f*; **~eur** [~'tœ:r] *m* Bildhauer *m*; *~ sur bois* Bildschnitzer *m*, Holzschnitzer *m*; **~ural** [~ty'ral] *adj.* (7) Bildhauer..., Schnitz...; *fig.* erhaben, bildschön; **~ure** [~'ty:r] *f* **1.** Bildhauerkunst *f*; **2.** Bildhauerarbeit *f*, Plastik *f*; **3.** Profil *n* (*Autoreifen*).
scutellaire ⚘ [skytɛ'lɛ:r] *f* Helmkraut *n*.
scutiforme [skyti'fɔrm] *adj.* schildförmig.
se, *vor Vokal u. stummen h*: **s'** [sə, s] *pr/p.* sich; einander.
séance [se'ɑ̃:s] *f* **1.** Sitzung *f*; Arbeitsperiode *f* (*Kurse*; *Tagung*); *salle f des ~s* Sitzungssaal *m*; *~ du conseil des ministres* Kabinettssitzung *f*; *~ plénière* Plenar-, Vollsitzung *f*; ⚕ *~ de rayons* Bestrahlung *f* (*als ärztliche Verordnung*); *peint. ~ de pose* Modellsitzen *n*; *~ d'entraînement*, *~ de gymnastique* Übungs-, Gymnastik-stunde *f*; **2.** *a. cin.* Vorstellung *f*, Darbietung *f*,

Veranstaltung *f*; **3.** *advt.* ~ *tenante* auf der Stelle, sofort.

séant [se'ɑ̃] **I** *adj.* (7) *fig. litt.* anständig, schicklich; **II** *m* Gesäß *n*; *se mettre* (*od. se dresser*) *sur son* ~ sich aufrichten.

seau [so] *m* (5b) Eimer *m*; ~ *à ordures* Mülleimer *m*; ~ *à charbons* Kohleneimer *m*; ~ *à glace*, ~ *à frapper* Weinkühler *m*, Eiskübel *m*; *il pleut à* ~*x* es regnet in Strömen.

sébacé [seba'se] *adj.* Talg...; *glandes f/pl.* ~*es* Talgdrüsen *f/pl.*

sébile [se'bil] *f* Holz-napf *m*, -schale *f* (*der Bettler*); Sammelbüchse *f*.

sébum *physiol.* [se'bɔm] *m* Talg *m*.

sec *m*, **sèche** *f* [sɛk, sɛʃ] **I** *adj.* □ **1.** trocken; ausgetrocknet; wasserlos, wasserarm; *Ast, Blatt*: dürr; *Haut, Haare*: spröde; *orage* ~ Gewitter *n* ohne Regen; *fig. avoir la gorge sèche* aufgeregt sein; F *faire cul* ~ ex trinken; **2.** getrocknet, gedörrt; *raisin m sec* Rosine *f*; **3.** hager; **4.** ohne weitere Zutat; *vin m sec* herber Wein *m*; **5.** *fig.* anmutslos, dürr; **6.** *fig.* kalt, lieblos, gefühllos; schroff, barsch, scharf, unverblümt; *parler sur un ton sec* unfreundlich sprechen; **7.** *fig. advt.* kräftig, heftig; *boire sec* tüchtig (F feste) trinken; *démarrer* ~ mit e-m Ruck an-, los-fahren; F *aussi* ~ gleich anschließend; **8.** *fig.* trocken; *style m sec* trockener Stil *m*; *Geräusch, Schlag*: kurz (und heftig); **II** *m le sec* **9.** das Trockene *n*, Trockenheit *f*; *à* ~ ausgetrocknet (*Brunnen*); F *fig. être à sec* auf dem trocknen sitzen, keinen Pfennig mehr haben; **10.** *au* ~ im Trocknen, trocken; *mettre un cheval au sec* ein Pferd auf Trockenfutter setzen.

séc|ante ⩓ [se'kɑ̃:t] *f* Sekante *f*; ~**ateur** ✓ [~ka'tœ:r] *m* Baum-, Hecken-schere *f*.

sécession *pol.* [sesɛ'sjɔ̃] *f* Trennung *f*, Abfall *m*; *guerre f de* ♀ Sezessionskrieg *m*; ~**niste** *pol.* [~sjɔ'nist] **I** *su.* Sezessionist *m*, Abtrünnige(r) *m*; **II** *adj.* abtrünnig.

séchage [se'ʃa:ʒ] *m* Trocknen *n*.

sèche[1] *icht.* [sɛʃ] *f* Tintenfisch *m*.

sèche[2] P [~] *f* Zigarette *f*, Stäbchen *n* P.

sèche-cheveux [sɛʃʃə'vø] *m/inv.* Haartrockner *m*.

sécher [se'ʃe] (1f) **I** *v/t.* (ab-, aus-) trocknen; *écol.* schwänzen; **II** *v/i.* **1.** trocken werden (*au soleil* in der Sonne); *faire* ~ trocknen; *faire* ~, *mettre à* ~ *du linge* Wäsche trocknen lassen; zum Trocknen aufhängen; **2.** vertrocknen; F versauern; auf dem trocknen sitzen; *fig.* vor Langeweile (*od.* vor Ungeduld) vergehen; **3.** *fig.* sich verzehren, sich innerlich aufreiben (*de dépit* vor Ärger); **4.** *écol.* keine Antwort wissen; ~ *à l'examen* gänzlich versagen; durchfallen.

séch|eresse [sɛʃ'rɛs] *f* **1.** Trockenheit *f*, Dürre *f*; **2.** Härte *f*; *fig.* Barschheit *f*, Gefühllosigkeit *f*; ~**erie** [sɛʃ'ri] *f* Trockenanlage *f*; ~**eur** ⊕ [se'ʃœ:r] *m* Trockenvorrichtung *f*, Trockner *m*; ~**euse** ⊕ [~'ʃø:z] *f* Trockenmaschine *f*; ~**oir** [~'ʃwa:r] *m* **1.** Trockenbrett *n*; Handtuchhalter *m*; *phot.* Trockenständer *m*; ⚡ ~ *électrique* Haartrockner *m*, Fön *m*; **2.** Trockenplatz *m*, -anlage *f*, -raum *m*; Bleiche *f*; ✓ Darre *f*.

second [s(ə)'gɔ̃] **I** *adj. u. adj./n.o.* (7) □ zweiter, zweite, zweites; ~*e clé* Nachschlüssel *m*; *en* ~ *lieu* an zweiter Stelle, zweitens; *épouser q. en* ~*es noces* j-n in zweiter Ehe heiraten; *les* ~*s rôles* die Nebenrollen *f/pl.*; *psych. être dans un état* ~ in e-m anormalen Zustand sein; **II** *m* **1.** ⚓ Maat *m*, Deck(unter)-offizier *m*; **2.** *Duell*: Sekundant *m*, Beistand *m*; **3.** zweiter Stock *m*; **4.** *advt. en* ~ an zweiter Stelle; *capitaine m en* ~ Hauptmann *m* zweiter Klasse.

secondaire [~'dɛ:r] **I** *adj.* □ sekundär, in zweiter Linie stehend, zweiten Ranges, nebensächlich; *écol.* Spezial...; Neben...; *enseignement m* ~ höherer (Schul-)Unterricht *m*; *école f* ~ höhere Schule *f*; *personnage m* ~ Nebenperson *f*; ♪ *partie f* ~ begleitende Stimme *f*; **II** *m* **1.** *écol.* Oberschulzweig *m*; **2.** ⚡ Sekundärspule *f*.

seconde [s(ə)'gɔ̃:d] *f* **1.** Sekunde *f*; *en une fraction de* ~ im Bruchteil e-r Sekunde (*auch fig.*); *fig.* Augenblick *m*, Moment *m*, Sekunde *f*; *une* ~*!* e-n Augenblick!; **2.** 🚂 Fahrkarte *f* zweiter Klasse; **3.** ✝ ~ *de change* Sekundawechsel *m*; **4.** *typ.* zweite Korrektur *f*; **5.** *Fr. écol.* Sekunda *f* (*fünftes Jahr im Lycée*); **6.** ♪ a) Sekunde *f*; b) Nebenton *m*; **7.** *Auto*: zweiter Gang *m*.

secondement [s(ə)gɔ̃d'mɑ̃] *adv.* zweitens.

seconder [~'de] *v/t.* (1a) **1.** ~ *q.* j-m

beistehen *od.* helfen; **2.** begünstigen, zu Hilfe kommen (*dat.*).

secouer [s(ə)'kwe] (1a) **I** *v/t.* **1.** rütteln, schütteln; ~ *(les cendres de) sa pipe* s-e Pfeife ausklopfen; ~ *la salade* den Salat zum Abtropfen schütteln; ~ *q. comme un prunier* j-n tüchtig beuteln; ~ *q. pour le réveiller* j-n wachrütteln; **2.** abschütteln, abstreifen; *fig.* ~ *le joug (ses chaînes)* das Joch (s-e Ketten) abwerfen; **3.** F *fig.* ~ *q.* j-n antreiben, auf Trab bringen F; F ~ *les puces à q.* j-n zusammenstauchen, j-m den Kopf waschen; **4.** ⚕ *fig.* ~ *q.* j-n angreifen, schwächen, mitnehmen (*v. e-r Krankheit*); erschüttern (*seelisch*); **II** *v/rfl.* **5.** se ~ *Hund*: sich schütteln; *Person*: sich rühren; sich zs.-reißen, sich zs.-nehmen.

secoueur ⊕ [s(ə)'kwœːr] *m*: ~ *à moteur* Motorrüttler *m*.

secour|able [s(ə)ku'rablə] *adj.* hilfreich, hilfsbereit; **~ir** [~'riːr] *v/t.* (2i): ~ *q.* j-m helfen, j-m zu Hilfe kommen, j-m beistehen; **~isme** [~'rism] *m* Unfallhilfe *f*, erste Hilfeleistung *f*; Kenntnis *f* auf dem Gebiet der Ersten Hilfe; **~iste** [~'rist] *su.* (Laien-)Helfer(in *f*) *m*, Sanitäter *m*, Rotkreuzhelfer *m*.

secours [s(ə)'kuːr] *m* **1.** Hilfe *f*, Beistand *m*; Unterstützung *f*, Fürsorge *f*; ~ *de chômage*, ~ *aux chômeurs* Arbeitslosenfürsorge *f*; ~ *aux sinistrés* Unfallhilfe *f*; ~ *en montagne* Bergwacht *f*; ~ *moral par téléphone* Telefonfürsorge *f*; *poste m de* ~ Rettungsstelle *f*, Unfallstation *f*; ⚔ Truppenverbandplatz *m*; *sortie f de* ~ Notausgang *m*; *(ac)courir (od. voler) au* ~ *de q.* j-m zu Hilfe eilen; *prêter* ~, *donner (du)* ~ *à q.* j-m Hilfe leisten; *demander (od. implorer) le* ~ *de q.* j-n um Hilfe bitten (*od.* anflehen); *au* ~*!* Hilfe!; *(société f de)* ~ *mutuels* Verein *m* zu gegenseitiger Unterstützung; **2.** *pl.* Hilfeleistungen *f/pl.*; ⚔ Hilfstruppen *f/pl.*, Entsatz *m*; ⚕ *premiers* ~ Erste Hilfe *f*.

secousse [s(ə)'kus] *f* **1.** Erschütterung *f*, Ruck *m*, Stoß *m*; ~ *tellurique*, ~ *sismique* Erdstoß *m*; *fig.* Schlag *m*, Schock *m*; ⚕ ~ *nerveuse* Nervenschock *m*; *advt. par* ~*s* stoß-, ruckweise; **2.** F *fig. il n'en fiche pas une* ~ er macht keinen Finger krumm F.

secret [s(ə)'krɛ] **I** *adj.* (7b) □ **1.** geheim, verborgen; *fin. fonds m* ~ Geheimfonds *m*; *police f secrète* Geheimpolizei *f*; **2.** verschwiegen; heimlich; **II** *m* **3.** Geheimnis *n*; ~ *des correspondances*, ~ *des lettres* Briefgeheimnis *n*; ~ *des communications téléphoniques* Fernsprechgeheimnis *n*; ~ *de fabrication* Fabrikationsgeheimnis *n*; ~ *de polichinelle* öffentliches Geheimnis *n*; *c'est un* ~ *de polichinelle* das pfeifen ja die Spatzen vom Dach; ~ *professionnel* Amts-, Berufs-, Betriebs-geheimnis *n*; *advt. dans le plus grand* ~ unter strengster Geheimhaltung, in größter Heimlichkeit; *il est du* ~ *od. dans le* ~ er ist in das Geheimnis eingeweiht; *ne pas être dans le* ~ *des dieux* nicht zu den Eingeweihten gehören; *faire un* ~ *de qch.* aus etw. ein Geheimnis machen; *mettre q. dans le* ~ j-n in ein Geheimnis einweihen; *en* ~ im geheimen, insgeheim, heimlich; **4.** geheimes Mittel *n*; Kunstgriff *m*; *le* ~ *de plaire* die Kunst zu gefallen; *avoir le* ~ *de qch.* hinter das Geheimnis e-r Sache gekommen sein; etw. sicher beherrschen, sich ausgezeichnet auf etw. (*acc.*) verstehen; **5.** Verschwiegenheit *f*; **6.** verborgener Ort *m*, Verborgenheit *f*; **7.** *cadenas m à* ~ Kombinationsschloß *n*; *le* ~ *d'un coffre-fort* die Zahlenkombination e-s Tresors.

secrét|aire [s(ə)kre'tɛːr] *m* **1.** Sekretär *m*, Schriftführer *m*, Schreiber *m*; ~ *d'État* Staatssekretär *m*; ~ *particulier (od. privé)* Privatsekretär *m*, Geheimschreiber *m*; **2.** Briefsteller *m*; **3.** Schreibschrank *m*, Sekretär *m*; **~ariat** [~ta'rja] *m* Sekretariat *n*, Büro *n*, Geschäftsstelle *f*.

secrètement [səkrɛt'mɑ̃] *adv.* im geheimen, heimlich, im stillen.

sécré|ter *physiol.* [sekre'te] *v/t.* (1f) absondern, ausscheiden; **~teur** [~'tœːr] *adj.* (7g) *od.* (7f) absondernd; **~tion** *physiol.* [~kre'sjɔ̃] *f* Ausscheidung *f*, Sekret *n*, Absonderung *f*; **~toire** [~'twaːr] *adj.* Absonderungs...

sectaire [sɛk'tɛːr] **I** *m* Sektierer *m*; *fig.* engstirniger Fanatiker *m*; **II** *adj.* sektiererisch; *fig.* fanatisch, intolerant, engstirnig.

sectarisme [~ta'rism] *m* Sektierertum *n*.

secte [sɛkt] *f* Sekte *f*.

sec|teur [sɛk'tœːr] *m* **1.** ⩓ Sektor *m*, Kreis-, Kugel-ausschnitt *m*; **2.** *adm.* Sektor *m*, Bezirk *m*; *allg.* Gegend *f*; ⚔ Sektor *m*, Frontabschnitt *m*; **3.** *fig.* Sektor *m*, Zweig *m*, Gebiet *n*; *éc.* Wirtschaftsbereich *m*; **4.** ⚡

Lichtleitung *f*, öffentliches Netz *n*; *rad. fonctionnant sur* ~ mit Netzanschluß; **5.** *for.* ~ *forestier* Forstrevier *n*; **~tion** [sɛk'sjɔ̃] *f* **1.** Durchschneidung *f*, Schnitt *m*; *point m de* ~ Schnittpunkt *m*; ~ *transversale* Querschnitt *m*; **2.** Abschnitt *m*; *tram.*, *Bus*: Teilstrecke *f*; **3.** Abteilung *f*; *Sport*, *gym.* Riege *f*; ⚔ Trupp *m*; Zug *m*; ~ *juridique* Rechtsabteilung *f*; ~ *radiotélégraphique*, ~ *des radiotélégraphistes* Funkerabteilung *f*; ~ *de repérage* (*lumineux od. aux lueurs* Licht-) Meßtrupp *m*; ~ *de repérage au* (*od. par le*) *son* Schallmeßtrupp *m*; ~ *topographique* Vermessungstrupp *m*; *chef m de* ~ ⚔ Zugführer *m*; 🚂 Stationsvorsteher *m*; **~tionner** [~ksjɔ'ne] (1a) **I** *v/t.* in verschiedene Abschnitte teilen; durch-schneiden, -trennen; **II** *v/rfl. se* ~ *en deux* in zwei Hälften zerteilt werden; **~toriel** *éc.*, *pol.* [~tɔ'rjɛl] *adj.* (7c) der einzelnen Wirtschaftsbereiche (*bzw.* Ressorts); **~torisation** ⚕, *psych.* [~tɔriza'sjɔ̃] *f* Einteilung *f* in verschiedene Behandlungsgruppen.

séculaire [seky'lɛ:r] *adj.* **1.** □ alle hundert Jahre eintretend; **2.** hundertjährig; uralt; **3.** ein Jahrhundert abschließend.

séculari|sation *rl.* [sekylariza'sjɔ̃] *f* Verweltlichung *f*; **~ser** *rl.* [~ri'ze] *v/t.* (1a) verweltlichen; *rl.* verstaatlichen; **~té** *rl.* [~ri'te] *f* weltlicher Stand *m*, weltliche Gerichtsbarkeit *f*.

séculier *rl.* [seky'lje] (7b) **I** *adj.* säkular, weltlich; *bras m* ~ weltliche Macht *f*; **II** *su.* Laie *m*.

secundo, *geschr.* 2° [s(ə)gɔ̃'do] *adv.* zweitens.

sécuriser [sekyri'ze] *v/t.* (1a) **1.** *fin.* sichern (*Kapital*); **2.** *fig.* in Sicherheit wiegen.

securit ⊕, *Auto* [səky'rit] *m* Sekurit *n*, splitterfreies Glas *n*.

sécurité [sekyri'te] *f* **1.** Sicherheit *f*; Sorglosigkeit *f*; *en toute* ~ in aller Ruhe; **2.** Sicherung(swesen *n*) *f*, Sicherheitsdienst *m*; ♀ *sociale* Sozialversicherung *f*.

séda|tif ⚕ [seda'tif] *adj.* (7e) schmerzstillend, beruhigend; *auch m*: schmerzstillendes Mittel *n*, Sedativ *n*; **~tion** [~da'sjɔ̃] *f* Schmerzlinderung *f*.

sédentaire [sedɑ̃'tɛ:r] *adj.* **1.** viel sitzend; *vie f* ~ sitzende Lebensweise *f*; **2.** wenig ausgehend, häuslich; **3.** seßhaft (*Volk*).

sédentar|isé [sedɑ̃tari'ze] *adj.* seßhaft geworden (*Volk*); **~iser** [~] *v/t.* (1a) seßhaft machen; **~ité** [~ri'te] *f* sitzende Lebensweise *f*.

sédiment [sedi'mɑ̃] *m a.* ⚗ Bodensatz *m*, Niederschlag *m*; Sediment *n*; *géol.* Ablagerung *f*; **~aire** [~mɑ̃'tɛ:r] *adj.* Flöz..., Ablagerungs...; Niederschlags...; **~ation** [~ta'sjɔ̃] *f* **1.** ⚕ Blutsenkung *f*; **2.** *géol.* Ablagerung *f*.

sédi|tieux [sedi'sjø] **I** *adj.* (7d) □ aufständisch; **II** *m* Aufständische(r) *m*; **~tion** [~'sjɔ̃] *f* Aufruhr *m*, Aufstand *m*.

séduc|teur [sedyk'tœ:r] (7f) **I** *adj.* verführerisch; **II** *su.* Verführer *m*; **~tion** [~dyk'sjɔ̃] *f* Verführung *f*; *fig.* Zauber *m*, Liebreiz *m*, Verlokkung *f*.

sédui|re [se'dɥi:r] *v/t.* (4c) **1.** verführen, verlocken, verleiten; **2.** *fig.* hinreißen, bezaubern, faszinieren; **~sant** [~dɥi'zɑ̃] *adj.* (7) verführerisch, verlockend, bezaubernd.

segment ⚗ [sɛg'mɑ̃] *m* Segment *n*, (Kreis-)Abschnitt *m*; *Auto*: ~ *de piston* Kolbenring *m*; ~ *de frein* Bremsbacke *f*; ~ *d'étanchéité* Dichtungsring *m*.

segment|aire [sɛgmɑ̃'tɛ:r] *adj.* mehrschnittig; **~ation** [~ta'sjɔ̃] *f* (Ein-)Teilung *f*; **~er** [~'te] *v/t.* (1a) in Abschnitte teilen.

ségrég|ation [segrega'sjɔ̃] *f* Absonderung *f*; ~ *raciale* Rassentrennung *f*; **~ationniste** [~gasjɔ'nist] *m* Vertreter *m* der Rassentrennung.

seiche [sɛʃ] *f* **1.** *icht.* Tintenfisch *m*; **2.** *géogr.* Seiche *f*, periodische Niveausenkung *f* von Binnenseen.

séide *péj.* [se'id] *m* fanatischer u. rücksichtsloser Anhänger *m*.

seigle ['sɛglə] *m* Roggen *m*; ~ *ergoté* Mutterkorn *n*.

seigneur [sɛ'ɲœ:r] *m* **1.** *hist.* (Lehns-, Landes-, Guts-)Herr *m*; **2.** *ehm.* vornehmer (*od.* adliger) Herr *m*; *z.T. noch heute*: Großgrundbesitzer *m*; *grand* ~ *ehm.* Standesherr *m*; *heute péj.* Junker *m*; *jouer au grand* ~ den großen Mann markieren (*od.* spielen); *vivre en* (*grand*) ~ in großem Stile leben; *prov. à tout* ~ *tout honneur* Ehre, dem Ehre gebührt!; **3.** *rl. le* ♀ der Herr, Gott *m*; **~ial** [~ɲœ'rjal] *adj.* (5c) herrschaftlich; *féod.* erb-, lehns-herrlich; *condition f* ~*e* Herrenstand *m*, Junkertum *n* (*oft péj.*); *domaine m* ~ Freiherrnsitz *m*; *château m* ~ Edelhof *m*; *terre f* ~*e* Rittergut *n*; **~ie** *ehm.*

[~ɲœ'ri] *f* **1.** Lehns-, Gutsherrlichkeit *f*; **2.** herrschaftliches Gut *n*; **3.** *Fr. ehm.*, *England*: *Votre* ≗ Eure Herrlichkeit *f*.

sein [sɛ̃] *m* **1.** (weibliche) Brust *f*; Busen *m*; *nourrir au* ~ stillen; **2.** *fig. das* Innere *n*, Mitte *f*; *vivre au* ~ *de sa famille* im Kreise seiner Familie leben; **3.** *fig.* Herz *n*; *presser q. sur son* ~ j-n an sein Herz drükken.

seine ⊕ [sɛ:n] *f* Schleppnetz *n*.

Seine *géogr.* [~] *f*: **la** ~ die Seine.

seing [sɛ̃] *m* Unterschrift *f*; *blanc* ~ Blankovollmacht *f*; ⚖ *sous-*~ *privé* Privatabmachung *f*.

séisme [se'ism] *m* Erdbeben *n*; *fig.* Erschütterung *f*.

seiz|e [sɛ:z] **I** *adj./n.c.* sechzehn; **II** *m* Sechzehn *f*; **~ième** [sɛ'zjɛ:m] **I** *adj./n.o.* sechzehnter; sechzehntel; **II** *su.* Sechzehnte(r, s); **III** *m* Sechzehntel *n*.

séjour [se'ʒu:r] *m* **1.** (Kur-, Erholungs-)Aufenthalt *m*; *taxe f de* ~ Kurtaxe *f*; *faire un* ~ *à la campagne* e-n Erholungsaufenthalt auf dem Land nehmen; **2.** Aufenthaltsort *m*, Wohnsitz *m*; **3.** *salle f de* ~ Wohnzimmer *n*; **~ner** [seʒur'ne] *v/i.* (1a) sich aufhalten, verweilen; Rast machen; *fig.* stehen (*Gewässer*).

sel [sɛl] *m* **1.** (Koch-)Salz *n*; ~ *fossile*, ~ *gemme* Steinsalz *n*; ~ *marin* Seesalz *n*; *mettre du* ~ salzen; **2.** *fig.* Würze *f*, feiner Witz *m*; **3.** ~*s pl.*: ~ *sels volatils* Riechsalz *n*; **4.** ⚗ ~ *ammoniac* Salmiak *m*; ~ *d'engrais*, ~ *de déblai*, ~ *nutritif* Dünge-, Abraum-, Nähr-salz *n*; ~ *excitateur* Erregersalz *n*; ~ *à base métallique* (*à base de cuivre*) Metall-, Kupfersalz *n*.

sélect F [se'lɛkt] *adj.* auserlesen, fein, vornehm.

sélec|teur ⊕ [selɛk'tœ:r] *m* **1.** Fußschalthebel *m* (*Motorrad*); **2.** Wählerknopf *m* (*z.B. Tonbandgerät*); **~tif** *rad.* [~'tif] *adj.* (7e) selektiv, trennscharf; **~tion** [~lɛk'sjɔ̃] *f* **1.** Auswahl *f*; Auslese *f*; ~ *naturelle* natürliche Auslese *f* (*bzw.* Zuchtwahl *f*); ~ *professionnelle* Eignungsuntersuchung *f*, -prüfung *f*; *Sport*: *match m de* ~ Ausscheidungsspiel *n*; *faire une* ~ e-e Auswahl treffen; **2.** *rad.* (*puissance f de*) ~ Selektivität *f*, Trennschärfe *f*; **~tionner** [~lɛksjɔ'ne] *v/t.* (1a) e-e Auslese treffen, auswählen; **~tivité** *rad.* [~lɛktivi'te] *f* Selektivität *f*.

sélé|nique ⚗ [sele'nik] *adj.* Selen...; **~nite** ⚗ [~'nit] *m* Selenit *n*.

sélénium ⚗ [~'njɔm] *m* Selen *n*.

séléno|graphie 🕮 [~nɔgra'fi] *f* Mondbeschreibung *f*; **~logue** [~'lɔg] *su.* Mondforscher *m*.

self *rad.* [sɛlf] *f* Spule *f*; (*bobine f de*) ~ Radiospule *f*; Selbstinduktionsspule *f*; ~ *en nid d'abeille*(*s*) Honigwabenspule *f*; ~ (*en*) *fond de panier* Korbspule *f*; ~ *d'accord*, ~ *de réaction* Abstimm-, Rückkoppelungs-spule *f*.

self-défense [sɛlfde'fɑ̃:s] *f* Selbstverteidigung *f*.

self-service [sɛlfsɛr'vis] *m* (6g) Selbstbedienungsrestaurant *n*.

selle [sɛl] *f* **1.** (*a. Fahrrad-, Motorrad-*) Sattel *m*; *cheval m de* ~ Reitpferd *n*; ~ *qui porte* passender Sattel *m*; *en* ~! auf den Sattel!; *se mettre en* ~ aufsitzen; **2.** ~*s f/pl.* Stuhlgang *m*; **3.** *cuis.* ~ *de mouton* Hammelrücken *m*; ~ *de chevreuil* Rehrücken *m*; **4.** ⊕ Schneidebank *f* des Böttchers; **5.** *mettre q. en* ~ j-m e-e Starthilfe (*fig.*) geben.

seller [sɛ'le] *v/t.* (1a) satteln.

sellerie [sɛl'ri] *f* **1.** Sattlerei *f*; **2.** Sattelzeug *n*; **3.** Sattlerarbeit *f*; **4.** Sattelkammer *f*.

sellette [sɛ'lɛt] *f* **1.** Schemel *m*; Hocker *m*; **2.** *fig.* F *être sur la* ~ im Blickfeld der Anklage stehen; im Gespräch sein; *tenir* (*od. mettre*) *q. sur la* ~ j-n scharf ausfragen; **3.** *a. sculp.* Sockel *m*; **4.** ⚠ Dachschemel *m* (*des Dachdeckers*).

sellier [sɛ'lje] *m* Sattler *m*.

selon [s(ə)'lɔ̃] **I** *prp.* gemäß (*dat.*); nach (*dat.*), zufolge (*dat.*); ~ *lui* s-r Meinung nach; *l'Évangile* ~ *saint Matthieu* das Evangelium Sankt Matthäi; F *c'est* ~ das kommt darauf an; **II** *cj.* ~ *que* je nachdem, so wie.

Seltz [sɛlts] *n/pr.*: *eau f de* ~ Selterswasser *n*.

semailles [s(ə)'mɑ:j] *f/pl.* **1.** Saat *f*, Säen *n*; *faire les* ~ die Saat bestellen; **2.** Aussaat *f*, Saatkorn *n*; **3.** Saatzeit *f*.

semain|e [s(ə)'mɛ:n] *f* **1.** Woche *f*; *fin f de* ~ Wochenende *n*; *jour m de* ~ Wochentag *m*; *thé. programme m de la* ~ Wochenprogramm *n*; ✝ ~ *de blanc* weiße Woche *f*; ~ *sainte* Stille Woche *f*, Karwoche *f*; ~ *de Pâques*, ~ *de la Pentecôte* Oster-, Pfingst-woche *f*; *un congé de trois* ~*s* ein dreiwöchiger Urlaub; *des* ~*s entières* wochenlang; *à la* ~ wöchentlich, wochenweise; *en* ~, *pendant la* ~ wochentags; ~ *de quarante heures* Vierzigstundenwoche *f*; F *fig. c'est ma* ~ *de bonté* ich habe heute meinen sozialen Tag F; **2.** Wochendienst *m*; *être de* ~ in dieser Woche Dienst haben; **3.** *à la petite* ~ engstirnig; *Politik*: kurzsichtig, ohne klares Konzept; **~ier** [~mɛ'nje] *su.* (7b) Terminkalender *m* (*mit wochenweiser Einteilung*).

sémantique *ling.* [semɑ̃'tik] **I** *f* Bedeutungslehre *f*, Semantik *f*, Semasiologie *f*; **II** *adj.* semantisch; *champ m* ~ Wortfeld *n*.

sémaphor|e [sema'fɔːr] *m* Signalstation *f*, -stelle *f*, -mast *m*, -stange *f*; 🚂 Ein-, Ausfahrts-signal *n*; **~ique** [~fɔ'rik] *adj.* semaphorisch, mit dem Signalmast; **~iste** [~'rist] *su.* Wärter *m* e-r Signalstelle.

sembl|able [sɑ̃'blablə] **I** *adj.* ähnlich, gleich; solch, derartig; *il ne s'est jamais rien vu de* ~ so etwas ist noch nicht dagewesen; *qui n'a pas son* ~ unvergleichlich; *semblablement adv.* auf ähnliche Weise; gleichfalls; **II** *m* Nächste(r) *m*, Mitmensch *m*; *son* ~ seinesgleichen; **~ant** [~'blɑ̃] *m* Schein *m*, Anschein *m*; *un* ~ *de ...* so etwas wie (ein) ...; *faux* ~ falscher Schein *m*; *faire* ~ *de* (*inf.*) *od. bei wechselndem Subjekt que* (*mit ind.*) so tun als ob ..., sich stellen als ob ...; *il fait* ~ er tut nur so; *ne faire* ~ *de rien* sich nichts anmerken lassen.

sembler [sɑ̃'ble] *v/i.* (1a) **1.** scheinen; *il semble être malade* er scheint krank zu sein; **2.** *v/imp.* (*à ce qu'*)*il semble* (wie) es scheint, anscheinend; *si bon vous semble* wenn es Ihnen beliebt, wenn Sie es für richtig halten; *que vous en semble?* was halten Sie davon?

semelle [s(ə)'mɛl] *f* **1.** (Schuh-)Sohle *f*; ~ *compensée* durchgehende Sohle *f*; ~ *intérieure* Brandsohle *f*; ~ *de feutre*, ~ *de liège* Filz-, Korksohle *f*; ~ *hygiénique*, *fausse* ~ Einlegesohle *f*; *souliers m/pl. à double* ~ doppelsohlige Schuhe *m/pl.*; ~ *de redressement*, ~ *orthopédique* Plattfuß-, Senkfuß-einlage *f*; ~ *en caoutchouc* Gummisohle *f*; *mettre des* ~*s à ...* besohlen; *fig. ne pas avancer d'une* ~ keinen Schritt vorwärts-, voran-kommen; *ne pas reculer d'une* ~ keinen Fußbreit zurückweichen; *ne pas quitter q. d'une* ~ j-m nicht von den Fersen weichen; *battre la* ~ mit den Füßen trampeln, um warm zu werden; **2.** ⊕ Schwelle *f*, Unterfläche *f*; **3.** *Auto*: ~ (*de frein*) Bremsbelag *m*; ~ *d'embrayage*, ~ *en asbeste* Kupplungs-, Asbest-belag *m*; **4.** * schwarzes Haschischplättchen *n*.

semence [s(ə)'mɑ̃ːs] *f* **1.** Samen *m*, Samenkorn *n*; *blé m de* ~ Saatgut *n*; **2.** *fig.* Keim *m*, Ursache *f*; **3.** ⚒ Blauzwecken *f/pl.*, *Sorte* kleine Nägel *m/pl.*; ~ *de diamants* Diamantsplitter *m/pl.*

semer [s(ə)'me] *v/t.* (1d) **1.** (aus-)säen; besäen (*de* mit *dat.*); *adjt. une route semée de pièges* e-e Straße voller böser Überraschungen; **2.** *fig.* ausstreuen, verbreiten, hervorrufen; stiften; ~ *de faux bruits* falsche Gerüchte verbreiten; **3.** F ~ *q.* sich j-n vom Halse schaffen, j-n abblitzen lassen; ~ *ses poursuivants* s-e Verfolger hinter sich lassen (*od.* abhängen).

semestr|e [s(ə)'mɛstrə] *m* Semester *n*, Halbjahr *n*; **~iel** [~stri'ɛl] *adj.* (7c) halbjährlich, alle 6 Monate; halbjährig, von 6 Monaten.

semeur [s(ə)'mœːr] *su.* (7g) Sämann *m*; *fig.* Ausstreuer *m*, Verbreiter *m*.

semeuse ⚘ [s(ə)'møːz] *f* Sämaschine *f*.

semi|-circulaire [s(ə)misirky'lɛːr] *adj.* halbkreisförmig; **~-finale** [~fi'nal] *f* (*pl.* ~*s*) *Sport*: Vorschlußrunde *f*; **~-fini** [~fi'ni] *adj.*: *produit* ~ Halbfabrikat *n*; **~-fluide** [~fly'id] *adj.* halbflüssig.

sémillant [semi'jɑ̃] *adj.* (7) äußerst lebhaft; aufgeweckt.

semi|-illettré [s(ə)miilɛ'tre] *su.* Halbgebildete(r) *m*; **~-mendicité** [~mɑ̃disi'te] *f* halbe Bettelei *f*; **~-mensuel** [~mɑ̃'sɥɛl] *adj.* halbmonatlich.

séminaire [semi'nɛːr] *m* **1.** (*bsd.* Priester-)Seminar *n*; **2.** Seminarkursus *m*.

séminal [semi'nal] *adj.* (5c) Samen...

séminariste [semina'rist] *su.* Seminarist *m*.

semi-officiel [s(ə)miɔfi'sjɛl] *adj.* (7c) halbamtlich, offiziös.

sémiologie [semjɔlɔ'ʒi] *f* **1.** *ling.* Zeichensprachenkunde *f*, Semasiologie *f*; **2.** ⚕ Semiologie *f*, Semiotik *f*, Symptomatologie *f*.

semi|-produit [s(ə)miprɔ'dɥi] *m* Halbfabrikat *n*; **~-remorque** *Auto* [~rə'mɔrk] *f* Sattelschleppanhänger *m*; **~-rigide** [~ri'ʒid] *adj.* halbstarr.

semis [s(ə)'mi] *m* **1.** Säen *n*; Aufziehen *n* von Pflanzen aus dem Samen; **2.** Samenbeet *n* (*v. Blumen od. Stauden*).

sémite [se'mit] **I** *adj.* jüdisch; **II** *su.* Semit *m*; *abus.* Jude *m*.

sémitique *ling.* [semi'tik] *adj.* semitisch.

sémitisme [semi'tism] *m* Semitentum *n*, *abus.* Judentum *n*.

semi-voyelle *ling.* [s(ə)mivwa'jɛl] *f* Halbvokal *m*.

semoir [s(ə)'mwa:r] *m* **1.** Sätuch *n*; **2.** Sämaschine *f*; ~ *en lignes* Drill-, Reihen-sämaschine *f*; ~ *à engrais* Düngerstreumaschine *f*.

semonce [s(ə)'mɔ̃:s] *f* **1.** Zurechtweisung *f*, Verweis *m*, Rüffel *m* F, Anranzer *m*; **2.** ⚓ Aufforderung *f* zum Hissen der Flagge.

semoule [s(ə)'mul] *f* Grieß *m*; *potage m à la* ~, F *une* ~ Fleischbrühe *f* mit Grieß.

sempiternel [sɑ̃pitɛr'nɛl] *adj.* (7c) □ ewig.

sénat *antiq.*, *pol.* [se'na] *m* Senat *m*; **~eur** [~'tœ:r] *m* Senator *m*; *elle allait son train de* ~ sie schritt würdevoll einher; **~orial** [~tɔ'rjal] *adj.* (5c) Senats..., senatorisch.

séné [se'ne] *m* **1.** ⚘ Sennesstrauch *m*; **2.** (*feuilles f/pl. de*) ~ Sennesblätter *n/pl.*

sénéchal *féod.* [sene'ʃal] *m* (5c) Seneschall *m*; Haushofmeister *m*.

séneçon ⚘ [sɛn'sɔ̃] *m* Kreuzkraut *n*; ~ *géant* (*od. commun*) gemeines Kreuzkraut *n*.

Sénégal *géogr.* [sene'gal] *m*: **le** ~ der Senegal; **2ais** [~'lɛ] *adj. u.* 2 *su.* (7) senegalesisch; Senegalese *m*.

sénescence ⚕ [sene'sɑ̃:s] *f* Altern *n*.

sénevé [sɛn've] *m* **1.** ⚘ Senf *m*; **2.** Senfsamen *m*.

sénil|e [se'nil] *adj.* senil, altersschwach, greisenhaft; Alters...; *gangrène f* ~ kalter Brand *m*; **~ité** [~li'te] *f* Senilität *f*, Altersschwäche *f*.

senior *Sport* [se'njɔ:r] *m* Senior *m*.

senne ⊕ [sɛn] *f* Schleppnetz *n*.

sens [sɑ̃:s; *in* ~ *dessus dessous u.* ~ *devant derrière*: sɑ̃; *vgl.* 6] *m* **1.** Sinn *m*; ~ *artistique* Kunstsinn *m*; ~ *auditif* Gehörsinn *m*; ~ *gustatif* Geschmackssinn *m*; ~ *moral* Gewissen *n*; ♪ ~ *de la mesure* ♪ Taktgefühl *n*; ~ *de l'odorat* Geruchssinn *m*; ~ *du toucher* Gefühlssinn *m*; ~ *visuel* Gesichtssinn *m*; *reprendre ses* ~ wieder zu sich kommen; **2.** ~ *pl.* Sinnlichkeit *f*; **3.** Verstand *m*, Vernunft *f*; *bon* ~ *od.* ~ *commun* gesunder Menschenverstand *m*, Klugheit *f*, Verständigkeit *f*, *fig.* Taktgefühl *n*; *être dans son bon* ~ bei Sinnen sein; F *cela n'a pas le* ~ *commun!* das ist ja Unsinn!; **4.** Meinung *f*; *à mon* ~ m-r Ansicht nach; *abonder dans le* ~ *de q.* j-m voll und ganz beipflichten; **5.** Bedeutung *f*; *à double* ~ doppelsinnig; ~ *figuré* bildliche Bedeutung *f*; ~ *général* allgemeiner Sinn *m*; *au* ~ *large du mot* in weiterem Sinne; *au* ~ *où je l'entends* in dem Sinne, wie ich es verstehe; ~ *propre* eigentlicher Sinn *m*; *en ce* ~ *que* in dem Sinne, daß; insofern, als; **6.** Richtung *f*; Seite *f*; *dans le* ~ *de la largeur* der Breite nach; *dans tous les* ~ nach allen Richtungen (hin), kreuz und quer, durcheinander; ~ *interdit* verbotene Fahrtrichtung *f*; ~ *unique* Einbahnstraße *f*; (*circulation f à*) ~ *giratoire* Kreisverkehr *m*; *advt.* ~ [sɑ̃] *dessus dessous* völlig durcheinander (*auch fig.*), das Unterste zuoberst; *tout est* ~ *dessus dessous auch* es geht alles drunter und drüber; *mettre tout* ~ *dessus dessous* alles auf den Kopf stellen; ~ *devant derrière* verkehrt.

sensass F [sɑ̃'sas] *adj./inv.* phantastisch, toll.

sensation [sɑ̃sɑ'sjɔ̃] *f* **1.** Empfinden *n*, (sinnliche) Empfindung *f*, Eindruck *m*; ~ *de bien-être* Wohlbehagen *n*; *éprouver une* ~ *de faim* ein Hungergefühl haben; **2.** *fig.* Sensation *f*, Aufsehen *n*; *faire* ~ Aufsehen erregen; **~nalisme** [~sasjɔna'lism] *m* Sensationshunger *m*; **~nel** [~sasjɔ'nɛl] *adj.* (7c) **1.** sensationell, aufsehenerregend; **2.** F toll, Klasse, phantastisch; *n'avoir rien de* ~ nicht besonders sein.

sensé [sɑ̃'se] *adj.* vernünftig.

sensibili|sateur *phot.* [sɑ̃sibiliza'tœ:r] **I** *adj.* lichtempfindlich machend; **II** *m* Mittel *n* zum Lichtempfindlichmachen; **~sation** *phot.* [~zɑ'sjɔ̃] *f* Lichtempfindlichmachen *n*; *fig.* ~ *de l'opinion publique* Gewinnen *n* der öffentlichen Meinung (*à. qch.* für etw.); **~ser** [~'ze] *v/t.* (1a) reizen, schüren; in Wallung bringen; *physiol.* empfindlich machen; *phot. das Papier* lichtempfindlich machen; *rad.* feiner einstellen; ~ *à qch.* auf etw. aufmerksam machen; *être très sensibilisé par qch.* durch etw. sehr hellhörig werden; **~té** [~'te] *f* **1.** Empfindungsvermögen *n*; **2.** Empfindlichkeit *f* (*a. phot. u. phys.*), Reizbarkeit *f*; *phot.* ~ *à la lumière* Lichtemp-

findlichkeit *f*; **3.** Mitgefühl *n*, Empfindsamkeit *f*.
sensible [sɑ̃'siblə] *adj.* **1.** □ sinnlich wahrnehmbar, merklich; **2.** fühlbar, empfindlich; **3.** empfindungsfähig; **4.** für Eindrücke empfänglich; reizbar; ~ *à l'amitié* für Freundschaft empfänglich; ~ *au froid* kälteempfindlich, empfindlich gegen Kälte; **5.** *phys. très* ~ hochempfindlich; *phot.* ~ *à la lumière* lichtempfindlich; **~rie** F [~blə'ri] *f* Gefühlsduselei *f*, falsche Sentimentalität *f*.
sensi|tif [sɑ̃si'tif] *adj.* (7e) empfindsam; **~tive** ⚘ [~'ti:v] *f* Mimose *f*, Sinnpflanze *f*; **~tivité** [~tivi'te] *f* Empfindungsvermögen *n*; **~tométrie** *phot.* [~tɔme'tri] *f* Sensitometrie *f*, Feststellung *f* der Empfindlichkeitsnorm *photographischer Papiere*.
sensori|el *psych.* [sɑ̃sɔ'rjɛl] *adj.* (7c) sensorisch, sensoriell, auf die Sinne bezüglich; **~-moteur** *psych.* [sɑ̃sɔrimɔ'tœ:r] *adj.* (7f) sensomotorisch; **~um** *psych.* [~sɔ'rjɔm] *m* (*ohne pl.*) Sensorium *n*, sensorisches Gehirnzentrum *n*.
sensuali|sme [sɑ̃sɥa'lism] *m* **1.** *phil.* Sensualismus *m*; **2.** Hang *m* zu sinnlichen Genüssen; **~ste** *phil.* [~'list] *adj. u. su.* sensualistisch; Sensualist *m*; **~té** [~'te] *f* Sinnlichkeit *f*, Sinnen-lust *f*, -reiz *m*.
sensuel [sɑ̃'sɥɛl] *adj.* (7c) □ *u. m* sinnlich(er Mensch *m*); wollüstig.
sente *dial.* [sɑ̃:t] *f* kleiner Pfad *m*; Schneise *f*.
senten|ce [sɑ̃'tɑ̃:s] *f* **1.** Aus-, Lehrspruch *m*, geflügeltes Wort *n*, Sentenz *f*; **2.** ⚖ Rechtsspruch *m*, Urteil *n*; **~cieux** [~tɑ̃'sjø] *adj.* (7d) schulmeisterlich, belehrend, lehrhaft, dozierend.
senteur [sɑ̃'tœ:r] *f* Wohlgeruch *m*; ⚘ *pois m de* ~ wohlriechende Wicke *f* (*Lathyrus*).
senti [sɑ̃'ti] *adj.*: *placer quelques mots bien* ~*s* ein paar passende Worte finden.
sentier [sɑ̃'tje] *m* Pfad *m*, Fußweg *m*; ~ *à mulet* Saumpfad *m*.
sentiment [sɑ̃ti'mɑ̃] *m* **1.** Gefühl *n*; Empfindung *f*, Empfindungsvermögen *n*; Bewußtsein *n*; ~ *de solidarité* Gemeinschafts-geist *m*, -gefühl *n*; ~ *d'infériorité* Minderwertigkeitsgefühl *n*; ~ *de l'honneur* Ehrgefühl *n*; F *la faire au* ~ es auf die weiche Tour versuchen F; F *faire du* ~ sentimental werden, in Gefühlen schwelgen; **2.** Meinung *f*, Ansicht *f*; *quel est votre* ~ *là-dessus?* was halten Sie davon?; ~ *de sa valeur personnelle* Selbstbewußtsein *n*.
sentimental [sɑ̃timɑ̃'tal] *adj.* (5c) □ sentimental, empfindsam; *déception f* ~*e* Liebesenttäuschung *f*; **~isme** *litt.* [~'lism] *m* sentimentale Dichtung *f*, Sentimentalität *f*; **~ité** [~li'te] *f* Sentimentalität *f*, Empfindsamkeit *f*; *péj.* Rührseligkeit *f*, Gefühlsduselei *f*.
sentine ⚓ [sɑ̃'ti:n] *f* unterster Schiffsraum *m*.
sentinelle ⚔ [sɑ̃ti'nɛl] *f* Wachposten *m*, Schildwache *f*; *être en* ~ Posten stehen.
sentir [sɑ̃'ti:r] (2b) **I** *v/t.* **1.** fühlen, empfinden; F *ne plus* ~ *ses jambes* (vor Müdigkeit) s-e Beine nicht mehr spüren; **2.** wahrnehmen, merken, einsehen; *faire* ~ *qch. à q.* j-m etw. zu verstehen geben; *vous sentez bien que* ... Sie können verstehen, daß ...; **3.** vorhersehen, ahnen; **4.** riechen; *fig. ne pouvoir* ~ *q.* j-n nicht ausstehen (*od.* nicht riechen F) können; ~ *qch.* nach etw. (*dat.*) riechen *od.* schmecken; e-n Nachgeschmack haben; *ici, cela sent le gaz* hier riecht es nach Gas; *cela sent le brûlé* das riecht angebrannt; *fig. ça sent le roussi* die Sache wird brenzlig; *la prononciation des Méridionaux sent toujours le terroir* die Aussprache der Südfranzosen verrät stets deren Heimat (*od.* ist unverkennbar); * ~ *le sapin* ein Todeskandidat sein; *ce vin sent le fût* [fy] dieser Wein schmeckt nach dem Faß; *ce cidre sent le pourri* dieser Apfelwein hat e-n fauligen Geschmack; **II** *v/i.* **5.** ~ (*bon, mauvais, fort* gut, schlecht, stark) riechen; **6.** übel riechen; **III** *v/rfl. se* ~: *se* ~ (*heureux*) sich (glücklich) fühlen; *se* ~ *des forces* Kräfte in sich fühlen; *se* ~ *de l'appétit* Appetit bekommen; *ne pas se* ~ *de joie* sich vor Freude nicht zu lassen wissen.
seoir [swa:r] *v/i.* (3k) (*nur in der 3. Pers. sg. u. pl. und p/pr. u. p/p.*) **1.** *fig.* stehen (*Kleid*); **2.** *v/impers.* sich schicken, sich gehören (*à q.* für j-n).
séoudien *géogr.* [seu'djɛ̃] (7c) **I** *adj. la capitale* ~*ne* die saudiarabische Hauptstadt; **II** ♀ *su.* Saudiaraber *m*.
Séoudite *géogr.* [seu'dit] *adj.*: *l'Arabie* ~ Saudi-Arabien *n*.
sépale ⚘ [se'pal] *m* Kelchblatt *n*.

sépara|ble [sepa'rablə] *adj.* (zer-) trennbar; **~teur** [~'tœ:r] **I** *adj.* (7f) trennend; *opt. pouvoir m ~* Trennschärfe *f*; **II** *m* ⊕, ⚗, ⚡ Abscheider *m*; Sichter *m*; *bét. ~ de graisse* Fettabscheider *m*; *phys. ~ magnétique* Magnetscheider *m*, Elektroscheider *m*; *~ de poussières* Staubabscheider *m*; **~tion** [~rɑ'sjɔ̃] *f* **1.** Trennung *f*, Absonderung *f*, Abzäunung *f*; **2.** Mißhelligkeit *f*; **3.** Scheide(wand *f*) *f*; Verschlag *m*; **4.** ⚖ *~ de corps* Scheidung *f* von Tisch u. Bett, Ehetrennung *f*; *~ de biens* Gütertrennung *f*; **~tisme** *pol.* [~'tism] *m* Separatismus *m*; **~tiste** *pol.* [~'tist] *adj. u. su.* separatistisch; Separatist *m*.

séparément [separe'mɑ̃] *adv.* getrennt, einzeln, jeder für sich.

séparer [sepa're] (1a) **I** *v/t.* **1.** trennen, absondern, ablösen; auseinanderbringen; *fig.* entzweien; *~ de corps* Ehegatten scheiden; *~ de biens* die eheliche Gütergemeinschaft aufheben; **2.** absondern, scheiden; **3.** *fig.* unterscheiden, trennen; **4.** teilen, abteilen; **II** *v/rfl. se ~ de q.* sich von j-m trennen (*od.* absondern); *se ~ a.* sich auflösen, auseinandergehen; *le fleuve se sépare en deux bras* der Fluß teilt sich in zwei Arme.

sépia [se'pja] *f* **1.** Tintenfischschwarz *n*, Sepiatusche *f*; **2.** Sepiazeichnung *f*.

sept [1. *alleinstehend oder vor e-m nicht zugehörigen Wort und vor Vokalen*: sɛt; 2. sɛ] *adj./n.c.* sieben.

septante *dial.* [sɛp'tɑ̃:t] *adj./n.c.* siebzig (*Belgien, Südfrankreich, franz. Schweiz*).

septembre [sɛp'tɑ̃:brə] *m* September *m*.

septembris|ades *hist.* [sɛptɑ̃bri'zad] *f/pl.* Septembermorde *m/pl.* (*1792*); **~eur** *hist.* [~'zœ:r] *m* Teilnehmer *m* an den Septembermorden.

septennal [sɛptɛ'nal] *adj.* (5c) siebenjährig; Siebenjahres...; **~ité** [~nali'te] *f* siebenjährige Dauer *f*.

septennat *Fr.* [sɛptɛ'na] *m*: *~ présidentiel* siebenjährige Regierungsdauer *f* des Präsidenten der Republik.

septentrional [sɛptɑ̃triɔ'nal] *adj.* (5c) nördlich.

septicémi|e ⚕ [sɛptise'mi] *f* Blutvergiftung *f*; **~que** [~'mik] *adj.* von e-r Blutvergiftung herrührend.

septième [sɛ'tjɛ:m] **I** *adj./n.o.* siebente(r, s); *septièmement adv.* siebentens; *le ~ art* die Filmkunst; *fig. être au ~ ciel* im siebenten Himmel sein, überglücklich sein; **II** *su.* Siebente(r, s); **III** *m* Siebentel *n*; **IV** *f* a) *Fr. écol.* fünfte Grundschulklasse *f*; b) ♪ Septime *f*.

septique ⚕ [sɛp'tik] *adj.* septisch, zerfressend, Fäulnis erregend; *fosse f ~* Klärgrube *f*.

septuagénaire [sɛptɥaʒe'nɛ:r] *adj.u. su.* siebzigjährig; Siebzigjährige(r) *m*.

septuor ♪ [sɛp'tɥɔ:r] *m* Septett *n*; siebenstimmiges Musikstück *n*.

septuple [sɛp'typlə] *adj.* siebenfach.

septupler [sɛpty'ple] (1a) **I** *v/t.* versiebenfachen; **II** *v/i.* sich versiebenfachen.

sépul|cral [sepyl'kral] *adj.* (5c) Grab..., Toten...; *fig. voix f ~e* Grabesstimme *f*; **~cre** [~'pylkrə] *m* Grab *n*, Grabstätte *f*; *le saint ~* das Heilige Grab; **~ture** [~'ty:r] *f* **1.** Bestattung *f*, Beerdigung *f*. Begräbnis *n*; **2.** Grab-stätte *f*, -gewölbe *n*.

séquelle [se'kɛl] *f* Folge(erscheinung *f*) *f e-r Krankheit usw.*; *les dernières ~s* die Nachwehen *f/pl. fig.*

séquenc|e *Kartenspiel, rl., cin., cyb.* [se'kɑ̃:s] *f* Sequenz *f*, Folge *f*; Bildfolge *f*; Ablauf *m*; **~eur** *cyb.* [~kɑ̃'sœ:r] *m* Ablaufsteuergerät *n*.

séquestr|ation [sekɛstrɑ'sjɔ̃] *f* **1.** ⚖ Beschlagnahmung *f*; Zwangsverwaltung *f*; **2.** Freiheitsberaubung *f*, Einsperrung *f*; **~e** [se'kɛstrə] *m* Zwangsverwaltung *f*; **~er** [~'tre] *v/t.* (1a) *etw.* mit Beschlag belegen; *~ q.* j-n widerrechtlich einsperren.

sequoia ⚘ [sekɔ'ja] *m* Mammutbaum *m*, Sequoia *f*, Wellingtonia *f*.

sérac *géol.* [se'rak] *m* Firnblock *m*.

sérail [se'raj] *m* **1.** Serail *n*, Palast *m* des Sultans; **2.** † Harem *m*.

séran ⊕ [se'rɑ̃] *m* Flachshechel (-maschine *f*) *f*; **~cer** ⊕ [~rɑ̃'se] *v/t.* (1k) hecheln.

séra|phin *rl.* [sera'fɛ̃] *m* Seraph *m*; **~phique** [~'fik] *adj.* engelhaft.

serbe [sɛrb] *adj. u.* 2 *su.* serbisch; Serbe *m*.

Serbie *ehm.* [sɛr'bi] *f*: **la ~** Serbien *n*.

serchoir * ⊕ [sɛr'ʃwa:r] *m* Schraubenzwinge *f*.

serein [s(ə)'rɛ̃] *adj.* (7) heiter, wolkenlos; *fig.* heiter, fröhlich, froh, ruhig, zufrieden, ausgeglichen; leidenschaftslos (*Kritik*).

sérénade ♪ [sere'nad] *f* Serenade *f*,

Abendständchen *n*, Nachtmusik *f*; F *fig.* Krach *m*, Spektakel *m*.
sérénissime [sereni'sim] *adj.*: *Votre Altesse* ♀ Euer Durchlaucht.
sérénité [sereni'te] *f* **1.** Heiterkeit *f*, Unbewölktheit *f* (*des Himmels*); Klarheit *f* (*der Luft*); **2.** *fig.* Heiterkeit *f*, Ruhe *f*, Ausgeglichenheit *f*.
séreux ⚕ [se'rø] *adj.* (7d) wässerig, serös (*bsd. vom Blut*).
serf *féod.* [sɛrf] *adj. u. su.* (7e) leibeigen; Leibeigene(r) *m*.
serfou|ette ⚒ [sɛr'fwɛt] *f* (Jät-) Hacke *f*; **~ir** ⚒ [~'fwiːr] *v/t.* (2a) behacken.
serge *text.* [sɛrʒ] *f* Serge *f*.
sergé *text.* [sɛr'ʒe] **I** *adj.* sergeähnlich; **II** *m* Köper *m*.
sergent [sɛr'ʒɑ̃] *m* Unteroffizier *m*; (~-)*fourrier* Quartiermacher *m*.
sergent|-chef ⚔ [~'ʃɛf] *m* (6a) Stabsunteroffizier *m*; **~-major** ⚔ [~ma'ʒɔːr] *m* (6a) Unteroffizier *m* als Rechnungsführer.
sergette *text.* [sɛr'ʒɛt] *f* leichter, dünner Sergettewollstoff *m*.
séricicole [serisi'kɔl] *adj.* Seidenzucht..., Seidenbau...
sériciculteur [~kyl'tœːr] *m* Seidenzüchter *m*; **~ture** [~'tyːr] *f* Seidenzucht *f*, -bau *m*.
sér|ie [se'ri] *f* **1.** Reihe(nfolge *f*) *f*, Serie *f*; Satz *m v. Schüsseln usw.*; *bsd.* ⊕ *en* ~ serienmäßig; *allg. hors* ~ außerplanmäßig, außergewöhnlich; *installation f* (*couplage m*, *montage m*) *en* ~ Serienschaltung *f*; *fabrication f en* ~ Serien-fabrikation *f*, -herstellung *f*; ~ *d'essais* Versuchsreihe *f*; **2.** Abteilung *f*, Klasse *f*; **3.** **~s** *f/pl.* Fortsetzungen *f/pl.* (*von Veröffentlichungen*); **~iel** ♪ [~'rjɛl] *adj.* (7c) seriell (*Musik*); **~ier** [se'rje] *v/t.* (1a) *Probleme* systematisch aufgliedern.
sérieusement [serjøz'mɑ̃] *adv.* ernsthaft; wirklich, tatsächlich.
sérieux [se'rjø] **I** *adj.* (7d) □ **1.** ernst (-haft, -lich); **2.** aufrichtig, wahrhaft; **3.** nachdrücklich, wichtig; **4.** bedenklich, gefährlich (*Krankheit*); **5.** ⚖ wirklich; **6.** groß, bedeutend; **7.** *Person*: a) zuverlässig, gewissenhaft; b) gesetzt, besonnen; fleißig; seriös; *Arbeit*: sorgfältig; **II** *m* Ernst *m*, Ernsthaftigkeit *f*, ernstes Wesen *n*; *prendre qch. au* ~ etw. ernst nehmen.
sérigraphie *typ.* [serigra'fi] *f* **1.** Siebdruck *m*; **2.** comicsähnliche Bilderserie *f*.
serin [s(ə)'rɛ̃] *m* **1.** *orn.* Kanarienvogel *m*; Zeisig *m*; **2.** F Dummkopf *m*; **~er** [s(ə)ri'ne] *v/t.* (1a) **1.** ~ *un air à un oiseau* e-m Vogel ein Lied vorpfeifen; **2.** *écol.* ~ *qch. à q.* j-m etw. einpauken; **~ette** [~'nɛt] *f* † Vogelorgel *f*.
seringa(t) ♀ [s(ə)rɛ̃'ga] *m* Pfeifenstrauch *m*; ~ *odorant* wilder Jasmin *m*.
serin|gue [s(ə)'rɛ̃ːg] *f* ⚕ *u.* ⚒: kleine Spritze *f*; ~ *à lavement* Klistierspritze *f*; **~guer** [~rɛ̃'ge] *v/t.* (1m) ⚕ ein-, ⚒ be-spritzen; ~ *une plaie* e-e Wunde ausspritzen.
serment [sɛr'mɑ̃] *m* Schwur *m*, Eid *m*, Eidschwur *m*; *féod.* ~ *d'allégeance* Lehnseid *m*; ~ *de fidélité* (*d'obéissance*) Eid *m* der Treue (des Gehorsams); ~ *professionnel* Diensteid *m*; ~ *d'entrée en charge* Amtseid *m*; ~ *d'ivrogne* leere Versprechungen *f/pl.*; *affirmer* (*od. déclarer*) *sous* ~ (*od. sous la foi du* ~) eidlich versichern (*od.* erklären); *faire* (*od. prêter*) ~, *prononcer un* ~ schwören, e-n Eid leisten; *faire prêter* ~ *à q.* j-n vereidigen, j-m den Eid abnehmen; *trahir od. violer un* ~ e-n Eid brechen; *sous* (*od. par*) ~ unter Eid, eidlich.
sermon [sɛr'mɔ̃] *m* **1.** Predigt *f*, Kanzelrede *f*; *rl.* ♀ *sur la Montagne* Bergpredigt *f*; **2.** *péj.* Moralpredigt *f*, Standpauke *f*; **~naire** [~mɔ'nɛːr] **I** *m* **1.** Predigtbuch *n*; **2.** *litt.* Verfasser *m* von Kanzelreden; **II** *adj.* Predigt...; **~ner** [~'ne] *v/t.* (1a) **1.** ~ *q.* j-m e-e Strafpredigt halten, j-n abkanzeln; **2.** F predigen; **~neur** [~'nœːr] *adj. u. su.* (7g) strafend, nörgelnd; Moralprediger *m*, Nörgler *m*; Kritikaster *m*.
séroréaction ⚕ [serɔreak'sjɔ̃] *f* Blutserumprobe *f*.
séro|sité [serozi'te] *f* Serum *n*, Blutflüssigkeit *f*; **~thérapie** ⚕ [~tera'pi] *f* Serumtherapie *f*.
serpe [sɛrp] *f* Gartenmesser *n*, Hippe *f*.
serpent [sɛr'pɑ̃] *m* **1.** Schlange *f*; ~ *à lunettes* Brillenschlange *f*; ~ *à sonnettes* Klapperschlange *f*; ~ *aquatique od. de mer* Seeschlange *f*; **2.** *fig. pol., fin.* (*EG*) ~ (*communautaire*) „Schlange" *f* des europäischen Währungsblocks, Währungsschlange *f*.
serpent|aire [sɛrpɑ̃'tɛːr] **I** *orn. m* Stelzengeier *m*, Sekretär *m*; **II** ♀ *f* Schlangenkraut *n*, Drachenwurz *f*; **~e** ✝ [~'pɑ̃ːt] *f*: (*papier m*) ~ Schlangenpapier *n*; **~eau** [~'to] *m*

(5b) **1.** junge Schlange *f*; **2.** *Feuerwerk*: Schwärmer *m*; **~er** [~'te] *v/i.* (1a) sich schlängeln; **~eur** ⊕ [~'tœ:r] *m* Umwalzer *m*; **~in** [~'tɛ̃] **I** *adj.* (7) **1.** schlangenartig; Schlangen...; **II** *m* **2.** ⊕ Schlangenrohr *n*; Kühl-, Heiz-schlange *f*; **3.** Papierschlange *f*; **~ine** [~'ti:n] *f* **1.** *min.* Schlangenstein *m*; **2.** ⚘ Schlangenkraut *n*, Drachenwurz *f*.

serpette [sɛr'pɛt] *f* kleines Garten-, Winzer-messer *n*.

serpigineux ⚕ [sɛrpiʒi'nø] *adj.* (7d) weiterfressend (*Hautkrankheit*).

serpillière [sɛrpi'jɛ:r] *f* Scheuerlappen *m*, Aufwischlappen *m*.

serpolet ⚘ [sɛrpɔ'lɛ] *m* Feldthymian *m*, Quendel *m*.

serrage ⊕ [sɛ'ra:ʒ] *m* Drücken *n*, Pressen *n*, Spannen *n*, Klemmen *n*; △ Einspannen *n*.

serre[1] [sɛ:r] *f* Gewächshaus *n*; ~ *chaude* Treibhaus *n*.

serre[2] [~] *f* **1.** (Zusammen-)Pressen *n*; Keltern *n*; **2.** Klaue *f*, Kralle *f* *der Raubvögel.*

serré [sɛ're] *adj.* **1.** dicht; eng; **2.** *fig.* knapp, konzis; streng (*Logik*); heftig; stark; vorsichtig (*Spiel*).

serre|-câble ⊕ [sɛr'kɑ:blə] *m* Kabelabfangung *f*; **~-file** [~'fil] *m* (6g) ⚔ Schlußreihe *f*; schließender (Unter-)Offizier *m*; ⚓ letztes Schiff *n* *e-r Reihe*; **~-fils** ⚡ [~'fil] *m* (6c) Klemme *f*; **~-frein**(s) 🚂 [~'frɛ̃] *m* (6c) Bremser *m*; **~-joint**(s) ⊕ [~'ʒwɛ̃] *m* (6c) Tischlerzwinge *f*; **~-livres** [~'li:vrə] *m* (6c) Bücherstütze *f*.

serrement [sɛr'mɑ̃] *m* Druck *m*; ~ *de mains* Händedruck *m*; *fig.* ~ *de cœur* Bedrücktheit *f*; Herzbeklemmung *f*.

serrer [sɛ're] (1b) **I** *v/t.* **1.** ~ (*sous clef*) verschließen, verwahren; **2.** drücken, pressen, (ein)klemmen; *Kleidungsstück* ~ *q.* j-m zu eng sein; ~ *q. à la gorge* j-m die Kehle zudrücken; ~ *q. dans ses bras*, ~ *q. contre son cœur* j-n in s-e Arme schließen, j-n ans Herz drücken; ~ *la main à q.* j-m die Hand drücken; ~ *les dents* die Zähne zusammenbeißen; ~ *les lèvres* die Lippen zusammenkneifen; F *fig.* ~ *les fesses* Angst, F Schiß haben; *ces souliers me serrent* diese Schuhe drücken; ~ *les éperons* beide Sporen einsetzen; **3.** straff(er) anziehen, zusammenschnüren; fester schnallen; *cela serre le cœur* das schnürt einem das Herz zusammen; ~ *le frein* bremsen; ~ *un nœud* einen Knoten fester anziehen; ~ *un cycliste contre le trottoir* e-n Radfahrer gegen den Gehweg drängen; ~ *q. de près* j-n hart bedrängen, in die Enge treiben; ~ *un texte de près* sich eng an e-n Text halten, e-n Text wörtlich übersetzen; ~ *une ville* e-e Stadt eng einschließen; *être serrés comme des harengs* wie Heringe zusammengepfercht sein; **4.** zusammendrängen, dichter zusammenfügen; ⚔ ~ *les files* die Glieder (auf-) schließen; *serrez* (*les rangs*)! aufgeschlossen!; **5.** ~ (*la vis*) ein-, an-, zu-schrauben; fest anziehen; **6.** ~ *les voiles* die Segel festmachen; **7.** ~ *qch.* dicht an etw. (*dat.*) (entlang)gehen, (-)fahren; **II** *v/i.* **8.** *Auto*: ~ *à droite* sich rechts einordnen, nach rechts halten; **III** *v/rfl.* *se* ~ **9.** sich drängen; zusammenrücken; sich aneinanderkauern; **10.** *le cœur se serre* man bekommt Herzbeklemmungen.

serre-tête [sɛr'tɛt] *m* (6c) **1.** Pudelmütze *f*; **2.** *téléph.* Kopfhörerbügel *m*; **3.** Stirnband *n*.

serru|re [sɛ'ry:r] *f* (Tür-)Schloß *n*; ~ *secrète* Kombinations-, Buchstaben-schloß *n*; ~ *à demi-tour*, ~ *à houssette*, ~ *de sûreté*, ~ *à mortaise*, ~ *à ressort* Schnappschloß *n*; *brouiller une* ~ ein Schloß verdrehen; **~rerie** [sɛryr'ri] *f* **1.** Schlosserei *f*, Schlosserhandwerk *n*; *atelier m de* ~ Schlosserwerkstatt *f*; **2.** Schlosserarbeit *f*; **~rier** [sɛry'rje] *m* Schlosser *m*.

sert|e ⊕ [sɛrt] *f* Fassen *n*, Fassung *f* *e-s Edelsteins*; **~ir** ⊕ [~'ti:r] *v/t.* (2a) einfassen; **~issage** [~ti'sa:ʒ] *m* Einfassen *n e-s Edelsteins*; Crimpen *n*; **~isseur** [~ti'sœ:r] *m* (Edelstein-) Fasser *m*; **~issure** [~ti'sy:r] *f* Fassung *f e-s Edelsteins.*

sérum ⚕ [se'rɔm] *m* Serum *n*; ~ *antidiphtérique* Diphtherieserum *n*; ~ *antitétanique* Tetanusserum *n*; ~ *antitoxique* Heilserum *n*; ~ *du lait* Molke *f*, Milchserum *n*.

servage [sɛr'va:ʒ] *m hist.* Leibeigenschaft *f*, Hörigkeit *f*; *allg.* Knechtschaft *f*.

serval *zo.* [sɛr'val] *m* (*pl.* ~s) Pardel-, Busch-, Tiger-katze *f*.

servant [sɛr'vɑ̃] **I** *adj./m* dienend; *rl. frère m* ~ Laienbruder *m*; **II** *m* **1.** *rl.* ~ *de messe* Ministrant *m*; **2.** a) *Tennis*: Aufgebende(r) *m*; b) *Kricket*: Einschenker *m*; **3.** ⚔ Bedienungsmann *m* (*e-s Geschützes*); **~s**

pl. ⚔ Bedienungsmannschaft *f*; ✈ Bodenpersonal *n*; **4.** *Computer*: Operator *m*; ~*s m/pl.* Bedienungspersonal *n*; **~e** [~'vɑ̃:t] *f* **1.** † Dienstmädchen *n*; **2.** Anrichte *f*, Serviertisch *m*; **3.** ⊕ Stütze *f*; ~ *d'un timon* Deichselstütze *f*.

serveur [sɛr'vœ:r] *m* **1.** *Sport*: Balljunge *m*; **2.** Servierer *m* (*bei Tisch*); Kellner *m* (*a. im Zug*).

serveuse [sɛr'vø:z] *f* Kellnerin *f*.

servia|bilité [sɛrvjabili'te] *f* Hilfsbereitschaft *f*, Gefälligkeit *f*, Zuvorkommenheit *f*; **~ble** [~'vjablə] *adj.* hilfsbereit, gefällig, zuvorkommend, entgegenkommend.

service [sɛr'vis] *m* **1.** Dienst *m*, Bedienung *f*, Aufwartung *f*; Bedienungsgeld *n*; Dienerschaft *f*; ~ *compris* Trinkgeld mit einbegriffen; ~ *des écuries* Stalldienst *m*; *escalier m de* ~ Treppe *f* für das Dienstpersonal; ~ *de l'État* Staatsdienst *m*; ~ *militaire* Wehrpflicht *f*; ~ *actif* Dienstpflicht *f* im stehenden Heer; ~ *militaire obligatoire* allgemeine Wehrpflicht *f*; *de* ~ diensthabend; **2.** ~*s pl. dem Staat geleistete* Dienstzeit *f*; **3.** Dienst(leistung *f*) *m*, Gefälligkeit *f*, Gefallen *m*, Unterstützung *f*; ⊕ ~ *utile* Lebensdauer *f*; *écol.* ~ *médical scolaire* schulärztliche Betreuung *f*; ~ *médical de nuit* Nachtdienst *m*; ~ *auxiliaire*, ~ *de secours* Hilfsdienst *m*; ~ *du travail volontaire* (*obligatoire*) freiwilliger Arbeitsdienst *m* (Arbeitsdienstpflicht *f*); ✝ ~ *rapide* Eil- *od.* Schnell-dienst *m der Warenhäuser*; ~ *après vente* Kundendienst *m*; ~ (*postal*) *aérien* Luftpostdienst *m*; ~ *de balisage et de signalisation* (*pour l'aviation*) Flugsicherungsdienst *m*; *téléph.* ~ *automatique* Selbstanschluß *m*; *Auto*: ~ *de raccordement* Zubringerdienst *m*; ~ *de dépannage* Auto(hilfs)dienst *m*; ~ *du public* Abfertigung *f* (*am Schalter*); ~ *de prêt(s) de livres* Buchverleih *m*; ~ *de (la) surveillance* Überwachungsdienst *m*; ~ *de santé*, ~ *d'hygiène*, ~ *d'ordre* Sanitäts-, Gesundheits-, Ordnungs-dienst *m*; ~ (*de l'enlèvement*) *des ordures*, *weitS.* ~ *de la voirie* (*municipale* städtische) Müllabfuhr *f*; ~ *des dettes*, ~ *des intérêts*, ~ *des transferts* Schulden-, Zinsen-, Transfer-dienst *m*; ~ *des sentinelles* Postendienst *m*; *apte au* ~ (*militaire* wehr)diensttauglich; *apte au* ~ *armé* kriegsverwendungsfähig; *rendre un* ~ *à q.* j-m e-n Gefallen tun; *aimer rendre* ~ gern gefällig sein; *j'ai un* ~ *à vous demander* ich habe e-e Bitte an Sie; *je suis à votre* ~ ich stehe Ihnen zu Diensten; *qu'y a-t-il pour votre* ~? womit kann ich Ihnen dienen?; *à votre* ~! bitte sehr! (*als Antwort auf e-e Bitte*); *se passer* (*od. se priver*) *des* ~*s de q.* auf j-s Dienste verzichten; **4.** Verwaltung *f*, Dienststelle *f*, Abteilung *f*, Amt *n*; Dienstzweig *m*; Station *f e-s Krankenhauses*; *chef m de* ~ Abteilungsleiter *m*; ~*s publics* Verwaltungszweige *m/pl.*; ~ *de l'emploi* Arbeits-amt *n*, -behörde *f*; *le* ~ *de l'intendance* das Intendanturwesen; ~ *des transports* (*par chemins de fer* Eisenbahn-)Verkehrswesen *n*; ~ *des prix* Preisstelle *f*; *oft pl.*: ~*s m/pl. de télévision* Fernsehabteilung *f*; *at.* ~ *de contrôle de la radioactivité* Strahlungsschutz *m*; ~ *météorologique* Wetterdienst(stelle *f*) *m*; ~ *de liquidation* Abwicklungsstelle *f*; ~ *d'hygiène* Gesundheitsamt *n*; ~ *de publicité* Werbeabteilung *f*; ~ *des achats* Einkaufsabteilung *f*; ~ *de comptabilité* Rechnungsstelle *f*; ~ *des titres* (*et coupons*) Effektenabteilung *f*; ~ *des valeurs minières* Kuxenabteilung *f*; ~ *des renseignements* Nachrichtenwesen *n*; ~ *des transports* Transportwesen *n*; ~ *de santé* Gesundheitsfürsorge *f*; ~ *postal* Postbetrieb *m*; ~ *d'orientation professionnelle* Berufsberatungsstelle *f*; ~ *vicinal* Straßenbauamt *n*; **5.** ~ *aérien* Luftverkehr *m*; ~ *aérien nocturne* Nacht-Luftverkehr *m*; ~ *de(s) chèques* (*postaux* Post-) Scheckverkehr *m*; ~ *des comptes-courants* Kontokorrentverkehr *m*; ~ *de navettes* Pendelverkehr *m*; *téléph.* ~ *urbain* Ortsverkehr *m*; ~ *interurbain* Fernverkehr *m*; ~ *de(s) navires* Schiffsverkehr *m*; ~ *des autobus postaux* Kraftpostverkehr *m*; **6.** *rl.* Verehrung *f* der Gottheit; ~ *divin* Gottesdienst *m*; **7.** Brauchbarkeit *f*; *rendre de bons, grands* ~*s à q.* j-m gute Dienste leisten, tun; j-m viel nützen; **8.** ~ (*de table*) Tafelservice *n*, Tischgeschirr *n*; Gedeck *n*; ~ *à thé* (*à café*) Tee-(Kaffee-)geschirr *n*; ~ *de fumeurs* Rauchservice *n*; **9.** *cuis.* Gang *m* (*von Gerichten*); **10.** ⚓ *pont m de* ~ Laufbrücke *f*; **11.** *Tennis*: Aufschlag *m*; *avoir un* ~ *raide* hart spielen.

serviette [sɛr'vjɛt] *f* **1.** Serviette *f*, Mundtuch *n*; **2.** Handtuch *n*; ~

(*éponge*) Badelaken *n*; ~ *éponge* Frottierhandtuch *n*; **3.** ⚕ ~ *hygiénique* Damenbinde *f*; **4.** Aktentasche *f*, Mappe *f*.

servi|le [sɛr'vil] *adj.* □ **1.** sklavisch, unfrei; dienerhaft; **2.** *fig.* kriecherisch, unterwürfig; **~lité** [~li'te] *f* Kriechertum *n*, Untertanengeist *m*, Unterwürfigkeit *f*.

servir [sɛr'viːr] (2b) **I** *v/t.* **1.** ~ *q.* j-m dienen; *fig. être servi par les circonstances* von den Umständen begünstigt werden; **2.** ~ *q.* bei j-m dienen, in j-s Dienst(en) stehen, j-n bedienen; ~ *une pièce de canon* ein Geschütz bedienen; ~ *le public* das Publikum *an e-m Schalter usw.* abfertigen; *prov. on n'est jamais si bien servi que par soi-même* selbst ist der Mann; **3.** ~ *q.* j-m Dienste erweisen, sich j-m gefällig zeigen; **4.** servieren, auftragen; *une table bien servie* ein gut gedeckter Tisch *m*; ~ *à boire à q.* j-m einschenken; *le dîner est servi od. madame est servie (monsieur est servi)* das Essen steht auf dem Tisch; ~ *toujours les mêmes histoires* immer dieselben Geschichten auftischen; **5.** ~ *une maison* die Lieferungen für ein Haus besorgen; für ein Haus arbeiten (*v. Handwerkern*); **6.** ~ *une rente* eine Rente auszahlen; **7.** * a) töten, kaltmachen; b) erwischen; c) verpfeifen; **II** *v/i.* **8.** dienen; *prêt à* ~ dienstwillig; **9.** ⚔ dienen, Soldat sein, Kriegsdienst tun; ~ *sur mer* (~ *dans l'infanterie*) zur See (bei der Infanterie) dienen; **10.** brauchbar sein, nützen; **11.** ~ *à qch.* zu etw. (*dat.*) nützen *od.* dienen; *à quoi cela sert-il?* was hat das für e-n Zweck?; *cela ne sert à* (*od.* de [*vgl.* 12]) *rien* das hilft gar nichts, das ist vollkommen zwecklos; **12.** ~ *de qch.* als etw. dienen, die Stelle von etw. (*dat.*) vertreten; ~ *de prétexte* zum Vorwand dienen; *prov. rien ne sert de courir, il faut partir à point* rennen ist zwecklos (*od.* sinnlos), man muß rechtzeitig losgehen; **13.** *Tennis*: geben, aufschlagen; **III** *v/rfl.* se ~ **14.** sich bedienen; *servez-vous!* bedienen Sie sich!, langen Sie zu!; **15.** se ~ *de qch.* etw. benutzen, etw. gebrauchen.

servi|teur [sɛrvi'tœːr] *m* Diener *m*; *fidèle* ~ treuer Diener *m*; ~ *de l'État* Staatsdiener *m*; **~tude** [~'tyd] *f* **1.** Knechtschaft *f*, Sklaverei *f*; **2.** Abhängigkeit *f*, *a.* ~*s pl.* Zwang *m*; **3.** Dienstbarkeit *f*; *emplois m/pl. de* ~ Dienstleistungen *f/pl.*; ~ *foncière* Grunddienstbarkeit *f*; **4.** a) ✈ Bedienungsvorrichtungen *f/pl.*; b) ⊕ Vorrichtungen *f/pl.*; c) ⊕ Arbeitsgänge *m/pl. e-r Maschine.*

servo|-commande ⊕ [sɛrvɔkɔ'mãːd] *f* Servoantrieb *m*; **~-contrôle** ⊕ [~kɔ̃'troːl] *m*: ~ *automatique* automatische Servokontrolle *f*; **~-frein** ⊕ [~'frɛ̃] *m* (6g) Servobremse *f*, Ausgleichsbremse *f*, servohydraulische Bremse *f*; ~ *à dépression* Unterdruck-, Saugluftbremse *f*; **~-mécanisme** ⊕ [~meka'nism] *m* Servo-mechanismus *m*, -mechanik *f*; **~-moteur** ⊕ [~mɔ'tœːr] *m* Servo-, Stell-motor *m*.

ses [se, *thé.* sɛ] *pl. v. son, sa.*

SES [ɛse'ɛs] *m abr. für service m électrique et de signalisation* Stellwerk *n* (*U-Bahn usw.*).

sessile ⚘ [sɛ'sil] *adj.* ungestielt.

session [sɛ'sjɔ̃] *f* **1.** Sitzungsperiode *f*; **2.** Sitzung *f*; ~ *du conseil des ministres* Kabinettssitzung *f*; **3.** Prüfungszeitraum *m*.

set [sɛt] *m* **1.** *Sport* Satz *m* (*Tennis*); **2.** *cin.* Szenenaufbau *m*; Aufnahmeraum *m*; **3.** ~ (*de table*) Set *n od. m.*

séteux [se'tø] *adj.* (7d) borstig.

sétiforme [seti'fɔrm] *adj.* borstenförmig.

séton [se'tɔ̃] *m* **1.** *chir.* Eiterband *n* (*zur Erregung e-r Entzündung*); **2.** Ableitungsgeschwür *n*; Fontanelle *f* (*künstliches Hautgeschwür*); **3.** *blessure f en* ~ kanalförmige Wunde *f* (*unter der Haut*).

seuil [sœj] *m* **1.** (Tür-)Schwelle *f*; *fig.* ⚔ ~ *atomique* Atomschwelle *f*; *éc.* ~ *de crise* Krisenschwelle *f*; *physiol., pol.* ~ *d'excitation* Reizschwelle *f*; **2.** *fig.* Schwelle *f*, Anfang *m*; **3.** *géol.* Landstufe *f*; **4.** ⚓ unterseeische Schwelle *f*.

seul [sœl] *adj.* □ allein; einzig, alleinig; bloß; nur; alleinstehend; *lui* ~ *peut vous aider* er allein kann Ihnen helfen; ~ *à* ~ jeder einzelne, unter vier Augen; *la* ~*e pensée* der bloße Gedanke, schon der Gedanke; *cette* ~*e raison me suffit* dieser Grund allein genügt mir; *par sa* ~*e présence* durch s-e (ihre) bloße Anwesenheit; ~ *mon ami ne vient pas* nur mein Freund kommt nicht; *une* ~*e et même chose* ein und dieselbe Sache; **~ement** [sœl'mã] *adv.* nur, allein, bloß, weiter nichts; wenigstens; erst; *non* ~, *mais encore* (*od. mais aussi*) nicht nur, sondern auch; *pas* ~ nicht einmal; *demain* ~ erst morgen; *il est arrivé* ~ *ce soir* er ist erst heute abend angekommen; *un décret qui vient* ~ *d'être publié* ein Beschluß, der gerade erst veröffentlicht worden ist; ~ *elle ne vous écrit pas* nur sie schreibt Ihnen nicht; *elle ne vous écrit pas* ~ (*man vermeide die umgekehrte Stellung*: ~ *pas!*) sie schreibt Ihnen nicht einmal; ~ *un kilo* (*od. un kilo* ~) nur ein Kilo; ... *sans* ~ ... ohne auch nur ...; **~et plais.** [sœ'lɛ] *adj.* (7c) ganz allein, mutterseelenallein.

sève [sɛ:v] *f* **1.** Saft *m in Pflanzen*; **2.** *fig.* Kraft *f*, Geist *m*, Schwung *m*, Frische *f*; Feuer *n des Weins*.

sévère [se'vɛ:r] *adj.* □ **1.** streng, scharf, nachsichtslos; schwer (*Verluste, Schäden*); **2.** düster, ernst (*Blick, Aussehen*); **3.** △ strenglinig, nüchtern.

sévérité [severi'te] *f* **1.** Strenge *f*, Härte *f*; Schärfe *f*; **2.** Ernsthaftigkeit *f* (*Sitten*; *Blick*); **3.** △ strenge Regelmäßigkeit *f*.

sévices ⚖ *u. allg.* [se'vis] *m/pl.* Mißhandlungen *f/pl.*

sévir [se'vi:r] *v/i.* (2a) **1.** ~ *contre q.* streng gegen j-n verfahren; **2.** wüten, verheerend auftreten, herrschen (*Kälte, Not, Krise*), grassieren (*Krankheiten*).

sevr|age [sə'vra:ʒ] *m* **1.** Entwöhnen *n e-s Kindes*; **2.** ⚘ Ablösen *n e-s Ablegers*; **~er** [sə'vre] *v/t.* (1d) **1.** *Kind* entwöhnen; *Tier* absetzen; ⚘ *Ableger* ablösen; **2.** *fig.* ~ *q. de qch.* j-m etw. entziehen.

sèvres † ['sɛ:vrə] *m* Sèvresporzellan *n*.

sexagénaire [sɛgza-, sɛksaʒe'nɛ:r] *adj. u. su.* sechzigjährig; Sechzigjährige(r) *m*.

sexe *biol.* [sɛks] *m* Geschlecht *n*.

sexennal [sɛksɛ'nal] *adj.* (5c) sechsjährlich, -jährig.

sexisme [sɛ'ksism) *m* Sexismus *m*, Rollenverteilung *f* (*od.* unterschiedliche soziale Stellung *f*) unter den Geschlechtern.

sexolog|ie ⚕ [sɛksɔlɔ'ʒi] *f* Sexualwissenschaft *f*; **~ue** ⚕ [~'lɔg] *m* Sexualwissenschaftler *m*.

sextant ⚓ [sɛks'tɑ̃] *m* Sextant *m*.

sexto, *geschr.* 6° [sɛks'to] *adv.* sechstens.

sextuor ♪ [sɛks'tɥɔ:r] *m* Sextett *n*.

sextupl|e [~'typlə] *adj.* sechsfach; **~er** [~'ple] *v/t.* (1a) versechsfachen.

sexué [sɛk'sɥe] *adj.* **1.** mit Sexus behaftet; **2.** durch Geschlechtsverkehr.

sexuel [sɛk'sɥɛl] *adj.* (7c) sexuell.

seyant [sɛ'jɑ̃] *adj.* (7) passend, gutsitzend.

shamp|ooing [ʃɑ̃'pwɛ̃] *m* **1.** Shampoo(n) *n*, Schampun *n*; **2.** Kopf-, Haar-waschen *n*, Shampoonieren *n*; **~ouineuse** [~pwi'nø:z] *f* Shampooneuse *f*.

sherpa [ʃɛr'pa] *m* tibetanischer (Wege-)Führer *m*.

shimmy *Auto* [ʃi'mi] *m* Radverkleidung *f*.

shoot *Sport* [ʃut] *m* Schuß *m*.

shooter *Sport* [ʃu'te] (1a) **I** *v/t. den Ball* schießen (*Fußball usw.*); **II** *v/rfl.* *se* ~ sich *Drogen* einspritzen.

shopping [ʃɔ'piŋ] *m*: *faire du* ~ einkaufen gehen.

short [ʃɔrt] *m* Shorts *pl.*

shot *Sport* [ʃɔt] *m* Schuß *m*.

show [ʃo] *m* Show *f*.

shunt ⚡ [ʃœ̃:t] *m*, **~age** ⚡ [ʃœ̃'ta:ʒ] *m* Nebenschluß *m e-s Stromes*; **~er** ⚡ [ʃœ̃'te] *v/t.* (1a) nebenschließen.

si[1] [si] **I** *cj.* (*s' nur vor il, ils*) **1.** wenn, falls, wofern; **a**) *realer* (*erfüllbarer*) *Bedingungssatz nie mit fut. im Nebensatz*: *je viendrai, s'il fait beau* ich werde kommen, wenn schönes Wetter ist; **b**) *irrealer* (*unerfüllbarer*) *Bedingungssatz*: 1. *der Gegenwart, stets im ind. impf.* (*im cond. I steht nur der Hauptsatz!*): *si je le savais, je l'informerais* wenn ich es wüßte, würde ich ihn informieren; 2. *der Vergangenheit, mst. im ind. des Plusquamperfekts* (*im cond. II steht nur der Hauptsatz!*): *si je l'avais su, je l'aurais informé* wenn ich es gewußt hätte, hätte ich ihn informiert; 3. *in der literarischen Sprache kann der irreale Bedingungssatz der Vergangenheit auch lauten*: *si je l'eusse su, je l'eusse informé* (*d.h. im NS und HS der Konjunktiv des Plusquamperfekts*), *oder*: *si je l'avais su, je l'eusse informé*, *oder*: *si je l'eusse su, je l'aurais informé* wenn ich es gewußt hätte, hätte ich ihn benachrichtigt; 4. *beim irrealen Bedingungssatz der Vergangenheit steht bisw. der HS im ind. impf., um etwas als ganz sicher auszudrücken*: *s'il n'était pas venu, je le faisais appeler* wenn er nicht gekommen wäre, dann hätte ich ihn bestimmt rufen lassen; 5. *bisw. wird der irreale Bedingungssatz ohne si durch einfache Nebenordnung* (*juxtaposition*) *gebildet*; *le danger serait dix fois plus* *grand*, (*que*) *je l'affronterais encore* wäre die Gefahr auch zehnmal größer, so würde ich ihr immer noch entgegentreten; **c**) *man beachte die Konstruktion bei e-r Aufeinanderfolge von Bedingungssätzen*: *si l'ennemi nous attaquait et qu'il fût vaincu* wenn der Feind uns angriffe und wenn er besiegt würde; **d**) *si ce n'est que ...* es sei (*od.* wäre) denn, daß ...; *comme si* als wenn, als ob; *si tant est que ...* wenn es wahr ist, daß ...; *c'est à peine si ...* kaum daß ...; **2.** *si même* (*mit subj.*) wenn auch, obgleich; **3.** ob; *informe-toi s'il est venu* erkundige dich, ob er gekommen ist; *je vais voir si je ne la retrouve pas* ich werde sehen, ob ich sie nicht wiederfinde; **II** *m inv.*: *le si* das Wenn, die Bedenklichkeit, die Bedingung.

si² [si] *adv.* **1.** so; *ne parlez pas si haut* sprechen Sie nicht so laut!; **2.** *si* + *adj.* + *que mit subj. einräumend od. konzessiv*; *vgl.* si¹, 2.: *si paradoxal que cela paraisse* so widersinnig dies auch erscheinen möge; **3.** *in negativen Vergleichungen*: (eben)so; *il n'est pas si* (*od. aussi*) *riche que vous* er ist nicht so reich wie Sie; **4.** doch!, ja! (*nach e-r negativen Frage*); *mais si!* aber ja!; *si vraiment!* o ja!, doch!

si³ ♪ [si] *m* H *n*; *si dièse* His *n*; *si bémol* B *n*.

sial|agogue ⚕ [sjala'gɔg] *adj. u. m* speichelerzeugend(es Mittel *n*); **~isme** ⚕ [~'lism] *m* Speichelfluß *m*.

siamois [sja'mwa] (7) **I** *adj. ehm.* siamesisch; *les frères* ~ *bzw. les sœurs* ~*es* die siamesischen Zwillinge *m/pl.*; **II** *ehm.* ♀ *su.* Siamese *m*.

Sibérie [sibe'ri] *f*: **la** ~ Sibirien *n*.

sibérien [sibe'rjɛ̃] *adj.* (7c) sibirisch.

sibilant ⚕ [sibi'lɑ̃] *adj.* (7) pfeifend.

sibilation ⚕ [sibilɑ'sjɔ̃] *f* Pfeifen *n*.

sibyll|e [si'bil] *f antiq.* Sibylle *f*; **~in** [~'lɛ̃] *adj.* (7) rätselhaft, sibyllisch.

sic|catif [sika'tif] **I** *adj.* (7e) trocknend; **II** *m* Trockenmittel *n*; **~cité** ⚗ [siksi'te] *f* Trockenheit *f*.

Sicile [si'sil] *f*: **la** ~ Sizilien *n*.

sicilien [sisi'ljɛ̃] *adj.* (7c) sizilianisch.

side-car [sajd'ka:r] *m* Beiwagen *m e-s Motorrads*.

sidéral *ast.* [side'ral] *adj.* (5c) Stern(en)..., siderisch.

sidérant F [side'rɑ̃] *adj.* verblüffend.

sidéré F [side're] *adj.* verblüfft, verdutzt, sprachlos, baff, bestürzt.

sidérite *min.* [side'rit] *f* Eisenspat *m*.

sidér|ose *min.* [side'ro:z] *f* Spateisenstein *m*, Sphärosiderit *n*; **~urgie** [~ryr'ʒi] *f* Eisenhüttenkunde *f*; Eisen- und Stahlindustrie *f*; **~urgique** [~ryr'ʒik] *adj.* eisen-herstellend, -verarbeitend, Eisen..., Eisenhütten...; *groupement m* ~ Stahlwerk *n*.

sidi *arab.* [si'di] *m* Herr *m*; *péj.* Nordafrikaner *m*, der in Frankreich lebt.

siècle ['sjɛklə] *m* **1.** Jahrhundert *n*; *Fr. le grand* ~ das Jahrhundert Ludwigs XIV.; ~ *des lumières* Aufklärungszeitalter *n*; *au vingtième* ~, *au XXᵉ* ~ im 20. Jahrhundert; *fin f de* ~ Jahrhundertwende *f*; **2.** lange (*od.* ewige F) Zeit *f*; *il y a un* ~ *qu'on ne vous a vu* man hat Sie seit e-r Ewigkeit nicht mehr gesehen; **3.** *les* ~*s* (*futurs*) die Zukunft, die Nachwelt; **4.** Welt-, Zeit-alter *n*; **5.** Welt *f*, weltliches Leben *n*; *mal m du* ~ *litt.* Weltschmerz *m*; *allg.* Zeitkrankheit *f*.

siège [sjɛ:ʒ] *m* **1.** Sessel *m*, Stuhl *m*; ~ *à bras* Armstuhl *m*; ~ *en osier* Korb-sessel *m*, -stuhl *m*; ~ *de jardin* Gartenstuhl *m*; ~ *pliant* Klappstuhl *m*; **2.** Sitz *m*; ~ *du cocher* Kutschersitz *m*, -bock *m*; ~ *éjectable* Schleudersitz *m*; ~ *de W.-C.* Klosettsitz *m*; ~ *coulissant*, ~ *à glissière* Rollsitz *m* (*im Ruderboot*); ~ *escamotable* (*od. rabattable*) Klappsitz *m*; *prendre un* ~ sich setzen, Platz nehmen; **3.** Aufenthaltsort *m*; Sitz *m e-r Regierung, Firma, Krankheit usw.*; ⚚ ~ *d'exploitation*, ~ *principal* Hauptsitz *m*; **4.** ⚖, ⚚ ~ *administratif* Dienstsitz *m*; ~ *officiel* Amtssitz *m*; ~ *social* Gesellschaftssitz *m*; **5.** *rl.* ~ (*épiscopal* bischöflicher) Stuhl *m*; *le Saint* ♀, *le* ~ *apostolique* der Päpstliche Stuhl; **6.** *bain m de* ~ Sitzbad *n*; **7.** ⚔ Belagerung *f*; *état m de* ~ Belagerungszustand *m*; *lever le* ~ die Belagerung aufheben; *fig.* aufbrechen, abziehen F; **~-arrière** *Auto* [~a'rjɛ:r] *m* (6b) Rücksitz *m*; Soziussitz *m* (*Motorrad*); **~-avant** *Auto* [~a'vɑ̃] *m* (6b) Vordersitz *m*.

siéger [sje'ʒe] *v/i.* (1g) **1.** tagen, Sitzung halten; **2.** ⚖ Mitglied *od.* Vorsitzender sein; **3.** s-n Sitz haben; *fig. c'est là que siège le mal* da sitzt das Übel; **4.** *rl.* auf dem päpstlichen Thron sitzen; den bischöflichen Stuhl innehaben.

sien [sjɛ̃] **I** *pr/poss. su.*: *le* ~, *la* ~*ne* der, die, das Seinige *od.* Ihrige; *ce livre est le* ~ das Buch ist sein; *c'est le* ~ *propre* das ist sein (ihr) eigenes; *litt. un* ~ *ami* einer seiner (ihrer) Freunde; *faire* ~*nes les idées de q.* sich j-s Ideen zu eigen machen; *faire des* ~*nes* Unfug treiben, dumme Streiche machen; **II** *m*: *le* ~ das Seinige, das Ihrige, sein (ihr) Eigentum *n*; *y mettre du* ~ das Seinige tun; dabei zusetzen; Zugeständnisse machen; hinzudichten; *les* ~*s* seine (ihre) Angehörigen *pl.*

sieste [sjɛst] *f* Mittagsruhe *f.*

sieur [sjœːr] *m* **1.** ⚖ (*vor e-m Namen*) Herr *m*; **2.** F *péj. le* ~ *un tel, un* ~ *N.* ein Herr X.

siffl|ant [si'flɑ̃] *adj.* (7) zischend; ~**ante** *gr.* [~'flɑ̃ːt] *f* Zischlaut *m*; ~**ement** [~flə'mɑ̃] *m* **1.** Pfeifen *n*; Pfiff *m*; ~*s pl.* Gepfeife *n*, Gezische *n*; **2.** Zischen *n e-r Schlange*; **3.** Sausen *n des Windes.*

siffl|er [si'fle] (1a) **I** *v/i.* **1.** pfeifen; **2.** zischen; **3.** brausen, sausen; schwirren; **4.** ⚕ keuchen; **II** *v/t.* **5.** herbeipfeifen; **6.** auspfeifen, auszischen; **7.** P ~ *un verre de vin* ein Glas Wein hinter die Binde gießen; ~ *un coup* einen zwitschern; ~**et** [~'flɛ] *m* **1.** Pfeife *f*; *coup m de* ~ Pfiff *m*; ~ *à roulette* Trillerpfeife *f*; *Sport*: *donner le coup de* ~ *de la mi-temps* abpfeifen; **2.** *thé.* Auspfeifen *n*, Auszischen *n*; *essuyer des* ~*s* ausgepfiffen werden; **3.** F *couper le* ~ *à q.* j-m das Maul stopfen; *cela lui coupe le* ~ ihm geht die Puste aus; *se rincer le* ~ sich e-n hinter die Binde gießen; **4.** *en* ~ schräg; *charp. joint* (en) ~ schräger Verband *m*; ~**eur** [~'flœːr] (7g) **I** *adj.* pfeifend; keuchend; **II** *su.* Pfeifer *m*; Auszischer *m*; ~**otement** [~flɔt'mɑ̃] *m* Vorsichhinpfeifen *n*; ~**oter** [~flɔ'te] *v/i. u. v/t.* (1a) durch die Zähne pfeifen; vor sich hinpfeifen.

sifilet *orn.* [sifi'lɛ] *m* Strahlenparadiesvogel *m.*

sigil|laire [siʒi'lɛːr] *adj.* Siegel...; ~**lé** [~'le] *adj.* besiegelt, untersiegelt; ~**lographie** [~lɔgra'fi] *f* Siegelkunde *f.*

sigle ['siːglə] *m Stenographie, Paläographie*: Sigel *n*, Kürzel *n.*

signal [si'ɲal] *m* (5c) Zeichen *n*, Signal *n*; ~ *d'alarme* Notbremse *f*; ~ *avertisseur* 🚂 Warn-, Vor-signal *n*; ~ *de détresse* SOS-Ruf *m*, Notsignal *n*; ~ *horaire* Zeitzeichen *n* (*Radio*); ~ *lumineux*, ~ *optique* Lichtsignal *n*; Blinkzeichen *n*; 🚂 ~ *de départ* Abfahrts-signal *n*, -zeichen *n*; *rad.* ~ *acoustique*, *a.* ~ *d'appel* Pausenzeichen *n*; ⚔ Hörzeichen *n*; ~ *par projecteur*, ~ *à intermittence* Blinkzeichen *n*; ~ *radio* Funkzeichen *n*; *Sport*: *donner le* ~ *de la mi-temps* abpfeifen; *fig. donner le* ~ *du combat* das Signal zum Kampf geben.

signa|lé [siɲa'le] *adj.* ausgezeichnet, wesentlich, ganz besonderer; ~**lement** [siɲal'mɑ̃] *m* Personenbeschreibung *f*; Steckbrief *m*; ~**ler** [~'le] (1a) **I** *v/t.* **1.** melden; **2.** ~ *qch.* (*od. q.*) auf etw. (auf j-n) aufmerksam machen *od.* hinweisen, etw. (*od.* j-n) zeigen; etw. besonders hervorheben; *rien à* ~ keine besonderen Vorkommnisse; **II** *v/rfl. se* ~ sich auszeichnen, sich hervortun; *se* ~ *à l'attention de q.* j-m auffallen; ~**létique** [~le'tik] *adj.* **1.** beschreibend; *fiche f* ~ Personalienbogen *m*; **2.** markierend; *numéro m* ~ Merknummer *f*; ~**leur** *a.* ⚔ [~'lœːr] *m* Signalgeber *m*, Winker *m*; ~**lisation** [~liza'sjɔ̃] *f* Meldedienst *m*; Fahrbahnmarkierung *f*; Signalisierung *f*; ~ *d'espacement U-Bahn*: Streckenbeleuchtung *f*; ~ *routière* Verkehrsstraßen- u. Wegebeleuchtung *f*; *tour(elle f) f de* ~ Verkehrsturm *m.*

signat|aire [siɲa'tɛːr] *su.* Unterzeichner *m*; *les gouvernements* ~*s* die unterzeichneten Regierungen *f/pl.*; ~**ure** [~'tyːr] *f* **1.** Unterschreiben *n*, Unterzeichnung *f*; **2.** Unterschrift *f*; Signatur *f.*

sign|e [siɲ] *m* **1.** Zeichen *n*; ~ *graphique* Schriftzeichen *n*; *arith.* ~ *de multiplication* Malzeichen *n*; ~ *plus* Pluszeichen *n*; ~ *moins* Minuszeichen *n*; ~ *de ponctuation* Satzzeichen *n*, Interpunktionszeichen *n*; **2.** Kennzeichen *n*, Merkmal *n*; ~*s particuliers* besondere Kennzeichen *n/pl.*; *ne pas donner* ~ *de vie* kein Lebenszeichen von sich geben; *fig.* nichts von sich hören lassen; **3.** Anzeichen *n*, Symptom *n*; *a.* ~ *avant-coureur m* (6a) Vorzeichen *n*, Vorbote *m*; **4.** Wink *m*, Andeutung *f*; *faire* ~ *à q.* (*des yeux*) j-m (mit den Augen) ein Zeichen geben; *faire* ~ *à q. qu'il est toqué* j-m e-n Vogel zeigen; s. *tempe*; ~ *de tête* Nicken *n*; *sur un* ~ auf ein (gegebenes) Zeichen; *en* ~ *d'amitié* zum Zeichen der Freundschaft; **5.**

F *sous le* ~ de im Zeichen (*gén.*) *a. fig.*; **~er** [~'ɲe] (1a) **I** *v/t.* unterschreiben, -zeichnen; *Künstler*: signieren; *fig. c'est signé* das ist typisch für ihn (*bzw.* für sie); **II** *v/rfl. se* ~ sich bekreuzigen.

signet [si'ɲɛ] *m* Lese-, Buchzeichen *n.*

signifi|ant [siɲi'fjɑ̃] **I** *adj.* (7) bedeutungsvoll, bedeutsam; **II** *ling. m* Signifikant *m*; **~catif** [~fika'tif] *adj.* (7e) bedeutsam; bezeichnend; *sourire m* ~ vielsagendes Lächeln *n*; **~cation** [~kɑ'sjɔ̃] *f* **1.** Bedeutung *f*, Sinn *m*; **2.** ⚖ Mitteilung *f*, Zustellung *f*, Anzeige *f*; **~é** *ling.* [~'fje] *m* Signifikat *n*; **~er** [~] *v/t.* (1a) **1.** bedeuten; heißen; **2.** *gr.* e-e Bedeutung haben; **3.** ~ *qch. à q.* j-m etw. ausdrücklich zu verstehen geben; **4.** ⚖ mitteilen, zustellen, anzeigen.

silen|ce [si'lɑ̃:s] *m* **1.** Schweigen *n*, Stillschweigen *n*; *faire* ~ still werden; ~! *od. faites* ~! (haltet) Ruhe!; still!; *faire faire* ~ Schweigen gebieten; *faire le* ~ *sur, garder le* ~ *sur, observer le* ~ *sur* sich ausschweigen über (*acc.*); *passer qch. sous* ~ etw. stillschweigend übergehen; ~, *on tourne!* Achtung, Aufnahme!; **2.** Verschwiegenheit *f*; **3.** Ruhe *f*, Stille *f*; Geräuschlosigkeit *f*; *Auto*: ~ *de marche* Laufruhe *f*; **4.** ♪ Pause *f*; **~cieux** [~'sjø] **I** *adj.* (7d) □ **1.** schweigend; *demeurer* ~ (still)schweigend; **2.** schweigsam, verschwiegen, wortkarg; **3.** *fig.*, *a.* ⊕ geräuschlos; still; **II** *m Auto*: Schalldämpfer *m*, geschlossene Auspuffklappe *f*.

silène ⚘ [si'lɛ:n] *m* Leimkraut *n*, Klatschnelke *f*.

Silésie [sile'zi] *f*: **la** ~ Schlesien *n*; *la Haute-*~ Oberschlesien *n*; *la Basse-*~ Niederschlesien *n*.

silésien [sile'zjɛ̃] *adj. u.* ♀ *su.* (7c) schlesisch; Schlesier *m*.

silésienne *text.* [~'zjɛn] *f Art* Halbseide *f* (*Futter-, Regenschirmseide*).

silex [si'lɛks] *m* Kiesel(stein *m*) *m*.

silhouet|te [si'lwɛt] *f* Silhouette *f*; Figur *f*, Gestalt *f*; **~ter** [silwɛ'te] *v/t.* (1c) in e-r Silhouette darstellen.

sili|cate ⚗ [sili'kat] *m* Silikat *n*, kieselsaures Salz *n*; **~ce** ⚗ [~'lis] *f* reine Kieselerde *f*; **~ceux** [~'sø] *adj.* (7d) kieselartig; **~cium** ⚗ [~'sjɔm] *m* Silizium *n*; **~ciure** ⚗ [~'sjy:r] *f* Kieselverbindung *f*; **~cose** ⚕ [~'ko:z] *f* Silikose *f*, Staublungenkrankheit *f*.

sili|culeux ⚘ [siliky'lø] *adj.* (7d) schötchentragend; **~que** ⚘ [si'lik] *f* Schote *f*; **~queux** ⚘ [~'kø] *adj.* (7d) schotentragend.

sill|age [si'ja:ʒ] *m* **1.** ⚓ Kielwasser *n*; **2.** ⚓ zurückgelegte Strecke *f*; **3.** ⚒ anschließende Ader *f*; **4.** *fig. marcher dans le* ~ *de q.* in j-s Fußstapfen treten, dem Beispiel j-s folgen; **~et** ♪ [si'jɛ] *m* Geigensteg *m*.

sillomètre ⚓ [sijɔ'mɛ:trə] *m* Geschwindigkeitsmesser *m*, Log *n*.

sillon [si'jɔ̃] *m* **1.** Furche *f*, Rille *f*; Streifen *m*; ~ *stéréo* Stereorille *f* (*Schallplatte*); **2.** *fig. poét.* ~*s pl.* Gefilde *n/pl.*; **3.** ~ *de lumière* Lichtstrahl *m*; **~ner** [~jɔ'ne] *v/t.* (1a) (kreuz u. quer) durch'fahren, durch'queren, durch'ziehen; *sillonné de rides* runzlig, zerfurcht.

silo [si'lo] *m* Silo *m*, Getreidespeicher *m*; Einsäuerungsbehälter *m*; ⚘ Miete *f*; ⚔ ~ *à fusées* Raketensilo *m*; ⚘ ~ *de fermentation pour fourrages* Gärfutterbehälter *m*; ~ *d'habitation* Wohnsilo *m*; ~ *surbaissé* Tiefsilo *m*; ~ *suspendu* Hangsilo *m*; ~ *surélevé* Hochsilo *m*; ~ *en plein air* Freisilo *m*; ~ *d'emmagasinage* Lagersilo *m*.

silphe *ent.* [silf] *m* Aaskäfer *m*.

silure *icht.* [si'ly:r] *m* Wels *m*.

simagrées F [sima'gre] *f/pl.* Getue *n*, Gehabe *n*, Fisimatenten *pl.* F; *faire des* ~ Umstände (*od.* Fisimatenten F) machen, sich (so) haben.

simbleau △ [sɛ̃'blo] *m* (5b) Zirkelschnur *f*.

sim|ien [si'mjɛ̃] *adj.* (7c) Affen...; Fratzen...; **~iesque** *zo.* [~'mjɛsk] *adj.* affenartig.

simil|aire [simi'lɛ:r] *adj.* gleichartig; **~arité** [~lari'te] *f* Gleichartigkeit *f*.

simili ✝ [simi'li] *m* Nachahmung *f*; *bijoux m/pl. en* ~ nachgemachte *od.* unechte Schmucksachen *f/pl.*; *in Zssgn*: ...ähnlich, Kunst...; *en* ~ unecht; **~cuir** [~'kɥi:r] *m* Kunstleder *n*; **~gravure** [~gra'vy:r] *f* Autotypie *f*, Halbtonätzung *f*; **~tude** [~'tyd] *f bsd.* Ähnlichkeit *f*; Gleichartigkeit *f*; *rhét.* Gleichnis *n*.

similor ⊕ [simi'lɔ:r] *m* Similor *n*, Scheingold *n*.

simoniaque *rl.* [simɔ'njak] **I** *adj.* simonistisch; **II** *m* Pfründenkäufer *m*; Ablaßverkäufer *m*.

simonie *rl.* [simɔ'ni] *f* Simonie *f*, Handel *m* mit geistlichen Ämtern.

simoun [si'mun] *m* Samum *m*.

simple ['sɛ̃:plə] **I** *adj.* □ **1.** einfach; nicht zusammengesetzt; ⚗ *corps m* ~ Element *n*; *gr. passé m* ~ historisches Perfekt; **2.** leicht, klar, einfach; ~ *comme bonjour* kinderleicht; *rien de plus* ~ nichts (ist) einfacher als das; **3.** natürlich; ungekünstelt; schlicht, schmucklos; *Betrug, Lüge*: *pur et* ~ glatt; *dans le plus* ~ *appareil* unverhüllt, nackt; **4.** harmlos, arglos, aufrichtig; *bibl.* einfältig; **5.** *péj.* naiv, einfältig, simpel, dumm, albern; leichtgläubig, ahnungslos; ~ *d'esprit* geistig beschränkt; **II** *m* **6.** Einzelspiel *n* (*Tennis*); (*partie f de*) ~ *dames* Dameneinzel(spiel *n*) *n*; (*partie f de*) ~ *messieurs* Herreneinzel(spiel *n*) *n*; **7.** ⚕ ~*s pl.* Heilkräuter *n/pl.*

simpl|et [sɛ̃'plɛ] *adj.* (7c) **1.** allzu einfach; **2.** leichtgläubig; **~icité** [~plisi'te] *f* **1.** Einfachheit *f*; Schlichtheit *f*, Schmucklosigkeit *f*, Prunklosigkeit *f*; **2.** Unbefangenheit *f*, Einfalt *f*; **3.** Einfältigkeit *f*.

simpli|fiable *a.* Å [sɛ̃pli'fjablə] *adj.* zu vereinfachen; Å kürzbar; **~fication** [~fika'sjɔ̃] *f* Vereinfachung *f*; Å Kürzung *f e-s Bruches*; **~fier** [~'fje] *v/t.* (1a) vereinfachen; Å *Brüche* kürzen; **~sme** [~'plism] *m* grobe Vereinfachung *f*, Einseitigkeit *f*; **~ste** [~'plist] *adj.* oberflächlich, einseitig, naiv, grob vereinfachend.

simul|acre [simy'lakrə] *m* **1.** Schatten-, Trug-bild *n*; **2.** Schein *m*, Scheinbild *n*, Scheinhandlung *f*; ~ *de* ... Schein..., fingiert; **~ateur** [~la'tœ:r] *m* (7f) Simulant *m*; ⊕ Simulator *m*; **~ation** [~la'sjɔ̃] *f* Verstellung *f*, Simulieren *n* F; **~er** [~'le] *v/t.* (1a) vorgeben, vortäuschen, erheucheln, fingieren.

simultané [simylta'ne] *adj.* (*adv.* ~*ment*) gleichzeitig; *traduction* ~*e* Simultanübersetzung *f*; **~ité** [~tanei'te] *f* Gleichzeitigkeit *f*.

sinanthrope 🕮 [sinɑ̃'trɔp] *m* Sinanthropus *m*, Pekingmensch *m*.

sinapis ⚘ [sina'pis] *m* (Acker-)Senf *m*; **~er** ⚕ [~pi'ze] *v/t.* (1a) mit Senfpflaster belegen; **~me** [~'pism] *m* Senfpflaster *n*.

sincère [sɛ̃'sɛ:r] *adj.* □ aufrichtig, offen(herzig), ehrlich, echt; lauter, unverfälscht.

sincérité [sɛ̃seri'te] *f* Aufrichtigkeit *f*, Wahrheitsliebe *f*, Offenherzigkeit *f*; Lauterkeit *f*, Echtheit *f*; *en toute* ~ in aller Offenheit.

sindon [sɛ̃'dɔ̃] *m* **1.** *chir.* Scharpiebausch *m*; **2.** *rl.* Grabtuch *n* Christi.

sinécure [sine'ky:r] *f nur fig.* fette Pfründe *f*, Sinekure *f*, Futterkrippe *f* F, ruhiger Posten *m*; *ce n'est pas une* ~ das ist kein leichter Posten, keine leichte Aufgabe.

singe [sɛ̃:ʒ] *m* **1.** Affe *m*; ~ *hurleur* Brüllaffe *m*; *payer (q.) en monnaie de* ~ j-n (*den Gläubiger*) zum besten halten (*od.* mit leeren Versprechungen vertrösten); *faire le* ~ den Hanswurst machen, spielen, Faxen machen F; **2.** *fig.* Nachäffer *m*; **3.** F Affengesicht *n*; häßlicher Kerl *m*; *le* ~ der Alte (*in der Sprechart von Dienstpersonal*); **4.** *Zeichenkunst*: Storchschnabel *m*, Pantograph *m* (*Gerät zum Übertragen v. Zeichnungen*); **5.** P ⚔ Büchsenfleisch *n*, Rindfleischkonserve *f*, eiserne Ration *f*; **6.** ⊕ Kreuzhaspel *f*.

singer [sɛ̃'ʒe] *v/t.* (1l) nachäffen.

singerie [sɛ̃ʒ'ri] *f* Affenstreich *m*; ~*s pl.* Possen *f/pl.*; Mätzchen *n/pl.*; *faire des* ~*s* Faxen machen, Grimassen schneiden.

singulari|ser [sɛ̃gylari'ze] (1a) **I** *v/t.* auffällig machen; **II** *v/rfl. se* ~ auffallen (wollen), von den anderen abstechen, aus der Reihe tanzen; **~té** [~ri'te] *f* **1.** Sonderbarkeit *f*, Eigentümlichkeit *f*; **2.** sonderbares Benehmen *n*, Eigenheit *f*.

singulier [sɛ̃gy'lje] **I** *adj.* (7b) □ **1.** einzig; *combat m* ~ Zweikampf *m*; **2.** sonderbar, seltsam, eigenartig, eigentümlich; **II** *m* **3.** *gr.* Einzahl *f*, Singular *m*; **4.** *das* Sonderbare *n*.

singulièrement [sɛ̃gyljɛr'mɑ̃] *adv.* **1.** außerordentlich, äußerst, sehr; **2.** besonders, im besonderen, speziell; **3.** eigenartig, komisch, seltsam.

siniser [sini'ze] *v/t.* (1a) verchinesieren.

sinis|tre [si'nistrə] **I** *adj.* **1.** unheilverkündend; *présage m* ~ schlimme Vorbedeutung *f*; **2.** unglücklich, unheilvoll; **3.** grauenerregend, erschreckend, unheimlich; F *traiter q. de* ~ *imbécile* j-n e-n ganz großen Quatschkopf (*od.* Dussel) nennen; **II** *m* Unglück(sfall *m*) *n*; (Brand-, See-, Kriegs-)Schaden *m*; *estimation f du* ~ Schadensabschätzung *f*; **~tré** [~'tre] **I** *adj.* von e-r Katastrophe betroffen, heimgesucht; geschädigt; **II** *su.* Verunglückte(r) *m*; Geschädigte(r) *m*; *im Krieg auch* Ausgebombte(r) *m*; **~trose** [~'tro:z] *f* Unglückspsychose *f*.

sino-américain [sinɔameri'kɛ̃] *adj.* (7) chinesisch-amerikanisch.

sinolo|gie [sinɔlɔ'ʒi] *f* Sinologie *f*, Chinakunde *f*; **~gue** [~'lɔg] *m* Sinologe *m*.

sinon [si'nɔ̃] *cj.* **1.** wenn nicht, sonst; andernfalls; **2.** außer; ~ *que* außer daß ...; **3.** ~..., *au* (*od. du*) *moins* wenn nicht ..., so doch wenigstens.

sinoque F [si'nɔk] *adj.* bekloppt.

sinu|eux [si'nɥø] *adj.* (7d) sich schlängelnd, gewunden; **~osité** [~nɥozi'te] *f* Gewundenheit *f*, Krümmung *f*.

sinus [si'nys] *m* **1.** *anat.* Höhle *f*; ~ *maxillaire* Kieferhöhle *f*; **2.** ⚘ Bucht *f*; **3.** ⩓ Sinus *m*.

sinusite ⚕ [siny'zit] *f* Kiefer- *od.* Stirnhöhlen-entzündung *f od.* -vereiterung *f*.

sionis|me [sjɔ'nism] *m* Zionismus *m*; **~te** [~'nist] *adj. u. su.* zionistisch; Zionist *m*.

siph|oïde [sifɔ'id] *adj.* hebeartig; **~on** [si'fɔ̃] *m* **1.** *phys.* (Saug-)Heber *m*; Saugröhre *f*; **2.** Flasche *f* Selterswasser (mit Abflußhahn); Siphon *m*; **3.** ⚓ Wasserhose *f*; **4.** ⊕ Geruchsverschluß *m*, Kniestück *n e-s Abflußrohrs*; **~onné** F [~fɔ'ne] *adj.* verrückt; **~onner** [~fɔ'ne] *v/t.* (1a) mit e-m Saugheber umfüllen.

sire [siːr] *m* **1.** ♔! Majestät!; Allergnädigster Herr!; **2.** *litt. triste* ~ elendes, verkommenes Subjekt *n*.

sirène [si'rɛːn] *f* **1.** *myth.* Sirene *f*; **2.** ~ *d'alarme* Alarm-, Heul-sirene *f*; ~ *à vapeur* Dampfpfeife *f*, Nebelhorn *n*.

sirex *ent.* [si'rɛks] *m* Holzwespe *f*.

sirocco [sirɔ'ko] *m* Schirokko *m*.

sir|op [si'ro] *m* Sirup *m*; *fruits m/pl. au* ~ eingemachte Früchte *f/pl.*; *phm.* ~ *contre la toux* Hustensaft *m*; **~oter** F [sirɔ'te] *v/t. u. v/i.* (1a) (aus)nippen, (aus)schlürfen; **~upeux** [~ry'pø] *adj.* (7d) sirupartig; ♪ *mv. p.* süßlich.

sis [si] (7) *p/p. von seoir*: liegend, gelegen.

sis|mique [sis'mik] *adj.* seismisch, Erdbeben...; **~mographe** [~mɔ'graf] *m* Seismograph *m*, Erdbebenmeßgerät *n*; **~mologie** [~mɔlɔ'ʒi] *f* Erdbebenkunde *f*, Seismologie *f*.

site [sit] *m* Lage *f*, Landschaft *f*; Gegend *f*; (kunst)geschichtlich wertvolle (*od.* beachtliche) Anlage *f*; Stelle *f*; ~ *naturel* landschaftlich schöne Gegend *f*; ~ *protégé* Naturschutzgebiet *n*; ⚔ *ligne f de* ~ Schußwinkel *m*; ~ *de lancement* Abschußbasis *f*.

sit-in *pol.* [sit'in] *m* Sit-in *n*.

sitôt [si'to] **I** *adv.*: sogleich, sofort; *pas de* ~ nicht so bald, nicht so schnell; ~ *dit*, ~ *fait* gesagt, getan; **II** *cj.* (*vor Partizipien*) sobald; **~ que** sobald (als) (*Nebensätze einleitend*).

sittelle *orn.* [si'tɛl] *f* Kleiber *m*; ~ *bleue* Blauspecht *m*.

situation [sitɥa'sjɔ̃] *f* **1.** Lage *f*; *l'homme de la* ~ der rechte Mann dafür; ~ *économique* Wirtschaftslage *f*; ~ *juridique* Rechtslage *f*; **2.** *örtlich u. gesellschaftlich*: Stellung *f*; ~ *stable* Dauerstellung *f*; ~ *prépondérante* Vormachtstellung *f*; **3.** Vermögensverhältnisse *n/pl.*; **4.** Zustand *m*, Verhältnisse *n/pl.*; *adm.* ~ *de famille* Familienstand *m*; **5.** Konjunkturbericht *m e-s Bankhauses*; **~nisme** [~sjɔ'nism] *m* Gegnerschaft *f* von allem Bestehenden; **~niste** *pol.* [~sjɔ'nist] *su.* Gegner *m* des Establishments.

situer [si'tɥe] (1a) **I** *v/t.* einordnen; zuordnen; *Handlung e-s Romans* spielen lassen; *situé* gelegen, befindlich; être *situé* liegen; **II** *v/rfl.*: *se* ~ (*zeitlich*) fallen; spielen (*Handlung e-s Romans*) (*à* in *dat.*).

six [*Aussprache wie bei dix*: sis, siz..., si] **I** *adj./n.c.* **1.** sechs; ~ [si] *cents* sechshundert; ~ [si] *cent* ~ [sis] sechshundertsechs; *le* ~ [sis *od.* si] *novembre* am (*od.* den) 6. November; *vél. les* ~ *jours m/pl.* Sechstagerennen *n*; **2.** *mesure f à* ~*-quatre* [sis...] Sechsvierteltakt *m*; *mesure f à* ~*-huit* [siz...] Sechsachteltakt *m*; **II** *m* **3.** Sechs *f*; **4.** *le* ~ *du mois* der Sechste des Monats; **~ain** [si'zɛ̃] *m mét.* Sechszeiler *m*; **~ième** [~'zjɛːm] **I** *adj./n.o.* sechste(r, s); sechstel; **II** *su.* Sechste(r, s); **III** *m* Sechstel *n*; **IV** *f Fr. écol.* erste Klasse *f* im Lycée; *BRD*: Sexta *f*.

sixièmement [sizjɛm'mɑ̃] *adv.* sechstens (= *sexto*; *mst. geschr.* 6°).

six-quatre-deux F [sikatrə'dø] *advt.*: *à la* ~ flüchtig, schluderig F.

sixte ♪ [sikst] *f* Sexte *f*.

sizerin *orn.* [siz'rɛ̃] *m* Leinfink *m*.

skating [ske'tiŋ] *m* Rollschuhlaufen *n*; Rollschuhbahn *f*.

sketch *thé.*, *cin.* [skɛtʃ] *m* (*pl.* ~es) kurzes Lustspiel *n*; Sket(s)ch *m*.

ski [ski] *m* **1.** Schi(sport *m*) *m*; ~ *de fond* Schilanglauf *m*; ~ *nautique* Wasserschi *m*; *faire du* ~ = *skier*; **2.** ⊕ Gleitschiene *f*; **~er** [skje] *v/i.*

(1a) Schi laufen; **~eur** [skjœ:r] *su.* (7g) Schiläufer *m.*

skiff ⚓ [skif] *m* Skuller *m*, Skullboot *n*; ~ (*à un rameur*) Einer *m.*

skip ⚒ [skip] *m* eiserner Eimer *m.*

skivertex [skai-, skivɛr'tɛks] *m* Kunststoff *m für Bucheinbände.*

slalom *Sport* [sla'lɔm] *m* Torlauf *m*, Slalom *m* (*Schi*); ~ *géant* Riesentorlauf *m*; *fig. faire du ~ entre les voitures* sich zwischen den Autos durchwinden.

slav|e [sla:v] *adj. u.* ♀ *su.* slawisch; Slawe *m*; **~iser** [slavi'ze] *v/t.* (1a) slawisieren; **~isme** [~'vism] *m* Slawentum *n*; **~on** [~'võ] *adj.* (7c) alt-, kirchen-slawisch; **~ophile** [~vɔ'fil] *adj.* slawenfreundlich.

slip *text.* [slip] *m* Slip *m*; ~ *de bain* Badehose *f*; ~ *m taille basse* Sportslip *m.*

slogan [slɔ'gɑ̃] *m* Schlagwort *n*, Parole *f*, Slogan *m.*

sloop ⚓ [slup] *m* Schaluppe *f.*

slovaque [slɔ'vak] *adj. u.* ♀ *su.* slowakisch; Slowake *m.*

Slovaquie *géogr.* [slova'ki] *f*: **la ~** die Slowakei.

slovène [slɔ'vɛ:n] *adj. u.* ♀ *su.* slowenisch; Slowene *m.*

slow [slo] *m Tanz*: Slowfox *m.*

smala F [sma'la] *f* zahlreiche Familie *f*, Sippschaft *f* P; *avec toute sa ~* mit Kind und Kegel.

smash *Sport* [smaʃ] *m* Schmetterball *m*, -schlag *m*; **~er** [sma'ʃe] *v/i.* schmettern.

smilax ⚘ [smi'laks] *m* Stechwinde *f.*

smill|e ⊕ [smij] *f* doppelte Spitzhaue *f*; **~er** [smi'je] *v/t.* (1a) mit der Zweispitze behauen.

smock *cout.* [smɔk] *m* Kräuselung *f*; **~é** *cout.* [~'ke] mit Smokarbeit.

smoking *text.* [smo'kiŋ] *m* Smoking *m.*

snack-bar [snak'ba:r] *m* (6g) Imbißstube *f.*

snob [snɔb] **I** *m* Snob *m*; **II** *adj.* snobistisch, geckenhaft; **~er** F [snɔ'be] *v/t.* ~ *q.* j-n von oben herab behandeln, j-n hochmütig übersehen; **~inard** F [~bi'na:r] *adj.* snobistisch; **~isme** [~'bism] *m* Snobismus *m.*

sobr|e ['sɔbrə] *adj.* □ **1.** mäßig im Essen u. Trinken, nüchtern; enthaltsam, einfach, genügsam; **2.** *fig.* zurückhaltend; **3.** *fig. Kunstwerk*: schlicht, einfach, nüchtern; **~iété** [~brie'te] *f* Mäßigkeit *f*, Nüchternheit *f*, Enthaltsamkeit *f*, Genügsamkeit *f*; *Kunstwerk*: Schlichtheit *f*, Einfachheit *f*, Nüchternheit *f.*

sobriquet [sɔbri'kɛ] *m* Spitzname *m.*

soc ⚒ [sɔk] *m* Pflugschar *f.*

sociabili|ser [sɔsjabili'ze] *v/t.* (1a) gesellig machen; **~té** [~'te] *f* Gemeinschafts-sinn *m*, -gefühl *n*, Hang *m* zur Geselligkeit; Umgänglichkeit *f.*

sociable [sɔ'sjablə] *adj.* □ gesellig, umgänglich; *peu ~* menschenscheu.

social [sɔ'sjal] *adj.* (5c) **1.** sozial, gesellschaftlich; *science f ~e* Gesellschaftswissenschaft *f*; *logements m/pl. à caractère ~* sozialer Wohnungsbau *m*; **2.** ✝ e-r Handelsgesellschaft (an)gehörig; Gesellschafts...; *raison f ~e* Firma *f*, Firmenbezeichnung *f*; **~isation** [~liza'sjõ] *f* Sozialisierung *f*; Vergesellschaftung *f*, Verstaatlichung *f*; **~iser** [~li'ze] *v/t.* (1a) sozialisieren; vergesellschaften, verstaatlichen; **~isme** *pol.* [~'lism] *m* Sozialismus *m*; ~ *à visage humain* humanitärer Sozialismus *m*; **~iste** [~'list] *adj. u. su.* sozialistisch; Sozialist *m*; Sozialdemokrat *m* (= *social-démocrate*).

sociétaire [sɔsje'tɛ:r] **I** *su.* **1.** Mitglied *n* e-r Gesellschaft; Vereinsmitglied *n*; **2.** ✝ Gesellschafter *m*, Aktieninhaber *m*; **II** *adj.* zu e-r Gesellschaft gehörend.

sociétariat [sɔsjeta'rja] *m* Mitgliedschaft *f* (*e-r Gesellschaft*).

société [sɔsje'te] *f* **1.** Gesellschaft *f*; ~ *d'abondance* Wohlstandsgesellschaft *f*; ~ *de consommation* Konsumgesellschaft *f*; ~ *de rendement* Leistungsgesellschaft *f*; ~ *sans cours* profillose Gesellschaft *f*; *la (haute) ~* die höheren Schichten *f/pl.* der Gesellschaft; *être reçu dans la ~* in der besseren Gesellschaft Zutritt haben; *jeux m/pl. de ~* Gesellschaftsspiele *n/pl.*; **2.** Umgang *m*, Verkehr *m*; **3.** Geselligkeit *f*; *des talents m/pl. de ~* gesellschaftliche Talente *n/pl.*; **4.** Verein *m*; ~ *de bienfaisance* Wohltätigkeitsverein *m*; ~ *de gymnastique* Turnverein *m*; ~ *de canotage* Ruderverein *m*; ~ *hippique* Reiterverein *m*; ♀ *Universelle du Théâtre* Welttheaterbund *m*; *la ♀ od. la ~ de Jésus* der Jesuitenorden; ~ *protectrice des animaux* Tierschutzverein *m*; ~ *sportive* Sportverein *m*; ~ *de tir* Schützenverein *m*; **5.** ✝ (Handels-)Gesellschaft *f*; Konsortium *n*; ~ *anonyme* (*od. par actions*) Aktiengesellschaft *f*; ~ (*enregistrée*) *à responsabilité* *limitée* (eingetragene) Gesellschaft *f* mit beschränkter Haftung (GmbH); ~ *en nom collectif* offene Handelsgesellschaft *f*; ~ *coopérative* (eingetragene) Genossenschaft *f*; ~ *coopérative de consommation* Konsumverein *m*; ~ *de crédit ouvrier* Kreditgesellschaft *f* für Arbeiter; ~ *de lotissement* Siedlungsgesellschaft *f*; ~ *mère* Muttergesellschaft *f*; ♀ *Nationale des Chemins de fer Français* (*abr. S.N.C.F.*) Staatliche Französische Eisenbahngesellschaft *f*; **6.** *îles f/pl. de la* ♀ Gesellschaftsinseln *f/pl.*

socio|-critique [sɔsjɔkri'tik] *adj.* gesellschaftskritisch; **~-culturel** *psych.* [~kylty'rɛl] *adj.* (7c) sozialkulturell; **-éducatif** [edyka'tif] *adj.* (7e) gesellschaftserzieherisch.

sociolog|ie [sɔsjɔlɔ'ʒi] *f* Soziologie *f*, Gesellschafts-lehre *f*, -wissenschaft *f*; **~ique** [~'ʒik] *adj.* soziologisch; **~ue** [~'lɔg] *m* Soziologe *m*.

socio-professionnel *psych.* [sɔsjɔprɔfɛsjɔ'nɛl] *adj.* (7c): *milieux m/pl. ~s différents* verschiedene sozialberufliche Kreise *m/pl.*

sociothérapie ⚕ [sɔsjɔtera'pi] *f* Soziotherapie *f*, Behandlung *f* durch Wiedereingewöhnung in die menschliche Gesellschaft.

socle ['sɔklə] *m* Sockel *m*, Unterbau *m*; *rad.* ~ *de lampe* Lampen-, Röhren-sockel *m*; ~ *de self* Spulensockel *m*.

socquette [sɔ'kɛt] *f* Söckchen *n*; Socke *f*.

soda [sɔ'da] *m* Sodawasser *n*.

sodé ⚗ [sɔ'de] *adj.*, **sodique** ⚗ [sɔ'dik] *adj.* natron-, natrium-haltig.

sodium ⚗ [sɔ'djɔm] *m* Natrium *n*.

sœur [sœ:r] *f* **1.** Schwester *f*; ⚖ ~ *consanguine* Halbschwester *f* von väterlicher Seite; ~ *germaine* leibliche Schwester; F *fig. et ta ~?* was geht das dich an?, so siehst du aus!; *adjt.* verschwistert; *âme f* ~ verwandte Seele *f*; **2.** *rl.* (Ordens-) Schwester *f*, Nonne *f*.

sœurette F [sœ'rɛt] *f* Schwesterchen *n*.

sofa [sɔ'fa] *m* Sofa *n*.

soffite *thé.*, △ [sɔ'fit] *m* Soffitte *f*, Decken-, Dach-untersicht *f*.

software *cyb.* [sɔft'wɛ:r] *m* Software *f*.

soi [swa] *pr/p.* sich; *amour m de* ~ Eigenliebe *f*; *être* ~ sich selbst gleichbleiben; *être hors de* ~ außer sich vor Wut sein; *cela va de* ~ das versteht sich von selbst; *être chez* ~ zu Hause sein; *le chez* ~ das Daheim; *en* ~ an (und für) sich; *le* ~ das eigene Selbst.

soi-disant [swadi'zɑ̃] **I** *adj./inv.* sogenannt, angeblich; **II** *adv.* sozusagen; angeblich.

soie [swa] *f* **1.** Seide *f*; ~ *écrue*, ~ *grège* Rohseide *f*; ~ *à coudre* Nähseide *f*; ~ *artificielle* Kunstseide *f*; ~ *lavable* Waschseide *f*; ~ *filée* Seidengarn *n*; ~*s pl. folles* Flockseide *f*; ~ *à piquer* Steppseide *f*; ~ *plate* ungezwirnte Seide *f*; ~ *torse* Drehseide *f*; *ver m à* ~ Seidenraupe *f*; **2.** Spinngewebsfaden *m*; **3.** ⚘ *u. zo.* Borste *f*, steifes Haar *n*; ~ *de porc* Schweinsborste *f*; ~*s pl.* Saugeborsten *f/pl.*; **4.** ⊕ Heftzapfen *m*.

soierie [swa'ri] *f* **1.** Seidenbereitung *f*; **2.** Seiden-weberei *f*, -fabrik *f*; **3.** ⊕ Seidenstoff *m*; ~*s pl.* Seidenwaren *f/pl.*

soif [swaf] *f* **1.** Durst *m*; *avoir* (*grand-*) ~ (sehr) durstig sein; *apaiser* (*od. calmer od. étancher*) *sa* ~ den Durst stillen; **2.** *fig.* Begierde *f*, Gier *f*, Sucht *f*; ~ *de conquête(s)* Eroberungssucht *f*, Landhunger *m*; ~ *de vengeance* Rachsucht *f*.

soign|é [swa'ɲe] *adj.* gepflegt (*Kind*); sorgfältig (ausgearbeitet); F tüchtig, gehörig, anständig; *rhume m* ~ toller Schnupfen *m* F; *une raclée* (*od. rossée*) *~e* e-e gehörige Tracht *f* Prügel; **~er** [~] (1a) **I** *v/t.* **1.** Sorge tragen für (*acc.*), pflegen, sorgfältig behandeln, *Kind* warten, *Kranke* betreuen *od.* pflegen, ärztlich behandeln; F *fig. il faut te faire* ~ du bist wohl nicht ganz gesund?, ist dir nicht wohl?; **2.** sorgfältig zubereiten, ausarbeiten; F *iron. ils nous ont soignés* die haben uns ganz schön geschröpft *od.* ausgenommen; **II** *v/rfl. se* ~ sich pflegen; *fig.* sich schonen; **~eur** *Sport* [~'ɲœ:r] *m* Betreuer *m*; **~eux** [~'ɲø] *adj.* (7d) □ sorgfältig.

soin [swɛ̃] *m* **1.** Sorgfalt *f*, Sorge *f*; *avec* ~ sorgfältig; *avoir* (*od. prendre*) ~ *de qch.* für etw. (*acc.*) Sorge tragen, sich um etw. (*acc.*) kümmern; auf etw. achtgeben, etw. vorsichtig behandeln; *prendre* ~ *de faire qch.* bestrebt sein, etw. zu zun; **2.** *les ~s du ménage* die Wirtschaftsarbeiten *f/pl.*; *aux bons ~s de* zu Händen von ... (*abr.* z. H.), per Adresse von ... (*abr.* p. Adr.) (*auf Briefen usw.*); **3.** ~*s pl.* Dienste *m/pl.*, die man j-m erweist, Pflege *f*, Bemühungen *f/pl.*, Betreuung *f*; Behandlung *f*; ~*s de* *beauté* Schönheitspflege *f*; *premiers* ~*s* Erste Hilfe *f* (*bei Unglücksfällen*); ~*s dentaires*, ~*s des dents* Zahnpflege *f*; ~*s corporels* Körperpflege *f*; *donner des* ~*s à un malade* einen Kranken pflegen (*od.* betreuen *od.* ärztlich behandeln); *être aux petits* ~*s pour* (*od. avec*) *q.* j-m jede Aufmerksamkeit erweisen; sehr aufmerksam gegen j-n sein.

soir [swa:r] *m* Abend *m*; *le* ~ abends; *ce* (*hier*) ~ heute (gestern) abend; *à ce* ~*!* bis heute abend!; *lundi* ~ Montag abend; *tous les lundis* ~ jeden Montagabend; *le six* [sis] *au* ~ am Sechsten abends; *à neuf heures du* ~ um 9 Uhr abends; *vers* (*od. sur*) *le* ~ gegen Abend; *fig. poét.* ~ *de la vie* Lebensabend *m*.

soirée [swa're] *f* **1.** Abendzeit *f*, Abend *m* (*als zeitlicher Verlauf*); *au début de la* ~ am frühen Abend; *à la fin de la* ~, *en fin de* ~ am späten Abend; **2.** Abendgesellschaft *f*; Gesellschaftsabend *m*; ~ *de gala* Festabend *m*; **3.** *thé.* Abendvorstellung *f*.

soit I *int.* ~*!* [swat] meinetwegen!; *ainsi soit-il!* ['swatil] so sei es!; Amen!; **II** *cj.* [swa] **1.** ~ ... ~ *od.* ~ ... *ou* entweder ... oder; ~ [swa] *que* (*mit subj.*) sei es, daß ...; **2.** angenommen; **III** *tant* ~ [swa] *peu advt.* so wenig es auch sei.

soixant|aine [swasɑ̃'tɛ:n] *f* **1.** Schock *n*, (an) sechzig Stück; **2.** *approcher de la* ~ hoch in den Fünfzigern sein; *avoir la* ~ etwa, rund sechzig Jahre alt sein; *avoir* (*dé*)*passé la* ~ die Sechzig überschritten haben, über die Sechzig sein, in den Sechzigern sein; **~e** [~'sɑ̃:t] *adj./n.c.* sechzig; **~e-dix** [~sɑ̃t'dis] *adj./n.c.* siebzig; *la guerre de* ~ der siebziger Krieg; **~e et onze** [~sɑ̃te'ɔ̃:z] *adj./n.c.* einundsiebzig; **~ième** [~'tjɛ:m] **I** *adj./n.o.* sechzigste(r, s); **II** *su.* Sechzigste(r, s); **III** *m* Sechzigstel *n*.

soja ⚘ [sɔ'ʒa] *m* Sojabohne *f*; *a. soya*.

sol[1] [sɔl] *m* (Erd-)Boden *m*, Erde *f*, Grund (und Boden) *m*; ⚒ (Acker-)Boden *m*; *au* ~ am Boden; *à ras du* ~ dicht über dem Boden; *ast.* ~ *lunaire* Mondboden *m*.

sol[2] ♪ [~] *m* G *n*.

solaire [sɔ'lɛ:r] *adj.* **1.** Sonnen...; Solar...; *ast. vent m* ~ Sonnenwind *m*; *crème f* ~ Sonnenschutzcreme *f*; **2.** ⚘ (nur) bei Tage (auf)blühend.

sola|nacées ⚘ [sɔlana'se] *f/pl.* Nachtschattengewächse *n/pl.*; **~num** ⚘ [~'nɔm] *m* Nachtschatten *m*; ~ *tubéreux* Kartoffel(pflanze *f*) *f*; **~risation** *phot.* [~rizɑ'sjɔ̃] *f* Solarisation *f*; **~riser** *phot.* [~ri'ze] *v/t.* (1a) solarisieren; **~rium** [~la'rjɔm] *m* (*pl.* ~*s*) Sonnen-terrasse *f*, -kurplatz *m*.

soldat [sɔl'da] *m* Soldat *m*; (*simple*) ~ (gemeiner) Soldat *m*; ~ *de carrière* Berufssoldat *m*; ~ *du front* Frontsoldat *m*; *fig. jouer au petit* ~ den Helden spielen; ~*s pl. a.* Mannschaften *f/pl.*; *femme f* ~ (6a) = **~e** [~'dat] *f* Soldatin *f*; **~esque** [~'tɛsk] **I** *adj.* soldatisch; **II** *f* Soldateska *f*.

solde[1] [sɔld] *f* Sold *m*, Löhnung *f*; *péj. être à la* ~ *de q.* in j-s Sold stehen (*auch fig.*); *avoir q. à sa* ~ j-n in s-m Sold, in s-n Diensten haben (*auch fig.*); *demi-*~ Wartegeld *n*.

solde[2] [~] *m* **1.** Saldo *m*, Bilanz *f*; Schlußsumme *f*; ~ *reporté* (*od.* ~ *de nouveau*) Saldovortrag *m*; ~ *à transporter* Vortrag *m* auf neue Rechnung; ~ *à compte nouveau* Saldoübertragung *f*; ~ *créditeur* Überschuß *m*, Aktiv-, Kredit-saldo *m*; ~ *débiteur* Debetsaldo *m*, Passivsaldo *m*, Unterbilanz *f*, Defizit *n*; ~ *excédent* Gewinnsaldo *m*; ~ *de caisse*, ~ *de compte* Kassenbilanz *f*; **2.** Restbetrag *m e-r zu bezahlenden Summe*, überschießender Betrag *m*, Spitzenbetrag *m*; ~ (*de paiement*) Restsumme *f*, Restbetrag *m*; ~ *d'avoir* Restguthaben *n*; (*paiement m de*) ~ Restzahlung *f*; ~ *du prix d'achat* Restkaufgeld *n*; *pour* ~ *de votre facture* zum Ausgleich Ihrer Rechnung; *régler le* ~ *d'une facture* (den Betrag) eine(r) Rechnung vollständig begleichen; *adresser un* ~ e-n (Rechnungs-)Betrag überweisen; **3.** ~*s pl.* (Inventur-)Ausverkauf *m*; (Sommer- *bzw.* Winter-)Schlußverkauf *m*; **4.** *articles m/pl. en* ~ *od. nur* ~*s pl.* Restposten *m/pl.*, Schlußverkaufs-, Ausverkaufs-ware *f*; *le* ~ *d'un tirage* die Restauflage (*e-s Buches*); *acheter en* ~ im Schlußverkauf kaufen; *mettre en* ~ im Preis herabsetzen; (als Restposten) billiger verkaufen.

sold|er [sɔl'de] (1a) **I** *v/t.* **1.** begleichen, (das Ganze) bezahlen; saldieren; **2.** ausverkaufen; **II** *v/rfl.* *se* ~ *par* (ab)schließen mit; *fig. se* ~ *par un échec* mit e-m Mißerfolg enden; **~eur** [~'dœ:r] *su.* (7g) Aufkäufer *m* zurückgesetzter Waren.

sole[1] ⚒ [sɔl] *f* Schlag *m* e-s Feldes.

sole[2] [~] *f* **1.** Sohle *f* (*e-s Tieres*); **2.** ⊕ Feuerplatte *f e-s Herdes*;

(Lager-)Schwelle *f*, Gespannplatte *f*; ⚒ (Grund-)Sohle *f*.

sole[3] *icht.* [~] *f* Seezunge *f*.

solécisme *gr.* [sole'sism] *m* Verstoß *m* gegen den Satzbau; Solözismus *m*.

soleil [sɔ'lɛj] *m* **1.** Sonne *f* (*auch im Feuerwerk*); *le ~ de minuit* die Mitternachtssonne; *le ~ se lève (se couche)* die Sonne geht auf (geht unter); *il fait* (*od. il y a*) *du ~*, *il fait ~* die Sonne scheint; *en plein ~* in der prallen Sonne; *sous un ~ écrasant, de plomb* in glühender Sonne; *mettre au ~* in der Sonne lüften; *bain m de ~* Sonnenbad *n*; *coup m de ~* Sonnenbrand *m*; *prendre un bain de ~* ein Sonnenbad nehmen; **2.** *Sport*: *faire le grand ~ à la barre fixe* am Reck die Riesenwelle schlagen; **3.** ⚘ (*grand*) *~* Sonnenblume *f*; **4.** *rl.* Monstranz *f*.

solen *biol.* [sɔ'lɛn] *m* Scheidemuschel *f*.

solen|nel [sɔla'nɛl] *adj.* (7c) □ **1.** feierlich, würdevoll; *communion ~le* Erstkommunion *f*; **2.** pomphaft, stattlich; **~nisation** [~laniza'sjɔ̃] *f* Erinnerungsfeier *f*; feierliche Würdigung *f*; **~niser** [~lani'ze] *v/t.* (1a) feiern, feierlich begehen; verherrlichen; **~nité** [~lani'te] *f* **1.** Feierlichkeit *f*, Festlichkeit *f*; *avec ~* feierlich, festlich; **2.** ⚖ Förmlichkeiten *f/pl.*

solfatare [sɔlfa'ta:r] *f* Schwefelgrube *f*.

solfège ♪ [sɔl'fɛ:ʒ] *m* Solfeggien *pl.*, Noten-Abc *n*; Gesangschule *f* (*Buchtitel*).

solfier ♪ [sɔl'fje] *v/t.* (1a) mit Benennung der Noten singen.

soli|daire [sɔli'dɛ:r] *adj.* □ solidarisch, einig, innerlich verbunden, wechselseitig haftend; gegenseitig *od.* mitverpflichtet *od.* mitverantwortlich; *~ de q.* mit j-m solidarisch; *être ~s* füreinander einstehen, zusammenhalten; *Dinge*: miteinander zusammenhängen, sich gegenseitig bedingen; *fig. ~ de qch.* von etw. abhängig, mit etw. eng verflochten; **~dariser** [~dari'ze] (1a) **I** *v/t.* **1.** verpflichten; solidarisch machen; **2.** ⚠ versteifen; **II** *v/rfl.* *se ~ avec q.* sich mit j-m solidarisch erklären; sich solidarisieren; **~darité** [~dari'te] *f* **1.** gegenseitige Verpflichtung *f*; Gesamthaftung *f*; **2.** Gemeinschaftssinn *m*; *grève f de ~* Sympathiestreik *m*; **3.** Solidarität *f*, Zusammengehörigkeit *f*.

solide [sɔ'lid] **I** *adj.* **1.** fest, dicht, solid; **2.** haltbar, dauerhaft, strapazierfähig; **3.** *fig.* wirklich, tatsächlich, echt, gediegen, gründlich; stichhaltig (*Gründe*), ernst zu nehmend (*Schriftsteller*); **4.** stark, stämmig, kräftig, rüstig; drall; robust, handfest; **II** *m* fester Körper *m*; fester Grund *m*.

solidi|fication [sɔlidifika'sjɔ̃] *f* Erstarrung *f*, Verdichtung *f*; Verfestigung *f*; **~fié** ⚗, *bét.* [~'fje] *adj.* erstarrt; **~fier** [~] (1a) **I** *v/t.* fest (*od.* starr) machen, verdichten; **II** *v/rfl.* *se ~* erstarren, sich verdichten; **~té** [~'te] *f* **1.** Dichtigkeit *f*, Festigkeit *f*; **2.** Dauerhaftigkeit *f*, Haltbarkeit *f*; Stärke *f*, Strapazierfähigkeit *f*; **3.** *fig.* Gründlichkeit *f*, Zuverlässigkeit *f*; Stichhaltigkeit *f*.

soliloqu|e [sɔli'lɔk] *m* Selbstgespräch *n*; **~er** [~'ke] *v/i.* (1m) mit sich selbst reden.

solin ⚠ [sɔ'lɛ̃] *m* **1.** Zwischenraum *m* der Balkenenden; **2.** Firstziegelfütterung *f*.

solipède 🕮 [sɔli'pɛd] *adj. u. su.* einhufig; Einhufer *m*.

solipsiste *phil.* [~'psist] *adj.* (*u. su.*) auf das eigene Ich ausgerichtet(er Mensch *m*); solipsistisch.

soliste ♪ [sɔ'list] **I** *su.* Solist *m*; **II** *adj.* *instrument m ~* Soloinstrument *n*.

soli|taire [sɔli'tɛ:r] **I** *adj.* □ **1.** einsam, alleinstehend, die Einsamkeit liebend; **2.** abgelegen, weltabgeschieden, unbewohnt; **3.** ⚘ einzeln; **4.** ⚕ *ver m ~* Bandwurm *m*; **II** *su.* Einsiedler *m*; Einzelgänger *m*; *en ~* im Alleingang; *vivre en ~* allein leben, wie ein Einsiedler leben; **III** *m* Solitär *m* (*einzeln gefaßter Brillant*); *ch.* alter Keiler *m*, Einzelgänger *m*; **~tude** [~'tyd] *f* **1.** Einsamkeit *f*, Zurückgezogenheit *f*; **2.** Abgeschiedenheit *f e-s Ortes*.

soli|vage ⚠ [sɔli'va:ʒ] *m* Balkenberechnung *f*; **~ve** ⚠ [sɔ'li:v] *f* Balken *m*, Deckenbalken *m*; **~veau** [~li'vo] *m* (5b) ⚠ kleiner Balken *m*.

sollici|tation [sɔlisita'sjɔ̃] *f* **1.** dringende(s) Bitte(n *n*) *f*, Ersuchen *n*, Gesuch *n*, Bewerbung *f*; **2.** Aufforderung *f*; **3.** ⚕ Bemühung *f*, Anstrengung *f*; **4.** ⊕ Beanspruchung *f*; **~ter** [~'te] *v/t.* (1a) **1.** *~ qch. auprès de q.* j-n um etw. dringend bitten; j-n um etw. ersuchen; sich bei j-m um etw. bewerben; **2.** *~ q. de faire qch.* j-n ersuchen *od.* dringend bitten etw. zu tun; **3.** *fig.* ~ *l'attention* die Aufmerksamkeit auf sich lenken; **~teur** [~'tœ:r] *su.* (7g) Bittsteller *m*, Bewerber *m*; Fürsprecher *m*; **~tude** [~'tyd] *f* **1.** Fürsorge *f*; *avec* ~ fürsorglich; **2.** Besorgnis *f*.

solo ♪ [sɔ'lo] *m* (*pl.* ~*s od. soli* [sɔ'li]) **1.** Solo *n*, Einzel-gesang *m*, -spiel *n*; Solostück *n*; Einzelstimme *f*; **2.** Solo-sänger *m*, -spieler *m*.

solsti|ce [sɔl'stis] *m* Sonnenwende *f*; **~cial** [~'sjal] *adj.* (5c) Sonnenwende...

solu|bilisation ⚗ [sɔlybiliza'sjɔ̃] *f* Lösbarmachen *n*; **~bilité** [~bili'te] *f* (Auf-)Lösbarkeit *f*, Löslichkeit *f*; ~ *dans l'eau* Wasserlöslichkeit *f*; **~ble** [~'lyblə] *adj.* (auf)lösbar, löslich; ~ *dans l'eau* wasserlöslich; **~tion** [~'sjɔ̃] *f* **1.** ⚗ (Auf-)Lösung *f*; *das* Aufgelöste *n*; **2.** *fig.* Lösung *f*, *auch* Schlüssel *m*; ~ *de facilité* bequem(st)e Lösung *f*, Weg *m* des geringsten Widerstandes; ~ *de transition* Übergangslösung *f*; **3.** *fig.* Trennung *f*, Zerteilung *f*; ~ *de continuité* Riß *m*, Lücke *f*, Unterbrechung *f* der Kontinuität.

solutionner [sɔlysjɔ'ne] *v/t.* (1a) lösen.

solva|bilité [sɔlvabili'te] *f* Zahlungsfähigkeit *f*, Kreditwürdigkeit *f*, Kaufkraft *f*, Solvenz *f*; **~ble** [~'vablə] *adj.* zahlungsfähig, kreditwürdig, solvent, kaufkräftig.

solvant ⚗ [sɔl'vɑ̃] *m* Lösemittel *n*.

Somal|ie *géogr.* [sɔma'li] *f*: **la** ~ Somaliland *n*; **~ien** [~'ljɛ̃] *su. u.* ♀ *adj.* (7c) Somalier *m*; somalisch.

somatique ⚕ [sɔma'tik] *adj.* somatisch, Soma...; *affection f* ~ körperliches Leiden *n*.

sombre ['sɔ̃:brə] *adj.* □ **1.** dunkel, finster, düster, trübe; **2.** *fig.* düster, besorgniserregend, dunkel; **3.** schwermütig, trübsinnig; **4.** F ~ *idiot* Vollidiot *m*; ~ *brute f* völlig verrohter Mensch *m*.

sombrer [sɔ̃'bre] *v/i.* (1a) untergehen, sinken; *fig.* ~ *dans la boisson* dem Trunk verfallen; ~ *dans le désespoir, dans le sommeil* in Verzweiflung, in Schlaf versinken.

sommaire [sɔ'mɛ:r] **I** *adj.* □ die Hauptsachen zusammenfassend, kurz(gefaßt), gedrängt, summarisch; *Mahlzeit*: einfach, rasch eingenommen; ⚖ *exécution f* ~ Hinrichtung *f* ohne Gerichtsverfahren; *procédure f* ~ Schnellverfahren *n*, beschleunigtes Verfahren *n*; **II** *m* Hauptinhalt *m*; kurze Übersicht *f*; Inhaltsverzeichnis *n*.

sommairement [sɔmɛr'mɑ̃] *adv.* summarisch, kurz zusammengefaßt.

sommation [sɔma'sjɔ̃] *f* **1.** gerichtliche Aufforderung *f*, Mahnung *f*; ~ *de payer* Zahlungsaufforderung *f*; **2.** ⚖ Vorladung *f*.

somme[1] [sɔm] *m* Schläfchen *n*.

somme[2] [~] *f nur noch in*: *bête f de* ~ Lasttier *n*; *fig. travailler comme une bête de* ~ wie ein Pferd arbeiten.

somme[3] [~] *f* Betrag *m*, Summe *f*; *fig.* Menge *f*; ~ *de dédommagement* Entschädigungs-, Abstands-summe *f für Wohnungen usw.*; ~ *à forfait*, ~ *forfaitaire*, ~ *globale* Pauschal-, Abfindungs-summe *f*; ~ *restante*, ~ *assurée* Rest-, Versicherungsbetrag *m*; ~ *totale* Gesamtbetrag *m*; *advt. en* ~, ~ *toute* alles in allem, aufs Ganze gesehen, im Grunde, schließlich.

sommeil [sɔ'mɛj] *m* **1.** Schlaf *m*; *dormir d'un profond* ~ fest schlafen; ⚕ *maladie f du* ~ Schlafkrankheit *f*; *zo.* ~ *hibernal* Winterschlaf *m*; **2.** Schläfrigkeit *f*, Müdigkeit *f*; *avoir (très)* ~ (sehr) müde, schläfrig sein; *il tombe de* ~ er fällt um vor Müdigkeit; *fig. être en* ~ *Projekt etc.*: ruhen, *Betrieb*: stilliegen; *mettre en* ~ auf Eis legen, stillegen; **~ler** [~mɛ'je] *v/i.* (1a) **1.** leicht schlafen, schlummern; **2.** *fig.* ruhen, untätig sein.

sommel|ier [sɔmə'lje] *su.* (7b) Kellermeister *m*; Weinkellner *m*; **~lerie** [~mɛl'ri] *f* **1.** Kellermeisteramt *n*; **2.** Weinkellerei *f*.

sommer[1] [sɔ'me] *v/t.* (1a) summieren.

sommer[2] [~] *v/t.* (1a) auffordern.

sommet [sɔ'mɛ] *m* **1.** Gipfel *m*, Spitze *f*; *fig.* Höhepunkt *m*; *alp. déboucher au* ~ den Gipfel erreichen; *pol. conférence f au* ~ (*oft dafür kurz nur*: ~ Gipfel *m*) Gipfelkonferenz *f*; **2.** Scheitel *m*, Ecke *f*; *ast.* Kulminierpunkt *m*; *angles m/pl. opposés au* ~ Scheitelwinkel *m/pl.*; **3.** 🚂 ~ *du rail* Schienenoberkante *f*.

sommier[1] [sɔ'mje] *m* **1.** ✝ Hauptbuch *n*; **2.** ⚖ Strafregister *n*.

sommier[2] [~] *m* **1.** Sprungfederrahmen *m*; **2.** △ Sattelschwelle *f*; (Glocken-)Welle *f*; *Böttcherei*: Schlußreif *m*.

sommité [sɔmi'te] *f* **1.** hervorragende Persönlichkeit *f*, Kapazität *f fig.*; **2.** ⚘ äußerste Spitze *f*.

somnambu|le [sɔmnɑ̃'byl] *adj. u. su.* nachtwandelnd, mondsüchtig; Mondsüchtige(r) *m*, Nachtwandler *m*; *gestes m/pl. de* ~ unbewußte, mechanische, nachtwandlerische Gesten *f/pl.*; **~lisme** [~'lism] *m* Mondsüchtigkeit *f*, Nachtwandeln *n*.

somnifère ⚕ [sɔmni'fɛːr] *adj. u. m* einschläfernd, Schlaf...; Schlafmittel *n*.

somno|lence [sɔmnɔ'lɑ̃ːs] *f* **1.** Schlaftrunkenheit *f*, Schläfrigkeit *f*; Halbschlaf *m*; **2.** ⚕ Schlafsucht *f*; **~lent** [~'lɑ̃] *adj.* (7) **1.** schläfrig; **2.** ⚕ schlafsüchtig; **~ler** [~'le] *v/i.* (1a) schlummern, vor sich hindösen F.

somptu|aire [sɔ̃p'tɥɛːr] *adj.*: *loi f* ~ Aufwands-, Luxus-gesetz *n*; *dépenses f/pl.* ~*s* übertriebener Aufwand *m*; **~eux** [~'tɥø] *adj.* (7d) □ großartig, prächtig, prunkvoll, grandios; prunkliebend; **~osité** [~tɥozi'te] *f* Pracht *f*, Aufwand *m*, Luxus *m*.

son[1] [sɔ̃] *m* **1.** Kleie *f*; *faire l'âne pour avoir du* ~ sich dumm stellen, um etw. zu bekommen; **2.** F *taches f/pl. de* ~ Sommersprossen *f/pl.*

son[2] [~] *m* Laut *m*, Klang *m*, Schall *m*, Ton *m*; *au* ~ *des cloches* unter Glockengeläut; ~ *des trompettes* Trompetenschall *m*.

son[3] [sɔ̃] *m*, **sa** [sa] *f*; *pl.* **ses** [se, *thé.* sɛ] *pr./poss. adj. nur bei* e i n e m *Besitzer od.* e i n e r *Besitzerin anwendbar*: sein(e), ihr(e).

sonar ⚓ [sɔ'naːr] *m* Unterwasserhorchgerät *n*, Echolot-Ortungsanlage *f*.

sona|te ♪ [sɔ'nat] *f* Sonate *f*; **~tine** ♪ [~'tin] *f* Sonatine *f*, leichte Sonate *f*.

sondage [sɔ̃'daːʒ] *m* **1.** Erdbohrung *f*; *tour f de* ~ Bohrturm *m*; **2.** Peilen *n*; ~ *sonore* Echolotung *f bei Tiefseemessungen*; **3.** *fig.* Stichprobe *f*; ~ *d'opinion* Rundfrage *f*, Meinungsforschung *f*; Meinungsumfrage *f*; *faire, effectuer un* ~ *d'opinion* e-e Meinungsumfrage durchführen.

son|de [sɔ̃ːd] *f* **1.** Lot *n*, (Senk-)Blei *n*; *jeter la* ~ peilen; **2.** Sonde *f*; ~ *interplanétaire* Raumsonde *f*; **3.** Such-, Visitier-eisen *n* des Zollbeamten; **4.** ⚒ Erdbohrer *m*; **~der** [sɔ̃'de] *v/t.* (1a) **1.** ⚓ peilen, loten; **2.** mit der Sonde (*od.* mit dem Sucheisen) untersuchen, sondieren; **3.** *fig.* ausforschen, ergründen; ~ *q.* j-n aushorchen; *die öffentliche Meinung* erforschen; ~ *le terrain fig.* die Lage peilen; **~deur** [~'dœːr] **I** *su.* (7g) Erforscher *m*, Untersucher *m*; **II** *m* a) Bohrarbeiter *m*; b) Sondiergerät *n*; **~deuse** ⊕ [~'døːz] *f* Bohrmaschine *f*.

songe *st.s.* [sɔ̃ːʒ] *m* Traum *m*; **~-creux** [~'krø] *m* (6c) Phantast *m*, Schwärmer *m*, Grübler *m*.

songer [sɔ̃'ʒe] *v/i.* (1l) **1.** träumen; **2.** nachdenken; **3.** *fig.* überlegen; ~ *à qch.* an etw. (*acc.*) denken, über etw. (*acc.*) nachdenken; *vous n'y songez pas!*; *y songez-vous!*; *à quoi songez-vous! iron.* aber wo denken Sie hin!; **4.** ~ *à qch.* auf etw. (*acc.*) bedacht sein, etw. beabsichtigen; ~ *à faire qch.* etw. zu tun beabsichtigen; **~ie** [sɔ̃ʒ'ri] *f* Träumerei *f*, Grübelei *f*.

songeur [sɔ̃'ʒœːr] *adj.* (7g) träumerisch, nachdenklich; *laisser q.* ~ j-n nachdenklich, besorgt stimmen (*v. e-r Nachricht*).

sonique [sɔ'nik] *adj.* Schall...; *vitesse f* ~ Schallgeschwindigkeit *f*.

sonnaille [sɔ'nɑːj] *f* Kuhglocke *f*.

sonnant [sɔ'nɑ̃] *adj.* (7) klingend, schallend; *en espèces* ~*es et trébuchantes* in klingender Münze; *à une heure* ~*e* Punkt eins; *à midi* ~ Punkt zwölf.

sonner [sɔ'ne] (1a) **I** *v/i.* **1.** klinge(l)n, tönen, (er)schallen; ~ *creux* hohl klingen (*auch fig.*); **2.** ~ *à la porte de q.* an j-s Tür klingeln; **3.** schlagen (*Uhr*); geläutet werden; *midi est sonné, il est midi sonné* (*deux heures sont sonnées*) es hat zwölf (zwei) [Uhr] geschlagen; *voilà midi qui sonne* es schlägt gerade zwölf; *avoir cinquante ans bien sonnés* volle fünfzig Jahre alt sein; F *il est sonné* er ist bekloppt; **4.** *gr.* lauten, gehört werden; *faire* ~ *une lettre* e-n Buchstaben deutlich hören lassen; ~ *bien* wohlklingend sein; **5.** ~ *de la trompette* Trompete blasen; ⚔ ~ *la charge* zum Angriff blasen; **6.** ♪ *cette note sonne* diese Note harmoniert; ~ *sur la basse* mit dem Baß harmonieren; **II** *v/t.* **7.** läuten, klingeln; ~ *l'alerte d'incendie* Feueralarm geben; *hist.* ~ *le tocsin* die Sturmglocke läuten; ~ *ses gens* s-e Leute herbeiklingeln; ~ *la femme de chambre* dem Zimmermädchen läuten; ~ *le déjeuner* (*le dîner*) zum Mittagessen läuten; ~ *la messe* zur Messe läuten; F *on ne vous a pas sonné* ich habe Sie nicht um Ihre Meinung gefragt; **8.** ♪ ~ *une note* eine Note anschlagen; **9.** F ~ *les cloches à q.* j-n anschnauzen; ~ *q.* j-n anschnauzen; *Sport*: j-n zu Boden schlagen; *allg.* j-n mit dem Kopf an die Wand schlagen, j-n umlegen.

sonnerie [sɔn'ri] *f* **1.** Läuten *n*, Klingeln *n*; Rasseln *n*; **2.** Schlagwerk *n e-r Uhr*; *la grosse* ~ das Glockenwerk *e-r Kirche*; ⚡ ~ *électrique* Klingelanlage *f*, Klingel *f*; **3.** ⚔ Horn-, Trompeten-signal *n*; **4.** ♪ Trompetenstück *n*.

sonnet *litt.* [sɔ'nɛ] *m* Sonett *n*.

sonnette [sɔ'nɛt] *f* **1.** Klingel *f*, (Hand-, Tisch-, Wohnungs-)Glocke *f*; *coup m de* ~ Klingeln *n*; *tirer les* ~*s* von Haus zu Haus ziehen; die Häuser abklappern; **2.** *zo. serpent m à* ~*s* Klapperschlange *f*; **3.** ⊕ Ramme *f*; ~ *à vapeur* Dampframme *f*.

sonneur [sɔ'nœːr] *m* Glöckner *m*; ♪ ~ *de cor* Hornbläser *m*, Hornist *m*.

sono F [sɔ'no] *f* **1.** Tonwiedergabe *f*; **2.** Lautsprecheranlage *f*.

sono|graphe ⚙ [sɔnɔ'graf] *m* Sonograph *m*, Tonregistriergerät *n*; ~**mètre** *phys.* [~'mɛːtrə] *m* Schall-, Ton-messer *m*; ~**métrie** *phys.* [~me'tri] *f* Schall-, Ton-messung *f*.

sono|re [sɔ'nɔːr] *adj.* **1.** tönend, klingend; *cin. film m* ~ Tonfilm *m*; *onde f* ~ Schallwelle *f*; *reproduction f* ~ Tonwiedergabe *f*; *fond m* ~ Geräuschkulisse *f*, musikalische Untermalung *f*; **2.** wohlklingend, klang-reich, -voll; **3.** widerhallend; **4.** *gr.* stimmhaft; ~**risation** [~riza'sjɔ̃] *f* Tonuntermalung *f*, Tonwiedergabe *f*; Lautsprecheranlage *f*; ~ *d'un film* Umwandlung *f* in e-n Tonfilm; ~**riser** [~ri'ze] (1a) **I** *v/t. cin.* tonlich untermalen; **II** *v/rfl.* se ~ *phonét.* stimmhaft werden; ~**rité** [~ri'te] *f* Wohlklang *m*, Klang-fülle *f*, -farbe *f*; ~**thèque** [~'tɛk] *f* Lautarchiv *n*; ~**tone** [~'tɔn] *m* Hörgerät *n* (*für Taube*).

sophisme [sɔ'fism] *m phil.* Sophismus *m*, Trugschluß *m*; *fig.* Spitzfindigkeit *f*.

sophiste [sɔ'fist] *adj. u. m* sophistisch; spitzfindig; Sophist *m*.

sophisti|cation [sɔfistikɑ'sjɔ̃] *f* Künstelei *f*, Unnatürlichkeit *f*, Geziertheit *f*; ~**que** [~s'tik] **I** *adj.* □ *phil.* sophistisch (*a. allg.*); *allg.* verfänglich, spitzfindig; **II** *phil. f* Sophistik *f*; ~**qué** [~'ke] *adj.* geziert, gekünstelt, gewollt, gesucht; *néol.*, *abus.* hochentwickelt, ausgeklügelt, raffiniert, exquisit, modernst, anspruchsvoll; *cout.* raffiniert geschnitten.

sophrologie ⚕ [sɔfrɔlɔ'ʒi] *f* Abmagerung *f* durch Hypnose.

sopo|ratif *phm.* [sɔpɔra'tif] **I** *adj.* einschläfernd; **II** *m* Schlaf-mittel *n*, -trunk *m*; ~**reux** [~'rø] *adj.* (7d) Schlafsucht verursachend; ~**rifique** [~ri'fik] **I** *adj.* a) *phm.* schlaffördernd, einschläfernd; b) *fig.* langweilig; **II** *phm. m* Schlafmittel *n*.

soprano ♪ [sɔpra'no] *m* (*pl.* ~*s u. soprani* [~'ni]) **1.** Sopran *m*, Oberstimme *f*; **2.** Sopransänger *m*.

sorabe *ling.* [sɔ'rab] *adj.* sorbisch; 2 *su.* Sorbe *m*.

sorbe ⚘ [sɔrb] *f* Spierlingsfrucht *f*; ~ *sauvage* Vogelbeere *f*; Eberesche *f*.

sorbet [sɔr'bɛ] *m* Sorbett *n*, Scherbett *n* (*Kühltrank*).

sorbetière [sɔrbə'tjɛːr] *f* Eistopf *m* (*für Sorbett*).

sorbier ⚘ [sɔr'bje] *m* Eberesche *f*.

sor|cellerie [sɔrsɛl'ri] *f* Hexenkunst *f*, Hexerei *f*, Zauberei *f*; ~**cier** [~'sje] (7b) **I** *su.* Zauberer *m*, Hexenmeister *m* (*f*: Hexe *f*); **II** F *adj.*: *ce n'est pas très* (*od. bien*) ~ das ist gar nicht schwer (*fig.*).

sordi|de [sɔr'did] *adj.* schmutzig, dreckig und ärmlich; *fig.* schmutzig, gemein, schäbig; ~**dité** [~di'te] *f* Schmutzigkeit *f*; *fig.* Schäbigkeit *f*.

sorgho ⚘ [sɔr'go] *m* Sorghum *n*, Moorhirse *f*.

sorite *phil.* [sɔ'rit] *m* Kettenschluß *m* (*Logik*).

sornettes F [sɔr'nɛt] *f/pl.* Gefasel *n*, albernes Gerede *n*.

sort [sɔːr] *m* **1.** Schicksal *n*, Verhängnis *n*; **2.** (Lebens-)Los *n*, Geschick *n*; *conjurer le mauvais* ~ Unglück abwenden; F *fig. faire un* ~ *à Speise* aufessen, verputzen, verdrücken; *faire un* ~ *à une bouteille* austrinken, e-r Flasche den Hals brechen; **3.** Los *n* (*Wahl*); Entscheidung *f* durch den Zufall; *tirer au* ~ losen um (*acc.*); *le* ~ *en est jeté* der Würfel ist gefallen; **4.** Zauber (-spruch *m*) *m*; *jeter un* ~ *à q.* j-n be-, ver-hexen; *il faut qu'il y ait un* ~ es ist wie verhext.

sortable [sɔr'tablə] *adj.*: *il n'est pas* ~ man kann sich mit ihm nicht sehen lassen.

sortant [sɔr'tɑ̃] *adj.* **1.** gewinnend; *Lotterie*: *numéros* ~*s* Gewinnzahlen *f/pl.*; **2.** *pol.* bisherig.

sorte [sɔrt] **I** *f* **1.** Art *f*, Gattung *f*,

Sorte *f*; *toutes ~s de, de toute(s) ~(s)* allerlei, allerhand, aller Art; **2.** Art und Weise *f*; *advt. de la ~, de cette ~* auf diese Weise, so, derartig; *en quelque ~* gewissermaßen; **II** *cj.* **de ~ que, en ~ que** so daß; *faire en ~ de mit inf. od. que ...* es so einrichten, daß ...

sortie [sɔr'ti] *f* **1.** Herausgehen *n*; Aus-gehen *n*, -reiten *n*, -fahren *n usw.*; Spaziergang *m*; ⚓ Aussegeln *n*; ✈ Abflug *m*, Start *m*; *~ d'essai* Probefahrt *f*; **2.** Ausgang *m*, Ausgangstür *f*; Ausfahrt *f* (*Garage, Parkplatz, Autobahn*); *~ de secours* Notausgang *m*; *fig. se ménager une porte de ~* sich ein Hintertürchen offenhalten; **3.** Austritt *m*; *écol.* Verlassen *n*; *bisw.* Ende *n*, Schluß *m*; *examen m de ~* Abgangsprüfung *f*; *à la ~ de l'hiver* zu Ende des Winters; *écol. depuis la ~ du lycée* seit dem Verlassen der (höheren) Schule; *~ du lycée* Schulschluß *m* (*e-s Schultages*); *à la ~ des bureaux* bei Büroschluß, nach Feierabend; *à la ~ de l'école* nach der Schule; **4.** *thé.* Abtreten *n* von der Bühne; Abgang *m* (*auch Sport*) **5.** † Ausfuhr *f von Waren, Gold, Devisen*; *acquit m de ~* (Waren-)Ausgangsschein *m*; **6.** *fig.* heftiger Vorwurf *m*, Protest *m*; Wutausbruch *m*; **7.** ⚘ Herauskommen *n*, Durchbrechen *n*; **8.** *~ de bain* Bademantel *m*; **9.** Herausbringen *n*; Erscheinen *n*; *cin.* Uraufführung *f*.

sortilège [sɔrti'lɛːʒ] *m* Hexerei *f*; *fig.* Bann *m*.

sortir[1] [sɔr'tiːr] (2b) **I** *v/i.* **1.** heraus- (*od.* hinaus-)gehen, hinaus-, heraus-fahren; heraustreten; ausgehen; verlassen (*d'une pièce* e-n Raum); *~ à cheval* ausreiten; *il ne sort jamais* er kommt nie aus dem Hause; *laisser ~* hinauslassen; *faire ~ Person* auffordern, hinauszugehen, *Tier* hinausjagen, *Gegenstand* heraus-bringen, -bekommen; F *se faire ~* hinausgeworfen, raus-geworfen, -geschmissen werden F; ⚓ *~ du port* auslaufen; ✈ *~ du hangar* aus der Flugzeughalle herausrollen; aushallen; ⚔ *~ en essaim* ausschwärmen; ⚔ *~ tout à coup* hervorbrechen; *~ des rails* entgleisen; ⚔ *~ de son rang* aus dem Glied treten; *il est sorti de l'enfance* er ist den Kinderschuhen entwachsen; *~ de la mémoire* (*j-m* gedächtnismäßig) entfallen; *cela m'est sorti de l'esprit* das ist mir entfallen; *ne pas en ~* es nicht schaffen, nicht damit fertig werden; **2.** *thé.* abtreten; **3.** heraus-kommen, -fließen, -strömen; *fig. que va-t-il en ~* was wird wohl dabei herauskommen?; **4.** auf den Markt kommen; *Film*: anlaufen; *Lotterie*: gezogen werden (*Nummer*); *Prüfungsthema*: rankommen; **5.** (her)kommen; *je sors de chez lui* ich komme gerade von ihm; *~ de maladie* die Krankheit hinter sich haben; *~ de prison* aus dem Gefängnis entlassen sein; *cela ne me sort pas de la tête* das will mir nicht aus dem Kopf (gehen); *~ du rang* von der Pike auf gedient haben; *~ de l'école* aus der Schule kommen; *~ du lycée* vom Gymnasium abgehen, das Gymnasium verlassen; *~ de table* vom Tisch, vom Essen aufstehen; **6.** abgehen, abweichen; *~ de ses gonds* sich nicht mehr beherrschen können, wütend werden; *~ de son rôle* aus der Rolle fallen; **7.** loskommen, sich freimachen; *bei e-m Unfall*: *~ indemne* unverletzt davonkommen; *aus e-m Kampf*: *~ vainqueur* als Sieger hervorgehen; **8.** zum Vorschein kommen, hervorkommen; keimen, sprossen; ⚘ durchbrechen; **9.** abstammen, herrühren; kommen; *~ d'une bonne famille* aus gutem Hause sein; **II** *v/t.* heraus-bringen, -führen, -ziehen, -schaffen, -tragen, -nehmen; ausführen (*Hund, Kind, Besuch, Freundin*); *Sport*: (*e-n Rekord*) herausholen, für sich verbuchen; *~ q.* j-n schlagen (*Tennis*); F *~ q.* j-n an die Luft setzen, j-n rausschmeißen P; *~ qch.* etw. Neues herausbringen, etw. Neues auf den Markt bringen; *~ un journal de sa poche* aus s-r Tasche eine Zeitung ziehen; *gym. sortez la poitrine!* Brust raus!; F *dumme Bemerkung* von sich geben, verzapfen F; **III** F *v/rfl.*: *s'en ~* sich aus der Affäre ziehen, sich *beruflich* wieder hochrappeln; aus der Klemme herauskommen; *mit dem Leben* davonkommen; **IV** *m*: *au ~ de ...* beim Herausgehen aus (*dat.*); *au ~ du lit* beim Aufstehen; *au ~ de l'hiver* am Ende des Winters.

sortir[2] ⚖ [~] *v/t.* (2a) erlangen; *cette sentence sortira son plein et entier effet* dieses Urteil soll Rechtskraft erhalten.

SOS ⚓, ✈ [ɛso'ɛs] *m* SOS-Ruf *m*.

sosie [sɔ'zi] *m* Doppelgänger *m*.

sot [so, *vor Vokalen* sɔt] (7c) **I** *adj.*

□ **1.** albern, einfältig, dumm, töricht; **2.** *fig.* dumm, blöde; **II** *su.* Dummkopf *m*, Narr *m* (*f*: Närrin *f*, dumme Gans *f*).

sotie *litt.* [sɔ'ti] *f* Narrenspiel *n*.

sottis|e [sɔ'ti:z] *f* **1.** Albernheit *f*, Dummheit *f*, Torheit *f*; **2.** dummer Streich *m*; Flegelei *f*, Unfug *m*; **~ier** [~ti'zje] *m litt.* Stilblütensammlung *f*.

sou [su] *m ehm.* Sou *m* (*5 centimes*); *machine f à ~s* Spielautomat *m*; *loc/adj. de quatre ~s* billig, wertlos; *sans le ~, n'avoir pas le ~* keinen Pfennig haben; *être près de ses ~s* äußerst sparsam leben, auf den Pfennig achten; *propre comme un ~ neuf* blitzsauber; *question f de gros ~* Geldfrage *f*; *économiser ~ à ~* Pfennig für Pfennig sparen; F *pas compliqué pour un ~* überhaupt nicht kompliziert, *Person*: völlig unkompliziert; F *s'embêter à cent ~s de l'heure* sich furchtbar langweilen.

soubassement [subɑs'mɑ̃] *m* ⚠ Unterbau *m*; Rauchfänger *m am Kamin*; Fußkranz *m am Bett*.

soubresaut [subrə'so] *m unvermuteter* Sprung *m e-s Pferdes*; plötzlicher Ruck *m od.* Stoß *m e-s Wagens*.

soubrette [su'brɛt] *f* Kammer-zofe *f*, -mädchen *n*; *thé.* Soubrette *f*.

souche [suʃ] *f* **1.** (Baum-)Stumpf *m*, Stubben *m*; *fig. rester planté là comme une ~* dastehen wie ein Klotz; **2.** Stamm *m e-r Familie*; Ahnherr *m*; *faire ~* Stammvater eines (neuen) Geschlechtes sein, e-n Stamm begründen; *Français de (vieille) ~* Stockfranzose *m*; **3.** *ling.* Ursprung *m*; *de ~ latine* lateinischen Ursprungs; **4.** Talon *m*, Stammblatt *n*; *~ de contrôle* Kontrollabschnitt *m e-r Eintrittskarte*; *carnet m à ~(s)* Kartenheft *n* mit Kontrollabschnitten; **5.** ⚠ Schornsteinmündung *f*.

souchet ⚘ [su'ʃɛ] *m* Zypergras *n*.

souci[1] ⚘ [su'si] *m* Ringelblume *f*; *~ d'eau* Butter-, Kuh-, Dotterblume *f*.

souci[2] [~] *m* **1.** Sorge *f*, Besorgnis *f*, Bekümmernis *f*; *se faire du ~* (*od. des ~s*) *pour q.* sich um j-n Sorgen machen; *sans ~* sorgenfrei; sorglos, unbekümmert; *avoir des ~s* Sorgen haben; *c'est le dernier, le moindre de mes ~s* das ist meine geringste Sorge; **2.** Bedachtsein *n* (*de* auf *acc.*), Bemühen *n* (um); *avoir le ~ de qch.* auf etw. bedacht sein, um etw. bemüht sein; **~er** [su'sje] (1a) *v/rfl. se ~* sich kümmern, sich Gedanken machen (*de* um *acc.*); *ne se ~ de rien* in den Tag hineinleben; *je ne m'en soucie guère* das kümmert mich wenig; **~eux** [su'sjø] *adj.* (7d) bekümmert, besorgt; *~ de* bedacht auf (*acc.*) bemüht um; *~ de* (*inf.*) in dem Bestreben (*od.* Bemühen) zu ...

soucoupe [su'kup] *f* Untertasse *f*; F *ouvrir des yeux (grands) comme des ~s* die Augen aufreißen; *at.*, ✈ *~ volante* fliegende Untertasse *f*.

souda|ble ⊕ [su'dablə] *adj.* lötbar, schweißbar; **~ge** [~'da:ʒ] *m* Löten *n*, Schweißen *n*.

soudain [su'dɛ̃] *adj. u. adv.* (7) □ plötzlich; **~ement** [~dɛn'mɑ̃] *adv.* plötzlich; **~eté** [~dɛn'te] *f* Plötzlichkeit *f*; Schlagartigkeit *f*.

Soudan [su'dɑ̃] *m*: **le ~** der Sudan; **~ais** [~da'nɛ] (7) **I** ♀ *adj.* sudanesisch; **II** *~ su.* Sudanese *m*; **♀isation** *pol.* [~daniza'sjɔ̃] *f* Sudanisierung *f*.

soudard [su'da:r] *m* Grobian *m*.

soude [sud] *f* **1.** ⚘ Salzkraut *n*; **2.** ⚗ (*carbonate m de*) *~* Soda *n*, kohlensaures Natron *n*; *~ caustique* Ätzsoda *n*; *sel m de ~* Lötasche *f*.

souder [su'de] (1a) **I** *v/t.* **1.** ⊕ löten, anlöten, (an)schweißen; *fer m à ~* Lötkolben *m*; **2.** *fig.* fest verbinden, zusammenschweißen; **II** *v/rfl. se ~* ⚘, ⚕ zusammenwachsen.

soudeur [su'dœ:r] *m* Schweißer *m*; *~ à l'arc* Elektroschweißer *m*; *~ à l'autogène* Autogenschweißer *m*.

soudeuse ⊕ [su'dø:z] *f*: *~ par résistance* Widerstandsschweißmaschine *f*; *~ à châssis* Rahmenschweißmaschine *f*; *~ au galet* Nahtschweißmaschine *f*; *~ au point (à points multiples)* Punkt-(Vielpunkt-)schweißmaschine *f*.

soudière ⊕ [su'djɛ:r] *f* Sodafabrik *f*.

soudo-braseur [sudɔbra'zœ:r] *m* Schweißer u. Löter *m* (*in e-r Person*).

soudoir ⊕ [su'dwa:r] *m* Lötkolben *m*.

soudoyer [sudwa'je] *v/t.* (1a) dingen.

soudure [su'dy:r] *f* **1.** ⊕ Lötmittel *n*; **2.** Schweißen *n*, Löten *n*; **3.** Schweiß-, Löt-stelle *f*; **4.** ⚘, ⚕ Zusammenwachsen *n*; **5.** ⚒ *faire la ~* den Übergang *der vorigen Kornernte zur diesjährigen* sichern.

soufflage [su'fla:ʒ] *m* Glasblasen *n*; Gebläse(spülung *f*) *n*; *écol.* Vorsagen *n*.

soufflant F [su'flɑ̃] *adj.* erstaunlich.

souffl|e ['suflə] *m* **1.** Hauch *m*, Blasen *n*; ~ *de vent* Windhauch *m*; **2.** Atem(zug *m*) *m*; *avoir du* ~ genügend Luft haben; Ausdauer haben; F *il a un certain* ~ der hat Nerven F; *manquer de* ~ nicht genügend Luft bekommen, keine Puste mehr haben F; *retenir son* ~ den Atem anhalten; *être à bout de* ~ außer Atem sein; *fig.* nicht mehr können; *reprendre son* ~ sich verpusten, sich verschnaufen; **3.** *fig.* Eingebung *f*; Schwung *m*; **~é** [su'fle] **I** *m cuis.* Auflauf *m*, Soufflé *n*; Eierauflauf *m*; **II** F *adj.* verblüfft, sprachlos; **~ement** [~flə'mɑ̃] *m* **1.** Blasen *n*; **2.** ⚖ ~ *d'exploit* Unterschlagung *f* e-r Vorladung (*vgl. souffler* 10).

souffler [su'fle] (1a) **I** *v/i.* **1.** blasen, keuchen, schnaufen; fauchen (*Katze*); pusten (*a. beim Damespiel*); ~ *contre les vitres* die Scheiben anhauchen; ~ *dans, sur ses doigts* in die Hände hauchen; **2.** wehen, brausen (*Wind*); **3.** schwer Atem holen, schnaufen; ~ *comme un bœuf, un phoque* schnaufen wie ein Gaul, wie e-e Lokomotive; **4.** wieder zu Atem kommen; e-e Verschnaufpause machen; *laisser* ~ *un cheval* ein Pferd sich verschnaufen lassen; **5.** den Blasebalg treten; **II** *v/t.* **6.** (weg)blasen, (weg)pusten; *Kerze* ausblasen, auspusten; *Gebäude bei e-r Explosion*: être soufflé vom Luftdruck zerstört, F weggefegt werden; **7.** mit Luft füllen, aufblasen; *cuis. beignet soufflé* Apfelauflauf *m*; *omelette soufflée* Eierauflauf *m*; **8.** ~ *(sur) le feu* das Feuer anfachen; **9.** ~ *(qch. à q.)* j-m etw. zuflüstern; *thé.* soufflieren; *écol.* vorsagen; *ne (pas)* ~ *mot* keinen Ton sagen; *fig.* ~ *qch. à q.* j-m etw. (e-n Gedanken *usw.*) eingeben; **10.** F wegschnappen; unterschlagen; *elle lui avait soufflé son amant* sie hatte ihr ihren Liebhaber weggeschnappt; ⚖ ~ *un exploit* die Abschrift e-r gerichtlichen Vorladung nicht zustellen (*od.* unterschlagen); **11.** F frappieren, überraschen.

souffl|erie [suflə'ri] *f* Blase-balg *m*, -werk *n*; ⊕ Gebläse *n*; *en* ~ in Windeseile; ~ *(aérodynamique)* Windkanal *m*; **~et** [~'flɛ] *m* **1.** *litt.* Ohrfeige *f*; **2.** Klappverdeck *n e-s Wagens*; **3.** *phot.* Balg *m e-r Klappkamera*; **4.** *cout.* Einsatz *m*; **5.** 🚂 (Harmonika-)Verbindungsgang *m*; **~eter** *fig.* [~flə'te] *v/t.* (1c) brandmarken; **~eur** [~'flœ:r] *m* **1.** *écol.* Vorsager *m*; *thé.* Souffleur *m*, Souffleuse *f*; *trou m du* ~ Souffleurkasten *m*; **2.** ~ *(de verre)* Glasbläser *m*; ~ *(d'orgues)* Orgeltreter *m*; **~euse** ⊕ [~'flø:z] *f* Korn-, Schneesauger *m*; **~ure** ⊕ [~'fly:r] *f* (Guß-) Blase *f*.

souffr|ance [su'frɑ̃:s] *f* **1.** Leiden *n*, Kummer *m*, Schmerz *m*; **2.** ⚖ Vergünstigung *f*, Duldung *f*; **3.** ⚕ Aufschub *m*, Unterbrechung *f der Geschäfte*; *en* ~ unerledigt; ungedeckt (*Wechsel*); unbestellbar (*Brief*); *article m en* ~ ausgesetzter Posten *m*; *colis m en* ~ unbestellbares Frachtstück *n*; *jour m de* ~ (Schon-) Fristtag *m*; *lettre f de change en* ~ notleidender Wechsel *m*; *laisser en* ~ unerledigt lassen; *rester en* ~ unerledigt liegenbleiben (*Arbeit*); **~ant** [~'frɑ̃] *adj.* (7) leidend, leicht erkrankt.

souffre-douleur [sufrədu'lœ:r] *m* (6c) Sündenbock *m*, Prügelknabe *m*; *von weiblichen Personen*: Aschenbrödel *n*.

souffreteux [sufrə'tø] *adj.* (7d) leidend, kränklich.

souffrir [su'fri:r] (2f) **I** *v/t.* **1.** (er-) leiden, (er)dulden; ertragen; ~ *la faim* den Hunger ertragen; ~ *mille morts* Höllenqualen leiden, ausstehen; **2.** zulassen; *fig.* leiden, vertragen; *il ne souffre pas de rival* er läßt niemanden neben sich aufkommen; *ne pouvoir* ~ *q.* j-n nicht ausstehen (*od.* leiden) können; **3.** gestatten, erlauben; *souffrez que je vous dise* erlauben Sie mir, Ihnen zu sagen; **II** *v/i.* **4.** leiden; *où souffrez-vous?* wo haben Sie Schmerzen?; ~ *de rhumatismes* an Rheuma leiden; ~ *de l'estomac* magenleidend sein; *faire* ~ *q.* j-n quälen, peinigen, j-m Leiden zufügen, j-m ein Leid antun; ~ *de la jambe* am Bein Schmerzen haben; *folgt auf* ~ *im Sinne von „Kummer haben"* (*vgl. unter* 6) *ein inf., so steht vor diesem* de: *je souffre de vous voir dans cette situation* es geht mir nahe, Sie in dieser Lage zu sehen; **5.** Schaden leiden; ~ *de qch.* unter etw. (*dat.*) zu leiden haben; **6.** Kummer haben (s. *a.* 4).

soufrage ⊕ [su'fra:ʒ] *m* Schwefeln *n*, Ausräuchern *n* durch Schwefel.

soufr|e ['sufrə] *m* Schwefel *m*; ~ en

fleurs, fleurs f/pl. de ~ Schwefelblüte *f*; *jaune* ~ schwefelgelb; **~é** [su'fre] *adj.* schwefelhaltig; **~er** [~] *v/t.* (1a) mit Schwefel ausräuchern; aus-, ein-schwefeln; **~ière** [sufri'ɛːr] *f* Schwefelgrube *f*.

souhait [swɛ] *m* (*Herzens-*)Wunsch *m*, Verlangen *n*; *advt. à* ~ nach Wunsch; sehr, äußerst; *joli à* ~ bildhübsch; *à vos ~s!* (zur)Gesundheit! (*beim Niesen*); **~able** [swɛ'tablə] *adj.* wünschenswert; **~er** [swɛ'te] *v/t.* (1b) (sehnlich) wünschen; ~ *qch. à q.* j-m etw. wünschen; ~ *le bonjour à q.* j-m e-n guten Tag wünschen; ~ *la bienvenue à q.* j-n willkommen heißen; ~ *la bonne année* ein frohes neues Jahr wünschen; *je souhaite de faire qch.* ich wünsche sehr (*od.* ich verlange danach), etw. zu tun; *a. ohne* de, *bsd. vor pouvoir: il souhaite pouvoir venir* er möchte furchtbar gern kommen; F *iron. je vous souhaite bien du plaisir* na dann viel Vergnügen! (*od.* Spaß!) F.

souillard [su'jaːr] *m* Abflußloch *n*; **~e** [su'jard] *f* Spülbottich *m*.

souill|e [suj] *f* Suhle *f*, Kotlache *f der Wildschweine*; **~er** [su'je] *v/t.* (1a) beschmutzen, besudeln; *souillé de sang* blutbefleckt; *fig.* ~ *son honneur* seine Ehre beflecken; **~on** [su'jɔ̃] *f* Schmutzfink *m*, Schmutzliese *f*; **~ure** [su'jyːr] *f* Schmutzfleck *m*; *fig.* Schandfleck *m*.

souk [suk] *m* arabischer Markt *m*, Suk *od.* Souk *m*.

soûl [su] *adj.* (7) **1.** besoffen; *être* ~ *comme une grive* (*comme une barrique, comme une bourrique, comme un Polonais*) sternhagelbesoffen sein, total blau sein; **2.** *tout mon* (*bzw. ton etc.*) ~ nach Herzenslust; *dormir tout son* ~ richtig ausschlafen; *manger tout son* ~ sich ordentlich satt essen.

soulag|ement [sulaʒ'mɑ̃] *m* Erleichterung *f*, Linderung *f*; *donner* (*od. apporter*) *du* ~ Erleichterung (*od.* Linderung) verschaffen; **~er** [~'ʒe] (1l) **I** *v/t.* **1.** erleichtern, Erleichterung verschaffen (*dat.*); ~ *la douleur* den Schmerz mildern; **2.** *j-m* beistehen, *j-m* helfen; *j-n* entlasten; **3.** ⚠ ~ *une poutre* e-n Balken entlasten *od.* stützen; **II** *v/rfl.* se ~ **4.** sich (seelische) Erleichterung verschaffen; **5.** F s-e Notdurft verrichten.

soûlant F [su'lɑ̃] *adj.* (7) ermüdend (*Redner etc.*).

soûl|ard P [su'laːr], **~aud** P [su'lo] *su. u. adj.* (7) Säufer *m*; dem Suff ergeben; **~er** P [~'le] (1a) **I** *v/t.* **1.** übersättigen; **2.** besoffen machen; **3.** *fig.* voll auskosten (*Gefühle des Zorns od. der Rache*); ~ *ses yeux de qch.* s-e Augen an etw. weiden; **4.** völlig erschöpfen (*od.* zu Tode langweilen); **II** *v/rfl.* se ~ sich besaufen; *fig.* se ~ de sich berauschen an (*dat.*), sich hingeben (*dat.*); **~erie** P [sul'ri] *f* Sauferei *f*; Besäufnis *f*, Suff *m* F.

soulèvement [sulɛv'mɑ̃] *m* **1.** Steigen *n*; **2.** *géol.* unterirdische Umwälzung *f durch vulkanische Tätigkeit*, Hebung *f der Erdkruste*; Bodenerhebung *f*; **3.** *fig.* Aufstand *m*, Empörung *f*, Aufruhr *m*; **4.** ⊕ Anhub *m*, Anheben *n*; Aufwirbelung *f*; ~ *d'oscillations* Erregung *f* von Schwingungen.

soulever [sul've] (1d) **I** *v/t.* **1.** auf-, empor-heben, in die Höhe heben, aufrichten; ~ *les paupières* die Augen halb aufschlagen; **2.** aufwirbeln; in Wallung bringen; ~ *les flots* die Wogen aufwühlen; **3.** ~ *un peuple* ein Volk aufwiegeln; **4.** *fig.* an-, er-regen; verursachen, bewirken; ~ *les haines* Haß erregen; ~ *une question* e-e Frage aufwerfen; **5.** ~ *le cœur* Übelkeit verursachen; *fig.* Widerwillen, Abscheu erregen; **6.** *gym.* ~ *un poids* ein Gewicht stemmen; **7.** ✶ *j-m s-e Freundin* ausspannen, abspenstig machen; klauen, stemmen; **II** *v/rfl.* se ~ **8.** sich aufrichten; **9.** aufgewühlt werden; *la mer se soulève* das Meer geht hoch; **10.** *fig.* sich auflehnen, sich empören.

soulier [su'lje] *m* (Halb-)Schuh *m*; ~ *plat* absatzloser Schuh *m*; ~ *verni* Lackschuh *m*; *mettre ses ~s* sich die Schuhe anziehen; *fig.* F *être dans ses petits ~s* in großer Verlegenheit sein.

soulign|ement [suliɲ'mɑ̃] *m* Unterstreichen *n*; **~er** [~'ɲe] *v/t.* (1a) (*mit folgendem acc. oder mit* que; *vgl. relever* 7) unterstreichen; *fig.* hervorheben.

soulograph|e P [sulɔ'graf] *m* Säufer *m*; **~ie** P [~'fi] *f* Sauferei *f*.

soulte ⚖ [sult] *f* Ausgleichszahlung *f*.

soumettre [su'mɛtrə] *v/t.* (4p) **1.** unterwerfen; ~ *des rebelles* Aufständische niederzwingen; **2.** *fig.* unterordnen; **3.** *fig.* vorlegen, unterbreiten; ~ *à l'examen* der Prüfung unterziehen; **4.** ~ *q. à qch.* j-n etw. erleiden lassen.

soumis [su'mi] *adj.* (7) gehorsam, fügsam; unterwürfig; unterworfen: ~ *aux droits* verzollbar, zollpflichtig; ~ *aux impôts* steuerpflichtig; ~ *au service militaire* wehrdienstpflichtig.

soumission [sumi'sjɔ̃] *f* **1.** Unterwerfung *f*; *faire sa* ~ sich unterwerfen, ⚔ sich ergeben; **2.** Unterwürfigkeit *f*, Ergebenheit *f*, Gehorsam *m*; **3.** (*mst.* ~*s pl.*) Ehrerbietung *f/sg.*; **4.** *adm.* Ausschreibung *f od.* Übernahme *f* von Arbeiten; Angebot *n* (*auf öffentliche Ausschreibung*), Lieferungsangebot *n*; Submission *f*; **~naire** [~sjɔ'nɛːr] *su.* Submittent *m*, Bewerber *m* um ausgeschriebene Arbeiten *od.* Lieferungen; **~ner** [~sjɔ'ne] *v/t.* (1a) *e-e schriftliche Annahmeerklärung* über e-e Submission abgeben; an der Vergebung *e-r ausgeschriebenen öffentlichen Arbeit* teilnehmen; ein Lieferungsangebot machen auf (*acc.*); ~ *une fourniture* e-e Lieferung übernehmen.

soupape [su'pap] *f* Ventil *n*, Klappe *f*, Stöpsel *m*; ~ *de sûreté* Sicherheitsventil *n* (*auch fig.*); ~ *de réglage* Regulierventil *n*; ~ *d'échappement* Auspuff-, Überdruck-, Auslaßventil *n*; *Auto*: Auspuffklappe *f*; ~ *à volet* Tellerventil *n*; *Auto u. vél.* ~ *de chambre à air* Schlauchventil *n*.

soupçon [sup'sɔ̃] *m* **1.** Verdacht *m*, Argwohn *m*; *concevoir des* ~*s* Verdacht schöpfen; *être au-dessus de tout* ~ über jeden Verdacht erhaben sein; **2.** Mutmaßung *f*, Vermutung *f*; **3.** *fig. un* ~ e-e Spur, ein Anflug, ein Hauch, ein Tröpfchen, ein ganz klein bißchen; *un* ~ *de moustache* ein sich schwach andeutender Schnurrbart *m*; **~ner** [~sɔ'ne] *v/t.* (1a) **1.** in Verdacht haben, verdächtigen (*de vol* des Diebstahls); **2.** vermuten, ahnen; **~neux** [~sɔ'nø] *adj.* (7d) □ argwöhnisch, mißtrauisch.

soupe [sup] *f* Suppe *f*; Fleischbrühe *f* mit Brot; P Essen *n*; P Abendbrot *n*; ~ *aux choux* Kohlsuppe *f*; ~ *au lait* Milchsuppe *f*; F *être* ~ *au lait* leicht aufbrausen, schnell wütend werden; F *fig. un gros plein de* ~ ein Dick-, Fettwanst *m* F; F *fig. par ici la bonne* ~ immer her damit! F; *tremper la* ~ die Bouillonsuppe anrichten; *trempé comme une* ~ pudelnaß; *Fr.* ~ *populaire* Volksküche *f*.

soupente [su'pɑ̃ːt] *f* **1.** ⌂ Hängeboden *m*; **2.** Hänge-, Trag-riemen *m* (*für Zugpferde*).

souper [su'pe] **I** *v/i.* a) zur Nacht essen (*nach e-m Theaterbesuch usw.*); b) Abendbrot essen; c) P *avoir soupé de q. od. de qch.* von j-m *od.* von e-r Sache die Nase voll haben; **II** *m* a) Nachtessen *n* (*nach e-m Theaterbesuch usw.*); b) Abendbrot *n*.

soupeser [supə'ze] *v/t.* (1d) mit der Hand (ab)wiegen; *fig.* abwägen.

soupeur [su'pœːr] *su.* (7g) Nacht-, Abend-esser *m*.

soupière [su'pjɛːr] *f* Suppenschüssel *f*.

soupir [su'piːr] *m* **1.** Seufzer *m*; *pousser un* ~ e-n Seufzer ausstoßen, aufseufzen; **2.** ♪ (Zeichen *n* der) Viertelpause *f*; *demi-*~ Achtelpause *f*; *quart m de* ~ Sechzehntelpause *f*.

soupirail ⌂ [supi'raj] *m* (5c) (*pl. soupiraux*) Kellerfenster *n*, Kellerloch *n*; Kellerlichtschacht *m*.

soupir|ant [supi'rɑ̃] *m litt. od. plais.* Verehrer *m*; **~er** [~'re] *v/i.* (1a) **1.** seufzen; **2.** *litt.* ~ *pour q.* in j-n verliebt sein.

soupl|e ['suplə] *adj.* □ **1.** biegsam, weich (*Stoff*); gelenkig, geschmeidig, behende, schmiegsam; **2.** *fig.* gefügig, anpassungsfähig, gewandt, wendig, lenksam; **~esse** [~'plɛs] *f* **1.** Biegsamkeit *f*, Geschmeidigkeit *f*, Gelenkigkeit *f*, Wendigkeit *f* (*a.* ✈, *Auto*), Behendigkeit *f*; Durchlässigkeit *f* (*von Grenzen*); *Sport*: *se recevoir en* ~ weich aufspringen; **2.** *fig.* Nachgiebigkeit *f*, Fügsamkeit *f*, Gefügigkeit *f*, Anpassungsfähigkeit *f*, Gewandtheit *f*.

souquer ⚓ [su'ke] (1m) **I** *v/t.* fest zuziehen; **II** *v/i.* ~ *sur les avirons* sich in die Riemen legen.

sourc|e [surs] *f* **1.** Quelle *f*; ⚡ ~ *de courant*, ~ *d'électricité* Stromquelle *f*; *prendre sa* ~ entspringen; *cela coule de* ~ das ergibt sich von selbst; **2.** *fig.* Ursprung *m*, Ursache *f*; *remonter à la* ~ bis auf den Ursprung zurückgehen; *de bonne* ~ aus sicherer Quelle; ~ *lumineuse* Lichtquelle *f*; ~ *d'erreurs* Fehlerquelle *f*; ~ *de périls* Gefahrenquelle *f*; *la* ~ *de tous les maux* das Grundübel, die Wurzel allen Übels; **~ier** [sur'sje] *su.* (7b) Rutengänger *m*.

sourcil [sur'si] *m* Augenbraue *f*; *froncer les* ~*s* die Stirn runzeln; **~ier** [~si'lje] *adj.* (7b) *anat. arcade* *sourcilière* Augenbrauenbogen *m*; **~ler** [~si'je] *v/i.* (1a): *sans* ~ ohne e-e Miene zu verziehen; *ne pas* ~ keine Miene verziehen; nicht mit der Wimper zucken; **~leux** [~'jø] *adj.* (7d) □ **1.** streng; **2.** kleinlich, pedantisch; **3.** bedacht (*sur* auf *acc.*).

sourd [su:r] (7) **I** *adj.* □ **1.** taub; ~ *comme un pot* stocktaub; *être* ~ *d'une oreille* auf e-m Ohr taub sein; *faire la* ~*e oreille à qch.* etw. überhören; *fig. rester* ~ *aux appels de q.* gegen j-s Appelle taub bleiben; **2.** *fig.* dumpf, gedämpft; stimmlos; tonlos; *d'une voix* ~*e* mit belegter Stimme; **3.** *fig. Kampf, Feindschaft*: geheim, heimlich; Schleich...; *lanterne f* ~*e* Blendlaterne *f*; **II** *su.* Taube(r) *m*; F *fig. crier comme un* ~ wie ein Besessener schreien; *c'est un dialogue de* ~*s* sie reden aneinander vorbei; *ce n'est pas tombé dans l'oreille d'un* ~ da hat j. gut aufgepaßt.

sourdine [sur'di:n] *f* **1.** ♪ Dämpfer *m*; *en* ~ ganz leise; *fig. mettre une* ~ *à ses prétentions* in s-n Ansprüchen bescheidener werden; **2.** Sperrfeder *f* (*Repetieruhr*).

sourd|-muet [sur'mɥɛ] *m*, **~e-muette** [surd'mɥɛt] *f adj. u. su.* (6a) taubstumm; Taubstumme(r) *m.*

sourdre ['surdrə] *v/i.* (4a) (*nur noch st.s., und zwar im inf. u. in der 3. Person prés. sg./pl.*) *fig.* entstehen; vorgehen *fig.*

souri|ceau [suri'so] *m* (5b) Mäuschen *n*; **~cière** [~'sjɛ:r] *f* **1.** Mausefalle *f*; **2.** *fig. Polizei*: Falle *f*.

sourire [su'ri:r] (4r) **I** *v/i.* **1.** lächeln (*de* über *acc.*); **2.** ~ *à q.* j-m zulächeln; ~ *de nouveau à l'existence* sich wieder s-s Daseins freuen; **II** *m* Lächeln *n*; *avoir le* ~ ein fröhliches, vergnügtes Gesicht machen; *garder le* ~ guter Dinge bleiben.

souris [su'ri] **I** *f* **1.** Maus *f*; ~ *commune* Hausmaus *f*; ~ *des champs* Feldmaus *f*; **2.** F *fig.* (*Mädchen*) Kleine *f*, Hübsche *f*, Süße *f* F; *fig.* ~ *d'hôtel* Hoteldieb(in *f*) *m*; **II** *adj./inv. gris* ~ mausgrau.

sournois [sur'nwa] *adj. u. su.* (7) verschlossen, heimtückisch, hinterlistig; Duckmäuser *m*, Schleicher *m*, Kriecher *m*; **~ement** [~nwaz'mã] *adv.* heimlich; **~erie** [~z'ri] *f* Verstecktheit *f*, Duckmäuserei *f*, Kriechertum *n*; Hinterhältigkeit *f*, heimtückischer Streich *m.*

sous [su, *vor e-m Vokal* suz] *prp.* unter (*dat. bzw. acc.*), unterhalb (*gén.*); **a**) *örtlich*: ~ *terre* unter der Erde; ✝ ~ *bande* unter Streif- (*od.* Kreuz-)band; ~ *clef* unter Verschluß; *mettre* ~ *enveloppe* in e-n Umschlag tun; *mettre* ~ *scellé* gerichtlich verschließen; ~ *presse* im Druck, unter der Presse; ~ *mes yeux* vor m-n Augen; *prendre q.* ~ *sa protection* j-n in s-n Schutz nehmen; *passer qch.* ~ *silence* etw. verschweigen; ~ *la pluie* im Regen; **b**) *zeitlich*: ~ *l'Empire* während des Kaiserreichs; ~ *quinze jours od.* ~ *quinzaine* binnen (*od.* innerhalb von) vierzehn Tagen; ~ *peu* (*de temps*) binnen kurzem; **c**) *Strafbestimmung*: ~ *peine d'amende* bei Geldstrafe; **d**) *Art u. Weise*: ~ *condition* bedingungsweise; ~ *l'espèce de* ... in Gestalt von ...; ~ *une forme agréable* auf angenehme Weise; ~ *prétexte que* ... unter dem Vorwand, daß ...; ~ *ce rapport* in dieser Hinsicht; ~ *serment* eidlich; **e**) *Abhängigkeit*: *il a cent hommes* ~ *ses ordres* er hat 100 Mann unter s-m Befehl.

sous|-affermer [suzafɛr'me] *v/t.* (1a) in Unterpacht geben *od.* nehmen; **~-agent** [suza'ʒã] *m* (6g) Unteragent *m*; **~-aide** [su'zɛd] *m* (6g) **1.** Untergehilfe *m*; **2.** ⚔ ~ (*major*) Unter-, Assistenz-arzt *m*; **~-alimentation** [suzalimãtɑ'sjɔ̃] *f* (6c) Unterernährung *f*; **~-alimenté** [~zalimã'te] *adj.* unterernährt; **~-amendement** [suzamãd'mã] *m* (6g) Zusatz *m zu e-m Antrag*; **~-bail** [su'baj] *m* (5c) Unter-pacht *f*, -miete *f*; **~-bande** *chir.* [su'bã:d] *f* (6g) Unterbinde *f*; **~-barbe** [su'barb] *f* Kinnriemen *m am Halfter*; **~-bois** [su'bwa] *m* (6c) Unterholz *n*; **~-chef** [su'ʃɛf] *m* (6g) stellvertretender Vorsteher *m*; Unterführer *m*; ~ *de musique* zweiter Kapellmeister *m*; **~-commission** [sukɔmi'sjɔ̃] *f* (6g), **~-comité** [~kɔmi'te] *m* (6g) Unterausschuß *m*; **~-couche** [su'kuʃ] *f* Unterschicht *f*.

souscrip|teur [suskrip'tœ:r] *m* Unterzeichner *m*; Abonnent *m*; *Börse*: Zeichner *m*; **~tion** [~p'sjɔ̃] *f* Unterzeichnung *f*; ~ *d'actions* Aktienzeichnung *f*; *certificat m de* ~ Bezugsschein *m* (*für Aktien*); *droit m* (*od. privilège m*) *de* ~ Bezugsrecht *n* (*auf Aktien*).

souscrire [sus'kri:r] (4f) **I** *v/t.* unterschreiben, unterzeichnen; beipflichten (*dat.*); gutheißen; **II** *v/i.* **1.** *fin.* ~ *pour un montant de* ... e-n Betrag von ... zeichnen; ~ *pour* (*od.* *à*) *un emprunt* e-e Anleihe zeichnen; ~ (*à*) *des actions* Aktien zeichnen; **2.** ~ *à qch.* in etw. (*acc.*) einwilligen, etw. gutheißen.

sous|-cutané ⚕ [sukyta'ne] *adj.* subkutan; *injection f* ~*e* Einspritzung *f* unter die Haut; **~-délégué** [~dele'ge] *su.* Subdelegierte(r) *m*, Unterabgeordnete(r) *m*; **~-développé** *bsd. éc.* [~devlɔ'pe] *adj.* unterentwickelt; *pays m/pl.* ~*s* unterentwickelte Länder *n/pl.*; **~-diacre** *rl.* [~'djakrə] *m* (6g) Subdiakonus *m*; **~-directeur** [~dirɛk'tœ:r] *su.* (7f) stellvertretender Direktor *m*; **~-dominante** ♪ [~dɔmi'nɑ̃:t] *f* Quarte *f*; **~-emploi** [suzɑ̃'plwa] *m* Unterbeschäftigung *f*; **~-entendre** [suzɑ̃-'tɑ̃:drə] *v/t.* (4a) mit darunter verstehen, stillschweigend mit einbegreifen; **~-entendu** [suzɑ̃tɑ̃'dy] *m* (6g) Hintergedanke *m*, Anspielung *f*; **~-entrepreneur** ⊕ [suzɑ̃trəprə-'nœ:r] *m* Zwischenunternehmer *m*; **~-estimation** [suzɛstima'sjɔ̃] *f* (6g) Unterschätzung *f*; **~-estimer** [suzɛsti'me] *v/t.* (1a) unterschätzen; **~-évaluer** [suzeva'lɥe] *v/t.* (1a) unterschätzen, unterbewerten; **~-exposer** *phot.* [suzɛkspo'ze] *v/t.* (1a) unterbelichten; **~-exposition** *phot.* [~ɛkspozi'sjɔ̃] *f* Unterbelichtung *f*; **~-faît(ag)e** [sufɛ'ta:ʒ, ~'fɛt] *m* (6g) Giebelspitze *f*; **~-ferme** [~'fɛrm] *f* Unterpacht *f*; **~-fermier** [~fɛr'mje] *m* Unterpächter *m*; **~-fifre** F [~'fifrə] *m* Untergeordnete(r) *m*; **~-genre** [~'ʒɑ̃:rə] *m* Untergattung *f*; **~-gorge** [~'gɔrʒ] *f* (6g) Kinnriemen *m am Zügel*; **~-groupement** [~grup'mɑ̃] *m* (6g) Untergruppe *f*; **~-habitat** [suzabi-'ta] *m* primitive Wohnung *f*; **~-homme** [su'zɔm] *m* (6g) Untermensch *m*; **~-jacent** [suʒa'sɑ̃] *adj.* (7) darunterliegend; *fig.* latent, tiefer liegend, im geheimen schlummernd; **~-lieutenant** [suljøt'nɑ̃] *m* (6g) Leutnant *m*; **~-locataire** [su-lɔka'tɛ:r] *su.* Untermieter *m*; **~-location** [~lɔka'sjɔ̃] *f* Untermiete *f*; Weitervermietung *f*; **~-louer** [su-'lwe] *v/t.* (1a) **1.** ab-, unter-vermieten; **2.** (*Zimmer*) in Untermiete nehmen, sich einmieten; **~-main** [su'mɛ̃] *m* (6c) (Schreib-)Unterlage *f*; Schreibmappe *f*; *en* ~ unter der Hand, heimlich; **~-maîtresse** P [~mɛ'trɛs] *f etwa*: Puffmutter *f*; **~-marin** [suma'rɛ̃] **I** *adj.* (7) unterseeisch; U-Boot-...; *chasse* ~*e* Unterwasserjagd *f*; **II** *m* U-Boot *n*, Unterseeboot *n*; ~ *atomique* Atom-U-Boot *n*; **~-multiple** [~myl'tiplə] *adj. u. m* in e-r größeren Zahl aufgehend(e Zahl *f*); **~-œuvre** ⚠ [su-'zœ:vrə] *m* (6c) Untermauern *n*; *prendre en* ~ untermauern; **~-off** F [su'zɔf] *m*, **~-officier** [suzɔfi'sje] *m* Unteroffizier *m*; ⚓ ~ *de marine* Deckoffizier *m*; **~-ordre** [su'zɔr-drə] *m* (6c) Untergebene(r) *m*, Untergeordnete(r) *m*; **~-pied** [su'pje] *m* Sprungriemen *m*, Hosensteg *m*; **~-préfet** [~pre'fɛ] *m* Unterpräfekt *m in Frankreich* (*etwa Landrat*); **~-production** [~prɔdyk'sjɔ̃] *f* Unterproduktion *f*; **~-produit** [~prɔ'dɥi] *m* (6g) Nebenprodukt *n*; **~-quartier** ⚔ [~kar'tje] *m* Kompanieabschnitt *m*; **~-représentation** *parl.* [~rəprezɑ̃ta'sjɔ̃] *f* ungenügende Vertretung *f*; **~-rives** ⚠ [~'ri:v] *f/pl.*: *les* ~ *des toitures* die Dachuntersicht *f*; **~-scolarisation** [~skɔ-lariza'sjɔ̃] *f* mangelnde Schulbildung *f*; **~-secrétaire** [sus(ə)kre-'tɛ:r] *m* Untersekretär *m*; ~ *d'État* Unterstaatssekretär *m*; **~-seing** ⚖ [~'sɛ̃] *m*: ~ *privé* Privatabmachung *f*, nichtnotarielle Akte *f*.

soussign|é [susi'ɲe] *adj. u. su.* unter-schrieben, -zeichnet; *je* ~ ... *déclare* ich, Unterzeichneter, erkläre...; **~er** [~] *v/t.* (1a) unterschreiben, -zeichnen.

sous|-sol [su'sɔl] *m* **1.** ⛏ Untergrund *m*; **2.** Bodenschätze *m/pl.*; **3.** ⚠ Keller-raum *m*, -wohnung *f*, Untergeschoß *n*, Souterrain *n*; **~-station** ⚡ [~sta'sjɔ̃] *f*: ~ *électrique* Nebenstelle *f* e-s Elektrizitätswerks; **~-tangente** ⩚ [~tɑ̃'ʒɑ̃:t] *f* Subtangente *f*; **~-tendante** ⩚ [~tɑ̃-'dɑ̃:t] *f* Untersehne *f*; **~-titre** [~-'ti:trə] *m* Untertitel *m* (*e-s Buchs, e-s Films*); **~-titrer** [~ti'tre] *cin. v/t.* untertiteln, mit Untertiteln versehen.

soustrac|tif [sustrak'tif] *adj.* (7e): *le nombre* ~ die abzuziehende Zahl; **~tion** [~trak'sjɔ̃] *f* **1.** ⚖ Unterschlagung *f*; **2.** ⩚ Subtraktion *f*, Abziehen *n*; *faire la* ~ abziehen.

soustraire [sus'trɛ:r] *v/t.* (4s) **1.** ⚖ unterschlagen; **2.** ~ *qch. à q.* j-m etw. entziehen; etw. vor j-m in Sicherheit bringen; ~ *q. au danger* j-n vor der Gefahr bewahren; **3.** ⩚ subtrahieren, abziehen.

sous|-traitant ✝ [sutrɛ'tɑ̃] **I** *m*

Unterlieferant *m*, Zulieferer *m*; **II** *adj.* Zubringer...; **~-traiter** ✝ [~trɛ'te] *v/t.* (1a) weitervergeben; **~-ventrière** [~vɑ̃tri'ɛːr] *f* Bauchgurt *m e-s Pferdes*; **~-verge** [~'vɛrʒ] *m* (6c) Handpferd *n*; **~-verre** [~'vɛːr] *m* Bild *n* unter Glas; **~-vêtements** [~vɛt'mɑ̃] *m/pl.* Unterwäsche *f*.

souta|che [su'taʃ] *f* Litzenbesatz *m*; **~cher** [~ta'ʃe] *v/t.* (1a) mit Litzen besetzen.

soutane *rl.* [su'tan] *f* **1.** Soutane *f*, langer Priesterrock *m*; *prendre la ~* in den geistlichen Stand treten; **2.** *fig.* Priesterstand *m*.

soute [sut] *f* ⚓ Bunker *m*; ✈ Laderaum *m*; ✈ *~ à bagages* Gepäckraum *m*; ✈ *ouverture f de ~* Bombenschacht *m*; ⚓ *~ à charbon* Kohlenbunker *m*.

soutenable [sut'nablə] *adj.* haltbar, vertretbar (*Ansicht*).

souten|ance [sut'nɑ̃ːs] *f* **1.** Verteidigung *f e-r Doktorarbeit*; **2.** ⚖ Alimentengelder *n/pl.*; **~ant** [~'nɑ̃] *m* Verfechter *m e-r These od. Doktorarbeit.*

soutènement [sutɛn'mɑ̃] *m* **1.** △ (Wider-)Halt *m*, Stütze *f*, Ausbau *m*; *mur m de ~* Stützmauer *f*; **2.** ⚖ *u.* ✝ Rechnungsbeleg *m*.

souteneur *mv.p.* [sut'nœːr] *su.* (7g) Zuhälter *m*.

soutenir [sut'niːr] (2h) **I** *v/t.* **1.** (unter)stützen; halten; tragen; *fin. ~ le dollar* den Dollar stützen; **2.** aus-, stand-halten, ertragen, vertragen; *~ la comparaison avec q., qch.* den Vergleich mit j-m, etw. aushalten; *~ le regard de q.* dem Blick j-s standhalten; **3.** *a. fig.* aufrecht halten, stärken, beistehen (*dat.*), unterstützen, Kraft geben (*dat.*); am Fallen hindern; *Interesse* nicht erlahmen lassen; *fig. ~ la conversation* in Gang halten, aufrechterhalten; *~ le courage* den Mut stählen; *~ q. in e-m Streit* zu j-m halten, stehen; **4.** in gleicher Würde (*od.* Güte) erhalten; *~ sa réputation* s-n guten Ruf bewahren; *thé. caractère bien soutenu* gut ausgeführte Charakterrolle *f*; **5.** behaupten; **6.** stärken, Kraft geben; **7.** verteidigen, verfechten, vertreten; *~ une thèse* e-e Doktorarbeit verteidigen; **8.** ♪ *~ une cadence* e-n Triller aushalten; *la basse soutient le dessus* der Baß unterstützt den Diskant; **II** *v/rfl.* *se ~* **9.** sich aufrecht halten, aufrecht stehen; *se ~ en l'air* (*sur l'eau*) sich schwebend (schwimmend) halten; **10.** sich halten, sich behaupten, von Bestand sein; nicht erlahmen, nicht nachlassen (*Interesse*); **11.** sich gegenseitig unterstützen.

soutenu [sut'ny] *adj. fig.* anhaltend; ausdauernd; ununterbrochen; *Börse*: fest; gehoben (*Stil*); gespannt (*Aufmerksamkeit*); *Farbe*: kräftig, intensiv, tief.

souterrain [sutɛ'rɛ̃] **I** *adj.* (7) □ unterirdisch; *fig.* heimlich; *constructions f/pl. ~es* Tiefbau *m*; *passage ~* Unterführung *f*; **II** *m* unterirdisches Gewölbe *n*; unterirdischer Gang *m*, Schacht *m*; Unterführung *f*; 🚃 unterirdischer Durchgang *m*, Tunnel *m*; ⚔ Kasematte *f*.

soutien [su'tjɛ̃] *m* Stütze *f*, Haltepunkt *m*, Stützpfeiler *m*; Unterstützung *f*, Hilfe *f*, Beistand *m*; *accorder, apporter son ~* s-e Unterstützung gewähren (*à dat.*); *Person, Sache*: Stütze *f*, Halt *m*, Rückhalt *m*; *~ de famille* Ernährer *m* der Familie; **~-gorge** [~'gɔrʒ] *m* (6e) Büstenhalter *m*.

soutier ⚓ [su'tje] *m* Kohlentrimmer *m*.

soutir|age [suti'raːʒ] *m* Um-, Abfüllen *n* (*von Wein usw.*); **~er** [~ti're] *v/t.* (1a) ⊕ ab-, um-füllen; *fig. ~ qch. à q.* j-m etw. entlocken; j-m etw. aus der Tasche ziehen; etw. von j-m erschwindeln.

souvenir [suv'niːr] (2h) **I** *v/rfl.* *se ~ u.* **II** *v/imp.* **1.** *se ~ de qch.* (*de q.*) sich an etw. (an j-n) erinnern; sich e-r Sache (j-s) *gén.* entsinnen; *je m'en souviens* ich erinnere mich daran; *il m'en souvient encore* es ist mir noch in Erinnerung; *vous souvient-il que ...?* erinnern Sie sich daran, daß ...?; *s'il m'en souvient bien* wenn ich mich recht entsinne; *fig. je m'en souviendrai!* a) das werde ich mir merken!; ich werde es *ihm* heimzahlen! (*drohend*); b) ich werde es dir danken!; *il s'en souviendra!* er soll noch daran denken! (*drohend*); **2.** *ohne pr./r. nach faire*: *faire ~ q. de qch.* j-n an etw. erinnern; **III** *m* **3.** Erinnerung *f*, Gedenken *n*; *en ~ de ...* zur Erinnerung an (*acc.*); *garder le ~ de q.* die Erinnerung an j-n (*acc.*) bewahren (*od.* wachhalten); *veuillez me rappeler à son bon ~* bitte empfehlen Sie mich ihr *bzw.* ihm; *si mes ~s sont exacts* wenn ich mich recht erinnere, entsinne; *ce n'est plus qu'un mauvais ~* es kommt mir heute wie ein böser

Traum vor; *garder un mauvais ~ de qch.* etw. in schlimmer Erinnerung haben; *laisser de bons ~s à q.* j-m in angenehmer Erinnerung bleiben; **4.** Andenken *n* (*Gegenstand*), Gedenkstück *n*; Souvenir *n*, Reiseandenken *n*.

souvent [su'vɑ̃] *adv.* oft(mals); *le plus ~* meistens; *plus ~ qu'à mon tour* öfter als normal wäre, als ich eigentlich sollte.

souverain [su'vrɛ̃] (7) **I** *adj.* □ **1.** höchst, oberst, unübertrefflich; *le ~ bien* das höchste Gut; *remède m ~* unfehlbares Heilmittel *n*; *~ mépris m* tiefste Verachtung *f*; *le ~ pontife* der Papst; *souverainement* im höchsten Grade, zuhöchst, äußerst, vollkommen; **2.** *pol.* souverän, unumschränkt; *maître m ~* unumschränkter Herr; *autorité f ~e* Herrschergewalt *f*; *décision f ~e* Machtspruch *m*; **II** *su.* Souverän *m*, Herrscher *m*, Staatsoberhaupt *n*; Machthaber *m*, Gebieter *m*, Regent *m*, regierender Fürst *m*, Monarch *m*; **III** *m* Sovereign *m* (*Goldmünze*); **~eté** [suvrɛn'te] *f* **1.** höchste Gewalt *f*, Oberherrschaft *f*; (Staats-)Hoheit *f*, Souveränität *f*, unabhängige Staatsgewalt *f*; **2.** Herrschaftsgebiet *n* e-s Souveräns.

soviet *pol.* [sɔ'vjɛ] *m* Sowjet *m*, Ratsausschuß *m*; *les* ✧*s pl.* die Sowjets *pl.*

sovié|tique [sɔvje'tik] **I** *adj.* sowjetisch, Sowjet...; *Union f des républiques socialistes ~s* (*abr.* *U.R.S.S.*) Union *f* der Sozialistischen Sowjetrepubliken (*abr.* U.d.S.S.R.); **II** *su.* Sowjetbürger *m*; *les ~s* die Sowjets *pl.*; **~tisme** *pol.* [~'tism] *m* Sowjetsystem *n*; **~to-allemand** [~tɔal'mɑ̃] *adj.* (7) sowjetisch-deutsch.

soya [so'ja] *m* Sojabohne *f.*

soy|ère [swa'jɛːr] *adj./f*: *industrie f ~* Seidenindustrie *f*; **~eux** [swa'jø] **I** *adj.* (7d) seiden-artig, -weich, ⚘ -haarig; **II** *m* Seidenfabrikant *m*.

spaci|eux [spa'sjø] *adj.* (7d) □ geräumig, weit; **~osité** [~sjozi'te] *f* Geräumigkeit *f.*

spadassin [spada'sɛ̃] *m* Raufbold *m*, Schläger *m*, gedungener Mörder *m*.

spadice ⚘ [spa'dis] *m* Kolben *m*.

spahi *ehm.* ⚔ [spa'i] *m* Spahi *m*.

spalt *min.* [spalt] *m* Flußspat *m*.

spalter ⚠ [spal'tɛːr] *m* Flachpinsel *m für Holzmaserung*; Kleisterpinsel *m*.

sparadrap [spara'dra] *m* Heftpflaster *n*, Leukoplast *n*.

spar|te ⚘ [spart] *m* spanisches Pfriemengras *n*, Spartgras *n*; **~téine** ⚗ [~te'in] *f* Spartein *n*; **~terie** [spar'tri] *f* **1.** Mattenfabrik(ation *f*) *f*; **2.** Flechtwerk *n* aus Spartgras.

spartiate *antiq.* [spar'sjat] *adj. u. su.* spartanisch; Spartaner *m*.

spasm|e ⚕ [spasm] *m* Krampf *m*, Spasmus *m*; **~odique** ⚕ [~mɔ'dik] *adj.* krampfartig; Krampf...

spath *min.* [spat] *m* Spat *m*; *~ fluor*, *~ fusible* Flußspat *m*; **~e** ⚘ [~] *f* Blumenscheide *f*; **~ique** *min.* [~'tik] *adj.* spathaltig, Spat...

spatial [spa'sjal] *adj.* (5c) räumlich, Raum...; *at. capsule f ~e* Raumkapsel *f*; *at. charge f ~e* Raumladung *f*; *recherches f/pl. ~es* Weltraumforschung *f*; **~iser** [~li'ze] *v/t.* an die Weltraumbedingungen anpassen; **~isme** [~'lism] *m* Raumkunst *f* (*als Kunstrichtung*); **~ité** [~li'te] *f* Raumhaftigkeit *f.*

spatio|dynamisme *sculp.* [spasjɔdina'mism] *m* Raumdynamik *f*; **~nef** [~'nɛf] *m* großes Raumschiff *n*; **~nique** [~'nik] freie Schiffahrt *f* im Raum.

spatio-temporel [spasjɔtɑ̃pɔ'rɛl] *adj.* (7c) raumzeitlich.

spatu|le [spa'tyl] *f* **1.** ⊕ Spachtel *m od. f*; **2.** *orn.* Löffelreiher *m*; **3.** *Ski*: Spatel *m*; **~lé** [~'le] *adj.* schaufel-, spatel-förmig.

speaker *rad.* [spi'kœːr] *m* Ansager *m*; **~ine** *rad.* [spi'krin] *f* Ansagerin *f.*

spécial [spe'sjal] *adj.* (5c) besonder, speziell; Fach...; *connaissances f/pl. ~es* Fachkenntnisse *f/pl.*; *envoyé m ~* Sonderberichterstatter *m*; *~ à q.* j-n kennzeichnend, j-m eigen; *avoir des mœurs ~es* abartig veranlagt sein; **~e** [~] *f* Sonderausgabe *f*; **~ement** [~l'mɑ̃] *adv.* besonders, insbesondere, speziell; **~es** *Fr. écol.* [~] *f/pl.* Klasse *f* für höhere Mathematik; **~isation** [~liza'sjɔ̃] *f* Spezialisierung *f*; **~isé** [~li'ze] *adj.* spezialisiert; einschlägig; Fach...; *études f/pl. ~es* Fachstudien *f/pl.*; *ouvrier ~* angelernter Arbeiter; **~iser** [~li'ze] (1a) **I** *v/t.* spezialisieren, einzeln angeben; **II** *v/rfl. se ~* sich spezialisieren, sich e-m besonderen Fach widmen; **~iste** [~'list] *su.* Spezialist *m*; Fachgelehrte(r) *m*; Fachmann *m*, -arzt *m*, -händler *m*; **~ité** [~li'te] *f* **1.** Besonderheit *f*; Spezialität *f*; **2.** Spezialfach *n*; Fachwissenschaft *f*; ✝ ausschließliche(r)

Herstellung *f* (Handel *m*); besonderer Geschäftszweig *m*; **3.** ✝ Markenartikel *m*.

spécieux [spe'sjø] **I** *adj.* (7d) □ trügerisch; scheinbar wahr *od.* gerecht; *donner à une affaire un tour* ~ e-r Sache den Anstrich der Wahrheit geben; **II** *m das* Scheinbare *n*.

spécifi|catif [spesifika'tif] *adj.* (7e) näher bezeichnend, spezifizierend; **~cation** [~ka'sjɔ̃] *f* besondere Bezeichnung *f*, Spezifizierung *f*; ⊕ Typenvorschrift *f*; **~cité** [~si'te] *f* **1.** ⚕ besondere Eigenschaft *f e-r Krankheit*; **2.** ⚘, *zo.* Zugehörigkeit *f*; **~er** [~'fje] *v/t.* (1a) spezifizieren, im einzelnen angeben; besonders bezeichnen; ⊕ zur Bedingung machen; **~que** [~'fik] **I** *adj.* □ typisch; spezifisch; *phys. chaleur f* ~ spezifische Wärme *f*; *poids m* ~ spezifisches Gewicht *n*; *résistance f* ~ spezifischer Widerstand *m*; **II** *m* ⚕ spezielles Heilmittel *n*.

spécimen [spesi'mɛn] *m* Probe *f*, Probe-blatt *n*, -nummer *f*, -stück *n*, Muster *n*; ~ *d'écriture* Schriftprobe *f*.

spéciosité [spesjozi'te] *f* scheinbare Richtigkeit *f*.

specta|cle [spɛk'taklə] *m* Anblick *m*; *thé. usw.* Schauspiel *n*, Vorstellung *f*; *se donner en* ~ sich zur Schau stellen; sich der öffentlichen Kritik aussetzen; ~ *de music-hall* Varietévorstellung *f*; *aller au* ~ ins Theater gehen; *courir les* ~*s* ein eifriger Theaterbesucher sein; *industrie f du* ~ Unterhaltungsindustrie *f*, Showgeschäft *n*; *pièce f à grand* ~ Ausstattungsstück *n*; *salle f de* ~ Theatersaal *m*; Schauspielhaus *n*; ~*s pl. forains* (Jahrmarkts-)Schaubuden *f/pl.*, Rummelplatz *m*; **~culaire** [~ky'lɛ:r] *adj.* spektakulär, verblüffend; sehenswürdig; beachtlich, eindrucksvoll; marktschreierisch; (rein) äußerlich; **~teur** [~'tœ:r] *su.* (7f) *thé., cin. usw.* Zuschauer *m*; *allg.* Betrachter *m*, Beobachter *m*.

spectr|al [spɛk'tral] *adj.* (5c) **1.** gespensterhaft; *visions f/pl.* ~*es* Gespenstererscheinungen *f/pl.*; **2.** *phys. u.* ⚗ Spektral...; **~e** ['spɛktrə] *m* **1.** Gespenst *n*; *fig.* Schreckbild *n*; **2.** *opt.* Farbenspektrum *n*; ~ (*solaire*) (Sonnen-)Spektrum *n*; *analyse f du* ~ Spektralanalyse *f*.

spectroscop|e *phys.* [spɛktrɔ'skɔp] *m* Spektroskop *n*; **~ie** *phys.* [~'pi] *f* Spektroskopie *f*.

spéculaire [speky'lɛ:r] **I** *adj.* Spiegel...; *min. pierre f* ~ Glimmer *m*; **II** ⚘ *f* Glockenblume *f*.

spécula|teur [spekyla'tœ:r] *adj. u. su.* (7f) spekulierend; Spekulant *m*; ~ *foncier*, ~ *sur les terrains* Bodenspekulant *m*; **~tif** [~'tif] **I** *adj.* (7e) □ **1.** beobachtend, forschend; **2.** *phil.* spekulativ, übersinnlich; **3.** *allg.* theoretisch; **4.** ✝ spekulativ, auf Spekulation bezüglich; **II** *m* Grübler *m*; Theoretiker *m*; **~tion** [~la'sjɔ̃] *f* **1.** *bsd. phil.* (theoretische) Überlegung *f*, Spekulation *f*, Nachsinnen *n*, Denken *n*; **2.** ✝ Spekulation *f*; ~ *sur la vie chère* Lebensmittelwucher *m*.

spéculer [speky'le] *v/i.* (1a) **1.** *fig.* ~ *sur qch.* auf etw. (*acc.*) spekulieren, mit etw. (*dat.*) *od.* auf etw. (*acc.*) rechnen; **2.** theoretische Forschungen anstellen; **3.** ✝ spekulieren; ~ *sur les fonds publics* (*sur les terrains*) mit Staatspapieren (mit Grund u. Boden) spekulieren; ~ *à la hausse* (*à la baisse*) auf das Steigen (Fallen) der Kurse spekulieren; *péj.* ~ *malhonnêtement* schieben, unsaubere Spekulationsgeschäfte betreiben.

spéculum *chir.* [speky'lɔm] *m* (*pl.* ~*s*) Spiegel *m*.

speech F [spitʃ] *m* (*pl.* ~*es*) kurze Rede *f*.

spéléolog|ie [speleɔlɔ'ʒi] *f* Höhlenkunde *f*; **~ique** [~'ʒik] *adj.* höhlenkundlich, Höhlen...; **~ue** [~'lɔg] *m* Höhlenforscher *m*.

spergule ⚘ [spɛr'gyl] *f* Spergel *m*.

sperma|céti 🕮 [spɛrmase'ti] *m* Walrat *m od. n*; **~torrhée** ⚕ [~tɔ're] *f* Samenfluß *m*; **~tozoïde** *biol.* [~tɔzɔ'id] *m* Samentierchen *n*.

sperme [spɛrm] *m physiol.* männlicher Samen *m*, Sperma *n*.

sphacèle ⚕ [sfa'sɛ:l] *m* kalter Brand *m*.

sphère [sfɛ:r] *f* **1.** Sphäre *f*, Kugel *f*; (*auch:* ~ *céleste*) scheinbare Himmelskugel *f*; **2.** Kreisbahn *f der Planeten*; **3.** ~ *d'action*, ~ *d'activité* Wirkungskreis *m*; **4.** *fig.* Bereich *m*, Gebiet *n*, Geschäfts-, Denk-, Wirkungs-kreis *m*; Umfang *m der Macht, der Kenntnisse usw.*; *pol.* ~ *d'influence* Interessensphäre *f*; ~*s f/pl. de la société* Schichten *f/pl.* der Gesellschaft.

sphéri|cité [sferisi'te] *f* Kugelform *f*; **~que** [~'rik] *adj.* □ sphärisch; kugelig, kugelförmig, kugelrund.

sphéroïd|al [sferɔi'dal] *adj.* (5c)

kugelähnlich; **~e** [sferɔ'id] *m* Sphäroid *n.*
sphéromètre [sferɔ'mɛːtrə] *m* Kugelmesser *m.*
sphex *ent.* [sfɛks] *m* Sandwespe *f.*
sphincter *anat.* [sfɛ̃k'tɛːr] *m* Schließmuskel *m.*
sphinx [sfɛ̃ːks] *m* **1.** *myth.* Sphinx *f*; **2.** *ent.* Schwärmer *m*, Abendfalter *m.*
sphygmographe ⚕ [sfigmɔ'graf] *m* Pulsmesser *m.*
spica *chir.* [spi'ka] *m* Kornährenbinde *f.*
spici|fère ♀ [spisi'fɛːr] *adj.* ährentragend; **~forme** [~'fɔrm] *adj.* ährenförmig; **~lège** [~'lɛːʒ] *m* **1.** Sammlung *f von Theaterstücken, Urkunden, Geschichten usw.*; **2.** Auslese *f von Gedanken, Beobachtungen, Charakteristiken.*
spider *Auto* [spi'dɛːr] *m* Rück-, Not-sitz *m.*
spin *at.* [spin] *m*: *~ (fractionnaire)* (Kern-)Spin *m od.* Drall *m.*
spinal *anat.* [spi'nal] *adj.* (5c) spinal, Rückgrat...; *méningite f cérébro-~e* Genickstarre *f.*
spinelle *min.* [spi'nɛl] *m* Spinell *m.*
spiracule *anat.* [spira'kyl] *m* Atemloch *n.*
spiral [spi'ral] (5c) **I** *adj.* □ spiralförmig; Spiral...; *ressort m ~* Spiralfeder *f*; **II** *horl. m* Spiralfeder *f*; **~e** [~] *f* Spirale *f*, Spiral-, Schnekken-linie *f*; *advt. en ~* spiralförmig.
spirant [spi'rɑ̃] *adj.* hauchend.
spirante *gr.* [spi'rɑ̃ːt] *f* Spirans *f*, Reibe-, Frikativ-laut *m.*
spire [spiːr] *f* **1.** (Spiral-, Schrauben-)Windung *f*; **2.** Gewinde *n der Schnecken*; **3.** *rad. ~s pl.* Wicklung *f.*
spirée ♀ [spi're] *f* Spiräe *f.*
spiriforme [spiri'fɔrm] *adj.* spiralförmig.
spirille *biol.* [spi'rij] *m* Spirillum *n*, Schraubenbakterie *f.*
spiri|te [spi'rit] *adj. u. su.* spiritistisch; Spiritist *m*; **~tisme** [~'tism] *m* Spiritismus *m*, Geisterlehre *f.*
spiritual|isation [spiritɥaliza'sjɔ̃] *f* Vergeistigung *f*; **~iser** [~li'ze] (1a) **I** *v/t.* vergeistigen; **II** *v/rfl. se ~* vergeistigt werden; sich vergeistigen; **~isme** *phil.* [~'lism] *m* Spiritualismus *m*; **~iste** *phil.* [~'list] *adj. u. su.* spiritualistisch; Spiritualist *m*; **~ité** [~li'te] *f* Geisteshaltung *f.*
spirituel [spiri'tɥɛl] **I** *adj.* (7c) □ **1.** geistig, unkörperlich, übersinnlich; **2.** geistlich; kirchlich; Andachts...; *directeur m ~* Beichtvater *m*; *le pouvoir ~* die Kirche, der Papst; **3.** geistreich, witzig; **II** *m das* Geistliche *n*, Seelsorge *f*; *die* geistliche Macht *f*, *das* Kirchenwesen *n.*
spiritueux [spiri'tɥø] **I** *adj.* (7d) alkohol- *od.* weingeist-haltig; **II** *m/pl.* Spirituosen *pl.*
spiroïde [spirɔ'id] *adj.* spiralförmig.
spiromètre ⚕ [spirɔ'mɛːtrə] *m* Atmungsmesser *m.*
splanchnique *anat.* [splɑ̃k'nik] *adj.* Eingeweide...
spleen ⚕, *psych.* [splin] *m* Lebensüberdruß *m*, Schwermut *f.*
splend|eur [splɑ̃'dœːr] *f* (Licht-, Strahlen-)Glanz *m*; *fig.* Herrlichkeit *f*, Pracht *f*; *une ~* etw. Herrliches, Prächtiges, e-e Pracht; F *iron. dans toute sa ~* in s-r (ihrer) ganzen Pracht; **~ide** [~'did] *adj.* □ glänzend, wundervoll, herrlich; *Mädchen*: strahlend schön.
splén|étique ⚕ [splene'tik] *adj. u. su.* milzsüchtig; Milzsüchtige(r) *m*, Hypochonder *m*; **~ique** 🕮 [~'nik] *adj.* Milz...; **~ite** ⚕ [~'nit] *f* Milzentzündung *f.*
spoli|ateur [spɔlja'tœːr] *adj. u. su.* (7f) räuberisch; Raub...; Räuber *m*; **~atif** [~lja'tif] *adj.* (7e) beraubend; ⚕ *saignée f spoliative* Aderlaß *m*; **~ation** [~ljɑ'sjɔ̃] *f* Beraubung *f*, Plünderung *f*; **~er** [~'lje] *v/t.* (1a) berauben.
spond|aïque *métr.* [spɔ̃da'ik] *adj.* spondeisch; **~ée** *métr.* [~'de] *m* Spondeus *m.*
spongi|aires *biol.* [spɔ̃'ʒjɛːr] *m/pl.* meerschwammartige Gewächse *n/pl. od.* Tiere *n/pl.*; **~eux** [~'ʒjø] *adj.* (7d) schwammig; **~osité** [~ʒjozi'te] *f* Schwammigkeit *f*; **~te** *min.* [spɔ̃'ʒit] *f* Schwammstein *m.*
spontané [spɔ̃ta'ne] *adj.* spontan, freiwillig, aus eigenem Antrieb handelnd, ursprünglich; plötzlich; wildwachsend; *Person*: natürlich, unbefangen, offen; *Wesen*: *a.* ursprünglich; **~isme** [~ne'ism] *m* spontanes Handeln *n*; **~ité** [~nei'te] *f* Selbstbestimmung *f*, Spontaneität *f*, Unbefangenheit *f*, Offenherzigkeit *f*, Ursprünglichkeit *f*; **~ment** [~ne'mɑ̃] *adv.* spontan, von selbst, aus freiem Antrieb.
spontex P *pol.* [spɔ̃'tɛks] *m* Befürworter *m* e-r spontanen Aktion.
sporadique [spɔra'dik] *adj.* □ sporadisch, vereinzelt (auftretend).
spore ♀ [spɔːr] *f* Spore *f*; *~s f/pl. migratoires* Schwärmsporen *f/pl.*

sport [~] **I** *m* Sport *m*; ~ *nautique* Wassersport *m*; ~ *équestre*, ~ *féminin*, ~ *populaire* Reit-, Frauen-, Volks-sport *m*; *faire du* ~ Sport treiben; ~*s d'hiver* Wintersport *m*; ~ *motocycliste* Motorradsport *m*; F *fig. il va y avoir du* ~ da wird's was (*od.* Krach) geben; **II** *adj./inv.* Sport...; *des vestes* ~ Sportjacken *f/pl.*; *Person*: être ~ fair sein *od.* spielen; **~if** [~'tif] (7e) **I** *adj.* auf den Sport bezüglich, Sport...; sportlich; *journal m* ~ Sportzeitung *f*; *société, association sportive* Sportverein *m*; *homme m* ~ (*femme f sportive*) = **II** *su.* Sportsmann *m*; Sportler(in *f*) *m*; **~ivité** [~tivi'te] *f* Sportsgeist *m*.

spot *télév.* [spɔt] *m* Abtastfleck *m*, Punkt *m*; ~ *publicitaire* kurze Werbesendung *f*.

spoutnik *at.* [sput'nik] *m* Sputnik *m*.

sprat *zo.* [sprat] *m* Sprotte *f*; ~*s fumés* Kieler Sprotten *f/pl.*

sprint *Sport* [sprint] *m* Sprint *m*, Wettlauf *m* (*über kurze Strecken*); Kurzstreckenfahrt *f*; (End-)Spurt *m*; **~er**[1] [~'tœ:r] *su.* Kurzstreckenläufer *m*, -fahrer *m*; Sprinter *m*; **~er**[2] [sprin'te] *v/i.* (1a) sprinten; spurten, zum Endspurt ansetzen.

spumeux [spy'mø] *adj.* (7d) schaumig; schaumbedeckt.

squale 🕮 [skwal] *m* Haifisch *m*.

squam|e 🕮 [skwam] *f* Schuppe *f*; **~eux** [~'mø] *adj.* (7d) schuppig.

square [skwa:r] *m* **1.** öffentliche Anlage *f*, Grünplatz *m*; **2.** *néol.* breite, nicht durchfahrbare Straße *f* mit Gärten.

squatter [skwa'tɛ:r] *m* **1.** Ansiedler *m* ohne Rechtstitel in noch ungerodeten Gegenden (*USA*); **2.** F Person *f*, die ohne Genehmigung in e-r leerstehenden Wohnung haust; **3.** Großschafzüchter *m* (*Australien*).

squelett|e [skə'lɛt] *m* Skelett *n*, Gerippe *n*, Knochengerüst *n* (*a. fig.* magere Person *f*); **~ique** [~'tik] *adj.* skeletthaft, wie ein Skelett; *d'une maigreur* ~ spindel-, klapper-dürr.

stabili|sateur [stabiliza'tœ:r] *m* ✈ Seitensteuer *n*, Höhen-, Leit-flosse *f*; ⊕ Stabilisator *m*, Kippsicherung *f*; **~sation** [~zɑ'sjɔ̃] *f* Stabilisierung *f*; Festmachen *n*; **~sé** [~'ze] *adj.* wertbeständig; **~ser** [~] (1a) **I** *v/t.* festmachen; fest begründen; ✝ die Währung stabilisieren; festigen; befestigen; **II** *v/rfl.* *se* ~ sich festigen; sich stabilisieren, stabil werden; sich einpendeln; **~sme** [~'lism] *m* Festhalten *n* am Hergebrachten; **~té** [~li'te] *f* **1.** Haltbarkeit *f*, Dauerhaftigkeit *f*, Festigkeit *f*; **2.** *a. fig.* Stabilität *f*; *vgl.* 4; **3.** *fig.* Beständigkeit *f*; Festhalten *n an etw.*; **4.** Wertbeständigkeit *f*; **5.** ✈ ~ *longitudinale* Längsstabilität *f*, Kippsicherheit *f*; ~ *de route* Richtungs-, Kursstabilität *f*.

stable ['stablə] *adj.* □ **1.** fest, dauerhaft; **2.** *fig.* beständig, gleichbleibend (*auch v. Wetter*); stetig; **3.** stabil, standfest; ✈ kippsicher; **4.** wertbeständig.

stabulation ↗ [stabylɑ'sjɔ̃] *f*: ~ *libre* Offenstallhaltung *f*.

stade [stad] *m* **1.** *gym.* Stadion *n*, Sportplatz *m*, Kampfbahn *f*, Rennbahn *f*; ~ *nautique* Schwimmstadion *n*; **2.** *fig.* Stadium *n*, Abschnitt *m*.

stad|ia ⚔ [sta'dja] *m*, **~iomètre** ⚔ [~djɔ'mɛ:trə] *m* Entfernungsmesser *m* (*für Luftziele*), Flakmeßgerät *n*.

staff ⚠ [staf] *m* Stuck *m*.

stag|e [sta:ʒ] *m* Probezeit *f*; Praktikum *n*; Referendarzeit *f*; Ausbildungs-, Ferien-kursus *m*, Lehrgang *m*; ~ *culturel* Studienaufenthalt *m während der Ferien*; Teilnehmergruppe *f* an e-m Ferienstudienaufenthalt; *faire un* ~ *allg.* e-n Lehrgang mitmachen; ⚔ abkommandiert sein; **~flation** *éc.* [stagflɑ'sjɔ̃] *f* Stagflation *f*; **~iaire** [sta'ʒjɛ:r] **I** *adj.* als Praktikant, Volontär tätig; ⚔ zur Probedienstleistung abkommandiert; *allg.* im Vorbereitungsdienst; **II** *su.* Referendar(in *f*) *m* (*als Jurist od. Lehrer*); *a.* ⚒ Praktikant(in *f*) *m*; Teilnehmer *m* an e-m Studienaufenthalt *während der Ferien*; ~ *commercial* (*bzw. industriel*) Handels- (*bzw.* Industrie-)volontär *m*; **~iarisation** *écol.* [~ʒjarizɑ'sjɔ̃] *f* Referendarausbildung *f*; **~iariser** *écol.* [~ʒjari'ze] *v/t.* *j-n* als Referendar ausbilden.

stag|nant [stag'nɑ̃] *adj.* (7) stagnierend, (still)stehend; ✝ flau; stokkend; **~nation** [~nɑ'sjɔ̃] *f* Stagnieren *n*; ✝ Flauheit *f*; Stockung *f*.

stakhanov|isme *éc.* [stakanɔ'vism] *m* Stachanow-, Hennecke-system *n*; **~iste** *éc.* [~'vist] *m* Stachanow-, Hennecke-arbeiter *m*.

stalacti|forme [stalakti'fɔrm] *adj.* tropfsteinartig; **~te** [~'tit] *f* Stalaktit *m*.

stalagmit|e 🕮 [stalag'mit] *f* aufsteigender Tropfstein *m*, Stalagmit *m*; **~ique** 🕮 [~'tik] *adj.* tropfsteinartig.

stalin|ien *pol.* [stali'njɛ̃] (7c) **I** *adj.* stalinistisch; **II** *su.* Stalinist *m*; **\~isme** *pol.* [\~'nism] Stalinismus *m*.
stalle [stal] *f* **1.** Chorstuhl *m*; **2.** *thé.* Sperrsitz *m*; \~ *d'orchestre* Parkettplatz *m*, Orchestersessel *m*; **3.** (Pferde-)Box *f*, Pferdestand *m*.
stamin|aire ⚘ [stami'nɛːr] *adj.*, **\~al** ⚘ [\~'nal] *adj.* (5c) Staubfäden...; **\~é** ⚘ [\~'ne] *adj.* mit Staubfäden versehen.
stance *métr.* [stɑ̃:s] *f* Stanze *f*.
stand [stɑ̃:d] *m* **1.** Verkaufs- *od.* Ausstellungs-stand *m*; **2.** Tribüne *f* (*Sportplatz*); **3.** Schießstand *m*.
standard [stɑ̃'daːr] **I** *m* **1.** ✝, ⊕ Norm *f*, Typ *m*, Standard *m*, Muster *n*; **2.** *cin.* fertige Kopie *f*; **3.** *fig.* Niveau *n*, Standard *m*; \~ *de vie* Lebens-niveau *n*, -standard *m*; **4.** *téléph.* Klappen-, Fernsprechschrank *m*; **5.** Telephonzentrale *f* *in e-m Hotel, in e-m Verwaltungsgebäude usw.*; **II** *adj./inv.* genormt, Norm..., Standard...; **\~isation** [\~diza'sjɔ̃] *f* Normung *f*, Standardisierung *f*, Typisierung *f*; Vereinheitlichung *f*; **\~iser** [\~di'ze] *v/t.* (1a) normen, standardisieren, typisieren; vereinheitlichen; **\~iste** [\~'dist] *su.* Telephonist(in *f*) *m* in e-r Telephonzentrale.
standing [stɑ̃'diŋ] *m* sozialer Status *m*, gesellschaftliche Stellung *f*, Rang *m*, Stand *m*; Ausstattung *f*, Komfort *m* (*Wohnung*).
stannifère ⚒ [stani'fɛːr] *adj.* zinnhaltig.
staphisaigre ⚘ [stafi'zɛːgrə] *f* Läusekraut *n*.
staphylier ⚘ [stafi'lje] *m* Pimpernuß *f*.
staphylin [stafi'lɛ̃] **I** *ent.* *m* Traubenkäfer *m*; **II** *anat.* *adj.* u. *m* (*muscle m.*) \~ Zäpfchenmuskel *m*.
stapleur ⊕ [sta'plœːr] *adj.* (7g): *chariot m* \~ *pour long bois* Langholzstapler *m* (*Spezialstapelwagen*).
star *cin.* [staːr] *f* *weiblicher* (Film-) Star *m*; **\~lette** *cin.* [star'lɛt] *f* *weiblicher* junger Filmstar *m*, Starlet(t) *n*, Filmsternchen *n*.
starter[1] [star'te] *v/i.* (1a) starten.
starter[2] [star'tɛːr] *m* **1.** *Sport*: Starter *m*; **2.** *Auto*: Anlasser *m*, Starter *m*, Luftklappe *f*; \~ *automatique* Startautomatik *f*.
starting-block *Sport* [startiŋ'blɔk] *m* (6g) Startblock *m*.
stase ⚕ [staːz] *f* Stockung *f*.
station [sta'sjɔ̃] *f* **1.** Haltung *f*; \~ *assise* sitzende Haltung *f*; \~ *debout*, \~ *verticale* aufrechte Haltung *f*; **2.** Stillstehen *n*, Rast *f*, kurzer Aufenthalt *m*; **3.** Aufenthaltsort *m*; 🚂, *tram*, *U-Bahn*, *Bus*: Station *f*; Haltestelle *f*; Station *f* (*in e-m Krankenhaus*); \~ *de taxis* Taxi-, Droschkenstand *m*; ✓ \~ *d'essai* Versuchsanstalt *f*; *faire une* \~ ausruhen, einkehren; \~ *de correspondance* Umsteige-, Übergangs-bahnhof *m*; \~ *de l'espace*, \~ *orbitale* Weltraumstation *f*; *chef m de* \~ Stationsvorsteher *m*; **4.** \~ *d'altitude* Höhenluftkurort *m*; \~ *balnéaire od. thermale* Bade-, Kur-ort *m*; \~ *estivale* Sommerkurort *m*; \~ *hivernale* Winterkurort *m*; \~ *de sports d'hiver* Wintersportplatz *m*; \~ *climatique*, \~ *de cure d'air* Luftkurort *m*; **5.** *rl.* \~*s* Leidensstationen *f/pl.* *Christi bei der Kreuztragung*; **6.** ✓ Standort *m e-r Pflanze*; **7.** ⚡ \~ *à grande puissance* Großkraftwerk *n*; *rad.* Großsender *m*; \~ *centrale* elektrische Zentrale *f*; \~ *de charge* Ladestation *f*; ⚡ \~ *de commande* Schaltwerk *n*; \~ *d'essence* Tankstelle *f*; \~ *hydro-électrique* Wasserkraftwerk *n*; \~ *hydraulique*, \~ *de pompage* Pump-werk *n*, -station *f*; *rad.* \~ *d'émission(s)*, \~ *émettrice* Rundfunk-, Sende-station *f*, Sendestelle *f*; \~ *d'accumulation par pompage* Pumpspeicherwerk *n*; \~ *d'épuration des eaux* Kläranlage *f*; \~ *météorologique* Wetterwarte *f*; **8.** ⚓ \~ *navale* Flottenstation *f*; \~ *maritime* Marinestation *f*; **\~-frontière** [\~frɔ̃'tjɛːr] *f* (6b) Grenzstation *f*.
station|naire [stasjɔ'nɛːr] **I** *adj.* □ stillstehend, unbeweglich; gleichbleibend; stationär; *demeurer* \~ auf demselben Punkt stehenbleiben; nicht weiterkommen; **II** *m* ⚓ Hafen-, Wacht-schiff *n*; **\~nement** [\~sjɔn'mɑ̃] *m* **1.** *Auto*: Parken *n*; \~ *autorisé* Parken gestattet, bewachter Parkplatz *m*; \~ *défendu* (*od. interdit*) Parken verboten; *parc m de* \~ Park-platz *m*, -stelle *f*; *Auto*: *feu m de* \~ Standlicht *n*; *en* \~ parkend; **2.** ⚔ Stationierung *f*; **\~ner** [\~sjɔ'ne] *v/i.* (1a) *Auto*: parken, halten; *défense de* \~*!* Parken verboten!
station-service *Auto* [stasjɔ̃sɛr'vis] *f* (6b) Tankstelle *f*.
statique [sta'tik] **I** *adj.* **1.** statisch; **2.** ⚔ (fest)stehend; *gardes m/pl.* \~*s* stehende Wachen *f/pl.*; **II** *f* Statik *f*; *spécialiste su. de la* \~ Statiker *m*.
statisme *pol.*, *éc.* [sta'tism] *m*

Establishment *n*, Beharrungsvermögen *n*, Unbeweglichkeit *f*.

statisti|cien [statisti'sjɛ̃] *su.* (7c) Statistiker *m*; **~que** [~'tik] **I** *adj.* statistisch (*a. phys.* = vom Zufall abhängig); *phys. mécanique f ~* statistische Mechanik *f*; **II** *f* Statistik *f*.

stator ⚡ [sta'tɔ:r] *m* Stator *m*, [Ständer *m*.]

statoréacteur ✈ [statɔreak'tœ:r] *m* Strahltriebwerk *n*.

statuaire [sta'tɥɛ:r] **I** *adj.* Statuen..., Bildsäulen..., Bildhauer...; **II** *m* Bildhauer *m*; **III** *f* Bildhauerkunst *f*, -arbeit *f*; Bildhauerei *f*.

statue [sta'ty] *f* **1.** Statue *f*, Bildsäule *f*, Standbild *n*; *~ sacrée* Heiligenbild *n*; **2.** *fig. immobile, droit comme une ~* völlig regungslos.

statuer [sta'tɥe] *v/t.* (1a) bestimmen, festsetzen, anordnen, statuieren; *~ au fond* in der Sache selbst entscheiden, materiell entscheiden; *~ sur* Beschluß fassen über (*acc.*).

statuette [sta'tɥɛt] *f* Statuette *f*, kleines Standbild *n*.

statufier F [staty'fje] *v/t.* (1a): *~ q.* j-m ein Standbild errichten.

statu quo *bsd. pol.* [staty'kwo] *m/inv.* Status quo *m*.

stature [sta'ty:r] *f* Statur *f*, Körperbau *m*, Wuchs *m*.

statut [sta'ty] *m* Statut *n*; Satzung *f*; Grundgesetz *n*; ⚖ Verordnung *f*; *~s pl. personnels* (*réels*) Rechtsstand *m/sg.* der Personen (der Güter); **~aire** [~'tɛ:r] *adj.* □ satzungsgemäß.

stayer *Sport* [stɛ'jœ:r] *m* Dauer-, Radrenn-fahrer *m*, Steher *m*.

steak [stɛk] *cuis. m* Steak *n*.

stéarin|e [stea'rin] *f* Stearin *n*, Talgfett *n*; **~er** [~'ne] *v/t.* (1a) mit Stearin tränken; **~erie** [~rin'ri] *f* Stearinfabrik *f*.

stéarique ⚗ [stea'rik] *adj.*: *acide m ~* Stearinsäure *f*.

stéatite *min.* [stea'tit] *f* Steatit *m*.

stéatose ⚕ [stea'to:z] *f* Steatosis *f*, fettige Degeneration *f*.

steeple-chase *Sport* [stiplə'tʃɛ:z] *m* Hindernisrennen *n*.

stégnose ⚕ [steg'no:z] *f* Gefäßzusammenziehung *f*.

stèle [stɛl] *f* kleine Säule *f*; Gedenkstein *m*, Grabdenkmal *n*.

stellaire [stɛ'lɛ:r] **I** *adj. ast. u.* ⚘ Stern(en)...; sternförmig; **II** *f* ⚘ Sternkraut *n*.

stellion *zo.* [stɛ'ljɔ̃] *m* Sterneidechse *f*.

stellionat ⚖ [stɛljɔ'na] *m* Grundstücks- *od.* Hypotheken-schwindel *m*; **~aire** ⚖ [~'tɛ:r] *m* (Grundstücks-)Schwindler *m*.

stemmate *ent.* [stɛ'mat] *m* Nebenauge *n*.

stencil ⊕ [stɛn'sil] *m* Schablone *f für Adressiermaschinen*; Matrize *f*.

sténo *Kurzwort* [ste'no] *f* Stenographie *f*, Kurzschrift *f*; *prendre qch. en ~* etw. (mit)stenographieren, ein Stenogramm von etw. aufnehmen.

sténo(**-dactylo**) [ste'no *od.* stenɔdakti'lo] *f* Stenotypistin *f*.

sténodactylographie [stenɔdaktilɔgra'fi] *f* Stenographie *f* u. Maschineschreiben *n*.

sténograph|e [stenɔ'graf] *su.* Stenograph *m*; **~ie** [~'fi] *f* Stenographie *f*, Kurzschrift *f*; **~ier** [~'fje] *v/t.* (1a) stenographieren; **~ique** [~'fik] *adj.* □ stenographisch.

sténo|type [stenɔ'tip] *m* Stenographiermaschine *f*; **~typer** [~ti'pe] *v/t.* (1a) mit der Maschine stenographieren; **~typie** [~ti'pi] *f* Maschinenstenographie *f*; **~typiste** [~ti'pist] *su.* Maschinenstenograph *m*.

stentor [stɑ̃'tɔ:r] *m*: *voix f de ~* Stentorstimme *f*, sehr laute Stimme *f*.

Stéphanois [stefa'nwa] *su.* Einwohner *m* von Saint-Etienne.

steppe [stɛp] *f* Steppe *f*.

steppeur [stɛ'pœ:r] *m* Rennpferd *n*, Traber *m*.

stercor|aire [stɛrkɔ'rɛ:r] **I** *adj.* Mist..., misthaltig; im Mist gedeihend; **II** *m orn.* Raubmöwe *f*; *ent.* Mistkäfer *m*; **~al** [~'ral] *adj.* (5c) Kot..., Mist...

stère [stɛ:r] *m* Fest-, Kubik-meter *m*, Ster *m* (*Holzmaß*); *bois m de ~* Klafterholz *n*.

stéréo [stere'o] **I** *f* Stereo *n*; *en ~* in Stereo, Stereo...; **II** *adj.* Stereo...; *chaîne f ~* Stereoanlage *f*.

stéréo|chimie [stereɔʃi'mi] *f* Stereochemie *f*; **~chromie** [~krɔ'mi] *f* Stereochromie *f*; **~graphie** [~gra'fi] *f* Stereographie *f*, perspektivische Darstellung *f*.

stéréomé|trie *géom.* [stereɔme'tri] *f* Stereometrie *f*, Raumlehre *f*; **~trique** [~'trik] *adj.* stereometrisch.

stéréophonie *a. cin.* [~fɔ'ni] *f* Raumton *m*, Stereophonie *f*.

stéréoscop|e [stereɔ'skɔp] *m* Stereoskop *n*, Betrachtungsgerät *n*; **~ique** [~'pik] *adj.* □ stereoskopisch.

stéréotaxie ⚕ [~ta'ksi] *f* Neurochirurgie *f* mit elektrischen Sonden.

stéréoty|page [stereɔti'paːʒ] *m* Stereotyp-, Platten-druck *m*; **~pe** [~'tip] **I** *adj.* **1.** *fig.* stereotyp, in fester Form, unabänderlich; **2.** *typ.* mit (Schrift-)Platten hergestellt (*od.* gedruckt), Stereotyp...; **II** *m* Stereotyp(-platte *f od.* -druck *m*) *n*; **~per** [~ti'pe] *v/t.* (1a) *typ.* stereotypieren; *fig.* e-e unabänderliche Form geben; der Entwicklung entziehen; *stéréotypé* sich immer gleichbleibend; *phrase f stéréotypée* stehende *od.* abgedroschene Redensart *f*; *sourire stéréotypé* stereotypes Lächeln *n*; **~peur** *typ.* [~'pœːr] *m* Stereotypeur *m*; **~pie** *typ.* [~'pi] *f* Stereotypie *f*, Druckplattenguß *m*.

stérer [ste're] *v/t.* (1f) Holz nach Festmetern messen.

stéri|le [ste'ril] *adj.* □ **1.** unfruchtbar (*en* an *dat.*), steril; keimfrei, sterilisiert; *année f ~* Jahr *n* der Mißernte; **2.** *fig.* nutzlos, ergebnislos, vergeblich, unfruchtbar; **3.** ⚒ taub (*Gestein*); **~let** ⚕ [~'lɛ] *m* Schwangerschaftsverhütungsstäbchen *n*; **~lisation** [~liza'sjɔ̃] *f* Unfruchtbarmachen *n*; ⚕ Sterilisierung *f*, Entkeimung *f*, Keimfreimachen *n*; **~liser** [~li'ze] *v/t.* (1a) unfruchtbar machen; **~lité** [~li'te] *f* Unfruchtbarkeit *f*; Sterilität *f*; *fig.* Unergiebigkeit *f*; Nutzlosigkeit *f*; ⚒ Taubheit *f* (*des Gesteins*); *~ de pensées* Gedankenarmut *f*.

sterlet *icht.* [stɛr'lɛ] *m* Sterlet *m*, Zwergstör *m*.

sternum 🕮 [stɛr'nɔm] *m* Brustbein *n*.

sternuta|tif *phm.* [stɛrnyta'tif] *adj.* (7e) Niesen erregend, Nies...; **~tion** [~tɑ'sjɔ̃] *f* Niesen *n*; **~toire** [~ta'twaːr] **I** *adj.* zum Niesen reizend; Nies...; *poudre f ~* Niespulver *n*; **II** *m* Niespulver *n*.

stétho|mètre ⚕ [stetɔ'mɛːtrə] *m* Brustmesser *m*; **~métrie** ⚕ [~me'tri] *f* Brustmessung *f*; **~scope** ⚕ [~s'kɔp] *m* Hörrohr *n*, Stethoskop *n*; **~scopique** ⚕ [~skɔ'pik] *adj.* stethoskopisch.

stick [stik] *m* **1.** *Sport*: Eishockeyschläger *m*; **2.** *Kosmetik*: Stift *m*, Stick *m*; **3.** ✈ *un ~ de parachutistes* e-e Gruppe *f* von Fallschirmspringern.

stigma|te [stig'mat] *m* **1.** Narbe *f*, Haut-mal *n*, -zeichen *n*; Brandmal *n*; **2.** *péj.* Schand-fleck *m*, -mal *n*; **3.** *rl.* *~s pl. du Christ* Wundmale *n/pl.* Christi; **4.** *ent.* Stigma *n*, äußere Atemöffnung *f*; **5.** ⚘ Stigma *n*, Narbe *f* des Fruchtknotens; **~tique** [~'tik] *adj.* Wundmale zeigend, ⚘ Narben...; **~tisation** [~tiza'sjɔ̃] *f bsd. fig.* Brandmarkung *f*; **~tiser** [~ti'ze] *v/t.* (1a) *bsd. fig.* brandmarken, geißeln.

still *cin.* [stil] *m* Filmphoto *n*.

stillation [stilɑ'sjɔ̃] *f* Tröpfeln *n*, Träufeln *n*, Sickern *n*.

stilligoutte *phm.* [stili'gut] *m u. adj./inv.* Tropfenzähler *m*, Tropfglas *n*.

stimu|lant [stimy'lɑ̃] *adj.* (7) *u. m* anreizend; *fig.* anregend; Reizmittel *n* (*a. fig.*), Anregungs-, Aufpeitschungs-mittel *n*; *fig.* Ansporn *m*, Anregung *f*; **~lateur** ⚕ [~la'tœːr] *m*: *~ cardiaque* Herzschrittmacher *m*; **~lation** [~lɑ'sjɔ̃] *f* Reizung *f*, Anregung *f* (*a. fig.*); **~ler** [~'le] *v/t.* (1a) ⚕ reizen, anregen; *fig.* anspornen; **~lus** [~'lys] *m* ⚕ (*u. fig.*) Reiz *m*; *fig.* Antrieb *m*.

stipe ⚘ [stip] *m* Strunk *m*, Stiel *m*.

stipelle ⚘ [sti'pɛl] *f* Nebenblättchen *n*.

stipend|ié *péj.* [stipɑ̃'dje] *adj.* gedungen; **~ier** *péj.* [~] *v/t.* (1a) dingen.

stipu|lant [stipy'lɑ̃] *adj.* (7) stipulierend; *les parties ~es* die Kontrahenten *m/pl.*; **~lation** [~lɑ'sjɔ̃] *f* Vereinbarung *f*, Bedingung *f*, *bsd.* ✝ Absprache *f*.

stipule ⚘ [sti'pyl] *f* Nebenblatt *n*, Blattansatz *m*.

stipuler *a.* ⚖ [stipy'le] *v/t.* (1a) vertragsmäßig festsetzen, vereinbaren; ausdrücklich sagen, mitteilen.

stock [stɔk] *m* Vorrat *m*, Lagerbestand *m*, Warenvorrat *m*; *avoir en ~* vorrätig haben.

stockage ✝, ⊕ [stɔ'kaːʒ] *m* Aufstapelung *f*, Einlagerung *f*, Auslagern *n*; *emplacement m de ~* Lagerplatz *m*.

stock-car *Auto* [~'kaːr] *m* (6g): *course f de ~s* Rennen *n* mit alten Serienwagen.

stock|er [stɔ'ke] *v/t.* (1a) auf Lager nehmen *od.* haben, aufspeichern (*a. fig.*); lagern, aufstapeln; *Geld* horten; **~eur** [stɔ'kœːr] *m* Lagerarbeiter *m*; ⊕ Stapelgerät *n*.

stockfisch ✝ [stɔk'fiʃ] *m* Stockfisch *m*; *jede Art von* geräuchertem u. getrocknetem Fisch *m*.

stockiste [stɔ'kist] *m* Warenlagerbesitzer *m*; Lagervertreter *m*.

stoff ✝ [stɔf] *m* leichter Wollstoff *m*.

stoï|cien *phil.* [stɔi'sjɛ̃] *adj. u. su.* (7c) stoisch; Stoiker *m*; *fig.* stand-

haft(e Person *f*); **~cisme** [~'sism] *m* Stoizismus *m*; *fig.* Standhaftigkeit *f*, Unerschütterlichkeit, stoischer Gleichmut *m*; **~que** *allg.* [stɔ'ik] *adj.* □ stoisch, standhaft.
stolon ⚘ [stɔ'lɔ̃] *m* Ausläufer *m*.
stoma|cal ⚕ [stɔma'kal] *adj.* (5c) Magen...; **~chique** ⚕ [~'ʃik] *adj. u. m* magenstärkend(es Mittel *n*); (*élixir m*) ~ Magentropfen *m/pl.*
stomate ⚘ [stɔ'mat] *m* Pore *f*.
stomatique ⚕ [stɔma'tik] *adj.* den Mund betreffend, Mund...
stomatite ⚕ [~'tit] *f* Mundentzündung *f*; ~ *ulcéreuse* Mundfäule *f*.
stomato|logie ⚕ [~tɔlɔ'ʒi] *f* Lehre *f* von den Mundkrankheiten; **~logiste** ⚕ [~lɔ'ʒist] *su.* Stomatologe *m*; **~scope** ⚕ [~'skɔp] *m* Mundspiegel *m*.
stop [stɔp] **I** *int.* ~! stopp!, halt!; **II** *m* **1.** Per-Anhalter-Fahren *n*, Trampen *n*, (Auto-)Stopp *m*; *aller en* ~, *faire du* ~ per Anhalter fahren, trampen; **2.** Stopp-, Brems-licht *n* (*am Auto*); **3.** *im Straßenverkehr*: Stoppstelle *f*, Stoppschild *n*.
stoppage[1] ⊕ [stɔ'pa:ʒ] *m* Anhalten *n*.
stoppage[2] [~] *m* (Kunst-)Stopfen *n*.
stopper[1] [stɔ'pe] (1a) **I** *v/t.* ⊕, *Sport*: anhalten; ⊕, *mach.* abstellen, absperren; **II** *v/i. Auto*: halten, stoppen.
stopper[2] [~] *v/t.* (1a) kunststopfen.
stoppeur [stɔ'pœ:r] *su. u. adj.* (7g) (*ouvrière f stoppeuse*) Kunststopfer(in *f*) *m*.
storax *phm.* [stɔ'raks] *m* Styrax *m* (*Heilsalbe*).
store [stɔ:r] *m* **1.** (Fenster-)Rollvorhang *m*, Markise *f*, Rouleau *n*; **2.** ~ (*vénitien*) Jalousette *f*; **3.** Store *m*.
strabique ⚕ [stra'bik] *adj.* schielend.
strabisme ⚕ [stra'bism] *m* Schielen *n*.
stradivarius ♪ [stradiva'rjys] *m* Stradivariusgeige *f*.
stramoine ⚘ [stra'mwan] *f* Stechapfel *m*; Tollkraut *n*.
strangul|ation [strɑ̃gylɑ'sjɔ̃] *f* Erwürgung *f*, Erdrosselung *f*; **~er** [~'le] *v/t.* (1a) erwürgen, erdrosseln.
strangurie ⚕ [strɑ̃gy'ri] *f* Harnzwang *m*.
strapontin [strapɔ̃'tɛ̃] *m a. Auto, thé., cin.*: Klappsitz *m*.
Strasbourg [stras'bu:r] *m* Straßburg *n*.
strasbourgeois [strasbur'ʒwa] *adj. u.* ♀ *su.* (7) straßburgisch; Straßburger *m*.
strass [stras] *m* Straß *m*; *fig.* falscher Glanz *m*.
strasse [~] *f* Flockseide *f*.
stratagème [strata'ʒɛm] *m* (Kriegs-)List *f*; *allg.* List *f*, Trick *m*, Dreh *m*.
strate *géol.* [strat] *f* Schicht *f*.
stra|tège [stra'tɛ:ʒ] *m* Stratege *m*, Heerführer *m*; **~tégie** [~te'ʒi] *f*: (~ *globale* Global-)Strategie *f*; **~tégique** [~te'ʒik] *adj.* □ strategisch.
strati|fication [stratifikɑ'sjɔ̃] *f géol.* Schichtenbildung *f*; **~fié** [~'fje] *m od. adjt. matière stratifiée* Schichtpreßstoff *m*; *plateau m* ~ Kunststoffplatte *f*; **~fier** [~] *v/t.* (1a) schichtenförmig lagern, schichten; *montagnes f/pl. stratifiées* Flözgebirge *n*; **~forme** [~ti'fɔrm] *adj.* schichtförmig, flözartig; **~graphie** [~gra'fi] *f* Beschreibung *f* der Erdschichten; **~graphier** *arch.* [~gra'fje] *v/t.* schichtenmäßig vermessen; **~graphique** [~gra'fik] *adj.* erdschichtenkundlich.
strato|sphère [stratɔ'sfɛ:r] *f* Stratosphäre *f*; **~sphérique** [~sfe'rik] *adj.* stratosphärisch.
stratus [stra'tys] *m* Stratus-, Schicht-wolke *f*.
strepto|coccique ⚕ [strɛptɔkɔk'sik] *adj.* Streptokokken...; **~coque** ⚕ [~'kɔk] *m* Streptokokkus *m*.
stress ⚕ [strɛs] *m* Streß *m*.
strict [strikt] *adj.* □ **1.** streng, genau; *Kleidung*: korrekt; *être* ~ *sur qch.* es mit etw. sehr genau nehmen; *le* ~ *nécessaire* das Allernotwendigste; **2.** pünktlich, genau, akkurat; *~ement parlant* genau gesagt, genaugenommen; **~iriste** [~ti'rist] *su.* konservativer Sprachler *m*.
strid|ent [stri'dɑ̃] *adj.* (7) gellend, kreischend, schrill; quiekend; **~ulant** *ent.* [~dy'lɑ̃] *adj.* (7) zirpend; **~ulation** [~dylɑ'sjɔ̃] *f* Zirpen *n*; **~uleux** [~dy'lø] *adj.* (7d): *bruits m/pl.* ~ pfeifende Geräusche *n/pl.* (*z.B. der Atmungsorgane*).
stri|e [stri] *f* Streifen *m*, Riefe *f*, Rille *f*; Riß *m*, Striemen *m*; *géol.* Gletscherschliff *m*; **~é** [stri'e] *adj.* gestreift, mit Streifen versehen; *fig.* durchfurcht (*de* von); **~er** [~] *v/t.* (1a) ritzen, Risse machen.
string [striŋ] *m* Bikini *m* mit Bandverschnürung.
strioscopie *phot.* [striɔskɔ'pi] *f* Schlierenaufnahme *f*.
strip-teas|e [strip'ti:z] *m* Striptease

n; **~euse** [~'zø:z] *f* Stripteasetänzerin *f*.
striure [stri'y:r] *f* Streifen *m*, Riefelung *f*, Rille *f*.
strippeur ⊕ [stri'pœ:r] *adj*. (7g): *dispositif m* ~ Abschiebevorrichtung *f*.
strobile ⚘ [strɔ'bil] *m* (Tannen-, Hopfen-)Zapfen *m*.
stroborama *cin*. [strɔbɔra'ma] *m* Kamera *f* mit sehr kurzer Aufnahmezeit, Ultrablitzkamera *f*.
strophantine *phm*. [strɔfɑ̃'ti:n] *f* Strophantin *n*.
strophe [strɔf] *f* Strophe *f*.
stross ⚒ [strɔs] *m* Strosse *f*, Sohle *f*.
structur|al [strykty'ral] *adj*. (5c) strukturell, Bau...; **~alisme** [~ra'lism] *m* Strukturalismus *m*; **~aliste** [~ra'list] *su*., *adj*. Strukturalist *m*, strukturalistisch; **~ant** *a*. ⚠ [~'rɑ̃] *adj*. (7) strukturbildend, planbestimmend; **~e** [~'ty:r] *f* Struktur *f*, Gefüge *n*, Bau(art *f*) *m*; Anordnung *f*, Aufbau *m*; *~s f/pl. établies* Establishment *n*; **~er** [~ty're] *v/t*. strukturieren, gliedern.
strych|nine *phm*., ⚗ [strik'nin] *f* Strychnin *n*; **~nos** [~'nɔs] *m* Brechnuß(baum *m*) *f*.
stryge *myth*. [stri:ʒ] *f* Vampir *m*.
stuc [styk] *m* (Gips-)Stuck *m*; **~ateur** [~ka'tœ:r] *m* Stukkateur *m*.
studi|eux [sty'djø] *adj*. (7d) □ lernbegierig, fleißig (studierend); eifrig; **~o** [sty'djo] *m* Studio *n*; (Künstler-) Arbeits-, Einzel-zimmer *n*; Appartement *n*, Einzimmerwohnung *f*; *rad*. Senderaum *m*; ~ (*de film*) (Film-)Atelier *n*; ~ (*d'art et d'essai*) Filmkunsttheater *n*, Studio *n*.
stups * [styp] *m/pl*. Rauschgiftmittel *n/pl*.
stupé|faction [stypefak'sjɔ̃] *f* höchstes Erstaunen *n*, Verblüffung *f*; **~fait** [~'fɛ] *adj*. (7) höchst erstaunt, verblüfft; **~fiant** [~'fjɑ̃] *adj*. (7) *u*. *m* 1. betäubend(es Mittel *n*); Rauschgift *n*; 2. *fig*. verblüffend; **~fier** [~'fje] *v/t*. (1a) in Erstaunen setzen, verblüffen.
stup|eur [sty'pœ:r] *f* 1. ⚕ Betäubung *f*; 2. *fig*. Bestürzung *f*, Verblüffung *f*; **~ide** [~'pid] I *adj*. □ dumm, blöde, stupide, stumpfsinnig; sinnlos; II *su*. Dummkopf *m*; **~idité** [~pidi'te] *f* Dummheit *f*, Stumpfsinn *m*; Sinnlosigkeit *f*.
stuquer ⚠ [sty'ke] *v/t*. (1a) stukkieren.
stylé [sti'le] *adj*. 1. geübt, gewandt, geschult; 2. ⚘ griffeltragend.
style [stil] *m* 1. *antiq*. (Schreib-) Griffel *m*; 2. Stil *m*, Schreibart *f*; *clause f de* ~ *in Urkunden* übliche Formel *f*, *fig*. Floskel *f*; 3. *bildende Künste*, ⚠, ♪: Stil *m*, Manier *f*; 4. Zeitrechnung *f* (*nach dem Julianischen Kalender*); 5. ⚘ Griffel *m*; 6. Zeiger *m e-r Sonnenuhr*; 7. ~ *de vie* Lebensstil *m*; 8. *gr*. ~ *direct*, *indirect* direkte, indirekte Rede *f*.
stylet [sti'lɛ] *m* 1. Stilett *n* (*kleiner Dolch*); 2. *chir*. Sonde *f*.
styli|ser [stili'ze] *v/t*. (1a) stilisieren; **~sme** *péj*. [~'lism] *m* stilistische Manieriertheit *f*; **~ste** [~'list] *m* Stilist *m*, Künstler *m* des Ausdrucks; Mode-zeichner *m*, -schneider *m*; Designer *m*, Formgestalter *m*; **~stique** [~lis'tik] *f* Stilistik *f*, Stillehre *f*; **~te** *hist*. *rl*. [sti'lit] *m* Säulenheilige(r) *m*.
stylo [sti'lo] *m* Füller *m*, Füllfederhalter *m*; ~ (*à*) *bille od*. ~ Kugelschreiber *m*; **~bate** ⚠ [stilɔ'bat] *m* Plinthe *f*, Säulenstuhl *m*; **~-bille** [stilo'bij] *m* (6b) (*pl*. *~s-bille*) Kugelschreiber *m*; **~graphique** [~lɔgra'fik] *adj*.: *encre f* ~ Füllertinte *f*; **~mine** [~lɔ'min] *m* Drehbleistift *m*.
styloïde [stilɔ'id] *adj*. griffelförmig.
styptique ⚕ [stip'tik] *adj*. *u*. *m* blutstillend(es Mittel *n*).
su [sy] I *p/p*. *von savoir*; II *m*: *au* ~ *de* mit Wissen von; *au vu et au* ~ *de tout le monde* vor aller Augen.
sua|ge [sɥa:ʒ] *m* 1. Schwitzen *n des Holzes*; 2. ⚓ Einfetten *n e-s Schiffes*; **~ger** [sɥa'ʒe] *v/t*. (1l) *ein Schiff* mit Fett bestreichen.
suaire [sɥɛ:r] *m* 1. Leichentuch *n*; 2. *rl*. Schweißtuch *n*.
suant [sɥɑ̃] *adj*. schweißig (*Hand*); schwitzend (*Haar*); *fig*. lästig; auf die Nerven (*od*. auf den Wecker) fallend F.
suav|e [sɥa:v] *adj*. □ lieblich, anmutig, einschmeichelnd, zart (*Musik*); zart (*Parfüm*); **~ité** [sɥavi'te] *f* Lieblichkeit *f*; Zartheit *f*.
subalpin [sybal'pɛ̃] *adj*. (7) subalpin, am Fuße der Alpen gelegen.
subalter|ne [sybal'tɛrn] I *adj*. subaltern, untergeordnet; II *m* Subalterne(r) *m*, Subalternbeamte(r) *m*.
subcon|science [sypkɔ̃'sjɑ̃:s] *f* Unterbewußtsein *n*; **~scient** [~'sjɑ̃] I *m* Unterbewußtsein *n*; II *adj*. (7) unterbewußt.
subdélégué [sybdele'ge] *m* Subdelegierte(r) *m*, Unterabgeordnete(r) *m*.
subdivi|ser [sybdivi'ze] *v/t*. (1a)

unterteilen; **~sion** [~'zjɔ̃] *f* Unterteilung *f*, Abschnitt *m*; *Fr.* ⚔ Departementswehrkreis *m*.

subéreux [sybe'rø] *adj.* (7d) korkartig.

subir [sy'bi:r] *v/t.* (2a) erleiden, erdulden, aushalten, über sich ergehen lassen; erfahren, durchmachen; ~ *uné epreuve* e-e Probe bestehen; ~ *un examen* e-e Prüfung machen; ~ *l'influence de q.* unter j-s Einfluß stehen; ~ *un interrogatoire* verhört werden; *faire ~ un interrogatoire à q.* j-n verhören; ~ *une peine* eine Strafe verbüßen; *le livre a subi des remaniements* das Buch ist umgearbeitet worden.

subit [sy'bi] *adj.* (7d) □ plötzlich.

subito(presto) F [sybi'to(prɛs'to)] *adv.* plötzlich.

subjacent [sybʒa'sɑ̃] *adj.* (7) darunterliegend.

subjec|tif [sybʒɛk'tif] *adj.* (7e) □ subjektiv; unsachlich; **~tivité** [~tivi'te] *f* Subjektivität *f*; Unsachlichkeit *f*.

subjonctif *gr.* [sybʒɔ̃k'tif] **I** *adj.* (7e) konjunktivisch; **II** *m* Konjunktiv *m*.

subjonctivite *ling.* [sybʒɔ̃kti'vit] *f* Mißbrauch *m* des Konjunktivs.

subjuguer [sybʒy'ge] *v/t.* (1m) faszinieren.

sublim|able [sybli'mablə] *adj.* sublimierbar; **~ation** [~mɑ'sjɔ̃] *f* Sublimation *f*, Sublimierung *f* (*auch fig. u. psych.*).

sublime [sy'bli:m] **I** *adj.* □ erhaben; überragend, bewunderungswürdig; **II** *m das* Erhabene *n*.

sublim|é [sybli'me] *adj. u. m* sublimiert; Sublimat *n*; ~ *corrosif* ätzendes Quecksilbersublimat *n*; **~er** [~] *v/t.* (1a) sublimieren; *fig.* vergeistigen, verklären, in höhere Sphären rücken, läutern.

sublimité [syblimi'te] *f* Erhabenheit *f*.

sublunaire [sybly'nɛ:r] *adj.* unter dem Mond befindlich, sublunar.

submer|ger [sybmɛr'ʒe] (1l) *v/t.* **1.** unter Wasser setzen, überschwemmen, überfluten; **2.** untertauchen, versenken; überhäufen, überschütten; *Gefühle*: ~ *q.* j-n überwältigen; *être submergé de besogne* vor Arbeit nicht aus noch ein wissen; *la police est submergée* die Polizei ist überbeansprucht; **3.** ⚔ überwältigen; überrollen; **~sibilité** [~sibili'te] *f* Tauchfähigkeit *f e-s U-Boots*; **~sible** [~'siblə] **I** *adj.* überschwemmbar, untertauchbar; ⚘ untertauchend, unter Wasser lebend (*Pflanze*); tauchfähig (*U-Boot*); **II** † *m* U-Boot *n*; **~sion** [~mɛr'sjɔ̃] *f* **1.** völlige Überschwemmung *f*; **2.** Versenken *n*, Versenkung *f*, Ertränken *n*; *mort f par ~* Tod *m* durch Ertrinken.

subodorer [sybɔdɔ're] *v/t.* (1a) wittern; *fig.* ahnen, vermuten.

subor|dination [sybɔrdinɑ'sjɔ̃] *f* **1.** Unterordnung *f* (*a. gr.*); ⚔ Dienstgehorsam *m*; **2.** Abhängigkeit *f*; **~donné** [~dɔ'ne] *su.* Untergeordnete(r) *m*, Untergebene(r) *m*; **~donnée** *gr.* [~] *f* Nebensatz *m*; **~donner** [~] *v/t.* (1a) unterordnen; *proposition f subordonnée* Nebensatz *m*.

suborn|ation *bsd.* ⚖ [sybɔrnɑ'sjɔ̃] *f* Verführung *f*; Bestechung *f* (*bsd. von Zeugen*); **~er** [~'ne] *v/t.* (1a) *litt. od. iron.* verführen; ~ *des témoins* Zeugen zu e-r falschen Aussage anstiften; **~eur** [~'nœ:r] *adj. u. su.* (7g) verführend; *litt. od. iron.* Verführer *m*.

subrécargue ⚓ [sybre'karg] *m* Frachtaufseher *m*.

subrep|tice [sybrɛp'tis] *adj.* □ **1.** ⚖ erschlichen; **2.** verstohlen, heimlich; **~tion** [~rɛp'sjɔ̃] *f* Erschleichung *f*.

subro|gateur [sybrɔga'tœ:r] **I** *m* **1.** ⚖ zweiter Referent *m od.* Berichterstatter *m*; **2.** ⚖ Abtreter *m* e-r Forderung; **II** *adj.* (7f) an die Stelle e-s anderen setzend; *acte m ~* Forderungs-abtretung *f*, -übertragung *f*; **~gation** ⚖ [~gɑ'sjɔ̃] *f* Subrogation *f*, gerichtliche Einsetzung *f in die Rechte e-s anderen*; **~ger** ⚖ [~'ʒe] *v/t.* (1l) in die Rechte e-s anderen einsetzen; **~gé-tuteur** ⚖ [~ʒety'tœ:r] *m* (6a) gerichtlich ernannter Gegenvormund *m*.

subséquemment [sypseka'mɑ̃] *adv.* **1.** darauf; **2.** infolgedessen.

subséquent [sypse'kɑ̃] *adj.* (7) (nach)folgend.

subsi|de [syp'sid] *m* **1.** Zuschuß *m*, Beisteuer *f*, Subvention *f*, Unterstützung *f*; **2.** ~*s pl.* Hilfsgelder *n/pl.*; **~dence** *géol.* [~'dɑ̃:s] *f* Senkung *f*; **~diaire** [~'djɛ:r] *adj.* □ unterstützend, zusätzlich, bekräftigend, Hilfs...; an zweiter Stelle eintretend; **~diairement** [~djɛr'mɑ̃] *adv.* zusätzlich, nachträglich, an zweiter Stelle, notfalls; **~diarité** [~djari'te] *f* **1.** *éc.* Subventionspolitik *f*; **2.** sekundäre Bedeutung *f*, Nebenrolle *f*.

subsis|tance [sypsis'tɑ̃:s] *f* **1.** Lebensunterhalt *m*, Auskommen *n*; *moyens m/pl. de* ~ Mittel *n/pl.* zur Bestreitung des Lebensunterhalts; **2.** ⚔ *service m des* ~*s* Proviantamt *n*; ~**tant** [~'tɑ̃] **I** *adj.* (7) sich erhaltend, weiterbestehend; **II** *m* Soldat *m* in Verpflegung; ~**ter** [~'te] *v/i.* (1a) **1.** bestehen, vorhanden sein; **2.** in Kraft bleiben, Bestand haben; **3.** leben (*de* von *dat.*), sein Auskommen finden.

subsonique [sypsɔ'nik] *adj.* unter Schallgeschwindigkeit.

substan|ce [syp'stɑ̃:s] *f* **1.** Substanz *f* (*a. phil.*), Stoff *m*, Materie *f*; **2.** *fig. das* Wesentliche *n*, wesentlicher Inhalt *m*, Inbegriff *m*, Hauptinhalt *m*, Kernpunkt *m*, tragender Gedanke *m*, Gehalt *m*; *advt. en* ~ im wesentlichen; ~**tialiser** *phil.* [~sjali'ze] *v/t.* (1a) als Substanz (*od.* Materie) betrachten; ~**tialisme** *phil.* [~sja'lism] *m* Substantialismus *m*, Lehre *f* von der Seele als e-e Substanz, als ein dinghaftes Wesen; ~**tialiste** *phil.* [~sja'list] *m* Substantialist *m*, Anhänger *m* der Lehre des Substantialismus; ~**tialité** *phil.* [~sjali'te] *f* Wesentlichkeit *f*, Substanzsein *n*; ~**tiel** [~'sjɛl] *adj.* (7c) □ **1.** *phil.* substantiell; **2.** nahrhaft, kräftig; *fig.* wesentlich, inhaltsreich; ~**tif** [~'tif] **I** *adj.* (7e) □ substantivisch; **II** *m gr.* Substantiv *n*; ~**tifier** *rhét.* [~ti'fje] *v/t.* (1a) e-e konkrete Form geben (*dat.*); ~**tiver** *gr.* [~ti've] *v/t.* (1a) substantivieren.

substi|tuant [sypsti'tɥɑ̃] *m* Ersatzmann *m*; ~**tué** [~'tɥe] *m*: (*héritier m*) ~, ~ *fidéicommissaire* Nacherbe *m*; ~**tuer** [~] (1a) **I** *v/t.* **1.** ~ *qch. à qch.* etw. durch etw. ersetzen; **2.** ⚖ zum Nacherben einsetzen; **II** *v/rfl. se* ~ *à q.* an die Stelle j-s treten, j-n ersetzen; ~**tut** [~'ty] *m* **1.** Stellvertreter *m*; **2.** ⚖ Staatsanwaltsvertreter *m*; **3.** ⊕ Surrogat *n*; ~**tution** [~ty'sjɔ̃] *f* Ersetzen *n*, Vertauschung *f*, Stellvertretung *f*, Einsetzung *f e-s Nacherben*; ⚖ Einsetzung *f*; *ling.* ~ *de consonnes* Lautverschiebung *f*.

substrat [syp'stra] *m* Substrat *n*.

substruc|tion △ [sypstryk'sjɔ̃] *f* Grundbau *m*; Tiefbau *m*; Unterbau *m*; ~**ture** [~'ty:r] *f* Unterbau *m*.

subterfuge [syptɛr'fy:ʒ] *m* Ausflucht *f*, Ausrede *f*; List *f*, Trick *m*.

subtil [syp'til] *adj.* □ **1.** dünn, fein, zart; **2.** *fig.* gewandt; scharfsinnig; subtil; spitzfindig; listig, schlau; ~**iser** [~li'ze] (1a) **I** *v/t.* **1.** verfeinern, flüchtiger machen; ⚗ läutern; **2.** mausen, klauen, abluchsen, unterschlagen, organisieren F; **II** *v/i.* spintisieren, grübeln; ~**ité** [~li'te] *f* **1.** Feinheit *f*; **2.** Schärfe *f*; Gewandtheit *f*; **3.** *fig.* Scharfsinn *m*; Spitzfindigkeit *f*, Subtilität *f*.

subtropical [syptrɔpi'kal] *adj.* (5c) subtropisch; *zone* ~*e* Subtropen *pl.*

suburbain [sybyr'bɛ̃] *adj.* (7) vorstädtisch, Vorstadt...; Vorort...

subvenir [sybvə'ni:r] *v/i.* (2a): ~ *à qch.* etw. auf sich nehmen, für etw. aufkommen, etw. bestreiten.

subvention [sybvɑ̃'sjɔ̃] *f* geldliche Unterstützung *f*, Beihilfe *f*, Zuschuß *m*, Subvention(ierung *f*) *f*; ~**nel** [~sjɔ'nɛl] *adj.* (7c) als Unterstützung dienend, Unterstützungs-...; ~**ner** [~'ne] *v/t.* (1a) geldlich unterstützen, subventionieren.

subver|sif [sybvɛr'sif] *adj.* (7e) umstürzlerisch, staatszersetzend; Umsturz...; ~**sion** *pol.* [~'sjɔ̃] *f* Unterwanderung *f*, Zersetzungstätigkeit *f*, Umsturz *m*, Subversion *f*.

suc [syk] *m* Saft *m*; *physiol.* ~ *gastrique* Magensaft *m*.

succédané *phm.*, *Kaffee usw.*, *allg.* [sykseda'ne] *adj. u. m* als Ersatz dienend; Ersatz *m*; Surrogat *n*.

succéder [sykse'de] (1f) (*mit avoir!*) **I** *v/i.* **1.** ~ *à q.* auf j-n folgen; j-s Stelle einnehmen; j-s Nachfolge antreten, j-m im Amt nachfolgen; ~ *à q. au trône* j-m auf dem Thron folgen; **2.** ~ *à q.* j-n beerben; **II** *v/rfl. mit p/p. inv. se* (*dat.*) ~ aufeinanderfolgen.

succès [syk'sɛ] *m* Erfolg *m*; Glück *n*, Gelingen *n*; *thé.* Beifall *m*; *avoir du* ~ Erfolg haben; *thé.* Beifall finden; F *avoir des* ~ Anklang bei den Frauen (*od.* Mädchen) finden; *avoir grand* ~ großen Anklang (*od.* e-n starken Beifall) finden; ~ *d'estime* Achtungserfolg *m*; ~ *en amour* Erfolg *m* in der Liebe; ~ *fou* toller Erfolg, Bombenerfolg *m*; *poète m à* ~ erfolgreicher Dichter *m*; *film m à* ~ Filmschlager *m*.

success|eur [syksɛ'sœ:r] *m* ✝ Nachfolger *m*; Thronfolger *m*; ~ *juridique* Rechtsnachfolger *m*; ~**ibilité** ⚖ [~sibili'te] *f* Erbberechtigung *f*; ~**ible** ⚖ [~'siblə] *adj.* erbberechtigt; erbfähig; ~**if** [~'sif] *adj.* (7e) auf- (*od.* nach-)einanderfolgend, ununterbrochen; ⚖ *droit m* ~ Erbfolgerecht *n*; ~**ion** [~'sjɔ̃] *f* **1.** Aufeinanderfolge *f*, ununterbrochene Reihenfolge *f*; **2.** Nach-, Erb-folge *f*; *droit m de* ~ Erbfolgerecht *n*; *droits m/pl. à une* ~ Erbberechtigung *f*; *désistement m de la* ~ Erbverzicht *m*; *recueillir une* ~ e-e Erbschaft antreten; *se transmettre à q. par voie de* ~ sich auf j-n vererben; *cas m de* ~ Erbfall *m*; *dévolution f d'une* ~ Anfall *m* e-r Erbschaft; *ouvrir la* ~ den Nachlaß eröffnen; *impôt m sur les* ~*s* Erbschaftssteuer *f*; *répudiation f d'une* ~, *renonciation f à une* ~ Erbschaftsausschlagung *f*; **3.** Nachlaß *m*, Erbschaft *f*; Nachlaßsache *f*; **~ivement** [~siv'mɑ̃] *adv.* hinter-, nach-einander; **~oral** [~sɔ'ral] *adj.* (5c) Erbfolge...; Erb...; *pol.* Nachfolge...; *droit m* ~ Erbrecht *n*; *le passif m* ~ die Nachlaßverbindlichkeiten *f/pl.*; *incapacité f* ~*e* Erbunfähigkeit *f*; *taxe f* ~*e* Erbschaftssteuer *f*; *pacte m* ~ Erbvertrag *m*.

succin *min.* [syk'sɛ̃] *m* Bernstein *m*.

succinct [~] *adj.* (7) □ **1.** knapp, bündig, kurzgefaßt, gedrängt, kurz; **2.** F *repas m* ~ einfache Mahlzeit *f*; **~ement** [~sɛ̃t'mɑ̃] *adv.* zusammenfassend, in knapper Form.

succinique [syksi'nik] *adj.*: ⚗ *acide m* ~ Bernsteinsäure *f*.

succion [syk'sjɔ̃] *f* (Aus-, Ein-) Saugen *n*.

succomber [sykɔ̃'be] *v/i.* (1a) (*mit avoir!*) **1.** liegen, unterliegen, zs.-brechen; **2.** *fig.* fallen (*belagerte Stadt*); **3.** umkommen, sterben; ~ *à ses blessures* s-n Verletzungen erliegen; ~ *au charme de q.* j-s Zauber erliegen; ~ *à la fatigue* von Müdigkeit übermannt, überwältigt werden.

succu|lence [syky'lɑ̃:s] *f* Saftigkeit *f*, Schmackhaftigkeit *f*; **~lent** [~'lɑ̃] *adj.* (7) schmackhaft, köstlich.

succursale [sykyr'sal] *f* Filiale *f*, Zweiggeschäft *n*, Zweigniederlassung *f*, Zweiganstalt *f* (*Bank*); *magasin m à* ~*s multiples* Filialgeschäft *n*; (*église f*) ~ Filialkirche *f*.

succussion ⚕ [syky'sjɔ̃] *f* Schütteln *n* (*des Kranken zwecks Diagnose*).

suc|er [sy'se] *v/t.* (1k) **1.** (ein-, aus-) saugen; ~ *son pouce* am Daumen lutschen; **2.** *fig.* ~ *q.* j-n aussaugen (*od.* schröpfen *od.* ausbeuten); **~ette** [~'sɛt] *f* **1.** Schnuller *m*, Nuckel *m* (*für Babys*); **2.** Lutschstange *f*; **~eur** [~'sœ:r] *su.* (7g) *a. ent.* Sauger *m*; ~*s pl.* Saugefische *m/pl.*

suç|oir [sy'swa:r] *m* **1.** *ent.* Saugrüssel *m*; **2.** Saugwarze *f*; **~on** [~'sɔ̃] *m* **1.** Saug-, Kuß-stelle *f*, -fleck *m* (*auf der Haut*); **2.** ⊕ Saugkasten *m*; **~oter** F [~sɔ'te] *v/t.* (1a) lutschen.

sucra|ge [sy'kra:ʒ] *m* Zuckern *n*; **~se** [~'krɑ:z] *f Art* Trauben- *od.* Stärke-zucker *m*, Invertzucker *m*; **~te** [sy'krat] *m* Zuckerstoff *m*.

sucre ['sykrə] *m* Zucker *m*; ~ *de betteraves* Rübenzucker *m*; ~ *brut* Rohzucker *m*; ~ *candi* Zuckerkand *m*; ~ *de canne* Rohrzucker *m*; ~ *inverti* Invertzucker *m*; ~ *d'orge* Malzzucker *m*; Bonbon *n od. m* aus Gerstenzucker; ~ *en morceaux* Würfelzucker *m*; ~ *en pain* Hutzucker *m*; ~ *en poudre* Puderzucker *m*; ~ *raffiné* Feinzucker *m*, Raffinade *f*; *pain m de* ~ Zuckerhut *m*; *en pain de* ~ kegelförmig; *fig. mon petit lapin en* ~ mein süßes Häschen, Mäuschen; *fig.* F *casser du* ~ *sur le dos de q.* j-n herunter- *od.* schlecht-machen; F *tu n'es pas en* ~*!* sei nicht so zimperlich!

sucré [sy'kre] *m* gezuckertes Essen *n*.

sucrer [~] (1a) **I** *v/t.* (über)zuckern; F *fig.* ~ *les fraises* ganz zittrig, tattrig sein; *sucré* gezuckert; zuckersüß; Zucker...; *fig.* süßlich; **II** *v/rfl.* F *se* ~ **1.** Zucker nehmen; **2.** *fig.* sich gesundstoßen; **~ie** [sykrə'ri] *f* **1.** Zuckersiederei *f*; **2.** ~*s pl.* Konfekt *n*, Süßigkeiten *f/pl.*; Zuckerwerk *n*.

sucrier [sykri'e] **I** *adj.* (7b) Zucker...; **II** *m* **1.** Zuckerdose *f*; **2.** Zuckerfabrikant *m*.

sucrin ⚘ [sy'krɛ̃] *m* Zuckermelone *f*.

sud [syd] **I** *m* (*abr.* S) Süden *m*; *au* ~ *de* südlich von; ⚓ *faire le* ~ nach Süden steuern; **II** *adj./inv.* südlich; Süd...

sud|-africain [sydafri'kɛ̃] *adj. u.* ♀ *su.* (7) südafrikanisch; Südafrikaner *m*; **~-américain** [~ameri'kɛ̃] *adj. u.* ♀ (7) südamerikanisch; Südamerikaner *m*.

suda|tion ⚕ [syda'sjɔ̃] *f* Schwitzen *n*; **~toire** [~da'twa:r] *adj.* Schweiß...

sud-est [sy'dɛst] **I** *m* (*abr.* S.-E.) Südosten *m*; Südostwind *m*; **II** *adj.* südöstlich.

sudiste *hist.* [sy'dist] *m u. adj.* Südstaatler *m*; südstaatlich (*U.S.A.*).

sudoral *anat.* [sydɔ'ral] *adj.* (5c) Schweiß...; *appareil m* ~ Schweißapparat *m*.

sudori|fique ⚕ [sydɔri'fik] *adj. u. m* schweißtreibend(es Mittel *n*); **~pare** *anat.* [~'pa:r] *adj.* schweißbildend.

sud-ouest [sy'dwɛst] **I** *m* (*abr.* S.-O.) Südwesten *m*; Südwestwind *m*; **II** *adj.* südwestlich.

sud-vietnamien [sydvjɛtna'mjɛ̃] *adj.* (7c) südvietnamesisch.
Suède [sɥɛd] *f*: **la** ~ Schweden *n*.
suédois [sɥe'dwa] *adj. u.* ♀ *su.* (7) schwedisch; Schwede *m*.
suée [sɥe] *f* Schwitzen *n*.
suer [~] (1a) **I** *v/i.* **1.** schwitzen; ~ *à grosses gouttes* stark schwitzen, von Schweiß triefen; ~ *de tout le corps* am ganzen Körper schwitzen; ~ *sur un travail* über e-r Arbeit schwitzen; F *faire* ~ *q.* j-n sehr ärgern, j-m auf die Nerven gehen; F *ça me fait* ~ das hängt mir zum Halse raus; *se faire* ~ sich langweilen; **2.** sich beschlagen (*Fenster*); **II** *v/t.* ausschwitzen; F ~ *sang et eau* sich alle erdenkliche Mühe geben; F *en* ~ *une* schwofen F.
suette ⚕ [sɥɛt] *f* Schweißfieber *n*.
sueur [sɥœ:r] *f* Schweiß *m*; ~ *froide* Angstschweiß *m*, kalter Schweiß; *baigné de* ~ in Schweiß gebadet; *être tout en* ~ vor Schweiß triefen; *à la* ~ *de son front* im Schweiße s-s Angesichts.
Suez *géogr.* [sɥɛ:z] *m* Suez *m*.
suffire [sy'fi:r] (4o) (*p/p. suffi*) **I** *v/i.* **1.** genügen, ausreichen; *cela (me) suffit* das genügt, genug davon; *ce chien suffit à* (*od. pour*) *garder toute la maison* dieser Hund genügt, um das ganze Haus zu bewachen; **2.** ~ *à qch.* e-r Sache gewachsen sein; ~ *à ses besoins* s-n Unterhalt bestreiten; *il suffit seul à ce travail* er kann diese Arbeit ganz allein besorgen; **II** *v/imp. il suffit* es genügt; *il suffit d'une fois* einmal genügt; *il suffit d'un rien pour le contrarier* e-e Kleinigkeit genügt, um ihn zu verärgern; **III** *v/rfl.* se ~ *à soi-même* sich selbst genügen.
suffi|samment [syfiza'mɑ̃] *adv.* genug, hinreichend; **~sance** [~'zɑ̃:s] *f* Selbstgefälligkeit *f*, Spleen *m*, Aufgeblasenheit *f*, Wichtigtuerei *f*; **~sant** [~'zɑ̃] (7) **1.** genügend, ausreichend, hinlänglich; **2.** selbstgefällig, eingebildet.
suffix|ation *gr.* [syfiksa'sjɔ̃] *f* Suffixbildung *f*; **~e** *gr.* [sy'fiks] *m* Suffix *n*.
suffo|cant [syfɔ'kɑ̃] *adj.* (7) erstickend; stickig; *fig.* verblüffend; **~cation** [~ka'sjɔ̃] *f* Atemnot *f*; *fig.* Beklemmung *f*; **~quer** [~'ke] (1m) *v/t. u. v/i.* ersticken; *fig.* ~ *de colère* vor Wut platzen; *être suffoqué devant qch.* angesichts e-r Tatsache sprachlos sein.
suffragant [syfra'gɑ̃] *m* (*u. adj./m*) *rl.* **1.** *cath.* (*évêque m*) ~ Suffraganbischof *m*; **2.** *prot.* Vikar *m*.
suffra|ge [sy'fra:ʒ] *m* **1.** (Wahl-) Stimme *f*; *droit m de* ~ Stimmrecht *n*; ~ *féminin* Frauenstimmrecht *n*; ~ *plural*, ~ *majoritaire* Mehrheitswahl *f*; ~ *universel* allgemeines Wahlrecht *n*; ~*s exprimés* abgegebene Stimmen *f/pl.*; **2.** Zustimmung *f*, Beifall *m*; *remporter tous les* ~*s* allgemein Beifall finden; **3.** *rl. cath.* ~*s pl.* (*de l'Église* öffentliche) Fürbitte *f/sg.*; **~gette** [~'ʒɛt] *f* Frauenrechtlerin *f*.
suffusion ⚕ [syfy'zjɔ̃] *f* Bluterguß *m*.
suggérer [sygʒe're] *v/t.* (1f) **1.** ~ *qch. à q.* j-m etw. nahelegen (*od.* einsuggerieren); ~ *qch.* etw. anregen; ~ *une idée à q.* j-n auf e-n Gedanken bringen; **2.** *Vorstellung, Gefühl* hervorrufen, auslösen, denken lassen an (*acc.*).
sugges|tif [sygʒɛs'tif] *adj.* (7e) die Phantasie anregend, vielsagend, ansprechend, anschaulich, suggestiv; **~tion** [~ʒɛs'tjɔ̃] *f* Vorschlag *m*, Anregung *f*, Empfehlung *f*, Antrag *m*, Eingebung *f*; Verleitung *f*; Suggestion *f*; ~ *d'amendement* Abänderungsantrag *m*; **~tionnable** [~tjɔ'nablə] *adj.* leicht beeinflußbar; gutgläubig; **~tionner** [~ʒɛstjɔ'ne] *v/t.* (1a) beeinflussen, suggerieren, anregen, eingeben.
sugillation ⚕ [syʒila'sjɔ̃] *f* leichter Bluterguß *m*.
suici|daire [sɥisi'dɛ:r] *adj.* Selbstmord...; **~dant** [~'dɑ̃] *su.* Selbstmordwillige(r) *m*; **~de** [sɥi'sid] *m* Selbstmord *m*; *pol.* ~ *par le feu* Selbstverbrennung *f*; **~dé** [~'de] *su.* Selbstmörder *m*; **~der** [~] (1a) *v/rfl.*: se ~ sich das Leben nehmen, Selbstmord begehen (*od.* verüben).
suie [sɥi] *f* Ruß *m*; ~ *de pin* Kienruß *m*.
suif [sɥif] *m* Talg *m*; * Streit *m*; * *il va y avoir du* ~ es wird Streit geben; **~fer** [~'fe] *v/t.* (1a) mit Talg einschmieren; **~feux** [~'fø] *adj.* (7d) talgig.
suint [sɥɛ̃] *m* Wollfett *n*; **~er** [sɥɛ̃'te] *v/i.* (1a) durchsickern (*Nässe*); Feuchtigkeit durchlassen, schwitzen (*Mauer*).
Suisse [sɥis] **I** *f*: **la** ~ die Schweiz; **II** *m u.* ♀ *adj.* Schweizer *m*; schweizerisch; F *boire en* ~ für sich allein trinken; **III** ♀ *m* **1.** *die* Schweizer Mundart *f*; **2.** Kirchendiener *m*; **3.** *petit* ♀ kleiner weißer Käse *m*; **~sse** [~'sɛs] *f* Schweizerin *f*.

suite [sɥit] *f* **1.** Folge *f*; *par ~ de* infolge (*gén.*), wegen (*gén.*); *en ~ de quoi* demzufolge; woraufhin; *fig. donner ~ à une demande* e-r Bitte stattgeben, e-e Bitte erfüllen; **2.** *zeitlich*: Aufeinanderfolge *f*, Reihenfolge *f*, Reihe *f*; *fig.* Kette *f*, Verlauf *m*, Folgezeit *f*; *sous ~ de frais* Kostenrechnung folgt; *par la ~* in der Folge, später; *tout de ~* sofort, (so)gleich, auf der Stelle; *de ~* a) hintereinander, ununterbrochen; b) *abus.* gleich, sofort (*korrekt*: *tout de ~*); *et ainsi de ~* und so weiter; und so fort; *prpt. à la ~ de* nach (*zeitlich*; *Reihenfolge*); infolge, wegen; *~ à qch.* im Anschluß an etw., nach etw.; *par ~ de* infolge, wegen; **3.** Gefolge *n*; *marcher à la ~ de q.* hinter j-m gehen (*od.* laufen); **4.** Zusammenhang *m*, Folgerichtigkeit *f*, Konsequenz *f*; *propos m/pl. sans ~* zusammenhangloses Gerede *n/sg.*; *avoir l'esprit de ~* (*od.* F *de la ~ dans les idées*) logisch denken (können), konsequent sein, konsequent sein Ziel verfolgen; *esprit m de ~* logisches Denken *n*; Beharrlichkeit *f*, Unverdrossenheit *f*, Stetigkeit *f*, Festigkeit *f*, Geradlinigkeit *f*; F Dickschädel *m*; F Starrsinn *m*; *faire ~ à une lettre* sich auf e-n Brief beziehen; **5.** ⚖, ⚚ Verfolgung *f e-s Prozesses*; Übernahme *f* e-s durchzuführenden Geschäfts; *prendre la ~ d'une affaire* ein Geschäft weiterbetreiben; **6.** Fortsetzung *f* (*e-s Romans*); *la ~ au prochain numéro* Fortsetzung folgt; *allg. prendre la ~ de qch.* etw. fortsetzen; *attendre la ~* abwarten, wie es weitergeht; **7.** ♪ Suite *f*.

suivant [sɥiˈvɑ̃] **I** *adj.* (7) folgend, nachfolgend, nachstehend; **II** *prp.* gemäß (*dat.*), nach (*dat.*); je nach; laut (*dat.*), entsprechend (*dat.*); längs (*gén.*), entlang; **~ que** *cj.* je nachdem ...; **~e** † [~ˈvɑ̃:t] *f* Dienerin *f*; Kammerzofe *f*, Soubrette *f*.

suiveur [sɥiˈvœ:r] *m* **1.** Windschattenfahrer *m*, Lutscher *m* F, *plais.* (*Radsport*); **2.** *pol.* Mitläufer *m*; **3.** *allg.* Verfolger *m*; **4.** F Frauennachläufer *m*.

suiv|i [sɥiˈvi] **I** *p.p. von suivre*; **II** *adj.* anhaltend; ununterbrochen; regelmäßig; folgerichtig; zusammenhängend; ⚚ vorrätig, stets auf Lager; *médicalement bien ~* ärztlich gut betreut; **~isme** *a. pol.* [~ˈvism] *m* Mitläufertum *n*; **~iste** *pol.* [~ˈvist] *su.* Mitläufer *m*.

suivre [ˈsɥi:vrə] (4h) **I** *v/t.* **1.** *~ q.* j-m folgen; *~ q. de près* (*de loin*) dicht hinter j-m hergehen (j-m von weitem folgen); *fig. ~ q. des yeux* j-m nachschauen; *meist fig. ~ le mouvement* mit dem Strom schwimmen; *je vous suis* ich komme gleich nach; *~ q. dans la tombe* j-m ins Grab folgen; **2.** begleiten, mitkommen; *~ q. en* (*od. par la*) *pensée* j-n in Gedanken begleiten; *~ un cortège* in e-m Zug mitgehen; **3.** *~ qch.* auf etw. (*acc.*) folgen; **4.** (*a. e-n Verbrecher*) verfolgen; beschatten; **5.** genau beobachten; im Auge behalten; sich richten nach, sich halten an (*acc.*); *~ un régime* Diät halten; *~ la mode* die Mode mitmachen; *suivez-moi bien* passen Sie gut auf; **6.** *fig.* fortsetzen, weiter ausführen; **7.** sich anschließen (*dat.*); sich widmen (*dat.*); angehören (*dat.*); *~ une doctrine* e-r Lehre angehören; **8.** *Kurs* besuchen, *Vorlesung auch* hören; *~ un cours* e-n Lehrgang mitmachen; *écol. ~ sa classe* in s-r Klasse mitkommen; **9.** ⚚ führen (*Waren*); herstellen; **II** *v/i. u. v/imp.* **10.** folgen; *écol. un élève ne peut pas ~ en classe* ein Schüler kommt nicht mit; *auf Briefen*: (*prière de*) *faire ~* (bitte) nachsenden!; *à ~* Fortsetzung folgt.

sujet [syˈʒɛ] **I** *adj.* (7c) **1.** *c'est ~ à caution* das ist unsicher, es bedarf der Bestätigung; *c'est ~ à plusieurs interprétations* das läßt sich mehrfach auslegen; **2.** *~ à* neigend zu (*dat.*); anfällig gegen; ausgesetzt (*dat.*); *il est ~ au vertige* ihm wird leicht schwindlig; **II** *m* **3.** Untertan *m*, Staatsangehörige(r) *m*; **4.** Person *f*, Mensch *m*, Individuum *n*; *bon ~* guter Schüler *m* (Soldat *m*); brauchbarer Mensch *m*; *mauvais ~* übles Subjekt *n fig.*; *écol. un brillant ~, un ~ d'élite* ein glänzender Schüler *m*; **5.** ⚕ Patient *m*; Versuchs-person *f*, -tier *n*; Leiche *f* (*Anatomie*); **6.** ↗ Unterlage *f* (*Veredeln*); **7.** *gr.* Subjekt *n*, Satzgegenstand *m*; **8.** Thema *n*, Stoff *m*, Gegenstand *m od.* Vorwurf *m e-s Gemäldes, e-r Dichtung usw.*; **9.** Gelegenheit *f*, Ursache *f*; Veranlassung *f*, (Beweg-)Grund *m*; *donner ~ de ...* Anlaß geben zu ...; *à ce ~* in dieser Beziehung; *au ~ de ...* was ... betrifft, wegen (*gén.*), hinsichtlich (*gén.*), im Hinblick auf (*acc.*); **10.** ♪ Hauptsatz *m*, Thema *n*.

sujétion [syʒeˈsjɔ̃] *f* **1.** Untertänigkeit *f*; **2.** Last *f*, Bürde *f*, lästiger

Zwang *m*, Unbequemlichkeit *f*, Gebundenheit *f*, Abhängigkeit *f*.

sulfa|mide *phm.* [sylfa'mid] *m* Sulfonamid *n*; **~tage** ⚘ [~'ta:ʒ] *m* Bespritzen *n* (*der Weinreben*); **~te** ⚗ [~'fat] *m* Vitriol *n*; ~ *de cuivre* Kupfervitriol *n*; **~ter** ⚘ [~'te] *v/t.* (1a) mit Vitriol bespritzen; **~teuse** ⚘ [~'tø:z] *f* Kupfervitriolspritztank *m* (*Weinreben*).

sulf|hydrate ⚗ [sylfi'drat] *m* Sulfhydrat *n*; **~ite** ⚗ [~'fit] *m* Sulfit *n*, schwefelsaures Salz *n*; **~oiodure** ⚗ [~fɔjɔ'dy:r] *f* Jodschwefelverbindung *f*.

sulfur|ation ⚗ [sylfyrɑ'sjɔ̃] *f* (Be-, Aus-)Schwefeln *n*; **~e** ⚗ [~'fy:r] *f* Schwefelverbindung *f*; ~ *de sodium* Schwefelnatrium *n*; ~ *de phosphore* Schwefelphosphor *m*; **~er** ⚗ [~'re] *v/t.* (1a) mit Schwefel verbinden; (aus)schwefeln; **~eux** ⚗ [~'rø] *adj.* (7d) schweflig, schwefelhaltig; *acide m* ~ schweflige Säure *f*; **~ique** ⚗ [~'rik] *adj.*: *acide m* ~ Schwefelsäure *f*; *éther m* ~ Schwefeläther *m*; **~iser** ⚗ [~ri'ze] *v/t.* (1a) mit Schwefelsäure behandeln; *papier m sulfurisé* Butterbrotpapier *n*.

sultan [syl'tɑ̃] *m* Sultan *m*; **~at** [~ta'na] *m* Sultanat *n*.

sumac ⚘ [sy'mak] *m* Sumach *m*, Essigbaum *m*.

summum [sɔ'mɔm] *m* höchster Grad *m*.

sunlight *cin.* [sœn'lajt] *m* Bogenlampe *f e-s Filmateliers*, Aufnahmescheinwerfer *m*.

superbe [sy'pɛrb] **I** *adj.* **1.** wundervoll, herrlich, großartig, bezaubernd, prachtvoll; **2.** hochmütig, stolz; **II** *litt. f* Hochmut *m*.

supercherie [sypɛrʃə'ri] *f* Schwindel *m*, Betrug *m*; Hintergehung *f*, Hinterlist *f*.

superconductibilité ⚡ [sypɛrkɔ̃dyktibili'te] *f* Überleitfähigkeit *f*.

supère ⚘ [sy'pɛ:r] *adj.* oberhalb befindlich.

supérette [sype'rɛt] *f* Supermarkt *m* mittlerer Größe.

superfétat|ion [sypɛrfetɑ'sjɔ̃] *f* überflüssige Sache *f od.* Wiederholung *f*; **~oire** [~ta'twa:r] *adj.* überflüssig.

superfici|alité [~fisjali'te] *f* Oberflächlichkeit *f*; **~e** [~fi'si] *f* Oberfläche *f*, Fläche *f*; Flächeninhalt *m*; *mesure f de* ~ Flächenmaß *n*; **~el** [~fi'sjɛl] *adj.* (7c) □ *a. fig.* oberflächlich; *fig.* seicht, flach.

superfin [~'fɛ̃] *adj.* (7) hochfein.

superflu [~'fly] **I** *adj.* überflüssig, entbehrlich; vergeblich, unnütz; gegenstandslos; *par ext. poils* ~s unerwünschte Haare *n/pl.*; **II** *m* Überfluß *m*; *das* Überflüssige *n*.

superfusée [~fy'ze] *f* Superrakete *f*.

supergrands *pl.* [~'grɑ̃] *m/pl.* Supermächte *f/pl.*

superhétérodyne *rad.* [sypɛreterɔ'di:n] *adj. u. f* superheterodyn; Superhet *m*.

supéri|eur [sype'rjœ:r] **I** *adj.* höher (gelegen), ober; *fig.* höherstehend, tüchtig, hervorragend, meisterhaft, ausgezeichnet (*Person*, *Qualität*); vorzüglich; überlegen; *classes f/pl.* ~es Oberstufe *f*, Oberklassen *f/pl.*; *école f* ~e Oberschule *f*; *officier m* ~ höherer Offizier *m*; *être* ~ *à q.* j-m überlegen sein; j-n übertreffen; ~ *en nombre* an Zahl überlegen; in der Überzahl; in der Übermacht (*Gegner*); **II** *su.* Vorgesetzte(r) *m*, Vorsteher *m*; **III** *m rl.* Superior *m* in Klöstern, Abt *m*; **~orité** [~jɔri'te] *f* **1.** Überlegenheit *f*, Übergewicht *n*; Vorzug *m*; Erhabenheit *f*; ausgezeichnete Qualität *f*; **2.** ⚔ ~ *des forces* Vormachtstellung *f*.

superlatif [sypɛrla'tif] *gr.* **I** *adj.* (7e) □ superlativisch; **II** *m* Superlativ *m*.

supermarché [~mar'ʃe] *m* Supermarkt *m*.

super-palace [~pa'las] *m* hypermodernes Luxushotel *n*.

superphérique [~fe'rik] *m* Umgehungsstraße *f* im Hochbau.

superphosphate ⚗ [~fɔs'fat] *m* Superphosphat *n* (*Düngemittel*).

superport [~'pɔ:r] *m* Superhafen *m*.

superpos|able [~po'zablə] *adj.* übereinanderlegbar; *fig.* übereinstimmend (*Flächen*); **~er** [~'ze] *v/t.* (1a) übereinanderlegen; überlagern; **~ition** [~zi'sjɔ̃] *f* Übereinander-setzung *f*, -legung *f*, Überlagerung *f*.

superproduction *cin.* [~prɔdyk'sjɔ̃] *f* Groß-, Monumental-film *m*.

superpuissance [~pɥi'sɑ̃:s] *f* Supermacht *f*.

supersaturation ⚗ [~satyrɑ'sjɔ̃] *f* Übersättigung *f*.

supersensible *phil.* [~sɑ̃'siblə] *adj.* übersinnlich.

supersonique [~sɔ'nik] **I** *adj.* Überschall...; **II** ✈ *m* Überschallflugzeug *n*.

supersti|tieux [~sti'sjø] *adj.* (7d) *adj.* □ abergläubisch; **~tion** [~'sjɔ̃] *f* Aberglaube *m*.

superstructure [~stryk'ty:r] *f* ⊕

Hoch-, Ober-, Auf-bau *m*; ⚓ ~s *f/pl.* Deckaufbauten *m/pl.*

superviser [sypɛrvi'ze] *v/t.* (1a) beaufsichtigen, überwachen; überprüfen, durchsehen.

supin *gr.* [sy'pɛ̃] *m* Supinum *n.*

supination *gym.* [sypinɑ'sjɔ̃] *f* Rückenlage *f.*

supplanter [syplɑ̃'te] *v/t.* (1a) verdrängen; ausstechen (*e-n Rivalen*).

supplé|ance [syple'ɑ̃:s] *f* Stellvertretung *f*; **~ant** [~ple'ɑ̃] *adj. u. su.* (7) stellvertretend; Stellvertreter *m*; *écol.* Vertreter *m e-r Lehrkraft*; **~er** [~ple'e] (1a) **I** *v/t.* **1.** ergänzen, ersetzen; *gr.* hinzudenken; **2.** ~ *q.* j-n vertreten; **II** *v/i.* ~ *à qch.* Ersatz bieten für etw. (*acc.*); **~ment** [~ple'mɑ̃] *m* **1.** Ergänzung *f*; Beilage *f*; Nachtrag *m*; ~ *d'information* zusätzliche, weitere Informationen; ~ *de travail* Mehrarbeit *f*; **2.** Zulage *f*, Zuschuß *m*; ~ *de vie chère*, ~ *de prix* Teuerungszuschlag *m*; **3.** Nachzahlung *f*; Aufschlag *m*, Aufpreis *m*, Mehrpreis *m*; *c'est en* ~ das geht extra, wird extra, gesondert gerechnet; **4.** 🚂 Zuschlag(skarte *f*) *m*; *prendre un* ~ e-e Fahrkarte nachlösen; **~mentaire** [~mɑ̃'tɛ:r] *adj.* □ ergänzend, zusätzlich; *angle m* ~ Ergänzungswinkel *m*; *écol. corrigé m* ~ Nachverbesserung *f*; *heure f* ~ Überstunde *f*; *juré m* ~ Ersatzgeschworene(r) *m*; *revenus m/pl.* ~*s* Nebeneinnahmen *f/pl.*; *somme f* ~ Zuschlag *m*; *versement m* ~ Nachzahlung *f*; ♪ *lignes f/pl.* ~*s* Hilfslinien *f/pl.*; 🚂 *train m* ~ Entlastungszug *m*, Vor- *bzw.* Nach-zug *m*; **~tif** [~ple'tif] *adj.* (7e) Ergänzungs...

suppli|ant [sypli'ɑ̃] *adj.* (7) demütig bittend; **~cation** [~kɑ'sjɔ̃] *f* inständige, demütige Bitte *f*, Flehen *n.*

suppli|ce [sy'plis] *m* **1.** Hinrichtung *f*, Folter *f*; **2.** *fig.* Marter *f*, (Seelen-) Qual *f*; *être au* ~ wie auf glühenden Kohlen sitzen; **~cier** [~pli'sje] *v/t.* (1a) (zu Tode) martern, foltern.

suppli|er [sypli'e] *v/t.* (1a) anflehen, inständig (*od.* demütig) bitten; ~ *q. à genoux* j-n kniefällig bitten; *je vous en supplie* ich bitte Sie inständig darum, ich flehe Sie an F; **~que** [~'plik] *f* Bittschrift *f.*

support [sy'pɔ:r] *m* **1.** Stütze *f*, Unterlage *f*; ⊕ Träger *m*; Untergestell *n*; *vél.*, *Motorrad*: ~ *réversible* (*Fahrrad-*, *Motorrad-*)Ständer *m*; ~ *de pied*, ~ *pour le pied* Fußstütze *f*, -raste *f*; ~ *pour pieds plats* (Plattfuß-)Einlage *f*; *rad.* ~ *de self(s)*, ~ *pour bobine(s)* Spulenhalter *m*; ⚕ ~ *articulé*, ~ *à rotule* Gelenkstütze *f*; ⊕ ~ *de grue* Kranträger *m*; **2.** *fig.* Träger *m*; ~ *publicitaire* Werbeträger *m*; **3.** ⚘ Wurzelstock *m*; **~able** [~pɔr'tablə] *adj.* □ erträglich, leidlich; **~-chaussettes** [~ʃo'sɛt] *m* (6c) Sockenhalter *m*; **~er**[1] [~pɔr'te] *v/t.* (1a) **1.** tragen, (unter)stützen; ~ *les frais d'un procès* die Prozeßkosten tragen; **2.** *fig.* (v)ertragen, aushalten, verkraften F; *fig.* leiden; *Beleidigung* sich gefallen lassen, hinnehmen, dulden; *ne pas pouvoir* ~ *q.* j-n nicht ausstehen können; **3.** fest sein gegen (*acc.*); **~er**[2] *Sport*, *pol.* [~pɔr'tɛ:r] *m* Freund *m*, Anhänger *m.*

suppo|sé [sypo'ze] **I** *p/p. u. adj.* angeblich; **II** *als prp.*: ~ *cette chose od. cette chose* ~*e* dies vorausgesetzt; **III** ~ *que ... cj.* (*mit subj.*) vorausgesetzt (*od.* angenommen), daß ...; **~ser** [~'ze] *v/t.* (1a) **1.** annehmen, den Fall setzen, vermuten; *à* ~ *que*, *en supposant que ...* (*mit subj.*) angenommen, daß ...; *laisser* ~ *que ...* zu der Vermutung Anlaß geben, daß ...; **2.** voraussetzen, bedingen; **3.** vorgeben (*bsd.* ⚖), unterschieben; *enfant supposé* untergeschobenes Kind *n*; **~sition** [~pozi'sjɔ̃] *f* **1.** Annahme *f*, Voraussetzung *f*; **2.** Vermutung *f*; *faire des* ~*s* Vermutungen *od.* Mutmaßungen anstellen; **3.** Unterschiebung *f*; **~sitoire** ⚕ [~zi'twa:r] *m* Zäpfchen *n.*

suppôt [sy'po] *m litt.*: ~ *de Satan*, *du diable* Werkzeug *n* des Satans.

suppression [syprɛ'sjɔ̃] *f* **1.** Unterdrückung *f*, Abschaffung *f* (*v. Freiheiten*); Verbot *n*; Beseitigung *f*; ⚕ ~ *du tabac* Tabakentziehung *f*, Rauchverbot *n*; 🚂 ~ *de trains* Einstellung *f* von Zügen; ~ *d'un ordre religieux* Aufhebung *f* e-s geistlichen Ordens; **2.** Auslassung *f*, Streichung *f*; Verschweigung *f*; **3.** ~ *du personnel* Personal-, Beamtenabbau *m*; **4.** *gr.* ~ *d'une voyelle* Ausstoßung *f* e-s Vokals.

supprimer [sypri'me] (1a) **I** *v/t.* **1.** unterdrücken, streichen; verschwinden lassen, beseitigen, kaltmachen (= töten); beheben, aus dem Weg räumen; ~ *un journal* e-e Zeitung verbieten; **2.** auslassen, übergehen; **3.** abschaffen, aufheben; rückgängig machen; **4.** ~ *du personnel* Personal abbauen; **II** F *v/rfl.* se ~ sich das Leben nehmen.

suppur|ant [sypy'rã] *adj.* (7) eiterig; **~atif** ⚕ [~ra'tif] *adj.* (7e) *u. m* Eiterung fördernd(es Mittel *n*); **~ation** [~rɑ'sjɔ̃] *f* Eiterung *f*; **~er** [~'re] *v/i.* (1a) eitern.

supput|ation [sypytɑ'sjɔ̃] *f* Berechnung *f*, (Rechnungs-)Überschlag *m*; **~er** [~'te] *v/t.* (1a) berechnen, auskalkulieren, überschlagen; ~ *ses chances de succès* s-e Erfolgsaussichten abschätzen.

supra|national [sypranasjɔ'nal] *adj.* (5c) übernational; **~sensible** *phil.* [~sã'siblə] *adj.* übersinnlich; **~terrestre** [~tɛ'rɛstrə] *adj.* überirdisch.

suprématie [syprema'si] *f* Oberhoheit *f*, -herrschaft *f*, Vorherrschaft *f*, Vormachtstellung *f*; *fig.* Überlegenheit *f*.

suprême [sy'prɛm] *adj.* □ **1.** höchst; Hoch..., Ober...; *l'Être* ~ das höchste Wesen (*Gott*); **2.** äußerst letzt; *fig.* unübertrefflich, vollkommen; *dans un effort* ~ mit äußerster, letzter Kraft; *les honneurs m/pl.* ~*s* die letzte Ehre *f/sg.*; *heure f* ~ Todesstunde *f*.

sur[1] [syr] *prp.* auf, über, an (*a. fig.*; *dat.* [*wo?*]; *acc.* [*wohin?*]); von (*in distributivem Sinne*); nach ... hin, auf ... hin, gemäß, wegen; hinsichtlich, gegenüber; *apparaître sur le marché* auf dem Markt erscheinen; ~ *le trottoir* auf dem Bürgersteig; ~ *la chaussée* auf dem Fahrdamm; ~ *le chemin*, ~ *la route* auf dem (*od.* am) Weg; F ~ *le journal* in der Zeitung; *coup* ~ *coup* Schlag auf Schlag; *faire bêtise* ~ *bêtise* e-e Dummheit nach der andern machen, Dummheit auf Dummheit begehen; *foncer droit* ~ *q.* auf j-n drauflosgehen; *jeter de l'huile* ~ *le feu* Öl ins Feuer gießen; *porter les regards* ~ *q.* die Blicke auf j-n richten; *régner* ~ *un peuple* über ein Volk herrschen; *tourner* ~ *la droite* sich nach rechts wenden; *tourner* ~ *son axe* sich um s-e Achse drehen; *reposer* ~ beruhen auf; *revenir* ~ *ses pas* umkehren; *la fenêtre donne* ~ *le jardin* das Fenster geht auf den Garten hinaus; *fermer la porte* ~ *soi* die Tür hinter sich zumachen; ~ *terre* auf Erden; ~ *terre et* ~ *mer* zu Wasser und zu Lande; ~ *le bord de la mer* am Meeresstrand; (*situé*) ~ *le Rhône* an der Rhone (gelegen); *quatre* ~ *dix* 4 von (= unter) 10; *le quatrième* ~ *vingt* (*élèves*) der vierte in der Rangordnung unter 20 (Schülern); ~ *la frontière* an der Grenze; ~ *les lieux* an Ort und Stelle; *tirer* ~ *une ficelle* an e-m Faden ziehen; *impôt m* ~ *le tabac* Tabaksteuer *f*; *avoir de l'argent* ~ *soi* Geld bei sich haben; *il a un grand avantage* ~ *vous* er hat Ihnen gegenüber e-n großen Vorteil; *un jour* ~ *deux* jeden zweiten Tag; ~ *le soir* gegen Abend; *24 heures* ~ *24 heures* rund um die Uhr; ~ *le moment* im ersten Augenblick; *copier* ~ *q.* von j-m abschreiben; *juger* ~ *les apparences* nach dem Äußeren urteilen; ~ *mon conseil* auf m-n Rat; *se régler* ~ *qch.* (*q.*) sich nach etw. (j-m) richten; *retenir* ~ *les gages* vom Lohn abziehen; *croire q.* ~ *parole* j-m aufs Wort glauben; *advt.* ~ ce daraufhin; *boire du vin* ~ *de la bière* Wein auf Bier trinken; ~ *la demande de ...* auf Bitten von ...; ~ *ordre du médecin* auf ärztliche Weisung; ~ *l'initiative de ...* auf Veranlassung von ...; *prendre exemple* ~ *q.* sich an j-m ein Beispiel nehmen; *ce verbe se conjugue* ~ *finir* dieses Verb wird nach *finir* konjugiert; se *modeler* ~ geformt werden nach; *un entretien porte* ~ *un problème* e-e Unterhaltung bezieht sich auf e-e Frage; *blasé* ~ *qch.* gegen etw. (*acc.*) abgestumpft; *effectuer des mesures* ~ *les avions* Messungen an den Flugzeugen vornehmen; ⚕ *une intervention* ~ *le cerveau* ein Eingriff *m* am Gehirn; *fraude f* ~ *les vins* Weinverfälschung *f*; *économiser* ~ sparen an; *compter* ~ *q.* sich auf j-n verlassen, mit j-m rechnen; ⚔ *faire des cartons* ~ *les plafonds* Löcher in die Decken schießen; *jouer* ~ *les mots* mit den Worten spielen; *on lui fit des reproches* ~ *sa conduite* man machte ihm wegen s-s Verhaltens Vorwürfe; *travailler* ~ *la virologie* an der (*od.* auf dem Gebiet der) Virusforschung arbeiten; *vivre les uns* ~ *les autres* dicht beieinander leben *od.* wohnen.

sur[2] [sy:r] *adj.* sauer, herb.

sûr [sy:r] **I** *adj.* □ **1.** sicher, gefahrlos; *mettre en lieu* ~ in Sicherheit bringen; **2.** zuverlässig; untrüglich; *il a le coup d'œil* ~ er hat e-n sicheren Blick; *main f* ~*e* feste Hand *f*; **3.** mit Bestimmtheit wissend; *j'en suis* ~ ich weiß es genau; *être* ~ *de q.* sich auf j-n verlassen können; *être* ~ *de son fait, de son coup* s-r Sache, s-s Erfolgs sicher sein; ~ *de soi* selbstsicher, selbstbewußt; *j'en étais* ~ ich hab's ja gewußt; **4.** zweifellos (wahr); *advt.* *bien* ~, *à coup* ~, *pour* ~ ganz sicher, ganz bestimmt, ohne jeden Zweifel, zweifellos; *bien* ~ *que oui* ja natürlich!, aber sicher!; *une chose est* ~*e, c'est que* ... eines ist sicher, daß ...; F *ça c'est* ~*!* das steht fest!; ~ *et certain* ganz sicher; **II** *m*: *le plus* ~ das Sicherste; *aller au plus* ~ den sichersten Weg gehen.

surabond|ance [syrabɔ̃'dɑ̃:s] *f* Überfülle *f* (*de* an); *fig.* Überschwang *m*; ~ *de paroles* Wortschwall *m*; **~ant** [~'dɑ̃] *adj.* (7) **1.** überreichlich, überschwenglich; **2.** mehr als nötig, über-flüssig, -zählig; **~er** [~'de] *v/i.* (1a) in großem Überfluß dasein; ~ *de qch.* (*od.* *en qch.*) im Überfluß (*od.* in Hülle und Fülle) haben.

suractivité [syraktivi'te] *f*: ~ *des nerfs* Überreizung *f* (*od.* Überbeanspruchung *f*) der Nerven.

suradapté *psych.* [syradap'te] *adj.*: *l'homme m* ~ der sich im Übermaß anpassende Mensch.

suraigu [syre'gy] *adj.* (7a) ♪ sehr (*od.* zu) hoch; ⚕ äußerst akut.

surajouter [syraʒu'te] *v/t.* (1a) ferner hinzufügen.

sural *anat.* [sy'ral] *adj.* (5c) Waden...

suraliment|ation [syralimɑ̃tɑ'sjɔ̃] *f* Überernährung *f*; **~er** [~'te] *v/t.* (1a) überernähren.

suranné [syra'ne] *adj.* veraltet, überholt.

suraplite ⚗ [syra'plit] *m* Grünkreuzgas *n*, Perstoff *m*.

sur-arbitre [syrar'bitrə] *m* Oberschiedsrichter *m*.

surard [sy'ra:r] *adj.* (7) *u.* *m*: (*vinaigre m*) ~ Holunderblütenessig *m*.

surbaissé *Auto* [syrbɛ'se] *adj.* stark geneigt, abgeflacht; *a.* ⚠ niedrig; *la partie f* ~*e* der tiefer liegende Teil *m*; *silo m* ~ Tiefsilo *n*.

surbaissement ⚠ [syrbɛs'mɑ̃] *m* Drückung *f* (*e-s Bogens*).

surbaisser ⚠ [syrbɛ'se] *v/t.* (1b) *ein Gewölbe* flach konstruieren.

surbande *chir.* [syr'bɑ̃:d] *f* Überbinde *f*.

surboum * [syr'bum] *f* Party *f*, Schwof *m* P.

surcapitalisation [syrkapitalizɑ'sjɔ̃] *f* Überkapitalisierung *f*.

surchar|ge [syr'ʃarʒ] *f* **1.** Mehrbelastung *f* (*a.* *fig.*); neu hinzukommende Last *f*; Überlast(ung *f*) *f*; Übergewicht *n*; **2.** Überfülle *f*; **3.** herübergeschriebenes Wort *n*; *typ.* Auf-, Über-druck *m* (*bsd. auf Briefmarken*); **4.** *Wettrennen*: Mehrgewicht *n*; **5.** *bsd. pl.* ~*s* Überladung *f* (*Stil*); **~ger** [~'ʒe] (1l) **I** *v/t.* **1.** über-laden, -lasten; *surchargé de travail* (mit Arbeit) überlastet, überbürdet; **2.** auf-, über-drucken; ~ *un mot* ein Wort überschreiben; **II** *v/rfl.* *se* ~ sich eine zu große Last aufladen; *se* ~ *l'estomac* sich den Magen überladen.

surchauff|e [syr'ʃof] *f* Überhitzung *f* (*auch éc.*); **~er** [~'fe] (1a) *v/t.* überheizen; überhitzen; *fig.* *imagination surchauffée* überhitzte Phantasie; **~eur** ⊕ [~'fœ:r] *m* Dampfüberhitzer *m*.

surchoix ✝ [syr'ʃwa] *adj.*: *produit m* ~ Erzeugnis *n* erster Wahl, erster Güte.

surclasser [syrkla'se] *v/t.* (1a) *Sport* deklassieren, weit überlegen sein (*q.* j-m), weit hinter sich lassen; übertrumpfen, überbieten; ✝ übertreffen (*v. Waren*).

surcomposé [syrkɔ̃po'ze] *adj.* **1.** ⚗ mehrfach zusammengesetzt; **2.** *gr.* mit doppeltem Hilfsverb (*z.B.* *quand il l'a eu terminé* als er es beendet hatte).

surcom|pression ⊕ [syrkɔ̃prɛ'sjɔ̃] *f* Überdruck *m*; *bei Motoren*: Vorverdichtung *f*, Vorkompression *f*; **~primé** ⊕ [~pri'me] *adj.* überkomprimiert; *moteur* ~ Gebläse-, Kompressor-motor *m*.

surcopier *phot.* [~kɔ'pje] *v/t.* (1a) überkopieren.

surcostal *anat.* [~kɔs'tal] *adj.* (5c) auf den Rippen gelegen.

surcouper [syrku'pe] *v/t.* *u.* *v/i.* (1a) *Kartenspiel*: übertrumpfen.

surcreusement *géol.* [syrkrøz'mɑ̃] *m* glaziale Erosion *f* auf bereits vorhandenen, in freier Luft entstandenen Bach- *od.* Sturzbach-tälern, Überaushöhlung *f*.

surcroît [syr'krwa] *m* Zuwachs *m*, Vermehrung *f*; ~ *de dépenses* Mehraufwand *m*; ~ *de travail* Arbeitsüberlastung *f*; *par* (*od.* *de*) ~ dazu, außerdem, obendrein.

surdent [~'dɑ̃] *f* Überzahn *m*.

surdi-mutité [syrdimyti'te] *f* Taubstummheit *f*.

surdité ⚕ [syrdi'te] *f* Taubheit *f*, Schwerhörigkeit *f*.

surdos *man.* [syr'do] *m* Kreuzgurt *m*.

sureau ♀ [sy'ro] *m* (5b) Holunder *m*.

surécartement 🚂 [syrekartə'mɑ̃] *m* Breitspur *f*.

surélévation [syreleva'sjɔ̃] *f* übermäßige Erhöhung *f*; Überbau *m*.

surélever [syrel've] *v/t.* (1d) ⚠ erhöhen, höher machen; ~ *une maison d'un étage* ein Haus aufstocken; *rez-de-chaussée surélevé* Hochparterre *n*.

surelle ⚘ [sy'rɛl] *f* Sauerampfer *m*.

sûrement [syr'mã] *adv*. sicher(lich), bestimmt.

suren|chère [syrã'ʃɛ:r] *f* ✝ höheres Gebot *n*; Überbietung *f* (*a. fig.*); *pol*. Übergewicht *n*; *faire une ~ sur q*. j-n überbieten; *fig. ~ électorale* Wahlköder *m*; **~chérir** [~ʃe'ri:r] *v/i*. (2a) höher bieten; **~chérissement** [~ʃeris'mã] *m* höheres Gebot *n*; weitere Preissteigerung *f*; **~chérisseur** [~ʃeri'sœ:r] *m* ⚖ Überbieter *m*.

surentraîn|ement *Sport* [syrãtrɛn'mã] *m* Übertrainierung *f*; **~er** *Sport* [~'ne] *v/t*. (1b) übertrainieren.

surestarie ⚓ [syrɛstra'ri] *f* Extraliegetage *m/pl*.; Sonderliegegeld *n*.

surestim|ation [syrɛstima'sjõ] *f* Über-schätzung *f*, -bewertung *f*; **~er** [~'me] *v/t*. (1a) überschätzen.

suret [sy'rɛ] *adj*. (7c) säuerlich.

sûreté [syr'te] *f* **1.** Sicherheit *f*; *de ~* Sicherheits...; *pour plus de ~* sicherheitshalber, um sicherzugehen; **2.** Bürgschaft *f*; **3.** ♀ Sicherheits-, Kriminal-polizei *f*; **4.** *Feuerwaffe*: Sicherung *f*; *mettre à la ~* sichern; *enlever la ~* entsichern.

surévalu|ation [syrevalɥa'sjõ] *f* Überbewertung *f*, Überschätzung *f*; **~er** *a. fin*. [~'lɥe] *v/t*. (1a) zu hoch bewerten, überschätzen.

surexcédent ⊕ [syrɛkse'dã] *m* Zugabe *f*; Überhang *m*.

surexcit|able [syrɛksi'tablə] *adj*. überreizbar; **~ation** [~ta'sjõ] *f* Überreiztheit *f*, übergroße Erregung *f*; **~é** [~'te] *adj*. überreizt, stark erregt; **~er** [~] *v/t*. (1a) überreizen.

surexpos|er *phot*. [~ɛkspo'ze] *v/t*. (1a) überbelichten; **~ition** *phot*. [~zi'sjõ] *f* Überbelichtung *f*.

surfaçage ⊕ [~fa'sa:ʒ] *m* Oberflächenbearbeitung *f*.

surface [syr'fas] *f* Oberfläche *f*; *~ plane* ebene Fläche *f*; ✝ *grande ~* Einkaufszentrum *n außerhalb e-r Stadt*; ✈ *~ sustentatrice* Tragfläche *f*; *Fußball*: *~ de pénalisation, ~ de réparation* Strafraum *m*; ⩓ *~ convexe d'un cône* Mantel *m* e-s Kegels; *~ de l'eau* Wasserspiegel *m*; *faire ~* an die Oberfläche kommen; auftauchen (*a. von Menschen*).

surfac|er ⊕ [syrfa'se] *v/t*. (1k) die Ober-, Stirn-fläche bearbeiten; **~euse** ⊕ [~'sø:z] *f* Flächenschleifmaschine *f*.

surfait [syr'fɛ] *adj*. zu hoch eingeschätzt; *réputation ~e* übertrieben guter Ruf.

surfaix [syr'fɛ] *m* Obergurt *m am Pferdegeschirr*.

surfil *cout*. [syr'fil] *m* Umstich *m*.

surfiler *text*. [~fi'le] *v/t*. (1a) feiner drehen, nachzwirnen; *cout*. umstechen.

surfin *bsd*. ✝ [syr'fɛ̃] *adj*. (7) hochfein.

surf|ing [syr'fiŋ] *m* Wellenreiten *n*; **~iste** [~'fist] *su*. Wellenreiter *m*.

surfs [syrf] *m/pl*. *Art* Wasserwürmer *m/pl*. (*Nahrung der Heringe*).

surfusion *phys*. [syrfy'zjõ] *f* Unterkühlung *f*, Überschmelzung *f*.

surgé * *écol*. ✎ [syr'ʒe] *m* stellvertretender Direktor *m*.

surgelé [syrʒə'le] **I** *adj*. tiefgekühlt; **II** *m* Tiefkühlung *f*.

surgénérateur ⊕ [~ʒenera'tœ:r] *m* Supergenerator *m*.

surgeon ⚘ [syr'ʒõ] *m* Ableger *m*.

surgir [syr'ʒi:r] *v/i*. (2a) **1.** hervorgehen, auftauchen; hervorquellen; *faire ~* ins Leben rufen, anstiften, hervorrufen; *Probleme*: aufkommen, entstehen; **2.** *plötzlich* ankommen, eintreffen, sich einfinden, sich einstellen; aufkreuzen *plais*.; *~ à toute allure Auto*: plötzlich angebraust kommen.

surgreff|age ✂ [syrgrɛ'fa:ʒ] *m* doppelte Veredelung *f*; **~er** ✂ [~'fe] *v/t*. (1a) doppelt veredeln.

surhauss|ement [syros'mã] *m* ⩓ Überhöhung *f*; **~er** [~'se] *v/t*. (1a) ⩓ überhöhen.

sur|homme [sy'rɔm] *m* Übermensch *m*; **~humain** [syry'mɛ̃] *adj*. (7) übermenschlich.

suriane ⚘ [sy'rjan] *f* Surianastrauch *m*.

suricate *zo*. [syri'kat] *m* Scharrtier *n*, Surikate *f*.

surimpos|er [syrɛ̃po'ze] *v/t*. (1a) übermäßig besteuern; **~ition** [~zi'sjõ] *f* Überbesteuerung *f*.

surimpression *cin*., *télév*., *phot*. [syrɛ̃prɛ'sjõ] *f* zwei *od*. mehrfache Aufnahme *f auf demselben Film*; Doppelbelichtung *f*; nachträgliches Einblenden *n* (*Tonband*); **~ner** *phot*. [~sjɔ'ne] *v/t*. *u*. *v/i*. (1a) zwei od. mehrere Aufnahmen *auf demselben Film* machen; doppelt belichten; nachträglich einblenden (*Tonband*).

surin [sy'rɛ̃] *m* **1.** ✂ noch ungepfropfter Apfelbaum *m*; **2.** ⋆ Dolch *m*, Messer *n*.

surintend|ance [syrɛ̃tɑ̃'dɑ̃:s] *f* Oberaufsicht *f*; *rl. prot.* Superintendantur *f*; **~ant** *prot.* [~'dɑ̃] *m* Superintendent *m*; **~ante** [~'dɑ̃:t] *f* **1.** Oberaufseherin *f*; **2.** (Betriebs-) Fürsorgerin *f*.

surir [sy'ri:r] *v/i.* (2a) sauer werden.

surirritation [syriritɑ'sjɔ̃] *f* Überreiztheit *f*.

surjaler ⚓ [syrʒa'le] *v/t.* (1a) verwickeln (*Anker*).

surjet [syr'ʒɛ] *m* überwendliche Naht *f*; **~er** [~ʒə'te] *v/t.* (1c) überwendlich nähen.

surjeu [syr'ʒø] *m* Playback *n* (*Tonband*).

surlangue *vét.* [syr'lɑ̃:g] *f* Zungenbrand *m* (*des Rindviehs*).

sur-le-champ [syrlə'ʃɑ̃] *adv.* auf der Stelle, sofort.

surlendemain [syrlɑ̃d'mɛ̃] *m* übernächster Tag *m*.

surlonge *cuis.* [syr'lɔ̃:ʒ] *f* Lendenstück *n*.

surlouer [~'lwe] *v/t.* (1a) mit Überpreis vermieten.

surmen|age [syrmə'na:ʒ] *m* Überarbeitung *f*, -anstrengung *f*, -bürdung *f*; **~er** [~'ne] (1d) **I** *v/t.* überanstrengen, -fordern, -bürden; **II** *v/rfl.* se ~ sich überarbeiten, sich überanstrengen, sich strapazieren.

surmodulation ⊕ [syrmɔdylɑ'sjɔ̃] *f* Übersteuerung *f* (*Tonbandgerät*).

surmont|able [syrmɔ̃'tablə] *adj.* übersteigbar; überwindlich; **~er** [~'te] *v/t.* (1a) **1.** über-steigen, -ragen; *surmonté de qch.* mit etw. (*dat.*) gekrönt *od.* versehen; **2.** *fig.* meistern, fertig werden (mit *dat.*), überstehen, überwinden, übertreffen (en an *dat.*).

surmortalité ⚕ [syrmɔrtali'te] *f* Übersterblichkeit *f*.

surmoul|age [syrmu'la:ʒ] *m*, **~e** [~'mul] *m* Abguß *m von e-r Kopie*; **~er** [~'le] *v/t.* (1a) *von e-m Abguß* abformen.

surmoût [syr'mu] *m* Most *m*.

surmulet *icht.* [syrmy'lɛ] *m* Streifenbarbe *f*.

surmulot *zo.* [syrmy'lo] *m* Wanderratte *f*.

surmulti|plication [syrmyltiplikɑ'sjɔ̃] *f* **1.** *biol.* zu große Vermehrung *f*; **2.** *Auto* Schnellgangschaltung *f*; **~plié** [~pli'e] *adj. Auto*: *vitesse f ~e* Schnell-, Schon-gang *m*.

surnager [syrna'ʒe] *v/i.* (1l) **1.** oben (-auf) schwimmen; **2.** *fig.* bestehenbleiben, fortbestehen.

surnaturel [syrnaty'rɛl] **I** *adj.* (7c) □ übernatürlich; **II** *m*: *le ~* das Übernatürliche.

sur|nom [syr'nɔ̃] *m* Beiname *m*; Spitzname *m*; **~nombre** [~'nɔ̃:brə] *m* Überzahl *f*; *en ~* überzählig; **~nommer** [~nɔ'me] *v/t.* (1a) e-n Beinamen geben; **~nourrir** [~nu'ri:r] *v/t.* (2a) überfüttern; **~numéraire** [~nyme'rɛ:r] *adj.* überzählig.

suroffre [sy'rɔfrə] *f* vorteilhafteres Angebot *n*.

suroît [sy'rwa] *m* **1.** ⚓ Südwestwind *m*; **2.** Südwester *m* (*Seemannshut*).

suros *vét.* [sy'ro] *m* Überbein *n*.

suroxyd|ation ⚗ [syrɔksidɑ'sjɔ̃] *f* Überoxydierung *f*; **~e** ⚗ [~'ksid] *m* Hyperoxyd *n*; **~er** ⚗ [~'de] *v/t.* (1a) überoxydieren.

suroxygénation ⚗ [syrɔksiʒenɑ'sjɔ̃] *f* Überoxydierung *f*.

surpasser [syrpɑ'se] *v/t.* (1a): *~ q. en qch.* j-n an (*od.* in) etw. übertreffen.

surpat' ⋆ [syr'pat] *f* Party *f*, Schwof *m* P.

surpay|e [syr'pɛ(j)] *f* Überbezahlung *f*, zuviel bezahlter Betrag *m*; **~er** [~pɛ'je] *v/t.* (1i) zu hoch bezahlen.

surpeupl|é [syrpœ'ple] *adj.* übervölkert; überfüllt (*z. B. Krankenhaus*); **~ement** [~plə'mɑ̃] *m* Übervölkerung *f*; Überfüllung *f*.

surplace [syr'plɑs] *m* **1.** *faire du ~* nicht vorankommen, fast stehenbleiben, im Schneckentempo fahren (müssen); **2.** *vél.* Stehversuch *m*.

surplis *rl.* [syr'pli] *m* Chorhemd *n*.

surplomb ⚠ [syr'plɔ̃] *m* Überhängen *n*, Ausladung *f*; *en ~* schräg überhängend, nicht lotrecht; schief, schräg; **~er** [~plɔ̃'be] (1a) (*bsd.* ⚠) **I** *v/i.* überhängen, aus dem Lot heraustreten; weit ausladen; **II** *v/t.* überdachen, überragen.

surplus [syr'ply] *m* Überschuß *m*, Rest *m*; Mehr *n*, Mehrbetrag *m*; *au ~* übrigens; *~ de revenus* (*de rendement*) Mehreinkommen *n* (Mehrertrag *m*).

surpoids [~'pwa] *m* Übergewicht *n*, Überfracht *f*.

surpopulation [~pɔpylɑ'sjɔ̃] *f* Übervölkerung *f*; *~ étrangère* Überfremdung *f*.

surpousse ✓ [~'pus] *f* Nachtrieb *m*.

surpren|ant [~prə'nɑ̃] *adj.* (7) überraschend, seltsam; *rien de ~ (à ce) que* ... kein Wunder, daß ...; *quoi* *de* ~, *si* ... was Wunder, wenn ...; soll man sich da noch wundern, wenn...; **~dre** [~'prɑ̃:drə] (4g) **I** *v/t.* **1.** überraschen, überrumpeln; ertappen, erwischen; ~ *un secret* (zufällig) hinter ein Geheimnis kommen; ~ *q.* (*chez lui*) j-n (mit s-m Besuch) überraschen, unangemeldet besuchen; **2.** in Erstaunen setzen; überraschen, frappieren; *être surpris auch* sich wundern; **II** *v/rfl.* *se* ~ plötzlich an sich (*od.* an s-r eigenen Person) merken; *il se surprit à pleurer* plötzlich merkte er, daß s-e Augen feucht wurden.

surpression ⊕ [~prɛ'sjɔ̃] *f* Überdruck *m.*

surprime [~'pri:m] *f* Zuschlagsprämie *f* (*z.B. Lebensversicherung*).

surpris [syr'pri] *p/p. u. adj.* (7) überrascht, erstaunt.

surprise [syr'pri:z] *f* **1.** Überraschung *f*, Verwunderung *f*; *aller de* ~ *en* ~ aus dem Staunen nicht herauskommen; *c'est une* ~ das soll e-e Überraschung sein; *prendre par* ~ überrumpeln; *facteur m* ~ Überraschungsmoment *n*; **2.** ⚔ *par* ~ überfallartig; *attaquer q. par* ~ j-n überfallen, überrumpeln; **3.** unerwartetes Geschenk *n od.* Vergnügen *n*; *faire une* ~ *à q.* j-n (mit e-m Geschenk *etc.*) überraschen; **~-partie** [~par'ti] *f* (6a) Party *f* F.

surproduction [~prɔdyk'sjɔ̃] *f* Überproduktion *f.*

sur|raffiné *métall.* [~rafi'ne] *adj.* über-gar, -fein; **~réalisme** *litt.* [~rea'lism] *m* Surrealismus *m*; **~réaliste** *litt.* [~rea'list] *adj. u. su.* surrealistisch; Surrealist *m*; **~régénérateur** *phys.* [~reʒenera'tœ:r] *m* schneller Reaktor *m*, Supergenerator *m.*

surrénal *anat.* [syre'nal] *adj.* (5c) über den Nieren befindlich; *capsules f/pl.* (*od. glandes f/pl.*) **~es** Nebennieren *f/pl.*

surrogat [syrɔ'ga] *m* Surrogat *n*, Ersatz *m.*

sursalaire [~sa'lɛ:r] *m* (Gehalts-) Zulage *f*; ~ *familial* Kinderzulage *f*, Familienbeihilfe *f.*

sursatur|ation ⚗, *fig.* [~satyrɑ'sjɔ̃] *f* (*a.* ⚚ Markt-)Übersättigung *f*; **~er** ⚗ [~'re] *v/t.* (1a) übersättigen.

sursaut [syr'so] *m* plötzliches Aufspringen *n od.* Auffahren *n*; Zusammen-fahren *n*, -schrecken *n*; Zukken *n*; *avoir un* ~ zucken; *se dresser en* ~ plötzlich aufspringen; *s'éveiller en* ~ aus dem Schlaf auffahren; *fig.* *avoir un* ~ *d'énergie* sich noch einmal zusammenreißen, e-n Ruck geben; **~er** [~'te] *v/i.* (1a) auffahren, aufspringen, zusammen-fahren, -schrecken, -zucken.

sursem|é *vét.* [syrsə'me] *adj.* auf der Zunge finnig; **~er** [~] *v/t.* (1d) nachsäen, nochmals besäen.

sur|seoir ⚖ [syr'swa:r] *v/i.* (3k) ~ *à qch.* etw. aufschieben, etw. aussetzen; **~sis** [syr'si] *m* **1.** ⚖ Strafaufschub *m* mit Bewährungsfrist; **2.** ⚔ Zurückstellung *f*, Gestellungsaufschub *m*; *demande f de* ~ Reklamierung *f*; *faire mettre en* ~ reklamieren; *pol.* être *en* ~ sein Amt nicht ausüben; **3.** *fin.*, *allg.* Aufschub *m*; Gnadenfrist *f*, Galgenfrist *f.*

sursitaire [~si'tɛ:r] *m* **1.** ⚔ Zurückgestellte(r) *m*, Unabkömmliche(r) *m*, Reklamierte(r) *m*; **2.** ⚖ Begünstigte(r) *m* e-s Strafaufschubs.

sur|taux [~'to] *m* zu hohe Steuereinschätzung *f*; **~taxe** [~'taks] *f* **1.** Nachsteuer *f*, zu hohe Steuer *f*; Nebengebühren *f/pl.*; **2.** 📯 Strafporto *n*, Nachgebühr *f*; **3.** Teuerungszuschlag *m*; ~ *punitive* Strafzuschlag *m*; ~ *de l'impôt sur le revenu* Einkommensteuerzuschlag *m*; **~taxer** [~ta'kse] *v/t.* (1a) zu hoch veranlagen (*od.* taxieren); 📯 mit Strafporto belegen.

surten|dre ⚡ [~'tɑ̃:drə] *v/t.* (4a) überspannen; **~sion** ⚡ [~tɑ'sjɔ̃] *f* Überspannung *f.*

surtout[1] [~'tu] *m* Tafelaufsatz *m.*

surtout[2] [syr'tu] *adv.* besonders, vor allem, vor allen Dingen; ~ *ne fais pas ça!* tu das bloß (*od.* ja) nicht!

surveill|ance [syrvɛ'jɑ̃:s] *f* Aufsicht *f*, Beaufsichtigung *f*; Überwachung *f*; *tromper la* ~ *de q.* j-n überlisten; **~ant** [~'jɑ̃] (7) **I** *adj.* wachsam; überwachend, beaufsichtigend; **II** *su.* Aufseher *m*; **~er** [~vɛ'je] (1a) **I** *v/t.* überwachen, beaufsichtigen; mithören; ~ *qch.* auf etw. aufpassen; ~ *sa ligne* auf s-e Linie achten; ~ *de près* streng überwachen, nicht aus den Augen lassen; **II** *v/rfl.* *se* ~ sich in acht nehmen (*damit man nichts falsch macht*); auf s-e Linie achten.

survenance [syrvə'nɑ̃:s] *f* ⚖ *unvorhergesehenes* Dazukommen *n* (*od.* Erscheinen *n*).

survenir [~və'ni:r] *v/i.* (2h) (unvermutet) eintreten *od.* erfolgen; zustoßen; sich ereignen, eintreten,

vorkommen; erscheinen, auftauchen F; ~ *à toute allure* plötzlich angebraust kommen.
survente ⚓ [~'vɑ̃:t] *f* aufkommender Sturm *m*.
survetement [~vɛt'mɑ̃] *m*: ~ *de sport* Trainingsanzug *m*.
sur|vie [syr'vi] *f* Überleben *n*; ~-**virage** *Auto* [~vi'ra:ʒ] *m* Übersteuerung *f*; ~**vitesse** [~vi'tɛs] *f* Übergeschwindigkeit *f*; ~**vivance** [~vi'vɑ̃:s] *f* Relikt *n*, Überbleibsel *n*; ~**vivant** [~vi'vɑ̃] *adj. u. su.* (7) überlebend; Überlebende(r) *m*; ~**vivre** [~'vi:vrə] (4e) **I** *v/i.*: ~ *à q.* j-n überleben; ~ *à sa maladie* s-e Krankheit überstehen; **II** *v/rfl. se* ~ *dans ses enfants* in s-n Kindern fortleben.
survol [syr'vɔl] *m* **1.** ✈ Überfliegen *n*; **2.** *fig.* ~ *de qch.* kurzer Überblick über etw. (*acc.*); ~**er** ✈ [~'le] *v/t.* (1a) überfliegen (*auch fig.*); *Frage* flüchtig streifen.
survolt|age [syrvɔl'ta:ʒ] *m* ⚡ Überspannung *f*; ~**er** ⚡ [~'te] *v/t.* (1a) hinauftransformieren; *fig., bsd. pol.* auf Hochtouren bringen; *adjt. fig. survolté* übererregt; ~**eur** ⚡ [~'tœ:r] *m* Booster-, Zusatz-maschine *f*, Druckdynamo *m*, Spannungserhöher *m*.
suscepti|bilité [sysɛptibili'te] *f* Empfänglichkeit *f*, Empfindlichkeit *f*, Erregbarkeit *f*, Reizbarkeit *f*; ~**ble** [~'tiblə] *adj.* **1.** ~ *de qch.* für etw. (*acc.*) empfänglich (*od.* geeignet); ~ *d'être amélioré* verbesserungsfähig; ~ *d'interprétations différentes* verschieden zu deuten; **2.** übelnehmerisch, empfindlich, reizbar; **3.** ⊕ ~ *aux chocs* stoßempfindlich.
susception [sysɛp'sjɔ̃] *f* **1.** *physiol.* Aufnahme *f*; **2.** *rl.* Entgegennahme *f* der Priesterweihe.
susciter [sysi'te] *v/t.* (1a) **1.** hervorrufen; veranlassen; erregen; erwecken; **2.** *fig.* anstiften (*Streit*).
suscription *adm.* [syskrip'sjɔ̃] *f* Aufschrift *f auf Briefen*.
sus|dit [sys'di] *adj.* (7) obengenannt; ~-**dominante** ♪ [sysdɔmi'nɑ̃:t] *f* Oberdominante *f*; ~-**énoncé** [syzenɔ̃'se] *adj.*, ~-**indiqué** [syzɛ̃di'ke] *adj.* oben angegeben; ~**mentionné** [sysmɑ̃sjɔ'ne] *adj.* obenerwähnt; ~**nommé** [sysnɔ'me] *adj. u. su.* obengenannt; *der* (*die, das*) Obengenannte.
suspect [sys'pɛ *od.* sys'pɛkt; *m/pl.* sys'pɛ, *bei Bindung* sys'pɛ:z; *f*: sys'pɛkt] **I** *adj.* (7) verdächtig; *être* ~ *à q.* j-m verdächtig vorkommen; von j-m verdächtigt werden; **II** *m* Verdächtigte(r) *m*; ~**er** [~pɛk'te] *v/t.* (1a) **1.** verdächtigen; **2.** ~ *qch.* etw. anzweifeln.
suspendeur *vél.* [syspɑ̃'dœ:r] *m* Hängegestell *n für Fahrräder*.
suspendre [sys'pɑ̃:drə] (4a) **I** *v/t.* **1.** (auf)hängen; *pont m suspendu* Hängebrücke *f*; *suspendu* frei (*od.* in Federn) hängend, schwebend; *fig. être suspendu aux lèvres de q.* an j-s Lippen hängen; *Auto*: *cette voiture est bien suspendue* dieser Wagen hat e-e gute Federung; **2.** aufschieben; aussetzen; unterbrechen, einstellen; *thé. abonnement m suspendu* außer Abonnement; **3.** ~ *q. de ses fonctions* j-n zeitweilig des Amtes entheben; j-n suspendieren; ~ *un journal* e-e Zeitung zeitweilig verbieten; **II** *v/rfl. se* ~ *à qch.* (*à q.*) sich an etw. (an j-n) klammern.
suspens [sys'pɑ̃] *advt. en* ~ in der Schwebe, unentschieden; *rester en* ~ in der Schwebe bleiben.
suspense *cin., litt.* [sys'pɛns] *m* Spannung *f*.
suspens|if [syspɑ̃'sif] *adj.* (7e) aufschiebend; ~**ion** [~'sjɔ̃] *f* **1.** Hängen *n*, Aufhängen *n*; être en ~ schweben; **2.** Aufschub *m*; Einstellung *f*, Stillstand *m*, Stillegung *f*; Unterbrechung *f*; Vertagung *f* (*e-r Sitzung usw.*); ~ *d'avancement* Beförderungssperre *f* (*für Beamte*); ~ (*de paiement*) Zahlungseinstellung *f*; **3.** einstweilige Amtsenthebung *f*, Suspendierung *f*; *Sport*: zeitweiliger Ausschluß *m*; ~ *de permis* zeitweiliger Führerscheinentzug *m*; **4.** *points m/pl. de* ~ Auslassungspunkte *m/pl.*, Gedankenpunkte *m/pl.* (...); **5.** ⚕ Hängelage *f*; **6.** Hängelampe *f*, Ampel *f*; **7.** *Auto*: Aufhängung *f*, *auch* Federung *f*; ~ *en trois* (*quatre*) *points* Drei- (Vier-)punkteaufhängung *f*; ~ *indépendante* Schwingachse *f*; **8.** ⚗ Suspension *f*, Aufschwemmung *f*; ~**oir** ⚕ [~'swa:r] *m* Suspensorium *n*, Trageverband *m*.
suspentes ✈ [sys'pɑ̃:t] *f/pl.* Seilwerk *n*, Fangleinen *f/pl.*
suspicieux [syspi'sjø] *adj.* (7d) argwöhnisch, mißtrauisch.
suspicion [syspi'sjɔ̃] *f* Verdacht *m*, Argwohn *m*.
sustenta|teur [systɑ̃ta'tœ:r] **I** *adj.* (7f) tragend, Trag...; **II** *m* ✈ Tragfläche *f*; ~**tion** [~tɑ'sjɔ̃] *f* ✈ Gleich-

gewichtserhaltung *f*, Auftrieb *m*; Schwimmkraft *f*.
sustenter [systɑ̃'te] (1a) **I** *v/t*. bei Kräften halten; *den Geist* rege erhalten; **II** ✈ *v/rfl.* se ~ sich in der Luft halten.
susurr|ement [sysyr'mɑ̃] *m* Murmeln *n*, Flüstern *n*; **~er** [~'re] *v/t. u. v/i.* (1a) flüstern, murmeln.
sut|ile [sy'til] *adj.* zusammengenäht; **~ure** [~'ty:r] *f chir., anat.*, ⚘ Naht *f*; *chir.* Nähen *n*; **~urer** ⚕ [~ty're] *v/t.* (1a) nähen.
suzerain *féod.* [syz'rɛ̃] *adj.* (7) *u. m* lehnsherrlich; (*seigneur m*) ~, (*dame f*) ~e Lehnsherr(in *f*) *m*; **~eté** *féod.* [syzrɛn'te] *f* Lehnsherrlichkeit *f*, Oberherrschaft *f*.
svastika [zvasti'ka] *m* Hakenkreuz *n*.
svelte [svɛlt] *adj.* schlank.
sveltesse [svɛl'tɛs] *f* Schlankheit *f*, schlanke Linie *f*.
s.v.p. *abr. für s'il vous plaît* bitte.
swahéli *ling.* [swae'li] *m* Suaheli *n*.
sweater [swi'tœ:r] *m* Sweater *m*; dicke, wollene Strickjacke *f*.
swing [swiŋ] *m* **1.** Swing *m* (*Jazz*); **2.** Schwinger *m* (*Boxsport*); *placer* (*od. porter*) *un* ~ e-n Schwinger landen.
sybari|te [siba'rit] *m u. adj.* verweichlichter Wollüstling *m*; wollüstig; **~tisme** [~'tism] *m* Wollust *f*.
sycomore ⚘ [sikɔ'mɔ:r] *m* Maulbeerfeigenbaum *m*, Sykomore *f*; *faux* ~ Bergahorn *m*.
sycosis ⚕ [siko'zis] *m* Bartflechte *f*.
syénite *min.* [sje'nit] *f* Syenit *m*.
sylla|be [si'lab] *f* Silbe *f*; *par* ~*s* silbenweise; **~bique** [~'bik] *adj.* □ aus Silben bestehend; *écriture f* ~ = **~bisme** [~'bism] *m* Silbenschrift *f*.
syllepse *gr.* [si'lɛps] *f* Syllepsis *f*.
syllog|isme *phil.* [silɔ'ʒism] *m* Syllogismus *m*, logischer Schluß *m*; **~istique** [~ʒis'tik] *adj.* syllogistisch.
sylphe *m*, **sylphide** *f* [silf, sil'fid] Elfe *f*, Luftgeist *m*.
syl|vain [sil'vɛ̃] **I** *adj.* (7) in Wäldern lebend; Wald..., Holz...; **II** *m* ♀ Waldgeist *m*; **~ve** *poét.* [silv] *f* Wald *m*; **~vestre** [~'vɛstrə] *adj.* ⚘ Wald...
Sylvestre [sil'vɛstrə] *npr.* Sylvester *m*; *nuit f de la Saint-*~ Silvesternacht *f*.
sylvi|cole [silvi'kɔl] *adj.* forstwissenschaftlich; **~culteur** [~kyl'tœ:r] *m* Forstwirtschaftler *m*; **~culture** [~kyl'ty:r] *f* Forstwirtschaft *f*, Forstwissenschaft *f*; Waldkultur *f*.
sylvinite ⚗ [silvi'nit] *f* Sylvinit *n*.
symbiose [sɛ̃'bjo:z] *f* Symbiose *f*; *pol.* Nebeneinanderleben *n*.
symbo|le [sɛ̃'bɔl] *m* Symbol *n*, Sinnbild *n*; ⚗ Abkürzung *f*, Zeichen *n*; Wappenbild *n*; *rl.* (*meist* ♀) Glaubensbekenntnis *n*; *être le ~ de* versinnbildlichen; **~lique** [~'lik] **I** *adj.* symbolisch, sinnbildlich; **II** *rl. f* Symbolik *f*; **~lisation** [~liza'sjɔ̃] *f* Verkörperung *f*, Symbolisierung *f*, sinnbildliche Darstellung *f*; **~liser** [~li'ze] *v/t.* (1a) verkörpern, symbolisieren, sinnbildlich darstellen; das Sinnbild (+ *gén.*) sein; **~lisme** *litt.* [~'lism] *m* Symbolismus *m*; **~liste** *litt.* [~'list] *adj. u. m* symbolistisch; Symbolist *m*.
symé|trie [sime'tri] *f* Symmetrie *f*; **~trique** [~'trik] *adj.* symmetrisch; *fig.* entsprechend; **~trisation** ⊕ [~triza'sjɔ̃] *f* Symmetrierung *f*.
sympa F [sɛ̃'pa] *adj./inv.* = *sympathique* sympathisch *usw.*; **~thie** [~'ti] *f* Sympathie *f*; ⚕ analoger Vorgang *m*; Mitleidenschaft *f*; ~ (*pour q.*) Sympathie *f* (zu j-m), Hinneigung *f* (zu j-m); Seelenverwandtschaft *f* (*avec q.* mit j-m); Mitgefühl *n*; Beileid *n*; Teilnahme *f*, Anteilnahme *f*; *manifestations f/pl. de* ~ Beileidskundgebungen *f/pl.*; *accueillir un projet avec* ~ e-n Plan günstig aufnehmen; *inspirer la* ~ sympathisch sein; **~thique** [~'tik] **I** *adj.* □ **1.** sympathisch, angenehm, gleichgesinnt, mitfühlend; *Lokal etc.* gemütlich, nett; **2.** sympathetisch; **II** *anat. m*: *grand* ~ Sympathikus *m*, sympathisches Nervensystem *n*; **~thisant** *pol.* [~ti'zɑ̃] *m* Anhänger *m*; Sympathisant *m*; **~thiser** [~ti'ze] *v/i.* (1a): ~ *avec q.* mit j-m sympathisieren, mitfühlen, gleichgestimmt sein.
sympho|nie ♪ [sɛ̃fɔ'ni] *f* Symphonie *f*; **~nique** ♪ [~'nik] *adj.* symphonisch; **~niste** ♪ [~'nist] *m* Symphoniker *m*, Orchestermusiker *m*.
symphyse ⚕ [sɛ̃'fi:z] *f* Symphyse *f*, Knochenverbindung *f*, Fuge *f*.
sympos|ium [sɛ̃po'zjɔm] *m*, *a.* **~ion** [~'zjɔ̃] *m* Symposion *n*, Symposium *n*, Tagung *f*.
sympt|omatique [sɛ̃ptɔma'tik] *adj.* symptomatisch (*de* für); **~omatologie** ⚕ [~tɔlɔ'ʒi] *f* Lehre *f* von den Symptomen; **~ôme** [~'to:m] *m* **1.** Symptom *n*; Anzeichen *n*; ~ *d'intoxication* Vergiftungserscheinung *f*; **2.** *fig.* Vorbote *m*, Anzeichen *n*.
synagogue [sina'gɔg] *f* Synagoge *f*.

synallagmatique ⚖ [sinalagma'tik] *adj.* wechselseitig bindend.
synarchie *pol.* [sinar'ʃi] *f* Synarchie *f*, Machtkonzentration *f*.
synarthrose *anat.* [sinar'tro:z] *f* Synarthrose *f*, Knochenfuge *f*.
synchro F [sɛ̃'kro] *f* = *synchronisation.*
synchro-cyclotron *at.* [sɛ̃krɔsiklɔ'trɔ̃] *m* Synchro-Zyklotron *n*.
synchro|ne ⊕, ♪ [sɛ̃'krɔn] *adj.* synchron; *phys.* von gleicher Dauer; *moteur m* ~ Synchronmotor *m*; **~nique** *fig.* [~'nik] *adj.* synchronistisch, gleichzeitig; *tableau m* ~ synchronoptische Tabelle *f*; *ling.* synchronisch.
synchroni|sateur *phot.* [sɛ̃krɔniza'tœ:r] *m* Synchronisator *m*; **~sation** [~za'sjɔ̃] *f cin.* Synchronisierung *f*; *fig.* Gleichschaltung *f*; **~ser** [~'ze] *v/t.* (1a) synchronisieren; 🕮 (zeitlich) einordnen; *fig.* gleichschalten; **~sme** [~'nism] *m* Gleichzeitigkeit *f*; ⊕ Gleichtakt *m*.
synchrotron *at.* [~'trɔ̃] *m* Synchrotron *n*, Teilchenbeschleuniger *m*.
synco|pe [sɛ̃'kɔp] *f* **1.** ⚕ 'Synkope *f*, Ohnmacht *f*; *avoir une* ~, *tomber en* ~ in Ohnmacht fallen, ohnmächtig werden; **2.** *gr.* 'Synkope *f*; **3.** ♪ Syn'kope *f*; **~pé** ♪ [~'pe] synkopiert; **~per** [~] *v/t.* (1a) *gr.*, ♪ synkopieren.
synderme [~'dɛrm] *m* Kunstleder *n*.
syndic [sɛ̃'dik] *m* Syndikus *m*; *französ. Schweiz*: Bürgermeister *m*; ~ *de faillite* Konkursverwalter *m*; **~al** [~'kal] *adj.* (5c) gewerkschaftlich, Gewerkschafts..., syndikalistisch; *chambre* ~*e* Arbeitgeberverband *m*; *chambre f* ~*e des avocats* Anwaltskammer *f*; *tarif* ~ Verbandstarif *m*; **~alisation** [~kaliza'sjɔ̃] *f* Zs.-schluß *m* in Gewerkschaften; **~aliser** [~kali'ze] *v/t.* (1a) in Gewerkschaften zs.-schließen; **~alisme** [~ka'lism] *m* Gewerkschafts-bewegung *f*, -wesen *n*; **~aliste** [~ka'list] *su. u. adj.* Gewerkschaftler *m*; gewerkschaftlich; Gewerkschafts...
syndicat [sɛ̃di'ka] *m* Gewerkschaft *f*; Syndikat *n*, (Berufs-)Verband *m*; ⚚ Konsortium *n*; ~ *ouvrier* Arbeitergewerkschaft *f*; ~ *houiller* Kohlensyndikat *n*; ~ *professionnel* Berufsgenossenschaft *f*; ~ *d'initiative* Fremdenverkehrsverein *m*; **~aire** [~'tɛ:r] *su.* (*u. adj.*) Mitglied *n* e-s Konsortiums.
syndi|qué [sɛ̃di'ke] *adj. u. m* gewerkschaftlich organisiert; Gewerkschaftler *m*; **~quer** [~] (1m) **I** *v/t.* gewerkschaftlich organisieren; **II** *v/rfl.* se ~ sich gewerkschaftlich organisieren; e-r Gewerkschaft beitreten.
synecdoque *rhét.*, *gr.* [sinɛk'dɔk] *f* Synekdoche *f* (*Wortvertauschung*).
synécologie [sinekɔlɔ'ʒi] *f* Biozönologie *f*, Lehre *f* von den biologischen Lebensgemeinschaften.
synéner|gie *biol.* [sinenɛr'ʒi] *f* Zs.-wirken *n*; **~gique** *biol.* [~'ʒik] *adj.* zs.-wirkend.
synod|al [sinɔ'dal] *adj.* (5c) □ synodal; Synoden...; **~e** [si'nɔd] *m* Synode *f*, Kirchentag *m*; **~ique** [~'dik] *adj.* zu e-r Synode gehörig; *ast.* synodisch.
synony|me *gr.* [sinɔ'nim] **I** *adj.* gleichbedeutend, sinnverwandt, synonym; **II** *m* sinnverwandtes Wort *n*, Synonym *n*; **~mie** *gr.* [~'mi] *f* Sinnverwandtschaft *f*, Synonymie *f*; **~mique** *gr.* [~'mik] **I** *adj.* synonymisch; **II** *f* Synonymik *f*.
synopsis [sinɔp'sis] **I** *m* Überblick *m*, Zusammenfassung *f*; **II** *cin.* Filmübersicht *f*, Exposé *n*.
synoptique [sinɔp'tik] **I** *adj.* synoptisch, übersichtlich; *tableau m* ~ zusammenfassende Übersicht *f*, Übersichtstafel *f*; **II** *rl.* ~*s m/pl.* Synoptiker *m/pl.*
synostose *anat.* [sinɔs'to:z] *f* Synostose *f*, Knochenverwachsung *f*.
synov|ial *anat.* [sinɔ'vjal] *adj.* (5c) Gelenk...; **~ie** ⚕ [~'vi] *f* Gelenkschleim *m*; **~ite** ⚕ [~'vit] *f* Gelenkentzündung *f*.
syntacticien *ling.* [sɛ̃takti'sjɛ̃] *su.* (7c) Syntaktiker *m*.
syntax|e *gr.* [sɛ̃'taks] *f* Syntax *f*; **~ique** *gr.* [~'ksik] *adj.* syntaktisch.
syn|thèse [sɛ̃'tɛ:z] *f* Synthese *f*; Zusammen-setzung *f*, -fassung *f*, -fügung *f*; ⚗ Aufbau *m*; Synthese *f*; *faire la* ~ *de* synthetisch her-, darstellen; **~thétique** [~te'tik] *adj.* □ synthetisch; *fibres f/pl.* ~*s* Kunst-, Chemie-fasern *f/pl.*; **~thétiser** [~teti'ze] *v/t.* (1a) zusammenfassen, einbegreifen; ⊕ synthetisch herstellen.
synton|ie *rad.* [sɛ̃tɔ'ni] *f* Abstimmung *f*; **~ique** [~'nik] *adj.* abgestimmt; **~isateur** *rad.* [~niza'tœ:r] *m* Abstimmknopf *m*; **~isation** *rad.* [~niza'sjɔ̃] *f* Abstimmung *f*; **~iser** *rad.* [~ni'ze] *v/t.* (1a) abstimmen.
syphilis ⚕ [sifi'lis] *f* Syphilis *f*.
syphilitique ⚕ [sifili'tik] *adj.* syphilitisch.

syriaque [si'rjak] *adj. u. m* altsyrisch.
Syrie [si'ri] *f*: **la** ~ Syrien *n*.
syrien [si'rjɛ̃] *adj.* (7c) syrisch.
syrinx [si'rɛ̃:ks] **I** ♪ *f* Panflöte *f*; **II** *orn. m* Syrinx *f* (*Stimmorgan*).
systématique [sistema'tik] *adj.* □ **1.** systematisch; **2.** *fig.* grundsätzlich, hartnäckig, beharrlich; *faire de l'opposition* ~ systematisch Widerstand leisten.
systématiser [sistemati'ze] *v/t.* (1a) zu e-m System vereinigen, wissenschaftlich ordnen; *péj.* alles nach System (ein)ordnen wollen.
système [sis'tɛ:m] *m* **1.** System *n*; 🕮, *phil.* Lehrgebäude *n*; ⊕ Anlage *f*, Bauart *f*; ⚡ ~ *de montage* Schaltplan *m*, -skizze *f*; ⚕ ~ *tarifaire* Tarifsystem *n*; ~ *prohibitif* (gänzliche) Handelsbeschränkung *f*; ~ *monétaire à base métallique* Metallwährung *f*; ~ *de paiement par acompte(s)*, ~ *de paiements échelonnés* Raten-, Teilzahlungs-, Abzahlungs-system *n*; P *taper sur le* ~ *de q.* j-m auf die Nerven fallen; *a.* ✈ ~ *d'aération* Belüftungsanlage *f*; ~ *d'avertissement* Warnanlage *f*; ✈ ~ *flottant* Schwimmwerk *n*; ~ *soupe* ✈ unstarres System *n*; **2.** *géol.* Formation *f*; **3.** *pol.* Regierungssystem *n*; **4.** Verfahren *n*; Kniff *m*; *écol.* ~ *de roulement* Schichtunterricht *m*; *se faire un* ~ *de qch.* hartnäckig an etw. (*dat.*) festhalten; F *le* ~ D a) (= *débrouillard*) die Kunst, sich aus der Affäre zu ziehen, Durchtriebenheit *f*; die *nötigen* Beziehungen *f/pl.*; b) ✈ (= *Etienne Dreyfous*; *Erfinder*) Sofortverzollung *f mit e-m Computer.*
systyle ⚠ [sis'til] *adj.* dicht aneinanderstehend (*Säule*).

T

T, t [te] *m* **1.** T, t *n*; **2.** Reißschiene *f*.

t' [t] *pr. vor vo. u. h muet* **1.** = te dir; dich; **2.** P = *tu* du; *t'as vu ça, toi?* du hast das gesehen?

ta [ta] *f zu ton*².

tabac [ta'ba] **I** *m* **1.** Tabak *m*; ~ *à chiquer*, ~ *à fumer*, ~ *à priser* Kau-, Rauch-, Schnupf-tabak *m*; *gros* ~ grober Tabak *m*, Knaster *m* F; (*bureau m od. débit m de*) ~ Tabakladen *m*; **2.** *les* ~*s* die Tabak-regie *f*, -verwaltung *f*; **3.** F *fig. c'est un peu fort de* ~ das ist ja ein bißchen happig; *c'est le même* ~ das ist völlig egal; *il y aura du* ~ das wird nicht so einfach gehen; *être dans le* ~ in der Klemme sitzen; *passer q. à* ~ j-n verhauen; *passage m à* ~ Durchprügeln *n*; *pot m à* ~ dicke Nudel *f* (*Person*); *coup m de* ~ ⚓ Sturm *m* (*od.* Regenguß *m*); ⚔, *fig. allg.* heftiger Angriff *m*; *fig.* schwerer Schlag *m*, Backpfeife *f* F; **II** *adjt.* tabakbraun.

taba|gie *péj.* [taba'ʒi] *f* verrauchtes Zimmer *n* (*od.* Lokal *n*); **~gisme** ⚕ [~'ʒism] *m* **1.** Nikotinvergiftung *f*; **2.** *péj.* Tabakgenuß *m*.

tabass|ée P [taba'se] *f* Keile *f*; **~er** P [~] *v/t.* (1a) verhauen.

tabatière [taba'tjɛ:r] *f* **1.** Tabaksdose *f*; **2.** △ Dachluke *f*.

tabernacle [tabɛr'naklə] *m* **1.** *Fête f des* ~*s* Laubhüttenfest *n der Juden*; *abs. le* ♀ Stiftshütte *f der Juden*; **2.** *cath.* Tabernakel *n*.

tabès ⚕ [ta'bɛs] *m* Rückenmarksschwindsucht *f*.

tabétique ⚕ [tabe'tik] *adj.* schwindsüchtig.

tablature [tabla'ty:r] *f* ♪ Tabulatur *f*.

table ['tablə] *f* **1.** Tisch *m*; ~ *pliante* Klapptisch *m*; ~ *à langes* Wickeltisch *m* (*für Babys*); ~ *en fer à cheval* Tisch *m* in Hufeisenform; ~ *gigogne* Beistelltisch *m* (*ineinanderschiebbar*); ~ *de nuit*, ~ *de chevet* Nachttisch *m*; ~ *à coulisses*, ~ *à rallonges* Ausziehtisch *m*; ~ *à roulettes* Rolltisch *m*; ~ *à thé roulante* Teewagen *m*; ~ *voisine* Nachbar-, Neben-tisch *m*; **2.** (Speise-)Tisch *m*, Tafel *f*; *la petite* ~ der Kindertisch; ~ *recherchée* gewählter, feiner Tisch *m*; ~ *d'hôte* Tisch *m* für Stammgäste; *être à* ~ bei Tisch sein; *se mettre à* ~ sich zu Tisch setzen; *fig.* auspacken *fig.*, die Sache verpfeifen; *mettre* (*od. dresser*) *la* ~ den Tisch decken; *bénir la* ~ das Tischgebet sprechen; *faire* ~ *rase de toutes opinions préconçues* mit allen vorgefaßten Meinungen aufräumen; **3.** Mahlzeit *f*, Kost *f*, Ernährung *f*; *avoir la* ~ *et le logement* freie Kost u. Logis haben; **4.** *fig.* Tischgesellschaft *f*; **5.** Tabelle *f*, Register *n*, Verzeichnis *n*; ~ *généalogique* Stammtafel *f*; ~ *des intérêts* Zinstabelle *f*; ~ *des logarithmes* Logarithmentafel *f*; ~ *des matières* Inhaltsverzeichnis *n*; Sachregister *n*; ~ *d'écoute* Abhörtafel *f*; *phot.* ~ *de pose* Belichtungstabelle *f*; **6.** ♪ ~ *de résonance* Resonanzboden *m*; **7.** Tafel *f*, Platte *f*; ~ *à dessiner* Reißbrett *n*; **8.** 🚂 ~ *du roulement* Schienenoberkante *f*.

tableau [ta'blo] *m* (5b) **1.** Gemälde *n*, Bild *n*; **2.** *fig.* Schilderung *f*; **3.** F *fig. péj. vieux* ~ alte, angemalte Schachtel *f fig.*; **4.** ~ (*noir bzw. vert*) (Wand-, Schul-)Tafel *f*; **5.** Schwarzes Brett *n für Anzeigen*; ~ *d'affichage* Anschlagbrett *n*; ~ *de distribution* Schalttafel *f*; *Auto*, ✈ ~ *de bord* Schalttafel *f*, Armaturen-, Instrumenten-brett *n*; ⊕ ~ *lumineux* Leuchtwarte *f*; ~ *de publicité* Reklametafel *f*; **6.** Liste *f*; ~ *d'avancement* Beförderungsvorschlagsliste *f*; ~ *d'honneur* Ehrenliste *f*; **7.** Tabelle *f*; ~ *synoptique* (*od. récapitulatif*) Übersichtstabelle *f*; ~ *nosographique* Krankheitsbild *n*; ~ *de service* Dienstplan *m*; 🚂 Fahrplan *m*; ~ *de roulement* Turnus *m*; **~tin** [~'tɛ̃] *m* kleines Bild *n*.

tabl|ée [ta'ble] *f* Tischgesellschaft *f*; **~er** [~] *v/t.* (1a): ~ *sur* rechnen mit (*dat.*); ~ *au plus bas* sehr niedrig anrechnen; **~etier** [~blə'tje] *su.* (7b) Kunstdrechsler *m*; **~ette** [~'blɛt] *f*

1. Bücherbrett *n*; Kamin-sims *m*, -brett *n*; ~ *de bibliothèque* Fach *n* e-s Bücherschranks; 2. ~ *de chocolat* Schokoladentafel *f*; ~ *de bouillon* Fleischbrühtäfelchen *n*; 3. *phm.* Tablette *f*; 4. *ehm.* ~*s pl.* Wachstafeln *f/pl.*, Schreibtäfelchen *n/pl.*; *noch gebr. in*: *mettez cela sur vos ~s!* merken Sie sich das genau!; *rayez cela de vos ~s!* schlagen Sie sich das aus dem Kopf!; *Sport*: *être officiellement consigné sur les ~s du 100-mètres* offiziell in den 100-m-Registern verzeichnet werden; **~etterie** [~blɛ'tri] *f* Kunstdrechslerei *f*; Kunstdrechslerarbeit *f*.

tablier [tabli'e] *m* 1. Schürze *f*; *fig.* *rendre son* ~ sein Amt niederlegen; 2. *Auto*: Stirnwand *f*; 3. Brückenbelag *m*, Fahrbahn *f e-r Brücke*; 4. Aufzugsklappe *f e-r Zugbrücke*; ~ *métallique* Oberbau *m* (*e-r Stahlbrücke*); 5. Schieber *m e-s Ofenrohrs*.

tabor *hist.* ⚔ [ta'bɔːr] *m* marokkanisches Infanteriebataillon *n*.

tabou [ta'bu] **I** *m* Tabu *n*; **II** *adj.* unantastbar.

tabouret [tabu'rɛ] *m* Hocker *m*, Schemel *m*; Fußbank *f*.

tabulaire [taby'lɛːr] *adj.* Tabellen...

tac [tak] **I** *int.* ~! tack!; **II** *m esc.* Degenklirren *n*; *fig.* ~ *au* ~ schlagfertig; *riposter du ~ au ~* schlagfertig sein.

tacet ♪ [ta'sɛt] *m* Pausieren *n*.

tachant [ta'ʃɑ̃] *adj.* (7) leicht schmutzend.

tache [taʃ] *f* 1. Fleck *m*; ~ *d'encre* (Tinten-)Klecks *m*; *fig.* ~ *à l'honneur* Schandfleck *m*; ~ *de graisse* Fettfleck *m*; *faire ~ d'huile* sich ausbreiten; *mv.p. faire ~ fig.* nicht hingehören, abstechen von (*dat.*), auffallen; 2. ~ *de naissance* Muttermal *n*; ~*s f/pl. de rousseur* Sommersprossen *f/pl.*; 3. *ast.* ~*s solaires* Sonnenflecke *m/pl.*

tâche [tɑʃ] *f* aufgegebene Arbeit *f*, Aufgabe *f*; *travail m à la ~* Akkordarbeit *f*; *il s'est donné à ~* er hat sich zur Aufgabe gestellt.

tacher [ta'ʃe] (1a) **I** *v/t.* fleckig machen; **II** *v/rfl. se ~* sich fleckig machen; fleckig werden.

tâcher [tɑ'ʃe] *v/i.* (1a) ~ *de ...* sich bemühen zu ..., versuchen zu ...

tâcheron [tɑʃ'rɔ̃] *m* 1. ⚠ kleiner Zwischenunternehmer *m* mit Pauschallohn; 2. Akkordarbeiter *m*.

tacheter [taʃ'te] *v/t.* (1d) fleckig machen, sprenkeln.

tachisme [ta'ʃism] *m* Farbkleckserei *f*.

tachycardie ⚕ [takikar'di] *f* Tachykardie *f*, starkes Herzklopfen *n*.

tachygraphe *Auto* [taki'graf] *m* Fahrtenschreiber *m*.

tachymètre *Auto*, ✈ *usw.* [taki'mɛːtrə] *m* Tachometer *m*.

taci|te [ta'sit] *adj.* □ stillschweigend; **~turne** [~'tyrn] *adj.* schweigsam; **~turnité** [~tyrni'te] *f* Schweigsamkeit *f*, Verschlossenheit *f*.

tacot F [ta'ko] *m Auto* (Klapper-)Kasten *m*, Karre *f*.

tact [takt] *m* Tastsinn *m*; *fig.* Takt *m*, Feingefühl *n*, Taktgefühl *n*.

tacticien ⚔ [takti'sjɛ̃] *m* Taktiker *m*.

tactile [tak'til] *adj.* □ fühlbar; Tast...; *sensations f/pl. ~s* Tastempfindungen *f/pl.*

tactique [~'tik] **I** *f* Taktik *f* (*a. fig.*); Kriegsführung *f*; **II** *adj.* taktisch.

tadorne *orn.* [ta'dɔrn] *m* Brandente *f*.

taf * [taf] *m* Angst *f*; *avoir le ~ de qch.* vor etw. (*dat.*) Angst haben.

taffetas [taf'tɑ] *m* 1. *text.* Taft *m*; 2. *phm.* ~ *anglais* englisches Pflaster *n*; ~ *gommé* Heftpflaster *n*.

Tage *géogr.* [taːʒ] *m*: **le ~** der Tajo.

Tahit|i *géogr.* [tai'ti] *m*: **le ~** Tahiti *n*; **~ien** *géogr.* [~'sjɛ̃] *su. u.* ♀ *adj.* (7c) Tahitaner *m*; tahitisch.

taie [tɛ] *f* 1. Kopfkissenbezug *m*; 2. ⚕ weißer Hornhautfleck *m*.

taillable *hist.* [ta'jablə] *adj.* zinspflichtig.

tailla|de [ta'jad] *f* Schnitt *m*, Einschnitt *m*; **~der** [~'de] *v/t.* (1a) aufschneiden.

taillan|derie [tajɑ̃'dri] *f* Werkzeugschmiede-handwerk *n*, -ware *f*; **~dier** [~'dje] *m* Grobschmied *m*.

taille [tɑːj] *f* 1. ✂ Beschneiden *n*, Schnitt *m*; ~ *d'hiver* Winterschnitt *m*; 2. ⊕ Zuschneiden *n*; Behauen *n*; *pierres f/pl. de ~* Quadersteine *m/pl.*; 3. Schliff *m*, Schleifen *n von Edelsteinen*; 4. Schärfe *f*; *coup m de ~* Hieb *m*; 5. *ehm.* Kerbholz *n*; 6. *hist.* Steuer *f*; 7. (Körper-)Wuchs *m*; Figur *f*, Taille *f*, Größe *f*; Länge *f*; *fig.* Format *n*, Fähigkeit *f*; *tour m de ~* Taillenweite *f*; *de grande ~*, *de haute ~* groß gewachsen, von hohem Wuchs; F *de ~* beachtlich; *avoir une belle ~* e-e schöne Figur haben; *par rang de ~* der Größe nach; *ne pas avoir la ~* das Maß nicht haben; *fig. être de ~ à faire qch.* zu etw. (*dat.*) fähig sein, stark genug sein, um etw. (*acc.*) zu tun; *se sentir de ~ à faire qch.* sich stark genug fühlen, etw. zu tun; **8.** *for.* (Holz-)Schlag *m*; **9.** ⚒ Stoß *m* (*Seitenwand e-s Grubenbaus*); **10.** *Kartenspiel*: Abziehen *n der Karte*; **~-crayon** [~krɛˈjɔ̃] *m* (6c) Bleistiftanspitzer *m*; **~-douce** [~ˈdus] *f* (6a) Kupferstich *m*.

taill|er [tɑˈje] (1a) **I** *v/t.* **1.** (be-, ein-, zer-, zu-)schneiden; *~ un arbre* e-n Baum beschneiden; *~ le crayon* den Bleistift anspitzen; *~ une étoffe* e-n Stoff zuschneiden; *~ une pierre* e-n Stein behauen; *~ en pointe* anspitzen; *homme m bien taillé* gutgewachsener (*od.* stattlicher) Mensch *m*; *il est taillé pour cela* er ist dazu der rechte Mann; *fig.* F *~ une bavette* (*od. le bout de gras*) ein bißchen plaudern; **2.** F *abs.* Bäume fällen; **3.** *~ un diamant* e-n Diamanten schleifen; *~ des limes* Feilen hauen; **II** *v/i. Kartenspiel*: die Bank halten; **III** *v/rfl. fig. se ~ une place* e-e Stellung erringen; P *se ~* abhauen P, verschwinden; **~erie** [tɑjˈri] *f* Diamanten-schneidekunst *f*, -schleiferei *f*; **~eur** [~ˈjœːr] *m* **1.** Schneider *m*; Damenkostüm *n*, Jackenkleid *n*; *~ pour messieurs* Herrenschneider *m*; *~ pour dames* Damenschneider *m*; (*costume m*) *~* Schneiderkostüm *n*; *~ sport* Sportkostüm *n*; *~ travaillant sur mesure* Maßschneider *m*; *faire le métier de ~* schneidern; **2.** *~ de diamants* Diamantenschleifer *m*; *~ de limes* Feilenhauer *m*; *~ de pierres* Steinmetz *m*.

taill|is [tɑˈji] *m* Unterholz *n*, Jungholz *n*, Buschholz *n*; **~oir** △ [~ˈjwaːr] *m* (Kapitell-)Deckplatte *f*.

tain [tɛ̃] *m* Spiegelbelag *m*.

taire [tɛːr] (4aa) **I** *v/t. st.s.* verschweigen; **II** *v/rfl. se ~* (still-) schweigen; verstummen; *taisez-vous!* halten Sie den Mund!; *faire ~* zum Schweigen bringen, beruhigen; *se ~ sur qch.* über etw. (*acc.*) schweigen, etw. für sich behalten.

Taïwan *géogr.* [taiˈvɑ̃] *f* Taiwan *n*; **~ais** [~vaˈnɛ] *su.* Taiwaner *m*.

tala * *Fr.* [taˈla] *m* militanter katholischer Student *m*.

talbin * [talˈbɛ̃] *m* Geldschein *m*.

talc *min.* [talk] *m* Talk *m*.

talent [taˈlɑ̃] *m* Talent *n*; *avoir du ~* talentiert sein; *homme m de ~* talentvoller (*od.* talentierter) Mensch *m*; **~ueux** [~ˈtɥø] *adj.* (7d) talentiert.

taler [taˈle] *v/t.* (1a) *Früchte* zerquetschen, zerdrücken.

talion [taˈljɔ̃] *m* Wiedervergeltung *f*.

talisman [talisˈmɑ̃] *m* Talisman *m*.

tall|e ✓ [tål] *f* Wurzelschößling *m*; **~er** [~ˈle] *v/i.* (1a) (Wurzel-)Schößlinge treiben.

tallipot ♀ [taliˈpo] *m* Fächerpalme *f*.

talmudique [talmyˈdik] *adj.* talmudisch.

taloche[1] [taˈlɔʃ] *f Mauerei*: Reibebrett *n*, Reibscheit *n*.

taloch|e[2] F [~] *f* Ohrfeige *f*; **~er** F [~ˈʃe] *v/t.* (1a) *j-n* ohrfeigen.

talon [taˈlɔ̃] *m* **1.** a) Ferse *f* (*beim Menschen*); b) Pferdehuf *m*; *tourner* (*od. montrer*) *les ~s* ausreißen *v/i.*; *être sur les ~s de q.* j-m auf den Fersen sitzen (*od.* folgen); F *avoir l'esprit aux ~s* s-e Gedanken nicht beisammenhaben; F *avoir l'estomac aux ~s od. sentir son estomac dans les ~s* e-n Riesenhunger haben; **2.** (Schuh-)Absatz *m*, Hacken *m*; *~ en caoutchouc* Gummiabsatz *m*; *~ m aiguille* Pfennigabsatz *m*; *a.* ⚔ (*faire*) *claquer les ~s* die Hacken zusammenschlagen; F *se prendre les ~s* lustwandeln; **3.** Sporn *m*; *serrer les ~s* die Sporen geben; **4.** unteres Ende *n*; hinteres Ende *n* des Kiels; △ Kehl-stoß *m*, -leiste *f*; *~ du fusil* Hinterkolben *m*; ⚓ *~ du mât* Fuß *m* des Mastes; *Auto, vél. ~ de pneu* Reifenwulst *m*; **5.** ✝, ✆ *~* (*de souche*) Abschnitt(sstreifen *m*) *m*; **6.** *Kartenspiel*: Stamm *m od.* Stock *m* (*Karten*); **~nement** ⚓ [~lɔnˈmɑ̃] *m* Grundberührung *f*; **~ner** [~lɔˈne] (1a) **I** *v/t.* **1.** die Sporen geben (*dat.*); *fig. j-m* (hart) zusetzen; **2.** auf den Fersen sein (*dat.*); *a. Sport*: bedrängen, hart verfolgen; ⚔ scharf nachdrängen; **II** *v/i.* **3.** ⚓ auf Grund stoßen; *~ sur un récif* auf ein Riff auflaufen; **4.** ✈ aufprallen; **~nette** [~ˈnɛt] *f* **1.** Ferseneinlage *f*; **2.** (Hosen-) Stoßband *n*; **~neur** *Sport* [~lɔˈnœːr] *m Rugby*: Hakler *m*.

talqu|er [talˈke] *v/t.* (1m) mit Talk einreiben; **~eux** [~ˈkø] *adj.* (7d) talkartig.

talus [taˈly] *m* Böschung *f*; *en ~* schräg, abschüssig; F *sur le ~* unversehens.

talut|age [talyˈtaːʒ] *m* Abdachen *n*, Abschrägen *n*; *frt.* Böschen *n*; **~er** [~ˈte] *v/t.* (1a) (ab)böschen.

tamanoir *zo.* [tamaˈnwaːr] *m* Ameisenbär *m*.

tamarin[1] ⚘ [tama'rɛ̃] *m* Tamarinden-baum *m*, -frucht *f*.
tamarin[2] *zo.* [~] *m* kleiner Seidenaffe *m*.
tamarinier [tamari'nje] *m* Tamarindenbaum *m*.
tamaris ⚘ [tama'ris] *m* Tamariske *f*.
tambouille [tã'buj] *f* **1.** F Fraß *m pej.*, wiederaufgewärmtes, grobes Ragout *n*; **2.** P Küche *f*.
tambour [tã'bu:r] *m* **1.** Trommel *f*; *~ battant* bei Trommelschlag, mit Sang u. Klang; *fig.* auf der Stelle; ohne viel Federlesen, mit größter Fixigkeit; *mener les enfants ~ battant* mit den Kindern streng verfahren; *partir sans ~ ni trompette* sang- u. klanglos abziehen, sich verdrücken F *plais.*; **2.** Trommler *m*; **3.** *~ (à broder)* Stickrahmen *m*; **4.** *~ (de porte)* Windfang *m*; **5.** ⊕ Trommel *f*, Walze *f*, Welle *f*; Riemenscheibe *f*; *~ à câble* Kabeltrommel *f*; *~ de café* Kaffeetrommel *f*; *Auto*: *~ de frein* Bremstrommel *f*; ⊕ *~ rotatif* Trommelparkrad *n* (*zum unterird. Parken*); **6.** ⚓ *~ (des aubes)* Radkasten *m e-s Dampfers*; **7.** ⚠ Windfang *m* (*am Hauseingang*); **8.** *anat.* Gehörtrommel *f*.
tambourin [tãbu'rɛ̃] *m* **1.** Tamburin *n*; **2.** Tamburinspiel(er *m*) *n*; **~age** [~ri'na:ʒ] *m* Trommeln *n*, Getrommel *n*; **~aire** [~ri'nɛ:r] *m* Tamburinspieler *m*; **~er** [~'ne] (1a) **I** *v/i.* trommeln (*mit den Fingern*); **II** *v/t. e-n Marsch* trommeln; *fig.* ausposaunen; *~ q.* j-n in den Himmel heben *fig.*
tamias *zo.* [ta'mja] *m* Backen-, Erdhörnchen *n* (*Art Eichhörnchen*).
tamis [ta'mi] *m* Sieb *n*; *passer au ~* durchsieben; **~age** [~'za:ʒ] *m* (Durch-)Sieben *n*, Siebung *f*; *bét.* Siebsatz *m*; ⚒ Sortieren *n*.
Tamise [ta'mi:z] *f*: **la ~** die Themse.
tamis|er [tami'ze] *v/t.* (1a) (durch-)sieben, sichten; *fig.* dämpfen, mildern, abschwächen (*das Licht*); *fig. il a tamisé la France pendant 30 ans* er hat Frankreich 30 Jahre lang kreuz u. quer durchstreift; **~euse** [~'zø:z] *f* Siebmaschine *f*.
tampon [tã'pɔ̃] *m* **1.** Pfropfen *m*, Spund *m*; Stöpsel *m*; *Gasmaske*: Einsatz *m*; *typ.* Rolle *f*; **2.** ⚕ (Watte-)Bausch *m*; **3.** 🚂 Puffer *m*; **4.** *charp.* Dübel *m*; **5.** P *coup m de ~* Faustschlag *m*; *allg.* Schlag *m* ins Kontor; *les ~s* die Fäuste *f/pl.*; **6.** ⊕ *~ atmosphérique*, *~ d'air* Luftpolster *n*; *~ d'entretien ménager* Geschirr-Reinigungsschwamm *m*; **7.** Stempel *m*; *~ de la poste* Poststempel *m*; **~nement** [~pɔn'mã] *m* 🚂, *Auto usw.*: Zusammenstoß *m*, Zusammenprall *m*; **~ner** [~pɔ'ne] (1a) **I** *v/t.* **1.** zustopfen; *chir. Blut* stillen *od.* abtupfen; (ab)stempeln; **2.** 🚂, *Auto usw.*: *~ qch.* mit etw. (*dat.*) zs.-stoßen, -prallen; **II** *v/rfl. se ~* zs.-stoßen, aufeinanderfahren; **~neuse** [~'nø:z] *adj./f*: *auto f ~* Autoskooter *m* (*auf dem Jahrmarkt*); **~noir** ⊕ [~'nwa:r] *m* Mauerbohrer *m*.
tam-tam [tam'tam] *m* Negertrommel *n*; F *fig. faire du ~* viel Tamtam (*od.* viel Wesens) *um etw.* (*acc.*) machen.
tan [tã] *m* (Gerber-)Lohe *f*.
tanaisie ⚘ [tanɛ'zi] *f* Rainfarn *m*.
tancer *litt.* [tã'se] *v/t.* (1k) ausschelten; *~ q. d'importance* (*od. vertement*) j-n gehörig anfahren (*od.* anschnauzen P).
tanche *icht.* [tã:ʃ] *f* Schleie *f*.
tandem [tã'dɛm] *m* **1.** *vél.* Tandemfahrrad *n*; **2.** *péj. fig.* Gespann *n fig.*
tandis que, *vor Vokalen*: **tandis qu'** [tã'di(s)k(ə)] *cj.* während.
tangage ⚓ [tã'ga:ʒ] *m* Stampfen *n*.
tangence [tã'ʒã:s] *f* Berührung *f*.
tangent [tã'ʒã] *adj.* (7) **1.** ⩓ berührend; **2.** F knapp, mit knapper Not; unsicher (*Wetter*); schwach (*Prüfling*); **~e** [tã'ʒã:t] *f* ⩓ Tangente *f*; * Pedell *m e-r Fakultät* (*Universität*); * *écol.* Aufsicht *f bei Prüfungen*; *fig. s'échapper par la ~, filer par la ~, prendre* (*od. tirer*) *la ~* sich aus dem Staube machen, abhauen; **~er** ⩓, *géogr.* [~ʒã'te] *v/t.* (1a) berühren.
Tanger [tã'ʒe] *m* Tanger *n*.
tangib|ilité [tãʒibili'te] *f* Fühlbarkeit *f*; **~le** [~'ʒiblə] *adj.* fühlbar; *fig.* greifbar.
tango [tã'go] *m* Tango *m* (*Tanz*); **~ter** F [~gɔ'te] *v/i.* (1a) Tango tanzen.
tangue [tã:g] *f* Meerschlamm *m*.
tanguer [tã'ge] *v/i.* (1m) ⚓ stampfen; ✈, 🚂 *usw.* schaukeln.
tanière [ta'njɛ:r] *f* **1.** Höhle *f der wilden Tiere*; **2.** *fig.* Loch *n*.
tanin ⚗ [ta'nɛ̃] *m* Gerbstoff *m*.
tank [tã:k] *m* (*Öl-*, *Wasser-*, ⚔) Tank *m*, ⚔ Panzer *m*; F *Auto*: Straßenkreuzer *m*; *~ monoplace* Einmanntank *m*; *~ amphibie* Schwimmtank *m*; *~ rampant* Kriechtank *m*; *~ lourd* schwerer Panzer *m*.

tannage [ta'naːʒ] *m* Gerben *n*.
tannant [ta'nɑ̃] *adj*. (7) Gerbstoff enthaltend; F *fig*. unerträglich.
tannate ⚗ [ta'nat] *m* gerbsaures Salz *n*.
tanne ⚕ [tan] *f* Mitesser *m*.
tann|é [ta'ne] *adj*. lohfarbig; *fig*. sonnengebräunt, braungebrannt; **~er** [~] *v/t*. (1a) **1.** ⊕ gerben, mit Lohe beizen; **2.** F *fig*. ~ *q*. j-n löchern, j-m auf die Nerven fallen; **~erie** [tan'ri] *f* Gerberei *f*; **~eur** [~'nœːr] *m* Gerber *m*; **~in** [~'nɛ̃] *m* Gerbsäure *f*, Gerbstoff *m*; **~iser** [~ni'ze] *v/t*. (1a) Gerberlohe zusetzen.
tan-sad [tan- *od*. tɑ̃'sad] *m* Soziussitz *m*.
tant [tɑ̃] **I** *adv*. **1.** so(viel); so sehr; solange; ~ *d'autres* so viele andere; ~ *de fois* so oft; *je l'aime* ~ ich liebe ihn so sehr; ~ *et plus* mehr als genug; **2.** *en* ~ *que* (in der Eigenschaft) als; *en* ~ *que savant* als Gelehrter; **3.** ~ ... *que* teils ... teils; sowohl ... als auch; ~ *bien que mal* so gut es (eben) geht; *si* ~ *est que* ... vorausgesetzt, daß ..., wenn überhaupt ...; *faire* ~ *que* ... es so weit treiben, daß ...; (*un*) ~ *soit peu* ein ganz klein bißchen; ... *et à* ~ *faire que de choisir* ... und wenn man schon einmal die Wahl ... hat; F ~ *que ça* soviel; ~ *mieux* um so besser; ~ *pis* um so schlimmer; **II** *m* **4.** *un* ~ *soit peu* ein ganz klein bißchen; **III** *cj*. **~ que 5.** so sehr (*od*. so viel), daß; solange, soweit; **6.** ~ *s'en faut que* (*mit subj*.) weit entfernt, daß; ~ *s'en faut* es fehlt viel (daran); bei weitem nicht; **7.** *en* ~ *que* insofern als; in in dem Maße, wie.
Tantale *myth*. [tɑ̃'tal] *m* Tantalus *m*.
tantale ⚗ [~] *m* Tantalmetall *n*.
tantaliser F [~li'ze] *v/t*. (1a) wie e-n Tantalus quälen.
tante [tɑ̃ːt] *f* Tante *f*; P Schwule(r) *m*; P *ma* ~ *das* Leihhaus *n*.
tantet [tɑ̃'tɛ] *m*: *un* ~ ein ganz klein bißchen.
tantième [tɑ̃'tjɛːm] *m* Tantieme *f*.
tantinet F [tɑ̃ti'nɛ] *m*: *un* ~ ein bißchen.
tantôt [tɑ̃'to] *adv*. **1.** heute nachmittag; *à* ~! bis heute nachmittag!; **2.** ~ ..., ~ ... bald ..., bald ...
Tanzan|ie *géogr*. [tɑ̃za'ni] *f*: **la** ~ Tansania *n*; **2ien** [~'njɛ̃] *adj*. (7c) tansanisch.
taon *ent*. [tɑ̃] *m* (Vieh-)Bremse *f*.
tapa|ge [ta'paːʒ] *m* Krach *m*, Radau *m*, Spektakel *m*; *fig*. Wirbel *m fig*.; *mener grand* ~ *contre* zu Felde ziehen gegen; **~geur** [~'ʒœːr] *adj*. (7g) lärmend, laut; marktschreierisch; *fig*. auffällig (*Toilette*); schreiend (*Farbe*).
tapant [ta'pɑ̃] *mst*. *advt*.: *à six heures* ~, *aber auch adj*.: *à six heures* ~*es* Punkt sechs (Uhr).
tape [tap] *f* Klaps *m*.
tapé [ta'pe] *adj*. **1.** angeschlagen (*Frucht*); **2.** F *fig*. ausgemergelt; **3.** F *bien* ~ gelungen; **4.** F verrückt.
tape-à-l'œil [tapa'lœj] **I** *adj./inv*. kitschig; auffällig; **II** *m/inv*. Kitsch *m*; *das* Auffallende *n* (*in der Kleidung*).
tape-cul, tapecul [tap'ky] *m* **1.** Wippe *f*; *jouer à* ~ wippen; **2.** F schlechter Pferdewagen *m*; **3.** ⚓ Treibsegel *n*; **4.** Reitübung *f*; **5.** Schinkenklopfen *n plais*. P (*Hänselei*).
tapée F [ta'pe] *f* Haufen *m*, Menge *f*.
taper [ta'pe] (1a) **I** *v/t*. **1.** e-n Klaps geben (*dat*.); ~ *un texte à la machine* e-n Text (ab)tippen; **2.** F ~ *q. de qch*. von j-m etw. pumpen (= borgen); **3.** F *Sport*: schaffen, erreichen; **II** *v/i*. **4.** klopfen, schlagen; ~ *sur q*. a) j-n verhauen; b) F über j-n herziehen; ~ *du pied* mit dem Fuß stampfen; ~ *dans le tas* blindlings drauflosschlagen; F kräftig zulangen; ~ *à la porte* an die Tür klopfen; *péj*. ~ *du piano* klimpern; ~ *sur le ventre à q*. mit j-m sehr familiär tun; sich j-m anbiedern; P *ça tape dur ici* hier ist dicke Luft; ~ *sur les nerfs* (*od. sur le système*) *à q*. j-m auf die Nerven fallen; ~ *sur les vivres* sich über die Lebensmittel hermachen; F ~ *dans l'œil de q*. j-m gefallen; **5.** F zu Kopf steigen (*vom Wein*); **III** *v/rfl*. **6.** F *se* ~ *de qch*. bei etw. (*dat*.) leer ausgehen, etw. vermissen; **7.** F *se* ~ *qch*. sich etw. leisten; **8.** F *se* ~ machen; *se* ~ *les clous* sich durchwurschteln; *se* ~ *tout le travail* die ganze Arbeit machen.
tapette [ta'pɛt] *f* **1.** F Mundwerk *n*; *avoir une bonne* (*od. fière*) ~ mit dem Mund immer vorneweg sein, nicht auf den Mund gefallen sein; **2.** ⊕, ⚠ Klopfholz *n*; **3.** (Teppich-)Ausklopfer *m* (*Instrument*); **4.** V Päderast *m*.
tapeur F [ta'pœːr] *su*. (7g) **1.** Pumpgenie *n*; **2.** ♪ *péj*. Klimperer *m*.
tapin P [ta'pɛ̃] *m*: *faire le* ~ auf den Strich gehen; **~euse** * *péj*. [~'nøːz] *f* Straßenmädchen *n*.

tapinois [tapi'nwa] *advt.*: *en* ~ heimlich, verstohlen, unbemerkt.
tapioca *cuis.* [tapjɔ'ka] *m* Sago *m.*
tapir [ta'pi:r] **I** *v/rfl.* (2a): *se* ~ sich (nieder-)ducken *od.* (-)hocken; sich verkriechen; **II** *zo. m* Tapir *m.*
tapis [ta'pi] *m* **1.** Teppich *m*; *Boxen*: (Ring-)Matte *f*; ~ *de passage* Läufer *m*; ~ *d'escalier* Treppenläufer *m*; ~ *pour passage*, ~ *en caoutchouc* Lauf-, Gummi-teppich *m*; ~ *chauffant* Heizteppich *m*; *Boxen*: *envoyer q. au* ~ j-n auf die Matte legen; *fig.* j-n kleinkriegen; **2.** (Tisch-)Decke *f*; ~ *de table* Tischdecke *f*; ~ *vert* Spieltisch *m* (*Monte Carlo*); *fig.* grüner Tisch *m*, Verhandlungstisch *m*; *mettre une affaire sur le* ~ e-e Sache aufs Tapet bringen; *amuser le* ~ die Gesellschaft unterhalten; *tenir q. sur le* ~ sich über j-n unterhalten; *être sur le* ~, *occuper le* ~ den Gegenstand der Unterhaltung bilden; **3.** ⊕ ~ *roulant* Fließband *n*; *für Personen*: Fahrsteig *m.*
tapis|ser [tapi'se] *v/t.* (1a) **1.** tapezieren; behängen; *fig.* ~ *qch. de qch.* etw. mit etw. (*dat.*) (aus)schmücken *od.* bedecken; **2.** * identifizieren; **~serie** [~pis'ri] *f* **1.** Wandteppich *m*, Gobelin *m*; (Möbel-)Bezugsstoff *m*; **2.** *fig. faire* ~ (beim Tanz) nicht aufgefordert werden, ein Mauerblümchen sein; **3.** Teppichweberei *f*; **~sier** [~'sje] *su.* (7b) **1.** Teppichweber *m*; **2.** ~-*décorateur m* Tapezierer *m*, Dekorateur *m*; **3.** *nur m*: Polsterer *m.*
tapoter [tapɔ'te] *v/t.* (1a) sanft klopfen, betätscheln; *péj.* ~ *du piano* klimpern.
tapotis [tapɔ'ti] *m* Klappern *n der Schreibmaschine.*
taque ⊕ [tak] *f* Gußplatte *f.*
taquer *typ.* [ta'ke] *v/t.* (1a) die Form klopfen.
taquet [ta'kɛ] *m* **1.** ⊕ Keil *m*; 🚂 ~ Sperrklotz *m*; Reiter *m* (*Tabulator*); **2.** ⚓ Klampe *f*; **3.** * Faustschlag *m.*
taquin [ta'kɛ̃] *adj. u. su.* (7) neckend; Schelm *m*, Spaßvogel *m.*
taquiner [taki'ne] *v/i. u. v/t.* (1a) necken, hänseln, zu ärgern suchen; **~ie** [~kin'ri] *f* Neckerei *f*, Hänselei *f*, Ulk *m.*
taquoir *typ.* [ta'kwa:r] *m* Klopfholz *n.*
tarabiscot *men.* [tarabis'ko] *m* Leistenhobel *m*; **~age** [~kɔ'ta:ʒ] *m* Geschraubtheit *f*; **~é** *fig.* [~kɔ'te] *adj.* überladen (*Stil*); überkandidelt; **~er** [~kɔ'te] *v/t.* (1a) *fig.* überladen (*Stil*).
tarabuster [tarabys'te] *v/t.* (1a) **1.** *Person*: drängen; **2.** *Sache*: quälen.
tarage ✝ [ta'ra:ʒ] *m* Wiegen *n* der Verpackung.
tarare ✓ [ta'ra:r] *m* Getreidereinigungsmaschine *f*, Windfege *f.*
tarasque [ta'rask] *f* **1.** Riesendrachenfigur *f*; **2.** △ Wasserspeier *m.*
taratata! [tarata'ta] *int.* papperlapapp!
taraud ⊕ [ta'ro] *m* Schrauben-, Gewinde-bohrer *m*; **~er** [~'de] *v/t.* (1a) **1.** *Schrauben, Innengewinde od. Muttern* schneiden *od.* bohren; schraubenförmig ausbohren; **2.** P rasend machen; **3.** P anständig versohlen (*od.* verprügeln); **~euse** [~'dø:z] *f* Gewindebohrmaschine *f.*
tard [ta:r] *adv.* spät; *il se fait* ~ es wird spät; *au plus* ~ spätestens; ~ *dans la nuit* mitten in der Nacht; *trop* ~ *d'un jour* (um) einen Tag zu spät; **~er** [tar'de] (1a) **I** *v/i.* zögern; *que tardons-nous?* worauf warten wir noch?; **II** *v/imp. il me* (*lui*) *tarde de* (*mit inf.*), *que* (*mit subj.*) es verlangt mich (ihn) zu ...; ich sehne mich (er sehnt sich) danach zu ...; *il lui tardait qu'elle arrive* er sehnte sich danach, daß sie kam; **~if** [~'dif] *adj.* (7e) □ **1.** spät kommend *od.* eintretend *od.* reifend; verspätet; zögernd; *fruits m/pl.* ~*s* Spätobst *n*; **2.** langsam, träge; sich spät entwickelnd; *péd. enfant m* ~ Spätentwickler *m.*
tardi|flore ⚘ [tardi'flɔ:r] *adj.* spätblühend; **~grades** *zo.* [~'grad] *m/pl.* Bärtierchen *n/pl.*; **~llon** [~di'jõ] *m* **1.** *zo.* Spätling *m*; **2.** F Nachkömmling *m*; **~vement** [~div'mɑ̃] *adv.* verspätet; **~veté** [~div'te] *f* Spätreifen *n*; spätes Datum *n*; Langsamkeit *f*, Trägheit *f*, Spätentwicklung *f.*
tare [ta:r] *f* **1.** Tara *f*, Abgang *m*; Verpackungsgewicht *n*; *Wagen*: Eigengewicht *n*; **2.** *fig.* Bürde *f*, Plage *f*, Last *f*; **3.** *fig.* Makel *m.*
taré [ta're] *adj.* ✝ fehler-, schadhaft; *fig.* erblich belastet, verkommen, verrufen, anrüchig, verdorben.
tarentelle ♪ [tarɑ̃'tɛl] *f* Tarantella *f.*
tarentule *ent.* [tarɑ̃'tyl] *f* Tarantel *f*; *être piqué de la* ~ wie von der Tarantel gestochen sein.
tarer ✝ [ta're] *v/t.* (1a) tarieren,

das Gewicht der Tara bestimmen.

taret *zo.* [ta'rɛ] *m* Bohrwurm *m.*

targette [tar'ʒɛt] *f* **1.** Fenster-, Schub-riegel *m*; **2.** * Schuh *m.*

targuer [tar'ge] *v/rfl.* (1m): *se* ~ *de qch.* sich mit etw. (*dat.*) großtun.

targui [tar'gi] *adj. u.* ♀ *m* (*pl. touareg*) Tuareg(...) *m.*

tarière ⊕ [ta'rjɛ:r] *f* Stangen-, Erd-bohrer *m.*

tarif [ta'rif] *m* Tarif *m,* Satz *m,* Preisverzeichnis *n*; ~ *douanier,* ~ *des droits de douane* Zolltarif *m*; ~ *conventionnel* Vertragstarif *m*; ~ *différentiel* Stufen-, Staffel-, Differential-tarif *m*; ~ *mobile* Staffeltarif *m*; ~ *postal* Posttarif *m*; ~ (*de douane*) *préférentiel od. de préférence* Vorzugs-, Vergünstigungs-zoll *m*; ~ *forfaitaire,* ~ *à forfait* Pauschalgebührensatz *m*; ~ *de(s) taxis* Taxentarif *m*; ~ *des honoraires* Gebührenordnung *f*; ~ *réduit* Tarifermäßigung *f*; ~ *par mot* Wortgebühr *f*; ~ *échelonné* Staffeltarif *m*; *billet m à* ~ *réduit* verbilligte Fahrkarte *f*; ~ *de faveur,* ~ *exceptionnel,* ~ *préférentiel* Vorzugszoll *m*; *majoration f* (*od. augmentation f*) *du* ~ Tariferhöhung *f*; **~aire** [~'fɛ:r] *adj.* tariflich, Tarif...; *politique f* ~ Tarifpolitik *f*; **~er** [~'fe] *v/t.* (1a) e-n Tarif (Zoll) festsetzen für (*acc.*), tarifieren; **~ication** [~fika'sjɔ̃] *f* Tarif-gestaltung *f,* -festsetzung *f,* Festsetzung *f* e-s Zolles *od.* e-s Preises; Beitragsbemessung *f*; Preisverzeichnis *n.*

tarin [ta'rɛ̃] *m* **1.** *orn.* Zeisig *m*; **2.** * Nase *f,* Zinken *m* P.

tar|ir [ta'ri:r] (2a) **I** *v/t.* trockenlegen, (aus)trocknen (lassen); *fig.* erschöpfen; **II** *v/i.* austrocknen, versiegen (*Quelle, Fluß*); *fig.* aufhören; **~issable** [~ri'sablə] *adj.* versiegbar; **~issement** [~ris'mɑ̃] *m* Austrocknen *n,* Versiegen *n.*

tarlatane ✝ [tarla'tan] *m* Tarlatan *m* (*Baumwollgaze*).

tarot [ta'ro] *m*: *jeu m de* ~*s* Tarockspiel *n.*

tarsalgie ⚕ [tarsal'ʒi] *f* Fußwurzelschmerz *m.*

tarse 🕮 [tars] *m* Fußwurzel *f.*

tartan [tar'tɑ̃] *m* Schotten-, Plaidstoff(kleid *n*) *m.*

tartane ⚓ [tar'tan] *f* Tartane *f.*

tartare [tar'ta:r] *adj. u.* ♀ *su.* tatarisch; Tatar *m.*

tartarin F [tarta'rɛ̃] *m* Maulheld *m.*

tart|e [tart] **I** *f* **1.** Torte *f,* Obstkuchen *m*; ~ *de cerises* Kirschkuchen *m*; ~ *à la crème* Sahnenkuchen *m*; ~ *au fromage* Käsekuchen *m*; ~ *à la noix,* ~ *à la frangipane* Nuß-, Mandel-torte *f*; **2.** P Schlag *m*; Backpfeife *f*; **II** *adj.* F häßlich; dusselig; **~elette** [~tə'lɛt] *f* Törtchen *n,* Tortelett *n*; **~ine** [~'tin] *f* **1.** bestrichene Brotschnitte *f,* Butterbrot *n,* Stulle *f*; ~ *de beurre* Butter-stulle *f,* -brot *n*; **2.** *fig.* Salbaderei *f,* langweiliger Zeitungsartikel *m*; **3.** * Schuh *m.*

tartr|e ⚗ ['tartrə] *m* Wein-, Zahn-, Kessel-stein *m*; **~ifuge** [~tri'fy:ʒ] *m* Reinigungsmittel *n für Dampfkessel u. a.*; **~ique** ⚗ [~'trik] *adj.*: *acide m* ~ Weinsteinsäure *f.*

tartuf|e [tar'tyf] *m* Scheinheilige(r) *m,* Heuchler *m*; **~erie** [~ty'fri] *f* Heuchelei *f*; **~ier** [~'fje] *v/t.* (1a) durch Heuchelei verführen.

tas [tɑ] *m* **1.** Haufen *m,* Stapel *m*; *en* ~, *par* ~ haufenweise; im Überfluß; ~ *de bois* Holzstapel *m*; *prendre sur le* ~ auf frischer Tat ertappen; *formation f sur le* ~ Ausbildung *f* am Arbeitsplatz; *grève f sur le* ~ Sitzstreik *m*; **2.** *fig.* Menge *f,* Masse *f*; *un* ~ *de gens* e-e Menge Menschen; **3.** ⚠ unfertiger Bau *m,* Baustelle *f.*

tassage *Sport* [ta'sa:ʒ] *m* Abdrängen *n.*

tasse [tɑ:s] *f* Tasse *f.*

tasseau [tɑ'so] *m* (5b) **1.** ⚠ (hervorragender) Kragstein *m,* Knagge *f,* Tragstein *m*; Konsole *f*; **2.** *men.* Dachleiste *f*; ~ *d'arêtier* (*od. de faîtage*) Firstleiste *f*; **3.** ⊕ Handamboß *m.*

tass|ement [tɑs'mɑ̃] *m* **1.** Zs.-drücken *n,* -pressen *n*; 🚂 ~ *de longrines* Zs.-setzen *n* von Langschwellen; **2.** ⚠ Senkung *f,* Sakkung *f* (*e-r Mauer*); **~er** [tɑ'se] (1a) **I** *v/t.* in Haufen setzen, (auf)häufen, aufschichten; zs.-drücken; zs.-pferchen; *Sport*: abdrängen; festtreten; ~ *avec une hie* feststampfen; **II** ⚘ *v/i.* dichter werden; **III** *v/rfl.* *se* ~ sich senken, einsacken (*v/i.*), sich setzen (*Mauer*); *Börsenkurse*: zurückgehen; *Menschen*: sich zs.-drängen; F *fig.* sich geben, sich klären (*nur von Sachen!*).

taste-vin [tastə'vɛ̃] *m* (6c) Weinpipette *f.*

tata[1] *enf.* [ta'ta] *int.* ~! Tantchen!

tata[2] * [~] *m* Homosexuelle(r) *m.*

tatami [tata'mi] *m* (Plastik-)Fliesenboden *m.*

tatane * [ta'tan] *f* Schuh *m.*

tâte|-au-pot F [tato'po], **~-poule** F [tat'pul] *m* (6c) Topfgucker *m*.
tâter [ta'te] (1a) **I** *v/t*. **1.** anfassen, anfühlen, befühlen, betasten; prüfen, auf die Probe stellen; ~ *le terrain* sondieren; ~ *le pouls à q*. a) j-m den Puls fühlen; b) *fig*. j-m auf den Zahn fühlen; **II** *v/i*. **2.** tasten; **3.** F ~ *de qch*. etw. probieren, etw. versuchen; **III** *v/rfl*. se ~ mit sich selbst zu Rate gehen.
tâte-vin [tat'vɛ̃] *m* (6c) Weinpipette *f*.
tati *enf*. [ta'ti] *int*. ~! Tantchen!
tatillon [tati'jɔ̃] *su. u. adj*. (7c) Kleinigkeitskrämer *m*; peinlich genau, pedantisch, kleinlich; pinselig F; **~nage** [~jɔ'na:ʒ] *m* Kleinigkeitskrämerei *f*; **~ner** [~jɔ'ne] *v/i*. (1a) pedantisch sein.
tâton|nement [tatɔn'mɑ̃] *m* (Herum-)Tappen *n*, Betasten *n*; ~*s pl*. (tastende) Versuche *m/pl*.; **~ner** [~tɔ'ne] *v/i*. (1a) (herum)tappen; *fig*. tastende Versuche machen.
tâtons [ta'tɔ̃]: **à** ~ *advt*. tastend, tappend; *fig*. aufs Geratewohl.
tatou *zo*. [ta'tu] *m* Gürteltier *n*.
tatou|age [ta'twa:ʒ] *m* Tätowieren *n*; **~é** [ta'twe] *m* schwerer Junge *m* (*Verbrecher*); **~er** [~] *v/t*. (1a) tätowieren; **~eur** [~'twœ:r] *m u. adj./m* Tätowierer *m*; tätowierend.
tatouille P [ta'tuj] *f* Senge *f*, Keile *f*, Tracht *f* Prügel, Dresche *f*.
taud ⚓ [to] *m*, **~e** ⚓ [to:d] *f* Segelbezug *m*.
taudis [to'di] *m* Elendswohnung *f*, Bruchbude *f* P; *les* ~ die Elendsviertel *n/pl*., -quartiere *n/pl*.
taul|ard * [to'la:r] *su*. (7) Knastbruder *m*; **~e** * [to:l] *f* Knast *m*; Kittchen *n*; *faire de la* ~ sitzen (*im Gefängnis*).
taupe [top] *f* **1.** Maulwurf *m*; **2.** ⊕ Tunnelbohrmaschine *f*; **3.** * *écol*. mathematische Vorbereitungsklasse *f* für die École polytechnique.
taupé [to'pe] *m* Veloursh ut *m*.
taupe-grillon *zo*. [topgri'jɔ̃] *m* (6a) Maulwurfsgrille *f*.
taup|ier [to'pje] *m* Maulwurfsfänger *m*; **~ière** [~'pjɛ:r] *f* Maulwurfsfalle *f*; **~in** [~'pɛ̃] *m ent*. Schnellkäfer *m*; *Fr. fig*. F Schüler *m*, der sich für die École polytechnique vorbereitet; **~inière**, *a*. **~inée** [~pi'njɛ:r, ~pi'ne] *f* Maulwurfshügel *m*.
taur|eau [tɔ'ro] *m* (5b) Stier *m* (*a. ast*.), Bulle *m*; **~illon** [tɔri'jɔ̃] *m* junger Stier *m*; **~omachie** [tɔrɔma'ʃi] *f* Stierkampf *m*.
tautochron|e [totɔ'krɔn] *adj*. gleich lange dauernd, isochron; **~isme** [~'nism] *m* gleich lange Dauer *f*, Isochronismus *m*.
tauto|gramme *litt*. [~'gram] *m* Tautogramm *n*, Gedicht *n* mit demselben Anfangsbuchstaben in allen Zeilen; **~logie** [~lɔ'ʒi] *f* Tautologie *f* (*überflüssige Wiederholung*).
taux [to] *m* **1.** Anteilsatz *m*; Quote *f*; **2.** Zinsfuß *m*; *au* ~ *de la loi* zu gesetzmäßigen Zinsen; ~ *hors banque* Privatdiskontsatz *m*; *à* ~ *d'intérêt fixe* festverzinslich; *augmenter* (*baisser*) *le* ~ *d'escompte* den Diskont herauf- (herab-)setzen; **3.** Kurs *m der Börsenpapiere*; ~ *de change flottant* gleitender Wechselkurs *m*; **4.** *allg*. Prozentsatz *m*, Verhältnis *n*, Größenordnung *f*; ~ *de mortalité* Sterblichkeitsziffer *f*; ~ *d'inflation* Inflationsrate *f*.
tavaillon ⚠ [tava'jɔ̃] *m* Holzschindel *f*.
tavel|age [tav'la:ʒ] *m* Fleckigwerden *n des Obstes*; **~er** [~v'le] (1c) *v/rfl*. se ~ fleckig werden; **~ures** [~v'ly:r] *f/pl*. Flecken *m/pl*.
taverne [ta'vɛrn] *f* **1.** Taverne *f*; **2.** *Fr*. Restaurant *n* in rustikalem Stil.
taxa|ble [tak'sablə] *adj*. be-, versteuerbar; **~teur** ⚖ [~'tœ:r] *m u. adj./m* kostenfestsetzender Richter *m*; abschätzend; **~tion** [~ksa'sjɔ̃] *f* Taxierung *f*; ⚖ Kostenfestsetzung *f*.
taxe [taks] *f* **1.** Taxe *f*; Taxpreis *m*; *a. téléph*. Gebühr *f*; 🚂 Tarifsatz *m*; ~ *du pain* behördlich festgesetzter Brotpreis *m*; ~ *fixe* Grundgebühr *f*; *Sport*: ~ *d'inscription*, ~ *d'engagement* Nenngeld *n*; ~ *de protestation* Einspruchsgebühr *f*; ~ *de licence* Lizenzgebühr *f*; ~ *d'emmagasinage* Lager-, Speicher-geld *n*; ~ *douanière* Zollsatz *m*; ~ *radio*, ~ *de télévision*, ~ *de livraison* Rundfunk-, Fernseh-, Zustellungs-gebühr *f*; ~ *téléphonique*, ~ *postale* Fernsprech-, Post-gebühr *f*; ~ *par mot* Wortgebühr *f*; *soumis à la* ~ gebührenpflichtig; **2.** Steuer *f*; Steuerbetrag *m*; ~ *sur les revenus* Einkommensteuer *f*; ~ *sur le chiffre d'affaires* Umsatzsteuer *f*; ~ *vicinale* Wegesteuer *f*; ~ *civique* Bürgersteuer *f*; ~ *de luxe*, ~ *de plus-value*, ~ *sur la valeur ajoutée* Luxus-, Wertzuwachs-, Mehrwert-

steuer *f*; ~ (*de douane*) *préférentielle od. de préférence* Vorzugs-, Vergünstigungs-zoll *m*.

taxer [tak'se] *v/t*. (1a) **1.** (ab-) schätzen, werten, taxieren; **2.** ~ *q. de qch.* j-n e-r Sache (*gén.*) beschuldigen *od.* verdächtigen; **3.** besteuern.

taxi [tak'si] *m* **1.** Taxe *f*, Taxi *n*; **2.** F Taxichauffeur *m*; **~dermie** [~dɛr'mi] *f* Ausstopfen *n von Tieren*; **~dermiste** [~dɛr'mist] *su.* Präparator *m*; **~mètre** [~'mɛ:trə] *m* Taxameter *m*, Fahrpreisanzeiger *m*; **~né** ♀ [taksi'ne] *adj.* eibenartig; **~nomique** [~nɔ'mik] *adj.* klassifizierend; **~phone** [~'fɔn] *m* Münzfernsprecher *m*.

taxus ♀ [tak'sys] *m* Eibe *f*, Taxus *m*.

tchadien *géogr.* [tʃa'djɛ̃] *adj.* (7c) tschadisch.

tchécoslovaque [tʃekɔslɔ'vak] *adj. u.* ♀ *su.* tschechoslowakisch; Tschechoslowake *m*.

Tchécoslovaquie *géogr.* [~'ki] *f*: **la ~** die Tschechoslowakei.

tchèque [tʃɛk] *adj. u.* ♀ *su.* tschechisch; Tscheche *m*.

tchin-tchin! [tʃin'tʃin] *int.* prost!

te [tə] *pr/p. conjoint* dir (*dat.*), dich (*acc.*).

té ⊕ [te] *m* T-Stück *n*; Reißschiene *f*; Winkelkreuz *n*; *fer m en* ~ T-Eisen *n*.

techni|cien [tɛkni'sjɛ̃] (7c) **I** *su.* Techniker *m*; Fachmann *m*; ✈ ~*s pl. au sol* Bodenpersonal *n*; **II** *adj.* technisch orientiert; **~cité** [~si'te] *f* technisches Verfahren *n* (*od.* Können *n*); fachlicher Charakter *m*; **~que** [~'nik] **I** *adj.* □ **1.** technisch; **2.** strukturbedingt; **3.** fachlich, Fach...; *terme m* ~ Fachausdruck *m*; **II** *f* Technik *f*, Verfahren *n*; ~ *des mesures* Meßtechnik *f*; **III** *écol. m*: *le* ~ der technische Zweig.

technocrat|e [tɛknɔ'krat] *m* Technokrat *m*; **~ie** [~kra'si] *f* Technokratie *f*; **~ique** [~kra'tik] *adj.* technokratisch.

technolo|gie [tɛknɔlɔ'ʒi] *f* Technologie *f*, Technik *f*; **~gique** [~'ʒik] *adj.* technologisch, technisch; *les progrès* ~*s* die technischen Fortschritte *m/pl.*; **~gue** [~'lɔg] *m* Technologe *m*.

teck [tɛk] *m* Teak-baum *m*, -holz *n*.

tectonique 🕮 [tɛktɔ'nik] **I** *f* Tektonik *f*; **II** *adj.* tektonisch.

tectrice [tɛk'tris] *adj./f orn.*: (*plume f*) ~ Deckfeder *f*.

téflon ⊕ [te'flɔ̃] *m* Teflon *n*; **~isé** [~flɔni'ze] *adj.*: *poêle f* ~*e* Teflonpfanne *f*.

tégénaire *ent.* [teʒe'nɛ:r] *f* Hausspinne *f*.

tégument [tegy'mɑ̃] *m* **1.** *anat.* Haut *f*; **2.** ♀ Samenhaut *f*.

teign|e [tɛɲ] *f* **1.** ⚕ (Kopf-)Grind *m*, Schorf *m*; **2.** *vét.* Räude *f*; Aussatz *m*; **3.** Motte *f*; **4.** *fig.* Giftkröte *f*, Ekelpadde *f*; **~eux** [~'ɲø] *adj.* (7d) grindig, schorfig; *vét.* räudig; *fig.* P gemein.

teill|age *text.* [tɛ'ja:ʒ] *m* Schwingen *n*; **~e** *text.* [tɛj] *f* Lindenbast *m*; **~er** *text.* [tɛ'je] *v/t.* (1a) brechen; **~eur** *text.* [~'jœ:r] *m* Flachspocher *m*; **~euse** ⊕ [~'jø:z] *f* Flachsbrechmaschine *f*.

teindre ['tɛ̃:drə] *v/t.* (4b) färben; ~ *en rouge* rot färben; ~ *le bois* das Holz beizen; *se* ~ *les cheveux* sich die Haare färben lassen.

teinochimie [tɛnɔʃi'mi] *f* Spannungschemie *f*.

teint [tɛ̃] *m* **1.** Färbung *f*: *bon* ~, *grand* ~ echte (*petit* ~ unechte) Färbung *f*; echt gefärbter Stoff *m*; *adjt.* farbecht; waschecht (*a. fig.*); *fig. un socialiste bon* ~ ein waschechter Sozialist *m*; **2.** Teint *m*, Gesichts-, Haut-farbe *f*.

teint|e [tɛ̃:t] *f* Farbton *m*, Färbung *f*, Nuance *f*, Farbenschattierung *f*; **~é** [tɛ̃'te] *adj.* gefärbt, getönt; **~er** [~] *v/t.* (1a) tönen (*durch Farbe*); beizen (*Holz*); **~ure** [~'ty:r] *f* **1.** flüssige Farbe *f*; Farbstoff *m*; ~ *pour les cheveux* Haarfärbemittel *n*; **2.** Färben *n*; **3.** *phm.* Tinktur *f*; **4.** *fig.* oberflächliche Kenntnis *f*, Anflug *m*; ~ *de science* Halbwissen *n*; **~urerie** [tɛ̃tyr'ri] *f* **1.** Reinigungsanstalt *f*; **2.** Färberei *f*; **~urier** [~'rje] *su.* (7b) **1.** Reiniger *m*; Inhaber *m* e-r Reinigungsanstalt; **2.** Färber *m*.

tel [tɛl] (7c) **I** *adj.* □ **1.** solcher, solche, solches; solch ein(e); derartig, so groß; wie (*Vergleich*), so zum Beispiel; *un* ~ *homme* ein solcher Mann; *de* ~*les gens* solche Leute *pl.*; *je n'ai jamais rien vu de* ~ ich habe nie etwas Ähnliches (*od.* so etwas) gesehen; *il se précipita dans la rue,* ~ *un furieux tourbillon* er stürzte sich wie ein furchtbarer Wirbelwind auf die Straße; **2.** **~(le) que** so beschaffen wie; *un homme* ~ *que lui* ein Mann wie er; *pour un homme* ~ *que lui* für e-n Menschen wie ihn;

3. **~(le) ... que** (*mit ind.*) so groß (*od.* so bedeutend), daß; *~le est la force des préjugés que ...* so groß ist die Macht der Vorurteile, daß ...; *de ~le sorte que* dergestalt, daß ...; **4.** ~ *que* wie auch immer ... (*mit subj.*); *~s que pussent être leurs sentiments à mon égard ...* wie auch ihre Einstellung zu mir sein mochte ...; **5.** *en un régime démocratique ~ celui des États-Unis* in e-m demokratischen Regime wie dem der USA; ~ ..., ~ ... wie ..., so ...; ~ *il était,* ~ *il est encore* so wie er war, so ist er noch; ~ *maître,* ~ *serviteur* wie der Herr, so's Gescherr; **6.** **~(le) quel(le)** in s-m (ihrem) augenblicklichen (*od.* jetzigen) Zustand; so, wie er ist (war); unverändert, unverkürzt (*Text*); *elle est entrée dans l'église telle quelle* sie betrat die Kirche so, wie sie (angezogen) war; *prendre la chose telle quelle* die Sache so nehmen, wie sie ist; **II** *pr. indéfini, adj. u. a. su.* **7.** mancher, manche, manches; ~ *de mes confrères* mancher (*od.* manch einer) meiner Kollegen; **8.** der und der, irgendein; *monsieur Un ~, madame Une ~le* Herr, Frau Soundso; *un ~* ein gewisser Soundso.

télamon ⚠ [tela'mɔ̃] *m* Gebälkträger *m.*

télé F [te'le] *f* **1.** Fernsehen *n*; **2.** Fernsehgerät *n.*

télé|accord *phot.* [telea'kɔ:r] *m* Teleaufsatz *m*, -ansatz *m*; **~-accueil** *téléph.* [~a'kœj] *m* Telefon-Seelsorge *f*; **~avertisseur** [~avɛrti'sœ:r] *m* Fernmelder *m*; **~banque** [~'bɑ̃:k] *f* Drive-in-Bank *f* (*an e-r Autobahn*); **~benne** [~'bɛn] *f*, **~cabine** [~ka'bin] *f* Schilift *m* mit Kabine; **~caméra** [~kame'ra] *f* Fernsehkamera *f*; **~cinéma** [~sine'ma] *m* Fernsehkino *n*; **~commande** ⊕ [~kɔ'mɑ̃:d] *f* Fern-antrieb *m*, -bedienung *f*, -betätigung *f*, -lenkung *f*, -steuerung *f*; **~commandé** [~kɔmɑ̃'de] *adj.* fern-gelenkt, -gesteuert; **~communications** [~kɔmynika'sjɔ̃] *f/pl.* Fernmeldewesen *n*; ~ *spatiales* Übertragung *f* von Fernsehprogrammen über e-n Satelliten; **~copiage** *téléph.* [~kɔ'pja:ʒ] *m* Bildfunk *m*; **~copie** [~kɔ'pi] *f* Funkbild *n*; **~copier** [~kɔ'pje] *v/t.* (1a) telefonisch auf e-m Bildfunkgerät übertragen; **~copieur** [~kɔ'pjœ:r] *m* Bildfunkgerät *n*; **~cran** *télév.* [~'krɑ̃] *m* großer Projektionsschirm *m*; **~cratie** *péj.* [~kra'si] *f* Herrschaft *f* von Fernsehgesellschaften; **~-débat** [~de'ba] *m* Fernsehgespräch *n*; **~dictage** *rad., télév.* [~dik'ta:ʒ] *m* diktierte u. über Kurzwelle übertragene Information *f* (*für Berichte*); **~diffusion** [~dify'zjɔ̃] *f* Fernsehübertragung *f*; **~dynamie** [~dina'mi] *f* Energiefernübertragung *f*; **~dynamique** [~dina'mik] *adj.*: *câble m* ~ Energiefernübertragungskabel *n*; **~enregistrateur** [~ɑ̃rəʒistra'tœ:r] *m* Fernschreiber *m* (*Meßtechnik*); **~enseignement** *écol.* [~ɑ̃sɛɲ'mɑ̃] *m* Fernunterricht *m*; **~férique** [~fe'rik] *m* Drahtseilbahn *f*; **~génie** *télév.* [~ʒe'ni] *f* Eignung *f* für den Bildschirm; **~génique** [~ʒe'nik] *adj.* für den Bildschirm geeignet; **~gramme** [~'gram] *m* Telegramm *n*; **~graphe** [~'graf] *m* Telegraph *m*; ~ *Morse* Morseapparat *m*; **~graphie** [~gra'fi] *f* Telegraphie *f*; ~ *sans fil* (*abr.*: *T.S.F.*) drahtlose Telegraphie *f*; **~graphier** [~gra'fje] *v/t.* (*a. v/i.*) (1a) telegraphieren, drahten; **~graphique** [~gra'fik] *adj.* □ telegraphisch; *poteau m* ~ Telegraphenstange *f*; **~graphiste** [~gra'fist] *su.* Telegraphist *m*; Telegrammbote *m*; **~guidage** *phys.* [~gi'da:ʒ] *m* Fernlenkung *f*; **~guidé** *phys.* [~gi'de] *adj.*: *fusée f ~e* ferngelenkte Rakete *f*; **~guider** [~gi'de] *v/t.* fernlenken; *fig.* durch Telepathie beeinflussen; **~imprimeur** ⊕ [~ɛ̃pri'mœ:r] *m* Fernschreiber *m* (*häufiger*: *~scripteur, ~type, télex*); **~informatique** *inform.* [~ɛ̃fɔrma'tik] *f* Teleinformatik *f*, Fernverarbeitung *f*; **~interrupteur** [~ɛ̃teryp'tœ:r] *m* Fernausschalter *m*; **~maintenance** [~mɛ̃t'nɑ̃:s] *f* Fernwartung *f e-s Raumschiffs*; **~mark** *Skisport* [~'mark] *m* Telemark *m*; **~mécanique** [~meka'nik] *f* Fernwirktechnik *f*; **~mesure** ⊕ [~mə'zy:r] *f* Fernmessung *f*; **~mètre** [~'mɛ:trə] *m* Entfernungsmesser *m*; **~métrie** *at.* [~me'tri] *f* Fernmessung *f*; **~naute** ⚓ [~'not] *m* Forschungstauchboot *n*; **~-objectif** *phot.* [~ɔbʒɛk'tif] *m* Teleobjektiv *n*; **~ologie** *phil.* [~ɔlɔ'ʒi] *f* Teleologie *f*; **~ologique** *phil.* [~ɔlɔ'ʒik] *adj.* teleologisch; **~pathie** [~pa'ti] *f* Telepathie *f*; **~pathique** [~pa'tik] *adj.* telepathisch; **~phone** [~'fɔn] *m* Telefon *n*, Telephon *n*, Fernsprecher *m*; Fernruf *m*; *pol.* ~

rouge heißer Draht *m*; *par* ~ telefonisch; *fig.* *par* ~ *arabe* durch geheime Kanäle; *avez-vous le* ~? haben Sie Telefon?; *appeler q. au* ~ j-n anrufen; **~phoner** [~fɔ'ne] (1a) **I** *v/i.*: ~ *à q.* mit j-m telefonieren, j-n anrufen; **II** *v/t.* telefonisch durchsagen; *Sport, allg.* im voraus zu erkennen geben; **~phonie** [~fɔ'ni] *f* Telefonie *f*, Fernsprechwesen *n*; ~ *radio-train* Zugfunk *m*; **~phonique** [~fɔ'nik] *adj.* telefonisch; **~phoniste** [~fɔ'nist] *su.* Telefonist *m*; **~phonite** *plais.* [~fɔ'nit] *f* Telephonitis *f*; **~photographie** *phot.* [~fɔtogra'fi] *f* Fernfotografie *f*; *appareil m de* ~ Fernaufnahmegerät *n*; **~photographique** [~fɔtɔgra'fik] *adj.* fernfotografisch; **~programme** [~prɔ'gram] *m* Fernsehprogramm *n*; **~radiesthésie** *phys.* [~radjɛste'zi] *f* Fernstrahlenforschung *f*; **~radiographie** ⚕ [~radjɔgra'fi] *f* Fernaufnahme *f*; **~reportage** [~rəpɔr'ta:ʒ] *m* Fernsehbericht *m*; **~scandale** [~skɑ̃'dal] *m* Fernsehskandal *m*.

télescop|age 🚂, *Auto* [telɛskɔ'pa:ʒ] *m* Auffahrunfall *m*, Zs.-stoß *m*; **~e** [~'skɔp] *m* Teleskop *n*, Fernrohr *n*; **~er** [~'pe] (1a) **I** *v/rfl.* *se* ~ sich ineinanderschieben; 🚂, *Auto*: *mit e-m Zug od. Auto* zs.-stoßen; aufea. auffahren; **II** *v/t.* zs.-stoßen mit (*dat.*); **~ique** [~'pik] *adj.* teleskopisch; ausziehbar.

télé|scripteur ⊕ [teleskrip'tœ:r] *m* Fernschreibgerät *n*, Fernschreiber *m*; **~siège** [~'sjɛ:ʒ] *m* Sessellift *m*; **~siéger** [~sje'ʒe] *v/t.* (1g): ~ *qch.* im Liftsessel über etw. (*acc.*) hinwegschweben; **~ski** [~'ski] *m* Skilift *m* (*mit Gurten*); *a.* *remonte-pente*; **~speaker** [~spikœ:r] *m* Fernsehansager *m*; **~speakerine** [~spi'krin] *f* Fernsehansagerin *f*; **~spectateur** [~spɛkta'tœ:r] *su.* (7f) Fernsehteilnehmer *m*, Fernseher *m*; **~surveillance** *téléν.* [~syrvɛ'jɑ̃:s] *f* Bildkontrolle *f* durch e-n Monitor; **~technique** [~tɛk'nik] *f* Fernmeldetechnik *f*; **~-téléphoner** [~telefɔ'ne] *v/i.* ein Fernsehtelefongespräch führen; **~thèque** [~'tɛk] *f* Sammlung *f* von Fernsehfilmen; **~traitement** *cyb.* [~trɛt'mɑ̃] *m* Datenfernverarbeitung *f*; **~type** ⊕ [~'tip] *m* Fernschreiber *m*; **~viser** [~vi'ze] *v/t.* (1a) im Fernsehen übertragen; **~viseur** [~vi'zœ:r] *m* Fernsehgerät *n*; **~vision** [~vi'zjɔ̃] *f* Fernsehen *n*; ~ *au câble* Kabelfernsehen *n*; ~ *en couleurs* Farbfernsehen *n*; **~visuel** [~vi'zɥɛl] *adj.* (7c) Fernseh...; **~voliste** [~vɔ'list] *adj.*: *centre m* ~ Segelflugplatz *m*.

télex ☏ [te'lɛks] *m* ⊕ Fernschreiber *m*; Telex(verkehr *m*) *m*; Fernschreiben *n*; **~iste** [~'ksist] *f* Fernschreiberin *f*.

tellement [tɛl'mɑ̃] *adv.* **1.** derartig, derart, dergestalt, so; *ils sont* ~ *avares* sie sind so geizig; **2.** F soviel; ~ *d'années* so viele Jahre; *j'ai* ~ *de choses à dire* ich habe soviel zu sagen; ~ *de soucis* so viele Sorgen; *bsd., wenn verneint od. fragend*: *cela n'a pas* ~ *d'importance* das hat nicht soviel auf sich; **3.** sehr; viel; *y a-t-il* ~ *loin?* ist es sehr weit?; *avoir* ~ *envie de faire qch.* sehr gern etw. tun wollen; große Lust haben, etw. zu tun; *pas* ~ nicht überwältigend, nicht besonders; **4.** F ~ *quellement* schlecht und recht.

tellière [tɛ'ljɛ:r] *m* Papierformat *n* 44 × 34 cm.

telline *zo.* [tɛ'lin] *f* Tellmuschel *f*.

tellur|e ⚗ [tɛ'ly:r] *m* Tellur *n*; **~ien** 🕮 [~ly'rjɛ̃] *adj.* (7c) Erd...; **~ique** 🕮 [~ly'rik] *adj.* tellurisch, Erd...; Tellur...; *secousse f* ~ Erdstoß *m*.

témér|aire [teme'rɛ:r] *adj.* □ **1.** kühn, waghalsig, verwegen, vermessen; *Charles le* 2 Karl der Kühne; **2.** *fig.* voreilig, leichtfertig (*Urteil*); **~ité** [~ri'te] *f* Tollkühnheit *f*, Waghalsigkeit *f*, Verwegenheit *f*.

témoign|age [temwa'ɲa:ʒ] *m* **1.** Zeugenaussage *f*, Zeugnis *n*; **2.** Beweis *m*, Zeichen *n*; ~ *de sympathie* Beileids-, Sympathie-kundgebung *f*; **3.** Erlebnisbericht *m*; **~er** [~'ɲe] (1a) **I** *v/t.* zeigen, äußern, erkennen lassen; **II** *v/i.* ~ *en justice* vor Gericht aussagen; ~ *de qch.* etw. bezeugen; *allg.* etw. beweisen, an den Tag legen.

témoin [te'mwɛ̃] *m* **1.** Zeuge *m* (*f*: Zeugin *f*); ~ *à charge* Belastungszeuge *m*; ~ *auriculaire* (*oculaire*) Ohren-(Augen-)zeuge *m*; ~ *du* (*od. de la*) *marié*(*e*) Trauzeuge *m*; ~ *ses blessures* davon zeugen s-e Wunden; ~ *principal* Haupt-, Kronzeuge *m*; *prendre à* ~ zum Zeugen nehmen; **2.** ~ *d'un duel* Kampfzeuge *m* e-s Duells, Sekundant *m*; **3.** *fig.* Beweis *m*, Zeichen *n*; Erdkegel *m* (*den man zur Mengenbestimmung bei Schachtarbeiten stehen läßt*); *Sport*:

Staffelholz *n*; **4.** *biol.* Versuchs-tier *n*, -pflanze *f*; **5.** *~s pl.* Markierungen *f/pl.* (*an e-r rissigen Mauer*); Kennzeichen *n/pl.* (*auf dem Feld zur Messung usw.*).

tempe *anat.* [tɑ̃:p] *f* Schläfe *f*; *se frapper la ~* (*od. le front*) (*pour montrer que q. est fou* (*od. toqué od. tapé*) j-m e-n Vogel zeigen.

tempérament [tɑ̃pera'mɑ̃] *m* **1.** körperliche Veranlagung *f*, Konstitution *f*, Natur *f*; *un ~ robuste* e-e starke Natur *f*; *il est d'un ~ délicat* er ist anfällig; **2.** Temperament *n*, Gemütsstimmung *f*, Charakter *m*, Talent *n*, Veranlagung *f*; *avoir du ~* heißblütig (*od.* sinnlich) sein (*aber*: Temperament haben = *être plein de vie*); *il a le ~ oratoire* er besitzt e-e natürliche Rednergabe; **3.** *achat m* (*vente f*) *à ~* Raten-kauf *m* (-verkauf *m*); *crédit m à ~* Teilzahlungskredit *m*; *paiement m à ~* Ratenzahlung *f*.

tempéran|ce [tɑ̃pe'rɑ̃:s] *f* Mäßigung *f*, Enthaltsamkeit *f*; **~t** [~'rɑ̃] *adj.* (7) mäßig, enthaltsam.

tempér|ature *météo.*, ⚕ [tɑ̃pera'ty:r] *f* Temperatur *f*; *avoir de la ~* Fieber (*od.* Temperatur) haben; **~é** [~'re] *adj.* **1.** gemäßigt (*Klima*; *géogr. Zone*); ausgeglichen (*Charakter*); *rhét. style m ~* etw. (*od.* leicht) gehobener Stil *m*; **2.** ♪ temperiert; **~er** [~] *v/t.* (1f) mäßigen; *air m tempéré* mäßig warme Luft *f*; *zone f tempérée* gemäßigte Zone *f*.

tempet|e [tɑ̃'pɛt] *f* **1.** Sturm *m*, Unwetter *n*; *~ de neige* Schneetreiben *n*, -gestöber *n*; *~ de sable* Sandsturm *m*; **2.** *fig.* Sturm *m*; *une ~ de malédictions* e-e Flut *f* von Verwünschungen, ein Hagel *m* von Flüchen; *les ~s de la Révolution* die Wirren *pl.* der Revolutionszeit; **~er** [~pɛ'te] *v/i.* (1a): *~ contre q.* gegen j-n (*acc.*) wettern, über j-n toben.

templ|e ['tɑ̃:plə] *m* **1.** Tempel *m*; **2.** protestantische Kirche *f* (*als Gebäude*); **~ier** *hist.* [tɑ̃pli'e] *m* Templer *m*, Tempel-herr *m*, -ritter *m*.

tempo ♪ [tɛm'po] *m* Tempo *n*.

temporaire [tɑ̃pɔ'rɛ:r] *adj.* □ zeitweilig, vorübergehend; ✝ *majoration f ~ (de prix)* Teuerungszuschlag *m*; *main-d'œuvre f ~* Saisonarbeit(er *m/pl.*) *f*.

temporal *anat.* [tɑ̃pɔ'ral] *adj.* (5c) Schläfen...; *os m ~* Schläfenbein *n*.

temporel [~'rɛl] **I** *adj.* (7c) □ **1.** vergänglich, zeitlich; **2.** weltlich, irdisch; **II** *m* **3.** weltliche Macht *f* (*der Herrscher*).

temporisa|teur [~riza'tœ:r] *adj.* (7f) hinhaltend, abwartend; **~tion** [~za'sjɔ̃] *f* Abwarten *n*.

temporiser [~ri'ze] *v/i.* (1a) e-n günstigeren Augenblick abwarten; Zeit gewinnen.

temps [tɑ̃] *m* **1.** Zeit *f*; Zeitabschnitt *m*, Zeitalter *n*; *télév. ~ d'antenne* Sendezeit *f*; *phot. ~ de pose* Belichtungszeit *f*; *~ de service* (*militaire*) Militärzeit *f*; *~ de la réflexion* Bedenkzeit *f*; *Sport*: *~ de l'entraînement* Trainingszeit *f*; *~ du parcours Sport*: Laufzeit *f*, Rennzeit *f*, gestoppte Zeit *f*; ✈ Flugzeit *f*; *~ du* (*od. de*) *record* Rekordzeit *f*; *la consommation des ~* das Ende der Welt; *espace m de ~* Zeitraum *m*; *pour passer le ~* zum Zeitvertreib; *perdre du ~* (*od. le ~*) Zeit verlieren; *tuer le ~* die Zeit totschlagen; *à ~* beizeiten, rechtzeitig, zur rechten Zeit; auf (bestimmte) Zeit; *à quelque ~ de là* etwas später; *au ~* (*oft auch*: *du ~*) *de Louis XIV* zur Zeit Ludwigs XIV.; *de mon ~* zu meiner Zeit; F *dans le ~, au ~ jadis* einstmals, ehemals, vor Zeiten, früher; *de ~ en ~, de ~ à autre* von Zeit zu Zeit, dann und wann; *de* (*od. en*) *tout ~* zu allen Zeiten, seit jeher, schon immer; *en même ~* gleichzeitig, zugleich; *en ~ utile* (*od. opportun*) rechtzeitig, zur rechten (*od.* gegebenen) Zeit; *entre(-)~* inzwischen, zwischendurch; *il est ~ que cela finisse* es ist Zeit, daß das aufhört; *il était grand ~ d'instruire le grand public* es war höchste Zeit, die breite Öffentlichkeit zu unterrichten; **2.** *le ~ de* (*mit inf.*) kaum; bloß mal schnell; *le ~ de me vêtir, et je vous suis* ich will mich bloß mal schnell anziehen, dann stehe ich Ihnen zur Verfügung; *le ~ de me retourner, il n'était plus là* kaum drehte ich mich um, da war er schon nicht mehr da; **3.** Termin *m*: *avoir fait son ~* sein Amt nicht mehr ausüben können; e-e Strafe abgebüßt haben; sein Leben genossen haben; nicht mehr können wie früher; veraltet sein; *cet habit a fait son temps* dieser Anzug hat ausgedient; **4.** Zeitpunkt *m*; Jahreszeit *f*; **5.** Muße *f*; *avoir le ~* Zeit haben; *je n'ai pas le ~* ich habe keine Zeit; *je n'ai pas le ~ de vous parler* ich habe keine Zeit, mit Ihnen zu sprechen; *aber*:

je n'ai pas de ~ à perdre ich habe keine Zeit zu verlieren, es ist höchste Zeit für mich; *il n'y a pas de ~ à perdre, oder nur: il n'est que ~* es ist höchste Zeit; *cela demande du ~* das erfordert Zeit; *gagner du ~* Zeit gewinnen; *prendre son ~* sich Zeit lassen; *se donner du bon ~* sich gute Tage machen; **6.** Wetter *n*; *~ brumeux, ~ de brouillard* Nebelwetter *n*; *~ de demoiselle* unbestimmtes Wetter *n*; *~ de pluie* Regenwetter *n*; *il fait beau ~ od. le ~ est beau* es ist schönes Wetter; *il fait mauvais ~ od. le ~ est mauvais* es ist schlechtes Wetter; *quel ~ fait-il? od. quel est le ~?* wie ist das Wetter?; was für Wetter haben wir?; **7.** Tempo *n*, Zeitmaß *n*, Takt *m*; Arbeitsgang *m*; *la cuisson en deux ~* das Braten in zwei Arbeitsgängen; *mesure f à quatre ~* Viervierteltakt *m*; *(à) deux (quatre) ~ pl.* Zwei-(Vier-)takt *m/sg.*; *~ d'explosion* Explosionstakt *m*; **8.** *gr.* Tempus *n*, Zeit(stufe *f*) *f*.

tenable [t(ə)'nablə] *adj. bsd. mit nég.* **1.** *bsd.* ⚔ zu halten; ⚔ *ce poste n'est plus ~* dieser Posten ist nicht mehr zu halten; **2.** *fig.* erträglich.

tenace [t(ə)'nas] *adj.* zähe, klebrig; ⚘ anklebend; *fig.* ausdauernd, hartnäckig, zähe; eigensinnig, aufdringlich (*Bettler*); zuverlässig, sicher (*Gedächtnis*); unumstößlich, fest verwurzelt (*od.* verankert) (*Vorurteil*).

ténacité [tenasi'te] *f* Ausdauer *f*, Beharrlichkeit *f*, Festigkeit *f*, Hartnäckigkeit *f*, Starrsinn *m*; Treue *f*, Zuverlässigkeit *f*, Sicherheit *f* (*Gedächtnis*); Aufdringlichkeit *f* (*Bettler*); Unumstößlichkeit *f* (*Urteil*).

tenaille [t(ə)'nɑ:j] *f*: ⚔ *offensive f en ~* Umklammerung *f*, Zangenbewegung *f*.

tenailler [t(ə)nɑ'je] *v/t.* (1a) *fig.* quälen, peinigen, martern.

tenailles [t(ə)'nɑ:j] *f/pl.* Kneifzange *f*; *fig. biol.* Klauen *f/pl.*

tenan|ce ⚖ *féod.* [t(ə)'nɑ̃:s] *f* Pachtung *f*, Pachtgut *n*; **~cier** [t(ə)nɑ̃'sje] *su.* (7b) **1.** ⚖ *féod.* Lehensbauer *m*; **2.** Inhaber *m*; *~ d'un bureau de placement* Stellenvermittler *m*; *~ d'un hôtel* Hotelbesitzer *m*; *~ d'une maison de jeux* Inhaber *m* e-r Spielbank.

tenant [t(ə)'nɑ̃] **I** *adj.* (7) **1.** haltend; *séance f ~e* gleich noch in derselben Sitzung; *fig.* auf der Stelle, sofort, unverzüglich; **II** *m* **2.** *Sport*: *~ du titre* Titel-halter *m*, -träger *m*, -verteidiger *m*; **3.** *ehm.* Kämpe *m* (*Turnier*); **4.** *fig.* Verfechter *m*; **5.** *les ~s et les aboutissants* a) die anstoßenden Grundstücke *n/pl.*; b) *fig.* die Nebenumstände *m/pl.*; *propriété f d'un seul ~* zusammenhängender Grundbesitz; **6.** *advt. tout d'un ~ od. d'un seul ~* alles in einem Stück; ununterbrochen, ohne Unterbrechung.

tendable [tɑ̃'dablə] *adj.* dehnbar.

tendanc|e [tɑ̃'dɑ̃:s] *f* Tendenz *f*, Trend *m*, Streben *n*, Hang *m*, Neigung *f*; **~ieux** [~dɑ̃'sjø] *adj.* (7d) tendenziös.

tendelet ⚓ [tɑ̃'dlɛ] *m* Zeltdach *n* (*für Schlauchboote*); Bootszelt *n*.

tender 🚂 [tɑ̃'dɛ:r] *m* Tender *m*.

tend|erie *ch.* [tɑ̃'dri] *f* Schlingen *f/pl.*; Fangjagd *f*; **~eur** [~'dœ:r] *m* **1.** *ch. ~ (de pièges)* Fallensteller *m*; **2.** Schuhspanner *m*; Riemenspanner *m*; ⊕ Spannmaschine *f*; Fadenspanner *m der Nähmaschine*; ⊕ Spannschraube *f*; *vél.* Kettenspanner *m*; *~ pour pantalons* Hosenspanner *m*.

tendineux *anat.* [tɑ̃di'nø] *adj.* (7d) sehnig.

tendon *anat.* [tɑ̃'dɔ̃] *m* Sehne *f*.

tendre[1] ['tɑ̃:drə] (4a) **I** *v/t.* **1.** spannen; Fallen stellen, Schlingen legen; **2.** *Tapete* ankleben; *~ du papier peint (od. des tentures)* tapezieren; *~ de deuil (od. de noir)* schwarz behängen; **3.** ausstrecken, (dar)reichen, hinhalten; *~ la main à q.* j-m die Hand reichen; *fig.* j-m Hilfestellung leisten; *~ la perche à q.* j-m aus der Klemme (*od.* aus der Patsche) helfen; *~ la main* betteln; **II** *v/i.* **4.** *~ à (od. vers) qch.* auf etw. (*acc.*) hinsteuern, nach etw. (*dat.*) streben; *le malade tend à sa fin* der Kranke ist s-m Ende nahe (*od.* geht s-m Ende entgegen); **5.** *zu etw.* dienen, führen *od.* beitragen; *l'ivrognerie tend à démoraliser l'homme* die Trunksucht führt zur Demoralisierung des Menschen; *la maladie tend à la mort* die Krankheit führt zum Tode; *tout cela ne tend à rien* all das führt zu nichts.

tendre[2] [~] *adj.* □ **1.** zart, weich (*a. Speise*), mürbe; frisch (*Brot*); **2.** *fig.* zart (*a. vom Lebensalter*); zärtlich, liebevoll; zartfühlend; *~ enfance f* zartes Kindesalter *n*; *couleurs f/pl. ~s* zarte Farben *f/pl.*; *un père ~* ein liebevoller Vater; **3.** ♪

stimmungsvoll; **~sse** [tɑ̃'drɛs] *f* **1.** Zärtlichkeit *f*, zärtliche Liebe *f*; **2.** ~*s pl.* Liebkosungen *f/pl.*; **~té** [~drə'te] *f* Weichheit *f*, Zartheit *f*, Mürbheit *f* (*vom Fleisch, Gemüse usw.*).

tendron [tɑ̃'drɔ̃] *m* **1.** ⚘ junger Trieb *m*; **2.** *cuis.* ~ *de veau, de bœuf* Kalbs-, Rinder-brust *f*.

tendu [tɑ̃'dy] *adj.* (an)gespannt; *situation f* ~*e* gespannte Lage *f*; *nerfs m/pl.* ~*s* gereizte Nerven *m/pl.*; *style m* ~ verkrampfter Stil *m*.

tén|èbres [te'nɛbrə] *f/pl.* Dunkelheit *f*, Finsternis *f/sg.*; **~ébreux** [tene'brø] *adj.* (7d) □ **1.** dunkel, finster, düster; **2.** *fig.* undurchsichtig (*Plan*); unklar, dunkel (*Stil*); **~ébrion** *ent.* [tenebri'ɔ̃] *m* Mehlkäfer *m*.

tènement ⚒ [tɛn'mɑ̃] *m* Grund u. Boden *m*.

ténesme ⚕ [te'nɛsm] *m* Stuhl- *od.* Harn-zwang *m*.

teneur¹ [t(ə)'nœːr] *su.* (7g): ~ *de livres* Buchhalter *m*.

teneur² [~] *f* wörtlicher Inhalt *m*, 'Tenor *m*; ⚗ ~ *en soufre* Schwefelgehalt *m*.

ténia 🕮 [te'nja] *m* Bandwurm *m*.

tenir [t(ə)'niːr] (2h) **I** *v/t.* **1.** halten, festhalten; ~ *à la main* in der Hand halten; ~ *qch. au feu* etw. ans Feuer halten; *fig.* ~ *q. de court*, ~ *la bride haute à q.* j-n kurzhalten; *nous le tenons!* wir haben ihn!; *tiens!, tenez!* hier!, da nimm!; nehmt!, nehmen Sie!; *tiens!* (*tiens!*) so?; nanu?; sieh mal einer an! (*Erstaunen*); na! (*Überraschung*); *tiens, vous voilà!* na, da sind Sie ja!; *tenez od. tiens* a) offen gesagt; hören Sie mal zu; b) sehen Sie mal; *tenez, le voilà qui vient* sehen Sie mal, da kommt er doch!; *tiens, je ne m'attendais pas à cela* wirklich, darauf war ich nicht gefaßt; **2.** innehaben, besitzen, einnehmen; besetzt halten; ~ *une maison (tout le premier étage)* ein Haus (den ganzen ersten Stock) bewohnen; ~ *la droite (le milieu)* sich rechts (in der Mitte) halten; ~ *beaucoup de place* viel Platz einnehmen; ~ *lieu de q.* die Stelle j-s vertreten; ~ *lieu de qch.* etw. ersetzen; ~ *son rang* seinen Rang behaupten; ⚔ ~ *la campagne* im Felde stehen; F ~ (*le coup*) *fig.* durchhalten, sich nicht unterkriegen lassen; ⚓ ~ *le large* das offene Meer befahren; **3.** ~ *qch. de bonne main od. source* etw. aus guter Quelle wissen; **4.** *il y a longtemps que la fièvre le tient* er hat schon lange das Fieber; *qu'est-ce qui le tient?* was ist mit ihm los?; was hat er?, was fehlt ihm?; **5.** *être tenu à qch.* (*od. de faire qch.*) zu etw. (*dat.*) gehalten (*od.* verpflichtet) sein; **6.** ~ *séance* e-e Sitzung abhalten; ~ *conseil* sich beraten; **7.** aufbewahren; **8.** fassen, enthalten; *autant que la main peut en* ~ eine Handvoll; **9.** zurückhalten; aufhalten; ~ *sa langue* seine Zunge im Zaum halten; **10.** *für etw.* halten *od.* ansehen; ~ *qch. pour vrai* etw. für wahr halten; *tenez-le-vous pour dit!* lassen Sie es sich gesagt sein!; *tenez pour certain que ...* seien Sie versichert, daß ...; *je le tiens pour un honnête homme* ich halte ihn für einen ehrlichen Mann; ~ *qch. à honneur (à injure, à offense)* etw. als e-e Ehre (als Beleidigung) ansehen; **11.** erfüllen; ~ *ses engagements* s-n Verpflichtungen nachkommen; ~ *sa promesse* sein Versprechen halten *od.* einlösen; **12.** verwalten, führen; *nous ne tenons pas cet article* diesen Artikel führen wir nicht; ~ *boutique* einen Laden haben; ~ *des chambres garnies* möblierte Zimmer *zu vermieten* haben; ~ *compte* anrechnen; ~ *compte de* Rechnung führen über (*acc.*); *tenez compte!* bedenken Sie nur!; *il ne tient compte de rien* ihm ist alles gleich; *hôtel tenu par ...* Gasthof (im Besitz) von (*dat.*) ...; ✝ ~ *les livres* die Bücher (*od.* Buch) führen; *maison bien tenue* gut instand gehaltenes Haus; ~ *registre de qch.* über etw. (*acc.*) Buch führen; *fig.* ~ *registre de tout* sich alles merken; **13.** ~ *compagnie à q.* j-m Gesellschaft leisten; ~ *table ouverte* ein offenes Haus haben, gastfrei (*od.* gastfreundlich) sein; **14.** *fig.* ~ *tête à q.* j-m die Stirn bieten, es mit j-m aufnehmen; *fig.* ~ *bien sa partie* seine Sache gut machen; **15.** *Spiel:* ~ *les cartes Karten* mischen *od.* geben; **II** *v/i.* **16.** haften, festsitzen, befestigt sein, halten; *ce clou tient bien* dieser Nagel sitzt fest; *ne* ~ *à rien* keinen festen Bestand (*od.* Untergrund) haben; **17.** ~ *à* großen Wert legen auf; *j'y tiens beaucoup* es liegt mir viel daran, ich lege großen Wert darauf; *il tient à son opinion* er hält an s-r Meinung fest; **18.** ~ *à qch.* an etw. (*dat.*) liegen, von etw. (*dat.*)

herrühren *od.* abhängen; *à quoi tient-il que nous ne partions?* woran liegt es, daß wir nicht aufbrechen?; *il ne tient qu'à vous de ...* es kommt nur auf Sie an, daß ...; *qu'à cela ne tienne* darauf soll es mir nicht ankommen, daran soll's nicht liegen, das soll kein Hindernis sein; meinetwegen; **19.** ~ *de qch.* an etw. (*acc.*) grenzen; *cela tient du miracle* (*od. du prodige od. du merveilleux*) das grenzt an Wunder; **20.** ~ *de q.* j-m ähnlich sein; *elle tient beaucoup de sa mère* sie ähnelt sehr ihrer Mutter, sie hat viel von ihrer Mutter; *avoir de qui* ~ erblich belastet sein; *il a* (*ils ont*) *de qui* ~ er ist (sie sind) erblich belastet; **21.** ~ *pour q.* es mit j-m halten, auf j-s Seite sein; *je tiens pour ...* ich lobe mir ...; F *en* ~ *pour* eingenommen sein für; verknallt sein in (*acc.*); **22.** ~ *contre q.* j-m Widerstand leisten; sich halten; standhalten; ~ *contre les prières* den Bitten widerstehen; *je n'y tiens plus* ich kann es nicht mehr aushalten; *on n'y peut pas* ~, *c'est à n'y plus* ~ das ist ja nicht mehr zum Aushalten!; ~ *bon*, ~ *ferme* bei s-m Standpunkt bleiben; ~ *debout* sich halten; sich durchsetzen; *il tenait à peine sur ses jambes* er hielt sich kaum auf s-n Beinen; **23.** bestehen; sich halten; *notre marché tient* es bleibt bei unserer geschäftlichen Vereinbarung (*od.* Absprache); *le temps ne tiendra pas* das Wetter wird sich nicht halten; **24.** dauern, von Bestand sein, (aus)halten; Gültigkeit haben; *une couleur qui tient* e-e haltbare Farbe *f*; **25.** Platz finden, hineingehen; *cela ne tient pas dans ma poche* das geht nicht mehr in m-e Tasche hinein; **26.** tagen; *les tribunaux tiennent toute l'année* die Gerichte tagen das ganze Jahr über; **27.** lauten (*Antwort*; *vgl. la teneur*); *la réponse tient en un seul mot ...* die Antwort lautet mit einem Wort ...; **III** *v/rfl.* se ~ **28.** sich halten; *rire à s'en* ~ *les côtes* sich vor Lachen den Bauch halten; sich biegen vor Lachen; *tenez-vous bien!* halten Sie die Ohren steif!, lassen Sie sich nicht klein- (*od.* unter-)kriegen! F; *Boxen*: *se* ~ *enlacés* (sich) umklammern; **29.** *s'en* ~ *à qch.* es bei etw. (*dat.*) (bewenden) lassen; *s'en* ~ *là* es dabei bewenden lassen; *je sais à quoi m'en* ~ ich weiß, woran ich bin; *nous savons à quoi nous en* ~ *sur son compte* wir wissen, was wir von ihm zu halten haben; **30.** sich zurückhalten; *il ne se tient pas de joie* er ist vor Freude außer sich; *se* ~ *de rire* sich das Lachen verkneifen; **31.** (stehen)bleiben; sich aufhalten, verweilen; in e-r Lage verharren; *tenez-vous près de moi* bleiben Sie in m-r Nähe!; *se* ~ *droit* e-e aufrechte Haltung haben, sich geradehalten; *se* ~ *à l'écart* beiseite stehen, sich entfernt halten; *se* ~ *sur ses gardes* sich vorsehen; *se* ~ *à quatre* an sich halten; *il ne sait comment se* ~ er hat keine (Körper-)Haltung; **32.** *se* ~ (*heureux*) sich (glücklich) schätzen; **33.** *tenez-vous cela pour dit* lassen Sie sich das gesagt sein; *je me le tiens pour dit* das soll mir e-e Warnung sein; *fig. se* ~ *pour battu fig.* sich geschlagen geben; **34.** von-ea. abhängen.

tennis [tɛ'nis] *m* **1.** Tennis *n*; ~ *de table* Tischtennis *n*; ~ *couvert* Hallentennis *n*; *maillot m de* ~ Tennishemd *n*; *pantalon m* (*culotte f*) ~ lange (kurze) Tennishose *f*; *jupe f de* ~ Tennisrock *m*; *jouer au* ~ Tennis spielen; **2.** Tennisplatz *m*.

tenon ⊕ [t(ə)'nɔ̃] *m* Zapfen *m*, Stift *m*.

ténor ♪ [te'nɔːr] *m* Te'nor *m*; *fort* ~ Heldentenor *m*.

ténosynovite ⚕ [tenɔsinɔ'vit] *f* Sehnenscheidenentzündung *f*.

tens|eur *anat.* [tɑ̃'sœːr] *adj./m u. m* spannend; Spanner *m* (*Muskel*); **~iomètre** ⚕ [~sjɔ'mɛːtrə] *m* Blutdruckmesser *m*; **~ion** [~'sjɔ̃] *f* Spannung *f*; Spannkraft *f*; ⚕ Streß *m*; ⚕ ~ *artérielle* Blutdruck *m*; ⚡ *basse* (*haute*) ~ Nieder- (Hoch-)spannung *f*; *fig.* ~ *diplomatique* diplomatische Spannung *f*; ~ *d'esprit* geistige Anspannung *f*.

tension-grille *rad.* [tɑ̃'sjɔ̃'grij] *f* (6b) Gittervorspannung *f*.

tentacu|laire *zo.* [tɑ̃taky'lɛːr] *adj.* Fühlfaden...; *fig.* sich polypenartig ausdehnend; *les industries* ~*s* die sich weithin ausdehnenden Industriezweige *m/pl.*; **~le** *zo.* [~'kyl] *m* Tentakel *m od. n*, Fühl-faden *m*, -organ *n*, Fühler *m der Insekten usw.*, Fangarm *m*; **~lé** *zo.* [~'le] *adj.* mit Fühlfäden versehen.

tent|ant [tɑ̃'tɑ̃] *adj.* (7) verlockend, verführerisch; **~ateur** *litt.* [~ta'tœːr] *adj. u. su.* (7f) in Versuchung führend, verlockend; Verführer *m*,

Versucher *m*; **~ation** [~tɑ'sjɔ̃] *f* Versuchung *f*, Verlockung *f*; **~ative** [~ta'ti:v] *f* **1.** Versuch *m*; ~ *d'assassinat* Mordversuch *m*; **2.** ~*s pl.* Bemühungen *f/pl.*

tente [tɑ̃:t] *f* Zelt *n*; *dresser* (*od. planter*) *une* ~ ein Zelt aufschlagen; *lever* (*od. plier*) *une* ~ ein Zelt abbrechen; *logement m sous* ~ Unterbringung *f* in Zelten; *toile f de* ~ Zeltbahn *f*; ~ *de campeur* Campingzelt *n*.

tente-abri [tɑ̃ta'bri] *f* (6a) kleines (Schutz-)Zelt *n*.

tente-abri-auto [~o'to] *f* (6b) Autoschutzzelt *n für Camping.*

tente-exposition [~ɛkspozi'sjɔ̃] *f* (6a) Ausstellungszelt *n*.

tenter [tɑ̃'te] *v/t.* (1a) **1.** versuchen, probieren, auf die Probe stellen, wagen; ~ *la fortune*, ~ *sa chance* sein Glück versuchen; **2.** verlocken, in Versuchung führen; *être tenté de* ... große Lust haben (*od.* in Versuchung kommen) zu ...

tenthrède *ent.* [tɑ̃'trɛ:d] *f* Blattwespe *f*.

tentiste [tɑ̃'tist] *su.* Zelturlauber *m*.

tenture [tɑ̃'ty:r] *f* **1.** Tapetenbehang *m*, Tapetenstoff *m*, Tapete *f*; *poser des* ~*s* tapezieren; **2.** Trauerbehang *m*.

ténu [te'ny] *adj.* sehr dünn, fein, zart; *fig.* subtil, knifflig.

tenue [t(ə)'ny] *f* **1.** (Instand-)Haltung *f*, Pflege *f*, Führung *f*; *la* ~ *de la route* die Beschaffenheit der Straße; ✝ ~ *des livres* Buchhaltung *f*; ~ *en partie double* doppelte Buchführung *f*; **2.** Abhaltung *f e-r Sitzung*, Veranstaltung *f e-s Seminars*; **3.** (Körper-)Haltung *f*; Anstand *m*, anständiges Benehmen *n*; *n'avoir point de* ~, *manquer de* ~ keine Haltung (*a. fig.*) haben; keine feste Meinung haben; *Auto*: ~ *de route* Straßenlage *f*; **4.** Anzug *m*; Uniform *f*; ~ *de ville*, ~ *de soirée*, ~ *de service* Straßen-, Abend-, Dienstanzug *m*; *en grande* ~, *en* ~ *de cérémonie*, *en* ~ *de gala* im großen Abendanzug, in Gala F, ⚔ in Galauniform; ⚔ *en* ~ *de campagne* feldmarschmäßig; ~ *de sport* Sportkleidung *f*; F *être en* ~ *légère* (*od. en petite* ~) sehr wenig anhaben; **5.** Aushalten *n e-s Tons*; **6.** ⚓ *fond m de mauvaise* ~ schlechter Ankergrund *m*.

ténuité [tenɥi'te] *f* Dünnheit *f*, Feinheit *f*, Zartheit *f*; *fig.* Belanglosigkeit *f*, Bedeutungslosigkeit *f*.

téphile *a. plais.* [te'fil] *m* Teefreund *m*.

ter [tɛ:r] *adv.* **1.** dreimal; *Fr. la V*[e] ~ dreimal die V. Republik (*1974*); **2.** *bei Hausnummern*: ... c; *numéro 4* ~ (Haus-)Nummer 4c.

tératolog|ie 🕮 [teratɔlɔ'ʒi] *f* Lehre *f* von den Mißgeburten; **~ique** [~'ʒik] *adj.*: *phénomène m* ~ Mißgeburtserscheinung *f*.

tercer = terser ⚘ [tɛr'se] *v/t.* (1k) *den Weinberg* zum drittenmal behacken.

tercet *métr.* [tɛr'sɛ] *m* Terzine *f*.

térébenthine [terebɑ̃'tin] *f* Terpentin *m*.

térébinthe ⚘ [~'bɛ̃:t] *m* Terebinthe *f*, Terpentinbaum *m*.

térébrant ⚕ [tere'brɑ̃] *adj.* bohrend.

térébr|ation *for.* [terebrɑ'sjɔ̃] *f* Anbohren *n* e-s Baumes zur Harzgewinnung; **~er** *for.* [~'bre] *v/t.* (1f) anbohren.

tergivers|ateur [tɛrʒivɛrsa'tœ:r] (7f) **I** *adj.* Ausflüchte suchend; zögernd; **II** *su.* Angsthase *m*, Schlappschwanz *m* F; Zögerer *m*; **~ation** [~sɑ'sjɔ̃] *f* Ausrede *f*, Ausflucht *f*, Winkelzug *m*; **~er** [~'se] *v/i.* (1a) sich herausreden, e-n Rückzieher machen, Ausflüchte suchen, Winkelzüge machen.

terme [tɛrm] *m* **1.** *antiq.* ♀ Hermensäule *f*, Herme *f*; **2.** Grenze *f*; Mal *n beim Spiel*; Ende *n*; *mettre un* ~ *à qch.* e-r Sache (*dat.*) ein Ende machen, etw. beenden; *il est un* ~ *à tout* alles hat ein Ende; **3.** a) ✝ (Zahlungs-)Termin *m*, Frist *f*, Ziel *n*; *demander* ~ Aufschub verlangen; *au* ~ *d'échéance* beim Verfall; *à* ~ auf Zeit; *à court* ~ kurzfristig, kurz befristet; *à long* ~ langfristig, lang befristet; ~ *de paie* Lohntag *m*; ~ *de rigueur* äußerster Termin *m*; *par* ~*s* ratenweise; b) *au* ~ *de son marathon* im Augenblick s-s Marathonlaufs; **4.** vierteljährige Mietzeit *f*, Quartal *n*, (vierteljährlich fällige) Miete *f*; *moment m du* ~ Umzugszeit *f*; *devoir deux* ~*s* die halbjährige Miete schulden; **5.** Ausdruck *m*, Wort *n*; *dans l'acception la plus littérale du* ~ im ureigentlichen Sinne des Wortes; *en* ~*s de commerce* in kaufmännischer Sprache, in der Handelssprache; ~ *figuré* bildlicher Ausdruck *m*; *en* ~*s exprès* ausdrücklich; *en d'autres* ~*s* mit andern Worten; *en ces propres* ~*s* mit eben diesen Worten; *en ~s propres* mit treffenden Worten; *~ technique* Fachausdruck *m*; *aux ~s de ...* dem Wortlaut des (der) ... nach, laut (*dat.*); *aux ~s du contrat* laut Vertrag; *ne pas ménager ses ~s* recht derbe Ausdrücke gebrauchen; *~ de comparaison* Vergleichspunkt *m*; *en ~ moyen* im Durchschnitt; **6.** *~s pl.* (menschliches) Verhältnis *n*; *nous sommes en très bons ~s* wir kommen sehr gut miteinander aus; *en quels ~s êtes-vous avec lui?* wie stehen Sie sich mit ihm?; **7.** *Logik*: Begriff *m*; ⚗ Glied *n* e-r Gleichung; *~s extrêmes* äußere Glieder *n/pl.*

termin|aison [tɛrminɛ'zɔ̃] *f* **1.** Ende *n*; *~ d'une maladie* Ende *n* e-r Krankheit; *anat. ~ nerveuse* Nervenende *n*; **2.** *gr.* Endung *f*; **~al** [~'nal] (5c) **I** *adj.* End...; **II** *m* a) *inform.* Terminal *n*, Datenendstation *f*, Ein- u. Ausgabegerät *n*; b) *~ du pétrole* Ölumschlaganlage *f*; **~ateur** *ast.* [~na'tœ:r] *m* Terminator *m*; **~er** [~'ne] (1a) **I** *v/t.* **1.** begrenzen; *être terminé par qch.* in etw. (*acc.*) auslaufen; mit etw. (*dat.*) enden; *terminé en pointe* spitz zulaufend; **2.** beendigen, vollenden; ein Ziel setzen (*dat.*); *~ une affaire* e-e Sache zum Abschluß bringen; **II** *v/rfl.* *se ~* zu Ende gehen, ein Ende nehmen, enden; *gr. se ~ en ...* enden auf (*acc.*); *se ~ par une voyelle* auf e-n Vokal ausgehen.

terminolo|gie [tɛrminɔlɔ'ʒi] *f* Fachsprache *f*, Terminologie *f*; **~gique** [~'ʒik] *adj.* sich auf (die) Fachsprache beziehend.

terminus [tɛrmi'nys] *m* 🚂, *Straßenbahn*, *Bus*: Endstation *f*.

termit|e *ent.* [tɛr'mit] *m* Termite *f*; **~ière** [~'tjɛ:r] *f* Termitenhügel *m*.

ternaire [tɛr'nɛ:r] *adj.* aus drei Einheiten bestehend; dreizählig; *géol.*, ⚗ ternär, dreistoffig; ♪ *mesure f ~* Dreitakt *m*.

terne[1] [tɛrn] *adj.* matt, trübe, glanzlos; blind (*Spiegel*); leblos (*Geist*).

terne[2] [~] *m* **1.** Dreitreffer *m* (*Lotterie*); Dreierpasch *m* (*beim Würfeln*); **2.** ⚡ Drehstromleitung *f*.

tern|ir [tɛr'ni:r] (2a) **I** *v/t.* **1.** matt *od.* trübe machen, den Glanz nehmen (*dat.*); *terni* trübe, angelaufen, blind; **2.** *fig.* beeinträchtigen (*Ruf*); **II** *v/rfl.* *se ~* matt *od.* trübe werden; beschlagen; seinen Glanz verlieren; *fig.* sich verdunkeln; **~issure** [~ni'sy:r] *f* Glanzlosigkeit *f*, Mattheit *f*, Trübung *f*; matte (*od.* trübe) Stelle *f*.

terphan|e ⊕ [tɛr'fan] *m* Isoliermittel *n für Spuldraht*; **~euse** [~'nø:z] *f* Terphan-Arbeiterin *f*.

terrage [tɛ'ra:ʒ] *m* **1.** ↗ Bewerfen *n* mit Schlammerde; **2.** ⊕ Bleichen *n* (*v. Zucker*); **3.** *féod.* Fruchtzins *m*.

terrain [tɛ'rɛ̃] *m* **1.** Gelände *n*, Terrain *n*, Land *n*, Grundstück *n*; *Sport*: Spielfeld *n*; *~ de golf* Golfplatz *m*; *ch. ~ de chasse* Jagdrevier *n*; ⚔ *~ de guerre* Kriegsgebiet *n*; *~ en arrière* Hinterland *n*; *~ vague* Niemandsland *n an e-r Grenze od.* ⚔ *zwischen gegnerischen Stellungen*; *~ intermédiaire* Zwischenfeld *n*; ✈ *~ d'aviation*, *~ de départ*, *~ d'envol* Flug-, Start-feld *n*; *~ d'atterrissage auxiliaire* Zwischenlandeplatz *m*; *~ pour (od. à) bâtir* Bau-gelände *n*, -platz *m*, -grund *m*; *Auto*: *faire du tout ~* über offenes Gelände fahren; *~ de manœuvres* ⚔ Übungsplatz *m*; *fig. être sur son ~* in s-m Element sein, gut Bescheid wissen; *disputer le ~* das Feld streitig machen; *gagner du ~* Boden gewinnen, vorwärtskommen; *fig. sonder le ~ fig.* s-e Fühler ausstrecken; auf den Busch klopfen F; *sur le ~* an Ort und Stelle; **2.** (Erd-)Boden *m*, Erdreich *n*; Gebirgsart *f*; *~ houiller* Steinkohlenformation *f*; *~ primitif* Urgebirge *n*; *~s sédimentaires* Flözgebirge *n*.

terrass|e [tɛ'ras] *f* Terrasse *f*; *géol.* Erdstufe *f*; *en ~s* terrassenförmig; **~ement** [~ras'mɑ̃] *m* **1.** Erdarbeiten *f/pl.*; 🚂 Dammaufschütten *n*; *travail m de ~* Ausschachtungsarbeit *f*; **2.** Damm *m*; 🚂 Bahnkörper *m*, Unterbau *m*; **~er** [~'se] *v/t.* (1a) zu Boden schlagen, niederstrecken; *fig.* nieder-werfen, -schmettern; übermannen; **~ier** [~'sje] *m* Erdarbeiter *m*; Eisenbahnarbeiter *m*.

terrazzo ⚠ [tɛrad'zo] *m* Terrazzo *m*.

terre [tɛ:r] *f* **1.** Erde *f*, Erdboden *m*; *~ verte* Grünstreifen *m* (*Autobahn*); *jeter q. par ~* j-n zu Boden werfen; *mettre qch. par ~* etw. auf die Erde legen, etw. hinlegen; ⚓, ✈ *prendre ~* landen (*v/i.*; *vgl.* 9); *sous ~* unterirdisch; *sur ~* auf der Erde; *perdre ~* den Boden verlieren, keinen Grund mehr unter den Füßen haben; *fig. revenir sur ~* wieder zu sich kommen; *aller ventre à ~* in gestrecktem Lauf (im

Galopp) dahinreiten; *raser la* ~ nahe dem Erdboden fliegen; *Boxsport*: *aller à* ~ zu Boden gehen; *rad. u.* ⚡ *relier à la* (*prise de*) ~, *conduire* (*od. mener*) *à la* ~ erden; *fig.* ~ *à* ~ erdverbunden; ~ *à* ~ *adjt.*: alltäglich; zu gering (*achten*); ⚡ *conducteur m de* ~ Erdleitung *f*; *être en* ~ begraben sein; *être inhumé en* ~ *sainte* an geweihter Stelle begraben sein; **2.** Acker *m*; Feld *n*, Land *n*; ~ *arable* (*od. labourable*) Anbaufläche *f*, Ackerland *n*, -boden *m*, Kulturland *n*; ~ *à bail* Pacht-grundstück *n*, -land *n*; ~ *de bon rapport* ergiebiger Boden *m*; ~ *franche*, ~ *végétale* Gartenerde *f*; ~ *en friche od.* ~ *en jachère* Brachland *n*; *pomme f de* ~ Kartoffel *f*; **3.** (Land-)Gut *n*, Besitzung *f*; *vivre sur ses* ~*s* auf s-n Gütern leben; **4.** Erdstrecke *f*, Gebiet *n*; ~ *natale* Heimat *f*; ⚔ *en* ~ *ennemie* auf feindlichem Boden; *les* ~*s de France* Frankreichs Gaue *m/pl.*; *la* 2 *sainte* das Heilige Land; *la* 2 *promise* das Gelobte Land; **5.** Erdkugel *f*; **6.** Welt *f*, alle Menschen *m/pl.*; **7.** *das* Irdische *n*, *die* irdischen Güter *n/pl.*; **8.** Erde *f als Stoff*; Ton *m*; *de* ~ irden, tönern; *poterie f de* ~ Tonware *f*; *de couleur de* ~ erdfarben; ~ *cuite* Terrakotta *f*; ~ *grasse* lehmige Erde *f*; *charbon m de* ~ Steinkohle *f*; **9.** ⚓ Land *n*, Küste *f*, Meeresufer *n*; ~ *ferme* Festland *n*; *sur* (*od. par*) ~ *et sur* (*od. par*) *mer* zu Wasser und zu Lande; *à* ~ an Land; an das Land; *armée f de* ~ Landheer *n*; *côtoyer la* ~ an der Küste entlangfahren; ⚓ *descendre à* ~ landen (*v/i.*; *vgl.* 1).

terre à terre [tɛra'tɛ:r] *adj./inv.* alltäglich.

terreau [tɛ'ro] *m* Garten-, Blumen-, Humus-erde *f*; ~**ter** [~'te] *v/t.* (1a) mit Humuserde bestreuen.

Terre de Feu *géogr.* [tɛrdə'fø] *f* Feuerland *n*.

terre-neuvas [tɛrnœ'vɑ] *m/inv.* Neufundland-fahrer *m*, -fischer *m*.

Terre-Neuve *géogr.* [tɛr'nœ:v] **I** *f*: **la** ~ Neufundland *n*; **II** 2-2 *zo. m* (6c) Neufundländer *m* (*Hund*).

terre-neuvier [~nœ'vje] *m* s. *terre-neuvas*.

terre-plein [tɛr'plɛ̃] *m* (6g) ⚠ gemauerter Erdwall *m*, Hinterfüllung *f*; 🚂 Bahnkörper *m*; ⚔ *frt.* ~ (*du rempart*) Wallgang *m*; terrassenartiger Parkplatz *m*.

terrer [tɛ're] (1b) **I** *v/t.* behäufeln; **II** *v/rfl.* *se* ~ sich in die Erde einwühlen (*v. Tieren*); *allg.* *se* ~ *chez soi* sich verkriechen.

terrestre [tɛ'rɛstrə] *adj.* □ **1.** zur Erde gehörig; Erd...; *globe m* ~ Erdkugel *f*; **2.** Land...; *par voie* ~ auf dem Landwege; **3.** irdisch, weltlich; **4.** ⚘ auf der Erde wachsend.

terreur [tɛ'rœ:r] *f* **1.** Schrecken *m*, Angst *f*; *porter la* ~ *partout* alles in Schrecken setzen; *il était devenu une véritable* ~ *du milieu* er war zu e-m wahren Schrecken s-r Umgebung geworden; **2.** *Fr. hist.* *la* 2 die Schreckensherrschaft (*1793 bis 1794*); *la* 2 *blanche* die weiße Schreckensherrschaft (*napoleonfeindliche Reaktion von 1795 u. 1815 bis 1816*).

terreux [tɛ'rø] *adj.* (7d) **1.** erdig; Erd...; mit Erde beschmutzt; **2.** erdfahl, erdfarben.

terri ⚒ [tɛ'ri] *m* Schutthalde *f*.

terrible [tɛ'riblə] *adj.* □ **1.** furchtbar, fürchterlich, schrecklich; **2.** F phantastisch, toll.

terricole *zo.* [tɛri'kɔl] *m* (*a. adj.*) Bodenbewohner *m*.

terrien [tɛ'rjɛ̃] *adj. u. su.* (7c) Land...; Erdbewohner *m*; (*grand*) *propriétaire m* ~ (Groß-)Grundbesitzer *m*; *aristocratie f* (*od. noblesse f*) ~*ne* Junkertum *n*, Landadel *m*; *les* 2*s* die Erdbewohner *m/pl.*

terrier [tɛ'rje] **1.** *zo.* Terrier *m* (*Hunderasse*); ~ *à poil ras* (*dur*) Glatt-(Rauh-)haarterrier *m*; **2.** *zo.* Bau *m*; F *fig.* *se retirer dans son* ~ sich in sein Loch zurückziehen.

terrifier [tɛri'fje] *v/t.* (1a) in Schrecken setzen, entsetzen.

terril ⚒ [tɛ'ri] *m* Schutthalde *f*.

terrine [tɛ'ri:n] *f* **1.** tiefe glasierte Tonschüssel *f*; **2.** *cuis.* Schüsselgericht *n*; *bsd.* ~ *de foie gras* Gänseleberpastete *f*; **3.** *hort.* Samenschale *f*; **4.** P Kopf *m*.

terrir [tɛ'ri:r] *v/i.* (2a) in Sandlöchern Eier ablegen (*Seeschildkröte*).

terri|toire [tɛri'twa:r] *m* **1.** (Staats-, Gemeinde-)Gebiet *n*; ~ *sous mandat*(*s*) Mandatsgebiet *n*; **2.** *zo.* Revier *n*; ~**torial** [~tɔ'rjal] **I** *adj.* (5c) territorial, Land...; *armée f* ~*e* Landheer *n*; **II** ~*e f* ⚔ Landheer *n*; ~**torialité** [~tɔrjali'te] *f* Zugehörigkeit *f* zu e-m Staatsgebiet.

terroir [tɛ'rwa:r] *m* (Acker-)Boden *m*, Scholle *f*, Erdreich *n*, heimatlicher Boden *m*, Heimat *f*; *Fußball*: (*match de*) ~ Nachbarschaftsspiel *n*; *sentir le* ~ s-e Herkunft nicht verleugnen können (*a. v. Wein*); *fig. il sent le* ~ man merkt ihm s-e Heimat (*od.* s-n Ursprung) an; *litt. poète m du* ~ Heimatdichter *m*; *population f du* ~ bodenständige Bevölkerung *f*.

terror|iser [tɛrɔri'ze] *v/t.* (1a) terrorisieren, durch ein Terrorregime in Schach halten; Furcht (*od.* Schrecken) einjagen; **~isme** [~'rism] *m* Terror *m*, Schreckensherrschaft *f*; **~iste** [~'rist] *m u. adj.* Terrorist *m*; terroristisch.

terser s. *tercer.*

tertiaire 🕮 [tɛr'sjɛːr] *adj.* **1.** drittrangig; *éc. secteur m* ~ Dienstleistungswirtschaft *f*; **2.** *géol.* tertiär.

tertio, *geschr.* 3° [tɛr'sjo] *adv.* drittens.

tertre ['tɛrtrə] *m* Erdhügel *m*, Anhöhe *f*.

tes [te, *thé.* tɛ] *pl. von ton, ta.*

téséfiste [tese'fist] *m* Funker *m*.

tessel|le [te'sɛl] *f* Marmorfliese *f*; **~lé** [~'le] *adj.* schachbrettförmig, gewürfelt.

tessiture ♪ [tesi'tyːr] *f* Stimmlage *f*.

tesson [te'sɔ̃] *m* Scherbe *f*.

test [tɛst] *m* **1.** Test(prüfung *f*) *m*; ~ *d'aptitude* Eignungsprüfung *f*; *rater un* ~ e-n Test verfehlen; **2.** *zo.* Schale *f*, Gehäuse *n*; **~abilité** *psych.* [~tabili'te] *f* Testbarkeit *f*.

testacé *zo.* [tɛsta'se] **I** *adj.* schalentragend; **II** ~*s m/pl.* Schaltiere *n/pl.*

tes|tament [~ta'mɑ̃] *m* Testament *n*, Letzter Wille *m*; *faire son* ~ sein Testament machen; *donner* (*od. laisser*) *par* ~ testamentarisch vermachen; *rl. Ancien* (*Nouveau*) ♀ Altes (Neues) Testament *n*; **~tamentaire** [~'tɛːr] *adj.* Testaments…; **~tateur** [~ta'tœːr] *su.* (7f) Erblasser *m*; **~ter** [tɛs'te] (1a) **I** *v/i.* sein Testament machen; **II** *v/t.* testen.

testicul|aire *anat.* [tɛstiky'lɛːr] *adj.* Hoden…; **~e** *anat.* [~'kyl] *m* Hode *f*.

testimonial [tɛstimɔ'njal] *adj.* (5c): *preuve f* ~*e* Zeugenbeweis *m*.

testostérone *physiol.* [tɛstɔste'rɔn] *f* Testosteron *n*, männliches Hormon *n*.

têt [tɛ] *m* Probiergefäß *n*, feuerfeste Schale *f*, Kapelle *f*.

tétan|ique [teta'nik] *adj.* Starrkrampf…; Tetanus…; **~os** ⚕ [~'nɔs] *m* Wundstarrkrampf *m*.

têtard [tɛ'taːr] *m* **1.** *zo.* Kaulquappe *f*; **2.** ♆ *saule m taillé en* ~ Kopfweide *f*; **3.** * Kind *n*.

tête [tɛːt] *f* **1.** Kopf *m* (*a. fig.*), Haupt *n*, Schädel *m*; ~ *de mort* Totenkopf *m*; ~ *chauve* Kahlkopf *m*; *avoir mal à la* ~ Kopfschmerzen haben; *mal m de* ~ Kopfschmerzen *m/pl.*; *il paya de sa* ~ er büßte mit dem Leben; *la* ~ *la première* Hals über Kopf, kopfüber; *piquer une* ~ e-n Kopfsprung ins Wasser machen; ~ *à* ~ unter vier Augen; ⚔ ~ *droite!* (*gauche!*) (die) Augen rechts! (links!); *calculer de* ~ im Kopf rechnen; ~ *baissée* blindlings; *Sport*: (*longueur f d'une*) ~ Nasenlänge *f*; *prendre la* ~ sich an die Spitze werfen; *se porter en* ~ überholen; *conserver la* ~ vorn (*od.* an der Spitze) bleiben; **2.** *fig.* Verstand *m*, Geist *m*; Entschlossenheit *f*; *homme m de* ~ kluger *od.* entschlossener Mann *m*; ~ *à l'envers* Querkopf *m*; *bonne* ~ klarer Kopf *m*, scharfsinniger Denker *m*; *forte* ~ Querulant *m*, aufsässiger Mensch *m*, Aufwiegler *m*; *mauvaise* ~ Dickkopf *m*, Querkopf *m*; ~ *folle* überspannter Mensch *m*; *avoir la* ~ *chaude* ein Hitzkopf sein; ~ *de linotte* Strohkopf *m*; *avoir la* ~ *fêlée* nicht alle Tassen im Schrank haben F; P *avoir la grosse* ~ sich was einbilden; *garder la* ~ *haute, conserver toute sa* ~ den Kopf oben behalten; *perdre la* ~ kopflos werden, den Kopf verlieren; *fig. avoir la* ~ *dure* schwer von Begriff sein, schwer begreifen; *la* ~ *m'en tourne* ich weiß nicht, wo mir der Kopf steht; ~ *carrée* Dickkopf *m*; *n'en faire qu'à sa* ~ eigenwillig handeln; *ne savoir où donner de la* ~ alle Hände voll zu tun haben; *il n'a pas sa* ~ *à lui* er ist nicht ganz bei Troste; *monter la* ~ *à q.* j-n aufhetzen (*od.* aufregen), j-m etw. in den Kopf setzen; *tourner la* ~ *à q.* j-m den Kopf verdrehen; *avoir une* ~ *de mule* e-n Bock haben *fig.*, halsstarrig sein; *j'en ai par-dessus la* ~ ich hab's satt, ich bin ganz kaputt (*od.* fertig); *avoir la* ~ *près du bonnet* leicht aufbrausen; *avoir deux* ~*s dans un bonnet* ein Herz u. eine Seele sein; *servir de* ~ *de Turc à q.* j-s Prügelknabe sein; *coup m de* ~ plötzliche Anwandlung *f*; Verzweiflungsakt *m*; unüberlegte Handlung *f*; *avoir de la* ~ das Zeug *zu etw.* (*dat.*) haben; **3.** Gesicht *n*; *faire la* ~ ein Gesicht (e-n Flunsch

F) ziehen, schmollen; *faire la ~ à q.* j-n schief ansehen; *faire sa ~* sich wichtig tun, angeben F; *~ sympathique* sympathisches Gesicht; *il a une sale (bonne) ~* er sieht schlecht (gutmütig) aus; *~ à gifles* Backpfeifengesicht *n*; **4.** Person *f*, Individuum *n*; Stück *n* Vieh *usw.*; *troupeau m de cent ~s* Herde *f* von hundert Stück Vieh; **5.** *~ à la garçonne* Herrenschnitt *m*; *~ de page* Pagenkopf *m* (*als Haartracht*); **6.** Kopf-, Bild-seite *f* e-r Münze; **7.** *fig.* oberster Teil *m*; ⚘ Gipfel *m*, Krone *f*; Wipfel *m* (*Baum*); Berggipfel *m*; *~ atomique* Atomsprengkopf *m*; *fusée f à ~s multiples* Rakete *f* mit Mehrfachsprengköpfen; *~ de chou* Kohlkopf *m*; **8.** Anfang *m*, Eingang *m*, Spitze *f*; *~ de lettre* Briefkopf *m*; 🚂 *~ de station* Kopfstation *f*; *~ de pont* Brückenkopf *m*; *avoir la ~* der erste sein; *à la ~ de ...* an der Spitze ... (*gén.*); *se mettre à la ~* sich an die Spitze stellen; *fig. faire (od. tenir) ~ à q.* j-m die Stirn bieten, j-m gegenüber Front machen, es mit j-m aufnehmen; *faire ~ à l'orage* dem Sturme trotzen; **9.** *ch.* (Hirsch-) Geweih *n*; *~ couronnée* Krone *f* (*Gehörn*); **10.** ⊕ Spitze *f*, Vorderseite *f*; *~ du marteau* Stirn *f* des Hammers; *~ de bielle* Pleuelkopf *m*; *~ de fraisage* Fräskopf *m*; **11.** ⚔ Spitze *f e-r Heeresabteilung*; **12.** *inform. ~ de lecture* Lesekopf *m*; **13.** *~ d'effacement* Löschkopf *m* (*Tonbandgerät*); *~ magnétique* Tonkopf *m* (*Tonbandgerät*); *~ de pick-up* Tonkopf *m* (*Plattenspieler*).

tête-à-queue *Auto* [tɛta'kø] *m*: *faire un ~* sich um s-e eigene Achse drehen.

tête-à-tête [tɛta'tɛ:t] *m* (6c) **1.** Gespräch *n* unter vier Augen; vertrauliche Unterhaltung *f*; être en ~ traulich beisammen sein; **2.** kleines Sofa *n* für 2 Personen; **3.** Tee- *od.* Kaffee-service *n* für zwei Personen.

têteau ⚘ [tɛ'to] *m* (5b) Astende *n*.

tête-bêche [tɛt'bɛʃ] *advt.*: *coucher ~* zu zweit Kopf bei Fuß liegen.

tétée [te'te] *f* (Säuglings-)Mahlzeit *f*.

téter [te'te] *v/t. u. v/i.* (1f) saugen; *donner à ~ à un enfant* e-m Kind die Brust geben, ein Kind stillen.

téterelle ⚕ [te'trɛl] *f* Milchpumpe *f*.

tetière [tɛ'tjɛ:r] *f* **1.** Kopfstück *n* (*Zaum*); **2.** ⚓ Oberliek *n*; **3.** Sesselschoner *m*.

tétin *plais.* [te'tɛ̃] *m* Brustwarze *f*.

tétine [te'ti:n] *f* **1.** *zo.* Zitze *f*, Euter *n*; **2.** Schnuller *m*, Nuckel *m*.

téton F [te'tɔ̃] *m* weibliche Brust *f*.

tétra|èdre ⩓ [tetra'ɛ:drə] *m* Tetraeder *n*; **~gone** [~'gɔn] *m* **1.** ⩓ Viereck *n*; **2.** neuseeländischer Spinat *m*; **~mètre** *métr.* [~'mɛ:trə] *m* Tetrameter *m* (*Vierdoppeljambenvers*); **~phonie** *rad.* [~fɔ'ni] *f* Quadrophonie *f*.

tétras [te'trɑ] *m* Waldhuhn *n*; *grand ~* Auerhahn *m*; *petit ~* Birkhahn *m*.

tétrasylla|be, ~bique [tetrasi'lab, ~'bik] *adj.* viersilbig.

tétravalent ⚗ [tetrava'lɑ̃] *adj.* (7) vierwertig.

tétrodon *zo.* [tetrɔ'dɔ̃] *m* Tetrodon *m*, Mondfisch *m*.

tette *zo.* [tɛt] *f* Zitze *f*.

têtu [tɛ'ty] **I** *adj.* dickköpfig; **II** *m* **1.** Dickkopf *m*; **2.** ⊕ Brechhammer *m*.

teuf-teuf *Auto* [tœf'tœf] *m* Oldtimer *m*; **~er** *Auto, néol.* [~'fe] *v/i.* (1a) entlangbrausen.

Teuton *hist.* [tø'tɔ̃] *m* Teutone *m*.

teutonique [~tɔ'nik] *adj.* altdeutsch; *hist. l'ordre m* ♀ der Deutsche Ritterorden.

texte [tɛkst] *m* Text *m*; Wortlaut *m*; Original *n*; Bibelstelle *f*; *fig.* Gegenstand *m*, Thema *n*.

textile [tɛks'til] **I** *adj.* spinnbar; Spinn..., Textil...; *industrie f ~* Textilindustrie *f*; **II** *m* Textilindustrie *f*; **III** *~s m/pl.* Spinnstoffe *m/pl.*, Textilwaren *f/pl.*; * Gegner *m/pl.* der Freikörperkultur.

textologie [tɛkstɔlɔ'ʒi] *f* Textkritik *f*.

textuel [tɛks'tɥɛl] *adj.* (7c) □ wörtlich.

textur|e [tɛks'ty:r] *f* Struktur *f* (*Haut*); Textur *f* (*Gestein, Boden*); Material *n*; *litt.* Anordnung *f*; *la ~ d'un drame* die Anordnung e-s Dramas; **~iser** *text.* [~tyri'ze] *v/t.* (1a) texturieren; *a. texturer.*

tézigue P [te'zi:g] *pr/p.* du.

thaï *géogr.* [ta'i] *adj. inv.* thailändisch.

Thaïland|ais *géogr.* [tailɑ̃'dɛ] (7) **I** *su.* Thailänder(in *f*) *m*; **II** ♀ *adj.* thailändisch; **~e** *géogr.* [~'lɑ̃:d] *f*: **la ~** Thailand *n*.

thalassique *géol.* [tala'sik] *adj.* aufgeschwemmt.

thalasso|mètre [~sɔ'mɛ:trə] *m* Tiefenmesser *m*; **~phytes** ⚘ [~'fit] *m/pl.* Meergewächse *n/pl.*; **~théra-**

pie ⚕ [~tera'pi] *f* Meeresheilkunde *f*.

thalweg *géol.* [tal'vɛg] *m* Talweg *m*.

thaumatur|ge [toma'tyrʒ] *adj. u. su.* wundertätig; Wundertäter *m*; **~gie** [~'ʒi] *f* Wundertätigkeit *f*.

thé [te] *m* **1.** Teestrauch *m*, Teestaude *f*; **2.** Tee *m*; *prendre le ~ (od. du ~)* Tee trinken; *~ dansant* Tanztee *m*.

théâtral [teɑ'tral] *adj.* (5c) □ bühnengerecht; Theater...; *fig.* theatralisch, pathetisch; **~iser** *litt.* [~li'ze] *v/t.* (1a) bühnenreif umarbeiten (*Roman*); **~ité** *thé.* [~li'te] *f* bühnenmäßige Reife *f*.

théâtre [te'ɑːtrə] *m* **1.** Theater *n*, Schauspielhaus *n*; *~ en plein air* Freilicht-bühne *f*, -theater *n*; *~ de marionnettes* Puppentheater *n*; **2.** Bühne *f*; *coup m de ~* a) Bühneneffekt *m*; b) *fig.* unerwarteter Umschwung *m*; Knalleffekt *m*; *se destiner au ~* sich der Bühne widmen; *quitter le ~, renoncer au ~* der Bühne entsagen; **3.** *~* (*grec*) dramatische Literatur *f* (der Griechen); *le ~ de Corneille* die dramatischen Werke von C.; **4.** *fig.* Schauplatz *m*; *~ de la guerre, ~ des opérations militaires* Kriegsschauplatz *m*; *~ du crime* Tatort *m*.

thébaïde *litt.* [teba'id] *f* Einsamkeit *f*.

thé|ier [te'je] *m* Teebaum *m*; **~ière** [~'jɛːr] *f* Teekanne *f*; **~ine** ⚗ [te'in] *f* Tein *n*.

thé|isme *phil., rl.* [te'ism] *m* Theismus *m*; **~iste** *phil., rl.* [te'ist] *m u. adj.* Theist *m*; theistisch.

thématique *gr.*, ♪ [tema'tik] **I** *adj.* thematisch; **II** *f* Thematik *f*.

thème [tɛːm] *m* **1.** Thema *n* (*a.* ♪), Gegenstand *m*, Motiv *n*; Sujet *n* (*Kunst*); **2.** *écol.* 'Hin|übersetzung *f*, Übersetzung *f in e-e fremde Sprache*; **3.** ⚔ *~ tactique* Kampfaufgabe *f*.

thénar *anat.* [te'naːr] *m* Daumenballen *m*.

théocratie [teɔkra'si] *f* Theokratie *f*.

théodolite 🕮 [~dɔ'lit] *m* Theodolit *m*, Höhenmesser *m*.

théolo|gie [~lɔ'ʒi] *f* Theologie *f*, Religionswissenschaft *f*, Glaubenslehre *f*; *étudier la ~, faire sa ~* Theologie studieren; **~gien** [~'ʒjɛ̃] *su.* (7c) Theologe *m*; Student *m* der Theologie; **~gique** [~'ʒik] *adj.* theologisch.

théor|ème ⅍ [teɔ'rɛːm] *m* Lehrsatz *m*; **~étique** *nur phil.* [~re'tik] *adj.* theoretisch; **~icien** [~ri'sjɛ̃] *su.* (7c) Theoretiker *m*; **~ie** [~'ri] *f* **1.** Theorie *f*, Lehrgebäude *n*; ⅍ *~ des ensembles* Mengenlehre *f*; **2.** *litt.* lange Reihe *f*; **~ique** [~'rik] *adj.* □ theoretisch; **~iser** [~ri'ze] (1a) **I** *v/t.* theoretisch untermauern; **II** *v/i.* theoretisieren.

théosoph|e *rl.* [teɔ'zɔf] *m* Theosoph *m*; **~ie** *rl.* [~'fi] *f* Theosophie *f*.

thèque ⚘ [tɛk] *f* Sporenzelle *f*.

thérapeut|e ⚕ [tera'pøt] *m* Therapeut *m*; **~ique** ⚕ [~'tik] **I** *adj.* therapeutisch, Heil...; *agent m ~* Heilmittel *n*; **II** *f* **1.** Therapie *f*, Heilbehandlung *f*; **2.** Therapeutik *f*, Heilkunde *f*; **~iste** ⚕ [~'tist] *su.* Heilpraktiker *m*.

thérapie ⚕ [tera'pi] *f* Therapie *f*.

therm|al [tɛr'mal] *adj.* (5c) Warmbad...; *eaux f/pl. ~es* warme Quellen *f/pl.*; **~alisme** [~ma'lism] *m* Kurbetrieb *m*, Badekurwesen *n*; **~alité** [~mali'te] *f* Wärmegehalt *m* (*e-r Quelle*); **~es** [tɛrm] *m/pl.* **1.** Kurhaus *n*; **2.** *antiq.* Thermen *f/pl.*

thermicien [tɛrmi'sjɛ̃] *m* Wärmetechniker *m*.

thermidor *hist. Fr.* [tɛrmi'dɔːr] *m* Thermidor *m* (*20. Juli—18. Aug.*).

thermie *phys.* [tɛr'mi] *f* Megakalorie *f*, 1000 kcal.

thermique *phys.*, ⚡ [tɛr'mik] *adj.* thermisch, Wärme...; *centrale f ~* Wärmekraftwerk *n*.

thermo|cautère ⚕ [tɛrmɔko'tɛːr] *m* Thermokauter *m*; **~chimie** [~ʃi'mi] *f* Thermochemie *f*; **~copie** [~kɔ'pi] *f* Ablichtung *f*; **~durcissable** [~dyrsi'sablə] *adj.* duroplastisch; **~dynamicien** [~dinami'sjɛ̃] *m* Thermodynamiker *m*; **~dynamique** 🕮 [~dina'mik] *f* Thermodynamik *f* (*Wärmelehre*); **~-électricité** *phys.* [~elɛktrisi'te] *f* Wärmeelektrizität *f*; **~-électrique** [~elɛk'trik] *adj.* thermo-, wärme-elektrisch; **~-frigo-électrique** ⚡ [~frigɔelɛk'trik] *adj.*: *centrale f ~* Wetter-, Temperatur-zentrale *f*; **~gène** [~'ʒɛːn] *adj. u. m* wärmeerzeugend; Wärmeerzeuger *m*; **~logie** [~lɔ'ʒi] *f* Wärmelehre *f*; **~magnétique** *phys.* [~maɲe'tik] *adj.* thermo-, wärme-magnetisch; **~magnétisme** *phys.* [~ɲe'tism] *m* Thermo-, Wärme-magnetismus *m*; **~mètre** [~'mɛːtrə] *m* **1.** Thermometer *n*; *~ fronde* Schleuderthermometer *n*; *~ médical* Fieberthermometer *n*; **2.** *fig.* Barometer *n*;

~métrie *phys.* [~me'tri] *f* Wärmemessung *f*; **~métrique** *phys.* [~me'trik] *adj.* thermometrisch; **~nucléaire** ⚔ [~nykle'ɛːr] *adj.* thermonuklear; **~plaste** [~'plast] *m* Thermoplast *m*, nicht härtbarer Kunststoff *m*; **~plastique** [~plas'tik] *adj.* thermoplastisch; **~plongeur** [~plɔ̃'ʒœːr] *m* Tauchsieder *m*; **~propulsion** ⊕ [~prɔpyl'sjɔ̃] *f* Staustrahlantrieb *m*.

thermos [tɛr'mɔs, tɛr'moːs] *m od. f* Thermosflasche *f*.

thermo|scope *phys.* [tɛrmɔ'skɔp] *m* Thermoskop *n*; **~siphon** [~si'fɔ̃] *m* Schwerkraft(warmwasser)heizungssystem *n*; **~soufflante** ⊕ [~su'flɑ̃ːt] *f* Warmluftschneebeseitiger *m* (*für Flugplätze*); **~stat** ⊕, *Auto*, ✈ [~'sta] *m* Thermostat *m*.

thésauris|ation [tezoriza'sjɔ̃] *f* Anhäufen *n* (*od.* Hortung *f*) *von Geld*; **~er** [~'ze] *v/t. u. v/i.* (1a) horten; **~eur** *litt.* [~'zœːr] (7g) **I** *adj.* geldgierig; **II** *su.* Geldhorter *m*.

thèse [tɛːz] *f* **1.** These *f*, Behauptung *f*; *soutenir une ~* e-e These verfechten; *cela change la ~* das ändert die Fragestellung; *changer de ~* das Thema wechseln; s-e Meinung ändern; *roman m à ~* Tendenzroman *m*; **2.** Dissertation *f*, Doktorarbeit *f*.

théurgie *hist. phil.* [teyr'ʒi] *f* Theurgie *f*, Beschwörung *f* von Göttern.

thibaude ✝ [ti'boːd] *f* Teppichunterlage *f*.

thlaspi ⚘ [tlas'pi] *m* Täschelkraut *n*.

thon *icht.* [tɔ̃] *m* Thunfisch *m*; **~aire** [tɔ'nɛːr] *m* Thunfischnetz *n*; **~ier** [tɔ'nje] *m* Thunfischboot *n*.

thor|acique ⚇ [tɔra'sik] *adj.* Brust(korb)...; **~acentèse** *chir.* [~asɑ̃'tɛːz] *f* Brusthöhlenstich *m*; **~ax** [tɔ'raks] *m* Thorax *m*; Bruststück *n der Insekten*; *~ en carène* ⚕ Hühnerbrust *f*.

thorite [tɔ'rit] *f* kieselsaure Tonerde *f*.

Thrace *géogr.* [tras] **I** *f*: **la ~** Thrakien *n*; **II** *su.* Thraker *m*, Thrazier *m*; **III** ♀ *adj.* thrakisch.

thracéologie [traseɔlɔ'ʒi] *f* Thrakerforschung *f*.

thrombose ⚕ [trɔ̃'boːz] *f* Thrombose *f*.

thune P [tyːn] *f* altes silbernes Fünffrankenstück *n*.

thuriféraire [tyrife'rɛːr] *m* **1.** *rl.* Rauchfaßträger *m*; **2.** *fig.* Beweihräucherer *m*, Speichellecker *m*.

thurne * [tyrn] *f* Studentenbude *f*.

thuya ⚘ [ty'ja] *m* Thuja *f*.

thym ⚘ [tɛ̃] *m* Thymian *m*.

thymus *anat.* [ti'mys] *m* Thymusdrüse *f*.

thyroïd|e *anat.* [tirɔ'id] *f u. adj.* Schilddrüse *f*; Schild...; **~ien** [~'djɛ̃] *adj.* (7c) Schilddrüsen...; **~ite** ⚕ [~'dit] *f* Schilddrüsenentzündung *f*.

tiare [tjaːr] *f* Tiara *f*; *porter la ~* Papst sein.

Tibet *géogr.* [ti'bɛ] *m*: **le ~** Tibet *n*.

tibétain *géogr.* [tibe'tɛ̃] (7) **I** *adj.* tibetanisch; **II** ♀ *su.* Tibetaner *m*.

tibia *anat.* [ti'bja] *m* Schienbein *n*; **~l** [~'bjal] *adj.* (5c) Schienbein...

tic [tik] *m* **1.** ⚕ Gesichtszucken *n*; *~ nerveux*, *a. nur pl.* *~s* Nervenzucken *n*; **2.** *fig.* Unart *f*, schlechte (*od.* komische) Angewohnheit *f*.

ticage *vét.* [ti'kaːʒ] *m* Unart *f*.

ticket [ti'kɛ] *m* Fahr-schein *m*, -karte *f*; Eintrittskarte *f*; *~ de cantine* Essenmarke *f*; 🚂 *~ de quai* Bahnsteigkarte *f*; *~ de vestiaire* Garderobenmarke *f*.

tic(k)son * [tik'sɔ̃] *m* Fahrkarte *f*.

tic-tac [tik'tak] *m/inv.* Ticken *n*.

tictaquer [tikta'ke] *v/i.* (1a) ticken.

tiède [tjɛd] *adj.* lau (*a. fig.*).

tiéd|eur [tje'dœːr] *f* laue Wärme *f* (*od.* Temperatur *f*), Milde *f* (*des Klimas*); *fig.* Lauheit *f*; **~ir** [~'diːr] *v/i.* (2a) lau(warm) werden.

tien [tjɛ̃] *pr/poss.* **I** *su.*: *le ~*, *la ~ne* der, die, das deinige; *fig. tu as fait trop des tiennes* du hast es zu bunt getrieben; *le ~* das Deinige, dein Eigentum *n*; *le ~ et le mien* Mein und Dein; **II** *prädikativ in Beziehung zu etwas vorher Genanntem litt.* dein; dir gehörend; *elle est ~ne* sie gehört dir.

tier|ce [tjɛrs] **I** *adj./f* s. *tiers* I; *une ~ nation* e-e dritte Macht *f*; **II** *f* **1.** Terz *f*; *~ majeure* große Terz *f*; **2.** *Kartenspiel*: Terz *f*; **3.** *esc.* Terz *f*; **4.** *typ.* Revision *f* (*letzte Korrektur*); **5.** * Bande *f*, Clique *f*; **~cé** [~'se] *m* Dreierwette *f*; (Pferde-)Toto *m u. n*; *weitS.* Gewinn *m*; **~cer** ⚒ [~] *v/t.* (1k) zum dritten Mal pflügen.

tiers [tjɛːr] **I** *adj.* (*f*: *tierce* [tjɛrs]) dritter, dritte, drittes; *fig.* außenstehend; *être en ~* der dritte im Bunde sein; ⚖ *~ arbitre* Oberschiedsrichter *m*; *hist. le ♀ État* der dritte Stand; *État m ~* Drittstaat *m*; *pays m ~* Drittland *n*; *le ~ monde pol., éc.* die dritte (*blockfreie*) Welt;

⚕ *fièvre f tierce* dreitägiges Wechselfieber *n*; *médire du* ~ *et du quart* an jedem etw. auszusetzen haben; **II** *m* **1.** *bsd.* ⚖ Dritte(r) *m*; Außenstehende(r) *m*; **2.** dritter Teil *m*, Drittel *n*.

tiers-point [tjɛr'pwɛ̃] *m* **1.** △ *arc m en* ~ Spitzbogen *m*; **2.** ⊕ Dreikantfeile *f*; **3.** ⚓ Dreiecksegel *n*.

tif(fe)s P [tif] *m/pl.* Haar(e *n/pl.*) *n*.

tifosi F *Sport* [tifo'zi] *m/pl.* Sportfans *m/pl.*

tige [ti:ʒ] *f* **1.** ⚘ Stengel *m*, Stiel *m*; Stamm *m*; (*arbre m à*) *haute* ~ hochstämmiger (Obst-)Baum *m*; *arbre m fruitier basse* ~ kurzstämmiger Obstbaum *m*; *for. basses* ~*s pl.* Unterholz *n*; ~ *de chou* Kohlstrunk *m*; **2.** *fig.* Abstammung *f*; **3.** Federkiel *m*; **4.** Schaft *m* (*Säule, Stiefel*); Dorn *m* (*Schlüssel*); ⊕ Stange *f*, Hebel *m*, Stift *m*, Bolzen *m*, Spindel *f*; Beinling *m* (*Strumpf*); ~*s pl.* Gestänge *n*; ~ *de commande* Spulenhebel *m*; ~ *de piston* Kolbenstange *f*; ~ *du paratonnerre* Blitzableiterstange *f*; ~*s pl. en aluminium* Leichtmetallbolzen *m/pl.*

tigette △ [ti'ʒɛt] *f* Blumenstengel *m* (*des korinthischen Kapitells*).

tignasse *péj.* [ti'ɲas] *f* Mähne *f* (*Haare*).

tigre *m*, ~**sse** *f* ['ti:grə, ti'grɛs] **1.** Tiger *m*; **2.** *tigresse f fig.* Drachen *m* F, Xanthippe *f*, Megäre *f*, eifersüchtige Frau *f*.

tigrer [ti'gre] *v/t.* (1a) tigerartig färben; *tigré* getigert.

tilde [tild] *m* Tilde *f* (~).

tilleul [ti'jœl] *m* **1.** Linde *f*; **2.** Lindenblütentee *m*.

timba|le [tɛ̃'bal] *f* **1.** ♪ (Kessel-)Pauke *f*; **2.** Trinkbecher *m*; *décrocher la* ~ sein Ziel erreichen; **3.** *cuis.* Auflauf *m*; ~**lier** [~'lje] *m* Paukenschläger *m*.

timbrage [tɛ̃'bra:ʒ] *m* (Ab-)Stempeln *n*, Abstempelung *f*.

timbre ['tɛ̃:brə] *m* **1.** Hammerglocke *f*; (Fahrrad-)Klingel *f*; F *fig. avoir le* ~ *fêlé* nicht ganz richtig im Kopf sein; e-n Vogel haben F; **2.** ♪ Klang *m*; **3.** Stempel *m e-r Behörde*; ~ *fiscal* Steuerstempel *m*; Gebührenmarke *f*; **4.** ✉ Poststempel *m*; **5.** Briefmarke *f*, Postwertzeichen *n*; **6.** ~ *de quittance* Quittungsmarke *f*.

timbré [tɛ̃'bre] *adj.* **1.** *bien* ~ klangvoll, volltönend, klar; **2.** (ab)gestempelt, mit dem Stempel versehen, Stempel...; *papier m* ~ Stempelpapier *n*; **3.** F *fig.* übergeschnappt, bekloppt.

timbre|-escompte [tɛ̃brɛs'kɔ̃:t] *m* (6b) Rabattmarke *f*; ~**-médicament** ⚕ [~medika'mɑ̃] *m* (6a) Heilaufkleber *m* (*aus Plastik*); ~**-poste** [~brə'pɔst] *m* (6b) Briefmarke *f*; ~**-prime** [~'pri:m] *m* (6b) Rabattmarke *f*; ~**-quittance** [~ki'tɑ̃:s] *f* (6a) Quittungsmarke *f*.

timbr|er [tɛ̃'bre] *v/t.* (1a) **1.** frankieren; (ab)stempeln; **2.** ⚖ rubrizieren; ~**eur** [~'brœ:r] *su.* (7g) Stempler *m*.

timid|e [ti'mid] *adj.* □ *u. su.* schüchtern, befangen, gehemmt; *être* ~ sich genieren; ~**ité** [~di'te] *f* Schüchternheit *f*.

timocratie *pol.* [timɔkra'si] *f* Timokratie *f*, Herrschaft *f* der Besitzenden.

timon [ti'mɔ̃] *m* **1.** Deichsel *f*; **2.** ⚓ Ruderpinne *f*; Steuerruder *n*; **3.** *fig.* Staatsruder *n*.

timonerie [timɔn'ri] *f* **1.** ⚓ Ruderwache *f*, -haus *n*; **2.** *Auto*: Lenk- u. Bremsgestänge *n*.

timonier [timɔ'nje] *m* **1.** ⚓ Steuermann *m*; **2.** Stangen-, Deichselpferd *n*.

timoré [timɔ're] *adj.* **I** *adj.* eingeschüchtert, zaghaft, ängstlich, allzu gewissenhaft; **II** *m* (*esprit m*) ~ *péj.* Leisetreter *m*.

tin ⚓ [tɛ̃] *m* Stapelholz *n*.

tinctorial [tɛ̃ktɔ'rjal] *adj.* (5c) Färbe...; *matières f/pl.* ~*es* Farbstoffe *m/pl.*

tine [ti:n] *f* Kübel *m*; ~**tte** [ti'nɛt] *f* Aborteimer *m*.

tintamarre [tɛ̃ta'ma:r] *m* Lärm *m*.

tint|ement [tɛ̃t'mɑ̃] *m* **1.** Läuten *n*; Gebimmel *n*; Anschlagen *n e-r Glocke*; ~ *funèbre* Totengeläut *n*; *le* ~ *des verres* das Klirren der Gläser; **2.** ~ *d'oreilles* Ohrensausen *n*; ~**er** [~'te] (1a) **I** *v/t.* **1.** ~ *la cloche* die Glocke läuten; **2.** ~ *la messe* zur Messe läuten; **II** *v/i.* klingen; (*Glocke*) anschlagen; (*Ohren*) sausen.

tintin! P [tɛ̃'tɛ̃] *int.* hat sich was!; *faire* ~ nichts zu beißen haben; *faire* ~ *de qch.* auf etw. pfeifen (*fig.*).

tintinnabuler *litt.* [tɛ̃tinaby'le] *v/i.* (1a) klingeln, bimmeln.

tintouin F [tɛ̃'twɛ̃] *m* **1.** Krach *m*; **2.** Kopfzerbrechen *n*, Sorge *f*; *après bien du* ~ nach vielem Wenn und Aber; *donner du* ~ *à q.* j-m Kopfzerbrechen machen.

tipule *ent.* [ti'pyl] *f* Schnake *f*.

tique *ent.* [tik] *f* Zecke *f*.

tir [tiːr] *m* **1.** ~ (*à la cible*) (Scheiben-)Schießen *n*; Beschuß *m*; ~ *de barrage* Sperrfeuer *n*; ~ *sportif* Schießsport *m*; ~ *à petit calibre*, ~ *à l'arc* Kleinkaliber-, Bogenschießen *n*; ~ *à revers* Rückenfeuer *n*; ~ *de surprise* Feuerüberfall *m*; ~ *de surprise à obus toxiques* Gasüberfall *m*; ~ *de représailles* Vergeltungsfeuer *n*; ~ *en série(s)* Reihenschießen *n*; ~ *plongeant* hoher Bogenschuß *m*, Bohrschuß *m*, Steilfeuer *n*; ~ *à ricochet* Prallschußschießen *n*; *exercice m de* ~ Schießübung *f*; *être habile au* ~ ein guter Schütze sein; **2.** *ligne f de* ~ *Sport*: Schußlinie *f*; ~ *au but* Torschuß *m*; **3.** *stand m de* ~ Schießstand *m*.

tirade [ti'rad] *f* **1.** *thé.* längerer Monolog *m*; **2.** *péj.* Tirade *f*, Wortschwall *m*.

tirage [ti'raːʒ] *m* **1.** Druck *m*; Auflage *f*; Ausgabe *f*; **2.** *phot.* Abziehen *n*, Kopieren *n*; **3.** Ziehung *f* (*Lotterie*); ~ *au sort* a) Auslosen *n*; b) *ehm.* ⚔ Aushebung *f* durch das Los; **4.** *fin.* Ausstellung *f* (*e-s Wechsels*); **5.** ⊕ Ziehen *n*; Zug *m* (*Ofen*); Abziehen *n* (*Wein*); **6.** * Schwierigkeiten *f/pl.*

tiraill|ement [tirɑj'mɑ̃] *m* **1.** Hin- und Herziehen *n*; ~*s m/pl. d'estomac* Magengrimmen *n*; *j'ai des* ~*s dans la main* ich habe Reißen in der Hand; **2.** *fig.* ~*s m/pl.* Reibereien *f/pl.*; **~er** [~'je] (1a) **I** *v/t.* hin- und herziehen; zerren; quälen; **II** F *v/i.* immer wieder ein paar Schüsse abgeben, wild umherschießen; **~eur** ⚔ [~'jœːr] *m* Einzelschütze *m*.

tirant [ti'rɑ̃] *m* (Zug-)Schnur *f e-r Geldbörse*; (Schuh-)Lasche *f*; ⚠ Bindebalken *m*, Zuganker *m*; ⚒ Stiel *m*; ⚓ ~ *d'eau* Tiefgang *m*; ~ *d'air* lichte Höhe *f e-r Brücke*.

tirasse *ch.* [ti'ras] *f* Streichgarn *n*.

tire P [tiːr] *f* **1.** *vol m à la* ~ Taschendiebstahl *m*; *voleur m à la* ~ Taschendieb *m*; **2.** * *Auto*: Taxe *f*; *allg.* Vehikel *n*, Schlitten *m*.

tiré [ti're] **I** *m* **1.** Jagd(gebiet *n*) *f*; **2.** ✝ *bei Wechseln*: Bezogene(r) *m*, Trassat *m*; **II** *adj.* verhärmt, angegriffen, ausgemergelt; * öde, langweilig, unausgefüllt.

tire|-au-flanc *a.* ⚔ [tiro'flɑ̃] *m* (6c) Drückeberger *m*; **~-botte** [~'bɔt] *m* (6g) Stiefelknecht *m*; **~-bouchon** [~bu'ʃɔ̃] *m* (6g) **1.** Korkenzieher *m*; *advt. en* ~ geringelt; **2.** *fig.* Korkenzieherlocke *f*; **3.** F *en être au* ~ sich vor Lachen kringeln; **~-braise** [~'brɛːz] *m* (6c) Schüreisen *n*; **~-d'aile** [~'dɛl]: *à* ~ pfeilschnell; **~-fesse** F [~'fɛs] *m* (6g) Schilift *m*; **~-fond** ⊕ [~'fɔ̃] *m* (6g) Ring-, Schienen-, Vierkant-schraube *f*; **~-jus** P [~'ʒy] *m* (6c) Rotzlappen *m* V, Taschentuch *n*; **~-ligne** [~'liɲ] *m* (6g) Reißfeder *f*; **~lire**[1] [~'liːr] *f* Sparbüchse *f*; **~-lire**[2] [~] *m* (6c) Trillern *n der Lerche*; **~-lirer** [~li're] *v/i.* (1a) trillern (*Lerche*); **~-nerf** ⚕ [~'nɛːr] *m* (6c) Nervnadel *f des Zahnarztes*; **~-pied** ⊕ [~'pje] *m* (6g) Knieriemen *m*; **~-point** [~'pwɛ̃] *m* (6g) Ahle *f*, Pfriem *m*.

tirer [ti're] (1a) **I** *v/t.* **1.** ziehen; *fig.* bekommen, erlangen; ♧ gewinnen (*de* aus *dat.*); ~ *en bas* runterziehen; ~ *en haut* hochziehen; ~ *son chapeau à q.* den Hut vor j-m ziehen; ~ *q. le bras* j-n am Arm ziehen; ~ *parti de* Vorteil ziehen aus (*dat.*), ausnutzen; ~ *avantage* (*od. profit*) *d'une chose* sich etw. (*acc.*) zunutze machen; etw. ausnützen; ~ *des larmes à q.* j-n zu Tränen rühren; ~ *l'épée du fourreau* das Schwert aus der Scheide ziehen; ~ *une ligne* e-e Linie ziehen; ~ *le diable par la queue* ständig in Geldverlegenheit sein; sich kümmerlich durchschlagen; *fig.* ~ *les marrons du feu* für andere die Kastanien aus dem Feuer holen; *fig.* ~ *son épingle du jeu* die Finger davon lassen, nichts mehr damit zu tun haben wollen; ~ *q. du sommeil* j-n aus dem Schlaf wecken; ~ *les cartes à q.* j-m die Karten legen; ~ *l'horoscope à q.* j-m das Horoskop stellen; *fig.* F ~ *les vers du nez à q.* j-n ausfragen; *fig.* ~ *pied ou aile de qch.* irgendeinen Vorteil aus e-r Sache (*dat.*) herausschlagen; F ~ *sa révérence à q. iron.* s-e Siebensachen packen, losziehen; *fig.* ~ *la couverture de son côté* alles für sich beanspruchen; *fig.* ~ *q. à la remorque* j-n dauernd antreiben; *fig.* ~ *qch. de son cru* auf etw. (*z.B. auf e-n Gedanken*) von sich aus kommen; *fig.* ~ *d'un sac deux moutures fig.* zwei Fliegen mit einer Klappe schlagen; *fig.* ~ *les ficelles* die Fäden in s-r Hand haben; *fig.* ~ *une épine du pied à q.* j-m e-e Unannehmlichkeit aus dem Wege räumen; ~ *un mauvais numéro* e-e Niete ziehen; ~ *q. d'affaire* j-m unter die Arme greifen; j-n durchbringen; ~ *q. d'embarras* j-m aus der Verlegenheit helfen; F ~ *ses chausses* (*od. ses grègues*) sich aus dem Staube machen, türmen; ~ *un bateau* ein Schiff treideln; ~ *les cheveux à q.* j-n an den Haaren ziehen; *fig. tiré par les cheveux* an den Haaren herbeigezogen; P ~ *les poils du cul* e-e Sache komplizieren; ~ *la porte sur soi* die Tür hinter sich zumachen; ~ *les rideaux* die Vorhänge auf- *od.* zu-ziehen; ~ *les bas* (*les bottes*) *à q.* j-m die Strümpfe (die Stiefel) ausziehen; ~ *l'eau* Wasser ziehen (*Schuhe, Leder*); ~ *de l'eau* Wasser schöpfen; ~ *la langue à q.* j-m die Zunge herausstrecken; ~ *du vin au clair* Wein abziehen; *fig.* ~ *une affaire au clair* e-e Sache klären; ~ *de q. la vérité* von j-m die Wahrheit herausbekommen; *on ne saurait* ~ *un mot de lui, on ne peut rien* ~ *de lui* man kann nichts aus ihm herausbekommen; ~ *son origine de ...* s-n Ursprung ab- *od.* her-leiten von (*dat.*), stammen von ...; ~ *vengeance de qch.* (*de q.*) sich rächen für etw. (*acc.*) (an j-m *dat.*); ~ *sa source des Alpes* in den Alpen entspringen (*Fluß*); ~ *raison* (*od. satisfaction*) *d'une injure* sich Genugtuung für e-e Beleidigung verschaffen; ~ *de l'argent de q.* von j-m Geld bekommen; F ~ *les vers du nez à q.* j-n ausfragen; **2.** dehnen, recken, strecken; weiter schnallen; ~ *une corde* ein Seil straffziehen; *fig.* ~ *la courroie fig.* den Riemen enger schnallen, mit dem Pfennig rechnen, sich einschränken; ~ *sa coupe* kraulen (*Schwimmsport*); **3.** *durch Destillieren* ausziehen, auspressen; **4.** *litt.* von etw. (*dat.*) hernehmen, schöpfen, entlehnen; ~ *un passage de Molière* e-e Stelle aus Molière zitieren; **5.** ~ *une conclusion* e-n Schluß ziehen; ~ *une conséquence* folgern; ~ *les enseignements* die Lehren ziehen; **6.** (auf)zeichnen, entwerfen; ~ *des plans* Pläne entwerfen; **7.** (*als Objekt nur Ausdrücke wie coup, oiseau, poudre!*) (ab)schießen, verschießen, abfeuern; *fig.* ~ *sa poudre aux moineaux* mit Kanonen nach Spatzen schießen; viel Lärm um nichts machen; ~ *un feu d'artifice* ein Feuerwerk abbrennen; **8.** ~ (*une lettre de change*) *sur q.* e-n Wechsel auf j-n ausstellen; **9.** *typ.* drucken; ~ *une épreuve* e-n Korrekturbogen abziehen; *bon à* ~ druckreif; **10.** a) *phot.* ~ *des épreuves* Abzüge machen; P ~ *un portrait* photographieren; *se faire* ~ *en pied* sich in ganzer Figur photographieren lassen; b) *cin.* ~ *un film* e-n Film herausbringen; **11.** ⚓ *ce vaisseau tire huit mètres d'eau* dieses Schiff hat e-n Tiefgang von acht Metern; **12.** F absitzen; F machen, hinter sich bringen; F verbringen; ~ *sa prison* (im Gefängnis) sitzen; brummen; **II** *v/i.* **13.** ziehen (*Pferd, Ofen, Zigarre*); ~ *avec force sur sa pipe* kräftig an s-r (Tabaks-)Pfeife ziehen; * ~ *sur le bambou* Opium rauchen; **14.** ~ *à conséquence* von Bedeutung sein, etw. auf sich haben, Folgen nach sich ziehen; **15.** ~ (*au sort od. à la courte paille*) losen; **16.** schießen, feuern, Feuer geben; ~ *sur q.* (*sur qch.*) auf j-n (auf etw.) schießen; ~ *de l'arc* mit dem Bogen schießen; ~ *à bout portant* aus nächster Nähe schießen; ~ *à la cible* nach der Scheibe schießen; ~ *à balle* scharf schießen; ~ *à blanc* blind schießen; **17.** losgehen (*Feuerwaffen*); abgeschossen werden; **18.** ~ *sur le rouge* ins Rote spielen; rötlich schimmern; F ~ *sur q.* j-m ähnlich sein, nach j-m arten; **19.** *esc.* ~ (*des armes*) fechten; **20.** *typ. ce journal mensuel tire à 400 000 exemplaires* diese Monatszeitung hat e-e Auflage von 400 000 Exemplaren; **21.** ziehen (*v/i.*), sich wenden, gehen (*Menschen; Vögel; allg.*); ~ *sur la droite* sich nach rechts wenden; ~ *à sa fin* zur Neige gehen; s-m Ende nahe sein; ~ *de son côté* s-n eigenen Weg gehen; ~ *au flanc* (*od. au large od. au renard od. au cul*) sich (ver)drücken, sich aus dem Staub machen; **22.** ~ *en longueur* sich in die Länge ziehen (*Prozeß*); **23.** *fig.* ~ *sur la même corde fig.* am selben Strick ziehen; dasselbe wollen (*od.* meinen); **III** *v/rfl. se* ~ sich (heraus)ziehen; *ces enfants se tirent par les cheveux* diese Kinder ziehen sich an den Haaren; *se* ~ *d'affaire* sich aus der Verlegenheit ziehen; *s'en* ~ *mal* es schlecht überstehen (*od.* dabei schlecht wegkommen); *tâchez de vous en* ~ sehen Sie zu, wie Sie damit fertig werden; *s'en* ~ *avec de belles paroles* sich schön herausreden, schöne Ausreden erfinden; *s'en* ~ *élégamment* sich elegant aus der Affäre ziehen; *s'en ~ avec l'argent* mit dem Geld auskommen; *s'en ~ avec q.* mit j-m gut auskommen; P *se ~* abhauen, sich verdrücken; *tire-toi d'ici!* mach, daß du wegkommst!

tire|-racine ⊕ [tirra'sin] *m* (6g) Wurzelauszieher *m*; **~-sou** P [~'su] *m* (6g) Neppspiel *n*.

tiret [ti'rɛ] *gr. m* **1.** Gedankenstrich *m*; **2.** Trennungsstrich *m*.

tire-tête ⚕ [tir'tɛ:t] *m* (6g) Kopfstrecker *m*.

tirette [ti'rɛt] *f* **1.** Ausziehplatte *f* (*Tisch*); **2.** ⚡ *interrupteur à ~* Zugschalter *m*.

tireur [ti'rœ:r] **I** *su.* (7g) **1.** Schütze *m*; **2.** ☤ Trassant *m*, Wechselaussteller *m*; **3.** P *~-au-flanc, ~-au-cul* Drückeberger *m*; **4.** *~ de cartes* Kartenleger *m*, Wahrsager *m*; **II** *m* ⊕ Drahtzieher *m*.

tiroir [ti'rwa:r] *m* **1.** Schub-fach *n*, -lade *f*; **2.** ⊕ Schieber *m an der Dampfmaschine*; **3.** 🚂 Ausziehgleis *n*, Stichgleis *n*, Verschiebekopf *m*; *~ incliné* Abdrückgleis *n*; **4.** *thé. pièce f à ~s* Schubladenstück *n*.

tiroir-caisse ⚡ [~'kɛs] *m* (6a) Registrierkasse *f*.

tisane [ti'zan] *f* Kräutertee *m*.

tison [ti'zɔ̃] *m* **1.** halbverbranntes Stück *n* Holz; **2.** (chemisches) Sturmstreichholz *n* (*windfest*).

tisonné [tizɔ'ne] *adj.* schwarzgefleckt (*Pferd*).

tisonn|er [~] (1a) **I** *v/t.* schüren; **II** *v/i.* im Feuer herumstochern; **~ier** [~zɔ'nje] *m* Schürhaken *m*.

tiss|age [ti'sa:ʒ] *m* **1.** Weben *n*; **2.** Gewebe *n*; **3.** Weberei *f*; **~er** [ti'se] *v/t.* (1a) weben, wirken; spinnen (*Insekten*); **~erand** [tis'rɑ̃] *su.* (7) (Leine-)Weber *m*; **~erin** *orn.* [tis'rɛ̃] *m* Webervogel *m*; **~eur** [ti'sœ:r] *su.* (7g) Weber(in *f*) *m*; **~u** [ti'sy] **I** *adj. fig.* ausgedacht, ausgeheckt; *fig. ~ de* durchwoben von (*dat.*); **II** *m* Gewebe *n*; Stoff *m*; *anat. ~ cellulaire* Zellengewebe *n*; *~ caoutchouté* Gummistoff *m*; *~ conjonctif* Bindegewebe *n*; *~ épidermique* Hautgewebe *n*; *text. ~ fibreux* Fasergewebe *n*; ⊕ *~ métallique* Drahtgeflecht *n*; *~ de laine* Wollstoff *m*; *~ de roseaux* Rohrgewebe *f*; *fig. ~ de mensonges* Lügengewebe *n*; **~ulaire** ⚕ [~sy'lɛ:r] *adj.* Gewebe...; **~ure** [~'sy:r] *f* Webart *f*; **~uterie** [~sy'tri] *f* Bandweberei *f*; **~utier** [~sy'tje] *m* Bandweber *m*

titan *myth.* [ti'tɑ̃] *m* Titan *m*.

titane ⚗ [ti'tan] *m* Titan *n*.

titan|esque [tita'nɛsk] *adj.* gewaltig, gigantisch; **~ique** ⚗ [~'nik] *adj.* Titan...

titi F, *oft* ♀ [ti'ti] *m Pariser* Straßenjunge *m*.

titill|ant [titi'jɑ̃] *adj.* (7) kitzelnd, prickelnd; **~ation** [~jɑ'sjɔ̃] *f* Kitzeln *n*, Prickeln *n*; **~er** [~'je] *v/t.* (1a) kitzeln, prickeln.

titis|me *pol.* [ti'tism] *m* Titoismus *m*; **~te** *pol.* [ti'tist] *adj. u. m* titoistisch; Titoist *m*.

titrage ⚗ [ti'tra:ʒ] *m* Bestimmung *f* des Feingehalts, Maßanalyse *f*, Titration *f*.

titre ['titrə] *m* **1.** Titel *m* (*a. Buchtitel*); Überschrift *f*; Titelblatt *n*; *~-choc m* (6b) Schlagzeile *f*; *avoir pour ~* den Titel haben (*Buch*); *donner* (*od. conférer*) *un ~ à q.* j-m e-n Titel geben *od.* verleihen; **2.** *en ~* festangestellt; ins Beamtenverhältnis übernommen; *univ. professeur en ~* ordentlicher Professor *m*; **3.** Urkunde *f*, Beweisstück *n*; Berechtigungsschein *m*; Diplom *n*; Patent *n*; **4.** ☤ Wertpapier *n*, Stück *n*; *~ au porteur* auf den Inhaber lautendes Wertpapier *n*; *~ minier* Kux *m*; *~ à ordre* Orderpapier *n*; *~ de rente* Rentenbrief *m*; *~ d'emprunt de guerre* Kriegsschuldverschreibung *f*; **5.** Rechtsgrund *m*, Anrecht *n*, Anspruch *m*; Eigenschaft *f*; Art und Weise *f*; *fig.* Charakter *m*; Hinsicht *f*; *à ~ d'héritier* in der Eigenschaft e-s Erben, als Erbe; *à ~ de don* (*de grâce, de prêt*) als Geschenk (als Gnade, als Darlehen); *à ~ expérimental* (*od. d'essai*) versuchsweise; *à ~ gratuit* (*od. gracieux*) unentgeltlich; *à ~ provisoire* vorläufig; *à ~ révocable* auf Widerruf; *vous en avez payé la moitié à ~ d'a-compte* Sie haben die Hälfte davon abbezahlt; *à ~ d'office* von Amts wegen; *à juste ~* mit (vollem) Recht; *à quel ~?* mit welchem Recht?, in welcher Eigenschaft?; *à ~ bénévole* ehrenamtlich; *à ~ privé* privatim; *à ~ de remplacement* vertretungsweise; *à ~ exceptionnel* ausnahmsweise; *à ~ de renseignement* (*od. d'information*) zur Kenntnisnahme; *à ~ expérimental* versuchsweise; *à plus d'un ~* in mehrfacher Hinsicht.

titrer [ti'tre] *v/t.* (1a) **1.** *~ q.* j-n adeln; *personne titrée* Standesperson *f*; **2.** *cin.* mit Untertiteln versehen (*Stummfilm*); **3.** *a. abs. gebr. journ. e-n Artikel* betiteln; *~ gros sur qch.* etw. in Schlagzeilen (*od.* in großer Aufmachung) bringen; **4.** ⚗ titrieren; *titré à ...* mit soundso viel Feingehalt.

titre-restaurant [titrərɛstɔ'rɑ̃] *m* (6b) Essenbon *m*.

titub|ant [tity'bɑ̃] *adj.* taumelnd, wackelig, schwankend; **~er** [~'be] *v/i.* (1a) taumeln, wanken.

titulaire [tity'lɛ:r] **I** *adj.* **1.** festangestellt; ins Beamtenverhältnis übernommen, verbeamtet; *professeur ~* a) *univ.* ordentlicher Professor *m*; b) *écol.* ins Beamtenverhältnis übernommener Lehrer *m*; **II** *su.* **2.** *Sport*: Titel-halter *m*, -verteidiger *m*; *~ du* (*od.* de) *prix* Preisträger *m*; **3.** ⚕ *~ d'un compte* Kontoinhaber *m*; **4.** Inhaber *m* (*e-s Amtes, e-s Dokuments*); *~ d'un permis de conduire* Inhaber *m* e-s Führerscheins; *le ~ d'une fonction* der Inhaber *m* e-s Amtes; *~ d'un brevet* Patentinhaber *m*; *~ d'une pension* Pensionsempfänger *m*.

titularis|ation [~lariza'sjɔ̃] *f* Beamtierung *f*; feste (*od.* endgültige) Anstellung *f* (*od.* Eingruppierung *f*); **~é** [~ri'ze] *adj.* beamtet; hauptamtlich; festangestellt; **~er** [~] *v/t.* (1a) beamten; fest anstellen (*od.* eingruppieren).

Titus [ti'tys] *npr.* Titus *m*; *cheveux m/pl. à la ~* Tituskopf *m*.

tiu-tiu *orn.* [tjy'tjy] F: *faire ~* „jüb jüb" singen (*Fink*).

toast [tost] *m* **1.** Toast *m*, Trinkspruch *m*; *porter un ~ à la santé de q.* j-n hochleben lassen; **2.** Toast *m*, geröstete Weißbrotschnitte *f*; **~er** [~'te] *v/i.* (1a) e-n Toast ausbringen.

toboggan [tɔbɔ'gɑ̃] *m* **1.** Toboggan *m*; *aller en ~* rodeln; **2.** Rutschbahn *f*; **3.** ⊕ Rutsche *f*; ✈ *~ de secours* Notrutsche *f*; **4.** ⊕ provisorische Stahlbrücke *f*.

toc [tɔk] **I** *int.* poch!; tapp!; **II** *m* **1.** *téléph.* Knackgeräusch *n*; **2.** *bijoux m/pl. en ~* unechter Schmuck *m*; *du ~* Kitsch *m*; Schund *m*; **3.** ⊕ Mitnehmer *m*; **4.** *à ~ de voiles* mit vollen Segeln; **III** *adj./inv.* * häßlich; F bekloppt, doof.

tocante F [tɔ'kɑ̃:t] *f* = *toquante*.

tocard [tɔ'ka:r] **I** P *adj.* häßlich, scheußlich; *ça fait ~* das sieht scheußlich aus; **II** *m* F mittelmäßiges Rennpferd *n*; F Nichtskönner *m*; * Schuft *m*, gemeiner Kerl *m*.

tocsin [tɔk'sɛ̃] *m* Sturmläuten *n*; Sturm-, Alarm-glocke *f*.

tohu-bohu [tɔybɔ'y] *m/inv.* Tohuwabohu *n*, Durcheinander *n*.

toi [twa] *pr/p. starktonig* **1.** *statt te als acc. im bejahenden impér.*: dich; *assieds-~* setze dich (hin)!; **2.** *nach prp.*: *à ~* dir; *c'est à ~* es gehört dir; *je compte sur ~* ich rechne mit dir; **3.** *alleinstehend*: du; *est-ce ~?* bist du es?; *~ et moi* du und ich.

toile [twal] *f* **1.** ⚕ Leinwand *f*, Leinen *n*; *draps m/pl. de ~* Leinentücher *n/pl.*; *~ cirée* Wachstuch *n*; *~ de coton* Kattun *m*; *~ d'emballage* Packleinwand *f*; *~ gommée* Steifleinen *n*; *grosse ~* (*à sacs*) Sackleinwand *f*; **2.** Gewebe *n*, Geflecht *n*; Bespannung *f*; ⊕ *~ métallique* Drahtgeflecht *n*; *~ d'araignée* Spinngewebe *n*; **3.** *peint.* (Öl-)Bild *n*, Gemälde *n*; **4.** *thé. ~ de fond* Bühnenhintergrund *m*; *fig.* Hintergrund *m*; **5.** *~s pl.* ⚓ Segelwerk *n*; **~rie** [~l'ri] *f* **1.** Leinenware *f*; **2.** Leinen-fabrikation *f*, -fabrik *f*, -handel *m*.

toilett|age [twalɛ'ta:ʒ] *m* Hundescheren *n*; **~e** [~'lɛt] *f* **1.** Sichwaschen *n*; Sichanziehen *n*; Sichkämmen *n*; *faire sa ~* sich waschen; sich anziehen; *cabinet m de ~* Waschraum *m*; *gant m de ~* Waschlappen *m*; *savon m de ~* Toilettenseife *f*; **2.** Frisier-, Toiletten-, Wasch-tisch *m*, Frisiertoilette *f*; **3.** (Damen-)Kleidung *f*, Toilette *f*, Aufmachung *f*; *bsd.* Damenkleid *n*; *~ de bal* (*de ville*) Ball-(Straßen-)kleid *n*; *~ d'été* Sommerkleid *n*; *en grande ~* in großer Toilette; *faire grande ~* in großer Toilette erscheinen; **4.** *~s f/pl.* Toilette *f*, WC *n*.

toilett|er [twalɛ'te] *v/t.* (1a) putzen, reinigen, säubern; scheren (*bsd. e-n Hund*; *a.* ⊕); **~eur** [~'tœ:r] *m* Hundescherer *m*.

toilier [twa'lje] (7b) **I** *su.* Leinenfabrikant *m*, -händler *m*; **II** *adj.* Leinen...

tois|e [twa:z] *f* **1.** Meß-gerät *n*, -stock *m* (*zum Messen der Körpergröße*); **2.** *ehm.* Klafter *f*; **~er** [twa'ze] *v/t.* (1a): *~ q.* j-s Körpergröße messen; *fig.* j-n von oben herab (herausfordernd) ansehen; j-n von oben bis unten mustern.

toison [twa'zɔ̃] *f* **1.** Wolle *f* (*bsd. v. Schafen*); Vlies *n*; Schaffell *n*; **2.** *fig.* dichtes Haar *n*; dichte Behaarung *f*.

toit [twa] *m* **1.** Dach *n*; ~ *de chaume* Strohdach *n*; ~ *d'ardoises* Schieferdach *n*; *Auto*: ~ *ouvrant* aufklappbares Verdeck *n*, Sonnendach *n*; ~ *roulant* Rolldach *n*; △ ~ *en dos d'âne* Satteldach *n*; ~ *en zinc* Blechdach *n*; *fig. crier qch. sur les* ~*s* etw. an die große Glocke hängen, etw. ausposaunen; **2.** *fig.* Haus *n*, Wohnung *f*; ~ *hospitalier* gastliches Haus *n*; ~ *paternel* Vaterhaus *n*; **~ure** [~'ty:r] *f* Bedachung *f*, Dach *n*; ~ *à plan unique* Pultdach *n*.

tokharien *ling.* [tɔka'rjɛ̃] *adj. u. m* tocharisch; *le* ~ das Tocharische.

tôle [to:l] *f* **1.** Blech *n*; ~ *fine*, ~ *grossière*, ~ *ondulée* Fein-, Grob-, Well-blech *n*; ~*s f/pl. d'ajustage* Ausgleichbleche *n/pl.*; ~ *de cuivre* Kupferblech *n*; ~ *de laiton* Messingblech *n*; **2.** * s. *taule*.

tolér|able [tɔle'rablə] *adj.* □ erträglich; **~ance** [~'rɑ̃:s] *f* Toleranz *f*, Duldsamkeit *f*, Duldung *f*, Nachsicht *f*; **~ant** [~'rɑ̃] *adj.* (7) duldsam, tolerant, nachsichtig; **~er** [~'re] *v/t.* (1f) *nachsichtig* dulden, zulassen, ertragen.

tôlerie [tol'ri] *f* Blech-walzwerk *n*, -ware *f*.

tolet ⚓ [tɔ'lɛ] *m* (Ruder-)Dolle *f*.

toletière ⚓ [tɔl'tjɛ:r] *f* Dollbaum *m*.

tôlier [to'lje] *m* Blechschmied *m*.

tolite ⚗ [tɔ'lit] *m* Tolit *n* (*Sprengstoff*).

tollé [tɔ'le] *m* Zetergeschrei *n*; *un* ~ *de protestations* ein Sturm der Entrüstung.

toluène ⚗ [tɔ'lɥɛn] *m* Trotyl *n*.

tomahawk *ehm.* [tɔma'o:k] *m* Streitaxt *f* der Indianer.

tomaison *typ.* [tɔmɛ'zɔ̃] *f* Bandnummer *f auf jeder Druckseite*.

tomate [tɔ'mat] *f* Tomate *f*.

tombac [tɔ̃'bak] *m* Tombak *m*; ~ *blanc* Neusilber *n*.

tombal [tɔ̃'bal] *adj.* (5c) Grab...

tombant [tɔ̃'bɑ̃] *adj.* (7) fallend, sinkend; herabhängend (*Haar*); *à la nuit* ~*e* bei Einbruch der Nacht; ~ *en ruines* baufällig.

tomb|e [tɔ̃:b] *f* Grab *n*; Grab-platte *f*, -stein *m*; *fig.* Tod *m*; **~eau** [tɔ̃'bo] *m* (5b) Grabstätte *f*; Gruft *f*; *fig.* Tod *m*, Ende *n*, Untergang *m*, Verderben *n*; *fig. rouler à* ~ *ouvert* mit e-r irrsinnigen Geschwindigkeit fahren.

tombée [tɔ̃'be] *f*: *à la* ~ *du jour* gegen Tagesende; *à la* ~ *de la nuit* bei Einbruch der Nacht.

tombelle [tɔ̃'bɛl] *f* Grabhügel *m*.

tomber [tɔ̃'be] (1a) **I** *v/i.* **1.** (hin-, ab-, herunter-)fallen; *il tomba à genoux* er fiel auf die Knie; ~ *aux pieds* (*od. aux genoux*) *de q.* j-m zu Füßen fallen; ~ *à l'eau a. fig.* ins Wasser fallen; ~ *à terre* auf die Erde (herunter)fallen; ~ *par terre* lang hinfallen; ✈ ~ *à pic*, ~ *en chute*, ~ *en piqué* abstürzen (*a. im Gebirge*); ✈ ~ *en vrille* abtrudeln; *fig.* ~ *en proie à un vice* e-m Laster verfallen; ~ *à la renverse* nach hinten, auf den Rücken fallen; *faire* ~ niederwerfen, umwerfen, umstürzen; *fig.* zu Fall bringen; ~ *de la bicyclette* (*du cheval*) vom Fahrrad (vom Pferd) stürzen; *il tombe de la neige*, *la neige tombe* es fällt Schnee, es schneit; *la grêle tombe* es hagelt; *fruits m/pl. tombés* Fallobst *n*; ~ *en ruines* verfallen; *fig. cela tombe sous le sens* das leuchtet ein; *faire* ~ *dans le sens* veranschaulichen; *fig. laisser* ~ *des propos* Äußerungen fallenlassen; *fig. laisser* ~ *des amis* Freunde fallenlassen; **2.** ausfallen (*Haare*, *Zähne*), ausgehen; **3.** herab-hängen, -sinken (*Zweige*, *Äste*); **4.** ~ *sur q.* (*qch.*) zufällig auf j-n (auf etw.) stoßen; über j-n (etw.) herfallen *od.* herstürzen, j-n anfallen; *l'entretien tomba sur lui* man kam auf ihn zu sprechen; *faire* ~ *les soupçons sur q.* den Verdacht auf j-n lenken; **5.** umfallen, umsinken; zusammenfallen, einstürzen; vergehen; unterliegen; **6.** werden; *in e-e Lage* geraten, kommen; ~ *d'accord avec q. sur qch.* sich mit j-m über etw. einigen; ~ *amoureux* sich verlieben; ~ *malade* (*plötzlich*) krank werden; ~ *victime de qch.* ein Opfer von etw. werden; ~ *dans l'esprit* in den Sinn kommen; einfallen; ~ *dans l'oubli* in Vergessenheit geraten; ~ *dans le ridicule* sich lächerlich machen; ~ *en arrêt* plötzlich stehenbleiben; ~ *en défaillance*, ~ *en syncope* in Ohnmacht fallen; ~ *en désuétude* außer Gebrauch kommen; ~ *entre les mains* (*od. aux mains*) *de q.* j-m (einem einzigen *od.* mehreren) in die Hände fallen; ~ *sous la main de q.* j-m (e-m einzigen) unter die Finger (*od.* in die Hände) geraten; **7.** münden, sich ergießen; **8.** *Pâques tombe le 21 avril* Ostern fällt auf den 21. April; *le 1er novembre tombe un dimanche* der 1. November fällt auf e-n Sonntag; **9.** es (*gut*, *schlecht*) treffen; *il est bien tombé* er ist gerade recht gekommen, er hat es gut getroffen; ~ *mal* es schlecht treffen, im ungünstigen Augenblick kommen; *comme ça tombe!* wie das paßt!; wie sich das trifft!; wie das so kommt!; ~ *juste* den Nagel auf den Kopf treffen; **10.** zufallen; ~ *en partage à q.* j-m zuteil werden; **11.** abnehmen; schwächer werden; nachlassen; *thé.* durchfallen; *la conversation tombe* die Unterhaltung gerät ins Stocken; **II** *v/t.* **12.** auf die Schultern legen (*Ringkampf*); **13.** F ~ *une femme* e-e Frau verführen; **14.** F ~ *la veste* die Jacke ausziehen; **III** *v/imp. il tombe de la pluie* (*de la neige*) es regnet (schneit); s. *a. unter* I.

tombereau [tɔ̃'bro] *m* (5b) **1.** zweirädriger Kippkarren *m*; **2.** Karrenladung *f*.

tombeur [tɔ̃'bœ:r] *m* ⚠ Abbruch-, Abriß-arbeiter *m*; Sieger *m* (*Ringkampf*); Bezwinger *m*; F Frauenheld *m*.

tombola [tɔ̃bɔ'la] *f* Tombola *f*.

tome [tɔm] *m* Band *m*, Teil *m e-s Werkes*.

tomenteux ⚘ [tɔmɑ̃'tø] *adj.* (7d) flaumig.

tomer *typ.* [tɔ'me] *v/t.* (1a) in Bände einteilen; mit der Zahl des Bandes versehen.

tom(m)ette ⚠ *Südfr.* [tɔ'mɛt] *f* Mauerstein *m*.

tomograph|e ⚕ [tɔmɔ'graf] *m* Röntgenschichtaufnahmegerät *n*; **~ie** ⚕ [~'fi] *f* Röntgenschichtaufnahme(verfahren *n*) *f*.

tom-pouce [tɔm'pus] *m/inv.* **1.** winziges Männchen *n*, Kerlchen *n*, Dreikäsehoch *m*; **2.** ☂ Taschenschirm *m*.

ton[1] [tɔ̃] *m* **1.** Ton *m*, Klang *m*; ♪ Tonart *f*; ~ *majeur* (*mineur*) Dur-(Moll-)ton *m*; *demi-~* Halbton *m*; *quart m de ~* Viertelton *m*; **2.** *fig.* Ton *m*, Tonart *f*, Redeweise *f*; *changer de ~* e-n andern Ton anschlagen; aus e-m andern Loch pfeifen F; *prendre un ~ familier avec q.* mit j-m e-n vertraulichen Ton anschlagen; **3.** Lebensart *f*, Geschmack *m*; Manier *f*; *le bon ~* die feine Sitte; der gute Ton; *il est de bon ~ de ...* es gehört zum guten Ton zu ...; **4.** *peint.* Ton *m*, Farbengrund *m*; *peint ~ sur ~* in der Wandfarbe überstrichen; **5.** *physiol.* Spannkraft *f*; Stärke *f*, Energie *f*; *donner du ~* (*à*) stärken, kräftigen.

ton[2] *m*, **ta** *f*; *pl.* **tes** [tɔ̃, ta; *pl.* te, *thé.* tɛ] *pr/poss. adj.* dein(e *f*) *m*, *n*; *pl.* deine; *vor Vokalen und stummem h steht ton für ta.*

tonal [tɔ'nal] *adj.* (*pl.* ~s) Ton...; **~ité** [~li'te] *f* **1.** ♪ Tonart *f*; Klang(farbe *f*) *m*; **2.** *tél.* Ruf-, Frei-zeichen *n*; **3.** *peint.* dominierender Farbton *m*.

tond|age ⊕ [tɔ̃'da:ʒ] *m* Scheren *n des Tuches*; **~eur** [~'dœ:r] *su.* (7g) (Tuch-, Schaf-)Scherer *m*; **~euse** [~'dø:z] *f* **1.** ⊕ (Tuch-)Schermaschine *f*; **2.** ✓ ~ *à gazon* Rasenmähmaschine *f*; **3.** ~ *à cheveux* Haarschneidemaschine *f*; **~re** ['tɔ̃:drə] *v/t.* (4a) **1.** (ab)scheren; F *fig.* aussaugen; neppen; *se laisser ~ la laine sur le dos* sich das Fell über die Ohren ziehen lassen; *il tondrait un œuf* er ist mehr als knickerig (*od.* geizig); ~ *les contribuables* die Steuerzahler auspressen; **2.** ✓ *e-e Hecke* beschneiden; *Gras* (ab)mähen; **~u** [~'dy] *adj. u. su.* kurzgeschoren; Glatzkopf *m*.

toni|cité *physiol.* [tɔnisi'te] *f* Spannkraft *f*, Tonus *m*; kräftigende Wirkung *f*; **~fiant** *phm.*, ⚕ [~'fjɑ̃] **I** *adj.* (7) stärkend, kräftigend, *fig.* belebend; **II** *m* Kräftigungsmittel *n*; **~fier** [~'fje] *v/t.* (1a) kräftigen, stärken; beleben.

tonique[1] [tɔ'nik] **I** *adj. physiol.* stärkend, kräftigend, belebend; **II** *m* ⚕ Tonikum *n*, Stärkungsmittel *n*.

tonique[2] [~] **I** *adj.* **1.** ♪ *note f ~* Grundton *m*; **2.** *gr. accent m ~* Betonungszeichen *n* ('); (Wort-)Ton *m*; **II** *f gr.* betonter Vokal *m*, betonte Silbe *f*; ♪ Grundton *m*.

tonitruant [tɔnitry'ɑ̃] *adj.* (7) donnernd; *voix f ~e* Donnerstimme *f*.

tonnage [tɔ'na:ʒ] *m* Tonnage *f*; ~ *des flottes du monde* Welttonnage *f*.

tonnant [tɔ'nɑ̃] *adj.* (7) donnernd.

tonn|e [tɔn] *f* Tonne *f* (*a. als Maß* = 1000 kg); großes Faß *n* (*größer als tonneau*); ☂ ~ *kilométrique* Tonnenkilometer *m*; **~eau** [~'no] *m* (5b) **1.** Faß *n*; ~ *d'arrosage* Sprengwagen *m*; **2.** ⚓ ~ *de jauge* Registertonne *f* (R.T. = 2,83 cbm); **3.** zweirädriger, offener Einspänner *m*; **4.** ✈ ~ (*à droite*) Rolle *f* (rechts) (*Flugakrobatik*); *Auto*: *faire un ~* sich überschlagen; **~elage** [tɔn'la:ʒ] *m*: *marchandises f/pl. de ~* Faßwaren *f/pl.*; **~elet** [tɔn'lɛ] *m* Fäßchen *n*, Tönnchen *n*; **~elier** [tɔnə'lje] *m* Böttcher *m*, Küfer *m*; **~elle** [tɔ'nɛl] *f* **1.** Gartenlaube *f*;

2. ⚠ Tonnengewölbe *n*; **~ellerie** [tɔnɛl'ri] *f* Böttcherei *f*; Faßfabrik *f*.

tonn|er [tɔ'ne] *v/i. u. v/imp.* (1a) donnern; krachen; *il tonne* es donnert; *fig.* ~ *contre q.* gegen j-n losdonnern; **~erre** [tɔ'nɛːr] *m* Donner *m*; *coup m de* ~ a) Donnerschlag *m*; b) *fig.* schwerer Schlag *m*; *mille* ~*s!* zum Donnerwetter!; F *c'est du* ~*!* das ist ja fabelhaft!; *une pépée du* ~*!* e-e phantastische Puppe.

tonsille *anat.* [tɔ̃'sij] *f* Mandel *f*.

tonsur|e *rl.* [tɔ̃'syːr] *f* Tonsur *f*; **~er** *rl.* [~sy're] *v/t.* (1a) mit der Tonsur versehen.

tonte [tɔ̃ːt] *f* **1.** (Schaf-)Schur *f*; Schurzeit *f*; **2.** abgeschorene Wolle *f*; Schurwolle *f*; **3.** ✓ Grasmähen *n*; Beschneiden *n* (*e-r Hecke*).

tontin|age ✓ [tɔ̃ti'naːʒ] *m* Einpacken *n* in Stroh; **~e** [~'tiːn] *f* **1.** ✓ Strohumhüllung *f* (*zum Schutz von Wurzelballen*); **2.** ⚖ Leibrentengemeinschaft *f*; **~er** ✓ [~'ne] *v/t.* (1a) in e-e Strohumhüllung packen (*Wurzelballen*).

tonton [tɔ̃'tɔ̃] *m* **1.** *enf.* Onkelchen *n*; **2.** *Haiti* (*bis 1972*), *z.T. Afrika*: ~ *macoute m* (6a) Leibwächter *m*; **3.** *abus.* = *toton*: Kreisel *m*.

tonture[1] [tɔ̃'tyːr] *f* **1.** ⊕ (Tuch-)Scheren *n*; **2.** ⊕, ✓ Beschneiden *n e-r Hecke*; Stutzen *n* (*e-s Baums*); Mähen *n* (*des Rasens*); abgeschnittene Zweige *m/pl.* (*Blätter*); gemähtes Gras *n*.

tonture[2] ⚓ [~] *f* Krümmung *f der Hölzer*, Sprung *m* (*Erhöhung des Schiffsdecks am Bug u. Heck*).

tonus *biol.* [tɔ'nys] *m* Spannung *f* (*der Muskeln*).

top *a. rad.* [tɔp] *m* Zeitzeichen *n*.

topaze *min.* [tɔ'paːz] *f* Topas *m*; ~ *enfumée*, ~ *occidentale* Rauchtopas *m*; ~ *orientale* Goldtopas *m*.

tope(-là)! [tɔp('la)] *int.* einverstanden!; abgemacht!

toper [tɔ'pe] *v/i.* (1a) durch Handschlag einwilligen; mit den Gläsern (mit dem Glas) anstoßen.

topette [tɔ'pɛt] *f* Fläschchen *n*.

tophus ⚕ [tɔ'fys] *m* Gichtknoten *m*.

topinambour ♀ [tɔpinɑ̃'buːr] *m* Topinambur *f*.

topique [tɔ'pik] **I** *adj.* **1.** *rhét.* zur Sache gehörig; **2.** ⚕ örtlich wirkend, lokal (*Heilmittel*); **II** *m* **3.** ⚕ örtliches Heilmittel *n*; **4.** *rhét. les* ~*s m/pl.* Gemeinplätze *m/pl.*

topo F [tɔ'po] *m* **1.** ⚠ Geländeskizze *f*, Plan *m*; Entwurf *m*; **2.** *bsd. a. écol.* kurze schriftliche *od.* mündliche Ausarbeitung *f*; **~graphe** [~pɔ'graf] *m* Topograph *m*; **~graphie** [~gra'fi] *f* Topographie *f*, Orts-beschreibung *f*, -kunde *f*; **~graphique** [~gra'fik] *adj.* □ topographisch; **~nyme** [~'nim] *m* Ortsname *m*; **~nymie** [~ni'mi] *f* Ortsnamenskunde *f*, Toponomastik *f*.

toquade *u.* **tocade** F [tɔ'kad] *f* Marotte *f*, Einfall *m*, Fimmel *m*.

toquante F [tɔ'kɑ̃ːt] *f* Kartoffel *f* P *fig.*, Taschenuhr *f*.

toque [tɔk] *f* **1.** ⚖ Barett *n*, Mütze *f der Richter*; **2.** Jockeymütze *f*; Kappe *f* (*Damenmode*); ~ *de fourrure* Pelzmütze *f*.

toqu|é F [tɔ'ke] *adj. u. su.* leicht bekloppt, verdreht, übergeschnappt; ~ *de q.* in j-n verknallt; **~er** F [~] *v/rfl.* (1m): *se* ~ *de q.* sich in j-n verknallen (*od.* verlieben).

torch|e [tɔrʃ] *f* **1.** Fackel *f*; Taschenlampe *f*; **2.** *peint.* Lappen *m zum Reinigen der Pinsel*; **3.** Tragwulst *f* (*auf dem Kopf*); **4.** ~ *de fil de fer* Rolle *f* Eisendraht; **~é** F [tɔr'ʃe] *adj.* **1.** schwungvoll, spritzig, geistreich; *c'est bien* ~ das ist gekonnt; **2.** hingepfuscht (*Arbeit*); **~ée** F [tɔr'ʃe] *f* Keile *f*; **~er** [~] (1a) **I** *v/t.* **1.** F abwischen, saubermachen; **2.** F *fig.* ~ *un travail* e-e Arbeit hin-, ver-pfuschen; **3.** ⚠ mit Lehm und Stroh mauern; **II** F *v/rfl. se* ~ (*le cul*) sich den Hintern abwischen; P *il n'a qu'à s'en* ~ *le bec* und wenn er auch noch so scharf darauf ist; mag er es auch noch so gern haben wollen.

torchère [tɔr'ʃɛːr] *f* **1.** großer Kandelaber *m*; **2.** Schale *f*, in der ein Feuer brennt.

torch|is [~'ʃi] *m Mauerei*: Strohlehm *m*; **~on** [~'ʃɔ̃] *m* **1.** (Scheuer-, Wisch-, Topf-)Lappen *m*; Geschirrtuch *n*; *passer le* ~ *dans la cuisine* die Küche aufwischen; ~ *à épousseter* Staublappen *m*; **2.** P *se flanquer un coup de* ~ sich prügeln, sich in die Haare kriegen; P *le* ~ *brûle entre les deux* die beiden haben Krach; **3.** P Lokal *n*; **4.** F *schriftliche* Pfuscherei *f*; **5.** ★ *thé.* Vorhang *m*; **~onner** F [~ʃɔ'ne] *v/t.* (1a) (zusammen)schmieren, hinpfuschen.

torcol *orn.* [tɔr'kɔl] *m* Wendehals *m*.

tordage ⊕ [~'daːʒ] *m* Drehen *n v. Fäden*; Zwirnen *n*.

tordant F [tɔr'dɑ̃] *adj.* (7) urkomisch, zum Totlachen.

tord-boyaux F [tɔrbwa'jo] *m* (6c) Fusel *m*, Rachenputzer *m* F.

tord|eur [tɔr'dœ:r] *su.* (7g) Zwirner *m*; **~euse** [~'dø:z] *f* **I** *ent.* Wickler *m*; **II** Verseilmaschine *f*.

tord-nez [tɔr'ne] *m* (6c) Nasenknebel *m* (*für Pferde*).

tordoir ⊕ [tɔr'dwa:r] *m* **1.** Zwirn-, Wring-maschine *f*; **2.** ⚒ Läufer-, Erz-mühle *f*; **3.** Knebel *m*; **4.** Ölpresse *f*.

tordre ['tɔrdrə] (4a) **I** *v/t.* (ab-, um-, zusammen-)drehen; winden; *~ du linge* Wäsche auswringen; *~ le bras à q.* j-m den Arm verrenken; *~ et casser* verbiegen; *machine f à ~* Wringmaschine *f*; **II** *v/rfl. se ~* sich drehen, sich winden; *se ~ le cou* sich den Hals verrenken; *fig. rire à se ~ od. se ~ de rire* sich halb totlachen; *il y a de quoi se ~!* das ist ja zum Totlachen!; *se ~ les mains* die Hände ringen; *se ~ un pied* sich e-n Fuß verstauchen.

tordu [tɔr'dy] **I** *adj.* verbogen; krumm; verzerrt; verwachsen (*Baum*); verrenkt (*Fuß usw.*); F verrückt; **II** * *su.* Idiot *m*.

tore [tɔ:r] *m* **1.** △ (Säulen-)Wulst *f od. m*, Torus *m*; **2.** *géom.* Torus *m*, Ringfläche *f*; **3.** *cyb.* *~ magnétique* Magnetkern *m*.

toréador, toréro [tɔrea'dɔ:r, ~re'ro] *m* Torero *m*, Stierkämpfer *m*.

toréer [tɔre'e] *v/t.* (1a) als Torero auftreten.

torgnole F [tɔr'ɲɔl] *f* (saftige) Ohrfeige *f*.

toril [tɔ'ril] *m* Stierkäfig *m* (*e-r Stierkampfarena*).

tormentille ⚘ [tɔrmɑ̃'tij] *f* Blutwurz *f*.

tornade [tɔr'nad] *f* Tornado *m*.

toron[1] [tɔ'rɔ̃] *m* Litze *f*.

toron[2] △ [~] *m* große(r) Wulst *f* (*od. m*), großer Torus *m*.

toronné ⊕ [tɔrɔ'ne] *adj.*: *fils m/pl. ~s* Drahtlitze *f*.

tor|peur [tɔr'pœ:r] *f* Benommenheit *f*, Betäubung *f*, Erstarrung *f*; *physiol. u. fig.* Empfindungslosigkeit *f*; **~pide** [~'pid] *adj.* erstarrt; *physiol. u. fig.* empfindungslos.

torpill|age ⚔ [tɔrpi'ja:ʒ] *m* Torpedierung *f*; **~e** [tɔr'pij] *f* **1.** *icht.* Zitterrochen *m*; **2.** ⚔ Torpedo *n*; Mine *f*; *~ aérienne* Luftmine *f*; *~ à ailettes* Flügelmine *f*; *~ sous-marine* Seemine *f*; *~s pl. vigilantes* Sperrminen *f/pl.*; **~er** ⚔ [~pi'je] *v/t.* (1a) torpedieren (*a. fig.*), in die Luft sprengen; **~eur** [~pi'jœ:r] *m* **1.** Torpedoboot *n*; **2.** Torpedoflugzeug *n*.

torqu|e [tɔrk] *f* **1.** ⊕ Drahtrolle *f*; Rollendraht *m*; **2.** *hist.* gallischer Ring *m*; **~er** [tɔr'ke] *v/t.* (1m) *Tabak* drehen.

torré|facteur [tɔrefak'tœ:r] *m* Röstmaschine *f*, Röster *m*; **~faction** [~fak'sjɔ̃] *f* Rösten *n*; **~fier** [~'fje] *v/t.* (1a) rösten; **~frais** [~'frɛ] *adj./m* röstfrisch.

torrent [tɔ'rɑ̃] *m* Gebirgs-, Sturzbach *m*; *fig.* Flut *f*, Strom *m*; *résister au ~* gegen den Strom schwimmen; *dans le ~ des affaires* im Getriebe (*od.* im Drange) der Geschäfte; *~ humain* Menschenstrom *m*, -gewühl *n*, -gedränge *n*; **~iel** [~'sjɛl] *adj.* (7c) □ Sturzbach..., durch Regenströme verursacht; *pluie f ~le* Wolkenbruch *m*; **~ueux** *litt.* [~'tɥø] *adj.* (7d) wild, reißend.

torride [tɔ'rid] *adj.* (7) brennend heiß, tropisch.

tors [tɔ:r] **I** *adj.* (7) gedreht, (schnecken-, schrauben-artig) gewunden; krumm (*Bein*); gezwirnt (*Faden*); gewunden (*Säule*); **II** *m* Drehung *f*; **~ade** [tɔr'sad] *f* **1.** *~ de cheveux od. cheveux m/pl. en ~* Zopf *m*; **2.** Kordel *f*; **3.** △ Spirale *f*; **~ader** [~sa'de] *v/t.* (1a) **1.** *Haar* drehen; **2.** △ Windungen um e-e Säule machen; **3.** ⊕ verdrillen.

torse [tɔrs] *m* **1.** Oberkörper *m*; *se mettre le ~ nu* sich den Oberkörper freimachen; *fig.* F *faire des effets de ~ od. bomber le ~* sich brüsten, angeben *fig.*; *allg. poser pour le ~* sich in Positur stellen; **2.** *sculp.* Torso *m*.

torsion [~'sjɔ̃] *f* ⊕ Torsion *f*, Drehen *n*, Winden *n*; (Ver-)Drehung *f*; *text.* Drall *m*; ⚕ *~ de la bouche* Verzerrung *f* des Mundes.

tort [tɔ:r] *m* **1.** Unrecht *n*; Schuld *f*, Fehler *m*; *avoir ~* unrecht haben; *avoir les ~s de son côté, être dans son ~* im Unrecht sein; *donner ~ à q.* j-m unrecht geben, j-m nicht recht geben; *mettre q. dans son ~* j-n ins Unrecht setzen; *réparer ses ~s* das begangene Unrecht wiedergutmachen; *à ~* zu Unrecht, ungerechterweise; *à ~ et à travers* völlig unüberlegt, aufs Geratewohl; *à ~ ou à raison* ob berechtigt oder nicht; **2.** Schaden *m*, Nachteil *m*; *faire du ~ à q.* j-m schaden, j-m Schaden zufügen.

torticolis ⚕ [tɔrtikɔ'li] *m* steifer Hals *m*.

tortil 🕮 *Fr.* [tɔr'til] *m* **1.** Baronskrone *f*; **2.** Kronenschnur *f*.

tortill|ard ♀ [tɔrti'ja:r] **I** *adj.* (7) krumm gewachsen; *bois m* ~ Knie-, Krumm-holz *n*; *orme m* ~ Feldulme *f*; **II** *m* Bummelzug *m*; **~ement** [~tij'mɑ̃] *m* **1.** (Zusammen-) Drehen *n*, (-)Winden *n*; **2.** Sichwinden *n*; **3.** Windung *f*; **~er** [~ti'je] (1a) **I** *v/t.* (zs.-)drehen, winden, ineinander verschlingen; *fig.* P verschlingen, schnell aufessen; **II** *v/i.* sich hin- und herdrehen; ~ *des hanches* mit den Hüften wackeln; F *fig. il n'y a pas à* ~ da hilft keine Ausrede mehr; **III** *v/rfl. se* ~ sich hin- u. herdrehen; sich krümmen; sich ringeln; sich winden (*v. Schlangen*); F *se* ~ *sur sa chaise* auf s-m Stuhl hin- u. herrutschen; se ~ *à* (*od. pour*) *faire qch.* sich sehr bemühen, etw. zu tun; **~on** [~ti'jɔ̃] *m* **1.** Kopfpolster *n* (*zum Lastentragen*); **2.** *peint.* Wischer *m* (*der Kreidezeichner*).

tortionnaire [tɔrsjɔ'nɛ:r] **I** *m* Folterknecht *m*; Peiniger *m*; **II** *adj.* Folter...

tortis *text.* [tɔr'ti] *m* (*Seiden-, Woll-, Flachs-*)Strähne *f*.

tortoir [tɔr'twa:r] *m* Würgeknebel *m*.

tortorer P [tɔrtɔ're] *v/t.* (1a) essen.

tortu *litt.* [tɔr'ty] *adj.* krumm, gewunden; *fig.* verschroben, verdreht; *esprit m* ~ verdrehter Kerl *m*.

tortue *zo.* [~] *f* Schildkröte *f*; *fig. marcher à pas de* ~ sich im Schneckengang bewegen.

tortueux [tɔr'tɥø] *adj.* (7d) □ **1.** gewunden (*Weg*); **2.** *fig.* verborgen, unlauter, dunkel.

tortur|e [tɔr'ty:r] *f* Folter *f*, Tortur *f*; *fig.* Marter *f*, Qual *f*; *chambre f de* ~ Folterkammer *f*; *mettre q. à la* ~ j-n auf die Folter spannen (*a. fig.*); être *à la* ~ e-e Höllenqual ausstehen; *se mettre l'esprit à la* ~ sich den Kopf zerbrechen, sich zermartern; **~er** [~ty're] (1a) **I** *v/t.* foltern, martern; *fig.* den Sinn *e-s Textes* gewaltsam entstellen; **II** *v/rfl. se* ~ sich abquälen; *se* ~ *l'esprit* sich mit Gedanken quälen, sich innerlich zermartern.

torve [tɔrv] *adj.* drohend, finster (*vom Blick*); *regarder d'un œil* ~ finster ansehen.

toscan [tɔs'kɑ̃] (7) **I** *adj.* toskanisch; ⚠ *ordre m* ~ toskanische Säulenordnung *f*; **II** ♀ *su.* Toskaner *m*; ♀**e** [~'kan] *f*: **la** ~ die Toskana.

tôt [to] **I** *adv.* früh, bald, frühzeitig; *trop* ~ zu früh; *plus* ~ früher; *huit jours plus* ~ 8 Tage eher (*od.* früher *od.* vorher); *au plus* ~ frühestens, so bald wie möglich; ~ *ou tard* früher oder später; **II** *cj.* **ne ... pas plus ~ que** kaum ... als; *je ne lui avais pas plus* ~ *pris son mal qu'il m'abandonnait sans un mot d'adieu* kaum hatte ich ihm sein Leiden abgenommen, als er mich ohne ein Abschiedswort meinem Schicksal überließ; *hierfür oft unrichtig*: *plutôt*.

total [tɔ'tal] **I** *adj.* (5c) □ ganz, gänzlich, total, völlig, restlos; *vente f* ~*e* Totalausverkauf *m*; **II** *m das* Ganze *n*; Summe *f*, Gesamtbetrag *m*; ~ *d'impôts* Steueraufkommen *n*; *advt. au* ~ im ganzen, insgesamt, alles in allem; **~isateur** [~liza'tœ:r] *m* Totalisator *m*; **~isation** [~lizɑ'sjɔ̃] *f* Zusammenrechnung *f*; **~iser** [~li'ze] *v/t.* (1a) addieren, zusammenzählen; im ganzen (*od.* insgesamt) erreichen (schaffen); **~itaire** *pol.* [~li'tɛ:r] *adj.* totalitär; **~itarisme** *pol.* [~lita'rism] *m* Totalitarismus *m*, totalitäres Regime *n*; **~ité** [~li'te] *f* **1.** Gesamtheit *f*; *propriété f à vendre en* ~ (Grund-) Besitz im ganzen zu verkaufen; **2.** *phil., psych.* Ganzheit *f*.

tot|em [tɔ'tɛm] *m* Totem *n*; **~émisme** [~te'mism] *m* Totemglaube *m*.

tôt-fait [to'fɛ] *m* (6g) Biskuitkuchen *m*.

toto * ⚔ [tɔ'to] *m* Laus *f*.

toton [tɔ'tɔ̃] *m* kleiner Kreisel *m*; *fig.* F *faire tourner q. comme un* ~ j-n nach s-r Pfeife tanzen lassen, mit j-m herumspringen, wie man will.

touage [twa:ʒ] *m* **1.** Tauerei *f*, Schleppen *n*, Verholen *n*; **2.** Kettenschleppschiffahrt *f*.

Touareg [twa'rɛg] *m/pl.* (*sg.*: *Targui* [tar'gi]) Tuareg *pl.* (*Volksstamm*).

toubib F [tu'bib] *m* Arzt *m*.

toucan *orn.* [tu'kɑ̃] *m* Tukan *m*.

touch|ant [tu'ʃɑ̃] **I** *adj.* (7) berührend, *an etw.* grenzend; *fig.* ergreifend, rührend; **II** *m das* Ergreifende *n*; **~au** [~'ʃo] *m* (5b) ⊕ Probiernadel *f der Goldschmiede*; **~e** [tuʃ] *f* **1.** Taste *f* (*am Klavier*); ⚡ Wahltaste *f*; ~ *de recul* Rücklauftaste *f* (*der Schreibmaschine*); ~ *de trucage* Tricktaste *f* (*Tonband*); **~s** *pl.* Klaviatur *f*; Griffbrett *n* (*Geige*); Bund *m* (*Laute*); **2.** Strichprobe *f des*

Goldschmieds; *pierre f de* ~ Probierstein *m*; *fig.* Prüfstein *m*; **3.** Pinselstrich *m*; Kontrast *m e-s Malers*; **4.** *Fußball*: Einwurf *m*; *ligne f de* ~ Seitenlinie *f*; *juge m de* ~ Linienrichter *m*; *le ballon n'est pas en* ~ der Ball ist nicht in der Mark; *fig. bsd. pol. mettre sur la* ~ kaltstellen, auf Eis legen *fig.*; **5.** a) *esc.* Treffer *m*; b) *Angeln*: Anbeißen *n* (*a. fig.*); **6.** F *c'est la sainte* ~ (*od. la Sainte-*2) heute gibt's Zaster, heute ist Zahltag; **7.** F Aussehen *n*; *avoir une drôle de* ~ komisch (*od.* lächerlich) aussehen; *avoir une* ~ auffallen, bemerkt werden; *quelle* ~*!* wie du aussiehst!

touché [tu'ʃe] *adj.* berührt; *fig.* gerührt; *esc.*: *bien* ~ gut getroffen.

touche-à-tout [tuʃa'tu] *m* (6c) **1.** Begrapscher *m*; **2.** *péj.* Hansdampf *m* in allen Gassen, Besserwisser *m*, Vielwisser *m*.

toucher [tu'ʃe] (1a) **I** *v/t.* **1.** *unmittelbar* berühren, anfassen; befühlen; erreichen; *fig.* erschüttern; ~ *q. de la main* (*à la main*) j-n mit der Hand (an der Hand) berühren; *il lui a touché la main* er hat s-e Hand angefaßt; ~ *le but* das Ziel erreichen; ~ *q. par téléphone* j-n telefonisch erreichen; ⚓, ✈ ~ *terre* landen; ⚓ anlaufen; ⚓ ~ *un écueil* auf e-e Klippe stoßen; ~ *le fond* auf Grund stoßen (*od.* gehen); *fig. ne pas laisser* ~ *terre à q.* j-n nicht hochkommen lassen; **2.** ~ *des bœufs* Ochsen vor sich hertreiben; *touche, cocher!* fahr zu, Kutscher!; **3.** unmittelbar angrenzen, anstoßen an (*acc.*); **4.** *fig. ein Thema* berühren, anschneiden, streifen; **5.** *Geld* erhalten, abheben, einlösen; *Gehalt* beziehen; ~ *de l'argent* Geld erhalten; **6.** *fig.* innerlich bewegen, rühren, tief ergreifen; *on est touché de compassion* man ist von Mitleid ergriffen; *touché par tant d'affection* über so viel Zuneigung ergriffen; *se laisser* ~ *par les larmes de q.* sich durch j-s Tränen erweichen lassen; *cela me touche de près* das geht mir sehr nahe; *cela ne me touche en rien* das läßt mich vollkommen kalt, das berührt mich gar nicht; *son sort me touche* ich nehme an s-m (ihrem) Schicksal Anteil; ~ *q. au vif* j-n innerlich schwer treffen; j-n tief kränken; ~ *la corde sensible de q.* j-n innerlich aufrütteln, j-s wunde Stelle treffen; **7.** *fig.* betreffen; *cela me touche de près* das betrifft mich unmittelbar; *en ce qui touche l'honneur* was die Ehre betrifft; **8.** *fig.* F ~ *la grosse corde* den Hauptpunkt zur Sprache bringen; **9.** *Boxsport*: ~ *l'adversaire* den Gegner anschlagen; *Fußball*: ~ *le ballon de la main* Hand machen, den Ball mit der Hand berühren; **10.** *esc.* treffen; *touché!* (*beim Fechten*) sitzt!; ~ *juste* genau treffen; *fig.* den Nagel auf den Kopf treffen; **11.** *peint.* behandeln, ausführen; **12.** F kurz sagen; *je lui en toucherai un mot* (*quelques mots, deux mots*) ich werde mit ihm kurz darüber sprechen; **13.** *fig.* ~ *de près q.* mit j-m nahe verwandt sein; *il le touche de près* er ist mit ihm nahe verwandt (*vgl. Ende* 16); **14.** ~ *un lingot* e-n Goldbarren mit dem Probierstein untersuchen; **II** *v/i.* **15.** ~ *à qch.* etw. nur leicht berühren, an etw. (*dat.*) rühren, mit etw. (*dat.*) in Berührung kommen, etw. antasten, leicht anfassen (*diese intransitive Verwendung bsd. bei e-m Verbot!*); *n'y touchez pas!*, *ne touchez pas à cela!* faßt das nicht an!; *les enfants touchent à tout* Kinder fassen alles an; ~ *à tout a. fig.* sich mit tausend Dingen befassen; ~ *au mur mit der Hand* die Mauer streifen; *il ne touche pas des pieds à terre* er berührt beim Lauf kaum die Erde; *je n'y ai pas touché* ich habe es nicht angerührt; **16.** ~ *à qch.* an etw. (*acc.*) herankommen *od.* heranreichen; fast grenzen an etw. (*acc.*), in der Nähe liegen von (*dat.*), in unbestimmter Entfernung benachbart sein mit (*dat.*); nahekommen, sich nähern (*dat.*); betreffen; *il est si grand qu'il touche au plafond* er ist so groß, daß er an die Decke heranreicht; *un édifice touche à un autre* ein Gebäude liegt in der Nähe e-s anderen; *on touchait à la fin de la deuxième guerre mondiale* man näherte sich dem Ende des Zweiten Weltkrieges; ~ *à l'âge viril* bald das Mannesalter erreichen; ~ *à sa fin* s-m Ende entgegensehen; ~ *à sa dernière heure* s-r letzten Stunde entgegensehen; ~ *à un idéal* e-m Ideal näherkommen; ~ *au but* dem Ziele näherkommen; ~ *de près à q.* mit j-m nahe verwandt sein; in enger Verbindung (*od.* Fühlung) mit j-m stehen (*vgl.* 13); *touchant de près aux cercles officiels* in enger Fühlungnahme mit den amtlichen Kreisen; **17.** ~ *à ses revenus* sein Einkommen angreifen; ~ *à de l'argent d'autrui* sich an fremdem Geld vergreifen; **18.** *fig.* ~ *à un sujet* ein Thema andeuten (*od.* kurz anschneiden *od.* kurz zur Sprache bringen); **19.** *vous y avez touché de près* Sie haben es beinahe getroffen (*od.* erraten)!; *ne pas avoir l'air d'y* ~ es dicke hinter den Ohren haben; den Unschuldigen markieren; sich dumm stellen; *sans avoir l'air d'y* ~ mit der harmlosesten (*od.* gleichgültigsten) Miene der Welt; **20.** ⚖ *ne pas* ~ *à la loi* (*à un ouvrage usw.*) das Gesetz (das Werk *usw.*) unverändert lassen; ~ *à un contrat* e-n Vertrag abändern; **III** *v/rfl.* se ~ **21.** *a.* ⚔ *u. fig.* sich berühren; **22.** aneinandergrenzen (*od.* -stoßen); **23.** se ~ *de près* nahe miteinander verwandt sein; **24.** se ~ *dans la main* etw. durch Handschlag bestätigen; **IV** *m* **25.** Fühlen *n*, Tastsinn *m*, Gefühl *n*; *avoir le* ~ *délicat* in den Händen ein feines Gefühl haben; *au* ~ beim Anfassen, beim Berühren; **26.** ♪ Anschlag *m e-s Klavierspielers usw.*

touchette ♪ [tu'ʃɛt] *f* Bund *m* (*e-r Gitarre*).

toucheur [tu'ʃœ:r] *su.* (7g) Ochsentreiber *m*; *typ.* Auftragwalze *f*.

tou|e ⚓ [tu] *f* **1.** Verholen *n*, Warpen *n*, Schleppen *n*; **2.** Fährboot *n*; **~ée** ⚓ [twe] *f* **1.** Länge *f* der Verholleine; **2.** Schlepptau *n* von 200 m; **~er** ⚓ [~] *v/t.* (1a) warpen, verholen, schleppen; **~eur** ⚓ [twœ:r] *m* **1.** Verholer *m*, Warper *m* (*Matrose*); **2.** Kettenschleppschiff *n*.

touff|e [tuf] *f* Büschel *n*; ~ *d'arbres* Baumgruppe *f*; ~ *de cheveux* Haarschopf *m*; **~er** [tu'fe] *v/i.* (1a) buschig wachsen.

touffiane * [tu'fjan] *f* Rohopium *n*.

touffu [tu'fy] *adj.* buschig, dicht; dichtbelaubt; üppig; *fig.* unübersichtlich (*Buch*).

touiller F [tu'je] *v/t.* (1a) umrühren; mischen.

toujours [tu'ʒu:r] *adv.* **1.** immer, stets, jederzeit; *pour* ~ für immer; *depuis* ~ seit jeher; **2.** noch immer; immer noch; *il est* ~ *sous les drapeaux* er ist immer noch Soldat; **3.** ~ *pas* immer noch nicht; *en 1975, ils n'auront* ~ *pas le droit de vote* 1975 werden sie immer noch kein Wahlrecht haben; **4.** immerhin, doch, wenigstens; indessen, nur; *allez* ~! nur weiter!; *donnez* ~! geben Sie ruhig (her)!; *ce serait* ~ *qch.* das wäre immerhin schon etwas; ~ *est-il que* ... soviel ist sicher, daß ...; fest steht, daß ...; trotzdem, immerhin, jedenfalls.

touloupe [tu'lup] *m od. f* russische Lammfelljoppe *f*.

toundra [tun'dra] *f* Tundra *f*.

toupet [tu'pɛ] *m* **1.** (Haar-, Woll-) Büschel *n*; Schopf *m*, Sturmtolle *f*; *fig. se prendre au* ~ sich in die Haare geraten, sich in die Wolle kriegen; **2.** F *fig.* Unverfrorenheit *f*, Unverschämtheit *f*, Dreistigkeit *f*; *elle a un* ~ *bœuf* sie hat ein unerhört freches Auftreten; *avoir le* ~ *de* ... die Frechheit besitzen, zu ...

toupi|e [tu'pi] *f* **1.** Kreisel *m*; ~ *d'Allemagne* Brummkreisel *m*; *jouer à la* ~ mit dem Kreisel spielen; **2.** ⊕ Fräsmaschine *f für Holzbearbeitung*; **3.** *fig. c'est une vieille* ~ das ist e-e alte Schachtel; **~llage** ⊕ [~pi'ja:ʒ] *m* Holzbearbeitung *f* mit der Fräsmaschine; **~ller** [~pi'je] *v/t.* (1a) fräsen; **~lleur** [~pi'jœ:r] *m* Holzfräser *m*.

toupillon [tupi'jõ] *m* Schwanzende *n* der Rinder.

tour[1] [tu:r] *f* **1.** Turm *m*; ⊕ ~ *de sondage* Bohrturm *m*; ~ *de télévision* Fernsehturm *m*; ~ *de T.S.F.* Funkturm *m*; **2.** ⚠ Wohn-, Büroturm *m*.

tour[2] [~] *m* **1.** a) kreisförmige Bewegung *f*, Umdrehung *f*; ~ *de roue* Radumdrehung *f*; *donner un* ~ *de clef* einmal herumschließen; *fermer à double* ~ zweimal abschließen; b) Weite *f* (*Schneiderei*); ~ *de hanches* Hüftweite *f*; ~ *de taille* Taillenweite *f*; **2.** Krümmung *f*, Windung *f* (*z.B. e-s Flusses*); **3.** Umfang *m*, Umkreis *m*; **4.** (Spazier-)Gang *m*, Rund-fahrt *f*, -gang *m*; Reise *f*; Ausflug *m*, Wanderung *f*; Tour *f*; Bummel *m* F; *je lui ai fait faire le* ~ *de la ville* ich habe ihn durch die Stadt geführt; *petit* ~ *à la campagne* Spritzfahrt *f* aufs Land; *faire un* ~ *en ville* e-n Bummel durch die Stadt machen; *faire le* ~ *de sa chambre* in s-m Zimmer auf und ab gehen; *faire son* ~ *de France* durch Frankreich als Handwerksbursche ziehen; *fig. faire un* ~ *d'horizon* e-n Gesamtüberblick gewinnen; *fig.* sich im Gelände orientieren; *fig. faire le* ~ *du cadran* zwölf Stunden hintereinander schlafen; **5.** Wendung *f*; Schwenkung *f*; *cela prend un mauvais* ~ das nimmt e-e schlimme Wendung; ~ *de phrase* Redewendung *f*; ~ *d'esprit agréable* (*original*) angenehme (originelle) Denkweise *f*; **6.** Streich *m*; Kunststück *n*; ~ *de cartes* Kartenkunststück *n*; ~ *de force* Kraftleistung *f*; ~ *de main* Fertigkeit *f*, Kunstgriff *m*; *à* ~ *de bras* mit aller Kraft, aus Leibeskräften; *en un* ~ *de main* im Handumdrehen, im Nu; ~ *d'escroc* Gaunerstreich *m*; ~ *de gamin* (*od. de polisson*) Dummerjungenstreich *m*; ~ *de passe-passe* Zauberstückchen *n*, Taschenspielertrick *m*; *jouer un* ~ *à q.* j-m e-n Streich spielen; *voilà de ses* ~*s* das sind s-e Streiche; *le* ~ *est joué* die Sache ist fertig (*od.* geritzt *od.* gemacht); *fig.* ~ *de vis* Steuerschraube *f*; **7.** Reihe *f*; *c'est mon* ~ ich bin dran (*od.* an der Reihe); *à qui le* ~*?* wer ist dran? (*od.* an der Reihe?); *chacun son* ~ jeder der Reihe nach; einer nach dem andern; *plus souvent qu'à mon* ~ häufiger als es mir recht ist; ~ *à* ~ abwechselnd; *à* ~ *de rôle* der Reihe nach; ~ *de scrutin* Wahlgang *m*; ~ *de faveur* Vergünstigung *f*; Vorzugsbehandlung *f*, bevorzugte Abfertigung *f*; *thé.* vorrangige Aufführung *f*; *accorder le* ~ *de faveur à q.* j-n bevorzugt abfertigen; **8.** *Sport*: Runde *f*, Gang *m*, Tour *f*; *le* ♀ *de France vél.* das Frankreichradrennen; ~ *cycliste* Radtour *f*; *faire un* ~ e-e Runde abfahren; ~ *final* Schlußrunde *f*; ~ *d'honneur* Ehrenrunde *f*; ~ *de repêchage* Zwischenrunde *f*; ~ *éliminatoire* Ausscheidungsrunde *f*; **9.** ⊕ Drehbank *f*; ~ *en l'air* Kopfdrehbank *f*; ~ *à détalonner* Hinterdrehbank *f*; ~ *parallèle* Parallel-Drehbank *f*, Leitspindel(dreh)bank *f*; ~ *de précision* Feindrehbank *f*; ~ *vertical* Karusselldrehbank *f*; ~ *de potier* Töpferscheibe *f*; **10.** ⊕ ~*s pl.* Wicklung *f*; ~*s pl. primaires*, ~*s pl. secondaires* Primär-, Sekundärwicklung *f*.

touraill|age ⊕ [tura'ja:ʒ] *m* Ausdarrung *f* (*Bierbrauerei*); **~e** [tu'ra:j] *f* Malzdarre *f*; gedarrtes Malz *n*; **~er** ⊕ [~ra'je] *v/t.* (1a) ausdarren; **~on** ⊕ [~ra'jɔ̃] *m* Malzstaub *m*, trockene Malzkeime *m/pl.*

tourangeau [turɑ̃'ʒo] *adj. u.* ♀ *m* (*f*: *tourangelle*) (Einwohner) aus der Touraine *od.* aus Tours.

touranien *ling.* [tura'njɛ̃] *adj. u.* ♀ *su.* (7c) turanisch; Turanier *m*.

tour-auto [~o'to] *m* (6b) Autokarussell *n*, unterirdischer Parksilo *m*.

tourbage [~'ba:ʒ] *m* Torfstechen *n*.

tourbe[1] [turb] *f* Torf *m*; *marais m à* ~ Torfmoor *n*; *extraire de la* ~ Torf stechen.

tourbe[2] *litt., péj.* [~] *f* Pöbel *m*, Gesindel *n*, Pack *n*.

tourb|er [tur'be] *v/i.* (1a) Torf stechen; **~ier** [~'bje] **I** *adj.* (7b) torfhaltig; **II** *m* Torfstecher *m*; **~ière** [~'bjɛ:r] *f* Torfgrube *f*.

tourbillon [turbi'jɔ̃] *m* **1.** Wirbelwind *m*; ~ *de neige* Schneegestöber *n*; **2.** Strudel *m*; ~ *de poussière* Staubwirbel *m*; **3.** *fig.* Taumel *m*; Trubel *m*; Hektik *f*; Hetze *f*; ~ *de la vie citadine* Großstadtgetriebe *n*; **~nant** [~jɔ'nɑ̃] *adj.* (7) sich drehend; **~nement** [~jɔn'mɑ̃] *m* Wirbeln *n*; Strudeln *n*; *fig.* Tempo *n*, Pulsschlag *m*; **~ner** [~jɔ'ne] *v/i.* (1a) emporwirbeln, hochflattern, herumfliegen (*trockene Blätter*); ~ *autour de q.* j-n umschwärmen; *faire* ~ aufregen, aufwühlen.

tourd [tu:r] *m icht.* Lippfisch *m*.

tourelle [tu'rɛl] *f* Türmchen *n*; ⚔, ⚓ Panzerturm *m*; ✈ Gefechtsstand *m*; ⚔ ~ *mobile*, ~ *pivotante* Drehturm *m*.

touret [tu'rɛ] *m* kleine Schleif- *od.* Polier-maschine *f*.

tourie ⚗ [tu'ri] *f* große Korbflasche *f*.

tourier *rl.* [tu'rje] *m u. adj./m* (*frère m*) ~ Klosterpförtner *m*.

tourillon ⊕ [~ri'jɔ̃] *m* Drehzapfen *m*.

touring|-car [turiŋ'ka:r] *m* (6g) Gesellschafts-, Reise-bus *m*; **~-club** [~'klœb] *m* (6g) Touristenverein *m*.

Touring-Secours *Auto* [turiŋ-'sku:r] *m* (6c) motorisierte Erste Hilfe *f* u. allgemeiner Sicherheitsdienst *m* auf Autostraßen.

touris|me [tu'rism] *m* Fremden-, Reise-verkehr *m*, Tourismus *m*, Reisesport *m*; ~ *automobile*, ~ *cycliste* Auto-, Radfahr-verkehr *m*; ~ *pédestre* Wandersport *m*; *agence f* (*od. bureau m*) *de* ~, *heute oft*: *office m de* ~ Reise-, Verkehrs-büro *n*; *publicité f de* ~ Verkehrswerbung *f*; *voiture f de* ~ Personenwagen *m*; ~ *collectif* (*individuel*) Gesellschafts- (Einzel-)reisen *f/pl.*; **~te** [tu'rist] *su.* Tourist *m*, Urlaubsreisende(r) *m*, Feriengast *m*; **~tique** [~s'tik] *adj.*

Touristen..., Fremdenverkehrs...; *circuit m* ~ Rund-, Besichtigungs-, Vergnügungs-fahrt *f*; *société f* ~ (Reise-)Verkehrsgesellschaft *f*; *une bonne année* ~ ein gutes Touristenjahr *n*.

tourment *litt.* [tur'mɑ̃] *m* Qual *f*; große Sorge *f*; **~e** *litt.* [~'mɑ̃:t] *f* Seesturm *m*, Unwetter *n*; *fig.* Sturm *m*, Wirren *pl.*; ~ *de neige* Schneesturm *m*; **~é** [~mɑ̃'te] **I** *m*: ⚕ ~ *mental* Geistesgestörte(r) *m*; **II** *adj. a.* beschwerlich; **~er** [~] (1a) **I** *v/t.* **1.** martern; quälen, plagen; **2.** *fig.* beunruhigen, Sorge bereiten (*dat.*), belasten; belästigen, nicht in Ruhe lassen; auf die Nerven fallen (*dat.*); **3.** *fig.*: ~ *son style* s-m Stil Gewalt antun, sich stilistisch verkrampfen; **II** *v/rfl. se* ~ **4.** sich Sorgen machen; **5.** arbeiten (*Holz*); **~eur** *litt.* [~'tœ:r] *su.* (7g) Quälgeist *m*.

tourmentin [turmɑ̃'tɛ̃] *m* **1.** ⚓ Sturmsegel *n*; **2.** *orn.* Sturmvogel *m*.

tourn|age ⊕, *cin.* [tur'na:ʒ] *m* Drehen *n*; Drechseln *n*; ⚓ Knebel *m*, Klampe *f* (*für das Tau*); *cin.* Dreharbeiten *f/pl.*; **~ailler** F [~na'je] *v/i.* (1a) dauernd hin und her gehen; umher-, herum-schleichen; **~ant** [~'nɑ̃] **I** *adj.* (7) sich drehend; *escalier m* ~ Wendeltreppe *f*; *pont m* ~ Drehbrücke *f*; **II** *m* **1.** Kurve *f*; Fluß-biegung *f*, -krümmung *f*; Biegung *f*, (Straßen-)Ecke *f*; *Auto*: Kurve *f*, Wendung *f*; ~ *brusque* kurze Wendung *f*; ~ *en épingle à cheveux* Haarnadelkurve *f*; *fig. au* ~ *de l'année 1971/72* um die Wende des Jahres 1971/72; **2.** *fig.* Wendepunkt *m*, Meilenstein *m*; **3.** Mühlrad *n*.

tournasser [turna'se] *v/t.* (1a) auf der Drehscheibe bearbeiten.

tourné [tur'ne] *adj.* sauer (*Milch*); verdorben (*Wein*); *bien* ~ gut gewachsen; *fig.* gut formuliert; gelungen (*Kompliment*); *mal* ~ aus der Art geschlagen; unbeholfen; ungeschickt abgefaßt.

tourne|-à-gauche ⊕ [turna'goʃ] *m* (6c) Wende-, Wind-eisen *n*; Schränkeisen *n* (*Säge*); **~bouler** F [~nəbu'le] (1a) **I** *v/t.*: ~ *q.* j-n erschüttern; j-m den Kopf verdrehen; **II** *v/i.* herumschwirren; **~-broche** [~'brɔʃ] *m* Drehspieß *m* (*Grill*); **~-disque** [~'disk] *m* (6g) Plattenspieler *m*; *valise f* ~ Phonokoffer *m*; **~dos** *cuis.* [~'do] *m* Rinderfiletscheibe *f*.

tournée [tur'ne] *f* **1.** Dienst-, Geschäfts-reise *f*; *thé.* Tournee *f*, Rundfahrt *f*; Gang *m* (*Briefträger*); F Ausflug *m*, Spazierfahrt *f*; ~ *d'inspection a.* Kontrollgang *m* (*in e-m Betrieb*); ~ *de propagande* Propagandarund-fahrt *f*, -reise *f*; **2.** F Lage *f*, Runde *f* (*Wein, Bier usw.*); **3.** F Tracht *f* Prügel.

tourne|-feuille [turnə'fœj] *m* (6g) Blattwender *m*; **~-fil** ⊕ [~'fil] *m* (6g) Abziehstahl *m*; **~main** [~'mɛ̃] *m*: *nur advt. en un* ~ im Handumdrehen; **~ment** [~'mɑ̃] *m* Wendung *f*; **~-oreille** ⚒ [turnɔ'rɛj] *m/inv.* Wendepflug *m*; **~-pierre** *orn.* [turnə'pjɛ:r] *m* (6g) Stein-wälzer *m*, -dreher *m* (*Stelzvogelart*).

tourner [tur'ne] (1a) **I** *v/t.* **1.** drehen, (um)wenden, umkehren; ⚡ ~ *le bouton od. le commutateur* (das Licht) anmachen, anknipsen; *cin.* ~ *un film* e-n Film drehen; ~ *bride* umkehren (*zu Pferde*); *fig.* umschwenken (*in s-r Ansicht*); *fig.* ~ *casaque* umschwenken (*in s-r Meinung*); ~ *sa veste* (*od. sa jaquette*) *fig.* sein Mäntelchen nach dem Winde drehen; ~ *le sang* (*od. les sens*) *à q.* j-n schwer erschüttern; ~ *l'étoffe du mauvais côté* den Stoff umkehren; *fig.* ~ *de travers les paroles de q.* j-s Worte verdrehen; ~ *la bouche* den Mund verziehen; ~ *les yeux* die Augen verdrehen; ~ *qch. en dehors fig.* etw. besonders herausstreichen (*od.* hervorkehren); ~ *et retourner q. en tous sens* j-n nach Herz u. Nieren ausfragen; ~ *et retourner qch. dans son esprit* sich etw. reiflich überlegen; etw. von allen Seiten her betrachten; ~ *q. à son gré* mit j-m umspringen; *fig.* ~ *ses pouces* Däumchen drehen, die Hände in den Schoß legen; ~ *une carte* e-e Karte (zu) Trumpf machen; ~ *le dos à q. a. fig.* j-m den Rücken kehren; j-n stehenlassen; ~ *les talons* den Rücken wenden; *fig.* die Flucht ergreifen; ~ *une feuille* ein Blatt umwenden; *tournez, s'il vous plaît!* bitte wenden! (*z.B. auf e-r unteren Briefseite*); ~ *la justice* das Recht verdrehen; ~ *ses souliers* s-e Schuhe schieftreten; ~ *la tête* den Kopf nach hinten wenden, sich umsehen; *fig.* ~ *la tête* (*od. la cervelle*) *à q.* j-m den Kopf verdrehen; **2.** ⊕, *cin.* drehen; drechseln; *litt.* formulieren, aufsetzen, ausdrücken; *fig. savoir bien* ~ *un compliment* ein treffendes Kompliment zu machen verstehen; *phrase bien tournée* passende (*od.* zutreffende) Redensart *f*; **3.** richten, wenden; auslegen, interpretieren; ~ *les pieds en dedans* (*en dehors*) die Füße nach innen (nach außen) drehen; ~ *ses pensées vers Dieu* s-e Gedanken zu Gott hinwenden; ~ *la conversation sur qch.* das Gespräch auf etw. (*acc.*) lenken; ~ *les choses à son avantage* die Dinge auf s-n Vorteil ausrichten; ~ *tout en bien* alles aufs beste auslegen; ~ *en dérision*, ~ *en ridicule* ins Lächerliche ziehen; **4.** *litt.* ~ *qch. en une autre langue* etw. in e-e andere Sprache übertragen (*od.* übersetzen); ~ *en allemand* verdeutschen; **5.** herumgehen um (*acc.*), um'gehen; ~ *un cap* ein Kap umsegeln; ~ *le coin* um die Ecke biegen; ~ *l'ennemi* den Feind umgehen; *fig.* ~ *une difficulté* e-r Schwierigkeit aus dem Wege gehen; **II** *v/i.* (*stets mit avoir!*) **6.** sich drehen; sich wenden; abbiegen (*Weg*); ziehen (*Theatergruppe durch ein Land*); *fig.* neigen *zu* (*dat.*); *fig.* sich winden; ~ *sur son pivot* sich um s-e Angel drehen; *Auto*: ~ *à vide* leerlaufen; *faire* ~ *le moteur au ralenti* abdrosseln; *la tête lui tourne* ihm wird schwindlig; *fig.* ihm dreht sich der Kopf, er verliert den Kopf (*od.* die Nerven); *fig.* (se) ~ *du côté de q.* sich auf j-s Seite schlagen, zu j-m übergehen; V ~ *du cul* sich umdrehen; *le vent tourne au nord* der Wind dreht sich nach Norden; *ce moteur tourne rond* (*à plein régime*) dieser Motor läuft regelmäßig (auf vollen Touren); *fig.* ~ *rond* glücken, gelingen, gut ablaufen; *fig.* ~ *autour du pot* wie die Katze um den heißen Brei gehen; *fig. faire q.* ~ *en bourrique* j-n ganz verrückt machen, j-n ganz durcheinanderbringen; ~ *sur ses talons* auf der Stelle kehrtmachen; *fig.* ~ *comme une girouette* sein Mäntelchen nach dem Wind drehen; ~ *à la dévotion* zur Frömmigkeit neigen; ~ *longtemps avant de prendre un parti* sich vor e-m Entscheid lange winden; **7.** umwenden (*Wagen*); ~ *court* plötzlich (*od.* kurz) umwenden; *Auto*: e-e scharfe Wendung machen; *fig.* beim Reden plötzlich abbrechen; e-e plötzliche (gute *od.* schlechte) Wendung nehmen (*Krankheit*); ~ *en rond autour de* ... im Kreis herumfahren um ...; **8.** sich ändern, sich verwandeln; übergehen in (*acc.*), werden zu (*dat.*); ~ *à od. en qch.* in etw. (*acc.*) ausarten; *la chance a tourné* das Blättchen hat sich gewendet; **9.** ablaufen, ausfallen, enden, ausgehen; ~ *mal* e-n schlimmen Ausgang nehmen, übel enden; *il tourne bien* er schlägt (gut) ein, er macht sich; *cela tournera à sa gloire* das wird ihm zum Ruhm gereichen; ~ *au tragique* e-e tragische Wendung nehmen; **10.** sauer werden (*Milch, Wein, Bier*); **11.** sich färben; anfangen zu reifen (*v. Früchten*); **12.** *cin.* a) *abs.* drehen; b) spielen; ~ *dans un film* in e-m Film spielen; **III** *v/rfl.* se ~ **13.** sich wenden; se ~ *au bien* gut werden; *le temps se tourne au beau* das Wetter wird schön; *je ne sais de quel côté me* ~ ich weiß nicht, wofür ich mich entscheiden soll (*od.* wohin ich mich wenden soll); se ~ *du côté de q.* auf j-s Seite treten; se ~ *contre q.* j-n angreifen; se ~ *vers q.* sich j-m zuwenden; **14.** se ~ *en qch.* sich in etw. (*acc.*) verwandeln, in etw. (*acc.*) ausarten.

tourn|erie ⊕ [turnə'ri] *f* Drechslerei *f*; **~esol** [~nə'sɔl] *m* **1.** Sonnenblume *f*; **2.** ⚗ Lackmus *m*; **~ette** [~'nɛt] *f* **1.** *text.* Haspel *f*; **2.** Käfig *m für Eichhörnchen*; **3.** ⊕ Glasschneidegerät *n*; **~eur** [~'nœ:r] **I** *su.* Dreher *m*; Drechsler *m*; **II** *adj.* tanzend, sich drehend; **~e-vent** [~nə'vɑ̃] *m* Schornsteinhaube *f*; **~evis** ⊕ [~nə'vis] *m* Schraubenzieher *m*.

tournicoter F [turnikɔ'te] *v/i.* (1a) rumgeistern.

tourniole ⚕ [tur'njɔl] *f* Nagelbettentzündung *f*.

tourniquet [turni'kɛ] *m* **1.** Drehkreuz *n*, -tür *f*; **2.** Fensterwirbel *m*, Vorreiber *m*; ~ *intérieur* Einreiber *m* (*Fensterverschluß*); **3.** (Postkarten-)Drehständer *m*; **4.** Rasensprenger *m*; **5.** *chir.* Aderpresse *f*; **6.** ⚓ (Lauf-)Rolle *f*; **7.** *Sport*: ~ *dans les jarrets* Kniewelle *f*.

tournis *vét.* [tur'ni] *m* Drehkrankheit *f der Schafe*.

tournisse △ [tur'nis] *f* Schalbrett *n*.

tournoi [tur'nwa] *m* Turnier *n*; *Sport*: Wettspiel *n*, Wettkampf *m*; ~ *final* Endspiel *n*; **~ement** [~nwa'mɑ̃] *m* **1.** Sichdrehen *n*, Wirbeln *n*; ~ *de tête* Schwindel *m*; **2.** *vét.* Drehkrankheit *f der Schafe*.

tournoyer [turnwa'je] *v/i.* (1h) kreisen, sich im Kreise drehen.

tournure [tur'ny:r] *f* **1.** Wendung *f*; *gr.* Redensart *f*; *prendre bonne (mauvaise)* ~ sich zum Guten (Schlechten) wenden; *prendre une autre* ~ e-e andere Wendung nehmen; **2.** ~ *d'esprit* Wesensart *f*; **3.** ⊕ Drehspäne *m/pl.*; **4.** Lauf *m* (*der Ereignisse*); *prendre* ~ Gestalt annehmen, sich abzeichnen.

tour-operator [turɔpera'tɔ:r] *m* Reiseorganisator *m.*

tour-sonar ⚔, ⚓ [tursɔ'na:r] *f* Echolotturm *m.*

tourt|e [turt] *f* **1.** Pastete *f*; **2.** P *fig.* (*a. adjt.*) Trampel *m*, Blödkopf *m*; **~eau** [~'to] *m* (5b) **1.** Ölkuchen *m*; **2.** *métall.* Seiger-, Schlackenkuchen *m*; **3.** *zo.* Taschen-, Einsiedler-krebs *m.*

tourte|reau *orn.* [turtə'ro] *m* (5b) Turteltäubchen *n*; *~x pl.* Liebespärchen *n*; **~relle** *orn.* [~tə'rɛl] *f* Turteltaube *f.*

tourtière [tur'tjɛ:r] *f* Pastetenform *f.*

touselle ♀ [tu'zɛl] *f* grannenloser, großkörniger Weizen *m.*

toussailler [tusa'je] *v/i.* hüsteln.

Toussaint [tu'sɛ̃] *f*: *la* ~ Allerheiligen *n.*

touss|er [tu'se] *v/i.* (1a) husten; **~oter** [~sɔ'te] *v/i.* (1a) hüsteln.

tout [tu, *vor vo. u. stummem h* tut...] **I** *adj.* (7) (*m/pl.* **tous** [*vor cons.* tu; *in der Bindung mit dem zugehörigen folgenden Wort*: tuz; *alleinstehend, substantivisch u. am Ende des Satzes*: tus]; *f/pl.* **toutes** [tut]) **1.** *mst. mit nachfolgendem art.*: ganz; *vor e-m su.* (*mst. mit nachfolgendem art.!*) *im pl.*: alle; *vor e-m su./sg. ohne art.*: jeder, jede, jedes; *toute une année* ein ganzes Jahr; *tout* [tut] *homme* jeder Mensch; *toute la journée* den ganzen Tag; *toute la France* ganz Frankreich; *tout Paris* ganz Paris; *toute la vie* sein Leben lang; *tous les hommes* alle Menschen; *tout autre* jeder andere; *à tout venant* dem ersten besten, jedem beliebigen; *j'ai fait tout mon possible* ich habe mein möglichstes getan; *tous* (*toutes*) *les* (*vieilles*) *gens* alle (alten) Leute; *tout le monde* jedermann, jeder; *tous* [tu] (*les*) *deux* alle beide; *de* ~ *mon* (*son usw.*) *cœur* von ganzem Herzen; *dans toute la force du mot* im wahrsten Sinne des Wortes; *tous* [tu] *les deux jours* jeden zweiten Tag; *somme f toute* alles in allem; *courir à toutes jambes* aus Leibeskräften laufen; *en tout cas* in jedem Falle; *à tous égards* in jeder Beziehung; *à tout bout de champ* alle Augenblicke, bei jeder Gelegenheit, andauernd; *à tout coup* jeden Moment; *à toute force* mit aller Gewalt; *à tout hasard* für alle Fälle; *à tout moment* in jedem Augenblick; *en tout lieu, en tous lieux* überall, an allen Ecken u. Enden; *en* (*od.* *de*) *tout temps* zu allen Zeiten; *de tous côtés, de toutes parts* von allen Seiten; *à toute heure* zu jeder Tageszeit; *en toute occasion, à tout propos* bei jeder Gelegenheit; *en tous points, de tout point* in jeder Hinsicht; *à tout prix* um jeden Preis; *à toute vapeur* mit Volldampf; *à toute volée* in vollem Schwung; *pour toute réponse* statt jeder Antwort; *wie oben bereits in manchen Beispielen ohne nachfolgenden Artikel*: *tous autres facteurs* alle anderen Faktoren; *des difficultés de tous ordres* Schwierigkeiten jeder Art; *en tous sens* in allen Richtungen, nach allen Seiten, überallhin; *toutes sortes de gens* alle möglichen Leute; *partir à toute vitesse* (*od.* *en toute hâte*) in aller Eile abreisen; **II tout** [tu, *vor vo.* tut...] *pr. indéf.* (*substantivisch gebraucht*) **2.** alles; *est-ce là tout?* ist das alles?; *voilà tout ce qu'il m'a dit* das ist alles, was er mir gesagt hat; *c'est tout dire* damit ist alles gesagt; *tout ce qui est beau* alles, was schön ist; *tout ce qu'il a* alles, was er hat; *en tout* alles in allem; *faire un bruit à tout rompre* e-n ohrenbetäubenden Lärm machen; *advt. à tout prendre* im ganzen genommen, wenn man alles genau überlegt; *en* ~ *et pour* ~ alles in allem; *après tout* schließlich, nach alledem; **III le tout** *m* **3.** das Ganze, die Gesamtheit; *risquer le tout pour le tout* alles auf eine Karte (*od.* aufs Spiel) setzen; *il ne sait rien du tout* er weiß gar nichts; *il ne travaille pas* (*od.* *point*) *du tout* er arbeitet überhaupt nicht; *alleinstehend*: *rien du tout* gar nichts; *pas* (*od.* *point*) *du tout* gar nicht; *du* ~ *au* ~ vollkommen, radikal, gänzlich; **4.** die Hauptsache, das Wichtigste; **IV tout** *adv. u. advt.* (*vor konsonantisch anlautendem adj./f prädikativ gebraucht in der Form von* toute(s); *vor su. stets inv.*) **5.** ganz; *elle est* *tout* [tut...] *affligée od. toute triste* sie ist ganz betrübt; *ils sont tout prêts* sie sind ganz bereit; *ceci est tout autre chose* das ist etwas ganz anderes; *aber*: *demandez-moi toute autre chose* fragen Sie mich jede andere Sache (*od.* alles andere); *c'est tout un* das ist ein und dasselbe; das ist völlig gleich; *d'une manière toute particulière* ganz besonders; *nous sommes tout* [tut...] *oreilles* wir sind ganz Ohr; *tout à coup* plötzlich; *tout d'abord* zuallererst; *tout à fait* ganz und gar; völlig; *tout au moins* wenigstens; *tout au plus* höchstens; *est-ce tout de bon?* im Ernst?; *tout de bon* allen Ernstes; *tout du long de l'année* das ganze Jahr hindurch; *tout de même* trotzdem, dennoch; *une heure tout entière* eine ganze Stunde; *tout d'un coup* auf einmal; *tout de suite* sofort, auf der Stelle, sogleich; (*tout*) *d'un trait* in einem Zug (*trinken*); *tout d'une traite* ohne haltzumachen (*Marsch*); *il est calé comme tout* er ist riesig (*od.* unheimlich) beschlagen; *gentil comme tout* überaus nett (*od.* freundlich); *il est maigre comme tout* er ist ganz mager; **6.** *zur Verstärkung des gérondif*: *tout* [tut...] *en riant* obgleich er (*od.* wobei er noch) lachte; **7. tout ... que ...** (*mit ind.*) so sehr auch; obgleich, obwohl; *tout pauvres qu'ils sont* so arm sie auch sind.

tout-à-l'égout [tutale'gu] *m/inv.* **1.** *städtische* Kanalisation *f*; **2.** gedankenlose Verunreinigung *f* der Gewässer.

tout à l'heure [tuta'lœ:r] *adv.* **1.** a) soeben, gerade; b) *~!* sofort!; gleich!; **2.** *à ~!* bis nachher!

toute-bonne ⚘ [tut'bɔn] *f* (6a) **1.** Muskatsalbei *m od. f*; **2.** *Art* Birne *f*; **3.** Feldspinat *m.*

toute-épice ⚘, *cuis.* [tute'pis] *f* (6a) Schwarzkümmel *m.*

toutefois [tut'fwa] *adv.* jedoch.

tout-en-un *Mode* [tutɑ̃'nœ̃] *m/inv.* ganz eng anliegendes, langes Strumpfhosenkleid *n* mit Reißverschluß.

toute|-présence [tutpre'zɑ̃:s] *f* Allgegenwart *f*; **~-puissance** [~pɥi'sɑ̃:s] *f* Allmacht *f.*

toutime * [tu'tim] *m*: *le ~* alles übrige; das Ganze.

Toutlemonde [tul'mɔ̃:d] *m*: *M. ~* Herr Jedermann.

toutou *enf.* [tu'tu] *m* Wauwau *m.*

Tout-Paris [tupa'ri] *m*: *le ~* die Prominenz von Paris.

tout-petit [tu'p(ə)ti] *m* (6g) Kleinkind *n.*

tout-venant [tuv(ə)'nɑ̃] *m* **1.** ⚒ Förderkohle *f*; **2.** ⚚ unsortierte Ware *f*; **3.** *fig. der* erste beste; *le ~* die große Masse.

toux [tu] *f* Husten *m.*

toxémie ⚕ [tɔkse'mi] *f* Blutvergiftung *f.*

toxi|cité [tɔksisi'te] *f* Giftigkeit *f*; **~co** * [~'ko] *m* Rauschgiftsüchtige(r) *m*; **~cographie** [~kɔgra'fi] *f* Giftbeschreibung *f*; **~cologie** [~kɔlɔ'ʒi] *f* Giftkunde *f*; **~cologue** [~kɔ'lɔg] *m* Giftexperte *m*; **~comane** [~kɔ'man] *adj. u. su.* rauschgiftsüchtig; Rauschgiftsüchtige(r) *m*; **~comanie** [~kɔma'ni] *f* (Rauschgift-)Süchtigkeit *f*; **~comanogène** [~kɔmanɔ'ʒɛ:n] *adj.* rauschgiftsuchtfördernd; **~ne** ⚕ [tɔ'ksin] *f* Toxin *n*; **~que** [~'ksik] **I** *m* Gift *n*; **II** *adj.* giftig.

trac [trak] *m* Bammel *m*; Lampenfieber *n*; Angst *f*; *avoir le ~, être pris de ~* Lampenfieber (*od.* e-n Bammel) haben; *flanquer le ~ à q.* j-n ins Bockshorn jagen; *advt. tout à ~* völlig unerwartet, ganz plötzlich.

traçage ⊕ [tra'sa:ʒ] *m* Anreißen *n.*

traçant [tra'sɑ̃] *adj.* **1.** ⚘ horizontale Wurzeln schlagend; kriechend; **2.** ⚔ *balle f ~e* Leuchtkugel *f.*

tracas [tra'kɑ] *m* Schererei *f*, Sorgen *f/pl.*; **~ser** [~ka'se] (1a) **I** *v/t.* zu schaffen machen (*dat.*), plagen, beunruhigen, quälen; schikanieren; *~ son nez* s-e Nase hin und her reiben; *être tracassé de partout* in e-r verzweifelten Lage sein; **II** *v/rfl. se ~* sich Sorgen machen; **~series** [~kas'ri] *f* Schikanen *f/pl.*; **~sier** [~'sje] *adj. u. su.* (7b) schikanös; Schikaneur *m*; **~sin** F [~'sɛ̃] *m* Sorgen *f/pl.*

trace [tras] *f* Spur *f*; Fußstapfe *f*; *ch.* Fährte *f*; *pas ~ de ...* keine Spur von ...; *découvrir les ~s de q.* j-m auf die Spur kommen; *suivre q. à la ~* j-m nachspüren; *être sur les ~s* auf der Spur sein; *fig. marcher sur les ~s de q.* in j-s Fußstapfen treten; *sans* (*laisser de*) *~s* spurlos; *une ~ de ...* e-e Spur von ..., ein Anflug von ...

tracé [tra'se] *m* Plan *m*, Zeichnung *f*, Anriß *m*, Lageplan *m*; 🚂 Absteckung *f*; Trasse *f*; Verlauf *m* (*Grenze, Fluß*); (Weg-)Strecke *f*; *~ d'une route* Straßenanlage *f.*

tracement [tras'mɑ̃] *m* Ziehen *n e-r Linie*, Aufreißen *n*, Abstecken *n*.
tracer [tra'se] (1k) **I** *v/t.* **1.** (auf-)zeichnen, aufreißen, entwerfen; trassieren; **2.** 🚂 abstecken; **3.** *fig.* bezeichnen, vorschreiben; **4.** *fig.* darstellen, schildern; **II** *v/i.* **5.** F rasen, flitzen; **6.** ⚘ an der Oberfläche wurzeln.
traceret ⊕ [tras'rɛ] *m* Reißnadel *f*.
traceur [tra'sœːr] **I** *su. u. adj.* (7g) Vorzeichner *m*; ~ *pour la paupière* Eye-Liner *m*, Lidstrich *m*; ⚔ *balle f traceuse* Leuchtkugel *f*; **II** ⚗ *m* Spurenelement *n*; *at.* Isotopenindikator *m*.
trachéǀal *anat.* [trake'al] *adj.* (5c) Luftröhren...; **~e** *anat.* [tra'ʃe] *f*, *a.* **~e-artère** [~ar'tɛːr] *f* (6a) Luftröhre *f*; **~ite** ⚕ [~ke'it] *f* Luftröhrenentzündung *f*; **~otomie** *chir.* [~keɔtɔ'mi] *f* Luftröhrenschnitt *m*.
trachome ⚕ [tra'koːm] *m* Trachom *n*.
trachyte *min.* [tra'kit] *m* Trachyt *m*.
traçoir ⊕ [tra'swaːr] *m* Reißnadel *f*.
tracsir * [trak'siːr] *m* Angst *f*, Schiß *m* V.
tract [trakt] *m* Flug-blatt *n*, -zettel *m*, -schrift *f*; Prospekt *m*.
tractaǀbilité [traktabili'te] *f*: *d'une grande* ~ leicht zu behandeln; **~tion** [~tɑ'sjɔ̃] *f* **1.** ~*s f/pl.* Machenschaften *f/pl.*, Geheimverhandlungen *f/pl.*; **2.** *oft péj.* Behandlungsweise *f*.
tracté *artill.* [trak'te] *adj.* von Zugmaschinen gezogen.
tracteur ⊕ [trak'tœːr] *m* Traktor *m*, Schlepper *m*; **~-remorque** [~rə'mɔrk] *m* (6b) Sattelschlepper *m*.
tracǀtion [trak'sjɔ̃] *f* **1.** Ziehen *n*, Antrieb *m*; Vortrieb *m* (*Propeller*); *Auto*: Trecker *m*; *bsd.* ⚔ Wagen *m*; *barre f de* ~ Leitschiene *f*; ⊕, *bét. résistance f à la* ~ Zugfestigkeit *f*; *résistant à la* ~ zugfest; ~ *électrique* elektrischer Antrieb *m*; ~ *(à) vapeur* Dampfantrieb *m*; ~ *diesel* Dieselantrieb *m*; ~ *à chenille(s)* Raupenantrieb *m*; *Auto*: ~ *avant* a) Front-, Vorderrad-antrieb *m*; b) Trecker *m*; (*hierfür auch bloß* „*traction*"); **2.** *Sport*: Klimmzug *m*; **~tive** [~'tiːv] *nur adj./f*: ⊕ *force f* ~ Zugkraft *f*.
tradition [tradi'sjɔ̃] *f* Tradition *f*, Überlieferung *f*, Brauch *m*; *c'est de* ~ *chez nous* das ist bei uns so Sitte; **~alisme** [~sjɔna'lism] *m* Traditionsbewußtsein *n*; **~aliste** [~sjɔna'list] **I** *adj.* traditions-gebunden, -bewußt; **II** *su.* traditionsgebundener Mensch *m*; **~nel** [~'nɛl] *adj.* (7c) □ traditionell, herkömmlich.
traducǀteur [tradyk'tœːr] *su.* (7f) **1.** Übersetzer *m*; **2.** *cyb.* Umsetzer *m*, Converter *m*; **~tion** [~dy'ksjɔ̃] *f* Übersetzung *f*.
traduiǀre [tra'dɥiːr] (4c) **I** *v/t.* **1.** über-setzen, -tragen; ~ *en allemand* ins Deutsche übersetzen; **2.** *fig.* erkennen lassen, ausdrücken, verraten; **3.** ⚖ ~ *q. devant un tribunal*, ~ *q. en justice* j-n vor Gericht bringen; **II** *v/rfl. se* ~ **4.** übersetzt werden; sich übersetzen lassen; *se* ~ *par* ... sich äußern durch ... (*acc.*); *fig.* sich bezahlt machen durch (*acc.*), führen zu (*dat.*); **~sible** [~'ziblə] *adj.* übersetzbar.
trafiǀc [tra'fik] *m* **1.** *péj.* Schleichhandel *m*, Schmuggel *m*; ~ *de drogues, de stupéfiants* Rauschgifthandel *m*; ⚖ ~ *d'influence* passive Bestechung *f*; **2.** 🚂, ✈, ⚓, ✝ Verkehr *m*; ~ *automobile* Autoverkehr *m*; ~ *à grande distance* Fernverkehr *m*; ~ *de va-et-vient* Pendelverkehr *m*; ~ *à courte* (*od. à petite*) *distance*, ~ *régional* (*od. local*) Nah-, Ortsverkehr *m*; ~ *de banlieue* Vorortverkehr *m*; ~ *de marchandises* Waren-, Fracht-, Güter-verkehr *m*; ~ *de transbordement* Umschlagverkehr *m*; ~ *urbain* Stadtbahnverkehr *m*; ~ *du métro* U-Bahn-Verkehr *m*; ~ *ferroviaire*, ~ *par* (*od. sur*) *voie ferrée* (Eisen-)Bahnverkehr *m*; ~ *côtier* Küstenverkehr *m*; ~ *maritime* See-, Schiffsverkehr *m*; ~ *touristique*, ~ *de tourisme* Reise-, Fremden-, Ausflugsverkehr *m*; ~ *postal* (*aérien od. par voie aérienne*) (Luft-)Postverkehr *m*; *rue f à fort* ~ verkehrsreiche Straße *f*; *heures f/pl. de* ~ *intense* Hauptverkehrszeit *f*; *heures f/pl. de faible* ~ verkehrsarme Zeit *f*; *densité f* (*od. intensité f*) *du* ~ Verkehrsdichte *f*; ~ *d'outre-mer* Überseeverkehr *m*; ~ *téléphonique suburbain* Vorortfernsprechverkehr *m*; ~ *en transit* Durchgangsverkehr *m*; ~ *voyageurs* Personenverkehr *m*; ✝ ~ *des valeurs non-cotées* Freiverkehr *m*; **~quant** *péj.* [~fi'kɑ̃] *su.* (7) Schwarzhändler *m*, Schieber *m*; ~ *de drogue* Rauschgifthändler *m*; **~quer** [~'ke] (1m) **I** *v/t.* **1.** Schwarzhandel treiben mit, schieben mit; **2.** F (ver)fälschen (*Waren*); auf neu zurechtmachen (*Auto*); frisieren (*Automotor*); pan(t)schen (*Wein*;

Milch); **3.** F machen; treiben; *que trafiques-tu maintenant?* was treibst du jetzt?; **II** *v/i.* **4.** ~ *de qch.* aus etw. Gewinn schlagen; **III** *abs.* schieben, Schwarzhandel treiben.

tragé|die [traʒe'di] *f* **1.** *thé.* Tragödie *f*, Trauerspiel *n*; **2.** *fig.* Tragödie *f*; **~dien** [~'djɛ̃] *su.* (7c) Tragöde *m.*

tragi|-comédie [traʒikɔme'di] *f* Tragikomödie *f*; **~-comique** [~kɔ'mik] *adj.* tragikomisch.

tragique [tra'ʒik] **I** *adj.* □ **1.** tragisch; *poète m* ~ Tragiker *m*, Tragödiendichter *m*; **2.** *fig.* tragisch, erschütternd; **II** *m das* Tragische *n*; *prendre les choses au* ~ die Dinge tragisch nehmen.

trahir [tra'iːr] (2a) **I** *v/t.* **1.** verraten; *fig.* ~ *son devoir* s-e Pflicht verletzen; **2.** *fig.* ~ *la confiance de q.* j-s Vertrauen mißbrauchen, j-n hintergehen; **3.** *fig.* verleugnen; ~ *ses serments* eidbrüchig werden; ~ *la vérité* sich an der Wahrheit versündigen; **4.** im Stich lassen, täuschen; *les événements trahirent ses espérances* die Ereignisse entsprachen nicht s-n Hoffnungen; **II** *v/rfl.* *se* ~ sich verraten; sich verplappern; sich offenbaren.

trahison [trai'zɔ̃] *f* Verrat *m*; *haute* ~ Hochverrat *m.*

traille [trɑːj] *f* Seilfähre *f.*

train [trɛ̃] *m* **1.** 🚂 Zug *m*; ~ *autos (-couchettes)* Autoreisezug *m* (für die Nacht); *arriver par le* ~ mit dem Zug ankommen; *prendre le* ~ *od. voyager par le* ~ mit der Bahn fahren; *dans le* ~ im Zug(e); *le* ~ *est en retard* der Zug hat Verspätung; *j'ai eu (attrapé, pris) le (od. mon)* ~ ich habe den Zug erreicht; *manquer (od. rater) le* ~ den Zug verpassen; (~) *rapide* (Fern-)Schnellzug *m*, F-Zug *m*, F D-Zug *m*; ~ *de petite vitesse*, ~ *de marchandises* Güterzug *m*; ~ *d'ambulance* Lazarettzug *m*; ~ *de banlieue* Stadtbahn *f*, Vorortzug *m*; ~ *blindé* Panzerzug *m*; ~ *de ceinture* Ringbahn *f*; ~ *constructeur* Eisenbahnbauzug *m*; ~ *de doublage* Entlastungszug *m*; ~ *de grande ligne* Fernzug *m*; ~ *éclair* Blitzzug *m*; ~ *électrique* elektrischer Zug *m*; ~ *de luxe* Luxuszug *m*; ~ *mixte* gemischter Zug *m*, Güter- und Personenzug *m*; ~ *omnibus* Personenzug *m*; ~ *particulier*, ~ *spécial* Sonderzug *m*; *petit* ~ *(local)* Bummelzug *m*; ~ *(spécial) de vacances* Ferien(sonder)zug *m*; ~ *du matin* Frühzug *m*; ~ *de secours* Hilfszug *m*; ~ *dédoublé* Vorzug *m*; ~*s pl. qui font la navette* Pendelzüge *m/pl.*; ~ *de plaisir* Vergnügungszug *m*; ~ *sur pneumatiques* gummibereifter Zug *m* (*z. T. der Pariser U-Bahn*); ~ *montant (descendant)* nach Paris fahrender (von Paris kommender) Zug *m*; *chef m de* ~ Zugführer *m*; F *prendre le* ~ *onze* zu Fuß gehen, auf Schusters Rappen reiten; **2.** *Auto*: ~ *de camions* LKW-Kolonne *f*; ~ *de voitures* Autoschlange *f*; ~ *de bateaux*, ~ *de péniches* Schleppzug *m* (*Fluß*); ~ *de bois*, ~ *de flottage* Floß *n*; **3.** *Auto*: ~ *arrière*, ~ *avant* Hinter-, Vorder-achse *f*; *Auto*: ~ *routier* Lastzug *m*; ~ *de pneus* Bereifung *f*, Reifengarnitur *f*; ✈ ~ *d'atterrissage* Fahrgestell *n*; ~ *caréné* verkleidetes Fahrgestell *n*; ~ *escamotable* einziehbares Fahrgestell *n*; ~ *fixe* festes Fahrgestell *n*; ⊕ ~ *d'engrenages* Rädergetriebe *n*; ~ *de laminoirs* Walzwerk *n*; *rad.* ~ *d'ondes* Wellenbereich *m*; *un* ~ *de cinq roues (pneus)* ein Satz von fünf Rädern (Reifen); **4.** a) *zo.* ~ *de derrière*, ~ *de devant* Hinter-, Vorder-teil *n*; b) P Hintern *m*; *botter le* ~ *à q.* j-m e-n Tritt in den Hintern geben; *se manier (od. se magner) le* ~ sich beeilen; **5.** ⚔ Nachschubtruppe *f*; **6.** Gang *m*, Schritt *m*, Gangart *f*; Tempo *n*; *aller bon* ~ schnell gehen, fahren *od.* reiten; *fig.* gute Fortschritte machen (*Arbeit*); *bon* ~*!* schleunigst!; *aller (à) un* ~ *d'enfer* ein höllisches Tempo draufhaben, wie der Blitz fahren; *fig. aller son petit* ~ sachte vorwärtskommen; *tout va son petit* ~ es geht alles s-n alten Trott; *allez votre* ~ nur weiter, lassen Sie sich nicht stören; *à fond de* ~ in rasendem Tempo; ~ *du monde* Lauf *m* der Welt; *fig.* F *être dans le* ~ mit der Zeit mitgehen; **7.** *fig.* Gang *m*, Zug *m*, Wendung *f*; Stimmung *f*; ~ *des affaires* Gang *m* der Geschäfte; ~ *de vie* Lebensstil *m*, -weise *f*; *l'affaire est en bon* ~ die Sache läuft; *être en* ~ in Form sein (*Person*); im Gange sein (*Gespräch*); *au* ~ *où vont les choses* im Zuge der Entwicklung; *être en* ~ *de faire qch.* im Begriff sein, etw. zu tun; gerade dabei sein, etw. zu machen; (*ne pas*) *être en* ~ (nicht) aufgelegt sein, (nicht) in Stimmung sein; *une fois en* ~ *de raconter*, ... ist er einmal ins Erzählen gekommen, so ...; *au* ~ *dont il va* wenn er so fortfährt, ...; *mettre en* ~ in Gang bringen; *mise f en* ~ Vorarbeit *f*; *typ.* Andruck *m*; ~ *de maison* Haushalt *m*; *mener grand* ~ auf großem Fuße leben.

traîn|age [trɛ'na:ʒ] *m* **1.** Schleppen *n*; **2.** Beförderung *f* auf (e-m) Schlitten; **3.** ⚒ ~ *à deux câbles* Zweiseilförderung *f*; **~ailler** [~nɑ'je] *v/i.* (1a) herumbummeln; **~ant** [~'nɑ̃] *adj.* (7) *fig.* gedehnt, schleppend (*Tonfall*); **~ard** [~'na:r] *m* Nachzügler *m*; F bumm(e)liger Mensch *m*; **~asse** ⚘ [~'nas] *f* Knöterich *m*; **~asser** [~na'se] *v/i.* (1a) herumbummeln.

traîn|e [trɛ:n] *f* **1.** Schleppe *f*; **2.** Schleppen *n*; Schlepptau *n*; *être à la* ~ am Schlepptau liegen; *fig.* zurücksein, verwahrlosen, verkommen; **3.** Schleppnetz *n*; **4.** ⊕ (Seillauf-)Katze *f*; **~eau** [trɛ'no] *m* (5b) **1.** (großer Pferde-)Schlitten *m*; ~ *automobile*, ~ *à moteur* Motorschlitten *m*; ~ *à hélice*(*s*) Propellerschlitten *m*; ~ *à voiles* Segelschlitten *m*; **2.** Schleppnetz *n*; *ch.* Streichgarn *n*; **3.** ⸗ Ackerschleppe *f*, Eggenschlitten *m*; **4.** ⊕ Schleppe *f*; **5.** ~ *de système dépressionnaire* Rückseite *f* e-s Tiefs (*Wetterbericht*); **~ée** [~'ne] *f* **1.** Spur *f*, Streifen *m*; ~ *lumineuse* Leuchtspur *f*; ~ *de sang* Blutspur *f*; ~ *de brouillard* Nebelstreifen *m*; ✈ ~ *de condensation* Kondensstreifen *m*; **2.** *a. fig.* ~ *de poudre* Lauffeuer *n*; **3.** ✈ Rücktrift *f*, Rückdrängung *f*, Mitreißen *n*, Luftwiderstand *m*; Schwaden *m* (*Wetterkunde*); **4.** P Prostituierte *f*.

traîne-misère F *m* [trɛnmi'zɛ:r] (6c) armer Teufel *m*, Habenichts *m*.

traîner [trɛ'ne] (1b) **I** *v/t.* **1.** (hinter sich her)ziehen, (nach)schleppen; (mit sich) schleppen; ~ *l'aile* den Flügel hängen lassen; ~ *q. partout* j-n überall mit hinschleppen; ~ *q. dans la boue* j-n in den Dreck ziehen, j-n verleumden, j-n schlechtmachen; *fig.* ~ *des malheurs après soi* Unglück nach sich ziehen, Unglück zur Folge haben; *fig.* ~ *sa vie* sein Leben so hinschleppen; *il traîne une santé misérable* sein Gesundheitszustand ist bedauerlich; *il traîne une mourante vie* er siecht dahin; *il traîne une maladie* er schleppt sich mit e-r Krankheit; **II** *v/i.* **2.** (*Kleid*) auf der Erde entlangschleifen; **3.** unordentlich herumliegen; *cela traîne partout* das ist überall zu finden (zu lesen); **4.** hinsiechen; *il traîne depuis longtemps* er schleppt sich seit langem nur noch so dahin; **5.** sich hinziehen, sich in die Länge ziehen; *cela ne traînera pas* das wird nicht lange dauern *od.* auf sich warten lassen; **6.** trödeln, herumbummeln, (hinter anderen) zurückbleiben; herumschlendern, sich herumtreiben; **7.** ~ *sur les mots* (*a. v/t. ses mots*) in schleppendem Tonfall sprechen; **III** *v/rfl.* **8.** *se* ~ *par terre* auf der Erde (*od.* auf dem Boden) kriechen; *se* ~ *sur le ventre* auf dem Bauch kriechen; **9.** sich mühsam fortschleppen.

traîne-savate F [trɛnsa'vat] *m* (6c) armer Schlucker *m*.

traîneur *péj.* [trɛ'nœ:r] *m* Herumtreiber *m*.

trainglot ⚔ [trɛ̃'glo] *m* Soldat *m* der Nachschubtruppe.

training ⚕ *psych.* [trɛ'niŋ] *m*: ~ *autogène* autogenes Training *n*.

train-poste 🚂 [trɛ̃'pɔst] *m* (6b) Postzug *m*.

train-train [trɛ̃'trɛ̃] *m/inv.*: *le* ~ *de la vie quotidienne* der tägliche Trott, das tägliche Einerlei, der (graue) Alltag; *tout va son petit* ~ alles geht seinen Lauf.

train-vélo *Fr.* [trɛ̃ve'lo] *m* Fahradverleih *m* auf dem Bahnhof.

traire [trɛ:r] *v/t.* (4s) ⸗ melken.

trait [trɛ] *m* **1.** Ziehen *n*; *cheval m de* ~ Zugpferd *n*; **2.** *hist.* Pfeil *m*; Wurfspieß *m*; *décocher* (*od. lâcher*) *un* ~ e-n Pfeil abschießen; *fig. lancer un* ~ *à q.* e-e Spitze gegen j-n fallenlassen; **3.** Zug *m beim Trinken*; *tout d'un* ~ auf einen Zug; **4.** (Feder-)Strich *m*; *d'un* ~ *de plume* mit einem Federstrich; ~ *d'union* Bindestrich *m*; *fig.* verbindendes Element *n*; *ce qui leur servait de* ~ *d'union* was sie einander näher brachte; *fig. peindre* (*od. exposer*) *à grands* ~*s* in großen Umrissen (*od.* Zügen) schildern; **5.** *avoir* ~ *à qch.* auf etw. (*acc.*) Bezug haben, sich auf etw. (*acc.*) beziehen; *y ayant* ~ darauf bezüglich, diesbezüglich; **6.** (Gesichts-)Zug *m*; (Charakter-)Zug *m*; *il lui ressemble* ~ *pour* ~ er ist ihm wie aus dem Gesicht geschnitten; *aux* ~*s fins* mit feinen Zügen; *un* ~ *de caractère* ein Charakterzug *m*; *un* ~ *de cruauté* ein Zug von Grausamkeit; **7.** *fig.* Streich *m*; ~ *de fripon* Schelmenstück *n*, Schurkenstreich *m*; ~ *habile* kluger Streich *m*; **8.** ~ *d'esprit* Geistesblitz *m*, geistreicher Einfall *m*; geistreiche Bemerkung *f*; **9.** *le* ~ *de la balance* der Ausschlag der Waage; **10.** ♪ Lauf *m*, Passage *f*; **11.** *Schachspiel*: Zug *m*; *à moi le* ~ ich ziehe; *avoir le* ~ ziehen; **12.** Zuggurt *m*; ~ *de harnais* Geschirrtau *n*; **13.** ⊕ ~ *de scie* Sägeschnitt *m*.

traitable [trɛˈtablə] *adj.* verträglich.

traitant ✝ [trɛˈtɑ̃] *m* Submittent *m*, Ausführende(r) *m e-s Submissions- od. Ausschreibungs-auftrages.*

traite [trɛt] *f* **1.** nicht unterbrochene Wegstrecke *f*; *tout d'une* ~ ohne einmal haltzumachen; *d'une seule* ~ hintereinander; ✈ im Nonstopflug; *fig. dormir d'une seule* ~ hintereinander durchschlafen; **2.** Sklaven-, Menschen-handel *m*; ~ *des femmes* (*des' enfants*) Frauen-(Kinder-)handel *m*; ~ *des blanches* Mädchenhandel *m*; **3.** gezogener Wechsel *m*, Tratte *f*; ~ *non négociable* unbegebbarer Wechsel *m*; ~ *pour solde de compte* Saldowechsel *m*; *la* ~ *échoit* (*od. tombe*) *le* ... die Tratte ist am ... fällig; ~ *en souffrance* überfälliger Wechsel *m*; *faire* ~ *sur q.* e-n Wechsel auf j-n ziehen; **4.** monatliche Abzahlung *f*; **5.** ✓ Melken *n*.

traité [trɛˈte] *m* **1.** Vertrag *m*; Staatsvertrag *m*; **2.** Abhandlung *f*, *univ.* Lehrbuch *n*; ~ *contenant la clause de la nation la plus favorisée* Meistbegünstigungsvertrag *m*; ~ *transactionnel* Vergleichsvertrag *m*; ~ *de commerce* Handelsvertrag *m*; ~ *de paix* Friedensvertrag *m*; ~ *fondamental* Grundvertrag *m*.

traitement [trɛtˈmɑ̃] *m* **1.** Behandlung *f*; Aufnahme *f*, Bewirtung *f*; *mauvais* ~*s pl.* Mißhandlungen *f/pl.*; ~ *préférentiel*, ~ *de faveur* Vorzugsbehandlung *f*; *pol.* ~ *de la nation la plus favorisée* Meistbegünstigung *f*; **2.** ⚕ Behandlung *f*; ~ *de choc* Stoßkur *f*; ~ *curatif* Heilverfahren *n*; ~ *par les rayons ultraviolets* Höhensonnen-behandlung *f*, -bestrahlung *f*; ~ *aux rayons* ⚕ Röntgenbehandlung *f*; *suivre un* ~ e-e Kur machen; **3.** Gehalt *n*, Besoldung *f*; *toucher son* ~ sein Gehalt bekommen; **4.** ⊕ Behandlung *f*; Verarbeitung *f*; Aufbereitung *f*; **5.** *inform.* ~ *de l'information* Datenverarbeitung *f*.

traiter [trɛˈte] (1a) **I** *v/t.* **1.** behandeln, abhandeln, erörtern, untersuchen; verhandeln; *ils traitent la paix* sie verhandeln über den Frieden; ~ *qch. par-dessous la jambe* etw. auf die leichte Schulter nehmen; *vgl. par-dessous*; **2.** ~ *q.* j-n behandeln, mit j-m umgehen; ~ *q. en ami* j-n als Freund behandeln; ~ *q. d'égal* sich mit j-m auf gleiche Stufe stellen; *fig.* ~ *q. de haut en bas* (*od. par-dessous la jambe*) j-n verächtlich behandeln, j-n nicht für voll nehmen, j-n über die Schulter ansehen; **3.** *péj.* nennen, schelten, bezeichnen als; ~ *q. de fat* j-n e-n Gecken nennen; **4.** *litt.* bewirten; **5.** ⚕ ärztlich behandeln; **6.** ⊕ aufbereiten; verarbeiten; **II** *v/i.* **7.** ~ *de* handeln von (*Buch*; *dat.*); **8.** ~ *de qch.* über etw. schreiben, reden, verhandeln; ~ *de la paix* über den Frieden verhandeln.

traité-type *pol.* [trɛˈte ˈtip] *m* (6b) Modellvertrag *m*.

traiteur [trɛˈtœːr] *m* Stadtküche *f*.

traîtr|e *m*, ~**esse** *f* [ˈtrɛtrə, trɛˈtrɛs] **I** *adj.* verräterisch; falsch, treulos; heimtückisch; F *pas un traître mot* nicht ein Sterbenswörtchen; **II** *su.* Verräter *m*; ~**eusement** [trɛtrøzˈmɑ̃] *adv.* verräterisch, hinterlistig(erweise), hinterrücks, meuchlings; ~**ise** [trɛˈtriːz] *f* **1.** Verrat *m*; **2.** Heimtücke *f*, verräterischer Charakter *m*.

trajectoire [traʒɛkˈtwaːr] *f* Flugbahn *f der Geschosse*; Planetenbahn *f*; Mondkurs *m* (*Raumfahrt*).

trajet [traˈʒɛ] *m* **1.** (Fahr-)Strecke *f*, Weg *m*; ✈ Flugstrecke *f*; Fahrt *f*; Flug *m*; *U-Bahn, Bus*: ~ *partiel* Teilstrecke *f*; **2.** *chir.* Verlauf *m e-s Nervs usw.*

tralala F [tralaˈla] *m* **1.** Gehabe *n*, Getue *n*, Angeberei *f*; *il fait du* ~ er gibt (reichlich) an; **2.** Tamtam *n*, Aufwand *m*, Pomp *m*; *soirée f à* ~ protzige Abendgesellschaft *f*; *en grand* ~ mit großem Pomp.

tram F [tram] *m abr. v. tramway.*

tram|e [tram] *f* **1.** *Weberei*: Einschlag *m*, Schuß *m*; (*fil m de*) ~ Schußgarn *n*; *lancer la* ~ einschießen; **2.** *télév.* Raster *m*; **3.** *fig.* Grundlage *f*, Rahmen *m*, verbindendes Moment *n*; *la* ~ *des événements* die Verkettung der Ereignisse; *fig. débiter de la* ~ im trüben fischen; mitmischen F; **4.** △, *typ.* Raster *m*; ~**er** [~ˈme] *v/t.* (1a) **1.** *Weberei*: einschießen; **2.** *fig.* anzetteln, anstiften; ~ *un complot* ein Komplott schmieden.

traminot F [trami'no] *m* Straßenbahner *m*; Straßenbahnarbeiter *m*.

tramonde *litt.* [tra'mɔ̃:d] *m* Reich *n* der Phantasie.

tramontane [tramɔ̃'tan] *f* Nordwind *m* (*bsd. im Mittelmeer*); *fig.*, *litt. perdre la* ~ *fig.* den Kopf verlieren, außer Fassung kommen.

tramway [tram'wɛ] *m* Straßenbahn *f*; *prendre le* ~ mit der Straßenbahn fahren; *tracteur m du* ~ Triebwagen *m*.

tranchant [trɑ̃'ʃɑ̃] **I** *adj.* (7) **1.** scharf, schneidend; **2.** *fig.* scharf; nachdrücklich; ablehnend; entscheidend, einschneidend, durchgreifend; **3.** *fig.* grell (*Stimme*); **II** *m* Schneide *f*; *fig.*: *cela fait arme à deux* ~*s* das ist ein zweischneidiges Schwert.

tranche [trɑ̃:ʃ] *f* **1.** Schnitte *f*, Scheibe *f*; *cuis.* Mittelschwanzstück *n* (*v. Rind*); *fig.* Abschnitt *m*; ~ *d'âge péd.* Altersstufe *f*; ~ *de pain grillée* Röstschnitte *f*, Toast *m*; ⚠ ~ (*de travaux*) Arbeitsabschnitt *m*; *couper par* ~*s* in Scheiben schneiden; ~*s f/pl.* kalter Aufschnitt *m*; **2.** Platte *f*, Tafel *f*; ~ *de marbre* Marmorplatte *f*; **3.** ✐ ~ *de gazon* abgestochenes Rasenstück *n*; **4.** Abschnitt *m*, Teil *m*; F *s'en payer une* ~ sich biegen vor Lachen; sich toll amüsieren; sich austoben; **5.** Kante *f*, Rand *m*; **6.** *num.* (Münz-)Rand *m*; **7.** ⊕ Schrotmeißel *m*; **8.** 🚃 Wagengruppe *f*; **9.** * Kopf *m*.

tranché [trɑ̃'ʃe] *adj.* sich scharf abhebend; *fig.* fest, bestimmt.

tranchée [~] *f* **1.** Graben *m*; ⚠ Einschnitt *m*, Durchstich *m*; **2.** ⚔ Schützengraben *m*; **3.** Schneise *f*; **4.** ⚕ ~*s pl.* Nachwehen *f/pl.*; **~-abri** [~a'bri] *f* (6a) Unterstand *m*; Luftschutzgraben *m*.

tranch|er [trɑ̃'ʃe] (1a) **I** *v/t.* **1.** ab-, durch-, zer-schneiden, ab-, durchhauen; *fig.* ~ *la difficulté* die Schwierigkeit beseitigen *od.* beheben *od.* ausräumen; **2.** *fig.* entscheiden, beendigen; schnell lösen (*Problem*); F (*le*) ~ *net* (*od. court*) *avec q.* mit j-m kurzen Prozeß machen; *tranchons le mot!* offen gesagt!; ~ *la question* die Frage entscheiden; **3.** ▨ *écu m tranché* schräg rechts geteilter Schild *m*; **II** *v/i.* **4.** ~ *net* kurz abbrechen; ~ *dans le vif fig.* energische Maßnahmen treffen, durchgreifen; **5.** zu e-r endgültigen Entscheidung gelangen; ~ *sur qch.* über etw. (*acc.*) endgültig entscheiden; ~ *sur tout* keine Widerrede dulden; e-n entschiedenen Ton anschlagen; **6.** ~ *sur* (*od. avec*) sich stark abheben von (*dat.*; *Farben*); **~et** ⊕ [~'ʃɛ] *m* Schustermesser *n*; **~oir** [~'ʃwa:r] *m* (Fleisch-)Hackbrett *n*; Käsebrett *n*.

tranquill|e [trɑ̃'kil] *adj.* □ ruhig, still; unbesorgt, unbekümmert, sorglos; *soyez* ~! seien Sie unbesorgt!; *laissez-moi* ~! lassen Sie mich in Ruhe!; *tenez-vous* ~! verhalten Sie sich ruhig!; **~isant** [~li'zɑ̃] *m* Tranquilizer *m*; **~iser** [~li'ze] *v/t.* (1a) beruhigen, beschwichtigen, besänftigen; **~ité** [~li'te] *f* Ruhe *f*, Stille *f*; Frieden *m*; ~ *d'esprit* innere Ausgeglichenheit *f*, Gemütsruhe *f*.

transaction [trɑ̃zak'sjɔ̃] *f* **1.** ✝ (Handels-)Geschäft *n*; Transaktion *f*; ~*s f/pl.* Handelsverkehr *m*, Umsatz *m*; ~ *à terme*, ~ *à vue* Sichtgeschäft *n*; ~ *à long terme* Prolongations-, Kost-geschäft *n*; ~*s pl. par chèques* Scheckverkehr *m*; ~*s pl. bancaires* Bankverkehr *m*; **2.** ⚖ Vergleich *m*, Kompromiß *m*; *conclure une* ~ e-n Vergleich schließen; **~nel** ⚖ [~ksjɔ'nɛl] *adj.* (7c) Vergleichs...

transafricain [trɑ̃zafri'kɛ̃] **I** *adj.* (7): *chemin m de fer* ~ transafrikanische Eisenbahn *f*; **II** 🚃 *m* transafrikanischer Expreß *m*.

transalpin [trɑ̃zal'pɛ̃] *adj.* (7) transalpinisch.

transat F [trɑ̃'zat] *m* Liegestuhl *m*.

transatlantique [trɑ̃zatlɑ̃'tik] **I** *adj.* überseeisch, transatlantisch; **II** *m* a) Ozean-, Übersee-dampfer *m*; b) Liegestuhl *m*.

transbahut|ement F [trɑ̃sbayt'mɑ̃] *m* Schleppen *n*; **~er** F [~'te] (1a) **I** *v/t.* wegschleppen; **II** *v/rfl. se* ~ sich (irgendwohin) schleppen; sich verkrümeln F.

transbord|ement ⚓ [trɑ̃sbɔrdə'mɑ̃] *m* Umladen *n*, Umschiffen *n*; *allg.* Zwischen-umschlag *m*, -verladung *f*; **~er** [~'de] *v/t.* (1a) umladen; **~eur** [~'dœ:r] *m* **1.** ⊕ Um-, Ent-lader *m*; **2.** ⊕ (*auch adj.*: *pont m*) ~ *aérien* Schwebefähre *f*.

Transcaucasie *géogr.* [trɑ̃skoka'zi] *f*: **la** ~ Transkaukasien *n* (*UdSSR*).

transcaucasien [~'zjɛ̃] *adj.* (7c) transkaukasisch.

transcend|ance [trɑ̃ssɑ̃'dɑ̃:s] *f phil.* Transzendenz *f*; **~ant** [~'dɑ̃] *adj.* (7) **1.** weit überlegen, über das gewöhnliche Maß hinausgehend; *esprit m* ~ erhabener Geist *m*; **2.** ⩘ transzendent; *mathématiques f/pl.* ~*es* höhere Mathematik *f*; **3.** *phil.* transzendent, übersinnlich; **~antal** *phil.* [~dɑ̃'tal] *adj.* (5c) transzendental; rein rational, a priori; **~antalisme** *phil.* [~dɑ̃ta'lism] *m* Transzendentalismus *m*, transzendentaler Idealismus *m*; **~er** [~'de] (1a) **I** *v/t.* über etw. (*acc.*) hinausgehen (*a. phil.*); *bsd. pol.*: ~ *la Communauté des Neuf* die Gemeinschaft der neun Mitgliedstaaten erweitern; **II** F *v/i.* allen überlegen sein.

transcoder [~kɔ'de] *v/t.* (1a) umkodieren; *inform.* übersetzen.

transcontinental [trɑ̃skɔ̃tinɑ̃'tal] *adj.* (5c) transkontinental.

trans|cripteur [trɑ̃skrip'tœːr] *m* Abschreiber *m*; **~cription** [~skrip'sjɔ̃] *f* **1.** Abschreiben *n*; Abschrift *f*; Umschreiben *n*; ⚖ Eintragen *n in ein Register usw.*; ~ *phonétique* phonetische Umschrift *f*, Lautschrift *f*; **2.** ♪ Bearbeitung *f*, Transkription *f*; **~crire** [~s'kriːr] *v/t.* (4f) abschreiben; umschreiben; *gr.* phonetisch (*od.* in Lautschrift) umschreiben; ⚖ eintragen; ♪ umsetzen; **~ducteur** ⚡ [~dyk'tœːr] *m* (Energie-)Umsetzer *m*, Umwandler *m*.

transe [trɑ̃ːs] *f* **1.** *mst. im pl.*: ~*s* große Angst *f*, Höllenangst *f*; *être dans les* ~*s* bangen und barmen; *être dans les* ~*s mortelles* in Todesängsten schweben; **2.** *psych.* Trance *f*.

transept ⛪ [trɑ̃'sɛpt] *m* Querschiff *n e-r Kirche*, Transept *n od. m.*

trans|férable [trɑ̃sfe'rablə] *adj.* transferierbar; übertragbar; **~fèrement** [~fɛr'mɑ̃] *m* Gefangenentransport *m*; **~férer** [~fe're] *v/t.* (1f) **1.** an e-n anderen Ort bringen, verlegen, überführen; **2.** ✝ transferieren; **3.** ~ *qch. à q.* j-m etw. übertragen.

transfert [trɑ̃s'fɛːr] *m* **1.** Überführung *f*, Verlegung *f*; **2.** ⚖ Übertragung(surkunde *f*) *f* (*z. B. der Steuerhoheit*); **3.** *fin.* Transfer *m*, Übertragung *f*, Überweisung *f*; **4.** ~ *de travailleurs qualifiés* Abwanderung *f* von Facharbeitern.

transfigur|ation [trɑ̃sfigyra'sjɔ̃] *f rl.* Verklärung *f*; **~er** [~'re] (1a) **I** *v/t. rl.* verklären; **II** *v/rfl.* se ~ *rl.* verklärt werden.

transfil ⊕ [trɑ̃s'fil] *m* Profildraht *m*; Umwicklung *f*; **~er** [~'le] *v/t.* (1a): ~ *des voiles* Segel miteinander anmarlen; ~ *les tentes* die Zeltbahnen miteinander verknüpfen.

transform|able [trɑ̃sfɔr'mablə] *adj.* umwandelbar; **~ateur** [~ma'tœːr] *adj.* (7f) *u. m* verarbeitend; Umformer *m*, Transformator *m*, Trafo *m*; ~ *blindé* gekapselter Transformator *m*; ~ *en maximal* Großtransformator *m*; ~ *d'entrée* Eingangstransformator *m*; ~ *de départ*, ~ *de sortie* Ausgangs-, Endtransformator *m*; ~ *de liaison*, ~ *d'accouplement*, ~ *de réaction* Koppelungstransformator *m*; ~ (*de*) *haute* (*moyenne*, *basse*) *fréquence* Hoch- (Mittel-, Nieder-)frequenztransformator *m*; **~ation** [~mɑ'sjɔ̃] *f* Umwandlung *f*, Umgestaltung *f*, Veränderung *f*; *Fußball*, *Rugby*: Torwechsel *m*; ✝ Verarbeitung *f*; ⚗ Umsetzung *f*; ⚡ Umformung *f*, Transformierung *f*, Umspannung *f*; ~ *monétaire* Währungs-umstellung *f*, -reform *f*; ~ *des armements* Umrüstung *f*; *artiste m à* ~ Verwandlungskünstler *m*.

transform|er [~'me] (1a) **I** *v/t.* umformen, umbilden, umgestalten, um-, ver-wandeln; umspannen, transformieren; verarbeiten; ~ *les armements* umrüsten (*v/i.*); **II** *v/rfl.* se ~ sich verändern; *fig.* sich verstellen; se ~ *en qch.* sich in etw. (*acc.*) verwandeln; **~isme** *biol.* [~'mism] *m* Deszendenztheorie *f*; **~iste** [~'mist] **I** *m* Vertreter *m* der Deszendenztheorie; **II** *adj.* nach der Deszendenztheorie.

transfuge [trɑ̃s'fyːʒ] *su.* **1.** ⚔, *bsd. pol.* Überläufer *m*; **2.** von Land zu Land Flüchtende(r) *m*; **3.** *fig.* Abtrünnige(r) *m*.

transfus|er [trɑ̃sfy'ze] *v/t.* (1a) umfüllen; ⚕ *Blut* übertragen; **~ion** ⚕ [~'zjɔ̃] *f*: ~ (*de sang*), ~ (*sanguine*) Blutübertragung *f*.

transgress|er [trɑ̃sgrɛ'se] *v/t.* (1b) *ein Gesetz*, *Gebot* übertreten, verstoßen gegen (*acc.*); **~ion** [~'sjɔ̃] *f* Übertretung *f e-s Gesetzes usw.*

transhum|ance ✔ [trɑ̃zy'mɑ̃ːs] *f* Herdenwandern *n*, Alm-auftrieb *m*, -abtrieb *m*; **~ant** [~zy'mɑ̃] *adj.* (7) wandernd (*v. Herden*); **~er** [~zy'me] (1a) **I** *v/t.* auf die Gebirgsweide führen; **II** *v/i.* auf die Alm ziehen (*Herde*).

transi [trɑ̃'zi] *adj.* frierend, bibbernd, erstarrt; *fig.* schüchtern, befangen; ~ *de froid* starr vor Kälte.

transiger [trɑ̃zi'ʒe] *v/i.* (1l) e-n Vergleich treffen, sich vergleichen (*avec q.* mit j-m); *fig.* ~ *avec sa conscience* sich mit s-m Gewissen abfinden.

transir *litt.* [trɑ̃'ziːr] *v/t.* (2a) erstarren lassen.

transistor ⚡ [trɑ̃zis'tɔːr] *m* Transistor *m*; **~iser** [~ri'ze] *v/t.* (1a) mit Transistoren versehen.

transit [trɑ̃'zit] *m* Transit(verkehr *m*) *m*; *téléph. centre m de* ~ Durchgangszentrale *f*; *marchandises f/pl. en* ~ Transitgüter *n/pl.*; Durchgangsgut *n*; **~aire** [~'tɛːr] **I** *adj.* Durchgangs..., Transit...; **II** *m* Transit-spediteur *m*, -händler *m*; **~er** [~'te] *v/i.* (*u. v/t.*) (1a) im Transitverkehr durchreisen (lassen); **~if** *gr.* [~zi'tif] *adj.* (7e) transitiv, zielend; **~ion** [~'sjɔ̃] *f* Über-gang *m*, -leitung *f*; Aufhänger *m fig.*, *bsd. télév.*; **~oire** [~'twaːr] *adj.* Übergangs..., vorübergehend; *période f* ~ Übergangszeit *f*.

Transjordanie *géogr.* [trɑ̃sʒɔrda'ni] *f*: **la** ~ Transjordanien *n*.

transjordanien *géogr.* [~'njɛ̃] *adj.* (7c) transjordanisch.

transla|ter *méc.* [trɑ̃sla'te] *v/t.* verschieben; **~teur** [~'tœːr] *m* **1.** *cyb.* Translator *m*, Übersetzer *m*; **2.** Sender *m* (*Fernschreiber*); **~tif** *bsd.* ⚖ [~la'tif] *adj.* (7e) übertragend; *acte m* ~ Übertragungsurkunde *f*; Überschreibung *f e-s Grundstücks usw.*; **~tion** [~lɑ'sjɔ̃] *f* Beförderung *f an e-n andern Ort*, Verlegung *f*, Überführung *f*; Versetzung *f e-s Bischofs*; *rl.* Verlegung *f e-s Festes*; ⚖ *u.* ⚡ Übertragung *f*; *méc.* Verschiebung *f*; *géol.* Translation *f*; *phys. mouvement m de* ~ Translationsbewegung *f* (*der Erde um die Sonne*).

translucid|e [trɑ̃sly'sid] *adj. a.* ⚠ durchscheinend; **~ité** [~di'te] *f* Durchscheinen *n*.

transmetteur *rad.*, ⚡ [trɑ̃smɛ'tœːr] *m* Sender *m*, Sendevorrichtung *f*; *rad.* ~ *portatif* tragbares Funk(sprech)gerät *n*.

transmettre [~'mɛtrə] (4p) **I** *v/t.* **1.** ⚖ überlassen, übertragen, übereignen; **2.** *an j-n* gelangen lassen, *an j-n* weitergeben; zuleiten, übersenden; überliefern; **3.** *rad.*, *télév.* ~ *en direct* direkt übertragen, live senden; **4.** *fig.* vererben; *e-e Krankheit* übertragen; **5.** *phys.* durchlassen (*Licht*, *Hitze*); **II** *v/rfl. se* ~ *a.* sich fortpflanzen (*Licht*, *Schall*); sich vererben, übertragen werden (*Krankheiten*).

transmigr|ation *rl.* [trɑ̃smigrɑ'sjɔ̃] *f*: ~ *des âmes* Seelenwanderung *f*; **~er** *rl.* [~'gre] *v/i.* (1a) (*mit avoir!*) wandern (*Seele*).

transmiss|ibilité [~misibili'te] *f* Übertragbarkeit *f*; **~ible** [~'siblə] *adj.* übertragbar; **~ion** [~'sjɔ̃] *f* **1.** *allg.* Übertragung *f* (*v. Krankheiten*, *e-r Bewegung*, *v. Kraft usw.*); **2.** ⚖ Vererbung *f*, Überlassung *f*, Überleitung *f*, Übereignung *f*; **3.** *biol.* Vererbung *f*; **4.** *phys.* Fortpflanzung *f* (*v. Schall u. Licht*); **5.** ⊕ Transmission *f*, Antrieb *m*; ~ *par* (*od. à*) *chaînes* Kettenantrieb *m*; ~ *d'énergie*, ~ *d'efforts* Kraftübertragung *f*; **6.** *rad.* Übertragung *f*, (Rundfunk-)Sendung *f*; ~ *en direct* Direktübertragung *f*, Live-Sendung *f*; ~ *de musique d'opéra* Opernübertragung *f*; ~ *des dernières nouvelles*, ~ *du journal parlé* Nachrichtensendung *f*.

transmu|able *litt.* [trɑ̃s'mɥablə] *adj.* verwandelbar; **~er** [~'mɥe] *v/t.* (1a) *bsd.* ⚗ verwandeln, umwandeln; ~ *les valeurs* umwerten.

transmuta|bilité [~mytabili'te] *f* Verwandelbarkeit *f*; **~ble** [~'tablə] *adj.* verwandelbar; **~tion** *at.*, *biol.*, ⚗ [~tɑ'sjɔ̃] *f* Umwandlung *f*, Transmutation *f*.

transmuter [trɑ̃smy'te] *v/t.* (1a): ~ *en* verwandeln in (*acc.*).

transocéanique [trɑ̃zɔsea'nik] *adj.* transozeanisch; Übersee...

transpacifique [trɑ̃spasi'fik] *f* Überquerung *f* des Pazifiks.

transpadan *géogr.* [~pa'dɑ̃] *adj.* (7) jenseits des Po befindlich.

transpalette ⊕ [~pa'lɛt] *f* (niedriger) Hubroller *m* (*für Papierballen*).

transpar|aître [~pa'rɛːtrə] *v/i.* (4z) durchscheinen, durchschimmern; **~ence** [~'rɑ̃ːs] *f* Durchsichtigkeit *f*; **~ent** [~'rɑ̃] **I** *adj.* (7) **1.** durchsichtig, transparent, durchscheinend; **2.** *fig.* leicht zu erraten (*od.* zu durchschauen), *fig.* auf der Hand liegend; klar ersichtlich; *d'une façon* ~*e* deutlich (erkennbar); *enveloppe f* ~*e* Fensterumschlag *m* (*e-s Briefes*); **II** *m* **3.** Linienblatt *n*; **4.** *peint.* Transparent *n*.

transpercer [trɑ̃spɛr'se] *v/t.* (1k) durchbohren.

transpir|ation [trɑ̃spirɑ'sjɔ̃] *f* **1.** (Haut-)Ausdünstung *f*, Schwitzen *n*; **2.** Schweiß *m*, Transpiration *f*; **~er** [~'re] *v/i.* (1a) schwitzen, transpirieren; *fig.* ruchbar werden, durchsickern; ~ *dans le public* an die Öffentlichkeit dringen.

transplant *chir.* [trɑ̃s'plɑ̃] *m* Transplantat *n*; **~able** [~plɑ̃'tablə] *adj.* verpflanzbar; *chir.* übertragbar; **~ation** [~tɑ'sjɔ̃] *f* **1.** ✓ Verpflanzung *f*; **2.** *fig.* Umsiedlung *f* (*Bevölkerung*); **3.** *chir.* Transplantation *f*; **~er** [~'te] *v/t.* (1a) **1.** ✓, *chir.* verpflanzen; **2.** umsiedeln; **~oir** [~'twa:r] *m* Pflanzschippchen *n.*

transpolaire [~pɔ'lɛ:r] *adj.* transpolar, über den Pol führend.

transport [trɑ̃s'pɔ:r] *m* **1.** Transport *m*, Fortschaffen *n*, Beförderung *f an e-n anderen Ort*; *les ~s m/pl.* das Verkehrs-, Transportwesen *n*; *~s aériens* Luftverkehr *m*; *~s privés, ~ pour compte propre* Werkverkehr *m*, nichtöffentlicher Verkehr *m*; *frais m/pl. de ~* Fracht (-kosten *pl.*) *f*; *moyens m/pl. de ~* Verkehrsmittel *n/pl.*; *~s m/pl.* Spedition(sgeschäft *n*) *f*; *~ (en) commun* Sammeltransport *m*; *~s m/pl. en commun, moyens m/pl. de ~s publics* öffentliche Verkehrsmittel *n/pl.*; *~ pour amener (pour enlever) des troupes usw.* An-(Ab-)transport *m* von Truppen *usw.*; *~ terrestre, ~ par terre* Landtransport *m*; *~ maritime, ~ par mer* Seetransport *m*; *~ aérien, ~ par air* Lufttransport *m*; *~ par voie ferrée* Eisenbahntransport *m*; *~ aller et retour* Hin- u. Rücktransport *m*; **2.** ⚓ Transportschiff *n*; *~ de troupes* Truppentransporter *m*; **3.** ⚖ *~ sur les lieux (od. sur place)* Lokaltermin *m*; **4.** Abtrennung *f e-r Schuldforderung*; **5.** † Umbuchung *f*; **6.** *phot.* *~ de bande* Filmtransport *m*; *phys.* *~ de chaleur* Wärme-abführung *f*, -ableitung *f*; *~ d'énergie* Kraftübertragung *f*; **7.** *st.s. fig.* *~s pl.* Erregung *f*; Verzückung *f*; *~s de colère* Zornausbruch *m*; **8.** ⚕ P *~ au cerveau* Schlaganfall *m.*

transport|able [~pɔr'tablə] *adj.* transportierbar; **~ation** *ehm.* ⚖ [~tɑ'sjɔ̃] *f* Deportation *f*; **~er** [~'te] (1a) **I** *v/t.* **1.** transportieren, wegbringen, -schaffen, befördern, versenden, verschicken; *~ par avion (par eau; par roulage)* per Luft *od.* mit dem Flugzeug (auf dem Wasserwege; per Achse) befördern; **2.** an e-n Ort verlegen, versetzen; *fig.* *~ des montagnes* Berge versetzen; **3.** ⚖ abtreten; **4.** *litt.* *~ q.* j-n außer sich bringen, j-n entzücken, j-n hinreißen, j-n begeistern; *être transporté de joie* außer sich vor Freude sein; **II** *v/rfl.* se ~ **5.** sich an e-n Ort begeben; *se ~ sur les lieux (od. sur place)* sich an Ort und Stelle begeben, e-e Lokalbesichtigung vornehmen; **6.** *fig.* sich (in Gedanken) versetzen; *s'y ~ par la pensée* sich in etw. hineindenken; **~eur** [~'tœ:r] *m* **1.** Spediteur *m*, Transportunternehmer *m*; ✈ *~ à la demande* Unternehmer *m* von Charterflugreisen; **2.** ⊕ Transport-, Lade-einrichtung *f*, Fördermittel *n*, Transportgerät *n*, Förderer *m*, Verlader *m*, Transporteur *m*; *~ à barrettes en bois* Holzgurtförderer *m*; *~ circulaire (tubulaire)* (Rohr-) Kreisförderer *m*; *~ continu* Stetigförderer *m*; *~ à rouleaux (à galets)* Rollen- (Röllchen-)förderer *m*; *~ aérien* Drahtseilbahn *f*; *~ à godets* Becherwerk *n*; **3.** *biol.* Hilfswirt *m*; **~eur-collecteur** [~kɔlɛk'tœ:r] *m* (6a) Sammelförderband *n.*

transpos|able [trɑ̃spo'zablə] *adj. a. gr.* versetzbar; ♪ transponierbar; **~er** [~'ze] *v/t.* (1a) umstellen, umsetzen, versetzen; ⚗ hinüberschaffen; ♪ transponieren; *typ.* verdrucken.

transposi|teur [trɑ̃spozi'tœ:r] *adj./m u. m*: (*piano m*) ~ transponierendes Klavier *n*; **~tif** [~'tif] *adj.* (7e) *gr.*: *langue f transpositive* Sprache *f*, die e-e Umstellung der Wörter gestattet; **~tion** [~zi'sjɔ̃] *f* Umstellung *f*; Verlassen *n* der 3. Stufe (*Raumfahrt*); ♪ Transponieren *n*, Übertragung *f*; ⚗ Hinüberschaffen *n*; *gr.* *~ de sens* Sinnverschiebung *f.*

transregistrement *rad.* [trɑ̃srəʒistrə'mɑ̃] *m* Überspielung *f.*

transrhénan [trɑ̃sre'nɑ̃] *adj.* (7) jenseits des Rheins.

transsaharien [trɑ̃ssaa'rjɛ̃] **I** *adj.* (7c) transsaharisch, durch die Sahara; **II** *m* transsaharische Eisenbahn *f*, Saharabahn *f.*

transsibérien [trɑ̃ssibe'rjɛ̃] **I** *adj.* (7c) transsibirisch; **II** *m* transsibirische Eisenbahn *f.*

transsonique *phys.* [trɑ̃ssɔ'nik] *adj.* transsonisch.

transsubstant|iation *rl.* [trɑ̃ssypstɑ̃sjɑ'sjɔ̃] *f* Substanzverwandlung *f*; **~ier** *rl.* [~'sje] *v/t.* (1a) verwandeln.

transsud|at [trɑ̃ssy'da] *m* Transsudat *n*; **~er** [~'de] *v/i. u. v/t.* (1a) ausschwitzen.

transuranien ⚛ [trɑ̃zyra'njɛ̃] *adj.* (7c) transuranisch.

transvalu|ation *bsd. phil.* [trɑ̃svalɥa'sjɔ̃] *f* Umwertung *f*; **~er** *bsd. phil.* [~'lɥe] *v/t.* (1a) umwerten.

transvas|ement [trɑ̃svaz'mɑ̃] *m* Umfüllen *n*; **~er** [~va'ze] *v/t.* (1a) umgießen, umfüllen.

transversal [trɑ̃svɛr'sal] *adj.* (5c) □ *section f ~e* Querschnitt *m.*

transverse *anat.* [trɑ̃s'vɛrs] *adj.* Quer...

transvider [trɑ̃svi'de] *v/t.* (1a) umfüllen.

transyl|vain (7), **~vanien** (7c) *géogr.* [trɑ̃sil'vɛ̃, ~va'njɛ̃] *adj. u.* ♀ *su.* siebenbürgisch; Siebenbürger *m.*

Transylvanie *géogr.* [trɑ̃silva'ni] *f*: **la ~** Siebenbürgen *n.*

trapèze [tra'pɛ:z] *m* **1.** ⩔ Trapez *n*; **2.** *gym.* Schwebereck *n*, Trapez *n*; **3.** *anat.* (*auch adj.*): *muscle m ~* Trapezmuskel *m*; *os m ~* großes Vieleckbein *n.*

trapéziste [trape'zist] *su.* Trapezkünstler *m.*

trapézoïde [trapezɔ'id] **I** *adj.* trapezähnlich; **II** *m* ⩔ Trapezoid *n.*

trappe [trap] *f* **1.** Falle *f*, Klappe *f*; **2.** Fall-, Klapp-tür *f*; Schiebetürchen *n*, -fenster *n*; **3.** *thé.* Versenkung *f*; **4.** *ch.* Fuchs-, Wolfsgrube *f*; **5.** ✈ *~ de départ* Ausstiegluke *f* (*für Fallschirmspringer*).

trappeur [tra'pœ:r] *m* Trapper *m.*

trappillon *thé.* [trapi'jɔ̃] *m* Öffnung *f* für Versatzstücke.

trappiste *rl.* [tra'pist] *m* Trappist *m.*

trapu [tra'py] *adj.* untersetzt, gedrungen, stämmig; ⚠ massig.

traque [trak] *f* Treibjagd *f.*

traquenard [trak'na:r] *m a. ch.* Falle *f*; *~ pour autos* Autofalle *f.*

traqu|er [tra'ke] *v/t.* (1m) **1.** *ch. ~ un bois* in e-m Wald eine Treibjagd veranstalten; *~ un loup* e-n Wolf umstellen; **2.** *fig.* hetzen, verfolgen; **~et** *orn.* [~'kɛ] *m* Schwätzer *m*; **~eur**[1] [~'kœ:r] *m ch.* Treiber *m*; **~eur**[2] * **I** *su.* (7g) Hasenfuß *m*; **II** *adj.* ängstlich.

trass *min.* [tras] *m* Traß *m*, Druckstein *m*; ⚠ *mortier m de ~* Traßmörtel *m.*

traulet *peint.* [tro'lɛ] *m* Punktiernadel *f* (*Zeichenkunst*).

trauma|tique ⚕ [troma'tik] *adj.* □ Wund..., traumatisch; **~tisant** *psych.* [~ti'zɑ̃] *adj.* schockierend; **~tiser** [~ti'ze] *v/t.* (1a) ⚕, *psych.* e-n Schock versetzen (*dat.*); verletzen; *fig.* schwer treffen; schockieren; **~tisme** [~'tism] *m* ⚕ Verletzung *f*, Trauma *n*; *psych.* Schock *m*; **~tologie** ⚕ [~tɔlɔ'ʒi] *f* Unfallchirurgie *f*; **~tologue** ⚕ [~tɔ'lɔg] *su.* Unfallarzt *m.*

travail [tra'vaj] *m* (5c) **1.** Arbeit *f*, Arbeiten *n*; Anstrengung *f*, Mühe *f*; *~ de Romain, ~ d'Hercule* Sisyphus-, Riesen-arbeit *f*; *~ à forfait* (*od. à la tâche od. aux pièces*) Akkordarbeit *f*; *travaux m/pl. de déblaiement* Aufräumungsarbeiten *f/pl.*; *~ de tête, ~ intellectuel, ~ mental* Kopfarbeit *f*; *~ minutieux, ~ de détail* Kleinarbeit *f*; *~ de choix* Qualitätsarbeit *f*; *~ féminin, ~ des femmes* Frauenarbeit *f*; *femme f au ~* berufstätige Frau *f*; *combiner ~ et maison* Beruf u. Hausarbeit verbinden; *~ éducatif* Erziehungsarbeit *f*; *~ d'équipe* Teamwork *n*; *~ à mi-temps* Halbtagsarbeit *f*; *~ illicite* (*od. noir*) Schwarzarbeit *f*; *travaux m/pl. forcés* Zwangsarbeit *f*; Zuchthausstrafe *f*; *~ de forage* Schacht-, Bohr-arbeit *f*; *~ à la chaîne* Fließband-, Serienarbeit *f*; *~ au jour* (*au fond*) Übertage-(Untertage-)betrieb *m*; *~ (fait) sur mesure* Maßarbeit *f*; (*heures f/pl. de*) *~ réduit(es)* Kurzarbeit *f*; *sans ~* erwerbs-, arbeits-los; *travaux m/pl. de secours* (*pour les chômeurs*) Notstandsarbeiten *f/pl.*; *se mettre au ~* sich an die Arbeit machen; **2.** Arbeitsweise *f*; *avoir le ~ facile* schnell arbeiten, ein flinker Arbeiter sein; *avoir le ~ difficile* s-e Arbeit nur mühsam schaffen (*od.* bewältigen); *avoir le ~ lent* langsam arbeiten; **3.** Stück *n* Arbeit; Werk *n*, Leistung *f*; **4.** *pl.*: *travaux d'art industriel* kunstgewerbliche Arbeiten *f/pl.*; *travaux d'art* Kunstbauten *m/pl.*; *frt. travaux avancés* Außenwerke *n/pl.*; **5.** ⚕ Wehen *pl.*; *être en travail* in den Wehen liegen.

travaill|er [trava'je] (1a) **I** *v/i.* **1.** arbeiten; *~ au noir* schwarzarbeiten; *~ de la tête* geistig arbeiten; P *~ du chapeau* (*od. de la casquette*) e-n Vogel haben, verrückt sein; *~ comme un nègre, ~ d'arrache-pied* (*od. comme un cheval od. comme un bœuf*) schuften (*bsd. körperlich*); *~ dans les cuirs* in der Lederbranche arbeiten; *se tuer à ~* sich totarbeiten; *s'épuiser à ~* sich abarbeiten; **2.** in Betrieb sein (*Maschine*); *fig. son argent travaille* sein Geld arbeitet (*od.* bringt Zinsen); *le vin travaille* der Wein befindet sich in

Gärung; **3.** verbleichen (*Farben*); **4.** arbeiten, sich werfen (*Holz*); **5.** sich senken (*Mauer*); **II** *v/t.* **6.** a) bearbeiten, ausarbeiten, gestalten; *écol.* lernen, pauken F; ♪ (ein)üben; *fig.* ~ *des vers* Verse ausfeilen; *style m trop travaillé* gekünstelter Stil *m*; b) fälschen, manschen; **7.** *fig.* quälen, plagen, bearbeiten; ~ *les côtes à q.* j-n anständig versohlen; *l'inquiétude le travaille* die Unruhe quält ihn; **8.** *fig.* ~ *q.* j-n bearbeiten *od.* beeinflussen; ~ *le peuple* das Volk aufhetzen; **9.** ♪ ~ *le piano et le violin* Klavier u. Geige studieren; ~ *son piano* Klavier üben; **III** *v/rfl.* se ~ **10.** sich be- (*od.* ver-)arbeiten lassen (*von Stoffen*); **11.** sich abarbeiten, sich abquälen; **12.** se ~ *l'esprit* hin und her überlegen, grübeln; **~eur** [~'jœ:r] *adj. u. su.* (7g) arbeitsam; Arbeiter *m*; ~ *forestier* Forstarbeiter *m*; ~ *indépendant* selbständiger Erwerbstätige(r) *m*; ~ *intellectuel* Kopf-, Geistes-arbeiter *m*; ~ *manuel* Handarbeiter *m*; ~ *de force* Schwerarbeiter *m*; **~euse** [~'jø:z] *f* **1.** Arbeiterin *f*; **2.** Nähtisch *m*; ~ *sur roulettes* Nähwagen *m*; **~isme** *pol.* [~'jism] *m* Doktrin *f* der Labour Party; **~iste** [~'jist] *su. u. adj.* Mitglied *n* der Labourpartei; *parti m* ~ Labourpartei *f*; **~oter** P [~jɔ'te] *v/i.* (1c) lässig arbeiten.

travée ⚠ [tra've] *f* **1.** Feld *n* (*Zwischenraum von Pfeiler zu Pfeiler*); ~ *de pont* Jochweite *f* e-r Brücke; **2.** Sitzreihe *f*.

travelage 🚂 [trav'la:ʒ] *m* **1.** Schwellen *f/pl.*; **2.** Zahl *f* der Schwellen pro km.

travelling *cin.* [travɛ'liŋ] *m* **1.** Kamerafahrt *f*, Fahraufnahme *f*; **2.** Kamerawagen *m*.

travers [tra'vɛ:r] *m* **I** *prp. à* ~ *qch.*, *bsd. bei Hindernissen*: *au* ~ *de qch.* quer durch etw. (*acc.*); *à* ~ *q.* über j-n, durch die Vermittlung j-s; *en* ~ *de* quer über; ✈ *à* ~ *l'Alaska* quer über Alaska; *prendre à* ~ *champs* querfeldein gehen; *en* ~ *du lit* quer über dem (*bzw.* über das) Bett; *elle se jeta en* ~ *de la porte* sie stellte sich plötzlich quer in die Türöffnung; **II** *adv. de* ~ schief, quer, schräg; *fig.* verkehrt, falsch; *interpréter qch. de* ~ etw. verkehrt deuten; *regarder q. de* ~ j-n schief (*od.* über die Achsel) ansehen; *prendre qch. de* ~ etw. übelnehmen; *s'y prendre tout de* ~ etw. völlig verkehrt anfangen; *répondre tout de* ~ ganz verkehrt antworten; **III** *m* **1.** kleiner Fehler *m*, Schwäche *f*; **2.** ⚓ Schiffsseite *f*.

traversable [travɛr'sable] *adj.* überschreitbar, über-, durch-querbar.

travers|e [tra'vɛrs] *f* **1.** Querbalken *m*, -holz *n*, -stück *n*, -träger *m*; Spannriegel *m*; ✈ Querstrebe *f*; **2.** 🚂 Eisenbahnschwelle *f*; **3.** (*chemin m de*) ~ direkter Weg *m*, Abkürzung *f*; **~ée** [~'se] *f* **1.** ⚓ ~ (*de*) Überfahrt *f* (über *acc.*); Reise *f* (durch *acc.*), Durchquerung *f*; ✈ Überfliegung *f*; ~ *de l'océan* Ozeanflug *m*, -überquerung *f*; *allg.* ~ *de la France en automobile* Autofahrt *f* quer durch Frankreich; **2.** 🚂 ~ *de voie* Gleiskreuzung *f*, **~er** [~'se] *v/t.* (1a) **1.** durchqueren, (*quer*) durch *ein Land* reisen *od.* fahren; überschreiten; ✈ überfliegen; *fig.* durchmachen, erleben; ~ *une montagne* über e-n Berg gehen; *vous n'avez qu'à* ~ *la rue* Sie brauchen nur über die Straße zu gehen; *la Seine traverse Paris* die Seine fließt durch Paris; ~ *une rivière* (*à la nage*) über e-n Fluß setzen (schwimmen); *fig.* ~ *le cœur* innerlich beunruhigen; **2.** ~ *qch.* durch etw. (*acc.*) hindurchdringen; durchnässen (*Regen*); **3.** ⚠ ~ *une poutre* e-n Balken einziehen.

travers|ier [travɛr'sje] *adj.* (7b) Quer..., Seiten...; *barque f traversière* Fähre *f*; *flûte f traversière* Querflöte *f*; **~in** [~'sɛ̃] *m* **1.** a) große Schlummerrolle *f*; b) Keilkissen *n*; **2.** Waagebalken *m*; **~ine** [~'si:n] *f* ⊕ Querholz *n*; ⚓ Lauf-planke *f*, -brett *n zwischen zwei Schiffen*.

travertin *géol.* [travɛr'tɛ̃] *m* Travertin *m* (*fester Kalktuff*).

travest|i [travɛs'ti] *m* Vermummung *f*; Maskenkostüm *n*; *thé.* Hosenrolle *f*; **~ir** [~'ti:r] (2q) **I** *v/t.* **1.** verkleiden; *bal m travesti* Maskenball *m*; **2.** *fig.* verdrehen, entstellen, falsch wiedergeben; **II** *v/rfl.* se ~ sich verkleiden; **~issement** [~tis'mɑ̃] *m* Verkleidung *f*, Vermummung *f*; *fig.* Parodierung *f*.

traviole F [tra'vjɔl] *adv.*: de ~ schief; *marcher de* ~ (hin u. her) torkeln.

tray|eur [trɛ'jœ:r] *m* Melker *m*; **~euse** [~'jø:z] *f* **1.** Melkerin *f*; **2.** ⚡ Melkmaschine *f*; **~on** *zo.* [~'jɔ̃] *m* Zitze *f*.

trébu|chant [treby'ʃɑ̃] *adj.* (7) stolpernd; **~cher** [~'ʃe] (1a) **I** *v/i.* **1.** stolpern, straucheln; **2.** *fig.* ~ *sur* *un mot* über ein Wort stolpern; **3.** sich senken (*Waage*); **II** *v/t.* auf der Goldwaage abwiegen; **~chet** [~'ʃɛ] *m* **1.** Goldwaage *f*; Präzisionswaage *f* (*Labor*); **2.** *ch.* Vogelfalle *f*.

tréfil|age ⊕ [trefi'la:ʒ] *m* Drahtziehen *n*; **~er** ⊕ [~'le] *v/t.* (1a) (*zu Draht*) ziehen; **~erie** ⊕ [~fil'ri] *f* Drahtzieherei *f* (*Fabrik*).

trèfle ['trɛ:flə] *m* **1.** Klee *m*; *~ à quatre feuilles* vierblättriges Kleeblatt *n*; **2.** △ Dreipaß *m*; **3.** *Kartenspiel*: Treff *n*, Kreuz *n*, Eichel *f*.

tréflé ▨ [tre'fle] *adj.* kleeblattförmig.

tréflière [trefli'ɛ:r] *f* Kleefeld *n*.

tréfonds *poét.* [tre'fɔ̃] *m fig. das* Innerste *n*; *si je vous connaissais dans votre ~* wenn ich Ihr Innerstes kennen würde; *découvrir le ~ d'une âme* die Urtiefen e-r Seele aufdecken.

treillag|e [trɛ'ja:ʒ] *m* **1.** Gitterwerk *n*; Staketenzaun *m*; *~ métallique* Drahtgeflecht *n*; **2.** Weinspalier *n*; **~er** [~'ʒe] *v/t.* (1l) vergittern (*Fenster*); mit e-m Spalier versehen (*Mauer*).

treill|e [trɛj] *f* Weinspalier *n*, Weingeländer *n*, Weinlaube *f*; F *jus de la ~* Wein *m*; **~is** [~'ji] *m* **1.** ⊕, △ Geflecht *n*, netzartiges Gitter *n*; (Eisen-)Fachwerk *n*; Stahl-, Eisenkonstruktion *f*; △ *~ métallique* Rabitzgewebe *n*; *allg.* Drahtgewebe *n*; *pont m en ~* Gitterbrücke *f*; *~ de protection* Schutzgitter *n* (*an Maschinen*); **2.** *peint.* Keil-, Kopierrahmen *m*; **3.** Drillich *m*, Glanzleinen *n*; **4.** Drillichanzug *m*; **5.** ⚡ Brückenschaltung *f*; **~isser** [~ji'se] *v/t.* (1a) vergittern.

treiz|e [trɛ:z] **I** *adj./n. c.* dreizehn; **II** *m* Dreizehn *f*; **~ième** [~'zjɛ:m] **I** *adj./n.o.* dreizehnte(r, s); **II** *m* Dreizehntel *n*; **III** *su.* Dreizehnte(r, s); **IV** *~ment adv.* dreizehntens.

tréjetage ⊕ [treʒ(ə)'ta:ʒ] *m* Abgießen *n des geschmolzenen Glases.*

tréma *gr.* [tre'ma] *m* Trema *n*, Trennpunkte *pl.* (*z.B. haï gehaßt*).

trémat ⚓ [tre'ma] *m*, **~e** ⚓ [~'mat] *f* Sandbank *f in e-r der unteren Seinewindungen.*

trémat|age ⚓ [trema'ta:ʒ] *m*: *droit m de ~* Vorschleuserecht *n*; **~er** ⚓ [~ma'te] *v/t.* (1a) *auf e-m Fluß* überholen, passieren.

trem|blant [trɑ̃'blɑ̃] *adj.* (7) zitternd; **~ble** ⚘ ['trɑ̃:blə] *m* Zitterpappel *f*, Espe *f*; **~blé** [trɑ̃'ble] *adj.* zitterig; *écriture f ~e* zitterige Handschrift *f*; **~blement** [~blə'mɑ̃] *m* Zittern *n*, Beben *n*; *~ de terre* Erdbeben *n*; F *fig. et tout le ~* und alles übrige; und was es sonst noch gibt; und so weiter.

trembl|er [trɑ̃'ble] *v/i.* (1a) **1.** zittern; **2.** sich fürchten, Angst haben (*mit de + inf. bzw. mit ne + subj*); **~eur** [~'blœ:r] **I** *su.* (7g) *fig.* Angsthase *m fig.*; **II** ⚡ *m* Schwingungshammer *m*, Ticker *m*; **~otant** [~blɔ'tɑ̃] *adj.* (7) etwas zitternd; flimmernd; **~ote** F [~'blɔt] *f* Zittern *n*; *weitS.* Angst *f*; **~oter** [~blɔ'te] *v/i.* (1a) etwas zittern; schwabbeln (*Flüssigkeit*); flimmern (*Licht*).

trémie ⊕ [tre'mi] *f* Schütt-, Fülltrichter *m*, Trichter *m*; ⚓ Bunker *m*; △ Kaminmantel *m*; Hühnertrog *m*; ⊕ Eisbunker(anlage *f*) *m*; *~ de déversement* (Kohlen-, Koks-) Schütte *f*, Schüttvorrichtung *f*; △ *~ à mortier* Mörtelrutsche *f*; *~ de gouttière* Rinnenkasten *m*; *Auto*: *~ de sortie* unterirdische Ausfahrt *f*.

trémière ⚘ [tre'mjɛ:r] *adj./f*: *rose f ~* Stockrose *f*.

trémolo ♪ [tremɔ'lo] *m* Tremolo *n*.

trémousser [tremu'se] (1a) *v/rfl. se ~* (herum)zappeln, hin und her rutschen.

tremp|age [trɑ̃'pa:ʒ] *m* Einweichen *n*; Anfeuchten *n*; **~ant** [~'pɑ̃] *adj.* (7) härtbar (*Stahl*); **~e** [trɑ̃:p] *f* **1.** Härten *n*, Härtung *f*; **2.** Härte *f* (*des Stahls*); **3.** Maische *f* (*Bierbrauerei*); **4.** *fig.* Charakter-, Körper-beschaffenheit *f*, *fig.* Prägung *f*, Schlag *m* (*e-s Menschen*), Art *f*, *fig.* Kaliber *n*; *être d'une bonne ~* von gutem Schlage sein; **5.** F Keile *f*, Senge *f*, Dresche *f*, Tracht *f* Prügel; **~ée** ⊕ [trɑ̃'pe] *f* Härteform *f*; **~er** [~] (1a) **I** *v/t.* **1.** ein-tauchen, -weichen, -tunken; anfeuchten; *Wein* wässern *od.* mit Wasser mischen; *~ du linge dans de l'eau* Wäsche einweichen; *yeux m/pl. trempés de larmes* tränenfeuchte Augen *n/pl.*; *je suis tout trempé* ich bin bis auf die Haut naß; F *être trempé comme une soupe* pudelnaß sein; *trempé de sueur* schweißtriefend; *fig. ~ ses mains dans le sang* s-e Hände mit Blut besudeln; **2.** *Eisen, Stahl* härten; *fig.* stählen; *les épreuves ont trempé son caractère* die Schicksalsschläge haben s-n (ihren) Charakter gestählt; *à dix-huit ans le caractère n'est pas encore trempé* mit achtzehn Jahren ist der Charakter noch nicht gefestigt; **II** *v/i.* **3.** in etwas Nassem liegen, weich werden; *faire* ~ *des haricots* Bohnen einweichen; **4.** *fig.* ~ *dans un crime* in ein Verbrechen verwickelt sein; *il avait trempé dans l'affaire* er hatte s-e Hände im Spiel; **III** *v/rfl. se* ~ ein kurzes Bad nehmen; **~ette** [~'pɛt] *f* **1.** *faire* ~, *faire une petite* ~ ein kurzes Bad nehmen; **2.** *faire* ~ Brot eintunken.

trempeur ⊕ [trɑ̃'pœ:r] *m* Härter *m.*

tremplin [trɑ̃'plɛ̃] *m* **1.** Sprungbrett *n*; ~ (*de ski* Schi-)Sprungschanze *f*; **2.** *fig.* Sprungbrett *n*; *le* ~ *vers le succès* das Sprungbrett zum Erfolg.

trench-coat [trɛnʃ'kot] *m* (6g) Trenchcoat *m.*

trentaine [trɑ̃'tɛ:n] *f* **1.** etwas (*od.* einige) dreißig (Stück *n/pl.*); **2.** Alter *n* von etwa dreißig Jahren; *qui a la* ~ in den Dreißigern; *arriver à la* ~, *atteindre la* ~ in die Dreißiger kommen.

trente [trɑ̃:t] **I** *adj./n.c.* dreißig; ~ *et un* einunddreißig; *la guerre de* ♀ *Ans* der Dreißigjährige Krieg; F *être sur son* ~ *et un* in Schale sein; F *se mettre sur son* ~ *et un* sich in Gala werfen; **II** *m* Dreißig *f*; **~naire** [trɑ̃t'nɛ:r] *adj.* (*possession f*) ~ dreißigjährig(er Besitz *m*).

trentième [trɑ̃'tjɛ:m] **I** *adj./n.o.* dreißigste(r, s); dreißigstel; **II** *su.* Dreißigste(r, s); **III** *m* Dreißigstel *n*; **~ment** [~jɛm'mɑ̃] *adv.* dreißigstens.

trépan [tre'pɑ̃] *m* **1.** *chir.* Schädelbohrer *m*; **2.** ⊕ Bohrmeißel *m*; **~ation** [~panɑ'sjɔ̃] *f chir.* Durchbohrung *f* des Schädels, Aufmeißelung *f*; **~er** *chir.* [~pa'ne] *v/t.* (1a) aufmeißeln.

trépas *st.s.* [tre'pɑ] *m* Hinscheiden *n*, Tod *m*; **~ser** [~pɑ'se] *v/i.* (1a) dahinscheiden.

trèpe * [trɛ:p] *m* (Menschen-)Masse *f.*

trépidant [trepi'dɑ̃] *adj.* (7) **1.** aufgeregt; **2.** sehr schnell, synkopenhaft; **3.** rüttelnd, vibrierend; **4.** *fig.* fieberhaft, hektisch.

trépidation [trepidɑ'sjɔ̃] *f* ⊕ Rütteln *n*, Wummern *n*, Vibration *f*; *fig.* heftige Erregung *f*; Hektik *f*, Unruhe *f*; *la* ~ *des vitres* das Klirren der Fensterscheiben.

trépider [trepi'de] *v/i.* (1a) ⊕ rütteln, vibrieren.

trépied [tre'pje] *m* Dreifuß *m*; *phot.* Stativ *n.*

trépign|ement [trepiɲ'mɑ̃] *m* Stampfen *n*, Trampeln *n*; *oft pl.*: *les* ~*s* das Gestampfe *n*; **~er** [~pi'ɲe] *v/i.* (1a) mit den Füßen stampfen; ~ *d'enthousiasme* vor Begeisterung toben.

trépointe ⊕ [tre'pwɛ̃:t] *f* genähter Rand *m* (*Schuh*).

tréponème ⚕ [trepɔ'nɛ:m] *m* Treponema *n* (*Protozoon*; *Erreger von Syphilis, Gelbfieber usw.*).

très [trɛ] *adv.* (*im allg. nur vor adj. u. adv.!*; *a. vor bestimmten su.*) sehr.

trésaill|é [trezɑ'je] *adj.* rissig (*Gemälde, Keramik*); **~ure** [~zɑ'jy:r] *f* Riß *m od.* Sprung *m in der Glasur.*

trésor [tre'zɔ:r] *m* **1.** Schatz *m*; ~*s pl.* großer Reichtum *m*; **2.** Schatzkammer *f*; **3.** ~ *public*, ♀ Staatskasse *f*, Fiskus *m*; *bon m du* ♀ Schatzanweisung *f*; **4.** Geldschrank *m*; **5.** *fig.* Fundgrube *f*; **6.** Thesaurus *m*, Wörterbuch *n*; **~erie** [~zɔr'ri] *f* **1.** Finanzverwaltung *f*; **2.** Barmittel *n/pl.*, flüssiges Kapital *n*; **~ier** [~zɔ'rje] *su.* (7b) Kassierer *m*; Kassenwart *m*; Schatzmeister *m.*

tressage [trɛ'sa:ʒ] *m* Flechtarbeit *f.*

tressaill|ement [tresaj'mɑ̃] *m* Zukken *n*, Zuckung *f*, Zusammenfahren *n*, Schauer *m*; **~ir** [~'ji:r] *v/i.* (2c) (*fut. jedoch tressaillirai*) auffahren, zusammenzucken; schaudern; zittern; zucken.

tressauter [treso'te] *v/i.* (1a) aufspringen; zusammenzucken.

tress|e [trɛs] *f* Zopf *m* (*a. in der Ornamentik*); ⊕, ⚡ Beflechtung *f*, Umklöppelung *f*; ~ *de paille* Strohgeflecht *n*; **~er** [~'se] *v/t.* (1b) (durch)flechten, winden **~eur** [~'sœ:r] *su.* (7g) Flechter *m.*

tréteau [tre'to] *m* (5b) Gestell *n*, Bock *m*; ~*x pl. ehm. thé.* Gerüstbühne *f.*

treuil ⊕ [trœj] *m* Winde *f*, Haspel *f*; ~ *électrique* elektrischer Aufzug *m*, Elektrowinde *f*, elektrische Hebevorrichtung *f*; ~ *pour déboisage* Raubhaspel *f*; ~ *de commande* Antriebswinde *f.*

trêve [trɛ:v] *f* **1.** Waffenruhe *f*; *fig.* Versöhnung *f*; *pol.* ~ *entre les partis* Burgfrieden *m* zwischen den Parteien; **2.** *fig.* Rast *f*, Ruhe *f*; ~ *de cérémonies!*, ~ *de politesses!* bitte, nur keine Umstände!; ~ *de raillerie!*, ~ *de plaisanterie!* Spaß beiseite!; *sans* ~ ununterbrochen, andauernd.

Trèves *géogr.* [~] *f* Trier *n.*

trévirer ⚓ [trevi're] *v/t.* (1a) schroten.

tri *a.* 🔧 [tri] *m* Sortieren *n*; Auswahl *f*.
triage [tri'a:ʒ] *m* **1.** ⊕ Auslesen *n*, Sortieren *n*, Sichten *n*; **2.** 🚂 Rangieren *n*; *gare f de* ~ Rangierbahnhof *m*.
trian|gle [tri'ɑ̃:glə] *m* **1.** A Dreieck *n*; **2.** ♪ Triangel *m*; **3.** ✈ Dreiecks-, Enten-flug *m*; **4.** *Auto*: ~ *de présignalisation* Warndreieck *n*; **~gulaire** [triɑ̃gy'lɛ:r] *adj.* □ dreieckig; **~gulation** [~la'sjɔ̃] *f* Triangulation *f*, trigonometrische Vermessung *f*; **~guler** [~gy'le] *v/t.* (1a) triangulieren, trigonometrisch vermessen.
trias *géol.* [tri'ɑ:s] *m* Trias(formation *f*) *f*; **~ique** [triɑ'zik] *adj.* zur Trias gehörig, Trias...
triathlon *Sport* [triat'lɔ̃] *m* Dreikampf *m*.
tribal [tri'bal] *adj.* (5c) Stammes...; **~isation** *soc., péj.* [~liza'sjɔ̃] *f* Entpersönlichung *f*, Vermassung *f*.
tribo-électricité [tribɔelɛktrisi'te] *f* Reibungselektrizität *f*.
tribord ⚓ [tri'bɔ:r] *m* Steuerbord *n*; **~ais** ⚓ [~bɔr'dɛ] *m* Matrose *m* der Steuerbordwache.
tribouchonnant P *plais.* [~buʃɔ'nɑ̃] *adj.* (7) herzhaft.
triboulet ⊕ [tribu'lɛ] *m* Richtkegel *m der Goldschmiede.*
tribu [tri'by] *f* Volksstamm *m*; *biol.* Tribus *f*; *iron.* Sippe *f*, Anhang *m*.
tribulations [tribyla'sjɔ̃] *f/pl.* Leiden *n/pl.*, Mühsale *f/pl.*, Widerwärtigkeiten *f/pl.*, Mißgeschicke *n/pl.*
tribun|al [triby'nal] *m* (5c) **1.** Gericht *n*; ~ *d'appel* Berufungsgericht *n*; ~ *de paix* Friedensgericht *n*; ~ *de prud'hommes* Gewerbegericht *n*; ~ *du travail* Arbeitsgericht *n*; ~ *spécial* Sondergericht *n*; ~ *de prises* Prisengericht *n*; *comparaître devant un* ~ vor e-m Gericht erscheinen; *avoir recours aux tribunaux, prendre la voie des tribunaux* den Rechtsweg beschreiten; *recourir à un* ~ *supérieur* Berufung einlegen; **2.** *rl.* ~ *de Dieu* Gottesgericht *n*; ~ *de la pénitence* Beichtstuhl *m*; Beichte *f*; **~e** [~'by:n] *f* **1.** Tribüne *f*; Rednerbühne *f*; ~ *de la presse* Pressetribüne *f*; ~ *d'honneur* Ehrentribüne *f*; *rl.* ~ *sacrée* Kanzel *f*; **2.** Diskussion *f*; *rad., télév.* ~ *de critiques* Podiumsgespräch *n*.
tribut *fig.* [tri'by] *m* Tribut *m*, Abgabe *f*, Steuern *f/pl.*; *fig.* Zoll *m*, Lohn *m*; **~aire** [~'tɛ:r] **I** *adj.* tributpflichtig; abhängig (*de* von); zufließend (*Fluß*); *fleuve m* ~ Nebenfluß *m*; **II** *su.* **1.** Tributpflichtige(r) *m*; **2.** Nebenfluß *m*.
tricard * [tri'ka:r] *m* unerwünschte Person *f*.
tricentenaire [trisɑ̃tə'nɛ:r] **I** *adj.* dreihundertjährig; **II** *m* Dreihundertjahrfeier *f*.
tricéphale *myth.* [trise'fal] *adj.* dreiköpfig.
triceps *anat.* [tri'sɛps] *m* dreiköpfiger Muskel *m*.
trich|e F [triʃ] *f* Falschspielen *n*; Betrug *m*, Schiebung *f*, Schummel *m*, Mogelei *f*; *obtenir quelque chose à la* ~ etw. durch Schiebung erhalten; **~er** [tri'ʃe] (1a) **I** *v/t.* beschummeln, bemogeln, betrügen; **II** *v/i. a. écol.* schummeln, mogeln, betrügen (*abs.*); **~erie** [triʃ'ri] *f* Schummel *m*, Mogelei *f*, Betrug *m*; **~eur** [~'ʃœ:r] *su.* (7g) Falschspieler *m*; Betrüger *m*, Schummler *m*, Mogler *m*.
trichin|e *zo.* [tri'ʃin] *f* Trichine *f*; **~é, ~eux** (7d) [~'ne, ~'nø] *adj.* trichinös; **~ose** ⚕ [~'no:z] *f* Trichinenkrankheit *f*.
trichrom|e [tri'kro:m] *adj.*: *procédé m* ~ Dreifarbendruck *m*; **~ie** [~krɔ'mi] *f* **1.** Dreifarbendruck *m*; **2.** *télév.* Dreifarbigkeit *f*.
tricoises ⊕ [tri'kwa:z] *f/pl.* Beiß-, Zwick-, Huf-zange *f*.
tricolore [trikɔ'lɔ:r] *adj.* dreifarbig; *le drapeau* ~ die Trikolore.
tricorne [tri'kɔrn] *m* Dreispitz *m*.
tricostéril *phm.* [trikɔste'ril] *m* Heftpflaster *n*.
tricot [tri'ko] *m* **1.** gestrickter Stoff *m*, Strickware *f*, Strickarbeit *f*; **2.** Strick-bluse *f*, -weste *f*, Pullover *m*; **3.** Trikot *n*; ~ *de peau*, ~ *de corps* (*Herren-*)Unterhemd *n*.
tricot|age [trikɔ'ta:ʒ] *m* Stricken *n*; **~er** [~'te] *v/t. u. v/i.* (1a) stricken; *fil m à* ~ Strickgarn *n*; **~euse** [~'tø:z] *f* Strickerin *f*; Strickmaschine *f*.
tricouni [triku'ni] *m* Zwecke *f* für Bergstiefel.
trictrac [trik'trak] *m* Tricktrackspiel *n*, -brett *n*.
tricycle [tri'siklə] **I** *m vél.* Dreirad *n*; dreiräderiger Gepäckwagen *m*; **II** *adj.* dreiräderig.
trident [tri'dɑ̃] *m* **1.** Dreizack *m*; **2.** ⚒ Mistgabel *f*; **~é** [~'te] *adj.* dreizackig.
trièdre A [tri'ɛ:drə] *adj.* dreiflächig.
trienn|al [triɛ'nal] *adj.* (5c) **1.** dreijährlich, alle drei Jahre; **2.** dreijährig; *plan m* ~ Dreijahresplan *m*;

~at [~'na] *m* dreijährige Amtszeit *f.*
tri|er [tri'e] *v/t.* (1a) sortieren; 🚂 ~ *un train* e-n Zug zs.-stellen (*od.* rangieren); **~eur** [tri'œ:r] **I** *su.* (7g) Sortierer *m*; **II** *m* ⊕ Sortiermaschine *f*; **~euse** [tri'ø:z] *f* **1.** Sortiererin *f*; **2.** Sortiermaschine *f* (*a. für Lochkarten*).
trifol|iacées ⚘ [trifɔlja'se] *f/pl.* Kleearten *f/pl.*; **~ié** ⚘ [~fɔ'lje] *adj.* dreiblätterig.
trifouiller F [trifu'je] *v/t. u. v/i.* (1a) durch-stöbern, -kramen, -wühlen.
trigam|e [tri'gam] *adj.* dreiehig; ⚘ trigamisch; **~ie** [~'mi] *f* dreifache Ehe *f*; Trigamie *f.*
trigle *icht.* ['tri:glə] *m* Knurrhahn *m.*
triglotte [tri'glɔt] *adj.* dreisprachig.
triglyphe △ [tri'glif] *m* Triglyph *m.*
trigone ⩘ [tri'gɔn] *adj.* drei-seitig, -eckig.
trigonelle ⚘ [trigɔ'nɛl] *f* Trigonella *f*, Bockshornklee *m.*
trigonocéphale *zo.* [trigɔnɔse'fal] **I** *adj.* mit dreieckigem Kopf; **II** *m* Lanzenschlange *f* (*Amerika*).
trigonomé|trie ⩘ [trigɔnɔme'tri] *f* Trigonometrie *f*; **~trique** ⩘ [~'trik] *adj.* □ trigonometrisch.
trigrille *rad.* [tri'grij] *f* Dreigitterröhre *f.*
trigyne ⚘ [tri'ʒi:n] *adj.* trigyn, mit drei Fruchtknoten.
trihebdomadaire [~ɛbdɔma'dɛ:r] *adj.* dreimal wöchentlich erscheinend *od.* stattfindend.
trijumeau *anat.* [triʒy'mo] *m* (5b) Trigeminusnerv *m.*
trilatéral *pol.* [trilate'ral] *adj.* (5c) dreiseitig.
trilingue [tri'lɛ̃:g] *adj.* dreisprachig.
trille ♪ [trij] *m* Triller *m*; *lancer des ~s* tirilieren (*Vogel*).
trillion [tril'jɔ̃] *m* Trillion *f.*
trilobé ⚘ [trilɔ'be] *adj.* dreilappig.
trilogie *antiq., litt.* [trilɔ'ʒi] *f* Trilogie *f.*
trimbal(l)er [trɛ̃ba'le] (1a) **I** *v/t.* **1.** F mit sich überall herumschleppen; **2.** * *thé. ça trimballe à mort* das ist enorm spannend; **3.** P *qu'est-ce qu'il trimballe!* ist der blöde!; **II** *v/rfl.* **4.** *se ~* gehen, tippeln; *se ~ en bagnole* herum-fahren, -jukkeln F (*im Auto*).
trimer F [tri'me] *v/i.* (1a) schuften.
trimestr|e [tri'mɛstrə] *m* **1.** Vierteljahr *n*, Quartal *n*, Trimester *n*; **2.** Vierteljahres-miete *f*, -gehalt *n*; **~iel** [~stri'ɛl] *adj.* (7c) vierteljährlich.
trimètre *mét.* [tri'mɛ:trə] *m* Trimeter *m.*
trimmer [tri'mɛ:r, ~'mœ:r] *m* **1.** *Fischerei*: runder Schwimmer *m* mit Leine; **2.** *rad.* Zusatzkondensator *m* (*zur Abstimmung*); **3.** ⚡ Abgleichkondensator *m.*
trimoteur [trimɔ'tœ:r] *adj.* (7f) *u. m* dreimotorig(es Flugzeug *n*).
tringle ['trɛ̃:glə] *f* Stange *f*, Leiste *f*, *bsd.* Kleider-, Gardinen-stange *f*; ⊕ *pl.* ~*s* Gestänge *n*; 🚂 ~*s pl. d'écartement de rails* Spurstangen; F *se mettre la ~* nichts abkriegen; F *travailler pour la ~* für nichts arbeiten.
tringlot ⚔ [trɛ̃'glo] *m* s. *trainglot.*
trinité *rl.* [trini'te] *f* Dreiheit *f*, Dreifaltigkeit *f.*
trinôme ⩘ [tri'no:m] *m* Trinom *n*, dreigliederige Größe *f.*
trinquart ⚓ [trɛ̃'ka:r] *m* Heringsboot *n.*
trinqu|er [trɛ̃'ke] *v/i.* (1m) **1.** beim Trinken anstoßen; ~ *à la victoire* auf den Sieg trinken (*od.* anstoßen); **2.** F herhalten (*od.* ausbaden) müssen; *abs.* reinfallen, sich die Finger verbrennen; eins auf den Deckel kriegen; **~et** ⚓ [~'ke] *m* Fockmast *m*; **~ette** ⚓ [~'kɛt] *f* Stagfock *f.*
trio [tri'o] *m* **1.** ♪ Trio *n*, Terzett *n*; **2.** *fig.* Kleeblatt *n*, Trio *n*; **3.** ⊕ Triowalzwerk *n.*
triode *rad.* [tri'ɔd] *f* Triode *f*, Verstärkerröhre *f* mit drei Elektroden.
triolet[1] [triɔ'lɛ] *m* **1.** ♪ Triole *f*; **2.** *poét.* Triolett *n.*
triolet[2] ⚘ [~] *m* Wolfs- *od.* Schafsklee *m.*
triom|phal [triɔ̃'fal] *adj.* (5c) □ Triumph...; **~phaliste** *péj.* [~fa'list] *adj.*, **~phant** [~'fɑ̃] *adj.* (7) **1.** triumphierend; siegreich; **2.** stolz, überglücklich, jubelnd; **~phateur** *hist. u. fig.* [~fa'tœ:r] *m* Triumphator *m.*
triomph|e [tri'ɔ̃:f] *m* Triumph *m*, Siegeszug *m*; Freudentaumel *m*; Sieg *m*; glänzender Erfolg *m*; Glanzleistung *f*; **~er** [triɔ̃'fe] *v/i.* (1a) **1.** triumphieren; **2.** ~ *de q.* über j-n siegen; ~ *de qch.* etw. überwinden, meistern, bezwingen; sich mit etw. (*dat.*) brüsten, über etw. (*acc.*) frohlocken.
tripaille *ch.* [tri'pa:j] *f* Eingeweide *pl.*
triparti ⚘ [tripar'ti] *adj.* (7) dreiteilig; **~te** [~'tit] *adj.* Dreiparteien-...; Dreimächte...
tripartisme *pol.* [tripar'tism] *m* Dreiparteienregierungssystem *n.*

tripartition [triparti'sjõ] *f* Dreiteilung *f.*

tripatouill|age F [tripatu'ja:ʒ] *m* **1.** *oft pl.* ~s Machenschaften *f/pl.*, Manipulationen *f/pl.*, krumme Sachen *f/pl.* F; **2.** Verfälschen *n* (*e-s Textes*); ~**er** F [~'je] *v/t.* (1a) **1.** ~ *qch.* an etw. (*dat.*) herumspielen; **2.** verfälschen (*Text*); frisieren (*Buchhaltung*); ~**eur** F [~'jœ:r] *m* Schieber *m.*

tripe [trip] *f* **1.** *mst.* ~s *pl.* Eingeweide *n*, Gekröse *n der Tiere*, Kaldaunen *pl.*; F Eingeweide *pl. des Menschen*; Innere(s) *n*, Einlage *f e-r Zigarre*; F *fig. avoir la* ~ *républicaine* Republikaner bis auf die Knochen sein; *prendre* (*od. saisir*) *q. aux* ~s j-n tief bewegen; **2.** *cuis. œufs m/pl. à la* ~ harte, mit Zwiebeln frikassierte Eier *n/pl.* in Scheiben; **3.** ✝ ~s *pl.* (*de velours*) Trippsamt *m.*

trip|erie [tri'pri] *f* Darmhandlung *f*; ~**ette** [tri'pɛt] *f nur noch in*: F *cela ne vaut pas* ~ das ist keinen Pfennig wert.

triphasé ⚡ [trifɑ'ze] *adj.* dreiphasig.

triphtongue *gr.* [trif'tɔ̃:g] *f* Triphthong *m*, Dreilaut *m.*

triphylle ⚘ [tri'fil] *adj.* dreiblätterig.

tripier [tri'pje] *m* Darmhändler *m.*

tri|place [tri'plas] *adj.* dreisitzig; ~**plan** ✈ *ehm.* [tri'plɑ̃] *m* Dreidecker *m.*

tripl|e ['triplə] **I** *adj.* dreifach; *fig.* ~ sot Erzdummkopf *m*; **II** *m das* Dreifache *n*; ~**é(e)s** [tri'ple] *m* (*f*)/*pl.* Drillinge *pl.*; ~**er** [~] *v/t.* (1a) verdreifachen; ~**ette** [~'plɛt] *f* **1.** Gruppe *f* von drei Spielern (*Boulespiel*); **2.** ~ *centrale* Innensturm *m* (*Fußball*); **3.** *ehm.* dreisitziges Tandem *n*; ~**ex** ⊕ [~'plɛks] *m* Verbundsicherheitsglas *n*; ~**icata** *adm.* [~pli'kata] *m* dritte Ausfertigung *f*; ~**icité** [~plisi'te] *f* dreifaches Vorkommen *n.*

tripolaire [tripɔ'lɛ:r] *adj.* dreipolig.

tripole ⩓ [tri'pɔl] *f* Dreierstadt *f.*

triporteur *vél.* [tripɔr'tœ:r] *m* Lieferdreirad *n.*

tripot *péj.* [tri'po] *m* Spielhölle *f*; ~**age** F [~pɔ'ta:ʒ] *m oft pl.* ~s Schwindel *m*, Machenschaften *f/pl.*, krumme Sachen *f/pl.*; *les* ~s *d'un ménage* die Hintertürchen *n/pl.* e-s Ehelebens; *il doit y avoir du* ~ *là-dedans* es muß da irgendein Schummel dahinterstecken; ~ *d'argent* Börsenschwindel *m*; ~**ée** F [~pɔ'te] *f* **1.** Senge *f*, Tracht *f* Prügel; **2.** *une* ~ *d'enfants* e-e Horde Kinder; ~**er** F [~pɔ'te] (1a) **I** *v/t.* **1.** ~ *q.* j-n begrapschen (*od.* abknutschen); **2.** ~ *qch.* an etw. (*dat.*) herumfummeln; etw. (*a.* ~ *q.* j-n) begrapschen; **II** *v/i.* **3.** ~ *dans un tiroir* in e-m Schubfach herumkramen; **4.** unsaubere (*od.* dunkle) Geschäfte machen; ~**eur** *péj.* [~pɔ'tœ:r] *m* Schieber *m.*

triptyque [trip'tik] *m* **1.** *Auto*: Triptik *n*, Triptyk *n*, dreiteiliger Durchlaßschein *m* für Kraftfahrzeuge; **2.** *Kunst*: Triptychon *n*; **3.** *fig.* dreifache Grundlage *f.*

trique [trik] *f* Knüppel *m*; *sec comme une* ~, *sec comme un coup de* ~ spindeldürr; *recevoir des coups de* ~ verprügelt werden.

triqu|er [tri'ke] *v/t.* (1m) verprügeln; ~**et** [~'kɛ] *m* **1.** Ballkelle *f* (*jeu de paume*); **2.** Dachdeckergerüst *n.*

triréacteur ✈ [trireak'tœ:r] *m* dreistrahlige Maschine *f.*

tris|aïeul [triza'jœl] *su.* (7) Urgroßvater *m*; ~**annuel** [~a'nɥɛl] *adj.* (7c) dreijährlich.

tri|secteur [trisɛk'tœ:r] *adj.* (7f) dreiteilend; ~**section** [~sɛk'sjɔ̃] *f* Dreiteilung *f.*

trisme ⚕ [trism] *m* Mund-, Kieferklemme *f.*

trisoc ⚒ [tri'sɔk] *m* Dreifurchenpflug *m.*

trispaste ⊕ [tris'past] *m* dreifacher Flaschenzug *m.*

trisser[1] [tri'se] *v/i.* (1a) zwitschern (*Schwalben*).

trisser[2] [~] (1a) **I** *v/t.* ♪ zum zweitenmal da capo verlangen; *thé.* zum dritten Mal spielen; * rennen, wetzen F; **II** *v/rfl.* * se ~ abhauen, türmen.

trist|e [trist] *adj.* □ **1.** *nachgestellt*: traurig, betrübt, niedergeschlagen; schwermütig, trübsinnig; *plais. tu es* ~ *comme un croque-mort* du bist ja todtraurig (*od.* todernst); **2.** *vorgestellt*: betrübend; verdrießlich, peinlich, unangenehm; öde, langweilig; **3.** *vorgestellt*: bedauernswürdig, unglücklich; *faire* ~ *mine* ein saures Gesicht machen; **4.** *nachgestellt*: dunkel, finster; trübe; **5.** *vorgestellt*: jämmerlich, armselig; unzulänglich; *iron. un* ~ *sire* ein erbärmliches Würstchen *n*; ~**esse** [~'tɛs] *f* **1.** Traurigkeit *f*, Betrübnis *f*, Schwermut *f*; **2.** *fig.* Öde *f.*

trisyllabe *gr.* [trisi'lab] *adj.* dreisilbig.

triticées ⚘ [triti'se] *f/pl.* Weizenarten *f/pl.*

triton *zo.* [tri'tɔ̃] *m* **1.** Wassermolch *m*; **2.** Trompetenschnecke *f.*

tritur|able [trity'rablə] *adj.* zerreibbar; **~ateur** ⊕ [~ra'tœ:r] *m* Mahlwerk *n*; ~ *de laboratoire* Laboratoriumsmühle *f*; **~ation** [~rɑ'sjɔ̃] *f* Zerreibung *f*, Zermalmung *f*; **~er** [~'re] *v/t.* (1a) zerreiben, zermalmen, zerstoßen; zerkauen; *fig.* vorkauen; ~ *la tâche de q.* j-s Aufgabe vorkauen; F *fig. se* ~ *la cervelle* (*od. les méninges*) sich zermartern.

trivalent ⚗ [triva'lɑ̃] *adj.* (7) dreiwertig.

trivial [tri'vjal] *adj.* (5c) vulgär, ordinär, unanständig; **~ité** [~vjali'te] *f* Unanständigkeit *f*; unfeiner (*od.* vulgärer) Ausdruck *m*; *litt.* Plattheit *f*, Banalität *f.*

troc [trɔk] *m* Tausch(handel *m*) *m.*

trocart *chir.* [trɔ'ka:r] *m* Trokar *m*, Punktionsnadel *f.*

trochaïque *mét.* [trɔka'ik] *adj.* trochäisch.

trochanter *anat.* [trɔkɑ̃'tɛ:r] *m* Rollhügel *m.*

trochée [trɔ'ʃe] **I** *m mét.* Trochäus *m* (*Versfuß*); **II** *f* ✐ Triebe *m/pl. e-s abgeschnittenen Stammes.*

trochet ⚘ [trɔ'ʃɛ] *m* Büschel *n.*

trochile *orn.* [trɔ'kil] *m* Kolibri *m.*

troène ⚘ [trɔ'ɛ:n] *m* Liguster *m.*

troglobie *zo.* [trɔglɔ'bi] *m* Höhlentier *m.*

troglodyte [trɔglɔ'dit] **I** *adj. u. su.* höhlenbewohnend; Höhlenbewohner *m*; **II** *orn. m* Zaunkönig *m.*

trogne F [trɔɲ] *f* Vollmondgesicht *n*; ~ *d'ivrogne* versoffenes Gesicht *n.*

trognon [trɔ'ɲɔ̃] *m* Kerngehäuse *n*, Griebs *m* (*e-s Apfels usw.*); ~ *de chou* Kohlstrunk *m*; P *jusqu'au* ~ total; F *ce qu'il est* ~! ist der süß! F (*od.* niedlich!).

Troie *antiq. géogr.* [trwɑ] *f* Troja *n.*

trois [~] *adj./n.c.* drei.

trois-étoiles [trwɑze'twal] *adjt.*: *Monsieur* (*Madame*) ~, *Monsieur* (*Madame*) *** Herr (Frau) von Soundso.

trois-huit ♪ [trwɑ'ɥit] *m* Dreiachteltakt *m.*

troisième [trwɑ'zjɛ:m] **I** *adj./n.o.* dritte(r, s); **II** *su.* Dritte(r, s); **III** *m* **1.** Drittel *n*; **2.** dritter Stock *m*; **IV** *f écol.* a) *Fr.* vierte Klasse *f* (*führt zur mittleren Reife*); b) *All.* Tertia *f.*

trois|-mâts ⚓ [trwɑ'mɑ] *m* (6c) Dreimaster *m*; **~-quarts** [~'ka:r] *m* (6c) **1.** ♪ Kindergeige *f*; **2.** ⊕ dreikantige Grobfeile *f*; **3.** *Rugby*: Dreiviertelspieler *m/pl.*; **4.** Dreiviertelmantel *m* (*für Damen*); **5.** *les* ~ *des gens* die meisten (Leute); *les* ~ *du temps* meistens; **6.** *phot.* Dreiviertelprofil *n.*

trolley ⚡ [trɔ'lɛ] *m* Stromabnehmer *m*; *fil m de* ~ Oberleitung *f*; *perche f de* ~ Kontaktstange *f*; **~bus** *Auto* [~'bys] *m* Obus *m*, Oberleitungsomnibus *m.*

trombe [trɔ:b] *f* Windhose *f*; ~ *d'eau* Wasserhose *f*; *arriver* (*démarrer*) *en* ~ in sausendem Tempo angebraust kommen (starten) (*bsd. Auto*); *passer en* ~ vorbei-rasen, -flitzen, -sausen (*bsd. Auto*).

trombine F [trɔ̃'bi:n] *f* Gesicht *n.*

tromblon *ehm.* [trɔ̃'blɔ̃] *m* Flinte *f.*

trombone [trɔ̃'bɔn] *m* **1.** Posaune *f*; **2.** Posaunenbläser *m*; **3.** Büroklammer *f.*

trompe [trɔ̃:p] *f* **1.** ♪ Horn *n*; *fig. publier qch. à son de* ~ etw. ausposaunen; **2.** ~ *de brume* Sirene *f*; Nebelhorn *n*; **3.** *zo.* Rüssel *m des Elefanten*; Saugrüssel *m der Insekten*; **4.** *anat.* ~ *d'Eustache* Eustachische Röhre *f*; ~ *utérine* Eileiter *m.*

trompe|-la-mort F [trɔ̃pla'mɔ:r] *m/inv.* **1.** wieder gesund gewordener Todeskandidat *m*; alter, kränklicher, aber zäher Mensch *m*; **2.** Draufgänger *m*; **~-l'œil** [~'lœj] *m* (6c) **1.** perspektivisch gemaltes Gemälde *n*; **2.** *fig.* trügerischer Schein *m*; äußerer Glanz *m*; Betrug *m*, Augenwischerei *f.*

tromper [trɔ̃'pe] (1a) **I** *v/t.* **1.** täuschen, betrügen, hintergehen; ~ *les calculs* (*les desseins*) *de q.* j-s Berechnungen (Pläne, Absichten) vereiteln; ~ *la bonté de q.* j-s Güte mißbrauchen; ~ *la faim* das Hungergefühl betäuben; ~ *les espérances de q.* j-s Hoffnungen enttäuschen; ~ *le temps* sich die Zeit vertreiben; ~ *la loi* das Gesetz umgehen; ~ *les regards* sich den Blicken entziehen; ~ *la vigilance de q.*, *auch* ~ *q.* j-s Wachsamkeit täuschen; **2.** irreführen; *c'est ce qui vous trompe* da sind Sie im Irrtum; *il a une mine qui trompe* sein Aussehen trügt; *je suis bien trompé si* ... ich müßte mich sehr irren, wenn ...; **II** *v/rfl.* *se* ~ sich irren, sich täuschen (*sur q.* in j-m); *a. fig. se* ~ *d'adresse* sich in der Adresse irren; *fig.* an die falsche Adresse geraten; anecken; *se* ~ *de route* e-n falschen Weg einschlagen.

tromperie [trɔ̃'pri] *f* Betrug *m*, Täuschung *f*, Hintergehung *f*.

trompette [trɔ̃'pɛt] **I** *f* **1.** ♪ Trompete *f*; *sonner de la ~* Trompete blasen; *déloger sans ~, s'en aller sans tambour ni ~* sang- u. klanglos verschwinden; *fig. nez m en ~* aufgeworfene Nase *f*, Stülpnase *f*; **2.** *fig. ~ de la ville, ~ du quartier* Klatschmaul *n*; **3.** * Fresse *f*, Visage *f*; **4.** ⚡ *~ électrique de grande intensité* Starktonsummer *m*; **5.** *Auto* Hinterachs-rohr *n*, -trichter *m*; **6.** *orn.* Trompetervogel *m*; **II** *m* Trompeter *m*.

trompettiste ♪ [trɔ̃pɛ'tist] *m* Trompeter *m*.

trompeur [trɔ̃'pœːr] *adj.* (7g) täuschend, (be)trügerisch.

tronc [trɔ̃] *m* **1.** (Baum-)Stamm *m*; *~ de colonne* (*~ de cône*) Säulenstumpf *m* (abgestumpfter Kegel *m*); **2.** *anat.* Rumpf *m*; **3.** *rl.* Sammelbüchse *f*; *~ des pauvres* Almosen-, Opfer-stock *m*; **4.** *écol. ~ commun* gemeinsamer Bildungsweg *m*.

troncation *ling.* [trɔ̃kɑ'sjɔ̃] *f* Wortverkürzung *f*.

troncature *a. min.* [trɔ̃ka'tyːr] *f* Abstumpfung *f* (*nicht fig.*).

tronche [trɔ̃ːʃ] *f* **1.** großer Holzstubben *m*; **2.** P Kopf *m*, Birne *f* P.

tronchet ⊕ [trɔ̃'ʃɛ] *m* Hauklotz *m* (*der Böttcher u. Schuster*); Amboßklotz *m* (*der Goldschmiede*).

tronçon [trɔ̃'sɔ̃] *m* **1.** Stummel *m*; abgeschnittenes Ende *n* (*e-s Kabels*); abgebrochener Schaft *m*; Bruchstück *n*; **2.** 🚃, *Flugstrecke, Kanal, Straße*: Abschnitt *m*; **3.** Schwanzrübe *f des Pferdes*.

tronconique [trɔ̃kɔ'nik] *adj.* kegelstumpfartig, abgestumpft.

tronçonner [trɔ̃sɔ'ne] *v/t.* (1a) zerschneiden, zersägen.

trôn|e [troːn] *m* Thron *m*; **~er** [tro'ne] *v/i.* (1a) thronen; *fig.* die erste Geige spielen, tonangebend sein.

tronquer [trɔ̃'ke] *v/t.* (1m) **1.** ⚠, ⚘ abstumpfen; **2.** *fig. e-n Text* verstümmeln.

trop [tro; *in der Bindung*: trɔp...] **I** *adv.* **1.** zuviel, zu (sehr); *~ peu* zuwenig; *beaucoup ~* viel zuviel, viel zu sehr, allzuviel; *c'en est ~* das geht zu weit; *vous êtes de ~!* Sie sind überflüssig!; *vous n'êtes pas de ~!* Sie stören nicht!; **2.** *ne ... pas ~* nicht allzu (sehr); nicht recht; *cela ne va pas ~ bien* es geht nicht gerade besonders; **II** *m*: *le ~* das Zuviel; *son ~ de zèle* sein übermäßiger Eifer *m*.

trope *rhét.* [trɔp] *m* bildlicher Ausdruck *m*, Trope *f*.

tropézien [trɔpe'zjɛ̃] *adj.* (7c) aus Saint-Tropez.

trophée [trɔ'fe] *m* Trophäe *f* (*a.* ⚠), Siegeszeichen *n*.

trophique ⚕ [trɔ'fik] *adj.* Ernährungs...

tropi|cal [trɔpi'kal] *adj.* (5c) tropisch, Tropen...; **~que** [~'pik] *m* Wendekreis *m*; *les ~s* die Tropen (-länder *n/pl.*) *pl.*

tropisme [trɔ'pism] *m* **1.** *biol.* Tropismus *m*; **2.** *fig. pol. ~ pour l'Amérique* Zuneigung *f* zu Amerika.

tropologie *gr.* [trɔpɔlɔ'ʒi] *f* **1.** figürliche Sprache *f*; **2.** Tropik *f*.

trop-perçu *fin.* [tropɛr'sy] *m* (6g): *reverser un ~* e-n zuviel einkassierten (*od.* e-n überbezahlten) Steuerbetrag *usw.* wieder auszahlen.

trop-plein [tro'plɛ̃] *m das* Überfließende *n*, Übermaß *n*; Zuviel *n*; *tuyau m de ~* Überlaufrohr *n*.

troquer [trɔ'ke] *v/t.* (1m) tauschen; *~ qch. contre qch.* etw. für etw. (*acc.*) eintauschen; *fig.* etw. durch etw. ersetzen.

troquet F [trɔ'kɛ] *m* Kneipe *f*.

trot [tro] *m* Trab *m*; *aller au ~* traben; *~ assis (enlevé)* deutscher (leichter) Trab *m*; *fig. faire qch. au ~* etw. schnell erledigen; *mener une affaire au ~* e-e Sache schnell erledigen; *au (grand) ~* in (aller) Eile; *au ~!* los!, schnell!, dalli!

trotte F [trɔt] *f ein* ganz schönes Ende (zu laufen); **~-bébé** [~be'be] *m* (6c) Laufstall *m* (*für Kleinkinder*); **~-menu** [~mə'ny] *adj./inv.*: *plais. la gent ~* die Mäuse *f/pl.*

trot|ter [trɔ'te] (*mit avoir!*) (1a) **I** *v/i.* **1.** traben; **2.** huschen (*Mäuse*); **3.** auf dem Trab sein, viel zu Fuß laufen; hin u. her gehen, herumlaufen; F *~ comme un lapin* so flink wie ein Wiesel laufen; **II** P *v/rfl.* *se ~* sich aus dem Staube machen, abhauen; *trotte-toi!* scher dich weg!; **~teur** [~'tœːr] *su.* (7g) a) *man.* Traber *m*; b) jemand, der viel zu Fuß geht; tüchtiger Wanderer *m*; c) Trotteur-(Straßen-)schuh *m*, -kostüm *n*; **~teuse** [~'tøːz] *f* Sekundenzeiger *m*; **~tinement** [~tin'mɑ̃] *m* Getrippel *n*; **~tiner** [~ti'ne] *v/t.* (1a) **1.** *man.* kurzen Trab gehen; **2.** trippeln; *arriver en trottinant* angetrippelt kommen; **~tinette** [~ti'nɛt] *f* (Kinder-)Roller *m*; **~ting**

man. [trɔ'tiŋ] *m* a) Traberzucht *f*; b) Trabrennen *n*; **~toir** [~'twa:r] *m* Bürgersteig *m*, Gehweg *m*, Trottoir *n*; ~ *cyclable* Radfahrweg *m*; ~ *roulant* Roll-steig *m*, -weg *m*; F *faire le* ~ auf den Strich gehen.

trou [tru] (*pl.* ~s) *m* **1.** Loch *n*; ~ *de souris* Mauseloch *n*; ✈ ~ *d'air* Luftloch *n*; ⊕ ~ *graisseur* Schmierloch *n*; F *fig. faire son* ~ es zu etw. bringen; *faire un* ~ *à la bourse* ins Portemonnaie greifen, sich in Unkosten stürzen; *ne voir que par le* ~ *d'une bouteille* beschränkte u. kleinliche Ansichten haben, e-n engen Horizont haben; P *faire un* ~ *à la lune* fortgehen, ohne die Schulden zu bezahlen; sich verdrücken; **2.** *fig.* jämmerliche Wohnung *f*, Loch *n*; Nest *n*, Kaff *n* (= *Ort*); **3.** ~ *à fumier* Dunggrube *f*; **4.** ⚔ ~*-abri m* (6a) Schutzloch *n*; ~ *de guetteur* Postenloch *n*; ~ *d'obus* Granattrichter *m*; *ch.* ~ *de loup* Fallgrube *f*; **5.** F *boire comme un* ~ wie ein Loch saufen; **6.** F *écol.* Freistunde *f*; **7.** * Kittchen *n*.

troubadour *litt.* [truba'du:r] *m* Troubadour *m*; *poésie f des* ~*s* Minnesang *m*.

troublant [tru'blɑ̃] *adj.* (7) aufregend, beunruhigend, störend, sinnverwirrend, verführerisch.

trouble[1] ['trublə] *adj.* trübe; unklar; verworren; *avoir la vue* ~, *voir* ~ nicht deutlich sehen (können); *fig. pêcher en eau* ~ im trüben fischen; *fig. conduite f* ~ undurchsichtiges (*od.* verdächtiges) Verhalten.

trouble[2] [~] *m* **1.** Verwirrung *f*, Unordnung *f*; *rad.* Störung *f*; **2.** Uneinigkeit *f*, Zwietracht *f*; **3.** Unruhe *f*, Bestürzung *f*; **4.** ~*s pl.* Unruhen *f/pl.*, Aufruhr *m/sg.*; ~*s m/pl. de la rue* Krawall *m*; *fauteur m de* ~*s* Unruhestifter *m*, Ruhestörer *m*; **5.** ~*s pl.* ⚕ Störungen *f/pl.*, Beschwerden *f/pl.*; ~*s de digestion* Verdauungsstörungen *f/pl.*; *psych.* ~*s du comportement* Verhaltensstörungen *f/pl.*; ~ *oculaire* Sehstörung *f*; ~ *mental* Geistesstörung *f*.

trouble[3] [~] *f* Fischnetz *n*, Hamen *m*; *a. truble*.

trouble-fête [~'fɛ:t] *m* (6c) Spielverderber *m*, Störenfried *m*.

trouble-paix [~'pɛ] *m* (6c) Friedensstörer *m*.

troubler [tru'ble] (1a) **I** *v/t.* **1.** trüben, trübe machen; *fig.* verdüstern; **2.** in Aufruhr versetzen; *das Meer* aufwühlen; **3.** *fig.* stören; Unfrieden stiften; ~ *une famille* e-e Familie entzweien; **4.** *fig.* verwirren, betören; *troublé* verstört, unruhig; **5.** *fig. e-n Plan* durchkreuzen; *den Schlaf* unterbrechen, stören; **II** *v/rfl.* se ~ sich trüben, trübe werden; sich verwirren; *fig.* sich beunruhigen, sich ängstigen.

trou|ée [tru'e] *f* **1.** *for.* Schneise *f*; **2.** Lücke *f* (*in e-r Hecke*); Durchbruch *m*; ~ *d'invasion* Einfallstor *n*; **~er** [~] (1a) **I** *v/t.* durch-bohren, -löchern; **II** *v/rfl.* se ~ Löcher bekommen.

troufion F ⚔ [tru'fjɔ̃] *m* Landser *m*, *péj.* Muschkote *m*.

trouill|ard F [tru'ja:r] **I** *m* Angsthase *m*, Feigling *m*; **II** *adj.* (7) ängstlich; **~e** F [truj] *f* (Riesen-)Angst *f*, Schiß *m* V; *avoir la* ~ Schiß haben; **~otter** * [~jɔ'te] *v/i.* (1a) **1.** stinken; **2.** Schiß haben.

troupe [trup] *f* **1.** Schar *f*, Haufen *m*, Trupp *m*; **2.** Bande *f*; *thé.* Truppe *f*, Vereinigung *f*; ~ *de voleurs* (*de brigands*) Diebes-(Räuber-)bande *f*; *thé.* ~ *dramatique* (*od. théâtrale*) Theatertruppe *f*; **3.** *ch.* Rudel *n*, Schwarm *m*, Zug *m*; **4.** ⚔ Truppe *f*, Mannschaft *f*, Heeresabteilung *f*; ~*s pl.* Truppen *f/pl.*; ~*s pl. auxiliaires* (*od. de secours*) Hilfstruppen *f/pl.*; ~ *d'assaut* Sturmtrupp *m*; ~ *d'aviation* Fliegertruppe *f*; ~*s pl. de choc* Stoßtruppen *pl.*; ~*s de débarquement* Landungstruppen *pl.*; ~ *d'élite* Elite-, Kern-truppe *f*; ~*s en campagne* Feldtruppen *pl.*; ~*s de renfort* Verstärkungstruppen *pl.*; ~ *de transmissions* Nachrichtentruppe *f*.

troupeau [tru'po] *m* **1.** (Vieh-, Rinder-, Schaf-)Herde *f*; **2.** *rl.* Gemeinde *f*; **3.** *fig. péj.* Hammelherde *f*.

troussage [tru'sa:ʒ] *m* Zurechtmachen *n* (*von Geflügel für den Bratspieß*; *a.* ⊕).

trouss|e [trus] *f* **1.** Federtasche *f*; **2.** ~ *de médecin* (Arzt-)Besteck *n*; ~ *pharmaceutique* Verbandskasten *m*; Hausapotheke *f*; ~ *à pansements* Verbandtasche *f*; ~ *de couture* Nähzeug *n*; ~ *de déjeuner* Frühstückskorb *m*; ~ *à peignes* Kammfutteral *n*; ~ *de toilette* Toilettenetui *n*; **3.** *ehm.* ~*s pl.* Falten-, Pluder-hosen *f/pl.*; **4.** F *être aux* ~*s de q.* hinter j-m herlaufen; *mettre q. à ses* ~*s* sich j-n auf den Hals laden (*od.* hetzen); *envoyer q. aux* ~*s* *de q.* j-n j-m auf den Hals schicken; *se lancer aux* ~*s de q.* j-n erwischen; ~**é** [~'se] *adj.* geschürzt; *bien* ~ hübsch aufgeputzt; F gut gebaut; F *maison f bien troussée* hübsch eingerichtetes Haus *n*; F *bien* (*mal*) ~ gut (schlecht) getroffen (*Kunstwerk, litt., Kompliment*); ~**eau** [~'so] *m* (5b) **1.** Bund *m od. n*, Bündel *n*; ~ *de clefs* Schlüsselbund *m od. n*; **2.** Aussteuer *f*, (Wäsche-)Ausstattung *f*; *donner un* ~ (*à*) aussteuern.

trousse|-queue [trus'kø] *m* (6c) Schwanzriemen *m* (*beim Pferd*); ~**quin** *man.* [~'kɛ̃] *m* Sattelsteg *m*.

trousser [tru'se] *v/t.* (1a) **1.** aufbinden (*Pferdeschwanz*); **2.** packen: ~ *bagage(s)* plötzlich aufbrechen; ~ *son sac et ses quilles* sich mit Sack u. Pack auf den Weg machen; **3.** ~ *une volaille* ein Stück Geflügel bratfertig machen; **4.** *litt.* schnell u. leicht verfassen (*Artikel, Rede*); ~ *un compliment* ein Kompliment schön (*od.* treffend) formulieren; **5.** F ~ *les femmes* die Frauen verführen.

trouv|able [tru'vablə] *adj.* auffindbar; ~**aille** [~'vɑ:j] *f* guter (*od.* glücklicher) Fund *m*; geniale Formulierung *f*, Geistesblitz *m*, Entdeckung *f*; *iron. cela c'est une* ~*!* was Sie nicht sagen!

trouver [tru've] (1a) **I** *v/t.* **1.** finden; verschaffen; *y* ~ *son compte* auf s-e Kosten kommen; **2.** antreffen; *aller* (*bzw. venir*) ~ *q.* j-n aufsuchen, besuchen; *je le trouvai endormi* ich fand ihn schlafend; **3.** erfinden, entdecken; ersinnen, herausbringen; **4.** erachten, dafürhalten, finden; *comment trouvez-vous cela?* wie gefällt Ihnen (*od.* finden Sie) das?; ~ *bon* für gut halten; gutheißen *od.* billigen; F *la* ~ *mauvaise* (*od. raide od. saumâtre*) darüber sehr verschnupft sein; **5.** empfinden; ~ *du plaisir* Freude empfinden; *iron.* ~ *à qui parler* schon merken, mit wem man zu tun hat (*drohend*); **6.** ~ *qch. à* (*od. en*) *q.* an j-m etw. bemerken (*od.* feststellen); **II** *v/rfl. se* ~ **7.** gefunden (*od.* angetroffen) werden, sich finden, vorkommen; *cela se trouve à merveille!* das paßt ja großartig!; *v/imp. il se trouve des hommes* ... es gibt Menschen ...; *il se trouve que* ... es kommt vor, daß ...; *il se trouva que* ... es stellte sich heraus, daß ...; **8.** sich fühlen, sich befinden; *se trouver mal* ohnmächtig werden; *se* ~ *bien de qch.* (*de q.*) mit etw. (mit j-m) zufrieden sein; *je m'en trouve bien* es bekommt mir gut; **9.** sich für etw. halten; *se* ~ *heureux* sich glücklich fühlen; **10.** sich herausstellen als ..., sich erweisen als ...; *la nouvelle se trouva fausse* die Nachricht erwies sich als falsch; **11.** *se* ~ *être le premier* (*le dernier*) zufällig der erste (der letzte) sein.

trouvère *litt.* [tru'vɛ:r] *m* nordfranzösischer Minnesänger *m*.

troyen *hist. antiq.* [trwa'jɛ̃] *adj. u.* ♀ *su.* (7c) trojanisch; Trojaner *m*.

truand [try'ɑ̃] *su.* (7g) Gauner *m*; ~**er** [~'de] *v/t. j-n* übers Ohr hauen.

truble ['tryblə] *f* Fischnetz *n*, Hamen *m*; s. *trouble*[3].

trublion [trybli'ɔ̃] *m* Unruhestifter *m*; *univ., pol.* Chaot *m*.

truc[1] [tryk] *m* **1.** Dreh *m*, Kunstgriff *m*, Pfiff *m fig.*, Kniff *m fig.*, Trick *m*; *connaître le* ~ den Dreh heraushaben; **2.** *cin. film m à* ~*s* Trickfilm *m*; **3.** F a) Ding *n*; *un* ~ *pour ouvrir les boîtes* irgendein Ding (*od.* irgend etwas), um die Büchsen zu öffnen; b) Dingsda *m od. f* (*Person*).

truc[2] *od.* **truck** [tryk] *m* **1.** 🚂 offener Güterwagen *m*, Lore *f*, Bordwandwagen *m*; **2.** *Auto: Art* Pritschenwagen *m*; **3.** ⚡ ~ *électrique* Elektrokarren *m*; *bét.*, ⊕ ~ *élévateur* Hubstapler *m*.

truca *cin.* [try'ka] *f* Bildveränderer *m* (*Maschine*).

trucage [try'ka:ʒ] *m* **1.** Schwindelei *f*; **2.** *cin.* Trickaufnahme *f*.

truchement [tryʃ'mɑ̃] *m* **1.** *par le* ~ *de q.* über (*od.* durch) j-n; durch j-s Vermittlung; **2.** † Dolmetscher *m*.

trucider *iron.* [trysi'de] *v/t.* (1a) abmurksen, kaltmachen.

truck [tryk] s. *truc*[2].

trucmuche P [tryk'myʃ] *m* Dingsda *n* F.

truculen|ce [tryky'lɑ̃:s] *f* Urwüchsigkeit *f*; ~**t** [~'lɑ̃] *adj.* (7) urwüchsig; saftig (*Stil, Witz*).

truell|e [try'ɛl] *f* **1.** △ Maurerkelle *f*; **2.** Vorlegemesser *n* (*für Fisch*); ~**ée** ⊕ [~'le] *f* Kellevoll *f*.

truff|e [tryf] *f* **1.** Trüffel *f* (*a. als Konfekt*); **2.** Hundenase *f*; P dicke, rote Nase *f*, Kartoffelnase *f*; ~**er** [try'fe] *v/t.* (1a) mit Trüffeln füllen; *fig.* spicken, anhäufen; ~**iculture** 🌱 [~fikyl'ty:r] *f* Trüffelzucht *f*.

truie [trɥi] *f* Sau *f*, Mutterschwein *n*.

truisme [trɥism] *m* Binsenwahrheit *f*.

truit|e [trɥit] *f* Forelle *f*; ~*(commune)* Bachforelle *f*; ~ *saumonée* Lachsforelle *f*; **~é** [~'te] *adj.* (rot) gesprenkelt; craqueliert (*Keramik*).

trumeau [try'mo] *m* (5b) **1.** Pfeiler-, Kamin-spiegel *m*; **2.** ⚠ Fensterpfeiler *m*; **3.** (Rinder-)Hachse *f*; **4.** F *vieux* ~ alte Schachtel *f*.

truqu|age [try'ka:ʒ] *m* **1.** Schwindel *m*; ~ *des élections* Wahlschwindel *m*; ⚘ ~ *d'un bilan* Bilanzverschleierung *f*; **2.** *cin.* Trickaufnahme *f*; **~er** [~'ke] (1m) **I** *v/i.* schwindeln; **II** *v/t.* fälschen; auf alt zurechtmachen (*Möbel, Bild*); *truqué* betrügerisch, auf Täuschung eingerichtet; *film m truqué* Trickfilm *m*; **~eur** [~'kœ:r] *su.* (7g) **1.** Schwindler *m*, Fälscher *m*; **2.** *cin.* Techniker *m* für Trickaufnahmen.

trust *éc.* [trœst] *m* Trust *m*; **~er** [trœs'te] *v/t.* (1a) vertrusten.

tsar [tsa:r] *m* Zar *m*; **~ine** [tsa'ri:n] *f* Zarin *f*; **~isme** [~'rism] *m* Zarismus *m*; **~iste** [tsa'rist] *adj.* zaristisch.

tsé-tsé *zo.* [tset'se] *m* Tsetsefliege *f*.

T.S.F. [teεs'εf] *f abr. für télégraphie sans fil* Funk *m*, drahtlose Telegraphie *f*.

tsigane [tsi'gan] *su.* Zigeuner *m*.

tu [ty] *pr/p. conjoint* du; *ils sont à* ~ *et à toi* sie stehen auf du und du (miteinander).

tuant F [tɥɑ̃] *adj.* (7) ermüdend, anstrengend, äußerst beschwerlich, zum Sterben langweilig; unausstehlich, enervierend.

tu-autem F [tɥo'tεm] *m/inv.* Kernpunkt *m*, Kern *m*, Hauptschwierigkeit *f*; *voilà le* ~ da ist der springende Punkt; *entendre le* ~ etw. schnell erfassen *od.* durchschauen.

tub [tœb] *m* **1.** Duschwanne *f*; **2.** Dusche *f*.

tuba [ty'ba] **I** *m* **1.** ♪ Tuba *f*; **2.** ⊕ Schnorchel *m für Taucher*; **II** *antiq.* ♪ *f* Tuba *f* (*der Römer*).

tub|age [ty'ba:ʒ] *m* **1.** ⊕ Rohrlegung *f*; **2.** ⚕ Intubation *f*; Einführung *f* e-r Sonde; **~aire** ⚕ [~'bε:r] *adj.*: *souffle m* ~ Bronchial-, Röhren-atmen *n*; *grossesse f* ~ Tubenschwangerschaft *f*; **~ard** * [~'ba:r] *m* Lungenkranke(r) *m*; **~ardise** * [~bar'di:z] *f* Tuberkulose *f*.

tub|e [tyb] *m* **1.** Rohr *n*, Röhre *f* (*a. rad.*); Tube *f*; ~ *à vide*, ~ *à gaz* (*od. à air*) *raréfié* Vakuumröhre *f*; *Auto*: ~ *d'échappement* Auspuffrohr *n*; ~ *à niveau d'eau* Wasserstandsröhre *f*; ~ *Berlier* Berliersche Tunnelröhre *f* (*mit innerer Stahlwandverkleidung, bsd. für U-Bahnen unter Wasser*); *Auto*: *donner à pleins* ~*s* Vollgas geben; ⚡ *coupe-circuit m à* ~ Röhrensicherung *f*; ~ *de pâte dentifrice* Tube *f* Zahnpaste; **2.** Sehrohr *n*; **3.** ⊕ Blaserohr *n* (*Glasbläserei*); **4.** Rohrpost *f*; P Telephon *n*; **5.** *anat.* Gang *m*, Kanal *m*; ~ *digestif* Verdauungskanal *m*; **6.** ♪ Orgelpfeife *f*; **7.** ~ *capillaire* Haarröhrchen *n*; **8.** F Magen *m*; **9.** * ♪ Hit *m*, neuester Schlager *m*; **~er** ⊕ [ty'be] *v/t.* (1a) ~ *qch.* Rohre in etw. einsetzen.

tubéracé ♪ [tybera'se] *adj.* trüffelartig, Trüffel...

tubercul|e [tybεr'kyl] *m* **1.** ⚘ Knolle *f*; **2.** *anat.* Höcker *m*; **3.** ⚕ Tuberkel *m*; Knötchen *n*, kleine harte Geschwulst *f*; **~é** [~'le] *adj.* höckerig, knotig, warzig; **~eux** [~'lø] *adj. u. su.* (7d) höckerig, knollig, warzig; ⚕ tuberkulös, lungenschwindsüchtig, Tuberkel...; TBC-Kranke(r) *m*, Tuberkulosekranke(r) *m*; **~ine** ⚕ [~'li:n] *f* Tuberkulin *n*; **~isation** [~liza'sjɔ̃] *f* Tuberkelbildung *f*; **~iser** [~li'ze] (1a) **I** *v/t.* tuberkulös machen; **II** *v/rfl.* se ~ tuberkulös werden; **~ose** ⚕ [~'lo:z] *f* Tuberkulose *f*, Schwindsucht *f*; ~ *pulmonaire* Lungen-schwindsucht *f*, -tuberkulose *f*.

tubé|reuse ⚘ [tybe'rø:z] *f* Tuberose *f*, Nachthyazinthe *f*; **~reux** [~'rø] *adj.* (7d) knollig; **~rosité** [~rozi'te] *f* **1.** *anat.* Höcker *m*; **2.** ⚘ Knollen *m*.

tubiste ⊕ [ty'bist] *m* Arbeiter *m* in e-r Druckluftkammer, Caissonarbeiter *m*.

tubu|laire [tyby'lε:r] *adj.* röhrenförmig; *chaudière f* ~ Siederohrkessel *m*; *pont m* ~ Rohrbrücke *f*; **~lure** [~'ly:r] *f* ⊕ Stutzen *m*, Rohransatz *m*; ⚗ Gefäßöffnung *f*.

tudesque [ty'dεsk] **I** *adj.* **1.** *gr.* altdeutsch; **2.** *péj.* deutsch, plump, schwerfällig; **II** *m* Altdeutsch(e) *n*.

tue-chien ⚘ [ty'ʃjɛ̃] *m* (6c) Herbstzeitlose *f*.

tue-mouche [ty'muʃ] **I** *m* (6c) ⚘ Fliegenpilz *m*; **II** *adjt.*: *papier m* ~*s* Fliegenpapier *n*.

tuer [tɥe] (1a) **I** *v/t.* **1.** töten, totschlagen, umbringen; ~ *d'un coup d'épée* erstechen; ~ *d'un coup de fusil* erschießen; ⚔ *être tué à l'ennemi* vor dem Feinde fallen; *fig.* ~ *le temps* die Zeit totschlagen; **2.** schlachten; schießen, erlegen; **3.** *fig.* zugrunde richten, vernichten, ruinieren; F ~ *le ver* frühmorgens ein Schnäpschen trinken; **II** *v/rfl.* *se* ~ sich das Leben nehmen, Selbstmord begehen; tödlich verunglücken; F *fig.* sich abmühen; *se* ~ *à la tâche* sich ausarbeiten; *se* ~ *de chagrin* sich zu Tode grämen; *se* ~ (*à force*) *de travail(ler)*, *se* ~ *à la besogne* sich zu Tode arbeiten; *se* ~ *à dire* (*à répéter*) sich totreden.

tue|rie [ty'ri] *f* **1.** Gemetzel *n*, Blutbad *n*; **2.** Schlachthof *m* (*in Dörfern*); **~-tête** [ty'tɛ:t]: *à* ~ *advt.* aus Leibeskräften, aus vollem Halse.

tueur [tɥœ:r] **I** *su.* (7g) Mörder *m*; **II** *m* (*Schweine- usw.*) Schlächter *m*.

tuf [tyf] *m min.* Tuff(stein *m*) *m*; *fig.* *rencontrer le* ~ den wahren Charakter *j-s* bloßlegen.

tuf(f)eau *min.* [ty'fo] *m* Kalktuff *m*.

tuil|e [tɥil] *f* **1.** Dachziegel *m*; ~ *dite de Francfort* Frankfurter Pfanne *f*; ~ *creuse* (*od. en S*) Hohlziegel *m*; ~ *à coulisse* (*od.* ~ *ondulée*) Falzziegel *m*; ~ *faîtière* Firstziegel *m*; *être logé dans les* ~*s* unter dem Dach wohnen; **2.** *fig.* F Schlag *m* ins Kontor, Pech *n*; **3.** *pât.* ~ *amande* Mandelplätzchen *n*; **~eau** [tɥi'lo] *m* (5b) Ziegel(bruch)stück *n*; **~erie** [tɥil'ri] *f* Ziegelei *f*; **~ier** [~'lje] *m* Ziegelbrenner *m*.

tulip|e [ty'lip] *f* **1.** Tulpe *f*; **2.** Lampenglocke *f*; **~ier** ⚘ [~'pje] *m* Tulpenbaum *m*.

tull|e ✝ [tyl] *m* Tüll *m*; **~erie** [tyl'ri] *f* **1.** Tüllindustrie *f*; **2.** Tüllhandel *m*, -fabrik *f*; **~iste** [~'list] *m* Tüll-fabrikant *m*, -händler *m*; Arbeiter *m* in e-r Tüllfabrik.

tumé|faction ⚕ [tymefak'sjɔ̃] *f* Anschwellung *f*, Geschwulst *f*; **~fier** ⚕ [~'fje] (1a) **I** *v/t.* anschwellen (*od.* dick werden) lassen; **II** *v/rfl.* *se* ~ anschwellen.

tum|escence ⚕ [tyme'sɑ̃:s] *f* Schwellung *f*; **~escent** [~'sɑ̃] *adj.* (7) anschwellend; **~eur** [ty'mœ:r] *f* **1.** ⚕ Tumor *m*, Geschwulst *f*; **2.** ⚘ Knorren *m*.

tumulaire [tymy'lɛ:r] *adj.* Grab...; *pierre f* ~ Grabstein *m*.

tumult|e [ty'mylt] *m* **1.** Tumult *m*, Krawall *m*, Lärm *m*, Aufruhr *m*; *advt.* *en* ~ in e-m wüsten Durcheinander; **2.** *fig.* Drängen *n*; Unruhe *f*; **~ueux** [~'tɥø] *adj.* (7d) lärmend, tobend.

tumulus *antiq.* [tymy'lys] (*pl. tumuli*) *m* Grabhügel *m*, Hügelgrab *n*.

tung|state ⚗ [tɔ̃g'stat] *m* Wolframat *n*; **~stène** ⚗ [~'stɛn] *m* Wolfram *n*; **~stique** ⚗ [~'stik] *adj.* Wolfram...

tunique [ty'nik] *f* **1.** ⚔ Waffenrock *m*; *Damenmode*: ~ (*casaque*) Tunika *f* in Kasackform; Kasack *m*; *über Hosen zu tragendes* Minikleid *n*; Einheitsjacke *f der Rotchinesen*; **2.** *antiq.* Tunika *f*; **3.** ⚘ Schale *f* (*Zwiebel*); **4.** *anat.* Häutchen *n*.

Tunis *géogr.* [ty'nis] *m* Tunis *n* (*Stadt*); **~ie** *géogr.* [~ni'zi] *f*: **la ~ie** Tunis *n* (*Land*), Tunesien *n*; **~ien** [~ni'zjɛ̃] (7c) **I** *su.* Tunesier *m*; **II** ♀ *adj.* tunesisch; **~ois** [~'zwa] *adj.* (7) der Stadt Tunis.

tunnel [ty'nɛl] *m* **1.** Tunnel *m*, Unterführung *f*, Durchstich *m* („*Bahnhofstunnel*“ *aber*: *souterrain m*); Verbindungstunnel *m* (*Raumschiff*); ~ *routier* Straßentunnel *m*; ⚒ *puits m de* ~ Förderschacht *m*; **2.** *fig.* Tiefstand *m*.

turban [tyr'bɑ̃] *m* **1.** Turban *m*; **2.** ✝ Turbantuch *n*; **3.** ⚘ Türkenbund *m*.

turbin * [tyr'bɛ̃] *m* Arbeit *f*, Job *m* F.

turbin|e ⊕ [tyr'bin] *f* Turbine *f*; ~ *aérienne* Windmotor *m*; ~ *à bateaux* Schiffsturbine *f*; **~é** [~'ne] *adj.* kreiselförmig; **~er** * [~] *v/i.* (1a) schuften, sich abrackern; **~eur** * [~'nœ:r] *m* (Schwer-)Arbeiter *m*.

turbo|-alternateur [tyrbɔaltɛrna'tœ:r] *m*, **~-générateur** [~ʒenera'tœ:r] *m* Turbogenerator *m*; **~-compresseur** [~kɔ̃prɛ'sœ:r] *m* Turbogebläse *n*, -kompressor, -verdichter *m*; **~moteur** [~mɔ'tœ:r] *m* Turbinenmotor *m*; **~-propulseur** [~prɔpyl'sœ:r] *m* Turboproptriebwerk *n*; **~-propulsion** [~prɔpyl'sjɔ̃] *f* Turboantrieb *m*; **~-réacteur** [~reak'tœ:r] *m* Strahlturbine *f*, Turboluftstrahltriebwerk *n*, Rückstoßturbotriebwerk *n*; **~soufflante** [~su'flɑ̃:t] *f* Turbogebläse *n*; **~statoréacteur** [~statɔreak'tœ:r] *m* Turbinen-Staustrahltriebwerk *n*.

turbot *icht.* [tyr'bo] *m* Steinbutt *m*.

turbo|train 🚂 *Fr.* [tyrbɔ'trɛ̃] *m* Turbozug *m*; **~voiture** *Auto* [~vwa'ty:r] *f* Turbowagen *m*.

turbul|ence [tyrby'lɑ̃:s] *f* **1.** Ausgelassenheit *f*, lärmendes Wesen *n*; **2.** *phys.*, *météo.* Turbulenz *f*; **~ent** [~'lɑ̃] (7) **I** *adj.* sehr lebhaft, ausgelassen, wild; **II** *m* **1.** Radaumacher *m*; **2.** ⊕ rotierender Behälter *m*.

turc [tyrk] (7i) **I** *adj.* türkisch; *advt.* *à la turque* nach türkischer Sitte;

II ♀ *su.* Türke *m* (*f*: Türkin); F *fig.* Kopf *m fig.*, Persönlichkeit *f*; *fig. tête f de* ♀ Prügelknabe *m*; *être fort comme un* ♀ Bärenkräfte haben.

turcie [tyr'si] *f* Uferdamm *m*, Deich *m* (*bsd. an der Loire*).

turcoman [tyrkɔ'mɑ̃] *adj. u.* ♀ *su.* (7) turkmenisch; Turkmene *m.*

turf [tyrf] *m* Rennsport(bahn *f*) *m* (*für „Rennbahn" heute jedoch meist*: *champ de course*); **~iste** [~'fist] *su.* Rennsportler *m*; Wetter *m* bei Pferderennen.

turges|cence ⚕ [tyrʒe'sɑ̃:s] *f* Anschwellung *f*; **~cent** ⚕ [~'sɑ̃] *adj.* (7) angeschwollen.

turion ♀ [ty'rjɔ̃] *m* Wurzelknospe *f.*

turlupiner [tyrly'pi'ne] F *v/t.* (1a): ~ *q.* j-m auf die Nerven fallen; j-m keine Ruhe lassen, j-n quälen.

turlu|taine [tyrly'tɛ:n] *f* Marotte *f*, Schrulle *f*, Flitz *m*; **~tutu** [~ty'ty] **I** F *m* Flöte *f*; **II** *int.* papperlapapp!

turne * [tyrn] *f* Studentenbude *f.*

turnep ♀ [tyr'nɛp] *m* Futter-, Runkel-rübe *f* (*mst. rave genannt*).

turpitude [tyrpi'tyd] *f* Schändlichkeit *f*, Verworfenheit *f*; **~s** *pl.* Schandtaten *f/pl.*

turquerie *peint.*, *litt.* [tyr'kri] *f* türkisches Motiv *n.*

Turquie [tyr'ki] *f*: **la ~** die Türkei.

turquin [tyr'kɛ̃] *adj.*: *bleu* ~ türkischblau.

turquoise [~'kwa:z] *f* Türkis *m.*

tussilage ♀ [tysi'la:ʒ] *m* Huflattich *m.*

tussor ✝ [ty'sɔ:r] *m* Tussor-, Rohseide *f.*

tutélaire ⚖ [tyte'lɛ:r] *adj.* **1.** Treuhands...; Schutz...; **2.** vormundschaftlich.

tut|elle [ty'tɛl] *f* **1.** Vormundschaft *f*, Sachwalterschaft *f*; *fig. péj.* Bevormundung *f*; *être en* ~ unter Vormundschaft stehen; *hors de* ~ mündig; **2.** *fig.* Schutz *m*; Abhängigkeit *f*; **~eur** [~'tœ:r] **I** *su.* (7f) Vormund *m*; *fig.* Beschützer *m*; *constitution f d'un* ~ Bestellung *f* e-s Vormunds; *nommer un* ~ e-n Vormund ernennen; **II** *m* ✓ Baum-pfahl *m*, -stütze *f.*

tuteur|age ✓ [tytœ'ra:ʒ] *m* Abstützen *n*; **~er** ✓ [~'re] *v/t.* (1a) anpfählen, stützen.

tutie ⚗ [ty'ti] *f* Zinkblumen *f/pl.*

tut|oiement [tytwa'mɑ̃] *m* Duzen *n*; **~oyer** [~twa'je] *v/t.* (1h) duzen.

tutu [ty'ty] *m* **1.** Ballettröckchen *n*; **2.** * ⚕ Tbc-Kranke(r) *m.*

tuyau [tɥi'jo] *m* (5b) **1.** Rohr *n*, Röhre *f*; Schlauch(rohr *n*) *m*; ~ *d'arrosage* Gartenschlauch *m*; ~ *de cheminée* Rauchfang *m*; ~ *en* (*od. de*) *plomb* Bleirohr *n*; ~ *de poêle* Ofenrohr *n*; ~ *de raccord(ement)* Anschlußrohr *n*; ~ *de décharge* Dampf(abzugs)röhre *f*; *Auto*: ~ *de prise d'essence* Benzinzuflußrohr *n*; ~ *de prise de l'huile* (*od. d'huile*) Ölzuleitungsrohr *n*; ~ *de trop-plein* Überlaufrohr *n*; **2.** ♀ Halm *m*; **3.** F Wink *m*, Tip *m*; **~tage** [~jɔ'ta:ʒ] *m* **1.** Rohrleitung *f*, Rohrnetz *n*; **2.** F Mogelei *f*; **~ter** [~jɔ'te] *v/t.* (1a) **1.** *Wäsche* in Röhrenfalten legen; **2.** F ~ *q.* j-m vertrauliche Mitteilungen (*od.* j-m Tips) geben; **~terie** [~jɔ'tri] *f* **1.** Röhrenhandel *m*; **2.** Röhrenfabrik *f*; **3.** Rohrleitung(en) *f*(*pl.*), Rohranlage *f*; *raccords m/pl. de* ~ Fittings *n/pl.*; **~teur-ajusteur** [~jɔ'tœ:raʒys'tœ:r] *m* (6a) Rohrschlosser *m.*

tuyère ⊕ [tɥi'jɛ:r] *f* Düse *f.*

twirleuse [twir'lø:z] *adj./f*: *majorette f* ~ Tambourmajorin *f* mit dem Majorsstock, den sie herumwirbelt.

tympan [tɛ̃'pɑ̃] *m* **1.** *anat.* Trommelfell *n*; (*caisse f du*) ~ Paukenhöhle *f*; *bruit m à crever* (*à rompre*, *à briser*) *le* ~ ohrenbetäubender Lärm *m*; **2.** ⚠ Giebelfeld *n*; **3.** ⊕ *men.* Füllung *f*; **4.** ⊕ Schöpf-, Trommel-rad *n*; *typ.* Preßdeckel *m*; **~isme** [~'nism] *m* Darmblähungen *f/pl.*; **~on** ♪ [~'nɔ̃] *m* Hackbrett *n*, Saitenschlaginstrument *n* (*in Zigeunerkapellen*).

type [tip] **I** *m* **1.** Typ(us *m*) *m*, Urbild *n*, Grundform *f*; **2.** F Kerl *m*, Mensch *m*, Mann *m*; *péj.* Type *f*, Marke *f*; *un chic* ~ ein anständiger Kerl *m*; *un drôle de* ~ ein komischer Kauz *m*, ein Sonderling *m*; **3.** ⊕ Modell *n*, Bauart *f*, Typ *m*; **4.** *mst.* **~s** *pl.* Lettern *f/pl.*, Typen *f/pl.*; **II** *adjt. exemple m* ~ typisches Beispiel *n.*

typé [ti'pe] *adj.* ausgeprägt.

typesse F [ti'pɛs] *f* Frauenzimmer *n.*

typhique ⚕ [ti'fik] *adj. u. su.* typhuskrank; Typhuskranke(r) *m.*

typhlite ⚕ [ti'flit] *f* Blinddarmentzündung *f.*

typhoïde ⚕ [tifɔ'id] *adj.* typhusartig; *fièvre f* ~ Abdominal-, Bauchtyphus *m.*

typhon [ti'fɔ̃] *m* Taifun *m*, Wirbelsturm *m.*

typhus [ti'fys] *m* **1.** ⚕ Typhus *m*; ~ *exanthématique* Flecktyphus *m*; **2.** *vét.* Seuche *f*; Rinderpest *f.*

typique [ti'pik] *adj.* typisch, charakteristisch (*de* für); originell, einmalig.

typisation [tipiza'sjõ] *f* Normung *f*, Vereinheitlichung *f*, Standardisierung *f*, Typisierung *f*.

typo [ti'po] **I** *m* Buchdrucker *m*; Schriftsetzer *m*; **II** *f* Buchdruckerei *f*, Buchdruckerkunst *f*; **~chromie** [tipɔkrɔ'mi] *f* Farbendruck *m*; **~graphe** [~'graf] *m* Schriftsetzer *m*; **~graphie** [~gra'fi] *f* Buchdruckerkunst *f*; **~graphique** [~gra'fik] *adj.* typographisch.

tyran [ti'rɑ̃] *m* Tyrann *m*; **~neau** F [~rə'no] *m* (5b) kleiner Tyrann *m*; Haustyrann *m*; **~nicide** [~ni'sid] **I** *adj. u. m* tyrannenmörderisch; Tyrannenmörder *m*; **II** *m* Tyrannenmord *m*; **~nie** [~ra'ni] *f* **1.** Tyrannei *f*, Gewalt-, Zwangs-herrschaft *f*; Willkürherrschaft *f*; *hist.* Tyrannis *f*; **2.** *fig.* Macht *f*, Gewalt *f*; *la ~ de l'usage* die Macht der Gewohnheit; **~nique** [~'nik] *adj.* □ a) tyrannisch; b) *fig.* ausschlaggebend, despotisch, unwiderstehlich; **~niser** [~ni'ze] *v/t.* (1a) tyrannisieren.

Tyrol *géogr.* [ti'rɔl] *m*: **le ~** Tirol *n*.

tyrolien [tirɔ'ljɛ̃] *adj. u.* ♀ *su.* (7c) tirolisch; Tiroler *m*; *chanter à la ~ne* jodeln; **~ne** [~'ljɛn] *f* Jodler *m* (*Gesang*).

tzar [tsa:r] *m usw.* = *tsar.*

tzigane, *auch* **tsigane** [tsi'gan] **I** *su.* Zigeuner *m*; **II** *adj.* zigeunerisch.

U

U, u [y] *m* **1.** U, u *n*; **2.** ⊕ *membre m d'U* Rautengitterglied *n*; *fer m en U* U-Eisen *n*; **3.** ⚗ *abr. für uranium* Uran *n*.

ubac *géol.* [y'bak] *m* Nordhang *m*.

ubiqui|ste [ybi'kɥist] **I** *adj.* allgegenwärtig; *fig. iron.* überall tätig; **II** *m* F in allen Dingen bewanderter Mensch *m*; *iron.* Hansdampf *m* in allen Gassen; **~té** [~'te] *f* **1.** *a. rl.* Allgegenwart *f*; *je n'ai pas le don d'~* ich kann nicht überall zugleich sein; **2.** *fig.* internationale Beschlagenheit *f* (*od.* Versiertheit *f*).

ubuesque [y'bɥɛsk] *adj.* grotesk.

ufologue [yfɔ'lɔg] *su.* j., der an die Existenz von Ufos glaubt.

ukase [y'kɑːz] *m* Ukas *m*.

Ukraine [y'krɛn] *f*: **l' ~** die Ukraine.

ukrainien [ykrɛ'njɛ̃] *adj. u.* ♀ *su.* (7c) ukrainisch; Ukrainer *m*.

ulc|ération ⚕ [ylserɑ'sjɔ̃] *f* Geschwürbildung *f*; **~ère** ⚕ [~'sɛːr] *m* Geschwür *n*; *~ d'estomac* (*od. à l'estomac*) Magengeschwür *n*; **~éré** [ylse're] *adj.* tief gekränkt; verbittert; **~érer** [~] (1f) **I** *v/t.* ⚕ ein Geschwür bilden (*sur* auf *dat.*); *fig.* tief kränken, verbittern; **II** *v/rfl.* *s'~* geschwürig werden; **~éreux** ⚕ [~se'rø] *adj.* (7d) geschwürartig.

ulex ⚘ [y'lɛks] *m* Stechginster *m*.

uligi|naire ⚘, *zo.* [yliʒi'nɛːr], **~neux** (7d) [~'nø] *adj.* hygrophil, feuchtigkeitsliebend, Sumpf...

ulmacées ⚘ [ylma'se] *f/pl.* ulmenartige Bäume *m/pl.*

ulmaire ⚘ [yl'mɛːr] *f* Geißbart *m*.

ulmique *biol.* [yl'mik] *adj.* humussauer.

ultérieur [ylte'rjœːr] *adj.* **1.** *géogr.* jenseitig; **2.** □ weiterer, nachträglich, sonstig, später; *ultérieurement adv.* nachher, später.

ulti|matum *bsd. pol.* [yltima'tɔm] *m* (5a) Ultimatum *n*; *fig.* letztes Wort *n*; **~me** [yl'tim] *adj.* letzter, äußerster; höchster; *son ~ désir* sein sehnlichster Wunsch.

ultra *pol.* [yl'tra] *m* Ultra *m*, Extremist *m*, Radikalist *m*.

ultra|-chic [yltra'ʃik] *adj./inv.* todschick F; **~-court** *phys.* [~'kuːr] *adj.* ultrakurz; **~-moderne** [~mɔ'dɛrn] *adj.* hochmodern.

ultramon|tain *égl. cath.* [~mɔ̃'tɛ̃] *adj.* (7) *u. m* ultramontan; Ultramontaner *m*; **~tanisme** *rl.* [~ta'nism] *m* Ultramontanismus *m*.

ultra|-pénétrant ⚕, *phm.* [~pene'trɑ̃] *adj.* (7) mit Tiefenwirkung; **~-pression** *phys.* [~prɛ'sjɔ̃] *f* überhöchster Druck *m*, Ultradruck *m*; **~-rapide** [~ra'pid] *adj.*: *phot. caméra f ~* Hochfrequenzkamera *f*.

ultra-royaliste *hist. Fr.* [~rwaja'list] *adj. u. su.* ultraroyalistisch; Ultraroyalist *m* (*Restaurationszeit*).

ultra-sensible *phot., rad.* [~sɑ̃'siblə] *adj.* hochempfindlich.

ultra|-son, ~son *phys.* [yltra'sɔ̃] *m* Überschall *m*; **~sonique** [~sɔ'nik] *adj.* Überschall...

ultra-violet [~vjɔ'lɛ] *adj.* (7c) ultraviolett.

ulul|ement [ylyl'mɑ̃] *m* Eulengeschrei *n*; **~er** [~'le] *v/i.* (1a) schreien (*Eule*); *allg.* laut jammern.

ulve ⚘ [ylv] *f* Meersalat *m*.

Ulysse *antiq.* [y'lis] *m* Odysseus *m*.

un [œ̃] (7) **I** *adj./n.c.* ein(er), eine, ein(s); *cent un* [sɑ̃ 'œ̃] hundertundeins; *vers une heure* [vɛryn'œːr] gegen ein Uhr; *zur Verdeutlichung des Zahlwortes mst. Unterlassung der Elision*: *barrer le un* die Eins streichen; *habiter au un* (in) Nummer eins wohnen; *une longueur de un centimètre* e-e Länge von einem Zentimeter; *la somme de un million* der Betrag von einer Million; *l'~ dans l'autre* eins ins andere gerechnet; *l'~ l'autre* (*bzw. les uns les autres*) gegenseitig, einander; *ni l'~ ni l'autre* keiner von beiden; *ne faire qu'un* ein Herz u. eine Seele sein; *pendant une et la même opération* während ein u. desselben Vorgangs; *de deux choses l'une* eins von beiden; *l'~* (*häufiger als das einfache un vor de vous, de nous, d'eux*) *de vous, l'~*

d'entre vous einer von euch; *pas un* kein einziger; *de deux jours l'un* jeden zweiten Tag; *l'un de ces jours* an einem der nächsten Tage; *à un de ces jours!* auf ein recht baldiges Wiedersehen!; *advt. un à un, un par un* einzeln, einer nach dem andern; *d'un côté* einerseits; *page f un* Seite eins; *deux heures trente et un* (*besser als trente et une minutes*) zwei Uhr einunddreißig; **II** *adj.* unteilbar; einheitlich; einzig; *c'est tout un* das ist ganz einerlei; *la sécurité européenne doit rester une et indivisible* die europäische Sicherheit muß völlig unteilbar bleiben; **III** *art. indéf.* ein, eine, ein; *d'une voix plaintive* mit klagender Stimme; **IV** *su. l'un, l'une, pl. les uns, les unes* der (die, das) eine, *pl.* die einen; **V** *m inv.* Eins *f.*

unanim|e [yna'niːm] *adj.* □ einmütig, einstimmig; *d'une voix* ~, *adv.* ~*ment* einstimmig; **~ité** [~mi'te] *f* Einstimmigkeit *f*; *advt. à l'*~ einstimmig.

unciforme [ɔ̃si'fɔrm] *adj.* hakenförmig.

unguéal *anat.*, ⚕ [ɔ̃gɥe'al] *adj.* (5c) Nagel...

uni [y'ni] *adj.* (*adv. uniment*) **1.** vereinigt, vereint; verbunden; *les États-Unis m/pl.* die Vereinigten Staaten *m/pl.*; **2.** einträchtig; **3.** ✝ einfarbig, ungemustert, uni; **4.** *fig.* schlicht, schmucklos; **5.** *Wasserfläche*: glatt; *Fläche auch*: eben, flach.

uniate *égl.* [y'njat] *adj.* uniert.

uni|caule ⚘ [yni'kɔl] *adj.* einstengelig, -stämmig; **~cellulaire** [~sɛly'lɛːr] *adj.* einzellig; **~cité** [~si'te] *f* Einmaligkeit *f*; **~colore** [~kɔ'lɔːr] *adj.* einfarbig; **~corne** *zo.* [~'kɔrn] **I** *adj.* einhörnig; **II** *m* Einhorn *n*; **~dimensionnel** [~dimɑ̃sjɔ'nɛl] *adj.* (7c) eindimensional.

unième [y'njɛːm] *adj./n.o.* □ *nur in Zssgn gebr.*: *le vingt et* ~ der einundzwanzigste; *le cent* ~ der hunderterste.

unifi|cateur [ynifika'tœːr] *adj. u. su.* (7f) einigend; Einiger *m*; **~cation** [~ka'sjɔ̃] *f* Einigung *f* (*zu einem Ganzen*); Vereinheitlichung *f*; ⚡ Gleichschaltung *f*; **~er** [~'fje] *v/t.* (1a) vereinheitlichen; *pol.* (ver-) einigen.

unifilaire ⊕ [ynifi'lɛːr] *adj.* Eindraht...

uniflore ⚘ [yni'flɔːr] *adj.* einblütig.

uniform|e [yni'fɔrm] **I** *adj.* (*adv. uniformément*) **1.** gleich-förmig, -mäßig, -artig; **2.** einförmig; **II** *m* Uniform *f*; *prendre l'*~ Soldat werden; **~isation** [~miza'sjɔ̃] *f* Vereinheitlichung *f*; **~iser** [~mi'ze] *v/t.* (1a) uniformieren, vereinheitlichen; **~ité** [~mi'te] *f* Gleich-, Einförmigkeit *f*; Einheitlichkeit *f*; Eintönigkeit *f.*

uni|jambiste ⚕ [yniʒɑ̃'bist] *adj. u. su.* beinamputiert; Beinamputierte(r) *m*; **~labié** ⚘ [~la'bje] *adj.* einlippig; **~latéral** [~late'ral] *adj.* (5c) einseitig; **~lingue** [~'lɛ̃ːg] *adj.* einsprachig.

uniment [yni'mɑ̃] *adv.* gleichmäßig; einfach; *tout* ~ schlankweg.

uninominal [yninɔmi'nal] *adj.* (5c): *scrutin m* ~ Einzelwahl *f.*

union [y'njɔ̃] *f* **1.** Verbindung *f* (*a. biol. u. at.*), Vereinigung *f*, Zusammenschluß *m*, Verband *m*; ~ *monétaire* Währungsunion *f*; **2.** Bund *m*; *abs.* Ehe(bund *m*) *f*; ~ *conjugale* Ehebund *m*, Heirat *f*, Ehe *f*; ~ *libre* wilde Ehe *f*; **3.** Bündnis *n*; **4.** Staatenbund *m*; *l'*2 *soviétique* die Sowjetunion; s. *U.R.S.S.*; **5.** Einigkeit *f*, Eintracht *f*; **6.** *gr. trait m d'*~ Bindestrich *m*; **~iste** [ynjɔ'nist] *su. u. adj. hist.* Unionist *m*; gegen e-e Landesabtrennung eingestellt; Einheits...

uni|-ovulé *biol.* [yniɔvy'le] *adj.* einkeimblätterig, einsamenlappig; **~pare** *biol.* [~'paːr] *adj.* nur ein Junges zur Welt bringend; **~pièce** ⌂ [~'pjɛs] *f* Einzimmerwohnung *f*; **~-polaire** ⚡, *etc.* [~pɔ'lɛːr] *adj.* einpolig; **~prix** *Fr.* [~'pri] *m* Warenhaus *n.*

unique [y'nik] *adj.* □ **1.** einzig; (*rue f à*) *sens m* ~ Einbahnstraße *f*; *uniquement adv.* einzig und allein, bloß; **2.** einzigartig; **3.** Einheits...

unir [y'niːr] (2a) **I** *v/t.* **1.** verbinden, vereinigen; ehelich trauen; **2.** ebnen, glätten; behobeln; **II** *v/rfl.* *s'*~ **3.** sich vereinigen, sich zs.-schließen; **4.** sich verheiraten.

uniservice ⚕ [ynisɛr'vis] *m* nur zu einmaligem Gebrauch verwendeter Gegenstand *m.*

unisexe [yni'sɛks] *m* Unisex *m*, gleiche Mode für beide Geschlechter.

unisexu|alité [ynisɛksɥali'te] *f* Erziehung *f* nach getrenntem Geschlecht; **~é** ⚘ [~'sɥe] *adj.*, **~el** ⚘ [~'sɥɛl] *adj.* (7c) eingeschlechtig.

unisson [yni'sɔ̃] *m* ♪, *a. fig.* Gleichklang *m*; *fig.* Übereinstimmung *f*;

être à l'~ miteinander harmonieren; *se mettre à l'*~ *des circonstances* sich nach den Umständen richten.
uni|taire [yni'tɛːr] **I** *adj.* □ einheitlich, Einheits...; **II** s. ~*tarien*; **~tarien** [~ta'rjɛ̃] *m* **1.** *rl.* Unitarier *m*; **2.** *pol.* Unitarist *m*; **~tarisme** *rl. pol.* [~ta'rism] *m* Unitarismus *m*; **~té** [yni'te] *f* **1.** Einer *m*; **2.** Einheit(lichkeit *f*) *f*; ⊕ Stück *n*; ~ *de valeur* Werteinheit *f*; *phys.* ~ *de chaleur* Wärmeeinheit *f*; **3.** *univ.* ~ *d'enseignement et de recherche* Fachbereich *m od. n*; ~ *combattante* Kampfeinheit *f*; ~ *subordonnée* Unterverband *m*; ~ *tactique* Gefechtseinheit *f*; **4.** ⊕ ~ *de cracking* Krackanlage *f*.
univalent [yniva'lɑ̃] *adj.* einwertig.
univalve *zo.* [~'valv] *adj.* ein-klappig, -schalig.
univers [yni'vɛːr] *m* Weltall *n*, Universum *n*; *fig.* Welt *f*; **~alisation** [~vɛrsaliza'sjɔ̃] *f* weltweite Verbreitung *f*; **~aliser** [~vɛrsali'ze] *v/t.* (1a) allgemein verbreiten; **~alisme** *phil., rl.* [~sa'lism] *m* Universalismus *m*; **~alité** [~sali'te] *f* Allgemeinheit *f*; *a.* Gesamtheit *f*; ~ *d'esprit* Vielseitigkeit *f*; **~el** [~'sɛl] *adj.* (7c) □ **1.** allgemein; Welt...; *legs m* ~ Universalvermächtnis *n*; *remède m* ~ Allheilmittel *n*; **2.** universal, vielseitig, überall beschlagen, allumfassend.
universi|taire [yniversi'tɛːr] **I** *adj.* Universitäts...; *qui a fait ses études* ~*s* Akademiker *m*; **II** *m* Universitätsprofessor *m*; **~té** [~'te] *f* Universität *f*, Hochschule *f*; *Fr.*: *l'*♀ (*de France*) franz. Gesamtlehrkörper *m* für Elementar-, höheren und Universitäts-Unterricht; ~ *populaire* Volkshochschule *f*.
univoque [yni'vɔk] *adj.* **1.** eindeutig; **2.** *gr.* gleichlautend; **3.** ♪ gleichnamig.
upas [y'pɑːs] *m* Giftbaum *m*.
uppercut [ypɛr'kyt, œpɛr'kœt] *m* *Boxsport*: Kinnhaken *m*.
uran|ate [yra'nat] *m* Uransalz *n*; **~e** [y'ran] *m* Urandioxid *n*; **~ifère** [~ni'fɛːr] *adj.* uranhaltig; **~inite** *min.* [~ni'nit] *f* Uranpecherz *n*, Pechblende *f*; **~ique** [~'nik] *adj.* Uran...; **~ite** *min.* [~'nit] *f* Uranit *n*, Uranglimmer *m*; **~ium** [~'njɔm] *m* Uran *n*.
urano|graphie [yranɔgra'fi] *f* Himmelsbeschreibung *f*; **~métrie** [~me'tri] *f* Himmelsmessung *f*.

urbain [yr'bɛ̃] *adj.* (7) städtisch, Stadt...; *chauffage m* ~ Fernheizung *f*; *réseau m* ~ a) Stadtbahnnetz *n*; b) *téléph.* Ortsnetz *n*; *téléph. service m* ~ Stadtbetrieb *m*.
urban|ification [yrbanifikɑ'sjɔ̃] *f* städtebauliche Planung *f*; **~ifier** [~ni'fje] *v/t.* (1a) städtebaulich einplanen; **~ifique** [~ni'fik] *adj.* städtebaulich; **~isation** [~nizɑ'sjɔ̃] *f* städtebauliche Entwicklung *f*; *fig.* Verstädterung *f*; **~iser** [~ni'ze] (1a) **I** *v/t.* nach den Grundsätzen des modernen Städtebaues umgestalten; e-n städtischen Charakter verleihen (*dat.*); *fig.* verstädtern (*v/t.*); **II** *v/rfl.* *s'*~ verstädtern (*v/i.*), städtischen Charakter annehmen; **~isme** [~'nism] *m* Städtebau *m*; ~ *moderne* moderne Städteplanung *f*; **~iste** [~'nist] **I** *adj.* städtebaulich; **II** *su.* Städtebauer *m*, -planer *m*; **~istique** [~nis'tik] *adj.* städtebaulich; **~ité** [~ni'te] *f* Höflichkeit *f*, Zuvorkommenheit *f*.
ure [yːr] *m* Auerochs *m*.
uré|e [y're] *f* Harnstoff *m*; **~mie** [yre'mi] *f* Harnvergiftung *f*.
uretère *anat.* [yr'tɛːr] *m* Harnleiter *m*, Ureter *m*.
urétérite [yrete'rit] *f* Harnleiterentzündung *f*.
urétral *anat.* [yre'tral] *adj.* (6c) Harnröhren...
urètre *anat.* [y'rɛːtrə] *m* Harnröhre *f*.
urg|ence [yr'ʒɑ̃ːs] *f* dringende Notwendigkeit *f*, Dringlichkeit *f*; *il y a* ~ die Sache eilt sehr; *parl. demander* (*od. réclamer*) *l'*~ e-n Dringlichkeitsantrag stellen; **~ent** [yr'ʒɑ̃] *adj.* (7) dringend; *als Aufschrift auf Briefen usw.*: ♀! Eilt!; (*das Adverb lautet nur*: *d'urgence*); **~er** F [yr'ʒe] *v/i.* (1l): *ça urge!* das eilt!
urin|aire [yri'nɛːr] *adj. anat.* Harn...; *voies f/pl.* ~*s* Harnwege *m/pl.*; **~al** [~'nal] *m* (5c) Uringlas *n*; **~e** [y'rin] *f* Urin *m*; **~er** [~'ne] *v/i.* (1a) Wasser lassen, urinieren; **~eux** [~'nø] *adj.* (7d) harnartig; **~oir** [~'nwaːr] *m* Bedürfnisanstalt *f* (*für Männer*).
urique [y'rik] *adj.*: *acide m* ~ Harnsäure *f*.
urne [yrn] *f* Urne *f*.
uro|logie [yrɔlɔ'ʒi] *f* Urologie *f*; **~logue** [~'lɔg] *su.* Urologe *m*.
U.R.S.S. *géogr.* [yɛrɛs'ɛs *od.* yrs] *abr. für Union f des Républiques Socialistes Soviétiques* UdSSR *f*, Sowjetunion *f*.
ursuline *rl.* [yrsy'liːn] *f* Ursulinernonne *f*, Ursulinerin *f*.

urti|cacées ⚘ [yrtika'se] *f/pl.* Nesselpflanzen *f/pl.*; **~caire** ⚕ [~'kɛ:r] *f* Nesselfieber *n*; **~cant** ⚕ [~'kɑ̃] *adj.* (7) brennend; **~cation** ⚕ [~ka'sjɔ̃] *f* Brennen *n*, Juckreiz *m*.

Uruguay [yry'gɛ] *m*: *la république de l'~* die Republik Uruguay; **~en** [~gɛ'jɛ̃] *su. u.* ~ *adj.* (7c) Uruguayer *m*; uruguayisch.

urus [y'rys] *m* Auerochse *m*.

us [ys] *m/pl.*: *us et coutumes* Sitten und Gebräuche *pl.*

usable [y'zablə] *adj.* abnutzbar.

usage [y'za:ʒ] *m* **1.** Gebrauch *m*, Sitte *f*; Herkommen *n*; *être d'~* gebräuchlich (*od.* Sitte *od.* Brauch) sein; *cela est hors d'~* das ist nicht mehr üblich; *c'est l'~* das ist so üblich; **2.** ~ (*de la langue*) Sprachgebrauch *m*; **3.** Benutzung *f*, Anwendung *f*, Gebrauch *m*; Haltbarkeit *f*; *à l'~ des écoles* zum (*od.* für den) Schulgebrauch; *faire ~ de qch.* etw. anwenden *od.* gebrauchen; *mettre en ~* in Gebrauch nehmen; *mettre tout en ~* alle Mittel aufbieten; *cette étoffe fera de l'~* (*od. de bon ~*) *od. sera d'un bon ~* dieser Stoff wird sich lange halten; *vêtements m/pl. hors d'~* abgetragene Sachen *f/pl.* (*od.* Kleider *n/pl.*); **4.** ⚖ Nutzung *f*; *droit m d'~* Nutzungsrecht *n*; **5.** Gewohnheit *f*; *connaître les ~s* mit den Gepflogenheiten vertraut sein; **6.** Vertrautheit *f*; *il a l'~ de ces matières* er ist mit diesen Dingen vertraut; *~ du monde* (*od. de la vie*) Weltgewandtheit *f*; *avoir peu d'~* wenig weltgewandt sein.

usa|gé [yza'ʒe] *adj.* gebraucht, (ab-)getragen, abgenutzt (*Kleidung*); **~ger** [~] (7b) **I** *adj.* Gebrauchs...; für den persönlichen Gebrauch; *effets m/pl. ~s non soumis à la douane* nicht zollpflichtige Gebrauchsgegenstände *m/pl.*; **II** *su.* Benutzer *m*; Teilnehmer *m*; *~ (de la route)* Straßenverkehrsteilnehmer *m*; *Fr. ~ de l'O.R.T.F.* Rundfunkhörer *m*; *les ~s de la langue française* diejenigen, die sich der französischen Sprache bedienen.

us|ance [y'zɑ̃:s] *f* Brauch *m*; **~ant** F [y'zɑ̃] *adj.* (7) aufreibend.

usé [y'ze] *adj. Kleidung, Schuhe*: abgenutzt, abgetragen; *Gewebe*: zerschlissen; *Mensch*: verbraucht, verlebt; *Truppe*: abgekämpft; *Pferd*: abgeklappert; *Schraube*: ausgeleiert; *Maschine*: ausgelaufen; *Wort*: abgegriffen (*a. fig.*); *Thema*: abgedroschen; *eaux f/pl. ~es* Abwässer *n/pl.*

user [~] (1a) **I** *v/i.* **1.** ~ *de qch.* etw. gebrauchen *od.* anwenden, sich e-r Sache (*gén.*) bedienen; *~ d'indulgence* mit Nachsicht verfahren; **II** *v/t.* **2.** ver-, auf-brauchen; **3.** abnutzen, abtragen; *fig.* schwächen, strapazieren, vernichten, aufreiben (*bsd.* ⚔); *~ ses fonds de culotte* die Schulbank drücken; *~ ses yeux à force de lire* sich durch vieles Lesen seine Augen verderben; *~ sa santé* s-e Gesundheit ruinieren; **4.** *géol.* auswaschen; **III** *v/rfl. s'~* sich abtragen, sich abnutzen; *fig.* sich aufreiben.

usin|abilité ⊕ [yzinabili'te] *f* Bearbeitbarkeit *f*; **~age** ⊕ [~'na:ʒ] *m* Maschinenbetrieb *m*; maschinelle Herstellung *f*, Fabrikation *f*, Fertigbearbeitung *f*, Be-, Ver-arbeitung *f*; **~e** [y'zin] *f* Fabrik *f*, Betrieb *m*, Anlage *f*, Herstellerwerk *n*; Hüttenwerk *n*; *~ atomique* Atomkraftwerk *n*; *~ hydraulique, ~ hydro-électrique, ~ thermo-électrique* Pump-, Wasserkraft-, Wärmekraft-werk *n*; *~ électrique, ~ d'électricité* Elektrizitätswerk *n*; *~-pilote* ⊕ *f* Forschungsstätte *f*; *~-poubelle f* Anlage *f* zur Vernichtung von Atommüll; **~er** [yzi'ne] *v/t.* (1a) be-, ver-arbeiten; *non usiné* unbearbeitet; F *ça usine sec, ici* hier wird feste gearbeitet; **~ier** [~'nje] **I** *m* Fabrik-, Hüttenbesitzer *m*; **II** *adj.* (7b): *les grands centres m/pl. ~s* die großen Industriezentren *n/pl.*

usité [yzi'te] *adj.* gebräuchlich, üblich, gangbar; *être ~* gebraucht werden.

usnée [ys'ne] *f* ⚘ Tellerflechte *f*.

ustensile [ystɑ̃'sil] *m* **1.** Küchen-, Haus-gerät *n*; **2.** Gerät *n*; *~s pl.* Geräte *n/pl.*

usuel [y'zɥɛl] *adj.* (7c) □ gebräuchlich, herkömmlich, üblich; *langue f ~le* Umgangssprache *f*; *locutions f/pl. ~les* allgemeine Redewendungen *f/pl.*

usufructuaire ⚖ [yzyfryk'tɥɛ:r] *adj.*: *droit m ~* Nutzungsrecht *n*.

usufruit ⚖ [yzy'frɥi] *m* Nutzung(srecht *n*) *f*; **~ier** ⚖ [~frɥi'tje] *su.* (7b) Nutzungsberechtigte(r) *m*.

usuraire [yzy'rɛ:r] *adj.* □ wucherisch; *intérêt m* (*od. taux m*) *~* Wucherzins *m*.

usur|e [y'zy:r] *f* **1.** Wucher *m*; *faire l'~, se livrer à l'~* Wucher treiben; *prêter à l'~* auf Wucherzinsen leihen; *fig. rendre avec ~ in gutem Sinne*: reichlich vergelten; *in schlechtem Sinne*: anständig heimzahlen; **2.** Abnutzung *f*; Verschleiß *m*; *fig.* Entkräftung *f*; *guerre f d'~* Zermürbungskrieg *m*; **~ier** [yzy'rje] *su.* (7b) Wucherer *m*.

usurp|ateur [yzyrpa'tœːr] *su.* (7f) Thronräuber *m*, Usurpator *m*; **~ation** [~pɑ'sjɔ̃] *f* **1.** *pol.* Usurpation *f*, gesetzwidrige Machtergreifung *f*; **2.** ⚖ Anmaßung *f*; *~ de fonctions* Amtsanmaßung *f*; *~ d'un uniforme* unerlaubtes Tragen *n* e-r Uniform; **~atoire** [~pa'twaːr] *adj.* widerrechtlich; **~er** [~'pe] (1a) **I** *v/t.* sich widerrechtlich aneignen; **II** *v/i. ~ sur les droits de q.* in j-s Rechte eingreifen.

ut ♪ [yt] *m* (5a) (*die Note*) C *n*.

utér|in [yte'rɛ̃] *adj.* (7) **1.** *anat.* Gebärmutter...; *frères ~s* Halbbrüder *m/pl.* mütterlicherseits, Stiefbrüder *m/pl.*; **2.** *su./m pl.*: *~s* Halbgeschwister *pl.* mütterlicherseits; **~us** *anat.* [~'rys] *m* Gebärmutter *f*.

utile [y'til] **I** *adj.* □ nützlich, dienlich; *en temps ~* zur rechten Zeit; *charge f ~* Nutzlast *f*; **II** *m das* Nützliche *n*; *joindre l'~ à l'agréable* das Nützliche mit dem Angenehmen verbinden.

utilis|able [ytili'zablə] *adj.* brauchbar, benutzbar; *surface f ~* Nutzfläche *f*; **~ateur** [~za'tœːr] *su.* (7f) Benutzer *m*; **~ation** [~zɑ'sjɔ̃] *f* **1.** Benutzung *f*, Nutzbarmachung *f*, Verwendung *f*, Verwertung *f*; *~ des loisirs* Freizeitgestaltung *f*; **2.** Bedienungsanweisung *f*; **~er** [~'ze] *v/t.* (1a) benutzen, nutzbar machen, (nützlich) verwenden, ausnützen; ⊕ *~ complètement* auslasten (*e-e Maschine*).

utili|taire [ytili'tɛːr] **I** *adj.* **1.** Gebrauchs..., Nutz...; *article m ~* Gebrauchsartikel *m*; *véhicule m ~* Gebrauchs-, Nutz-fahrzeug *n*; **2.** zweckbetont; **II** *su.* Utilitarist *m*; **~tarisme** [~ta'rism] *m* Utilitarismus *m*; **~té** [~'te] *f* **1.** Nützlichkeit *f*, Nutzen *m*, Vorteil *m*; **2.** *thé.*, *cin.* *~s pl.* Nebenrollen *f/pl.*

utop|ie [ytɔ'pi] *f* Utopie *f*, Hirngespinst *n*, Schimäre *f*, Phantasie *f*; **~ique** [~'pik] *adj.* utopisch, überspannt, unreal, nicht zu verwirklichen, unmöglich; **~iste** [~'pist] *adj. u. su.* utopisch; Utopist *m*; Weltverbesserer *m*.

utriculaire ⚘ [ytriky'lɛːr] **I** *adj.* schlauchförmig, Schlauch...; **II** ⚘ *f* Wasserschlauch *m*.

utricule ⚕ [~'kyl] *m* Schlauch *m*.

uval [y'val] *adj.* (5c) Trauben...

uvulaire *anat.* [yvy'lɛːr] *adj.* Zäpfchen..., uvular.

uvule *anat.* [y'vyl] *f* Zäpfchen *n*.

uvulite ⚕ [yvy'lit] *f* Zäpfchenentzündung *f*.

V

V, v [ve] *m* V, v *n*.

va [va] **1.** s. *aller*; **2.** *int. va!* meinetwegen!; einverstanden!; **3.** *advt. à tout* ~ um jeden Preis.

vac|ance [va'kɑ̃:s] *f* **1.** Vakanz *f*, freie Stelle *f*; **2.** ~*s pl.* (Schul-) Ferien *pl.*; Ruhezeit *f/sg.*; *jour m de* ~ (schul)freier Tag *m*; *colonie f de* ~*s* Ferienkolonie *f*; *grandes* ~*s* Sommerferien *pl.*, große Ferien *pl.*; ~*s f/pl. judiciaires* Gerichtsferien *pl.*; **~ancier** [~kɑ̃'sje] *su.* (7b) Feriengast *m*; **~ant** [~'kɑ̃] *adj.* (7) **1.** leerstehend (*Wohnung*); **2.** unbesetzt, offen, frei, vakant (*Stelle*); **3.** ⚖ herrenlos; **4.** *litt.* aufnahmebereit.

vacarme [va'karm] *m* Lärm *m*.

vacation [vakɑ'sjɔ̃] *f* **1.** Zeitaufwand *m*, Mühewaltung *f e-s Beamten*; **2.** ⚖ Sitzung *f*; *tenir une* ~ e-e Sitzung abhalten; **3.** ⚖ ~*s pl.* Notariatsgebühren *f/pl.*; **4.** ⚖ ~*s pl.* Gerichtsferien *pl.*; *chambre f des* ~*s* Ferienstrafkammer *f*.

vaccin ⚕ [vak'sɛ̃] *m* Impfstoff *m*; *fig.* Schutzmittel *n*; ~ *buccal* Schluckimpfstoff *m*; **~able** ⚕ [~si'nablə] *adj.* impfbar; **~al** ⚕ [~'nal] *adj.* (5c) Impf...; **~ateur** ⚕ [~na'tœ:r] *adj. u. su.* (7f) impfend; Impfarzt *m*; **~e** ⚕ [~'ksin] *f* Kuhpocken *pl.*; **~er** ⚕ [~'ne] *v/t.* (1a) impfen; *allg.* immun machen.

vache [vaʃ] **I** *f* **1.** Kuh *f*; *lait m de* ~ Kuhmilch *f*; ~ *à lait* Milchkuh *f*, melkende Kuh *f* (*a. fig.*); *être là comme une* ~ *qui regarde passer un train* wie die Kuh vorm neuen Tor dastehen; *ell. enfin viens-en donc à la* ~*!* nun sag bloß noch, daß du dastandst wie die Kuh vorm neuen Tor!; **2.** Kuhfleisch *n*; *manger de la* ~ *enragée* schwere Zeiten durchmachen; *parler français comme une* ~ *espagnole* jämmerlich Französisch sprechen; *période f de* ~*s maigres* Hungerszeit *f*; **3.** Kuhleder *n*; ~ *de Russie* Juchten *m od. n*; ~ *à vernir* Fahlleder *n*; **4.** *zo.* ~ *marine* Seekuh *f*; **5.** * Polizist *m*; **II** F *adj.* hartherzig, gemein (*avec q.* zu j-m).

vachement P [vaʃ'mɑ̃] *adv.* riesig, äußerst; *c'est* ~ *féodal!* das ist ja phantastisch!

vach|er [va'ʃe] *su.* (7b) Kuhhirt *m*, Senne *m*; **~erie** [vaʃ'ri] *f* **1.** Kuhstall *m*; Molkerei *f*, Milchwirtschaft *f*; **2.** P Gemeinheit *f*, übler Streich *m*; **~erin** [vaʃ'rɛ̃] *m* **1.** Gruyèrekäse *m* (*in der Franche-Comté*); **2.** *pât.* Eistorte *f* mit Zwischenschichten aus Sahnebaiser; **~ette** [va'ʃɛt] *f* **1.** Färse *f*, Kalb *n*; **2.** Kalbsleder *n*.

vacill|ant [vasi'jɑ̃] *adj.* (7) schwankend; schlotterig (*Gang*); flackernd; *fig.* wankelmütig, unschlüssig, haltlos, unbeständig; **~ation** [~jɑ'sjɔ̃] *f* **1.** Schwanken *n*, Wanken *n*; Schlottern *n* (*der Beine*); Flackern *n des Lichts*; **2.** *fig.* Unentschlossenheit *f*, Haltlosigkeit *f*, Unsicherheit *f*, Unbeständigkeit *f*; **~ement** [~j'mɑ̃] *m* Schwanken *n* (*a. fig.*); **~er** [~'je] *v/i.* (1a) **1.** (sch)wanken; schlottern (*Beine*, *Knie*); flackern (*Licht*); *la main lui vacille* ihm zittert die Hand; **2.** *fig.* unschlüssig sein.

vacive *zo.* [va'si:v] *f* zweijähriges Schaf *n*, das noch nicht getragen hat.

vacuité [vakɥi'te] *f* Leere *f a. fig.*

vacuole *biol.* [va'kɥɔl] *f* Hohlraum *m des Protoplasmas*, Vakuole *f*.

vacuomètre ⊕ [~'mɛ:trə] *m* Unterdruckmesser *m*.

vacuum [va'kɥɔm] *m* Leere *f*.

vade-mecum [vademe'kɔm] *m* (6c) Handbuch *n*, Vademekum *n*.

vadrouill|e [va'druj] *f* **1.** F Bummel *m*, Bierreise *f*; **2.** ⚓ Schiffsbesen *m*; **~er** F [~'je] *v/i.* (1a) bummeln, sich herumtreiben.

va-et-vient [vae'vjɛ̃] *m* (6c) **1.** ⊕ Gestänge *n*, Gestängebewegung *f*, Hin- u. Herbewegung *f*, sich hin- u. herbewegender Maschinenteil *m*; **2.** (*ohne pl.*) *das* Kommen u. Gehen *n*, *das* Hin u. Her *n*; Hin- u. Herbewegung *f*; *fig.* Schwankung *f*,

Veränderlichkeit *f*, Flatterhaftigkeit *f der Meinungen*; **3.** ⚓ Fährseil *n*; kleine Fähre *f*; **4.** ⚡ Wechsel-, Doppel-schalter *m*, Türkontakt *m*.

vagabond [vaga'bɔ̃] (7) **I** *adj.* vagabundierend, herumstreifend, umherstreichend, unstet; **II** *su.* Vagabund *m*, Stromer *m*, Landstreicher *m*; *des* ~*s* Gesindel *n*; ~**age** [~'da:ʒ] *m* **1.** Landstreicherei *f*, Vagabundenleben *n*; ~ *spécial* Zuhälterei *f*; **2.** *fig.* Umherschweifen *n*; ~**er** [~'de] *v/i.* (1a) sich herumtreiben, vagabundieren, umherstreichen; *fig.* unstet von e-r Sache zur andern übergehen; *laisser* ~ *son esprit* s-e Gedanken schweifen lassen.

vagin *anat.* [va'ʒɛ̃] *m* Scheide *f*, Vagina *f*; ~**al** *anat.* [~ʒi'nal] *adj.* (5c) Scheiden...; ~**isme** ⚕ [~'nism] *m* Scheidenkrampf *m*; ~**ite** ⚕ [~'nit] *f* Scheidenentzündung *f*.

vag|ir [va'ʒi:r] *v/i.* (2a) wimmern, winseln; ~**issant** [~ʒi'sɑ̃] *adj. fig.* noch in den Kinderschuhen stekkend; ~**issement** [~ʒis'mɑ̃] *m* Wimmern *n*, Gewinsel *n*; Geschrei *n neugeborener Kinder*.

vagotonie ⚕ [vagɔtɔ'ni] *f* erhöhte Erregbarkeit *f* des Vagusnervs.

vague[1] [vag] **I** *adj.* □ **1.** unbebaut, leer (*Gelände*); **2.** *fig.* unbestimmbar, verschwommen, unklar, unerklärlich, vage; **3.** lose (*Mantel*); **II** *m das* Unbestimmte *n*, *das* Schwankende *n*, *das* Vage *n*; *peint.* Undeutlichkeit *f* der Umrisse, Verschwommenheit *f*, *das* Duftige *n*; *avoir du* ~ *dans la pensée* nicht klar denken; *se perdre dans le* ~ ins Blaue hinein reden, den Boden unter den Füßen verlieren; *rester dans le* ~ im unklaren bleiben; *avoir du* ~ *dans l'esprit* etwas benommen sein; ~ *à l'âme* Weltschmerz *m*; unbestimmte Sehnsucht *f*.

vague[2] *litt., fig.* [~] *f* Woge *f*, Welle *f*; ~ *de chaleur* Hitzewelle *f*; ~ *de froid* Kältewelle *f*; ~ *de fond* Sturzflut *f*; *fig.* ~ *de paroles* Wortschwall *m*.

vaguemestre ⚔ [vag'mɛstrə] *m* Postunteroffizier *m*.

vaguer [va'ge] *v/i.* (1m) umherschweifen; *défense f de laisser* ~ *les chiens* Hundesperre *f*.

vahiné [vai'ne] *f* Frau *f* (*Neuseeland, Polynesien*).

vaigre ⚓ ['vɛ:grə] *f* Futterplanke *f*.

vaill|ance [va'jɑ̃:s] *f* Tapferkeit *f*; Heldenmut *m*; Schneid *m*; ~**ant** [~'jɑ̃] *adj.* (7) **1.** tapfer, mutig, heldenmütig; **2.** *il n'a pas un sou* ~ er hat keinen Pfennig in der Tasche.

vain [vɛ̃] *adj.* (7) □ **1.** nutzlos, vergeblich, unnütz, eitel (*fig.*); leer (*Versprechungen*); ↗ nichts hervorbringend; ~ *pâturage* öffentliche Viehweide *f*; *advt. en* ~ vergeblich, umsonst; *en* ~ *lui demandai-je* umsonst fragte ich ihn; **2.** *fig.* leer, nichtig, grundlos; unbegründet; ~*e gloire* eitle Ruhmsucht *f*; **3.** *litt. péj.* eingebildet, stolz, hochnäsig.

vaincre ['vɛ̃:krə] (4i) **I** *v/t.* **1.** besiegen; **2.** *fig.* ~ *q. en qch.* j-n in etw. (*dat.*) übertreffen; **3.** *fig.* meistern, bezwingen, überwinden; ~ *sa colère* s-n Zorn bezähmen; **4.** *se laisser* ~ sich erweichen (*od.* überreden) lassen; **II** *v/i.* siegen; **III** *v/rfl. se* ~ sich selbst überwinden.

vaincu [vɛ̃'ky] *m der* Besiegte *m*.

vainement [vɛn'mɑ̃] *adv.* vergeblich, vergebens, umsonst.

vainqueur [vɛ̃'kœ:r] **I** *m* Sieger *m*; *Sport*: ~ *du derby* Derbysieger *m*; ~ *aux points* Punktsieger *m*; *être* ~ *de qch.* etw. bezähmen, zügeln; *il est sorti* ~ *de la discussion* er ist als Sieger aus der Diskussion hervorgegangen; **II** *adj./m* siegend, siegreich; siegesbewußt; *air m* ~ Siegermiene *f*.

vair ▨ [vɛ:r] *m* Feh *n*.

vairon [vɛ'rɔ̃] **I** *adj./m*: *yeux m/pl.* ~*s* Augen *n/pl.* von zweierlei Farbe; **II** *m icht.* Elritze *f*.

vaisseau [vɛ'so] *m* (5b) **1.** *biol.* Gefäß *n*; ~ *sanguin* Blutgefäß *n*; **2.** *nur noch in bestimmten loc.*: Schiff *n*; ~ *amiral* (*pl.* ~*x amiral*) Admirals-, Flagg-schiff *n*; (~) *cuirassé* Panzerschiff *n*; ~ *spatial* Raumschiff *n*; *fig. brûler ses* ~*x* alle Brücken hinter sich abbrechen; ♀ *fantôme* Fliegender Holländer (*Oper*); **3.** *fig.* ~ *du désert* Wüstenschiff *n*, Kamel *n*; ~ *de l'État* Staatsschiff *n*; **4.** △ ~ *d'une cathédrale* Schiff *n* e-r Kathedrale.

vaisselier [vɛsə'lje] *m* Geschirrschrank *m*.

vaissell|e [vɛ'sɛl] *f* (Tisch-)Geschirr *n*; ~ *plate* Tafelgeschirr *n*; *faire* (*od. laver*) *la* ~ (das Geschirr) abwaschen; *laveuse f de* ~ Abwaschfrau *f*; ~**erie** [~l'ri] *f* Küchengeschirr(industrie *f*) *n*.

val † [val] *m* (5c) Tal *n*; *nur in Namen und*: *par monts et par vaux* über Berg und Tal.

valable [va'lablə] *adj.* □ **1.** gültig;

2. annehmbar, triftig (*Grund*); ⚖ rechtskräftig; 3. wertvoll; 4. *pol.* berufen.

Valais *géogr.* [va'lɛ] *m*: **le** ~ Wallis *n.*

valaisien *géogr.* [valɛ'zjɛ̃] *adj. u.* ♀ *su.* (7c) wallisisch; Walliser *m.*

valda * [val'da] *f* Geschoß *n*, Kugel *f.*

valence[1] [va'lɑːs] *f* (Valencia-) Apfelsine *f.*

valence[2] ⚗ [~] *f* Wertigkeit *f.*

valentinois [valɑ̃ti'nwa] *adj.* (7) (*u.* ♀ *su.*) (Einwohner *m*) aus Valence.

valérian|e *phm.* [vale'rjan] *f* Baldrian *m*; **~elle** ⚘ [~'nɛl] *f* Rapunzel *f*, Feldsalat *m.*

valet [va'lɛ] *m* **1.** *ehm.* (Haus-)Diener *m*, Knecht *m*; ~ *de chambre* Kammerdiener *m*; ~ *d'écurie* Stallknecht *m*; ~ *de ferme* (Bauern-) Knecht *m*; ~ *de pied* Lakai *m*; *fig. avoir une âme de* ~ e-e kriecherische Gesinnung haben; **2.** *Kartenspiel*: Bube *m*, Bauer *m*; ~ *de cœur* Herzbube *m*; **3.** ⊕ Sperrstange *f*; Gegengewicht *n* (*e-r Tür*); ~ *d'établi* Hobelbankeisen *n*; **~aille** *péj.* [val'tɑːj] *f* Dienerpack *n.*

valeur [va'lœːr] *f* **1.** Wert *m*; ~*s f/pl. fin.* Vermögen *n*; *de* ~ wertvoll; ~ *locative* Miet-, Pacht-wert *m*; ~ *estimative*, ~ *estimée* Taxwert *m*; ~ *assurée*, ~ *assurable*, ~ *agréée* Versicherungswert *m*; ~ *artistique*, ~ *réelle* Kunst-, Sach-, Ist-wert *m*; ~ *d'échange*, ~ *de rachat*, ~ *de vente* Tausch-, Rückkaufs-, Verkaufs-wert *m*; ~ *du procès* Streitwert *m*; *sans* ~ wertlos; veraltet; *fin.* ~*s f/pl. disponibles* Barvermögen *n*; ~*s f/pl. immobilisées* Anlagevermögen *n*; ~*s f/pl. réalisables* Umlaufvermögen *n*; *être en* ~ hoch im Preis stehen; ⚚ gut gehen (*Ware*); gut im Stande sein; einträglich sein; *Bilder*: zur Geltung kommen; *mettre en* ~ in guten Stand versetzen, verwerten; *fig.* ins rechte Licht setzen; ⚒ urbar machen; *mise f en* ~ Auswertung *f*; ⚒ Urbarmachung *f*; **2.** Bedeutung *f*, Geltung *f*, Wert *m*; *attacher trop de* ~ *à qch.* zu hohen Wert auf etw. (*acc.*) legen; ~ *d'amateur* Liebhaberwert *m*; **3.** ⚚ Valuta *f*, Betrag *m*, Wert *m*; Wertpapier *n*; ~ (*monétaire*) Währung *f*; ~ *fournie* Valutaklausel *f*; ~ *non dépréciée* Edelvaluta *f*; ~ *du papier-monnaie* Papiergeldwährung *f*; ~ *du marché* Marktwert *m*; *Börse*: ~ *minière* Kux *m*; ~ *pétrolifère* Öl-wertpapier *n*, -aktie *f*; ~ (*non*) *inscrite* (nicht) amtlich notiertes Börsenpapier *n*; ~ *bancaire* Bankwert *m*; ~ *de banque*, ~ *de change* Bank-, Wechsel-valuta *f*; ~ *brute* Bruttowert *m*; ~ *nette* reiner Wert *m*; ~ *au comptant* bar; ~ *nominale* Nenn-, Soll-wert *m*; **4.** ✉ ~ *déclarée* Brief *m* mit Wertangabe; **5.** *litt.* Tapferkeit *f*; ~ *indomptable* unbezähmbarer Mut *m*, Draufgängertum *n*; **~eux** *litt.* [~lœ'rø] *adj.* (7d) □ tapfer; **~-or** [va'lœːr'ɔːr] *f* (6b) Goldwert *m.*

valid|ation ⚖ [validɑ'sjɔ̃] *f* Gültigkeitserklärung *f*; **~e** [va'lid] *adj.* **1.** gültig; **2.** gesund, kräftig, tauglich (*a.* ⚔); *encore* ~ noch arbeitsfähig; *non* ~ untauglich; **~er** [~'de] *v/t.* (1a) für gültig erklären; **~ité** [~di'te] *f* (Rechts-)Gültigkeit *f.*

valine *biol.* [va'lin] *f* Valin *n*, Aminosäure *f.*

valise [va'liːz] *f* Handkoffer *m*; *faire sa* ~ (*ses* ~*s*) s-n (s-e) Koffer packen; **~-armoire** [~ar'mwaːr] *f* (6a), **~-porte-habits** [~pɔrta'bi] *f* (6b) Schrankkoffer *m.*

vall|ée [va'le] *f* Tal *n*; **~on** [~'lɔ̃] *m* kleines Tal *n*, Talmulde *f*; **~onné** [~lɔ'ne] *adj.* hügelig; **~onnement** [~lɔn'mɑ̃] *m* Hügelbildung *f.*

valoir [va'lwaːr] (3h) **I** *v/i.* **1.** wert sein, gelten; *il ne vaut pas grand--chose* er ist nicht viel wert; es ist nicht viel mit ihm los; *cela ne vaut pas la peine* (*od.* F *le coup*) *d'y penser* es ist nicht der Mühe wert, daran zu denken; *vaille que vaille* auf jeden Fall, wie dem auch sei; aufs Geratewohl; **2.** ~ *mieux* besser sein; **3.** *ne rien* ~ nichts taugen, schlecht sein; **4.** *faire* ~ geltend machen; nutzbar machen, verwerten; besonders hervorheben; ins rechte Licht setzen; *se faire* ~ sich Achtung verschaffen; sich durchsetzen; **II** *v/t.* ~ *qch. à q.* j-m etw. einbringen.

valoris|ation ⚚ [valɔrizɑ'sjɔ̃] *f* Valorisierung *f*, Wertsteigerung *f*; **~er** [~'ze] *v/t.* (1a) valorisieren, den Wert steigern; *fig.* ins rechte Licht setzen, zur Geltung bringen, durch besondere Reklame anpreisen.

vals|e [vals] *f* Walzer *m*; **~er** [~'se] *v/i.* (1a) Walzer tanzen; **~eur** [~'sœːr] *su.* (7g) (Walzer-)Tänzer *m.*

valv|acé ⚘ [valva'se] *adj.* klappenartig; **~aire** ⚘ [~'vɛːr] *adj.* Klappen...; **~e** [valv] *f* **1.** ⚘ Fruchtklappe *f*; **2.** *zo.* (Muschel-)Schale *f*; **3.** ⊕ Ventil *n*, Klappe *f*; ~ *de réduction* Reduzierungsventil *n*; ~ *de décharge* Entlastungsventil *n*; **~é** ⚘ [~'ve] *adj.* klappenförmig; **~ule** *anat.*, ⚘ [~'vyl] *f* Klappe *f*, Ventil *n*; ~ *du cœur* Herzklappe *f*.

vamp *cin.* [vɑ̃:p] Vamp *m*; **~er** F [vɑ̃'pe] *v/t.* (1a) *Männer* verführen, ausbeuten.

vampir|e *a. zo.* [vɑ'pi:r] *m* Vampir *m*; *fig.* Ausbeuter *m*, Blutsauger *m*, Menschenschinder *m*, Meuchelmörder *m*; **~ique** [~'rik] *adj.* vampirartig; *fig.* ausbeuterisch; **~isme** [~'rism] *m* **1.** *myth.* Glaube *m* an Vampire; **2.** Meuchelmord *m*; **3.** Menschenschinderei *f*; **4.** *psych.* Vampirismus *m*, Nekromanie *f*.

van[1] ↗ [vɑ̃] *m* Getreideschwinge *f*.

van[2] [~] *m* Pferdetransportwagen *m*.

vandal|e [vɑ̃'dal] **I** *adj. u.* ♀ *su. antiq.* vandalisch; Vandale *m*; **II** *m fig.* rücksichtsloser Zerstörer *m*, Verwüster *m*; **~isme** [~'lism] *m* Zerstörungswut *f*.

vanesse *ent.* [va'nɛs] *f* Fuchs *m* (*Tagschmetterling*).

vangeron *dial. suisse, icht.* [vɑ̃ʒə'rɔ̃] *m* Plötze *f*.

vanill|e [va'nij] *f* Vanille *f*; **~é** [~ni'je] *adj.* Vanillen..., nach Vanille schmeckend; **~erie** [~nij'ri] *f* Vanille(n)pflanzung *f*; **~ier** [~ni'je] *m* Vanillenstaude *f*; **~isme** ⚕ [~ni'lism] *m* Vanillevergiftung *f*.

vanisé *text.* [vani'ze] *adj.* plattiert.

vanit|é [vani'te] *f* Eitelkeit *f*, Blasiertheit *f*, Aufgeblasenheit *f*; **~eux** [~'tø] *adj. u. su.* (7d) □ blasiert, eitel, eingebildet; Angeber *m*, Geck *m*, Großtuer *m*.

vannage [va'na:ʒ] *m* **1.** Schwingen *n* des Getreides; **2.** ⊕ Wehr *n*.

vanne ⊕ [van] **I** *f* (Zieh-)Schütze *f* *e-s Wasserkanals*; Schieber *m*, Klappe *f*; *eaux f/pl.* ~*s* Jauche *f*; ~ *à glissière* Absperrschieber *m*; **II** * *m* a) sarkastische Bemerkung *f*; b) Ärgernis *n*.

vanné F [va'ne] *adj.* hundemüde.

vanneau *orn.* [va'no] *m* (5b) Kiebitz *m*.

vanner [va'ne] *v/t.* (1a) **1.** ↗ *Getreide* schwingen, sichten; **2.** *cuis.* bis zur Erkaltung (*od.* zum Dickwerden) schlagen; **3.** *fig.* F total erschöpfen, kaputtmachen.

vannerie [van'ri] *f* **1.** Korbmacherei *f*; **2.** Korbwaren *f/pl.*

vann|ette ↗ [va'nɛt] *f* Futterschwinge *f*; **~eur** [~'nœ:r] **I** ↗ *su.* (7g) Getreidesieber *m* (*Person u. Maschine*); **II** * *m* Aufschneider *m*; **~euse** ⊕ ↗ [~'nø:z] *f* Getreidesieber *m*.

vannier [~'nje] *m* Korb-macher *m*, -flechter *m*; * Tagedieb *m*.

vannure ↗ [~'ny:r] *f* Spreu *f*.

vantail [vɑ̃'taj] *m* (5c) (Tür-, Fenster-)Flügel *m*.

vantard [vɑ̃'ta:r] *adj. u. su.* (7) prahlerisch; großschnäuzig; Prahlhans *m*, Aufschneider *m*; **~ise** [~'di:z] *f* Aufschneiderei *f*, Prahlerei *f*, Angeberei *f*, Bluff *m*.

vanter [vɑ̃'te] (1a) **I** *v/t.* rühmen, anpreisen; **II** *v/rfl.* *se* ~ *de qch.* sich e-r Sache (*gén.*) rühmen, sich mit e-r Sache (*dat.*) brüsten; *il n'y a pas de quoi se* ~ darauf braucht man sich nichts einzubilden.

va-nu-pieds [vany'pje] *su.* (6c) Habenichts *m*.

vapeur [va'pœ:r] **I** *f* **1.** Dampf *m*; *bateau m à* ~ Dampfschiff *n*; ~ *sortante*, ~ *de décharge* Abdampf *m*; *renverser la* ~ Gegendampf geben; *bain m de* ~ Dampfbad *n*; *à toute* ~ mit Volldampf; *fig.* sehr schnell; F *faire qch. à la* ~ etw. in Eile machen; *péj. renverser la* ~ etw. plötzlich ins Gegenteil umkehren; **2.** ~ *épaisse* Qualm *m*; *légère* ~ Duft *m*; **3.** a) *ehm.* ⚕ ~*s pl.* hysterische Launen *f/pl.*, Grillen *f/pl.*; ⚕ Blutwallungen *f/pl.*; P Nervosität *f*; b) Umnebelung *f* (*des Gehirns durch Wein usw.*); **4.** *peint.* zarter Hauch *m*; **II** *m* kleiner Dampfer *m*.

vapocraquage ⚗ [vapɔkra'ka:ʒ] *m* Dampfcracking *n*.

vapor|eux [vapɔ'rø] *adj.* (7d) **1.** dunstig; **2.** *fig.* nebelhaft, unklar; *style m* ~ verschwommener Stil *m*; **3.** *a. peint.* zart, hauchfein; **~isage** ⊕ [~pɔri'za:ʒ] *m* Dämpfung *f*, Dampfbehandlung *f*; **~isateur** [~riza'tœ:r] *m* (Parfüm-)Zerstäuber *m*; Spray(dose *f*) *n*; ⚗ Abrauchschale *f*; **~isation** [~rizɑ'sjɔ̃] *f* Dampfbildung *f*, Verdampfung *f*, Verdunstung *f*; Sprayen *n*; **~iser** [~ri'ze] (1a) **I** *v/t.* **1.** verdampfen, zerstäuben, verdunsten lassen; **2.** sprayen; **II** *v/rfl.* *se* ~ verdampfen, sich verflüchtigen, verdunsten; **~iseur** [~ri'zœ:r] *m* Spray(dose *f*) *n*.

vapotron ⚡, *rad.* [vapɔ'trɔ̃] *m* Elektronensenderöhre *f* von hoher Leistung, Vapotron *n*.

vaquer [va'ke] *v/i.* (1m) **1.** *adm.* (*Gerichts-, Schul-*)Ferien haben; **2.** ~ *à qch.* etw. betreiben; ~ *à ses* *affaires* s-n Geschäften nachgehen.

varaigne [va'rɛɲ] *f* Schleuse *f* (*e-s Salzteiches*).

varan *zo.* [va'rɑ̃] *m* Waran(eidechse) *(f) m.*

varapp|e [va'rap] *f* Klettern *n* (*im Gebirge*); **~er** [~'pe] *v/i.* e-e Steilwand besteigen; **~eur** [~'pœːr] *m* Steilwandbezwinger *m.*

varech ⚘ [va'rɛk] *m* Tang *m*, Seegras *n.*

vareuse [va'røːz] *f* Matrosenbluse *f*; Jacke *f*, Joppe *f*; ~ *de toile* (*od. treillis*) Drillichjacke *f*; ~ *d'officier* Offiziersjackett *n*; ~ *de sport* Sportjacke *f*; ~ *en cuir* (*en loden*) Leder-(Loden-)jacke *f.*

varia|bilité [varjabili'te] *f* Veränderlichkeit *f* (*a. gr.*); Unbeständigkeit *f*; **~ble** [~'rjablə] **I** *adj.* veränderlich (*a. gr.*), wechselnd; verstellbar; *barème m* ~ gleitende Skala *f*; *au* ~ auf veränderlich (*Barometer*); **II** ⩚ *f*: *la* ~ die Veränderliche.

variance ⩚ [va'rjɑ̃ːs] *f*: *analyses f/pl. de* ~ Analysen *f/pl.* der Veränderlichen.

variante *litt.* [va'rjɑ̃ːt] *f* **1.** verschiedene Lesart *f*, Textabweichung *f*; **2.** ⚘ Abart *f.*

variateur ⊕ [varja'tœːr] *m*: ~ *de vitesse* Geschwindigkeitswandler *m.*

variation [varjɑ'sjɔ̃] *f* **1.** Veränderung *f*, Schwankung *f*, Wechsel *m*; **2.** ♪, ⩚ Variation *f*; **3.** Abweichung *f der Magnetnadel.*

varice ⚕ [va'ris] *f* Krampfader *f.*

varicelle ⚕ [vari'sɛl] *f* Windpocken *f/pl.*

varicocèle ⚕ [varikɔ'sɛl] *f* Krampfaderbruch *m.*

varié [va'rje] *adj.* abwechslungsreich, breitgefächert, mannigfaltig, verschieden; vielseitig.

vari|er [~] (1a) **I** *v/t.* ~ *qch.* mit etw. (*dat.*) abwechseln; ♪ ~ *un air* ein Thema variieren; ~ *la phrase* dasselbe mit anderen Worten sagen; **II** *v/i.* **1.** sich (ver)ändern, abwechseln; veränderlich *od.* verschieden sein; schwanken; *phys.* abweichen (*Magnetnadel*); *le vent a varié* der Wind hat sich gedreht; **2.** ~ *sur qch.* verschiedener Ansicht über etw. (*acc.*) sein; ~ *dans ses réponses* sich in s-n Antworten nicht gleichbleiben; **~été** [~rje'te] *f* **1.** Abwechselung *f*, Mannigfaltigkeit *f*, Verschiedenheit *f*; **2.** *~s pl.* buntes Allerlei *n*; Vermischtes *n* (*Zeitung*); Verschiedenes *n*, Miszellaneen *pl.* (*Buch*); *rad.*, *télév. émission f de ~s* Varietésendung *f*; *spectacle m de ~s* Varietéstück *n*; **3.** ⚘, *zo.*, *allg.* Ab-, Spiel-art *f.*

variol|aire ⚕ [varjɔ'lɛːr] *adj.* pockenartig; **~e** ⚕ [~'rjɔl] *f* Pocken *pl.*, Blattern *pl.*; **~é** ⚕ [~'le] *adj.* (*a. su.*) pockig; pockennarbig(er Mensch *m*); **~eux** ⚕ [~'lø] (7d) **I** *adj.* blatternkrank; pockenartig; Blattern...; **II** *su.* Pockenkranke(r) *m*; **~ique** ⚕ [~'lik] *adj.* Blattern..., Pocken..., *virus m* ~ Pockengift *n.*

variomètre [varjɔ'mɛːtrə] *m* ⚡ Variometer *n* (*a. m*); ✈ Steiggeschwindigkeitsmesser *m.*

variqueux ⚕ [vari'kø] *adj.* (7d) Krampfader...

varlop|e ⊕ [var'lɔp] *f* großer (Schlicht-)Hobel *m*, Fugenhobel *m*; Rauhbank *f*; **~er** ⊕ [~'pe] *v/t.* (1a) mit der Rauhbank hobeln.

varron [va'rɔ̃] *m* **1.** *ent.* Bremsfliegen-, Biesfliegen-larve *f*; **2.** *vét.* Geschwulst *f* auf der Rinderhaut mit Durchbruch.

Varsovie [varsɔ'vi] *f* Warschau *n.*

varsovien [~'vjɛ̃] *adj. u.* ♀ *su.* (7c) warschauisch; Warschauer *m.*

vascul|aire [vasky'lɛːr] *adj.* Gefäß...; **~arisation** *biol.* [~lariza'sjɔ̃] *f* Gefäß-bildung *f*, -anordnung *f.*

vase[1] [vɑːz] *m* Gefäß *n*; Vase *f*; ~ *à fleurs* Pflanzengefäß *n*; ~ *de nuit* Nachttopf *m*; *phys. ~s communicants* kommunizierende Röhren *f/pl.*; *rl. ~s sacrés* Meßgefäße *n/pl.*; *fig. en* ~ *clos* insgeheim, hinter verschlossenen Türen.

vase[2] [~] *f* Schlamm *m*, Morast *m*; P Wasser *n*; Regen *m.*

vasectomie ⚕ [vazɛktɔ'mi] *f* Samenstrangexstirpation *f.*

vaser P [vɑ'ze] *v/i.* (1a) regnen.

vaseux F [vɑ'zø] *adj.* (7d) **1.** müde, ganz kaputt; *être* ~ e-n Kater haben; nicht auf dem Damm sein; **2.** konfus; dunkel *fig.*

vasistas [vazis'tas] *m* Lüftungsflügel *m an Türen od. Fenstern.*

vaso|-constricteur ⚕ *anat.* [vazɔkɔ̃strik'tœːr] *adj.* (7f) gefäßverengend; **~-constriction** ⚕ [~kɔ̃strik'sjɔ̃] *f* Gefäßverengung *f*; **~-dilatateur** *anat.* [~dilata'tœːr] *adj.* (7f) gefäßerweiternd; **~-moteur** *anat.* [~mɔ'tœːr] *adj.* (7f) vasomotorisch.

vasque [vask] *m großes flaches* Zier-, Spring-brunnenbecken *n.*

vassal *hist.* [va'sal] *m* (5c) Vasall *m*, Lehnsmann *m*; **~isation** *pol.* [~liza'sjɔ̃] *f* Versklavung *f.*

vaste [vast] *adj.* □ **1.** weit, ausgedehnt, unermeßlich; geräumig; mächtig, riesig, gewaltig; *un dessein* ~ ein umfassender Plan *m*; **2.** *fig.* vielseitig; *esprit m* ~ weitreichender Verstand *m*, umfassendes Denken *n*; **3.** *fig.* dehnbar (*Begriff*).

vastitude [vasti'tyd] *f* Grenzenlosigkeit *f fig.*

va-t'en guerre [vatɑ̃'gɛːr] *m/inv.* Kriegsmaulheld *m.*

vaticane [vati'kan] *adj./f* vatikanisch; *bibliothèque f* ~ (*auch f*: *la* ♀) vatikanische Bibliothek *f*; *politique f* ~ Vatikanspolitik *f.*

vaticin|ation [vatisinɑ'sjɔ̃] *f* **1.** Wahrsagung *f*; **2.** *péj.* Unkerei *f*; **~er** [~'ne] *v/i.* (1a) **1.** prophezeien, wahrsagen; **2.** *péj.* unken.

va-tout [va'tu] *m* (6c) letzter Trumpf *m*; *jouer son* ~ alles aufs Spiel (*od.* auf eine Karte) setzen.

Vaud [vo]: *canton m de* ~ Kanton Waadt.

vaudevill|e [vod'vil] *m* Singspiel *n*; **~esque** [~'lɛsk] *adj.* singspielartig; **~iste** [~'list] *m* Singspieldichter *m.*

vaudois [vo'dwa] *adj. u.* ♀ *su.* (7) waadtländisch; Waadtländer *m.*

vau-l'eau [vo'lo]: **à** ~ *advt.* stromabwärts; *fig.* (*s'en*) *aller à* ~ scheitern, mißglücken, platzen P; *fig. laisser tout aller à* ~ die Karre laufen lassen.

vaurien [vo'rjɛ̃] *su.* (*f*: *vaurienne*) Taugenichts *m*; (*f*: Flittchen *n*).

vautour [vo'tuːr] *m* **1.** *orn.* Geier *m*; **2.** *fig.* Aasgeier *m*, Wucherer *m.*

vautr|ait *ch.* [vo'trɛ] *m* Meute *f* für die Saujagd; **~er** [vo'tre] *v/rfl.* (1a) *se* ~ **1.** sich wälzen, sich sielen; **2.** sich hinfläzen, sich langstrecken, sich hinlümmeln.

vau-vent *ch.* [vo'vɑ̃]: *advt.* **à** ~ mit dem Wind im Rücken.

vavasseur *féod.* [vava'sœːr] *m* niederer Vasall *m*, Hintersasse *m.*

veau [vo] *m* (5b) **1.** Kalb *n*; ~ *de lait* Milchkalb *n*; *pleurer comme un* ~ wie ein Schloßhund heulen, plärren; *tuer le gras* ~ ein großes Festessen geben; *fig. le* ~ *d'or* das Goldene Kalb, der Mammon; **2.** *cuis.* Kalbfleisch *n*; *tranche f de* ~ Kalbsschnitzel *n*; ~ *rôti* Kalbsbraten *m*; **3.** Kalbleder *n*; *reliure f en* ~ Franzband *m*; **4.** ~ *marin*, ~ *de mer* gemeiner Seehund *m*, Seekalb *n*; Robbe *f*; **~-laq** [~'lak] *m Art* sehr geschmeidiges Leder *n.*

vécé [ve'se] *m* WC *n*, Toilette *f.*

vect|eur [vɛk'tœːr] *m* **1.** *phys.*, ⩓ Vektor *m*; **2.** (Bazillen-)Träger *m*; **3.** *at.* Transportmittel *n für e-e Kernladung*; **~oriel** ⩓ [~tɔ'rjɛl] *adj.* (7c) Vektor...

vécu [ve'ky] **I** *p/p. v. vivre*; **II** *adj.* erlebt, wahr.

vedett|ariat [vədɛta'rjə] *m* Startum *n*, Welt *f* der Stars; **~e** [və'dɛt] *f* **1.** ⚔ Reiterspähtrupp *m*; *fig.* Hauptaugenmerk *n*; Hauptanziehungspunkt *m*, größte Attraktion *f*; *être en* ~ auf Posten (*fig.* in der ersten Reihe) stehen, immer aufpassen; *fig.* auf s-m Posten sein; *en* ~ *fig.* allen Blicken ausgesetzt; *fig. c'est l'attraction* ~ das ist der Hauptanziehungspunkt; *tenir la* ~ *sur la scène internationale* in der Weltpolitik e-e führende Rolle spielen; **2.** ⚓ Vorpostenboot *n*; ~ *porte-torpilles* (*à moteur*) Torpedoschnellboot *n*; **3.** *fig.* Anrede *f* im Brief (*mit Titeln usw.*); *en* ~ als Schlagzeile; *mettre en* ~ in besonderer Zeile (*od.* besonders groß) schreiben *od.* drucken; *journ.* in großer Aufmachung (*od.* in Schlagzeilen) bringen; *fig. etw.* in den Vordergrund rücken; **4.** *thé.*, *cin.* Hauptdarsteller(in *f*) *m*; *cin.* Star *m*, Filmgröße *f*; *Sport*: Größe *f*; ~ *de l'écran*, ~ *du cinéma* Filmstar *m*; **~e-torpilleur** ⚓ [~tɔrpi'jœːr] *f* (6a) Torpedojäger *m*; **~isation** [~tizɑ'sjɔ̃] *f* Vergötterung *f*; **~isme** [~'tism] *m* Starverehrung *f.*

végét|abilité [veʒetabili'te] *f* Wachstumsfähigkeit *f*; **~able** [~'tablə] *adj.* wachstumsfähig; **~al** [~'tal] **I** *adj.* (5c) pflanzenhaft, Pflanzen...; **II** *m* Pflanze *f*, Gewächs *n*; *végétaux m/pl.* Vegetabilien *n/pl.*, Pflanzenstoffe *m/pl.*; **~arien** [~ta'rjɛ̃] *adj. u. su.* (7c) vegetarisch; Vegetarier *m*; **~arisme** [~ta'rism] *m* vegetarische Lebensweise *f*; **~atif** [~ta'tif] *adj.* (7e) vegetativ; *force f végétative* Wachstumskraft *f*; *vie f végétative* Pflanzenleben *n*; **~ation** [~tɑ'sjɔ̃] *f* Pflanzenwuchs *m*; *coll.* Pflanzenwelt *f*; **~s** *f/pl.* ⚕ Wucherungen *f/pl.*; ♀ *être en* ~ treiben, wachsen; **~er** [~'te] *v/i.* (1f) *fig.* vegetieren, kümmerlich dahinleben.

végéto|-animal [vegetɔani'mal] *adj.* (5c) pflanzlich-tierisch; **~-minéral** [~mine'ral] *adj.* (5c) pflanzenmineralisch.

véhém|ence [vee'mɑ̃ːs] *f* Heftigkeit *f*, Ungestüm *n*, Leidenschaftlichkeit *f*; **~ent** [~'mɑ̃] *adj.* (7) □ (*adv. also*: **~ement**) heftig, ungestüm; *fig.* feurig; *orateur m* ~ hinreißender Redner *m*.

véhicul|aire *ling.* [veiky'lɛ:r] *adj.*: *langue f* ~ Verkehrs-, Umgangssprache *f*; **~e** [vei'kyl] *m* **1.** Fahrzeug *n* (*jeder Art*), Beförderungsmittel *n*; ~ *spatial* Raumfahrzeug *n*; **2.** *phys.*, *biol.* Übertrager *m*; *l'air est le* ~ *du son* die Luft ist der Leiter des Schalls; **3.** *phm.* Aufnahmeflüssigkeit *f*; **4.** *opt.* Bildeinsteller *m* (*am Fernrohr*); **5.** *fig.* Mittler *m*, Vermittler *m*, Sprachrohr *n*; **~er** [~'le] *v/t.* (1a) **1.** befördern, fahren, transportieren; **2.** ⚗, *phys.*, *biol.* übertragen; **3.** *télév.* vermitteln.

veill|e [vɛj] *f* **1.** Wachen *n*; *état m de* ~ wacher Zustand *m*; **2.** (Nacht-) Wache *f*; **~s** *pl.* schlaflose (*od.* durchwachte) Nächte *f/pl.*; *fig.* Nachtarbeiten *f/pl.*; **3.** Tag *m* vorher; Vorabend *m*; *la* ~ *de Noël* Heiligabend *m*; *la* ~ *de son départ* am Tage vor s-r Abreise; *la* ~ *au soir* am Abend vorher; *dès la* ~ bereits am Tage vorher; *dater de la* ~ (erst) von gestern datieren; *fig. à la* ~ *de* ... kurz vor ...; *nous sommes à la* ~ *du printemps* der Frühling steht vor der Tür; **~ée** [vɛ'je] *f* **1.** Abend *m*, Abendstunde *f*; **2.** Nachtwache *f*; **3.** Abendunterhaltung *f*; Feierstunden *f/pl.*; **~er** [~] (1a) **I** *v/i.* **1.** wachen; aufbleiben; ~ *sur qch.* über etw. (*acc.*) wachen; ~ *aux intérêts de q.* j-s Interessen wahrnehmen; ~ *auprès de q.* bei j-m wachen; ~ *tard* lange aufbleiben; **2.** ~ *à qch.* auf etw. (*acc.*) achten; **II** *v/t.* ~ *q.* bei j-m wachen (*od.* die Nacht verbringen), j-n beobachten; ~ *un mort* bei j-m die Totenwache halten; **~eur** [~'jœ:r] *su.* (7g) **1.** Wächter *m*; ~ *de nuit* Nachtwächter *m*; **2.** ~ *de garage* Garagenwärter *m*; **~euse** ⊕ [~'jø:z] *f* Nachtlampe *f*; Nachtlicht *n*; Kleinsteller *m der Gaslampe usw.*; Sparbrenner *m*; Stichflamme *f* (*Gasbadeofen*, *Gasboiler*); *mettre en* ~ klein stellen (*Licht*; *Strom*); *Auto*: das Standlicht einschalten; *fig.* nicht mehr so eifrig betreiben; ~ *du sanctuaire* Ewige Lampe *f*.

veinard F [vɛ'na:r] *su.* (7) Glückskind *n*.

vein|e [vɛ:n] *f* **1.** (Blut-)Ader *f*, Vene *f*; **2.** *fig.* Anlage *f*, Lust *f*, Neigung *f*; ~ *poétique* dichterische Ader *f*; *être en* ~ *de* ... in der Stimmung sein zu ...; **3.** ⚘ von der Blattrippe ausgehende Seitenrippe *f*; **~s** *f/pl.* Maserung *f*, Äderung *f* (*Holz*, *Marmor*); **4.** ⚒ Ader *f*, Gang *m*, Flöz *n*; ~ *métallique*, ~ *de métal* Erzader *f*; **5.** *fig.* Glück *n*, Schwein *n fig.* F, Erfolg *m*; *tomber sur une bonne* ~ es gut treffen; *avoir de la* ~ Glück haben; *mauvaise* ~ Unglück *n*, Pech *n*; **~é** [vɛ'ne] *adj.* geädert (*Holz*, *Marmor*); gemasert (*Holz*); **~er** [~] *v/t.* (1a) ädern, aderig machen; **~eux** [~'nø] *adj.* (7d) **1.** aderig, geädert; **2.** *anat. sang m* ~ Venenblut *n*; **~ule** [~'nyl] *f* (Blut-) Äderchen *n*; **~ure** [~'ny:r] *f* Maserung *f*.

vêlage [vɛ'la:ʒ] *m* **1.** Kalben *n*; **2.** *géol.* Treibeisbildung *f*.

vélaire *gr.* [ve'lɛ:r] **I** *adj.* velar, Gaumensegel..., Hintergaumen...; **II** *f* Velarlaut *m*.

vélar ⚘ [ve'la:r] *m* Hederich *m*.

vêlement [vɛl'mɑ̃] *m* Kalben *n*.

vêler [vɛ'le] *v/i.* (1a) kalben.

vélie *ent.* [ve'li] *f* Bachwanze *f*.

vélin [ve'lɛ̃] **I** *m* feines Pergament *n*; **II** *adj./m* ✝ *papier m* ~ Velinpapier *n*.

vélique ⚓ [ve'lik] *adj.* Segel...

vélivole [veli'vɔl] *m* (*u. adj.*) Segelflieger(...) *m*.

velléit|aire [vɛlei'tɛ:r] *adj.* (*u. su.*) willensschwach(er Mensch *m*); **~é** [~'te] *f* Anwandlung *f*, schwacher Versuch *m*.

vélo F [ve'lo] *m* Rad *n*, Fahrrad *n*; *enfourcher un* ~ sich auf ein Fahrrad schwingen; ~ *à moteur* Fahrrad *n* mit Hilfsmotor.

véloce [ve'lɔs] *adj.* schnell (*bsd. ast.*); gewandt.

véloci|pède *ehm.* [velɔsi'pɛd] *m* Hochrad *n* (*Vorgänger des Fahrrads*); **~té** [~'te] *f* Geschwindigkeit *f* (*nicht als Maßbegriff!*), Schnelligkeit *f*.

vélo|drome [velɔ'drɔm] *m* Radrennbahn *f*; **~moteur** [~mɔ'tœ:r] *m* Leichtmotorrad *n*, leichtes Motorrad *n*; **~motoriste** [~mɔtɔ'rist] *su.* Leichtmotorradfahrer *m*; **~-taxi** [~tak'si] *m* Fahrradtaxi *n* (*Indien usw.*).

velours [v(ə)'lu:r] *m* **1.** Samt *m*, Velours *m*; *de* ~ Samt..., aus Samt; *fig.* sehr weich; *faire patte de* ~ die Krallen einziehen; *fig.* freundlich tun; *robe f de* ~ Samtkleid *n*; ~ *croisé* Köpersamt *m*; ~ *lavable* Waschsamt *m*; ~ *de coton* Manchester *m*, Baumwollsamt *m*; ~ *de laine* Wollvelours *m*; ~ *à côtes* Kord *m*, Rippsamt *m*; ~ *ciselé* geschorener Samt *m*; *chemin m de* ~

Veloursläufer *m*; **2.** *gr.* falsche Bindung *f* (*z.B. donnez-moi-z'en*); *faire des* ~ falsch binden; **3.** *fig.* Zartheit *f* (*v. der Haut*); weicher (*od.* milder) Geschmack *m* (*vom Wein*); *fig. jouer sur le* ~ nur mit gewonnenem Geld spielen; *allg.* nichts riskieren wollen; F *sur le* ~ mühelos; *marcher sur le* ~ auf weichem Rasen gehen.

velou|té [v(ə)lu'te] **I** *adj.* samtartig, samtweich; ⚘ samthaarig; *ruban m* ~ Samtband *n*; *vin m* ~ milder edler Rotwein *m*; **II** *m das* Samtartige *n*, Weiche *n*; Samtglanz *m*; **~ter** [~] *v/t.* (1a) samtartig weben *od.* wirken.

velt|age ⊕ [vɛl'ta:ʒ] *m* Ausmessen *n von Tonnen*, Eichen *n*; **~e** ⊕ [vɛlt] *f* Eichmaß *n für Tonnen*.

velu [v(ə)'ly] *adj.* haarig, rauh, zottig.

vélum [ve'lɔm] *m* Sonnenzeltdach *n*.

velv|et [vɛl'vɛ] *m* (= **~antine, ~entine** [~vɑ̃'ti:n] *f*) Velvet *m*, Baumwollsamt *m*.

venaison [v(ə)nɛ'zɔ̃] *f* Wildbret *n*; Wild(fleisch *n*) *n*.

vénal *péj.* [ve'nal] *adj.* (5c) *fig.* käuflich, bestechlich; **~ité** *péj.* [~li'te] *f fig.* Käuflichkeit *f*, Bestechlichkeit *f*.

venant [v(ə)'nɑ̃] **I** *adj.* (7): *bien* ~ gut gedeihend (*Kinder, Pflanzen*); **II** *m*: *les allants et les* ~*s* die Kommenden u. Gehenden; *à tout* ~ dem ersten besten, jedem beliebigen; *le tout* ~ das ganze Zeug (*v. Waren*); *houille f tout* ~ ⚒ Förderkohle *f*.

vendable [vɑ̃'dablə] *adj.* verkäuflich.

vendan|ge [vɑ̃'dɑ̃:ʒ] *f* **1.** Weinlese *f*, Weinernte *f*; **2.** ~*s pl.* Weinlesezeit *f/sg.*, Herbst *m*; **3.** abgelesene Trauben *f/pl.*; **~geoir** [~dɑ̃'ʒwa:r] *m* Traubenkorb *m*; Sammelraum *m* für die geernteten Trauben; **~ger** [~'ʒe] *v/t.* (1l) Weinlese halten; **~geur** [~'ʒœ:r] *su.* (7g) Weinleser *m*, Winzer *m*.

vendetta [vɑ̃dɛ'ta] *f* Blutrache *f*.

vendeur [vɑ̃'dœ:r] (7g) **I** *su.* Verkäufer *m*; **II** *adj.* verkaufsfördernd.

vendeuse [vɑ̃'dø:z] *f* Verkäuferin *f*.

vendre ['vɑ̃:drə] (4a) **I** *v/t.* **1.** verkaufen, handeln mit (*dat.*); ~ *qch. à l'encan* (*od. à l'enchère*) etw. versteigern; ~ *aux enchères* meistbietend verkaufen, (gerichtlich) versteigern; ~ *bon marché* billig verkaufen; ~ *au prix de revient* (*od. au prix coûtant*) zum Selbstkostenpreis verkaufen; ~ *à vil prix*, ~ *à tout prix* verschleudern; ~ *qch. un bon prix* (*mille francs*) etw. zu e-m guten Preis (für 1000 Franken) verkaufen; **2.** *fig.* für Geld verraten; **II** *v/rfl. se* ~ **3.** verkauft werden, Käufer finden; **4.** *fig.* sich verkaufen, sich bestechen lassen.

vendredi [vɑ̃drə'di] *m* Freitag *m*; ♀ *saint* Karfreitag *m*.

vendu *mv.p.* [vɑ̃'dy] *m* bestochener Mensch *m*.

venelle [v(ə)'nɛl] *f* Gäßchen *n*; F *enfiler la* ~ verduften.

vénén|eux [vene'nø] *adj.* (7d) giftig; **~ipare** [~ni'pa:r] *adj.* Gift erzeugend.

vénér|able [vene'rablə] *adj.* □ verehrungswürdig; hoch-, ehr-würdig; **~ation** [~rɑ'sjɔ̃] *f* Ehrfurcht *f*, Verehrung *f*; **~éologie** ⚕ [~reɔlɔ'ʒi] *f* Lehre *f* von den Geschlechtskrankheiten; **~er** [~'re] *v/t.* (1f) verehren.

vénerie [ven'ri] *f* Jägerei *f*.

vénérien [vene'rjɛ̃] (7c) **I** *adj.* geschlechtskrank; *mal m* ~ Syphilis *f*; **II** *su.* Syphilitiker *m*.

vénérologiste [venerɔlɔ'ʒist] *su.* Facharzt *m* für Geschlechtskrankheiten.

veneur [v(ə)'nœ:r] *m* Jäger *m*.

Venezuela *géogr.* [venezɥe'la] *m*: **le ~** Venezuela *n*.

vénézuélien [~zɥe'ljɛ̃] *adj. u.* ♀ *su.* (7c) venezuelisch, venezolanisch; Venezueler *m*, Venezolaner *m*.

ven|geance [vɑ̃'ʒɑ̃:s] *f* **1.** Rache *f*; Rachsucht *f*; *tirer* ~ *de qch.* sich für etw. (*acc.*) rächen; *exercer sa* ~ *sur q.* s-e Rache an j-m ausüben; **2.** Rachsucht *f*, Rachegefühl *n*; *par* ~ aus Rache, aus Rachsucht; *ne respirer que la* ~ sich nur noch von Rachegefühlen leiten lassen; **~ger** [~'ʒe] (1l) **I** *v/t.* rächen, ahnden; **II** *v/rfl. se* ~ *de q.* sich an j-m rächen; *se* ~ *de qch. sur q.* sich für etw. (*acc.*) an j-m rächen; **~geur** [~'ʒœ:r] (7h) **I** *su.* Rächer *m*; **II** *adj.* rächend.

véniel [ve'njɛl] *adj.* (7c) □ verzeihlich (*Sünde*); F leicht (*Fehler*).

ven|imeux [v(ə)ni'mø] *adj.* (7d) giftig; *fig. langue f venimeuse* Lästermaul *n*; **~imosité** [~mozi'te] *f* Giftigkeit *f* (*a. fig.*); **~in** [v(ə)'nɛ̃] *m* **1.** (*bsd. Schlangen-*)Gift *n*; *prov. dans la queue le* ~ das dicke Ende kommt nach; **2.** *fig.* Gift und Galle.

venir [v(ə)'ni:r] (2h) **I** *v/i.* **1.** kommen; an-, her-kommen; ~ *en avion* ✈ angeflogen kommen; ~ *à cheval* (~ *en voiture*) angeritten (angefahren) kommen; ~ *en courant* angelaufen kommen; *le voilà qui vient* da kommt er; *ce bruit est venu jusqu'à moi* dieses Gerücht ist bis zu mir gedrungen; *les intérêts viennent bien* die Zinsen gehen regelmäßig ein; *faire ~ q. (qch.)* j-n (etw.) kommen lassen; *~ au fait* zur Ausführung schreiten; zur Sache kommen; *aller et ~* hin und her gehen; *je ne fais qu'aller et ~* ich bin im Augenblick wieder da; F *fig. d'où venez-vous?* das wissen Sie nicht?; F *il semble qu'il vienne de l'autre monde* er scheint auf dem Mond zu leben; er hat keine Ahnung; F *je vous vois ~* ich sehe, wo Sie hinauswollen; *laisser ~* ruhig abwarten; *v/imp. il vient du monde* es kommen Leute; **2.** *mit inf.*: a) *mit bloßem inf.* (*meist zur Bezeichnung des Zweckes*): *~ chercher q. (qch.)* j-n abholen (etw. holen); *il vint nous dire* er kam (, um) uns zu sagen; *~ voir q.* j-n besuchen, j-n aufsuchen, bei j-m vorsprechen; *~ joindre l'armée* zum Heer stoßen; b) *mit de* (*zur Bezeichnung des eben Vergangenen*): *il vient (venait) de sortir* er ist (war) eben ausgegangen; c) *~ à (inf.)* zufällig (*od.* gerade *od.* unversehens) *etw. tun*; *s'il venait à mourir* wenn er sterben sollte; *nous vînmes à parler de lui* wir kamen auf ihn zu sprechen; **3.** unerwartet kommen; *il me vint à l'esprit* es kam mir in den Sinn, es fiel mir ein; **4.** zufallen *durch Erbschaft od. Zufall*; **5.** eintreten, stattfinden; bevorstehen; *l'année qui vient* das künftige Jahr; *à ~* zukünftig; *les siècles à ~* die künftigen Jahrhunderte; **6.** abstammen, herkommen, entsprungen sein; *~ de bon lieu* von guter Herkunft sein; **7.** entstehen; *la raison lui viendra* er wird schon noch vernünftig werden; **8.** geraten, gedeihen; *~ bien, ~ mal* gut, schlecht gedeihen *od.* geraten; **9.** heranreichen; *il me vient à l'épaule* er reicht mir bis an die Schulter; *~ à (inf.)* so weit gehen, daß ...; *en ~ à qch.* zu etw. (*dat.*) schreiten *od.* greifen, sich auf etw. (*acc.*) einlassen; *en ~ aux mains* handgreiflich (*a.* ⚔ handgemein) werden; *en ~ aux gros mots* sich Grobheiten an den Kopf werfen; *il en faut ~ là* dazu muß es kommen; *c'est là que j'en voulais ~* das wollte ich gerade; das meinte ich eben; *où en veut-il ~?* worauf will er hinaus?, was bezweckt er damit?; *je ne voudrais pas en ~ là* so weit möchte ich doch nicht gehen; *ils en vinrent au point de* (*mit inf.*) es kam so weit mit ihnen, daß sie ...; **10.** herrühren; *d'où vient qu'il est si triste* wie kommt es, daß er so traurig ist?; *d'où me vient cet honneur?* wie komme ich zu dieser Ehre?; *d'où vient?* wie kommt das?; **11.** *~ à qch.* zu etw. (*dat.*) gelangen; *~ à bout de ...* fertig werden mit (*dat.*); *~ à son but od. à ses fins* s-n Zweck erreichen; *~ à bien* Erfolg haben, glücken (*Vorhaben*); *~ à rien* zu nichts werden, zusammenschrumpfen; *cuis.* ganz einkochen; *fig.* zunichte werden, mißglücken; **12.** *~ bien à qch.* gut zu etw. (*dat.*) passen; *se faire bien ~ de q.* sich bei j-m beliebt machen; *être bien venu partout* überall gern gesehen sein; *être mal venu à faire qch.* zu etw. (*dat.*) nicht berechtigt sein; **II** *v/rfl.* *s'en ~* **13.** (*kann ohne Bedeutungsunterschied für venir gebraucht werden*) kommen; *il s'en est venu* (P *il s'est en venu*) er ist gekommen; **14.** zurückkehren; *nous nous en vînmes ensemble* wir kamen zusammen zurück; **III** *m*: *le ~* das Kommen; *l'aller et le ~* das Kommen und Gehen.

Venise [v(ə)ˈniːz] *f* Venedig *n.*

vénitien [veniˈsjɛ̃] *adj. u.* ♀ *su.* (7c) venezianisch; Venezianer *m.*

vent [vɑ̃] *m* **1.** Wind *m*; *~ du nord (du sud)* Nord-(Süd-)wind *m*; *~ d'est (d'ouest)* Ost-(West-)wind *m*; *~ au sol* Bodenwind *m*; *~ au dos, ~(-)arrière* Rückenwind *m*; ⚓ *avoir le ~ debout* Gegenwind haben; *filer ~ arrière* mit dem Wind segeln; *être sous le ~* vor dem Wind segeln; *~s pl. alizés* Passatwinde *m/pl.*; *~ contraire, ~ debout* Gegenwind *m*; *avoir ~ arrière* Rückenwind haben; ⚓ *au ~* luvwärts; *sous le ~* leewärts; *en plein ~* im Freien, in frischer Luft; *coup m de ~* Windstoß *m*; *rose f des ~s* Windrose *f*, Kompaß *m*; *moulin m à ~* Windmühle *f*; *fig. porter le nez au ~* die Nase hoch tragen; *fig. autant en emporte le ~* das ist alles in den Wind gesprochen; das ist alles zwecklos; *prendre le ~ de tous côtés* nach allen Seiten hin schnüffeln; *voir d'où vient le ~* das Mäntelchen nach dem Wind drehen; *fig. à la merci des ~s et des îlots* Wind und Wellen preisgegeben; *fig. aller contre ~s et marées* gegen den

Strom schwimmen; *contre ~s et marées* trotz aller Widerwärtigkeiten; *fig. quel bon ~ vous amène?* welcher glückliche Zufall führt Sie hierher?; *entrer en coup de ~* hereingestürmt kommen; *il fait du ~* es ist windig; *fig.* F *mettre flamberge au ~* mit s-r Meinung auspacken, anständig vom Leder ziehen F; *flotter au gré (od. au caprice) du ~* ein Spiel der Winde sein (*Schiff*), im Wind flattern; *fig.* sich treiben (*od.* völlig gehen)lassen; **2.** *fig.* Nichtigkeit *f*; *je n'y vois que du ~* das ist für mich völlig unwichtig; *il n'y a que du ~ dans sa tête* er hat nur Flausen im Kopf; *tête f pleine de ~* Kopf *m* voller Flausen; **3.** ⚕, P Atem *m*; *reprendre son ~* wieder zu Atem kommen; **4.** Blähung *f*; **5.** *ch.* Witterung *f*, Geruch *m*; *avoir ~ de qch.* etw. wittern; *fig.* Wind von etw. (*dat.*) bekommen, etw. spitzkriegen F; *prendre le ~* die Witterung suchen; **6.** ⊕ Gebläseluft *f*; ♪ *instrument m à ~* Blasinstrument *n*.

ventage ⚒ [vɑ̃'ta:ʒ] *m* Worfeln *n*.

ventail *hist.* [vɑ̃'taj] *m* (5c), **~le** *hist.* [~'tɑ:j] *f* unterer Teil *m* des Helmfensters (*der Ritterrüstung*).

vente [vɑ̃:t] *f* **1.** Verkauf *m*; *~ aux enchères, ~ publique* öffentliche Versteigerung *f*, Auktion *f*; *~ par correspondance* Versandverkauf *m*; *~ forcée* Zwangsverkauf *m*; *~ réclame* Werbeverkauf *m*; *hôtel m des ~s, salle f de ~* Auktionslokal *n*; *prix m de ~* Verkaufs-, Laden-preis *m*; *~ de gré à gré* freihändiger Verkauf *m*; *~ à livrer* Liefer(ungs)verkauf *m*; Verkauf *m* auf Lieferung; *~ de marchandise de solde* Ramschverkauf *m*; *~ après faillite, ~ pour cause de faillite* Konkurs(aus)verkauf *m*; *~ en série(s), ~ en grandes quantités* Serienverkauf *m*, Massenabsatz *m*; *~ de traites* Wechselverkauf *m*; *être en ~ chez q.* bei j-m zu haben sein; *mettre en ~* zum Verkauf anbieten; *~s pl. à prime* Differenzgeschäfte *n/pl.* (*Börse*); **2.** Absatz *m*, Vertrieb *m*; *être de (bonne) ~* gut gehen (*Ware*); *la ~ va* das Geschäft geht gut; *être dur à la ~* schlecht gehen (*Ware*); **3.** *for.* *~ de bois* Holzschlag *m*.

venteau ⊕ [vɑ̃'to] *m* (5b) Windloch *n*, Düse *f e-s Gebläses*.

venter [vɑ̃'te] *v/imp.* (1a): *qu'il pleuve ou qu'il vente* in Wind und Wetter.

ventil|ateur [vɑ̃tila'tœ:r] *m* Ventilator *m*; *Auto*: *~ gazogène* Anfachgebläse *n*; **~ation** [~lɑ'sjɔ̃] *f* **1.** Lüftung *f*; **2.** ✝ Aufteilung *f e-s Gesamtbetrages* auf verschiedene Konten; **3.** *Statistik*: Aufschlüsselung *f*; **~er** [~'le] *v/t.* (1a) **1.** ventilieren, lüften; ⚒ bewettern; **2.** ▲ mit Luftabzügen versehen; **3.** ⚖ abschätzen; **4.** ✝ e-n Gesamtbetrag auf verschiedene Konten verteilen; **~euse** *ent.* [~'lø:z] *f*, **~ateuse** *ent.* [~la'tø:z] *f* Wächter *m*, mit den Flügeln Wind machende Biene *f*; **~le** ⊕ [~'tij] *f* Getreidesieber *m*.

ventis *for.* [vɑ̃'ti] *m* Windbruch *m*.

ventous|e [vɑ̃'tu:z] *f* **1.** ⚕ Schröpfkopf *m*; **2.** ⊕, ⚓ Zugröhre *f*, Zug-, Luft-loch *n*, -klappe *f*, Abzugsloch *n*; **3.** *zo.* Saugnapf *m bei Würmern*; **4.** ⊕ Entlüftungsventil *n*; **~er** ⚕ [~tu'ze] *v/t.* (1a) *Blut* absaugen.

ventral *physiol.* [vɑ̃'tral] *adj.* (5c) Bauch...

ventre ['vɑ̃:trə] *m* **1.** Bauch *m*, Leib *m*; *avoir le ~ plein* satt sein; ⚕ *avoir mal au ~* Bauchschmerzen haben; F *avoir le ~ plat* e-n leeren Magen haben; P *avoir du cœur au ~* Mut im Leibe haben; *aller ~ à terre* in gestrecktem Galopp reiten; F *prendre du ~* dick werden; **2.** Mutterleib *m*; **3.** Ausbauchung *f*; *faire le ~* sich ausbauchen (*Mauer, Gefäß*).

ventrée [vɑ̃'tre] *f zo.* Wurf *m* Junge.

ventricule *anat.* [vɑ̃tri'kyl] *m* Kammer *f*, Höhle *f*.

ventri|ère [vɑ̃tri'ɛ:r] *f* **1.** Bauchbinde *f*, -riemen *m*, -gurt *m*; **2.** *charp.* Querbalken *m*; **~loque** [~'lɔk] *m* Bauchredner *m*; **~loquie** [~lɔ'ki] *f* Bauchreden *n*.

ven|tripotent [~pɔ'tɑ̃] *adj.* (7) *u.* **~tru** [vɑ̃'try] **I** *adj.* dickbäuchig; *ventru a.* ⊕ stark bauchig; **II** *su.* F Schmerbauch *m*, Fettwalze *f* P.

venturi ⊕ [vɑ̃ty'ri] *m* **1.** Venturirohr *n*; **2.** Vergaserdüse *f*.

venu [v(ə)'ny] *p/p. von venir*; *le premier ~* der erste beste; *la première page ~e* die erste beste Seite, jede beliebige Seite *f*; *le dernier (nouveau) ~* der zuletzt (zuerst) Angekommene; *le nouveau ~* der neu Hinzugekommene; *le dernier ~ des médicaments contre ...* die letzte Neuheit von Medikamenten gegen ...; *bien ~* gelungen; bestanden (*Prüfung*); *un enfant mal* (*bien*) ~ ein verwachsenes (gutgewachsenes) Kind *n*; *une plante bien ~e* e-e gut gediehene Pflanze *f*; *soyez le bien~!* herzlich willkommen!; *tout ~* ausgewachsen.

venue [v(ə)'ny] *f* **1.** Ankunft *f*; *allées et ~s* Hin- und Herlaufen *n*; *à la bonne ~* aufs Geratewohl; **2.** Wuchs *m*; *être tout d'une ~* oben und unten gleich dick (*fig.* aus einem Guß) sein.

vénusté *litt.* [venys'te] *f* Liebreiz *m*.

vêpres *rl.* ['vɛ:prə] *f/pl.* Vesper *f*.

ver [vɛ:r] *m* Wurm *m*; *~ solitaire* Bandwurm *m*; *~ luisant* Johanniswürmchen *n*; *~ à soie* Seidenraupe *f*; *~ de terre* Regenwurm *m*; *fig. ~ rongeur* Bücherwurm *m*; *fig.* nagender Gewissenswurm *m*; *tuer le ~* frühmorgens ein Schnäpschen trinken; *fig. tirer les ~s du nez à q.* j-n ausfragen.

véracité [verasi'te] *f* Wahrhaftigkeit *f*; Wahrheitsliebe *f*; Zuverlässigkeit *f* (*a. e-r Zeugenaussage*).

véraison ⚘ [verɛ'zɔ̃] *f* beginnende Reife *f der Trauben*.

véranda [verɑ̃'da] *f* Veranda *f*.

verbal [vɛr'bal] *adj.* (5c) **1.** □ mündlich; *dipl. note f ~e* Verbalnote *f*; *procès-~ m* Protokoll *n*; **2.** *gr.* verbal; **~ement** [~l'mɑ̃] *adv.* mündlich; *~ et par écrit* in Wort und Schrift; **~isation** [~lizɑ'sjɔ̃] *f* Protokollieren *n*, Aufsetzen *n* e-s Protokolls; **~iser** [~li'ze] *v/i.* (1a) protokollieren; **~isme** [~'lism] *m* Wortgeklingel *n*.

verbe [vɛrb] *m* **1.** *gr.* (*abr. v.*) Verbum *n*, Zeitwort *n*; *~ impersonnel od. unipersonnel* (*bisw. ~ neutre*) unpersönliches Verb *n*; *~ pronominal, bisw. a. ~ réfléchi* reflexives (*od.* rückbezügliches) Verb *n*; *~ défectif* defektes (*od.* unvollständiges) Verb *n*; *~ à sens plein* Vollverb *n*; *~ passe-partout* Allerweltsverb *n*; *~ auxiliaire* Hilfsverb *n*; *~ semi-auxiliaire* bedingt gebrauchtes Hilfsverb *n*; **2.** *fig.* Stimme *f*, Tonart *f*, Wort *n*; *avoir le ~ haut* laut sprechen; *fig.* das große Wort führen, anmaßend reden; *qui a le ~ haut* vorlaut, anmaßend, vorwitzig; *au commencement était le* ♀ am Anfang war das Wort.

verbénacé ⚘ [vɛrbena'se] *adj.* eisenkrautartig.

verb|eux [vɛr'bø] *adj.* (7d) redselig, schwatzhaft; weitschweifig; **~iage** [vɛr'bja:ʒ] *m* Gefasel *n*.

verboquet ⚠ [vɛrbɔ'kɛ] *m* Lenkseil *n* zum Aufziehen von Lasten.

verbosité [~bozi'te] *f* Wortschwall *m*.

ver-coquin [vɛrkɔ'kɛ̃] *m* (6a) **1.** *vét.* Drehwurm *m der Schafe*; **2.** *zo.* Quese *f*; **3.** *fig.* Rappel *m*, Tick *m*.

verdage ⚒ [vɛr'da:ʒ] *m* Gründüngung *f*; Gründünger *m*.

ver|dâtre [vɛr'dɑ:trə] *adj.* grünlich, blaßgrün; **~det** ⚗ [~'dɛ] *m* Kupfergrün *n*; **~deur** [~'dœ:r] *f* **1.** Saft *m* der Bäume; **2** Herbheit *f*, saurer Geschmack *m*, Säure *f des Weins od. Obstes*; **3.** *fig.* Jugendfrische *f*, -kraft *f*, Rüstigkeit *f*.

verdict ⚖ [vɛr'dikt] *m* Urteilsspruch *m*; *~ scandaleux* Schandurteil *n*; *~ d'acquittement, ~ de non-culpabilité* Freispruch *m*; *~ de culpabilité* Schuldigerklärung *f*; *rendre le ~* das Urteil fällen.

ver|dier *orn.* [vɛr'dje] *m* Grünfink *m*; **~dir** [~'di:r] (2a) **I** *v/t.* **1.** grün werden lassen (*die Blätter durch das Sonnenlicht*); **II** *v/i.* **2.** grünen; **3.** Grünspan ansetzen; **~dissage** [~di'sa:ʒ] *m* Grünwerden *n*; **~dissant** [~di'sɑ̃] *adj.* grünend; **~dissement** [~dis'mɑ̃] *m* Grünen *n*; **~doyant** [~dwa'jɑ̃] *adj.* (7) grünend; grünlich; **~doyer** [~dwa'je] *v/i.* (1h) (anfangen zu) grünen; **~dunisation** ⚗ [~dynizɑ'sjɔ̃] *f* Sterilisierung *f* des Wassers mit der Javellschen Lauge; **~dure** [~'dy:r] *f* Grün *n*; grünes Laub *n*; Rasen *m*; *cuis.* Grünzeug *n*, Kräuter *n/pl.*; (*tapisserie f de*) ~ mit Bäumen bemalte Tapete *f*; *théâtre m de ~* Freilufttheater *n*.

véreux [ve'rø] *adj.* (7d) **1.** wurmstichig (*Früchte*); **2.** *fig.* faul, anrüchig, übel, verdächtig; **3.** *fig.* unreell.

verge [vɛrʒ] *f* **1.** Rute *f*, Gerte *f*; Geißel *f*, Zuchtrute *f*; *ehm.* ⚔ *~s pl.* Spießruten *f/pl.*; *passer* (*q.*) *par les ~s* (j-n) Spießruten laufen (lassen); **2.** Stab *m*, Stock *m*, Stange *f*; ⚓ *~ de l'ancre* Ankerschaft *m*; **3.** *anat.* Penis *m*, männliches Glied *n*.

vergé [vɛr'ʒe] *adj.* gerippt (*Papier*).

vergeoise [vɛr'ʒwɑ:z] *f* Farinzucker *m*.

verger [vɛr'ʒe] *m* Obstgarten *m*.

vergeté [vɛrʒə'te] *adj.* streifig; striemig; gestreift; *peau f ~e* rotgeäderte Haut *f*.

verge|ter [~] *v/t.* (1c) ausklopfen; **~tier** [~'tje] *su.* (7b) Bürstenbinder *m*; **~tte** [vɛr'ʒɛt] *f* **1.** kleine Rute *f*; **2.** ⊕ Eisensprosse *f*; **~tures**

[vɛrʒə'ty:r] *f/pl.* Striemen *m/pl.*; Schwangerschaftsstreifen *m/pl.*

vergeure ⊕ [vɛr'ʒy:r] *f* Wasserzeichen *n* (*Papier*).

ver|glacé [vɛrgla'se] *adj.* vereist (*Straße*); **~glas** [vɛr'glɑ] *m* Glatteis *n.*

vergne ⚘ [vɛrɲ] *m*, **verne** ⚘ [vɛrn] *m* (Schwarz-)Erle *f.*

vergogne [vɛr'gɔɲ] *f*: *sans ~* schamlos.

vergue [vɛrg] *f* ⚓ Rahe *f*, Segelstange *f*; ⊕ Arm *m.*

véricle [ve'riklə] *m* falscher Edelstein *m*; *diamants m/pl. de ~* falsche Diamanten *m/pl.*

véridi|cité [veridisi'te] *f* Wahrhaftigkeit *f*; Zuverlässigkeit *f*; **~que** [~'dik] *adj.* wahrheitsliebend, wahrhaftig; wahrheitsgetreu, zuverlässig (*Zeugenaussage*); wahr, echt.

vérifi|able [veri'fjablə] *adj.* nachprüfbar, feststellbar; **~cateur** [~fika'tœ:r] *m* Prüfer *m*, Revisor *m*; ⊕ Prüf-, Kontroll-gerät *n*; **~cation** [~kɑ'sjɔ̃] *f* **1.** Prüfung *f* der Richtigkeit, der Echtheit *usw.*; *pol. ~ des pouvoirs* Prüfung *f* der Vollmachten; **2.** Bestätigung *f*; **~er** [~'fje] (1a) **I** *v/t.* **1.** die Richtigkeit, Echtheit (nach)prüfen, untersuchen; *~ un fait* sich von der Richtigkeit e-r Tatsache überzeugen; *e-e Sache* nachprüfen; **2.** bestätigen; **II** *v/rfl. se ~* bestätigt *usw.* werden.

vérin ⊕ [ve'rɛ̃] *m* **1.** (Schrauben-) Winde *f*; *~ hydraulique* a) *bét.* hydraulische Spannmaschine *f*; b) *hydr.* hydraulischer Kraftzylinder *m*; **2.** *Auto*: *~ de boîte de vitesse* Getriebezylinder *m*; *~ de commande* Steuerzylinder *m*; *~ de frein* Bremszylinder *m*; **3.** *Auto*: Wagenheber *m*; *~ de levage à air comprimé* Preßlufthebebock *m*; 🚂 *~ de voie* Schienenheber *m.*

véris|me *litt.*, *Kunst* [ve'rism] *m* Verismus *m*, italienischer Naturalismus *m* (*Ende des 19. Jh.s*); **~te** [ve'rist] *m* Anhänger *m* des italienischen Naturalismus.

véri|table [veri'tablə] *adj.* □ **1.** wahr, aufrichtig, echt, wirklich, richtig; *un ~ orateur* ein vollendeter Redner *m*; **2.** der Wahrheit gemäß, wahrheitsgetreu; **3.** wahrheitsliebend, aufrichtig; **~té** [~'te] *f* **1.** Wahrheit *f*; F *dire ses (quatre) ~s* (*od. la ~ toute nue*) *à q.* j-m s-e Meinung sagen; *advt. en ~* in Wahrheit, wirklich, in der Tat; *à la ~* zwar; *~ banale* (*od. triviale*), *~ qui court les rues*, *~ de La Palice*, *iron. ~ première* Binsenwahrheit *f*; **2.** Wahrhaftigkeit *f*, Aufrichtigkeit *f*; **3.** Wirklichkeit *f*; *peint. d'une grande ~* sehr naturgetreu; *fig. être dans sa ~* in s-m Element sein.

verjus [vɛr'ʒy] *m* Saft *m* der unreifen Trauben; unreife Trauben *f/pl.*; saurer Wein *m*; *fig. aigre comme ~* griesgrämig; F *c'est jus vert et ~* das ist Jacke wie Hose.

verjuté [vɛrʒy'te] *adj.* sauer (*Sauce*; *Wein*).

vermeil [vɛr'mɛj] **I** *adj.* (7c) hochrot; *lèvres f/pl. ~les* rosige Lippen *f/pl.*; *teint m ~* frische Gesichtsfarbe *f*; **II** *m* ⊕ vergoldetes Silber *n.*

vermi|celier [vɛrmisɛ'lje] *m* Fadennudelnfabrikant *m*; **~celle** [~'sɛl] *m* Fadennudeln *f/pl.*; (*potage m au*) *~* Nudelsuppe *f*; **~cellerie** [~sɛl'ri] *f* Fadennudelfabrik(ation *f*) *f.*

vermi|culaire [~ky'lɛ:r] *adj.* wurmförmig; wurmartig; **~culé** △ [~ky'le] *adj.* mit kleinen gewundenen Verzierungen; **~culures** △ [~ky'ly:r] *f/pl.* wurmlinige Verzierungen *f/pl.*; **~forme** [~'fɔrm] *adj.* wurmförmig; **~fuge** ⚕ [~'fy:ʒ] *adj. u. m* wurmabtreibend(es Mittel *n*); **~ller** [~mi'je] *v/i.* (1a) nach Würmern wühlen (*Wildschwein*, *Schwein*).

vermillon [~mi'jɔ̃] *m* Zinnober *m*; Zinnoberrot *n*; *fig. le ~ des joues* die frische Röte der Wangen.

vermillonner[1] [vɛrmijɔ'ne] *v/t.* (1a) **1.** mit Zinnober (*od.* hellrot) bemalen; **2.** rot schminken.

vermillonner[2] [~] *v/t.* (1a) nach Wurzeln wühlen (*Dachs*).

vermi|ne [vɛr'mi:n] *f* Ungeziefer *n*, **~s** *anat.* [vɛr'mis] *m* Vermis *m*, Kleinhirnwurm *m*; **~sseau** [~'so] *m* (5b) (Regen-)Würmchen *n*; *fig.* kleiner, armer Wicht *m*; **~vore** [~'vɔ:r] *adj. zo.* würmerfressend.

vermou|lu [vɛrmu'ly] *adj.* wurmstichig; morsch; **~lure** [~'ly:r] *f* Wurm-fraß *m*, -mehl *n.*

vermout(h) [~'mut] *m* Wermut *m.*

vernaculaire [vɛrnaky'lɛ:r] *adj.* regional begrenzt, einheimisch; *langue f ~* Mundart *f*, Dialekt *m.*

vernal [vɛr'nal] *adj.* (5c) Frühlings...; *ast. équinoxe m ~* Frühjahrs-Tagundnachtgleiche *f.*

verne ⚘ [vɛrn] *m* (Schwarz-)Erle *f.*

vern|i [vɛr'ni] *adj.* **1.** lackiert, Lack-...; **2.** P: *être ~* Schwein haben; **~ir** [~'nir] *v/t.* (2a) **1.** firnissen, lackieren; polieren (*Möbel*); glasieren (*Töpfe*); *des bottines ver-*

nies Lackstiefel *m/pl.*; **2.** *fig.* beschönigen, übertünchen, e-n glänzenden Anstrich geben; **~is** [~'ni] *m* **1.** Firnis *m*, Lack *m*; Glasur *f*; *~ à ongles* Nagellack *m*; *se mettre du ~ aux ongles* sich die Nägel lackieren; *enduire de ~* firnissen, lackieren; *chaussures f/pl. en ~* Lackschuhe *m/pl.*; **2.** *fig.* glänzender Anstrich *m*; **~issage** [~ni'sa:ʒ] *m* **1.** Lackierung *f*; ⊕ Glasieren *n*; **2.** *fig.* Vorbesichtigung *f* (*e-r Kunstausstellung*), Vorschau *f*; **~isser** [~ni'se] *v/t.* (1a) *Töpferei*: glasieren; **~isseur** [~ni'sœ:r] *m* Lackierer *m*.

véro|le ⚕ [ve'rɔl] *f* **1.** P Syphilis *f*; **2.** *petite ~* Pocken *pl.*, Blattern *pl.*; *petite ~ volante* Windpocken *pl.*; **~lé** ⚕ P [~'le] *adj.* syphilitisch.

véronique ♀ [verɔ'nik] *f* Veronika *f*, Männertreu *f*, Ehrenpreis *m*.

verraille [vɛ'rɑ:j] *f* kleine Glaswaren *f/pl.*

verrat *zo.* [vɛ'ra] *m* Eber *m*, Keiler *m*.

verre [vɛ:r] *m* **1.** Glas *n*; *~ armé* Drahtglas *n*; *~ à bouteilles* Flaschenglas *n*; *~ cassé* Bruchglas *n*; *~ déformant* Vexierglas *n*; *~ à glaces* Spiegelglas *n*; *~ cathédrale* Kathedralglas *n*; *~ de lunettes* Brillenglas *n*; ⚓ *~ dormant* Bodenluke *f*; *~ à vitres* Fensterglas *n*; *~ de montre* Uhrglas *n*; *~ dépoli* Mattscheibe *f*; *Auto*: *~ feuilleté* Verbundglas *n*; *~ flotté* Fließglas *n*; *~ grossissant* Vergrößerungsglas *n*; **2.** ⚗ *~ d'antimoine* Spießglanzglas *n*; *~ de plomb* Bleiglas *n*; *fig. papier m de ~* Sandpapier *n*; **3.** (Trink-)Glas *n*; *~ à eau* Wasserglas *n*; *~ d'eau* Glas *n* Wasser; *~ à confitures* Weck-, Einweck-, Einmach-glas *n*; *~ à liqueur* Likör-, Schnaps-glas *n*; *~ à vin du Rhin* Römer *m*; *~ à pied* Weinglas *n*; *petit ~* Schnaps *m*, Schnäpschen *n*; *boire dans un ~* aus e-m Glas trinken; **4.** *avec le ~ od. ~ compris* einschließlich Flasche (*od.* Glas).

verré ⊕ [vɛ're] *adj.*: *papier m ~* Sandpapier *n*.

verr|erie [vɛr'ri] *f* **1.** Glashütte *f*; **2.** Glasindustrie *f*, Glashandel *m*; **3.** Glaswaren *f/pl.*; *~(s)! Aufschrift*: Zerbrechlich! Glas!; **~ier** [vɛ'rje] *m* **1.** Glasbläser *m*; Glashändler *m*; **2.** Hersteller *m* von Kirchenfenstern; **3.** Glasmaler *m*; **~ière** [~'rjɛ:r] *f* **1.** großes Kirchenfenster *n*; **2.** große Verglasung *f* (*Veranda*); Glas-wand *f*, -dach *n*, ✈ -kuppel *f*; **3.** Gläserbecken *n*; **~ine** [~'ri:n] *f* **1.** ⚓ Steuermannslampe *f*; **2.** *antiq.* ♀*s* Reden *f/pl.* Ciceros gegen Verres; **~oterie** ✝ [vɛrɔ'tri] *f* kleine Glaswaren *f/pl.*, Glasschmuck *m*.

verrou [vɛ'ru] *m* **1.** Riegel *m*; *~ de sûreté* Sicherheits-, Sperr-riegel *m*; *fermer au ~* verriegeln; *ouvrir le ~* aufriegeln; **2.** *fig.* Verschluß *m*; *mettre sous ~* verschließen; *tenir q. sous les ~s* j-n hinter Schloß und Riegel halten; **~illage** ⚔ [~ru'ja:ʒ] *m* Abriegelung *f*; *~ à baïonnette* Bajonettverschluß *m*; **~iller** [~ru'je] *v/t.* (1a) zu-, ver-, ab-riegeln.

verru|caire ♀ [vɛry'kɛ:r] *f* Warzenflechte *f*; **~cosité** ⚕ [~kozi'te] *f* warzenförmige Erhöhung *f*; **~cule** ⚕ [~'kyl] *f* kleine Warze *f*; **~e** [vɛ'ry] *f* Warze *f*; **~queux** [~'kø] *adj.* (7d) warzig.

vers[1] [vɛ:r] *m* Vers *m*; *faire des ~* dichten; *mettre en ~* reimen, in Verse bringen; *~ blanc* Blankvers *m*, reimloser Vers *m*; *~ pl. raboteux*, *~ boiteux*, *~ burlesques*, *~ improvisés*, *~ de rimailleur* Knittelverse *m/pl.*

vers[2] [vɛ:r] *prp.* gegen (*acc.*), nach (*dat.*), zu (*dat.*); *aller ~ q.* auf j-n zugehen; *se diriger ~ le nord* sich nach Norden (*od.* nordwärts) wenden; *~ (les) trois heures* gegen 3 Uhr; *~ la fin* gegen Ende; *~ ce temps* um diese Zeit.

versage 🖋 [vɛr'sa:ʒ] *m* erstes Umpflügen *n*, Umbrechen *n*.

versant [vɛr'sɑ̃] *m* (Berg-)Abhang *m*.

versati|le [vɛrsa'til] *adj.* unstet, wankelmütig, sprunghaft, launenhaft, charakterlos; **~lité** [~tili'te] *f* Unstetigkeit *f*, Veränderlichkeit *f*, Wankelmut *m*, Sprunghaftigkeit *f*, Charakterlosigkeit *f*.

verse [vɛrs] *f* **1.** Liegen *n des Getreides*; **2.** ⊕ Guß *m*; **3.** *advt. il pleut à ~* es gießt in Strömen.

versé [vɛr'se] *adj.* bewandert (*dans* in *dat.*).

versement [vɛrsə'mɑ̃] *m* (Ein-, Aus-)Zahlung *f*; (Geld-)Aufwendung *f*; *~ complémentaire* Nachzahlung *f*; *~ supplémentaire* Zuschuß *m*; *faire un ~* aus-, einzahlen; *faire des ~s auch*: Geld aufwenden *für* (*acc.*).

verser [vɛr'se] (1a) **I** *v/t.* **1.** gießen; schütten; ein-, aus-, weg-gießen; verschütten; *~ ses chagrins dans le cœur d'un ami* sein Herz e-m Freund gegenüber ausschütten; *abs. ~ (à boire)* einschenken; *versez-moi!* schenken Sie mir ein!; *~ des* *larmes* Tränen vergießen; *~ son sang* sein Blut vergießen, sein Leben opfern; *fig. ~ du baume sur une blessure* Balsam auf e-e Wunde träufeln; **2.** einzahlen; *Geld* auswerfen *od.* vorschießen; **3.** *~ une pièce au dossier* ein Schriftstück zu den Akten nehmen; **4.** umwerfen, (um)kippen (*e-n Wagen*; *häufiger*: *renverser*); **5.** ⚒ *Getreide* umlegen (*Sturm, Regen*); **II** *v/i.* **6.** umkippen, umstürzen, umfallen (*Wagen*); *la voiture a versé* der Wagen ist umgekippt; **7.** ⚒ sich neigen, sich legen (*Getreide*); **8.** *fig. moralisch* verfallen; *~ dans le ridicule* ins Lächerliche verfallen; *faire ~ dans qch.* zu etw. (*dat.*) verführen.

verset [vɛr'sɛ] *m* Bibelspruch *m*, (Bibel-, Gesangbuch-)Vers *m*.

vers|eur [vɛr'sœːr] *su.* (7g) Einschenker *m*; ⊕ Gießer *m*; Waggonkipper *m*; **~euse** [~'søːz] *f* Kaffeekanne *f* (*mit horizontalem Griff*).

versicolore [vɛrsikɔ'lɔːr] *adj.* verschiedenfarbig.

versifi|cateur [vɛrsifika'tœːr] *su.* (7f) Versemacher *m*, Verskünstler *m*; **~cation** [~fikɑ'sjɔ̃] *f* Versbau *m*; Vers-kunst *f*, -lehre *f*; **~er** [~'fje] *v/t.* (1a) in Verse bringen.

version [vɛr'sjɔ̃] *f* **1.** Übersetzung *f in die Muttersprache*; **2.** Version *f*, Lesart *f*; Auffassungsweise *f*; **3.** ⊕ Typ *m*, Abart *f*, Version *f*, Bau-typ *m*, -art *f*, Ausführung *f*.

vers-libri|sme *litt.* [vɛrli'brism] *m* Lyrik *f* in freien Versen; **~ste** *litt.* [~'brist] *m* Dichter *m* freier Verse.

verso [vɛr'so] *m* Rückseite *f* (*e-s Blattes*); *voir au ~* siehe umseitig.

versoir ⚒ [vɛr'swaːr] *m* Streichbrett *n am Pflug*.

vert [vɛːr] **I** *adj.* (7) **1.** grün; *~ d'eau* wassergrün; *~ doré* goldgrün; *~ bouteille* flaschengrün; *~ pomme* apfelgrün; *des rubans ~ foncé* dunkelgrüne Bänder *n/pl.*; *fig. devenir ~ de jalousie* blaß vor Neid werden; **2.** noch nicht verdorrt, noch grün (*Pflanze*); noch frisch (*Holz*); unreif (*Obst*); *légumes m/pl. ~s* Frischgemüse *n*; *haricots m/pl. ~s* grüne Bohnen *f/pl.*; *pois m/pl. ~s* grüne Erbsen *f/pl.*, Schoten *f/pl.*; *vin m ~* noch herber Wein *m*; *il trouve les raisins trop ~s* die Trauben sind ihm zu sauer; *fig. manger son blé en ~* s-e Einkünfte im voraus aufbrauchen; **3.** *fig.* rüstig, kräftig; **4.** □ derb, kraß, scharf (*Antwort*); *en dire de ~es à q.* j-m schonungslos die Wahrheit sagen; *en raconter de ~es* saftige Witze erzählen; *langue ~e* Gaunersprache *f*; **5.** noch nicht zubereitet; ⊕ noch unbearbeitet; *café m ~* ungebrannter Kaffee *m*, Rohkaffee *m*; **II** *m* **6.** Grün *n*; *~ clair* Hellgrün *n*; *~ foncé* Dunkelgrün *n*; *~ tirant sur le jaune* Gelbgrün *n*; **7.** Grünfutter *n*; Grasweide *f*; *mettre les chevaux au ~* die Pferde auf die Koppel bringen; *blé m en ~* Korn *n* auf dem Halm; *se mettre au ~* ins Grüne fahren, Landluft schnappen gehen; *litt. fig. prendre q. sans ~* j-n erwischen; *fig. employer le ~ et le sec* nichts unversucht lassen; **8.** Herbe *f*, Säure *f* des Weins; **9.** ⚗ *~ végétal* Blatt-, Saft-grün *n*; *min. ~ de montagne* Berggrün *n*.

vert-de|-gris [vɛrdə'gri] *m* Grünspan *m*; **~-grisé** [~gri'ze] *adj.* mit Grünspan bedeckt.

ver|tébral [vɛrte'bral] *adj.* (5c) *anat.* Wirbel...; *colonne f ~e* Wirbelsäule *f*, Rückgrat *n*; **~tèbre** *anat.* [~'tɛːbrə] *f* Wirbel *m*; *~s f/pl. cervicales (dorsales)* Hals-(Rücken-)wirbel *m/pl.*; **~tébré** *zo.* [~te'bre] *adj. u. ~s m/pl.* gewirbelt; Wirbeltiere *n/pl.*; **~tébrothérapeute** ⚕ [~tebrɔtera'pøːt] *m* Chiropraktiker *m*.

vertement [vɛrtə'mɑ̃] *adv.* unverblümt, geradeheraus, derb, kraß; gehörig.

vertical [vɛrti'kal] *adj* (5c) senkrecht, lotrecht, vertikal; *ast. point m ~* Scheitelpunkt *m*, Zenit *m*; ⚒ *ligne f ~e* (*auch ~e f*) Senkrechte *f*, Vertikale *f*, Lot *n*; **~ité** [~li'te] *f* senkrechte (*od.* vertikale) Lage *f od.* Richtung *f*.

vertig|e [vɛr'tiːʒ] *m* **1.** ⚕ Schwindel *m*; *j'ai le ~* mir ist schwindlig; *il lui prend un ~* ihm wird schwindlig; *~ de l'esprit* Wahnsinn *m*; **2.** *fig.* Taumel *m*; *~ des plaisirs* Freudentaumel *m*; *esprit m de ~* momentane Verblendung *f od.* Verirrung *f*; **~ineux** [~tiʒi'nø] *adj.* (7d) schwindlig; schwindelnd (*Höhe*); wahn-, irr-sinnig (*Schnelligkeit, Tempo*); **~o** [vɛrti'go] *m vét.* Koller *m*.

vertu [vɛr'ty] *f* **1.** Tugend *f*; **2.** Sittsamkeit *f*, Keuschheit *f*; **3.** Kraft *f*, *noch in*: *~ curative* Heilkraft *f*; *~ magique* magische Kraft *f*; **4.** *als prp.* *en ~ de* kraft, vermöge, auf Grund (*gén.*); *en ~ de quoi?* mit

welchem Recht?, aus welchem Grund? [tugendhaft.]
vertueusement [vɛrtɥøz'mɑ̃] *adv.*
vertueux [vɛr'tɥø] *adj.* (7d) tugendhaft; sittsam, keusch.
vertugadin [vɛrtyga'dɛ̃] *m* **1.** *ehm.* Wulst *m* (*den die Frauen auf den Hüften trugen*); **2.** ✓ abschüssige Rasenanlage *f.*
verve [vɛrv] *f* Begeisterung *f*, Schwung *m*, *fig.* Feuer *n*, Schmiß *m*, Verve *f*; *plein de* ~ schmissig; *être en* ~ *fig.* in Fahrt sein, voll und ganz dabei sein.
verveine ⚘ [vɛr'vɛːn] *f* Eisenkraut *n.*
verveux[1] ⊕ [vɛr'vø] *m* reusenförmiges Fischnetz *n.*
verveux[2] [~] *adj.* (7d) begeistert, feurig, schwungvoll, schmissig.
vésanie *litt.* [veza'ni] *f* Wahnsinn *m.*
vesce ⚘ [vɛs] *f* Wicke *f.*
vesceron ⚘ [vɛs'rɔ̃] *m* breitblättrige Platterbse *f* (*Lathyrus latifolius*).
vésic|al ⚕ [vezi'kal] *adj.* (5c) Blasen...; **~ant** ⚕ [~'kɑ̃] *adj.* (7) *u. m*, **~atoire** ⚕ [~ka'twaːr] *adj. u. m* blasenziehend; Zugpflaster *n*; **~ulaire** [~ky'lɛːr] *adj.* bläschenartig; **~ule** [~'kyl] *f* Bläschen *n*; ~ *biliaire* Gallenblase *f.*
vesou [və'zu] *m* Zuckerrohrsaft *m.*
vespasienne [vɛspɑ'zjɛn] *f* öffentliche Bedürfnisanstalt *f für Männer.*
vespéral [vɛspe'ral] **I** *adj.* (5c) abendlich; **II** *m* Abendmeßbuch *n.*
vespertilion *zo.* [vɛspɛrtil'jɔ̃] *m* Fledermaus *f*, Abendsegler *m.*
vespidés *ent.* [~pi'de] *m/pl.* stechende Hautflügler *m/pl.*
vesse V [vɛs] *f* **1.** kleiner Furz *m* P (*od.* Pup *m* P); **2.** P Schiß *m* P, Angst *f*; *bsd. écol.* ~! Vorsicht!; **~-de-loup** [vɛsdə'lu] *f* (6b) Staubpilz *m*, Bovist *m.*
vesser V [vɛ'se] *v/i.* (1b) furzen P, pupen P.
vessie *anat.* [vɛ'si] *f* (Harn-)Blase *f*; ~ *natatoire* Schwimmblase *f der Fische*; *fig. je ne prends pas des ~s pour des lanternes* ich lasse mir kein X für ein U vormachen.
vestale [vɛs'tal] *f* **1.** *antiq.* Vestalin *f*; **2.** *fig.* keusches Mädchen *n.*
veste [vɛst] *f* **1.** Jacke *f*, Jackett *n*, Joppe *f*; Kinderjacke *f*; ~ *d'alpiniste* Kletterjacke *f*; *~-blouson f* Lumberjack *m*; Windbluse *f*; ~ *de fourrure* Pelzjacke *f*; ~ *en cuir* Lederjacke *f*; ~ *norvégienne*, ~ *de toile* leichte Windjacke *f*; *esc.* ~ *d'escrimeur* Fechtschurz *m*; F *fig. pol. retourner sa* ~ zu e-r anderen Partei übertreten; umschwenken; **2.** F Mißerfolg *m*, Pleite *f*, Reinfall *m*, Fiasko *n.*
vestiaire [vɛs'tjɛːr] *m* **1.** Kleiderablage *f*, Garderobe *f* (*im Kino, Theater, Museum*); **2.** Umkleideraum *m*; **3.** Sachen *f/pl.*, Kleidungsstücke *n/pl.*
vestibule [vɛsti'byl] *m* **1.** Hausflur *m*, (Vor-)Halle *f*, Diele *f*, Flur *m*; **2.** *anat.* Vestibulum *n.*
vestige [vɛs'tiːʒ] *m* **1.** (*mst.* ~*s pl.*) Fußspur *f*, Spur *f*; *fig. suivre les ~s de q.* in j-s Fußstapfen treten; **2.** *fig.* ~*s m/pl.* Überreste *m/pl.*
vestimentaire [vɛstimɑ̃'tɛːr] *adj.* Bekleidungs...; *article m* ~ Bekleidungsgegenstand *m.*
veston [vɛs'tɔ̃] *m* (Herren-)Jackett *n*; Sakko *m*; ~ *croisé* Zweireiher *m*; ~ *droit* Einreiher *m.*
vêtement [vɛt'mɑ̃] *m* Kleidungsstück *n*; Gewand *n st.s.*; ~*s pl.* Kleidung *f*, Bekleidung *f*, Kleidungsstücke *n/pl.*; ~*s pl. de dessus* (*de dessous*) Ober-(Unter-)bekleidung *f*; *changer de* ~ sich umziehen.
vétéran [vete'rɑ̃] *m* **1.** Veteran *m*; **2.** *allg.* Altmeister *m* (*z.B. der Wissenschaft*).
vétérinaire [~ri'nɛːr] **I** *adj.* tierärztlich, Tierarznei...; *école f* ~ Tierarzneischule *f*; *médecine f* ~ Tierarzneikunde *f*; **II** *m* Tierarzt *m.*
vétill|ard [veti'jaːr] *adj.* (7) = *vétilleux*; **~e** [ve'tij] *f* Lappalie *f*, Bagatelle *f*; **~eux** [~'jø] *adj.* (7d) kleinlich, pinselig F; spitzfindig; kompliziert, pusselig (*Arbeit*); *critique m* ~ Silbenstecher *m*, Wortklauber *m.*
vêtir *litt.* [vɛ'tiːr] (2g) **I** *v/t.* (an)kleiden, anziehen; ~ *q.* j-n anziehen; *vêtu* stark behäutet (*Zwiebel*); **II** *v/rfl. se* ~ sich anziehen, sich kleiden.
veto [ve'to] *m* Veto(recht *n*) *n*; *mettre son* ~ *à qch.* sein Veto gegen etw. (*acc.*) einlegen.
vêture *rl.* [vɛ'tyːr] *f* Einkleidung *f.*
vétust|e [ve'tyst] *adj.* veraltet, abgenutzt, baufällig, klapprig; *un appareil m* ~ ein klappriger Apparat *m*; **~é** [~s'te] *f* (hohes) Alter *n* (*nicht von Menschen!*); Baufälligkeit *f.*
veuf [vœf] (7e) **I** *adj.* verwitwet; *fig. e-r Sache od. e-s Menschen* beraubt; **II** *su.* Witwer *m* (*f*: Witwe).
veule [vøːl] *adj.* schlapp, kraft-, energie-los, weichlich, matt.
veulerie [vøl'ri] *f* Schlappheit *f*,

Kraft-, Energie-losigkeit *f*, Weichlichkeit *f*, Mattigkeit *f*.
veuvage [vœ'va:ʒ] *m* Witwen-, Witwer-stand *m*, -leben *n*.
vex|ant F [vɛk'sɑ̃] *adj.* (7) ärgerlich; enervierend (*a. Person*); **~ateur** [~ksa'tœ:r] *adj.* (7f) bedrückend; **~ation** [~ksɑ'sjɔ̃] *f* Schikane *f*, Schurigelei *f*; Schererei *f*, Plage *f*; Verstimmung *f*, Verdruß *m*; Kränkung *f*; **~atoire** [~ksa'twa:r] *adj.* drückend; **~er** [vɛk'se] (1a) **I** *v/t.* schikanieren, schurigeln; drangsalieren; ärgern, verdrießen; *fig. cela me vexe* das ärgert (*od.* fuchst F) mich; **II** *v/rfl. se ~ de* sich ärgern über (*acc.*).
via [vja] *prp.* über (*auf e-r Strecke*); *aller à Paris ~ Cologne* über Köln nach Paris fahren; ✈ *la ligne ~ New York* die Linie über New York.
viabiliser ⚠ [vjabili'ze] *v/t.* (1a) erschließen.
viabilité¹ [vjabili'te] *f* Lebensfähigkeit *f*.
viabilité² ⚠ [~] *f* Erschließung *f*.
viable¹ [vjablə] *adj.* lebensfähig.
viable² [~] *adj.* befahrbar; *fig.* durchführbar; ⚠ *terrain m ~* erschlossenes Gelände *n*.
viaduc [vja'dyk] *m* Viadukt *m*, Talbrücke *f*, Talüberführung *f*.
viager [vja'ʒe] **I** *adj.* (7b) □ lebenslänglich; *pension f viagère* Pension *f* auf Lebenszeit; **II** *m* Leibrente *f*.
viand|e [vjɑ̃:d] *f* **1.** Fleisch *n*; *~ blanche* weißes Fleisch *n* (*Geflügel, Kaninchen, Kalb*); *~ fraîche, ~ séchée* Frisch-, Dörr-fleisch *n*; *~ hachée* Gehackte(s) *n*; *~ de conserve* Dauerfleisch *n*; *~ congelée* Gefrierfleisch *n*; *menue ~* Geflügel *n*; Kleinwild *n*; *grosse ~ od. ~ de boucherie* Schlachtfleisch *n*; *~ faisandée* (*od. avancée od. trop faite*) angegangenes Wildbret *n*; *~s froides assorties* kalter Aufschnitt *m*; *~ à la gelée* Sülze *f*; **2.** V Körper *m*; *amène* (*od. bouge*) *ta ~!* komm!; **~é** F [vjɑ̃'de] *adj.* dick, fett; **~er** *ch.* [~] (1a) **I** *v/i.* äsen (*Rotwild*); **II** ⋆ *v/rfl. se ~* sich töten; **~is** *ch.* [vjɑ̃'di] *m* Geäse *n*, Weide *f* (*Rotwild*).
viatique [vja'tik] *m* **1.** Taschengeld *n* für die Reise (*od.* Fahrt); **2.** *rl.* Letzte Ölung *f*.
vibices ⚕ [vi'bis] *f/pl.* Striemen *m/pl.*
vibr|age *bét.* [vi'bra:ʒ] *m* Rütteln *n* (*zur Herstellung v. Betonröhren*); **~ant** [~'brɑ̃] *adj.* (7) schwingend; vibrierend; *fig.* aufregend; schwungvoll (*Redeweise*); warm (*Gemüt, Ton, Farbe, Gefühl*); **~antes** *gr.* [~'brɑ̃:t] *f/pl.* Vibranten *m/pl.*, Zitterlaute *m/pl.* (l, r); **~aphone** ♪ [~bra'fɔn] *m* Vibraphon *n*; **~ateur** [~bra'tœ:r] *m rad. usw.* Summer *m*; *bét.* Rüttelerreger *m*; **~atile** [~bra'til] **I** *adj.* schwingungsfähig, Schnurr..., Zitter...; *anat. poil m ~* Schnurrhaar *n*; **II** *zo.* (*cils m/pl.*) *~s* Zitterwimpern *f/pl.*; **~ation** [~brɑ'sjɔ̃] *f* Schwingung *f*; *cin.* Flimmern *n*; Rütteln *n*; *Auto*: Erschütterung *f*; **~atoire** [~bra'twa:r] *adj.* Schwingungs...; **~er** [~'bre] (1a) **I** *v/i.* vibrieren, schwingen, beben, erzittern; *cin.* flimmern; *faire ~* in Schwingung versetzen, *fig.* erschüttern; ergreifen; **II** ⊕ *v/t.* rütteln; *béton m vibré* Rüttelbeton *m*; **~eur** *bét.* [vi'brœ:r] *m*: *~ externe* Außenrüttler *m*; *~ à masse déséquilibrée* Umwuchtrüttler *m*; **~ion** *zo.* [~bri'ɔ̃] *m* Zittertierchen *n*; **~isses** [vi'bris] *f/pl.* Härchen *n/pl.* in der Nase; *zo.* Schnurrhaare *n/pl.*; *orn.* Flaum *m* (*am Schnabel*); **~o-massage** ⚕ [~brɔma'sa:ʒ] *m* Rüttelmassage *f*; **~opondeuse** ⊕ [~brɔpɔ̃'dø:z] *f* nach dem Vibrationsverfahren arbeitender Steinfertiger *m*; **~oscope** *phys.* [~brɔ'skɔp] *m* Schwingungsmesser *m*; **~otaxie** [~brɔtak'si] *f* Empfindlichkeit *f* gegenüber Erschütterungen.
viburnées ⚘ [vibyr'ne] *f/pl.* Schneeballgewächse *n/pl.*
vic|aire *rl.* [vi'kɛ:r] *m* Vikar *m*, Pfarrverweser *m*; *cath.* Kaplan *m*; Stellvertreter *m*; **~ariat** *rl.* [~ka'rja] *m* **1.** Stellvertretung *f*, Pfarrverweserstelle *f*; **2.** Amtsdauer *f* e-s Vikars; **3.** von e-m Vikar versehene Filialkirche *f* (*auch*: *vicairie* [vikɛ'ri] *f*); **4.** Wohnung *f* e-s Vikars.
vice [vis] *m* **1.** Fehler *m*, Gebrechen *n*, Mangel *m*; *~ du cœur* Herzfehler *m*; *~ de conformation* körperlicher Fehler *m*; ⚖ *~ de forme* Formfehler *m*; ⊕, ⚠ *~ de construction* Konstruktionsfehler *m*; **2.** Unzulänglichkeit *f*, Unvollkommenheit *f*, Mangelhaftigkeit *f*; **3.** Laster *n*, Unzucht *f*, Sittenlosigkeit *f*.
vice|-amiral [~ami'ral] *m* (5c) Vizeadmiral *m*; **~-chancelier** *pol.* [~ʃɑ̃sə'lje] *m* (6g) Vizekanzler *m*; **~-consul** *pol.* [~kɔ̃'syl] *m* (6g) Vizekonsul *m*; **~-président** [~prezi'dɑ̃] *m* (6g) Vizepräsident *m*.

vicennal [visɛ'nal] *adj.* (5c) alle zwanzig Jahre stattfindend, Zwanzigjahres...

vice-recteur [visrɛk'tœ:r] *m* stellvertretender Leiter *m* (*e-s Instituts*).

vice-roi [~'rwa] *m* (6g) Vizekönig *m*.

vice versa [~ vɛr'sa] *adv.*: et ~ und umgekehrt.

vichy [vi'ʃi] *m* **1.** *text.* karierter *od.* gestreifter Baumwollstoff *m*; **2.** *ein* Glas *n* Vichy-Mineralwasser.

vichyssois [viʃi'swa] **I** *adj. u.* ♀ *su.* (Einwohner *m*) aus Vichy; **II** *pol. mv.p. m* Anhänger *m* des Vichyregimes, Vichyverräter *m* (*unter dem Vichyregime von 1940 bis 1944*).

vici|ation [visjɑ'sjɔ̃] *f* Verschlechterung *f*, Stickigwerden *n*, Verbrauchtwerden *n* (*der Luft*); **~er** [vi'sje] (1a) **I** *v/t.* **1.** verderben, verschlechtern; **2.** ⚖ umstoßen, ungültig machen; **II** *v/rfl.* se ~ schlecht werden, verderben; *fig.* ausarten; **~eux** [vi'sjø] (7d) **I** *adj.* □ **1.** fehlerhaft, mangelhaft; **2.** tückisch (*Pferd*); **3.** lasterhaft, sittenlos, verdorben, liederlich; **4.** ⚖ fehlerhaft; **II** *su.* verkommener Mensch *m*.

vicinal [visi'nal] *adj.* (5c) nachbarlich; *chemin m* ~ Gemeindeweg *m*; *chemin m de fer* ~ Kleinbahn *f*; **~ité** [~li'te] *f*: *chemin m de grande* ~ Hauptgemeindeweg *m*.

vicissitude [visisi'tyd] *f* **1.** Abwechselung *f*, Wechsel *m*; *la* ~ *des saisons* der Wechsel der Jahreszeiten; **2.** ~*s pl.* Schicksalsschläge *m/pl.*, Mißgeschick *n*, Wechselfälle *m/pl.* (*des Lebens*).

vicomt|e *m*, **~esse** *f* [vi'kɔ̃:t, vikɔ̃'tɛs] Vicomte *m*, Vicomtesse *f*.

victime [vik'ti:m] *f* **1.** *bsd. antiq.* Opfertier *n*, (Schlacht-)Opfer *n*; ~ *humaine* Menschenopfer *n*; **2.** *fig.* Opfer *n* (*das man wird od. ist*).

victoire [vik'twa:r] *f* Sieg *m*; *remporter la* (*une*) ~ den (e-n) Sieg davontragen *od.* erringen; *Sport*: ~ *aux points* Punktsieg *m*.

victorieux [viktɔ'rjø] *adj.* (7d) siegreich.

victuailles [vik'tɥɑ:j] *f/pl.* Lebensmittel *n/pl.*, Proviant *m/sg*.

vidage [vi'da:ʒ] *m* Entleerung *f*; * *écol.* Rausschmiß *m* P.

vidang|e [vi'dɑ̃:ʒ] *f* **1.** Aus-, Entleeren *n*, Reinigung *f*, Entwässerung *f usw.*; Abfuhr *f* der Fäkalien; **2.** Nichtvollsein *n e-s Fasses*; *tonneau m en* ~ angezapftes Faß *n*; **3.** *Auto*: Ölwechsel *m*; **4.** ~*s pl.* Fäkalien *pl.*, Jauche *f*, Kot *m bsd. der Aborte*; **~er** [vidɑ̃'ʒe] *v/t.* (1l) **1.** *den Abort* entleeren, reinigen; **2.** *Auto*: entleeren, ablassen; ~ *le moteur* das Öl ablassen; **~eur** [~'ʒœ:r] *m* Abortleerer *m*.

vide [vid] **I** *adj.* **1.** leer; *fig.* hohl, gehaltlos; ~ *de raison, de sens* sinn-, inhalt-los; **2.** *advt. à* ~ unbeladen; leer; *frapper à* ~ danebenschlagen; ⚠, ⊕ *porter à* ~ nicht 'aufliegen; *tourner à* ~ ⊕ leerlaufen; *fig.* kein Echo finden; ⊕ *marche f à* ~ Leerlauf *m* e-r Maschine; **II** *m* **3.** Leere *f*; Lücke *f*; *phys.* leerer Raum *m*, Unterdruck *m*, Vakuum *n*; ~ *d'air* Luftraum *m*; *fig. combler* (*od. remplir*) *un* ~ e-e Lücke schließen; *faire le* ~ die Luft auspumpen, luftleer machen; ⚠ *ce mur pousse au* ~ diese Mauer steht schief (*od.* baucht sich aus); *fig. faire le* ~ *autour de q.* j-n meiden; **4.** *fig.* Hohlheit *f*, Sinnlosigkeit *f*, Gehaltlosigkeit *f*, Öde *f*, Leere *f*; *parler dans le* ~ ins Blaue reden; leeres Stroh dreschen.

vidé P [vi'de] *adj.*: *être* ~ ab (*od.* fertig) sein *fig.* F.

vide|-bouteille [vidbu'tɛj] *m* (6c) Siphon *m*, Saugheber *m*; **~-citron** [~si'trɔ̃] *m* (6g) Zitronenpresse *f*.

videlle ⊕ [vi'dɛl] *f* Teigrädchen *n*.

videment [vid'mɑ̃] *m* Ausleeren *n*.

vidéo [vide'o] *m* **1.** *télév. Auto* (Personal-) Kontrollgerät *n*; **2.** *cin.* lebensnaher Filmstreifen *m*; **~cassette** [~ka'sɛt] *f* Video-Kassette *f*; **~(disco)thèque** [~(diskɔ)'tɛk] *f* Bildplattensammlung *f*; **~phone** [~'fɔn] *m* **1.** Bildplatten-Abspielgerät *n*; **2.** Telefon *n* mit Sichtmöglichkeit.

vide|-ordures [vidɔr'dy:r] *m* (6c) Müllschlucker *m* (*für Küchenabfälle*); **~-poches** [~'pɔʃ] *m* (6c) **1.** Schmuck-kästchen *n*, -schälchen *n* (*zum Ablegen von Schmuck, Wertsachen usw.*); **2.** Tasche *f* für Autopapiere; **3.** Innentasche *f* (*Zelt*); **~-pommes** [~'pɔm] *m* (6c) Apfelentkerner *m*.

vider [vi'de] (1a) **I** *v/t.* **1.** (aus-) leeren, leer machen, austrinken (*Gefäß*), auspumpen; reinigen; ausbohren, ausschneiden; ~ *un étang* e-n Teich ablassen; ~ *les arçons* vom Pferd abgeworfen werden; **2.** *Fische* ausnehmen; *ch.* ausweiden; *Erbsen* entschoten; *Obst* entkernen; **3.** *fig.* räumen, verlassen; ~ *les lieux* aus-, weg-ziehen; die Wohnung räumen; **4.** *fig.* ~ *un* *différend* e-n Streit beilegen; ~ *ses comptes* s-e Rechnungen ins reine bringen; F ~ *q.* j-n rausschmeißen; **II** *v/rfl.* se ~ leer (*od.* geleert) werden; sich leeren, auslaufen; *fig.* beigelegt werden; *fig.* entvölkert werden.

videur [vi'dœːr] *m* Geflügel-, Fischausnehmer *m*; *néol.* Rausschmeißer *m*; ~ *de poches* Taschendieb *m*.

vide-vite ⊕, ✈ [vid'vit] *m/inv.* Schnellablaßventil *n*.

vidicon *télév.* [vidi'kɔ̃] *m*: (*tube m*) ~ Vidikon *n* (*speichernde Fernsehaufnahmeröhre*).

vidim|er *adm.* [vidi'me] *v/t.* (1a) *e-e Abschrift* kollationieren u. beglaubigen; **~us** [~'mys] *m* beglaubigte Abschrift *f*.

viduité [vidɥi'te] *f* Witwenstand *m*.

vidure ⊕ [vi'dyːr] *f* Herausgenommene(s) *n* (*beim Entleeren*).

vie [vi] *f* **1.** Leben *n*; ~ *végétale* Pflanzenleben *n*; *arbre m de* ~ Lebensbaum *m*; *assurance f sur la* ~ Lebensversicherung *f*; *au péril de sa* ~ unter Lebensgefahr; *être en* ~ am Leben sein; *sans* ~ leblos; *plein de* ~ voller Lebenskraft; *sous peine de la* ~ bei Todesstrafe; **2.** Lebenskraft *f*; Lebendigkeit *f*, Lebensfreude *f*, Lebhaftigkeit *f*; *plein de* ~ voller Lebens-freude, -kraft; *avoir la* ~ *dure* zäh sein; **3.** Lebenszeit *f*; *advt. à* ~ lebenslänglich; *jamais de la* ~ nie und nimmer; (*jamais*) *de ma* ~ *je n'ai vu pareille chose* in meinem ganzen Leben ist mir so etwas noch nicht vorgekommen; *toute ma* ~, *de ma* ~, *ma* ~ *durant* Zeit meines Lebens, zeitlebens, mein Leben lang; **4.** Lebens-art *f*, -wandel *m*; Lebensberuf *m*; ~ *sportive* Sportleben *n*; Sportteil *m* (*als Überschrift in Zeitungen*); ~ *financière* Börsenteil *m e-r Zeitung*; ~ *économique*, ~ *politique* Wirtschafts-, Staatsleben *n*; ~ *intellectuelle*, ~ *intérieure* Geistes-, Innen-leben *n*; ~ *en commun*, ~ *commune* Gemeinschaftsleben *n*; *embrasser la* ~ *religieuse* ins Kloster gehen, Mönch (*od.* Nonne) werden; P *faire la* ~ a) ein liederliches Leben führen; b) unerträglich sein; F *il nous fait la* ~ er kracht sich dauernd mit uns rum; *vivre sa* ~ sein Leben genießen; *refaire sa* ~ sich wiederverheiraten; *faire* ~ *qui dure* mit s-n Kräften haushalten; ~ *rurale*, ~ *des champs* Landleben *n*; *changer de* ~ sein Leben ändern; **5.** (Lebens-)Unterhalt *m*, Brot *n*; *gagner sa* ~ sein Leben (*od.* Brot) verdienen; *mener la grande* ~, *mener joyeuse* ~ flott (*od.* in Saus und Braus) leben; **6.** *fig.* Lebenselement *n*; *c'est sa* ~ das geht ihm über alles; **7.** Lebensbeschreibung *f*.

vieil [vjɛj] s. *vieux*; **~lard** [vjɛ'jaːr] *m* alter Herr (*od.* Mann) *m*, Greis *m*; (*bisw. a. f*: ~*e statt vieille*; s. *vieux*); **~le** *icht.* [vjɛj] *f* Lippfisch *m*; **~lerie** [vjɛj'ri] *f* **1.** alter Hausrat *m*, Trödel *m*, Krimskrams *m*; **2.** ~*s pl.* abgegriffene (*od.* abgedroschene) Gedanken *m/pl.* (*od.* Wendungen *f/pl.*); alte Geschichten *f/pl.*; **~lesse** [vjɛ'jɛs] *f* (hohes Lebens-)Alter *n*, Greisenalter *n*; Altersschwäche *f*; **~lir** [~'jiːr] (2a) **I** *v/i.* **1.** altern, alt werden; **2.** altersschwach (*od.* schwächer) werden; **3.** veralten; altmodisch werden; ein altes Aussehen bekommen; **II** *v/t.* alt machen; ein älteres Aussehen geben (*z.B. Möbeln*); alt erscheinen lassen; **III** *v/rfl.* se ~ sich für älter ausgeben als man ist; **~lissement** [~jis'mɑ̃] *m* Altern *n*; Veralten *n*; Altmachen *n*; **~lot** [~'jo] *adj.* (7c) ältlich (*v. Sachen*).

vielle ♪ [vjɛl] *f* Drehleier *f*.

Vienne [vjɛn] *f* Wien *n*.

viennois [vjɛ'nwa] *adj. u.* ♀ *su.* (7) wienerisch; Wiener *m*.

vient de paraître [vjɛ̃ də pa'rɛtrə] *m/inv.*: *les derniers* ~ die letzten Neuerscheinungen *f/pl.* (*Bücher*).

vierge [vjɛrʒ] **I** *f* **1.** Jungfrau *f*; **2.** *la* (*Sainte*) ♀ die Heilige Jungfrau, Mutter Gottes; Muttergottesbild *n*; *ast. la* ♀ die Jungfrau; *fils m/pl.* (*pl. von fil*) *de la* ♀ Altweibersommer *m*; **II** *adj.* **3.** jungfräulich, rein, unbefleckt; unschuldig; *fig. réputation f* ~ unbescholtener Ruf *m*; **4.** *fig.* ungebraucht, unberührt; *bande f* ~ unbespieltes Tonband *n*; *a. fig. champ m* ~ Neuland *n*; *huile f d'olive* ~ naturreines Olivenöl *n*; *une page* ~ e-e unbeschriebene Seite *f*; *pellicule f* ~ unbelichteter Film *m*; *forêt f* ~ Urwald *m*; *sol m* ~, *terre f* ~ Urboden *m*; *les terres f/pl.* ~*s* die unerschlossenen Gebiete *n/pl.*; *être* ~ *de toute poussière* völlig staubfrei sein; **5.** ♆ *vigne f* ~ wilder Wein *m*; **6.** *min. argent m* (*or m*) ~ gediegenes Silber *n* (Gold *n*).

Vietnam *géogr.* [vjɛt'nam] *m*: **le** ~ Vietnam *n*.

vietnamien *géogr.* [~'mjɛ̃] *adj. u.* ♀ *su.* (7c) vietnamesisch; Vietnamese *m.*

vieux [vjø], *vor Vokal od. stummem h:* **vieil** [vjɛj] *m*; **vieille** [vjɛj] *f* (*m/pl. nur vieux*); **I** *adj.* **1.** alt, bejahrt; *vieil ami* langjähriger Freund *m*; *dépouiller le vieil homme* den alten Adam ablegen; *de vieille date* langjährig; *vieux comme Hérode* alt wie Methusalem; *vieux garçon* alter Junggeselle *m*; *vieille fille* alte Jungfer *f*; F *un vieux marcheur* ein alter Wüstling *m*; *un vieux beau* ein alter Geck *m*; **2.** abgenutzt; abgetragen; **II** *su.* **3.** *der, die* Alte; *jeunes et vieux* jung und alt; **4.** P Alte(r) (*Vater, Mutter*); *les vieux* die Eltern *pl.*; **5.** F *mon vieux!* mein Lieber!; **III** *m*: F *coup m de ~* plötzliches Altern *n.*

vieux-neuf [~'nœf] *m* (6c) wiederhergestellte alte Sache(n) *f(pl.)*; in e-m alten Stil nachgemachtes Möbelstück *n*; *fig.* schon Dagewesenes *n*, alte Geschichte *f.*

vif [vif] **I** *adj.* (7e) □ **1.** lebend, lebendig; ⚡ unter Spannung; **2.** unverdorben, frisch; *chair f vive* frisches, gesundes Fleisch *n* (*physiol.*); *chaux vive* ungelöschter Kalk *m*; *eau f vive* Quellwasser *n*; *haie f vive* grüne (*od.* lebende) Hecke *f*; **3.** lebhaft, munter, rege, regsam, flink, aufgeweckt; feurig, energisch; *avoir l'œil* (*od. le regard*) *~* ein funkelndes Auge haben; *teint m ~* gesunde Gesichtsfarbe *f*; *prendre une vive part à qch.* e-n lebhaften Anteil an etw. (*dat.*) nehmen; *advt. de (vive) force* mit (offener) Gewalt; gewaltsam; *de vive voix* mündlich; **4.** *fig.* empfindlich, scharf, eindringlich; heftig, drastisch; *froid m ~* empfindliche Kälte *f*; *~s reproches m/pl.* heftige Vorwürfe *m/pl.*; **II** *advt.* **5.** ⚠, *charp. à ~* roh, stumpf; **III** *m* **6.** ⚖ Lebende(r) *m*; **7.** lebendes Fleisch *n*; **8.** *phot. prendre une photo sur le ~* etw. lebend aufnehmen; **9.** *fig.* Kern *m*, Kernpunkt *m*; *piquer* (*od. toucher*) *q. au ~* j-n zutiefst treffen, j-n empfindlich (*od.* schwer) beleidigen; *entrer dans le ~ du sujet* zur Hauptsache des Themas kommen; *trancher* (*od. couper*) *dans le ~* ins Fleisch schneiden; *fig.* energische Maßnahmen ergreifen; *mit j-m* kurzen Prozeß machen, schädliche Verbindungen plötzlich abbrechen; den wunden Punkt treffen; auf Liebgewordenes verzichten; *être touché au ~ von etw.* (*dat.*) tief gerührt sein.

vif-argent ⚗ [vifar'ʒɑ̃] *m* Quecksilber *n.*

vigie ⚓ [vi'ʒi] *f* a) Untiefe *f*, kleine Klippe *f*, kleines Riff *n*; b) *Art* Boje *f.*

vigil|ance [viʒi'lɑ̃:s] *f* Wachsamkeit *f*; *endormir la ~ de q.* j-n in Sicherheit wiegen; *tromper la ~ de q.* sich der Aufsicht j-s zu entziehen wissen; **~ant** [~'lɑ̃] **I** *adj.* (7) wachsam, umsichtig; **II** *m néol.* Nachtwächter *m.*

vigile *cath.* [vi'ʒil] *f* Vorabend *m.*

vigne [viɲ] *f* **1.** Wein-rebe *f*, -stock *m*; *cep m de ~* Weinstock *m*; *feuille f de ~* Weinblatt *n*; **2.** Weinberg *m*; *fig.* F *être dans les ~s du Seigneur* betrunken (*od.* angeheitert) sein, blau sein; **3.** ⚘ *~ vierge* (*od. folle*) wilder Wein *m*; **~ron** [viɲə'rɔ̃] *su.* (7c) Winzer *m.*

vignette [vi'ɲɛt] *f* **1.** *a. phot.* Vignette *f*, Titelbildchen *n*, Randzeichnung *f*; **2.** Stempelsteuer-, Wohlfahrts-marke *f*; Stempelgebühr *f*; **3.** *Auto*: Kfz.-Steuermarke *f*; **4.** (Mitglieds-)Abzeichen *n*; **5.** Waren-, Güte-zeichen *n.*

vignoble [vi'ɲɔblə] **I** *adj.* weinbauend, *nur in*: *pays m ~* Weinland *n*; **II** *m* Wein-berg *m*, -gegend *f*, -gut *n.*

vigogne [vi'gɔɲ] *f* **1.** *zo.* Vikunja *f* (*Art Lama*); **2.** ✝ Vigognewolle *f.*

vigoureux [vigu'rø] *adj.* (7d) kräftig, stark, rüstig, nachdrücklich, entschlossen, energisch.

vigueur [vi'gœ:r] *f* **1.** Lebens-, Vollkraft *f*, Rüstigkeit *f*; *dans la ~ de l'âge* in den besten Jahren; *plein de ~, débordant de ~* kraftstrotzend; *~ d'esprit* Scharfsinn *m*; **2.** Festigkeit *f*, Nachdruck *m*; *peint.* Kräftigkeit *f*; **3.** *mise f en ~* Inkrafttreten *n*; Inkraftsetzung *f*; *entrer en ~* in Kraft treten; *être en ~* gültig (*od.* in Kraft) sein.

vil [vil] *adj.* **1.** niedrig; *à ~ prix* zu e-m Spottpreis, spottbillig; *marchandise f vendue à ~ prix* Schleuderware *f*; **2.** *litt.* widerlich; *~ courtisan m* Speichellecker *m* (*am königlichen Hof*).

vilain [vi'lɛ̃] **I** *adj.* (7) □ **1.** *péj.* gemein, widerlich, abstoßend, niederträchtig, niedrig, verworfen; *il est fort ~ à vous de ..* es ist gemein (*od.* sehr unrecht) von Ihnen zu ...; **2.** *péj.* häßlich, böse, unangenehm, lästig, schlecht; gefährlich; *fig. il est* *dans de ~s draps* er ist übel dran; F *il fait ~* es ist scheußliches Wetter; *une ~e blessure* e-e böse Wunde; *~ tour m* übler Streich *m*; **3.** ungezogen, unartig; unpassend, unanständig; *de ~es habitudes* Ungezogenheiten *f/pl.*; **II** *m* **4.** *il y a eu du ~* es hat e-n Skandal gegeben; **5.** *mv.p. fig.* Flegel *m nur noch in*: *prov. à ~, ~ et demi* auf e-n groben Klotz gehört ein grober Keil; **6.** ungezogenes Kind *n.*

vilainement [vilɛn'mɑ̃] *adv.* in gemeiner Weise, auf widerliche Art.

vilebrequin [vilbrə'kɛ̃] *m* **1.** ⊕ Bohrkurbel *f*, Drehbohrer *m*; **2.** *mot.* Kurbelwelle *f.*

vilenie *litt.* [vil'ni] *f* Gemeinheit *f*, Niederträchtigkeit *f*, Schlechtigkeit *f*; *~s f/pl.* beleidigende Worte *n/pl.*

vilipender [vilipɑ̃'de] *v/t.* (1a) heruntermachen (*Sachen od. Personen*); verunglimpfen (*Personen*).

villa [vi'la] *f* Villa *f*, Landhaus *n*; *~ individuelle* Einfamilienhaus *n.*

villa|ge [vi'la:ʒ] *m* Dorf *n*; *~ scolaire* Schuldorf *n*; *~ de toile* Zeltstadt *f* (*Camping*); *fête f de ~* Kirchweih *f*, Kirmes *f*; *fig. le coq du ~* der Angesehenste im Dorf; **~geois** [~la'ʒwa] (7) **I** *adj.* ländlich; **II** *su.* Dorfbewohner *m.*

villanelle *ehm.* [vila'nɛl] *f* Hirtenlied *n*; Bauerntanz *m.*

ville [vil] *f* Stadt *f*; *en ~* hier (*auf Briefen*); *aimer la ~* gern in der Stadt leben; *~ d'eau* Badeort *m*; *~ forte* befestigte Stadt *f*; *~ frontière* Grenzstadt *f*; *~ maritime* Seestadt *f*; *petite ~* Städtchen *n*, Kleinstadt *f*; *vieille ~* Altstadt *f*; *bruit m de ~* Stadtgerücht *n*; *costume m de ~* Straßenanzug *m*; *hôtel m de ~* Rathaus *n*; *un tour de* (*od.* en) *~* ein Gang durch die Stadt; *être en ~* nicht zu Hause sein, ausgegangen sein; *déjeuner en ~* auswärts essen.

villégiat|eur [vileʒja'tœ:r] *m* Sommerfrischler *m*; **~ure** [~'ty:r] *f* Sommerfrische *f*; Sommeraufenthalt *m*; *personnes f/pl. en ~* Sommerfrischler *m/pl.*, -gäste *m/pl.*; *être en ~* in der Sommerfrische sein; *plais.* im Kittchen sitzen; *aller en ~* Sommerferien machen.

villeux [vi'lø] *adj.* (7d) zottig.

villosité [vilozi'te] *f* Behaartheit *f*; Zottigkeit *f*, zottiges Fell *n*; *anat. ~s f/pl. intestinales* Darmzotten *f/pl.*

vin [vɛ̃] *m* Wein *m*; *~ blanc* Weißwein *m*; *~ rouge* Rotwein *m*; *~ chaud* Glühwein *m*; *~ doux* Most *m*; *~ en cercles* (*od. en fût[s] od. tiré du fût*) Faßwein *m*, Wein *m* in Gebinden; *~ en bouteilles* Flaschenwein *m*; *~ coupé* verschnittener Wein *m*; *~ de l'étrier* Abschiedstrunk *m*; *grands ~s* beste (*od.* edle) Weine *m/pl.*; *gros ~, ~ fort, ~ lourd* schwerer Wein *m*; *~ léger* leichter Wein *m*; *~ d'honneur* Ehrentrunk *m*; *~ de ménage, ~ de table* leichter Tischwein *m*; *~ mousseux* Schaumwein *m*; *~ obligatoire* Weinzwang *m*; *~ d'origine* naturreiner Wein *m*, Naturwein *m*; *petit ~* Landwein *m*, geringer Wein *m*; *pot-de-vin m* Schmiergeld *n*; *~ de propriétaire* Wein *m* aus eigner Ernte, Eigenbau *m*; *~ reposé* abgelagerter Wein *m*; *~ rosé* Schillerwein *m*, halbroter Wein *m*; *~ de raisins secs* Sekt *m*; *marchand m de ~* Weinhändler *m*; *tache f de ~* rotes Muttermal *n*; *il a une pointe de ~, il est pris de ~* er hat e-n Schwips; F *cuver son ~* s-n Rausch ausschlafen; F *sac m à ~* Trinker *m*, Säufer *m*; *mettre de l'eau dans son ~* gelindere Saiten aufziehen; *le ~ est tiré, il faut le boire* wer A sagt, muß auch B sagen.

vinage [vi'na:ʒ] *m* Alkoholzusatz *m.*

vinai|gre [vi'nɛ:grə] *m* **1.** (Wein-)Essig *m*; *mettre au ~* in Essig legen; *cornichons m/pl. au ~* saure Gurken *f/pl.*; **2.** *fig. n'être que fiel et ~* Gift u. Galle spucken; P *faire ~* sich beeilen; P *la situation tourne au ~* die Lage verschlechtert sich; **~grer** [~nɛ'gre] *v/t.* (1a) mit Essig zubereiten; **~grerie** [~grə'ri] *f* Essigfabrik *f*; **~grette** *cuis.* [~'grɛt] *f* Salatsoße *f*; *bœuf m à la ~* Rindfleischsalat *m*; **~grier** [~gri'e] *m* **1.** Essig-fabrikant *m*, -händler *m*; **2.** Essigflasche *f.*

vinaire [vi'nɛ:r] *adj.* Wein...: *industrie f ~* Weinindustrie *f.*

vinasse [vi'nas] *f* **1.** ⊕ Weinrückstand *m*; **2.** schlechter Wein *m.*

vindas [vɛ̃'da, ~'dɑs] *m* **1.** ⚓ Schiffswinde *f*, Spill *n*; **2.** ⊕ Göpel *m*; **3.** *gym.* Rundlauf *m* (*Turngerät*).

vin|dicatif [vɛ̃dika'tif] (7e) **I** *adj.* rach-süchtig, -gierig; *caractère m ~* Rachsucht *f*; *justice f vindicative* strafende Gerechtigkeit *f*; **II** *su.* Rachsüchtige(r) *m*; **~dicte** ⚖ [~'dikt] *f* Sühnung *f*, Ahndung *f.*

vin|ée [vi'ne] *f* **1.** Weinernte *f*; **2.** Gärkeller *m*; **3.** Rebenzweig *m*; **~er** [~] *v/t.* (1a) *dem Wein* Alkohol zusetzen.

vinette ⚘ [vi'nɛt] *f* Sauerampfer *m*.
vineux [vi'nø] *adj.* (7d) **1.** stark (alkoholhaltig), feurig, gehaltvoll (*Wein*); **2.** weinartig, nach Wein schmeckend *od.* riechend; **3.** weinfleckig; **4.** *d'un ton* ~ weinfarben; *rouge* ~ weinrot.
vingt [vɛ̃; *vor Vokalen und in Zssgn* vɛ̃t...] **I** *adj./n.c.* **1.** zwanzig; ~ *et un* einundzwanzig: *inv. vor mille* + *f*: ~ *et un mille tonnes de grain* einundzwanzigtausend Tonnen Korn; *aber vor adj.* + *mille* + *f*: ~ *et une bonnes mille livres de rente* einundzwanzigtausend gute Pfund Rente; **2.** *fig.* ~ *fois* sehr oft; **II** [vɛ̃] *m* Zwanzig *f*; *le* ~ der Zwanzigste (*des Monats*); **~aine** [vɛ̃'tɛːn] *f* **1.** etwa zwanzig; **2.** zwanzig Stück *n/pl.*; **~ième** [~'tjɛːm] **I** *adj./n.o.* zwanzigste(r, s); zwanzigstel; **II** *su.* Zwanzigste(r, s); **III** *m* Zwanzigstel *n*; **~ièmement** [vɛ̃tjɛm'mɑ̃] *adv.* zwanzigstens; **~uple** [vɛ̃'typlə] *adj.* zwanzigfach.
vini|cole [vini'kɔl] *adj.* weinbauend; *région f* ~ Weingegend *f*; **~culture** [~kyl'tyːr] *f* Weinbau *m*; **~fère** [~'fɛːr] *adj.* weinerzeugend.
vinifica|teur [vinifika'tœːr] *m* Weinkelterer *m*; **~tion** [~kɑ'sjɔ̃] *f* Weinbereitung *f*.
vinifier [vini'fje] *v/t.* (1a) keltern.
vin|ique ⚗ [vi'nik] *adj.* Wein...; *éther m* ~ Weinäther *m*; **~osité** [~nozi'te] *f* Gehalt *m* an Weingeist, Alkoholgehalt *m*.
vinyl|e ⚗ [vi'nil] *m* Vinyl *n*; *résine f de* ~ Vinylharz *n*; **~ique** ⚗ [~'lik] *adj.* Vinyl...
viol [vjɔl] *m* Vergewaltigung *f*, Notzucht *f*.
viola|bilité [vjɔlabili'te] *f* Verletzbarkeit *f*; **~ble** [~'lablə] *adj.* verletzbar.
viola|cé [vjɔla'se] *adj.* ins Violette übergehend; **~cer** [~] *v/rfl.* (1k) *se* ~ ins Violette übergehen.
violat *phm.* [vjɔ'la] *adj./m* Veilchen...
viola|teur [vjɔla'tœːr] *su.* (7f) Übertreter *m* von Gesetzen, Zuwiderhandelnde(r) *m*; *rl.* Kirchen-, Grabschänder *m*; **~tion** [~la'sjɔ̃] *f* **1.** ⚖ Übertretung *f*, Verletzung *f*, Zuwiderhandlung *f*, strafbare Handlung *f*; ~ *de domicile* Hausfriedensbruch *m*; **2.** Schändung *f*, Entweihung *f*; ~ *de sépulcre* Grabschändung *f*.
viole ♪ [vjɔl] *f* Viola *f*, Bratsche *f*; ~ *de gambe* Gambe *f*.
violemment [vjɔla'mɑ̃] *adv.* heftig; gewaltsam.
viol|ence [vjɔ'lɑ̃ːs] *f* **1.** Heftigkeit *f*, Wildheit *f*, Leidenschaftlichkeit *f*, Ungestüm *n*; **2.** Gewalttätigkeit *f*; *se faire* ~ sich Zwang auferlegen, sich beherrschen, an sich halten; *user de* ~ Gewalt anwenden, gewaltsam verfahren; ⚖ *être recherché pour* ~*s sur une fillette* wegen Vergewaltigung e-s Mädchens gesucht werden; **~ent** [~'lɑ̃] *adj.* (7) □ **1.** heftig, gewaltig, ungestüm; *l'exercice* ~ (die) tüchtige Bewegung *f*; *les sports* ~*s* kräftige sportliche Bewegung *f*; **2.** gewalttätig; *mort f* ~*e* gewaltsamer Tod *m*; **3.** F *c'est* ~*!* das ist doch zu stark (*od.* toll)!; **~enter** [~lɑ̃'te] *v/t.* (1a) vergewaltigen; **~er** [vjɔ'le] *v/t.* (1a) **1.** verletzen, übertreten; ~ *son serment* s-n Eid brechen; ~ *un domicile* das Hausrecht verletzen; **2.** entheiligen, schänden; **3.** vergewaltigen.
violet [vjɔ'lɛ] **I** *adj.* (7c) violett, veilchenblau; **II** *m* Veilchenblau *n*; **~te** [~'lɛt] *f* Veilchen *n*.
violier ⚘ [vjɔ'lje] *m* Levkoje *f*.
violine [vjɔ'lin] *adj.* purpurviolett.
violiste ♪ [vjɔ'list] *su.* Bratschist *m*.
violon [vjɔ'lɔ̃] *m* **1.** ♪ Geige *f*, Violine *f*; ~ *d'Ingres* Steckenpferd *n fig.*; **2.** Geiger *m*, Geigenspieler *m*, Violinist *m*; F *payer les* ~*s* die Kosten tragen; **3.** F Polizeigewahrsam *n*; **~celle** ♪ [~'sɛl] *m* Cello ['tʃɛlo] *n*; **~celliste** ♪ [~sɛ'list] *su.* Cellist [tʃɛ'list] *m*, Cellospieler *m*; **~eux** F [~lɔ'nø] *m* Dorffiedler *m*; **~iste** ♪ [~lɔ'nist] *su.* Violinist *m*, Geiger *m*.
viorne ⚘ [vjɔrn] *f* Schneeball *m*.
vi|père [vi'pɛːr] *f* Viper *f*; *fig. langue f de* ~ Lästerzunge *f*; **~pereau** [vi'pro] *m* (5b) kleine Viper *f*; **~périn** [~pe'rɛ̃] *adj.* (7) Vipern...; Schlangen...; *fig.* garstig.
virage [vi'raːʒ] *m* **1.** Drehen *n* (⚓ *des Gangspills*); Wendung *f*; **2.** *a. Auto*: Kurve *f*; ✈ ~ (*à la verticale* Flügel-)Kehrtkurve *f*; *Sport*: ~ *en épingle à cheveux* Haarnadelkurve *f*; *s'engager dans le* ~ in die Kurve gehen; *prendre un* ~ (*à la corde*) eine Kurve nehmen (schneiden); **3.** *phot.* Tonen *n*, Tonung *f*; *bain m de* ~ *fixage* Tonfixierbad *n*; **4.** *Sport*: Wendepunkt *m*, Kurve *f*.
virago F [vira'go] *f* Mannweib *n*.
viral ⚕ [vi'ral] *adj.* (5c) Virus...
vire [viːr] *f* **1.** schmale Felsterrasse *f*;

Serpentine *f*; **2.** ⚕ Nagelgeschwür *n*.
virée [vi're] *f* **1.** *for.* Abschätzung *f* e-s Schlages nach Baumreihen; **2.** F Bummel *m*; *Auto* F: Spazierfahrt *f*; F ~ *en bagnole* Spritztour *f*.
virelai *litt.* [vir'lɛ] *m* altes, kurzes Zweireimgedicht *n* mit Refrain.
virement [vir'mɑ̃] *m* **1.** ⚓ ~ *de bord* Wenden *n* des Schiffes; **2.** ✝ Überweisung *f*, Verrechnung *f*, Girobuchung *f*, Umbuchung *f*; *compte m de* ~ *en banque* Bankgirokonto *n*; *par* ~ im Giroverkehr.
virer [vi're] (1a) **I** *v/i.* **1.** e-e Kurve fahren; *tourner et* ~ sich drehen und wenden; *fig.* Ausflüchte suchen; **2.** ⚓ wenden; ~ *de bord* das Schiff drehen; *fig.* e-e Schwenkung machen, s-e Meinung ändern; ~ *au large* (*à la côte*) seewärts (nach der Küste) steuern; **3.** ~ *au jaunâtre* ins Gelbliche übergehen (*od.* schlagen); ~ *à l'aigre* sauer werden (*Wein*); **II** *v/t.* **4.** drehen, wenden; ⊕ *e-n Motor* umschalten; **5.** *phot.* tonen; **6.** ✝ überweisen; umbuchen, girieren; **7.** F entlassen, rausschmeißen.
vireux [vi'rø] *adj.* (7d) giftig, schädlich (*Pflanze*); ekelhaft, widerlich (*Geschmack*, *Geruch*).
vire|volte *man.* [vir'vɔlt] *f* Kreisschwenkung *f*; plötzliches Kehrtmachen *n*; *fig.* plötzliche Schwenkung *f*, plötzlicher Umschwung *m*; **~volter** [~vɔl'te] *v/i.* (1a) umkehren; herumwirbeln, herumfliegen.
Virgile *litt.* [vir'ʒil] *m* Vergil *m*.
virgi|nal [virʒi'nal] *adj.* (5c) □ jungfräulich; *fig.* rein; **~nité** [~ni'te] *f* Jungfräulichkeit *f*; *fig.* Reinheit *f*; ~ *de l'esprit* Unbefangenheit *f*, geistige Aufgeschlossenheit *f*.
virgule [vir'gyl] *f* **1.** *gr.* Komma *n*, Beistrich *m*; **2.** ⚕ *bacille m* ~ Kommabazillus *m* (*Erreger der Cholera*); **3.** *horl.* Hakenhemmung *f*.
viridité [viridi'te] *f* Grün *n*.
viril [vi'ril] *adj.* □ **1.** männlich; *âge m* ~ Mannesalter *n*; **2.** *fig.* mannhaft, entschlossen; **~iser** [~li'ze] *v/t.* (1a) e-n männlichen Charakter *od.* männliche Kraft verleihen (*q.* j-m); vermännlichen; **~ité** [~li'te] *f* Mannesalter *n*; Mannbarkeit *f*, Männlichkeit *f*, Manneskraft *f*.
virol|e [vi'rɔl] *f* Griffring *m* (*z.B. am Messer*); Zwinge *f an e-m Stiel*, Manschette *f*; **~er** [~'le] *v/t.* (1a) mit e-m Metallring versehen.
virologie ⚕ [virɔlɔ'ʒi] *f* Virusforschung *f*.
virtu|alité [virtɥali'te] *f* Virtualität *f*, Wirkungsfähigkeit *f*; innere Kraft *f*; *éc.* ~*s pl.* noch nicht ausgebeutete Hilfsquellen *f/pl.*; **~el** [~'tɥɛl] *adj.* (7c) □ **1.** *allg.* wirkungs-fähig, -möglich, dem Wesen (*od.* Inhalt) nach vorhanden, möglich, eigentlich, theoretisch vorhanden, *fig.* schlummernd; *faculté f* ~*le* schlummernde Fähigkeit *f*; **2.** *opt.* *foyer m* ~ virtueller Bildpunkt *m*; *image f* ~*le* scheinbares (virtuelles) Bild *n*; **3.** *phys.* *chaleur f* ~*le* imaginäre (*od.* virtuelle) Wärme *f*; *déplacement m* ~ virtuelle (*nur gedachte*, *od.* *minimale*) Veränderung *f* (*od.* Verschiebung *f*) *e-s Körpers*; *travail m* ~ virtuelle Energie *f* (*od.* Arbeitsfähigkeit *f*); **4.** *phil.* virtuell, kraftbegabt, möglich, potentiell; **~ellement** [~tɥɛl'mɑ̃] *adv.* dem Wesen (der Wirkungskraft) nach, eigentlich, praktisch; *une armée* ~ *défaite* ein praktisch geschlagenes Heer; **~ose** [~'tɥo:z] *su.* Virtuose *m*, Spieler *m* ersten Ranges; *allg.* begabter Künstler *m*; **~osité** *bsd.* ♪ [~tɥozi'te] *f* Virtuosität *f*, Kunstfertigkeit *f*, hoher Grad *m* künstlerischen Schaffens.
viru|lence [viry'lɑ̃:s] *f* Virulenz *f*, Bösartigkeit *f*, Ansteckungsfähigkeit *f*, Giftigkeit *f*; *fig.* Bissigkeit *f*; **~lent** [~'lɑ̃] *adj.* (7) virulent, sehr ansteckend, bösartig, giftig; *fig.* bissig.
virure ⚓ [vi'ry:r] *f*: ~ *de bordages* Plankengang *m*.
virus ⚕ [vi'rys] *m* Virus *m*, Gift-, Ansteckungs-stoff *m*; *maladie f à* ~ Viruskrankheit *f*.
vis [vis] *f* **1.** ⊕ Schraube *f*; ~ *en laiton* Messingschraube *f*; ~ *sans fin* Schnecke(ngewinde *n*) *f*; ~ *filetée* Gewindeschraube *f*; *rad.* ~ *de réglage* Stell-, Regulier-schraube *f*; ~ (*de réglage*) *micrométrique* Mikrometerschraube *f*; ~ *de fixage* Klemmschraube *f*; ~ *de scellement* Steinschraube *f*; ~ *à tête carrée* Vierkantschraube *f*; ~ *à tête demi-ronde* Halbrundschraube *f*; ~ *à tête goutte de suif* Linsenschraube *f*; ~ *à tête noyée* Senkschraube *f*; ~ *d'Archimède* Schraube *f* ohne Ende, Schnecke *f*, Wasserschraube *f*, archimedische Spirale *f*; ~ *femelle* Schraubenmutter *f*; *escalier m à* ~ Wendeltreppe *f*; **2.** ⊕

Schraubengang *m*; **3.** *zo.* Schraubenschnecke *f*; **4.** F *serrer la ~ à q.* j-n kurzhalten.

visa [vi'za] *m* Visum *n*, Sichtvermerk *m*; ~ *consulaire* Konsulatsvisum *n*; ~ *de sortie* (*d'entrée*) Ausreise- (Einreise-)visum *n*.

visag|e [vi'za:ʒ] *m* Gesicht *n*, Antlitz *n*; Miene *f*; Gesichtsbildung *f*; *trouver ~ de bois* niemanden antreffen; *à ~ découvert* unverschleiert; *fig.* ohne Verstellung, offen, frei; *fig. un homme à deux ~s* ein Mensch mit zwei Gesichtern; *avoir bon ~* recht munter aussehen; *changer de ~* die Farbe wechseln; eine andere Miene aufsetzen; *prêter du ~ à q.* j-m Beachtung schenken; *épouser un ~* eine Frau ihres hübschen Gesichts wegen heiraten; **~iste** [~za'ʒist] *m* Visagist *m*, Gesichtskosmetiker *m*.

vis-à-vis [viza'vi] **I** *prp.* ~ *de* gegenüber (*dat.*); *être ~ l'un de l'autre* einander gegenüberstehen; *il se plaça ~ de moi* er setzte sich mir gegenüber; *fig. se trouver ~ de rien* vor einem Nichts stehen, mittellos sein; *ingrat ~ de q.* undankbar j-m gegenüber; *vor su. auch der acc. möglich*: *~ la mairie* gegenüber dem Rathaus; **II** *m* (6c) Visavis *n*, Gegenüber *n* (*Person*); *être le ~ de q.* j-m gegenüber-stehen *od.* -sitzen; *faites-moi ~* setzen Sie sich mir gegenüber.

vis|céral [vise'ral] *adj.* (5c) *anat.* Eingeweide...; *fig.* tiefgreifend; eingefleischt; **~cères** *anat.* [vi'sɛ:r] *m/pl.* Eingeweide *n/pl.*

viscos|e *text.* [vis'ko:z] *f* Viskose *f*; **~imètre** *text.* [~kozi'mɛ:trə] *m* Viskosimeter *m* (*od. n*); **~ité** [~kozi'te] *f* Viskosität *f*, Zähflüssigkeit(sgrad *m*) *f*.

visée [vi'ze] *f* Zielen *n*; *fig.* Augenmerk *n*, Absicht *f*; *avoir de hautes ~s* hoch hinauswollen; *avoir des ~s sur qch.* es auf etw. (*acc.*) abgesehen haben; ⚔ *appareil m de ~s à lunette* Fernrohrvisier *n*.

viser¹ [vi'ze] (1a) **I** *v/i.* **1.** *~ à qch.* auf etw. (*acc.*) zielen; *ne ~ nulle part* nirgends hinzielen; **2.** *fig.* *~ à qch.* es auf etw. (*acc.*) absehen, nach etw. (*dat.*) trachten; *~ à l'effet* nach Effekt haschen; *~ trop haut* zu hoch hinauswollen; **II** *v/t.* **3.** *~ la cible* auf die Scheibe zielen; **4.** *fig.* es abgesehen haben auf (*acc.*); ins Auge fassen; hinweisen auf (*acc.*); sich beziehen auf (*acc.*) (*z.B. Vertrag*); *~ un article du code* sich auf einen Paragraphen des Gesetzbuchs berufen; *c'est vous que je vise* Sie meine ich; *~ q.* j-n aufs Korn nehmen; **5.** P sehen; *vise!* sieh mal!

viser² [~] *v/t.* (1a) visieren, beglaubigen.

viseur [vi'zœ:r] *m* Visier *n*; *phot.* Bildsucher *m*; *~ (grossissant)* Zielfernrohr *n*; *~ de bombardement* Bombenzielvorrichtung *f*; *phot. ~ à cadre* Rahmensucher *m*; *~ gradué* Visier *n* mit Skala; **~-télémètre** *phot.* [~tele'mɛ:trə] *m* (6a) Lichtsucher *m*.

visi|bilité [vizibili'te] *f* Sicht *f*; *~ limitée* (*parfaite*) beschränkte (unbeschränkte) Sicht *f*; *~ vers le bas* (*vers l'avant, vers l'arrière, vers le haut*) Sicht *f* nach unten (nach vorn, nach hinten, nach oben); **~ble** [vi'ziblə] *adj.* □ **1.** sichtbar; *être ~* zu sprechen sein; **2.** offensichtlich, augenscheinlich, sichtlich, deutlich; **~blement** [~ziblə'mɑ̃] *adv.* sichtbar, sichtlich.

visière [vi'zjɛ:r] *f* **1.** *ehm.* Visier *n*, Helmgitter *n*; **2.** Schirm *m e-r Mütze*; **3.** F *avoir la ~ nette* klar sehen; *donner dans la ~ à q.* j-n betören (*od.* bezirzen F); *avoir la ~ courte fig.* auf der Oberfläche bleiben, nicht tiefer eindringen; *lever la ~* Farbe bekennen; *rompre en ~ à q.* mit j-m kurzerhand brechen, j-m -se Meinung ins Gesicht sagen; **4.** ⚔ Visier *n* e-r Schußwaffe.

visigoth [vizi'go] **I** *adj.* westgotisch; **II** ♀ *m* Westgote *m*.

vision [vi'zjɔ̃] *f* **1.** Sehen *n*; Sehkraft *f*; ✝ *recevoir un livre en ~* ein Buch zur Ansicht erhalten; **2.** Vision *f*, Erscheinung *f*, Traumbild *n*, Hirngespinst *n*; **~naire** [~zjɔ'nɛ:r] **I** *adj.* geistersehend, schwärmerisch, phantasievoll, träumerisch; **II** *su.* Seher *m*, Schwärmer *m*, Träumer *m*, Phantast *m*, Geisterseher *m*; **~ner** *cin.* [~'ne] *v/t.* (1a) mit dem Bildwerfer betrachten; *allg.* sichten, überprüfen; **~neuse** [~'nø:z] *f* **1.** *cin.* Bild-werfer *m*, -betrachter *m*; **2.** *~ de cabine* Monitor *m* in der Kabine (*Sprachlabor*).

visitat|ion *rl.* [vizita'sjɔ̃] *f*: *la ~ de la Vierge* die Heimsuchung Mariä; **~rice** *rl.* [~ta'tris] *f* mit der Visitation von Klöstern beauftragte Klosterschwester *f*.

visit|e [vi'zit] *f* **1.** Besuch *m*; *~ à domicile* Hausbesuch *m* (*Arzt*); *~ de condoléance* Beileidsbesuch *m*; *venir* en ~ zu Besuch kommen; ~ de courtoisie, ~ de politesse Höflichkeitsbesuch *m*; faire une ~ (*od.* rendre ~) à q., aller en ~ chez q. j-n besuchen, j-m e-n Besuch abstatten, bei j-m vorsprechen; carte *f* de ~ Visitenkarte *f*; ~ guidée Führung *f* (*z.B. durch ein Museum*); **2.** *rl.* Visitation *f*; **3.** Besichtigung *f*; ~ de cadavre Leichenschau *f*, Obduktion *f*; **4.** Untersuchung *f*; Durchsuchung *f*; ~ domiciliaire Haussuchung *f*; ~ médicale ärztliche Untersuchung *f*; ~ des bagages Zollrevision *f*, Gepäckkontrolle *f*; *Auto*: ~ technique périodique regelmäßige technische Überprüfung *f*; **~er** [~'te] *v/t.* (1a) **1.** besichtigen, sich ansehen, *aus Neugier* be-, aufsuchen (*in dieser Bedeutung nie mit e-r Person im acc. verbinden!*); ~ une ville e-e Stadt besichtigen, besuchen; **2.** aufsuchen (*Gefangene, Kranke, Notleidende*); **3.** durchsuchen (*einen Koffer*); **4.** *rl.* heimsuchen; **~eur** [~'tœːr] *su.* (7g) **1.** Besucher *m*, Gast *m*; ~ de foire, ~ forain Messebesucher *m*; infirmière *f* visiteuse Sozial-, Gesundheits-fürsorgerin *f*; **2.** Besichtiger *m*, Beschauer *m*, Kontrolleur *m*; Überprüfer *m*; ~ (de douane) Zollkontrolleur *m*.

vison [vi'zɔ̃] *m* **1.** *zo.* Nerz *m*; **2.** ✝ Nerz-fell *n*, -mantel *m*.

visqueux [vis'kø] *adj.* (7d) klebrig, zähflüssig, dickflüssig.

vissage ⊕ [vi'saːʒ] *m* An- *od.* Zusammen-schrauben *n*.

visser [vi'se] *v/t.* (1a) ⊕ an-, festschrauben; *fig.* ~ q. j-n streng halten.

visserie ⊕ [vis'ri] *f* Schraubenherstellung *f*.

Vistule [vis'tyl] *f*: **la ~** die Weichsel.

visu [vi'zy]: **de ~** *advt.* aus eigener Anschauung; j'en parle de ~ ich habe es mit eigenen Augen gesehen.

visualis|ation *inform.* [vizɥaliza'sjɔ̃] *f* optische Anzeige *f*; **~er** [~'ze] *v/t.* (1a) sichtbar machen.

visuel [vi'zɥɛl] *adj.* (7c) □ Seh..., visuell, Gesichts...; **~lement** [~'mɑ̃] *adv.* visuell, mit den Augen.

vital [vi'tal] *adj.* (5c) zum Leben gehörig, Lebens..., lebensnotwendig; grundlegend, Ur...; unumgänglich; vital, zäh; espace *m* ~ Lebensraum *m*; **~iseur** [~li'zœːr] *m* Haarkräftigungsmittel *n*; **~isme** *phil.* [~'lism] *m* Vitalismus *m*, Lehre *f* vom Lebensprinzip; **~iste** [~'list] *m* Anhänger *m* des Vitalismus; **~ité** [~li'te] *f* Lebenskraft *f*, Vitalität *f*.

vitamin|e [vita'min] *f* Vitamin *n*, Nährstoff *m*; **~é** [~'ne] *adj.* mit e-m Zusatz von Vitaminen; **~ique** [~'nik] *adj.* Vitamin...; **~othérapie** [~nɔtera'pi] *f* Vitaminbehandlung *f*.

vite [vit] **I** *adv.* schnell, rasch, geschwind; bien ~ recht bald (*od.* recht schnell); au plus ~ so schnell wie möglich; parler ~ schnell sprechen; aller ~ en besogne schnell zu Werke gehen; *fig.* etw. überstürzen; **II** *adj.* (*bsd. in bezug auf Sportler, Tiere u. bisw. a. Sachen gebr.*) schnell, flink; le coureur le plus ~ der schnellste Läufer; un pays (un peuple) ~ ein schnellebiges Land (Volk *n*) *n*.

vitell|erie *néol.* [vitɛl'ri] *f* Kälberzucht *f*; **~in** [vitɛ'lɛ̃] *adj.* (7) zum Eidotter gehörig; **~us** *biol.* [~'lys] *m* Eidotter *n*.

vitelotte [vit'lɔt] *f längliche rötliche* Kartoffel *f*.

vitesse [vi'tɛs] *f* **1.** Schnelligkeit *f*, Geschwindigkeit *f* (*als Maßbegriff*); ~ limite, ~ maxima, ~ maximum Höchstgeschwindigkeit *f*; ~ moyenne Durchschnittsgeschwindigkeit *f*; ~ minimum Mindestgeschwindigkeit *f*; ~ horaire, ~ ascensionnelle Stunden-, Steige-geschwindigkeit *f*; *phys.* ~ (de la transmission) du son (de la lumière) Schall-(Licht-)geschwindigkeit *f*; ~ de tir Feuergeschwindigkeit *f*; ~ à l'atterrissage Landegeschwindigkeit *f*; *Auto*: ~ de rotation (en tours) Gang-, Tourenzahl *f*; *phys.* ~ supersonique Überschallgeschwindigkeit *f*; ~ commerciale Verkehrsgeschwindigkeit *f*; *phys. at.* ~ de libération (kräftebefreite) Kreisbahn-, Flucht-geschwindigkeit *f*; prendre *od.* gagner q. (qch.) de ~ j-m zuvorkommen; (etw. überfordern); être en perte de ~ sich auf dem absteigenden Ast befinden, an Einfluß verlieren; train *m* de petite (grande) ~ Güter-(Eilgüter-)zug *m*; expédier par petite (grande) ~ als Frachtgut (Eilgut) befördern; **2.** *Auto*: Gang *m*; première, deuxième, *etc.* ~ erster, zweiter *usw.* Gang *m*; ~ démultipliée (surmultipliée) Kriech- (Schnell-)gang *m*; changement *m* de ~ Gangschaltung *f*; levier *m* de changement de ~ Schalt-, Gang-hebel *m*.

viti|cole [viti'kɔl] *adj.* weinbauend, Wein..., Weinbau...; **~culteur**

[~kyl'tœ:r] *m* Winzer *m*; **~culture** [~kyl'ty:r] *f* Weinbau *m*.

vitr|age [vi'tra:ʒ] *m* **1.** Fenster-, Glas-werk *n*; *~ fixe* ⚠ festverglaste Scheiben *f/pl.*; **2.** Glasverschlag *m*, Glaswand *f*, Glastür *f*; **3.** Verglasung *f*; **4.** Scheibengardinen *f/pl.*; **~ail** [~'traj] *m* (5c) Kirchenfenster *n*; *vitraux m/pl. en culs de bouteille* Butzenscheiben *f/pl.*

vitr|e ['vi:trə] *f* Fenster-, Glasscheibe *f*; Fenster *n*; *Auto*: *~ arrière* Rückfenster *n*; *casser les ~s* die Fenster ein-schlagen *od.* -werfen; *fig.* mit der Tür ins Haus fallen; **~é** [vi'tre] *adj.* glasartig; Glas...; *porte f ~e* Glastür *f*; **~er** [~] *v/t.* (1a) verglasen; **~erie** [vitrə'ri] *f* **1.** Glaserhandwerk *n*; **2.** Glashandel *m*; Scheibenglas *n*; Glasware *f*; **~escibilité** ⚗ [~tresibili'te] *f* Verglasbarkeit *f*; **~escible** ⚗ [~tre'siblə] *adj.* verglasbar; **~eux** [~'trø] *adj.* (7d) □ glasartig, glasig; *fig.* gläsern, starr; **~ier** [~tri'e] *su.* (7b) Glaser *m*; Glashändler *m*; *~ de bâtiment* Bauglaser *m*; **~ière** [~tri'ɛ:r] *f* Fenstereisen *n*; **~ifiable** ⚗ [~tri'fjablə] *adj.* verglasbar; **~ification** ⚗ [~trifika'sjõ] *f* Verglasung *f*; **~ifier** [~tri'fje] (1a) **I** *v/t.* **1.** zu Glas verarbeiten; **2.** ⊕ versiegeln (*Parkett*); **II** *v/rfl. se ~* zu Glas werden; **~ine** [~'tri:n] *f* Schaufenster *n*; Glasschrank *m*, Vitrine *f*; Schaukasten *m*; *~ de publicité* Schau-, Reklame-fenster *n*.

vitriol [vitri'ɔl] *m* **1.** ⚗ Vitriol *n*; *~ bleu* Kupfervitriol *n*; *~ blanc* Zinkvitriol *n*; *~ vert* Eisenvitriol *n*; **2.** ⚗ F Schwefelsäure *f*; **~age** [~'la:ʒ] *m* **1.** Sauerbad *n* (*Färberei*); **2.** Vitriolattentat *n*; **~é** [~'le] *adj.* vitriolhaltig; **~er** [~] *v/t.* (1a) **1.** ⊕ ins Sauerbad eintauchen; **2.** *~ q.* j-n mit Vitriol bespritzen; **~eur** [~'lœ:r] *su.* (7g) Vitriolattentäter *m*.

vitupér|ation [vitypera'sjõ] *f* Ausschelten *n*; Tadeln *n*; Verdammen *n*; **~er** [~'re] (1f) **I** *v/i. ~ contre* heftig protestieren gegen (*acc.*); **II** *litt. v/t.* heftig tadeln.

vivable F [vi'vablə] *adj.* **1.** lebenswert, erträglich; **2.** wohnlich; **3.** umgänglich.

vivace¹ [vi'vas] *adj.* **1.** ⚘ mehrjährig, perennierend; *plante f ~* Dauerpflanze *f*; **2.** *zo.* zäh (*v. niederen Tieren*); **3.** *fig.* unauslöschlich, fest verwurzelt, bleibend, fest verankert.

vivace² ♪ [vi'vatʃe] *adj.* lebhaft.

vivacité [vivasi'te] *f* **1.** Lebhaftigkeit *f*, Temperament *n*, Munterkeit *f*, Rührigkeit *f*; **2.** *fig.* Glut *f*, Heftigkeit *f* der Leidenschaften; **3.** *fig.* Eifer *m*, Feuer *n*, Begeisterung *f*; Aufgewecktheit *f*, Regsamkeit *f*.

vivandière *ehm.* ⚔ [vivã'djɛ:r] *f* Marketenderin *f*.

viv|ant [vi'vã] **I** *adj.* (7) **1.** *a. fig.* lebend, lebendig; *la France ~e* das lebensnahe Frankreich; Frankreich, wie es ist; *c'est son ~ portrait* (*od. sa ~e image*) er (sie) ist ihm (ihr) wie aus dem Gesicht geschnitten; *lui ~* zu s-n Lebzeiten; **2.** *fig.* lebhaft; belebt; *rendre ~* lebhaft gestalten, verlebendigen; *de façon ~e* in lebhafter Art; *rue f ~e* belebte (*od.* verkehrsreiche) Straße *f*; **II** *m* **3.** Lebende(r) *m*; *bon ~* Lebemann *m*, lustiger Vogel *m*, fideler Kerl *m*; **4.** *de mon* (*son; votre*) *~* zu meinen (seinen; euren *od.* Ihren) Lebzeiten; **~arium** [~va'rjɔm] *m* Terrarium *n*; Aquarium *n*; Tierhaus *n*; **~at** [vi'va] *m* Lebehoch *n*; *~s m/pl.* Hochrufe *m/pl.*; *pousser un ~ en l'honneur de q.* auf j-n (*acc.*) ein Hoch ausrufen, j-n hochleben lassen.

vive¹ *icht.* [vi:v] *f* Queise *f*; Meerdrache *m*.

vive² [~] *int.* s. *vivre*, *bsd. unter* 6.

vive³ [~] *adj./f* s. *vif*; **~ment** [viv'mã] **I** *adv.* lebhaft; kräftig; kurzerhand; schnell, flink, behende; *fig.* zutiefst, schmerzlich; *agiter ~ avant de s'en servir* vor dem Gebrauch kräftig zu schütteln; *~ touché* tief gerührt; *cela m'a ~ frappé* das hat mich sehr stark beeindruckt; **II** *int. ~!* schleunigst!; *et maintenant en route, et ~!* und jetzt los, und schnell!; F *~ le mois d'avril qu'on vende des glaces!* ach, wäre es doch recht bald April, damit man (wieder) Eis verkaufen kann!

viveur [vi'vœ:r] *m* Lebemann *m*, Prasser *m*; *les ~s pl.* die Lebewelt *f*.

vivier [vi'vje] *m* Fisch-teich *m*, -weiher *m*, -kasten *m*.

vivifi|ant [vivi'fjã] *adj.* (7) *u.* **~cateur** [~fika'tœ:r] *adj.* (7f) belebend; **~cation** [~ka'sjõ] *f* Belebung *f*; ⚗, *rl.* Lebendigmachung *f*; **~er** [~'fje] *v/t.* (1a) lebendig machen; neu beleben; *fig.* mit Leben anfüllen; wiedererwecken.

vivi|pare *zo.* [vivi'pa:r] *adj. u. m* vivipar, lebendgebärend, lebendige

Junge gebärend(es Tier *n*), Säugetier *n*; **~parisme** *zo.* [~pa'rism] *m*, **~parité** *zo.* [~pari'te] *f* Lebendgebären *n*; **~secteur** [~sɛk'tœ:r] *m* Vivisektionsexperte *m*; **~section** [~sɛk'sjɔ̃] *f* Vivisektion *f*.

vivoter [vivɔ'te] *v/i.* (1a) kümmerlich leben, dahinvegetieren, sein Leben fristen.

vivre[1] ['vi:vrə] (4e) **I** *v/i.* **1.** leben, am Leben sein; *las de* ~ lebensmüde; *qui vivra verra!* es wird sich schon finden!; ~ *plus vieux* älter werden; **2.** *fig.* bestehen; fortleben; *sa gloire vivra éternellement* sein Ruhm wird ewig weiterleben; *fig. il ne vit plus d'inquiétude* er vergeht vor Unruhe (*od.* vor Sorge); **3.** sich ernähren, sich erhalten; ~ *de son travail* von s-r Arbeit leben; *il a de quoi* ~ er hat zu leben; ~ *de régime* Diät halten; **4.** eine gewisse Lebensweise führen; sein Leben zubringen; sich betragen, sich benehmen; *bien* ~ a) ein tugendhaftes Leben führen; b) gut leben; ~ *beaucoup en dedans* ein ausgesprochenes Innenleben führen; ~ *au jour le jour* von der Hand in den Mund leben; ~ *chichement* kümmerlich dahinleben; ~ *en joie et liesse* herrlich u. in Freuden leben; ~ *de privations* Entbehrungen ertragen müssen, darben; *se laisser* ~ bequem dahinleben; ~ *sur un grand pied* auf großem Fuß leben; ~ *comme un coq en pâte* wie die Made im Speck (*od.* wie der Herrgott in Frankreich) leben; ~ *de pair à compagnon avec q.* sich mit j-m auf gleiche Stufe stellen; ~ *comme chien et chat* wie Hund u. Katze sein; ~ *d'industrie* sich durchschwindeln, sich durchs Leben schwindeln; ~ *de l'air du temps* von der Luft leben; ~ *en bonne intelligence,* ~ *en bonne harmonie avec q.* sich mit j-m gut vertragen; mit j-m gut auskommen; ~ *heureux* glücklich leben; *on lui apprendra à* ~ man wird ihm schon Lebensart beibringen; *savoir* ~ Lebensart haben, Umgangsformen besitzen; sich zu benehmen wissen; **5.** verkehren; *on ne saurait* ~ *avec cet homme* mit diesem Menschen ist kein Auskommen; **6.** *vive le roi!* es lebe der König!; *vive les gens d'esprit!* ein Hoch den Geistesschaffenden! (*Anerkennung, Ehrung, Lob*); *vivent les gens d'esprit!* mögen die Geistesschaffenden recht lange leben (*od.* unter uns sein)!; *a.* ⚔ *qui vive?* wer (ist) da?; **7.** *vécu* erlebt, wahr; **II** *v/t.* **8.** leben, erleben; ~ *sa foi* nach s-m Glauben leben; ~ *sa vie* sich ausleben; *nous vivons une période de transition* wir erleben e-e Periode des Übergangs; ~ *un événement* ein Ereignis miterleben; **III** *m* **9.** Leben *n*, Lebensweise *f*, Lebensfreude *f*; **10.** Nahrung *f*; Speise u. Trank; *avoir le* ~ *et le couvert* freie Kost u. Logis haben; **11.** ~*s pl.* Proviant *m*, Verpflegung *f*, Lebensmittel *n/pl.*; ⚔ ~*s de route* Marschverpflegung *f*; *rogner* (*od. couper*) *les* ~*s à q.* j-m den Brotkorb höher hängen; *distribution f de* ~*s* Proviantverteilung *f*; ~*s de réserve* Reserveproviant *m*, eiserner Bestand *m*, eiserne Ration *f*.

vivre[2] ⊠ [~] *f* gewundene Schlange *f*; *a. guivre.*

vivrier [vivri'e] **I** *adj.* (7b) nahrungs- *od.* lebensmittel-erzeugend; als Nahrung dienend; *bâtiment m* ~ Versorgungsschiff *n*; *cultures f/pl. vivrières* Anbau *m* von Nährpflanzen; **II** *hist.* ⚔ *m* Proviantlieferant *m*.

vizir *hist.* [vi'zi:r] *m* Wesir *m*.

v'là P [vla] = *voilà.*

vlan! [vlɑ̃] *int.* klatsch!, klaps!, patsch! (*Backpfeife*).

vli! [vli] *int.*: *vli vlan!* patsch, patsch!

voca|ble [vɔ'kablə] *m* **1.** Wort *n*, Vokabel *f e-r Sprache*; **2.** *rl. sous le* ~ *de* unter dem Schutz *e-s Heiligen*; **~bulaire** [~by'lɛ:r] *m* **1.** Wortschatz *m*; Vokabeln *f/pl.*; Fachsprache *f*; *apprendre du* ~ Vokabeln lernen; *dont le* ~ *est riche* (*pauvre*) wortreich (wortarm); *le* ~ *de la chimie* die chemische Fachsprache; **2.** Wörterverzeichnis *n*; **~buliste** [~by'list] *su.* Wörterbuchschreiber *m*.

vocal [vɔ'kal] *adj.* (5c) **1.** □ *musique* ~*e* Vokalmusik *f*, Gesang *m*; *concert m* ~ Gesangkonzert *n*; **2.** auf die Stimme bezüglich; *anat. cordes f/pl.* ~*es* Stimmbänder *n/pl.*; **~ique** *gr.* [~'lik] *adj.* vokalisch; **~isation** [~liza'sjɔ̃] *f* a) ♪ Stimmübung *f*; b) *gr.* Vokalisierung *f*; **~ise** [~'li:z] *f* Singübung *f*; **~iser** [~li'ze] (1a) **I** *v/t.* in e-n Vokal verwandeln; **II** *v/i.* Stimmübungen machen; **III** *gr. v/rfl.* se ~ vokalisiert werden, sich in e-n Vokal verwandeln; **~isme** *gr.* [~'lism] *m* Vokalismus *m*.

vocatif *gr.* [vɔka'tif] *m* Vokativ *m*.

vocation [vɔkɑ'sjɔ̃] *f* **1.** innerer

Ruf *m*, *bsd.* Bestimmung *f*, Aufgaben *f/pl.*; **2.** Berufung *f*, Hang *m*, Neigung *f*; *suivre sa* ~ s-n Neigungen nachgeben.

vocifér|ateur [vɔsifera'tœːr] *su.* (7f) Schreier *m*; **~ations** [~rɑ'sjɔ̃] *f/pl.* Gebrüll *n*, Gezeter *n*, Geschrei *n*, lautes Schimpfen *n*; **~er** [~'re] (1f) **I** *v/i.* brüllen, wütend schreien, toben; **II** *v/t.* laut ausstoßen.

vodka [vɔd'ka] *f* Wodka *m*.

vœu [vø] *m* (5b) **1.** Gelübde *n*; **2.** inniger Wunsch *m*; ~ *ardent* Sehnsucht *f*; *présenter* (*od. adresser*) *ses meilleurs* ~*x od. ses* ~*x les meilleurs à q.* j-m s-e besten Wünsche aussprechen; *nous formons* (*od. nous faisons*) *des* ~*x pour vous* wir wünschen Ihnen alles Gute; *rester* ~ *pieux* ein frommer Wunsch bleiben.

vogu|e [vɔg] *f* **1.** *fig.* Ansehen *n*, Ruf *m*; Beliebtheit *f*; *avoir la* ~ großen Zulauf haben; *connaître une grande* ~ sehr beliebt sein; *être en* ~ (in der) Mode sein; *thé. une pièce en* ~ ein zugkräftiges Stück *n*; *auteur m en* ~ Modeschriftsteller *m*; *livre m en* ~ Bestseller *m*, stark gefragtes Buch *n*; *mettre en* ~ allgemein beliebt machen, überall einführen; **2.** *dial.* Kirchweih *f*, Kirmes *f*; **~er** *litt.* ⚓ [vɔ'ge] *v/i.* (1m) rudern; segeln; *fig.* schweifen; F *fig. vogue la galère!* auf gut Glück!, komme, was da wolle!

voici [vwa'si] **I** *adv.* (~ *bezeichnet etw. Naheliegendes, wird aber sehr häufig durch voilà ersetzt; vor inf. muß* ~ *erhalten bleiben* [s. *letztes Beispiel von* I]) hier ist, hier sind; *me* ~ hier bin ich; *le* ~ da (hier) ist er; *m'y* ~ nun habe ich's geschafft; *les* ~ da (*od.* hier) sind sie; *en* ~ hier ist welches (hier sind welche); *la lettre que* ~ der Brief, den Sie (du) hier sehen (siehst); *nous* ~ *arrivés* da sind wir angelangt; *le* ~ *qui vient* da kommt er; ~ *ma fille* das (*od.* dies) ist meine Tochter; ~ *ce qui m'y engage* folgendes treibt mich dazu; ~ *venir l'hiver, od. nur:* ~ *l'hiver* jetzt kommt der Winter; ~ *de nouveau venir la période des vacances* da kommt nun wieder die Ferienzeit; **II** *litt. prpt.* vor (*zeitlich rückblickend*); ~ *quelques années* vor einigen Jahren.

voie [vwa] *f* **1.** Weg *m*, Bahn *f*, Straße *f*; *Auto:* ~ *d'accès à une autoroute* (Autobahn-)Zubringer *m*, Zubringerstraße *f*; ~ *de communication* Verbindungsweg *m*; ~ *publique* Landstraße *f*; ~ *de roulement* Rollgleis *n*; ~ *express* (*od. rapide*) Schnellstraße *f*; ~ *urbaine* Stadtautobahn *f*; *être toujours par* ~ *et par chemin* dauernd unterwegs sein; *fig. être en* ~ *de réussir* auf dem Wege zum Erfolg sein; *être en* ~ *de guérison* auf dem Wege der Besserung sein; **2.** 🚂 ~ (*ferrée*) Gleis *n*; *parcours m à* ~ *unique* eingleisige Strecke *f*; *en* ~ *double* doppelgleisig; ~ *d'évitement* Ausweichgleis *n*; ~ *de raccordement* Verbindungsgleis *n*; ~ *de dépassement* 🚂 Überholungsgleis *n*; ~ *électrifiée* Leitungsschiene *f*; elektrifizierte Strekke *f*; ~ *secondaire, a.* ~ *de garage* Abstell-, Ausweich-, Rangier-, Neben-gleis *n*; ~ *de service,* ~ *de formations des trains* Rangiergleis *n*; ~ *de parcours* Fahrt-linie *f*, -richtung *f*; *couvrir la* ~ das Haltezeichen geben; *à* ~ *étroite* schmalspurig; *à* ~ *normale* vollspurig; **3.** Wagenspur *f*; **4.** Spurweite *f* (*e-s Wagens*), Abstand *m* der Räder; *Auto:* Radspurweite *f*; ~ *normale* Regelspur *f*, Vollspurweite *f*; **5.** Reise-, Transport-gelegenheit *f*; *par la* ~ *des airs* auf dem Luftwege; **6.** Mittel *n*, Weg *m*; *l'affaire est en bonne* ~ die Sache macht sich; *par la* ~ *hiérarchique* auf dem Dienstwege; ~ *de droit* Rechtsmittel *n*; *par* ~ *judiciaire, par la* ~ *des tribunaux* auf dem Rechtswege; *faire usage des* ~*s de recours* von e-m Rechtsmittel Gebrauch machen; ~*s de fait* Tätlichkeiten *f/pl.*; **7.** *ch.* Fährte *f*, Spur *f*; *mettre q. sur la* ~ j-m auf die Spur verhelfen; *fig.* j-n auf den rechten Weg bringen; *fig. trouver sa* ~ s-n Weg (in der Laufbahn) machen; **8.** *anat.* Gang *m*, Kanal *m*; ~*s digestives* Verdauungswege *m/pl.*; **9.** ⚗ Verfahren *n*; **10.** ⚓ ~ *d'eau* Leck *n*; **11.** Klafter *f*, Fuhre *f*, Wagenvoll *m*; **12.** ⊕ Schränkweite *f der Sägezähne*; Sägeschnitt *m*; *donner de la* ~ *à une scie* e-e Säge schränken.

voilà [vwa'la] **I** *adv.* da ist, da sind, das ist, das sind; *me* ~ da bin ich; *la* ~ da ist sie; *l'homme que* ~ dieser Mann da; ~ *l'homme* so ist der Mensch; *le* ~ *furieux* jetzt ist er wütend; ~ *pourquoi je me plains* deshalb beklage ich mich; ~ *tout* das ist alles; ~ *que* ... da geschieht es nun, daß ...; ~ *qui est fort!* das ist aber stark!; ~ *qui t'apprendra* (*à vivre*) das soll dir e-e Lehre sein; ~ *qui ne peut rien changer à notre attitude* das kann an unserer Haltung gar nichts ändern; P *en ~ du propre!* das ist ja 'ne schöne Geschichte!; *me ~ propre* (*od. frais*)*!* da haben wir die Bescherung!; ist das eine Pleite!; **II** *prpt.* seit, vor (*zeitlich rückblickend*); ~ *quelques années* vor einigen Jahren; s. *voici* II.

voilage [vwa'la:ʒ] *m* **1.** *cout.* Voileschleife *f für den Hut*; **2.** Voilestore *m.*

voile [vwal] **I** *f* Segel *n*; ✈ ~ *d'amérissage* Schleppsegel *n* (*um Flugzeuge an Bord zu nehmen*); *faire ~ pour ...* segeln nach (*dat.*); *être prêt à faire ~* segelfertig sein; *faire force de ~s* alle Segel beisetzen; *mettre à la ~* sich segelfertig machen, auslaufen, in See stechen, sich einschiffen; *hisser les ~s* die Segel hissen; *mettre les ~s* Segel setzen; F türmen, abhauen; *amener les ~s* die Segel streichen (*od.* bergen); *Sport*: *vol m à ~* Segelflug *m*; *tendre la ~ selon le vent* das Segel nach dem Wind richten; *fig.* das Mäntelchen nach dem Winde drehen; *fig. il a le vent dans les ~s* er hat e-e gute Strähne; F *il a du vent dans les ~s* er ist blau F; **II** *m* **1.** Schleier *m*, verhüllende Decke *f*; Umhüllung *f*; ~ *de brume* Nebelschleier *m*; ~ *de deuil* Trauerflor *m*; *couvrir d'un ~* verschleiern; *déchirer le ~* den Schleier zerreißen; *fig. etw.* aufdecken; *jeter un ~ sur qch.* etw. vertuschen, etw. verschleiern, e-n Schleier über etw. (*acc.*) werfen; *prendre le ~* den Schleier nehmen, Nonne werden; *phot.* ~ *sur une plaque* Schleier *m* auf e-r Platte; **2.** *fig.* Deckmantel *m*, Schein *m*; *sous le ~ de l'anonymat* unter dem Deckmantel der Anonymität; **3.** ✝ Schleier-flor *m*, -tuch *n*; **4.** *anat.* ~ *du palais* Gaumensegel *n.*

voilé [vwa'le] *adj.* **1.** mit e-m Schleier verhüllt; verschleiert; **2.** ⚓ besegelt; **3.** *fig.* bewölkt (*Himmel*); düster (*Blick*); trübe, angelaufen (*Spiegel*); bemäntelt, heimlich (*Absicht*); unausgesprochen (*Vorwurf*); belegt, nicht klar, heiser, gedrückt (*Stimme*); **4.** ⊕ a) verzogen (*Holz*); b) windschief (*Metallgerüst*); **5.** *phot.* verschleiert, unklar.

voiler [~] (1a) **I** *v/t.* **1.** verschleiern, verhüllen; *rl. e-e Nonne* einkleiden; ⚓ besegeln; ~ *à l'aide de la fumée* vernebeln; **2.** *fig.* bemänteln, vertuschen; **3.** *phot.* überbelichten; **II** *v/rfl.* *se ~* sich bewölken (*Himmel*); sich verdüstern (*Blick*); sich werfen (*Holz*); ⊕ sich biegen.

voilerie [vwa'lri] *f* Segelfabrik *f*; Segelreparaturwerkstatt *f.*

voil|ette [vwa'lɛt] *f* kleiner Schleier *m*; **~ier** [vwa'lje] *m* **1.** Segelmacher *m*; **2.** ⚓ Segel-boot *n*, -schiff *n*; ~ *d'entraînement* Segelschulschiff *n*; *fin ~* Schnellsegler *m*; ~ *rapide* Klipper *m*; **3.** *orn.* Segler *m*; **~ure** [~'ly:r] *f* **1.** ⚓ Segel-werk *n*, -fläche *f*; ✈ Tragflächen *f/pl.*, Flügel *m*, Verspannung *f*, Verstrebung *f* (*a. Fallschirm*); Flugwerk *n* (*Rakete*); **2.** Zelt-leinwand *f*, -zeug *n*; **3.** Sichwerfen *n des Holzes.*

voir [vwa:r] (3b) **I** *v/t.* **1.** sehen, erblicken, wahrnehmen; ~ *le jour* ans Licht kommen; ~ *qch. de loin* etw. von weitem sehen; *avoir vu du pays* sich in der Welt umgesehen haben; *fig.* ~ *la mort de près* dem Tod ins Auge schauen; *voyez* (*abr. v.*) *ci-dessous* siehe unten; *voyons!* wollen wir mal (*od.* laß[t] mal) sehen!; na also!; hör mal!; kein Unsinn!; Spaß beiseite!; *mais voyons!* aber ich bitte dich! (Sie!); aber entschuldige(n Sie) mal!; aber sei(en Sie) mir nicht böse!; *faire ~* zeigen; *fig.* beweisen; *laisser ~* durchblikken (*od. fig.* merken *od.* fühlen) lassen; *on aura tout vu* alles schon mal dagewesen; **2.** Zeuge sein von (*dat.*), erleben; *j'ai vu démolir sa maison* ich habe selbst gesehen, wie sein Haus zerstört wurde; **3.** ansehen, besehen, aufmerksam betrachten; *cela n'a rien à ~ avec ...* das hat nichts mit (*dat.*) ... zu tun; **4.** a) *vom Standpunkt des Besuchers*: **aller ~** *q.*; b) *vom Standpunkt des Besuchten*: **venir ~** *q.* j-n be-, auf-suchen; j-m e-n Besuch machen; *j'irai le* (*la*) *~* (*litt. je l'irai ~*) ich werde ihn (sie) be-, auf-suchen; *aller ~ une exposition* e-e Ausstellung besichtigen; ~ *mauvaise compagnie* schlechten Umgang haben; *je les vois souvent* ich bin oft bei ihnen; *ne pas ~ de monde* keinen Verkehr haben; *je ne le verrai plus* ich werde den Umgang mit ihm abbrechen; **5.** Gesellschaft bei sich sehen, Besuch empfangen; **6.** kennenlernen, erfahren, erleben (*vgl. a.* 2); *il a beaucoup vu* er hat sich viel in der Welt umgesehen, er hat viel gesehen; *nous en avons vu bien d'autres* wir haben schon

Schlimmeres gesehen; wir haben noch ganz andere Sachen erlebt; **7.** merken; *je vous vois venir* ich merke schon, worauf Sie hinauswollen; ich durchschaue Ihre Absichten; *je le verrai venir* ich werde abwarten, was er tun wird; **8.** durchsehen, prüfen; *ceci est à* ~ das will überlegt sein; das bleibt abzuwarten; *abs.* F *je demande à* ~ ich behalte mir die Entscheidung vor; na, woll'n wir mal sehen; **9.** beurteilen; ~ *qch. d'un autre œil* etw. mit anderen Augen ansehen; *je vois cela différemment de* (*od. autrement que*) *vous* darüber denke ich anders als Sie; ~ *la vie en rose,* ~ *tout en beau* alles durch die rosarote Brille sehen; ~ *la vie en noir* alles in schwarz (*od.* grau in grau) sehen; *être bien vu* angesehen sein, gut angeschrieben sein, gern gesehen werden; *être mal vu* schlecht angeschrieben sein, in üblem Rufe stehen, nicht gern gesehen werden; **II** *v/i.* **10.** sehen (können); ~ *clair fig.* klarsehen; ~ *grand* großzügig planen; ~ (*de*) *loin* weit (gut in die Ferne) sehen; *fig.* in die Zukunft blicken; *y voyez-vous encore?* können Sie noch sehen?; **11.** ~ *à* beaufsichtigen (*acc.*), achten auf (*acc.*); nach *etw.* (*dat.*) sehen; für *etw.* (*acc.*) sorgen; *voyez à ce qu'il ne manque rien* sehen Sie zu, daß nichts fehlt; **III** *v/rfl.* *se* ~ **12.** sich ansehen, sich anblicken; **13.** sich besuchen, miteinander verkehren; **14.** gesehen werden; zu sehen sein; sich befinden; *cela se voit tous les jours* das kommt jeden Tag vor; *il ne s'y voit rien qui ...* es ist dort nichts zu sehen, was ...; **15.** *se* ~ (*mit inf.*) sehen (*bleibt oft unübersetzt*; *se ist hier rückbezüglicher Dativ, abhängig von dem folgenden Infinitiv passiven Inhalts, jedoch aktivischer Form*); *l'Afrique du Sud s'est vu confier jadis un mandat sur ce territoire par la Société des Nations* Südafrika wurde einst ein Mandat über dieses Gebiet vom Völkerbund übertragen; *il se voit décerner* (*nämlich le prix Goncourt*) er erlebt die Auszeichnung (durch den Goncourt-Preis).

voire [vwa:r] *adv.* (ja) sogar.

voirie [vwa'ri] *f* **1.** Verwaltung *f* der öffentlichen Wege, Plätze u. Wasserstraßen; Straßenbauamt *n*; *travaux m/pl. de* ~ Straßenarbeiten *f/pl.*; **2.** ~ (*municipale* städtische) Müllabfuhr *f*; (städtischer) Fuhrpark *m*; **3.** Schuttabladeplatz *m.*

voisin [vwa'zɛ̃] (7) **I** *adj.* benachbart; ~ *de qch.* an etw. (*acc.*) anstoßend *od.* grenzend; *maison f* ~*e* Nachbarhaus *n*; **II** *su.* Nachbar *m*; **~age** [~zi'na:ʒ] *m* **1.** Nähe *f*; *dans le* ~ *immédiat* in unmittelbarer Nähe; **2.** Nachbarschaft *f*; **3.** *Fußball*: (*match m de*) ~ Nachbarschaftsspiel *n*; **~er** [~'ne] *v/i.* (1a) **1.** *litt.* mit den Nachbarn verkehren; **2.** ~ *avec q., avec qch.* sich in der Nähe j-s, von etw. befinden.

voiturage [vwaty'ra:ʒ] *m* **1.** Transport *m*; **2.** Rollgeld *n.*

voiture [vwa'ty:r] *f* **1.** *a. Auto*: Wagen *m*; (Pferde-)Fuhrwerk *n*; ~ *à un seul agent* Einmannwagen *m* (*Bus*); ~ *de fonction* Dienstwagen *m*; ~ *d'occasion* Gebrauchtwagen *m*; ~ *de réserve* Aushilfswagen *m*; ~ *cellulaire* Gefängniswagen *m*; ⚔ ~ *à vivres* Verpflegungsfahrzeug *n*; *Auto*: ~ *de grand sport* Halbrennwagen *m, a.* Sportwagen *m*; ~ *de sport,* ~ *de tourisme* Sport-, Tourenwagen *m*; ~ *grand-routière* schwerer Tourenwagen *m*; ~ *de série,* ~ *de luxe* Serien-, Luxus-wagen *m*; ~ *particulière* Privatwagen *m*; F ~*-pie* Polizeiwagen *m*; *la* ~ *tient bien la route* der Wagen liegt gut auf der Straße; 🚃 ~ *directe,* ~ *de correspondance* Kurswagen *m*, direkter Wagen *m*; *Auto*: ~ *de course* Rennwagen *m*; ~ *de livraison* Lieferwagen *m*; ~ *d'arrosage* Sprengwagen *m*; ⊕ ~ *à échafaudage* Turmwagen *m* (*z.B. zur Reparatur v. Straßenlampen*); ~ *d'enfant* (*pliante* zs.-klappbarer) Kinderwagen *m*; ~ *de maître* herrschaftlicher Wagen *m*; ~ (*de place*) Droschke *f*; ~ *motrice* Triebwagen *m*; *deuxième* ~ Anhängewagen *m*, Anhänger *m* bei Straßenbahnen; *en* ~*!* einsteigen!; *monter* (*od. faire son entrée*) *en* ~ einsteigen; *descendre de* ~ aussteigen; *lettre f de* ~ Frachtbrief *m*; **2.** Wagenladung *f.*

voiture|-ambulance [~ɑ̃by'lɑ̃:s] *f* (6b) Krankenwagen *m*; **~-atelier** *bsd. Auto* [~atə'lje] *f* (6b) Werkstattwagen *m*; **~-citerne** [~si'tɛrn] *f* (6b) Tankwagen *m*; **~-couchettes** 🚃 [~ku'ʃɛt] *f* (6b) Liegewagen *m.*

voiturée [vwaty're] *f* Wagenladung *f.*

voiture-lit 🚃 [vwa'ty:r'li] *f* (6a) Schlafwagen *m.*

voiture-panier [vwa'ty:rpa'nje] *f* (6b) Korbwagen *m.*

voiturer [vwaty're] *v/t.* (1a) **1.** *etw.* heranfahren; **2.** F im Auto befördern.

voiture|-radio [vwa'ty:rra'djo] *f* (6b) **1.** Lautsprecherwagen *m*; **2.** Funk(streifen)wagen *m*; **~-réclame** [~re'klam] *f* (6b) Reklamewagen *m*; **~-relais** [~rə'lɛ] *f* (6b) Ersatzwagen *m* (*Auto*).

voitu|rette [vwaty'rɛt] *f* **1.** kleiner Wagen *m*; Handwagen *m*; *bsd. Auto*: Kleinwagen *m*; **2.** kleiner Schiebewagen *m* (*in Selbstbedienungsläden*); **~rier** [~ty'rje] *m* Fuhrmann *m*; *Auto*: Fahrer *m* (*z.B. e-s Hotels*); ⚓ ~ *par eau* Frachtschiffer *m.*

voix [vwa] *f* **1.** Stimme *f*; *à* ~ *basse* (*à haute* ~) mit leiser (lauter) Stimme; *de vive* ~ mündlich; in persönlicher Aussprache; *chanter à plusieurs* ~ mehrstimmig singen; être en ~ bei Stimme sein; ~ *de poitrine* Bruststimme *f*; ~ *de tête* Kopfstimme *f*; ~ *métallique*, ~ *cuivrée* klangreiche Stimme *f*; ~ *fêlée* heisere Stimme *f*; **2.** ♪ Stimme *f*, singende Person *f*, Sänger(in *f*) *m*; *motet m à* ~ *seule* (*à deux* ~) Motette *f* für eine (zwei) Stimme(n); ~ *f/pl. mixtes* gemischter Chor *m*; **3.** *gr.* ~ *active* Aktiv *n*, Tätigkeitsform *f*; ~ *passive* Passiv *n*, Leideform *f*; ~ *moyenne* Medium *n* (*im Alt- u. Neugriechischen*); *à la* ~ *active* (*passive*) im Aktiv (Passiv); **4.** *fig.* innerer Trieb *m*, Regung *f*; **5.** Ansicht *f*, Meinung *f*, Stimmung *f*; **6.** (Wahl-) Stimme *f*, Stimmrecht *n*; ~ *délibérative* beschließende Stimme *f*; ~ *consultative* beratende Stimme *f*; *aller aux* ~ abstimmen; *ell. aux* ~! abstimmen!; *avoir toutes les* ~ einstimmig gewählt sein; *mettre qch. aux* ~ über etw. (*acc.*) abstimmen lassen; *tout d'une* ~ *od. d'une commune* ~ einstimmig; *avoir* ~ *au chapitre* ein Wort dabei mitzureden haben; **7.** *ch.* ~ *des chiens* Anschlagen *n* der Hunde.

vol[1] [vɔl] *m* **1.** Diebstahl *m*, Raub *m*; ~ *à l'étalage* Ladendiebstahl *m*; ~ *à la petite semaine* Gelegenheitsdiebstahl *m*; ~ *à la roulotte* Beraubung *f* von Autos; ~ *au préjudice de la caisse*, ~ *de fonds* Kassen-raub *m*, -diebstahl *m*; ~ *d'usage* Gebrauchsdiebstahl *m*, Diebstahl *m* zur vorübergehenden Aneignung fremden Gutes; ~ *à main armée* Raubüberfall *m*; ~ *de grand chemin* Straßenraub *m*; ~ *qualifié* schwerer Diebstahl *m*; **2.** gestohlenes Gut *n.*

vol[2] [~] *m* **1.** *a.* ✈ Flug *m*; Fliegen *n*; *prendre son* ~ starten, abfliegen; *prêt à prendre le* ~ (*od. son vol*) flugfertig; *faire un* ~ *d'essai* einfliegen (*zur Probe*); *effectuer* (*od. faire*) *des* ~*s* Flüge ausführen; *fig. prendre son* ~ *trop haut* zu hoch hinauswollen; *fig. saisir sa chance* (*od. l'occasion*) *au* ~ die Gelegenheit beim Schopfe ergreifen; *abs.* sofort zugreifen (*od.* zupacken); *advt. à* ~ *d'oiseau* aus der Vogelschau; Luftaufnahme *f* (*als Bildbeschriftung*); ~ *de durée* Dauerflug *m*; ~ *d'essai* Probeflug *m*; ~ *de concours* Wettflug *m*; ~ *plané* Gleitflug *m*; ~ *d'exhibition* Schauflug *m*; ~ *de réception* Abnahmeflug *m*; ~ *seul* Alleinflug *m*; ~ *supersonique* Überschallflug *m*; ~ *acrobatique*, ~ *de haute-école* Kunstflug *m*; ~ *à basse altitude* Tiefflug *m*; ~ *à haute altitude* Höhenflug *m*; ~ *sans escale* Nonstopflug *m*; ~ *postal* Postflug *m*; ~ *de nuit*, ~ *d'entraînement*, ~ *d'endurance*, ~ *de reconnaissance* Nacht-, Schul-, Dauer-, Erkundungs-flug *m*; ~ *de prise de vues* Bildflug *m*; ~ *à catapulte* Katapult- *od.* Schleuderflug *m*; ~ *piqué* Sturzflug *m*; ~ *à l'aveugle* Blindflug *m*; ~ *en circuit fermé* Rundflug *m*; ~ *en groupe* Verbandsfliegen *n*; ~ *à travers un pays*, ~ *de parcours* Überlandflug *m*; ~ *à voile* Segelflug *m*; *au* ~ im Fluge (*a. fig.*); **2.** *fig. de haut* ~ großen Stils (*od.* Ausmaßes); **3.** *ch. chasse f au* ~ Beize *f*; **4.** *un* ~ *de cailles* ein Schwarm Wachteln.

volage [vɔ'la:ʒ] *adj.* flatterhaft, unbeständig, leichtlebig; ⚓ leicht umschlagend (*Schiff*); *humeur f* ~ Flatterhaftigkeit *f*, Unbeständigkeit *f*, Leichtlebigkeit *f.*

volaill|e [vɔ'lɑ:j] *f* **1.** Geflügel *n*, Federvieh *n*, *bsd.* Hühner *n/pl.*; **2.** *cuis.* Huhn *n*; **~er** [~lɑ'je] *m* Geflügelhändler *m.*

volant [vɔ'lɑ̃] **I** *adj.* (7) **1.** fliegend; **2.** *fig.* lose, beweglich; *assiette f* ~*e* herumgereichte Schüssel *f*; *feuille f* ~*e* loses Blatt *n*; *fusée f* ~*e* Steigrakete *f*; ✈ *personnel m* ~ fliegendes Personal *n*; *poisson m* ~ fliegender Fisch *m*; *pont* ~ bewegliche Brücke *f*; ⚕ *petite vérole f* ~*e* Windpocken *pl.*; *vivre en camp* ~ keinen festen Wohnsitz haben;

II *m* 3. Federball *m*; *jeu m de* ~ Federballspiel *n*; *jouer au* ~ Federball spielen; 4. Faltenbesatz *m am Kleid*, Rüsche *f*; 5. ⊕ Schwungrad *n*; *Auto*: Lenkrad *n*, Steuer(rad *n*) *n*; 6. ⚕ abreißbares Rechnungsformular *n*; ~ *d'autorisation* Genehmigungsbescheinigung *f*; 7. *fig.* ~ *de sécurité* Sicherheits-, Reservefonds *m*.

volatil ⚗ [vɔla'til] *adj.* flüchtig, leicht verdunstend; *sels m/pl.* ~*s* Riechsalz *n*; ~**e** [~] *m* Huhn *n*, Ente *f usw.*; *les* ~*s* das Geflügel; ~**isable** ⚗ [~li'zablə] *adj.* verflüchtigbar, verdunstbar; ~**isation** ⚗ [~lizɑ'sjɔ̃] *f* Verflüchtigung *f*, Verdunstung *f*; ~**iser** [~li'ze] (1a) I *v/t.* 1. ⚗ verdunsten lassen; 2. *fig.* beseitigen, vernichten; II *v/rfl.* se ~ verdunsten; *fig.* spurlos verschwinden.

vol-au-vent *cuis.* [vɔlo'vɑ̃] *m* (6c) Blätterteigpastete *f*.

volcan [vɔl'kɑ̃] *m* Vulkan *m*; ~**icité** [~kanisi'te] *f* 1. vulkanische Beschaffenheit *f*; 2. Vulkantätigkeit *f*, vulkanische Erscheinung *f*; ~**ique** [~'nik] *adj.* vulkanisch; *fig.* gärend, schwelend; aufbrausend; ~**iser** *géol.* [~ni'ze] *v/t.* (1a) vulkanisch unterhöhlen; ~**isme** *géol.* [~'nism] *m* Vulkanismus *m*; ~**ologique** *géol.* [~nɔlɔ'ʒik] *adj.*: *recherches f/pl.* ~*s* Vulkanforschungen *f/pl.*

vole *Kartenspiel* [vɔl] *f*: *faire la* ~ alle Stiche machen.

volée [vɔ'le] *f* 1. (Vogel-)Flug *m*; Aufflug *m*; *prendre sa* ~ auffliegen, flügge werden; *donner la* ~ *à un oiseau* e-n Vogel fliegen lassen; *fig.* ~ *de bois vert* Auftrieb *m fig.*; 2. *Vögel*: Schwarm *m*; 3. ✈, ⊕ Hubhöhe *f*; Ausladung *f*; Ausleger *m* (*e-s Krans*); ⚔ ~ *du canon* langes Feld *n*, Vorderteil *m* der Kanone; 4. ⚔ Salve *f*; ⚕ ~ *d'injections* Injektionsreihe *f*; 5. *fig.* ~ (*de coups de bâton*) Tracht *f* Prügel; ~ *d'injures* Hagel *m* von Schimpfworten; 6. Schwung *m e-r Glocke*; *sonner à toute* ~ mit allen Kräften läuten; 7. *Tennis*: (*balle f à la*) ~ Flugball *m*; ~ *horizontale* Flachball *m*; *jouer la balle à la* ~, *prendre la balle de* ~ den Ball aus der Luft nehmen; 8. ⚠ ~ *d'escalier* Treppenstück *n zwischen zwei Absätzen*.

voler[1] [~] *v/i.* (1a) (*mit avoir!*) 1. *a.* ✈ fliegen; ~ *de ses propres ailes* auf eigenen Füßen stehen; 2. *fig.* eilen; rasen, sausen; sich schnell verbreiten; ~ *au secours de q.* j-m zu Hilfe eilen; *le temps vole* die Zeit fliegt dahin; 3. ~ *en éclats* zerplatzen, zersplittern.

voler[2] [~] *v/t.* (1a) 1. stehlen, entwenden; 2. ~ *q.* j-n bestehlen *od.* berauben; 3. F, *a. iron. il ne l'a pas volé* er hat es verdient; ~**eau** F [vɔl'ro] *m* (5b) kleiner Dieb *m*.

volerie F [vɔl'ri] *f* Dieberei *f*.

volet [vɔ'lɛ] *m* 1. ⊕ Klappe *f*; ⊕ ~ *de réglage* Stellklappe *f*; 2. *Auto*: ~ *de départ* Starterklappe *f*; ~ *du radiateur* a) Kühlluftregler *m*, Kühlerjalousie *f*; b) Steinschlaggitter *n* (*bsd. für Bergfahrten*); ♪ ~ *d'orgues* Orgelpfeifendeckel *m*; 3. (Wasserrad-)Schaufel *f*; 4. ✈ (Lande-)Klappe *f*; ~ *de courbure* Wölbungsklappe *f*; 5. Fenster-, Klapp-laden *m*; 6. kleines Brett *n zum Erbsenlesen*; *fig. trié sur le* ~ sorgfältig ausgesucht; 7. ~ *roulant* Rolljalousie *f*; 8. *fig.* Seite *f*; *comporter deux* ~*s* zwei Seiten haben.

voleter [vɔl'te] *v/i.* (1c) (umher-) flattern, herum-fliegen, -springen.

voleur [vɔ'lœːr] *su. u. adj.* (7g) Dieb *m*; diebisch; ~ *de grand chemin* Straßenräuber *m*; ~ *de voitures* Autodieb *m*; ~ *à la tire* Taschendieb *m*; *au* ~*!* haltet den Dieb!; *pie f voleuse* diebische Elster *f*.

volière [vɔ'ljɛːr] *f* großes Vogelbauer *n*; Vogelhaus *n*.

volig|e ⚠ [vɔ'liːʒ] *f* Schindelbrett *n*; ~**eage** ⚠ [~li'ʒaːʒ] *m* Belattung *f*; Verschalung *f* mit Brettern; *posé sur* ~ schieferartig verlegt; ~**er** ⚠ [~li'ʒe] *v/t.* (1l) belatten.

voli|tif 📖 [vɔli'tif] *adj.* (7e) auf den Willen bezüglich; den Willen bestimmend; ~**tion** *psych.* [vɔli'sjɔ̃] *f* 1. Willensakt *m*; 2. Wollen *n*.

volleyeur [vɔlɛ'jœːr] *su.* (7) Volleyballspieler *m*.

volon|taire [vɔlɔ̃'tɛːr] *adj.* □ *u. m* freiwillig; *bsd.* ⚔ Freiwillige(r) *m*; *enfant m* ~ eigensinniges Kind *n*; ~**tariat** *nur* ⚔ [~ta'rja] *m* Freiwilligendienst *m*; ~**tarisme** *phil.* [~ta'rism] *m* Voluntarismus *m*, Willensbetontheit *f*; ~**tariste** *phil.* [~ta'rist] *adj. u. su.* voluntaristisch; Voluntarist *m*.

volonté [vɔlɔ̃'te] *f* 1. Wille *m*; *acte m de* ~ Willens-akt *m*, -äußerung *f*; *avoir une* ~ *de fer* e-n eisernen Willen haben; *fortifier q. dans sa* ~ j-n in s-m Willen bestärken; *imposer sa* ~ *à q.* j-m s-n Willen aufzwingen; *manquer de bonne* ~ es an gutem Willen fehlen lassen; *mauvaise* ~ Böswilligkeit *f*; ~ *de s'entendre* Verständigungswille *m*; ~ *de paix*, ~ *de combat*, ~ *de sacrifice* Friedens-, Kampf-, Opfer-wille *m*; *faire sa* ~ s-n Willen durchsetzen; *n'en faire jamais qu'à sa* ~ stets nur nach s-m Kopf handeln; ⚔ *feu m à* ~ Schützen-, Einzel-feuer *n*; **2.** Willenskraft *f*; *n'avoir pas de* ~ keinen (eigenen) Willen haben; **3.** *advt. à* ~ nach Belieben; *pain m à* ~ Brot nach Belieben; **4.** ⚖ *dernières* ~*s* Letzter Wille *m*, Testament *n*; *acte m de dernière* ~ letztwillige Verfügung *f*, Testamentsurkunde *f*; **5.** ~*s pl.* a) Befehle *m/pl.*; *faire (toutes) les* ~*s de q.* sich (ganz *od.* vollkommen) nach j-m richten; b) Grillen *f/pl.*, Launen *f/pl.*

volontiers [vɔlɔ̃'tje] *adv.* **1.** gern, willig; *très* ~ sehr gern; **2.** gewöhnlich; ohne weiteres; leicht.

volt ⚡ [vɔlt] *m* Volt *n*; **~age** ⚡ [~'ta:ʒ] *m* Spannung *f*; ~ *de régime* (*od. de service*) Betriebsspannung *f*; **~aïque** [~ta'ik] *adj.* **1.** ⚡ galvanisch; **2.** *géogr.* aus Haute-Volta; **~aïsme** ⚡ [~ta'ism] *m* galvanische Elektrizität *f*.

voltaire [vɔl'tɛ:r] *m u. adj.* (*fauteuil m*) ~ großer Armsessel *m* mit hoher Rückenlehne.

voltair|ianisme *phil.*, *litt.* [~tɛrja'nism] *m* Voltairianismus *m*, geistige Richtung *f* e-s Voltaire; **~ien** [~tɛ'rjɛ̃] *adj. u. su.* (7c) voltairisch, von Voltaire; Voltairianer, Aufklärer *m*; F Widerspruchsgeist *m*.

voltaïsation ⚕ [vɔltaiza'sjɔ̃] *f* Elektrotherapie *f* durch galvanischen Strom, Galvanokaustik *f*.

voltamètre *phys.* [vɔlta'mɛ:trə] *m* Voltameter *n*.

voltampère ⚡ [vɔltɑ̃'pɛ:r] *m* Voltampere *n*; Watt *n*; **~mètre** ⚡ [~pɛr'mɛ:trə] *m* Wattmeter *n*.

volte [vɔlt] *f* **1.** *esc.* rasche Wendung *f*, Volte *f*; **2.** *man.* Volte *f*, Kreisrittspur *f in der Arena*; **3.** ✈ Schleife *f*; **~-face** [~'fas] *f* (6c) Kehrtwendung *f*; *fig. bsd. pol.* plötzliche Meinungsänderung *f*; *faire* ~ kehrtmachen; *fig.* s-e Ansicht plötzlich ändern.

volter *man.* [vɔl'te] *v/i.* (1a) voltieren.

voltig|e [vɔl'ti:ʒ] *f* **1.** Trapezspringen *n*; **2.** *man.* Voltige *f*, Sprung *m* auf ein trabendes *od.* galoppierendes Pferd; *faire de la* ~ voltigieren; *fig. Auto: descendre en* ~ Hals über Kopf aussteigen; **~er** [~ti'ʒe] *v/i.* (1l) **1.** (herum)flattern; ~ *au gré des vents* im Wind flattern; **2.** *fig.* ~ *de pensée à pensée* von einem Gedanken zum andern springen; ~ *d'un livre à l'autre* ein Buch nach dem andern anfangen; ~ *d'étude en étude* ein Studium nach dem andern anfangen; **~eur** [~'ʒœ:r] *m su.* (7g) **1.** Trapezkünstler *m*; **2.** Kunstreiter *m*; **3.** ⚔ Stoßtruppgrenadier *m*.

voltmètre ⚡ [vɔlt'mɛ:trə] *m* Voltmeter *n*, Spannungsmesser *m*.

volubil|e [vɔly'bil] *adj.* **1.** ⚘ sich windend; **2.** *fig.* zungenfertig, redegewandt; **~is** ⚘ [~bi'lis] *m* Winde *f*; **~isme** ⚘ [~bi'lism] *m* Sichwinden *n*; **~ité** [~bili'te] *f* Redegewandtheit *f*.

volucelle *ent.* [vɔly'sɛl] *f* Federfliege *f*.

volum|e [vɔ'lym] *m* **1.** Band *m e-s Buches*; ~ *in-folio* Folioband *m*; **2.** Umfang *m*, Rauminhalt *m*, Masse *f*; *le* ~ *des échanges* der Umfang des Warenaustausches; ⚓ ~ *d'eau* (*déplacé* verdrängte) Wassermenge *f*; F *fig. faire du* ~ sich dicketun, angeben; sich breitmachen; *qui fait du* ~ Angeber *m*, Protzer *m*; **~escope** *phys.*, ⚗ [vɔlymɛ'skɔp] *m* Volumenmeßgerät *n*; **~étrie** ⚗ [~me'tri] *f* Maßanalyse *f*; **~étrique** ⚗ [~me'trik] *adj.* maßanalytisch, volumetrisch, Inhaltsbestimmungs...; **~ineux** [~mi'nø] *adj.* (7d) **1.** vielbändig (*Buch*); **2.** umfangreich.

volup|té [vɔlyp'te] *f* **1.** Wollust *f*, Sinnenlust *f*; **2.** *fig.* Wonne *f*, Hochgenuß *m*; ~(*s pl.*) Schwelgerei *f*; *fig. les* ~*s de l'étude* die geistigen Genüsse *m/pl.* des Studiums; **~tuaire** [~'tɥɛ:r] *adj.* zum bloßen Vergnügen dienend, Luxus...; **~tueux** [~'tɥø] *adj.* □ *u. su.* (7d) wollüstig; *fig.* wonnevoll, wonniglich; üppig, schwelgerisch; Wollüstling *m*; *fig.* Schwelger *m*.

volute [vɔ'lyt] *f* **1.** △ Schnecke *f*, Spirale *f*, Schnörkel *m*; **2.** *charp.* Trittstufe *f*, untere Wangenrundung *f* für den Treppengeländerpfosten; **3.** ♪ Wirbel *m e-r Geige*; **4.** *zo.* Roll-, Falten-, Walzen-schnecke *f*.

volv|acé ⚘ [vɔlva'se] *adj.* wulstartig; **~e** ⚘ [vɔlv] *f* Wulsthaut *f* (*der Pilze*).

volvulus ⚕ [vɔlvy'lys] *m* Darmverschlingung *f*.

vomer *anat.* [vɔ'mɛ:r] *m* Pflugscharbein *n.*

vomique[1] ⚘ [vɔ'mik] *adj.*: *noix f* ~ Brechnuß *f.*

vomique[2] ⚕ [~] *f* Lungengeschwür *n.*

vom|ir [vɔ'mi:r] *v/i. u. v/t.* (2a) (aus)brechen, sich übergeben; *fig.* ausspeien, hinausschleudern (*Vulkan*); ausstoßen (*Worte*); *envie f de* ~ Übelkeit *f*, Brechreiz *m*; ~ *des injures* Schimpfkanonaden vom Stapel lassen; **~issement** [~mis'mɑ̃] *m* Erbrechen *n*; **~itif** [~mi'tif] **I** *adj.* (7e) Erbrechen erregend; **II** *m* Brechmittel *n*; **~itoire** *antiq.* [~mi'twa:r] *m* Theaterausgang *m*; **~ito-negro** ⚕ [~mitɔne'gro] *m/inv.* Gelbfieber *n.*

vorac|e [vɔ'ras] *adj.* □ *u. su.* gefräßig; Fresser *m*, Vielfraß *m*; **~ité** [~si'te] *f* Gefräßigkeit *f.*

vorticelle *zo.* [vɔrti'sɛl] *f* Wirbel-, Glocken-tierchen *n.*

vos [vo] *pr/poss. adj. pl. v. votre.*

Vosges [vo:ʒ] *f/pl.*: **les ~** die Vogesen *pl.*

vosgien [vo'ʒjɛ̃] *adj. u.* ♀ *su.* (7c) vogesisch; Vogesenbewohner *m.*

vot|ant [vɔ'tɑ̃] *su.* (7) Wähler *m*; ~ *inscrit* Wahlberechtigte(r) *m*; **~ation** [~tɑ'sjɔ̃] *f* Abstimmung *f*; *mode m de* ~ Abstimmungsverfahren *n.*

vote [vɔt] *m* **1.** (Wahl-)Stimme *f*; *donner son* ~ s-e Stimme abgeben; **2.** Abstimmung *f*; *bulletin m de* ~ Wahlzettel *m*; ~ *des femmes* Frauenstimmrecht *n*; ~ *sur la confiance pol.* Vertrauens-votum *n*, -abstimmung *f*; *avoir droit de* ~ stimmberechtigt sein; *passer au* ~ abstimmen, zur Abstimmung kommen; ~ *au scrutin secret* (*public*) geheime (öffentliche) Abstimmung *f*; ~ *par correspondance* Briefwahl *f*; ~ *plural* Pluralwahlsystem *n*, Mehrstimmenwahl *f.*

voter [vɔ'te] (1a) **I** *v/i.* abstimmen; **II** *v/t.* durch Abstimmung genehmigen, stimmen für (*acc.*); ~ *une loi* e-n Gesetzesvorschlag verabschieden.

votif *rl.* [vɔ'tif] *adj.* (7e) Votiv...; Weih...; Dankes...; Gedächtnis...; *fête f votive* Erntedankfest *n.*

votre [vɔtr(ə), *oft vor Konsonanten*: vɔt], *pl.* **vos** [vo, *vor Vokalen* voz...] *pr/poss. adj.* euer, eure; *Höflichkeitsanredeform*: Ihr(e).

vôtre ['vo:trə] **I** *pr/poss. su. le, la* ~ der, die, das eurige; *Höflichkeitsanredeform*: der, die, das Ihrige; **II** *st. s. als adj. ces objets sont* ~*s* diese Gegenstände gehören Ihnen; **III** *m le* ~ das Eurige (*bzw.* Ihrige); *il faut que vous y mettiez du* ~ Sie müssen das Ihrige dazu beitragen; **IV** *les* ~*s m/pl.* die Ihrigen; *je suis des* ~*s* ich gehöre Ihrer Partei an, ich gehöre zu Ihnen; ich mache mit.

vouer [vwe] (1a) **I** *v/t.* widmen, weihen; geloben; *être voué à l'échec* zum Scheitern verurteilt sein; **II** *v/rfl. se* ~ *à qch.* sich e-r Sache (*dat.*) hingeben, sich ganz widmen; *se* ~ *corps et âme à la recherche d'une solution* sich mit Leib u. Seele dem Auffinden e-r Lösung hingeben (*od.* verschreiben); *se* ~ *au diable* sich dem Teufel verschreiben.

vouloir [vu'lwa:r] (3i) **I** *v/t.* **1.** wollen, willens sein, die Absicht haben; *impolitesse voulue* beabsichtigte Unhöflichkeit *f*; **2.** befehlen, gebieten, verlangen; *la loi veut que* ... das Gesetz schreibt vor, daß ...; *que voulez-vous que je fasse?* was soll ich tun?; *l'âge voulu* das vorgeschriebene Alter; *au moment voulu* im gewünschten Augenblick; **3.** wünschen, mögen, begehren; *tout ce que vous voudrez* alles, was Sie wünschen; *comme vous voudrez!* ganz, wie Sie (es) wünschen!; *je voudrais bien savoir* ich möchte gern wissen; ~ *du bien* (*du mal*) *à q.* j-m wohlwollen (übelwollen); **4.** fordern; *qu'en voulez-vous?* was wollen Sie dafür haben?; *combien voulez-vous de ce livre?* wieviel wollen Sie für dieses Buch haben? *tu en auras autant que tu* (*en*) *voudras* du kannst dafür soviel haben, wie du willst; **5.** einwilligen, zugeben; *je le veux bien* ich bin damit einverstanden; **6.** belieben, geruhen; *veuillez me le dire* haben Sie die Güte, es mir zu sagen; *la lettre que vous avez bien voulu m'adresser* ... der Brief, den Sie mir freundlichst geschickt haben; *voudriez-vous bien me dire* würden Sie wohl so freundlich sein und mir sagen; *Dieu le veuille!* Gott gebe es!; **7.** ~ *dire* bedeuten, heißen; sagen wollen, meinen; *que veut dire ce mot?* was heißt dieses Wort?; *qu'est-ce que cela veut dire?* was soll das heißen?; *staunend od. drohend*: *que voulez-vous dire par là?* was wollen Sie damit sagen?; **II** *v/i.* **8.** *en* ~ *à q.* j-m (*od.* auf j-n) böse sein, j-m zürnen, j-m grollen; sein Augenmerk auf j-n richten; *ne m'en voulez pas!* seien Sie mir deshalb nicht böse!; *pourquoi m'en voulez-vous?* warum sind Sie mir böse?; *à qui en veut-il?* auf wen ist er böse?; *en ~ à la vie de q.* j-m nach dem Leben trachten; *il n'en veut qu'à l'argent* ihm geht es nur um das Geld; **9.** *il ne veut pas d'elle* er will nichts von ihr wissen; **10.** F *en veux-tu, en voilà* in Massen; **III** *v/rfl.* **11.** *se ~* sein wollen; *la Tunisie se veut une terre de loisirs* Tunesien will ein Land der Freizeitgestaltung sein; *l'étudiant se veut une personne responsable* der Student will e-e verantwortliche Person sein; **12.** *s'en ~ de* (*inf.*) sich Vorwürfe machen, bereuen, bedauern; *je m'en veux d'avoir fait cela* ich mache mir Vorwürfe (*od.* ich bereue *od.* ich bedauere), dies getan zu haben; *abs. s'en ~* aufeinander böse sein; **IV** *m*: *mauvais ~* böser Wille *m*; *bon ~* Bereitwilligkeit *f*, guter Wille *m*.

vous [vu, *vor Vokalen* vuz...] *pr/p. nom., dat., acc. pl. der zweiten Person*: ihr, euch; Sie, Ihnen, Sie; *allg.* einem; *rfl.* sich (*in der 2. Person Pluralis der Höflichkeitsanrede*); *de ~ à moi* zwischen uns beiden; *cela ~ fait du bien* das tut einem wohl; *qui d'entre ~?*, *qui* (*od. lequel*) *de ~?* wer von euch?, wer von Ihnen?; *dire ~ à q.* j-n siezen; *si j'étais de ~* an Ihrer (*od.* eurer) Stelle; *~ ~ êtes trompé(e)* Sie (*eine einzige Person*) haben sich getäuscht; *~ ~ êtes trompé(e)s* Sie (*mehrere Personen*) haben sich getäuscht; ihr habt euch getäuscht.

vouss|oir ⚠ [vu'swa:r] *m* Gewölbestein *m*; **~ure** ⚠ [~'sy:r] *f* Bogenrundung *f*.

voût|e [vut] *f* **1.** ⚠ Gewölbe *n*; *~ d'arête*, *~ en crête*; *~ en conque* Kreuz-; Mulden-gewölbe *n*; *barrage m en ~* Bogenstaumauer *f*; *~ circulaire*, *~ en plein cintre*; *~ en berceau* Rundbogen-; Tonnen-gewölbe *n*; *~ gothique ogivale* gotisches Spitzbogengewölbe *n*; *~ en coupole sur pendentifs* Kuppelgewölbe *n* mit Pendentifs; *~ en coupole sur trompe conique* Fächer-, Trichtergewölbe *n*; *~ en limaçon* Schneckengewölbe *n*; *~ à nervures* Gurtgewölbe *n*; *~ de verdure* Laube *f*; *fig. ~ étoilée* Sternenhimmel *m*; *~ céleste*, *~ éthérée* Himmelsgewölbe *n*; **2.** *anat.* Rundung *f*, Wölbung *f*, Höhlung *f*; *~ du crâne* obere Schädelwölbung *f*; *~ palatine* Gaumenbogen *m*; **~er** [vu'te] (1a) **I** *v/t.* wölben; *voûté* gewölbt; *fig.* krumm, buckelig, verwachsen; *dos m ~* krummer Rücken *m*; **II** *v/rfl. se ~* sich wölben; *fig.* e-n krummen Buckel bekommen.

vouv|oiement [vuvwa'mã] *m* Siezen *n*; **~oyer** [~vwa'je] *v/t.* (1h) siezen.

voyag|e [vwa'ja:ʒ] *m* **1.** Reise *f*; Fahrt *f*; *~ à Paris* Reise nach Paris; *faire un ~ en Italie* (*au Maroc*) e-e Reise nach Italien (nach Marokko) machen; *assurance f contre les accidents de ~* Reiseunfallversicherung *f*; *~ d'agrément* (*d'affaires, de noces*) Vergnügungs- (Geschäfts-, Hochzeits-)reise *f*; *~ d'études* Studienreise *f*; *~ collectif*, *~ en société* Gesellschaftsreise *f*; *frais m/pl. de ~* Reisekosten *pl.*; *~ par mer* (*par terre*) See-(Land-)reise *f*; *~ aérien*, *~ en avion* Luftreise *f*; *~ en train* (*en auto*) Reise *f* mit der Eisenbahn (im Auto); *~ circulaire* Rundreise *f*; *~ aller et retour* Hin- u. Rück-reise *f*; *aller* (*od. partir*) *en ~* auf Reisen gehen; *être en ~* verreist sein, auf Reisen sein; **2.** Reisebeschreibung *f*; **3.** Gang *m*, Hin- u. Her-fahrt *f*; Fuhre *f*; Transport *m*; *j'ai fait dix ~s d'un bureau à l'autre* ich habe zehn Gänge von einer Dienststelle zur anderen hinter mir; *payer ses ~s à un charretier* s-e Fuhren e-m Fuhrmann bezahlen; *frais m/pl. de ~ d'une denrée* Kosten *pl.* für den Transport e-s Nahrungsmittels; **~er** [~ja'ʒe] *v/i.* (1l) (*stets nur auf die Frage „wo?", ohne Angabe e-s Ziels; bei der Frage „wohin?", also bei Zielangabe, gebraucht man stets aller bzw. voler*: *il voyage en France* er reist in Frankreich; *aber*: *il va en France* er reist [*od.* fährt] nach Frankreich) (umher)reisen, auf Reisen sein; ziehen (*Vögel, Wolken*); schwimmen (*Eisberge*); *~ à pied* wandern; *~ en train* (*en autobus, en avion*) mit der Bahn (im Bus, im Flugzeug) reisen; **~eur** [~'ʒœ:r] (7g) **I** *su.* Reisende(r) *m*; **II** *adj.* wandernd; *pigeon m ~* Brieftaube *f*; ⚕ *commis m ~* Handlungsreisende(r) *m* (*vgl.* I); *humeur f voyageuse* Reise-, Wander-lust *f*.

voyant [vwa'jã] **I** *adj.* (7) **1.** sehend; *fig.* seherisch, prophetisch; **2.** grell, auffällig, schreiend (*Farben*); **II** *m* **3.** Hellseher *m*; *bsd.* ~e *f* Hellseherin *f*; **4.** ⊕ ~ *d'un niveau* Nivellierscheibe *f*; ~ *lumineux* Leuchtscheibe *f*; (Glüh-)Lampe *f*; **5.** *phot.* Bildfenster *n*; **6.** ⚓ Toppzeichen *n*; Signalfeuer *n*; *a.* ✈ Leuchtzeichen *n*; Kontrollicht *n*; *Auto*: Standlicht *n*.

voyelle *gr.* [vwa'jɛl] *f* Vokal *m*, Selbstlaut *m*; ~ *infléchie* Umlaut *m*; *changement m de* ~ *du radical* Ablaut *m*; ~ *nasale* Nasallaut *m*.

voyeur [vwa'jœːr] *m* Spanner *m*, *a. phot.* heimlicher Beobachter *m*; **~isme** [~jœ'rism] *m* Beobachten *n* von Liebespaaren, Voyeurtum *n*.

voyou [vwa'ju] *m* Straßenjunge *m*, Rumtreiber *m*, Stromer *m*, Trebegänger *m*, Strolch *m*; *en* ~ ruppig, unverschämt; **~te** P [vwa'jut] *f* Göre *f*.

vrac [vrak] *advt.*: *en* ~ durcheinander, in loser Schüttung, lose, unverpackt; *des films en* ~ Stöße *m/pl.* von Filmen; *marchandises f/pl. en* ~ Massengüter *n/pl.*; *matériaux m/pl. en* ~ Schüttgut *n*.

vrai [vrɛ] **I** *adj.* **1.** wahr(heitsgemäß); *il est* ~ *que* ... zwar ...; *cela est* ~ *pour* ... das gilt für ... (*acc.*), das trifft auf (*acc.*) ... zu; *toujours est-il* ~ *que* ... immerhin muß man sagen, daß ...; *n'est-il pas* ~? *od. pas* ~? nicht wahr?; *parler* (*od. dire*) ~ die Wahrheit sagen; F *la vérité* ~e die nackte (*od.* pure F) Wahrheit; **2.** richtig; *c'est* ~ das stimmt; **II** *m das* Wahre *n*, Wahrheit *f*; *il y a du* ~ *à cela* da ist was (Wahres) dran; *il y a du* ~ *là-dedans* es hat s-e Richtigkeit damit; das ist auch wahr (*od.* richtig); *être dans le* ~ das Richtige getroffen haben; *advt. à* ~ *dire od. à dire* ~ offen gestanden, ehrlich gesagt; *pour* ~, *au* ~, *dans le* ~ der Wahrheit gemäß; F *enf. pour de* ~ im Ernst!, wirklich!, *vgl. bon* II *adv.*

vraiment [vrɛ'mɑ̃] *adv.* wahrhaftig, wirklich; *iron.* was Sie sagen!

vraisem|blable [vrɛsɑ̃'blablə] *adj.* □ wahrscheinlich; *rendre qch.* ~ etw. glaubhaft machen; **~blance** [~'blɑ̃ːs] *f* Wahrscheinlichkeit *f*.

vraquier ⚓ [vra'kje] *m* Schüttguttransporter *m*.

vrill|age *text.* [vri'jaːʒ] *m Art* Webefehler *m*; **~e** [vrij] *f* **1.** Hand-, Nagel-, Vor-, Zwick-bohrer *m*; **2.** ♀ (Wickel-)Ranke *f*; **3.** ♀ Ackerwinde *f*; **4.** ✈ Trudeln *n*; ~ *sur le dos* Rückentrudeln *n*; *descendre en* ~ abtrudeln; **~é** [vri'je] *adj.* ♀ (wickel)rankig; **~ée** ♀ [vri'je] *f* Acker-, Korn-winde *f*; **~er** [~] (1a) **I** *v/i.* **1.** schraubenartig in die Höhe steigen; **2.** ♀ sich ranken, sich winden; **3.** ✈ trudeln; **II** *v/t.* an-, durch-bohren; **~ette** *ent.* [~'jɛt] *f* Holzwurm *m*.

vromb|ir *bsd.* ✈ [vrɔ̃'biːr] *v/i.* (2a) brummen, dröhnen; knattern (*Motor*); **~issement** [~bis'mɑ̃] *m* Gebrumme *n*, Dröhnen *n*, Knattern *n*, Geknatter *n*, Brummen *n*.

vu [vy] **I** *p/p.* s. *voir*; F *ni* ~ *ni connu* nicht mehr aufzutreiben F, für immer verschwunden; **II** *wie eine prp.*: **1.** nach Durchsicht (*gén.*); *vu les pièces mentionnées* nach Einsicht der erwähnten Aktenstücke; **2.** unter Bezugnahme auf (*acc.*), im Hinblick auf (*acc.*), angesichts (*gén.*); *vu ses services* angesichts s-r Bemühungen; **III vu que** *cj.* (*mit ind.*) wo doch ..., obwohl; *comment avez-vous entrepris cette affaire, vu que vous savez bien* ... wie haben Sie bloß diese Sache übernehmen können, wo Sie doch genau wissen ...; **IV** *m*: *au vu et au su de tous* vor aller Welt; *sur le vu des pièces* nach Einsicht in die Akten; *sur le vu des résultats obtenus* im Verhältnis zu den erzielten Ergebnissen.

vue [~] *f* **1.** Sehen *n*, Sehkraft *f*; ~ *basse*, ~ *courte* Kurzsichtigkeit *f*; *avoir la* ~ *basse od. courte* kurzsichtig sein; *avoir la* ~ *bonne* gut sehen können, gute Augen haben; *double* ~ Doppeltsehen *n*; *seconde* ~ Sehergabe *f*; ~ *louche* Schielen *n*; *perdre la* ~ blind werden; *être privé de la* ~ blind sein; **2.** Augen *n/pl.*, Blick *m*; *baisser* (*détourner*) *la* ~ die Augen niederschlagen (wegwenden); *avoir la* ~ *sur q.* ein (wachsames) Auge auf j-n haben; *tant que la* ~ *peut s'étendre* soweit das Auge reicht; *garder à* ~ nicht aus den Augen verlieren; *perdre de* ~ aus den Augen verlieren; *ne pas perdre de* ~ nicht aus den Augen lassen; *à perte de* ~ soweit das Auge reicht; *fig.* ohne Ende, endlos; **3.** Ansehen *n*, Sehen *n*, Anblick *m*; *connaître q. de* ~ j-n vom Sehen kennen; *à la* ~ *de tout le monde* vor aller Augen; *à la* ~ *de l'ennemi* beim Anblick des Feindes; *à première* ~ auf den ersten Blick; ♪ vom Blatt; *à* ~ *d'œil* zusehends, merklich; *être* *en* ~ sichtbar sein; *être en* ~ *de l'île* die Insel in Sicht haben; *être exposé à la* ~ den Blicken ausgesetzt sein; *en recevoir plein la* ~ *fig.* völlig geblendet (*od.* verdutzt) sein; *hors de* ~ außer Sicht(weite); **4.** *à* ~ auf Sicht; *à trois jours de* ~ drei Tage nach Sicht; **5.** Ansicht *f*; *phot.* Aufnahme *f*; ~ (*prise*) *à vol d'oiseau*, ~ *aérienne* Luftaufnahme *f*; ~ *panoramique* Rundaufnahme *f*; *cin.* ~ *prise de près* Nahaufnahme *f*; *prendre des* ~*s de qch.* etw. aufnehmen; ~ *latérale* (*od. de côté*) Seitenansicht *f*; ~ *de derrière*, ~ *arrière* Rückansicht *f*; ~ *de face*, ~ *d'avant* Vorderansicht *f*; ~ *du sol* Bodensicht *f*; *cin. prise f de* ~*s* Filmaufnahme *f*; ~ *d'ensemble* Gesamtansicht *f*; *allg.* allgemeiner Überblick *m*; **6.** *avoir* ~ *sur* ... nach ... hin liegen; *cette chambre a* ~ *sur le jardin* dieses Zimmer hat zum Garten hin Aussicht; **7.** ⚠ Lichtöffnung *f*; ~ *de servitude*, ~ *de souffrance* Fenster *n*, das zum Nachbargrundstück hin aufgeht; **8.** *fig.* Absicht *f*; Entwurf *m*, Plan *m*; ~ *de l'esprit* Hirngespinst *n*, graue Theorie *f*, Phantom *n*; *avoir qch. en* ~ etw. in Aussicht genommen haben, auf etw. (*acc.*) hinzielen; *avoir des* ~*s sur q.* (*qch.*) es auf j-n (auf etw.) abgesehen haben; mit j-m etw. vorhaben; *entrer dans les* ~*s de q.* auf j-s Absichten eingehen; **9.** *als prp.* **en vue de** angesichts (*gén.*), im Hinblick auf (*acc.*); **10.** *fig.* Ansicht *f*, Meinung *f*; *échange m de* ~*s* Meinungs-, Gedanken-austausch *m*; ~*s bornées* beschränkte Ansichten *f/pl.*; *à* ~*s larges*, *à grandes* ~*s* großzügig.

vulcain *ent.* [vyl'kɛ̃] *m* Trauermantel *m*.

vulcan|ien *géol.* [vylka'njɛ̃] *adj.* (7c) vulkanisch; **~isation** [~niza'sjɔ̃] *f* Vulkanisierung *f*; **~iser** [~ni'ze] *v/t.* (1a) vulkanisieren; **~isme** *géol.* [~'nism] *m* Vulkanismus *m*; **~ologue** [~nɔ'lɔg] *su.* Vulkanologe *m*.

vul|gaire [vyl'gɛːr] **I** *adj.* □ **1.** *mv.p.* (*schwächer als trivial!*) niedrig, gemein, unfein, ordinär, vulgär; *homme m* ~, *âme f* ~, *esprit m* ~ Durchschnitts-typ *m*, -mensch *m*, ordinärer Mensch *m*; *tomber dans le* ~ unfein werden; **2.** volkstümlich, Volks...; *langue f* ~ Volkssprache *f*; *le grec* ~ die neugriechische Volkssprache; *le latin* ~ das Vulgärlatein; *le nom* ~ *d'une plante* die volkstümliche Bezeichnung e-r Pflanze; **3.** *litt.* üblich; *croyance f* (*opinion f*) ~ *sur qch.* übliche Ansicht *f* über etw. (*acc.*); **II** *m*: *le* ~ die breite Masse *f*; die kleinen Leute *pl.*, das Volk *n*; *coll.* der kleine Mann *m*; das Niedrige *n*, das Vulgäre *n*, das Ordinäre *n*; **~garisateur** [~gariza'tœːr] *adj. u. m* gemeinverständlich machend, popularisierend; populärer Schriftsteller *m*, Verbreiter *m*; **~garisation** [~gariza'sjɔ̃] *f* Popularisierung *f*, Gemeinverständlichmachen *n*, Verbreitung *f*, Gemeinverständlichkeit *f*; *caractère m de* ~ Gemeinverständlichkeit *f*; *ouvrage m de* ~ gemeinverständliches Werk *n*; *de* ~ *scientifique* populärwissenschaftlich; *la* ~ *de la haute culture* die Verbreitung des akademischen Wissens; *la* ~ *du café au XVIII*[e] *siècle* die allgemeine Einführung des Kaffees im 18. Jahrhundert; **~gariser** [~gari'ze] (1a) **I** *v/t.* gemeinverständlich machen, allgemein verbreiten; **II** *v/rfl. se* ~ allgemein bekannt werden, populär werden; **~garisme** *gr.* [~ga'rism] *m* Vulgärsprache *f*; **~garité** *mv.p.* [~gari'te] *f* Niedrigkeit *f*, Grobheit *f*, gemeiner Zug *m*; Banalität *f*.

vulnér|abilité [vylnerabili'te] *f* Verwundbarkeit *f*; **~able** [~'rablə] *adj.* verwundbar; *fig. côté m* (*od. endroit m od. point m*) ~ schwache Seite *f*, *fig.* Achillesferse *f*; *réputation f* ~ verletzbarer (*od.* antastbarer) Ruf *m*; **~aire** [~'rɛːr] **I** *adj.* Wunden heilend; Wund..., Heil...; *onguent m* ~ Wundsalbe *f*; **II** ⚘ *f* Wundklee *m*; **~ant** [~'rɑ̃] *adj.* (7) verwundend; **~ation** *chir.* [~rɑ'sjɔ̃] *f* versehentliche Verletzung *f während e-r Operation*.

vulv|e *anat.* [vylv] *f* (weibliche) Schamritze *f*, Vulva *f*; **~ite** ⚕ [~'vit] *f* Schamritzenentzündung *f*; **~o-utérien** *anat.* [~vɔyte'rjɛ̃] *adj.* (7c) die Schamritze u. Gebärmutter betreffend; **~o-vaginal** *anat.* [~vaʒi'nal] *adj.* (5c) die Schamritze u. Scheide betreffend.

VU (*od.* **vu**)**-mètre** [vy'mɛːtrə] *m* Volt-Universalmeter *n* (*Tonband- u. Stereogeräte*).

W

W, w (*genannt double v* [dublə've]) *m* W, w *n*.

wadi [va'di] *m* tiefes, steiles Felstal *n*, Wadi *n* (*in der Sahara usw.*).

wagon 🚂, *tram.* [va'gɔ̃] *m* (Eisenbahn-, Straßenbahn-)Wagen *m*, Waggon *m*; ~ *à bagages* Gepäckwagen *m*; ~ *à bestiaux* Viehwagen *m*; ~*-citerne od.* ~*-réservoir* Kessel-, Tank-wagen *m*; ~ *à couloir* Durchgangswagen *m*; ~ *direct* durchgehender Wagen *m*; ~ *fermé* (*od. couvert*) geschlossener (*od.* gedeckter) Wagen *m*, G-Wagen *m*; ~ *frigorifique* (*od. réfrigérant*) Kühlwagen *m*; ~*-lit* (6a) Schlafwagen *m*; ~ *panoramique* Aussichtswagen *m*; ~*-poste* (6b) Postwagen *m*; ~ *plat*, ~*-plateau* Plattformwagen *m*; ~*-restaurant* (6a) Speisewagen *m*; ~*-salon m* (6a) Salonwagen *m*; ~*-tombereau* (6a) offener Güterwagen *m*, O-Wagen *m*, Bordwandwagen *m*; ~*-grue m* Kranwagen *m*; ~ *unifié* europäischer Güterwagen *m*; ~*-trémie* Trichterwagen *m*; ~ *de voyageurs* Personenwagen *m*; **~-couchettes** 🚂 [~ku'ʃɛt] *m* (6b) Liegewagen *m*.

wagon|nage [vagɔ'naːʒ] *m* Beförderung *f* mit Wagen; Wagenbedarf *m*; **~née** [~'ne] *f* Waggonladung *f*; **~net** [~'nɛ] *m* Kipplore *f*; Seilbahnwagen *m*; ⚒ ~ *de mine* Förderwagen *m*.

wallon [va'lɔ̃, wa'lɔ̃] *adj. u.* ♀ *su.* (7c) wallonisch; Wallone *m*.

wapiti *zo.* [wapi'ti] *m* Wapiti *m*.

warrant [va'rɑ̃, wa'rɑ̃] *m* ⚕ Lager-, Waren-schein *m*; Warenkreditbrief *m*; **~age** [~'taːʒ] *m* Bürgschaft *f* durch e-n Warenschein; **~er** [~'te] *v/t.* (1a) durch Lagerschein sichern.

waters [wa'tɛːr, P va'tɛːr] *m/pl.* Toilette *f*; **~-chutes** [~'ʃyt] *f/pl.* Wasserrutschbahn *f*.

wateringue [wa'trɛ̃ːg] *f* Moorentwässerungskanal *m* (*in Belgisch- u. Französ.-Flandern*).

water-polo *Sport* [watɛrpɔ'lo] *m* (6g) Wasserball(spiel *n*) *m*.

watt ⚡ [wat] *m* Watt *n*; **~age** ⚡ [~'taːʒ] *m* Leistungs-, Energie-, Watt-verbrauch *m*, Wattzahl *f*; **~-heure** ⚡ [wa'tœːr] *m* Wattstunde *f*.

W.-C. [ve'se] *m/pl.* WC *n*, Toilette *f*.

week-end [wik'ɛnd] *m* Weekend *n*, Wochenende *n*; *emmener ses enfants en* ~ s-e Kinder übers Wochenende mitnehmen.

wende [vɑ̃ːd] *adj.* wendisch, sorbisch; *le* ♀ der Wende, der Sorbe.

western [wɛs'tɛrn] *m* Wildwest-film *m*, -geschichte *f*.

whisk(e)y [wis'ki] *m* Whisky *m*.

whist *cart.* [wist] *m* Whist *n*; **~eur** [~'tœːr] *su.* (7g) Whistspieler *m*.

wigwam [wig'wam] *m* Wigwam *m*, Indianer-zelt *n*, -hütte *f*.

wisigoth *hist.* [vizi'go] *adj.* (7), **~ique** *hist.* [vizigɔ'tik] *adj.* westgotisch.

Wisigoths *hist.* [vizi'go] *m/pl.* Westgoten *pl.*

wolfram *min.* [vɔl'fram] *m* Wolfram *n*.

X

X, x [iks] *m* **1.** X, x *n*; *jambes f/pl. en X* X-Beine *n/pl.*; **2.** *M. X ..., Mme X ...* Herr X, Frau X; **3.** ⚗ *l'x* das X, die unbekannte Größe; **4.** *phys. rayons m/pl. X* Röntgenstrahlen *m/pl.*; **5.** F *l'X m* (Student *m* der) École polytechnique in Paris; *l'argot m de l'X* der Slang der Studenten der École polytechnique.

Xanthippe [gzɑ̃'tip] **I** *m hist.* Xanthippus *m*; **II** *f a. hist.* Xanthippe *f*; *fig.* Drachen *m*, zänkisches Weib *n*.

xénisme *ling.* [kse'nism] *m* Fremdwort *n*.

xéno|graphie [ksenɔgra'fi] *f* Lehre *f* ausländischer Schriftsysteme, ausländische Schriftenkunde *f*; **~mane** [~'man] *adj. u. su.* für Ausländisches schwärmend *od.* Schwärmende(r) *m*; **~manie** *mv.p.* [~ma'ni] *f* Ausländerei *f*, Ausländerfimmel *m*; **~phile** [~'fil] *adj. u. su.* ausländerfreundlich; Ausländerfreund *m*; **~phobe** [~'fɔb] *adj. u. su.* ausländerfeindlich; Ausländerfeind *m*; **~phobie** [~fɔ'bi] *f* Haß *m* gegenüber Ausländern, Fremdenhaß *m*.

xéranthème ⚘ [kserɑ̃'tɛ:m] *m* Strohblume *f*.

xérasie ⚕ [ksera'zi] *f* Haardürre *f*.

xérès [gze'rɛs] *m* Sherry *m*.

xiphias *icht.* [ksi'fjas] *m* Schwertfisch *m*.

xiphidion *ent.* [ksifi'djɔ̃] *m* Xiphidion *n*; kleine, grüne Heuschrecke *f*.

xylo|cope *ent.* [ksilɔ'kɔp] *m* Holzbohrfliege *f*; **~glyphe** [~'glif] *m* Holzschnitzer *m*; **~glyphie** [~gli'fi] *f* Holzschnitzerkunst *f*; **~graphe** [~'graf] *m* Holz-schneider *m*, -gravierer *m*; **~graphie** [~gra'fi] *f* Holzschneidekunst *f*; **~gravure** [~gra'vy:r] *f* Holzgravierung *f*; **~lithe** ⚠ [~'lit] *f* Steinholz *n*, versteinertes Holz *n* (*Baustoff*); **~phage** *ent.* [~'fa:ʒ] *m u. adj.* Holz-bohrer *m*, -käfer *m*; **~phone** ♪ [~'fɔn] *m* Xylophon *n*.

Y

Y, y[1] (*genannt i grec*) [i 'grɛk] *m* **1.** Y, y *n*; Ypsilon *n*; **2.** ⅍ *abr.* *y* = zweite unbekannte Größe.

y[2] [i] **I** *adv.* dort(hin); *j'y vais* ich gehe hin; *j'y irai* ich werde dorthin gehen; *vas-y* (*n'y va pas*)! gehe (nicht) hin!; *restes-y!* bleibe da!; *menez-y-moi* (*menez-nous-y*)! führen Sie mich (uns) hin!; *j'y étais* ich war da(bei); *je n'y suis pour personne* ich bin für niemanden zu Hause; *Monsieur n'y est pas* der Herr ist nicht da; *on y va!* ich komme!; *vous y êtes!* Sie haben es getroffen!, richtig!; *vous y êtes?* sind Sie soweit? *j'y suis* a) ganz recht!; ich verstehe;; b) ich bin bereit; *ah! j'y suis!* ach so!; F *nous y voilà!* da haben wir die Bescherung!; **II** *pr/p.* **1.** *vertritt mst. den sächlichen Dativ* = *à cela*: a) dafür; *je m'y intéresse* ich interessiere mich dafür; b) daran; *j'y pense* (*od. j'y songe*) ich denke daran; *j'y ai trop d'intérêt* es liegt mir zu sehr daran; c) darauf; *j'y reviens* ich komme darauf zurück; *renoncez-y!* verzichten Sie darauf!; d) dazu; *j'y ajoute* dazu füge ich hinzu; e) darunter; *y compris* darunter mit einbegriffen; f) damit, darin; *j'y compte* ich rechne damit (*od.* darauf); *j'y consens* ich bin damit einverstanden; g) danach; *je m'y conformerai* ich werde mich danach richten; h) dabei; *j'y perds* ich verliere dabei; i) darüber; *j'y réfléchirai* ich werde darüber nachdenken; **2.** *vertritt bisw. den persönlichen starktonigen Dativ* = *à lui, à elle, à eux, à elles*: *vous vous intéressez à lui*; *je ne m'y intéresse pas* Sie interessieren sich für ihn; ich interessiere mich nicht für ihn; *bsd. a. in der Vorwegnahme des persönlichen Dativs*: *vous y pensez encore, à cet enfant?* an dieses Kind denken Sie noch?; **3.** P *in der Volkssprache vertritt y den persönlichen, schwachtonigen Dativ lui od. leur*: *j'y ai donné* ich habe ihm (ihr, ihnen) gegeben; *j'y dirai* ich werde ihm (ihr, ihnen) sagen.

y[3] P [~] = *il*; *lui* (*vgl.* *y*[2] *unter* 3).

yacht ⚓ [jɔt] *m* Jacht *f*; ~ *à moteur* (*à voile, à glace*) Motor-(Segel-, Eis-)jacht *f*; **~ing** ⚓ [jɔ'tiŋ] *m* Segelsport *m*, Segeln *n*; **~ing-club** [~'klœb] *m* (*pl. yachting-clubs*) Segelklub *m*.

yack *od.* **yak** *zo.* [jak] *m* Jak *m*.

yaourt [ja'u:r] *m* Joghurt *m od. n.*

Yémen *géogr.* [je'mɛn] *m*: **le ~** der Jemen.

yéménite *géogr.* [jeme'nit] *adj.* jemenitisch.

Yéti [je'ti] *m*: *le* ~ der Schneemensch.

yeuse ⚘ [jø:z] *f* Steineiche *f*.

yeux [jø] *pl.* von *œil*.

yéyé P [je'je] *adj./inv.* toll, schau P; **~fier** [~'fje] *v/t.* (1a) verbeateln; **~tiser** [~ti'ze] *v/rfl.*: se ~ zum Beatfan werden.

yiddish [ji'diʃ] *adj.* jiddisch.

yogourt [jɔ'gu:r(t)] *m* Joghurt *m od. n.*

yol|e ⚓ [jɔl] *f* Jolle *f*; **~eur** [~'lœ:r] *m* Jollenführer *m*.

youfte [juft] *m* Juchtenleder *n*.

yougoslave [jugɔ'sla:v] **I** *adj.* jugoslawisch; **II** *su.* ♀ Jugoslawe *m*.

Yougoslavie [~sla'vi] *f*: **la ~** Jugoslawien *n*.

youyou ⚓ [ju'ju] *m kurzes breites* Boot *n*.

ypérite ⚗, ⚔ [ipe'rit] *f* Yperit *n*.

ypréau ⚘ [ipre'o] *m* (5b) Silberpappel *f*.

Z

Z, z [zɛd] *m* Z, z *n*; de (*od.* depuis) a jusqu'à z von A bis Z; *fälschlich eingeschoben gegen Hiatus, bsd. nach Zahlen*: quatre z'yeux; *vgl.* pataquès.
zabre *ent.* ['zɑːbrə] *m* Getreidelaufkäfer *m*.
zabus F [za'by] *m/pl.*: la chasse aux zabus (*entstanden aus*: aux abus) *fig.* der Kampf mit dem Drachen.
zader [za'de] *v/t.*: ~ une région die Raumordnung e-s Gebiets aufschieben; s. zone 2. *u.* Z.A.D.
zagaie [za'gɛ] *f* Assagai *m* (*Speer afrikanischer Völker*).
zain [zɛ̃] *adj./m*: cheval *m* ~ einfarbiges Pferd *n* ohne weißes Haar.
Zaïr|e *géogr.* [za'ir] *m*: **le** ~ Zaire *n*; **ᵒois** [~'rwa] *adj.* zairisch.
Zambèze [zɑ̃'bɛːz] *m*: **le** ~ der Sambesi.
Zamb|ie *géogr.* [zɑ̃'bi]: **la** ~ Sambia *n*; **ᵒien** [~'bjɛ̃] *adj.* (7c) sambesisch.
zambo [zɑ̃'bo] *m* Zambo *m* (*Mischling von Neger-, Indianer- od. Mulattenblut*).
zanzibar [zɑ̃zi'baːr] *m*, **zanzi** [zɑ̃'zi] *m* Würfelspiel *n*.
zazou F [za'zu] *m* Jazzfan *m*; Geck *m*, Modenarr *m*.
zèbre *zo.* ['zɛːbrə] *m* Zebra *n*.
zébr|é [ze'bre] *adj.* gestreift; **~er** [~] *v/t.* (1f) zebraartig streifen; **~ure** [~'bryːr] *f* zebraartige Streifung *f od.* Streifen *m/pl.*
zébu *zo.* [ze'by] *m* Zebu *m*.
zédoaire *phm.* [zedɔ'ɛːr] *f* Zitwer (-wurzel *f*) *m*.
zélandais [zelɑ̃'dɛ] *adj. u.* ᵒ *su.* (7) seeländisch; Seeländer *m*; Néo-ᵒ *m/pl.* Neuseeländer *m/pl.*
Zélande *géogr.* [ze'lɑ̃ːd] *f*: **la** ~ Seeland *n*; **la Nouvelle-~** Neuseeland *n*.
zélateur *bsd. rl.* [zela'tœːr] *su.* (7f) blinder Eiferer *m* (de für *acc.*); eifriger Anhänger *m od.* Verfechter *m*; Glaubenseiferer *m*.
zèle [zɛːl] *m* Eifer *m*, Trieb *m*, Drang *m*, Beflissenheit *f*; Diensteifer *m*; excès *m* de ~ Übereifer *m*; ~ pour l'étude Lerneifer *m*; avec ~ eifrig; faire du ~ übereifrig sein; mettre tout son ~ dans qch., montrer du ~ pour qch. sich für etw. (*acc.*) einsetzen, etw. mit Eifer betreiben; pas de ~! nur keine Überstürzung!
zélé [ze'le] *adj.* eifrig, diensteifrig.
zélote *bsd. hist. rl.* [ze'lɔt] *m* Zelot *m*; *fig.* Fanatiker *m*.
zend [zɛ̃ːd] *m u. adj.*: le ~; langue *f* ~e das Zend; Zendsprache *f*.
zénith [ze'nit] *m ast.* Zenit *m*, Scheitelpunkt *m*; *fig.* Gipfel *m*.
zéphyr [ze'fiːr] *m* **1.** *poét.* Zephir *m*; **2.** lauer Wind *m*; **3.** *text.* Zephir *m*.
zéph|irien, ~yrien [zefi'rjɛ̃] *adj.* (7c) zephirisch; zephirleicht; *orn.* œuf *m* ~ Windei *n*.
zéro [ze'ro] *m* **1.** Null *f*; **2.** *fig.* völlige Null *f*, völlig unbedeutender Mensch *m*; **3.** Nullpunkt *m*, Gefrierpunkt *m*; *fig.* être à ~ auf dem Nullpunkt sein, den Tiefstand erreicht haben; commencer à ~ von vorn anfangen; **~tage** *phys.* [zerɔ'taːʒ] *m* Bestimmung *f* des Nullpunkts; **~valent** ⚗ [~va'lɑ̃] *adj.* (7) nullwertig.
zest F [zɛst] *m nur in*: être entre le zist et le ~ nicht ein noch aus wissen; völlig ratlos sein; *von e-r Sache*: soso sein.
zeste [~] *m* **1.** Nußsattel *m* (*Scheidewand in der Walnuß*); **2.** Außenschale *f e-r Zitrone od. Apfelsine.*
Zeus *myth.* [dzøːs] *m* Zeus *m*.
zézaiement [zezɛ'mɑ̃] *m* Lispeln *n*, fehlerhafte Aussprache *f* ([z] *statt* j *und* ge.)
zézayer [zezɛ'je] (1k) **I** *v/t. u. v/i.* lispeln; **II** *v/i.* [z] (*stimmhaftes* s) für j und ge sprechen.
zibeline *zo.* [zi'bliːn] *f* Zobel *m*; *a.* Zobel-fell *n*, -pelz *m*.
zibeth *zo.* [zi'bɛt] *m* Zibetkatze *f*.
ziblume * [zi'blyːm] *m* Einschüchterung *f*.
zigouiller P [zigu'je] *v/t.* (1a) abmurksen, niederstrecken.
zig(ue) P [zig] *m* Typ *m*, Kerl *m*.

zigoto P [zigɔ'to] *m* Bluffer *m*.
zigzag [zig'zag] *m* Zickzack *m*; Zickzacklinie *f*; *faire des ~s* torkeln; **~ant** [~'gɑ̃] *adj.* (7): *faire une entrée ~e* torkelnd hereinkommen.
zigzaguer [zigza'ge] *v/i.* (1m) hin- u. her-taumeln, torkeln; sich im Zickzack bewegen *od.* verlaufen (*Weg*); ✈ im Zickzack fliegen.
zinc [zɛ̃:g] *m* **1.** Zink *n*; **2.** F Theke *f* P, Schenktisch *m*; *prendre un petit verre sur le ~* e-n Schnaps an der Theke im Stehen trinken; *boire une chopine sur le ~* e-n Stehschoppen trinken; **3.** F ✈ Kiste *f* (*Flugzeug*).
zincifère [zɛ̃si'fɛ:r] *adj*, zinkhaltig.
zincique ⚗ [zɛ̃'sik] *adj.* Zink...
zincograph|e ⊕ [zɛ̃kɔ'graf] *m* Zinkstecher *m*; **~ie** ⊕ [~'fi] *f* Zinkdruck *m*, -druckerei *f*, -ätzung *f*.
zincogravure ⊕ [~gra'vy:r] *f* Zinkgravierung *f*, -stich *m*.
zingage ⊕ [zɛ̃'ga:ʒ] *m* Verzinken *n*.
zingu|er ⊕ [zɛ̃'ge] *v/t.* (1m) verzinken; mit Zink decken; **~erie** [zɛ̃'gri] *f* **1.** Zink-hütte *f*, -fabrik *f*; **2.** Zinkhandel *m*; **3.** Zinkwaren *f/pl.*; **~eur** [~'gœ:r] *m* Verzinker *m*; Bauklempner *m*.
zinnia ⚘ [zin'ja] *m* Zinnie *f*.
zinzinuler *orn.* [zɛ̃ziny'le] *v/i.* (1a) zwitschern (*v. Meisen*); singen (*v. Grasmücken*).
zinzolin [zɛ̃zɔ'lɛ̃] *m u. adj.* (7) *Art* Violettrot *n*; violettrot; **~er** [~li'ne] *v/t.* (1a) violettrot färben.
zipp|é [zi'pe] *adj.* mit Reißverschluß; **~er** [~] *v/t.* (1a) mit e-m Reißverschluß versehen.
zircalloy [zirka'lwa] *m* Zirkoniumlegierung *f* (*Metall*).
zist F [zist] *m* s. zest.
zizanie [ziza'ni] *f* **1.** Haferreis *m*; **2.** *fig.* Zwietracht *f*.
zizi [zi'zi] *m* **1.** *orn.* Zaun|ammer *f*; **2.** P Dingsda (*n*); Ding *n*.
zodia|cal [zɔdja'kal] *adj.* (5c) *ast.* zum Tierkreis gehörig, Tierkreis-...; **~que** *ast.* [~'djak] *m* Tierkreis *m*.
zoé *biol.* [zɔ'e] *f* Zoea *f*, Nauplius *m*.
zoécie *biol.* [zɔe'si] *f* Einzelzelle *f* der Kolonien von Moostierchen.
zoïle *litt.* [zɔ'il] *m* boshafter Kritiker *m*.
zombie [zɔ̃'bi] *m* Eingeborene(r) *m* mit Kapuze (*Martinique*).
zona ⚕ [zɔ'na] *m* Gürtelrose *f*.
zon|ard P [zɔ'na:r] *su.* Vorstadtbewohner *m*; **~e** [zo:n] *f* **1.** Zone *f*; Erdgürtel *m*; *~ glaciale* (*tempérée, torride*) kalte (gemäßigte, heiße) Zone *f*; *~ de haute* (*basse*) *pression* Hoch- (Tief-)druckgebiet *n*; **2.** *fin.*, *fig.*, *pol.*, ⚔ Zone *f*, Gebiet *n*; gürtelartiger Streifen *m*; Landstrich *m*; *um Paris*: P Vorort *m*; *hist. das* Festungsgelände *n*; *Fr. ~ bleue* „Blaue Zone" *f* (*Gebiet innerhalb von Paris mit beschränkter Park- u. Fahrerlaubnis*); *Fr. ~ d'aménagement différé* (*abr.* Z.A.D.) Gebiet *n*, in dem die Raumordnung aufgeschoben ist; *~ à urbaniser en priorité* (*abr.* Z.U.P.) amtlich als vordringlich erklärtes Baugelände *n französischer Städte*; *at. ~ de chute* Fallzone *f*; ⚔ *~ de combat* Kampfgebiet *n*; *at. la création d'une ~ désatomisée* die Schaffung e-r atomwaffenfreien Zone; *~ d'habitation* Wohnbereich *m*; *~ de libre échange kleine* Freihandelszone *f*; *~ de validité* Gültigkeitsbereich *m*; *~ d'influence* Wirkungs-feld *n*, -bereich *m*; *fig. peintre m de deuxième ~* zweitrangiger Maler *m*; **~er** *néol.* [zo'ne] (1a) **I** *v/t.* in Zonen einteilen; **II** * *v/rfl. se ~* schlafen gehen; **~ier** [zo'nje] **I** *m* Grenzbewohner *m*; *hist.* Bewohner *m* des ehemaligen Festungsgebiets von Paris; **II** *adj.* (7b): *franchises f/pl. zonières* Grenzzoll-freiheiten *f/pl.*, -freibeträge *m/pl.*; **~iforme** [~ni'fɔrm] *adj.* gürtelförmig; **~ure** *zo.* [~'ny:r] *m* Gürtelechse *f*.
zoo [zo] *m* Zoo *m*.
zoo|biologie [zɔɔbjɔlɔ'ʒi] *f* Lehre *f* vom Leben der Tiere; **~chimie** [~ʃi'mi] *f* Lehre *f* von der chemischen Zusammensetzung der Tiere; **~génie** [~ʒe'ni] *f* Phylogenese *f*, Geschichte *f* der Entwicklung der einzelnen Tiergattungen; **~géographie** [~ʒeɔgra'fi] *f* Zoo-, Tiergeographie *f*; **~glée** *biol.* [~'gle] *f* Zooglöa *f*, sichtbare Bakterienansammlung *f*; **~glyphite** [~gli'fit] *m* Fossilienabdruck *m*; **~gonie** [~gɔ'ni] *f* = *zoogénie* Entwicklungsgeschichte *f* der Tierrassen; **~graphe** [~'graf] *m* Tierbeschreiber *m*; **~graphie** [~gra'fi] *f* Tierbeschreibung *f*; **~lâtre** [~'lɑ:trə] *m* Tieranbeter *m*; **~lâtrie** [~lɑ'tri] *f* Tieranbetung *f*; **~lithe** 🕮 [~'lit] *m* fossiler Tierstein *m*; **~logie** [~lɔ'ʒi] *f* Zoologie *f*, Tierkunde *f*; **~logique** [~lɔ'ʒik] *adj.* zoologisch; *jardin m ~* zoologischer Garten *m*; F Zoo *m*; **~logiste** *su.*, **~logue** *su.* [~lɔ'ʒist, ~'lɔg] Zoologe

m; **~magnétisme** [~maɲe'tism] *m* Tiermagnetismus *m*; **~manie** [~ma'ni] *f* krankhafte Tierliebe *f*; **~morphie** [~mɔr'fi] *f* Lehre *f* von den Tiergestalten (*od.* Tierformen); **~morphisme** [~mɔr'fism] *m* Verwandlung *f* in ein Tier; **~nomie** [~nɔ'mi] *f* Tierlebenskunde *f*; **~nose** [~'no:z] *f* Zoonose *f*, von Tieren auf Menschen übertragene Infektionskrankheit *f*; **~phage** [~'fa:ʒ] *adj.* Tiere fressend; Raub...; **~phyte** [~'fit] *m* Tierpflanze *f*; **~phytique** [~fi'tik] *adj.* zoophytisch; **~phytographie** [~fitɔgra'fi] *f* Tierpflanzenbeschreibung *f*; **~phytolithe** [~fitɔ'lit] *m* fossiler Zoophyt *m*; **~plasma** [~plas'ma] *m* Tierplasma *n*; **~psychologue** [~psikɔ'lɔg] *su.* Tierpsychologe *m*; **~scopie** [~skɔ'pi] *f* Lehre *f* von den Tierorganen; **~sperme** [~'spɛrm] *m* Spermatozoon *n*, Samenfaden *m*; **~sporange** [~spɔ'rɑ̃:ʒ] *m* Schwärmsporenzellraum *m*; **~spore** [~'spɔ:r] *f* Schwärmspore *f*; **~taxie** [~ta'ksi] *f* Klassifizierung *f* der Tiere; **~technicien** [~tɛkni'sjɛ̃] *m* wissenschaftlicher Tierzüchter *m*; **~technie** [~tɛk'ni] *f* rationelle Viehzucht *f*; **~technique** [~tɛk'nik] *adj.* zootechnisch; **~thérapie** [~tera'pi] *f* Tierheilkunde *f*; **~tomie** [~tɔ'mi] *f* Tieranatomie *f*.

zorille [zɔ'rij] *f zo.* Band|iltis *m*, Zorilla *f*; ⚕ Zorillapelz *m*.

zostère ⚘ [zɔs'tɛ:r] *f* Seegras *n*.

zouave [zwa:v] *m* **1.** *ehm.* Zuave *m*, Kolonialsoldat *m*; **2.** P originelle Type *f*; *faire le* ~ sich aufspielen.

zoulou [zu'lu] *m* Zulu(kaffer *m*) *m*.

zoum *phot.* [zum] *m* Brennweitenverstellung *f*.

zozo P [zɔ'zo] *adj.* (*u. su.*) lächerlich(er Kauz *m*).

zozoter F [zɔzɔ'te] *v/i.* (1a) lispeln.

Zurich [zy'rik] *m* Zürich *n*.

zurichois [~'kwa] *adj. u.* ♀ *su.* (7) aus Zürich; Züricher *m*.

zut! P [zyt] *int.* nichts da!, denk nicht dran!; fällt mir nicht ein!; verflixt!; scher dich fort!

zyeuter P [zjø'te] *v/t.* (1a) anglotzen.

zygène 🕮 [zi'ʒɛn] *f* **1.** *icht.* Hammerfisch *m*; **2.** *ent.* Widderschwärmer *m*.

zygom|a *anat.* [zigɔ'ma] *m*, **~e** *anat.* [zi'gɔm] *m* Jochbein *n*; **~atique** *anat.* [~ma'tik] *adj.* Joch(bein)...

zygo|morphe ⚘ [zigɔ'mɔrf] *adj.* zygomorph (*Blüte*); **~mycètes** ⚘ [~mi'sɛt] *m/pl.* Jochsporenpilze *m/pl.*; **~spore** ⚘ [~'spɔ:r] *f* Jochspore *f*.

zygote *biol.* [zi'gɔt] *m* Zygote *f*, pflanzliche Keimzelle *f*; *a.* Verschmelzungsergebnis *n* aus männlichen u. weiblichen Keimzellen.

zymase ⚗ [zi'mɑ:z] *f* Zymase *f*, zellfreier Hefepreßsaft *m*.

zymo|gène 🕮 [zimɔ'ʒɛ:n] *adj.* = *~tique*; **~logie** 🕮 [~lɔ'ʒi] *f* Gärungslehre *f*; **~simètre** ⊕ [~zi'mɛ:trə] *m* Gärungsmesser *m*; **~technie** [~tɛk'ni] *f* Gärungsverfahren *n*; **~technique** [~tɛk'nik] *adj.* gärungsphysiologisch, -technisch; **~tique** 🕮, ⚗ [~'tik] *adj.* gärungserregend.

Französische Abkürzungen

A

A. *accepté; acquitté; ampère; argent* akzeptiert; quittiert; Ampere; Geld

A.A. *acte d'accusation; Alliance atlantique; anti-aérien; Armée de l'air* Anklageschrift; Atlantisches Bündnis; Luftschutz...; Luftwaffe

A.A.C. *Association d'anciens combattants* Frontkämpferbund

A.A.F. *Allocation d'assistance à la famille* Familienbeihilfe

A.A.I. *Assistance automobile internationale* Internationale Autohilfe

A.B.A. *Académie des Beaux-Arts* Akademie der Schönen Künste

A.B.C. *Armes atomiques, biologiques et chimiques* Atomare, biologische und chemische Waffen

a.b.s. *aux bons soins* zu Händen von

Abt. *abonnement* Abonnement

A.C. *Association de camping; allocation de chômage* Campingbund; Arbeitslosenhilfe

A.C.C.F. *Auto-Camping Club de France* Französischer Auto-Camping-Klub

A.C.D.L. *Association des comités de défense des locataires* Verband der Mieterschutzausschüsse

A.C.E. *Administration de coopération européenne; Assemblée consultative européenne* Verwaltung für europäische Zusammenarbeit; Europäische beratende Versammlung

A.C.F. *Automobile Club de France* Französischer Automobilklub

A.C.J.F. *Action catholique de la jeunesse française* Katholische Aktion der französischen Jugend

A.C.O. *Action catholique ouvrière* Katholische Arbeiteraktion

A.C.P.G. *Association des anciens combattants et prisonniers de guerre* Bund der Frontkämpfer und Kriegsgefangenen

Actim *Agence pour la coopération technique, industrielle et économique* Agentur für technische, industrielle und wirtschaftliche Zusammenarbeit

A.C.V.G. *Anciens combattants et victimes de guerre* Frontkämpfer und Kriegsopfer

Adm. *Administration* Verwaltung

à dr. *à droite* rechts

a.e. *phys. atmosphère effective* effektive Atmosphäre

AF *ancien francs* alte Francs

A.F. *Académie française; Air France; Allocations familiales* Französische Akademie; Air France; Familienbeihilfen

A.F.C.V. *Association française des camps volants* Französischer Verband fliegender Campingplätze

A.F.D.U. *Association des Françaises diplômées des universités* Verband der Französinnen mit Universitätsdiplomen

A.F.E.F. *Association française des enseignants de français* Verband der französischen Lehrkräfte

A.F.E.I. *Association française pour l'étiquetage informatif* Französische Vereinigung für informative Etikettierung

A.F.I.D. *Agence française d'information et de documentation* Französische Agentur für Information und Dokumentation

A.F.N.O.R. *Association française de normalisation* Französischer Verband für Normengebung

A.F.P. *Agence France-Presse* Agence France-Presse

A.F.P.A. *Association française pour la formation des adultes* Französischer Verein für Erwachsenenbildung

A.F.R.E.S.C.O. *Association française de recherches et d'études statistiques commerciales* Französische Vereinigung für handelsstatistische Untersuchungen und Studien

A.F.U.H. *Association française des utilisateurs du téléphone et des télécommunications* Französische Vereinigung der Benutzer von Telefonen und Fernmeldeverbindungen

A.G. *Assemblée générale* Generalversammlung

à g. *à gauche* links
A.G.I.R. *Association pour l'aménagement des grands itinéraires routiers* Vereinigung für die Raumplanung der großen Verkehrswege
A.G.I.S. *Association générale d'information sociale* Allgemeiner Verband für soziale Information
A.G.M.G. *Association générale des mutilés de guerre* Allgemeiner Verband der Kriegsversehrten
AGV ✈ *à géométrie variable* mit verstellbaren Tragflächen
A.I.E. *Agence internationale de l'énergie* Internationale Energieagentur
A.I.E.A. *Agence internationale de l'énergie atomique* Internationale Agentur für Atomenergie (*seit 1956*)
A.I.E.E. *Association des Instituts d'études européennes* Vereinigung der Institute für europäische Studien
A.I.E.R.I. *Association internationale des études et recherches sur l'information* Internationale Vereinigung für Studien und Forschungen über das Informationswesen
A.I.G.L.E.S. *Agence d'informations générales, locales, économiques et sportives* Agentur für allgemeine, lokale, wirtschaftliche und sportliche Informationen
A.I.H. *Association internationale de l'hôtellerie* Internationaler Verband für das Hotelwesen
A.I.J.P.F. *Association internationale des journalistes de la presse féminine* Internationaler Verband der Journalisten (*od.* Journalistinnen) der Frauenpresse
A.I.P.P.I. *Association internationale pour la protection de la propriété industrielle* Internationale Vereinigung zum Schutz industriellen Eigentums
A.I.T. *Alliance internationale du tourisme* Internationale Allianz für Touristik
A.I.T.A. *Association internationale des transports aériens* Internationale Vereinigung für Lufttransporte
A.J. *Auberge de jeunesse* Jugendherberge
A.M. *Académie de médecine; Administration militaire; allocation maternité; assurance maladie* Akademie der Medizin; Militärverwaltung; Krankenversicherung
A.M.F. *Association des Marocains en France* Vereinigung der Marokkaner in Frankreich
A.M.S. *Assemblée mondiale de la santé* Weltgesundheitskongreß
A.N. *Afrique du Nord; Assemblée nationale* Nordafrika; Nationalversammlung
A.N.A. *Association nationale des avocats* Nationalverband der Rechtsanwälte
A.N.E.J.I. *Association nationale des éducateurs de jeunes inadaptés* Nationaler Verband der Erzieher schwererziehbarer Jugendlicher
A.N.F.A.N.O.M.A. *Association nationale des Français d'Afrique du Nord et de leurs amis* Nationaler Verband der Nordafrikafranzosen und ihrer Freunde
A.N.P.E. *Agence nationale pour l'emploi* Nationale Agentur für Stellenvermittlung
A.N.S. *Arme nucléaire stratégique* Strategische Kernwaffe
A.N.T. *Arme nucléaire tactique* Taktische Kernwaffe
A.N.U.D.I. *Agence nationale universitaire d'information* Nationale Universitätsagentur für Information
A.p. *assistance publique* öffentliche Fürsorge
A.P. *Académie de pharmacie; Agence de placement; Agence postale; Assistance publique* Akademie für Pharmazie; Agentur für Stellenvermittlung; Postagentur; öffentliche Fürsorge
A.P.C.A. *Assemblée permanente des chambres d'agriculture* Ständige Versammlung der Landwirtschaftskammern
A.P.E.L. *Association des parents d'élèves des lycées* Vereinigung der Eltern von Oberschülern
A.P.F. *Association populaire familiale* Familien-Volksverband
A.P.I.E.S. *Association pour la promotion de l'intéressement et de l'épargne des salariés* Verein zur Förderung der finanziellen Beteiligung und des Sparens der Arbeitnehmer
A.P.U.R. *Atelier parisien d'urbanisme* Pariser Atelier für Städteplanung
appt. *appartement* Wohnung
A.R. *aller et retour; accusé de réception postal* hin und zurück; Postquittung
A.R.C. *Action pour la renaissance de la Corse* Aktion für die Wiedergeburt Korsikas (*verboten am 27. 8. 1975*)
A.R.E.A. (*Société des*) *Autoroutes Rhône et Alpes* (Gesellschaft der)

Rhone- und Alpenautobahnen
arr. *arrondissement* Pariser Stadtbezirk
art. *article* Artikel
a/s *aux soins* zu Händen von
asc. *ascenseur* Fahrstuhl
A.S.E. *Agence spatiale européenne; aide sociale à l'enfance* Europäische Raumbehörde; Kindersozialbeihilfe
A.S.F.O. *Association patronale de formation* Vereinigung der Arbeitgeber für Berufsbildung
A.S.S.U. *Association sportive scolaire et universitaire* Schul- und Universitätssportverband
A.T. *annuaire téléphonique; Associations de tourisme* Telefonbuch; Touristikvereine
A.T.A.I. *Association du transport aérien international* Vereinigung des internationalen Lufttransports
A.T.F. *Association pour le tourisme ferroviaire* Vereinigung für den Eisenbahntourismus
Av. *avenue* Avenue, breite, mit Bäumen bepflanzte Prachtstraße
A.V. *Académie vétérinaire; assurance-vie* Veterinärakademie; Lebensversicherung

B

B.A. *bonne action* gute Tat
B.A.D. *Banque africaine de développement* Afrikanische Bank für Entwicklung
B.A.S. *Bureau d'aide sociale* Amt für soziale Hilfe
B.C. *brevet de capacité; Bureau de chômage* Prüfungsbescheinigung; Arbeitslosenbüro
B.C.C.P. *Bureau central des chèques postaux* Postscheckzentralamt
bd. *boulevard* Boulevard, breite Straße
B.D. *bande dessinée* Comic-Streifen
B.D.F. *Banque de France* Banque de France
B.E.C. *brevet d'enseignement commercial* Zeugnis für den Unterricht in den Handelsschulen
B.E.M. *brevet d'état-major* Stabsoffiziersdiplom
Bénélux *Belgique-Nederland-Luxembourg* Benelux *od.* Belgien, Niederlande, Luxemburg
B.E.P. *brevet d'études professionnelles* Berufsausbildungsbescheinigung
B.E.P.C. *brevet d'études du premier cycle* Zeugnis über den ersten Abschnitt des Grundschulunterrichts
B.E.P.S. *brevet d'enseignement primaire supérieur* Bescheinigung für den höheren Grundschulunterricht
B.E.T. *Bureaux d'étude technique* Büros für technische Studien
B.F. *Banque de France; basse fréquence; brevet français* Banque de France; Niederfrequenz; französisches Zeugnis
B.F.C.E. *Banque française du commerce extérieur* Französische Bank für den Außenhandel
B.H. *bombe hydrogène* Wasserstoffbombe
B.I. *bouche d'incendie* Hydrant
B.I.C.I. *Bureau international du commerce et de l'industrie* Internationales Handels- und Industriebüro
B.I.D.A. *Bureau international des droits d'auteur* Internationales Amt für Autorenrechte
B.I.D.R. *Banque internationale de développement et de reconstruction* Internationale Bank für Entwicklung und Wiederaufbau
B.I.E. *Bureau international de l'éducation (od. des expositions)* Internationales Amt für Bildungsfragen; Internationales Messeamt
B.I.N. *Bureau international de normalisation* Internationales Normungsamt
B.I.P. *Bureau d'informations et de prévisions économiques* Informationsstelle für Wirtschaft und Konjunktur
B.I.R.D. *Banque internationale pour la reconstruction et le développement* Internationale Bank für Wiederaufbau und Entwicklung
B.I.T. *Bureau international du travail* Internationales Arbeitsamt
B.J.S. *Bureau de la jeunesse et des sports* Amt für Jugend und Sport
B.M. *Banque mondiale; bulletin météorologique* Weltbank; Wetterbericht
B.N. *Bureau de normalisation* Normungsamt
B.N.P. *Banque nationale de Paris* Nationalbank von Paris
B.N.T. *Bureau national du tourisme* Nationales Büro für den Tourismus
B.O. *Bulletin officiel* Amtsblatt
B.O.M.E.N. *Bulletin officiel du Ministère de l'Éducation nationale* Amtsblatt des französischen Unterrichtsministeriums
b.p. *boîte postale* Postfach
br. *brut* brutto

B.R.G.M. *Bureau de recherches géologiques et minières* Forschungsstelle für Geologie und Bergbau

B.R.I. *Banque des règlements internationaux* Bank für internationalen Zahlungsausgleich

B.R.M. *brigade routière motorisée* Motorisierte Straßenbrigade

B.R.P. *Bureau de recherche de pétroles* Forschungsstelle für Öl

B.S.E.C. *brevet supérieur d'études commerciales* Zeugnis einer Höheren Handelsschule

B.T.P. *bâtiments travaux publics* Öffentliche Bauten

B.T.S. *brevet de technicien supérieur* Diplom für einen höheren Techniker

B.U.I.T. *Bureau de l'Union internationale des télécommunications* Büro der internationalen Union für das Fernmeldewesen

Bull. *Bulletin écol.* Zeugnis; ⚕ Attest; *allg.* Zettel, Schein

B.U.S. *Bureau universitaire de statistique* Universitätsbüro für Statistik

B.V.P. *Bureau de vérification de la publicité* Stelle für Werbungskontrolle

C

c. *courant; centime* laufenden Monats; Centime

C.A. *certificat d'aptitude; Communauté atlantique* Befähigungsnachweis; Atlantische Gemeinschaft

C. & A. *coût et assurance* Kosten und Versicherung

C.A.D. *Comité d'aide au développement* Hilfsausschuß für Entwicklung

c.à.d. *c'est-à-dire* das heißt, d. h.

C.A.E. *certificat d'aptitude à l'enseignement* Zeugnis über die Lehrbefähigung

C.A.E.M. *Conseil d'assistance économique mutuelle* Rat für gegenseitige Wirtschaftshilfe

C.A.F. *Caisses d'allocations familiales; coût, assurance, fret* Kassen für Familienbeihilfen; Kosten, Versicherung, Fracht

C.A.P. *certificat d'aptitude pédagogique; Comité d'action des prisonniers* Zeugnis über pädagogische Befähigung; Aktionskomitee der Gefangenen

C.A.P.E.S. *certificat d'aptitude pédagogique à l'enseignement secondaire* Bescheinigung über die pädagogische Befähigung zum Unterricht an Höheren Schulen

C.A.P.R.I. *Centre d'application des rayonnements ionisants* Zentrum für die Anwendung ionisierender Strahlungen

C.A.T. *certificat d'aptitude technique; centre d'aide par le travail* Bescheinigung über technische Eignung; Hilfszentrum durch Arbeit

C.A.V. *Caisse d'assurance-vieillesse* Altersversicherungskasse

C.C. *certificat de capacité; Code civil; compte courant* Befähigungsnachweis; Bürgerliches Gesetzbuch; Laufendes Konto

C.C.A.S. *Caisse centrale des activités sociales* Zentralkasse für soziale Tätigkeiten

C.C.C. *Conseil de la coopération culturelle; copie certifiée conforme* Rat für kulturelle Zusammenarbeit; Beglaubigte Abschrift

C.C.D. *Conseil de la coopération douanière* Rat für Zusammenarbeit im Zollwesen

C.C.E.E. *Commission de coopération économique européenne* Kommission für europäische wirtschaftliche Zusammenarbeit

C.C.E.S. *Comité consultatif économique et social* Beratender Ausschuß für Wirtschaft und Soziales

C.C.F. *Camping-Club de France; Chambre de commerce française* Französischer Camping-Klub; Französische Handelskammer

C.C.N.N.U. *Comité de coordination de normalisation des Nations Unies* UN-Ausschuß für Normungskoordinierung

c.c.o. *copie conforme à l'original* Für die Übereinstimmung mit dem Original

C.C.P. *compte courant postal; compte chèque postal* Laufendes Postkonto; Postscheckkonto

C.D. *Corps diplomatique* Diplomatisches Korps

C.D.A. *Comité de défense atlantique; Fr.* ⚔ *Comité de défense des appelés* Ausschuß für atlantische Verteidigung; Verteidigungsausschuß der Einberufenen

C.D.I.A. *Centre de documentation et d'information de l'assurance* Zentrum für Dokumentation und Information im Versicherungswesen

C.D.R. *Comité pour la défense de la République* Ausschuß für die Verteidigung der Republik

C.d.T. *Conseil de tutelle* Vormundschaftsrat

C.E. *certificat d'études; Communauté européenne; Conseil de l'Europe; Conseil d'État écol.* Abgangszeugnis; Europäische Gemeinschaft; Europarat; Staatsrat

C.E.A. *Centre de l'énergie atomique; Commissariat à l'énergie atomique; Confédération européenne de l'agriculture; Cour européenne d'arbitrage* Zentrum für Atomenergie; Kommissariat für Atomenergie; Europäische Landwirtschaftskonföderation; Europäischer Schiedsgerichtshof

C.E.C.A. *Communauté européenne du charbon et de l'acier* Europäische Kohle- und Stahlgemeinschaft

C.E.C.L.E.S. *Centre européen pour la construction de lanceurs d'engins spatiaux* Europäisches Zentrum für den Bau von Trägerraketen für Raumschiffe

C.E.C.O.R.E.L. *Centre de coopération pour la réalisation d'équipements de loisirs* Zentrum der Zusammenarbeit für die Fertigung von Freizeitausrüstungen

C.E.D. *Communauté européenne de défense* Europäische Verteidigungsgemeinschaft

Cedex, *a.* **Cédex** *m Courrier d'entreprises à distribution exceptionnelle* Sonderbüro für die Posteingänge von Großbetrieben

C.E.D.H. *Convention européenne des droits de l'homme* Europäische Konvention der Menschenrechte

C.E.D.I.M.O.M. *Centre européen pour le développement industriel et la mise en valeur de l'outre-mer* Europäisches Zentrum für die industrielle Entwicklung und Erschließung von Überseegebieten

C.E.E. *Communauté économique européenne* Europäische Wirtschaftsgemeinschaft, EWG

C.E.F.I. *Centre d'études et de formation industrielles* Zentrum für industrielle Studien und für eine industrielle Ausbildung

C.E.G. *Collège d'enseignement général* (*Art* Realschule)

C.E.M.G. *Chef d'état-major général* Chef des Generalstabs

C.E.N. *Centre d'études nucléaires* Zentrum für Kernstudien

C.E.P. *Centre d'expérimentation du Pacifique; certificat d'études primaires bzw. d'éducation professionnelle* Experimentierzentrum des Pazifiks; Zeugnis über die Beendigung des Grundschulunterrichts *bzw.* über die Berufsausbildung

C.E.P.A.L. *Commission économique des Nations Unies pour l'Amérique latine* UN-Wirtschaftskommission für Lateinamerika

C.E.P.T. *Conférence européenne des ministres des postes, télégraphes, téléphones* Europäische Konferenz für Post, Telegraphie und Telefon

C.E.R.E.S. *Comité européen pour les relations économiques* Europäischer Ausschuß für Wirtschaftsbeziehungen

C.E.R.L.I.C. *Centre d'études et de recherches de logistique industrielle et commerciale* Studien- und Forschungszentrum für industrielle und kommerzielle Logistik

C.E.R.N. *Conseil européen pour la recherche nucléaire* Europäischer Rat für Kernforschung (*1954 umbenannt in O.E.R.N.*)

C.E.R.S. *Centre européen de recherches spatiales* Europäisches Zentrum für Raumforschungen

C.E.S. *Collège d'enseignement secondaire* (*etwa*: Gymnasium)

C.E.S.C. *Conférence européenne de sécurité et de coopération* (*KSZE, 1975*); *vgl. C.S.C.E.* Europäische Konferenz für Sicherheit und Zusammenarbeit

C.E.T. *Collège d'enseignement technique* (*etwa*: Schule für technischen Unterricht)

C.F.A. *Communauté financière africaine* Afrikanische Finanzgemeinschaft

C.F.D.T. *Confédération française démocratique du travail* Französischer demokratischer Arbeitsverband

C.F.J. *Centre de formation des journalistes* Ausbildungszentrum für Journalisten

C.F.O. *Confédération Force ouvrière* Verband der Arbeiterorganisation „Force ouvrière"

C.F.R. *Compagnie française de raffinage* Französische Raffineriegesellschaft

C.F.T. *Confédération française du travail* Französischer Verband der Arbeit

C.F.T.C. *Confédération française des travailleurs chrétiens* Französischer Verband christlicher Arbeiter

C.G.A.C. *Confédération générale des anciens combattants* Französischer Frontkämpferbund

C.G.C. *Confédération genérale des cadres* Allgemeiner Verband der höheren Angestellten
C.G.E. *Compagnie générale d'électricité* Allgemeine Elektrizitätsgesellschaft
C.G.T. *Confédération générale du travail* Allgemeiner Verband der Arbeit
C.G.T.M. *Compagnie générale transméditerranéenne* Allgemeine transmediterrane Gesellschaft
C.H. *centre hospitalier* Krankenhauszentrum
ch. *cherche* sucht; suche
chap. *chapitre* Kapitel
chb., chbre *chambre* Schlafzimmer
C.H.E.A. *Centre des hautes études administratives* Höhere Verwaltungsschule
C.H.R. *centre hospitalier régional* Regionales Krankenhauszentrum
C.H.U. *centre hospitalo-universitaire* Universitätsklinik
C.I.A.N.E. *Comité interministériel d'action pour la nature et l'environnement* Interministerieller Ausschuß für Natur und Umwelt
C.I.C.R. *Comité international de la Croix-Rouge* Internationales Rot-Kreuz-Komitee
C.I.D. *Commerçants indépendants et détaillants; Comité d'information et de défense* Selbständige Kaufleute sowie Kleinhändler; Ausschuß für Information und Abwehr
C.I.D.J. *Centre d'information et de documentation jeunesse* Zentrum für Jugendinformation und -dokumentation
Cie *Compagnie* Gesellschaft
C.I.E.P. *Comité international d'études pédagogiques* Internationales Komitee für pädagogische Studien
C.I.E.S.M. *Commission internationale pour l'exploitation scientifique de la mer Méditerranée* Internationale Kommission für die wissenschaftliche Erschließung des Mittelmeers
C.I.F. *Centre interentreprise de formation; Conseil international de femmes* Zwischenbetriebliches Ausbildungszentrum; Internationaler Frauenrat
C.I.I. *Compagnie internationale pour l'informatique* Internationale Gesellschaft für Informatik
C.I.L.F. *Conseil international de la langue française* Internationaler Rat der französischen Sprache
C.I.M.A.D.E. *Comité inter-mouvements auprès des évacués* Ausschuß aller Hilfsorganisationen für Evakuierte
C.I.O. *Comité international olympique* Internationales Olympisches Komitee
C.I.P. *Centre international de Paris* Internationales Zentrum von Paris
C.I.P.E.C. *Centre international des pays exportateurs de cuivre* Internationales Zentrum kupferexportierender Länder
circ. *circulaire* Rundschreiben
C.I.R.M. *Centre international radiomédical* Internationales Zentrum für Röntgenmedizin
C.I.S.L. *Confédération internationale des syndicats libres* Internationaler Verband freier Gewerkschaften
C.I.S.O. *Confédération internationale des syndicats ouvriers* Internationaler Verband der Arbeitergewerkschaften
C.I.T.E.L. *Compagnie internationale de téléinformatique* Internationale Gesellschaft für Datenfernübertragung
C.I.T.E.P.A. *Centre interprofessionnel technique d'étude de la pollution atmosphérique* Technisches Zentrum aller Berufssparten für das Studium der Luftverseuchung
C.I.T.I. *Confédération internationale des travailleurs intellectuels* Internationaler Verband der Geistesarbeiter
C.I.W.L. *Compagnie internationale des Wagon-Lits* Internationale Schlafwagengesellschaft
C.J. *camp de jeunesse* Jugendlager
C.L.A.J. *Club de loisirs et d'action de la jeunesse* Klub für Freizeitgestaltung und Betätigung der Jugend
C.M. *certificat médical; Chambre des métiers; Code militaire; Conseil municipal; Conseil des ministres* Ärztliches Attest; Handwerkskammer; Militärgesetz; Stadtrat; Ministerrat
C.M.E. *capitalisme monopoliste d'État* Staatlicher Monopolkapitalismus
C.N.A.J.E.P. *Comité national des associations de jeunesse et d'éducation populaire* Nationalausschuß der Jugend- und Volksbildungsvereine
C.N.A.M. *Caisse nationale d'assurances maladies; Conservatoire national des arts et métiers* Nationale Krankenversicherungskasse; Gewerbemusum *in Paris*

C.N.C. *Centre national du Cinéma* Nationales Kino-Zentrum
C.N.E. *Caisse nationale d'épargne* Nationale Sparkasse
C.N.E.J. *Centre national des études judiciaires* Nationales Zentrum für Gerichtsstudien
C.N.E.S. *Centre national d'études spatiales* Nationales Zentrum für Raumplanungsforschung
C.N.E.S.E.R. *Conseil national de l'enseignement supérieur et de la recherche* Nationalrat für höheren Unterricht und für Forschungsfragen
C.N.E.T. *Centre national d'étude des télécommunications* Nationales Zentrum zum Studium des Fernmeldewesens
C.N.E.X.O. *Centre national d'exploitation des océans* Nationales Zentrum zur Erschließung der Ozeane
C.N.G.A. *Confédération nationale des groupes autonomes de l'enseignement public* Nationalverband der autonomen Gruppen des öffentlichen Unterrichts
C.N.I.F. *Conseil national des indépendants et paysans* Nationalrat der Selbständigen und Bauern
C.N.J.A. *Centre national des jeunes agriculteurs* Nationales Zentrum der Jungbauern
C.N.O.U.S. *Centre national des œuvres universitaires et scolaires* Nationales Zentrum für das Studenten- und Schülerhilfswerk
C.N.P.F. *Conseil national de la Résistance* (*1940—1944*) Nationalrat der Widerstandsbewegung
C.N.R.S. *Centre national de la recherche scientifique* Nationales Zentrum für wissenschaftliche Forschung
C.N.T. *Centre national de tourisme* Nationales Zentrum für Tourismus
C.N.T.E. *Centre national de télé-enseignement* Nationales Zentrum für Fernunterricht
C.N.U.C.E.D. *Conférence des Nations Unies sur le commerce et le développement* Konferenz der Vereinten Nationen für Handel und Entwicklung
C.N.U.U.P.E.E. *Commission des Nations Unies sur l'utilisation pacifique de l'espace extra-atmosphérique* Kommission der Vereinten Nationen für die friedliche Nutzung des extraatmosphärischen Raums
C.O.B. *Commission des opérations de Bourse* Kommission für Börsengeschäfte
C.O.D.E.J. *Comité d'organisation des espaces de jeux* Organisationskomitee für Spielplätze
C.O.D.E.R. *Commission de développement économique régionale* Kommission für regionale wirtschaftliche Entwicklung
C. Œ. E. *Conseil œcuménique des églises* Ökumenischer Kirchenrat
C.O.H.A.T.A. *Compagnie haïtienne de transports aériens* Haitische Lufttransportgesellschaft
C.O.J.O. *Comité d'organisation des Jeux olympiques* Organisationskomitee der Olympischen Spiele
comm. *commission* Kommission
conft. *confort* Komfort
C.O.P. *Centre d'orientation professionnelle* Zentrum für Berufslenkung
C.O.S. *coefficient d'occupation des sols* Koeffizient der baulichen Nutzung der Bodenfläche
C.O.T.A.M. *Commandement des transports aériens militaires* Kommando der militärischen Lufttransporte
C.P.A. *classes préparatoires à l'apprentissage* Klassen zur Vorbereitung auf die Lehrlingszeit
C.P.A.T. *Centre de propagande antitabac* Zentrum für Antinikotinpropaganda
C.P.R. *Centre pédagogique régional* Regionales pädagogisches Zentrum
c.q.f.d. *ce qu'il fallait démontrer* (*od. dire*) was zu beweisen (*od.* zu sagen) war
C.R.C. *Centre de recherches et d'études des chefs d'entreprise* Forschungs- und Studienzentrum der Betriebsleiter
C.-R. I. *Croix-Rouge internationale* Internationales Rotes Kreuz
C.R.I.F. *Conseil représentatif des institutions juives de France* Stellvertretender Rat der jüdischen Institutionen Frankreichs
C.R.I.S. *Centre de recherches et d'initiatives socialistes* Zentrum für sozialistische Forschungen und Initiativen
C.R.L. *Centre des Républicains libres* Zentrum der freien Republikaner
C.S.C.E. *Conférence sur la sécurité et la coopération en Europe; vgl. C.E.S.C.* Konferenz über die Sicherheit und Zusammenarbeit in Europa, KSZE (*1975*)

C.S.E.N. *Conseil supérieur de l'éducation nationale* Höherer Rat für nationale Bildung
C.S.F. *Chambres syndicales françaises* Französische Gewerkschaftskammern
C.S.N.C.R.A. *Chambre syndicale nationale du commerce et de la réparation de l'automobile* Nationale Gewerkschaftskammer des Handels und der Automobilreparatur
ct. *courant* laufenden Monats
C.T.S. *Centre de transfusion sanguine* Zentralstelle für Bluttransfusion
C.U. *Cité universitaire* Universitätsstadt
C.V. *curriculum vitae* Lebenslauf
C.V.J. *Centres de vacances de la jeunesse* Ferienzentrum für die Jugend
C.W.L. *Compagnies des Wagons-Lits* Schlafwagengesellschaft

D

D.A. *Défense atlantique; Défense antiaérienne* Atlantische Verteidigung; Luftschutz
D.A.E.C. *Direction des affaires extérieures et de la coopération* Leitung der auswärtigen Angelegenheiten und der Zusammenarbeit
D.A.F. *Dictionnaire de l'Académie française* Wörterbuch der französischen Akademie
D.A.S. *Direction des affaires sociales* Direktion für soziale Fragen
D.B. *division blindée* Panzerdivision
D.D.I. *Diversification et développement industriel* Industrielle Fächerung und Entwicklung
dépt. *département* Departement
D.E.U.G. *diplôme d'études universitaires générales* Diplom über allgemeine Universitätsstudien
D.G.R.C. *Direction générale des relations culturelles* Generaldirektion für kulturelle Beziehungen
D.M.A. *Délégation ministérielle pour l'armement* Ministerialdelegation für die Bewaffnung
doc. *documentation* Dokumentation
D.O.M. *département(s) d'outre-mer* Überseeisches Departement, überseeische Departements
D.O.T. ⚔ *Défense opérationnelle du territoire* Operative Landesverteidigung
D.S.T. *Direction de la surveillance du territoire* Direktion der Landesüberwachung
D.U.P. *Déclaration d'utilité publique* Erklärung über öffentlichen Nutzen
D.U.T. *diplôme universitaire de technologie* Universitätsdiplom für Technologie

E

E.A. *écoles d'apprentissage; énergie atomique* Lehrlingsschulen; Atomenergie
E.A.P. *École des affaires de Paris* Pariser Schule für das Geschäftswesen
E.B.A. *École des Beaux-Arts* Schule der Schönen Künste
E.C.R. *envoi contre remboursement* Nachnahmesendung
éd. *édition; éditeur* Verlag; Verleger
E.D.F. *Électricité de France* Französische Elektrizitätsgesellschaft
E.D.M.A. *Encyclopédie du monde actuel* Enzyklopädie der gegenwärtigen Welt
E.E.D.F. *Éclaireuses et éclaireurs de France* Französische Pfadfinderinnen und Pfadfinder
E.F. *État français* Französischer Staat
E.F.A.P. *École française des attachés de presse* Französische Schule für Presseattachés
E.G.F. *Électricité et Gaz de France* Französische Gesellschaft für Elektrizität und Gas
E.H.E.C. *École des hautes études commerciales* Höhere Handelsschule
E.H.E.I. *École des hautes études industrielles* Höhere Industrieschule
E.M. *État-major* Stab
E.N.A. *École nationale d'administration* Nationale Verwaltungsschule
E.N.M. *École nationale de la magistrature* Nationale Schule für das Richteramt
E.N.P. *École normale primaire* Seminar für Grundschullehrer
E.N.S. *École normale supérieure* Seminar für Gymnasiallehrer
E.N.S.T.A. *École nationale supérieure de techniques avancées* Nationale Höhere Schule für fortgeschrittene Technik
E.O. *Extrême-Orient* Ferner Osten
E.P.V. *École polytechnique de vente* Polytechnische Schule für das Verkaufswesen
E.R.F. *Église réformée de France* Reformierte Kirche Frankreichs

E.S.C. *Enseignement secondaire classique; École supérieure de commerce* Gymnasialunterricht mit Latein und Griechisch; Höhere Handelsschule

E.S.C.P. *École supérieure de commerce de Paris* Höhere Handelsschule von Paris

E.S.E. *École supérieure d'électricité* Höhere Schule für Elektrizität

E.S.E.U. *Examen spécial d'entrée à l'université* Sonderprüfung für die Zulassung zur Universität

E.S.M.E. *École supérieure de mécanique* Höhere Schule für Mechanik

E.S.M.I.A. *École spéciale militaire interarmes* Militär-Sonderschule für alle Waffengattungen

E.S.O.P. *Enquêtes et sondages d'opinion publique* Untersuchungen und Erforschung der öffentlichen Meinung

E.T. *enseignement technique* Technischer Unterricht

établt. *établissement* Anstalt

E.T.A.M. *employées, techniciens et agents de maîtrise* Angestellte, Techniker und Meister

et s. *et suivant(e)s* und folgende

E.U. *Europe Unie* Vereinigtes Europa

E.U.A. *États-Unis d'Amérique* Vereinigte Staaten von Amerika

F

F. *Franc* Franc

f.a.b. *franco à bord* frei an Bord

F.A.C. *Fonds d'aide et de coopération* Hilfs- und Mitarbeitsfonds

F.A.S. *Formation à la sécurité; Fonds d'action sociale* Ausbildung für die Sicherheit; Hilfsfonds

F.A.T.A.C. *Forces aériennes tactiques* Taktische Luftstreitkräfte

F.C.C. *Fédération des coopératives de consommation* Verband der Konsumgenossenschaften

F.C.U.T.C.R.P. *Fédération des comités d'usagers des transports en commun de la région parisienne* Verband der Ausschüsse von Benutzern öffentlicher Verkehrsmittel des Umkreises von Paris

F.D.S.E.A. *Fédération départementale des syndicats d'exploitants agricoles* Departementsverband der Gewerkschaften für Landwirte

F.E.C. *Fédération des étudiants catholiques* Verband der katholischen Studenten

F.E.D. *Fonds européen de développement* Europäischer Entwicklungsfonds

F.E.N. *Fédération de l'éducation nationale* Verband der nationalen Bildung

F.E.O.G.A. *Fonds européen d'orientation et de garantie agricoles* Europäischer Fonds für landwirtschaftliche Lenkung und Sicherheit

F.E.S.B. *Fédération européenne des sociétés de biochimie* Europäischer Verband der Gesellschaften für Biochemie

F.F.C.C. *Fédération française de camping et de caravaning* Französischer Verband für Camping und für das Reisen im Wohnwagen

F.F.F. *Fédération française de football; le français fondamental familier* Französischer Fußballverein; *das* grundlegende Umgangsfranzösisch

F.F.L.T. *Fédération française de lawn-tennis* Französischer Lawn-Tennis-Verein

F.F.M.J.C. *Fédération française des Maisons des Jeunes et de la Culture* Französischer Verband der Jugend- und Kulturhäuser

F.I.A. *Fédération internationale d'astronautique* Internationaler Verband für Astronautik

F.I.E.V. *Fédération des industries des équipements pour véhicules* Verband der Industrien für Ausrüstungen von Fahrzeugen

F.I.F.A. *Fédération internationale de football association* Internationaler Verband der „Football Association"

F.I.M. *Fédération internationale des motocyclistes* Internationaler Verband der Motorradsportler

F.I.O.C.E.S. *Fédération internationale des organisations de correspondances et d'échanges scolaires* Internationaler Verband der Organisationen für Schülerbriefwechsel und Schüleraustausch

F.I.P. *rad. France-Inter Paris* France-Inter Paris

F.I.P.A. *Fonds international pour la protection des animaux* Internationaler Fonds für den Tierschutz

F.I.T. *Fédération internationale des traducteurs* Internationaler Verband der Übersetzer

F.M.I. *Fonds monétaire international* Internationaler Währungsfonds

F.M.V.J. *Fédération mondiale des villes jumelées* Weltverband der Partnerstädte

F.N.A.G.E. *Fédération nationale des*

associations de grandes écoles Staatlicher Verband der Vereinigungen großer Schulen

F.N.A.H. *Fonds national de l'amélioration de l'habitat* Staatlicher Fonds zur Förderung des Wohnungsbaus

F.N.C.C. *Fédération nationale de coopératives de consommateurs* Nationalverband der Verbrauchergenossenschaften

F.N.E.F. *Fédération nationale des étudiants de France* Nationalverband der Studenten in Frankreich

F.N.R.I. *Fédération nationale des républicains indépendants* Nationalverband der unabhängigen Republikaner

F.N.S. ⚔ *Force nucléaire stratégique* Strategische Kernstreitmacht

F.N.S.E.A. *Fédération nationale des syndicats d'exploitants agricoles* Nationalverband der Gewerkschaften von Landwirten

F.N.U. *Forces des Nations Unies* Streitkräfte der Vereinten Nationen

F.O. *Force ouvrière* Französische Arbeiterorganisation „Force ouvrière"

F.O.M. *France d'outre-mer* Überseeisches Frankreich

F.P. *Faire-part* Hochzeits- *od.* Todesanzeige

F.P.A. *Formation professionnelle des adultes; Formation professionnelle accélérée* Berufsausbildung für Erwachsene; Beschleunigte Berufsausbildung

frcs. *Francs* Francs

F.S. *Faire suivre!* Nachsenden!

F.U.C.A.P.E. *Fédération des unions commerciales, artisanales et petites entreprises* Verband der Handels- und Handwerksvereine und der Vereine kleiner Betriebe

F.U.N.U. *Force d'urgence des Nations Unies* UN-Streitmacht für den Notfall

G

G.A.M. *Groupe d'action municipale* Städtische Aktionsgruppe

G.A.N. *Groupe des assurances nationales* Gruppe der nationalen Versicherungen

G.A.N.I.L. *Grand accélérateur d'ions lourds* Großer Beschleuniger schwerer Ionen

G.A.P.A.C.S. *Groupement des associations pour l'activité culturelle et sportive* Zusammenschluß der Vereinigungen für kulturelle und sportliche Betätigung

G.C.T. ⚔ *grande cadence de tir* große Feuerfolge

G.D.F. *Gaz de France* Französische Gasgesellschaft

G.F.E.N. *Groupe français d'éducation nouvelle* Französische Gruppe für eine neue Bildung

G.I. *Gauche indépendante*; ⚔ *Groupement d'instruction des jeunes recrues* Unabhängige Linke; Instruktionsgruppe der jungen Rekruten

G.I.B.T.P. *Groupement des industriels du bâtiment et des travaux publics* Gruppe der Industriellen für das Bauwesen und für öffentliche Arbeiten

G.I.F.A.S. *Groupement des industries françaises aéronautiques et spatiales* Konzern der französischen Industrien für Luftfahrt und Raumflug

G.M. *grand magasin* Warenhaus

G.M.R. *Gardes mobiles républicains* Republikanische mobile Wachtruppe

G.N. *Gendarmerie nationale* Nationalgendarmerie

GO *rad. grandes ondes* Langwellen

G.S.I. *Générale de service informatique* Generaldirektion für Informatikdienst

G.T. ⚔ *Groupement du Train* Train

G.V. *grande vitesse* Eilgutverkehr

H

H.B.M. *habitations à bon marché* billige Wohnungen

H.E.C. *Hautes études commerciales; Heure de l'Europe centrale* Ausbildung an einer Höheren Handelsschule; Mitteleuropäische Zeit

H.F. *Haute fréquence* Hochfrequenz

H.L.M. *habitation à loyer modéré* Wohnung zu mäßiger Miete

H.L.R. *habitation à loyer réduit* (*neuer statt H.L.M.*) Wohnung zu herabgesetzter Miete

I

I.A.R.D. *Incendie, accidents, risques divers* Feuer, Unfälle, verschiedene Risiken

I.D.I. *Institut de développement in-*

dustriel Institut für industrielle Entwicklung

I.D.R.E.M. *Institut européen de documentation et de recherche sur les maladies* Europäisches Institut für Krankheitendokumentation und -forschung

I.E.D.E.S. *Institut d'étude du développement économique et social* Institut zur Untersuchung der wirtschaftlichen und sozialen Entwicklung

I.E.P. *Institut d'éducation permanente; Institut d'études politiques* Institut für Weiterbildung; Institut für politische Studien

I.F. *Institut de France* Französisches Institut

I.F.G. *Institut français de gestion* Französisches Institut für Betriebslenkung

I.F.O.P. *Institut français d'opinion publique* Französisches Institut zur Feststellung der öffentlichen Meinung

igame *Inspecteur général de l'administration en mission extraordinaire* Generalinspektor der Verwaltung mit einem Sonderauftrag

I.G.H. *immeubles de grande hauteur* Gebäude von großer Höhe

I.G.N. *Institut géographique national* Staatliches geographisches Institut

I.G.S. *Inspection générale des services* Generalinspektion der Dienststellen

I.H.E.O.M. *Institut des hautes études d'outre-mer* Institut für Überseeforschung

I.N. *Imprimerie nationale* Staatsdruckerei

I.N.A. *Institut national agronomique* Staatliches agronomisches Institut

I.N.A.S. *Institut national d'administration scolaire* Staatliches Institut für Schulverwaltung

I.N.C. *Institut national de la consommation* Staatliches Verbraucherinstitut

I.N.E.D. *Institut national d'études démographiques* Staatliches Institut für demographische Studien

I.N.E.P. *Institut national d'éducation populaire* Staatliches Institut für Volksbildung

I.N.F.A. *Institut national de formation des adultes* Staatliches Institut für Erwachsenenbildung

I.N.R.A. *Institut national de la recherche agronomique* Staatliches Institut für agronomische Forschung

I.N.S. *Institut national des sports* Staatliches Sportinstitut

I.N.S.A. *Institut national des sciences appliquées* Staatliches Institut für angewandte Wissenschaften

I.N.S.E.E. *Institut national de la statistique et des études économiques* Staatliches Institut für Statistik und Wirtschaftslehre

I.N.S.E.R.M. *Institut national de la Santé et de la recherche médicale* Staatliches Institut für Gesundheit und medizinische Forschung

I.N.S.T.N. *Institut national des sciences et techniques nucléaires* Staatliches Institut für Kernwissenschaft und Kerntechnik

I.P.E.S. *Institut de préparation à l'enseignement secondaire* Institut zur Vorbereitung für den Lehrdienst an Höheren Schulen

I.P.S. *instruction personnelle et secrète* Persönliche, geheime Weisung

I.R. *impôt sur le revenu* Einkommensteuer

I.R.A. *Institut régional d'administration* Regionales Verwaltungsinstitut

I.R.C.H.A. *Institut de recherches chimiques appliquées* Institut für angewandte chemische Forschungen

I.R.E.D.U. *Institut de recherche sur l'économie et l'éducation* Forschungsinstitut für Wirtschafts- und Bildungsfragen

I.R.E.M. *Institut de recherche sur l'enseignement des mathématiques* Forschungsinstitut für den Mathematikunterricht

I.R.E.P.S. *Instituts régionaux d'éducation physique et sportive* Regionalinstitute für körperliche und sportliche Ausbildung

I.R.G. *Internationale des résistants à la guerre* Internationale der Kriegsgegner

I.R.I.A. *Institut de recherche d'informatique et d'automatique* Forschungsinstitut für Informatik und Automatik

I.S.C. *Internationale des syndicats chrétiens* Internationale der christlichen Gewerkschaften

J

J.E.C. *Jeunesse étudiante chrétienne* Christliche studierende Jugend

J.E.F. *Jeunesse européenne fédéraliste* Föderalistische europäische Jugend

J.J.S.S. *Jean Jacques Servan-Schreiber*
J.O. *Jeux olympiques; Journal officiel* Olympische Spiele; Amtsblatt
J.O.C.(F.) *Jeunesse ouvrière chrétienne (féminine)* (Weibliche) christliche Arbeiterjugend
J.P.A. *Jeunesse au plein air* Jugend ins Freie!

K

kg/cm² *kilogramme par centimètre carré* Kilogramm pro Quadratzentimeter, atü
km/h *kilomètres par heure* Stundenkilometer
kwh *kilowatt(s)-heure* Kilowattstunde(n)

L

L.D. *livraison à domicile* Lieferung frei Haus
L.D.H. *Ligue des droits de l'homme* Liga für Menschenrechte
L.E. *Légion étrangère; Licence d'exportation* Fremdenlegion; Ausfuhrlizenz
L.E.A. *Ligue des États arabes* Liga der arabischen Staaten
L.E.C.E. *Ligue européenne de coopération économique* Europäische Liga für wirtschaftliche Zusammenarbeit
L.F.A.J. *Ligue française des auberges de jeunesse* Französische Liga der Jugendherbergen
L.I.C.A. *Ligue internationale contre le racisme et l'antisémitisme* Internationale Liga gegen Rassismus und Antisemitismus
L.M. *livret matricule (od. militaire)* Soldbuch
L.M.C.A. *Ligue mondiale contre l'alcoolisme* Weltbund gegen den Alkoholmißbrauch
L.R.N. *Ligue républicaine nationale* Nationale republikanische Liga
L.T.T. *lignes téléphoniques et télégraphiques* Telefon- und Telegrafenlinien

M

M. *Monsieur* Herr
M.A.E. *Ministère des affaires étrangères* Außenministerium; *All.* Auswärtiges Amt
M.C. *Marché commun* Gemeinsamer Markt
M.C.I. *Ministère du commerce et de l'industrie* Ministerium für Handel und Industrie
M.C.V.G. *Mutilés, combattants et victimes de la guerre* Versehrte, Frontkämpfer und Kriegsopfer
M.D.N. *Ministère de la défense nationale* Ministerium für nationale Verteidigung; *All.* Verteidigungsministerium
Me *Maître* Rechtsanwalt (*als französischer Titel vor den Eigennamen*)
M.E.C.I. *Matériel électrique de contrôle et industriel* Elektrisches Kontrollmaterial und Industriematerial
M.E.N. *Ministère de l'éducation nationale* Ministerium für nationale Bildung; *All.* Kultusministerium
M.F. *Ministère des finances* Finanzministerium
MF *rad. moyenne fréquence* Mittelfrequenz
Mgr. *Monseigneur* Seiner, Euer Gnaden
M.I. *Ministère de l'information (od. de l'intérieur)* Informationsministerium (*od.* Innenministerium)
M.I.F.E.D. *Marché international du film, du film-TV et du documentaire* Internationaler Markt für Film, Fernsehfilm und Kulturfilm
M.I.J.E. *Maisons internationales de la jeunesse et des étudiants* Internationale Häuser der Jugend und Studenten
M.I.P. *Marché international des programmes télévisés* Internationaler Markt für Fernsehprogramme
M.J. *Ministère de la Justice* Justizministerium
M.L.F. *Mouvement de libération des femmes* Bewegung für die Befreiung der Frauen
Mlle *Mademoiselle* Fräulein
MMelles *Mesdemoiselles* Fräulein (*pl.*); *als Anrede*: meine sehr geehrten jungen Damen!
MM. *Messieurs* (an) die Herren; *als Anrede*: meine Herren!
Mme *Madame* Frau
MMes *Mesdames* Frau (*pl. als Adresse*); *als Anrede*: meine sehr geehrten Damen!
M.N.A.M. *Musée national d'art moderne* Staatliches Museum für moderne Kunst
M.N.D.R. *Mouvement national pour la décentralisation et la réforme régionale* Staatliche Bewegung für die Dezentralisierung und die regionale Reform
M.O. *Moyen-Orient* Mittlerer Osten

M.O.C.I. *Moniteur du commerce international* Fachblatt des internationalen Handels
M.O.D.E.F. *Mouvement de défense des exploitations familiales* Bewegung zum Schutz der Familienbetriebe
M.P.T. *Ministère des postes et télécommunications* Postministerium
M.Q.V. *Ministère de la qualité de la vie* Ministerium für die Lebensqualität
M.R.A.A. *Mouvement contre le racisme anti-arabe* Bewegung gegen den antiarabischen Rassismus
M.R.A.P. *Mouvement contre le racisme, l'antisémitisme et pour la paix* Bewegung gegen den Rassismus und Antisemitismus und für den Frieden
M.R.L. *Ministère de la reconstruction et du logement; Mouvement républicain de la libération* Ministerium für Wiederaufbau und für Wohnungsfragen; Republikanische Befreiungsbewegung
M.R.P. *Mouvement républicain populaire* Republikanische Volksbewegung
M.R.U. *Ministère de la reconstruction et de l'urbanisme* Ministerium für Wiederaufbau und Städteplanung
M.S.B.S. *Mer-Sol-Balistique-Stratégique* (Name der ersten französischen Unterwasserrakete; *1964*)
M.S.P. *Mouvement pour le socialisme par la participation* Bewegung für den Sozialismus durch Mitbestimmung

N

N.A.F. *Nouvelle action française* Neue französische Aktion (*1975; royalistisch wie* R.N.)
N.B. *Nota bene* Anmerkung
N.D.L.R. *Note de la rédaction* Anmerkung der Redaktion
N.F. *Nouveau(x) Franc(s)* Neuer Franc, neue Francs (*seit 1. 1. 1966*)
N.I. *non-inscrits* nicht Eingetragene
no. *numéro* Nummer
nos *numéros* Nummern
N.R.F. *Nouvelle revue française* Neue französische Zeitschrift (*Titel*)
N.S. *non standardisé; navigation spatiale* nicht standardisiert; Raumfahrt
N.S.M. *navigation sous-marine* Unterwasserschiffahrt
N.U. *Nations Unies* Vereinte Nationen

O

O.A.C.I. *Organisation de l'aviation civile internationale* Organisation der internationalen zivilen Luftfahrt
O.A.S. *ehm. Organisation de l'armée secrète* Organisation der Geheimarmee
O.C. *rad. onde courte* Kurzwelle
O.C.C.E. *Office central de coopération à l'école* Zentralstelle für Zusammenarbeit
O.C.D.E. *Organisation de coopération et de développement économiques* Organisation für wirtschaftliche Zusammenarbeit und Entwicklung (*seit 30. 9. 1961*)
O.C.E.E. *Organisation de coopération économique européenne* Organisation für europäische wirtschaftliche Zusammenarbeit
O.C.I. *Organisation communiste internationaliste* Internationale kommunistische Organisation
O.C.I.L. *Office central interprofessionnel du logement* Interprofessionelle Zentralstelle für Wohnungsfragen
O.D.E. *Office de documentation économique* Amt für Wirtschaftsdokumentation
O.E.A. *Organisation des États américains* Organisation der amerikanischen Staaten
O.E.R.N. *Organisation européenne pour la recherche nucléaire* (*seit dem 29. 9. 1954; vorher*: CERN) Europäische Organisation für die Kernforschung
O.E.R.S. *Organisation européenne de recherches spatiales* Europäische Organisation für Raumforschungen
O.F.A.J. *Office franco-allemand pour la jeunesse* Französisch-deutsches Jugendamt
O.F.C.E. *Office français du commerce extérieur* Französische Außenhandelsstelle
O.F.I. Comex *Office français d'importation et du commerce extérieur* Französische Einfuhr- und Außenhandelsstelle
O.G.A. *Office général de l'Air* Allgemeines Luftfahrtsbüro
O.G.I.L. *Office général d'information sur le logement* Allgemeines Auskunftsbüro über Wohnungen
O.H.Q. *ouvrier hautement qualifié* hochqualifizierter Facharbeiter
O.I.C. *Organisation internationale du*

café Internationale Kaffee-Organisation

O.I.P.C. *Organisation internationale de police criminelle* Internationale Organisation der Kriminalpolizei

O.I.R.T. *Organisation internationale de radiodiffusion et télévision* Internationale Organisation für Rundfunk und Fernsehen

O.I.T. *Organisation internationale du travail* Internationale Organisation der Arbeit

O.J.D. *journ. Office de justification de la diffusion* Rechtfertigungsstelle für die Nachrichtenverbreitung

O.J.P. *Organisation des jeunes pour le progrès* Jugendorganisation für den Fortschritt

O.L.H. *Ordre de la Légion d'honneur* Orden der Ehrenlegion

O.L.P. *Organisation de libération de la Palestine* Organisation zur Befreiung Palästinas

OM *rad. onde moyenne* Mittelwelle

O.M.M. *Organisation météorologique mondiale* Weltorganisation für Meteorologie

O.M.S. *Organisation mondiale de la santé* Weltgesundheitsorganisation

O.N.A.F. *Office national des allocations familiales* Staatliches Amt für Familienbeihilfe

O.N.C.E. *Office national du commerce extérieur* Staatliches Amt für Außenhandel

O.N.E.R.A. *Office national d'étude et de recherche aérospatiales* Staatliches Amt für Raumfahrtforschung

O.N.I. *Office national de l'immigration* Staatliches Amt für Einwanderung

O.N.I.S.E.P. *Office national d'information sur les enseignements et les professions* Staatliches Amt zur Information über den Lehrbetrieb und die Berufe

O.N.M. *Office national météorologique* Staatliches Amt für den Wetterdienst

O.N.P.C. *Office national de placement et du chômage* Staatliches Amt für Stellenvermittlung und Arbeitslosigkeit

O.N.Q. *ouvrier non qualifié* ungelernter Arbeiter

O.N.R.S.I. *Office national des recherches scientifiques et industrielles* Staatliches Amt für wissenschaftliche und industrielle Forschungen

O.N.S. *ouvrier non syndiqué* gewerkschaftlich nicht organisierter Arbeiter

O.N.S.E.R. *Organisme national de sécurité routière* Staatliche Stelle für die Sicherheit auf den Verkehrsstraßen

O.N.T. *Office national du tourisme* Nationales Büro für den Tourismus

O.N.U. *Organisations des Nations Unies* Organisation der Vereinten Nationen

O.N.U.D.I. *Organisation des Nations Unies pour le développement industriel* Organisation der Vereinten Nationen für industrielle Entwicklung

O.N.U.E.S.C. *Organisation des Nations Unies pour l'éducation, la science et la culture intellectuelle* Organisation der Vereinten Nationen für Erziehung, Wissenschaft und Kultur

O.O.P. *Office d'orientation professionnelle* Amt für Berufslenkung

O.P.A. *Organisation du pacte atlantique* Atlantikpakt-Organisation

O.P.E.P. *Organisation des pays exportateurs de pétrole* Organisation der ölexportierenden Länder

O.P.H. *Office public de l'habitation* Öffentliches Wohnungsamt

O.R.S.E.C. *organisation des secours* Hilfsorganisation

O.R.T.F. *Office de radiodiffusion et de télévision française* Amt für französische Rundfunk- und Fernsehsendungen

O.S. *ouvrier spécialisé* angelernter Arbeiter

O.S.M. *Organisation syndicale mondiale* Weltgewerkschaftsorganisation

O.T.A.N. *Organisation du Traité de l'Atlantique-Nord* Nordatlantik-Vertrags-Organisation, Nato (*seit 4. 4. 1949*)

O.U.A. *Organisation de l'unité africaine* Organisation für die Einheit Afrikas, OAE (*seit 25. 5. 1963*)

OUC *rad. onde ultra-courte* Ultrakurzwelle

Ovni *objet volant non identifié* nicht identifizierter fliegender Gegenstand, Ufo

P

p. *page(s)* Seite(n)

P.A.C. *politique agricole commune* gemeinsame Agrarpolitik

P.A.M. *programme alimentaire mondial* Welternährungsprogramm

part. *particulier* Privatmann

P.C. *Parti communiste; permis de conduire; poste de commandement* kommunistische Partei; Führerschein; Kommandoposten

p.c.c. *pour copie conforme* für die Übereinstimmung mit dem Original

P.C.F. *Parti communiste français* Kommunistische Partei Frankreichs

P.C.I. *Parti communiste international* Internationale kommunistische Partei

P.-D.G. *président-directeur général* bevollmächtigter geschäftsführender Direktor; Aufsichtsratsvorsitzender; *allg.* Manager, Großverdiener

P.D.M. *Progrès et démocratie moderne* Fortschritt und moderne Demokratie

p.e. *par exemple* zum Beispiel, z. B.

P.E. *Parlement européen* Europaparlament

P. et C. *Ponts et chaussées* Straßenbauamt

p. ex. *par exemple* zum Beispiel, z. B.

P.G. *prisonnier de guerre; procureur général* Kriegsgefangener; Generalstaatsanwalt

P.I.B. *produit intérieur brut* Bruttosozialprodukt

P.J. *police judiciaire* Kriminalpolizei

Pl. *Place* Platz

pl. *place* Stellung

P.L.D. *plafond légal de densité* gesetzlich vorgeschriebene Höchstdichte (*Bevölkerung*)

P.M.E. *petites et moyennes entreprises* kleine und mittlere Betriebe

P.N.B. *produit national brut* Bruttosozialprodukt

P.O.S. *plan d'occupation des sols* Plan zur baulichen Nutzung der Bodenfläche

p.p. *par procuration* per Prokura, in Vollmacht

pp. *pages* Seiten

pr *pour* für

P.S. *parti socialiste* sozialistische Partei

P.S.U. *Parti socialiste unifié* Sozialistische Einheitspartei, SED

P.T. *Postes et télécommunications* (*seit 1960*) Post und Fernmeldewesen

P.T.T. *Postes, télégraphes, téléphones* (*bis 1960*) Post, Telegraf, Telefon

P.U. *poids utile; pick-up, phonocapteur* Nutzlast; Tonabnehmer

P.U.F. *Presses universitaires de France* Französische Universitätsdruckerei

p.v.t. *par voie télégraphique* auf telegrafischem Wege

Q

Q.G.(F.A.) *Quartier général* (*des Forces atlantiques*) Generalquartier (der atlantischen Streitkräfte)

Q.i. *quotient intellectuel* (*od. d'intelligence*) Intelligenzquotient

R

r. *rue* Straße

R.A. *régiment d'artillerie* Artillerieregiment

R.A.E. *République arabe égyptienne* Ägyptisch-arabische Republik

R.A.I. *Radiotélévision italienne* Italienische Rundfunk- und Fernsehgesellschaft

R.A.N.F.R.A.N. *Rassemblement national des Français rapatriés d'Afrique du Nord* Nationale Sammlung der aus Nordafrika rückbeheimateten Franzosen

R.A.P. *Régie autonome des pétroles* Autonome Ölregie

R.A.T.P. *Régie autonome des transports parisiens* Autonome Regie des Pariser Personenverkehrs

R.B. *envoi contre remboursement* Nachnahmesendung

r.-ch. *rez-de-chaussée* Erdgeschoß

R.D.A. *République démocratique allemande* Deutsche Demokratische Republik, DDR

Rec. *recueil* Sammlung

rech. *recherche* sucht

R.E.R. *Réseau express régional* Regionales Schnellverkehrsnetz

rev. *revue* Zeitschrift

R.F. *République française* Französische Republik

R.F.A. *République fédérale d'Allemagne* Bundesrepublik Deutschland

R.F.T. *Régie française des tabacs* Französische Tabakregie

R.G.R. *Rassemblement de la gauche républicaine* Sammlung der republikanischen Linken

R.I. *Républicains indépendants* Unabhängige Republikaner

R.M.C. *Radio Monte-Carlo* Radio Monte-Carlo

R.N. *Route nationale; Restauration nationale* Nationalstraße, *All.* Bundesstraße; Nationale Restauration (*royalistisch wie* N.A.F.)

R.P. *région parisienne; réponse payée* Pariser Gebiet; Antwort bezahlt

R.P.D.C. *République populaire dé-*

mocratique de Corée Demokratische Volksrepublik Korea

R.S.V.P. *répondez, s'il vous plaît* bitte antworten!

R.T.D. *Radio-télédiffusion* Rundfunk und Fernsehen

R.T.L. *Radio-Télé Luxembourg* Rundfunk- und Fernsehgesellschaft Luxemburg

R.T.S. *Radio-Télévision scolaire* Schulfunk und Schulfernsehen

R.U.P. *reconnu d'utilité publique* gemeinnützig

R.V. *rente viagère; route vicinale* Lebensrente; Feldweg zwischen zwei Dörfern

R.X. *rayons X* Röntgenstrahlen

S

s. (*et*) *suivant*(*e*)*s* und folgende

S.A. *Société anonyme* Aktiengesellschaft

S.A.C. *Service d'action civique* Dienststelle für soziale Hilfe

S.A.F.E.R. *Société d'aménagement foncier et d'équipement rural* Gesellschaft für Raumplanung und landwirtschaftliche Ausrüstung

S.A.F.I.R. *système d'automatisation pour le fret international régional* Automatisierungssystem für die regionale Fracht ins Ausland

SALT *Strategic Arms Limitation Talks* (*Conversations sur la limitation des armes* [*od. des armements*] *stratégiques*) Gespräche über die Begrenzung strategischer Waffen

S.A.M.U. *Service d'Aide médicale urgente* Dienststelle für dringende ärztliche Hilfe

S.A.R. *Société d'aménagement régional bzw. rural* Gesellschaft für regionale *od.* ländliche Raumplanung

S.A.R.A. *Société des auteurs et réalisateurs de l'audiovisuel* Gesellschaft der Schriftsteller und Fernsehregisseure

S.à r. l. *Société à responsabilité limitée* Gesellschaft mit beschränkter Haftung

S.A.T. *Société anonyme de télécommunications* Fernseh-Aktiengesellschaft (AG)

S.A.V. *Société des automates de vente* Gesellschaft für Verkehrsautomaten

S.C.A. *Société en commandite par actions* Kommanditgesellschaft auf Aktien

S.C.A.F. *Société centrale des agriculteurs de France* Dachverband der französischen Landwirte

S.D. *socialistes démocratiques* Demokratische Sozialisten

s.d. *sans date* ohne Datum

S.D.A.U. *schéma directeur d'aménagement et d'urbanisme* Leitschema für Raumplanung und Städtebau

S.E.C.A.M.A. *Système expérimental de contrôle automatique du mouvement des autobus* Versuchssystem für die automatische Kontrolle des Busverkehrs

S.E.D.E.S. *Société d'édition d'enseignement supérieur* Verlagsgesellschaft für den höheren Unterricht

S.E.I.T.A. *Service d'exploitation des tabacs et allumettes* Tabak- und Streichholzgesellschaft

S.E.M.A. *Société d'économie et de mathématique appliquées* Gesellschaft für angewandte Wirtschaft und Mathematik

S.E.M.A.H. *Société d'économie mixte pour l'aménagement des Halles* Gemischtwirtschaftliche Gesellschaft für die Raumplanung der Markthallen von Paris

S.E. ou O. *sauf erreur ou omission* Irrtum oder Auslassung vorbehalten

S.E.P.A.N.S.O. *Société pour l'étude, la protection et l'aménagement de la nature dans le Sud-Ouest* Gesellschaft für das Studium, den Schutz und die Raumplanung der Natur in Südwestfrankreich

S.E.R.C.E. *Société européenne de représentation et de construction électronique* Europäische Gesellschaft für elektronische Darstellung und für Elektronenbau

S.E.R.P.E. *Société d'éditions de relations et propagande européennes* Verlagsgesellschaft für europäische Beziehungen und europäische Propaganda

S.F. *science-fiction* Science-Fiction, utopischer Roman

S.F.E.N.A. *Société française d'équipements pour la navigation aérienne* Französische Ausrüstungsgesellschaft für die Luftfahrt

S.F.I. *Société financière internationale* Internationale Finanzgesellschaft

S.F.I.O. *Section française de l'internationale ouvrière* Französische Sektion der Arbeiterinternationalen

S.F.P. *Société française psychotechnique* Französische psychotechnische Gesellschaft

S.F.T. *Société française des traducteurs* Französische Gesellschaft der Übersetzer

S.G.E.N. *Syndicat général de l'éducation nationale* Allgemeine Gewerkschaft für die nationale Bildung
S.G.R. *sentiers de grande randonnée* Pfade der großen Wettfahrt (*Radrennen, Autorallye*)
S.I.C.A. *Société d'intérêt collectif agricole* Kollektive Interessengesellschaft für Landwirte
S.I.C.O.B. *Salon international de l'Informatique, de la Communication et de l'Organisation du Bureau* Internationaler Ausstellungssalon für Informatik, Verkehr und Bürogestaltung
S.I.P.A. *Société industrielle pour l'aéronautique* Industriegesellschaft für Aeronautik
S.I.R. *Service international de recherches* Internationaler Forschungsdienst
S.J.F. *Syndicat des journalistes français* Gewerkschaft der französischen Journalisten
S.J.R.T. *Syndicat des journalistes de la radio-télévision* Gewerkschaft der Rundfunk- und Fernsehjournalisten
S.M.C.B. *Service mixte de contrôle biologique* Gemischtwirtschaftliche Stelle für biologische Kontrolle
S.M.I.C. *salaire minimum interprofessionnel de croissance* dynamischer Mindestlohn für alle Berufssparten
S.M.I.G. *salaire minimum interprofessionnel garanti* garantierter Mindestlohn für alle Berufssparten
S.M.U.R. *Service mobile d'urgence et de réanimation* mobiler Not- und Wiederbelebungsdienst
S.N.A.C. *Syndicat national des auteurs et compositeurs de musique* Nationale Gewerkschaft der Schriftsteller und Komponisten
S.N.A.L.C. *Syndicat national des lycées et collèges* Nationale Gewerkschaft der Ober- und Mittelschulen
S.N.A.U. *Syndicat national de l'administration universitaire* Nationale Gewerkschaft der Univerisätsverwaltung
S.N.C. *Syndicat national des collèges* Nationale Gewerkschaft der Mittelschulen
S.N.C.F. *Société nationale des chemins de fer français* Nationale Gesellschaft der französischen Eisenbahnen
S.N.C.T.A. *Syndicat national des contrôleurs du trafic aérien* Nationale Gewerkschaft der Fluglotsen
S.N.E.C.M.A. *Société nationale d'étude et de construction de moteurs d'aviation* Nationale Gesellschaft für das Studium und den Bau von Flugzeugmotoren
S.N.E.E.M. *Service national des études et enquêtes des marchés* Nationale Stelle für Marktstudien und Marktforschungen
S.N.E.S. *Syndicat national de l'enseignement du second degré* Nationale Gewerkschaft für den Oberstufenunterricht
S.N.E.-Sup. *Syndicat national de l'enseignement supérieur* Nationale Gewerkschaft für den Universitätsunterricht
S.N.E.T. *Syndicat national de l'enseignement technique* Nationale Gewerkschaft für den technischen Unterricht
S.N.I. *Syndicat national des instituteurs* Nationale Gewerkschaft der Grundschullehrer
S.N.I.A.S. *Société nationale des industries aéronautiques et spatiales; Société nationale industrielle et aérospatiale* Staatliche Gesellschaft der Flugzeug- und Raumfahrtindustrien; Staatliche Industrie- und Raumfahrtgesellschaft
S.N.J. *Syndicat national des journalistes* Nationale Gewerkschaft der Journalisten
S.N.O.M.A.C. *Syndicat national des officiers mécaniciens de l'aviation civile* Nationale Gewerkschaft der technischen Offiziere der zivilen Luftfahrt
S.N.P. *salaire national professionnel* Staatliches Berufsgehalt
S.N.P.A. *Société nationale des pétroles d'Aquitaine* Staatliche Gesellschaft für Ölbohrungen im Gebiet von Aquitaine
S.N.P.L. *Syndicat national des pilotes de ligne* Nationale Gewerkschaft der Linienpiloten
S.O.F.M.A. *Société française de matériels d'armements* Französische Gesellschaft für Rüstungsmaterialien
S.O.F.R.E.S. *Société française d'enquête par sondage* Französische Gesellschaft für Untersuchungen durch Meinungsbefragung
S.P.A. *Société protectrice des animaux* Tierschutzgesellschaft
S.P.R. *Service de protection radiologique* Dienststelle für Strahlenschutz
sq(q). *sequentes* folgende, ff.

S.R.L. *société à responsabilité limitée* Gesellschaft mit beschränkter Haftung

ss. *et suivant(e)s; sequentes* und folgende; folgende, ff.

S.S.A.E. *Service social d'aide aux étrangers* Sozialer Hilfsdienst für Ausländer

ss-sol *sous-sol* Souterrain

S.T.A. *Société de travail aérien* Gesellschaft für Arbeitsflug

Sté *société* Gesellschaft

suppl. *supplément* Ergänzungsband

s.v.p. *s'il vous plaît* bitte

T

t. *tome* Band *m*

T.A. *transports aériens* Lufttransporte

T.A.I. *transports aériens internationaux* Internationale Lufttransporte

T.B. *très bien* sehr gut

T.C.F. *Touring Club de France* Französischer Touring Club

tél. *téléphone* Telefon

T.G.V. *train à grande vitesse* Eilzug

T.I.P. *transport individualisé public* öffentlicher Personentransport

T.L.U. *taxe locale d'urbanisation* Ortsgebühr für den Städtebau

T.N.P. *Théâtre national populaire; Traité de non-prolifération des armes nucléaires* Nationales Volkstheater; Vertrag über die Nichtweiterverbreitung von Atomwaffen

T.O.M. *territoire d'outre-mer* Überseeisches Hoheitsgebiet

T.S.C. *taxe et service compris* Steuer und Bedienung mit einbegriffen

T.S.V.P. *tournez, s'il vous plaît* Bitte wenden! (*od.* umdrehen!)

T.T. (*immatriculation des véhicules en*) *transit temporaire* (*z. B. automobiliste en T.T.*) (Registrierung der Fahrzeuge im) zeitweiligen Durchgangsverkehr (z. B. Autofahrer im zeitweiligen Transitverkehr)

tt conft *tout confort* hochkomfortabel

T.T.C. *toutes taxes comprises* alle Gebühren mit einbegriffen

TV *télévision* Fernsehen

T.V.A. *taxe sur* (*od. à*) *la valeur ajoutée* Mehrwertsteuer

U

U.A.F. *Union des artisans de France* Union der französischen Handwerker

U.A.M. *Union des artistes modernes* Union der modernen Künstler

U.A.P. *Union des assurances de Paris* Union der Pariser Versicherungen

U.A.S.I.F. *Union des associations scientifiques et industrielles françaises* Union der französischen wissenschaftlichen und industriellen Verbände

U.C.P.A. *Union nationale des centres sportifs de plein air* Nationale Union der Freiluftsportzentren

U.C.T. *Union des cadres et techniciens* Union der höheren Angestellten und Techniker

U.D.A.F. *Union nationale des associations familiales* Nationale Union der Familienverbände

U.D.B. *Union démocratique bretonne* Bretonische demokratische Union

U.E. *Union européenne* Europäische Union

U.E.O. *Union de l'Europe occidentale* Vereinigung Westeuropas

U.E.P. *Union européenne des paiements* Europäische Zahlungsunion

U.E.R. *Union européenne de radiodiffusion; univ. unité d'enseignement et de recherche* Europäische Funkunion; *univ.* Fachbereich

U.F.C. *Union fédérale des consommateurs* Föderative Verbraucherunion

U.F.D. *Union des forces démocratiques* Union der demokratischen Kräfte

U.F.J.T. *Union des foyers de jeunes travailleurs* Union der Heime für Jungarbeiter

U.G.C. *Union générale cinématographique* (*od. de la cinématographie*) Allgemeine Kinounion

U.G.D.S. *Union de la gauche démocrate et socialiste* Union der demokratischen und sozialistischen Linken

U.G.P. *Union générale des pétroles* Allgemeine Ölunion

U.G.T.S.F. *Union générale des travailleurs sénégalais en France* Allgemeine Union der senegalesischen Arbeiter in Frankreich

U.I.C. *Union des industries chimiques* Union der chemischen Industrien

U.I.J.P.L.F. *Union internationale des journalistes et de la presse de langue française* Internationale Union der französisch schreibenden Journalisten sowie der Presse in französischer Sprache

U.I.T. *Union internationale des télécommunications* Internationale Union des Fernmeldewesens

U.J.F.F. *Union des jeunes filles de France* Union der französischen Mädchen
U.J.P. *Union des jeunes pour le progrès* Union der Jugendlichen für den Fortschritt (*seit 1965*)
U.M.D.C. *Union mondiale démocrate chrétienne* Christlich-demokratische Weltunion
U.N.A.P.E.I. *Union nationale des associations de parents d'enfants inadaptés* Nationale Union der Verbände von Eltern schwererziehbarer Kinder
U.N.A.P.E.L. *Union nationale des associations de parents d'élèves de l'enseignement libre* Nationale Union der Elternverbände von Schülern des freien Unterrichts
U.N.A.T. *Union nationale des associations de tourisme* Nationale Union der Tourismusverbände
U.N.A.T.I. *Union nationale des travailleurs indépendants* Nationale Union der selbständigen Arbeiter
U.N.C.A.L. *Union nationale des comités d'action lycéens* Nationale Union der Aktionskomitees von Oberschülern
U.N.C.I. *Union nationale du commerce et de l'industrie* Nationale Union des Handels und der Industrie
U.N.E.D.I.C. *Union nationale interprofessionnelle pour l'emploi dans l'industrie et le commerce* Nationale Union aller Berufe für die Beschäftigung in der Industrie und im Handel
U.N.E.F. *Union nationale des étudiants de France* Nationale Union der Studenten Frankreichs
U.N.O.S.T.R.A. *Union nationale des organisations syndicales de transporteurs routiers automobiles* Nationale Union der Gewerkschaftsorganisationen von Transporteuren per Achse
U.N.R. *Union pour la nouvelle République* Union der Neuen Republik
U.P.E. *Union parlementaire européenne* Europäische parlamentarische Union
U.P.I. *Union postale internationale* Internationale Postunion
U.P.U. *Union postale universelle* Welt-Postunion
U.R.I. *Université radiophonique et télévisuelle internationale* Internationale Universität für Rundfunk und Fernsehen
U.R.O.C. *Union régionale de l'organisation des consommateurs* Regionale Union der Verbraucherorganisation
U.R.S.S. *Union des Républiques socialistes soviétiques* Union der sozialistischen Sowjetrepubliken, UdSSR
U.R.S.S.A.F. *Union de recouvrement des cotisations de sécurité sociale et d'allocations familiales* Union der Inkassos der Beiträge für soziale Sicherheit und der Familienbeihilfen
U.S.F. *Union des salariés de France* Union der Arbeitnehmer Frankreichs
U.S.I.A.S. *Union syndicale des industries aéronautiques et spatiales* Gewerkschaftsunion der Flugzeug- und Raumschiffindustrien
U.S.N.E.F. *Union syndicale des enseignants de France* Gewerkschaftliche Union der französischen Lehrkräfte
U.T.A. *Union de transports aériens; Union des transports aéro-maritimes* Union für Lufttransporte; Union der Transporte in der Luft und auf See

V

V.A.C. *vin d'appellation contrôlée* kontrollierter Markenwein
V.C.C. *vin de consommation courante* Tischwein
V.D.Q.S. *vin délimité de qualité supérieure* Qualitätswein
v.f. *version française* französische Version (*od.* Lesart)
V.I.P. *f very important person* (*personne très importante*) sehr bedeutende Person
V.o. *voiture d'occasion* Gebrauchtwagen
vol. *volume(s)* Band *m*, Bände *pl.*
v.p.h. *voir plus haut* siehe oben, s.o.
V.R.D. *voies et réseaux divers* verschiedene Straßen und Verkehrsnetze
V/REF *votre référence* Ihr Zeichen
V.R.P. *voyageurs, représentants, placiers* Reisende, Vertreter, Stadtreisende
V.S.H.A. *villages sanatoriaux de haute altitude* Dörfer zum Sanatoriumsaufenthalt in großer Höhe
V.V.F. *Villages — Vacances — Familles* Dörfer — Ferien — Familien

X

X. *École polytechnique* Polytechnikum
X.P. *exprès payé* Eilbote bezahlt

Y

Y.C.F. *Yacht-Club de France* Französischer Segelklub

Z

Z.A.C. *Zone d'aménagement concerté* Zone für konzertierte Raumplanung

Z.A.D. *Zone d'aménagement* (*od. à aménagement*) *différé* Zone für aufschobene Raumplanung

Z.I.F. *Zone d'intervention foncière* Zone für Bodenintervention

Z.L.E. *Zone de libre échange* Freihandelszone

Z.U.P. *Zone à urbaniser en priorité* Zone für eine vorrangige Städteplanung

Konjugation der französischen Verben

Die in der folgenden Zusammenstellung angeführten Verben sind als Musterbeispiele zu betrachten. Im Wörterbuch sind hinter jedem Verb Nummer und Buchstabe [1a], [2b], [3c], [4d] usw. angegeben, die auf diese Musterbeispiele hinweisen.

Zur Bildung der Zeiten

Impératif: In der Regel aus der 2. Person Singular des *Indicatif présent* unter Weglassung des Personalpronomens. Die Verben der 1. Konjugation verlieren das **s** der 2. Person des Indikativs (wenn nicht *en* oder *y* darauf folgt).

Imparfait: Aus der 1. Person Plural des *Indicatif présent* durch Änderung von **...ons** in **...ais** usw.

Participe présent: Aus der 1. Person Plural des *Indicatif présent* durch Änderung von **...ons** in **...ant.**

Subjonctif présent: Aus der 3. Person Plural des *Indicatif présent* durch Änderung von **...ent** in **...e** usw.

Subjonctif imparfait: Aus der 2. Person Singular des *Passé simple* durch Anhängung von **...se** usw.

Futur I: Aus dem *Infinitif présent* durch Anhängung von **...ai** usw.

Conditionnel I: Aus dem *Infinitif présent* durch Anhängung von **...ais** usw.

Man beachte besonders:

1. In der 1. Person Singular des *Indicatif présent* der Verben auf -er ist nur die umschriebene Frageform mit *est-ce que* möglich: *est-ce que je blâme?*
2. In der Umgangssprache benutzt man für die Vergangenheit, wie im Deutschen, besonders das *Passé composé*: *j'ai blâmé.*
3. Außer in der 3. Person Singular ist heute das *Imparfait du subjonctif* (Konjunktiv des *Imparfait*) in Wort und Schrift fast völlig ungebräuchlich.

Hilfsverben

(1) avoir

A. Indicatif

I. Einfache Formen

Présent

sg. j'*ai*
tu *as*
il *a*

pl. nous av*ons*
vous av*ez*
ils *ont*

Imparfait

sg. j'av*ais*
tu av*ais*
il av*ait*

pl. nous av*ions*
vous av*iez*
ils av*aient*

Passé simple

sg. j'eu*s*
tu eu*s*
il eu*t*

pl. nous eû*mes*
vous eû*tes*
ils eu*rent*

Futur simple

sg. j'aur*ai*
tu aur*as*
il aur*a*

pl. nous aur*ons*
vous aur*ez*
ils aur*ont*

Conditionnel présent

sg. j'aur*ais*
tu aur*ais*
il aur*ait*

pl. nous aur*ions*
vous aur*iez*
ils aur*aient*

Participe présent

ay*ant*

Participe passé

eu (*f* eu*e*)

II. Zusammengesetzte Formen

Passé composé

j'ai eu

Plus-que-parfait

j'avais eu

Passé antérieur

j'eus eu

Futur antérieur

j'aurai eu

Conditionnel passé

j'aurais eu

Participe composé

ayant eu

Infinitif passé

avoir eu

B. Subjonctif

I. Einfache Formen

Présent

sg. que j'ai*e*
que tu ai*es*
qu'il ai*t*

pl. que nous ay*ons*
que vous ay*ez*
qu'ils ai*ent*

Imparfait

sg. que j'eus*se*
que tu eus*ses*
qu'il eû*t*

pl. que nous eus*sions*
que vous eus*siez*
qu'ils eus*sent*

Impératif

ai*e* — ay*ons* — ay*ez*

II. Zusammengesetzte Formen

Passé

que j'aie eu

Plus-que-parfait

que j'eusse eu

(1) être — Hilfsverben

A. Indicatif

I. Einfache Formen

Présent

sg. je sui*s*
tu e*s*
il es*t*

pl. nous somme*s*
vous ête*s*
ils *sont*

Imparfait

sg. j'ét*ais*
tu ét*ais*
il ét*ait*

pl. nous ét*ions*
vous ét*iez*
ils ét*aient*

Passé simple

sg. je fu*s*
tu fu*s*
il fu*t*

pl. nous fû*mes*
vous fû*tes*
ils fu*rent*

Futur simple

sg. je ser*ai*
tu ser*as*
il ser*a*

pl. nous ser*ons*
vous ser*ez*
ils ser*ont*

Conditionnel présent

sg. je ser*ais*
tu ser*ais*
il ser*ait*

pl. nous ser*ions*
vous ser*iez*
ils ser*aient*

Participe présent

ét*ant*

Participe passé

été

II. Zusammengesetzte Formen

Passé composé

j'ai été

Plus-que-parfait

j'avais été

Passé antérieur

j'eus été

Futur antérieur

j'aurai été

Conditionnel passé

j'aurais été

Participe composé

ayant été

Infinitif passé

avoir été

B. Subjonctif

I. Einfache Formen

Présent

sg. que je soi*s*
que tu soi*s*
qu'il soi*t*

pl. que nous soy*ons*
que vous soy*ez*
qu'ils soi*ent*

Imparfait

sg. que je fuss*e*
que tu fuss*es*
qu'il fû*t*

pl. que nous fuss*ions*
que vous fuss*iez*
qu'ils fuss*ent*

Impératif

soi*s* — soy*ons* — soy*ez*

II. Zusammengesetzte Formen

Passé

que j'aie été

Plus-que-parfait

que j'eusse été

(1a) **blâmer**

Erste Konjugation

I. Einfache Formen

Présent

sg. je blâm*e*
tu blâm*es*
il blâm*e*[1]

pl. nous blâm*ons*
vous blâm*ez*
ils blâm*ent*

Passé simple

sg. je blâm*ai*
tu blâm*as*
il blâm*a*

pl. nous blâm*âmes*
vous blâm*âtes*
ils blâm*èrent*

Participe passé

blâm*é*(*e*)

Infinitif présent

blâm*er*

Impératif

blâm*e*
blâm*ons*
blâm*ez*

NB. blâm*es*-en (-y)

Imparfait

sg. je blâm*ais*
tu blâm*ais*
il blâm*ait*

pl. nous blâm*ions*
vous blâm*iez*
ils blâm*aient*

Participe présent

blâm*ant*

Futur I

sg. je blâm*erai*
tu blâm*eras*
il blâm*era*

pl. nous blâm*erons*
vous blâm*erez*
ils blâm*eront*

Conditionnel I

sg. je blâm*erais*
tu blâm*erais*
il blâm*erait*

pl. nous blâm*erions*
vous blâm*eriez*
ils blâm*eraient*

Subjonctif présent

sg. que je blâm*e*
que tu blâm*es*
qu'il blâm*e*

pl. que nous blâm*ions*
que vous blâm*iez*
qu'ils blâm*ent*

Subjonctif imparfait

sg. que je blâm*asse*
que tu blâm*asses*
qu'il blâm*ât*

pl. que nous blâm*assions*
que vous blâm*assiez*
qu'ils blâm*assent*

[1] blâme-t-il?

II. Zusammengesetzte Formen

(Vom *Participe passé* mit Hilfe von **avoir** und **être**)

1. Das Aktiv

Passé composé: j'ai blâmé
Plus-que-parfait: j'avais blâmé
Passé antérieur: j'eus blâmé
Futur II: j'aurai blâmé
Conditionnel II: j'aurais blâmé

2. Das Passiv

Présent: je suis blâmé
Imparfait: j'étais blâmé
Passé simple: je fus blâmé
Passé composé: j'ai été blâmé
Plus-que-parf.: j'avais été blâmé
Passé antérieur: j'eus été blâmé
Futur I: je serai blâmé
Futur II: j'aurai été blâmé
Conditionnel I: je serais blâmé
Conditionnel II: j'aurais été blâmé
Impératif: sois blâmé
Participe présent: étant blâmé
Participe passé: ayant été blâmé
Infinitif présent: être blâmé
Infinitif passé: avoir été blâmé

Zeichen	Infinitif	Bemerkungen	Présent de l'indicatif	Présent du subjonctif	Passé simple	Futur	Impératif	Participe passé
(1b)	aimer	Oft wird vortoniges *ai-* wie [e] und nicht wie [ɛ] gesprochen.	aim*e* aim*es* aim*e* aim*ons* aim*ez* aim*ent*	aim*e* aim*es* aim*e* aim*ions* aim*iez* aim*ent*	aim*ai* aim*as* aim*a* aim*âmes* aim*âtes* aim*èrent*	aim*erai* aim*eras* aim*era* aim*erons* aim*erez* aim*eront*	aim*e* aim*ons* aim*ez*	aim*é*(*e*)
(1c)	appeler	Der Schlußkonsonant des Stammes verdoppelt sich unter dem Ton (auch im *fut.* und *cond.*, da Nebenton)	appell*e* appell*es* appell*e* appel*ons* appel*ez* appell*ent*	appell*e* appell*es* appell*e* appel*ions* appel*iez* appell*ent*	appel*ai* appel*as* appel*a* appel*âmes* appel*âtes* appel*èrent*	appell*erai* appell*eras* appell*era* appell*erons* appell*erez* appell*eront*	appell*e* appel*ons* appel*ez*	appel*é*(*e*)
(1d)	celer	Das **e** des Stammes wird **è** unter dem Ton (auch im *fut.* und *cond.*, da Nebenton)	cèl*e* cèl*es* cèl*e* cel*ons* cel*ez* cèl*ent*	cèl*e* cèl*es* cèl*e* cel*ions* cel*iez* cèl*ent*	cel*ai* cel*as* cel*a* cel*âmes* cel*âtes* cel*èrent*	cèl*erai* cèl*eras* cèl*era* cèl*erons* cèl*erez* cèl*eront*	cèl*e* cel*ons* cel*ez*	cel*é*(*e*)
(1e)	crocheter	**èt** unter dem Ton (auch im *fut.* und *cond.*, da Nebenton)	crochèt*e* crochèt*es* crochèt*e* crochet*ons* crochet*ez* crochèt*ent*	crochèt*e* crochèt*es* crochèt*e* crochet*ions* crochet*iez* crochèt*ent*	crochet*ai* crochet*as* crochet*a* crochet*âmes* crochet*âtes* crochet*èrent*	crochèt*erai* crochèt*eras* crochèt*era* crochèt*erons* crochèt*erez* crochèt*eront*	crochèt*e* crochet*ons* crochet*ez*	crochet*é*(*e*)

Zeichen	Infinitif	Bemerkungen	Présent de l'indicatif	Présent du subjonctif	Passé simple	Futur	Impératif	Participe passé
(1f)	régner	Das **é** des Stammes wird **è** unter dem Ton **nur** im *prés.* und *impér.*, nicht im *fut.* und *cond.*	règn*e* règn*es* règn*e* régn*ons* régn*ez* règn*ent*	règn*e* règn*es* règn*e* régn*ions* régn*iez* règn*ent*	régn*ai* régn*as* régn*a* régn*âmes* régn*âtes* régn*èrent*	régn*erai* régn*eras* régn*era* régn*erons* régn*erez* régn*eront*	règn*e* régn*ons* régn*ez*	régn*é* (*inv.*)
(1g)	abréger	Das **é** des Stammes wird **è** unter dem Ton **nur** im *prés.* und *impér.*, nicht im *fut.* u. *cond.* Nach **g** Einschiebung eines stummen **e** vor **a** u. **o**	abrèg*e* abrèg*es* abrèg*e* abrég*eons* abrég*ez* abrèg*ent*	abrèg*e* abrèg*es* abrèg*e* abrég*ions* abrég*iez* abrèg*ent*	abrég*eai* abrég*eas* abrég*ea* abrég*eâmes* abrég*eâtes* abrég*èrent*	abrég*erai* abrég*eras* abrég*era* abrég*erons* abrég*erez* abrég*eront*	abrèg*e* abrég*eons* abrég*ez*	abrég*é*(*e*)
(1h)	employer	Das **y** des Stammes wird **i** unter dem Ton (auch im *fut.* und *cond.*, da Nebenton)	emploi*e* emploi*es* emploi*e* employ*ons* employ*ez* emploi*ent*	emploi*e* emploi*es* emploi*e* employ*ions* employ*iez* emploi*ent*	employ*ai* employ*as* employ*a* employ*âmes* employ*âtes* employ*èrent*	emploi*erai* emploi*eras* emploi*era* emploi*erons* emploi*erez* emploi*eront*	emploi*e* employ*ons* employ*ez*	employ*é*(*e*)
(1i)	payer	Für das **y** des Stammes wird unter dem Ton (auch im *fut.* u. *cond.*, da Nebenton) die Schreibung mit **i** bevorzugt	pai*e*, pay*e* pai*es*, pay*es* pai*e*, pay*e* pay*ons* pay*ez* pai*ent*, -*yent*	pai*e*, pay*e* pai*es*, pay*es* pai*e*, pay*e* pay*ions* pay*iez* pai*ent*, -*yent*	pay*ai* pay*as* pay*a* pay*âmes* pay*âtes* pay*èrent*	pai*erai*, paye.. pai*eras* pai*era* pai*erons* pai*erez* pai*eront*	pai*e*, pay*e* pay*ons* pay*ez*	pay*é*(*e*)

Zeichen	Infinitif	Bemerkungen	Présent de l'indicatif	Présent du subjonctif	Passé simple	Futur	Impératif	Participe passé
(1k)	menacer	**c** erhält eine Cedille (ç) vor **a** und **o**, damit dem c der [s]-Laut erhalten bleibt	menac*e* menac*es* menac*e* menaç*ons* menac*ez* menac*ent*	menac*e* menac*es* menac*e* menac*ions* menac*iez* menac*ent*	menaç*ai* menaç*as* menaç*a* menaç*âmes* menaç*âtes* menac*èrent*	menac*erai* menac*eras* menac*era* menac*erons* menac*erez* menac*eront*	menac*e* menaç*ons* menac*ez*	menac*é*(*e*)
(1l)	manger	Einschiebung eines stummen **e** zwischen Stamm und mit **a** oder **o** beginnender Endung, damit das **g** den [ʒ]-Laut behält	mang*e* mang*es* mang*e* mange*ons* mang*ez* mang*ent*	mang*e* mang*es* mang*e* mang*ions* mang*iez* mang*ent*	mange*ai* mange*as* mange*a* mange*âmes* mange*âtes* mang*èrent*	mang*erai* mang*eras* mang*era* mang*erons* mang*erez* mang*eront*	mang*e* mange*ons* mang*ez*	mang*é*(*e*)
(1m)	conjuguer	Das stumme **u** am Ende des Stammes bleibt überall, auch vor **a** und **o**	conjugu*e* conjugu*es* conjugu*e* conjugu*ons* conjugu*ez* conjugu*ent*	conjugu*e* conjugu*es* conjugu*e* conjugu*ions* conjugu*iez* conjugu*ent*	conjugu*ai* conjugu*as* conjugu*a* conjugu*âmes* conjugu*âtes* conjugu*èrent*	conjugu*erai* conjugu*eras* conjugu*era* conjugu*erons* conjugu*erez* conjugu*eront*	conjugu*e* conjugu*ons* conjugu*ez*	conju-gu*é*(*e*)
(1n)	saluer		salu*e* salu*es* salu*e* salu*ons* salu*ez* salu*ent*	salu*e* salu*es* salu*e* salu*ions* salu*iez* salu*ent*	salu*ai* salu*as* salu*a* salu*âmes* salu*âtes* salu*èrent*	salu*erai* salu*eras* salu*era* salu*erons* salu*erez* salu*eront*	salu*e* salu*ons* salu*ez*	salu*é*(*e*)

Zeichen	Infinitif	Bemerkungen	Présent		Passé simple	Futur	Impératif	Participe passé
			de l'indicatif	du subjonctif				
(1o)	aller	Wechsel des Stammes **all** mit den Stämmen von lateinisch **vadere** und **ire**	vais vas va all*ons* all*ez* vo*nt*	aill*e* aill*es* aill*e* all*ions* all*iez* aill*ent*	all*ai* all*as* all*a* all*âmes* all*âtes* all*èrent*	ir*ai* ir*as* ir*a* ir*ons* ir*ez* ir*ont*	va (vas-y; *aber*: va-t'en) all*ons* all*ez*	all*é*(*e*)
(1p)	envoyer	Nach (1h), hat aber unregelmäßiges *fut.* und *cond.*	envoi*e* envoi*es* envoi*e* envo**y***ons* envo**y***ez* envoi*ent*	envoi*e* envoi*es* envoi*e* envo**y***ions* envo**y***iez* envoi*ent*	envo**y***ai* envo**y***as* envo**y***a* envo**y***âmes* envo**y***âtes* envo**y***èrent*	enverr*ai* enverr*as* enverr*a* enverr*ons* enverr*ez* enverr*ont*	envoi*e* envo**y***ons* envo**y***ez*	envo**y***é*(*e*)

(2a) **punir** *

Zweite Konjugation

Zweite regelmäßige Konjugation, deren Kennzeichen meist die Stammerweiterung durch **...is...** bzw. **...iss...** ist

I. Einfache Formen

Présent	*Impératif*	*Futur I*	*Subjonctif présent*
sg. je pun*is* tu pun*is* il pun*it* *pl.* nous pun*issons* vous pun*issez* ils pun*issent*	pun*is* pun*issons* pun*issez*	*sg.* je pun*irai* tu pun*iras* il pun*ira* *pl.* nous pun*irons* vous pun*irez* ils pun*iront*	*sg.* que je pun*isse* que tu pun*isses* qu'il pun*isse* *pl.* que nous pun*issions* que vous pun*issiez* qu'ils pun*issent*
Passé simple	*Imparfait*	*Conditionnel I*	*Subjonctif imparfait*
sg. je pun*is* tu pun*is* il pun*it* *pl.* nous pun*îmes* vous pun*îtes* ils pun*irent*	*sg.* je pun*issais* tu pun*issais* il pun*issait* *pl.* nous pun*issions* vous pun*issiez* ils pun*issaient*	*sg.* je pun*irais* tu pun*irais* il pun*irait* *pl.* nous pun*irions* vous pun*iriez* ils pun*iraient*	*sg.* que je pun*isse* que tu pun*isses* qu'il pun*ît* *pl.* que nous pun*issions* que vous pun*issiez* qu'ils pun*issent*
Participe passé pun*i*(*e*)			
Infinitif présent pun*ir*	*Participe présent* pun*issant*		

II. Zusammengesetzte Formen

Vom *Participe passé* mit Hilfe von **avoir und être**; s. (1a)

* **fleurir** im bildlichen Sinne hat im *Participe présent* meist **florissant,** im *Imparfait* meist **florissait**

Zeichen	Infinitif	Bemerkungen	Présent de l'indicatif	Présent du subjonctif	Passé simple	Futur	Impératif	Participe passé
(2b)	sentir	Keine Stammerweiterung durch **...is...** bzw. **...iss...**	sen*s* sen*s* sen*t* sent*ons* sent*ez* sent*ent*	sent*e* sent*es* sent*e* sent*ions* sent*iez* sent*ent*	sent*is* sent*is* sent*it* sent*îmes* sent*îtes* sent*irent*	sent*irai* sent*iras* sent*ira* sent*irons* sent*irez* sent*iront*	sen*s* sent*ons* sent*ez*	sent*i*(*e*)
(2c)	cueillir	*prés.*, *fut.* und *cond.* nach der 1. Konjugation	cueill*e* cueill*es* cueill*e* cueill*ons* cueill*ez* cueill*ent*	cueill*e* cueill*es* cueill*e* cueill*ions* cueill*iez* cueill*ent*	cueill*is* cueill*is* cueill*it* cueill*îmes* cueill*îtes* cueill*irent*	cueill*erai* cueill*eras* cueill*era* cueill*erons* cueill*erez* cueill*eront*	cueill*e* cueill*ons* cueill*ez*	cueill*i*(*e*)
(2d)	fuir	Keine Stammerweiterung durch **...is...** bzw. **...iss...** Wechsel zwischen **y** und **i** je nach End- od. Stammbetonung	fu*is* fu*is* fu*it* fu*yons* fu*yez* fu*ient*	fu*ie* fu*ies* fu*ie* fu*yions* fu*yiez* fu*ient*	fu*is* fu*is* fu*it* fu*îmes* fu*îtes* fu*irent*	fu*irai* fu*iras* fu*ira* fu*irons* fu*irez* fu*iront*	fu*is* fu*yons* fu*yez*	fu*i*(*e*)
(2e)	bouillir	*prés. ind.* und Ableitungen nach der 4. Konjugation	bou*s* bou*s* bou*t* bouill*ons* bouill*ez* bouill*ent*	bouill*e* bouill*es* bouill*e* bouill*ions* bouill*iez* bouill*ent*	bouill*is* bouill*is* bouill*it* bouill*îmes* bouill*îtes* bouill*irent*	bouill*irai* bouill*iras* bouill*ira* bouill*irons* bouill*irez* bouill*iront*	bou*s* bouill*ons* bouill*ez*	bouill*i*(*e*)

Zeichen	Infinitif	Bemerkungen	Présent de l'indicatif	Présent du subjonctif	Passé simple	Futur	Impératif	Participe passé
(2f)	couvrir	*prés. ind.* und Ableitungen nach der 1. Konjugation; *p.p.* auf **-ert**	couvre couvres couvre couvrons couvrez couvrent	couvre couvres couvre couvrions couvriez couvrent	couvris couvris couvrit couvrîmes couvrîtes couvrirent	couvrirai couvriras couvrira couvrirons couvrirez couvriront	couvre couvrons couvrez	couvert(e)
(2g)	vêtir	Geht nach (2b), außer im *p.p.* Abgesehen von **vêtu** wird **vêtir** kaum noch gebraucht.	vêts vêts vêt vêtons vêtez vêtent	vête vêtes vête vêtions vêtiez vêtent	vêtis vêtis vêtit vêtîmes vêtîtes vêtirent	vêtirai vêtiras vêtira vêtirons vêtirez vêtiront	vêts vêtons vêtez	vêtu(e)
(2h)	venir	*prés. ind., fut., p.p.* u. Ableitungen nach der 4. Konjugation. Im *passé simple* Umlaut [ɛ̃]; man beachte das eingeschobene **-d-** im *fut.* und *cond.*	viens viens vient venons venez viennent	vienne viennes vienne venions veniez viennent	vins vins vint vînmes vîntes vinrent	viendrai viendras viendra viendrons viendrez viendront	viens venons venez	venu(e)
(2i)	courir	*prés. ind., p.p., fut.* u. Ableitungen nach der 4., *passé simple* nach der 3. Konjugation; **-rr-** im *fut.* und *cond.*	cours cours court courons courez courent	coure coures coure courions couriez courent	courus courus courut courûmes courûtes coururent	courrai courras courra courrons courrez courront	cours courons courez	couru(e)

Zeichen	Infinitif	Bemerkungen	Présent de l'indicatif	Présent du subjonctif	Passé simple	Futur	Impératif	Participe passé
(2k)	mourir	*prés. ind.*, *fut.* und Ableitungen nach der 4. Konjugation, doch Umlaut **eu** neben **ou**; *passé simple* nach der 3. Konjugation	**meurs** **meurs** **meurt** mourons mourez **meurent**	**meure** **meures** **meure** mourions mouriez **meurent**	mourus mourus mourut mourûmes mourûtes moururent	mourrai mourras mourra mourrons mourrez mourront	**meurs** mourons mourez	mort(*e*)
(2l)	acquérir	*prés. ind.* und Ableitungen nach der 4. Konjugation mit Einschiebung von **i** vor **e**; *p.p.* mit **-s**; **-err-** im *fut.* u. *cond.*	acquiers acquiers acquiert acquérons acquérez acquièrent	acquière acquières acquière acquérions acquériez acquièrent	acquis acquis acquit acquîmes acquîtes acquirent	acquerrai acquerras acquerra acquerrons acquerrez acquerront	acquiers acquérons acquérez	acquis(*e*)
(2m)	haïr	Geht nach (2a); aber es verliert im *sg. prés. ind.* und *impér.* das Trema auf dem **i**	hais [ɛ] hais hait haïssons haïssez haïssent	haïsse haïsses haïsse haïssions haïssiez haïssent	haïs [a'i] haïs haït haïmes haïtes haïrent	haïrai haïras haïra haïrons haïrez haïront	hais haïssons haïssez	haï(*e*)
(2n)	faillir	Defektiv; *fut.* und *cond.* nach (2a). Im Sinne v. Bankrott machen geht es nach (2a)			faillis faillis faillit faillîmes faillîtes faillirent	faillirai failliras faillira faillirons faillirez failliront		failli(*e*)

(3a) **recevoir**

Dritte Konjugation

	I. Einfache Formen		
Présent	*Impératif*	*Futur I*	*Subjonctif présent*
sg. je reç*ois* tu reç*ois* il reç*oit*	reç*ois* rece*vons* rece*vez*	*sg.* je rece*vrai* tu rece*vras* il rece*vra*	*sg.* que je reç*oive* que tu reç*oives* qu'il reç*oive*
pl. nous rece*vons* vous rece*vez* ils reç*oivent*		*pl.* nous rece*vrons* vous rece*vrez* ils rece*vront*	*pl.* que nous rece*vions* que vous rece*viez* qu'ils reç*oivent*
Passé simple	*Imparfait*	*Conditionnel I*	*Subjonctif imparfait*
sg. je reç*us* tu reç*us* il reç*ut*	*sg.* je rece*vais* tu rece*vais* il rece*vait*	*sg.* je rece*vrais* tu rece*vrais* il rece*vrait*	*sg.* que je reç*usse* que tu reç*usses* qu'il reç*ût*
pl. nous reç*ûmes* vous reç*ûtes* ils reç*urent*	*pl.* nous rece*vions* vous rece*viez* ils rece*vaient*	*pl.* nous rece*vrions* vous rece*vriez* ils rece*vraient*	*pl.* que nous reç*ussions* que vous reç*ussiez* qu'ils reç*ussent*
Participe passé reçu(*e*)	*Participe présent* rece*vant*		
Infinitif présent rece*voir*			

II. Zusammengesetzte Formen

Vom *Participe passé* mit Hilfe von **avoir** und **être**; s. (1a)

Zeichen	Infinitif	Bemerkungen	Présent de l'indicatif	Présent du subjonctif	Passé simple	Futur	Impératif	Participe passé
(3b)	voir	Wechsel zwischen **i** und **y** wie in (2d). Ableitungen regelmäßig, jedoch im *fut.* und *cond.* **-err-** (statt **-oir-**)	voi*s* voi*s* voi*t* voy*ons* voy*ez* voi*ent*	voi*e* voi*es* voi*e* voy*ions* voy*iez* voi*ent*	v*is* *pourvoir*: je pourvus	ver*rai* *pourvoir*: je pourvoirai; *prévoir*: je prévoirai	vois voy*ons* voy*ez*	v*u*(*e*)
(3c)	falloir	Nur gebräuchlich in der 3. P. *sg.*	il fau*t*	qu'il fa*ille*	il fall*ut*	il faud*ra*		fall*u*(*inv.*)
(3d)	mouvoir	Tonsilbe: **meu.** In den Formen mit **mouv** rückt die Betonung auf die Endung	meu*s* meu*s* meu*t* mouv*ons* mouv*ez* meuv*ent*	meuv*e* meuv*es* meuv*e* mouv*ions* mouv*iez* meuv*ent*	m*us* m*us* m*ut* m*ûmes* m*ûtes* m*urent*	mouv*rai* mouv*ras* mouv*ra* mouv*rons* mouv*rez* mouv*ront*	meus mouv*ons* mouv*ez*	m*û*, m*ue*
(3e)	pleuvoir		il pleu*t*	qu'il pleuv*e*	il pl*ut*	il pleuv*ra*		pl*u* (*inv.*)
(3f)	pouvoir	Im *prés. ind.* manchmal auch **je puis**; fragend **puis-je** (besser als peux-je)	peu*x* peu*x* peu*t* pouv*ons* pouv*ez* peuv*ent*	puiss*e* puiss*es* puiss*e* puiss*ions* puiss*iez* puiss*ent*	p*us* p*us* p*ut* p*ûmes* p*ûtes* p*urent*	pour*rai* pour*ras* pour*ra* pour*rons* pour*rez* pour*ront*		p*u* (*inv.*)

Zeichen	Infinitif	Bemerkungen	Présent de l'indicatif	Présent du subjonctif	Passé simple	Futur	Impératif	Participe passé
(3g)	savoir	*p.p.* **sachant**	sai*s* sai*s* sai*t* sav*ons* sav*ez* sav*ent*	sach*e* sach*es* sach*e* sach*ions* sach*iez* sach*ent*	*sus* *sus* *sut* *sûmes* *sûtes* *surent*	saur*ai* saur*as* saur*a* saur*ons* saur*ez* saur*ont*	sach*e* sach*ons* sach*ez*	s*u*(*e*)
(3h)	valoir	**prévaloir** bildet das *prés. subj.* regelmäßig: **que je prévale,** etc.	vau*x* vau*x* vau*t* val*ons* val*ez* val*ent*	vaill*e* vaill*es* vaill*e* val*ions* val*iez* vaill*ent*	val*us* val*us* val*ut* val*ûmes* val*ûtes* val*urent*	vaudr*ai* vaudr*as* vaudr*a* vaudr*ons* vaudr*ez* vaudr*ont*		val*u*(*e*)
(3i)	vouloir	Tonsilbe: **veu-**. In den Formen mit **voul-** rückt die Betonung auf die Endung. Im *fut.* Einschiebung von **-d-**	veu*x* veu*x* veu*t* voul*ons* voul*ez* veul*ent*	veuill*e* veuill*es* veuill*e* voul*ions* voul*iez* veuill*ent*	voul*us* voul*us* voul*ut* voul*ûmes* voul*ûtes* voul*urent*	voudr*ai* voudr*as* voudr*a* voudr*ons* voudr*ez* voudr*ont*	veuill*e* veuill*ons* veuill*ez*	voul*u*(*e*)
(3k)	seoir	Geht nach der 4. Konjugation. Nur in wenigen Formen gebräuchlich. *p.pr.* **seyant;** im Sinne von Sitzung haltend jedoch **séant**	il sie*d* ils sié*ent*			il sié*ra* ils sié*ront*		si*s*(*e*)

Zeichen	Infinitif	Bemerkungen	Présent de l'indicatif	Présent du subjonctif	Passé simple	Futur	Impératif	Participe passé
	asseoir	Hat, außer im *passé simple* und *p.p.* (assis), doppelte Formen: **assied…, assey…, assié…**	assie*ds* assie*ds* assie*d* assey*ons* assey*ez* assey*ent*	assey*e* assey*es* assey*e* assey*ions* assey*iez* assey*ent*	ass*is* ass*is* ass*it* ass*îmes* ass*îtes* ass*irent*	assié*rai* assié*ras* assié*ra* assié*rons* assié*rez* assié*ront*	assie*ds* assey*ons* assey*ez*	ass*is*(*e*)
(31)	choir	Selten gebraucht. Im *fut.* und *cond.* auch Verdoppelung des **-r-**	chois		il chu*t*	choi*rai* *od.* cher*rai*		ch*u*(*e*)
	déchoir		déchois déchois déchoi*t* déchoy*ons* déchoy*ez* déchoi*ent*	déchoi*e* déchoi*es* déchoi*e* déchoy*ions* déchoy*iez* déchoi*ent*	déch*us* déch*us* déch*ut* déch*ûmes* déch*ûtes* déch*urent*	déchoir*ai* déchoir*as* déchoir*a* déchoir*ons* déchoir*ez* déchoir*ont*		déch*u*(*e*)
	échoir	Defektiv; die wenig gebräuchlichen Formen sind:	il échoi*t*	qu'il échoie qu'ils échoi*ent*	il éch*ut* ils éch*urent*	il échoir*a* ils échoir*ont*		éch*u*(*e*)

(4a) **vendre**

Vierte Konjugation

Vierte regelmäßige Konjugation mit unverändertem Stamm

I. Einfache Formen

Présent	*Impératif*	*Futur I*	*Subjonctif présent*
sg. je vend*s* tu vend*s* il vend[1]	vend*s* vend*ons* vend*ez*	*sg.* je vendr*ai* tu vendr*as* il vendr*a*	*sg.* que je vend*e* que tu vend*es* qu'il vend*e*
pl. nous vend*ons* vous vend*ez* ils vend*ent*		*pl.* nous vendr*ons* vous vendr*ez* ils vendr*ont*	*pl.* que nous vend*ions* que vous vend*iez* qu'ils vend*ent*
Passé simple	*Imparfait*	*Conditionnel I*	*Subjonctif imparfait*
sg. je vend*is* tu vend*is* il vend*it*	*sg.* je vend*ais* tu vend*ais* il vend*ait*	*sg.* je vendr*ais* tu vendr*ais* il vendr*ait*	*sg.* que je vend*isse* que tu vend*isses* qu'il vend*ît*
pl. nous vend*îmes* vous vend*îtes* ils vend*irent*	*pl.* nous vend*ions* vous vend*iez* ils vend*aient*	*pl.* nous vendr*ions* vous vendr*iez* ils vendr*aient*	*pl.* que nous vend*issions* que vous vend*issiez* qu'ils vend*issent*
Participe passé vend*u(e)*	*Participe présent* vend*ant*		
Infinitif présent vend*re*			

[1] rompre bildet: il rompt.

II. Zusammengesetzte Formen

Vom *Participe passé* mit Hilfe von **avoir** und **être**; s. (1a)

Zeichen	Infinitif	Bemerkungen	Présent de l'indicatif	Présent du subjonctif	Passé simple	Futur	Impératif	Participe passé
(4b)	peindre	Wechsel zwischen nasalem **n** und mouilliertem **n** (**gn**); **-d-** nur vor **r**, also im *inf.*, *fut.* und *cond.*	pein*s* pein*s* pein*t* peign*ons* peign*ez* peign*ent*	peign*e* peign*es* peign*e* peign*ions* peign*iez* peign*ent*	peign*is* peign*is* peign*it* peign*îmes* peign*îtes* peign*irent*	peindr*ai* peindr*as* peindr*a* peindr*ons* peindr*ez* peindr*ont*	pein*s* peign*ons* peign*ez*	pein*t*(*e*)
(4c)	conduire	**Luire, reluire, nuire** haben im *p.p.* kein **t**	condui*s* condui*s* condui*t* conduis*ons* conduis*ez* conduis*ent*	conduis*e* conduis*es* conduis*e* conduis*ions* conduis*iez* conduis*ent*	conduis*is* conduis*is* conduis*it* conduis*îmes* conduis*îtes* conduis*irent*	condui*rai* condui*ras* condui*ra* condui*rons* condui*rez* condui*ront*	conduis conduis*ons* conduis*ez*	condui*t*(*e*)
(4d)	coudre	Vor den mit Vokal beginnenden Endungen wird **-d-** durch -s- ersetzt	coud*s* coud*s* coud cous*ons* cous*ez* cous*ent*	cous*e* cous*es* cous*e* cous*ions* cous*iez* cous*ent*	cous*is* cous*is* cous*it* cous*îmes* cous*îtes* cous*irent*	coud*rai* coud*ras* coud*ra* coud*rons* coud*rez* coud*ront*	coud*s* cous*ons* cous*ez*	cous*u*(*e*)
(4e)	vivre	Wegfall des End-v des Stammes im *sg. prés. ind.*; *passé simple* **vécus**; *p.p.* **vécu**	vis vis vit viv*ons* viv*ez* viv*ent*	viv*e* viv*es* viv*e* viv*ions* viv*iez* viv*ent*	véc*us* véc*us* véc*ut* véc*ûmes* véc*ûtes* véc*urent*	viv*rai* viv*ras* viv*ra* viv*rons* viv*rez* viv*ront*	vis viv*ons* viv*ez*	véc*u*(*e*)

Zeichen	Infinitif	Bemerkungen	Présent de l'indicatif	Présent du subjonctif	Passé simple	Futur	Impératif	Participe passé
(4f)	écrire	Vor Vokal bleibt **v** aus lateinisch **b** erhalten	écri*s* écri*s* écri*t* écriv*ons* écriv*ez* écriv*ent*	écriv*e* écriv*es* écriv*e* écriv*ions* écriv*iez* écriv*ent*	écriv*is* écriv*is* écriv*it* écriv*îmes* écriv*îtes* écriv*irent*	écri*rai* écri*ras* écri*ra* écri*rons* écri*rez* écri*ront*	écri*s* écriv*ons* écriv*ez*	écri*t*(*e*)
(4g)	naître	-ss- im *pl. prés. ind.* u. dessen Ableitungen; im *sg. prés. ind.* erscheint **i** vor **t** als **î**	nai*s* nai*s* naî*t* naiss*ons* naiss*ez* naiss*ent*	naiss*e* naiss*es* naiss*e* naiss*ions* naiss*iez* naiss*ent*	naqu*is* naqu*is* naqu*it* naqu*îmes* naqu*îtes* naqu*irent*	naît*rai* naît*ras* naît*ra* naît*rons* naît*rez* naît*ront*	nai*s* naiss*ons* naiss*ez*	né(*e*)
(4h)	suivre	*p.p.* nach der 2. Konjugation	sui*s* sui*s* sui*t* suiv*ons* suiv*ez* suiv*ent*	suiv*e* suiv*es* suiv*e* suiv*ions* suiv*iez* suiv*ent*	suiv*is* suiv*is* suiv*it* suiv*îmes* suiv*îtes* suiv*irent*	suiv*rai* suiv*ras* suiv*ra* suiv*rons* suiv*rez* suiv*ront*	sui*s* suiv*ons* suiv*ez*	suiv*i*(*e*)
(4i)	vaincre	Kein **t** in der 3. P. *sg. prés. ind.*; Umwandlung des **c** in **qu** vor Vokalen (jedoch: **vaincu**)	vainc*s* vainc*s* vainc vainqu*ons* vainqu*ez* vainqu*ent*	vainqu*e* vainqu*es* vainqu*e* vainqu*ions* vainqu*iez* vainqu*ent*	vainqu*is* vainqu*is* vainqu*it* vainqu*îmes* vainqu*îtes* vainqu*irent*	vainc*rai* vainc*ras* vainc*ra* vainc*rons* vainc*rez* vainc*ront*	vainc*s* vainqu*ons* vainqu*ez*	vainc*u*(*e*)

Zeichen	Infinitif	Bemerkungen	Présent de l'indicatif	Présent du subjonctif	Passé simple	Futur	Impératif	Participe passé
(4k)	clore	*prés.* 3. P. *pl.* **closent;** entsprechend *prés. subj.*; 3. P. *sg. prés. ind.* auf **...ôt**	je clo*s* tu clo*s* il clô*t* ↖ils clos*ent*	↖que je clos*e*		↖je clor*ai*	clo*s*	clos(*e*)
	éclore	Nur in der 3. P. gebräuchlich	il éclô*t* ils éclos*ent*	qu'il éclos*e* qu'ils éclos*ent*		il éclor*a* ils éclor*ont*		éclos(*e*)
(4l)	conclure	*passé simple* geht nach der 3. Konjugation. **Reclure** hat im *p.p.* **reclus(e)**; ebenso: **inclus(e)**; aber: **exclu(e)**	conclu*s* conclu*s* conclu*t* conclu*ons* conclu*ez* conclu*ent*	conclu*e* conclu*es* conclu*e* conclu*ions* conclu*iez* conclu*ent*	concl*us* concl*us* concl*ut* concl*ûmes* concl*ûtes* concl*urent*	conclur*ai* conclur*as* conclur*a* conclur*ons* conclur*ez* conclur*ont*	conclu*s* conclu*ons* conclu*ez*	concl*u*(*e*)
(4m)	dire	**Redire** wird wie **dire** konjugiert. Die anderen Komposita haben im *prés.* **...disez** mit Ausnahme v. **maudire,** das nach der 2. Konjugation geht, aber im *p.p.* **maudit** hat	di*s* di*s* di*t* dis*ons* dit*es* dis*ent*	dis*e* dis*es* dis*e* dis*ions* dis*iez* dis*ent*	d*is* d*is* d*it* d*îmes* d*îtes* d*irent*	dir*ai* dir*as* dir*a* dir*ons* dir*ez* dir*ont*	di*s* dis*ons* dit*es*	di*t*(*e*)

Zeichen	Infinitif	Bemerkungen	Présent de l'indicatif	Présent du subjonctif	Passé simple	Futur	Impératif	Participe passé
(4n)	faire	Vielfacher Wechsel des Stammvokals	fais, fais, fait [fɛ] faisons [fə'zɔ̃] faites [fɛt] font	fasse fasses fasse fassions fassiez fassent	fis fis fit fîmes fîtes firent	ferai, feras, fera, ferons, ferez, feront [fə-]	fais faisons faites	fait(e)
(4o)	confire		confis confis confit confisons confisez confisent	confise confises confise confisions confisiez confisent	confis confis confit confîmes confîtes confirent	confirai confiras confira confirons confirez confiront	confis confisons confisez	confit(e)
(4p)	mettre	Abwerfung des einen t im *sg. prés. ind.* in den stammbetonten Formen	mets mets met mettons mettez mettent	mette mettes mette mettions mettiez mettent	mis mis mit mîmes mîtes mirent	mettrai mettras mettra mettrons mettrez mettront	mets mettons mettez	mis(e)
(4q)	prendre	Einige Formen werfen **d** ab	prends prends prend prenons prenez prennent	prenne prennes prenne prenions preniez prennent	pris pris prit prîmes prîtes prirent	prendrai prendras prendra prendrons prendrez prendront	prends prenons prenez	pris(e)

Zeichen	Infinitif	Bemerkungen	Présent de l'indicatif	Présent du subjonctif	Passé simple	Futur	Impératif	Participe passé
(4r)	rire	*p.p.* nach der 2. Konjugation	ri*s* ri*s* ri*t* ri*ons* ri*ez* ri*ent*	ri*e* ri*es* ri*e* rii*ons* rii*ez* ri*ent*	r*is* r*is* r*it* r*îmes* r*îtes* r*irent*	rir*ai* rir*as* rir*a* rir*ons* rir*ez* rir*ont*	ri*s* ri*ons* ri*ez*	ri (*inv.*)
(4s)	traire	*passé simple* und *imparfait subj.* fehlen	trai*s* trai*s* trai*t* tray*ons* tray*ez* trai*ent*	trai*e* trai*es* trai*e* tray*ions* tray*iez* trai*ent*		trair*ai* trair*as* trair*a* trair*ons* trair*ez* trair*ont*	trai*s* tray*ons* tray*ez*	trai*t*(*e*)
(4t)	circoncire		circonci*s* circonci*s* circonci*t* circoncis*ons* circoncis*ez* circoncis*ent*	circoncis*e* circoncis*es* circoncis*e* circoncis*ions* circoncis*iez* circoncis*ent*	circonc*is* circonc*is* circonc*it* circonc*îmes* circonc*îtes* circonc*irent*	circoncir*ai* circoncir*as* circoncir*a* circoncir*ons* circoncir*ez* circoncir*ont*	circonci*s* circoncis*ons* circoncis*ez*	circoncis(*e*)
(4u)	boire	Vor Vokal bleibt **v** aus lat. **b** erhalten. *passé simple* nach der 3. Konjugation	boi*s* boi*s* boi*t* buv*ons* buv*ez* boiv*ent*	boiv*e* boiv*es* boiv*e* buv*ions* buv*iez* boiv*ent*	b*us* b*us* b*ut* b*ûmes* b*ûtes* b*urent*	boir*ai* boir*as* boir*a* boir*ons* boir*ez* boir*ont*	boi*s* buv*ons* buv*ez*	b*u*(*e*)

Zeichen	Infinitif	Bemerkungen	Présent de l'indicatif	Présent du subjonctif	Passé simple	Futur	Impératif	Participe passé
(4v)	croire	*passé simple* nach der 3. Konjugation	croi*s* croi*s* croi*t* croy*ons* croy*ez* croi*ent*	croi*e* croi*es* croi*e* croy*ions* croy*iez* croi*ent*	cr*us* cr*us* cr*ut* cr*ûmes* cr*ûtes* cr*urent*	croir*ai* croir*as* croir*a* croir*ons* croir*ez* croir*ont*	croi*s* croy*ons* croy*ez*	cr*u*(*e*)
(4w)	croître	î im *sg. prés. ind.* und im *sg. impér.* *passé simple* nach der 3. Konjugation	croî*s* croî*s* croî*t* croiss*ons* croiss*ez* croiss*ent*	croiss*e* croiss*es* croiss*e* croiss*ions* croiss*iez* croiss*ent*	cr*ûs* cr*ûs* cr*ût* cr*ûmes* cr*ûtes* cr*ûrent*	croîtr*ai* croîtr*as* croîtr*a* croîtr*ons* croîtr*ez* croîtr*ont*	croî*s* croiss*ons* croiss*ez*	cr*û*, cr*ue*
(4x)	lire	*passé simple* nach der 3. Konjugation	li*s* li*s* li*t* lis*ons* lis*ez* lis*ent*	lis*e* lis*es* lis*e* lis*ions* lis*iez* lis*ent*	l*us* l*us* l*ut* l*ûmes* l*ûtes* l*urent*	lir*ai* lir*as* lir*a* lir*ons* lir*ez* lir*ont*	li*s* lis*ons* lis*ez*	l*u*(*e*)
(4y)	moudre	*passé simple* nach der 3. Konjugation	moud*s* moud*s* moud moul*ons* moul*ez* moul*ent*	moul*e* moul*es* moul*e* moul*ions* moul*iez* moul*ent*	moul*us* moul*us* moul*ut* moul*ûmes* moul*ûtes* moul*urent*	moudr*ai* moudr*as* moudr*a* moudr*ons* moudr*ez* moudr*ont*	moud*s* moul*ons* moul*ez*	moul*u*(*e*)

Zeichen	Infinitif	Bemerkungen	Présent de l'indicatif	Présent du subjonctif	Passé simple	Futur	Impératif	Participe passé
(4z)	paraître	**î** vor **t**; *passé simple* nach der 3. Konjugation	parai*s* parai*s* paraî*t* paraiss*ons* paraiss*ez* paraiss*ent*	paraiss*e* paraiss*es* paraiss*e* paraiss*ions* paraiss*iez* paraiss*ent*	par*us* par*us* par*ut* par*ûmes* par*ûtes* par*urent*	paraîtr*ai* paraîtr*as* paraîtr*a* paraîtr*ons* paraîtr*ez* paraîtr*ont*	parai*s* paraiss*ons* paraiss*ez*	par*u*(*e*)
(4aa)	plaire	*passé simple* nach der 3. Konjugation; **taire** bildet **il tait** (ohne ^); *participe passé* von **plaire** unveränderlich	plai*s* plai*s* plaî*t* plais*ons* plais*ez* plais*ent*	plais*e* plais*es* plais*e* plais*ions* plais*iez* plais*ent*	pl*us* pl*us* pl*ut* pl*ûmes* pl*ûtes* pl*urent*	plair*ai* plair*as* plair*a* plair*ons* plair*ez* plair*ont*	plai*s* plais*ons* plais*ez*	pl*u* (*inv.*)
(4bb)	absoudre	**Résoudre** hat als übliches *passé simple*: **je résolus**; als *participe passé*: **résolu**(e)	absou*s* absou*s* absou*t* absolv*ons* absolv*ez* absolv*ent*	absolv*e* absolv*es* absolv*e* absolv*ions* absolv*iez* absolv*ent*	⚒ absol*us* ⚒ absol*us* ⚒ absol*ut* ⚒ absol*ûmes* ⚒ absol*ûtes* ⚒ absol*urent*	absoudr*ai* absoudr*as* absoudr*a* absoudr*ons* absoudr*ez* absoudr*ont*	absou*s* absolv*ons* absolv*ez*	absou*s* absou*te*

Alphabetisches Verzeichnis der aufgeführten Konjugationsmuster

abréger 1g
absoudre 4bb
acquérir 2l
aimer 1b
aller 1o
appeler 1c
asseoir 3k
avoir 1

blâmer 1a
boire 4u
bouillir 2e

céder 1f
celer 1d
choir 3l
circoncire 4t
clore 4k
conclure 4l
conduire 4c
confire 4o
conjuguer 1m
coudre 4d
courir 2i
couvrir 2f
crocheter 1e
croire 4v
croître 4w
cueillir 2c

déchoir 3m
dire 4m

échoir 3m
écrire 4f
employer 1h
envoyer 1p
être 1

faillir 2n
faire 4n
falloir 3c
fuir 2d

haïr 2m

lire 4x

manger 1l
mettre 4p
moudre 4y
mourir 2k
mouvoir 3d

naître 4g

paraître 4z
payer 1i
peindre 4b
placer 1k
plaire 4aa
pleuvoir 3e
pouvoir 3f
prendre 4q
punir 2a

recevoir 3a
rire 4r

saluer 1n
savoir 3g
sentir 2b
seoir 3k
suivre 4h

traire 4s

vaincre 4i
valoir 3h
vendre 4a
venir 2h
vêtir 2g
vivre 4e
voir 3b
vouloir 3i

Bildung des Plurals der Substantive und Adjektive

Hauptregel: Der *pl.* der Substantive und Adjektive, bei denen keine Merkzahl steht, wird durch Anhängung eines **s** an die Singularform gebildet:

le fleuve *der Fluß*; les fleuves
poli, polie *höflich*; polis, polies

Die im *sg.* auf **s, x** oder **z** endenden Substantive bleiben im *pl.* unverändert, ebenso die Aussprache, wenn nicht das Gegenteil ausdrücklich angegeben ist:

le fils *der Sohn*; les fils
la voix *die Stimme*; les voix
le nez *die Nase*; les nez

Ausnahmen

(5a) Einige Fremdwörter verändern sich im *pl.* nicht:

l'amen *das Amen*; les amen
le credo *das Glaubensbekenntnis*; les credo

(5b) Die im *sg.* auf **-au, -eau, -eu, -œu** (sowie einige der auf **-ou**) endenden Substantive und Adjektive nehmen im *pl.* ein (nur in der Bindung wie ein stimmhaftes **s** gesprochenes) **x** an:

le noyau *der Kern*; les noyaux
le tableau *das Gemälde*; les tableaux
le dieu *der Gott*; les dieux

le vœu	*das Gelübde*;	les vœux
le bijou	*das Juwel*;	les bijoux
beau	*schön*;	beaux
hébreu	*hebräisch*;	hébreux

(5c) Die mit diesem Zeichen versehenen, auf **-al** endenden Substantive und Adjektive verwandeln im *pl.* die männliche Endung in **-aux**; ebenso einige auf **-ail** (Bildung wie bei 5b):

le général	*der General*;	les généraux
amical	*freundschaftlich*;	amicaux
le corail	*die Koralle*;	les coraux
aber: le chacal	*der Schakal*;	les chacals

(6a) Alle Bestandteile erhalten das Pluralzeichen:

la petite-fille	*die Enkelin*	les petites-filles
un arc-doubleau	*ein Pfeilerbogen*	les arcs-doubleaux

(6b) Nur der erste Bestandteil erhält das Pluralzeichen:

un appui-main	*ein Malstock*;	les appuis-main

(6c) Alle Bestandteile bleiben unverändert:

l'abat-foin	*die Heu/luke*;	les abat-foin

(6d) Der letzte Bestandteil kann das Pluralzeichen erhalten, der erste dagegen bleibt unverändert:

le garde-main	*die Schreibunterlage*;	les garde-main *oder* les garde-mains

(6e) Der erste Bestandteil kann das Pluralzeichen erhalten, der letzte dagegen bleibt unverändert:

le garde-phare	*der Leuchtturmwächter*;	les garde-phare *oder* les gardes-phare

(6f) Bei dreiteiligen Zusammensetzungen: die beiden letzten Bestandteile erhalten das Pluralzeichen:

l'arrière-grand-père	*der Urgroßvater*;	les arrière-grands-pères

(6g) Der letzte Bestandteil muß das Pluralzeichen erhalten:

l'arrière-neveu	*der Großneffe*;	les arrière-neveux

Bildung des Femininums der Adjektive, Partizipien und Substantive

Hauptregel: Um das Femininum eines Adjektivs oder Substantivs zu bilden, hängt man ein **e** an das Maskulinum. Eine Merkzahl ist nicht angegeben, wenn Maskulinum und Femininum auf **e** endigen, oder wenn das Femininum einfach durch Anhängung eines **e** gebildet wird und dabei die Aussprache des Maskulinums unverändert beibehält:

infect	*faulig*;	infecte	
sage	*weise*;	sage	
esclave	*Sklave*;	esclavẹ	*Sklavin*
ami	*Freund*;	amie	*Freundin*
futur	*zukünftig*;	future	

Ausnahmen und besondere Fälle

(7) Das durch Anhängung von **e** an das Maskulinum gebildete Femininum wird anders ausgesprochen als das Maskulinum (vgl. Hauptregel):

chaud	*warm*;	chaude [ʃo:d]
grand	*groß*;	grande [grɑ̃:d]

sourd	*taub;*	sourde [surd]
soûl[su]	*übersättigt;*	soûle [sul]
aucun	*kein(er);*	aucune [o'kyn]
certain	*gewiß;*	certaine [sɛr'tɛn]
féminin	*weiblich;*	féminine [femi'nin]
acquis	*erworben;*	acquise [a'ki:z]
clos	*verschlossen;*	close [klo:z]
confus	*verworren;*	confuse [kɔ̃'fy:z]
Français	*Franzose;*	Française [frɑ̃'sɛ:z]
gaulois	*gallisch;*	gauloise [go'lwa:z]
retors	*gedreht;*	retorse [rə'tɔrs]
dévot	*fromm;*	dévote [de'vɔt]
expert	*erfahren;*	experte [ɛks'pɛrt]
prompt	*eilig;*	prompte [prɔ̃:t]

(7a) Endung des Femininums **ë**, wenn das Maskulinum auf **-gu** endet:

aigu	*spitz;*	aiguë [e'gy]

(7b) Das vor dem Endkonsonanten des Maskulinums stehende **e** bekommt im Femininum einen accent grave:

altier	*stolz;*	altière [al'tjɛ:r]
amer	*bitter;*	amère [a'mɛ:r]
complet	*vollständig;*	complète [kɔ̃'plɛt]

(7c) Die Auslaute der auf **-el, -eil, -ul, -an, -en, -on, -et, -as** endigenden Maskulina werden verdoppelt:

cruel	*grausam;*	cruelle [kry'ɛl]
pareil	*gleich;*	pareille [pa'rɛj]
nul	*null und nichtig;*	nulle [nyl]
paysan	*bäuerisch;*	paysanne [pei'zan]
ancien	*alt;*	ancienne [ɑ̃'sjɛn]
bon	*gut;*	bonne [bɔn]
net [nɛt]	*rein;*	nette [nɛt]
gras	*fett;*	grasse [grɑ:s]

(7d) Verwandlung von **-eux** in **-euse:**

peureux	*furchtsam;*	peureuse [pœ'rø:z]

(7e) Verwandlung von **-f** in **-ve:**

captif	*gefangen;*	captive [kap'ti:v]

(7f) Verwandlung von **-eur** in **-rice:**

ambassadeur	*Botschafter;*	ambassadrice [ɑ̃basa'dris]
tentateur	*verlockend;*	tentatrice [tɑ̃ta'tris]

(7g) Verwandlung von **-eur** in **-euse:**

trompeur	*betrügerisch;*	trompeuse [trɔ̃'pø:z]

(7h) Verwandlung von **-eur** in **-eresse:**

enchanteur	*bezaubernd;*	enchanteresse [ɑ̃ʃɑ̃'trɛs]

(7i) Verwandlung von **-c** in **-que** oder von **-g** in **-gue:**

caduc	*hinfällig;*	caduque [ka'dyk]
franc	*frei;*	franque [frɑ̃:k]
long	*lang;*	longue [lɔ̃:g]

(7k) Verwandlung von **-c** in **-che:**

blanc	*weiß;*	blanche [blɑ̃:ʃ]

Verzeichnis unregelmäßiger französischer Verben

Vom Präsens sind sämtliche Formen angegeben, von den anderen Zeiten meist nur die erste Person, wenn die Bildung der anderen keine Schwierigkeiten macht. Der Imperativ ist nur gegeben, wenn er mit den betreffenden Formen des Präsens nicht ganz übereinstimmt. Beim Partizip Perfekt ist die weibliche Form eingeklammert. Der Bindestrich ersetzt den leicht zu ergänzenden ersten Teil des Wortes. Mit Vorsilben (wie ac, ad, con, de, ex usw.) zusammengesetzte Verben sind nur besonders aufgeführt, wenn sie mit dem Simplex nicht ganz übereinstimmen.

acquérir (*erwerben*) *Prés.* acquiers, -iers, -iert, acquérons, -rez, acquièrent. *Imp.* acquérais. *Passé spl.* acquis. *Subj.* acquière, acquérions, -riez, acquièrent; acquisse. *Fut.* acquerrai. *Part.* acquérant; acquis(e).

aller (*gehen*) *Prés.* vais, vas, va, allons, allez, vont. *Imp.* allais. *Passé spl.* allai. *Subj.* aille, allions, alliez, aillent; allasse. *Fut.* irai. *Part.* allant; allé(e). *Impér.* va (vas *vor* en *und* y), allons, allez.

asseoir (*setzen*) *Prés.* assieds, -ieds, -ied, asseyons, -eyez, -eyent. *Imp.* asseyais. *Passé spl.* assis. *Subj.* asseye; assisse. *Fut.* assiérai. *Part.* asseyant; assis(e). *So auch* surseoir, *aber Fut.* surseoirai.

avoir (*haben*) *Prés.* ai, as, a, avons, avez, ont. *Imp.* avais. *Passé spl.* eus. *Subj.* aie, aies, ait, ayons, ayez, aient; eusse. *Fut.* aurai. *Part.* ayant; eu(e). *Impér.* aie, ayons, ayez.

boire (*trinken*) *Prés.* bois, bois, boit, buvons, buvez, boivent. *Imp.* buvais. *Passé spl.* bus. *Subj.* boive; busse. *Fut.* boirai. *Part.* buvant; bu(e).

conduire (*führen*) *Prés.* conduis, -duis, -duit, -duisons, -duisez, -duisent. *Imp.* conduisais. *Passé spl.* conduisis. *Subj.* conduise; conduisisse. *Fut.* conduirai. *Part.* conduisant; conduit(e).

connaître (*kennen*) *Prés.* connais, -ais, -aît, -aissons, -aissez, -aissent. *Imp.* connaissais. *Passé spl.* connus. *Subj.* connaisse; connusse. *Fut.* connaîtrai. *Part.* connaissant; connu(e).

courir (*laufen*) *Prés.* cours, cours, court, courons, -rez, -rent. *Imp.* courais. *Passé spl.* courus. *Subj.* coure; courusse. *Fut.* courrai. *Part.* courant; couru(e).

couvrir (*bedecken*) *Prés.* couvre, -res, -re, -rons, -rez, -rent. *Imp.* couvrais. *Passé spl.* couvris. *Subj.* couvre; couvrisse. *Fut.* couvrirai. *Part.* couvrant; couvert(e).

craindre (*fürchten*) *Prés.* crains, crains, craint, craignons, -nez, -nent. *Imp.* craignais. *Passé spl.* craignis. *Subj.* craigne; craignisse. *Fut.* craindrai. *Part.* craignant; craint(e).

croire (*glauben*) *Prés.* crois, crois, croit, croyons, -yez, croient. *Imp.* croyais. *Passé spl.* crus. *Subj.* croie, croyions; crusse. *Fut.* croirai. *Part.* croyant; cru(e).

croître (*wachsen*) *Prés.* croîs, croîs, croît, croissons, croissez, croissent. *Imp.* croissais. *Passé spl.* crûs, crûs, crût, crûmes, crûtes, crûrent. *Subj.* croisse; crusse. *Fut.* croîtrai. *Part.* croissant; crû (crue), *pl.* cru(e)s.

cueillir (*pflücken*) *Prés.* cueille, -lles, -lle, -llons, -llez, -llent. *Imp.* cueillais. *Passé spl.* cueillis. *Subj.* cueille; cueillisse. *Fut.* cueillerai. *Part.* cueillant; cueilli(e).

devoir (*müssen*) *wie* recevoir, *aber Part. passé* dû (due), *pl.* du(e)s.

dire (*sagen*) *Prés.* dis, dis, dit, disons, dites, disent. *Imp.* disais. *Passé spl.* dis. *Subj.* dise; disse. *Fut.* dirai. *Part.* disant; dit(e).

dormir (*schlafen*) *Prés.* dors, dors, dort, dormons, -mez, -ment. *Imp.* dormais. *Passé spl.* dormis. *Subj.* dorme; dormisse. *Fut.* dormirai. *Part.* dormant; dormi(e).

écrire (*schreiben*) *Prés.* écris, écris, écrit, écrivons, -vez, -vent. *Imp.* écrivais. *Passé spl.* écrivis. *Subj.*

écrive; écrivisse. *Fut.* écrirai. *Part.* écrivant; écrit(e).

envoyer (*schicken*) *Prés.* envoie, envoies, envoie, envoyons, envoyez, envoient. *Imp.* envoyais. *Passé spl.* envoyai. *Subj.* envoie, envoyions; envoyasse. *Fut.* enverrai. *Part.* envoyant; envoyé(e).

être (*sein*) *Prés.* suis, es, est, sommes, êtes, sont. *Imp.* étais. *Passé spl.* fus. *Subj.* sois, sois, soit, soyons, soyez, soient; fusse. *Fut.* serai. *Part.* étant; été. *Impér.* sois, soyons, soyez.

faire (*machen*) *Prés.* fais, fais, fait, faisons, faites, font. *Imp.* faisais. *Passé spl.* fis. *Subj.* fasse, fassions; fisse. *Fut.* ferai. *Part.* faisant; fait(e).

falloir (*müssen, nötig sein*) *Prés.* il faut. *Imp.* il fallait. *Passé spl.* il fallut. *Subj.* qu'il faille; qu'il fallût. *Fut.* il faudra. *Part.* fallu.

lire (*lesen*) *Prés.* lis, lis, lit, lisons, lisez, lisent. *Imp.* lisais. *Passé spl.* lus. *Subj.* lise; lusse. *Fut.* lirai. *Part.* lisant; lu(e).

mettre (*setzen, stellen*) *Prés.* mets, mets, met, mettons, -ttez, -ttent. *Imp.* mettais. *Passé spl.* mis. *Subj.* mette; misse. *Fut.* mettrai. *Part.* mettant; mis(e).

mourir (*sterben*) *Prés.* meurs, meurs, meurt, mourons, -rez, meurent. *Imp.* mourais. *Passé spl.* mourus. *Subj.* meure, mourions, -riez, meurent; mourusse. *Fut.* mourrai. *Part.* mourant; mort(e).

mouvoir (*bewegen*) *Prés.* meus, meus, meut, mouvons, mouvez, meuvent. *Imp.* mouvais. *Passé spl.* mus. *Subj.* meuve, mouvions, -viez, meuvent; musse. *Fut.* mouvrai. *Part.* mouvant; mû (mue), *pl.* mu(e)s.

naître (*geboren werden*) *Prés.* nais, nais, naît, naissons, naissez, naissent. *Imp.* naissais. *Passé spl.* naquis. *Subj.* naisse; naquisse. *Fut.* naîtrai. *Part.* naissant; né(e).

ouvrir (*öffnen*) *Prés.* ouvre, ouvres, ouvre, ouvrons, ouvrez, ouvrent. *Imp.* ouvrais. *Passé spl.* ouvris. *Subj.* ouvre, ouvrions. *Fut.* ouvrirai. *Part.* ouvrant; ouvert(e).

pouvoir (*können*) *Prés.* peux (puis), peux, peut, pouvons, pouvez, peuvent. *Imp.* pouvais. *Passé spl.* pus. *Subj.* puisse, puissions; pusse. *Fut.* pourrai. *Part.* pouvant; pu.

prendre (*nehmen*) *Prés.* prends, prends, prend, prenons, prenez, prennent. *Imp.* prenais. *Passé spl.* pris. *Subj.* prenne, prenions, -niez, prennent; prisse. *Fut.* prendrai. *Part.* prenant; pris(e).

recevoir (*empfangen*) *Prés.* reçois, -çois, -çoit, -cevons, -cevez, -çoivent. *Imp.* recevais. *Passé spl.* reçus. *Subj.* reçoive, recevions, -viez, reçoivent; reçusse. *Fut.* recevrai. *Part.* recevant; reçu(e).

rire (*lachen*) *Prés.* ris, ris, rit, rions, riez, rient. *Imp.* riais. *Passé spl.* ris. *Subj.* rie, riions, riiez, rient; risse. *Fut.* rirai. *Part.* riant; ri.

savoir (*wissen*) *Prés.* sais, sais, sait, savons, savez, savent. *Imp.* savais. *Passé spl.* sus. *Subj.* sache, sachions; susse. *Fut.* saurai. *Part.* sachant; su(e). *Impér.* sache, sachons, sachez.

tenir (*halten*) *Prés.* tiens, tiens, tient, tenons, tenez, tiennent. *Imp.* tenais. *Passé spl.* tins. *Subj.* tienne, tenions, -niez, tiennent; tinsse. *Fut.* tiendrai. *Part.* tenant; tenu(e).

venir (*kommen*) *Prés.* viens, viens, vient, venons, venez, viennent. *Imp.* venais. *Passé spl.* vins, vins, vint, vînmes, vîntes, vinrent. *Subj.* vienne, venions; vinsse. *Fut.* viendrai. *Part.* venant; venu(e).

vivre (*leben*) *Prés.* vis, vis, vit, vivons, vivez, vivent. *Imp.* vivais. *Passé spl.* vécus. *Subj.* vive; vécusse. *Fut.* vivrai. *Part.* vivant; vécu(e).

voir (*sehen*) *Prés.* vois, vois, voit, voyons, voyez, voient. *Imp.* voyais. *Passé spl.* vis. *Subj.* voie, voyions, voyiez, voient; visse. *Fut.* verrai. *Part.* voyant; vu(e).

vouloir (*wollen*) *Prés.* veux, veux, veut, voulons voulez, veulent. *Imp.* voulais. *Passé spl.* voulus. *Subj.* veuille, voulions, -liez, veuillent; voulusse. *Fut.* voudrai. *Part.* voulant; voulu(e). *Impér.* veuille, veuillez.

Zahlwörter

Grundzahlen

0 *zéro* [ze'ro]
1 *un, une f* [œ̃, yn]
2 *deux* [dø, døz‿]
3 *trois* [trwa, trwaz‿]
4 *quatre* ['katrə, kat]
5 *cinq* [sɛ̃k, sɛ̃]
6 *six* [sis, si, siz‿]
7 *sept* [sɛt]
8 *huit* [ɥit, ɥi]
9 *neuf* [nœf, nœv‿]
10 *dix* [dis, di, diz‿]
11 *onze* [ɔ̃:z]
12 *douze* [du:z]
13 *treize* [trɛ:z]
14 *quatorze* [ka'tɔrz]
15 *quinze* [kɛ̃:z]
16 *seize* [sɛ:z]
17 *dix-sept* [di'sɛt]
18 *dix-huit* [di'zɥit, di'zɥi]
19 *dix-neuf* [diz'nœf, diz'nœv‿]
20 *vingt* [vɛ̃]
21 *vingt et un* [vɛ̃te'œ̃]
22 *vingt-deux* [vɛ̃t'dø]
24 *vingt-quatre* [vɛ̃t'katrə]
30 *trente* [trɑ̃:t]
40 *quarante* ['karɑ̃:t]
50 *cinquante* [sɛ̃'kɑ̃:t]
60 *soixante* [swa'sɑ̃:t]
70 *soixante-dix* [swasɑ̃t'dis]
71 *soixante et onze* [swasɑ̃te'ɔ̃:z]
80 *quatre-vingts* [katrə'vɛ̃]
81 *quatre-vingt-un* [katrəvɛ̃'œ̃]
90 *quatre-vingt-dix* [katrəvɛ̃'dis]
91 *quatre-vingt-onze* [katrəvɛ̃'ɔ̃:z]
100 *cent* [sɑ̃]
101 *cent un* [sɑ̃'œ̃]
200 *deux cents* [dø'sɑ̃]
211 *deux cent onze* [døsɑ̃'ɔ̃:z]
1000 *mille* [mil]
1001 *mille un* [mi'lœ̃]
1002 *mille deux* [mil'dø]
1100 *onze cents* [ɔ̃z'sɑ̃]
1308 *treize cent huit* [trɛzsɑ̃'ɥit]
2000 *deux mille* [dø'mil]
100000 *cent mille* [sɑ̃'mil]
le million [mi'ljɔ̃] die Million
le milliard [mi'lja:r] die Milliarde
le billion [bi'ljɔ̃] die Billion
le trillion [tri'ljɔ̃] die Trillion

Ordnungszahlen

1er *le premier* [prə'mje] der erste
1re *la première* [prə'mjɛ:r] die erste
2e *le deuxième* [dø'zjɛm] der zweite; *la deuxième* [dø'zjɛm] die zweite
le second [zgɔ̃] der zweite
la seconde [zgɔ̃:d] die zweite
3e *le od. la troisième* [trwa'zjɛm]
4e *quatrième* [katri'ɛm]
5e *cinquième* [sɛ̃'kjɛm]
6e *sixième* [si'zjɛm]
7e *septième* [sɛ'tjɛm]
8e *huitième* [ɥi'tjɛm]
9e *neuvième* [nœ'vjɛm]
10e *dixième* [di'zjɛm]
11e *onzième* [ɔ̃'zjɛm]
12e *douzième* [du'zjɛm]
13e *treizième* [trɛ'zjɛm]
14e *quatorzième* [katɔr'zjɛm]
15e *quinzième* [kɛ̃'zjɛm]
16e *seizième* [sɛ'zjɛm]
17e *dix-septième* [disɛ'tjɛm]
18e *dix-huitième* [dizɥi'tjɛm]
19e *dix-neuvième* [diznœ'vjɛm]
20e *vingtième* [vɛ̃'tjɛm]
21e *vingt et unième* [vɛ̃tey'njɛm]
22e *vingt-deuxième* [vɛ̃tdø'zjɛm]
30e *trentième* [trɑ̃'tjɛm]
31e *trente et unième* [trɑ̃tey'njɛm]
40e *quarantième* [karɑ̃'tjɛm]
41e *quarante et unième* [karɑ̃tey-'njɛm]
50e *cinquantième* [sɛ̃kɑ̃'tjɛm]
51e *cinquante et unième* [sɛ̃kɑ̃tey-'njɛm]
60e *soixantième* [swasɑ̃'tjɛm]
61e *soixante et unième* [swasɑ̃tey-'njɛm]
70e *soixante-dixième* [swasɑ̃tdi-'zjɛm]
71e *soixante et onzième* [swasɑ̃teɔ̃-'zjɛm]
80e *quatre-vingtième* [katrəvɛ̃'tjɛm]
81e *quatre-vingt-unième* [katrəvɛ̃y-'njɛm]
90e *quatre-vingt-dixième* [katrəvɛ̃di-'zjɛm]
91e *quatre-vingt-onzième* [katrəvɛ̃ɔ̃-'zjɛm]
100e *centième* [sɑ̃'tjɛm]
1000e *millième* [mi'ljɛm]

Durch Anhängung der Silbe *-ment* an die Ordnungszahlen entstehen Zahladverbien, die in der Aufzählung gebraucht werden:

1° erstens 1. *premièrement* [prəmjɛr'mɑ̃] oder *primo* [pri'mo]

2° zweitens 2. *deuxièmement* [døzjɛm'mɑ̃], *secondement* [səgɔ̃d'mɑ̃] oder *secundo* [sekɔ̃'do]

3° drittens 3. *troisièmement* [trwazjɛm'mɑ̃] oder *tertio* [tɛr'sjo]

4° viertens 4. *quatrièmement* [katriɛm'mɑ̃]

5° fünftens 5. *cinquièmement* [sɛ̃kjɛm'mɑ̃] usw.

Außerdem ist noch gebräuchlich: *en premier lieu* [ɑ̃ prə'mje ljø] an erster Stelle ≙ erstens, *en second lieu, en troisième lieu* usw.; *en dernier lieu* = letztens.

Zum Gebrauch der Ordnungszahlen im Französischen merke man besonders, daß zur Bezeichnung von Regenten gleichen Namens und beim Datum nur für 1 die Ordnungszahl gebraucht wird, ab 2 dagegen ausschließlich die Grundzahl: *Napoléon Ier (premier)* — *le 1er (premier) mai*; aber: *Napoléon III (trois)* — *le 3 (trois) mai.*

Besondere Zahlwörter

1. Brüche

ein Bruch *une fraction* [frak'sjɔ̃]
½ *(un) demi* [də'mi] ein halb; *la moitié* [lamwa'tje] die Hälfte
1/3 *un tiers* [œ̃'tjɛːr]
2/3 *(les) deux tiers* [(le) dø'tjɛːr]
1/4 *un quart* [œ̃'kaːr]
3/4 *(les) trois quarts* [(le)trwa'kaːr]
1/5 *un cinquième* [œ̃sɛ̃'kjɛm]
5/8 *cinq huitièmes* [sɛ̃ɥi'tjɛm]
9/10 *(les) neuf dixièmes* [(le) nœf di'zjɛm]
13/16 *treize seizièmes* [trɛzsɛ'zjɛm].

Der Dezimalbruch = *la fraction décimale* [desi'mal], z. B. 0,45, ist zu lesen: *zéro, virgule* [vir'gyl], *quarante-cinq centièmes*; 17,38 ist zu lesen: *dix-sept, trente-huit (centièmes)* oder *dix-sept, virgule, trente-huit.*

2. Vervielfältigungszahlen

fois autant [fwazo'tɑ̃] ...fach oder *fois plus* [fwa'plys] ...mal mehr.
deux fois autant zweifach
cinq fois autant fünffach
vingt fois plus zwanzigmal mehr.
Zu merken: *une quantité sept fois plus grande que* das Siebenfache von ... usw.

Daneben sind gebräuchlich:
simple [sɛ̃plə] einfach
double [dublə] doppelt
triple [triplə] dreifach
quadruple [kwa'dryplə] vierfach
quintuple [kɥɛ̃'typlə] fünffach
sextuple [sɛks'typlə] sechsfach
centuple [sɑ̃'typlə] hundertfach

3. Sammelzahlen

une douzaine ein Dutzend
une huitaine [ynɥi'tɛn] etwa 8 (auch 8 Tage)
une dizaine etwa 10
une quinzaine eine Mandel (auch 14 Tage)
une vingtaine, etc. etwa 20 usw.
une soixantaine etwa 60, ein Schock
une centaine etwa 100
un millier etwa 1000.

Nicht zu bilden von den Zahlen 2, 5, über 100 und den zusammengesetzten Zahlen wie 65 oder 80!

Symbole und wichtige französische Abkürzungen in diesem Wörterbuch

Adjektiv mit regelmäßigem Adverb, *adjectif formant adverbe régulier.*

F familiär, *familier.*

P populär, *populaire.*

V vulgär, *vulgaire.*

* Gaunersprache, *argot.*

⚲ selten, *rare, peu usité.*

† veraltet, *vieux.*

🕮 wissenschaftlich, *scientifique.*

⚘ Pflanzenkunde, *botanique.*

⊕ Technik, Handwerk, *technique.*

⚒ Bergbau, *mines.*

⚔ militärisch, *militaire.*

⚓ Marine, *langage des marins.*

☤ Handel, *commerce.*

🚂 Eisenbahn, *chemin de fer.*

♪ Musik, *musique.*

△ Baukunst, *architecture.*

⚡ Elektrizität, *électricité.*

⚖ Rechtswissenschaft, *droit.*

📯 Postwesen, *postes.*

📐 Mathematik, *mathématiques.*

⚲ Landwirtschaft, *agriculture.*

⚗ Chemie, *chimie.*

⚕ Medizin, *médecine.*

🛡 Wappenkunde, *blason.*

✈ Flugwesen, *aéronautique.*

abr. *abréviation*, Abkürzung.
abs. *absolu*, absolut.
abus. *abusivement*, mißbräuchlich.
acc. *accusatif*, Akkusativ.
adj. *adjectif*, Adjektiv.
adjt. *adjectivement*, als Adjektiv.
adm. *administration*, Verwaltung.
adv. *adverbe*, Adverb.
advt. *adverbialement*, als Adverb.
All. *Allemagne*, Deutschland.
adj./n.c. *adjectif numéral cardinal*,
a/n.c. Grundzahl.
adj./n.o. *adjectif numéral ordinal*,
a/n.o. Ordnungszahl.
anat. *anatomie*, Anatomie.
antiq. *antiquité*, Altertum.
arch. *archéologie*, Archäologie.
arith. *arithmétique*, Arithmetik.
art. *article*, Artikel.
ast. *astronomie*, Sternkunde.
astrol. *astrologie*, Astrologie.
astron. *astronautique*, Raumfahrt.
at. *science atomique*, Atomwissenschaft.

barb. *barbarisme*, unschönes Fremdwort.
bij. *bijouterie*, Juwelen.
bill. *billard*, Billard(spiel).
biol. *biologie*, Biologie.

cart. (*jeu de*) *cartes*, Kartenspiel.
cath. *catholique*, katholisch.
ch. *chasse*, Jagd.
charp. *charpenterie*, Zimmermannsausdruck.
chir. *chirurgie*, Chirurgie.
cin. *cinéma*, Kino.
cj. *conjonction*, Konjunktion.
cjt. *conjonctionnellement*, als Konjunktion.
cmpr. *comparatif*, Komparativ.
co. *comique*, scherzhaft.
coll. *terme collectif*, Sammelbezeichnung.
cond. *conditionnel*, Konditional.
cout. *couture*, Schneidern.
cuis. *cuisine*, Kochkunst, Küche.
cyb. *cybernétique*, Kybernetik.
cycl. *cyclisme*, Radsport.

dat. *datif*, Dativ.
dépt. *département*, Bezirk, Abteilung.
dft. *défectif*, unvollständig.
dial. *dialecte*, Dialekt.
did. *didactique*, didaktisch.
dipl. *diplomatie*, Diplomatie.

éc. *économie*, Wirtschaft.
écol. *école*, Schule.
égl. *église*, Kirche.
électron. *électronique*, Elektronik.
ell. *elliptiquement*, unvollständig.
enf. *langage des enfants*, Kindersprache.
ent. *entomologie*, Insektenkunde.
esc. *escrime*, Fechtkunst.
euphém. *euphémisme*, Euphemismus.